DIE BIBEL

NACH MARTIN LUTHERS ÜBERSETZUNG

LUTHERBIBEL REVIDIERT 2017

JUBILÄUMSAUSGABE

500 JAHRE REFORMATION

Mit Sonderseiten zu Martin Luthers Wirken

als Reformator und Bibelübersetzer

DEUTSCHE BIBELGESELLSCHAFT

Martin Luther: Leben und Glauben

Luthers Vorreden zur Bibel

Dem Volk aufs Maul gesehen: Martin Luther als Bibelübersetzer

Die »Lutherrose« – das Wappen des Reformators

Luther hat sein Wappen, die sogenannte Lutherrose, wahrscheinlich selbst aus einem alten Familienwappen entwickelt und sich dabei zugleich am Motiv weißer Rosen auf rotem Hintergrund orientiert, das sich auf einem Fenster im Chorraum der Augustinerkirche seines Ordens in Erfurt befand. Seit 1517 verwendete Luther die Rose als Siegelbild für seine Briefe und Drucke. Ein Siegelring für den Reformator mit dem fertig ausgearbeiteten Motiv wurde 1530 vom Prinzen und späteren Kurfürsten von Sachsen Johann Friedrich dem Großmütigen in Auftrag gegeben, als Luther sich während des Reichstags zu Augsburg auf der Veste Coburg aufhielt (siehe dazu Farbseite 24–25). Luther hatte vorab eine Zeichnung des Motivs für seinen Ring erhalten. In einem Brief an den Nürnberger Ratsherrn Lazarus Spengler, der ein Förderer der Reformation war, notiert Luther am 8. Juli 1530 seine *Gedanken über mein Petschaft* (Siegel), die er als ein *Merkzeichen* seiner Theologie interpretiert:

Das Erste sollte ein schwarzes Kreuz in einem Herzen sein, das seine natürliche (rote) *Farbe hätte, damit ich mir selbst Erinnerung gäbe, dass der Glaube an den Gekreuzigten uns selig machet. Denn so man von Herzen glaubt, wird man gerecht* (Römer 10,10).

Wenn es nun auch ein schwarzes Kreuz ist, das Zeichen des Todes, und auch wehe tun soll, lässt es dennoch das Herz in seiner Farbe, verderbt die Natur nicht, das heißt: Es tötet nicht, sondern behält lebendig. Der Gerechte wird aus Glauben leben (Römer 1,17), *aber aus dem Glauben an den Gekreuzigten.*

Solch Herz aber soll mitten in einer weißen Rose stehen, um anzuzeigen, dass der Glaube Freude, Trost und Friede gibt und (ihn) *kurzum in eine weiße, fröhliche Rose versetzt.* (Das geschieht) *nicht so, wie die Welt Friede und Freude gibt, darum soll die Rose weiß und nicht rot sein. Denn die weiße Farbe ist der Geister und aller Engel Farbe.*

Solche Rose steht in einem himmelfarbenen Felde, weil solche Freude im Geist und Glauben ein Anfang der himmlischen zukünftigen Freude ist, die jetzt wohl schon drinnen einbegriffen und durch Hoffnung erfasst, aber noch nicht offenbar ist.

Und in solch Feld einen goldenen Ring (als Zeichen dafür), *dass solche Seligkeit im Himmel ewig währet und kein Ende hat und auch kostbar über alle Freude und Güter hinaus ist, so wie das Gold das höchste, kostbarste Metall ist.*

Im September 1530 besuchte Prinz Johann Friedrich Luther auf der Veste Coburg und übergab ihm den Ring persönlich. Der Ring befindet sich heute im Grünen Gewölbe in Dresden. Noch im gleichen Jahr hat Cranach das Wappen des Reformators als Holzschnitt gestaltet, das dann als Symbol für Luthers Kreuzes- und Gnadentheologie bekannt wurde. Später wurde die Lutherrose mit dem Zusatz VIVIT – er lebt – versehen, der auf den auferstandenen Christus hinweist. Heute ist die Lutherrose ein Symbol lutherischer Kirchen, das sich auch im Wappen einiger Orte, z. B. Möhra oder Neuendettelsau, findet.

Das Foto der hier abgebildeten Lutherrose zeigt einen kolorierten Gipsabguss der Lutherrose vom Katharinenportal des Lutherhauses in Wittenberg. Das Haus (siehe auch die Abbildung auf Farbseite 21), das ursprünglich als Klostergebäude für den Augustinerkonvent errichtet worden war, wurde Luther nach der Auflösung des Klosters vom Kurfürsten als Wohnung zugewiesen; hier lebte er auch nach seiner Hochzeit 1525 zusammen mit seiner Familie. Im Jahr 1532 schenkte der Kurfürst Luther das Gebäude, das dieser ab 1535 umbauen ließ. Seine Frau Katharina von Bora gab für den Umbau ein großes Sitznischenportal in Auftrag, das sie ihrem Mann zu dessen 57. Geburtstag im Jahr 1540 schenkte. Diese Jahreszahl ist auch über dem nach Katharina benannten Portal eingemeißelt. Über den beiden Sitznischen links und rechts des Portals befinden sich zwei Medaillons. Das linke trägt ein Bild des Reformators, das rechte zeigt die ursprünglich wohl farbig gestaltete Lutherrose.

Farbteil: Texte: Hannelore Jahr (Teil 1 und 2) und Hellmut Haug (Teil 3), neu bearbeitet von Thorsten Dietz (Teil 1) und Christoph Kähler (Teil 3). Lektorat: Christiane Herrlinger
Luthers Bibelvorreden: Texte in der Bearbeitung von Kurt Aland entnommen aus »Die große Lutherbibel«. Württembergische Bibelanstalt, Stuttgart 1967; für die Apokryphen und die Versionen der Vorreden zum Neuen Testament, die in der »Großen Lutherbibel« nicht enthalten sind, aus »Luthers Vorreden zur Bibel«, hrsg. v. Heinrich Bornkamm, Luther-Verlag, Bielefeld 1983
Gestaltung und Satz: Cornelia Feyll, Friedrich Forssman, Kassel

Bildnachweis: Cover, 3 Stiftung Luthergedenkstätten in Sachsen-Anhalt | 5 mauritius images / Novarc | 6 oben © Stiftung Lutherhaus Eisenach (Anna-Lena Thamm), 6 unten © Constantin Beyer / ARTOTHEK | 7 links mauritius images / Alamy | 7 rechts © Städel Museum / ARTOTHEK | 8 mauritius images / Novarc | 9 © ARTOTHEK | 10 Private Collection / Archives Charmet / Bridgeman Images | 11 mauritius images / imageBROKER / Helmut Meyer zur Capellen | 12 links © IMAGNO / ARTOTHEK | 12 rechts © Constantin Beyer / ARTOTHEK | 14 links mauritius images / United Archives | 14 rechts mauritius images / Alamy | 15 mauritius images / imageBROKER / Werner Dieterich | 16 links © von der Mülbe / ARTOTHEK | 16 rechts mauritius images / Novarc | 17 © Jürgen M. Pietsch, Spröda | 19 oben mauritius images / imageBROKER / H.-D. Falkenstein | 19 unten DEA PICTURE LIBRARY / DeAgostini / Getty Images | 20 © Constantin Beyer / ARTOTHEK | 21 Hiroshi Higuchi / Photolibrary / Getty Images | 22 mauritius images / Werner Otto / Alamy | 23 links oben mauritius images / imageBROKER / H.-D. Falkenstein | 23 rechts oben mauritius images / imageBROKER / BAO | 23 unten © ARTOTHEK | 24 oben © Constantin Beyer / ARTOTHEK | 24 unten mauritius images / imageBROKER / Martin Moxter | 25 links mauritius images / imageBROKER / Martin Siepmann | 25 rechts Deutsches Historisches Museum, Berlin / © DHM / Bridgeman Images | 26 © Constantin Beyer / ARTOTHEK | 27 mauritius images / Novarc | 28 oben Germanisches Nationalmuseum, Nürnberg / Bridgeman Images | 28 unten ZU_09 / E+ / Getty Images | 29 mauritius images / Novarc | 30 Witold Skrypczak / Lonely Planet Images / Getty Images | 31 mauritius images / Germany Images David Crossland / Alamy | 33 Universal History Archive / UIG / Bridgeman Images | 34 Germanisches Nationalmuseum, Nürnberg / Bridgeman Images | 35 © Samuel Courtauld Trust, The Courtauld Gallery, London, UK / Bridgeman Images | 36 © ARTOTHEK | 38 mauritius images / Alamy | 39 © ARTOTHEK | 41 mauritius images / age | 42 mauritius images / imageBROKER / Dr. Wilfried Bahnmüller | 43 akg-images | 44 © Constantin Beyer / ARTOTHEK | 45, 49 Klassik Stiftung Weimar | 50 Christina Hanck / E+ / Getty Images | 51 oben © Constantin Beyer / ARTOTHEK | 52 Bible Society, London, UK / Bridgeman Images | 51 unten mauritius images / Prisma Bildagentur AG / Alamy | 52 Bible Society, London, UK / Bridgeman Images | 56 mauritius images / PRISMA ARCHIVO / Alamy | 57, 58 © Jürgen M. Pietsch, Spröda

MARTIN LUTHER: LEBEN UND GLAUBEN

Die Jugendzeit 1483–1505

Bei der Trauerfeier zu Martin Luthers Beerdigung in der Wittenberger Schlosskirche hält Philipp Melanchthon, sein langjähriger Freund und Mitstreiter, eine lateinische Leichenrede auf den Verstorbenen: *In den Reden, die aus solchem Anlass gehalten werden, pflegt man bekanntlich viel von den persönlichen Vorzügen derer zu sagen, denen die Lobrede gilt. Ich will dennoch diesen Teil der Rede beiseitelassen und nur von der Hauptsache sprechen, von Luthers kirchlichem Amt. Wohlgesinnte werden nämlich immer zu folgendem Ergebnis gelangen: Hat Luther die rettende und notwendige Lehre in der Kirche wieder zur Klarheit gebracht, so müssen wir Gott danken, dass er ihn erweckt hat. Luthers Mühen, sein Glaube, seine Standhaftigkeit und seine weiteren Begabungen sind zu rühmen. Mit anderen Worten, die Erinnerung an ihn sollte allen Wohlgesinnten teuer sein.*

Mit diesen Worten bringt Melanchthon die Spannung auf den Punkt, die jedes evangelische Gedenken an Luther durchzieht. Auf der einen Seite ist seine Person für die Kirche wie für die Öffentlichkeit vor allem darum von Interesse, weil er mit seiner Verkündigung der biblischen Botschaft eine einschneidende Umgestaltung der ganzen Kirche auslöste. Auf der anderen Seite hat sein theologisches Werk eine solche epochale Bedeutung für diesen Wandel erlangt, dass sein ganzer Lebenslauf davon nicht zu trennen ist.

Wahrscheinlich im Jahr 1483 wird Martin Luther in Eisleben am 10. November geboren und nach damaligem Brauch einen Tag später in der örtlichen St.-Petri-Pauli-Kirche auf den Namen des Heiligen dieses Tages, Martin von Tours, getauft. Sein Vater Hans Luder stammt aus einer Bauernfamilie aus dem Dorf Möhra südlich von Eisenach. 1484 siedelt er mit seiner Familie nach Mansfeld über, wo er in dem aufblühenden Kupferbergbau Arbeit und wirtschaftlichen Aufstieg findet. Hier besucht Martin die städtische Lateinschule, bis er 1497 für ein Jahr auf die bekannte Domschule in Magdeburg wechselt. Im Jahr darauf kommt er auf die Pfarrschule St. Georg in Eisenach, wo ein Teil seiner Verwandtschaft wohnt. Wie viele

Luthers Geburtshaus in Eisleben.

Die St.-Petri-Pauli-Kirche in Eisleben.
Hier wurde Luther getauft.

Das Lutherhaus in Eisenach.
Es gehörte der Familie Cotta, die Luther während seiner Schulzeit in Eisenach aufgenommen hatte.

Schüler damals verdient er sich einen Teil seines Lebensunterhalts durch das Singen in Chören, die von Haus zu Haus ziehen und frommen Spendern Gelegenheit zu einer gottgefälligen Gabe geben. In Magdeburg und Eisenach wird Luther auch mit Formen intensiver Laienfrömmigkeit bekannt, die ihn auf seinem weiteren Lebensweg stark prägen.

Als Kind des aufstrebenden Bürgertums steht Luther die Möglichkeit eines Universitätsstudiums offen. Im Frühjahr 1501 beginnt er das Grundstudium an der Universität Erfurt. Eineinhalb Jahre später legt er die Prüfung als Baccalaureus der Philosophie ab und ist nun zur Betreuung von Studienanfängern verpflichtet. Im Januar 1505 erwirbt er den Titel eines Magister Artium. Nicht zuletzt auf Anraten der Familie beginnt er in diesem Jahr mit dem Jurastudium, das ihm den Weg zu einer erfolgreichen beruflichen Karriere ebnen soll.

Die Eltern – Hans und Margarete Luther (Gemälde von Lucas Cranach d. Ä.).

Im Kloster 1505–1513

Am 2. Juli 1505 wird Luther auf dem Rückweg von Mansfeld bei dem Dorf Stotternheim von einem Gewitter überrascht. Ein in seiner Nähe einschlagender Blitz lässt ihn so tief erschrecken, dass er ausruft: *Hilf du, heilige Anna, ich will ein Mönch werden!* Auch nach spätmittelalterlicher Auffassung wäre ein solches Gelübde in der Not nicht bindend gewesen. Luther sieht in diesem Geschehen jedoch eine göttliche Berufung und bleibt seinem Versprechen treu. Zwei Wochen später tritt er gegen den erklärten Willen seines Vaters in das Schwarze Kloster der Augustiner-Eremiten in Erfurt ein.

Diesem Schritt muss ein langer innerer Prozess vorausgegangen sein. Luther ist aufgewachsen in der typischen Frömmigkeit des Spätmittelalters, für die die Frage nach dem ewigen Heil selbstverständlich war. Kurz zuvor wurde Luther mit dem plötzlichen Tod eines Studienfreundes konfrontiert. Auch er selbst hatte schon Todesangst durchlitten: Auf einer Wanderung war Luther durch eine schwere Verletzung in Lebensgefahr geraten. Solche Erfahrungen müssen zu einer tiefen Krise und Heilsunsicherheit geführt haben. Nach dem Glauben der damaligen Kirche ist der Eintritt in den Ordensstand eine einzigartige Möglichkeit, eine Art zweite Taufe und damit Vergebung aller Sünden zu erfahren. Das Leben im Kloster gilt als ein sicherer Weg zum Heil.

Beim Erfurter Kloster handelt es sich um die Niederlassung einer strengen Reformbewegung unter den Augustiner-Eremiten, in dem zugleich auch großer Wert auf Bildung und Theologie gelegt wird. Nach einjähriger Probezeit legt Luther die endgültigen Gelübde ab. In der Ordensgemeinschaft fällt er durch besonders gewissenhafte Einhaltung der Ordensregeln auf. Strenges Fasten, sorgfältige Selbsterforschung und vollständiges Beichten sind ihm selbstverständlich. *Ich war ernsthaft bei der Sache als einer, der den Jüngsten Tag schrecklich fürchtete und dennoch aus tiefstem Herzen wünschte, selig zu werden*, so urteilt Luther später über sein damaliges Leben. Schon bald nach der Aufnahme in den Orden wird der akademisch gebildete junge Bruder dazu bestimmt, Priester zu werden. Wahrscheinlich am 3. April 1507 erhält er

Die rekonstruierte Zelle Martin Luthers im Erfurter Augustinerkloster, in das er 1505 eintrat.

Martin Luther als Augustinermönch (Kupferstich von Lucas Cranach d. Ä.).

im Erfurter Dom die Priesterweihe, am 2. Mai feiert er seine erste Messe. Auch sein Vater erscheint zu dieser Gelegenheit mit einem großen Gefolge und hinterlässt eine namhafte Spende. Zugleich konfrontiert er seinen Sohn mit dem Vorwurf, gegen das Gebot, die Eltern zu ehren, verstoßen zu haben. Luthers Verweis auf die himmlische Berufung lässt der Vater nicht gelten. Es könne auch Einbildung oder dämonische Täuschung gewesen sein.

Kurz darauf wird Luther von seinem Orden mit dem Studium der Theologie beauftragt. In dieser Zeit wird der Generalvikar der Augustiner-Eremiten, Johann von Staupitz, der gleichzeitig eine Theologieprofessur an der erst 1502 gegründeten Universität Wittenberg innehat, auf ihn aufmerksam. Zwischen ihm und Luther entwickelt sich ein intensives seelsorgerliches Verhältnis. Luthers Hoffnungen auf Frieden und Heilsgewissheit werden durch den Eintritt in das Kloster nur kurzfristig erfüllt. Schon bei seiner ersten Messe wird Luther von einer Angstattacke ereilt. Staupitz gibt dem jungen Mann den Rat: *Man muss den Mann ansehen, der da Christus heißt.* Luther bezeichnet Staupitz deshalb später als seinen *Vater in der Lehre des Evangeliums*, der ihn *in Christus geboren* hat.

Auf Veranlassung von Staupitz wird Luther in den Augustinerkonvent nach Wittenberg berufen. Am 9. März 1509 promoviert er zum Baccalaureus biblicus und ist von nun an auch zum Unterricht biblischer Bücher in der theologischen Fakultät verpflichtet. Im Herbst desselben Jahres wird er nach Erfurt zurückgeholt, um den dortigen Studienbetrieb zu unterstützen. Einige Zeit später wird er mit einem Mitbruder in einer Ordensangelegenheit nach Rom entsandt. Luther hält sich vier Wochen in Rom auf, wo er – wie er später schreibt – als *toller Heiliger durch alle Kirchen und Katakomben* läuft. Im Rückblick berichtet Luther auch von ersten Zweifeln und Anstößen an der Kommerzialisierung und Veräußerlichung der Frömmigkeit.

Nach seiner Rückkehr wird Luther auf Veranlassung von Staupitz erneut nach Wittenberg berufen. Dort wird er im Oktober 1512 zum Doktor der Theologie promoviert und mit Staupitz' eigener Professur betraut. Luthers Professur war eine noch nicht näher spezifizierte Theologieprofessur. Es war Luthers eigene Entscheidung, seine Lehrveranstaltungen vor allem der Auslegung biblischer Bücher zu widmen, über die er seit Sommer 1513 regelmäßig Vorlesungen hält. Parallel dazu hat er zusätzliche Verantwortung in seinem Orden zu übernehmen: 1512 wird er Subprior des Klosters, Studienleiter des Konvents und Klosterprediger, drei Jahre später Distriktvikar für die zehn, später elf in Kursachsen gelegenen Augustinerklöster.

Im Erfurter Dom (links) wurde Luther zum Priester geweiht.

Die reformatorische Wende und der Streit um den Ablass 1513–1518

Die Auslegung biblischer Bücher wird das Zentrum von Luthers theologischer Arbeit. Er hält Vorlesungen über die Psalmen (1513–15), den Römerbrief (1515–16), den Galaterbrief (1516–17) und den Hebräerbrief (1517–18). Luther verwendet bei seinen Vorbereitungen zunehmend moderne Hilfsmittel, wie sie der Humanismus mit seinen Werken zur Grammatik des Hebräischen und mit seiner Herausgabe griechischer Texte an die Hand gab, nicht zuletzt mit der Herausgabe des griechischen Neuen Testaments durch Erasmus von Rotterdam 1516.

Luthers theologische Entwicklung in diesen Jahren ist ein Prozess immer tieferer Einsicht. Er setzt sich zunehmend kritisch mit der scholastischen Theologie auseinander. Es wird ihm deutlich, dass die scholastische Theologie seiner Zeit keine Antworten hat für die Heilsunsicherheit und die Anfechtungen, die ihn und andere umtreiben. Luthers Theologie entfaltet eine kritische Kraft, solche Denkmuster infrage zu stellen, die Menschen zur Verzweiflung treiben können. Ausgehend von der Bibel wendet Luther sich immer stärker gegen eine Theologie, die das Verhältnis zu Gott an Bedingungen knüpft und die Angst vor Tod und Hölle zum Antrieb für ein frommes Leben mit seinen Spenden und Opfern macht. An der Bibel lernt Luther, diese Bedingungslogik grundsätzlich zu hinterfragen.

In späteren Rückblicken spitzt Luther seine eigene Entwicklung zu auf das Ringen um das richtige Verständnis des Begriffs der ›Gerechtigkeit Gottes‹, z. B. in Römer 1,17. Lange, schreibt Luther, konnte er diesen Ausdruck nicht begreifen. *Bis ich, dank Gottes Erbarmen, unablässig Tag und Nacht darüber nachdenkend, auf den Zusammenhang der Worte aufmerksam wurde, nämlich »Gottes Gerechtigkeit wird darin offenbart, wie geschrieben steht: Der Gerechte lebt aus dem Glauben«, – da begann ich die Gerechtigkeit Gottes verstehen zu lernen als die Gerechtigkeit, in der der Gerechte durch Gottes Geschenk lebt, und zwar aus dem Glauben … Da hatte ich das Gefühl, ich sei geradezu von Neuem geboren und durch geöffnete Tore in das Paradies selbst eingetreten.*

Gottes Gnade allein macht gerecht. In Christus fordert er nicht unsere Gerechtigkeit, sondern beschenkt uns mit der seinen. Luthers neue Theologie der bedingungslosen Gnade macht mehr und mehr von sich reden. An seiner Universität Wittenberg entsteht eine regelrechte Bewegung für eine biblisch erneuerte Theologie. Andreas Bodenstein von Karlstadt, der Dekan der theologischen Fakultät, schließt sich ihm ebenso an wie der Theologieprofessor Nikolaus von Amsdorf. Im August 1518 kommt Philipp Melanchthon als Professor für Griechisch nach Wittenberg und wird bald von Luthers Lehren persönlich überzeugt. So kommt die kleine Landesuniversität Wittenberg in den Ruf einer berühmten Lehrstätte, deren Wirkung weit nach Europa ausstrahlt.

Luthers theologische Einsichten bringen ihn in Gegensatz zum damaligen Ablasshandel. Mit ihm bot die Kirche den Gläubigen die Möglichkeit, sich von in diesem Leben nicht abgeleisteten Bußübungen und den nach dem Tod im Fegefeuer zu erleidenden Sündenstrafen durch Zahlung einer Geldsumme freizukaufen. Im Lauf des Jahres 1517 erfährt Luther vom Ablassgeschäft, das jenseits der sächsischen Grenze floriert. Immer mehr Menschen aus dem

Philipp Melanchthon, Luthers Freund und Vertrauter und einer der führenden Köpfe der Reformation (Gemälde von Lucas Cranach d. Ä.).

kursächsischen Wittenberger Raum nehmen die Reise ins benachbarte Herrschaftsgebiet von Erzbischof Albrecht auf sich, um eine Ablassbescheinigung zu erwerben. Mit der Durchführung des Ablasshandels ist der Dominikanerpater Johannes Tetzel betraut. Albrecht von Brandenburg, der seit 1513 Erzbischof von Magdeburg ist, hat entgegen dem geltenden Kirchenrecht 1514 auch die Bischofswürde von Mainz erworben. Dies war nur gegen Zahlung einer entsprechend hohen Gebühr an die Kurie möglich. Um sie aufzubringen, hat Albrecht sich beim Augsburger Bankhaus der Fugger hoch verschuldet. Umso willkommener ist ihm die Erlaubnis von Papst Leo X., acht Jahre lang das Ablassgeschäft in seinem Herrschaftsgebiet durchzuführen, wobei der Papst die Hälfte des Erlöses für den Neubau der Peterskirche in Rom erhält. Dieser Ablass ist umso attraktiver, als der Papst zu diesem Zweck einen ›Plenarablass‹ ausgeschrieben hat, der alle Sündenstrafen tilgt.

Luther ist vor allem aus theologischen Gründen über das Ablassgeschäft empört. Ihm sei berichtet worden, *Tetzel habe schreckliche Artikel gepredigt, von denen ich diesmal einige nennen will: Er hätte solche Gnade und Gewalt vom Papst, dass er es vergeben könnte, wenn einer gleich die heilige Jungfrau Maria, Gottes Mutter, geschwächt oder geschwängert hätte, wenn derselbe nur in den Kasten lege, was sich gebührt. Weiter: Das rote Ablasskreuz mit dem Wappen des Papstes, das in den Kirchen aufgerichtet werde, sei ebenso kräftig wie das Kreuz Christi … Ferner: Wenn einer Geld für eine Seele im Fegfeuer in den Kasten lege, so führe die Seele aus dem Fegfeuer in den Himmel, sobald der Pfennig auf den Boden fiele und klänge.* Vor dem Hintergrund von Luthers Einsicht in die Bedingungslosigkeit der göttlichen Gnade ist dies eine unglaubliche Missachtung des göttlichen Gnadengeschenks.

Nachdem Luther sich zuvor schon in verschiedenen Predigten gegen die Ablasspraxis ausgesprochen hat, fühlt er sich nunmehr verpflichtet, sich in einem Schreiben direkt an Erzbischof Albrecht zu wenden: *Ach lieber Gott,* heißt es darin, *so werden die Seelen, die eurer Fürsorge anvertraut sind, zum Tode unterwiesen!* Luther bittet deshalb Albrecht, er möge *jenes Büchlein völlig beseitigen und den Ablasspredigern eine andere Predigtweise zur Auflage machen.* Zugleich beschließt Luther, in seiner Eigenschaft als Theologieprofessor seine Meinung der gelehrten Öffentlichkeit vorzulegen. In 95 lateinischen Thesen fasst Luther seine Kritik zusammen, um damit zu einer öffentlichen Disputation über die Frage einzuladen.

Schon die erste These ist Programm: *Unser Herr und Meister Jesus Christus hat mit seinem Wort »Tut Buße« usw. gewollt, dass das ganze*

Ablasshandel (Holzschnitt von Hans Holbein d. J.).

Leben des Gläubigen Buße sein solle. Vor Gott gelten keine Leistungen und Verdienste. Der reuige Sünder empfängt auch ohne Ablass Gnade und Vergebung. Das Evangelium, d. h. die Botschaft, dass Christus uns von Sünden befreit hat, ist der wahre Schatz der Kirche, auf dem ihre Vollmacht zur Sündenvergebung beruht. Die herrschende Ablasspredigt widerspricht dem Evangelium. Zu Recht werde eine solche kirchliche Praxis auch von immer mehr Laien infrage gestellt. Der zentrale Vorwurf an die kirchliche Hierarchie lautet: Ihr Machtanspruch gründet auf einem System, das mit Angst arbeitet. Die Gunst des Ablasses setzt eine Logik voraus, nach der Gnade nie umsonst sein kann. Sie muss verdient, bewahrt oder bezahlt werden. Der Ablass bietet eine Scheingewissheit und verstellt dadurch den Blick auf den wahren Schatz der Kirche: das Wort Gottes.

Wir haben keine eindeutigen Belege, ob Luther persönlich und genau am 31. Oktober 1517 seine 95 Thesen an die Tür der Schlosskirche angeschlagen hat. Sicher ist aber: An diesem Tag hat er den Brief an Erzbischof Albrecht von Mainz unterzeichnet. Die besondere Bedeutung dieses Aktes zeigt sich auch an einem Detail: Es handelt sich hier um den ersten Brief, in dem er nicht wie zuvor mit seinem Vaternamen Luder unterschreibt, sondern mit ›Luther‹. Seinen ursprünglichen Namen hat er verknüpft mit dem griechisch-lateinischen Wort Eleutherius, der Freie. Luther weiß sich durch die Gnade Gottes von Schuld befreit und in dieser Freiheit zugleich zum christlichen Handeln ermächtigt. Noch zu seinen Lebzeiten beginnt bei Luther und in seinem engsten Umfeld die Tradition einer Erinnerungsfeier an diesen Tag, den Thesenanschlag und den Beginn der Reformation.

Luthers Thesen finden in kürzester Zeit weite Verbreitung und treffen zum Teil auf begeisterte Zustimmung bei den Zeitgenossen. Luther sieht sich dadurch veranlasst, eine Schrift zu verfassen, in der er seine Meinung zum Ablass noch einmal in Predigtform zusammenfasst: den **Sermon von Ablass und Gnade**, der im März 1518 erscheint. Im April 1518 erhält Luther Gelegenheit, bei einer Disputation auf dem Generalkapitel der deutschen Augustiner in Heidelberg seine Theologie zu vertreten und zu erläutern. Schon hier gewinnt er eine Reihe von Anhängern, die später die Reformation in den verschiedenen Teilen Deutschlands vorantreiben: die Schwaben Johannes Brenz aus Weil der Stadt und Erhard Schnepf aus Heilbronn, den Pfälzer Theobald Billikan und den Elsässer Martin Bucer.

Die Tür an der Schlosskirche zu Wittenberg, an der Luther die 95 Thesen angeschlagen haben soll. Die ursprüngliche hölzerne Tür wurde bei einem Brand im Jahr 1760 vernichtet. 1858 wurde eine Bronzetür angebracht, auf der die 95 Thesen Luthers zu lesen sind.

Der Prozess gegen Luther und das reformatorische Programm 1518–1521

Von Erzbischof Albrecht erhält Luther keine Antwort auf seinen Brief, dieser gibt aber die Angelegenheit an die Kurie in Rom weiter. Zugleich beschließen die Dominikaner auf Betreiben Tetzels, Luther beim Papst wegen des Verdachts der Ketzerei zu verklagen. Der päpstliche Hoftheologe und Dominikaner Sylvester Mazzolini Prierias erstellt ein Gutachten gegen Luther, das den Streit um die Ablassfrage auf eine grundsätzliche Kritik am Papst zuspitzt. Was von Luther als Anstoß zu einer theologischen Auseinandersetzung gemeint war, wird schnell zu einer kirchenrechtlichen Frage der Ketzerei.

Luther ist in diesen Prozess nicht als fertiger Reformator hineingegangen. Erst in der Auseinandersetzung mit seinen Gegnern klären sich wesentliche Fragen. Je mehr Luthers Theologie der bedingungslosen Gnade Gottes infrage gestellt wird, desto wichtiger wird für ihn die Frage nach der Gewissheit dieses Glaubens. Im Frühjahr des Jahres 1518 wird Luther seine Rechtfertigungslehre in der uns bekannten Gestalt formulieren. Das Evangelium, die Zusage der Gnade Gottes, ist der Grund und Halt des Glaubens. Der Glaube allein hält sich an diese Verheißung und findet darin Gewissheit des Heils.

Am 7. August 1518 wird Luther das vatikanische Gutachten zugestellt, zusammen mit einer Vorladung, die ihn binnen sechzig Tagen nach Rom beordert. Erschrocken wendet sich Luther an seinen Freund Georg Spalatin, den Sekretär und Berater von Luthers Landesherrn Kurfürst Friedrich dem Weisen von Sachsen. Damit gerät Luthers theologisches Anliegen in das politische Kräftespiel jener Tage. Der Kurfürst hält sich zu diesem Zeitpunkt auf dem Reichstag in Augsburg auf. Dort versucht Kaiser Maximilian, die deutschen Kurfürsten auf seinen Enkel Karl von Spanien als seinen Nachfolger zu verpflichten, während der Papst diese Stärkung der habsburgischen Macht verhindern will. Da Friedrich der Weise in dieser Frage mit der päpstlichen Politik übereinstimmt, ist

Kurfürst Friedrich der Weise, Luthers Landesherr (Gemälde von Lucas Cranach d. Ä.).

Kaiser Karl V. (Gemälde von Lucas Cranach d. Ä.).

man in Rom gerne bereit, seinem Wunsch entgegen zu kommen: Luther soll von dem päpstlichen Gesandten Kardinal Thomas de Vio (Cajetan) in Augsburg ›väterlich‹ verhört werden und ungehindert nach Wittenberg zurückkehren dürfen.

Im Oktober 1518 steht Luther in Augsburg vor dem Kardinal, der vom Papst freie Hand bekommen hat, den widerspenstigen Mönch freizusprechen oder zu verurteilen. Doch Luther ist zu dem von Cajetan angebotenen Widerruf nicht zu bewegen. Ebenso wenig gelingt es ihm, dem Kardinal seine theologische Einsicht zu vermitteln, dass die christliche Sündenvergebung allein auf Gottes Gnade in Christus beruht und allein im Glauben empfangen werden kann. Es gibt für Luther keinen ›Schatz‹ an sozusagen überschüssigen Verdiensten Christi und der Heiligen, den die Kirche als einen Besitz verwalten und aus dem heraus sie Ablässe verkaufen kann. Da der Haftbefehl gegen ihn noch in Kraft ist, verlässt er in der Nacht zum 21. Oktober Augsburg heimlich und kehrt nach Wittenberg zurück.

Obwohl er Friedrich den Weisen damit in eine gewisse Bedrängnis bringt, steht der Landesherr zu seinem Professor; schon um des Ansehens seiner Universität willen, aber wohl auch aus einem gewissen Gerechtigkeitsgefühl heraus. Da Friedrich selbst in der Frage des Nachfolgers für den 1519 verstorbenen Kaiser Maximilian als Kurfürst eine wichtige Rolle spielt, lässt man in Rom Luthers Prozess erst einmal ruhen. Luther nutzt diese Zeit zu einer intensiven Lehr- und Predigttätigkeit und verfasst zahlreiche Schriften, durch die seine Lehre rasch große Verbreitung und Popularität gewinnt.

Kurz bevor die deutschen Kurfürsten in Frankfurt Karl von Spanien zum Kaiser wählen, beginnt am 27. Juni 1519 in Leipzig noch einmal eine wissenschaftliche Disputation über Luthers Theologie mit dem Ingolstädter Professor Johannes Eck. Eck spitzt die Auseinandersetzung auf die Frage nach der Vormachtstellung des Papstes und der Autorität der kirchlichen Konzilien zu. Geschickt versucht er, Luther als Erben der Ketzerei des tschechischen Reformers Jan Hus darzustellen. Tatsächlich gelingt es ihm, Luther zu dem öffentlichen Eingeständnis zu bewegen, dass der Papst und die Konzilien irren können und dass Jan Hus in Konstanz 1415 zu Unrecht verurteilt und verbrannt worden sei.

Erst durch die Auseinandersetzung mit Eck wird der kirchenkritische Aspekt der Kontroverse deutlich, nicht zuletzt auch für Luther selbst. Nicht die Autorität des Papstes oder der kirchlichen Überlieferung ist maßgeblich, sondern allein das Wort Gottes. Waren Luthers bisherige Äußerungen noch vorsichtig, in vielen Fragen geprägt von traditioneller Frömmigkeit und Kirchlichkeit, so ändert sich dies in der Folgezeit zunehmend. Luther schreitet voran zu einer grundlegenden Kritik nicht nur einzelner Lehren, sondern des ganzen Heilssystems der spätmittelalterlichen Kirche, ihrer sakramentalen Heilsvermittlung und ihrer institutionellen Ordnung.

Nachdem Karl V. zum Kaiser gewählt und eine Rücksichtnahme auf Friedrich den Weisen in Rom nicht länger erforderlich ist, kommt der Prozess gegen Luther im Januar 1520 wieder in Gang. Unter Mitwirkung von Eck wird eine Bannandrohungsbulle ausgearbeitet. Einundvierzig willkürlich ausgewählte Sätze aus Luthers Schriften werden als ketzerisch verurteilt. Luther wird eine Frist von sechzig Tagen eingeräumt, binnen derer er zu widerrufen hat, andernfalls soll der Bann in Kraft treten.

Luther appelliert am 17. November öffentlich an ein Konzil, obwohl ein solcher Appell unter Umgehung des Papstes als Ketzerei gilt. Am 10. Dezember geht Luther noch einen Schritt weiter: In Begleitung von Kollegen und Studenten übergibt er vor dem Elstertor in Wittenberg ein Exemplar der Bannandrohungsbulle und zudem auch Bücher mit dem mittelalterlichen Kirchenrecht dem Feuer. Unmittelbar darauf rechtfertigt er seinen Schritt in der Flugschrift **Warum des Papsts und seiner Jünger Bücher verbrannt sind**. Das kirchliche Recht sei zu einem Mittel geworden, Gott seiner Herrschaft zu berauben und an seine Stelle den Papst zu setzen. Nicht mehr Gott sitzt in seinem Tempel, sondern sein Widersacher. Mit diesem einschneidenden Schritt und der apokalyptischen Deutung der gegenwärtigen Papstkirche ist die endgültige Trennung von Rom für Luther unwiderruflich. Am 3. Januar 1521 unterzeichnet der

Papst die Bulle, die den Bann über Luther verhängt.

Im gleichen Jahr, in dem der Prozess gegen Luther seine entscheidende Wende nimmt, entfaltet Luther noch einmal eine große schriftstellerische Aktivität, um sein Anliegen einer breiten Öffentlichkeit bekannt zu machen. Aus der Vielzahl der Werke, die in dieser Zeit entstehen, ragen einige hervor, die häufig als Programmschriften der Reformation bezeichnet werden:

Im **Sermon von den guten Werken**, der eine Auslegung der Zehn Gebote zum Inhalt hat, entwickelt Luther die Grundlegung einer evangelischen Ethik. Entscheidend ist die Einsicht, dass *das erste und höchste, das alleredelste gute Werk der Glaube an Christus* ist. Alles menschliche Handeln hat in diesem Glauben zu geschehen und ist nur dann gut zu nennen, wenn dies der Fall ist. Daher ist *das große Gepränge mit päpstlichen Erlassen, Siegeln, Fahnen und Ablass zu verwerfen, womit das arme Volk verführt wird zu Kirchenbauten, Geldspenden, Stiftungen und Gebeten, der Glaube jedoch ganz verschwiegen, ja sogar unterdrückt wird.* Der Glaube ist der einzige Gottesdienst, der diesen Namen verdient. Er verleiht jedem anderen Werk, auch den geringsten Tätigkeiten des Alltags, seine Würde. Christliches Handeln ist keine Bedingung für das ewige Heil mehr, sondern Folge einer versöhnten Gottesbeziehung.

In der Schrift **An den christlichen Adel deutscher Nation von des christlichen Standes Besserung** wendet sich Luther an den Laienstand. Dieser müsse der Kirche in der derzeitigen Situation beistehen, die durch das Versagen des geistlichen Standes gekennzeichnet ist. In dieser besonders wirkungsvollen und einflussreichen Schrift entfaltet Luther seine Lehre vom Priestertum aller Getauften: *Alle Christen sind wahrhaftig geistlichen Standes … Wir werden allesamt durch die Taufe zu Priestern geweiht … Denn was aus der Taufe gekrochen ist, das mag sich rühmen, dass es schon zum Priester, Bischof und Papst geweiht sei, obwohl es nicht einem jeden ziemt, solches Amt auch auszuüben.* Kirche wird nicht mehr als hierarchische und autoritäre Organisation begriffen, sondern als Gemeinschaft der in Christus verbundenen Gläubigen.

In der Schrift **Von der babylonischen Gefangenschaft der Kirche** greift Luther

Das Titelblatt der gegen Luther erlassenen Bannbulle vom 3. Januar 1521.

Das Titelblatt der Luther-Schrift ›An den christlichen Adel deutscher Nation von des christlichen Standes Besserung‹.

die katholische Lehre von den Sakramenten an und wendet sich damit gegen die zentralen Stützpfeiler des Gottesdienstes und der Theologie. Das biblische Bild von der babylonischen Gefangenschaft, in das Luther seine Kritik kleidet, weist zugleich auf die beabsichtigte Wirkung der Schrift: Die Christen sollen sich aus der Knechtschaft menschlicher Gesetze befreien, in die die römische Kirche sie gebracht hat. Einziger Maßstab für das Verständnis der Sakramente ist die Bibel. Dementsprechend reduziert Luther die traditionelle Siebenzahl der Sakramente auf drei: Taufe, Buße und Abendmahl. Aber auch diese drei sind durch die Art ihrer Durchführung in eine *erbärmliche Gefangenschaft geführt* worden. Die schlimmste Gefangenschaft besteht darin, *dass in der Kirche heute fast nichts so verbreitet ist und fester geglaubt wird, als dass die Messe ein gutes Werk und ein Opfer ist. Dieser Missbrauch hat dann unzählige andere Missbräuche aufgebracht, bis der Glaube an das Sakrament ganz unterdrückt war und sie aus dem göttlichen Sakrament reine Jahrmärkte, Schankbuden und Geldgeschäfte gemacht haben. Zu einer würdigen Feier der Messe* aber ist nichts anderes nötig als der Glaube, der fest auf die von Christus gegebene Zusage der Sündenvergebung vertraut und *nicht zweifelt, dass ihm diese unermesslichen Güter frei geschenkt sind.*

Die vierte der großen Schriften des Jahres 1520, **Von der Freiheit eines Christenmenschen**, enthält nach Luther *die ganze Summe eines christlichen Lebens.* Gleich zu Beginn fasst Luther den Inhalt in zwei Thesen zusammen: *Ein Christenmensch ist ein freier Herr über alle Dinge und niemand untertan.* Und: *Ein Christenmensch ist ein dienstbarer Knecht aller Dinge und jedermann untertan.* Luther entfaltet in dieser Schrift seine Lehre von der christlichen Freiheit: Christus nimmt in *fröhlichem Tausch* alle menschliche Sünde auf sich und schenkt dem Menschen dafür seine Gerechtigkeit. Der durch Christus befreite Mensch verhält sich nun seinem Mitmenschen gegenüber so, wie Christus sich ihm gegenüber verhalten hat. Er lebt nicht mehr sich selbst, sondern als dienstbarer Knecht *in Christus und seinem Nächsten: in Christus durch den Glauben, im Nächsten durch die Liebe.* Christliche Freiheit ist Freiheit zur Liebe aufgrund der befreienden Zusage göttlicher Liebe.

Im Januar 1521 eröffnet Kaiser Karl in Worms seinen ersten Reichstag. Dort sollen alle Probleme zur Sprache kommen, die die deutsche Nation beschäftigen. Friedrich der Weise drängt darauf, dass auch Luthers Sache hier verhandelt wird. Es gelingt ihm, für Luther eine Vorladung zum Reichstag bei gleichzeitiger Zusicherung freien Geleits zu erhalten. Luther zögert nicht, dieser Vorladung zu folgen. Luther rechnet zunächst damit, seine Lehre vortragen und verteidigen zu können. Am 17. April steht er vor dem Reichstag. Ihm wird jedoch keine Möglichkeit gegeben, seine Lehre vorzutragen und zu diskutieren. Vielmehr soll er allein die Frage beantworten, ob er zum Widerruf bereit sei oder nicht. Nach einem Tag Bedenkzeit erklärt Luther sich bereit, seine Schriften zu widerrufen, sofern er durch die Heilige Schrift von ihrer Unrichtigkeit überzeugt werde. Berühmt wird vor allem seine abschließende Erklärung: *Werde ich nicht*

Der Dom von Worms, wo Luther im Jahre 1521 vor Kaiser und Reichstag stand.

durch Zeugnisse der Schrift oder durch klare Vernunftgründe überwunden – denn ich glaube weder dem Papst noch den Konzilien allein, da es am Tage ist, dass sie des Öfteren geirrt und sich selbst widersprochen haben –, so bleibe ich überwunden durch die von mir angeführten Stellen der Schrift und mein Gewissen gefangen durch Gottes Wort. Widerrufen kann und will ich nicht, denn es ist weder sicher noch heilsam, gegen das Gewissen zu handeln. Gott helfe mir, Amen.

Am Abend des 25. April erhält Luther den Bescheid des Kaisers, dass dieser nunmehr als Schirmherr des katholischen Glaubens gegen ihn vorgehen werde. Innerhalb von einundzwanzig Tagen habe er – ohne unterwegs zu predigen – an seinen Ort zurückzukehren, für diese Zeit gelte noch das freie Geleit. Schon am nächsten Morgen verlässt Luther Worms. Anfang Mai verlassen auch Friedrich der Weise und andere Fürsten den Reichstag. Von der übrigen Versammlung, die formaljuristisch damit nicht mehr beschlussfähig ist, lässt der Kaiser am 26. Mai ein Gesetz gegen Luther verabschieden, das ihn auch reichsrechtlich als Ketzer verurteilt. Seine Lehre und deren Verbreitung werden untersagt; er selbst gilt als vogelfrei. Alle Territorien sollen zum alten Glauben zurückkehren. Die Zukunft der Reformation hängt jetzt an der Durchführung dieses ›Wormser Edikts‹. Doch schon bald nach dem Reichstag wird der Kaiser in einen bis 1526 dauernden Krieg mit Frankreich verwickelt, der ihn daran hindert, die Angelegenheit mit voller Kraft voranzutreiben. Luthers Landesherr sorgt inzwischen dafür, dass dieser einer raschen Vollstreckung des Urteils entzogen ist. Auf dem Rückweg von Worms lässt er ihn bei Altenstein in der Nähe von Eisenach zum Schein überfallen und auf die Wartburg bringen. Dort lebt Luther zehn Monate unerkannt als ›Junker Jörg‹. Das wichtigste Ergebnis dieser Zeit ist die Übersetzung des Neuen Testaments ins Deutsche (Näheres dazu siehe Farbseiten 51–52).

Luther auf dem Reichstag zu Worms (Gemälde von Julius Schnorr von Carolsfeld).

Die Wartburg, auf die Friedrich der Weise Luther in Sicherheit bringen ließ.

Die Wittenberger Unruhen und die Neuordnung des christlichen Lebens 1521–1524

Während Luthers Aufenthalt auf der Wartburg kommt es in Wittenberg zu Unruhen. Unter der Führung von Luthers Kollegen, dem Theologieprofessor Karlstadt, drängen die Gläubigen auf die Durchführung von radikalen Kirchenreformen. Priester heiraten und die ersten Mönche treten aus den Klöstern aus. Intensiv wird um die Umgestaltung der Messe gerungen. Ende September wird in der Pfarrkirche das Abendmahl in beiderlei Gestalt (Brot und Wein) ausgeteilt. Ende Oktober wird der Messgottesdienst in der Klosterkirche eingestellt und durch eine evangelische Predigt ersetzt. Luther selbst hat in einer Schrift **Vom Missbrauch der Messe** im November 1521 seine Ablehnung der Messe formuliert, gleichzeitig aber darauf gedrungen, auf die Schwachen Rücksicht zu nehmen und keine übereilten Maßnahmen zu treffen. Im Dezember 1521 hält Luther es auf der Wartburg nicht länger aus. Bei einem kurzen heimlichen Besuch in Wittenberg hört er, dass seine Anhänger die messelesenden Priester in der Pfarrkirche mit Gewalt vom Altar weggejagt haben.

Der Konflikt spitzt sich weiter zu. Die Augustinermönche verbrennen die Bilder in der Klosterkirche und das für die letzte Ölung bestimmte Öl. Die Messgewänder werden abgeschafft, die Liturgie deutsch gelesen, die täglichen Messgottesdienste entfallen. In dieser überhitzten Atmosphäre tauchen zwei sogenannte ›Zwickauer Propheten‹ in Wittenberg auf. Sie behaupten mit prophetisch-apostolischer Vollmacht ausgestattete Boten Gottes zu sein und predigen eine radikale Ausrichtung des ganzen Lebens am biblischen Wortlaut, ohne Rücksicht auf die klassische Autorität der Obrigkeit, der Kirche bzw. der universitären Lehre. Auch Karlstadt und Melanchthon werden zeitweise durch das selbstbewusste Auftreten der Prediger beeindruckt.

Als den durch diese Vorgänge mehr und mehr beunruhigten Luther ein Hilferuf von Rat und Universität erreicht, verlässt er am 1. März die Wartburg und kehrt in die Stadt zurück. Am 9. März, dem Sonntag Invocavit, steht er zum ersten Mal wieder auf der Kanzel der Wittenberger Pfarrkirche. Eine Woche lang hält er täglich seine **Invocavit-Predigten** über die Hauptstücke des christlichen Glaubens. Tatsächlich gelingt es ihm, den Aufruhr zu beruhigen.

In den nächsten Jahren verfasst Luther eine Reihe von Schriften, die sich den praktischen Fragen einer neuen Gestalt des Glaubens und des Lebens zuwenden. Die durch das Evangelium ermöglichte christliche Freiheit bedarf ihrer eigenen Formen und Ordnungen. Pfingsten 1523 erscheint Luthers Schrift **Von der Ordnung des Gottesdienstes**. Im Dezember des gleichen Jahres legt er mit der **Formula Missae** eine gereinigte, aber noch lateinische Liturgie für die Messe vor. Im Zusammenhang mit der Umgestaltung des Gottesdienstes werden an die Stelle der lateinischen Gesänge deutsche Kirchenlieder gesetzt. Neben der Predigt und den Schriften tragen sie wesentlich zur Ausbreitung des neuen Glaubens bei. 1523 entsteht Luthers erstes Kirchenlied: ›Nun freut euch, lieben Christen g'mein‹. Ein Jahr später erscheint das **Geistliche Gesangbüchlein**, dessen Lieder bald überaus populär werden. Luther selbst hat erst

In der Wittenberger Stadtkirche hat Luther häufig gepredigt.

am 29. Oktober 1525 in der Wittenberger Stadtkirche zum ersten Mal die von ihm ausgearbeitete **Deutsche Messe** gehalten. Eingeleitet durch eine ausführliche ›Vorrede‹, erscheint die neue Gottesdienstordnung dann 1526 im Druck.

Im Zusammenhang mit diesen Fragen sieht Luther sich auch genötigt, über die Bedeutung der Obrigkeit für das geordnete Gemeinwesen nachzudenken. Im Jahr 1523 bringt er seine Schrift **Von weltlicher Obrigkeit, wie weit man ihr Gehorsam schuldig sei** heraus. Sie enthält die Summe seiner politischen Ethik. Hier entwickelt Luther die Lehre, dass Gott die Welt durch *zwei Regimente*, d. h. zwei Herrschaftsbereiche, regiert: *das geistliche, welches durch den Heiligen Geist Christen und fromme Leute macht, unter Christus und das weltliche, welches den Unchristen und Bösen wehrt, dass sie gegen ihren Willen äußerlich Friede halten und still sein müssen.* Beide Regimente sind unverzichtbar, solange diese Welt besteht. Dem Fürsten aber, der das weltliche Regiment ausübt, ist gesagt, dass er sich dabei in vier Richtungen wenden soll: *zu Gott mit rechtem Vertrauen und herzlichem Gebet …, zu seinen Untertanen mit Liebe und christlichem Dienst …, zu seinen Räten und Gewaltigen mit freier Vernunft* und *zu den Übeltätern mit entschiedenem Ernst und Strenge.* Einem Fürsten, der sich an diese Regeln hält, sind die Untertanen Gehorsam schuldig. Wenn aber *ein Fürst Unrecht hätte,* dann brauchen sie ihm diesen Gehorsam nicht zu leisten: *denn gegen das Recht gebührt niemand zu tun; sondern man muss Gott (der das Recht haben will) mehr gehorchen als den Menschen* (Apostelgeschichte 5,29).

Auch die Lebensbereiche Ehe und Familie werden von Luther neu durchdacht und gewürdigt. In seiner Schrift **Vom ehelichen Leben** (1522) wendet Luther sich ab von der altkirchlichen und mittelalterlichen Hochschätzung der Ehelosigkeit und der damit verbundenen Abwertung von Ehe und Sexualität. Luther formuliert eine ganz neue Würdigung des natürlichen Lebens. Die in Christus gewonnene Freiheit ermöglicht ihm dabei Gedanken, in denen ansatzweise auch die überkommenen Rollenverständnisse von Mann und Frau ihre Selbstverständlichkeit verlieren: *Nun sage mir: Wenn ein Mann hinginge und wüsche die Windeln oder täte sonst am Kinde ein verächtlich Werk, und jedermann spottete sein und hielt ihn für einen Maulaffen und Frauenmann: So er's doch täte in solcher Meinung und im christlichen Glauben, Lieber, sage, wer spottet hier des anderen am feinsten? Gott lacht mit allen Engeln und Kreaturen, nicht, dass er die Windeln wäscht, sondern dass er's im Glauben tut.*

In seiner Schrift **An die Ratsherren aller Städte deutschen Landes, dass sie christliche Schulen aufrichten und halten sollen** (1524) wendet sich Luther gegen den Niedergang des Bildungswesens im Reich und fordert die Obrigkeit nachdrücklich dazu auf, allen Kindern eine gute Schulausbildung zu ermöglichen. Bildung ist für Luther keine Privatangelegenheit und erst recht kein Privileg. Es besteht ein öffentliches Interesse daran, dass alle Talente eines Gemeinwesens gefördert werden, sodass die jeweils Besten in der Gesellschaft Verantwortung übernehmen können. Darum fordert Luther von den Schulen die Ermöglichung sozialer Durchlässigkeit: *Da wirst du finden Juristen, Doktoren, Räte, Schreiber, Prediger, die gemeinhin arm und ganz gewiss allesamt Schüler gewesen sind und sich durch die Feder so emporgeschwungen haben und aufgestiegen sind, dass sie Herren sind. Gott will's nicht haben, dass geborene Könige, Fürsten, Herren und Adel allein regieren sollen und Herren sein, er will auch seine Bettler dabei haben. Sie dächten sonst, die edle Geburt allein mache Herren und Regenten und nicht Gott alleine.*

Mit seiner Schrift **Dass Jesus ein geborener Jude sei** (1523) setzt Luther einen viel beachteten Akzent zu einem menschlicheren Umgang mit den Juden. Luther kritisiert die traditionelle Verachtung und Verleumdung der Juden und spricht sich für ihre Integration in das öffentliche Leben der Christen aus. Luthers frühe Judenschrift, die leider nicht sein letztes Wort blieb, kann noch nicht als Ausweis wirklicher Toleranz gewürdigt werden, wie sie im Pietismus und in der Aufklärung rezipiert wurde, zielen Luthers Überlegungen doch am Ende vor allem darauf hin, die Juden für das Evangelium zu gewinnen. Sie sind aber eine bemerkenswerte Kritik an christlicher Unmenschlichkeit gegenüber den Juden in der bisherigen Kirchengeschichte.

Der Bauernkrieg und Luthers Hochzeit 1525

Landgraf Philipp von Hessen (historische Zeichnung aus dem 19. Jh.).

Das Jahr 1525 wird zu einem Wendejahr der reformatorischen Bewegung. Seit Sommer 1524 sind in Südwestdeutschland erste Ansätze zu einem Aufstand der Bauern zu beobachten. Unter Berufung auf das Evangelium wollen sie eine Gesellschaftsordnung errichten, die ihnen ihre alten Rechte gegenüber der Ausbeutung und Bevormundung durch die Herrschaften und Kirchenfürsten zurückgibt. Dabei berufen sich die Bauern bewusst auf die biblische Botschaft und appellieren im Namen christlicher Freiheit an die göttliche Gerechtigkeit. Beispielhaft für die Reformideen der Bewegung sind die ›Zwölf Artikel der Bauernschaft in Schwaben‹, in denen das Recht zur Wahl des Pfarrers durch die Gemeinde, die Aufhebung der Leibeigenschaft und eine gerechte Ordnung der Abgaben und Nutzungsrechte in Feld und Wald gefordert werden.

Luther hat im April 1525 zu den Artikeln Stellung genommen in seiner **Ermahnung zum Frieden auf die Zwölf Artikel der Bauernschaft in Schwaben**. Er gesteht zu, dass die Anliegen der Bauern berechtigt sind, weist aber zugleich darauf hin, dass diese nicht durch Aufruhr durchgesetzt werden dürfen: *Wenn dieser Aufruhr weiterdringen und überhand nehmen sollte, würden beide Reiche untergehen, sodass weder das weltliche Regiment noch das göttliche Wort bleiben, sondern eine ewige Verstörung von ganz Deutschland die Folge sein würde.* Luther

Zeitgenössische Illustration zum Bauernkrieg (Holzschnitt, 1539).

Porträts von Martin Luther und Katharina von Bora, angefertigt von der Cranach-Werkstatt.

sieht allerdings auch das Fehlverhalten der Herren, die die Bauern gnadenlos ausbeuten.

Luther begibt sich selbst ins Aufstandsgebiet und predigt vor den aufgebrachten Bauern in Nordhausen die Botschaft vom gekreuzigten Christus. Luther findet aber kein Gehör und scheint selbst gewaltsam bedroht worden zu sein. Unter dem Eindruck der erfahrenen Aggressivität schreibt Luther seine nächste Schrift in dieser Angelegenheit: **Wider die räuberischen und mörderischen Rotten der Bauern**. Darin drängt er die Fürsten zum Eingreifen: Wenn sie ihre eigene Schuld am Ausbruch der Gewalt eingestanden, im Gebet Gottes Hilfe erbeten und auch einen Vergleich mit der Gegenpartei angeboten haben und wenn dies alles nichts nutzt, dann dürfen und müssen sie ihres Amtes walten, *zu stechen, zu schlagen und zu würgen*.

Zunehmend eskaliert die Gewalt. Die Erhebung der Bauern bleibt nicht auf Süddeutschland beschränkt, sondern ergreift auch Thüringen. Einer ihrer Wortführer hier ist Thomas Müntzer, der in Mühlhausen den Umsturz predigt. Nach anfänglichen Erfolgen der Bauernbewegung tritt jedoch die Wende ein, als Landgraf Philipp von Hessen und sein Schwiegervater Herzog Georg von Sachsen sich den Bauern entgegenstellen. Am 15. Mai besiegen sie das schlecht bewaffnete Bauernheer bei Frankenhausen. Sechstausend Bauern finden den Tod, während die fürstlichen Streitkräfte kaum Verluste erleiden. Müntzer wird gefangen genommen, gefoltert und hingerichtet. Auch in Süddeutschland werden die Bauernunruhen blutig niedergeschlagen.

Die beiden Schriften Luthers erscheinen gleichzeitig Anfang Mai 1525, viel zu spät, um noch eine Wirkung zu haben. Die Fürsten haben allerdings vor allem Luthers zweite Schrift vielfach als Freibrief zur Gewalt missverstanden. Daraufhin verfasst Luther im Juli 1525 den **Sendbrief von dem harten Büchlein wider die Bauern**, in dem er klarstellt, dass er für eine christliche Obrigkeit geschrieben habe, die im Kampf das Schwert führt, nach dem Sieg aber Gnade übt. Für Luthers Ansehen in der Öffentlichkeit bleibt ein verheerender Eindruck zurück. Die Frühphase des reformatorischen Aufbruchs und die weitverbreiteten Hoffnungen auf Luther in allen Schichten erhalten durch diese

Chronik der Familie

edition chrismon

Chronik der Familie

EHEFRAU

Name

geboren am in

getauft am in

EHEMANN

Name

geboren am in

getauft am in

TRAUUNG

standesamtlich am in

Trauzeugen

kirchlich am in

durch

Trauspruch

Gott ist die Liebe; und wer in der Liebe bleibt,
der bleibt in Gott und Gott in ihm.

1. Johannes 4,16

ELTERN DER EHEFRAU

Mutter

geboren am in

Vater

geboren am in

GESCHWISTER

ELTERN DES EHEMANNS

Mutter

geboren am in

Vater

geboren am in

GESCHWISTER

Du sollst deinen Vater und deine Mutter ehren.

2. Mose 20,12

GROSSELTERN DER EHEFRAU

Großmutter

geboren am in

Großvater

geboren am in

Großmutter

geboren am in

Großvater

geboren am in

GROSSELTERN DES EHEMANNS

Großmutter

geboren am in

Großvater

geboren am in

Großmutter

geboren am in

Großvater

geboren am in

Gedenke der vorigen Zeiten und
hab acht auf die Jahre von Geschlecht zu Geschlecht.

5. Mose 32,7

KIND

Name

geboren am in

getauft am in

durch

Taufpaten

Konfirmation/Kommunion/Firmung

getraut am in

mit

geboren am in

Trauspruch

ENKEL

Kinder sind eine Gabe des Herrn.

Psalm 127,3

KIND

Name

geboren am in

getauft am in

durch

Taufpaten

Konfirmation/Kommunion/Firmung

getraut am in

mit

geboren am in

Trauspruch

ENKEL

Christus spricht: »Lasset die Kinder zu mir kommen, denn solchen gehört das Reich Gottes.«

Lukas 18,16

KIND

Name

geboren am in

getauft am in

durch

Taufpaten

Konfirmation/Kommunion/Firmung

getraut am in

mit

geboren am in

Trauspruch

ENKEL

Christus spricht: »Wer ein solches Kind in meinem Namen aufnimmt, der nimmt mich auf.«

Markus 9,37

KIND

Name

geboren am in

getauft am in

durch

Taufpaten

Konfirmation/Kommunion/Firmung

getraut am in

mit

geboren am in

Trauspruch

ENKEL

Wie köstlich ist deine Güte, Gott, dass Menschenkinder unter dem Schatten deiner Flügel Zuflucht haben!

Psalm 36,8

PATENKINDER DER EHEFRAU

Name

geboren am in

getauft am in

Konfirmation/Kommunion/Firmung

Name

geboren am in

getauft am in

Konfirmation/Kommunion/Firmung

Name

geboren am in

getauft am in

Konfirmation/Kommunion/Firmung

Ihr seid alle durch den Glauben Gottes Kinder in Christus Jesus.

Galater 3,26

PATENKINDER DES EHEMANNS

Name

geboren am in

getauft am in

Konfirmation/Kommunion/Firmung

Name

geboren am in

getauft am in

Konfirmation/Kommunion/Firmung

Name

geboren am in

getauft am in

Konfirmation/Kommunion/Firmung

Wir lassen nicht ab, für euch zu beten und zu bitten,
dass ihr erfüllt werdet mit der Erkenntnis seines Willens.

Kolosser 1,9

VERSTORBENE

Name

verstorben am in

im Alter von

Name

verstorben am in

im Alter von

Name

verstorben am in

im Alter von

Name

verstorben am in

im Alter von

Name

verstorben am in

im Alter von

Name

verstorben am in

im Alter von

Christus spricht: »Ich bin die Auferstehung und das Leben.«

Johannes 11,25

VERSTORBENE

Name

verstorben am in

im Alter von

Name

verstorben am in

im Alter von

Name

verstorben am in

im Alter von

Name

verstorben am in

im Alter von

Name

verstorben am in

im Alter von

Name

verstorben am in

im Alter von

Die mit Tränen säen, werden mit Freuden ernten.

Psalm 126,5

JUBILÄEN & GEDENKTAGE

Silberne und goldene Hochzeit, Jubiläumsgeburtstage, Berufsjubiläen

Lobe den Herrn, meine Seele, und vergiss nicht,
was er dir Gutes getan hat.

Psalm 103,2

JUBILÄEN & GEDENKTAGE

Silberne und goldene Hochzeit, Jubiläumsgeburtstage, Berufsjubiläen

Der Herr denkt an uns und segnet uns.

Psalm 115,12

Entwicklung einen starken Dämpfer. Auch bei Luther sind in den kommenden Jahren ein verstärkter Konservativismus sowie die Anlehnung an die Ordnungsfunktion der Obrigkeit unverkennbar. Die weitere Entwicklung der Reformation wird in der Folgezeit untrennbar verknüpft sein mit den machtpolitischen Möglichkeiten der Stadträte und vor allem der Fürsten.

Mitten in die Zeit des Bauernkriegs fällt auch Luthers Heirat. Seine auf der Wartburg entstandene Schrift **Über die Mönchsgelübde** hat dazu beigetragen, dass immer mehr Mönche und Nonnen ihre Klöster verlassen. Viele der Geflohenen suchen Zuflucht in Wittenberg, wo Luther sich um sie kümmert. Er verschafft den Mönchen Arbeit und versucht für die Nonnen Heiraten zu organisieren. Im April 1523 kommen neun aus dem Kloster Nimbschen entflohene Nonnen nach Wittenberg. Eine von ihnen ist Katharina von Bora. Als Tochter aus verarmtem sächsischem Adel ist sie schon im Kindesalter ins Kloster gegeben worden, wo für ihre Zukunft gesorgt war. Wie für andere entflohene Nonnen versucht Luther auch für sie eine Heirat zu arrangieren, die aber nicht zustande kommt.

Katharina (›Käthe‹) von Bora hat in dieser Phase jedoch ihr Interesse an Luther selbst entdeckt. Für seine Freunde völlig überraschend, lässt Luther sich am 13. Juni 1525 vom Stadtpfarrer Johannes Bugenhagen mit ihr trauen. Am 27. Juni findet die öffentliche Hochzeitsfeier mit Kirchgang und Festtafel statt. Einem Freund schreibt Luther noch in der Einladung: *Ich liebe meine Frau nicht, ich schätze sie.* Für Luther ist diese Heirat ein Zeichen der Hoffnung – gerade in jenen unruhigen Tagen des Bauernkriegs – und zugleich ein Signal, dass er seinen Einsichten treu bleibt und den Ehestand als von Gott gegebene gute Ordnung selbst annimmt.

Die Luthers führen eine glückliche Ehe. Sechs Kinder werden ihnen geboren, von denen zwei in jungen Jahren sterben. Die Familie wohnt in dem aufgelösten Wittenberger Augustinerkloster. Unter dem Einfluss von Käthe Luther wird aus dem vernachlässigten Hauswesen ein Zentrum geselligen Lebens. Ehemalige Ordensleute und mehr oder weniger begüterte Anhänger der Reformation kommen hier zusammen; Käthe unterhält auch eine Burse (d. h. ein Wohnheim) für Studenten. Es wird gefeiert und musiziert, gearbeitet und diskutiert. Hier werden auch die berühmten **Tischreden** Luthers gehalten und mitgeschrieben, denen die Nachwelt zahlreiche Informationen über den Reformator verdankt.

Das Lutherhaus in Wittenberg. Hier, im Gebäude des aufgelösten Augustinerklosters, lebte Luther mit seiner Familie.

Die Speyrer Reichstage und das Marburger Religionsgespräch 1526–1529

Als im Sommer 1526 der Reichstag in Speyer zusammentritt, ist der Kaiser noch immer in den Konflikt mit Frankreich und dem Papst verstrickt und hat keine Möglichkeit, endlich auf die Durchführung des Wormser Edikts zu drängen. So kommt es zu einer Festschreibung des Status quo: Bis zur Einberufung eines Konzils oder einer Nationalversammlung in einem Zeitraum von spätestens eineinhalb Jahren soll jeder Reichsstand in der Frage des Wormser Edikts *so leben, regieren und es halten, wie ein jeder solches gegen Gott und Kaiserliche Majestät zu verantworten hoffe und vertraue.*

Beim zweiten Reichstag in Speyer, der im Frühjahr 1529 abgehalten wurde, hat sich die Lage grundsätzlich geändert. Karl V. steht kurz vor einem Friedensschluss, sein Bruder Ferdinand hat dem Haus Habsburg durch den Gewinn von Böhmen und Ungarn einen gewaltigen Machtzuwachs verschafft. Die Mehrheit des Reichstages schlägt sich auf seine Seite und hebt den Reichstagsbeschluss von 1526 auf. Dagegen verwahren sich in einer ›Protestation‹ die Fürsten

Der Dom in Speyer.

von Sachsen, Hessen, dem markgräflichen Brandenburg, Braunschweig-Lüneburg und Anhalt sowie vierzehn oberdeutsche Städte. Sie berufen sich darauf, dass es in Glaubensdingen keine Mehrheitsbeschlüsse geben könne, da vor Gott jeder selbst verantwortlich sei. Der Name ›Protestanten‹ geht auf dieses Ereignis zurück.

Die Lage spitzt sich weiter zu, als Kaiser Karl im Sommer seinen Frieden mit Papst Clemens VII. und Frankreich schließt. Die ›protestantischen‹ Fürsten, allen voran Landgraf Philipp von Hessen, drängen auf ein Bündnis aller evangelischen Fürsten und Städte von Sachsen bis Zürich. Dem steht allerdings ein entscheidendes Hindernis theologischer Art entgegen: ein grundsätzlicher Unterschied im Verständnis des Abendmahls, der die Anhänger der Lutherischen und der Schweizer Reformation entzweit.

Tonangebend in der Schweizer Reformation sind Huldrych Zwingli, der seit 1519 Pfarrer in Zürich ist und dort gemeinsam mit dem Stadtrat die Kirchenreform betreibt, und der Basler Pfarrer Johannes Oekolampad. Von der Lutherischen Reformation unterscheiden sie sich vor allem durch ihr Abendmahlsverständnis, das auch im südwestdeutschen Raum viele Anhänger findet. Zwingli vertritt die Auffassung, dass die – für das katholische Verständnis der Messe grundlegende – Lehre von der Wandlung (d. h. Verwandlung) von Brot und Wein in Leib und Blut Christi unhaltbar ist. Die Lösung liegt für ihn darin, dass das Wort *ist* in den Einsetzungsworten im Sinne von *bedeutet* zu verstehen ist. Christus ist in Brot und Wein des Abendmahls nicht real gegenwärtig, sondern nur geistlich. Luther lehnt die katholische Lehre von der Verwandlung der Elemente zwar ebenfalls ab, besteht aber auf dem Wortlaut des biblischen Textes, d. h., für ihn *ist* Jesus in Brot und Wein des Abendmahls – real – anwesend. Nicht wir sind es, die sich an Christus erinnern, sondern er selbst ist unter uns gegenwärtig in den Elementen Brot und Wein. In den Jahren 1527 und 1528 wird der Konflikt in einer Reihe von Streitschriften von Luther und Zwingli immer grundsätzlicher ausgetragen.

Dennoch drängt Philipp von Hessen auf ein Gespräch. Er wird dabei von dem Straßburger Reformator Martin Bucer

Der Straßburger Reformator Martin Bucer.

Der Schweizer Reformator Huldrych Zwingli.

unterstützt, über den auch der Kontakt nach Zürich und Basel läuft. Vom 1. bis 4. Oktober 1529 treffen sich die gegnerischen Parteien zu einer persönlichen Begegnung auf dem Landgrafenschloss in Marburg. Aus der Schweiz sind Zwingli und Oekolampad gekommen; aus Straßburg Bucer. Von lutherischer Seite sind neben Luther die Theologen Osiander aus Nürnberg, Stephan Agricola aus Augsburg, Johannes Brenz aus Schwäbisch Hall und aus Wittenberg Justus Jonas und Melanchthon in Marburg dabei.

Das später so genannte ›Marburger Religionsgespräch‹ wird in versöhnlichem Ton geführt, auch wenn die sachliche Auseinandersetzung unnachgiebig hart bleibt. Das Ergebnis der Gespräche sind fünfzehn **Marburger Artikel**. In den ersten vierzehn wird eine Übereinstimmung in wesentlichen Lehrfragen von der Dreieinigkeit Gottes bis zur Kindertaufe beschrieben. In Artikel fünfzehn wird der Unterschied in der Abendmahlslehre festgestellt, wobei aber unterstrichen wird, dass man sich zumindest darin einig ist, dass das Abendmahl unter beiderlei Gestalt (also in Form von Brot und Wein) gereicht wird, Leib und Blut Christi beim Abendmahl geistlich genossen werden und dass das Abendmahl notwendig ist als Anregung zum Glauben. Aus heutiger Sicht lassen sich diese Artikel auch als Zeugnis bemerkenswerter innerprotestantischer Übereinstimmung lesen. Für eine Versöhnung zwischen den beiden Lagern der Reformation hat es damals jedoch nicht gereicht.

Das Marburger Religionsgespräch (Gemälde von Wilhelm von Lindenschmidt d. J., 19. Jh.).

Die Katechismen und der Reichstag zu Augsburg 1529–1535

Nach den Unruhen des Bauernkrieges hat man in Kursachsen begonnen, sich durch Visitationen im ganzen Land einen Eindruck vom Zustand der Gemeinden und des Glaubens der Bevölkerung zu machen. Luther und vor allem Melanchthon nahmen an dieser Erkundung teil und waren erschrocken über das oft geringe Maß an Kenntnis christlicher Grundlagen. Schon seit 1516 hatte Luther in der Wittenberger Stadtkirche immer wieder Predigten über die wichtigsten Texte des Glaubens gehalten: die Zehn Gebote, das Glaubensbekenntnis, das Vaterunser, die Taufe und das Abendmahl. Aus solchen Predigten entwickelt Luther nun zwei Zusammenfassungen christlicher Lehre, die für den Unterricht in Haus und Kirche dienen sollen: Der **Große Katechismus** erscheint im April 1529, die Veröffentlichung des **Kleinen Katechismus** erfolgt im Mai 1529. Beide Schriften werden für die evangelischen Kirchen bis in die Gegenwart hinein zu klassischen Verdichtungen des christlichen Glaubens.

In dieser Phase innerer Konsolidierung nimmt der äußere Druck wieder zu. Im Februar 1530 lässt Karl V. sich vom Papst die römische Kaiserkrone aufsetzen und schwört, die Papstkirche und ihre Rechte

Martin Luther als Wittenberger Reformator (Gemälde von Lucas Cranach d. Ä.).

zu verteidigen. Nun soll auch das Problem der lutherischen Ketzerei in Deutschland eine Lösung finden. In der Ausschreibung zum nächsten Reichstag, der in Augsburg stattfinden soll, stellt der Kaiser in Aussicht, die Religionsfrage in Liebe und Gütigkeit zu verhandeln. Tatsächlich ist er jedoch entschlossen, mit allem Nachdruck gegen die Abtrünnigen vorzugehen.

Luther, der seit neun Jahren vom Papst gebannt und vom Kaiser verurteilt ist, kann

Auf der Veste Coburg hielt sich Luther während des Reichstags von Augsburg auf.

es nicht riskieren, selbst zum Reichstag zu kommen. Er bleibt auf der Veste Coburg ganz im Süden des kursächsischen Gebiets zurück und verfolgt das Geschehen von dort. Der Höhepunkt des Reichstags ist für die Protestanten die Verlesung einer von Melanchthon ausgearbeiteten und von Luther gebilligten Verteidigungsschrift des evangelischen Glaubens. Sie trägt nach dem Ort ihrer Verlesung den Namen **Augsburger Bekenntnis** (Confessio Augustana). In einem auf Verständigung zielenden Tonfall sucht sie den Nachweis zu erbringen, dass die Evangelischen theologisch durchaus auf dem Boden des Glaubens der Kirche stehen.

Am 3. August wird vor dem Reichstag eine **Widerlegung** (Confutatio) des evangelischen Bekenntnisses verlesen, die Karl V. in Auftrag gegeben hat. Er selbst betrachtet die Anliegen der evangelischen Seite damit als gegenstandslos. Die dennoch weitergeführten Ausgleichsverhandlungen bringen kein Ergebnis. Zwar legt Melanchthon noch eine gegen die ›Widerlegung‹ gerichtete **Verteidigung** (Apologie) seines Bekenntnisses vor, die von Karl jedoch zurückgewiesen wird. Noch vor dem offiziellen Ende verlassen die protestantischen Fürsten den Reichstag. Der Reichstagsabschluss fordert von Neuem die Durchführung des Wormser Edikts und setzt den protestantischen Fürsten bis zum 15. April des kommenden Jahres eine Frist, binnen derer sie die Unterstützung des ketzerischen Glaubens und die Durchführung kirchlicher Reformen aufgeben sollen.

Niemand zweifelt daran, dass der Kaiser bereit ist, notfalls mit Waffengewalt gegen die Parteigänger der Reformation vorzugehen. Ende des Jahres schließen sich die evangelischen Fürsten im thüringischen Schmalkalden zu einem Verteidigungsbündnis zusammen. In seiner **Warnung an meine lieben Deutschen** von 1531 erklärt Luther, dass Widerstand gegen die Anhänger des Papstes und gegen den Kaiser, wenn er Krieg gegen das Evangelium führt, nicht Aufruhr ist, sondern Notwehr. Bald wird der Schmalkaldische Bund noch durch den Beitritt der oberdeutschen Städte verstärkt.

Aber wie schon zuvor kommt auch diesmal die außenpolitische Situation den Evangelischen zu Hilfe. Im April 1532 überschreitet das türkische Heer unter Sultan Suleiman II. die ungarische Grenze und bedroht das Abendland. Angesichts dieser Gefahr sieht sich der Kaiser zu Ausgleichsverhandlungen gezwungen. Sie führen dazu, dass am 23. Juli 1532 in Nürnberg ein Abkommen – der ›Nürnberger Anstand‹ (Waffenstillstand) – geschlossen wird, der den Evangelischen für ihre Beteiligung am Türkenkrieg Religionsfreiheit zugesteht. Dies ist das erste Mal, dass sie offizielle Duldung erhalten, wenn auch nur begrenzt bis zum nächsten Konzil, das binnen eines Jahres einberufen werden soll.

Im Augsburger Fronhof tagte der Reichstag von 1530.

Vor dem Reichstag wird das Augsburger Bekenntnis verlesen.

Einigung im protestantischen Lager: Die Wittenberger Konkordie und die Schmalkaldischen Artikel 1536–1539

Der Schmalkaldische Bund hat das Bekenntnis von Augsburg zu seiner Bundesurkunde gemacht. Aber immer noch ist das innerprotestantische Verhältnis durch die Differenz in der Abendmahlsfrage belastet. Luther selbst sieht keinen Anlass zum Einlenken, doch zunehmend ergreifen nun auch andere Reformatoren die Initiative für eine Einigung. Seit 1531 stehen Melanchthon in Wittenberg und Martin Bucer in Straßburg in Briefkontakt. Landgraf Philipp gelingt es schließlich, auch Luther für einen neuen Anlauf zur Einigung zu gewinnen. Ende des Jahres 1534 treffen sich Melanchthon und Bucer in Kassel; im Mai 1536 reist eine Delegation oberdeutscher Pfarrer unter der Führung von Martin Bucer und seinem Mitstreiter Wolfgang Capito nach Wittenberg. Luther ist zur Einigung mit ihnen bereit, wenn sie das Augsburger Bekenntnis und damit den Inhalt seiner Abendmahlslehre annehmen. In diesem Sinne wird die ›Wittenberger Konkordie‹ aufgesetzt und am 29. Mai 1536 von beiden Seiten unterzeichnet. Mit der Schweizer Reformation kommt ein ähnliches Abkommen allerdings nicht zustande.

Immer wieder ist in jenen Jahren auf den Reichstagen der Ruf nach einem Konzil laut geworden, auf dem die Religionsstreitigkeiten einer Lösung zugeführt werden sollen. Im Jahr 1534 besteigt mit Paul III. ein neuer Papst den Thron, der die Notwendigkeit gewisser Reformen einsieht und auch ein Konzil nicht ablehnt. Er schickt Peter Paul Vergerius als seinen Vertreter nach Deutschland, um die Lage zu sondieren. Vergerius, der später selbst zum evangelischen Glauben übertritt und zum Rat von Herzog Christoph in Tübingen wird, begibt sich

Das ›Dessauer Abendmahl‹ von Lucas Cranach d. J. zeigt die Wittenberger Reformatoren und den anhaltinischen Adel als Jünger beim Abendmahl um Christus versammelt. In der Mitte Christus, der Judas den Bissen reicht; links von ihm (vom Betrachter aus) sitzt Georg III. von Anhalt, dann folgen Luther, Bugenhagen und Justus Jonas. Rechts von Christus sitzt Melanchthon, daneben weitere Anhänger der Reformation; im Vordergrund kniet Fürst Johann von Anhalt, der das Bild stiftete. Als Mundschenk fungiert Lucas Cranach d. J.

sogar nach Wittenberg und lädt Luther zu einem Gespräch ins kurfürstliche Schloss. Luther erklärt sich bereit, zu einem Konzil zu kommen, trotz der für ihn damit verbundenen Gefahr. Es kommt zur Ausschreibung des Konzils, das im Mai 1537 in Mantua zusammentreten soll, um den Kirchenfrieden wiederherzustellen und die Ketzerei auszurotten.

Trotz großer Bedenken entschließt sich die evangelische Seite dazu, sich auf das Konzil vorzubereiten. Von seinem Kurfürsten wird Luther beauftragt, die Artikel des evangelischen Glaubens noch einmal zusammenfassend darzustellen. Luther legt daraufhin im Januar 1537 die **Schmalkaldischen Artikel** vor. Der Kurfürst will sie bei der bevorstehenden Versammlung des Schmalkaldischen Bundes als gemeinsame offizielle Stellungnahme der Protestanten verabschieden lassen. Im Unterschied zum Augsburger Bekenntnis betont Luther hier nicht die Gemeinsamkeiten mit der römischen Kirche, sondern die Unterschiede. Als Mitte der Heiligen Schrift und deshalb auch als Herzstück seiner Theologie arbeitet Luther noch einmal die überragende Bedeutung der Lehre von der Rechtfertigung des Sünders heraus, die den Menschen durch Jesus Christus zuteilwird. Gegründet auf dieses Fundament ist die evangelische Kirche die rechtmäßige, die Papstkirche aber die abtrünnige. Für Luther sind die Schmalkaldischen Artikel zugleich so etwas wie sein theologisches Testament: *Diejenigen, die nach mir leben werden, sollen hiermit mein Zeugnis und Bekenntnis vortragen können.*

Luther ist zusammen mit Bugenhagen, Melanchthon und Spalatin zur Versammlung in Schmalkalden eingeladen. Am 7. Februar, noch bevor die Verhandlungen begonnen haben, spürt er die ersten Anzeichen einer durch Nierensteine verursachten Kolik, die ihn todkrank werden lässt. Nachdem sich sein Zustand in den nächsten Tagen immer mehr verschlimmert, entschließen sich die Freunde, Luther von Schmalkalden fortzubringen. Beim Transport über die unebenen Wege des Thüringer Waldes löst sich der Nierenstein und Luthers Zustand bessert sich wieder. Inzwischen haben die Fürsten des Schmalkaldischen Bundes Luthers Artikel unterschrieben.

In den Jahren nach dem ›Nürnberger Anstand‹ dringt die evangelische Bewegung in immer neue Gebiete vor: Anhalt-Dessau, Pommern, Württemberg, Mecklenburg und ein Teil der schlesischen Herzogtümer schließen sich der Reformation an, 1539 auch das Herzogtum Sachsen und Brandenburg. Trotz der Besorgnis, die diese Entwicklung im katholischen Lager auslöst, muss der Kaiser, der nach wie vor durch die Auseinandersetzung mit Frankreich und den Türken in Atem gehalten wird, den Waffenstillstand mit den Protestanten noch einmal verlängern. Dies geschieht im ›Frankfurter Anstand‹ vom 19. April 1539.

In der thüringischen Stadt Schmalkalden schlossen sich 1531 die protestantischen Fürsten zu einem Verteidigungsbündnis zusammen.

Die letzten Lebensjahre Luthers 1539–1546

Schon in den 1530er Jahren steht Luther weniger im Zentrum der reformatorischen Entwicklung als zuvor. Andere evangelische Zentren wie Straßburg, Zürich und Genf entstehen und werden zunehmend einflussreich. Reformatoren wie Melanchthon, Bucer, Bugenhagen, Bullinger und Calvin gewinnen mehr und mehr auch international an Bedeutung.

Luthers Alter ist in erheblichem Maße auch durch Krankheiten und Schmerzen belastet. Schon 1527 hatte ihn ein erster Anfall der Menière-Krankheit ereilt, die mit heftigen Schwindelattacken, Ohrgeräuschen und Übelkeit verbunden ist. Hinzu kommen immer wieder Anfälle von Harnsteinleiden, Angina Pectoris, Kopfschmerzen oder depressiver Niedergeschlagenheit. Trotz allem bleibt Luther bis zu seinem Tode im hohen Maße produktiv. Dabei ist sein Alterswerk durch eine Vielzahl von Auseinandersetzungen bestimmt. *Einige, die nicht zu verachten sind, haben sich beklagt, Luther sei schärfer gewesen, als es ertragbar sei* – so kommt Melanchthon auf diesen Sachverhalt selbst in seiner Leichenrede zu sprechen.

Ein Zentrum von Luthers später theologischer Arbeit ist in jenen Jahren das Verständnis der Kirche. In seiner Schrift **Von den Konziliis und Kirchen** vom Frühjahr 1539 arbeitet er noch einmal deutlich heraus, dass nur die Heilige Schrift für ein Konzil der einzig gültige Maßstab sein kann. Die wahre Kirche ist zum Ersten und Deutlichsten daran zu erkennen, dass sie *das heilige Gotteswort* hat: *Wo du nun hörst oder siehst, dass man solches Wort predigt, glaubt, bekennt und danach tut, da hab keinen Zweifel, dass dort gewisslich eine rechte Ecclesia sancta catholica, d. h. ein christliches, heiliges Volk sein muss, wenn's auch nur sehr wenige sind.* Dazu kommen als weitere Kennzeichen und Merkmale der Kirche die rechte Verwaltung der Sakramente von Taufe und Abendmahl, die rechte Handhabung der Beichte, die Berufung rechter Prediger, das öffentliche Gebet und die Bereitschaft zum geduldigen Kreuztragen in Anfechtung und Verfolgung.

Schärfer als je zuvor zeigt sich seine Ablehnung des Papsttums. Den Anlass

Martin Luther in seinem fünfzigsten Lebensjahr (Gemälde von Lucas Cranach d. Ä.).

Das Titelbild von Luthers Schrift gegen das Papsttum. Die Illustration zeigt den Papst, von Teufeln gestützt und hofiert, auf den lodernden Flammen des Höllenschlunds.

dazu gibt die erneute Einberufung eines allgemeinen christlichen Konzils, das am 15. März 1545 in Trient zusammentreten soll. Im März 1545 erscheint auch Luthers Schrift **Wider das Papsttum zu Rom, vom Teufel gestiftet**. Darin prangert er den Papst schonungslos als *Widerchrist und Werwolf* an, *als einen Feind Gottes, als Feind Christi, als aller Christen und aller Welt Feind*. Wer dem Papst gehorsam sein will, muss wissen, *dass er dem Teufel gegen Gott gehorsam ist*.

Hatte sich Luther in den 1520er Jahren noch für eine Änderung des Verhaltens gegenüber den Juden ausgesprochen, so glaubte er in seinen späten Jahren, dies als einen Irrtum zurücknehmen zu müssen. In seiner Schrift **Von den Juden und ihren Lügen** von 1543 zieht er Bilanz und kommt verbittert zu der Behauptung, dass die Juden alle christliche Freundlichkeit nur missbrauchten zu Schmähungen Christi und Hass gegenüber den Christen. Unter Berufung auf das Neue Testament nennt er die Juden nun Kinder des Satans. Ihre Anwesenheit in christlichen Gebieten sei eine große Gefahr für alle Gläubigen. Daher empfiehlt Luther ihre rigorose Vertreibung *wie die tollen Hunde*, die Zerstörung ihrer Synagogen und die Vernichtung ihrer Schriften. Jeder Umgang sei zu meiden, sie dürften nicht einmal Durchzugsrechte erhalten. In seiner Polemik greift Luther auch Klischees auf, die von den Juden als einer verdorbenen Menschenart reden, der nicht einmal dann zu trauen sei, wenn sie sich bekehren wolle. Noch zwei weitere Schriften zu diesem Thema veröffentlich Luther in diesem Jahr, die alle verglichen mit seiner früheren Schrift über die Juden deutlich weniger Absatz und Verbreitung finden. In ihrer Wirkungsgeschichte bleiben diese Texte jedoch eine Rechtfertigungsgrundlage für Hass und Verbrechen gegenüber den Juden. Luthers Angriffe auf die Juden, die er am Ende seines Lebens als christliche Pflicht empfand, erscheinen heute als der massivste Makel in seinem Lebensbild.

So rigoros Luther auch in seinen Urteilen sein kann, schon zu seinen Lebzeiten gibt es in seiner Umgebung gewisse Freiräume, ihm nicht in allem zu folgen. Luther selbst konnte seine eigene Rolle auf bemerkenswerte Weise relativieren: *Ich bitte, man wollt meines Namens geschweigen und sich nicht*

Der Ort Mansfeld. Im Hintergrund liegt das Schloss der Mansfelder Grafen, die Luther in seinen letzten Tagen um Schlichtung eines Familienstreits baten.

lutherisch, sondern Christen heißen. Was ist Luther? Ist doch die Lehre nicht mein. So bin ich auch für niemand gekreuzigt. Wie käme denn ich armer stinkender Madensack dazu, dass man die Kinder Christi sollte mit meinem heillosen Namen nennen? Nicht also, liebe Freunde, lasst uns tilgen die parteiischen Namen und Christen heißen, des Lehre wir haben.

Neben der Fortführung der Bibelübersetzung wird von Luther auch ihre Auslegung und Predigt fortgesetzt. Als Professor hält er seine Vorlesungen über das erste Buch Mose (1535–1545). Das Disputationswesen an der Wittenberger Universität wird neu belebt. Auch Luther beteiligt sich daran mit einigen Thesenreihen zu wesentlichen Fragen reformatorischer Theologie, die heute zum Teil als seine wichtigsten theologischen Texte gelten; so etwa die Disputation über den Menschen von 1536. Neben der wissenschaftlichen Auseinandersetzung bleibt die Predigttätigkeit für Luther zentral. Über zweitausend Predigten sind von ihm überliefert, die er teilweise selbst für den Druck bearbeitet hat. Für Luthers Theologie bleibt es eine bestimmende Einsicht, dass der Glaube aus dem lebendigen Zuspruch des Evangeliums lebt. Die Wertschätzung der Predigt, die den Protestantismus bis heute kennzeichnet, hat hier ihren Ursprung.

Lange bedrängt von Theologen und Buchdruckern, gibt Luther schließlich dem Wunsch nach einer Gesamtausgabe seiner Werke nach. Im Jahr 1539 erscheint der erste Band mit deutschen, 1545 der zweite Band mit lateinischen Schriften. Luther verfasst für beide Bände **Vorreden**, in denen er Grundgedanken seiner Theologie zusammenfasst. In der Vorrede zum ersten Band gibt Luther eine Einführung in das rechte Studium der Heiligen Schrift. Notwendig dazu ist erstens das Gebet: *Knie nieder in deinem Kämmerlein und bitte mit rechter Demut und Ernst Gott, dass er dir durch seinen lieben Sohn seinen Heiligen Geist gebe, der dich erleuchte, leite und dir Verstand gebe.* Zweitens ist die Meditation unverzichtbar, d. h., *du sollst nicht allein im Herzen, sondern auch äußerlich die mündliche Rede und den buchstäblichen Wortlaut im Buch immer wiederholen und vergleichen, lesen und wieder lesen, mit fleißigem Aufmerken und Nachdenken, was der Heilige Geist damit meint.* Drittens aber ist die Bewährung des Bibelwortes in der Erfahrung, in der Anfechtung entscheidend: *Sie ist der Prüfstein; sie lehrt dich nicht allein wissen und verstehen, sondern auch erfahren, wie recht, wie wahrhaftig, wie süß, wie lieblich, wie mächtig, wie tröstlich Gottes Wort ist.*

In der Vorrede zum zweiten Band kommt Luther auf seine eigene theologische Entwicklung zu sprechen. Dabei beschreibt er die Erkenntnis des Evangeliums als den Schlüssel zum Verständnis der ganzen Schrift. Als er als junger Professor die Gerechtigkeit Gottes als Geschenk und nicht als Forderung begriffen habe, *zeigte mir sofort die ganze Schrift ein anderes Gesicht. Ich durchlief dann die Schrift nach dem Gedächtnis und sammelte entsprechende Vorkommen auch bei anderen Vokabeln: z. B.*

Das Sterbehaus Luthers in Eisleben.

Werk Gottes, das heißt: was Gott in uns wirkt, Kraft Gottes, durch die er uns kräftig macht, Weisheit Gottes, durch die er uns weise macht, Stärke Gottes, Heil Gottes, Herrlichkeit Gottes. Durch den Umgang mit der Bibel allein hat Luther zum Evangelium gefunden; allein im Glauben an das Evangelium lässt sich die Bibel wirklich verstehen.

Bis zuletzt ist Luther immer wieder als Seelsorger und Ratgeber gefragt. Eine solche Angelegenheit sollte dann auch seine letzte Aufgabe werden. Es geht um einen lange verschleppten Rechtsstreit, in den Luthers frühere Landesherren, die Mansfelder Grafen, verwickelt sind. Auf dem Höhepunkt ihrer Auseinandersetzung erklären sich die verfeindeten Brüder bereit, Luther als Vermittler anzuerkennen. Geschwächt durch Krankheit und bedrückt durch Erfahrungen von Krankheit und Tod in der Familie und im Freundeskreis, macht Luther sich im Januar 1546 auf den Weg nach Eisleben. Kurz vor der Stadt erlebt er einen ersten Schwächeanfall mit Schwindel und Atemnot. Am 17. Februar wird zwischen den Kontrahenten ein Vertrag über die strittigen Angelegenheiten unterschrieben. Am Abend ist Luther noch einmal mit seinen Freunden zusammen, wobei ihn Beklemmung und Atemnot quälen. In der Nacht wacht er auf und spürt, dass der Tod nahe ist. Die Frage des anwesenden Freundes Justus Jonas, ob er auf das von ihm gepredigte Christusbekenntnis sterben wolle, beantwortet er mit »Ja«.

Auf einem Zettel, den er kurz vor seinem Tod beschrieben hat, ist so etwas wie die Zusammenfassung seines Lebenswerkes notiert: *Die Heilige Schrift meine niemand genug geschmeckt zu haben, der nicht hundert Jahre lang mit den Propheten die Gemeinden geleitet hat. Versuche nicht, diese göttliche Aenneis zu meistern, sondern bete demütig ihre Spuren an. Wir sind Bettler, das ist wahr.*

Nach seinem Tod wird Luthers Leichnam von Eisleben über Halle nach Wittenberg überführt. Bugenhagen hält die Beerdigungspredigt. Melanchthon würdigt den Verstorbenen mit seiner lateinischen Ansprache: Durch Luther habe Gott die Verkündigung des Evangeliums wieder aufgerichtet. Aus diesem Grund allein gilt es, die Erinnerung an Luther als ein *heilsames Werkzeug Gottes* zu bewahren.

Die Grabstätte Luthers in Wittenberg.

DEUTSCHE
BIBEL
GESELLSCHAFT

DIE BIBEL

NACH MARTIN LUTHERS ÜBERSETZUNG

LUTHERBIBEL REVIDIERT 2017

MIT APOKRYPHEN

DEUTSCHE BIBELGESELLSCHAFT

Bibeltext in der revidierten Fassung von 2017
Herausgegeben von der Evangelischen Kirche in Deutschland

Die Lutherbibel wurde in den Jahren 2010 bis 2015 überarbeitet. Der Rat der Evangelischen Kirche in Deutschland hat den revidierten Text angenommen und als maßgeblichen Text zum kirchlichen Gebrauch empfohlen.

Die Deutsche Bibelgesellschaft ist eine kirchliche Stiftung des öffentlichen Rechts. Sie übersetzt die biblischen Schriften, entwickelt und verbreitet innovative Bibelausgaben und eröffnet für alle Menschen Zugänge zur Botschaft der Bibel. International verantwortet sie die wissenschaftlichen Bibelausgaben in den Ursprachen. Durch die Weltbibelhilfe unterstützt sie in Zusammenarbeit mit dem Weltverband der Bibelgesellschaften (United Bible Societies) weltweit die Übersetzung und Verbreitung der Bibel, damit alle Menschen die Bibel in ihrer Sprache lesen können.
Weitere Informationen finden Sie unter www.die-bibel.de

ZUR LUTHERROSE AUF DEM EINBAND

Die Lutherbibel 2017 trägt auf dem Einband eine stilisierte Lutherrose. Sie ist das Wappen des Reformators, das dieser selbst entworfen und als ein »Merkzeichen« seiner Theologie verstanden hat. In der Mitte steht ein Kreuz in einem Herzen. Es weist auf das Zentrum von Luthers Theologie: Allein der Glaube an Christus, der am Kreuz gestorben ist, lässt den Menschen vor Gott bestehen. In farbigen Darstellungen von Luthers Wappen ist das Kreuz schwarz, ein Hinweis auf den Kreuzestod Christi. Das Herz ist rot als Zeichen des Lebens, das dieser Tod dem Menschen schenkt. Das Herz ist umgeben von einer weißen Rose. Sie steht für Freude, Trost und Friede, die der Glaube bringt. Ein kreisrundes Feld, dessen Farbe das Blau des Himmels ist, umfängt die Rose. Es deutet auf die künftige himmlische Freude voraus, deren Anfang der Glaube ist. Das Wappen wird begrenzt von einem goldenen Ring als Symbol für die ewige Dauer und unendliche Kostbarkeit der himmlischen Seligkeit.
Heute tragen alle bei der Deutschen Bibelgesellschaft veröffentlichten Ausgaben der Lutherbibel dieses »Merkzeichen« von Luthers reformatorischer Theologie.

VORWORT

Sie halten ein Stück Menschheitsgeschichte in der Hand. Die Texte, die Sie hier finden, sind in einem Zeitraum von etwa 1000 Jahren entstanden: Erzählungen vom Werden der Welt, von der Geschichte Gottes mit den Menschen und von den Erfahrungen, die Menschen mit Gott gemacht haben. Gesetzestexte und Lieder. Gebete und Liebesgedichte. Briefe und Predigten. Reden und Visionen von einer neuen Welt.

Das Wort »Bibel« stammt aus dem Griechischen und bedeutet »Buch«. Die Bibel ist das »Buch der Bücher«, eine ganze Bibliothek. Und die Bibel ist ein Buch für alle Menschen. Sie bringt ihnen die Botschaft von Gottes Liebe und Barmherzigkeit. Kein anderes Buch wird von so vielen Menschen gelesen wie die Bibel. Und keines ist in so viele Sprachen übersetzt worden und wird auch heute noch immer weiter übersetzt.

Mit der Bibel halten Sie das Buch in den Händen, das uns Christen heilig ist. Wir lesen darin und hören Gott selbst, wie er zu uns redet und uns mit seinem Wort leitet und hilft. Durch die Zeiten hindurch haben viele die Erfahrung gemacht: Auf sein Wort kann ich mich verlassen.

Im ersten Teil der Bibel, dem Alten Testament, steht die Geschichte Gottes mit seinem Volk Israel im Mittelpunkt. Von dieser Geschichte wird erzählt, die Botschaft der Propheten wird verkündigt, und in den Psalmen hören wir Klage und Lob der Lieder und Gebete.

Im zweiten Hauptteil, dem Neuen Testament, geht es um Jesus Christus. Die vier Evangelien erzählen von seinem Wirken, seinem Leiden, Sterben und Auferstehen. Die Botschaft von ihm wird durch die ersten Christen verbreitet. Davon erfahren wir besonders durch die Apostelgeschichte und die Briefe des Paulus und anderer Apostel.

Zwischen diesen beiden Teilen stehen in allen historischen Ausgaben der Lutherbibel die Apokryphen. Diese Schriften sind in der Zeit zwischen Altem und Neuem Testament entstanden. Für die Kirchen der Reformation gehören sie nicht in gleicher Weise zur Bibel wie das Alte und Neue Testament. Aber sie stehen den biblischen Texten nahe und sind deshalb »nützlich und gut zu lesen« (Martin Luther). Sie finden sich deshalb auch in den meisten Ausgaben mit dem aktuellen Text.

Mit der Lutherbibel halten Sie die Bibelausgabe in den Händen, die in der evangelischen Kirche eine ganz besondere Bedeutung gewonnen hat. 1521/22 hatte Luther auf der Wartburg zunächst das Neue Testament übersetzt. 1534 lag die vollständige Bibel vor. Und bis zu seinem Lebensende im Jahr 1546 hat Luther mit seinen Mitarbeitern stets weiter an der Übersetzung gearbeitet. Durch Luthers Bibelübersetzung konnten die Menschen in Deutschland die Bibel als Kraftquelle für ihren Glauben entdecken.

Bis heute ist die Lutherbibel in ihrer Sprachkraft unübertroffen. Und von Anfang an war sie ein Bestseller. Das Neue Testament, das im September 1522 gedruckt wurde, war so schnell ausverkauft, dass schon im Dezember des gleichen Jahres eine zweite Auflage erschien. Seither prägt die Lutherbibel unser geistliches Leben, und seitdem entfaltet sie immer wieder neu ihre Wirkung auf unsere Sprache und unsere Kultur.

Damit die Bibel Martin Luthers nicht zum sprachlichen Museumsstück wird, hat die evangelische Kirche sie seit dem Ende des 19. Jahrhunderts mehrfach revidiert, um sie der sprachlichen Entwicklung und dem Stand der Wissenschaft anzupassen. Dies geschah für das Alte Testament zuletzt 1964, für die Apokryphen 1970 und für das Neue Testament 1984. Seither ist die Bibelwissenschaft nicht stehen geblieben; man denke nur an die Auswertung der Funde der Bibelhandschriften von Qumran. Deshalb hat der Rat der Evangelischen Kirche in Deutschland 2010 beschlossen, die Lutherbibel vor dem Reformationsjubiläum noch einmal gründlich durchzusehen:

- Die gesamte Übersetzung wurde anhand der hebräischen und griechischen Ausgangstexte überprüft und korrigiert, wo dies aus heutiger wissenschaftlicher Sicht zwingend erforderlich war.
- Bei früheren Revisionen wurden teilweise auch unnötige Veränderungen vorgenommen. Hier konnte die Revision zum vertrauten Luthertext zurückkehren, sodass die Lutherbibel 2017 wieder »mehr Luther« enthält.
- Ganz behutsam wurden jene Stellen verändert, die heute unverständlich oder missverständlich sind.
- Für die Apokryphen hatten Luther und sein Team keine guten Ausgangstexte zur Verfügung. Sie wurden auf der Grundlage der heutigen griechischen Ausgaben komplett neu bearbeitet. Dabei wurde auch deren Verszählung übernommen, die heute bei Bibelübersetzungen allgemein verwendet wird.

Der Text der revidierten Lutherbibel 2017 überzeugt nun gleichermaßen durch Vertrautheit und Verlässlichkeit. Die Evangelische Kirche in Deutschland hat ihn allen Gliedkirchen und Gemeinden zur Verwendung empfohlen.

Ich wünsche Ihnen, dass Sie in der Bibel Worte und Erzählungen finden, die Sie anziehen, die Ihre Neugier wecken und die Ihnen hilfreich sind zum Leben.

Landesbischof
Dr. Heinrich Bedford-Strohm
Vorsitzender des Rates der Evangelischen Kirche in Deutschland

DAS ALTE TESTAMENT

GESCHICHTSBÜCHER

LEHRBÜCHER UND PSALMEN

PROPHETENBÜCHER

DIE APOKRYPHEN

DAS NEUE TESTAMENT

GESCHICHTSBÜCHER

BRIEFE

PROPHETISCHES BUCH

ANHANG

ALPHABETISCHES INHALTSVERZEICHNIS UND ABKÜRZUNGEN DER BIBLISCHEN BÜCHER

Die Abkürzungen vor den Seitenzahlen in dieser Übersicht bedeuten:
AT = Altes Testament; NT = Neues Testament; AP = Apokryphen (diese Bücher sind nur in Ausgaben »mit Apokryphen« enthalten und stehen dort zwischen Altem und Neuem Testament)

In Verweisen und Bibelstellenangaben bezeichnen die Ziffern hinter der Abkürzung für das Buch die jeweiligen Kapitel. Durch Komma abgetrennt folgen die Versangaben. Mehrere Verse werden durch einen Bindestrich oder einen Punkt getrennt, mehrere Kapitel durch einen etwas längeren Strich oder ein Semikolon. So bedeutet die Angabe Jes 6,1-4.12;18–20 beispielsweise: Im Buch Jesaja, Kapitel 6, Verse 1 bis 4 und Vers 12, und Kapitel 18 bis 20.

Die Abkürzung »Kap« bedeutet »Kapitel« und wird verwendet, um innerhalb eines Buches auf das genannte Kapitel zu verweisen.

DAS ALTE TESTAMENT

DAS ERSTE BUCH MOSE (GENESIS)

1 Die Erschaffung der Welt 2 Der Garten Eden 3 Sünde und Leid kommen in die Welt
4 Kain und Abel 6–9 Noah und die Sintflut 5 u. 10–11 Die Völker und der Turmbau zu Babel
12–26 Abraham und Isaak 27–36 Jakob und Esau 37–50 Josef und seine Brüder

DIE SCHÖPFUNG

(vgl. Kap 2,4-25; Ps 104,1-35)

1 Am Anfang schuf Gott Himmel und
Erde.[a] 2 Und die Erde war wüst und leer,
und Finsternis lag auf der Tiefe; und der
Geist Gottes schwebte über dem Wasser.
3 Und Gott [a]sprach: Es werde Licht!
Und es ward Licht.[b] 4 Und Gott sah, dass
das Licht gut war. Da schied Gott das Licht
von der Finsternis 5 und nannte das Licht
Tag und die Finsternis Nacht. Da ward aus
Abend und Morgen der erste Tag.
6 Und Gott sprach: Es werde eine Feste
zwischen den Wassern, die da scheide
zwischen den Wassern. 7 Da machte Gott
die Feste und schied das Wasser unter
der Feste von dem Wasser über der Feste.
Und es geschah so.[a] 8 Und Gott nannte die
Feste Himmel. Da ward aus Abend und
Morgen der zweite Tag.
9 Und Gott sprach: Es sammle sich das
Wasser unter dem Himmel an *einem* Ort,
dass man das Trockene sehe. Und es ge-
schah so.[a] 10 Und Gott nannte das Tro-
ckene Erde, und die Sammlung der Was-
ser nannte er Meer. Und Gott sah, dass es
gut war. 11 Und Gott sprach: Es lasse die
Erde aufgehen Gras und Kraut, das Sa-
men bringe, und fruchtbare Bäume, die
ein jeder nach seiner Art Früchte tragen,
in denen ihr Same ist auf der Erde. Und
es geschah so. 12 Und die Erde ließ aufge-
hen Gras und Kraut, das Samen bringt, ein
jedes nach seiner Art, und Bäume, die da
Früchte tragen, in denen ihr Same ist, ein
jeder nach seiner Art. Und Gott sah, dass
es gut war. 13 Da ward aus Abend und Mor-
gen der dritte Tag.
14 Und Gott sprach: Es werden Lichter
an der Feste des Himmels, die da schei-
den Tag und Nacht. Sie seien Zeichen für
Zeiten, Tage und Jahre[a] 15 und seien Lich-
ter an der Feste des Himmels, dass sie
scheinen auf die Erde. Und es geschah so.
16 Und Gott machte zwei große Lichter:
ein großes Licht, das den Tag regiere, und
ein kleines Licht, das die Nacht regiere,
dazu auch die Sterne.[a] 17 Und Gott setzte
sie an die Feste des Himmels, dass sie
schienen auf die Erde 18 und den Tag und
die Nacht regierten und schieden Licht
und Finsternis. Und Gott sah, dass es gut
war. 19 Da ward aus Abend und Morgen der
vierte Tag.
20 Und Gott sprach: Es wimmle das
Wasser von lebendigem Getier, und Vögel
sollen fliegen auf Erden unter der Feste des
Himmels. 21 Und Gott schuf große Seeun-
geheuer und alles Getier, das da lebt und
webt, davon das Wasser wimmelt, ein je-
des nach seiner Art, und alle gefiederten
Vögel, einen jeden nach seiner Art. Und
Gott sah, dass es gut war.[a] 22 Und Gott
segnete sie und sprach: Seid fruchtbar
und mehret euch und erfüllet das Wasser
im Meer, und die Vögel sollen sich meh-
ren auf Erden. 23 Da ward aus Abend und
Morgen der fünfte Tag.
24 Und Gott sprach: Die Erde bringe
hervor lebendiges Getier, ein jedes nach
seiner Art: Vieh, Gewürm und Tiere des
Feldes, ein jedes nach seiner Art. Und es
geschah so. 25 Und Gott machte die Tiere
des Feldes, ein jedes nach seiner Art, und
das Vieh nach seiner Art und alles Ge-
würm des Erdbodens nach seiner Art.
Und Gott sah, dass es gut war.
26 Und Gott sprach: Lasset uns Men-
schen machen, ein Bild, [a]das uns gleich
sei, die da herrschen über die Fische
im Meer und über die Vögel unter dem
Himmel und über das Vieh und über die
ganze Erde und über alles Gewürm, das
auf Erden kriecht.[b] 27 Und **Gott schuf den**

1,1 ***a*** Hiob 38,4; Ps 90,2; Joh 1,1-3; Offb 4,11
1,3 ***a*** Ps 33,9; Hebr 11,3 ***b*** Jes 45,7 **1,7** ***a*** Ps 19,2; 136,6; 148,4 **1,9** ***a*** Hiob 38,8-11; Ps 24,2; 2. Petr 3,5
1,14 ***a*** 5. Mose 4,19; Ps 74,16; Jes 47,13 **1,16** ***a*** Ps 136,7-9
1,21 ***a*** Ps 74,13-14; 148,7 **1,26** ***a*** Kap 5,1 ***b*** Ps 8,6-9; Eph 4,24; Kol 1,15; 3,10; Jak 3,9

**Menschen zu seinem Bilde, [a]zum Bilde
Gottes schuf er ihn; und [b]schuf sie als
Mann und Frau.** 28 Und Gott segnete sie
und sprach zu ihnen: Seid fruchtbar und
mehret euch und füllet die Erde und ma-
chet sie euch untertan und herrschet über
die Fische im Meer und über die Vögel
unter dem Himmel und über alles Getier,
das auf Erden kriecht. 29 Und Gott sprach:
Sehet da, ich habe euch gegeben alle Pflan-
zen, die Samen bringen, auf der ganzen
Erde, und alle Bäume mit Früchten, die
Samen bringen, zu eurer Speise.[a] 30 Aber
allen Tieren auf Erden und allen Vögeln
unter dem Himmel und allem Gewürm,
das auf Erden lebt, habe ich alles grüne
Kraut zur Nahrung gegeben. Und es ge-
schah so.[a] 31 Und **Gott sah an alles, was er
gemacht hatte, und siehe, [a]es war sehr
gut.** Da ward aus Abend und Morgen der
sechste Tag.

2 So wurden vollendet Himmel und
Erde mit ihrem ganzen Heer. 2 Und so
vollendete Gott am siebenten Tage seine
Werke, die er machte, und [a]ruhte am sie-
benten Tage von allen seinen Werken, die
er gemacht hatte. 3 Und Gott segnete den
siebenten Tag und heiligte ihn, weil er an
ihm ruhte von allen seinen Werken, die
Gott geschaffen und gemacht hatte.[a]

4 Dies ist die Geschichte von Himmel
und Erde, da sie geschaffen wurden.

DER GARTEN EDEN

Es war zu der Zeit, da Gott der HERR Erde
und Himmel machte. 5 Und alle die Sträu-
cher auf dem Felde waren noch nicht auf
Erden, und all das Kraut auf dem Felde
war noch nicht gewachsen. Denn Gott
der HERR hatte noch nicht regnen lassen
auf Erden, und kein Mensch* war da, der
das Land bebaute; 6 aber ein Strom stieg
aus der Erde empor und tränkte das ganze
Land. 7 Da machte Gott der HERR den
Menschen aus Staub von der [a]Erde und
blies ihm den [b]Odem des Lebens in seine
Nase. Und so [c]ward der Mensch ein leben-
diges Wesen.

8 Und Gott der HERR pflanzte einen
Garten in Eden gegen Osten hin und
setzte den Menschen hinein, den er ge-
macht hatte. 9 Und Gott der HERR ließ
aufwachsen aus der Erde allerlei Bäume,
verlockend anzusehen und gut zu essen,
und den [a]Baum des Lebens mitten im Gar-
ten und den Baum der Erkenntnis des Gu-
ten und Bösen.

10 Und es geht aus von Eden ein Strom,
den Garten zu bewässern, und teilt sich
von da in vier Hauptarme.[a] 11 Der erste
heißt Pischon, der fließt um das ganze
Land Hawila und dort findet man Gold;
12 und das Gold des Landes ist kostbar.
Auch findet man da Bedolachharz und den
Edelstein Schoham. 13 Der zweite Strom
heißt Gihon, der fließt um das ganze Land
Kusch. 14 Der dritte Strom heißt Tigris,
der fließt östlich von Assyrien. Der vierte
Strom ist der Euphrat.

15 Und Gott der HERR nahm den Men-
schen und setzte ihn in den Garten Eden,
dass er ihn bebaute und bewahrte. 16 Und
Gott der HERR gebot dem Menschen und
sprach: Du darfst essen von allen Bäumen
im Garten, 17 aber von dem Baum der Er-
kenntnis des Guten und Bösen sollst du
nicht essen; denn an dem Tage, da du von
ihm isst, musst du des Todes sterben.[a]

18 Und Gott der HERR sprach: **Es ist
nicht gut, [a]dass der Mensch allein sei;**
ich will ihm eine Hilfe machen, die [b]ihm
entspricht. 19 Und Gott der HERR machte
aus Erde alle die Tiere auf dem Felde
und alle die Vögel unter dem Himmel
und brachte sie zu dem Menschen, dass
er sähe, wie er sie nennte; denn wie der
Mensch jedes Tier nennen würde, so sollte
es heißen. 20 Und der Mensch gab einem
jeden Vieh und Vogel unter dem Himmel
und Tier auf dem Felde seinen Namen;
aber für den Menschen wurde keine Hilfe
gefunden, die ihm entsprach.

21 Da ließ Gott der HERR einen tiefen
Schlaf fallen auf den Menschen, und er
schlief ein. Und er nahm eine seiner Rip-
pen und schloss die Stelle mit Fleisch.
22 Und Gott der HERR baute eine Frau
aus der Rippe, die er von dem Menschen

* **2,5** Hebräisch: »Adam«.

1,27 ***a*** Kap 9,6 ***b*** Mt 19,4 **1,29** ***a*** Mt 6,25-34
1,30 ***a*** Ps 145,16 **1,31** ***a*** Mt 19,17; 1. Tim 4,4
2,2 ***a*** Hebr 4,4 **2,3** ***a*** 2. Mose 20,11; Ps 95,11; Hes 20,12;
Hebr 4,9-10 **2,7** ***a*** Kap 3,19; Hiob 10,9 ***b*** Hiob 33,4;
Ps 104,29-30 ***c*** 1. Kor 15,45.47 **2,9** ***a*** Kap 3,22; Offb 2,7;
22,2 **2,10** ***a*** Hes 47,1-12 **2,17** ***a*** Röm 6,23
2,18 ***a*** Pred 4,10 ***b*** Vers 23

nahm, und brachte sie zu ihm. 23 Da sprach
der Mensch: Die ist nun Bein von meinem
Bein und Fleisch von meinem Fleisch;
man wird sie Männin nennen, weil sie
vom Manne genommen ist.* 24 Darum
wird ein Mann seinen Vater und seine
Mutter verlassen und seiner Frau anhan-
gen, und sie werden sein *ein* Fleisch.[a]
25 Und sie waren beide nackt, der Mensch
und seine Frau, und schämten sich nicht.

DER SÜNDENFALL

3 Und die [a]Schlange war listiger als alle
Tiere auf dem Felde, die Gott der HERR
gemacht hatte, und sprach zu der Frau: Ja,
sollte Gott gesagt haben: Ihr sollt nicht
essen von allen Bäumen im Garten? 2 Da
sprach die Frau zu der Schlange: Wir es-
sen von den Früchten der Bäume im Gar-
ten;[a] 3 aber von den Früchten des Baumes
mitten im Garten hat Gott gesagt: Esset
nicht davon, rühret sie auch nicht an, dass
ihr nicht sterbet![a] 4 Da sprach die Schlange
zur Frau: Ihr werdet keineswegs des To-
des sterben,[a] 5 sondern Gott weiß: an
dem Tage, da ihr davon esst, werden eure
Augen aufgetan, und ihr werdet sein wie
Gott und wissen, was gut und böse ist.

6 Und die Frau [a]sah, dass von dem Baum
gut zu essen wäre und dass er eine Lust
für die Augen wäre und verlockend, weil
er klug machte. Und sie [b]nahm von sei-
ner Frucht und aß und gab ihrem Mann,
der bei ihr war, auch davon und er aß. 7 Da
wurden ihnen beiden die Augen aufgetan
und sie wurden gewahr, dass sie [a]nackt
waren, und flochten Feigenblätter zusam-
men und machten sich Schurze.

8 Und sie hörten Gott den HERRN, wie
er im Garten ging, als der Tag kühl ge-
worden war. Und Adam [a]versteckte sich
mit seiner Frau vor dem Angesicht Got-
tes des HERRN zwischen den Bäumen im
Garten. 9 Und Gott der HERR rief Adam
und sprach zu ihm: Wo bist du? 10 Und
er sprach: Ich hörte dich im Garten und
fürchtete mich; denn ich bin nackt, darum
versteckte ich mich. 11 Und er sprach: Wer
hat dir gesagt, dass du nackt bist? Hast
du gegessen von dem Baum, von dem ich
dir gebot, du solltest nicht davon essen?
12 Da sprach Adam: Die Frau, die du mir
zugesellt hast, gab mir von dem Baum
und ich aß. 13 Da sprach Gott der HERR
zur Frau: Warum hast du das getan? Die
Frau sprach: [a]Die Schlange betrog mich,
sodass ich aß.

14 Da sprach Gott der HERR zu der
Schlange: Weil du das getan hast, seist du
verflucht vor allem Vieh und allen Tieren
auf dem Felde. Auf deinem Bauche sollst
du kriechen und Staub fressen dein Le-
ben lang. 15 Und **ich will [a]Feindschaft
setzen zwischen dir und der Frau und
zwischen deinem Samen und ihrem
Samen; er wird dir den Kopf zertreten,
und du wirst ihn in die Ferse stechen.**

16 Und zur Frau sprach er: Ich will dir
viel Mühsal schaffen, wenn du schwanger
wirst; unter Mühen sollst du Kinder gebä-
ren. Und dein Verlangen soll nach deinem
Mann sein, aber [a]er soll dein Herr sein.

17 Und zum Mann sprach er: Weil du ge-
horcht hast der Stimme deiner Frau und
gegessen von dem Baum, von dem ich
dir gebot und sprach: Du sollst nicht da-
von essen –, [a]verflucht sei der Acker um
deinetwillen! Mit Mühsal sollst du dich
von ihm nähren dein Leben lang. 18 Dor-
nen und Disteln soll er dir tragen, und du
sollst das Kraut auf dem Felde essen. 19 Im
Schweiße deines Angesichts sollst du dein
Brot essen, bis du wieder zu Erde wirst,
davon du genommen bist. Denn **Staub
bist du und zum Staub kehrst du zu-
rück.**[a]

20 Und Adam nannte seine Frau Eva;
denn sie wurde die Mutter aller, die da le-
ben. 21 Und Gott der HERR machte Adam
und seiner Frau Röcke von Fellen und
zog sie ihnen an. 22 Und Gott der HERR
sprach: Siehe, der Mensch ist geworden
wie unsereiner und weiß, was gut und
böse ist. Nun aber, dass er nur nicht aus-
strecke seine Hand und nehme auch von
dem Baum des Lebens und esse und lebe
ewiglich! 23 Da wies ihn Gott der HERR
aus dem Garten Eden, dass er die Erde be-

* **2,23** Luther versucht, mit »Männin« und »Mann« ein hebräisches Wortspiel wiederzugeben.

2,24 ***a*** Mt 19,5-6; 1. Kor 6,16; Eph 5,31 **3,1** ***a*** Offb 12,9; 20,2 **3,2** ***a*** Kap 2,16 **3,3** ***a*** Kap 2,17 **3,4** ***a*** Joh 8,44 **3,6** ***a*** Jak 1,14-15 ***b*** 1. Tim 2,14 **3,7** ***a*** Kap 2,25 **3,8** ***a*** Ps 139,7-10; Jer 23,24 **3,13** ***a*** 2. Kor 11,3 **3,15** ***a*** Offb 12,4-5.15-17 **3,16** ***a*** Eph 5,22-23; 1. Tim 2,12 **3,17** ***a*** Kap 8,21-22; Hiob 31,38-39 **3,19** ***a*** Kap 2,7; Ps 90,10; 104,29; Pred 12,7; 2. Thess 3,10

baute, von der er genommen war.[a] 24 Und
er trieb den Menschen hinaus und ließ
lagern vor dem Garten Eden die Cheru-
bim mit dem flammenden, blitzenden
Schwert, zu bewachen den Weg zu dem
Baum des Lebens.

KAINS BRUDERMORD

4 Und Adam erkannte seine Frau Eva,
und sie ward schwanger und gebar den
Kain und sprach: Ich habe einen Mann
gewonnen mithilfe des HERRN. 2 Danach
gebar sie Abel, seinen Bruder. Und Abel
wurde ein Schäfer, Kain aber wurde ein
Ackermann.

3 Es begab sich aber nach etlicher Zeit,
dass Kain dem HERRN Opfer brachte
von den [a]Früchten des Feldes. 4 Und auch
Abel brachte von den [a]Erstlingen sei-
ner Herde und von ihrem [b]Fett. Und der
HERR sah gnädig an Abel und sein Opfer,
5 aber Kain und sein Opfer [a]sah er nicht
gnädig an. Da ergrimmte Kain sehr und
senkte finster seinen Blick. 6 Da sprach
der HERR zu Kain: Warum ergrimmst
du? Und warum senkst du deinen Blick?
7 Ist's nicht so: Wenn du fromm bist, so
kannst du frei den Blick erheben. Bist du
aber nicht fromm, so [a]lauert die Sünde vor
der Tür, und nach dir hat sie Verlangen; du
aber [b]herrsche über sie. 8 Da sprach Kain
zu seinem Bruder Abel: Lass uns aufs Feld
gehen! Und es begab sich, als sie auf dem
Felde waren, erhob sich Kain wider seinen
Bruder Abel und schlug ihn tot.[a]

9 Da sprach der HERR zu Kain: [a]Wo ist
dein Bruder Abel? Er sprach: Ich weiß
nicht; soll ich meines Bruders Hüter sein?
10 Er aber sprach: Was hast du getan? Die
[a]Stimme des Blutes deines Bruders schreit
zu mir von der Erde. 11 Und nun: Ver-
flucht seist du auf der Erde, die ihr Maul
hat aufgetan und deines Bruders Blut von
deinen Händen empfangen.[a] 12 Wenn du
den Acker bebauen wirst, soll er dir hin-
fort seinen Ertrag nicht geben. Unstet und
flüchtig sollst du sein auf Erden.

13 Kain aber sprach zu dem HERRN:
Meine Strafe ist zu schwer, als dass ich sie
tragen könnte.* 14 Siehe, du treibst mich
heute vom Acker, und [a]ich muss mich vor
deinem Angesicht verbergen und muss
unstet und flüchtig sein auf Erden. So wird
mir's gehen, dass mich totschlägt, wer
mich findet. 15 Aber der HERR sprach zu
ihm: Nein, sondern wer Kain totschlägt,
das soll siebenfältig gerächt werden. Und
der HERR machte ein [a]Zeichen an Kain,
dass ihn niemand erschlüge, der ihn fände.
16 So ging Kain hinweg von dem Angesicht
des HERRN und wohnte im Lande Nod*,
jenseits von Eden, gegen Osten.

KAINS NACHKOMMEN

17 Und Kain erkannte seine Frau; die ward
schwanger und gebar den Henoch. Und er
baute eine Stadt, die nannte er nach sei-
nes Sohnes Namen Henoch. 18 Dem He-
noch aber wurde Irad geboren, Irad zeugte
Mehujaël, Mehujaël zeugte Metuschaël,
Metuschaël zeugte Lamech. 19 Lamech
aber nahm zwei Frauen, eine hieß Ada,
die andere Zilla. 20 Und Ada gebar Jabal;
von dem sind hergekommen, die in Zelten
wohnen und Vieh halten. 21 Und sein Bru-
der hieß Jubal; von dem sind hergekom-
men alle Zither- und Flötenspieler. 22 Zilla
aber gebar auch, nämlich den Tubal-Kain;
der machte die Werkzeuge für alle Erz-
und Eisenschmiede. Und die Schwester
des Tubal-Kain war Naama.

23 Und Lamech sprach zu seinen Frauen:
Ada und Zilla, höret meine Rede, ihr
Frauen Lamechs, merkt auf, was ich
sage: Einen Mann erschlug ich für meine
Wunde und einen Jüngling für meine
Beule. 24 Kain soll siebenmal gerächt wer-
den, aber Lamech siebenundsiebzigmal.[a]

SET UND ENOSCH

25 Adam erkannte abermals seine Frau,
und sie gebar einen Sohn, den nannte sie
Set: »Denn Gott hat mir einen andern
Sohn gegeben für Abel, den Kain erschla-
gen hat.« 26 Und auch dem Set wurde ein
Sohn geboren, den nannte er Enosch. Zu

* **4,13** Luther übersetzte: »Meine Sünde ist größer, denn dass sie mir vergeben werden möge.«
4,16 Der Name bedeutet »Land Flüchtig« und bezeichnet das Leben in der Gottesferne.

3,23 *a* Kap 2,15 **4,3** *a* 2. Mose 23,19 **4,4** *a* 2. Mose 34,19 *b* 3. Mose 3,16 **4,5** *a* 2. Mose 33,19; Hebr 11,4 **4,7** *a* Gal 5,17 *b* Röm 6,12 **4,8** *a* 1. Joh 3,12.15 **4,9** *a* Kap 3,9 **4,10** *a* Ps 9,13; Mt 23,35; Hebr 12,24 **4,11** *a* 4. Mose 35,33 **4,14** *a* Hiob 15,20-24 **4,15** *a* Hes 9,6; Offb 7,3-4 **4,24** *a* Vers 15; 3. Mose 19,18; 5. Mose 32,35; Mt 18,22

der Zeit fing man an, [a]den Namen des
HERRN anzurufen.

GESCHLECHTSREGISTER VON ADAM BIS NOAH

(vgl. 1. Chr 1,1-4)

5 Dies ist das Buch von [a]Adams Ge-
schlecht. Als Gott den Menschen schuf,
[b]machte er ihn nach dem Bilde Gottes
2 und schuf sie als Mann und Frau und
segnete sie und gab ihnen den Namen
»Mensch«* zur Zeit, da sie geschaffen
wurden.
3 Und Adam war 130 Jahre alt und zeugte
einen Sohn, ihm gleich und [a]nach seinem
Bilde, und nannte ihn Set; 4 und lebte da-
nach 800 Jahre und zeugte Söhne und
Töchter, 5 dass sein ganzes Alter ward 930
Jahre, und starb.
6 Set war 105 Jahre alt und zeugte Enosch
7 und lebte danach 807 Jahre und zeugte
Söhne und Töchter, 8 dass sein ganzes Al-
ter ward 912 Jahre, und starb.
9 Enosch war 90 Jahre alt und zeugte
Kenan 10 und lebte danach 815 Jahre und
zeugte Söhne und Töchter, 11 dass sein
ganzes Alter ward 905 Jahre, und starb.
12 Kenan war 70 Jahre alt und zeugte Ma-
halalel 13 und lebte danach 840 Jahre und
zeugte Söhne und Töchter, 14 dass sein
ganzes Alter ward 910 Jahre, und starb.
15 Mahalalel war 65 Jahre alt und zeugte
Jered 16 und lebte danach 830 Jahre und
zeugte Söhne und Töchter, 17 dass sein
ganzes Alter ward 895 Jahre, und starb.
18 Jered war 162 Jahre alt und zeugte He-
noch 19 und lebte danach 800 Jahre und
zeugte Söhne und Töchter, 20 dass sein
ganzes Alter ward 962 Jahre, und starb.
21 Henoch war 65 Jahre alt und zeugte
Metuschelach. 22 Und Henoch [a]wandelte
mit Gott. Und nachdem er Metusche-
lach gezeugt hatte, lebte er 300 Jahre und
zeugte Söhne und Töchter, 23 dass sein
ganzes Alter ward 365 Jahre. 24 Und He-
noch wandelte mit Gott und ward nicht
mehr gesehen, denn Gott hatte ihn ent-
rückt.[a]
25 Metuschelach war 187 Jahre alt und
zeugte Lamech 26 und lebte danach 782
Jahre und zeugte Söhne und Töchter,
27 dass sein ganzes Alter ward 969 Jahre,
und starb.
28 Lamech war 182 Jahre alt und zeugte
einen Sohn 29 und nannte ihn Noah und
sprach: Der wird uns trösten in unserer
Arbeit und der Mühsal unserer Hände auf
dem Acker, den der HERR [a]verflucht hat.
30 Danach lebte er 595 Jahre und zeugte
Söhne und Töchter, 31 dass sein ganzes
Alter ward 777 Jahre, und starb.
32 Noah war 500 Jahre alt und zeugte
Sem, Ham und Jafet.

GOTTESSÖHNE UND MENSCHENTÖCHTER

6 Als aber die Menschen sich zu mehren
begannen auf Erden und ihnen Töchter
geboren wurden, 2 da sahen die [a]Gottes-
söhne*, wie schön die Töchter der Men-
schen waren, und nahmen sich zu Frauen,
welche sie wollten. 3 Da sprach der HERR:
Mein Geist soll nicht immerdar im Men-
schen walten, denn er ist Fleisch. Ich will
ihm als Lebenszeit geben hundertzwan-
zig Jahre. 4 Es waren Riesen zu den Zeiten
und auch danach noch auf Erden. Denn
als die Gottessöhne zu den Töchtern der
Menschen eingingen und sie ihnen Kinder
gebaren, wurden daraus die Riesen. Das
sind [a]die Helden der Vorzeit, die hochbe-
rühmten.

ANKÜNDIGUNG DER SINTFLUT

5 Als aber der HERR sah, dass der Men-
schen Bosheit groß war auf Erden und [a]al-
les Dichten und Trachten ihres Herzens
nur böse war immerdar, 6 da [a]reute es den
HERRN, dass er die Menschen gemacht
hatte auf Erden, und es bekümmerte ihn
in seinem Herzen, 7 und er sprach: Ich will
die Menschen, die ich geschaffen habe,
vertilgen von der Erde, vom Menschen an
bis hin zum Vieh und bis zum Gewürm
und bis zu den Vögeln unter dem Him-
mel; denn es reut mich, dass ich sie ge-
macht habe.[a] 8 Aber Noah fand Gnade vor
dem HERRN.[a]

* **5,2** Hebräisch: »Adam«. **6,2** Siehe Sach- und Worterklärungen.

4,26 *a* Kap 12,8 **5,1** *a* Lk 3,37-38 *b* Kap 1,26-27
5,3 *a* Ps 51,7; 1. Kor 15,49 **5,22** *a* Kap 6,9
5,24 *a* 2. Kön 2,11; Hebr 11,5 **5,29** *a* Kap 3,17-19
6,2 *a* Hiob 1,6; 2. Petr 2,4; Jud 6 **6,4** *a* Hes 32,27
6,5 *a* Kap 8,21 **6,6** *a* 1. Sam 15,11.35; Jer 18,7-10
6,7 *a* 4. Mose 23,19; Röm 3,3-4; 2. Tim 2,13
6,8 *a* Hebr 11,7

9 Dies ist die Geschichte von Noahs Ge-
schlecht. Noah war ein frommer Mann
und ohne Tadel zu seinen Zeiten; er
[a]wandelte mit Gott. 10 Und Noah zeugte
drei Söhne: Sem, Ham und Jafet. 11 Aber
die Erde war verderbt vor Gott und voller
Frevel. 12 Da [a]sah Gott auf die Erde, und
siehe, sie war verderbt; denn alles Fleisch
hatte seinen Weg verderbt auf Erden.

13 Da sprach Gott zu Noah: Das [a]Ende
allen Fleisches ist bei mir beschlossen,
denn die Erde ist voller Frevel von ihnen;
und siehe, ich will sie verderben mit der
Erde. 14 Mache dir einen Kasten von Tan-
nenholz und mache Kammern darin und
verpiche ihn mit Pech innen und außen.
15 Und mache ihn so: Dreihundert El-
len sei die Länge, fünfzig Ellen die Breite
und dreißig Ellen die Höhe. 16 Ein Fenster
sollst du für den Kasten machen obenan,
eine Elle groß. Die Tür sollst du mitten in
seine Seite setzen. Und er soll drei Stock-
werke haben, eines unten, das zweite in
der Mitte, das dritte oben.

17 Denn siehe, ich will eine Sintflut kom-
men lassen auf Erden, zu verderben alles
Fleisch, darin Odem des Lebens ist, unter
dem Himmel. Alles, was auf Erden ist, soll
untergehen. 18 Aber mit dir will ich mei-
nen [a]Bund aufrichten, und du sollst in die
Arche gehen mit deinen Söhnen, mit dei-
ner Frau und mit den Frauen deiner Söhne.
19 Und du sollst in die Arche bringen von
allen Tieren, von allem Fleisch, je ein Paar,
Männchen und Weibchen, dass sie leben
bleiben mit dir. 20 Von den Vögeln nach
ihrer Art, von dem Vieh nach seiner Art
und von allem Gewürm auf Erden nach
seiner Art: Von den allen soll je ein Paar
zu dir hineingehen, dass sie leben bleiben.
21 Und du sollst dir von jeder Speise neh-
men, die gegessen wird, und sollst sie bei
dir sammeln, dass sie dir und ihnen zur
Nahrung diene. 22 Und Noah tat alles, was
ihm Gott gebot.[a]

DIE SINTFLUT

7 Und der HERR sprach zu Noah: Geh in
die Arche, du und dein ganzes Haus;
denn [a]dich habe ich für gerecht befunden
vor mir zu dieser Zeit. 2 Von allen [a]reinen
Tieren nimm zu dir je sieben, das Männ-
chen und sein Weibchen, von den unrei-
nen Tieren aber je ein Paar, das Männchen
und sein Weibchen. 3 Desgleichen von
den Vögeln unter dem Himmel je sieben,
Männchen und Weibchen, um Nachkom-
men am Leben zu erhalten auf der ganzen
Erde. 4 Denn von heute an in sieben Ta-
gen will ich regnen lassen auf Erden vier-
zig Tage und vierzig Nächte und vertilgen
von dem Erdboden alles Lebendige, das
ich gemacht habe.

5 Und Noah tat alles, was ihm der HERR
gebot. 6 Er war aber sechshundert Jahre
alt, als die Sintflut auf Erden kam. 7 Und
er ging in die Arche mit seinen Söhnen,
seiner Frau und den Frauen seiner Söhne
vor den Wassern der Sintflut.[a] 8 Von den
reinen Tieren und von den unreinen, von
den Vögeln und von allem Gewürm auf
Erden 9 gingen sie zu ihm in die Arche
[a]paarweise, je ein Männchen und Weib-
chen, wie ihm Gott geboten hatte.

10 Und als die sieben Tage vergangen
waren, kamen die Wasser der Sintflut
auf Erden. 11 In dem sechshundertsten
Lebensjahr Noahs am siebzehnten Tag
des zweiten Monats, an diesem Tag bra-
chen alle [a]Brunnen der großen Tiefe auf
und taten sich die Fenster des Himmels
auf, 12 und ein Regen kam auf Erden vier-
zig Tage und vierzig Nächte. 13 An eben
diesem Tage ging Noah in die Arche mit
Sem, Ham und Jafet, seinen Söhnen, und
mit seiner Frau und den drei Frauen sei-
ner Söhne; 14 dazu alles wilde Getier nach
seiner Art, alles Vieh nach seiner Art, alles
Gewürm, das auf Erden kriecht, nach sei-
ner Art und alle Vögel nach ihrer Art, al-
les, was fliegen konnte, alles, was Fittiche
hatte; 15 das ging alles zu Noah in die Arche
paarweise, von allem Fleisch, darin Odem
des Lebens war. 16 Und das waren [a]Männ-
chen und Weibchen von allem Fleisch,
und sie gingen hinein, wie denn Gott ihm
geboten hatte. Und der HERR schloss hin-
ter ihm zu.

17 Und die Sintflut war vierzig Tage auf
Erden, und die Wasser wuchsen und ho-
ben die Arche auf und trugen sie empor
über die Erde. 18 Und die Wasser nahmen

6,9 *a* Kap 5,22 **6,12** *a* Ps 14,2-3 **6,13** *a* Am 8,2
6,18 *a* Kap 9,9 **6,22** *a* Hebr 11,7 **7,1** *a* Kap 6,8
7,2 *a* Kap 8,20; 3. Mose 11,1-47 **7,7** *a* 1. Petr 3,20
7,9 *a* Kap 6,19-20 **7,11** *a* Offb 9,1 **7,16** *a* Kap 6,19

überhand und wuchsen sehr auf Erden,
und die Arche fuhr auf den Wassern.
19 Und die Wasser nahmen überhand und
wuchsen so sehr auf Erden, dass alle ho-
hen Berge unter dem ganzen Himmel
bedeckt wurden. 20 Fünfzehn Ellen hoch
gingen die Wasser über die Berge, sodass
sie ganz bedeckt wurden.

21 Da ging alles Fleisch unter, das sich auf
Erden regte, an Vögeln, an Vieh, an wil-
dem Getier und an allem, was da wim-
melte auf Erden, und alle Menschen.[a]
22 Alles, was Odem des Lebens hatte auf
dem Trockenen, das starb. 23 So vertilgte
er alles, was auf dem Erdboden war, vom
Menschen an bis hin zum Vieh und zum
Gewürm und zu den Vögeln unter dem
Himmel. Sie wurden von der Erde ver-
tilgt. Allein Noah blieb übrig und was mit
ihm in der Arche war. 24 Und die Wasser
wuchsen gewaltig auf Erden hundertfünf-
zig Tage.

ENDE DER SINTFLUT. NOAHS OPFER. VERHEISSUNG DES HERRN

8 Da gedachte Gott an Noah und an al-
les wilde Getier und an alles Vieh, das
mit ihm in der Arche war; und Gott ließ
Wind auf Erden kommen, und die Was-
ser fielen. 2 Und die Brunnen der Tiefe
wurden verstopft samt den Fenstern des
Himmels, und dem Regen vom Himmel
wurde gewehrt. 3 Da verliefen sich die
Wasser von der Erde und nahmen immer
mehr ab nach hundertfünfzig Tagen. 4 Am
[a]siebzehnten Tag des siebenten Monats
setzte die Arche auf dem Gebirge Ararat
auf. 5 Es nahmen aber die Wasser immer
mehr ab bis auf den zehnten Monat. Am
ersten Tage des zehnten Monats sahen die
Spitzen der Berge hervor.

6 Nach [a]vierzig Tagen tat Noah an der Ar-
che das Fenster auf, das er gemacht hatte,
7 und ließ einen Raben ausfliegen; der flog
immer hin und her, bis die Wasser ver-
trockneten auf Erden. 8 Danach ließ er
eine Taube ausfliegen, um zu erfahren, ob
die Wasser sich verlaufen hätten auf Er-
den. 9 Da aber die Taube nichts fand, wo
ihr Fuß ruhen konnte, kam sie wieder zu
ihm in die Arche; denn noch war Wasser
auf dem ganzen Erdboden. Da tat er die
Hand heraus und nahm sie zu sich in die
Arche. 10 Da harrte er noch weitere sieben
Tage und ließ abermals die Taube fliegen
aus der Arche. 11 Sie kam zu ihm um die
Abendzeit, und siehe, sie hatte ein frisches
Ölblatt in ihrem Schnabel. Da merkte
Noah, dass die Wasser sich verlaufen
hatten auf Erden. 12 Aber er harrte noch
weitere sieben Tage und ließ die Taube
ausfliegen; sie kam nicht wieder zu ihm.

13 Im [a]sechshundertundersten Jahr No-
ahs am ersten Tage des ersten Monats wa-
ren die Wasser vertrocknet auf Erden. Da
tat Noah das Dach von der Arche und sah,
dass der Erdboden trocken war. 14 Und am
siebenundzwanzigsten Tage des zweiten
Monats war die Erde ganz trocken. 15 Da
redete Gott mit Noah und sprach: 16 Geh
aus der Arche, du und deine Frau, deine
Söhne und die Frauen deiner Söhne mit
dir. 17 Alles Getier, das bei dir ist, von allem
Fleisch, an Vögeln, an Vieh und allem Ge-
würm, das auf Erden kriecht, das lass mit
dir herausgehen, dass sie sich regen auf Er-
den und fruchtbar seien und sich mehren
auf Erden. 18 So ging Noah heraus mit sei-
nen Söhnen und mit seiner Frau und den
Frauen seiner Söhne,[a] 19 dazu alles wilde
Getier, alles Vieh, alle Vögel und alles Ge-
würm, das auf Erden kriecht; das ging aus
der Arche, ein jedes mit seinesgleichen.

20 Noah aber baute dem HERRN einen
Altar und nahm von allem [a]reinen Vieh
und von allen reinen Vögeln und opferte
Brandopfer auf dem Altar. 21 Und der
HERR roch den lieblichen Geruch und
sprach in seinem Herzen: **Ich will hin-
fort nicht mehr die Erde verfluchen um
der Menschen willen; denn das [a]Dich-
ten und Trachten des menschlichen
Herzens ist böse von Jugend auf.** Und
ich will hinfort nicht mehr schlagen alles,
was da lebt, wie ich getan habe. 22 **Solange
die Erde steht, soll nicht aufhören Saat
und Ernte, Frost und Hitze, Sommer
und Winter, Tag und Nacht.**[a]

GOTTES BUND MIT NOAH

9 Und Gott segnete Noah und seine
Söhne und sprach: Seid fruchtbar und

7,21 *a* 2. Petr 3,5-6 **8,4** *a* Kap 7,11 **8,6** *a* Kap 7,12.17
8,13 *a* Kap 7,11 **8,18** *a* 2. Petr 2,5 **8,20** *a* Kap 7,2
8,21 *a* Kap 6,5; Hiob 14,4; Ps 14,3; Mt 15,19; Röm 3,23
8,22 *a* Jer 33,20.25

mehret euch und füllet die Erde.[a] 2 Furcht
und Schrecken vor euch sei über allen
Tieren auf Erden und über allen Vögeln
unter dem Himmel, über allem, was auf
dem Erdboden wimmelt, und über allen
Fischen im Meer; in eure Hände seien sie
gegeben. 3 Alles, was sich regt und lebt,
das sei eure Speise; wie [a]das grüne Kraut
habe ich's euch [b]alles gegeben. 4 Allein das
Fleisch mit seinem Leben, seinem Blut,
esst nicht![a] 5 Euer eigenes Blut jedoch will
ich einfordern. [a]Von jedem Tier will ich es
einfordern. Und das Leben des Menschen
will ich einfordern von einem jeden ande-
ren Menschen. 6 Wer [a]Menschenblut ver-
gießt, dessen Blut soll um des Menschen
willen vergossen werden; [b]denn Gott hat
den Menschen zu seinem Bilde gemacht.
7 Seid fruchtbar und mehret euch und re-
get euch auf Erden, dass euer viel darauf
werden.

8 Und Gott sagte zu Noah und seinen
Söhnen mit ihm: 9 Siehe, [a]ich richte mit
euch einen Bund auf und mit euren Nach-
kommen 10 und [a]mit allem lebendigen Ge-
tier bei euch, an Vögeln, an Vieh und an
allen Tieren auf Erden bei euch, von allem,
was aus der Arche gegangen ist, was für
Tiere es sind auf Erden. 11 Und ich richte
meinen Bund so mit euch auf, dass hinfort
nicht mehr alles Fleisch ausgerottet wer-
den soll durch die Wasser der Sintflut und
hinfort keine Sintflut mehr kommen soll,
die die Erde verderbe.

12 Und Gott sprach: Das ist das Zeichen
des Bundes, den ich geschlossen habe
zwischen mir und euch und allem leben-
digen Getier bei euch auf ewig: 13 Meinen
[a]Bogen habe ich gesetzt in die Wolken;
der soll das Zeichen sein des Bundes zwi-
schen mir und der Erde. 14 Und wenn es
kommt, dass ich Wetterwolken über die
Erde führe, so soll man meinen Bogen
sehen in den Wolken. 15 Alsdann will ich
gedenken an meinen Bund zwischen mir
und euch und allem lebendigen Getier un-
ter allem Fleisch, dass hinfort keine Sint-
flut mehr komme, die alles Fleisch ver-
derbe.[a] 16 Darum soll mein Bogen in den
Wolken sein, dass ich ihn ansehe und ge-
denke an den ewigen Bund zwischen Gott
und allem lebendigen Getier unter allem
Fleisch, das auf Erden ist. 17 Und Gott sagte
zu Noah: Das sei das Zeichen des Bundes,
den ich aufgerichtet habe zwischen mir
und allem Fleisch auf Erden.

NOAHS FLUCH UND SEGEN ÜBER SEINE SÖHNE

18 Die Söhne Noahs, die aus der Arche
gingen, sind diese: [a]Sem, Ham und Jafet.
Ham aber ist der Vater Kanaans. 19 Das sind
die drei Söhne Noahs; von ihnen kommen
her alle Menschen auf Erden.

20 Noah aber, der Ackermann, pflanzte
als Erster einen Weinberg. 21 Und da er von
dem Wein trank, ward er trunken und lag
im Zelt aufgedeckt. 22 Als nun Ham, Kana-
ans Vater, seines Vaters Blöße sah, sagte
er's seinen beiden Brüdern draußen.[a]
23 Da nahmen Sem und Jafet ein Kleid und
legten es auf ihrer beider Schultern und
gingen rückwärts hinzu und deckten ih-
res Vaters Blöße zu; und ihr Angesicht war
abgewandt, damit sie ihres Vaters Blöße
nicht sähen.

24 Als nun Noah erwachte von seinem
Rausch und erfuhr, was ihm sein jüngs-
ter Sohn angetan hatte, 25 sprach er: Ver-
flucht sei Kanaan und sei seinen Brüdern
ein Knecht aller Knechte! 26 Und sprach
weiter: Gelobt sei der HERR, der Gott
Sems, und Kanaan sei sein Knecht! 27 Gott
schaffe Jafet weiten Raum und lasse ihn
wohnen in den Zelten Sems und Kanaan
sei sein Knecht!

28 Noah aber lebte nach der Sintflut drei-
hundertfünfzig Jahre, 29 dass sein ganzes
Alter ward neunhundertfünfzig Jahre,
und starb.

DIE VÖLKERTAFEL

(vgl. 1. Chr 1,5-23)

10 Dies ist das Geschlecht der Söhne
Noahs: Sem, Ham und Jafet. Und es
wurden ihnen Söhne geboren nach der
Sintflut.

2 [a]Die Söhne Jafets sind diese: Gomer,
Magog, Madai, Jawan, Tubal, Meschech

9,1 ***a*** Kap 1,28 **9,3** ***a*** Kap 1,29 ***b*** Kol 2,16
9,4 ***a*** 3. Mose 3,17; 17,10-14; 5. Mose 12,23
9,5 ***a*** 2. Mose 21,28-29 **9,6** ***a*** 2. Mose 21,12; 3. Mose 24,17; 4. Mose 35,33; Mt 26,52; Röm 13,4; Offb 13,10 ***b*** Kap 1,26-28 **9,9** ***a*** Kap 6,18
9,10 ***a*** Hos 2,20 **9,13** ***a*** Sach 9,10 **9,15** ***a*** Jes 54,7-10
9,18 ***a*** Kap 5,32 **9,22** ***a*** 2. Mose 20,12; Spr 30,17
10,2 ***a*** (2-31) Hes 27,13-22

und Tiras.[b] 3Die Söhne Gomers sind
diese: Aschkenas, Rifat und Togarma.
4Die Söhne Jawans sind diese: Elischa,
Tarsis, die Kittäer und die Rodaniter. 5Von
diesen trennten sich die Völker der Inseln
in ihren Ländern, ein jedes nach seiner
Sprache, nach seinen Geschlechtern in
ihren Völkern.

6Die Söhne Hams sind diese: Kusch,
Mizrajim, Put und Kanaan. 7Und die
Söhne des Kusch sind diese: Seba, Ha-
wila, Sabta, Ragma und Sabtecha. Aber
die Söhne Ragmas sind diese: Saba und
Dedan.

8Kusch aber zeugte Nimrod. Der war
der Erste, der Gewalt übte auf Erden, 9und
war ein gewaltiger Jäger vor dem HERRN.
Daher spricht man: Das ist ein gewalti-
ger Jäger vor dem HERRN wie [a]Nimrod.
10Und der Anfang seines Reichs war Ba-
bel, Erech, Akkad und Kalne im Lande
Schinar. 11Von diesem Lande ist er nach
Assur gekommen und baute Ninive und
Rehobot-Ir und Kelach, 12dazu Resen zwi-
schen Ninive und Kelach. Das ist die große
Stadt.

13Mizrajim zeugte die Luditer, die
Anamiter, die Lehabiter, die Naftuhiter,
14die Patrositer, die Kasluhiter; von de-
nen sind gekommen die Philister und die
Kaftoriter.

15Kanaan aber zeugte Sidon, seinen ers-
ten Sohn, und Het 16und den Jebusiter,
den Amoriter, den Girgaschiter, 17den Hi-
witer, den Arkiter, den Siniter, 18den Ar-
waditer, den Zemariter und den Hamat-
iter. Nachher haben sich die Geschlechter
der Kanaaniter weiter ausgebreitet, 19und
ihre Grenzen waren von Sidon in der
Richtung auf Gerar bis nach Gaza, in der
Richtung auf Sodom, Gomorra, Adma,
Zebojim bis nach Lescha. 20Das sind die
Söhne Hams nach ihren Geschlechtern,
Sprachen, Ländern und Völkern.

21Und auch Sem, dem Vater aller Söhne
Ebers und älteren Bruder Jafets, wurden
Söhne geboren:[a] 22Und dies sind seine
Söhne: Elam, Assur, Arpachschad, Lud
und Aram. 23Aber die Söhne Arams sind
diese: Uz, Hul, Geter und Masch.[a]

24Arpachschad aber zeugte Schelach,
Schelach zeugte Eber. 25Eber wurden zwei
Söhne geboren. Einer hieß Peleg, weil zu
seiner Zeit [a]die Erde zerteilt wurde; und
sein Bruder hieß Joktan. 26Und Joktan
zeugte Almodad, Schelef, Hazarmawet,
Jerach, 27Hadoram, Usal, Dikla, 28Obal,
Abimaël, Saba, 29Ofir, Hawila und Jobab.
Das sind alles Söhne Joktans. 30Und ihre
Wohnsitze waren von Mescha bis man
kommt nach Sefar, an das Gebirge im
Osten. 31Das sind die Söhne Sems nach
ihren Geschlechtern, Sprachen, Ländern
und Völkern.

32Das sind nun die Nachkommen der
Söhne Noahs nach ihren Geschlechtern
und Völkern. Von denen her haben sich
ausgebreitet die Völker auf Erden nach
der Sintflut.

DER TURMBAU ZU BABEL

11 Es hatte aber alle Welt einerlei Zunge
und Sprache. 2Als sie nun von Os-
ten aufbrachen, fanden sie eine Ebene
im Lande Schinar und wohnten daselbst.
3Und sie sprachen untereinander: Wohl-
auf, lasst uns Ziegel streichen und bren-
nen! – und nahmen Ziegel als Stein und
Erdharz als Mörtel 4und sprachen: Wohl-
auf, lasst uns eine Stadt und einen Turm
bauen, dessen Spitze bis an den Himmel
reiche, dass wir uns einen Namen ma-
chen; denn wir werden sonst zerstreut
über die ganze Erde.

5Da [a]fuhr der HERR hernieder, dass
er sähe die Stadt und den Turm, die
die Menschenkinder bauten. 6[a]Und der
HERR sprach: Siehe, es ist einerlei Volk
und einerlei Sprache unter ihnen allen
und dies ist der Anfang ihres Tuns; nun
wird ihnen nichts mehr verwehrt werden
können von allem, was sie sich vorgenom-
men haben zu tun. 7Wohlauf, lasst uns
herniederfahren und dort ihre Sprache
verwirren, dass keiner des andern Spra-
che verstehe!

8So [a]zerstreute sie der HERR von dort
über die ganze Erde, dass sie aufhören
mussten, die Stadt zu bauen. 9Daher heißt
ihr Name Babel, weil der HERR daselbst
verwirrt hat aller Welt Sprache und sie von
dort zerstreut hat über die ganze Erde.

10,2 *b* Hes 38,2; 39,1.6 **10,9** *a* Mi 5,5 **10,21** *a* Kap 11,10
10,23 *a* Kap 22,21 **10,25** *a* Kap 11,8-9; 5. Mose 32,8
11,5 *a* Kap 18,21; Ps 14,2 **11,6** *a* (6-9) Apg 2,1-11
11,8 *a* 5. Mose 32,8; Lk 1,51

GESCHLECHTSREGISTER VON SEM BIS ABRAM

10 [a]Dies ist das [b]Geschlecht Sems: Sem
war 100 Jahre alt und zeugte Arpachschad
zwei Jahre nach der Sintflut 11 und lebte
danach 500 Jahre und zeugte Söhne und
Töchter.

12 Arpachschad war 35 Jahre alt und
zeugte Schelach 13 und lebte danach 403
Jahre und zeugte Söhne und Töchter.

14 Schelach war 30 Jahre alt und zeugte
Eber 15 und lebte danach 403 Jahre und
zeugte Söhne und Töchter.

16 Eber war 34 Jahre alt und zeugte Peleg
17 und lebte danach 430 Jahre und zeugte
Söhne und Töchter.

18 Peleg war 30 Jahre alt und zeugte Regu
19 und lebte danach 209 Jahre und zeugte
Söhne und Töchter.

20 Regu war 32 Jahre alt und zeugte Serug
21 und lebte danach 207 Jahre und zeugte
Söhne und Töchter.

22 Serug war 30 Jahre alt und zeugte
Nahor 23 und lebte danach 200 Jahre und
zeugte Söhne und Töchter.

24 Nahor war 29 Jahre alt und zeugte
Terach 25 und lebte danach 119 Jahre und
zeugte Söhne und Töchter.

26 Terach war 70 Jahre alt und zeugte Ab-
ram, Nahor und Haran.

TERACHS GESCHLECHT. SEIN ZUG VON UR NACH HARAN

27 Dies ist das Geschlecht Terachs: Terach
zeugte Abram, Nahor und Haran; und Ha-
ran zeugte Lot. 28 Haran aber starb vor sei-
nem Vater Terach in seinem Vaterland zu
Ur in Chaldäa. 29 Da nahmen sich Abram
und Nahor Frauen. Abrams Frau hieß Sarai
und Nahors Frau [a]Milka, Harans Tochter,
der der Vater war der Milka und der Jiska.
30 Aber Sarai war unfruchtbar und hatte
kein Kind.

31 Da nahm [a]Terach seinen Sohn Abram
und Lot, den Sohn seines Sohnes Haran,
und seine Schwiegertochter Sarai, die
Frau seines Sohnes Abram, und führte sie
aus [b]Ur in Chaldäa, um ins Land Kanaan
zu ziehen. Und sie kamen nach Haran
und wohnten dort. 32 Und Terach wurde
zweihundertundfünf Jahre alt und starb
in Haran.

ABRAMS BERUFUNG UND ZUG NACH KANAAN

12 Und der HERR sprach zu Abram: Geh
aus deinem Vaterland und von deiner
Verwandtschaft und aus deines Vaters
Hause in ein Land, das ich dir zeigen will.[a]
2 Und ich will dich zum großen Volk ma-
chen und [a]will dich segnen und dir einen
großen Namen machen, und du sollst [b]ein
Segen sein. 3 Ich will segnen, die dich seg-
nen, und verfluchen, die dich verfluchen;
und [a]**in dir sollen gesegnet werden alle
Geschlechter auf Erden.**

4 Da zog Abram aus, wie der HERR zu
ihm gesagt hatte, und Lot zog mit ihm.
Abram aber war fünfundsiebzig Jahre alt,
als er aus Haran zog. 5 So nahm Abram Sa-
rai, seine Frau, und Lot, seines Bruders
Sohn, mit aller ihrer Habe, die sie gewon-
nen hatten, und die Leute, die sie erwor-
ben hatten in Haran, und zogen aus, um
ins Land Kanaan zu gehen. Und sie kamen
in das Land, 6 und Abram durchzog das
Land bis an die Stätte bei [a]Sichem, bis zur
Eiche More; es wohnten aber zu der Zeit
die Kanaaniter im Lande.

7 Da erschien der HERR dem Abram und
sprach: Deinen [a]Nachkommen will ich
dies Land geben. Und er baute dort einen
Altar dem HERRN, der ihm erschienen
war. 8 Danach brach er von dort auf ins Ge-
birge östlich von Bethel und schlug sein
Zelt auf, sodass er Bethel im Westen und
Ai im Osten hatte, und baute dort dem
HERRN einen Altar und [a]rief den Namen
des HERRN an. 9 Danach zog Abram im-
mer weiter bis ins Südland.

ABRAM UND SARAI IN ÄGYPTEN

(vgl. Kap 20,1-18; 26,7-11)

10 Es kam aber eine Hungersnot in das
Land. Da zog Abram hinab nach Ägyp-
ten, dass er sich dort als ein Fremdling
aufhielte; denn der Hunger war groß
im Lande. 11 Und als er nahe an Ägypten
war, sprach er zu Sarai, seiner Frau: Siehe,

11,10 *a* (10-26) 1. Chr 1,24-27; Lk 3,34-36 *b* Kap 10,21-22
11,29 *a* Kap 22,20 **11,31** *a* Jos 24,2 *b* Neh 9,7
12,1 *a* 4. Mose 23,9; Apg 7,3; Hebr 11,8
12,2 *a* Kap 24,1.35 *b* Ps 72,17 **12,3** *a* Kap 18,18; 22,18; 26,4; 28,14; Apg 3,25; Gal 3,8 **12,6** *a* Kap 35,4; Jos 24,25-26 **12,7** *a* Kap 13,15; 15,18; 17,8; 35,12; 2. Mose 6,4.8; 32,13; Jos 21,43; Apg 7,5 **12,8** *a* Kap 4,26

ich weiß, dass du eine schöne Frau bist.
12 Wenn dich nun die Ägypter sehen, so
werden sie sagen: Das ist seine Frau, und
werden mich umbringen und dich leben
lassen. 13 So sage doch, du seist meine
Schwester, auf dass mir's wohlgehe um
deinetwillen und ich am Leben bleibe um
deinetwillen.
14 Als nun Abram nach Ägypten kam,
sahen die Ägypter, dass seine Frau sehr
schön war. 15 Und die Großen des Pha-
rao sahen sie und priesen sie vor ihm.
Da wurde sie in das Haus des Pharao ge-
bracht. 16 Und er tat Abram Gutes um ih-
retwillen; und er bekam Schafe, Rinder,
Esel, Knechte und Mägde, Eselinnen und
Kamele. 17 Aber der HERR plagte den Pha-
rao und sein Haus mit großen Plagen um
Sarais, Abrams Frau, willen.
18 Da rief der Pharao Abram zu sich und
sprach zu ihm: Warum hast du mir das an-
getan? Warum sagtest du mir nicht, dass
sie deine Frau ist? 19 Warum sprachst du
denn: Sie ist meine Schwester, sodass ich
sie mir zur Frau nahm? Und nun siehe,
da hast du deine Frau; nimm sie und zieh
hin. 20 Und der Pharao bestellte Leute um
seinetwillen, dass sie ihn geleiteten und
seine Frau und alles, was er hatte.

ABRAM UND LOT TRENNEN SICH

13 So zog Abram herauf aus Ägypten
mit seiner Frau und mit allem, was er
hatte, und Lot mit ihm ins Südland. 2 Ab-
ram aber war sehr reich an Vieh, Silber und
Gold. 3 Und er zog immer weiter vom Süd-
land bis nach Bethel, an die Stätte, wo zu-
erst sein Zelt war, zwischen Bethel und Ai,
4 eben an den Ort, wo er früher den Altar
errichtet hatte. Dort [a]rief er den Namen
des HERRN an.
5 Lot aber, der mit Abram zog, hatte
auch Schafe und Rinder und Zelte. 6 Und
das Land konnte es nicht ertragen, dass
sie beieinander wohnten; denn ihre Habe
war groß und sie konnten nicht beiein-
ander wohnen. 7 Und es war immer Zank
zwischen den Hirten von Abrams Vieh
und den Hirten von Lots Vieh. Es wohn-
ten auch zu der Zeit die Kanaaniter und
Perisiter im Lande. 8 Da sprach Abram zu
Lot: Es soll kein Zank sein zwischen mir
und dir und zwischen meinen und deinen
Hirten; denn wir sind Brüder. 9 Steht dir
nicht alles Land offen? Trenne dich doch
von mir! Willst du zur Linken, so will ich
zur Rechten, oder willst du zur Rechten,
so will ich zur Linken.
10 Da hob Lot seine Augen auf und sah
die ganze Gegend am Jordan, dass sie
wasserreich war. Denn bevor der HERR
Sodom und Gomorra vernichtete, war
sie bis nach Zoar hin [a]wie der Garten des
HERRN, gleichwie Ägyptenland. 11 Da
erwählte sich Lot die ganze Gegend am
Jordan und zog nach Osten. Also trennte
sich ein Bruder von dem andern, 12 sodass
Abram wohnte im Lande Kanaan und Lot
in den Städten jener Gegend. Und Lot zog
mit seinen Zelten bis nach Sodom. 13 Aber
die Leute zu Sodom waren böse und sün-
digten sehr wider den HERRN.[a]

DER HERR WIEDERHOLT SEINE VERHEISSUNG AN ABRAM

14 Als nun Lot sich von Abram getrennt
hatte, sprach der HERR zu Abram: Hebe
deine Augen auf und sieh von der Stätte
aus, wo du bist, nach Norden, nach Süden,
nach Osten und nach Westen. 15 Denn all
das Land, das du siehst, will ich dir ge-
ben und deinen Nachkommen ewiglich.[a]
16 Und ich will deine Nachkommen ma-
chen wie den Staub auf Erden. Kann ein
Mensch den Staub auf Erden zählen, der
wird auch deine Nachkommen zählen.[a]
17 Darum mach dich auf und durchzieh das
Land in die Länge und Breite, denn dir will
ich's geben. 18 Und Abram zog weiter mit
seinem Zelt und kam und wohnte im Hain
[a]Mamre, der bei Hebron ist, und baute
dort dem HERRN einen Altar.

ABRAM ERRETTET LOT UND WIRD VON MELCHISEDEK GESEGNET

14 Und es begab sich zu der Zeit des Kö-
nigs Amrafel von Schinar, Arjochs, des
Königs von Ellasar, Kedor-Laomers, des
Königs von Elam, und Tidals, des [a]Kö-
nigs von Völkern, 2 dass sie Krieg führten
mit Bera, dem König von [a]Sodom, und
mit Birscha, dem König von Gomorra,

13,4 *a* Kap 12,8 **13,10** *a* Kap 2,8-10 **13,13** *a* Kap 18,20; 19,4-9 **13,15** *a* Kap 12,7 **13,16** *a* Kap 28,14; 4. Mose 23,10; 1. Kön 4,20 **13,18** *a* Kap 14,13.24 **14,1** *a* Jos 12,23 **14,2** *a* Kap 19,24

und mit Schinab, dem König von Adma,
und mit Schemeber, dem König von Ze-
bojim, und mit dem König von Bela, das
ist Zoar. 3 Diese kamen alle zusammen in
das Tal Siddim, das jetzt das Salzmeer ist.
4 Denn sie waren zwölf Jahre dem König
Kedor-Laomer untertan gewesen und im
dreizehnten Jahr waren sie von ihm abge-
fallen.

5 [a]Darum kamen Kedor-Laomer und
die Könige, die mit ihm waren, im vier-
zehnten Jahr und schlugen die Refaïter zu
Aschterot-Karnajim und die Susiter zu
Ham und die Emiter in der Ebene Kirja-
tajim 6 und die Horiter auf ihrem Gebirge
Seïr bis El-Paran, das an die Wüste stößt.
7 Danach wandten sie um und kamen nach
En-Mischpat, das ist Kadesch, und schlu-
gen das ganze Gebiet der Amalekiter,
dazu die Amoriter, die zu Hazezon-Ta-
mar wohnten.

8 Da zogen aus der König von Sodom,
der König von Gomorra, der König von
Adma, der König von Zebojim und der
König von Bela, das ist Zoar, und rüste-
ten sich, zu kämpfen im Tal Siddim 9 mit
Kedor-Laomer, dem König von Elam,
und mit Tidal, dem König von Völkern,
und mit Amrafel, dem König von Schinar,
und mit Arjoch, dem König von Ellasar,
vier Könige gegen fünf. 10 Das Tal Siddim
aber war voller Erdharzgruben. Und die
Könige von Sodom und Gomorra wur-
den in die Flucht geschlagen und fielen da
hinein, und was übrig blieb, floh auf das
Gebirge. 11 Da nahmen sie alle Habe von
Sodom und Gomorra und alle Vorräte
und zogen davon. 12 Sie nahmen auch mit
sich Lot, Abrams Brudersohn, und seine
Habe, denn [a]er wohnte in Sodom, und
zogen davon.

13 Da kam einer, der entronnen war, und
sagte es Abram an, dem Hebräer, der da
wohnte im Hain Mamres, des Amoriters,
des Bruders von Eschkol und Aner. Diese
waren mit Abram im Bund. 14 Als nun Ab-
ram hörte, dass seines Bruders Sohn ge-
fangen war, wappnete er seine Knechte,
dreihundertachtzehn, in seinem Hause
geboren, und jagte ihnen nach bis [a]Dan
15 und teilte seine Schar des Nachts, fiel
mit seinen Knechten über sie her und
schlug sie und jagte sie bis nach Hoba, das
nördlich der Stadt Damaskus liegt. 16 Und
er brachte alle Habe wieder zurück, dazu
auch Lot, seines Bruders Sohn, mit seiner
Habe, auch die Frauen und das Volk.

17 [a]Als er nun zurückkam von dem Sieg
über Kedor-Laomer und die Könige mit
ihm, ging ihm entgegen der König von So-
dom in das Tal Schawe, das ist das Königs-
tal. 18 Aber [a]Melchisedek, der König von
[b]Salem, trug Brot und Wein heraus. Und
er war ein Priester Gottes des Höchsten
19 und segnete ihn und sprach: Gesegnet
seist du, Abram, vom höchsten Gott, der
Himmel und Erde geschaffen hat; 20 und
gelobt sei Gott der Höchste, der deine
Feinde in deine Hand gegeben hat. Und
Abram gab ihm den [a]Zehnten von allem.

21 Da sprach der König von Sodom zu
Abram: Gib mir die Leute, die Güter be-
halte für dich! 22 Aber Abram sprach zu
dem König von Sodom: Ich hebe meine
Hand auf zu dem HERRN, dem höchsten
Gott, der Himmel und Erde geschaffen
hat, 23 dass ich von allem, was dein ist,
nicht einen Faden noch einen Schuhrie-
men nehmen will, damit du nicht sagest,
du habest Abram reich gemacht, 24 ausge-
nommen, was die Knechte verzehrt ha-
ben; doch lass die Männer Aner, Eschkol
und Mamre, die mit mir gezogen sind, ihr
Teil nehmen.

GOTT VERHEISST ABRAM EINEN SOHN UND GEWÄHRT IHM DEN BUND

(vgl. Kap 17,1-27)

15 Nach diesen Geschichten begab sich's,
dass zu Abram das Wort des HERRN
kam in einer [a]Erscheinung: Fürchte dich
nicht, Abram! [b]Ich bin dein Schild und
dein sehr großer Lohn. 2 Abram sprach
aber: Herr HERR, was willst du mir ge-
ben? Ich gehe dahin ohne Kinder und
mein Knecht Eliëser von Damaskus
wird mein Haus besitzen. 3 Und Abram
sprach: Mir hast du keine Nachkommen
gegeben; und siehe, einer aus meinem
Haus wird mein Erbe sein. 4 Und siehe,
der HERR sprach zu ihm: Er soll nicht
dein Erbe sein, sondern der von deinem

14,5 *a* (5-6) Kap 36,20-30 **14,12** *a* Kap 13,10-12
14,14 *a* Jos 19,47; Ri 18,29 **14,17** *a* (17-19) Hebr 7,1-4
14,18 *a* Ps 110,4 *b* Ps 76,3 **14,20** *a* Kap 28,22;
3. Mose 27,30-32 **15,1** *a* 4. Mose 24,4.16 *b* Ps 3,4

Leibe kommen wird, der soll dein Erbe
sein. 5 Und er hieß ihn hinausgehen und
sprach: Sieh gen Himmel und zähle die
Sterne; kannst du sie zählen? Und sprach
zu ihm: So zahlreich sollen deine Nach-
kommen sein![a] 6 **Abram glaubte dem
HERRN, und das rechnete er ihm zur
Gerechtigkeit.**[a]
7 Und er sprach zu ihm: [a]Ich bin der
HERR, der dich aus [b]Ur in Chaldäa ge-
führt hat, auf dass ich dir dies Land zu
besitzen gebe. 8 Abram aber sprach: Herr
HERR, woran soll ich merken, dass ich's
besitzen werde? 9 Und er sprach zu ihm:
Bringe mir eine dreijährige Kuh, eine drei-
jährige Ziege, einen dreijährigen Widder,
eine Turteltaube und eine andere Taube.
10 Und er brachte ihm dies alles und [a]zer-
teilte es in der Mitte und legte je einen
Teil dem andern gegenüber; aber die Vö-
gel zerteilte er nicht. 11 Und die Raubvögel
stießen hernieder auf die Stücke, aber Ab-
ram scheuchte sie davon.
12 Als nun die Sonne unterging, fiel
ein [a]tiefer Schlaf auf Abram, und siehe,
Schrecken und große Finsternis überfiel
ihn. 13 Da sprach der HERR zu Abram: Das
sollst du wissen, dass deine Nachkommen
Fremdlinge sein werden in einem Lande,
das nicht das ihre ist; und da wird man
sie zu dienen zwingen und unterdrücken
vierhundert Jahre.[a] 14 Aber ich will das
Volk richten, dem sie dienen müssen. Da-
nach werden sie ausziehen mit großem
Gut.[a] 15 Und du sollst fahren zu deinen
Vätern mit Frieden und [a]in gutem Alter
begraben werden. 16 Sie aber sollen erst
nach vier Menschenaltern wieder hierher
kommen; denn die Missetat der [a]Amori-
ter ist noch nicht voll.
17 Als nun die Sonne untergegangen und
es finster geworden war, siehe, da war ein
[a]rauchender Ofen, und eine brennende
Fackel fuhr zwischen den [b]Stücken hin.
18 An dem Tage schloss der HERR einen
Bund mit Abram und sprach: [a]Deinen
Nachkommen gebe ich dies Land von
dem [b]Strom Ägyptens an bis an den gro-
ßen [c]Strom, den Euphrat: 19 die Keniter,
die Kenasiter, die Kadmoniter, 20 die He-
titer, die Perisiter, die Refaïter, 21 die Amo-
riter, die Kanaaniter, die Girgaschiter, die
Jebusiter.

HAGAR UND ISMAEL

(vgl. Kap 21,9-21)

16 Sarai, Abrams Frau, gebar ihm kein
Kind. Sie hatte aber eine ägyptische
Magd, die hieß Hagar. 2 Und Sarai sprach
zu Abram: Siehe, der HERR hat mich ver-
schlossen, dass ich nicht gebären kann.
Geh doch zu meiner Magd, ob ich viel-
leicht durch sie zu einem Sohn komme.
[a]Und Abram gehorchte der Stimme Sarais.
3 Da nahm Sarai, Abrams Frau, ihre ägyp-
tische Magd Hagar und gab sie Abram,
ihrem Mann, zur Frau, nachdem Abram
zehn Jahre im Lande Kanaan gewohnt
hatte.
4 Und er ging zu Hagar, die ward schwan-
ger. Als sie nun sah, dass sie schwanger
war, achtete sie ihre Herrin gering. 5 Da
sprach Sarai zu Abram: Das Unrecht, das
mir geschieht, komme über dich! Ich habe
meine Magd dir in die Arme gegeben; nun
sie aber sieht, dass sie schwanger gewor-
den ist, bin ich gering geachtet in ihren
Augen. Der HERR sei Richter zwischen
mir und dir. 6 Abram aber sprach zu Sarai:
Siehe, deine Magd ist unter deiner Gewalt;
tu mit ihr, wie dir's gefällt. Da demütigte
Sarai sie, sodass sie vor ihr floh.
7 Aber der [a]Engel des HERRN fand sie bei
einer Wasserquelle in der Wüste, näm-
lich bei der Quelle am Wege nach Schur.
8 Der sprach zu ihr: Hagar, Sarais Magd,
wo kommst du her und wo willst du hin?
Sie sprach: Ich bin von Sarai, meiner Her-
rin, geflohen. 9 Und der Engel des HERRN
sprach zu ihr: Kehre wieder um zu dei-
ner Herrin und demütige dich unter ihre
Hand.
10 Und der Engel des HERRN sprach zu
ihr: Ich will deine Nachkommen so meh-
ren, dass sie der großen Menge wegen
nicht gezählt werden können.[a] 11 Wei-
ter sprach der Engel des HERRN zu ihr:

15,5 *a* Kap 22,17; 2. Mose 32,13; 5. Mose 1,10; Hebr 11,12 **15,6** *a* Röm 4,3-5; Jak 2,23
15,7 *a* 2. Mose 3,14; Jes 45,5; Joh 8,24-29 *b* Kap 11,31
15,10 *a* Jer 34,18-19 **15,12** *a* Kap 2,21; 1. Sam 26,12; Jes 29,10 **15,13** *a* 2. Mose 1,13; 12,40; Apg 7,6
15,14 *a* 2. Mose 3,21-22; Apg 7,7 **15,15** *a* Kap 25,7-8
15,16 *a* Apg 7,7 **15,17** *a* 2. Mose 19,18 *b* Vers 10
15,18 *a* Kap 12,7 *b* 1. Kön 8,65 *c* 1. Kön 5,1
16,2 *a* Kap 30,3.9 **16,7** *a* 2. Mose 14,19; 23,20; 4. Mose 22,22; 1. Kön 19,7; 2. Kön 19,35
16,10 *a* Kap 17,20

Siehe, du bist schwanger geworden und
wirst einen Sohn gebären, dessen Namen
sollst du Ismael nennen; denn [a]der HERR
hat dein Elend erhört. 12 Er wird ein Mann
wie ein Wildesel sein; seine Hand wider
jedermann und jedermanns Hand wider
ihn, und er wird sich all seinen Brüdern
vor die Nase setzen.[a]

13 Und sie nannte den Namen des
HERRN, der mit ihr redete: [a]Du bist ein
Gott, der mich sieht*. Denn sie sprach:
Gewiss hab ich hier hinter dem hergese-
hen, der mich angesehen hat. 14 Darum
nannte man den Brunnen: [a]Brunnen des
Lebendigen, der mich sieht*. Er liegt zwi-
schen Kadesch und Bered.

15 Und Hagar gebar Abram einen Sohn,
und Abram nannte den Sohn, den ihm
Hagar gebar, Ismael. 16 Und Abram war
sechsundachtzig Jahre alt, als ihm Hagar
den Ismael gebar.

DER EWIGE BUND MIT ABRAHAM

17 Als nun Abram neunundneunzig Jahre
alt war, erschien ihm der HERR und
sprach zu ihm: [a]Ich bin der allmächtige
Gott*; [b]wandle vor mir und sei fromm.
2 Und ich will meinen Bund zwischen mir
und dir schließen und will dich über alle
Maßen mehren.

3 Da fiel Abram auf sein Angesicht. Und
Gott redete weiter mit ihm und sprach:
4 Siehe, ich habe meinen Bund mit dir,
und du sollst ein Vater vieler Völker wer-
den. 5 Darum sollst du nicht mehr Ab-
ram heißen, sondern Abraham soll dein
Name sein; denn [a]ich habe dich gemacht
zum Vater vieler Völker. 6 Und ich will
dich sehr fruchtbar machen und will aus
dir Völker machen und Könige sollen von
dir kommen. 7 Und ich will aufrichten
meinen Bund zwischen mir und dir und
deinen Nachkommen von Geschlecht zu
Geschlecht, dass es ein ewiger Bund sei,
sodass ich dein und deiner Nachkommen
Gott bin. 8 Und ich will dir und deinem
Geschlecht nach dir das Land geben, darin
du ein [a]Fremdling bist, das ganze Land Ka-
naan, [b]zu ewigem Besitz und will ihr Gott
sein.

9 Und Gott sprach zu Abraham: So halte
nun meinen Bund, du und deine Nach-
kommen von Geschlecht zu Geschlecht.
10 Das aber ist mein Bund, den ihr halten
sollt zwischen mir und euch und dei-
nen Nachkommen: [a]Alles, was männlich
ist unter euch, soll beschnitten werden;
11 eure Vorhaut sollt ihr beschneiden. Das
soll das [a]Zeichen sein des Bundes zwischen
mir und euch.[b] 12 Jeden Knaben, wenn er
acht Tage alt ist, sollt ihr beschneiden bei
euren Nachkommen. Desgleichen auch
alles, was an Gesinde im Hause geboren
oder was gekauft ist von irgendwelchen
Fremden, die nicht aus eurem Geschlecht
sind. 13 Beschnitten soll werden alles Ge-
sinde, was dir im Hause geboren oder
was gekauft ist. Und so soll mein Bund
an eurem Fleisch zu einem ewigen Bund
werden. 14 Ein Unbeschnittener aber, der
nicht beschnitten wird an seiner Vorhaut,
soll ausgerottet werden aus seinem Volk;
meinen Bund hat er gebrochen.[a]

15 Und Gott sprach abermals zu Abra-
ham: Du sollst Sarai, deine Frau, nicht
mehr Sarai nennen, sondern Sara soll ihr
Name sein. 16 Denn ich will sie [a]segnen,
und auch von ihr will ich dir einen Sohn
geben; ich will sie segnen, und Völker sol-
len aus ihr werden und Könige über viele
Völker.

17 Da fiel Abraham auf sein Angesicht
und [a]lachte und sprach in seinem Herzen:
[b]Soll mir mit hundert Jahren ein Kind
geboren werden, und soll Sara, neunzig
Jahre alt, gebären? 18 Und Abraham sprach
zu Gott: Ach dass Ismael möchte leben
bleiben vor dir! 19 Da sprach Gott: Nein,
Sara, deine Frau, wird dir einen Sohn ge-
bären, den sollst du Isaak nennen, und ich
will meinen Bund mit ihm aufrichten als
einen [a]ewigen Bund für seine Nachkom-
men. 20 Und für Ismael habe ich dich auch
erhört. Siehe, ich habe ihn gesegnet und
will ihn fruchtbar machen und [a]über alle

* **16,13** Hebräisch: »El Roï«. **16,14** Hebräisch: »Beer-Lachai-Roï«. **17,1** Hebräischer Gottesname: »El-Schaddai«.

16,11 *a* 2. Mose 2,23; Hiob 34,28; Ps 9,13; Jes 41,17; Jak 5,4 **16,12** *a* Kap 25,18 **16,13** *a* Kap 22,14; 2. Mose 3,7; 2. Kön 13,4 **16,14** *a* Kap 24,62; 25,11 **17,1** *a* Kap 35,11; 2. Mose 6,3 *b* 5. Mose 10,12 **17,5** *a* Röm 4,11.17 **17,8** *a* Kap 35,27; Hebr 11,9-10 *b* Apg 7,5 **17,10** *a* 3. Mose 12,3; Joh 7,22 **17,11** *a* Hes 20,12 *b* 5. Mose 30,6; Röm 4,11 **17,14** *a* Kap 34,15; 3. Mose 12,3 **17,16** *a* Kap 12,2-3 **17,17** *a* Kap 18,12; 21,6 *b* Lk 1,18; Röm 4,19-21 **17,19** *a* Kap 26,3 **17,20** *a* Kap 16,10; 21,13.18

Maßen mehren. [b]Zwölf Fürsten wird er zeugen und ich will ihn zum großen Volk machen. 21 Aber meinen Bund will ich aufrichten mit Isaak, den dir Sara gebären soll um diese Zeit im nächsten Jahr. 22 Und er hörte auf, mit ihm zu reden. Und Gott fuhr auf von Abraham.

23 Da nahm Abraham seinen Sohn Ismael und alle Knechte, die in seinem Hause geboren, und alle, die von ihm gekauft waren, alle Männer im Hause Abrahams, und beschnitt ihre Vorhaut an eben diesem Tage, wie ihm Gott gesagt hatte. 24 Und Abraham war neunundneunzig Jahre alt, als er seine Vorhaut beschnitt. 25 Ismael aber, sein Sohn, war dreizehn Jahre alt, als seine Vorhaut beschnitten wurde. 26 Eben auf diesen Tag wurden Abraham und sein Sohn Ismael beschnitten. 27 Und alle Männer seines Hauses, im Hause geboren und gekauft von Fremden, wurden mit ihm beschnitten.

DER HERR BEI ABRAHAM UND SARA IN MAMRE

18 Und der HERR erschien ihm im Hain Mamre, während er an der Tür seines Zeltes saß, als der Tag am heißesten war. 2 Und als er seine Augen aufhob und sah, siehe, da standen drei Männer vor ihm. Und als er sie sah, lief er ihnen entgegen von der Tür seines Zeltes und neigte sich zur Erde[a] 3 und sprach: Herr, hab ich Gnade gefunden vor deinen Augen, so geh nicht an deinem Knecht vorüber. 4 Man soll euch ein wenig Wasser bringen, eure Füße zu waschen, und lasst euch nieder unter dem Baum. 5 Und ich will euch einen Bissen Brot bringen, dass ihr euer Herz labt; danach mögt ihr weiterziehen. Denn darum seid ihr bei eurem Knecht vorübergekommen. Sie sprachen: Tu, wie du gesagt hast.

6 Abraham eilte in das Zelt zu Sara und sprach: Eile und menge drei Maß feines Mehl, knete und backe Brote. 7 Er aber lief zu den Rindern und holte ein zartes, gutes Kalb und gab's dem Knechte; der eilte und bereitete es zu. 8 Und er trug Butter und Milch auf und von dem Kalbe, das er zubereitet hatte, und setzte es ihnen vor und blieb stehen vor ihnen unter dem Baum, und sie aßen.

9 Da sprachen sie zu ihm: Wo ist Sara, deine Frau? Er antwortete: Drinnen im Zelt. 10 Da sprach er: Ich [a]will wieder zu dir kommen übers Jahr; siehe, dann soll Sara, deine Frau, einen Sohn haben. Das hörte Sara hinter ihm, hinter der Tür des Zeltes. 11 Und sie waren beide, Abraham und Sara, alt und hochbetagt, sodass es Sara nicht mehr ging nach der Frauen Weise. 12 Darum [a]lachte sie bei sich selbst und sprach: Nun, da ich alt bin, soll ich noch Liebeslust erfahren, und auch mein [b]Herr ist alt!

13 Da sprach der HERR zu Abraham: Warum lacht Sara und spricht: Sollte ich wirklich noch gebären, nun, da ich alt bin? 14 [a]**Sollte dem HERRN etwas unmöglich sein?** Um diese Zeit will ich wieder zu dir kommen übers Jahr; dann soll Sara einen Sohn haben. 15 Da leugnete Sara und sprach: Ich habe nicht gelacht –, denn sie fürchtete sich. Aber er sprach: Es ist nicht so, du hast gelacht.

ABRAHAMS FÜRBITTE FÜR SODOM

16 Da brachen die Männer auf und wandten sich nach Sodom, und Abraham ging mit ihnen, um sie zu geleiten. 17 Da sprach der HERR: Wie könnte ich Abraham verbergen, was ich tun will,[a] 18 da er doch ein großes und mächtiges Volk werden soll und alle Völker auf Erden in ihm gesegnet werden sollen?[a] 19 Denn dazu habe ich ihn auserkoren, dass er [a]seinen Kindern befehle und seinem Hause nach ihm, dass sie des HERRN Wege halten und tun, was recht und gut ist, auf dass der HERR auf Abraham kommen lasse, was er ihm verheißen hat. 20 Und der HERR sprach: Es ist ein großes [a]Geschrei über Sodom und Gomorra, denn ihre Sünden sind sehr schwer. 21 Darum will ich hinabfahren und sehen, ob sie alles getan haben nach dem Geschrei, das vor mich gekommen ist, oder ob's nicht so sei, damit ich's wisse. 22 Und die Männer wandten ihr Angesicht und gingen nach Sodom.

Aber Abraham blieb stehen vor dem HERRN 23 und trat herzu und sprach:

17,20 ***b*** Kap 25,16 **18,2** ***a*** Hebr 13,2 **18,10** ***a*** Kap 17,19; Röm 9,9 **18,12** ***a*** Kap 17,17 ***b*** 1. Petr 3,6 **18,14** ***a*** Mt 19,26; Lk 1,37 **18,17** ***a*** Am 3,7 **18,18** ***a*** Kap 12,3 **18,19** ***a*** 5. Mose 6,7; 32,46 **18,20** ***a*** Kap 19,13

Willst du denn den Gerechten mit dem
Gottlosen umbringen?[a] 24 Es könnten
vielleicht fünfzig Gerechte in der Stadt
sein; wolltest du die umbringen und dem
Ort nicht vergeben um fünfzig Gerechter
willen, die darin wären? 25 Das sei ferne
von dir, dass du das tust und tötest den
Gerechten mit dem Gottlosen, sodass der
Gerechte wäre gleich wie der Gottlose!
Das sei ferne von dir! Sollte der [a]Richter
aller Welt nicht gerecht richten?

26 Der HERR sprach: Finde ich fünfzig
Gerechte zu Sodom in der Stadt, so will
ich um ihretwillen dem ganzen Ort verge-
ben.[a] 27 Abraham antwortete und sprach:
Ach siehe, ich habe mich unterwunden,
zu reden mit dem Herrn, wiewohl ich
Erde und Asche bin. 28 Es könnten viel-
leicht fünf weniger als fünfzig Gerechte
darin sein; wolltest du denn die ganze
Stadt verderben um der fünf willen? Er
sprach: Finde ich darin fünfundvierzig,
so will ich sie nicht verderben. 29 Und er
fuhr fort mit ihm zu reden und sprach:
Man könnte vielleicht vierzig darin finden.
Er aber sprach: Ich will ihnen nichts tun
um der vierzig willen. 30 Abraham sprach:
Zürne nicht, Herr, dass ich noch mehr
rede. Man könnte vielleicht dreißig darin
finden. Er aber sprach: Finde ich dreißig
darin, so will ich ihnen nichts tun. 31 Und
er sprach: Ach siehe, ich habe mich unter-
wunden, mit dem Herrn zu reden. Man
könnte vielleicht zwanzig darin finden. Er
antwortete: Ich will sie nicht verderben
um der zwanzig willen. 32 Und er sprach:
[a]Ach, zürne nicht, Herr, dass ich nur noch
einmal rede. Man könnte vielleicht zehn
darin finden. Er aber sprach: Ich will sie
nicht verderben um der zehn willen.

33 Und der HERR ging weg, nachdem er
aufgehört hatte, mit Abraham zu reden;
und Abraham kehrte wieder um an seinen
Ort.

UNTERGANG VON SODOM UND GOMORRA. LOTS ERRETTUNG

19 [a]Die zwei Engel kamen nach Sodom
am Abend; Lot aber saß zu Sodom un-
ter dem Tor. Und als er sie sah, stand er auf,
ging ihnen entgegen und neigte sich bis
zur Erde 2 und sprach: Siehe, liebe Herren,
kehrt doch ein im Hause eures Knechts,
bleibt über Nacht und lasst eure Füße wa-
schen. Frühmorgens mögt ihr aufbrechen
und eure Straße ziehen. Aber sie spra-
chen: Nein, wir wollen über Nacht im
Freien bleiben. 3 Da nötigte er sie sehr und
sie kehrten zu ihm ein und kamen in sein
Haus. Und er machte ihnen ein Mahl und
backte ungesäuerte Brote, und sie aßen.

4 Aber ehe sie sich legten, kamen die
Männer der Stadt Sodom und umgaben
das Haus, Jung und Alt, das ganze Volk
aus allen Enden, 5 [a]und riefen Lot und
sprachen zu ihm: Wo sind die Männer,
die zu dir gekommen sind diese Nacht?
Gib sie heraus, dass wir ihnen beiwoh-
nen. 6 Lot ging heraus zu ihnen vor die
Tür und schloss die Tür hinter sich zu
7 und sprach: Ach, liebe Brüder, tut nicht
so übel! 8 Siehe, ich habe zwei Töchter, die
wissen noch von keinem Manne; die will
ich euch herausgeben, und dann tut mit
ihnen, was euch gefällt; aber diesen Män-
nern tut nichts, denn darum sind sie unter
den Schatten meines Dachs gekommen.

9 Sie aber sprachen: Weg mit dir! Und
sprachen auch: Du bist der einzige Fremd-
ling hier und willst regieren? Wohlan, wir
wollen dich noch übler plagen als jene.
Und sie [a]drangen hart ein auf den Mann
Lot. Doch als sie hinzuliefen und die Tür
aufbrechen wollten, 10 griffen die Männer
hinaus und zogen Lot herein zu sich ins
Haus und schlossen die Tür zu. 11 Und [a]sie
schlugen die Leute vor der Tür des Hauses,
Klein und Groß, mit Blindheit, sodass sie
sich vergebens mühten, die Tür zu finden.

12 Und die Männer sprachen zu Lot: Hast
du noch jemanden hier? Einen Schwie-
gersohn? Deine Söhne und Töchter? Wer
noch zu dir gehört in der Stadt, den führe
weg von dieser Stätte. 13 Denn wir werden
diese Stätte verderben, weil [a]das Geschrei
über sie groß ist vor dem HERRN; der hat
uns gesandt, sie zu verderben. 14 Da ging
Lot hinaus und redete mit den Männern,
die seine Töchter heiraten sollten: Macht
euch auf und [a]geht aus diesem Ort, denn

18,23 *a* 4. Mose 16,22 **18,25** *a* Ps 82,1; 94,2
18,26 *a* Jes 65,8; Mt 24,22 **18,32** *a* Ri 6,39
19,1 *a* Kap 18,22 **19,5** *a* (5-8) 3. Mose 18,22-25;
Ri 19,22-24; Röm 1,27 **19,9** *a* 2. Petr 2,7-8
19,11 *a* 2. Kön 6,18 **19,13** *a* Kap 18,20
19,14 *a* 4. Mose 16,21

der HERR wird diese Stadt verderben. Die
aber meinten, er scherze.
15 Als nun die Morgenröte aufging,
drängten die Engel Lot zur Eile und spra-
chen: Mach dich auf, nimm deine Frau und
deine beiden Töchter, die hier sind, damit
du nicht auch umkommst in der Missetat
dieser Stadt. 16 Als er aber zögerte, ergrif-
fen die Männer ihn und seine Frau und
seine beiden Töchter bei der Hand, weil
der HERR ihn verschonen wollte, und
führten ihn hinaus und ließen ihn erst
draußen vor der Stadt wieder los.
17 Und als sie ihn hinausgebracht hatten,
sprach der eine: Rette dein Leben und
sieh nicht hinter dich, bleib auch nicht
stehen in dieser ganzen Gegend. [a]Auf
das Gebirge rette dich, damit du nicht
umkommst! 18 Aber Lot sprach zu ihnen:
Ach nein, Herr! 19 Siehe, dein Knecht hat
Gnade gefunden vor deinen Augen, und
du hast deine Barmherzigkeit groß ge-
macht, die du an mir getan hast, als du
mich am Leben erhieltest. Ich kann mich
nicht auf das Gebirge retten; es könnte
mich sonst das Unheil ereilen, sodass ich
stürbe. 20 Siehe, da ist eine Stadt nahe, in
die ich fliehen kann, und sie ist klein. Da-
hin will ich mich retten, dass ich am Leben
bleibe. Ist sie nicht klein?*
21 Da sprach er zu ihm: Siehe, ich habe
auch darin dich angesehen, dass ich die
Stadt nicht zerstöre, von der du geredet
hast. 22 Eile und rette dich dahin; denn ich
kann nichts tun, bis du hineinkommst.
Daher ist diese Stadt Zoar genannt. 23 Und
die Sonne war aufgegangen auf Erden, als
Lot nach Zoar kam.
24 Da ließ der HERR Schwefel und Feuer
regnen vom Himmel herab auf Sodom
und Gomorra[a] 25 und vernichtete die
Städte und die ganze Gegend und alle Ein-
wohner der Städte und was auf dem Lande
gewachsen war. 26 Und Lots Frau sah hin-
ter sich und ward zur Salzsäule.[a]
27 Abraham aber machte sich früh am
Morgen auf an den Ort, wo er vor dem
HERRN gestanden hatte, 28 und wandte
sein Angesicht gegen Sodom und Go-
morra und alles Land dieser Gegend und
schaute, und siehe, da ging ein Rauch
auf vom Lande wie der Rauch von einem
Ofen. 29 Und es geschah, als Gott die
Städte in der Gegend vernichtete, ge-
dachte er an Abraham und geleitete Lot
aus den Städten, die er zerstörte, in denen
Lot gewohnt hatte.

LOT UND SEINE TÖCHTER

30 Und Lot zog weg von Zoar und blieb auf
dem Gebirge mit seinen beiden Töchtern;
denn er fürchtete sich, in Zoar zu bleiben;
und so blieb er in einer Höhle mit seinen
beiden Töchtern. 31 Da sprach die ältere zu
der jüngeren: Unser Vater ist alt und kein
Mann ist mehr im Lande, der zu uns ein-
gehen könnte nach aller Welt Weise. 32 So
komm, lass uns unserm Vater Wein zu
trinken geben und bei ihm schlafen, dass
wir uns Nachkommen schaffen von un-
serm Vater.[a] 33 Da gaben sie ihrem Vater
Wein zu trinken in derselben Nacht. Und
die erste ging hinein und legte sich zu ih-
rem Vater; und er ward's nicht gewahr, als
sie sich legte noch als sie aufstand.
34 Am Morgen sprach die ältere zu der
jüngeren: Siehe, ich habe gestern bei mei-
nem Vater gelegen. Lass uns ihm auch
diese Nacht Wein zu trinken geben, dass
du hineingehst und dich zu ihm legst, da-
mit wir uns Nachkommen schaffen von
unserm Vater. 35 Da gaben sie ihrem Vater
auch diese Nacht Wein zu trinken. Und
die jüngere machte sich auch auf und legte
sich zu ihm; und er ward's nicht gewahr,
als sie sich legte noch als sie aufstand.
36 So wurden die beiden Töchter Lots
schwanger von ihrem Vater. 37 Und die
ältere gebar einen Sohn, den nannte sie
Moab. Von dem kommen her die Moabiter
bis auf den heutigen Tag.[a] 38 Und die jün-
gere gebar auch einen Sohn, den nannte
sie Ben-Ammi. Von dem kommen her die
[a]Ammoniter bis auf den heutigen Tag.

ABRAHAM UND SARA BEI ABIMELECH

(vgl. Kap 12,10-20; 26,1-11)

20 Abraham aber zog von dannen ins
Südland und wohnte zwischen Ka-
desch und Schur und lebte nun als ein

* **19,20** Wortspiel mit dem Namen »Zoar« in Vers 22; der Name bedeutet »klein«.

19,17 *a* Mt 24,16 **19,24** *a* 5. Mose 29,22; Ps 11,6; Jes 1,9-10; 13,19; Am 4,11; Lk 17,29; 2. Petr 2,6; Offb 14,10
19,26 *a* Lk 17,32 **19,32** *a* 3. Mose 18,7
19,37 *a* 5. Mose 2,9 **19,38** *a* 5. Mose 2,19; 23,4

Fremdling zu Gerar.[a] 2 Er sagte aber von
Sara, seiner Frau: Sie ist meine Schwester.
Da sandte Abimelech, der König von Ge-
rar, hin und ließ Sara holen.
3 Aber Gott kam zu Abimelech des
Nachts im Traum und sprach zu ihm:
Siehe, du bist des Todes um der Frau wil-
len, die du genommen hast; denn sie ist
eines Mannes Ehefrau. 4 Abimelech aber
hatte sie nicht berührt und sprach: Herr,
willst du denn auch ein gerechtes Volk
umbringen? 5 Hat er nicht zu mir gesagt:
Sie ist meine Schwester? Und sie hat auch
gesagt: Er ist mein Bruder. Hab ich das
doch getan mit einfältigem Herzen und
unschuldigen Händen. 6 Und Gott sprach
zu ihm im Traum: Ich weiß auch, dass du
das mit einfältigem Herzen getan hast.
Darum habe ich dich auch behütet, dass
du nicht wider mich sündigtest, und habe
es nicht zugelassen, dass du sie berührtest.
7 So gib nun dem Mann seine Frau wieder,
denn er ist ein Prophet, und [a]lass ihn für
dich bitten, so wirst du am Leben bleiben.
Wenn du sie aber nicht wiedergibst, so
wisse, dass du des Todes sterben musst
und alles, was dein ist.
8 Da stand Abimelech früh am Mor-
gen auf und rief alle seine Knechte und
sagte dieses alles vor ihren Ohren. Und
die Männer fürchteten sich sehr. 9 Und
Abimelech rief Abraham auch herzu und
sprach zu ihm: Warum hast du uns das an-
getan? Und was habe ich an dir gesündigt,
dass du eine so große Sünde wolltest auf
mich und mein Reich bringen? Du hast an
mir gehandelt, wie man nicht handeln soll.
10 Und Abimelech sprach weiter zu Abra-
ham: Wie bist du dazu gekommen, dass
du solches getan hast? 11 Abraham sprach:
Ich dachte, gewiss ist keine Gottesfurcht
an diesem Orte, und sie werden mich um
meiner Frau willen umbringen. 12 Auch
ist sie wahrhaftig meine Schwester, denn
sie ist meines Vaters Tochter, aber nicht
meiner Mutter Tochter; so ist sie meine
Frau geworden.[a] 13 Als mich Gott [a]aus
meines Vaters Hause ins Ungewisse wan-
dern hieß, sprach ich zu ihr: Tu mir diese
Liebe, dass, wo wir hinkommen, du von
mir sagst, ich sei dein Bruder.
14 Da nahm Abimelech Schafe und Rin-
der, Knechte und Mägde und gab sie Ab-
raham und gab ihm Sara, seine Frau, wie-
der. 15 Und Abimelech sprach: Siehe da,
mein Land steht dir offen; wohne, wo
dir's wohlgefällt. 16 Und zu Sara sprach er:
Siehe da, ich habe deinem Bruder tausend
Silberstücke gegeben; siehe, das soll eine
Decke sein über den Augen aller, die bei
dir sind, dir zugute. Damit ist dir bei allen
Recht verschafft.
17 Abraham aber betete zu Gott. Da
heilte Gott Abimelech und seine Frau
und seine Mägde, dass sie wieder Kinder
gebaren. 18 Denn der HERR hatte zuvor
hart verschlossen jeden Mutterschoß im
Hause Abimelechs um Saras, Abrahams
Frau, willen.

ISAAKS GEBURT

21 Und der HERR nahm sich Saras an, wie
er gesagt hatte, und tat an ihr, wie er
geredet hatte.[a] 2 Und Sara ward schwanger
und gebar dem Abraham in seinem Alter
einen Sohn um die Zeit, von der Gott zu
ihm geredet hatte.[a]
3 Und Abraham nannte seinen Sohn,
der ihm geboren war, Isaak, den ihm Sara
gebar.[a] 4 Und Abraham beschnitt seinen
Sohn Isaak am achten Tage, wie ihm Gott
geboten hatte.[a] 5 Hundert Jahre war Abra-
ham alt, als ihm sein Sohn Isaak geboren
wurde.[a] 6 Und Sara sprach: Gott hat mir
ein [a]Lachen* zugerichtet; denn wer es hö-
ren wird, der wird über mich lachen. 7 Und
sie sprach: Wer hätte wohl von Abraham
gesagt, dass Sara Kinder stille! Und doch
habe ich ihm einen Sohn geboren in sei-
nem Alter.

ISMAEL UND SEINE MUTTER WERDEN VERTRIEBEN

8 Und das Kind wuchs heran und wurde
entwöhnt. Und Abraham machte ein gro-
ßes Mahl am Tage, da Isaak entwöhnt
wurde. 9 Und Sara sah den Sohn Hagars,
der Ägypterin, den sie Abraham gebo-
ren hatte, dass er [a]lachte. 10 Da sprach sie
zu Abraham: [a]Vertreibe diese Magd mit

* **21,6** Wortspiel mit dem Namen »Isaak«.

20,1 *a* Kap 12,9; 26,1 **20,7** *a* 1. Kön 13,6
20,12 *a* 3. Mose 18,9 **20,13** *a* Kap 12,1 **21,1** *a* Kap 18,10
21,2 *a* Hebr 11,11 **21,3** *a* Kap 17,19 **21,4** *a* Kap 17,11-12;
Apg 7,8 **21,5** *a* Kap 17,17 **21,6** *a* Kap 18,12 **21,9** *a* Vers 6;
Kap 18,12 **21,10** *a* Gal 4,30

ihrem Sohn; denn der Sohn dieser Magd
soll nicht erben mit meinem Sohn Isaak.
11 Das Wort missfiel Abraham sehr um sei-
nes Sohnes willen.
12 Aber Gott sprach zu ihm: Lass es dir
nicht missfallen wegen des Knaben und
der Magd. Alles, was Sara dir gesagt hat,
dem gehorche; denn [a]nach Isaak soll dein
Geschlecht genannt werden. 13 Aber [a]auch
den Sohn der Magd will ich zu einem Volk
machen, weil er dein Sohn ist.

14 Da stand Abraham früh am Morgen
auf und nahm Brot und einen Schlauch
mit Wasser und legte es Hagar auf ihre
Schulter, dazu den Knaben, und schickte
sie fort. Da zog sie hin und irrte in der
Wüste umher bei Beerscheba. 15 Als nun
das Wasser in dem Schlauch ausgegan-
gen war, warf sie den Knaben unter einen
Strauch 16 und ging hin und setzte sich
gegenüber von ferne, einen Bogenschuss
weit; denn sie sprach: Ich kann nicht an-
sehen des Knaben Sterben. Und sie setzte
sich gegenüber und erhob ihre Stimme
und weinte.[a]
17 Da erhörte Gott die Stimme des Kna-
ben. Und der Engel Gottes rief Hagar vom
Himmel her und sprach zu ihr: Was ist dir,
Hagar? Fürchte dich nicht; denn Gott hat
gehört die Stimme des Knaben dort, wo er
liegt. 18 Steh auf, nimm den Knaben und
führe ihn an deiner Hand; denn ich will
ihn zum großen Volk machen.
19 Und [a]Gott tat ihr die Augen auf, dass
sie einen Wasserbrunnen sah. Da ging
sie hin und füllte den Schlauch mit Was-
ser und gab dem Knaben zu trinken.
20 Und Gott war mit dem Knaben. Der
wuchs heran und wohnte in der Wüste
und wurde ein Bogenschütze. 21 Und er
wohnte in der Wüste Paran und seine
Mutter nahm ihm eine Frau aus [a]Ägyp-
tenland.

ABRAHAMS BUND MIT ABIMELECH

(vgl. Kap 26,15-33)

22 Zu der Zeit redete Abimelech zusam-
men mit Pichol, seinem Feldhauptmann,
zu Abraham und sprach: Gott ist mit dir in
allem, was du tust. 23 So schwöre mir nun
bei Gott, dass du mir und meinen Söhnen
und meinen Enkeln keine Untreue erwei-
sen wollest, sondern die Barmherzigkeit,
die ich an dir getan habe, an mir auch tust
und an dem Lande, darin du ein Fremdling
bist.[a] 24 Da sprach Abraham: Ich schwöre.
25 Und Abraham stellte Abimelech zur
Rede um des Wasserbrunnens willen, den
Abimelechs Knechte mit Gewalt genom-
men hatten. 26 Da antwortete Abimelech:
Ich habe es nicht gewusst, wer das getan
hat; weder hast du mir's angesagt noch
hab ich's gehört bis heute. 27 Da nahm Ab-
raham Schafe und Rinder und gab sie Abi-
melech, und die beiden schlossen einen
Bund miteinander. 28 Und Abraham stellte
sieben Lämmer beiseite. 29 Da sprach Abi-
melech zu Abraham: Was sollen die sie-
ben Lämmer, die du beiseitegestellt hast?
30 Er antwortete: Sieben Lämmer sollst du
von meiner Hand nehmen, damit sie für
mich ein Zeugnis seien, dass ich diesen
Brunnen gegraben habe.
31 Daher heißt die Stätte Beerscheba,
weil sie beide miteinander da geschworen
haben. 32 Und so schlossen sie den Bund
zu Beerscheba.

Da machten sich auf Abimelech und
Pichol, sein Feldhauptmann, und zogen
wieder in der Philister Land. 33 Abraham
aber pflanzte einen Tamariskenbaum in
Beerscheba und [a]rief dort den Namen des
HERRN, des ewigen Gottes, an. 34 Und er
war ein Fremdling in der Philister Lande
eine lange Zeit.

DAS OPFER ABRAHAMS

22 Nach diesen Geschichten [a]versuchte
Gott Abraham und sprach zu ihm:
Abraham! Und er antwortete: Hier bin
ich. 2 Und er sprach: Nimm Isaak, deinen
einzigen Sohn, den du lieb hast, und geh
hin in das Land Morija und opfere ihn dort
zum Brandopfer auf einem Berge, den ich
dir sagen werde.
3 Da stand Abraham früh am Morgen auf
und gürtete seinen Esel und nahm mit sich
zwei Knechte und seinen Sohn Isaak und
spaltete Holz zum Brandopfer, machte
sich auf und ging hin an den Ort, von dem
ihm Gott gesagt hatte. 4 Am dritten Tage

21,12 *a* Kap 17,21; Röm 9,7-8; Hebr 11,18
21,13 *a* Kap 17,20 **21,16** *a* Jes 49,15 **21,19** *a* 2. Kön 6,17.20
21,21 *a* Kap 16,3 **21,23** *a* Kap 20,15 **21,33** *a* Kap 12,8; Röm 16,26 **22,1** *a* 2. Mose 15,25; 16,4; 20,20; 5. Mose 8,2; 13,4; Ri 2,22; Hebr 11,17; Jak 1,13

hob Abraham seine Augen auf und sah die
Stätte von ferne. 5 Und Abraham sprach zu
seinen Knechten: Bleibt ihr hier mit dem
Esel. Ich und der Knabe wollen dorthin ge-
hen, und wenn wir angebetet haben, wol-
len wir wieder zu euch kommen.

6 Und Abraham nahm das Holz zum
Brandopfer und legte es auf seinen Sohn
Isaak. Er aber nahm das Feuer und das
Messer in seine Hand; und gingen die
beiden miteinander. 7 Da sprach Isaak zu
seinem Vater Abraham: Mein Vater! Abra-
ham antwortete: Hier bin ich, mein Sohn.
Und er sprach: Siehe, hier ist Feuer und
Holz; wo ist aber das Schaf zum Brand-
opfer? 8 Abraham antwortete: Mein Sohn,
Gott wird sich ersehen ein Schaf zum
Brandopfer. Und gingen die beiden mit-
einander.

9 Und als sie an die Stätte kamen, die ihm
Gott gesagt hatte, baute Abraham dort
einen Altar und legte das Holz darauf und
band seinen Sohn Isaak, legte ihn auf den
Altar oben auf das Holz 10 und reckte seine
Hand aus und fasste das Messer, dass er
seinen Sohn schlachtete.[a]

11 Da rief ihn der Engel des HERRN vom
Himmel und sprach: Abraham! Abraham!
Er antwortete: Hier bin ich. 12 Er sprach:
Lege deine Hand nicht an den Knaben und
tu ihm nichts; denn nun weiß ich, dass du
Gott fürchtest und [a]hast deines einzigen
Sohnes nicht verschont um meinetwillen.

13 Da hob Abraham seine Augen auf und
sah einen Widder hinter sich im Gestrüpp
mit seinen Hörnern hängen und ging hin
und nahm den Widder und opferte ihn
zum Brandopfer an seines Sohnes statt.
14 Und Abraham nannte die Stätte [a]»Der
HERR sieht«. Daher man noch heute sagt:
Auf dem Berge, da der HERR sich sehen
lässt.

15 Und der Engel des HERRN rief Ab-
raham abermals vom Himmel her 16 und
sprach: [a]Ich habe bei mir selbst geschwo-
ren, spricht der HERR: Weil du solches ge-
tan hast und hast deines einzigen Sohnes
nicht verschont, 17 will ich [a]dich segnen
und deine Nachkommen mehren wie die
Sterne am Himmel und wie den Sand am
Ufer des Meeres, und deine Nachkom-
men sollen die Tore ihrer Feinde besitzen;
18 und durch [a]deine Nachkommen sollen
alle Völker auf Erden gesegnet werden,
weil du meiner Stimme gehorcht hast.

19 So kehrte Abraham zurück zu seinen
Knechten. Und sie machten sich auf und
zogen miteinander nach Beerscheba und
Abraham blieb daselbst.

DIE NACHKOMMEN NAHORS

20 Nach diesen Geschichten begab sich's,
dass Abraham angesagt wurde: Siehe,
[a]Milka hat auch Söhne geboren deinem
Bruder Nahor, 21 nämlich Uz, den Erstge-
borenen, und Bus, seinen Bruder, und Ke-
muël, von dem die Aramäer herkommen,
22 und Kesed und Haso und Pildasch und
Jidlaf und Betuël. 23 [a]Betuël aber zeugte
Rebekka. Diese acht gebar Milka dem Na-
hor, Abrahams Bruder. 24 Und seine Ne-
benfrau, mit Namen Rëuma, gebar auch,
nämlich den Tebach, Gaham, Tahasch und
Maacha.

SARA STIRBT. ABRAHAM ERWIRBT EIN ERBBEGRÄBNIS

23 Sara wurde hundertsiebenundzwan-
zig Jahre alt. So lange lebte Sara. 2 Und
Sara starb in Kirjat-Arba – das ist Hebron –
im Lande Kanaan. Da kam Abraham, dass
er sie beklagte und beweinte.

3 Danach stand er auf von seiner Toten
und redete mit den Hetitern und sprach:
4 Ich bin ein [a]Fremdling und Beisasse bei
euch; gebt mir ein Erbbegräbnis bei euch,
dass ich meine Tote hinaustrage und be-
grabe. 5 Da antworteten die Hetiter Ab-
raham und sprachen zu ihm: 6 Höre uns,
lieber Herr! Du bist ein Fürst Gottes unter
uns. Begrabe deine Tote in einem unserer
vornehmsten Gräber; kein Mensch unter
uns wird dir wehren, dass du in seinem
Grabe deine Tote begräbst.

7 Da stand Abraham auf und verneigte
sich vor dem Volk des Landes, vor den
Hetitern. 8 Und er redete mit ihnen und
sprach: Gefällt es euch, dass ich meine
Tote hinaustrage und begrabe, so höret
mich und bittet für mich Efron, den Sohn
Zohars, 9 dass er mir gebe seine Höhle

22,10 *a* Mt 26,39; Jak 2,21 **22,12** *a* Röm 8,32; Hebr 11,17
22,14 *a* Kap 16,13 **22,16** *a* 2. Mose 32,13; Jes 45,23;
Am 6,8; Mi 7,20; Lk 1,73; Hebr 6,13 **22,17** *a* Kap 13,16;
Hebr 11,12 **22,18** *a* Kap 12,3; Gal 3,16 **22,20** *a* Kap 11,29
22,23 *a* Kap 24,15 **23,4** *a* Kap 17,8

Machpela, die am Ende seines Ackers liegt;
er gebe sie mir um Geld, soviel sie wert
ist, zum Erbbegräbnis unter euch. 10 Efron
aber saß unter den Hetitern. Da antwor-
tete Efron, der Hetiter, dem Abraham vor
den Ohren der Hetiter, vor allen, die beim
Tor seiner Stadt versammelt waren, und
sprach: 11 Nein, mein Herr, sondern höre
mir zu! Ich schenke dir den Acker und die
Höhle darin und übergebe dir's vor den
Augen der Söhne meines Volks, um deine
Tote dort zu begraben.

12 Da verneigte sich Abraham vor dem
Volk des Landes 13 und redete mit Efron,
sodass das Volk des Landes es hörte, und
sprach: Hör mich doch, bitte, an! Ich gebe
dir Geld für den Acker. Nimm es von mir,
so will ich meine Tote dort begraben. 14 Ef-
ron antwortete Abraham und sprach zu
ihm: 15 Mein Herr, höre mich doch! Das
Feld ist vierhundert Schekel Silber wert;
was ist das aber zwischen mir und dir?
Begrabe nur deine Tote! 16 Abraham hörte
auf Efron und wog ihm die Summe dar,
die er genannt hatte vor den Ohren der
Hetiter, vierhundert Schekel Silber nach
dem Gewicht, das im Kauf gang und gäbe
war.

17 So ging Efrons Acker in Machpela ge-
genüber von Mamre in Abrahams Eigen-
tum über, der Acker und die Höhle darin
mit allen Bäumen auf dem Acker ringsum,
18 vor den Augen der Hetiter und aller, die
beim Tor seiner Stadt versammelt waren.
19 Danach begrub Abraham Sara, seine
Frau, in der Höhle des Ackers in Mach-
pela östlich von Mamre, das ist Hebron,
im Lande Kanaan. 20 So ging der Acker mit
[a]der Höhle darin als Erbbegräbnis von den
Hetitern auf Abraham über.

BRAUTWERBUNG FÜR ISAAK

24 Abraham war alt und hochbetagt, und
der HERR hatte ihn gesegnet allent-
halben.[a] 2 Und er sprach zu dem ältesten
Knecht seines Hauses, der allen seinen
Gütern vorstand: Lege deine Hand unter
meine Hüfte 3 und schwöre mir bei dem
HERRN, dem Gott des Himmels und der
Erde, dass du meinem Sohn [a]keine Frau
nimmst von den Töchtern der Kanaaniter,
unter denen ich wohne, 4 sondern dass du
ziehst in mein Vaterland und zu meiner
Verwandtschaft und nimmst meinem
Sohn Isaak dort eine Frau.

5 Der Knecht sprach zu ihm: Wie, wenn
das Mädchen mir nicht folgen will in dies
Land, soll ich dann deinen Sohn zurück-
bringen in jenes Land, von dem du aus-
gezogen bist? 6 Abraham sprach zu ihm:
Davor hüte dich, dass du meinen Sohn
wieder dahin bringst! 7 [a]Der HERR, der
Gott des Himmels, der mich von mei-
nes Vaters Hause genommen hat und von
meiner Heimat, der mir zugesagt und mir
auch geschworen hat: Dies Land will ich
deinen Nachkommen geben –, der wird
seinen Engel vor dir her senden, dass du
meinem Sohn dort eine Frau nimmst.
8 Wenn aber das Mädchen dir nicht fol-
gen will, so bist du dieses Eides ledig. Nur
bringe meinen Sohn nicht wieder dorthin!
9 Da legte der Knecht seine Hand unter
die Hüfte Abrahams, seines Herrn, und
schwor es ihm.

10 So nahm der Knecht zehn Kamele von
den Kamelen seines Herrn und zog hin
und hatte mit sich allerlei Güter seines
Herrn und machte sich auf und zog nach
Mesopotamien*, zu der Stadt [a]Nahors.
11 Da ließ er die Kamele sich lagern drau-
ßen vor der Stadt bei dem Wasserbrun-
nen des Abends um die Zeit, da die Frauen
pflegten herauszugehen und Wasser zu
schöpfen. 12 Und er sprach: HERR, du Gott
meines Herrn Abraham, lass es mir heute
gelingen und tu Barmherzigkeit an Abra-
ham, meinem Herrn! 13 Siehe, ich stehe
hier bei dem Wasserbrunnen, und die
Töchter der Leute in dieser Stadt werden
herauskommen, um Wasser zu schöp-
fen. 14 Wenn nun ein Mädchen kommt, zu
dem ich spreche: Neige deinen Krug und
lass mich trinken, und es sprechen wird:
Trinke, ich will deine Kamele auch trän-
ken –, das sei die, die du deinem Diener
Isaak beschert hast, und daran werde ich
erkennen, dass du Barmherzigkeit an mei-
nem Herrn getan hast.

15 Und ehe er ausgeredet hatte, siehe, da
kam heraus [a]Rebekka, die Tochter Betuëls,

* **24,10** Siehe Sach- und Worterklärungen.

23,20 *a* Kap 25,9-10; 47,30; 49,29-32; 50,13
24,1 *a* Kap 12,2 **24,3** *a* Kap 28,1; 2. Mose 34,16
24,7 *a* 2. Chr 36,23; Neh 2,20 **24,10** *a* Kap 11,22-31
24,15 *a* Kap 22,23

der ein Sohn der Milka war, die die Frau
Nahors, des Bruders Abrahams, war, und
trug einen Krug auf ihrer Schulter. 16 Und
das Mädchen war sehr schön von Ange-
sicht, eine Jungfrau, die noch von keinem
Manne wusste. Die stieg hinab zur Quelle
und füllte den Krug und stieg herauf.

17 Da lief ihr der Knecht entgegen und
sprach: Lass mich ein wenig Wasser aus
deinem Kruge trinken. 18 Und sie sprach:
Trinke, mein Herr! Und eilends ließ sie
den Krug hernieder auf ihre Hand und
gab ihm zu trinken. 19 Und als sie ihm zu
trinken gegeben hatte, sprach sie: Ich will
deinen Kamelen auch schöpfen, bis sie alle
genug getrunken haben. 20 Und eilte und
goss den Krug aus in die Tränke und lief
abermals zum Brunnen, um zu schöpfen,
und schöpfte allen seinen Kamelen.

21 Der Mann aber betrachtete sie und
schwieg still, bis er erkannt hätte, ob der
HERR zu seiner Reise Gnade gegeben
hätte oder nicht. 22 Als nun die Kamele
alle getrunken hatten, nahm er einen
goldenen Ring, einen halben Schekel
schwer, und zwei goldene Armreifen für
ihre Hände, zehn Schekel schwer, 23 und
sprach: Wessen Tochter bist du? Das sage
mir doch! Haben wir auch Raum in dei-
nes Vaters Hause, um zu herbergen? 24 Sie
sprach zu ihm: Ich bin die Tochter Betuëls,
des Sohnes der Milka, den sie dem Nahor
geboren hat. 25 Und sagte weiter zu ihm:
Es ist auch viel Stroh und Futter bei uns
und Raum genug, um zu herbergen.

26 Da neigte sich der Mann und betete
den HERRN an 27 und sprach: Gelobt sei
der HERR, der Gott meines Herrn Abra-
ham, der seine Barmherzigkeit und seine
Treue von meinem Herrn nicht hat wei-
chen lassen; denn der HERR hat mich ge-
radewegs geführt zum Hause des Bruders
meines Herrn. 28 Und das Mädchen lief
und sagte dies alles in ihrer Mutter Hause.

29 Und Rebekka hatte einen Bruder, der
hieß Laban; und Laban lief zu dem Mann
draußen bei dem Brunnen. 30 Denn als
er den Ring und die Armreifen an den
Händen seiner Schwester gesehen hatte
und die Worte Rebekkas, seiner Schwes-
ter, gehört hatte: So hat mir der Mann
gesagt –, da kam er zu dem Mann, und
siehe, er stand bei den Kamelen am Brun-
nen. 31 Und er sprach: Komm herein, du
Gesegneter des HERRN! Warum stehst
du draußen? Ich habe das Haus bereitet
und für die Kamele auch Raum gemacht.
32 Da kam der Mann ins Haus. Und man
zäumte die Kamele ab und gab ihnen Stroh
und Futter, dazu auch Wasser, zu waschen
seine Füße und die Füße der Männer, die
mit ihm waren.

33 Und man setzte ihm Essen vor. Er
sprach aber: Ich will nicht essen, bis ich
zuvor meine Sache vorgebracht habe. La-
ban antwortete: Sage an! 34 Er sprach: Ich
bin Abrahams Knecht. 35 Und der HERR
hat meinen Herrn reich gesegnet, dass er
groß geworden ist, und hat ihm Schafe
und Rinder, Silber und Gold, Knechte
und Mägde, Kamele und Esel gegeben.
36 Dazu hat Sara, die Frau meines Herrn,
in ihrem Alter meinem Herrn einen Sohn
geboren; dem hat er alles gegeben, was er
hat. 37 Und mein Herr hat einen Eid von
mir genommen und gesagt: Du sollst mei-
nem Sohn keine Frau nehmen von den
Töchtern der Kanaaniter, in deren Land
ich wohne, 38 sondern zieh hin zu meines
Vaters Hause und zu meinem Geschlecht;
dort nimm meinem Sohn eine Frau. 39 Ich
sprach aber zu meinem Herrn: Wie, wenn
mir das Mädchen nicht folgen will? 40 Da
sprach er zu mir: [a]Der HERR, vor dem ich
wandle, wird seinen Engel mit dir senden
und Gnade zu deiner Reise geben, dass
du meinem Sohn eine Frau nimmst von
meiner Verwandtschaft und meines Va-
ters Hause. 41 Dann sollst du deines Eides
ledig sein: Wenn du zu meiner Verwandt-
schaft kommst und sie geben sie dir nicht,
so bist du deines Eides ledig.

42 So kam ich heute zum Brunnen und
sprach: HERR, du Gott meines Herrn Ab-
raham, hast du Gnade zu meiner Reise
gegeben, auf der ich bin, 43 siehe, so stehe
ich hier bei dem Wasserbrunnen. Wenn
nun ein Mädchen herauskommt, um zu
schöpfen, und ich zu ihr spreche: Gib mir
ein wenig Wasser zu trinken aus deinem
Krug, 44 und sie sagen wird: Trinke du,
ich will deinen Kamelen auch schöpfen –,
das sei die Frau, die der HERR dem Sohn
meines Herrn beschert hat. 45 Ehe ich nun

24,40 *a* Tob 4,1–5,22

diese Worte ausgeredet hatte in meinem
Herzen, siehe, da kommt Rebekka her-
aus mit einem Krug auf ihrer Schulter
und geht hinab zur Quelle und schöpft.
Da sprach ich zu ihr: Gib mir zu trinken.
46 Und sie nahm eilends den Krug von ih-
rer Schulter und sprach: Trinke, und deine
Kamele will ich auch tränken. Da trank ich,
und sie tränkte die Kamele auch. 47 Und
ich fragte sie und sprach: Wessen Tochter
bist du? Sie antwortete: Ich bin die Toch-
ter Betuëls, des Sohnes Nahors, den ihm
Milka geboren hat. Da legte ich einen Ring
an ihre Nase und Armreifen an ihre Hände
48 und neigte mich und betete den HERRN
an und lobte den HERRN, den Gott mei-
nes Herrn Abraham, der mich den rechten
Weg geführt hat, dass ich für seinen Sohn
die Tochter des Bruders meines Herrn
nehme.

49 Seid ihr nun die, die an meinem Herrn
Freundschaft und Treue beweisen wollen,
so sagt mir's; wenn nicht, so sagt mir's
auch, dass ich mich wende zur Rechten
oder zur Linken.

50 Da antworteten Laban und Betuël
und sprachen: Das kommt vom HERRN,
darum können wir nichts dazu sagen, we-
der Böses noch Gutes. 51 Da ist Rebekka
vor dir, nimm sie und zieh hin, dass sie die
Frau sei des Sohnes deines Herrn, wie der
HERR geredet hat. 52 Als Abrahams Knecht
diese Worte hörte, neigte er sich vor dem
HERRN bis zur Erde. 53 Danach zog er her-
vor silberne und goldene Kleinode und
Kleider und gab sie Rebekka; auch ihrem
Bruder und der Mutter gab er kostbare Ge-
schenke. 54 Dann aß und trank er samt den
Männern, die mit ihm waren, und sie blie-
ben über Nacht allda.

Am Morgen aber standen sie auf, und
er sprach: Lasst mich ziehen zu meinem
Herrn. 55 Aber ihr Bruder und ihre Mut-
ter sprachen: Lass doch das Mädchen noch
einige Zeit bei uns bleiben, vielleicht zehn
Tage; danach mag sie ziehen. 56 Da sprach
er zu ihnen: Haltet mich nicht auf, denn
der HERR hat Gnade zu meiner Reise ge-
geben. Lasst mich, dass ich zu meinem
Herrn ziehe.

57 Da sprachen sie: Wir wollen das Mäd-
chen rufen und fragen, was sie dazu sagt.
58 Und sie riefen Rebekka und sprachen
zu ihr: Willst du mit diesem Manne zie-
hen? Sie antwortete: Ja, ich will es. 59 Da
ließen sie Rebekka, ihre Schwester, ziehen
mit ihrer Amme, samt Abrahams Knecht
und seinen Leuten. 60 Und sie segneten
Rebekka und sprachen zu ihr: Du, un-
sere Schwester, wachse zu vieltausend-
mal tausend, und [a]dein Geschlecht be-
sitze die Tore seiner Feinde. 61 So machte
sich Rebekka auf mit ihren Mägden, und
sie setzten sich auf die Kamele und zogen
dem Manne nach. Und der Knecht nahm
Rebekka und zog von dannen.

62 Isaak aber war gezogen zum [a]»Brun-
nen des Lebendigen, der mich sieht« und
wohnte im Südlande. 63 Und er war hin-
ausgegangen auf das Feld gegen Abend
und hob seine Augen auf und sah, dass
Kamele daherkamen. 64 Und Rebekka hob
ihre Augen auf und sah Isaak; da stieg sie
eilends vom Kamel 65 und sprach zu dem
Knecht: Wer ist der Mann, der uns ent-
gegenkommt auf dem Felde? Der Knecht
sprach: Das ist mein Herr. Da nahm sie
den Schleier und verhüllte sich. 66 Und der
Knecht erzählte Isaak alles, was er ausge-
richtet hatte. 67 Da führte sie Isaak in das
Zelt seiner Mutter Sara und nahm die Re-
bekka, und sie wurde seine Frau und er ge-
wann sie lieb. Also wurde Isaak [a]getröstet
über seine Mutter.

ABRAHAMS ZWEITE EHE. SEIN TOD UND BEGRÄBNIS

25 Abraham nahm wieder eine Frau, die
hieß Ketura. 2 Die gebar ihm Simran
und Jokschan, Medan und Midian, Jisch-
bak und Schuach. 3 Jokschan aber zeugte
Saba und Dedan. Die Söhne Dedans aber
waren: die Aschuriter, die Letuschiter und
die Lëummiter. 4 Die Söhne Midians wa-
ren: Efa, Efer, Henoch, Abida und Eldaa.
Diese alle sind Söhne der Ketura.

5 Und Abraham gab all sein Gut Isaak.
6 Aber den Söhnen, die er von den Ne-
benfrauen hatte, gab Abraham Geschenke
und schickte sie noch zu seinen Lebzeiten
fort von seinem Sohn Isaak, nach Osten
hin ins Morgenland.

7 Das ist aber Abrahams Alter, das er er-

24,60 *a* Kap 22,17 **24,62** *a* Kap 16,14; 25,11
24,67 *a* Kap 23,1-2

reicht hat: hundertfünfundsiebzig Jahre.[a]
8 Und Abraham verschied und [a]starb in
einem guten Alter, als er alt und lebens-
satt war, und wurde zu seinen Vätern ver-
sammelt.

9 [a]Und es begruben ihn seine Söhne
Isaak und Ismael in der Höhle von Mach-
pela auf dem Acker Efrons, des Sohnes
Zohars, des Hetiters, die da liegt östlich
von Mamre 10 auf dem Felde, das Abraham
von den Hetitern gekauft hatte. Da ist
Abraham begraben mit Sara, seiner Frau.
11 Und nach dem Tode Abrahams segnete
Gott [a]Isaak, seinen Sohn. Und er wohnte
bei dem [b]»Brunnen des Lebendigen, der
mich sieht«.

ISMAELS NACHKOMMEN

12 Dies ist [a]das Geschlecht Ismaels, des
Sohnes Abrahams, den ihm die Ägypterin
Hagar gebar, die Magd Saras; 13 und dies
sind die Namen der Söhne Ismaels, nach
denen ihre Geschlechter genannt sind:
der erstgeborene Sohn Ismaels Nebajot,
dann Kedar, Adbeel, Mibsam, 14 Mischma,
Duma, Massa, 15 Hadad, Tema, Jetur, Na-
fisch und Kedma. 16 Das sind die Söhne Is-
maels mit ihren Namen nach ihren Gehöf-
ten und Zeltdörfern, [a]zwölf Fürsten nach
ihren Stämmen. – 17 Und das ist das Alter
Ismaels: hundertsiebenunddreißig Jahre.
Und er verschied und starb und wurde
versammelt zu seinen Vätern. – 18 Und sie
wohnten von Hawila an bis nach Schur
östlich von Ägypten nach Assyrien hin.
So [a]ließ er sich nieder, all seinen Brüdern
vor die Nase.

ESAUS UND JAKOBS GEBURT

19 Dies ist das Geschlecht Isaaks, des Soh-
nes Abrahams: Abraham zeugte Isaak.
20 Isaak aber war vierzig Jahre alt, als er
Rebekka zur Frau nahm, die Tochter Be-
tuëls, des Aramäers aus Paddan-Aram, die
Schwester des Aramäers Laban.

21 Isaak aber bat den HERRN für seine
Frau, denn sie war unfruchtbar. Und der
HERR ließ sich erbitten, und Rebekka,
seine Frau, ward schwanger. 22 Und die
Kinder stießen sich miteinander in ihrem
Leib. Da sprach sie: Wenn es so ist, warum
geschieht mir das? Und sie ging hin, den
HERRN zu befragen. 23 Und der HERR
sprach zu ihr: Zwei Völker sind in deinem
Leibe, und zweierlei Volk wird sich schei-
den aus deinem Schoß; und ein Volk wird
dem andern überlegen sein, und der Äl-
tere wird dem Jüngeren [a]dienen.

24 Als nun die Zeit kam, dass sie gebären
sollte, siehe, da waren Zwillinge in ihrem
Leibe. 25 Der erste, der herauskam, war
rötlich, ganz behaart wie ein Fell, und sie
nannten ihn Esau. 26 Danach kam heraus
sein Bruder, der [a]hielt mit seiner Hand die
Ferse des Esau, und sie nannten ihn Jakob.
Sechzig Jahre alt war Isaak, als sie geboren
wurden.

27 Und als nun die Knaben groß wurden,
wurde Esau ein Jäger und streifte auf dem
Felde umher, Jakob aber war ein ruhiger
Mann und blieb bei den Zelten. 28 Und
Isaak hatte Esau lieb und aß gern von sei-
nem Wildbret; Rebekka aber hatte Jakob
lieb.

ESAU VERKAUFT SEIN ERSTGEBURTSRECHT

29 Und Jakob kochte ein Gericht. Da kam
Esau vom Feld und war müde 30 und
sprach zu Jakob: Lass mich schnell von
dem Roten essen, dem Roten da; denn ich
bin müde. Daher heißt er Edom*. 31 Aber
Jakob sprach: Verkaufe mir zuvor deine
Erstgeburt. 32 Esau antwortete: Siehe, ich
muss doch sterben; was soll mir da die
Erstgeburt? 33 Jakob sprach: So schwöre
mir zuvor. Und er schwor ihm und [a]ver-
kaufte so Jakob seine Erstgeburt. 34 Da gab
ihm Jakob Brot und das Linsengericht, und
er aß und trank und stand auf und ging da-
von. So verachtete Esau seine Erstgeburt.

ERNEUTE VERHEISSUNG. ISAAK UND REBEKKA IN GERAR

(vgl. Kap 12,10-20; 20,1-18)

26 Es kam aber eine Hungersnot ins Land
nach der früheren, die zu Abrahams
Zeiten war. Und Isaak zog zu Abimelech,
dem König der Philister, nach Gerar. 2 Da

* **25,30** Der Name bedeutet »rötlich«.

25,7 *a* Kap 12,4 **25,8** *a* Kap 15,15
25,9 *a* (9-10) Kap 23,13-20 **25,11** *a* Kap 17,19 *b* Kap 16,14
25,12 *a* Kap 21,13 **25,16** *a* Kap 17,20; 4. Mose 1,44
25,18 *a* Kap 16,12 **25,23** *a* Kap 27,29; Mal 1,2;
Röm 9,10-12 **25,26** *a* Hos 12,4 **25,33** *a* Kap 27,36;
Hebr 12,16

erschien ihm der HERR und sprach: Zieh
nicht hinab nach Ägypten, sondern bleibe
in dem Lande, das ich dir sage. 3 Bleibe als
Fremdling in diesem Lande, und ich will
mit dir sein und dich segnen; denn dir
und deinen Nachkommen will ich alle
diese Länder geben und will meinen Eid
wahr machen, den ich deinem Vater Ab-
raham geschworen habe,[a] 4 und will [a]deine
Nachkommen mehren wie die Sterne am
Himmel und will deinen Nachkommen
alle diese Länder geben. Und durch deine
Nachkommen sollen alle Völker auf Erden
gesegnet werden, 5 weil Abraham meiner
Stimme gehorsam gewesen ist und ge-
halten hat meine Rechte, meine Gebote,
meine Satzungen und meine Weisungen.

6 So wohnte Isaak zu Gerar. 7 Und wenn
die Leute am Ort fragten nach seiner
Frau, so sprach er: Sie ist meine Schwes-
ter; denn er fürchtete sich zu sagen: Sie ist
meine Frau. Er dachte nämlich: Sie könn-
ten mich töten um Rebekkas willen, denn
sie ist schön von Gestalt.

8 Als er nun eine Zeit lang da war, sah
Abimelech, der König der Philister, durchs
Fenster und wurde gewahr, dass Isaak
scherzte mit Rebekka, seiner Frau. 9 Da rief
Abimelech den Isaak und sprach: Siehe, sie
ist ja deine Frau. Wie hast du denn gesagt:
Sie ist meine Schwester? Isaak antwortete
ihm: Ich dachte, ich würde vielleicht ster-
ben müssen um ihretwillen. 10 Abimelech
sprach: Warum hast du uns das angetan?
Es wäre leicht geschehen, dass jemand
vom Volk sich zu deiner Frau gelegt hätte,
und du hättest so eine Schuld auf uns ge-
bracht. 11 Da gebot Abimelech allem Volk
und sprach: Wer diesen Mann oder seine
Frau antastet, der soll des Todes sterben.

ISAAKS STREIT MIT DEN PHILISTERN. SEIN BUND MIT ABIMELECH

12 [a]Und Isaak säte in dem Lande und ern-
tete in jenem Jahre hundertfältig; denn
der HERR segnete ihn. 13 Und er wurde ein
reicher Mann und wurde immer reicher,
bis er sehr reich war, 14 sodass er viel Gut
hatte an kleinem und großem Vieh und
ein großes Gesinde. Darum beneideten
ihn die Philister.

15 [a]Nun hatten sie aber alle Brunnen ver-
stopft, die seines Vaters Knechte gegraben
hatten zur Zeit Abrahams, seines Vaters,
und hatten sie mit Erde gefüllt. 16 Und Abi-
melech sprach zu ihm: Zieh von uns, denn
du bist uns zu mächtig geworden. 17 Da zog
Isaak von dannen und schlug seine Zelte
auf im Tal von Gerar und wohnte da 18 und
ließ die Wasserbrunnen wieder aufgra-
ben, die sie zur Zeit Abrahams, seines Va-
ters, gegraben hatten und die die Philister
verstopft hatten nach Abrahams Tod, und
nannte sie mit denselben Namen, mit de-
nen sein Vater sie genannt hatte.

19 Auch gruben Isaaks Knechte im Tal
und fanden dort eine Quelle lebendigen
Wassers. 20 Aber die Hirten von Gerar
zankten mit den Hirten Isaaks und spra-
chen: Das Wasser ist unser. Da nannte er
den Brunnen »Zank«, weil sie mit ihm da
gezankt hatten. 21 Da gruben sie einen an-
dern Brunnen. Darüber stritten sie auch,
darum nannte er ihn »Streit«. 22 Da zog
er weiter und grub noch einen andern
Brunnen. Darüber zankten sie sich nicht,
darum nannte er ihn »Weiter Raum« und
sprach: Nun hat uns der HERR Raum ge-
macht und wir können wachsen im Lande.

23 Danach zog er von dannen nach Beer-
scheba. 24 Und der HERR erschien ihm in
derselben Nacht und sprach: Ich bin der
Gott deines Vaters Abraham. Fürchte dich
nicht, denn ich bin mit dir und will dich
segnen und deine Nachkommen mehren
um meines Knechtes Abraham willen.
25 Dann [a]baute er dort einen Altar und rief
den Namen des HERRN an und schlug
dort sein Zelt auf und seine Knechte gru-
ben dort einen Brunnen.

26 Und Abimelech ging zu ihm von Gerar
mit Ahusat, seinem Freund, und Pichol,
seinem Feldhauptmann. 27 Aber Isaak
sprach zu ihnen: Warum kommt ihr zu
mir? Hasst ihr mich doch und habt mich
von euch getrieben. 28 Sie sprachen: Wir
[a]sehen mit sehenden Augen, dass der
HERR mit dir ist. Darum sprachen wir: Es
soll ein Eid zwischen uns und dir sein, und
wir wollen einen Bund mit dir schließen,
29 dass du uns keinen Schaden tust, gleich-
wie wir dich nicht angetastet haben und
dir nur alles Gute getan und dich mit Frie-

26,3 ***a*** Kap 17,19; 22,16-17 **26,4** ***a*** Kap 12,3; 15,5
26,12 ***a*** (12-13) Kap 12,2-3 **26,15** ***a*** (15-33) Kap 21,22-34
26,25 ***a*** Kap 12,8 **26,28** ***a*** 5. Mose 29,3; Mt 13,13

den haben ziehen lassen. Du bist ja doch der Gesegnete des HERRN. 30 Da machte er ihnen ein Mahl und sie aßen und tranken. 31 Und früh am Morgen standen sie auf, und einer schwor dem andern. Und Isaak ließ sie gehen, und sie zogen von ihm mit Frieden.

32 Am selben Tage kamen Isaaks Knechte und sagten ihm von dem Brunnen, den sie gegraben hatten, und sprachen zu ihm: Wir haben Wasser gefunden. 33 Und er nannte ihn »Schwur«; daher heißt die Stadt Beerscheba* bis auf den heutigen Tag.

ESAUS FRAUEN

34 Als Esau vierzig Jahre alt war, nahm er zur Frau Jehudit, die Tochter Beeris, des Hetiters, und Basemat, die Tochter [a]Elons, des Hetiters. 35 Die machten Isaak und Rebekka lauter Herzeleid.

JAKOB GEWINNT MIT LIST DEN ERSTGEBURTSSEGEN

27 Und es begab sich, als Isaak alt geworden war und seine Augen zu schwach zum Sehen wurden, rief er Esau, seinen älteren Sohn, und sprach zu ihm: Mein Sohn! Er aber antwortete ihm: Hier bin ich. 2 Und er sprach: Siehe, ich bin alt geworden und weiß nicht, wann ich sterben werde. 3 So nimm nun dein Gerät, Köcher und Bogen, und geh aufs Feld und jage mir ein Wildbret 4 und mach mir ein Essen, wie ich's gern habe, und bring mir's herein, dass ich esse, auf dass dich meine Seele segne, ehe ich sterbe. 5 Rebekka aber hörte diese Worte, die Isaak zu seinem Sohn Esau sagte. Und Esau ging hin aufs Feld, dass er ein Wildbret jagte und heimbrächte.

6 Da sprach Rebekka zu Jakob, ihrem Sohn: Siehe, ich habe deinen Vater mit Esau, deinem Bruder, reden hören: 7 Bringe mir ein Wildbret und mach mir ein Essen, dass ich esse und dich segne vor dem HERRN, ehe ich sterbe. 8 So höre nun auf mich, mein Sohn, und tu, was ich dich heiße. 9 Geh hin zu der Herde und hole mir zwei gute Böcklein, dass ich deinem Vater ein Essen davon mache, wie er's gerne hat. 10 Das sollst du deinem Vater hineintragen, dass er esse, auf dass er dich segne vor seinem Tod. 11 Jakob aber sprach zu seiner Mutter Rebekka: Siehe, mein Bruder [a]Esau ist behaart, doch ich bin glatt; 12 so könnte vielleicht mein Vater mich betasten, und ich würde vor ihm dastehen, als ob ich ihn betrügen wollte, und brächte über mich einen Fluch und nicht einen Segen. 13 Da sprach seine Mutter zu ihm: Dein Fluch sei auf mir, mein Sohn; gehorche nur meinen Worten, geh und hole mir.

14 Da ging er hin und holte und brachte es seiner Mutter. Da machte seine Mutter ein Essen, wie es sein Vater gerne hatte, 15 und nahm Esaus, ihres älteren Sohnes, Feierkleider, die sie bei sich im Hause hatte, und zog sie Jakob an, ihrem jüngeren Sohn. 16 Aber die Felle von den Böcklein tat sie ihm um seine Hände und wo er glatt war am Halse. 17 Und so gab sie das Essen mit dem Brot, wie sie es gemacht hatte, in die Hand ihres Sohnes Jakob.

18 Und er ging hinein zu seinem Vater und sprach: Mein Vater! Er antwortete: Hier bin ich. Wer bist du, mein Sohn? 19 Jakob sprach zu seinem Vater: Ich bin Esau, dein erstgeborener Sohn; ich habe getan, wie du mir gesagt hast. Richte dich auf, setz dich und iss von meinem Wildbret, auf dass mich deine Seele segne.[a]

20 Isaak aber sprach zu seinem Sohn: Wie hast du so bald gefunden, mein Sohn? Er antwortete: Der HERR, dein Gott, bescherte mir's. 21 Da sprach Isaak zu Jakob: Tritt herzu, mein Sohn, dass ich dich betaste, ob du mein Sohn Esau bist oder nicht. 22 So trat Jakob zu seinem Vater Isaak. Und als er ihn betastet hatte, sprach er: Die Stimme ist Jakobs Stimme, aber die Hände sind Esaus Hände. 23 Und er erkannte ihn nicht; denn seine Hände waren behaart wie Esaus, seines Bruders, Hände.

Und er segnete ihn 24 und sprach: Bist du mein Sohn Esau? Er antwortete: Ja, ich bin's. 25 Da sprach er: So bringe mir her, ich will essen vom Wildbret meines Sohnes, dass dich meine Seele segne. Da brachte er's ihm und er aß; und er trug ihm auch Wein hinein und er trank.

26 Und Isaak, sein Vater, sprach zu ihm:

* **26,33** Der Name bedeutet »Schwurbrunnen«.

26,34 *a* Kap 36,2-3 **27,11** *a* Kap 25,25
27,19 *a* 3. Mose 19,14

Komm her und küsse mich, mein Sohn!
27 Er trat hinzu und küsste ihn. Da roch er
den Geruch seiner Kleider und segnete
ihn und sprach: Siehe, der Geruch mei-
nes Sohnes ist wie der Geruch des Feldes,
das der HERR gesegnet hat. 28 [a]Gott gebe
dir vom Tau des Himmels und vom Fett
der Erde und Korn und Wein die Fülle.
29 Völker sollen dir dienen, und Stämme
sollen dir zu Füßen fallen. Sei [a]ein Herr
über deine Brüder, und deiner Mutter
Söhne sollen dir zu Füßen fallen. [b]Ver-
flucht sei, wer dir flucht; gesegnet sei, wer
dich segnet!

30 Als nun Isaak den Segen über Jakob
vollendet hatte und Jakob kaum hinaus-
gegangen war von seinem Vater Isaak, da
kam Esau, sein Bruder, von seiner Jagd
31 und machte auch ein Essen und trug's
hinein zu seinem Vater und sprach zu
ihm: Richte dich auf, mein Vater, und iss
von dem Wildbret deines Sohnes, dass
mich deine Seele segne.

32 Da antwortete ihm Isaak, sein Vater:
Wer bist du? Er sprach: Ich bin Esau, dein
erstgeborener Sohn. 33 Da entsetzte sich
Isaak über die Maßen sehr und sprach:
Wer? Wo ist denn der Jäger, der mir ge-
bracht hat, und ich habe von allem geges-
sen, ehe du kamst, und hab ihn gesegnet?
Er wird auch gesegnet bleiben.

34 Als Esau diese Worte seines Vaters
hörte, schrie er laut und wurde über die
Maßen sehr betrübt und sprach zu seinem
Vater: Segne mich auch, mein Vater![a] 35 Er
aber sprach: Dein Bruder ist gekommen
mit List und hat deinen Segen weggenom-
men. 36 Da sprach er: Er heißt mit Recht
[a]Jakob*, denn er hat mich nun zweimal
überlistet. Meine [b]Erstgeburt hat er ge-
nommen und siehe, nun nimmt er auch
meinen Segen. Und er sprach: Hast du mir
denn keinen Segen vorbehalten?

37 Isaak antwortete und sprach zu ihm:
Ich habe ihn zum Herrn über dich ge-
setzt, und alle seine Brüder hab ich ihm
zu Knechten gemacht, mit Korn und Wein
hab ich ihn versehen; was soll ich nun dir
noch tun, mein Sohn? 38 Esau sprach zu
seinem Vater: Hast du denn nur *einen* Se-
gen, mein Vater? Segne mich auch, mein
Vater! Und er erhob seine Stimme und
weinte.

39 Da antwortete Isaak, sein Vater, und
sprach zu ihm: Siehe, du wirst wohnen
fern vom Fett der Erde und fern vom Tau,
der vom Himmel kommt. 40 Von deinem
Schwerte wirst du dich nähren, und dei-
nem Bruder sollst du dienen. Aber es wird
geschehen, dass du einmal sein Joch von
deinem Halse reißen wirst.[a]

JAKOBS FLUCHT NACH HARAN

41 Und Esau war Jakob gram um des Segens
willen, mit dem ihn sein Vater gesegnet
hatte, und sprach in seinem Herzen: Es
wird die Zeit bald kommen, dass man um
meinen Vater Leid tragen muss; dann will
ich meinen Bruder Jakob umbringen.

42 Da wurden Rebekka angesagt diese
Worte ihres älteren Sohnes Esau. Und
sie schickte hin und ließ Jakob, ihren jün-
geren Sohn, rufen und sprach zu ihm:
Siehe, dein Bruder Esau will sich rächen
und dich umbringen. 43 Und nun höre auf
mich, mein Sohn: Mach dich auf und flieh
zu meinem Bruder [a]Laban nach Haran
44 und bleib eine Weile bei ihm, bis sich der
Grimm deines Bruders legt 45 und bis sein
Zorn wider dich sich von dir wendet und
er vergisst, was du ihm getan hast; dann
will ich schicken und dich von dort holen
lassen. Warum sollte ich euer beider be-
raubt werden auf einen Tag?

46 Und Rebekka sprach zu Isaak: Mich
verdrießt zu leben wegen der Hetiterin-
nen. Wenn Jakob eine Frau nimmt von
den Hetiterinnen wie diese, eine von
den Töchtern des Landes, was soll mir das
Leben?[a]

28 Da rief Isaak seinen Sohn Jakob und
segnete ihn und gebot ihm und sprach
zu ihm: [a]Nimm dir nicht eine Frau von
den Töchtern Kanaans, 2 sondern mach
dich auf und zieh nach Paddan-Aram
zum Hause [a]Betuëls, des Vaters deiner
Mutter, und nimm dir dort eine Frau von
den Töchtern [b]Labans, des Bruders deiner
Mutter. 3 Und der [a]allmächtige Gott segne
dich und mache dich fruchtbar und mehre

* **27,36** Der Name bedeutet »der Hinterlistige«.

27,28 *a* (28-29) Hebr 11,20 **27,29** *a* Kap 25,23 *b* Kap 12,3
27,34 *a* Hebr 12,17 **27,36** *a* Kap 25,26 *b* Kap 25,33
27,40 *a* 2. Kön 8,20.22 **27,43** *a* Kap 24,29
27,46 *a* Kap 26,34-35 **28,1** *a* Kap 24,3 **28,2** *a* Kap 22,23
b Kap 24,29 **28,3** *a* Kap 17,1

dich, dass du werdest eine Menge von Völkern, [4] und gebe dir den Segen Abrahams, dir und deinen Nachkommen mit dir, dass du besitzest das Land, darin du jetzt ein Fremdling bist, das Gott dem Abraham gegeben hat. [5] So entließ Isaak den Jakob, dass er nach Paddan-Aram zog zu Laban, dem Sohn des Aramäers Betuël, dem Bruder Rebekkas, Jakobs und Esaus Mutter.

[6] Nun sah Esau, dass Isaak Jakob gesegnet und nach Paddan-Aram entlassen hatte, um sich dort eine Frau zu nehmen; er hatte ihn nämlich gesegnet und ihm geboten: Du sollst dir keine Frau nehmen von den Töchtern Kanaans. [7] Und Jakob hörte auf seinen Vater und seine Mutter und ging nach Paddan-Aram. [8] Esau aber sah, dass die Töchter Kanaans seinem Vater Isaak missfielen. [9] Da ging er hin zu [a]Ismael und nahm zu den Frauen, [b]die er bereits hatte, Mahalat, die Tochter Ismaels, des Sohnes Abrahams, die Schwester [c]Nebajots, zur Frau.

JAKOB SCHAUT DIE HIMMELSLEITER

[10] Aber Jakob zog aus von Beerscheba und machte sich auf den Weg nach Haran [11] und kam an eine Stätte, da blieb er über Nacht, denn die Sonne war untergegangen. Und er nahm einen Stein von der Stätte und legte ihn zu seinen Häupten und legte sich an der Stätte schlafen. [12] Und ihm träumte, und siehe, eine Leiter stand auf Erden, die rührte mit der Spitze an den Himmel, und siehe, die Engel Gottes stiegen daran auf und nieder.[a] [13] Und der HERR stand oben darauf und sprach: Ich bin der HERR, der Gott deines Vaters Abraham, und Isaaks Gott; das Land, darauf du liegst, will ich dir und deinen Nachkommen geben. [14] Und dein Geschlecht soll werden wie der Staub auf Erden, und [a]du sollst ausgebreitet werden gegen Westen und Osten, Norden und Süden, und durch dich und deine Nachkommen sollen alle Geschlechter auf Erden gesegnet werden. [15] Und **siehe, ich bin mit dir und will dich behüten, wo du hinziehst, und will dich wieder herbringen in dies Land. Denn ich will dich nicht verlassen, bis ich alles tue, was ich dir zugesagt habe.**

[16] Als nun Jakob von seinem Schlaf aufwachte, sprach er: Fürwahr, der HERR ist an dieser Stätte, und ich wusste es nicht! [17] Und er fürchtete sich und sprach: Wie [a]heilig* ist diese Stätte! Hier ist nichts anderes als Gottes Haus, und hier ist die Pforte des Himmels. [18] [a]Und Jakob stand früh am Morgen auf und nahm den Stein, den er zu seinen Häupten gelegt hatte, und richtete ihn auf zu einem Steinmal und goss Öl oben darauf [19] und nannte die Stätte Bethel*; vorher aber hieß die Stadt Lus.

[20] Und Jakob tat ein Gelübde und sprach: Wird Gott mit mir sein und mich behüten auf dem Wege, den ich reise, und mir Brot zu essen geben und Kleider anzuziehen [21] und mich mit Frieden wieder heim zu meinem Vater bringen, so soll der HERR mein Gott sein. [22] Und [a]dieser Stein, den ich aufgerichtet habe zu einem Steinmal, soll ein Gotteshaus werden; und von allem, was du mir gibst, will ich dir den Zehnten geben.

JAKOB DIENT UM LEA UND RAHEL

29 Da machte sich Jakob auf den Weg und ging in das Land der Söhne des Ostens [2] und sah sich um, und siehe, da war ein Brunnen auf dem Felde; und siehe, drei Herden Schafe lagen dabei, denn von dem Brunnen pflegten sie die Herden zu tränken. Und ein großer Stein lag vor dem Loch des Brunnens. [3] Und sie pflegten die Herden alle dort zu versammeln und den Stein von dem Brunnenloch zu wälzen und die Schafe zu tränken und taten alsdann den Stein wieder vor das Loch an seine Stelle.

[4] Und Jakob sprach zu ihnen: Meine Brüder, wo seid ihr her? Sie antworteten: Wir sind von Haran. [5] Er sprach zu ihnen: Kennt ihr auch Laban, den Sohn [a]Nahors? Sie antworteten: Ja, wir kennen ihn. [6] Er sprach: Geht es ihm auch gut? Sie antworteten: Es geht ihm gut; und siehe, da kommt seine Tochter Rahel mit den Schafen. [7] Er sprach: Es ist noch hoher Tag und

* **28,17** Luther merkte an: »der Ort, da man Gott fürchten und ehren solle«. **28,19** Der Name bedeutet »Haus Gottes«.

28,9 *a* Kap 16,16 *b* Kap 26,34 *c* Kap 25,13 **28,12** *a* Joh 1,51 **28,14** *a* Kap 12,3; 13,14-15; 26,4 **28,17** *a* 2. Mose 3,5 **28,18** *a* (18-19) Kap 35,14-15 **28,22** *a* Kap 35,1 **29,5** *a* Kap 24,10.24

ist noch nicht Zeit, das Vieh einzutreiben;
tränkt die Schafe und geht hin und wei-
det sie. 8 Sie antworteten: Wir können es
nicht, bis alle Herden zusammengebracht
sind und wir den Stein von des Brunnens
Loch gewälzt haben. Dann tränken wir die
Schafe.

9 Als er noch mit ihnen redete, kam Ra-
hel mit den Schafen ihres Vaters, denn sie
hütete die Schafe. 10 Als Jakob aber Rahel
sah, die Tochter Labans, des Bruders sei-
ner Mutter, und die Schafe Labans, des
Bruders seiner Mutter, trat er hinzu und
wälzte den Stein von dem Loch des Brun-
nens und tränkte die Schafe Labans, des
Bruders seiner Mutter. 11 Und er küsste
Rahel und weinte laut 12 und sagte ihr, dass
er ihres Vaters Verwandter wäre und Re-
bekkas Sohn. Da lief sie und sagte es ihrem
Vater. 13 Als aber Laban hörte von Jakob,
seiner Schwester Sohn, lief er ihm entge-
gen und herzte und küsste ihn und führte
ihn in sein Haus. Da erzählte er Laban al-
les, was sich begeben hatte. 14 Da sprach
Laban zu ihm: Fürwahr, du bist von mei-
nem Gebein und Fleisch.

Und als er nun einen Monat lang bei ihm
gewesen war, 15 sprach Laban zu Jakob:
Zwar bist du mein Verwandter, aber soll-
test du mir darum umsonst dienen? Sage
an, was soll dein Lohn sein? 16 Laban aber
hatte zwei Töchter; die ältere hieß Lea, die
jüngere Rahel. 17 Leas Augen waren sanft,
Rahel aber war schön von Gestalt und von
Angesicht. 18 Und Jakob gewann Rahel
lieb und sprach: Ich will dir sieben Jahre
um Rahel, deine jüngere Tochter, dienen.
19 Laban antwortete: Es ist besser, ich gebe
sie dir als einem andern; bleib bei mir.

20 So diente Jakob um Rahel sieben
Jahre, und es kam ihm vor, als wären's
einzelne Tage, so lieb hatte er sie. 21 Und
Jakob sprach zu Laban: Gib mir nun meine
Braut; denn die Zeit ist da, dass ich zu ihr
gehe. 22 Da lud Laban alle Leute des Ortes
ein und machte ein Hochzeitsmahl. 23 Am
Abend aber nahm er seine Tochter Lea und
brachte sie zu Jakob; und er ging zu ihr.
24 Und Laban gab seiner Tochter Lea seine
Magd Silpa zur Magd. 25 Am Morgen aber,
siehe, da war es Lea.

Und Jakob sprach zu Laban: Warum hast
du mir das angetan? Habe ich dir nicht um
Rahel gedient? Warum hast du mich denn
betrogen? 26 Laban antwortete: Es ist nicht
Sitte in unserm Lande, dass man die Jün-
gere weggebe vor der Älteren. 27 Halte mit
dieser die Hochzeitswoche, so will ich dir
die andere auch geben für den Dienst, den
du bei mir noch weitere sieben Jahre leis-
ten sollst.[a] 28 Das tat Jakob und hielt die
Hochzeitswoche. Da gab ihm Laban seine
Tochter Rahel zur Frau. 29 Und er gab sei-
ner Tochter Rahel seine Magd Bilha zur
Magd. 30 So [a]ging Jakob auch zu Rahel
ein und hatte Rahel lieber als Lea; und er
diente bei ihm noch weitere sieben Jahre.

JAKOBS KINDER

31 Als aber der HERR sah, dass Lea unge-
liebt war, machte er sie fruchtbar; Rahel
aber war unfruchtbar. 32 Und Lea ward
schwanger und gebar einen Sohn; den
nannte sie Ruben und sprach: Der HERR
hat angesehen mein Elend; nun wird mich
mein Mann lieb haben. 33 Und sie ward
abermals schwanger und gebar einen Sohn
und sprach: Der HERR hat gehört, dass ich
ungeliebt bin, und hat mir diesen auch ge-
geben. Und nannte ihn Simeon. 34 Aber-
mals ward sie schwanger und gebar einen
Sohn und sprach: Nun wird mein Mann
mir doch zugetan sein, denn ich habe ihm
drei Söhne geboren. Darum nannte sie ihn
Levi. 35 Und sie wurde abermals schwan-
ger und gebar einen Sohn und sprach:
Nun will ich dem HERRN danken. Darum
nannte sie ihn Juda. Und sie hörte auf,
Kinder zu gebären.

30 Als Rahel sah, dass sie Jakob kein Kind
gebar, beneidete sie ihre Schwester
und sprach zu Jakob: Schaffe mir Kin-
der, wenn nicht, so sterbe ich. 2 Jakob aber
wurde sehr zornig auf Rahel und sprach:
Bin ich doch nicht Gott, der dir [a]deines
Leibes Frucht nicht geben will. 3 Sie aber
sprach: Siehe, da ist meine Magd Bilha;
geh zu ihr, [a]dass sie auf meinem Schoß
gebäre und ich doch durch sie zu Kindern
komme.

4 So gab sie ihm Bilha, ihre Magd, zur
Frau, und Jakob ging zu ihr. 5 Und Bilha
ward schwanger und gebar Jakob einen

29,27 *a* Kap 31,14-15 **29,30** *a* 3. Mose 18,18
30,2 *a* Ps 127,3 **30,3** *a* Kap 16,2

Sohn. 6Da sprach Rahel: Gott hat mir
Recht verschafft und mich erhört und mir
einen Sohn gegeben. Darum nannte sie
ihn Dan. 7Abermals ward Bilha, Rahels
Magd, schwanger und gebar Jakob ihren
zweiten Sohn. 8Da sprach Rahel: Kämpfe
Gottes habe ich gekämpft mit meiner
Schwester, und ich habe gesiegt. Und
nannte ihn Naftali.

9Als nun Lea sah, dass sie aufgehört
hatte zu gebären, nahm sie ihre Magd Silpa
und gab sie Jakob zur Frau. 10Und Silpa,
Leas Magd, gebar Jakob einen Sohn. 11Da
sprach Lea: Glück zu! Und nannte ihn
Gad. 12Danach gebar Silpa, Leas Magd, Ja-
kob ihren zweiten Sohn. 13Da sprach Lea:
Wohl mir, denn mich werden selig preisen
die Töchter. Und nannte ihn Asser.

14Ruben ging aus zur Zeit der Wei-
zenernte und fand Liebesäpfel* auf dem
Felde und brachte sie heim zu seiner Mut-
ter Lea. Da sprach Rahel zu Lea: Gib mir
von den Liebesäpfeln deines Sohnes. 15Sie
antwortete: Hast du nicht genug, dass du
mir meinen Mann genommen hast, und
willst auch die Liebesäpfel meines Sohnes
nehmen? Rahel sprach: Wohlan, lass ihn
diese Nacht bei dir schlafen für die Liebes-
äpfel deines Sohnes.

16Als nun Jakob am Abend vom Felde
kam, ging Lea hinaus ihm entgegen und
sprach: Zu mir sollst du kommen, denn
ich habe dich erkauft mit den Liebesäpfeln
meines Sohnes. Und er schlief die Nacht
bei ihr. 17Und Gott erhörte Lea, und sie
ward schwanger und gebar Jakob ihren
fünften Sohn 18und sprach: Gott hat mir
gelohnt, dass ich meine Magd meinem
Manne gegeben habe. Und nannte ihn
Issachar. 19Abermals ward Lea schwan-
ger und gebar Jakob ihren sechsten Sohn
20und sprach: Gott hat mich reich be-
schenkt; nun wird mein Mann mich eh-
ren; denn ich habe ihm sechs Söhne ge-
boren. Und nannte ihn Sebulon. 21Danach
gebar sie eine Tochter, die nannte sie Dina.

22Gott [a]gedachte aber an Rahel und er-
hörte sie und machte sie fruchtbar. 23Da
ward sie schwanger und gebar einen Sohn
und sprach: Gott hat [a]meine Schmach von
mir genommen; 24und sie nannte ihn Jo-
sef und sprach: [a]Der HERR wolle mir noch
einen Sohn dazugeben!

JAKOB KOMMT ZU REICHTUM

25Als nun Rahel den Josef geboren hatte,
sprach Jakob zu Laban: Lass mich ziehen
und reisen an meinen Ort und in mein
Land. 26Gib mir meine Frauen und meine
Kinder, um die ich dir gedient habe, dass
ich ziehe; denn du weißt, wie ich dir ge-
dient habe.[a] 27Laban sprach zu ihm: Lass
mich Gnade vor deinen Augen finden. Ich
spüre, dass mich [a]der HERR segnet um
deinetwillen. 28Bestimme den Lohn, den
ich dir geben soll. 29Er aber sprach zu ihm:
Du weißt, wie ich dir gedient habe und
was aus deinem Vieh geworden ist unter
mir. 30Du hattest wenig, ehe ich herkam;
nun aber ist's geworden zu einer großen
Menge, und der HERR hat dich geseg-
net auf jedem meiner Schritte. Und nun,
wann soll ich auch für mein Haus sorgen?

31Er aber sprach: Was soll ich dir denn
geben? Jakob sprach: Du sollst mir gar
nichts geben; sondern wenn du mir tun
willst, was ich dir sage, so will ich deine
Schafe wieder weiden und hüten. 32Ich
will heute durch alle deine Herden gehen
und aussondern alle gefleckten und bun-
ten Schafe und alle schwarzen Schafe und
die bunten und gefleckten Ziegen. Was
nun bunt und gefleckt sein wird, das soll
mein Lohn sein. 33So wird meine Red-
lichkeit morgen für mich zeugen, wenn
du kommst wegen meines Lohnes: Was
nicht gefleckt oder bunt unter den Ziegen
und nicht schwarz sein wird unter den
Lämmern, das gelte als von mir gestohlen.

34Da sprach Laban: Wohlan, es sei, wie
du gesagt hast. 35Und er sonderte an je-
nem Tage aus die sprenkligen und bun-
ten Böcke und alle gefleckten und bun-
ten Ziegen, wo nur etwas Weißes daran
war, und alles, was schwarz war unter den
Lämmern, und tat's unter die Hand sei-
ner Söhne 36und machte einen Raum, drei
Tagereisen weit, zwischen sich und Jakob.
Jakob aber weidete die übrigen Herden
Labans.

37Und Jakob nahm frische Stäbe von
Pappeln, Mandelbäumen und Platanen
und schälte weiße Streifen daran aus,

* **30,14** Siehe Sach- und Worterklärungen.

30,22 ***a*** 1. Sam 1,19 **30,23** ***a*** Jes 4,1; Lk 1,25
30,24 ***a*** Kap 35,17-19 **30,26** ***a*** Kap 29,20.30; 31,43
30,27 ***a*** Kap 39,5

sodass an den Stäben das Weiße bloß
wurde, 38 und legte die Stäbe, die er ge-
schält hatte, in die Tränkrinnen, wo die
Herden hinkommen mussten zu trinken.
Und sie paarten sich, wenn sie zum Trin-
ken kamen. 39 So empfingen die Herden
über den Stäben und brachten Sprenk-
lige, Gefleckte und Bunte. 40 Da sonderte
Jakob die Lämmer aus, und er richtete
den Blick der Tiere auf das Sprenklige und
alles Schwarze in der Herde Labans. So
machte er sich eigene Herden; die tat er
nicht zu den Herden Labans. 41 Wenn sich
aber die kräftigen Tiere paarten, legte er
die Stäbe in die Rinnen vor die Augen der
Herde, dass sie über den Stäben empfin-
gen. 42 Aber wenn die Tiere schwächlich
waren, legte er sie nicht hinein. So wurden
die schwächlichen Tiere dem Laban zuteil,
aber die kräftigen dem Jakob. 43 Daher
wurde der Mann über die Maßen reich, so-
dass er viele Schafe, Mägde und Knechte,
Kamele und Esel hatte.

JAKOBS FLUCHT MIT DEN SEINEN

31 Und es kamen vor ihn die Reden der
Söhne Labans, dass sie sprachen: [a]Ja-
kob hat alles Gut unseres Vaters an sich
gebracht, und nur von unseres Vaters Gut
hat er solchen Reichtum zuwege gebracht.
2 Und Jakob sah an das Angesicht Labans,
und siehe, er war zu ihm nicht mehr wie
zuvor.

3 Und der HERR sprach zu Jakob: Zieh
wieder in deiner Väter Land und zu dei-
ner Verwandtschaft; ich will mit dir sein.[a]
4 Da sandte Jakob hin und ließ rufen Ra-
hel und Lea aufs Feld zu seiner Herde
5 und sprach zu ihnen: Ich sehe an eures
Vaters Angesicht, dass er zu mir nicht ist
wie zuvor; aber der Gott meines Vaters
ist mit mir gewesen. 6 Und ihr wisst, dass
ich aus allen meinen Kräften eurem Vater
gedient habe. 7 Und er hat mich getäuscht
und zehnmal meinen Lohn verändert;
aber Gott hat ihm nicht gestattet, dass er
mir Schaden täte. 8 Wenn er sprach: Die
Gefleckten sollen dein Lohn sein, so warf
die ganze Herde Gefleckte. Wenn er aber
sprach: Die Sprenkligen sollen dein Lohn
sein, so warf die ganze Herde Sprenklige.
9 So hat Gott die Güter eures Vaters ihm
entwunden und mir gegeben. 10 Denn
wenn die Brunstzeit kam, hob ich meine
Augen auf und sah im Traum, und siehe,
die Böcke, die die Tiere besprangen, wa-
ren sprenklig, gefleckt und scheckig.
11 Und der Engel Gottes sprach zu mir im
Traum: Jakob! Und ich antwortete: Hier
bin ich. 12 Er aber sprach: Hebe deine Au-
gen auf und sieh! Alle Böcke, die die Tiere
bespringen, sind sprenklig, gefleckt und
scheckig; denn ich habe alles gesehen,
was Laban dir antut. 13 Ich bin der Gott zu
Bethel, wo du [a]das Steinmal gesalbt hast,
und du hast mir daselbst ein Gelübde ge-
tan. Nun mach dich auf und zieh aus die-
sem Lande und kehre zurück in das Land
deiner Verwandtschaft.

14 Da antworteten Rahel und Lea und
sprachen zu ihm: Haben wir denn noch
Anteil und Erbe am Hause unseres Vaters?
15 Gelten wir ihm nicht als Fremde? Hat er
uns doch verkauft und unsern Kaufpreis
verzehrt![a] 16 Fürwahr, der ganze Reich-
tum, den Gott unserm Vater entzogen
hat, gehört uns und unsern Kindern. Al-
les nun, was Gott dir gesagt hat, das tu!

17 Da machte sich Jakob auf und lud seine
Kinder und Frauen auf die Kamele 18 und
führte weg all sein Vieh und alle seine
Habe, die er in Paddan-Aram erworben
hatte, dass er käme zu Isaak, seinem Va-
ter, ins Land Kanaan. 19 Laban aber war ge-
gangen, seine Herde zu scheren. Da stahl
Rahel ihres Vaters [a]Hausgott. 20 Und Ja-
kob täuschte Laban, den Aramäer, damit,
dass er ihm nicht ansagte, dass er ziehen
wollte. 21 So floh er mit allem, was sein
war, machte sich auf und fuhr über den
Euphrat und richtete seinen Weg nach
dem Gebirge Gilead.

DER VERTRAG ZWISCHEN JAKOB UND LABAN

22 Am dritten Tage wurde Laban ange-
sagt, dass Jakob geflohen wäre. 23 Und er
nahm seine Brüder zu sich und jagte ihm
nach, sieben Tagereisen weit, und ereilte
ihn auf dem Gebirge [a]Gilead. 24 Aber Gott
kam zu Laban, dem Aramäer, im Traum
des Nachts und sprach zu ihm: Hüte dich,

31,1 *a* Kap 30,35 **31,3** *a* Kap 12,1; 28,15
31,13 *a* Kap 28,18-22 **31,15** *a* Kap 29,18.27
31,19 *a* Kap 35,4; Ri 17,5; 18,17; 1. Sam 19,13;
2. Kön 23,24; Sach 10,2 **31,23** *a* Vers 47

mit Jakob im Guten oder Bösen zu reden. 25 Und Laban holte Jakob ein. Jakob aber hatte sein Zelt aufgeschlagen auf dem Gebirge, und Laban mit seinen Brüdern schlug sein Zelt auch auf dem Gebirge Gilead auf.

26 Da sprach Laban zu Jakob: Was hast du getan, dass du mich getäuscht hast und hast meine Töchter entführt, als wenn sie im Krieg gefangen wären? 27 Warum bist du heimlich geflohen und hast mich hintergangen und hast mir's nicht angesagt, dass ich dich geleitet hätte mit Freuden, mit Liedern, mit Pauken und Harfen? 28 Und hast mich nicht einmal lassen meine Enkel und Töchter küssen? Nun, du hast töricht getan. 29 Ich hätte wohl so viel Macht, dass ich euch Böses antun könnte; aber eures Vaters Gott hat diese Nacht zu mir gesagt: Hüte dich, mit Jakob im Guten oder Bösen zu reden. 30 Und wenn du schon weggezogen bist und sehntest dich so sehr nach deines Vaters Hause, warum hast du mir dann aber meinen Gott gestohlen? 31 Jakob antwortete und sprach zu Laban: Ich fürchtete mich und dachte, du würdest deine Töchter von mir reißen. 32 Bei wem du aber deinen Gott findest, der sterbe! Hier vor unsern Brüdern suche das Deine bei mir und nimm's hin. Jakob wusste aber nicht, dass [a]Rahel ihn gestohlen hatte.

33 Da ging Laban in die Zelte Jakobs und Leas und der beiden Mägde und fand nichts. Und ging aus dem Zelte Leas in das Zelt Rahels. 34 Rahel aber hatte den Hausgott genommen und unter den Kamelsattel gelegt und sich daraufgesetzt. Laban aber betastete das ganze Zelt und fand nichts. 35 Da sprach sie zu ihrem Vater: Mein Herr, zürne nicht, denn ich kann nicht aufstehen vor dir, denn [a]es geht mir nach der Frauen Weise. Daher fand er den Hausgott nicht, wie sehr er auch suchte.

36 Und Jakob wurde zornig und schalt Laban und sprach zu ihm: Was hab ich Übles getan oder gesündigt, dass du so hitzig hinter mir her bist? 37 Du hast all meinen Hausrat betastet. Was hast du von deinem Hausrat gefunden? Lege das her vor meinen und deinen Brüdern, dass sie zwischen uns beiden richten. 38 Diese zwanzig Jahre bin ich bei dir gewesen, deine Schafe und Ziegen haben keine Fehlgeburt gehabt; die Widder deiner Herde hab ich nie gegessen; 39 was die wilden Tiere zerrissen, brachte ich dir nicht, ich musste es ersetzen; du fordertest es von meiner Hand, es mochte mir des Tages oder des Nachts gestohlen sein.[a] 40 Des Tages kam ich um vor Hitze und des Nachts vor Frost und kein Schlaf kam in meine Augen. 41 So habe ich diese zwanzig Jahre in deinem Hause gedient, vierzehn [a]um deine Töchter und sechs [b]um deine Herde, und du hast mir meinen Lohn zehnmal verändert. 42 Wenn nicht der Gott meines Vaters, der Gott Abrahams und der Schrecken Isaaks*, [a]auf meiner Seite gewesen wäre, du hättest mich leer ziehen lassen. Aber Gott hat mein Elend und meine Mühe angesehen und hat diese Nacht rechtes Urteil gesprochen.

43 Laban antwortete und sprach zu Jakob: Die Töchter sind meine Töchter und die Kinder sind meine Kinder und die Herden sind meine Herden und alles, was du siehst, ist mein. Was kann ich heute für meine Töchter oder ihre Kinder tun, die sie geboren haben?[a] 44 So komm nun und lass uns einen Bund schließen, ich und du, der ein Zeuge sei zwischen mir und dir. 45 Da nahm Jakob einen Stein und richtete ihn auf zu einem Steinmal 46 und sprach zu seinen Brüdern: Lest Steine auf! Und sie nahmen Steine und machten davon einen Haufen und aßen daselbst auf dem Steinhaufen. 47 Und Laban nannte ihn Jegar-Sahaduta, Jakob aber nannte ihn [a]Gal-Ed.

48 Da sprach Laban: [a]Der Steinhaufe sei heute Zeuge zwischen mir und dir. Daher nennt man ihn Gal-Ed* 49 und [a]Mizpa*; denn er sprach: Der HERR wache als Späher über mir und dir, wenn wir voneinander gegangen sind, 50 dass du meine Töchter nicht bedrückst oder andere Frauen dazunimmst zu meinen Töchtern. Es ist hier kein Mensch bei uns;

* **31,42** »Schrecken Isaaks« ist eine alte Bezeichnung für den von Isaak verehrten Gott. **31,48** Der Name bedeutet »Steinhaufe des Zeugnisses«. **31,49** Der Name bedeutet »Spähort«.

31,32 *a* Vers 19 **31,35** *a* 3. Mose 15,19-20
31,39 *a* 2. Mose 22,11-12 **31,41** *a* Kap 29,20.30
b Kap 30,31-36 **31,42** *a* Verse 24.54
31,43 *a* 2. Mose 21,4-5 **31,47** *a* Vers 23
31,48 *a* Jos 24,27 **31,49** *a* Ri 11,11

siehe aber, Gott ist der Zeuge zwischen
mir und dir.
51 Und Laban sprach weiter zu Jakob:
Siehe, das ist der Haufe und das ist das
Steinmal, das ich aufgerichtet habe zwi-
schen mir und dir. 52 Dieser Steinhaufe sei
Zeuge und das Steinmal sei auch Zeuge,
dass ich nicht an diesem Haufen vorüber-
ziehe zu dir hin oder du vorüberziehst zu
mir hin an diesem Haufen und diesem Mal
in böser Absicht! 53 Der Gott Abrahams
und der Gott Nahors sei Richter zwischen
uns – der Gott ihres Vaters! 54 Und Jakob
schwor ihm bei dem [a]Schrecken Isaaks,
dem Gott seines Vaters. Und Jakob opferte
auf dem Gebirge und lud seine Brüder
zum Essen. Und als sie gegessen hatten,
blieben sie auf dem Gebirge über Nacht.

JAKOB RÜSTET SICH ZUR BEGEGNUNG MIT ESAU

32 Am Morgen aber stand Laban früh auf,
küsste seine Enkel und Töchter und
segnete sie und zog hin und kam wie-
der an seinen Ort. 2 Jakob aber zog seinen
Weg. Und es begegneten ihm [a]die Engel
Gottes. 3 Und als er sie sah, sprach er: Hier
ist Gottes Heerlager, und nannte diese
Stätte Mahanajim.
4 Jakob aber schickte Boten vor sich her
zu seinem Bruder Esau ins Land [a]Seïr, in
das Gebiet von Edom, 5 und befahl ihnen
und sprach: So sprecht zu Esau, meinem
Herrn: Dein Knecht Jakob lässt dir sa-
gen: Ich bin bisher bei Laban lange in der
Fremde gewesen 6 und habe Rinder und
Esel, Schafe, Knechte und Mägde und
habe ausgesandt, es dir, meinem Herrn,
anzusagen, damit ich Gnade vor deinen
Augen fände.
7 Die Boten kamen zu Jakob zurück und
sprachen: Wir kamen zu deinem Bruder
Esau, und er zieht dir auch entgegen mit
vierhundert Mann. 8 Da fürchtete sich Ja-
kob sehr und ihm wurde bange. Und er
teilte das Volk, das bei ihm war, und die
Schafe und die Rinder und die Kamele in
zwei Lager 9 und sprach: Wenn Esau über
das eine Lager kommt und macht es nie-
der, so wird das andere entrinnen.
10 Weiter sprach Jakob: Gott meines
Vaters Abraham und Gott meines Vaters
Isaak, HERR, [a]der du zu mir gesagt hast:
Zieh wieder in dein Land und zu deiner
Verwandtschaft, ich will dir wohltun –,
11 [a]**ich bin zu gering aller Barmherzig-
keit und aller Treue, die du an deinem
Knechte getan hast**; denn ich hatte nicht
mehr als diesen Stab, als ich hier über den
Jordan ging, und nun sind aus mir zwei
Lager geworden. 12 Errette mich von der
Hand meines Bruders, von der Hand
Esaus; denn ich fürchte mich vor ihm, dass
er komme und schlage mich, die Mutter
samt den Kindern. 13 Du hast [a]gesagt: Ich
will dir wohltun und deine Nachkommen
machen wie den Sand am Meer, den man
der Menge wegen nicht zählen kann.
14 Und er blieb die Nacht da und nahm
von dem, was er erworben hatte, ein Ge-
schenk für seinen Bruder Esau: 15 zweihun-
dert Ziegen, zwanzig Böcke, zweihundert
Schafe, zwanzig Widder 16 und dreißig
säugende Kamele mit ihren Füllen, vier-
zig Kühe und zehn junge Stiere, zwanzig
Eselinnen und zehn Esel, 17 und tat sie
unter die Hand seiner Knechte, je eine
Herde besonders, und sprach zu ihnen:
Geht vor mir her und lasst Raum zwi-
schen einer Herde und der andern. 18 Und
er gebot dem ersten und sprach: Wenn
dir mein Bruder Esau begegnet und dich
fragt: Wem gehörst du an und wo willst
du hin und wessen Eigentum ist das, was
du vor dir hertreibst?, 19 sollst du sagen: Es
gehört deinem Knechte Jakob, der sendet
es als Geschenk seinem Herrn Esau, und
er selbst zieht hinter uns her. 20 Ebenso ge-
bot er auch dem zweiten und dem dritten
und allen, die den Herden nachgingen,
und sprach: Wie ich euch gesagt habe,
so sagt zu Esau, wenn ihr ihm begegnet,
21 und sagt ja auch: Siehe, dein Knecht Ja-
kob kommt hinter uns. Denn er dachte:
Ich will ihn versöhnen mit dem Geschenk,
das vor mir hergeht. Danach will ich ihn
sehen; vielleicht wird er mich annehmen.
22 So ging das Geschenk vor ihm her; er
aber blieb diese Nacht im Lager.

JAKOBS KAMPF AM JABBOK

23 Und Jakob stand auf in der Nacht und
nahm seine beiden Frauen und die beiden

31,54 *a* Vers 42 **32,2** *a* Kap 28,12 **32,4** *a* Kap 36,8
32,10 *a* Kap 31,3.13 **32,11** *a* 2. Sam 7,18
32,13 *a* Kap 28,13-14

Mägde und seine elf Söhne und zog durch
die Furt des Jabbok. 24 Er nahm sie und
führte sie durch den Fluss, sodass hin-
überkam, was er hatte. 25 Jakob aber blieb
allein zurück.

[a]Da rang einer mit ihm, bis die Morgen-
röte anbrach. 26 Und als er sah, dass er ihn
nicht übermochte, rührte er an das Gelenk
seiner Hüfte, und das Gelenk der Hüfte
Jakobs wurde über dem Ringen mit ihm
verrenkt. 27 Und er sprach: Lass mich ge-
hen, denn die Morgenröte bricht an. Aber
Jakob antwortete: [a]**Ich lasse dich nicht,
du segnest mich denn.** 28 Er sprach: Wie
heißt du? Er antwortete: Jakob. 29 Er
sprach: [a]Du sollst nicht mehr Jakob hei-
ßen, sondern Israel; denn [b]du hast mit
Gott und mit Menschen gekämpft und
hast gewonnen. 30 Und Jakob fragte ihn
und sprach: Sage doch, [a]wie heißt du?
Er aber sprach: Warum fragst du, wie ich
heiße? Und er segnete ihn daselbst.

31 Und Jakob nannte die Stätte Pnuël:
Denn ich [a]habe Gott von Angesicht ge-
sehen,* und doch wurde mein Leben ge-
rettet. 32 Und als er an Pnuël vorüberkam,
ging ihm die Sonne auf; und er hinkte an
seiner Hüfte. 33 Daher essen die Israeliten
nicht das Muskelstück auf dem Gelenk
der Hüfte bis auf den heutigen Tag, weil
er den Muskel am Gelenk der Hüfte Jakobs
angerührt hatte.

JAKOBS VERSÖHNUNG MIT ESAU

33 Jakob hob seine Augen auf und sah
seinen Bruder [a]Esau kommen mit
vierhundert Mann. Und er verteilte seine
Kinder auf Lea und auf Rahel und auf die
beiden Mägde 2 und stellte die Mägde mit
ihren Kindern vornean und Lea mit ih-
ren Kindern dahinter und Rahel mit Josef
zuletzt. 3 Und er ging vor ihnen her und
neigte sich siebenmal zur Erde, bis er zu
seinem Bruder kam. 4 Esau aber lief ihm
entgegen und herzte ihn und fiel ihm um
den Hals und küsste ihn, und sie weinten.

5 Und Esau hob seine Augen auf und sah
die Frauen mit den Kindern und sprach:
Wer sind diese bei dir? Er antwortete: Es
sind die [a]Kinder, die Gott deinem Knecht
beschert hat. 6 Und die Mägde traten herzu
mit ihren Kindern und neigten sich vor
ihm. 7 Lea trat auch herzu mit ihren Kin-
dern, und sie neigten sich vor ihm. Da-
nach traten Josef und Rahel herzu, und
sie neigten sich auch vor ihm.

8 Und Esau sprach: Was willst du mit
dem [a]ganzen Lager, auf das ich gestoßen
bin? Er antwortete: Dass ich Gnade fände
vor meinem Herrn. 9 Esau sprach: Ich habe
genug, mein Bruder; behalte, was du hast.
10 Jakob antwortete: Ach nein! Hab ich
Gnade gefunden vor dir, so nimm mein
Geschenk von meiner Hand; denn ich
sah dein Angesicht, [a]als sähe ich Gottes
Angesicht, und du hast mich freundlich
angesehen. 11 Nimm doch meine Segens-
gabe an, die dir gebracht wurde; denn Gott
hat sie mir beschert, und ich habe von al-
lem genug. So nötigte er ihn, dass er sie
nahm.

12 Und Esau sprach: Lass uns aufbrechen
und fortziehen; ich will mit dir ziehen.
13 Er aber sprach zu ihm: Mein Herr weiß,
dass ich zarte Kinder bei mir habe, dazu
säugende Schafe und Kühe; wenn sie auch
nur einen Tag übertrieben würden, würde
mir die ganze Herde sterben. 14 Mein Herr
ziehe vor seinem Knechte her. Ich will
gemächlich hintennach treiben, wie das
Vieh und die Kinder gehen können, bis
ich komme zu meinem Herrn nach Seïr.
15 Esau sprach: So will ich doch bei dir las-
sen etliche von meinen Leuten. Er ant-
wortete: Ist das denn nötig? Lass mich nur
Gnade vor meinem Herrn finden. 16 So zog
Esau an jenem Tage wiederum seines We-
ges nach Seïr.

JAKOB SIEDELT SICH BEI SICHEM AN

17 Und Jakob zog nach Sukkot und baute
sich ein Haus und machte seinem Vieh
Hütten; daher heißt die Stätte Sukkot*.
18 Danach kam Jakob wohlbehalten zu
der Stadt Sichem, die im Lande Kanaan
liegt, nachdem er aus Paddan-Aram ge-
kommen war, und lagerte vor der Stadt
19 und [a]kaufte das Feldstück, wo er sein
Zelt aufgeschlagen hatte, von den Söh-
nen Hamors, des Vaters Sichems, um

* **32,31** Pnuël = Pniël und bedeutet »Angesicht Gottes«. **33,17** Der Name bedeutet »Hütten«.

32,25 ***a*** (25-29) Hos 12,4-5 **32,27** ***a*** Mt 15,22-28 **32,29** ***a*** Kap 35,10 ***b*** Jer 20,7 **32,30** ***a*** Ri 13,17-18 **32,31** ***a*** 2. Mose 33,20 **33,1** ***a*** Kap 32,7 **33,5** ***a*** Ps 127,3 **33,8** ***a*** Kap 32,14-21 **33,10** ***a*** Kap 32,31 **33,19** ***a*** Jos 24,32

hundert Goldstücke 20 und errichtete dort
einen Altar und nannte ihn »El, der Gott
Israels«.[a]

DIE SCHANDTAT AN DINA UND DAS BLUTBAD ZU SICHEM

34 [a]Dina aber, Leas Tochter, die sie Jakob
geboren hatte, ging aus, die Töchter
des Landes zu sehen. 2 Als [a]Sichem sie
sah, der Sohn des Hiwiters Hamor, der des
Landes Herr war, nahm er sie, legte sich zu
ihr und tat ihr Gewalt an. 3 Und sein Herz
hing an ihr, und er hatte das Mädchen
lieb und redete freundlich mit ihr. 4 Und
Sichem sprach zu seinem Vater Hamor:
Nimm mir das Mädchen zur Frau.

5 Und Jakob erfuhr, dass seine Tochter
Dina geschändet war; und seine Söhne
waren mit dem Vieh auf dem Felde, und
Jakob schwieg, bis sie kamen. 6 Da ging
Hamor, Sichems Vater, hinaus zu Jakob,
um mit ihm zu reden. 7 Indessen kamen
die Söhne Jakobs vom Felde. Und als sie
es hörten, verdross es die Männer, und sie
wurden sehr zornig, dass er eine Schand-
tat in Israel begangen und bei Jakobs Toch-
ter gelegen hatte. Denn solches durfte
nicht geschehen.

8 Da redete Hamor mit ihnen und
sprach: Das Herz meines Sohnes Sichem
sehnt sich nach eurer Tochter; gebt sie
ihm doch zur Frau. 9 Verschwägert euch
mit uns; gebt uns eure Töchter und nehmt
ihr unsere Töchter 10 und wohnt bei uns.
Das Land soll euch offen sein; bleibt und
treibt Handel und werdet ansässig. 11 Und
Sichem sprach zu ihrem Vater und zu ih-
ren Brüdern: Lasst mich Gnade bei euch
finden; was ihr mir sagt, das will ich ge-
ben. 12 Fordert nur getrost von mir [a]Braut-
preis und Geschenk, ich will's geben, wie
ihr's verlangt; gebt mir nur das Mädchen
zur Frau.

13 Da antworteten Jakobs Söhne dem
Sichem und seinem Vater Hamor hin-
terhältig, weil ihre Schwester Dina ge-
schändet war, 14 und sprachen zu ihnen:
Wir können das nicht tun, dass wir unsere
Schwester einem unbeschnittenen Mann
geben; denn das wäre uns eine Schande.
15 Doch dann wollen wir euch zu Willen
sein, wenn ihr uns gleich werdet und alles,
was männlich unter euch ist, beschnitten
wird.[a] 16 Dann wollen wir unsere Töchter
euch geben und eure Töchter uns nehmen
und bei euch wohnen und *ein* Volk sein.
17 Wenn ihr aber nicht einwilligen wollt,
euch beschneiden zu lassen, so wollen wir
unsere [a]Tochter nehmen und davonzie-
hen. 18 Die Rede gefiel Hamor und sei-
nem Sohn gut. 19 Und der Jüngling zögerte
nicht, dies zu tun; denn er hatte großes
Gefallen an der Tochter Jakobs. Und er
war mehr angesehen als alle in seines Va-
ters Hause.

20 Da kamen sie nun, Hamor und sein
Sohn Sichem, zum Tor ihrer Stadt und
redeten mit den Bürgern der Stadt und
sprachen: 21 Diese Leute sind friedsam
bei uns; lasst sie im Lande wohnen und
Handel treiben; das Land ist weit genug
für sie. Wir wollen uns ihre Töchter zu
Frauen nehmen und ihnen unsere Töchter
geben. 22 Aber nur dann wollen sie uns zu
Willen sein, dass sie bei uns wohnen und
ein Volk mit uns werden, wenn sich alles,
was männlich unter uns ist, beschneiden
lässt, gleichwie sie beschnitten sind. 23 Ihr
Vieh und ihre Güter und alles, was sie ha-
ben, wird es nicht unser sein? So wollen
wir ihnen nur zu Willen sein, damit sie
bei uns wohnen. 24 Und sie gehorchten
dem Hamor und Sichem, seinem Sohn,
alle, die zum Tor seiner Stadt aus und ein
gingen, und alles, was männlich war, ließ
sich beschneiden, das zu seiner Stadt aus
und ein ging.

25 Aber am dritten Tage, als sie Schmer-
zen hatten, nahmen die [a]zwei Söhne Ja-
kobs Simeon und Levi, die Brüder der
Dina, ein jeder sein Schwert und über-
fielen die friedliche Stadt und erschlugen
alles, was männlich war, 26 und erschlu-
gen auch Hamor und seinen Sohn Sichem
mit der Schärfe des Schwerts und nahmen
ihre Schwester Dina aus dem Hause Si-
chems und gingen davon. 27 Da kamen
die Söhne Jakobs über die Erschlagenen
und plünderten die Stadt, weil man ihre
Schwester geschändet hatte, 28 und nah-
men ihre Schafe, Rinder, Esel und was in
der Stadt und auf dem Felde war 29 und alle
ihre Habe; alle Kinder und Frauen führten

33,20 *a* Kap 12,7-8 **34,1** *a* Kap 30,21 **34,2** *a* Ri 9,28
34,12 *a* 2. Mose 22,15 **34,15** *a* Kap 17,10-14
34,17 *a* 5. Mose 7,3 **34,25** *a* Kap 49,5-7

sie gefangen hinweg und plünderten alles,
was in den Häusern war.
30 Aber Jakob sprach zu Simeon und Levi:
Ihr habt mich ins Unglück gestürzt und in
Verruf gebracht bei den Bewohnern dieses
Landes, den Kanaanitern und Perisitern,
und ich habe nur wenige Leute. Wenn sie
sich nun gegen mich versammeln, werden
sie mich erschlagen. So werde ich vertilgt
samt meinem Hause. 31 Sie antworteten
aber: Durfte er denn an unserer Schwes-
ter wie an einer Hure handeln?

GOTT SEGNET JAKOB IN BETHEL

35 Und Gott sprach zu Jakob: Mach dich
auf und zieh nach Bethel und wohne
daselbst und errichte dort einen Altar dem
Gott, der dir erschien, als du flohst vor dei-
nem Bruder Esau.[a] 2 Da sprach Jakob zu
seinem Hause und zu allen, die mit ihm
waren: Tut von euch [a]die fremden Götter,
die unter euch sind, und reinigt euch und
wechselt eure Kleider, 3 und lasst uns auf-
brechen und nach Bethel ziehen, dass ich
dort einen Altar errichte dem Gott, der
mich erhört hat zur Zeit meiner Trübsal
und mit mir gewesen ist auf dem Wege,
den ich gezogen bin. 4 Da gaben sie ihm
alle fremden Götter, die in ihren Händen
waren, und ihre Ohrringe, und er vergrub
sie [a]unter der Eiche, die bei Sichem stand.
5 Und sie brachen auf. Und es kam ein
[a]Gottesschrecken über die Städte, die um
sie her lagen, sodass sie den Söhnen Jakobs
nicht nachjagten.
6 So kam Jakob nach Lus im Lande Ka-
naan, das nun Bethel heißt, samt all dem
Volk, das mit ihm war, 7 und er baute
dort einen Altar und nannte die Stätte
El-Bethel, weil Gott sich ihm daselbst
offenbart hatte, als er vor seinem Bruder
floh. 8 Da starb [a]Debora, die Amme der
Rebekka, und wurde begraben unterhalb
von Bethel unter der Eiche; die wurde ge-
nannt die Klageeiche.
9 Und Gott erschien Jakob abermals,
nachdem er aus Paddan-Aram gekommen
war, und segnete ihn 10 und sprach zu ihm:
Du heißt Jakob; aber du sollst nicht mehr
Jakob heißen, sondern [a]Israel sollst du hei-
ßen. Und so nannte er ihn Israel. 11 Und
Gott sprach zu ihm: Ich bin der [a]allmäch-
tige Gott; sei fruchtbar und mehre dich!
Ein Volk und eine Menge von Völkern sol-
len von dir kommen, und [b]Könige sollen
aus deinen Lenden hervorgehen, 12 und
das Land, das ich Abraham und Isaak ge-
geben habe, will ich dir geben und will's
deinem Geschlecht nach dir geben.
13 Und Gott fuhr auf von ihm an der
Stätte, da er mit ihm geredet hatte. 14 [a]Ja-
kob aber richtete ein steinernes Mal auf
an der Stätte, da er mit ihm geredet hatte,
und goss Trankopfer darauf und begoss es
mit Öl. 15 Und Jakob nannte die Stätte, da
Gott mit ihm geredet hatte, Bethel.

BENJAMINS GEBURT UND RAHELS TOD

16 Und sie brachen auf von Bethel. Und als
es noch eine Strecke Weges war bis Efrata,
da gebar Rahel. Und es kam sie hart an
über der Geburt. 17 Da ihr aber die Geburt
so schwer wurde, sprach die Hebamme zu
ihr: Fürchte dich nicht, denn auch dies-
mal wirst du einen [a]Sohn haben. 18 Als ihr
aber das Leben entwich und sie sterben
musste, nannte sie ihn Ben-Oni, aber sein
Vater nannte ihn Ben-Jamin*. 19 So starb
Rahel und wurde begraben an dem Wege
nach Efrata, das nun Bethlehem heißt.[a]
20 Und Jakob richtete einen Stein auf über
ihrem Grab; das ist das Grabmal Rahels
bis auf diesen Tag. 21 Und Israel zog wei-
ter und schlug sein Zelt auf jenseits von
Migdal-Eder.
22 Und es begab sich, als Israel im Lande
wohnte, ging [a]Ruben hin und schlief bei
Bilha, seines Vaters Nebenfrau. Und das
kam vor Israel.

JAKOBS SÖHNE

(vgl. 1. Chr 2,1-2)

Es hatte aber Jakob zwölf Söhne. 23 Die
Söhne Leas waren diese: Ruben, der erst-
geborene Sohn Jakobs, Simeon, Levi, Juda,
Issachar und Sebulon. 24 Die Söhne Rahels
waren: Josef und Benjamin. 25 Die Söhne

* **35,18** Die Namen »Ben-Oni« und »Ben-Jamin« bedeuten »Sohn meines Unglücks« und »Sohn des Glücks«.

35,1 *a* Kap 28,11-22; 31,13 **35,2** *a* Kap 31,19; 5. Mose 27,15; Jos 24,23 **35,4** *a* Jos 24,26; Ri 9,6 **35,5** *a* 2. Mose 23,27; Jos 10,10 **35,8** *a* Kap 24,59 **35,10** *a* Kap 32,29
35,11 *a* Kap 17,1; 28,3-4 *b* Kap 17,6
35,14 *a* (14-15) Kap 28,18-19 **35,17** *a* Kap 30,24
35,19 *a* Kap 48,7; 1. Sam 10,2; Jer 31,15; Mi 5,1; Mt 2,18
35,22 *a* Kap 49,4

Bilhas, Rahels Magd: Dan und Naftali.
26 Die Söhne Silpas, Leas Magd: Gad und
Asser. Das sind die Söhne Jakobs, die ihm
geboren sind in Paddan-Aram.

JAKOBS HEIMKEHR. ISAAKS TOD

27 Und Jakob kam zu seinem Vater Isaak
nach Mamre, nach Kirjat-Arba, das ist
Hebron, wo Abraham und Isaak als
Fremdlinge gelebt hatten. 28 Und Isaak
wurde hundertachtzig Jahre alt, 29 ver-
schied und starb und wurde versammelt
zu seinen Vätern, alt und lebenssatt. Und
seine Söhne Esau und Jakob begruben ihn.

GESCHLECHTSREGISTER ESAUS

(vgl. 1. Chr 1,35-54)

36 Dies ist das Geschlecht Esaus, der
auch [a]Edom heißt: 2 Esau nahm sich
[a]Frauen von den Töchtern Kanaans: Ada,
die Tochter Elons, des Hetiters, und Oho-
libama, die Tochter des Ana, des Sohnes
Zibons, des Horiters, 3 und [a]Basemat, Is-
maels Tochter, Nebajots Schwester. 4 Und
Ada gebar dem Esau Elifas, und Basemat
gebar Reguël. 5 Oholibama gebar Jëusch,
Jalam und Korach. Das sind Esaus Söhne,
die ihm geboren sind im Lande Kanaan.

6 Und Esau nahm seine Frauen, Söhne
und Töchter und alle Leute seines Hau-
ses, seine Habe und alles Vieh mit allen
Gütern, die er im Lande Kanaan erwor-
ben hatte, und zog in ein anderes Land,
hinweg von seinem Bruder Jakob. 7 Denn
ihre Habe war zu groß, als dass sie beiein-
ander wohnen konnten; das Land, darin
sie Fremdlinge waren, vermochte sie nicht
zu ertragen wegen der Menge ihres Viehs.[a]
8 Daher wohnte Esau auf dem Gebirge
Seïr. Esau ist Edom.

9 Dies ist das Geschlecht Esaus, von
dem die Edomiter herkommen auf dem
Gebirge Seïr, 10 und so heißen die Söhne
Esaus: Elifas, der Sohn Adas, der Frau
Esaus; Reguël, der Sohn Basemats, der
Frau Esaus. 11 Des Elifas Söhne aber wa-
ren diese: Teman, Omar, Zefo, Gatam und
Kenas. 12 Und Timna war eine Nebenfrau
des Elifas, des Sohnes Esaus; die gebar
ihm Amalek. Das sind die Söhne von Ada,
der Frau Esaus. 13 Die Söhne aber Regu-
ëls sind diese: Nahat, Serach, Schamma,
Misa. Das sind die Söhne von Basemat,
der Frau Esaus. 14 Die Söhne aber von
Oholibama, der Frau Esaus, der Tochter
des Ana, des Sohnes Zibons, die sie dem
Esau gebar, sind diese: Jëusch, Jalam und
Korach. 15 Dies sind die Stammesfürsten
der Söhne Esaus.

Die Söhne des Elifas, des ersten Soh-
nes Esaus: der Fürst Teman, der Fürst
Omar, der Fürst Zefo, der Fürst Kenas,
16 der Fürst Korach, der Fürst Gatam, der
Fürst Amalek. Das sind die Fürsten von
Elifas im Lande Edom und sind Söhne
von der Ada. 17 Und dies sind die Söhne
Reguëls, des Sohnes Esaus: der Fürst Na-
hat, der Fürst Serach, der Fürst Schamma,
der Fürst Misa. Das sind die Fürsten von
Reguël im Lande der Edomiter und sind
Söhne von der Basemat, der Frau Esaus.
18 Dies sind die Söhne Oholibamas, der
Frau Esaus: der Fürst Jëusch, der Fürst
Jalam, der Fürst Korach. Das sind die
Fürsten von Oholibama, der Tochter des
Ana, der Frau Esaus. 19 Das sind Esaus
Söhne und ihre Stammesfürsten. Das
ist Edom.

20 Die Söhne aber von Seïr, dem [a]Horiter,
die im Lande wohnten, sind diese: Lotan,
Schobal, Zibon, Ana, 21 Dischon, Ezer und
Dischan. Das sind die Stammesfürsten der
Horiter, Söhne des Seïr, im Lande Edom.
22 Aber des Lotan Söhne waren Hori und
Hemam; und Lotans Schwester hieß
Timna. 23 Die Söhne von Schobal waren
diese: Alwan, Manahat, Ebal, Schefi und
Onam. 24 Die Söhne von Zibon waren
diese: Aja und Ana. Das ist der Ana, der
in der Steppe die warmen Quellen fand,
als er die Esel seines Vaters Zibon hütete.
25 Der Sohn Anas aber war: Dischon; und
Oholibama war die Tochter Anas. 26 Die
Söhne Dischons waren: Hemdan, Esch-
ban, Jitran und Keran. 27 Die Söhne Ezers
waren: Bilhan, Saawan und Akan. 28 Die
Söhne Dischans waren: Uz und Aran.

29 Dies sind die Stammesfürsten der Ho-
riter: der Fürst Lotan, der Fürst Schobal,
der Fürst Zibon, der Fürst Ana, 30 der
Fürst Dischon, der Fürst Ezer, der Fürst
Dischan. Das sind die Fürsten der Hori-
ter nach ihren Stämmen im Lande Seïr.

36,1 *a* Kap 25,30; 5. Mose 23,8 **36,2** *a* Kap 26,34
36,3 *a* Kap 28,9 **36,7** *a* Kap 13,6 **36,20** *a* Kap 14,6;
5. Mose 2,12.22

DIE FRÜHEREN KÖNIGE DER EDOMITER

31 Die [a]Könige aber, die im Lande Edom
regiert haben, bevor ein König über die
Israeliten herrschte, sind diese: 32 Bela
war König von Edom, ein Sohn Beors,
und seine Stadt hieß Dinhaba. 33 Und als
Bela starb, wurde König an seiner statt
Jobab, ein Sohn Serachs von Bozra. 34 Als
Jobab starb, wurde an seiner statt König
Huscham aus dem Lande der Temaniter.
35 Als Huscham starb, wurde König an sei-
ner statt Hadad, ein Sohn Bedads, der die
Midianiter schlug auf dem Felde der Mo-
abiter; und seine Stadt hieß Awit. 36 Als
Hadad starb, wurde Samla von Masreka
König an seiner statt. 37 Als Samla starb,
wurde Schaul von Rehobot am Fluss Kö-
nig an seiner statt. 38 Als Schaul starb,
wurde König an seiner statt Baal-Hanan,
der Sohn Achbors. 39 Als Baal-Hanan,
Achbors Sohn, starb, wurde König an sei-
ner statt Hadar; und seine Stadt hieß Pagu
und seine Frau hieß Mehetabel, eine Toch-
ter Matreds, die Me-Sahabs Tochter war.

DIE STAMMESFÜRSTEN DER EDOMITER

40 So heißen die Stammesfürsten von Esau
nach ihren Geschlechtern, Orten und Na-
men: der Fürst Timna, der Fürst Alwa,
der Fürst Jetet, 41 der Fürst Oholibama,
der Fürst Ela, der Fürst Pinon, 42 der Fürst
Kenas, der Fürst Teman, der Fürst Mibzar,
43 der Fürst Magdiël, der Fürst Iram. Das
sind die Fürsten von Edom nach ihren
Wohnsitzen in ihrem Erblande. Das ist
Esau, der Stammvater der Edomiter.

JOSEFS TRÄUME

37 Jakob aber wohnte im Lande, in dem
sein Vater ein Fremdling gewesen war,
im Lande Kanaan. 2 Und dies ist die Ge-
schichte von Jakobs Geschlecht: Josef war
siebzehn Jahre alt und hütete mit seinen
Brüdern die Schafe; er war Gehilfe bei den
Söhnen Bilhas und Silpas, den Frauen sei-
nes Vaters, und er hinterbrachte ihrem Va-
ter ihre üble Nachrede.

3 Israel aber hatte Josef lieber als alle
seine Söhne, weil er der Sohn seines Al-
ters war, und machte ihm einen bunten
Rock. 4 Als nun seine Brüder sahen, dass
ihn ihr Vater lieber hatte als alle seine Brü-
der, wurden sie ihm feind und konnten
ihm kein freundliches Wort sagen. 5 Und
Josef hatte einen Traum und sagte seinen
Brüdern davon; da wurden sie ihm noch
mehr feind. 6 Denn er sprach zu ihnen:
Hört doch, was mir geträumt hat. 7 Siehe,
wir banden Garben auf dem Felde, und
meine Garbe richtete sich auf und blieb
stehen, aber eure Garben stellten sich
ringsumher und neigten sich vor meiner
Garbe. 8 Da sprachen seine Brüder zu ihm:
Willst du unser König werden und über
uns herrschen? Und sie wurden ihm noch
mehr feind um seines Traumes und seiner
Worte willen.

9 Und er hatte noch einen zweiten
Traum, den erzählte er seinen Brüdern
und sprach: Ich habe noch einen Traum
gehabt; siehe, die Sonne und der Mond
und elf Sterne neigten sich vor mir. 10 Und
als er das seinem Vater und seinen Brü-
dern erzählte, schalt ihn sein Vater und
sprach zu ihm: Was ist das für ein Traum,
den du geträumt hast? Sollen denn ich
und deine Mutter und deine Brüder kom-
men und vor dir niederfallen? 11 Und seine
Brüder ereiferten sich über ihn. Aber sein
Vater behielt diese Worte.

JOSEF WIRD NACH ÄGYPTEN VERKAUFT

12 Als nun seine Brüder hingegangen wa-
ren, um das Vieh ihres Vaters in [a]Sichem
zu weiden, 13 sprach Israel zu Josef: Hüten
nicht deine Brüder das Vieh in Sichem?
Komm, ich will dich zu ihnen senden. Er
aber sprach: Hier bin ich. 14 Und er sprach:
Geh hin und sieh, ob's gut steht um deine
Brüder und um das Vieh, und sage mir
dann, wie sich's verhält.

Und er sandte ihn aus dem Tal von
[a]Hebron, und er kam nach Sichem. 15 Da
fand ihn ein Mann, wie er umherirrte
auf dem Felde; der fragte ihn und sprach:
Was suchst du? 16 Er antwortete: Ich su-
che meine Brüder; sage mir doch, wo sie
hüten. 17 Der Mann sprach: Sie sind von
dannen gezogen; denn ich hörte, dass
sie sagten: Lasst uns nach Dotan gehen.
Da zog Josef seinen Brüdern nach und
fand sie in Dotan.

18 Als sie ihn nun sahen von ferne, ehe

36,31 *a* 4. Mose 20,14 **37,12** *a* Kap 33,18-19
37,14 *a* Kap 35,27

er nahe zu ihnen kam, machten sie einen
Anschlag, dass sie ihn töteten, 19 und spra-
chen untereinander: Seht, der Träumer
kommt daher! 20 So kommt nun und lasst
uns ihn töten und in eine Grube werfen
und sagen, ein böses Tier habe ihn gefres-
sen; so wird man sehen, was seine Träume
sind.
21 Als das Ruben hörte, wollte er ihn aus
ihren Händen erretten und sprach: Lasst
uns ihn nicht töten![a] 22 Und weiter sprach
Ruben zu ihnen: Vergießt nicht Blut, son-
dern werft ihn in die Grube hier in der
Wüste und legt die Hand nicht an ihn! Er
wollte ihn aber aus ihrer Hand erretten
und seinem Vater wiederbringen.
23 Als nun Josef zu seinen Brüdern kam,
zogen sie ihm seinen Rock aus, [a]den bun-
ten Rock, den er anhatte, 24 und nahmen
ihn und warfen ihn in die Grube; aber die
Grube war leer und kein Wasser darin.
25 Und sie setzten sich nieder, um zu es-
sen. Indessen hoben sie ihre Augen auf
und sahen eine Karawane von Ismaelitern
kommen von Gilead mit ihren Kamelen;
die trugen kostbares Harz, Balsam und
Myrrhe und zogen hinab nach Ägypten.
26 Da sprach Juda zu seinen Brüdern: Was
hilft's uns, dass wir unsern Bruder töten
und sein Blut verbergen? 27 Kommt, lasst
uns ihn den Ismaelitern verkaufen, damit
sich unsere Hände nicht an ihm vergrei-
fen; denn er ist unser Bruder, unser Fleisch
und Blut. Und sie gehorchten ihm. 28 Als
aber die [a]midianitischen Kaufleute vor-
überkamen, zogen sie ihn heraus aus der
Grube und [b]verkauften ihn um zwanzig
Silberstücke den Ismaelitern; die brachten
ihn nach Ägypten.
29 Als nun Ruben wieder zur Grube kam
und Josef nicht darin fand, zerriss er sein
Kleid 30 und kam wieder zu seinen Brü-
dern und sprach: Der Knabe ist nicht da!
Wo soll ich hin? 31 Da nahmen sie Josefs
Rock und schlachteten einen Ziegenbock
und tauchten den Rock ins Blut 32 und
schickten den bunten Rock hin und ließen
ihn ihrem Vater bringen und sagen: Die-
sen haben wir gefunden; sieh, ob's deines
Sohnes Rock sei oder nicht. 33 Er erkannte
ihn aber und sprach: Es ist meines Sohnes
Rock; ein [a]böses Tier hat ihn gefressen,
zerrissen, zerrissen ist Josef!
34 Und Jakob zerriss seine Kleider und
legte ein härenes Tuch um seine Lenden
und trug Leid um seinen Sohn lange Zeit.
35 Und alle seine Söhne und Töchter ka-
men zu ihm, ihn zu trösten; aber er wollte
sich nicht trösten lassen und sprach: Ich
werde mit Leid zu meinem Sohn in die
Grube fahren. Und sein Vater beweinte
ihn.
36 Aber die Midianiter verkauften ihn in
Ägypten an Potifar, des Pharao Kämmerer
und Obersten der Leibwache.

JUDA UND TAMAR

38 Es begab sich um diese Zeit, dass Juda
hinabzog von seinen Brüdern und ge-
sellte sich zu einem Mann aus Adullam,
der hieß Hira. 2 Und Juda sah dort die
Tochter eines Kanaaniters, der hieß Schua,
und nahm sie zur Frau. Und als er zu ihr
einging, 3 ward sie schwanger und gebar
einen Sohn, den nannte er Ger. 4 Und
sie ward abermals schwanger und gebar
einen Sohn, den nannte sie Onan. 5 Sie
gebar abermals einen Sohn, den nannte
sie Schela; und Juda war in Kesib, als sie
ihn gebar.
6 Und Juda gab seinem ersten Sohn Ger
eine Frau, die hieß Tamar. 7 Aber Ger miss-
fiel dem HERRN, und der HERR ließ ihn
sterben. 8 Da sprach Juda zu Onan: Lege
dich zu deines Bruders Frau und nimm
sie zur Ehe, dass du deinem Bruder Nach-
kommen schaffst.[a] 9 Aber da Onan wusste,
dass die Kinder nicht sein Eigen sein soll-
ten, ließ er's auf die Erde fallen und ver-
derben, wenn er einging zu seines Bru-
ders Frau, auf dass er seinem Bruder nicht
Nachkommen schaffe. 10 Dem HERRN
missfiel aber, was er tat, und er ließ ihn
auch sterben.
11 Da sprach Juda zu seiner Schwieger-
tochter Tamar: Bleibe eine Witwe in dei-
nes Vaters Hause, bis mein Sohn Schela
groß geworden ist. Denn er dachte, viel-
leicht würde der auch sterben wie seine
Brüder. So ging Tamar hin und blieb in
ihres Vaters Hause.
12 Als nun viele Tage verlaufen waren,
starb Judas Frau, die Tochter des Schua.

37,21 *a* Kap 42,22 **37,23** *a* Vers 3 **37,28** *a* Kap 25,2
b 3. Mose 27,1-8 **37,33** *a* Vers 20 **38,8** *a* 5. Mose 25,5-10

Und nachdem Juda ausgetrauert hatte,
ging er hinauf, seine Schafe zu scheren,
nach Timna mit seinem Freunde Hira aus
Adullam. 13 Da wurde der Tamar gesagt:
Siehe, dein Schwiegervater geht hinauf
nach [a]Timna, seine Schafe zu scheren.
14 Da legte sie die Witwenkleider ab, be-
deckte sich mit einem Schleier und ver-
hüllte sich und setzte sich vor das Tor von
Enajim an dem Wege nach Timna; denn
sie hatte gesehen, dass Schela groß gewor-
den, dass sie ihm aber nicht zur Frau gege-
ben worden war.

15 Als Juda sie nun sah, meinte er, es wäre
eine Hure, denn sie hatte ihr Angesicht
verdeckt. 16 Und er machte sich zu ihr am
Wege und sprach: Lass mich doch zu dir
kommen; denn [a]er wusste nicht, dass es
seine Schwiegertochter war. Sie antwor-
tete: Was willst du mir geben, wenn du
zu mir kommst? 17 Er sprach: Ich will dir
ein Zicklein von der Herde senden. Sie
antwortete: So gib mir ein Pfand, bis du
es mir sendest. 18 Er sprach: Was willst
du für ein Pfand, das ich dir geben soll?
Sie antwortete: Dein Siegel und deine
Schnur und deinen Stab, den du in der
Hand hast. Da gab er's ihr und kam zu ihr;
und sie ward von ihm schwanger. 19 Und
sie machte sich auf und ging hinweg und
legte den Schleier ab und zog ihre Wit-
wenkleider wieder an.

20 Juda aber sandte das Zicklein durch
seinen Freund aus Adullam, damit er das
Pfand zurückholte von der Frau. Und er
fand sie nicht. 21 Da fragte er die Leute
ihres Ortes und sprach: Wo ist die [a]Tem-
pelhure, die zu Enajim am Wege saß? Sie
antworteten: Es ist keine Tempelhure da
gewesen. 22 Und er kam wieder zu Juda
und sprach: Ich habe sie nicht gefunden;
dazu sagen die Leute des Ortes, es sei
keine Tempelhure da gewesen. 23 Juda
sprach: Sie mag's behalten, damit wir nur
nicht in Verruf geraten! Siehe, ich habe
das Zicklein gesandt, und du hast sie nicht
gefunden.

24 Nach drei Monaten wurde Juda ange-
sagt: Deine Schwiegertochter Tamar hat
Hurerei getrieben; und siehe, sie ist von
ihrer Hurerei schwanger geworden. Juda
sprach: Führt sie heraus, dass sie verbrannt
werde. 25 Und als man sie hinausführte,
schickte sie zu ihrem Schwiegervater und
sprach: Von dem Mann bin ich schwan-
ger, dem dies gehört. Und sie sprach: Er-
kennst du auch, wem dies Siegel und diese
Schnur und dieser Stab gehören? 26 Juda
erkannte es und sprach: Sie ist gerecht,
ich nicht; denn ich habe sie meinem Sohn
Schela nicht gegeben. Doch wohnte er ihr
nicht mehr bei.

27 Und als sie gebären sollte, da waren
Zwillinge in ihrem Leibe. 28 Und als sie
gebar, tat sich eine Hand heraus. Da griff
die Hebamme zu und band einen roten
Faden um seine Hand und sprach: Der ist
zuerst herausgekommen. 29 Als aber der
seine Hand wieder hineinzog, kam sein
Bruder heraus, und sie sprach: Warum
hast du um deinetwillen solchen Riss ge-
rissen? Und man nannte ihn [a]Perez. 30 Da-
nach kam sein Bruder heraus, der den ro-
ten Faden um seine Hand hatte. Und man
nannte ihn Serach.

JOSEF IN POTIFARS HAUS

39 Josef wurde hinab nach Ägypten ge-
führt, und Potifar, ein Ägypter, der
Kämmerer des Pharao und Oberste der
Leibwache, kaufte ihn von den Ismaeli-
tern, die ihn hinabgebracht hatten.[a] 2 Und
der HERR war mit Josef, sodass [a]er ein
Mann wurde, dem alles glückte. Und er
war in seines Herrn, des Ägypters, Hause.
3 Und sein Herr sah, dass der HERR
mit ihm war; und alles, was er tat, ließ
der HERR in seiner Hand glücken, 4 so-
dass er Gnade fand in seinen Augen und
sein Diener wurde. Er setzte ihn über
sein Haus; und alles, was er hatte, gab er
in seine Hände. 5 Und von der Zeit an, da
er ihn über sein Haus und alle seine Gü-
ter gesetzt hatte, [a]segnete der HERR des
Ägypters Haus um Josefs willen, und es
war lauter Segen des HERRN in allem,
was er hatte, zu Hause und auf dem Felde.
6 Darum ließ er alles in Josefs Händen,
was er hatte, und kümmerte sich selbst
um nichts außer um das, was er [a]aß und
trank. Und Josef war schön an Gestalt und
hübsch von Angesicht.

38,13 *a* Jos 15,57 **38,16** *a* 3. Mose 18,15
38,21 *a* 5. Mose 23,18 **38,29** *a* Rut 4,18; Mt 1,3
39,1 *a* Kap 37,28.36 **39,2** *a* Kap 26,24 **39,5** *a* Kap 30,27
39,6 *a* Kap 43,32

7 Und es begab sich danach, dass seines
Herrn Frau ihre Augen auf Josef warf und
sprach: Schlafe bei mir! 8 Er weigerte sich
aber und sprach zur Frau seines Herrn:
Siehe, mein Herr kümmert sich selbst um
nichts, was im Hause ist, und alles, was er
hat, das hat er in meine Hände gegeben;
9 er ist in diesem Hause nicht größer als
ich, und er hat mir nichts vorenthalten
außer dir, weil du seine Frau bist. Wie
sollte ich denn nun ein solch großes Übel
tun und gegen Gott sündigen?[a] 10 Und sie
bedrängte Josef mit solchen Worten täg-
lich. Aber er gehorchte ihr nicht, dass er
bei ihr schlief und bei ihr wäre. 11 Es be-
gab sich an einem dieser Tage, dass Josef
in das Haus ging, seine Arbeit zu tun, und
kein Mensch vom Gesinde des Hauses war
dabei. 12 Und sie erwischte ihn bei seinem
Kleid und sprach: Schlafe bei mir! Aber er
ließ das Kleid in ihrer Hand und floh und
lief zum Hause hinaus. 13 Als sie nun sah,
dass er sein Kleid in ihrer Hand ließ und
hinaus entfloh, 14 rief sie das Gesinde ihres
Hauses und sprach zu ihnen: Seht, er hat
uns den hebräischen Mann hergebracht,
dass der seinen Mutwillen mit uns treibe.
Er kam zu mir herein und wollte bei mir
schlafen; aber ich rief mit lauter Stimme.
15 Und als er hörte, dass ich ein Geschrei
machte und rief, da ließ er sein Kleid bei
mir und floh und lief hinaus. 16 Und sie
legte sein Kleid neben sich, bis sein Herr
heimkam, 17 und sagte zu ihm ebendie-
selben Worte und sprach: Der hebräische
Knecht, den du uns hergebracht hast, kam
zu mir herein und wollte seinen Mutwil-
len mit mir treiben. 18 Als ich aber ein Ge-
schrei machte und rief, da ließ er sein Kleid
bei mir und floh hinaus.

JOSEF IM GEFÄNGNIS

19 Als sein Herr die Worte seiner Frau
hörte, die sie ihm sagte und sprach: So hat
dein Knecht an mir getan, wurde er sehr
zornig. 20 Da nahm ihn Josefs Herr und
warf ihn ins Gefängnis, in dem des Kö-
nigs Gefangene waren. Und er blieb allda
im Gefängnis. 21 Aber der HERR war mit
Josef und neigte ihm die Herzen zu und
schenkte ihm die Gunst des Amtmanns
über das Gefängnis, 22 sodass der ihm alle
Gefangenen im Gefängnis in seine Hand
gab, und alles, was dort zu tun war, ge-
schah durch ihn. 23 Der Amtmann über
das Gefängnis kümmerte sich um nichts;
denn der HERR war mit Josef, und was er
tat, dazu gab der HERR Glück.

JOSEF DEUTET DIE TRÄUME DER KÄMMERER

40 Und es begab sich danach, dass sich
der Mundschenk des Königs von
Ägypten und der Bäcker versündigten
an ihrem Herrn, dem König von Ägyp-
ten. 2 Und der Pharao wurde zornig über
seine beiden Kämmerer, den Obersten der
Mundschenken und den Obersten der Bä-
cker, 3 und gab sie in Gewahrsam ins Haus
des Obersten der Leibwache, in das Ge-
fängnis, wo Josef gefangen lag. 4 Und der
Oberste der Leibwache befahl Josef zu ih-
nen, dass er ihnen diente. Und sie saßen
einige Zeit im Gefängnis.

5 Und es träumte ihnen beiden, dem
Mundschenk und dem Bäcker des Kö-
nigs von Ägypten, in *einer* Nacht einem
jeden ein eigener Traum, und eines jeden
Traum hatte seine Bedeutung. 6 Als nun
am Morgen Josef zu ihnen hineinkam
und sah, dass sie bedrückt waren, 7 fragte
er sie und sprach: Warum seid ihr heute
so traurig? 8 Sie antworteten: Es hat uns
geträumt, und wir haben niemand, der es
uns auslege. Josef sprach: [a]Auslegen steht
bei Gott – doch erzählt mir's!

9 Da erzählte der Oberste der Mund-
schenken Josef seinen Traum und sprach
zu ihm: Mir hat geträumt, dass ein Wein-
stock vor mir wäre, 10 der hatte drei Reben,
und er grünte, wuchs und blühte, und
seine Trauben wurden reif. 11 Und ich hatte
den Becher des Pharao in meiner Hand
und nahm die Beeren und zerdrückte sie
in den Becher und gab den Becher dem
Pharao in die Hand.

12 Josef sprach zu ihm: Das ist seine Deu-
tung: Drei Reben sind drei Tage. 13 Nach
drei Tagen wird der Pharao dein Haupt
erheben und dich wieder in dein Amt set-
zen, dass du ihm den Becher in die Hand
gibst wie vormals, als du sein Mundschenk
warst. 14 Aber gedenke meiner, wenn dir's

39,9 *a* 2. Mose 20,14; 3. Mose 18,20
40,8 *a* Kap 41,15-16; Dan 2,27-28

wohlgeht, und tu Barmherzigkeit an mir,
dass du dem Pharao von mir sagst und
mich so aus diesem Hause bringst. 15 Denn
[a]ich bin aus dem Lande der Hebräer heim-
lich gestohlen worden; und auch hier hab
ich nichts getan, weswegen sie mich hät-
ten ins Gefängnis setzen dürfen.

16 Als der Oberste der Bäcker sah, dass
die Deutung gut war, sprach er zu Jo-
sef: Mir hat auch geträumt, ich trüge drei
Körbe mit feinem Backwerk auf meinem
Haupt 17 und im obersten Korbe allerlei
Gebackenes für den Pharao, und die Vögel
fraßen aus dem Korbe auf meinem Haupt.

18 Josef antwortete und sprach: Das ist
seine Deutung: Drei Körbe sind drei Tage.
19 Und nach drei Tagen wird der Pharao
dein Haupt erheben und dich an den Gal-
gen [a]hängen, und die Vögel werden dein
Fleisch von dir fressen.

20 Und es geschah am dritten Tage, da
beging der Pharao seinen Geburtstag.
Und er machte ein Festmahl für alle seine
Knechte und erhob das Haupt des Obers-
ten der Mundschenken und das Haupt
des Obersten der Bäcker unter seinen
Knechten 21 und setzte den Obersten der
Mundschenken wieder in sein Amt, dass
er den Becher reiche in des Pharao Hand,
22 aber den Obersten der Bäcker ließ er auf-
hängen, wie ihnen Josef gedeutet hatte.
23 Aber der Oberste der Mundschenken
dachte nicht an Josef, sondern vergaß ihn.

JOSEF DEUTET DIE TRÄUME DES PHARAO

41 Und nach zwei Jahren hatte der Pha-
rao einen Traum, und siehe, er stand
am Nil, 2 und aus dem Wasser stiegen sie-
ben schöne, fette Kühe; die weideten im
Grase. 3 Und siehe, nach diesen stiegen
sieben andere Kühe aus dem Wasser; die
waren hässlich und mager und traten ne-
ben die Kühe am Ufer des Nils. 4 Und die
hässlichen und mageren Kühe fraßen die
sieben schönen, fetten Kühe. Da erwachte
der Pharao.

5 Und er schlief wieder ein. Und ihm
träumte abermals: Sieben Ähren wuch-
sen aus einem Halm, voll und dick. 6 Und
siehe, sieben dünne Ähren gingen auf, die
waren vom Ostwind versengt. 7 Und die
mageren Ähren verschlangen die sieben
dicken und vollen Ähren. Da erwachte der
Pharao und merkte, dass es ein Traum war.

8 Und als es Morgen wurde, war sein
Geist bekümmert, und er schickte aus
und ließ rufen [a]alle Wahrsager in Ägypten
und alle Weisen und erzählte ihnen seine
Träume. Aber da war keiner, der sie dem
Pharao deuten konnte.

9 Da redete der Oberste der Mund-
schenken zum Pharao und sprach: Ich
muss heute an meine Sünden denken:
10 Als der Pharao zornig wurde über seine
Knechte und mich mit dem Obersten der
Bäcker ins Gefängnis legte im Hause des
Obersten der Leibwache, 11 da träumte
uns beiden in *einer* Nacht einem jeden
sein Traum, dessen Deutung ihn betraf.
12 Da war bei uns ein hebräischer Jüngling,
der Knecht des Obersten der Leibwache,
dem erzählten wir's. Und er deutete uns
unsere Träume, einem jeden nach seinem
Traum. 13 Und wie er uns deutete, so ist's
gekommen; denn ich bin wieder in mein
Amt gesetzt, aber jener wurde aufgehängt.

14 Da sandte der Pharao hin und ließ Jo-
sef rufen, und sie ließen ihn eilends aus
dem Gefängnis. Und er ließ sich scheren
und zog andere Kleider an und kam hin-
ein zum Pharao. 15 Da sprach der Pharao
zu ihm: Ich habe einen Traum gehabt und
es ist niemand, der ihn deuten kann. Ich
habe aber von dir sagen hören, wenn du
einen Traum hörst, so kannst du ihn deu-
ten. 16 Josef antwortete dem Pharao und
sprach: [a]Das steht nicht bei mir; Gott wird
jedoch dem Pharao Gutes verkünden.

17 Der Pharao sprach zu Josef: Mir
träumte, und siehe, ich stand am Ufer des
Nils, 18 und aus dem Wasser stiegen sie-
ben schöne, fette Kühe; die weideten im
Grase. 19 Und siehe, nach diesen stiegen
sieben dürre, sehr hässliche und magere
Kühe heraus. Ich hab in ganz Ägypten-
land nicht so hässliche gesehen. 20 Und
die mageren und hässlichen Kühe fraßen
die sieben ersten, fetten Kühe auf. 21 Sie
verschwanden in ihrem Bauch, aber man
merkte es den mageren nicht an; sie wa-
ren so hässlich wie zuvor. Da wachte ich
auf. 22 Dann sah ich in meinem Traum sie-

40,15 *a* Kap 37,28 **40,19** *a* 5. Mose 21,22 **41,8** *a* Dan 2,2
41,16 *a* Kap 40,8; Ps 105,20; Dan 5,14-16

ben Ähren auf einem Halm wachsen, voll
und dick. 23 Und siehe, sieben dürre Äh-
ren gingen auf, dünn und vom Ostwind
versengt. 24 Und die sieben dünnen Ähren
verschlangen die sieben dicken Ähren.
Und ich habe es den Wahrsagern gesagt,
aber die können's mir nicht deuten.

25 Josef antwortete dem Pharao: Beide
Träume des Pharao bedeuten das Glei-
che. Gott verkündet dem Pharao, was er
vorhat. 26 Die sieben schönen Kühe sind
sieben Jahre, und die sieben guten Ähren
sind dieselben sieben Jahre. Es ist ein und
derselbe Traum. 27 Die sieben mageren
und hässlichen Kühe, die nach jenen auf-
gestiegen sind, das sind sieben Jahre, und
die sieben mageren und versengten Äh-
ren sind sieben Jahre des Hungers. 28 Das
meinte ich, wenn ich gesagt habe zum
Pharao, dass Gott dem Pharao zeigt, was
er vorhat. 29 Siehe, sieben reiche Jahre wer-
den kommen in ganz Ägyptenland. 30 Und
nach ihnen werden sieben Jahre des Hun-
gers kommen, sodass man vergessen wird
alle Fülle in Ägyptenland. Und der Hun-
ger wird das Land verzehren, 31 dass man
nichts wissen wird von der Fülle im Lande
vor der Hungersnot, die danach kommt;
denn sie wird sehr schwer sein. 32 Dass
aber dem Pharao zweimal geträumt hat,
bedeutet, dass Gott solches gewiss und
eilends tun wird.

33 Nun sehe der Pharao nach einem ver-
ständigen und weisen Mann, den er über
Ägyptenland setze, 34 und sorge dafür,
dass er Amtleute verordne im Lande und
nehme den Fünften in Ägyptenland in
den sieben reichen Jahren 35 und lasse sie
sammeln den ganzen Ertrag der guten
Jahre, die kommen werden, dass sie Ge-
treide aufschütten im Auftrag des Pharao
zum Vorrat in den Städten und es verwah-
ren. 36 Der Ertrag diene dem Land als Vor-
rat in den sieben Jahren des Hungers, die
über Ägyptenland kommen werden, dass
das Land nicht vor Hunger verderbe.

JOSEFS AUFSTIEG

37 Die Rede gefiel dem Pharao und allen
seinen Knechten gut.[a] 38 Und der Pharao
sprach zu seinen Knechten: Wie könn-
ten wir einen Mann wie diesen finden,
in dem der Geist Gottes ist?[a] 39 Und der
Pharao sprach zu Josef: Weil dir Gott dies
alles kundgetan hat, ist keiner so verstän-
dig und weise wie du. 40 Du sollst über
mein Haus sein, und deinem Wort soll
all mein Volk gehorsam sein; allein um
den königlichen Thron will ich höher sein
als du.

41 Und weiter sprach der Pharao zu Josef:
Siehe, ich habe dich über ganz Ägypten-
land gesetzt. 42 Und er [a]tat seinen Siegel-
ring von seiner Hand und gab ihn Josef an
seine Hand und kleidete ihn in kostbares
Leinen und legte ihm eine [b]goldene Kette
um seinen Hals 43 und ließ ihn auf seinem
zweiten Wagen fahren und ließ vor ihm
her ausrufen: Auf die Knie! Und setzte
ihn über ganz Ägyptenland.[a] 44 Und der
Pharao sprach zu Josef: Ich bin der Pha-
rao, aber ohne deinen Willen soll niemand
seine Hand oder seinen Fuß regen in ganz
Ägyptenland. 45 Und er nannte ihn Zafe-
nat-Paneach und gab ihm zur Frau Ase-
nat, die Tochter Potiferas, des Priesters zu
On. Also zog Josef aus, das Land Ägyp-
ten zu besehen. 46 Und [a]Josef war dreißig
Jahre alt, als er vor dem Pharao stand, dem
König von Ägypten. Und er ging hinweg
vom Pharao und zog durch ganz Ägypten-
land.

JOSEFS FÜRSORGE FÜR ÄGYPTEN. DIE GEBURT SEINER SÖHNE

47 Und das Land trug in den sieben reichen
Jahren die Fülle. 48 Und Josef sammelte die
ganze Ernte der sieben Jahre, da Überfluss
im Lande Ägypten war, und tat sie in die
Städte. Was an Getreide auf dem Felde
rings um eine jede Stadt wuchs, das tat er
hinein. 49 So schüttete Josef das Getreide
auf, über die Maßen viel wie Sand am
Meer, sodass er aufhörte zu zählen; denn
man konnte es nicht zählen.

50 Und Josef wurden zwei Söhne gebo-
ren, bevor die Hungerzeit kam; die ge-
bar ihm Asenat, die Tochter Potiferas,
des Priesters zu On. 51 Und er nannte
den ersten Manasse; denn Gott, sprach
er, hat mich vergessen lassen all mein
Unglück und mein ganzes Vaterhaus.
52 Den andern nannte er Ephraim: Denn

41,37 *a* Spr 14,35 **41,38** *a* Spr 2,6 **41,42** *a* Est 3,10
b Dan 5,29 **41,43** *a* Est 10,3 **41,46** *a* Kap 37,2

Gott hat mich wachsen lassen in dem
Lande meines Elends.
53 Als nun die sieben reichen Jahre um
waren im Lande Ägypten, 54 da fingen
an die sieben Hungerjahre zu kommen,
wie Josef gesagt hatte. Und es ward eine
Hungersnot in allen Landen, aber in ganz
Ägyptenland war Brot. 55 Als nun ganz
Ägyptenland auch Hunger litt, schrie das
Volk zum Pharao um Brot. Aber der Pha-
rao sprach zu allen Ägyptern: Geht hin zu
Josef; was der euch sagt, das tut. 56 Als nun
im ganzen Lande Hungersnot war, tat Jo-
sef alle Kornhäuser auf und verkaufte den
Ägyptern; denn der Hunger ward je län-
ger je größer im Lande. 57 Und alle Welt
kam nach Ägypten, um bei Josef zu kau-
fen; denn der Hunger war groß in allen
Landen.

ERSTE REISE DER SÖHNE JAKOBS NACH ÄGYPTEN

42 Als aber Jakob sah, dass Getreide in
Ägypten zu haben war, sprach er zu
seinen Söhnen: Was seht ihr euch lange
an? 2 Siehe, ich höre, es sei in Ägypten
Getreide zu haben; zieht hinab und kauft
uns Getreide, dass wir leben und nicht
sterben. 3 Da zogen hinab zehn Brüder Jo-
sefs, um in Ägypten Getreide zu kaufen.
4 Aber den Benjamin, Josefs Bruder, ließ
Jakob nicht mit seinen Brüdern ziehen;
denn er sprach: Es könnte ihm ein Unfall
begegnen.
5 So kamen die Söhne Israels, Getreide
zu kaufen, samt andern, die mit ihnen zo-
gen; denn es war Hungersnot im Lande
Kanaan. 6 Aber Josef war der Regent im
Lande und verkaufte Getreide allem Volk
im Lande. Als nun seine Brüder kamen,
fielen sie vor ihm nieder zur Erde auf ihr
Antlitz. 7 Und er sah sie an und erkannte
sie, aber er stellte sich fremd gegen sie und
redete hart mit ihnen und sprach zu ihnen:
Woher kommt ihr? Sie sprachen: Aus dem
Lande Kanaan, Getreide zu kaufen. 8 Aber
wiewohl er sie erkannte, erkannten sie ihn
doch nicht.
9 Und Josef dachte an die [a]Träume, die
er von ihnen geträumt hatte, und sprach
zu ihnen: Ihr seid Kundschafter und seid
gekommen, zu sehen, wo das Land offen
ist. 10 Sie antworteten ihm: Nein, mein
Herr! Deine Knechte sind gekommen,
Getreide zu kaufen. 11 Wir sind alle *eines*
Mannes Söhne. Wir sind redlich. Deine
Knechte sind keine Kundschafter. 12 Er
sprach zu ihnen: Nein, sondern ihr seid
gekommen, zu sehen, wo das Land of-
fen ist. 13 Sie antworteten ihm: Wir, deine
Knechte, sind zwölf Brüder, *eines* Mannes
Söhne im Lande Kanaan, und der jüngste
ist noch bei unserm Vater, und der eine ist
nicht mehr.
14 Josef sprach zu ihnen: Es ist, wie ich
euch gesagt habe: Kundschafter seid ihr.
15 Daran sollt ihr geprüft werden: So wahr
der Pharao lebt – ihr sollt nicht von hier
wegkommen, es komme denn her euer
jüngster Bruder! 16 Sendet einen von euch
hin, der euren Bruder hole, ihr aber sollt
gefangen sein. Daran will ich prüfen eure
Rede, ob ihr mit Wahrheit umgeht. An-
dernfalls – so wahr der Pharao lebt! – seid
ihr Kundschafter! 17 Und er ließ sie zusam-
men in Gewahrsam legen drei Tage lang.[a]
18 Am dritten Tage aber sprach er zu ih-
nen: Wollt ihr leben, so tut nun dies, denn
ich fürchte Gott: 19 Seid ihr redlich, so lasst
einen eurer Brüder gebunden liegen in
eurem Gefängnis; ihr aber zieht hin und
bringt heim, was ihr gekauft habt für den
Hunger in euren Häusern. 20 Und bringt
euren jüngsten Bruder zu mir, so will ich
euren Worten glauben, sodass ihr nicht
sterben müsst. Und sie gingen darauf ein.
21 Sie sprachen aber untereinander: Das
haben wir an unserem Bruder verschuldet!
Denn wir sahen die Angst seiner Seele, als
er uns anflehte, und wir wollten ihn nicht
erhören; darum kommt nun diese Trüb-
sal über uns. 22 Ruben antwortete ihnen
und sprach: Sagte ich's euch nicht, als ich
sprach: [a]Versündigt euch nicht an dem
Knaben, doch ihr wolltet nicht hören?
Nun wird sein Blut gefordert. 23 Sie wuss-
ten aber nicht, dass es Josef verstand; denn
er redete mit ihnen durch einen Dolmet-
scher. 24 Und er wandte sich von ihnen und
weinte. Als er sich nun wieder zu ihnen
wandte und mit ihnen redete, nahm er aus
ihrer Mitte Simeon und ließ ihn binden
vor ihren Augen.

42,9 ***a*** Kap 37,5-9 **42,17** ***a*** Kap 37,24
42,22 ***a*** Kap 37,21-22

25 Und Josef gab Befehl, ihre Säcke mit
Korn zu füllen und ihnen ihr Geld wie-
derzugeben, einem jeden in seinen Sack,
dazu auch Zehrung auf den Weg; und so
tat man ihnen. 26 Und sie luden ihr Ge-
treide auf ihre Esel und zogen von dan-
nen. 27 Als aber einer seinen Sack auftat,
dass er seinem Esel Futter gäbe in der
Herberge, sah er sein Geld, das oben im
Sack lag, 28 und sprach zu seinen Brüdern:
Mein Geld ist wieder da, siehe, in meinem
Sack ist es! Da stockte ihnen das Herz,
und sie sprachen erschrocken zueinander:
Was hat Gott uns angetan?

29 Als sie nun heimkamen zu ihrem
Vater Jakob ins Land Kanaan, sagten sie
ihm alles, was ihnen begegnet war, und
sprachen: 30 Der Mann, der im Lande Herr
ist, redete hart mit uns und hielt uns für
Kundschafter. 31 Und wir antworteten
ihm: Wir sind redlich, wir sind keine
Kundschafter, 32 sondern zwölf Brüder,
unseres Vaters Söhne; der eine ist nicht
mehr, und der jüngste ist noch bei un-
serm Vater im Lande Kanaan. 33 Da sprach
der Herr im Lande zu uns: Daran will ich
merken, ob ihr redlich seid: [a]Einen eurer
Brüder lasst bei mir und nehmt für eure
Häuser, wie viel ihr bedürft, und zieht
hin 34 und bringt euren jüngsten Bruder
zu mir, so merke ich, dass ihr nicht Kund-
schafter, sondern redlich seid; dann will
ich euch auch euren Bruder wiedergeben
und ihr mögt im Lande Handel treiben.
35 Und als sie die Säcke ausschütteten, fand
ein jeder seinen Beutel Geld in seinem
Sack. Und als sie sahen, dass es die Beu-
tel mit ihrem Geld waren, erschraken sie
samt ihrem Vater.

36 Da sprach Jakob, ihr Vater, zu ihnen:
Ihr beraubt mich meiner Kinder! Josef
ist nicht mehr da, Simeon ist nicht mehr
da, Benjamin wollt ihr auch wegneh-
men; es geht alles über mich. 37 Ruben
antwortete seinem Vater und sprach:
Wenn ich ihn dir nicht wiederbringe,
so töte meine zwei Söhne. Gib ihn nur
in meine Hand, ich will ihn dir wieder-
bringen. 38 Er sprach: Mein Sohn soll nicht
mit euch hinabziehen; denn sein Bruder
ist tot, und er ist allein übrig geblieben.
Wenn ihm ein Unfall auf dem Wege be-
gegnete, den ihr reist, würdet ihr meine
grauen Haare mit Herzeleid hinunter zu
den Toten bringen.

ZWEITE REISE DER SÖHNE JAKOBS NACH ÄGYPTEN

43 Die Hungersnot aber drückte das
Land. 2 Und als verzehrt war, was sie
an Getreide aus Ägypten gebracht hatten,
sprach ihr Vater zu ihnen: Zieht wieder
hin und kauft uns ein wenig Getreide.

3 Da antwortete ihm Juda und sprach:
Der Mann schärfte uns das hart ein und
sprach: Ihr sollt mein Angesicht nicht se-
hen, es sei denn euer Bruder mit euch.[a]
4 Willst du nun unsern Bruder mit uns
senden, so wollen wir hinabziehen und
dir zu essen kaufen. 5 Willst du ihn aber
nicht senden, so ziehen wir nicht hinab.
Denn der Mann hat zu uns gesagt: Ihr sollt
mein Angesicht nicht sehen, euer Bruder
sei denn mit euch.

6 Israel sprach: Warum habt ihr so übel
an mir getan, dass ihr dem Mann sagtet,
dass ihr noch einen Bruder habt? 7 Sie ant-
worteten: Der Mann forschte so genau
nach uns und unserer Verwandtschaft und
sprach: Lebt euer Vater noch? Habt ihr
auch noch einen Bruder? Da antworteten
wir ihm, wie er uns fragte. Wie konnten
wir wissen, dass er sagen würde: Bringt
euren Bruder mit herab?[a]

8 Da sprach Juda zu Israel, seinem Vater:
Lass den Knaben mit mir ziehen, dass wir
uns aufmachen und reisen und leben und
nicht sterben, wir und du und unsere Kin-
der. 9 Ich will Bürge für ihn sein; von mei-
ner Hand sollst du ihn fordern. Wenn ich
ihn dir nicht wiederbringe und vor deine
Augen stelle, so will ich mein Leben lang
die Schuld tragen. 10 Denn wenn wir nicht
gezögert hätten, wären wir wohl schon
zweimal wiedergekommen.

11 Da sprach Israel, ihr Vater, zu ihnen:
Wenn es denn so ist, wohlan, so tut's
und nehmt von des Landes besten Früch-
ten in eure Säcke und bringt dem Manne
[a]Geschenke hinab, ein wenig Balsam und
Honig, Harz und Myrrhe, Pistazien und
Mandeln. 12 Nehmt auch doppelt so viel
Geld mit euch. [a]Das Geld, das ihr obenauf

42,33 *a* Vers 24 **43,3** *a* Kap 42,15.34 **43,7** *a* Kap 42,7-13
43,11 *a* Spr 18,16 **43,12** *a* Kap 42,27.35

in euren Säcken wiederbekommen habt,
bringt wieder hin. Vielleicht ist da ein
Irrtum geschehen. 13 Dazu nehmt euren
Bruder, macht euch auf und geht wieder
zu dem Manne. 14 Aber der allmächtige
Gott gebe euch Barmherzigkeit vor dem
Manne, dass er mit euch ziehen lasse
euren andern Bruder und Benjamin. Ich
aber muss sein wie einer, der [a]seiner Kin-
der ganz und gar beraubt ist.

15 Da nahmen sie diese Geschenke und
das doppelte Geld mit sich, dazu Benja-
min, machten sich auf, zogen nach Ägyp-
ten und traten vor Josef. 16 Als Josef sie sah
mit Benjamin, sprach er zu seinem Haus-
halter: Führe diese Männer ins Haus und
schlachte und richte zu, denn sie sollen zu
Mittag mit mir essen. 17 Und der Mann tat,
wie ihm Josef gesagt hatte, und führte die
Männer in Josefs Haus.

18 Sie fürchteten sich aber, weil sie in Jo-
sefs Haus geführt wurden, und sprachen:
Wir sind hereingeführt um des Geldes
willen, das [a]wir in unsern Säcken das vo-
rige Mal wiedergefunden haben; man will
auf uns eindringen und über uns herfallen
und uns zu Sklaven machen und uns die
Esel nehmen. 19 Darum traten sie zu Jo-
sefs Haushalter und redeten mit ihm vor
der Haustür 20 und sprachen: Mein Herr,
wir sind das vorige Mal herabgezogen,
Getreide zu kaufen, 21 und als wir in die
Herberge kamen und unsere Säcke aufta-
ten, siehe, da war eines jeden Geld oben in
seinem Sack mit vollem Gewicht. Darum
haben wir's wieder mit uns gebracht,
22 haben auch anderes Geld mit uns herab-
gebracht, Getreide zu kaufen. Wir wissen
aber nicht, wer uns unser Geld in unsere
Säcke gesteckt hat.

23 Er aber sprach: Seid guten Mutes,
fürchtet euch nicht! Euer Gott und eures
Vaters Gott hat euch einen Schatz gegeben
in eure Säcke. Euer Geld habe ich erhalten.
Und er führte [a]Simeon zu ihnen heraus
24 und brachte sie in Josefs Haus, gab ihnen
Wasser, dass sie ihre Füße wuschen, und
gab ihren Eseln Futter. 25 Sie aber richteten
das Geschenk zu, bis Josef mittags käme;
denn sie hatten gehört, dass sie dort essen
sollten.

26 Als nun Josef ins Haus trat, brach-
ten sie ihm das Geschenk ins Haus, das
sie mitgebracht hatten, und fielen vor
ihm nieder zur Erde. 27 Er aber grüßte sie
freundlich und sprach: Geht es eurem
alten Vater gut, von dem ihr mir sagtet?
Lebt er noch? 28 Sie antworteten: Es geht
deinem Knechte, unserm Vater, gut und
er lebt noch. Und sie [a]verneigten sich und
fielen vor ihm nieder.

29 Und er hob seine Augen auf und sah
seinen Bruder Benjamin, seiner Mutter
Sohn, und sprach: Ist das euer jüngs-
ter Bruder, von dem ihr mir sagtet? Und
sprach weiter: Gott sei dir gnädig, mein
Sohn! 30 Und Josef eilte hinaus; denn sein
Herz entbrannte ihm für seinen Bruder,
und er suchte, wo er weinen könnte, und
ging in seine Kammer und weinte da-
selbst.

31 Und als er sein Angesicht gewaschen
hatte, ging er heraus und hielt an sich und
sprach: Legt die Speisen auf! 32 Und man
trug ihm besonders auf und [a]jenen auch
besonders und den Ägyptern, die mit ihm
aßen, auch besonders. Denn die Ägypter
dürfen nicht essen mit den Hebräern;
denn es ist ein [b]Gräuel für sie. 33 Und man
setzte sie ihm gegenüber, den Erstgebore-
nen nach seiner Erstgeburt und den Jüngs-
ten nach seiner Jugend. Darüber verwun-
derten sie sich untereinander. 34 Und man
trug ihnen Essen auf von seinem Tisch,
aber Benjamin bekam fünfmal mehr als
die andern. Und sie tranken und wurden
trunken mit ihm.

JOSEF ÄNGSTIGT SEINE BRÜDER

44 Und Josef befahl seinem Haushalter
und sprach: Fülle den Männern ihre
Säcke mit Getreide, soviel sie fortbringen,
und lege jedem sein Geld oben in seinen
Sack. 2 Und meinen silbernen Becher lege
oben in des Jüngsten Sack mit dem Gelde
für das Getreide. Der tat, wie ihm Josef ge-
sagt hatte.

3 Am Morgen, als es licht ward, ließen sie
die Männer ziehen mit ihren Eseln. 4 Als
sie aber zur Stadt hinaus waren und noch
nicht weit gekommen, sprach Josef zu sei-
nem Haushalter: Auf, jage den Männern
nach und wenn du sie ereilst, so sprich

43,14 *a* Kap 42,36 **43,18** *a* Kap 42,28 **43,23** *a* Kap 42,24
43,28 *a* Kap 37,7.9 **43,32** *a* Kap 39,6 *b* Kap 46,34;
2. Mose 8,22

zu ihnen: Warum habt ihr Gutes mit Bö-
sem vergolten? 5 Das ist doch der Becher,
aus dem mein Herr trinkt und aus dem er
wahrsagt! Ihr habt übel getan.

6 Und als er sie ereilte, redete er mit ih-
nen diese Worte. 7 Sie antworteten ihm:
Warum redet mein Herr solche Worte?
Es sei ferne von deinen Knechten, solches
zu tun. 8 Siehe, [a]das Geld, das wir fanden
oben in unseren Säcken, haben wir wie-
dergebracht zu dir aus dem Lande Ka-
naan. Wie sollten wir da aus deines Herrn
Hause Silber oder Gold gestohlen haben?
9 Bei wem er gefunden wird unter deinen
Knechten, der sei des Todes; dazu wol-
len auch wir meines Herrn Sklaven sein.
10 Er sprach: Ja, es sei, wie ihr geredet habt.
Bei wem er gefunden wird, der sei mein
Sklave, ihr aber sollt frei sein.

11 Und sie legten eilends ein jeder seinen
Sack ab auf die Erde, und ein jeder tat sei-
nen Sack auf. 12 Und er suchte und fing an
beim Ältesten bis hin zum Jüngsten. Da
fand sich der Becher in Benjamins Sack.
13 Da zerrissen sie ihre Kleider, und ein je-
der belud seinen Esel, und sie zogen wie-
der in die Stadt.

14 Und Juda ging mit seinen Brüdern in
Josefs Haus, denn er war noch dort. Und
sie fielen vor ihm nieder auf die Erde.
15 Josef aber sprach zu ihnen: Wie habt ihr
das tun können? Wusstet ihr nicht, dass
ein solcher Mann, wie ich bin, wahrsa-
gen kann? 16 Juda sprach: Was sollen wir
meinem Herrn sagen oder wie sollen wir
reden und womit können wir uns recht-
fertigen? [a]Gott hat die Missetat deiner
Knechte gefunden. Siehe, wir und der, bei
dem der Becher gefunden ist, sind meines
Herrn Sklaven. 17 Er aber sprach: Das sei
ferne von mir, solches zu tun! Der, bei
dem der Becher gefunden ist, soll mein
Sklave sein; ihr aber zieht hinauf mit Frie-
den zu eurem Vater.

18 Da trat Juda zu ihm und sprach: Mein
Herr, lass deinen Knecht ein Wort reden
vor den Ohren meines Herrn, und dein
Zorn entbrenne nicht über deinen Knecht,
denn du bist wie der Pharao. 19 Mein Herr
fragte seine Knechte und sprach: Habt
ihr noch einen Vater oder Bruder?[a] 20 Da
antworteten wir: Wir haben einen Va-
ter, der ist alt, und einen jungen Knaben,
in seinem Alter geboren, und sein Bru-
der ist tot, und er ist allein übrig geblie-
ben von seiner Mutter, und sein Vater
hat ihn lieb. 21 Da sprachst du zu deinen
Knechten: Bringt ihn herab zu mir, ich
will ihm Gnade erweisen. 22 Wir aber
antworteten meinem Herrn: Der Knabe
kann seinen Vater nicht verlassen; wenn
er ihn verließe, würde der sterben. 23 Da
[a]sprachst du zu deinen Knechten: Wenn
euer jüngster Bruder nicht mit euch her-
kommt, sollt ihr mein Angesicht nicht
mehr sehen. 24 Da zogen wir hinauf zu
deinem Knecht, meinem Vater, und sag-
ten ihm meines Herrn Rede. 25 Da sprach
unser Vater: Zieht wieder hin und kauft
uns ein wenig Getreide. 26 Wir aber spra-
chen: Wir können nicht hinabziehen; nur
wenn unser jüngster Bruder mit uns ist,
wollen wir hinabziehen; denn wir dürfen
des Mannes Angesicht nicht sehen, wenn
unser jüngster Bruder nicht mit uns ist.
27 Da sprach dein Knecht, mein Vater, zu
uns: Ihr wisst, dass mir meine Frau zwei
Söhne geboren hat; 28 der eine ist von mir
gegangen, und [a]ich habe gesagt: Er ist ge-
wiss zerrissen. Und ich habe ihn seitdem
nicht gesehen. 29 Werdet [a]ihr diesen auch
von mir nehmen und widerfährt ihm
ein Unfall, so werdet ihr meine grauen
Haare mit Jammer hinunter in die Grube
bringen.

30 Nun, wenn ich heimkäme zu deinem
Knecht, meinem Vater, und der Knabe
wäre nicht mit uns, an dem er mit ganzer
Seele hängt, 31 so wird's geschehen, dass er
stirbt, wenn er sieht, dass der Knabe nicht
da ist. So würden wir, deine Knechte,
die grauen Haare deines Knechtes, unse-
res Vaters, mit Herzeleid hinunter in die
Grube bringen. 32 Denn ich, dein Knecht,
[a]bin Bürge geworden für den Knaben vor
meinem Vater und sprach: Bringe ich ihn
dir nicht wieder, so will ich mein Leben
lang die Schuld tragen. 33 Darum lass dei-
nen Knecht hierbleiben an des Knaben
statt als Sklave meines Herrn und den
Knaben mit seinen Brüdern hinaufziehen.
34 Denn wie soll ich hinaufziehen zu mei-

44,8 *a* Kap 43,21 **44,16** *a* Kap 42,21-22
44,19 *a* Kap 42,7.13; 43,7 **44,23** *a* Kap 42,15; 43,3-5
44,28 *a* Kap 37,32-33 **44,29** *a* Kap 42,38
44,32 *a* Kap 43,9

nem Vater, wenn der Knabe nicht mit mir
ist? Ich könnte den Jammer nicht sehen,
der über meinen Vater kommen würde.

JOSEF GIBT SICH SEINEN BRÜDERN ZU ERKENNEN

45 Da konnte Josef nicht länger an sich
halten vor allen, die um ihn her stan-
den, und er rief: Lasst jedermann von mir
hinausgehen! Und stand kein Mensch
bei ihm, als sich Josef seinen Brüdern zu
erkennen gab. 2 Und er weinte laut, dass
es die Ägypter und das Haus des Pharao
hörten, 3 und sprach zu seinen Brüdern:
Ich bin Josef. Lebt mein Vater noch? Und
seine Brüder konnten ihm nicht antwor-
ten, so erschraken sie vor seinem Ange-
sicht.

4 Er aber sprach zu seinen Brüdern:
Tretet doch her zu mir! Und sie traten
herzu. Und er sprach: Ich bin Josef, euer
Bruder, [a]den ihr nach Ägypten verkauft
habt. 5 Und nun bekümmert euch nicht
und lasst es euch nicht leid sein, dass ihr
mich hierher verkauft habt; denn um
[a]eures Lebens willen hat mich Gott vor
euch hergesandt. 6 Denn es sind nun zwei
Jahre, dass Hungersnot im Lande ist, und
sind noch fünf Jahre, dass weder Pflügen
noch Ernten sein wird. 7 Aber Gott hat
mich vor euch hergesandt, dass er euch
übrig lasse auf Erden und euer Leben er-
halte zu einer großen Errettung. 8 Und
nun, ihr habt mich nicht hergesandt,
sondern Gott; der hat mich dem Pharao
zum Vater gesetzt und zum Herrn über
sein ganzes Haus und zum Herrscher über
ganz Ägyptenland.[a] 9 Eilt nun und zieht
hinauf zu meinem Vater und sagt ihm:
Das lässt dir Josef, dein Sohn, sagen: Gott
hat mich zum Herrn über ganz Ägypten
gesetzt; komm herab zu mir, säume nicht!
10 Du sollst im Lande Goschen wohnen
und nahe bei mir sein, du und deine
Kinder und deine Kindeskinder, dein
Kleinvieh und Großvieh und alles, was
du hast. 11 Ich will dich dort versorgen,
denn es sind noch fünf Jahre Hungers-
not, damit du nicht verarmst mit deinem
Hause und allem, was du hast. 12 Siehe,
eure Augen sehen es und die Augen mei-
nes Bruders Benjamin, dass ich leibhaftig
mit euch rede. 13 Verkündet meinem Vater
alle meine Herrlichkeit in Ägypten und
alles, was ihr gesehen habt; eilt und bringt
meinen Vater hierher.

14 Und er fiel seinem Bruder Benjamin
um den Hals und weinte, und Benjamin
weinte auch an seinem Halse, 15 und er
küsste alle seine Brüder und weinte an
ihrer Brust. Danach redeten seine Brüder
mit ihm.

16 Und als das Gerücht kam in des Pha-
rao Haus, dass Josefs Brüder gekommen
wären, gefiel es dem Pharao gut und allen
seinen Knechten. 17 Und der Pharao sprach
zu Josef: Sage deinen Brüdern: Macht es
so: Beladet eure Tiere, macht euch auf in
das Land Kanaan! 18 Nehmt euren Vater
und alle die Euren und kommt zu mir;
ich will euch das Beste geben in Ägyp-
tenland, und ihr sollt das Fett des Landes
essen. 19 Und gebiete ihnen: Macht es so:
Nehmt mit euch aus Ägyptenland Wagen
für eure Kinder und Frauen und bringt
euren Vater mit und kommt. 20 Und be-
kümmert euch nicht um euren Hausrat;
denn das Beste des ganzen Landes Ägyp-
ten soll euer sein.

21 Die Söhne Israels taten so. Und Josef
gab ihnen Wagen nach dem Befehl des
Pharao und Zehrung auf den Weg 22 und
gab ihnen allen, einem jeden ein Feier-
kleid, aber Benjamin gab er dreihundert
Silberstücke und fünf Feierkleider. 23 Und
seinem Vater sandte er zugleich zehn
Esel, mit dem Besten aus Ägypten bela-
den, und zehn Eselinnen mit Getreide und
Brot und mit Zehrung für seinen Vater auf
den Weg. 24 Damit entließ er seine Brüder,
und sie zogen hin. Und er sprach zu ihnen:
[a]Zankt nicht auf dem Wege!

25 So zogen sie hinauf von Ägypten und
kamen ins Land Kanaan zu ihrem Vater
Jakob 26 und verkündeten ihm und spra-
chen: Josef lebt noch und ist Herr über
ganz Ägyptenland! Aber sein Herz blieb
kalt, denn er glaubte ihnen nicht. 27 Da
sagten sie ihm alle Worte Josefs, die er zu
ihnen gesagt hatte. Und als er die Wagen
sah, die ihm Josef gesandt hatte, um ihn
zu holen, wurde der Geist Jakobs, ihres
Vaters, lebendig. 28 Und Israel sprach: [a]Mir

45,4 *a* Kap 37,28 **45,5** *a* Kap 50,20 **45,8** *a* Kap 41,39-43
45,24 *a* Kap 42,22 **45,28** *a* Kap 46,30

ist genug, dass mein Sohn Josef noch lebt;
ich will hin und ihn sehen, ehe ich sterbe.

JAKOBS REISE NACH ÄGYPTEN. SEINE KINDER UND ENKEL

46 Israel zog hin mit allem, was er hatte.
Und als er nach [a]Beerscheba kam,
brachte er Schlachtopfer dar dem Gott
seines Vaters Isaak. 2 Und Gott sprach zu
Israel des Nachts in einer Erscheinung: Ja-
kob, Jakob! Er sprach: Hier bin ich. 3 Und
er sprach: Ich bin Gott, der Gott deines
Vaters; fürchte dich nicht, nach Ägypten
hinabzuziehen; denn [a]daselbst will ich
dich zum großen Volk machen. 4 Ich will
mit dir hinab nach Ägypten ziehen und
will dich auch wieder heraufführen, und
Josef soll dir mit seinen Händen die Au-
gen zudrücken. 5 Da machte sich Jakob auf
von Beerscheba. Und die Söhne Israels ho-
ben Jakob, ihren Vater, mit ihren Kindern
und Frauen auf die Wagen, die der Pha-
rao gesandt hatte, um ihn zu holen, 6 und
nahmen ihr Vieh und ihre Habe, die sie im
Lande Kanaan erworben hatten, und ka-
men so nach Ägypten, Jakob und alle seine
Nachkommen mit ihm. 7 Seine Söhne und
seine Enkel, seine Töchter und seine En-
kelinnen und alle seine Nachkommen
brachte er mit sich nach Ägypten.

8 [a]Dies sind die Namen der Söhne Isra-
els, die nach Ägypten kamen: Jakob und
seine Söhne. Der erstgeborene Sohn Ja-
kobs: Ruben. 9 Die Söhne Rubens: He-
noch, Pallu, Hezron und Karmi. 10 Die
Söhne Simeons: Jemuël, Jamin, Ohad, Ja-
chin, Zohar und Schaul, der Sohn der Ka-
naaniterin. 11 Die Söhne Levis: Gerschon,
Kehat und Merari. 12 Die Söhne Judas: Ger,
Onan, Schela, Perez und Serach. Aber Ger
und Onan waren gestorben im Lande
Kanaan. Die Söhne aber des Perez: Hez-
ron und Hamul.[a] 13 Die Söhne Issachars:
Tola, Puwa, Jaschub und Schimron. 14 Die
Söhne Sebulons: Sered, Elon und Jachleel.
15 Das sind die Söhne der Lea, die sie Jakob
gebar in Paddan-Aram, dazu seine Tochter
Dina. Das sind zusammen mit ihren Söh-
nen und Töchtern dreiunddreißig Nach-
kommen.

16 Die Söhne Gads: Zifjon, Haggi, Schu-
ni, Ezbon, Eri, Arod und Areli. 17 Die Söhne
Assers: Jimna, Jischwa, Jischwi, Beria,
dazu Serach, ihre Schwester; und die
Söhne Berias: Heber und Malkiël. 18 Das
sind die Söhne der [a]Silpa, die Laban sei-
ner Tochter Lea gegeben hatte. Diese sech-
zehn gebar sie dem Jakob.

19 Die Söhne Rahels, der Frau Jakobs: Jo-
sef und Benjamin. 20 Und dem Josef wur-
den geboren in Ägyptenland Manasse und
Ephraim, die ihm Asenat gebar, die Toch-
ter Potiferas, des Priesters zu On.[a] 21 Die
Söhne Benjamins: Bela, Becher, Asch-
bel, Gera, Naaman, Ehi, Rosch, Muppim,
Huppim und Ard. 22 Das sind die Söhne
der Rahel, die Jakob geboren wurden, ins-
gesamt vierzehn.

23 Der Sohn Dans: Schuham. 24 Die
Söhne Naftalis: Jachzeel, Guni, Jezer und
Schillem. 25 Das sind die Söhne der [a]Bilha,
die Laban seiner Tochter Rahel gegeben
hatte. Diese sieben gebar sie dem Jakob.

26 [a]Alle Nachkommen, die mit Jakob
nach Ägypten kamen, waren sechsund-
sechzig, ausgenommen die Frauen seiner
Söhne. 27 Die Söhne Josefs, die in Ägyp-
ten geboren sind, waren zwei, sodass alle
zusammen vom Hause Jakobs, die nach
Ägypten kamen, siebzig waren.

JAKOBS WIEDERSEHEN MIT JOSEF

28 Und Jakob sandte Juda vor sich her zu
Josef, dass dieser ihm Goschen anwiese.
So kamen sie in das Land Goschen. 29 Da
spannte Josef seinen Wagen an und zog
hinauf seinem Vater Israel entgegen nach
Goschen. Und als der ihn sah, fiel er ihm
um den Hals und weinte lange an seinem
Halse. 30 Da sprach Israel zu Josef: Ich will
nun gerne sterben, nachdem ich dein An-
gesicht gesehen habe, dass du noch lebst.[a]

31 Josef sprach zu seinen Brüdern und
zu seines Vaters Hause: Ich will hinauf-
ziehen und dem Pharao ansagen und zu
ihm sprechen: Meine Brüder und meines
Vaters Haus sind zu mir gekommen aus
dem Lande Kanaan 32 und sind Viehhirten,
denn es sind Leute, die Vieh haben; ihr
Kleinvieh und Großvieh und alles, was
sie haben, haben sie mitgebracht. 33 Wenn

46,1 *a* Kap 26,23-25 **46,3** *a* Kap 47,27; 2. Mose 1,7
46,8 *a* (8-15) 2. Mose 1,1-5 **46,12** *a* Kap 38,3-4.29-30
46,18 *a* Kap 29,24 **46,20** *a* Kap 41,50-52
46,25 *a* Kap 29,29 **46,26** *a* (26-27) 2. Mose 1,1-5
46,30 *a* Kap 45,28

euch nun der Pharao wird rufen und sa-
gen: Was ist euer Gewerbe?, 34 so sollt ihr
sagen: Deine Knechte sind Leute, die Vieh
haben, von unserer Jugend an bis jetzt,
wir und unsere Väter –, damit ihr wohnen
dürft im Lande Goschen. Denn alle Vieh-
hirten sind [a]den Ägyptern ein Gräuel.

JAKOB VOR DEM PHARAO

47 Da kam Josef und sagte es dem Pharao
an und sprach: Mein Vater und meine
Brüder, ihr Kleinvieh und Großvieh und
alles, was sie haben, sind gekommen aus
dem Lande Kanaan, und siehe, sie sind im
Lande Goschen. 2 Und er nahm von allen
seinen Brüdern fünf und stellte sie vor
den Pharao.

3 Da sprach der Pharao zu seinen Brü-
dern: Was ist euer Gewerbe? Sie antwor-
teten dem Pharao: Deine Knechte sind
[a]Viehhirten, wir und unsere Väter. 4 Und
sagten weiter zum Pharao: Wir sind ge-
kommen, bei euch als Fremdlinge zu
wohnen im Lande; denn deine Knechte
haben keine Weide für ihr Vieh, so hart
drückt die Hungersnot das Land Kanaan.
Und nun möchten deine Knechte im Land
Goschen wohnen. 5 Der Pharao sprach zu
Josef: Es ist dein Vater, und es sind deine
Brüder, die zu dir gekommen sind. 6 Das
Land Ägypten steht dir offen, lass sie am
besten Ort des Landes wohnen, sie mögen
im Lande Goschen wohnen, und wenn du
weißt, dass Leute unter ihnen sind, die
tüchtig sind, so setze sie über mein Vieh.

7 Josef brachte auch seinen Vater Jakob
hinein und stellte ihn vor den Pharao.
Und Jakob segnete den Pharao. 8 Der Pha-
rao aber fragte Jakob: Wie alt bist du? 9 Ja-
kob sprach zum Pharao: Meine Zeit in der
Fremde ist hundertdreißig Jahre; wenig
und böse ist die Zeit meines Lebens und
reicht nicht heran an die Zeit meiner Väter
in ihrer Wanderschaft.[a] 10 Und Jakob seg-
nete den Pharao und ging hinaus von ihm.

11 Josef aber ließ seinen Vater und seine
Brüder in Ägyptenland wohnen und gab
ihnen Besitz im besten Teil des Landes,
im Lande Ramses, wie der Pharao gebo-
ten hatte. 12 So [a]versorgte Josef seinen Va-
ter und seine Brüder und das ganze Haus
seines Vaters mit Brot, einen jeden nach
der Zahl seiner Kinder.

DIE ÄGYPTER VERKAUFEN IHRE HABE UND SICH SELBST DEM PHARAO

13 Es war aber kein Brot im ganzen Lande;
denn die Hungersnot war sehr schwer, so-
dass Ägypten und Kanaan verschmachte-
ten vor Hunger. 14 Und Josef brachte alles
Geld zusammen, das sich im Lande Ägyp-
ten und im Lande Kanaan fand, für das
Getreide, das sie kauften; und er tat alles
Geld in das Haus des Pharao. 15 Als es nun
an Geld gebrach im Lande Ägypten und in
Kanaan, kamen alle Ägypter zu Josef und
sprachen: Schaffe uns Brot! Warum lässt
du uns vor dir sterben? Denn das Geld ist
zu Ende. 16 Josef sprach: Wenn das Geld zu
Ende ist, schafft euer Vieh her. Dann will
ich euch Brot dafür geben. 17 Da brachten
sie Josef ihr Vieh, und er gab ihnen dafür
Brot: für Pferde, Schafe, Rinder und Esel.
So ernährte er sie mit Brot das Jahr hin-
durch für all ihr Vieh.

18 Als das Jahr um war, kamen sie zu ihm
im zweiten Jahr und sprachen zu ihm: Wir
wollen unserm Herrn nicht verbergen,
dass nicht allein das Geld, sondern auch
alles Vieh dahin ist an unsern Herrn, und
ist nichts mehr übrig vor unserm Herrn
als nur unsere Leiber und unser Feld.
19 Warum sollen wir unter deinen Augen
zugrunde gehen, wir und unser Feld?
Kaufe uns und unser Land für Brot, dass
wir und unser Land leibeigen seien dem
Pharao; gib uns Korn zur Saat, dass wir le-
ben und nicht sterben und das Feld nicht
wüst werde.

20 So kaufte Josef dem Pharao das ganze
Ägypten. Denn die Ägypter verkauften
ein jeder seinen Acker, weil die Hungers-
not schwer auf ihnen lag. Und so wurde
das Land dem Pharao zu eigen. 21 Und er
machte das Volk leibeigen von einem Ende
Ägyptens bis ans andere. 22 Ausgenom-
men [a]das Feld der Priester, das kaufte er
nicht; denn den Priestern war vom Pharao
das Einkommen zugeteilt, und sie nähr-
ten sich von diesen Zuteilungen, die ih-
nen der Pharao gewährte. Darum mussten
sie ihr Feld nicht verkaufen.

23 Da sprach Josef zu dem Volk: Siehe,
ich hab heute euch und euer Feld für den

46,34 *a* Kap 43,32 **47,3** *a* Kap 46,33-34
47,9 *a* Ps 105,23; Hebr 11,13 **47,12** *a* Kap 45,11
47,22 *a* 4. Mose 18,20; Jos 13,14; Hes 44,28; 45,1-5

Pharao gekauft; siehe, da habt ihr Korn zur
Saat und nun besät das Feld. 24 Und von
dem Ertrag sollt ihr den Fünften dem Pha-
rao geben; vier Teile sollen euer sein, das
Feld zu besäen und zu eurer Speise und
für euer Haus und eure Kinder. 25 Sie spra-
chen: Du hast uns beim Leben erhalten;
lass uns nur Gnade finden vor dir, unserm
Herrn, dann wollen wir dem Pharao leib-
eigen sein. 26 So machte es Josef zum Ge-
setz bis auf diesen Tag, den Fünften vom
Feld der Ägypter dem Pharao zu geben;
ausgenommen blieb das Feld der Priester,
das wurde nicht dem Pharao zu eigen.

JAKOBS LETZTER WUNSCH

27 So wohnte Israel in Ägypten im Lande
Goschen, und sie hatten es inne und
wuchsen und mehrten sich sehr.[a] 28 Und
Jakob lebte siebzehn Jahre in Ägypten-
land, dass sein ganzes Alter wurde hun-
dertsiebenundvierzig Jahre.

29 [a]Als nun die Zeit herbeikam, dass Is-
rael sterben sollte, rief er seinen Sohn Josef
und sprach zu ihm: Hab ich Gnade vor dir
gefunden, so lege deine Hand unter meine
Hüfte, dass du die Liebe und Treue an mir
tust und begräbst mich nicht in Ägypten.
30 Wenn [a]ich mich zu meinen Vätern lege,
sollst du mich aus Ägypten führen und in
ihrem Grab begraben. Er sprach: Ich will
tun, wie du gesagt hast. 31 Er aber sprach:
So schwöre mir. Und er schwor ihm. Da
[a]neigte sich Israel anbetend über das Kopf-
ende des Bettes hin.

JAKOBS SEGEN ÜBER EPHRAIM UND MANASSE

48 Danach wurde Josef gesagt: Siehe,
dein Vater ist krank. Und er nahm mit
sich seine beiden Söhne Manasse und Eph-
raim. 2 Da wurde Jakob angesagt: Siehe,
dein Sohn Josef kommt zu dir. Und Israel
machte sich stark und setzte sich auf im
Bett 3 und sprach zu Josef: [a]Der allmäch-
tige Gott erschien mir zu Lus im Lande
Kanaan und segnete mich 4 und sprach zu
mir: Siehe, [a]ich will dich wachsen lassen
und mehren und [b]will dich zu einer Menge
von Völkern machen und will dies Land zu
eigen geben deinen Nachkommen für alle
Zeit. 5 So sollen nun deine [a]beiden Söhne
Ephraim und Manasse, die dir geboren
sind in Ägyptenland, ehe ich hergekom-
men bin zu dir, mein sein. Ephraim und
Manasse sollen für mich sein wie Ruben
und Simeon. 6 Die Nachkommen aber, die
du nach ihnen zeugst, sollen dein sein und
genannt werden nach dem Namen ihrer
Brüder in deren Erbteil. 7 Und als ich aus
Mesopotamien kam, starb mir [a]Rahel im
Land Kanaan auf der Reise, als es nur noch
eine kleine Strecke Weges war bis Efrata,
und ich begrub sie dort an dem Wege nach
Efrata, das nun Bethlehem heißt.

8 Und Israel sah die Söhne Josefs und
sprach: Wer sind die? 9 Josef antwor-
tete seinem Vater: Es sind meine Söhne,
die mir Gott hier gegeben hat. Er sprach:
Bringe sie her zu mir, dass ich sie segne.
10 Denn die Augen Israels waren schwach
geworden vor Alter, und er konnte nicht
mehr sehen. Und er ließ sie herzutreten
und küsste und herzte sie. 11 Und Israel
sprach zu Josef: Siehe, ich habe dein An-
gesicht gesehen, was ich [a]nicht gedacht
hätte, und siehe, Gott hat mich [b]auch
deine Söhne sehen lassen. 12 Und Josef
nahm sie von seinem Schoß und verneigte
sich vor ihm zur Erde.

13 Dann nahm sie Josef beide, Ephraim
an seine rechte Hand gegenüber Israels
linker Hand und Manasse an seine linke
Hand gegenüber Israels rechter Hand, und
brachte sie zu ihm. 14 Aber Israel streckte
seine rechte Hand aus und legte sie auf
Ephraims, des Jüngeren, Haupt und seine
linke auf Manasses Haupt und kreuzte
seine Arme, obwohl Manasse der Erstge-
borene war. 15 Und er segnete Josef und
sprach: Der Gott, vor dem [a]meine Väter
Abraham und Isaak gewandelt sind, der
Gott, der [b]mein Hirte gewesen ist mein
Leben lang bis auf diesen Tag, 16 [a]der En-
gel, der mich erlöst hat von allem Übel, der
segne die Knaben, dass durch sie mein und
meiner Väter Abraham und Isaak Name
fortlebe, dass sie wachsen und viel wer-
den auf Erden.

47,27 *a* Kap 46,3; 2. Mose 1,7.12
47,29 *a* (29-30) Kap 50,5 **47,30** *a* Kap 23,20
47,31 *a* Hebr 11,21 **48,3** *a* Kap 17,1; 28,12-19; 2. Mose 6,2
48,4 *a* Kap 35,11-12 *b* Kap 17,8 **48,5** *a* Kap 41,50-52
48,7 *a* Kap 35,19 **48,11** *a* Kap 37,33-35; 45,26 *b* Ps 128,6
48,15 *a* Kap 32,10 *b* Ps 23,1 **48,16** *a* Kap 32,25-30;
Jes 41,14

17 Als aber Josef sah, dass sein Vater die rechte Hand auf Ephraims Haupt legte, missfiel es ihm, und er fasste seines Vaters Hand, dass er sie von Ephraims Haupt auf Manasses Haupt wendete, 18 und sprach zu ihm: Nicht so, mein Vater, dieser ist der Erstgeborene; lege deine rechte Hand auf sein Haupt. 19 Aber sein Vater weigerte sich und sprach: Ich weiß wohl, mein Sohn, ich weiß wohl. Dieser soll auch ein Volk werden und wird groß sein, aber sein jüngerer Bruder wird größer als er werden, und sein Geschlecht wird eine Menge von Völkern werden.[a] 20 So [a]segnete er sie an jenem Tage und sprach: Wer in Israel jemanden segnen will, der sage: Gott mache dich wie Ephraim und Manasse! Und so setzte er Ephraim vor Manasse.

21 Und Israel sprach zu Josef: Siehe, ich sterbe; aber Gott wird mit euch sein und wird euch zurückbringen in das Land eurer Väter. 22 Ich gebe dir Sichem als [a]Vorzug vor deinen Brüdern, das ich mit meinem Schwert und Bogen aus der Hand der Amoriter genommen habe.

JAKOBS SEGEN

(vgl. 5. Mose 33,1-29)

49 Und Jakob rief seine Söhne und sprach: Versammelt euch, dass ich euch verkünde, was euch begegnen wird in künftigen Zeiten. 2 Kommt zuhauf und hört zu, ihr Söhne Jakobs, und hört euren Vater Israel.

3 *Ruben,* mein erster Sohn bist du, meine Kraft und der Erstling meiner Stärke, der Oberste in der Würde und der Oberste in der Macht.[a] 4 Du walltest auf wie Wasser. Du sollst nicht der Oberste bleiben, denn [a]du bist auf deines Vaters Lager gestiegen, daselbst hast du mein Bett entweiht, das du bestiegst.

5 [a]Die Brüder *Simeon* und *Levi,* ihre Schwerter sind mörderische Waffen. 6 Meine Seele komme nicht in ihren Rat, und meine Ehre sei nicht in ihrer Versammlung; denn in ihrem Zorn haben sie Männer gemordet, und in ihrem Mutwillen haben sie Stiere gelähmt. 7 Verflucht sei ihr Zorn, dass er so heftig ist, und ihr Grimm, dass er so grausam ist. Ich will sie versprengen in Jakob und zerstreuen in Israel.[a]

8 [a]*Juda,* du bist's! Dich werden deine Brüder preisen. Deine Hand wird deinen Feinden auf dem Nacken sein, vor dir werden deines Vaters Söhne sich verneigen. 9 Juda ist ein [a]junger Löwe. Du bist hochgekommen, mein Sohn, vom Raube. Wie ein Löwe hat er sich hingestreckt und wie eine Löwin sich gelagert. Wer will ihn aufstören? 10 Es [a]wird das Zepter von Juda nicht weichen noch der Stab des Herrschers von seinen Füßen, [b]bis dass der komme, dem es gehört*, und ihm werden die Völker anhangen. 11 Er wird seinen Esel an den Weinstock binden und seiner Eselin Füllen an die edle Rebe. Er wird [a]sein Kleid in Wein waschen und seinen Mantel in Traubenblut. 12 Seine Augen sind dunkler als Wein und seine Zähne weißer als Milch.

13 [a]*Sebulon* wird am Gestade des Meeres wohnen und am Gestade der Schiffe und reichen bis Sidon.

14 *Issachar* wird ein knochiger Esel sein und sich lagern zwischen den Sattelkörben: 15 Er sah die Ruhe, dass sie gut ist, und das Land, dass es lieblich ist; da hat er seine Schultern geneigt, zu tragen, und ist ein fronpflichtiger Knecht geworden.

16 [a]*Dan* wird Richter sein in seinem Volk wie nur irgendein Stamm in Israel. 17 Dan wird eine Schlange werden auf dem Wege und eine Otter auf dem Steige und das Pferd in die Fersen beißen, dass sein Reiter zurückfalle. 18 **Herr, ich warte auf dein Heil!**[a]

19 *Gad* wird gedrängt werden von Kriegshaufen, er aber drängt ihnen nach auf der Ferse.

20 [a]*Assers* Brot wird fett sein, und er wird leckere Speise wie für Könige geben.

21 [a]*Naftali* ist eine flüchtige Hirschkuh, er gibt schöne Rede.

* **49,10** Luther übersetzte: »bis dass der Held komme«.

48,19 *a* 4. Mose 1,33.35; 5. Mose 33,17
48,20 *a* Hebr 11,21 **48,22** *a* Kap 34,1-31; Jos 24,30
49,3 *a* Kap 29,32; 5. Mose 21,17 **49,4** *a* Kap 35,22
49,5 *a* (5-7) Kap 34,25 **49,7** *a* Jos 19,1-9; 21,1-42
49,8 *a* 4. Mose 10,14; Ri 1,1-2 **49,9** *a* 4. Mose 23,24; Hes 19,2; Offb 5,5 **49,10** *a* 4. Mose 24,17; 1. Chr 5,2; 28,4; Hebr 7,14 *b* Hes 21,32 **49,11** *a* Joel 4,18
49,13 *a* Jos 19,10-16 **49,16** *a* Ri 13,2.24-25
49,18 *a* Ps 119,166; Hab 2,3 **49,20** *a* Jos 19,24-31
49,21 *a* Ri 4,6-10

22 Ein junger Fruchtbaum ist *Josef,* ein
junger Fruchtbaum an einer Quelle, des-
sen Zweige emporsteigen über die Mauer.
23 Und wiewohl ihn die Schützen erzür-
nen und gegen ihn kämpfen und ihm
nachstellen, 24 so bleibt doch sein Bogen
fest und seine Arme und Hände stark
durch den Mächtigen in Jakob. Von dort
kommt der Hirte, der [a]Fels Israels. 25 [a]Von
deines Vaters Gott werde dir geholfen,
und von dem Allmächtigen seist du geseg-
net mit Segen oben vom Himmel herab,
mit Segen von der [b]Flut, die drunten liegt,
mit Segen der Brüste und des Mutterlei-
bes. 26 Die Segnungen deines Vaters wa-
ren stärker als die Segnungen der ewigen
Berge, die köstlichen Güter der ewigen
Hügel. Mögen sie kommen auf das Haupt
Josefs und auf den Scheitel des Geweihten
unter seinen Brüdern!

27 [a]*Benjamin* ist ein reißender Wolf; des
Morgens wird er Raub fressen und des
Abends wird er Beute austeilen.

28 Das sind die zwölf Stämme Israels alle,
und das ist's, was ihr Vater zu ihnen gere-
det hat, als er sie segnete, einen jeden mit
einem besonderen Segen.

JAKOBS TOD

29 [a]Und Jakob gebot ihnen und sprach zu
ihnen: Ich werde versammelt zu meinem
Volk; begrabt mich bei meinen Vätern in
der Höhle auf dem Acker Efrons, des He-
titers, 30 in der Höhle auf dem Felde von
Machpela, die gegenüber von Mamre liegt
im Lande Kanaan, die Abraham kaufte
samt dem Acker von Efron, dem Hetiter,
zum Erbbegräbnis. 31 Da haben sie [a]Abra-
ham begraben und Sara, seine Frau. Da ha-
ben sie auch [b]Isaak begraben und Rebekka,
seine Frau. Da habe ich auch Lea begraben
32 in dem Acker und der Höhle, die von
den Hetitern gekauft ist.

33 Und als Jakob dies Gebot an seine
Söhne vollendet hatte, tat er seine Füße
zusammen auf dem Bett und verschied
und wurde versammelt zu seinen Vätern.

JAKOBS BEGRÄBNIS

50 Da warf sich Josef über seinen Va-
ter und weinte über ihm und küsste
ihn. 2 Und Josef befahl seinen Dienern,
den Ärzten, dass sie seinen Vater zum Be-
gräbnis salbten. Und die Ärzte salbten Is-
rael, 3 bis vierzig Tage um waren; denn so
lange währen die Tage der Salbung. Und
die Ägypter beweinten ihn siebzig Tage.

4 Als nun die Trauertage vorüber wa-
ren, redete Josef mit den Leuten des Pha-
rao und sprach: Hab ich Gnade vor euch
gefunden, so redet mit dem Pharao und
sprecht: 5 Mein Vater hat einen Eid von mir
genommen und gesagt: Siehe, ich sterbe;
[a]begrabe mich in meinem Grabe, das ich
mir im Lande Kanaan gegraben habe. So
will ich nun hinaufziehen und meinen Va-
ter begraben und wiederkommen. 6 Der
Pharao sprach: Zieh hinauf und begrabe
deinen Vater, wie du ihm geschworen
hast.

7 Da zog Josef hinauf, seinen Vater zu
begraben. Und es zogen mit ihm alle
Großen des Pharao, die Ältesten seines
Hauses und alle Ältesten des Landes
Ägypten, 8 dazu das ganze Haus Josefs
und seine Brüder und die vom Hause
seines Vaters. Allein ihre Kinder, Schafe
und Rinder ließen sie im Lande Goschen.
9 Und es zogen auch mit ihm hinauf Wa-
gen und Gespanne, und es war ein sehr
großes Heer.

10 Als sie nun nach Goren-Atad kamen,
das jenseits des Jordans liegt, da hielten sie
eine sehr große und feierliche Klage. Und
Josef hielt Totenklage über seinen Vater
sieben Tage. 11 Und als die Leute im Lande,
die Kanaaniter, die Klage bei Goren-Atad
sahen, sprachen sie: Die Ägypter halten
da große Klage. Daher nennt man den
Ort Abel-Mizrajim*; er liegt jenseits des
Jordans.

12 Und Jakobs Söhne taten, [a]wie er ih-
nen befohlen hatte, 13 und brachten ihn
ins Land Kanaan und begruben ihn in
der Höhle auf dem Felde von Machpela,
dem Acker, den [a]Abraham zum Erbbe-
gräbnis gekauft hatte von Efron, dem
Hetiter, gegenüber Mamre. 14 Als er ihn
begraben hatte, zog Josef wieder nach
Ägypten mit seinen Brüdern und mit

* **50,11** Der Name bedeutet »Klage Ägyptens«.

49,24 ***a*** 5. Mose 32,18 **49,25** ***a*** (25-26) 5. Mose 28,3-6; 33,13 ***b*** Kap 1,2 **49,27** ***a*** Ri 20,25; 1. Sam 9,1-2 **49,29** ***a*** (29-32) Kap 23,13-20 **49,31** ***a*** Kap 25,9 ***b*** Kap 35,29 **50,5** ***a*** Kap 47,29-30 **50,12** ***a*** Kap 49,29 **50,13** ***a*** Kap 23,13-20

allen, die mit ihm hinaufgezogen waren,
seinen Vater zu begraben.

JOSEFS EDELMUT UND SEIN TOD

15 Die Brüder Josefs aber fürchteten sich,
als ihr Vater gestorben war, und sprachen:
Josef könnte uns gram sein und uns alle
Bosheit vergelten, die wir an ihm getan
haben.[a] 16 Darum ließen sie ihm sagen:
Dein Vater befahl vor seinem Tode und
sprach: 17 So sollt ihr zu Josef sagen: Ver-
gib doch deinen Brüdern die Missetat und
ihre Sünde, dass sie so übel an dir getan
haben. Nun vergib doch diese Missetat
uns, den Dienern des Gottes deines Va-
ters! Aber Josef weinte, als man ihm sol-
ches sagte.

18 Und seine Brüder gingen selbst hin
und fielen vor ihm nieder und sprachen:
Siehe, wir sind deine Knechte. 19 Josef
aber sprach zu ihnen: Fürchtet euch nicht!
Stehe ich denn an Gottes statt? 20 **Ihr ge-
dachtet es böse mit mir zu machen,
aber [a]Gott gedachte es gut zu machen,**
um zu tun, was jetzt am Tage ist, nämlich
am Leben zu erhalten ein großes Volk.
21 So fürchtet euch nun nicht; ich will euch
und eure Kinder versorgen. Und er trös-
tete sie und redete freundlich mit ihnen.

22 So wohnte Josef in Ägypten mit sei-
nes Vaters Hause und lebte hundertzehn
Jahre 23 und sah Ephraims Kinder bis ins
dritte Glied. Auch die Söhne von Machir,
Manasses Sohn, wurden dem Hause Josefs
zugerechnet. 24 Und Josef sprach zu sei-
nen Brüdern: Ich sterbe; aber Gott wird
euch gnädig heimsuchen und aus diesem
Lande führen in das Land, das er Abraham,
Isaak und Jakob zu geben geschworen hat.
25 Darum nahm er einen Eid von den Söh-
nen Israels und sprach: Wenn euch Gott
heimsuchen wird, so nehmt meine Ge-
beine mit hinauf von hier.[a]

26 Und Josef starb, als er hundertzehn
Jahre alt war. Und sie salbten ihn und leg-
ten ihn in einen Sarg in Ägypten.

DAS ZWEITE BUCH MOSE (EXODUS)

1 Die Israeliten in Ägypten 2–4 Moses Geburt und Berufung
5–11 Mose und Aaron vor dem Pharao 12–14 Passafest, Auszug und Rettung am Schilfmeer
15–18 Vom Schilfmeer zum Berg Sinai 19–24 Gottes Gesetz und Bund
25–31 u. 35–40 Zeltheiligtum und Gottesdienst 32–34 Ungehorsam und erneuerter Bund

ISRAELS BEDRÜCKUNG IN ÄGYPTEN

1 [a]Dies sind die Namen der Söhne Israels,
die mit Jakob nach Ägypten kamen; ein
jeder kam mit seinem Hause: 2 Ruben, Si-
meon, Levi, Juda, 3 Issachar, Sebulon, Ben-
jamin, 4 Dan, Naftali, Gad, Asser. 5 Und
alle zusammen, die von Jakob abstam-
men, waren siebzig an der Zahl. Josef aber
war schon vorher in Ägypten.

6 Und [a]Josef starb und alle seine Brü-
der und alle, die zu der Zeit gelebt hatten.
7 [a]Die Israeliten aber waren fruchtbar, und
es wimmelte von ihnen, und sie mehrten
sich [b]und wurden überaus stark, sodass
von ihnen das Land voll ward.

8 Da kam ein neuer König auf in Ägyp-
ten, der wusste nichts von Josef 9 und
sprach zu seinem Volk: Siehe, das Volk
der Israeliten ist mehr und stärker als wir.
10 Wohlan, wir wollen sie mit List nieder-
halten, dass sie nicht noch mehr werden.
Denn wenn ein Krieg ausbräche, könnten
sie sich auch zu unsern Feinden schlagen
und gegen uns kämpfen und aus dem Land
hinaufziehen.

11 Und man setzte Fronvögte über sie,
die sie mit [a]schweren Diensten bedrü-
cken sollten. Und sie bauten dem Pharao
die Städte Pitom und [b]Ramses als Vor-
ratsstädte. 12 Aber je mehr sie das Volk
bedrückten, desto stärker mehrte es sich
und breitete sich aus. Und es kam sie ein
Grauen an vor den Israeliten. 13 Da [a]zwan-
gen die Ägypter die Israeliten mit Gewalt
zum Dienst 14 und machten ihnen ihr Le-

50,15 *a* Kap 27,41 **50,20** *a* Kap 45,5.7
50,25 *a* 2. Mose 13,19; Jos 24,32
1,1 *a* (1-5) 1. Mose 46,8-27 **1,6** *a* 1. Mose 50,26
1,7 *a* (7-22) Apg 7,17-19 *b* 1. Mose 1,28
1,11 *a* 1. Mose 15,13 *b* 1. Mose 47,11 **1,13** *a* 1. Mose 15,13

ben sauer mit schwerer Arbeit in Ton und
Ziegeln und mit mancherlei Frondienst
auf dem Felde, mit all ihrer Arbeit, die sie
ihnen mit Gewalt auferlegten.
15 Und der König von Ägypten sprach
zu den hebräischen Hebammen, von de-
nen die eine Schifra hieß und die andere
Pua: 16 Wenn ihr den hebräischen Frauen
bei der Geburt helft, dann seht auf das
Geschlecht. Wenn es ein Sohn ist, so tö-
tet ihn; ist's aber eine Tochter, so lasst sie
leben. 17 Aber die Hebammen fürchteten
Gott und taten nicht, wie der König von
Ägypten ihnen gesagt hatte, sondern lie-
ßen die Kinder leben.
18 Da rief der König von Ägypten die
Hebammen und sprach zu ihnen: Warum
tut ihr das, dass ihr die Kinder leben lasst?
19 Die Hebammen antworteten dem Pha-
rao: Die hebräischen Frauen sind nicht
wie die ägyptischen, denn sie sind kräf-
tige Frauen. Ehe die Hebamme zu ihnen
kommt, haben sie geboren. 20 Darum tat
Gott den Hebammen Gutes. Und das Volk
mehrte sich und wurde sehr stark. 21 Und
weil die Hebammen Gott fürchteten, gab
er auch ihnen Nachkommen.
22 Da gebot der Pharao seinem ganzen
Volk und sprach: Alle Söhne, die geboren
werden, werft in den Nil, aber alle Töchter
lasst leben.

MOSES GEBURT UND WUNDERBARE ERRETTUNG

2 Und es ging hin ein Mann vom Hause
Levi und nahm eine Tochter Levis zur
Frau.[a] 2 Und sie ward schwanger und ge-
bar einen Sohn. Und als sie sah, dass es
ein [a]feines Kind war, verbarg sie ihn drei
Monate. 3 Als sie ihn aber nicht länger ver-
bergen konnte, nahm sie ein Kästlein von
Rohr für ihn und verklebte es mit Erdharz
und Pech und legte das Kind hinein und
setzte das Kästlein in das Schilf am Ufer
des Nils. 4 Aber seine [a]Schwester stand
von ferne, um zu erfahren, wie es ihm er-
gehen würde.
5 Und die Tochter des Pharao ging hinab
und wollte baden im Nil, und ihre Diene-
rinnen gingen am Ufer hin und her. Und
als sie das Kästlein im Schilf sah, sandte sie
ihre Magd hin und ließ es holen. 6 Und als
sie es auftat, sah sie das Kind, und siehe,
das Knäblein weinte. Da jammerte es sie,
und sie sprach: Es ist eins von den hebrä-
ischen Kindlein.
7 Da sprach seine Schwester zu der Toch-
ter des Pharao: Soll ich hingehen und eine
der hebräischen Frauen rufen, die da stillt,
dass sie dir das Kindlein stille? 8 Die Toch-
ter des Pharao sprach zu ihr: Geh hin. Das
Mädchen ging hin und rief die Mutter des
Kindes. 9 Da sprach die Tochter des Pharao
zu ihr: Nimm das Kindlein mit und stille
es mir; ich will es dir lohnen. Die Frau
nahm das Kind und stillte es.
10 Und als das Kind groß war, brachte sie
es der Tochter des Pharao, und es ward ihr
Sohn, und sie nannte ihn Mose; denn sie
sprach: Ich habe ihn aus dem Wasser ge-
zogen.

MOSES FLUCHT NACH MIDIAN

11 [a]Zu der Zeit, als Mose groß geworden
war, ging er hinaus zu seinen Brüdern und
sah ihre Lasten und nahm wahr, dass ein
Ägypter einen seiner hebräischen Brüder
schlug. 12 Da schaute er sich nach allen Sei-
ten um und als er sah, dass kein Mensch
da war, erschlug er den Ägypter und ver-
scharrte ihn im Sande.
13 Am andern Tage ging er wieder hinaus
und sah zwei hebräische Männer mitein-
ander streiten und sprach zu dem, der im
Unrecht war: Warum schlägst du deinen
Nächsten? 14 Er aber sprach: [a]Wer hat dich
zum Aufseher oder Richter über uns ge-
setzt? Willst du mich auch umbringen,
wie du den Ägypter umgebracht hast?
Da fürchtete sich Mose und sprach: Es
ist also doch bekannt geworden! 15 Und
es kam vor den Pharao; der trachtete da-
nach, Mose zu töten. Aber Mose floh vor
dem Pharao und hielt sich auf im Lande
Midian. Und er setzte sich nieder bei
einem Brunnen.
16 [a]Der Priester in Midian aber hatte
sieben Töchter; die kamen, Wasser zu
schöpfen, und füllten die Rinnen, um
die Schafe ihres Vaters zu tränken. 17 Da
kamen Hirten und vertrieben sie. Mose
aber stand auf und half ihnen und tränkte

2,1 ***a*** Kap 6,20; 4. Mose 26,59 **2,2** ***a*** Apg 7,20; Hebr 11,23 **2,4** ***a*** 4. Mose 26,59
2,11 ***a*** (11-22) Apg 7,23-29; Hebr 11,24-27
2,14 ***a*** Apg 7,35 **2,16** ***a*** Kap 3,1

ihre Schafe. 18 Und als sie zu ihrem Vater
Reguël kamen, sprach er: Warum seid ihr
heute so bald gekommen? 19 Sie sprachen:
Ein ägyptischer Mann rettete uns aus der
Hand der Hirten und schöpfte für uns und
tränkte die Schafe.

20 Er sprach zu seinen Töchtern: Wo ist
er? Warum habt ihr den Mann draußen
gelassen? Ladet ihn doch ein, mit uns zu
essen. 21 Und Mose willigte ein, bei dem
Mann zu bleiben. Und der gab Mose seine
Tochter [a]Zippora zur Frau. 22 Die gebar
einen Sohn, und er nannte ihn [a]Ger-
schom; denn, sprach er, ich bin ein Fremd-
ling geworden im fremden Lande.

23 Lange Zeit danach starb der König
von Ägypten. Und die Israeliten seufzten
über ihre Knechtschaft und schrien, und
ihr Schreien aus ihrer Knechtschaft stieg
auf zu Gott. 24 Und Gott erhörte ihr Weh-
klagen und [a]gedachte an seinen Bund mit
Abraham, Isaak und Jakob. 25 Und Gott sah
auf die Israeliten und nahm sich ihrer an.

MOSES BERUFUNG

3 [a]Mose aber hütete die Schafe Jitros,
seines Schwiegervaters, des Priesters
in Midian, und trieb die Schafe über
die Wüste hinaus und kam an den Berg
Gottes, den Horeb. 2 Und der Engel des
HERRN erschien ihm in einer feurigen
Flamme aus dem [a]Dornbusch. Und er
sah, dass der Busch im Feuer brannte und
doch nicht verzehrt wurde. 3 Da sprach er:
Ich will hingehen und diese wundersame
Erscheinung besehen, warum der Busch
nicht verbrennt. 4 Als aber der HERR sah,
dass er hinging, um zu sehen, rief Gott ihn
aus dem Busch und sprach: Mose, Mose!
Er antwortete: Hier bin ich. 5 Er sprach:
Tritt nicht herzu, zieh deine Schuhe von
deinen Füßen; denn [a]der Ort, darauf du
stehst, ist heiliges Land!

6 Und er sprach weiter: [a]**Ich bin der Gott
deines Vaters, der Gott Abrahams, der
Gott Isaaks und der Gott Jakobs.** Und
Mose verhüllte sein Angesicht; denn er
fürchtete sich, Gott anzuschauen. 7 Und
der HERR sprach: Ich habe das Elend
meines Volks in Ägypten gesehen, und
ihr [a]Geschrei über ihre Bedränger habe
ich gehört; ich habe ihre Leiden erkannt.
8 Und ich bin herniedergefahren, dass ich
sie [a]errette aus der Ägypter Hand und sie
aus diesem Lande hinaufführe in ein gu-
tes und weites Land, in ein Land, darin
Milch und Honig fließt, in das Gebiet der
Kanaaniter, Hetiter, Amoriter, Perisiter,
Hiwiter und Jebusiter. 9 Weil denn nun
das Geschrei der Israeliten vor mich ge-
kommen ist und ich dazu ihre Drangsal
gesehen habe, wie die Ägypter sie bedrän-
gen, 10 so geh nun hin, [a]ich will dich zum
Pharao senden, damit du mein Volk, die
Israeliten, aus Ägypten führst.

11 Mose sprach zu Gott: [a]Wer bin ich,
dass ich zum Pharao gehe und führe die
Israeliten aus Ägypten? 12 Er sprach: [a]Ich
will mit dir sein. Und das soll dir das Zei-
chen sein, dass ich dich gesandt habe:
Wenn du mein Volk aus Ägypten geführt
hast, werdet ihr Gott dienen auf diesem
Berge.

13 Mose sprach zu Gott: Siehe, wenn ich
zu den Israeliten komme und spreche zu
ihnen: Der Gott eurer Väter hat mich zu
euch gesandt!, und sie mir sagen werden:
Wie ist sein Name?, was soll ich ihnen sa-
gen? 14 Gott sprach zu Mose: [a]**Ich werde
sein, der ich sein werde.** Und sprach:
So sollst du zu den Israeliten sagen: »Ich
werde sein«, der hat mich zu euch ge-
sandt. 15 Und Gott sprach weiter zu Mose:
So sollst du zu den Israeliten sagen: Der
HERR*, der Gott eurer Väter, der Gott Ab-
rahams, der Gott Isaaks, der Gott Jakobs,
hat mich zu euch gesandt. Das ist [a]mein
Name auf ewig, mit dem man mich anru-
fen soll von Geschlecht zu Geschlecht.

16 Darum geh hin und versammle die
Ältesten von Israel und sprich zu ihnen:
Der HERR, der Gott eurer Väter, ist mir
erschienen, der Gott Abrahams, der Gott
Isaaks, der Gott Jakobs, und hat gesagt:

* **3,15** Im Hebräischen steht hier der Gottesname JHWH. Er wird in Vers 14 vom hebräischen Zeitwort für »sein« her gedeutet. Zu seiner Aussprache und dem Brauch, dafür »der HERR« einzusetzen, siehe Sach- und Worterklärungen zu »HERR«.

2,21 *a* 4. Mose 12,1 **2,22** *a* Kap 18,3-4
2,24 *a* 1. Mose 15,18; 26,3; 28,13-14
3,1 *a* (1-12) Apg 7,30-34 **3,2** *a* 5. Mose 33,16
3,5 *a* 1. Mose 28,17; Jos 5,15 **3,6** *a* 1. Mose 17,1; 28,1-4; 35,9-11; Mt 22,32 **3,7** *a* Kap 2,23 **3,8** *a* Kap 5,23
3,10 *a* Kap 7,16; Ri 6,14 **3,11** *a* Kap 4,10; 1. Mose 32,11; 2. Sam 7,18; Jes 6,5.8; Jer 1,6 **3,12** *a* Jer 1,8
3,14 *a* Kap 6,2; Mal 3,6; Offb 1,4.8
3,15 *a* Kap 6,2-3; Jes 42,8

Ich habe mich euer angenommen und ge-
sehen, was euch in Ägypten widerfahren
ist, 17 und habe gesagt: Ich will euch aus
dem Elend Ägyptens führen in das Land
der Kanaaniter, Hetiter, Amoriter, Peri-
siter, Hiwiter und Jebusiter, in das Land,
darin Milch und Honig fließt. 18 Und sie
werden auf dich hören. Danach sollst du
mit den Ältesten Israels hineingehen zum
König von Ägypten und zu ihm sagen:
[a]Der HERR, der Gott der Hebräer, ist uns
begegnet. Nun wollen wir gehen drei Ta-
gereisen weit in die Wüste, dass wir op-
fern dem HERRN, unserm Gott. 19 Aber
ich weiß, dass euch der König von Ägyp-
ten nicht wird ziehen lassen, er werde
denn gezwungen durch eine starke Hand.
20 Daher werde ich meine Hand ausstre-
cken und Ägypten schlagen mit all den
Wundern, die ich darin tun werde. Da-
nach wird er euch ziehen lassen. 21 Auch
will ich diesem Volk Gunst verschaffen bei
den Ägyptern, dass, wenn ihr auszieht, ihr
[a]nicht leer auszieht, 22 sondern jede Frau
soll sich von ihrer Nachbarin und Hausge-
nossin silberne und goldene Gefäße und
Kleider geben lassen. Die sollt ihr euren
Söhnen und Töchtern mitgeben und den
Ägyptern wegnehmen.

4 Mose antwortete und sprach: Siehe,
sie werden mir nicht glauben und nicht
auf mich hören, sondern werden sagen:
Der HERR ist dir nicht erschienen. 2 Der
HERR sprach zu ihm: Was hast du da in
deiner Hand? Er sprach: Einen Stab. 3 Er
aber sprach: Wirf ihn auf die Erde. Und
er warf ihn auf die Erde; da ward er zur
[a]Schlange und Mose floh vor ihr. 4 Aber
der HERR sprach zu ihm: Strecke deine
Hand aus und erhasche sie beim Schwanz.
Da streckte er seine Hand aus und ergriff
sie, und sie ward zum Stab in seiner Hand.
5 »Damit sie glauben, dass dir erschienen
ist der HERR, der Gott ihrer Väter, der
Gott Abrahams, der Gott Isaaks, der Gott
Jakobs.«

6 Und der HERR sprach weiter zu ihm:
Stecke deine Hand in den Bausch deines
Gewandes. Und er steckte sie hinein. Und
als er sie wieder herauszog, siehe, da war
sie aussätzig wie Schnee. 7 Und er sprach:
Tu sie wieder in den Bausch deines Ge-
wandes. Und er tat sie wieder hinein. Und
als er sie herauszog, siehe, da war sie wie-
der wie sein anderes Fleisch. 8 »Wenn sie
dir nun nicht glauben und nicht auf das
erste Zeichen hören werden, so werden sie
doch auf das andre Zeichen hören. 9 Wenn
sie aber diesen zwei Zeichen nicht glauben
und nicht auf dich hören werden, so nimm
Wasser aus dem Nil und gieß es auf das
trockene Land; [a]dann wird das Wasser, das
du aus dem Strom genommen hast, Blut
werden auf dem trockenen Land.«

10 Mose aber sprach zu dem HERRN: Ach,
mein Herr, [a]ich bin von jeher nicht beredt
gewesen, auch jetzt nicht, seitdem du mit
deinem Knecht redest; denn ich hab eine
schwere Sprache und eine schwere Zunge.
11 Der HERR sprach zu ihm: Wer hat dem
Menschen den Mund geschaffen? Oder
wer hat den Stummen oder Tauben oder
Sehenden oder Blinden gemacht? Habe
ich's nicht getan, der HERR?[a] 12 Nun aber
geh hin: Ich will mit deinem Munde sein
und dich lehren, was du sagen sollst.[a]

13 Mose aber sprach: Ach, mein Herr,
sende, wen du senden willst. 14 Da wurde
der HERR sehr zornig über Mose und
sprach: Gibt es da nicht deinen Bruder
Aaron, den Leviten? Ich weiß, dass er be-
redt ist. Und siehe, er wird dir entgegen-
kommen, und wenn er dich sieht, wird
er sich von Herzen freuen. 15 Du sollst zu
ihm reden und die Worte in seinen Mund
legen. Und ich will mit deinem und sei-
nem Munde sein und euch lehren, was
ihr tun sollt. 16 Und [a]er soll für dich zum
Volk reden; er soll dein Mund sein, und
du sollst für ihn Gott sein. 17 Und diesen
Stab nimm in deine Hand, mit dem du die
Zeichen tun sollst.

MOSES RÜCKKEHR NACH ÄGYPTEN

18 Mose ging hin und kam wieder zu [a]Jitro,
seinem Schwiegervater, und sprach zu
ihm: Lass mich doch gehen, dass ich wie-
der zu meinen Brüdern komme, die in
Ägypten sind, und sehe, ob sie noch le-
ben. Jitro sprach zu ihm: Geh hin mit Frie-
den. 19 Auch sprach der HERR zu Mose in
Midian: Geh hin und zieh wieder nach

3,18 *a* Kap 5,1.3 **3,21** *a* Kap 11,2-3; 12,35-36; 1. Mose 15,14
4,3 *a* Kap 7,10 **4,9** *a* Kap 7,17-21 **4,10** *a* Kap 3,11; 6,12.30
4,11 *a* Ps 94,9 **4,12** *a* 4. Mose 12,8; 5. Mose 18,18;
Mt 10,19 **4,16** *a* Kap 7,1-2 **4,18** *a* Kap 3,1

Ägypten, denn die Leute sind alle tot, die
dir nach dem Leben trachteten. 20 So nahm
denn Mose seine Frau und [a]seine Söhne
und setzte sie auf einen Esel und zog wie-
der nach Ägyptenland und nahm den Stab
Gottes in seine Hand.

21 Und der HERR sprach zu Mose:
Sieh zu, wenn du wieder nach Ägypten
kommst, dass du alle die Wunder tust vor
dem Pharao, die ich in deine Hand gege-
ben habe. Ich aber will [a]sein Herz versto-
cken, dass er das Volk nicht ziehen lassen
wird. 22 Und du sollst zu ihm sagen: So
spricht der HERR: [a]Israel ist mein erstge-
borener Sohn; 23 und ich gebiete dir, dass
du meinen Sohn ziehen lässt, dass er mir
diene. Wirst du dich weigern, so will ich
[a]deinen erstgeborenen Sohn töten.

24 [a]Und als Mose unterwegs in der Her-
berge war, kam ihm der HERR entgegen
und wollte ihn töten. 25 Da nahm Zippora
[a]einen scharfen Stein und beschnitt ih-
rem Sohn die Vorhaut und berührte da-
mit seine Scham und sprach: Du bist mir
ein Blutbräutigam. 26 Da ließ er von ihm
ab. Sie sagte aber Blutbräutigam um der
Beschneidung willen.

27 Und der HERR sprach zu Aaron: Geh
hin Mose entgegen in die Wüste. Und
er ging hin und begegnete ihm am Berge
Gottes und küsste ihn. 28 Und Mose tat
Aaron kund alle Worte des HERRN, die
er ihm aufgetragen hatte, und alle Zei-
chen, die er ihm befohlen hatte. 29 Und sie
gingen hin und versammelten alle Ältes-
ten der Israeliten. 30 Und Aaron sagte alle
Worte, die der HERR mit Mose geredet
hatte, und Mose tat die Zeichen vor dem
Volk. 31 Und das Volk [a]glaubte. Und als sie
hörten, dass [b]der HERR sich der Israeliten
angenommen und ihr Elend angesehen
habe, [c]neigten sie sich und beteten an.

NOCH HÄRTERE BEDRÜCKUNG ISRAELS

5 Danach gingen Mose und Aaron hin
und sprachen zum Pharao: So spricht
der HERR, der Gott Israels: [a]Lass mein
Volk ziehen, dass es mir ein Fest halte in
der Wüste. 2 Der Pharao antwortete: [a]Wer
ist der HERR, dass ich ihm gehorchen
müsse und Israel ziehen lasse? Ich weiß
nichts von dem HERRN, will auch Israel
nicht ziehen lassen.

3 Sie sprachen: Der Gott der Hebräer ist
uns begegnet. Wir wollen nun hinziehen
drei Tagereisen weit in die Wüste und
dem HERRN, unserm Gott, opfern, dass
er uns nicht schlage mit Pest oder Schwert.
4 Da sprach der König von Ägypten zu ih-
nen: Mose und Aaron, warum wollt ihr
das Volk von seiner Arbeit frei machen?
Geht hin an eure Dienste!

5 Weiter sprach der Pharao: Siehe, [a]sie
sind schon mehr als das Volk des Landes,
und ihr wollt sie noch feiern lassen von
ihrem Dienst! 6 Darum befahl der Pha-
rao am selben Tage den Vögten des Volks
und ihren Aufsehern und sprach: 7 Ihr sollt
dem Volk nicht mehr Häcksel geben, dass
sie Ziegel machen, wie bisher; lasst sie
selbst hingehen und Stroh dafür zusam-
menlesen. 8 Aber die Zahl der Ziegel, die
sie bisher gemacht haben, sollt ihr ihnen
gleichwohl auferlegen und nichts davon
ablassen, denn sie gehen müßig; darum
schreien sie und sprechen: Wir wollen
hinziehen und unserm Gott opfern. 9 Man
drücke die Leute mit Arbeit, dass sie zu
schaffen haben und sich nicht um falsche
Reden kümmern.

10 Da gingen die Vögte des Volks und ihre
Aufseher hinaus und sprachen zum Volk:
So spricht der Pharao: Man wird euch kein
Häcksel mehr geben. 11 Geht ihr selbst hin
und beschafft euch Häcksel, wo ihr's fin-
det; aber von eurer Arbeit soll euch nichts
erlassen werden. 12 Da zerstreute sich das
Volk ins ganze Land Ägypten, um Stroh
zu sammeln, damit sie Häcksel hätten.
13 Und die Vögte trieben sie an und spra-
chen: Erfüllt euer Tagewerk wie damals,
als ihr Häcksel hattet.

14 Und die Aufseher aus den Reihen der
Israeliten, die die Vögte des Pharao über
sie gesetzt hatten, wurden geschlagen,
und es wurde zu ihnen gesagt: Warum
habt ihr nicht auch heute euer festgesetz-
tes Tagewerk getan wie bisher? 15 Da gin-
gen die Aufseher der Israeliten hin und
schrien zu dem Pharao: Warum verfährst

4,20 *a* Kap 2,22; 18,3-4 **4,21** *a* Kap 7,3.13; 5. Mose 29,3; Jes 6,10; Röm 9,18 **4,22** *a* 5. Mose 32,6 **4,23** *a* Kap 11,5; 12,29 **4,24** *a* (24-26) 1. Mose 17,14; 32,25 **4,25** *a* Jos 5,2 **4,31** *a* Kap 14,31 *b* Kap 3,16 *c* Kap 12,27 **5,1** *a* Kap 3,18; 7,16.26; 8,16; 9,1.13 **5,2** *a* 2. Kön 18,35; Hiob 21,15; Dan 3,15 **5,5** *a* Kap 1,7.9.12

du so mit deinen Knechten? 16 Man gibt
deinen Knechten kein Häcksel, und wir
sollen dennoch die Ziegel machen, die uns
bestimmt sind; und siehe, deine Knechte
werden geschlagen, und dein Volk trägt
die Schuld. 17 Der Pharao sprach: Ihr seid
müßig, müßig seid ihr; darum sprecht ihr:
Wir wollen hinziehen und dem HERRN
opfern. 18 So geht nun hin und tut euren
Frondienst! Häcksel soll man euch nicht
geben, aber die Anzahl Ziegel sollt ihr
schaffen.
19 Da sahen die Aufseher der Israeliten,
dass es mit ihnen übel stand, weil man
sagte: Ihr sollt nichts ablassen von dem Ta-
gewerk an Ziegeln. 20 Und als sie von dem
Pharao weggingen, begegneten sie Mose
und Aaron, die dastanden und auf sie war-
teten, 21 und sprachen zu ihnen: Der HERR
richte seine Augen wider euch und strafe
es, dass ihr uns stinkend gemacht habt vor
dem Pharao und seinen Großen und habt
ihnen so das Schwert in ihre Hände gege-
ben, uns zu töten.
22 Mose aber kam wieder zu dem HERRN
und sprach: Herr, warum tust du so übel
an diesem Volk? Warum hast du mich
hergesandt? 23 Denn seitdem ich hinge-
gangen bin zum Pharao, um mit ihm zu
reden in deinem Namen, hat er das Volk
noch härter geplagt, und du hast dein Volk
nicht errettet.
6 Da sprach der HERR zu Mose: Nun
sollst du sehen, was ich dem Pharao an-
tun werde; denn durch eine starke Hand
muss er sie ziehen lassen, und durch eine
starke Hand muss er sie aus seinem Lande
treiben.[a]

GOTT BEKRÄFTIGT SEINE VERHEISSUNG

2 [a]Und Gott redete mit Mose und sprach
zu ihm: Ich bin der HERR 3 und bin er-
schienen Abraham, Isaak und Jakob als
der allmächtige Gott, aber mit meinem
Namen »HERR« habe ich mich ihnen nicht
offenbart. 4 Auch habe ich [a]meinen Bund
mit ihnen aufgerichtet, dass ich ihnen
geben will das Land Kanaan, das Land,
in dem sie Fremdlinge gewesen sind.
5 Auch habe ich gehört die Wehklage der
Israeliten, die die Ägypter mit Frondienst
beschweren, und habe an meinen Bund
gedacht. 6 Darum sage den Israeliten: Ich
bin der HERR und will euch wegführen
von den Lasten, die euch die Ägypter auf-
legen, und will euch erretten von ihrem
Frondienst und will euch erlösen mit aus-
gerecktem Arm und durch große Gerichte;
7 ich will euch annehmen zu meinem Volk
und will euer Gott sein, dass ihr's erfahren
sollt, dass ich der HERR bin, euer Gott, der
euch wegführt von den Lasten, die euch
die Ägypter auflegen. 8 Und ich will euch
in das Land bringen, über das [a]ich meine
Hand zum Schwur erhoben habe, dass
ich's geben will Abraham, Isaak und Jakob;
das will ich euch zu eigen geben. Ich bin
der HERR. 9 Mose sagte das den Israeliten;
aber sie hörten nicht auf ihn vor Kleinmut
und harter Arbeit.
10 Da redete der HERR mit Mose und
sprach: 11 Geh hinein und rede mit dem
Pharao, dem König von Ägypten, dass
er die Israeliten aus seinem Lande ziehen
lasse. 12 Mose aber redete vor dem HERRN
und sprach: Siehe, die Israeliten hören
nicht auf mich; wie sollte denn der Pha-
rao auf mich hören! [a]Dazu bin ich unge-
schickt zum Reden. 13 So redete der HERR
mit Mose und Aaron und befahl ihnen, zu
den Israeliten zu gehen und zum Pharao,
dem König von Ägypten, um die Israeli-
ten aus Ägypten zu führen.

DIE HERKUNFT MOSES UND AARONS

14 [a]Dies sind die Häupter ihrer Sippen:
Die Söhne Rubens, des ersten Sohnes
Israels, sind diese: Henoch, Pallu, Hezron,
Karmi. Das sind die Geschlechter von
Ruben.
15 Die Söhne Simeons sind diese: Jemu-
ël, Jamin, Ohad, Jachin, Zohar und Schaul,
der Sohn der Kanaaniterin. Das sind Sime-
ons Geschlechter.
16 [a]Dies sind die Namen der Söhne Levis
nach ihrer Abstammung: Gerschon, Ke-
hat, Merari. Und Levi wurde 137 Jahre alt.
17 Die Söhne Gerschons sind diese: Libni
und Schimi nach ihren Geschlechtern.
18 Die Söhne Kehats sind diese: Amram,
Jizhar, Hebron, Usiël. Kehat aber wurde
133 Jahre alt.

6,1 *a* Kap 11,1; 12,33 **6,2** *a* (2-3) Kap 3,14-15; 1. Mose 17,1
6,4 *a* 1. Mose 17,7-8 **6,8** *a* 1. Mose 22,16
6,12 *a* Vers 30; Kap 4,10 **6,14** *a* (14-16) 1. Mose 46,9-11
6,16 *a* (16-19) 1. Chr 5,27-30; 6,1-4

19 Die Söhne Meraris sind diese: Machli und Muschi. Das sind die Geschlechter Levis nach ihrer Abstammung.

20 [a]Amram nahm Jochebed, die [b]Schwester seines Vaters, zur Frau; die gebar ihm Aaron und Mose. Und Amram wurde 137 Jahre alt.

21 Die Söhne [a]Jizhars sind diese: Korach, Nefeg, Sichri.

22 Die Söhne [a]Usiëls sind diese: Mischaël, Elizafan, Sitri.

23 Aaron nahm zur Frau Elischeba, die Tochter Amminadabs, Nachschons Schwester; die gebar ihm [a]Nadab, Abihu, Eleasar, Itamar.

24 Die Söhne Korachs sind diese: Assir, Elkana, Abiasaf. Das sind die Geschlechter der Korachiter.

25 Eleasar aber, Aarons Sohn, nahm eine Frau von den Töchtern Putiëls; die gebar ihm den [a]Pinhas. Das sind die Häupter der Leviten nach ihren Geschlechtern.

26 Das sind Aaron und Mose, zu denen der HERR sprach: [a]Führt die Israeliten nach ihren Scharen geordnet aus Ägyptenland! 27 Sie sind es, die mit dem Pharao, dem König von Ägypten, redeten, um die Israeliten aus Ägypten zu führen. Das sind Mose und Aaron.

28 Und als der HERR mit Mose in Ägyptenland redete, 29 sprach er zu ihm: Ich bin der HERR; sage dem Pharao, dem König von Ägypten, alles, was ich mit dir rede. 30 Und er antwortete vor dem HERRN: Siehe, [a]ich bin ungeschickt zum Reden; wie wird denn der Pharao auf mich hören?

MOSES ERSTES WUNDER VOR DEM PHARAO

7 Der HERR sprach zu Mose: Siehe, ich setze dich [a]zum Gott für den Pharao, und Aaron, dein Bruder, soll dein Prophet sein. 2 Du sollst alles reden, was ich dir gebieten werde; aber Aaron, dein Bruder, soll es vor dem Pharao reden, damit er die Israeliten aus seinem Lande ziehen lasse. 3 Aber [a]ich will das Herz des Pharao verhärten und viele Zeichen und Wunder tun in Ägyptenland. 4 Und der Pharao wird nicht auf euch hören. Dann werde ich meine Hand auf Ägypten legen und durch große Gerichte meine Heerscharen, mein Volk, die Israeliten, aus Ägyptenland führen. 5 Und die Ägypter sollen innewerden, dass ich [a]der HERR bin, wenn ich meine Hand über Ägypten ausstrecken und die Israeliten aus ihrer Mitte wegführen werde. 6 Mose und Aaron taten, wie ihnen der HERR geboten hatte. 7 Und Mose war achtzig Jahre und Aaron dreiundachtzig Jahre alt, als sie mit dem Pharao redeten.

8 Und der HERR sprach zu Mose und Aaron: 9 Wenn der Pharao zu euch sagen wird: Weist euch aus durch ein Wunder!, so sollst du zu Aaron sagen: [a]Nimm deinen Stab und wirf ihn hin vor dem Pharao, dass er zur Schlange werde! 10 Da gingen Mose und Aaron hinein zum Pharao und taten, wie ihnen der HERR geboten hatte. Und Aaron warf seinen Stab hin vor dem Pharao und vor seinen Großen, und er ward zur Schlange. 11 Da ließ der Pharao die Weisen und Zauberer rufen und die [a]ägyptischen Zauberer taten ebenso mit ihren Künsten: 12 Ein jeder warf seinen Stab hin, da wurden Schlangen daraus; aber Aarons Stab verschlang ihre Stäbe. 13 Aber [a]das Herz des Pharao wurde verstockt, und er hörte nicht auf sie, wie der HERR gesagt hatte.

DIE ERSTE PLAGE: VERWANDLUNG ALLER GEWÄSSER IN BLUT

14 Und der HERR sprach zu Mose: Das Herz des Pharao ist hart; er weigert sich, das Volk ziehen zu lassen. 15 Geh hin zum Pharao morgen früh. Siehe, er wird ans Wasser gehen; so tritt ihm entgegen am Ufer des Nils und nimm den Stab in deine Hand, der zur Schlange wurde, 16 und sprich zu ihm: Der HERR, der Gott der Hebräer, hat mich zu dir gesandt und lässt dir sagen: [a]Lass mein Volk ziehen, dass es mir diene in der Wüste. Aber du hast bisher nicht hören wollen. 17 Darum spricht der HERR: Daran sollst du erfahren, dass ich der HERR bin: Siehe, ich will mit dem Stabe, den ich in meiner Hand habe, auf das Wasser schlagen, das im Nil ist, und

6,20 ***a*** Kap 2,1 ***b*** 3. Mose 18,12 **6,21** ***a*** 4. Mose 16,1 **6,22** ***a*** 3. Mose 10,4 **6,23** ***a*** Kap 28,1 **6,25** ***a*** 4. Mose 25,7 **6,26** ***a*** Vers 13 **6,30** ***a*** Vers 12 **7,1** ***a*** Kap 4,16 **7,3** ***a*** Kap 4,21 **7,5** ***a*** Vers 17; Kap 8,18; 9,29; 1. Sam 17,46; 1. Kön 20,28; 2. Kön 19,19; Hes 29,6 **7,9** ***a*** Kap 4,3 **7,11** ***a*** Vers 22; Kap 8,3; 1. Mose 41,8; 2. Tim 3,8 **7,13** ***a*** Kap 4,21 **7,16** ***a*** Kap 5,1

es soll [a]in Blut verwandelt werden. 18 Die
Fische im Strom werden sterben, und der
Strom wird stinken. Und die Ägypter
wird es ekeln, das Wasser aus dem Nil zu
trinken.
19 Und der HERR sprach zu Mose: Sage
Aaron: Nimm deinen Stab und [a]recke
deine Hand aus über die Wasser in Ägyp-
ten, über ihre Ströme und Kanäle und
Sümpfe und über alle Wasserstellen, dass
sie zu Blut werden, und es sei Blut in ganz
Ägyptenland, selbst in den hölzernen und
steinernen Gefäßen. 20 Mose und Aaron
taten, wie ihnen der HERR geboten hatte.
Da hob er den Stab und schlug ins Wasser,
das im Nil war, vor dem Pharao und sei-
nen Großen. Und alles Wasser im Strom
wurde in Blut verwandelt. 21 Und die Fi-
sche im Strom starben und der Strom
wurde stinkend, sodass die Ägypter das
Wasser aus dem Nil nicht trinken konn-
ten; und es war Blut in ganz Ägyptenland.
22 Und die [a]ägyptischen Zauberer taten
ebenso mit ihren Künsten. So wurde das
Herz des Pharao verstockt, und er hörte
nicht auf Mose und Aaron, wie der HERR
gesagt hatte.
23 Und der Pharao wandte sich und ging
heim und nahm sich auch dies nicht zu
Herzen. 24 Aber alle Ägypter gruben am
Nil entlang nach Wasser zum Trinken,
denn das Wasser aus dem Strom konnten
sie nicht trinken. 25 Und das währte sieben
Tage lang, nachdem der HERR den Strom
geschlagen hatte.

DIE ZWEITE PLAGE: FRÖSCHE

26 Da sprach der HERR zu Mose: Geh
hinein zum Pharao und sage zu ihm: So
spricht der HERR: [a]Lass mein Volk zie-
hen, dass es mir diene! 27 Wenn du dich
aber weigerst, siehe, so will ich dein gan-
zes Gebiet mit Fröschen plagen, 28 dass
der Nil von Fröschen wimmeln soll. Die
sollen heraufkriechen und in dein Haus
kommen, in deine Schlafkammer, auf
dein Bett, auch in die Häuser deiner Gro-
ßen und deines Volks, in deine Backöfen
und in deine Backtröge; 29 ja, die Frösche
sollen auf dich selbst und auf dein Volk
und auf alle deine Großen kriechen.
8 Und der HERR sprach zu Mose: Sage
Aaron: Recke deine Hand aus mit dei-
nem Stabe über die Ströme, Kanäle und
Sümpfe und lass Frösche über Ägypten-
land kommen. 2 Und Aaron reckte seine
Hand aus über die Wasser in Ägypten,
und es kamen Frösche herauf und bedeck-
ten Ägyptenland. 3 Da taten die [a]Zauberer
ebenso mit ihren Künsten und ließen Frö-
sche über Ägyptenland kommen.
4 Da ließ der Pharao Mose und Aaron
rufen und sprach: [a]Bittet den HERRN für
mich, dass er die Frösche von mir und von
meinem Volk nehme, so will ich das Volk
ziehen lassen, dass es dem HERRN op-
fere. 5 Mose sprach: Bestimme über mich
in deiner Majestät, wann ich für dich, für
deine Großen und für dein Volk bitten
soll, dass bei dir und in deinem Haus die
Frösche vertilgt werden und allein im Nil
bleiben. 6 Er sprach: Morgen. Mose ant-
wortete: Ganz wie du gesagt hast; auf
dass du erfahrest, dass [a]niemand ist wie
der HERR, unser Gott. 7 Die Frösche sollen
von dir, von deinem Hause, von deinen
Großen und von deinem Volk weichen
und allein im Nil übrig bleiben.
8 So gingen Mose und Aaron vom Pha-
rao. Und Mose schrie zu dem HERRN we-
gen der Frösche, die er über den Pharao ge-
bracht hatte. 9 Und der HERR tat, wie Mose
gesagt hatte, und die Frösche starben in
den Häusern, in den Höfen und auf dem
Felde. 10 Und man häufte sie zusammen,
hier einen Haufen und da einen Haufen,
und das Land stank davon. 11 Als aber der
Pharao merkte, dass er Luft gekriegt hatte,
[a]verhärtete er sein Herz und hörte nicht
auf sie, wie der HERR gesagt hatte.

DIE DRITTE PLAGE: STECHMÜCKEN

12 Und der HERR sprach zu Mose: Sage
Aaron: Strecke deinen Stab aus und schlag
in den Staub der Erde, dass er zu Stech-
mücken werde in ganz Ägyptenland. 13 Sie
taten so, und Aaron reckte seine Hand aus
mit seinem Stabe und schlug in den Staub
auf der Erde. Und es kamen Mücken und
setzten sich an die Menschen und an das
Vieh; aller Staub der Erde ward zu Mücken
in ganz Ägyptenland. 14 Die [a]Zauberer ta-

7,17 *a* Kap 4,9 **7,19** *a* Offb 11,6 **7,22** *a* Vers 11
7,26 *a* Kap 5,1 **8,3** *a* Kap 7,11 **8,4** *a* Vers 24; Kap 9,28;
10,17 **8,6** *a* Kap 9,14; 15,11; 5. Mose 33,26; 2. Sam 7,22;
Jer 10,6 **8,11** *a* Kap 4,21 **8,14** *a* Kap 7,11

ten ebenso mit ihren Künsten, um Mü-
cken hervorzubringen; aber sie konnten es
nicht. Und die Mücken waren sowohl an
den Menschen als am Vieh. 15 Da sprachen
die Zauberer zum Pharao: Das ist [a]Gottes
Finger. Aber das Herz des Pharao wurde
verstockt, und er hörte nicht auf sie, wie
der HERR gesagt hatte.

DIE VIERTE PLAGE: UNGEZIEFER

16 Und der HERR sprach zu Mose: Mach
dich morgen früh auf und tritt vor den
Pharao, wenn er hinaus ans Wasser geht,
und sage zu ihm: So spricht der HERR:
[a]Lass mein Volk ziehen, dass es mir diene;
17 wenn nicht, siehe, so will ich Ungeziefer
kommen lassen über dich, deine Großen,
dein Volk und dein Haus, dass die Häu-
ser der Ägypter und das Land, auf dem sie
wohnen, voller Ungeziefer werden sollen.
18 An dem Lande Goschen aber, wo sich
mein Volk aufhält, will ich an dem Tage et-
was Besonderes tun, dass dort kein Unge-
ziefer sei, damit du innewirst, dass [a]ich der
HERR bin, inmitten dieses Landes, 19 und
ich will einen Unterschied machen zwi-
schen meinem und deinem Volk. Morgen
schon soll das Zeichen geschehen. 20 Und
der HERR tat so, und es kam viel Ungezie-
fer in das Haus des Pharao, in die Häuser
seiner Großen und über ganz Ägypten-
land, und das Land wurde verheert von
dem Ungeziefer.

21 Da ließ der Pharao Mose und Aaron
rufen und sprach: Geht hin, opfert eurem
Gott hier im Lande. 22 Mose sprach: Das
geht nicht an, denn was wir dem HERRN,
unserm Gott, opfern, ist [a]den Ägyptern
ein Gräuel. Siehe, wenn wir vor ihren Au-
gen opfern, was ihnen ein Gräuel ist, wer-
den sie uns dann nicht steinigen? 23 [a]Drei
Tagereisen weit wollen wir in die Wüste
ziehen und dem HERRN, unserm Gott,
opfern, wie er uns gesagt hat.

24 Der Pharao sprach: [a]Ich will euch zie-
hen lassen, dass ihr dem HERRN, eurem
Gott, opfert in der Wüste. Nur zieht
nicht zu weit und bittet für mich! 25 Mose
sprach: Siehe, wenn ich jetzt von dir hin-
ausgegangen bin, so will ich den HERRN
bitten, dass das Ungeziefer morgen vom
Pharao und seinen Großen und seinem
Volk weiche; nur täusche uns nicht aber-
mals, dass du das Volk nicht ziehen lässt,
dem HERRN zu opfern.

26 Und Mose ging hinaus vom Pharao
und [a]bat den HERRN. 27 Und der HERR tat,
wie Mose gesagt hatte, und schaffte das
Ungeziefer weg vom Pharao, von seinen
Großen und von seinem Volk, sodass auch
nicht eines übrig blieb. 28 Aber der Pharao
[a]verhärtete sein Herz auch diesmal und
ließ das Volk nicht ziehen.

DIE FÜNFTE PLAGE: VIEHPEST

9 Da sprach der HERR zu Mose: Geh hin-
ein zum Pharao und sage zu ihm: So
spricht der HERR, der Gott der Hebräer:
[a]Lass mein Volk ziehen, dass sie mir die-
nen! 2 Wenn du dich [a]weigerst und sie
weiter aufhältst, 3 siehe, so wird [a]die Hand
des HERRN kommen über dein Vieh auf
dem Felde, über die Pferde, Esel, Kamele,
Rinder und Schafe, eine sehr schwere Pest.
4 Aber der HERR wird einen Unterschied
machen zwischen dem Vieh Israels und
Ägyptens, dass nichts sterbe von allem,
was die Israeliten haben.[a] 5 Und der HERR
bestimmte eine Zeit und sprach: Morgen
wird der HERR solches an dem Lande tun.
6 Und der HERR tat es am andern Morgen;
da starb alles Vieh der Ägypter, aber von
dem Vieh der Israeliten starb nicht eins.
7 Und der Pharao sandte hin, und siehe,
es war von dem Vieh Israels nicht eins
gestorben. Aber das [a]Herz des Pharao
wurde verstockt, und er ließ das Volk nicht
ziehen.

DIE SECHSTE PLAGE: BLATTERN

8 Da sprach der HERR zu Mose und Aaron:
Füllt eure Hände mit Ruß aus dem Ofen,
und Mose werfe ihn vor dem Pharao gen
Himmel, 9 dass er über ganz Ägypten-
land staube und böse Blattern aufbrechen
an den Menschen und am Vieh in ganz
Ägyptenland.[a] 10 Und sie nahmen Ruß aus
dem Ofen und traten vor den Pharao, und
Mose warf den Ruß gen Himmel. Da bra-
chen auf [a]böse Blattern an den Menschen

8,15 *a* Ps 64,10; 72,18; Lk 11,20 **8,16** *a* Kap 5,1
8,18 *a* Kap 7,5 **8,22** *a* 1. Mose 43,32; 46,34
8,23 *a* Kap 3,18 **8,24** *a* Vers 4 **8,26** *a* Vers 8
8,28 *a* Kap 4,21 **9,1** *a* Kap 5,1 **9,2** *a* Jes 1,20
9,3 *a* Kap 3,20 **9,4** *a* Kap 8,18 **9,7** *a* Kap 4,21
9,9 *a* 5. Mose 28,27 **9,10** *a* Offb 16,2

und am Vieh. 11 Auch die Zauberer konn-
ten nicht vor Mose treten wegen der bö-
sen Blattern; denn es waren an den Zau-
berern ebenso böse Blattern wie an allen
Ägyptern. 12 Aber der HERR [a]verstockte
das Herz des Pharao, dass er nicht auf sie
hörte, wie denn der HERR zu Mose gesagt
hatte.

DIE SIEBENTE PLAGE: HAGEL

13 Da sprach der HERR zu Mose: Mach dich
morgen früh auf und tritt vor den Pharao
und sage zu ihm: So spricht der HERR, der
Gott der Hebräer: [a]Lass mein Volk ziehen,
dass es mir diene; 14 sonst werde ich dies-
mal alle meine Plagen über dich selbst
senden, über deine Großen und über dein
Volk, damit du innewirst, dass [a]meines-
gleichen nicht ist in allen Landen. 15 Denn
ich hätte schon meine Hand ausrecken
und dich und dein Volk mit Pest schla-
gen können, dass du von der Erde vertilgt
würdest. 16 Aber dazu habe ich dich er-
halten, dass meine Kraft an dir erscheine
und mein Name verkündigt werde in allen
Landen.[a] 17 Du stellst dich noch immer wi-
der mein Volk und willst es nicht ziehen
lassen. 18 Siehe, ich will morgen um diese
Zeit einen sehr großen Hagel fallen lassen,
wie er noch nie in Ägypten gewesen ist
von der Zeit an, als es gegründet wurde,
bis heute. 19 Und nun sende hin und ver-
wahre dein Vieh und alles, was du auf dem
Felde hast. Denn alle Menschen und das
Vieh, alles, was auf dem Felde gefunden
und nicht in die Häuser gebracht wird,
muss sterben, wenn der Hagel auf sie fällt.
20 Wer nun von den Großen des Pharao
das Wort des HERRN fürchtete, der ließ
seine Knechte und sein Vieh in die Häu-
ser fliehen. 21 Wessen Herz sich aber nicht
an des HERRN Wort kehrte, der ließ seine
Knechte und sein Vieh auf dem Felde.

22 Da sprach der HERR zu Mose: Recke
deine Hand aus gen Himmel, dass es ha-
gelt über ganz Ägyptenland, über Men-
schen, über Vieh und über alles Gewächs
auf dem Felde in Ägyptenland. 23 Da
streckte Mose seinen Stab gen Himmel,
und der HERR ließ donnern und [a]hageln
und Feuer schoss auf die Erde nieder. So
ließ der HERR Hagel fallen auf Ägypten-
land, 24 und Blitze zuckten dazwischen
und der Hagel war so schwer, wie er noch
nie in ganz Ägyptenland gewesen war,
seitdem die Leute dort wohnen. 25 Und
der Hagel erschlug in ganz Ägyptenland
alles, was auf dem Felde war, Menschen
und Vieh, und zerschlug alles Gewächs
auf dem Felde und zerbrach alle Bäume
auf dem Felde. 26 Nur im Lande Goschen,
wo die Israeliten waren, da hagelte es
nicht.[a]

27 Da schickte der Pharao hin und ließ
Mose und Aaron rufen und sprach zu ih-
nen: Diesmal hab ich mich versündigt; der
HERR ist im Recht, ich aber und mein Volk
sind schuldig. 28 [a]Bittet aber den HERRN,
dass es genug sei mit dem Donnern Got-
tes und dem Hagel, so will ich euch ziehen
lassen, dass ihr nicht länger hierbleiben
müsst. 29 Mose sprach zu ihm: Wenn ich
zur Stadt hinauskomme, will ich meine
Hände ausbreiten zum HERRN, so wird
der Donner aufhören und kein Hagel
mehr fallen, damit du [a]innewirst, dass die
Erde des HERRN ist. 30 Ich weiß aber: Du
und deine Großen, ihr fürchtet euch noch
nicht vor Gott dem HERRN. 31 So wurden
zerschlagen der Flachs und die Gerste,
denn die Gerste stand in Ähren und der
Flachs in Blüte. 32 Aber der Weizen und
der Dinkel wurden nicht zerschlagen,
denn es ist Spätgetreide.

33 So ging nun Mose von dem Pharao zur
Stadt hinaus und breitete seine Hände aus
zum HERRN, und Donner und Hagel hör-
ten auf, und der Regen troff nicht mehr auf
die Erde. 34 Als aber der Pharao sah, dass
Regen, Donner und Hagel aufhörten, ver-
sündigte er sich weiter und verhärtete sein
Herz, er und seine Großen. 35 So wurde
[a]des Pharao Herz verstockt, dass er die Is-
raeliten nicht ziehen ließ, wie der HERR
durch Mose gesagt hatte.

DIE ACHTE PLAGE: HEUSCHRECKEN

10 Da sprach der HERR zu Mose: Geh
hinein zum Pharao; denn ich habe
sein und seiner Großen Herz verhärtet,
auf dass ich diese meine Zeichen unter
ihnen tue 2 und auf dass du verkündigst

9,12 ***a*** Kap 4,21 **9,13** ***a*** Kap 5,1 **9,14** ***a*** Kap 8,6
9,16 ***a*** Kap 14,4; Röm 9,17 **9,23** ***a*** Offb 16,21
9,26 ***a*** Vers 4; Kap 8,18 **9,28** ***a*** Kap 8,4 **9,29** ***a*** Kap 7,5
9,35 ***a*** Kap 4,21

vor den Ohren deiner Kinder und deiner
Kindeskinder, wie ich mit den Ägyptern
verfahren bin und welche Zeichen ich un-
ter ihnen getan habe, damit ihr wisst: [a]Ich
bin der HERR.
3 So gingen Mose und Aaron hinein zum
Pharao und sprachen zu ihm: So spricht
der HERR, der [a]Gott der Hebräer: Wie
lange weigerst du dich, dich vor mir zu
demütigen? Lass mein Volk ziehen, dass
es mir diene! 4 Weigerst du dich aber,
mein Volk ziehen zu lassen, siehe, so will
ich morgen Heuschrecken kommen las-
sen über dein Gebiet, 5 dass sie das Land so
bedecken, dass man von ihm nichts mehr
sehen kann. Und sie sollen fressen, was
euch noch übrig und verschont geblieben
ist von dem Hagel, und sollen alle Bäume
kahl fressen, die wieder sprossen auf dem
Felde; 6 und sie sollen füllen deine Häu-
ser und die Häuser deiner Großen und al-
ler Ägypter, wie es nicht gesehen haben
deine Väter und deiner Väter Väter, seit sie
auf Erden waren bis auf diesen Tag. Und er
wandte sich und ging vom Pharao hinaus.
7 Da sprachen die Großen des Pharao zu
ihm: Wie lange soll dieser Mann uns Ver-
derben bringen? Lass die Leute ziehen,
dass sie dem HERRN, ihrem Gott, dienen.
Erkennst du denn nicht, dass Ägypten
verloren ist? 8 Da wurden Mose und Aaron
wieder vor den Pharao gebracht. Der
sprach zu ihnen: Geht hin und dient dem
HERRN, eurem Gott. Wer von euch soll
aber hinziehen? 9 Mose sprach: Wir wol-
len ziehen mit Jung und Alt, mit Söhnen
und Töchtern, mit Schafen und Rindern;
denn wir haben ein [a]Fest des HERRN. 10 Er
sprach zu ihnen: O ja, der HERR sei mit
euch, so gewiss wie ich euch und eure Kin-
der ziehen lasse! Ihr seht doch selbst, dass
ihr Böses vorhabt! 11 Nein, nur ihr Männer
zieht hin und dient dem HERRN! Denn
das ist es doch, was ihr begehrt habt. Und
man stieß sie hinaus vom Pharao.
12 Da sprach der HERR zu Mose: Re-
cke deine Hand über Ägyptenland, dass
Heuschrecken auf Ägyptenland kom-
men und alles auffressen, was im Lande
wächst, alles, was [a]der Hagel übrig gelas-
sen hat. 13 Mose streckte seinen Stab über
Ägyptenland, und der HERR trieb einen
Ostwind ins Land, den ganzen Tag und
die ganze Nacht. Und am Morgen führte
der Ostwind [a]die Heuschrecken herbei.
14 Und sie kamen über ganz Ägyptenland
und ließen sich nieder überall in Ägypten,
so viele, wie nie zuvor gewesen sind noch
hinfort sein werden. 15 Denn sie bedeck-
ten den Boden des ganzen Landes, und das
Land wurde finster. Und sie fraßen alles,
was im Lande wuchs, und alle Früchte auf
den Bäumen, die der Hagel übrig gelassen
hatte, und ließen nichts Grünes übrig an
den Bäumen und auf dem Felde in ganz
Ägyptenland.
16 Da ließ der Pharao eilends Mose und
Aaron rufen und sprach: [a]Ich habe mich
versündigt an dem HERRN, eurem Gott,
und an euch. 17 Und nun, vergib mir meine
Sünde nur noch diesmal, und [a]bittet den
HERRN, euren Gott, dass er doch die-
sen Tod von mir wegnehme. 18 Und er
ging hinaus vom Pharao und betete zum
HERRN. 19 Da wendete der HERR den
Wind, sodass er sehr stark aus Westen
kam; der hob die Heuschrecken auf und
warf sie ins Schilfmeer, dass nicht eine
übrig blieb in ganz Ägypten. 20 Aber der
HERR [a]verstockte das Herz des Pharao,
dass er die Israeliten nicht ziehen ließ.

DIE NEUNTE PLAGE: FINSTERNIS

21 Da sprach der HERR zu Mose: Recke
deine Hand gen Himmel, dass eine solche
Finsternis werde in Ägyptenland, dass
man sie greifen kann. 22 Und Mose reckte
seine Hand gen Himmel. Da ward eine so
dicke Finsternis in ganz Ägyptenland drei
Tage lang, 23 dass niemand den andern sah
noch weggehen konnte von dem Ort, wo
er gerade war, drei Tage lang. Aber bei al-
len Israeliten war es licht in ihren Woh-
nungen.
24 Da rief der Pharao nach Mose und
sprach: Zieht hin und dient dem HERRN!
Nur eure Schafe und Rinder sollen hier-
bleiben; eure Frauen und [a]Kinder aber
dürfen mit euch ziehen. 25 Mose sprach:
Willst du uns denn Schlachtopfer und
Brandopfer mitgeben, die wir unserm
Gott, dem HERRN, darbringen? 26 Auch

10,2 *a* Kap 6,2-8 **10,3** *a* Kap 5,3 **10,9** *a* Kap 5,1
10,12 *a* Kap 9,32 **10,13** *a* Joel 1,2-12; 2,1-11
10,16 *a* Kap 9,27 **10,17** *a* Kap 8,4 **10,20** *a* Kap 4,21
10,24 *a* Vers 10

unser Vieh soll mit uns gehen – nicht eine
Klaue darf dahintenbleiben –; denn davon
müssen wir nehmen zum Dienst unseres
Gottes, des HERRN. Wir wissen nicht,
womit wir dem HERRN dienen sollen, bis
wir dorthin kommen.
27 Aber der HERR [a]verstockte das Herz
des Pharao, dass er sie nicht ziehen lassen
wollte. 28 Und der Pharao sprach zu ihm:
Geh von mir und hüte dich, dass du mir
nicht mehr vor die Augen kommst; denn
an dem Tage, da du mir vor die Augen
kommst, sollst du sterben. 29 Mose ant-
wortete: Wie du gesagt hast; ich werde dir
nicht mehr vor die Augen kommen.

ANKÜNDIGUNG DER ZEHNTEN PLAGE: TÖTUNG DER ERSTGEBURT

11 Und der HERR sprach zu Mose: Eine
Plage noch will ich über den Pharao
und Ägypten kommen lassen. Dann wird
er euch von hier wegziehen lassen, und
nicht nur das, sondern er wird euch von
hier sogar vertreiben. 2 So sage nun zu
dem Volk, dass ein jeder sich von seinem
Nachbarn und eine jede von ihrer Nach-
barin silberne und goldene Gefäße geben
lasse.[a] 3 Und der HERR verschaffte dem
Volk Gunst bei den Ägyptern, und [a]der
Mann Mose war sehr angesehen in Ägyp-
tenland vor den Großen des Pharao und
vor dem Volk.
4 Und Mose sprach: So spricht der HERR:
Um Mitternacht will ich durch Ägypten
gehen, 5 und [a]alle Erstgeburt in Ägypten-
land soll sterben, vom ersten Sohn des
Pharao an, der auf seinem Thron sitzt,
bis zum ersten Sohn der Magd, die hin-
ter ihrer Mühle hockt, und alle Erstgeburt
unter dem Vieh. 6 Und es wird ein großes
Geschrei sein in ganz Ägyptenland, wie
nie zuvor gewesen ist noch werden wird;
7 aber gegen die Israeliten soll nicht einmal
ein Hund mucken, weder gegen Mensch
noch Vieh, auf dass ihr erkennt, dass der
HERR einen [a]Unterschied macht zwischen
Ägypten und Israel. 8 Dann werden zu mir
herabkommen alle diese deine Großen
und mir zu Füßen fallen und sagen: Zieh
aus, du und alles Volk, das dir nachgeht.
Und daraufhin werde ich ausziehen.
Und Mose ging vom Pharao mit grim-
migem Zorn. 9 Der HERR aber sprach zu
Mose: Der Pharao wird nicht auf euch hö-
ren, auf dass meiner Wunder noch mehr
werden in Ägyptenland. 10 Und Mose und
Aaron haben diese Wunder alle getan vor
dem Pharao; aber der HERR [a]verstockte
ihm das Herz, sodass er die Israeliten nicht
ziehen ließ aus seinem Lande.

EINSETZUNG DES PASSAFESTES

(vgl. 4. Mose 9,1-14; 5. Mose 16,1-8)

12 Der HERR aber sprach zu Mose und
Aaron in Ägyptenland: 2 [a]Dieser Mo-
nat soll bei euch der erste Monat sein, und
von ihm an sollt ihr die Monate des Jahres
zählen. 3 Sagt der ganzen Gemeinde Israel:
Am zehnten Tage dieses Monats nehme
jeder Hausvater ein Lamm, je ein Lamm
für ein Haus. 4 Wenn aber in einem Hause
für ein Lamm zu wenige sind, so nehme
er's mit seinem Nachbarn, der seinem
Hause am nächsten wohnt, bis es so viele
sind, dass sie das Lamm aufessen können.
5 Ihr sollt aber ein solches Lamm nehmen,
[a]an dem kein Fehler ist, ein männliches
Tier, ein Jahr alt. Von den Schafen und
Ziegen sollt ihr's nehmen 6 und sollt es
verwahren bis zum vierzehnten Tag des
Monats. Da soll es die ganze Versamm-
lung der Gemeinde Israel schlachten ge-
gen Abend.
7 Und sie sollen von seinem Blut neh-
men und beide Pfosten an der Tür und
den Türsturz damit bestreichen an den
Häusern, in denen sie's essen,[a] 8 und sol-
len das Fleisch essen in derselben Nacht,
am Feuer gebraten, und ungesäuertes Brot
dazu und sollen es mit bitteren Kräutern
essen. 9 Ihr sollt es weder roh essen noch
mit Wasser gekocht, sondern am Feuer ge-
braten mit Kopf, Schenkeln und inneren
Teilen.[a] 10 Und ihr sollt nichts davon übrig
lassen bis zum Morgen; wenn aber etwas
übrig bleibt bis zum Morgen, sollt ihr's mit
Feuer verbrennen.
11 So sollt ihr's aber essen: Um eure Len-
den sollt ihr gegürtet sein und eure Schuhe
an euren Füßen haben und den Stab in der
Hand und sollt es [a]in Eile essen; es ist des
HERRN Passa. 12 Denn ich will in dersel-

10,27 *a* Kap 4,21 **11,2** *a* Kap 3,21-22 **11,3** *a* 4. Mose 12,3
11,5 *a* Kap 4,23 **11,7** *a* Kap 9,4 **11,10** *a* Kap 4,21
12,2 *a* Kap 13,4 **12,5** *a* 3. Mose 22,20 **12,7** *a* Verse 13.22
12,9 *a* 5. Mose 16,7 **12,11** *a* 5. Mose 16,3; Jes 52,12

ben Nacht durch Ägyptenland gehen und alle Erstgeburt schlagen in Ägyptenland unter Mensch und Vieh und will [a]Strafgericht halten über alle Götter der Ägypter. Ich bin der HERR. 13 Dann aber soll [a]das Blut euer Zeichen sein an den Häusern, in denen ihr seid: Wo ich das Blut sehe, will ich an euch vorübergehen, und [b]die Plage soll euch nicht widerfahren, die das Verderben bringt, wenn ich Ägyptenland schlage.

14 Ihr sollt diesen Tag als Gedenktag haben und sollt ihn feiern als ein Fest für den HERRN, ihr und alle eure Nachkommen, als ewige Ordnung. 15 [a]Sieben Tage sollt ihr ungesäuertes Brot essen. Schon am ersten Tag sollt ihr den Sauerteig aus euren Häusern tun. Wer gesäuertes Brot isst, vom ersten Tag an bis zum siebenten, der soll ausgerottet werden aus Israel. 16 Am ersten Tag soll heilige Versammlung sein und am siebenten soll auch heilige Versammlung sein. Keine Arbeit sollt ihr dann tun; nur was jeder zur Speise braucht, das allein dürft ihr euch zubereiten. 17 Haltet das Gebot der ungesäuerten Brote. Denn eben an diesem Tage habe ich eure Scharen aus Ägyptenland geführt; darum sollt ihr diesen Tag halten, ihr und alle eure Nachkommen, als ewige Ordnung. 18 Am vierzehnten Tage des ersten Monats am Abend sollt ihr ungesäuertes Brot essen bis zum Abend des einundzwanzigsten Tages des Monats, 19 sodass man sieben Tage lang keinen Sauerteig finde in euren Häusern. Denn wer gesäuertes Brot isst, der soll ausgerottet werden aus der Gemeinde Israel, sei es ein Fremdling oder ein Einheimischer im Lande. 20 Keinerlei gesäuertes Brot sollt ihr essen, sondern nur ungesäuertes Brot, wo immer ihr wohnt.

21 Und Mose rief alle Ältesten Israels und sprach zu ihnen: Lest Schafe aus und nehmt sie für euch nach euren Geschlechtern und schlachtet das Passa. 22 Und nehmt ein Büschel Ysop und taucht es in [a]das Blut in dem Becken und bestreicht damit den Türsturz und die beiden Pfosten. Und keiner von euch gehe zu seiner Haustür heraus bis zum Morgen. 23 Denn der HERR wird umhergehen und die Ägypter schlagen. Wenn er aber das Blut sehen wird am Türsturz und an den beiden Pfosten, wird er an der Tür vorübergehen und den Verderber nicht in eure Häuser kommen lassen, um euch zu schlagen. 24 Darum so halte diese Ordnung für dich und deine Nachkommen ewiglich.

25 Und wenn ihr in das Land kommt, das euch der HERR geben wird, wie er gesagt hat, so haltet fest an diesem Brauch. 26 Und wenn eure Kinder zu euch sagen werden: Was habt ihr da für einen Brauch?, 27 sollt ihr sagen: Es ist das Passaopfer des HERRN, der an den Israeliten vorüberging in Ägypten, als er die Ägypter schlug und unsere Häuser errettete. Da neigte sich das Volk und betete an. 28 Und die Israeliten gingen hin und taten, wie der HERR es Mose und Aaron geboten hatte.

DER TOD DER ERSTGEBURT

29 Und zur Mitternacht schlug der HERR [a]alle Erstgeburt in Ägyptenland vom ersten Sohn des Pharao an, der auf seinem Thron saß, bis zum ersten Sohn des Gefangenen im Gefängnis und alle Erstgeburt des Viehs. 30 Da stand der Pharao auf in derselben Nacht und alle seine Großen und alle Ägypter, und es ward [a]ein großes Geschrei in Ägypten; denn es war kein Haus, in dem nicht ein Toter war. 31 Und er ließ Mose und Aaron rufen in der Nacht und sprach: Macht euch auf und zieht weg aus meinem Volk, ihr und die Israeliten. Geht hin und dient dem HERRN, wie ihr gesagt habt. 32 Nehmt auch mit euch eure [a]Schafe und Rinder, wie ihr gesagt habt. Geht hin und [b]bittet auch um Segen für mich. 33 Und die Ägypter [a]drängten das Volk und trieben es eilends aus dem Lande; denn sie sprachen: Wir sind alle des Todes.

34 Und das Volk trug den rohen Teig, ehe er durchsäuert war, ihre Backschüsseln in ihre Mäntel gewickelt, auf ihren Schultern. 35 Und die Israeliten hatten getan, wie Mose gesagt hatte, und hatten sich von den Ägyptern [a]silberne und goldene Gefäße und Kleider geben lassen. 36 Dazu

12,12 ***a*** 4. Mose 33,4 **12,13** ***a*** Hebr 11,28 ***b*** Kap 30,12 **12,15** ***a*** *(15-20)* Kap 13,7; 23,15 **12,22** ***a*** Vers 13 **12,29** ***a*** Kap 4,23 **12,30** ***a*** Kap 11,6-7 **12,32** ***a*** Kap 10,26 ***b*** Esra 6,10 **12,33** ***a*** Kap 6,1 **12,35** ***a*** Kap 11,2

hatte der HERR dem Volk [a]Gunst ver-
schafft bei den Ägyptern, dass sie ihnen
willfährig waren, und so nahmen sie es
den Ägyptern weg.

DER AUFBRUCH ISRAELS

37 Also zogen die Israeliten aus von Ram-
ses nach Sukkot, sechshunderttausend
Mann zu Fuß ohne die Frauen und Kinder.
38 Und es zog auch mit ihnen viel fremdes
Volk, dazu Schafe und Rinder, sehr viel
Vieh. 39 Und sie backten aus dem rohen
Teig, den sie aus Ägypten mitbrachten,
ungesäuerte Brote; denn er war nicht ge-
säuert, weil sie aus Ägypten weggetrieben
wurden und sich nicht länger aufhalten
konnten und keine Wegzehrung zuberei-
tet hatten.

40 Die Zeit aber, die die Israeliten in
Ägypten gewohnt haben, ist [a]vierhun-
dertdreißig Jahre. 41 Als diese um waren,
an eben diesem Tage zog das ganze Heer
des HERRN aus Ägyptenland. 42 Eine Nacht
des Wachens war dies für den HERRN, um
sie aus Ägyptenland zu führen; [a]darum
sollen die Israeliten diese Nacht dem
HERRN zu Ehren wachen, sie und ihre
Nachkommen.

ÜBER FREMDE BEIM PASSA

43 Und der HERR sprach zu Mose und
Aaron: Dies ist die Ordnung für das Passa:
Kein Fremder soll davon essen. 44 Ist er ein
[a]gekaufter Sklave, so beschneide man ihn;
dann darf er davon essen. 45 Ist er aber ein
Beisasse oder Tagelöhner, so darf er nicht
davon essen. 46 In einem einzigen Hause
soll man es verzehren; ihr sollt nichts von
seinem Fleisch hinaus vor das Haus tragen
und sollt [a]keinen Knochen an ihm zerbre-
chen. 47 Die ganze Gemeinde Israel soll das
tun.

48 Wenn ein Fremdling bei dir wohnt
und dem HERRN das Passa halten will,
der beschneide alles, was männlich ist; als-
dann trete er herzu, dass er es halte, und
er sei wie ein Einheimischer des Landes.
Aber ein Unbeschnittener darf nicht da-
von essen. 49 Ein und dasselbe Gesetz gelte
für den Einheimischen und den Fremd-
ling, der unter euch wohnt.[a]

50 Und alle Israeliten taten, wie der
HERR es Mose und Aaron geboten hatte.
51 An eben diesem Tage führte der HERR
die Israeliten aus Ägyptenland, Schar um
Schar.

HEILIGUNG DER ERSTGEBURT. DAS FEST DER UNGESÄUERTEN BROTE

13 Und der HERR redete mit Mose und
sprach: 2 Heilige mir alle [a]Erstgeburt
bei den Israeliten; alles, was zuerst den
Mutterschoß durchbricht bei Mensch und
Vieh, das ist mein.

3 Da sprach Mose zum Volk: Gedenkt an
diesen Tag, an dem ihr aus Ägypten, aus
der Knechtschaft, gezogen seid, denn der
HERR hat euch mit mächtiger Hand von
dort herausgeführt; [a]darum soll kein ge-
säuertes Brot gegessen werden. 4 Heute
zieht ihr aus, im Monat Abib.[a] 5 Wenn
dich nun der HERR bringen wird in das
Land der Kanaaniter, Hetiter, Amoriter,
Hiwiter und Jebusiter, das er dir geben
wird, [a]wie er deinen Vätern geschwo-
ren hat, ein Land, darin Milch und Honig
fließt, so sollst du diesen Brauch halten
in diesem Monat. 6 Sieben Tage sollst du
ungesäuertes Brot essen, und am sieben-
ten Tage ist des HERRN Fest.[a] 7 Du sollst
sieben Tage ungesäuertes Brot essen,
dass bei dir [a]weder gesäuertes Brot noch
Sauerteig gesehen werde an allen deinen
Orten. 8 Du sollst deinem Sohn sagen an
demselben Tage: Das halte ich um des-
sentwillen, was mir der HERR getan hat,
als ich aus Ägypten zog. 9 Darum soll es
dir wie ein [a]Zeichen sein auf deiner Hand
und wie ein Merkzeichen zwischen dei-
nen Augen, damit des HERRN Gesetz in
deinem Munde sei; denn der HERR hat
dich mit mächtiger Hand aus Ägypten ge-
führt. 10 Darum halte diese Ordnung Jahr
für Jahr zu ihrer Zeit.

11 Wenn dich nun der HERR ins Land
der Kanaaniter gebracht hat, wie er dir
und deinen Vätern geschworen hat, und
es dir gegeben hat, 12 so sollst du dem
HERRN alles aussondern, was zuerst den

12,36 *a* Kap 3,21 **12,40** *a* 1. Mose 15,13
12,42 *a* Jes 30,29 **12,44** *a* 1. Mose 17,12-13
12,46 *a* Joh 19,36 **12,49** *a* 3. Mose 19,34; 24,22
13,2 *a* Verse 12-13; Kap 22,28; 4. Mose 8,17-18; 18,15; Hes 20,25-26; Lk 2,23 **13,3** *a* Kap 12,33-34
13,4 *a* Kap 12,2 **13,5** *a* 1. Mose 15,18 **13,6** *a* Kap 12,15-16
13,7 *a* 1. Kor 5,8 **13,9** *a* 5. Mose 6,8; 11,18

Mutterschoß durchbricht. [a]Alle männ-
liche Erstgeburt unter deinem Vieh ge-
hört dem HERRN. 13 Die Erstgeburt vom
Esel sollst du auslösen mit einem Schaf;
wenn du sie aber nicht auslöst, so brich
ihr das Genick. Beim Menschen aber sollst
du alle Erstgeburt unter deinen Söhnen
auslösen.

14 [a]Und wenn dich morgen dein Sohn
fragen wird: Was bedeutet das?, sollst
du ihm sagen: Der HERR hat uns mit
mächtiger Hand aus Ägypten, aus der
Knechtschaft, geführt. 15 Denn als der Pha-
rao hartnäckig war und uns nicht ziehen
ließ, erschlug der HERR alle Erstgeburt
in Ägyptenland, von der Erstgeburt des
Menschen bis zur Erstgeburt des Viehs.
Darum opfere ich dem HERRN alles
Männliche, das zuerst den Mutterschoß
durchbricht, aber die Erstgeburt meiner
Söhne löse ich aus. 16 Und das soll dir ein
Zeichen auf deiner Hand sein und ein
Merkzeichen zwischen deinen Augen;
denn der HERR hat uns mit mächtiger
Hand aus Ägypten geführt.

DIE WOLKEN- UND FEUERSÄULE

17 Als nun der Pharao das Volk hatte zie-
hen lassen, führte sie Gott nicht den Weg
durch das Land der Philister, der am nächs-
ten war; denn Gott dachte, es könnte
das Volk gereuen, wenn sie Kämpfe vor
sich sähen, und sie könnten wieder nach
Ägypten umkehren. 18 Darum ließ er das
Volk einen Umweg machen, den Weg
durch die Wüste zum Schilfmeer. Und
die Israeliten zogen wohlgeordnet aus
Ägyptenland. 19 Und Mose nahm mit sich
die [a]Gebeine Josefs; denn dieser hatte den
Söhnen Israels einen Eid abgenommen
und gesprochen: Gott wird sich gewiss
euer annehmen; dann führt meine Ge-
beine von hier mit euch hinauf. 20 So zogen
sie aus von Sukkot und lagerten sich in
Etam am Rande der Wüste.

21 Und der HERR zog vor ihnen her, am
Tage in einer [a]Wolkensäule, um sie den
rechten Weg zu führen, und bei Nacht in
einer Feuersäule, um ihnen zu leuchten,
damit sie Tag und Nacht wandern konn-
ten. 22 Niemals wich die Wolkensäule von
dem Volk bei Tage noch die Feuersäule
bei Nacht.

ISRAELS DURCHZUG DURCHS SCHILFMEER

14 Und der HERR redete mit Mose und
sprach: 2 Rede zu den Israeliten und
sprich, dass sie umkehren und sich lagern
vor Pi-Hahirot zwischen Migdol und dem
Meer, vor Baal-Zefon; diesem gegenüber
sollt ihr euch lagern am Meer. 3 Der Pha-
rao aber wird sagen von den Israeliten: Sie
haben sich verirrt im Lande; die Wüste hat
sie eingeschlossen. 4 Und ich will [a]sein
Herz verstocken, dass er ihnen nachjage,
und will meine Herrlichkeit erweisen an
dem Pharao und aller seiner Macht, und
die Ägypter sollen innewerden, [b]dass ich
der HERR bin. – Und sie taten so.

5 Als es dem König von Ägypten ange-
sagt wurde, dass das Volk geflohen war,
wurde sein Herz verwandelt und das
Herz seiner Großen gegen das Volk, und
sie sprachen: Warum haben wir das getan
und haben Israel ziehen lassen, sodass sie
uns nicht mehr dienen? 6 Und er spannte
seinen Wagen an und nahm sein Volk mit
sich 7 und nahm sechshundert auserle-
sene Wagen und was sonst an Wagen in
Ägypten war mit Kämpfern auf jedem
Wagen. 8 Und der HERR verstockte das
Herz des Pharao, des Königs von Ägyp-
ten, dass er den Israeliten nachjagte. [a]Aber
die Israeliten waren mit erhobener Hand
ausgezogen. 9 Und die Ägypter jagten ih-
nen nach, alle Rosse und Wagen des Pha-
rao und seine Reiter und das ganze Heer
des Pharao, und holten sie ein, als sie am
Meer bei Pi-Hahirot vor Baal-Zefon lager-
ten.

10 Und als der Pharao nahe herankam,
hoben die Israeliten ihre Augen auf, und
siehe, die Ägypter zogen hinter ihnen her.
Und sie fürchteten sich sehr und schrien
zu dem HERRN 11 und sprachen zu Mose:
Waren nicht Gräber in Ägypten, dass du
uns wegführen musstest, damit wir in
der Wüste sterben? Warum hast du uns
das angetan, dass du uns aus Ägypten ge-
führt hast? 12 Haben wir's dir nicht schon
in Ägypten gesagt: Lass uns in Ruhe, wir
wollen den Ägyptern dienen? Es wäre

13,12 *a* 4. Mose 3,12 **13,14** *a* (14-15) Kap 12,26.29
13,19 *a* 1. Mose 50,25; Jos 24,32 **13,21** *a* Kap 40,36-38;
4. Mose 9,15-23; Ps 78,14; 1. Kor 10,1 **14,4** *a* Kap 4,21
b Hes 28,22 **14,8** *a* Kap 3,19-20

besser für uns, den Ägyptern zu dienen, als in der Wüste zu sterben.

13 Da sprach Mose zum Volk: Fürchtet euch nicht, steht fest und seht zu, was für ein Heil der HERR heute an euch tun wird. Denn wie ihr die Ägypter heute seht, werdet ihr sie niemals wiedersehen. 14 [a]**Der HERR wird für euch streiten, und ihr werdet stille sein.**

15 Und der HERR sprach zu Mose: Was schreist du zu mir? Sage den Israeliten, dass sie weiterziehen. 16 Du aber hebe deinen Stab auf und recke deine Hand über das Meer und teile es mitten durch, dass die Israeliten hineingehen, mitten durch das Meer auf dem Trockenen. 17 Siehe, ich will das Herz der Ägypter verstocken, dass sie hinter ihnen herziehen, und will meine Herrlichkeit erweisen an dem Pharao und aller seiner Macht, an seinen Wagen und Reitern. 18 Und die Ägypter sollen innewerden, dass ich der HERR bin, wenn ich meine Herrlichkeit erweise an dem Pharao und an seinen Wagen und Reitern.

19 Da erhob sich der [a]Engel Gottes, der vor dem Heer Israels herzog, und stellte sich hinter sie. [b]Und die Wolkensäule vor ihnen erhob sich und trat hinter sie 20 und kam zwischen das Heer der Ägypter und das Heer Israels. Und dort war die Wolke finster und [a]hier erleuchtete sie die Nacht, und so kamen die Heere die ganze Nacht einander nicht näher. 21 Als nun Mose seine Hand über das Meer reckte, ließ es der HERR zurückweichen durch einen starken Ostwind die ganze Nacht und machte das Meer trocken, und die Wasser teilten sich. 22 Und die Israeliten gingen hinein mitten ins Meer auf dem Trockenen, und das Wasser war ihnen eine Mauer zur Rechten und zur Linken.[a] 23 Und die Ägypter folgten und zogen hinein ihnen nach, alle Rosse des Pharao, seine Wagen und Reiter, mitten ins Meer.

24 Als nun die Zeit der Morgenwache kam, schaute der HERR auf das Heer der Ägypter aus der Feuersäule und der Wolke und brachte einen Schrecken über ihr Heer 25 und hemmte die Räder ihrer Wagen und machte, dass sie nur schwer vorwärtskamen. Da sprachen die Ägypter: Lasst uns fliehen vor Israel; der HERR [a]streitet für sie wider Ägypten.

26 Aber der HERR sprach zu Mose: Recke deine Hand aus über das Meer, dass das Wasser wiederkomme und herfalle über die Ägypter, über ihre Wagen und Reiter. 27 Da reckte Mose seine Hand aus über das Meer, und das Meer kam gegen Morgen wieder in sein Bett, und die Ägypter flohen ihm entgegen. So stürzte der HERR sie mitten ins Meer. 28 Und das Wasser kam wieder und bedeckte Wagen und Reiter, das ganze Heer des Pharao, das ihnen nachgefolgt war ins Meer, sodass nicht einer von ihnen übrig blieb. 29 Aber die Israeliten gingen trocken mitten durchs Meer, und das Wasser war ihnen eine Mauer zur Rechten und zur Linken.

30 So errettete der HERR an jenem Tage Israel aus der Ägypter Hand. Und sie sahen die Ägypter tot am Ufer des Meeres liegen. 31 So sah Israel die mächtige Hand, mit der der HERR an den Ägyptern gehandelt hatte. Und das Volk fürchtete den HERRN, und sie glaubten ihm und [a]seinem Knecht Mose.

ISRAELS LOBGESANG

15 Damals sangen Mose und die Israeliten [a]dies Lied dem HERRN und sprachen:

Ich will dem HERRN singen,
denn er ist hoch erhaben;
Ross und Reiter hat er ins Meer
gestürzt.
2 Der [a]HERR ist meine Stärke
und mein Lobgesang
und ist mein Heil.
Das ist mein Gott, ich will ihn preisen,
er ist meines Vaters Gott,
ich will ihn erheben.

3 Der HERR ist der rechte [a]Kriegsmann,
[b]HERR ist sein Name.
4 Des Pharao Wagen und seine Macht
warf er ins Meer,
seine auserwählten Streiter
versanken im Schilfmeer.

14,14 *a* 5. Mose 1,30; 2. Chr 20,15.29; Jes 51,9
14,19 *a* 1. Mose 16,7 *b* Kap 13,21 **14,20** *a* Ps 105,39
14,22 *a* Jos 4,23; 2. Kön 2,8; Jes 11,15-16; 1. Kor 10,1; Hebr 11,29 **14,25** *a* Vers 14 **14,31** *a* Kap 19,9; 2. Chr 20,20 **15,1** *a* Offb 15,3 **15,2** *a* Ps 118,14; Jes 12,2
15,3 *a* Kap 14,14; Ps 46,10 *b* Kap 3,15

5 Fluten haben sie bedeckt,
sie sanken in die Tiefe wie Steine.[a]
6 HERR, deine rechte Hand,
herrlich an Kraft,
deine rechte Hand, HERR,
zerschlägt den Feind.[a]
7 Und mit deiner großen Herrlichkeit
hast du deine Widersacher gestürzt;
denn als du deinen Grimm
ausließest, verzehrte er sie
wie Stoppeln.
8 Durch dein Schnauben türmten
die Wasser sich auf,
die Fluten standen wie ein [a]Wall;
die Tiefen erstarrten
mitten im Meer.[b]
9 Der Feind gedachte:
Ich will nachjagen und ergreifen
und den Raub austeilen und meinen
Mut an ihnen kühlen.
Ich will mein Schwert ziehen,
und meine Hand soll sie verderben.
10 Da ließest du deinen Wind blasen,
und das Meer bedeckte sie,
und sie sanken unter wie Blei
im mächtigen Wasser.

11 HERR, [a]wer ist dir gleich
unter den Göttern?
Wer ist dir gleich,
der so herrlich und heilig ist,
schrecklich, löblich und wundertätig?
12 Als du deine rechte Hand ausrecktest,
verschlang sie die Erde.
13 Du hast geleitet durch deine
Barmherzigkeit
dein Volk, das du erlöst hast,
und hast sie geführt durch deine Stärke
zu deiner heiligen Wohnung.
14 Als das die Völker hörten,
[a]erbebten sie;
Angst kam die Philister an.
15 Da erschraken die Fürsten Edoms,
Zittern kam die Gewaltigen Moabs
an, alle Bewohner Kanaans
wurden feig.
16 Es fiel auf sie Erschrecken und Furcht;
vor deinem mächtigen Arm
erstarrten sie wie die Steine,
bis dein Volk, HERR, hindurchzog,
bis das Volk hindurchzog,
das du erworben hast.
17 Du brachtest sie hinein
und pflanztest sie ein
auf dem [a]Berge deines Erbteils,
den du, HERR, dir zur Wohnung
gemacht hast,
zu deinem Heiligtum, Herr,
das deine Hand bereitet hat.
18 Der HERR wird König sein
immer und ewig.[a]

19 Denn der Pharao zog hinein ins Meer
mit Rossen und Wagen und Reitern. Und
der HERR ließ das Meer wieder über sie
kommen. Aber die Israeliten gingen tro-
cken mitten durchs Meer.[a]
20 Da nahm Mirjam, die Prophetin,
Aarons Schwester, eine [a]Pauke in ihre
Hand, und alle Frauen folgten ihr nach
mit Pauken im Reigen. 21 Und Mirjam sang
ihnen vor: Lasst uns dem HERRN singen,
denn er ist hoch erhaben; Ross und Reiter
hat er ins Meer gestürzt.

ISRAEL IN MARA UND ELIM

22 Da ließ Mose Israel vom Schilfmeer auf-
brechen, und sie zogen zur Wüste [a]Schur.
Und sie wanderten drei Tage in der Wüste
und fanden kein Wasser. 23 Da kamen sie
nach Mara; aber sie konnten das Was-
ser von Mara nicht trinken, denn es war
sehr bitter. Daher nannte man den Ort
Mara. 24 Da [a]murrte das Volk wider Mose
und sprach: Was sollen wir trinken? 25 Er
schrie zu dem HERRN, und der HERR
zeigte ihm ein Holz; das warf er ins Was-
ser, da wurde es süß.

Dort gab er ihnen Gesetz und Recht und
[a]versuchte sie 26 und sprach: Wirst du der
Stimme des HERRN, deines Gottes, ge-
horchen und tun, was recht ist vor ihm,
und merken auf seine Gebote und halten
alle seine Gesetze, so will ich dir keine
der [a]Krankheiten auferlegen, die ich den
Ägyptern auferlegt habe; denn **ich bin
der HERR, dein [b]Arzt.**

27 Und sie kamen nach Elim; da waren
zwölf Wasserquellen und siebzig Palm-

15,5 ***a*** 1. Mose 1,2; 7,11 **15,6** ***a*** Ps 118,15-16 **15,8** ***a*** Jos 3,13; Ps 78,13 ***b*** Jes 51,10 **15,11** ***a*** Kap 8,6; 18,11; Ps 86,8 **15,14** ***a*** Jos 2,9-11 **15,17** ***a*** Ps 78,54 **15,18** ***a*** Ps 93,1 **15,19** ***a*** Kap 14,22-29 **15,20** ***a*** Ps 68,26 **15,22** ***a*** 1. Mose 20,1 **15,24** ***a*** Kap 16,2 **15,25** ***a*** Kap 16,4; 1. Mose 22,1 **15,26** ***a*** 5. Mose 7,15 ***b*** 1. Mose 20,17; 5. Mose 32,39; Ps 30,3; Jes 57,18

bäume. Und sie lagerten sich dort am
Wasser.

SPEISUNG MIT WACHTELN UND MANNA

16 Von Elim brachen sie auf, und die
ganze Gemeinde der Israeliten kam
in die Wüste Sin, die zwischen Elim und
Sinai liegt, am fünfzehnten Tage des zwei-
ten Monats, nachdem sie von Ägypten
ausgezogen waren.
2 Und es murrte die ganze Gemeinde
der Israeliten wider Mose und Aaron in
der Wüste.[a] 3 Und die Israeliten sprachen:
[a]Wollte Gott, wir wären in Ägypten ge-
storben durch des HERRN Hand, als wir
bei den Fleischtöpfen saßen und hatten
Brot die Fülle zu essen. Denn ihr habt uns
dazu herausgeführt in diese Wüste, dass
ihr diese ganze Gemeinde an Hunger ster-
ben lasst.
4 Da sprach der HERR zu Mose: Siehe,
ich will euch [a]Brot vom Himmel regnen
lassen, und das Volk soll hinausgehen und
täglich sammeln, was es für den Tag be-
darf, dass ich's [b]prüfe, ob es in meinem
Gesetz wandle oder nicht. 5 Am sechsten
Tage aber wird's geschehen, wenn sie zu-
bereiten, was sie einbringen, dass es dop-
pelt so viel sein wird, wie sie sonst täglich
sammeln.
6 Mose und Aaron sprachen zu ganz Is-
rael: Am Abend sollt ihr innewerden,
dass euch der HERR aus Ägyptenland ge-
führt hat, 7 und am Morgen werdet ihr des
HERRN Herrlichkeit sehen, denn er hat
euer Murren wider den HERRN gehört.
Was sind wir, dass ihr wider uns murrt?
8 Weiter sprach Mose: Der HERR wird
euch am Abend Fleisch zu essen geben
und am Morgen Brot die Fülle, weil der
HERR euer Murren gehört hat, womit ihr
wider ihn gemurrt habt. Denn was sind
wir? Euer Murren ist nicht wider uns, son-
dern wider den HERRN.
9 Und Mose sprach zu Aaron: Sage der
ganzen Gemeinde der Israeliten: Kommt
herbei vor den HERRN, denn er hat euer
Murren gehört. 10 Und als Aaron noch re-
dete zu der ganzen Gemeinde der Isra-
eliten, wandten sie sich zur Wüste hin,
und siehe, die [a]Herrlichkeit des HERRN
erschien in der Wolke. 11 Und der HERR
sprach zu Mose: 12 Ich habe das Murren
der Israeliten gehört. Sage ihnen: Gegen
Abend sollt ihr Fleisch zu essen haben
und am Morgen von Brot satt werden und
sollt innewerden, dass ich, der HERR, euer
Gott bin.
13 Und am Abend kamen [a]Wachteln
herauf und bedeckten das Lager. Und am
Morgen lag Tau rings um das Lager. 14 Und
als der Tau weg war, siehe, da lag's in der
Wüste rund und klein wie Reif auf der
Erde. 15 Und als es die Israeliten sahen,
sprachen sie untereinander: Man hu?*
Denn sie wussten nicht, was es war. Mose
aber sprach zu ihnen: Es ist [a]das Brot, das
euch der HERR zu essen gegeben hat.
16 Das ist's aber, was der HERR geboten
hat: Ein jeder sammle, soviel er zum Essen
braucht, einen Krug voll für jeden nach der
Zahl der Leute in seinem Zelte.
17 Und die Israeliten taten's und sammel-
ten, einer viel, der andere wenig. 18 Aber als
man's nachmaß, [a]hatte der nicht darüber,
der viel gesammelt hatte, und der nicht
darunter, der wenig gesammelt hatte. Je-
der hatte gesammelt, soviel er zum Essen
brauchte. 19 Und Mose sprach zu ihnen:
Niemand lasse etwas davon übrig bis zum
nächsten Morgen.[a] 20 Aber sie gehorchten
Mose nicht. Und etliche ließen davon üb-
rig bis zum nächsten Morgen; da wurde es
voller Würmer und stinkend. Und Mose
wurde zornig auf sie. 21 Sie sammelten
aber alle Morgen, soviel ein jeder zum Es-
sen brauchte. Wenn aber die Sonne heiß
schien, zerschmolz es.
22 Und am sechsten Tage sammelten sie
doppelt so viel Brot, je zwei Krüge voll für
einen. Und alle Vorsteher der Gemeinde
kamen hin und verkündeten's Mose.
23 Und er sprach zu ihnen: Das ist's, was
der HERR gesagt hat: Morgen ist Ruhe-
tag, heiliger [a]Sabbat für den HERRN. Was
ihr backen wollt, das backt, und was ihr
kochen wollt, das kocht; was aber übrig
ist, das legt beiseite, dass es aufgehoben
werde bis zum nächsten Morgen. 24 Und

* **16,15** »Man hu?« bedeutet »Was ist das?«

16,2 *a* Kap 17,2-3 **16,3** *a* Kap 14,11 **16,4** *a* Vers 15 *b* Kap 15,25; 1. Mose 22,1 **16,10** *a* Kap 40,34; 4. Mose 12,5; 14,10; 16,19 **16,13** *a* 4. Mose 11,31 **16,15** *a* Vers 4; 5. Mose 8,3; Joh 6,31; 1. Kor 10,3 **16,18** *a* 2. Kor 8,15 **16,19** *a* Vers 4; Mt 6,34; Lk 11,3 **16,23** *a* 1. Mose 2,2-3

sie legten's beiseite bis zum nächsten Mor-
gen, wie Mose geboten hatte. Da wurde es
nicht stinkend und war auch kein Wurm
darin. 25 Da sprach Mose: Esst dies heute,
denn heute ist der Sabbat des HERRN; ihr
werdet heute nichts finden auf dem Felde.
26 Sechs Tage sollt ihr sammeln; aber der
siebente Tag ist der Sabbat, an dem wird
nichts da sein.

27 Aber am siebenten Tage gingen etliche
vom Volk hinaus, um zu sammeln, und
fanden nichts. 28 Da sprach der HERR zu
Mose: Wie lange weigert ihr euch, meine
Gebote und Weisungen zu halten? 29 Se-
het, der HERR hat euch den Sabbat gege-
ben; darum gibt er euch am sechsten Tage
für zwei Tage Brot. So bleibe nun ein je-
der, wo er ist, und niemand verlasse sei-
nen Wohnplatz am siebenten Tage. 30 Also
ruhte das Volk am siebenten Tage.

31 Und das Haus Israel nannte es Manna.
Und es war wie weißer Koriandersamen
und hatte einen Geschmack wie Semmel
mit Honig. 32 Und Mose sprach: Das ist's,
was der HERR geboten hat: Fülle einen
Krug davon, um es aufzubewahren für
eure Nachkommen, auf dass man sehe
das Brot, mit dem ich euch gespeist habe
in der Wüste, als ich euch aus Ägypten-
land führte. 33 Und Mose sprach zu Aaron:
Nimm ein [a]Gefäß und tu Manna hinein,
einen Krug voll, und stelle es hin vor den
HERRN, dass es aufbewahrt werde für
eure Nachkommen.

34 Wie der HERR es Mose geboten hatte,
so stellte Aaron das Gefäß vor die Lade des
[a]Zeugnisses, damit es aufbewahrt werde.
35 Und die Israeliten aßen Manna vierzig
Jahre lang, bis sie in bewohntes Land ka-
men; bis an die Grenze des Landes Kanaan
aßen sie Manna.[a] 36 Ein Krug aber ist der
zehnte Teil eines Scheffels.

ISRAEL IN MASSA UND MERIBA

17 Und die ganze Gemeinde der Israeli-
ten zog aus der Wüste Sin weiter ihre
Tagereisen, wie ihnen der HERR befahl,
und sie lagerten sich in Refidim. Da hatte
das Volk kein Wasser zu trinken.[a] 2 Und sie
haderten mit Mose und sprachen: Gib uns
Wasser, dass wir trinken. Mose sprach zu
ihnen: Was hadert ihr mit mir? Warum
[a]versucht ihr den HERRN? 3 Als aber dort
das Volk nach Wasser dürstete, [a]murrten
sie wider Mose und sprachen: Warum hast
du uns aus Ägypten ziehen lassen, dass
du uns, unsere Kinder und unser Vieh vor
Durst sterben lässt? 4 Mose schrie zum
HERRN und sprach: Was soll ich mit dem
Volk tun? Es fehlt nicht viel, so werden sie
mich noch [a]steinigen.

5 Der HERR sprach zu ihm: Geh vor
dem Volk her und nimm einige von den
Ältesten Israels mit dir und nimm dei-
nen Stab in deine Hand, mit dem du [a]den
Nil schlugst, und geh hin. 6 Siehe, ich will
dort vor dir stehen auf dem Fels am Ho-
reb. Da sollst du [a]an den Fels schlagen, so
wird Wasser herauslaufen, dass das [b]Volk
trinke. Und Mose tat so vor den Augen der
Ältesten von Israel. 7 Da nannte er den Ort
[a]Massa und Meriba, weil die Israeliten dort
gehadert und den HERRN versucht und
gesagt hatten: [b]Ist der HERR unter uns
oder nicht?

SIEG ÜBER DIE AMALEKITER

8 Da kam [a]Amalek und kämpfte gegen Is-
rael in Refidim. 9 Da sprach Mose zu [a]Jo-
sua: Erwähle uns Männer, zieh aus und
kämpfe gegen Amalek. Morgen will ich
oben auf dem Hügel stehen mit dem Stab
Gottes in meiner Hand. 10 Und Josua tat,
wie Mose ihm sagte, und kämpfte gegen
Amalek. Mose aber und [a]Aaron und Hur
gingen auf die Höhe des Hügels. 11 Und
wenn Mose seine Hand emporhielt, siegte
Israel; wenn er aber seine Hand sinken
ließ, siegte Amalek. 12 Aber Mose wur-
den die Hände schwer; darum nahmen
sie einen Stein und legten ihn hin, dass
er sich daraufsetzte. Aaron aber und Hur
stützten ihm die Hände, auf jeder Seite
einer. So blieben seine Hände erhoben, bis
die Sonne unterging. 13 Und Josua über-
wältigte Amalek und sein Volk durch des
Schwertes Schärfe.

14 Und der HERR sprach zu Mose:
Schreibe dies zum Gedächtnis in ein Buch

16,33 *a* Hebr 9,4 **16,34** *a* Kap 25,16; 4. Mose 17,25
16,35 *a* Jos 5,12 **17,1** *a* 4. Mose 33,12-14
17,2 *a* 5. Mose 6,16 **17,3** *a* Kap 15,24; 16,2;
4. Mose 14,2-4; 17,6-28 **17,4** *a* 4. Mose 14,10
17,5 *a* Kap 7,20 **17,6** *a* 4. Mose 20,11 *b* 1. Kor 10,4
17,7 *a* Ps 95,8-9 *b* Mi 3,11 **17,8** *a* 1. Mose 36,12.16
17,9 *a* 4. Mose 13,8.16 **17,10** *a* Kap 24,14

und präge es Josua ein; denn ich will die
Erinnerung an Amalek unter dem Him-
mel austilgen.[a] 15 Und Mose baute einen
Altar und nannte ihn: Der HERR mein
Feldzeichen. 16 Und er sprach: Die Hand
an den [a]Thron des HERRN! Der HERR
führt Krieg gegen Amalek von Kind zu
Kindeskind.

JITROS BESUCH BEI MOSE

18 Und [a]Jitro, der Priester in Midian, Mo-
ses Schwiegervater, hörte alles, was
Gott an Mose und seinem Volk Israel getan
hatte, dass der HERR Israel aus Ägypten
geführt hatte. 2 Da nahm er mit sich [a]Zip-
pora, die Frau des Mose, die er zurückge-
sandt hatte, 3 samt ihren beiden Söhnen;
von denen hieß einer [a]Gerschom, denn
Mose sprach: Ich bin ein Gast geworden in
fremdem Lande, 4 und der andere [a]Eliëser,
denn er sprach: Der Gott meines Vaters ist
meine Hilfe gewesen und hat mich erret-
tet vor dem Schwert des Pharao.
5 Als nun Jitro, Moses Schwiegervater,
und seine Söhne und seine Frau zu ihm
in die Wüste kamen, an den Berg Gottes,
wo er sich gelagert hatte, 6 ließ er Mose sa-
gen: Ich, Jitro, dein Schwiegervater, bin
zu dir gekommen und deine Frau und
ihre beiden Söhne mit ihr. 7 Da ging Mose
hinaus ihm entgegen und fiel vor ihm nie-
der und küsste ihn. Und als sie einander
gegrüßt hatten, gingen sie in das Zelt.
8 Da erzählte Mose seinem Schwieger-
vater alles, was der HERR um Israels wil-
len dem Pharao und den Ägyptern ange-
tan hatte, und alle die Mühsal, die ihnen
auf dem Wege begegnet war, und wie sie
der HERR errettet hatte. 9 Jitro aber freute
sich an all dem Guten, das der HERR an
Israel getan hatte, dass er sie errettet hatte
aus der Ägypter Hand. 10 Und Jitro sprach:
Gelobt sei der HERR, der euch errettet hat
aus der Ägypter und des Pharao Hand, ja,
er hat das Volk aus der Hand Ägyptens
errettet. 11 Nun weiß ich, dass der HERR
größer ist als alle Götter, [a]weil ihr eigener
Hochmut auf sie zurückgefallen ist. 12 Und
Jitro, Moses Schwiegervater, brachte Gott
ein Brandopfer und Schlachtopfer dar. Da
kamen Aaron und alle Ältesten von Israel,
um mit Moses Schwiegervater das Mahl
zu halten vor Gott.[a]

EINSETZUNG VON RICHTERN

13 Am andern Morgen setzte sich Mose, um
dem Volk Recht zu sprechen. Und das Volk
stand um Mose her vom Morgen bis zum
Abend. 14 Als aber sein Schwiegervater al-
les sah, was er mit dem Volk tat, sprach er:
Was tust du denn mit dem Volk? Warum
musst du ganz allein dasitzen, und alles
Volk steht um dich her vom Morgen bis
zum Abend? 15 Mose antwortete seinem
Schwiegervater: Das Volk kommt zu mir,
um Gott zu befragen. 16 Denn wenn sie
einen Streitfall haben, kommen sie zu
mir, damit ich richte zwischen dem einen
und dem andern und tue ihnen kund die
Satzungen Gottes und seine Weisungen.
17 Sein Schwiegervater sprach zu ihm: Es
ist nicht gut, wie du das tust. 18 Du machst
dich zu müde, dazu auch das Volk, das mit
dir ist. Das Geschäft ist dir zu schwer; du
kannst es allein nicht ausrichten.[a] 19 Aber
gehorche meiner Stimme; ich will dir ra-
ten, und Gott wird mit dir sein. Vertritt du
das Volk vor Gott und bringe ihre Anlie-
gen vor Gott 20 und schärfe ihnen die Sat-
zungen und Weisungen ein, dass du sie
lehrst den Weg, auf dem sie wandeln, und
die Werke, die sie tun sollen. 21 Sieh dich
aber unter dem ganzen Volk um nach red-
lichen Leuten, die Gott fürchten, wahr-
haftig sind und dem ungerechten Gewinn
feind. Die setze über sie als Oberste über
Tausend, über Hundert, über Fünfzig und
über Zehn, 22 dass sie das Volk allezeit
richten. Nur wenn es eine größere Sache
ist, sollen sie diese vor dich bringen, alle
geringeren Sachen aber sollen sie selber
richten. So mach dir's leichter und lass sie
mit dir tragen. 23 Wirst du dies tun und
wird Gott es dir gebieten, so kannst du
bestehen, und auch dies ganze Volk kann
in Frieden heimkehren.
24 Mose gehorchte dem Wort seines
Schwiegervaters und tat alles, was er
sagte, 25 und erwählte redliche Leute aus
ganz Israel und machte sie zu Häuptern
über das Volk, zu Obersten über Tausend,
über Hundert, über Fünfzig und über
Zehn, 26 dass sie das Volk allezeit rich-

17,14 *a* 5. Mose 25,17-19; 1. Sam 15,2-3 **17,16** *a* Jer 3,17
18,1 *a* Kap 3,1 **18,2** *a* Kap 2,21; 4,20 **18,3** *a* Kap 2,22
18,4 *a* 1. Chr 23,15.17 **18,11** *a* Neh 9,10; Jer 50,29
18,12 *a* 1. Mose 31,54 **18,18** *a* 4. Mose 11,14; 5. Mose 1,9

teten, die schwereren Sachen vor Mose brächten und die kleineren Sachen selber richteten. 27 Und Mose ließ seinen Schwiegervater ziehen, und der ging zurück in sein Land.

ANKUNFT AM SINAI

19 Im dritten Monat nach dem Auszug der Israeliten aus Ägyptenland, an diesem Tag kamen sie in die Wüste Sinai. 2 Sie brachen auf von Refidim und kamen in die Wüste Sinai, und Israel lagerte sich dort in der Wüste gegenüber dem Berge.

3 Und Mose stieg hinauf zu Gott. Und der HERR rief ihm vom Berge zu und sprach: So sollst du sagen zu dem Hause Jakob und den Israeliten verkündigen: 4 Ihr habt gesehen, was ich an den Ägyptern getan habe und wie ich euch [a]getragen habe auf Adlerflügeln und euch zu mir gebracht. 5 **Werdet ihr nun meiner Stimme gehorchen und [a]meinen Bund halten, so sollt ihr [b]mein Eigentum sein vor allen Völkern; denn die ganze Erde ist mein.** 6 **Und ihr sollt mir ein Königreich von [a]Priestern und ein [b]heiliges Volk sein.** Das sind die Worte, die du den Israeliten sagen sollst.

7 Mose kam und berief die Ältesten des Volks und legte ihnen alle diese Worte vor, die ihm der HERR geboten hatte. 8 Und alles Volk antwortete [a]einmütig und sprach: Alles, was der HERR geredet hat, wollen wir tun. Und Mose sagte die Worte des Volks dem HERRN wieder. 9 Und der HERR sprach zu Mose: Siehe, ich will zu dir kommen in [a]einer dichten Wolke, auf dass dies Volk es höre, wenn ich mit dir rede, und [b]dir für immer glaube. Und Mose verkündete dem HERRN die Worte des Volks.

10 Und der HERR sprach zu Mose: Geh hin zum Volk und [a]heilige sie heute und morgen, dass sie ihre Kleider waschen 11 und bereit seien für den dritten Tag; denn am dritten Tage wird der HERR vor allem Volk herabfahren auf den Berg Sinai. 12 [a]Und zieh eine Grenze um das Volk und sprich zu ihnen: Hütet euch, auf den Berg zu steigen oder seinen Fuß anzurühren; denn wer den Berg anrührt, der soll des Todes sterben. 13 [a]Keine Hand soll ihn anrühren, sondern er soll gesteinigt oder erschossen werden; es sei Tier oder Mensch, sie sollen nicht leben bleiben. Wenn aber das Widderhorn lange tönen wird, dann soll man auf den Berg steigen. 14 Mose stieg vom Berge zum Volk herab und heiligte sie, und sie wuschen ihre Kleider. 15 Und er sprach zu ihnen: Seid bereit für den dritten Tag, und keiner [a]rühre eine Frau an.

DER HERR ERSCHEINT

16 Als nun der dritte Tag kam und es Morgen ward, da erhob sich ein Donnern und Blitzen und eine dichte Wolke auf dem Berge und der Ton einer sehr starken Posaune. Das ganze Volk aber, das im Lager war, erschrak. 17 Und Mose führte das Volk aus dem Lager Gott entgegen, und es trat unten an den Berg. 18 Der ganze Berg Sinai aber rauchte, weil der HERR auf den Berg herabfuhr im Feuer; und sein Rauch stieg auf wie der Rauch von einem Schmelzofen, und der ganze Berg bebte sehr.[a] 19 Und der Posaune Ton ward immer stärker. Und Mose redete, und [a]Gott antwortete ihm laut.

20 Als nun der HERR herniedergekommen war auf den Berg Sinai, oben auf seinen Gipfel, berief er Mose hinauf auf den Gipfel des Berges, und Mose stieg hinauf. 21 Da sprach der HERR zu ihm: Steig hinab und verwarne das Volk, dass sie nicht durchbrechen zum HERRN, ihn zu sehen, und viele von ihnen fallen. 22 Auch die Priester, die sonst zum HERRN nahen dürfen, sollen sich heiligen, dass der HERR nicht zwischen sie dreinfahre. 23 Mose aber sprach zum HERRN: Das Volk kann nicht auf den Berg Sinai steigen, denn du hast uns verwarnt und gesagt: Zieh eine Grenze um den Berg und heilige ihn. 24 Und der HERR sprach zu ihm: Geh hin, steig hinab und komm wieder herauf, du und Aaron mit dir; aber die Priester und das Volk sollen nicht durchbrechen, dass sie hinaufsteigen zu dem HERRN, damit

19,4 *a* 5. Mose 32,11 **19,5** *a* 5. Mose 5,2 *b* 5. Mose 7,6
19,6 *a* Jes 61,6; 1. Petr 2,9; Offb 1,6 *b* 3. Mose 19,2
19,8 *a* Kap 24,3-8 **19,9** *a* Kap 16,10; 34,5; Ps 18,12
b Kap 14,31 **19,10** *a* 3. Mose 11,44; Jos 3,5; Hiob 1,5
19,12 *a* (12-19) Kap 34,3 **19,13** *a* Hebr 12,18-20
19,15 *a* 1. Sam 21,4-5; 1. Kor 7,5 **19,18** *a* 1. Mose 15,17
19,19 *a* Kap 33,11; Apg 7,38

er nicht zwischen sie dreinfahre.[a] [25]Und Mose stieg hinunter zum Volk und sagte es ihm.

DIE ZEHN GEBOTE
(vgl. 5. Mose 5,6-21)

20 Und [a]Gott redete alle diese Worte:

[2]**Ich bin der HERR, dein Gott, der ich dich aus Ägyptenland, aus der Knechtschaft, geführt habe.**[a] [3]**Du sollst keine anderen Götter haben neben mir.**[a]

[4]**Du sollst dir [a]kein Bildnis noch irgendein Gleichnis* machen, weder von dem, was oben im Himmel, noch von dem, was unten auf Erden, noch von dem, was im Wasser unter der Erde ist:** [5]**Bete sie nicht an und diene ihnen nicht! Denn ich, der HERR, dein Gott, bin ein [a]eifernder Gott, [b]der die Missetat der Väter heimsucht bis ins dritte und vierte Glied an den Kindern derer, die mich hassen,** [6]**aber Barmherzigkeit erweist an vielen Tausenden, die mich lieben und meine Gebote halten.**[a]

[7]**Du sollst [a]den Namen des HERRN, deines Gottes, nicht missbrauchen; denn der HERR wird den nicht ungestraft lassen, der seinen Namen missbraucht.**

[8]**Gedenke des Sabbattages, dass du ihn heiligst.**[a] [9]**Sechs Tage sollst du arbeiten und alle deine Werke tun.** [10]**Aber am siebenten Tage ist der [a]Sabbat des HERRN, deines Gottes. Da sollst du keine Arbeit tun, auch nicht dein Sohn, deine Tochter, dein Knecht, deine Magd, dein Vieh, auch nicht dein Fremdling, der in deiner Stadt lebt.** [11]**Denn in sechs Tagen hat der HERR Himmel und Erde gemacht und das Meer und alles, was darinnen ist, und ruhte am siebenten Tage. Darum segnete der HERR den Sabbattag und heiligte ihn.**[a]

[12]**Du sollst deinen Vater und deine Mutter ehren, auf dass du lange lebest in dem Lande, das dir der HERR, dein Gott, geben wird.**[a]

[13]**Du sollst nicht töten.**[a]

[14]**Du sollst nicht ehebrechen.**[a]

[15]**Du sollst nicht stehlen.**[a]

[16]**Du sollst nicht falsch Zeugnis reden wider deinen Nächsten.**[a]

[17]**Du sollst nicht begehren deines Nächsten Haus. Du sollst nicht begehren deines Nächsten Frau, Knecht, Magd, Rind, Esel noch alles, was dein Nächster hat.**[a]

[18]Und alles Volk sah den Donner und die Blitze und den Ton der Posaune und den Berg rauchen. Als sie aber solches sahen, flohen sie und blieben in der Ferne stehen [19]und sprachen zu Mose: Rede du mit uns, wir wollen hören; aber lass Gott nicht mit uns reden, wir könnten sonst sterben. [20]Mose aber sprach zum Volk: Fürchtet euch nicht, denn Gott ist gekommen, euch zu [a]versuchen, damit ihr's vor Augen habt, wie er zu fürchten sei, und ihr nicht sündigt. [21]So stand das Volk von ferne, aber Mose nahte sich [a]dem Dunkel, darinnen Gott war.

DAS BUNDESBUCH
Kapitel 20,22–23,19

DAS ALTARGESETZ

[22]Und der HERR sprach zu ihm: So sollst du den Israeliten sagen: Ihr habt gesehen, dass ich mit euch vom Himmel geredet habe. [23]Darum sollt ihr euch keine andern Götter neben mir machen, weder silberne noch goldene sollt ihr euch machen.

[24]Einen [a]Altar von Erde mache mir, auf dem du dein Brandopfer und Dankopfer, deine Schafe und Rinder, opferst. [b]An jedem Ort, wo ich meines Namens gedenken lasse, da will ich zu dir kommen und dich segnen. [25]Und wenn du mir einen

* **20,4** Das heißt hier: »Abbild«.

19,24 ***a*** Kap 24,9-11 **20,1** ***a*** Mt 5,17-48 **20,2** ***a*** Ri 6,8; Jer 34,13 **20,3** ***a*** 5. Mose 6,4-5; Jes 45,5-6; 1. Kor 8,5-6 **20,4** ***a*** 3. Mose 26,1; 5. Mose 4,15-19; 27,15; Jes 40,18-26; Röm 1,23 **20,5** ***a*** Kap 34,14; 5. Mose 4,24; 5,9; 6,15 ***b*** Hiob 21,19; Jer 31,29-30; Hes 18,5-20 **20,6** ***a*** Kap 34,7; 5. Mose 7,9 **20,7** ***a*** 3. Mose 19,12; 24,16 **20,8** ***a*** Kap 16,25.29 **20,10** ***a*** Kap 31,13-17; Hes 20,12; Mk 2,27-28; Kol 2,16-17 **20,11** ***a*** 1. Mose 2,2-3 **20,12** ***a*** Kap 21,17; 5. Mose 27,16; Mt 15,4-6; Eph 6,2-3 **20,13** ***a*** Kap 21,12; 1. Mose 9,5-6; Jak 2,10-11 **20,14** ***a*** 3. Mose 20,10; Mt 15,19 **20,15** ***a*** Kap 21,16; 3. Mose 19,11; Eph 4,28 **20,16** ***a*** Kap 23,1; 5. Mose 19,18-19; Eph 4,25 **20,17** ***a*** Röm 7,7; 13,9 **20,20** ***a*** 1. Mose 22,1 **20,21** ***a*** 1. Kön 8,12 **20,24** ***a*** Kap 17,15; 27,1.8 ***b*** 5. Mose 12,5

[a]steinernen Altar machen willst, sollst
du ihn nicht von behauenen Steinen bau-
en; denn wenn du mit deinem Meißel
darüberkommst, entweihst du sie. 26 Du
sollst auch nicht auf Stufen zu meinem Al-
tar hinaufsteigen, dass nicht deine Blöße
aufgedeckt werde vor ihm.

21 Dies sind die Rechtsordnungen, die du
ihnen vorlegen sollst:

RECHTE HEBRÄISCHER SKLAVEN

2 Wenn du einen hebräischen Sklaven
kaufst, so soll er dir sechs Jahre dienen;
im siebenten Jahr aber soll er freigelas-
sen werden ohne Lösegeld.[a] 3 Ist er ohne
Frau gekommen, so soll er auch ohne Frau
gehen; ist er aber mit seiner Frau gekom-
men, so soll sie mit ihm gehen. 4 Hat ihm
aber sein Herr eine Frau gegeben und hat
sie ihm Söhne oder Töchter geboren, so
sollen Frau und Kinder seinem Herrn
gehören, er aber soll ohne Frau gehen.
5 Spricht aber der Sklave: Ich habe mei-
nen Herrn lieb und meine Frau und Kind,
ich will nicht frei werden, 6 so [a]bringe ihn
sein Herr vor Gott und stelle ihn an die
Tür oder den Pfosten und durchbohre mit
einem Pfriemen sein Ohr, und er sei sein
Sklave für immer.

7 Verkauft jemand seine Tochter als Skla-
vin, so darf sie nicht [a]freigelassen werden
wie die Sklaven. 8 Gefällt sie aber ihrem
Herrn nicht, nachdem er sie für sich be-
stimmt hat, so soll er sie auslösen lassen.
Er hat aber nicht Macht, sie unter ein frem-
des Volk zu verkaufen, nachdem er sie ver-
schmäht hat. 9 Hat er sie aber für seinen
Sohn bestimmt, so soll er nach dem Recht
der Töchter an ihr tun. 10 Nimmt er sich
aber noch eine andere, so soll er der ers-
ten an Nahrung, Kleidung und ehelichem
Recht nichts abbrechen. 11 Erfüllt er an ihr
diese drei Pflichten nicht, so soll sie um-
sonst freigelassen werden, ohne Lösegeld.

VERGEHEN GEGEN LEIB UND LEBEN

12 Wer einen Menschen schlägt, dass er
stirbt, der soll des Todes sterben.[a] 13 Hat
er ihm aber nicht nachgestellt, sondern hat
Gott es seiner Hand widerfahren lassen,
so will ich dir [a]einen Ort bestimmen, wo-
hin er fliehen kann. 14 Wenn aber jemand
an seinem Nächsten frevelt und ihn mit
Hinterlist umbringt, so sollst du ihn [a]von
meinem Altar wegreißen, dass man ihn
töte.

15 Wer Vater oder Mutter schlägt, der soll
des Todes sterben.

16 Wer einen [a]Menschen raubt, sei es,
dass er ihn verkauft, sei es, dass man ihn
bei ihm findet, der soll des Todes sterben.

17 Wer Vater oder Mutter flucht, der soll
des Todes sterben.[a]

18 Wenn Männer miteinander streiten
und einer schlägt den andern mit einem
Stein oder mit der Faust, dass er nicht
stirbt, sondern zu Bett liegen muss 19 und
wieder aufkommt und ausgehen kann an
seinem Stock, so soll der, der ihn schlug,
nicht bestraft werden; er soll ihm aber be-
zahlen, was er versäumt hat, und das Arzt-
geld geben.

20 Wenn jemand seinen Sklaven oder
seine Sklavin schlägt mit einem Stock,
dass sie unter seinen Händen sterben,
muss er bestraft werden. 21 Bleiben sie
aber einen oder zwei Tage am Leben, so
soll er nicht bestraft werden; denn es ist
sein Geld.

22 Wenn Männer miteinander streiten
und stoßen dabei eine schwangere Frau,
sodass ihr die Frucht abgeht, ihr aber sonst
kein Schaden widerfährt, so soll man ihn
um Geld strafen, wie viel ihr Ehemann
ihm auferlegt, und er soll's geben durch
die Hand der Richter.

23 [a]Entsteht ein dauernder Schaden, so
sollst du geben Leben um Leben, 24 Auge
um Auge, Zahn um Zahn, Hand um Hand,
Fuß um Fuß, 25 Brandmal um Brandmal,
[a]Wunde um Wunde, Beule um Beule.

26 Wenn jemand seinen Sklaven oder
seine Sklavin ins Auge schlägt und zer-
stört es, der soll sie freilassen um des Au-
ges willen. 27 Desgleichen wenn er seinem
Sklaven oder seiner Sklavin einen Zahn
ausschlägt, soll er sie freilassen um des
Zahnes willen.

20,25 *a* 5. Mose 27,5; Jos 8,31 **21,2** *a* 3. Mose 25,39-41;
5. Mose 15,12-17; Jer 34,14 **21,6** *a* 5. Mose 1,17; Ps 82,1
21,7 *a* Vers 2 **21,12** *a* Kap 20,13; 1. Mose 9,6; Mt 5,21-22
21,13 *a* 4. Mose 35,6-29; 5. Mose 19,4-13
21,14 *a* 1. Kön 2,29-31 **21,16** *a* 5. Mose 24,7; 1. Tim 1,10
21,17 *a* 5. Mose 27,16; Spr 20,20; Mt 15,4
21,23 *a* (23-24) 3. Mose 24,19-20; 5. Mose 19,21; Mt 5,38
21,25 *a* 1. Mose 4,23

SCHADEN DURCH TIERE – VERLUST VON TIEREN

28 [a]Wenn ein Rind einen Mann oder eine
Frau stößt, dass sie sterben, so soll man
das Rind steinigen und sein Fleisch nicht
essen; aber der Besitzer des Rindes soll
nicht bestraft werden. 29 Ist aber das Rind
zuvor stößig gewesen und seinem Be-
sitzer war's bekannt und er hat das Rind
nicht verwahrt und es tötet nun einen
Mann oder eine Frau, so soll man das Rind
steinigen, und sein Besitzer soll sterben.
30 Will man ihm aber ein Lösegeld auferle-
gen, so soll er geben, was man ihm aufer-
legt, um sein Leben auszulösen. 31 Ebenso
soll man mit ihm verfahren, wenn das
Rind einen Sohn oder eine Tochter stößt.
32 Stößt es aber einen Sklaven oder eine
Sklavin, so soll der Besitzer ihrem Herrn
dreißig Schekel Silber geben, und das Rind
soll man steinigen.

33 [a]Wenn jemand eine Zisterne auf-
deckt oder gräbt eine Zisterne und deckt
sie nicht zu und es fällt ein Rind oder Esel
hinein, 34 so soll der Besitzer der Zisterne
mit Geld dem andern Ersatz leisten, das
tote Tier aber soll ihm gehören. 35 Wenn
jemandes Rind eines andern Rind stößt,
dass es stirbt, so sollen sie das lebendige
Rind verkaufen und das Geld teilen und
das tote Tier auch teilen. 36 Ist's aber be-
kannt gewesen, dass das Rind zuvor stö-
ßig gewesen ist, und sein Besitzer hat es
nicht verwahrt, so soll er ein Rind für
das andere erstatten und das tote Tier
haben.

37 Wenn jemand ein Rind oder ein Schaf
stiehlt und schlachtet's oder verkauft's, so
soll er fünf Rinder für ein Rind wiederge-
ben und vier Schafe für ein Schaf.[a]

EIGENTUMSVERGEHEN

22 Wenn ein Dieb ergriffen wird beim
Einbruch und wird dabei geschlagen,
dass er stirbt, so liegt keine Blutschuld vor.
2 War aber schon die Sonne aufgegangen,
so liegt Blutschuld vor.

Es soll aber ein Dieb wiedererstatten;
hat er nichts, so verkaufe man ihn um den
Wert des Gestohlenen. 3 Findet man bei
ihm das Gestohlene lebendig, sei es Rind,
Esel oder Schaf, so soll er's zweifach er-
statten.

4 Wenn jemand in einem Acker oder
Weinberg Schaden anrichtet, weil er sein
Vieh das Feld eines andern abweiden lässt,
so soll er's mit dem Besten seines Ackers
und Weinberges erstatten.

5 Wenn ein Feuer ausbricht und ergreift
die Dornen und verbrennt einen Garben-
haufen oder das Getreide, das noch steht,
oder den Acker, so soll Ersatz leisten, wer
das Feuer angezündet hat.

6 Wenn jemand seinem Nächsten Geld
oder Gegenstände zu verwahren gibt und
es wird ihm aus seinem Hause gestohlen:
findet man den Dieb, so soll er's zwei-
fach erstatten; 7 findet man aber den Dieb
nicht, so soll der Herr des Hauses vor Gott
treten, ob er nicht etwa seine Hand an sei-
nes Nächsten Habe gelegt hat.

8 [a]Wenn einer den andern einer Verun-
treuung beschuldigt, es handle sich um
Rind oder Esel oder Schaf oder Kleider
oder um etwas, was sonst noch verloren
gegangen ist, von dem einer sagt: Ja,
das ist es!, so soll beider Sache vor Gott
kommen. Wen Gott für schuldig erklärt,
der soll's seinem Nächsten zweifach er-
statten.

9 Wenn jemand seinem Nächsten einen
Esel oder ein Rind oder ein Schaf oder ir-
gendein Stück Vieh in Obhut gibt und es
stirbt ihm oder kommt zu Schaden oder
wird ihm weggetrieben, ohne dass es je-
mand sieht, 10 so soll es unter ihnen zum
Eid vor dem HERRN kommen, ob er nicht
etwa seine Hand an seines Nächsten Habe
gelegt hat, und der Besitzer soll es hinneh-
men, sodass jener nicht Ersatz zu leisten
braucht.

11 Stiehlt es ihm aber ein Dieb, so soll
er's dem Besitzer ersetzen. 12 Wird es zer-
rissen, so soll er es zum Zeugnis herbei-
bringen und nicht ersetzen.[a] 13 Wenn es
jemand von seinem Nächsten leiht und es
kommt zu Schaden oder stirbt, wenn der
Besitzer nicht dabei ist, so soll er's erset-
zen. 14 Ist der Besitzer dabei, soll er's nicht
ersetzen. Ist er aber Tagelöhner, wird's von
seinem Lohn genommen.

15 Wenn jemand eine Jungfrau beredet,

21,28 *a* (28-29) 1. Mose 9,5; 4. Mose 35,33
21,33 *a* (33-36) 3. Mose 7,24; 17,15 **21,37** *a* 2. Sam 12,6; Spr 6,31; Lk 19,8 **22,8** *a* (8-10) 1. Kön 8,31-32
22,12 *a* 1. Mose 31,39

die noch nicht verlobt ist, und schläft bei
ihr, so soll er den Brautpreis für sie geben
und sie zur Frau nehmen.[a] 16 Weigert sich
aber ihr Vater, sie ihm zu geben, so soll er
Geld darwägen, soviel einer Jungfrau als
Brautpreis gebührt.

TODESWÜRDIGE VERGEHEN

17 Eine Zauberin sollst du nicht am Leben
lassen.[a]

18 Wer einem Vieh beiwohnt, der soll des
Todes sterben.[a]

19 Wer den Göttern opfert und nicht
dem HERRN allein, der soll dem Bann
verfallen.[a]

RECHTSSCHUTZ FÜR DIE SCHWACHEN

20 Einen Fremdling sollst du nicht bedrü-
cken und bedrängen; denn ihr seid auch
Fremdlinge in Ägyptenland gewesen.[a]

21 Ihr sollt Witwen und Waisen nicht be-
drücken.[a] 22 Wirst du sie bedrücken und
werden sie zu mir schreien, so werde ich
ihr Schreien erhören. 23 Dann wird mein
Zorn entbrennen, dass ich euch mit dem
Schwert töte und eure Frauen zu Witwen
und eure Kinder zu Waisen werden.

24 Wenn du Geld verleihst an einen aus
meinem Volk, an einen Armen neben dir,
so sollst du an ihm nicht wie ein Wuche-
rer handeln; ihr sollt keinerlei Zinsen von
ihm nehmen.[a]

25 Wenn du den Mantel deines Nächsten
zum Pfande nimmst, sollst du ihn wieder-
geben, ehe die Sonne untergeht,[a] 26 denn
sein Mantel ist seine einzige Decke auf der
bloßen Haut; worin soll er sonst schlafen?
Wird er aber zu mir schreien, so werde ich
ihn erhören; denn ich bin gnädig.

GEBOTE DER GOTTESFURCHT

27 [a]Gott sollst du nicht lästern, und einem
[b]Obersten in deinem Volk sollst du nicht
fluchen.

28 [a]Den Ertrag deines Feldes und den
Überfluss deines Weinberges sollst du
nicht zurückhalten.

[b]Deinen ersten Sohn sollst du mir ge-
ben. 29 So sollst du auch tun mit deinem
Stier und deinem Kleinvieh. [a]Sieben Tage
lass es bei seiner Mutter sein, am achten
Tage sollst du es mir geben.

30 Ihr sollt mir [a]heilige Leute sein; [b]da-
rum sollt ihr kein Fleisch essen, das auf
dem Felde von Tieren zerrissen ist, son-
dern es vor die Hunde werfen.

GEBOTE DER GERECHTIGKEIT UND NÄCHSTENLIEBE

23 Du sollst kein falsches Gerücht ver-
breiten; du sollst nicht einem Schuldi-
gen Beistand leisten, indem du als Zeuge
Gewalt deckst.[a]

2 Du sollst der Menge nicht auf dem Weg
zum Bösen folgen und nicht so antworten
vor Gericht, dass du der Menge nachgibst
und vom Rechten abweichst.

3 Du sollst den Geringen nicht begünsti-
gen in seiner Sache.[a]

4 Wenn du dem Rind oder Esel deines
[a]Feindes begegnest, die sich verirrt ha-
ben, so sollst du sie ihm wieder zuführen.
5 Wenn du den Esel deines Widersachers
unter seiner Last liegen siehst, so lass ihn
ja nicht im Stich, sondern hilf mit ihm zu-
sammen dem Tiere auf.

6 Du sollst das Recht deines Armen nicht
beugen in seiner Sache.[a]

7 Halte dich ferne von einer Sache, bei
der Lüge im Spiel ist. Den Unschuldigen
und den, der im Recht ist, sollst du nicht
töten; denn ich lasse den Schuldigen nicht
recht haben. 8 Du sollst dich nicht [a]durch
Geschenke bestechen lassen; denn Ge-
schenke machen die Sehenden blind und
verdrehen die Sache derer, die im Recht
sind.

9 Einen Fremdling sollst du nicht be-
drängen; denn ihr wisst um der Fremd-
linge Herz, weil ihr auch Fremdlinge in
Ägyptenland gewesen seid.[a]

22,15 *a* 5. Mose 22,28-29 **22,17** *a* 3. Mose 20,6.27; 5. Mose 18,10; 1. Sam 28,9; Mal 3,5
22,18 *a* 3. Mose 18,23; 5. Mose 27,21 **22,19** *a* Kap 20,3.5; 5. Mose 13,7-19; 17,2-7 **22,20** *a* 3. Mose 19,33-34; 5. Mose 10,18-19 **22,21** *a* 5. Mose 27,19; Jes 1,17; Sach 7,10 **22,24** *a* 3. Mose 25,36; 5. Mose 23,20; Spr 28,8 **22,25** *a* 5. Mose 24,10-13
22,27 *a* 3. Mose 24,14-16 *b* Apg 23,5 **22,28** *a* Kap 23,19; 5. Mose 18,4; Spr 3,9-10 *b* Kap 13,2.13
22,29 *a* 3. Mose 22,27 **22,30** *a* 3. Mose 19,2; 1. Petr 1,15 *b* 3. Mose 7,24; 5. Mose 14,21; Hes 4,14; 44,31
23,1 *a* Kap 20,16; 3. Mose 19,16; Ps 15,3; Spr 19,9
23,3 *a* 3. Mose 19,15 **23,4** *a* Hiob 31,29; Spr 25,21-22; Lk 6,27 **23,6** *a* 5. Mose 27,19; Ps 82,2-4; Pred 5,7; Jes 1,17
23,8 *a* 5. Mose 27,25; 1. Sam 8,3; Spr 17,23
23,9 *a* Kap 22,20

SABBATJAHR UND SABBAT

10 Sechs Jahre sollst du dein Land besäen
und seine Früchte einsammeln.[a] 11 Aber
im siebenten Jahr sollst du es ruhen und
brach liegen lassen, dass die Armen unter
deinem Volk davon essen; und was übrig
bleibt, mag das Wild auf dem Felde fres-
sen. Ebenso sollst du es halten mit deinem
Weinberg und deinen Ölbäumen.

12 Sechs Tage sollst du deine Arbeit tun;
aber am siebenten Tage sollst du ruhen,
auf dass dein Rind und Esel sich ausruhen
und deiner Sklavin Sohn und der Fremd-
ling sich erquicken.[a]

13 Alles, was ich euch gesagt habe, das
haltet. Die Namen [a]anderer Götter sollt
ihr nicht anrufen, und aus eurem Munde
sollen sie nicht gehört werden.

DIE DREI GROSSEN JAHRESFESTE. OPFERVORSCHRIFTEN

14 [a]Dreimal im Jahr sollst du mir ein Fest
feiern: 15 Das [a]Fest der Ungesäuerten
Brote sollst du so halten, dass du sieben
Tage ungesäuertes Brot isst, wie ich dir
geboten habe, im Monat Abib, denn zu
dieser Zeit bist du aus Ägypten gezogen.
Niemand erscheine mit leeren Händen
vor mir! 16 Und du sollst halten das [a]Fest
der Ernte, der Erstlinge deiner Früchte, die
du auf dem Felde gesät hast, und das Fest
der Lese am Ausgang des Jahres, wenn du
den Ertrag deiner Arbeit eingesammelt
hast vom Felde.

17 Dreimal im Jahre soll erscheinen vor
dem HERRN, dem Herrscher, alles, was
männlich ist unter dir.

18 Du sollst das Blut meines Opfers
nicht zugleich mit Sauerteig opfern, und
das Fett von meinem Fest soll nicht über
Nacht bleiben bis zum Morgen.[a]

19 Das Beste von den [a]Erstlingen deines
Feldes sollst du in das Haus des HERRN,
deines Gottes, bringen.

Du sollst [b]das Böcklein nicht kochen in
seiner Mutter Milch.

MAHNUNGEN UND VERHEISSUNGEN

20 Siehe, ich sende einen [a]Engel vor dir
her, der dich behüte auf dem Wege und
dich bringe an den Ort, den ich bestimmt
habe. 21 Hüte dich vor ihm und gehorche
seiner Stimme und [a]erbittere ihn nicht,
denn er wird euer Übertreten nicht ver-
geben, weil mein Name in ihm ist. 22 Wirst
du aber auf seine Stimme hören und al-
les tun, was ich dir sage, so will ich dei-
ner Feinde Feind und deiner Widersacher
Widersacher sein. 23 Ja, mein Engel wird
vor dir hergehen und dich bringen zu den
Amoritern, Hetitern, Perisitern, Kanaan-
itern, Hiwitern und Jebusitern, und ich
will sie vertilgen.

24 Du sollst [a]ihre Götter nicht anbeten
noch ihnen dienen noch tun, [b]wie sie
tun, sondern du sollst sie umreißen und
ihre Steinmale zerbrechen. 25 Aber dem
HERRN, eurem Gott, sollt ihr dienen, so
wird er dein Brot und dein Wasser seg-
nen, und ich will alle [a]Krankheit von dir
wenden. 26 Es soll keine Frau in deinem
Lande eine Fehlgeburt haben oder un-
fruchtbar sein, und ich will dich alt wer-
den lassen.

27 Ich will meinen [a]Schrecken vor dir
hersenden und alle Völker verzagt ma-
chen, wohin du kommst, und will geben,
dass alle deine Feinde vor dir fliehen. 28 Ich
will [a]Hornissen vor dir hersenden, die vor
dir her vertreiben die Hiwiter, Kanaan-
iter und Hetiter. 29 Aber ich will sie nicht
in *einem* Jahr ausstoßen vor dir, auf dass
nicht das Land wüst werde und sich die
wilden Tiere wider dich mehren. 30 [a]Ein-
zeln nacheinander will ich sie vor dir her
ausstoßen, bis du zahlreich bist und das
Land besitzt. 31 Und ich will deine [a]Grenze
festsetzen von dem Schilfmeer bis an
das Philistermeer und von der Wüste bis
an den Euphratstrom. Denn ich will in
eure Hand geben die Bewohner des Lan-
des, dass du sie ausstoßen sollst vor
dir her. 32 Du sollst mit ihnen und mit
ihren Göttern keinen Bund schließen.[a]
33 Lass sie nicht wohnen in deinem
Lande, dass sie dich nicht verführen zur

23,10 ***a*** 3. Mose 25,1-7.18-22 **23,12** ***a*** Kap 20,8-11
23,13 ***a*** Jos 23,7; Sach 13,2 **23,14** ***a*** (14-19) Kap 34,18-26;
3. Mose 23,4-44; 5. Mose 16,1-17 **23,15** ***a*** Kap 12,15-20
23,16 ***a*** Kap 34,22 **23,18** ***a*** Kap 12,7-10; 34,25
23,19 ***a*** 1. Mose 4,3; 5. Mose 26,1-11; Neh 10,36
b 5. Mose 14,21 **23,20** ***a*** Kap 14,19 **23,21** ***a*** Jes 63,10
23,24 ***a*** Kap 20,5; 5. Mose 12,30 ***b*** 3. Mose 18,3
23,25 ***a*** Kap 15,26 **23,27** ***a*** 1. Mose 35,5; Jos 2,9-11;
1. Sam 14,15 **23,28** ***a*** 5. Mose 7,20; Jos 24,12
23,30 ***a*** 5. Mose 7,22 **23,31** ***a*** 1. Mose 15,18
23,32 ***a*** Kap 34,12

Sünde wider mich; denn wenn du ihren
Göttern dienst, wird dir das zum Fallstrick
werden.

DER BUNDESSCHLUSS AM SINAI

24 Und zu Mose sprach er: Steig herauf
zum HERRN, du und [a]Aaron, Nadab
und Abihu und [b]siebzig von den Ältes-
ten Israels, und betet an von ferne. 2 Aber
Mose allein nahe sich zum HERRN und
lasse jene sich nicht nahen, und das Volk
komme auch nicht mit ihm herauf.
3 Mose kam und sagte dem Volk [a]alle
Worte des HERRN und alle Rechtsordnun-
gen. Da antwortete alles Volk mit einer
Stimme: Alle Worte, die der HERR gesagt
hat, wollen wir tun. 4 Da [a]schrieb Mose
alle Worte des HERRN nieder und machte
sich früh am Morgen auf und baute einen
Altar unten am Berge und [b]zwölf Stein-
male nach den zwölf Stämmen Israels
5 und sandte [a]junge Männer der Israeliten
hin, dass sie darauf dem HERRN Brand-
opfer opferten und Dankopfer von jungen
Stieren. 6 Und Mose nahm die Hälfte des
Blutes und goss es in die Becken, die an-
dere Hälfte aber sprengte er an den Altar.
7 Und er nahm das Buch des Bundes und
las es vor den Ohren des Volks. Und sie
sprachen: Alles, was der HERR gesagt hat,
wollen wir tun und darauf hören. 8 Da
[a]nahm Mose das Blut und besprengte
das Volk damit und sprach: Seht, das ist
[b]das Blut des Bundes, den der HERR mit
euch geschlossen hat aufgrund aller die-
ser Worte.
9 Da stiegen Mose und Aaron, Nadab
und Abihu und siebzig von den Ältesten
Israels hinauf 10 und sahen den Gott Isra-
els. Unter seinen Füßen war es wie eine
Fläche von [a]Saphir und wie der Himmel,
wenn es klar ist. 11 Und [a]er reckte seine
Hand nicht aus wider die Edlen der Isra-
eliten. Und [b]als sie Gott geschaut hatten,
aßen und tranken sie.

MOSE SOLL DIE GESETZESTAFELN EMPFANGEN

12 Und der HERR sprach zu Mose: Komm
herauf zu mir auf den Berg und bleib da-
selbst, dass ich dir gebe die [a]steinernen Ta-
feln, Gesetz und Gebot, die ich geschrie-
ben habe, um sie zu unterweisen. 13 Da
machte sich Mose auf mit seinem Diener
Josua. Und Mose stieg auf den Berg Got-
tes.[a] 14 Aber zu den Ältesten sprach er:
Bleibt hier, bis wir zu euch zurückkom-
men. Siehe, [a]Aaron und Hur sind bei euch;
hat jemand eine Rechtssache, der wende
sich an sie.
15 Da nun Mose auf den Berg kam, be-
deckte die Wolke den Berg, 16 und [a]die
Herrlichkeit des HERRN ließ sich nieder
auf dem Berg Sinai, und die Wolke be-
deckte ihn sechs Tage; und er rief Mose
am siebenten Tag aus der Wolke. 17 Und
die Herrlichkeit des HERRN war anzuse-
hen wie [a]ein verzehrendes Feuer auf dem
Gipfel des Berges vor den Augen der Is-
raeliten. 18 Und Mose ging mitten in die
Wolke hinein und stieg auf den Berg und
blieb auf dem Berge [a]vierzig Tage und
vierzig Nächte.

GESETZE FÜR DIE STIFTSHÜTTE

Kapitel 25,1–31,11

GABEN FÜR DIE STIFTSHÜTTE

25 Und der HERR redete mit Mose und
sprach:
2 Sage den Israeliten, dass sie für mich
eine [a]Abgabe erheben. Nehmt sie von je-
dem, der sie [b]freiwillig gibt. 3 Das ist aber
die Abgabe, die ihr von ihnen erheben
sollt: Gold, Silber, Bronze, 4 blauer und ro-
ter Purpur, Karmesin, feines Leinen, Zie-
genhaar, 5 rot gefärbte Widderfelle, feines
Leder, Akazienholz, 6 Öl für die Lampen,
Spezerei zum Salböl und zu wohlriechen-
dem Räucherwerk, 7 Onyxsteine und ein-
gefasste Steine zum Priesterschurz und
zur Brusttasche. 8 Und sie sollen mir ein
Heiligtum machen, dass ich unter ihnen
wohne.[a] 9 Genau nach dem [a]Plan, den ich
dir [b]von der Wohnung und ihrem ganzen
Gerät zeige, sollt ihr's machen.

24,1 ***a*** Kap 28,1; 3. Mose 10,1 ***b*** 4. Mose 11,16
24,3 ***a*** Kap 19,8 **24,4** ***a*** Kap 34,27 ***b*** Jos 4,20
24,5 ***a*** Ri 17,7 **24,8** ***a*** Hebr 9,19-22 ***b*** Mk 14,24
24,10 ***a*** Hes 1,26 **24,11** ***a*** Kap 19,21-22 ***b*** Kap 33,20-23
24,12 ***a*** Kap 31,18; 2. Kor 3,3.6 **24,13** ***a*** Kap 33,11
24,14 ***a*** Kap 17,12 **24,16** ***a*** Kap 16,10
24,17 ***a*** 5. Mose 4,24; 9,3; Hebr 12,29 **24,18** ***a*** Kap 34,28
25,2 ***a*** Kap 35,4-7 ***b*** 1. Chr 29,5; Esra 2,68-69
25,8 ***a*** Hes 37,26-28 **25,9** ***a*** Vers 40 ***b*** Kap 26,30; 27,8

DIE BUNDESLADE

(vgl. Kap 37,1-9)

10 Macht eine Lade aus Akazienholz; zwei und eine halbe Elle soll die Länge sein, anderthalb Ellen die Breite und anderthalb Ellen die Höhe. 11 Du sollst sie mit feinem Gold überziehen innen und außen und einen goldenen Kranz an ihr ringsherum machen. 12 Und gieß vier goldene Ringe und tu sie an ihre vier Ecken, sodass zwei Ringe auf der einen Seite und zwei auf der andern seien. 13 [a]Und mache Stangen von Akazienholz und überziehe sie mit Gold 14 und stecke sie in die Ringe an den Seiten der Lade, dass man sie damit trage. 15 Sie sollen in den Ringen bleiben und nicht herausgetan werden. 16 Und du sollst in die Lade das Gesetz legen, das ich dir geben werde.

17 [a]Du sollst auch einen Gnadenstuhl* machen aus feinem Golde; zwei und eine halbe Elle soll seine Länge sein und anderthalb Ellen seine Breite. 18 Und du sollst zwei goldene Cherubim machen. Als getriebene Arbeit sollst du sie ausführen an beiden Enden des Gnadenstuhls, 19 sodass ein Cherub sei an diesem Ende, der andere an jenem. Aus dem Gnadenstuhl sollt ihr die Cherubim herausarbeiten an seinen beiden Enden. 20 Und die Cherubim sollen ihre Flügel nach oben ausbreiten, dass sie mit ihren Flügeln den Gnadenstuhl bedecken und eines jeden Antlitz gegen das des andern stehe; und ihr Antlitz soll zum Gnadenstuhl gerichtet sein. 21 Und du sollst den Gnadenstuhl oben auf die Lade tun und in die Lade das [a]Gesetz legen, das ich dir geben werde. 22 Dort will ich dir begegnen und mit dir reden von dem Gnadenstuhl aus, der auf der Lade mit dem Gesetz ist, [a]zwischen den beiden Cherubim, alles, was ich dir gebieten will für die Israeliten.

DER TISCH FÜR DIE SCHAUBROTE

(vgl. Kap 37,10-16)

23 Du sollst auch einen Tisch machen aus Akazienholz; zwei Ellen soll seine Länge sein, eine Elle seine Breite und anderthalb Ellen seine Höhe. 24 Und du sollst ihn überziehen mit feinem Gold und einen goldenen Kranz ringsherum machen 25 und eine Leiste ringsherum eine Handbreit hoch und einen goldenen Kranz an der Leiste ringsherum; 26 und du sollst vier goldene Ringe machen an die vier Ecken an seinen vier Füßen. 27 Dicht unter der Leiste sollen die Ringe sein, sodass man Stangen hineintun und den Tisch tragen könne. 28 Und du sollst die Stangen aus Akazienholz machen und sie mit Gold überziehen, dass der Tisch damit getragen werde. 29 Du sollst auch aus feinem Golde seine Schüsseln und Löffel machen, seine Kannen und Schalen, in denen man das Trankopfer darbringe. 30 Und du sollst auf den Tisch Schaubrote legen, die vor meinem Angesicht sind allezeit.[a]

DER LEUCHTER

(vgl. Kap 37,17-24)

31 Du sollst auch einen Leuchter aus feinem Golde machen, Fuß und Schaft in getriebener Arbeit, mit Kelchen, Knäufen und Blumen. 32 Sechs Arme sollen von dem Leuchter nach beiden Seiten ausgehen, nach jeder Seite drei Arme. 33 Jeder Arm soll drei Kelche wie Mandelblüten haben mit Knäufen und Blumen. So soll es sein bei den sechs Armen an dem Leuchter. 34 Aber der Schaft am Leuchter soll vier Kelche wie Mandelblüten haben mit Knäufen und Blumen 35 und je ein Knauf soll unter jedem Paar der sechs Arme sein, die von dem Leuchter ausgehen. 36 Beide, Knäufe und Arme, sollen aus ihm hervorgehen, ganz und gar aus lauterem Gold getrieben. 37 Und du sollst sieben Lampen machen und sie oben anbringen, sodass sie nach vorn leuchten, 38 dazu Dochtscheren und Pfannen aus feinem Golde. 39 Aus einem Zentner feinen Goldes sollst du den Leuchter machen mit allen diesen Geräten.

40 Und sieh zu, dass du alles machst [a]nach ihrem Plan, der dir auf dem Berge gezeigt ist.

* **25,17** Wörtlich: »Deckplatte«; siehe Sach- und Worterklärungen zu »Gnadenstuhl«.

25,13 ***a*** (13-15) 1. Kön 8,8 **25,17** ***a*** (17-22) 3. Mose 16,12-15; Röm 3,25; Hebr 4,16; 9,5 **25,21** ***a*** Kap 34,29; 1. Kön 8,9 **25,22** ***a*** 4. Mose 7,89; 2. Sam 6,2 **25,30** ***a*** 3. Mose 24,5-6 **25,40** ***a*** Vers 9; Kap 26,30; Apg 7,44; Hebr 8,5

DIE STIFTSHÜTTE

(vgl. Kap 36,8-38)

26 Die Wohnung sollst du machen aus
zehn Teppichen von gezwirntem fei-
nem Leinen, von blauem und rotem Pur-
pur und von Karmesin. Cherubim sollst du
einweben, wie es ein Kunstweber macht.
2 Die Länge eines Teppichs soll achtund-
zwanzig Ellen sein, die Breite vier Ellen,
und sie sollen alle zehn dasselbe Maß ha-
ben; 3 und es sollen je fünf zu einer Bahn
zusammengefügt werden, einer an den
andern. 4 Und du sollst Schlaufen machen
von blauem Purpur an beiden Bahnen an
dem Rand, an dem sie zusammengeheftet
werden, 5 fünfzig Schlaufen an jeder Bahn,
dass eine Schlaufe der andern gegenüber-
stehe. 6 Und du sollst fünfzig goldene Ha-
ken machen und die Teppiche verbinden,
einen mit dem andern, auf dass die Woh-
nung ein Ganzes sei.

7 Du sollst auch Teppiche aus Ziegenhaar
machen als Zelt über der Wohnung, elf
Teppiche. 8 Die Länge eines Teppichs soll
dreißig Ellen sein, die Breite aber vier El-
len, und sie sollen alle elf dasselbe Maß ha-
ben. 9 Fünf sollst du aneinanderfügen und
die sechs andern auch, und den sechsten
Teppich sollst du vorn an dem Zelt dop-
pelt legen; 10 und sollst an beiden Bahnen
fünfzig Schlaufen machen an dem Rand,
an dem sie zusammengeheftet werden.
11 Und du sollst fünfzig Haken aus Bronze
machen und die Haken in die Schlaufen
tun, damit das Zelt zusammengefügt
werde und ein Ganzes sei. 12 Aber vom
Überhang der Teppiche des Zeltes sollst
du einen halben Teppich hinten an der
Wohnung überhängen lassen 13 und auf
beiden Seiten je eine Elle, dass der Über-
hang der Zeltteppiche an beiden Seiten
der Wohnung herabhänge und sie bede-
cke. 14 Über die Decke des Zeltes sollst du
eine Decke von rot gefärbten Widderfel-
len machen und darüber noch eine Decke
von feinem Leder.

15 Du sollst auch Bretter machen für die
Wohnung, aus Akazienholz, zum Aufstel-
len; 16 zehn Ellen lang soll ein Brett sein
und anderthalb Ellen breit. 17 Zwei Zap-
fen soll ein Brett haben, dass eins an das
andere gesetzt werden könne. So sollst
du alle Bretter der Wohnung machen.
18 Zwanzig von ihnen sollen nach Süden
stehen. 19 Vierzig silberne Füße sollst du
machen unter den zwanzig Brettern, je
zwei Füße unter jedem Brett für seine
zwei Zapfen. 20 Ebenso sollen auf der an-
dern Seite, nach Norden, auch zwanzig
Bretter stehen 21 mit vierzig silbernen
Füßen, je zwei Füße unter jedem Brett.
22 Und für die Rückseite der Wohnung
nach Westen sollst du sechs Bretter ma-
chen; 23 dazu zwei Bretter für die zwei
Ecken an der Rückseite der Wohnung,
24 dass beide mit ihren Eckbrettern un-
ten und oben verbunden sind und so die
Ecken bilden. 25 Acht Bretter sollen es
sein mit ihren silbernen Füßen; sechzehn
Füße sollen es sein, je zwei unter einem
Brett.

26 Und du sollst Riegel machen aus Aka-
zienholz, fünf zu den Brettern auf der
einen Langseite der Wohnung 27 und fünf
zu den Brettern auf der anderen Langseite
der Wohnung und fünf zu den Brettern
auf der Rückseite der Wohnung nach
Westen, 28 und sollst einen Mittelriegel
in halber Höhe an den Brettern entlang-
laufen lassen von einem Ende zu dem an-
dern. 29 Und du sollst die Bretter mit Gold
überziehen und ihre Ringe aus Gold ma-
chen, in die man die Riegel hineintut. Und
die Riegel sollst du mit Gold überziehen.
30 So sollst du die Wohnung in der Weise
aufrichten, [a]wie du sie auf dem Berge ge-
sehen hast.

31 Du sollst einen [a]Vorhang machen
aus blauem und rotem Purpur, Karme-
sin und gezwirntem feinem Leinen und
sollst Cherubim einweben in kunstrei-
cher Arbeit 32 und sollst ihn aufhängen
an vier Säulen von Akazienholz, die mit
Gold überzogen sind und goldene Nägel
und vier silberne Füße haben. 33 Und du
sollst den [a]Vorhang an die [b]Haken hängen
und die Lade mit dem Gesetz hinter den
Vorhang setzen, dass er euch eine Schei-
dewand sei zwischen dem Heiligen und
dem Allerheiligsten.

34 Und du sollst den Gnadenstuhl auf die
Lade mit dem Gesetz tun, die im Aller-
heiligsten steht.[a] 35 Den [a]Tisch aber setze

26,30 *a* Kap 25,9 **26,31** *a* 2. Chr 3,14 **26,33** *a* Mt 27,51; Hebr 9,3 *b* Verse 6.11 **26,34** *a* Kap 25,21 **26,35** *a* Kap 25,23-30; 40,22

außen vor den Vorhang und den Leuchter
dem Tisch gegenüber an die Südseite in
der Wohnung, dass der Tisch nach Nor-
den zu steht.
[36]Und du sollst eine Decke machen für
den Eingang des Zeltes, bunt gewebt aus
blauem und rotem Purpur, Karmesin und
gezwirntem feinem Leinen [37]und für die
Decke fünf Säulen aus Akazienholz, mit
Gold überzogen, mit goldenen Nägeln,
und sollst für sie fünf Füße aus Bronze
gießen.

DER BRANDOPFERALTAR

(vgl. Kap 38,1-7)

27 Du sollst einen Altar machen aus Aka-
zienholz, fünf Ellen lang und ebenso
breit, dass er viereckig sei, und drei Ellen
hoch. [2]Und du sollst auf seinen vier Ecken
[a]Hörner machen, aus einem Stück mit
ihm, und sollst ihn mit Bronze überzie-
hen. [3]Mache auch Töpfe für die Fettasche,
Schaufeln, Schalen, Gabeln, Kohlenpfan-
nen; alle seine Geräte sollst du aus Bronze
machen. [4]Du sollst auch ein Gitterwerk
aus Bronze machen wie ein Netz und vier
Ringe aus Bronze an seine vier Enden.
[5]Du sollst es aber unter die Einfassung
des Altars legen, von unten her, und das
Gitterwerk soll bis zur halben Höhe des
Altars reichen. [6]Und du sollst zu dem Al-
tar auch Stangen machen aus Akazienholz,
mit Bronze überzogen. [7]Und man soll die
Stangen in die Ringe tun, dass die Stangen
an beiden Seiten des Altars seien, wenn
man ihn trägt. [8]Als einen Kasten von Bret-
tern sollst du ihn machen, dass er inwen-
dig hohl sei, [a]wie er dir auf dem Berge ge-
zeigt wurde.

DER VORHOF

(vgl. Kap 38,9-20)

[9]Du sollst einen Vorhof für die Woh-
nung machen, Behänge von gezwirntem
feinem Leinen, für eine Seite hundert El-
len lang, für die Südseite, [10]und zwanzig
Säulen auf zwanzig Füßen von Bronze
und ihre Nägel und ihre Ringbänder von
Silber. [11]Ebenso sollen an der Nordseite
Behänge sein, hundert Ellen lang, und
zwanzig Säulen auf zwanzig Füßen von
Bronze und ihre Nägel und ihre Ringbän-
der von Silber. [12]Und nach Westen soll die
Breite des Vorhofes Behänge haben, fünf-
zig Ellen lang, zehn Säulen auf zehn Fü-
ßen. [13]Nach Osten aber soll die Breite des
Vorhofes fünfzig Ellen haben, [14]fünfzehn
Ellen Behänge auf einer Seite, dazu drei
Säulen auf drei Füßen, [15]und wieder fünf-
zehn Ellen auf der andern Seite, dazu drei
Säulen auf drei Füßen. [16]Und in dem Tor
des Vorhofes soll eine Decke sein, zwan-
zig Ellen breit, gewirkt aus blauem und
rotem Purpur, Karmesin und gezwirntem
feinem Leinen, dazu vier Säulen auf ihren
vier Füßen.
[17]Alle Säulen um den Vorhof her sollen
silberne Ringbänder und silberne Nägel
und Füße aus Bronze haben. [18]Die Länge
des Vorhofes soll hundert Ellen sein, die
Breite fünfzig Ellen, die Höhe fünf Ellen,
und alle Behänge sollen von gezwirntem
feinem Leinen sein und seine Füße aus
Bronze. [19]Alle Geräte der Wohnung für
den gesamten Dienst und alle ihre Pflöcke
und alle Pflöcke des Vorhofes sollen aus
Bronze sein.

DAS ÖL FÜR DEN LEUCHTER

[20][a]Gebiete den Israeliten, dass sie zu dir
bringen das allerreinste Öl aus zerstoße-
nen Oliven für den Leuchter, dass man
eine Lampe aufsetzen kann, die ständig
brennt. [21]In der Stiftshütte, außen vor
dem Vorhang, der vor der Lade mit dem
Gesetz hängt, sollen Aaron und seine
Söhne den Leuchter zurichten, dass er
brenne vom Abend bis zum Morgen vor
dem HERRN. Das soll eine ewige Ord-
nung sein für ihre Nachkommen bei den
Israeliten.

DIE KLEIDUNG DER PRIESTER

(vgl. Kap 39,1-31)

28 Du sollst Aaron, deinen Bruder, und
seine Söhne zu dir herantreten lassen
aus der Mitte der Israeliten, dass er mein
[a]Priester sei, er und [b]seine Söhne Nadab,
Abihu, Eleasar und Itamar. [2]Und du sollst
Aaron, deinem Bruder, heilige Kleider ma-
chen zur Ehre und als Schmuck [3]und sollst
reden mit allen, die weisen Herzens sind,
die ich [a]mit dem Geist der Weisheit er-

27,2 ***a*** 3. Mose 16,18; 1. Kön 1,50; Ps 118,27
27,8 ***a*** Kap 26,30 **27,20** ***a*** (20-21) 3. Mose 24,2-4
28,1 ***a*** 1. Chr 23,13 ***b*** Kap 6,23 **28,3** ***a*** Kap 31,3

füllt habe, dass sie Aaron Kleider machen
zu seiner Weihe, dass er mein Priester sei.
4 Dies sind aber die Kleider, die sie ma-
chen sollen: Brusttasche, Schurz, Ober-
gewand, enges Untergewand, Kopfbund
und Gürtel. So sollen sie heilige Kleider
machen deinem Bruder Aaron und seinen
Söhnen, dass er mein Priester sei. 5 Sie sol-
len Gold, blauen und roten Purpur, Kar-
mesin und feines Leinen dazu nehmen.[a]
6 Den Priesterschurz sollen sie machen
aus Gold, blauem und rotem Purpur, Kar-
mesin und gezwirntem feinem Leinen,
kunstreich gewirkt. 7 Zwei Schulterteile
soll er haben, die angefügt sind; an seinen
beiden Enden soll er zusammengebunden
werden. 8 Und die Binde, die daran ist, um
ihn anlegen zu können, soll von derselben
Arbeit und aus einem Stück mit ihm sein,
aus Gold, blauem und rotem Purpur, Kar-
mesin und gezwirntem feinem Leinen.
9 Und du sollst zwei [a]Onyxsteine neh-
men und darauf einschneiden die Na-
men der Söhne Israels, 10 auf jeden sechs
Namen nach der Ordnung ihres Alters.
11 Du sollst die Namen der Söhne Israels
in die Steine schneiden wie in ein Siegel,
und sie sollen mit Gold eingefasst werden.
12 Und du sollst sie auf die Schulterteile
des Schurzes heften, dass es Steine seien
zum gnädigen Gedenken an die Israel-
iten, sodass Aaron ihre Namen auf seinen
beiden Schultern trage vor dem HERRN,
damit der HERR ihrer gedenke. 13 Und du
sollst Goldfassungen machen 14 und zwei
Ketten von feinem Golde; als geflochtene
Schnüre sollst du sie machen und diese
Schnüre an den Fassungen befestigen.
15 Die Brusttasche für die Lose zum
Rechtsentscheid sollst du wie den Pries-
terschurz machen, kunstreich gewirkt,
aus Gold, blauem und rotem Purpur, Kar-
mesin und gezwirntem feinem Leinen.
16 Viereckig soll sie sein und doppelt ge-
legt; eine Spanne soll ihre Länge sein und
eine Spanne ihre Breite. 17 Und du sollst
sie besetzen mit vier Reihen von Steinen.
Die erste Reihe sei ein Sarder, ein Topas
und ein Smaragd, 18 die andere ein Rubin,
ein Saphir und ein Diamant, 19 die dritte
ein Lynkurer, ein Achat und ein Ame-
thyst, 20 die vierte ein Türkis, ein Onyx
und ein Jaspis; in Gold sollen sie gefasst
sein, wenn man sie anbringt. 21 Zwölf sol-
len es sein wie auf einem Siegel nach den
Namen der Söhne Israels, dass auf jedem
ein Name stehe nach den zwölf Stämmen.
22 Und du sollst Ketten zu der Tasche
wie geflochtene Schnüre machen aus fei-
nem Golde 23 und zwei goldene Ringe für
die Tasche, sodass du die beiden Ringe
an zwei Ecken der Tasche heftest 24 und
die beiden goldenen Schnüre in die bei-
den Ringe an den Ecken der Tasche tust.
25 Aber die beiden andern Enden der zwei
Schnüre sollst du an den beiden goldenen
Fassungen befestigen und sie an die Schul-
terteile des Priesterschurzes vorn anhef-
ten. 26 Und du sollst zwei andere goldene
Ringe machen und an die beiden andern
Ecken der Tasche heften an ihren Rand in-
nen zum Schurz hin. 27 Und du sollst aber-
mals zwei goldene Ringe machen und sie
unten an die beiden Schulterteile vorn am
Schurz anheften, wo der Schurz zusam-
mengeht, oben über der Binde des Schur-
zes. 28 Und man soll die Tasche mit ihren
Ringen mit einer Schnur von blauem Pur-
pur an die Ringe des Schurzes knüpfen,
dass sie über der Binde des Schurzes an-
liege und die Tasche sich nicht von dem
Schurz losmache.
29 So soll Aaron die Namen der Söhne
Israels in der Brusttasche auf seinem Her-
zen tragen, wenn er in das Heiligtum geht,
zum gnädigen Gedenken vor dem HERRN
allezeit. 30 Und du sollst in die Brusttasche
tun die Lose [a]»Licht und Recht«, sodass
sie auf dem Herzen Aarons seien, wenn
er hineingeht vor den HERRN, dass er die
Entscheidungen für die Israeliten auf sei-
nem Herzen trage vor dem HERRN alle-
zeit.
31 Du sollst auch das Obergewand un-
ter dem Schurz ganz aus blauem Purpur
machen. 32 Und oben in der Mitte soll
eine Öffnung sein und eine Borte um die
Öffnung herum in Weberarbeit wie bei
einem Panzerhemd, dass sie nicht ein-
reiße. 33 Und unten an seinem Saum sollst
du Granatäpfel machen aus blauem und
rotem Purpur und Karmesin ringsherum
und zwischen sie goldene Schellen auch

28,5 *a* Kap 26,1 **28,9** *a* Kap 25,7 **28,30** *a* 3. Mose 8,8; 4. Mose 27,21; 5. Mose 33,8

ringsherum, 34 dass eine goldene Schelle
sei, danach ein Granatapfel und wieder
eine goldene Schelle und wieder ein Gra-
natapfel ringsherum an dem Saum des
Obergewandes. 35 Und Aaron soll es an-
haben, wenn er dient, dass man seinen
Klang höre, wenn er hineingeht ins Hei-
ligtum vor den HERRN und wieder her-
auskommt; [a]so wird er nicht sterben.
36 Du sollst auch ein Stirnblatt machen
aus feinem Golde und darauf einschnei-
den, wie man Siegel schneidet: »Heilig
dem HERRN«. 37 Und du sollst es heften
an eine Schnur von blauem Purpur vorn
an den Kopfbund. 38 Und es soll sein auf
der Stirn Aarons, damit Aaron bei allen
ihren Opfern alle Sünde trage, die an den
heiligen Gaben der Israeliten haftet. Und
es soll allezeit an seiner Stirn sein, dass sie
wohlgefällig seien vor dem HERRN.
39 Du sollst auch das enge Untergewand
aus feinem Leinen machen und einen
Kopfbund aus feinem Leinen und einen
bunt gewebten Gürtel. 40 Und den Söhnen
Aarons sollst du Untergewänder, Gürtel
und hohe Mützen machen zur Ehre und
als Schmuck[a] 41 und sollst sie deinem Bru-
der Aaron samt seinen Söhnen anlegen
und sollst sie salben und ihre Hände fül-
len* und sie weihen, dass sie meine Pries-
ter seien.[a] 42 Und du sollst ihnen leinene
Beinkleider machen, um ihre Blöße zu be-
decken, von den Hüften bis an die Schen-
kel. 43 Und Aaron und seine Söhne sollen
sie anhaben, wenn sie in die Stiftshütte
gehen oder hinzutreten zum Altar, um
im Heiligtum zu dienen, damit sie keine
Schuld auf sich laden und sterben müssen.
Das soll für ihn und sein Geschlecht nach
ihm eine ewige Ordnung sein.

WEIHE DER PRIESTER UND DES ALTARS

(vgl. 3. Mose 8,1-36)

29 Dies ist's, was du mit ihnen tun sollst,
dass sie mir zu Priestern geweiht
werden: Nimm einen jungen Stier und
zwei Widder ohne Fehler, 2 ungesäuer-
tes Brot und ungesäuerte Kuchen, mit Öl
vermengt, und ungesäuerte Fladen, mit
Öl bestrichen; aus feinem Weizenmehl
sollst du das alles machen 3 und sollst es in
einen Korb legen und in dem Korbe her-
zubringen samt dem Stier und den beiden
Widdern. 4 Und du sollst Aaron und seine
Söhne an den Eingang der Stiftshütte tre-
ten lassen und sie mit Wasser waschen
5 und die Kleider nehmen und Aaron an-
ziehen das Untergewand und das Ober-
gewand und den Priesterschurz und die
Brusttasche und sollst ihm den Schurz
mit der Binde umgürten 6 und den Kopf-
bund auf sein Haupt setzen und den hei-
ligen [a]Kronreif am Kopfbund befestigen.
7 Und du sollst das [a]Salböl nehmen und
auf sein Haupt gießen und ihn salben.
8 Und seine Söhne sollst du auch herzu-
führen und ihnen das Untergewand an-
ziehen 9 und sie, Aaron und seine Söhne,
mit Gürteln umgürten und den Söhnen
die hohen Mützen aufsetzen, dass sie das
Priestertum haben nach ewiger Ordnung.
Und du sollst Aaron und seinen Söhnen
[a]die Hände füllen.
10 Und du sollst den jungen Stier her-
zuführen vor die Stiftshütte, und Aaron
und seine Söhne sollen [a]ihre Hände auf
den Kopf des Stieres legen. 11 Und du sollst
den Stier schlachten vor dem HERRN, am
Eingang der Stiftshütte, 12 und sollst von
seinem Blut nehmen und mit deinem
Finger an die Hörner des Altars streichen
und alles andere Blut an den Fuß des Al-
tars schütten. 13 Und du sollst alles Fett am
Eingeweide nehmen und den Lappen an
der Leber und die beiden Nieren mit dem
Fett daran und [a]sollst es auf dem Altar in
Rauch aufgehen lassen. 14 Aber Fleisch,
Fell und Kot des Stieres sollst du drau-
ßen vor dem Lager mit Feuer verbrennen;
denn es ist ein Sündopfer.[a]
15 Und den einen Widder sollst du neh-
men, und Aaron und seine Söhne sollen
ihre Hände auf seinen Kopf legen. 16 Dann
sollst du ihn schlachten und sein Blut neh-
men und ringsum an den Altar sprengen.
17 Aber den Widder sollst du in seine Stü-
cke zerlegen und seine Eingeweide und
Schenkel waschen und sie auf seine Stü-
cke und auf seinen Kopf legen 18 und den

* **28,41** Damit ist eine besondere Opfersitte bei der Priesterweihe gemeint (vgl. Kap 29,24; 3. Mose 8,12.22-31).

28,35 *a* Kap 30,21; 3. Mose 16,2.13 **28,40** *a* Vers 2
28,41 *a* Kap 29,9.29-36 **29,6** *a* Kap 28,36; 39,30
29,7 *a* Kap 30,25 **29,9** *a* Kap 28,41 **29,10** *a* 3. Mose 1,4
29,13 *a* 3. Mose 3,16-17 **29,14** *a* 3. Mose 4,11-12

ganzen Widder in Rauch aufgehen lassen auf dem Altar; denn es ist dem HERRN ein Brandopfer, ein lieblicher Geruch, ein [a]Feueropfer für den HERRN. 19 Den andern Widder aber sollst du nehmen, und Aaron und seine Söhne sollen ihre Hände auf seinen Kopf legen, 20 und du sollst ihn schlachten und von seinem Blut nehmen und es Aaron und seinen Söhnen an das rechte Ohrläppchen streichen und an den Daumen ihrer rechten Hand und an die große Zehe ihres rechten Fußes; und du sollst das Blut ringsum an den Altar sprengen. 21 Und du sollst von dem Blut auf dem Altar nehmen und Salböl und sollst Aaron und seine Kleider, seine Söhne und ihre Kleider damit besprengen. So werden er und seine Kleider, seine Söhne und ihre Kleider geweiht.

22 Danach sollst du nehmen [a]das Fett von dem Widder, den Fettschwanz und das Fett am Eingeweide, den Lappen an der Leber und die beiden Nieren mit dem Fett daran und die rechte Keule – denn es ist der Widder der Einsetzung – 23 und einen Laib Brot und einen Ölkuchen und einen Fladen aus dem Korbe mit dem ungesäuerten Brot, der vor dem HERRN steht. 24 Dann lege das alles auf die Hände Aarons und seiner Söhne und schwinge es als Schwingopfer vor dem HERRN. 25 Danach nimm es von ihren Händen und lass es in Rauch aufgehen auf dem Altar über dem Brandopfer zum lieblichen Geruch vor dem HERRN; denn es ist ein Feueropfer für den HERRN. 26 Und du sollst die Brust vom Widder der Einsetzung Aarons nehmen und sie vor dem HERRN schwingen. Das soll dein Anteil sein. 27 So sollst du [a]heiligen die Brust als Schwingopfer und die Keule als Hebopfer, die geschwungen und erhoben werden von dem Widder der Einsetzung Aarons und seiner Söhne. 28 Und das soll Aaron und seinen Söhnen gehören als ewiges Anrecht bei den Israeliten, denn es ist eine Abgabe. Eine Abgabe von den Israeliten soll es sein von ihren Dankopfern, ihrer Opfergabe für den HERRN.

29 Und die heiligen Kleider Aarons sollen nach ihm seine Söhne haben, [a]dass sie darin gesalbt und ihre Hände gefüllt werden. 30 Wer von seinen Söhnen an seiner statt Priester wird, der soll sie sieben Tage anziehen, wenn er in die Stiftshütte geht, um im Heiligtum zu dienen. 31 Und du sollst den Widder der Einsetzung nehmen und sein Fleisch an einem heiligen Ort kochen. 32 Und Aaron mit seinen Söhnen soll das Fleisch des Widders samt dem Brot im Korbe essen am Eingang der Stiftshütte. 33 Sie sollen die Stücke essen, mit denen die Sühnung für sie vollzogen wurde, als man ihre Hände füllte und sie weihte. Kein anderer darf es essen, denn es ist heilig.[a] 34 Wenn aber etwas übrig bleibt von dem Fleisch der Einsetzung und von dem Brot bis zum Morgen, sollst du es mit Feuer verbrennen. Es darf nicht gegessen werden, denn es ist heilig.

35 So sollst du mit Aaron und seinen Söhnen alles tun, was ich dir geboten habe. Sieben Tage sollst du ihre Hände füllen 36 und täglich einen jungen Stier zum Sündopfer schlachten zur Sühnung und sollst den Altar entsündigen, indem du die Sühnung an ihm vollziehst, und sollst ihn salben, dass er geweiht werde. 37 Sieben Tage sollst du an dem Altar die Sühnung vollziehen und ihn [a]weihen; so wird er ein Hochheiliges. Wer den Altar anrührt, der ist dem Heiligtum verfallen.

DAS TÄGLICHE OPFER

(vgl. 4. Mose 28,3-8)

38 Und dies sollst du auf dem Altar tun: Zwei einjährige Lämmer sollst du an jedem Tage darauf opfern, 39 ein Lamm am Morgen, das andere gegen Abend.[a] 40 Und zu dem einen Lamm einen Krug feines Mehl, vermengt mit einer viertel Kanne [a]zerstoßener Oliven, und zum Trankopfer eine viertel Kanne Wein. 41 Mit dem andern Lamm sollst du tun gegen Abend wie mit dem Speisopfer und Trankopfer vom Morgen, zum lieblichen Geruch, ein Feueropfer für den HERRN.

42 Das soll das tägliche Brandopfer sein bei euren Nachkommen am Eingang der Stiftshütte vor dem HERRN, wo ich euch begegnen und [a]mit dir reden will. 43 Da-

29,18 *a* 1. Sam 2,28 **29,22** *a* 3. Mose 3,3-4
29,27 *a* 3. Mose 10,15; 4. Mose 5,9-10
29,29 *a* Kap 28,40-41 **29,33** *a* 3. Mose 10,17
29,37 *a* Kap 30,29 **29,39** *a* 2. Kön 16,15; Ps 141,2
29,40 *a* Kap 27,20 **29,42** *a* Kap 25,22; 33,7

selbst will ich den Israeliten begegnen, und das Heiligtum wird geheiligt werden in meiner Herrlichkeit.[a] 44 Und ich will die Stiftshütte und den Altar heiligen und Aaron und seine Söhne heiligen, dass sie meine Priester seien. 45 Und ich will [a]unter den Israeliten wohnen und [b]ihr Gott sein, 46 dass sie erkennen sollen, ich sei [a]der HERR, ihr Gott, der sie aus Ägyptenland führte, damit ich unter ihnen wohne, ich, der HERR, ihr Gott.

DER RÄUCHERALTAR

(vgl. Kap 37,25-28)

30 Du sollst auch einen Räucheraltar machen aus Akazienholz, 2 eine Elle lang und ebenso breit, viereckig, und zwei Ellen hoch. Seine Hörner sollen aus einem Stück mit ihm sein. 3 Und du sollst ihn mit feinem Golde überziehen, seine Platte und seine Wände ringsherum und seine Hörner. Und sollst einen Kranz von Gold ringsherum machen 4 und zwei goldene Ringe unter dem Kranz zu beiden Seiten, dass man Stangen hineintue und ihn damit trage. 5 Die Stangen sollst du auch aus Akazienholz machen und mit Gold überziehen. 6 Und du sollst ihn setzen vor den Vorhang, der vor der Lade mit dem Gesetz hängt, und vor den Gnadenstuhl, der auf der Lade mit dem Gesetz ist, [a]wo ich dir begegnen werde.

7 Und Aaron soll darauf verbrennen gutes [a]Räucherwerk jeden Morgen, wenn er die Lampen zurichtet. 8 Desgleichen wenn er die Lampen aufsetzt gegen Abend, soll er solches Räucherwerk auch verbrennen. Das soll das tägliche Räucheropfer sein vor dem HERRN bei euren Nachkommen. 9 Ihr sollt kein [a]fremdes Räucherwerk daraufttun, auch kein Brandopfer noch Speisopfer. Auch Trankopfer dürft ihr darauf nicht ausgießen. 10 Und Aaron soll [a]an den Hörnern dieses Altars einmal im Jahr die Sühnung vollziehen. Mit dem Blut des Sündopfers soll auf dem Altar die Sühnung jährlich einmal geschehen bei euren Nachkommen. Hochheilig ist er dem HERRN.

DIE STEUER FÜR DAS HEILIGTUM

11 Und der HERR redete mit Mose und sprach: 12 Wenn du die Israeliten [a]zählst, so soll ein jeder dem HERRN ein Sühnegeld geben, um sein Leben auszulösen, damit ihnen nicht eine Plage widerfahre, wenn sie gezählt werden. 13 Es soll aber jeder, der gezählt ist, einen halben Schekel geben nach dem Münzgewicht des Heiligtums; ein Schekel wiegt zwanzig Gramm. Dieser halbe Schekel soll als [a]Abgabe für den HERRN erhoben werden. 14 Wer gezählt ist von zwanzig Jahren an und darüber, der soll diese Abgabe dem HERRN geben. 15 Der Reiche soll nicht mehr geben und der Arme nicht weniger als den halben Schekel als Abgabe für den HERRN zur Sühnung für euer Leben. 16 Und du sollst solches Sühnegeld nehmen von den Israeliten und es zum Dienst an der Stiftshütte geben, dass es sei für die Israeliten, zum gnädigen Gedenken vor dem HERRN, zur Sühnung für euer Leben.

DAS BRONZENE BECKEN

17 Und der HERR redete mit Mose und sprach: 18 Du sollst auch ein Becken aus Bronze machen mit einem Gestell aus Bronze zum Waschen und sollst es setzen zwischen die Stiftshütte und den Altar und Wasser hineintun,[a] 19 dass Aaron und seine Söhne ihre Hände und Füße darin waschen. 20 Wenn sie in die Stiftshütte gehen, sollen sie sich mit Wasser waschen, dann werden sie nicht sterben, so soll es auch sein, wenn sie an den Altar treten, um zu dienen und ein Feueropfer zu verbrennen für den HERRN. 21 Sie sollen ihre Hände und ihre Füße waschen, dass sie nicht sterben. Das soll eine ewige Ordnung sein für ihn und sein Geschlecht bei ihren Nachkommen.

SALBÖL UND RÄUCHERWERK

22 Und der HERR redete mit Mose und sprach: 23 Nimm dir die beste Spezerei: die edelste Myrrhe, fünfhundert Schekel, und Zimt, die Hälfte davon, zweihundertfünfzig, und Kalmus, auch zweihundertfünfzig Schekel, 24 und Kassia, fünfhundert

29,43 *a* Kap 33,10; 40,34 **29,45** *a* Kap 25,8; Sach 2,14 *b* 3. Mose 26,12 **29,46** *a* Kap 20,2 **30,6** *a* Kap 25,21-22 **30,7** *a* Ps 141,2 **30,9** *a* 3. Mose 10,1-2 **30,10** *a* 3. Mose 16,18 **30,12** *a* 4. Mose 1,3; 2. Sam 24,2-3 **30,13** *a* Mt 17,27 **30,18** *a* Kap 38,8; 1. Kön 7,23-39

nach dem Gewicht des Heiligtums, und
eine Kanne Olivenöl. 25 Und mache daraus
ein heiliges Salböl nach der Kunst des Sal-
benbereiters.[a] 26 Und du sollst damit sal-
ben die Stiftshütte und die Lade mit dem
Gesetz, 27 den Tisch mit all seinem Gerät,
den Leuchter mit seinem Gerät, den Räu-
cheraltar, 28 den Brandopferaltar mit all
seinem Gerät und das Becken mit seinem
Gestell. 29 So sollst du sie weihen, dass sie
[a]hochheilig seien. Wer sie anrührt, der ist
dem Heiligtum verfallen. 30 Aaron und
seine Söhne sollst du auch [a]salben und
sie mir zu Priestern weihen. 31 Und du
sollst mit den Israeliten reden und spre-
chen: Eine heilige Salbe soll mir dies
Öl bei euren Nachkommen sein. 32 Auf
keines andern Menschen Leib soll es ge-
gossen werden; du sollst es auch sonst
in der gleichen Mischung nicht herstel-
len, denn es ist heilig; darum soll es euch
als heilig gelten. 33 Wer solche Salbe
macht oder einem Unberufenen davon
gibt, der soll aus seinem Volk ausgerottet
werden.

34 Und der HERR sprach zu Mose: Nimm
dir Spezerei: Balsam, Stakte, Galbanum*
und reinen Weihrauch, vom einen so viel
wie vom andern, 35 und mache Räucher-
werk daraus, gemengt nach der Kunst
des Salbenbereiters, gesalzen, rein, zum
heiligen Gebrauch. 36 Und du sollst es zu
Pulver stoßen und sollst etwas davon vor
die Lade mit dem Gesetz in der Stiftshütte
bringen, [a]wo ich dir begegnen werde. Es
soll euch ein Hochheiliges sein. 37 Aber
solches Räucherwerk sollt ihr für euch in
der gleichen Mischung nicht herstellen,
sondern es soll dir als dem HERRN gehei-
ligt gelten. 38 Wer es macht, damit er sich
an dem Geruch erfreue, der soll ausgerot-
tet werden aus seinem Volk.

BERUFUNG DER KUNSTHANDWERKER FÜR DIE STIFTSHÜTTE

31 [a]Und der HERR redete mit Mose und
sprach: 2 Siehe, ich habe mit Namen
berufen Bezalel, den Sohn Uris, des Soh-
nes Hurs, vom Stamm Juda, 3 und habe ihn
erfüllt mit dem Geist Gottes, mit Weis-
heit und Verstand und Erkenntnis und
mit allerlei Fertigkeiten, 4 kunstreich zu
arbeiten in Gold, Silber, Bronze, 5 kunst-
reich Steine zu schneiden und einzusetzen
und kunstreich zu schnitzen in Holz, um
jede Arbeit zu vollbringen. 6 Und siehe,
ich habe ihm beigegeben Oholiab, den
Sohn Ahisamachs, vom Stamm Dan,
und habe allen Kundigen die Weisheit
ins Herz gegeben, dass sie alles machen
können, was ich dir geboten habe: 7 [a]die
Stiftshütte, die Lade mit dem Gesetz, den
Gnadenstuhl darauf und alle Geräte in der
Hütte, 8 den Tisch und sein Gerät, den
Leuchter von reinem Gold und all sein
Gerät, den Räucheraltar, 9 den Brandopfer-
altar mit all seinem Gerät, das Becken mit
seinem Gestell, 10 die gewirkten Kleider,
die heiligen Kleider des Priesters Aaron
und die Kleider seiner Söhne für den
priesterlichen Dienst, 11 das Salböl und
das Räucherwerk von Spezerei für das
Heiligtum. Ganz so, wie ich dir geboten
habe, sollen sie es machen.

GEBOT DER SABBATFEIER

(vgl. Kap 35,1-3)

12 Und der HERR redete mit Mose und
sprach: 13 Sage den Israeliten: Haltet
meine Sabbate; denn das ist ein Zeichen
zwischen mir und euch von Geschlecht
zu Geschlecht, damit ihr erkennt, dass ich
der HERR bin, der euch heiligt.[a] 14 Darum
haltet den Sabbat, denn er soll euch heilig
sein. Wer ihn entheiligt, der soll des Todes
sterben. Denn [a]wer eine Arbeit am Sabbat
tut, der soll ausgerottet werden aus sei-
nem Volk. 15 Sechs Tage soll man arbeiten,
aber am siebenten Tag ist Sabbat, ein hei-
liger Ruhetag für den HERRN. Wer eine
Arbeit tut am Sabbattag, soll des Todes
sterben. 16 Darum sollen die Israeliten den
Sabbat halten, dass sie ihn auch bei ihren
Nachkommen halten als ewigen Bund.[a]
17 Er ist ein ewiges Zeichen zwischen mir
und den Israeliten. Denn in sechs Tagen
machte der HERR Himmel und Erde, aber
am siebenten Tage ruhte er und erquickte
sich.[a]

* **30,34** »Stakte« und »Galbanum« sind wohlriechende Harze.

30,25 *a* Kap 37,29 **30,29** *a* Vers 10 **30,30** *a* Kap 29,7
30,36 *a* Vers 6 **31,1** *a* (1-6) Kap 35,30-35
31,7 *a* (7-11) Kap 35,11-19 **31,13** *a* Kap 20,8; Hes 20,12
31,14 *a* 4. Mose 15,32-35; Jer 17,21-23 **31,16** *a* Mk 2,27-28
31,17 *a* Kap 16,23.25; 1. Mose 2,2

ÜBERGABE DER ZWEI GESETZESTAFELN AN MOSE

18 Und als der HERR mit Mose zu Ende ge-
redet hatte auf dem Berge Sinai, gab er ihm
die beiden [a]Tafeln des Gesetzes; die waren
aus Stein und beschrieben von dem Finger
Gottes.

DAS GOLDENE KALB

32 [a]Als aber das Volk sah, dass Mose
ausblieb und nicht wieder von dem
Berge herabkam, sammelte es sich gegen
Aaron und sprach zu ihm: Auf, [b]mache
uns Götter, die vor uns hergehen! Denn
wir wissen nicht, was diesem Mann Mose
widerfahren ist, der uns aus Ägypten-
land geführt hat. 2 Aaron sprach zu ih-
nen: Reißt ab die goldenen Ohrringe an
den Ohren eurer Frauen, eurer Söhne und
eurer Töchter und bringt sie zu mir. 3 Da
riss alles Volk sich die goldenen Ohrringe
von den Ohren und brachte sie zu Aaron.
4 Und er nahm sie von ihren Händen und
formte das Gold und [a]machte ein gegosse-
nes Kalb. Und sie sprachen: Das sind deine
Götter, Israel, die dich aus Ägyptenland
geführt haben! 5 Als das Aaron sah, baute
er einen Altar vor ihm und ließ ausrufen
und sprach: Morgen ist des HERRN Fest.
6 Und sie standen früh am Morgen auf und
opferten Brandopfer und brachten dazu
Dankopfer dar. Danach [a]setzte sich das
Volk, um zu essen und zu trinken, und sie
standen auf, um ihre Lust zu treiben.

MOSES FÜRBITTE

7 Der HERR sprach aber zu Mose: Geh,
steig hinab; denn dein Volk, das du aus
Ägyptenland geführt hast, hat schänd-
lich gehandelt. 8 Sie sind schnell von dem
Wege gewichen, den ich ihnen geboten
habe. Sie haben sich ein gegossenes Kalb
gemacht und haben's angebetet und ihm
geopfert und gesagt: Dies sind deine Göt-
ter, Israel, die dich aus Ägyptenland ge-
führt haben.[a] 9 Und der HERR sprach zu
Mose: Ich habe dies Volk gesehen. Und
siehe, es ist ein [a]halsstarriges Volk. 10 Und
nun lass mich, dass mein Zorn über sie
entbrenne und sie verzehre; dafür will ich
dich zum großen Volk machen.[a]

11 Mose wollte den HERRN, seinen Gott,
besänftigen und sprach: Ach, HERR, wa-
rum will dein Zorn entbrennen über dein
Volk, das du mit großer Kraft und star-
ker Hand aus Ägyptenland geführt hast?
12 [a]Warum sollen die Ägypter sagen: Er
hat sie zu ihrem Unglück herausgeführt,
dass er sie umbrächte im Gebirge und ver-
tilgte sie von dem Erdboden? Kehre dich
ab von deinem glühenden Zorn und lass
dich des Unheils gereuen, das du über
dein Volk bringen willst. 13 Gedenke an
deine Knechte Abraham, Isaak und Israel,
denen du bei dir selbst geschworen und
verheißen hast: Ich will [a]eure Nachkom-
men mehren wie die Sterne am Himmel,
und dies ganze Land, das ich verheißen
habe, will ich euren Nachkommen geben,
und sie sollen es besitzen für ewig. 14 Da
gereute den HERRN das Unheil, das er sei-
nem Volk angedroht hatte.[a]

MOSE KEHRT ZURÜCK

15 Mose wandte sich und stieg vom Berge
und hatte die zwei Tafeln des Gesetzes
in seiner Hand; die waren beschrieben
auf beiden Seiten, vorn und hinten wa-
ren sie beschrieben. 16 Und Gott hatte sie
selbst gemacht, und die Schrift war Gottes
Schrift, eingegraben in die Tafeln.[a] 17 Als
nun Josua das Geschrei des Volks hörte,
sprach er zu Mose: Es ist ein Kriegsge-
schrei im Lager. 18 Er antwortete: Es ist
kein Geschrei wie bei einem Sieg, und es
ist kein Geschrei wie bei einer Niederlage,
ich höre Geschrei wie beim Tanz.

19 Als Mose aber nahe zum Lager kam
und das Kalb und das Tanzen sah, ent-
brannte sein Zorn, und er warf die Tafeln
aus der Hand und zerbrach sie unten am
Berge 20 und nahm das Kalb, das sie ge-
macht hatten, und verbrannte es im Feuer
und zermalmte es zu Pulver und streute
es aufs Wasser und gab's den Israeliten
zu trinken. 21 Und er sprach zu Aaron:
Was hat dir dies Volk getan, dass du eine
so große Sünde über sie gebracht hast?
22 Aaron sprach: Mein Herr lasse seinen

31,18 *a* Kap 24,12; 32,15-16; 34,28; 5. Mose 4,13; 5,22; 9,10; 10,1-5 **32,1** *a* (1-24) 5. Mose 9,8-21 *b* 1. Kön 12,28
32,4 *a* 1. Kön 12,28; Ps 106,19-20; Apg 7,41
32,6 *a* 1. Kor 10,7 **32,8** *a* Kap 20,4.23
32,9 *a* 5. Mose 9,6; Jes 48,4; Apg 7,51
32,10 *a* 4. Mose 14,11-20 **32,12** *a* 5. Mose 9,28; Jos 7,9
32,13 *a* 1. Mose 15,5; 22,16-17; 26,4 **32,14** *a* Ps 85,2-8
32,16 *a* Kap 31,18

Zorn nicht entbrennen. Du weißt, dass
dies Volk böse ist. 23 Sie sprachen zu mir:
Mache uns Götter, die vor uns hergehen;
denn wir wissen nicht, was mit diesem
Mann Mose geschehen ist, der uns aus
Ägyptenland geführt hat. 24 Ich sprach zu
ihnen: Wer Gold hat, der reiße es ab und
gebe es mir. Und ich warf es ins Feuer, und
daraus ist dieses Kalb geworden.

25 Als nun Mose sah, dass das Volk zucht-
los geworden war – denn Aaron hatte sie
zuchtlos werden lassen zum Gespött ih-
rer Widersacher –, 26 trat Mose in das Tor
des Lagers und rief: Her zu mir, wer dem
HERRN angehört! Da sammelten sich zu
ihm alle Söhne Levi. 27 Und er sprach zu
ihnen: So spricht der HERR, der Gott Is-
raels: Ein jeder gürte sein Schwert um die
Lenden und gehe durch das Lager hin und
her von einem Tor zum andern und er-
schlage seinen Bruder, Freund und Nächs-
ten. 28 Die Söhne Levi taten, wie ihnen
Mose gesagt hatte; und es fielen an jenem
Tage vom Volk dreitausend Mann. 29 Da
sprach Mose: [a]Füllt heute eure Hände zum
Dienst für den HERRN – denn ein jeder ist
wider seinen Sohn und Bruder gewesen –,
damit euch heute [b]Segen gegeben werde.

DIE DEMÜTIGUNG DES VOLKES

30 Am nächsten Morgen sprach Mose
zum Volk: Ihr habt eine große Sünde ge-
tan; nun will ich hinaufsteigen zu dem
HERRN, ob ich vielleicht Sühne erwirken
kann für eure Sünde. 31 Als nun Mose wie-
der zu dem HERRN kam, sprach er: Ach,
das Volk hat eine große Sünde getan, und
sie haben sich Götter von Gold gemacht.
32 Vergib ihnen doch ihre Sünde; wenn
nicht, dann tilge mich aus deinem Buch,
das du geschrieben hast.[a]

33 Der HERR sprach zu Mose: Ich will
den aus meinem Buch tilgen, der an mir
gesündigt hat. 34 [a]So geh nun hin und
führe das Volk, wohin ich dir gesagt habe.
Siehe, [b]mein Engel soll vor dir hergehen.
Ich werde aber ihre Sünde heimsuchen,
wenn meine Zeit heimzusuchen gekom-
men ist. 35 Und der HERR schlug das Volk,
weil sie sich das Kalb gemacht hatten, das
Aaron angefertigt hatte.

33 Der HERR sprach zu Mose: Geh, zieh
von dannen, du und das Volk, das du
aus Ägyptenland heraufgeführt hast, in
das Land, von dem ich [a]Abraham, Isaak
und Jakob geschworen habe: Deinen
Nachkommen will ich's geben. 2 Und ich
will [a]vor dir her senden einen Engel und
vertreiben die Kanaaniter, Amoriter, He-
titer, Perisiter, Hiwiter und Jebusiter 3 und
will dich bringen in das Land, darin Milch
und Honig fließt. Ich selbst will nicht mit
dir hinaufziehen, denn du bist ein [a]hals-
starriges Volk; ich würde dich unterwegs
verzehren. 4 Als das Volk diese harte Rede
hörte, trugen sie Leid, und niemand tat
seinen Schmuck an. 5 Und der HERR
sprach zu Mose: Sage zu den Israeliten:
Ihr seid ein halsstarriges Volk. Wenn ich
nur einen Augenblick mit dir hinaufzöge,
würde ich dich vertilgen. Und nun [a]lege
deinen Schmuck ab, dann will ich sehen,
was ich dir tue. 6 Und die Israeliten [a]taten
ihren Schmuck von sich, seit sie am Berg
Horeb waren.

DAS HEILIGE ZELT. GOTT BEGEGNET MOSE

7 Mose aber nahm das Zelt und schlug es
draußen auf, fern von dem Lager, und
nannte es Stiftshütte. Und [a]wer den
HERRN befragen wollte, musste heraus-
gehen zur Stiftshütte vor das Lager. 8 Und
wenn Mose hinausging zum Zelt, so stand
alles Volk auf, und jeder trat in seines Zel-
tes Tür und sah ihm nach, bis er ins Zelt
hineinging. 9 Und wenn Mose ins Zelt
hineinging, so kam die Wolkensäule her-
nieder und stand am Eingang des Zeltes,
und der HERR redete mit Mose.[a] 10 Und al-
les Volk sah die Wolkensäule am Eingang
des Zeltes stehen, und sie standen auf und
neigten sich, ein jeder in seines Zeltes Tür.
11 Der HERR aber [a]redete mit Mose von
Angesicht zu Angesicht, wie ein Mann
mit seinem Freunde redet. Dann kehrte
er zum Lager zurück; aber sein Diener
Josua, der Sohn Nuns, ein junger Mann,
wich nicht aus dem Zelt.

32,29 *a* Kap 28,41 *b* 4. Mose 3,6-10; 5. Mose 33,8-11
32,32 *a* Ps 69,29; Lk 10,20; Röm 9,3
32,34 *a* (34-35) 4. Mose 14,27-30 *b* Kap 33,2.14
33,1 *a* 1. Mose 12,7 **33,2** *a* Kap 23,20 **33,3** *a* Kap 32,9-10
33,5 *a* Joel 2,13 **33,6** *a* Jona 3,6 **33,7** *a* Kap 29,42
33,9 *a* Kap 25,22; 4. Mose 11,25; 5. Mose 31,15
33,11 *a* Vers 20; 4. Mose 12,8; 5. Mose 34,10

MOSE BEGEHRT, DES HERRN HERRLICHKEIT ZU SCHAUEN

12 Und Mose sprach zu dem HERRN: Siehe,
du sprichst zu mir: Führe dies Volk hin-
auf!, und lässt mich nicht wissen, wen du
mit mir senden willst, wo du doch gesagt
hast: Ich kenne dich mit Namen, und du
hast Gnade vor meinen Augen gefunden.[a]
13 Hab ich denn Gnade vor deinen Augen
gefunden, so lass mich [a]deinen Weg wis-
sen, damit ich dich erkenne und Gnade
vor deinen Augen finde. Und sieh doch,
dass dies Volk dein Volk ist. 14 Er sprach:
Mein [a]Angesicht soll vorangehen; ich will
dich zur [b]Ruhe leiten. 15 Mose aber sprach
zu ihm: Wenn nicht dein Angesicht vor-
angeht, so führe uns nicht von hier hin-
auf. 16 Denn woran soll erkannt werden,
dass ich und dein Volk vor deinen Au-
gen Gnade gefunden haben, wenn nicht
daran, dass du mit uns gehst, [a]sodass ich
und dein Volk erhoben werden vor al-
len Völkern, die auf dem Erdboden sind?
17 Der HERR sprach zu Mose: Auch das,
was du jetzt gesagt hast, will ich tun; denn
[a]du hast Gnade vor meinen Augen gefun-
den, und [b]ich kenne dich mit Namen.

18 Und Mose sprach: Lass mich deine
[a]Herrlichkeit sehen! 19 Und er sprach: Ich
will vor deinem Angesicht all meine Güte
vorübergehen lassen und will [a]ausrufen*
den Namen des HERRN vor dir: [b]**Wem
ich gnädig bin, dem bin ich gnädig,
und wessen ich mich erbarme, des-
sen erbarme ich mich.** 20 Und er sprach
weiter: Mein Angesicht kannst du nicht
sehen; denn kein Mensch wird leben,
der mich sieht.[a] 21 Und der HERR sprach
weiter: Siehe, es ist ein Raum bei mir, da
sollst du auf dem Fels stehen.[a] 22 Wenn
dann [a]meine Herrlichkeit vorübergeht,
will ich dich in die Felskluft stellen und
[b]meine Hand über dir halten, bis ich vor-
übergegangen bin. 23 Dann will ich meine
Hand von dir tun, und du darfst hinter mir
her sehen; aber mein Angesicht kann man
nicht sehen.

NEUE GESETZESTAFELN. BUNDESSCHLUSS UND BUNDESPFLICHTEN

34 Und der HERR sprach zu Mose: Haue
dir zwei steinerne Tafeln zu, wie die
ersten waren, dass ich die Worte darauf
schreibe, die auf den ersten Tafeln stan-
den, welche [a]du zerbrochen hast. 2 Und
sei morgen bereit, dass du früh auf den
Berg Sinai steigst und dort zu mir trittst
auf dem Gipfel des Berges. 3 Und lass nie-
mand mit dir hinaufsteigen; es soll auch
niemand gesehen werden auf dem gan-
zen Berge. Auch kein Schaf und Rind lass
weiden gegen diesen Berg hin.[a] 4 Und
Mose hieb zwei steinerne Tafeln zu, wie
die ersten waren, und stand am Morgen
früh auf und stieg auf den Berg Sinai,
wie ihm der HERR geboten hatte, und
nahm die zwei steinernen Tafeln in seine
Hand.

5 Da kam der HERR hernieder in einer
Wolke und trat daselbst zu ihm. Und er
[a]rief aus den Namen des HERRN. 6 Und
der HERR ging vor seinem Angesicht vor-
über, und er rief aus: **HERR, HERR, Gott,
barmherzig und gnädig und geduldig
und von großer Gnade und Treue,**[a] 7 **der
da Tausenden Gnade bewahrt und ver-
gibt Missetat, Übertretung und Sünde,
aber ungestraft lässt er niemand, son-
dern sucht die Missetat der Väter heim
an Kindern und Kindeskindern bis ins
dritte und vierte Glied.**[a]

8 Und Mose neigte sich eilends zur Erde
und betete an 9 und sprach: Hab ich, HERR,
Gnade vor deinen Augen gefunden, so
gehe der Herr in unserer Mitte, denn es
ist ein [a]halsstarriges Volk; und [b]vergib uns
unsere Missetat und Sünde und lass uns
dein [c]Erbbesitz sein.

10 Und der HERR sprach: Siehe, ich will
einen [a]Bund schließen: Vor deinem gan-
zen Volk will ich Wunder tun, wie sie
nicht geschaffen sind in allen Landen und
unter allen Völkern, und das ganze Volk,
in dessen Mitte du bist, soll des HERRN
Werk sehen; denn wunderbar wird sein,

* **33,19** Luther übersetzte: »und will predigen lassen«.

33,12 *a* Verse 2-3.17 **33,13** *a* Ps 103,7 **33,14** *a* Jes 63,9 *b* Jos 21,44; Hebr 4,9 **33,16** *a* 5. Mose 4,6-8 **33,17** *a* Vers 12 *b* Jes 43,1; 2. Tim 2,19 **33,18** *a* Ps 63,3; Joh 1,14; 2. Kor 3,18 **33,19** *a* Kap 34,5 *b* Kap 3,14; Röm 9,15 **33,20** *a* Kap 24,11; 1. Mose 32,31; Ri 6,22-23; 13,22-23; Jes 6,5; 33,14; 1. Tim 6,16 **33,21** *a* 1. Kön 19,8-13 **33,22** *a* Kap 34,5-6 *b* Kap 24,11 **34,1** *a* Kap 32,19 **34,3** *a* Kap 19,12-13 **34,5** *a* Kap 3,19 **34,6** *a* Kap 33,18-23; 4. Mose 14,18; Ps 103,8; Nah 1,3; 1. Joh 4,16 **34,7** *a* Kap 20,5-6; Nah 1,2 **34,9** *a* Kap 33,3 *b* Mt 6,12 *c* 5. Mose 32,9; Ps 28,9 **34,10** *a* Kap 19,5

was ich an dir tun werde. 11 Halte, was ich
dir heute gebiete. Siehe, ich will vor dir
her ausstoßen die Amoriter, Kanaaniter,
Hetiter, Perisiter, Hiwiter und Jebusiter.
12 [a]Hüte dich, einen Bund zu schließen
mit den Bewohnern des Landes, in das
du kommst, damit sie dir nicht zum Fall-
strick werden in deiner Mitte; 13 sondern
[a]ihre Altäre sollst du umstürzen und ihre
Steinmale zerbrechen und ihre heiligen
Pfähle umhauen; 14 denn du sollst keinen
andern Gott anbeten. Denn der HERR
heißt ein Eiferer; ein eifernder Gott ist
er.[a] 15 Hüte dich, einen Bund zu schließen
mit den Bewohnern des Landes, damit sie,
wenn sie ihren Göttern nachlaufen und
ihnen opfern, dich nicht einladen und du
von ihrem Opfer isst 16 und damit du für
deine Söhne ihre Töchter nicht zu Frauen
nimmst und diese dann ihren Göttern
nachlaufen und machen, dass deine Söhne
auch ihren Göttern nachhuren![a]

17 Du sollst dir keine gegossenen Götter-
bilder machen.[a]

18 [a]Das Fest der Ungesäuerten Brote
sollst du halten. Sieben Tage sollst du
ungesäuertes Brot essen, wie ich dir ge-
boten habe, zur Zeit des Monats Abib;
denn im Monat Abib bist du aus Ägypten
gezogen.

19 Alle Erstgeburt ist mein, alle männ-
liche Erstgeburt von deinem Vieh, es sei
Stier oder Schaf.[a] 20 Aber den Erstling des
Esels sollst du mit einem Schaf auslösen.
Wenn du ihn aber nicht auslöst, so brich
ihm das Genick. Alle Erstgeburt unter dei-
nen Söhnen sollst du auslösen.

[a]Und dass niemand vor mir mit leeren
Händen erscheine!

21 Sechs Tage sollst du arbeiten; am sie-
benten Tage sollst du ruhen, auch in der
Zeit des Pflügens und des Erntens. 22 Das
Wochenfest* sollst du halten mit den Erst-
lingen der Weizenernte und das Fest der
Lese, wenn das Jahr um ist. 23 Dreimal im
Jahr soll alles, was männlich ist, erschei-
nen vor dem Herrscher, dem HERRN, dem
Gott Israels. 24 Denn ich werde die Völker
vor dir ausstoßen und dein Gebiet weit
machen, und niemand soll dein Land be-
gehren, während du dreimal im Jahr hin-
aufgehst, um vor dem HERRN, deinem
Gott, zu erscheinen.

25 Du sollst das Blut meines Opfers nicht
darbringen zugleich mit dem Sauerteig,
und das Opfer des Passafestes soll nicht
über Nacht bleiben bis zum Morgen.

26 Das Beste von den ersten Früchten
deines Ackers sollst du in das Haus des
HERRN, deines Gottes, bringen.

[a]Du sollst das Böcklein nicht kochen in
seiner Mutter Milch.

27 Und der HERR sprach zu Mose:
[a]Schreib dir diese Worte auf; denn auf-
grund dieser Worte schließe ich mit dir
einen Bund und mit Israel. 28 Und er war
allda bei dem HERRN [a]vierzig Tage und
vierzig Nächte und aß kein Brot und
trank kein Wasser. Und er schrieb auf die
[b]Tafeln die Worte des Bundes, die Zehn
Worte.

DER GLANZ AUF MOSES ANGESICHT

29 Als nun Mose vom Berge Sinai herab-
stieg, hatte er die zwei Tafeln des Geset-
zes in seiner Hand und wusste nicht, dass
die Haut seines Angesichts glänzte, weil
er mit Gott geredet hatte. 30 Als aber Aaron
und alle Israeliten sahen, dass die Haut
seines Angesichts glänzte, fürchteten sie
sich, ihm zu nahen.[a] 31 Da rief sie Mose,
und sie wandten sich wieder zu ihm,
Aaron und alle Obersten der Gemeinde,
und er redete mit ihnen. 32 Danach nahten
sich ihm auch alle Israeliten. Und er gebot
ihnen alles, was der HERR mit ihm geredet
hatte auf dem Berge Sinai.

33 Und als er dies alles mit ihnen gere-
det hatte, legte er eine Decke auf sein An-
gesicht. 34 Und wenn er [a]hineinging vor
den HERRN, mit ihm zu reden, tat er die
Decke ab, bis er wieder herausging. Und
wenn er herauskam und zu den Israeliten
redete, was ihm geboten war, 35 sahen die
Israeliten, wie die Haut seines Angesichts

* **34,22** Das ist das Erntefest (vgl. Kap 23,16), das sieben Wochen nach dem Fest der Ungesäuerten Brote gehalten wurde (vgl. 3. Mose 23,15-16; 5. Mose 16,9-10).

34,12 ***a*** Kap 23,32-33 **34,13** ***a*** Kap 23,24
34,14 ***a*** Kap 20,3.5 **34,16** ***a*** 5. Mose 7,3; Ri 3,6; 1. Kön 11,2 **34,17** ***a*** Kap 20,4
34,18 ***a*** (18-26) Kap 23,14-19; 5. Mose 16,1-4
34,19 ***a*** 1. Mose 4,4 **34,20** ***a*** Kap 13,12-16
34,26 ***a*** Kap 23,19 **34,27** ***a*** Kap 24,4 **34,28** ***a*** Kap 24,18; Mt 4,2 ***b*** Kap 31,18 **34,30** ***a*** 2. Kor 3,7-18
34,34 ***a*** Kap 33,8-9

glänzte. Dann tat er die Decke auf sein An-
gesicht, bis er wieder hineinging, mit ihm
zu reden.

DIE ERRICHTUNG DER STIFTSHÜTTE
Kapitel 35,1–40,38

DIE SABBATORDNUNG
(vgl. Kap 31,12-17)

35 Und Mose versammelte die ganze Ge-
meinde der Israeliten und sprach zu
ihnen: Dies ist's, was der HERR geboten
hat, dass ihr es tun sollt: 2 Sechs Tage sollt
ihr arbeiten. Am siebenten Tag aber sei
für euch Sabbat, ein Ruhetag, heilig dem
HERRN. Wer an diesem Tag arbeitet, soll
sterben.[a] 3 Ihr sollt kein Feuer anzünden
am Sabbattag in allen euren Wohnungen.

FREIWILLIGE GABEN FÜR DIE STIFTSHÜTTE
(vgl. Kap 25,3-9; 31,7-11)

4 Und Mose sprach zu der ganzen Ge-
meinde der Israeliten: Dies ist's, was der
HERR geboten hat: 5 Erhebt von eurem
Besitz eine [a]Abgabe für den HERRN. Ein
jeder, dessen Herz dazu bereit ist, bringe
die Abgabe für den HERRN: Gold, Silber,
Bronze, 6 blauen und roten Purpur, Kar-
mesin, feines Leinen und Ziegenhaar, 7 rot
gefärbte Widderfelle, Leder und Akazi-
enholz, 8 Öl für die Lampen und Speze-
rei zum Salböl und zu wohlriechendem
Räucherwerk, 9 Onyxsteine und einge-
fasste Steine zum Priesterschurz und zum
Brustschild. 10 Und wer unter euch kundig
ist, der komme und mache, was der HERR
geboten hat, 11 nämlich die Wohnung mit
ihrem Zelt und ihrer Decke, ihren Haken,
Brettern, Riegeln, Säulen und Füßen,
12 die Lade mit ihren Stangen, den Gna-
denstuhl und Vorhang, 13 den Tisch mit
seinen Stangen und all seinem Gerät und
die Schaubrote, 14 den Leuchter für das
Licht und sein Gerät und seine Lampen
und das Öl für das Licht, 15 den Räucher-
altar mit seinen Stangen, das Salböl und
das wohlriechende Räucherwerk, die De-
cke, die vor dem Eingang der Wohnung
hängt, 16 den Brandopferaltar mit seinem
Gitter aus Bronze, seinen Stangen und
all seinem Gerät, das Becken mit seinem
Gestell; 17 die Behänge des Vorhofs, seine
Säulen und Füße und die Decke des Tors
am Vorhof, 18 die Zeltpflöcke der Woh-
nung und des Vorhofs mit ihren Seilen,
19 die gewirkten Kleider zum Dienst im
Heiligtum, die heiligen Kleider Aarons,
des Priesters, samt den Kleidern seiner
Söhne für den priesterlichen Dienst.
20 Da ging die ganze Gemeinde der Is-
raeliten von Mose weg. 21 Und alle, die es
[a]gern und freiwillig gaben, kamen und
brachten die Abgabe für den HERRN zur
Arbeit an der Stiftshütte und für allen
Dienst darin und für die heiligen Klei-
der. 22 Die Männer samt ihren Frauen,
alle, deren Herz dazu bereit war, kamen
und brachten Spangen, Ohrringe, Ringe
und Halsketten und allerlei goldenes Ge-
rät, ein jeder das Gold, das er dem HERRN
geweiht hatte. 23 Und wer bei sich blauen
und roten Purpur fand, Karmesin, feines
Leinen, Ziegenhaar, rot gefärbte Wid-
derfelle und Leder, der brachte sie. 24 Und
wer eine Abgabe von Silber und Bronze
geben wollte, der brachte sie als Abgabe
für den HERRN. Und wer Akazienholz
hatte, der brachte es zu allerlei Verwen-
dung für den Dienst. 25 Und alle Frauen,
die diese Kunst verstanden, spannen mit
ihren Händen und brachten das Garn,
blauen und roten Purpur, Karmesin und
feines Leinen. 26 Und alle Frauen, die wil-
lig dazu waren und sich auf solche Arbeit
verstanden, spannen Ziegenhaare. 27 Die
Fürsten aber brachten Onyxsteine und
eingefasste Steine für den Priesterschurz
und die Brusttasche 28 und Spezerei und
Öl für den Leuchter und für das Salböl und
für das wohlriechende Räucherwerk. 29 Je-
der Mann und jede Frau, deren Herz dazu
bereit war, etwas zu einer Arbeit beizutra-
gen, die der HERR durch Mose aufgetra-
gen hatte – alle diese Israeliten brachten
eine Gabe für den HERRN.

BEAUFTRAGUNG DER KUNSTHANDWERKER
(vgl. Kap 31,1-6)

30 Und Mose sprach zu den Israeliten: Se-
het, der HERR hat mit Namen berufen den

35,2 *a* Kap 20,8-11; 34,21 **35,5** *a* Kap 25,2
35,21 *a* 1. Chr 29,5; 29,9; 2. Kor 9,7

Bezalel, den Sohn Uris, des Sohnes Hurs,
vom Stamm Juda, 31 und hat ihn erfüllt
mit dem Geist Gottes, dass er weise, ver-
ständig und geschickt sei zu jedem Werk,
32 kunstreich zu arbeiten in Gold, Silber
und Bronze, 33 Edelsteine zu schneiden
und einzusetzen, Holz zu schnitzen, um
jede kunstreiche Arbeit zu vollbringen.
34 Und er hat ihm auch die Gabe zu unter-
weisen ins Herz gegeben, ihm und Oho-
liab, dem Sohn Ahisamachs, vom Stamm
Dan. 35 Er hat sie mit Verstand erfüllt, zu
machen alle Arbeiten des Goldschmieds
und des Kunstwebers und des Buntwe-
bers mit blauem und rotem Purpur, Kar-
mesin und feinem Leinen und des We-
bers, dass sie jedes Werk ausführen und
kunstreiche Entwürfe ersinnen können.
36 So sollen denn arbeiten Bezalel und
Oholiab und alle kundigen Männer,
denen der HERR Weisheit und Verstand
gegeben hat zu wissen, wie sie alle Arbeit
ausführen sollen zum Dienst des Heilig-
tums, ganz nach dem Gebot des HERRN.
2 Und Mose berief Bezalel und Oholiab
und alle kundigen Männer, denen der
HERR Weisheit ins Herz gegeben hatte,
alle, die sich freiwillig erboten, ans Werk
zu gehen und es auszurichten. 3 Und sie
empfingen von Mose alle Abgaben, die die
Israeliten gebracht hatten, um die Arbei-
ten zum Dienst des Heiligtums auszufüh-
ren. Und man brachte auch weiterhin alle
Morgen freiwillige Gaben zu ihm.

4 Da kamen alle kundigen Männer, die
am Werk des Heiligtums arbeiteten, ein
jeder von der Arbeit, die er machte, 5 und
sprachen zu Mose: Das Volk bringt zu viel,
mehr als zum Dienst dieses Werkes nötig
ist, das der HERR zu machen geboten hat.
6 Da gebot Mose, dass man durchs Lager
rufen ließe: Niemand, weder Mann noch
Frau, soll hinfort noch etwas hinzutun zur
Abgabe für das Heiligtum. Da brachte das
Volk nichts mehr. 7 Denn es war genug ge-
bracht worden zu allen Arbeiten, die zu
machen waren, und es war noch übrig ge-
blieben.

DIE HERSTELLUNG DER STIFTSHÜTTE

(vgl. Kap 26,1-37)

8 So machten alle kundigen Männer un-
ter den Arbeitern die Wohnung aus zehn
Teppichen von gezwirntem feinem Lei-
nen, blauem und rotem Purpur und Kar-
mesin, und Cherubim waren eingewebt,
wie es ein Kunstweber macht. 9 Die Länge
eines Teppichs war achtundzwanzig Ellen
und die Breite vier Ellen, und alle waren
von ein und demselben Maß. 10 Und er
fügte je fünf Teppiche zu einer Bahn zu-
sammen, einen an den andern. 11 Und er
machte blaue Schlaufen an beiden Bahnen
jeweils an dem Rand, an dem sie zusam-
mengeheftet werden, 12 fünfzig Schlaufen
an jeder Bahn, dass eine Schlaufe der an-
dern gegenüberstünde. 13 Und er machte
fünfzig goldene Haken und heftete die
Teppiche mit den Haken einen an den an-
dern zusammen, auf dass die Wohnung
ein Ganzes sei.

14 Und er machte elf Teppiche von Zie-
genhaaren zum Zelte über die Wohnung,
15 dreißig Ellen lang und vier Ellen breit,
die alle dasselbe Maß haben; 16 und fügte
fünf aneinander und die sechs andern
auch. 17 Und er machte fünfzig Schlau-
fen an jeder Bahn am Rand, wo die Bah-
nen zusammengeheftet werden, 18 und
machte je fünfzig Haken aus Bronze, da-
mit das Zelt zusammengefügt werde und
ein Ganzes sei. 19 Und er machte eine De-
cke über das Zelt von rot gefärbten Wid-
derfellen und darüber noch eine Decke
von Leder.

20 Und er machte Bretter für die Woh-
nung, aus Akazienholz, zum Aufstellen,
21 ein jedes zehn Ellen lang und anderthalb
Ellen breit 22 und an jedem zwei Zapfen,
damit eins an das andere gesetzt würde.
So machte er alle Bretter für die Woh-
nung, 23 dass zwanzig Bretter nach Süden
standen. 24 Und er machte vierzig silberne
Füße unter die zwanzig Bretter, unter je-
des Brett zwei Füße für seine zwei Zapfen.
25 Ebenso machte er auf der andern Seite
der Wohnung nach Norden zwanzig Bret-
ter 26 mit vierzig silbernen Füßen, unter
jedes Brett zwei Füße. 27 Und für die Rück-
seite der Wohnung nach Westen machte
er sechs Bretter 28 und zwei andere für die
zwei Ecken an der Rückseite der Woh-
nung. 29 Und sie waren doppelt gelegt von
unten her und gut aneinandergefügt bis
oben hin zum ersten Ring. So machte er es
für beide Eckbretter. 30 Und es waren acht

Bretter und sechzehn silberne Füße, unter
jedem Brett zwei Füße.
31 Und er machte Riegel aus Akazien-
holz, fünf zu den Brettern auf der einen
Langseite der Wohnung 32 und fünf auf
der andern Langseite und fünf auf der
Rückseite nach Westen. 33 Und er machte
den Mittelriegel, dass er in halber Höhe an
den Brettern entlanglief von einem Ende
zum andern. 34 Und er überzog die Bretter
mit Gold, und ihre Ringe machte er aus
Gold, dass man die Riegel hineintäte, und
überzog die Riegel mit Gold.
35 Und er machte den Vorhang aus blau-
em und rotem Purpur, Karmesin und ge-
zwirntem feinem Leinen. Wie ein Kunst-
weber machte er ihn mit Cherubim.
36 Und er machte für ihn vier Säulen aus
Akazienholz und überzog sie mit Gold
und ihre Nägel waren aus Gold, und er
goss dazu vier silberne Füße. 37 Und er
machte eine Decke für den Eingang des
Zeltes, bunt gewebt aus blauem und ro-
tem Purpur, Karmesin und gezwirntem
feinem Leinen, 38 und dazu fünf Säulen
mit ihren Nägeln und überzog ihre Köpfe
und Ringbänder mit Gold und machte
fünf Füße aus Bronze daran.

DIE BUNDESLADE

(vgl. Kap 25,10-22)

37 Und Bezalel machte die Lade aus Aka-
zienholz, zwei und eine halbe Elle
lang, anderthalb Ellen breit und ebenso
hoch, 2 und überzog sie mit feinem Golde
innen und außen und machte ihr einen
goldenen Kranz ringsherum. 3 Und er goss
vier goldene Ringe für ihre vier Ecken, für
jede Seite zwei, 4 und machte Stangen aus
Akazienholz und überzog sie mit Gold
5 und tat sie in die Ringe an den Seiten der
Lade, sodass man sie tragen konnte. 6 Und
er machte den Gnadenstuhl aus feinem
Golde, zwei und eine halbe Elle lang und
anderthalb Ellen breit, 7 und zwei Che-
rubim aus getriebenem Golde fertigte er
für die beiden Enden des Gnadenstuhls,
8 einen Cherub an diesem, den andern an
jenem Ende. Am Gnadenstuhl arbeitete
er die Cherubim heraus für seine beiden
Enden. 9 Und die Cherubim breiteten ihre
Flügel nach oben aus und bedeckten da-
mit den Gnadenstuhl, und sie standen
Antlitz gegen Antlitz und sahen auf den
Gnadenstuhl.

DER TISCH FÜR DIE SCHAUBROTE

(vgl. Kap 25,23-30)

10 Und er machte den Tisch aus Akazien-
holz, zwei Ellen lang, eine Elle breit und
anderthalb Ellen hoch, 11 und überzog ihn
mit feinem Golde und machte ihm einen
goldenen Kranz ringsherum 12 und machte
ihm eine Leiste ringsherum, eine Hand-
breit hoch, und einen goldenen Kranz um
die Leiste. 13 Und er goss für ihn vier gol-
dene Ringe und befestigte sie an den vier
Ecken an seinen vier Füßen 14 dicht unter
der Leiste, dass man die Stangen hinein-
tun und den Tisch tragen könnte. 15 Und
er machte die Stangen aus Akazienholz
und überzog sie mit Gold, dass man den
Tisch damit trüge. 16 Und er machte auch
aus feinem Golde das Gerät für den Tisch:
Schüsseln und Löffel, Kannen und Scha-
len, in denen man das Trankopfer darbrin-
gen sollte.

DER LEUCHTER

(vgl. Kap 25,31-40)

17 Und er machte den Leuchter aus feinem,
getriebenem Golde. Daran waren der
Fuß und der Schaft, Kelche und Knäufe
und Blumen. 18 Sechs Arme gingen von
seinen Seiten aus, nach jeder Seite drei
Arme. 19 Drei Kelche wie Mandelblüten
waren an jedem Arm mit Knäufen und
Blumen. So gingen die sechs Arme von
dem Leuchter aus. 20 An dem Leuchter
aber waren vier Kelche mit Knäufen und
Blumen, 21 je ein Knauf war unter jedem
Paar der sechs Arme, die von ihm ausgin-
gen. 22 Knäufe und Arme gingen aus dem
Leuchter hervor. Er war ganz und gar aus
feinem Gold getrieben. 23 Und er machte
die sieben Lampen mit ihren Dochtsche-
ren und Pfannen aus feinem Gold. 24 Aus
einem Zentner feinen Goldes machte er
ihn und all sein Gerät.

RÄUCHERALTAR, SALBÖL UND RÄUCHERWERK

(vgl. Kap 30,1-5; 30,22-38)

25 Er machte auch den Räucheraltar aus
Akazienholz, eine Elle lang und ebenso
breit, viereckig, und zwei Ellen hoch. Seine

Hörner waren aus einem Stück mit ihm.
26 Und er überzog ihn mit feinem Golde,
seine Platte und seine Wände ringsherum
und seine Hörner, und machte ihm einen
Kranz ringsherum von Gold 27 und zwei
goldene Ringe unter dem Kranz zu bei-
den Seiten, dass man Stangen hineintäte
und ihn damit trüge. 28 Und die Stangen
machte er aus Akazienholz und überzog
sie mit Gold.
29 Und er machte das heilige Salböl und
das Räucherwerk aus reiner Spezerei nach
der Kunst des Salbenbereiters.

DER BRANDOPFERALTAR UND DAS BRONZENE BECKEN

(vgl. Kap 27,1-8; 30,18-21)

38 Und er machte den Brandopferal-
tar aus Akazienholz, fünf Ellen lang
und ebenso breit, viereckig, und drei El-
len hoch, 2 und vier Hörner, die mit ihm
aus einem Stück waren, auf seinen vier
Ecken und überzog ihn mit Bronze. 3 Und
er machte alle Geräte zu dem Altar, Töpfe
für die Fettasche, Schaufeln, Schalen, Ga-
beln, Kohlenpfannen, alles aus Bronze.
4 Und er machte am Altar ein Gitterwerk
aus Bronze wie ein Netz unter der Einfas-
sung des Altars, von unten her bis zur hal-
ben Höhe des Altars 5 und goss vier Ringe
an die vier Enden des bronzenen Gitters
für die Stangen. 6 Diese machte er aus
Akazienholz und überzog sie mit Bronze
7 und tat sie in die Ringe an den Seiten des
Altars, dass man ihn damit trüge. Und er
machte ihn so, dass er inwendig hohl war.
8 Und er machte das Becken aus Bronze
und sein Gestell auch aus Bronze von den
Spiegeln der [a]Frauen, die vor dem Eingang
der Stiftshütte Dienst taten.

DER VORHOF

(vgl. Kap 27,9-19)

9 Und er machte den Vorhof: nach Süden
Behänge, hundert Ellen lang, von ge-
zwirntem feinem Leinen, 10 mit zwanzig
Säulen und zwanzig Füßen aus Bronze,
aber ihre Nägel und Ringbänder aus Sil-
ber; 11 desgleichen nach Norden, hun-
dert Ellen lang mit zwanzig Säulen und
zwanzig Füßen aus Bronze, aber ihre
Nägel und Ringbänder aus Silber; 12 nach
Westen aber fünfzig Ellen lang mit zehn
Säulen und zehn Füßen, aber ihre Nägel
und Ringbänder aus Silber; 13 nach Osten
auch fünfzig Ellen; 14 fünfzehn Ellen auf
einer Seite mit drei Säulen und drei Füßen
15 und auf der andern Seite auch fünfzehn
Ellen mit drei Säulen und drei Füßen, zu
beiden Seiten des Tors am Vorhof. 16 Alle
Behänge des Vorhofs waren von gezwirn-
tem feinem Leinen 17 und die Füße der
Säulen aus Bronze und ihre Nägel aus
Silber, und ihre Köpfe waren überzogen
mit Silber, und ihre Ringbänder waren sil-
bern an allen Säulen des Vorhofs. 18 Und
die Decke für das Tor des Vorhofs webte er
bunt aus blauem und rotem Purpur, Kar-
mesin und gezwirntem feinem Leinen,
zwanzig Ellen lang und fünf Ellen hoch,
nach dem Maß der Behänge des Vorhofs,
19 dazu vier Säulen und vier Füße aus
Bronze und ihre Nägel aus Silber und ihre
Köpfe und ihre Ringbänder, überzogen
mit Silber. 20 Und alle Pflöcke der Woh-
nung und des Vorhofs ringsherum waren
aus Bronze.

DIE KOSTEN FÜR DAS HEILIGTUM

21 Dies sind die Kosten für die Wohnung,
die Wohnung des Gesetzes, die nach dem
Gebot des Mose errechnet wurden von
den Leviten unter der Leitung [a]Itamars,
des Sohnes Aarons, des Priesters. 22 [a]Be-
zalel aber, der Sohn Uris, des Sohnes Hurs,
vom Stamme Juda, hatte alles gemacht,
was der HERR dem Mose geboten hatte,
23 und mit ihm Oholiab, der Sohn Ahi-
samachs, vom Stamme Dan, ein Hand-
werker, Kunstweber und Buntweber in
blauem und rotem Purpur, Karmesin und
feinem Leinen.
24 Alles Gold, das verarbeitet ist zu die-
sem ganzen Werk des Heiligtums und
das als Gabe gespendet war, beträgt 29
Zentner 730 Schekel nach dem Gewicht
des Heiligtums. 25 Das Silber aber, das die
Zählung der Gemeinde erbrachte, betrug
hundert Zentner 1775 Schekel nach dem
Gewicht des Heiligtums, 26 auf den Kopf
[a]einen halben Schekel nach dem Gewicht
des Heiligtums von allen, die gezählt
wurden von zwanzig Jahren an und dar-

38,8 *a* 1. Sam 2,22 **38,21** *a* 4. Mose 4,28
38,22 *a* (22-23) Kap 31,1-11 **38,26** *a* Kap 30,12-16

über, [b]603 550 Mann. 27 Aus den hundert Zentnern Silber goss man die Füße der Bretter und die Füße des Vorhangs, hundert Füße aus hundert Zentnern, je einen Zentner für einen Fuß. 28 Und aus den 1775 Schekel machte er die Nägel für die Säulen und überzog ihre Köpfe und verband sie miteinander. 29 Die Bronze aber, die gespendet war, betrug 70 Zentner 2400 Schekel. 30 Daraus machte er die Füße am Eingang der Stiftshütte und den bronzenen Altar und das bronzene Gitterwerk daran und alle Geräte des Altars, 31 dazu die Füße des Vorhofs ringsherum und die Füße des Tors am Vorhof, alle Zeltpflöcke der Wohnung und alle Zeltpflöcke des Vorhofs ringsherum.

DIE KLEIDUNG DER PRIESTER

(vgl. Kap 28,1-43)

39 Und aus dem blauen und roten Purpur und dem Karmesin machten sie gewirkte Kleider zum Dienst im Heiligtum, und sie machten die heiligen Kleider für Aaron, wie der HERR es Mose geboten hatte. 2 Und sie machten den Priesterschurz aus Gold, blauem und rotem Purpur, Karmesin und gezwirntem feinem Leinen. 3 Und sie schlugen Goldplatten und schnitten sie zu Fäden, dass man sie unter den blauen und roten Purpur, das Karmesin und das feine Leinen einweben konnte, wie es ein Kunstweber macht. 4 Schulterteile machten sie, die an den Schurz angefügt wurden, und an seinen beiden Enden wurde er zusammengebunden. 5 Und seine Binde war von derselben Arbeit, aus einem Stück mit ihm, aus Gold, blauem und rotem Purpur, Karmesin und gezwirntem feinem Leinen, wie der HERR es Mose geboten hatte.

6 Und sie fassten zwei Onyxsteine ringsherum mit Gold ein und schnitten wie in ein Siegel die Namen der Söhne Israels hinein. 7 Und er heftete sie auf die Schulterteile des Schurzes, dass es Steine seien zum gnädigen Gedenken an die Israeliten, wie der HERR es Mose geboten hatte.

8 Und sie machten die Brusttasche, kunstvoll gewebt wie der Priesterschurz, aus Gold, blauem und rotem Purpur, Karmesin und gezwirntem feinem Leinen, 9 dass sie viereckig war und doppelt gelegt, eine Spanne lang und ebenso breit, 10 und besetzten sie mit vier Reihen Steinen: Die erste Reihe war ein Sarder, ein Topas und ein Smaragd, 11 die andere ein Rubin, ein Saphir und ein Diamant, 12 die dritte ein Lynkurer, ein Achat und ein Amethyst, 13 die vierte ein Türkis, ein Onyx und ein Jaspis, ringsherum eingefasst in Gold waren sie, als man sie anbrachte. 14 Und die Steine trugen die zwölf Namen der Söhne Israels, eingeschnitten wie in ein Siegel, sodass auf einem jeden ein Name stand nach den zwölf Stämmen. 15 Und sie machten an der Tasche Ketten wie geflochtene Schnüre, aus feinem Gold, 16 und zwei goldene Fassungen und zwei goldene Ringe und hefteten die beiden Ringe an die beiden oberen Ecken der Tasche. 17 Und die beiden goldenen Schnüre taten sie in die beiden Ringe an den Ecken der Tasche. 18 Aber die beiden andern Enden der beiden Schnüre taten sie an die beiden goldenen Fassungen und hefteten sie vorne auf die Schulterteile des Schurzes. 19 Und sie machten zwei andere goldene Ringe und hefteten sie an die beiden anderen Ecken der Tasche an ihren Rand innen zum Schurz hin; 20 und sie machten zwei andere goldene Ringe, die taten sie unten an die beiden Schulterteile vorn am Schurz, wo er zusammengeht, oben über der Binde des Schurzes, 21 und knüpften die Tasche mit ihren Ringen an die Ringe des Schurzes mit einer Schnur aus blauem Purpur, dass sie über der Binde des Schurzes anliege und die Tasche sich nicht von dem Schurz losmache, wie der HERR es Mose geboten hatte.

22 Und dazu machte er das Obergewand zum Priesterschurz, gewebt ganz aus blauem Purpur. 23 Und die Öffnung war in seiner Mitte wie die Öffnung eines Panzerhemdes. Eine Borte war rings um die Öffnung, dass sie nicht einreiße. 24 Und sie machten an den Saum des Obergewandes Granatäpfel aus blauem und rotem Purpur, Karmesin und gezwirntem feinem Leinen 25 und machten Schellen aus feinem Golde; die taten sie zwischen die Granatäpfel ringsherum am Saum des Obergewandes, 26 je einen Granatapfel

38,26 *b* 4. Mose 1,46

und eine Schelle ringsherum am Saum,
für den Dienst, wie der HERR es Mose ge-
boten hatte. 27 Und sie machten auch die
Untergewänder aus feinem Leinen, ge-
webt, für Aaron und seine Söhne 28 und
den Kopfbund aus feinem Leinen und die
hohen Mützen aus feinem Leinen und
Beinkleider aus gezwirntem feinem Lei-
nen 29 und den Gürtel bunt gewebt aus ge-
zwirntem feinem Leinen, blauem und ro-
tem Purpur und Karmesin, wie der HERR
es Mose geboten hatte.
30 Sie machten auch das Stirnblatt, den
[a]heiligen Kronreif, aus feinem Gold und
schrieben darauf wie in ein Siegel ge-
schnitten: »Heilig dem HERRN«. 31 Und
sie banden eine Schnur aus blauem Pur-
pur daran, dass sie an dem Kopfbund oben
angeheftet würde, wie der HERR es Mose
geboten hatte.

MOSE PRÜFT DIE VOLLENDETEN ARBEITEN

32 Also wurde vollendet das ganze Werk
der Wohnung der Stiftshütte. Und die Is-
raeliten taten alles, was der HERR dem
Mose geboten hatte. 33 Und sie brachten
die Wohnung zu Mose: das Zelt und alle
seine Geräte, Haken, Bretter, Riegel, Säu-
len, Füße, 34 die Decke von rot gefärbten
Widderfellen, die Decke aus Leder und
den Vorhang, 35 die Lade mit dem Gesetz
samt ihren Stangen, den Gnadenstuhl,
36 den Tisch und alle seine Geräte und
die Schaubrote, 37 den Leuchter aus fei-
nem Gold mit den Lampen zum Aufset-
zen und all seinem Gerät und das Öl für
den Leuchter, 38 den goldenen Altar und
das Salböl und das wohlriechende Räu-
cherwerk, die Decke für den Eingang des
Zeltes, 39 den bronzenen Altar und sein
bronzenes Gitter mit seinen Stangen und
seinem ganzen Gerät, das Becken mit sei-
nem Gestell, 40 die Behänge des Vorhofs
mit seinen Säulen und Füßen, die Decke
vor dem Tor des Vorhofs mit seinen Sei-
len und Zeltpflöcken und alles Gerät zum
Dienst der Wohnung der Stiftshütte, 41 die
Amtskleider des Priesters Aaron für den
Dienst im Heiligtum und die Kleider sei-
ner Söhne für den priesterlichen Dienst.
42 Ganz so, wie der HERR es Mose geboten
hatte, hatten die Israeliten alle Arbeiten
ausgeführt. 43 Und Mose sah dies ganze
Werk an, und siehe, sie hatten es gemacht,
wie der HERR geboten hatte. Und Mose
segnete sie.

AUFRICHTUNG UND EINWEIHUNG DER STIFTSHÜTTE

40 Und der HERR redete mit Mose und
sprach: 2 Du sollst die Wohnung der
Stiftshütte aufrichten [a]am ersten Tage des
ersten Monats. 3 Und du sollst die Lade
mit dem Gesetz hineinstellen und vor die
Lade den Vorhang hängen; 4 und du sollst
den Tisch hineinbringen und ihn herrich-
ten und den Leuchter hineinstellen und
die Lampen daraufsetzen; 5 und du sollst
den goldenen Räucheraltar vor die Lade
mit dem Gesetz stellen und die Decke am
Eingang der Wohnung aufhängen. 6 Den
Brandopferaltar aber sollst du außen vor
den Eingang der Wohnung der Stiftshütte
setzen 7 und das Becken zwischen die
Stiftshütte und den Altar und Wasser hin-
eintun 8 und den Vorhof ringsherum her-
stellen und die Decke in der Tür des Vor-
hofs aufhängen. 9 Und du sollst das Salböl
nehmen und die Wohnung und alles, was
darin ist, salben und sollst sie weihen mit
ihrem ganzen Gerät, dass sie heilig sei.
10 Und du sollst den Brandopferaltar sal-
ben mit seinem ganzen Gerät und weihen,
dass er hochheilig sei. 11 Und du sollst auch
das Becken und sein Gestell salben und
weihen. 12 Und du sollst Aaron und seine
Söhne vor den Eingang der Stiftshütte
treten lassen und sie mit Wasser waschen
13 und Aaron die heiligen Kleider anziehen
und ihn salben und weihen, dass er mein
Priester sei; 14 und du sollst seine Söhne
auch herzuführen und ihnen die Unter-
gewänder anziehen 15 und sie salben, wie
du ihren Vater gesalbt hast, dass sie meine
Priester seien. Und diese Salbung sollen
sie haben zum ewigen Priestertum bei ih-
ren Nachkommen. 16 Und Mose tat alles,
wie ihm der HERR geboten hatte.
17 Also wurde die Wohnung aufgerich-
tet im zweiten Jahr am ersten Tage des
ersten Monats. 18 Und Mose richtete die
Wohnung auf und setzte ihre Füße hin

39,30 *a* Kap 29,6; 3. Mose 8,9 **40,2** *a* Vers 17; Kap 12,2; 19,1

und stellte die Bretter darauf und brachte die Riegel an und richtete die Säulen auf 19 und breitete das Zelt aus über der Wohnung und legte die Decke des Zeltes oben darauf, wie der HERR ihm geboten hatte.

20 Und er nahm das Gesetz und legte es in die Lade und tat die Stangen an die Lade und setzte den Gnadenstuhl oben auf die Lade 21 und brachte die Lade in die Wohnung und hängte den Vorhang auf und verhüllte so die Lade des Gesetzes, wie ihm der HERR geboten hatte, 22 und setzte den Tisch in die Stiftshütte an die Seite der Wohnung nach Norden, außen vor dem Vorhang, 23 und bereitete den Tisch mit den Schaubroten vor dem HERRN, wie der HERR dem Mose geboten hatte, 24 und setzte den Leuchter in die Stiftshütte gegenüber dem Tisch an die Seite der Wohnung nach Süden 25 und setzte die Lampen auf vor dem HERRN, wie ihm der HERR geboten hatte. 26 Und er setzte den goldenen Altar in die Stiftshütte vor den Vorhang 27 und räucherte darauf mit wohlriechendem Räucherwerk, wie ihm der HERR geboten hatte, 28 und hängte die Decke in den Eingang der Wohnung.

29 Und den Brandopferaltar setzte er an den Eingang der Wohnung der Stiftshütte und opferte darauf Brandopfer und Speisopfer, wie ihm der HERR geboten hatte. 30 Und das Becken setzte er zwischen die Stiftshütte und den Altar und tat Wasser hinein zum Waschen. 31 Und Mose, Aaron und seine Söhne wuschen ihre Hände und Füße darin. 32 Denn sie müssen sich waschen, wenn sie in die Stiftshütte gehen oder hinzutreten zum Altar, wie der HERR es Mose geboten hatte. 33 Und er richtete den Vorhof auf rings um die Wohnung und um den Altar und hängte die Decke in das Tor des Vorhofs. Also vollendete Mose das ganze Werk.

DIE HERRLICHKEIT DES HERRN NIMMT WOHNUNG IM HEILIGTUM

34 Da bedeckte die Wolke die Stiftshütte, und [a]die Herrlichkeit des HERRN erfüllte die Wohnung. 35 Und Mose [a]konnte nicht in die Stiftshütte hineingehen, weil die Wolke darauf ruhte und die Herrlichkeit des HERRN die Wohnung erfüllte. 36 Und immer, wenn die [a]Wolke sich erhob von der Wohnung, brachen die Israeliten auf, solange ihre Wanderung währte. 37 Wenn sich aber die Wolke nicht erhob, so zogen sie nicht weiter bis zu dem Tag, an dem sie sich erhob. 38 Denn die Wolke des HERRN war bei Tage über der Wohnung, und bei Nacht ward sie voll Feuers vor den Augen des ganzen Hauses Israel, solange die Wanderung währte.

DAS DRITTE BUCH MOSE (LEVITIKUS)

1–7 Opfergesetze 8–10 Einführung des Priesterdienstes 11–15 Reinheitsvorschriften
16 Der große Versöhnungstag 17–26 Das Heiligkeitsgesetz 27 Ablösung von Gelübden

DAS BRANDOPFER

(vgl. Kap 6,1-6)

1 Und der HERR rief Mose und redete mit ihm aus der Stiftshütte und sprach: 2 Rede mit den Israeliten und sprich zu ihnen: Wer unter euch dem HERRN ein Opfer darbringen will, der bringe es von dem Vieh, von Rindern oder von Schafen und Ziegen.

3 Will er ein Brandopfer darbringen von Rindern, so opfere er ein männliches Tier, das ohne Fehler ist. [a]An den Eingang der Stiftshütte soll er es bringen, damit es ihn wohlgefällig mache vor dem HERRN. 4 Und er lege seine Hand auf den Kopf des Brandopfers, damit es ihn wohlgefällig mache und für ihn Sühne schaffe. 5 Dann soll er das Rind schlachten vor dem HERRN, und die Priester, Aarons Söhne, sollen das Blut herzubringen und ringsum an den Altar sprengen, der vor dem Eingang der Stiftshütte ist. 6 Und er soll dem Brandopfer das Fell abziehen und es in seine Stücke zerlegen.[a] 7 Und die Söhne

40,34 *a* Kap 24,16; 25,8; 29,43-46; Hes 43,1-9
40,35 *a* 4. Mose 7,89 **40,36** *a* Kap 13,21; 4. Mose 9,15-23; 10,34-36; 1. Kön 8,10-11; Jes 4,5
1,3 *a* Kap 17,4 **1,6** *a* Kap 7,8

Aarons, des Priesters, sollen ein Feuer auf
dem Altar machen und Holz oben darauf-
legen 8 und sollen die Stücke samt dem
Kopf und dem Fett auf das Holz legen, das
über dem Feuer auf dem Altar liegt. 9 Die
Eingeweide aber und die Schenkel soll er
mit Wasser waschen, und der Priester soll
das alles auf dem Altar in Rauch aufgehen
lassen. Das ist ein Brandopfer, ein Feu-
eropfer zum [a]lieblichen Geruch für den
HERRN.

10 Will er aber von Schafen oder Ziegen
ein Brandopfer darbringen, so opfere er
ein männliches Tier, das ohne Fehler ist.
11 Und er schlachte es an der Seite des Al-
tars nach Norden zu vor dem HERRN. Und
die Priester, Aarons Söhne, sollen das Blut
ringsum an den Altar sprengen. 12 Und er
zerlege es in seine Stücke, und der Pries-
ter soll sie samt dem Kopf und dem Fett
auf das Holz über dem Feuer legen, das auf
dem Altar ist. 13 Aber die Eingeweide und
die Schenkel soll er mit Wasser waschen,
und der Priester soll das alles auf dem Al-
tar opfern und in Rauch aufgehen lassen.
Das ist ein Brandopfer, ein Feueropfer
zum lieblichen Geruch für den HERRN.

14 Will er aber von Vögeln dem HERRN
ein Brandopfer darbringen, so bringe er's
von Turteltauben oder andern Tauben.
15 Und der Priester soll's zum Altar brin-
gen und ihm den Kopf abkneifen und auf
dem Altar in Rauch aufgehen lassen. Sein
Blut aber soll er ausbluten lassen an der
Wand des Altars. 16 Und den Kropf mit
seinem Inhalt soll man neben dem Altar
nach Osten zu auf den Aschehaufen wer-
fen 17 und soll seine Flügel einreißen, aber
nicht abtrennen. Und so soll's der Priester
auf dem Altar in Rauch aufgehen lassen
auf dem Holz über dem Feuer. Das ist ein
Brandopfer, ein Feueropfer zum lieblichen
Geruch für den HERRN.

DAS SPEISOPFER

(vgl. Kap 6,7-11)

2 [a]Wenn jemand dem HERRN ein [b]Speis-
opfer darbringen will, so soll es von
feinem Mehl sein, und er soll Öl darauf-
gießen und Weihrauch darauflegen 2 und
es bringen zu den Priestern, Aarons Söh-
nen. Und der Priester soll eine Handvoll
nehmen von dem Mehl und Öl samt dem
ganzen Weihrauch und es als Gedenk-
opfer in Rauch aufgehen lassen auf dem
Altar als ein Feueropfer zum lieblichen
Geruch für den HERRN. 3 Das Übrige aber
vom Speisopfer soll Aaron und seinen
Söhnen gehören als ein [a]Hochheiliges von
den Feueropfern des HERRN.

4 [a]Willst du aber als Speisopfer etwas im
Ofen Gebackenes darbringen, so nimm
Kuchen von feinem Mehl, ungesäuert, mit
Öl vermengt, oder ungesäuerte Fladen,
mit Öl bestrichen. 5 Ist aber dein Speis-
opfer etwas auf der Pfanne Gebackenes,
so soll's von ungesäuertem Mehl sein, mit
Öl vermengt, 6 und du sollst es in Stücke
zerteilen und Öl daraufgießen. Das ist ein
Speisopfer.

7 Ist aber dein Speisopfer etwas im Tiegel
Bereitetes, so sollst du es von feinem Mehl
mit Öl machen 8 und sollst das Speisopfer,
das du davon bereitet hast, dem HERRN
darbringen und sollst es zu dem Priester
bringen und der soll damit zu dem Altar
treten. 9 Und der Priester soll von dem
Speisopfer den Anteil für das Gedenk-
opfer abheben und in Rauch aufgehen las-
sen auf dem Altar als ein Feueropfer zum
lieblichen Geruch für den HERRN. 10 Was
aber von dem Speisopfer übrig bleibt, soll
Aaron und seinen Söhnen gehören als ein
Hochheiliges von den Feueropfern des
HERRN.

11 Alle Speisopfer, die ihr dem HERRN
opfern wollt, sollt ihr ohne Sauerteig ma-
chen; denn weder Sauerteig noch Honig
sollt ihr dem HERRN zum Feueropfer in
Rauch aufgehen lassen. 12 Als [a]Erstlings-
gabe mögt ihr sie dem HERRN bringen;
aber auf den Altar sollen sie nicht kommen
zum lieblichen Geruch. 13 Alle deine Speis-
opfer sollst du salzen, und dein Speisopfer
soll niemals ohne [a]Salz des Bundes deines
Gottes sein; bei allen deinen Opfern sollst
du Salz darbringen.

14 Willst du aber ein Speisopfer dem
HERRN darbringen [a]von den ersten Früch-
ten, so sollst du Ähren am Feuer rösten,
die Körner zerstoßen und darbringen
als das Speisopfer deiner ersten Früchte

1,9 ***a*** 1. Mose 8,21; 2. Mose 29,18 **2,1** ***a*** (1-3) Kap 7,10
b 4. Mose 15,4 **2,3** ***a*** Kap 6,22 **2,4** ***a*** (4-10) Kap 7,9
2,12 ***a*** 4. Mose 18,12-13; 2. Chr 31,5 **2,13** ***a*** 4. Mose 18,19;
2. Chr 13,5 **2,14** ***a*** 5. Mose 26,2-11

15 und sollst Öl darauftun und Weihrauch
darauflegen. Das ist ein Speisopfer. 16 Und
der Priester soll das Gedenkopfer von dem
Zerstoßenen und vom Öl mit dem ganzen
Weihrauch in Rauch aufgehen lassen als
ein Feueropfer für den HERRN.

DAS DANKOPFER

(vgl. Kap 7,11-21; 7,28-34)

3 Ist aber sein Opfer ein Dankopfer und
will er ein Rind darbringen, es sei ein
männliches oder ein weibliches, so soll er
vor dem HERRN ein Tier opfern, das ohne
Fehler ist. 2 Und er soll seine Hand auf den
Kopf seines Opfers legen und es schlach-
ten vor dem Eingang der Stiftshütte. Und
die Priester, Aarons Söhne, sollen das Blut
ringsum an den Altar sprengen. 3 Und er
soll von dem Dankopfer dem HERRN ein
Feueropfer darbringen, nämlich das Fett,
das die Eingeweide bedeckt, und alles Fett
an den Eingeweiden, 4 die beiden Nieren
mit dem Fett, das daran ist, an den Len-
den, und den Lappen an der Leber; zusam-
men mit den Nieren soll er ihn ablösen.
5 Und Aarons Söhne sollen es in Rauch
aufgehen lassen auf dem Altar über dem
Brandopfer auf dem Holz, das über dem
Feuer liegt, als ein Feueropfer zum lieb-
lichen Geruch für den HERRN.

6 Will er aber dem HERRN ein Dank-
opfer vom Kleinvieh darbringen, es sei ein
männliches oder ein weibliches Tier, so
soll es ohne Fehler sein. 7 Ist es ein Schaf,
so soll er's vor den HERRN bringen 8 und
soll seine Hand auf den Kopf seines Op-
fers legen und es schlachten vor der Stifts-
hütte. Und die Söhne Aarons sollen sein
Blut ringsum an den Altar sprengen. 9 Und
er soll von dem Dankopfer dem HERRN
ein Feueropfer darbringen, nämlich sein
Fett, den ganzen Fettschwanz, vom Rück-
grat abgelöst, dazu das Fett, das die Einge-
weide bedeckt, und alles Fett an den Ein-
geweiden, 10 die beiden Nieren mit dem
Fett, das daran ist, an den Lenden, und
den Lappen an der Leber; zusammen mit
den Nieren soll er ihn ablösen. 11 Und der
Priester soll es in Rauch aufgehen lassen
auf dem Altar als Feueropferspeise für den
HERRN.

12 Ist aber sein Opfer eine Ziege, so
bringe er sie vor den HERRN 13 und lege
seine Hand auf ihren Kopf und schlachte
sie vor der Stiftshütte. Und die Söhne
Aarons sollen das Blut ringsum an den
Altar sprengen. 14 Und er soll davon sein
Opfer darbringen, ein Feueropfer für den
HERRN, nämlich das Fett, das die Ein-
geweide bedeckt, und alles Fett an den
Eingeweiden, 15 die beiden Nieren mit
dem Fett, das daran ist, an den Lenden,
und den Lappen an der Leber; zusammen
mit den Nieren soll er ihn ablösen. 16 Und
der Priester soll es in Rauch aufgehen las-
sen auf dem Altar als Feueropferspeise
zum lieblichen Geruch. Alles Fett ist für
den HERRN. 17 Das sei eine ewige Ord-
nung für eure Nachkommen, überall, wo
ihr wohnt, dass ihr weder Fett noch Blut
esst.[a]

DAS SÜNDOPFER

4 Und der HERR redete mit Mose und
sprach: 2 Rede mit den Israeliten und
sprich: Wenn jemand aus Versehen gegen
irgendein Gebot des HERRN sündigte und
täte, was er nicht tun sollte: 3 Wenn etwa
der Priester, der gesalbt ist, sündigte, so-
dass er eine Schuld auf das Volk brächte,
so soll er für seine Sünde, die er getan hat,
einen jungen Stier darbringen, der ohne
Fehler ist, dem HERRN zum Sündopfer.
4 Und er soll den Stier vor den Eingang
der Stiftshütte bringen vor den HERRN
und seine Hand auf den Kopf des Stie-
res legen und ihn schlachten vor dem
HERRN. 5 Und der Priester, der gesalbt ist,
soll vom Blut des Stieres nehmen und es
in die Stiftshütte bringen 6 und soll sei-
nen Finger in das Blut tauchen und da-
mit siebenmal sprengen vor dem HERRN,
an den Vorhang im Heiligen.[a] 7 Und soll
vor dem HERRN etwas von dem Blut an
die Hörner des [a]Räucheraltars tun, der
in der Stiftshütte steht, alles übrige Blut
des Stieres aber an den Fuß des Brand-
opferaltars gießen, der [b]vor dem Eingang
der Stiftshütte steht. 8 Und alles Fett des
Sündopfers soll er abheben, nämlich das
Fett, das die Eingeweide bedeckt, und al-
les Fett an den Eingeweiden, 9 die beiden
Nieren mit dem Fett, das daran ist, an

3,17 *a* Kap 7,23.26; 17,10-14; 1. Mose 9,4;
5. Mose 12,16.23; Apg 15,20.29 **4,6** *a* Kap 9,9
4,7 *a* 2. Mose 30,1.6 *b* 2. Mose 40,6

den Lenden, und den Lappen an der Le-
ber, zusammen mit den Nieren abgelöst,
10 gleichwie man es abhebt vom Rind beim
Dankopfer, und soll es in Rauch aufgehen
lassen auf dem Brandopferaltar. 11 [a]Aber
das Fell des Stieres mit allem Fleisch samt
Kopf und Schenkeln und die Eingeweide
und den Kot, 12 das soll er alles [a]hinaus-
tragen aus dem Lager an eine reine Stätte,
wo man die Asche hinschüttet, und soll's
verbrennen auf dem Holz mit Feuer. Auf
der Stätte, dort wo man Asche hinschüt-
tet, soll es verbrannt werden.

13 [a]Wenn aber die ganze Gemeinde Israel
aus Versehen sich versündigte und die Tat
vor ihren Augen verborgen wäre, wenn
sie gegen irgendein Gebot des HERRN
gehandelt hätten, was sie nicht tun soll-
ten, und so sich verschuldet hätten, 14 und
sie würden danach ihrer Sünde inne, die
sie getan hätten, so sollen sie einen jun-
gen Stier darbringen als Sündopfer und
vor den Eingang der Stiftshütte stellen.
15 Und die Ältesten der Gemeinde sollen
ihre Hände auf seinen Kopf legen vor dem
HERRN und den Stier schlachten vor dem
HERRN. 16 Und der Priester, der gesalbt
ist, soll Blut von dem Stier zur Stiftshütte
bringen 17 und mit seinem Finger hinein-
tauchen und siebenmal sprengen vor dem
HERRN, an den Vorhang. 18 Und er soll et-
was von dem Blut an die Hörner des Al-
tars tun, der vor dem HERRN steht in der
Stiftshütte, und alles andere Blut an den
Fuß des Brandopferaltars gießen, der vor
dem Eingang der Stiftshütte steht. 19 All
sein Fett aber soll er abheben und auf dem
Altar in Rauch aufgehen lassen 20 und soll
mit dem Stier tun, wie er mit dem Stier des
Sündopfers getan hat. So soll der Priester
die Sühnung für sie vollziehen, und ihnen
wird vergeben. 21 Und er soll den Stier hin-
aus vor das Lager tragen und [a]verbrennen,
wie er den vorigen Stier verbrannt hat. Das
ist das Sündopfer der Gemeinde.

22 Wenn aber ein Stammesfürst sündigt
und aus Versehen irgendetwas gegen des
HERRN, seines Gottes, Gebote tut, was
er nicht tun sollte, und so sich verschul-
det 23 und wird seiner Sünde inne, die er
getan hat, so soll er zum Opfer bringen
einen Ziegenbock ohne Fehler 24 und seine
Hand auf den Kopf des Bockes legen und
ihn schlachten an der Stätte, wo man die
Brandopfer schlachtet vor dem HERRN;
es ist ein Sündopfer. 25 Da soll dann der
Priester mit seinem Finger etwas von dem
Blut des Sündopfers nehmen und es an die
Hörner des Brandopferaltars tun und das
andere Blut an den Fuß des Brandopfer-
altars gießen. 26 Und all sein Fett soll er
auf dem Altar in Rauch aufgehen lassen
gleichwie das Fett des Dankopfers. So soll
der Priester die Sühnung für ihn vollzie-
hen, und ihm wird vergeben.

27 [a]Wenn aber sonst jemand aus dem
Volk aus Versehen sündigt, dass er gegen
irgendeines der Gebote des HERRN han-
delt, was er nicht tun sollte, und so sich
verschuldet 28 und seiner Sünde innewird,
die er getan hat, so soll er zum Opfer eine
Ziege bringen ohne Fehler für die Sünde,
die er getan hat, 29 und soll seine Hand auf
den Kopf des Sündopfers legen und es
schlachten an der Stätte des Brandopfers.
30 Und der Priester soll mit seinem Fin-
ger etwas von dem Blut nehmen und an
die Hörner des Brandopferaltars tun und
alles andere Blut an den Fuß des Altars
gießen. 31 All sein Fett aber soll er abtren-
nen, wie man [a]das Fett des Dankopfers
abtrennt, und soll es in Rauch aufgehen
lassen auf dem Altar zum lieblichen Ge-
ruch für den HERRN. So soll der Priester
die Sühnung für ihn vollziehen, und ihm
wird vergeben.

32 Will er aber ein Schaf zum Sündopfer
bringen, so bringe er ein weibliches, das
ohne Fehler ist, 33 und lege seine Hand auf
den Kopf des Sündopfers und schlachte es
zum Sündopfer an der Stätte, wo man die
Brandopfer schlachtet. 34 Und der Priester
soll mit seinem Finger etwas von dem Blut
nehmen und an die Hörner des Brand-
opferaltars tun und alles andere Blut an
den Fuß des Altars gießen. 35 Aber all sein
Fett soll er abtrennen, wie man das Fett
vom Schaf des Dankopfers abtrennt, und
soll es auf dem Altar in Rauch aufgehen
lassen als Feueropfer für den HERRN. So
soll der Priester die Sühnung für ihn voll-
ziehen für die Sünde, die er getan hat,
und ihm wird vergeben.

4,11 *a* (11-12) Kap 8,17 **4,12** *a* Kap 6,4
4,13 *a* (13-21) 4. Mose 15,22-26 **4,21** *a* Verse 11-12
4,27 *a* (27-28) 4. Mose 15,27-28 **4,31** *a* Kap 3,14-15

5 Wenn jemand damit sündigt, dass er
den Fluch aussprechen hört und Zeuge
ist, weil er es gesehen oder erfahren hat, es
aber nicht anzeigt* und damit Schuld auf
sich lädt; 2 oder wenn jemand etwas Un-
reines anrührt, es sei ein [a]Aas von einem
unreinen Wild oder Vieh oder Gewürm,
und wusste es nicht und wird's inne und
hat sich so verschuldet; 3 oder wenn er
einen Menschen in dessen Unreinheit
anrührt, in irgendeiner [a]Unreinheit, wo-
mit der Mensch unrein werden kann, und
wusste es nicht und wird's inne und hat
sich so verschuldet; 4 oder wenn jemand
schwört, dass ihm über die Lippen fährt,
er wolle Schaden oder Gutes tun, wie
denn einem Menschen ein Schwur entfah-
ren mag, und er bedachte es nicht und er
wird's inne und hat sich so oder so schul-
dig gemacht: 5 wenn's also geschieht, dass
er sich so oder so schuldig gemacht hat, so
[a]soll er bekennen, womit er gesündigt hat,
6 und soll als Buße für diese seine Sünde,
die er getan hat, dem HERRN darbringen
von der Herde ein Muttertier, Schaf oder
Ziege, zum Sündopfer, dass der Priester
die Sühnung für ihn vollziehe wegen sei-
ner Sünde.

7 Vermag er aber nicht ein Schaf zu ge-
ben, so bringe er dem HERRN für seine
Schuld, die er getan hat, zwei Turteltau-
ben oder zwei andere Tauben, die eine
zum Sündopfer, die andere zum Brand-
opfer, 8 und bringe sie dem Priester. Der
soll die erste als Sündopfer darbringen
und ihr den Kopf abkneifen hinter dem
Genick und nicht ganz abtrennen, 9 und
er sprenge etwas von dem Blut des Sünd-
opfers an die Seite des Altars und lasse das
übrige Blut ausbluten am Fuße des Altars;
es ist ein Sündopfer. 10 Die andere Taube
aber soll er als Brandopfer darbringen der
Ordnung gemäß. So soll der Priester die
Sühnung für ihn vollziehen wegen seiner
Sünde, die er getan hat, und ihm wird ver-
geben. 11 Vermag er aber auch nicht zwei
Turteltauben oder zwei andere Tauben
zu geben, so bringe er für seine Sünde
als sein Opfer ein zehntel Scheffel feines
Mehl als Sündopfer dar. Er soll aber kein
Öl daraufgießen noch Weihrauch darauf-
tun; denn es ist ein Sündopfer. 12 Und er
soll es zum Priester bringen. Der Priester
aber soll eine Handvoll davon nehmen
als Gedenkopfer und in Rauch aufgehen
lassen auf dem Altar zum Feueropfer für
den HERRN; es ist ein Sündopfer. 13 So soll
der Priester wegen seiner Sünde, die er in
einem jener Fälle getan hat, die Sühnung
für ihn vollziehen, und ihm wird ver-
geben. Es soll dem Priester gehören wie
beim [a]Speisopfer.

DAS SCHULDOPFER

(vgl. Kap 7,1-10)

14 Und der HERR redete mit Mose und
sprach: 15 Wenn jemand sich vergreift
und aus Versehen sich versündigt an dem,
was dem HERRN geweiht ist, so soll er für
seine Schuld dem HERRN einen Widder
ohne Fehler von der Herde als Schuld-
opfer bringen, geschätzt in Schekel Silber
nach dem Münzgewicht des Heiligtums.
16 Dazu soll er, was er gesündigt hat an
dem Geweihten, [a]erstatten und den fünf-
ten Teil hinzufügen und es dem Priester
geben. Der soll die Sühnung für ihn voll-
ziehen mit dem Widder des Schuldopfers,
so wird ihm vergeben.

17 Wenn jemand sündigt und handelt ge-
gen irgendein Gebot des HERRN, was er
nicht tun sollte, und hat es nicht gewusst
und versündigt sich und lädt eine Schuld
auf sich, 18 so soll er zum Priester einen
Widder bringen von der Herde, ohne Feh-
ler, nach deiner Schätzung als Schuldopfer.
Der soll die Sühnung für ihn vollziehen
für das, was er versehen hat, ohne dass er
es wusste, so wird ihm vergeben. 19 Das ist
ein Schuldopfer; verschuldet hat er sich an
dem HERRN.

20 Und der HERR redete mit Mose und
sprach: 21 [a]Wenn jemand sündigte und
gegen den HERRN treulos handelte, in-
dem er leugnet, dass ihm ein anderer et-
was anvertraut oder zu treuen Händen
gegeben hat oder dass er etwas mit Ge-
walt genommen oder von ihm erpresst
hat, 22 oder wenn er etwas Verlorenes ge-

* **5,1** Bei einem ungeklärten Verbrechen wurden verflucht: der unbekannte Täter und alle, die als Mitwisser ihr Zeugnis zurückhielten (Ri 17,2; Spr 29,24).

5,2 *a* Kap 11,24 **5,3** *a* 4. Mose 19,13.20 **5,5** *a* Kap 16,21; 4. Mose 5,7; Jos 7,20 **5,13** *a* Kap 2,3.10
5,16 *a* Verse 23-24; Kap 22,14; 27,13
5,21 *a* (21-26) 4. Mose 5,6-8

funden hat und es ableugnet und einen
falschen Eid schwört über irgendetwas,
worin ein Mensch gegen seinen Nächsten
Sünde tut: 23 Wenn es so geschieht, dass
er sündigt und sich verschuldet, [a]so soll er
wiedergeben, was er mit Gewalt genom-
men oder was er erpresst hat oder was ihm
anvertraut war oder was er gefunden hat
24 oder worüber er den falschen Eid ge-
schworen hat; das soll er alles ganz wie-
dergeben und darüber hinaus den fünften
Teil. Dem soll er's geben, dem es gehört,
an dem Tag, wenn er sein Schuldopfer dar-
bringt. 25 Aber für seine Schuld soll er dem
HERRN einen Widder ohne Fehler von der
Herde zu dem Priester bringen nach dem
Schätzwert als Schuldopfer. 26 So soll der
Priester die Sühnung für ihn vollziehen
vor dem HERRN und ihm wird alles ver-
geben, was er getan und womit er sich ver-
schuldet hat.

WEITERE BESTIMMUNGEN FÜR BRAND-, SPEIS- UND SÜNDOPFER

6 Und der HERR redete mit Mose und
sprach: 2 Gebiete Aaron und seinen
Söhnen und sprich: Dies ist das [a]Gesetz
über das Brandopfer. Das Brandopfer
soll bleiben auf dem Herd des Altars die
ganze Nacht bis zum Morgen, und es soll
des Altars Feuer brennend darauf erhal-
ten werden. 3 Und der Priester soll sein
leinenes Gewand anziehen und die [a]lei-
nenen Beinkleider für seine Blöße und soll
die Asche wegnehmen, die das Feuer des
Brandopfers auf dem Altar gemacht hat,
und soll sie neben den Altar schütten 4 und
soll danach seine Kleider ausziehen und
andere Kleider anziehen und [a]die Asche
hinaustragen aus dem Lager an eine reine
Stätte. 5 Das Feuer auf dem Altar soll bren-
nen und nie verlöschen. Der Priester soll
alle Morgen Holz darauf anzünden und
oben darauf das Brandopfer zurichten
und das Fett der Dankopfer oben darauf
in Rauch aufgehen lassen. 6 Ständig soll
das Feuer auf dem Altar brennen und nie
verlöschen.

7 Und dies ist [a]das Gesetz des Speis-
opfers. Aarons Söhne sollen es bringen
vor den HERRN an den Altar. 8 Es soll einer
abheben eine Handvoll vom Mehl und Öl
des Speisopfers und den ganzen Weih-
rauch, der auf dem Speisopfer liegt, und
soll's in Rauch aufgehen lassen auf dem
Altar zum lieblichen Geruch als Gedenk-
opfer für den HERRN. 9 Das Übrige aber
sollen Aaron und seine Söhne verzehren;
sie sollen es ungesäuert essen an heiliger
Stätte im Vorhof der Stiftshütte. 10 Sie
sollen es nicht mit Sauerteig backen; ihr
Anteil ist es, den ich ihnen gegeben habe
von meinen Feueropfern. Es ist ein Hoch-
heiliges gleichwie das Sündopfer und das
Schuldopfer. 11 Wer männlich ist unter
den Nachkommen Aarons, der soll's es-
sen. Das sei ein ewiges Anrecht für eure
Nachkommen an den Feueropfern des
HERRN. Was damit in Berührung kommt,
wird heilig.

12 Und der HERR redete mit Mose und
sprach: 13 Dies soll das Opfer Aarons und
seiner Söhne sein, das sie dem HERRN
opfern sollen [a]am Tage ihrer Salbung:
ein zehntel Scheffel feines Mehl, das täg-
liche Speisopfer, die eine Hälfte mor-
gens, die andere abends. 14 In der Pfanne
sollst du es mit Öl bereiten; vermengt
sollst du es herbeibringen, und in Stü-
cken gebacken sollst du es opfern zum
lieblichen Geruch für den HERRN. 15 Und
der Priester, der unter Aarons Söhnen an
seiner statt gesalbt wird, soll solches tun.
Das ist ein ewiges Anrecht des HERRN.
Als Ganzopfer soll es verbrannt werden;
16 jedes Speisopfer eines Priesters soll als
Ganzopfer verbrannt und nicht gegessen
werden.

17 Und der HERR redete mit Mose und
sprach: 18 Sage Aaron und seinen Söhnen
und sprich: [a]Dies ist das Gesetz des Sünd-
opfers. An der Stätte, wo das Brandopfer
geschlachtet wird, soll auch das Sündopfer
geschlachtet werden vor dem HERRN. Es
ist ein Hochheiliges. 19 Der Priester, der
das Sündopfer darbringt, soll es essen an
heiliger Stätte im Vorhof der Stiftshütte;
20 was mit dem Fleisch des Opfers in Be-
rührung kommt, wird heilig. Und wer von
seinem Blut ein Kleid besprengt, der soll
das besprengte Stück waschen an heiliger
Stätte. 21 Den irdenen Topf aber, darin es
gekocht ist, soll man zerbrechen. Ist's aber

5,23 *a* Hes 33,15 **6,2** *a* Kap 1,1-17 **6,3** *a* 2. Mose 28,42
6,4 *a* Kap 4,12 **6,7** *a* Kap 2,1-16 **6,13** *a* Kap 7,37;
2. Mose 29,1-37 **6,18** *a* Kap 4,1-35

ein eherner Topf, so soll man ihn scheuern
und mit Wasser spülen. 22 Wer männlich
ist in den Familien der Priester, darf davon
essen; es ist ein Hochheiliges. 23 Aber von
allen Sündopfern, von deren Blut etwas
in die Stiftshütte gebracht worden ist, um
die Sühnung zu vollziehen im Heiligen,
soll man nichts essen, sondern sie mit
Feuer verbrennen.

WEITERE BESTIMMUNGEN FÜR SCHULD- UND DANKOPFER

7 Und dies ist [a]die Ordnung für das
Schuldopfer. Es ist ein Hochheiliges.
2 An der Stätte, wo man [a]das Brandopfer
schlachtet, soll man auch das Schuldopfer
schlachten und sein Blut ringsum an den
Altar sprengen. 3 [a]Und all sein Fett soll
man opfern, den Fettschwanz und das
Fett, das die Eingeweide bedeckt, 4 die
beiden Nieren mit dem Fett, das daran ist,
an den Lenden, und den Lappen an der Le-
ber; zusammen mit den Nieren soll er ihn
ablösen. 5 Und der Priester soll es auf dem
Altar in Rauch aufgehen lassen zum Feu-
eropfer für den HERRN; es ist ein Schuld-
opfer. 6 Wer männlich ist unter den Pries-
tern, soll das essen an heiliger Stätte; es ist
ein Hochheiliges.

7 Wie das Sündopfer, so soll auch das
Schuldopfer sein; für beide soll ein und
dasselbe Gesetz gelten; sie sollen dem
Priester gehören, der damit die Sühnung
vollzieht. 8 Dem Priester, der jeman-
des Brandopfer opfert, soll das [a]Fell des
Brandopfers gehören, das er geopfert hat.
9 Und [a]alle Speisopfer, die im Ofen oder
im Tiegel oder in der Pfanne gebacken
sind, sollen dem Priester gehören, der sie
opfert. 10 Aber alle Speisopfer, die mit Öl
vermengt oder trocken sind, sollen allen
Söhnen Aarons gehören, einem wie dem
andern.[a]

11 Und dies ist [a]die Ordnung für das
Dankopfer, das man dem HERRN opfert.
12 [a]Wollen sie es als Lobopfer darbringen,
so sollen sie außer dem Schlachtopfer
ungesäuerte Kuchen opfern, mit Öl ver-
mengt, und ungesäuerte Fladen, mit Öl
bestrichen, und feines Mehl, durchge-
rührt, als Kuchen mit Öl vermengt. 13 Sie
sollen aber solche Opfergabe darbringen
nebst Kuchen von gesäuertem Brot zu
ihrem Lob- und Dankopfer, 14 und zwar
sollen sie je ein Teil als Abgabe für den
HERRN darbringen; es soll dem Pries-
ter gehören, der das Blut des Dankopfers
sprengt.

15 Und das Fleisch ihres Lob- und Dank-
opfers soll an demselben Tage gegessen
werden, an dem es geopfert wird, und
soll nichts übrig gelassen werden bis zum
Morgen. 16 Ist es aber ein Gelübde oder
freiwilliges Opfer, so soll es zwar an dem-
selben Tage, da es geopfert ist, gegessen
werden; wenn aber etwas übrig bleibt,
darf man's am andern Tage essen. 17 Aber
was vom geopferten Fleisch am dritten
Tage noch übrig ist, soll mit Feuer ver-
brannt werden. 18 Und wenn jemand am
dritten Tage essen wird von dem geopfer-
ten Fleisch seines Dankopfers, so wird es
nicht wohlgefällig sein und dem, der es ge-
opfert hat, wird es auch nicht zugerechnet
werden, sondern es wird untauglich sein;
und wer davon isst, der lädt eine Schuld
auf sich. 19 Auch das Fleisch, das mit et-
was Unreinem in Berührung gekommen
ist, soll nicht gegessen, sondern mit Feuer
verbrannt werden. Jeder, der rein ist, darf
vom Opferfleisch essen. 20 Wer aber essen
wird von dem Fleisch des Dankopfers, das
dem HERRN gehört, und hat eine Unrein-
heit an sich, der wird ausgerottet werden
aus seinem Volk. 21 Und wenn jemand mit
etwas Unreinem in Berührung gekom-
men ist, es sei ein unreiner Mensch, ein
unreines Vieh oder was sonst abscheulich
und unrein ist, und dann vom Fleisch des
Dankopfers isst, das dem HERRN gehört,
der wird ausgerottet werden aus seinem
Volk.

22 Und der HERR redete mit Mose und
sprach: 23 Rede mit den Israeliten und
sprich: Ihr sollt [a]kein Fett essen von Stie-
ren, Schafen und Ziegen. 24 [a]Das Fett von
gefallenen und zerrissenen Tieren dürft
ihr zwar zu allerlei benutzen, aber [b]essen
dürft ihr's nicht. 25 Denn wer das Fett isst
von solchen Tieren, von denen man dem
HERRN Feueropfer bringt, der wird ausge-
rottet werden aus seinem Volk. 26 Ihr sollt

7,1 *a* Kap 5,14-26 **7,2** *a* Kap 1,3.5 **7,3** *a* (3-4) Kap 3,9-10
7,8 *a* Kap 1,6 **7,9** *a* Kap 2,4-5.7 **7,10** *a* Kap 2,1-3
7,11 *a* Kap 3,1-17 **7,12** *a* (12-15) Kap 19,5-8; 22,29-30
7,23 *a* Kap 3,17 **7,24** *a* (24-27) Apg 15,29 *b* 2. Mose 22,30

auch kein Blut essen, weder von Vögeln
noch vom Vieh, überall, wo ihr wohnt.
27 Jeder, der Blut isst, wird ausgerottet wer-
den aus seinem Volk.

28 Und der HERR redete mit Mose und
sprach: 29 Rede mit den Israeliten und
sprich: Wer dem HERRN sein Dankopfer
darbringen will, der soll herzubringen,
was vom Dankopfer dem HERRN gehört.
30 Er soll es aber mit eigener Hand herzu-
bringen zum Feueropfer für den HERRN;
nämlich das Fett soll er bringen samt der
Brust, um sie als ein [a]Schwingopfer zu
schwingen vor dem HERRN. 31 Und der
Priester soll das Fett in Rauch aufgehen
lassen auf dem Altar, aber die Brust soll
Aaron und seinen Söhnen gehören. 32 Und
die rechte [a]Keule sollt ihr dem Priester ge-
ben als Hebopfer von euren Dankopfern.
33 Wer von Aarons Söhnen das Blut und
das Fett der Dankopfer opfert, dem soll
die rechte Keule gehören als sein Anteil.
34 Denn die Brust des Schwingopfers und
die Keule des Hebopfers nehme ich von
den Israeliten, von ihren Dankopfern, und
gebe sie dem Priester Aaron und seinen
Söhnen als ewiges Anrecht bei den Isra-
eliten.

35 Das ist der Anteil Aarons und seiner
Söhne an den Feueropfern des HERRN,
der ihnen bestimmt wurde an dem Tage,
da der HERR sie sich nahen ließ, damit sie
seine Priester seien, 36 der Anteil, von dem
der HERR an dem Tage, da er sie salbte, ge-
bot, dass er ihnen gegeben werden sollte
von den Israeliten als ewiges Anrecht bei
allen ihren Nachkommen. 37 Das ist das
Gesetz des Brandopfers, des Speisopfers,
des Sündopfers, des Schuldopfers, des
Einsetzungsopfers und des Dankopfers,
38 wie der HERR es Mose gebot auf dem
Berge Sinai an dem Tage, da er den Isra-
eliten befahl, ihre Opfer dem HERRN zu
opfern in der Wüste Sinai.

MOSE SETZT AARON UND SEINE SÖHNE ZU PRIESTERN EIN

(vgl. 2. Mose 29,1-37)

8 Und der HERR redete mit Mose und
sprach: 2 [a]Nimm Aaron und seine Söhne
und die Kleider und das Salböl und den
jungen Stier zum Sündopfer, die beiden
Widder und den Korb mit ungesäuer-
tem Brot 3 und versammle die ganze Ge-
meinde vor dem Eingang der Stiftshütte.

4 Mose tat, wie ihm der HERR geboten
hatte, und versammelte die Gemeinde am
Eingang der Stiftshütte 5 und sprach zu
ihnen: Dies ist's, was der HERR geboten
hat zu tun. 6 Und Mose ließ herzutreten
Aaron und seine Söhne und wusch sie mit
Wasser 7 und legte ihm das leinene Ge-
wand an und gürtete ihn mit dem Gürtel
und zog ihm das Obergewand an und tat
ihm den Priesterschurz um und gürtete
ihn mit dem Gurt des Schurzes. 8 Dann
tat er ihm die Brusttasche an und legte
in die Tasche die Lose [a]»Licht und Recht«
9 und setzte ihm den Kopfbund auf sein
Haupt und befestigte an dem Kopfbund
vorn [a]das goldene Stirnblatt, den heiligen
Reif, wie der HERR es Mose geboten hatte.
10 Und Mose nahm das [a]Salböl und salbte
das Heiligtum und alles, was darin war,
und weihte es; 11 er sprengte damit sie-
benmal an den Altar und salbte den Altar
mit all seinem Gerät und das Becken mit
seinem Gestell, dass alles geweiht würde.
12 Und er goss von dem Salböl auf Aarons
Haupt und salbte ihn, dass er geweiht
würde, 13 und brachte herzu Aarons Söhne
und zog ihnen das leinene Gewand an und
gürtete sie mit dem Gürtel und setzte ih-
nen Priesterhüte auf, wie ihm der HERR
geboten hatte.

14 Und er ließ herzuführen den Stier
zum [a]Sündopfer. Und Aaron und seine
Söhne legten ihre Hände auf seinen Kopf.
15 Und man schlachtete ihn, und Mose
nahm das Blut und tat es mit seinem Fin-
ger ringsum auf die Hörner des Altars und
entsündigte den Altar und goss das Blut
an den Fuß des Altars und weihte ihn,
indem er ihn entsühnte. 16 Und er nahm
alles Fett am Eingeweide, den Lappen an
der Leber und die beiden Nieren mit dem
Fett daran und ließ es in Rauch aufgehen
auf dem Altar. 17 Aber den Stier mit seinem
Fell, dem Fleisch und dem Kot verbrannte
er mit Feuer draußen vor dem Lager, wie
ihm der HERR geboten hatte.

18 Und er brachte herzu den einen Wid-

7,30 *a* 2. Mose 29,24 **7,32** *a* Kap 9,21
8,2 *a* (2-5) 2. Mose 28,39-43 **8,8** *a* 2. Mose 28,30
8,9 *a* 2. Mose 28,36-38; 39,30 **8,10** *a* 2. Mose 30,25-26
8,14 *a* Kap 4,1-12

der zum [a]Brandopfer. Und Aaron und
seine Söhne legten ihre Hände auf sei-
nen Kopf. 19 Und man schlachtete ihn,
und Mose sprengte das Blut ringsum an
den Altar, 20 zerlegte den Widder in seine
Stücke und ließ den Kopf, die Stücke und
das Fett in Rauch aufgehen 21 und wusch
die Eingeweide und Schenkel mit Was-
ser und ließ dann den ganzen Widder in
Rauch aufgehen auf dem Altar. Das war
ein Brandopfer zum lieblichen Geruch,
ein Feueropfer für den HERRN, wie ihm
der HERR geboten hatte. 22 Er brachte
auch herzu den andern Widder zum
Einsetzungsopfer. Und Aaron und seine
Söhne legten ihre Hände auf seinen Kopf.
23 Und man schlachtete ihn, und Mose
nahm von seinem Blut und tat es Aaron
auf sein rechtes Ohrläppchen und auf den
Daumen seiner rechten Hand und auf die
große Zehe seines rechten Fußes. 24 Und
er brachte herzu Aarons Söhne und tat von
dem Blut auf ihr rechtes Ohrläppchen und
auf den Daumen ihrer rechten Hand und
auf die große Zehe ihres rechten Fußes
und [a]sprengte das Blut ringsum an den
Altar.

25 Und er nahm das Fett und den Fett-
schwanz und alles Fett am Eingeweide
und den Lappen an der Leber, die beiden
Nieren mit dem Fett daran und die rechte
Keule; 26 dazu nahm er von dem Korb
mit dem ungesäuerten Brot, der vor dem
HERRN stand, einen ungesäuerten Ku-
chen und einen Brotkuchen mit Öl und
einen Fladen und legte es auf das Fett und
auf die rechte Keule. 27 Und er legte das al-
les auf die Hände Aarons und seiner Söhne
und schwang es als Schwingopfer vor dem
HERRN 28 und nahm alles wieder von ih-
ren Händen und ließ es in Rauch aufgehen
auf dem Altar, oben auf dem Brandopfer.
Das war ein Einsetzungsopfer zum lieb-
lichen Geruch, ein Feueropfer für den
HERRN.

29 Und Mose nahm die Brust und
schwang sie als ein Schwingopfer vor dem
HERRN; die erhielt Mose als seinen Anteil
an dem Widder des Einsetzungsopfers,
wie ihm der HERR geboten hatte. 30 Und
Mose nahm von dem Salböl und dem Blut
auf dem Altar und sprengte es auf Aaron
und seine Kleider, auf seine Söhne und
ihre Kleider; so weihte er Aaron und seine
Kleider, seine Söhne und ihre Kleider.
31 Und Mose sprach zu Aaron und seinen
Söhnen: Kocht das Fleisch vor dem Ein-
gang der Stiftshütte und esst es daselbst,
dazu auch das Brot im Korbe des Einset-
zungsopfers, wie ich es geboten habe, dass
es Aaron und seine Söhne essen sollen.
32 Was aber übrig bleibt vom Fleisch und
Brot, das sollt ihr mit Feuer verbrennen.
33 Und ihr sollt sieben Tage lang nicht weg-
gehen von dem Eingang der Stiftshütte,
bis die Tage eures Einsetzungsopfers um
sind; denn sieben Tage sollen eure Hände
gefüllt werden. 34 Wie es am heutigen
Tage geschehen ist, so hat der HERR ge-
boten zu tun, auf dass ihr entsühnt wer-
det. 35 Und ihr sollt vor dem Eingang der
Stiftshütte Tag und Nacht bleiben sieben
Tage lang und sollt nach dem Gebot des
HERRN tun, dass ihr nicht sterbt; denn so
ist es mir geboten. 36 Und Aaron und seine
Söhne taten alles, was der HERR durch
Mose geboten hatte.

DAS ERSTE OPFER AARONS UND SEINER SÖHNE

9 Und [a]am achten Tage rief Mose Aaron
und seine Söhne und die Ältesten in
Israel 2 und sprach zu Aaron: Nimm dir
einen jungen Stier zum Sündopfer und
einen Widder zum Brandopfer, beide
ohne Fehler, und bringe sie vor den
HERRN. 3 Und rede mit den Israeliten und
sprich: Nehmt einen Ziegenbock zum
Sündopfer und ein Kalb und ein Lamm,
beide ein Jahr alt und ohne Fehler, zum
Brandopfer 4 und einen Stier und einen
Widder zum Dankopfer, dass wir sie vor
dem HERRN opfern, und ein Speisopfer,
mit Öl vermengt. Denn heute wird euch
der HERR erscheinen.

5 Und sie brachten, was Mose geboten
hatte, vor die Stiftshütte, und es trat herzu
die ganze Gemeinde und stellte sich auf
vor dem HERRN. 6 Da sprach Mose: Das
ist's, was der HERR geboten hat, dass ihr
es tun sollt, auf dass euch des HERRN
Herrlichkeit erscheine. 7 Und Mose sprach
zu Aaron: Tritt zum Altar und [a]bringe

8,18 *a* Kap 1,10-13 **8,24** *a* Kap 17,11 **9,1** *a* Kap 8,33
9,7 *a* Kap 16,6.11.15; Hebr 5,3; 7,27

dar dein Sündopfer und dein Brandopfer
und entsühne dich und das Volk. Danach
bringe dar die Opfergabe des Volks und
entsühne es auch, wie der HERR geboten
hat.
8 Und Aaron trat zum Altar und schlach-
tete den jungen Stier als sein Sündopfer.
9 Und seine Söhne brachten das Blut zu
ihm, und er tauchte mit seinem Finger ins
Blut und tat es auf die Hörner des Altars
und goss das Blut an den Fuß des Altars.
10 Aber das [a]Fett und die Nieren und den
Lappen an der Leber vom Sündopfer ließ
er in Rauch aufgehen auf dem Altar, wie
der HERR es Mose geboten hatte. 11 Und
das Fleisch und das Fell verbrannte er mit
Feuer draußen vor dem Lager.
12 Danach schlachtete er das [a]Brand-
opfer; und Aarons Söhne brachten das
Blut zu ihm, und er sprengte es ringsum
an den Altar. 13 Und sie brachten das
Brandopfer zu ihm, Stück um Stück, und
den Kopf, und er ließ es in Rauch aufge-
hen auf dem Altar. 14 Und er wusch die
Eingeweide und die Schenkel und ließ sie
in Rauch aufgehen oben auf dem Brand-
opfer auf dem Altar.
15 Danach brachte er herzu die Opfer-
gabe des Volks und nahm den Bock, das
Sündopfer des Volks, und schlachtete ihn
und machte ein Sündopfer daraus wie
das vorige. 16 Und brachte das Brandopfer
herzu und tat damit der Ordnung gemäß.
17 Und brachte herzu das Speisopfer und
nahm eine Handvoll und ließ es in Rauch
aufgehen auf dem Altar, außer dem Brand-
opfer am Morgen. 18 Danach schlachtete er
den Stier und den Widder als Dankopfer
des Volks. Und seine Söhne brachten ihm
das Blut; das sprengte er ringsum an den
Altar. 19 Aber das Fett vom Stier und vom
Widder, den Fettschwanz und das Fett am
Eingeweide und die Nieren und den Lap-
pen an der Leber, 20 all dieses Fett legten
sie auf die Brust, und er ließ das Fett auf
dem Altar in Rauch aufgehen. 21 Aber die
Brust und die rechte Keule schwang Aaron
als Schwingopfer vor dem HERRN, wie der
HERR es Mose geboten hatte.[a]
22 Und Aaron hob seine Hände auf zum
Volk und [a]segnete sie und stieg herab,
nachdem er das Sündopfer, Brandopfer
und Dankopfer dargebracht hatte. 23 Und
Mose und Aaron gingen in die Stiftshütte.
Und als sie wieder herauskamen, segneten
sie das Volk. [a]Da erschien die Herrlichkeit
des HERRN allem Volk. 24 Und [a]ein Feuer
ging aus von dem HERRN und verzehrte
das Brandopfer und das Fett auf dem Altar.
Da alles Volk das sah, frohlockten sie und
fielen auf ihr Antlitz.

DER TOD NADABS UND ABIHUS

10 Und [a]Aarons Söhne Nadab und Abihu
nahmen ein jeder seine Pfanne und ta-
ten Feuer hinein und legten Räucherwerk
darauf und brachten so ein [b]fremdes Feuer
vor den HERRN, das er ihnen nicht gebo-
ten hatte. 2 [a]Da fuhr ein Feuer aus von dem
HERRN und verzehrte sie, dass sie star-
ben vor dem HERRN.[b] 3 Da sprach Mose
zu Aaron: Das ist's, was der HERR gesagt
hat: Ich erzeige mich heilig an denen, die
mir nahe sind, und vor allem Volk erweise
ich mich herrlich. Und Aaron schwieg.
4 Mose aber rief [a]Mischaël und Elizafan,
die Söhne Usiëls, des Oheims Aarons, und
sprach zu ihnen: Tretet hinzu und tragt
eure Brüder von dem Heiligtum hinaus
vor das Lager. 5 Und sie traten hinzu und
trugen sie hinaus mit ihren leinenen Ge-
wändern vor das Lager, wie Mose gesagt
hatte. 6 Da sprach Mose zu Aaron und sei-
nen Söhnen Eleasar und Itamar: Ihr sollt
euer [a]Haupthaar nicht frei hängen lassen
und eure Kleider nicht zerreißen, dass ihr
nicht sterbt und der Zorn über die ganze
Gemeinde komme. Lasst aber eure Brü-
der, das ganze Haus Israel, weinen über
diesen Brand, den der HERR angerichtet
hat. 7 Ihr sollt auch nicht hinweggehen von
dem Eingang der Stiftshütte, ihr würdet
sonst sterben; denn das Salböl des HERRN
ist auf euch. Und sie taten, wie Mose sagte.
8 Der HERR aber redete mit Aaron und
sprach: 9 Du und deine Söhne, [a]ihr sollt
weder Wein noch Bier trinken, wenn ihr
in die Stiftshütte geht, damit ihr nicht
sterbt. Das sei eine ewige Ordnung für alle

9,10 *a* Kap 4,8-12; 8,14-17 **9,12** *a* Kap 1,10-13
9,21 *a* Kap 7,30-34 **9,22** *a* 4. Mose 6,22-27
9,23 *a* 2. Mose 16,10; 40,34 **9,24** *a* Ri 6,21; 1. Kön 18,38;
1. Chr 21,26; 2. Chr 7,1 **10,1** *a* 2. Mose 6,23; 28,1
b 2. Mose 30,9 **10,2** *a* (2-3) Jer 25,29; 1. Petr 4,17
b 4. Mose 16,35 **10,4** *a* 2. Mose 6,22 **10,6** *a* Kap 21,10
10,9 *a* Hes 44,21; Hos 4,11; Am 2,8

eure Nachkommen. 10 Ihr sollt unterschei-
den, was heilig und unheilig, was unrein
und rein ist,[a] 11 und Israel lehren alle Ord-
nungen, die der HERR ihnen durch Mose
verkündet hat.

12 Und Mose redete mit Aaron und mit
seinen Söhnen Eleasar und Itamar, die
ihm noch geblieben waren: Nehmt das
Speisopfer, das übrig geblieben ist von
den Feueropfern des HERRN, und esst es
ungesäuert bei dem Altar; denn es ist ein
Hochheiliges.[a] 13 Ihr sollt es aber an hei-
liger Stätte essen; [a]denn das ist dein und
deiner Söhne Anrecht an den Feueropfern
des HERRN; denn so ist mir's geboten.
14 Auch die [a]Brust des Schwingopfers und
die Keule des Hebopfers sollst du mit dei-
nen Söhnen und deinen Töchtern essen
an reiner Stätte; denn solches Anrecht an
den Dankopfern Israels ist dir und deinen
Kindern gegeben. 15 Denn diese Keule und
diese Brust soll man zu den Feueropfern
des Fettes bringen, dass sie als Schwing-
opfer geschwungen werden vor dem
HERRN; es gehört dir und deinen Söhnen
als ewiges Anrecht, wie der HERR gebo-
ten hat.[a]

16 Und Mose suchte den [a]Bock des Sünd-
opfers und fand ihn verbrannt. Und er
wurde zornig über Eleasar und Itamar,
Aarons Söhne, die ihm noch geblieben
waren, und sprach: 17 Warum habt ihr
das Sündopfer nicht gegessen an heiliger
Stätte? Denn es ist ein Hochheiliges, und
der HERR hat es euch gegeben, dass ihr die
Schuld der Gemeinde wegnehmen und
sie vor ihm entsühnen sollt. 18 Siehe, sein
Blut ist nicht in das Heilige hineingebracht
worden. [a]Ihr solltet das Opfer im Heiligen
gegessen haben, wie ich geboten hatte.
19 Aaron aber sprach zu Mose: Siehe, heute
haben sie ihr Sündopfer und ihr Brand-
opfer vor dem HERRN geopfert, und es
ist mir so ergangen, wie du siehst; und ich
sollte heute essen vom Sündopfer? Sollte
das dem HERRN gefallen? 20 Als Mose das
hörte, ließ er sich's gefallen.

REINE UND UNREINE TIERE

(vgl. 5. Mose 14,3-20)

11 Und der HERR redete mit Mose und
Aaron und sprach zu ihnen: 2 Redet
mit den Israeliten und sprecht: [a]Dies sind
die Tiere, die ihr essen dürft unter allen
Tieren auf dem Lande. 3 Alles, was gespal-
tene Klauen hat, ganz durchgespalten,
und wiederkäut unter den Tieren, das
dürft ihr essen. 4 Nur diese dürft ihr nicht
essen von dem, was wiederkäut oder ge-
spaltene Klauen hat: das Kamel, denn es
ist zwar ein Wiederkäuer, hat aber keine
durchgespaltenen Klauen, darum soll es
euch unrein sein; 5 den Klippdachs, denn
er ist zwar ein Wiederkäuer, hat aber keine
durchgespaltenen Klauen; darum soll er
euch unrein sein; 6 den Hasen, denn er
ist auch ein Wiederkäuer, hat aber keine
durchgespaltenen Klauen; darum soll er
euch unrein sein; 7 das [a]Schwein, denn es
hat wohl durchgespaltene Klauen, ist aber
kein Wiederkäuer; darum soll es euch un-
rein sein. 8 Von ihrem Fleisch dürft ihr we-
der essen noch ihr Aas anrühren; denn sie
sind euch unrein.

9 Dies dürft ihr essen von dem, was
im Wasser lebt: Alles, was Flossen und
Schuppen hat im Wasser, im Meer und in
den Bächen, dürft ihr essen. 10 Alles aber,
was nicht Flossen und Schuppen hat im
Meer und in den Bächen von allem, was
sich regt im Wasser, und allem, was lebt
im Wasser, soll euch ein Gräuel sein.
11 Von ihrem Fleisch dürft ihr nicht essen
und ihr Aas sollt ihr verabscheuen, denn
sie sind ein Gräuel für euch. 12 Alles, was
nicht Flossen und Schuppen hat im Was-
ser, sollt ihr verabscheuen.

13 Und diese sollt ihr verabscheuen unter
den Vögeln, dass sie nicht gegessen wer-
den, denn ein Gräuel sind sie: den Adler,
den Lämmergeier, den Bartgeier, 14 die Ga-
belweihe, alle Arten des Falken 15 und alle
Arten des Raben, 16 den Strauß, die Nacht-
eule, die Möwe, alle Arten des Habichts,
17 das Käuzchen, die Fischeule, den Uhu,
18 die Schleiereule, die Ohreule, den Aas-
geier, 19 den Storch, alle Arten des Reihers,
den Wiedehopf und die Fledermaus.

20 Auch alles kleine Getier, das Flügel
hat und auf vier Füßen geht, soll euch ein
Gräuel sein. 21 Doch dies dürft ihr essen
von allem kleinen Getier, das Flügel hat

10,10 *a* Hes 22,26; 44,23 **10,12** *a* Kap 9,17-18
10,13 *a* Kap 2,3 **10,14** *a* Kap 7,34 **10,15** *a* Kap 9,20-21
10,16 *a* Kap 9,15 **10,18** *a* Kap 6,19.22
11,2 *a* Apg 10,12-15; 1. Tim 4,3-4 **11,7** *a* Jes 65,4; 66,17

und auf vier Füßen geht: was oberhalb
der Füße noch zwei Schenkel hat, womit
es auf Erden hüpft. 22 Von diesen dürft ihr
essen alle Arten der Heuschrecke, alle Ar-
ten des Solam, alle Arten des Hargol und
alle Arten des Hagab. 23 Alles kleine Getier
aber, was sonst Flügel und vier Füße hat,
soll euch ein Gräuel sein.

24 An diesen werdet ihr euch verunreini-
gen, wer ihr [a]Aas anrührt, der wird unrein
sein bis zum Abend, 25 und wer ihr Aas
trägt, soll seine Kleider waschen und wird
unrein sein bis zum Abend: 26 an allem Ge-
tier, das gespaltene Klauen hat, aber nicht
ganz durchgespaltene, und nicht wieder-
käut. Unrein soll es euch sein, und wer es
anrührt, wird unrein sein. 27 Und alles, was
auf Tatzen geht unter den Tieren, die auf
vier Füßen gehen, soll euch unrein sein.
Wer ihr Aas anrührt, wird unrein sein bis
zum Abend. 28 Und wer ihr Aas trägt, soll
seine Kleider waschen und unrein sein bis
zum Abend; denn sie sind euch unrein.

29 Diese sollen euch auch unrein sein
unter den Tieren, die auf der Erde wim-
meln: der Maulwurf, die [a]Maus und alle
Arten der Eidechse, 30 der Gecko, die
Koach-Eidechse, die Letaa-Eidechse, der
Molch und das Chamäleon. 31 Die sind
euch unrein unter allem kleinen Getier.
Wer ihr Aas anrührt, der wird unrein
sein bis zum Abend. 32 Und alles, worauf
ihr Aas fällt, das wird unrein, jedes höl-
zerne Gefäß oder Kleider oder Fell oder
Sack, jedes Gerät, mit dem man arbeitet.
All das soll man ins Wasser legen, es ist
unrein bis zum Abend und dann wieder
rein. 33 Ist es aber ein irdenes Gefäß, in das
ein solches Aas hineinfällt, so wird alles
unrein, was darin ist, und ihr sollt es zer-
brechen. 34 Alle Speise, die man isst, wird
unrein, wenn jenes Wasser darankommt;
und alles Getränk, das man trinkt, wird
in solchen Gefäßen unrein. 35 Und alles,
worauf ein solches Aas fällt, wird unrein,
es sei Ofen oder Herd; man soll es zer-
brechen, denn es ist unrein und soll euch
unrein sein. 36 Nur die Brunnen und Zis-
ternen, in denen sich Wasser sammelt,
bleiben rein. Wer aber das Aas darin an-
rührt, ist unrein. 37 Und wenn ein solches
Aas auf Samen fällt, den man sät, so bleibt
er doch rein. 38 Wenn man aber Wasser
über den Samen gegossen hat und es fällt
danach ein solches Aas darauf, so wird er
euch unrein.

39 Wenn eins von den Tieren stirbt, die
euch zur Speise dienen: Wer ihr Aas an-
rührt, wird unrein bis zum Abend. 40 Wer
von solchem Aas isst, der soll sein Kleid
waschen; er wird unrein sein bis zum
Abend. Auch wer ein solches Aas trägt,
soll sein Kleid waschen; er wird unrein
sein bis zum Abend.

41 Alles kleine Getier, das auf der Erde
kriecht, soll euch ein Gräuel sein, und man
soll es nicht essen. 42 Alles, was auf dem
Bauch kriecht, und alles, was auf vier oder
mehr Füßen geht, unter allem, was auf der
Erde kriecht, dürft ihr nicht essen; denn
es soll euch ein Gräuel sein. 43 Macht euch
selbst nicht zum Gräuel an allem kleinen
Getier, das da wimmelt, und macht euch
nicht unrein an ihm, sodass ihr dadurch
unrein werdet. 44 Denn ich bin der HERR,
euer Gott. Darum sollt ihr euch heiligen,
sodass ihr heilig werdet, [a]denn ich bin
heilig; und ihr sollt euch nicht selbst un-
rein machen an irgendeinem Getier, das
auf der Erde kriecht. 45 Denn ich bin der
HERR, der euch aus Ägyptenland geführt
hat, dass ich euer Gott sei. Darum sollt ihr
heilig sein, denn ich bin heilig.

46 Das ist das Gesetz von dem Vieh und
den Vögeln und von allen Tieren, die sich
regen im Wasser, und von allen Tieren, die
auf der Erde kriechen, 47 auf dass ihr un-
terscheidet, was unrein und rein ist und
welches Tier man essen und welches man
nicht essen darf.

BESTIMMUNGEN FÜR DIE WÖCHNERINNEN

12 Und der HERR redete mit Mose und
sprach: 2 Rede mit den Israeliten und
sprich: Wenn eine Frau empfängt und
einen Knaben gebiert, [a]so soll sie sieben
Tage unrein sein, wie wenn sie ihre Tage
hat. 3 Und am achten Tage soll man seine
Vorhaut beschneiden.[a] 4 Und sie soll da-
heimbleiben dreiunddreißig Tage wegen
des Blutes ihrer Reinigung. Kein Heiliges
soll sie anrühren und zum Heiligtum

11,24 *a* Kap 5,2 **11,29** *a* Jes 66,17 **11,44** *a* Kap 19,2
12,2 *a* Kap 15,19 **12,3** *a* 1. Mose 17,10-12; Lk 2,21; Joh 7,22

soll sie nicht kommen, bis die Tage ihrer
Reinigung um sind. 5 Gebiert sie aber ein
Mädchen, so soll sie zwei Wochen unrein
sein, wie wenn sie ihre Tage hat, und soll
sechsundsechzig Tage daheimbleiben we-
gen des Blutes ihrer Reinigung.

6 Und wenn die Tage ihrer Reinigung für
den Sohn oder für die Tochter um sind,
soll sie dem Priester ein einjähriges Lamm
bringen zum Brandopfer und eine Taube
oder Turteltaube zum Sündopfer vor den
Eingang der Stiftshütte. 7 Der soll es op-
fern vor dem HERRN und sie entsühnen,
so wird sie rein von ihrem Blutfluss. Das
ist das Gesetz für die Frau, die einen Kna-
ben oder ein Mädchen gebiert. 8 Vermag
sie aber nicht ein Lamm aufzubringen, so
nehme sie [a]zwei Turteltauben oder zwei
andere Tauben, eine zum Brandopfer,
die andere zum Sündopfer; so soll sie der
Priester entsühnen, dass sie rein werde.

AUSSATZ BEI MENSCHEN

13 [a]Und der HERR redete mit Mose und
Aaron und sprach: 2 Wenn bei einem
Menschen an seiner Haut eine Erhöhung
oder ein Ausschlag oder ein weißer Fle-
cken entsteht und zu einer aussätzigen
Stelle an der [a]Haut wird, soll man ihn zum
Priester Aaron führen oder zu einem sei-
ner Söhne, den Priestern. 3 Und wenn der
Priester die Stelle an der Haut sieht, dass
die Haare dort weiß geworden sind und
die Stelle tiefer ist als die übrige Haut, so
ist es Aussatz. Wenn der Priester das an
ihm sieht, soll er ihn für unrein erklären.

4 Wenn aber ein weißer Flecken an sei-
ner Haut ist und doch die Stelle nicht tie-
fer anzusehen ist als die übrige Haut und
die Haare nicht weiß geworden sind, so
soll der Priester den Kranken einschließen
sieben Tage 5 und am siebenten Tage bese-
hen. Sieht er aber, dass die Stelle geblieben
ist, wie er sie zuvor gesehen hat, und hat
nicht weitergefressen auf der Haut, so soll
ihn der Priester abermals sieben Tage ein-
schließen. 6 Und wenn er ihn erneut nach
sieben Tagen besieht und findet, dass die
Stelle blass geworden ist und nicht weiter-
gefressen hat auf der Haut, so soll er ihn
für rein erklären; denn es ist nur ein Aus-
schlag. Und er soll seine Kleider waschen,
so ist er rein. 7 Wenn aber der Ausschlag
weiterfrisst auf der Haut, nachdem er vom
Priester besehen worden ist, ob er rein sei,
und er wird nun erneut vom Priester be-
sehen 8 und wenn der Priester dann sieht,
dass der Ausschlag weitergefressen hat auf
der Haut, so soll er ihn für unrein erklären;
es ist Aussatz.

9 Wenn an einem Menschen eine aussät-
zige Stelle ist, so soll man ihn zum Priester
bringen. 10 Wenn der sieht und findet, dass
eine weiße Erhöhung auf der Haut ist und
die Haare dort weiß geworden sind und
wildes Fleisch in der Erhöhung ist, 11 so
ist es schon alter Aussatz auf seiner Haut.
Darum soll ihn der Priester für unrein er-
klären und nicht erst einschließen; denn
er ist schon unrein.

12 Wenn aber Aussatz ausbricht auf der
Haut und bedeckt die ganze Haut, vom
Kopf bis zum Fuß, alles, was dem Pries-
ter vor Augen ist, 13 und wenn der Pries-
ter ihn dann besieht und findet, dass der
Aussatz den ganzen Leib bedeckt hat, so
soll er den Kranken für rein erklären, weil
alles an ihm weiß geworden ist; er ist rein.
14 Findet sich aber wildes Fleisch an dem
Tage, da er besehen wird, so ist er unrein.
15 Und wenn der Priester das wilde Fleisch
sieht, soll er ihn für unrein erklären,
denn das wilde Fleisch ist unrein; es ist
Aussatz. 16 Verändert sich aber das wilde
Fleisch und wird wieder weiß, so soll er
zum Priester kommen. 17 Und wenn ihn
der Priester sieht und findet, dass die Stelle
weiß geworden ist, soll er ihn für rein er-
klären; er ist rein.

18 Wenn jemand auf der Haut ein Ge-
schwür bekommt und es heilt wieder,
19 danach aber an derselben Stelle eine
weiße Erhöhung oder ein weißrötlicher
Flecken entsteht, so soll er vom Priester
besehen werden. 20 Wenn dann der Pries-
ter sieht, dass die Stelle tiefer anzusehen
ist als die übrige Haut und das Haar dort
weiß geworden ist, so soll er ihn für un-
rein erklären; es ist Aussatz, der in dem
Geschwür ausgebrochen ist.

21 Sieht aber der Priester und findet, dass
die Haare nicht weiß sind und die Stelle
nicht tiefer ist als die übrige Haut und

12,8 ***a*** Kap 5,7; Lk 2,24 **13,1** ***a*** 5. Mose 24,8-9
13,2 ***a*** 4. Mose 12,10-12; Hiob 18,13

blass geworden ist, so soll er ihn sieben
Tage einschließen. 22 Frisst es weiter auf
der Haut, so soll er ihn für unrein erklä-
ren; es ist eine aussätzige Stelle. 23 Bleibt
aber der weiße Flecken so stehen und
frisst nicht weiter, so ist es die Narbe von
einem Geschwür, und der Priester soll ihn
für rein erklären.

24 Wenn jemand an der Haut ein Brand-
mal hat und das Mal wird weißrötlich oder
weiß 25 und der Priester es besieht und
findet das Haar weiß geworden an dem
Brandmal und die Stelle erscheint tiefer
als die übrige Haut, so ist es Aussatz, der in
dem Brandmal ausgebrochen ist. Darum
soll ihn der Priester für unrein erklären;
es ist eine aussätzige Stelle.

26 Sieht aber der Priester und findet, dass
die Haare am Brandmal nicht weiß gewor-
den sind und es nicht tiefer ist als die üb-
rige Haut und dazu blass geworden ist, so
soll er ihn sieben Tage einschließen 27 und
am siebenten Tage soll er ihn besehen.
Hat es weitergefressen auf der Haut, so
soll er ihn für unrein erklären; es ist eine
aussätzige Stelle. 28 Ist aber der Flecken
stehen geblieben und hat nicht weiterge-
fressen auf der Haut und ist dazu blass ge-
worden, so ist es nur die Erhöhung eines
Brandmals. Und der Priester soll ihn für
rein erklären; denn es ist die Narbe eines
Brandmals.

29 Wenn ein Mann oder eine Frau auf
dem Kopf oder am Bart eine Stelle hat
30 und der Priester die Stelle besieht und
findet, dass sie tiefer aussieht als die üb-
rige Haut und das Haar dort goldgelb und
dünn ist, so soll er ihn für unrein erklären;
denn es ist eine Flechte, das ist der Aussatz
des Kopfes oder des Bartes.

31 Sieht aber der Priester, dass die Flechte
nicht tiefer anzusehen ist als die Haut,
aber das Haar dort nicht schwarz ist, soll
er den Kranken sieben Tage einschließen.
32 Und wenn er ihn am siebenten Tage be-
sieht und findet, dass die Flechte sich nicht
ausgebreitet hat und kein goldgelbes Haar
da ist und die Flechte nicht tiefer aus-
sieht als die übrige Haut, 33 so soll er sich
scheren, doch so, dass er die Flechte nicht
schere; und der Priester soll ihn abermals
sieben Tage einschließen. 34 Und wenn er
ihn am siebenten Tage besieht und findet,
dass die Flechte sich nicht ausgebreitet hat
auf der Haut und nicht tiefer aussieht als
die übrige Haut, so soll ihn der Priester
für rein erklären; und er soll seine Klei-
der waschen, so ist er rein. 35 Breitet sich
aber die Flechte weiter auf der Haut aus,
nachdem er für rein erklärt worden ist,
36 und der Priester besieht ihn und findet,
dass die Flechte sich ausgebreitet hat auf
der Haut, so soll er nicht mehr danach fra-
gen, ob die Haare goldgelb sind; denn er
ist unrein. 37 Sieht er aber, dass die Flechte
stehen geblieben ist und schwarzes Haar
dort wächst, so ist die Flechte abgeheilt
und er ist rein. Darum soll ihn der Pries-
ter für rein erklären.

38 Wenn bei einem Mann oder einer Frau
auf der Haut weiße Flecken entstehen
39 und der Priester besieht es und es sind
blasse weiße Flecken, so ist es ein gutarti-
ger Ausschlag, der auf der Haut ausgebro-
chen ist; er ist rein.

40 Wenn einem Mann die Haupthaare
ausfallen, dass er am Hinterkopf kahl
wird, der ist rein. 41 Fallen sie ihm vorn am
Kopf aus und entsteht eine Glatze, so ist er
rein. 42 Bildet sich aber an der Glatze hin-
ten oder vorne eine weißrötliche Stelle,
so ist bei ihm Aussatz an der Glatze aus-
gebrochen. 43 Wenn ihn der Priester nun
besieht und findet, dass eine weißrötliche
Erhöhung an seiner Glatze ist, dass es aus-
sieht wie sonst Aussatz auf der Haut, 44 so
ist er aussätzig und unrein, und der Pries-
ter soll ihn für unrein erklären; er hat Aus-
satz an seinem Kopf.

45 Wer nun aussätzig ist, soll zerrissene
Kleider tragen und das Haar lose und den
Bart verhüllt und soll rufen: Unrein, un-
rein! 46 Und solange die Stelle an ihm ist,
soll er unrein sein, allein wohnen, und
seine Wohnung soll außerhalb des Lagers
sein.[a]

AUSSATZ AN KLEIDERN

47 Wenn eine aussätzige Stelle an einem
Kleid ist, es sei wollen oder leinen, 48 an
Gewebtem oder Gewirktem, es sei leinen
oder wollen, oder an Leder oder an allem,
was aus Leder gemacht wird, 49 und wenn
die Stelle grünlich oder rötlich ist am Kleid

13,46 *a* 4. Mose 5,2-3; 2. Kön 15,5

oder am Leder oder am Gewebten oder
Gewirkten oder an irgendeinem Ding,
das von Leder gemacht ist, so ist das eine
aussätzige Stelle; darum soll es der Pries-
ter besehen. 50 Und wenn er die Stelle be-
sehen hat, soll er es einschließen sieben
Tage. 51 Und wenn er am siebenten Tage
sieht, dass die Stelle weitergefressen hat
am Kleid, am Gewebten oder am Gewirk-
ten, am Leder oder an allem, was man aus
Leder macht, so ist die Stelle fressender
Aussatz, und es ist unrein. 52 Und man soll
das Kleid verbrennen oder das Gewebte
oder Gewirkte, es sei wollen oder leinen,
oder allerlei Lederwerk, woran solche
Stelle ist; denn es ist fressender Aussatz,
und man soll es mit Feuer verbrennen.

53 Sieht aber der Priester, dass die Stelle
nicht weitergefressen hat am Kleid oder
am Gewebten oder am Gewirkten oder
an allerlei Lederwerk, 54 so soll er gebie-
ten, dass man das wasche, woran die Stelle
ist, und soll es einschließen weitere sie-
ben Tage. 55 Und wenn der Priester sieht,
nachdem die Stelle gewaschen ist, dass
die Stelle unverändert ist vor seinen Au-
gen und auch nicht weitergefressen hat,
so ist es unrein, und du sollst es mit Feuer
verbrennen; denn es ist tief eingefressen
an der kahlen Stelle außen oder innen.
56 Wenn aber der Priester sieht, dass die
Stelle verblasst ist nach dem Waschen,
so soll er sie herausreißen aus dem Kleid,
dem Leder, dem Gewebten oder Gewirk-
ten. 57 Zeigt sie sich aber wiederum am
Kleid, am Gewebten, am Gewirkten oder
an allerlei Lederwerk, so ist es ausbre-
chender Aussatz, und du sollst mit Feuer
verbrennen, woran solche Stelle ist. 58 Das
Kleid aber oder das Gewebte oder Ge-
wirkte oder allerlei Lederwerk, das gewa-
schen ist und von dem die Stelle gewichen
ist, soll man zum zweiten Mal waschen,
so ist es rein.

59 Das ist das Gesetz über die aussätzigen
Stellen an Kleidern, sie seien wollen oder
leinen, an Gewebtem oder an Gewirktem
und an allerlei Lederwerk, wie sie für rein
oder unrein zu erklären sind.

DIE REINIGUNG VON AUSSÄTZIGEN

14 Und der HERR redete mit Mose und
sprach: 2 Dies ist das Gesetz über den
Aussätzigen, wenn er gereinigt werden
soll. [a]Man soll ihn zum Priester bringen,
3 und der Priester soll aus dem Lager ge-
hen und feststellen, dass die kranke Stelle
am Aussätzigen heil geworden ist, 4 und
soll gebieten, dass man für den, der zu
reinigen ist, zwei lebendige Vögel nehme,
[a]reine Tiere, und Zedernholz und Kar-
mesin und Ysop, 5 und soll gebieten, den
einen Vogel zu schlachten in ein irdenes
Gefäß über fließendem Wasser. 6 Und er
soll den lebendigen Vogel nehmen zusam-
men mit dem Zedernholz, dem Karmesin
und dem Ysop und sie in das Blut des Vo-
gels tauchen, der über dem fließenden
Wasser geschlachtet wurde, 7 und sieben-
mal den besprengen, der vom Aussatz zu
reinigen ist, und ihn so reinigen und [a]den
lebendigen Vogel ins freie Feld fliegen
lassen.

8 Der aber, der sich reinigt, soll seine
Kleider waschen und [a]alle seine Haare ab-
scheren und sich mit Wasser abwaschen,
so ist er rein. Danach gehe er ins Lager;
doch soll er sieben Tage außerhalb seines
Zeltes bleiben. 9 Und am siebenten Tage
soll er alle seine Haare abscheren auf dem
Kopf, am Bart, an den Augenbrauen, alle
Haare soll er abscheren, und soll seine
Kleider waschen und seinen Leib mit
Wasser abwaschen, so ist er rein.

10 Und am achten Tage soll er zwei Läm-
mer nehmen, männliche Tiere ohne Feh-
ler, und ein einjähriges Schaf ohne Fehler
und drei Zehntel feines Mehl zum Speis-
opfer, mit Öl vermengt, und einen Becher
Öl. 11 Und der Priester soll den, der sich
reinigt, mit all dem vor den HERRN tre-
ten lassen an den Eingang der Stiftshütte.
12 Und er soll das eine Lamm nehmen und
zum Schuldopfer darbringen mit dem Be-
cher Öl und soll beides vor dem HERRN
als Schwingopfer schwingen 13 und danach
das Lamm schlachten, wo man das Sünd-
opfer und Brandopfer schlachtet, nämlich
an heiliger Stätte; denn [a]wie das Sünd-
opfer, so gehört auch das Schuldopfer dem
Priester; es ist ein Hochheiliges.

14 Und der Priester soll von dem Blut des
Schuldopfers nehmen und es dem, der

14,2 *a* Mt 8,4 **14,4** *a* 4. Mose 19,6 **14,7** *a* Kap 16,22
14,8 *a* 4. Mose 8,7 **14,13** *a* Kap 7,7

sich reinigt, [a]auf das Läppchen des rech-
ten Ohrs tun und auf den Daumen seiner
rechten Hand und auf die große Zehe sei-
nes rechten Fußes. 15 Danach soll er von
dem Becher Öl nehmen und es in seine
eigene linke Hand gießen 16 und mit sei-
nem rechten Finger in das Öl tauchen, das
in seiner linken Hand ist, und etwas vom
Öl mit seinem Finger [a]siebenmal spren-
gen vor dem HERRN. 17 Auf das Blut des
Schuldopfers aber soll er von dem übrigen
Öl in seiner Hand dem, der sich reinigt,
auf das Läppchen des rechten Ohrs tun
und auf den rechten Daumen und auf die
große Zehe seines rechten Fußes. 18 Das
übrige Öl aber in seiner Hand soll er auf
den Kopf dessen tun, der sich reinigt, und
ihn entsühnen vor dem HERRN. 19 Dann
soll er das Sündopfer zurichten und den,
der sich reinigt, von seiner Unreinheit
entsühnen und soll danach das Brand-
opfer schlachten 20 und soll es auf dem Al-
tar opfern samt dem Speisopfer und ihn
entsühnen, so ist er rein.

21 Ist er aber arm und vermag nicht so viel
aufzubringen, so nehme er ein männliches
Lamm zum Schuldopfer als Schwingopfer
zu seiner Entsühnung und ein Zehntel fei-
nes Mehl, mit Öl vermengt, zum Speis-
opfer und einen Becher Öl 22 und [a]zwei
Turteltauben oder zwei andere Tauben,
die er aufbringen kann, die eine als Sünd-
opfer, die andere als Brandopfer, 23 und
bringe sie am achten Tage seiner Reini-
gung zum Priester an den Eingang der
Stiftshütte vor den HERRN.

24 Da soll der Priester das Lamm des
Schuldopfers nehmen und den Becher Öl
und soll alles schwingen als ein Schwing-
opfer vor dem HERRN 25 und das Lamm
des Schuldopfers schlachten, von dem Blut
des Schuldopfers nehmen und es dem, der
sich reinigt, auf das Läppchen seines rech-
ten Ohrs tun und auf den Daumen seiner
rechten Hand und auf die große Zehe sei-
nes rechten Fußes 26 und soll von dem Öl
in seine eigene linke Hand gießen 27 und
mit seinem rechten Finger von dem Öl,
das in seiner linken Hand ist, siebenmal
sprengen vor dem HERRN. 28 Auf das Blut
des Schuldopfers aber soll er von dem
übrigen Öl in seiner Hand dem, der sich
reinigt, auf das Läppchen seines rechten
Ohrs tun und auf den Daumen seiner
rechten Hand und auf die große Zehe sei-
nes rechten Fußes. 29 Das übrige Öl aber in
seiner Hand soll er dem, der sich reinigt,
auf den Kopf tun, um ihn zu entsühnen
vor dem HERRN, 30 und danach die eine
Turteltaube oder andere Taube, wie er
sie hat aufbringen können, 31 zum Sünd-
opfer, die andere zum Brandopfer bereiten
samt dem Speisopfer. So soll der Priester
den, der sich reinigt, entsühnen vor dem
HERRN. 32 Das ist das Gesetz für den Aus-
sätzigen, der nicht so viel aufbringen kann
zu seiner Reinigung.[a]

AUSSATZ AN HÄUSERN

33 Und der HERR redete mit Mose und
Aaron und sprach: 34 Wenn ihr ins Land
Kanaan kommt, das ich euch zum Be-
sitz gebe, und ich lasse an irgendeinem
Hause eures Landes eine aussätzige Stelle
entstehen, 35 so soll der kommen, dem
das Haus gehört, es [a]dem Priester ansa-
gen und sprechen: Es sieht mir aus, als
sei Aussatz an meinem Hause. 36 Da soll
der Priester gebieten, dass sie das Haus
ausräumen, ehe der Priester hineingeht,
die Stelle zu besehen, damit nicht alles
unrein werde, was im Hause ist. Danach
soll der Priester hineingehen, das Haus zu
besehen. 37 Wenn er nun den Ausschlag
besieht und findet, dass an den Wänden
des Hauses grünliche oder rötliche Stel-
len sind, die [a]tiefer aussehen als sonst die
Wand, 38 so soll er aus dem Hause heraus-
gehen, an die Tür treten und das Haus für
sieben Tage verschließen. 39 Und wenn
er am siebenten Tage wiederkommt und
sieht, dass der Ausschlag weitergefressen
hat an den Wänden des Hauses, 40 so soll
er die Steine ausbrechen lassen, an denen
der Ausschlag ist, und hinaus vor die Stadt
an einen unreinen Ort werfen. 41 Und das
Haus soll man innen ringsherum abscha-
ben und den abgeschabten Lehm hinaus
vor die Stadt an einen unreinen Ort schüt-
ten 42 und andere Steine nehmen und statt
jener einsetzen und andern Lehm nehmen
und das Haus neu bewerfen.

43 Wenn dann der Ausschlag wieder-

14,14 *a* Kap 8,23; 2. Mose 29,20 **14,16** *a* Kap 4,6.17
14,22 *a* Kap 5,7 **14,32** *a* Kap 13,47-59 **14,35** *a* Kap 13,2
14,37 *a* Kap 13,3

kommt und ausbricht am Hause, nach-
dem man die Steine ausgebrochen und
das Haus neu beworfen hat, 44 so soll der
Priester hineingehen. Und wenn er sieht,
dass der Ausschlag weitergefressen hat am
Hause, so ist es gewiss ein fressender Aus-
satz am Hause, und es ist unrein. 45 Darum
soll man das Haus abbrechen, Steine und
Holz und allen Lehm am Hause, und soll
es hinausbringen vor die Stadt an einen
unreinen Ort. 46 Und wer in das Haus
geht, solange es verschlossen ist, der ist
[a]unrein bis zum Abend. 47 Und wer darin
schläft oder darin isst, der soll seine Klei-
der waschen.

48 Wenn aber der Priester hineingeht
und sieht, dass der Ausschlag nicht weiter
am Hause gefressen hat, nachdem es neu
beworfen ist, so soll er es rein sprechen;
denn der Ausschlag ist heil geworden.
49 Und er soll für das Haus zur Entsündi-
gung zwei Vögel nehmen, Zedernholz,
Karmesin und Ysop 50 und den einen Vo-
gel schlachten in ein irdenes Gefäß über
fließendem Wasser. 51 Und er soll nehmen
das Zedernholz, das Karmesin, den Ysop
und den lebendigen Vogel und sie in des
geschlachteten Vogels Blut und in das flie-
ßende Wasser tauchen und das Haus sie-
benmal besprengen 52 und soll so das Haus
entsündigen mit dem Blut des Vogels und
mit dem fließenden Wasser, mit dem le-
bendigen Vogel, mit dem Zedernholz, mit
dem Ysop und mit dem Karmesin 53 und
soll den lebendigen Vogel hinaus vor die
Stadt ins freie Feld fliegen lassen und das
Haus entsühnen, so ist es rein.

54 Das ist das Gesetz über alle Arten des
Aussatzes und der Flechte, 55 über den
Aussatz an Kleidern und Häusern, 56 über
Erhöhungen, Ausschlag und weiße Fle-
cken, 57 damit man Weisung habe, wann
etwas unrein oder rein ist. Das ist das Ge-
setz über den Aussatz.

UNREINHEIT BEI MÄNNERN

15 Und der HERR redete mit Mose und
Aaron und sprach: 2 Redet mit den
Israeliten und sprecht zu ihnen: Wenn
ein Mann an seinem Glied einen [a]Aus-
fluss hat, so ist er unrein. 3 Mag sein Glied
den Fluss ausfließen lassen oder nicht,
so ist er unrein. 4 Jedes Lager, worauf er
liegt, und alles, worauf er sitzt, wird un-
rein. 5 Und wer sein Lager anrührt, der
soll seine Kleider waschen und sich mit
Wasser abwaschen und unrein sein bis
zum Abend. 6 Und wer sich hinsetzt, wo
jener gesessen hat, der soll seine Kleider
waschen und sich mit Wasser abwaschen
und unrein sein bis zum Abend. 7 Wer ihn
anrührt, der soll seine Kleider waschen
und sich mit Wasser abwaschen und un-
rein sein bis zum Abend. 8 Wenn er seinen
Speichel auswirft auf den, der rein ist, so
soll der seine Kleider waschen und sich
mit Wasser abwaschen und unrein sein
bis zum Abend. 9 Auch der Sattel, auf dem
er reitet, wird unrein. 10 Und wer irgend-
etwas anrührt, das er unter sich hat, der
wird unrein bis zum Abend. Und wer sol-
ches trägt, der soll seine Kleider waschen
und sich mit Wasser abwaschen und un-
rein sein bis zum Abend. 11 Und wen er
anrührt, ehe er die Hände gewaschen hat,
der soll seine Kleider waschen und sich
mit Wasser abwaschen und unrein sein bis
zum Abend. 12 Wenn er ein [a]irdenes Ge-
fäß anrührt, das soll man zerbrechen, aber
das hölzerne Gefäß soll man mit Wasser
spülen.

13 Und wenn er rein wird von seinem
Fluss, so soll er sieben Tage zählen, nach-
dem er rein geworden ist, und dann seine
Kleider waschen und sich mit fließendem
Wasser abwaschen, so ist er rein. 14 [a]Und
am achten Tage soll er zwei Turteltauben
oder zwei andere Tauben nehmen und vor
den HERRN kommen an den Eingang der
Stiftshütte und sie dem Priester geben.
15 Und der Priester soll die eine zum Sünd-
opfer bereiten und die andere zum Brand-
opfer und ihn vor dem HERRN entsühnen
seines Ausflusses wegen.

16 Wenn einem Mann [a]im Schlaf der
Same abgeht, soll er seinen ganzen Leib
mit Wasser abwaschen und unrein sein
bis zum Abend. 17 Und jedes Kleid und
jedes Fell, das mit solchem Samen befleckt
ist, soll abgewaschen werden mit Wasser,
und es soll unrein sein bis zum Abend.
18 Und wenn eine Frau bei einem Manne
liegt, dem der Same abgeht, dann sollen

14,46 *a* Kap 11,24 **15,2** *a* 4. Mose 5,2 **15,12** *a* Kap 11,33
15,14 *a* (14-15) Kap 5,7 **15,16** *a* Kap 22,4

sie sich mit Wasser abwaschen und unrein
sein bis zum Abend.

UNREINHEIT BEI FRAUEN

19 Wenn eine Frau ihren Blutfluss hat,
so soll sie sieben Tage für unrein gelten.
[a]Wer sie anrührt, der wird unrein bis zum
Abend. 20 Und alles, worauf sie in dieser
Zeit liegt, wird unrein und alles, worauf
sie sitzt, wird unrein. 21 Und wer ihr La-
ger anrührt, der soll seine Kleider waschen
und sich mit Wasser abwaschen und un-
rein sein bis zum Abend. 22 Und wer ir-
gendetwas anrührt, worauf sie gesessen
hat, soll seine Kleider waschen und sich
mit Wasser abwaschen und unrein sein bis
zum Abend. 23 Und wer etwas anrührt, das
auf ihrem Lager gewesen ist oder da, wo
sie gesessen hat, soll unrein sein bis zum
Abend. 24 Und wenn ein Mann bei ihr liegt
und ihr Blutfluss beginnt, wird er sieben
Tage unrein und das Lager, darauf er gele-
gen hat, wird unrein.

25 Wenn aber eine Frau den [a]Blutfluss
eine lange Zeit hat, zu ungewöhnlicher
Zeit oder über die gewöhnliche Zeit hin-
aus, so wird sie unrein, solange sie ihn hat;
wie zu ihrer gewöhnlichen Zeit, so soll sie
auch da unrein sein. 26 Jedes Lager, worauf
sie liegt die ganze Zeit ihres Blutflusses,
soll gelten wie ihr Lager zu ihrer gewöhn-
lichen Zeit. Und alles, worauf sie sitzt,
wird unrein wie bei der Unreinheit ihrer
gewöhnlichen Zeit. 27 Wer davon etwas
anrührt, der wird unrein und soll seine
Kleider waschen und sich mit Wasser ab-
waschen und unrein sein bis zum Abend.
28 Wird sie aber rein von ihrem Blutfluss,
so soll sie sieben Tage zählen und danach
soll sie rein sein. 29 Und am achten Tage
soll sie zwei Turteltauben oder zwei an-
dere Tauben nehmen und zum Priester
bringen vor den Eingang der Stiftshütte.
30 Und der Priester soll die eine zum Sünd-
opfer bereiten und die andere zum Brand-
opfer und die Frau entsühnen vor dem
HERRN wegen ihres Blutflusses, der sie
unrein macht.

31 Und ihr sollt die Israeliten bewahren
vor ihrer Unreinheit, dass sie nicht ster-
ben in ihrer Unreinheit, wenn sie meine
Wohnung unrein machen, die mitten un-
ter ihnen ist.

32 Das ist das Gesetz über den, der einen
Ausfluss hat und dem der Same im Schlaf
abgeht, dass er unrein davon wird, 33 und
über die, die ihren Blutfluss hat, und wer
sonst einen Ausfluss hat, es sei Mann oder
Frau, und wenn ein Mann bei einer Unrei-
nen liegt.

DER GROSSE VERSÖHNUNGSTAG

(vgl. Kap 23,26-32; 4. Mose 29,7-11; Hebr 9,7-14)

16 Und der HERR redete mit Mose, nach-
dem die [a]zwei Söhne Aarons gestor-
ben waren, als sie vor den HERRN traten,
2 und sprach: Sage deinem Bruder Aaron,
dass er nicht zu jeder Zeit in das Heilig-
tum gehe hinter den [a]Vorhang vor den
Gnadenstuhl, der auf der Lade ist, damit
er nicht sterbe; denn ich erscheine in der
Wolke über dem Gnadenstuhl. 3 Aaron
soll hineingehen in das Heiligtum mit
einem jungen [a]Stier zum Sündopfer und
mit einem Widder zum Brandopfer 4 und
[a]soll das heilige leinene Gewand anlegen,
und leinene Beinkleider sollen seine Blöße
bedecken, und er soll sich mit einem lei-
nenen Gürtel gürten und den leinenen
Kopfbund umbinden, denn das sind
die heiligen Kleider; er soll seinen Leib
[b]mit Wasser abwaschen und sie dann
anlegen.

5 Und er soll von der Gemeinde der Is-
raeliten zwei Ziegenböcke entgegenneh-
men zum Sündopfer und einen Widder
zum Brandopfer.[a] 6 Und Aaron soll einen
jungen [a]Stier, sein Sündopfer, darbrin-
gen, dass er für sich und [b]sein Haus Sühne
schaffe, 7 und danach zwei Böcke nehmen
und vor den HERRN stellen an den Ein-
gang der Stiftshütte 8 und soll das Los
werfen über die zwei Böcke: ein Los dem
HERRN und das andere dem Asasel, 9 und
soll den Bock, auf welchen das Los für
den HERRN fällt, opfern zum Sündopfer.
10 Aber der Bock, auf welchen das Los für
Asasel fällt, soll lebendig vor den HERRN
gestellt werden, auf dass über ihm Sühne
vollzogen und er zu Asasel in die Wüste
geschickt werde.

15,19 *a* Kap 18,19 **15,25** *a* Mt 9,20 **16,1** *a* Kap 10,1-2
16,2 *a* 2. Mose 26,33-34 **16,3** *a* Kap 4,3
16,4 *a* 2. Mose 28,39.42 *b* 2. Mose 29,4; 30,19-20
16,5 *a* Kap 9,3.15-16 **16,6** *a* Kap 9,2.8-11 *b* Hebr 7,27

11[a]Und Aaron soll den jungen Stier sei-
nes Sündopfers herzubringen und sich
und sein Haus entsühnen und soll ihn
schlachten 12 und soll eine Pfanne voll glü-
hender Kohlen vom Altar nehmen, der vor
dem HERRN steht, und beide Hände voll
wohlriechenden, zerstoßenen Räucher-
werks und es hinein hinter den Vorhang
bringen 13 und das Räucherwerk aufs Feuer
tun vor dem HERRN, dass die Wolke vom
Räucherwerk den [a]Gnadenstuhl bedecke,
der auf der [b]Lade des Zeugnisses ist, damit
er nicht sterbe. 14 Und soll etwas vom Blut
des jungen Stieres nehmen und es mit
seinem Finger gegen den Gnadenstuhl
sprengen; vor den Gnadenstuhl aber soll
er siebenmal mit seinem Finger von dem
Blut sprengen.

15 Danach soll er den Bock, das Sünd-
opfer des Volks, schlachten und sein Blut
hineinbringen hinter den Vorhang und
soll mit seinem Blut tun, wie er mit dem
Blut des jungen Stieres getan hat, und et-
was davon auch sprengen gegen den Gna-
denstuhl und vor den Gnadenstuhl[a] 16 und
soll so das Heiligtum entsühnen wegen
der Verunreinigungen der Israeliten und
wegen ihrer Übertretungen, mit denen
sie sich versündigt haben. So soll er tun
der Stiftshütte, die bei ihnen [a]ist inmitten
ihrer Unreinheit. 17 Kein Mensch soll in
der Stiftshütte sein, wenn er hineingeht,
Sühne zu schaffen im Heiligtum, bis er
herauskommt. So soll er Sühne schaffen
für sich und sein Haus und die ganze Ge-
meinde Israel. 18 Und er soll hinausgehen
zum Altar, der vor dem HERRN steht, und
ihn [a]entsühnen und soll vom Blut des jun-
gen Stieres und vom Blut des Bockes neh-
men und es ringsum an die Hörner des Al-
tars streichen 19 und soll mit seinem Finger
vom Blut darauf sprengen siebenmal und
ihn reinigen und heiligen von den Verun-
reinigungen der Israeliten.

20 Und wenn er die Entsühnung des
Heiligtums vollbracht hat, der Stiftshütte
und des Altars, so soll er den lebendigen
Bock herzubringen. 21 Dann soll Aaron
seine beiden Hände auf dessen Kopf le-
gen und über ihm bekennen alle Missetat
der Israeliten und alle ihre Übertretungen,
mit denen sie sich versündigt haben, und
soll sie dem Bock auf den Kopf legen und
ihn durch einen Mann, der bereitsteht, in
die Wüste bringen lassen, 22 dass also der
Bock alle ihre Missetat auf sich nehme und
in die Wildnis trage; und man schicke ihn
in die Wüste.

23 Und Aaron soll in die Stiftshütte ge-
hen und die leinenen Kleider ausziehen,
die er anzog, als er in das Heiligtum ging,
und sie dortlassen, 24 und er soll sich mit
Wasser abwaschen an heiliger Stätte und
seine eigenen Kleider anziehen und wie-
der hinausgehen und sein Brandopfer
und des Volkes Brandopfer darbringen
und sich und das Volk entsühnen 25 und
das Fett vom Sündopfer auf dem Altar in
Rauch aufgehen lassen. 26 Der Mann aber,
der den Bock für Asasel hinausgebracht
hat, soll seine Kleider waschen und sich
mit Wasser abwaschen und erst danach
ins Lager kommen. 27 Und den jungen
Stier und den Bock vom Sündopfer, deren
Blut in das Heiligtum zur Entsühnung
gebracht wurde, soll man hinausschaffen
vor das Lager und mit Feuer verbrennen
samt Fell, Fleisch und Kot.[a] 28 Und der sie
verbrennt, soll seine Kleider waschen und
sich mit Wasser abwaschen und erst da-
nach ins Lager kommen.

29 Auch soll euch dies eine ewige Ord-
nung sein: Am [a]zehnten Tage des sieben-
ten Monats sollt ihr fasten und keine Ar-
beit tun, weder ein Einheimischer noch
ein Fremdling unter euch. 30 Denn an die-
sem Tage geschieht eure Entsühnung, dass
ihr gereinigt werdet; von allen euren Sün-
den werdet ihr gereinigt vor dem HERRN.
31 Darum soll es euch ein hochheiliger Sab-
bat sein, und ihr sollt fasten. Eine ewige
Ordnung sei das.

32 Es soll aber solche Entsühnung schaf-
fen ein Priester, den man gesalbt und des-
sen Hände man gefüllt hat, dass er Pries-
ter sei an seines Vaters statt. Und er soll
die leinenen Kleider anlegen, die heiligen
Kleider,[a] 33 und soll so entsühnen das Al-
lerheiligste, die Stiftshütte, den Altar,
die Priester und alles Volk der Gemeinde.
34 Das soll euch eine ewige Ordnung sein,

16,11 *a* (11-15) Röm 3,25 **16,13** *a* 2. Mose 25,17-22
b 2. Mose 25,16 **16,15** *a* Hebr 4,16; 9,5
16,16 *a* 2. Mose 29,45 **16,18** *a* 2. Mose 30,10
16,27 *a* Kap 4,12; 6,23; Hebr 13,11 **16,29** *a* Kap 23,27-32;
4. Mose 29,7 **16,32** *a* 2. Mose 28,41-42

dass ihr Israel [a]einmal im Jahr entsühnt
wegen aller seiner Sünden.
Und Aaron tat, wie der HERR es Mose
geboten hatte.

DAS HEILIGKEITSGESETZ

Kapitel 17,1–26,46

VON DER STÄTTE DES OPFERS

(vgl. 5. Mose 12,1-31)

17 Und der HERR redete mit Mose und
sprach: 2 Sage Aaron und seinen Söh-
nen und allen Israeliten und sprich zu ih-
nen: Dies ist's, was der HERR geboten hat.
3 Wer aus dem Haus Israel einen Stier, ein
Schaf oder eine Ziege schlachtet im Lager
oder draußen vor dem Lager 4 und sie nicht
vor den Eingang der Stiftshütte bringt,
dass sie dem HERRN zum Opfer gebracht
werde vor der Wohnung des HERRN,
dem soll es als Blutschuld angerechnet
werden: [a]Blut hat er vergossen und ein
solcher Mensch soll ausgerottet werden
aus seinem Volk. 5 Darum sollen die Isra-
eliten ihre Schlachttiere, die sie auf freiem
Feld schlachten wollen, dem HERRN brin-
gen vor den Eingang der Stiftshütte zum
Priester und sie dort als Dankopfer dem
HERRN opfern. 6 Und der Priester soll das
Blut an den Altar des HERRN sprengen vor
dem Eingang der Stiftshütte und das Fett
in Rauch aufgehen lassen zum lieblichen
Geruch für den HERRN. 7 Und [a]sie sollen
ihre Opfer nicht mehr den Bocksgeistern
opfern, mit denen sie Hurerei treiben. Das
soll ihnen eine ewige Ordnung sein von
Geschlecht zu Geschlecht. 8 Darum sollst
du zu ihnen sagen: Wer aus dem Hause
Israel oder von den Fremdlingen, die unter
euch sind, ein Brandopfer oder Schlacht-
opfer darbringt 9 und bringt es nicht [a]vor
den Eingang der Stiftshütte, um es dem
HERRN zu opfern, der wird ausgerottet
werden aus seinem Volk.

VERBOT DES GENUSSES VON BLUT UND VERENDETEN TIEREN

10 Und wer vom Haus Israel oder von den
Fremdlingen unter euch irgendwelches
[a]Blut isst, gegen den will ich mein Ant-
litz kehren und will ihn aus seinem Volk
ausrotten. 11 Denn des Leibes Leben ist im
Blut, und ich habe es euch für den Altar
gegeben, dass ihr damit entsühnt werdet.
Denn [a]das Blut wirkt Entsühnung, weil
das Leben in ihm ist. 12 Darum habe ich
den Israeliten gesagt: Keiner unter euch
soll Blut essen, auch kein Fremdling, der
unter euch wohnt. 13 Und wer von den
Israeliten oder von den Fremdlingen un-
ter euch auf der Jagd ein Tier oder einen
Vogel fängt, die man essen darf, soll ihr
Blut ausfließen lassen und mit Erde
zuscharren. 14 Denn [a]des Leibes Leben
ist in seinem Blut, und ich habe den Isra-
eliten gesagt: Ihr sollt keines Leibes Blut
essen; denn des Leibes Leben ist in seinem
Blut. Wer es isst, der wird ausgerottet
werden.
15 Und wer ein gefallenes oder zerrisse-
nes Tier isst, er sei ein Einheimischer oder
Fremdling, der soll sein Kleid waschen
und sich mit Wasser abwaschen und un-
rein sein bis zum Abend; dann ist er rein.[a]
16 Wenn er seine Kleider nicht wäscht
und sich nicht abwäscht, so muss er seine
Schuld tragen.

VERBOTENE SEXUELLE BEZIEHUNGEN

18 Und der HERR redete mit Mose und
sprach: 2 Rede mit den Israeliten und
sprich zu ihnen: Ich bin der HERR, euer
Gott. 3 Ihr sollt nicht tun nach der Weise
des Landes Ägypten, darin ihr gewohnt
habt, auch nicht nach der Weise des Lan-
des Kanaan, wohin ich euch führen will.
Ihr sollt auch nicht nach ihren Satzungen
wandeln,[a] 4 sondern nach meinen Rechten
sollt ihr tun und meine Satzungen sollt ihr
halten, dass ihr darin wandelt; ich bin der
HERR, euer Gott. 5 Darum sollt ihr meine
Satzungen halten und meine Rechte.
Denn [a]der Mensch, der sie tut, wird durch
sie leben; ich bin der HERR.
6 Keiner unter euch soll sich irgendwel-
chen Blutsverwandten nahen, um ihre
Scham zu entblößen; ich bin der HERR.
7 Du sollst die Scham [a]deines Vaters und
die Scham deiner Mutter nicht entblößen.

16,34 *a* 2. Mose 30,10; Hebr 10,3 **17,4** *a* 1. Mose 9,6
17,7 *a* 5. Mose 32,17 **17,9** *a* 5. Mose 12,14
17,10 *a* Kap 3,17 **17,11** *a* Hebr 9,22 **17,14** *a* 1. Mose 9,4
17,15 *a* Kap 11,40; 22,8; 2. Mose 21,33-36; 22,30;
Apg 15,20 **18,3** *a* 2. Mose 23,24 **18,5** *a* Neh 9,29;
Hes 20,11; Röm 7,10; 10,5; Gal 3,12 **18,7** *a* 1. Mose 19,32

Es ist deine Mutter, darum sollst du ihre
Scham nicht entblößen. 8 Du sollst die
Scham der [a]Frau deines Vaters nicht ent-
blößen; denn es ist deines Vaters Scham.

9 Du sollst die Scham [a]deiner Schwester,
die deines Vaters oder deiner Mutter Toch-
ter ist, nicht entblößen, sie sei daheim oder
draußen geboren. 10 Du sollst die Scham
der Tochter deines Sohnes oder deiner
Tochter nicht entblößen, denn es ist deine
eigene Scham. 11 Du sollst die Scham der
Tochter der Frau deines Vaters, die deinem
Vater geboren ist und deine Schwester ist,
nicht entblößen. 12 Du sollst die Scham der
Schwester deines Vaters nicht entblößen;
denn sie ist deines Vaters Blutsverwandte.
13 Du sollst die Scham der Schwester dei-
ner Mutter nicht entblößen; denn sie ist
deiner Mutter Blutsverwandte. 14 Du sollst
die Scham des Bruders deines Vaters nicht
entblößen, seiner Frau sollst du dich nicht
nähern; denn sie ist deine Verwandte.

15 Du sollst die Scham [a]deiner Schwie-
gertochter nicht entblößen, denn sie ist
deines Sohnes Frau; darum sollst du nicht
ihre Scham entblößen. 16 Du sollst die
Scham [a]der Frau deines Bruders nicht ent-
blößen; denn es ist deines Bruders Scham.
17 Du sollst nicht die Scham einer Frau
samt der Scham ihrer Tochter entblößen,
noch die Scham der Tochter ihres Sohnes
oder der Tochter ihrer Tochter; denn sie
sind ihre Blutsverwandten, und es ist eine
Schandtat. 18 Du sollst die Schwester dei-
ner Frau nicht ihr zuwider zur Frau neh-
men und ihre Scham entblößen, solange
deine Frau noch lebt.

19 Du sollst nicht zu einer Frau gehen,
solange sie ihren Blutfluss hat, um in ih-
rer Unreinheit ihre Scham zu entblößen.[a]
20 Du sollst auch nicht bei [a]der Frau deines
Nächsten liegen, dass du an ihr nicht un-
rein wirst.

21 Du sollst auch nicht eins deiner Kin-
der geben, dass es [a]dem Moloch geweiht
werde, damit du nicht entheiligst den Na-
men deines Gottes; ich bin der HERR.

22 Du sollst nicht bei einem Mann liegen
wie bei einer Frau; es ist ein Gräuel.[a] 23 Du
sollst auch [a]bei keinem Tier liegen, dass du
an ihm unrein wirst. Und [b]keine Frau soll
vor ein Tier treten, dass es sie begatte; es
ist ein schändlicher Frevel.

24 Ihr sollt euch mit nichts dergleichen
unrein machen; denn mit alledem haben
sich die Völker unrein gemacht, die ich
vor euch her vertreiben will. 25 Das Land
wurde dadurch unrein, und ich suchte
seine Schuld an ihm heim, dass das Land
seine Bewohner ausspie. 26 Darum hal-
tet meine Satzungen und Rechte und tut
keine dieser Gräuel, weder der Einhei-
mische noch der Fremdling unter euch –
27 denn alle solche Gräuel haben die Leute
dieses Landes getan, die vor euch waren,
sodass das Land unrein wurde –, 28 damit
nicht auch euch das Land ausspeie, wenn
ihr es unrein macht, wie es das Volk aus-
gespien hat, das vor euch war. 29 Denn alle,
die solche Gräuel tun, werden ausgerottet
werden aus ihrem Volk. 30 Darum haltet
meine Satzungen, dass ihr nicht tut nach
den schändlichen Sitten derer, die vor
euch waren, und dadurch unrein werdet;
ich bin der HERR, euer Gott.

VON DER HEILIGUNG DES LEBENS

19 Und der HERR redete mit Mose und
sprach: 2 Rede mit der ganzen Ge-
meinde der Israeliten und sprich zu ihnen:
[a]**Ihr sollt heilig sein, denn ich bin heilig,
der HERR, euer Gott.**

3 Ein jeder [a]fürchte seine Mutter und
seinen Vater. [b]Haltet meine Feiertage; ich
bin der HERR, euer Gott. 4 Ihr sollt euch
[a]nicht zu den Götzen wenden und sollt
euch [b]keine gegossenen Götter machen;
ich bin der HERR, euer Gott.

5 Und wenn ihr dem HERRN ein [a]Dank-
opfer bringen wollt, sollt ihr es so opfern,
dass es euch wohlgefällig macht. 6 Es soll
an dem Tag gegessen werden, an dem ihr's
opfert, und am nächsten Tage. Was aber
bis zum dritten Tag übrig bleibt, soll man
mit Feuer verbrennen. 7 Wird aber am
dritten Tage davon gegessen, so ist es un-
tauglich und wird nicht wohlgefällig sein;

18,8 *a* 1. Mose 35,22; 5. Mose 27,20; 2. Sam 16,22; 1. Kor 5,1 **18,9** *a* 5. Mose 27,22 **18,15** *a* 1. Mose 38,16 **18,16** *a* Kap 20,21; Mk 6,18 **18,19** *a* Kap 15,19.24; Hes 18,6; 22,10 **18,20** *a* 2. Sam 11,4 **18,21** *a* 5. Mose 18,10; 2. Kön 21,6; Ps 106,37; Jer 7,31 **18,22** *a* Kap 20,13; 1. Mose 19,5; Röm 1,27; 1. Kor 6,9 **18,23** *a* 2. Mose 22,18 *b* Kap 20,16 **19,2** *a* Kap 11,44-45; Mt 5,48; 1. Kor 6,19; 1. Petr 1,15-16 **19,3** *a* 2. Mose 20,12 *b* 2. Mose 20,8 **19,4** *a* 2. Mose 20,3 *b* 2. Mose 34,17 **19,5** *a* Kap 7,12-18

8 und wer davon isst, muss seine Schuld
tragen, weil er das Heilige des HERRN
entheiligt hat, und ein solcher Mensch
wird ausgerottet werden aus seinem Volk.
9 Wenn du dein Land aberntest, sollst
du nicht alles bis an die Ecken deines Fel-
des abschneiden, auch nicht Nachlese hal-
ten.[a] 10 Auch sollst du in deinem Weinberg
nicht Nachlese halten noch die abgefalle-
nen Beeren auflesen, sondern dem Armen
und Fremdling sollst du es lassen; ich bin
der HERR, euer Gott.
11 Ihr sollt nicht stehlen noch lügen noch
betrügerisch handeln einer mit dem an-
dern.[a]
12 Ihr sollt nicht falsch schwören bei mei-
nem Namen und den Namen eures Gottes
nicht entheiligen; ich bin der HERR.[a]
13 Du sollst deinen Nächsten nicht be-
drücken noch berauben. [a]Es soll des Tage-
löhners Lohn nicht bei dir bleiben bis zum
Morgen.
14 Du sollst dem Tauben nicht fluchen
und sollst [a]vor den Blinden kein Hinder-
nis legen, denn du sollst dich vor deinem
Gott fürchten; ich bin der HERR.
15 Du sollst nicht unrecht handeln im
Gericht: Du sollst den Geringen nicht
vorziehen, aber auch den Großen nicht
begünstigen, sondern du sollst deinen
Nächsten recht richten.[a]
16 Du sollst nicht als Verleumder umher-
gehen unter deinem Volk. [a]Du sollst auch
nicht auftreten gegen deines Nächsten
Leben; ich bin der HERR. 17 Du sollst dei-
nen Bruder nicht hassen in deinem Her-
zen, sondern [a]du sollst deinen Nächsten
zurechtweisen, damit du nicht seinetwe-
gen Schuld auf dich lädst. 18 Du sollst dich
nicht rächen noch Zorn bewahren gegen
die Kinder deines Volks. **Du sollst deinen
Nächsten lieben wie dich selbst; ich bin
der HERR.**[a]
19 Meine Satzungen sollt ihr halten: Lass
nicht zweierlei Art unter deinem Vieh
sich paaren und besäe dein Feld nicht mit
zweierlei Samen und lege kein Kleid an,
das aus zweierlei Faden gewebt ist.[a]
20 Wenn ein Mann bei einer Frau liegt,
die eine leibeigne Magd ist und einem
Mann zur Ehe bestimmt, doch nicht
losgekauft oder freigelassen ist, so soll
Ersatz geleistet werden. Aber sie sollen
nicht sterben, denn sie war noch nicht
freigelassen.
21 Der Mann soll aber als seine Buße dem
HERRN vor den Eingang der Stiftshütte
einen Widder zum Schuldopfer bringen;
22 und [a]der Priester soll ihn entsühnen mit
diesem Widder vor dem HERRN wegen
der Sünde, die er getan hat, so wird ihm
seine Sünde vergeben werden, die er ge-
tan hat.
23 Wenn ihr in das Land kommt und al-
lerlei Bäume pflanzt, von denen man isst,
so lasst ihre ersten Früchte stehen, als wä-
ren sie unrein wie Unbeschnittene. Drei
Jahre lang sollen euch die Früchte wie un-
beschnitten gelten; sie dürfen nicht ge-
gessen werden; 24 im vierten Jahr sollen
alle ihre Früchte unter Jubel dem HERRN
geweiht werden; 25 erst im fünften Jahr
sollt ihr ihre Früchte essen, auf dass sie
euch weiter ihren Ertrag geben; ich bin
der HERR, euer Gott.
26 [a]Ihr sollt nichts essen, in dem noch
Blut ist.
Ihr sollt nicht [b]Wahrsagerei noch Zau-
berei treiben.
27 [a]Ihr sollt euer Haar am Haupt nicht
rundherum abschneiden noch euren Bart
stutzen.
28 Ihr sollt um eines Toten willen an
eurem Leibe keine Einschnitte machen
noch euch Zeichen einritzen; ich bin der
HERR.
29 Du sollst deine Tochter nicht zur [a]Hu-
rerei anhalten, dass nicht das Land Hurerei
treibe und werde voll Schandtat.
30 Meine Feiertage haltet und fürchtet
mein Heiligtum; ich bin der HERR.[a]
31 Ihr sollt euch nicht den [a]Totenbe-
schwörern und Wahrsagern zuwenden,
dass ihr nicht durch sie unrein werdet; ich
bin der HERR, euer Gott.

19,9 *a* Kap 23,22; 5. Mose 24,19; Rut 2,2.15-16
19,11 *a* 2. Mose 20,15-16; 1. Thess 4,6
19,12 *a* 2. Mose 20,7; Mt 5,33 **19,13** *a* 5. Mose 24,14-15; Jer 22,13; Jak 5,4 **19,14** *a* 5. Mose 27,18
19,15 *a* 2. Mose 23,3.6; 5. Mose 16,19-20
19,16 *a* 2. Mose 23,7; 1. Kön 21,10 **19,17** *a* Ps 141,5; Mt 18,15 **19,18** *a* 2. Kön 6,22; Mt 5,43-48; 22,39; Mk 12,31; Lk 10,25-37; Joh 13,34; Röm 13,9; Gal 5,14; Jak 2,8 **19,19** *a* 5. Mose 22,9-11 **19,22** *a* Kap 5,17-18
19,26 *a* Kap 3,17 *b* 5. Mose 18,10
19,27 *a* (27-28) Kap 21,5; 5. Mose 14,1
19,29 *a* 5. Mose 23,18; 2. Kön 23,7 **19,30** *a* Kap 26,2
19,31 *a* Kap 20,6; 5. Mose 18,10-11; 1. Sam 28,7

32 Vor einem grauen Haupt sollst du
aufstehen und die Alten ehren und
sollst dich fürchten vor deinem Gott;
ich bin der HERR.
33 Wenn ein Fremdling bei euch
wohnt in eurem Lande, den sollt ihr
nicht bedrücken.[a] 34 Er soll bei euch
wohnen wie ein Einheimischer unter
euch, und du sollst ihn lieben wie dich
selbst; denn ihr seid auch Fremdlinge
gewesen in Ägyptenland. Ich bin der
HERR, euer Gott.
35 Ihr sollt nicht unrecht handeln im Ge-
richt, mit der Elle, mit Gewicht, mit Maß.
36 [a]Rechte Waage, rechtes Gewicht, rech-
ter Scheffel und rechtes Maß sollen bei
euch sein; ich bin der HERR, euer Gott, der
euch aus Ägyptenland geführt hat, 37 dass
ihr alle meine Satzungen und alle meine
Rechte haltet und tut; ich bin der HERR.

STRAFBESTIMMUNGEN

20 Und der HERR redete mit Mose und
sprach: 2 Sage zu den Israeliten: Wer
unter den Israeliten oder den Fremdlingen
in Israel eins seiner Kinder dem Moloch
gibt, der soll des Todes sterben; das Volk
des Landes soll ihn steinigen. 3 Und ich will
mein Antlitz kehren gegen einen solchen
Menschen und will ihn aus seinem Volk
ausrotten, weil er dem Moloch eins sei-
ner Kinder gegeben und mein Heiligtum
unrein gemacht und meinen heiligen Na-
men entheiligt hat. 4 Und wenn das Volk
des Landes bei dem Menschen durch die
Finger sehen würde, der eins seiner Kin-
der dem Moloch gegeben hat, dass es ihn
nicht tötet, 5 so will doch ich mein Antlitz
gegen diesen Menschen kehren und gegen
sein Geschlecht und will ihn und alle, die
wie er dem Moloch nachhuren, aus ihrem
Volk ausrotten.
6 Wenn sich jemand den [a]Totenbe-
schwörern und Wahrsagern zuwendet,
so will ich mein Antlitz gegen ihn kehren
und will ihn aus seinem Volk ausrotten.
7 Darum [a]heiligt euch und seid heilig;
denn ich bin der HERR, euer Gott. 8 Und
haltet meine Satzungen und tut sie; ich
bin der HERR, der euch heiligt.
9 Wer seinem Vater oder seiner Mutter
flucht, der soll des Todes sterben. Seine
Blutschuld komme über ihn, weil er sei-
nem Vater oder seiner Mutter geflucht
hat.[a] 10 Wenn jemand die Ehe bricht mit
der Frau seines Nächsten, so sollen beide
des Todes sterben, Ehebrecher und Ehe-
brecherin, weil er mit der Frau seines
Nächsten die Ehe gebrochen hat.[a]
11 [a]Wenn jemand bei der Frau seines
Vaters schläft, hat er die Scham seines
Vaters entblößt; beide sollen des Todes
sterben; ihre Blutschuld komme über
sie. 12 Wenn jemand bei seiner Schwie-
gertochter schläft, so sollen sie beide
des Todes sterben, denn sie haben einen
schändlichen Frevel begangen; ihre Blut-
schuld komme über sie. 13 Wenn jemand
bei einem Manne schläft wie bei einer
Frau, so haben sie beide getan, was ein
Gräuel ist, und sollen des Todes sterben;
ihre Blutschuld komme über sie. 14 Wenn
jemand eine Frau nimmt und ihre Mut-
ter dazu, der hat eine Schandtat began-
gen; man soll ihn mit Feuer verbrennen
und die beiden Frauen auch, damit keine
Schandtat unter euch sei.
15 Wenn jemand bei einem Tiere liegt,
der soll des Todes sterben und auch das
Tier soll man töten. 16 Wenn eine Frau
sich irgendeinem Tier naht, dass es sie be-
gattet, so sollst du sie töten und das Tier
auch. Des Todes sollen sie sterben; ihre
Blutschuld komme über sie.
17 Wenn jemand seine Schwester nimmt,
seines Vaters Tochter oder seiner Mutter
Tochter, und er sieht ihre Scham und sie
sieht seine Scham, so ist das Blutschande;
sie sollen ausgerottet werden vor den Leu-
ten ihres Volks. Er hat die Scham seiner
Schwester entblößt; er soll seine Schuld
tragen.
18 Wenn ein Mann bei einer Frau schläft
zur Zeit ihrer Tage und ihre Scham auf-
deckt, hat er die Quelle ihres Blutes ent-
blößt und sie hat die Quelle ihres Blutes
entblößt; sie sollen beide aus ihrem Volk
ausgerottet werden.[a]
19 Die Scham der Schwester deiner Mut-
ter und der Schwester deines Vaters sollst
du nicht entblößen. Wer das tut, schän-
det seine Blutsverwandte; sie sollen ihre

19,33 *a* 2. Mose 22,20 **19,36** *a* 5. Mose 25,13-16; Spr 11,1
20,6 *a* Kap 19,31 **20,7** *a* Kap 19,2 **20,9** *a* 2. Mose 21,17
20,10 *a* 2. Mose 20,14; 2. Sam 11,4; Joh 8,5
20,11 *a* (11-21) Kap 18,6-23 **20,18** *a* Kap 15,24

Schuld tragen. 20 Wenn jemand bei der
Frau seines Oheims schläft, der hat die
Scham seines Oheims entblößt. Sie sollen
ihre Schuld tragen; ohne Kinder sollen sie
sterben. 21 Wenn jemand die Frau seines
Bruders nimmt, so ist das eine schändliche
Tat. Sie sollen ohne Kinder sein, denn er
hat damit die Scham seines Bruders ent-
blößt.

22 So haltet nun alle meine Satzun-
gen und meine Rechte und tut danach,
auf dass euch nicht das Land ausspeie, in
das ich euch führen will, damit ihr darin
wohnt. 23 Und wandelt nicht in den Sat-
zungen des Volkes, das ich vor euch her
vertreiben werde. Denn das alles haben
sie getan, und ich ekelte mich vor ihnen.
24 Euch aber sagte ich: [a]Ihr Land soll euch
zufallen; und ich will es euch zum Erbe
geben, ein Land, darin Milch und Honig
fließt. Ich bin der HERR, euer Gott, der
euch von den Völkern abgesondert hat,
25 dass ihr auch absondern sollt das reine
Vieh vom unreinen und die unreinen Vö-
gel von den reinen und euch nicht unrein
macht an Vieh, an Vögeln und an allem,
was auf Erden kriecht, das ich abgesondert
habe, dass es euch unrein sei.[a] 26 Darum
sollt ihr mir heilig sein; denn ich, der
HERR, bin heilig, ich habe euch abgeson-
dert von den Völkern, dass ihr mein wäret.

27 Wenn ein Mann oder eine Frau Toten-
geister beschwören oder wahrsagen kann,
so sollen sie des Todes sterben; man soll
sie steinigen; ihre Blutschuld komme über
sie.[a]

VORSCHRIFTEN FÜR DIE PRIESTER

21 [a]Und der HERR sprach zu Mose: Sage
den Priestern, den Söhnen Aarons,
und sprich zu ihnen: Ein Priester soll sich
an keinem Toten seines Volks unrein ma-
chen 2 außer an seinen nächsten Blutsver-
wandten: an seiner Mutter, an seinem Va-
ter, an seinem Sohn, an seiner Tochter, an
seinem Bruder 3 und an seiner Schwester,
die noch Jungfrau und noch bei ihm ist,
die keines Mannes Frau gewesen ist. An
deren Leiche darf er sich unrein machen.
4 Doch an einer Verheirateten unter sei-
nem Volk soll er sich nicht unrein machen;
er würde sich entheiligen.

5 Sie sollen auch keine Glatze scheren
auf ihrem Haupt noch ihren Bart stutzen
und an ihrem Leibe kein Mal einritzen.[a]
6 Sie sollen ihrem Gott heilig sein und
nicht entheiligen den Namen ihres Got-
tes, denn sie opfern die Feueropfer des
HERRN, die Speise ihres Gottes; darum
sollen sie heilig sein.

7 Sie sollen keine Hure zur Frau nehmen
noch eine, die nicht mehr Jungfrau ist oder
die von ihrem Mann verstoßen ist; denn
sie sind heilig ihrem Gott. 8 Darum sollst
du den Priester heilighalten, denn er op-
fert die Speise deines Gottes. Er soll dir
heilig sein; denn ich bin heilig, der HERR,
der euch heiligt.

9 Wenn eines Priesters Tochter sich
durch Hurerei entheiligt, so soll man sie
mit Feuer verbrennen; denn sie hat ihren
Vater entheiligt.

10 Wer Hoherpriester ist unter seinen
Brüdern, auf dessen Haupt das [a]Salböl ge-
gossen und dessen Hand gefüllt ist und
der angezogen ist mit den heiligen Klei-
dern, der soll sein [b]Haupthaar nicht frei
hängen lassen und seine Kleider nicht zer-
reißen 11 und soll zu keinem Toten kom-
men und soll sich weder an Vater noch an
Mutter unrein machen.[a] 12 Aus dem Hei-
ligtum soll er nicht gehen, dass er nicht
entheilige das Heiligtum seines Gottes;
denn die Weihe des Salböls seines Got-
tes ist auf ihm. Ich bin der HERR. 13 Eine
Jungfrau soll er zur Frau nehmen, 14 keine
Witwe oder Verstoßene oder Entehrte
oder Hure, sondern eine Jungfrau seines
Volks soll er zur Frau nehmen, 15 damit er
seine Nachkommen nicht entheilige unter
seinem Volk; denn ich bin der HERR, der
ihn heiligt.

16 Und der HERR redete mit Mose und
sprach: 17 Sage zu Aaron: Wenn einer
deiner Nachkommen in künftigen Ge-
schlechtern einen Fehler hat, der soll nicht
herzutreten, um die Speise seines Gottes
zu opfern. 18 Denn keiner, an dem ein Feh-
ler ist, soll herzutreten, er sei blind, lahm,
mit entstelltem Gesicht, mit irgendeiner
Missbildung 19 oder wer einen gebroche-
nen Fuß oder eine gebrochene Hand hat

20,24 *a* 2. Mose 19,5-6 **20,25** *a* Kap 11,1-47
20,27 *a* 2. Mose 22,17 **21,1** *a* (1-4) Hes 44,25-27
21,5 *a* Kap 19,27-28 **21,10** *a* Kap 8,12; 2. Mose 28,41
b Kap 10,6 **21,11** *a* Vers 2

20 oder bucklig oder verkümmert ist oder
wer einen Fleck im Auge hat oder Krätze
oder Flechten oder beschädigte Hoden
hat. 21 Wer nun unter Aarons, des Pries-
ters, Nachkommen einen Fehler an sich
hat, der soll nicht herzutreten, zu opfern
die Feueropfer des HERRN; denn er hat
einen Fehler. Darum soll er sich nicht na-
hen, um die Speise seines Gottes zu op-
fern. 22 Doch essen darf er die Speise sei-
nes Gottes, vom Hochheiligen und von
den heiligen Gaben. 23 Aber zum Vorhang
soll er nicht kommen noch zum Altar na-
hen, weil ein Fehler an ihm ist, dass er
nicht entheilige, was mir heilig ist; denn
ich bin der HERR, der sie heiligt. 24 Mose
aber sagte dies zu Aaron und zu seinen
Söhnen und zu allen Israeliten.

BESTIMMUNGEN FÜR DEN GENUSS DER OPFERGABEN

22 Und der HERR redete mit Mose und
sprach: 2 Sage Aaron und seinen Söh-
nen, dass sie achtsam seien mit den hei-
ligen Gaben der Israeliten, die sie mir hei-
ligen, damit sie meinen heiligen Namen
nicht entheiligen. Ich bin der HERR. 3 So
sage ihnen nun für ihre Nachkommen:
Wer von euren Nachkommen herzutritt
zu den heiligen Gaben, welche die Israeli-
ten dem HERRN heiligen, und hat eine
Unreinheit an sich, der wird ausgerot-
tet werden vor meinem Antlitz. Ich bin
der HERR. 4 [a]Wer von den Nachkommen
Aarons aussätzig ist oder einen Ausfluss
hat, der soll nicht essen von den heiligen
Gaben, bis er wieder rein ist. Wer etwas
anrührt, das an einem Toten unrein ge-
worden ist, oder wem der Same abgeht im
Schlaf 5 und wer irgendein Gewürm an-
rührt, wodurch er unrein wird, oder einen
Menschen, durch den er unrein wird, oder
irgendetwas, was ihn unrein macht, 6 wer
deren eins anrührt, der ist unrein bis zum
Abend und soll von den heiligen Gaben
nicht essen, sondern soll zuvor seinen
Leib mit Wasser abwaschen. 7 Und wenn
die Sonne untergegangen ist, so ist er
rein. Dann darf er davon essen, denn es
ist seine Nahrung. 8 Ein [a]verendetes oder
zerrissenes Tier soll er nicht essen, da-
mit er nicht unrein daran werde. Ich bin
der HERR. 9 Darum sollen sie meine Sat-
zungen halten, dass sie nicht Sünde auf
sich laden und daran sterben, wenn sie
sie entweihen. Ich bin der HERR, der sie
heiligt.
10 Kein Fremder soll von Heiligem essen
noch des Priesters Beisasse noch sein Ta-
gelöhner. 11 Wenn aber der Priester einen
Sklaven für Geld kauft, so darf der davon
essen. Und der Sklave, der ihm in seinem
Hause geboren wird, der darf auch von sei-
ner Speise essen. 12 Wenn aber des Pries-
ters Tochter die Frau eines Mannes wird,
der nicht aus einer priesterlichen Sippe ist,
so soll sie nicht von den heiligen Abgaben
essen. 13 Wird sie aber eine Witwe oder
verstoßen und hat keine Kinder und kehrt
zurück in ihres Vaters Haus, so darf sie es-
sen von ihres Vaters Speise wie in ihrer Ju-
gend. Aber kein Fremder soll davon essen.
14 Wer aus Versehen von Heiligem isst,
der soll den [a]fünften Teil dazutun und ihn
dem Priester geben samt dem Heiligen.
15 Denn die Priester sollen nicht entwei-
hen die heiligen Gaben der Israeliten, die
sie für den HERRN erheben, 16 und da-
durch die Israeliten mit Schuld beladen,
dass diese ihre heiligen Gaben essen; denn
ich bin der HERR, der sie heiligt.

DIE OPFER SOLLEN OHNE FEHLER SEIN

17 Und der HERR redete mit Mose und
sprach: 18 Sage Aaron und seinen Söhnen
und allen Israeliten: Wer aus dem Hause
Israel oder von den Fremdlingen in Israel
sein Opfer darbringen will, es sei auf ein
Gelübde hin oder aus freiem Willen, was
sie dem HERRN als Brandopfer darbrin-
gen wollen, – 19 damit es euch wohlgefäl-
lig mache, soll es ein männliches Tier sein,
ohne Fehler, von Rindern oder Schafen
oder Ziegen. 20 Alles, was einen Fehler hat,
sollt ihr nicht opfern, denn es wird euch
nicht wohlgefällig machen.[a]
21 Und wenn jemand ein Dankopfer dem
HERRN darbringen will, um ein Gelübde
zu erfüllen oder aus freiem Willen, von
Rindern oder Schafen, so soll das ohne
Gebrechen sein, damit es wohlgefällig
sei. Es soll keinen Fehler haben. 22 Ist es
blind oder hat es ein gebrochenes Glied

22,4 ***a*** (4-6) Kap 13,1-46; 15,1-33; 21,1-4 **22,8** ***a*** Kap 7,24
22,14 ***a*** Kap 5,16 **22,20** ***a*** 5. Mose 15,21; 17,1; Mal 1,8

oder eine Wunde oder ein Geschwür
oder Krätze oder Flechten, so sollt ihr
es dem HERRN nicht opfern und davon
kein Feueropfer bringen auf den Altar des
HERRN.
23 Rinder oder Schafe, die zu lange oder
zu kurze Glieder haben, magst du aus
freiem Willen opfern, aber für ein Ge-
lübde sind sie nicht wohlgefällig. 24 Du
sollst auch dem HERRN kein Tier zum
Opfer bringen, dem die Hoden zerdrückt
oder zerschlagen oder zerrissen oder aus-
geschnitten sind. So etwas sollt ihr in
eurem Lande an Tieren nicht tun. 25 Ihr
sollt auch solche Tiere nicht aus der Hand
eines Ausländers nehmen und als Speise
eures Gottes opfern; denn sie taugen nicht
und haben einen Fehler. Darum wird es
euch nicht wohlgefällig machen.

WEITERE OPFERGESETZE

26 Und der HERR redete mit Mose und
sprach: 27 Wenn ein Rind oder Schaf oder
eine Ziege geboren ist, so soll das Junge
[a]sieben Tage bei seiner Mutter sein; aber
am achten Tage und danach ist es dem
HERRN als Feueropfer wohlgefällig. 28 Ein
Rind oder Schaf soll man nicht mit seinem
Jungen am selben Tage schlachten.[a]
29 Wenn ihr aber dem HERRN ein Lob-
opfer darbringen wollt, das euch wohlge-
fällig macht, 30 so sollt ihr's an demselben
Tage essen und sollt nichts übrig behalten
bis zum Morgen; ich bin der HERR.
31 Darum haltet meine Gebote und tut
danach; ich bin der HERR. 32 Entweiht
nicht meinen heiligen Namen, damit ich
geheiligt werde unter den Israeliten; ich
bin der HERR, der euch heiligt, 33 der euch
aus Ägyptenland geführt hat, um euer
Gott zu sein. Ich bin der HERR.

DER SABBAT

23 Und der HERR redete mit Mose und
sprach: 2 Sage den Israeliten und sprich
zu ihnen: Dies sind die Feste des HERRN,
die ihr ausrufen sollt als heilige Versamm-
lungen; dies sind meine Feste: 3 Sechs
Tage sollst du arbeiten; der siebente Tag
aber ist ein feierlicher Sabbat, heilige Ver-
sammlung. Keine Arbeit sollt ihr an ihm
tun; denn es ist ein Sabbat für den HERRN,
überall, wo ihr wohnt.[a]

PASSAFEST UND FEST DER UNGESÄUERTEN BROTE

4 Dies sind aber die [a]Feste des HERRN, hei-
lige Versammlungen, die ihr ausrufen sollt
zu ihrer festgesetzten Zeit: 5 Am vierzehn-
ten Tage des ersten Monats zur Zeit der
Abenddämmerung ist des HERRN Passa.[a]
6 Und am fünfzehnten desselben Monats
ist das Fest der Ungesäuerten Brote für
den HERRN. Sieben Tage sollt ihr unge-
säuertes Brot essen. 7 Am ersten Tage sollt
ihr eine heilige Versammlung halten; da
sollt ihr keine Dienstarbeit* tun. 8 Und
[a]sieben Tage sollt ihr dem HERRN Feuer-
opfer darbringen. Am siebenten Tage soll
wieder eine heilige Versammlung sein; da
sollt ihr auch keine Dienstarbeit tun.

DIE ERSTLINGSGARBEN

9 Und der HERR redete mit Mose und
sprach: 10 Sage den Israeliten und sprich
zu ihnen: [a]Wenn ihr in das Land kommt,
das ich euch geben werde, und die Ernte
einbringt, so sollt ihr die erste Garbe eurer
Ernte zu dem Priester bringen. 11 Der soll
die Garbe als Schwingopfer schwingen vor
dem HERRN, dass sie euch wohlgefällig
mache. Das soll aber der Priester tun am
Tage nach dem Sabbat. 12 Und ihr sollt am
Tage, da eure Garbe geschwungen wird,
ein Brandopfer dem HERRN bringen von
einem einjährigen Lamm, ohne Fehler,
13 samt dem Speisopfer: zwei Zehntel fei-
nes Mehl, mit Öl vermengt, als ein Feu-
eropfer für den HERRN zum lieblichen
Geruch; dazu das Trankopfer: eine vier-
tel Kanne Wein. 14 Und ihr sollt von der
neuen Ernte kein Brot noch geröstete oder
frische Körner essen bis zu dem Tag, da
ihr eurem Gott seine Gabe bringt. Das soll
eine ewige Ordnung sein bei euren Nach-
kommen, überall, wo ihr wohnt.

DAS WOCHENFEST

15 Danach sollt ihr zählen vom Tage nach
dem Sabbat, da ihr die Garbe als Schwing-
opfer darbrachtet, [a]sieben ganze Wochen.

* **23,7** Gemeint sind niedere Dienste am Heiligtum.

22,27 *a* 2. Mose 22,29 **22,28** *a* 5. Mose 14,21
23,3 *a* 2. Mose 20,8-11 **23,4** *a* 2. Mose 23,14-19
23,5 *a* 2. Mose 12,1-20 **23,8** *a* 2. Mose 13,6
23,10 *a* 5. Mose 26,1-2 **23,15** *a* 4. Mose 28,26-31;
5. Mose 16,9-12

16 Bis zu dem Tag nach dem siebenten Sab-
bat, nämlich fünfzig Tage*, sollt ihr zäh-
len und dann ein neues Speisopfer dem
HERRN opfern. 17 Ihr sollt aus euren Woh-
nungen zwei Brote bringen als Schwing-
opfer, von zwei Zehnteln feinem Mehl,
gesäuert und gebacken, als Erstlingsgabe
für den HERRN. 18 Und ihr sollt herzu-
bringen neben eurem Brot sieben ein-
jährige Lämmer ohne Fehler und einen
jungen Stier und zwei Widder – das soll
des HERRN Brandopfer sein – mit ihren
Speisopfern und Trankopfern als ein Feu-
eropfer zum lieblichen Geruch für den
HERRN. 19 Dazu sollt ihr opfern einen Zie-
genbock zum Sündopfer und zwei einjäh-
rige Lämmer zum Dankopfer. 20 Und der
Priester soll sie als Schwingopfer schwin-
gen samt den Erstlingsbroten und den
zwei Lämmern vor dem HERRN. Das alles
soll als ein Schwingopfer dem HERRN hei-
lig sein und dem Priester gehören. 21 Und
ihr sollt an diesem Tag eine heilige Ver-
sammlung ausrufen; keine Dienstarbeit
sollt ihr tun. Eine ewige Ordnung soll das
sein bei euren Nachkommen, überall, wo
ihr wohnt.

22 Wenn ihr aber die Ernte eures Landes
einbringt, sollt ihr nicht alles bis an die
Ecken des Feldes abschneiden, auch nicht
Nachlese halten, sondern sollt es den Ar-
men und Fremdlingen lassen. Ich bin der
HERR, euer Gott.[a]

DER NEUJAHRSTAG

23 Und der HERR redete mit Mose und
sprach: 24 Sage zu den Israeliten: Am ers-
ten Tage des siebenten Monats sollt ihr
Ruhetag halten mit Posaunenblasen zum
Gedächtnis, eine heilige Versammlung.[a]
25 Da sollt ihr keine Dienstarbeit tun und
sollt dem HERRN Feueropfer darbringen.

DER VERSÖHNUNGSTAG

26 Und der HERR redete mit Mose und
sprach: 27 Am zehnten Tage in diesem sie-
benten Monat ist der [a]Versöhnungstag. Da
sollt ihr eine heilige Versammlung halten
und fasten und dem HERRN Feueropfer
darbringen 28 und sollt keine Arbeit tun an
diesem Tage, denn es ist der Versöhnungs-
tag, euch zu entsühnen vor dem HERRN,
eurem Gott. 29 Denn wer nicht fastet an
diesem Tage, der wird aus seinem Volk
ausgerottet werden. 30 Und wer an die-
sem Tage irgendeine Arbeit tut, den will
ich vertilgen aus seinem Volk. 31 Darum
sollt ihr keine Arbeit tun. Das soll eine
ewige Ordnung sein bei euren Nachkom-
men, überall, wo ihr wohnt. 32 Ein feier-
licher Sabbat soll er euch sein und ihr sollt
fasten. Am neunten Tage des Monats, am
Abend, sollt ihr diesen Ruhetag halten,
vom Abend an bis wieder zum Abend.

DAS LAUBHÜTTENFEST

33 Und der HERR redete mit Mose und
sprach: 34 Sage zu den Israeliten: [a]Am fünf-
zehnten Tage dieses siebenten Monats ist
das Laubhüttenfest für den HERRN, sie-
ben Tage lang. 35 Am ersten Tage soll eine
heilige Versammlung sein; keine Dienst-
arbeit sollt ihr tun. 36 Sieben Tage sollt ihr
dem HERRN Feueropfer darbringen. Am
achten Tage sollt ihr wieder eine heilige
Versammlung halten und sollt Feueropfer
dem HERRN darbringen. Es ist eine Fest-
versammlung; keine Dienstarbeit sollt ihr
tun.

37 Das sind die Festzeiten des HERRN,
die ihr als heilige Versammlungen aus-
rufen sollt, um dem HERRN Feueropfer
darzubringen: Brandopfer, Speisopfer,
Schlachtopfer und Trankopfer, ein jedes
an seinem Tage, 38 abgesehen von den
Sabbaten des HERRN und euren andern
Gaben und Gelübden und freiwilligen
Gaben, die ihr dem HERRN gebt.

39 Am fünfzehnten Tage des siebenten
Monats, wenn ihr die Früchte des Landes
einbringt, sollt ihr ein Fest des HERRN
halten sieben Tage lang. Am ersten
Tage ist Ruhetag und am achten Tage ist
auch Ruhetag. 40 Ihr sollt am ersten Tage
Früchte nehmen [a]von schönen Bäumen,
Palmwedel und Zweige von Laubbäumen
und Bachweiden und sieben Tage fröhlich
sein vor dem HERRN, eurem Gott, 41 und
sollt das Fest dem HERRN halten jährlich
sieben Tage lang. Das soll eine ewige Ord-

* **23,16** Das Pfingstereignis in Apg 2 fand zur Zeit des jüdischen Wochenfestes statt; siehe Sach- und Worterklärungen zu »Pfingstfest«.

23,22 ***a*** Kap 19,9-10 **23,24** ***a*** 4. Mose 29,1-6; 10,10
23,27 ***a*** Kap 16,1-34 **23,34** ***a*** 4. Mose 29,12-39; 5. Mose 16,13-15 **23,40** ***a*** Neh 8,14-16

nung sein bei euren Nachkommen, dass
sie im siebenten Monat so feiern. 42 Sieben
Tage sollt ihr in Laubhütten wohnen. Wer
einheimisch ist in Israel, soll in Laubhüt-
ten wohnen, 43 dass eure Nachkommen
wissen, wie ich die Israeliten habe in Hüt-
ten wohnen lassen, als ich sie aus Ägyp-
tenland führte. Ich bin der HERR, euer
Gott.
44 Und Mose tat den Israeliten die Fest-
zeiten des HERRN kund.

LAMPEN UND SCHAUBROTE

24 Und der HERR redete mit Mose und
sprach: 2 Gebiete den Israeliten, dass
sie zu dir bringen reines Öl aus zerstoße-
nen Oliven für den Leuchter, dass man
eine Lampe aufsetzen kann, die ständig
brennt.[a] 3 Außen vor dem Vorhang, der
vor der Lade mit dem Gesetz hängt, in der
Stiftshütte soll Aaron den Leuchter her-
richten, dass er vom Abend bis zum Mor-
gen beständig leuchte vor dem HERRN.
Das sei eine ewige Ordnung bei euren
Nachkommen. 4 Er soll die Lampen auf
dem Leuchter von feinem Gold herrich-
ten, dass sie vor dem HERRN beständig
leuchten.
5 Und du sollst feines Mehl nehmen und
davon zwölf Kuchen backen – zwei Zehn-
tel soll ein Kuchen haben – 6 und sollst
sie legen in zwei Reihen, je sechs in einer
Reihe, auf den Tisch von feinem Gold vor
dem HERRN.[a] 7 Und sollst auf sie legen
reinen Weihrauch, dass er als Gedenk-
opfer bei den Broten sei, ein Feueropfer
für den HERRN. 8 An jedem Sabbat soll er
sie zurichten vor dem HERRN als bestän-
dige Gabe der Israeliten, eine Ordnung für
immer, 9 und sie sollen Aaron und seinen
Söhnen gehören. Die sollen sie essen an
heiliger Stätte; denn als ein Hochheiliges
von den Feueropfern des HERRN gehören
sie Aaron als ewiges Recht.

STRAFEN FÜR GOTTESLÄSTERUNG, TOTSCHLAG UND GEWALT

10 Es ging aber der Sohn einer israeliti-
schen Frau und eines ägyptischen Man-
nes mitten unter die Israeliten und der
Sohn der Israelitin zankte sich im Lager
mit einem israelitischen Mann 11 und läs-
terte den Namen* und fluchte. Da brach-
ten sie ihn zu Mose – seine Mutter aber
hieß Schelomit, eine Tochter Dibris vom
Stamm Dan – 12 und legten ihn gefangen,
bis ihnen [a]klare Antwort würde durch
den Mund des HERRN. 13 Und der HERR
redete mit Mose und sprach: 14 Führe den
Flucher hinaus vor das Lager und lass alle,
die es gehört haben, ihre Hände auf sein
Haupt legen und lass die ganze Gemeinde
ihn [a]steinigen 15 und sage zu den Isra-
eliten: Wer seinem Gott flucht, der soll
seine Schuld tragen. 16 [a]Wer des HERRN
Namen lästert, der soll des Todes sterben;
die ganze Gemeinde soll ihn steinigen. Ob
Fremdling oder Einheimischer, wer den
Namen lästert, soll sterben.
17 Wer irgendeinen Menschen erschlägt,
der soll des Todes sterben.[a] 18 Wer aber
ein Stück Vieh erschlägt, der soll's erset-
zen, Leben um Leben.[a] 19 Und wer sei-
nen Nächsten verletzt, dem soll man tun,
wie er getan hat, 20 Schaden um Schaden,
[a]Auge um Auge, Zahn um Zahn; wie er
einen Menschen verletzt hat, so soll man
ihm auch tun. 21 Wer ein Stück Vieh er-
schlägt, der soll's erstatten; wer aber einen
Menschen erschlägt, der soll sterben. 22 Es
soll [a]ein und dasselbe Recht unter euch
sein für den Fremdling wie für den Ein-
heimischen; ich bin der HERR, euer Gott.
23 Mose aber sagte es den Israeliten, und
sie führten den Flucher hinaus vor das La-
ger und steinigten ihn. So taten die Israeli-
ten, wie der HERR es Mose geboten hatte.

SABBATJAHR UND ERLASSJAHR

25 Und der HERR sprach zu Mose auf dem
Berge Sinai: 2 Rede mit den Israeliten
und sprich zu ihnen: Wenn ihr in das Land
kommt, das ich euch geben werde, so soll
das Land dem HERRN einen Sabbat fei-
ern. 3 [a]Sechs Jahre sollst du dein Feld be-
säen und sechs Jahre deinen Weinberg be-
schneiden und die Früchte einsammeln,
4 aber im siebenten Jahr soll das Land dem

* **24,11** Gemeint ist der Gottesname.

24,2 *a* 2. Mose 27,20 **24,6** *a* 2. Mose 25,30
24,12 *a* 4. Mose 15,34 **24,14** *a* 4. Mose 15,36; 5. Mose 17,5 **24,16** *a* 2. Mose 20,7; Mt 26,65-66
24,17 *a* 2. Mose 21,12 **24,18** *a* 2. Mose 21,33-37
24,20 *a* 2. Mose 21,23-25; 5. Mose 19,21
24,22 *a* Kap 19,34; 2. Mose 12,49
25,3 *a* (3-4) 2. Mose 23,10-11

HERRN einen feierlichen Sabbat halten; da
sollst du dein Feld nicht besäen noch dei-
nen Weinberg beschneiden.
5 Was von selber nach deiner Ernte
wächst, sollst du nicht ernten, und die
Trauben, die ohne deine Arbeit wach-
sen, sollst du nicht lesen; ein Sabbatjahr
des Landes soll es sein. 6 Was das Land
während seines Sabbats trägt, davon sollt
ihr essen, du und dein Knecht und deine
Magd, dein Tagelöhner und dein Beisasse,
die bei dir weilen, 7 dein Vieh und das
Wild in deinem Lande; all sein Ertrag soll
zur Nahrung dienen.
8 Und du sollst zählen sieben Sabbat-
jahre, siebenmal sieben Jahre, dass die
Zeit der sieben Sabbatjahre neunundvier-
zig Jahre mache. 9 Da sollst du die Posaune
blasen lassen durch euer ganzes Land am
[a]zehnten Tage des siebenten Monats, am
Versöhnungstag. 10 Und ihr sollt das fünf-
zigste Jahr heiligen und sollt eine Freilas-
sung ausrufen im Lande für alle, die darin
wohnen; es soll ein Erlassjahr* für euch
sein. Da soll ein jeder bei euch wieder zu
seinem Besitz und zu seiner Sippe kom-
men. 11 Als Erlassjahr soll das fünfzigste
Jahr euch gelten. Ihr sollt nicht säen und,
was von selber wächst, nicht ernten, auch,
was ohne Arbeit wächst, im Weinberg
nicht lesen; 12 denn das Erlassjahr soll euch
heilig sein; vom Felde weg dürft ihr essen,
was es trägt.
13 Das ist das Erlassjahr, da jedermann
wieder zu seinem Besitz kommen soll.
14 Wenn du nun deinem Nächsten et-
was verkaufst oder ihm etwas abkaufst,
soll [a]keiner seinen Bruder übervorteilen,
15 sondern nach der Zahl der Jahre vom
Erlassjahr an sollst du es von ihm kaufen;
danach, wie viel Jahre noch Ertrag brin-
gen, soll er dir's verkaufen. 16 Sind es noch
viele Jahre, so darfst du den Kaufpreis stei-
gern; sind es noch wenige Jahre, sollst du
den Kaufpreis verringern; denn die Zahl
der Ernten verkauft er dir. 17 So übervor-
teile nun keiner seinen Nächsten, son-
dern fürchte dich vor deinem Gott; denn
ich bin der HERR, euer Gott. 18 Darum tut
nach meinen Satzungen und haltet meine
Rechte, dass ihr danach tut, auf dass ihr im
Lande [a]sicher wohnen könnt. 19 Denn das
Land soll euch seine Früchte geben, dass
ihr genug zu essen habt und sicher darin
wohnt. 20 Und wenn ihr sagt: Was sollen
wir essen im siebenten Jahr? Denn wenn
wir nicht säen, so sammeln wir auch kei-
nen Ertrag ein! 21 Da will ich meinem Se-
gen über euch im sechsten Jahr gebieten,
dass er Ertrag schaffen soll für drei Jahre,
22 dass ihr sät im achten Jahr und von dem
alten Ertrag esst bis in das neunte Jahr, so-
dass ihr vom alten esst, bis wieder neuer
Ertrag kommt. 23 Darum soll das Land
nicht für immer verkauft werden; denn
das Land ist mein, und ihr seid [a]Fremd-
linge und Beisassen bei mir. 24 Und bei all
eurem Grundbesitz sollt ihr für das Land
die Einlösung* gewähren.

EINLÖSUNG VON GRUNDBESITZ

25 Wenn dein Bruder verarmt und et-
was von seinem Besitz verkauft, so soll
sein nächster Verwandter kommen und
einlösen, was sein Bruder verkauft hat.[a]
26 Wenn aber jemand keinen Löser hat und
selbst so viel aufbringen kann, um es ein-
zulösen, 27 so soll er die Jahre abrechnen,
seitdem er's verkauft hat, und was noch
übrig ist, dem Käufer zurückzahlen und so
wieder zu seinem Besitz kommen. 28 Kann
er aber nicht so viel aufbringen, um es ihm
zurückzuzahlen, so soll, was er verkauft
hat, in der Hand des Käufers bleiben bis
zum Erlassjahr. Dann soll es frei werden
und er wieder zu seinem Besitz kommen.
29 Wer ein Wohnhaus verkauft in einer
ummauerten Stadt, der hat ein ganzes
Jahr Frist, es wieder einzulösen. Das soll
die Zeit sein, darin er es einlösen kann.
30 Wenn er's aber nicht einlöst, ehe das
ganze Jahr um ist, so soll der Käufer das
Haus, das in der ummauerten Stadt ist, für
immer behalten und seine Nachkommen,
und es soll nicht frei werden im Erlass-
jahr. 31 Ist's aber ein Haus auf dem Dorf,
um das keine Mauer ist, so soll man es dem
Feld des Landes gleichrechnen, und es soll
immer eingelöst werden können und im
Erlassjahr frei werden. 32 [a]Was aber die

* **25,10** Auch »Jobeljahr« oder »Halljahr«; siehe Sach- und Worterklärungen zu »Erlassjahr«. **25,24** Gemeint ist der Rückkauf.

25,9 ***a*** Kap 23,27 **25,14** ***a*** 1. Thess 4,6
25,18 ***a*** 1. Kön 5,5 **25,23** ***a*** Ps 39,13 **25,25** ***a*** Rut 4,3-4
25,32 ***a*** (32-34) 4. Mose 35,2-5

Städte der Leviten anlangt, so sollen sie
die Häuser in den Städten, die ihnen gehören, jederzeit einlösen können. 33 Wenn
einer von den Leviten nicht einlöst, so soll
das verkaufte Haus in der Stadt, die ihnen
gehört, im Erlassjahr frei werden; denn
die Häuser in den Städten der Leviten sind
ihr Besitz inmitten der Israeliten. 34 Auch
das Weideland vor ihren Städten soll man
nicht verkaufen; denn das ist ihr Eigentum
für immer.

VERBOT DES ZINSNEHMENS

35 Wenn dein Bruder neben dir verarmt
und sich nicht mehr halten kann, so
sollst du dich seiner annehmen wie eines
Fremdlings oder Beisassen, dass er neben
dir leben könne; 36 [a]und du sollst nicht
Zinsen von ihm nehmen noch Aufschlag,
sondern sollst dich vor deinem Gott
fürchten, dass dein Bruder neben dir leben
könne. 37 Denn du sollst ihm dein Geld
nicht auf Zinsen leihen noch Speise geben
gegen Aufschlag. 38 Ich bin der HERR, euer
Gott, der euch aus Ägyptenland geführt
hat, um euch das Land Kanaan zu geben
und euer Gott zu sein.

EINLÖSUNG VON SCHULDSKLAVEN

39 Wenn dein Bruder neben dir verarmt
und sich dir verkauft, so sollst du ihn nicht
als Sklaven dienen lassen;[a] 40 sondern wie
ein Tagelöhner, wie ein Beisasse soll er
bei dir sein und bis an das Erlassjahr bei
dir dienen. 41 Dann soll er von dir frei ausgehen und seine Kinder mit ihm und soll
zurückkehren zu seiner Sippe und wieder
zum Besitz seiner Väter kommen. 42 Denn
sie sind meine Knechte, die ich aus Ägyptenland geführt habe. Darum soll man sie
nicht wie einen Sklaven verkaufen. 43 Du
sollst [a]nicht mit Gewalt über sie herrschen, sondern dich fürchten vor deinem
Gott.

44 Willst du aber Sklaven und Sklavinnen haben, so sollst du sie kaufen von
den Völkern, die um euch her sind, 45 und
auch von den Beisassen, die als Fremdlinge unter euch wohnen, und von ihren
Nachkommen, die sie bei euch in eurem
Lande zeugen. Die mögt ihr zu eigen haben 46 und sollt sie vererben euren Kindern zum Eigentum; für immer könnt ihr
sie als Sklaven arbeiten lassen. Aber von
euren Brüdern, den Israeliten, soll keiner
über den andern mit Gewalt herrschen.

47 Wenn irgendein Fremdling oder Beisasse bei dir zu Besitz kommt und dein
Bruder neben ihm verarmt und sich dem
Fremdling oder Beisassen bei dir oder jemandem von dessen Sippe verkauft, 48 so
soll er, nachdem er sich verkauft hat, das
Recht haben, wieder frei zu werden, und
es soll ihn jemand unter seinen Brüdern
einlösen[a] 49 oder sein Oheim oder sein
Vetter oder sonst ein Blutsverwandter aus
seinem Geschlecht; oder wenn er selbst so
viel aufbringen kann, so soll er selbst sich
einlösen. 50 Und er soll mit seinem Käufer
rechnen vom Jahr an, da er sich verkauft
hatte, bis aufs Erlassjahr. Und das Geld,
um das er sich verkauft hat, soll nach der
Zahl der Jahre berechnet werden, als wäre
er die ganze Zeit Tagelöhner bei ihm gewesen. 51 Sind noch viele Jahre bis zum
Erlassjahr, so soll er entsprechend mehr
zu seiner Einlösung erstatten von dem
Gelde, für das er gekauft wurde. 52 Sind
aber nur wenige Jahre übrig bis zum Erlassjahr, so soll er sie berechnen und entsprechend weniger zu seiner Einlösung
erstatten. 53 Wie ein Tagelöhner soll er
von Jahr zu Jahr bei ihm sein, doch soll er
nicht mit Gewalt über ihn herrschen vor
deinen Augen. 54 Wird er aber nicht auf
diese Weise eingelöst, so soll er im Erlassjahr frei ausgehen und seine Kinder mit
ihm. 55 Denn mir gehören die Israeliten
als Knechte; meine Knechte sind sie, die
ich aus Ägyptenland geführt habe. Ich bin
der HERR, euer Gott.

SEGEN UND FLUCH

(vgl. 5. Mose 28,1-68)

26 Ihr sollt euch keine Götzen machen
und euch weder Bild noch Steinmal
aufrichten, auch keinen Stein mit Bildwerk setzen in eurem Lande, um davor anzubeten; denn ich bin der HERR,
euer Gott.[a] 2 Haltet [a]meine Sabbate und
habt Ehrfurcht vor meinem Heiligtum.
Ich bin der HERR.

3 Werdet ihr in meinen Satzungen wan-

25,36 *a* (36-37) 2. Mose 22,24; 5. Mose 23,20
25,39 *a* 2. Mose 21,2 **25,43** *a* 2. Mose 21,20-21
25,48 *a* Neh 5,8 **26,1** *a* 2. Mose 20,4-5 **26,2** *a* Kap 19,30

deln und meine Gebote halten und tun,
4 so will ich euch Regen geben zur rechten Zeit und das Land soll seinen Ertrag geben und die Bäume auf dem Felde ihre Früchte bringen.[a]
5 Und die Dreschzeit soll reichen bis zur Weinernte, und die Weinernte soll reichen bis zur Zeit der Saat. [a]Und ihr sollt Brot die Fülle haben und sollt sicher in eurem Lande wohnen.
6 Ich will Frieden geben in eurem Lande, dass ihr schlaft und euch niemand aufschrecke. [a]Ich will die wilden Tiere aus eurem Lande wegschaffen, und kein Schwert soll durch euer Land gehen.
7 Ihr sollt eure Feinde jagen, und sie sollen vor euch her dem Schwert verfallen.
8 Fünf von euch sollen hundert jagen, und hundert von euch sollen zehntausend jagen; denn eure Feinde sollen vor euch her dem Schwert verfallen.[a]
9 Und ich will mich zu euch wenden und will euch fruchtbar machen und euch mehren und will meinen Bund mit euch halten.[a]
10 Und ihr werdet noch von dem Vorjährigen essen und, wenn das Neue kommt, das Vorjährige wegtun müssen.
11 Ich will meine Wohnung unter euch haben und eurer nicht überdrüssig werden.
12 Und ich will unter euch wandeln und will euer Gott sein, und ihr sollt mein Volk sein.[a]
13 Denn ich bin der HERR, euer Gott, der euch aus Ägyptenland geführt hat, dass ihr nicht ihre Knechte bleibt, und habe [a]euer Joch zerbrochen und habe euch aufrecht einhergehen lassen.

14 Werdet ihr mir aber nicht gehorchen und nicht alle diese Gebote tun
15 und werdet ihr meine Satzungen verachten und meine Rechte verabscheuen, dass ihr nicht tut alle meine Gebote, und werdet ihr meinen Bund brechen,
16 so will auch ich euch dieses tun: Ich will euch heimsuchen mit Schrecken, mit Auszehrung und Fieber, dass euch die Augen erlöschen und das Leben hinschwindet. Ihr sollt umsonst euren Samen säen und eure Feinde sollen ihn essen.
17 Und ich will mein Antlitz gegen euch richten, und ihr sollt geschlagen werden vor euren Feinden, und die euch hassen, sollen über euch herrschen, und ihr sollt fliehen, ohne dass euch einer jagt.

18 Wenn ihr mir aber auch dann noch nicht gehorcht, so will ich euch noch weiter züchtigen, siebenfältig, um eurer Sünden willen,
19 dass ich eure stolze Macht breche, und will euren [a]Himmel wie Eisen und eure Erde wie Erz machen.
20 Und eure Mühe und Arbeit soll verloren sein, dass euer Land seinen Ertrag nicht gebe und die Bäume im Lande ihre Früchte nicht bringen.

21 Und wenn ihr mir zuwiderhandelt und mich nicht hören wollt, so will ich euch noch weiter schlagen, siebenfältig, um eurer Sünden willen.
22 Und ich will [a]wilde Tiere unter euch senden, die sollen eure Kinder fressen und euer Vieh zerreißen und euch vermindern, und eure Straßen sollen verlassen sein.
23 Werdet ihr euch aber damit noch nicht von mir zurechtbringen lassen und mir zuwiderhandeln,
24 so will auch ich euch zuwiderhandeln und will euch siebenfältig mehr schlagen um eurer Sünden willen
25 und will ein [a]Racheschwert über euch bringen, das meinen Bund rächen soll. Und wenn ihr euch auch in eure Städte flüchtet, will ich doch die Pest unter euch senden und will euch in die Hände eurer Feinde geben.
26 Dann will ich euch den Vorrat an Brot verderben; zehn Frauen sollen euer Brot in einem einzigen Ofen backen und [a]euer Brot soll man euch nach Gewicht zuteilen, und wenn ihr esst, sollt ihr nicht satt werden.

27 Werdet ihr mir aber auch dann noch nicht gehorchen und mir zuwiderhandeln,
28 so will auch ich euch im Grimm zuwiderhandeln und will euch siebenfältig mehr züchtigen um eurer Sünden willen,
29 dass ihr sollt eurer Söhne und Töchter Fleisch essen.[a]
30 Und ich will eure Opferhöhen vertilgen und eure [a]Räucheraltäre ausrotten und will eure Leichname auf die Leichname eurer Götzen werfen und werde an euch Ekel haben.
31 Und ich will eure Städte wüst machen und eure Heiligtümer verheeren und will den lieblichen Geruch eurer Opfer nicht mehr riechen.
32 So will ich das Land wüst machen, dass eure Feinde, die darin wohnen werden,

26,4 *a* 5. Mose 11,14 **26,5** *a* Am 9,13 **26,6** *a* Hes 34,25
26,8 *a* 5. Mose 32,30; Jos 23,10 **26,9** *a* Hes 36,11
26,12 *a* Jer 7,23; 2. Kor 6,16 **26,13** *a* Hes 34,27-28
26,19 *a* 5. Mose 11,17 **26,22** *a* Hes 5,17
26,25 *a* Jes 1,20.24 **26,26** *a* Hes 4,16
26,29 *a* 5. Mose 28,53; Jer 19,9 **26,30** *a* Hes 6,4.6

sich davor entsetzen. 33 Euch aber will ich
unter die Völker zerstreuen und mit ge-
zücktem Schwert hinter euch her sein,
dass euer Land soll wüst sein und eure
Städte zerstört.

34 Alsdann wird [a]das Land seine Sabbate
nachholen, solange es wüst liegt und ihr
in der Feinde Land seid; ja, dann wird das
Land ruhen und seine Sabbate nachholen.
35 Solange es wüst liegt, wird es ruhen,
weil es nicht ruhen konnte an euren Sab-
baten, während ihr darin wohntet. 36 Und
denen, die von euch übrig bleiben, will
ich ein feiges Herz machen in ihrer Feinde
Land, dass sie ein raschelndes Blatt soll ja-
gen, und sie sollen davor fliehen, als jagte
sie ein Schwert, und fallen, wo sie doch
niemand jagt. 37 Und einer soll über den
andern hinfallen, als wäre das Schwert
hinter ihnen, wo sie doch niemand jagt,
und ihr sollt nicht bestehen können gegen
eure Feinde. 38 Und ihr sollt umkommen
unter den Völkern, und eurer Feinde Land
soll euch fressen. 39 Die aber von euch üb-
rig bleiben, die sollen in der Feinde Land
dahinschwinden wegen ihrer [a]Missetat,
aber auch um der Missetat ihrer Väter
willen.

UMKEHR DES VOLKES UND TREUE DES HERRN

40 Da werden sie dann [a]bekennen ihre Mis-
setat und ihrer Väter Missetat, dass sie mir
untreu gewesen sind und sich mir entge-
gengestellt haben. 41 So will auch ich mich
ihnen entgegenstellen und sie in das Land
ihrer Feinde wegführen. Dann wird sich
ja ihr [a]unbeschnittenes Herz demütigen,
und sie werden die Strafe für ihre Misse-
tat abtragen. 42 Und ich werde gedenken an
[a]meinen Bund mit Jakob und an meinen
Bund mit Isaak und an meinen Bund mit
Abraham und werde an das Land geden-
ken. 43 Aber das Land wird von ihnen ver-
lassen sein und seine Sabbate nachholen,
solange es wüst liegt, und sie werden die
Strafe für ihre Missetat abtragen, weil sie
wieder und wieder meine Rechte verach-
tet und an meinen Satzungen Ekel gehabt
haben. 44 Aber wenn sie auch in der Feinde
Land sind, [a]verwerfe ich sie dennoch
nicht, und es ekelt mich nicht vor ihnen,
sodass es mit ihnen aus sein sollte und
mein Bund mit ihnen nicht mehr gelten
sollte; denn ich bin der HERR, ihr Gott.
45 Und ich will ihnen zugut an meinen
[a]Bund mit den Vorfahren gedenken, die
ich aus Ägyptenland führte vor den Au-
gen der Völker, auf dass ich ihr Gott wäre,
ich, der HERR.

46 Dies sind die Satzungen und Rechte
und Gesetze, die der HERR zwischen sich
und den Israeliten aufgerichtet hat auf
dem Berge Sinai durch die Hand des Mose.

ABLÖSUNG VON GELÜBDEN UND WEIHEGABEN

27 Und der HERR redete mit Mose und
sprach: 2 Rede mit den Israeliten und
sprich zu ihnen: Will jemand ein Gelübde
für den HERRN einlösen, das er nach dem
Wert eines Menschen abgelegt hat, 3 [a]so
soll das deine Schätzung sein: Einen Mann
von zwanzig bis sechzig Jahren sollst du
schätzen auf fünfzig Schekel Silber nach
dem Gewicht des Heiligtums, 4 eine Frau
auf dreißig Schekel Silber. 5 Von fünf Jah-
ren bis zwanzig Jahren sollst du, wenn es
ein Mann ist, schätzen auf zwanzig Sche-
kel Silber, eine Frau aber auf zehn Schekel
Silber. 6 Von einem Monat an bis auf fünf
Jahre sollst du, wenn es ein Knabe ist,
schätzen auf fünf Schekel Silber, ein Mäd-
chen aber auf drei Schekel Silber. 7 Bei sech-
zig Jahren und darüber sollst du, wenn es
ein Mann ist, schätzen auf fünfzehn Sche-
kel Silber, eine Frau aber auf zehn Schekel
Silber. 8 Ist er aber zu arm, diese Schätzung
bei der Auslösung zu zahlen, so soll er je-
nen Menschen vor den Priester stellen und
der Priester soll ihn schätzen; er soll ihn
aber schätzen nach dem, was der zu geben
vermag, der das Gelübde getan hat.

9 Ist es aber ein Tier, das man dem
HERRN opfern darf: Jedes Tier, das man
dem HERRN gibt, ist heilig. 10 Man soll es
nicht auswechseln noch tauschen, ein gu-
tes gegen ein schlechtes oder ein schlech-
tes gegen ein gutes. Wenn aber jemand
auswechselt ein Tier gegen das andere,
so sollen sie beide heilig sein. 11 Ist aber
das Tier unrein, dass man es dem HERRN

26,34 ***a*** Kap 25,2; 2. Chr 36,21 **26,39** ***a*** Hes 24,23; 33,10
26,40 ***a*** 5. Mose 4,30 **26,41** ***a*** 5. Mose 10,16; Jer 9,25
26,42 ***a*** 2. Mose 2,24; 2. Kön 13,23 **26,44** ***a*** Hos 11,9
26,45 ***a*** 1. Mose 12,7 **27,3** ***a*** (3-7) Ri 11,31; 1. Sam 1,11

nicht opfern darf, so soll man es vor den
Priester stellen 12 und der Priester soll es
schätzen, ob es gut oder schlecht sei, und
es soll bei des Priesters Schätzung bleiben.
13 Will's aber jemand ablösen, der soll den
[a]fünften Teil über die Schätzung hinaus
geben.

14 Wenn jemand sein Haus dem HERRN
gelobt, dass es ihm heilig sei, so soll es der
Priester schätzen, ob es gut oder schlecht
sei, und wie es der Priester schätzt, so
soll's bleiben. 15 Wenn es aber der, der
es gelobt hat, ablösen will, so soll er den
fünften Teil des Geldes, zu dem es ge-
schätzt ist, hinzulegen, dann soll es ihm
wieder gehören.

16 Wenn jemand ein Stück Acker von sei-
nem Erbteil dem HERRN gelobt, so soll es
geschätzt werden nach der Aussaat. Ist die
Aussaat ein Sack Gerste, so soll der Acker
[a]fünfzig Schekel Silber gelten. 17 Gelobt er
seinen Acker vom [a]Erlassjahr an, so soll
es bei dieser Schätzung bleiben. 18 Hat er
ihn aber nach dem Erlassjahr gelobt, so
soll der Priester das Geld berechnen nach
den übrigen Jahren bis zum Erlassjahr und
ihn danach geringer schätzen. 19 Will aber
der, der ihn gelobt hat, den Acker ablösen,
so soll er den fünften Teil des Geldes, auf
das er geschätzt ist, hinzulegen, so soll er
wieder sein werden. 20 Wenn er ihn aber
nicht ablöst und verkauft ihn dennoch
einem andern, so kann er nicht mehr abge-
löst werden, 21 sondern wenn dieser Acker
im Erlassjahr frei wird, soll er dem HERRN
heilig sein wie ein gebannter Acker und
soll des Priesters Eigentum sein. 22 Wenn
aber jemand dem HERRN einen Acker ge-
lobt, den er gekauft hat und der also nicht
sein Erbteil ist, 23 so soll der Priester be-
rechnen, was er gilt bis zum Erlassjahr,
und er soll diese Summe am selben Tage
geben, dass sie dem HERRN heilig sei.
24 Aber im Erlassjahr soll der Acker wieder
an den gelangen, von dem er ihn gekauft
hat, dem er als sein Erbteil gehört. 25 Alle
Schätzung soll geschehen nach dem Ge-
wicht des Heiligtums; ein Schekel aber hat
zwanzig Gramm.

26 Die [a]Erstgeburt unter dem Vieh, die
dem HERRN auch sonst gebührt, soll nie-
mand geloben, es sei ein Stier oder Schaf;
es gehört dem HERRN. 27 Ist es aber unrei-
nes Vieh, so soll man es ablösen nach der
Schätzung und darüber hinaus geben den
fünften Teil. Will man es nicht ablösen,
so werde es verkauft nach der Schätzung.

28 [a]Man soll Gebanntes nicht verkaufen
oder ablösen, das jemand dem HERRN
durch einen Bann geweiht hat, von allem,
was sein ist, es seien Menschen, Vieh
oder Erbacker; denn alles Gebannte ist
ein Hochheiliges dem HERRN. 29 Man soll
auch keinen gebannten Menschen loskau-
fen; er soll des Todes sterben.[a]

30 Alle [a]Zehnten im Lande, vom Ertrag
des Landes und von den Früchten der
Bäume, gehören dem HERRN und sol-
len dem HERRN heilig sein. 31 Will aber
jemand seinen Zehnten ablösen, der soll
den fünften Teil darüber hinaus geben.
32 Und alle [a]Zehnten von Rindern und
Schafen, alles, was unter dem Hirten-
stabe hindurchgeht, jedes Zehnte davon
soll heilig sein dem HERRN. 33 Man soll
nicht fragen, ob es gut oder schlecht sei,
man soll's auch nicht auswechseln. Wenn
es aber jemand auswechselt, soll beides
heilig sein und darf nicht abgelöst werden.

34 Das sind die Gebote, die der HERR
dem Mose gebot für die Israeliten auf dem
Berge Sinai.[a]

27,13 *a* Kap 5,16 **27,16** *a* 2. Sam 24,24
27,17 *a* Kap 25,8-55 **27,26** *a* 2. Mose 13,2.12-13;
4. Mose 18,15 **27,28** *a* (28-29) 4. Mose 18,14; Jos 6,18;
Hes 44,29 **27,29** *a* Jos 6,17-18; 1. Sam 15,3.9
27,30 *a* 4. Mose 18,21; 5. Mose 14,22-29; Neh 13,12
27,32 *a* 2. Chr 31,6 **27,34** *a* Kap 7,38; 25,1; 26,46

DAS VIERTE BUCH MOSE (NUMERI)

1–4 Zählung und Lagerordnung 5–9 Über Reinheit, Ämter und Gottesdienst
10–20 Vom Sinai bis Kadesch 21–32 In Moab vor dem Übergang über den Jordan
33 Wegstationen von Ägypten bis Moab 34–36 Ordnungen für das Leben im Land

ZÄHLUNG DES VOLKES

(vgl. Kap 26,2-51)

1 Und der HERR redete mit Mose in der
Wüste Sinai in der Stiftshütte [a]am ers-
ten Tage des zweiten Monats im zwei-
ten Jahr, nachdem sie aus Ägyptenland
gezogen waren, und sprach: 2 Nehmt die
Summe der ganzen Gemeinde der Isra-
eliten auf nach ihren Geschlechtern und
[a]Sippen und Namen, alles, was männlich
ist, Kopf für Kopf,[b] 3 von zwanzig Jahren
an und darüber, alles, was mit dem Heer
hinausziehen kann in Israel. Ihr sollt sie
zählen nach ihren Heerscharen, du und
Aaron. 4 Und es soll euch beistehen je ein
Mann von jedem Stamm, nämlich das
Haupt seiner Sippe.

5 Dies sind aber die Namen der Männer,
die euch beistehen sollen: von Ruben: Eli-
zur, der Sohn Schedëurs; 6 von Simeon:
Schelumiël, der Sohn Zurischaddais;
7 von Juda: [a]Nachschon, der Sohn Ammi-
nadabs; 8 von Issachar: Netanel, der Sohn
Zuars; 9 von Sebulon: Eliab, der Sohn He-
lons; 10 von den Söhnen Josefs: von Eph-
raim: [a]Elischama, der Sohn Ammihuds;
und von [b]Manasse: Gamliël, der Sohn
Pedazurs; 11 von Benjamin: Abidan, der
Sohn des Gidoni; 12 von Dan: Ahiëser, der
Sohn Ammischaddais; 13 von Asser: Pagi-
ël, der Sohn Ochrans; 14 von Gad: Eljasaf,
der Sohn Deguëls; 15 von Naftali: Ahira,
der Sohn Enans.

16 Das sind die Berufenen aus der Ge-
meinde, die Fürsten unter den Stämmen
ihrer Väter, die da Häupter über die Tau-
sende in Israel waren.

17 Und Mose und Aaron nahmen diese
Männer zu sich, wie sie da mit Namen
genannt sind, 18 und versammelten die
ganze Gemeinde am ersten Tage des zwei-
ten Monats, und sie ließen sich einschrei-
ben nach ihren Geschlechtern und Sippen
und Namen, von zwanzig Jahren an und
darüber, Kopf für Kopf, 19 wie der HERR
es Mose geboten hatte. So zählte er sie in
der Wüste Sinai.

20 Die Söhne Rubens, des ersten Sohnes
Israels, nach ihrer Abstammung und ihren
Geschlechtern, ihren Sippen und Namen,
Kopf für Kopf, alles, was männlich war,
von zwanzig Jahren an und darüber, alles,
was mit dem Heer hinausziehen kann,
21 so viele ihrer vom Stamm Ruben gezählt
wurden, waren 46 500.

22 Die Söhne Simeon nach ihrer Abstam-
mung und ihren Geschlechtern, ihren Sip-
pen und Namen, Kopf für Kopf, alles, was
männlich war, von zwanzig Jahren an und
darüber, alles, was mit dem Heer hinaus-
ziehen kann, 23 so viele ihrer vom Stamm
Simeon gezählt wurden, waren 59 300.

24 Die Söhne Gad nach ihrer Abstam-
mung und ihren Geschlechtern, ihren
Sippen und Namen, von zwanzig Jah-
ren an und darüber, alles, was mit dem
Heer hinausziehen kann, 25 so viele ihrer
vom Stamm Gad gezählt wurden, waren
45 650.

26 Die Söhne Juda nach ihrer Abstam-
mung und ihren Geschlechtern, ihren
Sippen und Namen, von zwanzig Jah-
ren an und darüber, alles, was mit dem
Heer hinausziehen kann, 27 so viele ihrer
vom Stamm Juda gezählt wurden, waren
74 600.

28 Die Söhne Issachar nach ihrer Ab-
stammung und ihren Geschlechtern,
ihren Sippen und Namen, von zwanzig
Jahren an und darüber, alles, was mit dem
Heer hinausziehen kann, 29 so viele ihrer
vom Stamm Issachar gezählt wurden, wa-
ren 54 400.

30 Die Söhne Sebulon nach ihrer Ab-
stammung und ihren Geschlechtern,
ihren Sippen und Namen, von zwanzig
Jahren an und darüber, alles, was mit dem

1,1 *a* 2. Mose 40,17 **1,2** *a* 1. Mose 35,23-26
b 2. Mose 30,12 **1,7** *a* 2. Mose 6,23 **1,10** *a* 1. Chr 7,26
b 1. Mose 48,5

Heer hinausziehen kann, 31 so viele ihrer
vom Stamm Sebulon gezählt wurden,
waren 57 400.
32 Die Söhne Josef: die Söhne Ephraim
nach ihrer Abstammung und ihren Ge-
schlechtern, ihren Sippen und Namen,
von zwanzig Jahren an und darüber,
alles, was mit dem Heer hinausziehen
kann, 33 so viele ihrer vom Stamm Eph-
raim gezählt wurden, waren 40 500; 34 die
Söhne Manasse nach ihrer Abstammung
und ihren Geschlechtern, ihren Sippen
und Namen, von zwanzig Jahren an
und darüber, alles, was mit dem Heer
hinausziehen kann, 35 so viele ihrer vom
Stamm Manasse gezählt wurden, waren
32 200.
36 Die Söhne Benjamin nach ihrer Ab-
stammung und ihren Geschlechtern,
ihren Sippen und Namen, von zwanzig
Jahren an und darüber, alles, was mit dem
Heer hinausziehen kann, 37 so viele ihrer
vom Stamm Benjamin gezählt wurden,
waren 35 400.
38 Die Söhne Dan nach ihrer Abstam-
mung und ihren Geschlechtern, ihren
Sippen und Namen, von zwanzig Jah-
ren an und darüber, alles, was mit dem
Heer hinausziehen kann, 39 so viele ihrer
vom Stamm Dan gezählt wurden, waren
62 700.
40 Die Söhne Asser nach ihrer Abstam-
mung und ihren Geschlechtern, ihren
Sippen und Namen, von zwanzig Jah-
ren an und darüber, alles, was mit dem
Heer hinausziehen kann, 41 so viele ihrer
vom Stamm Asser gezählt wurden, wa-
ren 41 500.
42 Die Söhne Naftali nach ihrer Abstam-
mung und ihren Geschlechtern, ihren Sip-
pen und Namen, von zwanzig Jahren an
und darüber, alles, was mit dem Heer
hinausziehen kann, 43 so viele ihrer vom
Stamm Naftali gezählt wurden, waren
53 400.
44 Dies sind die Männer, die Mose zählte
mit Aaron und den [a]zwölf Fürsten Israels,
von denen jeder seiner Sippe vorstand.
45 Und die Summe der Israeliten nach ih-
ren Sippen, von zwanzig Jahren an und
darüber, alles, was mit dem Heer hin-
ausziehen kann in Israel, 46 war [a]603 550.
47 Die aber Leviten waren nach dem
Stamm ihrer Väter, wurden nicht mit
darunter gezählt.
48 Und der HERR redete mit Mose und
sprach: 49 Den [a]Stamm Levi sollst du nicht
zählen noch seine Summe aufnehmen
unter die Israeliten, 50 sondern du sollst
ihnen [a]die Wohnung des Gesetzes anver-
trauen, mit all ihrem Gerät und allem, was
dazugehört. Sie [b]sollen die Wohnung tra-
gen und alle Geräte und sollen sie in ihre
Obhut nehmen und [c]um die Wohnung
her sich lagern. 51 Wenn die Wohnung
aufbricht, sollen die Leviten sie abbauen.
Wenn aber die Wohnung haltmacht, sol-
len die Leviten sie aufschlagen. Und [a]wenn
ein Fremder sich naht, der soll sterben.
52 Die Israeliten sollen sich lagern nach ih-
ren Heerscharen, ein jeder in seinem Lager
und bei seinem Banner. 53 Aber die Leviten
sollen Sorge tragen um die Wohnung des
Gesetzes, damit nicht ein [a]Zorn über die
Gemeinde der Israeliten komme. So sollen
die Leviten ihren Dienst versehen an der
Wohnung des Gesetzes.
54 Und die Israeliten taten alles, wie der
HERR es Mose geboten hatte. So taten
sie's.

DIE ORDNUNG DER STÄMME

2 Und der HERR redete mit Mose und
Aaron und sprach: 2 Die Israeliten sol-
len sich um die Stiftshütte lagern, ein je-
der bei seinem Banner und Zeichen, nach
ihren Sippen.
3 Nach Osten soll sich lagern das Banner
des Lagers Juda mit seinen Heerscharen:
sein Fürst Nachschon, der Sohn Ammi-
nadabs, 4 und sein Heer, 74 600 Mann.
5 Neben ihm soll sich lagern der Stamm
Issachar: sein Fürst Netanel, der Sohn Zu-
ars, 6 und sein Heer, 54 400 Mann. 7 Dazu
der Stamm Sebulon: sein Fürst Eliab, der
Sohn Helons, 8 und sein Heer, 57 400
Mann – 9 sodass alle, die ins Lager Juda
gehören, seien nach ihren Heerscharen
zusammen 186 400 Mann. Und die sollen
zuerst aufbrechen.
10 Nach Süden soll sein das Banner des

1,44 *a* 1. Mose 17,20; 25,16 **1,46** *a* Kap 2,32; 2. Mose 12,37 **1,49** *a* Kap 2,33; 3,15-39 **1,50** *a* 2. Mose 38,21 *b* Kap 4,1-49 *c* Kap 3,23-38 **1,51** *a* Kap 3,10.38; 17,5 **1,53** *a* Kap 17,11; 18,5; Jos 9,20; 2. Sam 24,1; 2. Chr 19,2; Jes 57,17; 64,4-6

Lagers Ruben mit seinen Heerscharen:
sein Fürst Elizur, der Sohn Schedëurs,
11 und sein Heer, 46 500 Mann. 12 Neben
ihm soll sich lagern der Stamm Simeon:
sein Fürst Schelumiël, der Sohn Zuri-
schaddais, 13 und sein Heer, 59 300 Mann.
14 Dazu der Stamm Gad: sein Fürst Eljasaf,
der Sohn Deguëls, 15 und sein Heer, 45 650
Mann – 16 sodass alle, die ins Lager Ruben
gehören, seien nach ihren Heerscharen
zusammen 151 450 Mann. Und sie sollen
als Zweite aufbrechen.

17 Danach [a]soll die Stiftshütte weiterzie-
hen, das Lager der Leviten inmitten der
anderen Lager; und wie sie lagern, so sol-
len sie auch ausziehen, ein jeder an seinem
Platz unter seinem Banner.

18 Nach Westen soll sein das Banner des
Lagers Ephraim mit seinen Heerscharen:
sein Fürst soll sein Elischama, der Sohn
Ammihuds, 19 und sein Heer, 40 500
Mann. 20 Neben ihm soll sich lagern der
Stamm Manasse: sein Fürst Gamliël, der
Sohn Pedazurs, 21 und sein Heer, 32 200
Mann. 22 Dazu der Stamm Benjamin:
sein Fürst Abidan, der Sohn des Gidoni,
23 und sein Heer, 35 400 Mann – 24 so-
dass alle, die ins Lager Ephraim gehören,
seien nach ihren Heerscharen zusammen
108 100 Mann. Und sie sollen als Dritte
aufbrechen.

25 Nach Norden soll sein das Banner des
Lagers Dan mit seinen Heerscharen: sein
Fürst Ahiëser, der Sohn Ammischaddais,
26 und sein Heer, 62 700 Mann. 27 Neben
ihm soll sich lagern der Stamm Asser: sein
Fürst Pagiël, der Sohn Ochrans, 28 und sein
Heer, 41 500 Mann. 29 Dazu der Stamm
Naftali: sein Fürst Ahira, der Sohn Enans,
30 und sein Heer, 53 400 Mann – 31 sodass
alle, die ins Lager Dan gehören, seien zu-
sammen 157 600 Mann. Und sie sollen als
Letzte aufbrechen mit ihrem Banner.

32 Dies ist die Summe der Israeliten
nach ihren Sippen, Lagern und Heerscha-
ren: [a]603 550 Mann. 33 Aber [a]die Leviten
wurden unter den Israeliten nicht mit-
gezählt, wie der HERR es Mose geboten
hatte. 34 Und die Israeliten taten alles, wie
der HERR es Mose geboten hatte; wie sie
bei ihren Bannern lagerten, so zogen sie
aus, ein jeder bei seinem Geschlecht und
seiner Sippe.

DIE NACHKOMMEN AARONS. AUFGABEN DER LEVITEN

3 Dies ist das Geschlecht [a]Aarons und
Moses zu der Zeit, da der HERR mit
Mose redete auf dem Berge Sinai. 2 Und
dies sind die Namen der Söhne Aarons:
der Erstgeborene Nadab, danach Abihu,
Eleasar und Itamar. 3 Das sind die Namen
der Söhne Aarons, die [a]zu Priestern ge-
salbt waren und denen man die Hände
füllte zum Priestertum. 4 Aber [a]Nadab
und Abihu starben vor dem HERRN, als sie
fremdes Feuer opferten vor dem HERRN
in der Wüste Sinai, und sie hatten keine
Söhne. Eleasar aber und Itamar versahen
Priesterdienst unter ihrem Vater Aaron.

5 Und der HERR redete mit Mose und
sprach: 6 Bringe den Stamm Levi herzu
und stelle sie vor den Priester Aaron, dass
sie ihm dienen.[a] 7 Sie sollen [a]Sorge tragen
für ihn und für die ganze Gemeinde vor
der Stiftshütte und so [b]ihren Dienst für
die Wohnung versehen 8 und sollen alles
Gerät der Stiftshütte in ihre Obhut neh-
men und Sorge für die Israeliten tragen
und ihren Dienst für die Wohnung ver-
sehen.[a] 9 Und du sollst Aaron und seinen
Söhnen die Leviten übergeben als Gabe
der Israeliten. 10 Aaron aber und seine
Söhne sollst du bestellen, dass sie auf ihr
Priesteramt achthaben. [a]Wenn ein Frem-
der sich naht, so soll er sterben.

11 Und der HERR redete mit Mose und
sprach: 12 Siehe, ich habe die [a]Leviten
genommen aus den Israeliten statt aller
[b]Erstgeburt, die den Mutterschoß durch-
bricht in Israel, sodass die Leviten mir
gehören sollen. 13 Denn die Erstgeburten
sind mein. An dem Tage, da ich alle Erst-
geburt schlug in Ägyptenland, da heiligte
ich mir alle Erstgeburt in Israel, Mensch
und Vieh, dass sie mir gehören sollen. Ich
bin der HERR.

DIE GESCHLECHTER DER LEVITEN UND IHR DIENST

14 Und der HERR redete mit Mose in
der Wüste Sinai und sprach: 15 Zähle die

2,17 *a* Kap 10,17.21 **2,32** *a* Kap 1,46 **2,33** *a* Kap 1,48-49
3,1 *a* 2. Mose 6,23 **3,3** *a* 2. Mose 40,15
3,4 *a* 3. Mose 10,1-2 **3,6** *a* 2. Mose 32,29 **3,7** *a* Kap 18,3
b Kap 16,9 **3,8** *a* Kap 4,1-49 **3,10** *a* Kap 1,51
3,12 *a* Kap 8,16 *b* 2. Mose 13,2

Söhne Levi nach ihren Sippen und Ge-
schlechtern, alles, was männlich ist, einen
Monat alt und darüber. 16 Also zählte sie
Mose nach dem Wort des HERRN, wie er
ihm geboten hatte.

17 Und dies waren die Söhne Levis mit
Namen: [a]Gerschon, [b]Kehat und Merari.
18 Die Namen aber der Söhne Gerschons
nach ihren Geschlechtern waren: Libni
und Schimi. 19 Die Söhne Kehats nach ih-
ren Geschlechtern waren: Amram, Jizhar,
Hebron und Usiël. 20 Die Söhne Meraris
nach ihren Geschlechtern waren: Machli
und Muschi. Das sind die Geschlechter
Levis nach ihren Sippen. 21 Dies sind die
Geschlechter von Gerschon: die Libniter
und die Schimiter. 22 Ihre Zahl war 7500,
alles, was männlich war, einen Monat alt
und darüber. 23 Und die Geschlechter der
Gerschoniter sollen sich lagern hinter der
Wohnung nach Westen. 24 Ihr Fürst sei
Eljasaf, der Sohn Laëls. 25 Und sie sollen
an der Stiftshütte in Obhut nehmen die
Wohnung und das Zelt und seine Decken
und den Vorhang in dem Eingang der
Stiftshütte, 26 die Umhänge am Vorhof
und den Vorhang in der Tür des Vorhofs,
der die Wohnung und den Altar umgibt,
und ihre Seile und was sonst zu ihrem
Dienst gehört.

27 Dies sind die Geschlechter von Ke-
hat: die Amramiter, die Jizhariter, die
Hebroniter und die Usiëliter, 28 alles, was
männlich war, einen Monat alt und dar-
über, an Zahl 8600, die für das Heilig-
tum Sorge tragen. 29 Die Geschlechter der
Söhne Kehat sollen sich lagern an der Seite
der Wohnung nach Süden. 30 Ihr Fürst sei
[a]Elizafan, der Sohn Usiëls. 31 Und sie sol-
len in Obhut nehmen die Lade, den Tisch,
den Leuchter, die Altäre und alle Geräte
des Heiligtums, an denen sie dienen, und
den Vorhang und was sonst zu ihrem
Dienst gehört.[a] 32 Aber der Fürst über alle
Fürsten der Leviten soll Eleasar sein, der
Sohn Aarons, des Priesters, zur Aufsicht
über die, welche den Dienst am Heiligtum
versehen.

33 Dies sind die Geschlechter Meraris:
die Machliter und die Muschiter, 34 die an
Zahl waren 6200, alles, was männlich war,
einen Monat alt und darüber. 35 Ihr Fürst
sei Zuriël, der Sohn Abihajils. Sie sollen
sich lagern an der Seite der Wohnung nach
Norden. 36 Und ihr Amt soll sein, in Ob-
hut zu nehmen die Bretter und Riegel und
Säulen und Füße der Wohnung und alle
ihre Geräte und was sonst zu ihrem Dienst
gehört, 37 dazu die Säulen um den Vorhof
mit ihren Füßen und Pflöcken und Seilen.

38 Aber vor der Wohnung, vor der Stifts-
hütte, nach Osten sollen sich lagern Mose
und Aaron und seine Söhne, dass sie auf
das Heiligtum achthaben für die Israeli-
ten. Wenn sich ein Fremder naht, so soll
er sterben. 39 Alle Leviten zusammen, die
Mose mit Aaron zählte nach ihren Ge-
schlechtern nach dem Wort des HERRN,
alles, was männlich war, einen Monat alt
und darüber, waren 22 000.

DIE AUSLÖSUNG DER ERSTGEBURT

40 Und der HERR sprach zu Mose: Zähle
alle Erstgeburt, was männlich ist unter
den Israeliten, einen Monat alt und dar-
über, und nimm die Zahl ihrer Namen
auf. 41 Und du sollst mir [a]die Leviten ge-
ben – denn ich bin der HERR – statt aller
Erstgeburt der Israeliten und das Vieh der
Leviten statt aller Erstgeburt unter dem
Vieh der Israeliten. 42 Und Mose zählte,
wie ihm der HERR geboten hatte, alle
Erstgeburt unter den Israeliten, 43 und die
Zahl der Namen aller männlichen Erstge-
burt, einen Monat alt und darüber, betrug
22 273.

44 Und der HERR redete mit Mose und
sprach: 45 Nimm die Leviten statt aller
Erstgeburt unter den Israeliten und das
Vieh der Leviten statt ihres Viehs, dass
die Leviten mir gehören sollen. Ich bin
der HERR. 46 Aber als Lösegeld für die 273
Erstgeburten der Israeliten, die die Zahl
der Leviten übersteigen, 47 sollst du fünf
Schekel Silber erheben für jeden Kopf.
Nach dem Gewicht, wie es am Heiligtum
gilt, sollst du sie erheben, der Schekel zu
zwanzig Gramm. 48 Und du sollst das Sil-
ber für die, welche überzählig sind unter
ihnen, Aaron und seinen Söhnen als Lö-
segeld geben.

49 Da nahm Mose das Lösegeld von de-
nen, die die Zahl der Leviten überstiegen.

3,17 *a* 2. Mose 6,16-19 *b* Kap 26,57-64
3,30 *a* 3. Mose 10,4 **3,31** *a* Kap 7,9 **3,41** *a* Kap 18,15

50 Von den Erstgeborenen der Israeliten
nahm er 1365 Schekel Silber nach dem
Gewicht, wie es am Heiligtum gilt, 51 und
gab's Aaron und seinen Söhnen nach dem
Wort des HERRN, wie der HERR es Mose
geboten hatte.

DER DIENST DER LEVITEN BEIM AUFBRUCH DES LAGERS

4 Und der HERR redete mit Mose und
Aaron und sprach: 2 Nimm die Summe
der Söhne Kehat aus den Söhnen Levi auf
nach ihren Geschlechtern und Sippen,
3 von [a]dreißig Jahren an und darüber bis
ins fünfzigste Jahr, alle, die zum Heeres-
dienst taugen, dass sie ihre Arbeit tun an
der Stiftshütte. 4 Dies soll aber das Amt
der Söhne Kehat an der Stiftshütte sein:
der Dienst am Hochheiligen. 5 Wenn das
Heer aufbricht, so sollen Aaron und seine
Söhne hineingehen und den Vorhang ab-
nehmen und die Lade des Gesetzes damit
umhüllen 6 und darauf eine Decke von
Leder legen und oben darauf eine ganz
blaue Decke breiten und ihre Tragstangen
durchstecken 7 und über den Tisch der
Schaubrote auch eine blaue Decke breiten
und darauflegen die Schüsseln und Löffel,
die Schalen und Kannen des Trankopfers,
und das [a]Schaubrot soll darauf liegen.
8 Und sie sollen darüberbreiten eine kar-
mesinrote Decke und sie mit einer Decke
von Leder bedecken und seine Tragstan-
gen durchstecken 9 und sollen eine blaue
Decke nehmen und damit umhüllen den
[a]Leuchter und seine Lampen mit seinen
Dochtscheren und Pfannen und allen Öl-
gefäßen, mit denen man ihn versorgt,
10 und sollen um das alles eine Decke von
Leder tun und sollen es auf Tragstangen
legen. 11 Ebenso sollen sie auch über den
[a]goldenen Altar eine blaue Decke breiten
und sie bedecken mit einer Decke von Le-
der und seine Tragstangen durchstecken.
12 Alle Geräte, womit sie Dienst tun im
Heiligtum, sollen sie nehmen und in eine
blaue Decke tun und sie mit einer Decke
von Leder bedecken und auf Tragstangen
legen. 13 Sie sollen auch die Asche vom Al-
tar fegen und eine Decke von rotem Pur-
pur über ihn breiten 14 und alle seine Ge-
räte darauflegen, womit sie an ihm Dienst
tun: Kohlenpfannen, Gabeln, Schaufeln,
Becken, alle Geräte des Altars; und sollen
darüberbreiten eine Decke von Leder und
seine Tragstangen durchstecken.

15 Wenn nun Aaron und seine Söhne
beim Aufbruch des Heeres dies alles aus-
gerichtet und das Heilige und all sein Ge-
rät bedeckt haben, dann sollen die Söhne
Kehat kommen, [a]um es zu tragen. [b]Sie sol-
len aber das Heilige selbst nicht anrühren,
dass sie nicht sterben. Dies ist es, was die
Söhne Kehat von der Stiftshütte zu tragen
haben. 16 Und Eleasar, dem Sohn Aarons,
des Priesters, ist anvertraut das Öl zum
Licht und die Spezerei zum Räucherwerk
und das tägliche Speisopfer und das Salböl
und die Aufsicht über die ganze Wohnung
und alles, was darin ist an heiligem Gerät.
17 Und der HERR redete mit Mose und
Aaron und sprach: 18 Ihr sollt den Stamm
der Geschlechter der Kehatiter nicht zu-
grunde gehen lassen unter den Leviten,
19 sondern das sollt ihr mit ihnen tun,
damit sie leben und nicht sterben, wenn
sie dem Hochheiligen nahen: Aaron und
seine Söhne sollen hineingehen und einen
jeden anstellen zu seinem Dienst und sei-
ner Traglast. 20 Sie aber sollen nicht selbst
hineingehen, auch nur einen Augenblick
[a]das Heilige zu schauen, dass sie nicht
sterben.

21 Und der HERR redete mit Mose und
sprach: 22 Nimm auch die Summe der
Söhne Gerschon auf nach ihren Sippen
und Geschlechtern, 23 von dreißig Jahren
an und darüber bis ins fünfzigste Jahr, und
stelle alle an, die zum Heer taugen, dass sie
ihren Dienst versehen an der Stiftshütte.
24 Dies soll aber der Dienst der Geschlech-
ter der Gerschoniter sein, was sie tun und
tragen sollen: 25 Sie sollen die Teppiche
der Wohnung, der Stiftshütte, tragen, ihre
Decke und die Decke von Leder, die oben-
drüber ist, und den Vorhang in dem Ein-
gang der Stiftshütte 26 und die Umhänge
des Vorhofs und den Vorhang in der Tür
des Tors am Vorhof, der die Wohnung und
den Altar umgibt, und ihre Seile und alle
Geräte ihres Dienstes; und alles, was dafür
zu tun ist, das sollen sie tun. 27 Nach dem
Wort Aarons und seiner Söhne soll aller

4,3 *a* Kap 8,24-25; 1. Chr 23,24 **4,7** *a* 2. Mose 25,30
4,9 *a* 2. Mose 25,31 **4,11** *a* 2. Mose 40,26-27
4,15 *a* Kap 7,9 *b* 2. Sam 6,6-7 **4,20** *a* 1. Sam 6,19

Dienst der Gerschoniter geschehen, alles,
was sie tragen und tun sollen, und ihr sollt
zusehen, dass sie alles ausrichten, was sie
zu tragen haben. 28 Das soll der Dienst der
Geschlechter der Gerschoniter sein an der
Stiftshütte, und ihr Dienst soll geschehen
[a]unter der Aufsicht Itamars, des Sohnes
Aarons, des Priesters.

29 Die Söhne Merari nach ihren Ge-
schlechtern und Sippen sollst du auch be-
stellen, 30 von dreißig Jahren an und dar-
über bis ins fünfzigste Jahr, alle, die zum
Heer taugen, dass sie ihren Dienst ver-
sehen an der Stiftshütte. 31 Dies alles soll
ihr Dienst an der Stiftshütte sein, dass sie
tragen die Bretter der Wohnung und ihre
Riegel und Säulen und Füße, 32 dazu die
Säulen um den Vorhof und ihre Füße und
Pflöcke und Seile mit allen ihren Geräten,
ganz wie es ihr Dienst erfordert. Und ihr
sollt ihnen die einzelnen Geräte zuwei-
sen, die sie zu tragen haben. 33 Das sei der
Dienst der Geschlechter der Söhne Me-
rari, alles, was sie ausrichten sollen an der
Stiftshütte unter der Aufsicht Itamars, des
Sohnes Aarons, des Priesters.

34 Und Mose und Aaron samt den Fürs-
ten der Gemeinde zählten die Kehatiter
nach ihren Geschlechtern und Sippen,
35 von dreißig Jahren an und darüber bis
ins fünfzigste, alle, die zum Heer tau-
gen, dass sie ihren Dienst versehen an der
Stiftshütte. 36 Und ihre Summe war 2750.
37 Das ist die Summe der Geschlechter der
Kehatiter, aller, die zu dienen hatten an
der Stiftshütte und die Mose und Aaron
zählten nach dem Wort des HERRN, das
durch Mose ergangen war.

38 Die Söhne Gerschon wurden auch ge-
zählt nach ihren Geschlechtern und Sip-
pen, 39 von dreißig Jahren an und darüber
bis ins fünfzigste, alle, die zum Heer tau-
gen, dass sie ihren Dienst versehen an der
Stiftshütte. 40 Und ihre Summe war 2630.
41 Das ist die Summe der Geschlechter
der Söhne Gerschon, aller, die zu dienen
hatten an der Stiftshütte und die Mose
und Aaron zählten nach dem Wort des
HERRN.

42 Die Söhne Merari wurden auch ge-
zählt nach ihren Geschlechtern und Sip-
pen, 43 von dreißig Jahren an und darüber
bis ins fünfzigste, alle, die zum Heer tau-
gen, dass sie ihren Dienst versehen an der
Stiftshütte. 44 Und ihre Summe war 3200.
45 Das ist die Summe der Geschlechter der
Söhne Merari, die Mose und Aaron zähl-
ten nach dem Wort des HERRN, das durch
Mose ergangen war.

46 Die Summe aller Leviten, die Mose
und Aaron samt den Fürsten Israels zähl-
ten nach ihren Geschlechtern und Sippen,
47 von dreißig Jahren an und darüber bis ins
fünfzigste, aller, die den Dienst versehen
an der Stiftshütte, nämlich Arbeit zu ver-
richten oder Last zu tragen, 48 war 8580.
49 Sie wurden bestellt nach dem Wort des
HERRN, das durch Mose ergangen war, ein
jeder zu seinem Dienst und seiner Trag-
last, wie der HERR es Mose geboten hatte.

VERFAHREN BEI UNREINHEIT, BEI VERSÜNDIGUNG UND BEI VERDACHT VON EHEBRUCH

5 Und der HERR redete mit Mose und
sprach: 2 Gebiete den Israeliten, dass sie
[a]aus dem Lager schicken alle Aussätzigen
und [b]alle, die Eiterfluss haben und [c]die an
Toten unrein geworden sind. 3 Männer
wie Frauen sollt ihr [a]hinausschicken vor
das Lager, dass sie nicht das Lager unrein
machen, darin [b]ich unter euch wohne.
4 Und die Israeliten taten so und schick-
ten sie hinaus vor das Lager, wie der HERR
zu Mose geredet hatte.

5 Und der HERR redete mit Mose und
sprach: 6 [a]Sage den Israeliten: Wenn ein
Mann oder eine Frau irgendeine Sünde
gegen einen Menschen tut und sich damit
an dem HERRN versündigt, so liegt eine
Schuld auf ihnen. 7 Und sie sollen ihre
Sünde bekennen, die sie getan haben, und
sollen ihre Schuld voll erstatten und dar-
über hinaus den fünften Teil dazutun und
dem geben, an dem sie sich verschuldet
haben. 8 Ist aber niemand da, dem man's
erstatten kann, so soll man's dem HERRN
geben für den Priester zusammen mit
dem Widder der Versöhnung, mit dem
der Priester für ihn die Sühnung vollzieht.
9 Desgleichen sollen alle Abgaben von al-
len heiligen Gaben der Israeliten, die sie
dem Priester bringen, dem Priester gehö-

4,28 *a* 2. Mose 38,21 **5,2** *a* 3. Mose 13,46 *b* 3. Mose 15,2 *c* Kap 9,6-7 **5,3** *a* Kap 12,14-15 *b* 2. Mose 25,8 **5,6** *a* (6-8) 3. Mose 5,21-26

ren.[a] 10 Und was jemand heiligt, das soll
ihm gehören; aber was jemand dem Pries-
ter gibt, das soll diesem gehören.
11 Und der HERR redete mit Mose und
sprach: 12 Sage den Israeliten und sprich
zu ihnen: Wenn irgendeines Mannes Frau
ihm untreu wird und sich an ihm versün-
digt 13 und jemand bei ihr liegt und es
bliebe dem Mann verborgen und es würde
nicht entdeckt, dass sie unrein geworden
ist, und es ist kein Zeuge wider sie da, denn
sie ist nicht dabei ergriffen worden, 14 und
der Geist der Eifersucht kommt über ihn,
dass er auf seine Frau eifersüchtig wird,
sie sei unrein oder nicht unrein: 15 so soll
der Mann sie zum Priester bringen und ein
Opfer ihretwegen darbringen, ein zehntel
Scheffel Gerstenmehl, und er soll kein Öl
daraufgießen noch Weihrauch darauftun.
Denn es ist ein Eifersuchtsopfer, ein Erin-
nerungsopfer, das Schuld ans Licht bringt.
16 Und der Priester soll sie heranführen
und vor den HERRN stellen 17 und heiliges
Wasser nehmen in ein irdenes Gefäß
und Staub vom Boden der Stiftshütte ins
Wasser tun. 18 Und er soll die Frau vor den
HERRN stellen und ihr Haupthaar lösen
und das Erinnerungsopfer, das ein Eifer-
suchtsopfer ist, auf ihre Hand legen. Und
der Priester soll in seiner Hand das bittere,
fluchbringende Wasser haben 19 und soll
die Frau beschwören und zu ihr sagen: Hat
kein Mann bei dir gelegen und bist du dei-
nem Mann nicht untreu geworden, dass
du dich unrein gemacht hast, so soll dir
dies bittere, fluchbringende Wasser nicht
schaden. 20 Wenn du aber deinem Mann
untreu geworden bist, dass du unrein
wurdest, und hat jemand bei dir gelegen
außer deinem Mann, – 21 so soll der Pries-
ter mit einem Verwünschungsschwur die
Frau beschwören und zu ihr sagen: Der
HERR mache deinen Namen zum Fluch
und zur Verwünschung unter deinem
Volk, dadurch, dass der HERR deine Hüfte
schwinden und deinen Bauch schwellen
lässt. 22 So gehe nun das fluchbringende
Wasser in deinen Leib, dass dein Bauch
schwelle und deine Hüfte schwinde! Und
die Frau soll sagen: Amen! Amen!
23 Dann soll der Priester diese Flüche auf
einen Zettel schreiben und mit dem bitte-
ren Wasser abwaschen 24 und soll der Frau
von dem [a]bitteren, fluchbringenden Was-
ser zu trinken geben. Und wenn das fluch-
bringende, bittere Wasser in sie gegangen
ist, 25 soll der Priester von ihrer Hand das
Eifersuchtsopfer nehmen und als Speis-
opfer vor dem HERRN schwingen und auf
dem Altar opfern, nämlich: 26 er soll eine
Handvoll vom Speisopfer nehmen als Ge-
denkopfer und es auf dem Altar in Rauch
aufgehen lassen und danach der Frau das
Wasser zu trinken geben.
27 Und wenn sie das Wasser getrunken
hat und unrein ist und sich an ihrem Mann
versündigt hat, so wird das fluchbrin-
gende Wasser in sie gehen und ihr zum
Verderben werden, dass ihr der Bauch
schwellen und die Hüfte schwinden wird,
und es wird die Frau zum Fluch werden
unter ihrem Volk. 28 Hat sich aber eine sol-
che Frau nicht unrein gemacht, sondern ist
sie rein, so wird's ihr nicht schaden und sie
kann schwanger werden.
29 Das also ist die Ordnung bei Eifer-
sucht: Wenn eine Frau ihrem Mann untreu
ist und unrein wird 30 oder wenn der Geist
der Eifersucht über einen Mann kommt
und er auf seine Frau eifersüchtig wird, so
stelle er sie vor den HERRN und der Pries-
ter tue mit ihr alles nach diesem Gesetz.
31 Und der Mann soll frei sein von Schuld;
aber die Frau soll ihre Schuld tragen.

DIE ORDNUNG FÜR DIE GOTTGEWEIHTEN

6 Und der HERR redete mit Mose und
sprach: 2 Sage den Israeliten und sprich
zu ihnen: Wenn jemand, Mann oder Frau,
das besondere Gelübde tut, sich dem
HERRN zu weihen,[a] 3 so soll er sich [a]des
Weins und starken Getränkes enthalten;
Würzwein und starken Würztrank soll er
auch nicht trinken, auch nichts, was aus
Weinbeeren gemacht wird; er soll weder
frische noch gedörrte Weinbeeren essen.
4 Solange er geweiht ist, soll er nichts es-
sen vom Ertrag des Weinstocks, von den
unreifen bis zu den überreifen Trauben.
5 Solange sein Gelübde währt, soll kein
[a]Schermesser über sein Haupt fahren. Bis
die Zeit um ist, für die er sich dem HERRN

5,9 *a* Kap 18,8 **5,24** *a* Ps 109,18 **6,2** *a* 1. Sam 1,11; Ri 13,5
6,3 *a* Am 2,11-12; Lk 1,15 **6,5** *a* Ri 13,5

geweiht hat, ist er heilig und soll das Haar
auf seinem Haupt frei wachsen lassen.
6 Während der ganzen Zeit, für die er
sich dem HERRN geweiht hat, soll er zu
keinem Toten gehen. 7 Er soll sich auch
[a]nicht unrein machen beim Tode seines
Vaters, seiner Mutter, seines Bruders oder
seiner Schwester; denn die Weihe für sei-
nen Gott ist auf seinem Haupt. 8 Solange er
geweiht ist, soll er dem HERRN heilig sein.
9 Wenn aber jemand neben ihm plötzlich
stirbt und dadurch sein geweihtes Haupt
unrein wird, so soll er sein Haupt scheren
an dem Tage, da er wieder rein wird, das
ist [a]am siebenten Tage. 10 Und am achten
Tage soll er [a]zwei Turteltauben oder zwei
andere Tauben zum Priester bringen vor
den Eingang der Stiftshütte. 11 Und der
Priester soll die eine als Sündopfer und
die andere als Brandopfer darbringen und
ihn entsühnen, weil er sich an einem To-
ten verunreinigt und dadurch versündigt
hat. Dann soll er sein Haupt an demselben
Tage von Neuem heiligen, 12 dass er sich
dem HERRN weihe, solange sein Gelübde
währt. Und er soll ein einjähriges Lamm
bringen als Schuldopfer. Aber die vorigen
Tage sollen umsonst gewesen sein, weil
seine Weihe ungültig geworden war.
13 Dies ist die Ordnung für den Gottge-
weihten: Wenn die Zeit seines Gelübdes
um ist, so soll man ihn vor den Eingang
der Stiftshütte führen. 14 Und er soll dem
HERRN sein Opfer bringen, ein einjäh-
riges Lamm ohne Fehler als Brandopfer
und ein einjähriges Lamm ohne Fehler als
Sündopfer und einen Widder ohne Fehler
als Dankopfer 15 und einen Korb mit un-
gesäuerten Kuchen von feinem Mehl, mit
Öl vermengt, und ungesäuerte Fladen,
mit Öl bestrichen, und was dazugehört an
Speisopfern und Trankopfern. 16 Und der
Priester soll's vor den HERRN bringen und
soll sein Sündopfer und sein Brandopfer
zurichten. 17 Und den Widder soll er dem
HERRN als Dankopfer zurichten samt
dem Korbe mit dem ungesäuerten Brot
und soll auch sein Speisopfer und sein
Trankopfer darbringen. 18 Und der Ge-
weihte [a]soll sein geweihtes Haupt scheren
vor dem Eingang der Stiftshütte und soll
sein geweihtes Haupthaar nehmen und
aufs Feuer werfen, das unter dem Dank-
opfer brennt. 19 Und der Priester soll eine
gekochte Vorderkeule von dem Widder
nehmen und einen ungesäuerten Kuchen
aus dem Korbe und einen ungesäuerten
Fladen und soll's dem Geweihten auf
seine Hände legen, nachdem er sein ge-
weihtes Haar abgeschoren hat. 20 Und [a]der
Priester soll's vor dem HERRN schwingen.
Das ist der heilige Anteil für den Priester
samt der Brust des Schwingopfers und der
Keule des Hebopfers. Danach darf der Ge-
weihte Wein trinken.
21 Das ist die Ordnung für den Gottge-
weihten, der sein Opfer dem HERRN ge-
lobt hat, wegen seines Gelübdes, abgese-
hen von dem, was er sonst noch vermag.
Wie er gelobt hat, soll er tun nach der Ord-
nung seines Gelübdes.

DER PRIESTERLICHE SEGEN

22 Und der HERR redete mit Mose und
sprach: 23 Sage Aaron und seinen Söh-
nen und sprich: So sollt ihr sagen zu den
Israeliten, wenn ihr sie [a]segnet: 24 **Der
HERR segne dich und behüte dich;**[a]
25 **der HERR lasse sein Angesicht leuch-
ten über dir und sei dir gnädig;**[a] 26 **der
HERR hebe sein Angesicht über dich
und gebe dir Frieden.**[a] 27 So sollen sie
meinen Namen auf die Israeliten legen,
dass ich sie segne.

WEIHEGABEN DER STAMMESFÜRSTEN ZUR EINWEIHUNG DER STIFTSHÜTTE

7 Und als Mose die Wohnung aufgerich-
tet und sie gesalbt und geheiligt hatte
mit all ihrem Gerät, dazu auch den Altar
mit all seinem Gerät gesalbt und geheiligt
hatte,[a] 2 da opferten die Fürsten Israels,
die Häupter waren in ihren Sippen; denn
sie waren die Fürsten unter den Stämmen
und standen über denen, die gezählt wa-
ren. 3 Und sie brachten ihre Gabe vor den
HERRN: sechs bedeckte Wagen und zwölf
Rinder, je einen Wagen für zwei Fürsten
und je einen Stier für einen Fürsten, und
sie brachten sie vor die Wohnung.

6,7 *a* 3. Mose 21,11 **6,9** *a* Kap 19,11.14.16
6,10 *a* 3. Mose 5,7 **6,18** *a* Apg 18,18
6,20 *a* 2. Mose 29,23-24.27 **6,23** *a* 3. Mose 9,22-23;
5. Mose 10,8 **6,24** *a* 1. Mose 24,1.35; Ps 121,1-8
6,25 *a* 2. Mose 34,6-7; Ps 80,4 **6,26** *a* Ps 69,17-18;
85,9; Jes 57,19 **7,1** *a* 2. Mose 40,9-10.17

4 Und der HERR sprach zu Mose:
5 Nimm’s von ihnen für den Dienst an der
Stiftshütte und gib’s den Leviten, einem
jeden für seinen Dienst. 6 Da nahm Mose
die Wagen und Rinder und gab sie den Le-
viten. 7 Zwei Wagen und vier Rinder gab
er den Söhnen Gerschon für ihren Dienst.
8 Und vier Wagen und acht Rinder gab er
den Söhnen Merari für ihren Dienst unter
der Aufsicht [a]Itamars, des Sohnes Aarons,
des Priesters. 9 Den Söhnen Kehat aber gab
er nichts, weil sie den Dienst am Heilig-
tum hatten und dies [a]auf ihren Schultern
tragen mussten.

10 Und die Fürsten opferten zur Einwei-
hung des Altars an dem Tage, da er gesalbt
wurde, und brachten ihre Gabe vor den
Altar. 11 Und der HERR sprach zu Mose:
Lass an jedem Tag je einen [a]Fürsten sein
Opfer bringen zur Einweihung des Altars.

12 Am ersten Tage brachte seine Gabe
Nachschon, der Sohn Amminadabs, vom
Stamme Juda. 13 Und seine Gabe war eine
silberne Schüssel, hundertdreißig Schekel
schwer, eine silberne Schale, siebzig Sche-
kel schwer nach dem Münzgewicht des
Heiligtums, beide voll feinem Mehl, mit
Öl vermengt, zum Speisopfer, 14 dazu ein
goldener Löffel, zehn Schekel schwer, voll
Räucherwerk, 15 ein junger Stier, ein Wid-
der, ein einjähriges Lamm zum Brand-
opfer, 16 ein Ziegenbock zum Sündopfer
17 und zum Dankopfer zwei Rinder, fünf
Widder, fünf Böcke und fünf einjährige
Lämmer. Das ist die Gabe Nachschons,
des Sohnes Amminadabs.

18 Am zweiten Tage brachte Netanel,
der Sohn Zuars, der Fürst Issachars seine
Gabe. 19 Seine Gabe war eine silberne
Schüssel, hundertdreißig Schekel schwer,
eine silberne Schale, siebzig Schekel
schwer nach dem Münzgewicht des Hei-
ligtums, beide voll feinem Mehl, mit Öl
vermengt, zum Speisopfer, 20 dazu ein
goldener Löffel, zehn Schekel schwer,
voll Räucherwerk, 21 ein junger Stier,
ein Widder, ein einjähriges Lamm zum
Brandopfer, 22 ein Ziegenbock zum Sünd-
opfer 23 und zum Dankopfer zwei Rinder,
fünf Widder, fünf Böcke und fünf einjäh-
rige Lämmer. Das ist die Gabe Netanels,
des Sohnes Zuars.

24 Am dritten Tage der Fürst der Sebulon-
iter, Eliab, der Sohn Helons. 25 Seine Gabe
war eine silberne Schüssel, hundertdrei-
ßig Schekel schwer, eine silberne Schale,
siebzig Schekel schwer nach dem Münz-
gewicht des Heiligtums, beide voll feinem
Mehl, mit Öl vermengt, zum Speisopfer,
26 dazu ein goldener Löffel, zehn Schekel
schwer, voll Räucherwerk, 27 ein junger
Stier, ein Widder, ein einjähriges Lamm
zum Brandopfer, 28 ein Ziegenbock zum
Sündopfer 29 und zum Dankopfer zwei
Rinder, fünf Widder, fünf Böcke und fünf
einjährige Lämmer. Das ist die Gabe Eli-
abs, des Sohnes Helons.

30 Am vierten Tage der Fürst der Ruben-
iter, Elizur, der Sohn Schedëurs. 31 Seine
Gabe war eine silberne Schüssel, hun-
dertdreißig Schekel schwer, eine silberne
Schale, siebzig Schekel schwer nach dem
Münzgewicht des Heiligtums, beide voll
feinem Mehl, mit Öl vermengt, zum
Speisopfer, 32 dazu ein goldener Löffel,
zehn Schekel schwer, voll Räucherwerk,
33 ein junger Stier, ein Widder, ein ein-
jähriges Lamm zum Brandopfer, 34 ein
Ziegenbock zum Sündopfer 35 und zum
Dankopfer zwei Rinder, fünf Widder,
fünf Böcke und fünf einjährige Lämmer.
Das ist die Gabe Elizurs, des Sohnes Sche-
dëurs.

36 Am fünften Tage der Fürst der Si-
meoniter, Schelumiël, der Sohn Zuri-
schaddais. 37 Seine Gabe war eine silberne
Schüssel, hundertdreißig Schekel schwer,
eine silberne Schale, siebzig Schekel
schwer nach dem Münzgewicht des Hei-
ligtums, beide voll feinem Mehl, mit Öl
vermengt, zum Speisopfer, 38 dazu ein
goldener Löffel, zehn Schekel schwer, voll
Räucherwerk, 39 ein junger Stier, ein Wid-
der, ein einjähriges Lamm zum Brand-
opfer, 40 ein Ziegenbock zum Sündopfer
41 und zum Dankopfer zwei Rinder, fünf
Widder, fünf Böcke und fünf einjährige
Lämmer. Das ist die Gabe Schelumiëls,
des Sohnes Zurischaddais.

42 Am sechsten Tage der Fürst der Gad-
iter, Eljasaf, der Sohn Deguëls. 43 Seine
Gabe war eine silberne Schüssel, hun-
dertdreißig Schekel schwer, eine silberne

7,8 *a* Kap 4,28.33 **7,9** *a* Kap 4,15
7,11 *a* Kap 1,4-16; 2,3-29

Schale, siebzig Schekel schwer nach dem
Münzgewicht des Heiligtums, beide voll
feinem Mehl, mit Öl vermengt, zum
Speisopfer, 44 dazu ein goldener Löffel,
zehn Schekel schwer, voll Räucherwerk,
45 ein junger Stier, ein Widder, ein ein-
jähriges Lamm zum Brandopfer, 46 ein
Ziegenbock zum Sündopfer 47 und zum
Dankopfer zwei Rinder, fünf Widder,
fünf Böcke, fünf einjährige Lämmer. Das
ist die Gabe Eljasafs, des Sohnes Deguëls.

48 Am siebenten Tage der Fürst der Eph-
raimiter, Elischama, der Sohn Ammihuds.
49 Seine Gabe war eine silberne Schüssel,
hundertdreißig Schekel schwer, eine sil-
berne Schale, siebzig Schekel schwer nach
dem Münzgewicht des Heiligtums, beide
voll feinem Mehl, mit Öl vermengt, zum
Speisopfer, 50 dazu ein goldener Löffel,
zehn Schekel schwer, voll Räucherwerk,
51 ein junger Stier, ein Widder, ein ein-
jähriges Lamm zum Brandopfer, 52 ein
Ziegenbock zum Sündopfer 53 und zum
Dankopfer zwei Rinder, fünf Widder, fünf
Böcke, fünf einjährige Lämmer. Das ist die
Gabe Elischamas, des Sohnes Ammihuds.

54 Am achten Tage der Fürst der Ma-
nassiter, Gamliël, der Sohn Pedazurs.
55 Seine Gabe war eine silberne Schüssel,
hundertdreißig Schekel schwer, eine sil-
berne Schale, siebzig Schekel schwer nach
dem Münzgewicht des Heiligtums, beide
voll feinem Mehl, mit Öl vermengt, zum
Speisopfer, 56 dazu ein goldener Löffel,
zehn Schekel schwer, voll Räucherwerk,
57 ein junger Stier, ein Widder, ein ein-
jähriges Lamm zum Brandopfer, 58 ein
Ziegenbock zum Sündopfer 59 und zum
Dankopfer zwei Rinder, fünf Widder,
fünf Böcke, fünf einjährige Lämmer.
Das ist die Gabe Gamliëls, des Sohnes
Pedazurs.

60 Am neunten Tage der Fürst der Ben-
jaminiter, Abidan, der Sohn des Gidoni.
61 Seine Gabe war eine silberne Schüssel,
hundertdreißig Schekel schwer, eine sil-
berne Schale, siebzig Schekel schwer nach
dem Münzgewicht des Heiligtums, beide
voll feinem Mehl, mit Öl vermengt, zum
Speisopfer, 62 dazu ein goldener Löffel,
zehn Schekel schwer, voll Räucherwerk,
63 ein junger Stier, ein Widder, ein ein-
jähriges Lamm zum Brandopfer, 64 ein
Ziegenbock zum Sündopfer 65 und zum
Dankopfer zwei Rinder, fünf Widder,
fünf Böcke, fünf einjährige Lämmer. Das
ist die Gabe Abidans, des Sohnes des
Gidoni.

66 Am zehnten Tage der Fürst der Dan-
iter, Ahiëser, der Sohn Ammischaddais.
67 Seine Gabe war eine silberne Schüssel,
hundertdreißig Schekel schwer, eine sil-
berne Schale, siebzig Schekel schwer nach
dem Münzgewicht des Heiligtums, beide
voll feinem Mehl, mit Öl vermengt, zum
Speisopfer, 68 dazu ein goldener Löffel,
zehn Schekel schwer, voll Räucherwerk,
69 ein junger Stier, ein Widder, ein ein-
jähriges Lamm zum Brandopfer, 70 ein
Ziegenbock zum Sündopfer 71 und zum
Dankopfer zwei Rinder, fünf Widder,
fünf Böcke, fünf einjährige Lämmer. Das
ist die Gabe Ahiësers, des Sohnes Ammi-
schaddais.

72 Am elften Tage der Fürst der Asseriter,
Pagiël, der Sohn Ochrans. 73 Seine Gabe
war eine silberne Schüssel, hundertdrei-
ßig Schekel schwer, eine silberne Schale,
siebzig Schekel schwer nach dem Münz-
gewicht des Heiligtums, beide voll feinem
Mehl, mit Öl vermengt, zum Speisopfer,
74 dazu ein goldener Löffel, zehn Schekel
schwer, voll Räucherwerk, 75 ein junger
Stier, ein Widder, ein einjähriges Lamm
zum Brandopfer, 76 ein Ziegenbock zum
Sündopfer 77 und zum Dankopfer zwei
Rinder, fünf Widder, fünf Böcke, fünf
einjährige Lämmer. Das ist die Gabe Pagi-
ëls, des Sohnes Ochrans.

78 Am zwölften Tage der Fürst der Nafta-
liter, Ahira, der Sohn Enans. 79 Seine Gabe
war eine silberne Schüssel, hundertdrei-
ßig Schekel schwer, eine silberne Schale,
siebzig Schekel schwer nach dem Münz-
gewicht des Heiligtums, beide voll feinem
Mehl, mit Öl vermengt, zum Speisopfer,
80 dazu ein goldener Löffel, zehn Schekel
schwer, voll Räucherwerk, 81 ein junger
Stier, ein Widder, ein einjähriges Lamm
zum Brandopfer, 82 ein Ziegenbock zum
Sündopfer 83 und zum Dankopfer zwei
Rinder, fünf Widder, fünf Böcke, fünf
einjährige Lämmer. Das ist die Gabe Ahi-
ras, des Sohnes Enans.

84 Das war die Gabe der Fürsten Israels
zur Einweihung des Altars zur Zeit, da er

gesalbt wurde: zwölf silberne Schüsseln,
zwölf silberne Schalen, zwölf goldene
Löffel, 85 jede Schüssel hundertdreißig
Schekel Silber und jede Schale siebzig
Schekel schwer. Die Summe des Silbers
aller Gefäße betrug zweitausendvierhun-
dert Schekel nach dem Münzgewicht des
Heiligtums. 86 Und von den zwölf golde-
nen Löffeln voll Räucherwerk hatte jeder
zehn Schekel nach dem Münzgewicht
des Heiligtums, sodass die Summe des
Goldes der Löffel hundertzwanzig Sche-
kel betrug. 87 Die Summe der Tiere zum
Brandopfer war zwölf junge Stiere, zwölf
Widder, zwölf einjährige Lämmer samt
ihren Speisopfern und zwölf Ziegenbö-
cke zum Sündopfer. 88 Und die Summe der
Tiere zum Dankopfer war vierundzwan-
zig junge Stiere, sechzig Widder, sechzig
Böcke, sechzig einjährige Lämmer. Das
war die Einweihung des Altars, als er ge-
salbt wurde.

89 Und als Mose in die Stiftshütte ging,
um mit dem HERRN zu reden, da hörte er
die Stimme zu sich reden von dem [a]Gna-
denstuhl, der auf der Lade mit dem Gesetz
war, zwischen den beiden Cherubim; und
[b]er redete zu ihm.

DER GOLDENE LEUCHTER

8 Und der HERR redete mit Mose und
sprach: 2 [a]Rede mit Aaron und sprich
zu ihm: Wenn du die Lampen aufsetzt,
sollst du sie so setzen, dass sie alle sieben
von dem Leuchter nach vorn scheinen.
3 Und Aaron tat so und setzte die Lampen
auf, dass sie von dem Leuchter nach vorn
schienen, wie der HERR es Mose geboten
hatte. 4 Der Leuchter aber war getriebenes
Gold, sein Schaft und seine Blumen. Nach
dem Bild, das der HERR dem Mose gezeigt
hatte, machte er den Leuchter.

WEIHE DER LEVITEN

5 Und der HERR redete mit Mose und
sprach: 6 Nimm aus den Israeliten die Le-
viten und reinige sie. 7 So sollst du aber mit
ihnen tun, wenn du sie reinigst: [a]Du sollst
Wasser zur Entsündigung auf sie spren-
gen, und sie sollen [b]alle ihre Haare ganz
abscheren und ihre Kleider waschen und
sich so reinigen. 8 Dann sollen sie einen
jungen Stier nehmen und dazu als Speis-
opfer feines Mehl, mit Öl vermengt. Und
einen andern jungen Stier sollst du zum
Sündopfer nehmen 9 und sollst die Leviten
vor die Stiftshütte bringen und die ganze
Gemeinde der Israeliten versammeln
10 und die Leviten vor den HERRN brin-
gen. Und die Israeliten sollen ihre Hände
auf die Leviten legen, 11 und [a]Aaron soll
die Leviten vor dem HERRN darbringen
als Schwingopfer von den Israeliten, da-
mit sie den Dienst des HERRN versehen
können. 12 Und die Leviten sollen ihre
Hände auf den Kopf der jungen Stiere
legen, und der eine soll zum Sündopfer,
der andere zum Brandopfer dem HERRN
dargebracht werden, um für die Leviten
Sühne zu schaffen. 13 Und du sollst die
Leviten vor Aaron und seine Söhne stel-
len und dem HERRN als Schwingopfer
darbringen 14 und sollst so die Leviten ab-
sondern von den Israeliten, [a]dass sie mir
gehören.

15 Danach sollen sie hineingehen, um
in der Stiftshütte Dienst zu tun. So sollst
du sie reinigen und als Schwingopfer
darbringen; 16 denn sie sind mir als Gabe
übergeben aus der Mitte der Israeliten,
und [a]ich habe sie mir genommen statt al-
lem, was zuerst den Mutterschoß durch-
bricht, nämlich statt der Erstgeburt aller
Israeliten. 17 Denn alle Erstgeburt unter
den Israeliten gehört mir, von Menschen
und Vieh. [a]An dem Tage, da ich alle Erst-
geburt in Ägyptenland schlug, heiligte ich
sie mir 18 und nahm die Leviten statt al-
ler Erstgeburt unter den Israeliten 19 und
[a]gab sie aus der Mitte der Israeliten zur
Gabe Aaron und seinen Söhnen, damit
sie ihren Dienst tun für die Israeliten in
der Stiftshütte und für sie Sühne schaffen,
[b]sodass es nicht unter den Israeliten eine
Plage gibt, wenn sie sich dem Heiligtum
nähern.

20 Mose und Aaron samt der ganzen Ge-
meinde der Israeliten taten mit den Levi-
ten alles, wie der HERR es Mose geboten
hatte. 21 Und die Leviten entsündigten
sich und wuschen ihre Kleider, und Aaron

7,89 *a* 2. Mose 25,17-22 *b* 2. Mose 29,42; 33,7;
1. Sam 3,3-14 **8,2** *a* (2-4) 2. Mose 25,9.31-40
8,7 *a* Kap 19,9.17 *b* 3. Mose 14,8 **8,11** *a* 2. Mose 29,24
8,14 *a* Kap 3,45 **8,16** *a* Kap 3,12-13 **8,17** *a* 2. Mose 13,2
8,19 *a* Kap 3,9 *b* Kap 1,53

brachte die Leviten vor dem HERRN als
Schwingopfer dar und schaffte für sie
Sühne, dass sie rein wurden. 22 Danach
gingen sie hin, um in der Stiftshütte ihren
Dienst zu tun vor Aaron und seinen Söhnen. Wie der HERR es Mose geboten hatte
über die Leviten, so taten sie mit ihnen.

DIENSTALTER DER LEVITEN

23 Und der HERR redete mit Mose und
sprach: 24 Das ist's, was für die Leviten
gilt: Von [a]fünfundzwanzig Jahren an und
darüber sollen alle, die zum Heer taugen,
ihren Dienst tun in der Stiftshütte, 25 aber
von dem fünfzigsten Jahr an sollen sie sich
zurückziehen und nicht mehr Dienst tun,
26 sondern nur ihren Brüdern helfen beim
Dienst an der Stiftshütte; das Amt aber
sollen sie nicht mehr ausüben. So sollst du
mit den Leviten tun, dass ein jeder seinen
Dienst versehe.

DIE PASSAFEIER

(vgl. 2. Mose 12,1-28; 3. Mose 23,5-8)

9 Und der HERR redete mit Mose in der
Wüste Sinai im zweiten Jahr, nachdem
sie aus Ägyptenland gezogen waren, im
ersten Monat und sprach: 2 Lass die Israeliten Passa halten zur festgesetzten Zeit;
3 am vierzehnten Tage dieses Monats gegen Abend zur festgesetzten Zeit sollt ihr
es halten nach all seinen Satzungen und
Ordnungen.

4 Und Mose redete mit den Israeliten,
dass sie das Passa hielten. 5 Und sie hielten Passa am vierzehnten Tage des ersten
Monats gegen Abend in der Wüste Sinai;
ganz wie der HERR es Mose geboten hatte,
so taten die Israeliten.

6 Da waren einige Männer [a]unrein geworden an einem toten Menschen, sodass
sie nicht Passa halten konnten an diesem
Tage. Die traten vor Mose und Aaron
am selben Tage 7 und sprachen zu ihm:
Wir sind unrein geworden an einem toten Menschen. Warum sollen wir ausgeschlossen sein und unsere Gabe nicht dem
HERRN bringen dürfen zur festgesetzten
Zeit mit den Israeliten? 8 Mose sprach zu
ihnen: Wartet, ich will hören, was euch
der HERR gebietet.

9 Und der HERR redete mit Mose und
sprach: 10 Sage den Israeliten: Wenn jemand unter euch oder unter euren Nachkommen unrein geworden ist an einem
Toten oder auf einer weiten Reise ist, so
soll er dennoch dem HERRN Passa halten,
11 aber erst im zweiten Monat am vierzehnten Tage gegen Abend, und soll es mit
ungesäuertem Brot und bitteren Kräutern
essen. 12 Und sie sollen nichts davon übrig
lassen bis zum Morgen, auch keinen Knochen davon zerbrechen und sollen's ganz
nach der Ordnung des Passa halten. 13 Wer
aber rein ist und wer nicht auf einer Reise
ist und unterlässt es, das Passa zu halten,
der soll ausgerottet werden aus seinem
Volk, weil er seine Gabe nicht zur festgesetzten Zeit dem HERRN gebracht hat. Er
soll seine Sünde tragen. 14 Und wenn ein
Fremdling bei euch wohnt und auch dem
HERRN Passa halten will, so soll er's halten nach der Satzung und der Ordnung
des Passa. Einerlei Satzung soll bei euch
sein für den Fremdling wie für den Einheimischen.

WOLKE UND FEUERSCHEIN ÜBER DER STIFTSHÜTTE

15 Und an dem Tage, da die Wohnung aufgerichtet wurde, bedeckte eine [a]Wolke
die Wohnung, die Hütte des Zeugnisses*,
und vom Abend bis zum Morgen stand
sie über der Wohnung wie ein feuriger
Schein. 16 So geschah es die ganze Zeit,
dass die Wolke sie bedeckte und bei Nacht
ein feuriger Schein. 17 Sooft sich aber die
Wolke von dem Zelt erhob, brachen die
Israeliten auf; und wo die Wolke sich niederließ, da lagerten sich die Israeliten.[a]
18 Nach dem Wort des HERRN brachen sie
auf, und nach seinem Wort lagerten sie
sich. Solange die Wolke auf der Wohnung
blieb, so lange lagerten sie. 19 Und wenn
die Wolke viele Tage stehen blieb über der
Wohnung, so beachteten die Israeliten die
Weisung des HERRN und zogen nicht weiter. 20 Und wenn die Wolke auf der Wohnung nur wenige Tage blieb, so lagerten
sie sich nach dem Wort des HERRN und
brachen auf nach dem Wort des HERRN.
21 Wenn die Wolke da war vom Abend bis

* **9,15** Siehe Sach- und Worterklärungen zu »Stiftshütte«.

8,24 *a* Kap 4,3.23.30.47; 1. Chr 23,3.24 **9,6** *a* Kap 19,11 **9,15** *a* 2. Mose 40,34-35 **9,17** *a* 2. Mose 40,36-38

zum Morgen und sich dann erhob, so zo-
gen sie weiter; oder wenn sie sich bei Tage
oder bei Nacht erhob, so brachen sie auch
auf. 22 Wenn sie aber zwei Tage oder einen
Monat oder noch länger auf der Wohnung
blieb, so lagerten die Israeliten und zogen
nicht weiter; und wenn sie sich dann er-
hob, so brachen sie auf. 23 Denn nach des
HERRN Befehl lagerten sie sich, und nach
des HERRN Befehl brachen sie auf und be-
achteten so die Weisung des HERRN, wie
er sie durch Mose geboten hatte.

VOM BLASEN DER TROMPETEN

10 Und der HERR redete mit Mose und
sprach: 2 Mache dir zwei [a]Trompeten
von getriebenem Silber und gebrauche
sie, um die Gemeinde zusammenzuru-
fen und wenn das Heer aufbrechen soll.
3 Wenn man mit beiden bläst, soll sich bei
dir versammeln die ganze Gemeinde vor
dem Eingang der Stiftshütte. 4 Wenn man
nur mit einer bläst, so sollen sich bei dir
versammeln die Fürsten, die Häupter über
die Tausende in Israel. 5 Wenn ihr aber laut
trompetet, so sollen die Lager aufbrechen,
die nach Osten zu liegen. 6 Und wenn ihr
zum zweiten Mal laut trompetet, so sol-
len die Lager aufbrechen, die nach Süden
zu liegen. Denn wenn sie weiterziehen
sollen, so sollt ihr laut trompeten. 7 Wenn
aber die Gemeinde zu versammeln ist,
sollt ihr nur blasen und nicht laut trompe-
ten. 8 Es sollen aber blasen mit den Trom-
peten die Söhne Aarons, die Priester; und
das soll eine ewige Ordnung sein für euch
und eure Nachkommen.

9 Wenn ihr in den Krieg zieht in eurem
Lande gegen eure Feinde, die euch bedrän-
gen, so sollt ihr laut trompeten mit den
Trompeten, dass euer gedacht werde vor
dem HERRN, eurem Gott, und ihr errettet
werdet vor euren Feinden. 10 Desgleichen,
wenn ihr fröhlich seid [a]an euren Festen
und an euren Neumonden, sollt ihr mit
den Trompeten blasen bei euren Brand-
opfern und Dankopfern, dass sie euch
seien Erinnerungsopfer vor eurem Gott.
Ich bin der HERR, euer Gott.

AUFBRUCH VOM SINAI

11 Am [a]zwanzigsten Tage im zweiten
Monat des zweiten Jahres erhob sich die
Wolke von der Wohnung des Geset-
zes. 12 Und die Israeliten brachen auf aus
der Wüste Sinai, und die Wolke machte
halt in der Wüste Paran. 13 So brachen sie
zum ersten Male auf nach dem Wort des
HERRN durch Mose,[a] 14 nämlich [a]das Ban-
ner des Lagers Juda brach zuerst auf, Heer-
schar nach Heerschar, und über ihr Heer
gebot Nachschon, der Sohn Amminadabs.
15 Und über das Heer des Stammes Issa-
char gebot Netanel, der Sohn Zuars. 16 Und
über das Heer des Stammes Sebulon gebot
Eliab, der Sohn Helons.

17 Dann zerlegte man die Wohnung, und
es brachen auf die Söhne Gerschon und
Merari und trugen die Wohnung. 18 Da-
nach brach auf das Banner des Lagers Ru-
ben, Heerschar nach Heerschar, und über
ihr Heer gebot Elizur, der Sohn Schedëurs.
19 Und über das Heer des Stammes Simeon
gebot Schelumiël, der Sohn Zurischaddais,
20 und Eljasaf, der Sohn Deguëls, über das
Heer des Stammes Gad. 21 Dann brachen
auf die Kehatiter und trugen die heiligen
Geräte; und man richtete die Wohnung
auf, bis diese nachkamen. 22 Danach brach
auf das Banner des Lagers Ephraim, Heer-
schar nach Heerschar, und über ihr Heer
gebot Elischama, der Sohn Ammihuds,
23 und Gamliël, der Sohn Pedazurs, über
das Heer des Stammes Manasse 24 und
Abidan, der Sohn des Gidoni, über das
Heer des Stammes Benjamin. 25 Danach
brach auf das Banner des Lagers Dan als
letztes aller Lager, Heerschar nach Heer-
schar, und Ahiëser, der Sohn Ammischad-
dais, gebot über ihr Heer 26 und Pagiël, der
Sohn Ochrans, über das Heer des Stam-
mes Asser 27 und Ahira, der Sohn Enans,
über das Heer des Stammes Naftali. 28 So
brachen die Israeliten auf, Heerschar nach
Heerschar.

29 Und Mose sprach zu seinem Schwager
[a]Hobab, dem Sohn [b]Reguëls, aus Midian:
Wir brechen auf zu der Stätte, von der der
HERR gesagt hat: »Ich will sie euch geben.«
Komm nun mit uns, so wollen wir Gutes
an dir tun, denn der HERR hat Israel Gu-
tes zugesagt. 30 Er aber antwortete: Ich will

10,2 *a* Kap 31,6 **10,10** *a* 3. Mose 23,24; 2. Kön 11,14; 2. Chr 7,6 **10,11** *a* Kap 1,1 **10,13** *a* Kap 2,1-34 **10,14** *a* 1. Mose 49,8 **10,29** *a* Ri 1,16; 4,11 *b* 2. Mose 2,18; 18,1

nicht mit euch, sondern in mein Land zu meiner Verwandtschaft ziehen. 31 Mose sprach: Verlass uns doch nicht, denn du weißt, wo wir in der Wüste uns lagern sollen, und du sollst unser Auge sein. 32 Und wenn du mit uns ziehst – was der HERR Gutes an uns tut, das wollen wir an dir tun.

33 Sie aber zogen von dem Berge des HERRN drei Tagereisen weit, und die Lade des Bundes des HERRN zog vor ihnen her die drei Tagereisen, um ihnen zu zeigen, wo sie ruhen sollten. 34 Und die [a]Wolke des HERRN war bei Tage über ihnen, wenn sie aus dem Lager zogen.[b]

35 Und wenn die Lade aufbrach, so sprach Mose: [a]HERR, steh auf! Und deine Feinde werden sich zerstreuen und alle, die dich hassen, werden flüchtig vor dir! 36 Und wenn sie sich niederließ, so sprach er: Komm wieder, HERR, zu der Menge der Tausende in Israel!

DAS MURREN DES VOLKES

11 Und das Volk wehklagte vor den Ohren des HERRN, dass es ihm schlecht gehe. Und als es der HERR hörte, entbrannte sein Zorn, und [a]das Feuer des HERRN loderte auf unter ihnen und fraß am Rande des Lagers. 2 Da schrie das Volk zu Mose, und Mose bat den HERRN; da verschwand das Feuer. 3 Und man nannte die Stätte Tabera, weil hier das Feuer des HERRN unter ihnen aufgelodert war.

4 [a]Das fremde Volk aber unter ihnen war lüstern geworden. Da fingen auch die Israeliten wieder an zu weinen und sprachen: Wer wird uns Fleisch zu essen geben?[b] 5 Wir denken an die Fische, die wir in Ägypten umsonst aßen, und an die Kürbisse, die Melonen, den Lauch, die Zwiebeln und den Knoblauch. 6 Nun aber ist unsere Seele matt, denn unsere Augen sehen nichts als das Manna. 7 Es war aber das [a]Manna wie Koriandersamen und anzusehen wie Bedolachharz. 8 Und das Volk lief hin und her und sammelte und zerrieb es mit Mühlen oder zerstieß es in Mörsern und kochte es in Töpfen und machte sich Kuchen daraus; und es hatte einen Geschmack wie Ölkuchen. 9 Und wenn bei Nacht der Tau über das Lager fiel, so fiel das Manna mit darauf.

10 Als nun Mose das Volk weinen hörte, alle Geschlechter miteinander, einen jeden in der Tür seines Zeltes, da entbrannte der Zorn des HERRN sehr. Und auch Mose verdross es. 11 Und Mose sprach zu dem HERRN: Warum bekümmerst du deinen Knecht? Und warum finde ich keine Gnade vor deinen Augen, dass du die Last dieses ganzen Volks auf mich legst? 12 Hab ich denn all das Volk empfangen oder geboren, dass du zu mir sagen könntest: Trag es in deinen Armen, wie eine Amme ein Kind trägt, in das Land, das du ihren Vätern zugeschworen hast? 13 Woher soll ich Fleisch nehmen, um es all diesem Volk zu geben? Sie weinen vor mir und sprechen: Gib uns Fleisch zu essen. 14 Ich vermag all das Volk nicht allein zu tragen, denn es ist mir zu schwer. 15 Willst du aber doch so mit mir tun, so [a]töte mich lieber, wenn anders ich Gnade vor deinen Augen gefunden habe, damit ich nicht mein Unglück sehen muss.

16 Und der HERR sprach zu Mose: Sammle mir siebzig Männer unter den [a]Ältesten Israels, von denen du weißt, dass sie Älteste im Volk und seine Amtleute sind, und bringe sie vor die Stiftshütte und stelle sie dort vor dich, 17 so will ich herniederkommen und dort mit dir reden und von deinem Geist, der auf dir ist, nehmen und auf sie legen, damit sie mit dir die Last des Volks tragen und du nicht allein tragen musst.

18 Und zum Volk sollst du sagen: [a]Heiligt euch für morgen, so sollt ihr Fleisch zu essen haben; denn euer Weinen ist vor die Ohren des HERRN gekommen, die ihr sprecht: »Wer gibt uns Fleisch zu essen? Denn es ging uns gut in Ägypten.« Darum wird euch der HERR Fleisch zu essen geben, 19 nicht nur einen Tag, nicht zwei, nicht fünf, nicht zehn, nicht zwanzig Tage lang, 20 sondern einen Monat lang, bis ihr's nicht mehr riechen könnt und es euch zum Ekel wird, weil ihr den HERRN verworfen habt, der unter euch ist, und weil ihr vor ihm geweint

10,34 *a* 2. Mose 13,21 *b* Kap 9,15-23 **10,35** *a* 2. Chr 6,41; Ps 3,8; 9,20; 10,12; 17,13; 68,2; 132,8 **11,1** *a* 3. Mose 10,2 **11,4** *a* 2. Mose 12,38 *b* 2. Mose 16,3; 1. Kor 10,6 **11,7** *a* 2. Mose 16,14-31 **11,15** *a* 2. Mose 32,32 **11,16** *a* 2. Mose 18,21-26; 24,1.9-11 **11,18** *a* 2. Mose 19,10

und gesagt habt: Warum sind wir aus
Ägypten gegangen?
21 Und Mose sprach: Sechshunderttau-
send Mann Fußvolk sind es, mit denen
ich lebe, und du sprichst: Ich will ihnen
Fleisch geben, dass sie einen Monat lang
zu essen haben. 22 Kann man so viele
Schafe und Rinder schlachten, dass es für
sie genug sei? Oder kann man alle Fische
des Meeres einfangen, dass es für sie ge-
nug sei? 23 Der HERR aber sprach zu Mose:
Ist denn [a]die Hand des HERRN zu kurz?
Aber du sollst jetzt sehen, ob sich mein
Wort an dir erfüllt oder nicht.
24 Und Mose ging heraus und sagte dem
Volk die Worte des HERRN und versam-
melte siebzig Männer aus den Ältesten des
Volks und stellte sie rings um die Stifts-
hütte. 25 Da kam der HERR hernieder in
der Wolke und redete mit ihm und nahm
von dem Geist, der auf ihm war, und legte
ihn auf die siebzig Ältesten. Und als der
Geist auf ihnen ruhte, gerieten sie in Ver-
zückung wie Propheten und hörten nicht
auf.
26 Es waren aber noch zwei Männer im
Lager geblieben; der eine hieß Eldad, der
andere Medad. Und der Geist kam über
sie, denn sie waren auch aufgeschrie-
ben, jedoch nicht hinausgegangen zu der
Stiftshütte, und sie gerieten in Verzü-
ckung im Lager. 27 Da lief ein junger Mann
hin und sagte es Mose und sprach: Eldad
und Medad sind in Verzückung im Lager.
28 Da antwortete [a]Josua, der Sohn Nuns,
der dem Mose diente von seiner Jugend
an, und sprach: Mose, mein Herr, wehre
ihnen! 29 Aber Mose sprach zu ihm: Eiferst
du um meinetwillen? Wollte Gott, dass
alle im Volk des HERRN Propheten wä-
ren und der HERR seinen Geist über
sie kommen ließe![a] 30 Darauf kehrte
Mose zum Lager zurück mit den Ältesten
Israels.
31 Da erhob sich ein Wind, vom HERRN
gesandt, und ließ [a]Wachteln kommen
vom Meer und ließ sie auf das Lager fallen,
eine Tagereise weit rings um das Lager,
zwei Ellen hoch auf der Erde. 32 Da machte
sich das Volk auf und sammelte Wachteln
diesen ganzen Tag und die ganze Nacht
und den andern ganzen Tag; und wer am
wenigsten sammelte, der sammelte hun-
dert Scheffel. Und sie breiteten sie rings
um das Lager aus. 33 Als aber das Fleisch
noch zwischen ihren Zähnen war und ehe
es ganz aufgebraucht war, da entbrannte
der Zorn des HERRN gegen das Volk, und
er schlug sie mit einer sehr großen Plage.
34 Daher heißt die Stätte »Lustgräber«,
weil man dort das lüsterne Volk begrub.
35 Von den »Lustgräbern« aber zog das Volk
weiter nach Hazerot, und sie blieben in
Hazerot.

MIRJAM WIRD AUSSÄTZIG

12 Da redeten Mirjam und Aaron ge-
gen Mose um seiner Frau willen, der
Kuschiterin, die er genommen hatte. Er
hatte sich nämlich eine kuschitische Frau
genommen.[a] 2 Und sie sprachen: Redet
denn der HERR allein durch Mose? Redet
er nicht auch durch uns? Und der HERR
hörte es. 3 Der Mann Mose war sehr de-
mütig, mehr als alle Menschen auf Erden.
4 Und sogleich sprach der HERR zu Mose
und zu Aaron und zu Mirjam: Geht hin-
aus, ihr drei, zu der Stiftshütte! Und sie
gingen alle drei hinaus. 5 Da [a]kam der
HERR hernieder in der Wolkensäule und
trat in den Eingang der Stiftshütte und rief
Aaron und Mirjam und die gingen beide
hin. 6 Und er sprach: Hört meine Worte:
Wenn unter euch ein Prophet ist, dann
will ich, der HERR, mich ihm kundma-
chen in Gesichten oder mit ihm reden in
Träumen. 7 Aber so steht es nicht mit mei-
nem Knecht Mose; [a]ihm ist mein ganzes
Haus anvertraut. 8 [a]Von Mund zu Mund
rede ich mit ihm, offen und nicht in dunk-
len Worten, und er sieht den HERRN in
seiner Gestalt. Warum habt ihr euch denn
nicht gefürchtet, gegen meinen Knecht
Mose zu reden?
9 Und der Zorn des HERRN entbrannte
gegen sie, und er wandte sich weg; 10 auch
wich die Wolke von der Stiftshütte.
Und siehe, [a]da war Mirjam aussätzig wie
Schnee. Und Aaron wandte sich zu Mir-
jam und wird gewahr, dass sie aussät-
zig ist, 11 und sprach zu Mose: Ach, mein
Herr, lass die Sünde nicht auf uns bleiben,

11,23 ***a*** Jes 50,2; 59,1 **11,28** ***a*** Kap 13,16; 2. Mose 24,13
11,29 ***a*** Joel 3,1; Mk 9,38-39 **11,31** ***a*** 2. Mose 16,13
12,1 ***a*** 2. Mose 2,21 **12,5** ***a*** 2. Mose 16,10 **12,7** ***a*** Hebr 3,2
12,8 ***a*** 2. Mose 33,11; 5. Mose 34,10 **12,10** ***a*** 5. Mose 24,9

mit der wir töricht getan und uns versündigt haben. 12 Lass Mirjam nicht sein wie ein Totgeborenes, das von seiner Mutter Leibe kommt und von dem schon die Hälfte seines Fleisches geschwunden ist. 13 Mose aber schrie zu dem HERRN: Ach, Gott, [a]heile sie! 14 Der HERR sprach zu Mose: Wenn ihr Vater ihr ins Angesicht gespien hätte, würde sie nicht sieben Tage sich schämen? [a]Lass sie abgesondert sein sieben Tage außerhalb des Lagers; danach soll sie wieder aufgenommen werden.

15 So wurde Mirjam sieben Tage abgesondert außerhalb des Lagers. Und das Volk zog nicht weiter, bis Mirjam wieder aufgenommen wurde. 16 Danach brach das Volk von Hazerot auf und lagerte sich in der Wüste Paran.

DIE ERKUNDUNG DES LANDES KANAAN

(vgl. 5. Mose 1,19-25)

13 Und der HERR redete mit Mose und sprach: 2 Sende Männer aus, die das Land Kanaan erkunden, das ich den Israeliten geben will, aus jedem Stamm ihrer Väter je einen vornehmen Mann. 3 Da sandte sie Mose aus der Wüste Paran nach dem Wort des HERRN. Allesamt waren sie Häupter der Israeliten.

4 Und sie hießen: Schammua, der Sohn Sakkurs, vom Stamme Ruben; 5 Schafat, der Sohn Horis, vom Stamme Simeon; 6 [a]Kaleb, der Sohn Jefunnes, vom Stamme Juda; 7 Jigal, der Sohn Josefs, vom Stamme Issachar; 8 [a]Hoschea, der Sohn Nuns, vom Stamme Ephraim; 9 Palti, der Sohn Rafus, vom Stamme Benjamin; 10 Gaddiël, der Sohn Sodis, vom Stamme Sebulon; 11 Gaddi, der Sohn Susis, vom Stamme Josef, von Manasse; 12 Ammiël, der Sohn Gemallis, vom Stamme Dan; 13 Setur, der Sohn Michaels, vom Stamme Asser; 14 Nachbi, der Sohn Wofsis, vom Stamme Naftali; 15 Gëuël, der Sohn Machis, vom Stamme Gad.

16 Das sind die Namen der Männer, die Mose aussandte, um das Land zu erkunden. Aber Hoschea, [a]den Sohn Nuns, nannte Mose Josua.

17 Als sie nun Mose aussandte, das Land Kanaan zu erkunden, sprach er zu ihnen: Zieht da hinauf ins Südland und geht auf das Gebirge 18 und seht euch das Land an, wie es ist, und das Volk, das darin wohnt, ob's stark oder schwach, wenig oder viel ist; 19 und was es für ein Land ist, darin sie wohnen, ob's gut oder schlecht ist; und was es für Städte sind, in denen sie wohnen, ob sie in Zeltdörfern oder festen Städten wohnen; 20 und wie der Boden ist, ob fett oder mager, und ob Bäume da sind oder nicht. Seid mutig und bringt mit von den Früchten des Landes. Es war aber eben um die Zeit der ersten Weintrauben.

21 Und sie gingen hinauf und erkundeten das Land von der Wüste Zin bis nach Rehob, von wo es nach Hamat geht. 22 Sie gingen hinauf ins Südland und kamen bis nach Hebron; da lebten Ahiman, Scheschai und Talmai, die Söhne Anaks. Hebron aber war erbaut worden sieben Jahre vor Zoan in Ägypten. 23 Und sie kamen bis an den Bach Eschkol und schnitten dort eine Rebe ab mit *einer* Weintraube und trugen sie zu zweien auf einer Stange, dazu auch Granatäpfel und Feigen. 24 Der Ort heißt Bach Eschkol* nach der Traube, die die Israeliten dort abgeschnitten hatten.

25 Und nach vierzig Tagen, als sie das Land erkundet hatten, kehrten sie um, 26 gingen hin und kamen zu Mose und Aaron und zu der ganzen Gemeinde der Israeliten in die Wüste Paran nach [a]Kadesch und brachten ihnen und der ganzen Gemeinde Kunde, wie es stand, und ließen sie die Früchte des Landes sehen. 27 Und sie erzählten ihnen und sprachen: Wir sind in das Land gekommen, in das ihr uns sandtet; und wahrlich, [a]Milch und Honig fließen darin, und dies sind seine Früchte. 28 Aber stark ist das Volk, das darin wohnt, und die Städte sind befestigt und sehr groß; und wir sahen dort auch Anaks Söhne. 29 Es wohnen die Amalekiter im Südland, die Hetiter und Jebusiter und Amoriter wohnen auf dem Gebirge, die Kanaaniter aber wohnen am Meer und am Jordan.

30 [a]Kaleb aber brachte das Volk vor Mose

* **13,24** Der Name bedeutet »Traubenbach«.

12,13 *a* 2. Mose 15,26 **12,14** *a* 3. Mose 13,46 **13,6** *a* Jos 14,7 **13,8** *a* Vers 16 **13,16** *a* Kap 11,28; 1. Chr 7,27 **13,26** *a* Kap 20,1; 1. Mose 16,14; 20,1; 5. Mose 1,19.46; Jos 14,6-7 **13,27** *a* 2. Mose 3,8.17 **13,30** *a* Kap 14,6

zum Schweigen und sprach: Lasst uns
hinaufziehen und das Land einnehmen,
denn wir können es überwältigen. 31 Aber
die Männer, die mit ihm hinaufgezogen
waren, sprachen: Wir vermögen nicht
hinaufzuziehen gegen dies Volk, denn sie
sind uns zu stark. 32 Und sie brachten über
das Land, das sie erkundet hatten, ein bö-
ses Gerücht auf unter den Israeliten und
sprachen: Das Land, durch das wir gegan-
gen sind, um es zu erkunden, frisst seine
Bewohner, und alles Volk, das wir darin
sahen, sind Leute von hohem Wuchs.
33 Wir sahen dort auch Riesen, [a]Anaks
Söhne aus dem Geschlecht der Riesen,
und wir waren in unsern Augen klein wie
Heuschrecken und waren es auch in ihren
Augen.

STREIT ÜBER DEN EINZUG INS LAND

14 Da fuhr die ganze Gemeinde auf und
schrie, und das Volk weinte in jener
Nacht.[a] 2 Und alle Israeliten [a]murrten ge-
gen Mose und Aaron, und die ganze Ge-
meinde sprach zu ihnen: Ach dass wir
gestorben wären in Ägyptenland oder
in dieser Wüste, ach wären wir doch ge-
storben. 3 [a]Warum führt uns der HERR in
dies Land, damit wir durchs Schwert fal-
len und unsere Frauen und unsere Kinder
ein Raub werden? Ist's nicht besser, wir
ziehen wieder nach Ägypten? 4 Und einer
sprach zu dem andern: Lasst uns einen
Hauptmann über uns setzen und wieder
nach Ägypten ziehen!

5 Mose aber und Aaron [a]fielen auf ihr
Angesicht vor der ganzen Versammlung
der Gemeinde der Israeliten. 6 Und Josua,
der Sohn Nuns, und Kaleb, der Sohn Je-
funnes, die auch das Land erkundet hat-
ten, zerrissen ihre Kleider[a] 7 und sprachen
zu der ganzen Gemeinde der Israeliten:
Das Land, das wir durchzogen haben, um
es zu erkunden, ist sehr gut. 8 Wenn der
HERR uns gnädig ist, so wird er uns in dies
Land bringen und es uns geben, [a]ein Land,
darin Milch und Honig fließt. 9 Fallt nur
nicht ab vom HERRN und fürchtet euch
vor dem Volk dieses Landes nicht, denn
wir wollen sie fressen [a]wie Brot. Es ist ihr
Schutz von ihnen gewichen, der HERR
aber ist mit uns. Fürchtet euch nicht vor
ihnen!

10 Aber das ganze Volk sprach, man sollte
sie [a]steinigen. Da [b]erschien die Herrlich-
keit des HERRN über der Stiftshütte al-
len Israeliten. 11 Und der HERR sprach zu
Mose: Wie lange lästert mich dies Volk?
Und wie lange wollen sie nicht an mich
glauben trotz all der Zeichen, die ich un-
ter ihnen getan habe? 12 Ich will sie mit der
Pest schlagen und sie [a]vertilgen und dich
zu einem größeren und mächtigeren Volk
machen als dieses.

13 Mose aber sprach zu dem HERRN:
Dann werden's die Ägypter hören; denn
du hast dies Volk mit deiner Kraft aus ihrer
Mitte herausgeführt. 14 Auch wird man es
sagen zu den Bewohnern dieses Landes,
die da gehört haben, dass du, HERR, unter
diesem Volk bist, dass du von Angesicht
gesehen wirst und deine Wolke über ih-
nen steht und dass du, HERR, vor ihnen
hergehst in der [a]Wolkensäule am Tage und
in der Feuersäule bei Nacht.[b] 15 Würdest
du nun dies Volk töten wie *einen* Mann,
so würden die andern Völker, die solch
ein Gerücht über dich hören, sagen: 16 Der
HERR vermochte es nicht, dies Volk in das
Land zu bringen, das er ihnen zu geben
geschworen hatte; darum hat er sie hin-
geschlachtet in der Wüste.[a] 17 So lass nun
deine Kraft, o Herr, groß werden, wie du
gesagt hast: 18 »Der HERR ist geduldig und
von großer Barmherzigkeit und vergibt
Missetat und Übertretung, aber er lässt
niemand ungestraft, sondern sucht heim
die Missetat der Väter an den Kindern bis
ins dritte und vierte Glied.«[a] 19 So vergib
nun die Missetat dieses Volks nach deiner
großen Barmherzigkeit, wie du auch die-
sem Volk vergeben hast von Ägypten an
bis hierher.[a]

20 Und der HERR sprach: Ich habe ver-
geben, wie du es erbeten hast. 21 Aber so
wahr ich lebe und [a]alle Welt der Herrlich-
keit des HERRN voll werden soll: 22 Alle
die Männer, die meine Herrlichkeit und

13,33 *a* 5. Mose 1,28; 9,2 **14,1** *a* 5. Mose 1,26-44
14,2 *a* Kap 11,1; 2. Mose 16,2-3; 17,2-3
14,3 *a* Ps 106,24-26 **14,5** *a* Kap 16,4
14,6 *a* Kap 13,6.8.16.30 **14,8** *a* Kap 13,27
14,9 *a* Kap 13,32 **14,10** *a* 2. Mose 17,4 *b* 2. Mose 16,10
14,12 *a* 2. Mose 32,10-14 **14,14** *a* 2. Mose 13,21-22
b Kap 9,15-23 **14,16** *a* 5. Mose 9,28; Jos 7,8-9
14,18 *a* 2. Mose 34,6-7 **14,19** *a* 2. Mose 34,10
14,21 *a* 2. Mose 9,16

meine Zeichen gesehen haben, die ich ge-
tan habe in Ägypten und in der Wüste,
und mich nun zehnmal versucht und mei-
ner Stimme nicht gehorcht haben, 23 von
denen soll keiner das Land sehen, das ich
ihren Vätern zu geben geschworen habe;
auch keiner soll es sehen, der mich geläs-
tert hat.[a] 24 Nur meinen Knecht [a]Kaleb,
weil ein anderer Geist in ihm ist und er
mir treu nachgefolgt ist, den will ich in das
Land bringen, in das er gekommen ist, und
seine Nachkommen sollen es einnehmen,
25 während die Amalekiter und Kanaaniter
in der Ebene wohnen bleiben. Morgen
wendet euch und zieht in die Wüste auf
dem Wege zum Schilfmeer!
26 Und der HERR redete mit Mose und
Aaron und sprach: 27 [a]Wie lange murrt
diese böse Gemeinde gegen mich? Ich
habe das Murren der Israeliten, womit
sie gegen mich gemurrt haben, gehört.
28 Darum sprich zu ihnen: So wahr ich
lebe, spricht der HERR: Ich will mit euch
tun, wie ihr vor meinen Ohren gesagt habt.
29 Eure Leiber sollen in dieser Wüste ver-
fallen. Alle, die ihr gezählt seid von zwan-
zig Jahren an und darüber, die ihr gegen
mich [a]gemurrt habt, 30 wahrlich, ihr sollt
nicht in das Land kommen, über das ich
meine Hand zum Schwur erhoben habe,
euch darin wohnen zu lassen, außer Ka-
leb, dem Sohn Jefunnes, und Josua, dem
Sohn Nuns. 31 Eure Kinder aber, von denen
ihr sagtet: Sie werden ein Raub sein, die
will ich hineinbringen, dass sie das Land
kennenlernen, das ihr verwerft. 32 Aber
eure eigenen Leiber sollen in dieser Wüste
verfallen. 33 Und eure Kinder sollen Hirten
sein in der Wüste [a]vierzig Jahre und eure
Untreue tragen, bis eure Leiber aufgerie-
ben sind in der Wüste. 34 Nach der Zahl der
vierzig Tage, in denen ihr das Land erkun-
det habt – je ein Tag soll ein Jahr gelten –,
[a]sollt ihr vierzig Jahre eure Schuld tragen,
auf [b]dass ihr innewerdet, was es sei, wenn
ich mich abwende. 35 Ich, der HERR, habe
es gesagt und wahrlich, das will ich auch
tun mit dieser ganzen bösen Gemeinde,
die sich gegen mich empört hat. In dieser
Wüste sollen sie aufgerieben werden und
dort sterben.
36 Die Männer aber, die Mose ausgesandt
hatte, um das Land zu erkunden, und die
zurückgekommen waren und die ganze
Gemeinde gegen ihn zum Murren verlei-
tet hatten,[a] 37 diese Männer starben durch
eine Plage vor dem HERRN, weil sie über
das Land ein böses Gerücht aufbrachten.
38 Aber Josua, der Sohn Nuns, und Kaleb,
der Sohn Jefunnes, blieben am Leben von
den Männern, die gegangen waren, um
das Land zu erkunden.

KAMPF GEGEN AMALEK UND KANAAN

39 Als Mose diese Worte allen Israeliten
sagte, da trauerte das Volk sehr. 40 Und sie
machten sich früh am Morgen auf und zo-
gen auf die Höhe des Gebirges und spra-
chen: [a]Hier sind wir und wollen hinauf-
ziehen in das Land, von dem der HERR
geredet hat; denn wir haben gesündigt.
41 Mose aber sprach: Warum wollt ihr
das Wort des HERRN übertreten? Es
wird euch nicht gelingen. 42 Zieht nicht
hinauf – denn der HERR ist nicht unter
euch –, dass ihr nicht geschlagen werdet
vor euren Feinden. 43 Denn die Amalekiter
und Kanaaniter stehen euch dort gegen-
über, und ihr werdet durchs Schwert fal-
len, weil ihr euch vom HERRN abgekehrt
habt, und der HERR wird nicht mit euch
sein. 44 Aber sie waren so vermessen und
zogen hinauf auf die Höhe des Gebirges;
aber die Lade des Bundes des HERRN und
Mose wichen nicht aus dem Lager. 45 Da
kamen die Amalekiter und Kanaaniter,
die auf dem Gebirge wohnten, herab und
schlugen und zersprengten sie bis nach
[a]Horma.

VON SPEIS- UND TRANKOPFERN

15 Und der HERR redete mit Mose und
sprach: 2 Rede mit den Israeliten und
sprich zu ihnen: Wenn ihr in das Land
kommt, das ich euch zur Wohnung ge-
ben werde, 3 und ihr dem HERRN Feuer-
opfer darbringen wollt von Rindern oder
von Schafen, es sei ein Brandopfer oder
ein Schlachtopfer oder um ein beson-
deres Gelübde zu erfüllen oder als frei-
willige Gabe oder bei euren Festen, um

14,23 *a* Ps 95,11; Hebr 3,11.17-19 **14,24** *a* Jos 14,6.9
14,27 *a* (27-30) 2. Mose 32,34-35 **14,29** *a* 1. Kor 10,10
14,33 *a* 2. Mose 16,35; 5. Mose 2,7; 8,4 **14,34** *a* Jer 2,19
b Kap 32,13 **14,36** *a* 1. Kor 10,5.10; Jud 5
14,40 *a* 5. Mose 1,41 **14,45** *a* Kap 21,3; 5. Mose 1,44

dem HERRN einen lieblichen Geruch zu
bereiten, 4 dann soll, wer nun seine Gabe
dem HERRN opfern will, als [a]Speisopfer
[b]ein Zehntel feines Mehl darbringen, ver-
mengt mit einer viertel Kanne Öl, 5 und als
[a]Trankopfer auch eine viertel Kanne Wein
zu dem Brandopfer oder zu dem Schlacht-
opfer, zu jedem Schaf, das geopfert wird.
6 Wenn aber ein Widder geopfert wird,
sollst du ein Speisopfer bereiten aus zwei
Zehnteln feinem Mehl, mit einer drittel
Kanne Öl vermengt, 7 und als Trankopfer
auch eine drittel Kanne Wein. Das sollst
du dem HERRN zum lieblichen Geruch
opfern. 8 Willst du aber ein Rind zum
Brandopfer oder zum besonderen Gelüb-
deopfer oder als Dankopfer dem HERRN
bereiten, 9 so sollst du zu dem Rind ein
Speisopfer darbringen aus drei Zehnteln
feinem Mehl, mit einer halben Kanne Öl
vermengt, 10 und als Trankopfer auch eine
halbe Kanne Wein. Das ist ein Feueropfer
für den HERRN zum lieblichen Geruch.
11 So sollst du tun mit einem Stier, mit
einem Widder, mit einem Schaf oder mit
einer Ziege. 12 Wie die Zahl dieser Opfer,
so soll auch die Zahl der Speisopfer und
Trankopfer sein.

13 Wer ein Einheimischer ist, der soll
es so halten, wenn er dem HERRN op-
fern will ein Feueropfer zum lieblichen
Geruch. 14 Und wenn ein Fremdling bei
euch wohnt oder unter euch bei euren
Nachkommen lebt und will dem HERRN
ein Feueropfer zum lieblichen Geruch
darbringen, so soll er es halten wie ihr.
15 Für die ganze Gemeinde gelte nur eine
Satzung, für euch wie auch für die Fremd-
linge. Eine ewige Satzung soll das sein für
eure Nachkommen, dass vor dem HERRN
der Fremdling sei wie ihr.[a] 16 Einerlei
Ordnung, einerlei Recht soll gelten für
euch und für den Fremdling, der bei euch
wohnt.

17 Und der HERR redete mit Mose und
sprach: 18 Rede mit den Israeliten und
sprich zu ihnen: Wenn ihr in das Land
kommt, in das ich euch bringen werde,
19 und ihr esst von dem Brot des Landes,
so sollt ihr dem HERRN eine Abgabe
darbringen: 20 Als [a]Erstling eures Teigs
sollt ihr einen Kuchen als Abgabe dar-
bringen. Wie die Abgabe von der Tenne,
21 so sollt ihr auch dem HERRN den Erst-
ling eures Teigs als Abgabe geben für alle
Zeit.[a]

ÜBER SÜNDEN AUS VERSEHEN ODER AUS VORSATZ

22 [a]Und wenn ihr aus Versehen eines die-
ser Gebote nicht tut, die der HERR dem
Mose gesagt hat, 23 irgendeins von allem,
was der HERR euch durch Mose geboten
hat, von dem Tage an, da er anfing zu ge-
bieten, und fortan für alle Zeit, – 24 wenn
nun ohne Wissen der Gemeinde ein
Versehen vorkommt, so soll die ganze
Gemeinde einen jungen Stier als Brand-
opfer darbringen zum lieblichen Geruch
für den HERRN samt seinem Speisopfer
und Trankopfer, wie es recht ist, und einen
Ziegenbock als Sündopfer. 25 Und so soll
der Priester für die ganze Gemeinde der
Israeliten Sühne schaffen, und es wird ih-
nen vergeben sein; denn es war ein Ver-
sehen. Und sie sollen ihre Gabe darbrin-
gen als Feueropfer für den HERRN und ihr
Sündopfer vor dem HERRN für ihr Ver-
sehen, 26 so wird's vergeben der ganzen
Gemeinde der Israeliten, dazu auch dem
Fremdling, der unter euch wohnt, weil das
ganze Volk an solchem Versehen teilhat.

27 Wenn aber ein Einzelner aus Versehen
sündigen wird, so soll er eine einjährige
Ziege zum Sündopfer bringen.[a] 28 Und
der Priester soll Sühne schaffen vor dem
HERRN für den, der aus Versehen gesün-
digt hat, dass er für ihn Sühne schaffe und
ihm vergeben werde. 29 Und es soll einerlei
Gesetz gelten für die, die ein Versehen be-
gehen, für den Einheimischen unter den
Israeliten und für den Fremdling, der un-
ter euch wohnt.

30 Wenn aber ein Einzelner [a]aus Vor-
satz frevelt, es sei ein Einheimischer oder
Fremdling, so hat der den HERRN ge-
schmäht. Er soll ausgerottet werden aus
seinem Volk; 31 denn er hat des HERRN
Wort verachtet und sein Gebot gebro-
chen. Ja, der soll ausgerottet werden; seine
Schuld bleibt auf ihm.

15,4 *a* 3. Mose 2,1-16 *b* Kap 28,5 **15,5** *a* Kap 28,7; 2. Mose 29,40; 3. Mose 23,13 **15,15** *a* 2. Mose 12,48-49 **15,20** *a* Neh 10,38; Hes 44,30 **15,21** *a* 5. Mose 26,2-3 **15,22** *a* (22-26) 3. Mose 4,13-21 **15,27** *a* 3. Mose 4,27-28 **15,30** *a* Apg 13,38; Hebr 10,26-29

STRAFE FÜR EINE SABBATSCHÄNDUNG

32 Als nun die Israeliten in der Wüste waren, fanden sie einen Mann, der [a]Holz auflas am Sabbattag. 33 Und die ihn dabei gefunden hatten, wie er Holz auflas, brachten ihn zu Mose und Aaron und vor die ganze Gemeinde. 34 Und sie legten ihn gefangen, denn es war nicht klar bestimmt, was man mit ihm tun sollte.[a] 35 Der HERR aber sprach zu Mose: [a]Der Mann soll des Todes sterben; die ganze Gemeinde soll ihn steinigen draußen vor dem Lager. 36 Da führte die ganze Gemeinde ihn hinaus vor das Lager und steinigte ihn, sodass er starb, wie der HERR dem Mose geboten hatte.

VON DEN QUASTEN AN DEN KLEIDERN

37 Und der HERR sprach zu Mose: 38 Rede mit den Israeliten und sprich zu ihnen, dass sie und ihre Nachkommen sich [a]Quasten machen an den Zipfeln ihrer Kleider und [b]blaue Schnüre an die Quasten der Zipfel tun. 39 Und dazu sollen die Quasten euch dienen: sooft ihr sie anseht, sollt ihr an alle Gebote des HERRN denken und sie tun, dass ihr euch nicht von eurem Herzen noch von euren Augen verführen lasst und abgöttisch werdet, 40 damit ihr an alle meine Gebote denkt und sie tut, dass ihr heilig seid eurem Gott. 41 Ich bin der HERR, euer Gott, der euch aus Ägyptenland geführt hat, dass ich euer Gott sei, ich, der HERR, euer Gott.

AUFRUHR UND UNTERGANG DER ROTTE KORACH

16 Und [a]Korach*, der Sohn Jizhars, des Sohnes Kehats, des Sohnes Levis, [b]dazu Datan und Abiram, die Söhne Eliabs, und On, der Sohn Pelets, die Söhne Rubens, 2 die [a]empörten sich gegen Mose, dazu zweihundertfünfzig Männer unter den Israeliten, Vorsteher der Gemeinde, von der Versammlung berufen, namhafte Leute. 3 Und sie versammelten sich gegen Mose und Aaron und sprachen zu ihnen: Ihr geht zu weit! Denn die ganze Gemeinde, sie alle sind heilig, und der HERR ist unter ihnen. Warum erhebt ihr euch über die Gemeinde des HERRN?

4 Als Mose das hörte, [a]fiel er auf sein Angesicht 5 und sprach zu Korach und zu seiner ganzen Rotte: Morgen wird der HERR kundtun, [a]wer ihm gehört, wer heilig ist und zu ihm nahen soll; wen er erwählt, der soll zu ihm nahen. 6 Dies tut: Nehmt euch Pfannen, Korach und seine ganze Rotte, 7 und legt Feuer hinein und tut Räucherwerk darauf vor dem HERRN am Morgen. Wen dann der HERR erwählt, der ist heilig. Ihr geht zu weit, ihr Söhne Levi!

8 Und Mose sprach zu Korach: Höret doch, ihr Söhne Levi! 9 Ist's euch zu wenig, dass euch der Gott Israels [a]ausgesondert hat aus der Gemeinde Israel, ihm zu nahen, damit ihr den Dienst für die Wohnung des HERRN verseht und vor die Gemeinde tretet, um ihr zu dienen? 10 Er hat dich und mit dir alle deine Brüder, die Söhne Levi, zu sich nahen lassen – und ihr sucht nun auch das Priestertum? 11 Du und deine ganze Rotte, ihr macht einen Aufruhr wider den HERRN! Es ist nicht allein Aaron, gegen den ihr murrt.

12 Und Mose schickte hin und ließ Datan und Abiram rufen, die Söhne Eliabs. Da sprachen sie: Wir ziehen nicht hinauf*! 13 Ist's nicht genug, dass du uns aus dem Lande geführt hast, darin Milch und Honig fließt, und uns tötest in der Wüste? Musst du auch noch über uns herrschen? 14 Wie fein hast du uns gebracht in [a]ein Land, darin Milch und Honig fließt, und hast uns Äcker und Weinberge zum Erbteil gegeben! Willst du den Leuten auch die Augen ausreißen? Wir ziehen nicht hinauf! 15 Da ergrimmte Mose sehr und sprach zu dem HERRN: Wende dich nicht zu ihrem Opfer. Ich habe [a]nicht einen Esel von ihnen genommen und habe keinem von ihnen ein Leid getan.

16 Und Mose sprach zu Korach: Du und deine ganze Rotte, ihr sollt morgen vor den HERRN kommen, du und sie und Aaron. 17 Und ein jeder nehme seine Pfanne und lege Räucherwerk darauf,

* **16,1** Siehe Sach- und Worterklärungen.
16,12 Gemeint ist: in das verheißene Land.

15,32 ***a*** 2. Mose 20,8-10 **15,34** ***a*** 3. Mose 24,12 **15,35** ***a*** 2. Mose 31,14-15; 35,2-3 **15,38** ***a*** 5. Mose 22,12; Mt 23,5 ***b*** 2. Mose 39,1 **16,1** ***a*** 2. Mose 6,16.18.21 ***b*** Kap 26,7-9; Jud 11 **16,2** ***a*** Kap 12,1-2 **16,4** ***a*** Kap 14,5 **16,5** ***a*** 2. Tim 2,19 **16,9** ***a*** Kap 3,6-13; 4,4-20 **16,14** ***a*** 2. Mose 3,8 **16,15** ***a*** 1. Sam 12,3

und tretet hin vor den HERRN, ein jeder
mit seiner Pfanne, zweihundertfünfzig
Pfannen; auch du und Aaron, ein jeder
mit seiner Pfanne. 18 Und ein jeder nahm
seine Pfanne und legte Feuer hinein und
tat Räucherwerk darauf, und sie traten vor
den Eingang der Stiftshütte und Mose und
Aaron auch. 19 Und Korach versammelte
gegen sie die ganze Gemeinde vor dem
Eingang der Stiftshütte.

Da erschien die [a]Herrlichkeit des
HERRN vor der ganzen Gemeinde. 20 Und
der HERR redete mit Mose und Aaron
und sprach: 21 Scheidet euch von dieser
Gemeinde, damit ich sie im Nu vertilge.[a]
22 Sie fielen aber auf ihr Angesicht und
sprachen: Ach, Gott, der du bist der [a]Gott
des Lebensodems für alles Fleisch, [b]wenn
ein einziger Mann gesündigt hat, willst
du darum gegen die ganze Gemeinde
wüten? 23 Und der HERR redete mit Mose
und sprach: 24 Sage der Gemeinde: Weicht
ringsherum zurück von der Wohnung Ko-
rachs und Datans und Abirams.

25 Und Mose stand auf und ging zu Da-
tan und Abiram, und die Ältesten Israels
folgten ihm nach; 26 und er redete mit der
Gemeinde und sprach: Weicht von den
Zelten dieser ruchlosen Menschen und
rührt nichts an, was sie haben, damit ihr
nicht auch umkommt durch all ihre Sünde.
27 Da kehrten sie sich ab von der Wohnung
Korachs, Datans und Abirams. Datan aber
und Abiram gingen heraus und traten an
die Tür ihrer Zelte mit ihren Frauen und
Söhnen und kleinen Kindern.

28 Und Mose sprach: Daran sollt ihr
merken, dass mich der HERR gesandt hat,
alle diese Werke zu tun, und dass ich sie
nicht tue aus meinem eigenen Herzen:
29 Werden sie sterben, wie alle Menschen
sterben, oder heimgesucht, wie alle Men-
schen heimgesucht werden, so hat mich
der HERR nicht gesandt; 30 wird aber der
HERR etwas Neues schaffen, dass die Erde
ihren Mund auftut und sie verschlingt
mit allem, was sie haben, dass sie leben-
dig hinunter in das Totenreich fahren, so
werdet ihr erkennen, dass diese Leute den
HERRN gelästert haben.

31 [a]Und als er alle diese Worte beendet
hatte, zerriss die Erde unter ihnen 32 und
tat ihren Mund auf und verschlang sie mit
ihren Sippen, mit allen Menschen, die zu
Korach gehörten, und mit all ihrer Habe.
33 Und sie fuhren lebendig in das Toten-
reich hinunter mit allem, was sie hatten,
und die Erde deckte sie zu und sie kamen
um, mitten aus der Gemeinde heraus.
34 Und ganz Israel, das um sie her war,
floh vor ihrem Geschrei; denn sie dach-
ten: Dass uns die Erde nicht auch ver-
schlinge!

35 Und [a]Feuer fuhr aus von dem HERRN
und fraß auch die zweihundertfünfzig
Männer, die das Räucherwerk opferten.

17 Und der HERR redete mit Mose und
sprach: 2 Sage [a]Eleasar, dem Sohn des
Priesters Aaron, dass er die Pfannen auf-
hebe aus dem Brand und streue das Feuer
weit hinweg, denn sie sind heilig. 3 Die
Pfannen dieser Sünder, die umgekommen
sind, schlage man zu breiten Blechen, dass
man den Altar damit überziehe; denn sie
haben sie hingebracht vor den HERRN, so-
dass sie geheiligt sind; sie sollen den Isra-
eliten ein Zeichen sein. 4 Und Eleasar, der
Priester, nahm die bronzenen Pfannen,
die die Verbrannten herangebracht hatten,
und schlug sie zu Blechen, um den Altar
zu überziehen, 5 wie der HERR zu ihm
geredet hatte durch Mose, zum Gedächt-
nis für die Israeliten, dass [a]kein Fremder,
der nicht vom Geschlecht Aarons ist, sich
nahe, um Räucherwerk zu opfern vor dem
HERRN, damit es ihm nicht gehe wie Ko-
rach und seiner Rotte.

EMPÖRUNG DER GEMEINDE GEGEN MOSE UND AARON

6 Am andern Morgen aber [a]murrte die
ganze Gemeinde der Israeliten gegen
Mose und Aaron, und sie sprachen: Ihr
habt des HERRN Volk getötet. 7 Und als
sich die Gemeinde versammelte gegen
Mose und Aaron, wandten sie sich zu der
Stiftshütte: Und siehe, da wurde sie be-
deckt von der Wolke, und die Herrlich-
keit des HERRN erschien. 8 Und Mose und
Aaron gingen hin vor die Stiftshütte.

9 Und der HERR redete mit Mose und

16,19 *a* Kap 14,10 **16,21** *a* 1. Mose 19,14
16,22 *a* Hiob 10,12; 12,10 *b* 2. Sam 24,17
16,31 *a* (31-33) 5. Mose 11,6 **16,35** *a* 3. Mose 10,1-2;
Ps 106,17-18 **17,2** *a* Kap 3,4; 2. Mose 6,25 **17,5** *a* Kap 3,10
17,6 *a* 2. Mose 17,3

sprach: 10 Hebt euch hinweg aus dieser Ge-
meinde; ich will sie im Nu vertilgen! Und
sie fielen auf ihr Angesicht. 11 Und Mose
sprach zu Aaron: Nimm die Pfanne und
tu Feuer hinein vom Altar und lege Räu-
cherwerk darauf und bringe es eilends zu
der Gemeinde und schaffe für sie [a]Sühne;
denn der [b]Zorn ist von dem HERRN aus-
gegangen und die Plage hat angefangen.
12 Und Aaron tat, wie ihm Mose gesagt
hatte, und lief mitten unter die Ge-
meinde; und siehe, die Plage hatte schon
angefangen unter dem Volk. Da räucherte
er und schaffte Sühne für das Volk 13 und
stand zwischen den Toten und den Leben-
den. Da wurde der Plage gewehrt. 14 Die
aber gestorben waren an der Plage, waren
vierzehntausendsiebenhundert, außer
denen, die mit Korach starben. 15 Und
Aaron kam wieder zu Mose vor den Ein-
gang der Stiftshütte, und der Plage war
gewehrt.

AARONS GRÜNENDER STAB

16 Und der HERR redete mit Mose und
sprach: 17 Rede mit den Israeliten und
nimm von ihnen zwölf Stäbe, von jedem
Fürsten ihrer Sippen je einen, und schreib
eines jeden Namen auf seinen Stab. 18 Aber
den Namen Aarons sollst du schreiben auf
den Stab Levis. Denn für jedes Haupt ihrer
Sippen soll je ein Stab sein. 19 Und lege sie
in der Stiftshütte nieder vor der Lade des
Zeugnisses, [a]wo ich mich euch bezeuge.
20 Und [a]wen ich erwählen werde, dessen
Stab wird grünen. So will ich das Mur-
ren der Israeliten, mit dem sie gegen euch
murren, zum Schweigen bringen.

21 Mose redete mit den Israeliten und
alle ihre Fürsten gaben ihm zwölf Stäbe,
ein jeder Fürst je einen Stab, nach ihren
Sippen, und der Stab Aarons war auch
unter ihren Stäben. 22 Und Mose legte die
Stäbe vor dem HERRN nieder in der Hütte
des Zeugnisses. 23 Am nächsten Morgen,
als Mose in die Hütte des Zeugnisses
ging, da grünte der Stab Aarons, der zum
Hause Levi gehört, und die Blüte ging auf
und trug Mandeln. 24 Und Mose trug die
Stäbe alle heraus von dem HERRN zu al-
len Israeliten, dass sie es sahen, und ein
jeder nahm seinen Stab. 25 Der HERR aber
sprach zu Mose: [a]Trage den Stab Aarons
wieder vor die Lade mit dem Gesetz,
damit er verwahrt werde zum Zeichen
für die Ungehorsamen, dass ihr Murren
vor mir aufhöre und sie nicht sterben.
26 Mose tat, wie ihm der HERR geboten
hatte.

27 Und die Israeliten sprachen zu Mose:
Siehe, wir verderben und kommen um; al-
lesamt kommen wir um. 28 Wer sich naht
zu der Wohnung des HERRN, der stirbt.
Sollen wir denn ganz und gar vergehen?[a]

DER DIENST DER PRIESTER UND LEVITEN

18 Und der HERR sprach zu Aaron: Du
und deine Söhne und deine Sippe, ihr
sollt [a]die Schuld tragen, wenn eine Ver-
fehlung begangen wird am Heiligtum;
und du und deine Söhne mit dir, ihr sollt
die Schuld tragen, wenn eine Verfehlung
begangen wird bei eurem Priesterdienst.
2 Aber deine Brüder aus dem Stamme dei-
nes Vaters [a]Levi sollst du zu dir nehmen,
dass sie bei dir seien und dir dienen; du
aber und deine Söhne mit dir sollen die-
nen vor der Hütte des Gesetzes. 3 Und sie
sollen Sorge tragen für dich und die ganze
Stiftshütte. Doch zu dem Gerät des Hei-
ligtums und zu dem Altar sollen sie sich
nicht nahen, damit nicht beide sterben, sie
und ihr, 4 sondern sie sollen bei dir sein,
dass sie Sorge tragen für die Stiftshütte,
alles, was deren Dienst erfordert. Kein
andrer aber soll sich euch nahen. 5 Ihr aber
sollt Sorge tragen für das Heiligtum und
für den Altar, damit hinfort nicht mehr ein
[a]Zorn komme über die Israeliten. 6 Denn
siehe, ich habe die Leviten, eure Brüder,
genommen aus den Israeliten euch zum
Geschenk, als die dem HERRN zu eigen
gegeben sind, damit sie den Dienst an
der Stiftshütte versehen.[a] 7 Du aber und
deine Söhne mit dir, ihr sollt Sorge tra-
gen um euer Priestertum, dass ihr dient
in allen Verrichtungen am Altar und
hinter dem Vorhang; denn euer Pries-
tertum übertrage ich euch als Aufgabe.
[a]Wenn ein Fremder sich naht, so soll er
sterben.

17,11 *a* 3. Mose 16,12-13.17 *b* Kap 1,53
17,19 *a* 2. Mose 25,22 **17,20** *a* Kap 16,5.7
17,25 *a* Hebr 9,4 **17,28** *a* Ps 130,3-4
18,1 *a* 2. Mose 28,38; 3. Mose 16,32-33 **18,2** *a* Kap 3,6-10
18,5 *a* Kap 17,11 **18,6** *a* Kap 3,12.45 **18,7** *a* Kap 1,51

DIE ANTEILE FÜR PRIESTER UND LEVITEN

8 Und der HERR sagte zu Aaron: Siehe,
dies überlasse ich dir bei dem Dienst an
meinen Abgaben: Von allen heiligen Ga-
ben der Israeliten gebe ich dir einen An-
teil, dir und deinen Söhnen, als ewiges
Anrecht.[a] 9 Das sollst du haben von den
hochheiligen Gaben, soweit sie nicht ver-
brannt werden: alle ihre Gaben bei allen
ihren Speisopfern und bei allen ihren
Sündopfern und bei allen ihren Schuld-
opfern, die sie mir geben, als Hochheiliges
gebe ich es dir und deinen Söhnen. 10 [a]Am
hochheiligen Ort sollst du es essen. Was
männlich ist, darf davon essen; denn es
soll dir heilig sein.

11 Auch das soll dir gehören: die Abgabe
von ihren Gaben. Von allen Schwing-
opfern der Israeliten gebe ich sie dir
und deinen Söhnen und Töchtern mit
dir als ewiges Anrecht. Wer rein ist in
deinem Hause, darf davon essen. 12 Al-
les Beste vom Öl und alles Beste vom
Wein und Korn, die sie als Erstlingsgabe
dem HERRN bringen, habe ich dir gege-
ben. 13 [a]Die Erstlinge, die sie dem HERRN
bringen von allem, was in ihrem Lande
ist, sollen dir gehören. Wer rein ist in
deinem Hause, darf davon essen. 14 Alles
Gebannte in Israel soll dir gehören.[a] 15 Al-
les, was zuerst den Mutterschoß durch-
bricht bei allem Fleisch, es sei Mensch
oder Vieh, das sie dem HERRN bringen,
soll dir gehören. Doch sollst du die Erst-
geburt eines Menschen auslösen lassen,
und die Erstgeburt eines unreinen Viehs
sollst du auch auslösen lassen.[a] 16 Du sollst
es aber auslösen, wenn's einen Monat
alt ist, und du sollst es [a]auslösen lassen
nach der Ordnung, die dir gegeben ist,
um fünf Schekel nach dem Gewicht des
Heiligtums, das Silberstück zu zwanzig
Gramm. 17 Aber die Erstgeburt eines Rin-
des, eines Schafes oder einer Ziege sollst
du nicht auslösen; denn sie sind heilig.
Ihr Blut sollst du an den Altar sprengen
und ihr Fett sollst du in Rauch aufgehen
lassen als Feueropfer für den HERRN zum
lieblichen Geruch. 18 Ihr Fleisch soll dir
gehören, wie auch die Brust des Schwing-
opfers und die rechte Schulter dir gehören.
19 Alle heiligen Abgaben, die die Israeli-
ten dem HERRN darbringen, habe ich dir
gegeben und deinen Söhnen und deinen
Töchtern mit dir als ewiges Anrecht. Das
soll ein [a]Salzbund* sein für immer vor dem
HERRN für dich und für deine Nachkom-
men mit dir.

20 Und der HERR sprach zu Aaron: Du
sollst in ihrem Lande kein Erbteil besitzen,
auch keinen Anteil unter ihnen haben;
denn [a]ich bin dein Anteil und dein Erb-
teil inmitten der Israeliten. 21 Den Söhnen
Levi aber habe ich [a]alle Zehnten gegeben
in Israel als Erbteil für ihren Dienst, den
sie an der Stiftshütte tun. 22 Hinfort sol-
len sich die Israeliten nicht zur Stiftshütte
nahen, damit sie nicht Sünde auf sich la-
den und sterben, 23 sondern der Levit soll
den Dienst an der Stiftshütte tun, und sie
sollen die Schuld für ihre Verfehlung tra-
gen; das sei eine ewige Ordnung bei euren
Nachkommen. Und sie sollen unter den
Israeliten kein Erbteil besitzen; 24 denn
den Zehnten, den sie von den Israeliten
als Abgabe für den HERRN erheben, habe
ich den Leviten zum Erbteil bestimmt;
darum habe ich zu ihnen gesagt, dass sie
unter den Israeliten kein Erbteil besitzen
sollen.

25 Und der HERR redete mit Mose und
sprach: 26 Sage den Leviten und sprich zu
ihnen: Wenn ihr den Zehnten nehmt von
den Israeliten, den ich euch von ihnen be-
stimmt habe als euer Erbteil, so sollt ihr
davon eine Abgabe dem HERRN geben,
je den Zehnten von dem Zehnten; 27 und
diese eure Abgabe soll euch angerechnet
werden, als gäbet ihr Korn von der Tenne
und Wein aus der Kelter. 28 So sollt auch
ihr die Abgabe für den HERRN aussondern
von allen euren Zehnten, die ihr nehmt
von den Israeliten, und sollt diese Abgabe
für den HERRN dem Priester Aaron geben.
29 Von allem, was euch gegeben wird, sollt
ihr die ganze Abgabe dem HERRN geben,
von allem Besten das, was davon gehei-

* **18,19** Das bedeutet: ein unvergänglicher Bund.

18,8 ***a*** 3. Mose 2,3.10; 6,9-11.19-22; 7,6-10
18,10 ***a*** 3. Mose 6,9; 10,12.14 **18,13** ***a*** 2. Mose 23,19; 5. Mose 18,3-4 **18,14** ***a*** 3. Mose 27,28
18,15 ***a*** 2. Mose 13,2; 34,19-20 **18,16** ***a*** 3. Mose 27,6.27
18,19 ***a*** 2. Chr 13,5 **18,20** ***a*** 5. Mose 10,9; 12,12; Jos 13,14.33; Ps 16,5; 73,26; Hes 44,28
18,21 ***a*** 3. Mose 27,30

ligt wird. 30 Und sprich zu ihnen: Wenn
ihr also das Beste davon als Abgabe nehmt,
so soll's den Leviten angerechnet werden
wie ein Ertrag von der Tenne und wie ein
Ertrag von der Kelter. 31 Ihr dürft es es-
sen an allen Orten, ihr und eure Kinder;
denn es ist [a]euer Lohn für euren Dienst an
der Stiftshütte. 32 Ihr werdet dabei nicht
Sünde auf euch laden, wenn ihr das Beste
davon abgebt, und werdet nicht entwei-
hen die heiligen Gaben der Israeliten und
nicht sterben.

VOM REINIGUNGSWASSER

19 Und der HERR redete mit Mose und
Aaron und sprach: 2 Dies ist die Ord-
nung des Gesetzes, das der HERR gebo-
ten hat: Sage den Israeliten, dass sie zu dir
führen eine [a]rote Kuh ohne Fehler, an der
[b]kein Gebrechen ist und [c]auf die noch nie
ein Joch gekommen ist. 3 Und gebt sie dem
Priester Eleasar; der soll sie hinaus vor das
Lager führen und dort vor ihm schlachten
lassen. 4 Und der Priester Eleasar soll etwas
von ihrem Blut mit seinem Finger neh-
men und in Richtung auf die Stiftshütte
[a]siebenmal sprengen, 5 und er soll die Kuh
vor seinen Augen verbrennen lassen, ihr
[a]Fell und ihr Fleisch, dazu ihr Blut auf ih-
rem Kot.[b] 6 Und der Priester soll Zedern-
holz und Ysop und Karmesin nehmen
und auf die brennende Kuh werfen[a] 7 und
soll [a]seine Kleider waschen und seinen
Leib mit Wasser abwaschen und danach
ins Lager gehen und unrein sein bis zum
Abend. 8 Und der sie verbrannt hat, soll
auch seine Kleider mit Wasser waschen
und seinen Leib mit Wasser abwaschen
und unrein sein bis zum Abend. 9 Und ein
reiner Mann soll die Asche von der Kuh
sammeln und sie draußen vor dem Lager
an eine reine Stätte schütten, damit sie
dort verwahrt werde für die Gemeinde
der Israeliten für das Reinigungswasser;
es ist ein Sündopfer. 10 Und derselbe, der
die Asche der Kuh gesammelt hat, soll
seine Kleider waschen und unrein sein bis
zum Abend.

Und dies soll eine ewige Ordnung sein
für die Israeliten und die Fremdlinge, die
unter euch wohnen: 11 Wer irgendeinen
toten Menschen anrührt, der wird sieben
Tage unrein sein. 12 Er soll sich mit dem
Reinigungswasser entsündigen am drit-
ten Tage und am siebenten Tage, so wird
er rein. Und wenn er sich nicht am dritten
Tage und am siebenten Tage entsündigt,
so wird er nicht rein. 13 Wenn aber jemand
irgendeinen toten Menschen anrührt und
sich nicht entsündigen will, so macht er
die Wohnung des HERRN [a]unrein und
solch ein Mensch soll ausgerottet werden
aus Israel. Weil das Reinigungswasser
nicht über ihn gesprengt ist, ist er unrein;
seine Unreinheit bleibt an ihm.

14 Dies ist das Gesetz: Wenn ein Mensch
in seinem Zelt stirbt, soll jeder, der in das
Zelt geht, und wer im Zelt ist, unrein sein
sieben Tage. 15 Auch jedes offene Gefäß,
auf das kein Deckel gebunden ist, wird
unrein. 16 Auch wer auf dem freien Feld
einen berührt, der mit dem Schwert er-
schlagen ist, oder einen Gestorbenen oder
eines Menschen Gebein oder ein Grab an-
rührt, der ist unrein sieben Tage. 17 So soll
man nun für den Unreinen Asche nehmen
von dem verbrannten Sündopfer und flie-
ßendes Wasser darauf tun in ein Gefäß.
18 Und ein reiner Mann soll Ysop nehmen
und ins Wasser tauchen und das Zelt be-
sprengen und alle Gefäße und alle Leute,
die darin sind; ebenso auch den, der eines
Toten Gebein oder einen Erschlagenen
oder Gestorbenen oder ein Grab berührt
hat. 19 Es soll aber der Reine den Unreinen
am dritten Tage und am siebenten Tage
besprengen und ihn am siebenten Tage
entsündigen, und der soll seine Kleider
waschen und sich mit Wasser abwaschen,
so wird er am Abend rein.[a]

20 Wer aber unrein wird und sich nicht
entsündigen will, der soll ausgerottet wer-
den aus der Gemeinde; denn er hat das
Heiligtum des HERRN unrein gemacht
und ist nicht mit Reinigungswasser be-
sprengt; darum ist er unrein. 21 Und das
soll euch eine ewige Ordnung sein. Und
auch der, der mit dem Reinigungswasser
gesprengt hat, soll seine Kleider waschen,
und wer das Reinigungswasser berührt,
der soll unrein sein bis zum Abend. 22 Und

18,31 *a* Mt 10,10 **19,2** *a* Hebr 9,13 *b* 3. Mose 22,20
c 5. Mose 21,3 **19,4** *a* 3. Mose 4,6.17 **19,5** *a* 3. Mose 7,8
b 3. Mose 4,11-12 **19,6** *a* 3. Mose 14,6
19,7 *a* 3. Mose 16,28 **19,13** *a* 3. Mose 15,31
19,19 *a* Verse 12-13

alles, was der Unreine berührt, wird unrein werden, und wer ihn berührt, soll unrein sein bis zum Abend.

MIRJAMS TOD. MOSES ZWEIFEL BEIM HADERWASSER

20 Und die ganze Gemeinde der Israeliten kam in die [a]Wüste Zin im ersten Monat, und das Volk lagerte sich in Kadesch. Und [b]Mirjam starb dort und wurde dort begraben.

2 [a]Und die Gemeinde hatte kein Wasser, und sie versammelten sich gegen Mose und Aaron. 3 Und das Volk haderte mit Mose und sprach: Ach dass wir umgekommen wären, als unsere Brüder umkamen vor dem HERRN! 4 Warum habt ihr die Gemeinde des HERRN in diese Wüste gebracht, dass wir hier sterben mit unserm Vieh? 5 Und warum habt ihr uns aus Ägypten geführt an diesen bösen Ort, wo man nicht säen kann, wo weder Feigen noch Weinstöcke noch Granatäpfel sind und auch kein Wasser zum Trinken ist? 6 Da gingen Mose und Aaron von der Gemeinde hinweg zum Eingang der Stiftshütte und fielen auf ihr Angesicht, und die Herrlichkeit des HERRN erschien ihnen.

7 Und der HERR redete mit Mose und sprach: 8 Nimm den Stab und versammle die Gemeinde, du und dein Bruder Aaron, und redet zu dem Felsen vor ihren Augen; der wird sein Wasser geben. So sollst du ihnen Wasser aus dem Felsen hervorbringen und die Gemeinde tränken und ihr Vieh. 9 Da nahm Mose den [a]Stab, der vor dem HERRN lag, wie er ihm geboten hatte. 10 Und Mose und Aaron versammelten die Gemeinde vor dem Felsen, und er sprach zu ihnen: Höret, ihr Ungehorsamen, [a]werden wir euch wohl Wasser hervorbringen können aus diesem Felsen? 11 Und Mose erhob seine Hand und schlug den Felsen mit dem Stab zweimal. Da kam viel Wasser heraus, sodass die Gemeinde trinken konnte und ihr Vieh. 12 Der HERR aber sprach zu Mose und Aaron: Weil ihr nicht an mich geglaubt habt und mich nicht geheiligt habt vor den Israeliten, darum sollt ihr diese Gemeinde nicht ins Land bringen, das ich ihnen geben werde.[a]

13 Das ist das [a]Haderwasser, wo die Israeliten mit dem HERRN haderten und er sich heilig an ihnen erwies.

DIE EDOMITER VERWEIGERN DEN DURCHZUG

14 Und Mose sandte Botschaft aus Kadesch zu dem König der [a]Edomiter: So lässt dir dein Bruder Israel sagen: Du kennst all die Mühsal, die uns betroffen hat, 15 dass unsere Väter nach Ägypten hinabgezogen sind und wir lange Zeit in Ägypten gewohnt haben und dass die Ägypter uns und unsere Väter schlecht behandelt haben. 16 Und wir schrien zu dem HERRN; der hat unsere Stimme gehört und einen [a]Engel gesandt und uns aus Ägypten geführt. Und siehe, wir sind in Kadesch, einer Stadt an deiner Grenze. 17 Lass uns durch dein Land ziehen. Wir wollen nicht durch Äcker oder Weinberge gehen, auch nicht Wasser aus den Brunnen trinken. Die Königsstraße wollen wir ziehen, weder zur Rechten noch zur Linken weichen, bis wir durch dein Gebiet hindurchgekommen sind.[a]

18 Edom aber sprach zu ihnen: Du sollst nicht hindurchziehen oder ich werde dir mit dem Schwert entgegenziehen. 19 Die Israeliten sprachen zu ihm: Wir wollen auf der gebahnten Straße ziehen, und wenn wir von deinem Wasser trinken, wir und unser Vieh, so wollen wir's bezahlen. Wir wollen nichts als nur zu Fuß hindurchziehen. 20 Er aber sprach: Du sollst nicht hindurchziehen. Und die Edomiter zogen aus, ihnen entgegen, mit mächtigem Heer und starker Hand. 21 So weigerten sich die Edomiter, Israel zu gestatten, durch ihr Gebiet zu ziehen. Und Israel wich ihnen aus.

AARONS TOD

22 Und die Israeliten brachen auf von Kadesch und kamen mit der ganzen Gemeinde an den Berg Hor.[a] 23 Und der HERR redete mit Mose und Aaron am Berge Hor an der Grenze des Landes der Edomiter

20,1 *a* Kap 13,21 *b* Kap 12,15 **20,2** *a* (2-13) 2. Mose 17,1-7 **20,9** *a* Kap 17,25 **20,10** *a* Ps 106,32-33 **20,12** *a* Kap 27,14; 5. Mose 1,37; 3,26; 4,21; 32,50-51 **20,13** *a* Ps 81,8 **20,14** *a* 1. Mose 36,1.31; 5. Mose 2,1-8; 23,8 **20,16** *a* 2. Mose 23,20 **20,17** *a* Kap 21,22; 5. Mose 2,1-8; Ri 11,17 **20,22** *a* Kap 33,37

und sprach: 24 Aaron soll versammelt wer-
den zu seinen Vätern; denn er soll nicht in
das Land kommen, das ich den Israeliten
gegeben habe, weil ihr meinem Munde
ungehorsam gewesen seid bei dem Hader-
wasser. 25 Nimm aber Aaron und seinen
Sohn Eleasar und führe sie auf den Berg
Hor 26 und [a]zieh Aaron seine Kleider aus
und zieh sie seinem Sohn Eleasar an. Und
Aaron soll dort zu seinen Vätern versam-
melt werden und sterben.

27 Da tat Mose, wie ihm der HERR gebo-
ten hatte, und sie stiegen auf den Berg Hor
vor der ganzen Gemeinde. 28 Und Mose
zog Aaron seine Kleider aus und zog sie
seinem Sohn Eleasar an. [a]Und Aaron starb
dort oben auf dem Berge. Mose aber und
Eleasar stiegen herab vom Berge. 29 Und
als die ganze Gemeinde sah, dass Aaron
tot war, [a]beweinten sie ihn dreißig Tage,
das ganze Haus Israel.

SIEG ÜBER DIE KANAANITER IM SÜDLAND

21 Und als der König von Arad, der Kana-
aniter, der im Südland wohnte, hörte,
dass Israel herankam auf dem Wege von
Atarim, zog er in den Kampf gegen Israel
und führte etliche gefangen.[a] 2 Da ge-
lobte Israel dem HERRN ein Gelübde und
sprach: Wenn du dies Volk in meine Hand
gibst, so will ich an ihren Städten den
[a]Bann vollstrecken. 3 Und der HERR hörte
auf die Stimme Israels und gab die Kana-
aniter in ihre Hand, und sie vollstreckten
den Bann an ihnen und ihren Städten, und
man nannte die Gegend [a]Horma*.

MOSE RICHTET DIE EHERNE SCHLANGE AUF

4 [a]Da brachen sie auf von dem Berge Hor in
Richtung auf das Schilfmeer, um das Land
der Edomiter zu umgehen. Und das Volk
wurde verdrossen auf dem Wege 5 und re-
dete wider Gott und wider Mose: Warum
habt ihr uns aus Ägypten geführt, dass wir
sterben in der Wüste? Denn es ist kein
Brot noch Wasser hier, und uns ekelt vor
dieser mageren Speise.

6 Da sandte der HERR [a]feurige Schlangen
unter das Volk; die bissen das Volk, dass
viele aus Israel starben. 7 Da kamen sie zu
Mose und sprachen: Wir haben [a]gesün-
digt, dass wir wider den HERRN und wi-
der dich geredet haben. Bitte den HERRN,
dass er die Schlangen von uns nehme.
Und Mose bat für das Volk. 8 Da sprach der
HERR zu Mose: Mache dir eine [a]eherne
Schlange und richte sie an einer Stange
hoch auf. Wer gebissen ist und sieht sie
an, der soll leben. 9 Da machte Mose eine
eherne Schlange und richtete sie hoch auf.
Und wenn jemanden eine Schlange biss,
so sah er die eherne Schlange an und blieb
leben.

ZUG BIS AN DEN ARNON UND INS MOABITERLAND

10 Und die Israeliten zogen weiter und la-
gerten sich in Obot. 11 Und von Obot zo-
gen sie weiter und lagerten sich in Ije-Aba-
rim, in der Wüste östlich von Moab. 12 Von
da zogen sie weiter und lagerten sich am
Bach Sered. 13 Von da zogen sie weiter und
lagerten sich in der Wüste südlich des
Arnon, der im Gebiet der Amoriter ent-
springt; denn der Arnon ist die Grenze
Moabs zwischen Moab und den Amori-
tern. 14 Daher heißt es in dem [a]Buch von
den Kriegen des HERRN: »Bei Waheb in
Sufa und bei den Bächen am Arnon 15 und
bei dem Abhang der Bäche, der sich hin-
zieht zur Stadt Ar und sich lehnt an die
Grenze Moabs.«

16 Und von da zogen sie nach Beer. Das
ist der Brunnen, von dem der HERR zu
Mose sagte: Versammle das Volk, ich will
ihnen Wasser geben. 17 Damals sang Israel
dies Lied:

Brunnen, steige auf! Singet von ihm:
 18 Einen Brunnen haben die Fürsten
 gegraben;
die Edlen im Volk haben ihn gegraben
 mit dem Zepter, mit ihren Stäben.

Und von Beer zogen sie nach Mattana
19 und von Mattana nach Nahaliël; und von

* **21,3** Der Name bedeutet »Bann«.

20,26 ***a*** 2. Mose 29,4-7 **20,28** ***a*** Kap 33,38-39; 5. Mose 10,6 **20,29** ***a*** 5. Mose 34,8 **21,1** ***a*** Kap 14,44-45; Ri 1,11-15 **21,2** ***a*** 5. Mose 13,16; 20,14.16-17; Jos 6,17; Ri 1,17; 1. Sam 15,3 **21,3** ***a*** Kap 14,45; 5. Mose 1,44 **21,4** ***a*** (4-5) Kap 11,4-6 **21,6** ***a*** 1. Kor 10,9 **21,7** ***a*** 2. Mose 32,30-34 **21,8** ***a*** 2. Kön 18,4; Joh 3,14 **21,14** ***a*** Jos 10,13; 2. Sam 1,18

Nahaliël nach Bamot; 20 und von Bamot in
das Tal, das im Feld von Moab liegt bei
dem Gipfel des Pisga, der hinunterblickt
auf das Jordantal.

SIEG ÜBER DIE KÖNIGE SIHON UND OG

21 [a]Und Israel sandte Boten zu Sihon, dem
König der Amoriter, und ließ ihm sagen:
22 Lass mich durch dein Land ziehen. Wir
wollen nicht abbiegen in die Äcker noch in
die Weingärten, wollen auch vom Brun-
nenwasser nicht trinken; die Königsstraße
wollen wir ziehen, bis wir durch dein Ge-
biet hindurchgekommen sind.[a] 23 Aber
Sihon gestattete den Israeliten nicht den
Zug durch sein Gebiet, sondern sammelte
sein ganzes Kriegsvolk und zog aus, Israel
entgegen in die Wüste. Und als er nach
Jahaz kam, kämpfte er gegen Israel. 24 Is-
rael aber schlug ihn mit der Schärfe des
Schwerts und nahm sein Land ein vom
Arnon bis an den Jabbok und bis zu den
Ammonitern; das Gebiet der Ammoniter
aber reichte bis Jaser.

25 So nahm Israel alle diese Städte ein
und wohnte in allen Städten der Amori-
ter, in Heschbon und in allen seinen Ort-
schaften. 26 Denn Heschbon war die Stadt
Sihons, des Königs der Amoriter. Er hatte
mit dem früheren König der Moabiter
gekämpft und ihm all sein Land bis zum
Arnon weggenommen. 27 Daher sagen die
Spruchdichter:

Kommt nach Heschbon,
dass man die Stadt Sihons baue
und aufrichte.
28 Ja, Feuer ist aus Heschbon gefahren,
eine Flamme von der Stadt Sihons;
die hat gefressen Ar in Moab
und verzehrt die Höhen am Arnon.
29 Weh dir, Moab!
Du Volk des [a]Kemosch
bist verloren!
Man hat seine Söhne in die Flucht
geschlagen
und seine Töchter gefangen geführt
zu Sihon, dem König der Amoriter.
30 Seine Herrlichkeit ist
zunichtegeworden
von Heschbon bis nach Dibon,
sie ist zerstört bis nach Nofach,
bis nach Medeba.

31 So wohnte Israel im Lande der Amoriter.
32 Und Mose sandte Kundschafter aus
nach Jaser; und sie eroberten es mit seinen
Ortschaften und vertrieben die Amoriter,
die darin waren, 33 [a]und wandten sich und
zogen hinauf den Weg nach Baschan. Da
zog ihnen entgegen Og, der König von Ba-
schan, mit seinem ganzen Kriegsvolk, um
bei Edreï zu kämpfen. 34 Und der HERR
sprach zu Mose: Fürchte dich nicht vor
ihm, denn ich habe ihn in deine Hand ge-
geben mit Land und Leuten, und du sollst
mit ihm tun, wie du mit [a]Sihon, dem Kö-
nig der Amoriter, getan hast, der in Hesch-
bon wohnte. 35 Und sie schlugen ihn und
seine Söhne und sein ganzes Kriegsvolk,
bis keiner mehr übrig blieb, und nahmen
das Land ein.

BILEAM SOLL ISRAEL VERFLUCHEN,
ABER ER MUSS ES SEGNEN

22 Danach zogen die Israeliten weiter und
lagerten sich in den Steppen Moabs
gegenüber Jericho. 2 Und Balak, der Sohn
Zippors, sah alles, was Israel den Amo-
ritern angetan hatte. 3 Und die Moabiter
fürchteten sich sehr vor dem Volk, weil es
groß war, und den Moabitern graute vor
den Israeliten. 4 Und sie sprachen zu den
Ältesten der Midianiter: Nun wird dieser
Haufe auffressen, was um uns herum ist,
wie ein Rind das Gras auf dem Felde ab-
frisst. Balak aber, der Sohn Zippors, war
zu der Zeit König der Moabiter. 5 Und er
sandte Boten aus zu [a]Bileam, dem Sohn
Beors, nach Petor, das am Euphrat liegt,
ins Land der Kinder seines Volks, um ihn
herbeizurufen, und ließ ihm sagen: Siehe,
es ist ein Volk aus Ägypten gezogen, das
bedeckt das ganze Land und lagert mir
gegenüber. 6 So komm nun und verfluche
mir das Volk, denn es ist mir zu mächtig;
vielleicht kann ich's dann schlagen und
aus dem Lande vertreiben; denn ich weiß:
Wen du segnest, der ist gesegnet, und wen
du verfluchst, der ist verflucht.

7 Und die Ältesten der Moabiter gin-
gen hin mit den Ältesten der Midianiter
und hatten Lose zum Wahrsagen in ihren
Händen und kamen zu Bileam und sagten

21,21 *a* (21-31) 5. Mose 2,26-37 **21,22** *a* Kap 20,17
21,29 *a* Ri 11,24; 1. Kön 11,7 **21,33** *a* (33-35) 5. Mose 3,1-11
21,34 *a* Ps 136,17-22 **22,5** *a* Kap 31,8; Jos 24,9; Mi 6,5

ihm die Worte Balaks. 8 Und er sprach zu
ihnen: Bleibt hier über Nacht, so will ich
euch antworten, wie mir's der HERR sa-
gen wird. Da blieben die Fürsten der Mo-
abiter bei Bileam.

9 Und Gott kam zu Bileam und sprach:
Wer sind die Leute, die bei dir sind? 10 Bi-
leam sprach zu Gott: Balak, der Sohn Zip-
pors, der König der Moabiter, hat zu mir
gesandt: 11 Siehe, ein Volk ist aus Ägypten
gezogen und bedeckt das ganze Land. So
komm nun und verfluche es; vielleicht
kann ich dann mit ihm kämpfen und es
vertreiben. 12 Gott aber sprach zu Bileam:
Geh nicht mit ihnen, verfluche das Volk
auch nicht; denn es ist gesegnet. 13 Da
stand Bileam am Morgen auf und sprach
zu den Fürsten Balaks: Geht hin in euer
Land; denn der HERR will's nicht gestat-
ten, dass ich mit euch ziehe.

14 Und die Fürsten der Moabiter mach-
ten sich auf, kamen zu Balak und spra-
chen: Bileam weigert sich, mit uns zu
ziehen. 15 Da sandte Balak noch mehr und
noch mächtigere Fürsten, als jene waren.
16 Als die zu Bileam kamen, sprachen sie
zu ihm: So lässt dir sagen Balak, der Sohn
Zippors: Wehre dich doch nicht dagegen,
zu mir zu ziehen; 17 denn ich will dich hoch
ehren, und was du mir sagst, das will ich
tun; komm doch und verfluche mir dies
Volk.

18 Bileam antwortete und sprach zu den
Knechten Balaks: [a]Wenn mir Balak sein
Haus voll Silber und Gold gäbe, so könnte
ich doch nicht übertreten das Wort des
HERRN, meines Gottes, weder im Klei-
nen noch im Großen. 19 So bleibt auch
ihr nun hier diese Nacht, dass ich erfahre,
was der HERR weiter mit mir reden wird.
20 Da kam Gott in der Nacht zu Bileam und
sprach zu ihm: Sind die Männer gekom-
men, dich zu rufen, so mach dich auf und
zieh mit ihnen; doch nur was ich dir sagen
werde, sollst du tun.

21 Da stand Bileam am Morgen auf und
sattelte seine Eselin und zog mit den Fürs-
ten der Moabiter. 22 Aber der Zorn Gottes
entbrannte darüber, dass er hinzog. Und
der [a]Engel des HERRN trat in den Weg, um
ihm zu widerstehen. Er aber ritt auf sei-
ner Eselin, und zwei Knechte waren mit
ihm. 23 Und die Eselin sah den Engel des
HERRN auf dem Wege stehen [a]mit einem
bloßen Schwert in seiner Hand. Und die
Eselin wich vom Weg ab und ging auf dem
Felde; Bileam aber schlug sie, um sie wie-
der auf den Weg zu bringen. 24 Da trat der
Engel des HERRN auf den Pfad zwischen
den Weinbergen, wo auf beiden Seiten
Mauern waren. 25 Und als die Eselin den
Engel des HERRN sah, drängte sie sich an
die Mauer und klemmte Bileam den Fuß
ein an der Mauer, und er schlug sie noch
mehr.

26 Da ging der Engel des HERRN wei-
ter und trat an eine enge Stelle, wo kein
Platz mehr war auszuweichen, weder zur
Rechten noch zur Linken. 27 Und als die
Eselin den Engel des HERRN sah, fiel sie
auf die Knie unter Bileam. Da entbrannte
der Zorn Bileams, und er schlug die Ese-
lin mit dem Stecken. 28 Da tat der HERR
der Eselin den Mund auf, und sie sprach
zu Bileam: Was hab ich dir getan, dass du
mich nun dreimal geschlagen hast?[a] 29 Bi-
leam sprach zur Eselin: Weil du Mutwil-
len mit mir treibst! Ach dass ich jetzt ein
Schwert in der Hand hätte, ich wollte dich
töten! 30 Die Eselin sprach zu Bileam: Bin
ich nicht deine Eselin, auf der du geritten
bist von jeher bis auf diesen Tag? War es
je meine Art, es so mit dir zu treiben? Er
sprach: Nein.

31 Da öffnete der HERR dem Bileam die
Augen, dass er den Engel des HERRN auf
dem Wege stehen sah mit einem bloßen
Schwert in seiner Hand, und er neigte sich
und fiel nieder auf sein Angesicht. 32 Und
der Engel des HERRN sprach zu ihm:
Warum hast du deine Eselin nun dreimal
geschlagen? Siehe, ich habe mich aufge-
macht, um dir zu widerstehen; denn der
Weg vor mir führt ins Verderben. 33 Und
die Eselin hat mich gesehen und ist mir
dreimal ausgewichen. Wäre sie mir nicht
ausgewichen, wollte ich dich jetzt töten,
die Eselin aber am Leben lassen. 34 Da
sprach Bileam zu dem Engel des HERRN:
Ich habe gesündigt; ich hab's ja nicht ge-
wusst, dass du mir entgegenstandest auf
dem Wege. Und nun, wenn dir's nicht
gefällt, will ich wieder umkehren. 35 Der

22,18 *a* 1. Kön 13,8 **22,22** *a* 1. Mose 16,7 **22,23** *a* Jos 5,13
22,28 *a* 2. Petr 2,16

Engel des HERRN sprach zu ihm: Zieh
hin mit den Männern, aber nichts ande-
res, als was ich zu dir sagen werde, sollst
du reden. So zog Bileam mit den Fürsten
Balaks.
36 Als Balak hörte, dass Bileam kam, zog
er aus, ihm entgegen nach Ar in Moab, das
am Arnon liegt, an der äußersten Grenze,
37 und sprach zu ihm: Hab ich nicht zu dir
gesandt und dich rufen lassen? Warum
bist du denn nicht zu mir gekommen?
Meinst du, ich könnte dich nicht ehren?
38 Bileam antwortete ihm: Siehe, ich bin
zu dir gekommen, aber wie kann ich et-
was anderes reden, als was mir Gott in den
Mund gibt? Nur das kann ich reden! 39 So
zog Bileam mit Balak, und sie kamen nach
Kirjat-Huzot. 40 Und Balak opferte Rinder
und Schafe und sandte davon an Bileam
und an die Fürsten, die bei ihm waren.
41 Und am Morgen nahm Balak den
Bileam und führte ihn hinauf nach
[a]Bamot-Baal, dass er von dort das ganze
Volk überblicken konnte.
23 Und Bileam sprach zu Balak: Baue
mir hier sieben Altäre und schaffe mir
her sieben junge Stiere und sieben Wid-
der. 2 Balak tat, wie ihm Bileam sagte, und
beide, Balak und Bileam, opferten auf je-
dem Altar einen jungen Stier und einen
Widder. 3 Und Bileam sprach zu Balak:
Tritt zu deinem Brandopfer; ich will hin-
gehen, ob mir vielleicht der HERR begeg-
net, dass ich dir sage, was er mir zeigt. Und
er ging hin auf einen kahlen Hügel. 4 Und
Gott begegnete Bileam; er aber sprach zu
ihm: Sieben Altäre hab ich hergerichtet
und auf jedem Altar einen jungen Stier
und einen Widder geopfert. 5 Der HERR
aber gab dem Bileam ein Wort in den
Mund und sprach: Geh zurück zu Balak
und sprich so! 6 Und als er zu ihm kam,
siehe, da stand er bei seinem Brandopfer
samt allen Fürsten der Moabiter.
7 Da hob Bileam an mit seinem Spruch
und sprach: Aus Aram hat mich Balak, der
König der Moabiter, holen lassen von dem
Gebirge im Osten: Komm, verfluche mir
Jakob! Komm, verwünsche Israel! 8 Wie
soll ich fluchen, dem Gott nicht flucht?
Wie soll ich verwünschen, den der HERR
nicht verwünscht? 9 Denn von der Höhe
der Felsen sehe ich ihn, und von den Hü-
geln schaue ich ihn. Siehe, das Volk wird
abgesondert wohnen und sich nicht zu
den Völkern rechnen. 10 Wer kann zählen
den [a]Staub Jakobs, auch nur den vierten
Teil Israels? Meine Seele möge sterben
den Tod der Gerechten, und mein Ende
werde wie ihr Ende!
11 Da sprach Balak zu Bileam: Was tust
du mir an? Ich habe dich holen lassen, um
meinen Feinden zu fluchen, und siehe,
du segnest. 12 Er antwortete und sprach:
Muss ich nicht das halten und [a]reden, was
mir der HERR in den Mund gibt? 13 Ba-
lak sprach zu ihm: Komm doch mit mir
an einen andern Ort, [a]von wo aus du ge-
rade sein äußerstes Ende siehst, aber nicht
ganz Israel, und verfluche es mir von dort.
14 Und er führte ihn zum Späherfeld auf
dem Gipfel des Pisga und baute sieben
Altäre und opferte auf jedem Altar einen
jungen Stier und einen Widder. 15 Und
Bileam sprach zu Balak: Tritt zu deinem
Brandopfer, ich aber will dort dem Herrn
begegnen.
16 Und der HERR begegnete Bileam und
gab ihm ein Wort in seinen Mund und
sprach: Geh zurück zu Balak und sprich
so! 17 Und als er zu ihm kam, siehe, da
stand er bei seinem Brandopfer samt den
Fürsten der Moabiter. Und Balak sprach zu
ihm: Was hat der HERR gesagt?
18 Und er hob an mit seinem Spruch und
sprach: Steh auf, Balak, und höre! Nimm
zu Ohren, was ich sage, du Sohn Zip-
pors! 19 **Gott ist nicht ein Mensch, dass
er lüge, noch ein Menschenkind, dass
ihn etwas gereue. Sollte er etwas sagen
und nicht tun? Sollte er etwas reden
und nicht halten?**[a] 20 Siehe, zu segnen
ist mir befohlen; er hat gesegnet, und ich
kann's nicht wenden. 21 Man sieht kein
Unheil in Jakob und keine Mühsal in Is-
rael. Der HERR, sein Gott, ist bei ihm, und
es jauchzt dem König zu. 22 Gott, der sie
aus Ägypten geführt hat, ist für sie wie das
Horn des Wildstiers. 23 Daher hilft kein
Zaubern gegen Jakob und kein Wahrsa-
gen gegen Israel. Zu rechter Zeit wird Ja-
kob und Israel gesagt, was Gott gewirkt
hat. 24 Siehe, das Volk wird aufstehen wie

22,41 *a* Jos 13,17 **23,10** *a* 1. Mose 13,16 **23,12** *a* Kap 22,38
23,13 *a* Kap 22,41 **23,19** *a* 1. Sam 15,29; Hos 11,9

ein junger Löwe und wird sich erheben
[a]wie ein Löwe; es wird sich nicht legen,
bis es den Raub verzehrt und das Blut der
Erschlagenen trinkt.
25 Da sprach Balak zu Bileam: Wenn du
es schon nicht verfluchst, so segne es nicht
noch. 26 Bileam antwortete und sprach zu
Balak: Hab ich dir nicht gesagt, alles, was
der HERR redet, das würde ich tun? 27 Ba-
lak sprach zu ihm: Komm doch, ich will
dich an einen andern Ort führen; viel-
leicht gefällt es Gott, dass du sie mir dort
verfluchst. 28 Und [a]Balak führte ihn auf
den Gipfel des Berges [b]Peor, der hinunter-
blickt auf die Wüste. 29 Und Bileam sprach
zu Balak: Baue mir hier sieben Altäre und
schaffe mir her sieben junge Stiere und
sieben Widder. 30 Balak tat, wie Bileam
sagte, und opferte auf jedem Altar einen
jungen Stier und einen Widder.
24 Als nun Bileam sah, dass es dem
HERRN gefiel, Israel zu segnen, ging
er nicht wie bisher auf Zeichen aus, son-
dern richtete sein Angesicht zur Wüste,
2 hob seine Augen auf und sah Israel, wie
sie lagerten nach ihren Stämmen. Und der
Geist Gottes kam auf ihn, 3 und er hob an
mit seinem Spruch und sprach: Es sagt Bi-
leam, der Sohn Beors, es sagt der Mann,
dem [a]die Augen geöffnet sind; 4 es sagt der
Hörer göttlicher Rede, der des Allmäch-
tigen Offenbarung sieht, dem die Augen
geöffnet werden, wenn er niederkniet:
5 Wie fein sind deine Zelte, Jakob, und
deine Wohnungen, Israel! 6 Wie die Tä-
ler, die sich ausbreiten, wie die Gärten an
den Wassern, wie die Aloebäume, die der
HERR pflanzt, wie die Zedern an den Was-
sern. 7 Sein Eimer fließt von Wasser über,
und seine Saat hat Wasser die Fülle. Sein
König wird höher werden als Agag, und
sein Reich wird erhoben werden. 8 Gott,
der sie aus Ägypten geführt hat, ist für sie
wie das Horn des Wildstiers. Er wird die
Völker, seine Verfolger, auffressen und
ihre Gebeine zermalmen und mit seinen
Pfeilen zerschmettern. 9 Er [a]hat sich hin-
gestreckt, sich niedergelegt wie ein Löwe
und wie ein junger Löwe – wer will ihn
aufstören? [b]Gesegnet sei, wer dich segnet,
und verflucht, wer dich verflucht!
10 Da entbrannte Balaks Zorn gegen Bi-
leam, und er schlug die Hände zusammen
und sprach zu ihm: Ich habe dich gerufen,
dass du meine Feinde verfluchen solltest,
und siehe, du hast sie nun dreimal ge-
segnet. 11 Geh nun weg in dein Land! Ich
dachte, ich wollte dich ehren, aber der
HERR hat dir die Ehre verwehrt. 12 Bileam
antwortete ihm: Hab ich nicht schon zu
deinen Boten gesagt, die du zu mir sand-
test: 13 Wenn mir Balak sein Haus voll
Silber und Gold gäbe, so könnte ich doch
nicht übertreten das Wort des HERRN
und Böses oder Gutes tun nach meinem
Herzen, sondern was der HERR redet, das
würde ich auch reden?[a] 14 Und nun siehe,
ich ziehe zu meinem Volk. So komm, ich
will dir kundtun, was dies Volk deinem
Volk tun wird zur letzten Zeit.
15 Und er hob an mit seinem Spruch und
sprach: Es sagt Bileam, der Sohn Beors, es
sagt der Mann, dem die Augen geöffnet
sind, 16 es sagt der Hörer göttlicher Rede
und der die Erkenntnis des Höchsten
hat, der die Offenbarung des Allmäch-
tigen sieht und dem die Augen geöffnet
werden, wenn er niederkniet: 17 Ich sehe
ihn, aber nicht jetzt; ich schaue ihn, aber
nicht von Nahem. Es wird ein [a]Stern aus
Jakob aufgehen und ein [b]Zepter aus Is-
rael aufkommen und wird [c]zerschmet-
tern die Schläfen der Moabiter und den
Scheitel aller Söhne Sets. 18 [a]Edom wird
er einnehmen, und Seïr, sein Feind, wird
unterworfen sein; Israel aber wird Sieg
haben. 19 Aus Jakob wird [a]der Herrscher
kommen und umbringen, was übrig ist
von den Städten.
20 Und als er die Amalekiter sah, hob er
an mit seinem Spruch und sprach: Amalek
ist das erste unter den Völkern; aber [a]zu-
letzt wird es umkommen.
21 Und als er die [a]Keniter sah, hob er an
mit seinem Spruch und sprach: Fest ist
deine Wohnung, und du hast dein Nest in
einen Fels gebaut. 22 Dennoch wird Kain
ausgetilgt werden. Wie lange noch, dann
führt Assur dich gefangen hinweg! 23 Und
er hob abermals an mit seinem Spruch und

23,24 ***a*** Kap 24,9; Hes 19,2 **23,28** ***a*** Kap 22,41 ***b*** Kap 25,3 **24,3** ***a*** 1. Sam 9,9 **24,9** ***a*** Kap 23,24; 1. Mose 49,9 ***b*** 1. Mose 12,3; 27,29 **24,13** ***a*** Kap 22,18 **24,17** ***a*** Mt 2,2; Lk 1,78 ***b*** 1. Mose 49,10 ***c*** 2. Sam 8,2 **24,18** ***a*** 2. Sam 8,14; Jer 49,7-22 **24,19** ***a*** Mi 5,1.7-8 **24,20** ***a*** 2. Mose 17,14; 1. Sam 15,2-3.7 **24,21** ***a*** 1. Sam 15,6

sprach: Ach, wer wird am Leben bleiben,
wenn Gott das tun wird? 24 Und Schiffe
aus [a]Kittim werden [b]Assur und [c]Eber
überwältigen; jenes aber wird auch um-
kommen.
25 Und [a]Bileam machte sich auf und zog
hin und kehrte zurück an seinen Ort, und
Balak zog seinen Weg.

ISRAEL DIENT DEM BAAL-PEOR UND WIRD BESTRAFT

25 Und Israel lagerte in [a]Schittim. Da fing
das Volk an zu [b]huren mit den Töch-
tern der Moabiter; 2 die luden das Volk zu
den Opfern ihrer Götter. Und das Volk
aß und betete ihre Götter an. 3 Und Israel
hängte sich an den [a]Baal-Peor. Da ent-
brannte des HERRN Zorn über Israel, 4 und
er sprach zu Mose: Nimm alle Oberen des
Volks und [a]hänge sie vor dem HERRN auf
im Angesicht der Sonne, damit sich der
grimmige Zorn des HERRN von Israel
wende. 5 Mose aber sprach zu den Richtern
Israels: [a]Töte ein jeder seine Leute, die sich
an den Baal-Peor gehängt haben.
6 Und siehe, ein Mann aus Israel kam und
brachte unter seine Brüder eine [a]Midian-
iterin vor den Augen des Mose und der
ganzen Gemeinde der Israeliten, die da
weinten vor den Eingang der Stiftshütte.
7 Als das [a]Pinhas sah, der Sohn Eleasars,
des Sohnes des Priesters Aaron, stand er
auf aus der Gemeinde und nahm einen
Spieß in seine Hand 8 und ging dem isra-
elitischen Mann nach in die Kammer und
durchstach sie beide, den israelitischen
Mann und die Frau, durch ihren Leib. Da
hörte die Plage auf unter den Israeliten.
9 Es waren aber durch die Plage getötet
worden vierundzwanzigtausend.[a]
10 Und der HERR redete mit Mose und
sprach: 11 Pinhas, der Sohn Eleasars, des
Sohnes des Priesters Aaron, hat mei-
nen Grimm von den Israeliten gewen-
det durch seinen Eifer um mich, dass ich
nicht in meinem Eifer die Israeliten ver-
tilgte. 12 Darum sage: Siehe, ich gebe ihm
meinen [a]Bund des Friedens. 13 Dieser soll
ihm und seinen Nachkommen der Bund
des ewigen Priestertums sein, weil er für
seinen Gott geeifert und für die Israeliten
Sühne geschafft hat. 14 Der israelitische
Mann aber, der erschlagen wurde mit der
Midianiterin, hieß Simri, der Sohn Salus,
der Oberste einer Sippe der Simeoniter.
15 Die midianitische Frau, die auch erschla-
gen wurde, hieß Kosbi, eine Tochter Zurs,
des Hauptes eines Geschlechtes unter den
Midianitern.
16 Und der HERR redete mit Mose und
sprach: 17 Tut den Midianitern Schaden
und schlagt sie;[a] 18 denn sie haben euch
Schaden getan mit ihrer List, die sie ge-
gen euch geübt haben durch den Peor und
durch ihre Schwester Kosbi, die Tochter
eines Obersten der Midianiter, die er-
schlagen wurde am Tag der Plage, die um
des Peor willen kam.

NEUE ZÄHLUNG DER STÄMME DES VOLKES

26 19 Und es geschah nach der Plage, 1 da
sprach der HERR zu Mose und Eleasar,
dem Sohn des Priesters Aaron: 2 Nehmt
die Summe der ganzen Gemeinde der Is-
raeliten auf, von zwanzig Jahren an und
darüber nach ihren Sippen, alles, was mit
dem Heer hinausziehen kann in Israel.[a]
3 Und Mose und Eleasar, der Priester, zähl-
ten sie in den Steppen Moabs gegenüber
Jericho, 4 die zwanzig Jahre alt waren und
darüber, wie der HERR es Mose geboten
hatte.
Dies aber waren die Israeliten, die aus
Ägypten gezogen waren: 5 [a]Ruben, der
Erstgeborene Israels. Die Söhne Rubens
aber waren: Henoch, von dem das Ge-
schlecht der Henochiter kommt; Pallu,
von dem das Geschlecht der Palluiter
kommt; 6 Hezron, von dem das Ge-
schlecht der Hezroniter kommt; Karmi,
von dem das Geschlecht der Karmiter
kommt. 7 Das sind die Geschlechter von
Ruben. Ihre Zahl aber war 43730.
8 Und der Sohn Pallus war Eliab. 9 Und
die Söhne Eliabs waren Nemuël und [a]Da-
tan und Abiram. Das sind der Datan und

24,24 *a* 1. Mose 10,4; Dan 11,30 *b* 1. Mose 10,22
c 1. Mose 10,21 **24,25** *a* Kap 31,8.16 **25,1** *a* Kap 33,49
b 1. Kor 10,8 **25,3** *a* 5. Mose 4,3; Ps 106,28
25,4 *a* 5. Mose 21,22-23; 2. Sam 21,6.9
25,5 *a* 2. Mose 32,27 **25,6** *a* Kap 31,16
25,7 *a* 2. Mose 6,25 **25,9** *a* Ps 106,29-31
25,12 *a* 1. Chr 9,20; Jes 54,10; Hes 34,25; Mal 2,5
25,17 *a* Kap 31,2-10 **26,2** *a* Kap 1,2-47
26,5 *a* (5-50) 1. Mose 35,23-26; 46,8-27; 1. Chr 4,1–8,40
26,9 *a* Kap 16,1.12

Abiram, die von der Versammlung beru-
fen waren, aber die sich gegen Mose und
Aaron auflehnten in der Rotte Korach,
als sie sich gegen den HERRN auflehnten.
10 Und die Erde tat ihren Mund auf und
verschlang sie mit Korach, während die
Rotte starb, indem das Feuer zweihun-
dertfünfzig Männer fraß und sie zum Zei-
chen wurden. 11 Aber die Söhne Korachs
sind nicht gestorben.*

12 Die Söhne Simeons nach ihren Ge-
schlechtern waren: Jemuël, daher kommt
das Geschlecht der Jemuëliter; Jamin, da-
her kommt das Geschlecht der Jaminiter;
Jachin, daher das Geschlecht der Jachiniter
kommt; 13 [a]Serach, daher das Geschlecht
der Serachiter kommt; Schaul, daher das
Geschlecht der Schauliter kommt. 14 Das
sind die Geschlechter von Simeon, 22 200.

15 Die Söhne Gads nach ihren Geschlech-
tern waren: Zifjon, daher das Geschlecht
der Zifjoniter kommt; Haggi, daher das
Geschlecht der Haggiter kommt; Schuni,
daher das Geschlecht der Schuniter
kommt; 16 Osni, daher das Geschlecht der
Osniter kommt; Eri, daher das Geschlecht
der Eriter kommt; 17 Arod, daher das Ge-
schlecht der Aroditer kommt; Areli, daher
das Geschlecht der Areliter kommt. 18 Das
sind die Geschlechter der Söhne Gads, an
Zahl 40 500.

19 Die Söhne Judas waren: Ger und
Onan, die beide im Lande Kanaan star-
ben.[a] 20 Es waren aber die Söhne Judas
nach ihren Geschlechtern: Schela, daher
das Geschlecht der Schelaniter kommt;
Perez, daher das Geschlecht der Perez-
iter kommt; Serach, daher das Geschlecht
der Serachiter kommt. 21 Aber die Söhne
des [a]Perez waren: Hezron, daher das
Geschlecht der Hezroniter kommt; Ha-
mul, daher das Geschlecht der Hamuliter
kommt. 22 Das sind die Geschlechter Ju-
das, an Zahl 76 500.

23 Die Söhne Issachars nach ihren Ge-
schlechtern waren: Tola, daher das Ge-
schlecht der Tolaiter kommt; Puwa, daher
das Geschlecht der Puwaniter kommt;
24 Jaschub, daher das Geschlecht der Ja-
schubiter kommt; Schimron, daher das
Geschlecht der Schimroniter kommt.
25 Das sind die Geschlechter Issachars, an
Zahl 64 300.

26 Die Söhne Sebulons nach ihren Ge-
schlechtern waren: Sered, daher das Ge-
schlecht der Serediter kommt; Elon, daher
das Geschlecht der Eloniter kommt; Jach-
leel, daher das Geschlecht der Jachleeliter
kommt. 27 Das sind die Geschlechter Sebu-
lons, an Zahl 60 500.

28 Die Söhne Josefs nach ihren Ge-
schlechtern waren: Manasse und Eph-
raim. 29 [a]Die Söhne Manasses aber waren:
Machir, daher kommt das Geschlecht der
Machiriter; Machir zeugte Gilead, daher
kommt das Geschlecht der Gileaditer.
30 Dies sind die Söhne Gileads: Iëser, da-
her kommt das Geschlecht der Iëseriter;
Helek, daher kommt das Geschlecht der
Helekiter; 31 Asriël, daher kommt das
Geschlecht der Asriëliter; Sichem, daher
kommt das Geschlecht der Sichemiter;
32 Schemida, daher kommt das Geschlecht
der Schemidaiter; Hefer, daher kommt das
Geschlecht der Heferiter. 33 Zelofhad aber
war Hefers Sohn und hatte keine Söhne,
sondern Töchter; die hießen Machla, Noa,
Hogla, Milka und Tirza.[a] 34 Das sind die
Geschlechter Manasses, an Zahl 52 700.

35 Die Söhne Ephraims nach ihren Ge-
schlechtern waren: Schutelach, daher
kommt das Geschlecht der Schutelachiter;
Becher, daher kommt das Geschlecht der
Becheriter; Tahan, daher kommt das Ge-
schlecht der Tahaniter. 36 Die Söhne Schu-
telachs aber waren: Eran, daher kommt
das Geschlecht der Eraniter. 37 Das sind die
Geschlechter der Söhne Ephraims, an Zahl
32 500. Das sind die Söhne Josefs nach ih-
ren Geschlechtern.

38 Die Söhne Benjamins nach ihren Ge-
schlechtern waren: Bela, daher kommt das
Geschlecht der Belaiter; Aschbel, daher
kommt das Geschlecht der Aschbeliter;
Ahiram, daher kommt das Geschlecht der
Ahiramiter; 39 Schufam, daher kommt das
Geschlecht der Schufamiter; Hufam, da-
her kommt das Geschlecht der Hufamiter.
40 Die Söhne Belas aber waren: Ard und
Naaman, daher kommt das Geschlecht der
Arditer und Naamaniter. 41 Das sind die

* **26,11** Sie sind bei lebendigem Leibe ins Totenreich gefahren (vgl. Kap 16,33).

26,13 *a* 1. Mose 36,13 **26,19** *a* 1. Mose 38,7-10
26,21 *a* Rut 4,18 **26,29** *a* (29-33) Jos 17,1-6
26,33 *a* Kap 27,1

Söhne Benjamins nach ihren Geschlechtern, an Zahl 45600.

42 Die Söhne Dans nach ihren Geschlechtern waren: Schuham, daher kommt das Geschlecht der Schuhamiter. Das sind die Geschlechter Dans nach ihren Geschlechtern. 43 Alle Geschlechter der Schuhamiter waren an Zahl 64400.

44 Die Söhne Assers nach ihren Geschlechtern waren: Jimna, daher kommt das Geschlecht der Jimniter; Jischwi, daher kommt das Geschlecht der Jischwiter; Beria, daher kommt das Geschlecht der Beriiter. 45 Aber die Söhne Berias waren: Heber, daher kommt das Geschlecht der Heberiter; Malkiël, daher kommt das Geschlecht der Malkiëliter. 46 Und die Tochter Assers hieß Serach. 47 Das sind die Geschlechter der Söhne Assers, an Zahl 53400.

48 Die Söhne Naftalis nach ihren Geschlechtern waren: Jachzeel, daher kommt das Geschlecht der Jachzeeliter; Guni, daher kommt das Geschlecht der Guniter; 49 Jezer, daher kommt das Geschlecht der Jezeriter; Schillem, daher kommt das Geschlecht der Schillemiter. 50 Das sind die Geschlechter von Naftali nach ihren Sippen, an Zahl 45400.

51 Das ist die Summe der Israeliten, 601730.

52 Und der HERR redete mit Mose und sprach: 53 Diesen sollst du das Land austeilen zum Erbe nach der Zahl der Namen. 54 Dem Geschlecht, das groß ist an Zahl, sollst du viel zum Erbe geben und dem Geschlecht, das gering ist an Zahl, wenig; einem jeden soll man geben nach seiner Zahl. 55 [a]Doch soll man das Land durchs Los austeilen; nach den Namen der Stämme ihrer Väter sollen sie ihr Erbteil erhalten. 56 Nach dem Los soll ihr Erbe ausgeteilt werden zwischen den vielen und wenigen.

DIE GESCHLECHTER DER LEVITEN

57 Und dies ist die Summe der Leviten nach ihren Geschlechtern: Gerschon, daher das Geschlecht der Gerschoniter; Kehat, daher das Geschlecht der Kehatiter; Merari, daher das Geschlecht der Merariter.[a] 58 Dies sind die Geschlechter Levis: das Geschlecht der [a]Libniter, das Geschlecht der [b]Hebroniter, das Geschlecht der Machliter, das Geschlecht der Muschiter, das Geschlecht der Korachiter. Kehat aber zeugte Amram. 59 Und Amrams Frau hieß Jochebed, eine Tochter Levis, die ihm geboren wurde in Ägypten. Und sie gebar dem Amram Aaron und Mose und ihre Schwester Mirjam.[a] 60 Dem Aaron aber wurden geboren Nadab, Abihu, Eleasar und Itamar. 61 Nadab aber und Abihu starben, als sie fremdes Feuer darbrachten vor dem HERRN.[a] 62 Und ihre Summe war 23000, alles, was männlich war, von einem Monat an und darüber. Sie wurden nämlich nicht gezählt zusammen mit den Israeliten; denn man gab ihnen kein Erbe unter den Israeliten.

63 Das ist die Summe der Israeliten, die Mose und Eleasar, der Priester, zählten in den Steppen Moabs gegenüber Jericho. 64 Unter diesen aber war keiner mehr von den Israeliten, die Mose und Aaron, der Priester, gezählt hatten in der Wüste Sinai.[a] 65 Denn der HERR hatte ihnen gesagt, sie sollten des Todes sterben in der Wüste. [a]Und so blieb keiner von ihnen übrig als Kaleb, der Sohn Jefunnes, und Josua, der Sohn Nuns.

ERBRECHT DER TÖCHTER

(vgl. Kap 36,1-12)

27 Und [a]die Töchter Zelofhads, des Sohnes Hefers, des Sohnes Gileads, des Sohnes Machirs, des Sohnes Manasses, von den Geschlechtern Manasses, des Sohnes Josefs, mit Namen Machla, Noa, Hogla, Milka und Tirza kamen herzu 2 und traten vor Mose und vor Eleasar, den Priester, und vor die Stammesfürsten und die ganze Gemeinde vor den Eingang der Stiftshütte und sprachen: 3 Unser Vater ist gestorben in der Wüste und war nicht unter denen, die sich [a]gegen den HERRN empörten, unter der Rotte Korach, sondern ist um seiner eigenen Sünde willen gestorben und hatte keine Söhne. 4 Warum soll denn unseres Vaters Name in seinem Ge-

26,55 *a* (55-56) Kap 33,54; 5. Mose 3,12-17; Jos 14,2
26,57 *a* Kap 3,17-20; 2. Mose 6,16-25 **26,58** *a* Kap 33,20 *b* Kap 13,22 **26,59** *a* 2. Mose 2,1-2; 6,20
26,61 *a* 3. Mose 10,1-2 **26,64** *a* Kap 1,1-47
26,65 *a* Kap 14,22-38 **27,1** *a* Kap 26,33; Jos 17,3-6
27,3 *a* Kap 16,2; 1. Mose 3,19

schlecht untergehen, weil er keinen Sohn
hat? Gebt uns auch ein Erbteil unter den
Brüdern unseres Vaters.
5 Mose brachte ihre Sache vor den
HERRN. 6 Und der HERR sprach zu ihm:
7 Die Töchter Zelofhads haben recht gere-
det. Du sollst ihnen ein Erbteil unter den
Brüdern ihres Vaters geben und sollst ih-
res Vaters Erbe ihnen zuwenden. 8 Und
sage den Israeliten: Wenn jemand stirbt
und keinen Sohn hat, so sollt ihr sein Erbe
seiner Tochter zuwenden. 9 Hat er keine
Tochter, sollt ihr's seinen Brüdern geben.
10 Hat er keine Brüder, sollt ihr's den Brü-
dern seines Vaters geben. 11 Hat sein Vater
keine Brüder, sollt ihr's seinen nächsten
Verwandten geben, die ihm angehören in
seinem Geschlecht, damit sie es in Besitz
nehmen. Das soll den Israeliten Gesetz
und Recht sein, wie der HERR dem Mose
geboten hat.

JOSUA WIRD ZUM NACHFOLGER DES MOSE EINGESETZT

12 [a]Und der HERR sprach zu Mose: Steig
auf dies Gebirge Abarim und sieh auf das
Land, das ich den Israeliten geben werde.
13 Und wenn du es gesehen hast, sollst du
auch zu deinen Vätern versammelt wer-
den, wie dein Bruder Aaron zu ihnen ver-
sammelt ist,[a] 14 weil ihr meinem Wort un-
gehorsam gewesen seid in der Wüste Zin,
als die Gemeinde haderte und ihr mich vor
ihnen heiligen solltet durch das Wasser.
Das ist das [a]Haderwasser zu Kadesch in
der Wüste Zin.
15 Und Mose redete mit dem HERRN und
sprach: 16 Der HERR, der [a]Gott des Lebens-
geistes für alles Fleisch, wolle einen Mann
setzen über die Gemeinde, 17 der vor ihnen
her aus und ein geht und sie aus und ein
führt, damit die Gemeinde des HERRN
nicht sei [a]wie die Schafe ohne Hirten.
18 Und der HERR sprach zu Mose: Nimm
[a]Josua zu dir, den Sohn Nuns, einen Mann,
in dem der Geist ist, und lege deine Hände
auf ihn; 19 und lass ihn treten vor den Pries-
ter Eleasar und vor die ganze Gemeinde
und bestelle ihn vor ihren Augen 20 und
lege [a]von deiner Herrlichkeit auf ihn, da-
mit ihm gehorche die ganze Gemeinde der
Israeliten. 21 Und er soll treten vor Eleasar,
den Priester, der soll für ihn [a]mit den hei-
ligen Losen* den HERRN befragen. Nach
dessen Befehl sollen aus- und einziehen er
und alle Israeliten mit ihm und die ganze
Gemeinde. 22 Mose tat, wie ihm der HERR
geboten hatte, und nahm Josua und ließ
ihn treten vor den Priester Eleasar und
vor die ganze Gemeinde 23 und legte seine
Hand auf ihn und bestellte ihn, wie der
HERR durch Mose geredet hatte.

DIE REGELMÄSSIGEN OPFER DES JAHRES

28 Und der HERR redete mit Mose und
sprach: 2 Gebiete den Israeliten und
sprich zu ihnen: Ihr sollt achthaben, dass
ihr zur rechten Zeit meine Opfergabe
darbringt als [a]Feueropferspeise mir zum
[b]lieblichen Geruch. 3 [a]Und sprich zu ih-
nen: Dies ist das Feueropfer, das ihr dem
HERRN opfern sollt: einjährige Lämmer,
die ohne Fehler sind, täglich zwei zum täg-
lichen Brandopfer, 4 ein Lamm am Morgen,
das andere gegen Abend; 5 dazu ein zehn-
tel Scheffel feines Mehl zum Speisopfer,
mit Öl vermengt, das gestoßen ist, eine
viertel Kanne. 6 Das ist das tägliche Brand-
opfer, das ihr am Berge Sinai geopfert habt
zum lieblichen Geruch, ein Feueropfer ist
es für den HERRN. 7 Dazu sein Trankopfer
zu je einem Lamm eine viertel Kanne. Im
Heiligtum soll man den Wein des Trank-
opfers dem HERRN darbringen. 8 Das an-
dere Lamm sollst du gegen Abend zurich-
ten. Mit einem Speisopfer wie am Morgen
und mit seinem Trankopfer sollst du es
zurichten als Feueropfer für den HERRN
zum lieblichen Geruch.
9 Am [a]Sabbattag aber zwei einjährige
Lämmer ohne Fehler und zwei Zehn-
tel feines Mehl zum Speisopfer, mit Öl
vermengt, und sein Trankopfer. 10 Das ist
das Brandopfer an jedem Sabbat über
das tägliche Brandopfer und sein Trank-
opfer hinaus.
11 [a]Aber am ersten Tage eurer Monate

* **27,21** Hebräisch: »Urim«.

27,12 *a* (12-14) Kap 21,11; 5. Mose 32,48-52
27,13 *a* Kap 20,24-28 **27,14** *a* Kap 20,12-13; 2. Mose 17,7
27,16 *a* Kap 16,22 **27,17** *a* Mi 5,3; Mt 9,36
27,18 *a* 2. Mose 33,11; 5. Mose 34,9
27,20 *a* 2. Mose 34,29-30; 2. Kön 2,9.15
27,21 *a* 2. Mose 28,30; 5. Mose 33,8 **28,2** *a* 3. Mose 21,6
b 1. Mose 8,21 **28,3** *a* (3-8) 2. Mose 29,38-42
28,9 *a* Mt 12,5 **28,11** *a* (11-15) Kap 10,10;
Hes 46,1.3.6; Jes 1,13

sollt ihr dem HERRN ein Brandopfer op-
fern: zwei junge Stiere, einen Widder,
sieben einjährige Lämmer ohne Fehler
12 und [a]je drei Zehntel feines Mehl zum
Speisopfer, mit Öl vermengt, zu je einem
jungen Stier und zwei Zehntel feines Mehl
zum Speisopfer, mit Öl vermengt, zu dem
einen Widder 13 und je ein Zehntel feines
Mehl zum Speisopfer, mit Öl vermengt,
zu je einem Lamm. Das ist ein Brandopfer,
ein lieblicher Geruch, ein Feueropfer für
den HERRN. 14 Und was dazugehört an
Trankopfern, soll sein: eine halbe Kanne
Wein zu je einem jungen Stier, eine drit-
tel Kanne zum Widder, eine viertel Kanne
zu je einem Lamm. Das ist das Brandopfer
zum Neumond eines jeden Monats im
Jahr. 15 Dazu soll man einen Ziegenbock
dem HERRN zum Sündopfer zurichten
über das tägliche Brandopfer und sein
Trankopfer hinaus.

16 [a]Aber am vierzehnten Tag des ersten
Monats ist das Passa für den HERRN. 17 Und
am fünfzehnten Tage desselben Monats ist
ein Fest. Sieben Tage soll man ungesäuer-
tes Brot essen. 18 Am ersten Tag soll hei-
lige Versammlung sein; da sollt ihr keine
Dienstarbeit* tun 19 und sollt dem HERRN
Brandopfer darbringen: zwei junge Stiere,
einen Widder, sieben einjährige Lämmer
ohne Fehler 20 samt ihrem Speisopfer: drei
Zehntel feines Mehl, mit Öl vermengt, zu
je einem jungen Stier und zwei Zehntel
zu dem Widder 21 und je ein Zehntel auf
ein Lamm unter den sieben Lämmern,
22 dazu einen Bock zum Sündopfer, um
für euch Sühne zu schaffen. 23 Und ihr
sollt das alles darbringen über das Brand-
opfer am Morgen hinaus, welches das täg-
liche Brandopfer ist. 24 Nach dieser Weise
sollt ihr täglich sieben Tage lang die Speise
zurichten als Feueropferspeise zum lieb-
lichen Geruch für den HERRN, über das
tägliche Brandopfer und sein Trankopfer
hinaus. 25 Am siebenten Tag aber soll hei-
lige Versammlung sein; da sollt ihr keine
Dienstarbeit tun.

26 [a]Und am Tag der Erstlinge, wenn ihr
das neue Speisopfer dem HERRN opfert,
an eurem Wochenfest, soll heilige Ver-
sammlung sein; da sollt ihr keine Dienst-
arbeit tun. 27 Und ihr sollt dem HERRN als
Brandopfer darbringen zum lieblichen
Geruch: zwei junge Stiere, einen Widder,
sieben einjährige Lämmer 28 samt ihrem
Speisopfer: drei Zehntel feines Mehl, mit
Öl vermengt, zu je einem jungen Stier,
zwei Zehntel zu dem Widder 29 und je
ein Zehntel zu je einem Lamm von den
sieben Lämmern 30 und einen Ziegen-
bock, um für euch Sühne zu schaffen.
31 Das alles sollt ihr darbringen über das
tägliche Brandopfer und sein Speisopfer
hinaus. Ohne Fehler soll's sein, dazu ihre
Trankopfer.

29 [a]Und am ersten Tag des siebenten Mo-
nats soll heilige Versammlung sein; da
sollt ihr keine Dienstarbeit tun; ein Tag
des Posaunenblasens soll er für euch sein.
2 Und ihr sollt als Brandopfer darbringen
zum lieblichen Geruch für den HERRN:
einen jungen Stier, einen Widder, sieben
einjährige Lämmer ohne Fehler, 3 samt ih-
rem Speisopfer: drei Zehntel feines Mehl,
mit Öl vermengt, zu dem jungen Stier,
zwei Zehntel zu dem Widder 4 und ein
Zehntel zu je einem Lamm von den sieben
Lämmern, 5 auch einen Ziegenbock zum
Sündopfer, um für euch Sühne zu schaf-
fen, 6 über das Brandopfer am Neumond
und sein Speisopfer hinaus und über das
tägliche Brandopfer mit seinem Speis-
opfer und mit ihren Trankopfern hinaus,
ihrer Ordnung gemäß, zum lieblichen Ge-
ruch als Feueropfer für den HERRN.

7 [a]Am zehnten Tag dieses siebenten
Monats soll heilige Versammlung sein; da
sollt ihr fasten und keine Arbeit an diesem
Tage tun, 8 sondern als Brandopfer dem
HERRN zum lieblichen Geruch opfern:
einen jungen Stier, einen Widder, sieben
einjährige Lämmer ohne Fehler 9 samt ih-
rem Speisopfer: drei Zehntel feines Mehl,
mit Öl vermengt, zu dem jungen Stier,
zwei Zehntel zu dem Widder 10 und ein
Zehntel zu je einem der sieben Lämmer,
11 dazu einen Ziegenbock zum Sündopfer
über das Sündopfer zur Sühnung und
über das tägliche Brandopfer mit seinem
Speisopfer und mit ihren Trankopfern
hinaus.[a]

* **28,18** Gemeint sind niedere Dienste am Heiligtum.

28,12 ***a*** Kap 15,2-12 **28,16** ***a*** *(16-25)* 3. Mose 23,5-14
28,26 ***a*** *(26-31)* 3. Mose 23,15-21; 5. Mose 16,10
29,1 ***a*** *(1-6)* Kap 10,10; 3. Mose 23,24-25
29,7 ***a*** *(7-11)* 3. Mose 23,27-32 **29,11** ***a*** 3. Mose 16,11-28

12 [a]Am fünfzehnten Tag des siebenten
Monats soll heilige Versammlung sein; da
sollt ihr keine Dienstarbeit tun und sollt
dem HERRN das Fest sieben Tage feiern
13 und sollt ein Brandopfer darbringen,
als Feueropfer des lieblichen Geruchs für
den HERRN: dreizehn junge Stiere, zwei
Widder, vierzehn einjährige Lämmer
ohne Fehler 14 samt ihrem Speisopfer: drei
Zehntel feines Mehl, mit Öl vermengt, zu
je einem der dreizehn jungen Stiere, zwei
Zehntel zu je einem der zwei Widder
15 und ein Zehntel zu je einem der vier-
zehn Lämmer, 16 dazu einen Ziegenbock
zum Sündopfer über das tägliche Brand-
opfer mit seinem Speisopfer und seinem
Trankopfer hinaus.

17 Am zweiten Tage: zwölf junge Stiere,
zwei Widder, vierzehn einjährige Lämmer
ohne Fehler 18 samt ihrem Speisopfer und
ihren Trankopfern zu den jungen Stieren,
zu den Widdern und zu den Lämmern
nach ihrer Zahl, der Ordnung gemäß,
19 dazu einen Ziegenbock zum Sündopfer
über das tägliche Brandopfer mit sei-
nem Speisopfer und ihren Trankopfern
hinaus.

20 Am dritten Tage: elf junge Stiere, zwei
Widder, vierzehn einjährige Lämmer
ohne Fehler 21 samt ihrem Speisopfer und
ihren Trankopfern zu den jungen Stieren,
zu den Widdern und zu den Lämmern
nach ihrer Zahl, der Ordnung gemäß,
22 dazu einen Bock zum Sündopfer über
das tägliche Brandopfer mit seinem Speis-
opfer und seinem Trankopfer hinaus.

23 Am vierten Tage: zehn junge Stiere,
zwei Widder, vierzehn einjährige Lämmer
ohne Fehler, 24 samt ihrem Speisopfer und
ihren Trankopfern zu den jungen Stieren,
zu den Widdern und zu den Lämmern
nach ihrer Zahl, der Ordnung gemäß,
25 dazu einen Ziegenbock zum Sündopfer
über das tägliche Brandopfer mit sei-
nem Speisopfer und seinem Trankopfer
hinaus.

26 Am fünften Tage: neun junge Stiere,
zwei Widder, vierzehn einjährige Lämmer
ohne Fehler 27 samt ihrem Speisopfer und
ihren Trankopfern zu den jungen Stieren,
zu den Widdern und zu den Lämmern
nach ihrer Zahl, der Ordnung gemäß,
28 dazu einen Bock zum Sündopfer über
das tägliche Brandopfer mit seinem Speis-
opfer und seinem Trankopfer hinaus.

29 Am sechsten Tage: acht junge Stiere,
zwei Widder, vierzehn einjährige Lämmer
ohne Fehler 30 samt ihrem Speisopfer und
ihren Trankopfern zu den jungen Stieren,
zu den Widdern und zu den Lämmern
nach ihrer Zahl, der Ordnung gemäß,
31 dazu einen Bock zum Sündopfer über
das tägliche Brandopfer mit seinem Speis-
opfer und seinen Trankopfern hinaus.

32 Am siebenten Tage: sieben junge
Stiere, zwei Widder, vierzehn einjährige
Lämmer ohne Fehler 33 samt ihrem Speis-
opfer und ihren Trankopfern zu den jun-
gen Stieren, zu den Widdern und zu den
Lämmern nach ihrer Zahl, ihrer Ordnung
gemäß, 34 dazu einen Bock zum Sünd-
opfer über das tägliche Brandopfer mit
seinem Speisopfer und seinem Trank-
opfer hinaus.

35 Am achten sollt ihr Festversammlung
halten; da sollt ihr keine Dienstarbeit
tun 36 und sollt als Brandopfer opfern, als
Feueropfer des lieblichen Geruchs für den
HERRN: einen jungen Stier, einen Wid-
der, sieben einjährige Lämmer ohne Fehler
37 samt ihrem Speisopfer und ihren Trank-
opfern zu dem jungen Stier, zu dem Wid-
der und zu den Lämmern nach ihrer Zahl,
der Ordnung gemäß, 38 dazu einen Bock
zum Sündopfer über das tägliche Brand-
opfer mit seinem Speisopfer und seinem
Trankopfer hinaus. 39 Das alles sollt ihr
dem HERRN darbringen an euren Festen,
außer dem, was ihr gelobt und freiwillig
gebt an Brandopfern, Speisopfern, Trank-
opfern und Dankopfern.

30 Und Mose sagte den Israeliten alles,
was ihm der HERR geboten hatte.

ÜBER GELÜBDE

2 Und Mose redete mit den Häuptern der
Stämme Israels und sprach: Dies ist's, was
der HERR geboten hat:

3 Wenn jemand dem HERRN ein [a]Ge-
lübde tut oder einen Eid schwört, sich von
etwas zu enthalten, so soll er sein Wort
nicht brechen, sondern alles tun, wie es
über seine Lippen gegangen ist.[b]

29,12 ***a*** (12-38) 3. Mose 23,34-43 **30,3** ***a*** 3. Mose 27,2-25; 5. Mose 23,22; Ri 11,35; Pred 5,3-4 ***b*** Kap 6,1-21

4 Wenn eine Frau dem HERRN ein Ge-
lübde tut oder sich eine Enthaltung auf-
erlegt, solange sie im Hause ihres Vaters
und ledig ist, 5 und wenn ihr Vater hört
von ihrem Gelübde oder ihrer Enthaltung,
die sie sich auferlegt hat, und er schweigt
dazu, so gelten alle ihre Gelübde und jede
Enthaltung, die sie sich auferlegt hat.
6 Wenn aber ihr Vater ihr's verwehrt an
dem Tage, da er's hört, so gilt keines ih-
rer Gelübde noch die Enthaltungen, die
sie sich auferlegt hat, und der HERR wird
ihr gnädig sein, weil ihr Vater es ihr ver-
wehrt hat.

7 Wird sie aber eines Mannes Frau und
liegt noch ein Gelübde auf ihr oder hat
sie sich unbedacht etwas auferlegt 8 und
ihr Mann hört es und schweigt dazu an
demselben Tage, so gilt ihr Gelübde und
ihre Enthaltung, die sie sich auferlegt hat.
9 Wenn aber ihr Mann ihr's verwehrt an
dem Tage, da er's hört, so hebt er ihr Ge-
lübde auf, das auf ihr liegt, oder ihre un-
bedachte Enthaltung, die sie sich auferlegt
hat; und der HERR wird ihr gnädig sein.

10 Das Gelübde einer Witwe oder einer
Verstoßenen, alles, was sie sich auferlegt
hat, das gilt für sie.

11 [a]Wenn eine Frau im Hause ihres Man-
nes etwas gelobt oder sich mit einem
Eid eine Enthaltung auferlegt 12 und ihr
Mann hört es und schweigt dazu und ver-
wehrt es ihr nicht, so gelten alle ihre Ge-
lübde und alles, was sie sich auferlegt hat.
13 Hebt aber ihr Mann ihr Gelübde auf an
dem Tage, da er's hört, so gilt das nicht,
was über ihre Lippen gegangen ist, was
sie gelobt oder was sie sich auferlegt hat;
denn ihr Mann hat ihr Gelübde aufgeho-
ben, und der HERR wird ihr gnädig sein.
14 Jedes Gelübde und jeden Eid, durch den
sie sich Enthaltung auferlegt hat, kann ihr
Mann bekräftigen oder aufheben. 15 Wenn
ihr Mann dazu schweigt bis zum nächs-
ten Tag, so bekräftigt er alle ihre Gelübde
und Enthaltungen, die auf ihr liegen, weil
er geschwiegen hat an dem Tage, da er's
hörte; 16 hat er's aber gehört und hebt
es erst später auf, so soll er ihre Schuld
tragen.

17 Das sind die Satzungen, die der HERR
dem Mose geboten hat, zwischen Mann
und Frau, zwischen Vater und Tochter,
solange sie noch ledig ist in ihres Vaters
Hause.

DER KRIEG GEGEN DIE MIDIANITER

31 Und der HERR redete mit Mose und
sprach: 2 Übe [a]Rache für die Israeli-
ten an den Midianitern, und danach
sollst du [b]versammelt werden zu deinen
Vätern. 3 Da redete Mose mit dem Volk
und sprach: Rüstet unter euch Leute zum
Kampf gegen die Midianiter, die die Ra-
che des HERRN an den Midianitern voll-
strecken. 4 Aus jedem Stamm je tausend
Mann sollt ihr aus allen Stämmen Israels
in den Kampf schicken. 5 Und sie nahmen
aus den Tausenden Israels je tausend eines
Stammes, zwölftausend Mann gerüstet
zum Kampf. 6 Und Mose schickte sie, je
tausend eines Stammes, mit Pinhas, dem
Sohn des Priesters Eleasar, in den Kampf.
Der hatte die heiligen Geräte und die
[a]Kriegstrompeten bei sich. 7 Und sie zo-
gen aus zum Kampf gegen die Midianiter,
wie der HERR es Mose geboten hatte, und
[a]töteten alles, was männlich war. 8 Samt
diesen Erschlagenen töteten sie auch die
Könige der Midianiter, nämlich [a]Ewi, Re-
kem, Zur, Hur und Reba, die fünf Könige
der Midianiter. Auch [b]Bileam, den Sohn
Beors, töteten sie mit dem Schwert.

9 Und die Israeliten nahmen gefangen
die Frauen der Midianiter und ihre Kin-
der; all ihr Vieh, alle ihre Habe und alle
ihre Güter raubten sie 10 und verbrannten
mit Feuer alle ihre Städte, wo sie wohnten,
und alle ihre Zeltdörfer. 11 Und sie nahmen
die ganze Beute und alles, was zu nehmen
war an Menschen und Vieh, 12 und brach-
ten's zu Mose und zu Eleasar, dem Pries-
ter, und zu der Gemeinde der Israeliten,
nämlich die Gefangenen und das genom-
mene Vieh und die Beute, zum Lager in
den Steppen Moabs gegenüber Jericho.
13 Und Mose und Eleasar, der Priester, und
alle Fürsten der Gemeinde gingen ihnen
entgegen, hinaus vor das Lager.

14 Und Mose wurde zornig über die An-
führer des Heeres, die Hauptleute über
Tausend und über Hundert, die aus dem
Kampf kamen, 15 und sprach zu ihnen:

30,11 ***a*** *(11-16)* Jer 44,19.25 **31,2** ***a*** Kap 25,6-9.17
b Kap 27,13 **31,6** ***a*** Kap 10,2 **31,7** ***a*** 5. Mose 20,13
31,8 ***a*** Jos 13,21-22 ***b*** Kap 22,5

Warum habt ihr alle Frauen und Mäd-
chen leben lassen? 16 Siehe, haben nicht
diese die Israeliten auf Bileams Rat hin
vom HERRN [a]abtrünnig gemacht in der
Sache mit Peor, sodass der Gemeinde des
HERRN eine Plage widerfuhr? 17 [a]So tö-
tet nun alles, was männlich ist unter den
Kindern, und alle Frauen, die schon einen
Mann erkannt und bei ihm gelegen haben;
18 aber alle Mädchen, die noch nicht bei
einem Mann gelegen haben, die lasst für
euch leben. 19 Und lagert euch draußen vor
dem Lager sieben Tage, alle, die jemanden
getötet oder die Erschlagene angerührt
haben, dass ihr euch entsündigt am drit-
ten und siebenten Tage samt denen, die
ihr gefangen genommen habt.[a] 20 Auch alle
Kleider und alles Lederzeug und alles, was
aus Ziegenhaar gemacht ist, und alle höl-
zernen Geräte sollt ihr entsündigen.

21 Und Eleasar, der Priester, sprach zu
dem Kriegsvolk, das in den Kampf gezo-
gen war: Dies ist die Ordnung des Geset-
zes, das der HERR dem Mose geboten hat:
22 Gold, Silber, Kupfer, Eisen, Zinn und
Blei 23 und alles, was Feuer verträgt, sollt
ihr durchs Feuer gehen lassen, so wird es
rein; nur dass es mit dem Reinigungs-
wasser entsündigt werde. Aber alles,
was Feuer nicht verträgt, sollt ihr durchs
Wasser gehen lassen. 24 Und ihr sollt eure
Kleider waschen am siebenten Tage, so
werdet ihr rein. Danach sollt ihr ins Lager
kommen.

25 Und der HERR redete mit Mose und
sprach: 26 Nimm die gesamte Beute an
Menschen und Vieh auf, die weggeführt
wurde, du und der Priester Eleasar und
die Häupter der Sippen der Gemeinde,
27 und gib die eine Hälfte denen, die in
den Kampf gezogen sind und die Schlacht
geschlagen haben, und die andere Hälfte
der ganzen Gemeinde.[a] 28 Du sollst aber
für den HERRN als Abgabe erheben von
den Kriegsleuten, die in den Kampf ge-
zogen waren, je eins von fünfhundert, an
Menschen, Rindern, Eseln und Schafen.
29 Von ihrer Hälfte sollst du sie erheben
und dem Priester Eleasar geben als Abgabe
für den HERRN. 30 Aber von der Hälfte der
Israeliten sollst du je eins von fünfzig er-
heben, an Menschen, Rindern, Eseln und
Schafen, von allem Vieh, und sollst sie
den Leviten geben, die den Dienst verse-
hen an der Wohnung des HERRN. 31 Und
Mose und der Priester Eleasar taten, wie
der HERR es Mose geboten hatte.

32 Und die sonstige Beute, die das
Kriegsvolk gemacht hatte, betrug 675 000
Schafe, 33 72 000 Rinder, 34 61 000 Esel;
35 an Frauen aber 32 000, die noch nicht
bei einem Mann gelegen hatten. 36 Und
die Hälfte, die denen gehörte, die in den
Kampf gezogen waren, betrug 337 500
Schafe; 37 davon waren Abgabe für den
HERRN 675 Schafe. 38 Desgleichen 36 000
Rinder; davon waren Abgabe für den
HERRN 72. 39 Desgleichen 30 500 Esel;
davon waren Abgabe für den HERRN 61.
40 Desgleichen 16 000 Menschen; davon
waren Abgabe für den HERRN 32. 41 Und
Mose gab diese Abgabe als Opfergabe für
den HERRN dem Priester Eleasar, wie ihm
der HERR geboten hatte.

42 Aber die andere Hälfte, die Mose für
die Israeliten absonderte von dem An-
teil der Kriegsleute, 43 nämlich die Hälfte,
die der Gemeinde zukam, betrug auch
337 500 Schafe, 44 36 000 Rinder, 45 30 500
Esel 46 und 16 000 Menschen. 47 Und Mose
nahm von dieser Hälfte der Israeliten je
eins von fünfzig, sowohl vom Vieh als von
den Menschen, und gab's den Leviten, die
den Dienst versahen an der Wohnung des
HERRN, wie der HERR es Mose geboten
hatte.

48 Und es traten an Mose heran die An-
führer der Tausendschaften des Kriegs-
volks, nämlich die Hauptleute über Tau-
send und über Hundert, 49 und sprachen
zu ihm: Deine Knechte haben die Summe
der Kriegsleute aufgenommen, die unter
unserm Befehl standen, und es fehlt nicht
einer. 50 Darum bringen wir dem HERRN
als Gabe, was jeder gefunden hat an gol-
denem Gerät, Ketten, Armgeschmeide,
Ringen, Ohrringen und Spangen, um
für uns Sühne zu schaffen vor dem
HERRN.[a] 51 Und Mose samt dem Priester
Eleasar nahm von ihnen das Gold, aller-
lei Geschmeide. 52 Und alles Gold, das
die Hauptleute über Tausend und über
Hundert als Abgabe für den HERRN dar-

31,16 *a* Kap 25,1.3; Offb 2,14 **31,17** *a* (17-18) Ri 21,11-12
31,19 *a* Kap 19,11-20 **31,27** *a* Jos 22,8; 1. Sam 30,24-25
31,50 *a* Ri 8,24-26

brachten, wog 16750 Schekel. 53 Aber von
den Kriegsleuten hatte jeder für sich sel-
ber Beute gemacht. 54 Und Mose und der
Priester Eleasar nahmen das Gold von den
Hauptleuten über Tausend und über Hun-
dert und brachten es in die Stiftshütte,
dass der HERR der Israeliten gedenke.[a]

VERTEILUNG DES OSTJORDANLANDES

(vgl. 5. Mose 3,12-22)

32 Die Rubeniter und die Gaditer hatten
sehr viel Vieh und sahen das Land Ja-
ser und Gilead an als gute Weide für ihr
Vieh 2 und kamen und sprachen zu Mose
und zu dem Priester Eleasar und zu den
Fürsten der Gemeinde: 3 Das Land Ata-
rot, Dibon, Jaser, Nimra, Heschbon, Elale,
Sibma, Nebo und Beon, 4 das der HERR
geschlagen hat vor der Gemeinde Israel,
ist Weideland, und deine Knechte haben
Vieh. 5 Und sie sprachen weiter: Haben
wir Gnade vor dir gefunden, so gebe man
dieses Land deinen Knechten zu eigen,
und lass uns nicht über den Jordan ziehen.
6 Mose sprach zu ihnen: Eure Brüder
sollen in den Kampf ziehen und ihr wollt
hierbleiben? 7 Warum wollt ihr den Is-
raeliten den Mut nehmen, dass sie nicht
hinüberziehen in das Land, das ihnen der
HERR gegeben hat? 8 [a]So machten es auch
eure Väter, als ich sie aussandte von Ka-
desch-Barnea, um das Land zu erkunden;
9 und als sie hinaufgekommen waren bis
an den Bach Eschkol und das Land sahen,
machten sie das Herz der Israeliten ab-
wendig, dass sie nicht in das Land wollten,
das ihnen der HERR geben wollte. 10 Und
des HERRN Zorn entbrannte zur selben
Zeit, und er schwor: 11 Wahrlich, [a]diese
Leute, die aus Ägypten gezogen sind, von
zwanzig Jahren an und darüber, sollen das
Land nicht sehen, das ich Abraham, Isaak
und Jakob zugeschworen habe, weil sie
mir nicht treu nachgefolgt sind, 12 ausge-
nommen [a]Kaleb, der Sohn Jefunnes, des
Kenasiters, und Josua, der Sohn Nuns;
denn sie sind dem HERRN treu nachge-
folgt. 13 So entbrannte des HERRN Zorn
über Israel, und er ließ sie hin und her in
der Wüste ziehen vierzig Jahre, bis es zu
Ende war mit dem ganzen Geschlecht, das
übel getan hatte vor dem HERRN. 14 Und
siehe, ihr seid aufgetreten an eurer Väter
statt als Brut von Sündern, damit sich der
grimmige Zorn des HERRN gegen Israel
noch vermehrt. 15 Denn wenn ihr euch
von ihm wendet, so wird er das Volk noch
länger in der Wüste lassen, und ihr werdet
es ganz zugrunde richten.
16 Da traten sie heran und sprachen: Wir
wollen nur Schafhürden hier bauen für
unser Vieh und Städte für unsere Kin-
der; 17 wir aber wollen eilends gerüstet
vor den Israeliten einherziehen, bis wir
sie an ihren Ort gebracht haben. Unsere
Kinder aber sollen in den festen Städten
bleiben um der Bewohner des Landes wil-
len. 18 Wir wollen nicht heimkehren, bis
von den Israeliten ein jeder sein Erbe ein-
genommen hat. 19 Denn wir wollen nicht
mit ihnen jenseits des Jordans Erbbesitz
erhalten, sondern [a]unser Erbteil soll uns
diesseits des Jordans nach Osten hin zu-
fallen.
20 Mose sprach zu ihnen: Wenn ihr das
tun wollt, so [a]rüstet euch zum Kampf vor
dem HERRN. 21 Wer unter euch gerüstet
ist, der ziehe über den Jordan vor dem
HERRN, bis er seine Feinde vertrieben hat
vor sich her 22 und das Land unterworfen
ist vor dem HERRN. Danach sollt ihr zu-
rückkehren und ohne Schuld sein vor dem
HERRN und vor Israel und sollt dies Land
zu eigen haben vor dem HERRN. 23 Wenn
ihr das aber nicht tut, siehe, so werdet ihr
euch an dem HERRN versündigen. Ihr
sollt aber wissen: Es ist eure Sünde, die
euch treffen wird. 24 So baut nun Städte
für eure Kinder und Hürden für euer Vieh
und tut, was ihr [a]gelobt habt.
25 Die Gaditer und die Rubeniter spra-
chen zu Mose: Deine Knechte werden
tun, wie mein Herr geboten hat. 26 Unsere
Kinder und Frauen, unsere Habe und all
unser Vieh sollen in den Städten Gileads
bleiben; 27 deine Knechte aber wollen alle
gerüstet zum Heer in den Kampf ziehen
vor dem HERRN, wie mein Herr gesagt
hat.
28 Da gebot Mose ihretwegen dem Pries-
ter Eleasar und Josua, dem Sohn Nuns,
und den Häuptern der Sippen unter den

31,54 *a* 2. Mose 30,12.16 **32,8** *a* *(8-9)* Kap 13,1–14,4
32,11 *a* Kap 14,22-38; 26,65 **32,12** *a* Kap 14,7-9;
Jos 14,6-15 **32,19** *a* Jos 13,8 **32,20** *a* Jos 1,12-15
32,24 *a* Kap 30,3

Stämmen Israels 29 und sprach zu ihnen:
Wenn die Gaditer und die Rubeniter mit
euch über den Jordan ziehen, alle gerüs-
tet zum Kampf vor dem HERRN, und das
Land euch untertan ist, so gebt ihnen das
Land Gilead zu eigen. 30 Ziehen sie aber
nicht gerüstet mit euch hinüber, so sol-
len sie mit euch erben im Lande Kanaan.
31 Die Gaditer und die Rubeniter antwor-
teten und sprachen: Wie der HERR redet
zu deinen Knechten, so wollen wir tun.
32 Wir wollen gerüstet hinüberziehen vor
dem HERRN ins Land Kanaan und unser
Erbteil besitzen diesseits des Jordans.

33 Also gab Mose den Gaditern und den
Rubenitern und dem halben Stamm Ma-
nasses, des Sohnes Josefs, das Königreich
Sihons, des Königs der Amoriter, und das
Königreich Ogs, des Königs von Baschan,
das Land samt den Städten ringsumher
mit ihrem ganzen Gebiet.[a] 34 Und die Gad-
iter bauten Dibon, Atarot, Aroër, 35 At-
rot-Schofan, Jaser, Jogboha, 36 Bet-Nimra
und Bet-Haran, feste Städte und Schaf-
hürden. 37 Die Rubeniter bauten Hesch-
bon, Elale, Kirjatajim, 38 Nebo, Baal-Meon
und Sibma und gaben den Städten, die sie
bauten, ihre bisherigen Namen.

39 Und die Söhne Machirs, des Sohnes
Manasses, gingen nach Gilead und er-
oberten es und vertrieben die Amoriter,
die darin waren. 40 Da gab Mose dem Ma-
chir, dem Sohn Manasses, Gilead und er
wohnte darin. 41 Jaïr aber, der Sohn Ma-
nasses, ging hin und eroberte ihre Dörfer
und nannte sie »Dörfer Jaïrs«.[a] 42 Nobach
ging hin und eroberte Kenat mit seinen
Ortschaften und nannte es Nobach nach
seinem Namen.

STATIONEN DER WÜSTENWANDERUNG

33 Dies sind die Lagerplätze der Israeli-
ten, als sie unter Mose und Aaron aus
Ägypten gezogen sind Heerschar um
Heerschar. 2 Und Mose schrieb auf nach
dem Befehl des HERRN ihre Wanderun-
gen nach ihren Lagerplätzen.

Dies sind ihre Lagerplätze auf ihren
Wanderungen: 3 Sie zogen aus von [a]Ram-
ses am fünfzehnten Tag des [b]ersten Mo-
nats, dem zweiten Tage des Passa, durch
[c]eine starke Hand, dass es alle Ägypter
sahen, 4 als sie eben die Erstgeburt begru-
ben, die der HERR unter ihnen geschlagen
hatte. Und der HERR hatte auch [a]an ihren
Göttern Gericht geübt. 5 Als sie von Ram-
ses auszogen, lagerten sie sich in Sukkot[a]
6 und zogen weiter von Sukkot und lager-
ten sich in Etam, das am Rande der Wüste
liegt.[a] 7 Von Etam zogen sie weiter und
blieben in Pi-Hahirot, das vor Baal-Zefon
liegt, und lagerten sich vor Migdol.[a] 8 Von
Pi-Hahirot zogen sie weiter und [a]gingen
mitten durchs Meer in die Wüste und zo-
gen drei Tagereisen in der Wüste Etam
und lagerten sich in [b]Mara. 9 Von Mara zo-
gen sie weiter und kamen nach Elim; da
waren zwölf Wasserquellen und siebzig
Palmen, und sie lagerten sich dort.[a] 10 Von
Elim zogen sie weiter und lagerten sich
am Schilfmeer. 11 Vom Schilfmeer zogen
sie weiter und lagerten sich in der Wüste
Sin.[a] 12 Von der Wüste Sin zogen sie wei-
ter und lagerten sich in Dofka. 13 Von
Dofka zogen sie weiter und lagerten sich
in Alusch. 14 Von Alusch zogen sie weiter
und lagerten sich in Refidim; dort hatte
das Volk kein Wasser zu trinken.[a] 15 Von
Refidim zogen sie weiter und lagerten sich
in der [a]Wüste Sinai.

16 Von der Wüste Sinai zogen sie weiter
und lagerten sich bei den [a]Lustgräbern.
17 Von den Lustgräbern zogen sie weiter
und lagerten sich in Hazerot. 18 Von Ha-
zerot zogen sie weiter und lagerten sich in
Ritma.[a] 19 Von Ritma zogen sie weiter und
lagerten sich in Rimmon-Perez. 20 Von
Rimmon-Perez zogen sie weiter und la-
gerten sich in Libna. 21 Von Libna zogen sie
weiter und lagerten sich in Rissa. 22 Von
Rissa zogen sie weiter und lagerten sich
in Kehelata. 23 Von Kehelata zogen sie wei-
ter und lagerten sich im Gebirge Schefer.
24 Vom Gebirge Schefer zogen sie weiter
und lagerten sich in Harada. 25 Von Ha-
rada zogen sie weiter und lagerten sich in
Makhelot. 26 Von Makhelot zogen sie wei-
ter und lagerten sich in Tahat. 27 Von Tahat
zogen sie weiter und lagerten sich in Ta-

32,33 *a* Jos 13,15-32 **32,41** *a* 5. Mose 3,14; Ri 10,3-4
33,3 *a* 2. Mose 1,11 *b* 2. Mose 12,2.6 *c* 2. Mose 14,8
33,4 *a* 2. Mose 12,12; Jes 19,1 **33,5** *a* 2. Mose 12,37
33,6 *a* 2. Mose 13,20 **33,7** *a* 2. Mose 14,2
33,8 *a* 2. Mose 14,22 *b* 2. Mose 15,23
33,9 *a* 2. Mose 15,27 **33,11** *a* 2. Mose 16,1
33,14 *a* 2. Mose 17,1 **33,15** *a* 2. Mose 19,1
33,16 *a* Kap 11,34 **33,18** *a* Kap 12,16

rach. 28 Von Tarach zogen sie weiter und
lagerten sich in Mitka. 29 Von Mitka zogen
sie weiter und lagerten sich in Hasch-
mona. 30 Von Haschmona zogen sie wei-
ter und lagerten sich in Moserot. 31 [a]Von
Moserot zogen sie weiter und lagerten sich
in Bene-Jaakan. 32 Von Bene-Jaakan zogen
sie weiter und lagerten sich in Hor-Gid-
gad. 33 Von Hor-Gidgad zogen sie weiter
und lagerten sich in Jotbata. 34 Von Jotbata
zogen sie weiter und lagerten sich in Ab-
rona. 35 Von Abrona zogen sie weiter und
lagerten sich in [a]Ezjon-Geber.

36 Von Ezjon-Geber zogen sie weiter und
lagerten sich in der [a]Wüste Zin, das ist
Kadesch. 37 [a]Von Kadesch zogen sie weiter
und lagerten sich an dem Berge Hor, an der
Grenze des Landes Edom. 38 Da ging der
Priester Aaron auf den Berg Hor nach dem
Befehl des HERRN und starb dort im vier-
zigsten Jahr des Auszugs der Israeliten aus
Ägyptenland am ersten Tag des fünften
Monats, 39 als er hundertdreiundzwanzig
Jahre alt war.

40 Und der König der Kanaaniter zu
Arad, der da wohnte im Süden des Landes
Kanaan, hörte, dass die Israeliten kamen.[a]
41 Und von dem Berge Hor zogen sie wei-
ter und lagerten sich in Zalmona. 42 Von
Zalmona zogen sie weiter und lagerten
sich in Punon. 43 [a]Von Punon zogen sie
weiter und lagerten sich in Obot. 44 Von
Obot zogen sie weiter und lagerten sich in
Ije-Abarim, im Gebiet der Moabiter. 45 Von
Ije-Abarim zogen sie weiter und lagerten
sich in [a]Dibon-Gad. 46 Von Dibon-Gad
zogen sie weiter und lagerten sich in Al-
mon-Diblatajim. 47 Von Almon-Diblata-
jim zogen sie weiter und lagerten sich in
dem Gebirge Abarim östlich vom Nebo.[a]
48 Von dem Gebirge Abarim zogen sie
weiter und lagerten sich in den Steppen
Moabs gegenüber Jericho.[a] 49 Sie lagerten
sich aber am Jordan von Bet-Jeschimot bis
Abel-Schittim in den Steppen Moabs.[a]

BEFEHL ZUR VERTREIBUNG DER KANAANITER

50 Und der HERR redete mit Mose in den
Steppen Moabs gegenüber Jericho und
sprach: 51 [a]Rede mit den Israeliten und
sprich zu ihnen: Wenn ihr über den Jor-
dan gegangen seid in das Land Kanaan,
52 so sollt ihr alle Bewohner vertreiben vor
euch her und alle ihre Götterbilder und
alle ihre gegossenen Bilder zerstören und
alle ihre Opferhöhen vertilgen 53 und sollt
das Land einnehmen und darin wohnen;
denn euch habe ich das Land gegeben, dass
ihr's in Besitz nehmt. 54 Und ihr sollt das
Land austeilen durchs Los unter eure Ge-
schlechter. Dem Geschlecht, das groß ist,
sollt ihr ein großes Erbe geben und dem,
das klein ist, sollt ihr ein kleines Erbe ge-
ben. Worauf das Los für jeden fällt, das soll
er haben. Nach den Stämmen eurer Väter
sollt ihr's austeilen.[a] 55 Wenn ihr aber die
Bewohner des Landes nicht vor euch her
vertreibt, so werden euch die, die ihr übrig
lasst, zu Dornen in euren Augen werden
und zu Stacheln in euren Seiten und wer-
den euch bedrängen in dem Lande, in dem
ihr wohnt.[a] 56 So wird's dann geschehen:
Wie ich gedachte, ihnen zu tun, werde ich
euch tun.

DIE GRENZEN DES LANDES WESTLICH DES JORDANS

34 Und der HERR redete mit Mose und
sprach: 2 [a]Gebiete den Israeliten und
sprich zu ihnen: Wenn ihr ins Land Ka-
naan kommt, so soll dies das Land sein,
das euch als Erbteil zufällt, das Land Ka-
naan [b]in diesen Grenzen: 3 [a]Der Südzipfel
eures Gebietes soll sich erstrecken von der
Wüste Zin an Edom entlang. Eure Grenze
im Süden soll ausgehen vom Ende des
Salzmeers, das im Osten liegt. 4 Und sie
soll südlich vom Skorpionensteig sich hin-
aufziehen und hinübergehen nach Zin und
weitergehen südlich von Kadesch-Barnea
und gelangen nach Hazar-Addar und hin-
übergehen nach Azmon 5 und sich von Az-
mon ziehen an den Bach Ägyptens, und
ihr Ende sei an dem Meer.

6 Aber die Grenze nach Westen zu soll
sein das große Meer und seine Küste. Das
sei eure Grenze nach Westen. 7 Die Grenze

33,31 *a* (31-33) 5. Mose 10,6-7 **33,35** *a* 1. Kön 9,26; 22,49
33,36 *a* Kap 20,1 **33,37** *a* (37-39) Kap 20,22-29;
5. Mose 34,1-12 **33,40** *a* Kap 21,1
33,43 *a* (43-44) Kap 21,10-11 **33,45** *a* Kap 32,34
33,47 *a* Kap 21,20 **33,48** *a* Kap 22,1; 5. Mose 32,49
33,49 *a* Kap 25,1 **33,51** *a* (51-52) 2. Mose 23,23-24;
34,12-14 **33,54** *a* Kap 26,54-55 **33,55** *a* 2. Mose 23,31-33;
Jos 23,12-13 **34,2** *a* (2-12) Hes 47,13-20 *b* 5. Mose 32,8
34,3 *a* (3-5) Jos 15,2-4

nach Norden zu soll diese sein: Ihr sollt
sie ziehen von dem großen Meer bis an
den Berg Hor 8 und von dem Berge Hor
bis dahin, wo es nach Hamat geht, dass
die Grenze weitergehe bei Zedad 9 und
auslaufe nach Sifron, und ihr Ende sei bei
Hazar-Enan. Das sei eure Grenze nach
Norden.
10 Und ihr sollt die Grenze nach Osten
ziehen von Hazar-Enan nach Schefam,
11 und die Grenze gehe herab von Sche-
fam nach Ribla östlich von Ajin. Danach
gehe sie herab und ziehe sich hin längs der
Höhen östlich vom See Kinneret 12 und
komme herab an den Jordan, dass ihr
Ende sei das Salzmeer. Das sei euer Land
mit seiner Grenze ringsumher.
13 Und Mose gebot den Israeliten: Das
ist das Land, das ihr durchs Los unter
euch teilen sollt, wie der HERR geboten
hat, es den neun Stämmen und dem hal-
ben Stamm zu geben. 14 Denn der Stamm
der Rubeniter nach seinen Sippen und
der Stamm der Gaditer nach seinen Sip-
pen und der halbe Stamm Manasse haben
ihr Erbteil bekommen.[a] 15 Also haben die
zwei Stämme und der halbe Stamm schon
empfangen ihr Erbteil diesseits des Jor-
dans gegenüber Jericho nach Osten zu.

NAMEN DER MÄNNER, DIE DAS LAND AUSTEILEN SOLLEN

16 Und der HERR redete mit Mose und
sprach: 17 Dies sind die Namen der Männer,
die das Land unter euch austeilen sollen:
der Priester [a]Eleasar und [b]Josua, der Sohn
Nuns. 18 Dazu sollt ihr nehmen von einem
jeden Stamm einen Fürsten, um das Land
auszuteilen. 19 Und dies sind die Namen
der Männer: [a]Kaleb, der Sohn Jefunnes,
vom Stamm Juda; 20 Schemuël, der Sohn
Ammihuds, vom Stamm Simeon; 21 Eli-
dad, der Sohn Kislons, vom Stamm Ben-
jamin; 22 Bukki, der Sohn Joglis, Fürst des
Stammes der Söhne Dan; 23 Hanniël, der
Sohn Efods, Fürst des Stammes der Söhne
Manasse, von den Söhnen Josef; 24 Kemu-
ël, der Sohn Schiftans, Fürst des Stammes
der Söhne Ephraim; 25 Elizafan, der Sohn
Parnachs, Fürst des Stammes der Söhne
Sebulon; 26 Paltiël, der Sohn Asans, Fürst
des Stammes der Söhne Issachar; 27 Ahi-
hud, der Sohn Schelomis, Fürst des Stam-
mes der Söhne Asser; 28 Pedahel, der Sohn
Ammihuds, Fürst des Stammes der Söhne
Naftali.
29 Das sind die, denen der HERR gebot,
dass sie den Israeliten das Erbe austeilten
im Lande Kanaan.

LEVITENSTÄDTE UND FREISTÄDTE

35 [a]Und der HERR redete mit Mose in
den Steppen Moabs gegenüber Jericho
und sprach: 2 Gebiete den Israeliten, dass
sie von ihren Erbteilen den Leviten Städte
zur Wohnung geben. Auch Weideland um
die Städte her sollt ihr den Leviten geben,[a]
3 dass sie in den Städten wohnen und auf
den Weiden ihr Vieh und ihre Herden und
alle ihre Tiere haben. 4 Das Weideland aber
vor den Städten, die ihr den Leviten gebt,
soll sich tausend Ellen weit draußen um
die Stadtmauer herum erstrecken. 5 So
sollt ihr nun abmessen außerhalb der Stadt
auf der Seite nach Osten zweitausend El-
len und auf der Seite nach Süden zweitau-
send Ellen und auf der Seite nach Westen
zweitausend Ellen und auf der Seite nach
Norden zweitausend Ellen, dass die Stadt
in der Mitte sei. Das soll ihnen als Weide
bei den Städten gehören.
6 Und von den Städten, die ihr den Levi-
ten geben werdet, sollt ihr sechs zu Frei-
städten bestimmen, damit [a]dahin fliehen
kann, wer einen Totschlag getan hat. Dazu
aber sollt ihr noch zweiundvierzig Städte
geben, 7 dass alle Städte, die ihr den Le-
viten gebt, seien achtundvierzig mit ih-
rem Weideland. 8 [a]Ihr sollt mehr geben an
Städten vom Besitz derer, die viel besit-
zen unter den Israeliten, und weniger vom
Besitz derer, die wenig besitzen; ein jeder
Stamm soll nach seinem Erbteil, das ihm
zugeteilt wird, den Leviten Städte geben.
9 [a]Und der HERR redete mit Mose und
sprach: 10 Rede mit den Israeliten und
sprich zu ihnen: Wenn ihr über den Jor-
dan ins Land Kanaan kommt, 11 sollt ihr
Städte auswählen, dass sie für euch Frei-
städte seien, wohin fliehen soll, wer einen
Totschlag aus Versehen tut. 12 Und es sol-

34,14 *a* Kap 32,29-33 **34,17** *a* Jos 14,1 *b* 5. Mose 1,38
34,19 *a* Kap 13,6.30 **35,1** *a* (1-8) Jos 21,1-3
35,2 *a* Kap 18,20; 3. Mose 25,32-34 **35,6** *a* 2. Mose 21,13
35,8 *a* Kap 26,54 **35,9** *a* (9-15) 5. Mose 4,41-43; 19,1-3;
Jos 20,1-9

len unter euch diese Städte eine Zuflucht
sein vor dem Bluträcher, dass der nicht
sterben muss, der einen Totschlag getan
hat, bis er vor der Gemeinde vor Gericht
gestanden hat. 13 Und die Städte, die ihr zu
Freistädten bestimmt, sollen sechs sein.
14 Drei sollt ihr bestimmen diesseits des
Jordans und drei im Lande Kanaan. 15 Das
sind die sechs Freistädte für die Israeliten
und für die Fremdlinge und die Beisassen
unter euch, damit dahin fliehen kann, wer
einen Totschlag getan hat aus Versehen.

GESETZE ÜBER MORD UND ÜBER TOTSCHLAG

(vgl. 5. Mose 19,4-13)

16 Wer jemand mit einem Eisen schlägt,
dass er stirbt, der ist ein Mörder und soll
des Todes sterben. 17 Wirft er ihn mit
einem Stein, mit dem jemand getötet
werden kann, dass er daran stirbt, so ist
er ein Mörder und soll des Todes sterben.
18 Schlägt er ihn mit einem Holz, mit dem
jemand totgeschlagen werden kann, dass
er stirbt, so ist er ein Mörder und soll des
Todes sterben. 19 Der Bluträcher soll den
Mörder zum Tode bringen; wo er ihm be-
gegnet, soll er ihn töten. 20 Stößt er jemand
aus Hass oder wirft er etwas auf ihn mit
Hinterlist, dass er stirbt, 21 oder schlägt er
ihn aus Feindschaft mit seiner Hand, dass
er stirbt, so soll der des Todes sterben, der
ihn geschlagen hat; er ist ein Mörder. Der
Bluträcher soll ihn zum Tode bringen, wo
er ihm begegnet.

22 Wenn er ihn aber aus Versehen stößt
ohne Feindschaft oder wirft irgendetwas
auf ihn ohne Absicht 23 oder wirft irgend-
einen Stein auf ihn, woran man sterben
kann, aber er hat's nicht gesehen, sodass
jener stirbt, und er ist nicht sein Feind, hat
ihm auch nichts Böses antun wollen, 24 so
soll die Gemeinde richten zwischen dem,
der geschlagen hat, und dem Bluträcher
nach diesen Rechtsordnungen. 25 Und die
Gemeinde soll den Totschläger erretten
aus der Hand des Bluträchers und soll ihn
zurückbringen lassen zu der Freistadt, da-
hin er geflohen war. Und er soll dort blei-
ben, bis der Hohepriester stirbt, den man
[a]mit dem heiligen Öl gesalbt hat. 26 Geht
aber der Totschläger über die Grenze sei-
ner Freistadt, in die er geflohen ist, 27 und
der Bluträcher findet ihn außerhalb der
Grenze seiner Freistadt und schlägt ihn
tot, so soll er des Bluts nicht schuldig sein.
28 Denn er sollte in seiner Freistadt bleiben
bis zum Tod des Hohenpriesters und nach
dem Tod des Hohenpriesters in das Land
seines Erbbesitzes zurückkehren. 29 Das
soll euch Gesetz und Recht für immer
sein, überall, wo ihr wohnt.

30 Wer einen Menschen erschlägt, den
soll man töten auf den Mund von Zeugen
hin. [a]Ein einzelner Zeuge aber soll keine
Aussage machen, um einen Menschen
zum Tode zu bringen. 31 Und ihr sollt kein
[a]Sühnegeld nehmen für das Leben des
Mörders; denn er ist des Todes schuldig
und soll des Todes sterben. 32 Und ihr sollt
kein Sühnegeld nehmen für den, der zur
Freistadt geflohen ist, dass er zurückkeh-
ren darf, um im Lande zu wohnen, bis der
Priester stirbt. 33 Und schändet das Land
nicht, darin ihr wohnt; denn wer des Blu-
tes schuldig ist, der schändet das Land,
und das Land kann nicht entsühnt werden
vom Blut, das darin vergossen wird, außer
durch das Blut dessen, der es vergossen
hat.[a] 34 [a]Macht das Land nicht unrein, darin
ihr wohnt, darin auch ich wohne; denn ich
bin der HERR, der [b]mitten unter den Isra-
eliten wohnt.

ZUM ERBRECHT DER TÖCHTER

(vgl. Kap 27,1-11)

36 Und die Häupter der Sippen der Söhne
Gileads, des Sohnes Machirs, der Ma-
nasses Sohn war, von den Geschlechtern
der Söhne Josef*, traten heran und redeten
vor Mose und vor den Fürsten, den Häup-
tern der Sippen Israels, 2 und sprachen:
Der HERR hat geboten meinem Herrn,
dass man das Land den Israeliten durch
das [a]Los zum Erbteil geben sollte. Auch
wurde ihm geboten von dem HERRN, dass
man das Erbteil Zelofhads, unseres Bru-
ders, seinen Töchtern geben soll. 3 Wenn
diese jemand aus den Stämmen der Isra-
eliten zur Frau nimmt, so wird das Erbteil
unserer Väter weniger werden, und so viel

* **36,1** Ephraim und Manasse.

35,25 *a* 3. Mose 21,10 **35,30** *a* 5. Mose 17,6; 19,15
35,31 *a* Ps 49,8-9 **35,33** *a* 1. Mose 9,6
35,34 *a* 3. Mose 18,24-28 *b* 2. Mose 29,45
36,2 *a* Kap 26,55

sie haben, wird zu dem Erbteil des Stam-
mes kommen, in den sie einheiraten; also
wird das Los unseres Erbteils verringert.
4 Wenn denn nun das [a]Erlassjahr der Isra-
eliten kommt, so wird ihr Erbteil zu dem
Erbteil des Stammes kommen, in den sie
eingeheiratet haben; also wird das Erbteil
des Stammes unserer Väter um das verrin-
gert, was sie haben.
5 Mose gebot den Israeliten nach dem
Befehl des HERRN und sprach: Der
Stamm der Söhne Josef hat recht geredet.
6 Dies ist's, was der HERR gebietet über die
Töchter Zelofhads: Lass sie heiraten, wie
es ihnen gefällt; nur sollen sie heiraten in
ein Geschlecht aus dem Stamm ihres Va-
ters, 7 damit nicht die Erbteile der Isra-
eliten von einem Stamm an den andern
fallen; denn ein jeder unter den Israeliten
soll festhalten an dem Erbe des Stammes
seiner Väter. 8 Und alle Töchter, die Erb-
teil erlangen unter den Stämmen Israels,
sollen heiraten einen von dem Geschlecht
des Stammes ihres Vaters, damit ein jeder
unter den Israeliten das Erbe seiner Väter
behalte 9 und nicht ein Erbteil von einem
Stamm an den andern falle, sondern ein
jeder soll festhalten an seinem Erbe unter
den Stämmen Israels.
10 Wie der HERR es Mose geboten hatte,
so taten die Töchter Zelofhads, 11 [a]Machla,
Tirza, Hogla, Milka und Noa, und heira-
teten die Söhne ihrer Oheime 12 aus den
Geschlechtern der Nachkommen Manas-
ses, des Sohnes Josefs. Also blieb ihr Erb-
teil bei dem Stamm des Geschlechts ihres
Vaters.
13 Das sind die Gebote und Rechte, die
der HERR durch Mose den Israeliten gebot
in den Steppen Moabs gegenüber Jericho.

DAS FÜNFTE BUCH MOSE (DEUTERONOMIUM)

1–4 Rückblick auf die frühere Geschichte 5 Wiederholung der Zehn Gebote
6–11 Ermahnungen zu Gottesliebe und Gehorsam 12–26 Gesetze für das Leben im Land
27–30 Bund, Segen und Fluch 31–34 Moses letzte Worte und sein Tod

RÜCKBLICK AUF DIE WÜSTENWANDERUNG VOM HOREB BIS KADESCH

1 Dies sind die Worte, die Mose zu ganz
Israel redete jenseits des Jordans in der
Wüste, im Jordantal gegenüber Suf, zwi-
schen Paran und Tofel, Laban, Hazerot
und Di-Sahab. – 2 Elf Tagereisen sind es
vom Horeb bis Kadesch-Barnea auf dem
Wege zum Gebirge Seïr. – 3 Und es ge-
schah im [a]vierzigsten Jahr, am ersten Tage
des elften Monats, da redete Mose mit den
Israeliten alles, wie es ihm der HERR für
sie geboten hatte, 4 nachdem er Sihon ge-
schlagen hatte, den König der Amoriter,
der in Heschbon herrschte, dazu bei Ed-
reï den Og, den König von Baschan, der
in Aschtarot herrschte.[a] 5 Jenseits des Jor-
dans im Lande Moab fing Mose an, dies
Gesetz auszulegen, und sprach:
6 Der HERR, unser Gott, redete zu uns
am Berge Horeb und sprach: [a]Ihr seid
lange genug an diesem Berge geblieben;
7 wendet euch und zieht hin, dass ihr zu
dem Gebirge der Amoriter kommt und
zu allen ihren Nachbarn im Jordantal,
auf dem Gebirge und in dem Hügelland,
im Südland und am Ufer des Meeres, ins
Land der Kanaaniter und zum Berge Li-
banon, bis an den großen Strom, den Eu-
phrat. 8 Siehe, ich habe euch das Land, das
vor euch liegt, gegeben. Zieht hinein und
[a]nehmt das Land ein, von dem der HERR
euren Vätern Abraham, Isaak und Jakob
geschworen hat, dass er's ihnen und ihren
Nachkommen geben wolle.
9 Da sprach ich zur selben Zeit zu euch:
Ich kann euch nicht allein tragen.[a] 10 Der
HERR, euer Gott, hat euch so zahlreich
werden lassen, dass ihr heute seid wie
die Menge der Sterne am Himmel.[a] 11 Der
HERR, der Gott eurer Väter, mache euch
noch tausendmal mehr und segne euch,

36,4 *a* 3. Mose 25,10-13 **36,11** *a* Kap 26,29-34
1,3 *a* 4. Mose 33,38 **1,4** *a* 4. Mose 21,21-35
1,6 *a* 4. Mose 10,11-12 **1,8** *a* 1. Mose 12,7
1,9 *a* 2. Mose 18,18; 4. Mose 11,14 **1,10** *a* Kap 10,22; 1. Mose 15,5

wie er euch zugesagt hat! 12 Wie kann
ich allein eure Mühe und Last und euren
Streit ertragen? 13 Schafft herbei weise,
verständige und bewährte Leute für eure
Stämme, die will ich über euch zu Häup-
tern setzen. 14 Da antwortetet ihr mir und
spracht: Was du geraten hast, ist gut. 15 Da
nahm ich die Häupter eurer Stämme,
weise und bewährte Männer, und setzte
sie über euch ein als [a]Anführer über Tau-
send, über Hundert, über Fünfzig und
über Zehn und als Amtleute für eure
Stämme. 16 Und ich gebot euren Richtern
zu jener Zeit und sprach: Hört eure Brüder
an und [a]richtet recht zwischen jedermann
und seinem Bruder und dem Fremdling
bei ihm. 17 Ihr sollt beim Richten nicht die
[a]Person ansehen, sondern sollt den Klei-
nen hören wie den Großen und vor nie-
mand euch scheuen; denn das Gericht
ist Gottes. Wird aber euch eine Sache zu
schwer sein, die [b]lasst an mich gelangen,
damit ich sie höre. 18 So gebot ich euch zu
der Zeit alles, was ihr tun sollt.

19 Dann brachen wir auf vom Horeb und
zogen durch die ganze Wüste, die groß
und furchtbar ist, wie ihr gesehen habt,
auf der Straße zum Gebirge der Amoriter,
wie uns der HERR, unser Gott, geboten
hatte, und kamen bis nach [a]Kadesch-Bar-
nea. 20 Da sprach ich zu euch: Ihr seid an
das Gebirge der Amoriter gekommen, das
uns der HERR, unser Gott, gibt. 21 Siehe,
der HERR, dein Gott, hat dir das Land ge-
geben; zieh hinauf und nimm's ein, wie
der HERR, der Gott deiner Väter, dir zu-
gesagt hat. Fürchte dich nicht und lass dir
nicht grauen. 22 Da kamt ihr alle zu mir und
spracht: [a]Lasst uns Männer vor uns her
senden, die uns das Land erkunden und
uns berichten, auf welchem Weg wir hin-
aufziehen sollen, und die Städte, zu denen
wir kommen werden. 23 Das gefiel mir gut,
und ich nahm von euch zwölf Männer,
von jedem Stamm einen.

24 Als diese weggingen und hinaufzogen
auf das Gebirge und an das Traubental ka-
men, da erkundeten sie das Land 25 und
nahmen von den Früchten des Landes
mit sich und brachten sie herab zu uns
und berichteten uns und sprachen: Das
Land ist gut, das der HERR, unser Gott,
uns gegeben hat.

26 Aber ihr wolltet nicht hinaufziehen
und wurdet ungehorsam dem Befehl des
HERRN, eures Gottes, 27 und murrtet in
euren Zelten und spracht: Der HERR ist
uns feind, [a]darum hat er uns aus Ägyp-
tenland geführt, dass er uns in die Hände
der Amoriter gebe, um uns zu vertilgen.[b]
28 Wo sollen wir hinaufziehen? Unsere
Brüder haben unser Herz verzagt ge-
macht, als sie sagten: Ein Volk, größer
und höher gewachsen als wir, und große
Städte mit Mauern bis zum Himmel und
auch Anakiter haben wir dort gesehen.[a]
29 Ich sprach aber zu euch: Entsetzt euch
nicht und fürchtet euch nicht vor ihnen.
30 Der HERR, euer Gott, der vor euch her-
zieht, [a]wird für euch streiten, ganz so, wie
er's an eurer Seite getan hat in Ägypten
vor euren Augen 31 und in der Wüste. Da
hast du gesehen, wie dich der HERR, dein
Gott, [a]getragen hat, wie ein Mann seinen
Sohn trägt, auf dem ganzen Wege, den
ihr gewandert seid, bis ihr an diesen Ort
kamt. 32 Und trotzdem glaubtet ihr dem
HERRN, eurem Gott, nicht, 33 der auf dem
Weg vor euch herging, euch die Stätte zu
weisen, wo ihr euch lagern solltet, bei
Nacht im Feuer, um euch den Weg zu zei-
gen, den ihr gehen solltet, und bei Tage in
der Wolke.[a]

34 Als aber der HERR euer Geschrei
hörte, wurde er zornig und schwor und
sprach: 35 [a]Es soll keiner von diesem bö-
sen Geschlecht das gute Land sehen, das
ich ihren Vätern zu geben geschworen
habe, 36 außer Kaleb, dem Sohn Jefunnes;
der soll es sehen. Ihm und seinen Nach-
kommen will ich das Land geben, das er
betreten hat, weil er dem HERRN treu
gefolgt ist! 37 Auch über mich wurde der
HERR zornig um euretwillen und sprach:
Auch du sollst dort nicht hineinkom-
men.[a] 38 Aber Josua, der Sohn Nuns, der
dein Diener ist, der soll hineinkommen.
Den stärke, denn [a]er soll Israel den Erbbe-
sitz austeilen. 39 Und eure Säuglinge, von

1,15 *a* 2. Mose 18,25 **1,16** *a* 3. Mose 19,15
1,17 *a* Kap 16,19; 2. Chr 19,6-7 **b** 2. Mose 21,6
1,19 *a* 4. Mose 20,1 **1,22** *a* 4. Mose 13,2
1,27 *a* 5. Mose 7,8 **b** 4. Mose 14,1-9 **1,28** *a* Kap 9,1-2;
4. Mose 13,33 **1,30** *a* 2. Mose 14,14.25; Jos 10,14
1,31 *a* Kap 8,5; 2. Mose 19,4 **1,33** *a* 2. Mose 13,21
1,35 *a* (35-36) 4. Mose 14,23-24 **1,37** *a* 4. Mose 20,12
1,38 *a* 4. Mose 34,17

denen ihr sagtet, sie würden zur Beute
werden, und eure Kinder, die jetzt weder
Gutes noch Böses verstehen, die sollen
hineinkommen; ihnen will ich's geben,
und sie sollen es in Besitz nehmen. 40 Ihr
aber, wendet euch und zieht in die Wüste
den Weg zum Schilfmeer.[a]

41 Da antwortetet ihr und spracht zu mir:
[a]Wir haben an dem HERRN gesündigt;
wir wollen hinaufziehen und kämpfen,
wie uns der HERR, unser Gott, geboten
hat. Als ihr euch nun rüstetet, ein jeder
mit seinen Waffen, und es für ein Leichtes
hieltet, ins Gebirge hinaufzuziehen, 42 da
befahl mir der HERR: Sage ihnen: Zieht
nicht hinauf und kämpft nicht, denn ich
bin nicht unter euch, damit ihr nicht ge-
schlagen werdet von euren Feinden. 43 Als
ich euch das sagte, gehorchtet ihr nicht
und wurdet ungehorsam dem Befehl des
HERRN und wart vermessen und zogt
hinauf ins Gebirge. 44 Da zogen die Amo-
riter aus, die dort im Gebirge wohnten,
euch entgegen und jagten euch, wie's die
Bienen tun, und versprengten euch von
Seïr bis nach Horma.[a] 45 Als ihr nun wie-
derkamt, weintet ihr vor dem HERRN.
Aber der HERR hörte nicht auf eure
Stimme und neigte seine Ohren nicht zu
euch. 46 So bliebt ihr in Kadesch [a]eine sehr
lange Zeit.

ZUG DURCH DIE WÜSTE BIS ZUM SIEG ÜBER SIHON

2 Dann wandten wir uns und [a]zogen wie-
der in die Wüste auf der Straße zum
Schilfmeer, wie der HERR zu mir gesagt
hatte, und umzogen das Gebirge Seïr eine
lange Zeit. 2 Und der HERR sprach zu mir:
3 Ihr habt dies Gebirge lange genug um-
zogen; wendet euch nach Norden. 4 Und
gebiete dem Volk und sprich: Ihr werdet
durch das Land eurer [a]Brüder, der Söhne
Esau, ziehen, die auf dem Seïr wohnen,
und sie werden sich vor euch fürchten.
Da hütet euch nun sehr! 5 Fangt keinen
Krieg mit ihnen an, denn ich werde euch
von ihrem Lande nicht einen Fußbreit ge-
ben, denn das [a]Gebirge Seïr habe ich den
Söhnen Esau zum Besitz gegeben. 6 Speise
sollt ihr für Geld von ihnen kaufen, damit
ihr zu essen habt, auch Wasser sollt ihr
für Geld von ihnen kaufen, damit ihr zu
trinken habt. 7 Denn der HERR, dein Gott,
hat dich gesegnet in allen Werken deiner
Hände. Er hat dein Wandern durch diese
große Wüste auf sein Herz genommen.
[a]Vierzig Jahre ist der HERR, dein Gott, bei
dir gewesen. An nichts hast du Mangel ge-
habt.

8 Als wir nun von unsern Brüdern, den
Söhnen Esau, die auf dem Gebirge Seïr
wohnten, weggezogen waren, weg von
dem Weg durch die Araba*, weg von
Elat und Ezjon-Geber, wandten wir uns
und zogen den Weg zur Steppe der Mo-
abiter. 9 Da sprach der HERR zu mir: Du
sollst den [a]Moabitern keinen Schaden tun
noch sie bekriegen; ich will dir von ihrem
Lande nichts zum Besitz geben, denn ich
habe Ar den Söhnen Lot zum Besitz gege-
ben. – 10 Die Emiter haben vorzeiten darin
gewohnt; das war ein großes, starkes und
hochgewachsenes Volk wie die [a]Anak-
iter. 11 Man hielt sie auch für Riesen* wie
die Anakiter; und die Moabiter nennen
sie Emiter. 12 Auch [a]wohnten vorzeiten
auf dem Seïr die Horiter; und die Söhne
Esau vertrieben und vertilgten sie vor sich
her und wohnten an ihrer statt, gleichwie
Israel mit dem Lande tat, das ihnen der
HERR zum Besitz gab.

13 So macht euch nun auf und zieht durch
den [a]Bach Sered! Und wir zogen hindurch.
14 Die Zeit aber, die wir von Kadesch-Bar-
nea zogen, bis wir durch den Bach Sered
kamen, betrug achtunddreißig Jahre, bis
alle Kriegsleute aus dem Lager gestorben
waren, wie der HERR ihnen geschworen
hatte.[a] 15 So war die [a]Hand des HERRN wi-
der sie, um sie aus dem Lager zu vertilgen
bis auf den letzten Mann.

16 Und als alle Kriegsleute aus dem Volk
gestorben waren, 17 redete der HERR mit
mir und sprach: 18 Du wirst heute durch
das Gebiet der Moabiter ziehen bei [a]Ar
19 und wirst in die Nähe der [a]Ammoniter
kommen. Denen sollst du keinen Schaden

* **2,8.11** Siehe Sach- und Worterklärungen.

1,40 *a* 4. Mose 14,25 **1,41** *a* 4. Mose 14,40
1,44 *a* 4. Mose 14,45 **1,46** *a* Kap 2,14 **2,1** *a* 4. Mose 21,4
2,4 *a* 4. Mose 20,14 **2,5** *a* 1. Mose 36,8
2,7 *a* 4. Mose 14,33 **2,9** *a* 1. Mose 19,36-37
2,10 *a* Kap 1,28 **2,12** *a* 1. Mose 14,6 **2,13** *a* 4. Mose 21,12
2,14 *a* 4. Mose 14,34 **2,15** *a* 4. Mose 16,31-32; 21,6; 25,3-5 **2,18** *a* 4. Mose 21,13.15 **2,19** *a* 1. Mose 19,38

tun noch sie bekriegen; ich will dir vom
Lande der Ammoniter nichts zum Besitz
geben, denn ich hab's den Söhnen Lot
zum Besitz gegeben. – 20 Auch dies gilt als
Land der Riesen, und es haben auch vor-
zeiten Riesen darin gewohnt, und die
Ammoniter nennen sie Samsummiter.
21 Das war ein großes, starkes und hochge-
wachsenes Volk wie die Anakiter. Und der
HERR vertilgte sie vor ihnen und ließ sie
ihr Land besitzen, sodass sie an ihrer statt
dort wohnten, 22 gleichwie er's getan hat
mit den Söhnen Esau, die auf dem Gebirge
Seïr wohnen, als er die Horiter vor ihnen
vertilgte und sie deren Land besitzen ließ,
sodass sie dort an ihrer statt wohnten bis
auf diesen Tag. 23 Ebenso erging es den
[a]Awitern, die in Gehöften wohnten bis
nach Gaza: Die [b]Kaftoriter, die aus Kaftor
gezogen waren, vertilgten sie und wohn-
ten dort an ihrer statt.

24 Macht euch auf und zieht aus und
geht über den Arnon! Siehe, ich habe Si-
hon, den König der Amoriter zu Hesch-
bon, in deine Hand gegeben mit seinem
Lande. Fang an, es einzunehmen, und
kämpfe mit ihm. 25 Von heute an will ich
Furcht und Schrecken vor dir auf alle Völ-
ker unter dem ganzen Himmel legen,
damit, wenn sie von dir hören, ihnen
bange und weh werden soll vor deinem
Kommen.[a]

26 Da [a]sandte ich Boten aus der Wüste
Kedemot an Sihon, den König von Hesch-
bon, mit friedlicher Botschaft und ließ
ihm sagen: 27 Ich will durch dein Land
ziehen. Nur wo die Straße geht, will ich
gehen; ich will weder zur Rechten noch
zur Linken vom Weg abweichen. 28 Speise
sollst du mir für Geld verkaufen, damit
ich zu essen habe, und Wasser sollst du
mir für Geld geben, damit ich zu trinken
habe. Ich will nur zu Fuß hindurchzie-
hen – 29 wie mir die Söhne Esau gestattet
haben, die auf dem Gebirge Seïr wohnen,
und die Moabiter, die zu Ar wohnen –, bis
ich über den Jordan komme in das Land,
das uns der HERR, unser Gott, geben
wird.

30 Aber Sihon, der König von Heschbon,
wollte uns nicht hindurchziehen lassen;
denn der HERR, dein Gott, verhärtete sei-
nen Sinn und [a]verstockte ihm sein Herz,
um ihn in deine Hand zu geben, so wie
es heute ist. 31 Und der HERR sprach zu
mir: Siehe, ich habe angefangen, Sihon
mit seinem Lande vor deinen Augen [a]da-
hinzugeben; fang an, sein Land in Besitz
zu nehmen. 32 Und Sihon zog aus uns
entgegen mit seinem ganzen Kriegsvolk
zum Kampf nach Jahaz. 33 Aber der HERR,
unser Gott, gab ihn vor unsern Augen
dahin, dass wir ihn schlugen mit seinen
Söhnen und seinem ganzen Kriegsvolk.
34 Da nahmen wir zu der Zeit alle seine
Städte ein und vollstreckten den Bann
an allen Städten, an Männern, Frauen
und Kindern, und ließen niemand übrig
bleiben. 35 Nur das Vieh raubten wir für
uns und die Beute aus den Städten, die
wir eingenommen hatten. 36 Von [a]Aro-
ër an, das am Ufer des Arnon liegt, und
von der Stadt im Bachtal bis nach Gilead
war keine Stadt, die für uns zu stark be-
festigt war; der HERR, unser Gott, gab
alles vor unsern Augen dahin. 37 Nur zu
dem Lande der Ammoniter kamst du
nicht, weder zum Ufer des Jabbok noch
zu den Städten auf dem Gebirge, ganz
wie uns der HERR, unser Gott, geboten
hatte.

SIEG ÜBER OG VON BASCHAN

3 Und wir wandten uns und zogen hinauf
den Weg nach Baschan. Und [a]Og, der
König von Baschan, zog aus uns entgegen
mit seinem ganzen Kriegsvolk, um bei Ed-
reï zu kämpfen. 2 Aber der HERR sprach zu
mir: Fürchte dich nicht vor ihm, denn ich
habe ihn und sein ganzes Kriegsvolk mit
seinem Land in deine Hand gegeben. Und
du sollst mit ihm tun, wie du mit Sihon,
dem König der Amoriter, getan hast, der
zu Heschbon herrschte. 3 So gab der HERR,
unser Gott, auch Og, den König von Ba-
schan, in unsere Hände mit seinem gan-
zen Kriegsvolk, dass wir ihn schlugen, bis
ihm keiner übrig blieb. 4 Da nahmen wir
zu der Zeit alle seine Städte ein, und es gab
keine Stadt, die wir ihnen nicht nahmen:
sechzig Städte, die ganze Gegend von Ar-
gob, das Königreich Ogs in Baschan, 5 lau-

2,23 *a* Jos 13,3 *b* 1. Mose 10,14 **2,25** *a* 2. Mose 23,27
2,26 *a* 4. Mose 21,21-26 **2,30** *a* 2. Mose 4,21
2,31 *a* Jos 10,12; Jer 24,8; Röm 1,24; 4,25; 8,32
2,36 *a* Jos 13,9; 2. Sam 24,5 **3,1** *a* 4. Mose 21,33-35

ter Städte, die befestigt waren mit hohen
Mauern, Toren und Riegeln, außerdem
sehr viele offene Städte. [6]Und wir voll-
streckten den Bann an ihnen, gleichwie
wir an Sihon, dem König von Heschbon,
taten. An allen Städten vollstreckten wir
den Bann, an Männern, Frauen und Kin-
dern. [7]Aber [a]alles Vieh und die Beute aus
den Städten raubten wir für uns.
[8][a]So nahmen wir zu der Zeit den bei-
den Königen der Amoriter das Land jen-
seits des Jordans, von dem Fluss Arnon
bis an den Berg Hermon – [9]die Sidonier
nennen ihn Sirjon, aber die Amoriter
nennen ihn Senir –, [10]alle Städte auf der
Hochebene und das ganze Gilead und
das ganze Baschan bis nach Salcha und
Edreï, die Städte des Königreichs Ogs in
Baschan. [11]Denn allein Og, der König von
Baschan, war noch übrig von den Riesen*.
Siehe, in Rabba, der Stadt der Ammoniter,
ist ja sein eisernes Bett, neun Ellen lang
und vier Ellen breit nach gewöhnlicher
Elle.

DIE VERTEILUNG DES OSTJORDANLANDES

(vgl. 4. Mose 32,1-42)

[12]Dies Land nahmen wir damals ein. Von
Aroër an, das am Fluss Arnon liegt, gab
ich's den Rubenitern und Gaditern samt
dem halben Gebirge Gilead mit seinen
Städten. [13]Aber das übrige Gilead und
das ganze Baschan, das Königreich Ogs,
gab ich dem halben Stamm Manasse, die
ganze Gegend von Argob. Dies ganze Ba-
schan heißt »Land der Riesen«. [14]Jaïr, der
Sohn Manasses, nahm die ganze Gegend
von Argob ein bis an die Grenze der Ge-
schuriter und Maachatiter und nannte
Baschan nach seinem Namen [a]»Dörfer
Jaïrs« bis auf den heutigen Tag. [15]Machir
aber gab ich Gilead. [16]Und den Ruben-
itern und Gaditern gab ich ein Gebiet von
Gilead bis zum Arnon, bis zur Mitte des
Flusses mit seinem Uferland, und bis zum
Jabbok, dem Grenzfluss der Ammon-
iter; [17]dazu das Jordantal mit dem Jordan
und seinem Uferland, von [a]Kinneret bis
an das Meer der Araba*, das ist das Salz-
meer, am Fuße der Abhänge des Pisga
nach Osten hin.
[18]Und ich gebot ihnen zu der Zeit: Der
HERR, euer Gott, hat euch dies Land ge-
geben, um es einzunehmen. So zieht nun
gerüstet vor euren Brüdern, den Israeli-
ten, her, all ihr Kriegsleute. [19]Nur eure
Frauen und Kinder und euer Vieh – denn
ich weiß, dass ihr viel Vieh habt – lasst in
euren Städten bleiben, die ich euch ge-
geben habe, [20]bis der HERR eure Brüder
auch zur Ruhe bringt wie euch, dass sie
auch das Land einnehmen, das ihnen der
HERR, euer Gott, geben wird jenseits des
Jordans. Danach sollt ihr dann zurückkeh-
ren zu eurem Besitz, den ich euch gege-
ben habe. [21]Und [a]Josua gebot ich zur sel-
ben Zeit und sprach: Deine Augen haben
alles gesehen, was der HERR, euer Gott,
mit diesen beiden Königen getan hat. So
wird der HERR auch mit allen Königrei-
chen tun, in die du ziehst. [22]Fürchtet euch
nicht vor ihnen; denn der HERR, euer
Gott, streitet für euch.[a]

MOSE DARF NICHT IN DAS LAND KOMMEN

[23]Und ich bat den HERRN zur selben Zeit
und sprach: [24]Herr HERR, du hast ange-
fangen, deinem Knecht zu offenbaren
deine Herrlichkeit und deine starke Hand.
Denn wo ist ein Gott im Himmel und auf
Erden, der es deinen Werken und deiner
Macht gleichtun könnte? [25]Lass mich hin-
übergehen und sehen das gute Land jen-
seits des Jordans, dies gute Bergland und
den Libanon. [26]Aber der HERR zürnte mir
um euretwillen und erhörte mich nicht,
sondern sprach zu mir: Lass es genug sein!
Rede mir davon nicht mehr![a] [27]Steige auf
den Gipfel des Gebirges Pisga und hebe
deine Augen auf nach Westen und nach
Norden und nach Süden und nach Osten
und sieh es mit deinen Augen; denn du
wirst nicht über den Jordan gehen. [28]Und
gebiete dem Josua, dass er getrost und un-
verzagt sei; denn [a]er soll über den Jordan
ziehen vor dem Volk her und soll ihnen
das Land austeilen, das du sehen wirst.
[29]So blieben wir im Tal gegenüber Bet-
Peor.

* **3,11.17** Siehe Sach- und Worterklärungen.

3,7 ***a*** Kap 20,13-18 **3,8** ***a*** (8-9) Kap 4,48; 1. Chr 5,23; Ps 29,6 **3,14** ***a*** Ri 10,4 **3,17** ***a*** Jos 11,2; 19,35; Mk 6,53 **3,21** ***a*** 4. Mose 27,18.22 **3,22** ***a*** Kap 1,29-30 **3,26** ***a*** 4. Mose 20,12 **3,28** ***a*** Kap 31,3.7

ERMAHNUNG ZUM GEHORSAM GEGEN DAS GESETZ

4 Und nun höre, Israel, die Gebote und Rechte, die ich euch lehre, dass ihr sie tun sollt, auf dass ihr lebt und hineinkommt und das Land einnehmt, das euch der HERR, der Gott eurer Väter, gibt. 2 **Ihr sollt nichts dazutun zu dem, was ich euch gebiete, und sollt auch nichts davontun, auf dass ihr bewahrt die Gebote des HERRN, eures Gottes, die ich euch gebiete.**[a] 3 Eure Augen haben gesehen, was der HERR getan hat bei Baal-Peor*; denn jeden, der dem Baal-Peor folgte, hat der HERR, dein Gott, vertilgt aus eurer Mitte.[a] 4 Aber ihr, die ihr dem HERRN, eurem Gott, anhinget, lebt alle heute noch. 5 Sieh, ich habe euch gelehrt Gebote und Rechte, wie mir der HERR, mein Gott, geboten hat, dass ihr danach tun sollt im Lande, in das ihr kommen werdet, um es einzunehmen. 6 So haltet sie nun und tut sie! Denn darin zeigt sich den Völkern eure [a]Weisheit und euer Verstand. Wenn sie alle diese Gebote hören werden, dann müssen sie sagen: Was für weise und verständige Leute sind das, ein herrliches Volk! 7 Denn [a]wo ist so ein herrliches Volk, dem Götter so nahe sind wie uns der HERR, unser Gott, sooft wir ihn anrufen? 8 Und wo ist so ein großes Volk, das so gerechte Ordnungen und Gebote hat wie [a]dies ganze Gesetz, das ich euch heute vorlege? 9 Hüte dich nur und bewahre deine Seele gut, dass du [a]nicht vergisst, was deine Augen gesehen haben, und dass es nicht aus deinem Herzen kommt dein ganzes Leben lang. Und du sollst deinen Kindern und Kindeskindern kundtun 10 den Tag, da du [a]vor dem HERRN, deinem Gott, standest an dem Berge Horeb, als der HERR zu mir sagte: Versammle mir das Volk, dass ich sie meine Worte hören lasse und sie mich fürchten lernen alle Tage ihres Lebens auf Erden und [b]ihre Kinder lehren. 11 Da tratet ihr herzu und standet unten an dem Berge; der Berg aber stand in Flammen bis in den Himmel hinein, und da war Finsternis, Wolken und Dunkel. 12 Und der HERR redete mit euch [a]mitten aus dem Feuer. Den Klang der Worte hörtet ihr, aber ihr saht keine Gestalt, nur eine Stimme war da. 13 Und er verkündigte euch seinen Bund, den er euch gebot zu halten, nämlich die Zehn Worte, und [a]schrieb sie auf zwei steinerne Tafeln. 14 Und der HERR gebot mir zur selben Zeit, euch Gebote und Rechte zu lehren, dass ihr danach tun sollt in dem Lande, in das ihr zieht, es einzunehmen.

15 So hütet euch um eures Lebens willen – denn ihr habt keine Gestalt gesehen an dem Tage, da der HERR mit euch redete aus dem Feuer auf dem Berge Horeb –, 16 dass ihr euch nicht versündigt und euch [a]irgendein Bildnis macht, das gleich sei einem Mann oder einer Frau, 17 einem Tier auf dem Land oder Vogel unter dem Himmel, 18 dem Gewürm auf der Erde oder einem Fisch im Wasser unter der Erde. 19 Hebe auch nicht deine Augen auf zum Himmel, dass du [a]die Sonne sehest und den Mond und die Sterne, das ganze Heer des Himmels, und fallest ab und betest sie an und dienest denen, die der HERR, dein Gott, zugewiesen hat allen Völkern unter dem ganzen Himmel. 20 Euch aber hat der HERR angenommen und aus dem [a]Schmelzofen, nämlich aus Ägypten, geführt, dass ihr [b]sein Erbvolk sein sollt, wie ihr es jetzt seid. 21 Und der HERR war so erzürnt über mich um eures Tuns willen, dass er schwor, ich sollte nicht über den Jordan gehen noch in das gute Land kommen, das dir der HERR, dein Gott, zum Erbteil geben wird,[a] 22 sondern ich muss in diesem Lande sterben und werde nicht über den Jordan gehen. Ihr aber werdet hinübergehen und dies gute Land einnehmen. 23 So hütet euch nun, dass ihr den Bund des HERRN, eures Gottes, nicht vergesst, den er mit euch geschlossen hat, und nicht ein Bildnis macht von irgendeiner Gestalt, wie es der HERR, dein Gott, geboten hat. 24 Denn **der HERR, dein Gott, ist [a]ein verzehrendes Feuer und [b]ein eifernder Gott.**

* **4,3** Baal-Peor ist sowohl Orts- als auch Gottesname.

4,2 ***a*** Kap 13,1; Spr 30,6; Offb 22,18-19
4,3 ***a*** 4. Mose 25,3-9 **4,6** ***a*** Jes 2,3 **4,7** ***a*** 2. Sam 7,23
4,8 ***a*** Jer 8,8 **4,9** ***a*** Ps 103,2 **4,10** ***a*** 2. Mose 19,17
b Kap 6,7 **4,12** ***a*** Kap 5,4.24 **4,13** ***a*** 2. Mose 31,18
4,16 ***a*** 2. Mose 20,4 **4,19** ***a*** Kap 17,3; Röm 1,23
4,20 ***a*** 1. Kön 8,51; Jes 48,10; Jer 11,4 ***b*** 2. Mose 19,5-6;
Jes 19,25 **4,21** ***a*** Kap 3,26 **4,24** ***a*** Kap 9,3; 2. Mose 24,17;
Jes 10,17; Hebr 12,29 ***b*** 2. Mose 20,5

25 Wenn du nun Kinder zeugst und Kin-
deskinder und ihr im Lande wohnt und
versündigt euch und macht euch Bildnisse
von irgendeiner Gestalt, sodass ihr übel
tut vor dem HERRN, deinem Gott, und
ihn erzürnt, 26 so [a]rufe ich heute Himmel
und Erde zu Zeugen über euch, dass ihr
bald weggerafft werdet aus dem Lande, in
das ihr geht über den Jordan, um es ein-
zunehmen. Ihr werdet nicht lange darin
bleiben, sondern werdet vertilgt werden.
27 Und der HERR wird euch zerstreuen un-
ter die Völker, und es wird von euch nur
eine geringe Zahl übrig bleiben unter den
Heiden, zu denen euch der HERR weg-
führen wird. 28 Dort werdet ihr Göttern
dienen, die das Werk von Menschenhän-
den sind, Holz und Stein, die weder se-
hen noch hören noch essen noch riechen
können.[a] 29 Ihr werdet dort den HERRN,
deinen Gott, suchen, und du wirst ihn fin-
den, so du ihn von ganzem Herzen und
von ganzer Seele suchen wirst.[a] 30 Wenn
du geängstet sein wirst und dich das al-
les treffen wird in künftigen Zeiten, so
wirst du dich [a]bekehren zu dem HERRN,
deinem Gott, und seiner Stimme gehor-
chen. 31 Denn **der HERR, dein Gott, ist
ein barmherziger Gott; er wird dich
nicht verlassen noch verderben, wird
auch den Bund nicht vergessen, den er
deinen Vätern geschworen hat.**
32 Denn frage nach den früheren Zeiten,
die vor dir gewesen sind, von dem Tage an,
da Gott den Menschen auf Erden geschaf-
fen hat, und von einem Ende des Himmels
zum andern, ob je so Großes geschehen
oder desgleichen je gehört sei, 33 dass ein
Volk die [a]Stimme Gottes aus dem Feuer
hat reden hören, wie du sie gehört hast,
und dennoch am Leben blieb? 34 Oder ob
je ein Gott versucht hat, hinzugehen und
sich ein Volk mitten aus einem Volk her-
auszuholen durch [a]Machtproben, durch
Zeichen, durch Wunder, durch Krieg und
mit starker Hand und ausgerecktem Arm
und durch große Schrecken, wie das alles
der HERR, euer Gott, für euch getan hat in
Ägypten vor deinen Augen? 35 Du hast es
sehen können, auf dass du [a]wissest, dass
der HERR allein Gott ist und sonst keiner.
36 Vom Himmel hat er dich seine Stimme
hören lassen, um dich zurechtzubringen;
und auf Erden hat er dir gezeigt sein gro-
ßes Feuer, und seine Worte hast du aus
dem Feuer gehört.[a] 37 Weil er deine Väter
geliebt und ihre Nachkommen erwählt
hat, [a]hat er dich aus Ägypten herausge-
führt mit seinem Angesicht durch seine
große Kraft, 38 damit er vor dir her Völker
vertriebe, die größer und stärker sind als
du, und dich hineinbrächte, um dir ihr
Land zum Erbteil zu geben, wie es jetzt
ist. 39 So sollst du nun heute wissen und
zu Herzen nehmen, dass der HERR Gott
ist oben im Himmel und unten auf Erden
und sonst keiner, 40 und sollst halten seine
Rechte und Gebote, die ich dir heute ge-
biete; so wird's dir und deinen Kindern
nach dir wohlgehen und dein Leben lange
währen in dem Lande, das dir der HERR,
dein Gott, gibt für immer.

FREISTÄDTE IM OSTJORDANLAND

41 Da sonderte Mose [a]drei Städte aus jen-
seits des Jordans gegen Sonnenaufgang,
42 damit dorthin fliehen konnte, wer sei-
nen Nächsten totschlägt ohne Vorsatz und
ihm zuvor nicht feind gewesen ist; der soll
in eine dieser Städte fliehen, damit er am
Leben bleibe. 43 Das sind Bezer im Wüs-
tengebiet der Hochebene für die Ruben-
iter und Ramot in Gilead für die Gaditer
und Golan in Baschan für die Manassiter.

ÜBERLEITUNG ZUM GESETZ

44 Dies ist das Gesetz, das Mose den Israeli-
ten vorlegte. 45 Dies sind die Ermahnun-
gen und Gebote und Rechte, die Mose
den Israeliten kundtat, als sie aus Ägypten
gezogen waren, 46 jenseits des Jordans im
Tal gegenüber Bet-Peor, im Lande Sihons,
des Königs der Amoriter, der zu Hesch-
bon herrschte, [a]den Mose und die Israeli-
ten schlugen, als sie aus Ägypten zogen.
47 Und sie nahmen sein Land ein, dazu
das Land Ogs, des Königs von Baschan,
der beiden Könige der Amoriter, die jen-
seits des Jordans waren gegen Sonnen-
aufgang, 48 von Aroër an, das am Ufer des

4,26 *a* Kap 30,19; 31,28; 32,1 **4,28** *a* Kap 28,36; Ps 115,4-7 **4,29** *a* Ps 27,8; Jer 29,13-14 **4,30** *a* Kap 30,2 **4,33** *a* 2. Mose 20,1.19 **4,34** *a* Kap 7,19; 29,2 **4,35** *a* Kap 32,39 **4,36** *a* 2. Mose 20,1.18.20 **4,37** *a* 2. Mose 33,14 **4,41** *a* Kap 19,2-13; 4. Mose 35,6-29 **4,46** *a* 4. Mose 21,24

Arnon liegt, bis an den Berg Sion, das ist
der [a]Hermon, 49 und das ganze Jordantal
östlich des Jordans gegen Sonnenaufgang
bis an das Meer der Araba* am Fuße der
Abhänge des Pisga.

WIEDERHOLUNG DER ZEHN GEBOTE
(vgl. 2. Mose 20,1-17)

5 Und Mose rief ganz Israel zusammen
und sprach zu ihnen: Höre, Israel, die
Gebote und Rechte, die ich heute vor
euren Ohren rede, und lernt sie und be-
wahrt sie, dass ihr danach tut!
2 Der HERR, unser Gott, hat einen Bund
mit uns geschlossen am Horeb.[a] 3 Nicht
mit unsern Vätern hat der HERR diesen
Bund geschlossen, sondern mit uns, die
wir heute hier sind und alle leben.[a] 4 Er hat
von Angesicht zu Angesicht mit euch [a]aus
dem Feuer auf dem Berge geredet. 5 Ich
stand zu derselben Zeit zwischen dem
HERRN und euch, um euch des HERRN
Wort zu verkündigen; denn ihr fürchte-
tet euch vor dem Feuer und gingt nicht auf
den Berg. Und er sprach:
**6 Ich bin der HERR, dein Gott, der
dich aus Ägyptenland geführt hat, aus
der Knechtschaft. 7 Du sollst keine an-
deren Götter haben neben mir.[a] 8 Du
sollst dir [a]kein Bildnis machen in ir-
gendeiner Gestalt, weder von dem, was
oben im Himmel, noch von dem, was
unten auf Erden, noch von dem, was
im Wasser unter der Erde ist. 9 Du sollst
sie nicht anbeten noch ihnen dienen.
Denn ich, der HERR, dein Gott, bin [a]ein
eifernder Gott, der die Missetat der Vä-
ter heimsucht bis ins dritte und vierte
Glied an den Kindern derer, die mich
hassen, 10 aber Barmherzigkeit erweist
an vielen Tausenden, die mich lieben
und meine Gebote halten.**
**11 Du sollst den Namen des HERRN,
deines Gottes, nicht missbrauchen;
denn der HERR wird den nicht unge-
straft lassen, der seinen Namen miss-
braucht.**
**12 Den Sabbattag sollst du halten, dass
du ihn heiligst, wie dir der HERR, dein
Gott, geboten hat. 13 Sechs Tage sollst
du arbeiten und alle deine Werke tun.
14 Aber am siebenten Tag ist der Sabbat
des HERRN, deines Gottes. Da sollst du
keine Arbeit tun, auch nicht dein Sohn,
deine Tochter, dein Knecht, deine
Magd, dein Rind, dein Esel, all dein
Vieh, auch nicht dein Fremdling, der in
deiner Stadt lebt, auf dass dein Knecht
und deine Magd ruhen gleichwie du.
15 Denn [a]du sollst daran denken, dass
auch du Knecht in Ägyptenland warst
und der HERR, dein Gott, dich von dort
herausgeführt hat mit mächtiger Hand
und ausgerecktem Arm. Darum hat dir
der HERR, dein Gott, geboten, dass du
den Sabbattag halten sollst.**
**16 Du sollst deinen Vater und deine
Mutter ehren, wie dir der HERR, dein
Gott, geboten hat, auf dass du lange le-
best und dir's wohlgehe in dem Lande,
das dir der HERR, dein Gott, geben
wird.**
17 Du sollst nicht töten.
18 Du sollst nicht ehebrechen.
19 Du sollst nicht stehlen.
**20 Du sollst nicht falsch Zeugnis reden
wider deinen Nächsten.**
**21 Du sollst nicht begehren deines
Nächsten Frau.**
**Du sollst [a]nicht begehren deines
Nächsten Haus, Acker, Knecht, Magd,
Rind, Esel noch alles, was sein ist.**
22 Das sind die Worte, die der HERR re-
dete zu eurer ganzen Gemeinde auf dem
Berge, aus dem Feuer und der Wolke und
dem Dunkel mit großer Stimme, und tat
nichts hinzu und schrieb sie auf [a]zwei stei-
nerne Tafeln und gab sie mir.

MOSE ALS MITTLER ZWISCHEN GOTT UND ISRAEL

23 Als ihr aber die Stimme aus der Finster-
nis hörtet und der Berg im Feuer brannte,
tratet ihr zu mir, alle eure Stammeshäup-
ter und eure Ältesten, 24 und spracht:
Siehe, der HERR, unser Gott, hat uns se-
hen lassen seine Herrlichkeit und seine
Majestät, und [a]wir haben seine Stimme
aus dem Feuer gehört. Heute haben wir
zwar gesehen, dass Gott mit Menschen re-
det und sie am Leben bleiben. 25 Aber nun,

* **4,49** Siehe Sach- und Worterklärungen.

4,48 *a* Kap 3,8-9 **5,2** *a* 2. Mose 19,5 **5,3** *a* Kap 29,14
5,4 *a* Vers 24 **5,7** *a* Kap 11,16.28 **5,8** *a* Kap 27,15
5,9 *a* Kap 4,24 **5,15** *a* Kap 15,15; 16,12; 24,18.22
5,21 *a* Mi 2,2 **5,22** *a* 2. Mose 31,18 **5,24** *a* Kap 4,12-13.33

warum sollen wir sterben? Dies große
Feuer wird uns noch verzehren! Wenn wir
des HERRN, unseres Gottes, Stimme wei-
ter hören, so müssen wir sterben. 26 Kann
denn Sterbliches die Stimme des lebendi-
gen Gottes aus dem Feuer reden hören wie
wir und doch am Leben bleiben? 27 Tritt du
hinzu und höre alles, was der HERR, unser
Gott, sagt, und sage es uns. Alles, was der
HERR, unser Gott, mit dir reden wird, das
wollen wir hören und tun.

28 Als aber der HERR eure Worte hörte,
die ihr mit mir redetet, sprach er zu mir:
Ich habe gehört die Worte dieses Volks,
die sie mit dir geredet haben; es ist alles
gut, was sie geredet haben. 29 Ach dass sie
[a]ein solches Herz hätten, mich zu fürch-
ten und zu halten alle meine Gebote ihr
Leben lang, auf dass es ihnen und ihren
Kindern wohlginge ewiglich! 30 Geh hin
und sage ihnen: Geht heim in eure Zelte!
31 Du aber sollst hier vor mir stehen blei-
ben, damit ich dir verkündige das ganze
Gesetz, die Gebote und Rechte, die du sie
lehren sollst, dass sie danach tun in dem
Lande, das ich ihnen geben werde, um es
einzunehmen. 32 So habt nun acht, dass
ihr tut, wie euch der HERR, euer Gott,
geboten hat, und [a]weicht nicht, weder
zur Rechten noch zur Linken, 33 son-
dern wandelt auf dem Weg, den euch der
HERR, euer Gott, geboten hat, damit ihr
leben könnt und es euch wohlgeht und ihr
lange lebt in dem Lande, das ihr einneh-
men werdet.

ERMAHNUNG ZUR LIEBE UND ZUM GEHORSAM GEGEN DEN HERRN

6 Dies sind die Gesetze und Gebote und
Rechte, die der HERR, euer Gott, ge-
boten hat, euch zu lehren, dass ihr sie
tun sollt in dem Lande, in das ihr zieht,
es einzunehmen, 2 damit du dein Leben
lang den HERRN, deinen Gott, fürchtest
und alle seine Rechte und Gebote hältst,
die ich dir gebiete, du und deine Kinder
und deine Kindeskinder, auf dass du lange
lebest. 3 Israel, [a]du sollst es hören und fest-
halten, dass du es tust, auf dass dir's wohl-
gehe und du groß an Zahl werdest, wie der
HERR, der Gott deiner Väter, dir zugesagt
hat, in dem Lande, darin Milch und Ho-
nig fließt.
4 Höre, Israel, der HERR ist unser
Gott, der HERR ist einer.[a] **5 Und du**
sollst den HERRN, deinen Gott, lieb
haben von ganzem Herzen, von ganzer
Seele und mit all deiner Kraft.[a] 6 Und
diese Worte, die ich dir heute gebiete,
sollst du zu Herzen nehmen[a] 7 und [a]sollst
sie deinen Kindern einschärfen und da-
von reden, wenn du in deinem Hause
sitzt oder unterwegs bist, wenn du dich
niederlegst oder aufstehst. 8 Und du [a]sollst
sie binden zum Zeichen auf deine Hand,
und sie sollen dir ein Merkzeichen zwi-
schen deinen Augen sein, 9 und du sollst
sie schreiben auf die Pfosten deines Hau-
ses und an die Tore.

10 Wenn dich nun der HERR, dein Gott,
in das Land bringen wird, von dem er dei-
nen Vätern Abraham, Isaak und Jakob ge-
schworen hat, es dir zu geben – große und
schöne Städte, die du nicht gebaut hast,
11 und Häuser voller Güter, die du nicht
gefüllt hast, und ausgehauene Brunnen,
die du nicht ausgehauen hast, und Wein-
berge und Ölbäume, die du nicht ge-
pflanzt hast –, und [a]wenn du nun isst und
satt wirst, 12 so hüte dich, dass du nicht
den HERRN vergisst, der dich aus Ägyp-
tenland, aus der Knechtschaft, geführt
hat, 13 sondern du sollst den HERRN, dei-
nen Gott, fürchten und ihm dienen und
bei seinem Namen schwören.[a] 14 Und ihr
sollt nicht andern Göttern nachfolgen,
den Göttern der Völker, die um euch her
sind – 15 denn der HERR, dein Gott, ist [a]ein
eifernder Gott in deiner Mitte –, dass nicht
der Zorn des HERRN, deines Gottes, über
dich entbrenne und dich vertilge von der
Erde. 16 Ihr [a]sollt den HERRN, euren Gott,
nicht versuchen, wie ihr ihn [b]versucht
habt in Massa, 17 sondern sollt halten die
Gebote des HERRN, eures Gottes, seine
Vermahnungen und seine Rechte, die er
dir geboten hat, 18 dass du tust, was recht
und gut ist vor den Augen des HERRN, auf
dass dir's wohlgehe und du hineinkom-

5,29 ***a*** Kap 29,3 **5,32** ***a*** Kap 4,2; 28,14; Jos 1,7; Spr 4,27
6,3 ***a*** Lk 11,28 **6,4** ***a*** Mk 12,29; 1. Kor 8,4.6
6,5 ***a*** Kap 10,12; 2. Kön 23,25; Mt 22,37
6,6 ***a*** Kap 11,18-20 **6,7** ***a*** 1. Mose 18,19
6,8 ***a*** 2. Mose 13,9; Mt 23,5 **6,11** ***a*** Kap 8,10
6,13 ***a*** Kap 10,20; Mt 4,10 **6,15** ***a*** 2. Mose 20,5
6,16 ***a*** Mt 4,7 ***b*** 2. Mose 17,2.7

mest und einnehmest das gute Land, von
dem der HERR deinen Vätern geschwo-
ren hat, 19 dass er verjagen wolle alle deine
Feinde vor dir, wie der HERR es zugesagt
hat.[a]
20 Wenn dich nun [a]dein Sohn morgen
fragen wird: Was sind das für Vermah-
nungen, Gebote und Rechte, die euch
der HERR, unser Gott, geboten hat?, 21 so
[a]sollst du deinem Sohn sagen: Wir waren
Knechte des Pharao in Ägypten, und der
HERR führte uns aus Ägypten mit mäch-
tiger Hand; 22 und der HERR tat große
und furchtbare Zeichen und Wunder an
Ägypten und am Pharao und an seinem
ganzen Hause vor unsern Augen 23 und
führte uns von dort weg, um uns hinein-
zubringen und uns das Land zu geben,
wie er unsern Vätern geschworen hatte.
24 Und der HERR hat uns geboten, nach
all diesen Rechten zu tun, dass wir den
HERRN, unsern Gott, fürchten, auf dass
es uns wohlgehe allezeit und er uns am
Leben erhalte, so wie es heute ist.[a] 25 Und
das wird [a]unsere Gerechtigkeit sein, dass
wir alle diese Gebote tun und halten vor
dem HERRN, unserm Gott, wie er uns ge-
boten hat.

WARNUNG VOR GEMEINSCHAFT MIT DEN HEIDEN

7 Wenn dich der HERR, dein Gott, ins
Land bringt, in das du kommen wirst, es
[a]einzunehmen, und er ausrottet viele Völ-
ker vor dir her, die Hetiter, Girgaschiter,
Amoriter, Kanaaniter, Perisiter, Hiwiter
und Jebusiter, sieben Völker, die größer
und stärker sind als du, 2 und wenn sie der
HERR, dein Gott, vor dir dahingibt, dass
du sie schlägst, so sollst du an ihnen [a]den
Bann vollstrecken. Du sollst keinen Bund
mit ihnen schließen und keine Gnade ge-
gen sie üben 3 und sollst dich mit ihnen
nicht verschwägern; eure Töchter sollt
ihr nicht geben ihren Söhnen und ihre
Töchter sollt ihr nicht nehmen für eure
Söhne.[a] 4 Denn sie werden eure Söhne
mir abtrünnig machen, dass sie andern
Göttern dienen; so wird dann des HERRN
Zorn entbrennen über euch und euch
bald vertilgen. 5 Sondern so sollt ihr mit
ihnen tun: Ihre Altäre sollt ihr einreißen,
ihre Steinmale zerbrechen, ihre heiligen
Pfähle abhauen und ihre Götzenbilder mit
Feuer verbrennen.[a]
6 Denn du bist ein heiliges Volk dem
HERRN, deinem Gott. [a]Dich hat der
HERR, dein Gott, erwählt zum Volk des
Eigentums aus allen Völkern, die auf Er-
den sind. 7 **Nicht hat euch der HERR an-
genommen und [a]euch erwählt, weil ihr
größer wäret als alle Völker – denn du
bist das kleinste unter allen Völkern –,**
8 **sondern [a]weil er euch geliebt hat und
damit er seinen Eid hielte, den er euren
Vätern geschworen hat. Darum hat der
HERR euch herausgeführt mit mäch-
tiger Hand und hat dich erlöst von der
Knechtschaft, aus der Hand des Pharao,
des Königs von Ägypten.** 9 So sollst du
nun wissen, dass der HERR, dein Gott,
allein Gott ist, der treue Gott, der den
Bund und [a]die Barmherzigkeit bis ins tau-
sendste Glied hält denen, die ihn lieben
und seine Gebote halten, 10 und [a]vergilt
ins Angesicht denen, die ihn hassen, und
bringt sie um und säumt nicht, zu vergel-
ten ins Angesicht denen, die ihn hassen.
11 So halte nun die Gebote und Gesetze
und Rechte, die ich dir heute gebiete, dass
du danach tust.

VERHEISSUNG DES GÖTTLICHEN SEGENS

12 Und wenn ihr diese Rechte hört und sie
haltet und danach tut, so wird der HERR,
dein Gott, auch halten den Bund und die
Barmherzigkeit, wie er deinen Vätern ge-
schworen hat,[a] 13 und wird dich lieben und
segnen und mehren, und er wird segnen
die Frucht deines Leibes und [a]den Ertrag
deines Ackers, dein Getreide, Wein und
Öl, und das Jungvieh deiner Kühe und
deiner Schafe in dem Lande, das er dir ge-
ben wird, wie er deinen Vätern geschwo-
ren hat. 14 Gesegnet wirst du sein vor al-
len Völkern. Es wird niemand unter dir
unfruchtbar sein, auch nicht eins deiner
Tiere. 15 Der HERR [a]wird von dir nehmen

6,19 *a* 2. Mose 23,27-28 **6,20** *a* 2. Mose 13,14
6,21 *a* Ps 44,2 **6,24** *a* Gal 3,21 **6,25** *a* Kap 9,5-6; Röm 2,13.19-24 **7,1** *a* Kap 31,3 **7,2** *a* Kap 20,16-17
7,3 *a* 2. Mose 34,15-16 **7,5** *a* Kap 12,2-3
7,6 *a* 2. Mose 19,5-6 **7,7** *a* Kap 10,15 **7,8** *a* Hos 11,1
7,9 *a* 2. Mose 20,6 **7,10** *a* Nah 1,2
7,12 *a* 2. Mose 23,22-31 **7,13** *a* Hos 2,7-12
7,15 *a* 2. Mose 9,1-12

alle Krankheit und wird dir keine von all
den bösen Seuchen der Ägypter aufle-
gen, die du kennst, sondern wird sie allen
deinen Hassern auflegen. 16 Du wirst alle
Völker vertilgen, die der HERR, dein Gott,
dir geben wird. Du sollst sie nicht schonen
und ihren Göttern nicht dienen; denn das
würde dir zum Fallstrick werden.[a]
17 Wirst du aber in deinem Herzen sa-
gen: Diese [a]Völker sind größer als ich; wie
kann ich sie vertreiben?, 18 so fürchte dich
nicht vor ihnen. Denke daran, was der
HERR, dein Gott, dem Pharao und allen
Ägyptern getan hat 19 durch [a]große Macht-
proben, die du mit eigenen Augen gese-
hen hast, und durch Zeichen und Wunder,
durch mächtige Hand und ausgereckten
Arm, womit dich der HERR, dein Gott,
herausführte. So wird der HERR, dein
Gott, allen Völkern tun, vor denen du
dich fürchtest. 20 Dazu wird der HERR,
dein Gott, Hornissen unter sie senden,
bis umgebracht sein wird, was übrig ist
und sich verbirgt vor dir. 21 Lass dir nicht
grauen vor ihnen; denn der HERR, dein
Gott, ist in deiner Mitte, der große und
schreckliche Gott. 22 Er, der HERR, dein
Gott, wird diese Völker ausrotten vor dir,
einzeln nacheinander. Du kannst sie nicht
auf einmal vertilgen, damit sich nicht die
wilden Tiere wider dich vermehren. 23 Der
HERR, dein Gott, wird sie vor dir dahinge-
ben und wird eine große Verwirrung über
sie bringen, bis sie vertilgt sind, 24 und
wird ihre Könige in deine Hand geben,
und du sollst ihren Namen auslöschen
unter dem Himmel. Es wird dir niemand
widerstehen, bis du sie vertilgt hast. 25 Die
Bilder ihrer Götter sollst du mit Feuer ver-
brennen und sollst nicht begehren das Sil-
ber oder Gold, das daran ist, oder es zu dir
nehmen, damit du dich nicht darin ver-
fängst; denn das ist dem HERRN, deinem
Gott, ein Gräuel. 26 Darum sollst du sol-
chen Gräuel nicht in dein Haus bringen,
dass du nicht dem Bann verfällst wie je-
ner, sondern du sollst Ekel und Abscheu
davor haben; denn er steht unter dem
Bann.[a]

DANKBARKEIT GEGEN DEN HERRN

8 Alle Gebote, die ich dir heute gebiete,
sollt ihr halten, dass ihr danach tut,
damit ihr lebt und zahlreich werdet und
hineinkommt und das Land einnehmt,
das der HERR euren Vätern zugeschwo-
ren hat. 2 Und gedenke des ganzen Weges,
den dich der HERR, dein Gott, geleitet hat
diese vierzig Jahre in der Wüste, auf dass
er dich demütigte und [a]versuchte, damit
kundwürde, was in deinem Herzen wäre,
ob du seine Gebote halten würdest oder
nicht. 3 Er demütigte dich und ließ dich
hungern und [a]speiste dich mit Manna,
das du und deine Väter nie gekannt hatten,
auf dass er dir kundtäte, dass [b]der Mensch
nicht lebt vom Brot allein, sondern von al-
lem, was aus dem Mund des HERRN geht.
4 Deine Kleider sind nicht zerrissen an dir,
und deine Füße sind nicht geschwollen
diese vierzig Jahre.[a] 5 So erkennst du ja
in deinem Herzen, dass der HERR, dein
Gott, dich [a]erzogen hat, wie ein Mann sei-
nen Sohn erzieht. 6 So halte nun die Ge-
bote des HERRN, deines Gottes, dass du in
seinen Wegen wandelst und ihn fürchtest.
7 Denn der HERR, dein Gott, führt dich in
ein gutes Land, ein Land, darin Bäche und
Quellen sind und Wasser in der Tiefe, die
aus den Bergen und in den Auen fließen,
8 ein Land, darin Weizen, Gerste, Wein-
stöcke, Feigenbäume und Granatäpfel
wachsen, ein Land, darin es Ölbäume und
Honig gibt, 9 ein Land, wo du Brot genug
zu essen hast, wo dir nichts mangelt, ein
Land, in dessen Steinen Eisen ist, wo du
Kupfererz aus den Bergen haust. 10 Und
wenn du gegessen hast und satt bist,
sollst du den HERRN, deinen Gott, lo-
ben für das gute Land, das er dir gege-
ben hat.
11 So hüte dich nun davor, den HERRN,
deinen Gott, zu vergessen, sodass du seine
Gebote und seine Gesetze und Rechte, die
ich dir heute gebiete, nicht hältst. 12 Wenn
du nun gegessen hast und satt bist und
schöne Häuser erbaust und darin wohnst
13 und deine Rinder und Schafe und Sil-
ber und Gold und alles, was du hast, sich
mehrt, 14 dann hüte dich, dass dein Herz

7,16 ***a*** 2. Mose 23,33; 34,12; Jos 23,13
7,17 ***a*** 4. Mose 13,31; 14,1-4 **7,19** ***a*** Kap 4,34; 29,2
7,26 ***a*** Jos 7,11-12 **8,2** ***a*** Kap 13,4; 1. Mose 22,1;
2. Mose 16,4; 20,20; Ri 2,22 **8,3** ***a*** 2. Mose 16,13-15
b Mt 4,4 **8,4** ***a*** Kap 29,4 **8,5** ***a*** Jes 28,26;
Jer 30,11; 46,28

sich nicht überhebt und du den HERRN,
deinen Gott, vergisst, der dich aus Ägyp-
tenland geführt hat, aus der Knechtschaft,
15 und dich geleitet hat durch die große und
furchtbare Wüste, wo [a]feurige Schlangen
und Skorpione und lauter Dürre und kein
Wasser war, und ließ dir [b]Wasser aus dem
harten Felsen hervorgehen 16 und speiste
dich mit Manna in der Wüste, von dem
deine Väter nichts gewusst haben, auf dass
er dich demütigte und versuchte, damit er
dir hernach wohltäte. 17 Du könntest sonst
sagen in deinem Herzen: Meine Kräfte
und meiner Hände Stärke haben mir die-
sen Reichtum gewonnen. 18 Sondern ge-
denke an den HERRN, deinen Gott; denn
er ist's, der dir Kräfte gibt, Reichtum zu
gewinnen, auf dass er [a]hielte seinen Bund,
den er deinen Vätern geschworen hat, so
wie es heute ist.

19 Wirst du aber den HERRN, deinen
Gott, vergessen und andern Göttern nach-
folgen und ihnen dienen und sie anbeten,
so bezeuge ich euch heute, dass ihr um-
kommen werdet; 20 eben wie die Heiden,
die der HERR umbringt vor eurem Ange-
sicht, so werdet ihr auch umkommen, weil
ihr nicht gehorsam seid der Stimme des
HERRN, eures Gottes.

9 Höre, Israel, du wirst heute über den
Jordan gehen, damit du hineinkommst,
das Land der Völker einzunehmen, die
größer und stärker sind als du, [a]große
Städte, ummauert bis an den Himmel,
2 ein [a]großes, hochgewachsenes Volk,
die Anakiter, die du kennst, von denen
du auch hast sagen hören: Wer kann wi-
der die Anakiter bestehen? 3 So sollst du
nun heute wissen, dass der HERR, dein
Gott, vor dir hergeht, ein [a]verzehrendes
Feuer. Er wird sie vertilgen und wird sie
demütigen vor dir, und du wirst sie ver-
treiben und bald vernichten, wie dir der
HERR zugesagt hat. 4 [a]Wenn nun der
HERR, dein Gott, sie ausgestoßen hat vor
dir her, so sprich nicht in deinem Herzen:
Der HERR hat mich hereingeführt, dies
Land einzunehmen, um meiner Gerech-
tigkeit willen –, da doch der HERR diese
Völker vertreibt vor dir her um ihres gott-
losen Treibens willen. 5 [a]Denn du kommst
nicht herein, ihr Land einzunehmen, um
deiner Gerechtigkeit und deines aufrich-
tigen Herzens willen, sondern der HERR,
dein Gott, vertreibt diese Völker um ihres
gottlosen Treibens willen, damit er das
Wort halte, das er geschworen hat deinen
Vätern Abraham, Isaak und Jakob. 6 So
wisse nun, dass der HERR, dein Gott, dir
nicht um deiner Gerechtigkeit willen dies
gute Land zum Besitz gibt, da du doch ein
[a]halsstarriges Volk bist.

DER BUNDESBRUCH AM HOREB

7 Denke daran und vergiss nicht, wie du
den HERRN, deinen Gott, erzürntest in
der Wüste. Von dem Tage an, als du aus
Ägyptenland zogst, bis ihr gekommen
seid an diesen Ort, seid ihr ungehorsam
gewesen dem HERRN. 8 [a]Denn am Ho-
reb erzürntet ihr den HERRN so, dass er
vor Zorn euch vertilgen wollte, 9 als ich
auf den Berg gegangen war, die steiner-
nen Tafeln zu empfangen, die Tafeln des
Bundes, den der HERR mit euch schloss,
und ich vierzig Tage und vierzig Nächte
auf dem Berge blieb und kein Brot aß und
kein Wasser trank[a] 10 und mir der HERR
die zwei steinernen Tafeln gab, mit dem
Finger Gottes beschrieben, und darauf
alle Worte, die der HERR mit euch aus
dem Feuer auf dem Berge geredet hatte am
Tage der Versammlung. 11 Und nach den
vierzig Tagen und vierzig Nächten gab mir
der HERR die zwei steinernen Tafeln, die
Tafeln des Bundes, 12 und sprach zu mir:
Mach dich auf, geh eilends hinab von hier;
denn dein Volk, das du aus Ägypten ge-
führt hast, hat schändlich gehandelt. Sie
sind schnell abgewichen von dem Wege,
den ich ihnen geboten habe; sie haben sich
ein gegossenes Bild gemacht. 13 Und der
HERR sprach zu mir: Ich sehe, dass dies
Volk ein halsstarriges Volk ist. 14 Lass ab
von mir, damit ich sie vertilge und ihren
Namen austilge unter dem Himmel; aber
aus dir will ich ein stärkeres und größeres
Volk machen als dieses.

15 Und als ich mich wandte und von dem
Berge herabging, der im Feuer brannte,
und die zwei Tafeln des Bundes in meinen

8,15 *a* 4. Mose 21,6 *b* 2. Mose 17,6 **8,18** *a* Kap 4,31
9,1 *a* Kap 1,28 **9,2** *a* 4. Mose 13,32-33 **9,3** *a* Kap 4,24
9,4 *a* (4-5) Kap 8,17; 1. Mose 15,16 **9,5** *a* (5-6) Kap 6,25
9,6 *a* 2. Mose 32,9 **9,8** *a* (8-21) 2. Mose 32,1-24
9,9 *a* 2. Mose 34,28

beiden Händen hatte, 16 da sah ich, und
siehe, da hattet ihr euch an dem HERRN,
eurem Gott, versündigt und euch ein ge-
gossenes Kalb gemacht und wart schnell
von dem Wege abgewichen, den euch der
HERR geboten hatte. 17 Da fasste ich beide
Tafeln und warf sie aus meinen Händen
und zerbrach sie vor euren Augen 18 und
fiel nieder vor dem HERRN wie das erste
Mal, vierzig Tage und vierzig Nächte, und
aß kein Brot und trank kein Wasser um all
eurer Sünde willen, die ihr getan hattet, als
ihr solches Unrecht tatet vor dem HERRN,
um ihn zu erzürnen. 19 Denn ich [a]fürchtete
mich vor dem Zorn und Grimm, mit dem
der HERR über euch erzürnt war, sodass er
euch vertilgen wollte. Aber der HERR er-
hörte mich auch diesmal. 20 Auch war der
HERR sehr zornig über Aaron, sodass er
ihn vertilgen wollte; aber ich bat auch für
Aaron zur selben Zeit. 21 Aber eure Sünde,
das Kalb, das ihr gemacht hattet, nahm
ich und verbrannte es mit Feuer und zer-
schlug es und zermalmte es, bis es Staub
ward, und warf den Staub in den Bach, der
vom Berge fließt.

22 So erzürntet ihr den HERRN auch
in [a]Tabera und in [b]Massa und bei den
[c]Lustgräbern. 23 Und als er euch aus Ka-
desch-Barnea sandte und sprach: Geht
hinauf und nehmt das Land ein, das ich
euch gegeben habe!, da wart ihr ungehor-
sam dem Mund des HERRN, eures Gottes,
und glaubtet nicht an ihn und gehorchtet
seiner Stimme nicht.[a] 24 So seid ihr dem
HERRN ungehorsam gewesen, solange ich
euch gekannt habe.

25 Ich aber [a]fiel nieder und lag vor dem
HERRN vierzig Tage und vierzig Nächte;
denn der HERR sprach, er wolle euch
vertilgen. 26 Und ich bat den HERRN und
sprach: Herr HERR, verdirb dein Volk und
dein Erbe nicht, das du durch deine große
Kraft erlöst und mit mächtiger Hand aus
Ägypten geführt hast! 27 Gedenke an
deine Knechte Abraham, Isaak und Jakob!
Sieh nicht an die Halsstarrigkeit und das
gottlose Treiben und die Sünde dieses
Volks, 28 damit das Land, aus dem du uns
geführt hast, nicht sage: Der HERR konnte
sie nicht in das Land bringen, das er ihnen
zugesagt hatte, und hat sie darum heraus-
geführt, weil er ihnen feind war, um sie zu
töten in der Wüste.[a] 29 Denn sie sind dein
Volk und dein Erbe, das du mit deiner gro-
ßen Kraft und mit deinem ausgereckten
Arm herausgeführt hast.

DIE NEUEN TAFELN DES GESETZES

10 Zu derselben Zeit sprach der HERR zu
mir: [a]Haue dir zwei steinerne Tafeln
zu wie die ersten und komm zu mir auf
den Berg und mache dir eine [b]hölzerne
Lade, 2 so will ich auf die Tafeln die Worte
schreiben, die auf den ersten waren, die
du [a]zerbrochen hast; und du sollst sie in
die Lade legen. 3 So machte ich eine Lade
aus Akazienholz und hieb zwei steinerne
Tafeln zu, wie die ersten waren, und ging
auf den Berg und hatte die beiden Tafeln
in meinen Händen. 4 Da schrieb er auf
die Tafeln, wie die erste Schrift war, die
Zehn Worte, die der HERR zu euch gere-
det hatte mitten aus dem Feuer auf dem
Berge zur Zeit der Versammlung; und der
HERR gab sie mir. 5 Und ich wandte mich
und ging vom Berge herab und [a]legte die
Tafeln in die Lade, die ich gemacht hatte,
und sie blieben darin, wie mir der HERR
geboten hatte.

AARONS TOD. AUSSONDERUNG DER LEVITEN

6 [a]Und die Israeliten zogen aus von Be-
erot-Bene-Jaakan nach Moser. Dort starb
Aaron und wurde daselbst begraben. Und
sein Sohn Eleasar wurde Priester an seiner
statt. 7 Von da zogen sie aus nach Gudgoda,
von Gudgoda nach Jotbata, in ein Land mit
Wasserbächen.

8 Zur selben Zeit sonderte der HERR
den Stamm Levi aus, die Lade des Bundes
des HERRN zu tragen und [a]zu stehen vor
dem HERRN, ihm zu dienen und [b]in sei-
nem Namen zu segnen bis auf diesen Tag.
9 Darum erhielt Levi weder Anteil noch
Erbe mit seinen Brüdern. Denn [a]der HERR
ist sein Erbteil, wie der HERR, dein Gott,
es ihm zugesagt hat.

9,19 *a* Hebr 12,21 **9,22** *a* 4. Mose 11,3 *b* 2. Mose 17,7 *c* 4. Mose 11,34 **9,23** *a* 4. Mose 13,2.31; 14,1-4 **9,25** *a* Vers 18 **9,28** *a* 4. Mose 14,16 **10,1** *a* 2. Mose 34,1 *b* 2. Mose 25,10 **10,2** *a* 2. Mose 32,19 **10,5** *a* 2. Mose 25,21 **10,6** *a* (6-7) 4. Mose 33,31-33; 20,28; 33,37-39 **10,8** *a* Kap 18,5 *b* 4. Mose 6,23-27 **10,9** *a* 4. Mose 18,20

WAS DER HERR VON ISRAEL FORDERT

10 Ich aber stand auf dem Berge wie das
erste Mal, [a]vierzig Tage und vierzig Näch-
te, und der HERR erhörte mich auch dies-
mal und wollte dich nicht verderben. 11 Er
sprach zu mir: Mach dich auf, geh hin und
zieh vor dem Volk her, damit sie hinein-
kommen und das Land einnehmen, das
ich ihnen geben will, wie ich ihren Vätern
geschworen habe.[a]

12 **Nun, Israel, was [a]fordert der HERR,
dein Gott, noch von dir, als dass du den
HERRN, deinen Gott, fürchtest, dass
du in allen seinen Wegen wandelst und
ihn liebst und dem HERRN, deinem
Gott, dienst von ganzem Herzen und
von ganzer Seele,** 13 dass du die Gebote
des HERRN hältst und seine Rechte, die
ich dir heute gebiete, auf dass dir's wohl-
gehe? 14 Siehe, der Himmel und aller Him-
mel Himmel und die Erde und alles, was
darinnen ist, das ist des HERRN, deines
Gottes. 15 Und doch hat er nur [a]deine Väter
angenommen, dass er sie liebte, und hat
ihre Nachkommen, nämlich euch, erwählt
aus allen Völkern, so wie es heute ist.

16 So [a]beschneidet nun [b]die Vorhaut eurer
Herzen und seid hinfort nicht halsstarrig.
17 Denn der HERR, euer Gott, ist der Gott
aller Götter und der Herr über alle Her-
ren, der große Gott, der Mächtige und der
Schreckliche, der die Person nicht ansieht
und kein Geschenk nimmt 18 und schafft
Recht den Waisen und Witwen und hat
die Fremdlinge lieb, dass er ihnen Speise
und Kleider gibt. 19 Darum sollt ihr auch
die Fremdlinge lieben; denn ihr seid auch
Fremdlinge gewesen in Ägyptenland.[a]

20 Den HERRN, deinen Gott, sollst du
fürchten, ihm sollst du dienen, ihm sollst
du anhangen und bei seinem Namen
schwören. 21 Er ist dein Ruhm, und er ist
dein Gott, der bei dir solche großen und
schrecklichen Dinge getan hat, die deine
Augen gesehen haben. 22 Deine Väter
zogen hinab nach Ägypten mit [a]siebzig
Seelen; aber nun hat dich der HERR, dein
Gott, [b]zahlreich gemacht wie die Sterne
am Himmel.

ERINNERUNG AN GOTTES WOHLTATEN

11 So sollst du nun den HERRN, deinen
Gott, lieben und sein Gesetz, seine
Ordnungen, seine Rechte und seine Ge-
bote halten allezeit.[a] 2 Und erkennt heute,
was eure Kinder nicht wissen noch gese-
hen haben, nämlich die [a]Erziehung durch
den HERRN, euren Gott, dazu seine
Herrlichkeit, seine mächtige Hand und
seinen ausgereckten Arm 3 und seine Zei-
chen und Werke, die er getan hat unter
den Ägyptern, an dem Pharao, dem Kö-
nig von Ägypten, und an seinem ganzen
Lande; 4 und was er an der Heeresmacht
der Ägypter getan hat, an ihren Rossen
und Wagen, wie er das Wasser des Schilf-
meers über sie brachte, als sie euch nach-
jagten und sie der HERR vernichtete, bis
auf diesen Tag;[a] 5 und was er euch getan
hat in der Wüste, bis ihr an diesen Ort ge-
kommen seid, 6 was er Datan und Abiram
getan hat, den Söhnen Eliabs, des Sohnes
Rubens, wie die Erde ihren Mund auftat
und sie verschlang mit all ihren Leuten
und ihren Zelten und allem ihrem Gut,
das sie erworben hatten, mitten unter
ganz Israel.[a] 7 Denn eure Augen haben die
großen Werke des HERRN gesehen, die er
getan hat.

8 Darum sollt ihr alle die Gebote halten,
die ich dir heute gebiete, auf dass ihr stark
werdet, hineinzukommen und das Land
einzunehmen, dahin ihr zieht, es ein-
zunehmen, 9 und dass du lange lebest in
dem Lande, das der HERR, wie er euren
Vätern geschworen hat, ihnen und ihren
Nachkommen geben will, ein [a]Land, darin
Milch und Honig fließt. 10 Denn das Land,
in das du kommst, es einzunehmen, ist
nicht wie Ägyptenland, von dem ihr aus-
gezogen seid, wo du deinen Samen säen
und selbst tränken musstest wie einen
Garten, 11 sondern es hat Berge und Auen,
die der Regen vom Himmel tränkt, – 12 ein
Land, auf das der HERR, dein Gott, achthat
und die Augen des HERRN, deines Gottes,
immerdar sehen vom Anfang des Jahres
bis an sein Ende.

13 [a]Werdet ihr nun auf meine Gebote
hören, die ich euch heute gebiete, dass ihr

10,10 *a* Kap 9,9 **10,11** *a* Kap 6,3 **10,12** *a* Mi 6,8
10,15 *a* Kap 7,6 **10,16** *a* Kap 30,6 *b* Jer 4,4
10,19 *a* 2. Mose 22,20-23 **10,22** *a* 1. Mose 46,27
b Kap 1,10 **11,1** *a* Kap 6,5 **11,2** *a* Kap 4,36
11,4 *a* 2. Mose 14,25.27 **11,6** *a* 4. Mose 16,25-34
11,9 *a* 2. Mose 3,17 **11,13** *a* (13-15) 3. Mose 26,3-5; Jer 5,24

den HERRN, euren Gott, liebt und ihm
dient von ganzem Herzen und von gan-
zer Seele, 14 so will ich eurem Lande Re-
gen geben zu seiner Zeit, Frühregen und
Spätregen, dass du einsammelst dein Ge-
treide, deinen Wein und dein Öl, 15 und
will deinem Vieh Gras geben auf deinem
Felde, dass du isst und satt wirst. 16 Hütet
euch aber, dass sich euer Herz nicht betö-
ren lasse, dass ihr abfallt und dient andern
Göttern und betet sie an, 17 sodass der
Zorn des HERRN entbrenne über euch
und [a]schließe den Himmel zu, sodass kein
Regen kommt und die Erde ihr Gewächs
nicht gibt und ihr bald ausgetilgt werdet
aus dem guten Lande, das euch der HERR
gegeben hat.
18 [a]So nehmt nun diese Worte zu Her-
zen und in eure Seele und bindet sie zum
Zeichen auf eure Hand und macht sie zum
Merkzeichen zwischen euren Augen 19 und
lehrt sie eure Kinder, dass du davon redest,
wenn du in deinem Hause sitzt oder un-
terwegs bist, wenn du dich niederlegst
und wenn du aufstehst. 20 Und schreibe sie
an die Pfosten deines Hauses und an deine
Tore, 21 auf dass ihr und eure Kinder lange
lebt in dem Lande, das der HERR, wie er
deinen Vätern geschworen hat, ihnen ge-
ben will, solange die Tage des Himmels
über der Erde währen. 22 Denn wenn ihr
diese Gebote alle halten werdet, die ich
euch gebiete, und danach tut, dass ihr den
HERRN, euren Gott, liebt und wandelt in
allen seinen Wegen und ihm anhangt, 23 so
wird der HERR alle diese Völker vor euch
her vertreiben, dass ihr größere und stär-
kere Völker beerbt, als ihr es seid.[a] 24 Al-
les Land, darauf eure Fußsohle tritt, soll
euer sein: von der Wüste bis an den Berg
Libanon und von dem Strom Euphrat bis
ans Meer im Westen soll euer Gebiet sein.
25 Niemand wird euch widerstehen kön-
nen. Furcht und [a]Schrecken vor euch wird
der HERR, euer Gott, über alles Land kom-
men lassen, das ihr betretet, wie er euch
zugesagt hat.

SEGEN UND FLUCH

26 Siehe, ich lege euch heute vor [a]den Se-
gen und den Fluch: 27 [a]den Segen, wenn
ihr gehorcht den Geboten des HERRN,
eures Gottes, die ich euch heute gebiete;
28 den Fluch aber, wenn ihr nicht gehor-
chen werdet den Geboten des HERRN,
eures Gottes, und abweicht von dem
Wege, den ich euch heute gebiete, dass ihr
andern Göttern nachwandelt, die ihr nicht
kennt. 29 Wenn dich nun der HERR, dein
Gott, in das Land bringt, in das du kom-
men sollst, es einzunehmen, so sollst du
den Segen sprechen lassen auf dem Berge
[a]Garizim und den Fluch auf dem Berge
Ebal, 30 die jenseits des Jordans liegen an
der Straße gegen Sonnenuntergang im
Lande der Kanaaniter, die im Jordantal
wohnen, Gilgal gegenüber bei der [a]Eiche
More. 31 Denn ihr werdet über den Jordan
gehen, dass ihr hineinkommt, das Land
einzunehmen, das euch der HERR, euer
Gott, gegeben hat, damit ihr's einnehmt
und darin wohnt. 32 So habt nun acht, dass
ihr tut nach allen Geboten und Rechten,
die ich euch heute vorlege.

MOSE VERKÜNDIGT DIE GESETZE

Kapitel 12,1–26,19

DIE VON GOTT ERWÄHLTE OPFERSTÄTTE

12 Dies sind die Gebote und Rechte, die
ihr halten sollt, dass ihr danach tut
im Lande, das der HERR, der Gott deiner
Väter, dir gegeben hat, es einzunehmen,
solange ihr auf Erden lebt: 2 Zerstört alle
heiligen Stätten, wo die Heiden, die ihr
vertreiben werdet, ihren Göttern gedient
haben, es sei auf hohen Bergen, auf Hü-
geln oder unter jedem grünen Baum,[a]
3 und reißt um ihre Altäre und zerbrecht
ihre Steinmale und verbrennt mit Feuer
ihre heiligen Pfähle, zerschlagt die Bilder
ihrer Götzen und vertilgt ihren Namen
von jener Stätte.
4 Ihr sollt dem HERRN, eurem Gott, so
nicht dienen, 5 sondern die Stätte, die der
HERR, euer Gott, erwählen wird aus allen
euren Stämmen, dass er seinen Namen
daselbst wohnen lässt, sollt ihr aufsuchen

11,17 *a* Kap 28,23-24; 3. Mose 26,19-20
11,18 *a* (18-20) Kap 6,6-9 **11,23** *a* Kap 7,1-2
11,25 *a* 2. Mose 23,27 **11,26** *a* Kap 30,1.15.19
11,27 *a* (27-28) Kap 28,2.15 **11,29** *a* Kap 27,12-13;
Jos 8,33-34 **11,30** *a* 1. Mose 12,6 **12,2** *a* Kap 7,5.25;
2. Mose 34,13

und dahin sollst du kommen. 6 Dorthin
sollt ihr bringen eure Brandopfer und eure
Schlachtopfer, eure Zehnten und eure hei-
ligen Abgaben, eure Gelübdeopfer, eure
freiwilligen Opfer und die Erstgeburt
eurer Rinder und Schafe. 7 Und ihr und
euer Haus sollt dort vor dem HERRN,
eurem Gott, essen und fröhlich sein über
alles, was eure Hand erworben hat, wo-
mit dich der HERR, dein Gott, gesegnet
hat. 8 Ihr sollt es nicht so halten, wie wir
es heute hier tun, ein jeder, was ihm recht
dünkt. 9 Denn ihr seid bisher noch nicht
zur Ruhe und zu dem Erbteil gekommen,
das dir der HERR, dein Gott, geben wird.
10 Ihr werdet aber über den Jordan gehen
und in dem Lande wohnen, das euch der
HERR, euer Gott, zum Erbe austeilen
wird, und er wird euch [a]Ruhe geben vor
allen euren Feinden um euch her, und ihr
werdet sicher wohnen. 11 Wenn nun der
HERR, dein Gott, eine Stätte erwählt,
dass sein Name daselbst wohne, sollt ihr
dahin bringen alles, was ich euch gebiete:
eure Brandopfer, eure Schlachtopfer, eure
Zehnten, eure heiligen Abgaben und alle
eure auserlesenen Gelübdeopfer, die ihr
dem HERRN geloben werdet. 12 Und ihr
sollt fröhlich sein vor dem HERRN, eurem
Gott, ihr und eure Söhne und eure Töch-
ter, eure Knechte und eure Mägde und
der [a]Levit, der in euren Städten wohnt;
denn er hat weder Anteil noch Erbe mit
euch.

13 [a]Hüte dich, dass du deine Brandopfer
nicht an jeder Stätte opferst, die du siehst;
14 sondern an der Stätte, die der HERR er-
wählt in einem deiner Stämme, da sollst
du deine Brandopfer opfern und alles
tun, was ich dir gebiete. 15 Doch darfst
du in allen deinen Städten ganz nach
Herzenslust schlachten und Fleisch es-
sen nach dem Segen des HERRN, deines
Gottes, den er dir gegeben hat. Der Reine
wie der Unreine dürfen davon essen, so
wie man [a]Reh oder Hirsch isst. 16 Nur [a]das
Blut sollst du nicht essen, sondern auf
die Erde gießen wie Wasser. 17 Du darfst
aber nicht essen in deinen Städten vom
Zehnten deines Getreides, deines Weins,
deines Öls, auch nicht von der Erstgeburt
deiner Rinder und deiner Schafe oder von
irgendeiner Gabe, die du gelobt hast, oder
von deinem freiwilligen Opfer oder von
deiner heiligen Abgabe, 18 sondern [a]vor
dem HERRN, deinem Gott, sollst du das
alles essen an der Stätte, die der HERR,
dein Gott, erwählt, du und dein Sohn,
deine Tochter, dein Knecht, deine Magd
und der Levit, der in deiner Stadt lebt, und
sollst fröhlich sein vor dem HERRN, dei-
nem Gott, über alles, was deine Hand er-
worben hat. 19 Und hüte dich, dass du den
Leviten nicht leer ausgehen lässt, solange
du in deinem Lande lebst.[a]

20 Wenn aber der HERR, dein Gott, dein
Gebiet erweitern wird, wie er dir zuge-
sagt hat, und du sprichst: »Ich will Fleisch
essen«, weil es dich gelüstet, Fleisch zu
essen, so iss Fleisch ganz nach Herzens-
lust. 21 Ist aber die Stätte fern von dir, die
der HERR, dein Gott, erwählen wird, dass
er seinen Namen daselbst wohnen lasse,
so schlachte von deinen Rindern oder
Schafen, die dir der HERR gegeben hat,
wie ich dir geboten habe, und iss es in
deiner Stadt ganz nach Herzenslust. 22 So
wie man [a]Reh oder Hirsch isst, darfst du
es essen; der Reine wie der Unreine dür-
fen's beide essen. 23 Allein achte darauf,
dass du [a]das Blut nicht isst; denn das
Blut ist das Leben; darum sollst du nicht
zugleich mit dem Fleisch das Leben es-
sen, 24 sondern du sollst das Blut auf die
Erde gießen wie Wasser 25 und sollst es
nicht essen, auf dass dir's wohlgehe und
deinen Kindern nach dir, weil du tust,
was recht ist vor dem HERRN. 26 Aber
deine heiligen Gaben, die dir geboten
sind, und was du gelobst, das sollst du
aufladen und an die Stätte bringen, die
der HERR erwählen wird, 27 und sollst
deine Brandopfer mit Fleisch und Blut
legen auf den Altar des HERRN, deines
Gottes. Das Blut deiner [a]Schlachtopfer
soll gegossen werden auf den Altar des
HERRN, deines Gottes, aber das Fleisch
sollst du essen. 28 Sieh zu und höre auf
alle diese Worte, die ich dir gebiete, auf
dass dir's wohlgehe und deinen Kindern

12,10 ***a*** Jos 1,13; 21,44; 1. Kön 5,5; Ps 95,11; Hos 2,20; Hebr 4,11 **12,12** ***a*** Kap 10,9 **12,13** ***a*** (13-14) Jos 22,16; 3. Mose 17,8-9 **12,15** ***a*** Vers 22; Kap 14,5
12,16 ***a*** 3. Mose 3,17; 17,11 **12,18** ***a*** Kap 14,23
12,19 ***a*** Vers 12; Kap 14,27 **12,22** ***a*** Vers 15
12,23 ***a*** Vers 16 **12,27** ***a*** Vers 6

nach dir ewiglich, weil du tust, was recht
und wohlgefällig ist vor dem HERRN, dei-
nem Gott.
29 Wenn der HERR, dein Gott, vor dir
her die Völker ausrottet, zu denen du
kommst, ihr Land einzunehmen, und du
es eingenommen hast und darin wohnst,
30 so hüte dich, dass du dich nicht verfüh-
ren lässt, es ihnen nachzutun, nachdem
sie vertilgt sind vor dir, und dass du nicht
fragst nach ihren Göttern und sprichst:
Wie haben diese Völker ihren Göttern ge-
dient? [a]Ebenso will auch ich es tun! 31 So
sollst du dem HERRN, deinem Gott, nicht
dienen; denn sie haben ihren Göttern alles
getan, was dem HERRN ein Gräuel ist und
was er hasst; denn sie haben ihren Göttern
sogar ihre Söhne und Töchter mit Feuer
verbrannt.
13 Alles, was ich euch gebiete, das sollt
ihr halten und danach tun. [a]Du sollst
nichts dazutun und nichts davontun.

STRAFE FÜR FALSCHE PROPHETEN UND VERFÜHRER ZUM GÖTZENDIENST

2 Wenn ein Prophet oder Träumer in dei-
ner Mitte aufsteht und dir ein Zeichen
oder Wunder ankündigt 3 und das Zeichen
oder Wunder trifft ein, von dem er dir ge-
sagt hat, und er spricht: Lasst uns andern
Göttern folgen, die ihr nicht kennt, und
ihnen dienen, 4 so sollst du nicht gehor-
chen den Worten eines solchen Prophe-
ten oder Träumers; denn der HERR, euer
Gott, [a]versucht euch, um zu erfahren, ob
ihr ihn von ganzem Herzen und von gan-
zer Seele lieb habt. 5 Dem HERRN, eurem
Gott, sollt ihr folgen und ihn fürchten
und seine Gebote halten und seiner
Stimme gehorchen und ihm dienen und
ihm anhangen. 6 Der [a]Prophet aber oder
der Träumer soll sterben, weil er Aufruhr
gepredigt hat gegen den HERRN, euren
Gott, der euch aus Ägyptenland geführt
und dich aus der Knechtschaft erlöst hat,
und weil er dich von dem Wege abbringen
wollte, auf dem du wandeln sollst, wie der
HERR, dein Gott, geboten hat –, auf dass
du [b]das Böse aus deiner Mitte wegtust.
7 Wenn dich dein Bruder, deiner Mutter
Sohn, oder dein Sohn oder deine Tochter
oder deine Frau in deinen Armen oder
dein Freund, der dir so lieb ist wie dein
Leben, heimlich überreden würde und
sagen: Lasst uns hingehen und andern
Göttern dienen, die du nicht kennst noch
deine Väter, 8 von den Göttern der Völker,
die um euch her sind, sie seien dir nah
oder fern, von einem Ende der Erde bis
ans andere, 9 so willige nicht ein und ge-
horche ihm nicht. Auch soll dein Auge ihn
nicht schonen, und du sollst dich seiner
nicht erbarmen und seine Schuld nicht
verheimlichen, 10 sondern sollst ihn zum
Tode bringen. [a]Deine Hand soll die erste
wider ihn sein, ihn zu töten, und danach
die Hand des ganzen Volks. 11 Du sollst
ihn zu Tode steinigen, denn er hat dich
abbringen wollen von dem HERRN, dei-
nem Gott, der dich aus Ägyptenland, aus
der Knechtschaft, geführt hat, 12 auf dass
ganz Israel aufhorche und sich fürchte
und man nicht mehr solch Böses tue in
deiner Mitte.
13 Wenn du hörst von einer deiner
Städte, die dir der HERR, dein Gott,
gibt, darin zu wohnen, dass man sagt:
14 Es sind ruchlose Leute aufgetreten aus
deiner Mitte und haben die Bürger ihrer
Stadt verführt und gesagt: Lasst uns hin-
gehen und andern Göttern dienen, die
ihr nicht kennt, 15 so sollst du gründlich
suchen, forschen und fragen. Und wenn
sich findet, dass es gewiss ist, dass solch
ein Gräuel in deiner Mitte geschehen ist,
16 so sollst du die Bürger dieser Stadt er-
schlagen mit der Schärfe des Schwerts und
an ihr den Bann vollstrecken, an allem,
was darin ist, auch an ihrem Vieh, mit der
Schärfe des Schwerts.[a] 17 Und alles, was
in ihr erbeutet wird, sollst du sammeln
mitten auf dem Marktplatz und mit Feuer
verbrennen die Stadt und alle ihre Beute
als ein Ganzopfer für den HERRN, dei-
nen Gott, dass sie in Trümmern liege für
immer und nie wieder aufgebaut werde.
18 Und [a]lass nichts von dem, was dem
Bann verfallen ist, an deiner Hand kleben,
auf dass der HERR von seinem grimmi-
gen Zorn abgewendet werde und gebe dir
Barmherzigkeit und erbarme sich deiner
und mehre dich, wie er deinen Vätern ge-
schworen hat, 19 weil du der Stimme des

12,30 *a* 2. Mose 23,24; Hes 20,32 **13,1** *a* Kap 4,2
13,4 *a* Kap 8,2 **13,6** *a* Kap 18,20 *b* 1. Kor 5,9.13
13,10 *a* Kap 17,7 **13,16** *a* Kap 20,16-18 **13,18** *a* Jos 7,1-26

HERRN, deines Gottes, gehorchst und alle seine Gebote hältst, die ich dir heute gebiete, dass du tust, was recht ist vor den Augen des HERRN, deines Gottes.

FREMDE TRAUERBRÄUCHE. REINE UND UNREINE SPEISEN

(vgl. 3. Mose 11,1-47)

14 Ihr seid Kinder des HERRN, eures Gottes. Ihr [a]sollt euch um eines Toten willen nicht [b]wund ritzen noch [c]kahl scheren über den Augen. 2 Denn du bist ein heiliges Volk dem HERRN, deinem Gott, und der HERR hat dich erwählt, dass du sein Eigentum seist, aus allen Völkern, die auf Erden sind.

3 Du sollst nichts essen, was dem Herrn ein Gräuel ist. 4 Dies aber sind die Tiere, die ihr essen dürft: Rind, Schaf, Ziege, 5 Hirsch, Reh, Damhirsch, Steinbock, Gämse, Auerochs und Antilope. 6 Jedes Tier, das gespaltene Klauen hat, ganz durchgespalten, und das wiederkäut, dürft ihr essen.

7 Diese Tiere aber sollt ihr nicht essen unter denen, die wiederkäuen oder die gespaltene Klauen haben: das Kamel, den Hasen und den Klippdachs, die wiederkäuen, deren Klauen aber nicht ganz durchgespalten sind; darum sollen sie euch unrein sein. 8 Anders das Schwein: Es hat zwar durchgespaltene Klauen, käut aber nicht wieder, darum soll es euch unrein sein. Ihr Fleisch sollt ihr nicht essen, und ihr Aas sollt ihr nicht anrühren.

9 Dies ist, was ihr essen dürft von allem, was im Wasser lebt: Alles, was Flossen und Schuppen hat, dürft ihr essen. 10 Was aber weder Flossen noch Schuppen hat, sollt ihr nicht essen; denn es ist euch unrein.

11 Alle reinen Vögel dürft ihr essen. 12 Diese aber sind es, die ihr nicht essen sollt: der Adler, der Lämmergeier, der Bartgeier, 13 die Gabelweihe, alle Arten des Falken 14 und alle Arten des Raben, 15 der Strauß, die Nachteule, die Möwe, alle Arten des Habichts, 16 das Käuzchen, der Uhu, die Schleiereule, 17 die Ohreule, der Aasgeier, die Fischeule, 18 der Storch, alle Arten des Reihers, der Wiedehopf, die Fledermaus. 19 Auch alles, was Flügel hat und kriecht, soll euch unrein sein, und ihr sollt es nicht essen. 20 Die reinen Vögel dürft ihr essen.

21 Ihr sollt [a]kein Aas essen; dem Fremdling in deiner Stadt darfst du's geben, dass er's esse oder dass er's verkaufe einem Ausländer; denn du bist ein heiliges Volk dem HERRN, deinem Gott. Du sollst [b]das Böcklein nicht kochen in der Milch seiner Mutter.

DER ZEHNTE

22 Du sollst Jahr für Jahr den Zehnten abgeben von allem Ertrag deiner Saat, der aus dem Acker kommt,[a] 23 und sollst davon [a]essen vor dem HERRN, deinem Gott, an der Stätte, die er erwählt, dass sein Name daselbst wohne, nämlich vom Zehnten deines Getreides, deines Weins, deines Öls und von der Erstgeburt deiner Rinder und deiner Schafe, auf dass du fürchten lernst den HERRN, deinen Gott, allezeit.

24 Wenn aber der Weg zu weit ist für dich, dass du's nicht hintragen kannst, weil die Stätte dir zu fern ist, die der HERR, dein Gott, erwählen wird, dass er seinen Namen daselbst wohnen lasse, wenn der HERR, dein Gott, dich gesegnet hat, 25 so mache es zu Geld und nimm das Geld in deine Hand und geh an die Stätte, die der HERR, dein Gott, erwählen wird, 26 und gib das Geld für alles, woran dein Herz Lust hat, es sei für Rinder, Schafe, Wein, Bier oder für alles, was dein Herz wünscht, und iss dort vor dem HERRN, deinem Gott, und sei fröhlich, du und dein Haus 27 und der Levit, der in deiner Stadt lebt; den sollst du nicht leer ausgehen lassen, denn [a]er hat weder Anteil noch Erbe mit dir.

28 Alle drei Jahre sollst du aussondern den ganzen Zehnten vom Ertrag dieses Jahres und sollst ihn hinterlegen in deiner Stadt.[a] 29 Dann soll kommen der Levit, der weder Anteil noch Erbe mit dir hat, und der Fremdling und die Waise und die Witwe, die in deiner Stadt leben, und sollen essen und sich sättigen, auf dass

14,1 ***a*** 3. Mose 19,27-28 ***b*** Jer 47,5 ***c*** Hes 7,18
14,21 ***a*** 2. Mose 22,30 ***b*** 2. Mose 23,19
14,22 ***a*** 3. Mose 27,30 **14,23** ***a*** Kap 12,17-18; 15,19-23
14,27 ***a*** Kap 12,12.19 **14,28** ***a*** Kap 26,12-15; 3. Mose 27,32-33

dich der HERR, dein Gott, segne in allen
Werken deiner Hand, die du tust.

DAS ERLASSJAHR

15 Alle sieben Jahre sollst du ein Erlass-
jahr halten.[a] 2 So aber soll's zugehen
mit dem Erlassjahr: Wenn einer seinem
Nächsten etwas geborgt hat, der soll's
ihm erlassen und soll's nicht eintreiben
von seinem Nächsten oder von seinem
Bruder; denn man hat ein [a]Erlassjahr aus-
gerufen dem HERRN. 3 Von einem Aus-
länder darfst du es eintreiben; aber was
du deinem Bruder geborgt hast, sollst du
ihm erlassen.

4 Es sollte überhaupt kein Armer un-
ter euch sein; denn der HERR wird dich
segnen in dem Lande, das dir der HERR,
dein Gott, zum Erbe geben wird, 5 wenn
du nur der Stimme des HERRN, deines
Gottes, gehorchst und alle diese Gebote
hältst, die ich dir heute gebiete, dass du
danach tust! 6 Denn der HERR, dein Gott,
wird dich segnen, wie er dir zugesagt hat.
[a]Dann wirst du vielen Völkern leihen,
doch du wirst von niemand borgen; du
wirst über viele Völker herrschen, doch
über dich wird niemand herrschen.

7 Wenn einer deiner Brüder arm ist in ir-
gendeiner Stadt in deinem Lande, das der
HERR, dein Gott, dir geben wird, so sollst
du dein Herz nicht verhärten und deine
Hand nicht zuhalten gegenüber deinem
armen Bruder,[a] 8 sondern sollst sie ihm
auftun und [a]ihm leihen, soviel er Man-
gel hat. 9 Hüte dich, dass nicht in deinem
Herzen ein arglistiger Gedanke aufsteige,
dass du sprichst: Es naht das siebente Jahr,
das Erlassjahr –, und dass du deinen ar-
men Bruder nicht unfreundlich ansiehst
und ihm nichts gibst; sonst wird er wider
dich zu dem HERRN rufen und bei dir
wird Sünde sein. 10 Sondern du sollst ihm
geben, und dein Herz soll sich's nicht ver-
drießen lassen, dass du ihm gibst; denn
dafür wird dich der HERR, dein Gott, seg-
nen in allen deinen Werken und in allem,
was du unternimmst.[a]

11 Es werden allezeit [a]Arme sein im
Lande; darum [b]gebiete ich dir und sage,
dass du deine Hand auftust deinem Bru-
der, der bedrängt und arm ist in deinem
Lande.

FREILASSUNG HEBRÄISCHER SKLAVEN UND SKLAVINNEN

(vgl. 2. Mose 21,1-6)

12 Wenn sich dein Bruder, ein Hebräer –
oder eine Hebräerin –, dir verkauft, so soll
er dir sechs Jahre dienen; [a]im siebenten
Jahr sollst du ihn als frei entlassen. 13 Und
wenn du ihn freigibst, sollst du ihn nicht
mit leeren Händen von dir gehen lassen,
14 sondern du sollst ihm aufladen von
deinen Schafen, von deiner Tenne, von
deiner Kelter, sodass du ihm gibst von
dem, womit dich der HERR, dein Gott,
gesegnet hat, 15 und sollst daran denken,
[a]dass du auch Knecht warst in Ägyp-
tenland und der HERR, dein Gott, dich
erlöst hat; darum gebiete ich dir solches
heute. 16 Wird er aber zu dir sprechen:
Ich will nicht fortgehen von dir, denn
ich habe dich und dein Haus lieb – weil
ihm wohl bei dir ist –, 17 so nimm einen
Pfriemen und durchbohre ihm sein Ohr
an dem Pfosten der Tür und lass ihn für
immer deinen Knecht sein. Mit deiner
Magd sollst du ebenso tun. 18 Und lass
dir's nicht schwerfallen, dass du ihn frei-
lässt, denn er hat dir sechs Jahre wie zwei
Tagelöhner gedient; so wird der HERR,
dein Gott, dich segnen in allem, was du
tust.

HEILIGUNG DER ERSTGEBURT

19 Alle [a]Erstgeburt, die unter deinen Rin-
dern und Schafen geboren wird, sollst
du, wenn sie männlich ist, dem HERRN,
deinem Gott, heiligen. Du sollst nicht
ackern mit dem Erstling deiner Rinder
und nicht scheren die Erstlinge deiner
Schafe. 20 [a]Vor dem HERRN, deinem Gott,
sollst du sie essen jährlich an der Stätte,
die der HERR erwählt, du und dein Haus.
21 Wenn's aber einen Fehler hat, dass es
hinkt oder blind ist oder sonst irgendei-
nen bösen [a]Fehler hat, so sollst du es nicht
opfern dem HERRN, deinem Gott; 22 son-
dern in deiner Stadt sollst du es essen, du
seist unrein oder rein, wie man [a]Reh und

15,1 *a* 2. Mose 23,10-11 **15,2** *a* Neh 5,10; 10,32
15,6 *a* Kap 28,12 **15,7** *a* 1. Joh 3,17 **15,8** *a* Lk 6,34-35
15,10 *a* 2. Kor 9,6-7 **15,11** *a* Mt 26,11 *b* Jes 58,7; Jak 2,15-16 **15,12** *a* Jer 34,14 **15,15** *a* Kap 5,15
15,19 *a* 2. Mose 13,2.13-16 **15,20** *a* Kap 14,23
15,21 *a* 3. Mose 22,20 **15,22** *a* Kap 12,15.22

Hirsch isst, 23 nur dass du [a]sein Blut nicht
isst, sondern es auf die Erde gießt wie
Wasser!

VON DEN DREI JÄHRLICHEN HAUPTFESTEN

(vgl. 2. Mose 23,14-17; 34,18-24; 3. Mose 23,1-44)

16 Achte auf den Monat Abib, dass du
[a]Passa hältst dem HERRN, deinem
Gott; denn im Monat Abib hat dich der
HERR, dein Gott, bei Nacht aus Ägypten
geführt. 2 Und du sollst dem HERRN, dei-
nem Gott, das Passa schlachten, Schafe
und Rinder, an der Stätte, die der HERR
erwählen wird, dass sein Name daselbst
wohne. 3 Du sollst kein Gesäuertes dazu
essen. Sieben Tage sollst du Ungesäuertes
essen, Brot des Elends – denn [a]in Hast bist
du aus Ägyptenland geflohen –, auf dass
du des Tages deines Auszugs aus Ägyp-
tenland gedenkst dein Leben lang. 4 Es soll
sieben Tage lang kein Sauerteig gesehen
werden in deinem ganzen Lande, und es
soll auch nichts vom Fleisch, das du am
Abend des ersten Tages geschlachtet hast,
über Nacht bleiben bis zum Morgen.

5 Du darfst nicht Passa schlachten in ir-
gendeiner deiner Städte, die dir der HERR,
dein Gott, gibt, 6 sondern an der Stätte, die
der HERR, dein Gott, erwählen wird, dass
sein Name daselbst wohne. Da sollst du
das Passa schlachten am Abend, wenn
die Sonne untergegangen ist, zu der Zeit,
als du aus Ägypten zogst, 7 und sollst es
kochen und essen an der Stätte, die der
HERR, dein Gott, erwählen wird, und
sollst am Morgen umkehren und heimge-
hen zu deinen Zelten. 8 Sechs Tage sollst
du Ungesäuertes essen, und am siebenten
Tag ist Festversammlung für den HERRN,
deinen Gott; da sollst du keine Arbeit tun.

9 Sieben Wochen sollst du zählen und
damit anfangen, wenn man zuerst die
Sichel an die Halme legt, 10 und sollst das
[a]Wochenfest halten dem HERRN, dei-
nem Gott, und eine freiwillige Gabe dei-
ner Hand geben je nachdem, wie dich der
HERR, dein Gott, gesegnet hat. 11 Und
sollst fröhlich sein vor dem HERRN, dei-
nem Gott, du und dein Sohn, deine Toch-
ter, dein Knecht, deine Magd und der Le-
vit, der in deiner Stadt lebt, der Fremdling,
die Waise und die Witwe, die in deiner
Mitte sind, an der Stätte, die der HERR,
dein Gott, erwählen wird, dass sein Name
da wohne. 12 [a]Denke daran, dass du Knecht
in Ägypten gewesen bist, und beachte
und halte diese Gebote.

13 Das Laubhüttenfest sollst du halten
sieben Tage, wenn du eingesammelt hast
von deiner Tenne und von deiner Kelter,
14 und du sollst fröhlich sein an deinem
Fest, du und dein Sohn, deine Tochter,
dein Knecht, deine Magd, der Levit, der
Fremdling, die Waise und die Witwe, die
in deiner Stadt sind.[a] 15 Sieben Tage sollst
du dem HERRN, deinem Gott, das Fest
halten an der Stätte, die der HERR erwäh-
len wird. Denn der HERR, dein Gott, wird
dich segnen in deiner ganzen Ernte und in
allen Werken deiner Hände; darum sollst
du fröhlich sein.

16 Dreimal im Jahr soll alles, was männ-
lich ist bei dir, vor dem HERRN, deinem
Gott, erscheinen an der Stätte, die der
HERR erwählen wird: zum Fest der Un-
gesäuerten Brote, zum Wochenfest und
zum Laubhüttenfest. Man soll aber nicht
mit leeren Händen vor dem HERRN er-
scheinen, 17 sondern ein jeder mit dem,
was er zu geben vermag, nach dem Segen,
den dir der HERR, dein Gott, gegeben hat.

VON DEN RICHTERN UND AMTLEUTEN

18 [a]Richter und [b]Amtleute sollst du dir
einsetzen in allen deinen Stadttoren, die
dir der HERR, dein Gott, geben wird, in
jedem deiner Stämme, dass sie das Volk
richten mit gerechtem Gericht. 19 Du
sollst das Recht nicht beugen und sollst
auch die Person nicht ansehen und keine
Geschenke nehmen. Denn Geschenke
machen die Weisen blind und verdrehen
die Sache der Gerechten.[a] 20 Was recht ist,
dem sollst du nachjagen, damit du leben
und das Land einnehmen kannst, das dir
der HERR, dein Gott, geben wird.

STRAFE FÜR GÖTZENDIENST

21 Du sollst dir kein [a]Ascherabild aus Holz
errichten bei dem Altar des HERRN, dei-

15,23 *a* Kap 12,16 **16,1** *a* 2. Mose 12,1-20
16,3 *a* 2. Mose 12,11 **16,10** *a* 2. Mose 34,22
16,12 *a* Kap 5,15 **16,14** *a* Kap 26,11; Jes 30,29
16,18 *a* Kap 1,16-18 *b* 4. Mose 11,16 **16,19** *a* 1. Sam 8,3
16,21 *a* Kap 7,5; 2. Mose 4,13; 2. Kön 23,4

nes Gottes, den du dir machst. 22 Und du
sollst dir [a]kein Steinmal aufrichten; denn
das hasst der HERR, dein Gott.
17 Du sollst dem HERRN, deinem Gott,
kein Rind oder Schaf opfern, das einen
Fehler oder irgendetwas Schlimmes an
sich hat; denn das ist dem HERRN, deinem
Gott, ein Gräuel.[a]
2 [a]Wenn in deiner Mitte, in einer deiner
Städte, die dir der HERR, dein Gott, geben
wird, jemand gefunden wird, Mann oder
Frau, der da tut, was dem HERRN, deinem
Gott, missfällt, dass er seinen Bund über-
tritt 3 und hingeht und dient andern Göt-
tern und betet sie an, es sei [a]Sonne oder
Mond oder das ganze Heer des Himmels,
was ich nicht geboten habe, 4 und es wird
dir angezeigt und du hörst es, so sollst du
gründlich danach forschen. Und wenn
du findest, dass es gewiss wahr ist, dass
solch ein Gräuel in Israel geschehen ist,
5 so sollst du den Mann oder die Frau, die
eine solche Übeltat begangen haben, zum
Tor hinausführen und sollst sie zu Tode
steinigen.[a]
6 Auf zweier oder dreier Zeugen Mund
soll sterben, wer des Todes wert ist, aber
auf nur *eines* Zeugen Mund soll er nicht
sterben.[a] 7 Die Hand der Zeugen soll die
erste sein, ihn zu töten, und danach die
Hand des ganzen Volks, dass du das Böse
aus deiner Mitte wegtust.

EINSETZUNG EINES OBERGERICHTES

8 Wenn eine Sache vor Gericht dir zu
schwer sein wird, es gehe um Blutschuld,
um Rechtsstreit, um Gewalttat oder was
sonst Streitsachen sind in deinen Toren,
so sollst du dich aufmachen und hinaufge-
hen zu der Stätte, die der HERR, dein Gott,
erwählen wird, 9 und zu den [a]levitischen
Priestern kommen und zu dem Richter,
der zu der Zeit sein wird, und sie befragen.
Die sollen dir das Urteil sprechen. 10 Und
du sollst tun nach dem Spruch, den sie
dir sagen an der Stätte, die der HERR er-
wählen wird, und sollst es halten, dass du
tust nach allem, was sie dich lehren wer-
den. 11 An die Weisung, die sie dir geben,
und an das Urteil, das sie dir sagen, sollst
du dich halten, sodass du davon nicht
abweichst weder zur Rechten noch zur
Linken. 12 Und wenn jemand vermessen
handeln würde, dass er dem Priester nicht
gehorcht, der dort im Dienst des HERRN,
deines Gottes, steht, oder dem Richter,
der soll sterben, und du sollst das Böse aus
Israel wegtun, 13 auf dass alles Volk aufhor-
che und sich fürchte und nicht mehr ver-
messen sei.

DAS KÖNIGSGESETZ

14 Wenn du in das Land kommst, das dir
der HERR, dein Gott, geben wird, und es
einnimmst und darin wohnst und dann
sagst: Ich will einen [a]König über mich
setzen, wie ihn alle Völker um mich her
haben, 15 so sollst du den zum König über
dich setzen, den der HERR, dein Gott, er-
wählen wird. Du sollst aber einen aus dei-
nen Brüdern zum König über dich setzen.
Du darfst nicht irgendeinen Ausländer,
der nicht dein Bruder ist, über dich setzen.
16 Nur dass er [a]nicht viele Rosse halte und
führe das Volk nicht wieder nach Ägypten,
um die Zahl seiner Rosse zu mehren, weil
der HERR euch gesagt hat, dass ihr hin-
fort nicht wieder diesen Weg gehen sollt.
17 Er [a]soll auch nicht viele Frauen nehmen,
dass sein Herz nicht abgewandt werde,
und [b]soll auch nicht viel Silber und Gold
sammeln. 18 Und wenn er nun sitzen wird
auf dem Thron seines Königreichs, soll er
eine Abschrift dieses Gesetzes, wie es den
levitischen Priestern vorliegt, in ein Buch
schreiben lassen. 19 Das soll bei ihm sein,
und er soll darin lesen sein Leben lang, da-
mit er den HERRN, seinen Gott, fürchten
lernt, dass er halte alle Worte dieses Ge-
setzes und diese Rechte und danach tue.
20 Sein Herz soll sich nicht erheben über
seine Brüder und [a]soll nicht weichen von
dem Gebot weder zur Rechten noch zur
Linken, auf dass er verlängere die Tage
seiner Herrschaft, er und seine Söhne, in
Israel.

RECHT DER PRIESTER UND LEVITEN

18 Die [a]levitischen Priester, der ganze
Stamm Levi, sollen weder Anteil noch

16,22 *a* 3. Mose 26,1; Jer 2,27 **17,1** *a* 3. Mose 22,20; Mal 1,6-9 **17,2** *a* (2-7) Kap 13,7-12 **17,3** *a* Kap 4,19 **17,5** *a* 3. Mose 24,14 **17,6** *a* Kap 19,15; 1. Kön 21,10; Hebr 10,28 **17,9** *a* 2. Chr 19,8.11 **17,14** *a* 1. Sam 8,5-9 **17,16** *a* 1. Kön 10,26-29 **17,17** *a* 1. Kön 11,1-8 *b* 1. Kön 10,14 **17,20** *a* Kap 5,29 **18,1** *a* Kap 10,9

Erbe haben mit Israel. Von den [b]Feueropfern des HERRN und dem, was ihm zusteht, sollen sie essen. 2 Darum soll der Stamm Levi kein Erbe unter seinen Brüdern haben; der HERR ist sein Erbteil, wie er es ihm zugesagt hat.

3 Das soll aber das Recht der Priester sein an das Volk, an die, die ein Schlachtopfer darbringen, es sei Rind oder Schaf, dass man dem Priester gebe die Vorderkeule und beide Kinnbacken und den Magen 4 und die [a]Erstlinge deines Korns, deines Weins und deines Öls und die Erstlinge von der Schur deiner Schafe. 5 Denn der HERR, dein Gott, hat ihn erwählt aus allen deinen Stämmen, dass er stehe im Dienst im Namen des HERRN, er und seine Söhne für alle Zeit.

6 Wenn ein Levit kommt aus einer deiner Städte aus ganz Israel, wo er ein Gast ist, und kommt ganz nach seines Herzens Wunsch an die [a]Stätte, die der HERR erwählen wird, 7 dass er diene im Namen des HERRN, seines Gottes, wie alle seine Brüder, die Leviten, die dort vor dem HERRN stehen, 8 so sollen sie gleichen Anteil zu essen haben außer dem, was einer hat von dem verkauften Gut seiner Väter.

DAS PROPHETENGESETZ

9 Wenn du in das Land kommst, das dir der HERR, dein Gott, geben wird, so sollst du nicht lernen, die Gräuel dieser Völker zu tun, 10 dass nicht jemand unter dir gefunden werde, der seinen Sohn oder seine Tochter [a]durchs Feuer gehen lässt oder [b]Wahrsagerei, Hellseherei, geheime Künste oder Zauberei treibt 11 oder Bannungen oder Geisterbeschwörungen oder [a]Zeichendeuterei vornimmt oder [b]die Toten befragt. 12 Denn wer das tut, der ist dem HERRN ein Gräuel, und um solcher Gräuel willen vertreibt der HERR, dein Gott, die Völker vor dir. 13 Du aber sollst [a]untadelig sein vor dem HERRN, deinem Gott.

14 Denn diese Völker, deren Land du einnehmen wirst, hören auf Zeichendeuter und Wahrsager; dir aber hat der HERR, dein Gott, so etwas verwehrt. 15 **Einen Propheten wie mich wird dir der HERR, dein Gott, erwecken aus dir und aus deinen Brüdern; dem sollt ihr gehorchen.**[a] 16 Ganz so wie du es von dem HERRN, deinem Gott, [a]erbeten hast am Horeb am Tage der Versammlung und sprachst: Ich will hinfort nicht mehr hören die Stimme des HERRN, meines Gottes, und dies große Feuer nicht mehr sehen, damit ich nicht sterbe. 17 Und der HERR sprach zu mir: [a]Sie haben recht geredet. 18 Ich will ihnen einen Propheten, wie du bist, erwecken aus ihren Brüdern und meine Worte [a]in seinen Mund geben; der soll zu ihnen reden alles, was ich ihm gebieten werde. 19 Doch wer meine Worte nicht hören wird, die er in meinem Namen redet, von dem will ich's fordern.

20 Doch wenn ein Prophet so vermessen ist, dass er redet in meinem Namen, was ich ihm nicht geboten habe, und wenn einer redet in dem Namen anderer Götter, dieser Prophet soll sterben.[a] 21 Wenn du aber in deinem Herzen sagen würdest: Wie kann ich merken, welches Wort der HERR nicht geredet hat? – 22 wenn der Prophet redet in dem Namen des HERRN und es wird nichts daraus und es tritt nicht ein, dann ist das ein Wort, das der HERR nicht geredet hat. Der Prophet hat's aus Vermessenheit geredet; darum scheue dich nicht vor ihm.[a]

AUSSONDERUNG VON FREISTÄDTEN ALS ASYL

19 Wenn der HERR, dein Gott, die Völker ausgerottet hat, deren Land dir der HERR, dein Gott, geben wird, dass du es einnimmst und in ihren Städten und Häusern wohnst, 2 sollst du dir [a]drei Städte aussondern im Lande, das dir der HERR, dein Gott, geben wird, es einzunehmen. 3 Und du sollst den Weg dahin herrichten und das Gebiet deines Landes, das dir der HERR, dein Gott, zu eigen geben wird, in drei Bezirke teilen, damit dahin fliehen kann, wer einen Totschlag getan hat.

4 Und in diesem Fall soll ein Totschläger,

18,1 ***b*** 4. Mose 18,8-20; 1. Sam 2,28; 1. Kor 9,13
18,4 ***a*** 2. Mose 23,19 **18,6** ***a*** 2. Kön 23,8-9
18,10 ***a*** 3. Mose 18,21 ***b*** 3. Mose 19,26.31
18,11 ***a*** 3. Mose 20,27 ***b*** 1. Sam 28,3-20
18,13 ***a*** 1. Mose 6,9; 17,1 **18,15** ***a*** 4. Mose 12,6-8; Joh 1,45; 6,14; 7,40; Apg 3,22; 7,37 **18,16** ***a*** 2. Mose 20,19; Hebr 12,19 **18,17** ***a*** Kap 5,25 **18,18** ***a*** 2. Mose 4,12; Jes 6,8; Jer 1,9; Mt 10,19 **18,20** ***a*** Kap 13,2-6; Jer 14,13-15
18,22 ***a*** Jer 23,14; 28,1-17; Hes 13,3-16 **19,2** ***a*** Kap 4,41-43

der dahin flieht, am Leben bleiben: Wenn jemand seinen Nächsten erschlägt, nicht vorsätzlich, und hat vorher keinen Hass gegen ihn gehabt, 5 etwa wenn jemand mit seinem Nächsten in den Wald ginge, Holz zu hauen, und seine Hand holte mit der Axt aus, das Holz abzuhauen, und das Eisen löse sich vom Stiel und träfe seinen Nächsten, sodass er stirbt: der soll in eine dieser Städte fliehen, damit er am Leben bleibt; 6 auf dass nicht der Bluträcher dem Totschläger nachjage in der Hitze seines Zornes und ihn einhole, weil der Weg so weit ist, und ihn totschlage, wo er doch nicht des Todes schuldig ist, weil er vorher keinen Hass gegen ihn gehabt hat. 7 Darum gebiete ich dir, dass du drei Städte aussonderst.

8 Und wenn der HERR, dein Gott, dein Gebiet erweitern wird, wie er deinen Vätern geschworen hat, und dir alles Land gibt, das er zugesagt hat, deinen Vätern zu geben – 9 wenn du dieses ganze Gebot halten wirst, dass du danach tust, das ich dir heute gebiete, dass du den HERRN, deinen Gott, liebst und in seinen Wegen wandelst dein Leben lang –, so sollst du noch drei Städte zu diesen dreien hinzutun, 10 auf dass nicht unschuldiges Blut in deinem Lande vergossen werde, das dir der HERR, dein Gott, zum Erbe gibt, und so Blutschuld auf dich komme.

11 Wenn aber jemand Hass trägt gegen seinen Nächsten und lauert auf ihn und macht sich über ihn her und schlägt ihn tot und flieht in eine dieser Städte, 12 so sollen die Ältesten seiner Stadt hinschicken und ihn von da holen lassen und ihn in die Hände des Bluträchers geben, dass er sterbe. 13 Deine Augen sollen ihn nicht schonen, und du sollst das [a]unschuldig vergossene Blut aus Israel wegtun, dass dir's wohlgehe.

GEGEN FALSCHES ZEUGNIS

14 Du sollst deines [a]Nächsten Grenze, die die Vorfahren festgesetzt haben, nicht verrücken in deinem Erbteil, das du erbst, im Lande, das dir der HERR, dein Gott, gibt, es einzunehmen.

15 Es soll kein einzelner Zeuge gegen jemand auftreten wegen irgendeiner Missetat oder Sünde, was für eine Sünde es auch sei, die man tun kann, sondern durch zweier oder dreier Zeugen Mund soll eine Sache gültig sein.[a]

16 Wenn ein frevelhafter Zeuge gegen jemand auftritt, um ihn einer Übertretung zu beschuldigen, 17 so sollen die beiden Männer, die den Streit miteinander haben, vor den HERRN treten, vor die Priester und Richter, die zu jener Zeit sein werden, 18 und die Richter sollen gründlich nachforschen. Und wenn der Zeuge ein falscher Zeuge ist und ein falsches Zeugnis wider seinen Bruder gegeben hat, 19 dann sollt ihr mit ihm tun, wie er gedachte, seinem Bruder zu tun, damit du das Böse aus deiner Mitte wegtust, 20 auf dass die andern aufhorchen, sich fürchten und hinfort nicht mehr solche bösen Dinge tun in deiner Mitte. 21 Dein Auge soll ihn nicht schonen: [a]Leben um Leben, Auge um Auge, Zahn um Zahn, Hand um Hand, Fuß um Fuß.

KRIEGSGESETZE

20 Wenn du in einen Krieg ziehst gegen deine Feinde und siehst Rosse und Wagen eines Kriegsvolks, das größer ist als du, so fürchte dich nicht vor ihnen; denn der HERR, dein Gott, der dich aus Ägyptenland geführt hat, ist mit dir. 2 Wenn ihr nun auszieht zum Kampf, so soll der Priester herzutreten und mit dem Volk reden 3 und zu ihnen sprechen: Israel, höre zu! Ihr zieht heute in den Kampf gegen eure Feinde. Euer Herz verzage nicht, fürchtet euch nicht und erschreckt nicht und lasst euch nicht grauen vor ihnen; 4 denn der HERR, euer Gott, geht mit euch, dass er für euch streite mit euren Feinden, um euch zu helfen.

5 Und die [a]Amtleute sollen mit dem Volk reden und sagen: Wer ein neues Haus gebaut hat und hat's noch nicht eingeweiht, der mache sich auf und kehre heim, auf dass er nicht sterbe im Krieg und ein anderer es einweihe. 6 Wer einen Weinberg gepflanzt hat und hat seine [a]Früchte noch nicht genossen, der mache sich auf und kehre heim, dass er nicht im Kriege sterbe

19,13 *a* Kap 21,8-9 **19,14** *a* Kap 27,17 **19,15** *a* Kap 17,6; 4. Mose 35,30; Joh 8,17; 2. Kor 13,1; Hebr 10,28
19,21 *a* 2. Mose 21,23-25 **20,5** *a* Kap 1,15; 16,18
20,6 *a* Kap 28,30; 3. Mose 19,24-25

und ein anderer seine Früchte genieße.
7 Wer mit einem Mädchen verlobt ist und
[a]hat es noch nicht heimgeholt, der mache
sich auf und kehre heim, dass er nicht im
Krieg sterbe und ein anderer hole es heim.
8 Und die Amtleute sollen weiter mit dem
Volk reden und sprechen: [a]Wer sich fürch-
tet und ein verzagtes Herz hat, der mache
sich auf und kehre heim, auf dass er nicht
auch das Herz seiner Brüder feige mache,
wie sein Herz ist. 9 Und wenn die Amt-
leute dies alles zu dem Volk geredet haben,
so sollen sie Heerführer an die Spitze des
Volks stellen.
10 Wenn du vor eine Stadt ziehst, um
gegen sie zu kämpfen, so sollst du ihr zu-
erst den Frieden anbieten. 11 Antwortet sie
dir friedlich und tut dir ihre Tore auf, so
soll das ganze Volk, das darin gefunden
wird, dir fronpflichtig sein und dir die-
nen. 12 Will sie aber nicht Frieden machen
mit dir, sondern mit dir Krieg führen, so
belagere sie. 13 [a]Und wenn sie der HERR,
dein Gott, dir in die Hand gibt, so sollst
du alles, was männlich darin ist, mit der
Schärfe des Schwerts schlagen. 14 Nur die
Frauen, die Kinder und das Vieh und alles,
was in der Stadt ist, die ganze Beute, sollst
du unter dir austeilen und sollst essen von
der Beute deiner Feinde, die dir der HERR,
dein Gott, gegeben hat. 15 So sollst du mit
allen Städten tun, die sehr fern von dir lie-
gen und nicht zu den Städten dieser Völ-
ker hier gehören.
16 [a]Aber in den Städten dieser Völker
hier, die dir der HERR, dein Gott, zum
Erbe geben wird, sollst du nichts leben
lassen, was Odem hat, 17 sondern sollst an
ihnen den Bann vollstrecken, nämlich an
den Hetitern, Amoritern, Kanaanitern,
Perisitern, Hiwitern und Jebusitern,
wie dir der HERR, dein Gott, geboten
hat, 18 damit sie euch nicht lehren, all die
Gräuel zu tun, die sie im Dienst ihrer Göt-
ter treiben, und ihr euch so versündigt an
dem HERRN, eurem Gott.
19 Wenn du vor einer Stadt lange Zeit lie-
gen musst, gegen die du kämpfst, um sie
zu erobern, so sollst du nicht die Axt an
ihre Bäume legen und sie umhauen, denn
du kannst davon essen; darum sollst du sie
nicht fällen. Die Bäume auf dem Felde sind
doch nicht Menschen, dass du sie belagern
müsstest! 20 Die Bäume aber, von denen
du weißt, dass man nicht davon isst, die
darfst du verderben und umhauen und ein
Bollwerk daraus bauen gegen die Stadt,
die mit dir Krieg führt, bis sie fällt.

SÜHNUNG EINES MORDES VON UNBEKANNTER HAND

21 Wenn man einen Erschlagenen findet
in dem Lande, das dir der HERR, dein
Gott, geben wird, es einzunehmen, und
er liegt auf freiem Felde und man weiß
nicht, wer ihn erschlagen hat, 2 so sollen
deine Ältesten und Richter hinausgehen
und den Weg abmessen von dem Erschla-
genen bis zu den umliegenden Städten.
3 Welche Stadt am nächsten liegt, deren
Älteste sollen eine junge Kuh nehmen,
mit der man noch nicht gearbeitet und
die noch nicht am Joch gezogen hat, 4 und
sollen sie hinabführen in einen Talgrund,
der weder bearbeitet noch besät ist, und
dort im Talgrund ihr das Genick brechen.
5 Und die Priester, die Söhne Levi, sollen
herzutreten, denn der HERR, dein Gott,
hat sie erwählt, dass sie ihm dienen und in
seinem Namen segnen, und [a]nach ihrem
Urteil sollen alle Sachen und alle Schäden
gerichtet werden. 6 Und alle Ältesten der
Stadt, die dem Erschlagenen am nächsten
liegt, sollen [a]ihre Hände waschen über der
jungen Kuh, der im Talgrund das Genick
gebrochen ist. 7 Und sie sollen anheben
und sagen: Unsere Hände haben dies Blut
nicht vergossen, und unsere Augen ha-
ben's nicht gesehen. 8 Entsühne dein Volk
Israel, das du, der HERR, erlöst hast; lege
nicht das unschuldig vergossene Blut auf
dein Volk Israel! So wird für sie die Blut-
schuld gesühnt sein. 9 So sollst du das [a]un-
schuldig vergossene Blut aus deiner Mitte
wegtun, dass du tust, was recht ist vor den
Augen des HERRN.

EHE MIT KRIEGSGEFANGENEN FRAUEN

10 Wenn du in einen Krieg ziehst ge-
gen deine Feinde und der HERR, dein
Gott, gibt sie dir in deine Hände, dass du
Gefangene von ihnen wegführst, 11 und

20,7 *a* Kap 24,5 **20,8** *a* Ri 7,3 **20,13** *a* (13-15) Kap 3,6-7; 4. Mose 31,7.14-18 **20,16** *a* (16-18) 4. Mose 21,1-3; Jos 10,40 **21,5** *a* Kap 17,8-9 **21,6** *a* Mt 27,24 **21,9** *a* 4. Mose 35,33

siehst unter den Gefangenen eine schöne
Frau und gewinnst sie lieb, dass du sie zur
Frau nimmst, 12 so führe sie in dein Haus
und lass sie ihr Haar abscheren und ihre
Nägel beschneiden 13 und die Kleider ab-
legen, in denen sie gefangen genommen
wurde, und lass sie in deinem Hause sein
und einen Monat lang ihren Vater und
ihre Mutter beweinen. Danach geh zu ihr
und nimm sie zur Ehe und lass sie deine
Frau sein. 14 Wenn du aber kein Gefallen
mehr an ihr hast, so sollst du sie gehen
lassen, wohin sie will; du sollst sie aber
nicht um Geld verkaufen oder als Sklavin
behandeln, weil du zu ihr eingegangen
bist.

VOM RECHT DES ERSTGEBORENEN

15 Wenn jemand zwei Frauen hat, eine,
die er lieb hat, und eine, die er nicht lieb
hat, und beide ihm Kinder gebären, die
Frau, die er lieb hat, und die ungeliebte,
und [a]der Erstgeborene ist von der unge-
liebten Frau 16 und die Zeit kommt, dass er
seinen Söhnen das Erbe austeile, so kann
er nicht den Sohn der Frau, die er lieb hat,
zum erstgeborenen Sohn machen vor
dem erstgeborenen Sohn der ungeliebten;
17 sondern er soll den Sohn der ungelieb-
ten Frau als den ersten Sohn anerkennen
und ihm zwei Teile geben von allem, was
vorhanden ist; denn dieser ist der [a]Erst-
ling seiner Kraft, und sein ist das Recht der
Erstgeburt.

TODESSTRAFE FÜR UNGERATENE SÖHNE

18 Wenn jemand einen widerspenstigen
und ungehorsamen Sohn hat, der [a]der
Stimme seines Vaters und seiner Mutter
nicht gehorcht und auch, wenn sie ihn
züchtigen, ihnen nicht gehorchen will,
19 und wenn ihn Vater und Mutter ergrei-
fen und zu den Ältesten der Stadt führen
und zu dem Tor des Ortes 20 und zu den
Ältesten der Stadt sagen: Dieser unser
Sohn ist widerspenstig und ungehorsam
und gehorcht unserer Stimme nicht und
ist ein Prasser und Trunkenbold, 21 dann
sollen ihn steinigen alle Leute seiner
Stadt, dass er sterbe, und du sollst so das
Böse aus deiner Mitte wegtun, dass ganz
Israel aufhorche und sich fürchte.

BESTATTUNG EINES HINGERICHTETEN

22 [a]Wenn jemand eine Sünde getan hat,
die des Todes würdig ist, und wird getö-
tet und du hängst ihn an ein Holz, 23 so soll
sein Leichnam [a]nicht über Nacht an dem
Holz bleiben, sondern du sollst ihn am
selben Tage begraben – denn [b]ein Aufge-
hängter ist verflucht bei Gott –, auf dass du
dein Land nicht unrein machst, das dir der
HERR, dein Gott, zum Erbe gibt.

VERSCHIEDENE VORSCHRIFTEN

22 Wenn du deines Bruders Rind oder
Schaf irregehen siehst, so sollst du
dich ihrer annehmen und sie wieder zu
deinem Bruder führen.[a] 2 Wenn aber dein
Bruder nicht nahe bei dir wohnt und du
kennst ihn nicht, so sollst du sie in dein
Haus nehmen, dass sie bei dir bleiben, bis
sie dein Bruder sucht, und sollst sie ihm
dann wiedergeben. 3 So sollst du tun mit
seinem Esel, mit seinem Kleid und mit al-
lem Verlorenen, das dein Bruder verliert
und du findest; du darfst dich dem nicht
entziehen.

4 Wenn du deines Bruders Esel oder
Rind unterwegs fallen siehst, so sollst
du dich ihrer annehmen und ihnen auf-
helfen.

5 Eine Frau soll nicht Männersachen tra-
gen und ein Mann soll nicht Frauenkleider
anziehen; denn wer das tut, der ist dem
HERRN, deinem Gott, ein Gräuel.

6 Wenn du unterwegs ein Vogelnest fin-
dest auf einem Baum oder auf der Erde
mit Jungen oder mit Eiern und die Mutter
sitzt auf den Jungen oder auf den Eiern, so
sollst du nicht die Mutter mit den Jungen
nehmen, 7 sondern du darfst die Jungen
nehmen, aber die Mutter sollst du fliegen
lassen, auf dass dir's wohlgehe und du
lange lebest.

8 Wenn du ein neues Haus baust, so
mache ein Geländer ringsum auf deinem
Dache, damit du nicht Blutschuld auf dein
Haus lädst, wenn jemand herabfällt.

9 [a]Du sollst deinen Weinberg nicht mit

21,15 ***a*** 1. Mose 29,30-32 **21,17** ***a*** 1. Mose 49,3
21,18 ***a*** Kap 27,16; 2. Mose 20,12
21,22 ***a*** (22-23) 4. Mose 25,4; Jos 8,29; 10,26-27;
1. Sam 31,10; 2. Sam 4,12; 2. Sam 21,6.9 **21,23** ***a*** Jos 8,29;
10,27; Joh 19,31 ***b*** Gal 3,13 **22,1** ***a*** 2. Mose 23,4
22,9 ***a*** (9-11) 3. Mose 19,19

Zweierlei bepflanzen, damit dem Heilig-
tum nicht das Ganze verfalle: der Same,
den du gesät hast, und der Ertrag des
Weinbergs. 10 Du sollst nicht ackern zu-
gleich mit einem Rind und einem Esel.
11 Du sollst nicht anziehen ein Kleid, das
aus Wolle und Leinen zugleich gemacht
ist.

12 Du sollst dir [a]Quasten machen an den
vier Zipfeln deines Mantels, mit dem du
dich bedeckst.

SCHUTZ DER VERLEUMDETEN UND VERGEWALTIGTEN

13 Wenn jemand eine Frau heiratet, zu ihr
eingeht und ihrer überdrüssig wird 14 und
legt ihr etwas Schändliches zur Last und
bringt ein böses Gerücht über sie auf und
spricht: Diese Frau hab ich geheiratet, und
als ich zu ihr ging, fand ich sie nicht als
Jungfrau, 15 so sollen Vater und Mutter der
jungen Frau die Zeichen ihrer Jungfräu-
lichkeit nehmen und vor die Ältesten der
Stadt im Tor bringen. 16 Und der Vater der
jungen Frau soll zu den Ältesten sagen:
Ich habe diesem Mann meine Tochter zur
Frau gegeben; nun ist er ihrer überdrüs-
sig geworden 17 und legt ihr Schändliches
zur Last und spricht: Ich habe deine Toch-
ter nicht als Jungfrau gefunden. Hier aber
sind die Zeichen der Jungfräulichkeit mei-
ner Tochter. Und sie sollen die Decke vor
den Ältesten der Stadt ausbreiten. 18 Und
die Ältesten der Stadt sollen den Mann
nehmen und züchtigen 19 und ihm [a]eine
Buße von hundert Silberstücken aufer-
legen und sie ihrem Vater geben, weil der
Mann über eine Jungfrau in Israel ein bö-
ses Gerücht aufgebracht hat. Und er soll
sie als Frau behalten und darf sie sein Le-
ben lang nicht entlassen. 20 Ist's aber die
Wahrheit, dass sie nicht mehr Jungfrau
war, 21 so soll man sie heraus vor die Tür
des Hauses ihres Vaters führen, und die
Leute der Stadt sollen sie zu Tode steini-
gen, weil sie eine [a]Schandtat in Israel be-
gangen und in ihres Vaters Hause Hurerei
getrieben hat; so sollst du das Böse aus
deiner Mitte wegtun.

22 Wenn jemand dabei ergriffen wird,
dass er bei einer [a]Frau schläft, die einen
Ehemann hat, so sollen sie beide ster-
ben, der Mann und die Frau, bei der er
geschlafen hat; so sollst du das Böse aus
Israel wegtun.

23 Wenn eine Jungfrau verlobt ist und
ein Mann trifft sie innerhalb der Stadt und
schläft bei ihr, 24 so sollt ihr sie alle beide
zum Stadttor hinausführen und sollt sie
beide steinigen, dass sie sterben, die Jung-
frau, weil sie nicht geschrien hat, obwohl
sie doch in der Stadt war, den Mann, weil
er seines Nächsten Braut geschändet hat;
so sollst du das Böse aus deiner Mitte
wegtun.

25 Wenn aber jemand ein verlobtes Mäd-
chen auf freiem Felde trifft und ergreift sie
und schläft bei ihr, so soll der Mann allein
sterben, der bei ihr geschlafen hat, 26 aber
dem Mädchen sollst du nichts tun, denn
sie hat keine Sünde getan, die des Todes
wert ist; sondern dies ist so, wie wenn je-
mand sich gegen seinen Nächsten erhöbe
und ihn totschlüge. 27 Denn er fand sie auf
freiem Felde, und das verlobte Mädchen
schrie, und niemand war da, der ihr half.

28 [a]Wenn jemand eine Jungfrau trifft,
die nicht verlobt ist, und ergreift sie und
schläft bei ihr und wird dabei betroffen,
29 so soll der, der bei ihr geschlafen hat, ih-
rem Vater fünfzig Silberstücke geben und
soll sie zur Frau haben, weil er ihr Gewalt
angetan hat; er darf sie nicht entlassen sein
Leben lang.

23 Niemand soll seines Vaters Frau neh-
men und aufdecken seines Vaters
Decke.[a]

WER IN DIE GEMEINDE DES HERRN NICHT AUFGENOMMEN WERDEN DARF

2 Kein Entmannter oder Verschnittener
soll in die Gemeinde des HERRN kom-
men.[a]

3 Es soll auch kein Mischling in die Ge-
meinde des HERRN kommen; auch seine
Nachkommenschaft bis ins zehnte Glied
soll nicht in die Gemeinde des HERRN
kommen.[a]

4 Die Ammoniter und Moabiter sollen
nicht in die Gemeinde des HERRN kom-
men, auch nicht ihre Nachkommen bis ins

22,12 *a* 4. Mose 15,38 **22,19** *a* Vers 29
22,21 *a* 1. Mose 34,7 **22,22** *a* 3. Mose 20,10; 2. Sam 11,4
22,28 *a* (28-29) 2. Mose 22,15 **23,1** *a* 3. Mose 18,8;
2. Sam 16,22 **23,2** *a* Jes 56,3-4; Apg 8,27
23,3 *a* Esra 9,1–10,17

zehnte Glied; sie sollen nie hineinkom-
men,[a] 5 weil sie euch nicht entgegenka-
men mit Brot und Wasser auf dem Wege,
als ihr aus Ägypten zogt. Vielmehr haben
sie gegen dich den [a]Bileam gedungen, den
Sohn Beors aus Petor in Mesopotamien,
dass er dich verfluchen sollte. 6 Aber der
HERR, dein Gott, wollte Bileam nicht hö-
ren und wandelte dir den Fluch in Segen
um, weil dich der HERR, dein Gott, lieb
hatte. 7 Du sollst nie ihren Frieden noch ihr
Bestes suchen dein Leben lang.[a]

8 Den Edomiter sollst du nicht verab-
scheuen; er ist dein Bruder. Den Ägypter
sollst du auch nicht verabscheuen; denn
du bist ein Fremdling in seinem Lande
gewesen. 9 Die Kinder, die sie im dritten
Glied zeugen, dürfen in die Gemeinde des
HERRN kommen.

REINHALTUNG DES KRIEGSLAGERS

10 Wenn du ausziehst gegen deine Feinde
und ein Lager aufschlägst, so hüte dich vor
allem Bösen. 11 Wenn jemand unter dir ist,
der [a]nicht rein ist, weil ihm des Nachts et-
was widerfahren ist, der soll hinaus vor
das Lager gehen und nicht wieder hin-
einkommen, 12 bis er vor dem Abend sich
mit Wasser gewaschen hat; und wenn die
Sonne untergegangen ist, soll er wieder
ins Lager gehen.

13 Und du sollst draußen vor dem Lager
einen Platz haben, wohin du zur Notdurft
hinausgehst. 14 Und du sollst eine Schaufel
bei dir haben, und wenn du dich draußen
setzen willst, sollst du damit graben; und
wenn du gesessen hast, sollst du zuschar-
ren, was von dir gegangen ist. 15 Denn der
HERR, dein Gott, [a]zieht mit dir inmit-
ten deines Lagers, um dich zu erretten
und deine Feinde vor dir dahinzugeben.
Darum soll dein Lager heilig sein, dass
nichts Schändliches unter dir gesehen
werde und er sich von dir wende.

GEBOTE FÜR DAS LEBEN DES VOLKES

16 Du sollst den Knecht nicht seinem
Herrn ausliefern, der von ihm zu dir ge-
flüchtet ist. 17 Er soll bei dir bleiben an
dem Ort, den er erwählt, in einer deiner
Städte, wo es ihm gefällt. Du sollst ihn
nicht bedrücken.[a]

18 Es soll keine [a]Tempeldirne sein unter
den Töchtern Israel und kein [b]Tempelhu-
rer unter den Söhnen Israel.* 19 Du sollst
keinen Hurenlohn noch Hundegeld* in
das Haus des HERRN, deines Gottes, brin-
gen aus irgendeinem Gelübde; denn das
ist dem HERRN, deinem Gott, beides ein
Gräuel.

20 Du sollst von deinem Bruder [a]nicht
Zinsen nehmen, weder für Geld noch
für Speise noch für alles, wofür man Zin-
sen nehmen kann. 21 Von dem Ausländer
darfst du Zinsen nehmen, aber nicht von
deinem Bruder, auf dass dich der HERR,
dein Gott, segne in allem, was du unter-
nimmst in dem Lande, dahin du kommst,
es einzunehmen.

22 Wenn du dem HERRN, deinem Gott,
ein [a]Gelübde tust, so sollst du nicht zö-
gern, es zu erfüllen; denn der HERR, dein
Gott, wird's von dir fordern, und es wird
Schuld auf dich fallen. 23 Wenn du das Ge-
loben unterlässt, so wird keine Schuld auf
dich fallen. 24 Aber was über deine Lippen
gegangen ist, sollst du halten und danach
tun, wie du dem HERRN, deinem Gott,
freiwillig gelobt und mit deinem Mund
geredet hast.

25 Wenn du in deines Nächsten Wein-
berg gehst, so darfst du Trauben essen
nach deinem Wunsch, bis du satt bist,
aber du sollst nichts in dein Gefäß tun.
26 Wenn du in das Kornfeld deines Nächs-
ten gehst, so [a]darfst du mit der Hand Äh-
ren abrupfen, aber mit der Sichel sollst du
nicht dreinfahren.

WEITERE EHEGESETZE

24 Wenn jemand eine Frau zur Ehe
nimmt und sie nicht Gnade findet vor
seinen Augen, weil er etwas Schändliches
an ihr gefunden hat, und er einen [a]Schei-
debrief schreibt und ihr in die Hand gibt
und sie aus seinem Hause entlässt 2 und
wenn sie dann aus seinem Hause gegan-
gen ist und hingeht und wird eines andern

* **23,18** Siehe Sach- und Worterklärungen zu »Tempeldirne«. **23,19** Lohn für männliche Prostitution.

23,4 ***a*** 1. Mose 19,37-38 **23,5** ***a*** 4. Mose 22,5-6
23,7 ***a*** Esra 9,12 **23,11** ***a*** 3. Mose 15,16.18
23,15 ***a*** 3. Mose 26,12 **23,17** ***a*** Phlm 12-16
23,18 ***a*** Hos 4,14 ***b*** 1. Kön 14,24; 2. Kön 23,7
23,20 ***a*** 2. Mose 22,24; 3. Mose 25,36
23,22 ***a*** 4. Mose 30,3 **23,26** ***a*** Mt 12,1 **24,1** ***a*** Mt 5,31-32

Frau 3 und dieser andere Mann ihrer auch
überdrüssig wird und einen Scheidebrief
schreibt und ihr in die Hand gibt und sie
aus seinem Hause entlässt oder wenn
dieser andere Mann stirbt, der sie sich zur
Frau genommen hatte, 4 so kann sie ihr
erster Mann, der sie entließ, nicht wieder
zur Frau nehmen, nachdem sie unrein ge-
worden ist – denn solches ist ein Gräuel
vor dem HERRN –, auf dass du nicht Sünde
über das Land bringst, das dir der HERR,
dein Gott, zum Erbe gegeben hat.

5 Wenn jemand sich kurz vorher eine
Frau genommen hat, [a]soll er nicht mit dem
Heer ausziehen, und man soll ihm nichts
auferlegen. Er soll frei in seinem Hause
sein ein Jahr lang, dass er fröhlich sei mit
seiner Frau, die er genommen hat.

DAS RECHT DER SCHWACHEN UND ARMEN

6 Du sollst nicht zum Pfande nehmen den
unteren und oberen Mühlstein; denn da-
mit hättest du das Leben zum Pfand ge-
nommen.

7 Wenn jemand ergriffen wird, der von
seinen Brüdern, den Israeliten, [a]einen
Menschen raubt und ihn gewalttätig be-
handelt oder ihn verkauft: Solch ein Dieb
soll sterben, dass du das Böse aus deiner
Mitte wegtust.

8 Hüte dich beim Auftreten von [a]Aus-
satz, dass du alles genau hältst und tust,
was euch die levitischen Priester lehren;
wie ich ihnen geboten habe, so sollt ihr's
halten und danach tun. 9 Bedenke, was der
HERR, dein Gott, [a]mit Mirjam tat auf dem
Wege, als ihr aus Ägypten zogt.

10 Wenn du deinem Nächsten irgendet-
was borgst, so sollst du nicht in sein Haus
gehen und ihm ein Pfand nehmen, 11 son-
dern du sollst draußen stehen und er, dem
du borgst, soll sein Pfand zu dir heraus-
bringen. 12 Ist er aber bedürftig, so sollst
du dich nicht schlafen legen mit seinem
Pfand, 13 sondern sollst ihm sein [a]Pfand
wiedergeben, wenn die Sonne untergeht,
dass er in seinem Mantel schlafe und dich
segne. So wird das [b]deine Gerechtigkeit
sein vor dem HERRN, deinem Gott.

14 Dem Tagelöhner, der bedürftig und
arm ist, sollst du [a]seinen Lohn nicht vor-
enthalten, er sei von deinen Brüdern oder
den Fremdlingen, die in deinem Land
und in deinen Städten sind, 15 sondern
du sollst ihm seinen Lohn am selben Tage
geben, dass die Sonne nicht darüber un-
tergehe – denn er ist bedürftig und ver-
langt danach –, damit er nicht wider dich
den HERRN anrufe und es dir zur Sünde
werde.

16 Die Väter sollen nicht für die Kinder
noch die Kinder für die Väter sterben,
sondern ein jeder soll für seine Sünde
sterben.[a]

17 Du sollst das Recht des [a]Fremdlings
und der Waise nicht beugen und sollst
der [b]Witwe nicht das Kleid zum Pfand
nehmen. 18 Denn du sollst daran denken,
dass du [a]Knecht in Ägypten gewesen bist
und der HERR, dein Gott, dich von dort
erlöst hat. Darum gebiete ich dir, dass du
solches tust.

19 Wenn du auf deinem Acker geerntet
und eine Garbe vergessen hast auf dem
Acker, so sollst du nicht umkehren, sie zu
holen, sondern sie soll dem Fremdling,
der Waise und der Witwe zufallen, auf
dass dich der HERR, dein Gott, segne in
allen Werken deiner Hände.[a] 20 Wenn du
deine Ölbäume geschüttelt hast, so sollst
du nicht die Zweige absuchen; es soll dem
Fremdling, der Waise und der Witwe zu-
fallen. 21 Wenn du deinen Weinberg ab-
gelesen hast, so sollst du nicht nachlesen;
es soll dem Fremdling, der Waise und der
Witwe zufallen. 22 Denn du sollst daran
denken, dass du Knecht in Ägyptenland
gewesen bist. Darum gebiete ich dir, dass
du solches tust.

WEITERE SCHUTZBESTIMMUNGEN

25 Wenn eine Streitsache zwischen Män-
nern ist und sie vor Gericht kommen
und man sie richtet, so soll man [a]den,
der im Recht ist, gerecht sprechen und
den Schuldigen schuldig sprechen. 2 Und
wenn der Schuldige Schläge verdient hat,
soll ihn der Richter hinlegen lassen, und

24,5 *a* Kap 20,7 **24,7** *a* 2. Mose 21,16
24,8 *a* 3. Mose 13,1–14,47 **24,9** *a* 4. Mose 12,10-15
24,13 *a* 2. Mose 22,25; Hiob 22,6; Am 2,8 *b* Kap 6,25
24,14 *a* 3. Mose 19,13; Jak 5,4 **24,16** *a* 2. Kön 14,6
24,17 *a* 2. Mose 22,20; 23,6.9 *b* 2. Mose 22,21
24,18 *a* Kap 5,15 **24,19** *a* 3. Mose 19,9-10
25,1 *a* 2. Mose 23,7

man soll ihm vor dem Richter eine Anzahl Schläge geben nach dem Maß seiner Schuld. 3 Wenn man ihm [a]vierzig Schläge gegeben hat, soll man nicht weiterschlagen, damit, wenn man mehr Schläge gibt, er nicht zu viel geschlagen werde und dein Bruder entehrt werde in deinen Augen.

4 Du sollst dem Ochsen, der da drischt, nicht das Maul verbinden.[a]

5 Wenn Brüder beieinanderwohnen und einer stirbt ohne Söhne, so soll die Frau des Verstorbenen nicht die Frau eines Mannes aus einer andern Sippe werden, sondern ihr Schwager soll zu ihr gehen und sie zur Frau nehmen und mit ihr die Schwagerehe schließen.[a] 6 Und der erste Sohn, den sie gebiert, soll gelten als der Sohn seines verstorbenen Bruders, dass dessen Name nicht ausgetilgt werde aus Israel. 7 Gefällt es aber dem Mann nicht, seine Schwägerin zu nehmen, so soll sie, seine Schwägerin, hingehen ins Tor vor die Ältesten und sagen: Mein Schwager weigert sich, seinem Bruder seinen Namen zu erhalten in Israel, und will mich nicht ehelichen. 8 Dann sollen ihn die Ältesten der Stadt zu sich rufen und mit ihm reden. Wenn er aber darauf besteht und spricht: Es gefällt mir nicht, sie zu nehmen –, 9 so soll seine Schwägerin zu ihm treten vor den Ältesten und ihm den Schuh vom Fuß ziehen und ihm ins Gesicht speien und soll antworten und sprechen: So soll man tun einem jeden Mann, der seines Bruders Haus nicht erbauen will! 10 Und sein Name soll in Israel heißen »des Barfüßers Haus«.

11 Wenn zwei Männer gegeneinander handgreiflich werden und des einen Frau läuft hinzu, um ihren Mann zu erretten von der Hand dessen, der ihn schlägt, und sie streckt ihre Hand aus und ergreift ihn bei seiner Scham, 12 so sollst du ihr die Hand abhauen, und dein Auge soll sie nicht schonen.

13 Du sollst nicht zweierlei Gewicht, groß und klein, in deinem Beutel haben,[a] 14 und in deinem Hause soll nicht zweierlei Maß, groß und klein, sein. 15 Du sollst ein volles und rechtes Gewicht und ein volles und rechtes Maß haben, auf dass dein Leben lange währe in dem Lande, das dir der HERR, dein Gott, geben wird. 16 Denn wer das tut, der ist dem HERRN, deinem Gott, ein Gräuel, ein jeder, der übel tut.

AMALEKS SCHULD DARF NICHT VERGESSEN WERDEN

17 Denke daran, was dir Amalek tat auf dem Wege, als ihr aus Ägypten zogt:[a] 18 wie sie dich unterwegs angriffen und deine Nachzügler erschlugen, alle die Schwachen, die hinter dir zurückgeblieben waren, als du müde und matt warst, und dass sie Gott nicht fürchteten. 19 Wenn nun der HERR, dein Gott, dich vor allen deinen Feinden ringsumher zur Ruhe bringt im Lande, das dir der HERR, dein Gott, zum Erbe gibt, es einzunehmen, so [a]sollst du die Erinnerung an Amalek austilgen unter dem Himmel. Das vergiss nicht!

DARBRINGUNG DER ERSTLINGSFRÜCHTE UND DES ZEHNTEN

26 Wenn du in das Land kommst, das dir der HERR, dein Gott, zum Erbe geben wird, und es einnimmst und darin wohnst, 2 so sollst du nehmen die [a]Erstlinge aller Feldfrüchte, die du von deinem Lande einbringst, das der HERR, dein Gott, dir gibt, und sollst sie in einen Korb legen und hingehen an die Stätte, die der HERR, dein Gott, erwählen wird, dass sein Name daselbst wohne, 3 und sollst zu dem Priester kommen, der zu der Zeit sein wird, und zu ihm sagen: Ich bekenne heute dem HERRN, deinem Gott, dass ich gekommen bin in das Land, das der HERR, wie er unsern Vätern geschworen hat, uns geben wollte. 4 Und der Priester soll den Korb aus deiner Hand nehmen und ihn vor dem Altar des HERRN, deines Gottes, niedersetzen.

5 [a]Dann sollst du anheben und sagen vor dem HERRN, deinem Gott: Mein Vater war ein Aramäer, dem Umkommen nahe, und zog hinab nach Ägypten und war dort ein Fremdling mit wenig Leuten

25,3 *a* 2. Kor 11,24 **25,4** *a* 1. Kor 9,9; 1. Tim 5,18
25,5 *a* 1. Mose 38,8; Rut 4,5; Mt 22,24
25,13 *a* 3. Mose 19,35-36; Hes 45,10; Am 8,5; Mi 6,11
25,17 *a* 2. Mose 17,8-16 **25,19** *a* 1. Sam 15,2-3
26,2 *a* 2. Mose 23,19; 3. Mose 2,14
26,5 *a* (5-9) Kap 6,20-25; Jos 24,2-13; Ps 78,1-72; 105,1-45; 136,1-26

und wurde dort ein großes, starkes und
zahlreiches Volk. 6 Aber die Ägypter be-
handelten uns schlecht und bedrückten
uns und legten uns einen harten Dienst
auf. 7 Da schrien wir zu dem HERRN, dem
Gott unserer Väter. Und der HERR erhörte
unser Schreien und sah unser Elend, un-
sere Angst und Not 8 und führte uns aus
Ägypten mit mächtiger Hand und aus-
gerecktem Arm und mit großem Schre-
cken, durch Zeichen und Wunder, 9 und
brachte uns an diese Stätte und gab uns
dies Land, darin Milch und Honig fließt.
10 Nun bringe ich die Erstlinge der Früchte
des Landes, das du, HERR, mir gegeben
hast. – Und du sollst sie niederlegen vor
dem HERRN, deinem Gott, und anbeten
vor dem HERRN, deinem Gott, 11 und
[a]sollst fröhlich sein über alles Gut, das der
HERR, dein Gott, dir und deinem Hause
gegeben hat, du und der Levit und der
Fremdling, der bei dir lebt.

12 Wenn du den Zehnten deines ganzen
Ertrages zusammengebracht hast [a]im drit-
ten Jahr, das ist das Zehnten-Jahr, so sollst
du ihn dem Leviten, dem Fremdling, der
Waise und der Witwe geben, dass sie in
deiner Stadt essen und satt werden. 13 Und
du sollst sprechen vor dem HERRN, dei-
nem Gott: Ich hab aus meinem Hause
gebracht, was geheiligt ist, und hab's ge-
geben den Leviten, den Fremdlingen,
den Waisen und den Witwen ganz nach
deinem Gebot, das du mir geboten hast.
Ich habe deine Gebote nicht übertreten
noch vergessen. 14 Ich habe nichts davon
gegessen, als ich in Trauer war; ich habe
nichts davon weggebracht, als ich unrein
war; ich habe nichts davon gegeben als
Gabe für die Toten. Ich bin der Stimme
des HERRN, meines Gottes, gehorsam
gewesen und habe alles getan, wie du es
mir geboten hast.[a] 15 Sieh nun herab von
deiner heiligen Wohnung, vom Himmel,
und segne dein Volk Israel und das Land,
das du uns gegeben hast, wie du unsern
Vätern geschworen hast, ein Land, darin
Milch und Honig fließt.

DIE BUNDESZUSAGEN

16 Heute gebietet dir der HERR, dein Gott,
dass du tust nach allen diesen Geboten
und Rechten, dass du sie hältst und da-
nach tust von ganzem Herzen und von
ganzer Seele. 17 Du hast dir heute vom
HERRN sagen lassen, dass er dein Gott
sein wolle und dass du sollest in allen
seinen Wegen wandeln und halten seine
Gesetze, Gebote und Rechte und seiner
Stimme gehorchen. 18 Und der HERR hat
dich heute sagen lassen, dass du sein eige-
nes Volk sein wollest, wie er dir zugesagt
hat, und alle seine Gebote halten wollest
19 und dass er [a]dich zum höchsten über alle
Völker machen werde, die er geschaffen
hat, zum Lob, zum Ruhm und zur Ehre,
dass du dem HERRN, deinem Gott, ein
heiliges Volk seist, wie er zugesagt hat.

DIE DENKSTEINE MIT DEM GESETZ

27 Und Mose samt den Ältesten Israels
gebot dem Volk und sprach: Haltet alle
Gebote, die ich euch heute gebiete. 2 Und
zu der Zeit, wenn ihr über den Jordan
geht in das Land, das dir der HERR, dein
Gott, geben wird, sollst du große Steine
aufrichten und sie mit Kalk tünchen 3 und
darauf schreiben alle Worte dieses Ge-
setzes, wenn du hinübergehst, auf dass
du kommest in das Land, das der HERR,
dein Gott, dir geben wird, ein Land, darin
Milch und Honig fließt, wie der HERR,
der Gott deiner Väter, dir zugesagt hat.
4 Wenn ihr nun über den Jordan geht, so
sollt ihr, wie ich euch heute gebiete, diese
Steine auf dem Berge Ebal* aufrichten,
und du sollst sie mit Kalk tünchen. 5 Und
dort sollst du dem HERRN, deinem Gott,
einen [a]Altar bauen, einen Altar aus Stei-
nen. Du sollst sie nicht mit Eisen bearbei-
ten. 6 Von unbehauenen Steinen sollst du
diesen Altar dem HERRN, deinem Gott,
bauen und Brandopfer darauf opfern dem
HERRN, deinem Gott, 7 und Dankopfer
darbringen und dort essen und [a]fröhlich
sein vor dem HERRN, deinem Gott. 8 Und
du sollst auf die Steine alle Worte dieses
Gesetzes schreiben, klar und deutlich.

9 Und Mose und die levitischen Pries-
ter redeten mit ganz Israel und sprachen:
Merke auf und höre, Israel! [a]Am heutigen

* **27,4** Andere Überlieferung: »Garizim«.

26,11 *a* Kap 16,11.14 **26,12** *a* Kap 14,27-29
26,14 *a* 4. Mose 19,14-15; Hes 24,17.22; Hos 9,4
26,19 *a* Kap 28,1 **27,5** *a* 2. Mose 20,25 **27,7** *a* Kap 12,7
27,9 *a* Kap 26,18-19

Tage bist du ein Volk des HERRN, deines
Gottes, geworden, 10 dass du der Stimme
des HERRN, deines Gottes, gehorsam seist
und tust nach seinen Geboten und Rech-
ten, die ich dir heute gebiete.

DIE ZWÖLF FLUCHWORTE

11 Und Mose gebot dem Volk an diesem
Tage und sprach: 12 Diese sollen stehen
[a]auf dem Berge Garizim, um das Volk zu
segnen, wenn ihr über den Jordan gegan-
gen seid: Simeon, Levi, Juda, Issachar,
Josef und Benjamin. 13 Und diese sollen
stehen auf dem Berge Ebal, um zu verflu-
chen: Ruben, Gad, Asser, Sebulon, Dan
und Naftali.

14 Und die Leviten sollen anheben
und zu allen Männern Israels mit lauter
Stimme sagen: 15 Verflucht sei, wer einen
[a]Götzen oder ein gegossenes Bild macht,
einen Gräuel für den HERRN, ein Werk
von den Händen der Werkmeister, und es
heimlich aufstellt! Und alles Volk soll ant-
worten und sagen: Amen.

16 Verflucht sei, [a]wer seinen Vater oder
seine Mutter verunehrt! Und alles Volk
soll sagen: Amen.

17 Verflucht sei, [a]wer seines Nächsten
Grenze verrückt! Und alles Volk soll sa-
gen: Amen.

18 Verflucht sei, [a]wer einen Blinden irre-
führt auf dem Wege! Und alles Volk soll
sagen: Amen.

19 Verflucht sei, [a]wer das Recht des
Fremdlings, der Waise und der Witwe
beugt! Und alles Volk soll sagen: Amen.

20 Verflucht sei, [a]wer bei der Frau seines
Vaters liegt, denn er hat die Decke seines
Vaters aufgedeckt! Und alles Volk soll sa-
gen: Amen.

21 Verflucht sei, [a]wer bei irgendeinem
Tier liegt! Und alles Volk soll sagen:
Amen.

22 Verflucht sei, [a]wer bei seiner Schwes-
ter liegt, die seines Vaters oder seiner Mut-
ter Tochter ist! Und alles Volk soll sagen:
Amen.

23 Verflucht sei, [a]wer bei seiner Schwie-
germutter liegt! Und alles Volk soll sagen:
Amen.

24 Verflucht sei, [a]wer seinen Nächsten
heimlich erschlägt! Und alles Volk soll sa-
gen: Amen.

25 Verflucht sei, [a]wer Geschenke nimmt,
dass er unschuldiges Blut vergieße! Und
alles Volk soll sagen: Amen.

26 Verflucht sei, [a]wer nicht alle Worte
dieses Gesetzes erfüllt, dass er danach tue!
Und alles Volk soll sagen: Amen.

ANKÜNDIGUNG VON SEGEN UND FLUCH

28 Wenn du nun der Stimme des HERRN,
deines Gottes, gehorchen wirst, dass
du hältst und tust alle seine Gebote, die
ich dir heute gebiete, so wird dich der
HERR, dein Gott, [a]zum höchsten über alle
Völker auf Erden machen. 2 Und es werden
über dich kommen alle diese Segnungen,
und sie werden dich treffen, weil du der
Stimme des HERRN, deines Gottes, ge-
horsam gewesen bist.

3 [a]Gesegnet wirst du sein in der Stadt,
gesegnet wirst du sein auf dem Acker.
4 Gesegnet wird sein die Frucht deines
Leibes, der Ertrag deines Ackers und die
Jungtiere deines Viehs, deiner Rinder und
deiner Schafe. 5 Gesegnet wird sein dein
Korb und dein Backtrog. 6 Gesegnet wirst
du sein bei deinem Eingang und gesegnet
bei deinem Ausgang.[a]

7 Und der HERR wird deine Feinde, die
sich gegen dich erheben, vor dir schlagen.
Auf *einem* Weg sollen sie ausziehen wider
dich und auf *sieben* Wegen vor dir fliehen.
8 Der HERR wird [a]gebieten dem Segen,
dass er mit dir sei in deinen Scheunen
und in allem, was du unternimmst, und
wird dich segnen in dem Land, das dir der
HERR, dein Gott, gibt. 9 Der HERR wird
dich [a]zum heiligen Volk für sich erheben,
wie er dir geschworen hat, weil du die
Gebote des HERRN, deines Gottes, hältst
und in seinen Wegen wandelst. 10 Und
alle Völker auf Erden werden sehen, dass
über dir der Name des HERRN genannt ist,
und werden sich vor dir fürchten. 11 Und
der HERR wird machen, dass du Überfluss
an Gutem haben wirst, an Frucht deines

27,12 *a* Kap 11,29 **27,15** *a* 2. Mose 20,4.23
27,16 *a* 2. Mose 21,17 **27,17** *a* Kap 19,14
27,18 *a* 3. Mose 19,14 **27,19** *a* 2. Mose 22,20-21
27,20 *a* 3. Mose 18,8 **27,21** *a* 2. Mose 22,18
27,22 *a* 3. Mose 18,9.11 **27,23** *a* 3. Mose 18,17
27,24 *a* 2. Mose 21,12; 4. Mose 35,20
27,25 *a* 2. Mose 23,8 **27,26** *a* Gal 3,10 **28,1** *a* Kap 26,19
28,3 *a* (3-6) 1. Mose 49,25-26 **28,6** *a* Ps 121,8
28,8 *a* 3. Mose 25,21 **28,9** *a* 2. Mose 19,5-6

Leibes, an Jungtieren deines Viehs, an Er-
trag deines Ackers, in dem Lande, das der
HERR deinen Vätern geschworen hat, dir
zu geben. 12 Und der HERR wird dir seinen
guten Schatz auftun, den Himmel, dass
er deinem Land Regen gebe zur rechten
Zeit und dass er segne alle Werke deiner
Hände. Und [a]du wirst vielen Völkern lei-
hen, aber von niemand borgen. 13 Und der
HERR wird dich zum Kopf machen und
nicht zum Schwanz, und du wirst immer
aufwärtssteigen und nicht heruntersin-
ken, weil du gehorsam bist den Geboten
des HERRN, deines Gottes, die ich dir
heute gebiete zu halten und zu tun, 14 und
nicht abweichst von all den Worten, die
ich euch heute gebiete, weder zur Rechten
noch zur Linken, und nicht andern Göt-
tern nachwandelst, um ihnen zu dienen.[a]

15 Wenn du aber nicht gehorchen wirst
der Stimme des HERRN, deines Gottes,
und wirst nicht halten und tun alle seine
Gebote und Rechte, die ich dir heute ge-
biete, so werden alle diese Flüche über
dich kommen und dich treffen:[a]

16 Verflucht wirst du sein in der Stadt,
verflucht wirst du sein auf dem Acker.
17 Verflucht wird sein dein Korb und dein
Backtrog. 18 Verflucht wird sein die Frucht
deines Leibes, der Ertrag deines Ackers,
das Jungvieh deiner Rinder und Schafe.
19 Verflucht wirst du sein bei deinem Ein-
gang und verflucht bei deinem Ausgang.

20 Der HERR wird unter dich senden Un-
frieden, Unruhe und Unglück in allem,
was du unternimmst, bis du vertilgt bist
und bald untergegangen bist um deines
bösen Treibens willen, weil du mich ver-
lassen hast. 21 Der HERR wird dir die Pest
anhängen, bis er dich vertilgt hat in dem
Lande, in das du kommst, es einzuneh-
men. 22 Der HERR wird dich schlagen mit
Auszehrung, Entzündung, Fieber, Wund-
brand, Dürre, Getreidebrand und Getrei-
derost; die werden dich verfolgen, bis du
umkommst. 23 Der Himmel, der über dei-
nem Haupt ist, wird ehern werden und die
Erde unter dir eisern.[a] 24 Statt des Regens
für dein Land wird der HERR Staub und
Asche vom Himmel auf dich geben, bis du
vertilgt bist.

25 Der HERR wird dich vor deinen Fein-
den schlagen. Auf *einem* Weg wirst du wi-
der sie ausziehen, und auf *sieben* Wegen
wirst du vor ihnen fliehen und wirst zum
Entsetzen werden für alle Reiche auf Er-
den. 26 Deine Leichname werden zum Fraß
werden allen Vögeln des Himmels und al-
len Tieren des Landes, und niemand wird
sein, der sie verscheucht.[a] 27 Der HERR
wird dich schlagen [a]mit ägyptischem Ge-
schwür, Beulen, Krätze und Ausschlag,
dass du nicht geheilt werden kannst. 28 Der
HERR wird dich schlagen mit Wahnsinn,
Blindheit und Verwirrung des Geistes.
29 Und du wirst [a]tappen am Mittag, wie
ein Blinder tappt im Dunkeln, und wirst
auf deinem Wege kein Glück haben, son-
dern Gewalt und Unrecht leiden müssen
dein Leben lang, und niemand wird dir
helfen.

30 Mit einer Frau wirst du dich verloben;
aber ein anderer wird bei ihr schlafen. [a]Ein
Haus wirst du bauen; aber du wirst nicht
darin wohnen. Einen Weinberg wirst du
pflanzen; aber du wirst nichts von ihm ha-
ben. 31 Dein Rind wird vor deinen Augen
geschlachtet werden; aber du wirst nicht
davon essen. Dein Esel wird vor deinem
Angesicht mit Gewalt genommen und
nicht zu dir zurückkommen. Dein Schaf
wird deinen Feinden gegeben werden,
und niemand wird dir helfen. 32 Deine
Söhne und deine Töchter werden einem
andern Volk gegeben werden, dass deine
Augen zusehen müssen und täglich vor
Verlangen nach ihnen vergehen, und in
deinen Händen wird keine Kraft sein.
33 Den [a]Ertrag deines Ackers und alle
deine Arbeit wird ein Volk verzehren,
das du nicht kennst, und du wirst geplagt
und geschunden werden dein Leben lang
34 und wirst wahnsinnig werden bei dem,
was deine Augen sehen müssen.

35 Der HERR wird dich schlagen mit bö-
sen Geschwüren an den Knien und Wa-
den, dass du nicht geheilt werden kannst,
von den Fußsohlen bis zum Scheitel.
36 Der HERR wird dich und deinen König,
den du über dich gesetzt hast, unter ein
Volk treiben, das du nicht kennst noch
deine Väter, und [a]du wirst dort andern

28,12 ***a*** Kap 15,6 **28,14** ***a*** Kap 5,29.32 **28,15** ***a*** Dan 9,11
28,23 ***a*** Kap 11,17 **28,26** ***a*** 1. Sam 17,45; 2. Sam 21,10
28,27 ***a*** 2. Mose 9,9 **28,29** ***a*** Jes 59,10 **28,30** ***a*** Jes 65,22
28,33 ***a*** Ri 6,3 **28,36** ***a*** Kap 4,28

Göttern dienen: Holz und Stein. 37 Und
du wirst zum Entsetzen, [a]zum Sprich-
wort und zum Spott werden unter allen
Völkern, zu denen der HERR dich treibt.
38 Du wirst viel Samen auf das Feld säen,
aber wenig einsammeln; denn die Heu-
schrecken werden's abfressen.[a] 39 Wein-
berge wirst du pflanzen und bauen, aber
weder Wein trinken noch Trauben lesen;
denn die Würmer werden's verzehren.
40 Ölbäume wirst du haben in deinem gan-
zen Gebiet, aber du wirst dich nicht sal-
ben mit Öl; denn dein Ölbaum wird seine
Frucht abwerfen. 41 Söhne und Töchter
wirst du zeugen und doch nicht behalten;
denn sie werden gefangen weggeführt
werden. 42 Über alle Bäume und Früchte
deines Landes wird das Ungeziefer herfal-
len. 43 Der Fremdling, der bei dir ist, wird
immer höher über dich emporsteigen; du
aber wirst immer tiefer heruntersinken.
44 Er wird dir leihen, du aber wirst ihm
nicht leihen können; [a]er wird der Kopf
sein, und du wirst der Schwanz sein.
45 Alle diese Flüche werden über dich
kommen und dich verfolgen und treffen,
bis du vertilgt bist, weil du der Stimme
des HERRN, deines Gottes, nicht gehorcht
und seine Gebote und Rechte nicht ge-
halten hast, die er dir geboten hat. 46 Und
diese Flüche werden Zeichen und Wunder
sein an dir und an deinen Nachkommen
immerdar, 47 weil du dem HERRN, deinem
Gott, nicht gedient hast mit Freude und
Lust deines Herzens, obwohl du Überfluss
hattest an allem.
48 Und du wirst deinem Feinde, den der
HERR gegen dich schicken wird, dienen in
Hunger und Durst, in Blöße und allerlei
Mangel, und er wird ein [a]eisernes Joch auf
deinen Hals legen, bis er dich vertilgt hat.
49 Der HERR wird ein Volk über dich schi-
cken von ferne, vom Ende der Erde, wie
ein [a]Adler fliegt, ein Volk, [b]dessen Spra-
che du nicht verstehst, 50 ein freches Volk,
das nicht Rücksicht nimmt auf die Alten
und die Jungen nicht schont.[a] 51 Es wird
verzehren die Jungtiere deines Viehs und
den Ertrag deines Ackers, bis du vertilgt
bist, und wird dir nichts übrig lassen vom
Korn, Wein und Öl und vom Jungvieh
deiner Rinder und Schafe, bis es dich um-
gebracht hat. 52 Es wird dich belagern in
allen deinen Städten, bis es niedergewor-
fen hat deine hohen und festen Mauern,
auf die du dich verlässt, in deinem ganzen
Lande; und du wirst belagert werden in
allen deinen Städten, in deinem ganzen
Lande, das dir der HERR, dein Gott, ge-
geben hat.
53 Du wirst die [a]Frucht deines Leibes, das
Fleisch deiner Söhne und deiner Töchter,
die dir der HERR, dein Gott, gegeben hat,
essen in der Angst und Not, mit der dich
dein Feind bedrängen wird. 54 Ein Mann
unter euch, der zuvor verwöhnt und in
Üppigkeit gelebt hat, wird seinem Bru-
der und der Frau in seinen Armen und
dem Sohn, der noch übrig ist von seinen
Söhnen, nichts gönnen 55 von dem Fleisch
seiner Söhne, das er isst, weil ihm nichts
übrig geblieben ist von allem Gut in der
Angst und Not, mit der dich dein Feind
bedrängen wird in allen deinen Städten.
56 Eine Frau unter euch, die zuvor so ver-
wöhnt und in Üppigkeit gelebt hat, dass
sie nicht einmal versucht hat, ihre Fuß-
sohle auf die Erde zu setzen, vor Ver-
wöhnung und Wohlleben, die wird dem
Mann in ihren Armen und ihrem Sohn
und ihrer Tochter nicht gönnen 57 die
Nachgeburt, die von ihr ausgegangen ist,
und ihr Kind, das sie geboren hat; denn
sie wird beides vor Mangel an allem heim-
lich essen in der Angst und Not, mit der
dich dein Feind bedrängen wird in deinen
Städten.
58 Wenn du nicht darauf hältst, dass du
alle Worte dieses Gesetzes tust, die in
diesem Buch geschrieben sind, und nicht
fürchtest diesen herrlichen und heiligen
Namen, den HERRN, deinen Gott, 59 so
wird der HERR schrecklich mit dir um-
gehen und dich und deine Nachkommen
schlagen mit großen und anhaltenden Pla-
gen, mit bösen und anhaltenden Krank-
heiten. 60 Und er wird auch alle [a]Seuchen
Ägyptens über dich bringen, vor denen
du dich fürchtest, und sie werden dich
nicht loslassen; 61 dazu wird der HERR
alle Krankheiten und alle Plagen, die nicht

28,37 ***a*** 1. Kön 9,7; Jer 24,9 **28,38** ***a*** Mi 6,15
28,44 ***a*** Verse 12-13 **28,48** ***a*** Jer 28,13-14
28,49 ***a*** Hab 1,8 ***b*** Jes 33,19; Jer 5,15 **28,50** ***a*** Klgl 5,12-13
28,53 ***a*** 3. Mose 26,29; 2. Kön 6,28-29; Jer 19,9;
Klgl 2,20; 4,10; Hes 5,10 **28,60** ***a*** Vers 27

geschrieben sind in dem Buch dieses Ge-
setzes, über dich kommen lassen, bis du
vertilgt bist.
62 Und nur wenige werden übrig blei-
ben von euch, die ihr zuvor zahlreich ge-
wesen seid wie die Sterne am Himmel,
weil du nicht gehorcht hast der Stimme
des HERRN, deines Gottes. 63 Und wie
sich der HERR zuvor freute, euch Gutes
zu tun und euch zu mehren, [a]so wird er
sich nun freuen, euch umzubringen und
zu vertilgen, und ihr werdet herausge-
rissen werden aus dem Lande, in das du
jetzt ziehst, es einzunehmen. 64 Denn der
HERR wird dich zerstreuen unter alle Völ-
ker von einem Ende der Erde bis ans an-
dere, und du wirst dort andern Göttern
dienen, die du nicht kennst noch deine
Väter: Holz und Stein.
65 Dazu wirst du unter jenen Völkern
keine Ruhe haben, und deine Füße wer-
den keine Ruhestatt finden. Denn der
HERR wird dir dort ein bebendes Herz
geben und erlöschende Augen und eine
verzagende Seele, 66 und dein Leben wird
immerdar in Gefahr schweben; Nacht und
Tag wirst du dich fürchten und deines Le-
bens nicht sicher sein. 67 Morgens wirst
du sagen: Ach dass es Abend wäre!, und
abends wirst du sagen: Ach dass es Mor-
gen wäre!, vor Furcht deines Herzens, die
dich schrecken wird, und vor dem, was
du mit deinen Augen sehen wirst. 68 Und
der HERR wird dich mit Schiffen [a]wieder
nach Ägypten führen, auf dem Wege,
von dem ich dir gesagt habe: Du sollst ihn
nicht mehr sehen. Und ihr werdet dort
euren Feinden als Knechte und Mägde
verkauft werden, aber es wird kein Käufer
da sein.

DER BUND DES HERRN MIT ISRAEL IM LANDE MOAB

69 Dies sind die Worte des Bundes, den der
HERR dem Mose geboten hat, mit Israel
zu schließen im Lande Moab, neben dem
Bund, den er mit ihnen geschlossen hatte
am [a]Horeb.
29 Und Mose rief ganz Israel zusammen
und sprach zu ihnen: [a]Ihr habt alles
gesehen, was der HERR vor euren Augen
in Ägypten dem Pharao und allen seinen
Großen und seinem ganzen Lande ge-
tan hat, 2 die [a]gewaltigen Proben seiner
Macht, die deine Augen gesehen haben,
die großen Zeichen und Wunder. 3 Und
der HERR hat euch bis auf diesen heuti-
gen Tag noch nicht ein Herz gegeben, das
verständig wäre, Augen, die da sähen, und
Ohren, die da hörten.[a] 4 Er hat euch vier-
zig Jahre in der Wüste wandern lassen.
[a]Eure Kleider sind euch nicht zerrissen,
auch deine Schuhe nicht an deinen Füßen;
5 ihr habt kein Brot gegessen und keinen
Wein getrunken und kein Bier, auf dass
ihr erkennen solltet, dass ich der HERR,
euer Gott, bin. 6 Und als ihr kamt an die-
sen Ort, zogen aus der König Sihon von
Heschbon und der König Og von Baschan
uns entgegen, mit uns zu kämpfen. Und
wir haben sie geschlagen[a] 7 und ihr Land
eingenommen und zum Erbteil gegeben
den Rubenitern und Gaditern und dem
halben Stamm Manasse.[a] 8 So haltet nun
die Worte dieses Bundes und tut danach,
auf dass ihr glücklich ausrichten könnt all
euer Tun.
9 Ihr steht heute alle vor dem HERRN,
eurem Gott, die Häupter eurer Stämme,
eure Ältesten, eure Amtleute, jeder Mann
in Israel, 10 eure Kinder, eure Frauen, dein
Fremdling, der in deinem Lager ist, dein
[a]Holzhauer und dein Wasserschöpfer,
11 damit du trittst in den Bund des HERRN,
deines Gottes, und unter den Eid, den der
HERR, dein Gott, dir heute auflegt, 12 dass
er dich heute zum Volk für sich erhebe
und er dein Gott sei, wie er dir zugesagt
hat und wie er deinen Vätern Abraham,
Isaak und Jakob geschworen hat. 13 Denn
ich schließe diesen Bund und diesen Eid
[a]nicht mit euch allein, 14 sondern mit
euch, die ihr heute hier seid und mit uns
steht vor dem HERRN, unserm Gott, wie
auch mit denen, die heute nicht mit uns
sind.
15 Denn ihr wisst, wie wir in Ägypten-
land gewohnt haben und mitten durch die
Völker gezogen sind, durch deren Land ihr
zogt. 16 Ihr saht ihre Gräuel und ihre Göt-
zen, die bei ihnen waren, Holz und Stein,

28,63 ***a*** Spr 1,26 **28,68** ***a*** Kap 17,16; Hos 8,13
28,69 ***a*** Kap 5,2 **29,1** ***a*** 2. Mose 19,4 **29,2** ***a*** Kap 4,34; 7,19 **29,3** ***a*** Kap 5,26 **29,4** ***a*** Kap 8,4
29,6 ***a*** 4. Mose 21,21-35 **29,7** ***a*** 4. Mose 32,1-42
29,10 ***a*** Jos 9,27 **29,13** ***a*** Kap 5,3; 1. Mose 17,7

Silber und Gold. 17 Lasst ja nicht einen
Mann oder eine Frau, ein Geschlecht
oder einen Stamm unter euch sein, des-
sen Herz sich heute abwendet von dem
HERRN, unserm Gott, dass jemand hin-
gehe und diene den Göttern dieser Völ-
ker. Lasst unter euch nicht [a]eine Wurzel
aufwachsen, die da Gift und Wermut her-
vorbringt. 18 Lasst niemand, der die Worte
dieses Fluches hört, sich dennoch in sei-
nem Herzen segnen und sprechen: Mir
wird es wohlgehen, auch wenn ich wandle
nach meinem verstockten Herzen –, da-
mit nicht fortgerafft werde das wasser-
reiche mit dem dürren Land! 19 Einem
solchen Mann wird der HERR nicht gnä-
dig sein, sondern sein Zorn und Eifer wird
entbrennen gegen ihn, und es werden sich
auf ihn legen [a]alle Flüche, die in diesem
Buch geschrieben sind, und seinen Na-
men wird der HERR austilgen unter dem
Himmel 20 und wird ihn zum Unheil ab-
sondern aus allen Stämmen Israels nach
allen Flüchen des Bundes, der in dem Buch
dieses Gesetzes geschrieben ist.

21 Dann werden sagen künftige Ge-
schlechter, eure Kinder, die nach euch
aufkommen, und die Fremden, die aus
fernen Landen kommen, wenn sie die Pla-
gen dieses Landes sehen und die Krank-
heiten, mit denen der HERR es beladen
hat – 22 all ihr Land hat er mit Schwefel und
Salz verbrannt, dass es weder besät wer-
den kann noch etwas wächst noch Kraut
darin aufgeht, gleichwie [a]Sodom und Go-
morra, Adma und Zebojim zerstört sind,
die der HERR in seinem Zorn und Grimm
zerstört hat –, 23 ja, alle Völker werden
sagen: Warum hat der HERR an diesem
Lande so gehandelt? Was ist das für ein
großer, grimmiger Zorn? 24 Dann wird
man sagen: Darum, weil sie den Bund des
HERRN, des Gottes ihrer Väter, verlas-
sen haben, den er mit ihnen schloss, als
er sie aus Ägyptenland führte, 25 und sind
hingegangen und haben andern Göttern
gedient und sie angebetet, Götter, die sie
nicht kennen und die er ihnen nicht zuge-
wiesen hat, 26 darum ist des HERRN Zorn
entbrannt gegen dies Land, dass er über
sie hat kommen lassen alle Flüche, die
in diesem Buch geschrieben stehen.
27 Und der HERR hat sie aus ihrem Lande
gestoßen in großem Zorn, Grimm und
ohne Erbarmen und hat sie in ein anderes
Land geworfen, so wie es heute ist.

28 Was [a]verborgen ist, ist des HERRN,
unseres Gottes; was aber offenbart ist,
das gilt uns und unsern Kindern ewig-
lich, dass wir tun sollen alle Worte die-
ses Gesetzes.

DIE WAHL ZWISCHEN LEBEN UND TOD

30 Wenn nun dies alles über dich kommt,
es sei der [a]Segen oder der Fluch, die
ich dir vorgelegt habe, und du es zu Her-
zen nimmst, wenn du unter den Heiden
bist, unter die dich der HERR, dein Gott,
verstoßen hat, 2 und du dich [a]bekehrst zu
dem HERRN, deinem Gott, dass du seiner
Stimme gehorchst, du und deine Kinder,
von ganzem Herzen und von ganzer Seele
in allem, was ich dir heute gebiete, 3 so
wird der HERR, dein Gott, deine [a]Gefan-
genschaft wenden und sich deiner erbar-
men und wird dich [b]wieder sammeln aus
allen Völkern, unter die dich der HERR,
dein Gott, verstreut hat. 4 Wenn du bis
ans Ende des Himmels verstoßen wärst,
so wird dich doch der HERR, dein Gott,
von dort sammeln und dich von dort ho-
len[a] 5 und wird dich in das Land bringen,
das deine Väter besessen haben, und du
wirst es einnehmen, und er wird dir Gu-
tes tun und dich zahlreicher machen, als
deine Väter waren. 6 Und der HERR, dein
Gott, wird dein [a]Herz beschneiden und
das Herz deiner Nachkommen, damit du
den HERRN, deinen Gott, liebst von gan-
zem Herzen und von ganzer Seele, auf
dass du am Leben bleibst.

7 Aber alle diese Flüche wird der HERR,
dein Gott, auf deine Feinde legen und auf
die, die dich hassen und verfolgen. 8 Du
aber wirst umkehren und der Stimme des
HERRN gehorchen, dass du tust alle seine
Gebote, die ich dir heute gebiete. 9 Und
der HERR, dein Gott, wird dir Glück ge-
ben zu allen Werken deiner Hände, zu der
Frucht deines Leibes, zu den Jungtieren

29,17 *a* Kap 32,32; Hos 10,4; Am 6,12; Hebr 12,15
29,19 *a* Kap 28,15-68 **29,22** *a* 1. Mose 19,24
29,28 *a* Kap 32,34 **30,1** *a* Kap 28,1-68 **30,2** *a* Kap 4,30; 3. Mose 26,40 **30,3** *a* Hes 16,53; Jer 29,14; Am 9,14
b Jer 32,37 **30,4** *a* Kap 28,64; Neh 1,9 **30,6** *a* Kap 10,16; Jer 4,4; Hes 11,19; Röm 2,29

deines Viehs, zum Ertrag deines Ackers,
dass dir's zugutekomme. Denn der HERR
wird sich wieder über dich freuen, dir zu-
gut, wie er sich über deine Väter gefreut
hat, 10 weil du der Stimme des HERRN,
deines Gottes, gehorchst und hältst seine
Gebote und Rechte, die geschrieben ste-
hen im Buch dieses Gesetzes, wenn du
dich bekehrst zu dem HERRN, deinem
Gott, von ganzem Herzen und von gan-
zer Seele.
11 Denn **das Gebot, das ich dir heute
gebiete, ist dir nicht zu hoch und nicht
zu fern.** 12 **Es ist nicht im Himmel, dass
du sagen müsstest: [a]Wer will für uns
in den Himmel fahren und es uns ho-
len, dass wir's hören und tun?** 13 **Es ist
auch nicht jenseits des Meeres, dass du
sagen müsstest: Wer will für uns über
das Meer fahren und es uns holen, dass
wir's hören und tun?** 14 **Denn es ist
das Wort ganz nahe bei dir, in deinem
Munde und in deinem Herzen, dass du
es tust.**
15 Siehe, ich [a]lege dir heute das Leben
und das Gute vor, den Tod und das Böse.
16 Dies ist's, was ich dir heute gebiete:
dass du den HERRN, deinen Gott, liebst
und wandelst in seinen Wegen und seine
Gebote, Gesetze und Rechte hältst, so
wirst du leben und dich mehren, und der
HERR, dein Gott, wird dich segnen in
dem Lande, in das du ziehst, es einzuneh-
men. 17 Wendet sich aber dein Herz und
du gehorchst nicht, sondern lässt dich
verführen, dass du andere Götter anbe-
test und ihnen dienst, 18 so verkünde ich
euch heute, dass ihr [a]umkommen und
nicht lange in dem Lande bleiben werdet,
in das du über den Jordan ziehst, es ein-
zunehmen.
19 Ich nehme [a]Himmel und Erde heute
über euch zu Zeugen: Ich habe euch Le-
ben und Tod, Segen und Fluch vorgelegt,
dass du das Leben erwählst und am Le-
ben bleibst, du und deine Nachkommen,
20 dass du den HERRN, deinen Gott, liebst
und seiner Stimme gehorchst und ihm an-
hangest. Denn das bedeutet für dich, dass
du lebst und alt wirst und wohnen bleibst
in dem Lande, das der HERR deinen Vä-
tern Abraham, Isaak und Jakob geschwo-
ren hat, ihnen zu geben.

MOSE SETZT JOSUA ZU SEINEM NACHFOLGER EIN

31 Und Mose ging hin und redete diese
Worte mit ganz Israel 2 und sprach zu
ihnen:
Ich bin heute [a]hundertzwanzig Jahre alt,
ich kann nicht mehr aus und ein gehen.
Dazu hat der HERR zu mir gesagt: Den
[b]Jordan hier sollst du nicht überschreiten!
3 Der HERR, dein Gott, wird selber vor dir
hergehen. [a]Er selber wird diese Völker vor
dir her vertilgen, dass du ihr Land einneh-
men kannst. Josua, der soll vor dir hin-
übergehen, wie es der HERR zugesagt hat.
4 Und der HERR wird mit ihnen tun, wie
er getan hat [a]mit Sihon und Og, den Kö-
nigen der Amoriter, und ihrem Lande, die
er vertilgt hat. 5 Wenn sie nun der HERR
vor euren Augen dahingeben wird, so sollt
ihr mit ihnen tun ganz nach dem Gebot,
das ich euch gegeben habe.[a] 6 Seid getrost
und unverzagt, fürchtet euch nicht und
lasst euch nicht vor ihnen grauen; denn
der HERR, dein Gott, [a]wird selber mit dir
ziehen und wird die Hand nicht abtun und
dich nicht verlassen.
7 Und Mose rief Josua und sprach zu
ihm vor den Augen von ganz Israel: Sei
getrost und unverzagt; denn du wirst mit
diesem Volk in das Land gehen, das der
HERR ihren Vätern geschworen hat, ih-
nen zu geben, und du wirst es unter sie
austeilen.[a] 8 Der HERR aber, der selber vor
euch hergeht, der wird mit dir sein und
wird die Hand nicht abtun und dich nicht
verlassen. Fürchte dich nicht und erschrick
nicht!

DIE VERLESUNG DES GESETZES IM SABBATJAHR

9 Und Mose schrieb dies Gesetz und gab's
den Priestern, den Söhnen Levi, die die
Lade des Bundes des HERRN trugen,
und allen Ältesten Israels 10 und gebot ih-
nen und sprach: Jeweils nach sieben Jah-
ren, zur Zeit des [a]Erlassjahrs, am [b]Laub-
hüttenfest, 11 wenn ganz Israel kommt,
zu erscheinen vor dem Angesicht des

30,12 *a* Röm 10,6-8 **30,15** *a* Kap 11,26 **30,18** *a* Kap 8,19
30,19 *a* Kap 4,26 **31,2** *a* 2. Mose 7,7 *b* 4. Mose 20,12
31,3 *a* Kap 3,22 **31,4** *a* 4. Mose 21,21-35
31,5 *a* 2. Mose 23,32-33 **31,6** *a* Kap 1,29-30
31,7 *a* Kap 3,28; Jos 1,6 **31,10** *a* Kap 15,1 *b* Kap 16,13

HERRN, deines Gottes, an der Stätte, die
er erwählen wird, sollst du dies Gesetz vor
ganz Israel ausrufen lassen vor ihren Oh-
ren. 12 Versammle das Volk, die Männer,
Frauen und Kinder und den Fremdling,
der in deinen Städten lebt, damit sie es
hören und lernen und den HERRN, euren
Gott, fürchten und alle Worte dieses Ge-
setzes halten und tun 13 und dass ihre Kin-
der, die es nicht kennen, es auch hören und
lernen, den HERRN, euren Gott, zu fürch-
ten alle Tage, die ihr in dem Lande lebt, in
das ihr zieht über den Jordan, um es ein-
zunehmen.

GOTTES BEFEHL, DAS LIED DES MOSE AUFZUSCHREIBEN

14 Und der HERR sprach zu Mose: Siehe,
deine Zeit ist herbeigekommen, dass du
sterben musst. Rufe Josua und tretet hin
zur Stiftshütte, dass ich ihm Befehl gebe.
Mose ging hin mit Josua, und sie traten
hin zur Stiftshütte. 15 Der HERR aber er-
schien in der Hütte in einer Wolkensäule,
und [a]die Wolkensäule stand am Eingang
des Zeltes. 16 Und der HERR sprach zu
Mose: Siehe, du wirst schlafen bei dei-
nen Vätern, und dies Volk wird sich erhe-
ben und nachhuren den fremden Göttern
des Landes, in das sie kommen, und wird
mich verlassen und den Bund brechen,
den ich mit ihm geschlossen habe. 17 Da
wird mein Zorn entbrennen über sie zur
selben Zeit, und ich werde sie verlassen
und mein Antlitz vor ihnen verbergen,
sodass sie völlig verzehrt werden. Und
wenn sie dann viel Unglück und Angst
treffen wird, werden sie sagen: Hat mich
nicht dies Übel alles getroffen, weil mein
Gott nicht mit mir ist? 18 Ich aber werde
mein Antlitz verborgen halten zu der Zeit
um all des Bösen willen, das sie getan
haben, weil sie sich zu andern Göttern
wandten.

19 So schreibt euch nun dies [a]Lied auf
und lehrt es die Israeliten und legt es in
ihren Mund, dass mir das Lied ein Zeuge
sei unter den Israeliten. 20 Denn ich will sie
in das Land bringen, das ich ihren Vätern
zu geben geschworen habe, darin Milch
und Honig fließt. Und wenn sie essen
und satt und fett werden, so werden sie
sich zu andern Göttern wenden und ih-
nen dienen, mich aber lästern und meinen
Bund brechen. 21 Und wenn sie dann viel
Unglück und Angst treffen wird, so soll
dies Lied vor ihnen als Zeuge reden; denn
es soll nicht vergessen werden im Mund
ihrer Nachkommen. Denn ich [a]weiß ihre
Gedanken, mit denen sie schon jetzt um-
gehen, ehe ich sie in das Land bringe, wie
ich geschworen habe. 22 Also schrieb Mose
dies Lied zur selben Zeit auf und lehrte es
die Israeliten.

23 Und der Herr befahl Josua, dem Sohn
Nuns, und sprach: Sei getrost und unver-
zagt, denn du sollst die Israeliten in das
Land führen, wie ich ihnen geschworen
habe, und ich will mit dir sein.

DIE AUFBEWAHRUNG DES GESETZBUCHES

24 Als nun Mose damit fertig war, die
Worte dieses Gesetzes vollständig in
ein Buch zu schreiben, 25 gebot er den
Leviten, die die Lade des Bundes des
HERRN trugen, und sprach: 26 Nehmt die-
ses Buch des Gesetzes und legt es neben
die Lade des Bundes des HERRN, eures
Gottes, dass es dort [a]ein Zeuge sei wider
dich. 27 Denn ich kenne deinen Unge-
horsam und deine Halsstarrigkeit. Siehe,
jetzt schon, während ich noch bei euch
lebe, seid ihr ungehorsam gewesen gegen
den HERRN; wie viel mehr nach meinem
Tode!

AUFFORDERUNG AN ISRAEL, DAS LIED DES MOSE ZU HÖREN

28 Versammelt vor mir alle Ältesten eurer
Stämme und eure Amtleute, dass ich diese
Worte vor ihren Ohren rede und [a]Him-
mel und Erde wider sie zu Zeugen nehme.
29 Denn ich weiß, dass ihr euch nach mei-
nem Tode sehr versündigen werdet und
von dem Wege abweichen, den ich euch
geboten habe. So wird euch zuletzt das
Unheil treffen, weil ihr tut, was böse ist
in den Augen des HERRN, und ihn erzürnt
durch eurer Hände Werk.

30 Und Mose trug vor den Ohren der
ganzen Gemeinde Israel dies Lied bis zum
letzten Wort vor:

31,15 ***a*** 2. Mose 33,9 **31,19** ***a*** Kap 32,1-43 **31,21** ***a*** Ps 139,2
31,26 ***a*** Joh 5,45 **31,28** ***a*** Kap 32,1

DAS LIED DES MOSE

32 [a]Merkt auf, ihr Himmel,
ich will reden,
und die Erde höre die Rede
meines Mundes.
2 Meine Lehre rinne wie der Regen,
und meine Rede riesele wie Tau,
wie der Regen auf das Gras
und wie die Tropfen auf das Kraut.[a]
3 Denn ich will den Namen des HERRN
preisen.
Gebt unserm Gott allein die Ehre!

4 Er ist der Fels. Seine Werke
sind vollkommen;
denn alle seine Wege sind recht.
Treu ist Gott und kein Böses an ihm,
gerecht und wahrhaftig ist er.
5 [a]Das verkehrte und böse Geschlecht
hat gesündigt wider ihn;
sie sind Schandflecken und nicht
seine Kinder.
6 Dankst du so dem HERRN,
deinem Gott,
du tolles und törichtes Volk?
Ist er nicht dein [a]Vater und dein Herr?
Ist's nicht er allein, der dich gemacht
und bereitet hat?

7 Gedenke der vorigen Zeiten
und hab acht auf die Jahre
von Geschlecht zu Geschlecht.
Frage deinen Vater,
der wird dir's verkünden,
deine Ältesten,
die werden dir's sagen.
8 Als der Höchste [a]den Völkern
Land zuteilte
und der Menschen Kinder
voneinander schied,
da [b]setzte er die Grenzen der Völker
nach der Zahl der Söhne Israels*.
9 Denn des HERRN Teil ist sein Volk,
Jakob ist sein [a]Erbe.

10 Er [a]fand ihn in der Steppe,
in der Wüste, im Geheul
der Wildnis.
Er umfing ihn und hatte acht auf ihn.
Er [b]behütete ihn
wie seinen Augapfel.
11 Wie ein [a]Adler ausführt seine Jungen
und über ihnen schwebt,
so breitete er seine Fittiche aus
und nahm ihn und trug ihn
auf seinen Flügeln.
12 Der HERR allein leitete ihn,
und kein fremder Gott war mit ihm.
13 Er ließ ihn einherfahren
über die Höhen der Erde
und nährte ihn mit den Früchten
des Feldes
und ließ ihn [a]Honig saugen
aus dem Felsen
und Öl aus hartem Gestein,
14 Butter von den Kühen
und Milch von den Schafen
samt dem Fett von den Lämmern,
feiste Widder und Böcke
und das Beste vom Weizen
und tränkte ihn mit edlem
Traubenblut.

15 Als aber [a]Jeschurun fett ward,
wurde er übermütig.
Er ist [b]fett und dick und feist
geworden
und hat den Gott verworfen,
der ihn gemacht hat.
Er hat den Fels seines Heils
gering geachtet
16 und hat ihn zur Eifersucht gereizt
durch fremde Götter;
durch Gräuel hat er ihn erzürnt.
17 Sie haben Geistern geopfert,
die keine Gottheiten sind,
Göttern, die sie nicht kannten,
neuen, die vor Kurzem erst
aufgekommen sind,
die eure Väter nicht geehrt haben.
18 Den [a]Fels, der dich gezeugt hat,
hast du außer Acht gelassen
und hast vergessen den Gott,
der dich geboren hat.

19 Und als es der HERR sah,
ward er zornig über seine Söhne
und Töchter,

* **32,8** Andere Überlieferung: »nach der Zahl der Söhne Gottes«.

32,1 ***a*** Jes 1,2 **32,2** ***a*** Jes 55,10-11 **32,5** ***a*** Jes 1,2-4; Mt 17,17 **32,6** ***a*** 2. Mose 4,22; Jes 63,16; Jer 3,4; 31,9; Hos 11,1; Mal 1,6 **32,8** ***a*** 1. Mose 11,8 ***b*** Apg 17,26 **32,9** ***a*** Kap 9,26.29 **32,10** ***a*** Hos 9,10 ***b*** Ps 17,8; Hes 16,4-14; Sach 2,12 **32,11** ***a*** 2. Mose 19,4 **32,13** ***a*** Ps 81,17 **32,15** ***a*** Kap 33,5.26; Jes 44,2 ***b*** Kap 31,20; Neh 9,25 **32,18** ***a*** 1. Mose 49,24; Ps 18,32; 78,15-16

20 und er sprach: Ich will mein Antlitz
vor ihnen verbergen,
will sehen, was ihnen zuletzt
widerfahren wird;
denn es ist ein verkehrtes Geschlecht,
es sind untreue Kinder.
21 Sie haben mich gereizt
durch einen Nicht-Gott,
durch ihre [a]Abgötterei
haben sie mich erzürnt.
Ich aber will sie wieder reizen
durch ein [b]Nicht-Volk,
durch ein gottloses Volk
will ich sie erzürnen.
22 Denn ein Feuer ist entbrannt
durch meinen Zorn
und wird brennen bis in die
unterste Tiefe
und wird verzehren das Land
mit seinem Gewächs
und wird anzünden
die Grundfesten der Berge.
23 Ich will alles Unglück über sie häufen,
ich will alle meine Pfeile
auf sie schießen.
24 Vor Hunger sollen sie verschmachten
und verzehrt werden vom Fieber
und von jähem Tod.
Ich will der Tiere Zähne
unter sie schicken
und der Schlangen Gift.
25 Draußen wird das [a]Schwert
ihre Kinder rauben
und drinnen der Schrecken
den jungen Mann wie das Mädchen,
den Säugling wie den Greis.

26 Ich hätte gesagt: Es soll aus sein
mit ihnen,
ich will ihren Namen tilgen
unter den Menschen –,
27 wenn ich nicht den Spott der Feinde
gescheut hätte;
ihre Widersacher hätten es nicht
erkannt
und gesagt: Unsere Macht ist groß,
und nicht der HERR hat dies
alles getan.

28 Denn Israel ist ein Volk,
dem man nicht mehr raten kann,
und [a]kein Verstand wohnt
in ihnen.
29 O dass sie weise wären
und dies verstünden,
dass sie merkten, was ihnen hernach
begegnen wird!
30 Wie geht's zu, [a]dass einer
tausend verjagt
und zwei sogar zehntausend
flüchtig machen?
Kommt's nicht daher,
dass ihr Fels sie verkauft hat
und der HERR sie dahingegeben hat?
31 Denn unserer Feinde [a]Fels
ist nicht wie unser Fels;
so müssen sie selber urteilen.
32 Denn ihr Weinstock stammt
von Sodoms Weinstock
und von dem Weinberg Gomorras;
ihre Trauben sind Gift,
sie haben bittere Beeren,
33 ihr Wein ist Drachengift
und verderbliches Gift der Ottern.

34 Ist dies nicht bei mir verwahrt
und versiegelt in meinen
Schatzkammern?[a]
35 [a]Die Rache ist mein, ich will vergelten
zur Zeit, da ihr Fuß gleitet;
denn die Zeit ihres Unglücks ist nahe,
und was über sie kommen soll,
eilt herzu.
36 Denn der HERR wird seinem Volk
Recht schaffen,
und über seine Knechte
wird er sich erbarmen.
Denn er wird sehen,
dass ihre Macht dahin ist
und es aus ist mit ihnen ganz und gar.
37 Und er wird sagen:
Wo sind ihre Götter,
ihr [a]Fels, auf den sie trauten,
38 die das Fett ihrer Schlachtopfer
essen sollten
und trinken den Wein
ihrer Trankopfer?
[a]Lasst sie aufstehen und euch helfen
und euch schützen!
39 **Sehet nun, dass [a]ich's allein bin
und ist kein Gott neben mir!**

32,21 ***a*** Ps 78,58; Jer 2,11 ***b*** Röm 10,19 **32,25** ***a*** Hes 5,17; 14,21 **32,28** ***a*** Jes 27,11; Jer 4,22 **32,30** ***a*** 3. Mose 26,36-37; Jes 30,17 **32,31** ***a*** Verse 4.37 **32,34** ***a*** Kap 29,28 **32,35** ***a*** Ps 94,1; Röm 12,19; Hebr 10,30 **32,37** ***a*** Vers 31 **32,38** ***a*** Ri 10,14; Jer 2,28 **32,39** ***a*** Kap 4,35; Jes 45,5

Ich kann [b]töten und lebendig machen,
ich kann schlagen und kann [c]heilen, und niemand kann aus meiner Hand reißen.

40 Denn ich will meine Hand zum Himmel heben
und will sagen: So wahr ich ewig lebe:
41 [a]Wenn ich mein blitzendes Schwert schärfe
und meine Hand zur Strafe greift,
so will ich mich rächen an meinen Feinden
und denen, die mich hassen, vergelten.
42 Ich will meine Pfeile mit Blut trunken machen,
und mein Schwert soll Fleisch fressen,
mit Blut von Erschlagenen und Gefangenen,
vom Haupt der Fürsten des Feindes.

43 [a]Preiset, ihr Heiden, sein Volk;
denn er wird das Blut seiner Knechte rächen
und wird an seinen Feinden Rache nehmen
und [b]entsühnen das Land seines Volks!

MOSES LETZTE MAHNUNG AN DAS VOLK

44 Und Mose kam und redete alle Worte
dieses Liedes vor den Ohren des Volks,
er und Josua, der Sohn Nuns. 45 Als nun
Mose das alles zu Ende geredet hatte vor
ganz Israel, 46 sprach er zu ihnen: Nehmt
zu Herzen alle Worte, die ich euch heute
bezeuge, dass ihr [a]euren Kindern befehlt,
alle Worte dieses Gesetzes zu halten und
zu tun. 47 Denn **es ist nicht ein leeres
Wort an euch, sondern [a]es ist euer Leben,**
und durch dies Wort werdet ihr lange
leben in dem Lande, in das ihr zieht über
den Jordan, um es einzunehmen.

GOTT BEREITET MOSE AUF SEINEN TOD VOR

48 Und der HERR redete mit Mose am sel-
ben Tage und sprach: 49 Geh auf das Ge-
birge [a]Abarim, auf den Berg Nebo, der da
liegt im Lande Moab gegenüber Jericho,
und schaue das Land Kanaan, das ich den
Israeliten zum Eigentum geben werde.
50 Dann stirb auf dem Berge, auf den du
hinaufgestiegen bist, und lass dich zu dei-
nem Volk versammeln, [a]wie dein Bruder
Aaron starb auf dem Berge Hor und zu sei-
nem Volk versammelt wurde; 51 denn ihr
habt euch an mir versündigt unter den Is-
raeliten bei dem Haderwasser zu Kadesch
in der Wüste Zin, [a]weil ihr mich nicht
heiligtet inmitten der Israeliten. 52 Denn
du sollst das Land vor dir sehen, das ich
den Israeliten gebe, aber du sollst nicht
hineinkommen.

MOSE SEGNET DIE STÄMME ISRAELS

(vgl. 1. Mose 49,1-28)

33 Dies ist der Segen, mit dem Mose, der
Mann Gottes, die Israeliten vor seinem
Tode segnete. 2 Er sprach: Der HERR ist
vom Sinai gekommen und ist ihnen auf-
geleuchtet von [a]Seïr her. Er ist erschienen
vom Berge Paran her und ist gezogen nach
Meribat-Kadesch; in seiner Rechten ist ein
feuriges Gesetz für sie. 3 Ja, er liebt die Völ-
ker! Alle Heiligen sind in deiner Hand. Sie
werden sich setzen zu deinen Füßen und
werden lernen von deinen Worten. 4 Mose
hat uns das Gesetz geboten, das Erbe der
Gemeinde Jakobs. 5 Und der Herr ward
[a]König über [b]Jeschurun, [c]als sich versam-
melten die Häupter des Volks samt den
Stämmen Israels.
6 *Ruben* lebe und sterbe nicht; seine
Mannschaft gewinne an Zahl!
7 Dies ist der Segen über *Juda.* Und er
sprach: HERR, erhöre die Stimme Judas
und bringe ihn zu seinem Volk; lass seine
Macht groß werden und sei ihm Hilfe wi-
der seine Feinde!
8 Und über *Levi* sprach er: Deine Lose
[a]»Licht und Recht« sollen bleiben bei
deinem Getreuen, den du [b]versucht hast

32,39 ***b*** 1. Sam 2,6 ***c*** 2. Mose 15,26; Hiob 5,18; Hos 6,1-2 **32,41** ***a*** (41-42) Jer 46,10 **32,43** ***a*** Röm 15,10 ***b*** Kap 21,8; 4. Mose 35,33-34 **32,46** ***a*** Kap 6,7 **32,47** ***a*** 3. Mose 18,5 **32,49** ***a*** 4. Mose 27,12; 33,48 **32,50** ***a*** 4. Mose 20,23-29 **32,51** ***a*** 4. Mose 20,12-13 **33,2** ***a*** Ri 5,4 **33,5** ***a*** 2. Mose 15,18 ***b*** Kap 32,15 ***c*** 2. Mose 19,7 **33,8** ***a*** 2. Mose 28,30; 1. Sam 14,41 ***b*** 2. Mose 17,2.7; Ps 95,8

zu Massa, für den du gestritten hast am
Haderwasser, 9 der [a]von seinem Vater
und von seiner Mutter spricht: »Ich sehe
ihn nicht«, und von seinem Bruder: »Ich
kenne ihn nicht«, und von seinem Sohn:
»Ich weiß nichts von ihm«. Die hüten
dein Wort und bewahren deinen Bund;
10 sie lehren Jakob deine Rechte und Israel
dein Gesetz; sie bringen Räucherwerk vor
dein Angesicht und Ganzopfer auf deinen
Altar. 11 HERR, segne seine Macht und lass
dir gefallen die Werke seiner Hände! Zer-
schlage den Rücken derer, die sich wider
ihn auflehnen, und derer, die ihn hassen,
dass sie nicht aufkommen!

12 Und über *Benjamin* sprach er: Der
Geliebte des HERRN wird sicher woh-
nen; allezeit wird Er die Hand über ihm
halten und wird zwischen seinen Höhen
wohnen.

13 Und über *Josef* sprach er: [a]Gesegnet
vom HERRN ist sein Land mit dem Köst-
lichsten vom Himmel droben, dem Tau,
und mit der Flut, die drunten liegt, 14 mit
dem Köstlichsten, was die Sonne hervor-
bringt, und mit dem Köstlichsten, was die
Monde erzeugen, 15 mit dem Besten ur-
alter Berge und mit dem Köstlichsten der
ewigen Hügel, 16 mit dem Köstlichsten der
Erde und ihrer Fülle. Die Gnade dessen,
der in dem [a]Dornbusch wohnte, komme
auf das [b]Haupt Josefs, auf den Scheitel des
Geweihten unter seinen Brüdern. 17 Sein
erstgeborener Stier ist voll Herrlichkeit,
und seine Hörner sind wie die Hörner
wilder Stiere; mit ihnen wird er die Völ-
ker stoßen bis an die Enden der Erde. Das
sind die Zehntausende [a]*Ephraims* und die
Tausende *Manasses.*

18 Und über *Sebulon* sprach er: Sebulon,
freue dich deiner Fahrten; und *Issachar,*
freue dich deiner Zelte. 19 Sie werden die
Stämme auf den Berg rufen und daselbst
opfern rechte Opfer. Denn sie werden den
Reichtum des Meeres gewinnen und die
verborgenen Schätze im Sande.

20 Und über *Gad* sprach er: Gelobt sei,
der Gad Raum schafft! Gad liegt da wie ein
Löwe und zerreißt Schenkel und Scheitel.
21 Und [a]er ersah sich ein Erstlingserbe;
denn daselbst war für ihn eines Anfüh-
rers Teil. Und es versammelten sich die
Häupter des Volks, und er vollstreckte die
Gerechtigkeit des HERRN und seine Ge-
richte zusammen mit Israel.

22 Und über *Dan* sprach er: Dan ist ein
junger Löwe, der hervorspringt aus Ba-
schan.

23 Und über *Naftali* sprach er: Naftali hat
viel Gnade und ist voll Segens des HERRN;
gegen Westen und Süden hat er Besitz.

24 Und über *Asser* sprach er: Asser ist ge-
segnet unter den Söhnen. Er sei der Lieb-
ling seiner Brüder und tauche seinen Fuß
in Öl. 25 Von Eisen und Erz sei der Riegel
deiner Tore; dein Alter sei wie deine Ju-
gend!

26 Es ist kein Gott wie der [a]Gott Jeschu-
runs, der am Himmel daherfährt dir zur
Hilfe und in seiner Hoheit auf den Wol-
ken. 27 Zuflucht ist bei dem Gott, der von
alters her ist, und unter seinen ewigen
Armen. Er hat vor dir her deinen Feind
vertrieben und geboten: Vertilge! 28 Israel
[a]wohnt sicher, der [b]Brunnquell Jakobs
unbehelligt in dem Lande, da [c]Korn und
Wein ist, dessen Himmel von Tau trieft.
29 [a]Wohl dir, Israel! Wer ist dir gleich? Du
Volk, das sein Heil empfängt durch den
HERRN, der deiner Hilfe Schild und das
Schwert deines Sieges ist! Deine Feinde
werden dir schmeicheln, und du wirst auf
ihren Höhen einherschreiten.

MOSES TOD

34 Und Mose stieg aus den Steppen Mo-
abs auf den Berg Nebo, den Gipfel des
Gebirges Pisga, gegenüber Jericho. Und
der HERR [a]zeigte ihm das ganze Land:
Gilead bis nach Dan 2 und das ganze Naf-
tali und das Land Ephraim und Manasse
und das ganze Land Juda bis an das Meer
im Westen 3 und das Südland und die Ge-
gend am Jordan, die Ebene von Jericho,
der [a]Palmenstadt, bis nach Zoar. 4 Und
der HERR sprach zu ihm: Dies ist das
Land, von dem ich Abraham, Isaak und
Jakob geschworen habe: [a]Ich will es dei-
nen Nachkommen geben. – Du hast es

33,9 ***a*** 2. Mose 32,27-29; Mt 10,37 **33,13** ***a*** 1. Mose 49,25
33,16 ***a*** 2. Mose 3,2-4 ***b*** 1. Mose 49,26
33,17 ***a*** 1. Mose 46,20 **33,21** ***a*** 4. Mose 32,29-32
33,26 ***a*** Kap 32,15 **33,28** ***a*** 3. Mose 25,18; 1. Kön 5,5
b Ps 68,27-28; Jes 51,1-2 ***c*** 1. Mose 27,28
33,29 ***a*** Kap 4,7-8; Ps 33,12; 144,15 **34,1** ***a*** Kap 3,27
34,3 ***a*** 2. Chr 28,15 **34,4** ***a*** 1. Mose 12,7

mit deinen Augen gesehen, aber du sollst
nicht hinübergehen.
5 So starb Mose, der Knecht des HERRN,
daselbst im Lande Moab nach dem Wort
des HERRN.[a] 6 Und er begrub ihn im Tal,
im Lande Moab gegenüber Bet-Peor. Und
niemand hat sein Grab erfahren bis auf
den heutigen Tag. 7 Und [a]Mose war hun-
dertzwanzig Jahre alt, als er starb. Seine
Augen waren nicht schwach geworden,
und seine Kraft war nicht verfallen. 8 Und
die Israeliten beweinten Mose in den
Steppen Moabs [a]dreißig Tage, bis die Zeit
des Weinens und Klagens über Mose voll-
endet war.
9 Josua aber, der Sohn Nuns, [a]wurde er-
füllt mit dem Geist der Weisheit; denn
Mose hatte [b]seine Hände auf ihn gelegt.
Und die Israeliten gehorchten ihm und ta-
ten, wie der HERR es Mose geboten hatte.
10 Und es stand hinfort kein Prophet in
Israel auf wie Mose, den [a]der HERR er-
kannt hätte von Angesicht zu Angesicht,
11 mit all den Zeichen und Wundern, mit
denen der HERR ihn gesandt hatte, dass er
sie täte in Ägyptenland am Pharao und an
allen seinen Großen und an seinem gan-
zen Lande, 12 und mit all der mächtigen
Kraft und den großen Schreckenstaten,
die Mose vollbrachte vor den Augen von
ganz Israel.

34,5 *a* Kap 32,50 **34,7** *a* Kap 31,2 **34,8** *a* 4. Mose 20,29
34,9 *a* 4. Mose 27,18-23 *b* 1. Tim 4,14; 2. Tim 1,6
34,10 *a* 2. Mose 33,11; 4. Mose 12,6-8; 1. Kor 13,12

DAS BUCH JOSUA

1–12 Das Land Kanaan wird erobert 13–22 Die Verteilung des Landes
23–24 Josua erneuert den Bund mit Gott

VORBEREITUNG FÜR DEN EINZUG IN DAS VERHEISSENE LAND

1 Nachdem Mose, der Knecht des HERRN,
gestorben war, sprach der HERR zu Jo-
sua, dem Sohn Nuns, Moses Diener:
2 Mein Knecht [a]Mose ist gestorben; so
mach dich nun auf und zieh über den Jor-
dan, du und dies ganze Volk, in das Land,
das ich ihnen, den Israeliten, gebe.[b] 3 Jede
Stätte, auf die eure Fußsohlen treten wer-
den, habe ich euch gegeben, wie ich Mose
zugesagt habe.[a] 4 Von der Wüste bis zum
Libanon und von dem großen Strom Eu-
phrat bis an das große Meer gegen Son-
nenuntergang, das ganze Land der Hetiter,
soll euer Gebiet sein. 5 Es soll dir niemand
widerstehen dein Leben lang. Wie ich
mit Mose gewesen bin, so will ich auch
mit dir sein. [a]Ich will dich nicht verlassen
noch von dir weichen. 6 Sei [a]getrost und
unverzagt; denn du sollst diesem Volk das
Land austeilen, das ich ihnen zum Erbe ge-
ben will, wie ich ihren Vätern geschworen
habe.

7 Sei nur getrost und ganz unverzagt,
dass du [a]hältst und tust in allen Dingen
nach dem Gesetz, das dir Mose, mein
Knecht, geboten hat. Weiche nicht da-
von, weder zur Rechten noch zur Linken,
auf dass du es recht ausrichten kannst,
wohin du auch gehst. 8 Und lass das Buch
dieses Gesetzes nicht von deinem Munde
kommen, sondern [a]betrachte es Tag und
Nacht, dass du hältst und tust in allen
Dingen nach dem, was darin geschrieben
steht. Dann wird es dir auf deinen Wegen
gelingen, und du wirst es recht ausrich-
ten.[b] 9 **Habe ich dir nicht geboten: Sei
getrost und unverzagt? Lass dir nicht
grauen und entsetze dich nicht; denn
der HERR, dein Gott, ist mit dir in al-
lem, was du tun wirst.**

10 Da gebot Josua den Amtleuten des
Volks und sprach: 11 Geht durch das La-
ger und gebietet dem Volk und sprecht:
Schafft euch Vorrat; denn nach drei Ta-
gen werdet ihr hier über den Jordan ge-
hen, dass ihr hineinkommt und das Land
einnehmt, das euch der HERR, euer Gott,
zum Besitz gibt.

12 [a]Und zu den Rubenitern, Gaditern
und dem halben Stamm Manasse sprach
Josua: 13 Denkt an das Wort, das euch
Mose, der Knecht des HERRN, geboten
hat: Der HERR, euer Gott, bringt euch zur
Ruhe und gibt euch dieses Land. 14 Eure
Frauen und Kinder und euer Vieh lasst
im Land bleiben, das euch Mose gegeben
hat, östlich des Jordans. Ihr aber sollt, so
viele von euch streitbare Männer sind, vor
euren Brüdern gerüstet hinüberziehen
und ihnen helfen, 15 bis der HERR eure
Brüder auch zur Ruhe bringt wie euch,
dass auch sie einnehmen das Land, das ih-
nen der HERR, euer Gott, gibt. Dann sollt
ihr zurückkehren in euer Land, das euch
Mose, der Knecht des HERRN, zum Besitz
gegeben hat östlich des Jordans, gegen
den Aufgang der Sonne. 16 Und sie ant-
worteten Josua und sprachen: Alles, was
du uns geboten hast, das wollen wir tun,
und wo du uns hinsendest, da wollen wir
hingehen. 17 Wie wir Mose gehorsam ge-
wesen sind, so wollen wir auch dir gehor-
sam sein. Möge nur der HERR, dein Gott,
mit dir sein, wie er mit Mose war! 18 Wer
deinem Mund ungehorsam ist und nicht
gehorcht deinen Worten in allem, was du
uns gebietest, der soll sterben. [a]Sei nur ge-
trost und unverzagt!

DIE KUNDSCHAFTER IN JERICHO

2 Josua aber, der Sohn Nuns, sandte von
Schittim zwei Männer heimlich als
Kundschafter aus und sagte ihnen: Geht
hin, seht das Land an, auch Jericho. Die

1,2 *a* 5. Mose 34,5 *b* 5. Mose 3,27-28 **1,3** *a* Kap 14,9;
5. Mose 11,24 **1,5** *a* 5. Mose 31,7-8; Hebr 13,5
1,6 *a* 5. Mose 3,28 **1,7** *a* 5. Mose 5,32; 1. Kön 2,3
1,8 *a* Ps 1,2-3 *b* 5. Mose 29,8
1,12 *a* (12-18) 5. Mose 3,12-20; 4. Mose 32,20-29
1,18 *a* Vers 6

gingen hin und kamen in das Haus einer Hure, die hieß [a]Rahab, und kehrten dort ein. 2 Da wurde dem König von Jericho angesagt: Siehe, es sind in dieser Nacht Männer von den Israeliten hereingekommen, um das Land zu erkunden. 3 Da sandte der König von Jericho zu Rahab und ließ ihr sagen: Gib die Männer heraus, die zu dir in dein Haus gekommen sind; denn sie sind gekommen, um das ganze Land zu erkunden. 4 Aber die Frau nahm die beiden Männer und verbarg sie. Und sie sprach: Ja, es sind Männer zu mir hereingekommen, aber ich wusste nicht, woher sie waren.[a] 5 Und als man das Stadttor schließen wollte, da es finster wurde, gingen die Männer hinaus, und ich weiß nicht, wo sie hingegangen sind. Jagt ihnen eilends nach, dann werdet ihr sie ergreifen. 6 Sie aber hatte sie auf das Dach steigen lassen und unter den Flachsstängeln versteckt, die sie auf dem Dach ausgebreitet hatte. 7 Die Verfolger aber jagten ihnen nach auf dem Wege zum Jordan bis an die Furten, und man schloss das Tor zu, als sie draußen waren.

8 Und ehe die Männer sich schlafen legten, stieg Rahab zu ihnen hinauf auf das Dach 9 und sprach zu ihnen: Ich weiß, dass der HERR euch das Land gegeben hat; denn [a]ein Schrecken vor euch ist über uns gefallen, und alle Bewohner des Landes sind vor euch feige geworden. 10 Denn wir haben gehört, wie der HERR [a]das Wasser im Schilfmeer ausgetrocknet hat vor euch her, als ihr aus Ägypten zogt, und was ihr den beiden Königen der Amoriter, [b]Sihon und Og, jenseits des Jordans getan habt, wie ihr an ihnen den Bann vollstreckt habt. 11 Und seitdem wir das gehört haben, [a]ist unser Herz verzagt und es wagt keiner mehr, vor euch zu atmen; denn [b]der HERR, euer Gott, ist Gott oben im Himmel und unten auf Erden. 12 So schwört mir nun bei dem HERRN, weil ich an euch Barmherzigkeit getan habe, dass auch ihr [a]an meines Vaters Hause Barmherzigkeit tut, und gebt mir ein sicheres Zeichen, 13 dass ihr leben lasst meinen Vater, meine Mutter, meine Brüder und meine Schwestern und alles, was sie haben, und uns vom Tode errettet. 14 Die Männer sprachen zu ihr: Tun wir nicht Barmherzigkeit und Treue an dir, wenn uns der HERR das Land gibt, so wollen wir selbst des Todes sein, sofern du unsere Sache nicht verrätst.

15 Da ließ Rahab sie an einem Seil durchs Fenster hinab; denn ihr Haus war an der Stadtmauer, und sie wohnte an der Mauer. 16 Und sie sprach zu ihnen: Geht auf das Gebirge, dass eure Verfolger euch nicht begegnen, und verbergt euch dort drei Tage, bis zurückkommen, die euch nachjagen; danach geht eures Weges. 17 Die Männer aber sprachen zu ihr: So wollen wir den Eid einlösen, den du uns hast schwören lassen: 18 Wenn wir ins Land kommen, so sollst du dies rote Seil in das Fenster knüpfen, durch das du uns herabgelassen hast, und zu dir ins Haus versammeln deinen Vater, deine Mutter, deine Brüder und deines Vaters ganzes Haus. 19 So soll es sein: Wer zur Tür deines Hauses herausgeht, dessen Blut komme über sein Haupt, aber wir seien unschuldig; doch das Blut aller, die in deinem Hause bleiben, soll über unser Haupt kommen, wenn Hand an sie gelegt wird. 20 Und wenn du etwas von dieser unserer Sache verrätst, so sind wir frei von dem Eid, den du uns hast schwören lassen. 21 Sie sprach: Es sei, wie ihr sagt!, und ließ sie gehen. Und sie gingen weg. Und sie knüpfte das rote Seil ins Fenster.

22 Sie aber gingen weg und kamen aufs Gebirge und blieben drei Tage dort, bis die zurückgekommen waren, die ihnen nachjagten. Denn sie hatten sie gesucht auf allen Straßen und doch nicht gefunden. 23 Da kehrten die beiden Männer um und gingen vom Gebirge herab und setzten über und kamen zu Josua, dem Sohn Nuns, und erzählten ihm alles, was ihnen begegnet war, 24 und sprachen zu Josua: Der HERR hat uns das ganze Land in unsere Hände gegeben, und [a]es sind auch alle Bewohner des Landes vor uns feige geworden.

ISRAEL GEHT DURCH DEN JORDAN

3 Und Josua machte sich früh auf, und sie zogen aus [a]Schittim und kamen an den Jordan, er und alle Israeliten, und blieben

2,1 *a* Mt 1,5; Hebr 11,31; Jak 2,25 **2,4** *a* Kap 6,17
2,9 *a* 2. Mose 23,27 **2,10** *a* 2. Mose 14,21
b 4. Mose 21,21-26 **2,11** *a* Kap 5,1 *b* 5. Mose 4,39
2,12 *a* Kap 6,23.25 **2,24** *a* Vers 9 **3,1** *a* 4. Mose 25,1

dort über Nacht, ehe sie hinüberzogen.
2 Nach drei Tagen aber gingen die Amt-
leute durchs Lager 3 [a]und geboten dem
Volk: Wenn ihr die Lade des Bundes des
HERRN, eures Gottes, seht und wie die le-
vitischen Priester sie [b]tragen, so brecht auf
von eurem Ort und folgt ihr nach; 4 doch
dass zwischen euch und ihr ein Abstand
sei von ungefähr zweitausend Ellen! Ihr
sollt ihr nicht zu nahe kommen. So werdet
ihr wissen, auf welchem Wege ihr gehen
sollt; denn ihr seid den Weg bisher noch
nicht gegangen. 5 Und Josua sprach zum
Volk: [a]Heiligt euch, denn morgen wird
der HERR Wunder unter euch tun. 6 Und
Josua sprach zu den Priestern: [a]Hebt die
Bundeslade auf und geht vor dem Volk
her! Da hoben sie die Bundeslade auf und
gingen vor dem Volk her. 7 Und der HERR
sprach zu Josua: Heute will ich anfangen,
[a]dich groß zu machen vor ganz Israel, da-
mit sie wissen: [b]Wie ich mit Mose gewe-
sen bin, so werde ich auch mit dir sein.
8 Und du gebiete den Priestern, die die
Bundeslade tragen, und sprich: Wenn ihr
an das Wasser des Jordans herankommt,
so bleibt im Jordan stehen.

9 Und Josua sprach zu den Israeliten:
Herzu! Hört die Worte des HERRN, eures
Gottes! 10 Daran sollt ihr merken, dass ein
lebendiger Gott unter euch ist und dass er
vor euch vertreiben wird die Kanaaniter,
Hetiter, Hiwiter, Perisiter, Girgaschiter,
Amoriter und Jebusiter: 11 Siehe, die Lade
des Bundes des Herrn der ganzen Erde
wird vor euch hergehen in den Jordan.
12 So nehmt nun zwölf Männer aus den
Stämmen Israels, aus jedem Stamm einen.
13 Wenn dann die Fußsohlen der Priester,
die die Lade des HERRN, des Herrn der
ganzen Erde, tragen, in dem Wasser des
Jordans stillstehen, so wird das Wasser
des Jordans, das von oben herabfließt,
nicht weiterlaufen, sondern stehen blei-
ben [a]wie ein einziger Wall.

14 Als nun das Volk aus seinen Zelten
auszog, um durch den Jordan zu gehen,
und die Priester die Bundeslade vor dem
Volk hertrugen, 15 und als die Träger der
Lade an den Jordan kamen und die Füße
der Priester, die die Lade trugen, ins Was-
ser tauchten – der Jordan aber war die
ganze Zeit der Ernte über alle seine Ufer
getreten –, 16 da stand das Wasser, das
von oben herniederkam, aufgerichtet wie
ein einziger Wall, sehr fern, bei der Stadt
Adam, die zur Seite von Zaretan liegt; aber
das Wasser, das zum Meer der Araba* hin-
unterlief, zum Salzmeer, das nahm ab und
floss ganz weg. So ging das Volk hindurch
gegenüber von Jericho.[a] 17 Und die Pries-
ter, die die Lade des Bundes des HERRN
trugen, standen still im Trockenen mitten
im Jordan. Und ganz Israel ging auf trocke-
nem Boden hindurch, bis das ganze Volk
über den Jordan gekommen war.

DIE GEDENKSTEINE DES DURCHZUGS

4 Als nun das Volk ganz über den Jordan
gegangen war, sprach der HERR zu Jo-
sua: 2 Nehmt euch aus dem Volk zwölf
Männer, aus jedem Stamm einen, 3 und
gebietet ihnen: Hebt mitten aus dem Jor-
dan zwölf Steine auf von der Stelle, wo die
Füße der Priester stillstehen, und bringt
sie mit euch hinüber und legt sie in dem
Lager nieder, wo ihr diese Nacht bleiben
werdet. 4 Da rief Josua die zwölf Männer,
die er bestellt hatte von den Israeliten, aus
jedem Stamm einen, 5 und Josua sprach
zu ihnen: Geht hinüber vor der Lade des
HERRN, eures Gottes, mitten in den Jor-
dan, und ein jeder hebe einen Stein auf
seine Schulter, nach der Zahl der Stämme
Israels, 6 [a]damit sie ein Zeichen seien unter
euch. Wenn [b]eure Kinder später einmal
fragen: Was bedeuten euch diese Steine?,
7 so sollt ihr ihnen sagen: Weil das Was-
ser des Jordans weggeflossen ist vor der
Lade des Bundes des HERRN, als sie durch
den Jordan ging, sollen diese Steine für
die Israeliten ein ewiges Andenken sein.
8 Da taten die Israeliten, wie ihnen Josua
geboten hatte, und trugen zwölf Steine
mitten aus dem Jordan, wie der HERR
zu Josua gesagt hatte, nach der Zahl der
Stämme Israels, und brachten sie mit sich
hinüber in das Lager und legten sie dort
nieder.

9 Und Josua richtete zwölf Steine auf
mitten im Jordan, wo die Füße der Pries-

* **3,16** Siehe Sach- und Worterklärungen.

3,3 *a* (3-4) Kap 1,11 *b* 5. Mose 10,8 **3,5** *a* Kap 7,13
3,6 *a* Kap 6,6 **3,7** *a* Kap 4,14 *b* Kap 1,5.17
3,13 *a* 2. Mose 15,8 **3,16** *a* 2. Mose 14,21-22; Ps 114,3
4,6 *a* (6-7) Verse 21-23 *b* 2. Mose 12,26

ter gestanden hatten, die die Bundeslade
trugen; diese sind noch dort bis auf den
heutigen Tag.
10 Die Priester aber, die die Lade trugen,
standen mitten im Jordan, bis alles aus-
gerichtet war, was der HERR dem Josua
geboten hatte, dem Volk zu sagen, genau
wie Mose dem Josua geboten hatte. Und
das Volk ging eilends hinüber. 11 Als nun
das Volk ganz hinübergegangen war, da
ging die Lade des HERRN auch hinüber
und die Priester vor dem Volk her. 12 Und
die Rubeniter und Gaditer und der halbe
Stamm Manasse gingen gerüstet vor den
Israeliten her, wie Mose zu ihnen geredet
hatte.[a] 13 An vierzigtausend bewaffnete
Männer gingen vor dem HERRN her zum
Kampf ins Jordantal von Jericho. 14 An
diesem Tage [a]machte der HERR den Josua
groß vor ganz Israel. Und sie fürchteten
ihn, wie sie Mose gefürchtet hatten, sein
Leben lang.
15 Und der HERR sprach zu Josua: 16 Ge-
biete den Priestern, die die Lade des Zeug-
nisses tragen, dass sie aus dem Jordan
heraufsteigen. 17 Da gebot Josua den Pries-
tern: Steigt herauf aus dem Jordan! 18 Und
als die Priester, die die Lade des Bundes
des HERRN trugen, aus dem Jordan her-
aufstiegen und mit ihren Fußsohlen aufs
Trockene traten, kam das Wasser des
Jordans wieder an seine Stätte und floss
wie vorher über alle seine Ufer. 19 Es war
aber der zehnte Tag des ersten Monats,
als das Volk aus dem Jordan heraufstieg.
Und sie lagerten sich in Gilgal, östlich von
Jericho.
20 Und die zwölf Steine, die sie aus dem
Jordan genommen hatten, richtete Josua
auf in Gilgal 21 und sprach zu den Israeli-
ten: [a]Wenn eure Kinder später einmal
ihre Väter fragen: Was bedeuten diese
Steine?, 22 so sollt ihr ihnen kundtun und
sagen: Israel ging auf trockenem Boden
durch den Jordan, 23 als der HERR, euer
Gott, den Jordan vor euch austrocknete,
bis ihr hinübergegangen wart, wie der
HERR, euer Gott, am Schilfmeer getan
hatte, das er vor uns austrocknete, bis wir
hindurchgegangen waren;[a] 24 auf dass alle
Völker auf Erden die Hand des HERRN er-
kennen, wie mächtig sie ist, und ihr den
HERRN, euren Gott, fürchtet allezeit.

5 Als nun alle Könige der Amoriter, die
jenseits des Jordans nach Westen zu
wohnten, und alle Könige der Kanaaniter
am Meer hörten, wie der HERR das Was-
ser des Jordans ausgetrocknet hatte vor
den Israeliten, bis sie hinübergegangen
waren, da [a]verzagte ihr Herz, und der Mut
verließ sie beim Anblick der Israeliten.

BESCHNEIDUNG.
FEIER DES PASSA IN KANAAN

2 Zu der Zeit sprach der HERR zu Josua:
Mache dir [a]steinerne Messer und [b]be-
schneide die Israeliten wie schon früher.
3 Da machte sich Josua steinerne Messer
und beschnitt die Israeliten auf dem Hü-
gel der Vorhäute.
4 Und das ist der Grund, warum Josua
sie beschnitten hat: Das ganze Volk, das
aus Ägypten gezogen war, die Männer,
alle Kriegsleute, waren unterwegs in der
Wüste gestorben, als sie aus Ägypten zo-
gen. 5 Denn das ganze Volk, das auszog,
war beschnitten gewesen; aber das ganze
Volk, das unterwegs in der Wüste geboren
war, als sie aus Ägypten zogen, das war
nicht beschnitten. 6 Denn die Israeliten
wanderten vierzig Jahre in der Wüste, bis
es mit dem ganzen Volk, den Kriegsmän-
nern, die aus Ägypten gezogen waren, zu
Ende gegangen war, weil sie der Stimme
des HERRN nicht gehorcht hatten; wie
denn der HERR ihnen geschworen hatte,
[a]sie sollten das Land nicht sehen, das der
HERR, wie er ihren Vätern geschworen
hatte, uns geben wollte, ein Land, darin
Milch und Honig fließt. 7 Ihre Söhne, die er
an ihrer statt hatte aufwachsen lassen, be-
schnitt Josua; denn sie waren noch unbe-
schnitten und unterwegs nicht beschnit-
ten worden. 8 Und als das ganze Volk
beschnitten war, blieben sie an ihrem Ort
im Lager, bis sie genesen waren. 9 Und der
HERR sprach zu Josua: Heute habe ich die
Schande Ägyptens von euch abgewälzt.
Und diese Stätte wurde [a]Gilgal genannt
bis auf diesen Tag.
10 [a]Und als die Israeliten in Gilgal das

4,12 *a* Kap 1,12-16 **4,14** *a* Kap 3,7 **4,21** *a* Vers 6
4,23 *a* Kap 3,9-17; 2. Mose 14,21-22 **5,1** *a* Kap 2,24
5,2 *a* 2. Mose 4,25 *b* 1. Mose 17,12-14
5,6 *a* 4. Mose 14,22-23 **5,9** *a* Kap 4,19
5,10 *a* (10-11) 2. Mose 12,6.39; 3. Mose 23,14

Lager aufgeschlagen hatten, hielten sie
Passa am vierzehnten Tage des Monats
am Abend im Jordantal von Jericho 11 und
aßen vom Getreide des Landes am Tag
nach dem Passa, nämlich ungesäuertes
Brot und geröstete Körner, an eben die-
sem Tage. 12 Und das [a]Manna hörte auf am
andern Morgen, als sie vom Getreide des
Landes aßen. Seither hatten die Israeliten
kein Manna mehr, sondern aßen von der
Ernte des Landes Kanaan in diesem Jahr.

DER FÜRST ÜBER DAS HEER DES HERRN

13 Und es begab sich, als Josua bei Jeri-
cho war, dass er seine Augen aufhob und
gewahr wurde, dass [a]ein Mann ihm ge-
genüberstand und ein bloßes Schwert
in seiner Hand hatte. Und Josua ging zu
ihm und sprach zu ihm: Gehörst du zu
uns oder zu unsern Feinden? 14 Er sprach:
Nein, sondern ich bin der Fürst über das
Heer des HERRN und bin jetzt gekom-
men. Da fiel Josua auf sein Angesicht
zur Erde nieder, betete an und sprach zu
ihm: Was sagt mein Herr seinem Knecht?
15 Und der Fürst über das Heer des HERRN
sprach zu Josua: [a]Zieh deine Schuhe von
deinen Füßen; denn die Stätte, darauf du
stehst, ist heilig. Und so tat Josua.

JERICHO WIRD EROBERT UND ZERSTÖRT

6 Jericho aber war verschlossen und
verwahrt vor den Israeliten, sodass
niemand heraus- oder hineinkommen
konnte. 2 Da sprach der HERR zu Josua:
Sieh, ich habe Jericho samt seinem König
und seinen Kriegsleuten in deine Hand
gegeben. 3 Lass alle Kriegsmänner einmal
rings um die Stadt herumgehen, und tu so
sechs Tage lang. 4 Und lass sieben Priester
sieben Posaunen tragen vor der Lade her,
und am siebenten Tage zieht siebenmal
um die Stadt und lass die Priester die Po-
saunen blasen. 5 Und wenn man das Horn
bläst und ihr den Schall der Posaune hört,
so soll das ganze Volk ein großes Kriegsge-
schrei erheben. Dann wird die Stadtmauer
einfallen, und das Volk soll hinaufsteigen,
ein jeder, wo er gerade steht.
6 Da rief Josua, der Sohn Nuns, die Pries-
ter und sprach zu ihnen: Tragt die Bun-
deslade und lasst sieben Priester sieben
Posaunen tragen vor der Lade des HERRN.
7 Zum Volk aber sprach er: Geht hin und
zieht um die Stadt; und wer bewaffnet
ist, soll vor der Lade des HERRN herge-
hen. 8 Als Josua das dem Volk gesagt hatte,
trugen die sieben Priester sieben Posau-
nen vor dem HERRN her und gingen und
bliesen die Posaunen, und die Lade des
Bundes des HERRN folgte ihnen nach.
9 Und wer bewaffnet war, ging vor den
Priestern her, die die Posaunen bliesen,
und das übrige Volk folgte der Lade nach,
und man blies immerfort die Posaunen.
10 Josua aber gebot dem Volk und sprach:
Ihr sollt kein Kriegsgeschrei erheben noch
eure Stimme hören lassen, noch soll ein
Wort aus eurem Munde gehen bis auf den
Tag, an dem ich zu euch sage: »Macht ein
Kriegsgeschrei!« Dann sollt ihr das Kriegs-
geschrei erheben.
11 So ließ er die Lade des HERRN ein-
mal rings um die Stadt ziehen, und sie
kamen zurück in das Lager und blieben
über Nacht im Lager. 12 Und Josua machte
sich früh am Morgen auf, und die Priester
trugen die Lade des HERRN. 13 So trugen
die sieben Priester die sieben Posaunen
vor der Lade des HERRN her und bliesen
immerfort die Posaunen; und wer bewaff-
net war, ging vor ihnen her, und das üb-
rige Volk folgte der Lade des HERRN, und
man blies immerfort die Posaunen. 14 Am
zweiten Tage gingen sie auch einmal um
die Stadt und kamen zurück ins Lager. So
taten sie sechs Tage.
15 Am siebenten Tage aber, als die Mor-
genröte aufging, machten sie sich früh auf
und zogen in derselben Weise siebenmal
um die Stadt; nur an diesem Tag zogen sie
siebenmal um die Stadt. 16 Und beim sie-
benten Mal, als die Priester die Posaunen
bliesen, sprach Josua zum Volk: Macht ein
Kriegsgeschrei! Denn der HERR hat euch
die Stadt gegeben. 17 Aber diese Stadt und
alles, was darin ist, soll [a]dem Bann des
HERRN verfallen sein. [b]Nur die Hure Ra-
hab soll am Leben bleiben und alle, die mit
ihr im Hause sind; denn sie hat die Boten
verborgen, die wir aussandten. 18 Allein
hütet euch [a]vor dem Gebannten und lasst

5,12 ***a*** 2. Mose 16,35 **5,13** ***a*** 4. Mose 22,23.31
5,15 ***a*** 2. Mose 3,5 **6,17** ***a*** 5. Mose 20,16-17 ***b*** Kap 2,12-13; Hebr 11,31 **6,18** ***a*** 3. Mose 27,28; 5. Mose 13,18

euch nicht gelüsten, etwas von dem Ge-
bannten zu nehmen und das Lager Israels
in Bann und Unglück zu bringen. 19 Aber
alles Silber und Gold samt dem eher-
nen und eisernen Gerät soll dem HERRN
geheiligt sein, dass es zum Schatz des
HERRN komme.
20 Da erhob das Volk ein Kriegsgeschrei,
und man blies die Posaunen. Und als das
Volk den Schall der Posaunen hörte, erhob
es ein großes Kriegsgeschrei. Da [a]fiel die
Mauer um, und das Volk stieg zur Stadt
hinauf, ein jeder, wo er gerade stand. So
nahmen sie die Stadt ein 21 und vollstreck-
ten den Bann an allem, was in der Stadt
war, mit der Schärfe des Schwerts, an
Mann und Weib, Jung und Alt, Rindern,
Schafen und Eseln.
22 [a]Aber Josua sprach zu den beiden
Männern, die das Land erkundet hatten:
Geht in das Haus der Hure und führt die
Frau von da heraus mit allem, was sie hat,
wie ihr es ihr geschworen habt. 23 Da gin-
gen die jungen Männer, die Kundschafter,
hinein und führten Rahab heraus samt
ihrem Vater und ihrer Mutter und ihren
Brüdern und allem, was sie hatte, und ihr
ganzes Geschlecht führten sie heraus und
gaben ihnen einen Platz außerhalb des La-
gers Israels. 24 Aber die Stadt verbrannten
sie mit Feuer und alles, was darin war. Nur
das Silber und Gold und die ehernen und
eisernen Geräte taten sie zum Schatz in
das Haus des HERRN. 25 Rahab aber, die
Hure, samt dem Hause ihres Vaters und
allem, was sie hatte, [a]ließ Josua leben. Und
sie blieb in Israel wohnen bis auf diesen
Tag, weil sie die Boten verborgen hatte,
die Josua gesandt hatte, um Jericho aus-
zukundschaften.
26 Zu der Zeit ließ Josua schwören: Ver-
flucht sei vor dem HERRN, wer sich auf-
macht und diese Stadt Jericho wieder
aufbaut! [a]Wenn er ihren Grund legt, das
koste ihn seinen erstgeborenen Sohn, und
wenn er ihre Tore setzt, das koste ihn sei-
nen jüngsten Sohn! 27 So war der HERR
mit Josua, dass man ihn rühmte im gan-
zen Lande.

ACHANS DIEBSTAHL

7 Aber die Israeliten vergriffen sich an
dem Gebannten; denn Achan, der Sohn
Karmis, des Sohnes Sabdis, des Sohnes
Serachs, vom Stamm Juda, [a]nahm etwas
vom Gebannten. Da entbrannte der Zorn
des HERRN über die Israeliten.
2 Und Josua sandte Männer aus von Je-
richo nach Ai, das bei Bet-Awen liegt
östlich von Bethel, und sprach zu ihnen:
Geht hinauf und erkundet das Land. Und
als die Männer hinaufgegangen waren und
Ai erkundet hatten, 3 kamen sie zu Josua
zurück und sprachen zu ihm: Lass nicht
das ganze Kriegsvolk hinaufziehen, son-
dern etwa zwei- oder dreitausend Mann
sollen hinaufziehen und Ai schlagen, da-
mit nicht das ganze Volk sich dorthin be-
mühe; denn ihrer sind wenige. 4 So zogen
hinauf vom Volk etwa dreitausend Mann;
aber sie flohen vor den Männern von Ai.
5 Und die Männer von Ai erschlugen von
ihnen etwa sechsunddreißig Mann; sie
hatten sie nämlich von dem Tor bis zu den
Steinbrüchen gejagt und am Abhang er-
schlagen. Da verzagte das Herz des Volks
und ward zu Wasser.
6 Josua aber zerriss seine Kleider und fiel
auf sein Angesicht zur Erde vor der Lade
des HERRN bis zum Abend samt den Äl-
testen Israels, und sie warfen Staub auf
ihr Haupt. 7 Und Josua sprach: Ach, Herr
HERR, warum hast du dies Volk über den
Jordan geführt und gibst uns in die Hände
der Amoriter, um uns umzubringen? O
dass wir doch jenseits des Jordans geblie-
ben wären! 8 Ach, mein Herr, was soll ich
sagen, nachdem Israel seinen Feinden den
Rücken gekehrt hat? 9 Wenn das die Kana-
aniter und alle Bewohner des Landes hö-
ren, so werden sie uns umringen und un-
sern Namen ausrotten von der Erde. Was
willst du dann für deinen großen Namen
tun?[a]
10 Da sprach der HERR zu Josua: Steh
auf! Warum liegst du da auf deinem An-
gesicht? 11 Israel hat sich versündigt, sie
haben meinen Bund übertreten, den ich
ihnen geboten habe, und haben von dem
Gebannten genommen und gestohlen und
haben's verheimlicht und zu ihren Gerä-
ten gelegt. 12 Darum können die Israeliten
nicht bestehen vor ihren Feinden, sondern

6,20 *a* Hebr 11,30 **6,22** *a* (22-23) Kap 2,12-14
6,25 *a* Ri 1,25 **6,26** *a* 1. Kön 16,34 **7,1** *a* Kap 6,18
7,9 *a* 2. Mose 32,12

müssen ihnen den Rücken kehren; denn
sie sind dem Bann verfallen. Ich werde
hinfort nicht mit euch sein, wenn ihr nicht
das Gebannte aus eurer Mitte tilgt. 13 Steh
auf, heilige das Volk und sprich: [a]Heiligt
euch auf morgen! Denn so spricht der
HERR, der Gott Israels: Es ist Gebanntes
in deiner Mitte, Israel; darum kannst du
nicht bestehen vor deinen Feinden, bis ihr
das Gebannte von euch tut. 14 Und mor-
gen früh sollt ihr herzutreten, ein Stamm
nach dem andern; und welchen Stamm
der HERR treffen wird, der soll herzu-
treten, ein Geschlecht nach dem andern;
und welches Geschlecht der HERR treffen
wird, das soll herzutreten, ein Haus nach
dem andern; und welches Haus der HERR
treffen wird, das soll herzutreten, Mann
für Mann. 15 Und wer so mit dem Gebann-
ten angetroffen wird, den soll man mit
Feuer verbrennen mit allem, was er hat,
weil er den Bund des HERRN übertreten
und einen Frevel in Israel begangen hat.

16 Da machte sich Josua früh am Mor-
gen auf und ließ Israel herzutreten, einen
Stamm nach dem andern; und es wurde
getroffen der Stamm Juda.[a] 17 Und als er
die Geschlechter Judas herzutreten ließ,
wurde getroffen das Geschlecht der Se-
rachiter. Und als er das Geschlecht der
Serachiter herzutreten ließ, wurde Sabdi
getroffen. 18 Und als er sein Haus her-
zutreten ließ, Mann für Mann, wurde
getroffen Achan, der Sohn Karmis, des
Sohnes Sabdis, des Sohnes Serachs, aus
dem Stamm Juda. 19 Und Josua sprach zu
Achan: Mein Sohn, gib dem HERRN, dem
Gott Israels, die Ehre und lobe ihn. Sage
mir, was du getan hast, und verhehle mir
nichts. 20 Da antwortete Achan Josua und
sprach: Wahrlich, ich habe mich versün-
digt an dem HERRN, dem Gott Israels.
Das habe ich getan: 21 Ich sah unter der
Beute einen kostbaren Mantel aus Schinar
und zweihundert Schekel Silber und eine
Stange von Gold, fünfzig Schekel schwer;
danach gelüstete mich und ich nahm es.
Und siehe, es ist verscharrt in der Erde in
meinem Zelt und das Silber darunter.

22 Da sandte Josua Boten hin, die liefen
zum Zelt; und siehe, es war verscharrt
in seinem Zelt und das Silber darunter.
23 Und sie nahmen's aus dem Zelt und
brachten's zu Josua und zu allen Israeliten
und legten's nieder vor dem HERRN. 24 Da
[a]nahmen Josua und ganz Israel mit ihm
Achan, den Sohn Serachs, samt dem Sil-
ber, dem Mantel und der Stange von Gold,
seine Söhne und Töchter, seine Rinder
und Esel und Schafe, sein Zelt und alles,
was er hatte, und führten sie hinauf ins Tal
Achor. 25 Und Josua sprach: Weil du uns
betrübt hast, so betrübe dich der HERR an
diesem Tage. [a]Und ganz Israel steinigte
ihn und verbrannte sie mit Feuer. Und
als sie sie gesteinigt hatten, 26 machten sie
über ihm einen großen Steinhaufen; der
ist geblieben bis auf diesen Tag. So kehrte
sich der HERR ab von dem Grimm seines
Zorns. Daher nennt man diesen Ort [a]»Tal
Achor«* bis auf diesen Tag.

EROBERUNG DER STADT AI

8 Und der HERR sprach zu Josua: Fürchte
dich nicht und verzage nicht! Nimm mit
dir das ganze Kriegsvolk und mache dich
auf und zieh hinauf nach Ai! Sieh, ich habe
den König von Ai samt seinem Volk, sei-
ner Stadt und seinem Land in deine Hand
gegeben. 2 Und du sollst mit Ai und sei-
nem König tun, [a]wie du mit Jericho und
seinem König getan hast, nur dass ihr [b]die
Beute und das Vieh unter euch teilen sollt.
Lege einen Hinterhalt hinter die Stadt!

3 Da machte sich Josua auf und das ganze
Kriegsvolk, um nach Ai hinaufzuziehen.
Und Josua erwählte dreißigtausend streit-
bare Männer und sandte sie aus bei Nacht
4 und gebot ihnen: Seht zu, ihr sollt der
Hinterhalt sein hinter der Stadt. Entfernt
euch aber nicht allzu weit von der Stadt
und seid allesamt bereit! 5 Ich aber und das
ganze Kriegsvolk, das bei mir ist, wollen
nahe an die Stadt heranrücken. Und wenn
sie ausziehen uns entgegen wie das erste
Mal, so wollen wir vor ihnen fliehen, 6 da-
mit sie uns nachjagen, bis wir sie von der
Stadt weglocken. Denn sie werden den-
ken, wir fliehen vor ihnen [a]wie das erste
Mal. Und wenn wir vor ihnen fliehen,
7 sollt ihr hervorbrechen aus dem Hinter-

* **7,26** Der Name bedeutet »Unglückstal«.

7,13 *a* Kap 3,5 **7,16** *a* 1. Sam 10,20-21; 14,41-42
7,24 *a* 3. Mose 24,14-15 **7,25** *a* 5. Mose 13,16-17
7,26 *a* Jes 65,10; Hos 2,17 **8,2** *a* Kap 6,21
b 5. Mose 20,10-18 **8,6** *a* Kap 7,5

halt und die Stadt einnehmen; denn der
HERR, euer Gott, wird sie in eure Hände
geben. 8 Wenn ihr aber die Stadt einge-
nommen habt, so steckt sie in Brand und
tut nach dem Wort des HERRN. Siehe, ich
hab's euch geboten.

9 So sandte sie Josua hin. Und sie zo-
gen in den Hinterhalt und lagerten sich
zwischen Bethel und Ai, westlich von
Ai. Josua aber blieb die Nacht unter dem
Volk 10 und machte sich früh am Morgen
auf und ordnete das Volk und zog hinauf
mit den Ältesten Israels vor dem Volk her
nach Ai. 11 Und das ganze Kriegsvolk, das
bei ihm war, zog hinauf, und sie kamen
nahe vor die Stadt und lagerten sich nörd-
lich von Ai, sodass nur ein Tal war zwi-
schen ihnen und Ai. 12 Er hatte aber etwa
fünftausend Mann genommen und in den
Hinterhalt gelegt zwischen Bethel und Ai,
westlich von der Stadt. 13 Und sie stellten
das Volk auf, das ganze Lager nördlich vor
der Stadt, ebenso die Nachhut westlich der
Stadt. Und Josua zog hin in dieser Nacht
mitten in das Tal.

14 Als aber der König von Ai das sah,
machten die Männer der Stadt sich eilends
früh auf und zogen aus an einen bestimm-
ten Ort nach dem Jordantal zu, um Israel
zum Kampf zu begegnen, er mit seinem
ganzen Kriegsvolk. Denn er wusste nicht,
dass ihm ein Hinterhalt gelegt war auf der
andern Seite der Stadt. 15 Josua aber und
ganz Israel stellten sich, als würden sie
vor ihnen geschlagen, und flohen auf dem
Wege zur Wüste. 16 Da wurde das ganze
Volk in der Stadt zusammengerufen, um
ihnen nachzujagen. Und sie jagten Josua
nach und wurden von der Stadt wegge-
lockt, 17 sodass nicht *ein* Mann in Ai und
Bethel zurückblieb, der nicht ausgezogen
wäre, um Israel nachzujagen, und ließen
die Stadt offen stehen und jagten Israel
nach.

18 Da sprach der HERR zu Josua: Stre-
cke die Lanze in deiner Hand aus gegen
Ai; denn ich will es in deine Hand geben.
Und als Josua die Lanze in seiner Hand ge-
gen die Stadt ausstreckte, 19 da brach der
Hinterhalt eilends auf aus seinem Ver-
steck, und sie liefen, nachdem er seine
Hand ausgestreckt hatte, und kamen in
die Stadt und nahmen sie ein und steckten
sie sogleich in Brand. 20 Und die Männer
von Ai wandten sich um und sahen hin-
ter sich und sahen den Rauch der Stadt
aufsteigen gen Himmel und vermochten
nicht zu fliehen, weder hierhin noch dort-
hin. Denn das Volk, das zur Wüste floh,
kehrte um gegen die, die ihnen nachjag-
ten. 21 Und als Josua und ganz Israel sa-
hen, dass der Hinterhalt die Stadt einge-
nommen hatte, weil von der Stadt Rauch
aufstieg, kehrten sie um und schlugen die
Männer von Ai. 22 Und die in der Stadt
kamen auch heraus ihnen entgegen, und
die Männer von Ai gerieten mitten unter
Israel, von hierher und von dorther. Und
sie erschlugen sie, bis niemand mehr von
ihnen übrig blieb noch entrinnen konnte.
23 Den König von Ai aber ergriffen sie le-
bendig und brachten ihn zu Josua. 24 Und
als Israel alle Einwohner von Ai getötet
hatte auf dem Felde und in der Wüste,
wohin sie ihnen nachgejagt waren, und
alle durch die Schärfe des Schwerts gefal-
len und umgekommen waren, da kehrte
sich ganz Israel gegen Ai und schlug es
mit der Schärfe des Schwerts. 25 Und alle,
die an diesem Tage fielen, Männer und
Frauen, waren zwölftausend, alle Leute
von Ai.

26 Josua aber zog nicht eher seine Hand
zurück, mit der er die Lanze ausgestreckt
hatte, bis der Bann vollstreckt war an allen
Einwohnern von Ai. 27 Nur das Vieh und
die Beute der Stadt teilte Israel unter sich
nach dem Wort des HERRN, das er Josua
geboten hatte. 28 Und Josua brannte Ai
nieder und machte es zu einem Schutt-
haufen für immer, der noch heute daliegt.
29 Und den König von Ai [a]ließ er an einen
Baum hängen bis zum Abend. Als aber
die Sonne untergegangen war, gebot Jo-
sua, dass man seinen Leichnam vom Baum
nehmen sollte, und sie warfen ihn unter
das Stadttor und machten einen großen
Steinhaufen über ihm, der bis auf diesen
Tag da ist.

ALTARBAU UND VERKÜNDIGUNG DES GESETZES

30 Damals [a]baute Josua dem HERRN, dem
Gott Israels, einen Altar auf dem Berge

8,29 *a* 5. Mose 21,22-23 **8,30** *a* 5. Mose 27,2-8

Ebal, 31 [a]wie Mose, der Knecht des HERRN,
den Israeliten geboten hatte, wie geschrie-
ben steht im Gesetzbuch des Mose: einen
Altar von unbehauenen Steinen, die mit
keinem Eisen bearbeitet waren. Und sie
opferten dem HERRN darauf Brandopfer
und brachten Dankopfer dar, 32 und er
schrieb dort auf die Steine [a]eine Abschrift
des Gesetzes, das Mose vor den Augen
der Israeliten geschrieben hatte. 33 [a]Und
ganz Israel stand mit seinen Ältesten und
Amtleuten und Richtern zu beiden Seiten
der Lade gegenüber den levitischen Pries-
tern, die die Lade des Bundes des HERRN
trugen, die Fremdlinge sowohl als auch
die Einheimischen, die eine Hälfte zum
Berge Garizim hin und die andere Hälfte
zum Berge Ebal hin, wie Mose, der Knecht
des HERRN, vormals geboten hatte, das
Volk Israel zu segnen. 34 Danach ließ er
ausrufen alle Worte des Gesetzes, den Se-
gen und den Fluch, ganz wie es geschrie-
ben steht im Gesetzbuch. 35 Es war kein
Wort, das Mose geboten hatte, das Josua
nicht hätte ausrufen lassen vor der gan-
zen Gemeinde Israel und vor den Frauen
und Kindern und Fremdlingen, die mit
ihnen zogen.

DIE LIST DER GIBEONITER

9 Als das nun alle Könige hörten, die jen-
seits des Jordans waren auf dem Gebirge
und im Hügelland und am ganzen Ufer
des großen Meeres nach dem Libanon
hin, nämlich die Hetiter, Amoriter, Ka-
naaniter, Perisiter, Hiwiter und Jebusiter,
2 fanden sie sich zusammen, um einmütig
gegen Josua und gegen Israel zu kämpfen.
3 Aber die Bürger von Gibeon hörten,
was Josua mit [a]Jericho und [b]Ai getan
hatte. 4 Da erdachten auch sie eine List,
gingen hin und versahen sich mit Speise
und nahmen alte Säcke auf ihre Esel und
alte, zerrissene, geflickte Weinschläuche
5 und alte, geflickte Schuhe an ihre Füße
und zogen alte Kleider an, und alles Brot,
das sie mit sich nahmen, war hart und
zerbröckelt. 6 Und sie gingen zu Josua ins
Lager nach Gilgal und sprachen zu ihm
und zu den Männern Israels: Wir kom-
men aus fernen Landen; so schließt nun
einen Bund mit uns. 7 Da sprachen die
Männer Israels zu den [a]Hiwitern: Viel-
leicht wohnt ihr mitten unter uns; wie
könnten wir dann [b]einen Bund mit euch
schließen?
8 Sie aber sprachen zu Josua: Wir sind
deine Knechte. Josua sprach zu ihnen:
Wer seid ihr und woher kommt ihr? 9 Sie
sprachen: Deine Knechte sind aus sehr
fernen Landen gekommen um des Na-
mens des HERRN, deines Gottes, willen;
denn wir haben von ihm gehört und von
allem, was er in Ägypten getan hat, 10 und
alles, was er den beiden Königen der Amo-
riter jenseits des Jordans getan hat, Sihon,
dem König von Heschbon, und Og, dem
König von Baschan, der zu Aschtarot
wohnte.[a] 11 Darum sprachen unsere Ältes-
ten und alle Bewohner unseres Landes zu
uns: Nehmt Speise mit euch auf die Reise
und geht ihnen entgegen und sprecht zu
ihnen: Wir sind eure Knechte. So schließt
nun einen Bund mit uns! 12 Dies unser
Brot, das wir aus unsern Häusern zu un-
serer Speise mitnahmen, war noch warm,
als wir zu euch auszogen, nun aber, siehe,
ist es hart und zerbröckelt; 13 und diese
Weinschläuche waren neu, als wir sie
füllten, und siehe, sie sind zerrissen; und
diese unsere Kleider und Schuhe sind alt
geworden über der sehr langen Reise. 14 Da
nahmen die Männer von ihrer Speise, den
HERRN aber befragten sie nicht. 15 Und Jo-
sua machte Frieden mit ihnen und schloss
einen Bund mit ihnen, dass sie am Leben
bleiben sollten. Und die Obersten der Ge-
meinde schworen es ihnen.
16 Aber drei Tage nachdem sie mit ihnen
einen Bund geschlossen hatten, hörten sie,
dass jene aus ihrer Nähe wären und mitten
unter ihnen wohnten. 17 Als die Israeliten
weiterzogen, kamen sie am dritten Tage
zu ihren Städten; die hießen Gibeon, Ke-
fira, Beerot und Kirjat-Jearim. 18 Aber die
Israeliten erschlugen sie nicht, weil ihnen
die Obersten der Gemeinde geschworen
hatten bei dem HERRN, dem Gott Israels.
Als aber die ganze Gemeinde gegen die
Obersten murrte, 19 sprachen alle Obers-
ten zu der ganzen Gemeinde: Wir haben
ihnen geschworen bei dem HERRN, dem

8,31 *a* (31-32) 2. Mose 20,25; 24,1-8 **8,32** *a* 5. Mose 17,18
8,33 *a* (33-35) 5. Mose 11,29; 27,12-26; 28,1-68
9,3 *a* Kap 6,20-21 *b* Kap 8,26.28 **9,7** *a* Kap 11,19
b 2. Mose 23,32 **9,10** *a* 4. Mose 21,21-35

Gott Israels; darum können wir sie nicht
antasten. 20 Aber das wollen wir tun: Lasst
sie leben, dass nicht ein Zorn über uns
komme um des Eides willen, den wir ih-
nen geschworen haben. 21 Und die Obers-
ten sprachen zu ihnen: Lasst sie leben,
damit sie Holzhauer und Wasserschöpfer
seien für die ganze Gemeinde, wie ihnen
die Obersten gesagt haben.

22 Da rief sie Josua und redete mit ihnen
und sprach: Warum habt ihr uns betrogen
und gesagt: »Wir sind sehr fern von euch«,
wo ihr doch mitten unter uns wohnt?
23 Darum sollt ihr verflucht sein und sollt
nicht aufhören, Knechte zu sein, die Holz
hauen und Wasser schöpfen für das Haus
meines Gottes. 24 Sie antworteten Josua:
Es wurde deinen Knechten angesagt, dass
der HERR, dein Gott, seinem Knecht Mose
geboten habe, dass er euch das ganze Land
geben und vor euch her alle Bewohner des
Landes vertilgen wolle. Da fürchteten wir
sehr um unser Leben und haben das so ge-
macht. 25 Nun aber, siehe, wir sind in dei-
ner Hand; was dich gut und recht dünkt,
uns zu tun, das tu. 26 Und so tat er mit
ihnen und errettete sie aus der Hand der
Israeliten, dass sie sie nicht töteten. 27 So
machte sie Josua an diesem Tage zu [a]Holz-
hauern und Wasserschöpfern für die Ge-
meinde und den Altar des HERRN bis auf
diesen Tag, an der Stätte, die er erwählen
würde.

JOSUAS SIEG BEI GIBEON

10 Als aber Adoni-Zedek, der König von
Jerusalem, hörte, dass Josua Ai erobert
und an ihm den Bann vollstreckt und mit
Ai samt seinem König getan hatte, wie er
mit Jericho und seinem König getan hatte,
und dass die von Gibeon Frieden mit Israel
gemacht hätten und mitten unter ihnen
wohnten,[a] 2 fürchteten sie sich sehr; denn
Gibeon war eine große Stadt wie eine
der Königsstädte und größer als Ai, und
alle seine Männer waren Helden. 3 Und
Adoni-Zedek, der König von Jerusalem,
sandte zu Hoham, dem König von Heb-
ron, und zu Piram, dem König von Jarmut,
und zu Jafia, dem König von Lachisch, und
zu Debir, dem König von Eglon, und ließ
ihnen sagen: 4 Kommt herauf zu mir und
helft mir, dass wir Gibeon schlagen; denn
es hat mit Josua und den Israeliten Frieden
gemacht. 5 Da sammelten sich und zogen
hinauf die fünf Könige der Amoriter, der
König von Jerusalem, der König von Heb-
ron, der König von Jarmut, der König von
Lachisch, der König von Eglon mit ihren
ganzen Heeren und belagerten Gibeon
und kämpften gegen die Stadt.

6 Aber die Männer von Gibeon sandten
zu Josua ins Lager nach Gilgal und ließen
ihm sagen: Zieh deine Hand nicht ab von
deinen Knechten; komm eilends zu uns
herauf, rette und hilf uns! Denn es haben
sich gegen uns versammelt alle Könige der
Amoriter, die auf dem Gebirge wohnen.
7 Da zog Josua hinauf von Gilgal und das
ganze Kriegsvolk mit ihm und alle streit-
baren Männer. 8 Und der HERR sprach zu
Josua: Fürchte dich nicht vor ihnen; denn
ich habe sie in deine Hände gegeben. Nie-
mand unter ihnen wird vor dir bestehen
können. 9 So kam Josua plötzlich über
sie; denn die ganze Nacht war er herauf-
gezogen von Gilgal. 10 Und der HERR er-
schreckte sie vor Israel, dass sie eine große
Schlacht schlugen bei Gibeon, und sie jag-
ten ihnen nach, die Steige von Bet-Horon
hinauf, und schlugen sie bis nach Aseka
und Makkeda. 11 Und als sie vor Israel flo-
hen den Weg von Bet-Horon hinab, ließ
der HERR große Steine vom Himmel
auf sie fallen bis Aseka, dass sie starben.
Und von ihnen starben viel mehr durch
die Hagelsteine, als die Israeliten mit dem
Schwert töteten.

12 Damals redete Josua mit dem HERRN
an dem Tage, da der HERR die Amoriter
vor den Israeliten dahingab, und er sprach
in Gegenwart Israels: Sonne, steh still zu
Gibeon, und Mond, im Tal Ajalon! 13 Da
[a]stand die Sonne still und der Mond blieb
stehen, bis sich das Volk an seinen Feinden
gerächt hatte. Ist dies nicht geschrieben im
[b]Buch des Redlichen? So blieb die Sonne
stehen mitten am Himmel und beeilte
sich nicht unterzugehen fast einen ganzen
Tag. 14 Und es war kein Tag diesem gleich,
weder vorher noch danach, dass der HERR
so auf die Stimme eines Menschen hörte;
denn [a]der HERR stritt für Israel. 15 Josua

9,27 ***a*** 5. Mose 29,10 **10,1** ***a*** Kap 8,1-29; 6,1-21; 9,1-27
10,13 ***a*** Hab 3,11 ***b*** 2. Sam 1,18 **10,14** ***a*** 2. Mose 14,25

aber kehrte ins Lager nach Gilgal zurück
und ganz Israel mit ihm.[a]
16 Aber die fünf Könige waren geflohen
und hatten sich versteckt in der Höhle bei
Makkeda. 17 Da wurde Josua angesagt: Wir
haben die fünf Könige gefunden, verbor-
gen in der Höhle bei Makkeda. 18 Josua
sprach: So wälzt große Steine vor den Ein-
gang der Höhle und stellt Männer davor,
die sie bewachen; 19 ihr aber, bleibt nicht
stehen, sondern jagt euren Feinden nach
und fasst sie von hinten; lasst sie nicht in
ihre Städte entrinnen; denn der HERR,
euer Gott, hat sie in eure Hände gegeben.
20 Und als Josua und die Israeliten sie
ganz geschlagen hatten in dieser sehr gro-
ßen Schlacht – was übrig blieb von ihnen,
entkam in die festen Städte –, 21 da kam das
ganze Volk wohlbehalten ins Lager zurück
zu Josua nach Makkeda, und es wagte nie-
mand, gegen Israel seine Zunge zu regen.
22 Josua aber sprach: Macht den Eingang
der Höhle auf und bringt die fünf Könige
aus der Höhle zu mir! 23 Sie taten so und
brachten die fünf Könige zu ihm aus der
Höhle: den König von Jerusalem, den
König von Hebron, den König von Jar-
mut, den König von Lachisch, den König
von Eglon. 24 Als aber die fünf Könige zu
ihm herausgebracht waren, rief Josua alle
Männer Israels zu sich und sprach zu den
Obersten des Kriegsvolks, die mit ihm zo-
gen: Kommt her und setzt eure Füße auf
den Nacken dieser Könige. Und sie kamen
und setzten ihre Füße auf ihren Nacken.
25 Und Josua sprach zu ihnen: Fürchtet
euch nicht und erschreckt nicht, seid ge-
trost und unverzagt; denn ebenso wird der
HERR allen euren Feinden tun, gegen die
ihr kämpft. 26 Und Josua schlug sie danach
tot und hängte sie an fünf Bäume, und sie
hingen an den Bäumen bis zum Abend.
27 Als aber [a]die Sonne untergegangen war,
gebot Josua, dass man sie von den Bäumen
nehmen und in die Höhle werfen sollte,
in die sie sich verkrochen hatten. Und sie
legten große Steine vor den Eingang der
Höhle. Die sind noch da bis auf diesen Tag.

DIE EROBERUNG DES SÜDLICHEN KANAAN

28 An diesem Tag nahm Josua auch Mak-
keda ein und schlug es mit der Schärfe des
Schwerts samt seinem König und voll-
streckte den Bann an der Stadt und an
allen, die darin waren, und ließ niemand
übrig und tat mit dem König von Mak-
keda, wie er mit dem König von Jericho
getan hatte.
29 Da zogen Josua und ganz Israel mit
ihm von Makkeda nach Libna und kämpf-
ten gegen Libna. 30 Und der HERR gab auch
dieses mit seinem König in die Hand Isra-
els; und er schlug die Stadt mit der Schärfe
des Schwerts und alle, die darin waren,
und ließ niemand darin übrig und tat mit
ihrem König, wie er mit dem König von
Jericho getan hatte.
31 Danach zogen Josua und ganz Israel
mit ihm von Libna nach Lachisch, und er
belagerte die Stadt und kämpfte gegen
sie. 32 Und der HERR gab auch Lachisch in
die Hände Israels, dass sie es am nächs-
ten Tag einnahmen und es schlugen mit
der Schärfe des Schwerts und alle, die
darin waren, ganz wie sie mit Libna getan
hatten.
33 Zu dieser Zeit zog Horam, der König
von Geser, hinauf, um Lachisch zu hel-
fen; aber Josua schlug ihn und sein Volk,
bis niemand übrig blieb. 34 Und Josua zog
von Lachisch mit ganz Israel nach Eglon
und belagerte die Stadt und kämpfte ge-
gen sie; 35 und sie nahmen sie ein an die-
sem Tag und schlugen sie mit der Schärfe
des Schwerts, und Josua vollstreckte den
Bann an allen, die darin waren, an diesem
Tag, ganz wie er mit Lachisch getan hatte.
36 Danach zog Josua hinauf mit ganz
Israel von Eglon nach Hebron, und sie
kämpften gegen die Stadt 37 und nahmen
sie ein und schlugen sie mit der Schärfe
des Schwerts, samt ihrem König und allen
ihren Städten und allen, die darin waren;
und er ließ niemand übrig, ganz wie er mit
Eglon getan hatte, und vollstreckte an ihr
den Bann und an allen, die darin waren.
38 Da kehrte Josua um mit ganz Israel
nach Debir und kämpfte gegen die Stadt
39 und nahm sie ein samt ihrem König und
allen ihren Städten, und sie schlugen sie
mit der Schärfe des Schwerts und voll-
streckten den Bann an allen, die darin wa-
ren, und er ließ niemand übrig. Wie er mit

10,15 *a* Vers 43 **10,27** *a* 5. Mose 21,22-23

Hebron getan hatte und wie er mit Libna
und seinem König getan hatte, so tat er
auch mit Debir und seinem König.
40 So schlug Josua das ganze Land – das
Gebirge, den Süden, das Hügelland und
die Abhänge – und alle seine Könige und
ließ niemand übrig und [a]vollstreckte den
Bann an allem, was Odem hatte, wie der
HERR, der Gott Israels, geboten hatte.
41 Und Josua schlug sie von Kadesch-Bar-
nea an bis Gaza und das ganze Land [a]Go-
schen bis Gibeon 42 und unterwarf alle
diese Könige mit ihrem Lande auf einmal.
Denn der HERR, der Gott Israels, hatte für
Israel gestritten.
43 Und Josua kehrte ins Lager nach Gilgal
zurück mit ganz Israel.[a]

SIEG AM WASSER VON MEROM UND EROBERUNG DES NÖRDLICHEN KANAAN

11 Als aber Jabin, der König von Hazor,
das hörte, sandte er zu Jobab, dem
König von Madon, und zum König von
Schimron und zum König von Achschaf
2 und zu den Königen, die im Norden auf
dem Gebirge und im Jordantal südlich von
Kinneret und im Hügelland und auf den
Hügeln von Dor am Meer wohnten, 3 zu
den Kanaanitern im Osten und Westen,
den Amoritern, Hetitern, Perisitern und
Jebusitern auf dem Gebirge, dazu den Hi-
witern am Fuße des Hermon, im Lande
Mizpe. 4 Diese zogen aus mit ihrem gan-
zen Heer, ein großes Volk, so viel wie der
Sand am Meer, und sehr viele Rosse und
Wagen. 5 Alle diese Könige versammelten
sich und kamen und lagerten sich gemein-
sam am Wasser von Merom, um mit Israel
zu kämpfen.
6 Und der HERR sprach zu Josua: Fürchte
dich nicht vor ihnen! Denn morgen um
diese Zeit will ich sie alle vor Israel dahin-
geben und sie erschlagen; ihre Rosse sollst
du lähmen und ihre Wagen mit Feuer
verbrennen. 7 Da kamen Josua und das
ganze Kriegsvolk mit ihm plötzlich über
sie am Wasser von Merom und überfielen
sie. 8 Und der HERR gab sie in die Hände
Israels, und sie schlugen sie und jagten
ihnen nach bis Sidon, der großen Stadt,
und bis [a]Misrefot-Majim und bis an die
Ebene von Mizpe im Osten und erschlu-
gen sie, bis niemand mehr unter ihnen
übrig blieb.
9 Da tat Josua mit ihnen, wie der HERR
ihm gesagt hatte, und lähmte ihre Rosse
und verbrannte ihre Wagen. 10 Und Josua
kehrte um zu dieser Zeit und nahm Ha-
zor ein und erschlug seinen König mit
dem Schwert; denn Hazor war vormals
die Hauptstadt aller dieser Königreiche.
11 Und sie erschlugen alle, die darin waren,
mit der Schärfe des Schwerts und [a]voll-
streckten den Bann an ihnen, und nichts
blieb übrig, was Odem hatte, und Hazor
verbrannte er mit Feuer. 12 Dazu nahm Jo-
sua alle Städte dieser Könige mit ihren Kö-
nigen ein und erschlug sie mit der Schärfe
des Schwerts und vollstreckte den Bann an
ihnen, wie Mose, der Knecht des HERRN,
geboten hatte. 13 Doch die Städte, die auf
ihren Hügeln standen, verbrannte Israel
nicht; sondern Hazor allein verbrannte Jo-
sua. 14 Und die ganze Beute dieser Städte
und das Vieh teilten die Israeliten unter
sich; aber alle Menschen erschlugen sie
mit der Schärfe des Schwerts, bis sie ver-
tilgt waren, und ließen nichts übrig, was
Odem hatte. 15 Wie der HERR dem Mose,
seinem Knecht, und Mose dem Josua ge-
boten hatte, so tat Josua, dass nichts fehlte
an allem, was der HERR dem Mose gebo-
ten hatte.

DAS EROBERTE LAND

16 So nahm Josua dies ganze Land ein, das
Gebirge und alles, was im Süden liegt,
und das [a]ganze Land Goschen und das
Hügelland und das Jordantal und das Ge-
birge Israel mit seinem Hügelland, 17 von
dem kahlen Gebirge an, das aufsteigt nach
Seïr hin, bis nach Baal-Gad in der Ebene
beim Gebirge Libanon, am Fuße des Ber-
ges Hermon. Alle ihre Könige nahm er
gefangen und schlug sie nieder und tö-
tete sie. 18 Er kämpfte aber eine lange Zeit
mit diesen Königen. 19 Es war keine Stadt,
die Frieden machte mit den Israeliten,
ausgenommen die [a]Hiwiter, die in Gi-
beon wohnten; sondern sie eroberten sie
alle im Kampf. 20 So geschah es von dem
HERRN, dass ihr Herz [a]verstockt wurde,

10,40 *a* 5. Mose 20,16-18 **10,41** *a* Kap 11,16
10,43 *a* Vers 15 **11,8** *a* Kap 13,6 **11,11** *a* Kap 10,40
11,16 *a* Kap 10,41 **11,19** *a* Kap 9,15 **11,20** *a* 2. Mose 4,21

im Kampf Israel zu begegnen, damit sie
mit dem [b]Bann geschlagen würden und
ihnen keine Gnade widerführe, sondern
sie vertilgt würden, wie der HERR dem
Mose geboten hatte.
21 [a]Zu der Zeit kam Josua und rottete
aus die Anakiter von dem Gebirge, von
Hebron, von Debir, von Anab und vom
ganzen Gebirge Juda und vom ganzen
Gebirge Israel, und Josua vollstreckte an
ihnen den Bann mit ihren Städten 22 und
ließ keine Anakiter übrig im Lande der Is-
raeliten außer in Gaza, in [a]Gat, in Asch-
dod; dort blieben einige von ihnen übrig.
23 So nahm Josua das ganze Land ein,
ganz so, wie der HERR zu Mose geredet
hatte, und gab es Israel zum Besitz, einem
jeden Stamm sein Teil. Und [a]das Land war
zur Ruhe gekommen vom Kriege.[b]

LISTE DER BESIEGTEN KÖNIGE

12 Dies sind die Könige des Landes, die
die Israeliten schlugen und deren Land
sie einnahmen jenseits des Jordans gegen
Sonnenaufgang von dem Arnonfluss an
bis an den Berg Hermon und das ganze
Jordantal im Osten:
2 Sihon, der König der Amoriter, der
in Heschbon wohnte und herrschte von
Aroër an, das am Ufer des Arnonflusses
liegt, und von der Mitte des Tals an und
über das halbe Gilead bis an den Jabbok-
fluss, die Grenze der Ammoniter,[a] 3 und
über das Jordantal bis an die Ostseite des
Sees Kinneret und bis an die Ostseite des
Meeres der Araba* – das ist das Salzmeer –
auf Bet-Jeschimot zu und im Süden bis
unten an die Abhänge des Pisga. 4 Dazu
das Gebiet des Königs Og von Baschan,
der noch von den Riesen* übrig geblieben
war und in Aschtarot und Edreï wohnte[a]
5 und herrschte über den Berg Hermon,
über Salcha und über ganz Baschan bis an
das Gebiet der Geschuriter und Maacha-
titer und über das halbe Gilead bis zum
Gebiet Sihons, des Königs von Heschbon.
6 Mose, der Knecht des HERRN, und die Is-
raeliten hatten sie geschlagen. Und Mose,
der Knecht des HERRN, [a]hatte ihr Land
den Rubenitern, Gaditern und dem hal-
ben Stamm Manasse zum Besitz gegeben.
7 Dies sind die Könige des Landes, die
Josua und die Israeliten schlugen jenseits
des Jordans im Westen, von Baal-Gad im
Tal beim Gebirge Libanon bis an das kahle
Gebirge, das ansteigt nach Seïr. Und Jo-
sua gab das Land den Stämmen Israels
zum Besitz, einem jeden sein Teil, 8 was
auf den Gebirgen, im Hügelland, im Jor-
dantal, an den Abhängen, in der Wüste
und im Süden war, die [a]Hetiter, Amori-
ter, Kanaaniter, Perisiter, Hiwiter und Je-
busiter: 9 Einer war der König von [a]Jericho,
einer der König von [b]Ai, das zur Seite von
Bethel liegt, 10 einer [a]der König von Jerusa-
lem, einer der König von Hebron, 11 einer
der König von Jarmut, einer der König
von Lachisch, 12 einer der König von Eg-
lon, einer der König von Geser, 13 einer der
König von [a]Debir, einer der König von Ge-
der, 14 einer der König von [a]Horma, einer
der König von [b]Arad, 15 einer der König
von [a]Libna, einer der König von Adullam,
16 einer der König von [a]Makkeda, einer
der König von Bethel, 17 einer [a]der König
von Tappuach, einer der König von He-
fer, 18 einer der König von Afek, einer der
König von Scharon, 19 einer [a]der König
von Madon, einer der König von Hazor,
20 einer der König von Schimron-Meron,
einer der König von Achschaf, 21 einer der
König von Taanach, einer der König von
Megiddo,[a] 22 einer der König von [a]Ke-
desch, einer der König von [b]Jokneam am
Karmel, 23 einer der König von Dor, das an
den Hügeln von Dor liegt, einer der König
von Völkern in Galiläa, 24 einer der König
von Tirza. Das sind zusammen einund-
dreißig Könige.

DIE VERTEILUNG DES LANDES

13 [a]Da nun Josua alt war und hochbe-
tagt, sprach der HERR zu ihm: Du bist
alt geworden und hochbetagt, und vom
Lande bleibt noch sehr viel einzunehmen.
2 Dies ist das Land, das noch übrig ist: alle

* **12,3.4** Siehe Sach- und Worterklärungen.

11,20 ***b*** 5. Mose 7,2 **11,21** ***a*** (21-22) Kap 14,6-15; 5. Mose 9,2 **11,22** ***a*** 1. Sam 17,4; 2. Sam 21,22 **11,23** ***a*** Kap 14,15 ***b*** Kap 21,43-45 **12,2** ***a*** 4. Mose 21,24 **12,4** ***a*** 4. Mose 21,33; 5. Mose 3,10-11 **12,6** ***a*** 4. Mose 32,33 **12,8** ***a*** Kap 11,3 **12,9** ***a*** Kap 6,2 ***b*** Kap 8,29 **12,10** ***a*** (10-12) Kap 10,1-39 **12,13** ***a*** Kap 10,38; Ri 1,11 **12,14** ***a*** Ri 1,17 ***b*** 4. Mose 21,1 **12,15** ***a*** Kap 10,29-30 **12,16** ***a*** Kap 10,28 **12,17** ***a*** (17-18) Kap 15,53; 1. Sam 4,1; 1. Chr 5,16 **12,19** ***a*** (19-20) Kap 11,1.10 **12,21** ***a*** Kap 17,11 **12,22** ***a*** Kap 19,37 ***b*** Kap 19,11 **13,1** ***a*** Kap 23,1

Gebiete der Philister und ganz [a]Geschur,
3 vom Schihor an, der vor Ägypten fließt,
bis zum Gebiet Ekrons nach Norden, das
den Kanaanitern zugerechnet wird, fünf
Fürsten der Philister, nämlich von Gaza,
Aschdod, Aschkelon, Gat und Ekron, und
dazu die Awiter 4 im Süden; das ganze
Land der Kanaaniter und Meara, das den
Sidoniern gehört, bis Afek, bis an die
Grenze der Amoriter; 5 dazu das Land der
Gebaliter und der ganze Libanon gegen
Sonnenaufgang, von Baal-Gad am Fuße
des Gebirges Hermon bis dorthin, wo es
nach Hamat geht. 6 Alle, die auf dem Ge-
birge wohnen, vom Libanon an bis nach
Misrefot-Majim, alle Sidonier: Ich will sie
vertreiben vor den Israeliten; wirf nur das
Los darum, um sie auszuteilen unter Is-
rael, wie ich dir geboten habe.

7 So verteile nun dies Land als Erbbe-
sitz unter die neun Stämme und den hal-
ben Stamm Manasse. 8 Der andere halbe
Stamm Manasse und mit ihm die [a]Ruben-
iter und Gaditer haben ihr Erbteil emp-
fangen, das ihnen Mose gab jenseits des
Jordans im Osten, wie es ihnen Mose, der
Knecht des HERRN, gegeben hatte 9 von
Aroër an, das am Ufer des Arnonflusses
liegt, und von der Stadt mitten im Tal
und die ganze Ebene von Medeba bis Di-
bon 10 und alle Städte Sihons, des Königs
der Amoriter, der in Heschbon herrschte,
bis an die Grenze der Ammoniter, 11 dazu
Gilead und das Gebiet von [a]Geschur und
Maacha und das ganze Gebirge Hermon
und ganz Baschan bis Salcha, 12 das ganze
Reich des [a]Og von Baschan, der in Aschta-
rot und Edreï herrschte und der noch übrig
geblieben war von den Riesen*. Mose aber
hatte sie geschlagen und vertrieben. 13 Die
Israeliten vertrieben aber die Geschuriter
und Maachatiter nicht, sondern es wohn-
ten beide, Geschur und Maacha, mitten
unter Israel bis auf diesen Tag. 14 Aber
dem Stamm der [a]Leviten gab er kein Erb-
teil; denn die Feueropfer des HERRN, des
Gottes Israels, gehören ihnen; er selbst ist
ihr Erbteil, wie er ihnen zugesagt hat.

DIE VERTEILUNG IM OSTJORDANLAND

15 [a]So gab Mose dem Stamm der Söhne
[b]Ruben nach ihren Geschlechtern 16 als
ihr Gebiet: das Land von Aroër an, das
am Ufer des Arnonflusses liegt, und die
Stadt mitten im Tal mit der ganzen Ebene
bei Medeba; 17 Heschbon und alle seine
Städte, die in der Ebene liegen, Dibon,
Bamot-Baal und Bet-Baal-Meon, 18 Jahaz,
Kedemot, Mefaat. 19 Kirjatajim, Sibma,
Zeret-Schahar auf dem Berge in der Tal-
ebene, 20 Bet-Peor, die Abhänge am Pisga
und Bet-Jeschimot 21 und alle Städte der
Ebene und das ganze Reich Sihons, des
Königs der Amoriter, der in Heschbon
herrschte, den Mose geschlagen hatte
samt den Fürsten Midians: Ewi, Rekem,
Zur, Hur und Reba, den Stadtfürsten Si-
hons, die im Lande wohnten. 22 Dazu töte-
ten die Israeliten [a]Bileam, den Sohn Beors,
den Wahrsager, mit dem Schwert außer
den schon von ihnen Erschlagenen. 23 Und
die Grenze der Söhne Ruben war der Jor-
dan. Das ist das Erbteil der Söhne Ruben
nach ihren Geschlechtern, die Städte mit
ihren Gehöften.

24 Dem Stamm der Söhne [a]Gad nach
ihren Geschlechtern gab Mose 25 als ihr
Gebiet: Jaser und alle Städte in Gilead
und das halbe Land der Ammoniter bis
Aroër, das östlich von Rabba liegt, 26 und
von Heschbon bis Ramat-Mizpe und Be-
tonim und von Mahanajim bis zum Gebiet
von Lo-Dabar, 27 dazu im Tal Bet-Haram,
Bet-Nimra, Sukkot und Zafon, was üb-
rig war von dem Reich Sihons, des Kö-
nigs von Heschbon, den Jordan und sein
Gebiet bis ans Ende des Sees Kinneret,
jenseits des Jordans im Osten. 28 Das ist
das Erbteil der Söhne Gad nach ihren
Geschlechtern, die Städte mit ihren Ge-
höften.

29 Dem halben Stamm der Söhne Ma-
nasse nach ihren Geschlechtern gab Mose
30 als ihr Gebiet: von Mahanajim an ganz
Baschan, das ganze Reich Ogs, des Königs
von Baschan, und alle Dörfer Jaïrs, die in
Baschan liegen, nämlich sechzig Städte.
31 Und das halbe Gilead, Aschtarot, Edreï,
die Königsstädte Ogs von Baschan, gab
er den Söhnen Machirs, des Sohnes Ma-

* **13,12** Siehe Sach- und Worterklärungen.

13,2 ***a*** 1. Sam 27,8 **13,8** ***a*** Verse 15-32 **13,11** ***a*** 5. Mose 3,14
13,12 ***a*** Kap 12,4 **13,14** ***a*** Vers 33; 1. Mose 49,5; 4. Mose 18,20-21 **13,15** ***a*** (15-32) 4. Mose 32,1-42; 5. Mose 3,12-17 ***b*** 1. Mose 49,3 **13,22** ***a*** 4. Mose 22,5; 31,8
13,24 ***a*** 1. Mose 49,19

nasses, – nämlich der Hälfte der Söhne
Machir – nach ihren Geschlechtern.
32 Das sind die Gebiete, die Mose ausge-
teilt hat in den Steppen Moabs, jenseits
des Jordans östlich von Jericho. 33 Aber
[a]dem Stamm Levi gab Mose kein Erbteil;
denn der HERR, der Gott Israels, ist selbst
ihr Erbteil, wie er ihnen zugesagt hat.

DIE VERTEILUNG DES WESTJORDANLANDES

14 Dies sind die Gebiete, die die Israeliten
als Erbteil erhielten im Lande Kanaan,
die unter sie ausgeteilt haben der Priester
[a]Eleasar und Josua, der Sohn Nuns, und
die Häupter der Sippen unter den Stäm-
men der Israeliten. 2 Sie teilten diese Ge-
biete [a]durchs Los unter sie, wie der HERR
durch Mose geboten hatte, sie den neun-
einhalb Stämmen zu geben. 3 Denn den
zweieinhalb Stämmen hatte Mose ihr
Erbteil gegeben jenseits des Jordans; [a]den
Leviten aber hatte er kein Erbteil unter ih-
nen gegeben. 4 Denn die Söhne Josef wa-
ren zwei Stämme, Manasse und Ephraim.
Den Leviten aber gab man keinen Anteil
am Lande, sondern [a]Städte zum Wohnen
samt Weideplätzen für ihr Vieh und ihre
Habe. 5 Wie der HERR dem Mose geboten
hatte, so taten die Israeliten und verteilten
das Land.

KALEBS ERBTEIL

6 [a]Da traten herzu die Judäer zu Josua in
Gilgal; und [b]Kaleb, der Sohn Jefunnes,
der Kenasiter, sprach zu ihm: Du weißt,
was der HERR zu Mose, dem Mann Got-
tes, sagte meinet- und deinetwegen in Ka-
desch-Barnea. 7 Ich war vierzig Jahre alt, als
mich Mose, der Knecht des HERRN, aus-
sandte von Kadesch-Barnea, um das Land
zu erkunden, und [a]ich ihm Bericht gab
nach bestem Wissen. 8 Aber meine Brü-
der, die mit mir hinaufgezogen waren,
machten dem Volk das Herz verzagt; ich
aber folgte dem HERRN, meinem Gott,
treulich. 9 Da schwor Mose an jenem Tage
und sprach: Das Land, das dein Fuß be-
treten hat, soll dein und deiner Nach-
kommen Erbteil sein für immer, weil
du dem HERRN, meinem Gott, treulich
gefolgt bist. 10 Und nun siehe, der HERR
hat mich am Leben gelassen, wie er mir
zugesagt hat. Es sind nun fünfundvier-
zig Jahre her, dass der HERR dies zu Mose
sagte, als Israel in der Wüste umherzog.
Und nun siehe, ich bin heute fünfund-
achtzig Jahre alt 11 und bin noch heute so
stark, wie ich war an dem Tage, da mich
Mose aussandte. Wie meine Kraft damals
war, so ist sie noch jetzt, zu kämpfen und
aus- und einzuziehen. 12 So gib mir nun
dies Gebirge, von dem der HERR geredet
hat an jenem Tage; denn du hast's gehört
am selben Tage, dass dort die [a]Anakiter
wohnen und große und feste Städte sind.
Vielleicht wird der HERR mit mir sein,
dass ich sie vertreibe, wie der HERR zu-
gesagt hat.
13 Da segnete ihn Josua und gab Kaleb,
dem Sohn Jefunnes, Hebron zum Erbteil.[a]
14 Daher wurde Hebron das Erbteil Kalebs,
des Sohnes Jefunnes, des Kenasiters, bis
auf diesen Tag, [a]weil er dem HERRN, dem
Gott Israels, treulich gefolgt war. 15 Aber
Hebron hieß vorzeiten Stadt des Arba, der
der größte Mensch war unter den Anak-
itern. Und [a]das Land war zur Ruhe ge-
kommen vom Kriege.

GRENZEN DES STAMMES JUDA

15 Das Los des Stammes Juda nach seinen
Geschlechtern lag gegen die [a]Grenze
Edoms hin, nach der Wüste Zin zu im äu-
ßersten Süden. 2 Seine Südgrenze begann
am Ende des Salzmeers, an seiner süd-
lichen Spitze, 3 und geht dann südwärts
vom Skorpionensteig und geht weiter
nach Zin und führt hinauf südlich von
Kadesch-Barnea bis hinüber nach Hezron
und führt hinauf nach Addar und biegt um
nach Karka 4 und führt hinüber nach Az-
mon und läuft aus am Bach Ägyptens, so-
dass das Ende der Grenze das Meer wird.
Das sei eure Grenze nach Süden.
5 Die Ostgrenze ist das Salzmeer bis
dort, wo der Jordan mündet. Die Nord-
grenze beginnt am Meer dort, wo der
Jordan mündet, 6 und die Grenze führt

13,33 *a* Vers 14 **14,1** *a* 4. Mose 34,17
14,2 *a* 4. Mose 26,55 **14,3** *a* Kap 13,14.33; 5. Mose 10,9
14,4 *a* Kap 21,1-42; 4. Mose 35,2
14,6 *a* (6-15) 4. Mose 13,1–14,45 *b* 4. Mose 14,24; 5. Mose 1,36 **14,7** *a* 4. Mose 13,6.30 **14,12** *a* Kap 11,21
14,13 *a* Kap 15,13-19; 21,11-12 **14,14** *a* 4. Mose 32,12
14,15 *a* Kap 11,23 **15,1** *a* 4. Mose 34,3-5

hinauf nach Bet-Hogla und zieht sich hin
nördlich von Bet-Araba und kommt her-
auf zum [a]Stein Bohans, des Sohnes Ru-
bens, 7und die Grenze führt hinauf nach
Debir vom Tal Achor und wendet sich
nordwärts nach Gelilot, gegenüber der
Steige von Adummim, die südlich vom
Bachtal liegt. Danach geht die Grenze zu
dem Wasser von En-Schemesch und läuft
aus zur Quelle Rogel. 8Danach führt die
Grenze hinauf zum Tal Ben-Hinnom süd-
lich des Berghangs der Jebusiter – das ist
Jerusalem –, und die Grenze kommt hin-
auf auf den Gipfel des Berges, der west-
lich vor dem Tal Hinnom liegt und an der
Nordecke der Ebene Refaïm. 9Danach
kommt die Grenze von dem Berggip-
fel zur Quelle Neftoach und läuft aus zu
den Städten des Berges Efron und neigt
sich nach Baala – das ist [a]Kirjat-Jearim –,
10und die Grenze biegt um von Baala nach
Westen zum Gebirge Seïr und geht an der
Nordseite des Gebirges Jearim – das ist Ke-
salon – und kommt herab nach Bet-Sche-
mesch und geht durch Timna, 11und die
Grenze kommt heraus am Nordhang des
Berges Ekron und zieht sich nach Schikka-
ron und geht hinüber zum Berge von Baala
und kommt heraus bei Jabneel, sodass die
Grenze am Meer endet.

12Die Westgrenze aber ist das große
Meer und sein Gestade. Das ist die Grenze
der Judäer ringsumher nach ihren Ge-
schlechtern.

KALEB ERHÄLT HEBRON. OTNIËL EROBERT DEBIR

13[a]Kaleb aber, dem Sohn Jefunnes, wurde
sein Teil gegeben mitten unter den Judä-
ern, wie der HERR dem Josua befahl, näm-
lich die Stadt des Arba, des Vaters Anaks,
das ist Hebron. 14Und Kaleb vertrieb von
dort die drei Söhne Anaks: Scheschai,
Ahiman und Talmai, die Nachkommen
Anaks, 15und zog von dort hinauf gegen
die Einwohner von Debir. Debir aber
hieß vorzeiten Kirjat-Sefer. 16Und Kaleb
sprach: Wer Kirjat-Sefer schlägt und er-
obert, dem will ich meine Tochter Achsa
zur Frau geben.[a] 17Da eroberte es [a]Otniël,
der Sohn des Kenas, des Bruders Kalebs.
Und Kaleb gab ihm seine Tochter Achsa
zur Frau. 18Und es begab sich, als sie zu
ihm kam, beredete sie ihn, einen Acker
zu fordern von ihrem Vater. Und sie stieg
vom Esel. Da sprach Kaleb zu ihr: Was
willst du? 19Sie sprach: Gib mir eine Se-
gensgabe! Denn du hast mich nach dem
dürren Südland gegeben; gib mir auch
Wasserquellen! Da gab er ihr die oberen
und die unteren Quellen.

DIE STÄDTE JUDAS

20Dies ist das Erbteil des Stammes Juda
nach seinen Geschlechtern. 21Und die
Städte am Rand des Stammes Juda an
der Grenze zu Edom im Südland waren
diese: Kabzeel, Eder, Jagur, 22Kina, Di-
mona, Adada, 23Kedesch, Hazor, Jitnan,
24Sif, Telem, Bealot, 25Hazor-Hadatta, Ke-
rijot-Hezron – das ist Hazor –, 26Amam,
Schema, Molada, 27Hazar-Gadda, Hesch-
mon, Bet-Pelet, 28Hazar-Schual, Beer-
scheba und seine Ortschaften, 29Baala,
Ijim, Ezem, 30Eltolad, Kesil, Horma,
31Ziklag, Madmanna, Sansanna, 32Lebaot,
Schilhim, En-Rimmon. Das sind neun-
undzwanzig Städte mit ihren Gehöften.

33Im Hügelland aber waren [a]Eschtaol,
Zora, Aschna, 34Sanoach, En-Gannim,
Tappuach, Enam, 35Jarmut, Adullam, So-
cho, Aseka, 36Schaarajim, Aditajim, Ge-
dera und Gederotajim. Das sind vierzehn
Städte mit ihren Gehöften.

37Zenan, Hadascha, Migdal-Gad, 38Di-
lan, Mizpe, Jokteel, 39Lachisch, Bozkat,
Eglon, 40Kabbon, Lachmas, Kitlisch, 41Ge-
derot, Bet-Dagon, Naama, Makkeda. Das
sind sechzehn Städte mit ihren Gehöften.

42Libna, Eter, Aschan, 43Jiftach, Aschna,
Nezib, 44Keïla, [a]Achsib, Marescha. Das
sind neun Städte mit ihren Gehöften.

45[a]Ekron mit seinen Ortschaften und
Gehöften. 46Von Ekron nach dem Meere
zu alles, was nach der Seite von Aschdod
und seinen Gehöften liegt: 47[a]Aschdod
mit seinen Ortschaften und Gehöften,
[b]Gaza mit seinen Ortschaften und Ge-
höften bis an den Bach Ägyptens, und die
Grenze ist das große Meer und sein Ge-
stade.

15,6 *a* Kap 18,17 **15,9** *a* Kap 18,15
15,13 *a* (13-19) Kap 14,6-15; Ri 1,10-15 **15,16** *a* Ri 1,12
15,17 *a* Ri 3,9 **15,33** *a* Ri 13,25; 16,31 **15,44** *a* Kap 19,29
15,45 *a* (45-47) Kap 19,41-46; 1. Sam 5,10
15,47 *a* 1. Sam 5,1 *b* Ri 1,18

48 Auf dem Gebirge aber waren Schamir,
Jattir, Socho, 49 Danna, Kirjat-Sanna – das
ist Debir –, 50 Anab, Eschtemoa, Anim,
51 Goschen, Holon, Gilo. Das sind elf
Städte mit ihren Gehöften.

52 Arab, Duma, Eschan, 53 Janum, Bet-
Tappuach, Afeka, 54 Humta, Kirjat-Arba –
das ist Hebron –, Zior. Das sind neun
Städte mit ihren Gehöften.

55 Maon, Karmel, Sif, Jutta, 56 Jesreel, Jok-
deam, Sanoach, 57 Kajin, Gibea, Timna.
Das sind zehn Städte mit ihren Gehöften.

58 Halhul, Bet-Zur, Gedor, 59 Maarat,
Bet-Anot, Eltekon. Das sind sechs Städte
mit ihren Gehöften.

Tekoa, Efrata – das ist Bethlehem –, Peor,
Etam, Kulon, Tatam, Schoresch, Kerem,
Gallim, Bet-Ter, Manocho. Das sind elf
Städte mit ihren Gehöften.*

60 Kirjat-Baal – das ist [a]Kirjat-Jearim –,
Rabba; zwei Städte mit ihren Gehöften.

61 In der Wüste aber waren Bet-Araba,
Middin, Sechacha, 62 Nibschan und die
Salzstadt und En-Gedi. Das sind sechs
Städte mit ihren Gehöften.

63 Die Jebusiter aber wohnten in Jeru-
salem, und die Judäer konnten sie nicht
vertreiben. So blieben die [a]Jebusiter bei
den Judäern in Jerusalem wohnen bis auf
diesen Tag.

DAS ERBTEIL DER JOSEFSTÄMME

16 Das Los der Söhne Josef nahm seinen
Anfang am Jordan bei Jericho, an den
Wassern von Jericho im Osten. Von Jeri-
cho an geht die Grenze durch die Wüste
auf das Gebirge nach Bethel 2 und kommt
von Bethel heraus nach Lus und geht
durch zum Gebiet der Arkiter nach Ata-
rot 3 und zieht sich westwärts hinab zum
Gebiet der Jafletiter bis an das Gebiet des
unteren Bet-Horon und bis nach Geser,
und ihr Ende ist am Meer.

4 Und die Söhne Josefs, Manasse und
Ephraim, erhielten ihr Erbteil. 5 Das Ge-
biet der Söhne Ephraim nach ihren Ge-
schlechtern: Die Grenze ihres Erbteils
ostwärts war Atrot-Addar bis zum oberen
Bet-Horon 6 und läuft aus bis zum Meer;
bei Michmetat, das im Norden liegt, biegt
sie um ostwärts nach Taanat-Silo und geht
östlich daran vorbei nach Janoach 7 und
kommt herab von Janoach nach Atarot
und Naara und stößt an Jericho und läuft
aus am Jordan. 8 Von Tappuach geht die
Grenze westwärts zum Bach Kana, und
ihr Ende ist am Meer. Das ist das Erbteil
des Stammes Ephraim nach seinen Ge-
schlechtern; 9 dazu die Städte, die [a]für
Ephraim ausgesondert waren mitten un-
ter dem Erbteil der Söhne Manasse, alle
Städte mit ihren Gehöften. 10 Und sie ver-
trieben die Kanaaniter nicht, die in [a]Geser
wohnten. So blieben die Kanaaniter mit-
ten unter Ephraim bis auf diesen Tag und
wurden fronpflichtig.

17 Und das Los fiel für den Stamm Ma-
nasse, denn er ist Josefs erstgeborener
Sohn, und es fiel auf [a]Machir, den erstge-
borenen Sohn Manasses, den Vater Gi-
leads, denn er war ein Kriegsmann, und
er erhielt Gilead und Baschan. 2 Auf die
andern Söhne Manasses aber nach ihren
Geschlechtern fiel das Los auch, nämlich
auf die Söhne Abiësers, die Söhne Heleks,
die Söhne Asriëls, die Söhne Sichems, die
Söhne Hefers und die Söhne Schemidas.
Das sind die Nachkommen Manasses, des
Sohnes Josefs, die Männer nach ihren Ge-
schlechtern.

3 Aber [a]Zelofhad, der Sohn Hefers, des
Sohnes Gileads, des Sohnes Machirs, des
Sohnes Manasses, hatte keine Söhne, son-
dern [b]nur Töchter, und ihre Namen sind
diese: Machla, Noa, Hogla, Milka, Tirza.
4 Und sie traten vor den Priester Eleasar
und vor Josua, den Sohn Nuns, und vor
die Obersten und sprachen: Der HERR hat
Mose geboten, dass er uns solle Erbteil ge-
ben unter unsern Brüdern. Und man gab
ihnen Erbteil unter den Brüdern ihres Va-
ters nach dem Befehl des HERRN. 5 Es fie-
len aber auf Manasse zehn Erbteile außer
dem Lande Gilead und Baschan, das jen-
seits des Jordans liegt; 6 denn die Töchter
Manasses empfingen Erbteil unter seinen
Söhnen. Das Land Gilead aber erhielten
die andern Söhne Manasses.

7 Und die Grenze Manasses war von As-
ser an nach Michmetat, das östlich von

* **15,59** Der Abschnitt ab »Tekoa« ist nur in der griechischen Übersetzung überliefert.

15,60 ***a*** Kap 18,14 **15,63** ***a*** Kap 18,28; 2. Sam 5,6-7
16,9 ***a*** Kap 17,9 **16,10** ***a*** Ri 1,29; 1. Kön 9,16
17,1 ***a*** Kap 13,31; 4. Mose 26,29 **17,3** ***a*** 4. Mose 26,33
b 4. Mose 27,1-8; 36,1-12

Sichem liegt, und reicht rechts an das Ge-
biet von En-Tappuach; 8 Manasse erhielt
das Land von Tappuach, aber Tappuach
selbst an der Grenze Manasses erhielten
die Söhne Ephraim. 9 Danach kommt die
Grenze herab zum Bach Kana an der Süd-
seite des Baches; diese Städte gehören
Ephraim inmitten der Städte Manasses.
Die Grenze Manasses aber geht weiter an
der Nordseite des Baches und endet am
Meer; 10 Ephraim lag südwärts, Manasse
nordwärts, und das Meer ist die Grenze.
Sie stoßen an Asser im Norden und an Is-
sachar im Osten.

11 [a]Es hatte aber Manasse im Gebiet von
Issachar und Asser: Bet-Schean und seine
Ortschaften, Jibleam und seine Ortschaf-
ten und die Einwohner von Dor und seine
Ortschaften und die von En-Dor und
seine Ortschaften, die von Taanach und
seine Ortschaften und die von Megiddo
und seine Ortschaften samt den drei Hö-
hen. 12 Doch die Söhne Manasse konnten
diese Städte nicht erobern, sondern die
Kanaaniter vermochten in diesem Lande
zu bleiben. 13 Da aber die Israeliten mäch-
tig wurden, machten sie die Kanaaniter
fronpflichtig; aber vertreiben konnten sie
sie nicht.[a]

14 Da redeten die Nachkommen Josefs
mit Josua und sprachen: Warum hast du
mir nur *ein* Los und *ein* Erbteil gegeben?
Ich bin doch ein großes Volk, da mich der
HERR so gesegnet hat. 15 Da sprach Josua
zu ihnen: Weil du ein großes Volk bist, so
geh hinauf in den Wald und rode dort für
dich im Lande der Perisiter und Refaïter,
wenn dir das Gebirge Ephraim zu eng ist.
16 Da sprachen die Nachkommen Josefs:
Das Gebirge wird nicht Raum genug für
uns haben; dazu gibt es eiserne Wagen
bei allen Kanaanitern, die im ebenen Land
wohnen, bei denen zu Bet-Schean und
seinen Ortschaften und bei denen in der
Ebene Jesreel.[a] 17 Josua sprach zum Hause
Josef, zu Ephraim und Manasse: Du bist
ein großes Volk und bist so stark. Du sollst
nicht nur *ein* Los haben, 18 sondern das Ge-
birge soll dein sein, wo der Wald ist; dort
kannst du roden, und er soll dein sein, so
weit er reicht; denn du wirst die Kanaan-
iter vertreiben, die eiserne Wagen haben
und mächtig sind.

VERTEILUNG DES ÜBRIGEN LANDES

18 Und es versammelte sich die ganze
Gemeinde der Israeliten in [a]Silo und
richtete dort die Stiftshütte auf, und das
Land war ihnen unterworfen.

2 Und es waren noch sieben Stämme von
den Israeliten übrig, die ihr Erbteil nicht
erhalten hatten. 3 Und Josua sprach zu
den Israeliten: Wie lange zögert ihr noch,
hineinzugehen und das Land einzuneh-
men, das euch der HERR, der Gott eurer
Väter, gegeben hat? 4 Nehmt euch aus
jedem Stamm drei Männer, dass ich sie
sende und sie sich aufmachen und durchs
Land gehen und es aufschreiben nach ih-
ren Erbteilen und wieder zu mir kommen.
5 Teilt das Land in sieben Teile! Juda soll
bleiben auf seinem Gebiet im Süden, und
das Haus Josef soll bleiben auf seinem
Gebiet im Norden. 6 Ihr aber, schreibt die
sieben Teile des Landes auf und tut mir's
kund; dann will ich für euch das Los wer-
fen hier vor dem HERRN, unserm Gott.
7 Denn die [a]Leviten erhalten keinen An-
teil unter euch, sondern das Priestertum
des HERRN ist ihr Erbteil. Gad aber und
Ruben und der halbe Stamm Manasse ha-
ben ihr Teil erhalten jenseits des Jordans
im Osten, das ihnen Mose, der Knecht des
HERRN, gegeben hat.

8 Da machten sich die Männer auf und
gingen hin. Und Josua gebot ihnen, als sie
auszogen, das Land aufzuschreiben, und
sprach: Geht hin und durchwandert das
Land; schreibt es auf und kehrt zu mir zu-
rück, dass ich für euch hier das Los werfe
vor dem HERRN in Silo. 9 So gingen die
Männer hin und durchzogen das Land
und schrieben's auf in ein Buch, Stadt
für Stadt, in sieben Teilen, und kamen
wieder zu Josua ins Lager nach Silo. 10 Da
warf Josua das Los für sie in Silo vor dem
HERRN, und Josua verteilte dort das Land
unter die Israeliten, einem jeden Stamm
sein Teil.

DAS ERBTEIL DES STAMMES BENJAMIN

11 Da fiel das Los des Stammes Benjamin
nach seinen Geschlechtern, und sein Ge-
biet war zwischen Juda und Josef. 12 Und

17,11 *a* (11-12) Ri 1,27-28 **17,13** *a* Kap 16,10 **17,16** *a* Ri 1,19
18,1 *a* Kap 22,12; Ri 21,19; 1. Sam 1,3; 4,4; Jer 7,12-15
18,7 *a* Kap 13,14.33

seine Grenze war an der Nordseite vom
Jordan an und geht hinauf auf den Hang
nördlich von Jericho und kommt aufs Ge-
birge westwärts und geht aus nach der
Wüste von [a]Bet-Awen 13 und geht von da
nach Lus – das ist [a]Bethel – an den Ab-
hang südwärts von Lus und kommt hinab
nach Atrot-Addar an den Berg, der süd-
wärts liegt von dem unteren Bet-Horon.
14 Danach neigt sie sich und biegt in ihrem
westlichen Teil nach Süden um von dem
Berge an, der südlich vor Bet-Horon liegt,
und endet bei Kirjat-Baal – das ist Kir-
jat-Jearim –, einer Stadt der Judäer. Das
ist die Seite nach Westen. 15 Aber auf der
Seite nach Süden läuft die Grenze von
[a]Kirjat-Jearim an und geht zuerst nach
Westen und läuft dann hin zur Quelle
Neftoach 16 und geht hinab an den Fuß
des Berges, der vor dem Tal Ben-Hinnom
liegt, an der Nordecke der Ebene Refaïm,
und geht herab durchs Tal Hinnom am
Südhang der Jebusiter und kommt hinab
zur Quelle Rogel 17 und zieht sich nord-
wärts und läuft hin nach En-Schemesch
und läuft hin nach Gelilot gegenüber
der Steige von Adummim und kommt
hinab zum Stein Bohans, des Sohnes
Rubens, 18 und geht zu dem Hang nörd-
lich von Bet-Araba und kommt hinab
in die Araba* 19 und geht zu dem Hang
nördlich von Bet-Hogla, und ihr Ende
ist am nördlichen Ufer des Salzmeers,
dort, wo der Jordan hineinfließt. Das
ist die Südgrenze. 20 Aber die Seite nach
Osten soll der Jordan begrenzen. Das
ist das Erbteil der Benjaminiter in sei-
nen Grenzen ringsumher nach ihren
Geschlechtern.

21 Die Städte aber des Stammes Ben-
jamin nach seinen Geschlechtern sind
diese: Jericho, Bet-Hogla, Emek-Keziz,
22 Bet-Araba, Zemarajim, Bethel, 23 Awim,
Para, Ofra, 24 Kefar-Ammoni, Ofni, Geba.
Das sind zwölf Städte mit ihren Ge-
höften.

25 Gibeon, Rama, Beerot, 26 Mizpe,
Kefira, Moza, 27 Rekem, Jirpeel, Tarala,
28 Zela, Elef und die [a]Jebusiter – das ist Je-
rusalem –, Gibea, Kirjat-Jearim; vierzehn
Städte mit ihren Gehöften. Das ist das
Erbteil des Stammes Benjamin nach sei-
nen Geschlechtern.

DAS ERBTEIL DES STAMMES SIMEON

19 Danach fiel das zweite Los auf den
Stamm Simeon nach seinen Ge-
schlechtern; und ihr Erbteil war inmitten
des Erbteils der Judäer. 2 Und es ward ih-
nen zum Erbteil Beerscheba, Schema, Mo-
lada, 3 Hazar-Schual, Baala, Ezem, 4 Elto-
lad, Betul, Horma, 5 Ziklag, Bet-Markabot,
Hazar-Susa, 6 Bet-Lebaot, Scharuhen. Das
sind dreizehn Städte mit ihren Gehöften.
7 Ajin, Rimmon, Eter, Aschan. Das sind
vier Städte mit ihren Gehöften, 8 dazu alle
Gehöfte, die um diese Städte liegen, bis
Baalat-Beer; das ist Rama im Südland. Das
ist das Erbteil des Stammes Simeon nach
seinen Geschlechtern. 9 Denn das Erbteil
der Söhne Simeon ist von dem Anteil der
Judäer genommen. Weil der Anteil der Ju-
däer zu groß für sie war, darum erbten die
Söhne Simeon mitten in deren Erbteil.

DAS ERBTEIL DES STAMMES SEBULON

10 Das dritte Los fiel auf die Söhne Sebu-
lon nach ihren Geschlechtern. Und die
Grenze ihres Erbteils war bis Sarid 11 und
geht hinauf westwärts nach Marala und
stößt an Dabbeschet und dann an den
Bach, der gegenüber von Jokneam fließt,
12 und wendet sich von Sarid gegen Son-
nenaufgang bis an das Gebiet Kislot-Ta-
bor und läuft hin nach Daberat und reicht
hinauf nach Jafia. 13 Und von da geht sie
gegen Sonnenaufgang nach Gat-Hefer
und Et-Kazin und läuft hin nach Rim-
mon, neigt sich nach Nea 14 und biegt um
im Norden nach Hannaton und endet im
Tal von Jiftach-El. 15 Dazu Kattat, [a]Nahalal,
Schimron, Jidala und Bethlehem. Das sind
zwölf Städte mit ihren Gehöften. 16 Das ist
das Erbteil der Söhne Sebulon nach seinen
Geschlechtern; das sind seine Städte und
Gehöfte.

DAS ERBTEIL DES STAMMES ISSACHAR

17 Auf die Söhne Issachar fiel das vierte
Los nach ihren Geschlechtern. 18 Und ihr
Gebiet war Jesreel, Kesullot, Schunem,
19 Hafarajim, Schion, Anaharat, 20 Rabbit,
Kischjon, Ebez, 21 Remet, En-Gannim,

* **18,18** Siehe Sach- und Worterklärungen.

18,12 *a* Kap 16,1 **18,13** *a* 1. Mose 12,8; 28,19
18,15 *a* Kap 15,9 **18,28** *a* Kap 15,63; Ri 1,21
19,15 *a* Ri 1,30

En-Hadda, Bet-Pazzez; 22 und die Grenze
stößt an Tabor, Schahazajim, Bet-Sche-
mesch, und ihr Ende ist am Jordan. Sech-
zehn Städte mit ihren Gehöften. 23 Das ist
das Erbteil des Stammes Issachar nach sei-
nen Geschlechtern, die Städte mit ihren
Gehöften.

DAS ERBTEIL DES STAMMES ASSER

24 Das fünfte Los fiel auf den Stamm As-
ser nach seinen Geschlechtern. 25 Und sein
Gebiet war Helkat, Hali, Beten, Achschaf,
26 Alammelech, Amad, Mischal, und die
Grenze stößt im Westen an den Karmel
und an den Fluss Libnat 27 und wendet
sich gegen Osten nach Bet-Dagon und
stößt an Sebulon und an das Tal Jiftach-El
nordwärts, stößt an Bet-Emek, Negiël und
läuft hin nach Kabul zur Linken, 28 Ab-
don, Rehob, Hammon, Kana bis nach Si-
don, der großen Stadt, 29 und wendet sich
nach Rama bis zu der festen Stadt Tyrus
und wendet sich nach Hosa und endet am
Meer. Dazu Mahaleb, [a]Achsib, 30 Umma,
Afek, Rehob. Zweiundzwanzig Städte mit
ihren Gehöften. 31 Das ist das Erbteil des
Stammes Asser nach seinen Geschlech-
tern, die Städte mit ihren Gehöften.

DAS ERBTEIL DES STAMMES NAFTALI

32 Auf die Söhne Naftali fiel das sechste Los
nach ihren Geschlechtern. 33 Und seine
Grenze war von Helef, von der Eiche bei
Zaanannim an, dazu Adami-Nekeb und
Jabneel, bis Lakkum und endet am Jordan;
34 und die Grenze wendet sich westwärts
nach Asnot-Tabor und läuft von da nach
Hukkok und stößt an Sebulon im Süden
und an Asser im Westen und an den Jor-
dan im Osten. 35 Und feste Städte sind:
Ziddim, Zer, Hammat, Rakkat, Kinneret,
36 Adama, Rama, Hazor, 37 Kedesch, Ed-
reï, En-Hazor, 38 Jiron, Migdal-El, Horem,
[a]Bet-Anat, Bet-Schemesch. Neunzehn
Städte mit ihren Gehöften. 39 Das ist das
Erbteil des Stammes Naftali nach sei-
nen Geschlechtern, die Städte mit ihren
Gehöften.

DAS ERBTEIL DES STAMMES DAN

40 Das siebente Los fiel auf den Stamm
Dan nach seinen Geschlechtern. 41 Und
das Gebiet seines Erbteils war Zora,
Eschtaol, Ir-Schemesch, 42 Schaalbim, Aja-
lon, Jitla, 43 Elon, [a]Timna, Ekron, 44 Elteke,
Gibbeton, Baalat, 45 Jehud, Bene-Berak,
Gat-Rimmon, 46 Me-Jarkon, Rakkon mit
dem Gebiet bei [a]Jafo. 47 Den Danitern aber
ging ihr Gebiet verloren, und sie zogen
hinauf und kämpften gegen Leschem und
eroberten und schlugen es mit der Schärfe
des Schwerts und nahmen es ein und
wohnten darin und nannten es Dan nach
ihres Vaters Namen.[a] 48 Das ist das Erbteil
des Stammes Dan nach seinen Geschlech-
tern, die Städte mit ihren Gehöften.

49 Und als sie das ganze Land ausgeteilt
hatten nach seinen Gebieten, gaben die
Israeliten dem Josua, dem Sohn Nuns,
ein Erbteil in ihrer Mitte 50 und gaben ihm
nach dem Befehl des HERRN die Stadt, die
er forderte, nämlich [a]Timnat-Serach auf
dem Gebirge Ephraim. Dann baute er die
Stadt auf und wohnte darin.

51 Das sind die Erbteile, die [a]Eleasar, der
Priester, und Josua, der Sohn Nuns, und
die Häupter der Sippen unter den Stäm-
men Israels durchs Los austeilten in [b]Silo
vor dem HERRN, vor dem Eingang der
Stiftshütte; und sie vollendeten so die
Verteilung des Landes.

DIE FREISTÄDTE

20 Und der HERR redete mit Josua und
sprach: 2 Sage den Israeliten: Bestimmt
unter euch [a]Freistädte, von denen ich euch
durch Mose gesagt habe. 3 Dahin kann ein
Totschläger fliehen, der jemand aus Ver-
sehen und ohne Vorsatz erschlägt, damit
sie euch eine Freistatt sind vor dem Blut-
rächer. 4 Und wer zu einer dieser Städte
flieht, soll draußen vor dem Stadttor
stehen bleiben und vor den Ältesten der
Stadt seine Sache vorbringen; dann sollen
sie ihn zu sich in die Stadt nehmen und
ihm Raum geben, bei ihnen zu wohnen.
5 Und wenn der Bluträcher ihm nachjagt,
sollen sie den Totschläger nicht in seine
Hände übergeben, weil er ohne Vorsatz
seinen Nächsten erschlagen hat und ihm
vorher nicht feind gewesen ist. 6 So soll
er in der Stadt wohnen, bis er vor der Ge-

19,29 *a* Ri 1,31 **19,38** *a* Ri 1,33 **19,43** *a* Kap 15,10
19,46 *a* Jona 1,3 **19,47** *a* Ri 18,27-29 **19,50** *a* Kap 24,30;
Ri 2,9 **19,51** *a* Kap 14,1 *b* Kap 18,1
20,2 *a* 4. Mose 35,9-29

meinde vor Gericht gestanden hat und bis
der Hohepriester gestorben ist, der zu je-
ner Zeit im Amt sein wird. Dann darf der
Totschläger zurückkommen in seine Stadt
und in sein Haus, zur Stadt, aus der er ge-
flohen ist.

7 Da weihten sie Kedesch in Galiläa auf
dem Gebirge Naftali und Sichem auf dem
Gebirge Ephraim und Kirjat-Arba – das ist
Hebron – auf dem Gebirge Juda; 8 und jen-
seits des Jordans, im Osten von Jericho,
[a]bestimmten sie Bezer in der Wüste auf
der Ebene im Gebiet des Stammes Ru-
ben und Ramot in Gilead im Gebiet des
Stammes Gad und Golan in Baschan im
Gebiet des Stammes Manasse. 9 Das wa-
ren die Städte, bestimmt für alle Israeli-
ten und die Fremdlinge, die in ihrer Mitte
wohnten, dass dahin fliehen könne, wer
jemand aus Versehen erschlägt, damit er
nicht stirbt durch den Bluträcher, bis er vor
der Gemeinde gestanden hat.

DIE STÄDTE DER LEVITEN

(vgl. 1. Chr 6,39-66)

21 [a]Da traten herzu die Häupter der Sip-
pen unter den Leviten zu dem Pries-
ter Eleasar und zu Josua, dem Sohn Nuns,
und zu den Häuptern der Sippen unter
den Stämmen Israels 2 und redeten mit
ihnen in Silo im Lande Kanaan und spra-
chen: Der HERR hat geboten durch Mose,
dass man uns Städte geben solle, um darin
zu wohnen, und dazu Weideplätze für
unser Vieh. 3 Da gaben die Israeliten den
Leviten von ihren Erbteilen nach dem
Befehl des HERRN diese Städte und ihre
Weideplätze.

4 Und das Los fiel auf die Geschlechter
der Kehatiter, und es wurden unter den
Leviten den Söhnen des Priesters Aaron
durchs Los zugeteilt dreizehn Städte von
dem Stamm Juda, von dem Stamm Si-
meon und von dem Stamm Benjamin.[a]
5 Den übrigen Söhnen Kehat aber wurden
durchs Los zugeteilt zehn Städte von den
Geschlechtern des Stammes Ephraim,
von dem Stamm Dan und von dem hal-
ben Stamm Manasse. 6 Aber den Söhnen
Gerschon wurden durchs Los zugeteilt
dreizehn Städte von den Geschlechtern
des Stammes Issachar, von dem Stamm
Asser und von dem Stamm Naftali und
von dem halben Stamm Manasse in Ba-
schan. 7 Den Söhnen Merari wurden für
ihre Geschlechter zugeteilt zwölf Städte
von dem Stamm Ruben, von dem Stamm
Gad und von dem Stamm Sebulon. 8 So
gaben die Israeliten den Leviten durchs
Los diese Städte und ihre Weideplätze,
wie der HERR durch Mose geboten hatte.

9 Von dem Stamm Juda und von dem
Stamm Simeon gaben sie diese Städte,
die sie mit Namen nannten, 10 den Söhnen
Aaron vom Geschlecht der Kehatiter aus
den Leviten; denn das erste Los war ihnen
zuteilgeworden. 11 Sie gaben ihnen [a]die
Stadt des Arba, des Vaters Anaks, – das ist
Hebron – auf dem Gebirge Juda und ihre
Weideplätze um sie her. 12 Aber das Acker-
land der Stadt mit ihren Gehöften gaben
sie [a]Kaleb, dem Sohn Jefunnes, zu seinem
Besitz. 13 Sie gaben den Söhnen des Pries-
ters Aaron die Freistadt für die Totschlä-
ger: Hebron und seine Weideplätze, Libna
und seine Weideplätze, 14 Jattir und seine
Weideplätze, Eschtemoa und seine Wei-
deplätze, 15 Holon und seine Weideplätze,
Debir und seine Weideplätze, 16 Ajin und
seine Weideplätze, Jutta und seine Wei-
deplätze, Bet-Schemesch und seine Wei-
deplätze, neun Städte von diesen zwei
Stämmen.

17 Von dem Stamm Benjamin aber gaben
sie vier Städte: Gibeon und seine Wei-
deplätze, Geba und seine Weideplätze,
18 Anatot und seine Weideplätze, Alemet
und seine Weideplätze. 19 Alle Städte der
Söhne Aaron, der Priester, waren dreizehn
mit ihren Weideplätzen.

20 Die Geschlechter der übrigen Söhne
Kehat, jene, die Leviten waren, erhiel-
ten als ihren Losanteil von dem Stamm
Ephraim vier Städte: 21 Sie gaben ihnen
die Freistadt für die Totschläger: [a]Sichem
und seine Weideplätze auf dem Gebirge
Ephraim, ferner Geser und seine Weide-
plätze, 22 Kibzajim und seine Weideplätze,
Bet-Horon und seine Weideplätze. 23 Von
dem Stamm Dan vier Städte: Elteke und
seine Weideplätze, Gibbeton und seine
Weideplätze, 24 Ajalon und seine Weide-
plätze, Gat-Rimmon und seine Weide-

20,8 *a* 5. Mose 4,41-43 **21,1** *a* (1-3) Kap 14,1; 4. Mose 35,2-8 **21,4** *a* 4. Mose 3,17-39 **21,11** *a* Kap 20,7 **21,12** *a* Kap 14,14; 15,13 **21,21** *a* Kap 20,7

plätze. 25 Von dem halben Stamm Manasse
zwei Städte: Taanach und seine Weide-
plätze, Gat-Rimmon und seine Weide-
plätze. 26 Alle Städte der Geschlechter der
übrigen Söhne Kehat waren zehn mit ih-
ren Weideplätzen.

27 Den Söhnen Gerschon aber aus den
Geschlechtern der Leviten wurden gege-
ben von dem halben Stamm Manasse zwei
Städte: die Freistadt für die Totschläger:
[a]Golan in Baschan und seine Weideplätze,
ferner Beëschtera und seine Weideplätze.
28 Von dem Stamm Issachar vier Städte:
Kischjon und seine Weideplätze, Dabe-
rat und seine Weideplätze, 29 Jarmut und
seine Weideplätze, En-Gannim und seine
Weideplätze. 30 Von dem Stamm Asser
vier Städte: Mischal und seine Weide-
plätze, Abdon und seine Weideplätze,
31 Helkat und seine Weideplätze, Re-
hob und seine Weideplätze. 32 Von dem
Stamm Naftali drei Städte: die Freistadt
für die Totschläger: [a]Kedesch in Galiläa
und seine Weideplätze, ferner Ham-
mot-Dor und seine Weideplätze, Kartan
und seine Weideplätze. 33 Alle Städte des
Geschlechts der Gerschoniter waren drei-
zehn mit ihren Weideplätzen.

34 Den Geschlechtern der Söhne Merari
aber, den noch übrigen Leviten, wurden
gegeben von dem Stamm Sebulon vier
Städte: Jokneam und seine Weideplätze,
Karta und seine Weideplätze, 35 Dimna
und seine Weideplätze, Nahalal und seine
Weideplätze. 36 Von dem Stamm Ruben
vier Städte: die Freistadt für die Totschlä-
ger: [a]Bezer und seine Weideplätze, ferner
Jahaz und seine Weideplätze, 37 Kedemot
und seine Weideplätze, Mefaat und seine
Weideplätze. 38 Von dem Stamm Gad vier
Städte: die Freistadt für die Totschläger:
[a]Ramot in Gilead und seine Weideplätze,
ferner Mahanajim und seine Weideplätze,
39 Heschbon und seine Weideplätze, Jaser
und seine Weideplätze. 40 Alle Städte der
Söhne Merari nach ihren Geschlechtern,
der noch übrigen Leviten, waren zwölf
nach ihrem Los.

41 Alle Städte der Leviten unter dem
Erbe der Israeliten waren achtundvierzig
mit ihren Weideplätzen. 42 Und jede von
diesen Städten hatte ihren Weideplatz um
sich her, eine wie die andere.

ABSCHLUSS DER VERTEILUNG DES LANDES

43 So hat der HERR Israel das ganze Land
gegeben, das er geschworen hatte, ihren
Vätern zu geben, und sie nahmen's ein
und wohnten darin.[a] 44 Und der HERR gab
ihnen [a]Ruhe ringsumher, ganz wie er ih-
ren Vätern geschworen hatte; und keiner
ihrer Feinde widerstand ihnen, sondern
alle ihre Feinde gab er in ihre Hände. **45 Es
war [a]nichts dahingefallen von all dem
guten Wort, das der HERR dem Hause
Israel verkündigt hatte. Es war alles
gekommen.**

JOSUA ENTLÄSST DIE OSTJORDANISCHEN STÄMME

22 Da rief Josua die Rubeniter und Gad-
iter und den halben Stamm Manasse
2 [a]und sprach zu ihnen: Ihr habt alles ge-
halten, was euch Mose, der Knecht des
HERRN, geboten hat, und habt gehorcht
meiner Stimme in allem, was ich euch ge-
boten habe. 3 Ihr habt eure Brüder diese
lange Zeit bis zum heutigen Tag nicht
verlassen und habt festgehalten an dem
Gebot des HERRN, eures Gottes. 4 Weil
nun der HERR, euer Gott, eure Brüder
[a]zur Ruhe gebracht hat, wie er ihnen zu-
gesagt hat, so wendet euch nun und zieht
hin zu euren Zelten in das Land eures
Erbes, das euch Mose, der Knecht des
HERRN, gegeben hat jenseits des Jor-
dans. 5 Achtet aber nur genau darauf, dass
ihr tut nach dem Gebot und Gesetz, das
euch Mose, der Knecht des HERRN, gebo-
ten hat, dass ihr den HERRN, euren Gott,
liebt und wandelt auf allen seinen Wegen
und seine Gebote haltet und ihm anhangt
und ihm dient von ganzem Herzen und
von ganzer Seele.[a] 6 So segnete sie Josua
und ließ sie gehen, und sie gingen zu ih-
ren Zelten.

7 Dem einen halben Stamm Manasse
hatte Mose Erbteil gegeben in Baschan,
der andern Hälfte gab Josua ihr Erbteil
unter ihren Brüdern diesseits des Jordans
nach Westen zu. Und als er sie gehen ließ

21,27 *a* Kap 20,8 **21,32** *a* Kap 20,7 **21,36** *a* Kap 20,8
21,38 *a* Kap 20,8 **21,43** *a* 1. Mose 12,7
21,44 *a* 5. Mose 12,9-10 **21,45** *a* Kap 23,14; 1. Kön 8,56
22,2 *a* (1-4) 4. Mose 32,20-22; 5. Mose 3,18-20
22,4 *a* Hebr 4,8 **22,5** *a* 5. Mose 6,5; 10,12

zu ihren Zelten und sie gesegnet hatte,
8 sprach er zu ihnen: Ihr kommt wieder
heim mit großem Gut zu euren Zelten,
mit sehr viel Vieh, Silber, Gold, Bronze,
Eisen und Kleidern. [a]So teilt nun die Beute
eurer Feinde mit euren Brüdern.

DER ALTAR AM JORDAN

9 Da kehrten zurück die Söhne Ruben,
die Söhne Gad und der halbe Stamm Ma-
nasse und gingen von den Israeliten weg
aus Silo, das im Lande Kanaan liegt, dass
sie ins Land Gilead zögen zum Lande ihres
Erbes, das sie nach dem Befehl des HERRN
durch Mose geerbt hatten. 10 Und da sie
zu den Steinkreisen am Jordan kamen,
die noch im Lande Kanaan liegen, bau-
ten die Söhne Ruben, die Söhne Gad und
der halbe Stamm Manasse dort am Jordan
einen Altar, groß und ansehnlich. 11 Als
aber die Israeliten sagen hörten: Siehe,
die Söhne Ruben, die Söhne Gad und der
halbe Stamm Manasse haben einen Altar
gebaut an den Grenzen des Landes Ka-
naan, bei den Steinkreisen am Jordan, an
der Grenze des Gebiets der Israeliten, 12 da
versammelte sich die ganze Gemeinde der
Israeliten in Silo, um gegen sie zu Felde zu
ziehen.

13 Und die Israeliten sandten zu den Söh-
nen Ruben, den Söhnen Gad und dem
halben Stamm Manasse ins Land Gilead
den [a]Pinhas, den Sohn Eleasars, den Pries-
ter, 14 und mit ihm zehn Fürsten, aus jeder
Sippe der Stämme Israels einen, und jeder
war Haupt seiner Sippe über Tausend in
Israel. 15 Und als sie zu den Söhnen Ru-
ben, den Söhnen Gad und dem halben
Stamm Manasse ins Land Gilead kamen,
redeten sie mit ihnen und sprachen: 16 So
lässt euch sagen die ganze Gemeinde des
HERRN: Wie versündigt ihr euch an dem
Gott Israels, dass ihr euch heute abkehrt
von dem HERRN und [a]dass ihr euch einen
Altar baut und von dem HERRN abfallt?
17 Ist's nicht genug mit der Schuld von
[a]Peor, von der wir bis zum heutigen Tag
noch nicht gereinigt sind und um derent-
willen eine Plage unter die Gemeinde des
HERRN kam? 18 Und ihr wendet euch
heute von dem HERRN weg. Dann wird
es geschehen: Heute lehnt ihr euch auf
gegen den HERRN, und morgen wird er
über die ganze Gemeinde Israel zürnen.
19 Haltet ihr das Land eures Erbes für un-
rein, so kommt herüber ins Land, das
dem HERRN gehört, wo die Wohnung
des HERRN steht, und empfangt Erbteil
unter uns; aber lehnt euch nicht auf ge-
gen den HERRN und gegen uns, dass ihr
euch einen Altar baut außer dem Altar des
HERRN, unseres Gottes. 20 Versündigte
sich nicht [a]Achan, der Sohn Serachs, am
Gebannten, und kam nicht der Zorn über
die ganze Gemeinde Israel, obgleich er nur
ein einzelner Mann war? Ging er nicht zu-
grunde wegen seiner Missetat?

21 Da antworteten die Söhne Ruben und
die Söhne Gad und der halbe Stamm Ma-
nasse und sagten zu den Obersten über
Tausend in Israel: 22 Der starke Gott, der
HERR, der starke Gott, der HERR, weiß es;
so wisse es auch Israel: Fallen wir ab oder
lehnen wir uns auf gegen den HERRN, so
helfe er uns heute nicht! 23 Und wenn wir
darum den Altar gebaut haben, dass wir
uns von dem HERRN abwenden wollten,
um Brandopfer oder Speisopfer darauf
zu opfern oder Dankopfer darauf darzu-
bringen, so möge es der HERR selbst un-
tersuchen. 24 Haben wir es nicht vielmehr
aus Sorge darum getan, dass wir dachten:
Morgen könnten eure Söhne zu unsern
Söhnen sagen: Was geht euch der HERR,
der Gott Israels, an? 25 Der HERR hat den
Jordan zur Grenze gesetzt zwischen uns
und euch, ihr Söhne Ruben und Gad, ihr
habt kein Teil am HERRN. Damit würden
eure Nachkommen unsere Nachkommen
von der Furcht des HERRN abwenden.

26 Darum sprachen wir: Lasst uns einen
Altar bauen, nicht zum Brandopfer noch
zum Schlachtopfer, 27 sondern damit er
ein [a]Zeuge sei zwischen uns und euch
und unsern Nachkommen, dass wir dem
HERRN Dienst tun wollen vor ihm mit
unsern Brandopfern, Dankopfern und
Schlachtopfern, und eure Söhne künftig
nicht sagen dürfen zu unsern Söhnen: Ihr
habt kein Teil an dem HERRN. 28 Und wir
sagten uns: Wenn sie morgen zu uns oder
zu unsern Nachkommen so reden wür-
den, so könnten wir sagen: Seht, wie der

22,8 ***a*** 4. Mose 31,27 **22,13** ***a*** 4. Mose 25,7
22,16 ***a*** 5. Mose 12,13-14 **22,17** ***a*** 4. Mose 25,1-18
22,20 ***a*** Kap 7,1-26 **22,27** ***a*** Kap 24,27

Altar des HERRN gebaut ist, den unsere
Väter gemacht haben, nicht zum Brand-
opfer noch zum Schlachtopfer, sondern
zum Zeugen zwischen uns und euch.
29 Das sei ferne von uns, dass wir uns auf-
lehnen gegen den HERRN und uns heute
von ihm abwenden und einen Altar bauen
zum Brandopfer und zum Speisopfer und
zum Schlachtopfer außer dem Altar des
HERRN, unseres Gottes, der vor seiner
Wohnung steht.

30 Da aber Pinhas, der Priester, und die
Fürsten der Gemeinde, die Obersten über
Tausend in Israel, die bei ihm waren, diese
Worte hörten, die die Söhne Ruben, Gad
und Manasse sagten, gefielen sie ihnen
gut. 31 Und Pinhas, der Sohn Eleasars,
der Priester, sprach zu den Söhnen Ru-
ben, Gad und Manasse: Heute erkennen
wir, dass der HERR unter uns ist, weil ihr
euch nicht an dem HERRN versündigt
habt mit dieser Tat. Nun habt ihr die Isra-
eliten errettet aus der Hand des HERRN.
32 Da kehrten Pinhas, der Sohn Eleasars,
der Priester, und die Obersten aus dem
Land Gilead von den Söhnen Ruben und
Gad ins Land Kanaan zu den Israeliten
zurück und sagten's ihnen an. 33 Das ge-
fiel den Israeliten gut, und sie lobten Gott
und sagten, dass sie nicht mehr gegen sie
zu Felde ziehen wollten, um das Land zu
verderben, darin die Söhne Ruben und
Gad wohnten. 34 Und die Söhne Ruben
und Gad nannten den Altar: »Zeuge ist
er zwischen uns, dass der HERR Gott ist«.

JOSUAS LETZTE VERMAHNUNG

23 [a]Und nach langer Zeit, als der HERR Is-
rael [b]Ruhe gegeben hatte vor allen sei-
nen Feinden ringsumher und Josua nun
alt und hochbetagt war, 2 [a]berief er ganz
Israel, seine Ältesten, Häupter, Richter
und Amtleute und sprach zu ihnen: Ich
bin alt und hochbetagt, 3 und ihr habt al-
les gesehen, was der HERR, euer Gott, ge-
tan hat an allen diesen Völkern vor euch
her; denn der HERR, euer Gott, hat sel-
ber für euch gestritten. 4 Seht, ich habe
euch diese Völker, die noch übrig waren,
durchs Los zugeteilt, einem jeden Stamm
sein Erbteil, vom Jordan an alle Völker,
die ich ausgerottet habe, bis zum großen
Meer, wo die Sonne untergeht. 5 Und der
HERR, euer Gott, wird sie vor euch aus-
stoßen und vor euch vertreiben, und ihr
werdet ihr Land in Besitz nehmen, wie
euch der HERR, euer Gott, zugesagt hat.
6 So [a]seid nun ganz getrost, dass ihr hal-
tet und tut alles, was geschrieben steht im
Gesetzbuch des Mose, und nicht davon
weicht, weder zur Rechten noch zur Lin-
ken,[b] 7 auf dass ihr euch nicht mengt un-
ter diese Völker, die noch übrig sind bei
euch, und nicht anruft noch [a]schwört bei
dem Namen ihrer Götter noch ihnen dient
noch sie anbetet, 8 sondern dem HERRN,
eurem Gott, anhangt, wie ihr bis auf die-
sen Tag getan habt. 9 [a]Der HERR hat vor
euch große und mächtige Völker vertrie-
ben, und niemand hat euch widerstanden
bis auf diesen Tag. 10 Ein Einziger von euch
jagt tausend; denn der HERR, euer Gott,
streitet für euch, wie er euch zugesagt hat.
11 Darum achtet ernstlich darauf um eures
Lebens willen, dass ihr den HERRN, euren
Gott, lieb habt.[a] 12 Denn wenn ihr euch
abwendet und diesen Völkern, die noch
übrig sind, anhangt und euch mit ihnen
[a]verheiratet, dass ihr euch unter sie mengt
und sie sich unter euch, 13 so wisst, dass
der HERR, euer Gott, nicht mehr diese
Völker vor euch vertreiben wird, sondern
[a]sie werden euch zum Fallstrick und Netz
werden und zur Geißel an euren Seiten
und zum Stachel in euren Augen, bis ihr
ausgerottet seid aus diesem guten Land,
das euch der HERR, euer Gott, gegeben
hat.

14 Siehe, ich gehe heute dahin wie alle
Welt; und ihr sollt wissen von gan-
zem Herzen und von ganzer Seele, dass
[a]nichts dahingefallen ist von all den guten
Worten, die der HERR, euer Gott, euch
zugesagt hat. Es ist alles gekommen und
nichts dahingefallen. 15 [a]Wie nun all das
gute Wort gekommen ist, das der HERR,
euer Gott, euch zugesagt hat, so wird der
HERR auch über euch kommen lassen all
das böse Wort, bis er euch vertilgt hat aus
diesem guten Lande, das euch der HERR,

23,1 ***a*** *(1-2)* Kap 13,1 ***b*** Kap 21,44 **23,2** ***a*** Kap 24,1
23,6 ***a*** Kap 1,7 ***b*** 5. Mose 5,32 **23,7** ***a*** 2. Mose 23,13.24
23,9 ***a*** *(9-10)* Kap 24,18; 3. Mose 26,8 **23,11** ***a*** Kap 22,5;
5. Mose 6,5 **23,12** ***a*** 2. Mose 34,16; 5. Mose 7,3
23,13 ***a*** 4. Mose 33,55; 5. Mose 7,16; Ri 2,3
23,14 ***a*** Kap 21,45 **23,15** ***a*** *(15-16)* 5. Mose 28,15-47

euer Gott, gegeben hat. 16 Wenn ihr über-
tretet den Bund des HERRN, eures Gottes,
den er euch geboten hat, und hingeht und
andern Göttern dient und sie anbetet, so
wird der Zorn des HERRN über euch ent-
brennen, und ihr werdet bald ausgerottet
sein aus dem guten Land, das er euch ge-
geben hat.

LANDTAG UND BUNDESSCHLUSS ZU SICHEM

24 Josua versammelte alle Stämme Israels
nach Sichem und [a]berief die Ältesten
von Israel, seine Obersten, Richter und
Amtleute. Und als sie vor Gott getreten
waren, 2 sprach Josua zum ganzen Volk:
So spricht der HERR, der Gott Israels:
Eure Väter wohnten vorzeiten jenseits des
Stroms, [a]Terach, Abrahams und Nahors
Vater, und [b]dienten andern Göttern. 3 Da
nahm ich euren Vater Abraham von jen-
seits des Stroms und ließ ihn [a]umherzie-
hen im ganzen Land Kanaan und mehrte
sein Geschlecht und gab ihm Isaak. 4 Und
Isaak gab ich [a]Jakob und Esau und gab Esau
das Gebirge [b]Seïr zum Besitz. [c]Jakob aber
und seine Söhne zogen hinab nach Ägyp-
ten. 5 Da sandte ich Mose und Aaron und
plagte Ägypten, wie ich unter ihnen ge-
tan habe. Und danach habe ich euch her-
ausgeführt.[a] 6 Und ich [a]führte eure Väter
aus Ägypten. Und als ihr ans Meer kamt
und die Ägypter euren Vätern nachjagten
mit Wagen und Gespannen ans Schilf-
meer, 7 da schrien sie zum HERRN. [a]Der
setzte eine Finsternis zwischen euch und
die Ägypter und ließ das Meer über sie
kommen, und es bedeckte sie. Eure Au-
gen haben gesehen, was ich an den Ägyp-
tern getan habe. Und ihr habt gewohnt in
der Wüste eine lange Zeit. 8 Und [a]ich habe
euch gebracht in das Land der Amoriter,
die jenseits des Jordans wohnten. Und als
sie gegen euch kämpften, gab ich sie in
eure Hände, sodass ihr ihr Land in Besitz
nahmt, und vertilgte sie vor euch her. 9 [a]Da
machte sich auf Balak, der Sohn Zippors,
der König der Moabiter, und kämpfte mit
Israel und sandte hin und ließ rufen Bi-
leam, den Sohn Beors, dass er euch verflu-
che. 10 Aber ich wollte nicht auf Bileam hö-
ren, sondern er musste euch segnen, und
ich errettete euch aus seiner Hand. 11 Und
als ihr über den Jordan gingt und nach Jeri-
cho kamt, kämpften gegen euch die Bürger
von Jericho, die Amoriter, Perisiter, Kana-
aniter, Hetiter, Girgaschiter, Hiwiter und
Jebusiter; aber ich gab sie in eure Hand.[a]
12 Und ich sandte [a]die Hornissen vor euch
her; die vertrieben sie vor euch, [b]die bei-
den Könige der Amoriter, und nicht dein
Schwert noch dein Bogen. 13 Und ich habe
euch ein Land gegeben, um das du dich
nicht gemüht hast, und Städte, die ihr
nicht gebaut habt, um darin zu wohnen,
und ihr esst von Weinbergen und Ölbäu-
men, die ihr nicht gepflanzt habt.[a]

14 So fürchtet nun den HERRN und dient
ihm treulich und rechtschaffen und [a]lasst
fahren die Götter, denen eure Väter ge-
dient haben jenseits des Stroms und in
Ägypten, und dient dem HERRN. 15 Ge-
fällt es euch aber nicht, dem HERRN zu
dienen, so wählt euch heute, wem ihr
dienen wollt: den Göttern, denen eure
Väter gedient haben jenseits des Stroms,
oder den Göttern der Amoriter, in deren
Land ihr wohnt. **Ich aber und mein Haus
wollen dem HERRN dienen.**

16 Da antwortete das Volk und sprach:
Das sei ferne von uns, dass wir den HERRN
verlassen und andern Göttern dienen!
17 Denn der HERR, unser Gott, hat uns und
unsere Väter aus Ägyptenland geführt,
aus der Knechtschaft, und hat vor unsern
Augen diese großen Zeichen getan und
uns behütet auf dem ganzen Wege, den
wir gegangen sind, und unter allen Völ-
kern, durch die wir gezogen sind, 18 und
hat ausgestoßen vor uns her alle Völker
und die Amoriter, die im Lande wohnten.
Darum wollen wir auch dem HERRN die-
nen; denn er ist unser Gott.

19 Josua sprach zum Volk: Ihr könnt dem
HERRN nicht dienen; denn er ist ein hei-
liger Gott, ein [a]eifernder Gott, der eure
Übertretung und eure Sünden nicht ver-
geben wird. 20 Wenn ihr den HERRN ver-
lasst und fremden Göttern dient, so wird

24,1 ***a*** Kap 23,2 **24,2** ***a*** 1. Mose 11,26 ***b*** 1. Mose 35,2 **24,3** ***a*** 1. Mose 12,5-6; 21,3 **24,4** ***a*** 1. Mose 25,19-26 ***b*** 1. Mose 32,4 ***c*** 1. Mose 46,6 **24,5** ***a*** 2. Mose 3,10; 6,26-27 **24,6** ***a*** 2. Mose 12,33.51 **24,7** ***a*** 2. Mose 14,10-31 **24,8** ***a*** 4. Mose 21,25.31 **24,9** ***a*** (9-10) 4. Mose 22,1–24,25 **24,11** ***a*** Kap 3,10; 6,1-21 **24,12** ***a*** 2. Mose 23,28; 5. Mose 7,20 ***b*** Kap 10,1-2 **24,13** ***a*** 5. Mose 6,10-11 **24,14** ***a*** Vers 2 **24,19** ***a*** 2. Mose 20,5; 34,7

er sich abwenden und euch plagen und
euch umbringen, nachdem er euch Gutes
getan hat. 21 Das Volk aber sprach zu Josua:
Nein, sondern wir wollen dem HERRN
dienen.
22 Da sprach Josua zum Volk: Ihr seid
Zeugen gegen euch selbst, dass ihr euch
den HERRN erwählt habt, um ihm zu die-
nen. Und sie sprachen: Ja! – 23 So [a]tut nun
von euch die fremden Götter, die unter
euch sind, und neigt euer Herz zu dem
HERRN, dem Gott Israels. 24 Und das Volk
sprach zu Josua: Wir wollen dem HERRN,
unserm Gott, dienen und seiner Stimme
gehorchen.
25 So schloss Josua an diesem Tag einen
[a]Bund für das Volk und legte ihm Gesetze
und Rechte vor in Sichem. 26 Und Josua
schrieb dies alles in das Buch des Gesetzes
Gottes und nahm einen großen Stein und
richtete ihn dort auf unter einer [a]Eiche, die
bei dem Heiligtum des HERRN war. 27 Und
Josua sprach zum ganzen Volk: Siehe, die-
ser Stein soll [a]Zeuge sein unter uns, denn
er hat gehört alle Worte des HERRN, die
er mit uns geredet hat, und soll ein Zeuge
unter euch sein, dass ihr euren Gott nicht
verleugnet. 28 So entließ Josua das Volk,
einen jeden in sein Erbteil.

JOSUAS UND ELEASARS TOD. BESTATTUNG DER GEBEINE JOSEFS

29 [a]Und es begab sich nach diesen Ge-
schichten, dass [b]Josua, der Sohn Nuns,
der Knecht des HERRN, starb, als er hun-
dertzehn Jahre alt war. 30 Und man begrub
ihn in dem Gebiet seines Erbteils in [a]Tim-
nat-Serach, das auf dem Gebirge Ephraim
liegt, nördlich vom Berge Gaasch. 31 Und
Israel diente dem HERRN, solange Josua
lebte und die Ältesten, die noch lange
Zeit nach Josua lebten und alle Werke des
HERRN kannten, die er an Israel getan
hatte.
32 Die [a]Gebeine Josefs, die die Israeliten
aus Ägypten gebracht hatten, begruben sie
zu Sichem [b]auf dem Stück Feld, das Jakob
von den Söhnen Hamors, des Vaters von
Sichem, für hundert Goldstücke gekauft
hatte und das das Erbteil der Söhne Josef
ward. 33 Auch [a]Eleasar, der Sohn Aarons,
starb, und sie begruben ihn in Gibea, der
Stadt seines Sohnes Pinhas, die ihm gege-
ben war auf dem Gebirge Ephraim.

DAS BUCH DER RICHTER

1–2 Die Eroberung des Landes 2–5 Israel in Bedrängnis. Deboras Siegeslied
6–9 Gideon und Abimelech 10–12 Weitere Richter. Jeftah und seine Tochter
13–16 Simsons Kampf gegen die Philister 17–21 Schlimme Zustände in königloser Zeit

ISRAELS KÄMPFE NACH DEM TOD JOSUAS

1 [a]Nach dem [b]Tod Josuas [c]befragten die
Israeliten den HERRN und sprachen:
Wer soll unter uns zuerst hinaufziehen,
Krieg zu führen gegen die Kanaaniter?
2 Der HERR sprach: Juda soll hinaufziehen.
Siehe, ich habe das Land in seine Hand
gegeben. 3 Da sprach Juda zu seinem Bru-
der Simeon: Zieh mit mir hinauf in mein
Erbteil und lass uns mit den Kanaanitern
kämpfen, dann will auch ich mit dir ziehen
in dein Erbteil. So zog Simeon mit ihm.
4 Als nun Juda hinaufzog, gab der HERR
die Kanaaniter und Perisiter in ihre Hände,
und sie schlugen bei Besek zehntausend
Mann 5 und fanden den Adoni-Besek zu
Besek und kämpften mit ihm und schlu-
gen die Kanaaniter und Perisiter. 6 Aber
Adoni-Besek floh, und sie jagten ihm
nach. Und als sie ihn ergriffen, hieben sie
ihm die Daumen und die großen Zehen
ab. 7 Da sprach Adoni-Besek: Siebzig Kö-
nige, deren Daumen und große Zehen ab-
gehauen waren, lasen Reste auf unter mei-
nem Tisch. Wie ich getan habe, so hat mir
Gott vergolten. Und man brachte ihn nach
Jerusalem; dort starb er. 8 Aber die Judäer

24,23 ***a*** 1. Mose 35,2 **24,25** ***a*** 2. Kön 23,3
24,26 ***a*** 1. Mose 35,4; Ri 9,6 **24,27** ***a*** Kap 22,27;
1. Mose 31,48 **24,29** ***a*** (29-31) Ri 2,7-9 ***b*** 4. Mose 27,18-23
24,30 ***a*** Kap 19,50 **24,32** ***a*** 1. Mose 50,25 ***b*** 1. Mose 33,19
24,33 ***a*** 5. Mose 10,6 **1,1** ***a*** (1-2) 1. Mose 49,8 ***b*** Kap 2,8
c Kap 18,5; 20,18; 2. Mose 28,30; 4. Mose 27,21

[a]kämpften gegen Jerusalem und erober-
ten es und schlugen es mit der Schärfe des
Schwerts und zündeten die Stadt an.
9 Danach zogen die Judäer hinab, um
gegen die Kanaaniter zu kämpfen, die
[a]auf dem Gebirge und im Südland und im
Hügelland wohnten. 10 [a]Und Juda zog ge-
gen die Kanaaniter, die in Hebron wohn-
ten – Hebron aber hieß vorzeiten Kir-
jat-Arba –, und sie schlugen den Scheschai
und Ahiman und Talmai 11 und zogen von
dort gegen die Einwohner von Debir. De-
bir aber hieß vorzeiten Kirjat-Sefer. 12 Und
Kaleb sprach: Wer Kirjat-Sefer schlägt
und erobert, dem will ich meine Tochter
Achsa zur Frau geben.[a] 13 Da eroberte es
Otniël, der Sohn des Kenas, des jüngeren
Bruders von Kaleb. Und Kaleb gab ihm
seine Tochter Achsa zur Frau. 14 Und es be-
gab sich, als sie zu ihm kam, beredete sie
ihn, ein Stück Land zu fordern von ihrem
Vater. Und sie stieg vom Esel. Da sprach
Kaleb zu ihr: Was willst du? 15 Sie sprach:
Gib mir eine Segensgabe! Denn du hast
mich nach dem dürren Südland gegeben;
gib mir auch Wasserquellen! Da gab er ihr
die oberen und unteren Quellen.
16 Und die Nachkommen des Keniters
[a]Hobab, des Schwiegervaters des Mose,
zogen herauf aus der Palmenstadt mit den
Männern von Juda in die Wüste Juda, die
im Süden von [b]Arad liegt, und gingen hin
und wohnten unter dem Volk.
17 Und Juda zog hin mit seinem Bruder
Simeon, und sie schlugen die Kanaaniter,
die in Zefat wohnten, und [a]vollstreckten
den Bann an der Stadt und nannten sie
Horma. 18 Dazu eroberte Juda Gaza mit
seinem Gebiet und Aschkelon mit sei-
nem Gebiet und Ekron mit seinem Ge-
biet. 19 Und der HERR war mit Juda, dass
es das Gebirge einnahm; es konnte aber
die Bewohner der Ebene nicht vertreiben,
weil sie [a]eiserne Wagen hatten. 20 Und sie
[a]gaben dem Kaleb Hebron, wie Mose ge-
sagt hatte, und er vertrieb daraus die drei
Söhne des Anak.
21 Aber die Benjaminiter vertrieben die
Jebusiter nicht, die in Jerusalem wohn-
ten, sondern die Jebusiter wohnten bei
den Benjaminitern in Jerusalem bis auf
diesen Tag.[a]
22 Auch das Haus Josef zog hinauf nach
Bethel, und der HERR war mit ihnen.
23 Und das Haus Josef ließ [a]Bethel aus-
kundschaften; die Stadt hieß vorzei-
ten Lus. 24 Und die Späher sahen einen
Mann aus der Stadt gehen und sprachen
zu ihm: Zeige uns, wo wir in die Stadt
kommen, so wollen wir Barmherzigkeit
an dir tun.[a] 25 Und als er ihnen zeigte, wo
sie in die Stadt kämen, schlugen sie die
Stadt mit der Schärfe des Schwerts; aber
[a]den Mann und sein ganzes Geschlecht
ließen sie gehen. 26 Da zog der Mann ins
Land der Hetiter und baute eine Stadt und
nannte sie Lus; die heißt noch heutigen-
tags so.
27 Und Manasse vertrieb nicht Bet-
Schean und seine Ortschaften noch Taa-
nach und seine Ortschaften noch die Ein-
wohner von Dor und seinen Ortschaften
noch die Einwohner von Jibleam und
seinen Ortschaften noch die Einwohner
von Megiddo und seinen Ortschaften.
So blieben die Kanaaniter dort im Lande
wohnen.[a] 28 Als aber Israel mächtig wurde,
machte es die Kanaaniter fronpflichtig,
vertrieb sie jedoch nicht. 29 Auch Ephraim
vertrieb die Kanaaniter nicht, die in [a]Geser
wohnten, sondern die Kanaaniter wohn-
ten mitten unter ihnen in Geser.
30 Auch Sebulon vertrieb nicht die Ein-
wohner von Kitron und [a]Nahalol, sondern
die Kanaaniter wohnten mitten unter ih-
nen und waren fronpflichtig. 31 Asser ver-
trieb nicht die Einwohner von Akko noch
die Einwohner von Sidon, Mahaleb, Ach-
sib, Helba, Afek und Rehob; 32 sondern
die Asseriter wohnten mitten unter den
Kanaanitern, die im Land wohnten, denn
sie vertrieben sie nicht.
33 Naftali vertrieb die Einwohner nicht
von [a]Bet-Schemesch noch von Bet-Anat,
sondern wohnte mitten unter den Ka-
naanitern, die im Lande wohnten. Aber
die Einwohner von Bet-Schemesch und
Bet-Anat wurden fronpflichtig.
34 Und die Amoriter drängten die Dan-

1,8 ***a*** Vers 21 **1,9** ***a*** Jos 10,40; 11,16-20
1,10 ***a*** (10-15) Jos 15,13-19 **1,12** ***a*** Jos 15,16 **1,16** ***a*** Kap 4,11; 2. Mose 18,1; 4. Mose 10,29 ***b*** Jos 12,14
1,17 ***a*** 5. Mose 20,12-18 **1,19** ***a*** Kap 4,3; Jos 17,16
1,20 ***a*** Jos 14,6-15 **1,21** ***a*** Vers 8; Kap 19,11-12; Jos 15,63; 18,28 **1,23** ***a*** 1. Mose 28,19; Jos 12,16 **1,24** ***a*** Jos 2,14
1,25 ***a*** Jos 6,25 **1,27** ***a*** Jos 17,11-13 **1,29** ***a*** Jos 16,10
1,30 ***a*** Jos 19,15 **1,33** ***a*** Jos 19,38

iter aufs Gebirge und ließen nicht zu, dass
sie herunter in die Ebene kämen.[a] 35 Und
die Amoriter blieben wohnen auf dem
Gebirge Heres, in [a]Ajalon und in Scha-
albim. Doch wurde ihnen die Hand des
Hauses Josef zu schwer, und sie wurden
fronpflichtig.
36 Und das Gebiet der Amoriter ging
vom Skorpionensteig, von der Felsenstadt
und weiter hinauf.

DER ENGEL DES HERRN KLAGT ISRAEL AN

2 Es kam aber der Engel des HERRN her-
auf von Gilgal nach Bochim und sprach:
Ich habe euch aus Ägypten heraufgeführt
und ins Land gebracht, das ich euren Vä-
tern zu geben geschworen habe, und ge-
sprochen, ich wollte [a]meinen Bund mit
euch nicht brechen ewiglich. 2 Ihr aber
solltet [a]keinen Bund schließen mit den
Bewohnern dieses Landes und ihre Altäre
zerbrechen. Aber ihr habt meiner Stimme
nicht gehorcht. Warum habt ihr das ge-
tan? 3 Da sprach ich: Ich will sie nicht vor
euch vertreiben, [a]dass sie euch zu Jägern
werden und ihre Götter zur Falle. 4 Und
als der Engel des HERRN diese Worte zu
allen Israeliten geredet hatte, erhob das
Volk seine Stimme und weinte. 5 Und sie
nannten die Stätte Bochim* und opferten
dort dem HERRN.

ISRAELS UNTREUE GEGEN GOTT WÄHREND DER RICHTERZEIT

6 [a]Als Josua das Volk entlassen hatte und
die Israeliten hingezogen waren, ein jeder
in sein Erbteil, um das Land einzunehmen,
7 diente das Volk dem HERRN, solange Jo-
sua lebte und die Ältesten, die noch lange
nach Josua lebten und das ganze große
Werk des HERRN gesehen hatten, das
er an Israel getan hatte. 8 Da starb Josua,
der Sohn Nuns, der Knecht des HERRN,
als er hundertzehn Jahre alt war. 9 Und sie
begruben ihn im Gebiet seines Erbteils in
Timnat-Heres auf dem Gebirge Ephraim,
nördlich vom Berge Gaasch.
10 Als auch alle, die zu der Zeit gelebt hat-
ten, zu ihren Vätern versammelt waren,
kam nach ihnen ein anderes Geschlecht
auf, das den HERRN nicht kannte noch
das Werk, das er an Israel getan hatte.
11 Da taten die Israeliten, was dem HERRN
missfiel, und dienten den Baalen[a] 12 und
verließen den HERRN, den Gott ihrer Vä-
ter, der sie aus Ägyptenland geführt hatte,
und folgten andern Göttern nach von den
Göttern der Völker, die um sie her wohn-
ten, und beteten sie an und erzürnten
den HERRN. 13 Denn sie verließen den
HERRN und dienten dem Baal und den
Astarten. 14 So entbrannte denn der Zorn
des HERRN über Israel, und er gab sie in
die Hand von Räubern, die sie beraub-
ten, und verkaufte sie in die Hände ihrer
Feinde ringsumher. Und sie konnten nicht
mehr ihren Feinden widerstehen, 15 son-
dern sooft sie auszogen, [a]war des HERRN
Hand wider sie zum Unheil, wie denn der
HERR ihnen gesagt und geschworen hatte.
Und sie wurden hart bedrängt.
16 Wenn dann der HERR [a]Richter er-
weckte, die sie retteten aus der Hand der
Räuber, 17 so gehorchten sie auch ihren
Richtern nicht, sondern hurten andern
Göttern nach und beteten sie an und wi-
chen bald von dem Wege, auf dem ihre
Väter gegangen waren, als sie des HERRN
Geboten gehorchten; sie jedoch taten
nicht wie diese.[a] 18 Wenn aber der HERR
ihnen Richter erweckte, so war der HERR
mit dem Richter und errettete sie aus der
Hand ihrer Feinde, solange der Richter
lebte. Denn es jammerte den HERRN ihr
Wehklagen über die, die sie unterdrück-
ten und bedrängten. 19 Wenn aber der
Richter gestorben war, so fielen sie wieder
ab und trieben es ärger als ihre Väter, in-
dem sie andern Göttern folgten, ihnen zu
dienen und sie anzubeten. Sie ließen nicht
von ihrem Tun noch von ihrem [a]halsstar-
rigen Wandel.
20 Darum entbrannte der Zorn des
HERRN über Israel, und er sprach: Weil
dies Volk meinen Bund übertreten hat,
den ich ihren Vätern geboten habe, und
meiner Stimme nicht gehorcht hat, 21 so
will ich auch hinfort keines der Völker vor

* **2,5** Der Name bedeutet »die Weinenden«.

1,34 *a* Kap 13,2.25; 18,1; Jos 19,47 **1,35** *a* Jos 19,42
2,1 *a* 1. Mose 17,7-8 **2,2** *a* 5. Mose 7,2-5 **2,3** *a* Kap 8,27; 5. Mose 7,16; Jos 23,13 **2,6** *a* (6-10) Jos 24,29-31
2,11 *a* Kap 3,7.12; 4,1; 6,1; 10,6; 13,1 **2,15** *a* 5. Mose 2,15; 1. Sam 12,15 **2,16** *a* Neh 9,27; Apg 13,20
2,17 *a* 5. Mose 31,16 **2,19** *a* 2. Mose 32,9

ihnen vertreiben, die Josua übrig gelassen
hat, als er starb, 22 damit ich Israel durch sie
[a]prüfe, ob sie auf dem Wege des HERRN
bleiben und darauf wandeln, wie ihre Vä-
ter geblieben sind, oder nicht. 23 So ließ der
HERR diese Völker, die er nicht in Josuas
Hand gegeben hatte, übrig, ohne sie so-
gleich zu vertreiben.[a]

DIE IN KANAAN ÜBRIG GEBLIEBENEN VÖLKER

3 Dies sind die Völker, die der HERR übrig
ließ, damit er durch sie Israel [a]prüfte –
alle, die nichts wussten von all den Krie-
gen um Kanaan – 2 und die künftigen
Geschlechter der Israeliten Krieg führen
lehrte. Nur die Völker ließ er übrig, von
denen die Israeliten früher nichts gewusst
hatten, 3 nämlich die [a]fünf Fürsten der
Philister und alle Kanaaniter und Sidonier
und Hiwiter, die am Gebirge Libanon
wohnten, vom Berg Baal-Hermon an bis
dorthin, wo es nach Hamat geht. 4 Diese
blieben, um Israel durch sie zu prüfen, da-
mit kundwürde, ob sie den Geboten des
HERRN gehorchten, die er ihren Vätern
durch Mose geboten hatte. 5 Als nun die
Israeliten wohnten unter den Kanaan-
itern, Hetitern, Amoritern, Perisitern,
Hiwitern und Jebusitern, 6 nahmen sie
deren Töchter zu Frauen und gaben ihre
Töchter deren Söhnen und dienten deren
Göttern.[a]

DER RICHTER OTNIËL

7 Und die Israeliten taten, was dem HERRN
missfiel, und vergaßen den HERRN, ihren
Gott, und dienten den Baalen und den
Ascheren. 8 Da entbrannte der Zorn des
HERRN über Israel, und er verkaufte sie
in die Hand Kuschan-Rischatajims, des
Königs von Mesopotamien; und so diente
Israel dem Kuschan-Rischatajim acht
Jahre. 9 Da schrien die Israeliten zu dem
HERRN, und der HERR erweckte ihnen
einen Retter, der sie errettete, [a]Otniël,
den Sohn des Kenas, des jüngeren Bruders
von Kaleb. 10 Und der [a]Geist des HERRN
kam auf ihn, und er wurde Richter in
Israel und zog aus zum Kampf. Und der
HERR gab den König von Mesopotamien
Kuschan-Rischatajim in seine Hand, so-
dass seine Hand über ihn stark wurde.
11 [a]Da hatte das Land Ruhe vierzig Jahre.
Und Otniël, der Sohn des Kenas, starb.

DIE RICHTER EHUD UND SCHAMGAR

12 Aber die Israeliten taten wiederum,
was dem HERRN missfiel. Da machte
der HERR Eglon, den König von Moab,
stark gegen Israel, weil sie taten, was dem
HERRN missfiel. 13 Und er sammelte um
sich auch die Ammoniter und Amalek
und zog hin und schlug Israel. Und sie
nahmen die [a]Palmenstadt ein. 14 Und die
Israeliten dienten Eglon, dem König von
Moab, achtzehn Jahre. 15 Da schrien die
Israeliten zu dem HERRN, und der HERR
erweckte ihnen einen Retter, Ehud, den
Sohn Geras, den Benjaminiter; der war
[a]linkshändig.

Und als die Israeliten durch ihn Ge-
schenke sandten an Eglon, den König von
Moab, 16 machte sich Ehud einen zwei-
schneidigen Dolch, eine Hand lang, und
gürtete ihn unter sein Gewand auf seine
rechte Hüfte 17 und brachte Eglon, dem
König von Moab, die Geschenke. Eglon
aber war ein sehr fetter Mann. 18 Und als
er die Geschenke übergeben hatte, entließ
er die Leute, die sie getragen hatten. 19 Er
selbst aber kehrte um bei den [a]Steinbil-
dern zu Gilgal und sagte: Ich habe dir, o
König, etwas Geheimes zu sagen. Der aber
gebot: Still! Da gingen hinaus von ihm
alle, die um ihn standen. 20 Und Ehud kam
zu ihm hinein. Er aber saß in dem kühlen
Obergemach, das für ihn allein bestimmt
war. Und Ehud sprach: Ich habe ein Wort
von Gott an dich. Da stand er auf von sei-
nem Thron. 21 Ehud aber streckte seine
linke Hand aus und nahm den Dolch von
seiner rechten Hüfte und stieß ihm den
in den Bauch,[a] 22 dass nach der Schneide
noch der Griff hineinfuhr und das Fett
die Schneide umschloss; denn er zog den
Dolch nicht aus seinem Bauch. 23 Aber
Ehud ging zur Halle hinaus, machte die
Tür des Obergemachs hinter sich zu und
verschloss sie.

2,22 *a* Kap 3,1.4; 5. Mose 8,2 **2,23** *a* Kap 1,28; Ps 106,34
3,1 *a* Kap 2,22 **3,3** *a* Jos 13,3 **3,6** *a* 5. Mose 7,3
3,9 *a* Kap 1,13; Jos 15,17-18 **3,10** *a* Kap 6,34; 11,29; 13,25; 14,6.19; 15,14 **3,11** *a* Vers 30; Kap 5,31; 8,28
3,13 *a* Kap 1,16 **3,15** *a* Kap 20,16 **3,19** *a* Vers 26; Jos 4,20
3,21 *a* 2. Sam 20,9-10

24 Als er nun hinausgegangen war, ka-
men die Leute des Königs und sahen, dass
die Tür des Obergemachs verschlossen
war, und sprachen: Er ist vielleicht austre-
ten gegangen in die kühle Kammer. 25 Und
sie warteten und warteten, aber niemand
tat die Tür des Obergemachs auf. Da nah-
men sie den Schlüssel und schlossen auf,
und siehe, da lag ihr Herr tot auf der Erde.
26 Ehud aber war entronnen, während sie
gewartet hatten, und ging an den [a]Stein-
bildern vorüber und entkam bis nach Se-
ïra. 27 Und als er hineinkam, blies er die Po-
saune auf dem Gebirge Ephraim. Und die
Israeliten zogen mit ihm vom Gebirge und
er vor ihnen her, 28 und er sprach zu ihnen:
Schnell mir nach! Denn der HERR hat
Moab, euren Feind, in eure Hände gege-
ben! Und sie zogen hinter ihm hinab und
besetzten die Furten am Jordan, die nach
Moab gehen, und ließen niemand hin-
über 29 und schlugen zu jener Zeit Moab,
etwa zehntausend Mann, alles starke und
streitbare Männer, sodass auch nicht einer
entrann. 30 So wurde Moab zu jener Zeit
unter die Hand Israels gedemütigt. Und
das Land hatte Ruhe achtzig Jahre.[a]

31 Nach ihm kam [a]Schamgar, der Sohn
Anats. Der erschlug sechshundert Philis-
ter mit einem Ochsenstecken, und auch
er errettete Israel.

DIE RICHTERIN DEBORA UND BARAK BESIEGEN SISERA

4 Aber [a]die Israeliten taten wiederum,
was dem HERRN missfiel, als Ehud ge-
storben war. 2 Und der HERR verkaufte
sie in die Hand [a]Jabins, des Königs von
Kanaan, der zu Hazor herrschte, und sein
Feldhauptmann war Sisera; der wohnte
in Haroschet-Gojim. 3 Und die Israeliten
schrien zum HERRN, denn er hatte neun-
hundert [a]eiserne Wagen und unterdrückte
die Israeliten mit Gewalt zwanzig Jahre.

4 Zu der Zeit war Richterin in Israel die
Prophetin Debora, die Frau Lappidots.
5 Sie hatte ihren Sitz unter der [a]Palme De-
boras zwischen Rama und Bethel auf dem
Gebirge Ephraim. Und die Israeliten ka-
men zu ihr hinauf zum Gericht. 6 Und sie
sandte hin und rief Barak, den Sohn Abi-
noams aus [a]Kedesch in Naftali, und sprach
zu ihm: Hat dir nicht der HERR, der Gott
Israels, geboten: Geh hin und zieh auf den
Berg Tabor und nimm zehntausend Mann
mit dir von den Naftalitern und den Sebu-
lonitern? 7 Ich aber will [a]Sisera, den Feld-
hauptmann Jabins, zu dir lenken an den
Bach Kischon mit seinen Wagen und mit
seinem Heer und will ihn in deine Hände
geben.

8 Barak sprach zu ihr: Wenn du mit mir
gehst, so will ich gehen; gehst du aber
nicht mit mir, so will ich nicht gehen.
9 Sie sprach: Ich will mit dir gehen; aber
der Ruhm wird nicht dir zufallen auf dem
Weg, den du gehst, sondern der HERR
wird Sisera in die Hand einer Frau auslie-
fern. So machte sich Debora auf und ging
mit Barak nach Kedesch. 10 Da rief Barak
Sebulon und Naftali nach Kedesch; und
es zogen hinauf ihm nach zehntausend
Mann. Debora zog auch mit ihm. 11 He-
ber aber, der Keniter, hatte sich von den
Kenitern, vom Geschlecht [a]Hobabs, des
Schwiegervaters des Mose, getrennt. Er
hatte sein Zelt bei der Eiche in Zaanannim
bei Kedesch aufgeschlagen.

12 Da wurde Sisera angesagt, dass Barak,
der Sohn Abinoams, auf den Berg Tabor
gezogen wäre. 13 Und Sisera rief alle seine
Kriegswagen zusammen, neunhundert
eiserne Wagen, und das ganze Volk, das
mit ihm war, aus Haroschet-Gojim an den
Bach Kischon. 14 Debora aber sprach zu Ba-
rak: Auf! Das ist der Tag, an dem dir der
HERR den Sisera in deine Hand gegeben
hat. Ist nicht der HERR vor dir her ausge-
zogen? So zog Barak von dem Berge Ta-
bor hinab und die zehntausend Mann ihm
nach. 15 Und der HERR [a]erschreckte Sisera
samt allen seinen Wagen und dem gan-
zen Heer vor Barak durch die Schärfe des
Schwerts. Und Sisera sprang von seinem
Wagen und floh zu Fuß. 16 Barak aber jagte
den Wagen und dem Heer nach bis Ha-
roschet-Gojim. Und Siseras ganzes Heer
fiel durch die Schärfe des Schwerts, sodass
auch nicht einer übrig blieb.

17 Sisera aber floh zu Fuß in das Zelt Ja-
ëls, der Frau des Keniters Heber. Denn Ja-

3,26 *a* Vers 19 **3,30** *a* Vers 11 **3,31** *a* Kap 5,6
4,1 *a* Kap 2,11 **4,2** *a* Jos 11,1 **4,3** *a* Kap 1,19; Jos 17,16
4,5 *a* 1. Mose 35,8 **4,6** *a* Jos 21,32 **4,7** *a* Kap 5,19-20
4,11 *a* Kap 1,16; 4. Mose 10,29 **4,15** *a* Kap 5,20;
1. Mose 35,5; 2. Mose 23,27; 5. Mose 2,25; Jos 2,9-11

bin, der König von Hazor, und das Haus
Hebers, des Keniters, lebten miteinander
im Frieden. 18 Jaël aber ging hinaus Sisera
entgegen und sprach zu ihm: Kehre ein,
mein Herr, kehre ein bei mir und fürchte
dich nicht! Und er kehrte bei ihr ein in ihr
Zelt, und sie deckte ihn mit einer Decke
zu. 19 Er aber sprach zu ihr: Gib mir doch
ein wenig Wasser zu trinken, denn ich
habe Durst. Da öffnete sie den Schlauch
mit Milch und gab ihm zu trinken und
deckte ihn wieder zu.[a] 20 Und er sprach zu
ihr: Tritt in den Eingang des Zeltes, und
wenn einer kommt und fragt, ob jemand
hier sei, so sprich: Niemand. 21 Da nahm
Jaël, die Frau Hebers, einen Pflock von
dem Zelt und einen Hammer in ihre Hand
und ging leise zu ihm hinein und schlug
ihm den Pflock durch seine Schläfe, dass er
in die Erde drang. Er aber war ermattet in
einen tiefen Schlaf gesunken. So starb er.[a]
22 Als aber Barak Sisera nachjagte, ging ihm
Jaël entgegen und sprach zu ihm: Komm
her! Ich will dir den Mann zeigen, den du
suchst. Und als er zu ihr hereinkam, lag Si-
sera tot da, und der Pflock steckte in seiner
Schläfe.

23 So demütigte Gott zu der Zeit Jabin,
den König von Kanaan, vor den Israeliten.
24 Und die Hand der Israeliten legte sich
immer härter auf Jabin, den König von Ka-
naan, bis sie ihn vernichteten.

DEBORAS SIEGESLIED

5 Da sangen Debora und Barak, der Sohn
Abinoams, zu jener Zeit:

2 Lobet den HERRN,
dass Führer Israel führten,
dass willig sich zeigte das Volk.
3 Hört zu, ihr Könige,
merkt auf, ihr Fürsten!
Ich will singen dem HERRN,
ich will singen,
will spielen dem HERRN,
dem Gott Israels.

4 HERR, als du auszogst von [a]Seïr,
als du einhergingst
vom Gefilde Edoms,
da [b]erzitterte die Erde,
auch der Himmel troff,
auch die Wolken troffen von Wasser.
5 Die Berge erbebten vor dem HERRN
– das ist der Sinai –,
vor dem HERRN, dem Gott Israels.[a]

6 Zu den Zeiten [a]Schamgars,
des Sohnes Anats,
zu den Zeiten Jaëls waren verlassen
die Wege,
und die da auf Straßen gehen sollten,
wanderten auf ungebahnten Wegen.
7 Starke fehlten, in Israel fehlten sie,
bis du, Debora, aufstandest,
bis du aufstandest, eine Mutter in Israel.
8 Man erwählte sich neue Götter;
damals kämpfte man in den Toren.
Es war [a]kein Schild noch Speer
unter vierzigtausend in Israel zu sehen.
9 Mein Herz ist mit den Gebietern Israels,
mit denen, die willig waren
unter dem Volk.
Lobet den HERRN!
10 Die ihr auf weißen Eselinnen
reitet,
die ihr auf Teppichen sitzt,
und die ihr auf dem Wege geht:
Singet!
11 Laut jubeln die Hirten zwischen
den Tränkrinnen.
Dort singen sie von der Gerechtigkeit
des HERRN,
von der Gerechtigkeit
an seinen Starken in Israel.
Damals zog das Volk des HERRN
herab zu den Toren.
12 Auf, auf, Debora!
Auf, auf und singe ein Lied!
Mach dich auf, Barak,
und fange, die dich fingen,
du Sohn Abinoams!

13 Da zog herab, was übrig war
von Herrlichen im Volk.
Der HERR zog mit mir herab
unter den Helden.
14 Sie zogen herab aus Ephraim,
dessen Wurzeln in Amalek sind,
dir nach, Benjamin, mit deinen Scharen.
Von [a]Machir zogen Gebieter herab

4,19 *a* Kap 5,25 **4,21** *a* Kap 5,26-27 **5,4** *a* 5. Mose 33,2 *b* Hab 3,3-6 **5,5** *a* Ps 68,9 **5,6** *a* Kap 3,31 **5,8** *a* 1. Sam 13,19.22 **5,14** *a* Jos 17,1

und von Sebulon, die das Zepter halten.
15 Die Fürsten in Issachar waren
mit Debora,
und Issachar folgte ihm, Barak,
auf dem Fuß in die Ebene.
In Rubens Scharen überlegten sie
hin und her.
16 Warum saßest du zwischen
den Hürden,
zu hören bei den Herden
das Flötenspiel?
In Rubens Scharen überlegten sie
hin und her.
17 Gilead blieb jenseits des Jordans.
Und warum weilt Dan bei den Schiffen?
Asser saß am Ufer des Meeres
und blieb ruhig an seinen Buchten.
18 Sebulon ist ein Volk, das sein Leben
aufs Spiel setzt,
auch Naftali auf den Höhen des Gefildes.

19 Könige kamen und stritten;
damals stritten die Könige Kanaans
zu Taanach am Wasser Megiddos,
aber Silber gewannen sie dabei nicht.
20 Vom Himmel her kämpften die Sterne,
von ihren Bahnen stritten sie
wider Sisera.[a]
21 Der Bach Kischon riss sie hinweg,
der uralte Bach, der Bach Kischon.
Tritt einher, meine Seele, mit Kraft!
22 Da stampften die Hufe
der Pferde im Jagen,
im Jagen ihrer Renner.

23 Fluchet der Stadt Meros,
sprach der Engel des HERRN,
fluchet, fluchet ihren Bürgern,
dass sie nicht kamen dem HERRN
zu Hilfe,
zu Hilfe dem HERRN
unter den Helden!

24 Gepriesen sei unter den Frauen Jaël,
die Frau Hebers, des Keniters;
unter den Frauen im Zelt
sei sie gepriesen!
25 Milch gab sie,
als er Wasser forderte,
Sahne reichte sie dar
in einer herrlichen Schale.[a]
26 Sie griff mit ihrer Hand
den Pflock
und mit ihrer Rechten
den Schmiedehammer
und schlug Sisera,
zerschlug sein Haupt,
zermalmte und durchbohrte
seine Schläfe.
27 Zwischen ihren Füßen
brach er zusammen,
fiel nieder, lag da.
Zwischen ihren Füßen
brach er zusammen;
wo er zusammenbrach,
lag er erschlagen da.

28 Die Mutter Siseras spähte
zum Fenster hinaus
und klagte durchs Gitter:
Warum zögert sein Wagen,
dass er nicht kommt?
Warum säumen die Hufe
seiner Rosse?
29 Die weisesten unter ihren Fürstinnen
antworten,
und sie selbst wiederholt ihre Worte:
30 Sie werden wohl Beute finden
und verteilen,
ein, zwei Frauen für jeden Mann,
bunte Kleider als Beute für Sisera,
ein, zwei bunt gewirkte Tücher
um den Hals als Beute.

31 [a]So sollen umkommen, HERR,
alle deine Feinde!
[b]Die ihn aber lieb haben,
sollen sein, wie die Sonne aufgeht
in ihrer Pracht!

Und das Land hatte Ruhe vierzig Jahre.

ISRAEL VON DEN MIDIANITERN BEDRÄNGT

6 Und als die Israeliten taten, was dem
HERRN missfiel, gab sie der HERR in
die Hand Midians sieben Jahre.[a] 2 Und die
Hand Midians wurde stark über Israel.
Zum Schutz vor Midian richteten sich die
Israeliten die Schluchten in den Bergen
her und die Höhlen und die Festungen.
3 Und immer, [a]wenn Israel gesät hatte, ka-
men Midian und Amalek und die aus dem

5,20 *a* 2. Mose 14,25; Jos 10,14 **5,25** *a* Kap 4,19
5,31 *a* Ps 92,10 *b* 5. Mose 6,5 **6,1** *a* Kap 2,11
6,3 *a* 5. Mose 28,33

Osten herauf 4 und lagerten sich gegen sie
und vernichteten die Ernte des Landes bis
hin nach Gaza und ließen nichts übrig an
Nahrung in Israel, weder Schafe noch Rin-
der noch Esel. 5 Denn sie zogen herauf mit
ihrem Vieh und ihren Zelten und kamen
wie eine große Menge Heuschrecken, so-
dass weder sie noch ihre Kamele zu zäh-
len waren, und fielen ins Land, um es zu
verderben. 6 So wurde Israel sehr schwach
vor Midian. Da schrien die Israeliten zum
HERRN.

7 Als die Israeliten aber zum HERRN
schrien um der Midianiter willen, 8 sandte
der HERR einen Propheten zu ihnen, der
sprach zu ihnen: So spricht der HERR, der
Gott Israels: Ich habe euch aus Ägypten
heraufgeführt und heraus aus der Knecht-
schaft[a] 9 und habe euch errettet aus der
Hand der Ägypter und aus der Hand al-
ler, die euch bedrängten, und habe sie vor
euch her ausgestoßen und ihr Land euch
gegeben 10 und zu euch gesprochen: Ich
bin der HERR, euer Gott! Ihr sollt nicht
fürchten die Götter der Amoriter, in de-
ren Land ihr wohnt. Aber ihr habt meiner
Stimme nicht gehorcht.

GIDEON ZUM RICHTER BERUFEN

11 Und der Engel des HERRN kam und
setzte sich unter die Eiche bei Ofra; die
gehörte Joasch, dem [a]Abiësriter. Und sein
Sohn Gideon drosch Weizen in der Kel-
ter, damit er ihn berge vor Midian. 12 Da
erschien ihm der Engel des HERRN und
sprach zu ihm: Der HERR mit dir, du
streitbarer Held! 13 Gideon aber sprach zu
ihm: Ach, mein Herr! Ist der HERR mit
uns, warum ist uns dann das alles wider-
fahren? Und wo sind alle seine Wunder,
die uns unsere Väter erzählten und spra-
chen: Der HERR hat uns aus Ägypten her-
aufgeführt? Nun aber hat uns der HERR
verstoßen und in die Hand Midians gege-
ben. 14 [a]Der HERR aber wandte sich zu ihm
und sprach: Geh hin in dieser deiner Kraft;
du sollst Israel erretten aus den Händen
der Midianiter. Siehe, ich habe dich ge-
sandt![b] 15 Er aber sprach zu ihm: Ach, mein
Herr, womit soll ich Israel erretten? Siehe,
mein Geschlecht ist das geringste in Ma-
nasse, und ich bin der Jüngste in meines
Vaters Hause. 16 Der HERR aber sprach zu
ihm: [a]Ich will mit dir sein, dass du Midian
schlagen sollst wie *einen* Mann.

17 Er aber sprach zu ihm: Hab ich Gnade
vor dir gefunden, so mach mir doch ein
Zeichen, dass du es bist, der mit mir re-
det. 18 [a]Geh nicht fort, bis ich wieder zu dir
komme und bringe meine Gabe und lege
sie vor dir hin. Er sprach: Ich will bleiben,
bis du wiederkommst. 19 Und Gideon ging
hin und richtete ein [a]Ziegenböcklein zu
und ungesäuerte Brote von einem Schef-
fel Mehl und legte das Fleisch in einen
Korb und tat die Brühe in einen Topf und
brachte es zu ihm hinaus unter die Eiche
und setzte es ihm vor. 20 Aber der Engel
Gottes sprach zu ihm: Nimm das Fleisch
und die Brote und lege es hin auf den Fels
hier und gieß die Brühe darüber. Und er
tat es. 21 Da streckte der Engel des HERRN
den Stab aus, den er in der Hand hatte, und
berührte mit der Spitze das Fleisch und die
Brote. Da fuhr [a]Feuer aus dem Fels und
verzehrte das Fleisch und die Brote. Und
der Engel des HERRN entschwand seinen
Augen.

22 [a]Als nun Gideon sah, dass es der En-
gel des HERRN war, sprach er: Ach, Herr
HERR! Fürwahr, ich habe den Engel des
HERRN von Angesicht zu Angesicht ge-
sehen. 23 Aber der HERR sprach zu ihm:
Friede sei mit dir! Fürchte dich nicht, du
wirst nicht sterben. 24 Da baute Gideon
dem HERRN dort einen Altar und nannte
ihn »Der HERR ist Friede«. Der steht noch
bis auf den heutigen Tag in Ofra, der Stadt
der Abiësriter.

GIDEONS EIFER FÜR GOTT

25 Und in derselben Nacht sprach der HERR
zu ihm: Nimm einen jungen Stier von den
Stieren deines Vaters und einen zweiten
Stier, der siebenjährig ist, und [a]reiße nie-
der den Altar des Baal, der deinem Vater
gehört, und haue um das [b]Ascherabild,
das dabeisteht, 26 und baue dem HERRN,
deinem Gott, oben auf der Höhe dieses

6,8 *a* Kap 2,1 **6,11** *a* Jos 17,2
6,14 *a* (14-16) 2. Mose 3,10-12; 1. Sam 9,20-21; 10,7;
Jes 6,8; Jer 1,6-8 *b* 1. Sam 12,11; Hebr 11,32
6,16 *a* 2. Mose 3,12 **6,18** *a* Kap 13,15-16; 1. Mose 18,3-5
6,19 *a* 3. Mose 4,28 **6,21** *a* 3. Mose 9,24
6,22 *a* (22-23) Kap 13,22; 2. Mose 33,20; Jes 6,5
6,25 *a* 2. Kön 11,18 *b* 2. Kön 23,12-15

Felsens einen Altar [a]nach der vorgeschrie-
benen Ordnung und nimm den zweiten
Stier und bringe ein Brandopfer dar mit
dem Holz des Ascherabildes, das du um-
gehauen hast.
27 Da nahm Gideon zehn Mann von sei-
nen Knechten und tat, wie ihm der HERR
gesagt hatte. Aber er fürchtete sich vor
seines Vaters Haus und vor den Leuten in
der Stadt, das am Tage zu tun, und tat's
in der Nacht. 28 Als nun die Leute in der
Stadt früh am Morgen aufstanden, siehe,
da war der Altar des Baal niedergerissen
und das Ascherabild daneben umgehauen
und der zweite Stier als Brandopfer dar-
gebracht auf dem Altar, der gebaut war.
29 Und einer sprach zum andern: Wer hat
das getan? Und als sie suchten und nach-
fragten, wurde gesagt: Gideon, der Sohn
des Joasch, hat das getan.
30 Da sprachen die Leute der Stadt zu
Joasch: Gib deinen Sohn heraus; er muss
sterben, weil er den Altar des Baal nieder-
gerissen und das Ascherabild daneben
umgehauen hat. 31 Joasch aber sprach zu
allen, die bei ihm standen: Wollt ihr für
den Baal streiten? Wollt ihr ihm helfen?
Wer für ihn streitet, der soll noch vor dem
Morgen sterben. Ist er Gott, so streite er
für sich selbst, weil man seinen Altar nie-
dergerissen hat.[a] 32 Von dem Tag an nannte
man Gideon [a]Jerubbaal, das heißt »Baal
streite mit ihm«, weil er seinen Altar nie-
dergerissen hat.

GIDEONS ZURÜSTUNG ZUM KAMPF

33 Als nun ganz Midian und Amalek und
die aus dem Osten sich versammelt hat-
ten, zogen sie herüber und lagerten sich in
der Ebene Jesreel. 34 Da erfüllte der [a]Geist
des HERRN den Gideon. Und er blies die
Posaune und rief die Abiësriter auf, ihm
zu folgen. 35 Und er sandte Boten zu ganz
Manasse und rief auf, dass auch sie ihm
folgten. Er sandte auch Boten zu Asser
und Sebulon und Naftali; die kamen her-
auf, ihnen entgegen.
36 Und Gideon sprach zu Gott: Willst du
Israel durch meine Hand erretten, wie du
zugesagt hast, 37 so will ich abgeschorene
Wolle auf die Tenne legen: Wird der Tau
allein auf der Wolle sein und der ganze Bo-
den umher trocken, so will ich daran er-
kennen, dass du Israel erretten wirst durch
meine Hand, wie du zugesagt hast. 38 Und
so geschah es: Und als er am andern Mor-
gen früh aufstand, drückte er die Wolle
aus und presste Tau aus der Wolle, eine
Schale voll Wasser! 39 Und Gideon sprach
zu Gott: [a]Dein Zorn entbrenne nicht ge-
gen mich, wenn ich noch einmal rede. Ich
will's nur noch einmal versuchen mit der
Wolle: Es sei allein auf der Wolle trocken
und Tau auf dem ganzen Boden. 40 Und
Gott machte es so in derselben Nacht,
dass es trocken war allein auf der Wolle
und Tau auf dem ganzen Boden.

GIDEONS SIEG ÜBER MIDIAN

7 Da machte sich [a]Jerubbaal – das ist Gi-
deon – früh auf und das ganze Kriegs-
volk, das mit ihm war, und sie lagerten sich
an der Quelle Harod, sodass das Heerlager
Midians nördlich von ihm war, beim Hü-
gel More im Tal. 2 Der HERR aber sprach zu
Gideon: Zu zahlreich ist das Volk, das bei
dir ist, als dass ich Midian in seine Hände
geben sollte; Israel könnte sich rühmen
wider mich und sagen: Meine Hand hat
mich errettet. 3 So rufe nun aus vor den
Ohren des Volks: [a]Wer ängstlich und ver-
zagt ist, der kehre um und verlasse das Ge-
birge Gilead. Da kehrten vom Kriegsvolk
zweiundzwanzigtausend um, sodass nur
zehntausend übrig blieben.
4 Und der HERR sprach zu Gideon: Das
Volk ist noch zu zahlreich. Führe sie hinab
ans Wasser; dort will ich sie dir sichten.
Und von wem ich dir sagen werde, dass
er mit dir ziehen soll, der soll mit dir zie-
hen; von wem ich aber sagen werde, dass
er nicht mit dir ziehen soll, der soll nicht
mitziehen. 5 Und er führte das Volk hinab
ans Wasser. Und der HERR sprach zu Gi-
deon: Wer mit seiner Zunge Wasser leckt,
wie ein Hund leckt, den stelle besonders;
ebenso, wer niederkniet, um zu trinken.
6 Da war die Zahl derer, die geleckt hat-
ten, dreihundert Mann. Alles übrige Volk
hatte kniend getrunken aus der Hand zum
Mund. 7 Und der HERR sprach zu Gideon:
Durch die [a]dreihundert Mann, die geleckt

6,26 *a* 2. Mose 20,24-26 **6,31** *a* 1. Kön 18,21-39
6,32 *a* Kap 7,1 **6,34** *a* Kap 3,10; 11,29; 13,25
6,39 *a* 1. Mose 18,30 **7,1** *a* Kap 6,32 **7,3** *a* 5. Mose 20,8
7,7 *a* 1. Sam 14,6

haben, will ich euch erretten und Midian
in deine Hände geben; aber alles übrige
Volk soll gehen, jeder an seinen Ort. 8 Und
sie nahmen die Verpflegung des Volks und
ihre Posaunen an sich. Aber die übrigen
Israeliten ließ er alle gehen, jeden in sein
Zelt; die dreihundert Mann aber behielt er
bei sich. Und das Heer der Midianiter lag
unten vor ihm in der Ebene.

9 Und der HERR sprach in derselben
Nacht zu Gideon: Steh auf und geh hinab
zum Lager; denn ich habe es in deine
Hände gegeben. 10 Fürchtest du dich aber
hinabzugehen, so geh mit deinem Diener
Pura hinab zum Lager, 11 damit du hörst,
was sie reden. Danach werden deine
Hände stark sein, und du wirst hinabzie-
hen zum Lager. Da ging Gideon mit sei-
nem Diener Pura hinab bis an den Ort der
Schildwache, die im Lager war. 12 Und Mi-
dian und Amalek und alle aus dem Osten
waren in die Ebene eingefallen wie eine
Menge Heuschrecken, und ihre Kamele
waren nicht zu zählen wie der Sand am
Ufer des Meeres.[a]

13 Als nun Gideon kam, siehe, da er-
zählte einer einem andern einen Traum
und sprach: Siehe, ich habe geträumt: Ein
Laib Gerstenbrot rollte zum Lager der Mi-
dianiter; und er kam an das Zelt, stieß es
um, dass es einfiel, und kehrte es um, das
Oberste zuunterst, sodass das Zelt am Bo-
den lag. 14 Da antwortete der andere: Das
ist nichts anderes als das Schwert Gideons,
des Sohnes des Joasch, des Israeliten. Gott
hat die Midianiter in seine Hände gegeben
mit dem ganzen Heerlager. 15 Als Gideon
diesen Traum erzählen hörte und seine
Auslegung, fiel er anbetend nieder und
kam zurück ins Lager Israels und sprach:
Macht euch auf, denn der HERR hat das
Lager der Midianiter in eure Hände ge-
geben! 16 Und er teilte die dreihundert
Mann in drei Heerhaufen und gab jedem
eine Posaune in die Hand und leere Krüge
mit Fackeln darin 17 und sprach zu ihnen:
Seht auf mich und tut ebenso; wenn ich
nun an das Lager komme – wie ich tue, so
tut ihr auch! 18 Wenn ich die Posaune blase
und alle, die mit mir sind, so sollt ihr auch
die Posaunen blasen rings um das ganze
Heerlager und rufen: Für den HERRN und
für Gideon!

19 So kam Gideon und hundert Mann
mit ihm an das Lager zu Anfang der mitt-
leren Nachtwache, als sie eben die Wa-
chen aufgestellt hatten, und sie bliesen
die Posaunen und zerschlugen die Krüge
in ihren Händen. 20 Da bliesen alle drei
Heerhaufen die Posaunen und zerbrachen
die Krüge. Sie hielten aber die Fackeln in
ihrer linken Hand und die Posaunen in
ihrer rechten Hand, um zu blasen, und
riefen: Hier Schwert des HERRN und Gi-
deons! 21 Und sie blieben stehen, jeder an
seiner Stelle, rings um das Lager her. Da
fing das ganze Heer an zu laufen, und sie
schrien und flohen. 22 Und während die
dreihundert Mann die Posaunen bliesen,
richtete der HERR im ganzen Lager eines
jeden Schwert gegen den andern. Und
das Heer floh bis Bet-Schitta auf Zereda
zu, bis an die Grenze von Abel-Mehola bei
Tabbat.[a]

23 Und die Männer Israels von Naftali,
von Asser und von ganz Manasse wurden
zusammengerufen und jagten Midian
nach. 24 Und Gideon sandte Botschaft
auf das ganze Gebirge Ephraim und ließ
sagen: Kommt herab Midian entgegen
und nehmt ihnen die Wasserstellen weg
bis nach Bet-Bara und auch den Jordan.
Da wurden zusammengerufen alle, die
von Ephraim waren, und nahmen ihnen
die Wasserstellen weg bis nach Bet-Bara
und auch den Jordan. 25 Und sie fingen
zwei Fürsten Midians, Oreb und Seeb,
und erschlugen Oreb am Felsen Oreb
und Seeb bei der Kelter Seeb* und jag-
ten Midian nach und brachten die Häup-
ter Orebs und Seebs zu Gideon über den
Jordan.

8 Da sprachen die Männer von [a]Ephraim
zu ihm: Warum hast du uns das an-
getan, dass du uns nicht riefst, als du in
den Kampf zogst gegen Midian? Und sie
zankten heftig mit ihm. 2 Er aber sprach
zu ihnen: Was hab ich jetzt getan, das
eurer Tat gleich sei? Ist nicht die Nachlese
Ephraims besser als die ganze Weinernte
[a]Abiësers? 3 Gott hat die Fürsten Midians,
Oreb und Seeb, in eure Hand gegeben.

* **7,25** Die Namen bedeuten »Rabenfels« und »Wolfskelter«.

7,12 ***a*** Kap 6,5 **7,22** ***a*** Ps 83,10; Jes 9,3; 10,26
8,1 ***a*** Kap 12,1 **8,2** ***a*** Kap 6,11.15

Wie hätte ich tun können, was ihr ge-
tan habt? Als er das sagte, ließ ihr Zorn
von ihm ab.

WEITERE TATEN GIDEONS UND SEIN TOD

4 Als nun Gideon an den Jordan kam, ging
er hinüber mit den dreihundert Mann, die
bei ihm waren; die waren müde und jag-
ten den Feinden nach. 5 Und er sprach zu
den Leuten von [a]Sukkot: Gebt doch dem
Volk, das mir auf dem Fuße folgt, Brote;
denn sie sind müde, und ich muss nach-
jagen den Königen der Midianiter, Sebach
und Zalmunna. 6 Aber die Oberen von
Sukkot sprachen: Sind die Fäuste Sebachs
und Zalmunnas schon in deinen Händen,
dass wir deinem Heer Brot geben sollen?[a]
7 Gideon sprach: Wohlan, wenn der HERR
Sebach und Zalmunna in meine Hand
gibt, will ich euer Fleisch mit Dornen
aus der Wüste und mit Stacheln zerdre-
schen. 8 Und er zog von dort hinauf nach
Pnuël und redete ebenso mit ihnen. Und
die Leute von Pnuël antworteten ihm das-
selbe wie die von Sukkot. 9 Und er sprach
auch zu den Leuten von Pnuël: Komm ich
heil wieder, so will ich diese Burg nieder-
reißen.

10 Sebach aber und Zalmunna waren in
Karkor und ihr Heerlager mit ihnen, etwa
fünfzehntausend, alle, die übrig geblieben
waren vom ganzen Heer derer aus dem
Osten; denn hundertzwanzigtausend
waren gefallen, die das Schwert ziehen
konnten. 11 Und Gideon zog herauf auf der
Straße derer, die in Zelten wohnen, öst-
lich von Nobach und Jogboha, und schlug
das Heerlager, während es ohne Sorge la-
gerte. 12 Und Sebach und Zalmunna flo-
hen; aber er jagte ihnen nach und nahm
gefangen die beiden Könige der Midian-
iter, Sebach und Zalmunna, und setzte das
ganze Heerlager in Schrecken.

13 Als nun Gideon, der Sohn des Joasch,
vom Kampf zurückkam, auf der Steige von
Heres, 14 griff er sich einen Knaben von
den Leuten von Sukkot und fragte ihn aus.
Der schrieb ihm auf die Oberen von Suk-
kot und ihre Ältesten, siebenundsiebzig
Mann. 15 Und er kam zu den Leuten von
Sukkot und sprach: Siehe, hier sind Sebach
und Zalmunna, um derentwillen ihr mich
verspottet habt und gesprochen: Ist denn
Sebachs und Zalmunnas Faust schon in
deinen Händen, dass wir deinen Leuten,
die müde sind, Brot geben sollen? 16 Und
er nahm die Ältesten der Stadt und holte
Dornen aus der Wüste und Stacheln und
ließ es die Leute zu Sukkot fühlen. 17 Und
die Burg von Pnuël riss er nieder und er-
schlug die Leute der Stadt.

18 Und Gideon sprach zu Sebach und
Zalmunna: Wie waren die Männer, die
ihr am Tabor erschlagen habt? Sie spra-
chen: Sie waren wie du, jeder anzusehen
wie ein Königssohn. 19 Er aber sprach: Es
sind meine Brüder, meiner Mutter Söhne,
gewesen. So wahr der HERR lebt: Wenn
ihr sie am Leben gelassen hättet, würde ich
euch nicht töten.[a] 20 Und er sprach zu sei-
nem erstgeborenen Sohn Jeter: Steh auf
und erschlage sie. Aber der Knabe zog sein
Schwert nicht; denn er fürchtete sich, weil
er noch ein Knabe war. 21 Sebach aber und
Zalmunna sprachen: Steh du auf und ma-
che dich an uns; denn wie der Mann ist, so
ist auch seine Kraft. Da stand Gideon auf
und erschlug Sebach und Zalmunna und
nahm die kleinen Monde, die an den Häl-
sen ihrer Kamele waren.[a]

22 [a]Da sprachen die Männer von Israel
zu Gideon: Sei Herrscher über uns, du
und dein Sohn und deines Sohnes Sohn,
weil du uns aus der Hand Midians erret-
tet hast. 23 Aber Gideon sprach zu ihnen:
Ich will nicht Herrscher über euch sein,
und mein Sohn soll auch nicht Herrscher
über euch sein, sondern der HERR soll
Herrscher über euch sein. 24 Und Gideon
sprach zu ihnen: Eins begehre ich von
euch: Jeder gebe mir einen Ring aus sei-
ner Beute. Denn weil es Ismaeliter waren,
hatten sie goldene Ringe. 25 Sie sprachen:
Die wollen wir geben. Und sie breiteten
einen Mantel aus, und ein jeder warf den
Ring aus seiner Beute darauf. 26 Und die
goldenen Ringe, die er gefordert hatte,
wogen tausendsiebenhundert Schekel
Gold ohne die kleinen Monde und Ohr-
ringe und Purpurkleider, die die Könige
der Midianiter getragen hatten, und ohne
die Halsbänder ihrer Kamele.[a] 27 Und Gi-

8,5 *a* 1. Mose 33,17 **8,6** *a* 1. Sam 25,11
8,19 *a* 4. Mose 35,31 **8,21** *a* Ps 83,12
8,22 *a* (22-23) 1. Sam 8,5-7; 12,12 **8,26** *a* 4. Mose 31,50

deon machte einen [a]Efod* daraus und
stellte ihn in seiner Stadt Ofra auf. Und
ganz Israel trieb dort mit ihm Abgötterei.
Und er wurde Gideon und seinem Hause
zum Fallstrick.
28 So wurde Midian gedemütigt vor den
Israeliten, und sie hoben ihren Kopf nicht
mehr empor. Und [a]das Land hatte Ruhe
vierzig Jahre, solange Gideon lebte.
29 Und Jerubbaal, der Sohn des Joasch,
ging hin und wohnte in seinem Hause.
30 Und Gideon hatte siebzig leibliche
Söhne, denn er hatte viele Frauen. 31 Auch
seine Nebenfrau, die er in Sichem hatte,
gebar ihm einen Sohn; den nannte er
Abimelech. 32 Und Gideon, der Sohn des
Joasch, starb in hohem Alter und wurde
begraben im Grab seines Vaters Joasch in
[a]Ofra, der Stadt der Abiësriter.
33 Als aber Gideon gestorben war, kehr-
ten sich die Israeliten ab und [a]hurten den
Baalen nach und machten [b]Baal-Berit zu
ihrem Gott. 34 Und sie dachten nicht an
den HERRN, ihren Gott, der sie erret-
tet hatte aus der Hand aller ihrer Feinde
ringsumher, 35 und [a]erzeigten sich nicht
dankbar dem Hause des Jerubbaal – das
ist Gideon – für alles Gute, das er an Israel
getan hatte.

ABIMELECHS KÖNIGTUM

9 [a]Abimelech aber, der Sohn Jerubbaals,
ging hin nach Sichem zu den Brüdern
seiner Mutter und redete mit ihnen und
mit dem ganzen Geschlecht des Hauses
seiner Mutter und sprach: 2 Redet doch
vor den Ohren aller Herren von Sichem:
[a]Was ist euch besser, dass siebzig Männer,
alle die Söhne Jerubbaals, über euch Herr-
scher seien oder dass *ein* Mann über euch
Herrscher sei? Denkt auch daran, dass ich
euer Gebein und Fleisch bin.
3 Da redeten die Brüder seiner Mutter
seinetwegen alle diese Worte vor den Oh-
ren aller Herren von Sichem. Und ihr Herz
neigte sich Abimelech zu; denn sie dach-
ten: Er ist unser Bruder. 4 Und sie gaben
ihm siebzig Silberstücke aus dem Tempel
des [a]Baal-Berit. Und Abimelech warb da-
mit lose, leichtfertige Männer an, die ihm
nachfolgten. 5 Und er kam in das Haus sei-
nes Vaters nach Ofra und tötete seine Brü-
der, die Söhne Jerubbaals, siebzig Mann,
auf *einem* Stein. Es blieb aber übrig Jotam,
der jüngste Sohn Jerubbaals, denn er hatte
sich versteckt. 6 Und es versammelten sich
alle Herren von Sichem und alle Bewoh-
ner des Millo, gingen hin und machten
Abimelech zum König bei der [a]Eiche am
Steinmal von Sichem.
7 Als das dem Jotam angesagt wurde,
ging er hin und stellte sich auf den Gipfel
des Berges Garizim, erhob seine Stimme,
rief und sprach zu ihnen: Höret mich, ihr
Herren von Sichem, dass euch Gott auch
höre.
8 Die Bäume gingen hin, um einen König
über sich zu salben, und sprachen zum Öl-
baum: Sei unser König! 9 Aber der Ölbaum
antwortete ihnen: Soll ich meine Fettig-
keit lassen, die Götter und Menschen
an mir preisen, und hingehen, über den
Bäumen zu schweben? 10 Da sprachen die
Bäume zum Feigenbaum: Komm du und
sei unser König! 11 Aber der Feigenbaum
sprach zu ihnen: Soll ich meine Süßigkeit
und meine gute Frucht lassen und hin-
gehen, über den Bäumen zu schweben?
12 Da sprachen die Bäume zum Weinstock:
Komm du und sei unser König! 13 Aber der
Weinstock sprach zu ihnen: Soll ich mei-
nen Wein lassen, der Götter und Men-
schen fröhlich macht, und hingehen, über
den Bäumen zu schweben? 14 Da sprachen
alle Bäume zum [a]Dornbusch: Komm du
und sei unser König! 15 Und der Dorn-
busch sprach zu den Bäumen: Ist's wahr,
dass ihr mich zum König über euch salben
wollt, so kommt und bergt euch in mei-
nem Schatten; wenn nicht, so gehe Feuer
vom Dornbusch aus und verzehre die Ze-
dern Libanons.
16 Habt ihr nun recht und redlich getan,
dass ihr Abimelech zum König gemacht
habt? Und habt ihr wohlgetan an Jerub-
baal und an seinem Hause, und habt ihr
ihm getan, wie er's um euch verdient hat?
17 Denn mein Vater hat für euch gekämpft
und sein Leben gewagt und euch aus der
Hand Midians errettet. 18 Aber ihr habt
euch heute gegen meines Vaters Haus auf-

* **8,27** Siehe Sach- und Worterklärungen.

8,27 ***a*** Kap 2,3; 17,5 **8,28** ***a*** Kap 3,11; 5,31 **8,32** ***a*** Kap 6,11
8,33 ***a*** Kap 2,11 ***b*** Kap 9,4 **8,35** ***a*** Kap 9,5.19.24
9,1 ***a*** Kap 8,31 **9,2** ***a*** Vers 18 **9,4** ***a*** Kap 8,33
9,6 ***a*** 1. Mose 35,4; Jos 24,26 **9,14** ***a*** 2. Kön 14,9

gelehnt und seine Söhne getötet, siebzig
Mann auf *einem* Stein, und habt Abime-
lech, seiner Magd Sohn, zum König über
die Herren von Sichem gemacht, weil
er euer Bruder ist. [19]Habt ihr nun heute
recht und redlich gehandelt an Jerubbaal
und an seinem Hause, so seid fröhlich
über Abimelech, und er sei fröhlich über
euch. [20]Wenn aber nicht, [a]so gehe Feuer
aus von Abimelech und verzehre die Her-
ren von Sichem und die Bewohner des
Millo, und gehe auch Feuer aus von den
Herren von Sichem und von den Bewoh-
nern des Millo und verzehre Abimelech.
[21]Und Jotam floh vor seinem Bruder Abi-
melech und entwich und ging nach Beer
und wohnte dort.

[22]Als nun Abimelech drei Jahre über Is-
rael geherrscht hatte, [23]sandte Gott [a]einen
bösen Geist zwischen Abimelech und die
Herren von Sichem. Und die Herren von
Sichem wurden Abimelech untreu, [24]da-
mit der Frevel an den siebzig Söhnen Je-
rubbaals und ihr [a]Blut käme auf Abime-
lech, ihren Bruder, der sie getötet hatte,
und auf die Herren von Sichem, die ihm
seine Hand dazu gestärkt hatten, dass er
seine Brüder tötete. [25]Und die Herren von
Sichem legten einen Hinterhalt auf den
Höhen der Berge und beraubten alle, die
auf der Straße bei ihnen vorüberkamen.
Und es wurde Abimelech angesagt.

[26]Es kamen aber Gaal, der Sohn Ebeds,
und seine Brüder und zogen in Sichem
ein. Und die Herren von Sichem verlie-
ßen sich auf ihn [27]und zogen hinaus aufs
Feld und ernteten ihre Weinberge ab und
kelterten und hielten ein Freudenfest und
gingen in das Haus ihres Gottes, aßen und
tranken und fluchten dem Abimelech.
[28]Und Gaal, der Sohn Ebeds, sprach: Wer
ist Abimelech und wer ist Sichem, dass
wir ihm dienen sollten? Ist er nicht Jerub-
baals Sohn und Sebul sein Vogt? Dienet
den Leuten [a]Hamors, des Vaters von Si-
chem! Warum sollten wir jenem dienen?
[29]Wollte Gott, das Volk wäre unter meiner
Hand, so würde ich den Abimelech ver-
treiben und ihm sagen: Mehre dein Heer
und zieh in den Kampf!

[30]Als aber Sebul, der Stadthauptmann,
die Worte Gaals, des Sohnes Ebeds, hörte,
entbrannte sein Zorn, [31]und er sandte
heimlich Boten zu Abimelech und ließ
ihm sagen: Siehe, Gaal, der Sohn Ebeds,
und seine Brüder sind nach Sichem ge-
kommen und machen dir die Stadt auf-
rührerisch. [32]So mach dich nun auf bei
Nacht, du und dein Volk, das bei dir ist,
und lege einen Hinterhalt im Felde.[a]
[33]Und am Morgen, wenn die Sonne auf-
geht, mache dich auf und überfalle die
Stadt. Und wenn er und das Volk, das bei
ihm ist, gegen dich hinauszieht, so tu mit
ihm, wie du es vermagst.

[34]Abimelech machte sich auf bei Nacht
und alles Volk, das bei ihm war, und sie
legten einen Hinterhalt gegen Sichem mit
vier Heerhaufen. [35]Und Gaal, der Sohn
Ebeds, zog heraus und trat in das Stadttor.
Aber Abimelech machte sich auf aus dem
Hinterhalt samt dem Volk, das mit ihm
war. [36]Als nun Gaal das Volk sah, sprach
er zu Sebul: Siehe, da kommt Kriegsvolk
von den Höhen des Gebirges herab. Sebul
aber sprach zu ihm: Du siehst die Schat-
ten der Berge für Leute an. [37]Gaal redete
noch weiter und sprach: Siehe, Kriegs-
volk kommt herab [a]vom Nabel der Erde*,
und ein Heerhaufe kommt daher auf dem
Wege von der Zaubereiche. [38]Da sprach
Sebul zu ihm: Wo ist nun dein Maul, das
da sagte: Wer ist Abimelech, dass wir ihm
dienen sollten? Ist das nicht das Kriegs-
volk, das du verachtet hast? Zieh nun hin
und kämpfe mit ihm!

[39]Gaal zog aus vor den Herren von Si-
chem her und kämpfte mit Abimelech.
[40]Aber Abimelech jagte ihm nach, dass
er vor ihm floh, und viele blieben erschla-
gen liegen bis an das Tor. [41]Und Abime-
lech blieb in Aruma. Sebul aber verjagte
den Gaal und seine Brüder, sodass sie in
Sichem nicht bleiben konnten.

[42]Am Morgen aber ging das Volk heraus
aufs Feld. Als man das Abimelech ansagte,
[43]nahm er das Kriegsvolk, teilte es in drei
Heerhaufen und legte einen Hinterhalt
im Feld. Als er nun sah, dass das Volk aus
der Stadt ging, erhob er sich gegen sie und
schlug sie. [44]Abimelech und der Heer-
haufe, der bei ihm war, überfielen sie und

* **9,37** Der Berg Garizim galt als Mitte der Erde.

9,20 *a* Vers 57 **9,23** *a* 1. Sam 16,14; 18,10; 19,9
9,24 *a* 1. Mose 9,6 **9,28** *a* 1. Mose 34,2 **9,32** *a* Jos 8,3-4
9,37 *a* Hes 38,12

stellten sich am Stadttor auf. Die beiden andern Heerhaufen aber überfielen alle, die auf dem Felde waren, und schlugen sie. 45 So kämpfte Abimelech gegen die Stadt den ganzen Tag und eroberte sie und tötete das Volk, das darin war, und zerstörte die Stadt und streute Salz darauf.

46 Als das alle Herren der Burg von Sichem hörten, gingen sie in das Gewölbe des Tempels des [a]El-Berit. 47 Und als Abimelech hörte, dass sich alle Herren der Burg von Sichem versammelt hatten, 48 ging er auf den Berg Zalmon mit seinem ganzen Kriegsvolk, das bei ihm war, und nahm eine Axt in seine Hand und hieb einen Ast vom Baum und hob ihn auf und legte ihn auf seine Schulter und sprach zu dem Volk, das mit ihm war: Was ihr mich tun seht, das beeilt euch, auch zu tun. 49 Da hieb jeder vom Volk einen Ast ab, und sie folgten Abimelech und legten die Äste auf das Gewölbe und setzten über ihnen das Gewölbe in Brand, sodass auch alle in der Burg von Sichem starben, etwa tausend Männer und Frauen.

ABIMELECHS ENDE

50 Abimelech aber zog nach Tebez, belagerte die Stadt und nahm sie ein. 51 Es war aber eine starke Burg mitten in der Stadt. Dahin flohen alle Männer und Frauen und alle Herren der Stadt, schlossen hinter sich zu und stiegen auf das Dach der Burg.

52 Da kam Abimelech zur Burg und kämpfte gegen sie und näherte sich dem Burgtor, um es mit Feuer zu verbrennen. 53 Aber eine Frau warf einen Mühlstein Abimelech auf den Kopf und zerschmetterte ihm den Schädel. 54 Da rief Abimelech eilends seinen Waffenträger herbei und sprach zu ihm: [a]Zieh dein Schwert und töte mich, dass man nicht von mir sage: [b]Eine Frau hat ihn erschlagen. Da durchstach ihn sein Waffenträger, und er starb. 55 Als aber die Israeliten sahen, dass Abimelech tot war, ging ein jeder heim. 56 So vergalt Gott dem Abimelech das Böse, das er seinem Vater angetan hatte, [a]als er seine siebzig Brüder tötete. 57 Desgleichen alle bösen Taten der Männer von Sichem vergalt ihnen Gott auf ihren Kopf, und es kam über sie der [a]Fluch Jotams, des Sohnes Jerubbaals.

DIE RICHTER TOLA UND JAÏR

10 Nach Abimelech stand auf, Israel zu erretten, [a]Tola, ein Mann aus Issachar, der Sohn Puas, des Sohnes Dodos. Er wohnte in Schamir auf dem Gebirge Ephraim 2 und richtete Israel dreiundzwanzig Jahre und starb und wurde begraben in Schamir.

3 Nach ihm stand auf [a]Jaïr aus Gilead und richtete Israel zweiundzwanzig Jahre. 4 [a]Der hatte dreißig Söhne, die auf dreißig Eseln ritten. Und sie hatten dreißig Städte, die heißen [b]»Dörfer Jaïrs« bis auf diesen Tag und liegen in Gilead. 5 Und Jaïr starb und wurde begraben in Kamon.

ISRAELS UNTREUE

6 Aber die Israeliten taten wiederum, was dem HERRN missfiel, und dienten den Baalen und den Astarten und den Göttern von Aram und den Göttern von Sidon und den Göttern von Moab und den Göttern der Ammoniter und den Göttern der Philister und verließen den HERRN und dienten ihm nicht. 7 Da entbrannte der Zorn des HERRN über Israel, und er verkaufte sie in die Hand der Philister und Ammoniter. 8 Und sie zertraten und zerschlugen die Israeliten zu jener Zeit achtzehn Jahre lang, nämlich alle Israeliten jenseits des Jordans im Land der Amoriter, das in Gilead liegt. 9 Dazu zogen die Ammoniter über den Jordan und kämpften gegen Juda, Benjamin und das Haus Ephraim, sodass Israel hart bedrängt wurde.

10 Da schrien die Israeliten zu dem HERRN und sprachen: Wir haben an dir gesündigt, denn wir haben unsern Gott verlassen und den Baalen gedient.[a] 11 Aber der HERR sprach zu den Israeliten: Haben euch nicht auch unterdrückt die Ägypter, die Amoriter, die Ammoniter, die Philister, 12 die Sidonier, Amalek und Maon? Und ich half euch aus ihren Händen, als ihr zu mir schriet. 13 Dennoch habt ihr mich verlassen und andern Göttern gedient. Darum will ich euch nicht mehr erretten. 14 Geht hin und schreit zu den Göttern, die

9,46 ***a*** Kap 8,33 **9,54** ***a*** 1. Sam 31,4 ***b*** 2. Sam 11,21 **9,56** ***a*** Vers 5 **9,57** ***a*** Vers 20 **10,1** ***a*** 1. Mose 46,13; 4. Mose 26,23 **10,3** ***a*** 4. Mose 32,41 **10,4** ***a*** Kap 12,9.14 ***b*** 5. Mose 3,14 **10,10** ***a*** 1. Sam 12,10

ihr erwählt habt; [a]lasst diese euch helfen
zur Zeit eurer Bedrängnis! 15 Aber die Is-
raeliten sprachen zum HERRN: Wir haben
gesündigt, mache du es mit uns, wie dir's
gefällt; nur errette uns heute! 16 Und sie
[a]taten von sich die fremden Götter und
dienten dem HERRN. Da [b]jammerte es
ihn, dass Israel so geplagt wurde.

DER RICHTER JEFTAH

17 Und die Ammoniter wurden aufgebo-
ten und lagerten sich in Gilead; aber die
Israeliten versammelten sich und lager-
ten sich in [a]Mizpa. 18 Und das Volk und
die Oberen von Gilead sprachen unter-
einander: Wer ist der Mann, der anfängt,
mit den Ammonitern zu kämpfen? Der
soll das [a]Haupt sein über alle, die in Gi-
lead wohnen.
11 Jeftah, der Gileaditer, war ein streitba-
rer Mann. Er war der Sohn einer Hure.
Gilead hatte Jeftah gezeugt. 2 Als aber die
Frau Gileads ihm Söhne gebar und die
Söhne der Frau groß wurden, stießen sie
Jeftah aus und sprachen zu ihm: Du [a]sollst
nicht erben im Haus unseres Vaters, denn
du bist der Sohn einer andern. 3 Da floh er
vor seinen Brüdern und wohnte im Lande
Tob. Und [a]es sammelten sich bei Jeftah
lose Leute und zogen mit ihm aus.
4 Und einige Zeit danach kämpften die
Ammoniter mit Israel. 5 Als nun die Am-
moniter mit Israel kämpften, gingen die
Ältesten von Gilead hin, um Jeftah aus
dem Lande Tob zu holen, 6 und sprachen
zu Jeftah: Komm und sei unser Haupt-
mann, dass wir gegen die Ammoniter
kämpfen. 7 Aber Jeftah sprach zu den Äl-
testen von Gilead: Seid ihr es nicht, die
mich hassen und aus meines Vaters Haus
ausgestoßen haben? Und nun kommt ihr
zu mir, weil ihr in Bedrängnis seid? 8 Die
Ältesten von Gilead sprachen zu Jeftah:
Darum kommen wir nun wieder zu dir,
damit du mit uns ziehst und uns hilfst,
gegen die Ammoniter zu kämpfen, und
unser [a]Haupt seist über alle, die in Gilead
wohnen. 9 Jeftah sprach zu den Ältesten
von Gilead: Wenn ihr mich wieder holt,
um gegen die Ammoniter zu kämpfen,
und der HERR sie vor mir dahingibt, werde
ich dann euer Haupt sein? 10 Die Ältesten
von Gilead sprachen zu Jeftah: Der HERR
sei unser Zeuge, wenn wir nicht tun, wie
du gesagt hast. 11 So ging Jeftah mit den
Ältesten von Gilead, und das Volk setzte
ihn zum Haupt und Obersten über sich.
Und Jeftah brachte alle seine Anliegen vor
den HERRN in [a]Mizpa.
12 Dann sandte Jeftah Boten zum König
der Ammoniter und ließ ihm sagen: Was
hast du mit mir zu schaffen, dass du zu mir
kommst, um gegen mein Land zu kämp-
fen? 13 Der König der Ammoniter antwor-
tete den Boten Jeftahs: Weil Israel mein
Land genommen hat, als sie aus Ägypten
zogen, vom Arnon an bis an den Jabbok
und bis an den Jordan, so gib mir's nun in
Frieden zurück.
14 Jeftah aber sandte abermals Boten zum
König der Ammoniter; 15 die sprachen
zu ihm: So spricht Jeftah: Israel hat kein
Land weggenommen, [a]weder den Moab-
itern noch den Ammonitern. 16 Denn als
sie aus Ägypten heraufkamen, zog Israel
durch die Wüste bis ans Schilfmeer und
kam nach Kadesch. 17 Da [a]sandte Israel
Boten zum König von Edom und sprach:
Lass mich durch dein Land ziehen. Aber
der König von Edom hörte nicht auf sie.
Auch sandten sie zum König von Moab;
der wollte auch nicht. So blieb Israel in
Kadesch 18 und zog in der Wüste umher
und umging das Land Edom und das Land
Moab und kam von Sonnenaufgang her
an das Land Moab. Und sie lagerten sich
[a]jenseits des Arnon und kamen nicht ins
Gebiet von Moab; denn der Arnon ist die
Grenze von Moab. 19 Und Israel sandte
Boten zu Sihon, dem König der Amoriter,
dem König zu Heschbon, und ließ ihm
sagen: Lass uns durch dein Land ziehen
bis an unsern Ort.[a] 20 Aber Sihon traute
Israel nicht und ließ es nicht durch sein
Gebiet ziehen, sondern versammelte sein
ganzes Kriegsvolk und lagerte sich bei Ja-
haz und kämpfte mit Israel. 21 Der HERR
aber, der Gott Israels, gab Sihon mit sei-
nem ganzen Kriegsvolk in die Hand Isra-
els, und sie erschlugen sie. So nahm Israel

10,14 *a* 5. Mose 32,37-38; Jer 2,28 **10,16** *a* Jos 24,23
b Kap 2,18 **10,17** *a* Kap 11,29 **10,18** *a* Kap 11,6-11
11,2 *a* 1. Mose 21,10 **11,3** *a* Kap 9,4; 1. Sam 22,2
11,8 *a* Kap 10,18 **11,11** *a* Vers 29; Kap 10,17
11,15 *a* 5. Mose 2,9.19 **11,17** *a* 4. Mose 20,14-21
11,18 *a* 4. Mose 21,13 **11,19** *a* 4. Mose 21,21-31

das ganze Land der Amoriter ein, die in
jenem Land wohnten. 22 Sie nahmen das
ganze Gebiet der Amoriter ein vom Ar-
non bis an den Jabbok und von der Wüste
bis an den Jordan. 23 So hat nun der HERR,
der Gott Israels, die Amoriter vertrieben
vor seinem Volk Israel, und du willst ihr
Land einnehmen? 24 Du solltest das Land
derer einnehmen, die dein Gott [a]Kemosch
vertreibt, uns dagegen das Land derer ein-
nehmen lassen, die der HERR, unser Gott,
vor uns vertrieben hat. 25 Meinst du, dass
du ein besseres Recht hättest als [a]Balak,
der Sohn Zippors, der König von Moab?
Hat dieser auch je mit Israel gerechtet
oder gekämpft, 26 obwohl Israel dreihun-
dert Jahre gewohnt hat in Heschbon und
in Aroër und ihren Ortschaften und in
allen Städten, die zu beiden Seiten des
Arnon liegen? Warum habt ihr sie nicht
mit Gewalt genommen in dieser Zeit?
27 Ich habe mich nicht an dir versündigt,
du aber tust so Böses an mir, dass du mit
mir kämpfst. Der HERR, der da Richter ist,
richte heute zwischen den Israeliten und
den Ammonitern.

28 Aber der König der Ammoniter
hörte nicht auf die Worte Jeftahs, die er
ihm sagen ließ. 29 Da kam der [a]Geist des
HERRN auf Jeftah, und er zog durch Gi-
lead und Manasse und nach Mizpe in
Gilead, und von Mizpe in Gilead gegen
die Ammoniter.

30 Und Jeftah gelobte dem HERRN ein
[a]Gelübde und sprach: Gibst du die Am-
moniter in meine Hand, 31 so soll, was mir
aus meiner Haustür entgegengeht, wenn
ich von den Ammonitern heil zurück-
komme, dem HERRN gehören, und ich
will's [a]als Brandopfer darbringen. 32 So
zog Jeftah gegen die Ammoniter in den
Kampf. Und der HERR gab sie in seine
Hand. 33 Und er schlug sie mit gewalti-
gen Schlägen von Aroër an bis hin nach
Minnit, zwanzig Städte, und bis nach
Abel-Keramim. So wurden die Ammon-
iter gedemütigt vor den Israeliten.

34 Als nun Jeftah nach Mizpa zu seinem
Hause kam, siehe, da geht seine Tochter
heraus ihm entgegen [a]mit Pauken im Rei-
gen. Sie war sein einziges Kind, und er
hatte sonst keinen Sohn und keine Toch-
ter. 35 Und als er sie sah, zerriss er seine
Kleider und sprach: Ach, meine Tochter,
wie beugst du mich und betrübst mich!
Denn [a]ich habe meinen Mund aufgetan
vor dem HERRN und kann's nicht wi-
derrufen. 36 Sie aber sprach: Mein Vater,
hast du deinen Mund aufgetan vor dem
HERRN, so tu mit mir, wie dein Mund ge-
redet hat, nachdem der HERR dich gerächt
hat an deinen Feinden, den Ammonitern.
37 Und sie sprach zu ihrem Vater: Du
wollest mir das gewähren: Lass mir zwei
Monate, dass ich hingehe auf die Berge
und meine Jungfrauschaft beweine mit
meinen Gespielinnen. 38 Er sprach: Geh
hin!, und ließ sie zwei Monate gehen. Da
ging sie hin mit ihren Gespielinnen und
beweinte ihre Jungfrauschaft auf den Ber-
gen. 39 Und nach zwei Monaten kam sie
zurück zu ihrem Vater. Und [a]er tat ihr,
wie er gelobt hatte, und sie hatte nie einen
Mann erkannt. Und es ward Brauch in Is-
rael, 40 dass die Töchter Israel jährlich hin-
gehen, zu klagen um die Tochter Jeftahs,
des Gileaditers, vier Tage im Jahr.

JEFTAHS KAMPF MIT EPHRAIM

12 Und die [a]Männer von Ephraim wur-
den aufgeboten und zogen nordwärts
und sprachen zu Jeftah: Warum bist du in
den Kampf gezogen gegen die Ammoniter
und hast uns nicht gerufen, dass wir mit
dir ziehen? Wir wollen dein Haus samt
dir mit Feuer verbrennen. 2 Jeftah sprach
zu ihnen: Ich und mein Volk hatten einen
harten Kampf mit den Ammonitern, und
ich rief euch auf, aber ihr halft mir nicht
aus ihren Händen. 3 Als ich nun sah, dass
ihr nicht helfen wolltet, [a]wagte ich mein
Leben und zog gegen die Ammoniter, und
der HERR gab sie in meine Hand. Warum
kommt ihr nun zu mir herauf, mit mir
zu kämpfen? 4 Und Jeftah sammelte alle
Männer von Gilead und kämpfte gegen
Ephraim. Und die Männer von Gilead
schlugen Ephraim – denn diese hatten
gesagt: Ihr seid Flüchtlinge aus Ephraim;
denn Gilead liegt mitten in Ephraim und
Manasse –; 5 und Gilead besetzte die Fur-

11,24 *a* 4. Mose 21,29 **11,25** *a* 4. Mose 22,2; Jos 24,9
11,29 *a* Kap 3,10; 6,34 **11,30** *a* 2. Sam 15,8
11,31 *a* 2. Kön 3,27 **11,34** *a* 2. Mose 15,20
11,35 *a* 4. Mose 30,3 **11,39** *a* Vers 31; 5. Mose 12,29-31
12,1 *a* Kap 8,1 **12,3** *a* Kap 5,18; 9,17

ten des Jordans vor Ephraim. Wenn nun
einer von den Flüchtlingen Ephraims
sprach: Lass mich hinübergehen!, so spra-
chen die Männer von Gilead zu ihm: Bist
du ein Ephraimiter? Wenn er dann ant-
wortete: Nein!, 6 ließen sie ihn sprechen:
Schibbolet. Sprach er aber: Sibbolet, weil
er's nicht richtig aussprechen konnte,
dann ergriffen sie ihn und erschlugen ihn
an den Furten des Jordans, sodass zu der
Zeit von Ephraim fielen zweiundvierzig-
tausend.
7 Jeftah aber richtete Israel sechs Jahre.
Und Jeftah, der Gileaditer, starb und
wurde begraben in seiner Stadt in Gilead.

DIE RICHTER IBZAN, ELON UND ABDON

8 Nach ihm richtete Israel Ibzan aus Beth-
lehem. 9 Der hatte dreißig Söhne. Und
dreißig Töchter gab er nach auswärts, und
dreißig Töchter nahm er von auswärts
für seine Söhne. Er richtete Israel sieben
Jahre.[a] 10 Und Ibzan starb und wurde be-
graben in Bethlehem.
11 Nach ihm richtete Israel Elon, der Se-
buloniter; er richtete Israel zehn Jahre.
12 Und Elon, der Sebuloniter, starb und
wurde begraben in Ajalon im Lande
[a]Sebulon.
13 Nach ihm richtete Israel Abdon, der
Sohn Hillels aus Piraton. 14 Der hatte
vierzig Söhne und dreißig Enkel, die auf
siebzig Eseln ritten. Er richtete Israel acht
Jahre. 15 Und Abdon, der Sohn Hillels aus
Piraton, starb und wurde begraben in Pi-
raton im Lande Ephraim auf dem Gebirge
der Amalekiter.

SIMSONS GEBURT

13 Und die Israeliten taten wiederum,
was dem HERRN missfiel, und der
HERR gab sie in die Hände der Philister
vierzig Jahre.
2 Es war aber ein Mann aus Zora vom
Geschlecht der Daniter, mit Namen Ma-
noach, und seine Frau war unfruchtbar
und hatte keine Kinder. 3 Und der Engel
des HERRN erschien der Frau und sprach
zu ihr: Siehe, du bist [a]unfruchtbar und
hast keine Kinder, aber du wirst schwan-
ger werden und einen Sohn gebären. 4 [a]So
hüte dich nun, dass du nicht Wein oder
starkes Getränk trinkst und nichts Unrei-
nes isst; 5 denn du wirst schwanger wer-
den und einen Sohn gebären, dem kein
Schermesser aufs Haupt kommen soll.
Denn der Knabe wird ein Geweihter Got-
tes sein von Mutterleibe an; und er wird
anfangen, Israel zu erretten aus der Hand
der Philister.
6 Da kam die Frau und sagte es ihrem
Mann und sprach: Es kam ein Mann Got-
tes zu mir, und seine Gestalt war anzuse-
hen wie der Engel Gottes, zum Erschre-
cken, sodass ich ihn nicht fragte, woher
er sei; und er sagte mir nicht, wie er hieß.
7 Er sprach aber zu mir: Siehe, du wirst
schwanger werden und einen Sohn ge-
bären. So trinke nun keinen Wein oder
starkes Getränk und iss nichts Unreines;
denn der Knabe soll ein Geweihter Gottes
sein von Mutterleibe an bis zum Tag seines
Todes. 8 Da bat Manoach den HERRN und
sprach: Bitte, mein Herr, der Mann Got-
tes, den du gesandt hast, komme noch
einmal zu uns, dass er uns lehre, was wir
mit dem Knaben tun sollen, der geboren
werden soll. 9 Und Gott erhörte Manoach,
und der Engel Gottes kam wieder zu der
Frau. Sie saß aber auf dem Felde, und ihr
Mann Manoach war nicht bei ihr. 10 Da lief
sie eilends und sagte es ihrem Mann und
sprach zu ihm: Siehe, der Mann ist mir er-
schienen, der heute zu mir kam.
11 Manoach machte sich auf und ging hin-
ter seiner Frau her und kam zu dem Mann
und sprach zu ihm: Bist du der Mann, der
mit der Frau geredet hat? Er sprach: Ja.
12 Und Manoach sprach: Wenn nun ein-
trifft, was du gesagt hast: Wie sollen wir's
mit dem Knaben halten und tun? 13 Der
Engel des HERRN sprach zu Manoach: Vor
allem, was ich der Frau gesagt habe, soll
sie sich hüten: 14 Sie [a]soll nichts essen, was
vom Weinstock kommt, und soll keinen
Wein oder starkes Getränk trinken und
nichts Unreines essen; alles, was ich ihr
geboten habe, soll sie halten.
15 [a]Manoach sprach zum Engel des
HERRN: Wir möchten dich gern hierbe-
halten und dir ein Ziegenböcklein zurich-
ten. 16 Aber der Engel des HERRN antwor-

12,9 *a* Vers 14; Kap 10,4 **12,12** *a* 4. Mose 26,26
13,3 *a* 1. Mose 15,2.21; 29,31 **13,4** *a* (4-5) 4. Mose 6,2-21;
3. Mose 11,1-47; 1. Sam 1,11 **13,14** *a* Vers 4
13,15 *a* (15-16) Kap 6,18

tete Manoach: Wenn du mich auch hier
hältst, so esse ich doch von deiner Speise
nicht. Willst du aber ein Brandopfer brin-
gen, so kannst du es dem HERRN opfern.
Manoach aber wusste nicht, dass es der
Engel des HERRN war. 17 [a]Und Manoach
sprach zum Engel des HERRN: Wie heißt
du? Denn wir wollen dich ehren, wenn
nun eintrifft, was du gesagt hast. 18 Aber
der Engel des HERRN sprach zu ihm:
Warum fragst du nach meinem Namen,
der doch wunderbar ist?

19 [a]Da nahm Manoach ein Ziegenböck-
lein und Speisopfer und brachte es auf
einem Felsen dem HERRN dar. Und Wun-
derbares geschah; Manoach aber und seine
Frau sahen zu. 20 Und als die Flamme auf-
loderte vom Altar gen Himmel, fuhr
der Engel des HERRN auf in der Flamme
des Altars. Als das Manoach und seine
Frau sahen, fielen sie zur Erde auf ihr
Angesicht.

21 Und der Engel des HERRN erschien
Manoach und seiner Frau nicht mehr. Da
erkannte Manoach, dass es der Engel des
HERRN war, 22 und sprach zu seiner Frau:
Wir müssen des Todes sterben, weil wir
Gott gesehen haben.[a] 23 Aber seine Frau
antwortete ihm: Wenn es dem HERRN
gefallen hätte, uns zu töten, so hätte er
das Brandopfer und Speisopfer nicht an-
genommen von unsern Händen. Er hätte
uns auch all das nicht sehen und jetzt nicht
hören lassen. 24 Und die Frau gebar einen
Sohn und nannte ihn Simson. Und der
Knabe wuchs heran, und der HERR [a]seg-
nete ihn. 25 Und der [a]Geist des HERRN fing
an, ihn umzutreiben im Lager Dans zwi-
schen Zora und Eschtaol.

SIMSONS RÄTSEL

14 Simson ging hinab nach [a]Timna und
sah eine Frau in Timna unter den
Töchtern der Philister. 2 Und als er her-
aufkam, sagte er's seinem Vater und seiner
Mutter und sprach: Ich hab eine Frau gese-
hen in Timna unter den Töchtern der Phi-
lister; nehmt mir nun diese zur Frau. 3 Sein
Vater und seine Mutter sprachen zu ihm:
Ist denn nun keine Frau unter den Töch-
tern deiner Brüder und in deinem ganzen
Volk, dass du hingehst und [a]willst eine
Frau nehmen von den Philistern, die un-
beschnitten sind? Simson sprach zu sei-
nem Vater: Nimm mir diese, denn sie ge-
fällt meinen Augen. 4 Aber sein Vater und
seine Mutter wussten nicht, dass es von
dem HERRN kam; denn er suchte einen
Anlass gegen die Philister. Die Philister
aber herrschten zu der Zeit über Israel.

5 So ging Simson hinab mit seinem Va-
ter und seiner Mutter nach Timna. Und als
sie kamen an die Weinberge von Timna,
siehe, da kam ein junger Löwe brül-
lend ihm entgegen. 6 Und der [a]Geist des
HERRN geriet über ihn, [b]und er zerriss
ihn, wie man ein Böcklein zerreißt, und
hatte doch gar nichts in seiner Hand. Er
sagte aber seinem Vater und seiner Mut-
ter nicht, was er getan hatte. 7 Als er nun
hinkam, redete er mit der Frau, und Sim-
son hatte Gefallen an ihr.

8 Und nach einigen Tagen kam er wie-
der, um sie zu holen, und bog vom Wege
ab, um nach dem Aas des Löwen zu se-
hen. Siehe, da war ein Bienenschwarm in
dem Leibe des Löwen und Honig. 9 Und
er nahm davon in seine Hände und aß im
Gehen und kam zu seinem Vater und zu
seiner Mutter und gab ihnen, dass sie auch
aßen. Er sagte ihnen aber nicht, dass er den
Honig aus dem Leibe des Löwen genom-
men hatte.

10 Und als sein Vater hinkam zu der Frau,
machte Simson dort ein Hochzeitsgelage,
wie es die jungen Leute zu tun pflegen.
11 Und als sie ihn sahen, gaben sie ihm
dreißig Gesellen, die bei ihm sein soll-
ten. 12 Simson aber sprach zu ihnen: Ich
will euch ein [a]Rätsel aufgeben. Wenn
ihr mir das erratet und trefft [b]in diesen
sieben Tagen des Gelages, so will ich euch
dreißig Hemden geben und dreißig Feier-
kleider. 13 Könnt ihr's aber nicht erraten, so
sollt ihr mir dreißig Hemden und dreißig
Feierkleider geben. Und sie sprachen zu
ihm: Gib dein Rätsel auf, lass uns hören!
14 Er sprach zu ihnen: Speise ging aus vom
Fresser und Süßigkeit vom Starken. Und

13,17 *a* (17-18) 1. Mose 32,30 **13,19** *a* (19-20) Kap 6,21
13,22 *a* 2. Mose 33,20 **13,24** *a* 1. Mose 24,1; 35,9;
4. Mose 22,6 **13,25** *a* Kap 3,9-10; 6,34; 14,6.19; 15,14;
4. Mose 24,2.4; 1. Sam 10,6.10; 16,13; Hes 11,5
14,1 *a* Jos 19,43 **14,3** *a* 1. Mose 34,14; 2. Mose 34,16
14,6 *a* Kap 13,25 *b* 1. Sam 17,34-35 **14,12** *a* 1. Kön 10,1;
Hes 17,2 *b* 1. Mose 29,27

sie konnten in drei Tagen das Rätsel nicht
erraten.
15 Am vierten Tage sprachen sie zu Sim-
sons Frau: [a]Überrede deinen Mann, dass
er uns des Rätsels Lösung sagt, oder wir
werden dich und deines Vaters Haus mit
Feuer verbrennen. Habt ihr uns hierher
geladen, um uns arm zu machen? 16 Da
weinte Simsons Frau vor ihm und sprach:
Du bist mir gram und hast mich nicht lieb.
Du hast meinen Leuten ein Rätsel aufge-
geben und hast mir's nicht gesagt. Er aber
sprach zu ihr: Siehe, ich hab's meinem Va-
ter und meiner Mutter nicht gesagt und dir
sollte ich's sagen? 17 Und sie weinte vor
ihm die sieben Tage, die sie feierten; [a]aber
am siebenten Tage sagte er es ihr, denn sie
drang in ihn. Sie aber sagte des Rätsels Lö-
sung ihren Leuten weiter.
18 Da sprachen die Männer der Stadt zu
ihm am siebenten Tage, ehe die Sonne
unterging: Was ist süßer als Honig? Was
ist stärker als der Löwe? Aber er sprach
zu ihnen: Wenn ihr nicht mit meinem
Kalb gepflügt hättet, so hättet ihr mein
Rätsel nicht getroffen. 19 Und [a]der Geist
des HERRN geriet über ihn, und er ging
hinab nach Aschkelon und erschlug drei-
ßig Mann unter ihnen und nahm ihre Ge-
wänder und gab Feierkleider denen, die
das Rätsel erraten hatten. Und sein Zorn
entbrannte und er ging hinauf in seines
Vaters Haus. 20 Aber Simsons Frau wurde
[a]seinem Gesellen gegeben, der sein Braut-
führer gewesen war.

SIMSONS STREIT MIT DEN PHILISTERN

15 Es begab sich aber nach einigen Ta-
gen, um die Weizenernte, dass Sim-
son seine Frau besuchte mit einem Zie-
genböcklein. Und als er sprach: Ich will
zu meiner Frau in die Kammer gehen,
da wollte ihn ihr Vater nicht hineinlas-
sen 2 und sprach: Ich meinte wirklich, du
wärest ihr gram, und habe sie [a]deinem
Gesellen gegeben. Sie hat aber eine jün-
gere Schwester, die ist schöner als sie; die
nimm statt ihrer. 3 Da sprach Simson zu
ihnen: Diesmal bin ich frei von Schuld,
wenn ich den Philistern Böses tue.
4 Und Simson ging hin und fing dreihun-
dert Füchse, nahm Fackeln und kehrte je
einen Schwanz zum andern und tat eine
Fackel je zwischen zwei Schwänze 5 und
zündete die Fackeln an und ließ die Füchse
in das Korn der Philister laufen und zün-
dete so die Garben samt dem stehenden
Korn an und Weinberge und Ölbäume.
6 Da sprachen die Philister: Wer hat das ge-
tan? Da sagte man: Simson, der Schwie-
gersohn des Timnaïters, weil er ihm seine
Frau genommen und seinem Gesellen
gegeben hat. Da zogen die Philister hin
und verbrannten sie samt ihrem Vater
mit Feuer. 7 Simson aber sprach zu ihnen:
Wenn ihr das tut, so will ich nicht ruhen,
bis ich mich an euch gerächt habe. 8 Und er
zerschlug ihnen alle Knochen mit mächti-
gen Schlägen und zog hinab und wohnte
in der Felsenkluft von Etam.
9 Da zogen die Philister hinauf und la-
gerten sich in Juda und breiteten sich aus
bei Lehi. 10 Aber die Männer von Juda spra-
chen: Warum seid ihr gegen uns heraufge-
zogen? Sie antworteten: Wir sind herauf-
gekommen, Simson zu binden, dass wir
ihm tun, wie er uns getan hat. 11 Da zogen
dreitausend Mann von Juda hinab in die
Felsenkluft von Etam und sprachen zu
Simson: Weißt du nicht, dass die Philis-
ter über uns herrschen? Warum hast du
uns denn das angetan? Er sprach zu ihnen:
Wie sie mir getan haben, so hab ich ihnen
wieder getan. 12 Sie sprachen zu ihm: Wir
sind herabgekommen, dich zu binden und
in die Hände der Philister zu geben. Sim-
son sprach zu ihnen: So schwört mir, dass
ihr selber mir nichts antun wollt. 13 Sie ant-
worteten ihm: Nein, sondern wir wollen
dich nur binden und in ihre Hände geben
und wollen dich nicht töten. Und sie ban-
den ihn mit zwei neuen Stricken und führ-
ten ihn aus der Felsenkluft hinauf. 14 Und
als er nach Lehi kam, jauchzten die Phi-
lister ihm entgegen. Aber der [a]Geist des
HERRN geriet über ihn, und die Stricke an
seinen Armen wurden wie Fäden, die das
Feuer versengt hat, sodass die Fesseln an
seinen Händen zerschmolzen. 15 Und er
fand einen frischen Eselskinnbacken. Da
streckte er seine Hand aus und nahm ihn
und erschlug damit tausend Mann. 16 Und
Simson sprach: Mit eines Esels Kinnba-

14,15 *a* Kap 16,5 **14,17** *a* Kap 16,16-17 **14,19** *a* Kap 3,10
14,20 *a* Kap 15,2 **15,2** *a* Kap 14,20 **15,14** *a* Kap 13,25

cken habe ich sie über den Haufen gewor-
fen; mit eines Esels Kinnbacken habe ich
tausend Mann erschlagen.
17 Und als er das gesagt hatte, warf er den
Kinnbacken aus seiner Hand, und man
nannte die Stätte Ramat-Lehi*.
18 Als ihn aber sehr dürstete, rief er den
HERRN an und sprach: Du hast solch gro-
ßen Sieg gegeben durch die Hand deines
Knechts; nun aber muss ich vor Durst
sterben und in die Hände der Unbeschnit-
tenen fallen. 19 Da spaltete Gott die Höh-
lung im Kinnbacken, [a]dass Wasser heraus-
floss. Und als er trank, kehrte sein Geist
zurück, und er lebte wieder auf. Darum
heißt der Ort »Quelle des Rufenden«; die
ist in Lehi bis auf den heutigen Tag.
20 Und er richtete Israel zu den Zeiten
der Philister zwanzig Jahre.
16 Simson ging nach Gaza und sah dort
eine Hure und ging zu ihr. 2 Da wurde
den Leuten von Gaza gesagt: Simson ist
hierher gekommen! Und sie umstellten
ihn und lauerten ihm die ganze Nacht auf
am Stadttor. Die ganze Nacht verhielten
sie sich still und dachten: Morgen, wenn's
licht wird, wollen wir ihn umbringen.
3 Simson aber lag bis Mitternacht. Da
stand er auf um Mitternacht und ergriff
beide Torflügel am Stadttor samt den bei-
den Pfosten, hob sie heraus mit dem Rie-
gel und legte sie auf seine Schultern und
trug sie hinauf auf die Höhe des Berges vor
Hebron.

SIMSONS FALL UND RACHE

4 Danach gewann er eine Frau lieb im Tal
Sorek, die hieß Delila. 5 Zu der kamen die
Fürsten der Philister und sprachen zu ihr:
[a]Überrede ihn und sieh, wodurch er so
große Kraft hat und womit wir ihn über-
wältigen können, dass wir ihn binden und
bezwingen, so wollen wir dir ein jeder
tausendeinhundert Silberstücke geben.
6 Und Delila sprach zu Simson: Sage mir
doch, worin deine große Kraft liegt und
womit man dich binden muss, um dich
zu bezwingen! 7 Simson sprach zu ihr:
Wenn man mich bände mit sieben Seilen
von frischem Bast, die noch nicht getrock-
net sind, so würde ich schwach und wäre
wie ein anderer Mensch. 8 Da brachten die
Fürsten der Philister ihr sieben Seile von
frischem Bast, die noch nicht getrocknet
waren, und sie band ihn damit. 9 Man lau-
erte ihm aber auf bei ihr in der Kammer.
Da sprach sie zu ihm: Philister über dir,
Simson! Er aber zerriss die Seile, wie eine
Flachsschnur zerreißt, wenn sie ans Feuer
kommt. Und so wurde nicht kund, worin
seine Kraft lag.
10 Da sprach Delila zu Simson: Siehe, du
hast mich getäuscht und mich belogen. So
sage mir nun doch, womit kann man dich
binden? 11 Er antwortete ihr: Wenn sie
mich bänden mit neuen Stricken, mit de-
nen noch nie eine Arbeit getan worden ist,
so würde ich schwach und wie ein ande-
rer Mensch. 12 Da nahm Delila neue Stricke
und band ihn damit und sprach: Philister
über dir, Simson! – man lauerte ihm aber
auf in der Kammer –, und er riss sie von
seinen Armen herunter wie einen Faden.
13 Da sprach Delila zu ihm: Bisher hast du
mich getäuscht und mich belogen. Sage
mir doch, womit kann man dich binden?
Er antwortete ihr: Wenn du die sieben Lo-
cken meines Hauptes zusammenflöchtest
mit den Fäden deines Webstuhls. 14 Und
sie heftete sie mit dem Pflock an und
sprach zu ihm: Philister über dir, Simson!
Er aber wachte auf von seinem Schlaf und
riss die geflochtenen Locken mit Pflock
und Gewebe heraus. 15 Da sprach sie zu
ihm: [a]Wie kannst du sagen, du habest
mich lieb, wenn doch dein Herz nicht mit
mir ist? Dreimal hast du mich getäuscht
und mir nicht gesagt, worin deine große
Kraft liegt.
16 Als sie aber mit ihren Worten alle Tage
[a]in ihn drang und ihm zusetzte, wurde
seine Seele sterbensmatt, 17 und er tat ihr
sein ganzes Herz auf und sprach zu ihr: Es
ist nie ein [a]Schermesser auf mein Haupt
gekommen; denn ich bin ein Geweih-
ter Gottes von Mutterleib an. Wenn ich
geschoren würde, so wiche meine Kraft
von mir, sodass ich schwach würde und
wie alle andern Menschen. 18 Da nun De-
lila sah, dass er ihr sein ganzes Herz auf-
getan hatte, sandte sie hin und ließ die
Fürsten der Philister rufen und sagen:

* **15,17** Der Name bedeutet »Kinnbackenhöhe«.

15,19 ***a*** 2. Mose 17,6; 4. Mose 20,11 **16,5** ***a*** Kap 14,15
16,15 ***a*** Kap 14,16 **16,16** ***a*** Kap 14,17 **16,17** ***a*** Kap 13,5

Kommt noch einmal her, denn er hat mir
sein ganzes Herz aufgetan. Da kamen die
Fürsten der Philister zu ihr und brachten
das Geld in ihrer Hand mit. 19 Und sie ließ
ihn einschlafen in ihrem Schoß und rief
einen und schnitt ihm die sieben Locken
seines Hauptes ab. Und sie fing an, ihn zu
bezwingen – da war seine Kraft von ihm
gewichen.
20 Und sie sprach zu ihm: Philister über
dir, Simson! Als er nun von seinem Schlaf
erwachte, dachte er: Ich will frei ausgehen,
wie ich früher getan habe, und will mich
losreißen. Aber er wusste nicht, dass [a]der
HERR von ihm gewichen war. 21 Da ergrif-
fen ihn die Philister und stachen ihm die
Augen aus, führten ihn hinab nach Gaza
und legten ihn in Ketten; und er musste
die Mühle drehen im Gefängnis. 22 Aber
das Haar seines Hauptes fing an, wieder
zu wachsen, nachdem es geschoren war.
23 Als aber die Fürsten der Philister sich
versammelten, um ihrem Gott [a]Dagon
ein großes Opfer darzubringen und ein
Freudenfest zu feiern, sprachen sie: Un-
ser Gott hat uns unsern Feind Simson
in unsere Hände gegeben. 24 Und als das
Volk ihn sah, lobten sie ihren Gott, denn
sie sprachen: Unser Gott hat uns unsern
Feind in unsere Hände gegeben, der un-
ser Land verwüstete und viele von uns
erschlug. 25 Als nun ihr Herz guter Dinge
war, sprachen sie: Lasst Simson holen,
dass er vor uns seine Späße treibe. Da hol-
ten sie Simson aus dem Gefängnis, und er
trieb seine Späße vor ihnen, und sie stell-
ten ihn zwischen die Säulen.
26 Simson aber sprach zu dem Knaben,
der ihn an der Hand führte: Lass mich los,
dass ich nach den Säulen taste, auf de-
nen das Haus steht, damit ich mich daran
lehne. 27 Das Haus aber war voller Männer
und Frauen. Es waren auch alle Fürsten
der Philister da, und auf dem Dach waren
etwa dreitausend Männer und Frauen, die
zusahen, wie Simson seine Späße trieb.
28 Simson aber rief den HERRN an und
sprach: Herr HERR, denke an mich und gib
mir Kraft, Gott, noch dies eine Mal, dass
ich mich mit einem Mal für meine beiden
Augen räche an den Philistern! 29 Und er
umfasste die zwei Mittelsäulen, auf denen
das Haus ruhte, und stemmte sich gegen
sie, gegen die eine mit seiner rechten und
gegen die andere mit seiner linken Hand,
30 und sprach: Ich will sterben mit den Phi-
listern! Und [a]er neigte sich mit aller Kraft.
Da fiel das Haus auf die Fürsten und auf
alles Volk, das darin war, sodass es mehr
Tote waren, die er durch seinen Tod tö-
tete, als die er zu seinen Lebzeiten getötet
hatte.
31 Da kamen seine Brüder herab und das
ganze Haus seines Vaters, und sie hoben
ihn auf und brachten ihn hinauf und be-
gruben ihn im Grab seines Vaters Mano-
ach zwischen [a]Zora und Eschtaol. [b]Er hatte
aber Israel zwanzig Jahre gerichtet.

MICHAS GOTTESBILD UND SEIN PRIESTER

17 Es war ein Mann auf dem Gebirge Eph-
raim mit Namen Micha. 2 Der sprach
zu seiner Mutter: Die tausendeinhundert
Silberstücke, die dir genommen worden
sind und derenthalben du den [a]Fluch ge-
sprochen und ihn auch vor meinen eige-
nen Ohren gesagt hast – siehe, dies Geld
ist bei mir; ich selbst hab's genommen. Da
sprach seine Mutter: Gesegnet seist du,
mein Sohn, vom HERRN! 3 So gab er sei-
ner Mutter die tausendeinhundert Silber-
stücke zurück. Und seine Mutter sprach:
Ich weihe nun das Geld dem HERRN, aus
meiner Hand für meinen Sohn, damit
man ein [a]geschnitztes und gegossenes
Bild davon machen soll. Darum gebe ich's
dir nun wieder. 4 Aber er gab seiner Mutter
das Geld zurück. Da nahm seine Mutter
zweihundert Silberstücke und gab sie dem
Goldschmied; der machte ein geschnitz-
tes und gegossenes Bild daraus; das kam
danach in das Haus Michas. 5 Der Mann
Micha hatte nämlich ein Gotteshaus und
machte einen [a]Efod und einen [b]Hausgott*
und [c]füllte einem seiner Söhne die Hand,
sodass er sein Priester wurde. 6 Zu der Zeit
war [a]kein König in Israel, und jeder tat,
[b]was ihn recht dünkte.

* **17,5** Siehe Sach- und Worterklärungen zu »Efod« und »Hausgott«.

16,20 ***a*** 1. Sam 16,14 **16,23** ***a*** 1. Sam 5,2
16,30 ***a*** Hebr 11,32-34 **16,31** ***a*** Kap 13,25 ***b*** Kap 15,20
17,2 ***a*** 3. Mose 5,1; Spr 29,24 **17,3** ***a*** 5. Mose 27,15
17,5 ***a*** Kap 8,27 ***b*** 1. Mose 31,19 ***c*** 2. Mose 28,41
17,6 ***a*** Kap 18,1; 19,1; 21,25 ***b*** 5. Mose 12,8

7 Es war aber ein junger Mann von Beth-
lehem in Juda aus dem Geschlecht Judas;
der war ein [a]Levit und war dort fremd. 8 Er
zog aber aus der Stadt Bethlehem in Juda,
um einen Ort zu finden, wo er bleiben
konnte. Als er so seines Weges zog, kam
er aufs Gebirge Ephraim zum Hause Mi-
chas. 9 Da fragte ihn Micha: Wo kommst
du her? Er antwortete ihm: Ich bin ein Le-
vit aus Bethlehem in Juda und wandere,
um einen Ort zu finden, wo ich bleiben
kann. 10 Micha sprach zu ihm: Bleibe bei
mir, du sollst mir Vater und Priester sein.
Ich will dir jährlich zehn Silberstücke ge-
ben und was du an Kleidung und Nahrung
brauchst. Und der Levit ging hinein 11 und
willigte ein, bei dem Mann zu bleiben;
und er war für ihn wie ein Sohn. 12 Und
Micha [a]füllte dem Leviten die Hand, dass
er sein Priester wurde, und so war er im
Haus Michas. 13 Und Micha sprach: Nun
weiß ich, dass mir der HERR wohltun
wird, weil ich einen Leviten zum Priester
habe.

DER STAMM DAN GEWINNT WOHNSITZ UND HEILIGTUM

18 [a]Zu der Zeit war kein König in Israel.
Und [b]der Stamm der Daniter suchte
sich zu der Zeit ein Erbteil, wo sie woh-
nen könnten; denn es war ihm bis auf den
Tag noch kein Erbbesitz zuteilgeworden
unter den Stämmen Israels. 2 Und die
Daniter sandten aus ihrem ganzen Ge-
schlecht fünf Männer aus, tüchtige Män-
ner aus [a]Zora und Eschtaol, um das Land
zu erkunden und zu erforschen, und spra-
chen zu ihnen: [b]Zieht hin und erforscht
das Land! Und sie kamen auf das Gebirge
Ephraim zum Haus Michas und blieben
dort über Nacht.

3 Und während sie dort bei Michas Haus
waren, fiel ihnen die Stimme des jungen
[a]Leviten auf, und sie gingen dorthin und
sprachen zu ihm: Wer hat dich hierher
gebracht? Was machst du hier? Und was
hast du hier vor? 4 Er antwortete ihnen:
So und so hat Micha an mir getan und hat
mich in Dienst genommen, dass ich sein
Priester sei. 5 Sie sprachen zu ihm: Befrage
doch Gott, dass wir erfahren, ob unser
Weg, den wir gehen, auch zum Ziel führt.
6 Der Priester antwortete ihnen: Zieht hin
mit Frieden; euer Weg, den ihr geht, ist
dem HERRN vor Augen. 7 Da gingen die
fünf Männer hin und kamen nach Lajisch
und sahen das Volk, das darin war, sicher
wohnen in der Weise der Sidonier, ruhig
und sicher. Niemand war da, der jeman-
dem etwas zuleide tat im Lande, der etwas
gewaltsam an sich nahm. Und sie waren
ferne von den Sidoniern und hatten mit
den Aramäern nichts zu tun.

8 Und sie kamen zu ihren Brüdern nach
Zora und Eschtaol, und ihre Brüder spra-
chen zu ihnen: Wie steht's mit euch? 9 Sie
sprachen: Auf, lasst uns gegen sie hinauf-
ziehen! Denn wir haben das Land ange-
sehen, und siehe, es ist sehr gut. Und ihr
sitzt noch untätig da? Seid doch nicht
faul hinzuziehen, dass ihr kommt und
das Land einnehmt. 10 Wenn ihr hinzieht,
werdet ihr zu einem Volk kommen, das si-
cher wohnt, und das Land ist weit nach al-
len Seiten; denn Gott hat's in eure Hände
gegeben, einen Ort, da nichts von alledem
fehlt, was es auf Erden gibt.

11 [a]Da brachen sie auf von dort aus dem
Geschlecht Dan, aus Zora und Eschtaol,
sechshundert Mann, gerüstet mit Waffen
zum Kampf, 12 und sie zogen hinauf und
lagerten sich bei Kirjat-Jearim in Juda. Da-
her heißt die Stätte »Lager Dans« bis auf
diesen Tag; es liegt hinter Kirjat-Jearim.
13 Und von dort gingen sie auf das Gebirge
Ephraim und kamen zum Hause Michas.
14 Da hoben die fünf Männer an, die aus-
gezogen waren, um das Land bei Lajisch
zu erkunden, und sprachen zu ihren Brü-
dern: Wisst ihr auch, dass es in diesen
Häusern einen Efod, einen Hausgott* und
ein geschnitztes und gegossenes Bild gibt?
Bedenkt nun, was ihr zu tun habt.

15 Sie wandten sich vom Wege ab und ka-
men an das Haus des jungen Leviten, das
Haus Michas, und grüßten ihn freundlich.
16 Und sechshundert Männer, die von den
Danitern waren, standen mit ihren Waf-
fen gerüstet vor dem Tor. 17 Und die fünf
Männer, die das Land zu erkunden aus-

* **18,14** Siehe Sach- und Worterklärungen zu »Efod« und »Hausgott«.

17,7 ***a*** Kap 18,3; 19,1; 5. Mose 18,6-8
17,12 ***a*** 2. Mose 28,41 **18,1** ***a*** Kap 17,6 ***b*** Kap 1,34; Jos 19,40-48 **18,2** ***a*** Kap 13,25 ***b*** Jos 2,1 **18,3** ***a*** Kap 17,7
18,11 ***a*** (11-12) Kap 13,2.25

gezogen waren, gingen hinauf, drangen dort ein und nahmen das geschnitzte und gegossene Bild, den [a]Efod und den Hausgott; unterdessen stand der Priester vor dem Tor bei den sechshundert mit Waffen gerüsteten Männern. [18]Als nun jene in das Haus Michas gekommen waren und das geschnitzte und gegossene Bild, den Efod und den Hausgott nahmen, sprach der Priester zu ihnen: Was macht ihr? [19]Sie antworteten ihm: Schweig und halt den Mund und zieh mit uns, dass du uns Vater und Priester seist. Ist es für dich besser, Priester in *eines* Mannes Haus zu sein oder unter einem ganzen Stamm und Geschlecht in Israel? [20]Das gefiel dem Priester gut, und er nahm den Efod, den Hausgott und das geschnitzte Bild und schloss sich dem Volk an.

[21]Und sie wandten sich und zogen hin und schickten die Frauen und die Kinder und das Vieh und was sie an wertvollem Gut hatten vor sich her. [22]Als sie sich nun von Michas Haus entfernt hatten, wurden die Männer in den Häusern, die bei Michas Haus waren, zusammengerufen, und sie jagten den Danitern nach [23]und riefen hinter ihnen her. Sie aber wandten sich um und sprachen zu Micha: Was hast du, dass du die Leute zusammengerufen hast? [24]Er antwortete: Ihr habt [a]meine Götter genommen, die ich gemacht hatte, und den Priester und seid fortgezogen. Was hab ich nun noch? Und da fragt ihr, was mir fehlt? [25]Aber die Daniter sprachen zu ihm: Lass deine Stimme nicht weiter bei uns hören, damit nicht etwa zornige Leute über euch herfallen und ihr euer Leben verliert, du und dein Haus. [26]So gingen die Daniter ihres Weges. Und als Micha sah, dass sie ihm zu stark waren, wandte er sich um und kehrte zurück zu seinem Hause.

[27]Sie aber nahmen, was Micha gemacht hatte, und den Priester, den er hatte, und fielen über Lajisch her, über ein Volk, das ruhig und sicher wohnte, und schlugen sie mit der Schärfe des Schwerts und verbrannten die Stadt mit Feuer. [28]Und es war niemand, der sie errettet hätte; denn die Stadt lag fern von Sidon, und sie hatten mit den Aramäern nichts zu schaffen; und die Stadt lag in der Ebene bei Bet-Rehob. Dann bauten sie die Stadt wieder auf und wohnten darin [29]und nannten sie [a]Dan nach dem Namen ihres Vaters Dan, der dem Israel geboren war. Vorzeiten aber hieß die Stadt Lajisch.

[30]Und die [a]Daniter richteten für sich das Schnitzbild auf. Und Jonatan, der Sohn [b]Gerschoms, des Sohnes des Mose*, und seine Söhne waren Priester im Stamm der Daniter bis auf den Tag, da sie [c]aus dem Lande gefangen weggeführt wurden. [31]So stellten sie das Schnitzbild, das Micha gemacht hatte, bei sich auf, solange das Haus Gottes zu [a]Silo stand.

DIE SCHANDTAT VON GIBEA IN BENJAMIN

19 Zu der Zeit war [a]kein König in Israel.

Da wohnte ein Levit als Fremdling weit hinten im Gebirge Ephraim und hatte sich eine Nebenfrau genommen aus Bethlehem in Juda. [2]Und als seine Nebenfrau über ihn erzürnt war, lief sie von ihm fort zu ihres Vaters Hause nach Bethlehem in Juda und war dort vier Monate lang. [3]Da machte sich ihr Mann auf und zog ihr nach, um freundlich mit ihr zu reden und sie zu sich zurückzuholen; und er hatte seinen Knecht und ein Paar Esel bei sich. Und sie führte ihn in ihres Vaters Haus. Als ihn aber der Vater der jungen Frau sah, wurde er froh und ging ihm entgegen. [4]Und sein Schwiegervater, der Vater der jungen Frau, hielt ihn fest, dass er drei Tage bei ihm blieb. Sie aßen und tranken und blieben dort über Nacht.

[5]Am vierten Tag erhoben sie sich früh am Morgen, und er machte sich auf und wollte fortziehen. Da sprach der Vater der jungen Frau zu seinem Schwiegersohn: [a]Stärke dich zuvor mit einem Bissen Brot, danach könnt ihr ziehen. [6]Und sie setzten sich und aßen beide miteinander und tranken. Da sprach der Vater der jungen Frau zu dem Mann: Bleib doch über Nacht und lass dein Herz guter Dinge sein. [7]Als aber der Mann aufstand und ziehen wollte, nö-

* **18,30** Andere Überlieferung: »des Sohnes Manasses«.

18,17 *a* Kap 17,4-5 **18,24** *a* 1. Mose 31,30
18,29 *a* Jos 19,47 **18,30** *a* 1. Kön 12,29; Am 8,14
b 2. Mose 18,3 *c* 2. Kön 15,29 **18,31** *a* Jos 18,1; Jer 7,12
19,1 *a* Kap 17,6-7 **19,5** *a* 1. Mose 18,5

tigte ihn sein Schwiegervater, dass er noch
einmal über Nacht dablieb. 8 Am Morgen
des fünften Tages machte er sich früh auf
und wollte ziehen. Da sprach der Vater der
jungen Frau: Stärke dich doch, wartet, bis
sich der Tag neigt. Und so aßen die beiden
miteinander. 9 Da machte sich der Mann
auf und wollte mit seiner Nebenfrau und
mit seinem Knecht fortziehen. Aber sein
Schwiegervater, der Vater der jungen Frau,
sprach zu ihm: Siehe, [a]der Tag hat sich ge-
neigt und es will Abend werden; bleibt
doch über Nacht! Siehe, der Tag geht zu
Ende, bleib über Nacht hier und lass dein
Herz guter Dinge sein. Morgen mögt ihr
früh aufstehen und eures Weges ziehen
zu deinem Zelt. 10 Aber der Mann wollte
nicht mehr über Nacht bleiben, sondern
machte sich auf und zog hin und kam
bis gegenüber von [a]Jebus – das ist Jeru-
salem – und hatte ein Paar beladene Esel
bei sich und seine Nebenfrau und seinen
Knecht.

11 Als sie nun nahe bei Jebus waren,
war der Tag fast vergangen; da sprach der
Knecht zu seinem Herrn: Komm doch
und lass uns in diese Stadt der Jebusiter
einkehren und über Nacht dort bleiben.
12 Aber sein Herr sprach zu ihm: Wir wol-
len nicht in die Stadt der Fremden einkeh-
ren, die nicht von den Israeliten sind, son-
dern wollen hinüber auf Gibea zu. 13 Und
er sprach zu seinem Knecht: Geh weiter,
damit wir an einen andern Ort kommen
und über Nacht in Gibea oder in Rama
bleiben. 14 Und sie zogen weiter ihres We-
ges, und die Sonne ging unter, als sie nahe
bei [a]Gibea waren, das in Benjamin liegt.
15 Und sie bogen ab vom Wege, um nach
Gibea zu kommen und dort über Nacht zu
bleiben. Als er aber hineinkam, blieb er auf
dem Platz der Stadt; denn es war niemand,
der sie die Nacht im Hause beherbergen
wollte.

16 Und siehe, da kam ein alter Mann von
seiner Arbeit vom Felde am Abend; der
war auch vom Gebirge Ephraim und ein
Fremdling in Gibea, aber die Leute des
Orts waren Benjaminiter. 17 Und als er
seine Augen aufhob, sah er den Wande-
rer auf dem Platz der Stadt und sprach zu
ihm: Wo willst du hin? Und wo kommst
du her? 18 Er aber antwortete ihm: Wir rei-
sen von Bethlehem in Juda weit ins Ge-
birge Ephraim hinein, wo ich her bin. Ich
bin nach Bethlehem in Juda gezogen und
kehre jetzt nach Hause zurück, doch nie-
mand will mich beherbergen. 19 Wir haben
Stroh und Futter für unsere Esel und Brot
und Wein für mich, deinen Knecht, und
für deine Magd und den Knecht, der bei
mir ist, sodass uns nichts fehlt. 20 Der alte
Mann sprach: Friede sei mit dir! Alles, was
dir mangelt, findest du bei mir; bleib nur
nicht über Nacht auf dem Platz. 21 Und er
führte ihn in sein Haus und gab den Eseln
Futter, und sie wuschen ihre Füße und
aßen und tranken.

22 [a]Und als ihr Herz nun guter Dinge war,
siehe, da kamen die Leute der Stadt, ruch-
lose Männer, und umstellten das Haus
und pochten an die Tür und sprachen zu
dem alten Mann, dem Hauswirt: Gib den
Mann heraus, der in dein Haus gekommen
ist, dass wir ihm beiwohnen. 23 Aber der
Mann, der Hauswirt, ging zu ihnen hinaus
und sprach zu ihnen: Nicht, meine Brüder,
tut doch nicht solch ein Unrecht! Nach-
dem dieser Mann in mein Haus gekom-
men ist, tut nicht solch eine Schandtat!
24 Siehe, ich habe eine Tochter, noch eine
Jungfrau, und dieser hat eine Nebenfrau;
die will ich euch herausbringen. Die könnt
ihr schänden und mit ihnen tun, was euch
gefällt, aber an diesem Mann tut nicht
solch eine Schandtat! 25 Aber die Leute
wollten nicht auf ihn hören. Da fasste der
Mann seine Nebenfrau und brachte sie zu
ihnen hinaus. Die machten sich über sie
her und trieben ihren Mutwillen mit ihr
die ganze Nacht bis an den Morgen. Erst
als die Morgenröte anbrach, ließen sie sie
gehen.

26 Da kam die Frau, als der Morgen an-
brach, und fiel hin vor der Tür des Hauses,
in dem ihr Herr war, und lag da, bis es licht
wurde. 27 Als nun ihr Herr am Morgen auf-
stand und die Tür des Hauses auftat und
herausging, um seines Weges zu ziehen,
siehe, da lag seine Nebenfrau vor der Tür
des Hauses, die Hände auf der Schwelle.
28 Er sprach zu ihr: Steh auf, lass uns zie-
hen! Aber sie antwortete nicht. Da legte er

19,9 *a* Lk 24,29 **19,10** *a* Kap 1,21; 1. Chr 11,4
19,14 *a* Jos 18,28 **19,22** *a* (22-24) 1. Mose 19,5-8

sie auf den Esel, machte sich auf und zog an seinen Ort. 29 Als er nun heimkam, nahm er ein Messer, fasste seine Nebenfrau und zerteilte sie Glied für Glied in zwölf Stücke und sandte sie in das ganze Gebiet Israels.[a] 30 Wer das sah, der sprach: [a]Solches ist nicht geschehen noch gesehen, seit der Zeit, da die Israeliten aus Ägyptenland gezogen sind, bis auf diesen Tag. Nun denkt darüber nach, beratet und sprecht!

STRAFGERICHT AM STAMM BENJAMIN

20 Da zogen alle Israeliten aus, und die Gemeinde versammelte sich [a]wie *ein* Mann – von Dan bis Beerscheba, dazu das Land Gilead – vor dem HERRN in [b]Mizpa. 2 Und es traten zusammen die Obersten des ganzen Volks und alle Stämme Israels zu der Versammlung des Volkes Gottes, vierhunderttausend Mann zu Fuß, die das Schwert führten. 3 Aber die Benjaminiter hörten, dass die Israeliten hinauf nach Mizpa gezogen waren.

Und die Israeliten sprachen: Sagt, wie ist die Schandtat zugegangen? 4 Da antwortete der Levit, der Mann der Frau, die getötet worden war, und sprach: Ich kam nach [a]Gibea in Benjamin mit meiner Nebenfrau, um da über Nacht zu bleiben. 5 Da machten sich gegen mich auf die Herren von Gibea und umstellten meinetwegen das Haus des Nachts. Mich wollten sie töten, und meine Nebenfrau haben sie geschändet, sodass sie gestorben ist. 6 Da nahm ich meine Nebenfrau und zerteilte sie und sandte die Stücke in das ganze Gebiet des Erbbesitzes von Israel; denn sie haben ein Verbrechen und eine [a]Schandtat getan in Israel. 7 Siehe, da seid ihr Israeliten alle. So sprecht und beratet hier!

8 Da erhob sich alles Volk wie *ein* Mann und sprach: Es soll niemand in sein Zelt gehen und in sein Haus heimkehren, 9 sondern das wollen wir jetzt mit Gibea tun: Auf, lasst uns gegen die Stadt hinaufziehen nach dem Los! 10 Lasst uns nehmen zehn Mann von hundert und hundert von tausend und tausend von zehntausend aus allen Stämmen Israels, dass sie Speise holen für das Volk, das gekommen ist, um Gibea in Benjamin seine große Schandtat zu vergelten, die es in Israel getan hat. 11 So versammelten sich gegen die Stadt alle Männer Israels, geschlossen wie *ein* Mann.

12 Und die Stämme Israels sandten Männer zu allen Geschlechtern Benjamins und ließen ihnen sagen: Was ist das für eine Untat, die bei euch geschehen ist? 13 So gebt nun heraus die Männer, die ruchlosen Leute von Gibea, [a]dass wir sie töten und das Böse aus Israel austilgen. Aber die Benjaminiter wollten nicht hören auf die Stimme ihrer Brüder, der Israeliten, 14 sondern die Benjaminiter versammelten sich aus den Städten nach Gibea, um in den Kampf gegen die Israeliten auszuziehen. 15 Und es wurden an jenem Tage gezählt von Benjamin aus den Städten sechsundzwanzigtausend Mann, die das Schwert führten, außer den Bürgern von Gibea; von ihnen wurden siebenhundert gezählt, auserlesene Männer. 16 Und unter diesem ganzen Volk waren siebenhundert auserlesene Männer, die [a]linkshändig waren und mit der Schleuder ein Haar treffen konnten, ohne zu fehlen. 17 Aber die Männer Israels – außer denen von Benjamin – wurden gezählt vierhunderttausend Mann, die das Schwert führten, lauter streitbare Männer. 18 Die machten sich auf und zogen hinauf nach Bethel und [a]befragten Gott und sprachen: Wer von uns soll zuerst hinaufziehen in den Kampf gegen die Benjaminiter? Der HERR sprach: Juda soll anfangen.

19 So machten sich die Israeliten am Morgen auf und lagerten sich vor Gibea. 20 Und die Männer Israels zogen aus zum Kampf mit Benjamin und stellten sich auf zum Kampf gegen Gibea. 21 Da fielen die Benjaminiter aus Gibea aus und schlugen an dem Tage von Israel zweiundzwanzigtausend zu Boden. 22 Da ermannte sich das Kriegsvolk von Israel, und sie stellten sich abermals zum Kampf auf an demselben Ort, an dem sie sich am ersten Tag aufgestellt hatten. 23 [a]Und die Israeliten zogen hinauf und hielten Klage vor dem HERRN bis zum Abend und befragten den HERRN und sprachen: Sollen wir wieder in den

19,29 *a* 1. Sam 11,7 **19,30** *a* Hos 10,9 **20,1** *a* 1. Sam 11,7 *b* Jos 18,26; 1. Sam 7,5 **20,4** *a* Kap 19,14; Jos 18,28 **20,6** *a* 1. Mose 34,7 **20,13** *a* 2. Mose 21,12; 4. Mose 35,33-34; 5. Mose 13,6 **20,16** *a* Kap 3,15 **20,18** *a* Kap 1,1-2; 4. Mose 27,21 **20,23** *a* Kap 2,1

Kampf ziehen gegen die Benjaminiter, unsere Brüder? Der HERR sprach: Zieht hin gegen sie! 24 Und als die Israeliten am andern Tage nahe herankamen an die Benjaminiter, 25 [a]da zogen ihnen die Benjaminiter auch am zweiten Tag aus Gibea entgegen und schlugen von den Israeliten noch achtzehntausend zu Boden, die alle das Schwert führten.

26 Da zogen alle Israeliten, das ganze Kriegsvolk, hinauf und kamen nach [a]Bethel und hielten Klage und blieben dort vor dem HERRN und fasteten an diesem Tag bis zum Abend und opferten Brandopfer und Dankopfer vor dem HERRN. 27 Und die Israeliten befragten den HERRN. – Es war aber zu jener Zeit die Lade des Bundes Gottes dort 28 und [a]Pinhas, der Sohn [b]Eleasars, des Sohnes Aarons, versah den Dienst vor ihm in jener Zeit. – [c]Und sie sprachen: Sollen wir abermals ausziehen, um gegen die Benjaminiter, unsere Brüder, zu kämpfen, oder sollen wir es lassen? Der HERR sprach: Zieht hinauf; morgen will ich sie in eure Hände geben.

29 Und Israel [a]legte Hinterhalte rings um Gibea her. 30 So zogen die Israeliten hinauf am dritten Tage gegen die Benjaminiter und stellten sich auf gegen Gibea wie schon zweimal vorher. 31 Da machten die Benjaminiter einen Ausfall, dem Kriegsvolk entgegen, und wurden weggezogen von der Stadt und erschlugen anfangs einige vom Kriegsvolk – wie schon zweimal vorher – auf den Straßen, von denen die eine nach Bethel und die andere nach Gibea führt, auf offenem Feld etwa dreißig Mann von Israel. 32 Da dachten die Benjaminiter: Sie sind geschlagen vor uns wie vorher. Aber die Israeliten hatten verabredet: Lasst uns fliehen, damit wir sie von der Stadt wegziehen auf die beiden Straßen! 33 Da machten sich alle Männer von Israel auf von ihrem Ort und stellten sich bei Baal-Tamar auf. Und der Hinterhalt Israels brach hervor aus seinem Versteck westlich von Geba. 34 Und sie rückten gegen Gibea an, zehntausend Mann, auserlesen aus ganz Israel, sodass der Kampf hart wurde; jene aber wussten nicht, dass sie das Unglück treffen würde. 35 So schlug der HERR die Benjaminiter vor Israel, dass die Israeliten an dem Tag umbrachten fünfundzwanzigtausendeinhundert Mann von Benjamin, die alle das Schwert führten.

36 Denn als die Benjaminiter sahen, dass sie geschlagen waren, gaben die Männer Israels Benjamin Raum; denn sie verließen sich auf den Hinterhalt, den sie bei Gibea angelegt hatten. 37 Und die Leute aus dem Hinterhalt brachen eilends hervor auf Gibea zu, und sie zogen hin und schlugen die ganze Stadt mit der Schärfe des Schwerts. 38 Sie hatten aber verabredet miteinander, die Männer von Israel und der Hinterhalt, sie sollten eine Rauchsäule von der Stadt aufsteigen lassen. 39 Als nun die Männer von Israel sich im Kampf abgewandt hatten und die Benjaminiter anfangs etwa dreißig Mann von Israel erschlagen hatten, sodass sie dachten: Sie sind vor uns geschlagen wie im vorigen Kampf, 40 [a]da begann eine Rauchsäule von der Stadt gerade empor aufzusteigen. Und die Benjaminiter wandten sich um, und siehe, da ging die Stadt ganz in Flammen auf zum Himmel. 41 Und die Männer von Israel machten kehrt; da erschraken die Männer von Benjamin, denn sie sahen, dass das Unglück sie getroffen hatte, 42 und wandten sich weg von den Männern Israels auf den Weg zur Steppe. Aber der Kampf folgte ihnen auch dorthin, und die von der Stadt her kamen, vernichteten in ihrer Mitte die Benjaminiter. 43 Sie umringten diese und jagten ihnen nach, ohne ihnen Ruhe zu lassen, und zertraten sie bis östlich von Gibea, gegen Sonnenaufgang. 44 Und es fielen von Benjamin achtzehntausend Mann, lauter streitbare Männer.

45 Da wandten sie sich um und flohen zur Steppe hin zum Fels Rimmon; aber die Männer Israels hielten auf den Straßen eine Nachlese von fünftausend Mann und verfolgten sie weiter bis Gidom und erschlugen von ihnen noch zweitausend. 46 So fielen an diesem Tage von Benjamin fünfundzwanzigtausend Mann, die das Schwert führten, lauter streitbare Männer. 47 Nur sechshundert Mann wandten

20,25 ***a*** 1. Mose 49,27 **20,26** ***a*** Vers 18; Jos 18,21-22
20,28 ***a*** 2. Mose 6,25; 4. Mose 25,7 ***b*** Jos 24,33 ***c*** Kap 1,2
20,29 ***a*** Jos 8,12.14 **20,40** ***a*** (40-41) Jos 8,20

sich um und flohen zur Steppe hin zum
Fels Rimmon und blieben [a]auf dem Fels
Rimmon vier Monate. 48 Und die Männer
Israels kehrten um zu den Benjaminitern
und schlugen in der Stadt mit der Schärfe
des Schwerts Leute und Vieh und alles,
was man fand. Und alle Städte, die man
fand, verbrannte man mit Feuer.[a]

ISRAEL VERHILFT BENJAMIN ZU FRAUEN

21 Die Männer Israels aber hatten in
[a]Mizpa geschworen und gesagt: Kei-
ner von uns soll seine Tochter den Ben-
jaminitern zur Frau geben. 2 Und [a]das
Volk kam nach Bethel, und sie saßen da
bis zum Abend vor Gott und erhoben ihre
Stimme und weinten sehr 3 und sprachen:
O HERR, Gott Israels, warum ist das ge-
schehen in Israel, dass heute Israel um
einen Stamm weniger geworden ist?

4 Am andern Morgen machte sich das
Volk früh auf und baute dort einen Altar
und opferte Brandopfer und Dankopfer.
5 Und die Israeliten sprachen: Wer von al-
len Stämmen Israels ist nicht mit der Ge-
meinde heraufgekommen zum HERRN?
Denn es war ein großer Schwur getan
worden, dass, wer nicht hinaufkäme zum
HERRN nach Mizpa, der sollte des Todes
sterben. 6 Und es tat den Israeliten leid um
ihren Bruder Benjamin, und sie sprachen:
Heute ist ein Stamm von Israel abgeschla-
gen. 7 Wie können wir ihnen helfen, dass
die Übriggebliebenen zu Frauen kom-
men? Denn wir haben geschworen bei
dem HERRN, dass wir ihnen von unsern
Töchtern keine zu Frauen geben. 8 Und
sie sprachen: Welcher von den Stämmen
Israels ist nicht heraufgekommen zum
HERRN nach Mizpa? Und siehe, da war
ins Lager der Gemeinde niemand gekom-
men von Jabesch in Gilead. 9 Man zählte
das Volk, und siehe, da war kein Bürger da
von Jabesch in Gilead.

10 Da sandte die Gemeinde zwölftausend
streitbare Männer dorthin und gebot ih-
nen: Geht hin und schlagt mit der Schärfe
des Schwerts die Bürger von Jabesch in Gi-
lead mit Weib und Kind. 11 [a]Doch so sollt
ihr tun: An allem, was männlich ist, und
an allen Frauen, die einem Mann angehört
haben, sollt ihr den Bann vollstrecken!
12 Und sie fanden bei den Bürgern von Ja-
besch in Gilead vierhundert Mädchen, die
Jungfrauen waren und keinem Mann an-
gehört hatten. Die brachten sie ins Lager
nach Silo, das da liegt im Lande Kanaan.
13 Da sandte die ganze Gemeinde hin und
verhandelte mit den Benjaminitern, die
[a]auf dem Fels Rimmon waren, und sag-
ten ihnen Frieden zu. 14 So kamen die
Benjaminiter zurück zu jener Zeit. Und
sie gaben ihnen die Frauen, die sie am Le-
ben gelassen hatten von den Frauen aus
Jabesch in Gilead; aber diese waren noch
nicht genug für sie.

15 Da tat es dem Volk leid um Benjamin,
dass der HERR einen Riss gemacht hatte
zwischen den Stämmen Israels. 16 Und die
Ältesten der Gemeinde sprachen: Was
wollen wir tun, dass die Übriggebliebe-
nen zu Frauen kommen? Denn die Frauen
in Benjamin sind ausgerottet. 17 Und sie
sprachen: Die Entronnenen von Benja-
min müssen doch ihr Erbe behalten, da-
mit nicht ein Stamm ausgetilgt werde von
Israel. 18 Wir aber können ihnen unsere
Töchter nicht zu Frauen geben; denn die
Israeliten haben geschworen und gesagt:
Verflucht sei, wer Benjamin eine Frau gibt!
19 Und sie sprachen: Siehe, jedes Jahr fin-
det ein Fest des HERRN statt zu [a]Silo, das
nördlich von Bethel liegt, östlich von der
Straße, die hinaufführt von Bethel nach
Sichem, und südlich von Lebona. 20 Und
sie geboten den Benjaminitern: Geht hin
und legt euch auf die Lauer in den Wein-
bergen. 21 Wenn ihr dann seht, dass die
Töchter Silos zum Reigentanz herausge-
hen, so brecht hervor aus den Weinber-
gen und [a]holt euch jeder eine Frau von den
Töchtern Silos und geht heim ins Land
Benjamin. 22 Wenn aber ihre Väter oder
ihre Brüder kommen, um mit uns zu rech-
ten, wollen wir zu ihnen sagen: Gönnt sie
uns, denn wir haben nicht für jeden eine
Frau gewonnen im Kampf; auch habt nicht
ihr sie ihnen gegeben, sonst wäret ihr jetzt
schuldig. 23 Die Benjaminiter taten das
und nahmen sich Frauen nach ihrer Zahl

20,47 *a* Kap 21,13 **20,48** *a* 1. Mose 34,25-29; 4. Mose 35,30-34; 5. Mose 13,13-19 **21,1** *a* Kap 20,1 **21,2** *a* Kap 20,18.23.26 **21,11** *a* (11-12) 4. Mose 31,17-18 **21,13** *a* Kap 20,47 **21,19** *a* Jos 18,1 **21,21** *a* 2. Mose 21,16; 5. Mose 24,7

von den Mädchen, die im Reigen tanz-
ten und die sie geraubt hatten, und zogen
heim in ihr Erbteil, bauten die Städte wie-
der auf und wohnten darin.
24 Auch die Israeliten gingen zu jener
Zeit von dort auseinander, jeder zu sei-
nem Stamm und zu seinem Geschlecht,
und zogen von dort weg, jeder zu seinem
Erbteil. 25 Zu der Zeit war [a]kein König in
Israel; jeder tat, was ihn recht dünkte.

DAS BUCH RUT

RUT ZIEHT MIT NOOMI NACH BETHLEHEM

1 Zu der Zeit, als die [a]Richter richteten,
entstand eine Hungersnot im Lande.
Und [b]ein Mann von Bethlehem in Juda
zog aus ins Land der Moabiter, um dort
als Fremdling zu wohnen, mit seiner Frau
und seinen beiden Söhnen. 2 Der hieß Eli-
melech und seine Frau Noomi und seine
beiden Söhne Machlon und Kiljon; die
waren [a]Efratiter aus Bethlehem in Juda.
Und als sie ins Land der Moabiter ge-
kommen waren, blieben sie dort. 3 [a]Und
Elimelech, Noomis Mann, starb, und sie
blieb übrig mit ihren beiden Söhnen.
4 Die nahmen sich moabitische Frauen;
die eine hieß Orpa, die andere Rut. Und
als sie ungefähr zehn Jahre dort gewohnt
hatten, 5 starben auch die beiden, Mach-
lon und Kiljon. Und die Frau blieb zurück
ohne ihre beiden Söhne und ohne ihren
Mann.
6 Da machte sie sich auf mit ihren bei-
den Schwiegertöchtern und [a]zog aus dem
Land der Moabiter wieder zurück; denn
sie hatte erfahren im Moabiterland, dass
der HERR sich seines Volkes angenommen
und ihnen Brot gegeben hatte. 7 Und sie
ging aus von dem Ort, wo sie gewesen
war, und ihre beiden Schwiegertöchter
mit ihr. Und als sie unterwegs waren, um
ins Land Juda zurückzukehren, 8 sprach sie
zu ihren beiden Schwiegertöchtern: Geht
hin und kehrt um, eine jede ins Haus ihrer
Mutter! Der HERR tue an euch Barmher-
zigkeit, wie ihr an den Toten und an mir
getan habt. 9 Der HERR gebe euch, dass ihr
[a]Ruhe findet, eine jede in ihres Mannes
Hause! Und sie küsste sie. Da erhoben sie
ihre Stimme und weinten 10 und sprachen
zu ihr: Wir wollen mit dir zu deinem Volk
gehen. 11 Aber Noomi sprach: Kehrt um,
meine Töchter! Warum wollt ihr mit mir
gehen? Wie kann ich noch einmal Kin-
der in meinem Schoße haben, die eure
Männer werden könnten? 12 Kehrt um,
meine Töchter, und geht hin; denn ich
bin nun zu alt, um wieder einem Mann
zu gehören. Und wenn ich dächte: Ich
habe noch Hoffnung!, und diese Nacht
einem Mann gehörte und Söhne gebären
würde, 13 wolltet ihr warten, bis sie groß
würden? Wolltet ihr euch einschließen
und keinem Mann gehören? Nicht doch,
meine Töchter! Mein Los ist zu bitter für
euch, denn des HERRN Hand hat mich
getroffen.
14 Da erhoben sie ihre Stimme und wein-
ten noch mehr. Und Orpa küsste ihre
Schwiegermutter, Rut aber ließ nicht von
ihr. 15 Sie aber sprach: Siehe, deine Schwä-
gerin ist umgekehrt zu ihrem Volk und
zu ihrem Gott; kehre auch du um, dei-
ner Schwägerin nach. 16 Rut antwortete:
Bedränge mich nicht, dass ich dich ver-
lassen und von dir umkehren sollte. **Wo
du hingehst, da will ich auch hingehen;
wo du bleibst, da bleibe ich auch. Dein
Volk ist mein Volk, und dein Gott ist
mein Gott. 17 Wo du stirbst, da sterbe
ich auch, da will ich auch begraben
werden. Der HERR tue mir dies und
das, nur der Tod wird mich und dich
scheiden.**
18 Als sie nun sah, dass sie festen Sin-
nes war, mit ihr zu gehen, ließ sie ab, ihr
zuzureden. 19 So gingen die beiden mit-
einander, bis sie nach Bethlehem kamen.
Und als sie nach Bethlehem hineinkamen,
erregte sich die ganze Stadt über sie, und
die Frauen sprachen: Ist das die Noomi?

21,25 ***a*** Kap 17,6 **1,1** ***a*** 4. Mose 25,1-5 ***b*** 1. Sam 22,3-4
1,2 ***a*** 1. Mose 48,7; Mi 5,1 **1,3** ***a*** (3-4) 5. Mose 7,3; 23,4;
Neh 13,23 **1,6** ***a*** 2. Kön 8,3 **1,9** ***a*** Kap 3,1

20 Sie aber sprach zu ihnen: Nennt mich
nicht Noomi, sondern [a]Mara*; denn der
Allmächtige hat mir viel Bitteres ange-
tan. 21 Voll zog ich aus, aber leer hat mich
der HERR wieder heimgebracht. Warum
nennt ihr mich denn Noomi, da doch der
HERR mich gedemütigt hat und der All-
mächtige mir Leid angetan hat?

22 Es war aber um die Zeit, da die
Gerstenernte anging, als Noomi mit ih-
rer Schwiegertochter Rut, der Moabite-
rin, zurückkam vom Moabiterland nach
Bethlehem.

RUT LIEST ÄHREN AUF DEM FELD DES BOAS

2 Nun hatte Noomi einen Verwandten
ihres Mannes, einen angesehenen und
redlichen Mann aus der Sippe Elimelechs,
und sein Name war Boas. 2 Und Rut, die
Moabiterin, sprach zu Noomi: Lass mich
aufs Feld gehen und Ähren auflesen bei
einem, vor dessen Augen ich Gnade
finde. Sie aber sprach zu ihr: Geh hin,
meine Tochter! 3 Sie ging hin und las auf,
den Schnittern nach, auf dem Felde. Und
es traf sich, dass dies Feld dem Boas ge-
hörte, der von dem Geschlecht Elimelechs
war.

4 Und siehe, Boas kam eben von [a]Beth-
lehem und sprach zu den Schnittern: Der
HERR sei mit euch! Sie antworteten: Der
HERR segne dich! 5 Und Boas sprach zu
seinem Knecht, der über die Schnitter
gestellt war: Zu wem gehört das Mäd-
chen? 6 Der Knecht, der über die Schnit-
ter gestellt war, antwortete und sprach:
Es ist eine Moabiterin, die mit Noomi
gekommen ist aus dem Land der Moab-
iter. 7 Sie hat gesagt: Lasst mich doch
auflesen und sammeln hinter den Gar-
ben den Schnittern nach, und ist ge-
kommen und dageblieben vom Morgen
an bis jetzt und ist nicht einmal kurz
heimgegangen.

8 Da sprach Boas zu Rut: Hörst du wohl,
meine Tochter? Du sollst nicht auf einen
andern Acker gehen, um aufzulesen; geh
auch nicht von hier weg, sondern halt dich
zu meinen Mägden. 9 Und sieh, wo sie
schneiden im Felde, da geh ihnen nach. Ich
habe meinen Knechten geboten, dass dich
niemand antaste. Und wenn dich dürstet,
so geh hin zu den Gefäßen und trinke von
dem, was meine Knechte schöpfen. 10 Da
fiel sie auf ihr Angesicht und beugte sich
nieder zur Erde und sprach zu ihm: Wo-
mit hab ich Gnade gefunden vor deinen
Augen, dass du mir freundlich bist, [a]die
ich doch eine Fremde bin? 11 Boas ant-
wortete und sprach zu ihr: Man hat mir
alles angesagt, was du getan hast an dei-
ner Schwiegermutter nach deines Mannes
Tod; [a]dass du verlassen hast deinen Vater
und deine Mutter und dein Vaterland und
zu einem Volk gezogen bist, das du vor-
her nicht kanntest. 12 Der HERR vergelte
dir deine Tat, und dein Lohn möge voll-
kommen sein bei dem HERRN, dem Gott
Israels, zu dem du gekommen bist, dass
du [a]unter seinen Flügeln Zuflucht hättest.
13 Sie sprach: Lass mich Gnade vor deinen
Augen finden, mein Herr; denn du hast
mich getröstet und deine Magd freundlich
angesprochen, und ich bin doch nicht ein-
mal wie eine deiner Mägde.

14 Boas sprach zu ihr, als Essenszeit war:
Komm hierher und iss vom Brot und tau-
che deinen Bissen in den Essigtrank! Und
sie setzte sich zur Seite der Schnitter. Er
aber legte ihr geröstete Körner vor, und
sie aß und wurde satt und ließ noch üb-
rig. 15 Und als sie sich aufmachte zu lesen,
gebot Boas seinen Knechten und sprach:
Lasst sie auch zwischen den Garben le-
sen und beschämt sie nicht; 16 auch zieht
etwas für sie aus den Garben heraus und
lasst es liegen, dass sie es auflese, und
niemand schelte sie darum.[a] 17 So las
sie bis zum Abend auf dem Felde und
klopfte die Ähren aus, die sie aufgelesen
hatte, und es war ungefähr ein Scheffel
Gerste.

18 Und sie hob's auf und kam in die Stadt,
und ihre Schwiegermutter sah, was sie
gelesen hatte. Da zog Rut hervor und gab
ihr, was sie übrig behalten hatte, nach-
dem sie satt geworden war. 19 Da sprach
ihre Schwiegermutter zu ihr: Wo hast du
heute gelesen und wo hast du gearbeitet?
Gesegnet sei, der dir freundlich gewesen

* **1,20** Die Namen »Noomi« und »Mara« bedeuten »lieblich« und »bitter«.

1,20 *a* 2. Mose 15,23 **2,4** *a* Kap 1,2
2,10 *a* 5. Mose 23,4-6 **2,11** *a* Kap 1,16-17 **2,12** *a* Ps 36,8
2,16 *a* 3. Mose 19,9-10

ist! Sie aber sagte ihrer Schwiegermutter,
bei wem sie gearbeitet hatte, und sprach:
Der Mann, bei dem ich heute gearbeitet
habe, heißt Boas. 20 Noomi aber sprach
zu ihrer Schwiegertochter: Gesegnet sei
er vom HERRN, der seine Barmherzigkeit
nicht abgewendet hat von den Lebendigen
und von den Toten. Und Noomi sprach zu
ihr: Der Mann steht uns nahe; [a]er gehört
zu unsern Lösern.*

21 Rut, die Moabiterin, sprach: Er sprach
auch das zu mir: Du sollst dich zu meinen
Leuten halten, bis sie mir alles eingeern-
tet haben. 22 Noomi sprach zu Rut, ihrer
Schwiegertochter: Es ist gut, meine Toch-
ter, dass du mit seinen Mägden hinaus-
gehst, damit dir nicht jemand auf einem
andern Acker etwas zuleide tue. 23 So hielt
sie sich beim Ährenlesen zu den Mägden
des Boas, bis die Gerstenernte und Wei-
zenernte beendet war. Und dann blieb sie
bei ihrer Schwiegermutter.

RUT BEFOLGT NOOMIS RAT

3 Und Noomi, ihre Schwiegermutter,
sprach zu ihr: Meine Tochter, ich will
dir eine [a]Ruhestatt suchen, dass dir's
wohlgehe. 2 Siehe, Boas, unser Verwand-
ter, bei dessen Mägden du gewesen bist,
worfelt diese Nacht Gerste auf der Tenne.
3 So bade dich und salbe dich und lege dein
Kleid an und geh hinab auf die Tenne. Gib
dich dem Mann nicht zu erkennen, bis er
gegessen und getrunken hat. 4 Wenn er
sich dann schlafen legt, so merke dir die
Stelle, wo er sich hinlegt, und geh hin und
decke seine Füße auf und leg dich hin, so
wird er dir sagen, was du tun sollst. 5 Sie
sprach zu ihr: Alles, was du mir sagst, will
ich tun. 6 Sie ging hinab zur Tenne und tat
alles, was ihre Schwiegermutter ihr gebo-
ten hatte.

7 Und als Boas gegessen und getrunken
hatte, ward sein Herz guter Dinge, und
er ging hin und legte sich hinter einen
Kornhaufen. Und sie kam leise und deckte
seine Füße auf und legte sich hin. 8 Als es
nun Mitternacht ward, erschrak der Mann
und drehte sich um; und siehe, eine Frau
lag zu seinen Füßen. 9 Und er sprach: Wer
bist du? Sie antwortete: Ich bin Rut, deine
Magd. [a]Breite den Saum deines Gewandes
über deine Magd, denn [b]du bist der Löser.
10 Er aber sprach: Gesegnet seist du vom
HERRN, meine Tochter! Du hast deine
Liebe jetzt noch besser erzeigt als [a]vor-
her, dass du nicht den jungen Männern
nachgegangen bist, weder den reichen
noch den armen. 11 Nun, meine Tochter,
fürchte dich nicht. Alles, was du sagst,
will ich dir tun; denn das ganze Volk in
meiner Stadt weiß, dass du eine tugend-
same Frau bist. 12 Ja, es ist wahr, dass ich
ein Löser bin; aber es ist noch ein Löser da,
näher verwandt als ich. 13 Bleib über Nacht
hier. Will er dich dann am Morgen lösen,
gut, so mag er's tun; hat er aber keine Lust,
dich zu lösen, so will ich dich lösen, so
wahr der HERR lebt. Schlaf bis zum Mor-
gen! 14 Und sie schlief bis zum Morgen zu
seinen Füßen.

Und sie stand auf, ehe einer den andern
erkennen konnte. Und er dachte: Wenn
nur niemand erfährt, dass eine Frau auf
die Tenne gekommen ist. 15 Und er sprach:
Nimm das Tuch, das du umhast, und halt
es auf. Und sie hielt es hin. Und er maß
sechs Maß Gerste hinein und lud ihr's auf.
Und er ging in die Stadt.

16 Sie aber kam zu ihrer Schwiegermut-
ter. Die sprach: Wie steht's mit dir, meine
Tochter? Und sie sagte ihr alles, was ihr
der Mann getan hatte, 17 und sprach:
Diese sechs Maß Gerste gab er mir; denn
er sagte: Du sollst nicht mit leeren Hän-
den zu deiner Schwiegermutter kommen.
18 Sie aber sprach: Warte nun ab, meine
Tochter, bis du erfährst, wo es hinaus-
will; denn der Mann wird nicht ruhen, er
bringe es denn heute zu Ende.

BOAS WIRD DER LÖSER

4 Boas ging hinauf ins Tor und setzte
sich daselbst. Und siehe, als der Löser
vorüberging, von dem er geredet hatte,
sprach Boas: Komm, setz dich her, es geht
um dich! Und er kam herüber und setzte
sich dort hin. 2 Und Boas nahm zehn Män-
ner von den Ältesten der Stadt und sprach:
Setzt euch hierher! Und sie setzten sich.
3 Da sprach er zu dem Löser: Noomi, die
aus dem Lande der Moabiter zurückge-

* **2,20** Siehe Sach- und Worterklärungen zu »Erlöser«.

2,20 ***a*** Kap 4,4 **3,1** ***a*** Kap 1,9 **3,9** ***a*** Hes 16,8 ***b*** Kap 4,4
3,10 ***a*** Kap 2,11

kommen ist, bietet feil den Anteil an dem
Feld, der unserm Bruder Elimelech ge-
hörte. [4]Darum gedachte ich's vor deine
Ohren zu bringen und zu sagen: Willst
du es lösen, so kaufe es vor den Bürgern
und vor den Ältesten meines Volks; willst
du es aber nicht lösen, so sage mir's, dass
ich's wisse; denn es ist kein anderer Löser*
da als du und ich nach dir. Er sprach: Ich
will's lösen.[a] [5]Boas sprach: An dem Tage,
da du von Noomi das Feld kaufst, musst
du auch Rut, die Moabiterin, die Frau des
Verstorbenen, nehmen, um den Namen
des Verstorbenen zu erhalten auf seinem
Erbteil.[a] [6]Da antwortete er: Ich vermag
es nicht zu lösen, sonst würde ich mein
Erbteil schädigen. Löse dir zugut, was ich
hätte lösen sollen; denn ich vermag es
nicht zu lösen.

[7]Es war aber von alters her ein Brauch
in Israel: Wenn einer eine Sache bekräf-
tigen wollte, die eine Lösung oder einen
Tausch betraf, so [a]zog er seinen Schuh
aus und gab ihn dem andern; das diente
zur Bezeugung in Israel. [8]Und der Löser
sprach zu Boas: Kaufe du es!, und zog sei-
nen Schuh aus. [9]Und Boas sprach zu den
Ältesten und zu allem Volk: Ihr seid heute
Zeugen, dass ich von Noomi alles gekauft
habe, was Elimelech, und alles, was Kil-
jon und Machlon gehört hat. [10]Dazu habe
ich mir auch Rut, die Moabiterin, die Frau
Machlons, zur Frau genommen, dass ich
den Namen des Verstorbenen erhalte auf
seinem Erbteil und sein Name nicht aus-
gerottet werde unter seinen Brüdern und
aus dem Tor seiner Stadt; dessen seid ihr
heute Zeugen. [11]Und alles Volk, das im Tor
war, samt den Ältesten sprach: Wir sind
Zeugen. Der HERR mache die Frau, die
in dein Haus kommt, wie Rahel und Lea,
die beide das Haus Israel gebaut haben; sei
stark in Efrata, und dein Name werde ge-
priesen zu Bethlehem. [12]Und dein Haus
werde wie das Haus des [a]Perez, den Tamar
dem Juda gebar, durch die Nachkommen,
die dir der HERR geben wird von dieser
jungen Frau.

BOAS HEIRATET RUT, DIE STAMM-MUTTER DAVIDS

[13]So nahm Boas die Rut, dass sie seine
Frau wurde. Und als er zu ihr einging, gab
ihr der HERR, dass sie schwanger ward,
und sie gebar einen Sohn. [14]Da sprachen
die Frauen zu Noomi: Gelobt sei der
HERR, der dir heute den Löser nicht ver-
sagt hat! Sein Name werde gerühmt in Is-
rael! [15]Der wird dich erquicken und dein
Alter versorgen. Denn deine Schwieger-
tochter, die dich geliebt hat, hat ihn gebo-
ren, die dir mehr wert ist als sieben Söhne.
[16]Und Noomi nahm das Kind und legte es
auf ihren Schoß und ward seine Wärte-
rin. [17]Und ihre Nachbarinnen gaben ihm
einen Namen und sprachen: Noomi ist
ein Sohn geboren; und sie nannten ihn
[a]Obed. Der ist der Vater Isais, welcher Da-
vids Vater ist.

[18]Dies ist das Geschlecht des [a]Perez: Pe-
rez zeugte Hezron; [19]Hezron zeugte Ram;
Ram zeugte Amminadab;[a] [20]Amminadab
zeugte [a]Nachschon; Nachschon zeugte
Salmon; [21]Salmon zeugte Boas; Boas
zeugte Obed; [22]Obed zeugte Isai; Isai
zeugte David.[a]

* **4,4** Siehe Sach- und Worterklärungen zu »Erlöser«.

4,4 *a* 3. Mose 25,25; Jer 32,6-10 **4,5** *a* 5. Mose 25,5-6
4,7 *a* 5. Mose 25,7-10 **4,12** *a* 1. Mose 38,29
4,17 *a* Mt 1,5-6; Lk 3,32 **4,18** *a* 1. Mose 46,12; 1. Chr 2,5
4,19 *a* 1. Chr 2,9-15 **4,20** *a* 4. Mose 1,7
4,22 *a* 1. Sam 16,1.11-13

DAS ERSTE BUCH SAMUEL

1–3 Samuel am Heiligtum in Silo **4–7** Verlust und Rückkehr der Bundeslade
8–15 Saul wird König. Sein Ungehorsam **16–20** David am Königshof Sauls
21–27 David auf der Flucht vor Saul **28–31** Sauls Niederlage und Tod

HANNAS GEBET UND SAMUELS GEBURT

1 Es war ein Mann von Ramatajim-Zo-
fim, vom Gebirge Ephraim, der hieß
[a]Elkana, ein Sohn Jerohams, des Sohnes
Elihus, des Sohnes Tohus, des Sohnes
Zufs, ein Ephraimiter. 2 Und er hatte zwei
Frauen; die eine hieß Hanna, die andere
Peninna. Peninna aber hatte Kinder und
Hanna hatte keine Kinder.[a] 3 Dieser Mann
ging jährlich hinauf von seiner Stadt, um
anzubeten und dem HERRN Zebaoth zu
opfern in [a]Silo. Dort aber waren Hofni
und Pinhas, die beiden Söhne Elis, Pries-
ter des HERRN.

4 Wenn nun der Tag kam, dass Elkana
opferte, gab er seiner Frau Peninna und
allen ihren Söhnen und Töchtern ihre An-
teile. 5 Aber Hanna gab er nur einen Anteil,
obgleich er Hanna lieb hatte; der HERR
aber hatte ihren Leib verschlossen. 6 Und
ihre Widersacherin kränkte und reizte sie
sehr, weil der HERR ihren Leib verschlos-
sen hatte. 7 So ging es alle Jahre; wenn sie
hinaufzog zum Haus des HERRN, kränkte
jene sie. Dann weinte Hanna und aß
nichts. 8 Elkana aber, ihr Mann, sprach zu
ihr: Hanna, warum weinst du und warum
isst du nichts? Und warum ist dein Herz
so traurig? Bin ich dir nicht mehr wert als
zehn Söhne?

9 Da stand Hanna auf, nachdem sie in
Silo gegessen und getrunken hatten. Eli
aber, der Priester, saß auf einem Stuhl
am Türpfosten des Tempels des HERRN.
10 Und sie war von Herzen betrübt und
betete zum HERRN und weinte sehr
11 und gelobte ein Gelübde und sprach:
HERR Zebaoth, wirst du das Elend deiner
Magd ansehen und an mich gedenken und
deiner Magd nicht vergessen und wirst du
deiner Magd einen Sohn geben, so will
ich ihn dem HERRN geben sein Leben
lang, und [a]kein Schermesser soll auf sein
Haupt kommen.

12 Und da sie lange betete vor dem
HERRN, achtete Eli auf ihren Mund;
13 denn Hanna redete in ihrem Herzen,
nur ihre Lippen bewegten sich, ihre
Stimme aber hörte man nicht. Da meinte
Eli, sie wäre betrunken. 14 Und Eli sprach
zu ihr: Wie lange willst du betrunken
sein? Gib den Wein von dir, den du ge-
trunken hast! 15 Hanna aber antwortete
und sprach: Nein, mein Herr! Ich bin eine
betrübte Frau; Wein und starkes Getränk
hab ich nicht getrunken, sondern habe
mein Herz vor dem HERRN ausgeschüt-
tet. 16 Du wollest deine Magd nicht für eine
zuchtlose Frau halten, denn ich hab aus
meinem großen Kummer und aus Trau-
rigkeit so lange geredet. 17 Eli antwortete
und sprach: Gehe hin mit Frieden; der
Gott Israels wird dir geben, was du von
ihm erbeten hast.

18 Sie sprach: Lass deine Magd Gnade fin-
den vor deinen Augen. Da ging die Frau
ihres Weges und aß und sah nicht mehr
so traurig drein. 19 Und am andern Morgen
machten sie sich früh auf. Und als sie ange-
betet hatten vor dem HERRN, kehrten sie
wieder um und kamen heim nach Rama.
Und Elkana erkannte Hanna, seine Frau,
und [a]der HERR gedachte an sie. 20 Und als
die Tage um waren, ward Hanna schwan-
ger, und sie gebar einen Sohn und nannte
ihn Samuel; denn, so sprach sie, ich hab
ihn von dem HERRN erbeten.

21 Und als der Mann Elkana hinauf-
zog mit seinem ganzen Hause, um dem
HERRN das jährliche Opfer zu opfern und
was er gelobt hatte, 22 zog Hanna nicht mit
hinauf, sondern sprach zu ihrem Mann:
Wenn der Knabe entwöhnt ist, will ich
ihn bringen, dass er vor dem HERRN er-
scheine und bleibe dort für immer. 23 El-
kana, ihr Mann, sprach zu ihr: So tu, wie
dir's gefällt! Bleib, bis du ihn entwöhnt

1,1 ***a*** 1. Chr 6,11-12; 6,19-20 **1,2** ***a*** 1. Mose 25,21; 29,31; 5. Mose 21,15-17 **1,3** ***a*** Kap 4,4; Jos 18,1; Jer 7,12-15 **1,11** ***a*** 4. Mose 6,1-21; Ri 13,5 **1,19** ***a*** 1. Mose 30,22

hast; der HERR bestätige aber, was er geredet hat. So blieb die Frau und stillte ihren Sohn, bis sie ihn entwöhnt hatte.
24 Nachdem sie ihn entwöhnt hatte,
nahm sie ihn mit sich hinauf, dazu [a]einen
dreijährigen Stier, einen Scheffel Mehl
und einen Krug Wein, und brachte ihn in
das Haus des HERRN nach Silo. Der Knabe
war aber noch jung. 25 Und sie schlachte-
ten den Stier und brachten den Knaben zu
Eli. 26 Und sie sprach: Ach, mein Herr, so
wahr du lebst, mein Herr: Ich bin die Frau,
die hier bei dir stand, um zum HERRN zu
beten. 27 Um diesen Knaben bat ich. Nun
hat der HERR mir gegeben, was ich von
ihm erbeten habe. 28 Darum [a]gebe ich ihn
dem HERRN wieder sein Leben lang, weil
er vom HERRN erbeten ist. Und sie bete-
ten dort den HERRN an.

DER LOBGESANG DER HANNA

2 [a]Und Hanna betete und sprach:

Mein Herz ist fröhlich in dem HERRN,
mein Horn* ist erhöht
in dem HERRN.
Mein Mund hat sich weit aufgetan
wider meine Feinde,
denn ich freue mich deines Heils.

2 Es ist niemand heilig wie der HERR,
[a]außer dir ist keiner,
und ist kein [b]Fels, wie unser Gott ist.
3 Lasst euer großes Rühmen und Trotzen,
freches Reden gehe nicht
aus eurem Munde;
denn der HERR ist ein Gott, der es merkt,
und von ihm werden Taten gewogen.
4 Der Bogen der Starken ist zerbrochen,
und die Schwachen sind umgürtet
mit Stärke.
5 Die da satt waren,
müssen um Brot dienen,
und die Hunger litten,
hungert nicht mehr.
[a]Die Unfruchtbare hat sieben geboren,
und die viele Kinder hatte,
welkt dahin.
6 Der HERR [a]tötet und macht lebendig,
führt ins Totenreich
und [b]wieder herauf.
7 Der HERR macht arm und macht reich;
er [a]erniedrigt und erhöht.
8 Er [a]hebt auf den Dürftigen
aus dem Staub
und erhöht den Armen aus der Asche,
dass er ihn setze unter die Fürsten
und den Thron der Ehre erben lasse.

Denn der Welt Grundfesten
sind des HERRN,
und er hat die Erde darauf gesetzt.
9 Er wird behüten die Füße
seiner Heiligen,
aber die Frevler sollen
zunichtewerden in Finsternis;
denn [a]viel Macht hilft doch niemand.
10 Die mit dem HERRN hadern,
müssen zugrunde gehen.
Über ihnen wird er donnern im Himmel.
Der HERR wird richten
der Welt Enden.
Er wird Macht geben seinem Könige
und erhöhen das Horn
seines Gesalbten.

11 Und Elkana ging heim nach Rama in
sein Haus; der Knabe aber war des HERRN
Diener vor dem Priester Eli.

DIE BOSHEIT DER SÖHNE ELIS

12 Aber die Söhne Elis waren ruchlos. Sie
fragten nicht nach dem HERRN 13 [a]noch
nach dem, was dem Priester zustand vom
Volk. Wenn jemand ein Opfer bringen
wollte, so kam des Priesters Diener, wenn
das Fleisch kochte, und hatte eine Gabel
mit drei Zacken in seiner Hand 14 und stieß
in den Tiegel oder Kessel oder Pfanne oder
Topf, und was er mit der Gabel hervorzog,
das nahm der Priester für sich. So taten
sie allen in Israel, die dorthin kamen nach
Silo. 15 Desgleichen, ehe sie das Fett in
Rauch aufgehen ließen, kam des Priesters
Diener und sprach zu dem, der das Opfer
brachte: Gib mir Fleisch für den Priester
zum Braten, denn er will nicht gekochtes
Fleisch von dir nehmen, sondern rohes.[a]

* **2,1** »Horn« ist hier ein Ausdruck von Kraft.

1,24 ***a*** 4. Mose 15,3.8-11 **1,28** ***a*** Vers 11; Kap 2,20 **2,1** ***a*** (1-10) Lk 1,46-55 **2,2** ***a*** 5. Mose 4,35; 2. Sam 7,22; Jes 43,11; 45,5.21 ***b*** 1. Mose 49,24; 5. Mose 32,4.18; Ps 18,32.47; 28,1 **2,5** ***a*** Jes 54,1 **2,6** ***a*** 5. Mose 32,39 ***b*** Ps 71,20 **2,7** ***a*** Ps 75,8; Hes 17,24 **2,8** ***a*** Ps 113,7-8 **2,9** ***a*** Ps 33,16 **2,13** ***a*** (13-16) 3. Mose 7,11-17.28-34; 5. Mose 18,3 **2,15** ***a*** 3. Mose 3,3-5

16 Wenn dann jemand zu ihm sagte: Lass
erst das Fett in Rauch aufgehen und nimm
dann, was dein Herz begehrt, so sprach er
zu ihm: Du sollst mir's jetzt geben; wenn
nicht, so nehme ich's mit Gewalt. 17 So war
die Sünde der jungen Männer sehr groß
vor dem HERRN, denn sie verachteten das
Opfer des HERRN.

18 [a]Samuel aber war ein Diener vor dem
HERRN; und der Knabe war umgürtet mit
einem leinenen Priesterschurz. 19 Dazu
machte ihm seine Mutter ein kleines
Oberkleid und brachte es ihm Jahr für Jahr,
wenn sie mit ihrem Mann hinaufging, um
das jährliche Opfer darzubringen. 20 Und
Eli segnete Elkana und seine Frau und
sprach: Der HERR gebe dir Kinder von
dieser Frau anstelle dessen, den sie vom
HERRN erbeten hat. Und sie gingen zu-
rück an ihren Ort. 21 Und der HERR suchte
Hanna heim, dass sie schwanger ward,
und sie gebar drei Söhne und zwei Töch-
ter. Aber der Knabe Samuel wuchs heran
bei dem HERRN.

22 Eli aber war sehr alt geworden. Und
immer, wenn er von all dem hörte, was
seine Söhne ganz Israel antaten und dass
sie [a]bei den Frauen schliefen, die vor
dem Eingang der Stiftshütte dienten,
23 sprach er zu ihnen: Warum tut ihr sol-
ches? Denn ich höre diese bösen Dinge,
die ihr tut, vom ganzen Volk. 24 Nicht
doch, meine Söhne! Denn das Gerücht,
von dem ich reden höre in des HERRN
Volk, ist nicht gut. 25 Wenn jemand ge-
gen einen Menschen sündigt, so kann es
Gott entscheiden. Wenn aber jemand ge-
gen den HERRN sündigt, wer soll es dann
für ihn entscheiden? Aber sie gehorchten
der Stimme ihres Vaters nicht; denn der
HERR war willens, sie zu töten. 26 Aber der
Knabe Samuel [a]nahm immer mehr zu an
Alter und Gunst bei dem HERRN und bei
den Menschen.

DAS KOMMENDE GERICHT ÜBER DAS HAUS ELI

27 Es kam aber ein [a]Mann Gottes zu Eli und
sprach zu ihm: So spricht der HERR: Ich
habe mich offenbart dem Hause deines
Vaters, als sie noch in Ägypten dem Hause
des Pharao gehörten, 28 und hab's mir er-
wählt aus allen Stämmen Israels zum
Priestertum, [a]dass sie auf meinem Altar
opfern und Räucherwerk verbrennen und
den Priesterschurz vor mir tragen, und ich
habe dem Hause deines Vaters alle [b]Feu-
eropfer Israels gegeben. 29 Warum tretet
ihr denn mit Füßen meine Schlachtopfer
und Speisopfer, die ich für meine Woh-
nung geboten habe? Und du ehrst deine
Söhne mehr als mich, dass ihr euch mästet
von dem Besten aller Opfer meines Volkes
Israel.

30 Darum spricht der HERR, der Gott Is-
raels: Ich hatte gesagt, [a]dein Haus und dei-
nes Vaters Haus sollten immerdar vor mir
einhergehen. Aber nun spricht der HERR:
Das sei ferne von mir! [b]Sondern wer mich
ehrt, den will ich auch ehren; wer aber
mich verachtet, der soll wieder verachtet
werden. 31 Siehe, [a]es wird die Zeit kom-
men, dass ich deinen Arm und den Arm
des Hauses deines Vaters abhauen will,
dass es keinen Alten geben wird in dei-
nem Hause 32 und dass du voll Neid sehen
wirst auf all das Gute, das Israel geschehen
wird, und es wird niemand alt werden in
deinem Hause immerdar. 33 Doch nicht
einen jeden will ich dir von meinem Al-
tar ausrotten, dass nicht deine Augen ver-
schmachten und deine Seele sich gräme.
Aber der größte Teil deines Hauses soll
sterben, wenn sie Männer geworden sind.
34 Und das soll dir ein Zeichen sein, das
über deine beiden Söhne, Hofni und Pin-
has, kommen wird; [a]an einem Tag werden
sie beide sterben.

35 Ich aber [a]will mir einen treuen Priester
erwecken, der wird tun, wie es meinem
Herzen und meiner Seele gefällt. Dem
will ich ein [b]beständiges Haus bauen,
dass er vor meinem Gesalbten wandle im-
merdar. 36 Und wer übrig ist von deinem
Hause, der wird kommen und vor jenem
niederfallen um ein Silberstück oder um
ein Brot und wird sagen: Lass mich doch
Anteil haben am Priesteramt, dass ich
einen Bissen Brot zu essen habe.

2,18 ***a*** (18-19) 2. Mose 28,4-6 **2,22** ***a*** 2. Mose 38,8
2,26 ***a*** Kap 3,19; Lk 2,52 **2,27** ***a*** Kap 9,6; 1. Kön 13,1;
2. Kön 1,9 **2,28** ***a*** 2. Mose 30,7; 5. Mose 18,1
b 4. Mose 18,8-20 **2,30** ***a*** 2. Mose 28,1
b 1. Mose 12,3; Mal 3,16-18 **2,31** ***a*** 1. Kön 2,27
2,34 ***a*** Kap 4,11 **2,35** ***a*** Hebr 5,4-6 ***b*** Kap 25,28;
1. Kön 11,38

SAMUELS BERUFUNG

3 Und zu der Zeit, als der Knabe Samuel
dem HERRN diente unter Eli, [a]war des
HERRN Wort selten, und es gab kaum
noch Offenbarung. 2 Und es begab sich
zur selben Zeit, dass Eli lag an seinem
Ort, und seine Augen fingen an, schwach
zu werden, sodass er nicht mehr sehen
konnte. 3 [a]Die Lampe Gottes war noch
nicht verloschen. Und Samuel hatte sich
gelegt im Tempel des HERRN, wo die Lade
Gottes war.
4 Und der HERR rief Samuel. Er aber
antwortete: Siehe, hier bin ich!, 5 und
lief zu Eli und sprach: Siehe, hier bin ich!
Du hast mich gerufen. Er aber sprach:
Ich habe nicht gerufen; geh wieder hin
und lege dich schlafen. Und er ging hin
und legte sich schlafen. 6 Der HERR rief
abermals: Samuel! Und Samuel stand auf
und ging zu Eli und sprach: Siehe, hier
bin ich! Du hast mich gerufen. Er aber
sprach: Ich habe nicht gerufen, mein
Sohn; geh wieder hin und lege dich schla-
fen. 7 Aber Samuel kannte den HERRN
noch nicht, und des HERRN Wort war
ihm noch nicht offenbart. 8 Und der
HERR rief Samuel wieder, zum dritten
Mal. Und er stand auf und ging zu Eli
und sprach: Siehe, hier bin ich! Du hast
mich gerufen. Da merkte Eli, dass der
HERR den Knaben rief. 9 Und Eli sprach
zu Samuel: Geh wieder hin und lege dich
schlafen; und wenn du gerufen wirst, so
sprich: Rede, HERR, denn dein Knecht
hört. Samuel ging hin und legte sich an
seinen Ort.
10 Da kam der HERR und trat herzu und
rief wie vorher: Samuel, Samuel! Und Sa-
muel sprach: **Rede, denn dein Knecht
hört.** 11 Und der HERR sprach zu Samuel:
Siehe, ich werde etwas tun in Israel, dass
jedem, der davon hört, beide Ohren gel-
len.[a] 12 An dem Tage will ich über Eli
kommen lassen, was ich gegen sein Haus
geredet habe; ich will es anfangen und
vollenden. 13 Denn ich hab's ihm angesagt,
dass ich sein Haus für immer richten will
um der Schuld willen, dass er wusste, wie
seine Söhne sich schändlich verhielten,
und hat ihnen nicht gewehrt.[a] 14 Darum
habe ich dem Hause Eli geschworen, dass
die Schuld des Hauses Eli niemals gesühnt
werden solle, weder mit Schlachtopfern
noch mit Speisopfern.
15 Und Samuel lag bis an den Morgen
und tat dann die Türen auf am Hause des
HERRN. Samuel aber fürchtete sich, Eli
von der Erscheinung zu berichten. 16 Da
rief ihn Eli und sprach: Samuel, mein
Sohn! Er antwortete: Siehe, hier bin ich!
17 Er sprach: Was war das für ein Wort,
das er dir gesagt hat? Verschweige mir
nichts. Gott tue dir dies und das, wenn du
mir etwas verschweigst von all dem, das
er dir gesagt hat. 18 Da sagte ihm Samuel
alles und verschwieg ihm nichts. Er aber
sprach: Es ist der HERR; [a]er tue, was ihm
wohlgefällt.
19 Samuel aber wuchs heran, und der
HERR war mit ihm und ließ keines von al-
len seinen Worten zur Erde fallen. 20 Und
ganz Israel von Dan bis Beerscheba er-
kannte, dass Samuel damit betraut war,
Prophet des HERRN zu sein. 21 Und der
HERR erschien weiterhin zu Silo, denn
der HERR offenbarte sich Samuel zu Silo
durch das Wort des HERRN.
4 Und Samuels Wort erging an ganz
Israel.

DIE BUNDESLADE WIRD ISRAEL GENOMMEN

Und es begab sich zu der Zeit, dass die Phi-
lister sich sammelten zum Kampf gegen
Israel.* Israel aber zog aus, den Philistern
entgegen, in den Kampf und lagerte sich
bei Eben-Eser. Die Philister aber hatten
sich gelagert bei [a]Afek. 2 Und die Philister
stellten sich Israel gegenüber auf. Und der
Kampf breitete sich aus, und Israel wurde
vor den Philistern geschlagen. Sie erschlu-
gen in der Feldschlacht um die viertausend
Mann.
3 Und als das Volk ins Lager kam, spra-
chen die Ältesten Israels: Warum hat uns
der HERR heute vor den Philistern ge-
schlagen? Lasst uns [a]die Lade des Bundes
des HERRN zu uns holen von Silo, dass
er in unsre Mitte komme und uns errette

* **4,1** Dieser Satz wurde nach anderer Überlieferung ergänzt.

3,1 *a* Am 8,11 **3,3** *a* (3-4) 2. Mose 27,21; 4. Mose 7,89
3,11 *a* 2. Kön 21,12; Jer 19,3 **3,13** *a* Kap 2,27-36
3,18 *a* 2. Sam 10,12; 15,26 **4,1** *a* Jos 15,53; 1. Sam 29,1
4,3 *a* 2. Mose 25,10-22; 4. Mose 10,35; Jos 3,6.11

aus der Hand unserer Feinde. 4 Da sandte
das Volk nach Silo und ließ von dort ho-
len die Lade des Bundes des HERRN Zeba-
oth, [a]der über den Cherubim thront. Und
es waren dort die beiden Söhne Elis bei
der Lade des Bundes Gottes, Hofni und
Pinhas. 5 Und da die Lade des Bundes des
HERRN in das Lager kam, jauchzte ganz
Israel mit gewaltigem Jauchzen, dass die
Erde erdröhnte.
6 Als aber die Philister das Jauchzen hör-
ten, sprachen sie: Was ist das für ein ge-
waltiges Jauchzen im Lager der Hebräer?
Und als sie erfuhren, dass die Lade des
HERRN ins Lager gekommen wäre, 7 fürch-
teten sich die Philister und sprachen: Gott
ist ins Lager gekommen, und riefen: Wehe
uns, denn solches ist bisher noch nicht
geschehen! 8 Wehe uns! Wer will uns
erretten aus der Hand dieser mächtigen
Götter? Das sind die Götter, die Ägypten
schlugen mit allerlei Plage in der Wüste.
9 So seid nun stark und seid Männer, ihr
Philister, dass ihr nicht dienen müsst den
Hebräern, [a]wie sie euch gedient haben!
Seid Männer und kämpft! 10 Da kämpften
die Philister, und Israel wurde geschlagen,
und ein jeder floh zu seinen Zelten. Und
die Niederlage war sehr groß, und es fielen
von Israel dreißigtausend Mann Fußvolk.
11 Und die Lade Gottes wurde genommen,
und [a]die beiden Söhne Elis, Hofni und
Pinhas, kamen um.

ELIS TOD

12 Da lief einer von Benjamin aus dem
Heer und kam am selben Tage nach Silo
und hatte seine Kleider zerrissen und Erde
auf sein Haupt gestreut. 13 Und siehe, als er
hinkam, saß Eli auf dem Stuhl am Wege
und gab acht; denn sein Herz bangte um
die Lade Gottes. Und als der Mann kam,
berichtete er's in der Stadt, und die ganze
Stadt schrie auf. 14 Und da Eli das laute
Schreien hörte, fragte er: Was ist das
für ein großer Lärm? Da kam der Mann
eilends und sagte es Eli an. 15 Eli aber war
achtundneunzig Jahre alt, und [a]seine Au-
gen waren so schwach, dass er nicht mehr
sehen konnte.
16 Der Mann aber sprach zu Eli: Ich
komme vom Heer und bin heute aus der
Schlacht geflohen. Er aber sprach: Wie
ist's gegangen, mein Sohn? 17 Da antwor-
tete der Bote und sprach: Israel ist geflo-
hen vor den Philistern, und das Volk hat
eine große Schlacht verloren; auch [a]deine
beiden Söhne, Hofni und Pinhas, sind
tot; dazu ist die Lade Gottes genommen.
18 Als er aber die Lade Gottes nannte, fiel
Eli rücklings vom Stuhl am Tor und brach
sich den Hals und starb, denn er war alt
und ein schwerer Mann. Er richtete aber
Israel vierzig Jahre.
19 Seine Schwiegertochter aber, des
Pinhas Frau, war schwanger und sollte
bald gebären. Da sie davon hörte, dass
die Lade Gottes genommen war und ihr
Schwiegervater und ihr Mann tot wa-
ren, krümmte sie sich und gebar; denn
ihre Wehen überfielen sie. 20 Und als sie
im Sterben lag, sprachen die Frauen, die
um sie standen: [a]Fürchte dich nicht, du
hast einen Sohn geboren! Aber sie ant-
wortete nicht und nahm's auch nicht
mehr zu Herzen. 21 Und sie nannte den
Knaben [a]Ikabod und sprach: »Die [b]Herr-
lichkeit ist hinweg aus Israel!« – weil die
Lade Gottes genommen war, und wegen
ihres Schwiegervaters und ihres Mannes.
22 Darum sprach sie: Die Herrlichkeit ist
hinweg aus Israel; denn die Lade Gottes
ist weggenommen.

DIE BUNDESLADE BEI DEN PHILISTERN

5 Die Philister aber hatten die Lade Got-
tes genommen und brachten sie von
Eben-Eser nach Aschdod. 2 Und die Phi-
lister nahmen die Lade Gottes und brach-
ten sie in das Haus [a]Dagons und stellten
sie neben Dagon. 3 Und als die Leute von
Aschdod am andern Morgen sich früh
aufmachten und in das Haus Dagons
kamen, sahen sie Dagon auf seinem Ant-
litz liegen auf der Erde vor der Lade des
HERRN. Und sie nahmen Dagon und
stellten ihn wieder an seinen Ort. 4 Aber
als sie am andern Morgen früh sich wieder
aufmachten, fanden sie Dagon abermals
auf seinem Antlitz auf der Erde vor der
Lade des HERRN liegen, aber sein Haupt
und seine beiden Hände abgeschlagen auf

4,4 *a* 2. Mose 25,22; 2. Sam 6,2 **4,9** *a* Ri 13,1
4,11 *a* Kap 2,34 **4,15** *a* Kap 3,2 **4,17** *a* Kap 2,34
4,20 *a* 1. Mose 35,17 **4,21** *a* Kap 14,3 *b* Ps 78,61
5,2 *a* Ri 16,23

der Schwelle, dass der Rumpf allein dalag.
5 Darum treten die Priester Dagons und
alle, die in Dagons Haus gehen, nicht auf
[a]die Schwelle Dagons in Aschdod bis auf
diesen Tag.
6 Aber die Hand des HERRN lag schwer
auf den Leuten von Aschdod, und er
brachte Verderben über sie und [a]schlug
sie mit bösen Beulen, Aschdod und sein
Gebiet. 7 Als aber die Leute von Aschdod
sahen, dass es so zuging, sprachen sie:
Lasst die Lade des Gottes Israels nicht bei
uns bleiben; denn seine Hand liegt zu hart
auf uns und unserm Gott Dagon. 8 Und sie
sandten hin und versammelten alle Fürs-
ten der Philister zu sich und sprachen:
Was sollen wir mit der Lade des Gottes
Israels machen? Da antworteten sie: Lasst
die Lade des Gottes Israels nach Gat tra-
gen. Und sie trugen die Lade des Gottes
Israels dorthin. 9 Als man sie aber dorthin
getragen hatte, entstand durch die Hand
des HERRN in der Stadt ein sehr großer
Schrecken; denn er schlug die Leute in
der Stadt, Klein und Groß, sodass an ih-
nen Beulen ausbrachen.
10 Da sandten sie die Lade Gottes nach
Ekron. Als aber die Lade Gottes nach Ek-
ron kam, schrien die Leute von Ekron:
Sie haben die Lade des Gottes Israels her-
getragen zu mir, dass sie mich töte und
mein Volk! 11 Da sandten sie hin und ver-
sammelten alle Fürsten der Philister und
sprachen: Sendet die Lade des Gottes Isra-
els zurück an ihren Ort, dass sie mich und
mein Volk nicht töte. Denn es kam ein
tödlicher Schrecken über die ganze Stadt;
die Hand Gottes lag schwer auf ihr. 12 Und
die Leute, die nicht starben, wurden ge-
schlagen mit Beulen, und das Geschrei der
Stadt stieg auf gen Himmel.

DIE BUNDESLADE KOMMT ZURÜCK

6 So war die Lade des HERRN sieben Mo-
nate im Lande der Philister. 2 Und die
Philister riefen ihre Priester und Wahr-
sager und sprachen: Was sollen wir mit
der Lade des HERRN machen? Lasst uns
wissen, wie wir sie an ihren Ort senden
sollen! 3 Sie sprachen: Wollt ihr die Lade
des Gottes Israels zurücksenden, so sen-
det sie nicht ohne eine Gabe, sondern gebt
ihm eine Sühnegabe; so werdet ihr gesund
werden, und es wird euch kundwerden,
warum seine Hand nicht von euch ablässt.
4 Sie aber sprachen: Was ist die Sühne-
gabe, die wir ihm geben sollen? Sie ant-
worteten: Fünf goldene Beulen und fünf
goldene Mäuse nach der Zahl der [a]Fürs-
ten der Philister, denn es ist ein und die-
selbe Plage gewesen über euch alle und
über eure Fürsten. 5 So macht nun Ab-
bilder eurer Beulen und eurer Mäuse, die
euer Land zugrunde gerichtet haben, dass
ihr dem Gott Israels die Ehre gebt. Viel-
leicht wird seine Hand leichter werden
über euch und über euren Gott und über
euer Land. 6 Warum [a]verstockt ihr euer
Herz, wie die Ägypter und der Pharao ihr
Herz verstockten? Ist's nicht so: Als der
Herr seine Macht an ihnen bewies, [b]lie-
ßen sie sie ziehen, dass sie gehen konn-
ten? 7 So macht nun einen neuen Wagen
und nehmt zwei säugende Kühe, auf die
noch kein Joch gekommen ist; spannt sie
an den Wagen und lasst ihre Kälber da-
heimbleiben. 8 Aber die Lade des HERRN
nehmt und stellt sie auf den Wagen, und
die Dinge aus Gold, die ihr ihm zur Süh-
negabe gebt, tut in ein Kästlein daneben.
So sendet sie hin und lasst sie gehen.
9 Und seht zu: Geht sie den Weg hinauf in
ihr Land auf Bet-Schemesch zu, so hat er
uns dies große Übel angetan; wenn nicht,
so wissen wir, dass nicht seine Hand uns
getroffen hat, sondern es ist uns zufällig
widerfahren.
10 Die Leute taten so und nahmen zwei
säugende Kühe und spannten sie an einen
Wagen und behielten ihre Kälber daheim
11 und stellten die Lade des HERRN auf den
Wagen, dazu das Kästlein mit den golde-
nen Mäusen und mit den Abbildern ihrer
Beulen. 12 Und die Kühe gingen gerade-
wegs auf [a]Bet-Schemesch zu, auf ein und
derselben Straße, und brüllten immer-
fort und wichen weder zur Rechten noch
zur Linken; und die Fürsten der Philister
gingen ihnen nach bis an die Grenze von
Bet-Schemesch.
13 Die Leute von Bet-Schemesch aber
schnitten eben den Weizen im Talgrund,
und als sie ihre Augen aufhoben, sahen

5,5 ***a*** Zef 1,9 **5,6** ***a*** 2. Mose 9,10; Ps 78,66
6,4 ***a*** Jos 13,3 **6,6** ***a*** 2. Mose 4,21; 7,13; 10,2
b 2. Mose 12,31 **6,12** ***a*** Jos 15,10

sie die Lade und freuten sich, sie zu sehen.
14 Der Wagen aber kam auf den Acker Jo-
schuas von Bet-Schemesch und stand
dort still. Und dort lag ein großer Stein.
Da spalteten sie das Holz des Wagens
und opferten die Kühe dem HERRN zum
Brandopfer. 15 Die Leviten aber hoben die
Lade des HERRN herab und das Kästlein,
das daneben stand, darin die Dinge aus
Gold waren, und stellten sie auf den gro-
ßen Stein. Und die Leute von Bet-Sche-
mesch opferten dem HERRN am selben
Tage Brandopfer und Schlachtopfer. 16 Da
aber die fünf Fürsten der Philister das ge-
sehen hatten, kehrten sie am selben Tage
nach Ekron zurück.
17 Dies sind die goldenen Beulen, die die
Philister dem HERRN als Sühnegabe er-
statteten: für Aschdod eine, für Gaza eine,
für Aschkelon eine, für Gat eine und für
Ekron eine; 18 und goldene Mäuse nach
der Zahl aller Städte der Philister unter
den fünf Fürsten, der festen Städte und
der Dörfer. Und Zeuge ist der große Stein,
auf den sie die Lade des HERRN gestellt
hatten. Er liegt bis auf diesen Tag auf dem
Acker Joschuas von Bet-Schemesch.

DIE LADE KOMMT NACH KIRJAT-JEARIM

19 Und der HERR schlug etliche von Bet-
Schemesch, denn [a]sie hatten die Lade des
HERRN gesehen; und er schlug im Volk
siebzig Mann*. Da trug das Volk Leid, dass
der HERR einen so großen Schlag gegen
das Volk getan hatte. 20 Und die Leute von
Bet-Schemesch sprachen: Wer kann be-
stehen vor dem HERRN, diesem heiligen
Gott? Und zu wem soll er von uns weg-
ziehen? 21 Und sie sandten Boten zu den
Bürgern von [a]Kirjat-Jearim und ließen
ihnen sagen: Die Philister haben die Lade
des HERRN zurückgebracht; kommt herab
und holt sie zu euch hinauf.[b]
7 Da kamen die Leute von Kirjat-Jearim
und holten die Lade des HERRN her-
auf und brachten sie ins Haus Abinadabs
auf dem Hügel, und seinen Sohn Eleasar
weihten sie, dass er die Lade des HERRN
bewache.

SAMUELS RICHTERAMT

2 Aber von dem Tage an, [a]da die Lade des
HERRN zu Kirjat-Jearim blieb, verging
eine lange Zeit; es wurden zwanzig Jahre.
Dann wandte sich das ganze Haus Israel
zum HERRN.[b]
3 Samuel aber sprach zum ganzen Hause
Israel: Wenn ihr euch von ganzem Her-
zen zu dem HERRN bekehren wollt, so
[a]tut von euch die fremden Götter und die
Astarten und richtet euer Herz zu dem
HERRN und dient ihm allein, so wird er
euch erretten aus der Hand der Philister.
4 Da taten die Israeliten von sich die Baale
und Astarten und dienten dem HERRN
allein.[a] 5 Samuel aber sprach: Versammelt
ganz Israel in [a]Mizpa, dass ich für euch
bete zum HERRN. 6 Und sie kamen zusam-
men in Mizpa und schöpften Wasser und
gossen es aus vor dem HERRN und faste-
ten an demselben Tage und sprachen dort:
Wir haben an dem HERRN gesündigt. So
richtete Samuel die Israeliten zu Mizpa.
7 Da aber die Philister hörten, dass die
Israeliten zusammengekommen waren
in Mizpa, zogen die Fürsten der Philis-
ter hinauf gegen Israel. Und die Israeliten
hörten es und fürchteten sich vor den Phi-
listern. 8 [a]Und die Israeliten sprachen zu
Samuel: Lass nicht ab, für uns zu schreien
zu dem HERRN, unserm Gott, dass er uns
helfe aus der Hand der Philister. 9 Samuel
nahm ein Milchlamm und opferte dem
HERRN ein Brandopfer – als Ganzopfer –
und schrie zum HERRN für Israel, und der
HERR erhörte ihn. 10 Und während Sa-
muel das Brandopfer opferte, kamen die
Philister heran zum Kampf gegen Israel.
Aber der HERR ließ donnern mit großem
Schall über die Philister am selben Tage
und [a]schreckte sie, dass sie vor Israel ge-
schlagen wurden. 11 Da zogen die Männer
Israels aus von Mizpa und jagten den Phi-
listern nach und schlugen sie bis unterhalb
von Bet-Kar. 12 Da nahm Samuel einen
Stein und stellte ihn auf zwischen Mizpa
und Schen und nannte ihn »Eben-Eser«*

* **6,19** Die meisten Handschriften fügen noch hinzu: »fünfzigtausend Mann«. **7,12** Der Name bedeutet »Stein der Hilfe«.

6,19 ***a*** 4. Mose 4,20; 2. Sam 6,6-7 **6,21** ***a*** 1. Chr 13,6 ***b*** Ps 132,3-6 **7,2** ***a*** Kap 6,21 ***b*** 2. Sam 6,2; 1. Chr 13,6 **7,3** ***a*** 1. Mose 35,2; Jos 24,23 **7,4** ***a*** 5. Mose 6,13; Ri 10,16 **7,5** ***a*** Kap 10,17; Ri 20,1; 2. Kön 25,23 **7,8** ***a*** (8-9) Kap 12,23; 1. Mose 20,7; 1. Kön 13,6; Jer 37,3.16 **7,10** ***a*** 1. Mose 35,5; 2. Mose 14,24; Jos 10,10; Ri 4,15

und sprach: Bis hierher hat uns der HERR
geholfen.
13 So wurden die Philister gedemütigt
und kamen nicht mehr in das Gebiet Isra-
els. Und die Hand des HERRN lag schwer
auf den Philistern, solange Samuel lebte.
14 Also fielen die Städte an Israel zurück,
die die Philister ihnen genommen hatten,
von Ekron bis Gat, und Israel riss ihr Ge-
biet aus der Hand der Philister. Und Israel
hatte Frieden mit den Amoritern.
15 Samuel aber [a]richtete Israel sein Leben
lang 16 und zog Jahr für Jahr umher und
kam nach Bethel und Gilgal und Mizpa.
Und wenn er Israel an allen diesen Or-
ten gerichtet hatte, 17 kam er wieder nach
[a]Rama – denn da war sein Haus –, und dort
richtete er Israel. Auch baute er dort dem
HERRN einen Altar.

ISRAEL BEGEHRT EINEN KÖNIG

8 Als aber Samuel alt geworden war,
setzte er seine Söhne als Richter über
Israel ein. 2 Sein erstgeborener Sohn hieß
Joel und der andere [a]Abija; sie waren Rich-
ter zu Beerscheba. 3 Aber seine Söhne
wandelten nicht in seinen Wegen, son-
dern suchten ihren Vorteil und [a]nahmen
Geschenke und beugten das Recht. 4 Da
versammelten sich alle Ältesten Israels
und kamen nach [a]Rama zu Samuel 5 und
sprachen zu ihm: Siehe, du bist alt gewor-
den, und deine Söhne wandeln nicht in
deinen Wegen. So [a]setze nun einen Kö-
nig über uns, der uns richte, wie ihn alle
Völker haben.
6 Das missfiel Samuel, dass sie sagten:
Gib uns einen König, der uns richte. Und
Samuel betete zum HERRN. 7 Der HERR
aber sprach zu Samuel: Gehorche der
Stimme des Volks in allem, was sie zu dir
sagen; denn sie haben nicht dich, sondern
mich verworfen, [a]dass ich nicht mehr Kö-
nig über sie sein soll. 8 So wie sie immer
getan haben von dem Tage an, da ich sie
aus Ägypten führte, bis auf diesen Tag,
dass sie mich verlassen und andern Göt-
tern gedient haben, so tun sie nun auch
dir. 9 So gehorche nun ihrer Stimme. Doch
warne sie und verkünde ihnen das Recht
des Königs, der über sie herrschen wird.
10 Und Samuel sagte alle Worte des
HERRN dem Volk, das von ihm einen Kö-
nig forderte, 11 und sprach: Das wird des
Königs Recht sein, der über euch herr-
schen wird: Eure Söhne wird er nehmen
für seinen Wagen und seine Gespanne,
und dass sie vor seinem Wagen herlau-
fen, 12 und zu Hauptleuten über Tausend
und über Fünfzig, und dass sie ihm seinen
Acker bearbeiten und seine Ernte einsam-
meln und dass sie seine Kriegswaffen ma-
chen und was zu seinen Wagen gehört.
13 Eure Töchter aber wird er nehmen, dass
sie Salben bereiten, kochen und backen.
14 Eure besten Äcker und Weinberge und
Ölgärten wird er nehmen und seinen Gro-
ßen geben. 15 Dazu von euren Kornfel-
dern und Weinbergen wird er den Zehn-
ten nehmen und seinen Kämmerern und
Großen geben. 16 Und eure Knechte und
Mägde und eure besten Rinder* und eure
Esel wird er nehmen und in seinen Dienst
stellen. 17 Von euren Herden wird er den
Zehnten nehmen, und ihr müsst seine
Knechte sein. 18 Wenn ihr dann schreien
werdet zu der Zeit über euren König, den
ihr euch erwählt habt, so wird euch der
HERR zu derselben Zeit nicht erhören.[a]
19 Aber das Volk weigerte sich, auf die
Stimme Samuels zu hören, und sie spra-
chen: Nein, sondern ein König soll über
uns sein, 20 dass wir auch seien wie alle
Völker, dass uns unser König richte und
vor uns her ausziehe und unsere Kriege
führe!
21 Und als Samuel alle Worte des Volks
gehört hatte, sagte er sie vor den Ohren
des HERRN. 22 Der HERR aber sprach zu
Samuel: Höre auf ihre Stimme und mache
ihnen einen König. Und Samuel sprach zu
den Männern Israels: Geht hin, ein jeder
in seine Stadt.

SAUL SUCHT ESELINNEN UND KOMMT ZU SAMUEL

9 Es war ein Mann von Benjamin, mit Na-
men Kisch, ein Sohn Abiëls, des Sohnes
Zerors, des Sohnes Bechorats, des Sohnes
Afiachs, des Sohnes eines Benjaminiters,
ein tüchtiger Mann. 2 Der hatte einen Sohn

* **8,16** Andere Überlieferung: »feinste Jünglinge«.

7,15 *a* Ri 10,1-5; 12,7-14 **7,17** *a* Kap 1,19 **8,2** *a* 1. Chr 6,13
8,3 *a* 2. Mose 23,6-8; 5. Mose 16,19 **8,4** *a* Kap 7,17
8,5 *a* 5. Mose 17,14-20; Apg 13,21 **8,7** *a* 2. Mose 15,18;
5. Mose 33,5; Ps 24,7-10; 74,12; Hos 8,4 **8,18** *a* Hes 8,18

mit Namen Saul; der war ein junger, schö-
ner Mann, und es war niemand unter den
Israeliten so schön wie er, um eine Haup-
teslänge größer als alles Volk. 3 Es hatte
aber Kisch, der Vater Sauls, seine Eselin-
nen verloren. Und Kisch sprach zu seinem
Sohn Saul: Nimm einen der Knechte mit
dir, mach dich auf, geh hin und suche die
Eselinnen. 4 Und sie gingen durch das Ge-
birge Ephraim und durch das Gebiet von
Schalischa und fanden sie nicht; sie gin-
gen durch das Gebiet von Schaalim, aber
da waren sie nicht; sie gingen durchs Ge-
biet von Benjamin und fanden sie nicht.
5 Als sie aber ins Gebiet von Zuf kamen,
sprach Saul zu dem Knecht, der bei ihm
war: Komm, lass uns wieder heimgehen;
[a]mein Vater könnte sich sonst statt um die
Eselinnen um uns sorgen.

6 Der aber sprach zu ihm: Siehe, es ist ein
berühmter Mann Gottes in dieser Stadt;
alles, was er sagt, das trifft ein. Nun lass
uns dahin gehen; vielleicht sagt er uns un-
sern Weg, den wir gehen müssen. 7 Saul
aber sprach zu seinem Knecht: Wenn wir
schon hingehen, was bringen wir dem
Mann? Denn das Brot in unserm Sack
ist verzehrt, und wir [a]haben keine Gabe,
die wir dem Mann Gottes bringen könn-
ten. Was haben wir sonst? 8 Der Knecht
antwortete Saul abermals und sprach:
Siehe, ich hab einen Viertel-Silberschе-
kel bei mir; den will ich dem Mann Got-
tes geben, dass er uns unsern Weg sage.
10 *Saul sprach zu seinem Knecht: Du hast
recht geredet; komm, lass uns gehen!
Und als sie hingingen zu der Stadt, wo
der Mann Gottes war, 11 und den Aufgang
zur Stadt hinaufstiegen, trafen sie Mäd-
chen, die herausgingen, [a]um Wasser zu
schöpfen. Zu ihnen sprachen sie: Ist der
Seher hier? – 9 *Vorzeiten sagte man in
Israel, wenn man ging, Gott zu befragen:
Kommt, lasst uns zu dem Seher gehen!
Denn die man jetzt Propheten nennt, die
nannte man vorzeiten Seher. –

12 Sie antworteten ihnen: Ja, siehe, da ist
er; eile, denn er ist heute in die Stadt ge-
kommen, weil das Volk heute ein Opfer-
fest hat auf der Höhe. 13 Wenn ihr in die
Stadt kommt, so werdet ihr ihn finden,
bevor er hinaufgeht auf die Höhe, um zu
essen. Denn das Volk wird nicht essen,
ehe er kommt; er segnet erst das Opfer,
danach essen die, die geladen sind. Darum
geht hinauf, denn jetzt werdet ihr ihn tref-
fen. 14 Und als sie hinauf zur Stadt kamen
und in die Stadt eintraten, siehe, da kam
Samuel heraus ihnen entgegen und wollte
auf die Höhe gehen.

SAMUEL SALBT SAUL ZUM KÖNIG

15 Aber der HERR hatte Samuel das Ohr
aufgetan, einen Tag bevor Saul kam, und
gesagt: 16 Morgen um diese Zeit will ich
einen Mann zu dir senden aus dem Lande
Benjamin, den sollst du zum Fürsten sal-
ben über mein Volk Israel, dass er mein
Volk errette aus der Philister Hand. Denn
ich habe das Elend meines Volks angese-
hen, und sein [a]Schreien ist vor mich ge-
kommen. 17 Als nun Samuel Saul sah, tat
ihm der HERR kund: Siehe, das ist der
Mann, von dem ich dir gesagt habe, dass
er über mein Volk herrschen soll.

18 Da trat Saul auf Samuel zu im Tor und
sprach: Sage mir doch, wo ist hier das
Haus des Sehers? 19 Samuel antwortete
Saul: Ich bin der Seher. Geh vor mir hin-
auf auf die Höhe, denn ihr sollt heute mit
mir essen; morgen früh will ich dich zie-
hen lassen, und alles, was in deinem Her-
zen ist, will ich dir kundtun. 20 Und um die
Eselinnen, die du vor drei Tagen verloren
hast, sorge dich jetzt nicht; sie sind gefun-
den. Wem gehört denn alles, was wertvoll
ist in Israel? Gehört es nicht dir und dem
ganzen Hause deines Vaters? 21 Saul ant-
wortete: Bin ich nicht ein Benjaminiter
und aus einem der kleinsten Stämme Is-
raels, und [a]ist nicht mein Geschlecht das
geringste unter allen Geschlechtern des
Stammes Benjamin? Warum sagst du mir
solches? 22 Samuel aber nahm Saul und
seinen Knecht und führte sie in die Halle
und setzte sie obenan unter die Gelade-
nen; und das waren etwa dreißig Mann.
23 Und Samuel sprach zu dem Koch: Gib
das Stück her, das ich dir gab und befahl,
du solltest es bei dir behalten. 24 Da trug
der Koch eine Keule auf und den Fett-

* **9,9.10** Der Zusammenhang erfordert die Umstellung der Verse.

9,5 ***a*** Kap 10,2 **9,7** ***a*** 1. Kön 13,7; 2. Kön 8,8
9,11 ***a*** 1. Mose 24,11 **9,16** ***a*** 2. Mose 2,23; 3,7
9,21 ***a*** Kap 15,17; Ri 6,15

schwanz. Und er legte sie Saul vor und
sprach: Siehe, hier ist das Übriggeblie-
bene, lege es vor dich hin und iss; denn
als ich das Volk einlud, ist es für dich auf-
bewahrt worden für diese Stunde. So aß
Saul mit Samuel an jenem Tage.
25 Und als sie hinabgegangen waren von
der Höhe der Stadt, machten sie Saul ein
Lager auf dem Dach, 26 und er legte sich
schlafen. Und als die Morgenröte aufging,
rief Samuel zum Dach hinauf und sprach
zu Saul: Steh auf, dass ich dich geleite!
Und Saul stand auf, und die beiden gin-
gen miteinander hinaus, er und Samuel.
27 Und als sie hinabkamen an das Ende der
Stadt, sprach Samuel zu Saul: Sage dem
Knecht, dass er uns vorangehe – und er
ging voran –, du aber steh jetzt still, dass
ich dir kundtue, was Gott gesagt hat.
10 Da nahm Samuel den Krug mit Öl und
goss es auf sein Haupt und küsste ihn
und sprach: Siehe, der HERR hat dich zum
Fürsten über sein Erbteil gesalbt. 2 Wenn
du jetzt von mir gehst, so wirst du zwei
Männer finden bei dem [a]Grabe Rahels an
der Grenze Benjamins bei Zelzach; die
werden zu dir sagen: Die Eselinnen sind
gefunden, die du zu suchen ausgezogen
bist; aber siehe, dein Vater hat die Eselin-
nen nicht mehr im Sinn und sorgt sich um
euch und spricht: Was soll ich wegen mei-
nes Sohnes tun?
3 Und wenn du von da weitergehst,
wirst du zur Eiche Tabor kommen; dort
werden dich drei Männer treffen, die hin-
aufgehen zu Gott nach Bethel. Einer trägt
drei Böcklein, der andere drei Brote, der
dritte einen Krug mit Wein. 4 Und sie wer-
den dich freundlich grüßen und dir zwei
Brote geben. Die sollst du von ihren Hän-
den annehmen. 5 Danach wirst du nach
Gibea Gottes kommen, wo die Wache der
Philister ist; und wenn du dort in die Stadt
kommst, wird dir eine Schar von Prophe-
ten begegnen, die von der Höhe herab-
kommen, und vor ihnen her Harfe und
Pauke und Flöte und Zither, und sie wer-
den in Verzückung sein. 6 Und der [a]Geist
des HERRN wird über dich kommen,
dass du mit ihnen in Verzückung gerätst;
da wirst du umgewandelt und ein ande-
rer Mensch werden. 7 Wenn für dich nun
diese Zeichen eintreffen, so tu, was dir vor
die Hand kommt; denn Gott ist mit dir.
8 Du sollst aber vor mir hinabgehen nach
Gilgal; siehe, da will ich zu dir hinabkom-
men, um Brandopfer und Dankopfer zu
opfern. [a]Sieben Tage sollst du warten, bis
ich zu dir komme und dir kundtue, was
du tun sollst.
9 Und als Saul sich wandte, um von Sa-
muel wegzugehen, gab ihm Gott ein an-
deres Herz, und alle diese Zeichen trafen
ein an demselben Tag. 10 [a]Und als sie nach
Gibea kamen, siehe, da kam ihm eine
Prophetenschar entgegen, und der Geist
Gottes geriet über ihn, dass er mit ihnen
in Verzückung geriet. 11 Als aber alle, die
ihn von früher gekannt hatten, sahen, dass
er mit den Propheten in Verzückung war,
sprachen die Leute untereinander: Was ist
nur mit dem Sohn des Kisch geschehen?
Ist Saul auch unter den Propheten? 12 Und
einer von dort antwortete und sprach:
Wer ist denn schon ihr Vater? Daher ist
das Sprichwort gekommen: Ist Saul auch
unter den Propheten?
13 Und als seine Verzückung aufgehört
hatte, kam er nach Gibea. 14 Es sprach
aber Sauls Oheim zu ihm und zu seinem
Knecht: Wo seid ihr hingegangen? Er ant-
wortete: Die Eselinnen zu suchen; und als
wir sahen, dass sie nicht da waren, gingen
wir zu Samuel. 15 Da sprach der Oheim
Sauls: Sage mir doch, was sagte euch Sa-
muel? 16 Saul antwortete seinem Oheim:
Er sagte uns, dass die Eselinnen gefunden
seien. Aber was Samuel von dem König-
tum gesagt hatte, sagte er ihm nicht.

SAUL WIRD ZUM KÖNIG GEWÄHLT

17 Samuel aber rief das Volk zusammen
zum HERRN nach [a]Mizpa 18 und sprach zu
den Israeliten: So sagt der HERR, der Gott
Israels: [a]Ich habe Israel aus Ägypten ge-
führt und euch aus der Hand der Ägypter
errettet und aus der Hand aller Königrei-
che, die euch bedrängten. 19 Ihr aber habt
heute [a]euren Gott verworfen, der euch
aus aller eurer Not und Bedrängnis gehol-
fen hat, und habt gesprochen: Nein, setze
vielmehr einen König über uns! Wohlan,
so tretet nun vor den HERRN nach euren

10,2 *a* 1. Mose 35,19 **10,6** *a* Ri 13,25; 1. Sam 18,10; 19,20
10,8 *a* Kap 13,8 **10,10** *a* (10-12) Kap 19,20-24
10,17 *a* Kap 7,5 **10,18** *a* 2. Mose 29,46 **10,19** *a* Kap 8,7

Stämmen und Tausendschaften! 20 Als
nun Samuel alle Stämme Israels herantre-
ten ließ, [a]fiel das Los auf den Stamm Ben-
jamin. 21 Und als er den Stamm Benjamin
herantreten ließ mit seinen Geschlech-
tern, fiel das Los auf das Geschlecht Matri,
und als er das Geschlecht Matri herantre-
ten ließ, Mann für Mann*, fiel das Los auf
Saul, den Sohn des Kisch. Und sie suchten
ihn, aber sie fanden ihn nicht.

22 Da befragten sie abermals den HERRN:
Ist der Mann hierhergekommen? Der
HERR antwortete: Siehe, er hat sich bei
dem Tross versteckt. 23 Da liefen sie hin
und holten ihn von dort. Und als er un-
ter das Volk trat, war er um eine Hauptes-
länge größer als alles Volk. 24 Und Samuel
sprach zu allem Volk: Da seht ihr, wen der
HERR erwählt hat; denn ihm ist keiner
gleich im ganzen Volk. Da [a]jauchzte das
ganze Volk und sprach: Es lebe der König!
25 Samuel aber tat dem Volk [a]das Recht
des Königtums kund und schrieb's in ein
Buch und legte es vor dem HERRN nieder.
Und Samuel entließ das ganze Volk, einen
jeden in sein Haus.

26 Auch Saul ging heim nach Gibea, und
mit ihm gingen die vom Heer, denen Gott
das Herz gerührt hatte. 27 Aber einige
ruchlose Leute sprachen: [a]Was soll der
uns helfen? Und sie verachteten ihn und
brachten ihm kein Geschenk. Aber er tat,
als hörte er's nicht.

SAULS SIEG ÜBER DIE AMMONITER

11 Es zog aber herauf Nahasch, der Am-
moniter, und belagerte [a]Jabesch in Gi-
lead. Und alle Männer von Jabesch spra-
chen zu Nahasch: Schließ einen Bund
mit uns, so wollen wir dir dienen. 2 Aber
Nahasch, der Ammoniter, antwortete ih-
nen: Das soll der Bund sein, den ich mit
euch schließen will, dass ich euch allen das
rechte Auge aussteche und bringe damit
Schmach über ganz Israel. 3 Da sprachen
zu ihm die Ältesten von Jabesch: Gib uns
sieben Tage, dass wir Boten senden in das
ganze Gebiet Israels; ist dann niemand
da, der uns rette, so wollen wir zu dir
hinausgehen.

4 Da kamen die Boten nach Gibea Sauls
und sagten dies vor den Ohren des Volks.
Da erhob das ganze Volk seine Stimme
und weinte. 5 Und siehe, da kam Saul vom
Felde hinter den Rindern her und fragte:
Was ist mit dem Volk, dass es weint? Da
berichteten sie ihm die Worte der Männer
von Jabesch. 6 Da geriet der [a]Geist Gottes
über Saul, als er diese Worte hörte, und
sein Zorn entbrannte sehr. 7 Und er nahm
ein Gespann Rinder und [a]zerstückte
sie und sandte die Stücke in das ganze
Gebiet Israels durch Boten und ließ sa-
gen: Wer nicht auszieht hinter Saul und
Samuel, mit dessen Rindern soll man
ebenso tun. Da fiel der Schrecken des
HERRN auf das Volk, dass sie auszogen
wie ein Mann. 8 Und er musterte sie zu
Besek, und die Israeliten waren dreihun-
derttausend Mann und die Männer Judas
dreißigtausend.

9 Und sie sagten den Boten, die gekom-
men waren: So sagt den Männern von Ja-
besch in Gilead: Morgen soll euch Hilfe
werden, wenn die Sonne beginnt, heiß
zu scheinen. Als die Boten heimkamen
und das den Männern von Jabesch ver-
kündeten, wurden diese froh. 10 Und die
Männer von Jabesch sprachen: Morgen
wollen wir zu euch hinausgehen, dass ihr
mit uns alles tut, was euch gefällt. 11 Aber
am andern Morgen teilte Saul das Volk in
drei Heerhaufen, und sie kamen ins La-
ger um die Zeit der Morgenwache und
schlugen die Ammoniter, bis der Tag heiß
wurde; die aber übrig blieben, wurden
so zerstreut, dass von ihnen nicht zwei
beieinanderblieben.

12 Da sprach das Volk zu Samuel: Wer
sind die, die gesagt haben: [a]Sollte Saul
über uns herrschen? Gebt sie her, die
Männer, dass wir sie töten. 13 Saul aber
sprach: [a]Es soll an diesem Tage niemand
sterben; denn [b]der HERR hat heute Heil
gegeben in Israel.

14 Samuel sprach zum Volk: Kommt,
lasst uns nach [a]Gilgal gehen und dort das
Königtum erneuern. 15 Da ging das ganze
Volk nach Gilgal, und sie machten Saul

* **10,21** Der Text wurde nach anderer Überlieferung ergänzt.

10,20 ***a*** Kap 14,41-42; Jos 7,16 **10,24** ***a*** Mt 21,9
10,25 ***a*** 5. Mose 17,14-20 **10,27** ***a*** Kap 11,12
11,1 ***a*** Kap 31,11 **11,6** ***a*** Ri 13,25 **11,7** ***a*** Ri 19,29
11,12 ***a*** Kap 10,27 **11,13** ***a*** 2. Sam 19,23 ***b*** Kap 14,45
11,14 ***a*** Kap 10,8

daselbst zum König vor dem HERRN in
Gilgal und opferten Dankopfer vor dem
HERRN. Saul aber und alle Männer Israels
freuten sich dort gar sehr.

SAMUELS ABSCHIED

12 Da sprach Samuel zu ganz Israel: Siehe,
ich [a]habe eurer Stimme gehorcht in al-
lem, was ihr mir gesagt habt, und [b]habe
einen König über euch gesetzt. 2 Siehe,
nun wird euer König vor euch herziehen;
ich aber bin alt und grau geworden, und
meine Söhne sind bei euch. Ich bin vor
euch hergegangen von meiner Jugend an
bis auf diesen Tag. 3 Siehe, hier stehe ich.
Nun sagt gegen mich aus vor dem HERRN
und seinem Gesalbten! [a]Wessen Rind
oder Esel hab ich genommen, wem hab
ich Gewalt oder Unrecht getan? Aus wes-
sen Hand hab ich ein Geschenk angenom-
men, um mir damit die Augen blenden zu
lassen? Ich will's euch zurückgeben. 4 Sie
sprachen: Du hast uns weder Gewalt noch
Unrecht getan und von niemand etwas ge-
nommen. 5 Er sprach zu ihnen: Der HERR
sei Zeuge euch gegenüber, und sein Ge-
salbter sei Zeuge am heutigen Tage, dass
ihr nichts in meiner Hand gefunden habt.
Sie sprachen: Ja, Zeuge sollen sie sein.

6 Und Samuel sprach zum Volk: Der
HERR ist's, der Mose und Aaron eingesetzt
und eure Väter aus Ägyptenland geführt
hat. 7 So tretet nun her, dass ich mit euch
rechte vor dem HERRN wegen aller Wohl-
taten des HERRN, die er an euch und euren
Vätern getan hat. 8 Als Jakob nach Ägyp-
ten gekommen war, [a]schrien eure Väter
zu dem HERRN, und der HERR sandte
Mose und Aaron, dass sie eure Väter aus
Ägypten führten und sie an diesem Ort
wohnen ließen. 9 Aber als sie den HERRN,
ihren Gott, vergaßen, verkaufte er sie in
die Hand [a]Siseras, des Feldhauptmanns
von Hazor, und in die Hand der [b]Philister
und in die Hand des [c]Königs von Moab;
die kämpften gegen sie. 10 Und sie schrien
zum HERRN und sprachen: [a]Wir haben
gesündigt, dass wir den HERRN verlassen
und den Baalen und den Astarten gedient
haben; nun aber errette uns aus der Hand
unserer Feinde, so wollen wir dir dienen.
11 Da sandte der HERR [a]Jerubbaal, [b]Barak*,
[c]Jeftah und [d]Samuel und errettete euch aus
der Hand eurer Feinde ringsum und ließ
euch sicher wohnen.
12 Als ihr aber saht, dass [a]Nahasch, der
König der Ammoniter, gegen euch zog,
spracht ihr zu mir: Nein, sondern [b]ein
König soll über uns herrschen!, obwohl
doch der HERR, euer Gott, euer König ist.
13 Nun, da ist euer König, den ihr erwählt
und erbeten habt; denn siehe, der HERR
hat einen König über euch gesetzt. 14 Wer-
det ihr nun den HERRN fürchten und ihm
dienen und seiner Stimme gehorchen und
dem Munde des HERRN nicht ungehor-
sam sein, so werdet ihr und euer König,
der über euch herrscht, dem HERRN,
eurem Gott, folgen. 15 Werdet ihr aber der
Stimme des HERRN nicht gehorchen, son-
dern seinem Munde ungehorsam sein, so
wird die [a]Hand des HERRN gegen euch
sein wie gegen eure Väter.

16 So tretet nun herzu und seht, was der
HERR Großes vor euren Augen tun wird.
17 Ist nicht jetzt die Weizenernte? Ich will
aber den HERRN anrufen, dass er soll don-
nern und regnen lassen, damit ihr inne-
werdet und seht, dass ihr getan habt, was
dem HERRN sehr missfiel, als ihr euch
einen König erbeten habt. 18 Und als Sa-
muel den HERRN anrief, ließ der HERR
donnern und regnen an demselben Tage.
Da fürchtete das ganze Volk den HERRN
und Samuel gar sehr. 19 Und das ganze
Volk sprach zu Samuel: [a]Bitte für deine
Knechte den HERRN, deinen Gott, dass
wir nicht sterben; denn zu allen unsern
Sünden haben wir noch das Unrecht ge-
tan, dass wir uns einen König erbeten
haben.

20 Samuel aber sprach zum Volk: Fürchtet
euch nicht! Ihr habt zwar all das Unrecht
getan, doch weicht nicht vom HERRN ab,
sondern dient dem HERRN von ganzem
Herzen 21 und folgt nicht den nichtigen
Götzen nach, die nichts nützen und nicht
retten können, denn sie sind [a]nichtig.
22 Der HERR [a]verstößt sein Volk nicht um

* **12,11** Andere Überlieferung: »Bedan«.

12,1 ***a*** Kap 8,7.22 ***b*** Kap 11,15 **12,3** ***a*** 4. Mose 16,15; 5. Mose 16,19 **12,8** ***a*** 2. Mose 2,23; 3,7 **12,9** ***a*** Ri 4,2 ***b*** Ri 10,7; 13,1 **c** Ri 3,12 **12,10** ***a*** 4. Mose 21,7; Ri 10,10; Dan 9,9-19 **12,11** ***a*** Ri 6,14.32 ***b*** Ri 4,6 **c** Ri 11,29 ***d*** Kap 7,3 **12,12** ***a*** Kap 11,1-2 ***b*** Kap 8,19 **12,15** ***a*** Ri 2,15 **12,19** ***a*** 4. Mose 21,7 **12,21** ***a*** Jes 41,29 **12,22** ***a*** Ps 106,8

seines großen Namens willen; denn es hat
dem HERRN gefallen, [b]euch zu seinem
Volk zu machen. 23 Es sei aber auch ferne
von mir, mich an dem HERRN dadurch zu
versündigen, dass ich davon abließe, [a]für
euch zu beten und euch zu lehren den gu-
ten und richtigen Weg! 24 Nur [a]fürchtet
den HERRN und dient ihm treu von gan-
zem Herzen; denn seht doch, wie große
Dinge er an euch getan hat. 25 Werdet ihr
aber Unrecht tun, so werdet ihr und euer
König verloren sein.

BEGINN DES KRIEGES GEGEN DIE PHILISTER

13 Saul war … Jahre alt*, als er König
wurde, und zwei Jahre regierte er über
Israel. 2 Saul erwählte sich dreitausend
Mann aus Israel. Zweitausend waren mit
Saul in Michmas und auf dem Gebirge von
Bethel und eintausend mit Jonatan zu Gi-
bea in Benjamin. Das übrige Volk aber
entließ er, einen jeden zu seinen Zelten.
3 Da erschlug [a]Jonatan die Wache der Phi-
lister, die in Geba war; und die Philister
hörten davon. Saul aber hatte die Posaune
blasen lassen im ganzen Land und sagen:
Die Hebräer sollen es hören. 4 Und ganz
Israel hörte: Saul hat die Wache der Philis-
ter erschlagen, und Israel hat sich in Verruf
gebracht bei den Philistern. Und das Volk
wurde zusammengerufen, um Saul nach
Gilgal zu folgen.

5 Da sammelten sich die Philister zum
Kampf mit Israel, dreißigtausend Wagen,
sechstausend Gespanne und Volk, so viel
wie Sand am Ufer des Meeres, und zogen
herauf und lagerten sich bei Michmas, öst-
lich von Bet-Awen. 6 Als aber die Männer
Israels sahen, dass sie in Nöten waren,
weil das Volk bedrängt wurde, verkrochen
sie sich in die Höhlen und Klüfte und Fel-
sen und Gewölbe und Gruben. 7 Es gingen
aber auch Hebräer durch die Furten des
Jordans ins Land Gad und Gilead.

Saul aber war noch in Gilgal; und alles
Volk, das ihm folgte, war voll Angst. 8 Da
wartete er [a]sieben Tage bis zu der Zeit,
die von Samuel bestimmt war. Und als
Samuel nicht nach Gilgal kam, zerstreute
sich das Volk und verließ ihn. 9 Da sprach
er: Bringt mir her das Brandopfer und die
Dankopfer. Und er brachte das Brandopfer
dar. 10 Als er aber das Brandopfer vollendet
hatte, siehe, da kam Samuel. Da ging Saul
ihm entgegen, um ihm den Segensgruß
zu entbieten. 11 Samuel aber sprach: Was
hast du getan? Saul antwortete: Ich sah,
dass sich das Volk zerstreute und mich
verließ, und du kamst nicht zur bestimm-
ten Zeit, während doch die Philister sich
schon in Michmas versammelt hatten.
12 Da dachte ich: Nun werden die Philister
zu mir herabkommen nach Gilgal, und ich
habe das Angesicht des HERRN noch nicht
besänftigt; da wagte ich's und opferte das
Brandopfer.

13 Samuel aber sprach zu Saul: Du hast
töricht gehandelt und nicht gehalten das
Gebot des HERRN, deines Gottes, das er
dir geboten hat. Er hätte dein Königtum
bestätigt über Israel für und für. 14 Aber
nun wird dein Königtum nicht bestehen.
[a]Der HERR hat sich einen Mann gesucht
nach seinem Herzen, und der HERR hat
ihn bestellt zum Fürsten über sein Volk;
denn du hast das Gebot des HERRN nicht
gehalten.

15 Und Samuel machte sich auf und ging
von Gilgal hinauf und zog seines Weges.
Die Übrigen vom Volk aber zogen hinter
Saul her dem Kriegsvolk entgegen von
Gilgal hinauf* nach Gibea in Benjamin.
Und Saul musterte das Volk, das bei ihm
war, etwa sechshundert Mann. 16 Und Saul
und sein Sohn Jonatan und das Volk, das
bei ihnen war, blieben in Geba in Benja-
min. Die Philister aber hatten sich gelagert
bei Michmas. 17 Da zogen aus dem Lager
der Philister drei Heerhaufen, das Land
zu verheeren. Einer wandte sich gen Ofra
ins Land Schual; 18 der andere wandte sich
gen Bet-Horon; der dritte wandte sich in
Richtung des Gebietes, das nach dem Tal
Zeboïm der Wüste zu gelegen ist.

19 Es war aber kein [a]Schmied im ganzen
Lande Israel zu finden; denn die Philister
dachten, die Hebräer könnten sich sonst
Schwert und Spieß machen. 20 Und ganz
Israel musste hinabziehen zu den Philis-

* **13,1** Die Altersangabe ist nicht überliefert. **13,15** Der Text wurde nach anderer Überlieferung ergänzt.

12,22 ***b*** 2. Mose 19,6 **12,23** ***a*** 1. Mose 18,23-32; 2. Mose 32,11–34,32 **12,24** ***a*** 5. Mose 6,4-15; Jos 24,14 **13,3** ***a*** Kap 14,49 **13,8** ***a*** Kap 10,8 **13,14** ***a*** Kap 15,28; 16,1; 2. Sam 5,2; Apg 13,22 **13,19** ***a*** Ri 5,8

tern, wenn jemand eine Pflugschar, Hacke,
Beil oder Sense zu schärfen hatte. [21]Das
Schärfen aber geschah für einen Zweidrit-
tel-Schekel Silber bei Pflugscharen, Ha-
cken, Gabeln, Beilen und um den Ochsen-
stachel zu richten. [22]Als nun der Tag des
Kampfes kam, wurde kein Schwert noch
Spieß gefunden in der Hand des ganzen
Volks, das mit Saul und Jonatan war; nur
Saul und sein Sohn Jonatan hatten Waf-
fen. [23]Aber eine Wache der Philister zog
heraus an den engen Weg von Michmas.

JONATANS HELDENTAT

14 Es begab sich eines Tages, dass Jona-
tan, der Sohn Sauls, zu seinem Waf-
fenträger sprach: Komm, lass uns hin-
übergehen zu der Wache der Philister, die
da drüben ist. Aber seinem Vater sagte er
nichts. [2]Saul aber saß am Rande des Ge-
bietes von Gibea unter dem Granatapfel-
baum, der in Migron steht; und das Volk,
das bei ihm war, zählte etwa sechshundert
Mann. [3]Und Ahija, der Sohn [a]Ahitubs, des
Bruders [b]Ikabods, des Sohnes des Pinhas,
des Sohnes Elis, des Priesters des HERRN
zu Silo, trug den [c]Priesterschurz. Das Volk
wusste aber nicht, dass Jonatan wegge-
gangen war.

[4]Es waren aber an dem engen Wege, wo
Jonatan hinüberzugehen suchte zu der
Wache der Philister, zwei Felsklippen,
die eine diesseits, die andere jenseits; die
eine hieß Bozez, die andere Senne. [5]Die
eine Felsklippe stand im Norden gegen-
über Michmas und die andere im Süden
gegenüber Geba. [6]Und Jonatan sprach zu
seinem Waffenträger: Komm, lass uns
hinübergehen zu der Wache dieser Unbe-
schnittenen! Vielleicht wird der HERR et-
was für uns tun, denn [a]**es ist dem HERRN
nicht schwer, durch viel oder wenig zu
helfen.** [7]Da antwortete ihm sein Waffen-
träger: Tu alles, was in deinem Herzen
ist; geh nur hin! Siehe, ich bin mit dir, wie
dein Herz will. [8]Jonatan sprach: Wohlan,
wir gehen zu den Männern hinüber und
zeigen uns ihnen. [9]Werden sie dann zu
uns sagen: Steht still, bis wir zu euch her-
ankommen!, so wollen wir an unserm Ort
stehen bleiben und nicht zu ihnen hinauf-
gehen. [10]Werden sie aber sagen: Kommt
zu uns herauf!, so wollen wir zu ihnen
hinaufsteigen; dann hat sie der HERR in
unsere Hand gegeben. Das soll uns zum
Zeichen sein.

[11]Als sie sich nun beide der Wache der
Philister zeigten, sprachen die Philister:
Siehe, die Hebräer sind aus den Löchern
hervorgekommen, in die sie sich verkro-
chen hatten. [12]Und die Männer der Wa-
che riefen Jonatan und seinem Waffen-
träger zu und sprachen: Kommt herauf zu
uns, so wollen wir's euch schon lehren!
Da sprach Jonatan zu seinem Waffenträ-
ger: Steig mir nach! Der HERR hat sie in
die Hand Israels gegeben. [13]Und Jonatan
kletterte mit Händen und Füßen hinauf
und sein Waffenträger ihm nach. Da fie-
len sie vor Jonatan, und sein Waffenträ-
ger hinter ihm gab ihnen den Todesstoß.
[14]So traf der erste Schlag, den Jonatan und
sein Waffenträger taten, ungefähr zwan-
zig Mann etwa auf einer halben Hufe
Acker, die ein Joch Rinder pflügt. [15]Und
es entstand ein [a]Schrecken im Lager und
auf dem freien Felde und im ganzen Volk;
die Wache und die streifenden Rotten er-
schraken auch; und die Erde erbebte. Und
so geschah ein Gottesschrecken.

[16]Und die Wächter Sauls zu Gibea in
Benjamin sahen, wie das Getümmel hin
und her wogte. [17]Da sprach Saul zu dem
Volk, das bei ihm war: Zählt und seht,
wer von uns weggegangen ist! Und als sie
zählten, siehe, da waren Jonatan und sein
Waffenträger nicht da. [18]Da sprach Saul
zu Ahija: Bringe den [a]Efod* herbei! Denn
er trug den Efod in jener Zeit vor Israel.
[19]Und als Saul noch mit dem Priester re-
dete, wurde das Getümmel im Lager der
Philister immer größer. Und Saul sprach
zum Priester: Lass es sein! [20]Und Saul und
das ganze Volk, das bei ihm war, sammel-
ten sich und kamen zum Kampfplatz. Und
siehe, [a]da ging eines jeden Schwert gegen
den andern, und es war ein sehr großes
Getümmel. [21]Auch die Hebräer, die bis-
her bei den Philistern gewesen und mit ih-
nen ins Feld gezogen waren, gingen über

* **14,18** Siehe Sach- und Worterklärungen. Andere Überlieferung: »die Lade Gottes«.

14,3 ***a*** 2. Sam 8,17 ***b*** Kap 4,19-21 ***c*** 2. Mose 28,6-30
14,6 ***a*** Ri 7,1-8; 2. Chr 14,10 **14,15** ***a*** 1. Mose 35,5
14,18 ***a*** Kap 21,10 **14,20** ***a*** Ri 7,22; 2. Chr 20,23; Sach 14,13

zu denen von Israel, die mit Saul und Jo-
natan waren. 22 Und als alle Männer von
Israel, die sich auf dem Gebirge Ephraim
verkrochen hatten, hörten, dass die Phi-
lister flohen, jagten auch sie hinter ihnen
her im Kampf. 23 So half der HERR Israel
an jenem Tage.

Und der Kampf breitete sich aus bis
Bet-Awen. 24 Und als die Männer Israels
in Bedrängnis kamen an jenem Tage, be-
legte Saul das Volk mit einem Fluch und
schwor: [a]Verflucht sei jedermann, der et-
was isst bis zum Abend, bis ich mich an
meinen Feinden räche! Da aß das ganze
Volk nichts. 25 Und das ganze Volk kam zu
den Honigwaben. Es war aber Honig auf
dem Erdboden. 26 Und als das Volk hinkam
zu den Waben, siehe, da floss der Honig.
Aber niemand nahm davon etwas mit
der Hand in seinen Mund; denn das Volk
fürchtete den Schwur.

27 Jonatan aber hatte nicht gehört, dass
sein Vater das Volk mit einem Schwur be-
legt hatte. Und er streckte seinen Stab aus,
den er in seiner Hand hatte, und tauchte
die Spitze in den Honigseim und führte
seine Hand zum Munde; da strahlten
seine Augen. 28 Da hob einer aus dem Volk
an und sprach: Dein Vater hat das Volk mit
einem Fluch belegt und gesagt: Verflucht
sei jedermann, der heute etwas isst! So ist
das Volk nun matt geworden. 29 Da sprach
Jonatan: Mein Vater bringt das Land ins
Unglück; seht, wie strahlend sind meine
Augen geworden, weil ich ein wenig von
diesem Honig gekostet habe. 30 Hätte doch
das Volk heute gegessen von der Beute sei-
ner Feinde, die es gemacht hat! Wäre dann
die Niederlage der Philister nicht noch
größer geworden? 31 Sie schlugen aber die
Philister an jenem Tage von Michmas bis
nach [a]Ajalon. Und das Volk wurde sehr
matt.

32 Und das Volk fiel über die Beute her,
und sie nahmen Schafe und Rinder und
Kälber und schlachteten sie auf der Erde;
und das Volk [a]aß das Fleisch samt dem
Blut. 33 Da sagte man Saul an: Siehe, das
Volk versündigt sich am HERRN, denn es
isst das Fleisch samt dem Blut. Er sprach:
Ihr habt gefrevelt; wälzt her zu mir noch
heute einen großen Stein. 34 Und Saul
sprach weiter: Zerstreut euch unter das
Volk und sagt ihnen, dass ein jeder sein
Rind und sein Schaf zu mir bringen soll,
und schlachtet's hier und esst, damit ihr
euch nicht an dem HERRN versündigt mit
dem Essen samt dem Blut. Da brachte al-
les Volk, ein jeder, was er hatte, noch in
der Nacht herzu, und sie schlachteten es
dort. 35 Und Saul baute dem HERRN einen
Altar. Das war der erste Altar, den er dem
HERRN baute.

36 Und Saul sprach: Lasst uns noch in der
Nacht hinabziehen den Philistern nach
und sie berauben, bis es lichter Morgen
wird, dass wir niemand von ihnen übrig
lassen. Sie antworteten: Tu alles, was dir
gefällt! Aber der Priester sprach: So lasst
uns erst hierher vor Gott treten. 37 Und
Saul [a]befragte Gott: Soll ich hinabziehen
den Philistern nach? Willst du sie in Isra-
els Hand geben? Aber er antwortete ihm
an jenem Tage nicht. 38 Da sprach Saul:
Tretet heran, alle ihr Obersten des Volks,
und forscht und seht, an wem heute die
Schuld liegt. 39 Denn so wahr der HERR
lebt, der Heiland Israels: [a]Auch wenn sie
bei meinem Sohn Jonatan wäre, so soll er
sterben! Aber niemand aus dem ganzen
Volk antwortete ihm.

40 [a]Und er sprach zu ganz Israel: Tretet
ihr auf die eine Seite, ich und mein Sohn
Jonatan wollen auf die andere Seite tre-
ten. Das Volk sprach zu Saul: Tu, was dir
gefällt. 41 Und Saul sprach zum HERRN:
Gott Israels, warum hast du deinem
Knecht heute nicht geantwortet? [a]Liegt
die Schuld bei mir oder bei meinem Sohn
Jonatan, HERR, Gott Israels, so gib das Los
»Licht«; liegt die Schuld aber an deinem
Volk Israel, so gib das Los »Recht«*. Da fiel
das Los auf Jonatan und Saul, aber das Volk
ging frei aus. 42 Saul sprach: Werft das Los
über mich und meinen Sohn Jonatan! Da
fiel das Los auf Jonatan. 43 Und Saul sprach
zu Jonatan: Sage mir, [a]was hast du getan?
Jonatan sagte es ihm und sprach: Ich habe
ein wenig Honig gekostet mit der Spitze

* **14,41** Der Text wurde nach anderer Überlieferung ergänzt.

14,24 *a* 2. Sam 3,35 **14,31** *a* Jos 10,12
14,32 *a* 3. Mose 3,17; 17,11-12 **14,37** *a* Kap 23,2.9-12
14,39 *a* Ri 11,30-39 **14,40** *a* (40-42) Jos 7,11-15
14,41 *a* Kap 28,6; 2. Mose 28,30; 4. Mose 27,21; 5. Mose 33,8 **14,43** *a* Jos 7,19

des Stabes, den ich in meiner Hand hatte;
siehe, ich bin bereit zu sterben.
44 Da sprach Saul: Gott tue mir dies und
das; Jonatan, du musst des Todes sterben!
45 Aber das Volk sprach zu Saul: Sollte Jo-
natan sterben, der dies große Heil in Israel
vollbracht hat? Das sei ferne! So wahr der
HERR lebt: [a]Es soll kein Haar von seinem
Haupt auf die Erde fallen, denn Gott hat
heute durch ihn geholfen. Und so löste das
Volk Jonatan aus, sodass er nicht sterben
musste. 46 Aber Saul zog herauf von den
Philistern, und die Philister zogen an ih-
ren Ort.

SAULS KRIEGE. SEINE FAMILIE

47 Als Saul die Königsherrschaft über Israel
erlangt hatte, kämpfte er gegen alle seine
Feinde ringsumher: gegen die Moabiter,
die Ammoniter, die Edomiter, gegen die
Könige Zobas und gegen die Philister. Und
wo er sich hinwandte, da gewann er den
Sieg. 48 Und er vollbrachte tapfere Taten
und schlug die Amalekiter und errettete
Israel aus der Hand aller, die es ausplün-
derten. 49 [a]Sauls Söhne waren: Jonatan,
Jischwi, Malkischua. Und seine zwei
Töchter hießen: die erstgeborene Merab
und die jüngere Michal. 50 Und Sauls Frau
hieß Ahinoam und war eine Tochter des
Ahimaaz. Und [a]sein Feldhauptmann hieß
Abner, ein Sohn Ners, der Sauls Oheim
war. 51 [a]Kisch, Sauls Vater, und Ner, Ab-
ners Vater, waren Söhne Abiëls.
52 Es war aber der Krieg gegen die Phi-
lister schwer, solange Saul lebte. Und wo
Saul einen tapferen und rüstigen Mann
sah, den nahm er in seinen Dienst.

SAUL WIRD VERWORFEN

15 Samuel sprach zu Saul: [a]Der HERR
hat mich gesandt, dass ich dich zum
König salben sollte über sein Volk Israel;
so höre nun auf die Worte des HERRN!
2 [a]So spricht der HERR Zebaoth: Ich habe
bedacht, was Amalek Israel angetan und
wie es ihm den Weg verlegt hat, als Israel
aus Ägypten zog. 3 So zieh nun hin und
schlag Amalek. Und vollstreckt den [a]Bann
an allem, was es hat; verschone sie nicht,
sondern töte Mann und Frau, Kinder und
Säuglinge, Rinder und Schafe, Kamele
und Esel.
4 Da bot Saul das Volk auf, und er mus-
terte sie zu Telaim: zweihunderttausend
Mann Fußvolk und zehntausend Mann
aus Juda. 5 Und als Saul zu der Stadt der
Amalekiter kam, legte er einen Hinterhalt
im Bachtal. 6 Und Saul ließ den [a]Kenitern
sagen: Geht, weicht und zieht weg von
den Amalekitern, dass ich euch nicht mit
ihnen aufreibe; denn ihr tatet Barmher-
zigkeit an allen Israeliten, als sie aus Ägyp-
ten zogen. Da zogen die Keniter fort von
den Amalekitern.
7 Da schlug Saul die Amalekiter von Ha-
wila bis nach Schur, das vor Ägypten liegt,
8 und nahm [a]Agag, den König von Ama-
lek, lebendig gefangen, und an allem Volk
vollstreckte er den Bann mit der Schärfe
des Schwerts. 9 Aber Saul und das Volk
verschonten Agag und die besten Schafe
und Rinder und das Mastvieh und die
Lämmer und alles, was von Wert war, und
sie wollten den Bann daran nicht vollstre-
cken; was aber nichts taugte und gering
war, daran vollstreckten sie den Bann.
10 Da geschah des HERRN Wort zu Sa-
muel: 11 Es [a]reut mich, dass ich Saul zum
König gemacht habe; denn er hat sich von
mir abgewandt und meine Befehle nicht
erfüllt. Darüber wurde Samuel zornig und
schrie zu dem HERRN die ganze Nacht.
12 Und Samuel machte sich früh auf, um
Saul am Morgen zu begegnen. Und ihm
wurde angesagt, dass Saul nach [a]Karmel
gekommen wäre und sich ein Siegeszei-
chen aufgerichtet hätte und weitergezo-
gen und nach Gilgal hinabgekommen
wäre.
13 Als nun Samuel zu Saul kam, sprach
Saul zu ihm: Gesegnet seist du vom
HERRN! Ich habe des HERRN Wort er-
füllt. 14 Samuel antwortete: Was ist denn
das für ein Blöken von Schafen in meinen
Ohren und ein Brüllen von Rindern, das
ich höre? 15 Saul sprach: Von den Amalek-
itern hat man sie gebracht; denn das Volk
verschonte die besten Schafe und Rinder,
um sie zu opfern dem HERRN, deinem

14,45 *a* 2. Sam 14,11; Apg 27,34 **14,49** *a* Kap 31,2; 1. Chr 8,33; 9,39 **14,50** *a* Kap 17,55; 2. Sam 2,8; 3,6 **14,51** *a* 1. Chr 9,36.39 **15,1** *a* Kap 10,1 **15,2** *a* (2-3) 2. Mose 17,8-16; 5. Mose 25,17-19 **15,3** *a* 3. Mose 27,29 **15,6** *a* Ri 1,16 **15,8** *a* 4. Mose 24,7 **15,11** *a* 1. Mose 6,6 **15,12** *a* Jos 15,55

Gott; an dem andern haben wir den Bann
vollstreckt. 16 Samuel aber antwortete
Saul: Halt ein, ich will dir sagen, was der
HERR mit mir diese Nacht geredet hat. Er
sprach: Sag an! 17 Samuel sprach: Ist's nicht
so: Auch wenn du vor dir selbst [a]gering
warst, bist du doch das Haupt der Stämme
Israels; denn der HERR hat dich zum Kö-
nig über Israel gesalbt. 18 Und der HERR
sandte dich auf den Weg und sprach: Zieh
hin und vollstrecke den Bann an den Sün-
dern, den Amalekitern, und kämpfe mit
ihnen, bis du sie vertilgt hast! 19 Warum
hast du der Stimme des HERRN nicht ge-
horcht, sondern hast dich an die Beute
gemacht und getan, was dem HERRN
missfiel?

20 Saul antwortete Samuel: Ich habe doch
der Stimme des HERRN gehorcht und bin
den Weg gezogen, den mich der HERR
sandte, und habe Agag, den König von
Amalek, hergebracht und an den Amalek-
itern den Bann vollstreckt. 21 Aber das Volk
hat von der Beute genommen Schafe und
Rinder, das Beste vom Gebannten, um es
dem HERRN, deinem Gott, zu opfern in
Gilgal. 22 Samuel aber sprach: Meinst du,
dass der HERR Gefallen habe am Brand-
opfer und Schlachtopfer gleichwie am Ge-
horsam gegen die Stimme des HERRN?
Siehe, **Gehorsam ist besser als Opfer**
und Aufmerken besser als das Fett von
Widdern.[a] 23 Denn Ungehorsam ist Sünde
wie Zauberei, und Widerstreben ist wie
Abgötterei und Götzendienst. Weil du
des HERRN Wort verworfen hast, [a]hat er
dich auch verworfen, dass du nicht mehr
König seist.

24 Da sprach Saul zu Samuel: [a]Ich habe
gesündigt, dass ich des HERRN Befehl
und deine Worte übertreten habe; denn
ich fürchtete das Volk und gehorchte ih-
rer Stimme. 25 Und nun, vergib mir doch
meine Sünde und kehre mit mir um, dass
ich den HERRN anbete. 26 Samuel sprach
zu Saul: Ich will nicht mit dir umkehren;
denn du hast des HERRN Wort verworfen,
und der HERR hat dich auch verworfen,
dass du nicht mehr König seist über Israel.

27 Und als sich Samuel umwandte, um
wegzugehen, ergriff ihn Saul bei einem
Zipfel seines Rocks; aber der riss ab. 28 Da
sprach Samuel zu ihm: [a]Der HERR hat das
Königtum Israels heute von dir gerissen
und einem andern gegeben, der besser ist
als du. 29 Auch lügt der nicht, der Israels
Ruhm ist, und es gereut ihn nicht; denn
[a]er ist nicht ein Mensch, dass ihn etwas
gereuen könnte. 30 Saul aber sprach: Ich
habe gesündigt; aber ehre mich doch jetzt
vor den Ältesten meines Volks und vor Is-
rael und kehre mit mir um, dass ich den
HERRN, deinen Gott, anbete. 31 Da kehrte
Samuel um und folgte Saul, und Saul be-
tete den HERRN an.

32 Und Samuel sprach: Bringt Agag, den
König von Amalek, zu mir! Und Agag ging
hin zu ihm in Fesseln und sprach: Wahr-
lich, die Bitterkeit des Todes ist gewichen.
33 Samuel aber sprach: Wie dein Schwert
Frauen ihrer Kinder beraubt hat, so soll
auch deine Mutter der Kinder beraubt sein
unter den Frauen. Und Samuel hieb den
Agag in Stücke vor dem HERRN in Gilgal.

34 Und Samuel ging hin nach Rama;
Saul aber zog hinauf in sein Haus zu Gi-
bea Sauls. 35 Und Samuel sah Saul fortan
nicht mehr bis an den Tag seines Todes.
Aber doch trug Samuel Leid um Saul, weil
es den HERRN gereut hatte, dass er Saul
zum König über Israel gemacht hatte.

DAVID WIRD ZUM KÖNIG GESALBT

16 Und der HERR sprach zu Samuel: Wie
lange trägst du Leid um Saul, [a]den ich
verworfen habe, dass er nicht mehr Kö-
nig sei über Israel? Fülle dein Horn mit
Öl und geh hin: Ich will dich senden zu
dem Bethlehemiter Isai; denn unter sei-
nen Söhnen hab ich mir einen zum König
ersehen. 2 Samuel aber sprach: Wie kann
ich hingehen? Saul wird's erfahren und
mich töten. Der HERR sprach: Nimm eine
junge Kuh mit dir und sprich: Ich bin ge-
kommen, dem HERRN zu opfern. 3 Und
du sollst Isai zum Opfer laden. Da will
ich dich wissen lassen, was du tun sollst,
[a]dass du mir den salbst, den ich dir nen-
nen werde.

4 Samuel tat, wie ihm der HERR gesagt

15,17 *a* Kap 9,21 **15,22** *a* Jes 1,11-17; Jer 7,22; Hos 6,6; Am 5,21-22; Mi 6,6-8; Spr 21,3; Pred 4,17; Mt 9,13; 12,7
15,23 *a* Kap 16,1 **15,24** *a* 2. Mose 10,16; Jos 7,20; 2. Sam 12,13 **15,28** *a* Kap 13,14; 28,17
15,29 *a* 4. Mose 23,19 **16,1** *a* Kap 13,14; 15,23.35
16,3 *a* 5. Mose 17,15

hatte, und kam nach [a]Bethlehem. Da entsetzten sich die Ältesten der Stadt und gingen ihm entgegen und sprachen: Bedeutet dein Kommen Friede? 5 Er sprach: Ja, Friede! Ich bin gekommen, dem HERRN zu opfern; heiligt euch und kommt mit mir zum Opfer. Und er heiligte den Isai und seine Söhne und lud sie zum Opfer.

6 Als sie nun kamen, sah er den Eliab an und dachte: Fürwahr, da steht vor dem HERRN sein Gesalbter. 7 Aber der HERR sprach zu Samuel: Sieh nicht an sein Aussehen und seinen hohen Wuchs; ich habe ihn verworfen. Denn es ist nicht so, wie ein Mensch es sieht: **Ein Mensch sieht, was vor Augen ist; [a]der HERR aber sieht das Herz an.** 8 Da rief Isai den Abinadab und ließ ihn an Samuel vorübergehen. Und er sprach: Auch diesen hat der HERR nicht erwählt. 9 Da ließ Isai vorübergehen Schamma. Er aber sprach: Auch diesen hat der HERR nicht erwählt. 10 So ließ Isai [a]seine sieben Söhne an Samuel vorübergehen; aber Samuel sprach zu Isai: Der HERR hat keinen von ihnen erwählt.

11 Und Samuel sprach zu Isai: Sind das die Knaben alle? Er aber sprach: Es ist noch übrig [a]der jüngste; und siehe, [b]er hütet die Schafe. Da sprach Samuel zu Isai: Sende hin und lass ihn holen; denn wir werden uns nicht niedersetzen, bis er hierhergekommen ist. 12 Da sandte er hin und ließ ihn holen. Und er war bräunlich, mit schönen Augen und von guter Gestalt. Und der HERR sprach: Auf, salbe ihn, denn der ist's. 13 Da nahm Samuel sein Ölhorn und [a]salbte ihn mitten unter seinen Brüdern. Und der Geist des HERRN geriet über David von dem Tag an und weiterhin. Samuel aber machte sich auf und ging nach Rama.

DAVID KOMMT AN SAULS HOF

14 Der Geist des HERRN aber wich von Saul, und [a]ein böser Geist vom HERRN verstörte ihn. 15 Da sprachen die Knechte Sauls zu ihm: Siehe, ein böser Geist von Gott verstört dich. 16 Unser Herr befehle nun seinen Knechten, die vor ihm stehen, dass sie einen Mann suchen, der auf der Harfe gut spielen kann, damit, wenn der böse Geist Gottes über dich kommt, er mit seiner Hand darauf spiele, und es besser mit dir werde. 17 Da sprach Saul zu seinen Knechten: Seht nach einem Mann, der des Saitenspiels kundig ist, und bringt ihn zu mir. 18 Da antwortete einer der jungen Männer und sprach: Ich habe gesehen einen Sohn Isais, des Bethlehemiters, der ist des Saitenspiels kundig, ein tapferer Mann und tüchtig zum Kampf, verständig in seinen Reden und schön, und der HERR ist mit ihm.

19 Da sandte Saul Boten zu Isai und ließ ihm sagen: Sende deinen Sohn David zu mir, der bei den Schafen ist. 20 Da nahm Isai einen Esel und Brot und einen Schlauch Wein und ein Ziegenböcklein und sandte es Saul durch seinen Sohn David. 21 So kam David zu Saul und diente ihm. Und Saul gewann ihn sehr lieb, und er wurde sein Waffenträger.

22 Und Saul sandte zu Isai und ließ ihm sagen: Lass David mir dienen, denn er hat Gnade gefunden vor meinen Augen. 23 Wenn nun der Geist Gottes über Saul kam, nahm David die Harfe und spielte darauf mit seiner Hand. So erquickte sich Saul, und es ward besser mit ihm, und der böse Geist wich von ihm.

DAVID UND GOLIAT

17 Die Philister sammelten ihre Heere zum Kampf und kamen zusammen bei Socho in Juda und lagerten sich [a]zwischen Socho und Aseka bei Efes-Dammim. 2 Aber Saul und die Männer Israels kamen zusammen und lagerten sich im Eichgrund und rüsteten sich zum Kampf gegen die Philister. 3 Und die Philister standen auf einem Berge jenseits und die Israeliten auf einem Berge diesseits, sodass das Tal zwischen ihnen war.

4 Da trat aus den Lagern der Philister ein Riese* mit Namen Goliat aus [a]Gat, sechs Ellen und eine Handbreit groß. 5 Der hatte einen ehernen Helm auf seinem Haupt und einen Schuppenpanzer an, und das Gewicht seines Panzers war fünftausend Schekel Erz, 6 und hatte eherne Schienen

* **17,4** Wörtlich: »Vorkämpfer (zwischen den Fronten)«.

16,4 *a* Mi 5,1 **16,7** *a* Jer 17,10; Offb 2,23
16,10 *a* Kap 17,12; 1. Chr 2,13-15 **16,11** *a* Kap 17,14
b 2. Sam 7,8; 2. Mose 3,1; Am 7,15; Ps 78,71-72
16,13 *a* 2. Sam 2,4; 5,3; Ps 89,21 **16,14** *a* Kap 18,10
17,1 *a* Jos 10,10; 15,35 **17,4** *a* Jos 11,22; 2. Sam 21,16.19; 1. Chr 20,5

an seinen Beinen und ein ehernes Sichel-
schwert auf seinen Schultern. 7 Und der
Schaft seines Spießes war wie ein [a]We-
berbaum, und die eiserne Spitze seines
Spießes wog sechshundert Schekel, und
sein Schildträger ging vor ihm her.

8 Und er stellte sich hin und rief den
Schlachtreihen Israels zu: Was seid ihr
ausgezogen, euch zum Kampf zu rüsten?
Bin ich nicht ein Philister und ihr Sauls
Knechte? Erwählt einen unter euch, der
zu mir herabkomme. 9 Vermag er gegen
mich zu kämpfen und erschlägt er mich,
so wollen wir eure Knechte sein; ver-
mag ich aber über ihn zu siegen und er-
schlage ich ihn, so sollt ihr unsere Knechte
sein und uns dienen. 10 Und der Philister
sprach: Ich habe heute den Schlachtreihen
Israels [a]Hohn gesprochen. Gebt mir einen
Mann und lasst uns miteinander kämpfen.

11 Da Saul und ganz Israel diese Rede des
Philisters hörten, entsetzten sie sich und
fürchteten sich sehr.

12 [a]David aber war der Sohn jenes Efrati-
ters aus Bethlehem in Juda, der Isai hieß.
Der hatte acht Söhne und war zu Sauls
Zeiten schon alt und betagt. 13 Aber die
drei ältesten Söhne Isais waren mit Saul in
den Krieg gezogen. Und das sind die Na-
men seiner drei Söhne, die in den Krieg
gezogen waren: Eliab, der erstgeborene,
Abinadab, der zweite, und Schamma,
der dritte. 14 Und David war der jüngste;
die drei ältesten aber waren Saul gefolgt.
15 Und David ging oftmals von Saul nach
Bethlehem, um die Schafe seines Vaters
zu hüten. 16 Aber der Philister kam heraus
frühmorgens und abends und stellte sich
hin, vierzig Tage lang.

17 Isai aber sprach zu seinem Sohn David:
Nimm für deine Brüder diesen Scheffel
geröstete Körner und diese zehn Brote
und bringe sie eilends ins Lager zu deinen
Brüdern; 18 und diese zehn Käse bringe
dem Hauptmann und [a]sieh nach deinen
Brüdern, ob's ihnen gut geht, und bringe
auch ein Unterpfand von ihnen mit.
19 Saul und sie und alle Männer Israels
sind im Eichgrund und kämpfen gegen
die Philister.

20 Da machte sich David früh am Morgen
auf und überließ die Schafe einem Hüter,
lud auf und ging hin, wie ihm Isai gebo-
ten hatte, und kam zur Wagenburg. Das
Heer aber war ausgezogen und hatte sich
aufgestellt zur Schlachtreihe, und sie erho-
ben das Kriegsgeschrei. 21 Und Israel und
die Philister hatten sich aufgestellt, Reihe
gegen Reihe.

22 Da ließ David sein Gepäck, das er
trug, bei der Wache des Trosses und lief
zur Schlachtreihe, kam hin und fragte
seine Brüder, wie es ihnen gehe. 23 Und
als er noch mit ihnen redete, siehe, da
kam herauf der Riese mit Namen Goliat,
der Philister von Gat, aus den Reihen der
Philister und redete dieselben Worte, und
David hörte es. 24 Und wer von Israel den
Mann sah, floh vor ihm und fürchtete sich
sehr. 25 Und die Männer von Israel spra-
chen: Habt ihr den Mann heraufkommen
sehen? Er kommt herauf, Israel Hohn zu
sprechen. Wer ihn erschlägt, den will der
König sehr reich machen und ihm [a]seine
Tochter geben und will seines Vaters Haus
frei machen von Lasten in Israel.

26 Da sprach David zu den Männern,
die bei ihm standen: Was wird man dem
tun, der diesen Philister erschlägt und die
Schande von Israel wendet? Denn wer ist
dieser unbeschnittene Philister, der die
Schlachtreihen des lebendigen Gottes
verhöhnt? 27 Da sagte ihm das Volk wie
vorher: So wird man dem tun, der ihn er-
schlägt. 28 Und als Eliab, sein ältester Bru-
der, ihn reden hörte mit den Männern,
wurde er zornig über David und sprach:
Warum bist du hergekommen? Und
wem hast du die wenigen Schafe dort in
der Wüste überlassen? Ich kenne deine
Vermessenheit wohl und deines Herzens
Bosheit. Du bist nur gekommen, um dem
Kampf zuzusehen. 29 David antwortete:
Was hab ich denn getan? Ich habe doch
nur gefragt! 30 Und er wandte sich von ihm
zu einem andern und sprach, wie er vorher
gesagt hatte. Da antwortete ihm das Volk
wie das erste Mal.

31 Und als sie [a]die Worte hörten, die Da-
vid sagte, brachten sie es vor Saul, und
er ließ ihn holen. 32 Und David sprach zu
Saul: Keiner lasse seinetwegen den Mut
sinken; dein Knecht wird hingehen und

17,7 *a* 1. Chr 11,23 **17,10** *a* 2. Kön 19,16; Ps 74,18; Zef 2,8
17,12 *a* (12-13) Kap 16,1-13 **17,18** *a* 1. Mose 37,14
17,25 *a* Kap 18,7 **17,31** *a* Vers 26

mit diesem Philister kämpfen. 33 Saul aber
sprach zu David: Du kannst nicht hinge-
hen zu diesem Philister, mit ihm zu kämp-
fen; denn du bist ein Knabe, dieser aber ist
ein Kriegsmann von Jugend auf.

34 David aber sprach zu Saul: Dein
Knecht hütete die Schafe seines Vaters;
und kam dann ein Löwe oder ein Bär und
trug ein Schaf weg von der Herde, 35 so
lief ich ihm nach, schlug auf ihn ein und
errettete es aus seinem Maul. Wenn er
aber auf mich losging, ergriff ich ihn bei
seinem Bart und schlug ihn tot. 36 So hat
dein Knecht den Löwen wie den Bären
erschlagen, und diesem unbeschnittenen
Philister soll es ergehen wie einem von
ihnen; denn er hat die Schlachtreihen des
lebendigen Gottes verhöhnt. 37 Und David
sprach: Der HERR, der mich von dem Lö-
wen und Bären errettet hat, der wird mich
auch erretten von diesem Philister. Und
Saul sprach zu David: Geh hin, der HERR
sei mit dir!

38 Und Saul legte David seine Rüstung
an und setzte ihm einen ehernen Helm
auf sein Haupt und legte ihm einen Pan-
zer an. 39 Und David gürtete sein Schwert
über seine Kleider und versuchte zu ge-
hen; aber er war es nicht gewohnt. Da
sprach David zu Saul: Ich kann so nicht
gehen, denn ich bin's nicht gewohnt; und
er legte es ab 40 und nahm seinen Stab in
die Hand und wählte fünf glatte Steine aus
dem Bach und tat sie in die Hirtentasche,
die er hatte, in den Beutel, und nahm die
Schleuder in die Hand und ging dem Phi-
lister entgegen.

41 Der Philister aber kam immer näher
an David heran, und sein Schildträger
ging vor ihm her. 42 Als nun der Philister
aufsah und David anschaute, verachtete
er ihn; denn er war ein Knabe, [a]bräunlich
und schön. 43 Und der Philister sprach zu
David: Bin ich denn ein Hund, dass du mit
Stecken zu mir kommst? Und der Philister
fluchte dem David bei seinem Gott. 44 Und
der Philister sprach zu David: Komm her
zu mir, [a]ich will dein Fleisch den Vögeln
unter dem Himmel geben und den Tieren
auf dem Felde.

45 David aber sprach zu dem Philister:
Du kommst zu mir mit Schwert, Spieß
und Sichelschwert, ich aber komme zu
dir im Namen des HERRN Zebaoth, des
Gottes der Schlachtreihen Israels, die du
verhöhnt hast. 46 Heute wird dich der
HERR mir überantworten, dass ich dich
erschlage und dir den Kopf abhaue und
gebe deinen Leichnam und die Leich-
name des Heeres der Philister heute den
Vögeln unter dem Himmel und dem Wild
auf der Erde, damit alle Welt innewerde,
dass Israel einen Gott hat, 47 und damit
diese ganze Gemeinde innewerde, dass
der HERR nicht durch Schwert oder Spieß
hilft; denn [a]der Krieg ist des HERRN, und
er wird euch in unsere Hand geben.

48 Als sich nun der Philister aufmachte
und daherging und sich David nahte, lief
David eilends von der Schlachtreihe dem
Philister entgegen. 49 Und David tat seine
Hand in die Tasche und nahm einen Stein
daraus und schleuderte ihn und traf den
Philister an der Stirn, dass der Stein in
seine Stirn fuhr und er zur Erde fiel auf
sein Angesicht. 50 So [a]überwand David
den Philister mit Schleuder und Stein und
traf und tötete ihn. David aber hatte kein
Schwert in seiner Hand. 51 Da lief er hin
und trat zu dem Philister und nahm des-
sen Schwert und zog es aus der Scheide
und tötete ihn und hieb ihm den Kopf da-
mit ab. Da aber die Philister sahen, dass ihr
Stärkster tot war, flohen sie.

52 Und die Männer Israels und Judas
machten sich auf, erhoben das Kriegsge-
schrei und jagten den Philistern nach bis
nach Gat und bis an die Tore Ekrons. Und
die Philister blieben erschlagen liegen auf
dem Wege von Schaarajim bis nach Gat
und Ekron. 53 Und die Israeliten kehrten
um von der Verfolgung der Philister und
plünderten ihr Lager. 54 David aber nahm
des Philisters Haupt und brachte es nach
Jerusalem, seine Waffen aber legte er in
sein Zelt.

55 Da Saul aber David dem Philister ent-
gegengehen sah, sprach er zu Abner, sei-
nem Feldhauptmann: Wessen Sohn ist
der Knabe? Abner sprach: Bei deinem
Leben, König: Ich weiß es nicht. 56 Der
König sprach: So frage danach, wessen
Sohn der junge Mann ist. 57 Als nun David

17,42 *a* Kap 16,12 **17,44** *a* 5. Mose 28,26; Jer 19,7
17,47 *a* 2. Mose 15,3; 2. Chr 20,15; Ps 20,8; Sach 4,6
17,50 *a* Ri 3,31

zurückkam vom Sieg über den Philister,
nahm ihn Abner und brachte ihn vor Saul,
und er hatte des Philisters Haupt in seiner
Hand. 58 Und Saul sprach zu ihm: Wes-
sen Sohn bist du, Knabe? David sprach:
Ich bin ein Sohn deines Knechts Isai, des
Bethlehemiters.

DAVID GEWINNT JONATAN ZUM FREUND

18 Als David aufgehört hatte, mit Saul
zu reden, verband sich das Herz Jona-
tans mit dem Herzen Davids, und Jonatan
gewann ihn lieb wie sein eigenes Leben.
2 Und Saul [a]nahm ihn an diesem Tage zu
sich und [b]ließ ihn nicht wieder in seines
Vaters Haus zurückkehren. 3 Und Jona-
tan schloss mit David [a]einen Bund, denn
[b]er hatte ihn lieb wie sein eigenes Leben.
4 Und Jonatan zog seinen Rock aus, den er
anhatte, und gab ihn David, dazu seine
Kleider und sein Schwert, seinen Bogen
und seinen Gürtel.

SAULS EIFERSUCHT AUF DAVID

5 Und David zog aus, und wohin Saul ihn
sandte, hatte er Erfolg. Und Saul setzte ihn
über die Kriegsleute, und er gefiel allem
Volk gut und auch den Knechten Sauls.

6 Es begab sich aber, als David zurück-
kam vom Sieg über die Philister, dass die
[a]Frauen aus allen Städten Israels heraus-
gingen mit Gesang und Reigen dem König
Saul entgegen unter Jauchzen, mit Pauken
und mit Zimbeln. 7 Und die Frauen san-
gen einander zu und tanzten und spra-
chen: [a]Saul hat tausend erschlagen, aber
David zehntausend. 8 Da ergrimmte Saul
sehr, und das Wort missfiel ihm, und er
sprach: Sie haben David zehntausend ge-
geben und mir tausend; ihm wird noch
das Königtum zufallen. 9 Und Saul sah Da-
vid scheel an von dem Tage an und hinfort.

10 Des andern Tags kam der [a]böse Geist
von Gott über Saul, und er geriet in
Raserei im Hause; David aber spielte auf
den Saiten mit seiner Hand, wie er täg-
lich zu tun pflegte. Und Saul hatte einen
Spieß in der Hand 11 und [a]schleuderte
den Spieß und dachte: Ich will David an
die Wand spießen. David aber wich ihm
zweimal aus.

12 Und Saul fürchtete sich vor David;
denn der HERR war mit ihm und war von
Saul gewichen. 13 Da entfernte ihn Saul aus
seiner Nähe und setzte ihn zum Obers-
ten über tausend Mann. Und David zog
aus und ein vor dem Volk. 14 Und David
[a]hatte Erfolg auf allen seinen Wegen, und
der HERR war mit ihm. 15 Da nun Saul sah,
dass David alles so gut gelang, graute ihm
vor David. 16 Aber ganz Israel und Juda
hatte David lieb, denn er zog aus und ein
vor ihnen her.

DAVID GEWINNT SAULS TOCHTER ZUR FRAU

17 Und Saul sprach zu David: Siehe, meine
älteste Tochter [a]Merab will ich dir zur
Frau geben; sei mir nur ein tapferer Mann
und führe des HERRN Kriege. Denn Saul
dachte: Meine Hand soll nicht gegen ihn
sein, sondern die Hand der Philister.
18 David aber antwortete Saul: [a]Wer bin
ich? Und was ist meine Sippe, das Ge-
schlecht meines Vaters, in Israel, dass ich
des Königs Schwiegersohn werden soll?
19 Als aber die Zeit kam, dass Merab, die
Tochter Sauls, David gegeben werden
sollte, wurde sie Adriël von Mehola zur
Frau gegeben.

20 Aber [a]Michal, Sauls Tochter, hatte
David lieb. Als das Saul angesagt wurde,
war es ihm recht. 21 Und Saul sagte sich:
Ich will sie ihm geben, damit sie ihm zum
Fallstrick wird und die Hände der Philis-
ter gegen ihn sind. Und Saul sprach zu
David: Du kannst heute mit der andern
mein Schwiegersohn werden. 22 Und Saul
gebot seinen Knechten: Redet mit David
heimlich und sprecht: Siehe, der König
hat Gefallen an dir, und alle seine Knechte
lieben dich; so werde nun [a]des Königs
Schwiegersohn. 23 Und die Knechte Sauls
sagten diese Worte vor den Ohren Da-
vids. [a]David aber sprach: Dünkt euch
das ein Geringes, des Königs Schwieger-
sohn zu werden? Ich bin doch ein armer,
geringer Mann.

24 Und die Knechte Sauls sagten es ihm

18,2 ***a*** Kap 16,22 ***b*** Kap 17,15 **18,3** ***a*** Kap 23,18; 2. Sam 21,7 ***b*** Kap 19,1; 20,17; 2. Sam 1,26 **18,6** ***a*** 2. Mose 15,20; Ri 11,34 **18,7** ***a*** Kap 21,12; 29,5 **18,10** ***a*** Kap 16,14.23 **18,11** ***a*** Kap 19,10; 20,33 **18,14** ***a*** Vers 5 **18,17** ***a*** Kap 17,25 **18,18** ***a*** Kap 9,21; 2. Sam 7,18 **18,20** ***a*** 2. Sam 6,16.20 **18,22** ***a*** Kap 22,14 **18,23** ***a*** Kap 9,21

weiter und sprachen: Diese Worte hat
David gesagt. 25 Saul sprach: So sagt zu
David: Der König begehrt keinen andern
Brautpreis als hundert Vorhäute von den
Philistern, um an den Feinden des Kö-
nigs Rache zu üben. Denn Saul trach-
tete danach, David umzubringen durch
die Hand der Philister. 26 Da sagten seine
Knechte David diese Worte, und es war
David recht, des Königs Schwiegersohn zu
werden. Die Zeit aber war noch nicht um.
27 Da machte sich David auf und zog hin
mit seinen Männern und erschlug unter
den Philistern zweihundert Mann. Und
David brachte ihre Vorhäute dem König
in voller Zahl, um des Königs Schwieger-
sohn zu werden. Da gab ihm Saul seine
Tochter Michal zur Frau.

28 Als aber Saul sah und merkte, dass der
HERR mit David war und dass seine Toch-
ter Michal ihn lieb hatte, 29 da [a]fürchtete
sich Saul noch mehr vor David und wurde
sein Feind sein Leben lang. 30 Und sooft
die Fürsten der Philister in den Kampf
zogen, richtete David mehr gegen sie aus
als alle Knechte Sauls, wenn sie auszogen,
sodass sein Name hoch gepriesen wurde.

JONATAN RETTET DAVID VOR SAULS NACHSTELLUNGEN

19 Saul aber redete mit seinem Sohn Jo-
natan und mit allen seinen Knechten
davon, dass er David töten wolle. Aber Jo-
natan, Sauls Sohn, [a]hatte David sehr lieb.
2 Und Jonatan sagte es ihm weiter und
sprach: Mein Vater Saul trachtet danach,
dass er dich töte. Nun, so hüte dich mor-
gen früh und bleib verborgen und verste-
cke dich. 3 Ich aber will hinausgehen und
mich neben meinen Vater stellen auf dem
Felde, wo du bist, und über dich mit mei-
nem Vater reden; und was ich erfahre, will
ich dir kundtun.

4 Und Jonatan redete das Beste von Da-
vid mit seinem Vater Saul und sprach zu
ihm: Es versündige sich der König nicht
an seinem Knechte David, denn er hat sich
nicht an dir versündigt, und sein Tun ist
dir sehr nützlich. 5 Er hat sein Leben ge-
wagt und [a]den Philister erschlagen, und
der HERR hat großes Heil für ganz Israel
vollbracht. Das hast du gesehen und dich
darüber gefreut. Warum willst du dich
denn an unschuldigem Blut versündigen,
dass du David ohne Grund tötest? 6 Da
hörte Saul auf die Stimme Jonatans und
schwor: So wahr der HERR lebt: Er soll
nicht sterben! 7 Da rief Jonatan David und
sagte ihm alle diese Worte und brachte ihn
zu Saul; und David diente ihm wie früher.

MICHAL RETTET DAVID

8 Es erhob sich aber wieder ein Kampf, und
David zog aus und kämpfte gegen die Phi-
lister und schlug sie so hart, dass sie vor
ihm flohen. 9 [a]Aber der böse Geist vom
HERRN kam über Saul, und Saul saß in
seinem Hause und hatte seinen Spieß in
der Hand. David aber spielte mit der Hand
auf den Saiten. 10 Und Saul trachtete da-
nach, David mit dem Spieß an die Wand
zu spießen. Er aber wich aus vor Saul, und
der Spieß fuhr in die Wand. David aber
floh und entrann in jener Nacht.

11 Saul sandte aber Boten zu Davids
Haus, [a]ihn zu bewachen und am Mor-
gen zu töten. Doch Michal, Davids Frau,
sagte es ihrem Mann und sprach: Wirst
du nicht diese Nacht dein Leben retten, so
musst du morgen sterben. 12 Da [a]ließ ihn
Michal durchs Fenster hinab, dass er hin-
ging, entfloh und entrann. 13 Dann nahm
Michal den [a]Hausgott und legte ihn aufs
Bett und ein Geflecht von Ziegenhaaren
zu seinen Häupten und deckte ihn mit
einem Kleid zu.

14 Da sandte Saul Boten, David zu holen.
Sie aber sprach: Er ist krank. 15 Saul sandte
abermals Boten, nach David zu sehen, und
sprach: Bringt ihn her zu mir samt dem
Bett, dass er getötet werde! 16 Als nun die
Boten kamen, siehe, da lag der Hausgott
im Bett und das Geflecht von Ziegenhaa-
ren zu seinen Häupten. 17 Da sprach Saul
zu Michal: Warum hast du mich so betro-
gen und meinen Feind entrinnen lassen?
Michal sprach zu Saul: Er sagte zu mir:
Lass mich gehen oder ich töte dich!

DAVID FLIEHT ZU SAMUEL

18 David aber war geflohen und entrann
und kam zu Samuel nach Rama und sagte
ihm alles, was ihm Saul angetan hatte.

18,29 *a* Vers 12 **19,1** *a* Kap 18,3 **19,5** *a* Kap 17,50
19,9 *a* (9-10) Kap 16,14.23; 18,10-11 **19,11** *a* Ps 59,1
19,12 *a* Jos 2,15 **19,13** *a* 1. Mose 31,19

Und er ging mit Samuel, und sie blieben
zu Najot. 19 Und es wurde Saul angesagt:
Siehe, David ist zu Najot in Rama.

20 Da sandte Saul Boten, um David zu
holen. Und sie sahen [a]die Schar der Pro-
pheten in Verzückung und Samuel an ih-
rer Spitze. Da kam der Geist Gottes auf die
Boten Sauls, dass auch sie in Verzückung
gerieten. 21 Als das Saul angesagt wurde,
sandte er andere Boten; die gerieten auch
in Verzückung. Da sandte Saul zum drit-
ten Mal Boten; die gerieten auch in Ver-
zückung. 22 Da ging er selbst nach Rama.
Und als er zum großen Brunnen kam, der
in Sechu ist, fragte er: Wo sind Samuel
und David? Da wurde ihm gesagt: Siehe,
zu Najot in Rama. 23 Und er ging dorthin
nach Najot in Rama. Und der Geist Got-
tes kam auch über ihn, und er ging einher
in Verzückung, bis er nach Najot in Rama
kam. 24 Da zog auch er seine Kleider aus
und war in Verzückung vor Samuel und
fiel hin und lag nackt den ganzen Tag und
die ganze Nacht. Daher sagt man: Ist Saul
auch unter den Propheten?

JONATAN UND DAVID BEKRÄFTIGEN IHRE FREUNDSCHAFT

20 David aber floh von Najot in Rama und
kam und redete vor Jonatan: Was hab
ich getan? Was ist meine Schuld? Was
hab ich gesündigt vor deinem Vater, dass
er mir nach dem Leben trachtet? 2 Er aber
sprach zu ihm: Das sei ferne; du sollst
nicht sterben. Siehe, mein Vater tut nichts,
weder Großes noch Kleines, ohne es mir
kundzutun. Warum sollte denn mein Va-
ter dies vor mir verbergen? Es ist nicht so.
3 Da schwor David sogar und sprach: Dein
Vater weiß sehr wohl, dass ich Gnade vor
deinen Augen gefunden habe; darum
dachte er: Jonatan soll das nicht wissen,
es könnte ihn bekümmern. Wahrlich, so
wahr der HERR lebt und so wahr du lebst:
Es ist nur ein Schritt zwischen mir und
dem Tod!

4 Jonatan sprach zu David: Ich will für
dich tun, was dein Herz begehrt. 5 Da-
vid sprach zu Jonatan: Siehe, morgen ist
Neumond; da sollte ich mit dem König zu
Tisch sitzen; aber lass mich, dass ich mich
auf dem Felde verberge bis zum Abend des
dritten Tages. 6 Wird dein Vater nach mir
fragen, so sprich: David bat mich, dass er
nach Bethlehem, seiner Stadt, eilen dürfe;
denn dort ist das jährliche Opferfest für
das ganze Geschlecht. 7 Wird er sagen:
Es ist recht, so steht es gut um deinen
Knecht; wird er aber ergrimmen, so wirst
du merken, dass Böses bei ihm beschlos-
sen ist. 8 So tu nun Barmherzigkeit an dei-
nem Knecht, denn du hast deinen Knecht
mit dir [a]in den Bund des HERRN treten
lassen. Liegt aber eine Schuld auf mir, so
töte du mich; warum willst du mich zu
deinem Vater bringen? 9 Jonatan sprach:
Das sei ferne von dir, dass ich es dir nicht
sagen sollte, wenn ich weiß, dass bei mei-
nem Vater beschlossen ist, Böses über dich
zu bringen. 10 David aber sprach zu Jona-
tan: Wer wird mir's sagen, wenn dir dein
Vater etwas Hartes antwortet? 11 Jonatan
sprach zu David: Komm, lass uns hinaus
aufs Feld gehen! Und sie gingen beide hin-
aus aufs Feld.

12 Und Jonatan sprach zu David: Bei
dem HERRN, dem Gott Israels: Wenn ich
meinen Vater ausforsche morgen und am
dritten Tage, dass es gut steht mit David,
und wenn ich dann nicht hinsende zu
dir und es dir nicht kundtue, 13 so tue der
HERR dem Jonatan dies und das. Wenn
aber mein Vater Böses gegen dich sinnt,
so will ich es dir kundtun und dich ziehen
lassen, dass du mit Frieden weggehen
kannst. Und der HERR sei mit dir, wie er
mit meinem Vater gewesen ist. 14 Du aber
wollest die Barmherzigkeit des HERRN an
mir tun, solange ich lebe, und wenn ich
sterbe, 15 so nimm deine Barmherzigkeit
niemals fort von meinem Hause; auch
nicht, wenn der HERR die Feinde Da-
vids ausrotten wird, Mann für Mann, aus
dem Lande. 16 So schloss [a]Jonatan einen
Bund mit dem Hause Davids. Der HERR
möge Rache nehmen an den Feinden Da-
vids! 17 Und Jonatan ließ nun auch David
schwören bei seiner Liebe zu ihm; denn
er hatte ihn so lieb wie sein eigenes Leben.

18 Und Jonatan sprach zu ihm: Morgen
ist Neumond; da wird man dich vermis-
sen, wenn dein Platz leer bleibt. 19 Am
dritten Tage aber steig herab und komm

19,20 *a* Kap 10,10-12; 4. Mose 11,25 **20,8** *a* Kap 18,3
20,16 *a* Kap 24,22.23; 2. Sam 9,3; 21,7

an den Ort, wo du dich verborgen hattest
am Tage jener Tat, und setze dich dort ne-
ben den Steinhaufen. 20 So will ich nach
seiner Seite drei Pfeile schießen, als ob
ich auf ein Ziel schösse. 21 Und siehe, ich
will den Knaben hinschicken: Geh, suche
die Pfeile! Werde ich zum Knaben sagen:
Siehe, die Pfeile liegen herwärts von dir,
hole sie!, so komm; denn es steht gut um
dich und hat keine Gefahr, so wahr der
HERR lebt. 22 Sage ich aber zu dem Kna-
ben: Siehe, die Pfeile liegen hinwärts von
dir!, so geh hin; denn der HERR schickt
dich fort. 23 Was aber du und ich mitein-
ander geredet haben: Siehe, dafür steht
der HERR zwischen mir und dir ewiglich.

SAULS ZORN GEGEN JONATAN

24 David verbarg sich auf dem Felde. Und
als der Neumond kam, setzte sich der Kö-
nig zu Tisch, um zu essen. 25 Und der Kö-
nig saß an seinem Platz, wie er gewohnt
war, an der Wand, aber Jonatan stand
auf; und Abner setzte sich an die Seite
Sauls. Davids Platz aber war leer. 26 Und
Saul sagte an diesem Tage nichts; denn er
dachte: Es ist ihm etwas widerfahren, dass
er [a]nicht rein ist; ja, er ist nicht rein.

27 Des andern Tags aber nach dem Neu-
mond, als Davids Platz leer blieb, sprach
Saul zu seinem Sohn Jonatan: Warum
ist der Sohn Isais nicht zu Tisch gekom-
men, weder gestern noch heute? 28 Jona-
tan antwortete Saul: Er bat mich sehr, dass
er nach Bethlehem gehen dürfe, 29 und
sprach: Lass mich hingehen, denn unser
Geschlecht hat zu opfern in der Stadt, und
mein Bruder hat mir's selbst geboten. Hab
ich nun Gnade vor deinen Augen gefun-
den, so will ich hinweg und meine Brüder
sehen. Darum ist er nicht zum Tisch des
Königs gekommen.

30 Da entbrannte der Zorn Sauls über
Jonatan, und er sprach zu ihm: Du Sohn
einer ehrlosen Mutter! Ich weiß sehr
wohl, [a]dass du den Sohn Isais erkoren
hast, dir und der Blöße deiner Mutter zur
Schande! 31 Denn solange der Sohn Isais
lebt auf Erden, wirst du und auch dein
Königtum nicht bestehen. So sende nun
hin und lass ihn herholen zu mir, denn
er ist ein Kind des Todes. 32 Jonatan ant-
wortete seinem Vater Saul und sprach zu
ihm: Warum soll er sterben? Was hat er
getan? 33 Da [a]schleuderte Saul den Spieß
nach ihm, ihn zu durchbohren. Da merkte
Jonatan, dass es bei seinem Vater fest be-
schlossen war, David zu töten. 34 Und Jo-
natan stand vom Tisch auf in grimmigem
Zorn und aß am zweiten Tage nach dem
Neumond nichts; denn er war bekümmert
um David und dass ihm sein Vater solchen
Schimpf antat.

DAVIDS ABSCHIED VON JONATAN

35 Am Morgen ging Jonatan hinaus aufs
Feld, wohin er David bestellt hatte, und
ein Knabe mit ihm. 36 Und er sprach zu
dem Knaben: Lauf und suche mir die
Pfeile, die ich schieße! Und als der Knabe
lief, schoss er einen Pfeil über ihn hin.
37 Und als der Knabe an den Ort kam, wo-
hin Jonatan den Pfeil geschossen hatte,
rief ihm Jonatan nach und sprach: Der
Pfeil liegt hinwärts von dir. 38 Und Jo-
natan rief abermals dem Knaben nach:
Rasch, eile und halte dich nicht auf! Da las
Jonatans Knabe den Pfeil auf und brachte
ihn zu seinem Herrn. 39 Der Knabe aber
merkte nichts; allein Jonatan und David
wussten um die Sache. 40 Da gab Jonatan
seine Waffen dem Knaben, den er bei sich
hatte, und sprach zu ihm: Geh und trage
sie in die Stadt.

41 Und als der Knabe gegangen war, stand
David auf hinter dem Steinhaufen und fiel
auf sein Antlitz zur Erde und beugte sich
dreimal nieder, und sie [a]küssten einan-
der und weinten miteinander, David aber
am allermeisten. 42 Und Jonatan sprach zu
David: Geh hin mit Frieden! Denn wir
beide haben im Namen des HERRN ge-
schworen und gesagt: Der HERR sei Zeuge
zwischen mir und dir, zwischen meinen
Nachkommen und deinen Nachkommen
in Ewigkeit.

21 Und David machte sich auf und ging
seines Weges; Jonatan aber ging in die
Stadt.

DAVID IN NOB

2 Und als David nach [a]Nob kam zum Pries-
ter Ahimelech, entsetzte sich Ahimelech,

20,26 *a* 3. Mose 11,24; 15,16 **20,30** *a* 3. Mose 20,13
20,33 *a* Kap 18,11 **20,41** *a* 1. Mose 33,4; Apg 20,37
21,2 *a* Kap 22,9.19

als er David entgegenging, und sprach zu ihm: Warum kommst du allein und ist kein Mann mit dir? 3 David sprach zu dem Priester Ahimelech: Der König hat mir eine Sache befohlen und sprach zu mir: Niemand darf auch nur das Geringste von der Sache wissen, in der ich dich gesandt habe und die ich dir befohlen habe. Darum hab ich meine Leute an den und den Ort beschieden. 4 Hast du nun etwas bei der Hand, etwa fünf Brote oder was sonst vorhanden ist, das gib mir in meine Hand.

5 Der Priester antwortete David und sprach: Ich habe kein gewöhnliches Brot bei der Hand, sondern nur [a]heiliges Brot; nur müssen die Männer sich [b]der Frauen enthalten haben. 6 David antwortete dem Priester und sprach zu ihm: Frauen waren uns schon etliche Tage verwehrt. Als ich auszog, war der Leib der Leute nicht unrein, obgleich es nur um ein gewöhnliches Vorhaben ging; um wie viel mehr werden sie heute am Leibe rein sein. 7 Da [a]gab ihm der Priester von dem heiligen Brot, weil kein anderes da war als die Schaubrote, die man vor dem HERRN nur hinwegnimmt, um frisches Brot aufzulegen an dem Tage, an dem man das andere wegnimmt.

8 Es war aber am selben Tage ein Mann von den Knechten Sauls dort [a]eingeschlossen vor dem HERRN mit Namen [b]Doëg, ein Edomiter, der Oberste von den Hirten Sauls. 9 Und David sprach zu Ahimelech: Ist nicht hier bei dir ein Spieß oder ein Schwert? Ich habe mein Schwert und meine Waffen nicht mit mir genommen, denn die Sache des Königs war eilig. 10 Der Priester sprach: [a]Das Schwert des Philisters Goliat, den du im Eichgrund erschlagen hast, das ist hier, in einen Mantel gewickelt, hinter dem [b]Efod*. Willst du das, so nimm es, denn es ist kein anderes hier als dies. David sprach: Seinesgleichen gibt es nicht; gib mir's!

DAVID FLIEHT ZU KÖNIG ACHISCH VON GAT

11 Und David machte sich auf und floh an jenem Tage vor Saul und kam zu [a]Achisch, dem König von [b]Gat. 12 Aber die Knechte des Achisch sprachen zu ihm: Ist das nicht David, der König des Landes, von dem sie im Reigen sangen: [a]Saul schlug tausend, David aber zehntausend?

13 Und David nahm sich diese Worte zu Herzen und fürchtete sich sehr vor Achisch, dem König von Gat. 14 Und er [a]stellte sich vor ihnen wahnsinnig und tobte unter ihren Händen und rannte gegen die Pforte des Tores und ließ seinen Speichel in seinen Bart fließen. 15 Da sprach Achisch zu seinen Knechten: Ihr seht ja, dass der Mann wahnsinnig ist; warum bringt ihr ihn zu mir? 16 Hab ich zu wenig Wahnsinnige, dass ihr diesen herbrachtet, bei mir zu toben? Sollte der in mein Haus kommen?

DAVID SAMMELT EINE EIGENE TRUPPE

22 David ging von da hinweg und [a]rettete sich in die Höhle [b]Adullam. Als das seine Brüder hörten und das ganze Haus seines Vaters, kamen sie dorthin zu ihm hinab. 2 Und [a]es sammelten sich bei ihm allerlei Männer, die in Not und Schulden und verbitterten Herzens waren, und er wurde ihr Oberster; und es waren bei ihm etwa vierhundert Mann.

3 Und David ging von dort nach Mizpe ins Land der [a]Moabiter und sprach zum König von Moab: Lass meinen Vater und meine Mutter bei euch bleiben, bis ich erfahre, was Gott mit mir tun wird. 4 Und er brachte sie vor den König von Moab, und sie blieben bei ihm, solange David auf der Bergfeste war. 5 Aber der Prophet [a]Gad sprach zu David: Bleib nicht auf der Bergfeste, sondern geh hin [b]ins Land Juda. Da ging David weg und kam nach Jaar-Heret.

SAUL NIMMT RACHE AN DEN PRIESTERN VON NOB

6 Und es kam vor Saul, dass David und die Männer, die bei ihm waren, von sich reden machten. Und Saul saß zu Gibea unter dem Tamariskenbaum auf der Höhe, den Spieß in der Hand, und alle seine Knechte

* **21,10** Siehe Sach- und Worterklärungen.

21,5 ***a*** 2. Mose 25,30; 3. Mose 24,5-9 ***b*** 2. Mose 19,15
21,7 ***a*** Mt 12,3-4; Mk 2,25-26; Lk 6,3-4
21,8 ***a*** 2. Mose 21,13; 3. Mose 13,4.31 ***b*** Kap 22,9.18
21,10 ***a*** Kap 17,50-51; 22,10 ***b*** 2. Mose 28,6-12; Ri 8,27
21,11 ***a*** Kap 27,2 ***b*** Ps 56,1 **21,12** ***a*** Kap 18,7
21,14 ***a*** Ps 34,1 **22,1** ***a*** Ps 57,1 ***b*** 2. Sam 23,12
22,2 ***a*** Ri 11,3 **22,3** ***a*** 2. Sam 8,2; Rut 1,1
22,5 ***a*** 1. Chr 21,9; 29,29 ***b*** Ps 63,1

standen um ihn. 7 Da sprach Saul zu seinen
Knechten, die um ihn standen: Hört, ihr
Benjaminiter! Wird der Sohn Isais euch
allen auch Äcker und Weinberge geben
und euch alle zu Obersten über Tausend
und über Hundert machen, 8 dass ihr euch
alle verschworen habt gegen mich und nie-
mand da ist, der es mir zu Ohren brächte,
dass [a]mein Sohn sich mit dem Sohn Isais
verbunden hat? Ist niemand unter euch,
der sich um mich grämte und der es mir
zu Ohren brächte, dass mein Sohn meinen
Knecht gegen mich aufgereizt hat, dass er
mir nachstellt, wie es jetzt geschieht? 9 [a]Da
antwortete Doëg, der Edomiter, der unter
den Knechten Sauls stand, und sprach: Ich
sah den Sohn Isais, wie er nach Nob kam
zu Ahimelech, dem Sohn Ahitubs. 10 Der
befragte den HERRN für ihn. Er gab ihm
Wegzehrung, und auch das Schwert des
Philisters Goliat gab er ihm.

11 Da sandte der König hin und ließ rufen
den Priester Ahimelech, den Sohn Ahi-
tubs, und das ganze Haus seines Vaters,
die Priester, die zu Nob waren. Und sie ka-
men alle zum König. 12 Und Saul sprach:
Höre, du Sohn Ahitubs! Er sprach: Hier
bin ich, mein Herr. 13 Und Saul sprach zu
ihm: Warum habt ihr euch verschworen
gegen mich, du und der Sohn Isais, dass
du ihm Brot und ein Schwert gegeben und
Gott für ihn befragt hast, damit er sich ge-
gen mich empöre und mir nachstelle, wie
es jetzt geschieht? 14 Ahimelech antwor-
tete dem König und sprach: Wer ist unter
allen deinen Knechten so treu wie David,
dazu [a]des Königs Schwiegersohn und der
Oberste deiner Leibwache und geehrt in
deinem Hause? 15 Hab ich denn heute erst
angefangen, Gott für ihn zu befragen? Das
sei ferne von mir! Der König lege solches
seinem Knecht nicht zur Last noch meines
Vaters ganzem Hause; denn dein Knecht
hat von alledem nichts gewusst, weder
Kleines noch Großes.

16 Aber der König sprach: Ahimelech,
du musst des Todes sterben, du und dei-
nes Vaters ganzes Haus! 17 Und der König
sprach zu seiner Leibwache, die um ihn
stand: Tretet heran und tötet die Priester
des HERRN; denn ihre Hand ist auch mit
David, und obwohl sie wussten, dass er
auf der Flucht war, haben sie mir's nicht
zu Ohren gebracht! Aber die Knechte
des Königs wollten ihre Hand nicht an
die Priester des HERRN legen, sie zu er-
schlagen. 18 Da sprach der König zu Doëg:
Tritt du heran und erschlage die Priester!
Doëg, der Edomiter, trat heran und er-
schlug die Priester, dass an diesem Tage
starben fünfundachtzig Männer, die den
leinenen Priesterschurz trugen. 19 Auch
[a]Nob, die Stadt der Priester, schlug er mit
der Schärfe des Schwerts, Mann und Frau,
Kinder und Säuglinge, Rinder und Esel
und Schafe, mit der Schärfe des Schwerts.
20 Es entrann aber ein einziger Sohn
Ahimelechs, des Sohnes Ahitubs, der
hieß [a]Abjatar, und floh zu David 21 und
verkündete ihm, dass Saul die Priester
des HERRN getötet habe. 22 David aber
sprach zu Abjatar: Ich wusste es schon an
dem Tage, als der Edomiter [a]Doëg dort
war, dass er's Saul verraten werde. Ich bin
schuldig am Leben aller aus deines Vaters
Haus. 23 Bleibe bei mir und fürchte dich
nicht. Denn wer mir nach dem Leben
trachtet, der trachtet auch dir nach dem
Leben; du bist bei mir in Sicherheit.

DAVID IN KEÏLA

23 Und es wurde David angesagt: Siehe,
die Philister kämpfen gegen [a]Keïla und
berauben die Tennen. 2 Da [a]befragte David
den HERRN und sprach: Soll ich hinzie-
hen und diese Philister schlagen? Und der
HERR sprach zu David: Zieh hin, schlage
die Philister und errette Keïla! 3 Aber die
Männer Davids sprachen zu ihm: Siehe,
wir fürchten uns schon hier in Juda und
wollen nun hinziehen nach Keïla gegen
die Schlachtreihen der Philister? 4 Da be-
fragte David wieder den HERRN, und der
HERR antwortete ihm und sprach: Auf,
zieh hinab nach Keïla, denn ich will die
Philister in deine Hand geben! 5 So zog
David mit seinen Männern nach Keïla und
kämpfte gegen die Philister und trieb ih-
nen ihr Vieh weg und schlug sie hart. So
errettete David die Leute von Keïla.

6 Als aber [a]Abjatar, der Sohn Ahime-

22,8 ***a*** Kap 18,3 **22,9** ***a*** (9-10) Kap 21,1-10; Ps 52,2
22,14 ***a*** Kap 18,22.27; 19,5 **22,19** ***a*** Kap 21,2
22,20 ***a*** Kap 23,6; 2. Sam 15,24-29; 1. Kön 2,26.27; Mk 2,26 **22,22** ***a*** Kap 21,8 **23,1** ***a*** Jos 15,44
23,2 ***a*** Kap 14,37; 30,8; 2. Sam 2,1 **23,6** ***a*** Kap 22,20

lechs, zu David nach Keïla floh, brachte er
den [b]Efod mit sich herab. 7 Da wurde Saul
angesagt, dass David nach Keïla gekom-
men wäre, und Saul dachte: Gott hat ihn
in meine Hand gegeben, denn er ist ein-
geschlossen, nun er in eine Stadt mit To-
ren und Riegeln gekommen ist. 8 Und Saul
ließ das ganze Kriegsvolk aufrufen, zum
Kampf hinabzuziehen nach Keïla, dass sie
David und seine Männer belagerten.

9 Als aber David merkte, dass Saul Bö-
ses gegen ihn im Sinne hatte, sprach er zu
dem Priester Abjatar: [a]Bringe den Efod
her! 10 Und David sprach: HERR, Gott Is-
raels, dein Knecht hat gehört, dass Saul
danach trachtet, nach Keïla zu ziehen,
die Stadt zu verderben um meinetwil-
len. 11 Werden mich die Bürger von Keïla
ihm überantworten? Und wird Saul her-
abkommen, wie dein Knecht gehört hat?
Das verkünde, HERR, Gott Israels, deinem
Knecht! Und der HERR sprach: Er wird
herabkommen. 12 David fragte weiter:
Werden die Bürger von Keïla mich und
meine Männer Saul überantworten? Der
HERR sprach: Ja. 13 Da machte sich David
auf samt seinen Männern, etwa sechs-
hundert, und sie zogen fort von Keïla und
streiften da und dort umher. Als nun Saul
angesagt wurde, dass David aus Keïla ent-
ronnen war, stand er ab von seinem Zuge.

DAVID IN DER WÜSTE SIF

14 David aber blieb in der Wüste auf den
Bergfesten; er blieb im Gebirge in der
Wüste Sif. Und Saul suchte ihn die ganze
Zeit; aber Gott gab ihn nicht in seine
Hand. 15 Und als David sah, dass Saul aus-
gezogen war, um ihm nach dem Leben
zu trachten, blieb er in der Wüste Sif in
Horescha.

16 Da machte sich Jonatan, Sauls Sohn,
auf und ging hin zu David nach Hore-
scha und stärkte sein Vertrauen auf Gott
17 und sprach zu ihm: Fürchte dich nicht!
[a]Sauls, meines Vaters, Hand wird dich
nicht finden, und [b]du wirst König wer-
den über Israel, und ich werde der Zweite
nach dir sein; das weiß auch Saul, mein
Vater. 18 Und sie schlossen beide [a]einen
Bund miteinander vor dem HERRN. Da-
vid blieb in Horescha, aber Jonatan zog
wieder heim.

19 Aber die [a]Sifiter zogen hinauf zu Saul
nach Gibea und sprachen: David hält sich
bei uns verborgen auf den Bergfesten in
Horescha auf dem Hügel Hachila, der
südlich von Jeschimon liegt. 20 Ist's nun,
König, deines Herzens Verlangen hin-
abzukommen, so komm; wir wollen ihn
dem König überantworten. 21 Da sprach
Saul: Gesegnet seid ihr vom HERRN, dass
ihr euch meiner erbarmt habt! 22 So geht
nun und gebt weiter acht, dass ihr wisst
und seht, an welchem Ort sein Fuß weilt
und wer ihn dort gesehen hat; denn man
hat mir gesagt, dass er sehr listig ist. 23 Be-
obachtet und erkundet jeden versteckten
Ort, wo er sich verkriecht, und kommt
wieder zu mir, wenn ihr's gewiss seid, so
will ich mit euch ziehen. Ist er im Lande,
so will ich ihn aufspüren unter allen Tau-
sendschaften Judas.

24 Da machten sie sich auf und gingen vor
Saul her nach [a]Sif. David aber und seine
Männer waren in der Wüste Maon, in der
Steppe südlich von Jeschimon. 25 Als nun
Saul hinzog mit seinen Männern, David
zu suchen, wurde es David angesagt. Und
er ging zu dem Felsen hinab und blieb in
der Wüste Maon. Als das Saul hörte, jagte
er David nach in die Wüste Maon. 26 Und
Saul ging auf der einen Seite eines Berges,
David mit seinen Männern auf der andern
Seite des Berges. Als David aber eilte, Saul
zu entgehen, da umstellte Saul samt sei-
nen Männern David und seine Männer,
um sie zu fangen.

27 Aber es kam ein Bote zu Saul und
sprach: Komm eilends, denn die Philister
sind ins Land eingefallen. 28 Da ließ Saul
davon ab, David nachzujagen, und zog
hin, den Philistern entgegen. Daher nennt
man den Ort Sela-Machlekot*.

DAVID VERSCHONT SAUL IN DER HÖHLE VON EN-GEDI

24 Und David zog von dort hinauf und
blieb in den Bergfesten bei [a]En-Gedi.
2 Als nun Saul zurückkam von der Ver-
folgung der Philister, wurde ihm gesagt:

* **23,28** Der Name bedeutet »Fels der Trennung«.

23,6 ***b*** 2. Mose 28,6-12; Ri 8,27 **23,9** ***a*** Kap 30,7-8
23,17 ***a*** Kap 20,30-31; 22,3 ***b*** Kap 24,21 **23,18** ***a*** Kap 18,3
23,19 ***a*** Kap 26,1; Ps 54,2 **23,24** ***a*** Jos 15,55
24,1 ***a*** Jos 15,62

Siehe, David ist in der Wüste En-Gedi.
3 Und Saul nahm dreitausend auserlesene
Männer aus ganz Israel und zog hin, Da-
vid samt seinen Männern zu suchen bei
den Steinbockfelsen. 4 Und als er kam zu
den Schafhürden am Wege, war dort eine
Höhle, und Saul ging hinein, um seine
Füße zu decken*. [a]David aber und seine
Männer saßen hinten in der Höhle.

5 Da sprachen die Männer Davids zu
ihm: Siehe, das ist der Tag, von dem der
HERR zu dir gesagt hat: Siehe, ich will
deinen Feind in deine Hand geben, dass
du mit ihm tust, was dir gefällt. Und Da-
vid stand auf und schnitt leise einen Zip-
fel vom Rock Sauls. 6 Aber danach [a]schlug
ihm sein Herz, dass er den Zipfel vom
Rock Sauls abgeschnitten hatte, 7 und er
sprach zu seinen Männern: Das lasse der
HERR ferne von mir sein, dass ich das tun
sollte und [a]meine Hand legen an meinen
Herrn, den Gesalbten des HERRN; denn
er ist der Gesalbte des HERRN. 8 Und Da-
vid wies seine Männer mit diesen Wor-
ten von sich und ließ sie sich nicht an Saul
vergreifen.

Als aber Saul sich aufmachte aus der
Höhle und seines Weges ging, 9 machte
sich danach auch David auf und ging aus
der Höhle und rief Saul nach und sprach:
Mein Herr und König! Saul sah sich um.
Und David neigte sein Antlitz zur Erde
und fiel nieder. 10 Und David sprach zu
Saul: Warum hörst du auf das Reden der
Menschen, die da sagen: David sucht dein
Unglück? 11 Siehe, heute haben deine Au-
gen gesehen, dass dich der HERR heute
in meine Hand gegeben hat in der Höhle,
und man hat mir gesagt, dass ich dich tö-
ten sollte. Aber ich habe dich verschont;
denn ich dachte: Ich will meine Hand
nicht an meinen Herrn legen; denn er ist
der Gesalbte des HERRN. 12 Mein Vater,
sieh doch hier den Zipfel deines Rocks in
meiner Hand! Dass ich den Zipfel von dei-
nem Rock schnitt und dich nicht tötete,
daran erkenne und sieh, dass nichts Bö-
ses in meiner Hand ist und kein Vergehen.
Ich habe mich nicht an dir versündigt; aber
du jagst mir nach, um mir das Leben zu
nehmen. 13 Der HERR wird Richter sein
zwischen mir und dir und mich an dir
rächen, aber meine Hand soll nicht ge-
gen dich sein;[a] 14 wie man sagt nach dem
alten Sprichwort: Von Frevlern kommt
Frevel; aber meine Hand soll nicht gegen
dich sein. 15 Wem zieht der König von Is-
rael nach? Wem jagst du nach? Einem to-
ten Hund, einem [a]einzelnen Floh! 16 Der
HERR sei Richter und richte zwischen mir
und dir und sehe darein und führe meine
Sache, dass er mir Recht schaffe und mich
rette aus deiner Hand!

17 Als nun David diese Worte zu Saul
geredet hatte, sprach Saul: [a]Ist das nicht
deine Stimme, mein Sohn David? Und
Saul erhob seine Stimme und weinte
18 und sprach zu David: Du bist gerechter
als ich, du hast mir Gutes erwiesen; ich
aber habe dir Böses erwiesen. 19 Und du
hast mir heute gezeigt, wie du Gutes an
mir getan hast, als mich der HERR in deine
Hand gegeben hatte und du mich doch
nicht getötet hast. 20 Wo ist jemand, der
seinen Feind findet und lässt ihn im Guten
seinen Weg gehen? Der HERR vergelte dir
Gutes für das, was du heute an mir getan
hast! 21 Nun siehe, [a]ich weiß, dass du Kö-
nig werden wirst und das Königtum über
Israel in deiner Hand Bestand haben wird.
22 So schwöre mir nun bei dem HERRN,
dass du mein Geschlecht nach mir nicht
ausrotten und meinen Namen nicht aus-
tilgen wirst aus meines Vaters Hause.[a]
23 Und David schwor es Saul. Da zog Saul
heim. David aber mit seinen Männern zog
hinauf auf die Bergfeste.

SAMUELS TOD

25 Und [a]Samuel starb, und ganz Israel
versammelte sich und hielt ihm die
Totenklage. Und sie begruben ihn in sei-
nem Hause zu Rama.

DAVID UND ABIGAJIL

David aber machte sich auf und zog hinab
in die Wüste Paran.

2 Und es war ein Mann in [a]Maon, der
hatte sein Gut in Karmel, und der Mann
hatte sehr großes Vermögen und besaß

* **24,4** Gemeint ist: seine Notdurft verrichten.

24,4 *a* Ps 142,1 **24,6** *a* 2. Sam 24,10
24,7 *a* 1. Sam 26,9.23; 2. Sam 1,14 **24,13** *a* Röm 12,19; 1. Petr 2,23 **24,15** *a* Kap 26,20 **24,17** *a* Kap 26,17
24,21 *a* Kap 23,17 **24,22** *a* 1. Mose 21,23; 2. Sam 21,7
25,1 *a* Kap 28,3 **25,2** *a* Kap 15,12; Jos 15,55

dreitausend Schafe und tausend Ziegen.
Und es begab sich, dass er eben seine
Schafe schor in Karmel. 3 Der Mann hieß
Nabal, seine Frau aber hieß Abigajil. Und
sie war eine Frau von Verstand und schön
von Angesicht, der Mann aber war hart
und boshaft in seinem Tun und war ein
Kalebiter.

4 Als nun David in der Wüste hörte,
dass Nabal seine Schafe schor, 5 sandte er
zehn Männer aus und sprach zu ihnen:
Geht hinauf nach Karmel, und wenn ihr
zu Nabal kommt, so grüßt ihn freundlich
in meinem Namen 6 und sprecht: Glück
zu! Friede sei mit dir und deinem Hause
und mit allem, was du hast! 7 Ich habe ge-
hört, dass du Schafschur hast. Nun, deine
Hirten sind mit uns zusammen gewesen;
wir haben ihnen nichts zuleide getan und
sie haben nichts vermisst, solange sie in
Karmel gewesen sind. 8 Frage deine Leute
danach, die werden's dir sagen. Und lass
meine Männer Gnade finden vor deinen
Augen, denn wir sind an einem Festtag
gekommen. Gib deinen Knechten und
deinem Sohn David, was du zur Hand
hast.

9 Und als die Männer Davids hinkamen
und in Davids Namen alle diese Worte mit
Nabal redeten und ruhig warteten, 10 da
antwortete Nabal den Knechten Davids:
[a]Wer ist David? Und wer ist der Sohn
Isais? Es gibt jetzt viele Knechte, die ih-
ren Herren davongelaufen sind. 11 [a]Sollte
ich mein Brot und mein Wasser nehmen
und mein Fleisch, das ich für meine Sche-
rer geschlachtet habe, und Leuten geben,
von denen ich nicht weiß, wo sie her sind?
12 Da wandten sich die Männer Davids um
und gingen ihres Weges. Und als sie zu
ihm zurückkamen, sagten sie ihm das al-
les. 13 Da sprach David zu seinen Männern:
Gürte sich ein jeder sein Schwert um! Und
jeder gürtete sich sein Schwert um, und
auch David gürtete sich sein Schwert um,
und etwa vierhundert Mann zogen ihm
nach, aber zweihundert blieben bei dem
Tross.

14 Aber der Abigajil, Nabals Frau, sagte es
einer von den Leuten und sprach: Siehe,
David hat Boten gesandt aus der Wüste,
unsern Herrn zu grüßen, er aber hat sie
angeschrien. 15 Aber die Männer sind uns
doch sehr nützlich gewesen und haben
uns nichts zuleide getan, und wir haben
nichts vermisst, solange wir mit ihnen
umherzogen, wenn wir auf dem Felde wa-
ren, 16 sondern sie sind wie eine Mauer um
uns gewesen Tag und Nacht, solange wir
die Schafe bei ihnen gehütet haben. 17 So
bedenke nun und sieh zu, was du tust;
denn es ist gewiss ein Unheil beschlossen
über unsern Herrn und über sein ganzes
Haus. Er aber ist ein heilloser Mensch,
dem niemand etwas zu sagen wagt.

18 Da eilte Abigajil und nahm zweihun-
dert Brote und zwei Krüge Wein und fünf
zubereitete Schafe und fünf Scheffel Röst-
korn und hundert Rosinenkuchen und
zweihundert Feigenkuchen und lud alles
auf Esel 19 und sprach zu ihren Leuten:
Geht vor mir her; siehe, ich will sogleich
hinter euch herkommen. Und sie sagte
ihrem Mann Nabal nichts davon. 20 Und
als sie auf dem Esel ritt und hinabzog im
Schutz des Berges, siehe, da kamen David
und seine Männer hinab ihr entgegen, so-
dass sie auf sie stieß. 21 David aber hatte ge-
dacht: Nun hab ich alles umsonst behütet,
was der da in der Wüste hat, sodass nichts
vermisst wurde von allem, was er hat; und
er [a]vergilt mir Gutes mit Bösem! 22 Gott
tue mir dies und noch mehr, wenn ich
ihm bis zum lichten Morgen einen Einzi-
gen übrig lasse, der an die Wand pisst, von
allem, was er hat.

23 [a]Als nun Abigajil David sah, stieg sie
eilends vom Esel und fiel vor David nie-
der und beugte sich zur Erde 24 und fiel
ihm zu Füßen und sprach: Ach, mein
Herr, auf mich allein falle die Schuld! Lass
deine Magd reden vor deinen Ohren und
höre die Worte deiner Magd! 25 Mein Herr
achte nicht auf diesen heillosen Mann,
diesen Nabal; denn er ist, wie er heißt. Er
heißt »Narr«, und Narrheit ist bei ihm. Ich
aber, deine Magd, habe die Männer meines
Herrn nicht gesehen, die du gesandt hast.
26 Nun aber, mein Herr, so wahr der HERR
lebt und so wahr du selbst lebst: Der HERR
hat dich davor bewahrt, in Blutschuld zu
geraten und dir mit eigener Hand zu hel-
fen. So sollen deine Feinde und alle, die

25,10 ***a*** Ri 9,28 **25,11** ***a*** Ri 8,6 **25,21** ***a*** Ps 35,12
25,23 ***a*** (23-24) Kap 25,41; Rut 2,10

meinem Herrn übel wollen, wie Nabal
werden! 27 [a]Hier ist die Segensgabe, die
deine Magd meinem Herrn gebracht hat;
das soll den Männern gegeben werden,
die meinem Herrn folgen. 28 Vergib deiner
Magd ihr Vergehen! Der HERR wird mei-
nem Herrn ein [a]beständiges Haus bauen,
denn du führst des HERRN Kriege. Es
möge nichts Böses an dir gefunden wer-
den dein Leben lang. 29 Und wenn sich ein
Mensch erheben wird, dich zu verfolgen
und dir nach dem Leben zu trachten, so
soll das Leben meines Herrn eingebunden
sein im [a]Bündlein der Lebendigen bei dem
HERRN, deinem Gott, aber das Leben dei-
ner Feinde soll er fortschleudern mit der
Schleuder. 30 Wenn dann der HERR mei-
nem Herrn all das Gute tun wird, das er
dir zugesagt hat, und dich zum [a]Fürsten
bestellt hat über Israel, 31 so wird's dem
Herzen meines Herrn nicht ein Anstoß
noch Ärgernis sein, dass du unschuldiges
Blut vergossen und dir selber geholfen ha-
best. Und wenn der HERR meinem Herrn
wohltun wird, so wollest du an deine
Magd denken.

32 Da sprach David zu Abigajil: Gelobt
sei der HERR, der Gott Israels, der dich
heute mir entgegengesandt hat, 33 und ge-
segnet sei deine Klugheit, und gesegnet
seist du, dass du mich heute davon zu-
rückgehalten hast, in Blutschuld zu gera-
ten und mir mit eigener Hand zu helfen.
34 Wahrlich, so wahr der HERR, der Gott
Israels, lebt, der mich davor bewahrt hat,
übel an dir zu tun: Wärest du nicht eilends
mir begegnet, so wäre dem Nabal bis zum
lichten Morgen nicht ein Einziger übrig
geblieben, der an die Wand pisst. 35 Also
nahm David aus ihrer Hand, was sie ihm
gebracht hatte, und sprach zu ihr: Zieh mit
Frieden hinauf in dein Haus; sieh, ich habe
auf deine Stimme gehört und dein Antlitz
erhoben.

36 Als aber Abigajil zu Nabal kam, siehe,
da hatte er ein Mahl zubereitet in seinem
Hause wie eines Königs Mahl, und sein
Herz war guter Dinge, und er war sehr be-
trunken. Sie aber sagte ihm nichts, weder
wenig noch viel, bis an den lichten Mor-
gen. 37 Als es aber Morgen geworden und
die Trunkenheit von Nabal gewichen war,
sagte ihm seine Frau alles. Da erstarb sein
Herz in seinem Leibe, und er ward wie ein
Stein. 38 Und nach zehn Tagen schlug der
HERR den Nabal, dass er starb. 39 Als Da-
vid hörte, dass Nabal tot war, sprach er:
Gelobt sei der HERR, der meine Schmach
gerächt hat an Nabal und seinen Knecht
abgehalten hat von einer bösen Tat! Der
HERR hat dem Nabal seine böse Tat auf
seinen Kopf vergolten.

Und David sandte hin und ließ Abigajil
sagen, dass er sie zur Frau nehmen wolle.
40 Und als die Knechte Davids zu Abigajil
nach Karmel kamen, redeten sie mit ihr
und sprachen: David hat uns zu dir ge-
sandt, dass er dich zur Frau nehme. 41 Sie
stand auf und fiel nieder auf ihr Angesicht
zur Erde und sprach: Siehe, deine Magd
ist bereit, den Knechten meines Herrn zu
dienen und ihre Füße zu waschen. 42 Und
[a]Abigajil machte sich eilends auf und
setzte sich auf einen Esel, und ihre fünf
Mägde gingen hinter ihr her. Und sie zog
den Boten Davids nach und wurde seine
Frau.

43 Auch hatte David Ahinoam von Jes-
reel zur Frau genommen; sie wurden
beide seine Frauen. 44 Saul aber hatte seine
Tochter Michal, Davids Frau, [a]Palti, dem
Sohn des Lajisch aus Gallim, gegeben.

DAVID VERSCHONT SAUL ZUM ZWEITEN MAL

26 Die Sifiter aber kamen zu Saul nach
Gibea und sprachen: David hält sich
verborgen auf dem Hügel Hachila, der
Jeschimon gegenüberliegt.[a] 2 Da machte
sich Saul auf und zog hinab zur Wüste
Sif und mit ihm dreitausend ausgewählte
Männer aus Israel, um David in der Wüste
Sif zu suchen. 3 Und Saul lagerte sich auf
dem Hügel Hachila, der Jeschimon ge-
genüberliegt am Wege. David aber blieb
in der Wüste. Und als er merkte, dass
Saul ihm nachkam in die Wüste, 4 sandte
er Kundschafter aus und erfuhr, dass Saul
gewiss gekommen wäre. 5 Und David
machte sich auf und kam an den Ort, wo
Saul sein Lager hielt, und sah die Stätte,
wo Saul lag mit seinem Feldhauptmann

25,27 *a* 1. Mose 33,11 **25,28** *a* Kap 2,35; 2. Sam 7,11.16
25,29 *a* Ps 69,29 **25,30** *a* 2. Sam 5,2 **25,42** *a* Kap 27,3; 30,5; 2. Sam 2,2; 3,3 **25,44** *a* 2. Sam 3,14-15; Jes 10,30
26,1 *a* Kap 23,19–24,23; Ps 54,2

[a]Abner, dem Sohn Ners. Saul aber lag in
der Wagenburg und das Kriegsvolk um
ihn her.
6 Da hob David an und sprach zu Ahime-
lech, dem Hetiter, und zu Abischai, dem
Sohn der Zeruja, dem Bruder Joabs: Wer
will mit mir hinab zu Saul ins Lager? Abi-
schai sprach: Ich will mit dir hinab. 7 So
kam David mit Abischai des Nachts zum
Lager. Und siehe, Saul lag und schlief in
der Wagenburg, und sein [a]Spieß steckte
in der Erde zu seinen Häupten. Abner aber
und das Volk lagen um ihn her.
8 Da sprach Abischai zu David: [a]Gott hat
deinen Feind heute in deine Hand gege-
ben; [b]so will ich ihn nun mit dem Spieß
stechen, in die Erde mit einem Mal, dass es
keines zweiten mehr bedarf. 9 David aber
sprach zu Abischai: Bring ihn nicht um;
denn wer könnte [a]die Hand an den Ge-
salbten des HERRN legen und ungestraft
bleiben? 10 Weiter sprach David: So wahr
der HERR lebt: [a]Der HERR wird ihn schla-
gen, oder es kommt sein Tag, dass er sterbe
oder in den Krieg ziehe und umkomme.
11 Von mir lasse der HERR fern sein, dass
ich meine Hand sollte an den Gesalbten
des HERRN legen. Nimm nun den Spieß
zu seinen Häupten und den Wasserkrug
und lass uns gehen. 12 So nahm David den
Spieß und den Wasserkrug zu Häupten
Sauls, und sie gingen weg, und es war
niemand, der es sah oder merkte oder der
erwachte, sondern sie schliefen alle; denn
es war ein [a]tiefer Schlaf vom HERRN auf
sie gefallen.
13 Als nun David auf die andere Seite
hinübergekommen war, stellte er sich auf
den Gipfel des Berges von ferne, sodass
ein weiter Raum zwischen ihnen war.
14 Und David schrie zum Kriegsvolk und
zu Abner, dem Sohn Ners, und sprach:
Antwortest du nicht, Abner? Und Ab-
ner antwortete: Wer bist du, dass du so
schreist zum König hin? 15 Und David
sprach zu Abner: Bist du nicht ein Mann?
Und wer ist dir gleich in Israel? Warum
hast du denn deinen Herrn, den König,
nicht bewacht? Denn es ist einer vom Volk
hineingekommen, deinen Herrn, den Kö-
nig, umzubringen. 16 Das war nicht recht,
was du getan hast. So wahr der HERR lebt:
Ihr seid Kinder des Todes, weil ihr euren
Herrn, den Gesalbten des HERRN, nicht
bewacht habt! Nun sieh doch nach, wo der
Spieß des Königs ist und der Wasserkrug,
der zu seinen Häupten war.
17 Da erkannte Saul die Stimme Davids
und sprach: [a]Ist das nicht deine Stimme,
mein Sohn David? David sprach: Es ist
meine Stimme, mein Herr und König.
18 Und sprach weiter: Warum verfolgt
denn mein Herr seinen Knecht? Was
habe ich getan? Und was ist Böses in mei-
ner Hand? 19 So höre doch nun mein Herr,
der König, die Worte seines Knechts:
Reizt dich der HERR gegen mich, so lasse
man ihn [a]ein Speisopfer riechen; tun's
aber Menschen, so seien sie verflucht vor
dem HERRN, weil sie mich heute versto-
ßen und nicht an dem [b]Erbteil des HERRN
teilhaben lassen und sprechen: Geh hin,
diene andern Göttern! 20 So fließe nun
mein Blut nicht auf die Erde fern vom An-
gesicht des HERRN! Denn der König von
Israel ist ja ausgezogen, zu suchen einen
einzelnen Floh, wie man ein Rebhuhn jagt
auf den Bergen.
21 Und Saul sprach: [a]Ich habe gesün-
digt; komm wieder, mein Sohn David,
ich will dir hinfort nichts Böses mehr
tun, weil mein Leben heute teuer gewe-
sen ist in deinen Augen. Siehe, ich habe
töricht und sehr falsch gehandelt. 22 Da-
vid antwortete und sprach: Siehe, hier
ist der Spieß des Königs; es komme einer
von den Männern herüber und hole ihn.
23 Der HERR aber wird einem jeden seine
Gerechtigkeit und Treue vergelten. Denn
der HERR hat dich heute in meine Hand
gegeben, ich aber wollte meine Hand
nicht an den Gesalbten des HERRN legen.
24 Und siehe, wie heute dein Leben in mei-
nen Augen wert geachtet war, so werde
mein Leben wert geachtet in den Augen
des HERRN, [a]und er errette mich aus al-
ler Not! 25 Saul sprach zu David: Geseg-
net seist du, mein Sohn David; du wirst's
ausführen und vollenden. Und David zog
seine Straße; Saul aber kehrte zurück an
seinen Ort.

26,5 ***a*** Kap 14,50 **26,7** ***a*** Kap 19,9; 20,33 **26,8** ***a*** Kap 24,5 ***b*** 2. Sam 16,9 **26,9** ***a*** Kap 24,7 **26,10** ***a*** Kap 24,13 **26,12** ***a*** 1. Mose 2,21; 15,12 **26,17** ***a*** Kap 24,17 **26,19** ***a*** 1. Mose 8,21 ***b*** 5. Mose 32,9 **26,21** ***a*** Kap 15,24; 2. Sam 12,13 **26,24** ***a*** 2. Sam 4,9; 1. Kön 1,29

DAVID BEI DEN PHILISTERN

27 David aber dachte in seinem Herzen: [a]Ich werde doch eines Tages Saul in die Hände fallen; es gibt nichts Besseres für mich, als dass ich entrinne ins Philisterland. Dann wird Saul davon ablassen, mich fernerhin zu suchen im ganzen Gebiet Israels, und ich werde seiner Hand entrinnen. 2 Und David machte sich auf und zog hin mit den sechshundert Mann, die bei ihm waren, zu [a]Achisch, dem Sohn Maochs, dem König von Gat. 3 Und David blieb bei Achisch in Gat mit seinen Männern, ein jeder mit seinem Hause; David auch mit seinen [a]beiden Frauen, Ahinoam, der Jesreeliterin, und Abigajil, Nabals Frau, der Karmeliterin. 4 Und als Saul angesagt wurde, dass David nach Gat geflohen wäre, suchte er ihn nicht mehr.

5 Und David sprach zu Achisch: Habe ich Gnade vor deinen Augen gefunden, so mag man mir einen Wohnort geben in einer der Städte auf dem Lande, dass ich darin wohne; warum soll dein Knecht in der Königsstadt bei dir wohnen? 6 Da gab ihm Achisch an diesem Tage [a]Ziklag. Daher gehört Ziklag den Königen von Juda bis auf diesen Tag. 7 Die Zeit aber, die David im Philisterlande wohnte, war ein Jahr und vier Monate.

8 David zog hinauf mit seinen Männern und fiel ins Land der Geschuriter und Geseriter und Amalekiter ein; denn diese waren von alters her die Bewohner des Landes bis hin nach Schur und Ägyptenland. 9 Und sooft David in das Land einfiel, [a]ließ er weder Mann noch Frau leben und nahm mit Schafe, Rinder, Esel, Kamele und Kleider und kehrte wieder zurück. Kam er dann zu Achisch 10 und Achisch sprach: Wo seid ihr heute eingefallen?, so sprach David: In das Südland Judas, oder: In das Südland der Jerachmeeliter, oder: In das Südland der Keniter. 11 David aber ließ weder Mann noch Frau lebend nach Gat kommen; denn er dachte: Sie könnten uns verraten: So hat David getan! Und das war seine Art, solange er im Philisterland wohnte. 12 Und Achisch glaubte David; denn er dachte: Er hat sich stinkend gemacht bei seinem Volk Israel; darum wird er für immer mein Knecht sein.

28 Und es begab sich zu der Zeit, dass die Philister ihr Heer sammelten, um in den Kampf zu ziehen gegen Israel. Und Achisch sprach zu David: Du sollst wissen, dass du und deine Männer mit mir ausziehen sollen im Heer. 2 David sprach zu Achisch: Wohlan, du sollst erfahren, was dein Knecht tun wird. Achisch sprach zu David: So will ich dich zu meinem Leibwächter einsetzen für die ganze Zeit.

SAUL BEI DER TOTENBESCHWÖRERIN IN EN-DOR

3 [a]Samuel aber war gestorben, und ganz Israel hatte ihm die Totenklage gehalten und ihn begraben in seiner Stadt Rama. Und [b]Saul hatte die Totenbeschwörer und Wahrsager aus dem Lande vertrieben.

4 Als nun die Philister sich versammelten und herankamen und sich lagerten bei Schunem, versammelte Saul auch ganz Israel, und sie lagerten sich auf dem Gebirge [a]Gilboa. 5 Als aber Saul das Heer der Philister sah, fürchtete er sich, und sein Herz verzagte sehr. 6 Und er befragte den HERRN; aber der HERR antwortete ihm nicht, weder durch Träume noch durch das [a]Los »Licht« noch durch Propheten. 7 Da sprach Saul zu seinen Knechten: Sucht mir eine Frau, die [a]Tote beschwören kann, dass ich zu ihr gehe und sie befrage. Seine Männer sprachen zu ihm: Siehe, in En-Dor ist eine Frau, die kann Tote beschwören. 8 Und Saul machte sich unkenntlich und zog andere Kleider an und ging hin und zwei Männer mit ihm, und sie kamen bei Nacht zu der Frau.

Und Saul sprach: [a]Wahrsage mir doch durch einen Totengeist, und hole mir herauf, wen ich dir nenne. 9 Die Frau sprach zu ihm: Siehe, du weißt doch, was Saul getan hat, dass er die Totenbeschwörer und Wahrsager ausgerottet hat im Lande; warum willst du mir denn eine Falle stellen, dass ich getötet werde? 10 Saul aber schwor ihr bei dem HERRN und sprach: So wahr der HERR lebt: Es soll dich in dieser Sache keine Schuld treffen.

27,1 *a* Kap 23,23 **27,2** *a* Kap 21,11-16; 1. Kön 2,39
27,3 *a* Kap 25,40-43 **27,6** *a* Kap 30,1; Jos 15,31; 1. Chr 12,1
27,9 *a* Kap 15,3; Jos 6,21 **28,3** *a* Kap 25,1 *b* 2. Mose 22,17
28,4 *a* Kap 31,1-13 **28,6** *a* Kap 14,41; 2. Mose 28,30
28,7 *a* 3. Mose 19,31; Jes 8,19.20 **28,8** *a* 1. Chr 10,13

11 Da sprach die Frau: Wen soll ich dir
denn heraufholen? Er sprach: Hol mir
Samuel herauf! 12 Als nun die Frau Sa-
muel sah, schrie sie laut und sprach zu
Saul: Warum hast du mich betrogen? Du
bist Saul. 13 Und der König sprach zu ihr:
Fürchte dich nicht! Was siehst du? Die
Frau sprach zu Saul: Ich sehe einen Gott
heraufsteigen aus der Erde. 14 Er sprach:
Wie sieht er aus? Sie sprach: Es kommt
ein alter Mann herauf und ist bekleidet
mit einem [a]Priesterrock. Da erkannte
Saul, dass es Samuel war, und neigte
sich mit seinem Antlitz zur Erde und fiel
nieder.

15 Samuel aber sprach zu Saul: Warum
hast du meine Ruhe gestört, dass du mich
heraufsteigen lässt? Saul sprach: Ich bin in
großer Bedrängnis, die Philister kämpfen
gegen mich, und Gott ist von mir gewi-
chen und antwortet mir nicht mehr, we-
der durch Propheten noch durch Träume;
darum hab ich dich rufen lassen, dass du
mir kundtust, was ich tun soll. 16 Samuel
sprach: Warum willst du mich befragen,
da doch der HERR von dir gewichen und
dein Feind geworden ist? 17 Der HERR
hat getan, wie er durch mich geredet
hat, und hat [a]das Königtum aus deiner
Hand gerissen und einem andern gege-
ben, dem David. 18 Weil du der Stimme
des HERRN nicht gehorcht und seinen
grimmigen Zorn nicht an [a]Amalek voll-
streckt hast, darum hat der HERR dir dies
jetzt getan. 19 Dazu wird der HERR mit dir
auch Israel in die Hand der Philister ge-
ben. [a]Morgen wirst du mit deinen Söh-
nen bei mir sein. Auch wird der HERR
das Heer Israels in die Hand der Philister
geben.

20 Da stürzte Saul zur Erde, so lang er
war, und geriet in große Furcht über die
Worte Samuels. Auch war keine Kraft
mehr in ihm; denn er hatte nichts geges-
sen den ganzen Tag und die ganze Nacht.
21 Und die Frau trat zu Saul und sah, dass
er sehr erschrocken war, und sprach zu
ihm: Siehe, deine Magd hat deiner Stimme
gehorcht, und ich habe mein Leben aufs
Spiel gesetzt, als ich die Worte hörte, die
du zu mir gesagt hast. 22 So gehorche nun
auch du der Stimme deiner Magd! Ich will
dir einen Bissen Brot vorsetzen, dass du
isst und zu Kräften kommst und deine
Straße gehen kannst. 23 Er aber weigerte
sich und sprach: Ich will nicht essen. Da
nötigten ihn seine Männer und die Frau,
bis er auf ihre Stimme hörte. Und er stand
auf von der Erde und setzte sich aufs Bett.
24 Die Frau aber hatte im Haus ein gemäs-
tetes Kalb; das schlachtete sie eilends und
nahm Mehl und knetete es und backte
[a]ungesäuertes Brot 25 und setzte es Saul
und seinen Männern vor. Und als sie ge-
gessen hatten, standen sie auf und gingen
fort noch in der Nacht.

DAVID WIRD VON DEN PHILISTERN ZURÜCKGESCHICKT

29 Die Philister aber versammelten alle
ihre Heere bei [a]Afek, und Israel lagerte
sich an der Quelle in [b]Jesreel. 2 Und die
[a]Fürsten der Philister zogen daher mit ih-
ren Hundertschaften und Tausendschaf-
ten. David aber und seine Männer zogen
hinterher mit Achisch.

3 Da sprachen die Obersten der Philister:
Was sollen diese Hebräer? Achisch sprach
zu ihnen: Das ist David, der Knecht Sauls,
des Königs von Israel, [a]der nun bei mir ge-
wesen ist Jahr und Tag; ich habe nichts an
ihm gefunden seit der Zeit, da er abgefal-
len ist, bis heute. 4 Aber die Obersten der
Philister wurden zornig auf ihn und spra-
chen zu ihm: Schick den Mann zurück! Er
soll zurückkehren an den Ort, den du ihm
zugewiesen hast, damit er nicht mit uns in
den Kampf ziehe und unser Widersacher
werde im Kampf. Denn womit könnte er
seinem Herrn einen größeren Gefallen
tun als mit den Köpfen unserer Männer?
5 Ist das nicht David, von dem sie singen
im Reigen: [a]Saul hat tausend geschlagen,
David aber zehntausend?

6 Da rief Achisch David und sprach zu
ihm: So wahr der HERR lebt: Ich halte dich
für redlich, und dass du mit mir aus- und
einzögest im Heer, gefiele mir gut, denn
ich habe nichts Arges an dir gespürt seit
der Zeit, da du zu mir gekommen bist, bis
heute; aber du gefällst den Fürsten nicht.

28,14 *a* Kap 2,19; 15,27 **28,17** *a* Kap 15,28
28,18 *a* Kap 15,18-19; 2. Mose 17,14.16 **28,19** *a* Kap 31,6
28,24 *a* 2. Mose 12,39 **29,1** *a* Kap 4,1; Jos 15,53
b Jos 15,56 **29,2** *a* Jos 13,3 **29,3** *a* Kap 27,7
29,5 *a* Kap 18,7; 21,12

7 So kehre nun um und zieh hin mit Frie-
den, damit du nicht tust, was den Fürsten
der Philister missfällt. 8 David aber sprach
zu Achisch: Was habe ich getan, und was
hast du gespürt an deinem Knecht seit der
Zeit, da ich dir gedient habe, bis heute,
dass ich nicht mitkommen darf und kämp-
fen gegen die Feinde meines Herrn, des
Königs? 9 Achisch antwortete und sprach
zu David: Ich weiß es wohl, denn [a]du bist
mir lieb wie ein Engel Gottes. Aber die
Obersten der Philister haben gesagt: Lass
ihn nicht mit uns hinauf in den Kampf zie-
hen! 10 So mach dich nun früh am Morgen
auf mit den Knechten deines Herrn, die
mit dir gekommen sind; macht euch früh
am Morgen auf und zieht weg, sobald es
tagt.
11 Da machten sich David und seine
Männer früh auf, um am Morgen wegzu-
ziehen und ins Philisterland zurückzukeh-
ren. Die Philister aber zogen hinauf nach
Jesreel.

DAVIDS SIEG ÜBER DIE AMALEKITER

30 Als nun David mit seinen Männern
am dritten Tage nach [a]Ziklag kam,
waren die Amalekiter eingefallen ins
Südland und in Ziklag und hatten Ziklag
eingenommen und mit Feuer verbrannt
2 und hatten die Frauen und alles, was in
der Stadt war, Klein und Groß, gefangen
genommen. Sie hatten aber niemand ge-
tötet, sondern sie weggeführt und waren
ihres Weges gezogen. 3 Als nun David mit
seinen Männern zur Stadt kam und sah,
dass sie mit Feuer verbrannt war und ihre
Frauen, Söhne und Töchter gefangen wa-
ren, 4 erhoben David und das Volk, das bei
ihm war, ihre Stimme und weinten, bis
sie nicht mehr weinen konnten. 5 Auch
die [a]beiden Frauen Davids waren gefan-
gen genommen worden: Ahinoam, die
Jesreeliterin, und Abigajil, die Frau Na-
bals, des Karmeliters. 6 Und David geriet
in große Bedrängnis, weil das Volk ihn
steinigen wollte; denn die Seele des gan-
zen Volks war erbittert, ein jeder wegen
seiner Söhne und Töchter.
David aber stärkte sich in dem HERRN,
seinem Gott, 7 und sprach zu dem Priester
Abjatar, dem Sohn Ahimelechs: [a]Bringe
mir den Efod her! Und als Abjatar den
Efod zu David gebracht hatte, 8 befragte
David den HERRN und sprach: Soll ich
dieser Schar nachjagen und werde ich sie
einholen? Er sprach: Jage ihr nach! Du
wirst sie einholen und retten. 9 Da zog Da-
vid hin mit den sechshundert Mann, die
bei ihm waren. Und als sie an den Bach Be-
sor kamen, blieben etliche zurück. 10 Da-
vid aber und vierhundert Mann jagten der
Schar nach; die zweihundert Mann aber,
die zurückblieben, waren zu müde, um
über den Bach Besor zu gehen.
11 Und sie fanden einen Ägypter auf dem
Felde; den führten sie zu David und gaben
ihm Brot zu essen und Wasser zu trinken
12 und gaben ihm ein Stück Feigenkuchen
und zwei Rosinenkuchen. Und als er ge-
gessen hatte, kam sein Geist wieder zu
ihm; denn er hatte in drei Tagen und drei
Nächten nichts gegessen und kein Was-
ser getrunken. 13 David sprach zu ihm: Zu
wem gehörst du? Und woher bist du? Er
sprach: Ich bin ein junger Ägypter, eines
Amalekiters Knecht, und mein Herr hat
mich zurückgelassen; denn ich wurde vor
drei Tagen krank. 14 Wir sind eingefallen in
das Südland der [a]Kreter und in Juda und in
das Südland [b]Kalebs und haben Ziklag mit
Feuer verbrannt.
15 David sprach zu ihm: Willst du mich
hinführen zu dieser Schar? Er sprach:
Schwöre mir bei Gott, dass du mich nicht
tötest noch meinem Herrn überantwor-
test, so will ich dich hinführen zu dieser
Schar. 16 Und er führte ihn hinab. Und
siehe, sie hatten sich ausgebreitet über das
ganze Land, aßen und tranken und feier-
ten ein Fest wegen all der großen Beute,
die sie mitgenommen hatten aus dem Phi-
listerland und aus Juda.
17 Und David schlug sie vom Morgen bis
zum Abend des nächsten Tages, dass kei-
ner von ihnen entrann außer vierhundert
jungen Männern; die stiegen auf die Ka-
mele und flohen. 18 So rettete David alles,
was die Amalekiter genommen hatten;
auch seine beiden Frauen rettete er. 19 Und
es fehlte nichts, weder Klein noch Groß,
weder Söhne noch Töchter noch Beute
noch alles, was sie sich genommen hat-

29,9 *a* 2. Sam 14,17.20; 19,28; Gal 4,14 **30,1** *a* Kap 27,6; 2. Sam 1,1 **30,5** *a* Kap 25,42-43 **30,7** *a* Kap 23,9; 2. Mose 28,6-12 **30,14** *a* 2. Sam 8,18; 15,18 *b* Jos 14,13

ten; David brachte es alles zurück. 20 Und
David nahm alle Schafe und Rinder, und
sie trieben sie vor der Herde her und spra-
chen: Das ist Davids Beute.
21 Und als David zu den zweihundert
Männern kam, die zu müde gewesen wa-
ren, um David zu folgen, und die man am
Bach Besor gelassen hatte, gingen sie Da-
vid entgegen und dem Volk, das mit ihm
war. Und David trat zu ihnen und grüßte
sie freundlich. 22 Da sprachen alle bösen
und heillosen Leute unter den Männern,
die mit David gezogen waren: Weil sie
nicht mit uns gezogen sind, soll man ih-
nen nichts geben von der Beute, die wir
gerettet haben; sondern jeder nehme nur
seine Frau und seine Kinder mit sich und
gehe seines Weges.
23 Da sprach David: [a]Ihr sollt nicht so
tun, meine Brüder, mit dem, was uns der
HERR gegeben hat; er hat uns behütet und
diese Schar, die über uns gekommen war,
in unsere Hand gegeben. 24 Wer sollte in
dieser Sache auf euch hören? [a]Wie der An-
teil derjenigen, die in den Kampf gezogen
sind, so soll auch der Anteil derjenigen
sein, die beim Tross geblieben sind; sie
sollen miteinander teilen. 25 Und so blieb
es weiterhin von diesem Tag an; und er
machte es zu Satzung und Recht für Israel
bis auf diesen Tag.
26 Und als David nach Ziklag kam, sandte
er von der Beute den Ältesten in Juda, sei-
nen Freunden, und ließ sagen: Da habt ihr
eine Segensgabe aus der Beute der Feinde
des HERRN, – 27 nämlich denen zu Bethel,
denen zu Ramot im Südland, denen zu
Jattir, 28 denen zu Aroër, denen zu Sifmot,
denen zu Eschtemoa, 29 denen zu Karmel,
denen in den Städten der Jerachmeeliter,
denen in den Städten der Keniter, 30 denen
zu Horma, denen zu Bor-Aschan, denen
zu Atach, 31 denen zu Hebron und allen
Orten, wo David mit seinen Männern aus
und ein gegangen war.

DAS ENDE SAULS UND SEINER SÖHNE

(vgl. 1. Chr 10,1-12)

31 Die Philister aber kämpften gegen
Israel, und die Männer Israels flohen
vor den Philistern und blieben erschlagen
liegen auf dem Gebirge Gilboa. 2 Und die
Philister verfolgten Saul und seine Söhne
und erschlugen [a]Jonatan und Abinadab
und Malkischua, die Söhne Sauls. 3 Und
der Kampf tobte heftig um Saul, und die
Bogenschützen fanden ihn, und er wurde
schwer verwundet von den Schützen.
4 Da sprach Saul zu seinem Waffenträ-
ger: [a]Zieh dein Schwert und erstich mich
damit, dass nicht diese Unbeschnittenen
kommen und mich erstechen und trei-
ben ihren Spott mit mir. [b]Aber sein Waf-
fenträger wollte nicht, denn er fürchtete
sich sehr. Da nahm Saul das Schwert und
stürzte sich hinein. 5 Als nun sein Waffen-
träger sah, dass Saul tot war, stürzte auch
er sich in sein Schwert und starb mit ihm.
6 So starben Saul und seine drei Söhne und
sein Waffenträger und alle seine Män-
ner miteinander an diesem Tage. 7 Als
aber die Männer Israels, die jenseits der
Ebene und gegen den Jordan hin wohn-
ten, sahen, dass die Männer Israels geflo-
hen und Saul und seine Söhne tot waren,
verließen sie die Städte und flohen auch.
Da kamen die Philister und wohnten
darin.
8 Am andern Tage kamen die Philister,
um die Erschlagenen auszuplündern, und
fanden Saul und seine drei Söhne, gefal-
len auf dem Gebirge Gilboa. 9 [a]Da hieben
sie ihm sein Haupt ab und nahmen ihm
seine Waffen ab und sandten sie im Phi-
listerland umher, um es zu verkünden
im Hause ihrer Götzen und unter dem
Volk. 10 Und sie legten seine Waffen in
das Haus der Astarte, aber [a]seinen Leich-
nam hängten sie auf an der Mauer von
Bet-Schean.
11 Als die Leute von [a]Jabesch in Gilead
hörten, was die Philister Saul angetan
hatten, 12 machten sich alle streitbaren
Männer auf und gingen die ganze Nacht
hindurch und [a]nahmen die Leichname
Sauls und seiner Söhne von der Mauer zu
Bet-Schean und brachten sie nach Jabesch
und verbrannten sie dort. 13 Und sie nah-
men ihre Gebeine und begruben sie un-
ter dem Tamariskenbaum zu Jabesch und
[a]fasteten sieben Tage.

30,23 *a* 5. Mose 8,17 **30,24** *a* 4. Mose 31,27
31,2 *a* Kap 14,49; 1. Chr 8,33 **31,4** *a* Ri 9,54; 2. Sam 1,9
b Kap 24,7; 26,9; 2. Sam 1,1.14 **31,9** *a* Kap 17,51
31,10 *a* 5. Mose 21,22-23 **31,11** *a* Kap 11,1-11
31,12 *a* 2. Sam 21,12 **31,13** *a* 1. Mose 50,10; 2. Sam 1,12

DAS ZWEITE BUCH SAMUEL

1–5 David wird König über Juda und Israel
6–7 Die Bundeslade kommt nach Jerusalem. Gottes Verheißung 8–12 Davids Regierung
13–19 Absaloms Aufstand 20 Schebas Aufstand 21–24 Davids Vermächtnis

DAVIDS KLAGE UM SAUL UND JONATAN

1 Nach dem Tode Sauls, als David aus der
Schlacht gegen Amalek zurückgekom-
men und zwei Tage in [a]Ziklag geblieben
war, 2 siehe, da kam am dritten Tage ein
Mann aus dem Lager Sauls mit zerrissenen
Kleidern und mit Erde auf seinem Haupt.
Und als er zu David kam, fiel er nieder zur
Erde und huldigte ihm. 3 David aber sprach
zu ihm: Wo kommst du her? Er sprach zu
ihm: Aus dem Lager Israels bin ich entron-
nen. 4 David sprach zu ihm: Sage mir, wie
steht es? Er sprach: Das Volk ist geflohen
aus der Schlacht, und es sind viele vom
Volk gefallen und tot; dazu ist auch Saul
tot und sein Sohn Jonatan.

5 David sprach zu dem jungen Mann,
der ihm das sagte: Woher weißt du, dass
Saul und sein Sohn Jonatan tot sind? 6 Der
junge Mann, der ihm das sagte, sprach:
Ich kam von ungefähr aufs [a]Gebirge Gil-
boa, und siehe, Saul lehnte sich auf seinen
Spieß, und die Wagen und Reiter jag-
ten hinter ihm her. 7 Und er wandte sich
um und sah mich und rief mich. Und ich
sprach: Hier bin ich. 8 Und er sprach zu
mir: Wer bist du? Ich sprach zu ihm: Ich
bin ein Amalekiter. 9 Und er sprach zu mir:
[a]Tritt her zu mir und töte mich; denn mir
wird schwarz vor den Augen, aber mein
Leben ist noch ganz in mir. 10 Da trat ich
zu ihm und tötete ihn, denn ich wusste,
dass er nicht leben könnte nach seinem
Fall; und ich nahm die Krone von seinem
Haupt und das Armgeschmeide von sei-
nem Arm und habe es hergebracht zu dir,
meinem Herrn.

11 Da fasste David seine Kleider und zer-
riss sie, und ebenso taten alle Männer, die
bei ihm waren, 12 und sie hielten Toten-
klage und weinten und [a]fasteten bis zum
Abend um Saul und seinen Sohn Jonatan
und um das Volk des HERRN und um das
Haus Israel, weil sie durchs Schwert ge-
fallen waren.

13 Und David sprach zu dem jungen
Mann, der es ihm angesagt hatte: Wo bist
du her? Er sprach: Ich bin der Sohn eines
Fremdlings, eines Amalekiters. 14 David
sprach zu ihm: Wie, du hast dich nicht
gefürchtet, [a]deine Hand auszustrecken,
den Gesalbten des HERRN zu verderben?
15 Und David rief einen seiner Männer und
sprach: Komm her und [a]schlag ihn nieder!
Und er schlug ihn nieder, dass er starb.
16 Und David sprach zu ihm: Dein Blut
komme auf dein Haupt; denn dein Mund
hat gegen dich selbst geredet, als du sag-
test: Ich habe den Gesalbten des HERRN
getötet.

17 Und David sang dieses Klagelied über
Saul und Jonatan, seinen Sohn, 18 und be-
fahl, man sollte die Judäer das [a]Bogenlied
lehren. Siehe, es steht geschrieben im
[b]Buch des Redlichen:

19 Die Edelsten in Israel sind auf deinen
Höhen erschlagen.
  Wie sind die Helden gefallen!
20 Sagt's nicht an in Gat,
  verkündet's nicht auf den Gassen
  in Aschkelon,
dass sich nicht freuen die Töchter
der Philister,
  dass nicht frohlocken die Töchter
  der Unbeschnittenen.
21 Ihr Berge von Gilboa,
  es soll weder tauen noch regnen
  auf euch, ihr trügerischen Gefilde;
denn daselbst wurde der Helden Schild
entweiht,
  der Schild Sauls, als wäre er nicht
  gesalbt mit Öl.
22 Der Bogen Jonatans hat nie gefehlt,
  und das Schwert Sauls ist nie
  leer zurückgekommen

1,1 *a* 1. Sam 27,6; 30,26 **1,6** *a* 1. Sam 31,1-3
1,9 *a* 1. Sam 31,4 **1,12** *a* 1. Sam 31,13 **1,14** *a* 1. Sam 24,7; 26,9.23 **1,15** *a* Kap 4,10.12 **1,18** *a* Vers 22 *b* Jos 10,13

von dem Blut der Erschlagenen
und vom Mark der Helden.
23 Saul und Jonatan, geliebt
und einander zugetan,
im Leben und im Tod
nicht geschieden;
schneller waren sie als die Adler
und stärker als die Löwen.
24 Ihr Töchter Israel, weint über Saul,
der euch kleidete
mit kostbarem Purpur
und euch schmückte
mit goldenen Kleinoden
an euren Kleidern.
25 Wie sind die Helden gefallen im Streit!
Jonatan ist auf deinen Höhen
erschlagen!
26 Es ist mir leid um dich,
mein Bruder Jonatan,
ich habe große Freude und Wonne
an dir gehabt;
deine Liebe ist mir wundersamer
gewesen,
als Frauenliebe ist.
27 Wie sind die Helden gefallen
und die Waffen des Krieges verloren.

DAVID WIRD KÖNIG ÜBER JUDA, ISCH-BOSCHET ÜBER ISRAEL

2 Danach [a]befragte David den HERRN
und sprach: Soll ich hinauf in eine der
Städte Judas ziehen? Und der HERR sprach
zu ihm: Zieh hinauf! David sprach: Wo-
hin? Er sprach: Nach Hebron. 2 So zog Da-
vid dort hinauf mit seinen [a]beiden Frauen,
Ahinoam, der Jesreeliterin, und Abigajil,
der Frau Nabals, des Karmeliters. 3 Auch
die Männer, die bei ihm waren, führte Da-
vid hinauf, einen jeden mit seinem Hause,
und sie wohnten in den Städten von Heb-
ron. 4 Und die Männer Judas kamen und
[a]salbten dort David zum König über das
Haus Juda.

Und als David angesagt wurde, dass [b]die
Männer von Jabesch in Gilead Saul begra-
ben hatten, 5 sandte er Boten zu den Män-
nern von Jabesch in Gilead und ließ ihnen
sagen: Gesegnet seid ihr vom HERRN, dass
ihr solche Barmherzigkeit an Saul, eurem
Herrn, getan und ihn begraben habt. 6 So
tue nun der HERR an euch Barmherzigkeit
und Treue, und auch ich will euch Gutes
tun, weil ihr das getan habt. 7 So seien nun
eure Hände stark, und seid tapfer; denn
Saul, euer Herr, ist tot, und mich hat das
Haus Juda über sich zum König gesalbt.

8 [a]Abner aber, der Sohn Ners, der Sauls
Feldhauptmann war, nahm Isch-Boschet*,
Sauls Sohn, und führte ihn nach [b]Maha-
najim 9 und machte ihn zum König über
Gilead, Asser, Jesreel, Ephraim, Benjamin
und über ganz Israel. 10 Und Isch-Boschet,
Sauls Sohn, war vierzig Jahre alt, als er Kö-
nig wurde über Israel, und regierte zwei
Jahre. Aber das Haus Juda hielt es mit Da-
vid. 11 Die Zeit aber, die David König war
zu Hebron über das Haus Juda, war sieben
Jahre und sechs Monate.

DER KRIEG ZWISCHEN ISRAEL UND JUDA

12 Und Abner, der Sohn Ners, zog aus mit
den Knechten Isch-Boschets, des Sohnes
Sauls, von Mahanajim nach Gibeon, 13 und
Joab, der Sohn der [a]Zeruja, zog aus mit den
Knechten Davids. Und sie stießen aufein-
ander am Teich von [b]Gibeon und lagerten
sich, die einen auf dieser Seite des Teiches,
die andern auf jener. 14 Und Abner sprach
zu Joab: Lass die jungen Männer sich auf-
machen zum Kampfspiel vor uns! Joab
sprach: Es sei! 15 Da machten sich auf und
gingen hin zwölf an der Zahl aus Benjamin
auf der Seite Isch-Boschets, des Sohnes
Sauls, und zwölf von den Knechten Da-
vids. 16 Und ein jeder ergriff den andern
bei dem Kopf und stieß ihm sein Schwert
in die Seite, und sie fielen miteinander.
Daher wird der Ort »Helkat-Hazzurim«*
genannt; er liegt bei Gibeon.

17 Und der Kampf war sehr hart an jenem
Tag. Abner aber und die Männer Israels
wurden geschlagen von den Knechten
Davids. 18 Es waren aber die [a]drei Söhne
der Zeruja dabei, Joab, Abischai und Asa-
ël. Asaël aber war schnellfüßig wie eine
Gazelle auf dem Felde 19 und jagte Abner
nach und wich weder zur Rechten noch

* **2,8** Der Name lautet in 1. Chr 8,33; 9,39 »Eschbaal«.
2,16 Der Name bedeutet »Feld der Felsen«; vermutlich verschrieben aus »Feld der Seiten«.

2,1 *a* 1. Sam 23,6.9; 30,7-8 **2,2** *a* 1. Sam 25,42-43
2,4 *a* Kap 5,3; 1. Sam 16,13 *b* 1. Sam 21,12; 31,11-13
2,8 *a* 1. Sam 14,50 *b* Kap 17,24.27; 1. Mose 32,2-3
2,13 *a* Kap 8,16; 1. Sam 26,6 *b* Jos 9,3.17; 10,1-15
2,18 *a* Kap 3,39; 1. Sam 26,6; 1. Chr 2,16

zur Linken von Abner. 20 Da wandte sich
Abner um und sprach: Bist du es, Asa-
ël? Er sprach: Ja. 21 Abner sprach zu ihm:
Wende dich zur Rechten oder zur Linken
und mach dich an einen der jungen Män-
ner heran und nimm ihm seine Rüstung.
Aber Asaël wollte nicht von ihm ablassen.
22 Da sprach Abner noch einmal zu Asaël:
Lass ab von mir! Warum willst du, dass
ich dich zu Boden schlage? Wie dürfte ich
dann mein Antlitz aufheben vor deinem
Bruder Joab? 23 Aber er weigerte sich, von
ihm abzulassen. Da [a]stieß ihn Abner mit
dem Schaft des Spießes in den Bauch, so-
dass der Spieß hinten herauskam; und er
fiel hin und starb an eben der Stelle. Und
wer an den Ort kam, wo Asaël tot lag, der
blieb stehen.
24 Aber Joab und Abischai jagten Abner
nach, bis die Sonne unterging. Und als
sie auf den Hügel Amma kamen, der vor
Giach liegt auf dem Wege zur Wüste von
Gibeon, 25 versammelten sich die Benja-
miniter hinter Abner und bildeten eine
Schar und stellten sich oben auf einen Hü-
gel. 26 Und Abner rief Joab zu und sprach:
Soll denn das Schwert ohne Ende fressen?
Weißt du nicht, dass daraus am Ende nur
Jammer kommen wird? Wie lange willst
du dem Volk nicht sagen, dass es ablasse
von seinen Brüdern? 27 Joab sprach: So
wahr Gott lebt: Hättest du das nicht ge-
sagt, so hätte sich das Volk erst am Morgen
zurückgezogen, ein jeder von seinem Bru-
der. 28 Und Joab [a]ließ die Posaune blasen,
und das ganze Volk stand still und jagte
Israel nicht mehr nach und kämpfte auch
nicht weiter.
29 Abner aber und seine Männer gingen
die ganze Nacht durchs Jordantal und
gingen über den Jordan und zogen durchs
ganze Bitron und kamen nach Mahanajim.
30 Joab aber wandte sich von Abner ab und
sammelte das ganze Volk, und es fehl-
ten von den Knechten Davids neunzehn
Mann und Asaël. 31 Aber die Knechte Da-
vids hatten von Benjamin und den Män-
nern Abners dreihundertsechzig Mann
erschlagen. 32 Und sie hoben Asaël auf
und begruben ihn in seines Vaters Grab in
Bethlehem. Und Joab und seine Männer
zogen weiter die ganze Nacht, und als sie
in Hebron waren, brach der Tag an.

DAVIDS SÖHNE

3 Und es war ein langer Kampf zwischen
dem Hause Sauls und dem Hause Da-
vids. [a]David aber nahm immer mehr zu an
Macht, und das Haus Sauls nahm immer
mehr ab.
2 [a]Und es wurden David Söhne geboren
zu Hebron. Sein erstgeborener Sohn war
Amnon, von Ahinoam, der Jesreeliterin;
3 der zweite: Kilab, von [a]Abigajil, der Frau
des Karmeliters Nabal; der dritte: [b]Absa-
lom, der Sohn der Maacha, der Tochter
Talmais, des Königs von Geschur; 4 der
vierte: [a]Adonija, der Sohn der Haggit;
der fünfte: Schefatja, der Sohn der Abital;
5 der sechste: Jitream, von Egla, der Frau
Davids. Diese wurden David geboren zu
Hebron.

ABNER LÄUFT ZU DAVID ÜBER

6 [a]Solange der Kampf währte zwischen
dem Hause Sauls und dem Hause Davids,
stärkte Abner das Haus Sauls. 7 Und Saul
hatte eine Nebenfrau, die hieß Rizpa, eine
Tochter Ajas. Und Isch-Boschet sprach
zu Abner: Warum bist du zu meines Va-
ters Nebenfrau eingegangen? 8 Da wurde
Abner sehr zornig über die Worte Isch-
Boschets und sprach: Bin ich denn ein
Hundskopf aus Juda? Heute erweise ich
dem Hause Sauls, deines Vaters, und sei-
nen Brüdern und Freunden Barmherzig-
keit und habe dich nicht in Davids Hand
gegeben, und du rechnest mir heute eine
Schuld an wegen einer Frau? 9 Gott tue
Abner dies und das, wenn ich nicht tue,
wie der HERR dem David geschworen hat,
10 [a]dass das Königtum vom Hause Sauls
genommen und der Thron Davids aufge-
richtet werde über Israel und Juda von Dan
bis Beerscheba! 11 Da konnte er Abner kein
Wort mehr antworten, so fürchtete er sich
vor ihm.
12 Und Abner sandte Boten für sich zu
David und ließ ihm sagen: Wem gehört
das Land? Schließ einen Bund mit mir;
siehe, meine Hand soll mit dir sein, dass
ich dir ganz Israel zuführe. 13 David sprach:

2,23 ***a*** Kap 3,27; 20,10; 5. Mose 27,24 **2,28** ***a*** Kap 18,16
3,1 ***a*** Kap 5,10 **3,2** ***a*** (2-5) 1. Chr 3,1-4 **3,3** ***a*** 1. Sam 25,2-42
b Kap 13,1–19,9; Jos 13,13 **3,4** ***a*** 1. Kön 1,5; 2,13-25
3,6 ***a*** (6-7) Kap 21,8; 3. Mose 18,20 **3,10** ***a*** 1. Sam 15,28;
Kap 7,15-16

Gut, ich will einen Bund mit dir schließen.
Aber eins fordere ich von dir: Du sollst
mein Angesicht nicht sehen, es sei denn,
du bringst zuvor Michal, Sauls Tochter,
zu mir, wenn du kommst, mein Ange-
sicht zu sehen. 14 Auch sandte David Bo-
ten zu Isch-Boschet, dem Sohn Sauls, und
ließ ihm sagen: [a]Gib mir meine Frau Mi-
chal, die ich erworben habe mit hundert
Vorhäuten der Philister. 15 Isch-Boschet
sandte hin und ließ sie wegnehmen ih-
rem Mann [a]Paltiël, dem Sohn des Lajisch.
16 Und ihr Mann ging mit ihr und weinte
hinter ihr her bis Bahurim. Da sprach Ab-
ner zu ihm: Kehre um und geh heim! Und
er kehrte um.

17 Und Abner besprach sich mit den Äl-
testen in Israel und sprach: Ihr habt schon
längst danach verlangt, dass David König
über euch wäre. 18 So tut's nun, denn der
HERR hat von David gesagt: Durch die
Hand meines Knechtes David will ich
mein Volk Israel erretten aus der Hand
der Philister und aller seiner Feinde. 19 Das
tat Abner auch Benjamin kund und ging
dann hin, um auch David in Hebron alles
kundzutun, was Israel und das ganze Haus
Benjamin für gut hielten. 20 Als nun Ab-
ner nach Hebron zu David kam und mit
ihm zwanzig Mann, machte ihnen David
ein Mahl. 21 Und Abner sprach zu David:
Ich will mich aufmachen und hingehen,
um ganz Israel zu meinem Herrn, dem
König, zu sammeln, damit sie einen Bund
mit dir schließen, auf dass du König seist,
wie es dein Herz begehrt. Dann entließ
David den Abner, sodass er hinging mit
Frieden.

ABNERS TOD

22 Und siehe, die Knechte Davids und
Joab kamen von einem Streifzug zurück
und brachten große Beute mit. Abner aber
war nicht mehr bei David in Hebron, son-
dern er hatte ihn entlassen, sodass er mit
Frieden weggegangen war. 23 Als aber Joab
und das ganze Heer mit ihm gekommen
war, wurde ihm angesagt, dass Abner, der
Sohn Ners, zum König gekommen wäre;
und der hatte ihn entlassen, sodass er mit
Frieden weggegangen war. 24 Da ging Joab
zum König hinein und sprach: Was hast
du getan? Siehe, Abner ist zu dir gekom-
men; warum hast du ihn fortgelassen,
dass er weggegangen ist? 25 Kennst du Ab-
ner, den Sohn Ners, nicht? Er ist gekom-
men, dich zu überlisten, dass er erkunde
dein Kommen und Gehen und alles er-
fahre, was du tust.

26 Und als Joab von David wegging,
sandte er Abner Boten nach, um ihn zu-
rückzuholen von Bor-Sira; aber David
wusste nichts davon. 27 Als nun Abner
nach Hebron zurückkam, führte ihn Joab
beiseite ins Tor, um heimlich mit ihm zu
reden, und [a]stach ihn dort in den Bauch,
dass er starb, um des Blutes seines Bruders
Asaël willen. 28 Als David das hernach er-
fuhr, sprach er: Ich und mein Königtum
sind unschuldig vor dem HERRN ewiglich
an dem Blut Abners, des Sohnes Ners; 29 es
falle aber auf den Kopf Joabs und auf das
ganze Haus seines Vaters, und es soll nicht
aufhören im Hause Joabs, dass einer Eiter-
fluss und Aussatz habe oder am Stabe gehe
oder durchs Schwert falle oder an Brot
Mangel habe! 30 Joab und sein Bruder Abi-
schai hatten Abner umgebracht, weil er ih-
ren Bruder Asaël getötet hatte im Kampf
bei Gibeon.

31 David aber sprach zu Joab und allem
Volk, das bei ihm war: Zerreißt eure Klei-
der und gürtet euch den Sack um und hal-
tet die Totenklage um Abner! Und König
David folgte der Bahre. 32 Und als sie Ab-
ner begruben in Hebron, [a]erhob der König
seine Stimme und weinte bei dem Grabe
Abners, und auch alles Volk weinte. 33 Und
der König klagte um Abner und sprach:
Musste Abner sterben, wie ein Frevler
stirbt? 34 Deine Hände waren nicht gebun-
den, deine Füße waren nicht in Ketten ge-
legt. Und doch bist du gefallen, wie man
vor Ruchlosen fällt.

Da beweinte ihn alles Volk noch mehr.
35 Als nun alles Volk kam, während es noch
Tag war, um David zum Essen zu bewe-
gen, schwor David und sprach: Gott tue
mir dies und das, wenn ich Brot oder sonst
etwas zu mir nehme, ehe die Sonne un-
tergeht! 36 Und alles Volk nahm es wahr,
und es gefiel ihnen gut, wie alles, was der
König tat, dem ganzen Volke wohlgefiel.

3,14 *a* 1. Sam 18,25-27 **3,15** *a* 1. Sam 25,44
3,27 *a* 1. Kön 2,5.23; 20,10 **3,32** *a* 1. Sam 30,4

37 Und alles Volk und ganz Israel merkten
an diesem Tage, dass es nicht vom König
ausgegangen war, dass Abner, der Sohn
Ners, getötet wurde. 38 Und der König
sprach zu seinen Knechten: [a]Wisst ihr
nicht, dass an diesem Tag ein Fürst und
Großer gefallen ist in Israel? 39 Ich aber
bin heute noch schwach, obwohl ich zum
König gesalbt bin. Aber diese Männer, die
[a]Söhne der Zeruja, sind härter als ich. Der
HERR vergelte dem, der Böses tut, nach
seiner Bosheit.

ISCH-BOSCHETS ENDE

4 Als aber der Sohn Sauls hörte, dass
[a]Abner in Hebron umgekommen war,
verließ ihn der Mut, und ganz Israel er-
schrak. 2 Es hatte aber der Sohn Sauls zwei
Männer als Hauptleute der Streifscharen;
der eine hieß Baana, der andere Rechab,
Söhne Rimmons von Beerot aus dem
Stamm Benjamin. Denn Beerot wurde
auch zu Benjamin gerechnet; 3 dann aber
flohen die Beerotiter nach Gittajim und
wohnten dort als Fremdlinge bis auf den
heutigen Tag. 4 Auch hatte Jonatan, der
Sohn Sauls, einen Sohn, der war lahm
an beiden Füßen; er war nämlich fünf
Jahre alt, als die Kunde von Saul und Jo-
natan aus Jesreel kam, und seine Amme
hatte ihn aufgehoben und war geflo-
hen, und während sie eilends floh, fiel er
hin und [a]war fortan lahm. Er hieß Mefi-
Boschet*.

5 So gingen nun Rechab und Baana, die
Söhne Rimmons von Beerot, hin und ka-
men zum Hause [a]Isch-Boschets, als der
Tag am heißesten war; und er ruhte auf
seinem Lager am Mittag. 6 Und sie kamen
ins Haus, als wollten sie Weizen holen,
und stachen ihn in den [a]Bauch. Und Re-
chab und sein Bruder Baana entrannen.
7 Als sie ins Haus gekommen waren, lag er
auf seinem Bett in seiner Schlafkammer.
Und sie stachen ihn tot und hieben ihm
den [a]Kopf ab und nahmen seinen Kopf
und gingen den Weg durch das [b]Jordantal
die ganze Nacht 8 und brachten das Haupt
Isch-Boschets zu David nach Hebron und
sprachen zum König: Siehe, da ist das
Haupt Isch-Boschets, des Sohnes Sauls,
deines Feindes, der dir nach dem Leben
getrachtet hat. Der HERR hat heute mei-
nen Herrn, den König, gerächt an Saul und
an seinem Geschlecht.

9 Da antwortete David Rechab und sei-
nem Bruder Baana, den Söhnen Rimmons
aus Beerot: [a]So wahr der HERR lebt, der
mich aus aller Bedrängnis erlöst hat: 10 Ich
habe den, der mir verkündete: Saul ist
tot, und meinte, er wäre ein guter Bote,
ergriffen und [a]getötet in Ziklag, dem ich
doch Lohn für eine gute Botschaft hätte
geben sollen. 11 Und wenn Frevler einen
gerechten Mann in seinem Hause auf sei-
nem Lager getötet haben, sollte ich sein
Blut nicht fordern von euren Händen und
euch von der Erde vertilgen?[a] 12 Und Da-
vid gebot seinen Männern; die schlugen
sie tot und hieben ihnen Hände und Füße
ab und [a]hängten sie auf am Teich in Heb-
ron. Aber das Haupt Isch-Boschets nah-
men sie und begruben es in Abners Grab
in Hebron.

DAVID WIRD KÖNIG ÜBER GANZ ISRAEL

(vgl. 1. Chr 11,1-3)

5 Und es kamen alle Stämme Israels zu
David nach Hebron und sprachen:
Siehe, [a]wir sind von deinem Gebein und
deinem Fleisch. 2 Schon damals, als Saul
über uns König war, [a]führtest du Israel
in den Kampf und wieder heim. Dazu
hat der HERR dir gesagt: Du sollst mein
Volk Israel weiden und sollst [b]Fürst sein
über Israel. 3 Und es kamen alle Ältes-
ten in Israel zum König nach Hebron.
Und der König David schloss mit ihnen
einen Bund in Hebron vor dem HERRN,
und sie [a]salbten David zum König über
Israel.

4 [a]Dreißig Jahre war David alt, als er Kö-
nig wurde, und regierte vierzig Jahre. 5 Zu
Hebron regierte er sieben Jahre und sechs
Monate über Juda, und zu Jerusalem re-
gierte er dreiunddreißig Jahre über ganz
Israel und Juda.

* **4,4** Siehe Sach- und Worterklärungen.

3,38 *a* 1. Sam 26,15 **3,39** *a* Kap 2,18 **4,1** *a* Kap 2,8-10; 3,27 **4,4** *a* Kap 9,3 **4,5** *a* Kap 2,8 **4,6** *a* Kap 2,23; 20,10 **4,7** *a* Kap 20,22; 1. Sam 17,51 *b* Kap 2,29 **4,9** *a* 1. Kön 1,29 **4,10** *a* Kap 1,15 **4,11** *a* Kap 3,39 **4,12** *a* 5. Mose 21,22-23; 1. Sam 31,10 **5,1** *a* Kap 19,13; 1. Mose 29,14 **5,2** *a* 1. Sam 18,13.16 *b* Kap 6,21; 7,8; 1. Sam 13,14; 25,30 **5,3** *a* Kap 2,4; 1. Sam 16,13 **5,4** *a* (4-5) 1. Kön 2,11; 1. Chr 3,4; 29,27

DAVID EROBERT JERUSALEM
(vgl. 1. Chr 11,4-9)

6 Und der König zog mit seinen Männern
nach Jerusalem gegen die [a]Jebusiter, die
im Lande wohnten. Sie aber sprachen zu
David: Du wirst nicht hier hereinkom-
men, sondern Blinde und Lahme werden
dich vertreiben. Damit meinten sie, dass
David nicht dort hineinkommen könnte.
7 David aber eroberte die Burg Zion; das
ist Davids Stadt.
8 Da sprach David an jenem Tage: Wer
die Jebusiter schlägt und den Schacht er-
reicht und die Lahmen und Blinden er-
schlägt, die David in der Seele verhasst
sind, der soll Hauptmann und Oberster
sein. Da stieg Joab, der Sohn der Zeruja,
zuerst hinauf und wurde Hauptmann*.
Daher spricht man: Lass keinen Blinden
und Lahmen ins Haus! 9 So wohnte Da-
vid auf der Burg und nannte sie »Stadt
Davids«. Und David baute ringsumher,
vom Millo an nach innen zu. 10 Und [a]Da-
vids Macht nahm immer mehr zu, und der
HERR, der Gott Zebaoth, war mit ihm.
11 [a]Und Hiram, der König von Tyrus,
sandte Boten zu David mit Zedernholz,
dazu Zimmerleute und Steinmetzen,
dass sie David ein Haus bauten. 12 Und
David erkannte, dass der HERR ihn als
König über Israel bestätigt und sein
Königtum erhöht hatte um seines Volkes
Israel willen.

SÖHNE UND TÖCHTER DAVIDS
(vgl. 1. Chr 14,3-7)

13 [a]Und David nahm noch mehr Frauen
und Nebenfrauen in Jerusalem, nach-
dem er von Hebron gekommen war, und
es wurden ihm noch mehr Söhne und
Töchter geboren. 14 Dies sind die Namen
der Söhne, die ihm zu Jerusalem geboren
sind: Schammua, Schobab, [a]Nathan, [b]Sa-
lomo, 15 Jibhar, Elischua, Nefeg, Jafia, 16 Eli-
schama, Eljada, Elifelet.

DAVIDS SIEG ÜBER DIE PHILISTER
(vgl. 1. Chr 14,8-17)

17 Da die Philister hörten, dass man Da-
vid zum König über Israel gesalbt hatte,
zogen sie alle herauf, um sich Davids zu
bemächtigen. Als das David erfuhr, zog
er hinab nach der [a]Bergfeste. 18 Aber die
Philister kamen und breiteten sich aus in
der [a]Ebene Refaïm. 19 Und David [a]befragte
den HERRN und sprach: Soll ich hinauf-
ziehen gegen die Philister? Willst du sie in
meine Hand geben? Der HERR sprach zu
David: Zieh hinauf, ich will die Philister in
deine Hand geben. 20 Und David kam nach
[a]Baal-Perazim und schlug sie dort und
sprach: Der HERR hat die Reihen meiner
Feinde vor mir durchbrochen, wie Was-
serfluten durchbrechen. Daher nannte
man den Ort »Baal-Perazim«*. 21 Und sie
ließen ihre Götzenbilder dort zurück;
David aber und seine Männer nahmen sie
mit.
22 Die Philister aber zogen abermals her-
auf und breiteten sich aus in der Ebene Re-
faïm. 23 Und David befragte den HERRN;
der sprach: Du sollst nicht hinaufziehen
ihnen entgegen, sondern komm von hin-
ten über sie, dass du sie angreifst vom
Bakawalde her. 24 Und wenn du hörst,
wie das Rauschen in den Wipfeln der Ba-
kabäume einhergeht, so eile; denn dann
ist der HERR ausgezogen vor dir her, zu
schlagen das Heer der Philister. 25 David
tat, wie der HERR ihm geboten hatte, und
schlug die Philister von Geba an bis dahin,
wo es nach [a]Geser geht.

DAVID HOLT DIE BUNDESLADE NACH JERUSALEM
(vgl. 1. Chr 13,1-14; 15,1-29; 16,1-6)

6 Und David sammelte abermals die
ganze junge Mannschaft in Israel, drei-
ßigtausend Mann, 2 und machte sich auf
und zog mit dem ganzen Volk, das bei
ihm war, nach [a]Baala in Juda, um die Lade
Gottes von dort heraufzuholen; diese ist
genannt nach dem Namen des HERRN
Zebaoth, [b]der über den Cherubim thront.
3 Und sie setzten die Lade Gottes auf
einen neuen Wagen und [a]holten sie aus
dem Hause Abinadabs, der auf dem Hügel
wohnte. Usa aber und Achjo, die Söhne

* **5,8** Der Text ab »der soll Hauptmann« wurde aus 1. Chr 11,6 ergänzt. **5,20** Der Name bedeutet »Herr der Durchbrüche«.

5,6 ***a*** Jos 15,63; Ri 1,21; 19,10-12 **5,10** ***a*** Kap 3,1; 1. Sam 18,14 **5,11** ***a*** 1. Kön 5,15 **5,13** ***a*** *(13-16)* Kap 3,2-5; 1. Chr 3,5-9 **5,14** ***a*** Lk 3,31 ***b*** Mt 1,6 **5,17** ***a*** Kap 23,14 **5,18** ***a*** Jos 15,8; 18,16 **5,19** ***a*** Kap 2,1; 1. Sam 30,8 **5,20** ***a*** Jes 28,21 **5,25** ***a*** Ri 1,29 **6,2** ***a*** Jos 15,9 ***b*** 2. Mose 25,22; 1. Sam 4,4 **6,3** ***a*** 1. Sam 7,1

Abinadabs, führten den neuen Wagen
4 mit der Lade Gottes, und Achjo ging vor
der Lade her. 5 Und David und ganz Is-
rael tanzten vor dem HERRN her mit aller
Macht im Reigen, mit Liedern, mit Har-
fen und Psaltern und Pauken und Schellen
und Zimbeln.

6 Und als sie zur Tenne Nachons kamen,
griff Usa zu und hielt die Lade Gottes
fest, denn die Rinder glitten aus. 7 Da ent-
brannte des HERRN Zorn über Usa, und
[a]Gott schlug ihn dort, weil er [b]seine Hand
nach der Lade ausgestreckt hatte, sodass
er dort starb bei der Lade Gottes. 8 Da er-
grimmte David, dass der HERR den Usa
so wegriss, und man nannte die Stätte
[a]»Perez-Usa«* bis auf diesen Tag. 9 Und
David fürchtete sich vor dem HERRN
an diesem Tage und sprach: Wie soll die
Lade des HERRN zu mir kommen? 10 Und
David wollte die Lade des HERRN nicht
zu sich bringen lassen in die Stadt Da-
vids, sondern ließ sie bringen ins Haus
Obed-Edoms, des Gatiters. 11 So blieb die
Lade des HERRN drei Monate im Hause
Obed-Edoms, des Gatiters, und der HERR
segnete ihn und sein ganzes Haus.

12 Und es wurde dem König David
angesagt, dass der HERR das Haus Obed-
Edoms segnete und alles, was er hatte,
um der Lade Gottes willen. Da ging er
hin und holte die Lade Gottes aus dem
Hause Obed-Edoms herauf in die Stadt
Davids mit Freuden. 13 Und als die Träger
mit der Lade des HERRN sechs Schritte
gegangen waren, opferte man einen Stier
und ein fettes Kalb.[a] 14 Und David [a]tanzte
mit aller Macht vor dem HERRN her und
war umgürtet mit einem [b]leinenen Pries-
terschurz. 15 Und David mit dem ganzen
Hause Israel führte die Lade des HERRN
herauf mit Jauchzen und Posaunenschall.
16 Und als die Lade des HERRN in die Stadt
Davids kam, sah Michal, die Tochter Sauls,
durchs Fenster und sah den König David
springen und tanzen vor dem HERRN und
verachtete ihn in ihrem Herzen.

17 Als sie die Lade des HERRN hinein-
brachten, stellten sie sie an ihren Ort
mitten in dem [a]Zelt, das David für sie
aufgeschlagen hatte. Und David opfer-
te Brandopfer und Dankopfer vor dem
HERRN. 18 Und als David die Brandopfer
und Dankopfer beendet hatte, [a]segnete er
das Volk in dem Namen des HERRN Ze-
baoth, 19 und er ließ austeilen allem Volk,
der ganzen Menge Israels, Mann und Frau,
einem jeden einen Brotkuchen, einen
Dattelkuchen und einen Rosinenkuchen.
Danach kehrte alles Volk heim, ein jeg-
licher in sein Haus.

20 Als aber David heimkam, sein Haus
zu segnen, ging Michal, die Tochter Sauls,
heraus ihm entgegen und sprach: Wie
herrlich ist heute der König von Israel ge-
wesen, als er sich vor den Mägden seiner
Knechte entblößt hat, wie sich die losen
Leute entblößen! 21 David aber sprach zu
Michal: Ich will vor dem HERRN tanzen,
der mich erwählt hat vor deinem Vater
und vor seinem ganzen Hause, um mich
[a]zum Fürsten zu bestellen über das Volk
des HERRN, über Israel, 22 und ich will
noch geringer werden als jetzt und will
niedrig sein in meinen Augen; aber bei
den Mägden, von denen du geredet hast,
will ich zu Ehren kommen. 23 Aber Michal,
Sauls Tochter, hatte kein Kind bis an den
Tag ihres Todes.

DIE VERHEISSUNG FÜR DAVID UND SEIN KÖNIGTUM

(vgl. 1. Chr 17,1-27)

7 Als nun der König in seinem Hause saß
und der HERR ihm Ruhe gegeben hatte
vor allen seinen Feinden umher,[a] 2 sprach
er zu dem Propheten Nathan: Sieh doch,
[a]ich wohne in einem Zedernhause, die
Lade Gottes aber wohnt unter Zeltdecken.
3 Nathan sprach zu dem König: Wohlan,
alles, was in deinem Herzen ist, das tu,
denn der HERR ist mit dir.

4 In der Nacht aber kam das Wort des
HERRN zu Nathan: 5 Geh hin und sage
zu meinem Knecht David: So spricht der
HERR: [a]Solltest du mir ein Haus bauen,
dass ich darin wohne? 6 Habe ich doch [a]in
keinem Hause gewohnt seit dem Tag, da
ich die Israeliten aus Ägypten führte, bis

* **6,8** Der Name bedeutet »Wegreißen Usas«.

6,7 ***a*** 1. Sam 6,19 ***b*** 4. Mose 4,15 **6,8** ***a*** Kap 5,20
6,13 ***a*** 1. Kön 8,5 **6,14** ***a*** 1. Sam 10,10-12 ***b*** 2. Mose 28,6;
1. Sam 2,18 **6,17** ***a*** Kap 7,2 **6,18** ***a*** 1. Kön 8,14.55
6,21 ***a*** Kap 5,2; 7,8 **7,1** ***a*** 5. Mose 12,10; Jos 22,4;
1. Kön 5,18 **7,2** ***a*** Kap 6,17; Ps 132,3-5 **7,5** ***a*** 1. Chr 22,8;
1. Kön 5,17 **7,6** ***a*** 1. Kön 8,16.27; Jes 66,1

auf diesen Tag, sondern ich bin umherge-
zogen in einem Zelt als Wohnung. 7 Habe
ich die ganze Zeit, als ich mit allen Isra-
eliten umherzog, je geredet zu einem der
Richter Israels, denen ich befohlen hatte,
mein Volk Israel zu weiden, und gesagt:
Warum baut ihr mir nicht ein Zedern-
haus?

8 Darum sollst du nun so zu meinem
Knecht David sagen: So spricht der HERR
Zebaoth: [a]Ich habe dich genommen von
den Schafhürden, dass du [b]Fürst sein
sollst über mein Volk Israel, 9 und bin mit
dir gewesen, wo immer du hingegangen
bist, und habe alle deine Feinde vor dir
ausgerottet; und ich will dir einen gro-
ßen Namen machen gleich dem Namen
der Großen auf Erden. 10 [a]Und ich will
meinem Volk Israel eine Stätte geben und
will es pflanzen, dass es daselbst wohne
und sich nicht mehr ängstigen müsse und
die Kinder der Bosheit es nicht mehr be-
drängen, wie vormals, 11 seit der Zeit, da
ich Richter über mein Volk Israel bestellt
habe. Ich will dir Ruhe geben vor allen dei-
nen Feinden.

Und der HERR verkündigt dir, dass der
HERR dir ein [a]Haus bauen will. 12 **Wenn
nun deine Zeit um ist und du dich zu
deinen Vätern legst, [a]will ich dir einen
Nachkommen erwecken, der von dei-
nem Leibe kommen wird; dem will ich
[b]sein Königtum bestätigen.** 13 **Der [a]soll
meinem Namen ein Haus bauen, und
[b]ich will seinen Königsthron bestäti-
gen ewiglich.** 14 **[a]Ich will sein Vater sein,
und er soll mein Sohn sein.** Wenn er
sündigt, will ich ihn mit Menschenruten
und mit menschlichen Schlägen strafen;
15 aber meine Gnade soll nicht von ihm
weichen, [a]wie ich sie habe weichen lassen
von Saul, den ich vor dir weggenommen
habe. 16 Aber dein Haus und dein König-
tum sollen beständig sein in Ewigkeit
vor dir, und dein Thron soll ewiglich be-
stehen.[a]

17 Als Nathan alle diese Worte und die-
ses Gesicht David gesagt hatte, 18 kam
der König David und setzte sich vor dem
HERRN nieder und sprach: [a]**Wer bin ich,
Herr HERR, und was ist mein Haus,
dass du mich bis hierher gebracht hast?**
19 Aber nun hast du das noch für zu we-
nig gehalten, Herr HERR, und hast dem
Hause deines Knechtes sogar für die ferne
Zukunft Zusagen gegeben, und das nach
Menschenweise, Herr HERR! 20 Und was
soll David noch mehr reden mit dir? Du
kennst ja deinen Knecht, Herr HERR!
21 Um deines Wortes willen und nach
deinem Herzen hast du alle diese großen
Dinge getan, dass du sie deinem Knecht
kundtust. 22 Darum bist du groß, Herr
HERR! Denn es ist keiner wie du, und ist
[a]kein Gott außer dir nach allem, was wir
mit unsern Ohren gehört haben. 23 Und
[a]wo ist ein Volk auf Erden wie dein Volk
Israel, um dessentwillen Gott hingegan-
gen ist, es zu erlösen, dass es sein Volk sei,
und ihm einen Namen zu machen und
für euch so große und furchtbare Dinge
zu tun, Völker und ihre Götter zu ver-
treiben vor deinem Volk, das du dir aus
Ägypten erlöst hast? 24 Und du hast dir
dein Volk Israel zubereitet, dir zum Volk
in Ewigkeit, und du, HERR, bist ihr Gott
geworden.[a]

25 So bekräftige nun, HERR, Gott, das
Wort in Ewigkeit, das du über deinen
Knecht und über sein Haus geredet hast,
und tu, wie du geredet hast! 26 So wird
dein Name groß werden in Ewigkeit,
dass man sagen wird: Der HERR Zebaoth
ist Gott über Israel, und das Haus deines
Knechtes David wird bestehen vor dir.
27 Denn du, HERR Zebaoth, du Gott Isra-
els, hast das [a]Ohr deines Knechts geöffnet
und gesagt: Ich will dir ein Haus bauen.
Darum hat dein Knecht sich ein Herz ge-
fasst, dass er dies Gebet zu dir gebetet
hat. 28 Nun, Herr HERR, du bist Gott, und
deine Worte sind Wahrheit. Du hast all
dies Gute deinem Knecht zugesagt.[a] 29 So
fange nun an und segne das Haus dei-
nes Knechts, dass es ewiglich vor dir sei;
denn du, Herr HERR, hast's geredet, und
mit deinem Segen wird deines Knechtes
Haus gesegnet sein ewiglich.

7,8 ***a*** 1. Sam 16,11-13; Am 7,15; Ps 78,70 ***b*** Kap 5,2; 6,21
7,10 ***a*** 2. Mose 15,17 **7,11** ***a*** 1. Sam 25,28; 1. Kön 11,38
7,12 ***a*** 1. Kön 8,20 ***b*** 1. Kön 2,12.46 **7,13** ***a*** 1. Kön 5,19
b 1. Kön 8,17-21; Ps 89,4-5; Jes 9,6 **7,14** ***a*** Ps 2,7;
89,27.31-33 **7,15** ***a*** 1. Sam 15,23.26 **7,16** ***a*** Jes 55,3
7,18 ***a*** 1. Mose 32,11; 2. Mose 3,11; 1. Sam 18,18
7,22 ***a*** 5. Mose 4,35; 1. Kön 8,23; Jes 44,6
7,23 ***a*** 5. Mose 4,7 **7,24** ***a*** 2. Mose 6,7 **7,27** ***a*** Jes 50,5
7,28 ***a*** 1. Kön 8,26

DAVIDS KRIEGE UND SIEGE
(vgl. 1. Chr 18,1-13)

8 Und es begab sich danach, dass David
die Philister schlug und sie unterwarf
und dass er den Dienstzaum den Philis-
tern aus der Hand nahm. 2 Er schlug auch
die [a]Moabiter und ließ sie sich auf den Bo-
den legen und maß sie mit der Messschnur
ab; und er maß zwei Schnurlängen ab, so
viele tötete er, und eine volle Schnurlänge,
so viele ließ er am Leben. So wurden die
Moabiter David untertan, dass sie ihm Tri-
but bringen mussten.
3 David schlug auch [a]Hadad-Eser, den
Sohn Rehobs, den König von [b]Zoba, als
er hinzog, um seine Macht wieder auf-
zurichten am Euphratstrom. 4 Und David
nahm von ihnen gefangen tausendsieben-
hundert Gespanne und zwanzigtausend
Mann Fußvolk und [a]lähmte alle Pferde
und behielt hundert übrig. 5 Es kamen
aber die Aramäer von Damaskus, um Ha-
dad-Eser, dem König von Zoba, zu hel-
fen. Und David schlug von den Aramäern
zweiundzwanzigtausend Mann. 6 Und er
setzte Statthalter ein im Aramäerreich von
Damaskus. So wurde Aram David unter-
tan, dass sie ihm Tribut bringen mussten;
denn der HERR half David, wo er auch
hinzog. 7 Und David nahm die goldenen
Köcher, die Hadad-Esers Knechte gehabt
hatten, und brachte sie nach Jerusalem.
8 Und von Tebach und Berotai, den Städ-
ten Hadad-Esers, nahm der König David
sehr viel Bronze.
9 Als aber Toï, der König von Hamat,
hörte, dass David die ganze Streitmacht
Hadad-Esers geschlagen hatte, 10 sandte
er seinen Sohn Hadoram zu König David,
ihm Frieden und Segen zu wünschen,
weil er gegen Hadad-Eser gekämpft und
ihn geschlagen hatte – denn Toï führte
Krieg mit Hadad-Eser –, und Hadoram
brachte mit sich silberne, goldene und
bronzene Kleinode. 11 Auch diese heiligte
der König David dem HERRN samt dem
Silber und Gold, das er geheiligt hatte von
allen Völkern, die er unterworfen hatte,
12 von Aram, von Moab, von den Ammon-
itern, von den Philistern, von Amalek und
von dem, was er erbeutet hatte von Ha-
dad-Eser, dem Sohn Rehobs, dem König
von Zoba.
13 So machte sich David einen Namen,
als er zurückkam, nachdem er Aram im
Salztal geschlagen hatte, achtzehntausend
Mann.[a] 14 Und er setzte in Edom Statthal-
ter ein; in ganz Edom setzte er Statthalter
ein, und [a]ganz Edom wurde David unter-
tan; denn der HERR half David, wo immer
er hinzog.

DAVIDS BEAMTE
(vgl. 1. Chr 18,14-17)

15 So war David König über ganz Israel,
und er schaffte Recht und Gerechtigkeit
seinem ganzen Volk.[a] 16 [a]Joab, der Sohn
der Zeruja, war über das Heer gesetzt;
[b]Joschafat aber, der Sohn Ahiluds, war
Kanzler; 17 [a]Zadok, der Sohn [b]Ahitubs,
und Ahimelech, der Sohn [c]Abjatars, waren
Priester; Seraja war Schreiber; 18 Benaja,
der Sohn Jojadas, war über die [a]Kreter und
Pleter gesetzt; auch die Söhne Davids wa-
ren Priester.

DAVID UND MEFI-BOSCHET

9 Und David sprach: Ist noch jemand üb-
rig geblieben von dem Hause Sauls, dass
ich Barmherzigkeit an ihm tue um Jona-
tans willen? 2 Es war aber ein Knecht vom
Hause Sauls, der hieß [a]Ziba; den riefen sie
zu David. Und der König sprach zu ihm:
Bist du Ziba? Er sprach: Ja, dein Knecht.
3 Der König sprach: Ist da noch jemand
vom Hause Sauls, dass ich Gottes Barm-
herzigkeit an ihm tue? Ziba sprach zum
König: [a]Es ist noch ein Sohn Jonatans da,
lahm an den Füßen. 4 Der König sprach zu
ihm: Wo ist er? Ziba sprach zum König:
Siehe, er ist in Lo-Dabar im Hause [a]Ma-
chirs, des Sohnes Ammiëls.
5 Da sandte der König David hin und
ließ ihn holen von Lo-Dabar aus dem
Hause Machirs, des Sohnes Ammiëls.
6 [a]Als nun Mefi-Boschet, der Sohn Jona-
tans, des Sohnes Sauls, zu David kam,
fiel er auf sein Angesicht und huldigte
ihm. David aber sprach: Mefi-Boschet! Er

8,2 *a* 1. Sam 22,3 **8,3** *a* Kap 10,16-19 *b* Kap 10,6; 1. Sam 14,47 **8,4** *a* Jos 11,9 **8,13** *a* Ps 60,2 **8,14** *a* 4. Mose 24,18 **8,15** *a* 1. Kön 10,9 **8,16** *a* (16-18) Kap 20,23-26 *b* 1. Kön 4,3 **8,17** *a* Kap 15,24 *b* 1. Sam 22,20 *c* 1. Kön 2,27 **8,18** *a* Kap 15,18; 20,7.23 **9,2** *a* Kap 16,1 **9,3** *a* Kap 4,4 **9,4** *a* Kap 17,27 **9,6** *a* (6-7) Kap 19,2-31

sprach: Hier bin ich, dein Knecht. [7]David
sprach zu ihm: Fürchte dich nicht, denn
ich will Barmherzigkeit an dir tun um dei-
nes Vaters Jonatan willen und will dir [a]das
ganze Ackerland deines Vaters Saul zu-
rückgeben; du aber sollst täglich an mei-
nem Tisch essen. [8]Er aber fiel nieder und
sprach: Wer bin ich, dein Knecht, dass du
dich wendest zu einem [a]toten Hund, wie
ich es bin?
[9]Da rief der König den Ziba, den Knecht
Sauls, und sprach zu ihm: Alles, was Saul
gehört hat und seinem ganzen Hause,
hab ich dem Sohn deines Herrn gegeben.
[10]So bearbeite ihm nun seinen Acker, du
und deine Söhne und deine Knechte, und
bring die Ernte ein, damit es das Brot sei
des Sohnes deines Herrn und er sich da-
von nähre; aber Mefi-Boschet, der Sohn
deines Herrn, soll täglich an meinem Tisch
essen. Ziba aber hatte fünfzehn Söhne und
zwanzig Knechte. [11]Und Ziba sprach zum
König: Ganz so, wie mein Herr, der Kö-
nig, seinem Knechte gebietet, wird dein
Knecht tun. Und Mefi-Boschet, sprach
David, esse an meinem Tisch wie einer der
Königssöhne. [12]Und Mefi-Boschet hatte
einen kleinen Sohn, der hieß [a]Micha. Und
alle, die im Hause Zibas wohnten, dien-
ten Mefi-Boschet. [13]Mefi-Boschet aber
wohnte in Jerusalem, denn er aß täglich
an des Königs Tisch. Und er war lahm an
seinen beiden Füßen.

DAVIDS KAMPF MIT DEN AMMONITERN UND ARAMÄERN

(vgl. 1. Chr 19,1–20,3)

10 Und es begab sich danach, dass der
König der Ammoniter starb, und sein
Sohn Hanun wurde König an seiner statt.
[2]Da sprach David: Ich will Hanun, dem
Sohn des [a]Nahasch, Barmherzigkeit er-
weisen, wie sein Vater mir Barmherzig-
keit erwiesen hat. Und David sandte hin
und ließ ihn trösten durch seine Knechte
über seinen Vater. Da nun die Knechte
Davids ins Land der Ammoniter kamen,
[3]sprachen die Obersten der Ammon-
iter zu ihrem Herrn Hanun: Meinst du,
dass David deinen Vater vor deinen Au-
gen ehren wolle, wenn er Tröster zu dir
gesandt hat? Meinst du nicht, dass er
dazu seine Knechte zu dir gesandt hat,
damit er die Stadt erforsche und erkunde
und zerstöre?
[4]Da nahm Hanun die Knechte Davids
und ließ ihnen den Bart halb abscheren
und die Kleider halb abschneiden bis an
den Gürtel und ließ sie gehen. [5]Als das
David angesagt wurde, sandte er ihnen
entgegen; denn die Männer waren sehr
geschändet. Und der König ließ ihnen
sagen: Bleibt in Jericho, bis euer Bart ge-
wachsen ist; dann kommt zurück.
[6]Als aber die Ammoniter sahen, dass
sie vor David stinkend geworden waren,
sandten sie hin und warben die Aramäer
von Bet-Rehob und die Aramäer von Zoba
an, zwanzigtausend Mann Fußvolk, und
von dem König von Maacha tausend Mann
und von Tob zwölftausend Mann. [7]Als das
David hörte, sandte er Joab mit dem gan-
zen Heer der Kriegsleute. [8]Und die Am-
moniter zogen aus und stellten sich auf
zum Kampf vor dem Eingang des Tores.
Die Aramäer aber von Zoba, von Rehob,
die Männer von Tob und von Maacha stan-
den für sich auf freiem Feld.
[9]Da Joab nun sah, dass der Angriff ge-
gen ihn gerichtet war von vorn und von
hinten, wählte er aus der ganzen jungen
Mannschaft in Israel Leute aus und stellte
sich den Aramäern entgegen. [10]Und das
übrige Kriegsvolk tat er unter die Hand
seines Bruders Abischai, dass er sie gegen
die Ammoniter aufstelle, [11]und sprach:
Werden mir die Aramäer überlegen sein,
so komm mir zu Hilfe; werden aber die
Ammoniter dir überlegen sein, so will ich
dir zu Hilfe kommen. [12]Sei getrost und
lass uns stark sein für unser Volk und für
die Städte unseres Gottes. Der HERR aber
tue, was ihm gefällt. [13]Und Joab rückte an
mit dem Volk, das bei ihm war, um gegen
die Aramäer zu kämpfen, und sie flohen
vor ihm. [14]Und als die Ammoniter sahen,
dass die Aramäer flohen, flohen sie auch
vor Abischai und zogen sich in die Stadt
zurück. Da ließ Joab ab von den Ammon-
itern und kam nach Jerusalem.
[15]Und als die Aramäer sahen, dass sie
von Israel geschlagen waren, sammelten
sie sich. [16][a]Und Hadad-Eser sandte hin

9,7 *a* Kap 16,1-4 **9,8** *a* 1. Sam 24,15 **9,12** *a* 1. Chr 8,34 **10,2** *a* 1. Sam 11,1 **10,16** *a* Kap 8,3

und ließ die Aramäer jenseits des Stro-
mes in den Kampf ziehen, und sie kamen
nach Helam und Schobach, der Feldhaupt-
mann Hadad-Esers, an ihrer Spitze. 17 Als
das David angesagt wurde, sammelte er
ganz Israel und zog über den Jordan und
kam nach Helam. Und die Aramäer stell-
ten sich gegen David auf, um mit ihm
zu kämpfen. 18 Aber die Aramäer flohen
vor Israel, und David vernichtete von den
Aramäern siebenhundert Wagen und
vierzigtausend Mann; und Schobach, den
Feldhauptmann, erschlug er, dass er dort
starb. 19 Als aber alle Könige, die unter Ha-
dad-Eser waren, sahen, dass sie von Israel
geschlagen waren, machten sie Frieden
mit Israel und wurden ihm untertan. Und
die Aramäer fürchteten sich, den Am-
monitern hinfort zu helfen.

DAVID UND BATSEBA

11 Und als das Jahr um war, zur Zeit, da
die Könige ins Feld zu ziehen pflegen,
sandte David Joab und seine Knechte mit
ihm und ganz Israel, damit sie das Land
der Ammoniter verheerten und Rabba be-
lagerten. David aber blieb in Jerusalem.[a]
2 Und es begab sich, dass David um den
Abend aufstand von seinem Lager und
sich auf dem Dach des Königshauses er-
ging; da [a]sah er vom Dach aus eine Frau
sich waschen; und die Frau war von sehr
schöner Gestalt. 3 Und David sandte hin
und ließ nach der Frau fragen und sagte:
Ist das nicht Batseba, die Tochter Eliams,
die Frau [a]Urias, des Hetiters? 4 Und David
sandte Boten hin und ließ sie holen. Und
als sie zu ihm kam, [a]schlief er bei ihr; sie
aber hatte sich gerade gereinigt von ihrer
[b]Unreinheit. Und sie kehrte in ihr Haus
zurück. 5 Und die Frau ward schwanger
und sandte hin und ließ David sagen: Ich
bin schwanger geworden.
6 David aber sandte zu Joab: Sende zu
mir Uria, den Hetiter. Und Joab sandte
Uria zu David. 7 Und als Uria zu ihm kam,
fragte David, ob es mit Joab und mit dem
Volk und mit dem Krieg gut stünde. 8 Und
David sprach zu Uria: Geh hinab in dein
Haus und wasch deine Füße. Und als Uria
aus des Königs Haus hinausging, wurde
ihm ein Geschenk des Königs nachgetra-
gen. 9 Aber Uria legte sich schlafen vor der
Tür des Königshauses, wo alle Knechte
seines Herrn lagen, und ging nicht hinab
in sein Haus.
10 Als man aber David ansagte: Uria ist
nicht hinab in sein Haus gegangen, sprach
David zu Uria: Bist du nicht von weit her
gekommen? Warum bist du nicht hinab
in dein Haus gegangen? 11 Uria aber sprach
zu David: Die Lade und Israel und Juda
wohnen in Zelten und Joab, mein Herr,
und meines Herrn Knechte liegen auf
freiem Felde, und ich sollte in mein Haus
gehen, um zu essen und zu trinken und
bei meiner Frau zu liegen? So wahr du
lebst und deine Seele lebt: Das werde ich
nicht tun! 12 David sprach zu Uria: Bleib
heute hier, morgen will ich dich gehen las-
sen. So blieb Uria in Jerusalem an diesem
Tage und auch am nächsten. 13 Und David
lud ihn ein, dass er bei ihm aß und trank,
und machte ihn trunken. Aber am Abend
ging er hinaus, dass er sich schlafen legte
auf sein Lager bei den Knechten seines
Herrn, und ging nicht hinab in sein Haus.
14 Am Morgen schrieb David einen Brief
an Joab und sandte ihn durch Uria. 15 Er
schrieb aber in dem Brief: Stellt Uria vor-
nehin, wo der Kampf am härtesten ist,
und zieht euch hinter ihm zurück, dass er
erschlagen werde und sterbe. 16 Als nun
Joab die Stadt belagerte, stellte er Uria
an den Ort, von dem er wusste, dass dort
streitbare Männer standen. 17 Und als die
Männer der Stadt einen Ausfall machten
und mit Joab kämpften, fielen etliche vom
Volk, von den Knechten Davids, und Uria,
der Hetiter, starb auch.
18 Da sandte Joab hin und ließ David
alles sagen, was sich bei dem Kampf be-
geben hatte, 19 und gebot dem Boten und
sprach: Wenn du dem König alles bis zu
Ende gesagt hast, was sich bei dem Kampf
begeben hat, 20 und siehst, dass der König
zornig wird und zu dir spricht: Warum
seid ihr so nahe an die Stadt herange-
rückt im Kampf? Wisst ihr nicht, dass sie
von der Mauer schießen? 21 Wer erschlug
Abimelech, den Sohn Jerubbaals? [a]Warf
nicht eine Frau einen Mühlstein auf ihn
von der Mauer, sodass er in Tebez starb?

11,1 *a* 1. Chr 20,1 **11,2** *a* 5. Mose 5,21; Mt 5,28-29
11,3 *a* Kap 23,39 **11,4** *a* 2. Mose 20,14; 3. Mose 20,10;
5. Mose 5,18.21; 22,22 *b* 3. Mose 15,19 **11,21** *a* Ri 9,53-54

Warum seid ihr so nahe an die Mauer her-
angerückt?, – so sollst du sagen: Auch dein
Knecht Uria, der Hetiter, ist tot.
22 Der Bote ging hin und kam und sagte
David alles, was Joab ihm aufgetragen
hatte. 23 Und der Bote sprach zu David:
Die Männer waren uns überlegen und zo-
gen heraus aufs Feld gegen uns; wir aber
drängten sie bis an den Eingang des To-
res. 24 Und die Schützen schossen von der
Mauer auf deine Knechte und töteten et-
liche von den Knechten des Königs, und
auch Uria, dein Knecht, der Hetiter, ist
tot. 25 David sprach zum Boten: So sollst
du zu Joab sagen: »Lass dir das nicht leid
sein, denn das Schwert frisst bald diesen,
bald jenen. Fahre fort mit dem Kampf ge-
gen die Stadt und zerstöre sie.« So sollst du
ihm Mut zusprechen.
26 Und als Urias Frau hörte, dass ihr
Mann Uria tot war, hielt sie die Totenklage
um ihren Eheherrn. 27 Sobald sie aber aus-
getrauert hatte, sandte David hin und ließ
sie in sein Haus holen, und sie wurde seine
Frau und gebar ihm einen Sohn. Aber dem
HERRN missfiel die Tat, die David getan
hatte.

NATHANS STRAFREDE UND DAVIDS REUE. SALOMOS GEBURT

12 [a]Und der HERR sandte Nathan zu Da-
vid. Als der zu ihm kam, sprach er zu
ihm: Es waren zwei Männer in einer Stadt,
der eine reich, der andere arm. 2 Der Reiche
hatte sehr viele Schafe und Rinder; 3 aber
der Arme hatte nichts als ein einziges klei-
nes Schäflein, das er gekauft hatte. Und
er nährte es, dass es groß wurde bei ihm
zugleich mit seinen Kindern. Es aß von
seinem Bissen und trank aus seinem Be-
cher und schlief in seinem Schoß, und er
hielt's wie eine Tochter. 4 Als aber zu dem
reichen Mann ein Gast kam, brachte er's
nicht über sich, von seinen Schafen und
Rindern zu nehmen, um dem Gast etwas
zuzurichten, der zu ihm gekommen war.
Und er nahm das Schaf des armen Mannes
und richtete es dem Mann zu, der zu ihm
gekommen war.
5 Da geriet David in großen Zorn über
den Mann und sprach zu Nathan: So wahr
der HERR lebt: Der Mann ist ein Kind des
Todes, der das getan hat! 6 Dazu soll er das
Schaf [a]vierfach bezahlen, weil er das getan
und sein eigenes geschont hat.
7 Da sprach Nathan zu David: [a]Du bist
der Mann! So spricht der HERR, der Gott
Israels: Ich habe dich zum König ge-
salbt über Israel und habe dich errettet
aus der Hand Sauls 8 und habe dir deines
Herrn Haus gegeben, dazu seine Frauen
in deinen Schoß, und habe dir das Haus
Israel und Juda gegeben; und ist das zu
wenig, will ich noch dies und das dazu-
tun. 9 Warum hast du denn das Wort des
HERRN verachtet, dass du getan hast, was
ihm missfiel? [a]Uria, den Hetiter, hast du
erschlagen mit dem Schwert, seine Frau
hast du dir zur Frau genommen, ihn aber
hast du umgebracht durch das Schwert
der Ammoniter. 10 Nun, so [a]soll von dei-
nem Hause das Schwert nimmermehr las-
sen, weil du mich verachtet und die Frau
Urias, des Hetiters, genommen hast, dass
sie deine Frau sei. 11 So spricht der HERR:
Siehe, ich will Unheil über dich kommen
lassen aus deinem eigenen Hause und will
deine Frauen nehmen vor deinen Augen
und will sie deinem Nächsten geben, dass
er [a]bei deinen Frauen schlafen soll an der
lichten Sonne. 12 Denn du hast's heimlich
getan, ich aber will dies tun vor ganz Israel
und im Licht der Sonne.
13 Da sprach David zu Nathan: [a]Ich
habe gesündigt gegen den HERRN. Na-
than sprach zu David: [b]So hat auch der
HERR deine Sünde weggenommen; du
wirst nicht sterben. 14 Aber weil du die
Feinde des HERRN durch diese Sache zum
Lästern gebracht hast, wird der [a]Sohn, der
dir geboren ist, des Todes sterben. 15 Und
Nathan ging heim.
Und der HERR schlug das Kind, das
Urias Frau David geboren hatte, dass es
todkrank wurde. 16 Und David suchte
Gott um des Knäbleins willen und [a]fas-
tete, und wenn er heimkam, lag er über
Nacht auf der Erde. 17 Da traten herzu die
Ältesten seines Hauses und wollten ihn
aufrichten von der Erde; er aber wollte

12,1 *a* (1-6) Lk 16,19-20 **12,6** *a* 2. Mose 21,37
12,7 *a* 1. Kön 20,40 **12,9** *a* Kap 11,1-27; 1. Kön 15,5
12,10 *a* Kap 13,28-29; 18,14; 1. Kön 2,24-25
12,11 *a* Kap 15,16; 16,22; 20,3 **12,13** *a* Kap 24,10; Ps 51,3
b Hes 18,21-23 **12,14** *a* Kap 11,27 **12,16** *a* Joel 2,12;
Jona 3,5-9

nicht und aß auch nicht mit ihnen. 18 Am
siebenten Tage aber starb das Kind. Und
die Knechte Davids fürchteten sich, ihm
zu sagen, dass das Kind tot wäre; denn
sie dachten: Siehe, als das Kind noch am
Leben war, redeten wir mit ihm, und er
hörte nicht auf uns; wie könnten wir ihm
nun sagen: Das Kind ist tot! Er könnte ein
Unheil anrichten.
19 Als aber David sah, dass seine Knechte
miteinander flüsterten, merkte er, dass das
Kind tot war, und sprach zu seinen Knech-
ten: Ist das Kind tot? Sie sprachen: Ja. 20 Da
stand David von der Erde auf und wusch
sich und salbte sich und zog andere Klei-
der an und ging in das Haus des HERRN
und betete an. Und als er wieder heim-
kam, ließ er sich Speise auftragen und aß.
21 Da sprachen seine Knechte zu ihm: Was
soll das, was du tust? Als das Kind lebte,
hast du gefastet und geweint; nun es aber
gestorben ist, stehst du auf und isst? 22 Er
sprach: Als das Kind noch lebte, fastete ich
und weinte; denn ich dachte: Wer weiß,
ob mir der HERR nicht gnädig wird und
das Kind am Leben bleibt.[a] 23 Nun es aber
tot ist, was soll ich fasten? Kann ich es
wieder zurückholen? Ich werde wohl zu
ihm fahren; es kommt aber nicht wieder
zu mir zurück.
24 Und als David seine Frau Batseba ge-
tröstet hatte, ging er zu ihr hinein und
schlief bei ihr. Und sie gebar einen [a]Sohn,
den nannte er Salomo. Und der HERR
liebte ihn. 25 Und er tat ihn unter die Hand
des Propheten Nathan; der nannte ihn Je-
didja* um des HERRN willen.

DIE EROBERUNG DER HAUPTSTADT DER AMMONITER

(vgl. 1. Chr 20,1-3)

26 So kämpfte nun Joab gegen [a]Rabba, die
Stadt der Ammoniter, und eroberte die
Königsstadt 27 und sandte Boten zu David
und ließ ihm sagen: Ich habe gekämpft
gegen Rabba und auch die Wasserstadt
eingenommen. 28 So bring nun das übrige
Kriegsvolk zusammen und belagere die
Stadt und erobere sie, damit nicht ich sie
erobere und mein Name über ihr ausge-
rufen werde.
29 So brachte David das ganze Kriegsvolk
zusammen und zog hin und kämpfte ge-
gen Rabba und eroberte es 30 und nahm
seinem König die Krone vom Haupt;
die war an Gewicht einen Zentner Gold
schwer, und an ihr waren Edelsteine; und
sie wurde David aufs Haupt gesetzt. Und
er führte aus der Stadt viel Beute weg.
31 Aber das Volk darin führte er heraus und
stellte sie als Fronarbeiter an die Sägen, die
eisernen Pickel und an die eisernen Äxte
und ließ sie an den Ziegelöfen arbeiten.
So tat er mit allen Städten der Ammon-
iter. Danach kehrten David und das ganze
Kriegsvolk nach Jerusalem zurück.

AMNON UND TAMAR

13 Und es begab sich danach: [a]Absalom,
der Sohn Davids, hatte eine schöne
Schwester, die hieß Tamar; und Amnon,
der Sohn Davids, gewann sie lieb. 2 Und
Amnon grämte sich, sodass er fast krank
wurde, um seiner Schwester Tamar wil-
len; denn sie war eine Jungfrau, und es
schien Amnon unmöglich, ihr etwas an-
zutun.
3 Amnon aber hatte einen Freund, der
hieß Jonadab, ein Sohn von Davids Bruder
Schima, und dieser Jonadab war ein sehr
kluger Mann. 4 Der sprach zu ihm: Warum
bist du so elend von Tag zu Tag, du Kö-
nigssohn? Willst du mir's nicht sagen? Da
sprach Amnon zu ihm: Ich habe Tamar, die
Schwester meines Bruders Absalom, lieb
gewonnen. 5 Jonadab sprach zu ihm: Lege
dich auf dein Bett und stelle dich krank.
Wenn dann dein Vater kommt, dich zu be-
suchen, so sprich zu ihm: Lass doch meine
Schwester Tamar kommen, damit sie mir
Krankenspeise gebe und vor meinen Au-
gen das Essen bereite, dass ich zusehe und
von ihrer Hand esse.
6 So legte sich Amnon hin und stellte
sich krank. Als nun der König kam, ihn zu
besuchen, sprach Amnon zum König: Lass
doch meine Schwester Tamar kommen,
dass sie vor meinen Augen zwei Kuchen
mache und ich von ihrer Hand esse. 7 Da
sandte David zu Tamar ins Haus und ließ
ihr sagen: Geh hin ins Haus deines Bru-
ders Amnon und mache ihm eine Kran-

* **12,25** Der Name bedeutet »Geliebter des Herrn«.

12,22 ***a*** Joel 2,14; Jona 3,9 **12,24** ***a*** 1. Chr 22,9
12,26 ***a*** Kap 11,1 **13,1** ***a*** Kap 3,2-3

kenspeise. 8 Tamar ging hin ins Haus ihres
Bruders Amnon; er aber lag zu Bett. Und
sie nahm den Teig und knetete ihn und be-
reitete ihn vor seinen Augen und backte
die Kuchen. 9 Und sie nahm die Pfanne
und schüttete sie vor ihm aus; aber er wei-
gerte sich zu essen. Und Amnon sprach:
[a]Lasst jedermann von mir hinausgehen.
Und es ging jedermann von ihm hinaus.
10 Da sprach Amnon zu Tamar: Bringe die
Krankenspeise in die Kammer, dass ich
von deiner Hand esse. Da nahm Tamar
die Kuchen, die sie gemacht hatte, und
brachte sie zu Amnon, ihrem Bruder, in
die Kammer.

11 [a]Und als sie diese zu ihm brachte, da-
mit er esse, ergriff er Tamar und sprach
zu ihr: Komm, meine Schwester, schlaf
bei mir! 12 Sie aber sprach zu ihm: Nicht
doch, mein Bruder, schände mich nicht;
denn so tut man nicht in Israel. Tu nicht
solch eine Schandtat! 13 Wo soll ich mit
meiner Schande hin? Und du wirst in Is-
rael sein wie ein Ruchloser. Rede aber mit
dem König, der wird mich dir nicht versa-
gen. 14 Aber er wollte nicht auf sie hören
und ergriff sie und tat ihr Gewalt an und
schlief bei ihr. 15 Und Amnon wurde ihrer
überdrüssig, sodass sein Hass größer war
als vorher seine Liebe. Und Amnon sprach
zu ihr: Steh auf, geh! 16 Sie aber sprach zu
ihm: Dass du mich von dir stößt, dies Un-
recht ist größer als das andere, das du an
mir getan hast. Aber er wollte nicht auf sie
hören, 17 sondern rief den Knaben, der ihm
diente, und sprach: Treibe diese von mir
hinaus und schließ die Tür hinter ihr zu!

18 Und sie hatte ein Ärmelkleid an; denn
solche Kleider trugen des Königs Töch-
ter, solange sie Jungfrauen waren. Und als
sein Diener sie hinausgetrieben und die
Tür hinter ihr zugeschlossen hatte, 19 warf
Tamar Asche auf ihr Haupt und zerriss das
Ärmelkleid, das sie anhatte, und legte ihre
Hand auf das Haupt und ging schreiend
davon. 20 Und ihr Bruder Absalom sprach
zu ihr: Ist dein Bruder Amnon bei dir ge-
wesen? Nun, meine Schwester, schweig
still; es ist dein Bruder, nimm dir die Sache
nicht so zu Herzen. So blieb Tamar einsam
im Hause ihres Bruders Absalom.

21 Und als der König David dies alles
hörte, wurde er sehr zornig. Aber er tat
seinem Sohn Amnon nichts zuleide, denn
er liebte ihn, weil er sein Erstgeborener
war.* 22 Doch Absalom redete nicht mit
Amnon, weder Böses noch Gutes. Denn
Absalom hasste Amnon, weil er seine
Schwester Tamar geschändet hatte.

ABSALOMS RACHE AN AMNON

23 Nach zwei Jahren aber hatte Absalom
Schafschur in Baal-Hazor, das bei Ephraim
liegt. Und Absalom lud alle Söhne des Kö-
nigs ein 24 und kam zum König und sprach:
Siehe, dein Knecht hat Schafschur; der Kö-
nig und seine Knechte mögen mit seinem
Knecht hingehen. 25 Der König aber sprach
zu Absalom: Nicht doch, mein Sohn, lass
uns nicht alle gehen, damit wir dich nicht
beschweren. Und obgleich er ihn nötigte,
wollte er doch nicht hingehen, sondern
entließ ihn mit seinem Segen. 26 Absalom
sprach: Soll dann nicht mein Bruder Am-
non mit uns gehen? Der König sprach zu
ihm: Warum soll er mit dir gehen? 27 Da
nötigte ihn Absalom, dass er Amnon und
alle Söhne des Königs mit ihm gehen ließ.

28 Absalom aber gebot seinen Leuten:
Seht darauf, wenn Amnon guter Dinge
wird vom Wein und ich zu euch spreche:
Schlagt Amnon nieder!, so sollt ihr ihn
töten. Fürchtet euch nicht, denn ich hab's
euch geboten; seid nur getrost und geht
tapfer dran! 29 So taten die Leute Absaloms
mit Amnon, wie ihnen Absalom geboten
hatte. Da sprangen alle Söhne des Königs
auf, und jeder setzte sich auf sein Maultier,
und sie flohen.

30 Und als sie noch auf dem Wege wa-
ren, kam das Gerücht vor David, Absalom
habe alle Söhne des Königs erschlagen,
dass nicht einer von ihnen übrig geblie-
ben wäre. 31 Da stand der König auf und
zerriss seine Kleider und legte sich auf die
Erde, und alle seine Knechte, die um ihn
her standen, zerrissen ihre Kleider. 32 Da
hob Jonadab, der Sohn Schimas, des Bru-
ders Davids, an und sprach: Mein Herr
denke nicht, dass alle jungen Männer, die
Söhne des Königs, tot sind; sondern Am-
non allein ist tot. Denn das hatte Absalom

* **13,21** Der Text wurde nach anderer Überlieferung ergänzt.

13,9 *a* 1. Mose 45,1 **13,11** *a* (11-12) 3. Mose 18,9; 20,17

im Sinn von dem Tage an, da jener seine
Schwester Tamar schändete. 33 So denke
nun mein Herr, der König, nicht, dass alle
Söhne des Königs tot seien, sondern Am-
non allein ist tot.
34 Absalom aber floh. Und als der Knecht
auf der Warte seine Augen aufhob und
ausschaute, siehe, da kam viel Volk auf
dem Wege hinter ihm an der Seite des
Berges entlang. 35 Da sprach Jonadab zum
König: Siehe, die Söhne des Königs kom-
men; wie dein Knecht gesagt hat, so ist's
ergangen. 36 Und als er ausgeredet hatte,
siehe, da kamen die Söhne des Königs
und erhoben ihre Stimme und weinten.
Der König und alle seine Knechte wein-
ten auch gar sehr. 37 Absalom aber floh und
ging zu [a]Talmai, dem Sohn Ammihuds,
dem König von Geschur. David aber trug
Leid um seinen Sohn alle Tage.

JOAB ERBITTET GNADE FÜR ABSALOM

38 Als aber Absalom geflohen und nach
Geschur gezogen war, blieb er dort drei
Jahre. 39 Und der König hörte auf, mit Ab-
salom zu hadern, denn er hatte sich ge-
tröstet über Amnon, dass er tot war.
14 Joab aber, der Sohn der Zeruja, merkte,
dass des Königs Herz an Absalom
hing, 2 und sandte hin nach Tekoa und ließ
von dort eine kluge Frau holen und sprach
zu ihr: Stelle dich wie eine Trauernde und
zieh Trauerkleider an und salbe dich nicht
mit Öl, sondern stelle dich wie eine Frau,
die eine lange Zeit Leid getragen hat um
einen Toten. 3 Und du sollst zum König
hineingehen und mit ihm reden so und
so. Und Joab legte ihr in den Mund, was
sie reden sollte.
4 Und als die Frau aus Tekoa zum König
kam, fiel sie auf ihr Antlitz zur Erde und
huldigte ihm und sprach: Hilf mir, König!
5 Der König sprach zu ihr: Was hast du?
Sie sprach: Ach, ich bin eine Witwe, und
mein Mann ist gestorben. 6 [a]Und deine
Magd hatte zwei Söhne, die zankten mit-
einander auf dem Felde, und weil keiner
da war, der zwischen ihnen schlichtete,
schlug einer den andern nieder und tötete
ihn. 7 Und siehe, nun steht die ganze Sippe
auf gegen deine Magd, und sie sagen: Gib
den her, der seinen Bruder erschlagen hat,
[a]dass wir ihn töten für das Leben seines
Bruders, den er umgebracht hat, und auch
den Erben vertilgen. Und sie wollen den
Funken auslöschen, der mir noch geblie-
ben ist, sodass meinem Mann kein Name
und kein Nachkomme bleibt auf Erden.
8 Der König sprach zu der Frau: Geh
heim, ich will deinetwegen Befehl ge-
ben. 9 Und die Frau aus Tekoa sprach zum
König: Mein Herr und König, die Schuld
wird man auf mich und meines Vaters
Haus legen, den König aber und seinen
Thron ohne Schuld sein lassen. 10 Der
König sprach: Wer gegen dich redet, den
bringe zu mir; er soll dich nicht mehr an-
tasten. 11 Sie sprach: Der König gedenke
doch an den HERRN, deinen Gott, damit
der [a]Bluträcher nicht noch mehr Verder-
ben anrichte und sie meinen Sohn nicht
vertilgen. Er sprach: So wahr der HERR
lebt: Es soll kein Haar von deinem Sohn
auf die Erde fallen.[b]
12 Und die Frau sprach: Lass deine Magd
meinem Herrn und König etwas sagen.
Er sprach: Sage an! 13 Die Frau sprach:
Warum bist du so gesinnt gegen Gottes
Volk? Denn da der König nun ein solches
Urteil gefällt hat, ist er wie ein Schuldi-
ger, wenn er den nicht zurückholen lässt,
den er verstoßen hat. 14 Denn wir ster-
ben des Todes und sind wie Wasser, das
auf die Erde gegossen wird und das man
nicht wieder sammeln kann; aber Gott
will nicht das Leben wegnehmen, sondern
er ist darauf bedacht, dass das Verstoßene
nicht auch von ihm verstoßen werde.
15 So bin ich nun gekommen, mit mei-
nem Herrn und König solches zu reden;
denn das Volk macht mir Angst. Deine
Magd dachte: Ich will mit dem König re-
den; vielleicht wird er tun, was seine Magd
sagt. 16 Denn der König wird seine Magd
erhören, dass er mich errette aus der Hand
aller, die mich samt meinem Sohn vertil-
gen wollen vom Erbe Gottes. 17 Und deine
Magd dachte: Meines Herrn, des Königs,
Wort soll mir ein Trost sein; denn mein
Herr, der König, ist [a]wie der Engel Gottes,
dass er Gutes und Böses unterscheiden
kann. Der HERR, dein Gott, sei mit dir!
18 Der König antwortete und sprach zu

13,37 *a* Kap 3,3 **14,6** *a* 1. Mose 4,8
14,7 *a* 5. Mose 19,11-13 **14,11** *a* 4. Mose 35,19-21
b 1. Sam 14,45 **14,17** *a* Kap 19,28; 1. Sam 29,9

der Frau: Verhehle mir nicht, was ich dich
frage. Die Frau sprach: Mein Herr, der Kö-
nig, rede! 19 Der König sprach: Ist nicht die
Hand Joabs mit dir in alledem? Die Frau
antwortete und sprach: So wahr du lebst,
mein Herr und König: Man kann nicht
vorüber an dem, was mein Herr und Kö-
nig geredet hat, weder zur Rechten noch
zur Linken. Ja, dein Knecht Joab hat mir's
geboten, und er hat alle diese Worte dei-
ner Magd in den Mund gelegt. 20 Dass ich
diese Sache so wenden sollte, das hat dein
Knecht Joab gemacht. Aber mein Herr
gleicht an Weisheit dem Engel Gottes,
sodass er alles weiß, was auf Erden ge-
schieht.

21 Da sprach der König zu Joab: Siehe,
ich will es tun; so geh hin und bringe den
jungen Absalom zurück. 22 Da fiel Joab auf
sein Antlitz zur Erde, huldigte und dankte
dem König und sprach: Heute erkennt
dein Knecht, dass ich Gnade gefunden
habe vor deinen Augen, mein Herr und
König, da der König tut, was sein Knecht
sagt. 23 So machte sich Joab auf und zog
nach [a]Geschur und brachte Absalom nach
Jerusalem. 24 Aber der König sprach: Lass
ihn wieder in sein Haus gehen, doch mein
Angesicht soll er nicht sehen. So kam Ab-
salom wieder in sein Haus, doch des Kö-
nigs Angesicht sah er nicht.

25 Es war aber in ganz Israel kein Mann
so schön wie Absalom, und er hatte dieses
Lob vor allen; von der Fußsohle bis zum
Scheitel war nicht ein Fehl an ihm. 26 Und
wenn man sein Haupt schor – das geschah
alle Jahre, denn es war ihm zu schwer, so-
dass man es abscheren musste –, so wog
sein Haupthaar zweihundert Schekel nach
dem königlichen Gewicht. 27 Und Absa-
lom wurden drei Söhne geboren und eine
Tochter, die hieß [a]Tamar, und sie war eine
Frau schön von Gestalt.

28 Und Absalom wohnte zwei Jahre in
Jerusalem, ohne des Königs Angesicht zu
sehen. 29 Und Absalom sandte zu Joab, um
ihn zum König zu senden; aber Joab wollte
nicht zu ihm kommen. Er aber sandte zum
zweiten Mal; aber er wollte immer noch
nicht kommen. 30 Da sprach er zu seinen
Knechten: Seht das Stück Acker Joabs
neben meinem; er hat Gerste darauf. So
geht hin und steckt's in Brand. Da steck-
ten die Knechte Absaloms das Stück in
Brand. 31 Da machte sich Joab auf und kam
zu Absalom ins Haus und sprach zu ihm:
Warum haben deine Knechte mein Feld
in Brand gesteckt? 32 Absalom sprach zu
Joab: Siehe, ich sandte zu dir und ließ dir
sagen: Komm her, dass ich dich zum Kö-
nig sende und sagen lasse: Warum bin ich
von Geschur hergekommen? Es wäre mir
besser, dass ich noch dort wäre. So lass
mich nun das Angesicht des Königs se-
hen; liegt aber eine Schuld auf mir, so soll
er mich töten.[a]

33 Und Joab ging hinein zum König und
sagte es ihm an. Und er rief Absalom, dass
er hinein zum König kam; und er fiel nie-
der vor dem König auf sein Antlitz zur
Erde, und der König küsste Absalom.

ABSALOMS AUFSTAND

15 Und es begab sich danach, dass Absa-
lom [a]sich einen Wagen anschaffte und
Rosse und fünfzig Mann, die seine Leib-
wache waren. 2 Auch machte sich Absalom
des Morgens auf und trat an den Weg bei
dem Tor. Und wenn jemand einen Rechts-
streit hatte und deshalb zum König vor
Gericht gehen wollte, rief ihn Absalom
zu sich und sprach: Aus welcher Stadt bist
du? Wenn der dann sprach: Dein Knecht
ist aus dem und dem Stamm Israels, 3 so
sprach Absalom zu ihm: Siehe, deine Sa-
che ist gut und recht; aber du hast keinen
beim König, der dich hört. 4 Und Absalom
sprach: Oh, wer setzt mich zum Richter
im Lande, dass jedermann zu mir käme,
der einen Streit oder eine Rechtssache
hat, damit ich ihm zum Recht helfe! 5 Und
wenn jemand ihm nahte und vor ihm nie-
derfallen wollte, so streckte er seine Hand
aus und ergriff ihn und küsste ihn. 6 Auf
diese Weise tat Absalom mit ganz Israel,
wenn sie vor Gericht kamen zum König.
So stahl Absalom das Herz der Männer
Israels.

7 Nach vier Jahren sprach Absalom zum
König: Ich will hingehen und mein Ge-
lübde in Hebron erfüllen, das ich dem
HERRN gelobt habe. 8 Denn dein Knecht
hat ein [a]Gelübde getan, als ich in [b]Ge-

14,23 *a* Kap 13,37 **14,27** *a* Kap 13,1 **14,32** *a* 1. Sam 20,8
15,1 *a* 1. Kön 1,5 **15,8** *a* 1. Mose 28,20-21 *b* Kap 13,37-38

schur in Aram wohnte, und gesprochen:
Wenn mich der HERR nach Jerusalem zu-
rückbringt, so will ich dem HERRN einen
Gottesdienst halten. 9 Der König sprach zu
ihm: Geh hin mit Frieden! Und er machte
sich auf und ging nach Hebron.
10 Absalom aber hatte Kundschafter aus-
gesandt in alle Stämme Israels und sagen
lassen: Wenn ihr den Schall der Posaune
hört, so ruft: Absalom ist König geworden
zu Hebron.[a] 11 Es gingen aber mit Absalom
zweihundert Mann von Jerusalem, die
geladen waren, und sie gingen ohne Arg-
wohn und wussten nichts von der Sache.
12 Als aber Absalom die Opfer darbrachte,
sandte er auch zu [a]Ahitofel, dem Giloni-
ter, Davids Ratgeber, und ließ ihn holen
aus seiner Stadt Gilo. Und die Verschwö-
rung wurde stark, und es sammelte sich
immer mehr Volk um Absalom.

DAVID VERLÄSST JERUSALEM

13 Da kam einer, der sagte es David an und
sprach: Jedermanns Herz in Israel hat sich
Absalom zugewandt. 14 David aber sprach
zu allen seinen Knechten, die bei ihm in
Jerusalem waren: Auf, lasst uns fliehen!
Denn hier wird kein Entrinnen sein vor
Absalom. Eilt, dass wir gehen, damit er
uns nicht einholt und uns ergreift und Un-
heil über uns bringt und die Stadt schlägt
mit der Schärfe des Schwerts. 15 Da spra-
chen die Knechte des Königs zu ihm: Ganz
wie unser Herr und König will; siehe, wir
sind deine Knechte. 16 Und der König zog
hinaus und sein ganzes Haus ihm nach.
Der König aber ließ zehn Nebenfrauen
zurück, das Haus zu bewahren.[a]
17 Und als der König und alles Volk, das
ihm nachfolgte, hinauskamen, blieben
sie stehen beim letzten Hause. 18 Und
alle seine Knechte zogen an ihm vorüber;
dazu alle [a]Kreter und Pleter, auch alle Gat-
iter, sechshundert Mann, die von Gat ihm
nachgefolgt waren, zogen an dem König
vorüber.
19 Und der König sprach zu [a]Ittai, dem
Gatiter: Warum gehst auch du mit uns?
Kehre um und bleibe bei dem König,
denn du bist ein Ausländer und von dei-
ner Heimat hierhergezogen. 20 Gestern
bist du gekommen und heute sollte ich
dich mit uns hin und her ziehen lassen?
Ich gehe nun, wohin ich gehen muss. Du
aber kehre um und bring deine Brüder
zurück; dir widerfahre Barmherzigkeit
und Treue. 21 Ittai antwortete dem König
und sprach: So wahr der HERR lebt und
so wahr mein Herr und König lebt: [a]Wo
immer mein Herr, der König, ist, es gerate
zum Tod oder zum Leben, da wird dein
Knecht auch sein. 22 David sprach zu Ittai:
So komm und zieh vorüber! Da zog Ittai,
der Gatiter, vorüber und alle seine Män-
ner und der ganze Tross, der bei ihm war.
23 Und das ganze Land weinte mit lauter
Stimme, während das ganze Kriegsvolk
vorüberzog. Und der König ging über den
Bach Kidron, und das ganze Kriegsvolk
zog weiter auf dem Wege, der zur Wüste
geht.
24 Und siehe, Zadok war auch da und alle
Leviten, die bei ihm waren, und sie trugen
die Lade des Bundes Gottes und stellten
sie nieder. Und Abjatar brachte Opfer dar,
bis das ganze Kriegsvolk aus der Stadt vor-
übergezogen war. 25 Aber der König sprach
zu Zadok: Bringe die Lade Gottes in die
Stadt zurück. Werde ich Gnade finden vor
dem HERRN, so wird er mich zurückbrin-
gen, dass ich sie und ihre Stätte wieder-
sehe. 26 Spricht er aber: Ich habe kein Ge-
fallen an dir – siehe, hier bin ich. Er mach's
mit mir, wie es ihm wohlgefällt. 27 Und
der König sprach zu dem Priester Zadok:
Sieh doch, kehre zurück in die Stadt mit
Frieden und mit euch eure beiden Söhne,
Ahimaaz, dein Sohn, und [a]Jonatan, der
Sohn Abjatars! 28 Siehe, ich will warten
bei den Furten in der Wüste, bis von euch
Botschaft kommt und mir Kunde bringt.
29 So brachten Zadok und Abjatar die Lade
Gottes zurück nach Jerusalem und blieben
dort.
30 David aber ging den Ölberg hinan
und weinte, und sein Haupt war verhüllt,
und er ging barfuß. Auch alles Volk, das
bei ihm war, hatten ein jeder sein Haupt
verhüllt und gingen hinan und weinten.
31 Und als David gesagt wurde, dass Ahi-
tofel im Bund mit Absalom sei, sprach er:
HERR, [a]mache den Ratschlag Ahitofels

15,10 ***a*** 2. Kön 9,13 **15,12** ***a*** Kap 23,34 **15,16** ***a*** Kap 16,21; 20,3 **15,18** ***a*** Kap 8,18; 20,7; 1. Kön 1,38.44
15,19 ***a*** Kap 18,2 **15,21** ***a*** Rut 1,16 **15,27** ***a*** 1. Kön 1,42
15,31 ***a*** Kap 17,14

zur Torheit! 32 Und als David auf die [a]Höhe
kam, wo man Gott anzubeten pflegte,
siehe, da begegnete ihm Huschai, der Ar-
kiter, mit zerrissenem Rock und Erde auf
seinem Haupt.

33 Und David sprach zu ihm: Wenn du
mit mir gehst, wirst du mir eine Last sein.
34 Wenn du aber in die Stadt zurückkehrst
und zu Absalom sprichst: Ich will dein
Knecht sein, König; wie ich zuvor dei-
nes Vaters Knecht war, will ich nun dein
Knecht sein –, so [a]könntest du mir zugut
den Ratschlag Ahitofels zunichtemachen.
35 Auch sind die Priester Zadok und Abja-
tar mit dir. Alles, was du hörst aus des Kö-
nigs Hause, sollst du den Priestern Zadok
und Abjatar sagen. 36 Siehe, es sind bei ih-
nen ihre beiden Söhne: Ahimaaz, Zadoks
Sohn, und Jonatan, Abjatars Sohn. Durch
die könnt ihr mir alles zukommen lassen,
was ihr hören werdet.[a] 37 So kam [a]Huschai,
der Freund Davids, in die Stadt. Und Ab-
salom zog in Jerusalem ein.

DAVID AUF DER FLUCHT ZUM JORDAN

16 Und als David ein wenig von der Höhe
hinabgegangen war, siehe, da begeg-
nete ihm [a]Ziba, der Knecht Mefi-Boschets,
mit einem Paar gesattelter Esel; darauf wa-
ren zweihundert Brote und hundert Rosi-
nenkuchen und hundert frische Früchte
und ein Schlauch Wein. 2 Da sprach der
König zu Ziba: Was willst du damit ma-
chen? Ziba sprach: Die Esel sollen für das
Haus des Königs sein, um darauf zu rei-
ten, und die Brote und die Früchte sind
für die Leute zum Essen und der Wein
zum Trinken, wenn sie müde werden in
der Wüste. 3 [a]Der König sprach: Wo ist
der Sohn deines Herrn? Ziba sprach zum
König: Siehe, er blieb in Jerusalem; denn
er denkt: Heute wird mir das Haus Israel
meines Vaters Königtum zurückgeben.
4 Der König sprach zu Ziba: Siehe, es soll
dein sein alles, was Mefi-Boschet hat. Ziba
sprach: Ich neige mich; lass mich Gnade
finden vor dir, mein Herr und König.

5 Als aber der König David nach Bahu-
rim kam, siehe, da kam ein Mann von dort
heraus, vom Geschlecht des Hauses Saul,
der hieß [a]Schimi, der Sohn Geras; der kam
heraus und [b]fluchte 6 und warf mit Steinen
nach David und allen Knechten des Kö-
nigs David, obwohl das ganze Kriegsvolk
und alle Helden zu seiner Rechten und
Linken waren. 7 So aber rief Schimi, als
er fluchte: Hinaus, hinaus, du Bluthund,
du ruchloser Mann! 8 Der HERR hat über
dich gebracht alles Blut des Hauses Sauls,
an dessen statt du König geworden bist.
Jetzt hat der HERR das Königtum gegeben
in die Hand deines Sohnes Absalom; und
siehe, nun steckst du in deinem Unglück,
denn du bist ein Bluthund.

9 Aber [a]Abischai, der Sohn der Zeru-
ja, sprach zu dem König: Sollte dieser
tote Hund meinem Herrn, dem König,
fluchen dürfen? Ich will hingehen und
ihm den Kopf abschlagen. 10 [a]Der König
sprach: Ihr Söhne der Zeruja, was hab ich
mit euch zu schaffen? Lasst ihn fluchen;
wenn der HERR ihm geboten hat: Fluche
David!, wer darf dann sagen: Warum tust
du das? 11 Und David sprach zu Abischai
und zu allen seinen Knechten: Siehe, mein
Sohn, der von meinem Leibe gekommen
ist, trachtet mir nach dem Leben; warum
nicht auch jetzt der Benjaminiter? Lasst
ihn ruhig fluchen, denn der HERR hat's
ihm geboten. 12 Vielleicht wird der HERR
mein Elend ansehen und mir mit Gutem
vergelten sein heutiges Fluchen.

13 So ging David mit seinen Leuten
des Weges; aber Schimi ging am Hang
des Berges entlang, neben ihm her, und
fluchte und warf mit Steinen nach ihm
und bewarf ihn mit Erdklumpen. 14 Und
der König kam mit allem Volk, das bei ihm
war, müde an den Jordan und ruhte dort
aus.

ABSALOM IN JERUSALEM

15 Aber Absalom und alles Volk, die Män-
ner Israels, kamen nach Jerusalem und
Ahitofel mit ihm. 16 Als aber [a]Huschai, der
Arkiter, Davids Freund, zu Absalom hin-
einkam, rief er Absalom zu: [b]Es lebe der
König! Es lebe der König! 17 Absalom aber
sprach zu Huschai: Ist das deine Treue zu
deinem Freunde? Warum bist du nicht

15,32 *a* 1. Kön 3,2 **15,34** *a* Kap 17,7 **15,36** *a* Kap 17,15-21
15,37 *a* 2. Sam 16,16; 1. Chr 27,33 **16,1** *a* Kap 9,2
16,3 *a* (3-4) Kap 19,25-31 **16,5** *a* Kap 19,17-24;
1. Kön 2,8-9.36-46 *b* 2. Mose 22,27 **16,9** *a* 1. Sam 26,8
16,10 *a* (10-12) Kap 19,17-24 **16,16** *a* Kap 15,37
b 1. Sam 10,24; 1. Kön 1,39; 2. Kön 11,12

mit deinem Freunde gezogen? 18 Huschai
aber sprach zu Absalom: Nein! Sondern
wen der HERR erwählt und dies Volk und
alle Männer in Israel, zu dem gehöre ich
und bei dem will ich bleiben. 19 Zum an-
dern, wem diene ich? Ist es nicht sein
Sohn, dem ich diene? Wie ich deinem
Vater gedient habe, so will ich auch vor
dir sein.

20 Und Absalom sprach zu Ahitofel: Gebt
euren Rat, was sollen wir tun? 21 Ahitofel
sprach zu Absalom: [a]Geh ein zu den Ne-
benfrauen deines Vaters, die er zurück-
gelassen hat, um das Haus zu bewahren,
so wird ganz Israel hören, dass du dich
bei deinem Vater stinkend gemacht hast;
dann werden alle, die zu dir stehen, desto
kühner werden. 22 Da machten sie Absa-
lom ein Zelt auf dem Dach, und Absalom
[a]ging zu den Nebenfrauen seines Vaters
[b]vor den Augen ganz Israels. 23 Wenn da-
mals Ahitofel einen Rat gab, war das, als
wenn man Gott um etwas befragt hätte;
so viel galten alle Ratschläge Ahitofels bei
David und bei Absalom.

17 Und Ahitofel sprach zu Absalom: Ich
will zwölftausend Mann auswählen
und mich aufmachen und David nachjagen
in dieser Nacht 2 und will ihn überfallen,
solange er matt und verzagt ist. Wenn ich
ihn dann erschrecke und das ganze Kriegs-
volk, das bei ihm ist, flieht, will ich den
König allein erschlagen 3 und das ganze
Kriegsvolk zu dir zurückbringen, wie die
junge Frau zu ihrem Mann zurückkehrt.
Du trachtest ja nur einem Mann nach dem
Leben, aber das ganze Volk soll in Frieden
bleiben. 4 Die Rede gefiel Absalom gut und
allen Ältesten in Israel.

5 Aber Absalom sprach: Lasst doch auch
[a]Huschai, den Arkiter, rufen und hören,
was er dazu sagt. 6 Und als Huschai hinein
zu Absalom kam, sprach Absalom zu ihm:
Das und das hat Ahitofel geredet; sage du,
sollen wir's tun oder nicht?

7 Da sprach Huschai zu Absalom: Der
Rat, den Ahitofel diesmal gegeben hat, ist
nicht gut. 8 Und Huschai sprach weiter:
Du kennst deinen Vater und seine Leute,
dass sie stark sind und zornigen Gemüts
wie eine Bärin auf dem Felde, der die Jun-
gen geraubt sind. Dazu ist dein Vater ein
Kriegsmann und wird seinen Leuten auch
des Nachts keine Ruhe gönnen. 9 Siehe, er
hat sich jetzt vielleicht verkrochen in ir-
gendeiner Schlucht oder sonst einem Ver-
steck. Wenn's dann geschähe, dass gleich
zu Anfang einige unter ihnen fallen, und
es käme das Gerücht auf: Das Volk, das
Absalom nachfolgt, ist geschlagen wor-
den, 10 so würde jedermann verzagt wer-
den, auch wenn er ein Krieger ist und ein
Herz hat wie ein Löwe. Denn es weiß ganz
Israel, dass dein Vater ein Held ist und tap-
fere Leute bei sich hat. 11 Darum rate ich,
dass du zu dir versammelst ganz Israel von
Dan bis Beerscheba, so viel wie der Sand
am Meer, und dass du selbst in den Kampf
ziehst. 12 So wollen wir ihn überfallen, wo
wir ihn finden, und wollen über ihn kom-
men, wie der Tau auf die Erde fällt, dass
wir von ihm und allen seinen Männern
nicht einen einzigen übrig lassen. 13 Zieht
er sich aber in eine Stadt zurück, so soll
ganz Israel Stricke an die Stadt legen und
sie ins Tal schleifen, dass man nicht einen
Stein mehr dort finde. 14 Da sprachen Ab-
salom und jedermann in Israel: Der Rat
Huschais, des Arkiters, ist besser als Ahi-
tofels Rat. [a]So schickte es der HERR, dass
der kluge Rat Ahitofels verworfen wurde,
damit der HERR Unheil über Absalom
brächte.

15 Und Huschai sprach zu den Priestern
[a]Zadok und Abjatar: So und so hat Ahi-
tofel Absalom und den Ältesten in Israel
geraten, ich aber habe so und so geraten.
16 So sendet nun eilends hin und lasst
David sagen: Bleibe nicht über Nacht
an den Furten der Wüste, sondern geh
gleich hinüber, damit der König nicht
vernichtet werde und das ganze Volk, das
bei ihm ist.

17 [a]Jonatan aber und Ahimaaz standen
bei der [b]Quelle Rogel; und eine Magd
ging von Zeit zu Zeit hin und brachte ih-
nen Nachricht, die sie dem König David
weitersagten; denn sie durften sich in
der Stadt nicht sehen lassen. 18 Es sah sie
aber ein Knabe und sagte es Absalom an.
Da gingen die beiden eilends fort und ka-
men in das Haus eines Mannes in Bahu-
rim; der hatte einen Brunnen in seinem

16,21 ***a*** Kap 15,16 **16,22** ***a*** 3. Mose 18,8 ***b*** Kap 12,11; 20,3
17,5 ***a*** Kap 16,16 **17,14** ***a*** Kap 15,31.34 **17,15** ***a*** Kap 8,17;
15,24-29 **17,17** ***a*** Kap 15,35-36 ***b*** Jos 15,7-8; 1. Kön 1,9

Hofe. Dahinein stiegen sie. 19 [a]Und die Frau nahm eine Decke und breitete sie über das Brunnenloch und streute Körner darüber, sodass man nichts merkte. 20 Als nun die Knechte Absaloms zu der Frau ins Haus kamen, sprachen sie: Wo sind Ahimaaz und Jonatan? Sie sprach zu ihnen: Sie gingen weiter zum Wasser. Und als die Knechte Absaloms sie suchten und nicht fanden, kehrten sie nach Jerusalem zurück.

21 Und als sie weg waren, stiegen jene aus dem Brunnen und gingen hin und sagten's dem König David an und sprachen zu David: Macht euch auf und geht eilends über den Fluss, denn Ahitofel hat gegen euch den und den Rat gegeben. 22 Da machte sich David auf und das ganze Volk, das bei ihm war, und sie gingen über den Jordan, und als es lichter Morgen wurde, gab es nicht einen, der nicht über den Jordan gegangen wäre.

23 Als aber Ahitofel sah, dass sein Rat nicht ausgeführt wurde, sattelte er seinen Esel, machte sich auf und zog heim in seine Stadt und bestellte sein Haus und [a]erhängte sich und starb und wurde begraben in seines Vaters Grab.

DAVID IN MAHANAJIM

24 Und David kam nach [a]Mahanajim. Aber Absalom zog über den Jordan und alle Männer Israels mit ihm. 25 Und Absalom hatte [a]Amasa an Joabs statt über das Heer gesetzt. Amasa aber war der Sohn eines Mannes mit Namen Jeter, eines Israeliters, der zu Abigal, der Tochter des Nahasch, eingegangen war; diese war eine Schwester der [b]Zeruja, Joabs Mutter. 26 Israel aber und Absalom lagerten sich in Gilead.

27 Als David nach Mahanajim gekommen war, da brachten Schobi, der Sohn des [a]Nahasch von Rabba, der Stadt der Ammoniter, und [b]Machir, der Sohn Ammiëls von Lo-Dabar, und [c]Barsillai, ein Gileaditer von Roglim, 28 Betten, Becken, irdene Gefäße, Weizen, Gerste, Mehl, geröstete Körner, Bohnen, Linsen, 29 Honig, Butter, Schafe und Käse zu David und zum Volk, das bei ihm war zum Essen. [a]Denn sie dachten: Das Volk wird hungrig, müde und durstig geworden sein in der Wüste.

ABSALOMS ENDE

18 Und David ordnete das Kriegsvolk, das bei ihm war, und setzte über sie Hauptleute über Tausend und über Hundert 2 und stellte ein Drittel des Volks unter Joab und [a]ein Drittel unter Abischai, den Sohn der Zeruja, Joabs Bruder, und ein Drittel unter [b]Ittai, den Gatiter. Und der König sprach zum Kriegsvolk: Ich will auch mit euch ausziehen. 3 Aber das Kriegsvolk sprach: [a]Du sollst nicht ausziehen, denn wenn wir fliehen oder die Hälfte von uns stirbt, so werden sie unser nicht achten; aber du bist wie zehntausend von uns. So ist's nun besser, dass du uns von der Stadt aus helfen kannst. 4 Der König sprach zu ihnen: Was euch gefällt, das will ich tun. Und der König trat ans Tor, und das ganze Kriegsvolk zog aus zu Hundert und zu Tausend. 5 Und der König gebot Joab und Abischai und Ittai und sprach: [a]Schont mir den jungen Absalom! Und das ganze Kriegsvolk hörte es, als der König allen Hauptleuten Absaloms wegen diesen Befehl gab.

6 Und als das Volk hinauskam aufs Feld Israel entgegen, kam es zum Kampf im Walde Ephraim. 7 Und das Volk Israels wurde dort geschlagen von den Knechten Davids, sodass an diesem Tag eine große Schlacht geschah – zwanzigtausend Mann. 8 Und der Kampf breitete sich dort aus über die ganze Gegend, und der Wald fraß an diesem Tage viel mehr Volk, als das Schwert fraß.

9 Und Absalom begegnete den Knechten Davids und ritt auf einem Maultier. Und als das Maultier unter eine große Eiche mit dichten Zweigen kam, blieb sein Haupt an der Eiche hängen, und er schwebte zwischen Himmel und Erde; denn sein Maultier lief unter ihm weg.

10 Als das ein Mann sah, tat er's Joab kund und sprach: Siehe, ich sah Absalom an einer Eiche hängen. 11 Und Joab sprach zu dem Mann, der's ihm kundgetan hatte: Wenn du das gesehen hast, warum schlugst du ihn nicht gleich zu Boden? So

17,19 ***a*** Jos 2,6; 1. Sam 19,11-17 **17,23** ***a*** 1. Sam 31,4; 1. Kön 16,18; Mt 27,5 **17,24** ***a*** Kap 2,8 **17,25** ***a*** Kap 19,14 ***b*** 1. Chr 2,16-17 **17,27** ***a*** Kap 10,2; 1. Sam 11,1 ***b*** Kap 9,4 ***c*** Kap 19,32-40 **17,29** ***a*** Kap 16,2 **18,2** ***a*** 1. Sam 11,11 ***b*** Kap 15,19 **18,3** ***a*** Kap 21,17 **18,5** ***a*** Vers 12; Kap 19,7

hätte ich dir zehn Silberstücke und einen
Gürtel gegeben. 12 Der Mann sprach zu
Joab: Wenn du mir tausend Silberstücke
in meine Hand gewogen hättest, so hätte
ich dennoch meine Hand nicht an des Kö-
nigs Sohn gelegt; denn der König gebot dir
und Abischai und Ittai vor unsern Ohren:
[a]Gebt ja acht auf den jungen Absalom!
13 Oder wenn ich heimtückisch an ihm ge-
handelt hätte, würdest du selbst dich ge-
gen mich stellen, weil dem König ja nichts
verborgen bleibt. 14 [a]Joab sprach: Ich kann
nicht so lange bei dir verweilen. Da nahm
Joab drei Stäbe in seine Hand und stieß
sie Absalom ins Herz, als er noch lebend
an der Eiche hing. 15 Und zehn Knappen,
Joabs Waffenträger, umringten Absalom
und schlugen ihn tot.

16 Da ließ Joab die Posaune blasen, und
das Volk jagte Israel nicht weiter nach;
denn Joab gebot dem Volk Halt. 17 Und
sie nahmen Absalom und warfen ihn im
Wald in eine große Grube und [a]legten
einen sehr großen Haufen Steine auf ihn.
Und ganz Israel floh, ein jeder in sein Zelt.
18 Absalom aber hatte sich eine Säule auf-
gerichtet, als er noch lebte; die steht im
Königsgrund. Denn er sprach: [a]Ich habe
keinen Sohn, der meinen Namen im Ge-
dächtnis hält. Und er nannte die Säule
nach seinem Namen, und sie heißt auch
bis auf diesen Tag »Absaloms Mal«.

DAVIDS TRAUER UM ABSALOM

19 [a]Ahimaaz, der Sohn Zadoks, sprach:
Lass mich doch laufen und dem König die
gute Botschaft bringen, dass der HERR
ihm Recht verschafft hat gegen seine
Feinde. 20 Joab aber sprach zu ihm: Du bist
heute nicht der Mann für eine gute Bot-
schaft. An einem andern Tag darfst du eine
Botschaft bringen, aber heute nicht; denn
des Königs Sohn ist tot. 21 Und Joab befahl
einem Kuschiter: Geh hin und sage dem
König an, was du gesehen hast. Und der
Kuschiter neigte sich vor Joab und lief hin.
22 Ahimaaz aber, der Sohn Zadoks, sprach
abermals zu Joab: Komme, was da will,
ich möchte auch laufen, dem Kuschiter
nach. Joab sprach: Was willst du laufen,
mein Sohn? Du hast keine gute Botschaft
zu bringen. 23 Ahimaaz sprach: Komme,
was da will, ich laufe. Er sprach zu ihm: So
lauf! Da lief Ahimaaz auf dem Weg durchs
Jordantal und kam dem Kuschiter zuvor.

24 David aber saß zwischen den beiden
Toren. Und der Wächter ging aufs Dach
des Tores an der Mauer und hob seine Au-
gen auf und sah einen Mann laufen allein
25 und rief und sagte es dem König an. Der
König aber sprach: Ist er allein, so ist eine
gute Botschaft in seinem Munde. Und als
der Mann immer näher kam, 26 sah der
Wächter einen andern Mann laufen und
rief in das Tor: Siehe, da kommt noch ein
Mann allein. Der König aber sprach: Der
ist auch ein guter Bote. 27 Der Wächter
sprach: Ich sehe den ersten laufen, wie
Ahimaaz, der Sohn Zadoks, läuft. Und der
König sprach: Es ist ein guter Mann und
bringt eine gute Botschaft.

28 Ahimaaz aber rief und sprach zum Kö-
nig: Friede! Und er fiel nieder vor dem Kö-
nig auf sein Antlitz zur Erde und sprach:
Gelobt sei der HERR, dein Gott, der die
Leute, die ihre Hand gegen meinen Herrn,
den König, erhoben haben, dahingege-
ben hat. 29 Der König aber sprach: Geht es
auch dem jungen Absalom gut? Ahimaaz
sprach: Ich sah ein großes Getümmel, als
Joab des Königs Knecht und mich, deinen
Knecht, sandte, aber ich weiß nicht, was
es war. 30 Der König sprach: Tritt zur Seite
und stell dich dahin. Und er trat zur Seite
und blieb stehen.

31 Siehe, da kam der Kuschiter und
sprach: Hier gute Botschaft, mein Herr
und König! Der HERR hat dir heute Recht
verschafft gegen alle, die sich gegen dich
auflehnten. 32 Der König aber sprach zu
dem Kuschiter: Geht es dem jungen Absa-
lom gut? Der Kuschiter sprach: Es müsse
den Feinden meines Herrn, des Königs,
ergehen, wie es dem jungen Mann ergan-
gen ist und auch allen, die sich böswillig
gegen dich auflehnen.

19 Da erbebte der König und ging hin-
auf in das Obergemach des Tores und
weinte, und im Gehen rief er: Mein Sohn
Absalom! Mein Sohn, mein Sohn Absa-
lom! Wollte Gott, ich wäre für dich ge-
storben! O Absalom, mein Sohn, mein
Sohn!

18,12 *a* Vers 5 **18,14** *a* Kap 12,10 **18,17** *a* Jos 7,26; 8,29
18,18 *a* Kap 14,27 **18,19** *a* Kap 15,36; 17,17

[2]Und es wurde Joab angesagt: Siehe, der
König weint und trägt Leid um Absalom.
[3]So wurde aus dem Sieg an diesem Tag
eine Trauer unter dem ganzen Kriegsvolk;
denn das Volk hatte an diesem Tage ge-
hört, dass sich der König um seinen Sohn
gräme. [4]Und das Kriegsvolk stahl sich
weg an diesem Tage in die Stadt, wie sich
Kriegsvolk wegstiehlt, das sich schämen
muss, weil es im Kampf geflohen ist. [5]Der
König aber hatte sein Angesicht verhüllt
und schrie laut: Ach, mein Sohn Absalom!
Absalom, mein Sohn, mein Sohn!

[6]Joab aber kam zum König ins Haus und
sprach: Du hast heute schamrot gemacht
alle deine Knechte, die dir heute das Leben
gerettet haben und deinen Söhnen, dei-
nen Töchtern, deinen Frauen und Neben-
frauen, [7]weil du lieb hast, die dich hassen,
und hasst, die dich lieb haben. Denn du
lässt heute merken, dass dir nichts gelegen
ist an den Hauptleuten und Knechten. Ja,
ich merke heute wohl: Wenn nur Absa-
lom lebte und wir heute alle tot wären, das
wäre dir recht. [8]So mache dich nun auf und
komm heraus und rede mit deinen Knech-
ten freundlich. Denn ich schwöre dir bei
dem HERRN: Wirst du nicht herauskom-
men, so wird kein Mann bei dir bleiben
diese Nacht. Das wird für dich ärger sein
als alles Übel, das über dich gekommen
ist von deiner Jugend auf bis hierher. [9]Da
stand der König auf und setzte sich ins Tor.
Und man sagte es allem Kriegsvolk: Siehe,
der König sitzt im Tor. Da kam alles Volk
vor den König.

DAVIDS RÜCKKEHR NACH JERUSALEM

Als Israel geflohen war, ein jeder zu sei-
nen Zelten, [10]stritt sich alles Volk in allen
Stämmen Israels, und sie sprachen: Der
König hat uns errettet aus der Hand un-
serer Feinde und uns erlöst aus der Hand
der Philister und hat jetzt aus dem Lande
fliehen müssen vor Absalom. [11]Aber Ab-
salom, den wir über uns gesalbt hatten, ist
gefallen im Kampf. Warum seid ihr nun
so still und holt den König nicht wieder
zurück? [12]Es kam aber die Rede ganz Isra-
els vor den König. Und der König sandte
zu den Priestern Zadok und Abjatar und
ließ ihnen sagen: Redet mit den Ältesten
in Juda und sprecht: Warum wollt ihr die
Letzten sein, den König zurückzuholen in
sein Haus? [13]Ihr seid meine Brüder, [a]von
meinem Gebein und Fleisch; warum wollt
ihr denn die Letzten sein, den König zu-
rückzuholen? [14]Und zu [a]Amasa sprecht:
Bist du nicht von meinem Gebein und
Fleisch? Gott tue mir dies und das, wenn
du nicht Feldhauptmann sein sollst vor
mir dein Leben lang an Joabs statt. [15]Und
er wandte das Herz aller Männer Judas wie
eines Mannes Herz, und sie sandten hin
zum König: Komm zurück, du und alle
deine Knechte! [16]So kam der König zu-
rück. Und als er an den Jordan kam, waren
die Männer Judas nach Gilgal gekommen,
um dem König entgegenzuziehen und
den König über den Jordan zu führen.

[17]Und [a]Schimi, der Sohn Geras, der Ben-
jaminiter, der in Bahurim wohnte, zog
eilends mit den Männern von Juda hinab
dem König David entgegen [18]und mit
ihm tausend Mann von Benjamin, dazu
auch [a]Ziba, der Knecht des Hauses Saul,
mit seinen fünfzehn Söhnen und zwanzig
Knechten, und sie gelangten an den Jor-
dan, bevor der König kam, [19]und durch-
schritten die Furt, damit sie das Haus des
Königs hinüberführten und täten, was
ihm gefiele. Schimi aber, der Sohn Geras,
fiel vor dem König nieder, als dieser über
den Jordan gehen wollte, [20]und sprach
zum König: Mein Herr rechne es mir nicht
als Schuld an und denke nicht mehr daran,
dass dein Knecht sich an dir vergangen hat
an dem Tage, da mein Herr, der König, aus
Jerusalem ging, und der König nehme es
nicht zu Herzen. [21]Denn dein Knecht er-
kennt, dass ich gesündigt habe. Und siehe,
ich bin heute als Erster vom ganzen Hause
Josef gekommen, dass ich meinem Herrn,
dem König, entgegenzöge.

[22]Aber Abischai, der Sohn der Zeruja,
hob an und sprach: Sollte Schimi nicht
sterben, da er doch dem Gesalbten des
HERRN geflucht hat? [23]David aber sprach:
[a]Was hab ich mit euch zu schaffen, ihr
Söhne der Zeruja, dass ihr mir heute zum
Satan werden wollt? Sollte heute jemand
sterben in Israel? Meinst du, ich wisse
nicht, dass ich heute wieder König über

19,13 ***a*** Kap 5,1; 1. Mose 29,14 **19,14** ***a*** Kap 17,25; 20,4-12;
1. Kön 2,5 **19,17** ***a*** Kap 16,5-14; 1. Kön 2,8-9.36-46
19,18 ***a*** Kap 9,2.10; 16,1-4 **19,23** ***a*** Kap 16,10

Israel geworden bin? 24 Und der König
sprach zu Schimi: Du sollst nicht sterben.
Und der König schwor es ihm.[a]
25 [a]Mefi-Boschet, der Sohn Sauls, kam
auch herab, dem König entgegen. Und er
hatte seine Füße und seinen Bart nicht ge-
reinigt und seine Kleider nicht gewaschen
von dem Tage an, da der König weggegan-
gen war, bis zu dem Tag, da er wohlbehal-
ten zurückkäme. 26 Als er nun nach Jerusa-
lem kam, dem König zu begegnen, sprach
der König zu ihm: Warum bist du nicht
mit mir gezogen, Mefi-Boschet?
27 Und er sprach: Mein Herr und König,
mein Knecht hat mich betrogen. Dein
Knecht dachte: Ich will einen Esel satteln
und darauf reiten und zum König ziehen,
denn dein Knecht ist lahm. 28 Dazu hat er
deinen Knecht [a]verleumdet vor meinem
Herrn, dem König. Aber mein Herr, der
König, ist [b]wie der Engel Gottes; tu, was
dir wohlgefällt. 29 Meines Vaters ganzes
Haus hätte ja den Tod erleiden müssen
von meinem Herrn, dem König; du aber
hast deinen Knecht gesetzt unter die, die
an deinem Tisch essen. Was hab ich weiter
für Recht oder Anspruch, zum König um
Hilfe zu schreien?[a] 30 Der König sprach zu
ihm: Was redest du noch weiter? Nun be-
stimme ich: Du und Ziba, teilt das Acker-
land miteinander.[a] 31 Mefi-Boschet sprach
zum König: Er nehme ihn auch ganz,
nachdem mein Herr und König wohlbe-
halten heimgekommen ist.
32 [a]Und Barsillai, der Gileaditer, kam
herab von Roglim und zog mit dem Kö-
nig an den Jordan, um ihn über den Jordan
zu geleiten. 33 Und Barsillai war sehr alt,
achtzig Jahre. Er hatte den König versorgt,
als er in Mahanajim war; denn er war ein
Mann von großem Vermögen. 34 Und der
König sprach zu Barsillai: Du sollst mit
mir ziehen, ich will dich versorgen bei
mir in Jerusalem. 35 Aber Barsillai sprach
zum König: Was ist's noch, das ich zu le-
ben habe, dass ich mit dem König hinauf-
ziehen sollte nach Jerusalem? 36 Ich bin
heute achtzig Jahre alt. Wie kann ich noch
unterscheiden, was gut oder böse ist, und
schmecken, was ich esse oder trinke, und
hören, was die Sänger oder Sängerinnen
singen? Warum sollte dein Knecht mei-
nen Herrn, den König, noch beschweren?
37 Dein Knecht wird ein kleines Stück mit
dem König über den Jordan gehen. Warum
will mir der König so reichlich vergelten?
38 Lass deinen Knecht umkehren, dass ich
sterbe in meiner Stadt bei meines Vaters
und meiner Mutter Grab. Siehe, da ist dein
Knecht [a]Kimham, den lass mit meinem
Herrn, dem König, ziehen und tu ihm,
was dir wohlgefällt.
39 Der König sprach: Kimham soll mit
mir ziehen, und ich will ihm tun, was dir
wohlgefällt; auch alles, was du von mir
begehrst, will ich dir tun. 40 Und als das
ganze Volk über den Jordan gegangen war
und der König auch, küsste der König den
Barsillai und segnete ihn. Und er kehrte
zurück an seinen Ort. 41 Und der König zog
hinüber nach Gilgal, und Kimham zog mit
ihm. Und das ganze Volk von Juda hatte
den König hinübergeführt und auch die
Hälfte des Volks von Israel.
42 Und siehe, da kamen alle Männer von
Israel zum König und sprachen zu ihm:
Warum haben dich unsere Brüder, die
Männer von Juda, gestohlen und haben
den König und sein Haus über den Jordan
geführt und alle Männer Davids mit ihm?
43 Da antworteten alle Männer von Juda
denen von Israel: [a]Der König steht uns
doch näher; warum zürnt ihr darüber?
Meint ihr, dass wir vom König Nahrung
und Geschenke empfangen haben? 44 Aber
es antworteten die Männer von Israel de-
nen von Juda: Wir haben zehnfachen An-
teil am König und sind auch die Erstgebo-
renen vor euch. Warum habt ihr uns denn
so gering geachtet? Und haben wir nicht
zuerst davon geredet, uns unsern König
zurückzuholen? Aber die von Juda rede-
ten noch heftiger als die von Israel.[a]

SCHEBAS AUFSTAND

20 Es traf sich aber, dass dort ein ruch-
loser Mann war, der hieß Scheba, ein
Sohn Bichris, ein Benjaminiter. Der blies
die Posaune und sprach: [a]Wir haben kein
Teil an David noch Erbe am Sohn Isais. Ein
jeder gehe zu seinen Zelten, Israel! 2 Da fiel

19,24 *a* 1. Kön 2,8-9 **19,25** *a* Kap 9,1-13; 16,1-4
19,28 *a* Kap 16,3 *b* Kap 14,17 **19,29** *a* Kap 9,7
19,30 *a* Kap 9,9-10; 16,3-4 **19,32** *a* (32-33) Kap 17,27; 1. Kön 2,7 **19,38** *a* Jer 41,17 **19,43** *a* Verse 12-13
19,44 *a* Verse 10-11 **20,1** *a* 1. Kön 12,16

jedermann in Israel von David ab, und sie
folgten Scheba, dem Sohn Bichris. Aber
die Männer von Juda hielten an ihrem Kö-
nig fest und folgten ihm vom Jordan bis
Jerusalem.
3 Als aber der König David heimkam
nach Jerusalem, nahm er [a]die zehn Ne-
benfrauen, die er zurückgelassen hatte,
das Haus zu bewahren, und tat sie in ein
bewachtes Haus und versorgte sie; aber er
ging nicht ein zu ihnen. Und so waren sie
eingeschlossen bis an ihren Tod und leb-
ten wie Witwen.
4 Und der König sprach zu Amasa: Ruf
mir alle Männer Judas auf den dritten Tag
zusammen, und du sollst dann auch hier
stehen. 5 Und Amasa ging hin, Juda zu-
sammenzurufen; aber er blieb über die
Zeit hinaus, die der König ihm bestimmt
hatte. 6 Da sprach David zu Abischai: Nun
wird uns Scheba, der Sohn Bichris, mehr
Schaden tun als Absalom. Nimm du die
Knechte deines Herrn und jage ihm nach,
damit er nicht etwa für sich feste Städte
gewinne und entreiße sie vor unsern Au-
gen. 7 Da zogen aus, ihm nach, die Männer
Joabs, dazu die [a]Kreter und Pleter und alle
Helden. Sie zogen aber aus von Jerusalem,
um Scheba, dem Sohn Bichris, nachzu-
jagen.
8 Als sie aber bei dem großen Stein bei
Gibeon waren, war Amasa vor ihnen an-
gekommen. Joab aber trug ein Gewand
und darüber einen Gürtel mit einem
Dolch; der hing an seiner Hüfte in der
Scheide; und wenn diese heraustrat, kam
er hervor. 9 Und Joab sprach zu Amasa:
Friede mit dir, mein Bruder! Und Joab
fasste mit seiner rechten Hand Amasa
bei dem Bart, [a]um ihn zu küssen. 10 Und
[a]Amasa hatte nicht acht auf den Dolch in
der linken Hand Joabs. Der stach ihn da-
mit in den Bauch, sodass seine Eingeweide
auf die Erde quollen, und gab ihm keinen
Stich mehr, und er starb. Joab aber und
sein Bruder Abischai jagten Scheba, dem
Sohn Bichris, nach.
11 Und es trat ein Mann von den Leuten
Joabs neben ihn und rief: Wer's mit Joab
hält und für David ist, der folge Joab nach!
12 Amasa aber lag in seinem Blut mitten
auf der Straße. Als aber der Mann sah,
dass alles Volk da stehen blieb, wälzte er
Amasa von der Straße auf den Acker und
warf Kleider auf ihn, weil er sah, dass jeder
stehen blieb, der an ihm vorbeikam.
13 Als er nun von der Straße wegge-
schafft war, folgte jedermann Joab nach,
um Scheba, dem Sohn Bichris, nachzu-
jagen. 14 Und der zog durch alle Stämme
Israels bis Abel-Bet-Maacha, und es ver-
sammelten sich alle Bichriter und folgten
ihm nach. 15 Aber die Leute Joabs kamen
und belagerten ihn in Abel-Bet-Maacha
und schütteten einen Wall gegen die Stadt
auf, dass er bis an die Vormauer reichte,
und stürmten und wollten die Mauer nie-
derwerfen.
16 Da rief eine [a]kluge Frau aus der Stadt:
Hört her! Hört her! Sprecht zu Joab:
Komm hierher, ich will mit dir reden.
17 Und als er zu ihr kam, sprach die Frau:
Bist du Joab? Er sprach: Ja. Sie sprach
zu ihm: Höre die Rede deiner Magd. Er
sprach: Ich höre. 18 Sie sprach: Vorzeiten
sagte man: Man frage doch nach in Abel,
so geht es gut aus; 19 ich bin eine von den
friedsamen und treuen Städten in Israel,
und du willst eine Stadt und Mutter in Is-
rael töten? Warum willst du das [a]Erbteil
des HERRN verderben?
20 Joab antwortete: Das sei ferne, das
sei ferne von mir, dass ich verderben und
vernichten will! So steht es nicht! 21 Son-
dern ein Mann vom Gebirge Ephraim mit
Namen Scheba, der Sohn Bichris, hat sich
empört gegen den König David. Gebt ihn
allein heraus, so will ich von der Stadt ab-
ziehen. Die Frau sprach zu Joab: Siehe,
sein Kopf soll zu dir über die Mauer ge-
worfen werden. 22 Und die Frau beredete
das ganze Volk mit ihrer Klugheit. Und
sie hieben Scheba, dem Sohn Bichris, den
Kopf ab und warfen ihn zu Joab hinaus. Da
blies er die Posaune, und sie zogen ab von
der Stadt und zerstreuten sich, ein jeder zu
seinen Zelten. Joab aber kam zurück nach
Jerusalem zum König.

DIE BEAMTEN DAVIDS

23 [a]Joab aber war über das ganze Heer Isra-
els gesetzt, Benaja, der Sohn Jojadas, über

20,3 ***a*** Kap 12,11; 16,21; 15,16 **20,7** ***a*** Kap 8,18
20,9 ***a*** Mt 26,48-50 **20,10** ***a*** Kap 2,23; 3,27; 1. Kön 2,5
20,16 ***a*** Kap 14,2 **20,19** ***a*** 5. Mose 32,9
20,23 ***a*** *(23-26)* Kap 8,16-18; 1. Kön 4,4-6; 1. Chr 18,15-17

die Kreter und Pleter. 24 Adoniram war
über die Fronarbeiter gesetzt. Joschafat,
der Sohn Ahiluds, war Kanzler. 25 Schewa
war Schreiber, Zadok und Abjatar waren
Priester. 26 Auch Ira, der Jaïriter, war Da-
vids Priester.

DIE RACHE DER GIBEONITER

21 Es war eine Hungersnot zu Davids
Zeiten drei Jahre nacheinander. Und
David suchte das Angesicht des HERRN,
und der HERR sprach: Auf Saul und auf
seinem Hause liegt eine Blutschuld, weil
er die Gibeoniter getötet hat. 2 Da ließ der
König die Gibeoniter rufen und sprach
mit ihnen. Die Gibeoniter aber gehör-
ten nicht zu den Israeliten, sondern wa-
ren übrig geblieben von den Amoritern.
Und [a]die Israeliten hatten ihnen einen
Schwur geleistet; jedoch suchte Saul sie
auszurotten in seinem Eifer für Israel und
Juda.

3 Da sprach David zu den Gibeonitern:
Was soll ich für euch tun? Und womit
soll ich Sühne schaffen, dass ihr das [a]Erb-
teil des HERRN segnet? 4 Die Gibeoniter
sprachen zu ihm: Es ist uns nicht um Gold
noch Silber zu tun bei Saul und seinem
Hause, auch steht es uns nicht zu, jemand
zu töten in Israel. Er sprach: Was wollt ihr
dann, dass ich für euch tun soll? 5 Sie spra-
chen zum König: Von dem Mann, der uns
zunichtegemacht hat und der uns vertil-
gen wollte, dass uns nichts bleibe in allen
Landen Israels – 6 von seinen Söhnen soll
man uns sieben Männer geben, dass wir
sie hinrichten vor dem HERRN im Gibea
Sauls, des Erwählten des HERRN. Der
König sprach: Ich will sie euch heraus-
geben.

7 Aber der König verschonte Mefi-Bo-
schet*, den Sohn Jonatans, des Sohnes
Sauls, [a]um des Eides des HERRN willen,
der zwischen ihnen war, zwischen Da-
vid und Jonatan, dem Sohn Sauls. 8 Aber
die beiden Söhne der [a]Rizpa, der Tochter
Ajas, die sie Saul geboren hatte, Armoni
und Mefi-Boschet, dazu die fünf Söhne
der Merab, der Tochter Sauls, die sie dem
[b]Adriël geboren hatte, dem Sohn Barsillais
aus Mehola, nahm der König 9 und gab sie
in die Hand der Gibeoniter. Die richteten
sie hin auf dem Berge vor dem HERRN. So
kamen diese sieben auf einmal um und
starben in den ersten Tagen der Ernte,
wenn die Gerstenernte anfängt.

10 Da nahm Rizpa, die Tochter Ajas, ein
Sackgewand und breitete es für sich aus
auf dem Fels am Anfang der Ernte, bis
Regen vom Himmel auf die Toten troff,
und ließ am Tage die Vögel des Himmels
nicht an sie kommen noch des Nachts die
Tiere des Feldes. 11 Und es wurde David
angesagt, was Rizpa, die Tochter Ajas,
Sauls Nebenfrau, getan hatte. 12 Und Da-
vid ging hin und nahm die Gebeine Sauls
und die Gebeine seines Sohnes Jonatan
von den Bürgern von Jabesch in Gilead.
[a]Die hatten sie vom Platz in Bet-Schean
heimlich weggenommen, wohin die Phi-
lister sie gehängt hatten zu der Zeit, da
die Philister Saul schlugen auf dem Berge
Gilboa. 13 Und David brachte die Gebeine
Sauls und die Gebeine seines Sohnes Jo-
natan von dort herauf, und sie sammelten
die Gebeine derer, die man hingerichtet
hatte, 14 und begruben sie mit den Gebei-
nen Sauls und seines Sohnes Jonatan im
Lande Benjamin in Zela im Grab seines
Vaters Kisch und taten alles, wie der König
geboten hatte. [a]Danach wurde Gott dem
Lande wieder gnädig.

HELDENTATEN DER KRIEGER DAVIDS

(vgl. 1. Chr 20,4-8)

15 Es erhob sich aber wieder ein Krieg der
Philister mit Israel. Und David zog hinab
und seine Knechte mit ihm, um mit den
Philistern zu kämpfen. Und David wurde
müde. 16 In Nob aber war Jischbi, der einer
der Riesensöhne* war, und das Gewicht
seines Speers war dreihundert Schekel
Bronze, dazu war er mit einem neuen
Schwert gegürtet. Der wollte David er-
schlagen. 17 Aber [a]Abischai, der Sohn der
Zeruja, half David und schlug den Philis-
ter tot. Da beschworen David seine Män-
ner und sprachen: Du sollst nicht mehr
mit uns ausziehen in den Kampf, damit
nicht die [b]Leuchte in Israel verlischt.

* **21,7** Siehe Sach- und Worterklärungen. **21,16** Siehe Sach- und Worterklärungen zu »Riesen«.

21,2 *a* Jos 9,3.15.19 **21,3** *a* 5. Mose 32,9
21,7 *a* 1. Sam 18,3; 20,15-17; 24,22 **21,8** *a* Kap 3,7
b 1. Sam 18,19 **21,12** *a* 1. Sam 31,12-13 **21,14** *a* Kap 24,25
21,17 *a* Kap 23,18 *b* Kap 22,29; 1. Kön 11,36

18 Danach erhob sich bei Gob noch ein
Krieg mit den Philistern. Da erschlug
Sibbechai, der Huschatiter, den Saf, der
auch einer vom Geschlecht der Riesen
war. 19 Und es erhob sich noch ein Krieg
bei Gob mit den Philistern. Da erschlug
[a]Elhanan, der Sohn Jaïrs aus Bethlehem,
den Goliat, den Gatiter; der hatte einen
[b]Spieß, dessen Schaft war wie ein Weberbaum.

20 Und es erhob sich noch ein Krieg bei
Gat. Da war ein langer Mann, der hatte
sechs Finger an seinen Händen und sechs
Zehen an seinen Füßen, das sind vierundzwanzig an der Zahl, und auch er
war vom Geschlecht der Riesen. 21 Und
[a]als er Israel Hohn sprach, erschlug ihn
Jonatan, der Sohn Schimas, der ein Bruder Davids war. 22 Diese vier stammten
vom Geschlecht der Riesen in Gat und
fielen durch die Hand Davids und seiner
Knechte.

DAVIDS DANKLIED

(vgl. Ps 18,1-51)

22 Und David redete vor dem HERRN die Worte dieses Liedes zur Zeit, als ihn der HERR errettet hatte aus der Hand aller seiner Feinde und aus der Hand Sauls, und sprach:

2 Der HERR ist mein Fels und meine Burg
und mein Erretter.
3 Gott ist mein Hort, auf den ich traue,
mein Schild und Horn meines Heils,
mein Schutz und meine Zuflucht,
mein Heiland, der du mir hilfst
vor Gewalt.
4 Ich rufe an den HERRN,
den Hochgelobten,
so werde ich vor meinen Feinden
errettet.

5 Es hatten mich umfangen
die Wogen des Todes,
und die Fluten des Verderbens
erschreckten mich.
6 Des Totenreichs Bande umfingen mich,
und des Todes Stricke
überwältigten mich.
7 Als mir angst war,
rief ich den HERRN an
und schrie zu meinem Gott.
Da erhörte er meine Stimme
von seinem Tempel,
und mein Schreien kam vor ihn
zu seinen Ohren.
8 Die Erde bebte und wankte,
die Grundfesten des Himmels
bewegten sich und bebten,
da er zornig war.
9 Rauch stieg auf von seiner Nase
und verzehrend Feuer aus seinem
Munde, Flammen sprühten
von ihm aus.
10 Er neigte den Himmel
und fuhr herab,
und Dunkel war unter seinen Füßen.
11 Und er fuhr auf dem Cherub
und flog daher,
und er schwebte auf den Fittichen
des Windes.
12 Er machte Finsternis ringsum
zu seinem Zelt
und schwarze, dicke Wolken.
13 Aus dem Glanz vor ihm brach hervor
flammendes Feuer.
14 Der HERR donnerte vom Himmel,
und der Höchste ließ seine Stimme
erschallen.
15 Er schoss seine Pfeile
und zerstreute die Feinde,
er sandte Blitze
und erschreckte sie.
16 Da sah man das Bett des Meeres,
und des Erdbodens Grund
ward aufgedeckt
bei dem Schelten des HERRN,
vor dem Odem und Schnauben
seines Zorns.

17 Er streckte seine Hand aus
von der Höhe und fasste mich
und zog mich aus großen Wassern.
18 Er errettete mich von meinen
starken Feinden,
von meinen Hassern,
die mir zu mächtig waren;
19 sie überwältigten mich
zur Zeit meines Unglücks,
aber der HERR ward mein Halt.
20 Er führte mich hinaus ins Weite,
er riss mich heraus;
denn er hatte Lust zu mir. |

21,19 *a* Kap 23,24 *b* 1. Sam 17,7 **21,21** *a* 1. Sam 17,10

21 Der HERR tut wohl an mir
nach meiner Gerechtigkeit;
er vergilt mir nach der Reinheit
meiner Hände.
22 Denn ich halte die Wege des HERRN
und bin nicht gottlos
wider meinen Gott.
23 Denn alle seine Rechte
hab ich vor Augen,
und von seinen Geboten
weiche ich nicht,
24 sondern ich bin ohne Tadel vor ihm
und hüte mich vor Schuld.
25 Darum vergilt mir der HERR
nach meiner Gerechtigkeit,
nach meiner Reinheit
vor seinen Augen.

26 Gegen die Heiligen bist du heilig,
gegen die Treuen bist du treu,
27 gegen die Reinen bist du rein,
und gegen die Verkehrten bist du
verkehrt.
28 Denn du hilfst dem elenden Volk,
und mit deinen Augen
erniedrigst du die Hohen.
29 Ja, du, HERR, bist meine Leuchte;
der HERR macht meine Finsternis
licht.
30 Denn mit dir kann ich Wälle
erstürmen
und mit meinem Gott
über Mauern springen.
31 Gottes Wege sind vollkommen,
[a]des HERRN Worte sind
durchläutert.
Er ist ein Schild allen,
die ihm vertrauen.
32 Denn wer ist Gott,
wenn nicht der HERR?
Und wer ist ein Fels,
wenn nicht unser Gott?
33 Gott ist meine starke Burg
und macht meinen Weg eben
und frei.
34 Er macht meine Füße
gleich den Hirschen
und stellt mich auf meine Höhen.
35 Er lehrt meine Hände streiten
und meinen Arm den ehernen Bogen
spannen.
36 Du gibst mir den Schild deines Heils,
und deine Antwort macht mich groß.
37 Du gibst meinen Schritten
weiten Raum,
und meine Knöchel wanken nicht.
38 Ich will meinen Feinden nachjagen
und sie vertilgen
und nicht umkehren,
bis ich sie umgebracht habe.
39 Ich bringe sie um
und zerschmettere sie,
dass sie nicht mehr aufstehen können
und unter meine Füße fallen.
40 Du gürtest mich mit Stärke
zum Streit;
du kannst mir unterwerfen,
die sich gegen mich erheben.
41 Meiner Feinde Nacken
gibst du mir preis,
dass ich vernichte, die mich hassen.
42 Sie sehen sich um
– aber da ist kein Helfer –
nach dem HERRN,
aber er antwortet ihnen nicht.
43 Ich will sie zerstoßen wie Staub
der Erde,
wie Kot auf der Gasse will ich sie
zerstäuben und zertreten.

44 Du hilfst mir aus dem Aufruhr
meines Volkes
und machst mich zum Haupt
über die Völker;
ein Volk, das ich nicht kannte,
dient mir.
45 Die Söhne der Fremde huldigen mir
und gehorchen mir
mit gehorsamen Ohren.
46 Die Söhne der Fremde verschmachten
und kommen mit Zittern
aus ihren Burgen.
47 Der HERR lebt, und gelobt
sei mein Fels,
und Gott, der Fels meines Heils,
sei hoch erhoben,
48 der Gott, der mir Vergeltung schafft
und mir die Völker unterwirft.
49 Er hilft mir aus von meinen Feinden.
Du erhöhst mich über die,
die sich gegen mich erheben,
vor dem Mann der Gewalttat
rettest du mich. |

22,31 *a* Ps 12,7; Spr 30,5

50 Darum will ich dir danken, HERR,
unter den Völkern
und deinem Namen lobsingen,
51 der seinem Könige großes Heil gibt
und Gnade erweist
seinem Gesalbten,
David und seinem Hause ewiglich.

DAVIDS LETZTE WORTE

23 Dies sind die letzten Worte Davids.

Es spricht David, der Sohn Isais,
es spricht der Mann,
der hoch erhoben ist,
der Gesalbte des Gottes Jakobs,
der Liebling der Lieder Israels:

2 Der Geist des HERRN
hat durch mich geredet,
und sein Wort ist auf meiner Zunge.
3 Es hat der Gott Israels
zu mir gesprochen,
der Fels Israels hat geredet:
Wer gerecht herrscht
unter den Menschen,
wer herrscht in der Furcht Gottes,
4 der ist wie das Licht des Morgens,
wenn die Sonne aufgeht,
am Morgen ohne Wolken,
da vom Glanz nach dem Regen
das Gras aus der Erde sprießt.
5 Ist nicht so [a]mein Haus vor Gott?
Denn er hat mir einen ewigen Bund
gesetzt, in allem wohl geordnet
und gesichert.
All mein Heil und all mein Begehren
wird er gedeihen lassen.
6 Aber die ruchlosen Leute sind allesamt
wie verwehte Disteln,
die man nicht mit der Hand
fassen kann;
7 sondern wer sie angreifen will,
muss Eisen und Spieß in der Hand haben;
sie werden mit Feuer verbrannt
an ihrer Stätte.

DIE HELDEN DAVIDS

(vgl. 1. Chr 11,10-47)

8 Dies sind die Namen der Helden Davids:
Jischbaal, der Hachmoniter, der Erste un-
ter den Dreien; der schwang seinen Spieß
über achthundert, die auf einmal erschla-
gen waren. 9 Nach ihm war unter den drei
Helden Eleasar, der Sohn Dodos, der Aho-
achiter. Er war mit David, als sie die Philis-
ter verhöhnten. Als diese dort zum Kampf
versammelt waren und die Männer Israels
hinaufzogen, 10 da stand er und schlug die
Philister, bis seine Hand müde war und am
Schwert erstarrte. Und der HERR gab gro-
ßes Heil an jenem Tage, sodass das Volk
sich wieder umwandte hinter ihm her, um
zu plündern.
11 Nach ihm war Schamma, der Sohn
Ages aus Harar. [a]Als die Philister sich
sammelten zu einem Heer – es war dort
ein Stück Acker mit Linsen – und das Volk
vor den Philistern floh, 12 da trat er mitten
auf das Stück und entriss es den Philistern
und schlug sie, und der HERR gab großes
Heil.
13 Und drei von den Dreißig, die Haupt-
leute, kamen zur Zeit der Ernte hinab zu
David, zu der [a]Höhle Adullam, und das
Heer der Philister lag in der Ebene Refa-
ïm. 14 David aber war damals in der Berg-
feste, und die Wache der Philister lag in
Bethlehem. 15 Und David gelüstete es, und
er sprach: Wer will mir Wasser zu trinken
holen aus dem Brunnen am Tor in Beth-
lehem? 16 Da brachen die drei Helden in
das Lager der Philister ein und [a]schöpf-
ten Wasser aus dem Brunnen am Tor in
Bethlehem und trugen's und brachten's
zu David. Aber er wollte es nicht trinken,
sondern goss es aus für den HERRN 17 und
sprach: Das lasse der HERR fern von mir
sein, dass ich das tue! Ist's nicht das Blut
der Männer, die ihr Leben gewagt haben
und hingegangen sind? Und er wollte es
nicht trinken. Das taten die drei Helden.
18 Abischai, Joabs Bruder, der Sohn der
Zeruja, war der Erste der Dreißig*. Er
schwang seinen Spieß über dreihundert
Erschlagenen und war berühmt unter den
Dreißig. 19 Er war hoch geehrt unter den
Dreißig und war ihr Oberster, aber er kam
nicht an jene Drei heran.
20 Und [a]Benaja, der Sohn Jojadas, ein
streitbarer Mann von großen Taten, war
aus Kabzeel; der erschlug die beiden »Got-
teslöwen« der Moabiter. Er stieg hinab

* **23,18** Wörtlich: »Drei«.

23,5 ***a*** Kap 7,16 **23,11** ***a*** Ri 15,9 **23,13** ***a*** 1. Sam 22,1
23,16 ***a*** 1. Sam 7,6 **23,20** ***a*** Kap 8,18

und erschlug einen Löwen in einem Brunnen, als Schnee gefallen war. 21 [a]Er erschlug auch einen furchterregenden ägyptischen Mann, der hatte einen Spieß in seiner Hand. Er aber ging zu ihm hinab mit einem Stecken und riss dem Ägypter den Spieß aus der Hand und durchbohrte ihn mit dessen eigenem Spieß. 22 Das tat Benaja, der Sohn Jojadas. Er war berühmt unter den dreißig* Helden 23 und war hoch geehrt unter den Dreißig, aber er kam nicht an jene Drei heran. Und David setzte ihn über seine Leibwache.

24 [a]Asaël, der Bruder Joabs, war unter den Dreißig; auch Elhanan, der Sohn Dodos aus Bethlehem; 25 Schamma, der Haroditer; Elika, der Haroditer; 26 [a]Helez, der Peletiter; [b]Ira, der Sohn des Ikkesch, aus Tekoa; 27 Abiëser, der Anatotiter; Sibbechai, der Huschatiter; 28 Zalmon, der Ahoachiter; Mahrai, der Netofatiter; 29 Heled, der Sohn Baanas, der Netofatiter; Ittai, der Sohn Ribais, aus Gibea in Benjamin; 30 Benaja, der Piratoniter; Hiddai, aus Nahale-Gaasch; 31 Abialbon, der Arbatiter; Asmawet, der Bahurimiter; 32 Eljachba, der Schaalboniter; die Söhne Jaschens: Jonatan; 33 der Sohn des Schamma, der Harariter; Ahiam, der Sohn Scharars, der Harariter; 34 Elifelet, der Sohn Ahasbais, der Maachatiter; Eliam, der Sohn [a]Ahitofels, der Giloniter; 35 Hezro, der Karmeliter; Paarai, der Arabiter; 36 Jigal, der Sohn Nathans, aus Zoba; Bani, der Gaditer; 37 Zelek, der Ammoniter; Nachrai, der Beerotiter, der Waffenträger Joabs, des Sohnes der Zeruja; 38 Ira, der Jattiriter; Gareb, der Jattiriter; 39 [a]Uria, der Hetiter. Das sind zusammen siebenunddreißig.

DAVIDS VOLKSZÄHLUNG

(vgl. 1. Chr 21,1–22,1)

24 Und der Zorn des HERRN entbrannte abermals gegen Israel, und er reizte David gegen sie und sprach: Geh hin, zähle Israel und Juda! 2 [a]Und der König sprach zu Joab, seinem Feldhauptmann, der bei ihm war: Geh umher in allen Stämmen Israels von Dan bis Beerscheba und zählt das Kriegsvolk, damit ich weiß, wie viel ihrer sind. 3 Joab sprach zu dem König: Der HERR, dein Gott, tue zu diesem Volk, wie es jetzt ist, noch hundertmal so viel hinzu, dass mein Herr, der König, seiner Augen Lust daran habe; aber warum verlangt es meinen Herrn, den König, solches zu tun? 4 Aber des Königs Wort stand fest gegen Joab und die Hauptleute des Heeres. So zog Joab mit den Hauptleuten des Heeres aus von dem König, um das Volk Israel zu zählen.

5 Und sie gingen über den Jordan und lagerten sich bei Aroër zur Rechten der Stadt, die mitten im Bachtal liegt, nach Gad und nach Jaser zu 6 und kamen nach Gilead und zum Land der Hetiter nach Kadesch zu und darauf nach Dan und in die Gegend von Sidon. 7 Dann kamen sie zu der festen Stadt Tyrus und allen Städten der Hiwiter und Kanaaniter und zogen hinaus in das Südland Judas nach Beerscheba. 8 So durchzogen sie das ganze Land und kamen nach neun Monaten und zwanzig Tagen nach Jerusalem zurück. 9 Und Joab gab dem König die Summe des Volks an, das gezählt war. Und es waren in Israel achthunderttausend streitbare Männer, die das Schwert führten, und in Juda fünfhunderttausend Mann.

10 Aber das Herz schlug David, nachdem das Volk gezählt war. Und David sprach zum HERRN: [a]Ich habe schwer gesündigt, dass ich das getan habe. Und nun, HERR, nimm weg die Schuld deines Knechts; denn ich habe sehr töricht getan.

11 Und als David am Morgen aufstand, kam des HERRN Wort zu [a]Gad, dem Propheten, Davids Seher: 12 Geh hin und rede mit David: So spricht der HERR: Dreierlei lege ich dir vor; erwähle dir eins davon, dass ich es dir tue. 13 Gad kam zu David und sagte es ihm an und sprach zu ihm: Willst du, dass sieben Jahre lang Hungersnot in dein Land kommt oder dass du drei Monate vor deinen Widersachern fliehen musst und sie dich verfolgen oder dass drei Tage Pest in deinem Lande ist? So bedenke nun wohl, was ich antworten soll dem, der mich gesandt hat.[a] 14 David sprach zu Gad: Es ist mir sehr angst,

* **23,22** Wörtlich: »drei«.

23,21 *a* 1. Sam 17,51 **23,24** *a* Kap 2,18 **23,26** *a* 1. Chr 27,10 *b* 1. Chr 27,9 **23,34** *a* Kap 15,12 **23,39** *a* Kap 11,3
24,2 *a* (2-3) 2. Mose 30,12 **24,10** *a* Kap 12,13
24,11 *a* 1. Sam 22,5; 1. Chr 29,29; 2. Chr 29,25
24,13 *a* 1. Mose 41,30; 2. Kön 8,1

aber lass uns in die Hand des HERRN fal-
len, denn seine Barmherzigkeit ist groß;
ich will nicht in der Menschen Hand fal-
len. 15 Da ließ der HERR die Pest über
Israel kommen vom Morgen an bis zur
bestimmten Zeit, sodass von dem Volk
starben von Dan bis Beerscheba siebzig-
tausend Mann.

16 Als aber der Engel seine Hand aus-
streckte über Jerusalem, um es zu ver-
derben, reute den HERRN das Übel, und
er sprach zum Engel, [a]der das Verderben
anrichtete im Volk: Es ist genug; lass nun
deine Hand ab! Der Engel des HERRN aber
war bei der Tenne Araunas, des Jebusiters.
17 Da aber David den Engel sah, der das
Volk schlug, sprach er zum HERRN: Siehe,
ich habe gesündigt, ich habe die Missetat
getan; was haben diese Schafe getan? Lass
deine Hand gegen mich und meines Va-
ters Haus sein![a]

18 Und Gad kam zu David an jenem Tage
und sprach zu ihm: Geh hinauf und er-
richte dem HERRN einen Altar auf der
Tenne Araunas, des Jebusiters. 19 Da ging
David hinauf, wie Gad ihm gesagt und
der HERR ihm geboten hatte. 20 Und als
Arauna aufschaute, sah er den König mit
seinen Knechten zu ihm herüberkommen
und ging hinaus und fiel nieder vor dem
König auf sein Angesicht zur Erde 21 und
sprach: Warum kommt mein Herr, der
König, zu seinem Knecht? David sprach:
Um von dir die Tenne zu kaufen und dem
HERRN einen Altar zu bauen, damit die
Plage vom Volk weiche. 22 Aber Arauna
sprach zu David: Mein Herr, der König,
nehme und opfere, wie es ihm gefällt.
Siehe, da sind die Rinder zum Brandopfer
und auch die Dreschschlitten und das Ge-
schirr der Rinder als Brennholz; 23 das al-
les gibt Arauna dem König. Und Arauna
sprach zum König: Der HERR, dein Gott,
sei dir gnädig.

24 Aber der König sprach zu Arauna:
Nicht doch, sondern ich will dir's abkau-
fen für seinen Preis; denn ich will dem
HERRN, meinem Gott, nicht Brandopfer
darbringen, die ich umsonst habe. So
kaufte David die Tenne und die Rinder
für fünfzig Schekel Silber. 25 Und David
baute daselbst dem HERRN einen Altar
und opferte Brandopfer und Dankopfer.
Und [a]der HERR wurde dem Land wieder
gnädig, und die Plage wich von dem Volk
Israel.

DAS ERSTE BUCH DER KÖNIGE

1–5 Salomo als Nachfolger Davids **6–8** Bau des Tempels in Jerusalem
9–11 Salomos Macht und Ungehorsam **12–14** Trennung Israels und Judas
14–16 Geschichte der getrennten Reiche **17–22** König Ahab und der Prophet Elia

SALOMO WIRD ZUM KÖNIG GESALBT

1 Als aber der König David alt war und
hochbetagt, konnte er nicht warm wer-
den, wenn man ihn auch mit Kleidern
bedeckte. 2 Da sprachen seine Großen
zu ihm: Man suche unserm Herrn, dem
König, eine Jungfrau, die vor dem König
stehe und ihn umsorge und in seinen Ar-
men schlafe und unsern Herrn, den Kö-
nig, wärme. 3 Und sie suchten ein schö-
nes Mädchen im ganzen Gebiet Israels
und fanden Abischag von Schunem und
brachten sie dem König. 4 Und sie war ein
sehr schönes Mädchen und umsorgte den
König und diente ihm. Aber der König er-
kannte sie nicht.

5 [a]Adonija aber, der Sohn der Haggit, er-
hob sich und sprach: Ich will König wer-
den! Und [b]er schaffte sich Wagen und
Gespanne an und fünfzig Mann als seine
Leibwache. 6 Und sein Vater hatte ihm nie
etwas verwehrt sein Leben lang, dass er
gesagt hätte: Warum tust du das? Und er
war auch ein sehr schöner Mann und war
ihm geboren als der nächste Sohn nach
Absalom.

7 Und er beriet sich mit Joab, dem Sohn
der Zeruja, und mit Abjatar, dem Priester;
die hielten zu Adonija.[a] 8 Aber Zadok, der

24,16 *a* 2. Mose 12,23; Jes 54,16 **24,17** *a* 4. Mose 16,22; Jona 1,12 **24,25** *a* Kap 21,14 **1,5** *a* 2. Sam 3,4 *b* 2. Sam 15,1 **1,7** *a* Kap 2,22

Priester, und Benaja, der Sohn Jojadas,
und Nathan, der Prophet, und Schimi und
Reï und die Helden Davids waren nicht
mit Adonija. 9 Und als Adonija Schafe und
Rinder und gemästetes Vieh opferte bei
dem Stein Sohelet, der neben der Quelle
Rogel liegt, lud er alle seine Brüder, des
Königs Söhne, ein und alle Männer Judas,
die dem König dienten. 10 Aber den Pro-
pheten Nathan und Benaja und die Helden
und seinen Bruder Salomo lud er nicht ein.

11 Da sprach Nathan zu Batseba, Salo-
mos Mutter: Hast du nicht gehört, dass
Adonija, der Sohn der Haggit, König ge-
worden ist, und David, unser Herr, weiß
nichts davon? 12 So komm nun, ich will dir
einen Rat geben, dass du dein Leben und
das Leben deines Sohnes Salomo errettest.
13 Auf, geh zum König David hinein und
sprich zu ihm: Hast du nicht, mein Herr
und König, deiner Magd geschworen:
[a]Dein Sohn Salomo soll nach mir König
sein, und er soll auf meinem Thron sit-
zen? Warum ist dann Adonija König ge-
worden? 14 Siehe, während du noch da bist
und mit dem König redest, will ich nach
dir hineinkommen und deine Worte zu
Ende führen.

15 Und Batseba ging hinein zum König
in das Gemach. Der König aber war sehr
alt, und Abischag von Schunem diente
dem König. 16 Und Batseba neigte sich
und fiel vor dem König nieder. Der König
aber sprach: Was willst du? 17 Sie sprach zu
ihm: Mein Herr, du hast deiner Magd ge-
schworen bei dem HERRN, deinem Gott:
Dein Sohn Salomo soll König sein nach
mir und auf meinem Thron sitzen. 18 Nun
aber siehe, Adonija ist König geworden,
und du, mein Herr und König, weißt
nichts davon. 19 Er hat Stiere und gemäs-
tetes Vieh und viele Schafe geopfert und
hat alle Söhne des Königs geladen, dazu
Abjatar, den Priester, und Joab, den Feld-
hauptmann; aber deinen Knecht Salomo
hat er nicht geladen. 20 Du aber, mein Herr
und König, die Augen von ganz Israel se-
hen auf dich, dass du ihnen kundtust, wer
auf dem Thron meines Herrn und Königs
nach ihm sitzen soll. 21 Wenn aber mein
Herr und König sich zu seinen Vätern ge-
legt hat, so werden ich und mein Sohn Sa-
lomo es büßen müssen.

22 Während sie noch mit dem König re-
dete, kam der Prophet Nathan. 23 Und sie
sagten dem König an: Siehe, da ist der Pro-
phet Nathan. Und als er hinein vor den
König kam, fiel er vor dem König nieder
auf sein Angesicht zur Erde 24 und sprach:
Mein Herr und König, hast du gesagt:
Adonija soll nach mir König sein und auf
meinem Thron sitzen? 25 Denn er ist heute
hinabgegangen und hat geopfert Stiere
und Mastvieh und viele Schafe und hat alle
Söhne des Königs geladen und die Haupt-
leute, dazu den Priester Abjatar. Und
siehe, sie essen und trinken vor ihm und
rufen: Es lebe der König Adonija! 26 Aber
mich, deinen Knecht, und Zadok, den
Priester, und Benaja, den Sohn Jojadas,
und deinen Knecht Salomo hat er nicht
geladen. 27 Ist das von meinem Herrn und
König befohlen und du hast deine Großen
nicht wissen lassen, wer auf dem Thron
meines Herrn und Königs nach ihm sit-
zen soll?

28 Der König David antwortete und
sprach: Ruft mir Batseba! Und sie kam
hinein vor den König. Und als sie vor dem
König stand, 29 schwor der König und
sprach: So wahr der HERR lebt, der mich
erlöst hat aus aller Not: 30 Ich will heute
tun, wie ich dir geschworen habe bei dem
HERRN, dem Gott Israels, als ich sagte: Sa-
lomo, dein Sohn, soll nach mir König sein,
und er soll für mich auf meinem Thron
sitzen. 31 Da neigte sich Batseba mit ihrem
Antlitz zur Erde und fiel vor dem König
nieder und sprach: Mein Herr, der König
David, lebe ewiglich!

32 Und der König David sprach: Ruft
mir den Priester Zadok und den Prophe-
ten Nathan und Benaja, den Sohn Jojadas!
Und als sie hineinkamen vor den König,
33 sprach der König zu ihnen: Nehmt mit
euch die Großen eures Herrn und setzt
meinen Sohn Salomo auf mein Maultier
und führt ihn hinab zum Gihon. 34 Und
der Priester Zadok samt dem Propheten
Nathan salbe ihn dort zum König über Is-
rael. Und blast die Posaunen und ruft: Es
lebe der König Salomo! 35 Und zieht wie-
der hinauf hinter ihm her, und er soll kom-
men und sitzen auf meinem Thron und

1,13 *a* 1. Chr 28,5-10

für mich König sein. Denn ihn setze ich
zum Fürsten über Israel und Juda ein. 36 Da
antwortete Benaja, der Sohn Jojadas, dem
König und sprach: So sei es! Der HERR,
der Gott meines Herrn und Königs, be-
stätige es! 37 Wie der HERR mit meinem
Herrn, dem König, gewesen ist, so sei er
auch mit Salomo, dass sein Thron größer
werde als der Thron meines Herrn, des
Königs David!

38 Da gingen hinab der Priester Zadok
und der Prophet Nathan und [a]Benaja, der
Sohn Jojadas, und die Kreter und Pleter
und setzten Salomo auf das Maultier des
Königs David und führten ihn zum Gi-
hon. 39 Und der Priester Zadok nahm das
Ölhorn aus dem Zelt und salbte Salomo.
Und sie bliesen die Posaunen, und al-
les Volk rief: Es lebe der König Salomo![a]
40 Und alles Volk zog wieder herauf hinter
ihm her, und das Volk blies mit Flöten und
war sehr fröhlich, sodass die Erde von ih-
rem Geschrei erbebte.

41 Und Adonija hörte es und alle, die er
geladen hatte und die bei ihm waren, und
sie hatten schon gegessen. Und als Joab
den Schall der Posaune hörte, sprach er:
Was soll das Geschrei und Getümmel der
Stadt? 42 Als er noch redete, siehe, da kam
[a]Jonatan, der Sohn des Priesters Abjatar.
Und Adonija sprach: Komm her, denn du
bist ein redlicher Mann und bringst gute
Botschaft.

43 Jonatan antwortete und sprach zu
Adonija: Nein, denn unser Herr, der Kö-
nig David, hat Salomo zum König ge-
macht 44 und hat mit ihm gesandt den
Priester Zadok und den Propheten Na-
than und Benaja, den Sohn Jojadas, und
die Kreter und Pleter, und sie haben ihn
auf des Königs Maultier gesetzt. 45 Und
Zadok, der Priester, samt dem Propheten
Nathan hat ihn gesalbt zum König beim
Gihon, und sie sind von dort heraufgezo-
gen mit Freuden, sodass die Stadt voll Ge-
tümmel wurde. Das ist das Geschrei, das
ihr gehört habt. 46 Und schon sitzt Salomo
auf dem königlichen Thron, 47 und die
Großen des Königs sind hineingegangen,
zu segnen unsern Herrn, den König Da-
vid, und haben gesagt: Dein Gott mache
Salomos Namen herrlicher als deinen Na-
men und lasse seinen Thron größer wer-
den als deinen Thron! Und der König hat
sich verneigt auf seinem Lager 48 und hat
so gesagt: Gelobt sei der HERR, der Gott
Israels, der heute einen meiner Söhne auf
meinen Thron gesetzt hat, dass es meine
Augen gesehen haben.

49 Da erschraken alle, die bei Adonija ge-
laden waren, und machten sich auf und
gingen hin, jeder seinen Weg. 50 Aber
Adonija fürchtete sich vor Salomo und
machte sich auf, ging hin und fasste die
Hörner des Altars.

51 Und es wurde Salomo angesagt: Siehe,
Adonija fürchtet den König Salomo, und
siehe, [a]er fasst die Hörner des Altars und
spricht: Der König Salomo schwöre mir
heute, dass er seinen Knecht nicht töten
wird mit dem Schwert. 52 Salomo sprach:
Wird er redlich sein, so [a]soll kein Haar von
ihm auf die Erde fallen; wird aber Böses an
ihm gefunden, so soll er sterben. 53 Und
der König Salomo sandte hin und ließ ihn
vom Altar holen. Und als er kam, fiel er vor
dem König Salomo nieder. Salomo aber
sprach zu ihm: Geh in dein Haus!

DAVIDS LETZTER WILLE UND SEIN TOD

2 Als nun die Zeit herbeikam, dass David
sterben sollte, gebot er seinem Sohn Sa-
lomo und sprach: 2 Ich gehe hin den Weg
aller Welt. So sei getrost und sei ein Mann
3 und bewahre den Dienst des HERRN,
deines Gottes, dass du wandelst in sei-
nen Wegen und hältst seine Satzungen,
Gebote, Rechte und Ordnungen, [a]wie ge-
schrieben steht im Gesetz des Mose, damit
dir alles gelinge, was du tust und wohin du
dich wendest; 4 damit der HERR sein Wort
erfülle, das er über mich geredet hat: Wer-
den deine Söhne auf ihre Wege achten,
dass sie vor mir in Treue und von ganzem
Herzen und von ganzer Seele wandeln, so
soll dir's niemals fehlen an einem Mann
auf dem Thron Israels.[a]

5 Auch weißt du sehr wohl, was mir
getan hat Joab, der Sohn der Zeruja, was
er tat den zwei Feldhauptleuten Israels,
[a]Abner, dem Sohn Ners, und [b]Amasa,
dem Sohn Jeters, wie er sie ermordet hat.

1,38 *a* 2. Sam 8,17-18 **1,39** *a* 1. Chr 29,22
1,42 *a* 2. Sam 15,27.36 **1,51** *a* Kap 2,28 **1,52** *a* 2. Sam 14,11
2,3 *a* 5. Mose 17,14-20; Jos 1,7 **2,4** *a* Kap 8,25;
2. Sam 7,11-16 **2,5** *a* 2. Sam 3,27 *b* 2. Sam 20,10

Und so hat er den Frieden belastet mit
Blut, das im Krieg vergossen wurde, und
solches Blut an den Gürtel seiner Lenden
und an die Schuhe seiner Füße gebracht.
6 Tu nach deiner Weisheit, dass du seine
grauen Haare nicht in Frieden ins Toten-
reich bringst. 7 Aber den Söhnen [a]Barsil-
lais, des Gileaditers, sollst du Barmher-
zigkeit erweisen, dass sie an deinem Tisch
essen. Denn so sind auch sie mir entge-
gengekommen, als [b]ich vor deinem Bru-
der Absalom floh. 8 Und siehe, du hast bei
dir [a]Schimi, den Sohn Geras, den Benja-
miniter von Bahurim, der mir schändlich
fluchte zu der Zeit, als ich nach Mahana-
jim ging. Dann aber kam er mir entgegen
am Jordan. Da schwor ich ihm bei dem
HERRN und sprach: Ich will dich nicht
töten mit dem Schwert. 9 Du aber lass ihn
nicht ungestraft; denn du bist ein weiser
Mann und wirst wohl wissen, was du ihm
tun sollst, dass du seine grauen Haare mit
Blut ins Totenreich bringst.

10 Also legte sich David zu seinen Vätern
und wurde begraben in der Stadt Davids.
11 Die Zeit aber, die David König gewesen
ist über Israel, ist vierzig Jahre: Sieben
Jahre war er König zu Hebron und drei-
unddreißig Jahre zu Jerusalem.[a] 12 Und
Salomo saß auf dem Thron seines Vaters
David, und seine Herrschaft hatte festen
Bestand.

DAS ENDE VON SALOMOS GEGNERN

13 Aber Adonija, der Sohn der Haggit, kam
zu Batseba, der Mutter Salomos. Und sie
sprach: Kommst du auch mit Frieden?
Er sprach: Ja! 14 Und er sprach: Ich habe
mit dir zu reden. Sie sprach: Sage an!
15 Er sprach: Du weißt, dass das Königtum
mein war, und ganz Israel hatte sich auf
mich gerichtet, dass ich König sein sollte;
aber nun hat sich das Königtum gewandt
und ist meinem Bruder zugefallen – von
dem HERRN ist's ihm zugefallen. 16 Eins
nun bitte ich von dir; du wollest mich
nicht abweisen! Sie sprach zu ihm: Sage
an! 17 Er sprach: Rede mit dem König Sa-
lomo, denn er wird dich nicht abweisen,
dass er mir gebe [a]Abischag von Schunem
zur Frau. 18 Batseba sprach: Gut, ich will
mit dem König deinetwegen reden.

19 Und Batseba ging hinein zum König
Salomo, um mit ihm zu reden Adoni-
jas wegen. Und der König stand auf und
ging ihr entgegen und neigte sich vor ihr
und setzte sich auf seinen Thron. Und es
wurde der Mutter des Königs ein Thron
hingestellt, und sie setzte sich zu seiner
Rechten. 20 Und sie sprach: Ich habe eine
einzige kleine Bitte an dich; du wollest
mich nicht abweisen. Der König sprach
zu ihr: Bitte, meine Mutter, ich will dich
nicht abweisen. 21 Sie sprach: Man gebe
doch Abischag von Schunem deinem Bru-
der Adonija zur Frau!

22 Da antwortete der König Salomo und
sprach zu seiner Mutter: Warum bittest
du um Abischag von Schunem für Ado-
nija? Erbitte ihm doch auch das König-
tum! Denn er ist mein älterer Bruder, und
[a]zu ihm hält der Priester Abjatar und Joab,
der Sohn der Zeruja. 23 Und der König Sa-
lomo schwor bei dem HERRN und sprach:
Gott tue mir dies und das, diese Bitte soll
Adonija sein Leben kosten! 24 Und nun,
so wahr der HERR lebt, der mich bestä-
tigt hat und gesetzt auf den Thron mei-
nes Vaters David und der mir ein Haus
gemacht hat, wie er zugesagt hat: Heute
noch soll Adonija sterben! 25 Und der Kö-
nig Salomo sandte hin Benaja, den Sohn
Jojadas; der stieß ihn nieder, dass er starb.
26 Und zu dem [a]Priester Abjatar sprach der
König: Geh hin nach Anatot zu deinem
Besitz, denn du bist des Todes. Aber ich
will dich heute nicht töten, denn du hast
die Lade Gottes des HERRN vor meinem
Vater David [b]getragen und hast alles mit-
gelitten, was mein Vater gelitten hat. 27 So
verstieß Salomo den Abjatar, dass er nicht
mehr Priester des HERRN sein durfte,
[a]auf dass erfüllt würde des HERRN Wort,
das er über das Haus Elis geredet hatte in
Silo.

28 Und die Kunde davon kam vor Joab;
denn Joab hatte Adonija angehangen und
nicht Absalom. Da floh Joab in das Zelt des
HERRN und [a]fasste die Hörner des Altars.
29 Und es wurde dem König Salomo an-
gesagt: Joab ist zum Zelt des HERRN ge-

2,7 *a* 2. Sam 17,27; 19,32-41 *b* 2. Sam 15,13-16
2,8 *a* 2. Sam 16,5-8; 19,17-24 **2,11** *a* 2. Sam 5,4-5;
1. Chr 29,27 **2,17** *a* Kap 1,3 **2,22** *a* Kap 1,6-7
2,26 *a* Kap 1,7 *b* 2. Sam 15,24-29 **2,27** *a* 1. Sam 2,31-32
2,28 *a* Kap 1,51

flohen, und siehe, er steht am Altar. Da
sandte Salomo hin Benaja, den Sohn Jo-
jadas, und sprach: Geh, stoß ihn nieder![a]
30 Und als Benaja zum Zelt des HERRN
kam, sprach er zu Joab: So sagt der König:
Geh heraus! Er sprach: Nein, hier will ich
sterben. Und Benaja sagte das dem König
wieder und sprach: So hat Joab geredet
und so hat er mir geantwortet.
31 Der König sprach zu ihm: Tu, wie er
gesagt hat, und stoß ihn nieder und be-
grabe ihn, damit du das Blut, das Joab
ohne Grund vergossen hat, von mir tust
und von meines Vaters Hause. 32 Und der
HERR lasse das Blut auf sein Haupt kom-
men, weil er zwei Männer erschlagen hat,
die gerechter und besser waren als er, und
sie getötet hat mit dem Schwert, ohne dass
mein Vater David darum wusste, nämlich
Abner, den Sohn Ners, den Feldhaupt-
mann über Israel, und Amasa, den Sohn
Jeters, den Feldhauptmann über Juda.[a]
33 Ihr Blut komme auf das [a]Haupt Joabs
und seiner Nachkommen für immer;
aber David und seine Nachkommen, sein
Haus und sein Thron sollen Frieden haben
ewiglich von dem HERRN! 34 Und Benaja,
der Sohn Jojadas, ging hinauf und stieß
ihn nieder und tötete ihn. Und er wurde
begraben in seinem Hause in der Wüste.
35 Und der König setzte Benaja, den Sohn
Jojadas, an seiner statt über das Heer, und
den Priester Zadok setzte der König an die
Stelle Abjatars.[a]
36 Und der König sandte hin und ließ
Schimi rufen und sprach zu ihm: Baue dir
ein Haus in Jerusalem und wohne dort
und geh von da nicht heraus, weder hier-
hin noch dahin. 37 An dem Tag, an dem du
hinausgehen und über den Bach Kidron
gehen wirst – so wisse, dass du des Todes
sterben musst; dein Blut komme dann auf
dein Haupt! 38 Schimi sprach zum König:
Das ist recht so; wie mein Herr, der Kö-
nig, geredet hat, so wird dein Knecht tun.
So wohnte Schimi in Jerusalem lange Zeit.
39 Es begab sich aber nach drei Jahren,
dass zwei Knechte dem Schimi entlie-
fen zu Achisch, dem Sohn Maachas, dem
König von Gat. Und es wurde Schimi an-
gesagt: Siehe, deine Knechte sind in Gat.
40 Da machte sich Schimi auf und sattel-
te seinen Esel und zog hin nach Gat zu
Achisch, um seine Knechte zu suchen.
Und so ging Schimi hin und brachte seine
Knechte von Gat zurück.
41 Und es wurde Salomo angesagt, dass
Schimi von Jerusalem nach Gat gezogen
und wiedergekommen wäre. 42 Da sandte
der König hin und ließ Schimi rufen und
sprach zu ihm: Hab ich dich nicht schwö-
ren lassen bei dem HERRN und dich ge-
warnt: An dem Tag, an dem du die Stadt
verlässt und hierhin oder dorthin gehst,
sollst du wissen, dass du des Todes ster-
ben musst? Und du sprachst zu mir: Es
ist recht so; ich habe es gehört. 43 Warum
hast du denn nicht gehalten den Schwur
vor dem HERRN und das Gebot, das ich
dir geboten habe? 44 Und der König sprach
zu Schimi: [a]Du weißt all das Böse, dessen
dein Herz sich bewusst ist und das du mei-
nem Vater David angetan hast. Nun lässt
der HERR dies Böse auf dein Haupt kom-
men; 45 aber der König Salomo ist gesegnet
und der Thron Davids wird fest stehen vor
dem HERRN ewiglich. 46 Und der König
gebot Benaja, dem Sohn Jojadas; der ging
hin und stieß ihn nieder, dass er starb.
Und das Königtum wurde gefestigt
durch Salomos Hand.

SALOMOS GEBET UM WEISHEIT

(vgl. 2. Chr 1,1-12)

3 Und Salomo verschwägerte sich mit
dem Pharao, dem König von Ägypten,
und nahm eine [a]Tochter des Pharao zur
Frau und brachte sie in die Stadt Davids,
bis er sein Haus und des HERRN Haus
und die Mauer um Jerusalem gebaut hatte.
2 Aber das Volk opferte noch auf den Hö-
hen; denn es war noch kein Haus gebaut
dem Namen des HERRN bis auf diese Zeit.
3 Salomo aber hatte den HERRN lieb und
wandelte nach den Satzungen seines Va-
ters David, nur dass er auf den Höhen op-
ferte und räucherte. 4 [a]Und der König ging
hin nach Gibeon, um dort zu opfern; denn
das war die bedeutendste Höhe. Und Sa-
lomo opferte dort tausend Brandopfer auf
dem Altar.
5 Und der HERR erschien Salomo zu
Gibeon im Traum des Nachts, und Gott

2,29 *a* 2. Mose 21,12-14 **2,32** *a* Vers 5 **2,33** *a* 2. Sam 3,29
2,35 *a* Kap 4,4 **2,44** *a* Verse 8-9 **3,1** *a* Kap 11,1-2
3,4 *a* (4-5) Kap 9,2; 1. Chr 21,29

sprach: Bitte, was ich dir geben soll! 6 Sa-
lomo sprach: Du hast an meinem Vater
David, deinem Knecht, große Barmher-
zigkeit getan, wie er denn vor dir gewan-
delt ist in Wahrheit und Gerechtigkeit
und mit aufrichtigem Herzen vor dir, und
hast ihm auch die große Barmherzigkeit
erwiesen und ihm einen Sohn gegeben,
[a]der auf seinem Thron sitzen sollte, wie es
denn jetzt ist. 7 Nun, HERR, mein Gott, du
hast deinen Knecht zum König gemacht
an meines Vaters David statt. Ich aber bin
noch jung, weiß weder aus noch ein. 8 Und
dein Knecht steht mitten in deinem Volk,
das du erwählt hast, einem Volk, [a]so groß,
dass es wegen seiner Menge niemand zäh-
len noch berechnen kann. 9 So wollest du
deinem Knecht ein gehorsames Herz ge-
ben, dass er dein Volk richten könne und
verstehen, was gut und böse ist. Denn
wer vermag dies dein mächtiges Volk zu
richten?

10 Das gefiel dem Herrn, dass Salomo
darum bat. 11 Und Gott sprach zu ihm:
Weil du darum bittest und bittest we-
der um langes Leben noch um Reichtum
noch um deiner Feinde Tod, sondern um
Verstand, auf das Recht zu hören, 12 siehe,
so tue ich nach deinen Worten. Siehe, ich
gebe dir ein weises und verständiges Herz,
sodass [a]deinesgleichen vor dir nicht ge-
wesen ist und nach dir nicht aufkommen
wird. 13 Und dazu gebe ich dir, [a]worum du
nicht gebeten hast, nämlich Reichtum und
Ehre, sodass deinesgleichen keiner unter
den Königen ist zu deinen Zeiten. 14 Und
wenn du in meinen Wegen wandeln wirst,
dass du hältst meine Satzungen und Ge-
bote, wie dein Vater David gewandelt ist,
so will ich dir ein langes Leben geben.

15 Und als Salomo erwachte, siehe, da
war es ein Traum. Und er kam nach Jeru-
salem und trat vor die Lade des Bundes des
Herrn und opferte Brandopfer und Dank-
opfer und machte ein großes Festmahl für
alle seine Großen.

SALOMOS URTEIL

16 Zu der Zeit kamen zwei Huren zum
König und traten vor ihn. 17 Und die eine
Frau sprach: Ach, mein Herr, ich und diese
Frau wohnten im selben Hause, und ich
gebar bei ihr im Hause. 18 Und drei Tage
nachdem ich geboren hatte, gebar auch
sie. Und wir waren beieinander, und kein
Fremder war mit uns im Hause, nur wir
beide. 19 Und der Sohn dieser Frau starb
in der Nacht; denn sie hatte ihn im Schlaf
erdrückt. 20 Und sie stand in der Nacht auf
und nahm meinen Sohn von meiner Seite,
als deine Magd schlief, und legte ihn in ih-
ren Arm, und ihren toten Sohn legte sie in
meinen Arm. 21 Und als ich des Morgens
aufstand, um meinen Sohn zu stillen,
siehe, da war er tot. Aber am Morgen sah
ich ihn genau an, und siehe, es war nicht
mein Sohn, den ich geboren hatte. 22 Die
andere Frau sprach: Nein, mein Sohn lebt,
doch dein Sohn ist tot. Jene aber sprach:
Nein, dein Sohn ist tot, doch mein Sohn
lebt. Und so redeten sie vor dem König.

23 Und der König sprach: Diese spricht:
Mein Sohn lebt, doch dein Sohn ist tot.
Jene spricht: Nein, dein Sohn ist tot, doch
mein Sohn lebt. 24 Und der König sprach:
Holt mir ein Schwert! Und als das Schwert
vor den König gebracht wurde, 25 sprach
der König: Teilt das lebendige Kind in
zwei Teile und gebt dieser die Hälfte und
jener die Hälfte. 26 [a]Da sagte die Frau, de-
ren Sohn lebte, zum König – denn ihr
mütterliches Herz entbrannte in Liebe
für ihren Sohn – und sprach: Ach, mein
Herr, gebt ihr das Kind lebendig und tö-
tet es nicht! Jene aber sprach: Es sei weder
mein noch dein; lasst es teilen! 27 Da ant-
wortete der König und sprach: Gebt dieser
das Kind lebendig und tötet's nicht; die ist
seine Mutter.

28 Und ganz Israel hörte von dem Urteil,
das der König gefällt hatte, und sie fürch-
teten den König; denn sie sahen, dass die
Weisheit Gottes in ihm war, Gericht zu
halten.

SALOMOS AMTLEUTE

4 So war Salomo König über ganz Israel.
2 Und dies waren seine Großen: Asarja,
der Sohn Zadoks, war Priester; 3 Elihoref
und Ahija, die Söhne Schischas, waren
Schreiber; Joschafat, der Sohn [a]Ahiluds,
war Kanzler; 4 [a]Benaja, der Sohn Jojadas,

3,6 *a* Kap 1,48 **3,8** *a* Kap 4,20; 1. Mose 5,5
3,12 *a* Kap 5,10; 10,23; Pred 1,16 **3,13** *a* Mt 6,33
3,26 *a* (26-27) Jes 49,15 **4,3** *a* 2. Sam 8,16
4,4 *a* Kap 2,34-35; 2. Sam 23,20

war Feldhauptmann; Zadok und Abjatar
waren Priester; 5 Asarja, der Sohn Na-
thans, stand den Amtleuten vor; Sabud,
der Sohn Nathans, war des Königs Freund;
6 Ahischar war Hofmeister; [a]Adoniram,
der Sohn Abdas, war Fronvogt.
7 Und Salomo hatte zwölf Amtleute über
ganz Israel, die den König und sein Haus
versorgten, und zwar ein jeder im Jahr
einen Monat lang. 8 Sie hießen: der Sohn
Hurs auf dem Gebirge Ephraim; 9 der Sohn
Dekers in Makaz und in Schaalbim und in
Bet-Schemesch und in Elon und Bet-Ha-
nan; 10 der Sohn Heseds in Arubbot und
hatte dazu Socho und das ganze Land
Hefer; 11 der Sohn Abinadabs über das
ganze Hügelland von Dor; er hatte Tafat,
eine Tochter Salomos, zur Frau; 12 Baana,
der Sohn Ahiluds, in Taanach und in Me-
giddo und über ganz Bet-Schean, das liegt
neben Zaretan unterhalb von Jesreel, von
Bet-Schean bis Abel-Mehola, bis jenseits
von Jokneam; 13 der Sohn Gebers zu Ra-
mot in Gilead; er hatte die [a]Dörfer Jaïrs,
des Sohnes Manasses, in Gilead und die
Gegend Argob, die in Baschan liegt, sech-
zig große Städte, ummauert und mit eher-
nen Riegeln; 14 Ahinadab, der Sohn Iddos,
in Mahanajim; 15 Ahimaaz in Naftali; auch
er hatte eine Tochter Salomos, Basemat,
zur Frau genommen; 16 Baana, der Sohn
Huschais, in Asser und Bealot; 17 Joschafat,
der Sohn Paruachs, in Issachar; 18 Schimi,
der Sohn Elas, in Benjamin; 19 Geber, der
Sohn Uris, im Lande Gilead, im Lande Si-
hons, des Königs der Amoriter, und Ogs,
des Königs in Baschan. *Ein* Amtmann war
in diesem Lande.
20 Juda aber und Israel waren [a]zahlreich
wie der Sand am Meer, und sie aßen und
tranken und waren fröhlich.

SALOMOS MACHT UND WEISHEIT

5 So war Salomo Herr über alle Königrei-
che, vom [a]Euphratstrom bis zum Land
der Philister und bis an die Grenze Ägyp-
tens; die brachten ihm Geschenke und
dienten ihm sein Leben lang. 2 Und Sa-
lomo musste täglich zur Speisung haben
dreißig Sack feines Mehl, sechzig Sack an-
deres Mehl, 3 zehn gemästete Rinder und
zwanzig Weiderinder und hundert Schafe,
ohne die Hirsche und Gazellen und Rehe
und das gemästete Federvieh. 4 Denn er
herrschte im ganzen Lande diesseits des
Euphrat, von Tifsach bis nach Gaza, über
alle Könige diesseits des Euphrat, und
hatte Frieden mit allen seinen Nachbarn
ringsum, 5 sodass Juda und Israel [a]sicher
wohnten, jeder [b]unter seinem Weinstock
und unter seinem Feigenbaum, von Dan
bis Beerscheba, solange Salomo lebte.
6 Und Salomo hatte viertausend Stall-
plätze für seine Wagenpferde und zwölf-
tausend Reitpferde.[a] 7 Und die Amtleute
versorgten den König Salomo und alles,
was zum Tisch des Königs gehörte, jeder
in seinem Monat, und ließen es an nichts
fehlen. 8 Auch Gerste und Stroh für die
Pferde und Gespanne brachten sie an den
Ort, wo diese waren, jeder nach seiner
Ordnung.
9 Und Gott gab Salomo sehr große Weis-
heit und Verstand und einen Geist, so
weit, wie Sand am Ufer des Meeres liegt,
10 [a]dass die Weisheit Salomos größer war
als die Weisheit von allen, die im Osten
wohnen, und als alle Weisheit Ägyptens.
11 Und er war weiser als alle Menschen,
auch weiser als [a]Etan, der Esrachiter, [b]He-
man, Kalkol und Darda, die Söhne Mahols,
und war berühmt unter allen Völkern
ringsum. 12 Und er [a]dichtete dreitausend
Sprüche und tausendundfünf Lieder. 13 Er
dichtete von den Bäumen, von der Zeder
an auf dem Libanon bis zum Ysop, der aus
der Wand wächst. Auch dichtete er von
den Tieren des Landes, von Vögeln, vom
Gewürm und von Fischen.
14 Und aus allen Völkern kamen sie, zu
hören die Weisheit Salomos, und von
allen Königen auf Erden, die von seiner
Weisheit gehört hatten.

VORBEREITUNG ZUM TEMPELBAU

(vgl. 2. Chr 2,1-17)

15 Und [a]Hiram, der König von Tyrus, sand-
te seine Boten zu Salomo; denn er hatte
gehört, dass sie ihn zum König gesalbt
hatten an seines Vaters statt. Denn Hi-
ram liebte David sein Leben lang. 16 Und

4,6 *a* Kap 5,28; 2. Sam 20,24 **4,13** *a* 4. Mose 32,41
4,20 *a* Kap 3,8; 1. Mose 22,17 **5,1** *a* 1. Mose 15,18
5,5 *a* 3. Mose 25,18 *b* Mi 4,4 **5,6** *a* 2. Chr 9,25
5,10 *a* (10-11) Kap 3,12-13 **5,11** *a* Ps 89,1 *b* Ps 88,1
5,12 *a* Pred 12,9; Spr 1,1 **5,15** *a* 2. Sam 5,11

Salomo sandte zu Hiram und ließ ihm
sagen: 17 Du weißt, dass mein Vater Da-
vid nicht ein Haus bauen konnte dem Na-
men des HERRN, seines Gottes, um des
Krieges willen, der um ihn her war, bis
der HERR seine Feinde unter seine Füße
gab.[a] 18 Nun aber hat mir der HERR, mein
Gott, Ruhe gegeben ringsum, sodass kein
Widersacher noch ein böses Hindernis
mehr da ist. 19 Siehe, so gedenke ich, dem
Namen des HERRN, meines Gottes, ein
Haus zu bauen, wie der HERR zu meinem
Vater David gesagt hat: [a]Dein Sohn, den
ich an deiner statt auf deinen Thron set-
zen werde, der soll meinem Namen das
Haus bauen. 20 So befiehl nun, dass man
mir Zedern vom Libanon fällt, und meine
Knechte sollen mit deinen Knechten sein.
Und den Lohn deiner Knechte will ich
dir geben, alles, wie du es sagst. Denn du
weißt, dass bei uns niemand ist, der Holz
zu hauen versteht wie die Sidonier.

21 Als Hiram aber die Worte Salomos
hörte, freute er sich sehr und sprach: [a]Ge-
lobt sei der HERR heute, der David einen
weisen Sohn gegeben hat über dies große
Volk. 22 Und Hiram sandte zu Salomo und
ließ ihm sagen: Ich habe die Botschaft ge-
hört, die du mir gesandt hast. Ich will alle
deine Wünsche nach Zedern- und Zy-
pressenholz erfüllen. 23 Meine Knechte
sollen die Stämme vom Libanon hinab-
bringen ans Meer, und ich will sie in Flöße
zusammenlegen lassen auf dem Meer bis
an den Ort, den du mir sagen lassen wirst,
und will sie dort zerlegen, und du sollst
sie holen lassen. Aber du sollst auch meine
Wünsche erfüllen und Speise geben für
meinen Hof.

24 So gab Hiram Salomo Zedern- und Zy-
pressenholz ganz nach seinem Wunsch.
25 Salomo aber gab Hiram zwanzigtau-
send Sack Weizen zum Unterhalt für
seinen Hof und zwanzigtausend Eimer
gepresstes Öl. Das gab Salomo dem Hi-
ram Jahr für Jahr.[a] 26 Und der HERR gab Sa-
lomo Weisheit, wie er ihm zugesagt hatte.
Und es war Friede zwischen Hiram und
Salomo, und sie schlossen miteinander
einen Bund.

27 Und Salomo hob Fronarbeiter aus von
ganz Israel, und ihre Zahl war dreißigtau-
send Mann, 28 und sandte sie auf den Liba-
non, je einen Monat zehntausend, sodass
sie einen Monat auf dem Libanon waren
und zwei Monate daheim. Und [a]Adoni-
ram war der Fronvogt. 29 Und Salomo
hatte siebzigtausend Lastträger und acht-
zigtausend Steinhauer im Gebirge 30 ohne
die Amtleute Salomos, die über die Ar-
beiten gesetzt waren: dreitausenddrei-
hundert, welche den Leuten geboten, die
die Arbeit taten. 31 Und der König gebot,
große und kostbare Steine auszubrechen,
behauene Steine zum Grund des Hauses.
32 Und die Bauleute Salomos und die Bau-
leute Hirams und die [a]Gebaliter hieben sie
zurecht; so bereiteten sie Holz und Steine
zu, um das Haus zu bauen.

DER BAU DES TEMPELS

(vgl. 2. Chr 3,1-14)

6 Im vierhundertachtzigsten Jahr nach
dem Auszug Israels aus Ägyptenland,
im vierten Jahr der Herrschaft Salomos
über Israel, im Monat Siw, das ist der
zweite Monat, wurde das Haus dem
HERRN gebaut.

2 Das Haus aber, das der König Salomo
dem HERRN baute, war sechzig Ellen
lang, zwanzig Ellen breit und dreißig El-
len hoch.[a] 3 Und er baute eine Vorhalle
vor der Tempelhalle des Hauses, zwan-
zig Ellen lang nach der Breite des Hauses
und zehn Ellen breit vor dem Hause her.
4 [a]Und er machte am Hause Fenster mit
festen Stäben davor. 5 Und er baute einen
Umgang an der Wand des Hauses rings-
umher, sodass er um die Tempelhalle und
um das Allerheiligste herging, und machte
Seitengemächer ringsumher. 6 Der untere
Gang war fünf Ellen weit und der mittlere
sechs Ellen weit und der dritte sieben El-
len weit; denn er machte Absätze außen
am Hause ringsumher, sodass die Balken
nicht in die Wände des Hauses eingriffen.

7 Und als das Haus gebaut wurde, waren
die Steine bereits ganz zugerichtet, sodass
weder Hammer noch Beil noch irgendein
eisernes Werkzeug [a]beim Bau des Hau-
ses zu hören war. 8 Die Tür zum unteren
Seitengemach war auf der rechten Seite

5,17 *a* 1. Chr 22,8 **5,19** *a* 2. Sam 7,12-13 **5,21** *a* Kap 10,9
5,25 *a* Vers 2 **5,28** *a* Kap 4,6 **5,32** *a* Hes 27,9
6,2 *a* Esra 6,3 **6,4** *a* (4-5) Hes 40,16 **6,7** *a* 5. Mose 27,5;
Jos 8,31

des Hauses; über eine Wendeltreppe ging
man hinauf auf den Mittelgang und vom
Mittelgang auf den dritten. 9 So [a]baute er
das Haus und vollendete es. Und er deckte
das Haus mit Balken und Tafelwerk von
Zedern. 10 Und er baute Gänge um das
ganze Haus herum, je fünf Ellen hoch,
und verband sie mit dem Hause durch
Balken von Zedernholz.

11 Und es geschah des HERRN Wort zu
Salomo: 12 So sei es mit dem Hause, das
du baust: Wirst du in meinen Satzungen
wandeln und nach meinen Rechten tun
und alle meine Gebote halten und in ih-
nen wandeln, [a]so will ich mein Wort an
dir wahr machen, das ich deinem Vater
David gegeben habe, 13 und [a]will wohnen
unter Israel und will mein Volk Israel nicht
verlassen.

14 Und Salomo baute das Haus und voll-
endete es. 15 Er bedeckte die Wände des
Hauses innen mit Brettern von Zedern-
holz. Vom Boden des Hauses bis an die
Decke täfelte er es innen mit Holz, und
den Boden des Hauses täfelte er mit Bret-
tern von Zypressenholz. 16 Und er baute
zwanzig Ellen von der Rückseite des
Hauses entfernt eine Wand aus zedernen
Brettern vom Boden bis an die Decke und
baute so im Innern einen Raum, das Al-
lerheiligste. 17 Die Tempelhalle vor dem
Allerheiligsten war vierzig Ellen lang.
18 Innen war das ganze Haus lauter Ze-
dernholz mit [a]geschnitzten Früchten und
Blumenwerk, sodass man keinen Stein
sah. 19 Das Allerheiligste machte er im In-
nern des Hauses, damit man die Lade des
Bundes des HERRN dahin stellte. 20 Und
vor dem Allerheiligsten, das zwanzig El-
len lang, zwanzig Ellen breit und zwanzig
Ellen hoch war und überzogen mit lau-
terem Gold, [a]überzog er auch den Altar
aus Zedernholz. 21 Und Salomo überzog
das Haus innen mit lauterem Gold und
zog goldene Riegel vor dem Allerheilig-
sten her, das er mit Gold überzogen hatte,
22 sodass das ganze Haus ganz mit Gold
überzogen war. Dazu überzog er auch den
ganzen Altar vor dem Allerheiligsten mit
Gold.

23 Er machte im Allerheiligsten zwei
[a]Cherubim, zehn Ellen hoch, von Öl-
baumholz. 24 Fünf Ellen hatte ein Flügel
eines jeden Cherubs, sodass zehn Ellen
waren von dem Ende seines einen Flügels
bis zum Ende seines andern Flügels. 25 So
hatte auch der andere Cherub zehn Ellen,
und beide Cherubim hatten dasselbe Maß
und dieselbe Gestalt. 26 Auch war jeder
Cherub zehn Ellen hoch. 27 [a]Und er stellte
die Cherubim mitten ins Allerheiligste.
Und die Cherubim breiteten ihre Flügel
aus, sodass der Flügel des einen Cherubs
die eine Wand berührte und der Flügel
des andern Cherubs die andere Wand
berührte. Aber in der Mitte berührte ein
Flügel den andern. 28 Und er überzog die
Cherubim mit Gold.

29 An allen Wänden des Hauses ließ er
ringsum Schnitzwerk machen von Che-
rubim, Palmen und Blumenwerk, innen
und außen. 30 Auch überzog er innen und
außen den Boden mit Goldblech. 31 Und
an der Tür des Allerheiligsten machte
er zwei Türflügel von Ölbaumholz mit
fünfeckigen Pfosten 32 und ließ Schnitz-
werk darauf machen von Cherubim, Pal-
men und Blumenwerk und überzog sie
mit Goldblech. 33 Ebenso machte er auch
an der Tür der Tempelhalle viereckige
Pfosten von Ölbaumholz 34 und zwei Tü-
ren von Zypressenholz, sodass jede Tür
zwei Flügel hatte, die sich drehten, 35 und
machte Schnitzwerk darauf von Cheru-
bim, Palmen und Blumenwerk und über-
zog es mit Gold, genau wie es eingegraben
war. 36 Er baute auch den inneren Vorhof
von drei Schichten behauener Steine und
von einer Schicht Zedernbalken.

37 Im [a]vierten Jahr, im Monat Siw, wurde
der Grund gelegt zum Hause des HERRN,
38 und im elften Jahr, im Monat Bul, das
ist der achte Monat, wurde das Haus voll-
endet, wie es sein sollte, sodass sie sieben
Jahre daran bauten.

DER BAU DER KÖNIGLICHEN PALÄSTE

7 Aber an seinem eigenen Haus baute
Salomo dreizehn Jahre, bis er es ganz
vollendet hatte. 2 So baute er das Liba-
non-Waldhaus, hundert Ellen lang, fünf-

6,9 *a* Vers 14; Kap 7,51; 9,25; 2. Mose 40,33
6,12 *a* 2. Sam 7,12-13 **6,13** *a* 2. Mose 29,45
6,18 *a* Kap 7,24 **6,20** *a* Kap 7,48; 2. Mose 30,1-3
6,23 *a* 2. Mose 25,18-22 **6,27** *a* (27-28) 2. Mose 37,7-9
6,37 *a* Vers 1

zig Ellen breit und dreißig Ellen hoch. Auf
drei Reihen von Zedernsäulen legte er
eine Decke von Zedernbalken 3und deckte
auch mit Zedernholz die Gemächer über
den Säulen; und es waren fünfundvierzig
Säulen, je fünfzehn in einer Reihe. 4Und
Gebälk lag in drei Reihen, und Fenster wa-
ren einander gegenüber dreimal. 5Und alle
Türen und Fenster waren viereckig, und
die Fenster waren einander gegenüber
dreimal.

6Er baute auch eine Halle von Säu-
len, fünfzig Ellen lang und dreißig Ellen
breit, und noch eine Halle vor diese mit
Säulen und einem Aufgang davor; 7und
baute auch die Thronhalle, in der er Ge-
richt hielt, die Gerichtshalle, und täfelte
sie vom Boden bis zur Decke mit Zedern-
holz; 8dazu sein Haus, in dem er wohnte,
im andern Hof, hinten an der Halle, ge-
baut wie die andern; und baute noch ein
Haus wie diese Halle [a]für die Tochter des
Pharao, die Salomo zur Frau genommen
hatte.

9Das alles war von kostbaren Steinen,
nach dem Winkeleisen gehauen, mit Sä-
gen geschnitten auf allen Seiten, vom
Grund bis an das Dach und von außen bis
zum großen Hof. 10Die Grundsteine wa-
ren auch kostbare und große Steine, zehn
und acht Ellen lang, 11und darauf kostbare
Steine, nach dem Winkeleisen gehauen,
und Zedernholz. 12Aber der große Hof
hatte ringsum drei Schichten behauene
Steine und eine Schicht Zedernbalken
wie auch [a]der innere Vorhof am Hause des
HERRN und die Halle am Hause.

DIE BEIDEN SÄULEN VOR DEM TEMPEL UND DIE HEILIGEN GERÄTE

(vgl. 2. Chr 3,15–5,1)

13[a]Und der König Salomo sandte hin und
ließ holen Hiram von Tyrus – 14den Sohn
einer Witwe aus dem Stamm Naftali, sein
Vater aber war aus Tyrus gewesen –; der
war ein Bronzeschmied, voll Weisheit,
Verstand und Kunst in allerlei Bronze-
arbeit. Der kam zum König Salomo und
machte ihm alle seine Werke.

15Er goss zwei [a]Säulen aus Bronze, jede
achtzehn Ellen hoch, und eine Schnur von
zwölf Ellen war das Maß um jede Säule
herum. 16Und er machte zwei Knäufe, aus
Bronze gegossen, oben auf die Säulen zu
setzen; jeder Knauf war fünf Ellen hoch.
17Und es war an jedem Knauf oben auf
den Säulen Gitterwerk, sieben gefloch-
tene Reifen wie Ketten. 18Und er machte
an jedem Knauf zwei Reihen Granatäpfel
ringsumher an dem Gitterwerk, mit de-
nen der Knauf bedeckt wurde. 19Und die
Knäufe oben auf den Säulen waren wie Li-
lien, jeder vier Ellen dick. 20Und es waren
zweihundert Granatäpfel in den Reihen
ringsum, oben und unten an dem Gitter-
werk, das um die Rundung des Knaufs her
ging, an jedem Knauf auf beiden Säulen.
21Und er richtete die Säulen auf vor der
Vorhalle des Tempels; die er zur rechten
Hand setzte, nannte er Jachin, und die er
zur linken Hand setzte, nannte er Boas.
22Und oben auf den Säulen war Lilien-
schmuck. So wurde vollendet das Werk
der Säulen.

23Und er machte das Meer, gegossen,
von einem Rand zum andern zehn Ellen
weit, ganz rund und fünf Ellen hoch, und
eine Schnur von dreißig Ellen war das Maß
ringsherum. 24Und um das Meer gingen
Ranken an seinem Rand ringsherum, je
zehn auf eine Elle; es hatte zwei Reihen
Ranken, die beim Guss mitgegossen wa-
ren. 25Und es stand auf zwölf Rindern,
von denen drei nach Norden gewandt
waren, drei nach Westen, drei nach Süden
und drei nach Osten, und das Meer stand
obendrauf, und ihre Hinterteile waren alle
nach innen gekehrt. 26Die Wanddicke des
Meeres aber war eine Hand breit, und sein
Rand war wie der Rand eines Bechers, wie
eine aufgegangene Lilie, und es gingen
zweitausend Eimer hinein.

27Er machte auch zehn Gestelle aus
Bronze, jedes vier Ellen lang und breit
und drei Ellen hoch. 28Es war aber das
Gestell so gemacht, dass es Seiten hatte
zwischen den Leisten. 29Und an den Sei-
ten zwischen den Leisten waren Löwen,
Rinder und Cherubim, und ebenso auf
den Leisten und oberhalb und unterhalb
der Löwen und Rinder waren herabhän-
gende Kränze. 30Und jedes Gestell hatte
vier bronzene Räder mit bronzenen Ach-

7,8 *a* Kap 3,1 **7,12** *a* Kap 6,36 **7,13** *a* (13-14) 2. Chr 2,12-13
7,15 *a* 2. Kön 25,13.17; Jer 52,17.21

sen. Und auf den vier Ecken waren Träger
gegossen, jeder dem andern gegenüber,
unten an den Kessel gegossen. 31 Aber
seine Öffnung mitten auf dem Gestell war
eine Elle hoch und rund, anderthalb Ellen
weit, und es waren Schnitzereien an der
Öffnung in Feldern, die viereckig waren
und nicht rund. 32 Die vier Räder aber wa-
ren unten an den Seiten, und die Achsen
der Räder waren am Gestell. Jedes Rad war
anderthalb Ellen hoch. 33 Es waren Räder
wie Wagenräder, und ihre Achsen, Naben,
Speichen und Felgen waren alle gegossen.
34 Vier Schulterteile führten zu den vier
Ecken des Gestells; von dem Gestell gin-
gen seine Schulterteile aus. 35 Und oben
auf dem Gestell, eine halbe Elle hoch,
rundherum, waren Griffe und Leisten am
Gestell. 36 Und er ließ auf die Flächen der
Griffe und Leisten eingraben Cherubim,
Löwen und Palmenbäume, so viel Platz
auf jedem war, und Kränze ringsherum
daran. 37 Auf diese Weise machte er zehn
Gestelle, alle von einem Guss, einem Maß
und einer Gestalt.

38 Und er machte zehn Kessel aus Bron-
ze, dass vierzig Eimer in einen Kessel gin-
gen, und jeder war vier Ellen weit, und
auf jedem Gestell war ein Kessel. 39 Und
er stellte fünf Gestelle an die rechte Seite
des Hauses und die andern fünf an die
linke Seite; aber das Meer stellte er rechts
vor das Haus nach Süden hin.

40 Und Hiram machte auch Töpfe, Schau-
feln, Schalen; und so vollendete er alle
Werke, die der König Salomo am Hause
des HERRN machen ließ: 41 die zwei Säu-
len und die kugligen Knäufe oben auf den
zwei Säulen und die zwei Gitterwerke, die
die beiden kugligen Knäufe auf den Säulen
bedecken sollten, 42 und die vierhundert
Granatäpfel an den zwei Gitterwerken, je
zwei Reihen Granatäpfel an einem Gitter-
werk, die die beiden kugligen Knäufe auf
den Säulen bedecken sollten, 43 dazu die
zehn Gestelle und zehn Kessel obendrauf
44 und das Meer und die zwölf Rinder
unter dem Meer 45 und die Töpfe, Schau-
feln und Schalen. Und alle diese Geräte,
die Hiram dem König Salomo machte für
das Haus des HERRN, waren von blanker
Bronze. 46 In der Gegend des unteren Jor-
dans ließ sie der König gießen in der Gie-
ßerei von Adama zwischen Sukkot und
Zaretan. 47 Und Salomo ließ alle Geräte
ungewogen wegen der sehr großen Menge
der Bronze.

48 Auch ließ Salomo alles Gerät machen,
das zum Hause des HERRN gehörte: den
goldenen Altar, den goldenen Tisch, auf
dem die Schaubrote liegen, 49 fünf Leuch-
ter zur rechten Hand und fünf Leuchter
zur linken vor dem Allerheiligsten von
lauterem Gold mit goldenen Blumen,
Lampen und Dochtscheren; 50 dazu Scha-
len, Messer, Becken, Löffel und Pfannen
von lauterem Gold. Auch waren die An-
geln an den Türen zum Allerheiligsten in-
nen im Hause und an den Türen der Tem-
pelhalle von Gold.

51 So wurde das ganze Werk vollendet,
das der König Salomo gemacht hatte am
Hause des HERRN. Und Salomo brachte
hinein, was sein Vater David geheiligt
hatte an Silber und Gold und Geräten,
und legte es in den Schatz des Hauses des
HERRN.

EINWEIHUNG DES TEMPELS. SALOMOS GEBET UND OPFER

(vgl. 2. Chr 5,2–7,10)

8 Da versammelte der König Salomo zu
sich die Ältesten in Israel, alle Häupter
der Stämme und Obersten der Sippen in
Israel nach Jerusalem, um die Lade des
Bundes des HERRN heraufzubringen aus
der Stadt Davids, das ist Zion. 2 Und es
versammelten sich beim König Salomo
alle Männer Israels am Fest im Monat Eta-
nim, das ist der siebente Monat. 3 Und als
alle Ältesten Israels kamen, hoben die
Priester die Lade des HERRN auf[a] 4 und
brachten sie hinauf, dazu die Stiftshütte
und alles Gerät des Heiligtums, das in
der Stiftshütte war. Das taten die Pries-
ter und Leviten. 5 Und der König Salomo
und die ganze Gemeinde Israel, die sich
bei ihm versammelt hatte, ging mit ihm
vor der Lade her und [a]opferte Schafe und
Rinder, so viel, dass man sie wegen ih-
rer Menge nicht zählen noch berechnen
konnte.

6 So [a]brachten die Priester die Lade des
Bundes des HERRN an ihren Platz in den

8,3 *a* 2. Chr 5,4 **8,5** *a* 2. Sam 6,13 **8,6** *a* 2. Sam 6,17

innersten Raum des Hauses, in das Aller-
heiligste, [b]unter die Flügel der Cherubim.
7 Denn die Cherubim breiteten die Flügel
aus an dem Ort, wo die Lade stand, und
bedeckten die Lade und ihre Stangen von
oben her. 8 Und [a]die Stangen waren so
lang, dass ihre Enden gesehen wurden im
Heiligtum vor dem Allerheiligsten; aber
von außen sah man sie nicht. Und dort
sind sie bis auf diesen Tag. 9 Und es war
nichts in der Lade als [a]nur die zwei steiner-
nen Tafeln, die Mose hineingelegt hatte
am Horeb, als der HERR mit den Israeli-
ten einen Bund schloss, nachdem sie aus
Ägyptenland gezogen waren.

10 [a]Als aber die Priester aus dem Heilig-
tum gingen, erfüllte die Wolke das Haus
des HERRN, 11 sodass die Priester nicht
zum Dienst hinzutreten konnten we-
gen der Wolke; denn die Herrlichkeit des
HERRN erfüllte das Haus des HERRN.

12 Da sprach Salomo: Die Sonne hat der
HERR an den Himmel gestellt.* Er hat
aber gesagt, [a]er wolle im Dunkel wohnen.
13 So habe ich nun ein erhabenes Haus ge-
baut dir zur Wohnung, eine Stätte, dass
du ewiglich da wohnest.[a] 14 Und der Kö-
nig wandte sein Angesicht und segnete
die ganze Gemeinde Israel, und die ganze
Gemeinde Israel stand. 15 Und er sprach:
Gelobt sei der HERR, der Gott Israels, der
durch seinen Mund meinem Vater David
zugesagt und es durch seine Hand erfüllt
hat und gesagt: 16 [a]Von dem Tage an, als
ich mein Volk Israel aus Ägypten führte,
hab ich keine Stadt erwählt unter irgend-
einem Stamm Israels, dass mir ein Haus
gebaut würde, damit mein Name da wäre.
David aber habe ich erwählt, dass er über
mein Volk Israel Herr sein sollte. 17 Mein
Vater David hatte es zwar im Sinn, dem
Namen des HERRN, des Gottes Israels, ein
Haus zu bauen,[a] 18 aber der HERR sprach
zu meinem Vater David: Dass du im Sinn
hast, meinem Namen ein Haus zu bauen,
daran hast du wohlgetan, dass du dir das
vornahmst. 19 Doch nicht du sollst das
Haus bauen, sondern dein Sohn, der dir
geboren wird, der soll meinem Namen
ein Haus bauen.[a] 20 Und der HERR hat
sein Wort wahr gemacht, das er gegeben
hat; denn ich bin zur Macht gekommen
an meines Vaters David statt und sitze auf
dem Thron Israels, wie der HERR zugesagt
hat, und habe gebaut ein Haus dem Na-
men des HERRN, des Gottes Israels, 21 und
habe dort eine Stätte zugerichtet der Lade,
in der die Tafeln des Bundes sind, den der
HERR geschlossen hat mit unsern Vätern,
als er sie aus Ägyptenland führte.

22 Und Salomo trat vor den Altar des
HERRN angesichts der ganzen Gemeinde
Israel und breitete seine Hände aus gen
Himmel 23 und sprach: **HERR, Gott Is-
raels, [a]es ist kein Gott weder droben
im Himmel noch unten auf Erden dir
gleich, der du hältst den Bund und die
Barmherzigkeit deinen Knechten, die
vor dir wandeln von ganzem Herzen;**
24 der du gehalten hast deinem Knecht,
meinem Vater David, was du ihm zugesagt
hast. Mit deinem Mund hast du es geredet,
und mit deiner Hand hast du es erfüllt,
wie es offenbar ist an diesem Tage. 25 Nun,
HERR, Gott Israels, halt deinem Knecht,
meinem Vater David, was du ihm zuge-
sagt hast: [a]Es soll dir nicht fehlen an einem
Mann, der vor mir steht, der da sitzt auf
dem Thron Israels, wenn nur deine Söhne
auf ihren Weg achthaben, dass sie vor mir
wandeln, wie du vor mir gewandelt bist.
26 Nun, Gott Israels, lass dein Wort wahr
werden, das du deinem Knecht, meinem
Vater David, zugesagt hast.

27 Denn sollte Gott wirklich auf Erden
wohnen? Siehe, [a]der Himmel und aller
Himmel Himmel können dich nicht fas-
sen – wie sollte es dann dies Haus tun, das
ich gebaut habe?[b] 28 Wende dich aber zum
Gebet deines Knechts und zu seinem Fle-
hen, HERR, mein Gott, auf dass du hörst
das Flehen und Gebet deines Knechts
heute vor dir: 29 Lass [a]deine Augen offen
stehen über diesem Hause Nacht und Tag,
über der [b]Stätte, von der du gesagt hast:
Da soll mein Name sein. Du wollest hö-
ren das Gebet, das dein Knecht an dieser

* **8,12** Dieser Satz ist nur in der griechischen Übersetzung bezeugt.

8,6 ***b*** Kap 6,27 **8,8** ***a*** 2. Mose 25,13-15
8,9 ***a*** 2. Mose 25,21; 5. Mose 10,5
8,10 ***a*** *(10-11)* 2. Mose 40,34-35; Hes 10,4
8,12 ***a*** 2. Mose 20,21; Ps 97,2 **8,13** ***a*** Ps 132,13-14
8,16 ***a*** *(16-19)* 2. Sam 7,5-16 **8,17** ***a*** 1. Chr 28,2
8,19 ***a*** 1. Chr 22,10 **8,23** ***a*** 5. Mose 4,39 **8,25** ***a*** Kap 2,4
8,27 ***a*** Jes 66,1 ***b*** Apg 17,24 **8,29** ***a*** 2. Chr 6,20; Sach 12,4 ***b*** 2. Mose 20,24; 5. Mose 12,5

Stätte betet, 30 und wollest erhören das
Flehen deines Knechts und deines Volkes
Israel, wenn sie hier bitten werden an die-
ser Stätte; und wenn du es hörst in deiner
Wohnung, im Himmel, wollest du gnädig
sein.

31 Wenn jemand an seinem Nächsten
sündigt und dieser ihm einen Fluch auf-
erlegt, sich selbst zu verfluchen, und er
kommt und spricht den Fluch aus vor dei-
nem Altar in diesem Hause, 32 so wollest
du hören im Himmel und Recht schaffen
deinen Knechten, dass du den Frevler als
Frevler erkennen und sein Tun auf sein
Haupt kommen lässt, den aber, der im
Recht ist, gerecht sprichst und ihm gibst
nach seiner Gerechtigkeit.

33 Wenn dein Volk Israel vor dem Feind
geschlagen wird, weil sie an dir gesün-
digt haben, und sie bekehren sich dann
zu dir und bekennen deinen Namen und
beten und flehen zu dir in diesem Hause,
34 so wollest du hören im Himmel und die
Sünde deines Volkes Israel vergeben und
sie zurückbringen in das Land, das du ih-
ren Vätern gegeben hast.

35 Wenn [a]der Himmel verschlossen wird,
dass es nicht regnet, weil sie an dir gesün-
digt haben, und sie beten dann zu dieser
Stätte hin und bekennen deinen Namen
und bekehren sich von ihren Sünden, weil
du sie demütigst, 36 so wollest du hören im
Himmel und vergeben die Sünde deiner
Knechte und deines Volkes Israel, dass
du ihnen den guten Weg weist, auf dem
sie wandeln sollen, und regnen lässt auf
das Land, das du deinem Volk zum Erbe
gegeben hast.

37 Wenn eine Hungersnot oder Pest oder
Dürre oder Getreidebrand oder Heuschre-
cken oder Raupen im Lande sein werden
oder sein Feind im Lande seine Städte be-
lagert oder irgendeine Plage oder Krank-
heit da ist –[a] 38 wer dann bittet und fleht,
es sei jeder Mensch oder dein ganzes Volk
Israel, die da ihre Plage spüren, jeder in
seinem Herzen, und breiten ihre Hände
aus zu diesem Hause, 39 so wollest du
hören im Himmel, an dem Ort, wo du
wohnst, und gnädig sein und schaffen,
dass du jedem gibst, wie er gewandelt ist,
wie du sein Herz erkennst – denn [a]du al-
lein kennst das Herz aller Menschenkin-
der –, 40 auf dass sie dich fürchten allezeit,
solange sie in dem Lande leben, das du un-
sern Vätern gegeben hast.[a]

41 [a]Auch wenn ein Fremder, der nicht
von deinem Volk Israel ist, aus fernem
Lande kommt um deines Namens wil-
len – 42 denn sie werden hören von deinem
großen Namen und von deiner mächti-
gen Hand und von deinem [a]ausgereckten
Arm –, wenn er kommt, um zu diesem
Hause hin zu beten, 43 so wollest du hören
im Himmel, an dem Ort, wo du wohnst,
und alles tun, worum der Fremde dich
anruft, auf dass alle Völker auf Erden dei-
nen Namen erkennen, damit auch sie dich
fürchten wie dein Volk Israel, und dass sie
innewerden, dass dein Name über diesem
Hause genannt ist, das ich gebaut habe.

44 Wenn dein Volk auszieht in den Krieg
gegen seine Feinde auf dem Weg, den du
sie senden wirst, und sie beten werden
zum HERRN nach der Stadt hin, die du
erwählt hast, und nach dem Hause hin,
das ich deinem Namen gebaut habe, 45 so
wollest du ihr Gebet und Flehen hören im
Himmel und ihnen Recht schaffen.

46 Wenn sie an dir sündigen werden –
[a]denn es gibt keinen Menschen, der nicht
sündigt – und du zürnst ihnen und gibst
sie dahin vor ihren Feinden, dass sie sie
gefangen führen in das Land der Feinde,
fern oder nahe, 47 und sie nehmen sich's
zu Herzen im Lande, in dem sie gefan-
gen sind, und bekehren sich und flehen
zu dir im Lande ihrer Gefangenschaft und
sprechen: [a]Wir haben gesündigt und übel
getan und sind gottlos gewesen, 48 und be-
kehren sich zu dir von ganzem Herzen und
von ganzer Seele im Lande ihrer Feinde,
die sie weggeführt haben, und beten zu
dir nach ihrem Lande hin, das du ihren Vä-
tern gegeben hast, [a]nach der Stadt hin, die
du erwählt hast, und nach dem Hause hin,
das ich deinem Namen gebaut habe: 49 so
wollest du ihr Gebet und Flehen hören im
Himmel, an dem Ort, wo du wohnst, und
ihnen Recht schaffen 50 und wollest ver-
geben deinem Volk, das an dir gesündigt

8,35 ***a*** Kap 17,1; Hag 1,10; Sach 14,17
8,37 ***a*** 5. Mose 28,21.38.42 **8,39** ***a*** 1. Sam 16,7; Ps 139,1-2
8,40 ***a*** 5. Mose 12,1 **8,41** ***a*** *(41-43)* Jes 56,3-7
8,42 ***a*** 2. Kön 17,36 **8,46** ***a*** Ps 14,3-4; Röm 3,23
8,47 ***a*** Neh 9,33; Dan 9,5 **8,48** ***a*** Dan 6,11

hat, alle ihre Übertretungen, mit denen sie
gegen dich gesündigt haben, und wollest
sie Erbarmen finden lassen bei denen, die
sie gefangen halten, sodass sie sich ihrer
erbarmen. 51 Denn sie sind dein Volk und
dein Erbe, die du aus Ägypten, aus dem
Schmelzofen, geführt hast.[a]
52 Lass deine Augen offen sein für das
Flehen deines Knechts und deines Volkes
Israel, dass du sie hörst, sooft sie dich an-
rufen; 53 denn [a]du hast sie dir ausgeson-
dert zum Erbe aus allen Völkern auf Erden,
wie du geredet hast durch deinen Knecht
Mose, als du unsere Väter aus Ägypten
führtest, Herr HERR!
54 Und als Salomo dies Gebet und Flehen
vor dem HERRN vollendet hatte, stand er
auf von dem Altar des HERRN und hörte
auf zu knien und die Hände zum Him-
mel auszubreiten 55 und trat hin und seg-
nete die ganze Gemeinde Israel mit lau-
ter Stimme und sprach: 56 Gelobet sei der
HERR, der seinem Volk Israel [a]Ruhe ge-
geben hat, wie er es zugesagt hat. [b]**Es ist
nicht eins dahingefallen von allen sei-
nen guten Worten, die er geredet hat
durch seinen Knecht Mose.** 57 Der HERR,
unser Gott, sei mit uns, wie er mit unsern
Vätern gewesen ist. Er verlasse uns nicht
und ziehe die Hand nicht ab von uns. 58 Er
neige unser Herz zu ihm, dass wir wan-
deln in allen seinen Wegen und halten
seine Gebote, Satzungen und Rechte, die
er unsern Vätern geboten hat. 59 Mögen
diese Worte, die ich vor dem HERRN ge-
fleht habe, nahe sein dem HERRN, unserm
Gott, Tag und Nacht, dass er Recht schaffe
seinem Knecht und seinem Volk Israel,
wie es jeder Tag erfordert, 60 auf dass alle
Völker auf Erden erkennen, dass der HERR
Gott ist und sonst keiner mehr![a] 61 Und
euer Herz sei ungeteilt bei dem HERRN,
unserm Gott, dass ihr wandelt in seinen
Satzungen und haltet seine Gebote, wie
es heute geschieht.
62 Und der König und ganz Israel opfer-
ten vor dem HERRN Opfer. 63 Und Salomo
opferte Dankopfer, die er dem HERRN
opferte, zweiundzwanzigtausend Rin-
der und hundertzwanzigtausend Schafe.
So weihten sie das Haus des HERRN ein,
der König und ganz Israel. 64 An demsel-
ben Tage weihte der König die Mitte des
Vorhofes, der vor dem Hause des HERRN
war, dadurch, dass er Brandopfer, Speis-
opfer und das Fett der Dankopfer dort
darbrachte. Denn der bronzene Altar, der
vor dem HERRN stand, war zu klein für
die Brandopfer, Speisopfer und das Fett
der Dankopfer. 65 Und Salomo beging zu
der Zeit das Fest und ganz Israel mit ihm –
eine große Versammlung von dort, wo es
nach Hamat geht, bis an den Bach Ägyp-
tens – vor dem HERRN, unserm Gott, sie-
ben Tage und noch sieben Tage, das waren
vierzehn Tage. 66 Und er entließ das Volk
am achten Tage. Und sie segneten den Kö-
nig und gingen zu ihren Zelten fröhlich
und guten Mutes über all das Gute, das
der HERR an David, seinem Knecht, und
an seinem Volk Israel getan hatte.

GOTT ERMAHNT SALOMO

(vgl. 2. Chr 7,11-22)

9 Und als Salomo das Haus des HERRN
gebaut hatte und das Haus des Königs
und alles, was er zu machen gewünscht
hatte, 2 erschien ihm der HERR zum zwei-
ten Mal, [a]wie er ihm erschienen war in Gi-
beon. 3 Und der HERR sprach zu ihm: Ich
habe dein Gebet und Flehen gehört, das
du vor mich gebracht hast, und habe dies
Haus geheiligt, das du gebaut hast, dass ich
[a]meinen Namen dort wohnen lasse ewig-
lich, und meine Augen und mein Herz
sollen da sein allezeit. 4 Und du, wenn du
vor mir wandelst, wie dein Vater David ge-
wandelt ist, mit rechtschaffenem Herzen
und aufrichtig, dass du alles tust, was ich
dir geboten habe, und meine Gebote und
meine Rechte hältst, 5 so [a]will ich bestäti-
gen den Thron deines Königtums über Is-
rael ewiglich, wie ich deinem Vater David
zugesagt habe: [b]Es soll dir nicht fehlen an
einem Mann auf dem Thron Israels.
6 Werdet ihr euch aber von mir abwen-
den, ihr und eure Kinder, und nicht hal-
ten meine Gebote und Rechte, die ich
euch vorgelegt habe, und hingehen und
andern Göttern dienen und sie anbeten,
7 so werde ich Israel [a]ausrotten aus dem
Lande, das ich ihnen gegeben habe, und

8,51 ***a*** 5. Mose 4,20 **8,53** ***a*** 2. Mose 19,5; 5. Mose 7,6
8,56 ***a*** 1. Chr 22,9 ***b*** Jos 21,45 **8,60** ***a*** Jes 37,20
9,2 ***a*** Kap 3,5 **9,3** ***a*** Kap 8,29 **9,5** ***a*** 2. Sam 7,12
b Kap 2,4; Jer 33,17 **9,7** ***a*** Jos 23,16

das Haus, das ich meinem Namen gehei-
ligt habe, will ich verwerfen von meinem
Angesicht; und Israel wird ein [b]Spott und
Hohn sein unter allen Völkern. 8 [a]Und
dies Haus wird eingerissen werden, so-
dass alle, die vorübergehen, sich entsetzen
werden und zischen und sagen: Warum
hat der HERR diesem Lande und diesem
Hause das angetan? 9 Dann wird man ant-
worten: Weil sie den HERRN, ihren Gott,
verlassen haben, der ihre Väter aus Ägyp-
tenland führte, und andere Götter ange-
nommen und sie angebetet und ihnen ge-
dient haben – darum hat der HERR all dies
Unheil über sie gebracht.

REGIERUNGSMASSNAHMEN SALOMOS

(vgl. 2. Chr 8,7-11)

10 Als nun die zwanzig Jahre um waren, in
denen Salomo die beiden Häuser baute,
[a]des HERRN Haus und [b]des Königs Haus, –
11 dazu hatte [a]Hiram, der König von Tyrus,
Salomo Zedernbäume und Zypressen und
Gold nach all seinen Wünschen gegeben –,
da gab der König Salomo Hiram zwanzig
Städte im Lande Galiläa. 12 Und Hiram zog
aus von Tyrus, die Städte zu besehen, die
ihm Salomo gegeben hatte, und sie gefie-
len ihm nicht. 13 Und er sprach: Was sind
das für Städte, mein Bruder, die du mir ge-
geben hast? Und man nannte sie das Land
Kabul bis auf diesen Tag. 14 Und Hiram
hatte dem König hundertzwanzig Zent-
ner Gold gesandt.

15 Und so verhielt sich's mit den Fron-
leuten, die der König Salomo aushob, um
zu bauen des HERRN Haus und sein Haus
und den Millo und die Mauer Jerusalems
und Hazor und Megiddo und Geser –
16 denn der Pharao, der König von Ägyp-
ten, war heraufgezogen und hatte [a]Geser
eingenommen und mit Feuer verbrannt
und die Kanaaniter erschlagen, die in der
Stadt wohnten, und hatte [b]seiner Tochter,
Salomos Frau, den Ort als Brautgeschenk
gegeben; 17 und Salomo baute Geser wie-
der auf und das untere Bet-Horon 18 und
Baalat und Tamar in der Wüste im Lande
Juda 19 und alle Städte mit Kornspeichern,
die Salomo hatte, und alle Städte der Wa-
gen und [a]die Städte der Gespanne und
was er zu bauen wünschte in Jerusalem,
im Libanon und im ganzen Lande sei-
ner Herrschaft –: 20 Alles Volk, das noch
übrig war von den Amoritern, Hetitern,
Perisitern, Hiwitern und Jebusitern, die
nicht zu den Israeliten gehörten, 21 deren
Nachkommen, die übrig geblieben waren
im Lande, an denen Israel den Bann nicht
hatte vollstrecken können, die machte Sa-
lomo zu [a]Fronleuten bis auf diesen Tag.

22 Aber von den Israeliten machte er
niemand zu [a]Fronleuten, sondern ließ
sie Kriegsleute und seine Knechte und
Oberste und Ritter und Hauptleute über
seine Wagen und Gespanne sein. 23 Und
die Zahl der obersten Amtleute, die über
Salomos Bauarbeiten gesetzt waren, be-
trug fünfhundertfünfzig; diese geboten
über die Leute, die die Arbeiten taten.

24 Und die Tochter des Pharao zog herauf
von der Stadt Davids in ihr Haus, das Sa-
lomo für sie gebaut hatte. Dann baute er
auch den Millo.

25 Und Salomo opferte dreimal im Jahr
Brandopfer und Dankopfer auf dem Altar,
den er dem HERRN gebaut hatte, und räu-
cherte auf ihm vor dem HERRN. Und so
wurde das Haus fertig.[a]

26 Und Salomo baute auch Schiffe in Ez-
jon-Geber, das bei Elat liegt am Ufer des
Schilfmeers im Lande Edom. 27 [a]Und Hi-
ram sandte auf die Schiffe seine Leute, die
gute Schiffsleute und auf dem Meer er-
fahren waren, zusammen mit den Leuten
Salomos. 28 Und sie kamen nach Ofir und
holten dort vierhundertzwanzig Zentner
Gold und brachten's dem König Salomo.

BESUCH DER KÖNIGIN VON SABA

(vgl. 2. Chr 9,1-12)

10 Und als die [a]Königin von Saba die
Kunde von Salomo vernahm, kam sie,
um Salomo mit Rätselfragen zu prüfen.[b]
2 Und sie kam nach Jerusalem mit sehr
großem Gefolge, mit Kamelen, die Spe-
zerei trugen und viel Gold und Edelsteine.
Und als sie zum König Salomo kam, redete
sie mit ihm alles, was sie sich vorgenom-
men hatte. 3 Und Salomo gab ihr Antwort

9,7 ***b*** 5. Mose 28,37 **9,8** ***a*** (8-9) 5. Mose 29,23-26; Jer 22,8-9 **9,10** ***a*** Kap 6,38 ***b*** Kap 7,1 **9,11** ***a*** Kap 5,24 **9,16** ***a*** Jos 16,10 ***b*** Kap 3,1 **9,19** ***a*** Kap 10,26 **9,21** ***a*** Jos 16,10 **9,22** ***a*** 3. Mose 25,39 **9,25** ***a*** 5. Mose 16,16 **9,27** ***a*** (27-28) Kap 10,11 **10,1** ***a*** Mt 12,42 ***b*** Kap 5,14

auf alles, und es war dem König nichts
verborgen, was er ihr nicht hätte sagen
können.
4 Da aber die Königin von Saba alle Weis-
heit Salomos sah und das Haus, das er ge-
baut hatte, 5 und die Speisen für seinen
Tisch und die Sitzordnung seiner Großen
und das Aufwarten seiner Diener und ihre
Kleider und seine Mundschenken und
seine Brandopfer, die er in dem Hause
des HERRN opferte, stockte ihr der Atem,
6 und sie sprach zum König: Es ist wahr,
was ich in meinem Lande gehört habe
von deinen Taten und von deiner Weis-
heit. 7 Und ich hab's nicht glauben wollen,
bis ich gekommen bin und es mit eigenen
Augen gesehen habe. Und siehe, nicht die
Hälfte hat man mir gesagt. Du hast mehr
Weisheit und Güter, als die Kunde sagte,
die ich vernommen habe. 8 Glücklich sind
deine Männer und deine Großen, die al-
lezeit vor dir stehen und deine Weisheit
hören. 9 Gelobt sei der HERR, dein Gott,
der an dir Wohlgefallen hat, sodass er dich
auf den Thron Israels gesetzt hat! Weil der
HERR Israel lieb hat ewiglich, hat er dich
zum König gesetzt, dass du Recht und Ge-
rechtigkeit übst. 10 Und sie gab dem König
hundertzwanzig Zentner Gold und sehr
viel Spezerei und Edelsteine. Es kam nie
mehr so viel Spezerei ins Land, wie die
Königin von Saba dem König Salomo gab.
11 Auch brachten [a]die Schiffe Hirams, die
Gold aus Ofir einführten, sehr viel Sandel-
holz und Edelsteine. 12 Und der König ließ
Schnitzarbeiten machen aus dem Sandel-
holz im Hause des HERRN und im Hause
des Königs und Harfen und Zithern für
die Sänger. Es kam nie mehr so viel San-
delholz ins Land, wurde auch nicht gese-
hen bis auf diesen Tag.
13 Und der König Salomo gab der Köni-
gin von Saba alles, was ihr gefiel und was
sie erbat, außer dem, was er ihr von sich
aus gab. Und sie wandte sich und zog in
ihr Land mit ihrem Gefolge.

SALOMOS REICHTUM

(vgl. 2. Chr 9,13-28)

14 Und das Gewicht des Goldes, das für
Salomo in einem Jahr einkam, war sechs-
hundertsechsundsechzig Zentner, 15 außer
dem, was von den Händlern und vom Ge-
winn der Kaufleute und von allen Königen
Arabiens und von den Statthaltern kam.
16 Und der König Salomo [a]ließ zweihun-
dert große Schilde von getriebenem Gold
machen – sechshundert Schekel Gold
nahm er zu einem Schild – 17 und drei-
hundert kleine Schilde von getriebenem
Gold, je drei Pfund Gold zu einem kleinen
Schild. Und der König brachte sie in das
[a]Libanon-Waldhaus.
18 Und der König machte einen großen
Thron von Elfenbein und überzog ihn mit
dem edelsten Gold. 19 Und der Thron hatte
sechs Stufen, und hinten am Thron war
ein runder Kopf, und es waren Lehnen
auf beiden Seiten am Sitz, und zwei Lö-
wen standen an den Lehnen. 20 Und zwölf
Löwen standen auf den sechs Stufen zu
beiden Seiten. Dergleichen ist nie gemacht
worden in allen Königreichen.
21 Alle Trinkgefäße des Königs Salomo
waren aus Gold, und alle Gefäße im Liba-
non-Waldhaus waren auch aus lauterem
Gold; denn das Silber achtete man zu den
Zeiten Salomos für nichts. 22 Denn der Kö-
nig hatte Tarsisschiffe, die auf dem Meer
zusammen mit den Schiffen Hirams fuh-
ren. Diese kamen in drei Jahren einmal
und brachten Gold, Silber, Elfenbein, Af-
fen und Pfauen.
23 So war der König Salomo größer an
Reichtum und Weisheit als alle Könige auf
Erden. 24 Und alle Welt begehrte, Salomo
zu sehen, damit sie die Weisheit hörten,
die ihm Gott in sein Herz gegeben hatte.
25 Und jedermann brachte ihm jährlich
Geschenke, silberne und goldene Geräte,
Kleider und Waffen, Spezerei, Rosse und
Maultiere.
26 Und Salomo brachte Wagen und Ge-
spanne zusammen, sodass er tausend-
vierhundert Wagen und [a]zwölftausend
Gespanne hatte, und er legte sie in die
Wagenstädte und zum König nach Jeru-
salem. 27 [a]Und der König brachte es dahin,
dass es in Jerusalem so viel Silber gab wie
Steine und Zedernholz so viel wie wilde
Feigenbäume im Hügelland. 28 Und man
brachte Salomo Pferde aus Ägypten und
aus Koë; und die Kaufleute des Königs

10,11 *a* Kap 9,27-28 **10,16** *a* Kap 14,26 **10,17** *a* Kap 7,2
10,26 *a* Kap 5,6 **10,27** *a* (27-28) 2. Chr 1,15-16

kauften sie aus Koë zu ihrem Preis. 29 Und
sie brachten herauf aus Ägypten den Wa-
gen für sechshundert Silberstücke und
das Pferd für hundertfünfzig. Dann führ-
ten sie diese wieder aus an alle Könige der
Hetiter und an die Könige von Aram.

SALOMOS FRAUEN UND SEINE ABGÖTTEREI

11 Aber der König Salomo liebte [a]viele
ausländische Frauen: die Tochter des
Pharao und moabitische, ammonitische,
edomitische, sidonische und hetitische –
2 aus solchen Völkern, von denen der
HERR den Israeliten gesagt hatte: Geht
nicht zu ihnen und lasst sie nicht zu euch
kommen; [a]sie werden gewiss eure Herzen
ihren Göttern zuneigen. An diesen hing
Salomo mit Liebe. 3 Und er hatte sieben-
hundert Hauptfrauen und dreihundert
Nebenfrauen; und seine Frauen verlei-
teten sein Herz. 4 Und als er nun alt war,
neigten seine Frauen sein Herz fremden
Göttern zu, sodass sein Herz nicht unge-
teilt bei dem HERRN, seinem Gott, war
wie das Herz seines Vaters David. 5 So
diente Salomo der Astarte, der Göttin der
Sidonier, und dem Milkom, dem gräu-
lichen Götzen der Ammoniter. 6 Und Sa-
lomo tat, was dem HERRN missfiel, und
folgte nicht völlig dem HERRN wie sein
Vater David.

7 Damals baute Salomo eine Höhe dem
[a]Kemosch, dem gräulichen Götzen der
Moabiter, auf dem Berge, der vor Jerusa-
lem liegt, und dem Milkom, dem gräu-
lichen Götzen der Ammoniter. 8 Ebenso
tat Salomo für alle seine ausländischen
Frauen, die ihren Göttern räucherten und
opferten.

9 Der HERR aber wurde zornig über Sa-
lomo, dass er sein Herz von dem HERRN,
dem Gott Israels, abgewandt hatte, [a]der
ihm zweimal erschienen war 10 und ihm
geboten hatte, dass er nicht andern Göt-
tern nachwandelte. Er aber hatte nicht
gehalten, was ihm der HERR geboten
hatte. 11 Darum sprach der HERR zu Sa-
lomo: Weil das bei dir geschehen ist und
du meinen Bund und meine Gebote nicht
gehalten hast, die ich dir geboten habe, so
[a]will ich das Königtum von dir reißen und
einem deiner Großen geben. 12 Doch zu
deiner Zeit will ich das noch nicht tun um
deines Vaters David willen, sondern aus
der Hand deines Sohnes will ich's reißen.[a]
13 Doch will ich nicht das ganze Reich los-
reißen; einen Stamm will ich deinem
Sohn lassen um Davids willen, meines
Knechts, und um Jerusalems willen, das
ich erwählt habe.[a]

SALOMOS FEINDE HADAD UND RESON

14 Und der HERR erweckte Salomo einen
Widersacher, Hadad, den Edomiter, vom
königlichen Geschlecht in Edom. 15 Denn
[a]als David die Edomiter schlug – damals
als der Feldhauptmann Joab hinaufgezo-
gen war, um die Erschlagenen Israels zu
begraben, da erschlug er alles, was männ-
lich war in Edom; 16 sechs Monate blieb
Joab und ganz Israel dort, bis er ausge-
rottet hatte alles, was männlich war in
Edom –, 17 da floh Hadad und mit ihm et-
liche Edomiter vom Gefolge seines Vaters,
um nach Ägypten zu entkommen. Ha-
dad aber war noch ein sehr junger Mann.
18 Und sie machten sich auf von Midian
und kamen nach Paran und nahmen Leute
mit sich aus Paran und kamen nach Ägyp-
ten zum Pharao, dem König von Ägypten.
Der gab ihm ein Haus und Nahrung und
wies ihm Land an.

19 Und Hadad fand große Gnade vor dem
Pharao, sodass er ihm sogar die Schwes-
ter seiner Gemahlin, der Königin Tach-
penes, zur Frau gab. 20 Und die Schwes-
ter der Tachpenes gebar ihm Genubat,
seinen Sohn, und Tachpenes zog ihn auf
im Hause des Pharao, sodass Genubat im
Hause des Pharao unter den Kindern des
Pharao war. 21 Als nun Hadad in Ägypten
hörte, dass David sich zu seinen Vätern
gelegt hatte und dass der Feldhauptmann
Joab tot war, sprach er zum Pharao: Lass
mich in mein Land ziehen! 22 Der Pharao
sprach zu ihm: Was fehlt dir bei mir, dass
du in dein Land ziehen willst? Er sprach:
Nichts, aber lass mich ziehen!

23 Auch erweckte Gott dem Salomo noch
einen Widersacher, Reson, den Sohn Elja-
das, der von seinem Herrn, Hadad-Eser,

11,1 *a* 5. Mose 17,17 **11,2** *a* 2. Mose 34,16
11,7 *a* 4. Mose 21,29; 2. Kön 23,13 **11,9** *a* Kap 3,5; 9,2
11,11 *a* 1. Sam 15,28 **11,12** *a* Kap 12,19 **11,13** *a* Kap 12,20
11,15 *a* 2. Sam 8,13-14

dem König von Zoba, geflohen war. 24 Der
hatte Männer um sich gesammelt und war
Hauptmann einer Schar geworden – [a]als
David die Aramäer schlug –, und sie zo-
gen nach Damaskus und nahmen es ein
und herrschten in Damaskus. 25 Und er
war ein Widersacher Israels, solange Sa-
lomo lebte. Das kam zu dem Schaden, den
Hadad tat, er hasste Israel und herrschte
über Aram.

AHIJAS VERHEISSUNG AN JEROBEAM. SALOMOS TOD

26 Auch Jerobeam, der Sohn Nebats, ein
Ephraimiter von Zereda, Salomos Vogt –
seine Mutter hieß Zerua, eine Witwe –,
hob die Hand auf gegen den König. 27 Und
so ging es zu, als er die Hand gegen den
König aufhob: Salomo baute den [a]Millo
und schloss damit die Lücke in der Stadt
Davids, seines Vaters. 28 Und Jerobeam
war ein tüchtiger Mann. Und als Salomo
sah, dass der Jüngling viel schaffte, setzte
er ihn über alle Fronarbeit des Hauses
Josef.

29 Es begab sich aber zu der Zeit, dass Je-
robeam aus Jerusalem hinausging, und es
traf ihn der Prophet Ahija von Silo auf dem
Wege und hatte einen neuen Mantel an,
und die beiden waren allein auf dem Felde.
30 Und Ahija fasste den neuen Mantel, den
er anhatte, und riss ihn in zwölf Stücke
31 und sprach zu Jerobeam: Nimm zehn
Stücke zu dir! Denn so spricht der HERR,
der Gott Israels: Siehe, ich will das König-
tum aus der Hand Salomos reißen und dir
zehn Stämme geben[a] – 32 einen Stamm soll
er haben um meines Knechts David wil-
len und um der Stadt Jerusalem willen,
[a]die ich erwählt habe aus allen Stämmen
Israels –, 33 weil er mich verlassen hat und
angebetet die Astarte, die Göttin der Si-
donier, Kemosch, den Gott der Moabiter,
und Milkom, den Gott der Ammoniter,
und nicht in meinen Wegen gewandelt ist
und nicht getan hat, was mir wohlgefällt,
meine Gebote und Rechte, wie sein Va-
ter David. 34 Ich will aber aus seiner Hand
das Reich noch nicht nehmen, sondern ich
will ihn Fürst sein lassen sein Leben lang
um meines Knechtes David willen, [a]den
ich erwählt habe und der meine Gebote
und Rechte gehalten hat.
35 Aber [a]aus der Hand seines Sohnes will
ich das Königtum nehmen und will dir
zehn Stämme 36 und seinem Sohn einen
Stamm geben, damit mein Knecht David
vor mir eine [a]Leuchte habe allezeit in der
Stadt Jerusalem, die ich mir erwählt habe,
um meinen Namen dort wohnen zu las-
sen. 37 So will ich nun dich nehmen, dass
du regierst über alles, was dein Herz be-
gehrt, und König sein sollst über Israel.
38 Wirst du nun [a]gehorchen allem, was ich
dir gebieten werde, und in meinen We-
gen wandeln und tun, was mir gefällt,
und meine Rechte und Gebote halten, wie
mein Knecht David getan hat, so will ich
mit dir sein und dir ein beständiges Haus
bauen, wie ich es David gebaut habe, und
will dir Israel geben 39 und will das Ge-
schlecht Davids deswegen demütigen,
doch nicht für alle Zeit.

40 Salomo aber trachtete danach, Jero-
beam zu töten. Da machte sich Jerobeam
auf und floh nach Ägypten zu [a]Schischak,
dem König von Ägypten, und blieb in
Ägypten, bis Salomo starb.

41 [a]Was mehr von Salomo zu sagen ist
und alles, was er getan hat, und seine
Weisheit, das steht geschrieben in der
Chronik von Salomo. 42 Die Zeit aber,
die Salomo König war zu Jerusalem über
ganz Israel, ist vierzig Jahre. 43 Und Salomo
legte sich zu seinen Vätern und wurde be-
graben in der Stadt Davids, seines Vaters.
Und sein Sohn Rehabeam wurde König an
seiner statt.

ISRAEL TRENNT SICH VOM HAUSE DAVID

(vgl. 2. Chr 10,1-19)

12 Und Rehabeam zog nach Sichem,
denn ganz Israel war nach Sichem ge-
kommen, um ihn zum König zu machen.
2 Und Jerobeam, der Sohn Nebats, hörte
das, als er noch in Ägypten war, [a]wohin
er vor dem König Salomo geflohen war,
und kehrte aus Ägypten zurück. 3 Und sie
sandten hin und ließen ihn rufen. Und
Jerobeam und die ganze Gemeinde Israel

11,24 *a* 2. Sam 10,18 **11,27** *a* Kap 9,15.24
11,31 *a* Kap 12,15 **11,32** *a* Ps 132,13 **11,34** *a* 2. Sam 7,12
11,35 *a* Kap 12,16-17 **11,36** *a* Kap 15,4; 2. Kön 8,19
11,38 *a* Kap 9,4 **11,40** *a* Kap 12,2; 14,25
11,41 *a* (41-43) 2. Chr 9,29-31 **12,2** *a* Kap 11,40

kamen und redeten mit Rehabeam und
sprachen: 4 Dein Vater hat unser Joch zu
hart gemacht. Mache du nun den harten
Dienst und das schwere Joch leichter, das
er uns aufgelegt hat, so wollen wir dir un-
tertan sein.
5 Er aber sprach zu ihnen: Geht hin bis
zum dritten Tag, dann kommt wieder
zu mir. Und das Volk ging hin. 6 Und der
König Rehabeam hielt einen Rat mit den
Ältesten, die vor seinem Vater Salomo
gestanden hatten, als er noch lebte, und
sprach: Wie ratet ihr, dass wir diesem
Volk Antwort geben? 7 Sie sprachen zu
ihm: Wirst du heute diesem Volk einen
Dienst tun und ihnen zu Willen sein und
sie erhören und ihnen gute Worte geben,
so werden sie dir untertan sein dein Le-
ben lang.
8 Aber er verwarf den Rat der Ältesten,
den sie ihm gegeben hatten, und hielt
einen Rat mit den Jüngeren, die mit ihm
aufgewachsen waren und vor ihm stan-
den. 9 Und er sprach zu ihnen: Was ratet
ihr, dass wir antworten diesem Volk, das
zu mir gesagt hat: Mache das Joch leichter,
das dein Vater auf uns gelegt hat? 10 Und
die Jüngeren, die mit ihm aufgewachsen
waren, sprachen zu ihm: Du sollst zu dem
Volk, das zu dir sagt: »Dein Vater hat unser
Joch zu schwer gemacht; mache du es uns
leichter«, so sagen: Mein kleiner Finger ist
dicker als meines Vaters Lenden. 11 Nun,
mein Vater hat auf euch ein schweres Joch
gelegt, ich aber will's euch noch schwerer
machen. Mein Vater hat euch mit Peit-
schen gezüchtigt, ich will euch mit Skor-
pionen züchtigen.
12 Als nun Jerobeam und das ganze Volk
zu Rehabeam kamen am dritten Tage, wie
der König gesagt hatte: Kommt wieder zu
mir am dritten Tage, 13 da gab der König
dem Volk eine harte Antwort und ver-
warf den Rat, den ihm die Ältesten gege-
ben hatten, 14 und redete mit ihnen nach
dem Rat der Jüngeren und sprach: Mein
Vater hat euer Joch schwer gemacht, ich
aber will's euch noch schwerer machen.
Mein Vater hat euch mit Peitschen ge-
züchtigt, ich aber will euch mit Skorpio-
nen züchtigen. 15 So hörte der König nicht
auf das Volk; denn so war es bestimmt
von dem HERRN, auf dass er sein Wort
wahr machte, das er durch [a]Ahija von
Silo geredet hatte zu Jerobeam, dem Sohn
Nebats.
16 Als aber ganz Israel sah, dass der König
sie nicht hören wollte, gab das Volk dem
König Antwort und sprach: [a]Was haben
wir für Teil an David oder Erbe am Sohn
Isais? Auf zu deinen Zelten, Israel! So
sorge nun du für dein Haus, David! – Da
ging Israel zu seinen Zelten, 17 sodass Re-
habeam nur über die Israeliten regierte,
die in den Städten Judas wohnten. 18 Und
als der König Rehabeam den Fronvogt
[a]Adoniram hinsandte, warf ihn ganz Is-
rael mit Steinen zu Tode. Aber der König
Rehabeam stieg eilends auf einen Wagen
und floh nach Jerusalem. 19 Also fiel Israel
ab vom Hause David bis auf diesen Tag.[a]

JEROBEAM WIRD KÖNIG ÜBER DIE ZEHN STÄMME

(vgl. 2. Chr 11,1-4)

20 Als nun ganz Israel hörte, dass Jero-
beam zurückgekommen war, sandten sie
hin und ließen ihn rufen zu der Gemeinde
und machten ihn zum König über ganz Is-
rael; niemand folgte dem Hause David als
der Stamm Juda allein.
21 Und als Rehabeam nach Jerusalem
kam, sammelte er das ganze Haus Juda
und den Stamm Benjamin, hundertacht-
zigtausend streitbare Männer, um gegen
das Haus Israel zu kämpfen und das Kö-
nigtum an Rehabeam, den Sohn Salomos,
zurückzubringen. 22 Es kam aber Gottes
Wort zu Schemaja, dem Mann Gottes:
23 Sage Rehabeam, dem Sohn Salomos,
dem König von Juda, und dem ganzen
Hause Juda und Benjamin und dem üb-
rigen Volk und sprich: 24 So spricht der
HERR: Ihr sollt nicht hinaufziehen und
gegen eure Brüder, die Israeliten, kämp-
fen. Jedermann gehe wieder heim, denn
das alles ist von mir geschehen. Und sie
gehorchten dem Wort des HERRN, kehr-
ten um und gingen heim, wie der HERR
gesagt hatte. 25 Jerobeam aber baute Si-
chem auf dem Gebirge Ephraim aus und
wohnte darin und zog von da fort und
baute Pnuël aus.

12,15 *a* Kap 11,29-31 **12,16** *a* 2. Sam 20,1 **12,18** *a* Kap 4,6
12,19 *a* 2. Kön 17,21; Sir 47,21

DIE HEILIGTÜMER IN BETHEL UND DAN

26 Und Jerobeam dachte in seinem Her-
zen: Das Königtum wird nun wieder an
das Haus David fallen. 27 Wenn dies Volk
hinaufgeht, um Opfer darzubringen im
Hause des HERRN zu Jerusalem, so wird
sich das Herz dieses Volks wenden zu
ihrem Herrn Rehabeam, dem König von
Juda, und sie werden mich umbringen
und wieder Rehabeam, dem König von
Juda, zufallen. 28 Und der König hielt ei-
nen Rat und machte zwei [a]goldene Kälber
und sprach zum Volk: Es ist zu viel für
euch, dass ihr hinauf nach Jerusalem geht;
siehe, da sind deine Götter, Israel, die dich
aus Ägyptenland geführt haben. 29 Und er
stellte eins in Bethel auf, und das andere
gab er nach Dan. 30 Und das [a]geriet zur
Sünde, denn das Volk ging vor dem einen
her bis nach Dan.

31 Er baute auch ein Höhenheiligtum
und machte Priester aus allerlei Leuten,
die nicht von den Söhnen Levi waren.
32 Und Jerobeam machte ein Fest am fünf-
zehnten Tag des achten Monats wie das
Fest in Juda und opferte auf dem Altar. So
tat er in Bethel, dass er den Kälbern op-
ferte, die er gemacht hatte, und bestellte
in Bethel Priester für die Höhen, die er
gemacht hatte. 33 Und er opferte auf dem
Altar, den er gemacht hatte in Bethel, am
fünfzehnten Tage im achten Monat, den er
sich in seinem Herzen ausgedacht hatte,
und machte den Israeliten ein Fest und
stieg auf den Altar, um zu opfern.

DER UNGEHORSAME GOTTESMANN

13 Und siehe, ein Mann Gottes kam von
Juda auf das Wort des HERRN hin nach
Bethel, während Jerobeam noch auf dem
Altar stand, um zu räuchern. 2 Und er rief
gegen den Altar auf das Wort des HERRN
hin und sprach: Altar, Altar! So spricht der
HERR: Siehe, es wird ein Sohn dem Hause
David geboren werden mit Namen Josia;
der wird auf dir schlachten die Priester
der Höhen, die auf dir räuchern, und wird
Menschengebein auf dir verbrennen.[a]
3 Und er gab an dem Tag ein Wunder-
zeichen und sprach: Das ist das Zeichen
dafür, dass der HERR geredet hat: Siehe,
der Altar wird bersten und die Asche ver-
schüttet werden, die darauf ist.

4 Als aber der König das Wort von dem
Mann Gottes hörte, der gegen den Al-
tar in Bethel rief, streckte er seine Hand
aus auf dem Altar und sprach: Greift ihn!
Und seine Hand verdorrte, die er gegen
ihn ausgestreckt hatte, und er konnte sie
nicht wieder an sich ziehen. 5 Und der Al-
tar barst und die Asche wurde verschüttet
vom Altar nach dem Wunderzeichen, das
der Mann Gottes gegeben hatte auf das
Wort des HERRN hin. 6 Und der König hob
an und sprach zu dem Mann Gottes: [a]Be-
sänftige doch den HERRN, deinen Gott,
und bitte für mich, dass ich meine Hand
wieder an mich ziehen kann. Da besänf-
tigte der Mann Gottes den HERRN, und
der König konnte seine Hand wieder an
sich ziehen, und sie wurde, wie sie zuvor
war.

7 Und der König redete mit dem Mann
Gottes: Komm mit mir heim und labe
dich; ich will dir ein Geschenk geben.
8 Aber der Mann Gottes sprach zum Kö-
nig: Wenn du mir auch die Hälfte deines
Hauses geben wolltest, so käme ich doch
nicht mit dir; denn ich will an diesem
Ort kein Brot essen noch Wasser trin-
ken. 9 Denn so ist mir geboten durch des
HERRN Wort: Du sollst kein Brot essen
und kein Wasser trinken und nicht den
Weg zurückgehen, den du gekommen
bist. 10 Und er ging einen andern Weg und
kehrte nicht auf dem Weg zurück, den er
nach Bethel gekommen war.

11 Es wohnte aber ein alter Prophet in
Bethel; zu dem kamen seine Söhne und
erzählten ihm alles, was der Mann Got-
tes getan hatte an diesem Tag in Bethel,
und die Worte, die er zum König geredet
hatte. 12 Und ihr Vater sprach zu ihnen:
Wo ist der Weg, den er gezogen ist? Und
seine Söhne zeigten ihm den Weg, den
der Mann Gottes gezogen war, der von
Juda gekommen war. 13 Er aber sprach zu
seinen Söhnen: Sattelt mir den Esel! Und
als sie ihm den Esel gesattelt hatten, ritt
er auf ihm 14 und zog dem Mann Gottes
nach und fand ihn unter einer Eiche sit-
zen und sprach zu ihm: Bist du der Mann
Gottes, der von Juda gekommen ist? Er

12,28 *a* 2. Mose 32,4 **12,30** *a* Kap 14,16
13,2 *a* 2. Kön 23,16.20 **13,6** *a* 2. Mose 32,11

sprach: Ja. 15 Er sprach zu ihm: Komm mit
mir heim und [a]iss Brot! 16 Er aber sprach:
Ich kann nicht mit dir umkehren und mit
dir kommen; ich will auch nicht Brot essen
noch Wasser trinken mit dir an diesem
Ort. 17 Denn es ist zu mir geredet worden
durch das Wort des HERRN: Du sollst dort
weder Brot essen noch Wasser trinken; du
sollst nicht den Weg zurückgehen, den du
gekommen bist.

18 Er sprach zu ihm: Ich bin auch ein
Prophet wie du, und ein Engel hat zu mir
geredet auf das Wort des HERRN hin:
Führe ihn wieder mit dir heim, dass er
Brot esse und Wasser trinke. Er belog ihn
aber. 19 Und er führte ihn wieder zurück,
dass er Brot aß und Wasser trank in seinem Hause. 20 Und als sie zu Tisch saßen,
kam das Wort des HERRN zum Propheten, der ihn zurückgeführt hatte. 21 Und er
rief dem Mann Gottes zu, der von Juda gekommen war: So spricht der HERR: Weil
du dem Mund des HERRN ungehorsam
gewesen bist und nicht gehalten hast das
Gebot, das dir der HERR, dein Gott, geboten hat, 22 und bist umgekehrt, hast Brot
gegessen und Wasser getrunken an dem
Ort, von dem er dir sagte: Du sollst weder
Brot essen noch Wasser trinken –, so soll
dein Leichnam nicht in deiner Väter Grab
kommen.

23 Und nachdem er Brot gegessen und
getrunken hatte, sattelte man für ihn den
Esel des Propheten, der ihn zurückgeführt
hatte. 24 Und als er seines Weges zog, fand
ihn ein [a]Löwe auf dem Wege und tötete
ihn. Und sein Leichnam lag hingestreckt
am Wege, und der Esel stand neben ihm,
und der Löwe stand neben dem Leichnam.
25 Und als Leute vorübergingen, sahen sie
den Leichnam am Wege liegen und den
Löwen bei dem Leichnam stehen und kamen und sagten es in der Stadt, in der der
alte Prophet wohnte. 26 Als das der Prophet hörte, der ihn zurückgeführt hatte,
sprach er: Es ist der Mann Gottes, der dem
Mund des HERRN ungehorsam gewesen
ist. Darum hat ihn der HERR dem Löwen
gegeben; der hat ihn zerrissen und getötet
nach dem Wort, das ihm der HERR gesagt
hat.

27 Und er sprach zu seinen Söhnen:
Sattelt mir den Esel! Und als sie ihn gesattelt hatten, 28 zog er hin und fand den
Leichnam am Wege liegen und den Esel
und den Löwen neben dem Leichnam stehen. Der Löwe hatte nichts gefressen vom
Leichnam und den Esel nicht zerrissen.
29 Da hob der Prophet den Leichnam des
Mannes Gottes auf und legte ihn auf den
Esel und brachte ihn zurück und kam in
seine Stadt, um die Totenklage zu halten
und ihn zu begraben.

30 Und er legte den Leichnam in sein
eigenes Grab, und sie hielten ihm die Totenklage: Ach, Bruder! 31 Und als sie ihn
begraben hatten, sprach er zu seinen Söhnen: Wenn ich sterbe, so begrabt mich
in dem Grabe, in dem der Mann Gottes
begraben ist, und legt mein Gebein neben sein Gebein.[a] 32 Denn es wird sich
erfüllen, was er gerufen hat gegen den
Altar in Bethel auf das Wort des HERRN
hin und gegen alle Heiligtümer auf den
Höhen, die in den Städten Samariens
sind.

33 Auch nach dieser Geschichte kehrte
Jerobeam nicht um von seinem bösen
Wege, sondern [a]bestellte wieder Priester für die Höhen aus allem Volk. Wer
da wollte, dessen [b]Hand füllte er und der
wurde Priester für die Höhen. 34 Und dies
geriet zur Sünde dem Hause Jerobeams,
sodass es zugrunde gerichtet und von der
Erde vertilgt wurde.

JEROBEAMS TOD

14 Zu der Zeit war Abija, der Sohn Jerobeams, krank. 2 Und Jerobeam sprach
zu seiner Frau: Mache dich auf und verkleide dich, damit niemand merkt, dass
du Jerobeams Frau bist, und geh hin nach
Silo. Siehe, dort ist der [a]Prophet Ahija, der
mir zugesagt hat, dass ich König sein sollte
über dies Volk. 3 Und nimm mit dir zehn
Brote, Kuchen und einen Krug mit Honig
und geh zu ihm, dass er dir sage, wie es
dem Knaben ergehen wird.

4 Und Jerobeams Frau tat so und machte
sich auf und ging hin nach Silo und kam
ins Haus Ahijas. Ahija aber konnte nicht
sehen, denn seine Augen standen starr vor
Alter. 5 Aber der HERR sprach zu Ahija:

13,15 *a* Am 7,12 **13,24** *a* Kap 20,36 **13,31** *a* 2. Kön 23,17-18
13,33 *a* Kap 12,31 *b* 2. Mose 28,41 **14,2** *a* Kap 11,29-31

Siehe, Jerobeams Frau kommt, um dich
wegen ihres Sohnes zu befragen; denn
er ist krank. So rede nun mit ihr so und
so. Als sie nun hineinkam, stellte sie sich
fremd.
6 Als aber Ahija das Geräusch ihrer Tritte
hörte, wie sie zur Tür hereinkam, sprach
er: Komm herein, du Frau Jerobeams!
Warum stellst du dich so fremd? Ich bin
zu dir gesandt als ein harter Bote. 7 Geh hin
und sage Jerobeam: So spricht der HERR,
der Gott Israels: Ich [a]habe dich erhoben
aus dem Volk und zum Fürsten über mein
Volk Israel gesetzt 8 und habe das König-
tum von Davids Hause gerissen und dir
gegeben. Du aber bist nicht gewesen wie
mein Knecht David, der meine Gebote
hielt und mir von ganzem Herzen nach-
wandelte, dass er nur tat, was mir wohl-
gefiel. 9 Du hast mehr Böses getan als alle,
die vor dir gewesen sind, bist hingegangen
und hast dir andre Götter gemacht und
gegossene Bilder, um mich zum Zorn zu
reizen, und hast mir den Rücken gekehrt.
10 Darum siehe, [a]ich will Unheil über das
Haus Jerobeam bringen und ausrotten von
Jerobeam alles, was an die Wand pisst, bis
auf den letzten Mann in Israel und will die
Nachkommen des Hauses Jerobeam aus-
fegen, wie man Kot ausfegt, bis es ganz
mit ihm aus ist. 11 Wer von Jerobeam stirbt
in der Stadt, den sollen die Hunde fressen;
wer aber auf dem Felde stirbt, den sollen
die Vögel des Himmels fressen; denn der
HERR hat's geredet.[a]
12 So mache dich nun auf und geh heim;
und wenn dein Fuß die Stadt betritt, wird
das Kind sterben. 13 Und es wird ihm ganz
Israel die Totenklage halten, und sie wer-
den ihn begraben; denn dieser allein von
Jerobeam wird zu Grabe kommen, weil
der HERR, der Gott Israels, etwas Gu-
tes an ihm gefunden hat im Hause Jero-
beam. 14 Der HERR aber wird sich einen
König über Israel erwecken, [a]der wird
das Haus Jerobeam ausrotten. – Und wie
ist es heute? – 15 Und der HERR wird Is-
rael schlagen, dass es schwankt, wie das
Rohr im Wasser bewegt wird, und [a]wird
Israel ausreißen aus diesem guten Lande,
das er ihren Vätern gegeben hat, und wird
sie zerstreuen jenseits des Euphrat, weil
sie sich Ascheren gemacht haben, den
HERRN zu erzürnen. 16 Und er wird Israel
dahingeben [a]um der Sünden Jerobeams
willen, der da gesündigt hat und Israel
sündigen gemacht hat.
17 Und Jerobeams Frau machte sich auf,
ging heim und kam nach Tirza. Und als
sie auf die Schwelle des Hauses kam,
starb der Knabe. 18 Und sie begruben ihn,
und ganz Israel hielt ihm die Totenklage
nach dem Wort des HERRN, das er gere-
det hatte durch seinen Knecht Ahija, den
Propheten.
19 Was mehr von Jerobeam zu sagen ist,
wie er Krieg geführt und regiert hat, siehe,
das steht geschrieben in der Chronik der
Könige von Israel.[a] 20 Die Zeit aber, die
Jerobeam regierte, sind zweiundzwanzig
Jahre. Und er legte sich zu seinen Vätern,
und sein Sohn [a]Nadab wurde König an sei-
ner statt.

REHABEAM, KÖNIG VON JUDA

(vgl. 2. Chr 12,1-16)

21 Und [a]Rehabeam, der Sohn Salomos,
wurde König in Juda. Einundvierzig Jahre
alt war Rehabeam, als er König wurde;
und er regierte siebzehn Jahre zu Jerusa-
lem, in der Stadt, die der HERR erwählt
hatte aus allen Stämmen Israels, dass er
seinen Namen dort hinstellte. Seine Mut-
ter hieß Naama, eine Ammoniterin.
22 Und Juda tat, was dem HERRN miss-
fiel; und sie reizten ihn mehr, als alles ihn
reizte, was ihre Väter getan hatten mit
ihren Sünden, die sie taten. 23 Denn auch
sie machten sich Höhen, Steinmale und
Ascheren auf allen hohen Hügeln und
unter allen grünen Bäumen.[a] 24 Es wa-
ren auch [a]Tempelhurer im Lande; und sie
taten alle die Gräuel der Heiden, die der
HERR vor Israel vertrieben hatte.
25 Aber im fünften Jahr des Königs Re-
habeam zog [a]Schischak, der König von
Ägypten, herauf gegen Jerusalem 26 und
nahm die Schätze aus dem Hause des
HERRN und aus dem Hause des Königs,
alles, was zu nehmen war, und nahm alle

14,7 *a* Kap 11,37 **14,10** *a* Kap 15,29; 21,21
14,11 *a* Kap 16,4; 21,24 **14,14** *a* Kap 15,29
14,15 *a* 2. Kön 17,23 **14,16** *a* Kap 12,28-30; 13,34
14,19 *a* 2. Chr 13,2-20 **14,20** *a* Kap 15,25
14,21 *a* Kap 12,17 **14,23** *a* 5. Mose 12,2; 2. Kön 16,1-4
14,24 *a* 5. Mose 23,18; 2. Kön 23,7 **14,25** *a* Kap 11,40

[a]goldenen Schilde, die Salomo hatte ma-
chen lassen. 27 An ihrer statt ließ der Kö-
nig Rehabeam bronzene Schilde machen
und gab sie in die Hand der Obersten der
Leibwache, die das Tor hüteten am Hause
des Königs. 28 Und sooft der König in das
Haus des HERRN ging, trug die Leibwache
die Schilde und brachte sie wieder in die
Wachstube zurück.
29 Was aber mehr von Rehabeam zu sa-
gen ist und alles, was er getan hat, siehe,
das steht geschrieben in der Chronik der
Könige von Juda. 30 Es war aber Krieg zwi-
schen Rehabeam und Jerobeam ihr Leben
lang. 31 Und Rehabeam legte sich zu sei-
nen Vätern und wurde begraben bei sei-
nen Vätern in der Stadt Davids. Und seine
Mutter hieß Naama, eine Ammoniterin.
Und sein Sohn Abija wurde König an sei-
ner statt.

ABIJA, KÖNIG VON JUDA

15 [a]Im achtzehnten Jahr des Königs Jero-
beam, des Sohnes Nebats, wurde Abija
König über Juda 2 und regierte drei Jahre
zu Jerusalem. Seine Mutter hieß Maacha,
eine Tochter Abischaloms.
3 Und er wandelte in allen Sünden sei-
nes Vaters, die dieser vor ihm getan hatte,
und sein Herz war nicht ungeteilt bei dem
HERRN, seinem Gott, wie das Herz seines
Vaters David. 4 Denn um Davids willen gab
der HERR, sein Gott, ihm eine [a]Leuchte zu
Jerusalem, dass er seinen Sohn nach ihm
erweckte und Jerusalem erhielt, 5 weil Da-
vid getan hatte, was dem HERRN wohl-
gefiel, und nicht gewichen war von allem,
was er ihm gebot, sein Leben lang, außer
in der Sache mit [a]Uria, dem Hetiter. 6 Es
war aber Krieg zwischen Rehabeam und
Jerobeam ihr Leben lang.
7 Was aber mehr von Abija zu sagen
ist und alles, was er getan hat, siehe, das
steht geschrieben in der Chronik der Kö-
nige von Juda. Es war aber Krieg zwischen
Abija und Jerobeam. 8 Und Abija legte sich
zu seinen Vätern, und sie begruben ihn
in der Stadt Davids. Und sein Sohn Asa
wurde König an seiner statt.

ASA, KÖNIG VON JUDA

9 Im zwanzigsten Jahr Jerobeams, des Kö-
nigs von Israel, wurde Asa König über
Juda 10 und regierte einundvierzig Jahre
zu Jerusalem. Seine Mutter hieß Maacha,
eine Tochter Abischaloms. 11 Und Asa tat,
was dem HERRN wohlgefiel, wie sein Va-
ter David. 12 Er tat die [a]Tempelhurer aus
dem Lande und [b]entfernte alle Götzen-
bilder, die seine Väter gemacht hatten.
13 [a]Dazu setzte er auch seine Mutter Ma-
acha ab, dass sie nicht mehr Herrin war,
weil sie der Aschera ein Gräuelbild ge-
macht hatte. Und Asa zerschlug ihr Gräu-
elbild und verbrannte es am Bach Kidron.
14 Aber [a]die Höhen entfernten sie nicht; je-
doch das Herz Asas war ungeteilt bei dem
HERRN sein Leben lang. 15 Und das Silber
und Gold und die Geräte, die sein Vater
geheiligt hatte und was von ihm selbst
geheiligt war, brachte er zum Hause des
HERRN.
16 [a]Und es war Krieg zwischen Asa und
Bascha, dem König von Israel, ihr Le-
ben lang. 17 Bascha aber, der König von
Israel, zog herauf gegen Juda und baute
Rama aus, dass niemand aus- und einzie-
hen sollte bei Asa, dem König von Juda.
18 Da nahm Asa [a]alles Silber und Gold,
das noch übrig war im Schatz des Hau-
ses des HERRN und im Schatz des Hauses
des Königs, und gab's in die Hände seiner
Boten und sandte sie zu Ben-Hadad, dem
Sohn Tabrimmons, des Sohnes Hesjons,
dem König von Aram, der zu Damaskus
wohnte, und ließ ihm sagen: 19 Es ist ein
Bund zwischen mir und dir und zwischen
meinem Vater und deinem Vater; darum
schicke ich dir ein Geschenk, Silber und
Gold, dass du den Bund mit Bascha, dem
König von Israel, aufgibst, damit er von
mir abzieht.
20 Ben-Hadad hörte auf den König Asa
und sandte seine Heerführer gegen die
Städte Israels und schlug [a]Ijon und Dan
und Abel-Bet-Maacha, das ganze Kinne-
ret samt dem ganzen Lande Naftali. 21 Als
das Bascha hörte, ließ er davon ab, Rama
auszubauen, und zog wieder nach Tirza.
22 Der König Asa aber bot ganz Juda auf,

14,26 *a* Kap 10,16 **15,1** *a* *(1-8)* 2. Chr 13,1-23
15,4 *a* Kap 11,36 **15,5** *a* 2. Sam 11,1-27; 12,9
15,12 *a* 2. Kön 23,7 *b* 2. Chr 14,1-4
15,13 *a* *(13-15)* 2. Chr 15,16-18 **15,14** *a* Kap 22,44
15,16 *a* *(16-22)* 2. Chr 16,1-6 **15,18** *a* 2. Kön 12,19
15,20 *a* 2. Kön 15,29

niemand ausgenommen, und sie nahmen
die Steine und das Holz von Rama weg,
womit Bascha gebaut hatte; und der Kö-
nig Asa baute damit Geba in Benjamin
und Mizpa aus.
23 [a]Was aber mehr von Asa zu sagen ist
und alle seine tapferen Taten und alles,
was er getan hat, und die Städte, die er
gebaut hat, siehe, das steht geschrieben
in der Chronik der Könige von Juda. Nur
war er in seinem Alter an seinen Füßen
krank. 24 Und Asa legte sich zu seinen
Vätern und wurde begraben bei seinen
Vätern in der Stadt Davids, seines Vaters.
Und sein Sohn [a]Joschafat wurde König an
seiner statt.

NADAB, KÖNIG VON ISRAEL

25 [a]Nadab aber, der Sohn Jerobeams,
wurde König über Israel im zweiten Jahr
Asas, des Königs von Juda, und regierte
über Israel zwei Jahre 26 und [a]tat, was dem
HERRN missfiel, und wandelte in dem
Wege seines Vaters und in seiner Sünde,
womit dieser Israel sündigen gemacht
hatte. 27 Aber Bascha, der Sohn Ahijas,
aus dem Hause Issachar, machte eine Ver-
schwörung gegen ihn und erschlug ihn
zu [a]Gibbeton, das den Philistern gehörte.
Denn Nadab und ganz Israel belagerten
Gibbeton. 28 So tötete ihn Bascha im drit-
ten Jahr Asas, des Königs von Juda, und
wurde König an seiner statt. 29 Als er nun
König war, erschlug er das ganze Haus Je-
robeam; er ließ auch nicht einen am Leben
vom Hause Jerobeam, [a]bis er es ganz ver-
tilgt hatte nach dem Wort des HERRN, das
er geredet hatte durch seinen Knecht Ahija
von Silo, 30 um der Sünden Jerobeams wil-
len, die er tat und womit er Israel sündigen
machte und den HERRN, den Gott Israels,
zum Zorn reizte.
31 Was aber mehr von Nadab zu sagen ist
und alles, was er getan hat, siehe, das steht
geschrieben in der Chronik der Könige
von Israel. 32 Und es war Krieg zwischen
Asa und Bascha, dem König von Israel, ihr
Leben lang.

BASCHA, KÖNIG VON ISRAEL

33 Im dritten Jahr Asas, des Königs von
Juda, wurde Bascha, der Sohn Ahijas,
König über ganz Israel zu Tirza vier-
undzwanzig Jahre. 34 Und er tat, was
dem HERRN missfiel, und wandelte
in dem Wege Jerobeams und in seiner
Sünde, womit er Israel sündigen gemacht
hatte.
16 Es kam aber das Wort des HERRN zu
Jehu, dem Sohn Hananis, gegen Ba-
scha: 2 Weil [a]ich dich aus dem Staub erho-
ben habe und zum Fürsten gemacht über
mein Volk Israel und du doch wandelst
in dem Wege Jerobeams und mein Volk
Israel sündigen machst, dass sie mich er-
zürnen durch ihre Sünde, 3 siehe, so will
ich wegfegen Bascha und sein Haus und
will dein Haus machen [a]wie das Haus Je-
robeams, des Sohnes Nebats: 4 Wer vom
Hause Baschas stirbt in der Stadt, den sol-
len die Hunde fressen; und wer von ihm
stirbt auf dem Felde, den sollen die Vögel
des Himmels fressen.[a]
5 Was aber mehr von Bascha zu sagen
ist und was er getan hat und seine tapfe-
ren Taten, siehe, das steht geschrieben in
der Chronik der Könige von Israel. 6 Und
Bascha legte sich zu seinen Vätern und
wurde begraben zu Tirza. Und sein Sohn
Ela wurde König an seiner statt.
7 Auch war das Wort des HERRN durch
den Propheten Jehu, den Sohn Hana-
nis, über Bascha gekommen und über
sein Haus wegen all des Unrechts, das
er vor dem HERRN tat, ihn zu erzürnen
durch die Werke seiner Hände, dass es
ihm ergehen sollte wie dem Hause Je-
robeam, und weil er dieses ausgetilgt
hatte.

ELA, KÖNIG VON ISRAEL

8 Im sechsundzwanzigsten Jahr Asas, des
Königs von Juda, wurde Ela, der Sohn
Baschas, König über Israel und regierte
zu Tirza zwei Jahre. 9 Aber sein Knecht
Simri, der Oberste über die Hälfte der
Kriegswagen, machte eine Verschwörung
gegen ihn. Er aber war in Tirza, trank
und wurde trunken im Hause Arzas, des
Hofmeisters in Tirza. 10 Und [a]Simri kam
hinein und schlug ihn tot im siebenund-
zwanzigsten Jahr Asas, des Königs von

15,23 *a* (23-24) 2. Chr 16,11-14 **15,24** *a* Kap 22,41
15,25 *a* Kap 14,20 **15,26** *a* Kap 12,28-30
15,27 *a* Jos 19,44 **15,29** *a* Kap 14,10-11 **16,2** *a* Kap 14,7
16,3 *a* Kap 15,29 **16,4** *a* Kap 14,11 **16,10** *a* 2. Kön 9,31

Juda, und wurde König an seiner statt.
[11]Und als er König war und auf seinem
Thron saß, erschlug er das ganze Haus
Bascha und ließ nichts übrig, was an die
Wand pisste, dazu seine Verwandten und
seine Freunde. [12]So vertilgte Simri das
ganze Haus Bascha nach dem Wort des
HERRN, das er über Bascha geredet hatte
durch den Propheten Jehu, [13]um all der
Sünden willen Baschas und seines Soh-
nes Ela, die sie taten und durch die sie
Israel sündigen machten, den HERRN,
den Gott Israels, zu erzürnen durch ihre
Abgötterei.
[14]Was aber mehr von Ela zu sagen ist
und alles, was er getan hat, siehe, das steht
geschrieben in der Chronik der Könige
von Israel.

SIMRI, KÖNIG VON ISRAEL

[15]Im siebenundzwanzigsten Jahr Asas,
des Königs von Juda, wurde Simri König
und regierte sieben Tage zu Tirza. Und das
Volk lag vor [a]Gibbeton, das den Philistern
gehörte. [16]Als aber das Volk im Lager sa-
gen hörte, dass Simri eine Verschwörung
gemacht und auch den König erschlagen
hätte, da machte ganz Israel am selben Tag
im Lager Omri, den Feldhauptmann, zum
König über Israel. [17]Und Omri zog herauf
und ganz Israel mit ihm von Gibbeton,
und sie belagerten Tirza. [18]Als aber Simri
sah, dass die Stadt eingenommen werden
würde, ging er in den Burgturm im Hause
des Königs und verbrannte sich mit dem
Hause des Königs und starb [19]um seiner
Sünden willen, die er getan hatte, dass er
tat, was dem HERRN missfiel, und wan-
delte in dem Wege Jerobeams und in sei-
ner Sünde, die er tat, dass er Israel sündi-
gen machte.
[20]Was aber mehr von Simri zu sagen ist
und wie er eine Verschwörung machte,
siehe, das steht geschrieben in der Chro-
nik der Könige von Israel.
[21]Damals teilte sich das Volk Israel in
zwei Teile. Eine Hälfte hing Tibni an, dem
Sohn Ginats, und machte ihn zum Kö-
nig, die andere Hälfte aber hing Omri an.
[22]Aber das Volk, das Omri anhing, wurde
stärker als das Volk, das Tibni anhing, dem
Sohn Ginats. Und Tibni starb; da wurde
Omri König.

OMRI, KÖNIG VON ISRAEL

[23]Im einunddreißigsten Jahr Asas, des
Königs von Juda, wurde Omri König über
Israel und regierte zwölf Jahre und da-
von zu Tirza sechs Jahre. [24]Er kaufte den
Berg Samaria von Schemer für zwei Zent-
ner Silber und baute auf dem Berg eine
Stadt und nannte sie Samaria nach dem
Namen Schemers, dem der Berg gehört
hatte. [25]Und [a]Omri tat, was dem HERRN
missfiel, und trieb es ärger als alle, die vor
ihm gewesen waren, [26]und wandelte in
allen Wegen Jerobeams, des Sohnes Ne-
bats, und in seiner Sünde, durch die die-
ser Israel sündigen machte, dass sie den
HERRN, den Gott Israels, erzürnten durch
ihre Abgötterei.
[27]Was aber mehr von Omri zu sagen
ist und alles, was er getan hat, und seine
tapferen Taten, siehe, das steht geschrie-
ben in der Chronik der Könige von Israel.
[28]Und Omri legte sich zu seinen Vätern
und wurde begraben zu Samaria. Und sein
Sohn Ahab wurde König an seiner statt.

AHAB, KÖNIG VON ISRAEL

[29]Im achtunddreißigsten Jahr Asas, des
Königs von Juda, wurde Ahab, der Sohn
Omris, König über Israel und regierte
über Israel zu Samaria zweiundzwanzig
Jahre [30]und tat, was dem HERRN missfiel,
mehr als alle, die vor ihm gewesen waren.
[31]Es war noch das Geringste, dass er wan-
delte in der Sünde Jerobeams, des Sohnes
Nebats; er nahm Isebel, die Tochter Et-
baals, des Königs der Sidonier, zur Frau
und ging hin und diente Baal und betete
ihn an [32]und richtete Baal einen Altar auf
im Tempel Baals, den er ihm zu Samaria
baute. [33]Und Ahab machte eine Aschera,
sodass Ahab mehr tat, den HERRN, den
Gott Israels, zu erzürnen, als alle Könige
von Israel, die vor ihm gewesen waren.[a]
[34]Zur selben Zeit baute Hiël von Bethel
Jericho wieder auf. [a]Es kostete ihn seinen
erstgeborenen Sohn Abiram, als er den
Grund legte, und seinen jüngsten Sohn
Segub, als er die Tore einsetzte, nach dem
Wort des HERRN, das er geredet hatte
durch Josua, den Sohn Nuns.

16,15 *a* Kap 15,27 **16,25** *a* Mi 6,16 **16,33** *a* Kap 21,25
16,34 *a* Jos 6,26

ELIA AM BACH KRIT UND BEI DER WITWE ZU SAREPTA

17 Und es sprach Elia, der Tischbiter, aus
Tischbe in Gilead zu Ahab: So wahr
der HERR, der Gott Israels, lebt, vor dem
ich stehe: [a]Es soll diese Jahre weder Tau
noch Regen kommen, ich sage es denn.
2 Da kam das Wort des HERRN zu ihm:
3 Geh weg von hier und wende dich nach
Osten und verbirg dich am Bach Krit, der
zum Jordan fließt. 4 Und du sollst aus dem
Bach trinken, und ich habe den Raben ge-
boten, dass sie dich dort versorgen sollen.
5 Er aber ging hin und tat nach dem Wort
des HERRN und setzte sich nieder am Bach
Krit, der zum Jordan fließt. 6 Und die Ra-
ben brachten ihm Brot und Fleisch des
Morgens und des Abends, und er trank
aus dem Bach. 7 Und es geschah nach eini-
ger Zeit, dass der Bach vertrocknete; denn
es war kein Regen im Lande. 8 Da kam das
Wort des HERRN zu ihm: 9 Mach dich auf
und geh nach Sarepta, das zu Sidon gehört,
und bleibe dort; denn ich habe dort einer
Witwe geboten, dass sie dich versorge.[a]
10 Und er machte sich auf und ging nach
Sarepta. Und als er an das Tor der Stadt
kam, siehe, da war eine Witwe, die las
Holz auf. Und er rief ihr zu und sprach:
Hole mir ein wenig Wasser im Gefäß, dass
ich trinke! 11 Und als sie hinging zu holen,
rief er ihr nach und sprach: Bringe mir
auch einen Bissen Brot mit! 12 Sie sprach:
So wahr der HERR, dein Gott, lebt: Ich
habe nichts Gebackenes, nur eine Hand-
voll Mehl im Topf und ein wenig Öl im
Krug. Und siehe, ich habe ein Scheit Holz
oder zwei aufgelesen und gehe heim und
will's mir und meinem Sohn zubereiten,
dass wir essen – und sterben.
13 Elia sprach zu ihr: Fürchte dich nicht!
Geh hin und mach's, wie du gesagt hast.
Doch mache zuerst mir etwas Gebacke-
nes davon und bringe mir's heraus; dir
aber und deinem Sohn sollst du danach
auch etwas backen. 14 Denn so spricht
der HERR, der Gott Israels: Das Mehl
im Topf soll nicht verzehrt werden, und
[a]dem Ölkrug soll nichts mangeln bis auf
den Tag, an dem der HERR regnen lassen
wird auf Erden. 15 Sie ging hin und tat, wie
Elia gesagt hatte. Und er aß und sie auch
und ihr Sohn Tag um Tag. 16 Das Mehl im
Topf wurde nicht verzehrt, und dem Öl-
krug mangelte nichts nach dem Wort des
HERRN, das er geredet hatte durch Elia.
17 Und nach diesen Geschichten wurde
der Sohn dieser Frau, seiner Hauswir-
tin, krank, und seine Krankheit wurde
so schwer, dass kein Odem mehr in ihm
blieb.[a] 18 Und sie sprach zu Elia: Was hab
ich mit dir zu schaffen, du Mann Gottes?
Du bist zu mir gekommen, dass meiner
Sünde gedacht und mein Sohn getötet
würde.
19 Er sprach zu ihr: Gib mir deinen
Sohn! Und er nahm ihn von ihrem Schoß
und ging hinauf ins Obergemach, wo er
wohnte, und legte ihn auf sein Bett 20 und
rief den HERRN an und sprach: HERR,
mein Gott, tust du sogar der Witwe, bei
der ich ein Gast bin, so Übles an, dass du
ihren Sohn tötest? 21 Und er legte sich auf
das Kind drei Mal und rief den HERRN an
und sprach: HERR, mein Gott, lass das
Leben in dies Kind zurückkehren![a] 22 Und
der HERR erhörte die Stimme Elias, und
das Leben kehrte in das Kind zurück, und
es wurde wieder lebendig.
23 Und Elia nahm das Kind und brachte
es hinab vom Obergemach ins Haus und
[a]gab es seiner Mutter und sprach: Siehe,
dein Sohn lebt! 24 Und die Frau sprach zu
Elia: Nun erkenne ich, dass du ein Mann
Gottes bist, und des HERRN Wort in dei-
nem Munde ist Wahrheit.[a]

DAS GOTTESURTEIL AUF DEM KARMEL

18 Nach einer langen Zeit kam das Wort
des HERRN zu Elia, im dritten Jahr:
Geh hin und zeige dich Ahab, denn ich
will regnen lassen auf die Erde. 2 Und Elia
ging hin, um sich Ahab zu zeigen.
Es war aber eine große Hungersnot in
Samaria. 3 Und Ahab rief Obadja, seinen
Hofmeister – Obadja aber fürchtete den
HERRN sehr; 4 denn als Isebel die Prophe-
ten des HERRN ausrottete, nahm Obadja
hundert Propheten und versteckte sie in
Höhlen, hier fünfzig und da fünfzig, und
versorgte sie mit Brot und Wasser –; 5 und
Ahab sprach zu Obadja: Zieh durchs Land

17,1 *a* Kap 8,35; Lk 4,25; Jak 5,17; Offb 11,6
17,9 *a* Lk 4,25-26 **17,14** *a* 2. Kön 4,2-4
17,17 *a* 2. Kön 4,20 **17,21** *a* 2. Kön 4,34; Apg 20,10
17,23 *a* 2. Kön 4,36; Lk 7,15 **17,24** *a* 2. Kön 4,9

zu allen Wasserquellen und Bächen, ob
wir Gras finden und die Rosse und Maul-
tiere erhalten könnten, damit wir keines
der Tiere töten müssen. 6 Und sie teilten
sich ins Land, dass sie es durchzogen.
Ahab zog allein auf dem einen Weg und
Obadja auch allein auf dem andern Weg.

7 Als nun Obadja auf dem Wege war,
siehe, da begegnete ihm Elia. Und als
er ihn erkannte, fiel er auf sein Antlitz
und sprach: Bist du es, Elia, mein Herr?
8 Er sprach: Ja! Geh hin und sage deinem
Herrn: Siehe, Elia ist da! 9 Obadja aber
sprach: Was hab ich gesündigt, dass du
deinen Knecht in die Hände Ahabs ge-
ben willst, dass er mich töte? 10 So wahr
der HERR, dein Gott, lebt: Es gibt kein
Volk noch Königreich, wohin mein Herr
nicht gesandt hat, dich zu suchen. Und
wenn sie sprachen: Er ist nicht hier, nahm
er einen Eid von dem Königreich und
Volk, dass man dich nicht gefunden hätte.
11 Und nun sprichst du: Geh hin, sage dei-
nem Herrn: Siehe, Elia ist da! 12 Wenn ich
nun hinginge von dir, so könnte dich der
Geist des HERRN hinwegnehmen, und ich
wüsste nicht wohin; und wenn ich dann
käme und sagte es Ahab an und er fände
dich nicht, so tötete er mich. Und doch
fürchtet dein Knecht den HERRN von sei-
ner Jugend auf. 13 Ist's meinem Herrn Elia
nicht angesagt, was ich getan habe, als Ise-
bel die Propheten des HERRN tötete? Dass
ich von den Propheten des HERRN hun-
dert versteckte, hier fünfzig und da fünf-
zig, in Höhlen und versorgte sie mit Brot
und Wasser? 14 Und nun sprichst du: Geh
hin, sage deinem Herrn: Elia ist da! Dann
wird er mich töten. 15 Elia sprach: So wahr
der HERR Zebaoth lebt, vor dem ich stehe:
Ich will mich ihm heute zeigen.

16 Da ging Obadja hin Ahab entgegen und
sagte es ihm an. Und Ahab ging hin Elia
entgegen. 17 Und als Ahab Elia sah, sprach
Ahab zu ihm: Bist du es, der Israel ins Un-
glück stürzt? 18 [a]Er aber sprach: Nicht ich
stürze Israel ins Unglück, sondern du und
deines Vaters Haus dadurch, dass ihr des
HERRN Gebote verlassen habt, und du
den Baalen nachgelaufen bist. 19 Wohlan,
so sende nun hin und versammle zu mir
ganz Israel auf den Berg Karmel und die
vierhundertfünfzig Propheten Baals, auch
die vierhundert Propheten der Aschera,
die vom Tisch Isebels essen. 20 So sandte
Ahab hin zu allen Israeliten und versam-
melte die Propheten auf den Berg Karmel.

21 Da trat Elia zu allem Volk und sprach:
**Wie lange [a]hinkt ihr auf beiden Sei-
ten? Ist der HERR Gott, so wandelt
ihm nach, ist's aber Baal, so wandelt
ihm nach.** Und das Volk antwortete ihm
nichts. 22 Da sprach Elia zum Volk: Ich
bin allein übrig geblieben als Prophet des
HERRN, aber die Propheten Baals sind
vierhundertfünfzig Mann. 23 So gebt uns
nun zwei junge Stiere und lasst sie wählen
einen Stier und ihn zerstücken und aufs
Holz legen, aber kein Feuer daran legen;
dann will ich den andern Stier herrichten
und aufs Holz legen und auch kein Feuer
daran legen. 24 Und ruft ihr den Namen
eures Gottes an, ich aber will den Na-
men des HERRN anrufen. Welcher Gott
nun [a]mit Feuer antworten wird, der ist
Gott. Und das ganze Volk antwortete und
sprach: Das ist recht.

25 Und Elia sprach zu den Propheten
Baals: Wählt ihr einen Stier und richtet
zuerst zu, denn ihr seid viele, und ruft
den Namen eures Gottes an, aber legt kein
Feuer daran. 26 Und sie nahmen den Stier,
den man ihnen gab, und richteten zu und
riefen den Namen Baals an vom Morgen
bis zum Mittag und sprachen: Baal, erhöre
uns! Aber es war da keine Stimme noch
Antwort. Und sie hinkten um den Altar,
den sie gemacht hatten. 27 Als es nun Mit-
tag wurde, verspottete sie Elia und sprach:
Ruft laut! Denn er ist ja ein Gott; er ist in
Gedanken oder hat zu schaffen oder ist
über Land oder schläft vielleicht, dass er
aufwache. 28 Und sie riefen laut und ritz-
ten sich mit Messern und Spießen nach
ihrer Weise, bis ihr Blut herabfloss. 29 Als
aber der Mittag vergangen war, waren
sie in Verzückung bis um die Zeit, zu der
man das Speisopfer darbringt; aber da war
keine Stimme noch Antwort noch einer,
der aufmerkte.

30 Da sprach Elia zu allem Volk: Kommt
her zu mir! Und als alles Volk zu ihm trat,
baute er den Altar des HERRN wieder

18,18 ***a*** (18-19) Kap 16,31-33 **18,21** ***a*** Jos 24,15; Mt 6,24
18,24 ***a*** 1. Mose 15,17

auf, der zerbrochen war. 31 Und Elia nahm
[a]zwölf Steine nach der Zahl der Stämme
der Söhne Jakobs – zu dem das Wort des
HERRN ergangen war: Du sollst [b]Israel
heißen – 32 und baute von den Steinen
einen Altar im Namen des HERRN und
machte um den Altar her einen Graben,
so breit wie für zwei Maß Aussaat, 33 und
richtete das Holz zu und zerstückte den
Stier und legte ihn aufs Holz. 34 Und Elia
sprach: Holt vier Eimer voll Wasser und
gießt es auf das Brandopfer und aufs Holz!
Und er sprach: Tut's noch einmal! Und sie
taten's noch einmal. Und er sprach: Tut's
zum dritten Mal! Und sie taten's zum drit-
ten Mal. 35 Und das Wasser lief um den Al-
tar her, und der Graben wurde auch voll
Wasser.

36 Und als es Zeit war, das Speisopfer
zu opfern, trat der Prophet Elia herzu
und sprach: HERR, Gott Abrahams, Isa-
aks und Israels, lass heute kundwerden,
dass du Gott in Israel bist und ich dein
Knecht und dass ich all das nach deinem
Wort getan habe! 37 Erhöre mich, HERR,
erhöre mich, dass dies Volk erkenne, dass
du, HERR, Gott bist und ihr Herz wieder
zu dir kehrst!

38 Da fiel [a]das Feuer des HERRN herab
und fraß Brandopfer, Holz, Steine und
Erde und leckte das Wasser auf im Gra-
ben. 39 Als das alles Volk sah, fielen sie auf
ihr Angesicht und sprachen: Der HERR ist
Gott, der HERR ist Gott! 40 Elia aber sprach
zu ihnen: [a]Greift die Propheten Baals, dass
keiner von ihnen entrinne! Und sie ergrif-
fen sie. Und Elia führte sie hinab an den
Bach Kischon und schlachtete sie daselbst.

41 [a]Und Elia sprach zu Ahab: Zieh hinauf,
iss und trink; denn es rauscht, als wollte
es sehr regnen. 42 Und als Ahab hinaufzog,
um zu essen und zu trinken, ging Elia auf
den Gipfel des Karmel und bückte sich zur
Erde und hielt sein Haupt zwischen seine
Knie 43 und sprach zu seinem Diener:
Geh hinauf und schaue zum Meer hin!
Er ging hinauf und schaute und sprach:
Es ist nichts da. Elia sprach: Geh wieder
hinauf! So geschah es siebenmal. 44 Und
beim siebenten Mal sprach er: Siehe, es
steigt eine kleine Wolke auf aus dem Meer
wie eines Mannes Hand. Elia sprach: Geh
hinauf und sage Ahab: Spann an und fahre
hinab, damit dich der Regen nicht aufhält!
45 Und ehe man sich's versah, wurde der
Himmel schwarz von Wolken und Wind,
und es kam ein großer Regen. Ahab aber
fuhr hinab nach Jesreel. 46 Und die Hand
des HERRN kam über Elia, und er gürtete
seine Lenden und lief vor Ahab hin, bis er
kam nach Jesreel.

ELIA AM HOREB

19 Und Ahab sagte Isebel alles, was Elia
getan hatte und wie er alle Propheten
Baals mit dem Schwert umgebracht hatte.
2 Da sandte Isebel einen Boten zu Elia und
ließ ihm sagen: Die Götter sollen mir dies
und das tun, wenn ich nicht morgen um
diese Zeit dir tue, wie du diesen getan
hast! 3 Da fürchtete er sich, machte sich
auf und lief um sein Leben und kam nach
Beerscheba in Juda und ließ seinen Die-
ner dort. 4 Er aber ging hin in die Wüste
eine Tagereise weit und kam und setzte
sich unter einen Ginster und wünschte
sich zu sterben und sprach: Es ist genug,
[a]so nimm nun, HERR, meine Seele; ich bin
nicht besser als meine Väter.

5 Und er legte sich hin und schlief unter
dem Ginster. Und siehe, ein Engel rührte
ihn an und sprach zu ihm: Steh auf und
iss! 6 Und er sah sich um, und siehe, zu sei-
nen Häupten lag ein geröstetes Brot und
ein Krug mit Wasser. Und als er gegessen
und getrunken hatte, legte er sich wieder
schlafen. 7 Und der Engel des HERRN kam
zum zweiten Mal wieder und rührte ihn
an und sprach: Steh auf und iss! Denn
du hast einen weiten Weg vor dir. 8 Und
er stand auf und aß und trank und ging
durch die Kraft der Speise [a]vierzig Tage
und vierzig Nächte bis zum Berg Gottes,
dem Horeb.

9 Und er kam dort in eine Höhle und
blieb dort über Nacht. Und siehe, das Wort
des HERRN kam zu ihm: Was machst du
hier, Elia? 10 Er sprach: [a]Ich habe geeifert
für den HERRN, den Gott Zebaoth; denn
[b]die Israeliten haben deinen Bund ver-
lassen und deine Altäre zerbrochen und

18,31 ***a*** 2. Mose 24,4 ***b*** 1. Mose 32,29
18,38 ***a*** 3. Mose 9,24; Ri 6,21 **18,40** ***a*** 2. Mose 22,19;
5. Mose 13,6-9 **18,41** ***a*** (41-45) Jak 5,18 **19,4** ***a*** Hiob 7,15;
Jona 4,3.8; Tob 3,6 **19,8** ***a*** 2. Mose 24,18; Mt 4,1-2
19,10 ***a*** Ps 69,10; Jes 49,4 ***b*** Kap 18,22; Röm 11,3

deine Propheten mit dem Schwert getötet
und ich bin allein übrig geblieben, und sie
trachten danach, dass sie mir mein Leben
nehmen.
11 Der Herr sprach: Geh heraus und tritt
hin auf den Berg vor den HERRN! Und
siehe, [a]der HERR ging vorüber. Und ein
großer, starker Wind, der die Berge zer-
riss und die Felsen zerbrach, kam vor dem
HERRN her; der HERR aber war nicht im
Winde. Nach dem Wind aber kam ein
Erdbeben; aber der HERR war nicht im
Erdbeben. 12 Und nach dem Erdbeben
kam ein Feuer; aber der HERR war nicht
im Feuer. Und nach dem Feuer kam ein
stilles, sanftes Sausen. 13 Als das Elia hörte,
verhüllte er sein Antlitz mit seinem Man-
tel und ging hinaus und trat in den Ein-
gang der Höhle.
Und siehe, da kam eine Stimme zu ihm
und sprach: Was hast du hier zu tun, Elia?
14 Er sprach: Ich habe für den HERRN, den
Gott Zebaoth, geeifert; denn die Israeli-
ten haben deinen Bund verlassen, deine
Altäre zerbrochen, deine Propheten mit
dem Schwert getötet und ich bin allein
übrig geblieben, und sie trachten danach,
dass sie mir das Leben nehmen. 15 Aber der
HERR sprach zu ihm: Geh wieder deines
Weges durch die Wüste nach Damaskus
und geh hinein und salbe [a]Hasaël zum
König über Aram 16 und [a]Jehu, den Sohn
Nimschis, zum König über Israel und
Elisa, den Sohn Schafats, von Abel-Me-
hola zum Propheten an deiner statt. 17 Und
es soll geschehen: Wer dem Schwert Ha-
saëls entrinnt, den soll Jehu töten, und
wer dem Schwert Jehus entrinnt, den soll
Elisa töten. 18 Und [a]ich will übrig lassen
siebentausend in Israel, alle Knie, die sich
nicht gebeugt haben vor Baal, und jeden
Mund, der ihn nicht geküsst hat.

ELISAS BERUFUNG

19 Und Elia ging von dort weg und fand
Elisa, den Sohn Schafats, als er pflügte
mit zwölf Jochen vor sich her, und er war
selbst bei dem zwölften. Und Elia ging
zu ihm und warf seinen Mantel über ihn.
20 Und [a]er verließ die Rinder und lief Elia
nach und sprach: [b]Lass mich meinen Va-
ter und meine Mutter küssen, dann will
ich dir nachfolgen. Er sprach zu ihm:
Wohlan, kehre um! Bedenke, was ich dir
getan habe! 21 Und Elisa wandte sich von
ihm weg und nahm ein Joch Rinder und
opferte es, und mit den Jochen der Rinder
kochte er das Fleisch und gab's den Leu-
ten, dass sie aßen. Und er machte sich auf
und folgte Elia nach und diente ihm.

AHABS KRIEGE MIT DEM KÖNIG BEN-HADAD

20 Und Ben-Hadad, der König von Aram,
versammelte seine ganze Streitmacht,
und es waren zweiunddreißig Könige mit
ihm und Ross und Wagen. Und er zog her-
auf und belagerte Samaria und kämpfte
gegen die Stadt[a] 2 und sandte Boten zu
Ahab, dem König von Israel, in die Stadt
und ließ ihm sagen: 3 So spricht Ben-Ha-
dad: Dein Silber und dein Gold ist mein,
und deine Frauen und deine besten Söhne
sind auch mein. 4 Der König von Israel ant-
wortete und sprach: Mein Herr und Kö-
nig, wie du geredet hast! Ich bin dein und
alles, was ich habe. 5 Aber die Boten kamen
zurück und sprachen: So spricht Ben-Ha-
dad: Ich habe zu dir gesandt und sagen
lassen: Dein Silber und dein Gold, deine
Frauen und deine Söhne sollst du mir
geben. 6 Doch will ich morgen um diese
Zeit meine Leute zu dir senden, dass sie
dein Haus und die Häuser deiner Knechte
durchsuchen, und was ihnen gefällt, sol-
len sie nehmen und wegtragen.
7 Da rief der König von Israel alle Ältes-
ten des Landes zu sich und sprach: Merkt
doch und seht, wie böse er's meint! Er
hat zu mir gesandt um meine Frauen und
Söhne, Silber und Gold, und ich hab ihm
nichts verweigert. 8 Da sprachen zu ihm
alle Ältesten und alles Volk: Du sollst nicht
gehorchen und nicht einwilligen. 9 Und
Ahab sprach zu den Boten Ben-Hadads:
Sagt meinem Herrn, dem König: Alles,
was du zuerst deinem Knecht entboten
hast, will ich tun; aber dies kann ich nicht
tun. Und die Boten gingen hin und sag-
ten ihm das wieder. 10 Da sandte Ben-Ha-
dad zu ihm und ließ ihm sagen: Die Göt-
ter sollen mir dies und das tun, wenn
der Staub Samarias genug sein sollte, die

19,11 ***a*** 2. Mose 33,22 **19,15** ***a*** 2. Kön 8,7-15
19,16 ***a*** 2. Kön 9,2-3.12-13 **19,18** ***a*** Röm 11,4
19,20 ***a*** Am 7,15 ***b*** Lk 9,61-62 **20,1** ***a*** 2. Kön 6,24

Hände der Leute zu füllen, die mit mir zie-
hen! 11 Aber der König von Israel antwor-
tete: Sagt ihm: Wer den Harnisch anlegt,
soll sich nicht rühmen wie der, der ihn ab-
gelegt hat. 12 Als das Ben-Hadad hörte, der
eben mit den Königen in den Zelten trank,
sprach er zu seinen Knechten: Greift an!
Und sie griffen die Stadt an.

13 Und siehe, ein Prophet trat zu Ahab,
dem König von Israel, und sprach: So
spricht der HERR: Siehst du diese große
Menge? Wahrlich, ich will sie heute in
deine Hand geben, dass du wissen sollst:
Ich bin der HERR. 14 Ahab sprach: Durch
wen? Er sprach: So spricht der HERR:
Durch die Leute der Landvögte. Ahab
sprach: Wer soll die Schlacht beginnen? Er
sprach: Du. 15 Da zählte Ahab die Leute der
Landvögte, und es waren zweihundert-
zweiunddreißig; und nach ihnen zählte
er das ganze Volk, alle Israeliten, und es
waren siebentausend Mann. 16 Und sie zo-
gen aus am Mittag.

Ben-Hadad aber trank und war trunken
im Zeltlager samt den zweiunddreißig Kö-
nigen, die ihm zu Hilfe gekommen waren.
17 Und die Leute der Landvögte zogen zu-
erst aus. Ben-Hadad aber hatte Leute aus-
gesandt; die brachten ihm Botschaft und
sprachen: Es ziehen Männer aus Samaria
heran. 18 Er sprach: Greift sie lebendig,
ob sie nun zum Frieden oder zum Kampf
ausgezogen sind! 19 Als aber die Leute der
Landvögte aus der Stadt herausgezogen
waren und das Heer ihnen nach, 20 er-
schlug jeder den, der vor ihn kam. Und
die Aramäer flohen, und Israel jagte ih-
nen nach. Aber Ben-Hadad, der König von
Aram, entrann mit Rossen und Reitern.
21 Und der König von Israel zog aus und
schlug Ross und Wagen. So schlug er die
Aramäer in einer großen Schlacht.

22 Da trat der Prophet zum König von
Israel und sprach zu ihm: Wohlan, rüste
dich und merke auf und sieh zu, was du
tust! Denn der König von Aram wird
gegen dich heraufziehen, wenn das Jahr
um ist.

23 Aber die Großen des Königs von Aram
sprachen zu ihm: Ihr Gott ist ein Gott der
Berge, darum haben sie uns überwunden.
Aber wenn wir mit ihnen in der Ebene
kämpfen könnten – was gilt's, wir wollten
sie überwinden! 24 Tu nun das: Setze die
Könige ab, einen jeglichen an seinem Ort,
und setze Statthalter an ihre Stelle 25 und
schaffe dir ein Heer, wie das Heer war, das
du verloren hast, und ebenso viele Rosse
und Wagen wie zuvor, und lass uns gegen
sie kämpfen in der Ebene – was gilt's, wir
werden sie überwinden! Er gehorchte ih-
rer Stimme und tat das. 26 Als nun das Jahr
um war, bot Ben-Hadad die Aramäer auf
und zog herauf nach Afek, um gegen Israel
zu kämpfen. 27 Und die Israeliten wurden
auch aufgeboten, versorgten sich und zo-
gen hin ihnen entgegen, und die Israeliten
lagerten sich ihnen gegenüber wie zwei
kleine Herden Ziegen. Von den Aramäern
aber war das Land voll.

28 Und es trat der Mann Gottes herzu
und sprach zum König von Israel: So
spricht der HERR: Weil die Aramäer ge-
sagt haben, der HERR sei ein Gott der
Berge und nicht ein Gott der Täler, so habe
ich diese große Menge in deine Hand ge-
geben, dass ihr erkennt: Ich bin der HERR.
29 Und sie lagen einander gegenüber sie-
ben Tage. Am siebenten Tage zogen sie in
den Kampf, und die Israeliten schlugen die
Aramäer, hunderttausend Mann Fußvolk,
an einem Tag. 30 Und die Übrigen flohen
nach Afek in die Stadt, und die Mauer fiel
auf die Übriggebliebenen, siebenund-
zwanzigtausend Mann.

Und auch Ben-Hadad floh in die Stadt
und verkroch sich von einer Kammer in
die andere. 31 Da sprachen seine Großen
zu ihm: Siehe, wir haben gehört, dass die
Könige des Hauses Israel barmherzige Kö-
nige sind. So lasst uns den Sack um unsere
Lenden tun und Stricke um unsere Köpfe
und zum König von Israel hinausgehen;
vielleicht lässt er dich am Leben. 32 Und
sie gürteten den Sack um ihre Lenden
und Stricke um ihre Köpfe und kamen
zum König von Israel und sprachen: Dein
Knecht Ben-Hadad lässt dir sagen: Lass
mich doch am Leben! Er aber sprach: Lebt
er noch? Er ist mein Bruder! 33 Und die
Männer nahmen es als ein gutes Zeichen
und sprachen sogleich: Ja, Ben-Hadad ist
dein Bruder. Er sprach: Geht und bringt
ihn! Da ging Ben-Hadad zu ihm heraus.
Und Ahab ließ ihn auf den Wagen stei-
gen. 34 Und Ben-Hadad sprach zu ihm:

Die Städte, die mein Vater deinem Vater
genommen hat, will ich dir zurückgeben,
und mache du dir Märkte in Damaskus,
wie mein Vater in Samaria getan hat. Und
Ahab sprach: Ich will dich auf diesen Bund
hin ziehen lassen. Da schloss er mit ihm
den Bund und ließ ihn ziehen.
35 Da sprach ein Mann von den Prophe-
tenjüngern zu seinem Nächsten auf des
HERRN Gebot: Schlage mich! Er aber wei-
gerte sich, ihn zu schlagen. 36 Da sprach er
zu ihm: Weil du der Stimme des HERRN
nicht gehorcht hast, siehe, so wird dich ein
[a]Löwe schlagen, wenn du von mir gehst.
Und als er von ihm ging, fand ihn ein
Löwe und schlug ihn.
37 Und der Prophet fand einen andern
Mann und sprach: Schlage mich! Und
der Mann schlug ihn wund. 38 Da ging der
Prophet hin, trat an den Weg, den der Kö-
nig zog, und verhüllte sein Angesicht mit
einer Binde. 39 Und als der König vorüber-
zog, rief er den König an und sprach: Dein
Knecht war ausgezogen in die Schlacht.
Und siehe, ein Mann trat zu mir und
brachte mir einen und sprach: Bewache
diesen Mann; wenn man ihn vermissen
wird, [a]so soll dein Leben für sein Leben
einstehen oder du sollst einen Zentner Sil-
ber zahlen. 40 Und als dein Knecht hier und
da zu tun hatte, war jener nicht mehr da.
Der König von Israel sprach zu ihm: Das
ist dein Urteil; du hast's selbst gefällt. 41 Da
tat er eilends die Binde von seinem Ange-
sicht, und der König von Israel erkannte,
dass er einer der Propheten war. 42 Und er
sprach zu ihm: So spricht der HERR: Weil
du den Mann, auf dem mein Bann lag,
von dir gelassen hast, so soll dein Leben
für sein Leben einstehen und dein Volk für
sein Volk. 43 Aber der König von Israel zog
heim, voller Unmut und Zorn, und kam
nach Samaria.

NABOTS WEINBERG

21 Nach diesen Geschichten begab es
sich: Nabot, ein Jesreeliter, hatte einen
Weinberg in Jesreel, bei dem Palast Ahabs,
des Königs von Samaria. 2 Und Ahab re-
dete mit Nabot und sprach: Gib mir dei-
nen Weinberg; ich will mir einen Kohl-
garten daraus machen, weil er so nahe an
meinem Hause liegt. Ich will dir einen
besseren Weinberg dafür geben oder,
wenn dir's gefällt, will ich dir Silber da-
für geben, soviel er wert ist. 3 Aber Nabot
sprach zu Ahab: Das lasse der HERR fern
von mir sein, dass ich dir meiner Väter
Erbe geben sollte!
4 Da kam Ahab heim voller Unmut und
Zorn um des Wortes willen, das Nabot,
der Jesreeliter, zu ihm gesagt hatte: Ich
will dir meiner Väter Erbe nicht geben.
Und er legte sich auf sein Bett und wandte
sein Antlitz ab und aß kein Brot. 5 Da kam
seine Frau Isebel zu ihm hinein und redete
mit ihm: Was ist's, dass dein Geist so vol-
ler Unmut ist und dass du nicht isst? 6 Er
sprach zu ihr: Ich habe mit Nabot, dem
Jesreeliter, geredet und gesagt: Gib mir
deinen Weinberg für Geld oder, wenn es
dir lieber ist, will ich dir einen andern da-
für geben. Er aber sprach: Ich will dir mei-
nen Weinberg nicht geben. 7 Da sprach
seine Frau Isebel zu ihm: Du bist doch Kö-
nig über Israel! Steh auf und iss Brot und
sei guten Mutes! Ich werde dir den Wein-
berg Nabots, des Jesreeliters, verschaffen.
8 Und sie schrieb Briefe unter Ahabs Na-
men und versiegelte sie mit seinem Siegel
und sandte sie zu den Ältesten und Obe-
ren, die mit Nabot in seiner Stadt wohn-
ten. 9 Und schrieb in den Briefen: Lasst ein
Fasten ausrufen und setzt Nabot obenan
im Volk 10 und stellt ihm [a]zwei ruchlose
Männer gegenüber, die da zeugen und
sprechen: [b]Du hast Gott und den König
gelästert! Und führt ihn hinaus und stei-
nigt ihn, dass er stirbt.
11 Und die Ältesten und Oberen, die mit
ihm in seiner Stadt wohnten, taten, wie
ihnen Isebel entboten hatte, wie sie in den
Briefen geschrieben hatte, die sie zu ihnen
sandte, 12 und sie ließen ein Fasten ausru-
fen und ließen Nabot obenan im Volk sit-
zen. 13 Da kamen die zwei ruchlosen Män-
ner und stellten sich ihm gegenüber und
zeugten gegen Nabot vor dem Volk und
sprachen: Nabot hat Gott und den König
gelästert! Da führten sie ihn vor die Stadt
hinaus und steinigten ihn, dass er starb.
14 Und sie sandten zu Isebel und ließen ihr
sagen: Nabot ist gesteinigt und tot.

20,36 *a* Kap 13,24 **20,39** *a* 2. Kön 10,24
21,10 *a* 5. Mose 17,6; Mt 26,59-61 *b* 2. Mose 22,27

15 Als aber Isebel hörte, dass Nabot gesteinigt und tot war, sprach sie zu Ahab: Steh auf und nimm in Besitz den Weinberg Nabots, des Jesreeliters, der sich geweigert hat, ihn dir für Geld zu geben; denn Nabot lebt nicht mehr, sondern ist tot. 16 Als Ahab hörte, dass Nabot tot war, stand er auf, um hinabzugehen zum Weinberge Nabots, des Jesreeliters, und ihn in Besitz zu nehmen.

17 Aber das Wort des HERRN kam zu Elia, dem Tischbiter: 18 Mach dich auf und geh hinab Ahab, dem König von Israel zu Samaria, entgegen – siehe, er ist im Weinberge Nabots, wohin er hinabgegangen ist, um ihn in Besitz zu nehmen – 19 und rede mit ihm und sprich: So spricht der HERR: Du hast gemordet, dazu auch fremdes Erbe geraubt! An der Stätte, wo Hunde das Blut Nabots geleckt haben, [a]sollen Hunde auch dein Blut lecken.

20 Und Ahab sprach zu Elia: Hast du mich gefunden, mein Feind? Er aber sprach: Ja, ich habe dich gefunden, weil du dich verkauft hast, zu tun, was dem HERRN missfällt. 21 Siehe, ich will Unheil über dich bringen und dich wegfegen samt deinen Nachkommen und [a]will von Ahab ausrotten, was an die Wand pisst, bis auf den letzten Mann in Israel 22 und will dein Haus machen wie das [a]Haus Jerobeams, des Sohnes Nebats, und wie das [b]Haus Baschas, des Sohnes Ahijas, um des Zornes willen, dass du mich erzürnt und Israel sündigen gemacht hast. 23 Und auch über Isebel hat der HERR geredet und gesprochen: [a]Die Hunde sollen Isebel fressen an der Mauer Jesreels. 24 Wer von Ahab stirbt in der Stadt, den sollen die Hunde fressen, und wer auf dem Felde stirbt, den sollen die Vögel unter dem Himmel fressen.

25 Es war niemand, der sich so verkauft hätte, zu tun, was dem HERRN missfiel, wie Ahab, den seine Frau Isebel verführte. 26 Und er versündigte sich dadurch über die Maßen, dass er den Götzen nachwandelte, ganz wie die Amoriter getan hatten, die der HERR vor Israel vertrieben hatte.

27 Als aber Ahab diese Worte hörte, zerriss er seine Kleider und legte den Sack um seinen Leib und fastete und schlief darin und ging bedrückt einher. 28 Und das Wort des HERRN kam zu Elia, dem Tischbiter: 29 Hast du nicht gesehen, wie sich Ahab vor mir gedemütigt hat? Weil er sich nun vor mir gedemütigt hat, will ich das Unheil nicht kommen lassen zu seinen Lebzeiten, aber [a]zu seines Sohnes Lebzeiten will ich das Unheil über sein Haus bringen.

AHABS KRIEG UND MICHAS WEISSAGUNG

(vgl. 2. Chr 18,1-34)

22 Und es vergingen drei Jahre, dass kein Krieg war zwischen den Aramäern und Israel. 2 Im dritten Jahr aber zog [a]Joschafat, der König von Juda, hinab zum König von Israel. 3 Und der König von Israel sprach zu seinen Großen: Wisst ihr nicht, dass [a]Ramot in Gilead unser ist, und wir sitzen still und nehmen es nicht dem König von Aram ab? 4 Und er sprach zu Joschafat: Willst du mit mir ziehen in den Kampf nach Ramot in Gilead? Joschafat sprach zum König von Israel: [a]Ich will sein wie du und mein Volk wie dein Volk und meine Rosse wie deine Rosse.

5 Und Joschafat sprach zum König von Israel: Frage doch zuerst nach dem Wort des HERRN! 6 Da versammelte der König von Israel die Propheten, etwa vierhundert Mann, und sprach zu ihnen: Soll ich gegen Ramot in Gilead in den Kampf ziehen oder soll ich's lassen? Sie sprachen: Zieh hinauf! Der Herr wird's in die Hand des Königs geben. 7 Joschafat aber sprach: Ist hier kein Prophet des HERRN mehr, dass wir ihn befragen?[a] 8 Der König von Israel sprach zu Joschafat: Es ist noch einer hier, Micha, der Sohn Jimlas, durch den man den HERRN befragen kann. Aber ich bin ihm gram; denn er weissagt mir nichts Gutes, sondern nur Unheil. Joschafat sprach: Der König rede so nicht! 9 Da rief der König von Israel einen Kämmerer und sprach: Bringe eilends her Micha, den Sohn Jimlas!

10 Der König von Israel aber und Joschafat, der König von Juda, saßen jeder auf seinem Thron in ihren königlichen Kleidern auf der Tenne vor dem Tor Samarias,

21,19 *a* Kap 22,38 **21,21** *a* 2. Kön 9,8 **21,22** *a* Kap 15,29 *b* Kap 16,11-12 **21,23** *a* 2. Kön 9,10.33-36
21,29 *a* 2. Kön 9,26 **22,2** *a* Vers 41 **22,3** *a* Jos 21,38
22,4 *a* 2. Kön 3,7 **22,7** *a* 2. Kön 3,11

und alle Propheten weissagten vor ihnen.
11 Und Zidkija, der Sohn Kenaanas, hatte
sich eiserne Hörner gemacht und sprach:
So spricht der HERR: Hiermit wirst du
die Aramäer niederstoßen, bis du sie ver-
nichtest. 12 Und alle Propheten weissag-
ten ebenso und sprachen: Zieh hin nach
Ramot in Gilead; es wird dir gelingen!
Der HERR wird's in die Hand des Königs
geben.
13 Und der Bote, der hingegangen war,
Micha zu rufen, sprach zu ihm: Siehe, die
Worte der Propheten sind einmütig gut
für den König; so lass nun auch dein Wort
wie ihr Wort sein und rede Gutes. 14 Micha
sprach: So wahr der HERR lebt: Ich will re-
den, was der HERR mir sagen wird.
15 Und als er zum König kam, sprach der
König zu ihm: Micha, sollen wir nach Ra-
mot in Gilead in den Kampf ziehen oder
sollen wir's lassen? Er sprach zu ihm:
Ja, zieh hinauf, es soll dir gelingen! Der
HERR wird's in die Hand des Königs ge-
ben. 16 Der König entgegnete ihm: Wie oft
soll ich dich beschwören, dass du mir im
Namen des HERRN nichts als die Wahr-
heit sagst! 17 Micha sprach: Ich sah ganz Is-
rael zerstreut auf den Bergen [a]wie Schafe,
die keinen Hirten haben. Der HERR aber
sprach: Diese haben keinen Herrn; ein je-
der kehre wieder heim mit Frieden.
18 Da sprach der König von Israel zu Jo-
schafat: Hab ich dir nicht gesagt, dass er
mir nichts Gutes weissagt, sondern nur
Unheil? 19 Micha sprach: Darum höre nun
das Wort des HERRN! Ich sah den HERRN
sitzen auf seinem Thron und das ganze
himmlische Heer neben ihm stehen zu
seiner Rechten und Linken.[a] 20 Und der
HERR sprach: Wer will Ahab betören, dass
er hinaufziehe und falle vor Ramot in Gi-
lead? Und einer sagte dies, der andere das.
21 Da trat ein [a]Geist vor und stellte sich vor
den HERRN und sprach: Ich will ihn be-
tören. Der HERR sprach zu ihm: Womit?
22 Er sprach: Ich will ausgehen und [a]will
ein Lügengeist sein im Munde aller seiner
Propheten. Er sprach: Du sollst ihn betö-
ren und sollst es ausrichten; geh aus und
tu das! 23 Nun siehe, der HERR hat einen
Lügengeist gegeben in den Mund aller dei-
ner Propheten; und der HERR hat Unheil
gegen dich geredet.
24 Da trat herzu Zidkija, der Sohn Kena-
anas, und schlug Micha auf die Backe und
sprach: Wie? Ist der Geist des HERRN von
mir gewichen, dass er mit dir redet? 25 Mi-
cha sprach: Wahrlich, an dem Tage wirst
du's sehen, wenn du von einer Kammer in
die andere gehst, um dich zu verkriechen.
26 Der König von Israel sprach: Nimm Mi-
cha und bring ihn zu Amon, dem Stadt-
hauptmann, und zu Joasch, dem Sohn
des Königs, 27 und sprich: So spricht der
König: Diesen werft in den Kerker und
speist ihn nur kärglich mit Brot und Was-
ser, bis ich mit Frieden wiederkomme.
28 Micha sprach: Kommst du mit Frie-
den wieder, so hat der HERR nicht durch
mich geredet. [a]Und er sprach: Höret, alle
Völker!

AHABS TOD

29 So zogen der König von Israel und Jo-
schafat, der König von Juda, hinauf nach
Ramot in Gilead. 30 Und der König von
Israel sprach zu Joschafat: Ich will mich
verkleiden und in den Kampf ziehen, du
aber behalte deine königlichen Kleider an.
Und der König von Israel verkleidete sich
und zog in den Kampf.[a] 31 Aber der König
von Aram gebot den Obersten über seine
Wagen – es waren zweiunddreißig – und
sprach: Ihr sollt nicht kämpfen gegen Ge-
ringe und Hohe, sondern allein gegen den
König von Israel. 32 Und als die Obersten
der Wagen Joschafat sahen, meinten sie,
er wäre der König von Israel, und wandten
sich gegen ihn zum Kampf, aber Joschafat
schrie. 33 Als aber die Obersten der Wagen
merkten, dass er nicht der König von Israel
war, wandten sie sich von ihm ab.
34 Ein Mann aber spannte den Bogen von
ungefähr und schoss den König von Israel
zwischen Panzer und Wehrgehänge. Da
sprach er zu seinem Wagenlenker: Wende
um und führe mich aus dem Kampf, denn
ich bin verwundet! 35 Aber der Kampf
nahm immer mehr zu an demselben Tage,
und der König blieb im Wagen stehen ge-
genüber den Aramäern. Am Abend aber
starb er, und das Blut floss von der Wunde
mitten in den Wagen. 36 Und man ließ

22,17 ***a*** 4. Mose 27,16-17; Mt 9,36 **22,19** ***a*** Hiob 1,6; Jes 6,1 **22,21** ***a*** Jes 19,14 **22,22** ***a*** 1. Joh 4,6 **22,28** ***a*** Mi 1,2 **22,30** ***a*** 2. Chr 35,22

ausrufen im Heer, als die Sonne unterging: Ein jeder gehe in seine Stadt und in sein Land; 37 denn der König ist tot! Und sie gingen nach Samaria und begruben den König zu Samaria. 38 Und als sie den Wagen wuschen bei dem Teich Samarias, [a]leckten die Hunde sein Blut – und die Huren wuschen sich darin – nach dem Wort des HERRN, das er geredet hatte.

39 Was mehr von Ahab zu sagen ist und alles, was er getan hat, und das Elfenbeinhaus, das er baute, und alle Städte, die er gebaut hat, siehe, das steht geschrieben in der Chronik der Könige von Israel.

40 Also legte sich Ahab zu seinen Vätern, und sein Sohn Ahasja wurde König an seiner statt.

JOSCHAFAT, KÖNIG VON JUDA

(vgl. 2. Chr 20,31–21,1)

41 Und [a]Joschafat, der Sohn Asas, wurde König über Juda im vierten Jahr Ahabs, des Königs von Israel. 42 Joschafat war fünfunddreißig Jahre alt, als er König wurde; und er regierte fünfundzwanzig Jahre zu Jerusalem. Seine Mutter hieß Asuba, eine Tochter Schilhis. 43 Und er wandelte in allen Wegen seines Vaters Asa und wich nicht davon ab und tat, was dem HERRN wohlgefiel. 44 Doch [a]entfernte er nicht die Höhen, und das Volk opferte und räucherte noch auf den Höhen. 45 Und er hatte Frieden mit dem König von Israel.

46 Was aber mehr von Joschafat zu sagen ist und seine tapferen Taten, die er getan hat, und wie er Kriege geführt hat, siehe, das steht geschrieben in der [a]Chronik der Könige von Juda. 47 Auch tat er aus dem Lande, was noch übrig war an [a]Tempelhurern, die zur Zeit seines Vaters Asa übrig geblieben waren.

48 Und es war kein König in Edom; ein Statthalter war im Lande. 49 Und Joschafat hatte Tarsisschiffe machen lassen, die nach [a]Ofir fahren sollten, um Gold zu holen. Aber sie fuhren nicht, denn sie zerschellten bei Ezjon-Geber. 50 Damals sprach Ahasja, der Sohn Ahabs, zu Joschafat: Lass meine Leute mit deinen Leuten auf den Schiffen fahren! Joschafat aber wollte nicht. 51 Und Joschafat legte sich zu seinen Vätern und wurde begraben bei seinen Vätern in der Stadt Davids, seines Vaters. Und sein Sohn [a]Joram wurde König an seiner statt.

AHASJA, KÖNIG VON ISRAEL

52 [a]Ahasja, der Sohn Ahabs, wurde König über Israel zu Samaria im siebzehnten Jahr Joschafats, des Königs von Juda, und regierte über Israel zwei Jahre. 53 Und er tat, was dem HERRN missfiel, und wandelte in den Wegen seines Vaters und seiner Mutter und in dem Wege [a]Jerobeams, des Sohnes Nebats, der Israel sündigen machte, 54 und diente dem Baal und betete ihn an und erzürnte den HERRN, den Gott Israels, wie sein Vater getan hatte.[a]

DAS ZWEITE BUCH DER KÖNIGE

1–8 Der Prophet Elisa 8–16 Geschichte der beiden Reiche
17 Das Ende des Reiches Israel 18–21 Geschichte des Reiches Juda
22–23 Die Reform durch König Josia 23–25 Das Ende des Reiches Juda

AHASJA UND DER PROPHET ELIA

1 Es fielen aber die [a]Moabiter ab von Israel, als Ahab tot war.[b] 2 Und Ahasja fiel durch das Gitter in seinem Obergemach in Samaria und wurde krank. Und er sandte Boten und sprach zu ihnen: [a]Geht hin und befragt Baal-Sebub, den Gott von Ekron, ob ich von dieser Krankheit genesen werde. 3 Aber der Engel des HERRN redete mit Elia, dem Tischbiter: Auf und geh den Boten des Königs von Samaria entgegen und sprich zu ihnen: [a]Ist denn nun kein Gott in Israel, dass ihr hingeht, zu befragen Baal-Sebub, den Gott von

22,38 *a* Kap 21,19; 2. Kön 9,25-26 **22,41** *a* Kap 15,24 **22,44** *a* Kap 15,14; 2. Kön 12,4 **22,46** *a* 2. Chr 17,1–20,37 **22,47** *a* Kap 15,12 **22,49** *a* Kap 9,26.28 **22,51** *a* 2. Kön 8,16 **22,52** *a* Vers 40 **22,53** *a* Kap 12,28-30 **22,54** *a* Kap 16,31-33 **1,1** *a* 2. Sam 8,2 *b* Kap 3,4-27 **1,2** *a* 1. Kön 22,52-54 **1,3** *a* Jes 8,19

Ekron? 4 Darum, so spricht der HERR: Du
sollst nicht mehr von dem Bett herun-
terkommen, auf das du dich gelegt hast,
sondern sollst des Todes sterben. Und Elia
ging.
5 Und als die Boten zum König zu-
rückkamen, sprach er zu ihnen: Warum
kommt ihr zurück? 6 Sie sprachen zu ihm:
Es kam ein Mann herauf uns entgegen und
sprach zu uns: Geht wieder hin zu dem
König, der euch gesandt hat, und sprecht
zu ihm: So spricht der HERR: Ist denn kein
Gott in Israel, dass du hinsendest, zu be-
fragen Baal-Sebub, den Gott von Ekron?
Darum sollst du nicht mehr herunter-
kommen von dem Bett, auf das du dich
gelegt hast, sondern sollst des Todes ster-
ben. 7 Er sprach zu ihnen: Was war das für
ein Mann, der euch begegnete und das zu
euch sagte? 8 Sie sprachen zu ihm: Er hatte
[a]einen Mantel aus Fell und einen [b]Leder-
gurt um seine Lenden. Er aber sprach: Es
ist Elia, der Tischbiter.
9 Und er sandte zu Elia einen Hauptmann
über Fünfzig samt seinen fünfzig Mann.
Und als der zu ihm hinaufkam, siehe, da
saß er oben auf dem Berge. Er aber sprach
zu ihm: Du Mann Gottes, der König sagt:
Du sollst herabkommen! 10 Elia antwor-
tete dem Hauptmann über Fünfzig: Bin
ich ein Mann Gottes, [a]so falle Feuer vom
Himmel und fresse dich und deine fünfzig
Mann. Da fiel Feuer vom Himmel und fraß
ihn und seine fünfzig Mann.
11 Und der König sandte wiederum einen
andern Hauptmann über Fünfzig zu ihm
samt seinen fünfzig Mann. Der kam zu
ihm hinauf und sprach zu ihm: Du Mann
Gottes, so spricht der König: Komm
eilends herab! 12 Elia antwortete: Bin ich
ein Mann Gottes, so falle Feuer vom Him-
mel und fresse dich und deine fünfzig
Mann. Da fiel das Feuer Gottes vom Him-
mel und fraß ihn und seine fünfzig Mann.
13 Da sandte der König wiederum den
dritten Hauptmann über Fünfzig samt
seinen fünfzig Mann. Als der zu ihm hin-
aufkam, beugte er seine Knie vor Elia
und flehte ihn an und sprach zu ihm: Du
Mann Gottes, lass mein Leben und das
Leben deiner Knechte, dieser fünfzig, vor
dir etwas gelten! 14 Siehe, Feuer ist vom
Himmel gefallen und hat die ersten zwei
Hauptleute über Fünfzig mit ihren fünfzig
Mann gefressen; nun aber lass mein Leben
etwas gelten vor dir.
15 Da sprach der Engel des HERRN zu
Elia: Geh mit ihm hinab und fürchte dich
nicht vor ihm! Und er machte sich auf und
ging mit ihm hinab zum König. 16 Und er
sprach zu ihm: So spricht der HERR: Weil
du Boten hingesandt hast und hast befra-
gen lassen Baal-Sebub, den Gott von Ek-
ron, als wäre kein Gott in Israel, dessen
Wort man erfragen könnte, so sollst du
von dem Bett nicht mehr herunterkom-
men, auf das du dich gelegt hast, sondern
sollst des Todes sterben.
17 So starb Ahasja nach dem Wort des
HERRN, das Elia geredet hatte. Und [a]Jo-
ram wurde König an seiner statt im zwei-
ten Jahr Jorams, des Sohnes Joschafats,
des Königs von Juda; denn Ahasja hatte
keinen Sohn. 18 Was aber mehr von Ahasja
zu sagen ist, was er getan hat, siehe, das
steht geschrieben in der Chronik der Kö-
nige von Israel.

ELIA WIRD ENTRÜCKT UND ELISA TRITT SEINE NACHFOLGE AN

2 Als aber der HERR Elia im Wetter-
sturm gen Himmel holen wollte, gin-
gen Elia und Elisa von Gilgal weg. 2 Und
Elia sprach zu Elisa: Bleibe du hier, denn
der HERR hat mich nach Bethel gesandt.
Elisa aber sprach: So wahr der HERR lebt
und du lebst: Ich verlasse dich nicht. Und
als sie hinab nach Bethel kamen, 3 gingen
die Prophetenjünger, die in Bethel wa-
ren, heraus zu Elisa und sprachen zu ihm:
Weißt du auch, dass der HERR heute dei-
nen Herrn hinwegnehmen wird, hoch
über dein Haupt hinweg? Er aber sprach:
Auch ich weiß es wohl; schweigt nur still.
4 Und Elia sprach zu ihm: Elisa, bleib du
hier, denn der HERR hat mich nach Jeri-
cho gesandt. Er aber sprach: So wahr der
HERR lebt und du lebst: Ich verlasse dich
nicht.
Und als sie nach Jericho kamen, 5 traten
die Prophetenjünger, die in Jericho waren,
zu Elisa und sprachen zu ihm: Weißt du
auch, dass der HERR heute deinen Herrn

1,8 *a* Kap 2,8.13 *b* 1. Kön 18,46; Mt 3,4
1,10 *a* 1. Kön 18,38; Hiob 1,16; Lk 9,54 **1,17** *a* Kap 3,1

hoch über dein Haupt hinwegnehmen
wird? Er aber sprach: Auch ich weiß es
wohl; schweigt nur still. 6 Und Elia sprach
zu ihm: Bleib du hier, denn der HERR
hat mich an den Jordan gesandt. Er aber
sprach: So wahr der HERR lebt und du
lebst: Ich verlasse dich nicht. Und so gin-
gen die beiden miteinander. 7 Und fünfzig
von den Prophetenjüngern gingen hin
und standen von ferne; aber die beiden
standen am Jordan.

8 Da nahm Elia seinen Mantel und wi-
ckelte ihn zusammen und schlug ins
Wasser; das teilte sich nach beiden Seiten,
sodass die beiden [a]auf trockenem Boden
hinübergingen. 9 Und als sie hinüberka-
men, sprach Elia zu Elisa: Bitte, was ich
dir tun soll, ehe ich von dir genommen
werde. Elisa sprach: Dass mir zwei Anteile
von deinem Geiste zufallen. 10 Er sprach:
Du hast Schweres erbeten. Doch wenn du
mich sehen wirst, wie ich von dir genom-
men werde, so wird's geschehen; wenn
nicht, so wird's nicht sein.

11 Und als sie miteinander gingen und re-
deten, siehe, da kam ein feuriger Wagen
mit feurigen Rossen, die schieden die bei-
den voneinander. Und Elia fuhr im Wet-
tersturm gen Himmel.[a] 12 Elisa aber sah es
und schrie: [a]Mein Vater, mein Vater, du
Wagen Israels und seine Reiter!, und sah
ihn nicht mehr. Da fasste er seine Kleider,
zerriss sie in zwei Stücke 13 und hob den
Mantel auf, der Elia entfallen war, und
kehrte um und trat wieder an das Ufer des
Jordans. 14 Und er nahm den Mantel, der
Elia entfallen war, und schlug ins Was-
ser und sprach: Wo ist nun der HERR, der
Gott Elias?, und schlug ins Wasser. Da
teilte es sich nach beiden Seiten, und Elisa
ging hindurch.

15 Und als das die Prophetenjünger sa-
hen, die gegenüber bei Jericho waren,
sprachen sie: Der Geist Elias ruht auf Elisa.
Und sie gingen ihm entgegen und fielen
vor ihm nieder zur Erde 16 und sprachen zu
ihm: [a]Siehe, es sind unter deinen Knech-
ten fünfzig starke Männer, die lass gehen
und deinen Herrn suchen. Vielleicht hat
ihn der Geist des HERRN genommen
und auf irgendeinen Berg oder in irgend-
ein Tal geworfen. Er aber sprach: Lasst sie
nicht gehen! 17 Aber sie nötigten ihn, bis er
nachgab und sprach: Lasst sie hingehen!
Und sie sandten hin fünfzig Männer, und
diese suchten Elia drei Tage; aber sie fan-
den ihn nicht. 18 Und sie kamen zu Elisa
zurück, als er noch in Jericho war, und er
sprach zu ihnen: Sagte ich euch nicht, ihr
solltet nicht hingehen?

ELISA MACHT EINE QUELLE GESUND UND STRAFT DIE SPOTTENDEN KNABEN

19 Und die Männer der Stadt sprachen zu
Elisa: Siehe, es ist gut wohnen in dieser
Stadt, wie mein Herr sieht; aber es ist bö-
ses Wasser und das Land unfruchtbar. 20 Er
sprach: Bringt mir her eine neue Schale
und tut Salz hinein! Und sie brachten's
ihm. 21 Da ging er hinaus zu der Was-
serquelle und warf das Salz hinein und
sprach: So spricht der HERR: Ich habe dies
Wasser gesund gemacht; es sollen hinfort
weder Tod noch Unfruchtbarkeit von ihm
kommen. 22 So wurde das Wasser gesund
bis auf diesen Tag nach dem Wort Elisas,
das er sprach.

23 Und er ging hinauf nach Bethel. Und
als er den Weg hinanging, kamen kleine
Knaben zur Stadt heraus und verspotte-
ten ihn und sprachen zu ihm: Kahlkopf,
komm herauf! Kahlkopf, komm her-
auf! 24 Und er wandte sich um, und als er
sie sah, verfluchte er sie im Namen des
HERRN. Da kamen zwei Bären aus dem
Walde und zerrissen zweiundvierzig von
den Kindern. 25 Von dort ging er auf den
Berg Karmel und kehrte von dort nach
Samaria zurück.

JORAMS KRIEG GEGEN DIE MOABITER UND ELISAS HILFE

3 [a]Joram, der Sohn Ahabs, wurde König
über Israel zu Samaria im achtzehnten
Jahr Joschafats, des Königs von Juda, und
regierte zwölf Jahre. 2 Und er tat, was dem
HERRN missfiel, doch nicht wie sein Va-
ter und seine Mutter. Denn er entfernte
das [a]Steinmal Baals, das sein Vater machen
ließ; 3 aber er blieb hangen [a]an den Sün-
den Jerobeams, des Sohnes Nebats, der
Israel sündigen machte, und ließ nicht ab
davon.

2,8 ***a*** 2. Mose 14,21-22; Jos 3,16 **2,11** ***a*** 1. Mose 5,24; Sir 48,9 **2,12** ***a*** Kap 13,14 **2,16** ***a*** 1. Kön 18,12
3,1 ***a*** Kap 1,17 **3,2** ***a*** 1. Kön 16,32 **3,3** ***a*** 1. Kön 12,28-30

4 Mescha aber, der König der Moabiter,
besaß viele Schafe und hatte dem König
von Israel hunderttausend Lämmer und
hunderttausend ungeschorene Widder
zu entrichten. 5 Als aber Ahab tot war,
fiel der König der Moabiter ab vom Kö-
nig von Israel. 6 Und alsbald zog der Kö-
nig Joram aus von Samaria und bot ganz
Israel auf 7 und sandte hin zu Joschafat,
dem König von Juda, und ließ ihm sa-
gen: Der König der Moabiter ist von mir
abgefallen; komm mit mir, um gegen die
Moabiter zu kämpfen! Er sprach: Ich will
kommen; [a]ich bin wie du und mein Volk
wie dein Volk und meine Rosse wie deine
Rosse.

8 Und Joram sprach: Welchen Weg wol-
len wir hinaufziehen? Joschafat sprach:
Den Weg durch die Wüste Edom. 9 So
zogen hin der König von Israel, der König
von Juda und der König von Edom. Und
als sie sieben Tagereisen weit gezogen wa-
ren, hatte das Heer und das Vieh, das bei
ihnen war, kein Wasser. 10 Da sprach der
König von Israel: O weh! Der HERR hat
diese drei Könige hergerufen, um sie in
die Hand der Moabiter zu geben!

11 Joschafat aber sprach: [a]Ist kein Prophet
des HERRN hier, dass wir den HERRN
durch ihn befragen? Da antwortete einer
unter den Knechten des Königs von Israel
und sprach: Hier ist Elisa, der Sohn Scha-
fats, der Elia Wasser auf die Hände goss.
12 Joschafat sprach: Des HERRN Wort ist
bei ihm. So zogen zu ihm hinab der Kö-
nig von Israel und Joschafat und der König
von Edom. 13 Elisa aber sprach zum König
von Israel: Was habe ich mit dir zu schaf-
fen? Geh hin zu den Propheten deines Va-
ters und zu den Propheten deiner Mutter!
Der König von Israel sprach zu ihm: Nicht
doch! Denn der HERR hat diese drei Kö-
nige hergerufen, um sie in die Hand der
Moabiter zu geben. 14 Elisa sprach: So wahr
der HERR Zebaoth lebt, vor dem ich stehe:
Wenn ich nicht Joschafat, dem König von
Juda, gewogen wäre, ich wollte dich nicht
ansehen noch achten. 15 So bringt mir nun
einen Spielmann!

Und als der Spielmann auf den Saiten
spielte, kam die Hand des HERRN auf
Elisa,[a] 16 und er sprach: So spricht der
HERR: Macht hier und da Gruben in die-
sem Tal. 17 Denn so spricht der HERR: Ihr
werdet weder Wind noch Regen sehen;
dennoch soll das Tal voll Wasser werden,
dass ihr und eure Leute und euer Vieh
trinken könnt. 18 Und das ist noch ein Ge-
ringes vor dem HERRN; er wird auch die
Moabiter in eure Hand geben, 19 sodass ihr
wüste machen werdet alle festen Städte
und alle auserwählten Städte und fäl-
len alle guten Bäume und verstopfen alle
Wasserbrunnen und alle guten Äcker mit
Steinen verderben.[a] 20 Am Morgen aber,
zur Zeit, da man Speisopfer opfert, siehe,
da kam Wasser von Edom her und füllte
das Land mit Wasser.

21 Da aber alle Moabiter hörten, dass
die Könige heraufzogen, um gegen sie zu
kämpfen, riefen sie alle auf, die zur Rüs-
tung alt genug und darüber waren, und
stellten sich an der Grenze auf. 22 Und als
sie sich früh am Morgen aufmachten und
die Sonne aufging über dem Gewässer,
schien den Moabitern das Gewässer in
der Ferne rot zu sein wie Blut. 23 Und sie
sprachen: Das ist Blut! Die Könige haben
sich mit dem Schwert umgebracht, und
einer wird den andern erschlagen haben.
Ha, Moab, mach dich nun auf zur Beute!
24 Aber als sie zum Lager Israels kamen,
machte sich Israel auf und schlug die Mo-
abiter, und sie flohen vor ihnen. Aber Is-
rael jagte ihnen nach und schlug Moab.
25 Die Städte zerstörten sie, und jeder warf
einen Stein auf alle guten Äcker, und sie
machten sie voll damit und verstopften
alle Wasserbrunnen und fällten alle gu-
ten Bäume, bis nur Kir-Heres übrig blieb.
Aber die Schleuderer umringten die Stadt
und schossen auf sie.

26 Als aber der König der Moabiter sah,
dass ihm der Kampf zu stark war, nahm
er siebenhundert Mann mit sich, die das
Schwert führten, um beim König von
Edom durchzubrechen; aber sie konnten's
nicht. 27 Da nahm er seinen erstgeborenen
Sohn, der an seiner statt König werden
sollte, und opferte ihn zum Brandopfer
auf der Mauer. Da kam ein großer Zorn
über Israel, sodass sie von ihm abzogen
und in ihr Land zurückkehrten.

3,7 *a* 1. Kön 22,4 **3,11** *a* 1. Kön 22,5.7 **3,15** *a* 1. Sam 16,16
3,19 *a* 5. Mose 20,19-20

ELISA MEHRT DAS ÖL DER WITWE

4 Und es schrie eine Frau unter den Frau-
en der Prophetenjünger zu Elisa und
sprach: Dein Knecht, mein Mann, ist ge-
storben; und du weißt ja, dass dein Knecht
den HERRN fürchtete. [a]Nun kommt der
Schuldherr und will meine beiden Kinder
nehmen zu [b]leibeigenen Knechten. 2 Elisa
sprach zu ihr: Was soll ich dir tun? Sage
mir, was hast du im Hause? Sie sprach:
Deine Magd hat nichts im Hause als einen
[a]Krug Öl. 3 Er sprach: Geh hin und erbitte
draußen von allen deinen Nachbarinnen
leere Gefäße, aber nicht zu wenig, 4 und
geh ins Haus und schließ die Tür zu hin-
ter dir und deinen Söhnen und gieß in alle
Gefäße; und wenn du sie gefüllt hast, so
stelle sie beiseite.

5 Sie ging hin und schloss die Tür zu hin-
ter sich und ihren Söhnen; diese brachten
ihr die Gefäße herbei, und sie goss ein.
6 Und als die Gefäße voll waren, sprach
sie zu ihrem Sohn: Reiche mir noch ein
Gefäß her! Er sprach zu ihr: Es ist kein
Gefäß mehr hier. Da stand das Öl. 7 Und
sie kam und sagte es dem Mann Gottes
an. Er sprach: Geh hin, verkaufe das Öl
und bezahle deine Schulden; du aber
und deine Söhne, nährt euch von dem
Übrigen.

ELISA VERHEISST DER SCHUNEMITERIN EINEN SOHN UND ERWECKT DAS TOTE KIND

8 Und es begab sich eines Tages, dass Elisa
nach Schunem ging. Dort war eine reiche
Frau; die nötigte ihn, dass er bei ihr aß.
Und sooft er dort durchkam, kehrte er bei
ihr ein und aß bei ihr. 9 Und sie sprach zu
ihrem Mann: Siehe, ich weiß, dass dies ein
heiliger Mann Gottes ist, der immer hier
durchkommt. 10 Lass uns ihm eine kleine
gemauerte Kammer oben machen und
Bett, Tisch, Stuhl und Leuchter hinstel-
len, damit er dort einkehren kann, wenn
er zu uns kommt.

11 Und es begab sich eines Tages, dass
Elisa dort einkehrte und sich oben in die
Kammer legte und darin schlief. 12 Da-
nach sprach er zu seinem Diener Gehasi:
Ruf die Schunemiterin! Und als Gehasi
sie rief, trat sie vor ihn. 13 Elisa aber sprach
zu Gehasi: Sage ihr: Siehe, du hast uns
all diesen Dienst getan; was soll ich dir
tun? Brauchst du Fürsprache beim König
oder beim Feldhauptmann? Sie sprach:
Ich wohne unter meinen Leuten. 14 Elisa
sprach: Was soll ich ihr dann tun? Gehasi
sprach: Ach, sie hat keinen Sohn, und ihr
Mann ist alt.

15 Er sprach: Ruf sie her! Und als er sie
rief, trat sie in die Tür. 16 Und er sprach:
[a]Um diese Zeit übers Jahr sollst du einen
Sohn herzen. Sie sprach: Ach nicht, mein
Herr, du Mann Gottes! Täusche deine
Magd nicht! 17 Und die Frau ward schwan-
ger und gebar einen Sohn um dieselbe Zeit
übers Jahr, wie ihr Elisa zugesagt hatte.

18 Als aber das Kind groß wurde, begab
es sich, dass es hinaus zu seinem Vater zu
den Schnittern ging 19 und sprach zu sei-
nem Vater: O mein Kopf, mein Kopf! Er
sprach zu einem Knecht: Bringe ihn zu
seiner Mutter! 20 Und der nahm ihn und
brachte ihn hinein zu seiner Mutter. Und
er saß auf ihrem Schoß bis zum Mittag, da
starb er.[a]

21 Und sie ging hinauf und legte ihn aufs
Bett des Mannes Gottes, schloss hinter
ihm zu und ging hinaus 22 und rief ihren
Mann und sprach: Schicke mir einen der
Knechte und eine Eselin; ich will eilends
zu dem Mann Gottes und bald zurück-
kommen. 23 Er sprach: Warum willst du
zu ihm? Ist doch heute weder Neumond
noch Sabbat. Sie sprach: Es ist gut! 24 Und
sie sattelte die Eselin und sprach zu ihrem
Knecht: Treib an und halte mich nicht auf
beim Reiten, bis ich dir's sage! 25 So zog sie
hin und kam zu dem Mann Gottes auf den
Berg Karmel.

Als aber der Mann Gottes sie kommen
sah, sprach er zu seinem Diener Gehasi:
Siehe, die Schunemiterin ist da! 26 So lauf
ihr nun entgegen und frage sie, ob es ihr,
ihrem Mann und ihrem Sohn gut gehe. Sie
sprach: Gut! 27 Als sie aber zu dem Mann
Gottes auf den Berg kam, umfing sie seine
Füße; Gehasi aber trat herzu, um sie weg-
zustoßen. Aber der Mann Gottes sprach:
Lass sie, denn ihre Seele ist betrübt, und
der HERR hat mir's verborgen und nicht
kundgetan! 28 Sie sprach: Wann hab ich

4,1 ***a*** Am 2,6; Mi 2,9 ***b*** 3. Mose 25,39 **4,2** ***a*** 1. Kön 17,12
4,16 ***a*** 1. Mose 18,10.14 **4,20** ***a*** 1. Kön 17,17

einen Sohn erbeten von meinem Herrn?
[a]Sagte ich nicht, du solltest mich nicht
täuschen?
29 Er sprach zu Gehasi: Gürte deine Len-
den und nimm meinen Stab in deine Hand
und geh hin, und wenn dir jemand begeg-
net, so [a]grüße ihn nicht, und grüßt dich
jemand, so danke ihm nicht, und lege mei-
nen Stab auf des Knaben Antlitz. 30 Aber
die Mutter des Knaben sprach: So wahr
der HERR lebt und so wahr du lebst: Ich
lasse nicht von dir! Da machte er sich auf
und ging ihr nach. 31 Gehasi aber ging vor
ihnen hin und legte den Stab dem Knaben
aufs Antlitz: da war aber keine Stimme
und kein Aufmerken. Und er ging zurück
Elisa entgegen und sagte ihm: Der Knabe
ist nicht aufgewacht.
32 Und als Elisa ins Haus kam, siehe, da
lag der Knabe tot auf seinem Bett. 33 [a]Und
er ging hinein und schloss die Tür hinter
sich zu und betete zu dem HERRN 34 und
stieg aufs Bett und [a]legte sich auf das Kind
und legte seinen Mund auf des Kindes
Mund und seine Augen auf dessen Au-
gen und seine Hände auf dessen Hände
und breitete sich so über ihn; da wurde
des Kindes Leib warm. 35 Er aber stand
wieder auf und ging im Haus einmal hier-
hin und dahin und stieg wieder aufs Bett
und breitete sich über ihn. Da nieste der
Knabe sieben Mal; danach tat der Knabe
seine Augen auf.
36 Und Elisa rief Gehasi und sprach: Ruf
die Schunemiterin! Und als er sie rief, kam
sie hinein zu ihm. Er sprach: [a]Da, nimm
hin deinen Sohn! 37 Da kam sie und fiel
nieder zu seinen Füßen und neigte sich
zur Erde und nahm ihren Sohn und ging
hinaus.

ELISA MACHT SCHÄDLICHE SPEISE GESUND UND SPEIST VIELE MIT ZWANZIG BROTEN

38 Als aber Elisa wieder nach Gilgal kam,
war Hungersnot im Lande. Und als die
Prophetenjünger vor ihm saßen, sprach
er zu seinem Diener: Setze einen gro-
ßen Topf auf und koche ein Gemüse für
die Prophetenjünger! 39 Da ging einer aufs
Feld, um Kraut zu sammeln, und fand ein
Rankengewächs und pflückte sein Kleid
voll mit wilden Gurken. Und als er kam,
schnitt er's in den Topf zum Gemüse – sie
kannten's aber nicht – 40 und legte es den
Männern zum Essen vor. Als sie nun von
dem Gemüse aßen, schrien sie und spra-
chen: O Mann Gottes, der Tod im Topf!
Denn sie konnten's nicht essen. 41 Er aber
sprach: Bringt Mehl her! Und er tat's in
den Topf und sprach: Lege es den Leuten
vor, dass sie essen! Da war nichts Böses
mehr in dem Topf.
42 [a]Es kam aber ein Mann von Baal-Scha-
lischa und brachte dem Mann Gottes Erst-
lingsbrot, nämlich zwanzig Gerstenbrote,
und neues Getreide in seinem Beutel. Er
aber sprach: Gib's den Leuten, dass sie
essen! 43 Sein Diener sprach: Wie soll ich
davon hundert Mann geben? Er sprach:
Gib den Leuten, dass sie essen! Denn so
spricht der HERR: Man wird essen und es
wird noch übrig bleiben. 44 Und er legte es
ihnen vor, dass sie aßen; und es blieb noch
übrig nach dem Wort des HERRN.

ELISA HEILT DEN ARAMÄISCHEN FELDHAUPTMANN NAAMAN UND BESTRAFT DEN GEHASI

5 Naaman, der Feldhauptmann des Kö-
nigs von Aram, war ein trefflicher
Mann vor seinem Herrn und wert gehal-
ten; denn durch ihn gab der HERR den
Aramäern Sieg. Und er war ein gewaltiger
Mann, jedoch aussätzig. 2 Aber die Kriegs-
leute der Aramäer waren ausgezogen und
hatten ein junges Mädchen weggeführt
aus dem Lande Israel; die war im Dienst
der Frau Naamans. 3 Die sprach zu ihrer
Herrin: Ach dass mein Herr wäre bei dem
Propheten in Samaria! Der könnte ihn von
seinem Aussatz befreien.
4 Da ging Naaman hinein zu seinem
Herrn und sagte es ihm an und sprach: So
und so hat das Mädchen aus dem Lande Is-
rael geredet. 5 Der König von Aram sprach:
So zieh hin, ich will dem König von Israel
einen Brief schreiben. Und er zog hin und
nahm mit sich zehn Zentner Silber und
sechstausend Schekel Gold und zehn Fei-
erkleider 6 und brachte den Brief dem Kö-
nig von Israel; der lautete: Wenn dieser
Brief zu dir kommt, siehe, so wisse, ich

4,28 ***a*** Vers 16 **4,29** ***a*** Lk 10,4 **4,33** ***a*** (33-35) Apg 9,40
4,34 ***a*** 1. Kön 17,21 **4,36** ***a*** 1. Kön 17,23; Lk 7,15; Hebr 11,35
4,42 ***a*** (42-44) Mt 15,33-37; 16,9-10; Joh 6,9

habe meinen Knecht Naaman zu dir ge-
sandt, damit du ihn von seinem Aussatz
befreist. 7 Und als der König von Israel
den Brief las, zerriss er seine Kleider und
sprach: Bin ich denn Gott, dass ich töten
und lebendig machen könnte, dass er zu
mir schickt, ich solle den Mann von sei-
nem Aussatz befreien? Merkt und seht,
wie er Streit mit mir sucht!

8 Als Elisa, der Mann Gottes, hörte, dass
der König von Israel seine Kleider zerris-
sen hatte, sandte er zu ihm und ließ ihm
sagen: Warum hast du deine Kleider zer-
rissen? Lass ihn zu mir kommen, damit er
innewerde, dass ein Prophet in Israel ist.
9 So kam Naaman mit Rossen und Wa-
gen und hielt vor der Tür am Hause Eli-
sas. 10 Da sandte Elisa einen Boten zu ihm
und ließ ihm sagen: Geh hin und wasche
dich siebenmal im Jordan, so wird dir
dein Fleisch wieder heil und du wirst rein
werden.

11 Da wurde Naaman zornig und zog weg
und sprach: Ich meinte, er selbst sollte zu
mir herauskommen und hertreten und
den Namen des HERRN, seines Gottes,
anrufen und seine Hand über der Stelle
bewegen und mich so von dem Aussatz
befreien. 12 Sind nicht die Flüsse von Da-
maskus, Abana und Parpar, besser als alle
Wasser in Israel, sodass ich mich in ihnen
waschen und rein werden könnte? Und er
wandte sich und zog weg im Zorn. 13 Da
machten sich seine Diener an ihn heran,
redeten mit ihm und sprachen: Lieber Va-
ter, wenn dir der Prophet etwas Großes
geboten hätte, würdest du es nicht tun?
Wie viel mehr, wenn er zu dir sagt: Wa-
sche dich, so wirst du rein! 14 Da stieg er
ab und [a]tauchte unter im Jordan sieben-
mal, wie der Mann Gottes geboten hatte.
Und sein Fleisch wurde wieder heil wie
das Fleisch eines jungen Knaben, und [b]er
wurde rein.

15 Und er kehrte zurück zu dem Mann
Gottes samt seinem ganzen Gefolge.
Und als er hinkam, trat er vor ihn und
sprach: Siehe, nun weiß ich, dass kein
Gott ist in allen Landen außer in Israel; so
nimm nun eine [a]Segensgabe von deinem
Knecht. 16 Elisa aber sprach: So wahr der
HERR lebt, vor dem ich stehe: Ich nehme
es nicht. Und er nötigte ihn, dass er es
nehme; aber er wollte nicht. 17 Da sprach
Naaman: Wenn nicht, so könnte doch
deinem Knecht gegeben werden von die-
ser Erde eine Last, so viel zwei Maultiere
tragen! Denn dein Knecht will nicht mehr
andern Göttern Brandopfer und Schlacht-
opfer darbringen, sondern allein dem
HERRN. 18 Nur darin wolle der HERR dei-
nem Knecht gnädig sein: Wenn mein Herr
in den Tempel Rimmons geht, um dort
anzubeten, und er sich auf meinen Arm
lehnt und ich auch anbeten muss, wenn er
anbetet, im Tempel Rimmons, dann möge
der HERR deinem Knecht vergeben. 19 Er
sprach zu ihm: Zieh hin mit Frieden!

Und als er von ihm eine Strecke We-
ges fortgezogen war, 20 dachte Gehasi,
der Diener Elisas, des Mannes Gottes:
Siehe, mein Herr hat diesen Aramäer Na-
aman verschont, dass er nichts von ihm
genommen hat, was er gebracht hat. So
wahr der HERR lebt: Ich will ihm nach-
laufen und mir etwas von ihm nehmen.
21 So jagte Gehasi dem Naaman nach. Und
als Naaman sah, dass er ihm nachlief,
stieg er vom Wagen, ging ihm entgegen
und sprach: Steht alles gut? 22 Er sprach:
Ja. Aber mein Herr hat mich gesandt und
lässt dir sagen: Siehe, jetzt sind zu mir ge-
kommen vom Gebirge Ephraim zwei von
den Prophetenjüngern. Gib ihnen doch
einen Zentner Silber und zwei Feierklei-
der! 23 Naaman sprach: Nimm lieber zwei
Zentner! Und er nötigte ihn und band
zwei Zentner Silber in zwei Beutel und
zwei Feierkleider und gab's seinen beiden
Dienern; die trugen's vor ihm her. 24 Und
als Gehasi an den Hügel kam, nahm er's
von ihren Händen und legte es beiseite im
Hause und ließ die Männer gehen.

25 Er selbst aber ging hinein und trat vor
seinen Herrn. Und Elisa sprach zu ihm:
Woher, Gehasi? Er sprach: Dein Knecht
ist weder hierhin noch dorthin gegangen.
26 Er aber sprach zu ihm: Ist nicht mein
Herz mit dir gegangen, als ein Mann sich
umwandte von seinem Wagen dir entge-
gen? Ist es an der Zeit, Silber und Kleider
zu nehmen und Ölgärten und Weinberge,
Schafe und Rinder, Knechte und Mägde?
27 Aber der Aussatz Naamans wird dir an-

5,14 ***a*** 3. Mose 14,7 ***b*** Lk 4,27 **5,15** ***a*** Vers 5

hangen und deinen Nachkommen allezeit.
Da ging Gehasi von ihm hinaus, aussätzig
wie Schnee.

ELISA MACHT EISEN SCHWIMMEN

6 Die Prophetenjünger sprachen zu Elisa:
Siehe, der Raum, wo wir vor dir woh-
nen, ist uns zu eng. 2 Lass uns an den Jor-
dan gehen, und jeder von uns soll dort
einen Stamm holen, damit wir uns eine
Stätte bauen, wo wir wohnen können. Er
sprach: Geht hin! 3 Und einer sprach: Geh
doch mit deinen Knechten! Er sprach: Ich
will mitgehen.
4 Und er ging mit ihnen. Und als sie an
den Jordan kamen, hieben sie Bäume um.
5 Und als einer einen Stamm fällte, fiel
ihm das Eisen ins Wasser. Und er schrie:
O weh, mein Herr! Und dazu ist's noch
entliehen! 6 Aber der Mann Gottes sprach:
Wo ist's hingefallen? Und als er ihm die
Stelle zeigte, schnitt er einen Stock ab und
stieß dahin. Da schwamm das Eisen. 7 Und
er sprach: Heb's auf! Da streckte er seine
Hand aus und nahm es.

DIE ARAMÄER WERDEN MIT BLINDHEIT GESCHLAGEN

8 Und der König von Aram führte Krieg
mit Israel und beriet sich mit seinen
Obersten und sprach: Da und da wollen
wir uns lagern. 9 Aber der Mann Gottes
sandte zum König von Israel und ließ ihm
sagen: Hüte dich, dass du nicht an diesem
Ort vorüberziehst, denn die Aramäer lau-
ern dort. 10 So sandte denn der König von
Israel hin an den Ort, den ihm der Mann
Gottes gesagt und vor dem er ihn gewarnt
hatte, und war dort auf der Hut; und tat
das nicht nur einmal oder zweimal.
11 Da wurde das Herz des Königs von
Aram voller Unmut darüber, und er rief
seine Obersten und sprach zu ihnen:
Wollt ihr mir denn nicht sagen, wer von
den Unsern es mit dem König von Israel
hält? 12 Da sprach einer seiner Obersten:
Nicht doch, mein Herr und König, son-
dern Elisa, der Prophet in Israel, sagt al-
les dem König von Israel, auch was du in
der Kammer redest, wo dein Lager ist.
13 Er sprach: So geht hin und seht, wo er
ist, dass ich hinsende und ihn holen lasse.
Und sie sagten es ihm an und sprachen:
Siehe, er ist in Dotan. 14 Da sandte er hin
Rosse und Wagen und ein großes Heer.
Und als sie bei Nacht hinkamen, umstell-
ten sie die Stadt.
15 Und der Diener des Mannes Gottes
stand früh auf und trat heraus, und siehe,
da lag ein Heer um die Stadt mit Rossen
und Wagen. Da sprach sein Diener zu
ihm: O weh, mein Herr! Was sollen wir
nun tun? 16 Er sprach: Fürchte dich nicht,
denn derer sind mehr, die bei uns sind,
als derer, die bei ihnen sind! 17 Und Elisa
betete und sprach: HERR, öffne ihm die
Augen, dass er sehe! Da öffnete der HERR
dem Diener die Augen, und er sah, und
siehe, da war der Berg voll feuriger Rosse
und Wagen um Elisa her.
18 Und als die Aramäer zu ihm herab-
kamen, betete Elisa und sprach: HERR,
schlage dies Volk mit Blindheit! Und [a]er
schlug sie mit Blindheit nach dem Wort
Elisas. 19 Und Elisa sprach zu ihnen: Dies
ist nicht der Weg und nicht die Stadt. Folgt
mir nach! Ich will euch führen zu dem
Mann, den ihr sucht. Und er führte sie
nach Samaria. 20 Und als sie nach Samaria
kamen, sprach Elisa: HERR, öffne diesen
die Augen, dass sie sehen! Und der HERR
öffnete ihnen die Augen, und sie sahen,
und siehe, da waren sie mitten in Samaria.
21 Und als der König von Israel sie sah,
sprach er zu Elisa: Mein Vater, soll ich sie
erschlagen? 22 Er sprach: Du sollst sie nicht
erschlagen. Erschlägst du denn die, die du
mit Schwert und Bogen gefangen hast?
[a]Setze ihnen Brot und Wasser vor, dass
sie essen und trinken, und lass sie zu ih-
rem Herrn ziehen! 23 Da wurde ein großes
Mahl bereitet. Und als sie gegessen und
getrunken hatten, ließ er sie gehen, dass
sie zu ihrem Herrn zogen. Seitdem kamen
streifende Rotten der Aramäer nicht mehr
ins Land Israel.

BELAGERUNG UND ERRETTUNG SAMARIAS

24 Danach begab es sich, dass Ben-Hadad,
der König von Aram, sein ganzes Heer
versammelte, und er zog herauf und be-
lagerte Samaria. 25 Und es war eine große

6,18 *a* 1. Mose 19,11 **6,22** *a* 3. Mose 19,18; 2. Chr 28,9-15; Spr 25,21-22

Hungersnot in Samaria. Sie aber belager-
ten die Stadt, bis ein Eselskopf achtzig Sil-
berstücke und eine Handvoll Taubenmist
fünf Silberstücke galt.

26 Und als der König von Israel auf der
Mauer einherging, schrie ihn eine Frau an
und sprach: Hilf mir, mein Herr und Kö-
nig! 27 Er sprach: Hilft dir der HERR nicht,
woher soll ich dir helfen? Von der Tenne
oder von der Kelter? 28 [a]Und der König
sprach zu ihr: Was ist dir? Sie sprach:
Diese Frau da sprach zu mir: Gib deinen
Sohn her, dass wir ihn heute essen; mor-
gen wollen wir meinen Sohn essen. 29 So
haben wir meinen Sohn gekocht und ge-
gessen. Und ich sprach zu ihr am nächsten
Tage: Gib deinen Sohn her und lass uns
ihn essen! Aber sie hat ihren Sohn ver-
steckt. 30 Als der König die Worte der Frau
hörte, zerriss er seine Kleider, während
er auf der Mauer ging. Da sah alles Volk,
dass er darunter den Sack auf seinem Leib
trug. 31 Und er sprach: Gott tue mir dies
und das, wenn Elisa, der Sohn Schafats,
heute seinen Kopf behält!

32 Elisa aber saß in seinem Hause, und
die Ältesten saßen bei ihm. Und der
König sandte einen Mann vor sich her.
Aber ehe der Bote zu ihm kam, sprach
Elisa zu den Ältesten: Habt ihr gesehen,
wie dieser Mörder hergesandt hat, dass er
mir das Haupt abschlage? Seht zu, wenn
der Bote eintritt, dass ihr die Tür zu-
schließt und ihn mit der Tür wegstoßt.
Hört man nicht schon das Geräusch der
Tritte seines Herrn hinter ihm her? 33 Als
er noch so mit ihnen redete, siehe, da
kam schon der König zu ihm hinab und
sprach: Siehe, [a]dies Übel kommt von
dem HERRN! Was soll ich noch von dem
HERRN erwarten?

7 [a]Elisa aber sprach: Hört des HERRN
Wort! So spricht der HERR: Morgen
um diese Zeit wird ein Maß feines Mehl
einen Schekel gelten und zwei Maß Gerste
einen Schekel im Tor von Samaria. 2 Da
antwortete der Ritter, auf dessen Arm sich
der König lehnte, dem Mann Gottes und
sprach: Und wenn der HERR Fenster am
Himmel machte, wie könnte das gesche-
hen? Er sprach: Siehe, mit deinen Augen
wirst du es sehen, doch du wirst nicht da-
von essen!

3 Und es waren vier aussätzige Männer
[a]vor dem Tor, und einer sprach zum an-
dern: Was sollen wir hierbleiben, bis wir
sterben? 4 Wenn wir in die Stadt gehen
wollten, so ist Hungersnot in der Stadt
und wir müssten doch dort sterben. Blei-
ben wir aber hier, so müssen wir auch
sterben. So lasst uns nun hingehen und zu
dem Heer der Aramäer überlaufen. Lassen
sie uns leben, so leben wir, töten sie uns,
so sind wir tot. 5 Und sie machten sich in
der Dämmerung auf, um zum Heer der
Aramäer zu kommen. Und als sie vorn an
das Lager kamen, siehe, da war niemand
da. 6 Denn [a]der Herr hatte die Aramäer
hören lassen ein Getümmel von Rossen,
Wagen und großer Heeresmacht, sodass
sie untereinander sprachen: Siehe, der Kö-
nig von Israel hat gegen uns angeworben
die Könige der Hetiter und die Könige der
Ägypter, dass sie über uns kommen sol-
len. 7 Und sie machten sich auf und flohen
in der Dämmerung und ließen ihre Zelte,
Rosse und Esel im Lager, wie es stand, und
flohen, um ihr Leben zu retten.

8 Als nun die Aussätzigen an den Rand
des Lagers kamen, gingen sie in eins der
Zelte, aßen und tranken und nahmen
Silber, Gold und Kleider und gingen hin
und verbargen's und kamen wieder und
gingen in ein anderes Zelt und nahmen
daraus und gingen hin und verbargen's.
9 Aber einer sprach zum andern: Lasst uns
so nicht tun; dieser Tag ist ein Tag guter
Botschaft. Wenn wir das verschweigen
und warten, bis es lichter Morgen wird, so
wird uns Schuld treffen. So lasst uns nun
hingehen und es dem Hause des Königs
ansagen. 10 Und da sie kamen, riefen sie
die Torhüter der Stadt und sagten's ihnen
an und sprachen: Wir sind zum Lager der
Aramäer gekommen, und siehe, da ist nie-
mand mehr und keine Menschenstimme,
sondern Rosse und Esel angebunden und
die Zelte, wie sie dastehen. 11 Da riefen es
die Torhüter aus, und man sagte es drin-
nen im Hause des Königs an.

12 Und der König stand noch in der Nacht
auf und sprach zu seinen Obersten: Lasst
euch sagen, wie es die Aramäer mit uns

6,28 ***a*** (28-29) 3. Mose 26,29; 5. Mose 28,53; Klgl 4,10
6,33 ***a*** Am 3,6 **7,1** ***a*** (1-2) Verse 16-19 **7,3** ***a*** 3. Mose 13,46
7,6 ***a*** Kap 6,17; 19,7

machen. Sie wissen, dass wir Hunger lei-
den, und sind aus dem Lager gegangen,
um sich im Felde zu verbergen, und den-
ken: Wenn sie aus der Stadt gehen, wol-
len wir sie lebendig ergreifen und in die
Stadt eindringen. 13 Da antwortete einer
seiner Obersten: Man nehme fünf Rosse
von denen, die noch in der Stadt übrig ge-
blieben sind – ihnen wird es ja doch ge-
hen wie der ganzen Menge, die hier noch
übrig geblieben oder schon dahin ist. Die
lasst uns senden, um nachzusehen. 14 Da
nahmen sie zwei Wagen mit Rossen, und
der König sandte sie dem Heer der Ara-
mäer nach und sprach: Zieht hin und seht
nach! 15 Und als sie ihnen nachzogen bis an
den Jordan, siehe, da lag der Weg voll von
Kleidern und Geräten, die die Aramäer in
der Eile von sich geworfen hatten. Und als
die Boten zurückkamen und es dem Kö-
nig ansagten, 16 ging das Volk hinaus und
plünderte das Lager der Aramäer. Und es
galt ein Maß feines Mehl einen Schekel
und zwei Maß Gerste auch einen Schekel
nach dem Wort des HERRN.

17 Aber der König bestellte den Ritter,
auf dessen Arm er sich lehnte, in das Tor.
Und das Volk zertrat ihn im Tor, sodass er
starb, wie der Mann Gottes gesagt hatte,
als der König zu ihm hinabkam. 18 Und es
geschah, wie der Mann Gottes dem Kö-
nig gesagt hatte, als er sprach: Morgen
um diese Zeit werden zwei Maß Gerste
einen Schekel gelten und ein Maß feines
Mehl einen Schekel im Tor von Samaria.
19 Und der Ritter hatte dem Mann Gottes
geantwortet: Und siehe, wenn der HERR
Fenster am Himmel machte, wie könnte
das geschehen? Elisa aber hatte gespro-
chen: Siehe, mit deinen Augen wirst du
es sehen, doch du wirst nicht davon essen!
20 Und genau so erging es ihm; denn das
Volk zertrat ihn im Tor, dass er starb.

DIE SCHUNEMITERIN ERHÄLT IHREN BESITZ ZURÜCK

8 Elisa redete mit der Frau, [a]deren Sohn
er lebendig gemacht hatte, und sprach:
Mach dich auf und zieh fort mit deinem
Hause und wohne in der Fremde, wo du
kannst; denn der HERR wird eine Hun-
gersnot rufen, die wird ins Land kommen
sieben Jahre lang. 2 Die Frau machte sich
auf und tat, wie der Mann Gottes sagte,
und zog hin mit ihrem Hause und wohnte
im Land der Philister sieben Jahre. 3 Als
aber die sieben Jahre um waren, kam die
Frau aus dem Land der Philister zurück.
Und sie ging hin, den König anzurufen
wegen ihres Hauses und ihres Ackers.

4 Der König aber redete mit Gehasi, dem
Diener des Mannes Gottes, und sprach:
Erzähle mir alle großen Taten, die Elisa
getan hat! 5 Und während er dem König
erzählte, dass er einen Toten lebendig ge-
macht hätte, siehe, da kam eben die Frau
dazu, deren Sohn er lebendig gemacht
hatte, und rief den König an wegen ihres
Hauses und ihres Ackers. Da sprach Ge-
hasi: Mein Herr und König, dies ist die
Frau und dies ist ihr Sohn, den Elisa leben-
dig gemacht hat. 6 Und der König fragte
die Frau, und sie erzählte es ihm. Da gab
ihr der König einen Kämmerer mit und
sprach: Verschaffe ihr alles wieder, was
ihr gehört, dazu allen Ertrag des Ackers
seit der Zeit, da sie das Land verlassen hat,
bis jetzt!

BEN-HADADS TOD. HASAËL WIRD KÖNIG VON ARAM

7 Und Elisa kam nach Damaskus. Da lag
Ben-Hadad, der König von Aram, krank
und man sagte ihm: Der Mann Gottes ist
hierhergekommen. 8 Da sprach der König
zu Hasaël: Nimm ein Geschenk mit dir
und geh dem Mann Gottes entgegen und
befrage den HERRN durch ihn, ob ich von
dieser Krankheit genesen könne. 9 Hasa-
ël ging ihm entgegen und nahm ein Ge-
schenk mit sich, allerlei kostbare Dinge
von Damaskus, eine Last für vierzig Ka-
mele. Und als er hinkam, trat er vor Elisa
und sprach: Dein Sohn Ben-Hadad, der
König von Aram, hat mich zu dir gesandt
und lässt dir sagen: Kann ich von dieser
Krankheit genesen?

10 Elisa sprach zu ihm: Geh hin und
sage ihm: Du wirst genesen! – Aber der
HERR hat mir gezeigt, dass er des Todes
sterben wird. 11 Und Hasaël schaute starr
und lange vor sich hin, der Mann Gottes
aber weinte. 12 Da sprach Hasaël: Warum
weint mein Herr? Er sprach: Ich weiß,

8,1 *a* Kap 4,35

was du den Israeliten Böses antun wirst:
[a]Du wirst ihre festen Städte mit Feuer verbrennen und ihre junge Mannschaft mit
dem Schwert erschlagen und ihre jungen
Kinder töten und ihre schwangeren Frauen aufschlitzen.
13 Hasaël sprach: Was ist
dein Knecht, der Hund, dass er so große
Dinge tun sollte? Elisa sprach: Der HERR
hat mir gezeigt, dass du [a]König über Aram
sein wirst.

14 Und er ging weg von Elisa und kam zu
seinem Herrn. Der sprach zu ihm: Was
sagte dir Elisa? Er sprach: Er sagte mir:
Du wirst genesen.
15 Am andern Tage aber
nahm er die Decke und tauchte sie in Wasser und breitete sie über des Königs Angesicht. Da starb er, und Hasaël wurde König
an seiner statt.

JORAM, KÖNIG VON JUDA
(vgl. 2. Chr 21,1; 21,5-10)

16 Im fünften Jahr Jorams, des Sohnes
Ahabs, des Königs von Israel, – Joschafat
war noch König von Juda – wurde [a]Joram, der Sohn Joschafats, König von Juda.
17 Zweiunddreißig Jahre alt war er, als er
König wurde, und er regierte acht Jahre
zu Jerusalem
18 und wandelte auf dem
Wege der Könige von Israel, wie das Haus
Ahab tat; denn Ahabs Tochter war seine
Frau. Und er tat, was dem HERRN missfiel.
19 Aber der HERR wollte Juda nicht
verderben um seines Knechtes David
willen, [a]wie er ihm zugesagt hatte, ihm
eine [b]Leuchte zu geben und seinen Söhnen immerdar.

20 Zu seiner Zeit fielen die Edomiter von
Juda ab und setzten einen König über sich.
21 Da zog Joram nach Zaïr und alle Wagen
mit ihm, und er machte sich des Nachts
auf und schlug die Edomiter, die ihn umringt hatten, dazu die Obersten über die
Wagen, sodass das Volk in seine Wohnungen floh.
22 Doch blieben die Edomiter abtrünnig von Juda bis auf diesen Tag. Auch
fiel zur selben Zeit Libna ab.

23 Was aber mehr von Joram zu sagen ist
und alles, was er getan hat, siehe, das steht
geschrieben in der Chronik der Könige
von Juda.
24 Und Joram legte sich zu seinen Vätern und wurde begraben bei seinen Vätern in der Stadt Davids. Und sein
Sohn Ahasja wurde König an seiner statt.

AHASJA, KÖNIG VON JUDA
(vgl. 2. Chr 22,1-6)

25 Im zwölften Jahr Jorams, des Sohnes Ahabs, des Königs von Israel, wurde
Ahasja, der Sohn Jorams, König von Juda.
26 Zweiundzwanzig Jahre alt war Ahasja,
als er König wurde; und er regierte ein Jahr
zu Jerusalem. Seine Mutter hieß [a]Atalja,
eine Tochter Omris, des Königs von Israel.
27 Und er wandelte auf dem Wege des
Hauses Ahab und tat, was dem HERRN
missfiel, wie das Haus Ahab; denn er war
verschwägert mit dem Hause Ahab.

28 Und er zog mit Joram, dem Sohn
Ahabs, nach Ramot in Gilead in den
Kampf gegen Hasaël, den König von
Aram; aber die Aramäer verwundeten
Joram.
29 Da [a]kehrte der König Joram zurück, um sich in Jesreel von den Wunden
heilen zu lassen, die ihm die Aramäer in
Rama geschlagen hatten, als er mit Hasaël, dem König von Aram, kämpfte. Und
Ahasja, der Sohn Jorams, der König von
Juda, kam hinab, um in Jesreel Joram, den
Sohn Ahabs, zu besuchen; denn er lag
krank.

DER AUFSTAND JEHUS

9 Aber der Prophet Elisa rief einen der
Prophetenjünger und sprach zu ihm:
Gürte deine Lenden und nimm diesen
Ölkrug mit dir und geh hin nach Ramot
in Gilead.
2 Und wenn du dahin kommst,
wirst du dort Jehu sehen, den Sohn Joschafats, des Sohnes Nimschis. Und geh
hinein und lass ihn aufstehen unter seinen Brüdern und führe ihn in die innerste
Kammer
3 und nimm den Krug mit Öl
und gieß es auf sein Haupt und sprich: So
sagt der HERR: [a]Ich habe dich zum König über Israel gesalbt! – und dann sollst
du die Tür auftun und fliehen und nicht
zögern.

4 Und der Prophetenjünger ging hin nach
Ramot in Gilead.
5 Und als er hinkam,
siehe, da saßen die Hauptleute des Heeres beisammen. Und er sprach: Ich habe
dir, Hauptmann, etwas zu sagen. Jehu
sprach: Wem von uns allen? Er sprach:
Dir, Hauptmann!
6 Da stand er auf und

8,12 ***a*** Kap 10,32 **8,13** ***a*** 1. Kön 19,15 **8,16** ***a*** 1. Kön 22,51
8,19 ***a*** 2. Sam 7,11-16 ***b*** 1. Kön 11,36 **8,26** ***a*** Kap 11,1
8,29 ***a*** Kap 9,14-16 **9,3** ***a*** 1. Kön 19,16

ging ins Haus. Er aber goss das Öl auf sein
Haupt und sagte zu ihm: So spricht der
HERR, der Gott Israels: Ich habe dich zum
König gesalbt über das Volk des HERRN,
über Israel. 7 Und du sollst das Haus
Ahabs, deines Herrn, schlagen, dass ich
[a]das Blut meiner Knechte, der Propheten,
und das Blut aller Knechte des HERRN rä-
che, das die Hand Isebels vergossen hat,
8 sodass das ganze Haus Ahab umkomme.
[a]Und ich will von Ahab ausrotten, was an
die Wand pisst, bis auf den letzten Mann
in Israel, 9 und will das Haus Ahab machen
[a]wie das Haus Jerobeams, des Sohnes Ne-
bats, und [b]wie das Haus Baschas, des Soh-
nes Ahijas. 10 Und [a]die Hunde sollen Isebel
fressen auf dem Acker in Jesreel, und nie-
mand soll sie begraben. Und er tat die Tür
auf und floh.

11 Und als Jehu herausging zu den
Knechten seines Herrn, sprach man zu
ihm: Steht es gut? Warum ist dieser Ra-
sende zu dir gekommen? Er sprach zu ih-
nen: Ihr kennt doch den Mann und sein
Geschwätz. 12 Sie sprachen: Das ist nicht
wahr; sage es uns an! Er sprach: So und
so hat er mit mir geredet und gesagt: So
spricht der HERR: Ich habe dich zum Kö-
nig über Israel gesalbt. 13 Da [a]nahm jeder
eilends sein Kleid und legte es vor ihn hin
auf die bloßen Stufen, und sie bliesen die
Posaune und riefen: Jehu ist König gewor-
den! 14 So machte Jehu, der Sohn Joscha-
fats, des Sohnes Nimschis, gegen Joram
eine Verschwörung.

Joram aber hatte mit ganz Israel vor Ra-
mot in Gilead gelegen wider Hasaël, den
König von Aram. 15 [a]Und der König Joram
war zurückgekommen, um sich in Jesreel
heilen zu lassen von den Wunden, die ihm
die Aramäer geschlagen hatten, als er mit
Hasaël kämpfte, dem König von Aram.

Und Jehu sprach: Wenn ihr wollt, dann
soll niemand aus der Stadt entrinnen, dass
er hingehe und es ansage in Jesreel. 16 Und
er stieg auf seinen Wagen und fuhr nach
Jesreel, denn Joram lag dort. Und Ahasja,
der König von Juda, war hinabgezogen,
um Joram zu besuchen.

17 Aber der Wächter, der auf dem Turm
in Jesreel stand, sah die Schar Jehus her-
ankommen, und sprach: Ich sehe eine
Schar. Da sprach Joram: Nimm einen Rei-
ter, den sende ihnen entgegen und lass
ihn fragen: Ist's Friede? 18 Und der Reiter
ritt hin ihm entgegen und sprach: So sagt
der König: Ist's Friede? Jehu sprach: Was
geht dich der Friede an? Wende um, folge
mir! Der Wächter verkündete und sprach:
Der Bote ist bei ihnen angekommen und
kommt nicht zurück. 19 Da sandte Joram
einen zweiten Reiter. Als der zu ihnen
kam, sprach er: So spricht der König: Ist's
Friede? Jehu sprach: Was geht dich der
Friede an? Wende um, folge mir! 20 Das
verkündete der Wächter und sprach: Er ist
bei ihnen angekommen und kommt nicht
zurück. Und es ist ein Jagen wie das Jagen
Jehus, des Sohnes Nimschis; denn er jagt,
wie wenn er rasend wäre.

21 Da sprach Joram: Spannt an! Und
man spannte seinen Wagen an. Und sie
zogen aus, Joram, der König von Israel,
und Ahasja, der König von Juda, jeder auf
seinem Wagen, um Jehu entgegenzufah-
ren; und sie trafen ihn [a]auf dem Acker Na-
bots, des Jesreeliters. 22 Und als Joram Jehu
sah, sprach er: Jehu, ist's Friede? Er aber
sprach: Was, Friede? Deiner Mutter Isebel
Abgötterei und ihre viele Zauberei haben
noch kein Ende! 23 Da wandte Joram um
und floh und sprach zu Ahasja: Verräterei,
Ahasja! 24 Aber Jehu fasste den Bogen und
schoss Joram zwischen die Arme, dass der
Pfeil durch sein Herz fuhr und er in sei-
nem Wagen zusammenbrach.

25 Und Jehu sprach zu seinem Ritter Bid-
kar: Nimm und [a]wirf ihn auf den Acker
Nabots, des Jesreeliters! Denn ich denke
daran, wie du mit mir auf einem Wagen
seinem Vater Ahab nachfuhrst, als der
HERR diese Last auf ihn legte: 26 Fürwahr,
spricht der HERR, ich will dir das Blut Na-
bots und seiner Kinder, das ich gestern ge-
sehen habe, vergelten auf diesem Acker,
spricht der HERR. So nimm ihn nun und
wirf ihn auf den Acker nach dem Wort des
HERRN.

27 [a]Als das Ahasja, der König von Juda,
sah, floh er auf Bet-Gan zu. Jehu aber
jagte ihm nach und rief: Auch ihn! Und

9,7 *a* Kap 10,11; 1. Kön 18,13; 21,13 **9,8** *a* 1. Kön 14,10
9,9 *a* 1. Kön 15,29 *b* 1. Kön 16,3.11 **9,10** *a* 1. Kön 21,23
9,13 *a* Mt 21,7 **9,15** *a* *(15-16)* Kap 8,28-29
9,21 *a* 1. Kön 21,1 **9,25** *a* 1. Kön 21,19
9,27 *a* (27-29) 2. Chr 22,7-9

sie schossen auf ihn auf dem Wagen an
der Steige von Gur, die bei Jibleam liegt.
Und er floh nach Megiddo und starb dort.
28 Und seine Knechte brachten ihn nach
Jerusalem und begruben ihn in seinem
Grabe bei seinen Vätern in der Stadt Da-
vids. 29 Ahasja aber war König geworden
über Juda im elften Jahr Jorams, des Soh-
nes Ahabs.
30 Und als Jehu nach Jesreel kam und Ise-
bel das erfuhr, schminkte sie ihr Angesicht
und schmückte ihr Haupt und schaute
zum Fenster hinaus. 31 Und als Jehu un-
ter das Tor kam, sprach sie: Geht's gut, du
[a]Simri, der seinen Herrn erschlug? 32 Und
er hob sein Angesicht auf zum Fenster
und sprach: Wer hält's hier mit mir? Da
sahen zwei oder drei Kämmerer zu ihm
heraus. 33 Er sprach: Stürzt sie hinab! Und
sie stürzten Isebel hinab, sodass die Wand
und die Rosse mit ihrem Blut besprengt
wurden; und sie wurde zertreten.
34 Und als er hineinkam und gegessen
und getrunken hatte, sprach er: Seht doch
nach der Verfluchten und begrabt sie;
denn sie ist eines Königs Tochter! 35 Als
sie aber hingingen, sie zu begraben, fan-
den sie nichts von ihr als den Schädel und
die Füße und ihre Hände. 36 Und sie ka-
men zurück und sagten's Jehu an. Er aber
sprach: Das ist's, [a]was der HERR geredet
hat durch seinen Knecht Elia, den Tisch-
biter, als er sprach: Auf dem Acker von
Jesreel sollen die Hunde das Fleisch Ise-
bels fressen, 37 und der Leichnam Isebels
soll wie Kot auf dem Felde sein im Gefilde
von Jesreel, dass man nicht sagen könne:
Das ist Isebel.

JEHU ROTTET DAS HAUS AHAB AUS

10 Ahab aber hatte siebzig Söhne in Sa-
maria. Und Jehu schrieb Briefe und
sandte sie nach Samaria, zu den Obers-
ten der Stadt, zu den Ältesten und Vor-
mündern der Söhne Ahabs; die lauteten:
2 Wenn dieser Brief zu euch kommt, bei
denen eures Herrn Söhne sind und Wa-
gen, Rosse, feste Städte und Rüstung,
3 so seht, welcher der beste und geschick-
teste sei unter den Söhnen eures Herrn,
und setzt ihn auf seines Vaters Thron und
kämpft für eures Herrn Haus. 4 Sie aber
fürchteten sich gar sehr und sprachen:
Siehe, zwei Könige konnten ihm nicht
widerstehen; wie könnten wir ihm dann
widerstehen?[a] 5 Und der Hofmeister und
der Stadtvogt und die Ältesten und Vor-
münder sandten hin zu Jehu und ließen
ihm sagen: Wir sind deine Knechte. Wir
wollen alles tun, was du uns sagst; wir
wollen niemand zum König machen. Tu,
was dir gefällt.
6 Da schrieb er einen zweiten Brief an
sie, der lautete: Wenn ihr zu mir haltet
und meiner Stimme gehorcht, so nehmt
die Köpfe der Söhne eures Herrn und
bringt sie zu mir morgen um diese Zeit
nach Jesreel. Es waren aber siebzig Söhne
des Königs, und die Großen der Stadt
erzogen sie. 7 Als nun der Brief zu ihnen
kam, nahmen sie des Königs Söhne und
schlachteten sie ab, alle siebzig, und legten
ihre Köpfe in Körbe und schickten sie zu
Jehu nach Jesreel.
8 Und als der Bote kam und ihm sagte:
Sie haben die Köpfe der Söhne des Kö-
nigs gebracht, sprach er: Legt sie in zwei
Haufen vor das Tor bis zum Morgen. 9 Und
am Morgen, als er ausging, trat er hin und
sprach zu allem Volk: Ihr seid ohne Schuld.
Siehe, ich habe gegen meinen Herrn eine
Verschwörung gemacht und ihn getötet.
Wer aber hat denn diese alle erschlagen?
10 So erkennt denn, dass kein Wort des
HERRN auf die Erde gefallen ist, [a]das der
HERR geredet hat gegen das Haus Ahab.
Der HERR hat getan, wie er geredet hat
durch seinen Knecht Elia. 11 So [a]erschlug
Jehu alle Übriggebliebenen vom Hause
Ahab in Jesreel, alle seine Großen, seine
Verwandten und seine Priester, bis nicht
ein Einziger übrig blieb.
12 Und Jehu machte sich auf, zog hin und
kam nach Samaria. Aber als er unterwegs
nach Bet-Eked der Hirten kam, 13 [a]da traf
Jehu die Brüder Ahasjas, des Königs von
Juda, und sprach: Wer seid ihr? Sie spra-
chen: Wir sind Brüder Ahasjas und ziehen
hinab, um die Söhne des Königs und die
Söhne der Königinmutter zu grüßen. 14 Er
aber sprach: Ergreift sie lebendig! Und sie
ergriffen sie lebendig und schlachteten sie
ab bei dem Brunnen von Bet-Eked, zwei-

9,31 *a* 1. Kön 16,9-10 **9,36** *a* 1. Kön 21,23
10,4 *a* Kap 9,24.27 **10,10** *a* 1. Kön 21,21 **10,11** *a* Hos 1,4
10,13 *a* (13-14) 2. Chr 22,8

undvierzig Mann, und er ließ nicht einen
Einzigen von ihnen übrig.
15 Und als er von dort weiterzog, traf er
[a]Jonadab, den Sohn Rechabs, der ihm be-
gegnete. Und er grüßte ihn und sprach zu
ihm: Ist dein Herz aufrichtig gegen mich
wie mein Herz gegen dein Herz? Jonadab
sprach: Ja. Da sprach Jehu: Wenn es so ist,
dann gib mir deine Hand! Und Jonadab
gab ihm seine Hand. Und Jehu ließ ihn zu
sich auf den Wagen steigen 16 und sprach:
Komm mit mir und sieh meinen Eifer für
den HERRN! Und er ließ ihn mit sich fah-
ren auf seinem Wagen. 17 Und als er nach
Samaria kam, erschlug er alles, was übrig
war von Ahab in Samaria, bis er sein Haus
vertilgt hatte nach dem [a]Wort des HERRN,
das er zu Elia geredet hatte.

JEHU ROTTET DEN BAALSDIENST AUS. SEIN TOD

18 Und Jehu versammelte alles Volk und
ließ ihnen sagen: [a]Ahab hat Baal wenig
gedient; Jehu will ihm besser dienen.
19 So lasst nun zu mir rufen alle Prophe-
ten Baals, die in seinem Dienst stehen,
und alle seine Priester, dass man niemand
vermisse; denn ich habe ein großes Opfer
dem Baal zu bringen. Wen man vermis-
sen wird, der soll nicht am Leben bleiben.
Aber Jehu tat dies mit Hinterlist, um die
Diener Baals umzubringen.
20 Und Jehu sprach: Feiert dem Baal ein
heiliges Fest! Und sie ließen es ausru-
fen. 21 Auch sandte Jehu umher in ganz
Israel und ließ alle Diener Baals kom-
men, dass niemand übrig war, der nicht
gekommen wäre. Und sie gingen in das
Haus Baals, dass das Haus Baals voll
wurde an allen Enden. 22 Da sprach er zu
dem, der über die Kleiderkammer ge-
setzt war: Bring allen Dienern Baals Fei-
erkleider heraus! Und er brachte ihnen
die Kleider heraus. 23 Und Jehu ging in
das Haus Baals mit Jonadab, dem Sohn
Rechabs, und sprach zu den Dienern
Baals: Forscht und seht zu, dass hier nicht
jemand unter euch sei von den Dienern
des HERRN, sondern Baals Diener allein.
24 Und sie kamen hinein, um Schlacht-
opfer und Brandopfer darzubringen. Jehu
aber stellte außen achtzig Mann auf und
sprach: Wenn einer der Männer entrinnt,
die ich in eure Hände gebe, so soll euer
Leben für sein Leben sein!
25 Als er nun die Brandopfer vollendet
hatte, sprach Jehu zu der Leibwache und
den Rittern: Geht hinein und [a]erschlagt
jedermann; lasst niemand entkommen!
Und sie schlugen sie mit der Schärfe des
Schwerts. Und die Leibwache und die
Ritter warfen die Leichname hinaus und
drangen in das Innere des Hauses Baals
26 [a]und brachten hinaus die Steinmale
aus dem Hause Baals und verbrannten
sie 27 und zerbrachen das Steinmal des
Baal samt dem Hause Baals und machten
Stätten des Unrats daraus bis auf diesen
Tag.
28 So vertilgte Jehu den Baal aus Is-
rael; 29 aber von den [a]Sünden Jerobeams,
des Sohnes Nebats, der Israel sündigen
machte, ließ Jehu nicht ab, von den golde-
nen Kälbern in Bethel und in Dan.
30 Und der HERR sprach zu Jehu: Weil
du willig gewesen bist, zu tun, was mir
gefallen hat, und am Hause Ahab alles ge-
tan hast, was in meinem Herzen war, [a]sol-
len dir auf dem Thron Israels sitzen deine
Söhne bis ins vierte Glied. 31 Aber doch
hielt Jehu nicht das Gesetz des HERRN,
des Gottes Israels, dass er darin wandelte
von ganzem Herzen; denn er ließ nicht ab
von den Sünden Jerobeams, der Israel sün-
digen gemacht hatte.
32 Zur selben Zeit fing der HERR an, Stü-
cke von Israel abzutrennen; denn [a]Hasaël
schlug sie im ganzen Gebiet Israels 33 vom
Jordan gegen Sonnenaufgang, das ganze
Land Gilead, die Gaditer, Rubeniter und
Manassiter, von Aroër an, das am Arnon
liegt, Gilead und Baschan.
34 Was aber mehr von Jehu zu sagen ist
und alles, was er getan hat, und alle seine
tapferen Taten, siehe, das steht geschrie-
ben in der Chronik der Könige von Israel.
35 Und Jehu legte sich zu seinen Vätern,
und sie begruben ihn zu Samaria. Und
sein Sohn [a]Joahas wurde König an seiner
statt. 36 Die Zeit aber, die Jehu über Israel
regiert hat zu Samaria, sind achtundzwan-
zig Jahre.

10,15 *a* Jer 35,6 **10,17** *a* 1. Kön 21,21
10,18 *a* 1. Kön 16,31-33 **10,25** *a* 1. Kön 18,40
10,26 *a* (26-27) Kap 3,2; 11,18 **10,29** *a* 1. Kön 12,26-33
10,30 *a* Kap 15,12 **10,32** *a* Kap 8,12 **10,35** *a* Kap 13,1

DIE HERRSCHAFT DER ATALJA. JOASCH WIRD KÖNIG VON JUDA

(vgl. 2. Chr 22,10–23,21)

11 Als aber Atalja, [a]Ahasjas Mutter, sah,
dass [b]ihr Sohn tot war, machte sie sich
auf und brachte alle aus dem königlichen
Geschlecht um. 2 Aber Joscheba, die Toch-
ter des Königs Joram, Ahasjas Schwester,
nahm Joasch, den Sohn Ahasjas, und stahl
ihn aus der Mitte der Söhne des Königs,
die getötet werden sollten, und brachte
ihn mit seiner Amme in die Bettenkam-
mer. Und man verbarg ihn vor Atalja, dass
er nicht getötet wurde. 3 Und er war bei
Joscheba versteckt im Hause des HERRN
sechs Jahre lang. Atalja aber war Königin
über das Land.

4 Im siebenten Jahr aber sandte Jojada
hin und nahm die Hauptleute über Hun-
dert von der Garde und der Leibwache
und ließ sie zu sich ins Haus des HERRN
kommen und schloss einen Bund mit ih-
nen und nahm einen Eid von ihnen im
Hause des HERRN und zeigte ihnen den
Sohn des Königs 5 und gebot ihnen: Das
ist's, was ihr tun sollt: Ein Drittel von
euch, die ihr am Sabbat antretet, soll Wa-
che halten im Haus des Königs 6 und ein
Drittel soll Wache halten am Tor Sur und
ein Drittel am Tor hinter dem Haus der
Leibwache; so sollt ihr Wache halten rings
um das Haus. 7 Aber zwei Abteilungen von
euch, die am Sabbat abtreten, sollen Wa-
che halten im Hause des HERRN um den
König her, 8 und ihr sollt euch rings um
den König stellen, jeder mit seiner Waffe
in der Hand, und wer hereinkommt zwi-
schen die Reihen, der sterbe. Und ihr sollt
bei dem König sein, wenn er aus und ein
geht.

9 Und die Hauptleute über Hundert ta-
ten alles, was ihnen der Priester Jojada
geboten hatte, und nahmen zu sich ihre
Männer, die am Sabbat antraten, mit de-
nen, die am Sabbat abtraten, und kamen
zu dem Priester Jojada. 10 Und der Pries-
ter gab den Hauptleuten über Hundert
die Spieße und [a]Köcher, die dem König
David gehört hatten und in dem Hause
des HERRN waren. 11 Und die Leibwache
stand, jeder mit seiner Waffe in der Hand,
von der Seite des Tempels im Süden bis
zur Seite im Norden, vor dem Altar und
dem Tempel, rings um den König herum.
12 Und Jojada ließ den Sohn des Königs
hervortreten und setzte ihm die Krone
auf und [a]gab ihm die Ordnung, und sie
machten ihn zum König und salbten ihn,
klatschten in die Hände und riefen: Es
lebe der König!

13 Und als Atalja das Geschrei der Leib-
wache und des Volks hörte, das herzu-
lief, kam sie zum Volk in das Haus des
HERRN 14 und sah, und siehe, da stand
der König an der Säule, wie es Brauch
war, und die Hauptleute und die Trom-
peter bei dem König. Und alles Volk des
Landes war fröhlich und blies die Trom-
peten. Atalja aber zerriss ihre Kleider
und rief: Aufruhr, Aufruhr! 15 Aber der
Priester Jojada gebot den Hauptleuten
über Hundert, die über das Heer gesetzt
waren, und sprach zu ihnen: Führt sie
zwischen den Reihen hinaus, und wer ihr
folgt, der sterbe durchs Schwert! Denn
der Priester hatte gesagt, sie sollte nicht
im Hause des HERRN getötet werden.
16 Und sie legten die Hände an sie, und
sie ging hin den Weg, wo die Rosse zum
Hause des Königs gehen, und wurde dort
getötet.

17 Und Jojada schloss einen Bund zwi-
schen dem HERRN und dem König und
dem Volk, dass sie des HERRN Volk sein
sollten; desgleichen auch zwischen dem
König und dem Volk. 18 Da ging alles Volk
des Landes in das Haus Baals, und sie
[a]brachen seine Altäre ab und zerschlugen
seine Götzenbilder ganz und gar und er-
schlugen Mattan, den Priester Baals, vor
den Altären.

Der Priester Jojada aber bestellte Wa-
chen am Hause des HERRN 19 und nahm
die Hauptleute über Hundert und die
Garde und die Leibwache und alles Volk
des Landes, und sie führten den König
hinab vom Hause des HERRN und kamen
durchs Tor der Leibwache zum Hause des
Königs. Und er setzte sich auf den könig-
lichen Thron. 20 Und alles Volk des Lan-
des war fröhlich, aber die Stadt blieb still.
Atalja aber töteten sie mit dem Schwert
bei des Königs Hause.

11,1 *a* Kap 8,26 *b* Kap 9,27 **11,10** *a* 2. Sam 8,7
11,12 *a* 5. Mose 17,18-19 **11,18** *a* Kap 10,26-27; Ri 6,25

JOASCH, KÖNIG VON JUDA

(vgl. 2. Chr 24,1-27)

12 Und Joasch war sieben Jahre alt, als
er König wurde. 2 Im siebenten Jahr
Jehus wurde Joasch König und regierte
vierzig Jahre zu Jerusalem. Seine Mut-
ter hieß Zibja, aus Beerscheba. 3 Und Jo-
asch tat sein Leben lang, was recht war
und dem HERRN wohlgefiel, weil ihn
der Priester Jojada lehrte, 4 nur, dass die
Höhen nicht entfernt wurden; denn das
Volk opferte und räucherte noch auf den
Höhen.[a]

5 Und Joasch sprach zu den Priestern: Al-
les Geld, das als Weihegabe in das Haus
des HERRN gebracht wird – Geld, wie es
gang und gäbe ist –, nämlich das Geld, das
jedermann gibt, wie er geschätzt wird,
und alles Geld, das jedermann aus freiem
Herzen opfert, dass er's in das Haus des
HERRN bringe, 6 das sollen die Priester zu
sich nehmen, jeder von seinem Bekann-
ten. Davon sollen sie ausbessern, was bau-
fällig ist am Hause, wo sie finden, dass es
baufällig ist.

7 Als aber die Priester bis ins dreiund-
zwanzigste Jahr des Königs Joasch nicht
ausgebessert hatten, was baufällig war am
Hause, 8 rief der König Joasch den Pries-
ter Jojada samt den Priestern und sprach
zu ihnen: Warum bessert ihr nicht aus,
was baufällig ist am Hause? Von nun an
sollt ihr nicht mehr das Geld an euch neh-
men, jeder von seinen Bekannten, son-
dern sollt's geben zur Ausbesserung für
das, was baufällig ist am Hause. 9 Und die
Priester willigten ein, dass sie vom Volk
kein Geld mehr nehmen sollten, aber auch
das Baufällige am Hause nicht mehr aus-
zubessern brauchten.

10 Da nahm der Priester Jojada eine
Lade und bohrte oben ein Loch hinein
und stellte sie auf zur rechten Hand ne-
ben den Altar, wo man in das Haus des
HERRN geht. Und die Priester, die an der
Schwelle wachten, taten alles Geld hin-
ein, das in das Haus des HERRN gebracht
wurde. 11 Wenn sie dann sahen, dass viel
Geld in der Lade war, kam der Schreiber
des Königs mit dem Hohenpriester her-
auf, und sie zählten das Geld, das sich in
dem Hause des HERRN vorfand, und ban-
den es zusammen. 12 Und man übergab
das Geld abgezählt den Werkmeistern, die
bestellt waren für das Haus des HERRN,
und sie gaben es aus an die Zimmerleute
und Bauleute, die am Hause des HERRN
arbeiteten, 13 nämlich an die Maurer und
Steinmetzen und an die, die Holz und
gehauene Steine kaufen sollten, dass das
Baufällige am Hause des HERRN ausge-
bessert werde, und für alles, was not war,
um am Hause auszubessern.

14 Doch ließ man nicht machen silberne
Schalen, Messer, Becken, Trompeten,
auch kein goldenes oder silbernes Gerät
im Hause des HERRN von dem Geld, das
zu des HERRN Hause gebracht wurde,
15 sondern man gab's den Arbeitern, dass
sie damit das Baufällige am Hause des
HERRN ausbesserten. 16 Auch [a]brauchten
die Männer nicht Rechnung zu legen, de-
nen man das Geld übergab, dass sie es den
Arbeitern gäben, sondern sie handelten
auf Treu und Glauben. 17 Aber das Geld
von Schuldopfern und Sündopfern kam
nicht für das Haus des HERRN ein, [a]denn
es gehörte den Priestern.

18 Zu der Zeit zog [a]Hasaël, der König von
Aram, herauf und kämpfte gegen Gat und
eroberte es. Und als Hasaël sich wandte,
um gegen Jerusalem hinaufzuziehen,
19 nahm Joasch, der König von Juda, alle
[a]Weihegaben, die seine Väter Joschafat,
Joram und Ahasja, die Könige von Juda,
geheiligt hatten, und was er selbst gehei-
ligt hatte, dazu alles Gold, das man fand
im Schatz des Hauses des HERRN und im
Hause des Königs, und schickte es Hasa-
ël, dem König von Aram. Da zog er von
Jerusalem ab.

20 Was aber mehr von Joasch zu sagen ist
und alles, was er getan hat, das steht ge-
schrieben in der Chronik der Könige von
Juda. 21 Und [a]seine Großen empörten sich
und machten eine Verschwörung und er-
schlugen ihn im Haus des Millo, wo man
hinabgeht nach Silla. 22 Josabad, der Sohn
Schimats, und Josabad, der Sohn Scho-
mers, seine Großen, schlugen ihn tot.
Und man begrub ihn bei seinen Vätern in
der Stadt Davids. Und sein Sohn [a]Amazja
wurde König an seiner statt.

12,4 *a* Kap 14,4; 1. Kön 22,44 **12,16** *a* Kap 22,7 **12,17** *a* 3. Mose 7,7 **12,18** *a* Kap 10,32 **12,19** *a* Kap 16,8; 18,15; 1. Kön 15,18 **12,21** *a* Kap 14,5 **12,22** *a* Kap 14,1

JOAHAS, KÖNIG VON ISRAEL

13 Im dreiundzwanzigsten Jahr des Jo-
asch, des Sohnes Ahasjas, des Königs
von Juda, wurde [a]Joahas, der Sohn Jehus,
König über Israel und regierte zu Sama-
ria siebzehn Jahre. 2 Und er tat, was dem
HERRN missfiel, und [a]wandelte nach den
Sünden Jerobeams, des Sohnes Nebats,
der Israel sündigen machte, und ließ nicht
davon ab. 3 Und des HERRN Zorn ent-
brannte über Israel, und er gab sie in die
Hand [a]Hasaëls, des Königs von Aram,
und Ben-Hadads, des Sohnes Hasaëls, die
ganze Zeit.
4 Aber Joahas besänftigte den HERRN,
und der HERR erhörte ihn; denn er sah
den Jammer Israels an, wie der König von
Aram es bedrängte. 5 Und der HERR gab
Israel einen [a]Retter, der sie aus der Gewalt
der Aramäer befreite, dass die Israeliten in
ihren Zelten wohnten wie zuvor. 6 Doch
ließen sie nicht ab von der Sünde des Hau-
ses Jerobeams, der Israel sündigen machte,
sondern wandelten darin. Auch blieb [a]die
Aschera zu Samaria stehen.
7 Denn es waren vom Kriegsvolk des Jo-
ahas nicht mehr übrig geblieben als fünf-
zig Reiter, zehn Wagen und zehntausend
Mann Fußvolk; denn der König von Aram
hatte sie umgebracht und gemacht wie
Staub beim Dreschen. 8 Was aber mehr
von Joahas zu sagen ist und alles, was er
getan hat, und seine tapferen Taten, siehe,
das steht geschrieben in der Chronik der
Könige von Israel. 9 Und Joahas legte sich
zu seinen Vätern, und man begrub ihn zu
Samaria. Und sein Sohn Joasch wurde Kö-
nig an seiner statt.

JOASCH, KÖNIG VON ISRAEL

10 Im siebenunddreißigsten Jahr des Jo-
asch, des Königs von Juda, wurde Joasch,
der Sohn des Joahas, König über Israel und
regierte zu Samaria sechzehn Jahre. 11 Und
er tat, was dem HERRN missfiel, und ließ
nicht ab von allen Sünden Jerobeams,
des Sohnes Nebats, der Israel sündigen
machte, sondern wandelte darin. 12 Was
aber mehr von Joasch zu sagen ist und was
er getan hat und seine tapferen Taten, [a]wie
er mit Amazja, dem König von Juda, ge-
kämpft hat, siehe, das steht geschrieben in
der Chronik der Könige von Israel. 13 Und
Joasch legte sich zu seinen Vätern, und auf
seinen Thron setzte sich [a]Jerobeam. Joasch
aber wurde begraben zu Samaria bei den
Königen von Israel.

ELISAS TOD. JOASCHS SIEGE ÜBER BEN-HADAD

14 Als aber Elisa an der Krankheit er-
krankte, an der er sterben sollte, kam Jo-
asch, der König von Israel, zu ihm hinab
und weinte vor ihm und sprach: [a]Mein
Vater, mein Vater! Du Wagen Israels und
seine Reiter! 15 Elisa aber sprach zu ihm:
Nimm Bogen und Pfeile! Und als er den
Bogen und die Pfeile nahm, 16 sprach er
zum König von Israel: Spanne mit deiner
Hand den Bogen! Und er spannte ihn mit
seiner Hand. Und Elisa legte seine Hand
auf des Königs Hand 17 und sprach: Tu das
Fenster auf nach Osten! Und er tat's auf.
Und Elisa sprach: Schieß! Und er schoss.
Elisa aber rief: Ein Pfeil des Siegs vom
HERRN, ein Pfeil des Siegs gegen Aram!
Du wirst die Aramäer schlagen bei Afek,
bis sie aufgerieben sind.
18 Und er sprach: Nimm die Pfeile! Und
als er sie nahm, sprach er zum König von
Israel: Schlag auf die Erde! Und er schlug
dreimal und hielt inne. 19 Da wurde der
Mann Gottes zornig auf ihn und sprach:
Hättest du fünf- oder sechsmal geschla-
gen, so hättest du die Aramäer geschlagen,
bis sie aufgerieben wären; nun aber wirst
du sie nur dreimal schlagen.
20 Als aber Elisa gestorben war und man
ihn begraben hatte, fielen streifende Rot-
ten der Moabiter ins Land Jahr um Jahr.
21 Und es begab sich, dass man einen Mann
zu Grabe trug. Als man aber eine dieser
Scharen sah, warf man den Mann in Eli-
sas Grab. Und als er die Gebeine Elisas
berührte, wurde er lebendig und trat auf
seine Füße.
22 Hasaël, der König von Aram, be-
drängte Israel, solange Joahas lebte. 23 Aber
der HERR gab ihnen Gnade und erbarmte
sich ihrer und wandte sich ihnen wieder
zu [a]um seines Bundes willen mit Abra-
ham, Isaak und Jakob und wollte sie nicht
verderben, verwarf sie auch nicht von

13,1 *a* Kap 10,35 **13,2** *a* 1. Kön 12,28-30 **13,3** *a* Kap 10,32
13,5 *a* Kap 14,27 **13,6** *a* 1. Kön 16,33 **13,12** *a* Kap 14,8-16
13,13 *a* Kap 14,23 **13,14** *a* Kap 2,12 **13,23** *a* 3. Mose 26,42

seinem Angesicht bis auf diese Stunde.
24 Und Hasaël, der König von Aram, starb,
und sein Sohn Ben-Hadad wurde König
an seiner statt. 25 Joasch, der Sohn des Jo-
ahas, aber gewann die Städte zurück aus
der Hand Ben-Hadads, des Sohnes Hasa-
ëls, die er im Kampf seinem Vater Joahas
genommen hatte. [a]Dreimal schlug ihn Jo-
asch und gewann die Städte Israels zurück.

AMAZJA, KÖNIG VON JUDA, UND JOASCH, KÖNIG VON ISRAEL

(vgl. 2. Chr 25,1-28)

14 Im zweiten Jahr des Joasch, des Soh-
nes des Joahas, des Königs von Is-
rael, wurde [a]Amazja König, der Sohn
des Joasch, des Königs von Juda. 2 Fünf-
undzwanzig Jahre alt war er, als er König
wurde; und er regierte neunundzwanzig
Jahre zu Jerusalem. Seine Mutter hieß Jo-
addan, aus Jerusalem. 3 [a]Und er tat, was
dem HERRN wohlgefiel, doch nicht wie
sein Vater David, sondern ganz wie sein
Vater Joasch tat auch er. 4 Nur [a]die Hö-
hen wurden nicht entfernt, sondern das
Volk opferte und räucherte noch auf den
Höhen. 5 Als er nun das Königtum fest in
seiner Hand hatte, [a]brachte er die Großen
um, die seinen Vater, den König, erschla-
gen hatten. 6 Aber die Söhne der Totschlä-
ger tötete er nicht, [a]wie es denn geschrie-
ben steht im Gesetzbuch des Mose, wo
der HERR geboten hat: Die Väter sollen
nicht um der Kinder willen sterben, und
die Kinder sollen nicht um der Väter wil-
len sterben, sondern jeder soll um seiner
Sünde willen sterben. 7 Er schlug auch die
Edomiter im Salztal, zehntausend Mann,
und eroberte die Stadt Sela im Kampf und
nannte sie Jokteel bis auf diesen Tag.

8 Damals sandte Amazja Boten zu Jo-
asch, dem Sohn des Joahas, des Sohnes
Jehus, dem König von Israel, und ließ
ihm sagen: Komm her, wir wollen uns
miteinander messen! 9 Aber Joasch, der
König von Israel, sandte zu Amazja, dem
König von Juda, und antwortete ihm: Der
[a]Dornstrauch, der im Libanon ist, sandte
zur Zeder im Libanon und ließ ihr sagen:
Gib deine Tochter meinem Sohn zur Frau!
Aber das Wild auf dem Libanon lief über
den Dornstrauch und zertrat ihn. 10 Du
hast die Edomiter geschlagen; deshalb er-
hebt sich dein Herz. Habe den Ruhm und
bleib daheim! Warum suchst du dein Un-
glück, dass du zu Fall kommst und Juda
mit dir? 11 Aber Amazja hörte nicht dar-
auf. Da zog Joasch, der König von Israel,
herauf, und sie maßen sich miteinander,
er und Amazja, der König von Juda, bei
Bet-Schemesch, das in Juda liegt. 12 Aber
Juda wurde geschlagen vor Israel, und sie
flohen, jeder in sein Zelt. 13 Und Joasch,
der König von Israel, nahm Amazja ge-
fangen, den Sohn des Joasch, des Sohnes
Ahasjas, den König von Juda, in Bet-Sche-
mesch und kam nach Jerusalem und riss
die Mauer Jerusalems ein von dem Tor
Ephraim bis an das Ecktor, vierhundert El-
len lang, 14 und nahm alles Gold und Silber
und Gerät, das gefunden wurde im Hause
des HERRN und im Schatz des Königshau-
ses, dazu auch Geiseln, und zog nach Sa-
maria zurück.

15 Was aber mehr von Joasch zu sagen ist,
was er getan hat, und seine tapferen Taten
und wie er mit Amazja, dem König von
Juda, gekämpft hat, siehe, das steht ge-
schrieben in der Chronik der Könige von
Israel. 16 Und [a]Joasch legte sich zu seinen
Vätern und wurde begraben zu Samaria
bei den Königen von Israel. Und sein Sohn
Jerobeam wurde König an seiner statt.

17 Amazja aber, der Sohn des Joasch, des
Königs von Juda, lebte nach dem Tod des
Joasch, des Sohnes des Joahas, des Königs
von Israel, noch fünfzehn Jahre. 18 Was
aber mehr von Amazja zu sagen ist, das
steht geschrieben in der Chronik der Kö-
nige von Juda. 19 Und sie [a]machten eine
Verschwörung gegen ihn in Jerusalem; er
aber floh nach Lachisch. Und sie sandten
hin, ihm nach, bis nach Lachisch und tö-
teten ihn dort. 20 Und sie brachten ihn auf
Rossen, und er wurde begraben zu Jerusa-
lem bei seinen Vätern in der Stadt Davids.

21 Und das ganze Volk von Juda nahm
[a]Asarja in seinem sechzehnten Jahr und
machte ihn zum König anstatt seines
Vaters Amazja. 22 Er baute [a]Elat aus und
brachte es wieder zu Juda, nachdem der
König sich zu seinen Vätern gelegt hatte.

13,25 *a* Vers 19 **14,1** *a* Kap 12,22 **14,3** *a* (3-4) Kap 12,3-4
14,4 *a* Kap 15,4 **14,5** *a* Kap 12,21-22
14,6 *a* 5. Mose 24,16 **14,9** *a* Ri 9,14 **14,16** *a* Kap 13,13
14,19 *a* Kap 12,21 **14,21** *a* Kap 15,1-2 **14,22** *a* Kap 16,6

JEROBEAM DER ZWEITE, KÖNIG VON ISRAEL

23 Im fünfzehnten Jahr Amazjas, des Soh-
nes des Joasch, des Königs von Juda,
wurde [a]Jerobeam, der Sohn des Joasch,
König über Israel und regierte zu Samaria
einundvierzig Jahre. 24 Und er tat, was dem
HERRN missfiel, und [a]ließ nicht ab von
allen Sünden Jerobeams, des Sohnes Ne-
bats, der Israel sündigen machte.
25 Er stellte wieder her das Gebiet Israels
von dort, wo es nach Hamat geht, bis an
das Meer der Araba* nach dem Wort des
HERRN, des Gottes Israels, das er geredet
hatte durch seinen Knecht [a]Jona, den Sohn
Amittais, den Propheten, der von Gat-He-
fer war. 26 Denn der HERR sah den bitte-
ren Jammer Israels an, dass sie bis auf den
letzten Mann dahin waren und kein Helfer
in Israel war. 27 Und der HERR hatte nicht
gesagt, dass er den Namen Israels austil-
gen wollte unter dem Himmel, und [a]er-
rettete sie durch Jerobeam, den Sohn des
Joasch. 28 Was aber mehr von Jerobeam zu
sagen ist und alles, was er getan hat, und
seine tapferen Taten, wie er gekämpft hat
und wie er Damaskus und Hamat wieder
an Israel gebracht hat, siehe, das steht ge-
schrieben in der Chronik der Könige von
Israel. 29 Und Jerobeam legte sich zu sei-
nen Vätern, den Königen von Israel. Und
sein Sohn [a]Secharja wurde König an seiner
statt.

ASARJA (USIJA), KÖNIG VON JUDA

(vgl. 2. Chr 26,1-23)

15 Im siebenundzwanzigsten Jahr Jero-
beams, des Königs von Israel, wurde
[a]Asarja* König, der Sohn Amazjas, des
Königs von Juda. 2 Sechzehn Jahre war er
alt, als er König wurde, und er regierte
zweiundfünfzig Jahre zu Jerusalem. Seine
Mutter hieß Jecholja, aus Jerusalem. 3 Und
er tat, was dem HERRN wohlgefiel, ganz
wie sein Vater Amazja, 4 nur, dass die
Höhen nicht entfernt wurden; denn das
Volk opferte und räucherte noch auf den
Höhen.[a] 5 Der HERR aber plagte den Kö-
nig, dass er [a]aussätzig war bis an seinen
Tod, und er wohnte in einem besonderen
Hause. Jotam aber, der Sohn des Königs,
stand dem Hause des Königs vor und rich-
tete das Volk des Landes.
6 Was aber mehr von Asarja zu sagen ist
und alles, was er getan hat, siehe, das steht
geschrieben in der Chronik der Könige
von Juda. 7 Und Asarja legte sich zu sei-
nen Vätern, und man begrub ihn bei sei-
nen Vätern in der Stadt Davids. Und sein
Sohn [a]Jotam wurde König an seiner statt.

SECHARJA, KÖNIG VON ISRAEL

8 Im achtunddreißigsten Jahr Asarjas, des
Königs von Juda, wurde [a]Secharja, der
Sohn Jerobeams, König über Israel und
regierte zu Samaria sechs Monate. 9 Und
er tat, was dem HERRN missfiel, wie seine
Väter getan hatten. [a]Er ließ nicht ab von
den Sünden Jerobeams, des Sohnes Ne-
bats, der Israel sündigen machte. 10 Und
Schallum, der Sohn des Jabesch, machte
eine Verschwörung gegen ihn und schlug
ihn tot und wurde König an seiner statt.
11 Was aber mehr von Secharja zu sa-
gen ist, siehe, das steht geschrieben in der
Chronik der Könige von Israel. 12 Und das
ist's, was der HERR zu Jehu geredet hatte:
[a]Dir sollen Söhne auf dem Thron Israels
sitzen bis ins vierte Glied. Und so ist es
geschehen.

SCHALLUM, KÖNIG VON ISRAEL

13 Schallum aber, der Sohn des Jabesch,
wurde König im neununddreißigsten Jahr
Usijas, des Königs von Juda, und regierte
einen Monat zu Samaria. 14 Denn Mena-
hem, der Sohn Gadis, zog herauf von Tirza
und kam nach Samaria und schlug Schal-
lum, den Sohn des Jabesch, in Samaria tot
und wurde König an seiner statt. 15 Was
aber mehr von Schallum zu sagen ist und
seine Verschwörung, die er gemacht hat,
siehe, das steht geschrieben in der Chro-
nik der Könige von Israel. 16 Damals schlug
Menahem die Stadt Tifsach und alle, die
darin waren, und ihr Gebiet von Tirza aus,
weil sie ihn nicht einlassen wollten, und
schlug sie, und [a]alle ihre Schwangeren ließ
er aufschlitzen.

* **14,25** Siehe Sach- und Worterklärungen. **15,1** Asarja trägt auch den Namen Usija.

14,23 ***a*** Hos 1,1; Am 1,1 **14,24** ***a*** 1. Kön 12,28-30 **14,25** ***a*** Jona 1,1 **14,27** ***a*** Kap 13,5 **14,29** ***a*** Kap 15,8 **15,1** ***a*** Kap 14,21 **15,4** ***a*** Kap 14,3-4 **15,5** ***a*** 3. Mose 13,46 **15,7** ***a*** Vers 32 **15,8** ***a*** Kap 14,29 **15,9** ***a*** 1. Kön 12,28-30; Am 7,9 **15,12** ***a*** Kap 10,30 **15,16** ***a*** Kap 8,12

MENAHEM, KÖNIG VON ISRAEL

17 Im neununddreißigsten Jahr Asarjas,
des Königs von Juda, wurde Menahem,
der Sohn Gadis, König über Israel und re-
gierte zehn Jahre zu Samaria. 18 Und er tat,
was dem HERRN missfiel. Er ließ sein Le-
ben lang nicht ab von den Sünden Jerobe-
ams, des Sohnes Nebats, der Israel sündi-
gen machte. 19 Und es kam Pul, der König
von Assyrien*, ins Land. Und Menahem
gab Pul tausend Zentner Silber, [a]damit er's
mit ihm hielte und sein Königtum befes-
tigte. 20 Und Menahem legte eine [a]Steuer
auf die Reichsten in Israel, fünfzig Silber-
stücke auf jeden Mann, um es dem König
von Assyrien zu geben. So zog der König
von Assyrien wieder heim und blieb nicht
im Lande.
21 Was aber mehr von Menahem zu sa-
gen ist und alles, was er getan hat, siehe,
das steht geschrieben in der Chronik der
Könige von Israel. 22 Und Menahem legte
sich zu seinen Vätern, und sein Sohn Pe-
kachja wurde König an seiner statt.

PEKACHJA, KÖNIG VON ISRAEL

23 Im fünfzigsten Jahr Asarjas, des Königs
von Juda, wurde Pekachja, der Sohn Me-
nahems, König über Israel und regierte
zu Samaria zwei Jahre. 24 Und er tat, was
dem HERRN missfiel, denn er ließ nicht
ab von der Sünde Jerobeams, des Sohnes
Nebats, der Israel sündigen machte. 25 Und
es machte Pekach, der Sohn Remaljas, sein
Ritter, eine [a]Verschwörung gegen ihn –
und bei ihm waren fünfzig Mann von den
Gileaditern – und schlug ihn tot in Sama-
ria im Burgturm des Königshauses samt
Argob und Arje und wurde König an sei-
ner statt.
26 Was aber mehr von Pekachja zu sagen
ist und alles, was er getan hat, siehe, das
steht geschrieben in der Chronik der Kö-
nige von Israel.

PEKACH, KÖNIG VON ISRAEL

27 Im zweiundfünfzigsten Jahr Asarjas,
des Königs von Juda, wurde Pekach, der
Sohn Remaljas, König über Israel und re-
gierte zu Samaria zwanzig Jahre. 28 Und
er tat, was dem HERRN missfiel, denn er
ließ nicht ab von der Sünde Jerobeams,
des Sohnes Nebats, der Israel sündigen
machte. 29 Zu der Zeit Pekachs, des Königs
von Israel, kam Tiglat-Pileser, der König
von Assyrien, und nahm Ijon, Abel-Bet-
Maacha, Janoach, Kedesch, Hazor, Gilead
und von Galiläa das ganze Land Naftali
und führte sie weg nach Assyrien.[a] 30 Und
[a]Hoschea, der Sohn Elas, machte eine
[b]Verschwörung gegen Pekach, den Sohn
Remaljas, und schlug ihn tot und wurde
König an seiner statt im zwanzigsten Jahr
Jotams, des Sohnes Usijas.
31 Was aber mehr von Pekach zu sagen
ist und alles, was er getan hat, siehe, das
steht geschrieben in der Chronik der Kö-
nige von Israel.

JOTAM, KÖNIG VON JUDA

(vgl. 2. Chr 27,1-7)

32 Im zweiten Jahr Pekachs, des Sohnes
Remaljas, des Königs von Israel, wurde
Jotam König, der Sohn Usijas, des Königs
von Juda. 33 Er war fünfundzwanzig Jahre
alt, als er König wurde; und er regierte
sechzehn Jahre zu Jerusalem. Seine Mut-
ter hieß Jeruscha, eine Tochter Zadoks.
34 [a]Und er tat, was dem HERRN wohlge-
fiel, ganz wie sein Vater Usija getan hatte,
35 nur, dass die Höhen nicht entfernt wur-
den; denn das Volk opferte und räucherte
noch auf den Höhen. Er baute das obere
Tor am Hause des HERRN.
36 Was aber mehr von Jotam zu sagen
ist und alles, was er getan hat, siehe, das
steht geschrieben in der Chronik der Kö-
nige von Juda. 37 Zu der Zeit begann der
HERR, gegen Juda zu senden [a]Rezin, den
König von Aram, und Pekach, den Sohn
Remaljas. 38 Und Jotam legte sich zu sei-
nen Vätern und wurde begraben bei sei-
nen Vätern in der Stadt Davids, seines
Vaters. Und sein Sohn Ahas wurde König
an seiner statt.

AHAS, KÖNIG VON JUDA

16 [a]Im siebzehnten Jahr Pekachs, des
Sohnes Remaljas, wurde Ahas König,
der Sohn Jotams, des Königs von Juda.

* **15,19** »Pul« ist der babylonische Thronname des assyrischen Königs Tiglat-Pileser III.

15,19 *a* Vers 29 **15,20** *a* Kap 23,35 **15,25** *a* Verse 10.30
15,29 *a* 1. Chr 5,26 **15,30** *a* Kap 17,1 *b* Vers 25
15,34 *a* (34-35) Verse 3-4 **15,37** *a* Kap 16,5
16,1 *a* (1-4) 2. Chr 28,1-6

2 Zwanzig Jahre war Ahas alt, als er König wurde; und er regierte sechzehn Jahre zu Jerusalem. Und er tat nicht, was dem HERRN, seinem Gott, wohlgefiel, wie sein Vater David, 3 denn er wandelte auf dem Wege der Könige von Israel. Dazu [a]ließ er seinen Sohn durchs Feuer gehen nach den [b]Gräueln der Völker, die der HERR vor den Israeliten vertrieben hatte, 4 und brachte Opfer dar und räucherte auf den Höhen und auf den Hügeln und unter allen grünen Bäumen.

5 Damals zogen [a]Rezin, der König von Aram, und Pekach, der Sohn Remaljas, der König von Israel, hinauf, um gegen Jerusalem zu kämpfen, und belagerten Ahas in der Stadt; aber sie konnten sie nicht erobern. 6 Zu dieser Zeit brachte Rezin, der König von Aram*, [a]Elat wieder an Edom und vertrieb die Judäer aus Elat. Danach kamen die Edomiter und wohnten darin bis auf diesen Tag.

7 [a]Aber Ahas sandte Boten zu Tiglat-Pileser, dem König von Assyrien, und ließ ihm sagen: Ich bin dein Knecht und dein Sohn. Komm herauf und hilf mir aus der Hand des Königs von Aram und des Königs von Israel, die sich gegen mich aufgemacht haben! 8 Und Ahas [a]nahm das Silber und Gold, das sich in dem Hause des HERRN und in den Schätzen des Königshauses fand, und sandte es dem König von Assyrien als Geschenk. 9 Und der König von Assyrien hörte auf ihn und zog herauf gegen Damaskus und eroberte es und führte die Einwohner weg nach Kir und tötete Rezin.

10 Und der König Ahas zog Tiglat-Pileser entgegen, dem König von Assyrien, nach Damaskus. Und als er den Altar sah, der in Damaskus war, sandte der König Ahas zum Priester Uria Maße und Abbild des Altars, ganz wie dieser gemacht war. 11 Und der Priester Uria baute einen Altar und machte ihn so, wie der König Ahas zu ihm gesandt hatte von Damaskus, bis König Ahas von Damaskus kam. 12 Und als der König aus Damaskus zurückkam und den Altar sah, trat er heran, stieg hinauf 13 und verbrannte darauf sein Brandopfer und Speisopfer und goss darauf sein Trankopfer und sprengte das Blut der Dankopfer, die er opferte, an den Altar. 14 Aber den bronzenen Altar, der vor dem HERRN stand, tat er weg von der Vorderseite des Tempels, damit er nicht stehe zwischen dem Altar und dem Hause des HERRN, und setzte ihn an die Seite des neuen Altars gegen Norden.

15 Und der König Ahas gebot dem Priester Uria: Auf dem großen Altar sollst du anzünden das Brandopfer des Morgens und das Speisopfer des Abends und das Brandopfer des Königs und sein Speisopfer und das Brandopfer des ganzen Volks des Landes samt ihrem Speisopfer und Trankopfer; und alles Blut der Brandopfer und das Blut der Schlachtopfer sollst du daran sprengen. Aber wegen des bronzenen Altars will ich bedenken, was ich mache. 16 Der Priester Uria tat alles, was ihm der König Ahas geboten hatte.

17 Und der König Ahas brach die Leisten der Gestelle ab und nahm die Kessel von ihnen herunter. Und das Meer nahm er von den bronzenen Rindern herunter, die darunter waren, und setzte es auf ein steinernes Pflaster.[a] 18 Auch die bedeckte Sabbathalle, die am Tempel gebaut war, und den äußeren Königseingang am Hause des HERRN änderte er wegen des Königs von Assyrien.

19 Was aber mehr von Ahas zu sagen ist, was er getan hat, siehe, das steht geschrieben in der Chronik der Könige von Juda. 20 Und Ahas legte sich zu seinen Vätern und wurde begraben bei seinen Vätern in der Stadt Davids. Und sein Sohn [a]Hiskia wurde König an seiner statt.

HOSCHEA, KÖNIG VON ISRAEL. DIE EROBERUNG SAMARIAS

17 [a]Im zwölften Jahr des Ahas, des Königs von Juda, wurde [b]Hoschea, der Sohn Elas, König über Israel und regierte zu Samaria neun Jahre. 2 Und er tat, was dem HERRN missfiel, doch nicht wie die Könige von Israel, die vor ihm waren.

3 Gegen ihn zog herauf Salmanassar, der König von Assyrien. Und Hoschea wurde

* **16,6** Im Hebräischen Wortspiel mit dem Namen »Edom«.

16,3 *a* 3. Mose 18,21 *b* 5. Mose 18,9-10 **16,5** *a* Jes 7,1-9 **16,6** *a* Kap 14,22 **16,7** *a* (7-20) 2. Chr 28,16-27 **16,8** *a* 1. Kön 15,18 **16,17** *a* 1. Kön 7,23-39 **16,20** *a* Kap 18,1 **17,1** *a* (1-6) Kap 18,9-12 *b* Kap 15,30

ihm untertan und brachte ihm Abgaben.
4 Als aber der König von Assyrien inne-
wurde, dass Hoschea eine Verschwörung
gemacht und Boten gesandt hatte zu So,
dem König von Ägypten, und [a]keine Ab-
gaben dem König von Assyrien brachte
wie alle Jahre, nahm er ihn fest und legte
ihn ins Gefängnis. 5 Und der König von
Assyrien zog durch das ganze Land und
gegen Samaria und belagerte es drei Jahre
lang. 6 Und im neunten Jahr Hoscheas er-
oberte der König von Assyrien Samaria
und führte Israel weg nach Assyrien und
ließ sie wohnen in Halach und am Habor,
dem Fluss von Gosan, und in den Städten
der Meder.

ISRAEL WIRD IN DIE VERBANNUNG GEFÜHRT

7 Denn die Israeliten hatten gegen den
HERRN, ihren Gott, gesündigt, der sie aus
Ägyptenland geführt hatte, aus der Hand
des Pharao, des Königs von Ägypten, und
fürchteten andere Götter 8 und [a]wandel-
ten nach den Satzungen der Völker, die
der HERR vor den Israeliten vertrieben
hatte, und taten wie die Könige von Israel.
9 Und die Israeliten ersannen, was nicht
recht war gegen den HERRN, ihren Gott.
Sie bauten sich Höhen in allen ihren Städ-
ten, vom Wachtturm bis zur festen Stadt,
10 und richteten Steinmale auf und Asche-
ren auf jedem hohen Hügel und unter je-
dem grünen Baum[a] 11 und räucherten auf
allen Höhen wie die Völker, die der HERR
vor ihnen weggetrieben hatte, und trie-
ben böse Dinge, womit sie den HERRN er-
zürnten, 12 und dienten den Götzen, von
denen der HERR zu ihnen gesagt hatte:
[a]Das sollt ihr nicht tun!

13 Und doch hatte der HERR Israel und
Juda gewarnt durch alle Propheten und alle
Seher und ihnen sagen lassen: Kehrt um
von euren bösen Wegen und haltet meine
Gebote und Rechte nach dem ganzen Ge-
setz, das ich euren Vätern geboten habe
[a]und das ich zu euch gesandt habe durch
meine Knechte, die Propheten. 14 Aber sie
gehorchten nicht, [a]sondern versteiften
ihren Nacken wie ihre Väter, die nicht an
den HERRN, ihren Gott, glaubten. 15 Dazu
verachteten sie seine Gebote und seinen
Bund, den er mit ihren Vätern geschlossen
hatte, und seine Warnungen, die er ihnen
gab, und wandelten ihren nichtigen Göt-
zen nach und trieben Nichtiges. Sie taten
wie die Heiden um sie her, von denen der
HERR ihnen geboten hatte, sie sollten
nicht wie diese tun. 16 Aber sie verließen
alle Gebote des HERRN, ihres Gottes, und
[a]machten sich zwei gegossene Kälber und
eine [b]Aschera und beteten alles Heer des
Himmels an und dienten dem Baal 17 und
[a]ließen ihre Söhne und Töchter durchs
Feuer gehen und gingen mit Wahrsagerei
und Zauberei um und verkauften sich, zu
tun, was dem HERRN missfiel, um ihn zu
erzürnen.

18 Da wurde der HERR sehr zornig
über Israel und tat es von seinem Ange-
sicht weg, sodass nichts übrig blieb als
der Stamm Juda allein. – 19 Auch Juda
hielt nicht die Gebote des HERRN, seines
Gottes, sondern wandelte nach den Sat-
zungen, nach denen Israel gelebt hatte. –
20 Darum verwarf der HERR das ganze
Geschlecht Israel und demütigte sie und
gab sie in die Hände der Räuber, bis er sie
von seinem Angesicht wegstieß. 21 Denn
Israel hatte sich [a]losgerissen vom Hause
David und Jerobeam, den Sohn Nebats,
zum König gemacht. Der wandte Israel ab
vom HERRN und machte, dass sie schwer
sündigten. 22 So wandelten die Israeliten
in allen Sünden Jerobeams, die er getan
hatte, und sie ließen nicht davon ab, 23 bis
der HERR Israel von seinem Angesicht
wegtat, [a]wie er geredet hatte durch alle
seine Knechte, die Propheten. So wurde
Israel aus seinem Lande weggeführt nach
Assyrien bis auf diesen Tag.

DIE NEUBESIEDLUNG SAMARIENS

24 Der König von Assyrien aber ließ Leute
von Babel kommen, von Kuta, von Awa,
von Hamat und Sefarwajim und ließ sie
wohnen in den Städten Samariens an-
stelle der Israeliten. Und sie nahmen Sa-
marien in Besitz und wohnten in seinen
Städten. 25 Als sie aber anfingen, dort zu
wohnen, und den HERRN nicht fürchte-

17,4 *a* Hos 12,2 **17,8** *a* Kap 16,3 **17,10** *a* Kap 16,4; 1. Kön 14,23 **17,12** *a* 2. Mose 20,2-5 **17,13** *a* Jer 18,11 **17,14** *a* 5. Mose 9,13; Jer 7,26 **17,16** *a* 1. Kön 12,28 *b* 1. Kön 16,33 **17,17** *a* 3. Mose 18,21 **17,21** *a* 1. Kön 12,20 **17,23** *a* 5. Mose 28,63-64

ten, sandte der HERR [a]Löwen unter sie,
die töteten sie. 26 Und man ließ dem Kö-
nig von Assyrien sagen: Die Völker, die du
hergebracht und mit denen du die Städte
Samariens besetzt hast, wissen nichts von
der Verehrung des Gottes dieses Landes.
Darum hat er Löwen unter sie gesandt,
und siehe, diese töten sie, weil sie nichts
wissen von der Verehrung des Gottes die-
ses Landes.

27 Der König von Assyrien gebot und
sprach: Bringt dorthin einen der Priester,
die von dort weggeführt sind; er ziehe
hin und wohne dort und lehre sie die Ver-
ehrung des Gottes des Landes. 28 Da kam
einer der Priester, die aus Samarien weg-
geführt waren, und wohnte in Bethel und
lehrte sie, wie sie den HERRN fürchten
sollten.

29 Aber ein jedes Volk machte sich seinen
Gott und tat ihn in die Heiligtümer auf
den Höhen, die die Samaritaner gemacht
hatten, jedes Volk in seinen Städten, in de-
nen es wohnte. 30 Die von Babel machten
sich Sukkot-Benot, die von Kuta machten
sich Nergal, die von Hamat machten sich
Aschima, 31 die von Awa machten sich
Nibhas und Tartak; die von Sefarwajim
[a]verbrannten ihre Söhne dem Adramme-
lech und Anammelech, den Göttern de-
rer von Sefarwajim. 32 Und weil sie auch
den HERRN fürchteten, [a]machten sie sich
Priester auf den Höhen aus allem Volk un-
ter ihnen; die taten Dienst für sie in den
Heiligtümern auf den Höhen. 33 So fürch-
teten sie den HERRN, dienten aber auch
den Göttern nach dem Brauch der Völker,
aus denen man sie weggeführt hatte.

34 Und bis auf diesen Tag tun sie nach
den früheren Bräuchen: Sie fürchten we-
der den HERRN noch halten sie Satzungen
und Rechte nach dem Gesetz und Gebot,
das der HERR geboten hat den Nachkom-
men [a]Jakobs, dem er den Namen Israel
gab; 35 hatte doch der HERR einen Bund
mit ihnen geschlossen und ihnen geboten:
[a]Fürchtet keine andern Götter und betet
sie nicht an und dient ihnen nicht und op-
fert ihnen nicht, 36 sondern den HERRN,
der euch aus Ägyptenland geführt hat
mit großer Kraft und ausgerecktem Arm,
den fürchtet, den betet an und dem op-
fert. 37 Und die Satzungen und Rechte,
das Gesetz und das Gebot, die er euch hat
aufschreiben lassen, die haltet, dass ihr
danach tut allezeit, und fürchtet nicht an-
dere Götter. 38 Und den Bund, den er mit
euch geschlossen hat, [a]vergesst nicht und
fürchtet nicht andere Götter, 39 sondern
fürchtet den HERRN, euren Gott; der wird
euch erretten von allen euren Feinden.[a]

40 Aber sie gehorchten nicht, sondern
taten nach ihren früheren Bräuchen. 41 So
fürchteten diese Völker den HERRN und
dienten zugleich ihren Götzen. Auch ihre
Kinder und Kindeskinder tun, wie ihre
Väter getan haben, bis auf diesen Tag.

HISKIA, KÖNIG VON JUDA

(vgl. 2. Chr 29,1–31,21)

18 Im dritten Jahr Hoscheas, des Soh-
nes Elas, des Königs von Israel, wurde
[a]Hiskia König, der Sohn des Ahas, des
Königs von Juda. 2 Er war fünfundzwan-
zig Jahre alt, als er König wurde; und er
regierte neunundzwanzig Jahre zu Jerusa-
lem. Seine Mutter hieß Abi, eine Tochter
Secharjas. 3 Und [a]er tat, was dem HERRN
wohlgefiel, ganz wie sein Vater David.

4 Er entfernte die Höhen und zerbrach
die Steinmale und hieb die Aschera um
und [a]zerschlug die eherne Schlange, die
Mose gemacht hatte. Denn bis zu dieser
Zeit hatten ihr die Israeliten geräuchert,
und man nannte sie Nehuschtan. 5 Er ver-
traute dem HERRN, dem Gott Israels,
[a]sodass unter allen Königen von Juda sei-
nesgleichen nach ihm nicht war noch vor
ihm gewesen ist. 6 Er hing dem HERRN an
und wich nicht von ihm ab und hielt seine
Gebote, die der HERR dem Mose geboten
hatte. 7 Und der HERR war mit ihm, und
alles, was er unternahm, gelang ihm. Und
er wurde abtrünnig vom König von Assy-
rien und war ihm nicht mehr untertan. 8 Er
schlug auch die Philister bis nach Gaza und
seinem Gebiet, von den Wachttürmen bis
zu den festen Städten.

9 [a]Im vierten Jahr Hiskias, des Königs
von Juda – das war das siebente Jahr Ho-

17,25 *a* Hos 13,8 **17,31** *a* Vers 17 **17,32** *a* 1. Kön 12,31
17,34 *a* 1. Mose 32,29 **17,35** *a* 2. Mose 23,24
17,38 *a* 5. Mose 4,23 **17,39** *a* 5. Mose 6,13-19
18,1 *a* Kap 16,20 **18,3** *a* Kap 20,3; 1. Kön 15,11; 2. Kön 22,2
18,4 *a* 4. Mose 21,8-9 **18,5** *a* Kap 23,25
18,9 *a* (9-12) Kap 17,3-6

scheas, des Sohnes Elas, des Königs von
Israel –, zog Salmanassar, der König von
Assyrien, herauf gegen Samaria und bela-
gerte es 10 und nahm es ein nach drei Jah-
ren. Im sechsten Jahr Hiskias, das ist im
neunten Jahr Hoscheas, des Königs von Is-
rael, wurde Samaria eingenommen. 11 Und
der König von Assyrien führte Israel weg
nach Assyrien und ließ sie wohnen in Ha-
lach und am Habor, dem Fluss von Gosan,
und in den Städten der Meder, 12 weil sie
nicht gehorcht hatten der Stimme des
HERRN, ihres Gottes, und seinen Bund
übertreten hatten und alles, was Mose,
der Knecht des HERRN, geboten hatte; sie
hatten nicht gehorcht und nicht danach
getan.

SANHERIB ZIEHT GEGEN JERUSALEM

(vgl. 2. Chr 32,1-19; Jes 36,1-22)

13 Im vierzehnten Jahr des Königs Hiskia
zog herauf Sanherib, der König von As-
syrien, gegen alle festen Städte Judas und
nahm sie ein. 14 Da sandte Hiskia, der Kö-
nig von Juda, zum König von Assyrien
nach Lachisch und ließ ihm sagen: Ich
habe Unrecht getan, zieh weg von mir.
Was du mir auferlegst, will ich tragen. Da
legte der König von Assyrien Hiskia, dem
König von Juda, dreihundert Zentner Sil-
ber auf und dreißig Zentner Gold. 15 So gab
Hiskia all das Silber, das sich im Hause des
HERRN und in den Schätzen des Hauses
des Königs fand.[a] 16 Zur selben Zeit brach
Hiskia, der König von Juda, die Türen am
Tempel des HERRN heraus und die Pfos-
ten, die er selbst mit Gold hatte überzie-
hen lassen, und gab sie dem König von
Assyrien.

17 Und der König von Assyrien sandte
den Tartan und den Rabsaris und den
Rabschake von Lachisch zum König His-
kia mit großer Heeresmacht nach Jeru-
salem, und sie zogen hinauf. Und als
sie hinkamen, hielten sie an der [a]Was-
serleitung des oberen Teiches, der an der
Straße bei dem Acker des Walkers liegt.
18 Und sie riefen nach dem König. Da
kamen heraus zu ihnen der Hofmeis-
ter Eljakim, der Sohn Hilkijas, und der
Schreiber Schebna und der Kanzler Joach,
der Sohn Asafs.

19 Und der Rabschake sprach zu ihnen:
Sagt doch dem König Hiskia: So spricht
der große König, der König von Assyrien:
Was ist das für ein Vertrauen, das du da
hast? 20 Meinst du, bloße Worte seien
schon Rat und Macht zum Kämpfen? Auf
wen verlässt du dich denn, dass du von
mir abtrünnig geworden bist? 21 Siehe,
verlässt du dich auf diesen zerbroche-
nen [a]Rohrstab, auf Ägypten, der jedem,
der sich darauf stützt, in die Hand drin-
gen und sie durchbohren wird? So ist der
Pharao, der König von Ägypten, für alle,
die sich auf ihn verlassen. 22 Oder wollt ihr
zu mir sagen: Wir verlassen uns auf den
HERRN, unsern Gott! Ist er es denn nicht,
dessen Höhen und Altäre Hiskia entfernt
und zu Juda und zu Jerusalem gesagt hat:
[a]Nur vor diesem Altar, der in Jerusalem
ist, sollt ihr anbeten? 23 Wohlan, nimm
eine Wette an mit meinem Herrn, dem
König von Assyrien: Ich will dir zwei-
tausend Rosse geben, ob du Reiter dazu
stellen kannst? 24 Wie willst du denn zu-
rücktreiben auch nur einen der geringsten
von meines Herrn Untertanen? Und du
verlässt dich auf Ägypten um der Wagen
und Gespanne willen. 25 Meinst du aber,
ich sei ohne den HERRN heraufgezogen,
dass ich diese Stätte verderbe? Der HERR
hat mir's geboten: Zieh hinauf in dies
Land und verdirb es!

26 Da sprachen Eljakim, der Sohn Hil-
kijas, und Schebna und Joach zum Rab-
schake: Rede mit deinen Knechten ara-
mäisch, denn wir verstehen's, und rede
nicht mit uns hebräisch vor den Ohren
des Volks, das auf der Mauer ist. 27 Aber
der Rabschake sprach zu ihnen: Hat mich
denn mein Herr zu deinem Herrn oder zu
dir gesandt, dass ich solche Worte rede,
und nicht vielmehr zu den Männern, die
auf der Mauer sitzen, dass sie mit euch ih-
ren eigenen Mist fressen und ihren Harn
saufen?

28 Da trat der Rabschake hin und rief mit
lauter Stimme auf Hebräisch und sprach:
Hört das Wort des großen Königs, des
Königs von Assyrien! 29 So spricht der Kö-
nig: Lasst euch von Hiskia nicht betrügen,
denn er vermag euch nicht zu erretten aus

18,15 *a* Kap 16,8 **18,17** *a* Jes 7,3 **18,21** *a* Hes 29,6-7
18,22 *a* 5. Mose 12,14

meiner Hand. 30 Und lasst euch von His-
kia nicht verleiten, auf den HERRN zu ver-
trauen, wenn er sagt: Der HERR wird uns
erretten, und diese Stadt wird nicht in die
Hände des Königs von Assyrien gegeben
werden. 31 Hört nicht auf Hiskia! Denn so
spricht der König von Assyrien: Nehmt
meine Gnade an und kommt zu mir her-
aus, so soll jedermann [a]von seinem Wein-
stock und seinem Feigenbaum essen und
von seinem Brunnen trinken, 32 bis ich
komme und euch hole in ein Land, das
eurem Lande gleich ist, darin Korn, Wein,
Brot, Weinberge, Ölbäume und Honig
sind; dann werdet ihr am Leben bleiben
und nicht sterben. Hört nicht auf Hiskia,
denn er verführt euch, wenn er spricht:
Der HERR wird uns erretten. 33 Hat auch
nur einer [a]der Götter der andern Völker
sein Land errettet aus der Hand des Kö-
nigs von Assyrien? 34 Wo sind die Götter
von Hamat und Arpad? Wo sind die Göt-
ter von Sefarwajim, Hena und Awa? Ha-
ben sie Samaria errettet aus meiner Hand?
35 Wo ist ein Gott unter den Göttern aller
Länder, [a]der sein Land aus meiner Hand
errettet hätte, dass der HERR Jerusalem
aus meiner Hand erretten sollte?

36 Das Volk aber schwieg still und ant-
wortete ihm nichts, denn der König hatte
geboten: Antwortet ihm nichts. 37 Da ka-
men der Hofmeister Eljakim, der Sohn
Hilkijas, und der Schreiber Schebna und
der Kanzler Joach, der Sohn Asafs, zu His-
kia mit zerrissenen Kleidern und sagten
ihm die Worte des Rabschake an.

HISKIAS GEBET. JESAJA VERHEISST RETTUNG

(vgl. 2. Chr 32,20-23; Jes 37,1-35)

19 Als der König Hiskia das hörte, zerriss
er seine Kleider und legte den Sack an
und ging in das Haus des HERRN. 2 Und er
sandte den Hofmeister Eljakim und den
Schreiber Schebna samt den Ältesten der
Priester, mit dem Sack angetan, zu dem
Propheten Jesaja, dem Sohn des Amoz.
3 Und sie sprachen zu ihm: So sagt Hiskia:
Das ist ein Tag der Not, der Strafe und der
Schmach – wie wenn Kinder eben geboren
werden sollen, aber die Kraft fehlt, sie zu
gebären. 4 Vielleicht hört der HERR, dein
Gott, alle Worte des Rabschake, den sein
Herr, der König von Assyrien, gesandt
hat, um [a]Hohn zu sprechen dem lebendi-
gen Gott, und straft [b]die Worte, die der
HERR, dein Gott, gehört hat. So erhebe
dein Gebet für die Übriggebliebenen, die
noch vorhanden sind.

5 Und als die Großen des Königs Hiskia
zu Jesaja kamen, 6 sprach Jesaja zu ihnen:
So sagt eurem Herrn: So spricht der HERR:
Fürchte dich nicht vor den Worten, die du
gehört hast, mit denen mich die Knechte
des Königs von Assyrien gelästert haben.
7 Siehe, ich gebe in ihn einen Geist, dass
er ein [a]Gerücht hören und in sein Land
zurückziehen wird, und [b]will ihn durchs
Schwert fällen in seinem Lande.

8 Und als der Rabschake zurückkam,
fand er den König von Assyrien gegen
Libna kämpfen, denn er hatte gehört,
dass er von Lachisch abgezogen war. 9 Der
König von Assyrien hatte nämlich gehört
über Tirhaka, den König von Kusch: Siehe,
er ist ausgezogen, mit dir zu kämpfen.

Da sandte er abermals Boten zu Hiskia
und ließ ihm sagen: 10 So sprecht zu His-
kia, dem König von Juda: Lass dich von
deinem Gott nicht betrügen, auf den du
dich verlässt und sprichst: [a]Jerusalem
wird nicht in die Hand des Königs von As-
syrien gegeben werden. 11 Siehe, du hast
gehört, was die Könige von Assyrien allen
Ländern getan haben, dass sie den Bann
an ihnen vollstreckten, und du allein soll-
test errettet werden? 12 Haben denn [a]die
Götter der Völker die Länder errettet, die
von meinen Vätern vernichtet wurden:
Gosan, Haran, Rezef und die Leute von
Eden, die zu Telassar waren? 13 Wo ist der
König von Hamat, der König von Arpad
und der König der Stadt Sefarwajim, von
Hena und Awa?

14 Als Hiskia den Brief von den Boten
empfangen und gelesen hatte, ging er hin-
auf zum Hause des HERRN und breitete
ihn aus vor dem HERRN. 15 Und Hiskia be-
tete vor dem HERRN und sprach: HERR,
Gott Israels, [a]der du über den Cherubim
thronst, du bist allein Gott über alle Kö-
nigreiche auf Erden, du hast Himmel und

18,31 *a* 1. Kön 5,5 **18,33** *a* Kap 19,12; Jes 10,10-11
18,35 *a* Dan 3,15 **19,4** *a* 1. Sam 17,10 *b* Kap 18,35
19,7 *a* Vers 9 *b* Verse 35-37 **19,10** *a* Kap 18,30
19,12 *a* Kap 18,33-34 **19,15** *a* 2. Mose 25,22; Ps 80,2

Erde gemacht. 16 HERR, neige deine Ohren
und höre; HERR, tu deine Augen auf und
sieh und höre die Worte Sanheribs, der
hergesandt hat, um dem lebendigen Gott
Hohn zu sprechen. 17 Es ist wahr, HERR,
die Könige von Assyrien haben die Völker
umgebracht und ihre Länder verwüstet
18 und haben ihre Götter ins Feuer gewor-
fen, denn es waren nicht Götter, sondern
Werk von Menschenhänden, Holz und
Stein; darum haben sie sie vertilgt. 19 Nun
aber, HERR, unser Gott, errette uns aus
seiner Hand, damit alle Königreiche auf
Erden erkennen, dass du, HERR, allein
Gott bist.

20 Da sandte Jesaja, der Sohn des Amoz,
zu Hiskia und ließ ihm sagen: So spricht
der HERR, der Gott Israels: Was du zu
mir gebetet hast um Sanheribs willen,
des Königs von Assyrien, das habe ich
gehört. 21 Das ist's, was der HERR gegen
ihn geredet hat: Die Jungfrau, die Tochter
Zion, verachtet dich und spottet deiner.
Die Tochter Jerusalem schüttelt ihr Haupt
hinter dir her. 22 Wen hast du gehöhnt und
gelästert? Über wen hast du deine Stimme
erhoben? Du hast deine Augen erhoben
wider den Heiligen Israels! 23 Du hast den
Herrn durch deine Boten verhöhnt und
gesagt: Ich bin mit der Menge meiner Wa-
gen auf die Höhen der Berge gestiegen,
in den innersten Libanon. Ich habe seine
hohen Zedern und auserlesenen Zypres-
sen abgehauen und bin gekommen bis zur
äußersten Herberge im dichtesten Wal-
de. 24 Ich habe gegraben und getrunken
die fremden Wasser und werde austrock-
nen mit meinen Fußsohlen alle Flüsse
Ägyptens.

25 Hast du nicht gehört, dass ich es lange
zuvor bereitet und von Anfang an geplant
habe? Nun aber habe ich's kommen lassen,
dass du feste Städte zerstörtest zu wüsten
Steinhaufen. 26 Und die darin wohnen,
wurden ohne Kraft und fürchteten sich
und wurden zuschanden. Sie wurden wie
das Gras auf dem Felde und wie das grüne
Kraut, wie Gras auf den Dächern, das ver-
dorrt, ehe es reif wird.

27 Ich weiß von deinem Aufstehen und
Sitzen, deinem Ausziehen und Einziehen
und dass du tobst gegen mich.[a] 28 Weil du
denn gegen mich tobst und dein Übermut
vor meine Ohren gekommen ist, so will
ich dir meinen Ring in deine Nase legen
und meinen Zaum in dein Maul und will
dich den Weg wieder zurückführen, den
du hergekommen bist.

29 Und das sei dir, Hiskia, ein Zeichen:
In diesem Jahr isst man, was von selber
nachwächst, im nächsten Jahr, was auch
dann noch wächst; im dritten Jahr sät und
erntet, pflanzt Weinberge und esst ihre
Früchte. 30 Und was vom Hause Juda er-
rettet und übrig geblieben ist, wird von
Neuem nach unten Wurzeln schlagen und
oben Frucht tragen. 31 Denn von Jerusalem
werden ausgehen, die übrig geblieben
sind, und die Erretteten vom Berge Zion.
[a]Der Eifer des HERRN Zebaoth wird sol-
ches tun.

32 Darum spricht der HERR über den
König von Assyrien: Er soll nicht in diese
Stadt kommen und keinen Pfeil hinein-
schießen und mit keinem Schild gegen
sie vorrücken und soll keinen Wall gegen
sie aufschütten, 33 sondern er soll den Weg
wieder zurückziehen, den er gekommen
ist, und soll in diese Stadt nicht kommen;
der HERR sagt's. 34 Und [a]ich will diese
Stadt beschirmen, dass ich sie errette um
meinetwillen und um meines Knechtes
David willen.

35 [a]Und in dieser Nacht fuhr aus der En-
gel des HERRN und schlug im Lager der
Assyrer hundertfünfundachtzigtausend
Mann. Und als man sich früh am Morgen
aufmachte, siehe, da lag alles voller Lei-
chen. 36 So brach Sanherib, der König von
Assyrien, auf und zog ab, kehrte zurück
und blieb zu Ninive. 37 Und als er anbetete
im Haus seines Gottes Nisroch, [a]erschlu-
gen ihn mit dem Schwert seine Söhne Ad-
rammelech und Sarezer, und sie entkamen
ins Land Ararat. Und sein Sohn Asarhad-
don wurde König an seiner statt.

HISKIAS KRANKHEIT UND GENESUNG

(vgl. 2. Chr 32,24-26; Jes 38,1-8)

20 Zu dieser Zeit wurde Hiskia todkrank.
Und der Prophet Jesaja, der Sohn des
Amoz, kam zu ihm und sprach zu ihm:
So spricht der HERR: Bestelle dein Haus,

19,27 *a* Ps 139,2-3 **19,31** *a* Jes 9,6 **19,34** *a* Kap 20,6
19,35 *a* (35-37) Jes 37,36-38 **19,37** *a* Vers 7

denn du wirst sterben und nicht am Le-
ben bleiben. 2 Er aber wandte sein Antlitz
zur Wand und betete zum HERRN und
sprach: 3 Ach, HERR, gedenke doch, dass
ich vor dir in Treue und mit rechtschaf-
fenem Herzen gewandelt bin und getan
habe, was dir wohlgefällt. Und Hiskia
weinte sehr.
4 Als aber Jesaja noch nicht zum mitt-
leren Hof hinausgegangen war, kam des
HERRN Wort zu ihm: 5 Kehre um und sage
Hiskia, dem Fürsten meines Volks: So
spricht der HERR, der Gott deines Vaters
David: Ich habe dein Gebet gehört und
deine Tränen gesehen. Siehe, ich will dich
gesund machen – am dritten Tage wirst du
hinauf in das Haus des HERRN gehen –,
6 und ich will fünfzehn Jahre zu deinem
Leben hinzutun und dich und diese Stadt
erretten vor dem König von Assyrien und
[a]diese Stadt beschirmen um meinetwillen
und um meines Knechtes David willen.
7 Und Jesaja sprach: Bringt her ein Pflaster
von Feigen! Und als sie das brachten, leg-
ten sie es auf das Geschwür, und er wurde
gesund.
8 Hiskia aber sprach zu Jesaja: Was ist
das Zeichen, dass mich der HERR gesund
machen wird und ich in des HERRN Haus
hinaufgehen werde am dritten Tage? 9 Je-
saja sprach: Dies Zeichen wirst du vom
HERRN haben, dass der HERR tun wird,
was er zugesagt hat: Soll der Schatten
zehn Stufen vorwärtsgehen oder zehn
Stufen zurückgehen? 10 Hiskia sprach: Es
ist leicht, dass der Schatten zehn Stufen
vorwärtsgehe. Das will ich nicht, sondern
dass er zehn Stufen zurückgehe. 11 Da rief
der Prophet Jesaja den HERRN an, und der
Herr ließ den Schatten die zehn Stufen
zurückgehen, die er auf den Stufen des
Ahas vorwärtsgegangen war.

DIE GESANDTSCHAFT DES KÖNIGS VON BABEL

(vgl. 2. Chr 32,31; Jes 39,1-8)

12 Zu dieser Zeit sandte Merodach-Bala-
dan, der Sohn Baladans, der König von Ba-
bel, Brief und Geschenke an Hiskia; denn
er hatte gehört, dass Hiskia krank gewe-
sen war. 13 Hiskia aber freute sich über die
Boten und zeigte ihnen das ganze Schatz-
haus, Silber, Gold, Spezerei und das beste
Öl und das Zeughaus und alles, was an
Schätzen vorhanden war. Es war nichts in
seinem Hause und in seiner ganzen Herr-
schaft, was ihnen Hiskia nicht zeigte. 14 Da
kam der Prophet Jesaja zum König Hiskia
und sprach zu ihm: Was haben diese Leute
gesagt? Und woher sind sie zu dir gekom-
men? Hiskia sprach: Sie sind aus fernen
Landen zu mir gekommen, aus Babel. 15 Er
sprach: Was haben sie gesehen in deinem
Hause? Hiskia sprach: Sie haben alles ge-
sehen, was in meinem Hause ist, und es
gibt von meinen Schätzen nichts, was ich
ihnen nicht gezeigt hätte.
16 Da sprach Jesaja zu Hiskia: Höre des
HERRN Wort: 17 Siehe, es kommt die Zeit,
dass [a]alles nach Babel weggeführt werden
wird, was in deinem Hause ist und was
deine Väter gesammelt haben bis auf die-
sen Tag, und es wird nichts übrig gelassen
werden, spricht der HERR. 18 Dazu werden
von den Söhnen, die von dir kommen, die
du zeugen wirst, einige genommen wer-
den, dass sie [a]Kämmerer seien im Palast
des Königs von Babel. 19 Hiskia aber sprach
zu Jesaja: Das Wort des HERRN ist gut, das
du geredet hast; denn er dachte: Es wird
doch Friede und Sicherheit sein zu mei-
nen Zeiten.
20 Was mehr von Hiskia zu sagen ist
und alle seine tapferen Taten und wie er
den Teich und die Wasserleitung gebaut
hat, durch die er Wasser in die Stadt ge-
leitet hat, siehe, das steht geschrieben in
der Chronik der Könige von Juda. 21 Und
Hiskia legte sich zu seinen Vätern. Und
sein Sohn Manasse wurde König an sei-
ner statt.

MANASSE, KÖNIG VON JUDA

(vgl. 2. Chr 33,1-20)

21 Manasse war zwölf Jahre alt, als er
König wurde; und er regierte fünf-
undfünfzig Jahre zu Jerusalem. Seine
Mutter hieß Hefzi-Bah. 2 Und er tat, was
dem HERRN missfiel, nach den [a]Gräueln
der Völker, die der HERR vor den Israeli-
ten vertrieben hatte, 3 und baute wieder
die Höhen auf, die sein Vater Hiskia zer-
stört hatte, und richtete dem Baal Altäre

20,6 *a* Kap 19,34 **20,17** *a* Kap 24,13-14
20,18 *a* Dan 1,3-4 **21,2** *a* 5. Mose 18,9-12

auf und machte eine Aschera, [a]wie Ahab,
der König von Israel, getan hatte, und be-
tete alles Heer des Himmels an und diente
ihnen.
4 Und er baute Altäre im Hause des
HERRN, von dem der HERR gesagt hatte:
Ich will meinen Namen zu Jerusalem
wohnen lassen, 5 und er baute allem Heer
des Himmels [a]Altäre in beiden Vorhöfen
am Hause des HERRN. 6 Und er ließ [a]sei-
nen Sohn durchs Feuer gehen und trieb
Zauberei und Wahrsagerei und hielt To-
tenbeschwörer und Zeichendeuter; so tat
er viel von dem, was dem HERRN missfiel,
um ihn zu erzürnen. 7 Er stellte auch das
Bild der [a]Aschera, das er gemacht hatte,
in das Haus, von dem der HERR zu Da-
vid und zu seinem Sohn Salomo gesagt
hatte: In diesem Hause und in Jerusalem,
das ich erwählt habe aus allen Stämmen
Israels, [b]will ich meinen Namen wohnen
lassen ewiglich, 8 und ich will den Fuß
Israels nicht mehr weichen lassen von
dem Lande, das ich ihren Vätern gegeben
habe, sofern sie alles halten und tun, was
ich geboten habe, und das ganze Gesetz,
das mein Knecht Mose ihnen geboten hat.
9 Aber sie gehorchten nicht, sondern Ma-
nasse verführte sie, dass sie es ärger trie-
ben als die Völker, die der HERR vor den
Israeliten vertilgt hatte.
10 Da redete der HERR durch seine
Knechte, die Propheten, und sprach:
11 Weil Manasse, der König von Juda, diese
Gräuel getan hat, die ärger sind als alle
Gräuel, die die Amoriter getan haben, die
vor ihm gewesen sind, und weil er auch
Juda sündigen gemacht hat mit seinen
Götzen, 12 darum, so spricht der HERR,
der Gott Israels: Siehe, [a]ich will Unheil
über Jerusalem und Juda bringen, dass
jedem, der es hören wird, beide Ohren
gellen sollen. 13 Und ich will an Jerusalem
die Messschnur Samarias anlegen und das
Senkblei des Hauses Ahab und will Jeru-
salem auswischen, wie man eine Schüssel
auswischt, und will's umstürzen. 14 Und
wer von meinem Erbteil übrig bleiben
wird, den will ich verstoßen und will sie
geben in die Hand ihrer Feinde, dass sie
Raub und Beute aller ihrer Feinde werden,
15 weil sie getan haben, was mir missfällt,
und mich erzürnt haben von dem Tage an,
da ihre Väter aus Ägypten gezogen sind,
bis auf diesen Tag.
16 Auch [a]vergoss Manasse sehr viel un-
schuldiges Blut, bis Jerusalem ganz voll
davon war – außer der Sünde, durch die er
Juda sündigen machte, dass sie taten, was
dem HERRN missfiel. 17 Was aber mehr
von Manasse zu sagen ist und alles, was
er getan hat, und seine Sünde, die er tat,
siehe, das steht geschrieben in der Chro-
nik der Könige von Juda. 18 Und Manasse
legte sich zu seinen Vätern und wurde
begraben im Garten an seinem Hause, im
Garten Usas. Und sein Sohn Amon wurde
König an seiner statt.

AMON, KÖNIG VON JUDA

(vgl. 2. Chr 33,21-25)

19 Zweiundzwanzig Jahre alt war Amon,
als er König wurde; und er regierte zwei
Jahre zu Jerusalem. Seine Mutter hieß
Meschullemet, eine Tochter des Haruz
aus Jotba. 20 Und er tat, was dem HERRN
missfiel, wie sein Vater Manasse getan
hatte, 21 und wandelte ganz in dem Wege,
den sein Vater gewandelt war, und diente
den Götzen, denen sein Vater gedient
hatte, und betete sie an 22 und verließ den
HERRN, den Gott seiner Väter, und wan-
delte nicht im Wege des HERRN. 23 Und
seine Großen machten eine Verschwö-
rung gegen Amon und töteten den König
in seinem Hause. 24 Aber das Volk des Lan-
des erschlug alle, die die Verschwörung
gegen den König Amon gemacht hatten.
Und das Volk des Landes machte seinen
Sohn Josia zum König an seiner statt.
25 Was aber Amon mehr getan hat, siehe,
das steht geschrieben in der Chronik der
Könige von Juda. 26 Und man begrub ihn
in seinem Grabe im Garten Usas. Und sein
Sohn Josia wurde König an seiner statt.

JOSIA, KÖNIG VON JUDA, UND DIE AUFFINDUNG DES GESETZBUCHES

(vgl. 2. Chr 34,1-28)

22 Josia war acht Jahre alt, als er König
wurde; und er regierte einunddreißig
Jahre zu Jerusalem. Seine Mutter hieß
Jedida, eine Tochter Adajas aus Bozkat.

21,3 ***a*** 1. Kön 16,33 **21,5** ***a*** Kap 23,12 **21,6** ***a*** Kap 16,3; 3. Mose 18,21 **21,7** ***a*** 5. Mose 16,21 ***b*** 1. Kön 8,29; 9,3 **21,12** ***a*** Jer 19,3; 1. Sam 3,11 **21,16** ***a*** Kap 24,4; Ps 106,38

2 Und er tat, [a]was dem HERRN wohlge-
fiel, und wandelte ganz in dem Wege
seines Vaters David und wich nicht da-
von ab, [b]weder zur Rechten noch zur
Linken.
3 Und im achtzehnten Jahr des Königs
Josia sandte der König den Schreiber
Schafan, den Sohn Azaljas, des Sohnes
Meschullams, in das Haus des HERRN
und sprach: 4 Geh hinauf zu dem Hohen-
priester Hilkija, dass er bereit mache alles
Silber, das zum Hause des HERRN ge-
bracht ist, [a]das die Hüter an der Schwelle
gesammelt haben vom Volk, 5 damit man
es gebe den Werkmeistern, die bestellt
sind im Hause des HERRN, und sie es ge-
ben den Arbeitern am Hause des HERRN,
dass sie ausbessern, was baufällig ist am
Hause, 6 nämlich den Zimmerleuten und
Bauleuten und Maurern und denen, die
Holz und gehauene Steine kaufen sollen,
um das Haus auszubessern; 7 doch dass sie
keine Rechnung zu legen brauchten von
dem Geld, das ihnen gegeben wird, son-
dern dass sie auf Treu und Glauben han-
deln sollten.[a]
8 Und der Hohepriester Hilkija sprach
zu dem Schreiber Schafan: Ich habe das
[a]Buch des Gesetzes gefunden im Hause
des HERRN. Und Hilkija gab das Buch
Schafan, und der las es. 9 Und der Schrei-
ber Schafan kam zum König und gab ihm
Bericht und sprach: Deine Knechte ha-
ben das Silber bereit gemacht, das sich im
Hause fand, und haben's den Werkmeis-
tern gegeben, die bestellt sind am Hause
des HERRN. 10 Dazu sagte der Schreiber
Schafan dem König und sprach: Der Pries-
ter Hilkija gab mir ein Buch. Und Schafan
las es vor dem König.
11 Da aber der König die Worte des Ge-
setzbuches hörte, zerriss er seine Kleider.
12 Und der König gebot dem Priester Hil-
kija und [a]Ahikam, dem Sohn Schafans,
und Achbor, dem Sohn Michajas, und
Schafan, dem Schreiber, und Asaja, dem
Knecht des Königs, und sprach: 13 Geht
hin und befragt den HERRN für mich,
für das Volk und für ganz Juda über die
Worte dieses Buches, das gefunden ist;
denn groß ist der Grimm des HERRN, der
über uns entbrannt ist, weil unsere Väter
nicht gehorcht haben den Worten dieses
Buches und nicht alles taten, was darin ge-
schrieben ist.
14 Da gingen hin der Priester Hilkija,
Ahikam, Achbor, Schafan und Asaja zu
der Prophetin Hulda, der Frau Schal-
lums, des Sohnes Tikwas, des Sohnes
des Harhas, des Hüters der Kleider, und
sie wohnte in Jerusalem in der Neustadt;
und sie redeten mit ihr. 15 Sie aber sprach
zu ihnen: So spricht der HERR, der Gott
Israels: Sagt dem Mann, der euch zu mir
gesandt hat: 16 So spricht der HERR: Siehe,
ich will Unheil über diese Stätte und ihre
Einwohner bringen, alle Worte des Bu-
ches, das der König von Juda hat lesen
lassen, 17 weil sie mich verlassen und an-
dern Göttern geräuchert haben, [a]mich zu
erzürnen mit allen Werken ihrer Hände;
darum wird mein Grimm gegen diese
Stätte entbrennen und nicht ausgelöscht
werden.
18 Aber dem König von Juda, der euch ge-
sandt hat, den HERRN zu befragen, sollt
ihr sagen: So spricht der HERR, der Gott
Israels: Was die Worte angeht, die du ge-
hört hast: 19 Weil dein Herz verzagt ist und
du dich gedemütigt hast vor dem HERRN,
als du hörtest, was ich geredet habe ge-
gen diese Stätte und ihre Einwohner, dass
sie sollen zum Entsetzen und zum Fluch
werden, und weil du deine Kleider zer-
rissen hast und vor mir geweint hast, so
habe ich's auch erhört, spricht der HERR.
20 Darum will ich dich zu deinen Vätern
versammeln, [a]dass du mit Frieden in dein
Grab kommst und deine Augen nicht
sehen all das Unheil, das ich über diese
Stätte bringen will. Und sie sagten es dem
König wieder.

JOSIAS REFORM

(vgl. 2. Chr 34,29–35,27)

23 Und der König sandte hin, und es ver-
sammelten sich bei ihm alle Ältesten
Judas und Jerusalems. 2 Und der König
ging hinauf ins Haus des HERRN und alle
Männer Judas und alle Einwohner von
Jerusalem mit ihm, Priester und Prophe-
ten und alles Volk, Klein und Groß. [a]Und

22,2 *a* Kap 18,3 *b* 5. Mose 5,32; Jos 1,7 **22,4** *a* Kap 12,11 **22,7** *a* Kap 12,16 **22,8** *a* 5. Mose 31,26 **22,12** *a* Jer 26,24 **22,17** *a* 5. Mose 32,22; Jer 7,20 **22,20** *a* Kap 20,19; Jes 57,1-2 **23,2** *a* 5. Mose 31,11

man las vor ihren Ohren alle Worte aus
dem Buch des Bundes, das im Hause des
HERRN gefunden war. 3 Und der König
trat an die Säule und [a]schloss einen Bund
vor dem HERRN, dass sie dem HERRN
nachwandeln sollten und seine Gebote,
Zeugnisse und Rechte halten von ganzem
Herzen und von ganzer Seele und aufrich-
ten die Worte dieses Bundes, die geschrie-
ben stehen in diesem Buch. Und alles Volk
trat in den Bund.

4 Und der König gebot dem Hohenpries-
ter Hilkija und den zweitobersten Pries-
tern und den Hütern der Schwelle, dass
sie aus dem Tempel des HERRN hinaustun
sollten alle Geräte, die [a]dem Baal und der
Aschera und allem Heer des Himmels ge-
macht waren. Und er ließ sie verbrennen
draußen vor Jerusalem im Tal Kidron und
ihre Asche nach Bethel bringen. 5 Und er
setzte die Götzenpriester ab, die die Kö-
nige von Juda eingesetzt hatten, um auf
den Höhen zu opfern in den Städten Ju-
das und um Jerusalem her; auch die dem
Baal geräuchert hatten, der Sonne und
dem Mond und den Planeten und allem
Heer am Himmel. 6 Und er brachte [a]die
Aschera aus dem Hause des HERRN hin-
aus vor Jerusalem an den Bach Kidron und
verbrannte sie am Bach Kidron, zermahlte
sie zu Staub und warf ihren Staub auf
die Gräber des einfachen Volks. 7 Und er
brach ab die Häuser der [a]Tempelhurer, die
an dem Hause des HERRN waren, in de-
nen die Frauen Gewänder für die Aschera
wirkten.

8 Und er ließ kommen alle Priester aus
den Städten Judas und machte unrein die
Höhen, wo die Priester räucherten, von
Geba an bis nach Beerscheba und brach ab
die Höhen der Bocksgeister, die vor dem
Tore Joschuas, des Stadtvogts, waren,
zur Linken, wenn man zum Tor der Stadt
hineingeht. 9 Doch durften die Priester
der Höhen nicht opfern auf dem Altar des
HERRN zu Jerusalem, sondern aßen unge-
säuertes Brot unter ihren Brüdern.

10 Er machte auch unrein das Tofet im
Tal Ben-Hinnom, damit [a]niemand sei-
nen Sohn oder seine Tochter dem Moloch
durchs Feuer gehen ließ. 11 Und er schaffte
die Rosse ab, die die Könige von Juda für
die Sonne aufgestellt hatten am Eingang
des Hauses des HERRN, bei der Kammer
Netan-Melechs, des Kämmerers, die am
Parwarhause war, und die Wagen der
Sonne verbrannte er mit Feuer. 12 Und die
Altäre [a]auf dem Dach, dem Obergemach
des Ahas, die die Könige von Juda gemacht
hatten, und [b]die Altäre, die Manasse ge-
macht hatte in den beiden Vorhöfen des
Hauses des HERRN, brach der König ab
und ging von dannen und warf ihren Staub
in den Bach Kidron. 13 Auch die Höhen, die
östlich von Jerusalem waren, zur Rechten
am Berge des Verderbens, die [a]Salomo, der
König von Israel, gebaut hatte der Astarte,
dem Gräuel von Sidon, und Kemosch,
dem Gräuel von Moab, und Milkom, dem
Scheusal der Ammoniter, machte der Kö-
nig unrein 14 und zerbrach die Steinmale
und hieb die Ascheren um und füllte ihre
Stätte mit Menschenknochen. 15 Auch den
Altar zu Bethel, die Höhe, die [a]Jerobeam
gemacht hatte, der Sohn Nebats, der Israel
sündigen machte, auch diesen Altar und
die Höhe brach er ab und verbrannte die
Höhe und machte sie zu Staub und ver-
brannte die Aschera.

16 Und Josia wandte sich um und sah
die Gräber, die dort auf dem Berge wa-
ren, und sandte hin und ließ die Knochen
aus den Gräbern holen und verbrannte
sie auf dem Altar und machte ihn un-
rein nach dem [a]Wort des HERRN, das der
Mann Gottes ausgerufen hatte, der dies
verkündete. 17 Und er sprach: Was ist das
für ein [a]Grabmal, das ich sehe? Und die
Leute in der Stadt sprachen zu ihm: Es
ist das Grab des Mannes Gottes, der von
Juda kam und ausrief, was du getan hast
an dem Altar in Bethel. 18 Und er sprach:
Lasst ihn liegen, niemand rühre seine Ge-
beine an! Und so blieben seine Gebeine
unberührt zusammen mit den Gebeinen
des Propheten, der von Samaria gekom-
men war.

19 Und er entfernte auch alle Heiligtümer
auf den Höhen in den Städten Samariens,
die die Könige von Israel gemacht hatten,
um den HERRN zu erzürnen, und tat mit

23,3 *a* 2. Mose 24,3-8; Jos 24,25 **23,4** *a* Kap 21,3
23,6 *a* Kap 21,7 **23,7** *a* 1. Kön 14,24 **23,10** *a* Kap 17,17;
3. Mose 18,21 **23,12** *a* 2. Chr 28,24 *b* Kap 21,4-5
23,13 *a* 1. Kön 11,5.7 **23,15** *a* 1. Kön 12,32-33
23,16 *a* 1. Kön 13,2 **23,17** *a* 1. Kön 13,30-32

ihnen, ganz wie er in Bethel getan hatte.
20 Und er schlachtete alle Priester der Hö-
hen, die dort waren, auf den Altären und
verbrannte Menschengebeine darauf und
kam nach Jerusalem zurück.
21 Und der König gebot dem Volk und
sprach: Haltet dem HERRN, eurem Gott,
[a]Passa, wie es geschrieben steht in diesem
Buch des Bundes! 22 Denn es war kein
Passa so gehalten worden wie dieses von
der Zeit der Richter an, die Israel gerich-
tet haben, und in allen Zeiten der Könige
von Israel und der Könige von Juda, 23 son-
dern im achtzehnten Jahr des Königs Josia
wurde zu Jerusalem dieses Passa gehalten
dem HERRN.
24 Auch rottete Josia aus alle [a]Totenbe-
schwörer, Zeichendeuter, Hausgötter und
[b]Götzen und alle Gräuel, die im Lande
Juda und in Jerusalem zu sehen waren, da-
mit er aufrichtete die Worte des Gesetzes,
die geschrieben standen in dem Buch, das
der Priester Hilkija im Hause des HERRN
gefunden hatte.
25 [a]Seinesgleichen war vor ihm kein Kö-
nig gewesen, [b]der so von ganzem Herzen,
von ganzer Seele, von allen Kräften sich
zum HERRN bekehrte, ganz nach dem
Gesetz des Mose, und nach ihm kam sei-
nesgleichen nicht auf. 26 Doch kehrte sich
der HERR nicht ab von dem Grimm sei-
nes großen Zorns, mit dem er über Juda
erzürnt war um all dessen willen, womit
ihn [a]Manasse gereizt hatte. 27 Und der
HERR sprach: Ich will auch Juda von mei-
nem Angesicht tun, [a]wie ich Israel weg-
getan habe, und will diese Stadt verwer-
fen, die ich erwählt hatte, Jerusalem, und
[b]das Haus, von dem ich gesagt habe: Mein
Name soll dort sein.
28 Was aber mehr von Josia zu sagen ist
und alles, was er getan hat, siehe, das steht
geschrieben in der Chronik der Könige
von Juda.
29 Zu seiner Zeit zog der Pharao Necho,
der König von Ägypten, herauf gegen den
König von Assyrien an den Strom Eu-
phrat. Und der König Josia zog ihm ent-
gegen, aber Necho tötete ihn in Megiddo,
als er ihn sah. 30 Und seine Knechte brach-
ten den Toten von Megiddo und führten
ihn nach Jerusalem und begruben ihn in
seinem Grabe. Und das Volk des Landes
nahm Joahas, den Sohn Josias, und sie
salbten ihn und machten ihn zum König
an seines Vaters statt.

JOAHAS, KÖNIG VON JUDA

(vgl. 2. Chr 36,1-4)

31 Dreiundzwanzig Jahre war Joahas alt,
als er König wurde; und er regierte drei
Monate zu Jerusalem. Seine Mutter hieß
Hamutal, eine Tochter Jirmejas aus Libna.
32 Und er tat, was dem HERRN missfiel,
wie seine Väter getan hatten.
33 Aber der Pharao Necho setzte ihn ge-
fangen in Ribla im Lande Hamat, damit er
nicht mehr in Jerusalem regieren sollte,
und legte eine Geldbuße aufs Land von
hundert Zentnern Silber und einem Zent-
ner Gold. 34 Und der Pharao Necho machte
Eljakim, den Sohn Josias, zum König an-
statt seines Vaters Josia und wandelte sei-
nen Namen um in [a]Jojakim. Aber Joahas
nahm er und brachte ihn nach Ägypten;
dort starb er. 35 Und Jojakim gab das Sil-
ber und Gold dem Pharao. Doch [a]legte
er eine Steuer auf das Land, um das Geld
aufzubringen, auf Befehl des Pharao. Von
jedem unter dem Volk des Landes trieb
er Silber und Gold ein, je nach seinem
Vermögen, um es dem Pharao Necho zu
geben.

JOJAKIM, KÖNIG VON JUDA

(vgl. 2. Chr 36,5-8)

36 Fünfundzwanzig Jahre alt war Joja-
kim, als er König wurde; und er regierte
elf Jahre zu Jerusalem. Seine Mutter hieß
Sebuda, eine Tochter Pedajas aus Ruma.
37 Und er tat, was dem HERRN missfiel,
wie seine Väter getan hatten.
24 Zu seiner Zeit zog herauf Nebukad-
nezar, der König von Babel, und Joja-
kim war ihm untertan drei Jahre. Aber er
wurde wieder abtrünnig von ihm. 2 Da ließ
der HERR über ihn Scharen von Kriegs-
leuten kommen aus Chaldäa, aus Aram,
aus Moab und aus Ammon und sandte
sie gegen Juda, dass sie ihn vernichteten
nach dem Wort des HERRN, das er geredet
hatte durch seine Knechte, die Propheten.

23,21 *a* 5. Mose 16,1-8 **23,24** *a* 3. Mose 20,27
b 5. Mose 29,16-17 **23,25** *a* Kap 18,5 *b* 5. Mose 6,5
23,26 *a* Kap 21,11-16 **23,27** *a* Kap 17,18 *b* 1. Kön 8,29
23,34 *a* 1. Chr 3,15 **23,35** *a* Kap 15,20

3 Aber [a]das geschah Juda nach dem Wort
des HERRN, dass er es von seinem Ange-
sicht täte um der Sünden Manasses willen,
die er getan hatte,[b] 4 auch um des unschul-
digen Blutes willen, das er vergoss, sodass
er Jerusalem mit unschuldigem Blut füllte.
Das wollte der HERR nicht vergeben.
5 Was aber mehr zu sagen ist von Jojakim
und alles, was er getan hat, siehe, das steht
geschrieben in der Chronik der Könige
von Juda. 6 Und Jojakim legte sich zu sei-
nen Vätern, und sein Sohn Jojachin wurde
König an seiner statt.
7 Und der König von Ägypten zog nicht
mehr aus seinem Lande; denn der König
von Babel hatte ihm alles genommen, was
dem König von Ägypten gehörte, vom
Bach Ägyptens bis an den Strom Euphrat.[a]

JOJACHIN, KÖNIG VON JUDA, UND DIE ERSTE WEGFÜHRUNG NACH BABEL

(vgl. 2. Chr 36,9-10)

8 [a]Achtzehn Jahre alt war Jojachin, als er
König wurde; und er regierte drei Mo-
nate zu Jerusalem. Seine Mutter hieß
Nehuschta, eine Tochter Elnatans aus Je-
rusalem. 9 Und er tat, was dem HERRN
missfiel, wie sein Vater getan hatte.[a]
10 Zu der Zeit zogen herauf die Kriegs-
leute Nebukadnezars, des Königs von Ba-
bel, gegen Jerusalem und belagerten die
Stadt. 11 Und Nebukadnezar, der König
von Babel, kam zur Stadt, als seine Kriegs-
leute sie belagerten. 12 Aber Jojachin, der
König von Juda, ging hinaus zum König
von Babel mit seiner Mutter, mit seinen
Großen, mit seinen Obersten und Käm-
merern. Und der König von Babel nahm
ihn gefangen im achten Jahr seiner Herr-
schaft. 13 Und er [a]nahm von dort weg
alle Schätze im Hause des HERRN und
im Hause des Königs und zerschlug alle
goldenen Gefäße, die Salomo, der König
von Israel, gemacht hatte im Tempel des
HERRN, wie denn der HERR geredet hatte.
14 Und er führte weg das ganze Jerusa-
lem, alle Obersten, alle Kriegsleute, zehn-
tausend Gefangene und alle Zimmerleute
und alle Schmiede und ließ nichts übrig als
geringes Volk des Landes.[a] 15 Und er führte
weg nach Babel Jojachin und die Mutter
des Königs, die Frauen des Königs und
seine Kämmerer; dazu die Mächtigen im
Lande führte er auch gefangen von Jeru-
salem nach Babel. 16 Dazu alle Kriegsleute,
siebentausend, und die Zimmerleute und
Schmiede, tausend, lauter starke Kriegs-
männer, die brachte der König von Babel
gefangen nach Babel.
17 Und der König von Babel machte Mat-
tanja, Jojachins Oheim, zum König an sei-
ner statt und wandelte seinen Namen um
in Zedekia.[a]

ZEDEKIA, LETZTER KÖNIG VON JUDA. ZERSTÖRUNG JERUSALEMS. WEGFÜHRUNG NACH BABEL

(vgl. 2. Chr 36,11-21; Jer 52,1-30)

18 Einundzwanzig Jahre alt war Zedekia,
als er König wurde; und er regierte elf
Jahre zu Jerusalem. Seine Mutter hieß
Hamutal, eine Tochter Jirmejas aus Libna.
19 Und er tat, was dem HERRN missfiel,
wie Jojakim getan hatte.[a] 20 Denn so ge-
schah es mit Jerusalem und Juda um des
Zornes des HERRN willen, [a]bis er sie von
seinem Angesicht wegstieß.
Und Zedekia wurde abtrünnig vom Kö-
nig von Babel.
25 [a]Im neunten Jahr seiner Herrschaft,
am zehnten Tag des zehnten Monats,
zog heran Nebukadnezar, der König von
Babel, mit seiner ganzen Macht gegen Je-
rusalem, und sie belagerten die Stadt und
bauten Bollwerke um sie her. 2 So wurde
die Stadt belagert bis ins elfte Jahr des Kö-
nigs Zedekia. 3 Aber am neunten Tage des
vierten Monats wurde der Hunger stark in
der Stadt, und das Volk des Landes hatte
nichts mehr zu essen. 4 Da brach man in
die Stadt ein. Und alle Kriegsmänner flo-
hen bei Nacht durch das Tor zwischen den
zwei Mauern auf dem Wege, der zu dem
Garten des Königs geht. Aber die Chal-
däer lagen um die Stadt. Und der König
floh zum Jordantal hin.
5 Aber das Heer der Chaldäer jagte dem
König nach, und sie holten ihn ein im Jor-
dantal von Jericho, und alle Kriegsleute,
die bei ihm waren, zerstreuten sich von
ihm. 6 Sie aber nahmen den König gefan-

24,3 *a* Kap 21,10-16; 23,26-27 *b* Jer 15,4 **24,7** *a* Jer 46,2
24,8 *a* (8-16) Jer 22,24-30 **24,9** *a* Kap 23,37
24,13 *a* Kap 20,17 **24,14** *a* 1. Chr 9,1; Jer 24,1; 52,28
24,17 *a* Jer 37,1 **24,19** *a* Kap 23,37 **24,20** *a* Kap 23,27
25,1 *a* (1-7) Jer 34,1; 39,1-7

gen und führten ihn hinauf zum König
von Babel nach Ribla, und sie sprachen das
Urteil über ihn. 7 Und sie schlachteten die
Söhne Zedekias ab vor seinen Augen und
blendeten Zedekia die Augen und legten
ihn in Ketten und führten ihn nach Babel.[a]
8 [a]Am siebenten Tage des fünften Monats, das ist das neunzehnte Jahr Nebukadnezars, des Königs von Babel, kam Nebusaradan, der Oberste der Leibwache, der Knecht des Königs von Babel, nach Jerusalem
9 und verbrannte das Haus des HERRN und das Haus des Königs und alle Häuser in Jerusalem; alle großen Häuser verbrannte er mit Feuer.
10 Und die ganze Heeresmacht der Chaldäer, die bei dem Obersten der Leibwache war, riss die Mauern Jerusalems nieder.
11 Das Volk aber, das übrig war in der Stadt, und die zum König von Babel abgefallen waren und was übrig war von den Werkleuten, führte Nebusaradan, der Oberste der Leibwache, weg;
12 aber von den Geringen im Lande ließ der Oberste der Leibwache Weingärtner und Ackerleute zurück.

13 Die ehernen Säulen am Hause des HERRN und die Gestelle und das eherne Meer, das am Hause des HERRN war, zerbrachen die Chaldäer und brachten die Bronze nach Babel.[a]
14 Und die Töpfe, Schaufeln, Messer, Löffel und alle ehernen Gefäße, die man beim Opfer brauchte, nahmen sie weg.
15 Dazu nahm der Oberste der Leibwache die Pfannen und Schalen, alles, was golden und silbern war,
16 die beiden Säulen, das Meer und die Gestelle, die Salomo gemacht hatte für das Haus des HERRN. [a]Die Bronze aller dieser Gefäße aber war nicht zu wägen.
17 Achtzehn Ellen hoch war eine Säule, und ihr Knauf darauf war auch aus Bronze und drei Ellen hoch, und Gitterwerk und Granatäpfel an dem Knauf umher, alles war aus Bronze. Genauso war auch die andere Säule mit ihrem Gitterwerk.

18 Und der Oberste der Leibwache nahm den obersten Priester Seraja und Zefanja, den zweitobersten Priester, und die drei Hüter an der Schwelle
19 und aus der Stadt einen Kämmerer, der über die Kriegsmänner gesetzt war, und fünf Männer, die stets vor dem König waren, die sich in der Stadt fanden, und den Schreiber des Feldhauptmanns, der das Volk des Landes zum Heer aufbot, und sechzig Mann vom Volk des Landes, die in der Stadt sich fanden, –
20 diese nahm Nebusaradan, der Oberste der Leibwache, und brachte sie zum König von Babel nach Ribla.
21 Und der König von Babel schlug sie tot in Ribla im Lande Hamat. So wurde Juda weggeführt aus seinem Lande.

GEDALJA ALS STATTHALTER

(vgl. Jer 40,5–41,18)

22 Aber über das Volk, das übrig war im Lande Juda, das Nebukadnezar, der König von Babel, übrig gelassen hatte, setzte er Gedalja, den Sohn Ahikams, des Sohnes Schafans.
23 Als nun alle Hauptleute des Kriegsvolkes und ihre Männer hörten, dass der König von Babel Gedalja eingesetzt hatte, kamen sie zu Gedalja nach Mizpa, nämlich Jischmael, der Sohn Netanjas, und Johanan, der Sohn Kareachs, und Seraja, der Sohn Tanhumets, der Netofatiter, und Jaasanja, der Sohn des Maachatiters, samt ihren Männern.
24 Und Gedalja schwor ihnen und ihren Männern und sprach zu ihnen: Fürchtet euch nicht, den Chaldäern untertan zu sein; bleibt im Lande und seid dem König von Babel untertan, so wird's euch wohlgehen.

25 Aber im siebenten Monat kam Jischmael, der Sohn Netanjas, des Sohnes Elischamas, von königlichem Geschlecht, und zehn Männer mit ihm und schlugen Gedalja tot, dazu die Judäer und Chaldäer, die bei ihm waren in Mizpa.
26 Da machte sich auf das ganze Volk, Klein und Groß, und die Obersten des Kriegsvolkes und [a]zogen nach Ägypten; denn sie fürchteten sich vor den Chaldäern.

JOJACHIN WIRD BEGNADIGT

(vgl. Jer 52,31-34)

27 Aber im siebenunddreißigsten Jahr, nachdem [a]Jojachin, der König von Juda, weggeführt war, am siebenundzwanzigsten Tage des zwölften Monats erhob Ewil-Merodach, der König von Babel, im Jahr, da er König wurde, das Haupt Jojachins, des Königs von Juda, und entließ

25,7 *a* Jer 37,17 **25,8** *a* (8-21) Jer 39,8-10
25,13 *a* Jer 27,19-22 **25,16** *a* 1. Kön 7,47
25,26 *a* 5. Mose 28,68 **25,27** *a* Kap 24,15

ihn aus dem Kerker 28 und redete freund-
lich mit ihm und setzte seinen Sitz über
die Sitze der Könige, die bei ihm waren
zu Babel. 29 Und Jojachin legte die Klei-
der seiner Gefangenschaft ab, und er aß
alle Tage bei dem König sein Leben lang.
30 Und was er zum Leben brauchte, wurde
ihm als ständiger Unterhalt vom König
von Babel gegeben, Tag für Tag sein gan-
zes Leben lang.

DAS ERSTE BUCH DER CHRONIK

1–9 Die Geschlechterfolge von Adam bis Saul **10–20** David wird König
21–27 David bereitet den Bau des Tempels vor **28–29** Davids Nachfolger und Ende

STAMMBAUM VON ADAM BIS ABRAHAM

1 [a]Adam, Set, Enosch, 2 Kenan, Mahalalel,
Jered, 3 Henoch, Metuschelach, Lamech,
4 Noah, Sem, Ham und Jafet.
5 [a]Die Söhne Jafets sind diese: Gomer,
Magog, Madai, Jawan, Tubal, Meschech,
Tiras. 6 Die Söhne Gomers aber sind:
Aschkenas, Rifat, Togarma. 7 Die Söhne
Jawans sind: Elischa, Tarsis, die Kittäer,
die Rodaniter.
8 [a]Die Söhne Hams sind: Kusch, Mizra-
jim, Put, Kanaan. 9 Die Söhne von Kusch
aber sind: Seba, Hawila, Sabta, Ragma,
Sabtecha. Die Söhne Ragmas aber sind:
Saba und Dedan. 10 Kusch aber zeugte
Nimrod; der war der Erste, der Gewalt
übte auf Erden. 11 Mizrajim zeugte die
Luditer, die Anamiter, die Lehabiter, die
Naftuhiter, 12 die Patrositer, die Kasluhiter
und die Kaftoriter, von denen die Philister
ausgegangen sind. 13 Kanaan aber zeugte
Sidon, seinen Erstgeborenen, und Het
14 und den Jebusiter, den Amoriter, den
Girgaschiter, 15 den Hiwiter, den Arkiter,
den Siniter, 16 den Arwaditer, den Zema-
riter und den Hamatiter.
17 [a]Die Söhne Sems sind diese: Elam,
Assur, Arpachschad, Lud, Aram. Und die
Söhne Arams sind: Uz, Hul, Geter und
Masch. 18 Arpachschad aber zeugte Sche-
lach, Schelach zeugte Eber. 19 Eber aber
wurden zwei Söhne geboren: Der eine
hieß Peleg, weil zu seiner Zeit [a]die Erde
zerteilt wurde; und sein Bruder hieß
Joktan. 20 Joktan aber zeugte Almodad,
Schelef, Hazarmawet, Jerach, 21 Hadoram,
Usal, Dikla, 22 Ebal, Abimaël, Saba, 23 Ofir,
Hawila und Jobab. Diese alle sind Söhne
Joktans.
24 [a]Sem, Arpachschad, Schelach, 25 Eber,
Peleg, Regu, 26 Serug, Nahor, Terach, 27 Ab-
ram, das ist Abraham.
28 Die Söhne Abrahams aber sind: [a]Isaak
und [b]Ismael.

DIE GESCHLECHTER DER SÖHNE ABRAHAMS

29 [a]Und dies ist ihr Geschlecht: der Erstge-
borene Ismaels Nebajot, ferner Kedar, Ad-
beel, Mibsam, 30 Mischma, Duma, Massa,
Hadad, Tema, 31 Jetur, Nafisch, Kedma.
Das sind die Söhne Ismaels.
32 [a]Aber die Söhne Keturas, der Neben-
frau Abrahams: Sie gebar Simran, Jok-
schan, Medan, Midian, Jischbak, Schuach.
Die Söhne Jokschans aber sind: Saba und
Dedan. 33 Und die Söhne Midians sind:
Efa, Efer, Henoch, Abida, Eldaa. Diese alle
sind Söhne der Ketura.
34 Abraham zeugte Isaak. [a]Die Söhne Isa-
aks aber sind: Esau und Israel.
35 [a]Die Söhne Esaus sind: Elifas, Regu-
ël, Jëusch, Jalam, Korach. 36 Die Söhne
des Elifas sind: Teman, Omar, Zefo, Ga-
tam, Kenas, Timna, Amalek. 37 Die Söhne
Reguëls sind: Nahat, Serach, Schamma
und Misa. 38 Die Söhne Seïrs sind: Lo-
tan, Schobal, Zibon, Ana, Dischon, Ezer,
Dischan. 39 Die Söhne Lotans sind: Hori,
Homam; und Timna war eine Schwester
Lotans. 40 Die Söhne Schobals sind: Al-
wan, Manahat, Ebal, Schefi, Onam. Die

1,1 ***a*** *(1-4)* 1. Mose 5,1-32 **1,5** ***a*** *(5-7)* 1. Mose 10,2-5
1,8 ***a*** *(8-16)* 1. Mose 10,6-18
1,17 ***a*** *(17-23)* 1. Mose 10,22-29 **1,19** ***a*** 1. Mose 11,1-9
1,24 ***a*** *(24-27)* 1. Mose 11,10-26 **1,28** ***a*** 1. Mose 21,3
b 1. Mose 16,15 **1,29** ***a*** *(29-31)* 1. Mose 25,13-16
1,32 ***a*** *(32-33)* 1. Mose 25,1-4 **1,34** ***a*** 1. Mose 25,19-26
1,35 ***a*** *(35-42)* 1. Mose 36,10-14.20-28

Söhne Zibons sind: Aja und Ana. 41 Der Sohn Anas: Dischon. Die Söhne Dischons sind: Hemdan, Eschban, Jitran, Keran. 42 Die Söhne Ezers sind: Bilhan, Saawan, Akan. Die Söhne Dischons sind: Uz und Aran.

43 [a]Dies sind die Könige, die im Lande Edom regiert haben, ehe in Israel ein König regierte: Bela, der Sohn Beors, und seine Stadt hieß Dinhaba. 44 Und als Bela starb, wurde König an seiner statt Jobab, der Sohn Serachs von Bozra. 45 Und als Jobab starb, wurde König an seiner statt Huscham aus dem Lande der Temaniter. 46 Als Huscham starb, wurde König an seiner statt Hadad, der Sohn Bedads, der die Midianiter schlug auf dem Felde der Moabiter, und seine Stadt hieß Awit. 47 Als Hadad starb, wurde König an seiner statt Samla von Masreka. 48 Als Samla starb, wurde König an seiner statt Schaul von Rehobot am Strom. 49 Als Schaul starb, wurde König an seiner statt Baal-Hanan, der Sohn Achbors. 50 Als Baal-Hanan starb, wurde König an seiner statt Hadad, und seine Stadt hieß Pagu; und seine Frau hieß Mehetabel, eine Tochter Matreds, die Me-Sahabs Tochter war.

51 Und als Hadad starb, waren Fürsten von Edom: Fürst Timna, Fürst Alwa, Fürst Jetet, 52 Fürst Oholibama, Fürst Ela, Fürst Pinon, 53 Fürst Kenas, Fürst Teman, Fürst Mibzar, 54 Fürst Magdiël, Fürst Iram. Das sind die Fürsten von Edom.

2 [a]Dies sind die Söhne Israels: Ruben, Simeon, Levi, Juda, Issachar, Sebulon, 2 Dan, Josef, Benjamin, Naftali, Gad, Asser.

DIE GESCHLECHTER JUDAS

(vgl. Kap 4,1-23)

3 Die Söhne Judas sind: Ger, Onan, Schela. Diese drei wurden ihm geboren von der Kanaaniterin, der Tochter Schuas. [a]Er aber, der Erstgeborene Judas, war böse vor dem HERRN; darum ließ er ihn sterben. 4 Tamar aber, seine Schwiegertochter, [a]gebar ihm Perez und Serach, sodass die Söhne Judas zusammen fünf waren. 5 Die Söhne des Perez sind: Hezron und Hamul.[a] 6 Die Söhne Serachs aber sind: Simri, Etan, Heman, Kalkol, Darda. Das sind zusammen fünf. 7 Der Sohn Karmis ist: [a]Achan, der Israel ins Unglück brachte, als er sich am Gebannten vergriff. 8 Der Sohn Etans ist: Asarja.

9 Die Söhne [a]Hezrons aber, die ihm geboren wurden, sind: Jerachmeel, Ram, [b]Kaleb. 10 Ram aber zeugte Amminadab. Amminadab zeugte [a]Nachschon, den Fürsten von Juda. 11 Nachschon zeugte Salmon. Salmon zeugte Boas. 12 Boas zeugte Obed. Obed zeugte Isai. 13 Isai zeugte seinen Erstgeborenen [a]Eliab, Abinadab als zweiten Sohn, Schima als dritten, 14 Netanel als vierten, Raddai als fünften, 15 Ozem als sechsten, [a]David als siebenten. 16 Und ihre Schwestern waren: Zeruja und Abigail. [a]Die Söhne der Zeruja sind: Abischai, Joab, Asaël, diese drei. 17 Abigail aber gebar Amasa. [a]Der Vater Amasas aber war Jeter, ein Ismaeliter.

18 [a]Kaleb, der Sohn Hezrons, zeugte mit Asuba, seiner Frau, die Jeriot. Und dies sind ihre Söhne: Jescher, Schobab und Ardon. 19 Als aber Asuba starb, [a]nahm Kaleb Efrata; die gebar ihm Hur. 20 Hur zeugte Uri. Uri zeugte Bezalel.[a]

21 Danach kam Hezron zu der Tochter Machirs, des Vaters* Gileads, und er nahm sie, als er sechzig Jahre alt war, und sie gebar ihm Segub. 22 [a]Segub aber zeugte Jaïr. Der hatte dreiundzwanzig Städte im Lande Gilead. 23 Aber die Geschuriter und Aramäer nahmen ihnen die »Dörfer Jaïrs«, dazu Kenat mit seinen Ortschaften, sechzig Städte. Diese alle sind Söhne Machirs, des Vaters Gileads. 24 Nach dem Tode Hezrons kam Kaleb zu Efrata, und die Frau Hezrons war Abija, und sie gebar ihm [a]Aschhur, den Vater Tekoas.

25 [a]Jerachmeel, der Erstgeborene Hezrons, hatte Söhne: den Erstgeborenen Ram, ferner Buna, Oren, Ozem, Ahija. 26 Und Jerachmeel hatte noch eine an-

* **2,21** »Vater« vor einem Orts- oder Landschaftsnamen bezeichnet in Kap 2,1-55 und 4,1-43 denjenigen, der den Ort oder die Landschaft zuerst besiedelte.

1,43 *a* (43-54) 1. Mose 36,31-43
2,1 *a* (1-2) 1. Mose 35,22-26 **2,3** *a* 1. Mose 38,1-7
2,4 *a* 1. Mose 38,27-30 **2,5** *a* 1. Mose 46,12
2,7 *a* Jos 7,1-26 **2,9** *a* Rut 4,19-22; Mt 1,3 *b* Verse 18.42
2,10 *a* 4. Mose 1,7; 2,3; 7,11-12 **2,13** *a* 1. Sam 16,5-10
2,15 *a* 1. Sam 17,12 **2,16** *a* 2. Sam 2,18 **2,17** *a* 2. Sam 17,25
2,18 *a* Verse 9.42 **2,19** *a* Vers 50 **2,20** *a* 2. Mose 31,2
2,22 *a* (22-23) Ri 10,3-6; 1. Kön 4,13 **2,24** *a* Kap 4,5
2,25 *a* Vers 9

dere Frau, die hieß Atara; die ist die
Mutter Onams.
27 Die Söhne Rams, des Erstgeborenen
Jerachmeels, sind: Maaz, Jamin und Eker.
28 Aber Onam hatte Söhne: Schammai
und Jada. Die Söhne Schammais aber sind:
Nadab und Abischur. 29 Die Frau Abischurs
aber hieß Abihajil; die gebar ihm Achban
und Molid. 30 Die Söhne Nadabs aber sind:
Seled und Appajim. Und Seled starb ohne
Söhne. 31 Der Sohn Appajims ist Jischi.
Der Sohn Jischis ist Scheschan. Der Sohn
Scheschans ist Achlai. 32 Aber die Söhne
Jadas, des Bruders Schammais, sind: Jeter
und Jonatan. Jeter aber starb ohne Söhne.
33 Die Söhne Jonatans aber sind: Pelet und
Sasa. Das sind die Söhne Jerachmeels.
34 [a]Scheschan aber hatte keine Söhne,
sondern nur Töchter. Und Scheschan hatte
einen ägyptischen Knecht, der hieß Jarha.
35 Und Scheschan gab seinem Knecht Jarha
seine Tochter zur Frau; die gebar ihm At-
tai. 36 Attai zeugte Nathan. Nathan zeugte
Sabad. 37 Sabad zeugte Eflal. Eflal zeugte
Obed. 38 Obed zeugte Jehu. Jehu zeugte
Asarja. 39 Asarja zeugte Helez. Helez
zeugte Elasa. 40 Elasa zeugte Sismai. Sis-
mai zeugte Schallum. 41 Schallum zeugte
Jekamja. Jekamja zeugte Elischama.
42 Die Söhne [a]Kalebs, des Bruders Je-
rachmeels, sind: Mescha, sein Erstgebo-
rener, der Vater Sifs, und die Söhne Ma-
reschas, des Vaters Hebrons. 43 Die Söhne
Hebrons aber sind: Korach, Tappuach,
Rekem und Schema. 44 Schema aber zeug-
te Raham, den Vater Jorkoams. Rekem
zeugte Schammai. 45 Der Sohn Scham-
mais aber hieß Maon, und Maon war der
Vater Bet-Zurs. 46 Efa aber, die Nebenfrau
Kalebs, gebar Haran, Moza und Gases. Ha-
ran aber zeugte Gases. 47 Die Söhne Jah-
dais aber sind: Regem, Jotam, Geschan,
Pelet, Efa und Schaaf. 48 Maacha aber, die
Nebenfrau Kalebs, gebar Scheber und
Tirhana 49 und gebar auch Schaaf, den Va-
ter Madmannas, und Schewa, den Vater
Machbenas und den Vater Gibeas. Aber
[a]Achsa war Kalebs Tochter. 50 Dies waren
die Söhne Kalebs.
Die Söhne [a]Hurs, des Erstgeborenen
von der Efrata, waren: Schobal, der Vater
Kirjat-Jearims, 51 Salma, der Vater Bethle-
hems, Haref, der Vater Bet-Gaders. 52 Und
Schobal, der Vater Kirjat-Jearims, hatte
Söhne: Reaja und die Hälfte der Manahat-
iter. 53 Die Geschlechter von Kirjat-Jearim
aber waren: die Jeteriter, Putiter, Schuma-
titer und Mischraiter. Von diesen sind aus-
gegangen die [a]Zoratiter und Eschtaoliter.
54 Die Söhne Salmas sind: Bethlehem
und die [a]Netofatiter, Atrot-Bet-Joab und
die Hälfte der Manahatiter, das sind die
Zoratiter. 55 Und die Geschlechter der
Schreiber, die in Jabez wohnten, sind die
Tiratiter, Schimatiter, Suchatiter. Das sind
die Kiniter, die da gekommen sind von
Hammat, dem Vater des Hauses [a]Rechab.

DIE NACHKOMMEN DAVIDS

3 [a]Dies sind die Söhne Davids, die ihm zu
Hebron geboren sind: der Erstgeborene
Amnon, von Ahinoam, der Jesreeliterin;
der zweite Daniel, von Abigajil, der Kar-
meliterin; 2 der dritte Absalom, der Sohn
der Maacha, der Tochter Talmais, des Kö-
nigs von Geschur; der vierte Adonija, der
Sohn der Haggit; 3 der fünfte Schefatja,
von der Abital; der sechste Jitream, von
seiner Frau Egla. 4 Diese sechs sind ihm
geboren zu Hebron; denn er regierte dort
sieben Jahre und sechs Monate.
Aber zu Jerusalem regierte er dreiund-
dreißig Jahre. 5 [a]Und diese sind ihm ge-
boren zu Jerusalem: Schima, Schobab,
Nathan, Salomo, diese vier von Batseba,
der Tochter Ammiëls; 6 dazu Jibhar, Eli-
schama, Elifelet, 7 Nogah, Nefeg, Jafia,
8 Elischama, Eljada, Elifelet, diese neun.
9 Das sind alles Söhne Davids, außer den
Söhnen der Nebenfrauen. Und [a]Tamar
war ihre Schwester.
10 [a]Salomos Sohn war Rehabeam; des-
sen Sohn war Abija; dessen Sohn war
Asa; dessen Sohn war Joschafat; 11 des-
sen Sohn war Joram; dessen Sohn war
Ahasja; dessen Sohn war Joasch; 12 des-
sen Sohn war Amazja; dessen Sohn war
Asarja; dessen Sohn war Jotam; 13 dessen
Sohn war Ahas; dessen Sohn war Hiskia;
dessen Sohn war Manasse; 14 dessen Sohn
war Amon; dessen Sohn war Josia. 15 Jo-

2,34 *a* (34-35) Vers 31; 4. Mose 27,7 **2,42** *a* Vers 18 **2,49** *a* Jos 15,16; Ri 1,12 **2,50** *a* Vers 19 **2,53** *a* Kap 4,2 **2,54** *a* Kap 9,16 **2,55** *a* Jer 35,1-11 **3,1** *a* (1-4) 2. Sam 3,2-5 **3,5** *a* (5-9) Kap 14,4-7; 2. Sam 5,14-16 **3,9** *a* 2. Sam 13,1 **3,10** *a* (10-16) Mt 1,7-12

sias Söhne aber waren: der Erstgeborene Johanan, der zweite Jojakim, der dritte Zedekia, der vierte Schallum. [16]Aber der Sohn Jojakims war: Jechonja, dessen Sohn war Zedekia.

[17]Die Söhne [a]Jechonjas, der gefangen wurde, waren: Schealtiël, [18]Malkiram, Pedaja, Schenazzar, Jekamja, Hoschama, Nedabja. [19]Die Söhne Pedajas waren: [a]Serubbabel und Schimi. Die Söhne Serubbabels waren: Meschullam und Hananja, und ihre Schwester war Schelomit; [20]ferner Haschuba, Ohel, Berechja, Hasadja, Juschab-Hesed, diese fünf. [21]Die Söhne Hananjas aber waren: Pelatja und Jeschaja, die Söhne Refajas, die Söhne Arnans, die Söhne Obadjas, die Söhne Schechanjas. [22]Der Sohn Schechanjas aber war: Schemaja. Die Söhne Schemajas aber waren: Hattusch, Jigal, Bariach, Nearja, Schafat, diese sechs. [23]Die Söhne Nearjas aber waren: Eljoënai, Hiskija, Asrikam, diese drei. [24]Die Söhne Eljoënais aber waren: Hodawja, Eljaschib, Pelaja, Akkub, Johanan, Delaja, Anani, diese sieben.

DIE GESCHLECHTER JUDAS

4 Die [a]Söhne Judas waren: Perez, Hezron, Karmi, Hur und Schobal. [2]Reaja aber, der Sohn Schobals, zeugte Jahat, Jahat zeugte Ahumai und Lahad. Das sind die Geschlechter der [a]Zoratiter. [3]Und dies sind die Söhne des Vaters Etams: Jesreel, Jischma, Jidbasch; und ihre Schwester hieß Hazlelponi; [4]und Pnuël, der Vater Gedors, und Eser, der Vater Huschas. Das sind die Söhne [a]Hurs, des Erstgeborenen der Efrata, des Vaters* Bethlehems.

[5]Aschhur aber, der Vater Tekoas, hatte zwei Frauen: Hela und Naara. [6]Und Naara gebar ihm Ahusam, Hefer, Temni und den Ahaschtariter. Das sind die Söhne Naaras. [7]Aber die Söhne Helas waren: Zeret, Zohar, Etnan und Koz. [8]Koz aber zeugte Anub und Zobeba.

Die Geschlechter Aharhels, des Sohnes Harums: [9]Jabez war angesehener als seine Brüder. Und seine Mutter nannte ihn Jabez; denn sie sprach: Ich habe ihn mit Kummer geboren. [10]Und Jabez rief den Gott Israels an und sprach: Ach dass du mich segnetest und mein Gebiet mehrtest und deine Hand mit mir wäre und schafftest, dass mich kein Übel bekümmere! Und Gott ließ kommen, worum er bat.

[11]Kelub aber, der Bruder Schuhas, zeugte Mehir; der ist der Vater Eschtons. [12]Eschton aber zeugte Bet-Rafa, Paseach und Tehinna, den Vater der Stadt Nahasch. Das sind die Männer von Recha. [13]Die [a]Söhne des Kenas waren: Otniël und Seraja. Die Söhne Otniëls aber waren: Hatat und Meonotai. [14]Und Meonotai zeugte Ofra. Und Seraja zeugte Joab, den Vater des Tals der Zimmerleute; denn sie waren Zimmerleute.

[15]Die Söhne [a]Kalebs, des Sohnes Jefunnes, aber waren: Iru, Ela und Naam; und der Sohn des Ela: Kenas. [16]Die Söhne Jehallelels aber waren: Sif, Sifa, Tirja und Asarel. [17]Die Söhne Esras aber waren: Jeter, Mered, Efer und Jalon. Und Jeter zeugte Mirjam, Schammai, Jischbach, den Vater Eschtemoas. [18]Und seine judäische Frau gebar Jered, den Vater Gedors, Heber, den Vater Sochos, Jekutiël, den Vater Sanoachs. Auch Bitja, die Tochter des Pharao, die Mered nahm, hatte Söhne.

[19]Die Söhne der Frau des Hodija, der Schwester Nahams, des Vaters Keïlas, waren: der Garmiter und Eschtemoa, der Maachatiter. [20]Die Söhne Schimons waren: Amnon und Rinna, Ben-Hanan und Tilon. Die Söhne Jischis waren: Sohet und Ben-Sohet. [21]Die Söhne [a]Schelas aber, des Sohnes Judas, waren: Ger, der Vater Lechas, Lada, der Vater Mareschas, und die Geschlechter der Leinweber von Bet-Aschbea, [22]dazu Jokim und die Männer von Koseba und Joasch und Saraf, die da Herren waren über Moab, und sie kehrten nach Bethlehem zurück, wie die alte Rede lautet. [23]Sie waren Töpfer und wohnten in Netaim und Gedera bei dem König; in seinem Dienst wohnten sie dort.

DIE GESCHLECHTER SIMEONS

[24]Die Söhne Simeons waren: Jemuël, Jamin, Jarib, Serach, Schaul.[a] [25]Dessen Sohn war Schallum, dessen Sohn war Mibsam,

* **4,4** Vgl. die Anmerkung zu Kap 2,21.

3,17 *a* 2. Chr 36,9-10 **3,19** *a* Esra 3,2.8
4,1 *a* Kap 2,4-5.7.19.50 **4,2** *a* Kap 2,53 **4,4** *a* Kap 2,19.50
4,13 *a* Jos 15,17; Ri 1,13 **4,15** *a* 4. Mose 13,6; 14,6
4,21 *a* Kap 2,3 **4,24** *a* 1. Mose 46,10; 2. Mose 6,15; 4. Mose 26,12-14

dessen Sohn war Mischma. 26 Die Söhne
Mischmas aber waren: Hammuël, Sak-
kur, Schimi. 27 Und Schimi hatte sechzehn
Söhne und sechs Töchter; aber seine Brü-
der hatten nicht viele Kinder, und ihr gan-
zes Geschlecht mehrte sich nicht so wie
die Söhne Judas.

28 [a]Sie wohnten aber zu Beerscheba, Mo-
lada, Hazar-Schual, 29 Bilha, Ezem, Elto-
lad, 30 Betuël, Horma, Ziklag, 31 Bet-Mar-
kabot, Hazar-Susim, Bet-Biri, Schaarajim.
Das waren ihre Städte bis auf den König
David: 32 Etam, Ajin, Rimmon, Tochen,
Aschan, die fünf Städte, dazu ihre Ge-
höfte, 33 und alle Gehöfte, die um diese
Städte her lagen bis nach Baal. Dort wohn-
ten sie, und sie hatten ihr eigenes Ge-
schlechtsregister.

34 Und Meschobab, Jamlech, Joscha, der
Sohn Amazjas, 35 Joel, Jehu, der Sohn Jo-
schibjas, des Sohnes Serajas, des Sohnes
Asiëls, 36 Eljoënai, Jaakoba, Jeschohaja,
Asaja, Adiël, Jesimiël und Benaja, 37 Sisa,
der Sohn Schifis, des Sohnes Allons, des
Sohnes Jedajas, des Sohnes Schimris, des
Sohnes Schemajas: 38 Diese, die mit Na-
men genannt sind, waren Fürsten in ih-
ren Geschlechtern, und ihre Sippen brei-
teten sich sehr aus. 39 Und sie zogen hin
nach Gedor bis östlich des Tals, um Weide
zu suchen für ihre Schafe, 40 und fanden
fette und gute Weide und ein Land weit
an Raum, still und ruhig; denn früher
wohnten dort die von [a]Ham. 41 Und diese
mit Namen Genannten kamen zur Zeit
[a]Hiskias, des Königs von Juda, und fielen
her über deren Zelte und über die Mëun-
iter, die sie dort fanden, und vollstreckten
den Bann an ihnen bis auf diesen Tag und
wohnten an ihrer statt; denn dort war
Weide für ihre Schafe.

42 Auch gingen von ihnen, von den Söh-
nen Simeons, fünfhundert Männer zum
Gebirge Seïr: Pelatja, Nearja, Refaja und
Usiël, die Söhne Jischis, an ihrer Spitze,
43 und sie [a]erschlugen, die übrig geblieben
waren von den Entronnenen der Amalek-
iter, und wohnten dort bis auf diesen Tag.

DIE STÄMME JENSEITS DES JORDANS

5 Die Söhne Rubens, des Erstgeborenen
Israels – denn er war zwar der Erstge-
borene, aber [a]weil er seines Vaters Bett
entweihte, wurde sein Erstgeburtsrecht
gegeben den Söhnen Josefs, des Sohnes
Israels, doch wurde er nicht in das Ge-
schlechtsregister als Erstgeborener aufge-
zeichnet; 2 denn [a]Juda war mächtig unter
seinen Brüdern, und aus ihm sollte der
Fürst kommen, [b]Josef aber erhielt das
Erstgeburtsrecht – 3 die Söhne Rubens,
des Erstgeborenen Israels, sind: Henoch,
Pallu, Hezron und Karmi.[a]

4 Die Söhne Joels aber waren: Schemaja,
dessen Sohn war Gog, dessen Sohn war
Schimi, 5 dessen Sohn war Micha, des-
sen Sohn war Reaja, dessen Sohn war
Baal, 6 dessen Sohn war Beera, den [a]Tig-
lat-Pileser, der König von Assur, gefan-
gen wegführte. Er aber war ein Fürst der
Rubeniter. 7 Aber seine Brüder nach ihren
Geschlechtern, wie sie in das Geschlechts-
register aufgezeichnet wurden, waren:
Jëiël, der erste, und Secharja 8 und Bela,
der Sohn des Asas, des Sohnes Schemas,
des Sohnes Joels. Der wohnte zu Aroër
und bis nach Nebo und Baal-Meon 9 und
wohnte nach Osten zu bis an die Wüste
am Euphratstrom; denn sie hatten viel
Vieh im Lande Gilead. 10 Und zur Zeit
Sauls führten sie Krieg gegen die Hagar-
iter, und diese fielen durch ihre Hand, und
sie wohnten in deren Zelten auf der gan-
zen Ostgrenze von Gilead.

11 Die Söhne Gad aber wohnten ihnen
gegenüber im Lande Baschan bis nach
Salcha: 12 Joel, der erste, und Schafam,
der zweite, ferner Janai und Schafat in
Baschan. 13 Und ihre Brüder nach ih-
ren Sippen waren: Michael, Meschullam,
Scheba, Jorai, Jakan, Sia und Eber, diese
sieben. 14 Das sind die Söhne Abihajils,
des Sohnes Huris, des Sohnes Jaroachs,
des Sohnes Gileads, des Sohnes Michaels,
des Sohnes Jeschischais, des Sohnes Jach-
dos, des Sohnes des Bus. 15 Ahi, der Sohn
Abdiëls, des Sohnes Gunis, war Haupt ih-
rer Sippen. 16 Und sie wohnten zu Gilead
in Baschan und in seinen Tochterstädten
und in allen Fluren Scharons bis an ihre
Enden. 17 Diese wurden alle aufgezeichnet

4,28 ***a*** *(28-33)* Jos 19,2-9 **4,40** ***a*** Kap 1,8-16
4,41 ***a*** 2. Kön 18,1 **4,43** ***a*** 1. Sam 15,3.8
5,1 ***a*** 1. Mose 35,22; 49,3-4 **5,2** ***a*** 1. Mose 49,8.10;
5. Mose 33,7 ***b*** 1. Mose 49,22; 5. Mose 33,13-17
5,3 ***a*** 2. Mose 6,14 **5,6** ***a*** Vers 26

[a]zur Zeit Jotams, des Königs von Juda, und
[b]Jerobeams, des Königs von Israel.
18 Von den Rubenitern, den Gaditern
und dem halben Stamm Manasse zählten die streitbaren Männer, die Schild
und Schwert führen und Bogen spannen
konnten und kriegskundig waren, 44760,
die in den Kampf ziehen konnten. 19 Und
sie kämpften mit den Hagaritern und
mit Jetur, Nafisch und Nodab. 20 Und es
wurde ihnen geholfen gegen sie, und die
Hagariter wurden in ihre Hände gegeben
und alle, die mit ihnen waren. Denn sie
schrien zu Gott im Kampf, und er ließ sich
erbitten; denn sie vertrauten ihm. 21 Und
sie führten weg ihr Vieh, 50 000 Kamele,
250 000 Schafe, 2000 Esel, und 100 000
Menschen. 22 Dazu waren viele erschlagen liegen geblieben, denn der Krieg war
von Gott. Und sie wohnten an ihrer statt
bis zur Zeit, wo sie gefangen weggeführt
wurden.
23 Die Söhne des halben Stammes Manasse aber wohnten im Lande von Baschan
bis Baal-Hermon und bis zum [a]Senir und
bis zum Berg Hermon. Und ihrer waren
viele. 24 Und dies waren die Häupter ihrer
Sippen: Efer, Jischi, Eliël, Asriël, Jirmeja,
Hodawja, Jachdiël, gewaltige Männer und
berühmte Häupter ihrer Sippen. 25 Da sie
aber dem Gott ihrer Väter untreu wurden
und abfielen zu den Götzen der Völker des
Landes, die Gott vor ihnen vertilgt hatte,
26 erweckte der Gott Israels den Geist des
[a]Pul, des Königs von Assyrien, und den
Geist [b]Tiglat-Pilesers*, des Königs von
Assyrien, und er führte weg die Rubeniter, Gaditer und den halben Stamm Manasse und brachte sie nach Halach und
an den Habor und nach Hara und an den
Fluss Gosan bis auf diesen Tag.

DIE GESCHLECHTER LEVIS

27 Die Söhne Levis waren: Gerschon, Kehat und Merari.[a] 28 Die Söhne Kehats aber
waren: Amram, Jizhar, Hebron und Usiël.
29 Die Kinder Amrams waren: [a]Aaron und
Mose und Mirjam. Die Söhne Aarons waren: [b]Nadab, Abihu, Eleasar und Itamar.
30 [a]Eleasar zeugte Pinhas. Pinhas zeugte
Abischua. 31 Abischua zeugte Bukki. Bukki
zeugte Usi. 32 Usi zeugte Serachja. Serachja
zeugte Merajot. 33 Merajot zeugte Amarja.
Amarja zeugte Ahitub. 34 Ahitub zeugte
Zadok. [a]Zadok zeugte Ahimaaz. 35 Ahimaaz zeugte Asarja. Asarja zeugte Johanan. 36 Johanan zeugte Asarja; das ist der,
der Priester war in dem Hause, das Salomo
gebaut hatte zu Jerusalem. 37 Asarja zeugte
Amarja. Amarja zeugte Ahitub. 38 Ahitub
zeugte Zadok. Zadok zeugte Schallum.
39 Schallum zeugte [a]Hilkija. Hilkija zeugte
Asarja. 40 Asarja zeugte [a]Seraja. Seraja
zeugte [b]Jozadak. 41 Jozadak aber wurde
mit weggeführt, [a]als der HERR Juda und
Jerusalem durch Nebukadnezar gefangen
wegführen ließ.

6 [a]Die Söhne Levis sind diese: Gerschom, Kehat, Merari. 2 So heißen aber
die Söhne Gerschoms: Libni und Schimi.
3 Aber die Söhne Kehats heißen: Amram,
Jizhar, Hebron und Usiël. 4 Die Söhne Meraris heißen: Machli und Muschi. Das sind
die Geschlechter der Leviten nach ihren
Vätern.
5 Gerschoms Sohn war Libni, dessen
Sohn war Jahat, dessen Sohn war Simma.
6 Dessen Sohn war Joach, dessen Sohn
war Iddo, dessen Sohn war Serach, dessen Sohn war Jeotrai.
7 Kehats Sohn aber war Amminadab,
dessen Sohn war [a]Korach, dessen Sohn
war Assir, 8 dessen Sohn war Elkana, dessen Sohn war Abiasaf, dessen Sohn war
Assir, 9 dessen Sohn war Tahat, dessen
Sohn war Uriël, dessen Sohn war Usija,
dessen Sohn war Schaul.
10 Die Söhne Elkanas waren: Amasai
und Ahimot, 11 dessen Sohn war Elkana,
dessen Sohn war Zuf, dessen Sohn war
Nahat, 12 dessen Sohn war Eliab, dessen
Sohn war Jeroham, dessen Sohn war [a]Elkana, dessen Sohn war Samuel. 13 Und die
Söhne Samuels waren: der Erstgeborene
Joel und der zweite Abija.[a]
14 Der Sohn Meraris war Machli, dessen

* **5,26** »Pul« ist der babylonische Thronname des assyrischen Königs Tiglat-Pileser III.

5,17 ***a*** 2. Kön 15,32 ***b*** 2. Kön 14,23 **5,23** ***a*** 5. Mose 3,8-9
5,26 ***a*** 2. Kön 15,19 ***b*** 2. Kön 15,29 **5,27** ***a*** Kap 6,1
5,29 ***a*** 2. Mose 6,20; 15,20; 4. Mose 26,59; Mi 6,4
b 2. Mose 6,23; 4. Mose 26,60
5,30 ***a*** (30-34) Kap 6,35-38 **5,34** ***a*** 2. Sam 8,17; 15,27.36
5,39 ***a*** 2. Kön 22,4 **5,40** ***a*** 2. Kön 25,18; Esra 7,1
b Neh 12,26 **5,41** ***a*** 2. Kön 25,21
6,1 ***a*** (1-4) 2. Mose 6,16-19 **6,7** ***a*** Kap 9,19; 2. Mose 6,24
6,12 ***a*** 1. Sam 1,1 **6,13** ***a*** 1. Sam 8,2

Sohn war Libni, dessen Sohn war Schimi,
dessen Sohn war Usa, 15 dessen Sohn war
Schima, dessen Sohn war Haggija, dessen
Sohn war Asaja.

DIE LEVITISCHEN SÄNGERFAMILIEN

16 Dies sind aber die, welche David be-
stellte, um im Hause des HERRN zu sin-
gen, [a]als die Lade zur Ruhe gekommen
war, 17 und sie dienten vor der Wohnung
der Stiftshütte mit Singen, bis Salomo
das Haus des HERRN baute zu Jerusa-
lem, und taten ihren Dienst nach ihrer
Ordnung. 18 Diese sind es, die des Amtes
walteten, und ihre Söhne: Von den Söh-
nen Kehat war [a]Heman, der Sänger, der
Sohn Joels, des Sohnes Samuels, 19 des
Sohnes Elkanas, des Sohnes Jerohams,
des Sohnes Eliëls, des Sohnes Tohus,
20 des Sohnes Zufs, des Sohnes Elkanas,
des Sohnes Mahats, des Sohnes Amasais,
21 des Sohnes Elkanas, des Sohnes Joels,
des Sohnes Asarjas, des Sohnes Zefanjas,
22 des Sohnes Tahats, des Sohnes Assirs,
des Sohnes Abiasafs, des Sohnes Korachs,
23 des Sohnes Jizhars, des Sohnes Kehats,
des Sohnes Levis, des Sohnes Israels.

24 Und sein Bruder [a]Asaf stand zu sei-
ner Rechten. Und er, Asaf, war ein Sohn
Berechjas, des Sohnes Schimas, 25 des
Sohnes Michaels, des Sohnes Maasejas,
des Sohnes Malkijas, 26 des Sohnes Etnis,
des Sohnes Serachs, des Sohnes Adajas,
27 des Sohnes Etans, des Sohnes Simmas,
des Sohnes Schimis, 28 des Sohnes Jahats,
des Sohnes Gerschons, des Sohnes Levis.

29 Ihre Brüder aber, die Söhne Merari,
standen zur Linken: nämlich [a]Etan, der
Sohn Kischis*, des Sohnes Abdis, des
Sohnes Malluchs, 30 des Sohnes Haschab-
jas, des Sohnes Amazjas, des Sohnes Hil-
kijas, 31 des Sohnes Amzis, des Sohnes Ba-
nis, des Sohnes Schemers, 32 des Sohnes
Machlis, des Sohnes Muschis, des Sohnes
Meraris, des Sohnes Levis.

AARON UND SEINE NACHKOMMEN

33 Ihre Brüder aber, die Leviten, waren be-
stellt zu allem Dienst an der Wohnung
des Hauses Gottes. 34 [a]Aaron dagegen und
seine Söhne waren verordnet zum Dienst
am Brandopferaltar und am Räucheraltar
und zu allem Dienst im Allerheiligsten
und [b]Sühne zu schaffen für Israel, wie
Mose, der Knecht Gottes, geboten hatte.

35 [a]Dies sind aber die Söhne Aarons: Ele-
asar, sein Sohn, dessen Sohn war Pinhas,
dessen Sohn war Abischua, 36 dessen Sohn
war Bukki, dessen Sohn war Usi, dessen
Sohn war Serachja, 37 dessen Sohn war
Merajot, dessen Sohn war Amarja, dessen
Sohn war Ahitub, 38 dessen Sohn war Za-
dok, dessen Sohn war Ahimaaz.

DIE WOHNSITZE DER LEVITEN

(vgl. Jos 21,1-42)

39 Und dies sind ihre Wohnsitze nach ih-
ren Zeltdörfern in ihrem Gebiet, nämlich
der Söhne Aaron vom Geschlecht der Ke-
hatiter, denn das Los fiel ihnen zuerst zu
40 und man gab ihnen Hebron im Lande
Juda mit seinem Weideland ringsumher.
41 Aber die Felder der Stadt und ihre Dörfer
gaben sie Kaleb, dem Sohn Jefunnes. 42 So
gaben sie nun den Söhnen Aaron die Frei-
städte Hebron und Libna mit ihrem Wei-
deland, Jattir und Eschtemoa mit ihrem
Weideland, 43 Holon, Debir, 44 Aschan und
Bet-Schemesch mit ihrem Weideland;
45 und aus dem Stamm Benjamin: Geba,
Alemet und Anatot mit ihrem Weideland,
sodass die Zahl aller Städte in ihren Ge-
schlechtern dreizehn war.

46 Aber den andern Söhnen Kehat nach
ihren Geschlechtern wurden durchs Los
aus dem Stamm Ephraim, aus dem Stamm
Dan und aus dem halben Stamm Manasse
zehn Städte gegeben.[a]

47 Den Söhnen Gerschom nach ihren Ge-
schlechtern wurden aus dem Stamm Issa-
char und aus dem Stamm Asser und aus
dem Stamm Naftali und aus dem Stamm
Manasse in Baschan dreizehn Städte ge-
geben.[a]

48 Den Söhnen Merari nach ihren Ge-
schlechtern wurden durchs Los aus dem
Stamm Ruben und aus dem Stamm
Gad und aus dem Stamm Sebulon zwölf
Städte gegeben.[a]

49 Und Israel gab den Leviten die Städte

* **6,29** Der Name lautet in Kap 15,17 »Kuschaja«.

6,16 *a* 2. Sam 6,17 **6,18** *a* Kap 15,17.19
6,24 *a* Kap 15,17.19 **6,29** *a* Kap 15,19
6,34 *a* 2. Mose 28,1 *b* 3. Mose 16,1-34
6,35 *a* (35-38) Kap 5,30-34 **6,46** *a* Verse 51-55
6,47 *a* Verse 56-61 **6,48** *a* Verse 62-66

mit ihrem Weideland, 50 nämlich durchs
Los aus dem Stamm Juda und aus dem
Stamm Simeon und aus dem Stamm Ben-
jamin diese Städte, die sie mit Namen be-
stimmten.
51 Aber den Geschlechtern der Söhne
Kehat wurden Städte ihres Gebiets aus
dem Stamm Ephraim gegeben. 52 So ga-
ben sie nun dem Geschlecht der andern
Söhne Kehat die Freistädte: Sichem auf
dem Gebirge Ephraim, Geser, 53 Kibza-
jim, Bet-Horon, 54 Ajalon und Gat-Rim-
mon mit ihrem Weideland. 55 Dazu aus
dem halben Stamm Manasse: Aner* und
Jibleam mit ihrem Weideland.
56 Aber den Söhnen Gerschom nach ih-
ren Geschlechtern gaben sie aus dem hal-
ben Stamm Manasse: Golan in Baschan
und Aschtarot mit ihrem Weideland;
57 aus dem Stamm Issachar: Kedesch, Da-
berat, 58 Ramot und Anem* mit ihrem
Weideland; 59 aus dem Stamm Asser:
Mischal, Abdon, 60 Hukok und Rehob
mit ihrem Weideland; 61 aus dem Stamm
Naftali: Kedesch in Galiläa, Hammon und
Kirjatajim mit ihrem Weideland.
62 Den andern Söhnen Merari gaben sie
aus dem Stamm Sebulon: Rimmon und
Tabor mit ihrem Weideland; 63 und jen-
seits des Jordans gegenüber Jericho, öst-
lich vom Jordan, aus dem Stamm Ruben:
Bezer in der Wüste, Jahaz, 64 Kedemot
und Mefaat mit ihrem Weideland; 65 aus
dem Stamm Gad: Ramot in Gilead, Ma-
hanajim, 66 Heschbon und Jaser mit ihrem
Weideland.

DER STAMM ISSACHAR

7 Die Söhne Issachars waren: Tola, Pua,
Jaschub und Schimron, diese vier.[a] 2 Die
Söhne Tolas aber waren: Usi, Refaja, Jeri-
ël, Jachmai, Jibsam und Schemuël, Häup-
ter ihrer Sippen von Tola und gewaltige
Männer; nach dem Geschlechtsregister an
Zahl zu Davids Zeiten 22 600. 3 Der Sohn
Usis war: Jisrachja. Und die Söhne Jis-
rachjas waren: Michael, Obadja, Joel und
Jischija, diese fünf; sie alle waren Häup-
ter. 4 Und nach ihrem Geschlechtsregister,
nach ihren Sippen waren unter ihnen zum
Kampf gerüstetes Heervolk 36 000; denn
sie hatten viele Frauen und Kinder. 5 Und
ihre Brüder in allen Geschlechtern Issa-
chars waren gewaltige Männer, 87 000,
und wurden alle aufgezeichnet.

DER STAMM BENJAMIN

6 Die [a]Söhne Benjamins waren: Bela, Be-
cher und Jediaël, diese drei. 7 Aber die
Söhne Belas waren: Ezbon, Usi, Usiël,
Jerimot und Ir, diese fünf, Häupter ihrer
Sippen, gewaltige Männer. Und es wurden
aufgezeichnet 22 034. 8 Die Söhne Bechers
waren: Semira, Joasch, Eliëser, Eljoënai,
Omri, Jerimot, Abija, Anatot und Ale-
met; die waren alle Söhne des Becher 9 und
wurden aufgezeichnet in ihren Geschlech-
tern nach den Häuptern ihrer Sippen, ge-
waltige Männer, 20 200. 10 Der Sohn Jedia-
ëls aber war: Bilhan. Bilhans Söhne aber
waren: Jëusch, Benjamin, Ehud, Kenaana,
Setan, Tarsis und Ahischahar. 11 Die waren
alle Söhne Jediaëls, Häupter der Sippen,
gewaltige Männer, 17 200, die als Heer
ausziehen konnten zum Kampf. 12 Und
Schuppim und Huppim waren Söhne Irs;
Huschim aber war ein Sohn Ahers.

DER STAMM NAFTALI

13 Die Söhne Naftalis waren: Jachzeel,
Guni, Jezer und Schillem, Söhne der
Bilha.[a]

DER STAMM MANASSE

14 Die Söhne Manasses waren diese: Asri-
ël, den seine aramäische Nebenfrau gebo-
ren hatte; auch gebar sie Machir, den Vater
Gileads.[a] 15 Und Machir gab Huppim und
Schuppim Frauen; und seine Schwes-
ter hieß Maacha. Sein anderer Sohn hieß
Zelofhad, und [a]Zelofhad hatte nur Töch-
ter. 16 Und Maacha, Machirs Frau, gebar
einen Sohn; den nannte sie Peresch. Und
sein Bruder hieß Scheresch, und dessen
Söhne waren Ulam und Rekem. 17 Ulams
Sohn aber war Bedan. Das sind die Söhne
Gileads, des Sohnes Machirs, des Sohnes
Manasses. 18 Und seine Schwester Mole-
chet gebar Ischhod, Abiëser und Machla.
19 Und Schemida hatte diese Söhne: Ach-
jan, Sichem, Likhi und Aniam.

* **6,55** Der Name lautet in Jos 21,25 »Taanach«.
6,58 Der Name lautet in Jos 19,21 »En-Gannim«.

7,1 *a* 1. Mose 46,13; 4. Mose 26,23-24 **7,6** *a* Kap 8,1-2; 1. Mose 46,21 **7,13** *a* 1. Mose 46,24
7,14 *a* 4. Mose 26,29-33 **7,15** *a* 4. Mose 27,1

DER STAMM EPHRAIM

[20]Die Söhne Ephraims waren diese:
[a]Schutelach – dessen Sohn war Bered,
dessen Sohn war Tahat, dessen Sohn war
Elada, dessen Sohn war Tahat, [21]dessen
Sohn war Sabad, dessen Sohn war Schutelach – und Eser und Elad.

Und die Männer von Gat, die Einheimischen im Lande, töteten sie, weil sie hinabgezogen waren, ihnen das Vieh wegzunehmen. [22]Und ihr Vater Ephraim trug
Leid lange Zeit, und seine Brüder kamen,
ihn zu trösten. [23]Und er ging ein zu seiner Frau; die ward schwanger und gebar
einen Sohn, den nannte er Beria, weil in
seinem Hause Unglück war. [24]Seine Tochter aber war Scheera, die baute das untere
und obere Bet-Horon und Usen-Scheera.
[25]Sein Sohn war Refach, auch Reschef,
dessen Sohn war Telach, dessen Sohn war
Tahan, [26]dessen Sohn war Ladan, dessen
Sohn war [a]Ammihud, dessen Sohn war
Elischama, [27]dessen Sohn war Nun, dessen Sohn war Josua.[a]

[28]Und ihr Besitz und ihre Wohnung war
[a]Bethel und seine Ortschaften und gegen
Osten Naara und gegen Westen [b]Geser
und seine Ortschaften, Sichem und seine
Ortschaften bis nach Aja und seinen Ortschaften, [29]und an der Seite der Söhne
Manasses Bet-Schean und seine Ortschaften, Taanach und seine Ortschaften,
Megiddo und seine Ortschaften, Dor und
seine Ortschaften. In diesen wohnten die
Söhne Josefs, des Sohnes Israels.[a]

DER STAMM ASSER

[30][a]Die Söhne Assers waren diese: Jimna,
Jischwa, Jischwi, Beria; und Serach war
ihre Schwester. [31]Die Söhne Berias waren: Heber und Malkiël; das ist der Vater
Birsajits. [32]Heber aber zeugte Jaflet, Schemer, Hotam und ihre Schwester Schua.
[33]Die Söhne Jaflets waren: Pasach, Bimhal und Aschwat; das waren die Söhne
Jaflets. [34]Die Söhne Schemers waren:
Ahi, Rohga, Hubba und Aram. [35]Und
die Söhne seines Bruders Hotam waren: Zofach, Jimna, Schelesch und Amal.
[36]Die Söhne Zofachs waren: Suach, Harnefer, Schual, Beri, Jimra, [37]Bezer, Hod,
Schamma, Schilscha, Jitran und Beera.
[38]Die Söhne Jeters waren: Jefunne, Pispa
und Ara. [39]Die Söhne Ullas waren: Arach,
Hanniël und Rizja. [40]Diese alle waren
Söhne Assers, Häupter der Sippen, auserlesene, gewaltige Männer und Erste der
Fürsten. Und sie wurden aufgezeichnet als
Kriegsleute; ihre Zahl war 26 000 Mann.

NOCH EINMAL: DER STAMM BENJAMIN

(vgl. Kap 7,6-12)

8 Benjamin aber zeugte Bela, seinen Erstgeborenen, Aschbel als zweiten Sohn,
Achrach als dritten,[a] [2]Noha als vierten,
Rafa als fünften.

[3]Und Bela hatte Söhne: Ard, Gera, Abihud, [4]Abischua, Naaman, Ahoach, [5]Gera,
Schefufan und Huram.

[6]Dies sind die Söhne Ehuds, die Häupter der Sippen waren unter den Bürgern zu
Geba, und man führte sie gefangen nach
Manahat, [7]nämlich: Naaman, Ahija und
Gera, dieser führte sie weg; und er zeugte
Usa und Ahihud.

[8]Und Schaharajim zeugte im Lande
Moab, als er seine Frauen Huschim und
Baara entlassen hatte, [9]und er zeugte mit
seiner Frau Hodesch: Jobab, Zibja, Mescha, Malkam, [10]Jëuz, Sacheja und Mirma.
Das sind seine Söhne, Häupter der Sippen.
[11]Mit Huschim aber hatte er Abitub und
Elpaal gezeugt. [12]Die Söhne Elpaals aber
waren: Eber, Mischam und Schemed.
Dieser baute Ono und Lod und ihre Ortschaften.

[13]Und Beria und Schema waren Häupter der Sippen unter den Bürgern von
Ajalon; sie verjagten die Einwohner von
Gat. [14]Und ihre Brüder waren: Schaschak,
Jeremot, [15]Sebadja, Arad, Eder, [16]Michael,
Jischpa und Joha; das sind die Söhne Berias. [17]Sebadja, Meschullam, Hiski, Heber, [18]Jischmerai, Jislia, Jobab; das sind
die Söhne Elpaals. [19]Jakim, Sichri, Sabdi,
[20]Eliënai, Zilletai, Eliël, [21]Adaja, Beraja
und Schimrat; das sind die Söhne Schimis.
[22]Jischpan, Eber, Eliël, [23]Abdon, Sichri,
Hanan, [24]Hananja, Elam, Antotija, [25]Jifdeja und Pnuël; das sind die Söhne Schaschaks. [26]Schamscherai, Scheharja, Atalja,
[27]Jaareschja, Elija und Sichri; das sind die

7,20 ***a*** 4. Mose 26,35 **7,26** ***a*** 4. Mose 1,10
7,27 ***a*** 4. Mose 13,8.16 **7,28** ***a*** Jos 16,1 ***b*** Jos 16,10
7,29 ***a*** Jos 17,11 **7,30** ***a*** *(30-31)* 1. Mose 46,17
8,1 ***a*** 1. Mose 46,21

Söhne Jerohams. 28 Das sind die Häupter
der Sippen ihrer Geschlechter, die in Je-
rusalem wohnten.
29 [a]Aber in Gibeon wohnte Jëiël, der
Vater Gibeons, und seine Frau hieß Ma-
acha. 30 Und sein erstgeborener Sohn war
Abdon, ferner Zur, Kisch, Baal, Ner, Na-
dab, 31 Gedor, Achjo, Secher und Miklot.
32 Miklot aber zeugte Schima. Und auch sie
wohnten mit ihren Brüdern in Jerusalem,
ihnen gegenüber.
33 Ner zeugte Abner, und [a]Kisch zeugte
Saul. Saul zeugte Jonatan, Malkischua,
Abinadab und [b]Eschbaal. 34 Der Sohn Jo-
natans aber war Merib-Baal. Merib-Baal
zeugte Micha. 35 Die Söhne Michas waren:
Piton, Melech, Tachrea und Ahas. 36 Ahas
aber zeugte Joadda. Joadda zeugte Alemet,
Asmawet und Simri. Simri zeugte Moza.
37 Moza zeugte Bina; dessen Sohn war Re-
faja, dessen Sohn war Elasa, dessen Sohn
war Azel. 38 Azel aber hatte sechs Söhne,
die hießen: Asrikam, Bochru, Jischmael,
Schearja, Obadja, Hanan. Die waren alle
Söhne Azels. 39 Die Söhne seines Bruders
Eschek waren: Ulam, sein Erstgebore-
ner, Jëusch, der zweite Sohn, Elifelet, der
dritte. 40 Die Söhne Ulams aber waren ge-
waltige Leute und geschickt mit Bogen
und hatten viele Söhne und Enkel, hun-
dertfünfzig. Diese alle sind von den Söh-
nen Benjamin.

JERUSALEM UND SEINE EINWOHNER

9 Und ganz Israel war aufgezeichnet, und
siehe, sie sind aufgeschrieben im Buch
der Könige Israels.
Und [a]Juda wurde weggeführt nach Ba-
bel um seines Treubruchs willen. 2 Und
die zuerst auf ihrem Besitz und in ihren
Städten wohnten, waren Israeliten, Pries-
ter, Leviten und [a]Tempeldiener.
3 [a]Und in Jerusalem wohnten einige der
Söhne Juda, einige der Söhne Benjamin,
einige der Söhne Ephraim und Manasse:
4 Utai, der Sohn Ammihuds, des Sohnes
Omris, des Sohnes Imris, des Sohnes
Banis von den Nachkommen des Perez,
des Sohnes Judas; 5 von den Schelanitern
aber Asaja, der Erstgeborene, und seine
Söhne; 6 von den Söhnen Serach: Jëuël
und seine Brüder, 690.
7 Von den Söhnen Benjamin: Sallu, der
Sohn Meschullams, des Sohnes Hodaw-
jas, des Sohnes Senuas, 8 und Jibneja, der
Sohn Jerohams, und Ela, der Sohn Usis,
des Sohnes Michris, und Meschullam, der
Sohn Schefatjas, des Sohnes Reguëls, des
Sohnes Jibnijas. 9 Dazu ihre Brüder nach
ihren Geschlechtern, 956. Alle diese Män-
ner waren Häupter ihrer Sippen.

PRIESTER UND LEVITEN

10 Von den Priestern aber: Jedaja, Jojarib,
Jachin 11 und Asarja, der Sohn [a]Hilkijas,
des Sohnes Meschullams, des Sohnes Za-
doks, des Sohnes Merajots, des Sohnes
Ahitubs, der Vorsteher im Hause Gottes,
12 und Adaja, der Sohn Jerohams, des Soh-
nes Paschhurs, des Sohnes Malkijas, und
Masai, der Sohn Adiëls, des Sohnes Jach-
seras, des Sohnes Meschullams, des Soh-
nes Meschillemots, des Sohnes Immers,
13 dazu ihre Brüder, Häupter ihrer Sippen,
1760, tüchtige Leute im Dienst des Amtes
im Hause Gottes.
14 Von den Leviten aber aus den Söhnen
Merari: Schemaja, der Sohn Haschubs, des
Sohnes Asrikams, des Sohnes Haschabjas,
15 und Bakbakkar*, Heresch und Galal und
Mattanja, der Sohn Michas, des Sohnes
Sichris, des Sohnes Asafs, 16 und Abda, der
Sohn Schammuas, des Sohnes Galals, des
Sohnes Jedutuns, und Berechja, der Sohn
Asas, des Sohnes Elkanas, der in den Ge-
höften der [a]Netofatiter wohnte.
17 Die Torhüter aber waren: Schallum,
Akkub, Talmon, Ahiman; und ihr Bruder
Schallum war der Oberste, 18 und bis heute
stehen sie am Tor des Königs im Osten.
Das waren die Torhüter in den Lagern der
Söhne Levi.
19 Und Schallum, der Sohn Kores, des
Sohnes Abiasafs, des Sohnes Korachs,
und seine Brüder aus seiner Sippe, die Ko-
rachiter, waren im Dienst des Amtes, dass
sie hüteten die Schwelle der Stiftshütte,
[a]wie auch ihre Väter im Lager des HERRN
den Eingang gehütet hatten. 20 [a]Pinhas
aber, der Sohn Eleasars, – der HERR sei

* **9,15** Der Name lautet in Neh 11,17 u. ö. »Bakbukja«.

8,29 ***a*** (29-38) Kap 9,35-44 **8,33** ***a*** 1. Sam 14,51
b 2. Sam 2,8 **9,1** ***a*** 2. Kön 24,15-16 **9,2** ***a*** Jos 9,23.27;
Esra 8,20 **9,3** ***a*** (3-16) Neh 11,3-19 **9,11** ***a*** Kap 5,38-39
9,16 ***a*** Kap 2,54 **9,19** ***a*** 2. Chr 34,9
9,20 ***a*** 4. Mose 25,7-13

mit ihm! – war vorzeiten über sie gesetzt.
21 Secharja aber, der Sohn Meschelemjas,
war Hüter am Tor der Stiftshütte.

22 Alle diese waren auserlesen zu Hütern
an der Schwelle, zweihundertzwölf; diese
waren zwar aufgezeichnet in ihren Gehöf-
ten, aber David und Samuel, der [a]Seher,
hatten sie wegen ihrer Treue eingesetzt,
23 dass sie und ihre Söhne als Wächter hü-
ten sollten die Tore am Hause des HERRN,
nämlich an der Stiftshütte. 24 Es waren
aber diese Torhüter nach den vier Him-
melsrichtungen aufgestellt: nach Osten,
nach Westen, nach Norden und Süden.
25 Ihre Brüder aber waren auf ihren Ge-
höften und mussten zur verordneten Zeit
für jeweils sieben Tage hereinkommen,
um mit ihnen Dienst zu tun. 26 Die vier
obersten Torhüter aber waren verlässlich
da.

Und einige von den Leviten waren über
die Kammern und Schätze im Hause Got-
tes gesetzt. 27 Auch blieben sie die Nacht
über um das Haus Gottes, denn sie muss-
ten Wache halten und alle Morgen die Tü-
ren auftun. 28 Und einige von ihnen waren
gesetzt über die Geräte für den Dienst;
denn sie mussten sie abgezählt heraus-
und hineintragen. 29 Und einige von ih-
nen waren bestellt über die Gefäße und
über alle heiligen Geräte, über das feine
Mehl, über Wein, über Öl, über Weih-
rauch, über Spezerei. 30 Und einige der
Söhne der Priester machten [a]Salböl aus der
Spezerei. 31 Und Mattitja von den Leviten,
dem Erstgeborenen Schallums, des Ko-
rachiters, waren die Pfannen anvertraut.
32 Von den Kehatitern aber, ihren Brüdern,
waren einige bestellt über die Schaubrote,
sie zuzurichten auf alle Sabbate.[a]

33 Das sind die Sänger, die Häupter der
Sippen der Leviten, die in den Kammern
keinen Dienst hatten, denn Tag und Nacht
waren sie in ihrem Amt. 34 Das sind die
Häupter der Sippen unter den Leviten
nach ihren Geschlechtern. Diese wohn-
ten in Jerusalem.

DIE SIPPE SAULS

(vgl. Kap 8,29-38)

35 In Gibeon wohnten Jëiël, der Vater Gi-
beons; seine Frau hieß Maacha 36 und sein
Erstgeborener Abdon; ferner Zur, Kisch,
Baal, Ner, Nadab, 37 Gedor, Achjo, Secher,
Miklot. 38 Miklot aber zeugte Schima.
Auch sie wohnten mit ihren Brüdern in
Jerusalem, ihnen gegenüber.

39 Ner aber zeugte Abner. Kisch zeugte
Saul. Saul zeugte Jonatan, Malkischua,
Abinadab, Eschbaal. 40 Der Sohn Jonatans
aber war Merib-Baal. Merib-Baal aber
zeugte Micha.

41 Die Söhne Michas waren: Piton, Me-
lech, Tachrea und Ahas. 42 Ahas zeugte
Joadda. Joadda zeugte Alemet, Asmawet
und Simri. Simri zeugte Moza. 43 Moza
zeugte Bina; dessen Sohn war Refaja, des-
sen Sohn war Elasa, dessen Sohn war Azel.
44 Azel aber hatte sechs Söhne; die hie-
ßen: Asrikam, Bochru, Jischmael, Sche-
arja, Obadja, Hanan. Das sind die Söhne
Azels.

SAULS UNTERGANG

(vgl. 1. Sam 31,1-13)

10 Die Philister kämpften gegen Israel,
und die Männer Israels flohen vor den
Philistern und fielen, erschlagen auf dem
Gebirge Gilboa. 2 Aber die Philister ver-
folgten Saul und seine Söhne und erschlu-
gen Jonatan, Abinadab und Malkischua,
die Söhne Sauls.

3 Und der Kampf tobte heftig um Saul,
und die Bogenschützen fanden ihn, und
er wurde verwundet von den Schützen.
4 Da sprach Saul zu seinem Waffenträ-
ger: Zieh dein Schwert und erstich mich
damit, dass nicht diese Unbeschnittenen
kommen und treiben ihren Spott mit mir.
Aber sein Waffenträger wollte nicht; denn
er fürchtete sich sehr. Da nahm Saul sein
Schwert und stürzte sich hinein. 5 Als aber
sein Waffenträger sah, dass Saul tot war,
stürzte auch er sich ins Schwert und starb.
6 So starb Saul und mit ihm seine drei
Söhne und sein ganzes Haus. 7 Als aber die
Männer Israels, die in der Ebene wohnten,
sahen, dass sie geflohen waren und dass
Saul und seine Söhne tot waren, verließen
sie ihre Städte und flohen, und die Philis-
ter kamen und wohnten darin.

8 Am andern Tage kamen die Philister,
um die Erschlagenen auszuplündern, und

9,22 ***a*** 1. Sam 9,8-11 **9,30** ***a*** 2. Mose 30,23-25
9,32 ***a*** 3. Mose 24,5-8

fanden Saul und seine Söhne, wie sie ge-
fallen auf dem Gebirge Gilboa lagen. 9 Da
plünderten sie ihn aus und nahmen sein
Haupt und seine Waffen und sandten sie
im Land der Philister umher und ließen's
verkünden vor ihren Götzen und dem
Volk. 10 Und sie legten seine Waffen nieder
im Haus ihres Gottes, und seinen Schädel
hefteten sie ans Haus Dagons.
11 Als aber jedermann von Jabesch in
Gilead hörte, was die Philister Saul alles
angetan hatten, 12 machten sie sich auf,
alle streitbaren Männer, und [a]nahmen die
Leichname Sauls und seiner Söhne und
brachten sie nach Jabesch und begruben
ihre Gebeine unter der Eiche zu Jabesch
und fasteten sieben Tage. 13 So starb Saul
um seines Treubruchs willen, mit dem er
dem HERRN untreu geworden war, [a]weil
er das Wort des HERRN nicht hielt, auch
[b]weil er die Wahrsagerin befragt, 14 den
HERRN aber nicht befragt hatte. Darum
ließ er ihn sterben und wandte das König-
tum David, dem Sohn Isais, zu.

DAVID WIRD KÖNIG UND EROBERT JERUSALEM

(vgl. 2. Sam 5,1-10)

11 Und ganz Israel sammelte sich bei Da-
vid in Hebron und sprach: Siehe, [a]wir
sind dein Fleisch und Bein. 2 Schon da-
mals, als Saul König war, führtest du Israel
aus und ein. Und der HERR, dein Gott, hat
zu dir geredet: Du sollst mein Volk Israel
weiden, und du sollst Fürst sein über mein
Volk Israel. 3 Und alle Ältesten Israels ka-
men zum König nach Hebron. Und David
schloss einen Bund mit ihnen in Hebron
vor dem HERRN. Und [a]sie salbten David
zum König über Israel nach dem Wort des
HERRN durch Samuel.
4 Und David und ganz Israel zogen hin
nach Jerusalem, das ist Jebus; denn die
Jebusiter wohnten dort im Lande. 5 Und
die Bewohner von Jebus sprachen zu Da-
vid: Du wirst nicht hereinkommen. Da-
vid aber nahm die Burg Zion ein, das ist
Davids Stadt. 6 Und David sprach: Wer die
Jebusiter zuerst schlägt, der soll Haupt-
mann und Oberster sein. Da stieg Joab,
der Sohn der Zeruja, zuerst hinauf und
wurde Hauptmann. 7 David aber wohnte
auf der Burg, daher nennt man sie »Stadt
Davids«. 8 Und er baute die Stadt ringsum,
vom Millo an rundumher. Joab aber stellte
die übrige Stadt wieder her. 9 Und David
nahm immer mehr zu an Macht, und der
HERR Zebaoth war mit ihm.

DIE HELDEN DAVIDS

(vgl. 2. Sam 23,8-39)

10 Dies sind die Obersten der Helden Da-
vids, die sich treu zu ihm hielten in sei-
nem Königtum mit ganz Israel, dass man
ihn zum König machte nach dem Wort des
HERRN über Israel. 11 Und dies ist die Zahl
der Helden Davids: Joschobam, der Sohn
Hachmonis, der Erste unter den Dreien; er
schwang seinen Spieß und erschlug drei-
hundert auf einmal.[a] 12 Nach ihm war Ele-
asar, der Sohn Dodos, der [a]Ahoachiter; er
war unter den drei Helden. 13 Dieser war
mit David in Pas-Dammim, als die Phi-
lister sich dort zum Kampf versammelt
hatten. Dort war ein Stück Acker mit
Gerste. Und das Volk floh vor den Philis-
tern. 14 Und sie traten mitten aufs Feld,
sicherten es und schlugen die Philister.
Und der HERR half mit einem großen
Sieg.
15 Und drei aus den dreißig Helden zo-
gen hinab zum Felsen zu David in die
[a]Höhle Adullam. Aber das Lager der Phi-
lister lag in der Ebene Refaïm. 16 David
aber war in der Bergfeste; und die Wache
der Philister war damals in Bethlehem.
17 Und David gelüstete es, und er sprach:
Wer will mir Wasser zu trinken geben
aus dem Brunnen am Tor in Bethlehem?
18 Da brachen die Drei in das Lager der
Philister ein und schöpften Wasser aus
dem Brunnen am Tor in Bethlehem und
trugen's und brachten's zu David. Er aber
wollte es nicht trinken, sondern goss es
aus für den HERRN als Trankopfer 19 und
sprach: Das lasse mein Gott fern von mir
sein, dass ich solches tue und trinke das
Blut dieser Männer, die sich der Gefahr
ausgesetzt haben; denn sie haben das
Wasser unter Lebensgefahr hergebracht.
Darum wollte er's nicht trinken. Das
taten die drei Helden.
20 Abischai, der Bruder Joabs, war der

10,12 ***a*** 2. Sam 2,4-5 **10,13** ***a*** 1. Sam 15,11.23 ***b*** 1. Sam 28,8
11,1 ***a*** 1. Mose 29,14 **11,3** ***a*** 1. Sam 16,1.3.11-12
11,11 ***a*** Kap 27,2 **11,12** ***a*** Kap 27,4 **11,15** ***a*** 1. Sam 22,1

Erste unter den Dreißig*, und er schwang
seinen Spieß und erschlug dreihundert.
Und er war unter den Dreißig berühmt
21 und hochgeehrt unter den Dreißig und
war ihr Oberster, aber an jene Drei kam er
nicht heran.
22 Benaja, der Sohn Jojadas, ein streit-
barer Mann von großen Taten, war aus
Kabzeel. Er erschlug die beiden »Gottes-
löwen« der Moabiter. Er stieg hinab und
erschlug einen Löwen in einem Brunnen,
als Schnee gefallen war. 23 Er erschlug
auch einen ägyptischen Mann, der war
fünf Ellen groß und hatte einen Spieß in
der Hand, der war [a]wie ein Weberbaum.
Aber er ging zu ihm hinab mit einem Ste-
cken und nahm ihm den Spieß aus der
Hand und tötete ihn mit dessen eigenem
Spieß. 24 Das tat [a]Benaja, der Sohn Joja-
das, und er war berühmt unter den drei-
ßig* Helden 25 und hochgeehrt unter den
Dreißig, aber an jene Drei kam er nicht
heran. David aber setzte ihn über seine
Leibwache.
26 Die streitbaren Helden waren diese:
Asaël, der Bruder Joabs; Elhanan, der
Sohn Dodos aus Bethlehem; 27 Scham-
mot, der Harodíter; [a]Helez, der Peloniter;
28 Ira, der Sohn des Ikkesch, aus Tekoa;
Abiëser, der Anatotiter; 29 Sibbechai, der
Huschatiter; Ilai, der Ahoachiter; 30 Mah-
rai, der Netofatiter; Heled, der Sohn Ba-
anas, der Netofatiter; 31 Ittai, der Sohn
Ribais, von Gibea in Benjamin; Benaja,
der Piratoniter; 32 Hurai, von Nahale-Ga-
asch; Abiël, der Arbatiter; 33 Asmawet,
der Bahurimiter; Eljachba, der Schaalbo-
niter; 34 Haschem, der Guniter; Jonatan,
der Sohn Schages, der Harariter; 35 Ahiam,
der Sohn Sachars, der Harariter; Elifal,
der Sohn Urs; 36 Hefer, der Mecheratiter;
Ahija, der Peloniter; 37 Hezro, der Karmel-
iter; Naarai, der Sohn Esbais; 38 Joel, der
Bruder Nathans; Mibhar, der Sohn Hag-
ris; 39 Zelek, der Ammoniter; Nachrai, der
Beerotiter, der Waffenträger Joabs, des
Sohnes der Zeruja; 40 Ira, der Jattiriter;
Gareb, der Jattiriter; 41 [a]Uria, der Heti-
ter; Sabad, der Sohn Achlais; 42 Adina, der
Sohn Schisas, der Rubeniter, ein Haupt-
mann der Rubeniter, und dreißig Mann
waren bei ihm; 43 Hanan, der Sohn Ma-
achas; Joschafat, der Mitniter; 44 Usija,
der Aschtarotiter; Schama und Jëiël, die
Söhne Hotams, des Aroëriters; 45 Jedia-
ël, der Sohn Schimris; Joha, sein Bruder,
der Tiziter; 46 Eliël, der Mahawiter; Jeri-
bai und Joschawja, die Söhne Elnaams;
Jitma, der Moabiter; 47 Eliël, Obed, Jaasiël
aus Zoba.

DAVIDS GEFOLGSLEUTE IN ZIKLAG

12 Dies sind die Männer, die zu David
nach [a]Ziklag kamen, als er sich von
Saul, dem Sohn des Kisch, fernhalten
musste; und sie gehörten auch zu den
Helden, den Helfern im Kampf, 2 mit Bo-
gen gerüstet, geschickt mit beiden Hän-
den, Steine zu schleudern und Pfeile zu
schießen.
Von den Brüdern Sauls, die aus Benja-
min waren: 3 als Oberhaupt Ahiëser und
Joasch, die Söhne Schemaas, des Gibea-
titers; Jesiël und Pelet, die Söhne Asma-
wets; Beracha und Jehu, der Anatotiter;
4 Jischmaja, der Gibeoniter, gewaltig un-
ter den Dreißig und über die Dreißig;
5 Jirmeja, Jahasiël, Johanan, Josabad, der
Gederatiter; 6 Elusai, Jerimot, Bealja,
Schemarja, Schefatja, der Harufiter; 7 El-
kana, Jischija, Asarel, Joëser, Joschobam,
die Korachiter; 8 Joëla und Sebadja, die
Söhne Jerohams von Gedor.
9 Von den Gaditern gingen über zu Da-
vid nach der Bergfeste in der Wüste starke
Helden und Kriegsleute, die Schild und
Spieß führten, und ihr Angesicht war wie
das der Löwen, und sie waren schnell wie
Rehe auf den Bergen: 10 Das Oberhaupt
war Eser, der zweite Obadja, der dritte
Eliab, 11 der vierte Mischmanna, der fünfte
Jirmeja, 12 der sechste Attai, der siebente
Eliël, 13 der achte Johanan, der neunte
Elsabad, 14 der zehnte Jirmeja, der elfte
Machbannai. 15 Diese waren von den Gad-
itern, Hauptleute im Heer, der Geringste
über Hundert und der Größte über Tau-
send. 16 Die sind es, die über den Jordan
gingen im ersten Monat, als er voll war
bis zu beiden Ufern und alle Täler gegen
Osten und Westen abriegelte.
17 Es kamen aber auch Männer von Ben-

* **11,20** Wörtlich: »Dreien«. **11,24** Wörtlich: »drei«.
11,23 *a* 1. Sam 17,7 **11,24** *a* Kap 27,5-6 **11,27** *a* Kap 27,10
11,41 *a* 2. Sam 11,3 **12,1** *a* 1. Sam 27,6

jamin und Juda zu David in die Bergfeste.
18 David aber ging heraus zu ihnen und
sprach zu ihnen: Kommt ihr im Frieden
zu mir und um mir zu helfen, so soll mein
Herz mit euch sein; kommt ihr aber mit
List und um gegen mich zu sein, da doch
kein Frevel an mir ist, so sehe der Gott
unserer Väter drein und strafe es! 19 Aber
der Geist ergriff Amasai, den Obersten
der Dreißig, und er sprach: Dein sind wir,
David, und mit dir halten wir's, du Sohn
Isais! Friede, Friede sei mit dir! Friede sei
mit deinen Helfern, denn dein Gott hilft
dir! Da nahm David sie an und setzte sie
zu Hauptleuten über die Schar.

20 Und von Manasse fielen sie ab zu Da-
vid, als er mit den Philistern auszog gegen
Saul zum Kampf. Er aber half ihnen nicht,
denn [a]die Fürsten der Philister hielten
Rat und schickten ihn weg und sprachen:
Wenn er wieder zu Saul, seinem Herrn,
überginge, so könnte es uns den Hals kos-
ten. 21 Als er nun nach Ziklag zog, fielen
ihm zu von Manasse: Adnach, Josabad,
Jediaël, Michael, Josabad, Elihu, Zilletai,
Oberste über Tausend in Manasse. 22 Und
sie halfen David gegen die Rotten; denn
sie waren alle streitbare Helden und wur-
den Hauptleute über das Heer. 23 So ka-
men alle Tage einige zu David, ihm zu
helfen, bis es ein großes Heer wurde wie
ein Heer Gottes.

DAVIDS HEER IN HEBRON

24 Und dies ist die Zahl der zum Heeres-
dienst gerüsteten Männer, die zu David
nach Hebron kamen, um das Königtum
Sauls ihm zuzuwenden nach dem Wort
des HERRN:

25 Aus Juda 6800, die Schild und Spieß
trugen, gerüstet zum Heeresdienst; 26 aus
Simeon 7100 streitbare Helden für den
Heeresdienst; 27 aus Levi 4600; 28 und Jo-
jada, der Vorsteher über das Haus Aaron,
mit 3700; 29 und [a]Zadok, ein junger
streitbarer Held, mit seiner Sippe, 22
Hauptleute; 30 aus Benjamin, den Brü-
dern Sauls, kamen 3000, denn bis zu
dieser Zeit hielten noch viele von ihnen
zum Hause Sauls; 31 aus Ephraim kamen
20 800, streitbare Helden und berühmte
Männer in ihren Sippen; 32 vom halben
Stamm Manasse 18 000, die namentlich
bestimmt waren, dass sie kämen und Da-
vid zum König machten; 33 aus Issachar,
das erkannte und wusste, was Israel zu
jeder Zeit tun sollte, kamen 200 Haupt-
leute, und alle ihre Brüder folgten ihrem
Befehl; 34 von Sebulon wehrfähige Män-
ner, zum Kampf gerüstet mit allerlei Waf-
fen, 50 000, David einmütig zu helfen;
35 von Naftali 1000 Hauptleute und mit
ihnen 37 000 mit Schild und Spieß; 36 von
Dan, zum Kampf gerüstet, 28 600; 37 von
Asser wehrfähige Männer, gerüstet zum
Kampf, 40 000; 38 von jenseits des Jor-
dans, von den Rubenitern, Gaditern und
dem halben Stamm Manasse, 120 000 mit
allerlei Waffen zum Kampf.

39 Alle diese Kriegsleute, in Heeresord-
nung, kamen von ganzem Herzen nach
Hebron, um David zum König zu machen
über ganz Israel. Auch war das ganze üb-
rige Israel eines Herzens, dass man Da-
vid zum König machte. 40 Und sie waren
dort bei David drei Tage, aßen und tran-
ken; denn ihre Brüder hatten für sie ge-
sorgt. 41 Auch die, die ihnen nahe waren,
bis nach Issachar, Sebulon und Naftali,
brachten Nahrung auf Eseln, Kamelen,
Maultieren und Rindern: Brot, Kuchen
von Feigen und Rosinen, Wein, Öl, dazu
Rinder und Schafe in Menge; denn Freude
war in Israel.

DIE BUNDESLADE IM HAUS OBED-EDOMS

(vgl. 2. Sam 6,1-11)

13 Und David hielt einen Rat mit den
Hauptleuten über Tausend und über
Hundert und mit allen Anführern 2 und
sprach zu der ganzen Gemeinde Israel:
Gefällt es euch und ist's dem HERRN, un-
serm Gott, angenehm, so lasst uns hin-
schicken zu unsern Brüdern in allen Lan-
den Israels, dazu auch zu den Priestern
und Leviten in den Städten ihres Weide-
landes, dass sie sich bei uns versammeln.
3 Und lasst uns die Lade unseres Gottes
wieder zu uns holen; denn zu Sauls Zei-
ten fragten wir nicht nach ihr. 4 Da sprach
die ganze Gemeinde, man solle das tun;
denn es gefiel allem Volk gut.

5 So versammelte David ganz Israel, vom

12,20 ***a*** 1. Sam 29,3-4 **12,29** ***a*** Kap 5,34; 2. Sam 15,24

Schihor Ägyptens an bis dorthin, wo es nach Hamat geht, um die Lade Gottes von Kirjat-Jearim zu holen. 6 Und David zog hin mit ganz Israel nach [a]Baala, das ist Kirjat-Jearim, das in Juda liegt, um von da heraufzubringen die Lade Gottes, des HERRN, der über den Cherubim thront, wo sein Name angerufen wird. 7 Und sie ließen die Lade Gottes auf einem neuen Wagen aus dem Hause Abinadabs fahren. Usa aber und sein Bruder lenkten den Wagen. 8 David aber und ganz Israel tanzten mit aller Macht vor Gott her, mit Liedern, mit Harfen, mit Psaltern, mit Pauken, mit Zimbeln und mit Trompeten.

9 Als sie aber zur Tenne Kidons kamen, streckte Usa seine Hand aus, um die Lade zu halten; denn die Rinder brachen aus. 10 Da entbrannte der Grimm des HERRN über Usa, und er schlug ihn, weil er seine Hand nach der Lade ausgestreckt hatte, sodass er dort starb vor Gott. 11 Da ergrimmte David, dass der HERR den Usa so wegriss, und man nannte die Stätte »Perez-Usa«* bis auf diesen Tag. 12 Und an jenem Tage fürchtete sich David vor Gott und sprach: Wie soll ich die Lade Gottes zu mir bringen? 13 Darum ließ er die Lade Gottes nicht zu sich bringen in die Stadt Davids, sondern lenkte sie zum Haus Obed-Edoms, des Gatiters. 14 So blieb die Lade Gottes bei Obed-Edom in seinem Hause drei Monate. Und der HERR segnete das Haus Obed-Edoms und alles, was er hatte.

DAVID ALS KÖNIG IN JERUSALEM

(vgl. 2. Sam 5,11-16)

14 Und Hiram, der König von Tyrus, sandte Boten zu David und Zedernholz, Steinmetzen und Zimmerleute, dass sie ihm ein Haus bauten. 2 Und David erkannte, dass der HERR ihn zum König über Israel bestätigt hatte; denn sein Königtum war hoch erhoben worden um seines Volkes Israel willen. 3 Und David nahm noch mehr Frauen zu Jerusalem und zeugte noch mehr Söhne und Töchter. 4 Die Söhne, die ihm zu Jerusalem geboren wurden, hießen: Schammua, Schobab, Nathan, Salomo, 5 Jibhar, Elischua, Elpelet, 6 Nogah, Nefeg, Jafia, 7 Elischama, Beeljada, Elifelet.

DAVIDS SIEG ÜBER DIE PHILISTER

(vgl. 2. Sam 5,17-25)

8 Als aber die Philister hörten, dass David zum König gesalbt war über ganz Israel, zogen sie alle herauf, um sich Davids zu bemächtigen. Als das David hörte, zog er aus gegen sie. 9 Und die Philister kamen und ließen sich nieder in der Ebene Refaïm. 10 David aber befragte Gott und sprach: Soll ich hinaufziehen gegen die Philister und willst du sie in meine Hand geben? Der HERR sprach zu ihm: Zieh hinauf! Ich will sie in deine Hände geben. 11 Und als sie hinaufzogen nach Baal-Perazim, schlug sie David dort. Und David sprach: Gott hat durch meine Hand die Reihen meiner Feinde durchbrochen, wie das Wasser einen Damm durchbricht. Daher nannte man die Stätte »Baal-Perazim«*. 12 Und sie ließen ihre Götter dort zurück; die befahl David [a]mit Feuer zu verbrennen.

13 Aber die Philister kamen wieder und breiteten sich aus in der Ebene. 14 Und David befragte Gott abermals, und Gott sprach zu ihm: Du sollst nicht hinaufziehen hinter ihnen her, sondern umgehe sie, dass du an sie herankommst von den Bakabäumen her. 15 Wenn du dann hören wirst, wie das Rauschen oben in den Bakabäumen einhergeht, so brich hervor zum Kampf; denn Gott ist dann vor dir ausgezogen, zu schlagen das Heer der Philister. 16 Und David tat, wie ihm Gott geboten hatte, und sie schlugen das Heer der Philister von Gibeon an bis Geser. 17 Und Davids Name ging aus in alle Lande, und der HERR ließ Furcht vor ihm über alle Völker kommen.

DIE BUNDESLADE SOLL NACH JERUSALEM GEBRACHT WERDEN

15 Und David baute sich Häuser in der Stadt Davids und bereitete der Lade Gottes eine Stätte und schlug ein Zelt für sie auf. 2 Damals sprach David: Die Lade Gottes soll niemand tragen außer den Leviten; denn diese hat der HERR erwählt, dass sie die Lade des HERRN tragen und

* **13,11** Der Name bedeutet »Wegreißen Usas«.
14,11 Der Name bedeutet »Herr der Durchbrüche«.

13,6 ***a*** Jos 15,9 **14,12** ***a*** 5. Mose 7,5.25

ihm dienen allezeit. 3 Da versammelte Da-
vid ganz Israel nach Jerusalem, damit sie
die Lade des HERRN hinaufbrächten an
die Stätte, die er dazu bereitet hatte.
4 Und David brachte zusammen die
Söhne Aaron und die Leviten: 5 von den
Söhnen Kehat: Uriël, den Obersten, samt
seinen Brüdern, 120; 6 von den Söhnen
Merari: Asaja, den Obersten, samt sei-
nen Brüdern, 220; 7 von den Söhnen Ger-
schom: Joel, den Obersten, samt seinen
Brüdern, 130; 8 von den Söhnen Elizafan:
Schemaja, den Obersten, samt seinen
Brüdern, 200; 9 von den Söhnen Hebron:
Eliël, den Obersten, samt seinen Brüdern,
80; 10 von den Söhnen Usiël: Amminadab,
den Obersten, samt seinen Brüdern, 112.
11 [a]Und David rief die Priester Zadok und
Abjatar und die Leviten, nämlich Uriël,
Asaja, Joel, Schemaja, Eliël, Amminadab,
12 und sprach zu ihnen: Ihr seid die Häup-
ter der Sippen unter den Leviten; so hei-
ligt nun euch und eure Brüder, dass ihr die
Lade des HERRN, des Gottes Israels, her-
aufbringt an den Ort, den ich ihr bereitet
habe. 13 Denn das erste Mal, als ihr nicht
da wart, [a]machte der HERR, unser Gott,
einen Riss unter uns, weil wir ihn nicht
befragt hatten, wie sich's gebührt. 14 So
heiligten sich die Priester und Leviten,
damit sie die Lade des HERRN, des Gottes
Israels, heraufbrächten. 15 Und die Leviten
[a]trugen die Lade Gottes auf ihren Schul-
tern mit den Stangen, wie Mose geboten
hatte nach dem Wort des HERRN.
16 Und David sprach zu den Obersten
der Leviten, dass sie ihre Brüder, die Sän-
ger, bestellen sollten mit Saitenspielen,
mit Psaltern, Harfen und hellen Zim-
beln, dass sie laut sängen und mit Freu-
den. 17 Da bestellten die Leviten Heman,
den Sohn Joels, und von seinen Brüdern
Asaf, den Sohn Berechjas, und von den
Söhnen Merari, ihren Brüdern, Etan, den
Sohn Kuschajas, 18 und mit ihnen ihre
Brüder der zweiten Ordnung: Secharja,
Jaasiël, Schemiramot, Jehiël, Unni, Eliab,
Benaja, Maaseja, Mattitja, Elifelehu, Mik-
neja, Obed-Edom, Jëiël, die Torhüter.
19 Denn [a]Heman, [b]Asaf und [c]Etan waren
Sänger [d]mit hell klingenden Zimbeln aus
Bronze; 20 Secharja aber, Jaasiël, Schemira-
mot, Jehiël, Unni, Eliab, Maaseja und Be-
naja spielten auf Harfen, 21 und Mattitja,
Elifelehu, Mikneja, Obed-Edom, Jëiël und
Asaja leiteten mit Leiern von acht Saiten
den Gesang. 22 Kenanja aber, der Leviten
Oberster, der Singmeister, unterwies sie
im Singen*; denn er verstand sich darauf.
23 Und Berechja und Elkana waren Torhü-
ter bei der Lade. 24 Aber Schebanja, Joscha-
fat, Netanel, Amasai, Secharja, Benaja, Eli-
ëser, die Priester, bliesen mit Trompeten
vor der Lade Gottes; und Obed-Edom und
Jehija waren Torhüter bei der Lade.

DER EINZUG DER BUNDESLADE
(vgl. 2. Sam 6,12-16)

25 So zogen David und die Ältesten Isra-
els und die Obersten über Tausend hin,
um die Lade des Bundes des HERRN her-
aufzuholen aus dem Hause Obed-Edoms
mit Freuden. 26 Und weil Gott den Leviten
half, die die Lade des Bundes des HERRN
trugen, opferten sie sieben junge Stiere
und sieben Widder. 27 Und David hatte ein
Obergewand aus feinem Leinen an, des-
gleichen alle Leviten, die die Lade trugen,
und die Sänger und Kenanja, der Oberste
beim Gesang der Sänger; auch trug Da-
vid den leinenen Priesterschurz. 28 So
brachte ganz Israel die Lade des Bundes
des HERRN hinauf mit Jauchzen, Posau-
nen, Trompeten und hellen Zimbeln, mit
Psaltern und Harfen. 29 Als nun die Lade
des Bundes des HERRN in die Stadt Davids
kam, sah Michal, die Tochter Sauls, zum
Fenster hinaus, und als sie den König Da-
vid tanzen und spielen sah, verachtete sie
ihn in ihrem Herzen.

DIE AUFSTELLUNG DER BUNDESLADE
(vgl. 2. Sam 6,17-19)

16 Und als sie die Lade Gottes hinein-
brachten, setzten sie sie in das Zelt,
das David für sie aufgerichtet hatte, und
opferten Brandopfer und Dankopfer vor
Gott. 2 Und als David die Brandopfer und
Dankopfer beendet hatte, segnete er das
Volk im Namen des HERRN 3 und teilte
aus an jedermann in Israel, an Männer
und Frauen, einen Laib Brot und Kuchen

* **15,22** Andere Übersetzung: »beim Tragen«.

15,11 *a* (11-12) 2. Sam 15,29 **15,13** *a* Kap 13,9-11
15,15 *a* 2. Mose 25,14; 4. Mose 4,15 **15,19** *a* Kap 6,18
b Kap 6,24 *c* Kap 6,29 *d* Kap 25,1

von Datteln und Rosinen. 4 Und er be-
stellte einige Leviten zu Dienern vor der
Lade des HERRN, dass sie priesen, dank-
ten und lobten den HERRN, den Gott Isra-
els, 5 nämlich Asaf als Vorsteher, Secharja
als Zweiten, Jaasiël, Schemiramot, Jehiël,
Mattitja, Eliab, Benaja, Obed-Edom und
Jëiël mit Psaltern und Harfen, Asaf aber
mit hellen Zimbeln, 6 die Priester Benaja
und Jahasiël aber, allezeit mit Trompeten
zu blasen vor der Lade des Bundes Gottes.

DAVIDS DANKLIED

(vgl. Ps 105,1-15; 96,1-13; 106,1; 106,47-48)

7 Zu der Zeit ließ David zum ersten Mal
dem HERRN danken durch Asaf und seine
Brüder:

8 Danket dem HERRN,
ruft seinen Namen an,
tut kund unter den Völkern sein Tun!
9 Singet und spielet ihm,
redet von allen seinen Wundern!
10 Rühmet seinen heiligen Namen;
es freue sich das Herz derer,
die den HERRN suchen!
11 Fraget nach dem HERRN
und nach seiner Macht,
suchet sein Angesicht allezeit!
12 Gedenket seiner Wunder,
die er getan hat,
seiner Zeichen und der Urteile
seines Mundes,
13 ihr, das Geschlecht Israels,
seines Knechts,
ihr Söhne Jakobs,
seine Auserwählten!

14 Er ist der HERR, unser Gott,
er richtet in aller Welt.
15 Gedenket ewig seines Bundes,
des Wortes, das er verheißen hat
für tausend Geschlechter,
16 den er gemacht hat mit Abraham,
und seines Eides, den er Isaak
geschworen hat,
17 den er Jakob gesetzt hat zur Satzung
und Israel zum ewigen Bund
18 und sprach: Dir will ich
das Land Kanaan geben,
das Los eures Erbteils.
19 Als sie noch gering an Zahl waren,
wenige und Fremdlinge im Lande,
20 da zogen sie von einem Volk
zum andern
und von einem Königreich
zum andern.
21 Er ließ niemand ihnen Schaden tun
und [a]wies Könige zurecht
um ihretwillen:
22 Tastet meine Gesalbten nicht an,
und tut meinen Propheten kein Leid!

23 Singet dem HERRN, alle Lande,
verkündiget täglich sein Heil!
24 Erzählet unter den Heiden
seine Herrlichkeit
und unter allen Völkern
seine Wunder!

25 Denn der HERR ist groß
und hoch zu loben
und mehr zu fürchten
als alle Götter.
26 Denn alle Götter der Völker
sind Götzen,
der HERR aber hat den Himmel
gemacht.
27 Hoheit und Pracht sind vor ihm,
Macht und Freude an seinem Ort.

28 [a]Bringet dar dem HERRN, ihr Völker,
bringet dar dem HERRN
Ehre und Macht!
29 Bringet dar dem HERRN
die Ehre seines Namens,
bringet Geschenke und kommt vor
ihn und betet den HERRN an
in heiligem Schmuck!
30 Es fürchte ihn alle Welt.
Er hat den Erdkreis gegründet,
dass er nicht wankt.

31 Es freue sich der Himmel,
und die Erde sei fröhlich,
und man sage unter den Völkern,
dass der HERR regiert!
32 Das Meer brause und was darinnen ist,
und das Feld sei fröhlich und alles,
was darauf ist.
33 Es sollen jauchzen alle Bäume im Wald
vor dem HERRN; denn er kommt,
zu richten die Erde. |

16,21 *a* 1. Mose 12,17; 20,3.7; 26,9
16,28 *a* (28-29) Ps 29,1-2

34 Danket dem HERRN,
denn er ist freundlich,
und seine Güte währet ewiglich.[a]
35 Und sprecht: Hilf uns, Gott,
unser Heiland,
und sammle uns und errette uns
aus den Völkern,
dass wir deinen heiligen Namen preisen
und dir Lob sagen!
36 [a]Gelobt sei der HERR, der Gott Israels,
von Ewigkeit zu Ewigkeit!

Und alles Volk sagte: Amen!, und: Lobe
den HERRN!
37 Und David ließ dort vor der Lade des
Bundes des HERRN den Asaf und seine
Brüder, damit sie Dienst täten vor der
Lade allezeit, wie es jeder Tag erforderte;
38 dazu Obed-Edom und seine Brüder,
achtundsechzig Mann, und Obed-Edom,
den Sohn Jedutuns, und Hosa als Torhü-
ter. 39 Und den Priester Zadok und seine
Brüder, die Priester, bestellte er bei der
Wohnung des HERRN [a]auf der Höhe zu
Gibeon, 40 dass sie dem HERRN [a]täglich
Brandopfer darbrächten auf dem Brand-
opferaltar, am Morgen und am Abend, wie
geschrieben steht im Gesetz des HERRN,
das er Israel geboten hat, 41 und mit ihnen
Heman und Jedutun und die andern Er-
wählten, die namentlich bestimmt waren,
um dem HERRN zu danken, dass seine
Güte ewiglich währt, 42 mit Trompeten
und hell klingenden Zimbeln und mit Sai-
tenspiel zur Ehre Gottes. Die Söhne Jedu-
tuns aber machte er zu Torhütern. 43 Und
alles Volk zog hin, ein jeder in sein Haus,
und David kehrte auch heim, sein Haus zu
segnen.

GOTTES VERHEISSUNG FÜR DAVID

(vgl. 2. Sam 7,1-16)

17 Es begab sich, als David in seinem
Hause wohnte, sprach er zu dem Pro-
pheten Nathan: Siehe, ich wohne in einem
Zedernhause, und die Lade des Bundes
des HERRN ist unter Zeltdecken. 2 Nathan
sprach zu David: Alles, was in deinem
Herzen ist, das tu; denn Gott ist mit dir.
3 Aber in derselben Nacht kam das Wort
Gottes zu Nathan: 4 Geh hin und sage mei-
nem Knecht David: So spricht der HERR:
Nicht du sollst mir ein Haus bauen zur
Wohnung. 5 Denn ich habe in keinem
Hause gewohnt von dem Tage an, als ich
Israel herausführte, bis auf diesen Tag,
sondern ich bin umhergezogen von Zelt
zu Zelt und von Wohnung zu Wohnung.
6 Habe ich jemals, solange ich mit ganz
Israel umherzog, zu einem der Richter in
Israel, denen ich gebot, zu weiden mein
Volk, ein Wort gesagt und gesprochen:
Warum baut ihr mir nicht ein Zedern-
haus? 7 So sprich nun zu meinem Knecht
David: So spricht der HERR Zebaoth: Ich
habe dich von der Weide hinter den Scha-
fen weggenommen, dass du ein Fürst über
mein Volk Israel sein solltest, 8 und ich bin
mit dir gewesen, wo du hingegangen bist,
und habe deine Feinde ausgerottet vor dir
und dir einen Namen gemacht, wie die
Großen auf Erden Namen haben. 9 Und
ich will meinem Volk Israel eine Stätte
geben und will es pflanzen, dass es dort
wohnen soll, und es soll sich nicht mehr
ängstigen, und die Gewalttätigen sollen es
nicht mehr aufreiben wie vormals 10 und
zu den Zeiten, als ich Richter über mein
Volk Israel verordnete. Und ich will alle
deine Feinde demütigen und verkündige
dir, dass der HERR dir ein Haus bauen
will. 11 **Wenn aber deine Tage um sind,**
dass du zu deinen Vätern hingehst, so
will ich dir einen Nachkommen, einen
deiner Söhne, erwecken; dem will ich
sein Königtum bestätigen. 12 [a]**Der soll**
mir ein Haus bauen, und ich will seinen
Thron bestätigen ewiglich. 13 **Ich will**
sein Vater sein, und er soll mein Sohn
sein. Und ich will meine Gnade nicht von
ihm wenden, wie ich sie von dem gewandt
habe, der vor dir war, 14 sondern ich will
ihn einsetzen in mein Haus und in mein
Königtum ewiglich, dass sein Thron be-
ständig sei ewiglich.

DAVIDS DANKGEBET

(vgl. 2. Sam 7,17-29)

15 Und als Nathan nach all diesen Worten
und diesem Gesicht mit David geredet
hatte, 16 kam der König David, setzte sich
vor dem HERRN nieder und sprach:
[a]Wer bin ich, HERR, Gott, und was ist

16,34 *a* 2. Chr 20,21 **16,36** *a* Ps 41,14 **16,39** *a* Kap 21,29
16,40 *a* 2. Mose 29,38-39 **17,12** *a* (12-13) Kap 22,10; 28,6
17,16 *a* 1. Mose 32,11

mein Haus, dass du mich bis hierher ge-
bracht hast? 17 Aber das war dir noch zu
wenig, Gott, und du hast über das Haus
deines Knechtes auch von ferner Zukunft
geredet. Du hast mich ausersehen inmit-
ten des Menschengeschlechts und hast
mich hoch erhöht, HERR, Gott. 18 Was
kann David noch mehr zu dir sagen, da
du deinen Knecht so herrlich machst?
Du kennst deinen Knecht. 19 HERR, um
deines Knechtes willen hast du nach dei-
nem Herzen all diese großen Dinge ge-
tan, dass du kundtätest alle Herrlichkeit.
20 HERR, keiner ist dir gleich, und [a]es ist
kein Gott außer dir, nach allem, was wir
mit unsern Ohren gehört haben. 21 Und
wo ist ein Volk auf Erden wie dein Volk
Israel, um dessentwillen Gott hingegan-
gen ist, sich ein Volk zu erlösen, sich selbst
einen Namen zu machen durch große und
schreckliche Dinge und Völker auszu-
treiben vor deinem Volk her, das du aus
Ägypten erlöst hast? 22 Du hast dir dein
Volk Israel zum Volk gemacht für ewig,
und du, HERR, bist ihr Gott geworden.
23 Nun, HERR, das Wort, das du über dei-
nen Knecht und über sein Haus geredet
hast, werde wahr in Ewigkeit, und tu, wie
du geredet hast! 24 Und dein Name werde
wahr und groß ewiglich, dass man sage:
Der HERR Zebaoth, der Gott Israels, ist
Gott in Israel; und das Haus deines Knech-
tes David sei beständig vor dir. 25 Denn du,
mein Gott, hast das Ohr deines Knech-
tes geöffnet und gesagt, dass du ihm ein
Haus bauen willst. Darum hat dein Knecht
den Mut gefunden, dass er vor dir betet.
26 Nun, HERR, du bist Gott und hast dei-
nem Knecht dies Gute zugesagt. 27 Und
du hast angefangen, zu segnen das Haus
deines Knechtes, dass es ewiglich vor dir
sei; denn [a]**was du, HERR, segnest, das
ist gesegnet ewiglich.**

DAVIDS KRIEGSBEUTE WIRD FÜR DEN TEMPELBAU BESTIMMT

(vgl. 2. Sam 8,1-14)

18 Danach schlug David die Philister und
demütigte sie und nahm Gat und seine
Ortschaften aus der Philister Hand. 2 Auch
schlug er die Moabiter, sodass die Moab-
iter David untertan wurden und Tribut
brachten.
3 David schlug auch Hadad-Eser, den
König von Zoba, bis Hamat hin, als er
auszog, seine Macht aufzurichten am Eu-
phratstrom. 4 Und David gewann ihm ab
tausend Wagen, siebentausend Reiter und
zwanzigtausend Mann zu Fuß. Und David
ließ alle Wagenpferde lähmen und behielt
hundert übrig.
5 Und die Aramäer von Damaskus ka-
men, um Hadad-Eser, dem König von
Zoba, zu helfen. Aber David schlug von
den Aramäern zweiundzwanzigtausend
Mann 6 und setzte Statthalter ein im Ara-
mäerreich von Damaskus, und so wurden
die Aramäer David untertan und gaben
ihm Tribut; denn der HERR half David,
wo er auch hinzog. 7 Und David nahm die
goldenen Köcher, die Hadad-Esers Ge-
folge gehabt hatte, und brachte sie nach
Jerusalem. 8 Auch nahm David aus den
Städten Hadad-Esers, Tibhat und Kun,
sehr viel Bronze. Davon machte Salomo
[a]das eherne Meer und [b]die Säulen und Ge-
fäße aus Bronze.
9 Als aber Toï, der König von Hamat,
hörte, dass David die ganze Streitmacht
Hadad-Esers, des Königs von Zoba, ge-
schlagen hatte, 10 sandte er seinen Sohn
Hadoram zu König David und ließ ihn
grüßen und ihm Segen wünschen, dass
er mit Hadad-Eser gekämpft und ihn ge-
schlagen hatte, denn Toï führte Krieg mit
Hadad-Eser; und Hadoram brachte mit
allerlei goldene, silberne und bronzene
Gefäße. 11 Auch diese heiligte der König
David dem HERRN wie auch das Silber
und Gold, das er den Völkern genommen
hatte, den Edomitern, Moabitern, Am-
monitern, Philistern und Amalekitern.
12 Und Abischai, der Sohn der Zeruja,
schlug die Edomiter im Salztal, achtzehn-
tausend Mann, 13 und David setzte Statt-
halter in Edom ein, sodass alle Edomiter
David untertan waren; denn der HERR
half David, wo er auch hinzog.

DAVIDS BEAMTE

(vgl. 2. Sam 8,15-18)

14 So regierte David über ganz Israel und
schaffte Recht und Gerechtigkeit seinem

17,20 ***a*** Jes 44,6 **17,27** ***a*** 1. Mose 12,3 **18,8** ***a*** 1. Kön 7,23 ***b*** 1. Kön 7,15

ganzen Volk. 15 Joab, der Sohn der Zeruja,
war über das Heer gesetzt, Joschafat, der
Sohn Ahiluds, war Kanzler. 16 Zadok, der
Sohn Ahitubs, und [a]Abimelech, der Sohn
Abjatars, waren Priester. Schawscha war
Schreiber. 17 Benaja, der Sohn Jojadas, war
über die Kreter und Pleter gesetzt. Und
die Söhne Davids waren die Ersten an der
Seite des Königs.

DAVIDS KAMPF MIT DEN AMMONITERN

(vgl. 2. Sam 10,1-19; 11,1; 12,26-31)

19 Und danach starb [a]Nahasch, der Kö-
nig der Ammoniter, und sein Sohn
wurde König an seiner statt. 2 Da dachte
David: Ich will Hanun, dem Sohn des Na-
hasch, Freundschaft erweisen, denn sein
Vater hat mir Freundschaft erwiesen, und
sandte Boten hin, ihn zu trösten über sei-
nen Vater.

Und als die Gesandten Davids ins Land
der Ammoniter kamen zu Hanun, ihn zu
trösten, 3 sprachen die Obersten der Am-
moniter zu Hanun: Meinst du, dass Da-
vid deinen Vater vor deinen Augen ehren
wolle, wenn er Tröster zu dir gesandt hat?
Sind seine Gesandten nicht vielmehr zu
dir gekommen, um das Land zu erkun-
den, zu erforschen und auszuspähen? 4 Da
nahm Hanun die Gesandten Davids und
schor sie und schnitt ihre Kleider halb ab
bis an die Lenden und ließ sie gehen. 5 Und
sie gingen weg, und man berichtete Da-
vid über die Männer. Er aber sandte ihnen
entgegen, denn die Männer waren sehr ge-
schändet. Und der König ließ ihnen sagen:
Bleibt in Jericho, bis euer Bart gewachsen
ist; dann kommt zurück.

6 Als aber die Ammoniter sahen, dass
sie vor David stinkend geworden waren,
sandten Hanun und die Ammoniter tau-
send Zentner Silber, um Streitwagen und
Reiter anzuwerben in Mesopotamien, im
Aramäerland von Maacha und in Zoba.
7 Und sie warben zweiunddreißigtausend
Männer mit Streitwagen an und den Kö-
nig von Maacha mit seinem Volk. Die ka-
men und lagerten sich vor Medeba. Und
die Ammoniter sammelten sich auch aus
ihren Städten und kamen zum Kampf.
8 Als das David hörte, sandte er Joab hin
mit dem ganzen Heer der Helden. 9 Die
Ammoniter aber waren ausgezogen und
stellten sich zum Kampf auf vor dem Tor
der Stadt. Die Könige aber, die gekommen
waren, standen für sich auf freiem Feld.

10 Als nun Joab sah, dass vor und hinter
ihm sich der Kampf gegen ihn richtete,
erwählte er aus der ganzen jungen Mann-
schaft in Israel einen Teil und stellte sich
gegen die Aramäer. 11 Das übrige Kriegs-
volk aber tat er unter die Hand seines Bru-
ders Abischai, dass sie sich gegen die Am-
moniter stellten, 12 und sprach: Wenn mir
die Aramäer zu stark werden, so komm
mir zu Hilfe; wenn aber die Ammoniter
dir zu stark werden, will ich dir helfen.
13 Sei getrost und lass uns getrost handeln
für unser Volk und für die Städte unseres
Gottes. Der HERR tue, was ihm gefällt!
14 Und Joab rückte vor mit dem Volk, das
bei ihm war, gegen die Aramäer zu kämp-
fen, und sie flohen vor ihm. 15 Als aber die
Ammoniter sahen, dass die Aramäer flo-
hen, flohen sie auch vor seinem Bruder
Abischai und zogen in die Stadt. Joab aber
kam nach Jerusalem.

16 Als aber die Aramäer sahen, dass sie
vor Israel geschlagen waren, sandten sie
Boten hin und ließen auch die Aramäer
jenseits des Stromes in den Kampf zie-
hen. Und Schobach, der Feldhauptmann
Hadad-Esers, zog vor ihnen her. 17 Als das
David angesagt wurde, sammelte er ganz
Israel und zog über den Jordan. Und als
er an sie herankam, rüstete er sich gegen
sie. Und David stellte sich gegen die Ara-
mäer zum Kampf, und sie kämpften mit
ihm. 18 Aber die Aramäer flohen vor Israel.
Und David vernichtete von den Aramä-
ern siebentausend Wagen und tötete vier-
zigtausend Mann zu Fuß; dazu tötete er
Schobach, den Feldhauptmann. 19 Als aber
die Knechte Hadad-Esers sahen, dass sie
von Israel geschlagen waren, schlossen
sie Frieden mit David und wurden ihm
untertan. Und die Aramäer wollten den
Ammonitern nicht mehr helfen.

20 Und als das Jahr um war, zur Zeit,
wenn die Könige ausziehen, führte
Joab die Heeresmacht aus und verwüs-
tete das Land der Ammoniter und kam
und belagerte Rabba. David aber blieb in
Jerusalem. Und Joab schlug Rabba und

18,16 ***a*** Kap 24,6 **19,1** ***a*** 1. Sam 11,1

zerstörte es. 2 Und David nahm ihrem König die Krone vom Haupt – und es fand sich, dass sie einen Zentner Gold wog und an ihr ein Edelstein war –, und sie wurde auf Davids Haupt gesetzt. Auch führte er aus der Stadt sehr viel Beute weg. 3 Aber das Volk darin führte er heraus und ließ sie mit Sägen und eisernen Hacken und Äxten Frondienste leisten. So tat David mit allen Städten der Ammoniter. Und David zog samt allem Volk wieder nach Jerusalem.

HELDENTATEN IN DEN PHILISTERKÄMPFEN

(vgl. 2. Sam 21,18-22)

4 Danach erhob sich ein Krieg bei Geser mit den Philistern. Damals erschlug [a]Sibbechai, der Huschatiter, den Sippai, der vom Geschlecht der Riesen* war, und sie wurden gedemütigt. 5 Und es erhob sich noch ein Krieg mit den Philistern. Da erschlug Elhanan, der Sohn Jaïrs, den Lachmi, den Bruder Goliats, den Gatiter, dessen Spießschaft wie ein Weberbaum war.

6 Abermals erhob sich ein Krieg bei Gat. Da war ein großer Mann, der hatte je sechs Finger und sechs Zehen, die machen zusammen vierundzwanzig, und auch er war von den Riesen geboren. 7 Der [a]sprach Israel Hohn, aber Jonatan, der Sohn Schimas, der ein Bruder Davids war, erschlug ihn. 8 Diese waren geboren von den Riesen in Gat und fielen durch die Hand Davids und seiner Knechte.

GOTT LÄSST DAVID DEN TEMPELPLATZ FINDEN

(vgl. 2. Sam 24,1-25)

21 Und der Satan stellte sich gegen Israel und reizte David, dass er Israel zählen ließe. 2 Und David sprach zu Joab und zu den Obersten des Volks: Geht hin, zählt Israel von Beerscheba bis Dan und bringt mir Kunde, damit ich weiß, wie viel ihrer sind. 3 Joab sprach: Der HERR tue zu seinem Volk, wie es jetzt ist, hundertmal so viel hinzu! Aber, mein Herr und König, sind sie nicht alle meinem Herrn untertan? [a]Warum fragt denn mein Herr danach? Warum soll eine Schuld auf Israel kommen?

4 Aber des Königs Wort blieb fest gegenüber Joab. Und Joab ging hin und zog durch ganz Israel und kam nach Jerusalem zurück 5 und gab David die Zahl des gezählten Volks an. Es waren von ganz Israel elfmal 100 000 Mann, die das Schwert führten, und von Juda 470 000 Mann, die das Schwert führten. 6 Levi aber und Benjamin zählte er nicht mit; denn des Königs Wort war Joab ein Gräuel.

7 Dies alles aber [a]missfiel Gott sehr, und er schlug Israel. 8 Da sprach David zu Gott: Ich habe schwer gesündigt, dass ich das getan habe. Nun aber nimm weg die Schuld deines Knechts; denn ich habe sehr töricht getan. 9 Und der HERR redete mit Gad, dem Seher Davids, und sprach: 10 Geh hin, rede mit David und sprich: So spricht der HERR: Dreierlei lege ich dir vor; erwähle dir eins davon, dass ich es dir tue. 11 Und als Gad zu David kam, sprach er zu ihm: So spricht der HERR: Wähle dir 12 entweder drei Jahre Hungersnot oder drei Monate Flucht vor deinen Widersachern und vor dem Schwert deiner Feinde, dass es dich ergreife, oder drei Tage das Schwert des HERRN und Pest im Lande, dass der Engel des HERRN Verderben anrichte im ganzen Gebiet Israels. So sieh nun zu, was ich antworten soll dem, der mich gesandt hat.

13 David sprach zu Gad: Mir ist sehr angst, doch ich will in die Hand des HERRN fallen, denn seine Barmherzigkeit ist sehr groß; aber ich will nicht in Menschenhände fallen. 14 Da ließ der HERR eine Pest über Israel kommen, sodass siebzigtausend Menschen aus Israel fielen.

15 Und Gott sandte den Engel nach Jerusalem, es zu verderben. Aber während des Verderbens sah der HERR darein, und es reute ihn das Übel. Und er sprach zum Engel des Verderbens: Es ist genug; lass deine Hand ab! Der Engel des HERRN aber stand bei der Tenne Araunas, des Jebusiters. 16 Und David hob seine Augen auf und sah den Engel des HERRN stehen zwischen Himmel und Erde und ein bloßes Schwert in seiner Hand ausgestreckt über Jerusalem. Da fielen David und die

* **20,4** Siehe Sach- und Worterklärungen.

20,4 ***a*** Kap 27,11 **20,7** ***a*** 1. Sam 17,10 **21,3** ***a*** 2. Mose 30,12 **21,7** ***a*** Kap 27,24

Ältesten, mit Säcken angetan, auf ihr Ant-
litz. 17 Und David sprach zu Gott: Bin ich's
nicht, der das Volk zählen ließ? Ich bin's
doch, der gesündigt und das Übel getan
hat; diese Schafe aber, was haben sie ge-
tan? HERR, mein Gott, lass deine Hand
gegen mich und meines Vaters Haus sein
und nicht gegen dein Volk, es zu plagen.
18 Und der Engel des HERRN sprach zu
Gad, er sollte David sagen, dass David
hinaufgehe und dem HERRN einen Altar
aufrichte auf der Tenne Araunas, des Je-
busiters. 19 Da ging David hinauf nach dem
Wort Gads, das dieser geredet hatte in des
HERRN Namen.
20 Arauna aber wandte sich um und sah
den Engel und versteckte sich und seine
vier Söhne mit ihm. Arauna aber drosch
Weizen. 21 Als nun David zu Arauna kam,
sah Arauna auf und ward David gewahr.
Und er ging von der Tenne weg und fiel
vor David zur Erde nieder auf sein Antlitz.
22 Und David sprach zu Arauna: Gib mir
den Platz der Tenne, dass ich dem HERRN
einen Altar darauf baue; für den vollen
Preis sollst du ihn mir geben, damit die
Plage unter dem Volk aufhöre. 23 Arauna
aber sprach zu David: Nimm ihn dir und
mache, mein Herr und König, wie dir's
gefällt. Siehe, ich gebe die Rinder zum
Brandopfer und die Dreschschlitten als
Brennholz und Weizen zum Speisopfer;
das alles gebe ich. 24 Aber der König David
sprach zu Arauna: Nicht doch! Sondern
für den vollen Preis will ich's kaufen; denn
ich will nicht, was dein ist, für den HERRN
nehmen und will's nicht umsonst zum
Brandopfer haben. 25 So gab David dem
Arauna für den Platz Gold im Gewicht von
sechshundert Schekel.
26 Und David baute dem HERRN dort
einen Altar und opferte Brandopfer und
Dankopfer. Und als er den HERRN an-
rief, [a]erhörte er ihn durch das Feuer, das
vom Himmel fiel auf den Altar mit dem
Opfer. 27 Und der HERR sprach zum En-
gel, dass er sein Schwert in seine Scheide
stecke. 28 Damals, als David sah, dass ihn
der HERR erhört hatte auf der Tenne
Araunas, des Jebusiters, und er dort Op-
fer darbrachte – 29 aber die Wohnung des
HERRN, die Mose in der Wüste gemacht
hatte, und der Brandopferaltar waren zu
der Zeit [a]auf der Höhe zu Gibeon; 30 David
aber konnte nicht hingehen und vor ihn
treten, um Gott zu befragen, so erschro-
cken war er vor dem Schwert des Engels
22 des HERRN –, 1 da sprach David: [a]Hier
soll das Haus Gottes, des HERRN,
sein und dies der Altar für die Brandopfer
Israels.

DAVID BEREITET DEN BAU DES TEMPELS VOR

2 Und David ließ [a]die Fremdlinge ver-
sammeln, die im Land Israel waren, und
bestellte Steinmetzen, Steine zu hauen,
um das Haus Gottes zu bauen. 3 Und Da-
vid schaffte viel Eisen herbei zu Nägeln
für die Türen der Tore und zu Klammern
und so viel Bronze, dass sie nicht zu wie-
gen war, 4 auch Zedernholz ohne Zahl;
denn die von Sidon und Tyrus brachten
viel Zedernholz zu David. 5 Denn David
dachte: [a]Mein Sohn Salomo ist noch jung
und zart; das Haus aber, das dem HERRN
gebaut werden soll, soll groß sein, dass
sein Name und Ruhm erhoben werde in
allen Landen. Darum will ich ihm Vorrat
schaffen. So schaffte David viel Vorrat vor
seinem Tod.
6 [a]Und er rief seinen Sohn Salomo und
gebot ihm, dem HERRN, dem Gott Israels,
ein Haus zu bauen, 7 und sprach zu ihm:
Mein Sohn, ich hatte im Sinn, dem Namen
des HERRN, meines Gottes, ein Haus zu
bauen, 8 aber das Wort des HERRN kam
zu mir: Du hast viel Blut vergossen und
große Kriege geführt; darum sollst du
meinem Namen nicht ein Haus bauen,
weil du vor mir so viel Blut auf die Erde
vergossen hast. 9 Siehe, der Sohn, der dir
geboren werden soll, der wird ein Mann
der Ruhe sein; denn ich will ihm Ruhe
schaffen vor allen seinen Feinden rings-
umher. Er soll Salomo heißen; denn ich
will Israel Frieden und Ruhe geben, so-
lange er lebt. 10 Der soll meinem Namen
ein Haus bauen. Er soll mein Sohn sein,
und ich will sein Vater sein. Und ich will
seinen königlichen Thron über Israel be-
stätigen ewiglich.
11 So sei nun der HERR mit dir, mein

21,26 *a* 1. Kön 18,24 **21,29** *a* Kap 16,39; 1. Kön 3,4; 2. Chr 1,3.6 **22,1** *a* 2. Chr 3,1 **22,2** *a* 2. Chr 2,16-17 **22,5** *a* Kap 29,1 **22,6** *a* (6-10) Kap 17,1-14; 28,2-7

Sohn, und es wird dir gelingen, dass du
dem HERRN, deinem Gott, ein Haus
baust, wie er von dir geredet hat. 12 Auch
wird der HERR dir geben Klugheit und
Verstand und wird dich bestellen über
Israel, dass du haltest das Gesetz des
HERRN, deines Gottes. 13 Dann aber wird
es dir gelingen, [a]wenn du die Gebote und
Rechte befolgst, die der HERR dem Mose
für Israel geboten hat. Sei getrost und un-
verzagt, fürchte dich nicht und lass dich
nicht erschrecken! 14 Siehe, [a]ich habe in
meiner Mühsal herbeigeschafft für das
Haus des HERRN hunderttausend Zent-
ner Gold und tausendmal tausend Zent-
ner Silber, dazu Bronze und Eisen, das
nicht zu wiegen ist, denn es ist zu viel;
auch Holz und Steine habe ich herbeige-
schafft, davon kannst du noch mehr an-
schaffen. 15 Auch hast du viele Arbeiter,
Steinmetzen und Leute, die in Stein und
Holz arbeiten, und allerlei Meister für
jede Arbeit 16 in Gold, Silber, Bronze und
Eisen, ohne Zahl. So mache dich auf und
richte es aus! Der HERR sei mit dir!

17 Und David gebot allen Oberen Israels,
seinem Sohn Salomo zu helfen: 18 Ist nicht
der HERR, euer Gott, mit euch und [a]hat
euch Ruhe gegeben ringsumher? Denn
er hat die Bewohner des Landes in meine
Hand gegeben, und das Land ist unter-
worfen dem HERRN und seinem Volk.
19 So richtet nun euer Herz und euren Sinn
darauf, den HERRN, euren Gott, zu su-
chen. Und macht euch auf und baut Gott,
dem HERRN, ein Heiligtum, dass man die
Lade des Bundes des HERRN und die hei-
ligen Geräte Gottes in das Haus bringe,
das dem Namen des HERRN gebaut wer-
den soll.

DIE LEVITEN, IHRE ABTEILUNGEN UND ÄMTER

23 Als David alt und lebenssatt war,
machte er seinen Sohn Salomo zum
König über Israel[a] 2 und versammelte
alle Oberen Israels und die Priester und
Leviten.

3 Und man zählte die Leviten von drei-
ßig Jahren an und darüber, und die Zahl
der Männer, nach Köpfen abgezählt, be-
trug 38 000. 4 »Von diesen sollen 24 000
die Aufsicht über die Arbeit am Hause
des HERRN haben und 6000 Amtleute
und Richter sein 5 und 4000 Torhüter und
4000 Sänger des HERRN mit Saitenspie-
len, die ich zum Lobgesang habe machen
lassen.«

6 Und David teilte sie in Abteilungen
ein, [a]nach den Söhnen Levis: Gerschon,
Kehat und Merari. 7 Die Gerschoniter wa-
ren Ladan und Schimi. 8 Die Söhne [a]La-
dans waren: Jehiël, der erste, ferner Setam
und Joel, diese drei. 9 Söhne Schimis wa-
ren: Schelomit, Hasiël und Haran, diese
drei. Diese waren die Häupter der Sippen
von Ladan. 10 Schimis Söhne waren: Jahat,
Sisa, Jëusch und Beria. Diese vier waren
Schimis Söhne. 11 Jahat aber war der erste,
Sisa der zweite. Aber Jëusch und Beria hat-
ten nicht viele Söhne, darum galten sie als
eine Sippe, als eine Abteilung.

12 Die Söhne [a]Kehats waren: Amram,
Jizhar, Hebron und Usiël, diese vier. 13 Die
[a]Söhne Amrams waren: Aaron und Mose.
[b]Aaron aber wurde ausgesondert, dass
er heilige das Hochheilige, er und seine
Söhne für alle Zeiten, zu räuchern vor
dem HERRN und ihm zu dienen und [c]zu
segnen im Namen des Herrn ewiglich.
14 Aber die Söhne des Mose, des Mannes
Gottes, wurden gerechnet zum Stamm
der Leviten. 15 Die Söhne des Mose waren:
[a]Gerschom und Eliëser. 16 Der Sohn Ger-
schoms war: [a]Schubaël, der erste. 17 [a]Der
Sohn Eliësers war: Rehabja, der erste.
Und Eliëser hatte keine andern Söhne.
Aber die Söhne Rehabjas waren überaus
viele. 18 Der Sohn Jizhars war: Schelo-
mit, der erste. 19 Die Söhne Hebrons wa-
ren: Jerija, der erste, Amarja, der zweite
Sohn, Jahasiël, der dritte, und Jekamam,
der vierte. 20 Die Söhne Usiëls waren:
Micha, der erste, und Jischija, der zweite
Sohn.

21 Die Söhne [a]Meraris waren: Machli und
Muschi. Die Söhne Machlis waren: Eleasar
und Kisch. 22 Eleasar aber starb und hatte
keine Söhne, sondern nur Töchter; und
die Söhne des Kisch, ihre Vettern, nah-

22,13 ***a*** 1. Kön 2,2-3 **22,14** ***a*** Kap 29,2 **22,18** ***a*** Vers 9; Kap 23,25 **23,1** ***a*** 1. Kön 1,28-40 **23,6** ***a*** Kap 6,1 **23,8** ***a*** Kap 26,21 **23,12** ***a*** Kap 5,28 **23,13** ***a*** Kap 5,29 ***b*** Kap 6,34; 5. Mose 10,8; Hebr 5,4 ***c*** 4. Mose 6,24-27 **23,15** ***a*** 2. Mose 18,3-4 **23,16** ***a*** Kap 26,24 **23,17** ***a*** (17-23) Kap 24,21-30 **23,21** ***a*** Kap 6,4

men sie zu Frauen. 23 Die Söhne Muschis waren: Machli, Eder und Jeremot, diese drei.

24 Das sind die Söhne Levi nach ihren Sippen, nämlich die Häupter der Sippen, gemustert und Mann für Mann nach den Namen aufgezählt, die den Dienst im Hause des HERRN verrichteten, von zwanzig Jahren an und darüber. 25 Denn David sprach: Der HERR, der Gott Israels, hat seinem Volk Ruhe gegeben und [a]wird zu Jerusalem wohnen ewiglich.

26 So brauchten auch die Söhne Levi die Wohnung nicht mehr zu tragen mit allem Gerät für ihren Dienst – 27 denn nach den späteren Ordnungen Davids wurden die Söhne Levi gezählt von zwanzig Jahren an und darüber –, 28 sondern sie sollten stehen an der Seite der Söhne Aaron zum Dienst im Hause des HERRN in den Vorhöfen und Kammern und zur Reinigung alles Heiligen und zu allem Dienst im Hause Gottes, 29 für das Schaubrot, für feines Mehl zum Speisopfer, für die ungesäuerten Fladen, für die Pfanne, fürs Rösten und für alles Gewicht und Maß. 30 Und an jedem Morgen sollten sie stehen, zu danken und zu loben den HERRN, und ebenso an jedem Abend, 31 und alle Brandopfer dem HERRN zu opfern an den Sabbaten, Neumonden und Festen nach der vorgeschriebenen Zahl, täglich vor dem HERRN; 32 so sollten sie den Dienst versehen an der Stiftshütte, am Heiligtum sowie an den Söhnen Aaron, ihren Brüdern, damit zu dienen im Hause des HERRN.

DIE VIERUNDZWANZIG ABTEILUNGEN DER PRIESTER

24 Dies waren die [a]Abteilungen der Söhne Aaron. Die [b]Söhne Aarons waren: Nadab, Abihu, Eleasar und Itamar. 2 Aber [a]Nadab und Abihu starben vor ihrem Vater und hatten keine Söhne. Und [b]Eleasar und Itamar wurden Priester.

3 Und David zusammen mit Zadok von den Söhnen Eleasar und mit Ahimelech von den Söhnen Itamar [a]teilte sie ein nach ihrer Abteilung und ihrem Amt. 4 Und es fand sich bei den Söhnen Eleasar eine größere Zahl an Männern als bei den Söhnen Itamar. Und sie teilten sie ein: von den Söhnen Eleasar sechzehn Häupter der Sippen und von den Söhnen Itamar acht Häupter der Sippen. 5 Und sie teilten sie beide durchs Los; denn es waren Oberste im Heiligtum und Oberste vor Gott unter den Söhnen Eleasar und unter den Söhnen Itamar. 6 Und der Schreiber Schemaja, der Sohn Netanels, ein Levit, schrieb sie auf vor dem König und vor den Oberen und vor dem Priester Zadok und vor [a]Ahimelech, dem Sohn Abjatars, und vor den Häuptern der Sippen der Priester und Leviten, nämlich eine Sippe für Eleasar und eine für Itamar.

7 Und das erste Los fiel auf Jojarib, das zweite auf Jedaja, 8 das dritte auf Harim, das vierte auf Seorim, 9 das fünfte auf Malkija, das sechste auf Mijamin, 10 das siebente auf Hakkoz, das achte auf [a]Abija, 11 das neunte auf Jeschua, das zehnte auf Schechanja, 12 das elfte auf Eljaschib, das zwölfte auf Jakim, 13 das dreizehnte auf Huppa, das vierzehnte auf Jeschebab, 14 das fünfzehnte auf Bilga, das sechzehnte auf Immer, 15 das siebzehnte auf Hesir, das achtzehnte auf Pizzez, 16 das neunzehnte auf Petachja, das zwanzigste auf Jeheskel, 17 das einundzwanzigste auf Jachin, das zweiundzwanzigste auf Gamul, 18 das dreiundzwanzigste auf Delaja, das vierundzwanzigste auf Maasja.

19 Das sind ihre Abteilungen nach ihrem Amt, in das Haus des HERRN zu gehen nach der Ordnung, die ihnen ihr Vater Aaron gegeben hat, wie ihm der HERR, der Gott Israels, geboten hatte.

DIE FAMILIEN DER LEVITEN

20 Von den andern Söhnen Levi waren da: von den Söhnen Amram: Schubaël, von den Söhnen Schubaëls: Jechdeja; 21 [a]von den Söhnen Rehabjas war der erste Jischija; 22 von den Jizharitern: Schelomit; von den Söhnen Schelomits: Jahat. 23 Die Söhne Hebrons waren: Jerija, der erste, Amarja, der zweite, Jahasiël, der dritte, Jekamam, der vierte; 24 die Söhne Usiëls waren: Micha, von den Söhnen Michas: Schamir. 25 Der Bruder Michas war

23,25 *a* Joel 4,21 **24,1** *a* Kap 23,6 *b* Kap 5,29
24,2 *a* 3. Mose 10,1-2 *b* 3. Mose 10,12 **24,3** *a* 2. Chr 8,14
24,6 *a* Kap 18,16 **24,10** *a* Lk 1,5
24,21 *a* (21-30) Kap 23,17-23; 26,23.25

Jischija, von den Söhnen Jischijas: Secharja. 26 Die Söhne Merari waren: Machli und Muschi und die Söhne Jaasijas, seines Sohnes. 27 Die Söhne Merari von Jaasija, seinem Sohn, waren: Schoham, Sakkur und Ibri, 28 von Machli: Eleasar; der hatte keine Söhne. 29 Der Sohn des Kisch war Jerachmeel. 30 Die Söhne Muschis waren Machli, Eder und Jeremot. Das sind die Leviten nach ihren Sippen. 31 Und man warf auch für sie das Los wie für ihre Brüder, die Söhne Aaron, vor König David und vor Zadok und Ahimelech und vor den Häuptern der Sippen der Priester und Leviten, [a]für den jüngsten Bruder ebenso wie für das Haupt der Sippe.

DIE VIERUNDZWANZIG ABTEILUNGEN DER SÄNGER

25 Und David und die Feldhauptleute sonderten aus zum Dienst die Söhne [a]Asafs, Hemans und Jedutuns als Propheten mit Harfen, Psaltern und Zimbeln. Und es war die Zahl derer, die Dienst taten in ihrem Amt: 2 von den Söhnen Asafs: Sakkur, Josef, Netanja, Asarela, Söhne Asafs, unter Asaf, der im Auftrag des Königs weissagte. 3 Von Jedutun: Jedutuns Söhne: Gedalja, Zeri, Jeschaja, Haschabja, Mattitja, Schimi, diese sechs, unter ihrem Vater Jedutun mit der Harfe, der da weissagte, zu danken und zu loben den HERRN. 4 Von Heman: Hemans Söhne: Bukkija, Mattanja, Usiël, Schubaël, Jerimot, Hananja, Hanani, Eliata, Giddalti, Romamti-Eser, Joschbekascha, Malloti, Hotir und Mahasiot. 5 Diese alle waren Söhne Hemans, des [a]Sehers des Königs, nach den Worten Gottes, sein Haupt zu erhöhen; denn Gott hatte Heman vierzehn Söhne und drei Töchter gegeben.

6 Diese alle sangen unter der Leitung ihrer Väter Asaf, Jedutun und Heman im Hause des HERRN mit Zimbeln, Psaltern und Harfen für den Dienst im Hause Gottes im Auftrag des Königs. 7 Und es war ihre Zahl mit ihren Brüdern, die im Gesang des HERRN geübt waren, allesamt Meister, zweihundertachtundachtzig.

8 Und sie warfen das Los um ihre Ämter, [a]für den Jüngeren wie für den Älteren, für den Lehrer wie für den Schüler.

9 Und das erste Los fiel unter Asaf auf Josef.

Das zweite auf Gedalja samt seinen Brüdern und Söhnen; ihrer waren zwölf.

10 Das dritte auf Sakkur samt seinen Söhnen und Brüdern; ihrer waren zwölf.

11 Das vierte auf Zeri samt seinen Söhnen und Brüdern; ihrer waren zwölf.

12 Das fünfte auf Netanja samt seinen Söhnen und Brüdern; ihrer waren zwölf.

13 Das sechste auf Bukkija samt seinen Söhnen und Brüdern; ihrer waren zwölf.

14 Das siebente auf Asarela samt seinen Söhnen und Brüdern; ihrer waren zwölf.

15 Das achte auf Jeschaja samt seinen Söhnen und Brüdern; ihrer waren zwölf.

16 Das neunte auf Mattanja samt seinen Söhnen und Brüdern; ihrer waren zwölf.

17 Das zehnte auf Schimi samt seinen Söhnen und Brüdern; ihrer waren zwölf.

18 Das elfte auf [a]Asarel samt seinen Söhnen und Brüdern; ihrer waren zwölf.

19 Das zwölfte auf Haschabja samt seinen Söhnen und Brüdern; ihrer waren zwölf.

20 Das dreizehnte auf Schubaël samt seinen Söhnen und Brüdern; ihrer waren zwölf.

21 Das vierzehnte auf Mattitja samt seinen Söhnen und Brüdern; ihrer waren zwölf.

22 Das fünfzehnte auf Jeremot samt seinen Söhnen und Brüdern; ihrer waren zwölf.

23 Das sechzehnte auf Hananja samt seinen Söhnen und Brüdern; ihrer waren zwölf.

24 Das siebzehnte auf Joschbekascha samt seinen Söhnen und Brüdern; ihrer waren zwölf.

25 Das achtzehnte auf Hanani samt seinen Söhnen und Brüdern; ihrer waren zwölf.

26 Das neunzehnte auf Malloti samt seinen Söhnen und Brüdern; ihrer waren zwölf.

27 Das zwanzigste auf Eliata samt seinen Söhnen und Brüdern; ihrer waren zwölf.

28 Das einundzwanzigste auf Hotir samt seinen Söhnen und Brüdern; ihrer waren zwölf.

24,31 *a* Kap 25,8 **25,1** *a* Kap 15,19 **25,5** *a* 2. Chr 35,15
25,8 *a* Kap 24,31 **25,18** *a* Kap 12,7

29 Das zweiundzwanzigste auf Giddalti samt seinen Söhnen und Brüdern; ihrer waren zwölf.

30 Das dreiundzwanzigste auf Mahasiot samt seinen Söhnen und Brüdern; ihrer waren zwölf.

31 Das vierundzwanzigste auf Romamti-Eser samt seinen Söhnen und Brüdern; ihrer waren zwölf.

BESTELLUNG DER TORHÜTER

26 Von den [a]Abteilungen der Torhüter.

Von den Korachitern: Meschelemja, der Sohn des Kore, von den Söhnen Abiasafs. 2 Die Söhne Meschelemjas waren diese: der Erstgeborene Secharja, der zweite Sohn Jediaël, der dritte Sebadja, der vierte Jatniël, 3 der fünfte Elam, der sechste Johanan, der siebente Eljoënai.

4 Die Söhne [a]Obed-Edoms waren diese: der Erstgeborene Schemaja, der zweite Sohn Josabad, der dritte Joach, der vierte Sachar, der fünfte Netanel, 5 der sechste Ammiël, der siebente Issachar, der achte Pëulletai; denn Gott hatte ihn gesegnet. 6 Und seinem Sohn Schemaja wurden auch Söhne geboren, die in ihren Sippen herrschten; denn es waren tüchtige Leute. 7 Die Söhne Schemajas waren: Otni, Refaël, Obed und Elsabad und seine Brüder, tüchtige Männer, Elihu und Semachja. 8 Diese alle gehörten zu den Söhnen Obed-Edoms. Sie samt ihren Söhnen und Brüdern, tüchtige Leute, geschickt zu Ämtern, waren zweiundsechzig von Obed-Edom. 9 Meschelemjas Söhne und Brüder, tüchtige Männer, waren achtzehn. 10 Die Söhne Hosas, der zu den Söhnen Merari gehörte, waren: als Oberhaupt Schimri – denn der Erstgeborene war er zwar nicht, aber sein Vater machte ihn zum Oberhaupt –, 11 der zweite Sohn Hilkija, der dritte Tebalja, der vierte Secharja. Alle Söhne und Brüder Hosas waren dreizehn. 12 Diesen, den Abteilungen der Torhüter, fiel nach der Zahl der Männer das Amt zu wie ihren Brüdern, zu dienen im Hause des HERRN.

13 Und für ein jedes Tor wurde das Los geworfen über die kleinen wie über die großen Sippen. 14 Das Los für die Ostseite fiel auf Meschelemja. Auch für seinen Sohn Secharja, der ein kluger Ratgeber war, warf man das Los, und es fiel für ihn auf die Nordseite; 15 für Obed-Edom aber auf die Südseite und für seine Söhne auf das Vorratshaus; 16 für Schuppim und Hosa auf den Westen beim Tor Schallechet, wo die Straße hinaufgeht. Jede Wache umfasste: 17 im Osten sechs Leviten, im Norden für den Tag vier, im Süden für den Tag vier, beim Vorratshause aber je zwei, 18 am Parbar aber im Westen: vier an der Straße und zwei am Parbar selbst. 19 Dies sind die Abteilungen der Torhüter aus den Korachitern und den Meraritern.

DIE LEVITISCHEN SCHATZMEISTER

20 Von den Leviten, ihren Brüdern, die über die Schätze des Hauses Gottes gesetzt waren und über die Schätze, die geheiligt wurden, waren da: 21 die [a]Söhne Ladan, die Nachkommen des Gerschoniters Ladan. Sie waren Häupter der Sippen der Jehiëliter. 22 Die Söhne der Jehiëliter, Setam und sein Bruder Joel, waren über die Schätze des Hauses des HERRN gesetzt. 23 Von den Amramitern, Jizharitern, Hebronitern und Usiëlitern 24 war [a]Schubaël, der Sohn Gerschoms, des Sohnes des Mose, Vorsteher der Schätze.

25 Sein Bruder [a]Eliëser hatte einen Sohn Rehabja; dessen Sohn war Jeschaja, dessen Sohn war Joram, dessen Sohn war Sichri, dessen Sohn war Schelomit. 26 Dieser Schelomit und seine Brüder waren gesetzt über alle Schätze der geheiligten Gaben, die geheiligt hatten der König David und die Häupter der Sippen, die Obersten über Tausend und über Hundert und die Obersten im Heer. 27 Aus der Kriegsbeute hatten sie's geheiligt, um das Haus des HERRN auszubessern. 28 Auch alles, was Samuel, der Seher, und Saul, der Sohn des Kisch, und Abner, der Sohn des Ner, und Joab, der Sohn der Zeruja, geheiligt hatten, alle diese Weihegaben waren unter der Hand Schelomits und seiner Brüder.

DIE LEVITISCHEN AMTLEUTE UND RICHTER

29 Von den Jizharitern waren Kenanja und seine Söhne zum Dienst draußen in Israel

26,1 *a* 2. Chr 8,14; 35,15 **26,4** *a* 2. Sam 6,11
26,21 *a* Kap 23,8 **26,24** *a* Kap 23,16 **26,25** *a* Kap 23,17

als Amtleute und Richter bestellt. 30 Von
den Hebronitern waren Haschabja und
seine Brüder, tüchtige Leute, 1700 zur
Verwaltung Israels westlich des Jordans
bestellt zu jedem Werk für den HERRN
und zum Dienst des Königs. 31 Jerija war
das Haupt der Hebroniter, nach seiner
Abstammung und seinen Vätern. Im vier-
zigsten Jahr der Königsherrschaft Davids
wurde nach seinen Vorfahren gesucht,
und es fand sich, dass zu ihnen tüchtige
Männer von Jaser in Gilead gehörten.
32 Und seine Brüder waren tüchtige Män-
ner, 2700, Häupter der Sippen. König Da-
vid setzte sie über die Rubeniter, Gaditer
und den halben Stamm Manasse zu jedem
Dienst Gottes und des Königs.

DIE HEERFÜHRER, DIE STAMMESFÜRSTEN UND DIE KÖNIGLICHEN BEAMTEN

27 Dies sind die Israeliten nach ihrer
Zahl, die Häupter ihrer Sippen und die
Obersten über Tausend und über Hundert
und die Amtleute, die dem König dienten.
Von allen Abteilungen, die ab- und zuzo-
gen, jeden Monat eine, in allen Monaten
des Jahres, hatte jede 24 000.

2 Über die erste Abteilung, für den ers-
ten Monat, war gesetzt Joschobam, der
Sohn Sabdiëls, und in seiner Abteilung
waren 24 000. 3 Er war von den Söhnen
Perez und war der Oberste aller Haupt-
leute des Heeres im ersten Monat.

4 Über die Abteilung des zweiten Mo-
nats war gesetzt Dodai, der Ahoachiter,
und Miklot war der Vorsteher seiner Ab-
teilung, und in seiner Abteilung waren
24 000.

5 Der dritte Feldhauptmann, für den
dritten Monat, war [a]Benaja, der Sohn des
Hohenpriesters Jojada, und in seiner Ab-
teilung waren 24 000. 6 Das ist der Benaja,
der Held der Dreißig und über die Drei-
ßig, und seine Abteilung war unter sei-
nem Sohn Ammisabad.

7 Der vierte, für den vierten Monat, war
[a]Asaël, Joabs Bruder, und nach ihm sein
Sohn Sebadja, und in seiner Abteilung wa-
ren 24 000.

8 Der fünfte, für den fünften Monat, war
Schamhut, der Serachiter, und in seiner
Abteilung waren 24 000.

9 Der sechste, für den sechsten Monat,
war [a]Ira, der Sohn des Ikkesch, aus Tekoa,
und in seiner Abteilung waren 24 000.

10 Der siebente, für den siebenten Mo-
nat, war [a]Helez, der Peloniter, von den
Söhnen Ephraim, und in seiner Abteilung
waren 24 000.

11 Der achte, für den achten Monat, war
[a]Sibbechai, der Huschatiter, aus den Se-
rachitern, und in seiner Abteilung waren
24 000.

12 Der neunte, für den neunten Monat,
war [a]Abiëser, der Anatotiter, von den Söh-
nen Benjamin, und in seiner Abteilung
waren 24 000.

13 Der zehnte, für den zehnten Monat,
war [a]Mahrai, der Netofatiter, aus den Se-
rachitern, und in seiner Abteilung waren
24 000.

14 Der elfte, für den elften Monat, war
[a]Benaja, der Piratoniter, von den Söhnen
Ephraim, und in seiner Abteilung waren
24 000.

15 Der zwölfte, für den zwölften Mo-
nat, war Heldai, der Netofatiter, von den
Nachkommen Otniëls, und in seiner Ab-
teilung waren 24 000.

16 Über die Stämme Israels waren diese
gesetzt: Bei den Rubenitern war Fürst:
Eliëser, der Sohn Sichris; bei den Simeon-
itern Schefatja, der Sohn Maachas; 17 bei
den Leviten Haschabja, der Sohn Kemu-
ëls; bei den Aaronitern Zadok; 18 bei Juda
Elihu, einer der Brüder Davids; bei Issa-
char Omri, der Sohn Michaels; 19 bei Sebu-
lon Jischmaja, der Sohn Obadjas; bei Naf-
tali Jeremot, der Sohn Asriëls; 20 bei den
Söhnen Ephraim Hoschea, der Sohn Asas-
jas; beim halben Stamm Manasse Joel, der
Sohn Pedajas; 21 beim halben Stamm Ma-
nasse in Gilead Jiddo, der Sohn Secharjas;
bei Benjamin Jaasiël, der Sohn Abners;
22 bei Dan Asarel, der Sohn Jerohams.

Das sind die Fürsten der Stämme Israels.

23 Aber David nahm die Zahl derer nicht
auf, die zwanzig Jahre und darunter wa-
ren; denn [a]der HERR hatte zugesagt, Is-
rael zu mehren wie die Sterne am Him-
mel. 24 Joab, der Sohn der Zeruja, hatte

27,5 *a* Kap 11,22-25 **27,7** *a* Kap 11,26 **27,9** *a* Kap 11,28
27,10 *a* Kap 11,27 **27,11** *a* Kap 11,29; 20,4
27,12 *a* Kap 11,28 **27,13** *a* Kap 11,30 **27,14** *a* Kap 11,31
27,23 *a* 1. Mose 22,17

angefangen zu zählen, aber er vollendete
es nicht; denn [a]deswegen kam ein Zorn
über Israel. Darum kam die Zahl nicht in
die Chronik des Königs David.
25 Über die Vorräte des Königs war ge-
setzt Asmawet, der Sohn Adiëls, und über
die Vorräte auf dem Lande, in den Städten,
Dörfern und Türmen war gesetzt Jonatan,
der Sohn Usijas; 26 über die Ackerleute,
die das Land bebauten, war gesetzt Esri,
der Sohn Kelubs; 27 über die Weinberge
Schimi, der Ramatiter; über die Vorräte an
Wein in den Weinbergen Sabdi, der Schif-
miter; 28 über die Ölbäume und Maulbeer-
bäume im Hügelland Baal-Hanan, der Ge-
deriter; über die Ölvorräte Joasch; 29 über
die Rinder, die in der Ebene Scharon wei-
deten, Schitrai, der Scharoniter, aber über
die Rinder in den Tälern Schafat, der Sohn
Adlais; 30 über die Kamele Obil, der Isma-
eliter; über die Esel Jechdeja, der Meronot-
iter; 31 über die Schafe Jasis, der Hagariter.
Diese alle waren Vorsteher über die Güter
des Königs David.
32 Jonatan aber, Davids Oheim, war Rat-
geber, ein verständiger und schriftkun-
diger Mann. Und Jehiël, der Sohn Hach-
monis, war bei den Söhnen des Königs.
33 [a]Ahitofel war auch Ratgeber des Königs.
[b]Huschai, der Arkiter, war des Königs
Freund. 34 Nach Ahitofel waren es Jojada,
der Sohn Benajas, und Abjatar. [a]Joab aber
war Feldhauptmann des Königs.

DAVID STELLT DEM VOLK SALOMO ALS SEINEN NACHFOLGER VOR

28 Und David versammelte nach Jerusa-
lem alle Oberen Israels, nämlich die
Obersten der Stämme, die Obersten über
die Abteilungen, die dem König dien-
ten, die Obersten über Tausend und über
Hundert, die Obersten über alle Güter
und Herden des Königs und seiner Söhne
sowie die Kämmerer, die Kriegsleute und
alle tüchtigen Männer.
2 [a]Und der König David stand auf und
sprach: Hört mir zu, meine Brüder und
mein Volk! Ich hatte mir vorgenommen,
ein Haus zu bauen als Ruhestätte für die
Lade des Bundes des HERRN und für den
Schemel der Füße unseres Gottes, und
hatte mich angeschickt, es zu bauen. 3 Aber
Gott ließ mir sagen: [a]Du sollst meinem
Namen kein Haus bauen; denn du bist
ein Kriegsmann und hast Blut vergossen.
4 Nun hat der HERR, der Gott Israels, mich
erwählt aus meines Vaters ganzem Hause,
dass ich König über Israel sein sollte ewig-
lich. Denn er hat [a]Juda erwählt zum Fürs-
ten und im Hause Juda meines Vaters
Haus. Und [b]unter meines Vaters Söhnen
hat er an mir Gefallen gehabt, dass er
mich zum König machte über ganz Israel.
5 Und von allen meinen Söhnen – denn der
HERR hat mir viele Söhne gegeben – [a]hat
er meinen Sohn Salomo erwählt, dass er
sitzen soll auf dem Thron des Königtums
des HERRN über Israel, 6 und er hat zu
mir gesagt: [a]Dein Sohn Salomo soll mein
Haus und meine Vorhöfe bauen; denn ich
habe ihn mir erwählt zum Sohn, und ich
will sein Vater sein 7 und will sein König-
tum bestätigen ewiglich, wenn er daran
festhält, zu tun nach meinen Geboten und
Rechten, wie es heute geschieht. 8 Nun
denn – vor den Augen ganz Israels, der
Gemeinde des HERRN, und vor den Oh-
ren unseres Gottes –: Haltet und sucht alle
Gebote des HERRN, eures Gottes, damit
ihr das gute Land besitzt und es vererbt
euren Kindern nach euch ewiglich! 9 Und
du, mein Sohn Salomo, erkenne den Gott
deines Vaters und diene ihm mit ganzem
Herzen und mit williger Seele. Denn der
HERR erforscht alle Herzen und versteht
alles Dichten und Trachten der Gedanken.
[a]Wirst du ihn suchen, so wirst du ihn fin-
den; [b]wirst du ihn aber verlassen, so wird
er dich verwerfen ewiglich! 10 So sieh nun
zu, denn der HERR hat dich erwählt, dass
du ein Haus baust als Heiligtum. Sei ge-
trost und mache es!

DAVID GIBT SALOMO DEN ENTWURF DES TEMPELS

11 Und David gab seinem Sohn Salomo
[a]einen Plan für die Vorhalle des Tempels
und für seinen Bau, seine Gemächer und
Obergemächer und inneren Kammern
und für den Raum des Gnadenstuhls;
12 und einen Plan für alles, was er im

27,24 *a* Kap 21,7.14 **27,33** *a* 2. Sam 15,12 *b* 2. Sam 15,37; 16,16 **27,34** *a* 2. Sam 8,16 **28,2** *a* (2-7) Kap 22,6-10; Ps 99,5; 132,7 **28,3** *a* 2. Sam 7,5 **28,4** *a* 1. Mose 49,10 *b* 1. Sam 16,1.12 **28,5** *a* 1. Kön 1,13 **28,6** *a* Kap 17,11-14 **28,9** *a* Jer 29,13-14 *b* 1. Kön 11,31.33 **28,11** *a* 2. Mose 25,9

Sinn hatte: für die Vorhöfe am Hause des
HERRN und alle Gemächer ringsum, be-
stimmt für die Schätze im Hause Gottes
und für die Schätze der geheiligten Ga-
ben 13 und für die Abteilungen der Priester
und Leviten und für alle Werke und Ge-
räte des Dienstes im Hause des HERRN.
14 Und er setzte fest das Goldgewicht für
alle Geräte je nach ihrem Zweck und al-
les Silbergewicht für alle Geräte je nach
ihrem Zweck 15 und das Gewicht für die
goldenen Leuchter und goldenen Lampen,
für jeden Leuchter und seine Lampen sein
Gewicht, auch für die silbernen Leuchter,
für jeden Leuchter und seine Lampen,
nach dem Zweck eines jeden Leuchters.
16 Auch setzte er das Goldgewicht fest
für die Tische der Schaubrote, für jeden
Tisch sein Gewicht; ebenso auch das des
Silbers für die silbernen Tische; 17 und
für die Gabeln, Schalen und Kannen von
lauterem Gold und für die goldenen Be-
cher, für jeden Becher sein Gewicht, und
für die silbernen Becher, für jeden Becher
sein Gewicht, 18 und für den Räucheraltar
vom allerlautersten Gold sein Gewicht.
Auch gab er einen Plan des Thronwagens
mit den goldenen Cherubim, die sich aus-
breiteten und oben die Lade des Bundes
des HERRN bedeckten. – 19 Das alles steht
in einer Schrift, gegeben von der Hand
des HERRN, der mich unterwies über alle
Werke des Plans.

20 Und David sprach zu seinem Sohn
Salomo: [a]Sei getrost und unverzagt und
mache es! Fürchte dich nicht und lass dich
nicht erschrecken! Gott der HERR, mein
Gott, wird mit dir sein und wird die Hand
nicht abziehen und dich nicht verlassen,
bis du jedes Werk für den Dienst im Hause
des HERRN vollendet hast. 21 Siehe, da
sind die Abteilungen der Priester und Le-
viten zu jedem Dienst im Hause Gottes;
auch hast du zu jedem Werk Leute, die
willig und weise sind zu jedem Dienst,
dazu auch die Obersten und alles Volk zu
allem, was du tun wirst.

SPENDEN FÜR DEN TEMPELBAU. DAVIDS DANKGEBET

29 Und der König David sprach zu der
ganzen Gemeinde: Gott hat [a]Salomo,
einen meiner Söhne, erwählt, der noch
jung und zart ist. Das Werk aber ist groß;
denn es ist nicht die Wohnstatt eines
Menschen, sondern Gottes, des HERRN.
2 Ich aber habe mit all meinen Kräften für
das Haus Gottes beschafft Gold zu gol-
denem, Silber zu silbernem, Bronze zu
bronzenem, Eisen zu eisernem, Holz zu
hölzernem Gerät, Onyxsteine und ein-
gefasste Steine, Rubine und bunte Steine
und mancherlei Edelsteine und Marmor-
steine die Menge. 3 Und aus Wohlgefal-
len am Hause meines Gottes, da ich noch
eigenes Gut an Gold und Silber habe,
4 gebe ich für das Haus meines Gottes
außer allem, was ich schon zum heiligen
Hause beschafft habe, dreitausend Zent-
ner Ofirgold und siebentausend Zentner
lauteres Silber, um die Wände des Hau-
ses zu überziehen,[a] 5 dass golden werde,
was golden, und silbern, was silbern sein
soll, und zu allem Werk durch die Hand
der Werkmeister. Und wer ist nun wil-
lig, heute seine Hand für den HERRN zu
füllen?

6 Da waren die Obersten der Sippen, die
Obersten der Stämme Israels, die Obers-
ten über Tausend und über Hundert und
die Obersten über die Werke des Königs
willig, 7 und sie gaben zur Arbeit am Hause
Gottes fünftausend Zentner Gold und
zehntausend Gulden und zehntausend
Zentner Silber, achtzehntausend Zent-
ner Bronze und hunderttausend Zent-
ner Eisen. 8 Und wer immer bei sich [a]edle
Steine hatte, der gab sie zum Schatz des
Hauses des HERRN unter die Hand Jehi-
ëls, des Gerschoniters.

9 Und das Volk war fröhlich, dass sie
so willig waren; denn sie gaben's dem
HERRN freiwillig von ganzem Herzen.
Auch der König David war hocherfreut,
10 und er lobte den HERRN vor der ganzen
Gemeinde und sprach:

Gelobt seist du, HERR, Gott Israels, un-
seres Vaters, von Ewigkeit zu Ewigkeit!
11 [a]Dein, HERR, ist die Majestät und Ge-
walt, Herrlichkeit, Sieg und Hoheit. Denn
alles, was im Himmel und auf Erden ist,
das ist dein. Dein, HERR, ist das Reich,
und du bist erhöht zum Haupt über al-

28,20 *a* Kap 22,13; 5. Mose 31,6 **29,1** *a* Kap 22,5
29,4 *a* Kap 22,14; 2. Mose 35,4-9 **29,8** *a* 2. Mose 35,27
29,11 *a* Offb 4,11; 5,13

les. 12 Reichtum und Ehre kommt von dir,
du herrschst über alles. [a]In deiner Hand
steht Kraft und Macht, in deiner Hand
steht es, jedermann groß und stark zu
machen. 13 Nun, unser Gott, wir danken
dir und rühmen deinen herrlichen Na-
men. 14 Denn was bin ich? Was ist mein
Volk, dass wir freiwillig so viel zu geben
vermochten? Von dir ist alles gekommen,
und von deiner Hand haben wir dir's ge-
geben. 15 Denn [a]wir sind Fremdlinge und
Gäste vor dir wie unsere Väter alle. Un-
ser Leben auf Erden ist [b]wie ein Schatten
und bleibet nicht. 16 HERR, unser Gott, all
dies Viele, das wir beschafft haben, dir ein
Haus zu bauen, deinem heiligen Namen,
ist von deiner Hand gekommen, es ist al-
les dein. 17 **Ich weiß, mein Gott, dass du**
[a]das Herz prüfst, und Aufrichtigkeit ist
dir angenehm. Darum habe ich dies alles
aus aufrichtigem Herzen freiwillig gege-
ben und habe jetzt mit Freuden gesehen,
wie dein Volk, das hier vor dir steht, dir
alles freiwillig gegeben hat. 18 HERR, Gott
Abrahams, Isaaks und Israels, unserer Vä-
ter, bewahre für immer solchen Sinn und
solche Gedanken im Herzen deines Volks
und richte ihre Herzen auf dich! 19 Und
meinem Sohn Salomo gib ein rechtschaf-
fenes Herz, dass er halte deine Gebote,
Ordnungen und Rechte und dass er alles
ausführe und diese Wohnstatt baue, die
ich vorbereitet habe.
20 Und David sprach zur ganzen Ge-
meinde: Lobet den HERRN, euren Gott!
Und die ganze Gemeinde lobte den
HERRN, den Gott ihrer Väter, und sie
neigten sich und fielen nieder vor dem
HERRN und vor dem König 21 und opfer-
ten dem HERRN Schlachtopfer. Und am
andern Morgen opferten sie dem HERRN
Brandopfer, tausend junge Stiere, tausend
Widder, tausend Lämmer, und ihre Trank-
opfer sowie Schlachtopfer in Menge für
ganz Israel. 22 Und sie aßen und tranken
am selben Tage vor dem HERRN mit gro-
ßen Freuden und [a]machten zum zweiten
Mal Salomo, den Sohn Davids, zum König
und salbten ihn dem HERRN zum Fürsten
und Zadok zum Priester.

SALOMO WIRD KÖNIG. DAVIDS TOD

23 So [a]setzte sich Salomo auf den Thron des
HERRN als König an seines Vaters David
statt, und Gott gab ihm Gelingen. Und
ganz Israel wurde ihm gehorsam. 24 Und
alle Obersten und Kriegsleute, auch alle
Söhne des Königs David, stellten sich un-
ter den König Salomo. 25 Und der HERR
machte Salomo immer größer vor ganz
Israel und gab ihm ein herrliches König-
tum, wie es kein König vor ihm über Israel
gehabt hatte.
26 So ist nun David, der Sohn Isais, Kö-
nig gewesen über ganz Israel. 27 Die Zeit
aber, die er König über Israel gewesen ist,
ist vierzig Jahre. Zu Hebron regierte er sie-
ben Jahre und zu Jerusalem dreiunddrei-
ßig Jahre.[a] 28 Und er starb in gutem Alter,
[a]satt an Leben, Reichtum und Ehre. Und
sein Sohn Salomo wurde König an seiner
statt. 29 Die Geschichte aber des Königs
David, die frühere und die spätere, siehe,
die steht geschrieben in der Geschichte
Samuels, des Sehers, und in der Ge-
schichte des Propheten Nathan und in der
Geschichte [a]Gads, des Sehers, 30 dazu auch
seine Regierung und seine tapferen Taten
sowie die Zeiten, die über ihn und Israel
und über die Königreiche in allen Landen
dahingegangen sind.

29,12 ***a*** 2. Chr 20,6 **29,15** ***a*** Ps 39,13; Hebr 11,13
b Hiob 14,2 **29,17** ***a*** Kap 28,9; Ps 7,10 **29,22** ***a*** Kap 23,1
29,23 ***a*** Kap 28,5; 1. Kön 1,34-35.39 **29,27** ***a*** 1. Kön 2,11
29,28 ***a*** 1. Mose 25,8; 35,29; 2. Chr 24,15; Hiob 42,17
29,29 ***a*** Kap 21,9

DAS ZWEITE BUCH DER CHRONIK

1–7 Bau und Weihe des Tempels **8–9** Salomos Ruhm und Ende
10–28 Geschichte der Könige von Juda **29–35** Die Reformen Hiskias und Josias
36 Das Ende des Reiches Juda

SALOMOS OPFER IN GIBEON

(vgl. 1. Kön 3,1-4)

1 Und [a]Salomo, der Sohn Davids, er-
starkte in seinem Königtum, und der
HERR, sein Gott, war mit ihm und mach-
te ihn immer größer. 2 Und Salomo re-
dete mit ganz Israel, mit den Obersten
über Tausend und über Hundert, mit den
Richtern und mit allen Fürsten in Israel,
mit den Häuptern der Sippen, 3 dass sie
hingingen, Salomo und die ganze Ge-
meinde mit ihm, zu der [a]Höhe, die zu Gi-
beon war; denn dort war die Stiftshütte
Gottes, die Mose, der Knecht des HERRN,
in der Wüste gemacht hatte. – 4 Nur die
Lade Gottes hatte David heraufgebracht
von Kirjat-Jearim an die Stätte, die er ihr
bereitet hatte; denn er hatte ihr ein Zelt
aufgeschlagen zu Jerusalem.[a] – 5 Auch [a]der
bronzene Altar, den Bezalel, der Sohn
Uris, des Sohnes Hurs, gemacht hatte,
war dort vor der Wohnung des HERRN.
Und Salomo und die Gemeinde pflegten
ihn aufzusuchen. 6 Und Salomo opferte
vor dem HERRN tausend Brandopfer auf
dem bronzenen Altar, der vor der Stifts-
hütte stand.

SALOMOS BITTE UM WEISHEIT

(vgl. 1. Kön 3,5-15)

7 In derselben Nacht aber erschien Gott
dem Salomo und sprach zu ihm: Bitte, was
ich dir geben soll. 8 Und Salomo sprach zu
Gott: Du hast große Barmherzigkeit an
meinem Vater David getan und hast mich
an seiner statt zum König gemacht. 9 So
lass nun, HERR, Gott, dein Wort an mei-
nen Vater David wahr werden; denn du
hast mich zum König gemacht über ein
Volk, das so viel ist wie Staub auf Erden.
10 So gib mir nun Weisheit und Erkennt-
nis, dass ich vor diesem Volk aus und ein
gehe; denn wer kann dies dein großes
Volk richten? 11 Da sprach Gott zu Salomo:
Weil du dies im Sinn hast und nicht gebe-
ten um Reichtum noch um Gut noch um
Ehre noch um deiner Feinde Tod noch
um langes Leben, sondern hast um Weis-
heit und Erkenntnis gebeten, mein Volk
zu richten, über das ich dich zum König
gemacht habe, 12 so sei dir Weisheit und
Erkenntnis gegeben. Dazu will ich dir
Reichtum, Gut und Ehre geben, wie sie
die Könige vor dir nicht gehabt haben und
auch die nach dir nicht haben werden. 13 So
kam Salomo von der Höhe, die bei Gibeon
war, von der Stiftshütte, nach Jerusalem
und war König über Israel.

SALOMOS HEERESMACHT UND REICHTUM

(vgl. 1. Kön 10,26-29)

14 Und Salomo brachte Wagen und Rei-
ter zusammen, sodass er 1400 Wagen
und 12 000 Reiter hatte, und legte sie in
die Wagenstädte und zum König nach
Jerusalem. 15 Und der König brachte so
viel Silber und Gold nach Jerusalem wie
Steine und so viele Zedern wie Maulbeer-
bäume im Hügelland. 16 Und man brachte
Salomo Pferde aus Ägypten und aus Koë;
die Kaufleute des Königs kauften sie aus
Koë; 17 aus Ägypten aber brachten sie her-
auf den Wagen für sechshundert Silber-
stücke und das Pferd für hundertfünfzig.
Dann führten sie diese wieder aus an alle
Könige der Hetiter und an die Könige von
Aram.

VERTRAG MIT HIRAM VON TYRUS

(vgl. 1. Kön 5,15-32)

18 Und Salomo gedachte dem Namen des
HERRN ein Haus zu bauen und ein Haus
für seine Königsherrschaft.
2 Und Salomo zählte 70 000 ab, die Las-
ten tragen, und 80 000, die im Gebirge
Steine hauen sollten, und 3600 Aufseher

1,1 *a* 1. Kön 2,12.46 **1,3** *a* 1. Chr 16,39; 21,29
1,4 *a* 1. Chr 13,6; 15,3.28; 16,1 **1,5** *a* 2. Mose 38,1-8

über sie. [2]Und Salomo sandte zu [a]Hiram,
dem König von Tyrus, und ließ ihm sa-
gen: Wie du mit meinem Vater David
tatest und ihm Zedern sandtest, dass er
sich ein Haus baute, in dem er wohnte, –
[3]siehe, ich will dem Namen des HERRN,
meines Gottes, ein Haus bauen, das ihm
geheiligt werde, um gutes Räucherwerk
vor ihm zu räuchern und ständig Schau-
brote zuzurichten und Brandopfer am
Morgen und am Abend, an den Sabbaten
und Neumonden und an den Festen des
HERRN, unseres Gottes, wie es allezeit für
Israel gilt. [4]Und das Haus, das ich bauen
will, soll groß sein; denn [a]unser Gott ist
größer als alle Götter. [5]Aber wer vermag
es, ihm ein Haus zu bauen? Denn [a]der
Himmel und aller Himmel Himmel kön-
nen ihn nicht fassen. Wer bin ich denn,
dass ich ihm ein Haus baue, es sei denn,
um vor ihm zu opfern? [6]So sende mir
nun einen weisen Mann, der mit Gold,
Silber, Bronze, Eisen, rotem Purpur, Kar-
mesin und blauem Purpur arbeiten kann
und der Bildwerk zu schnitzen versteht
zusammen mit den Weisen, die bei mir
in Juda und Jerusalem sind und die mein
Vater David bestellt hat. [7]Und sende mir
Zedern-, Zypressen- und Sandelholz
vom Libanon; denn ich weiß, dass deine
Knechte das Holz des Libanon zu hauen
wissen. Und siehe, meine Leute sollen
mit deinen Leuten sein, [8]dass man mir
viel Holz zubereite; denn das Haus, das
ich bauen will, soll groß und wunderbar
sein. [9]Und siehe, ich will den Holzhauern,
deinen Knechten, die das Holz behauen,
200 000 Scheffel Weizen und 200 000
Scheffel Gerste und 20 000 Eimer Wein
und 20 000 Eimer Öl geben.

[10]Da antwortete Hiram, der König von
Tyrus, in einem Brief und sandte zu Sa-
lomo: Da der HERR sein Volk liebt, hat er
dich zum König über sie gemacht. [11]Und
Hiram schrieb weiter: Gelobt sei der
HERR, der Gott Israels, der Himmel und
Erde gemacht hat, dass er dem König Da-
vid einen weisen, klugen und verständi-
gen Sohn gegeben hat, der dem HERRN
ein Haus bauen will und auch ein Haus
für seine Königsherrschaft! [12]So sende
ich nun einen weisen und verständigen
Mann, [a]Hiram, meinen Berater; [13]er ist
der Sohn einer Frau von den Töchtern
Dan, und sein Vater ist ein Tyrer gewesen.
Der [a]versteht zu arbeiten mit Gold, Silber,
Bronze, Eisen, Steinen, Holz, rotem und
blauem Purpur, feiner Leinwand und Kar-
mesin, und Bildwerk zu schnitzen und al-
les, was man ihm aufgibt, kunstreich zu
machen mit deinen Weisen und mit den
Weisen meines Herrn, des Königs David,
deines Vaters. [14]So sende nun mein Herr
seinen Knechten, wie er gesagt hat, Wei-
zen, Gerste, Öl und Wein, [15]so wollen wir
das Holz hauen auf dem Libanon, soviel du
bedarfst, und wollen es auf Flößen übers
Meer nach Jafo bringen. Von da musst du
es hinauf nach Jerusalem schaffen.

[16][a]Und Salomo zählte alle Fremdlinge
im Lande Israel, nachdem schon sein Va-
ter David sie gezählt hatte, und es fanden
sich 153 600. [17]Und er machte von ihnen
70 000 zu Trägern und 80 000 zu Stein-
hauern im Gebirge und 3600 zu Aufse-
hern, die die Leute zum Dienst anhielten.

DER BAU DES TEMPELS

(vgl. 1. Kön 6,1-15.33-38)

3 Und Salomo fing an, das Haus des
HERRN zu bauen in Jerusalem auf dem
Berge Morija, wo der HERR seinem Vater
David erschienen war, an der Stätte, die
David auf der [a]Tenne Araunas, des Jebus-
iters, zubereitet hatte. [2]Im zweiten Mo-
nat am zweiten Tage im vierten Jahr seiner
Königsherrschaft fing er an zu bauen.

[3]Und dies sind die Maße, nach denen
Salomo das Haus Gottes baute: die Länge
sechzig Ellen nach altem Maß, die Breite
zwanzig Ellen. [4]Und die Vorhalle, die sich
davor befand, war nach der Breite des Hau-
ses zwanzig Ellen lang, die Höhe aber war
hundertzwanzig Ellen*, und er überzog
sie innen mit lauterem Gold. [5]Das große
Tempelhaus aber täfelte er mit Zypressen-
holz und überzog sie mit dem besten Gold
und brachte darauf Palmen und Blumen-
werk an. [6]Und er schmückte das Haus mit
edlen Steinen zur Zierde, das Gold aber
war Parwajim-Gold. [7]Und er überzog das

* **3,4** Andere Überlieferung: »zwanzig Ellen«.

2,2 *a* 1. Chr 14,1 **2,4** *a* 2. Mose 18,11; Ps 77,4; 95,3
2,5 *a* Kap 6,18; 1. Kön 8,27 **2,12** *a* 1. Kön 7,13
2,13 *a* 2. Mose 31,2-6 **2,16** *a* (16-17) 1. Chr 22,2
3,1 *a* 1. Mose 22,2; 1. Chr 21,18-26

Haus, die Balken und die Schwellen samt
ihren Wänden und Türen mit Gold und
ließ auf die Wände Cherubim schnitzen.

DAS ALLERHEILIGSTE

(vgl. 1. Kön 6,16-32)

8 Er machte auch das Haus des Allerheiligs-
ten. Dessen Länge war zwanzig Ellen nach
der Breite des Baues, und seine Breite war
auch zwanzig Ellen, und er überzog es mit
dem besten Gold, an sechshundert Zent-
ner; 9 und er gab auch für die Nägel fünfzig
Schekel Gold an Gewicht und überzog die
Obergemächer mit Gold. 10 Er machte auch
im Raum des Allerheiligsten zwei Cheru-
bim, kunstreiche Bildwerke, und überzog
sie mit Gold. 11 Und die Länge der Flügel
der Cherubim war zwanzig Ellen, sodass
ein Flügel fünf Ellen hatte und die Wand
des Hauses berührte und der andere Flügel
auch fünf Ellen hatte und den Flügel des
andern Cherubs berührte. 12 So hatte auch
der eine Flügel des andern Cherubs fünf
Ellen und berührte die Wand des Hauses,
und sein anderer Flügel hatte auch fünf
Ellen und berührte den Flügel des andern
Cherubs, 13 sodass diese Flügel der Cheru-
bim zwanzig Ellen weit ausgebreitet wa-
ren. Und sie standen auf ihren Füßen, und
ihr Antlitz war dem Haus zugewandt. 14 Er
machte auch einen Vorhang von blauem
und rotem Purpur, von Karmesin und
feiner Leinwand und brachte Cherubim
darauf an.[a]

DIE BEIDEN SÄULEN VOR DEM TEMPEL

(vgl. 1. Kön 7,15-22)

15 Und er machte vor dem Hause zwei
Säulen, fünfunddreißig Ellen hoch, und
den Knauf oben darauf fünf Ellen 16 und
machte Ketten zum Gitterwerk und tat sie
oben an die Säulen und machte hundert
Granatäpfel und tat sie an die Ketten 17 und
richtete die Säulen auf vor dem Tempel,
eine zur Rechten und die andere zur Lin-
ken, und nannte die zur Rechten Jachin
und die zur Linken Boas.

DIE TEMPELGERÄTE

(vgl. 1. Kön 7,23-51)

4 Er machte auch einen [a]bronzenen Altar,
zwanzig Ellen lang und breit und zehn
Ellen hoch.
2 Und er machte das Meer, gegossen,
von einem Rand zum andern zehn Ellen
breit, ganz rund, fünf Ellen hoch, und
eine Schnur von dreißig Ellen konnte es
umspannen. 3 Und unter ihm umgaben
es ringsum Bilder von Rindern; und sie
waren um das Meer her zehn je Elle; zwei
Reihen bildeten die Knoten, die bei dem
Guss mit angegossen waren. 4 Es stand
aber auf zwölf Rindern, von denen drei
nach Norden gewandt waren, drei nach
Westen, drei nach Süden und drei nach
Osten, und das Meer stand oben auf ih-
nen; und ihre Hinterteile waren alle nach
innen gekehrt. 5 Die Stärke seiner Wand
war eine Hand breit, und sein Rand war
wie eines Bechers Rand, wie eine aufge-
gangene Lilie, und es fasste dreitausend
Eimer.

6 Und er machte zehn Kessel. Von ihnen
stellte er fünf zur Rechten und fünf zur
Linken, um in ihnen zu waschen – näm-
lich was zum Brandopfer gehört, sollte
man darin abspülen –; das Meer aber
stellte er auf, dass sich die Priester darin
waschen sollten.

7 Er machte auch zehn [a]goldene Leuchter,
wie sie sein sollten, und stellte sie in die
Tempelhalle, fünf zur Rechten und fünf
zur Linken, 8 und machte zehn Tische und
tat sie in die Tempelhalle, fünf zur Rech-
ten und fünf zur Linken, und machte hun-
dert goldene Schalen.

9 Er machte auch einen Vorhof für die
Priester und einen großen Vorhof und Tü-
ren für den Vorhof und überzog die Türen
mit Bronze 10 und setzte das Meer an die
rechte Ecke nach Süden hin.

11 Und Hiram machte Töpfe, Schaufeln
und Schalen.

Danach vollendete Hiram die Arbeit,
die er für den König Salomo tat am Hause
Gottes, 12 nämlich die zwei Säulen mit
den Kugeln und Knäufen oben auf bei-
den Säulen und die zwei Gitterwerke, zu
bedecken beide Kugeln an den Knäufen
oben auf den Säulen, 13 und die vierhun-
dert Granatäpfel an den beiden Gitterwer-
ken, zwei Reihen Granatäpfel an jedem
Gitterwerk, zu bedecken beide Kugeln an

3,14 *a* 2. Mose 26,31 **4,1** *a* Kap 7,7
4,7 *a* 2. Mose 37,17-24

den Knäufen, die oben auf den Säulen wa-
ren. 14 Auch machte er die Gestelle und die
Kessel auf den Gestellen 15 und das Meer
und die zwölf Rinder darunter; 16 dazu
machte [a]Hiram, sein Berater, dem König
Salomo Töpfe, Schaufeln, Gabeln samt
allen Gefäßen für das Haus des HERRN
von geglätteter Bronze. 17 In der Gegend
des unteren Jordans ließ sie der König
gießen in der Gießerei von Adama zwi-
schen Sukkot und Zereda. 18 Und Salomo
machte sehr viele von allen diesen Gerä-
ten, sodass das Gewicht der Bronze nicht
zu erforschen war.

19 Und Salomo machte alles Gerät für das
Haus Gottes, nämlich den goldenen Altar
und die Tische mit den Schaubroten dar-
auf, 20 die Leuchter mit ihren Lampen von
lauterem Gold, dass sie brennen vor dem
Allerheiligsten nach der Ordnung. 21 Und
die Blumen und die Lampen und die Sche-
ren waren golden, das war alles ganz aus
Gold; 22 auch die Messer, Schalen, Löffel
und Pfannen waren von lauterem Gold.
Und an den Eingängen des Hauses wa-
ren die inneren Türen zum Allerheiligs-
ten und die Türen zur Tempelhalle aus
Gold.

5 Also wurde alle Arbeit vollbracht, die
Salomo am Hause des HERRN tat. Und
Salomo brachte hinein [a]alles, was sein Va-
ter David geheiligt hatte, und [b]legte das
Silber und Gold und alle Geräte in den
Schatz im Hause Gottes.

EINWEIHUNG DES TEMPELS

(vgl. 1. Kön 8,1-11)

2 Da versammelte Salomo alle Ältesten
Israels, alle Häupter der Stämme und die
Fürsten der Sippen Israels in Jerusalem,
damit sie die Lade des Bundes des HERRN
hinaufbrächten aus der Stadt Davids, das
ist Zion. 3 Und es versammelten sich beim
König alle Männer Israels [a]zum Fest, das
im siebenten Monat ist. 4 Und es kamen
alle Ältesten Israels, und die Leviten ho-
ben die Lade auf 5 und brachten sie hinauf
samt der Stiftshütte und allem heiligen
Gerät, das in der Stiftshütte war; es brach-
ten sie hinauf die Priester und Leviten.
6 Aber der König Salomo und die ganze
Gemeinde Israel, die bei ihm vor der Lade
versammelt war, opferten Schafe und
Rinder, so viel, dass es niemand zählen
noch berechnen konnte.

7 So brachten die Priester die Lade des
Bundes des HERRN an ihre Stätte, in den
innersten Raum des Hauses, in das Aller-
heiligste, unter die Flügel der Cherubim,
8 dass die Cherubim ihre Flügel ausbrei-
teten über die Stätte der Lade. Und die
Cherubim bedeckten die Lade und ihre
Stangen von oben her. 9 Die Stangen aber
waren so lang, dass man ihre Enden vor
dem Allerheiligsten sah, aber von außen
sah man sie nicht. Und sie war dort bis
auf diesen Tag. 10 Und [a]es war nichts in
der Lade außer den zwei Tafeln, die Mose
am Horeb hineingelegt hatte, die Tafeln
des Bundes, den der HERR mit Israel
geschlossen hatte, als sie aus Ägypten
zogen.

11 Und die Priester gingen heraus aus
dem Heiligtum – denn alle Priester, die
sich eingefunden hatten, hatten sich ge-
heiligt, ohne dass man auf [a]die Abteilun-
gen geachtet hätte –, 12 und alle Leviten,
die [a]Sänger waren, nämlich [b]Asaf, [c]He-
man und Jedutun und ihre Söhne und
Brüder, angetan mit feiner Leinwand,
standen östlich vom Altar mit Zimbeln,
Psaltern und Harfen und bei ihnen hun-
dertzwanzig Priester, die mit Trompeten
bliesen. 13 Und es war, als wäre es *einer*, der
trompetete und sänge, als hörte man *eine*
Stimme loben und danken dem HERRN.
Und als sich die Stimme der Trompeten,
Zimbeln und Saitenspiele erhob und man
den HERRN lobte: [a]»Er ist gütig, und seine
Barmherzigkeit währt ewig«, da wurde
das Haus erfüllt mit einer Wolke, als das
Haus des HERRN, 14 sodass die Priester
nicht zum Dienst hinzutreten konnten
wegen der Wolke; denn [a]die Herrlichkeit
des HERRN erfüllte das Haus Gottes.

SALOMOS GEBET BEI DER EINWEIHUNG DES TEMPELS

(vgl. 1. Kön 8,12-53)

6 Da sprach Salomo: Der HERR hat ge-
sagt, er wolle im Dunkel wohnen. 2 So

4,16 *a* Kap 2,12 **5,1** *a* 1. Chr 18,11; 28,14-18 *b* 1. Chr 29,2-4
5,3 *a* 3. Mose 23,34 **5,10** *a* 5. Mose 10,5; Hebr 9,4
5,11 *a* Kap 8,14; Lk 1,8-9 **5,12** *a* 1. Chr 15,19 *b* 1. Chr 16,37
c 1. Chr 16,41-42 **5,13** *a* 1. Chr 16,34; Ps 106,1
5,14 *a* Kap 7,1-3; 2. Mose 40,35

habe ich nun ein Haus gebaut dir zur
Wohnung und einen Sitz, da du ewiglich
wohnest.
3 Und der König wandte sein Antlitz
und segnete die ganze Gemeinde Israel,
und die ganze Gemeinde Israel stand,
4 und er sprach: Gelobt sei der HERR, der
Gott Israels, der durch seinen Mund zu
meinem Vater David geredet und es mit
seiner Hand erfüllt hat, als er sagte: 5 Seit
der Zeit, da ich mein Volk aus Ägypten-
land geführt habe, habe ich keine Stadt
erwählt aus allen Stämmen Israels, ein
Haus zu bauen, dass mein Name daselbst
sein sollte, und habe auch keinen Mann
erwählt, dass er Fürst sein sollte über
mein Volk Israel; 6 aber Jerusalem habe
ich erwählt, dass mein Name daselbst sei,
und David habe ich erwählt, dass er über
mein Volk Israel herrsche. 7 Und als mein
Vater David im Sinn hatte, dem Namen
des HERRN, des Gottes Israels, ein Haus
zu bauen,[a] 8 sprach der HERR zu meinem
Vater David: Du hast wohlgetan, dass du
im Sinn hast, meinem Namen ein Haus
zu bauen. 9 Doch nicht du sollst das Haus
bauen, sondern dein Sohn, der von dir
kommen wird, soll meinem Namen das
Haus bauen. 10 So hat nun der HERR sein
Wort bestätigt, das er geredet hat; denn
ich bin an die Stelle meines Vaters David
getreten und sitze auf dem Thron Israels,
wie der HERR geredet hat, und [a]habe dem
Namen des HERRN, des Gottes Israels, ein
Haus gebaut 11 und habe die Lade hinein-
gestellt, [a]in der die Tafeln des Bundes sind,
den der HERR mit den Israeliten geschlos-
sen hat.

12 Und er trat vor den Altar des HERRN
angesichts der ganzen Gemeinde Israel
und breitete seine Hände aus – 13 denn
Salomo hatte eine Kanzel aus Bronze ge-
macht und mitten in den Vorhof gestellt,
fünf Ellen lang und breit und drei Ellen
hoch; auf diese trat er und fiel nieder auf
seine Knie angesichts der ganzen Ge-
meinde Israel und breitete seine Hände
aus gen Himmel – 14 und sprach: HERR,
Gott Israels, es ist kein Gott dir gleich we-
der im Himmel noch auf Erden, der du
hältst den Bund und die Barmherzigkeit
deinen Knechten, die vor dir wandeln
von ganzem Herzen. 15 Du hast deinem
Knecht David, meinem Vater, gehalten,
was du zu ihm geredet hast; mit deinem
Mund hast du es geredet, und mit deiner
Hand hast du es erfüllt, so wie es heute ist.
16 Nun, HERR, Gott Israels, halte deinem
Knecht David, meinem Vater, [a]was du zu
ihm geredet hast: Es soll dir vor mir nicht
fehlen an einem Mann, der auf dem Thron
Israels sitzt, sofern deine Söhne ihren Weg
bewahren, dass sie wandeln in meinem
Gesetz, wie du vor mir gewandelt bist.
17 Nun, HERR, Gott Israels, lass dein Wort
wahr werden, das du zu deinem Knecht
David geredet hast.

18 Denn sollte Gott wirklich bei den
Menschen auf Erden wohnen? Siehe,
[a]der Himmel und aller Himmel Him-
mel können dich nicht fassen; wie sollte
es dann dies Haus tun, das ich gebaut
habe? 19 Wende dich aber, HERR, mein
Gott, zu dem Gebet deines Knechts und
zu seinem Flehen, dass du erhörest das
Bitten und Beten deines Knechtes vor
dir: 20 Dass deine Augen offen seien über
diesem Hause Tag und Nacht, über der
Stätte, von der du gesagt hast, [a]du wol-
lest deinen Namen daselbst wohnen las-
sen, dass du hörest das Gebet, das dein
Knecht an dieser Stätte beten wird. 21 So
höre nun das Flehen deines Knechts und
deines Volkes Israel, mit dem sie bitten
werden an dieser Stätte; höre es von der
Stätte deiner Wohnung, vom Himmel
her, und wenn du es hörst, wollest du gnä-
dig sein!

22 Wenn jemand an seinem Nächsten
sündigt und [a]es wird ihm ein Eid auf-
erlegt, sich selbst zu verfluchen, und er
kommt und [b]verflucht sich vor deinem
Altar in diesem Hause, 23 so wollest du
hören vom Himmel und Recht schaffen
deinen Knechten, dass du es dem Frev-
ler vergiltst und sein Tun auf sein Haupt
kommen lässt, den aber, der im Recht ist,
gerecht sprichst und ihm gibst nach seiner
Gerechtigkeit.

24 Wenn dein Volk Israel [a]vor dem Feind
geschlagen wird, weil sie an dir gesündigt
haben, und sie bekehren sich und beken-

6,7 *a* 2. Sam 7,2-13 **6,10** *a* Sach 4,9 **6,11** *a* Kap 5,10; 5. Mose 9,9; 10,5 **6,16** *a* 2. Sam 7,16 **6,18** *a* Kap 2,5 **6,20** *a* 2. Mose 20,24 **6,22** *a* 5. Mose 27,26 *b* 2. Mose 22,10 **6,24** *a* 5. Mose 28,25

nen deinen Namen, bitten und flehen vor
dir in diesem Hause, [25]so wollest du hören
vom Himmel her und vergeben die Sünde
deines Volkes Israel und sie in das Land
zurückbringen, das du ihnen und ihren
Vätern gegeben hast.

[26]Wenn [a]der Himmel verschlossen ist,
dass es nicht regnet, weil sie an dir ge-
sündigt haben, und sie beten an dieser
Stätte und bekennen deinen Namen und
bekehren sich von ihren Sünden, weil du
sie gedemütigt hast, [27]so wollest du hö-
ren im Himmel und vergeben die Sünde
deiner Knechte und deines Volkes Israel,
dass du sie den guten Weg lehrst, auf dem
sie wandeln sollen, und regnen lässt auf
dein Land, das du deinem Volk zum Erbe
gegeben hast.

[28]Wenn eine Hungersnot im Lande
sein wird oder Pest oder Dürre, Getreide-
brand, Heuschrecken, Raupen oder wenn
sein Feind im Lande seine Tore belagert
oder irgendeine Plage oder Krankheit da
ist, – [29]wer dann bittet oder fleht, es seien
einzelne Menschen oder dein ganzes
Volk Israel, wenn jemand seine Plage und
Schmerzen fühlt und seine Hände aus-
breitet zu diesem Hause, [30]so wollest du
hören vom Himmel her, vom Sitz deiner
Wohnung, und vergeben und jedermann
geben nach all seinem Wandel, [a]wie du
sein Herz erkennst – denn du allein er-
kennst das Herz der Menschenkinder –,
[31]damit sie dich fürchten und wandeln
in deinen Wegen alle Tage, solange sie in
dem Lande leben, das du unsern Vätern
gegeben hast.

[32]Auch wenn ein Fremder, der nicht von
deinem Volk Israel ist, aus fernen Landen
kommt um deines großen Namens und
deiner mächtigen Hand und deines aus-
gereckten Arms willen und zu diesem
Hause hin betet, [33]so wollest du hören
vom Himmel her, vom Sitz deiner Woh-
nung, und alles tun, worum er dich anruft,
auf dass alle Völker auf Erden deinen Na-
men erkennen und dich fürchten wie dein
Volk Israel und innewerden, dass dein
Name über diesem Hause genannt ist, das
ich gebaut habe.

[34]Wenn dein Volk auszieht in den Krieg
gegen seine Feinde auf dem Wege, den
du sie senden wirst, und [a]sie zu dir be-
ten nach dieser Stadt hin, die du erwählt
hast, und nach dem Hause hin, das ich
deinem Namen gebaut habe, [35]so wol-
lest du ihr Gebet und Flehen hören vom
Himmel her und ihnen zu ihrem Recht
helfen.

[36]Wenn sie an dir sündigen werden –
denn es gibt keinen Menschen, der nicht
sündigt – und du über sie zürnst und sie
vor ihren Feinden dahingibst und diese
sie gefangen wegführen in ein fernes
oder nahes Land, [37]und sie nehmen es sich
dann zu Herzen in dem Lande, in dem sie
gefangen sind, und bekehren sich und fle-
hen zu dir im Lande ihrer Gefangenschaft
und sprechen: [a]»Wir haben gesündigt,
übel getan und sind gottlos gewesen«,
[38]und sich von ganzem Herzen und von
ganzer Seele zu dir bekehren im Lande
ihrer Gefangenschaft, in dem man sie
gefangen hält, und sie beten nach ihrem
Lande hin, das du ihren Vätern gegeben
hast, und nach der Stadt hin, die du er-
wählt hast, und nach dem Hause hin, das
ich deinem Namen gebaut habe, [39]so wol-
lest du ihr Gebet und Flehen hören vom
Himmel her, vom Sitz deiner Wohnung,
und ihnen zu ihrem Recht helfen und dei-
nem Volk vergeben, das an dir gesündigt
hat.

[40]So lass nun, mein Gott, deine Augen
offen sein und deine Ohren aufmerken
auf das Gebet an dieser Stätte. [41][a]Und nun
mache dich auf, HERR, Gott, zu deiner
Ruhe, du und die Lade deiner Macht. Lass
deine Priester, HERR, Gott, mit Heil ange-
tan werden und deine Heiligen sich freuen
des Guten. [42]Du, HERR, Gott, weise nicht
ab das Antlitz deines Gesalbten! [a]Gedenk
an die Gnaden, die du deinem Knechte
David verheißen hast.

GOTTES HERRLICHKEIT ERFÜLLT DEN TEMPEL

7 Und als Salomo sein Gebet vollendet
hatte, [a]fiel Feuer vom Himmel und ver-
zehrte das Brandopfer und die Schlacht-
opfer, und [b]die Herrlichkeit des HERRN
erfüllte das Haus, [2]sodass die Priester

6,26 ***a*** 5. Mose 28,23-24 **6,30** ***a*** 1. Chr 29,17; Ps 7,10; 139,1-4.23 **6,34** ***a*** Dan 6,11 **6,37** ***a*** Dan 9,5 **6,41** ***a*** (41-42) Ps 132,8-10 **6,42** ***a*** Ps 89,4-5 **7,1** ***a*** 3. Mose 9,24; 1. Kön 18,38 ***b*** 2. Mose 40,34

nicht ins Haus des HERRN hineingehen
konnten, weil die Herrlichkeit des HERRN
das Haus des HERRN füllte. 3 Und alle Isra-
eliten sahen das Feuer herabfallen und die
Herrlichkeit des HERRN über dem Hause,
und sie fielen auf ihre Knie mit dem Ant-
litz zur Erde aufs Pflaster und beteten an
und dankten dem HERRN, [a]dass er gütig
ist und seine Barmherzigkeit ewiglich
währt.

OPFER UND ABSCHLUSS DER TEMPELWEIHE

(vgl. 1. Kön 8,62-66)

4 Der König aber und das ganze Volk op-
ferten vor dem HERRN; 5 zweiundzwan-
zigtausend Rinder und hundertzwanzig-
tausend Schafe opferte der König Salomo.
Und so weihten sie das Haus Gottes ein,
der König und das ganze Volk. 6 Die Pries-
ter aber taten ihren Dienst, ebenso die
Leviten mit den Saitenspielen des HERRN,
die der König David hatte machen lassen,
dem HERRN zu danken, dass seine Barm-
herzigkeit ewiglich währt, mit dem Lob-
gesang Davids, den sie sangen. Und die
Priester bliesen Trompeten ihnen gegen-
über, und ganz Israel stand. 7 Und Salomo
weihte die Mitte des Vorhofes, der vor
dem Hause des HERRN war; denn er hatte
dort Brandopfer und das Fett der Dank-
opfer dargebracht. Denn der [a]bronzene
Altar, den Salomo hatte machen lassen,
konnte nicht alle Brandopfer, Speisopfer
und das Fett fassen.

8 Und Salomo hielt damals das Fest sie-
ben Tage lang und ganz Israel mit ihm,
eine sehr große Gemeinde, von dort,
wo es nach Hamat geht, bis an den Bach
Ägyptens. 9 Am achten Tage aber hielten
sie eine Versammlung; denn [a]die Einwei-
hung des Altars hielten sie sieben Tage
und das Fest auch sieben Tage. 10 Aber am
dreiundzwanzigsten Tage des siebenten
Monats entließ er das Volk zu ihren Zel-
ten, fröhlich und guten Mutes über all das
Gute, das der HERR an David, Salomo
und seinem Volk Israel getan hatte. 11 So
vollendete Salomo das Haus des HERRN
und das Haus des Königs. Und es gelang
ihm, alles, was ihm in den Sinn gekom-
men war, am Hause des HERRN und an
seinem Hause auszuführen.

GOTTES ANTWORT AUF SALOMOS GEBET

(vgl. 1. Kön 9,1-9)

12 Und der HERR erschien Salomo des
Nachts und sprach zu ihm: Ich habe dein
Gebet erhört und [a]diese Stätte mir zum
Opferhaus erwählt. 13 Siehe, wenn ich den
Himmel verschließe, dass es nicht regnet,
oder die Heuschrecken das Land fressen
oder eine Pest unter mein Volk kommen
lasse 14 und dann mein Volk, über das mein
Name genannt ist, sich demütigt, dass sie
beten und mein Angesicht suchen und
sich von ihren bösen Wegen bekehren, so
will ich vom Himmel her hören und ihre
Sünde vergeben und ihr Land heilen. 15 So
sollen nun meine Augen offen sein und
meine Ohren aufmerken auf das Gebet an
dieser Stätte.[a] 16 So habe ich nun dies Haus
erwählt und geheiligt, dass mein Name
dort sein soll ewiglich, und meine Augen
und mein Herz sollen dort sein allezeit.
17 Und wenn du vor mir wandelst, wie dein
Vater David gewandelt ist, dass du alles
tust, was ich dich heiße, und meine Ge-
bote und Rechte hältst, 18 so will ich den
Thron deines Königtums bestätigen, wie
ich mich deinem Vater David verbunden
habe und gesagt: [a]Es soll dir nicht fehlen
an einem Mann, der über Israel Herr sei.

19 Werdet ihr euch aber abkehren und
meine Rechte und Gebote, die ich euch
vorgelegt habe, verlassen und hingehen
und andern Göttern dienen und sie an-
beten, 20 so werde ich Israel ausreißen aus
meinem Lande, das ich ihnen gegeben
habe, und dies Haus, das ich meinem Na-
men geheiligt habe, werde ich von mei-
nem Angesicht verwerfen und werde es
zum [a]Sprichwort machen und zum Spott
unter allen Völkern. 21 [a]Und vor diesem
Hause, das so hoch erhoben wurde, wer-
den sich entsetzen alle, die vorüberge-
hen, und sagen: Warum ist der HERR mit
diesem Lande und mit diesem Hause so
verfahren? 22 Und man wird sagen: Weil
sie den HERRN, den Gott ihrer Väter, ver-
lassen haben, der sie aus Ägyptenland

7,3 *a* Kap 5,13-14; Ps 106,1; Ps 136,1-26 **7,7** *a* Kap 4,1
7,9 *a* 4. Mose 7,10 **7,12** *a* Kap 3,1; 5. Mose 12,5-6;
Jes 56,7; Mk 11,17; Joh 2,16 **7,15** *a* Kap 6,40
7,18 *a* Kap 6,16 **7,20** *a* 5. Mose 28,37
7,21 *a* (21-22) 5. Mose 29,23-26; Jer 22,8-9

geführt hat, und sie sich an andere Götter
gehängt und sie angebetet und ihnen ge-
dient haben, darum hat er all dies Unheil
über sie gebracht.

STÄDTEBAU, TEMPELDIENST UND HANDEL UNTER SALOMO

(vgl. 1. Kön 9,10-28)

8 Und nach zwanzig Jahren, in denen Sa-
lomo des HERRN Haus und sein Haus
gebaut hatte – 2 er hatte auch die Städte,
die Hiram Salomo gegeben hatte, ausge-
baut und ließ die Israeliten darin woh-
nen –, 3 da zog Salomo gegen Hamat-Zoba
und eroberte es. 4 Und er baute Tadmor in
der Wüste aus und alle Städte mit Korn-
speichern, die er in Hamat gebaut hatte;
5 und er baute auch das obere und untere
Bet-Horon als feste Städte aus mit Mau-
ern, Toren und Riegeln; 6 dazu Baalat und
alle Städte mit Kornspeichern, die Salomo
hatte, und alle Städte für die Wagen und
für die Gespanne und alles, was Salomo
in Jerusalem und auf dem Libanon und im
ganzen Lande seiner Herrschaft zu bauen
wünschte.
7 Alles Volk, das noch übrig war von den
Hetitern, Amoritern, Perisitern, Hiwi-
tern und Jebusitern, die nicht zu Israel
gehörten – 8 ihre Nachkommen, die im
Lande übrig geblieben waren, [a]die die
Israeliten nicht vertilgt hatten –, machte
Salomo zu Fronarbeitern bis auf diesen
Tag. 9 Aber von den Israeliten machte
Salomo keinen zum Knecht für sein
Werk, sondern sie waren Kriegsleute und
Oberste seiner Kämpfer und Oberste sei-
ner Wagen und Gespanne. 10 Und es wa-
ren zweihundertfünfzig oberste Amtleute
des Königs Salomo, die über die Leute
geboten.
11 Und Salomo führte die [a]Tochter des
Pharao herauf aus der Stadt Davids in das
Haus, das er für sie gebaut hatte. Denn
er sprach: Eine Frau soll mir nicht woh-
nen im Hause Davids, des Königs von Is-
rael; denn es ist heilig, weil die Lade des
HERRN hineingekommen ist.
12 Von da an opferte Salomo dem HERRN
Brandopfer [a]auf dem Altar des HERRN,
den er gebaut hatte vor der Vorhalle, 13 was
Tag für Tag zu opfern war nach dem Gebot
des Mose, an den Sabbaten, Neumonden
und Festen des Jahres dreimal, nämlich
am Fest der Ungesäuerten Brote, am Wo-
chenfest und am Laubhüttenfest.[a] 14 Und
er bestellte [a]die Abteilungen der Priester
zu ihrem Amt, wie es sein Vater David
bestimmt hatte, und die Leviten zu ihrem
Dienst, dass sie lobten und dienten vor
den Priestern, wie es jeder Tag erforderte,
und die Torhüter nach ihren Abteilungen,
jede an ihrem Tor. Denn so hatte es Da-
vid, der Mann Gottes, befohlen. 15 Und
man wich in keiner Hinsicht vom Gebot
des Königs über die Priester und Leviten,
auch nicht bei den Schätzen. 16 So wurde
alles Werk Salomos ausgeführt von dem
Tage an, da des HERRN Haus gegründet
wurde, bis er das Haus des HERRN ganz
vollendet hatte.
17 Zu der Zeit zog Salomo nach Ezjon-
Geber und nach Elat am Ufer des Meeres
im Lande Edom. 18 Und Hiram sandte ihm
durch seine Leute Schiffe und auch Leute,
die des Meeres kundig waren, und sie
fuhren mit den Leuten Salomos nach Ofir
und holten von da vierhundertfünfzig
Zentner Gold und brachten's dem König
Salomo.

BESUCH DER KÖNIGIN VON SABA

(vgl. 1. Kön 10,1-13)

9 Und als [a]die Königin von Saba die Kun-
de von Salomo hörte, kam sie mit einem
sehr großen Gefolge nach Jerusalem, mit
Kamelen, die viel Spezerei und Gold tru-
gen und Edelsteine, um Salomo mit Rät-
selfragen zu prüfen. Und als sie zu Salomo
kam, redete sie mit ihm alles, was sie sich
vorgenommen hatte. 2 Und der König gab
ihr Antwort auf alles, was sie fragte, und
es war Salomo nichts verborgen, was er ihr
nicht hätte sagen können.
3 Und als die Königin von Saba die Weis-
heit Salomos sah und das Haus, das er ge-
baut hatte, 4 die Speisen für seinen Tisch,
die Sitzordnung seiner Großen, das Auf-
warten seiner Diener und ihre Kleider,
seine Mundschenken mit ihren Kleidern
und den Aufgang, durch den er ins Haus
des HERRN hinaufgehen konnte, da ge-
riet sie vor Staunen außer sich 5 und sprach

8,8 *a* Jos 16,10 **8,11** *a* 1. Kön 3,1; 7,8 **8,12** *a* Kap 4,1
8,13 *a* 3. Mose 23,1-44; 4. Mose 28,2.9.11.17.26; 29,12
8,14 *a* 1. Chr 23,1–26,19 **9,1** *a* Mt 12,42

zum König: Es ist wahr, was ich in meinem Lande von deinen Worten und von deiner Weisheit gehört habe.
6 Ich aber wollte es nicht glauben, bis ich gekommen bin und es mit meinen Augen gesehen habe. Und siehe, nicht die Hälfte von deiner großen Weisheit ist mir berichtet worden. Du bist größer, als die Kunde sagte, die ich vernommen habe.
7 Glücklich sind deine Männer und glücklich diese deine Großen, die allezeit vor dir stehen und deine Weisheit hören.
8 Der HERR, dein Gott, sei gelobt, der dich lieb hat, [a]dass er dich auf seinen Thron gesetzt hat zum König des HERRN, deines Gottes. Weil dein Gott Israel lieb hat, auf dass er es ewiglich bestehen lasse, darum hat er dich über sie zum König gesetzt, dass du Recht und Gerechtigkeit übst.

9 Und sie gab dem König hundertzwanzig Zentner Gold und sehr viel Spezerei und Edelsteine. Es gab keine Spezerei wie diese, die die Königin von Saba dem König Salomo gab.

10 Die Leute Hirams und die Leute Salomos, die Gold aus Ofir einführten, brachten auch Sandelholz und Edelsteine.
11 Und Salomo ließ aus dem Sandelholz Treppen im Hause des HERRN und im Hause des Königs machen und Harfen und Zithern für die Sänger. Solches Holz hatte man früher im Lande Juda nie gesehen.

12 Und der König Salomo gab der Königin von Saba alles, was ihr gefiel und was sie erbat, mehr als die Gastgeschenke, die sie dem König gebracht hatte. Und sie wandte sich und zog in ihr Land mit ihrem Gefolge.

SALOMOS REICHTUM

(vgl. 1. Kön 10,14-29)

13 Und es war das Gewicht des Goldes, das Salomo in einem Jahr gebracht wurde, 666 Zentner,
14 außer dem, was die Händler und Kaufleute brachten. Auch alle Könige der Araber und die Statthalter brachten Gold und Silber zu Salomo.

15 Daraus machte der König Salomo zweihundert große Schilde von bestem Gold, sodass sechshundert Schekel Gold auf einen Schild kam,
16 und dreihundert kleine Schilde von bestem Gold, sodass dreihundert Schekel Gold auf einen kleinen Schild kam. Und der König brachte sie in das [a]Libanon-Waldhaus.

17 Und der König machte einen großen elfenbeinernen Thron und überzog ihn mit lauterem Gold.
18 Und der Thron hatte sechs Stufen und einen goldenen Fußschemel am Thron, und er hatte Lehnen auf beiden Seiten am Sitz, und zwei Löwen standen neben den Lehnen.
19 Und zwölf Löwen standen auf den sechs Stufen zu beiden Seiten. Dergleichen ist nicht gemacht worden in irgendeinem Königreich.

20 Und alle Trinkgefäße des Königs Salomo waren aus Gold, und alle Gefäße des Libanon-Waldhauses waren aus lauterem Gold – denn das Silber wurde zur Zeit Salomos für nichts geachtet.
21 Denn die Schiffe des Königs, die mit den Leuten Hirams nach Tarsis fuhren, kamen in drei Jahren einmal und brachten Gold, Silber, Elfenbein, Affen und Pfauen.

22 So wurde der König Salomo größer an Reichtum und Weisheit als alle Könige auf Erden.
23 Und alle Könige auf Erden begehrten, Salomo zu sehen, um seine Weisheit zu hören, die ihm Gott in sein Herz gegeben hatte.
24 Und sie brachten ihm jährlich ein jeder sein Geschenk, silberne und goldene Gefäße, Kleider, Waffen, Spezerei, Rosse und Maultiere.

25 [a]Und Salomo hatte viertausend Pferde und Wagen und zwölftausend Reiter, und man legte sie in die Wagenstädte und zu dem König nach Jerusalem.
26 Und er war ein Herr über alle Könige vom Euphrat an bis zu dem Land der Philister und bis zu der Grenze Ägyptens.
27 Und der König brachte nach Jerusalem so viel Silber wie Steine und so viele Zedern wie Maulbeerbäume im Hügelland.
28 Und man führte für Salomo Rosse ein aus Ägypten und aus allen Ländern.

SALOMOS TOD

(vgl. 1. Kön 11,41-43)

29 Was aber mehr von Salomo zu sagen ist, das Frühere und das Spätere, siehe, das steht geschrieben in der Geschichte des Propheten Nathan sowie in den Prophezeiungen [a]Ahijas von Silo und in den Ge-

9,8 *a* 1. Chr 29,23 **9,16** *a* 1. Kön 7,2
9,25 *a* (25-28) Kap 1,14-17; 1. Kön 5,6
9,29 *a* 1. Kön 11,29-39

sichten des Sehers Jedo gegen Jerobeam,
den Sohn Nebats. 30 Und Salomo regierte
zu Jerusalem über ganz Israel vierzig Jahre.
31 Und Salomo legte sich zu seinen Vätern,
und man begrub ihn in der Stadt Davids,
seines Vaters. Und sein Sohn [a]Rehabeam
wurde König an seiner statt.

ISRAELS ABFALL VOM HAUSE DAVID

(vgl. 1. Kön 12,1-24)

10 Rehabeam zog nach Sichem; denn
ganz Israel war nach Sichem gekom-
men, um ihn zum König zu machen.
2 Und als das Jerobeam hörte, der Sohn
Nebats, der in Ägypten war, [a]wohin er vor
dem König Salomo geflohen war, kam er
aus Ägypten zurück. 3 Und sie sandten hin
und ließen ihn rufen. Und Jerobeam kam
mit ganz Israel, und sie redeten mit Reha-
beam und sprachen: 4 Dein Vater hat unser
Joch zu hart gemacht. So erleichtere nun
du den harten Dienst deines Vaters und
das schwere Joch, das er auf uns gelegt hat,
so wollen wir dir untertan sein. 5 Er sprach
zu ihnen: Kommt nach drei Tagen wieder
zu mir! Und das Volk ging hin. 6 Und der
König Rehabeam hielt einen Rat mit den
Ältesten, die vor seinem Vater Salomo ge-
standen hatten, als er noch am Leben war,
und sprach: Wie ratet ihr, dass ich diesem
Volk Antwort gebe? 7 Sie sprachen zu ihm:
Wirst du zu diesem Volk freundlich sein
und sie gütig behandeln und ihnen gute
Worte geben, so werden sie dir untertan
sein allezeit.
8 Er aber ließ außer Acht den Rat der Äl-
testen, den sie ihm gegeben hatten, und
hielt einen Rat mit den Jüngeren, die mit
ihm aufgewachsen waren und vor ihm
standen, 9 und sprach zu ihnen: Was ratet
ihr, dass wir diesem Volk antworten, die
mit mir geredet haben und sagen: Erleich-
tere das Joch, das dein Vater auf uns gelegt
hat? 10 Die Jüngeren aber, die mit ihm auf-
gewachsen waren, redeten mit ihm und
sprachen: So sollst du sagen zu dem Volk,
das mit dir geredet und gesagt hat: »Dein
Vater hat unser Joch zu schwer gemacht;
mach du unser Joch leichter« – so sollst
du zu ihnen sagen: Mein kleiner Finger
soll dicker sein als meines Vaters Lenden.
11 Hat nun mein Vater auf euch ein schwe-
res Joch gelegt, so will ich euer Joch noch
schwerer machen. Mein Vater hat euch mit
Peitschen gezüchtigt, ich aber mit Skor-
pionen.
12 Als nun Jerobeam und alles Volk am
dritten Tage zu Rehabeam kam, wie der
König gesagt hatte: »Kommt wieder zu
mir am dritten Tage«, 13 antwortete ih-
nen der König hart. Und der König Reha-
beam ließ außer Acht den Rat der Ältesten
14 und redete mit ihnen nach dem Rat der
Jüngeren und sprach: Hat mein Vater euer
Joch schwer gemacht, so will ich's noch
schwerer machen. Mein Vater hat euch mit
Peitschen gezüchtigt, ich aber mit Skor-
pionen. 15 So hörte der König nicht auf das
Volk; denn es war so von Gott bestimmt,
auf dass der HERR sein Wort bestätigte,
das er geredet hatte durch Ahija von Silo
zu Jerobeam, dem Sohn Nebats.[a]
16 Als aber ganz Israel sah, dass der Kö-
nig nicht auf es hörte, antwortete das Volk
dem König und sprach: Was haben wir für
Teil an David oder Erbe am Sohn Isais? Auf
zu deinen Zelten, Israel! So sieh du selbst
nach deinem Haus, David! – Und ganz Is-
rael ging zu seinen Zelten, 17 sodass Reha-
beam nur über die Israeliten regierte, die
in den Städten Judas wohnten. 18 Und als
der König Rehabeam den Fronvogt Ado-
niram sandte, steinigten ihn die Israeliten
zu Tode. Aber dem König Rehabeam ge-
lang es, seinen Wagen zu besteigen und
nach Jerusalem zu fliehen. 19 Also fiel Israel
ab vom Hause David bis auf diesen Tag.
11 [a]Und als Rehabeam nach Jerusalem
kam, sammelte er das Haus Juda und
Benjamin, hundertachtzigtausend streit-
bare Männer, um gegen Israel zu kämpfen,
damit sie das Königtum an Rehabeam zu-
rückbrächten. 2 Aber des HERRN Wort
kam zu Schemaja, dem Mann Gottes:
3 Sage Rehabeam, dem Sohn Salomos,
dem König von Juda, und all denen von
Israel in Juda und Benjamin: 4 So spricht
der HERR: Ihr sollt nicht hinaufziehen
und gegen eure Brüder kämpfen. Ein jeder
gehe wieder heim; denn das ist von mir
geschehen! – Sie gehorchten den Worten
des HERRN, kehrten um und zogen nicht
gegen Jerobeam.

9,31 *a* 1. Kön 14,21 **10,2** *a* 1. Kön 11,40
10,15 *a* 1. Kön 11,29.31 **11,1** *a* (1-4) 1. Kön 12,21-24

REHABEAMS ERSTE REGIERUNGSJAHRE

5 Rehabeam aber wohnte in Jerusalem
und baute Städte in Juda zu Festungen
aus, 6 nämlich: Bethlehem, Etam, Tekoa,
7 Bet-Zur, Socho, Adullam, 8 Gat, Mare-
scha, Sif, 9 Adorajim, Lachisch, Aseka,
10 Zora, Ajalon und Hebron. Das waren die
festen Städte in Juda und Benjamin. 11 Und
er machte die Festungen stark und setzte
Hauptleute über sie und legte Vorrat von
Speise, Öl und Wein 12 sowie Schilde und
Spieße in alle Städte; so machte er sie sehr
stark. Und Juda und Benjamin waren ihm
untertan.

13 Die Priester aber und die Leviten von
ganz Israel stellten sich bei ihm ein aus
ihrem ganzen Gebiet, 14 denn die Leviten
verließen ihre Ortschaften und ihre Habe
und kamen nach Juda und Jerusalem. –
Denn [a]Jerobeam und seine Söhne hatten
sie verstoßen, dass sie das Priesteramt vor
dem HERRN nicht mehr ausüben konn-
ten, 15 und [a]er bestellte sich Priester für
die Höhen und die Bocksgeister und für
die Kälber, die er machen ließ. – 16 Und die
den HERRN, den Gott Israels, von Her-
zen suchten, folgten den Leviten aus al-
len Stämmen Israels nach Jerusalem, dass
sie opferten dem HERRN, dem Gott ihrer
Väter.[a] 17 So machten sie das Königreich
Juda mächtig und stärkten Rehabeam, den
Sohn Salomos, für drei Jahre; denn drei
Jahre wandelten sie in dem Wege Davids
und Salomos.

18 Und Rehabeam nahm zur Frau Maha-
lat, die Tochter Jerimots, des Sohnes Da-
vids, und der Abihajil, der Tochter [a]Eliabs,
des Sohnes Isais. 19 Die gebar ihm diese
Söhne: Jëusch, Schemarja und Saham.
20 Nach ihr nahm er Maacha, die Toch-
ter Abischaloms, zur Frau; die gebar ihm
Abija, Attai, Sisa und Schelomit. 21 Aber
Rehabeam hatte Maacha, die Tochter
Abischaloms, lieber als alle seine Frauen
und Nebenfrauen; denn er hatte acht-
zehn Frauen und sechzig Nebenfrauen
und zeugte achtundzwanzig Söhne und
sechzig Töchter. 22 Und Rehabeam setzte
Abija, den Sohn der Maacha, zum Haupt
und Fürsten unter seinen Brüdern, als
Thronfolger, ein; denn er gedachte, ihn
zum König zu machen. 23 Und er handelte
klug und [a]verteilte alle seine Söhne in die
Gebiete von Juda und Benjamin, in alle
festen Städte, und gab ihnen Nahrung in
Menge und verschaffte ihnen viele Frauen.

REHABEAMS DEMÜTIGUNG VOR GOTT

(vgl. 1. Kön 14,25-31)

12 Als aber das Königtum Rehabeams
sich gefestigt hatte und er mächtig war,
verließ er das Gesetz des HERRN und ganz
Israel mit ihm. 2 Da zog im fünften Jahr
des Königs Rehabeam herauf Schischak,
der König von Ägypten, gegen Jerusa-
lem – denn sie waren dem HERRN untreu
geworden – 3 mit tausendzweihundert
Wagen und mit sechzigtausend Reitern;
und das Volk war nicht zu zählen, das mit
ihm aus Ägypten kam, Libyer, Sukkijiter
und Kuschiter. 4 Und er nahm die [a]festen
Städte ein, die in Juda waren, und kam bis
vor Jerusalem.

5 Da kam der Prophet Schemaja zu Re-
habeam und zu den Obersten Judas, die
sich in Jerusalem aus Furcht vor Schischak
versammelt hatten, und sprach zu ihnen:
So spricht der HERR: Ihr habt mich ver-
lassen; darum habe ich euch auch verlas-
sen und in Schischaks Hand gegeben. 6 Da
demütigten sich die Obersten in Israel
mit dem König und sprachen: Der HERR
ist gerecht. 7 Als aber der HERR sah, dass
sie sich demütigten, kam das Wort des
HERRN zu Schemaja: Sie haben sich ge-
demütigt; darum will ich sie nicht verder-
ben, sondern ich will sie in Kürze erretten,
dass mein Grimm sich nicht durch Schi-
schak auf Jerusalem ergieße. 8 Doch sollen
sie ihm untertan sein, dass sie innewer-
den, was es heißt, mir zu dienen oder den
Königreichen der Länder.

9 So zog Schischak, der König von Ägyp-
ten, gegen Jerusalem herauf und nahm
die Schätze im Hause des HERRN und
die Schätze im Hause des Königs; alles
nahm er weg, auch die goldenen Schilde,
die Salomo hatte machen lassen. 10 An ih-
rer statt ließ der König Rehabeam bron-
zene Schilde machen und übergab sie den
Obersten der Leibwache, die das Tor am
Haus des Königs bewachte. 11 Und sooft
der König in des HERRN Haus ging, kam

11,14 *a* Kap 13,9 **11,15** *a* 1. Kön 12,31
11,16 *a* 1. Kön 12,26-27 **11,18** *a* 1. Sam 16,6
11,23 *a* Kap 21,3 **12,4** *a* Kap 11,5-10

die Leibwache und trug sie und brachte
sie dann wieder in die Kammer der Leib-
wache. 12 Und [a]weil er sich demütigte,
wandte sich des HERRN Zorn von ihm,
dass er ihn nicht ganz zugrunde richte;
und auch in Juda war noch manches Gute.
13 Und der König Rehabeam wurde wie-
der mächtig in Jerusalem und regierte
weiter.

Einundvierzig Jahre alt war Rehabeam,
als er König wurde, und regierte siebzehn
Jahre zu Jerusalem, in der Stadt, die der
HERR erwählt hatte aus allen Stämmen
Israels, dass er [a]seinen Namen daselbst
wohnen lasse. Seine Mutter hieß Naama,
eine Ammoniterin. 14 Aber er tat übel und
richtete sein Herz nicht darauf, dass er den
HERRN suchte. 15 Die Geschichte Reha-
beams aber, die frühere und die spätere,
steht geschrieben in den Geschichten des
Propheten Schemaja und des Sehers [a]Iddo,
und aufgezeichnet ebenso auch die Kriege
zwischen Rehabeam und Jerobeam, die sie
ihr Leben lang führten. 16 Und Rehabeam
legte sich zu seinen Vätern und wurde be-
graben in der Stadt Davids. Und sein Sohn
Abija wurde König an seiner statt.

ABIJA
(vgl. 1. Kön 15,1-8)

13 Im achtzehnten Jahr des Königs Jero-
beam wurde Abija König über Juda
2 und regierte drei Jahre zu Jerusalem.
Seine Mutter hieß Michaja, eine Tochter
Uriëls, aus Gibea. Es war aber Krieg zwi-
schen Abija und Jerobeam. 3 Und Abija
rüstete sich zum Kampf mit einem Heer
von Kriegsleuten, vierhunderttausend
Mann, auserlesenen Leuten. Jerobeam
aber rüstete sich, gegen ihn zu kämpfen,
mit achthunderttausend auserlesenen
Leuten, streitbaren Männern.

4 Und Abija stellte sich hin oben auf den
Berg Zemarajim, der im Gebirge Ephraim
liegt, und sprach: Hört mir zu, Jerobeam
und ganz Israel! 5 Wisst ihr nicht, dass
der HERR, der Gott Israels, das König-
tum über Israel David gegeben hat ewig-
lich, ihm und seinen Söhnen durch einen
[a]Salzbund*? 6 Aber Jerobeam, der Sohn
Nebats, der Knecht Salomos, des Sohnes
Davids, erhob sich und wurde seinem
Herrn abtrünnig. 7 Und es schlugen sich
auf seine Seite ruchlose Leute, böse Men-
schen, und wurden mächtiger als Reha-
beam, der Sohn Salomos; denn Rehabeam
war noch jung und zaghaft, sodass er sich
nicht gegen sie wehrte. 8 Nun denkt ihr
euch zu empören gegen das Königtum des
HERRN, das in der Hand der Söhne Davids
ist, weil ihr ein großer Haufe seid und die
[a]goldenen Kälber bei euch habt, die euch
Jerobeam zu Göttern gemacht hat. 9 Habt
ihr nicht [a]die Priester des HERRN, die
Söhne Aaron, und die Leviten verstoßen
und euch [b]eigene Priester gemacht wie die
Völker in den Ländern? Wer da kommt
mit einem jungen Stier und sieben Wid-
dern, um sich die Hand füllen zu lassen,
der wird Priester derer, die nicht Götter
sind. 10 Wir aber sagen: Der HERR ist un-
ser Gott; wir haben ihn nicht verlassen;
und als Priester dienen dem HERRN die
Söhne Aaron, und die Leviten stehen in
ihrem Amt, 11 um dem HERRN [a]alle Mor-
gen und alle Abende Brandopfer darzu-
bringen, dazu das gute Räucherwerk, und
Brote aufzulegen auf den Tisch aus reinem
Gold und den goldenen Leuchter anzu-
zünden mit seinen Lampen alle Abende;
denn wir halten die Gebote des HERRN,
unseres Gottes, ihr aber habt ihn verlas-
sen. 12 Siehe, mit uns ist an der Spitze Gott
und seine Priester und die [a]Kriegstrompe-
ten, um sie gegen euch zu blasen. Ihr Is-
raeliten, streitet nicht gegen den HERRN,
den Gott eurer Väter; denn es wird euch
nicht gelingen!

13 Aber Jerobeam legte einen Hinter-
halt, dass er ihnen in den Rücken fiele,
sodass sie vor Juda waren und der Hinter-
halt hinter Juda. 14 Als sich nun Juda um-
wandte, siehe, da wurden sie von vorn
und von hinten angegriffen. Da schrien
sie zum HERRN, und die Priester bliesen
die Trompeten, 15 und die Männer von
Juda erhoben das Kriegsgeschrei. Und
als sie schrien, schlug Gott Jerobeam und
ganz Israel vor Abija und Juda. 16 Und die
Israeliten flohen vor Juda, und Gott gab

* **13,5** Das bedeutet: durch einen unvergänglichen Bund.

12,12 *a* Kap 32,26 **12,13** *a* Kap 6,20 **12,15** *a* Kap 13,22 **13,5** *a* 3. Mose 2,13; 4. Mose 18,19 **13,8** *a* 1. Kön 12,28 **13,9** *a* 2. Mose 28,41 *b* Kap 11,15 **13,11** *a* 4. Mose 28,3-8 **13,12** *a* 4. Mose 10,9

sie in ihre Hände, 17 sodass Abija mit sei-
nem Volk sie hart schlug, und es blieben
von Israel erschlagen liegen fünfhundert-
tausend auserlesene Leute. 18 Also wur-
den die Israeliten zu der Zeit gedemütigt,
aber die Judäer blieben unverzagt; denn
sie verließen sich auf den HERRN, den
Gott ihrer Väter. 19 Und Abija jagte Jero-
beam nach und gewann ihm Städte ab:
Bethel mit seinen Ortschaften, Jeschana
mit seinen Ortschaften und Efron mit
seinen Ortschaften, 20 sodass Jerobeam
keine Macht mehr hatte, solange Abija
lebte. Und der HERR schlug ihn, dass er
starb.
21 Abija aber wurde mächtig. Und er
nahm vierzehn Frauen und zeugte zwei-
undzwanzig Söhne und sechzehn Töchter.
22 Was aber mehr von Abija zu sagen ist,
sein Wandel und seine Worte, das steht
geschrieben in der Geschichte des Prophe-
ten [a]Iddo. 23 Und Abija legte sich zu seinen
Vätern, und sie begruben ihn in der Stadt
Davids. Und sein Sohn Asa wurde König
an seiner statt. Zu dessen Zeiten hatte das
Land zehn Jahre Ruhe.

ASAS ERSTE REGIERUNGS-MASSNAHMEN
(vgl. 1. Kön 15,9-12)

14 Und Asa tat, was recht war und dem
HERRN, seinem Gott, wohlgefiel,
2 und entfernte die fremden Altäre und
die Opferhöhen und zerbrach die Stein-
male und hieb die Ascheren um 3 und ge-
bot Juda, dass sie den HERRN, den Gott
ihrer Väter, suchten und täten nach dem
Gesetz und Gebot. 4 Und er entfernte aus
allen Städten Judas die Opferhöhen und
die Räucheraltäre; und das Königreich
hatte Ruhe unter ihm. 5 Und er baute feste
Städte in Juda, weil das Land Ruhe hatte
und in diesen Jahren kein Krieg gegen ihn
war; denn [a]der HERR hatte ihm Ruhe ge-
geben. 6 Und er sprach zu Juda: Lasst uns
diese Städte ausbauen und um sie Mauern
herumführen mit Türmen, Toren und
Riegeln, solange das Land noch offen vor
uns ist; denn wir haben den HERRN, un-
sern Gott, gesucht, und er hat uns Ruhe
gegeben ringsumher.
Also bauten sie und es ging glücklich
vonstatten. 7 Und Asa hatte eine Hee-
resmacht, aus Juda 300 000, die große
Schilde und Spieße trugen, und aus Ben-
jamin 280 000, die kleine Schilde trugen
und mit dem Bogen schießen konnten;
und diese alle waren starke Kriegsleute.

ASAS SIEG ÜBER DIE KUSCHITER

8 Es zog aber gegen sie Serach, der Kusch-
iter, mit einer Heeresmacht von tausend-
mal tausend, dazu dreihundert Wagen,
und sie kamen bis nach Marescha. 9 Und
Asa zog ihm entgegen; und sie rüsteten
sich zum Kampf im Tal Zefata bei Ma-
rescha. 10 Und Asa rief den HERRN, sei-
nen Gott, an und sprach: [a]HERR, es ist
dir nicht schwer, dem Schwachen gegen
den Starken zu helfen. Hilf uns, HERR,
unser Gott; denn wir verlassen uns auf
dich, und in deinem Namen sind wir ge-
kommen gegen diese Menge. HERR, du
bist unser Gott, gegen dich vermag kein
Mensch etwas.
11 Und der HERR schlug die Kuschiter
vor Asa und vor Juda, sodass sie flohen.
12 Und Asa samt dem Volk, das bei ihm
war, jagte ihnen nach bis nach Gerar. Und
die Kuschiter fielen, sodass keiner von ih-
nen am Leben blieb, sondern sie wurden
zerschlagen vor dem HERRN und vor sei-
nem Heer. Und Juda trug sehr viel Beute
davon. 13 Und sie schlugen alle Städte
um Gerar her; denn der Schrecken des
HERRN kam über sie. Und sie plünderten
alle Städte; denn es war viel Beute darin.
14 Auch schlugen sie die Zeltlager der Hir-
ten und führten eine Menge Schafe und
Kamele weg und kamen wieder nach
Jerusalem.

DER PROPHET ASARJA UND ASAS REFORMEN

15 Und auf Asarja, den Sohn Odeds, kam
der Geist Gottes. 2 Da zog er hinaus
Asa entgegen und sprach zu ihm: Hört
mir zu, Asa und ganz Juda und Benjamin!
Der HERR ist mit euch, weil ihr mit ihm
seid; und wenn ihr ihn sucht, wird er sich
von euch finden lassen. Werdet ihr ihn
aber verlassen, so wird er euch auch ver-
lassen. 3 Lange Zeit hindurch war Israel
ohne rechten Gott, ohne Priester, der da

13,22 *a* Kap 12,15 **14,5** *a* Kap 15,15 **14,10** *a* 1. Sam 14,6

unterwies, und ohne Weisung*.[a] 4 Als sie
sich aber in ihrer Not zu dem HERRN, dem
Gott Israels, bekehrten und [a]ihn suchten,
ließ er sich von ihnen finden. 5 Zu der
Zeit gab es keine Sicherheit für den, der
aus und ein ging; denn es war große Ver-
wirrung bei allen, die in diesen Ländern
wohnten. 6 Denn [a]ein Volk zerschlug das
andere und eine Stadt die andere; denn
Gott erschreckte sie mit Ängsten aller
Art. 7 Ihr aber, seid getrost und lasst eure
Hände nicht sinken; denn [a]euer Werk hat
seinen Lohn.

8 Als aber Asa diese Worte hörte und
die Weissagung, die der Prophet Asarja,
der Sohn Odeds, gesprochen hatte, ward
er getrost und er tat weg die gräulichen
Götzen aus dem ganzen Lande Juda und
Benjamin und aus den Städten, die er auf
dem Gebirge Ephraim erobert hatte, und
erneuerte den Altar des HERRN, der vor
der Vorhalle des HERRN stand. 9 Und er
versammelte ganz Juda und Benjamin
und die Fremdlinge unter ihnen aus Eph-
raim, Manasse und Simeon; denn es fiel
ihm eine große Menge aus Israel zu, als
sie sahen, dass der HERR, sein Gott, mit
ihm war.[a]

10 Und sie versammelten sich in Jeru-
salem im dritten Monat des fünfzehnten
Jahres der Herrschaft Asas 11 und opfer-
ten dem HERRN am selben Tage von der
Beute, die sie hergebracht hatten, sie-
benhundert Rinder und siebentausend
Schafe. 12 Und sie traten in den Bund,
den HERRN, den Gott ihrer Väter, zu su-
chen von ganzem Herzen und von ganzer
Seele.[a] 13 Wer aber den HERRN, den Gott
Israels, nicht suchen würde, sollte sterben,
Klein und Groß, Mann und Frau. 14 Und
sie schworen dem HERRN mit lauter
Stimme, unter Freudengeschrei und unter
Trompeten- und Posaunenschall. 15 Und
ganz Juda war fröhlich über den Schwur;
denn sie hatten geschworen von gan-
zem Herzen, und sie suchten den Herrn
mit ganzem Willen, und er ließ sich von
ihnen finden. Und [a]der HERR gab ihnen
Ruhe ringsumher.

16 [a]Auch setzte der König Asa seine Mut-
ter Maacha ab, dass sie nicht mehr Herrin
war, weil sie der Aschera ein Gräuelbild ge-
macht hatte. Und Asa zerschlug ihr Gräu-
elbild und zermalmte es und verbrannte es
am Bach Kidron. 17 Aber die Opferhöhen
in Israel wurden nicht entfernt; doch war
das Herz Asas rechtschaffen sein Leben
lang. 18 Und er brachte ins Haus Gottes,
was sein Vater geheiligt und was er gehei-
ligt hatte, Silber, Gold und Gefäße. 19 Und
es war kein Krieg bis in das fünfunddrei-
ßigste Jahr der Herrschaft Asas.

ASAS ABFALL UND TOD

(vgl. 1. Kön 15,16-24)

16 Im sechsunddreißigsten Jahr der Herr-
schaft Asas zog Bascha, der König von
Israel, herauf gegen Juda und baute Rama
aus, damit niemand bei Asa, dem König
von Juda, aus und ein gehen sollte. 2 Aber
Asa nahm aus dem Schatz im Hause des
HERRN und aus dem Schatz im Hause
des Königs Silber und Gold und sandte
zu Ben-Hadad, dem König von Aram,
der zu Damaskus wohnte, und ließ ihm
sagen: 3 Es ist ein Bund zwischen mir
und dir, zwischen meinem und deinem
Vater. Darum schicke ich dir Silber und
Gold, dass du den Bund mit Bascha, dem
König von Israel, aufgibst, damit er von
mir abzieht. 4 Ben-Hadad hörte auf Kö-
nig Asa und sandte seine Obersten ge-
gen die Städte Israels; die schlugen Ijon,
Dan und Abel-Majim und von Naftali alle
Städte mit Kornspeichern. 5 Als Bascha das
hörte, ließ er ab, Rama auszubauen, und
hörte auf mit seinem Werk. 6 Aber der Kö-
nig Asa bot ganz Juda auf, und sie nahmen
die Steine und das Holz von Rama weg,
womit Bascha gebaut hatte, und er baute
damit Geba und Mizpa aus.

7 Zu der Zeit kam der Seher Hanani zu
Asa, dem König von Juda, und sprach zu
ihm: [a]Weil du dich auf den König von
Aram verlassen hast und nicht auf den
HERRN, deinen Gott, darum ist das Heer
des Königs von Aram deiner Hand ent-
ronnen. 8 Hatten nicht die Kuschiter und
Libyer eine große Heeresmacht mit sehr
vielen Wagen und Reitern? Doch der
HERR gab sie in deine Hand, da du dich auf

* **15,3** Siehe Sach- und Worterklärungen zu »Gesetz«.

15,3 ***a*** Hos 3,4 **15,4** ***a*** Jer 29,13-14 **15,6** ***a*** Lk 21,10
15,7 ***a*** 1. Kor 15,58 **15,9** ***a*** Kap 11,16; Jer 41,5
15,12 ***a*** Jos 24,25 **15,15** ***a*** Kap 14,5-6; 20,30
15,16 ***a*** *(16-18)* 1. Kön 15,13-15 **16,7** ***a*** Jer 17,5

ihn verließest.[a] 9 Denn [a]**des HERRN Au-
gen schauen alle Lande, dass er stärke,
die mit ganzem Herzen bei ihm sind.**
Du hast töricht getan, darum wirst du
auch von nun an Krieg haben. 10 Aber Asa
wurde zornig über den Seher und [a]legte
ihn ins Gefängnis; denn er grollte ihm
darüber. Auch bedrückte er zu dieser Zeit
einige vom Volk.

11 Die Geschichte Asas aber, die frühere
und die spätere, siehe, die steht geschrie-
ben im Buch der Könige von Juda und
Israel. 12 Und Asa wurde krank an sei-
nen Füßen im neununddreißigsten Jahr
seiner Herrschaft, und seine Krankheit
nahm sehr zu; und er suchte auch in seiner
Krankheit nicht den HERRN, sondern die
Ärzte. 13 So legte sich Asa zu seinen Vä-
tern und starb im einundvierzigsten Jahr
seiner Herrschaft. 14 Und man begrub ihn
in seinem Grabe, das er sich in der Stadt
Davids hatte aushauen lassen. Und sie leg-
ten ihn auf sein Lager, das man mit gutem
Räucherwerk und allerlei kunstvoll zu-
bereiteter Spezerei gefüllt hatte, und [a]sie
machten ihm zu Ehren einen sehr großen
Brand.

JOSCHAFATS REGIERUNG

17 Und sein Sohn [a]Joschafat wurde König
an seiner statt und wurde mächtig ge-
genüber Israel. 2 Er legte Kriegsvolk in alle
festen Städte Judas und setzte Amtleute
ein im Lande Juda und in den Städten Eph-
raims, die sein Vater Asa erobert hatte.
3 Und der HERR war mit Joschafat; denn er
wandelte auf denselben Wegen wie vor-
mals sein Vater David und suchte nicht
die Baale, 4 sondern den Gott seines Va-
ters und wandelte in seinen Geboten und
nicht nach den Werken Israels. 5 Darum
bestätigte der HERR das Königtum in sei-
ner Hand. Und ganz Juda gab Joschafat
Geschenke, und [a]er hatte Reichtum und
Ehre die Fülle. 6 Und als sein Herz mutig in
den Wegen des HERRN wurde, entfernte
er die Opferhöhen und die Ascheren aus
Juda.

7 Im dritten Jahr seiner Herrschaft
sandte er seine Oberen Ben-Hajil, Obadja,
Secharja, Netanel und Michaja, dass sie in
den Städten Judas lehren sollten, 8 und
mit ihnen die Leviten Schemaja, Netanja,
Sebadja, Asaël, Schemiramot, Jonatan,
Adonija, Tobija und Tob-Adonija und mit
ihnen die Priester Elischama und Joram.
9 Und sie lehrten in Juda und hatten das
Gesetzbuch des HERRN bei sich und zo-
gen in allen Städten Judas umher und lehr-
ten das Volk.

10 Da kam der Schrecken des HERRN
über alle Königreiche der Länder, die um
Juda herum lagen, sodass sie nicht gegen
Joschafat kämpften. 11 Sogar einige von
den Philistern brachten Joschafat [a]Ge-
schenke und Silber als Abgabe; auch die
Araber brachten ihm siebentausendsie-
benhundert Widder und siebentausend-
siebenhundert Böcke.

12 So wurde Joschafat immer mächtiger.
Und er baute in Juda Burgen und Städte
mit Kornspeichern 13 und hatte viel Vor-
rat in den Städten Judas und Kriegsleute,
streitbare Männer, zu Jerusalem. 14 Und
dies war ihre Ordnung nach ihren Sip-
pen: In Juda waren Oberste über Tau-
send: Adna, der Oberste, und unter ihm
dreihunderttausend streitbare Männer;
15 neben ihm Johanan, der Oberste, und
unter ihm zweihundertachtzigtausend;
16 neben ihm Amasja, der Sohn Sichris, der
sich freiwillig in den Dienst des HERRN
gestellt hatte, und unter ihm zweihun-
derttausend streitbare Männer; 17 und aus
Benjamin: Eljada, ein streitbarer Mann,
und unter ihm zweihunderttausend, die
mit Bogen und Schild gerüstet waren;
18 neben ihm Josabad und unter ihm hun-
dertachtzigtausend zum Kampf gerüstete
Männer. 19 Diese alle dienten dem König
außer denen, die der König in die festen
Städte von ganz Juda gelegt hatte.

JOSCHAFATS VERBINDUNG MIT AHAB VON ISRAEL

(vgl. 1. Kön 22,1-40)

18 Und Joschafat hatte [a]großen Reichtum
und viel Ehre und verschwägerte sich
mit Ahab. 2 Und nach einigen Jahren zog
er hinab zu Ahab nach Samaria. Und Ahab
ließ für ihn und für das Volk, das bei ihm
war, viele Schafe und Rinder schlachten.
Und er beredete ihn, dass er hinaufzöge

16,8 *a* Kap 14,8-12 **16,9** *a* Spr 15,3 **16,10** *a* Kap 18,26; Mt 14,3 **16,14** *a* Kap 21,19; Jer 34,5 **17,1** *a* 1. Kön 15,24 **17,5** *a* Kap 18,1 **17,11** *a* 1. Kön 5,1 **18,1** *a* Kap 17,5

nach Ramot in Gilead. [3] Ahab, der König
von Israel, sprach zu Joschafat, dem König
von Juda: Willst du mit mir nach Ramot in
Gilead ziehen? Er sprach zu ihm: Ich bin
wie du und mein Volk wie dein Volk; wir
wollen mit dir in den Kampf.

[4] Aber Joschafat sprach zum König von
Israel: [a]Frage doch zuerst nach dem Wort
des HERRN! [5] Und der König von Israel
versammelte die Propheten, vierhundert
Mann, und sprach zu ihnen: Sollen wir
nach Ramot in Gilead in den Kampf zie-
hen oder soll ich's lassen? Sie sprachen:
Zieh hinauf! Gott wird es in des Königs
Hand geben. [6] Joschafat aber sprach: Ist
nicht noch irgendein Prophet des HERRN
hier, dass wir durch ihn den Herrn befra-
gen? [7] Der König von Israel sprach zu Jo-
schafat: Es ist noch *ein* Mann hier, durch
den man den HERRN befragen kann; aber
ich bin ihm gram, denn er weissagt über
mich nichts Gutes, sondern immer nur
Böses, nämlich Micha, der Sohn Jimlas.
Joschafat sprach: Der König rede so nicht.

[8] Und der König von Israel rief einen sei-
ner Kämmerer und sprach: Bringe eilends
her Micha, den Sohn Jimlas! [9] Und der Kö-
nig von Israel und Joschafat, der König von
Juda, saßen ein jeder auf seinem Thron,
mit ihren königlichen Kleidern angetan.
Sie saßen aber auf dem Platz vor dem Tor
von Samaria, und alle Propheten weissag-
ten vor ihnen. [10] Und [a]Zidkija, der Sohn
Kenaanas, machte sich eiserne Hörner
und sprach: So spricht der HERR: Hiermit
wirst du die Aramäer niederstoßen, bis du
sie aufreibst. [11] Und alle Propheten weis-
sagten ebenso und sprachen: Zieh hinauf
nach Ramot in Gilead! Es wird dir gelin-
gen, der HERR wird es in des Königs Hand
geben. [12] Und der Bote, der hingegangen
war, um Micha zu rufen, sprach zu ihm:
Siehe, die Worte der Propheten sind ein-
mütig gut für den König. Lass doch auch
dein Wort wie ihr Wort sein und rede
Gutes. [13] Micha aber sprach: So wahr der
HERR lebt: Was mein Gott sagen wird, das
will ich reden.

[14] Und als er zum König kam, sprach der
König zu ihm: Micha, sollen wir nach Ra-
mot in Gilead in den Kampf ziehen oder
soll ich's lassen? Er sprach: Ja, zieht hin-
auf! Es wird euch gelingen, sie werden in
eure Hände gegeben werden. [15] Aber der
König sprach zu ihm: Wie oft soll ich dich
beschwören, dass du mir im Namen des
HERRN nichts als die Wahrheit sagst! [16] Da
sprach er: Ich sah ganz Israel zerstreut auf
den Bergen [a]wie Schafe, die keinen Hirten
haben. Und der HERR sprach: Diese ha-
ben keinen Herrn. Ein jeder kehre wieder
heim mit Frieden!

[17] Da sprach der König von Israel zu Jo-
schafat: Sagte ich dir nicht: Er weissagt
nichts Gutes über mich, sondern nur Bö-
ses? [18] Micha aber sprach: Darum höret des
HERRN Wort! [a]Ich sah den HERRN sitzen
auf seinem Thron, und das ganze himm-
lische Heer stand zu seiner Rechten und
zu seiner Linken. [19] Und der HERR sprach:
Wer will Ahab, den König von Israel, be-
tören, dass er hinaufziehe und falle bei Ra-
mot in Gilead? Und als dieser so und je-
ner anders redete, [20] trat [a]der Geist vor und
stellte sich vor den HERRN und sprach: Ich
will ihn betören. Der HERR aber sprach zu
ihm: Womit? [21] Er sprach: Ich will ausfah-
ren und ein Lügengeist sein in aller seiner
Propheten Mund. Und der Herr sprach:
Du wirst ihn betören und wirst es ausrich-
ten; fahr hin und tu das! [22] Nun siehe, der
HERR hat einen Lügengeist in den Mund
dieser deiner Propheten gegeben, und der
HERR hat Unheil gegen dich geredet.

[23] Da trat herzu [a]Zidkija, der Sohn Ke-
naanas, und schlug Micha auf die Backe
und sprach: Auf welchem Wege sollte
der Geist des HERRN von mir gewichen
sein, um nun durch dich zu reden? [24] Mi-
cha sprach: Wahrlich, an jenem Tage wirst
du's sehen, wenn du von einer Kammer in
die andere gehst, um dich zu verstecken.

[25] Aber der König von Israel sprach:
Nehmt Micha und bringt ihn zu Amon,
dem Stadthauptmann, und zu Joasch, dem
Sohn des Königs, [26] und sagt: So spricht
der König: [a]Legt diesen ins Gefängnis und
speist ihn nur kärglich mit Brot und Was-
ser, bis ich wiederkomme mit Frieden!
[27] Micha sprach: Kommst du mit Frieden
wieder, so hat der HERR nicht durch mich
geredet. Und er sprach: Höret, alle Völker!

[28] So zogen der König von Israel und Jo-

18,4 *a* 2. Kön 3,11 **18,10** *a* Vers 23 **18,16** *a* Mt 9,36
18,18 *a* Jes 6,1 **18,20** *a* Hiob 1,6 **18,23** *a* Vers 10
18,26 *a* Kap 16,10

schafat, der König von Juda, hinauf nach
Ramot in Gilead. 29 Und der König von Is-
rael sprach zu Joschafat: Ich will mich ver-
kleiden und in den Kampf ziehen, du aber
behalte deine königlichen Kleider an! Und
der König von Israel verkleidete sich, und
sie zogen in den Kampf. 30 Aber der König
von Aram hatte den Obersten über seine
Wagen geboten: Ihr sollt nicht kämpfen,
weder gegen Klein noch gegen Groß, son-
dern allein gegen den König von Israel.
31 Als nun die Obersten der Wagen Jo-
schafat sahen, dachten sie, es sei der König
von Israel, und umringten ihn, um gegen
ihn zu kämpfen. Aber Joschafat schrie und
der HERR half ihm und Gott lockte sie von
ihm weg. 32 Denn als die Obersten der
Wagen merkten, dass er nicht der König
von Israel war, wandten sie sich von ihm
ab. 33 Es spannte aber ein Mann seinen Bo-
gen von ungefähr und schoss den König
von Israel zwischen Panzer und Wehrge-
hänge. Da sprach er zu seinem Wagenlen-
ker: Wende um und führe mich aus dem
Kampf; denn ich bin verwundet! 34 Aber
der Kampf nahm immer mehr zu an je-
nem Tage, und der König von Israel blieb
in seinem Wagen stehen gegenüber den
Aramäern bis zum Abend; und er starb,
als die Sonne unterging.

19 Joschafat aber, der König von Juda,
kam wieder heim mit Frieden nach
Jerusalem. 2 Und es ging ihm der Seher
Jehu, der Sohn Hananis, entgegen und
sprach zum König Joschafat: Sollst du so
dem Gottlosen helfen und die lieben, die
den HERRN hassen? Darum kommt über
dich der Zorn vom HERRN. 3 Etwas Gutes
ist aber doch an dir gefunden, dass du [a]die
Ascheren aus dem Lande ausgetilgt und
dein Herz darauf gerichtet hast, Gott zu
suchen.

JOSCHAFAT ORDNET DIE RECHTSPRECHUNG

4 Und Joschafat blieb in Jerusalem. Und
er zog wieder im Volk umher von Beer-
scheba an bis auf das Gebirge Ephraim und
brachte sie zurück zu dem HERRN, dem
Gott ihrer Väter. 5 Und er bestellte Rich-
ter im Lande in allen festen Städten Judas,
Stadt für Stadt, 6 und sprach zu den Rich-
tern: Seht zu, was ihr tut! Denn ihr haltet
Gericht nicht für Menschen, sondern für
den HERRN, und er ist mit euch, wenn ihr
Recht sprecht.[a] 7 Darum lasst [a]die Furcht
des HERRN bei euch sein, haltet und tut
das Recht; denn [b]bei dem HERRN, unserm
Gott, ist kein Unrecht noch Ansehen der
Person noch Annehmen von Geschenken.
8 Auch bestellte Joschafat in Jerusalem
einige aus den Leviten und Priestern und
von den Häuptern der Sippen Israels [a]für
das Gericht des HERRN und für die Streit-
sachen der Einwohner Jerusalems. 9 Ihnen
gebot er und sprach: Tut also in der Furcht
des HERRN, in Treue und mit ganzem
Herzen! 10 In allen Streitsachen, die vor
euch kommen von euren Brüdern, die
in ihren Städten wohnen, zwischen Blut
und Blut, zwischen Gesetz und Gebot,
zwischen Satzungen und Rechten, sollt
ihr sie unterrichten, dass sie sich nicht
am HERRN verschulden und ein Zorn
über euch und eure Brüder komme. Tut
also, so werdet ihr euch nicht verschul-
den. 11 Siehe, der Hohepriester Amarja
ist über euch bestellt in allen Sachen des
HERRN und Sebadja, der Sohn Jischma-
els, der Vorsteher im Hause Juda, in allen
Sachen des Königs; und als Amtleute habt
ihr die Leviten bei euch. Geht unverzagt
ans Werk, und der HERR wird mit dem
Guten sein.

JOSCHAFATS SIEG ÜBER DIE AMMONITER UND MOABITER

20 Danach kamen die Moabiter, die
Ammoniter und mit ihnen auch Më-
uniter, um gegen Joschafat zu kämpfen.
2 Und man kam und sagte zu Joschafat: Es
kommt gegen dich eine große Menge von
jenseits des Salzmeers, von Edom, und
siehe, sie sind schon in Hazezon-Tamar,
das ist En-Gedi. 3 Joschafat aber fürchtete
sich und richtete sein Angesicht darauf,
den HERRN zu suchen; und er ließ in ganz
Juda ein Fasten ausrufen. 4 Und Juda kam
zusammen, den HERRN zu suchen; auch
aus allen Städten Judas kamen sie, den
HERRN zu suchen.[a]
5 Und Joschafat trat hin unter die Ge-
meinde Judas und Jerusalems im Hause

19,3 *a* Kap 17,3.6 **19,6** *a* 5. Mose 1,17
19,7 *a* 2. Mose 18,21 *b* 5. Mose 10,17; Röm 2,11
19,8 *a* 5. Mose 17,8-9; 19,17 **20,4** *a* Kap 15,9-15

des HERRN vorn im neuen Vorhof 6 und
sprach: **HERR, du Gott unserer Väter,**
[a]**bist du nicht Gott im Himmel und**
Herrscher über alle Königreiche der
Völker? Und [b]**in deiner Hand ist Kraft**
und Macht, und es ist niemand, der
dir zu widerstehen vermag. 7 Hast du,
unser Gott, nicht die Bewohner dieses
Landes vertrieben vor deinem Volk Israel
und hast es den Nachkommen Abrahams,
deines Freundes, gegeben für immer?
8 Und sie wohnten darin und haben dir
ein Heiligtum für deinen Namen gebaut
und gesagt: 9 [a]Wenn Unglück, Schwert,
Strafe, Pest oder Hungersnot über uns
kommen, werden wir vor diesem Hause
und vor dir stehen – denn dein Name ist
in diesem Hause – und zu dir schreien in
unserer Not, und du wirst hören und hel-
fen. 10 Nun siehe, die Ammoniter, Moab-
iter und die vom Gebirge Seïr, durch die
du Israel nicht hindurchziehen ließest, als
sie aus Ägyptenland kamen – sondern sie
mussten vor ihnen weichen und durften
sie nicht ausrotten –,[a] 11 siehe, sie lassen
uns das entgelten und kommen, uns aus-
zutreiben aus deinem Erbe, das du uns
gegeben hast. 12 Unser Gott, willst du sie
nicht richten? Denn in uns ist keine Kraft
gegen dies große Heer, das gegen uns
kommt. Wir wissen nicht, was wir tun
sollen, sondern unsere Augen sehen nach
dir.

13 Und ganz Juda stand vor dem HERRN
mit seinen Kindern, Frauen und Söhnen.
14 Aber der Geist des HERRN kam mitten
in der Gemeinde auf Jahasiël, den Sohn
Secharjas, des Sohnes Benajas, des Soh-
nes Jehiëls, des Sohnes Mattanjas, den
Leviten aus den Söhnen Asaf. 15 [a]Und Ja-
hasiël sprach: Merkt auf, ganz Juda und ihr
Einwohner von Jerusalem und du, König
Joschafat! So spricht der HERR zu euch:
Ihr sollt euch nicht fürchten und nicht ver-
zagen vor diesem großen Heer; denn nicht
ihr kämpft, sondern Gott. 16 Morgen sollt
ihr gegen sie hinabziehen. Und siehe, sie
kommen den Höhenweg von Ziz herauf,
und ihr werdet auf sie treffen, wo das Tal
endet, vor der Wüste Jeruël. 17 Aber nicht
ihr werdet dabei kämpfen; tretet nur hin
und steht und seht die Hilfe des HERRN,
der mit euch ist, Juda und Jerusalem!
Fürchtet euch nicht und verzagt nicht!
Morgen zieht ihnen entgegen! Der HERR
ist mit euch.

18 Da beugte sich Joschafat mit seinem
Antlitz zur Erde, und ganz Juda und die
Einwohner von Jerusalem fielen vor dem
HERRN nieder und beteten den HERRN
an. 19 Und die Leviten von den Söhnen Ke-
hat und von den Söhnen Korach schickten
sich an, den HERRN, den Gott Israels, zu
loben mit lauter Stimme gen Himmel.

20 Und sie machten sich früh am Mor-
gen auf und zogen aus zur Wüste Tekoa.
Und als sie auszogen, trat Joschafat hin
und sprach: Hört mir zu, Juda und ihr
Einwohner von Jerusalem! [a]**Glaubt an**
den HERRN, euren Gott, so werdet ihr
sicher sein, und glaubt seinen Prophe-
ten, so wird es euch gelingen. 21 Und
er beriet sich mit dem Volk und bestellte
Sänger für den HERRN, dass sie in hei-
ligem Schmuck Loblieder sängen und vor
den Kriegsleuten herzögen und sprächen:
[a]Danket dem HERRN; denn seine Barm-
herzigkeit währet ewiglich. 22 Und als sie
anfingen mit Danken und Loben, ließ der
HERR einen Hinterhalt kommen über die
Ammoniter und Moabiter und die vom
Gebirge Seïr, die gegen Juda ausgezogen
waren, und sie wurden geschlagen. 23 Es
stellten sich die Ammoniter und Moabiter
gegen die Leute vom Gebirge Seïr, um sie
auszurotten und zu vertilgen. Und als sie
die Leute vom Gebirge Seïr alle aufgerie-
ben hatten, wurden sie einer dem andern
zum Verderben.

24 Als aber Juda an den Ort kam, wo man
in die Wüste sehen kann, und sie sich ge-
gen das Heer wenden wollten, siehe, da
lagen nur Leichname auf der Erde; kei-
ner war entronnen. 25 Und Joschafat kam
mit seinem Volk, die Beute auszuteilen,
und sie fanden bei ihnen in großer Menge
Güter und Kleider und kostbare Geräte
und nahmen sich so viel weg, dass es
kaum zu tragen war, und teilten drei Tage
die Beute aus; denn es war viel. 26 Am vier-
ten Tage aber kamen sie zusammen im
Lobetal; denn dort lobten sie den HERRN.

20,6 ***a*** 1. Mose 18,25 ***b*** Kap 14,10; 1. Chr 29,12
20,9 ***a*** Kap 6,28-30 **20,10** ***a*** 5. Mose 2,4-5.9.19
20,15 ***a*** (15-17) 2. Mose 14,13-14 **20,20** ***a*** Jes 7,9; 28,16
20,21 ***a*** Ps 106,1

Daher heißt die Stätte »Lobetal« bis auf
diesen Tag.
27 So kehrte jedermann von Juda und
Jerusalem wieder um und Joschafat an
der Spitze, dass sie nach Jerusalem zögen
mit Freuden; denn der HERR hatte ihnen
Freude gegeben an ihren Feinden. 28 Und
sie zogen in Jerusalem ein mit Psaltern,
Harfen und Trompeten zum Hause des
HERRN. 29 Und der Schrecken Gottes kam
über alle Königreiche der Länder, als sie
hörten, dass der HERR gegen die Feinde
Israels gestritten hatte. 30 Also hatte das
Königreich Joschafats Frieden, und [a]sein
Gott gab ihm Ruhe ringsumher.

DIE REGIERUNG JOSCHAFATS

(vgl. 1. Kön 22,41-50)

31 Und Joschafat regierte über Juda; er
war fünfunddreißig Jahre alt, als er Kö-
nig wurde; und er regierte fünfundzwan-
zig Jahre zu Jerusalem. Seine Mutter hieß
Asuba, eine Tochter Schilhis. 32 Und er
wandelte in dem Wege seines Vaters Asa
und ließ nicht davon ab und tat, was
dem HERRN wohlgefiel. 33 Nur die Opfer-
höhen wurden nicht entfernt; denn das
Volk hatte sein Herz noch nicht dem Gott
seiner Väter zugewandt. 34 Was aber mehr
von Joschafat zu sagen ist, das Frühere und
das Spätere, siehe, das steht geschrieben
in den Geschichten Jehus, des Sohnes Ha-
nanis, die aufgenommen sind in das Buch
der Könige Israels.
35 Danach verbündete sich Joschafat, der
König von Juda, mit [a]Ahasja, dem Kö-
nig von Israel, der gottlos war in seinem
Tun. 36 Er kam mit ihm überein, Schiffe zu
bauen, um nach Tarsis zu fahren; und sie
bauten die Schiffe in Ezjon-Geber. 37 Aber
Eliëser, der Sohn Dodawas von Marescha,
weissagte gegen Joschafat und sprach:
Weil du dich mit Ahasja verbündet hast,
zerbricht der HERR deine Werke. Und die
Schiffe zerschellten und konnten nicht
nach Tarsis fahren.

JORAMS GOTTLOSE REGIERUNG

(vgl. 1. Kön 22,51; 2. Kön 8,16-22)

21 Und Joschafat legte sich zu seinen Vä-
tern und wurde begraben bei seinen
Vätern in der Stadt Davids. Und sein Sohn
Joram wurde König an seiner statt.
2 Und Joram hatte Brüder, Joschafats
Söhne: Asarja, Jehiël, Secharja, Asarja,
Michael und Schefatja; diese alle waren
Söhne Joschafats, des Königs von Juda.
3 Und ihr Vater gab ihnen viele Gaben an
Silber, Gold und Kleinoden, dazu feste
Städte in Juda; aber das Königtum gab er
Joram; denn der war der Erstgeborene.
4 Als aber Joram das Königtum seines
Vaters übernommen hatte und mächtig
wurde, erschlug er alle seine Brüder mit
dem Schwert, dazu auch einige Obere in
Israel.
5 Zweiunddreißig Jahre alt war Joram, als
er König wurde; und er regierte acht Jahre
zu Jerusalem 6 und wandelte in dem Wege
der Könige von Israel, wie das Haus Ahab
getan hatte; denn Ahabs Tochter war seine
Frau. Und er tat, was dem HERRN miss-
fiel. 7 Aber der HERR wollte das Haus Da-
vid nicht verderben um des Bundes wil-
len, den er [a]mit David geschlossen hatte,
und wie er ihm zugesagt hatte, ihm eine
[b]Leuchte zu geben und seinen Söhnen
immerdar.
8 Zu seiner Zeit fielen die Edomiter von
Juda ab und setzten einen König über sich.
9 Da zog Joram hin mit seinen Obersten
und alle Wagen mit ihm, und er machte
sich des Nachts auf und schlug die Edom-
iter, die ihn umringt hatten, und die
Obersten über die Wagen. 10 Doch blieben
die Edomiter abtrünnig von Juda bis auf
diesen Tag. Zur selben Zeit fiel Libna auch
von ihm ab; denn er hatte den HERRN,
den Gott seiner Väter, verlassen.
11 Auch machte er Opferhöhen in den
Städten Judas und verleitete die Einwoh-
ner von Jerusalem zur Abgötterei und ver-
führte Juda.
12 Es kam aber ein Brief zu ihm von dem
Propheten Elia, der lautete: So spricht der
HERR, der Gott deines Vaters David: Weil
du nicht gewandelt bist in den Wegen dei-
nes Vaters Joschafat und nicht in den We-
gen Asas, des Königs von Juda, 13 sondern
wandelst in dem Wege der Könige von
Israel und verleitest Juda und die Bewoh-
ner von Jerusalem zur Abgötterei nach der
Abgötterei des Hauses Ahab und weil du

20,30 *a* Kap 15,15 **20,35** *a* 1. Kön 22,52-54
21,7 *a* 2. Sam 7,12 *b* 1. Kön 11,36; Ps 132,17

dazu erschlagen hast deine Brüder, dei-
nes Vaters Haus, die besser waren als du,
14 siehe, so wird dich der HERR mit einer
großen Plage schlagen an deinem Volk,
an deinen Kindern, an deinen Frauen und
an aller deiner Habe. 15 Du aber wirst viel
Krankheit haben in deinen Eingeweiden,
bis über Jahr und Tag deine Eingeweide
vor Krankheit heraustreten.

16 Und der HERR erweckte gegen Joram
den Geist der Philister und Araber, die
neben den Kuschitern wohnen. 17 Und sie
zogen herauf und brachen in Juda ein und
führten alle Habe weg, die vorhanden war
im Hause des Königs, dazu seine Söhne
und seine Frauen, sodass ihm kein Sohn
übrig blieb außer Joahas, seinem jüngsten
Sohn.

18 Und nach dem allen plagte ihn der
HERR mit einer Krankheit in seinen Ein-
geweiden; die war nicht zu heilen. 19 Und
als das über Jahr und Tag währte, bis die
Zeit von zwei Jahren um war, traten in sei-
ner Krankheit seine Eingeweide heraus,
und er starb unter schlimmen Schmer-
zen. Und man machte keinen Brand ihm
zu Ehren, [a]wie man seinen Vätern getan
hatte. 20 Zweiunddreißig Jahre alt war er,
als er König wurde; und er regierte acht
Jahre zu Jerusalem und ging dahin, von
niemand bedauert. Und [a]sie begruben ihn
in der Stadt Davids, aber nicht in den Grä-
bern der Könige.

AHASJAS GOTTLOSE REGIERUNG

(vgl. 2. Kön 8,25-29)

22 Und die Einwohner von Jerusalem
machten Ahasja, seinen jüngsten
Sohn, zum König an seiner statt; denn
die streifende Rotte, die mit den Arabern
ins Lager gekommen war, hatte die älte-
ren Söhne alle erschlagen. Darum wurde
Ahasja König, der Sohn Jorams, des Kö-
nigs von Juda. 2 Zweiundzwanzig Jahre
alt war Ahasja, als er König wurde; und
er regierte ein Jahr zu Jerusalem. Seine
Mutter hieß Atalja, die Tochter Omris.
3 Und auch er wandelte in den Wegen des
Hauses Ahab; denn seine Mutter hielt ihn
dazu an, gottlos zu sein. 4 Darum tat er,
was dem HERRN missfiel, wie das Haus
Ahab; denn sie waren seine Ratgeber nach
seines Vaters Tod, ihm zum Verderben.
5 Er wandelte nach ihrem Rat; denn er
zog hin mit Joram, dem Sohn Ahabs, dem
König von Israel, in den Kampf nach Ra-
mot in Gilead gegen Hasaël, den König
von Aram. Aber die Aramäer verwunde-
ten Joram, 6 sodass er umkehrte, um sich
in Jesreel heilen zu lassen von den Wun-
den, die ihm bei Rama geschlagen waren,
als er mit Hasaël, dem König von Aram,
kämpfte. Und Ahasja, der Sohn Jorams,
der König von Juda, zog hinab, um Joram,
den Sohn Ahabs, in Jesreel zu besuchen,
weil er krank lag; 7 denn es war von Gott
über Ahasja zu seinem Verderben be-
schlossen, dass er zu Joram käme. Und als
er kam, zog er mit Joram aus gegen [a]Jehu,
den Sohn Nimschis, den der HERR gesalbt
hatte, [b]um das Haus Ahab auszurotten.
8 Als nun Jehu die Strafe am Hause Ahab
vollzog, traf er auf einige Obere aus Juda
und auf die Söhne der Brüder Ahasjas, die
Ahasja dienten, und er tötete sie.[a] 9 Und
er suchte Ahasja, und man fing ihn in Sa-
maria, wo er sich versteckt hatte, und er
wurde zu Jehu gebracht. [a]Der tötete ihn
und man begrub ihn; denn sie sprachen:
Er ist Joschafats Sohn, der von ganzem
Herzen den HERRN suchte. Und es war
niemand mehr aus dem Hause Ahasjas,
der zum Königtum tüchtig war.

JOASCH WIRD GEGEN ATALJA ZUM KÖNIG ERHOBEN

(vgl. 2. Kön 11,1-20)

10 Als aber Atalja, die Mutter Ahasjas, sah,
dass ihr Sohn tot war, machte sie sich auf
und brachte um alle vom königlichen Ge-
schlecht im Hause Juda. 11 Aber Joscheba,
die Tochter des Königs, nahm Joasch,
den Sohn Ahasjas, und stahl ihn aus der
Mitte der Söhne des Königs, die getö-
tet wurden, und brachte ihn mit seiner
Amme in die Bettenkammer. So verbarg
ihn Joscheba, die Tochter des Königs Jo-
ram, die Frau des Priesters Jojada, – denn
sie war Ahasjas Schwester – vor Atalja,
sodass er nicht getötet wurde. 12 Und er
war bei ihnen im Hause Gottes versteckt
sechs Jahre, solange Atalja im Lande Kö-
nigin war.

21,19 *a* Kap 16,14 **21,20** *a* Kap 24,25
22,7 *a* 1. Kön 19,16 *b* 2. Kön 9,6-7
22,8 *a* 2. Kön 10,12-14 **22,9** *a* 2. Kön 9,27-29

23 Aber im siebenten Jahr fasste Jojada
Mut und verbündete sich mit den
Hauptleuten über Hundert, nämlich mit
Asarja, dem Sohn Jerohams, Jischmael,
dem Sohn Johanans, Asarja, dem Sohn
Obeds, Maaseja, dem Sohn Adajas, und
Elischafat, dem Sohn Sichris. 2 Die zogen
umher in Juda und brachten die Leviten
aus allen Städten Judas zusammen und
die Häupter der Sippen in Israel, dass sie
nach Jerusalem kämen. 3 Und die ganze
Gemeinde schloss einen Bund im Hause
Gottes mit dem König. Und Jojada sprach
zu ihnen: Siehe, des Königs Sohn soll Kö-
nig sein, wie der HERR den Söhnen David
zugesagt hat. 4 So sollt ihr nun tun: Ein
Drittel von euch, den Priestern und Le-
viten, die am Sabbat ihren Dienst antre-
ten, sollen Torhüter sein an den Schwel-
len, 5 und ein Drittel im Hause des Königs
und ein Drittel am Grundtor; aber alles
Volk soll in den Vorhöfen am Hause des
HERRN sein. 6 Und dass niemand in das
Haus des HERRN gehe! Nur die Priester
und die Leviten, die Dienst tun, die sollen
hineingehen, denn sie sind heilig; und al-
les Volk tue nach dem Gebot des HERRN.
7 Und die Leviten sollen sich rings um den
König herumstellen, ein jeder mit seiner
Waffe in der Hand. Und wer in das Haus
des Herrn geht, der sei des Todes! Und
sie sollen um den König sein, wenn er aus
und ein geht.

8 Und die Leviten und ganz Juda taten,
wie der Priester Jojada geboten hatte, und
ein jeder nahm seine Leute, die am Sab-
bat antraten, samt denen, die am Sabbat
abtraten. Denn der Priester Jojada ließ
die Abteilungen nicht auseinandergehen.
9 Und der Priester Jojada gab den Haupt-
leuten über Hundert die Spieße und Kö-
cher und Waffen des Königs David, die
im Hause Gottes waren, 10 und stellte al-
les Volk auf, einen jeden mit seiner Waffe
in der Hand, rings um den König, von der
Südseite des Hauses bis zu seiner Nord-
seite vor dem Altar und dem Hause. 11 Und
sie führten den Sohn des Königs heraus
und setzten ihm die Krone auf und ga-
ben ihm die Ordnung und machten ihn
zum König. Und Jojada und seine Söhne
salbten ihn und sprachen: Es lebe der
König!

12 Als aber Atalja das Geschrei des Volks
hörte, das herzulief und den König umju-
belte, ging sie zum Volk in das Haus des
HERRN. 13 Und sie sah, und siehe, der Kö-
nig stand an seiner Stätte im Eingang und
die Oberen und die Trompeter um den
König, und alles Volk des Landes war fröh-
lich, und man blies die Trompeten, und
die Sänger mit allerlei Saitenspiel standen
da und gaben das Zeichen zum Jubel. Da
zerriss Atalja ihre Kleider und rief: Auf-
ruhr, Aufruhr! 14 Aber der Priester Jojada
gebot den Hauptleuten über Hundert, die
über das Heer gesetzt waren: Führt sie
zwischen den Reihen hinaus, und wer ihr
nachfolgt, den soll man mit dem Schwert
töten! Denn der Priester hatte befohlen,
man sollte sie nicht töten im Hause des
HERRN. 15 Und sie legten die Hände an
sie, und als sie zum Eingang des Rosstors
kam am Hause des Königs, töteten sie sie
dort.

16 Und Jojada [a]schloss einen Bund zwi-
schen sich, dem ganzen Volk und dem
König, dass sie des HERRN Volk sein
sollten. 17 Da ging das ganze Volk in das
Haus Baals und brach es ab, und seine
Altäre und Bilder zerbrachen sie und
töteten Mattan, den Priester Baals, vor
den Altären.

18 Und Jojada bestellte die Ämter am
Hause des HERRN aus den Priestern und
den Leviten, die David für das Haus des
HERRN verordnet hatte, dem HERRN
Brandopfer zu bringen, wie es geschrie-
ben steht im Gesetz des Mose, mit Freu-
den und mit Liedern, nach Davids Wei-
sung,[a] 19 und er stellte Torhüter an die Tore
am Hause des HERRN, dass niemand hin-
einkäme, der sich an irgendetwas unrein
gemacht hatte. 20 Und er nahm die Haupt-
leute über Hundert und die Mächtigen
und die Herren im Volk und alles Volk des
Landes und führte den König vom Hause
des HERRN hinab; und sie zogen durch
das obere Tor in das Haus des Königs und
ließen den König sich auf den königlichen
Thron setzen. 21 Und alles Volk des Lan-
des war fröhlich, aber die Stadt blieb still.
Atalja aber hatte man mit dem Schwert
erschlagen.

23,16 *a* Kap 15,12 **23,18** *a* Kap 7,6; 29,25-30

JOASCHS SORGE FÜR DEN TEMPEL

(vgl. 2. Kön 12,1-17)

24 Joasch war sieben Jahre alt, als er König
wurde; und er regierte vierzig Jahre
zu Jerusalem. Seine Mutter hieß Zibja,
aus Beerscheba. 2 Und Joasch tat, was dem
HERRN wohlgefiel, solange der Pries-
ter Jojada lebte. 3 Und Jojada nahm zwei
Frauen für Joasch, und er zeugte Söhne
und Töchter.

4 Danach nahm sich Joasch vor, das Haus
des HERRN zu erneuern, 5 und versam-
melte die Priester und Leviten und sprach
zu ihnen: Zieht hin in alle Städte Judas
und sammelt Geld aus ganz Israel, um
jährlich das Haus eures Gottes auszubes-
sern, und eilt, solches zu tun! Aber die Le-
viten eilten nicht. 6 Da rief der König den
Hohenpriester Jojada und sprach zu ihm:
Warum hast du nicht acht auf die Leviten,
dass sie einbringen von Juda und Jerusa-
lem die Steuer, die [a]Mose, der Knecht des
HERRN, und die Gemeinde für die Stifts-
hütte zu sammeln Israel geboten haben?
7 Denn die gottlose Atalja und [a]ihre Söhne
haben das Haus Gottes verfallen lassen
und alles, was dem Hause des HERRN ge-
heiligt war, an die Baale gebracht.

8 Da befahl der König, dass man eine
Lade machte, und man stellte sie außen ins
Tor am Hause des HERRN; 9 und sie ließen
in Juda und Jerusalem ausrufen, dass man
dem HERRN die Steuer bringen sollte,
die in der Wüste von Mose, dem Knecht
Gottes, auf Israel gelegt war. 10 Da freuten
sich alle Oberen und alles Volk und brach-
ten's und warfen's in die Lade, bis sie voll
war. 11 Und wenn es Zeit war, ließ man die
Lade durch die Leviten zum König brin-
gen, dass er sie prüfe. Wenn man sah, dass
viel Geld darin war, so kam der Schreiber
des Königs und der Beauftragte des Ho-
henpriesters, und man schüttete die Lade
aus, und sie trugen sie wieder hin an ih-
ren Ort. So taten sie alle Tage und brachten
viel Geld zusammen.

12 Und der König und Jojada gaben es den
Werkmeistern, die am Hause des HERRN
arbeiteten. Diese stellten Steinmetzen
und Zimmerleute an, um das Haus des
HERRN zu erneuern, und auch Meister
in Eisen und Bronze, um das Haus des
HERRN auszubessern. 13 Und die Werk-
meister sorgten dafür, dass durch sie die
Ausbesserung fortschritt, und so stellten
sie das Haus Gottes nach seinen Maßen
wieder her und setzten es instand. 14 Und
als sie es vollendet hatten, brachten sie das
übrige Geld vor den König und Jojada. Da-
von machte man Geräte für das Haus des
HERRN, Geräte für den Dienst und für
die Brandopfer, Löffel und goldene und
silberne Geräte. Und sie opferten Brand-
opfer beim Hause des HERRN allezeit, so-
lange Jojada lebte.

15 Und Jojada ward alt und lebenssatt
und starb und war hundertdreißig Jahre
alt, als er starb. 16 Und sie begruben ihn in
der Stadt Davids bei den Königen, weil er
an Israel und an Gott und seinem Hause
wohlgetan hatte.

JOASCHS ABFALL UND ENDE

17 Und nach dem Tode Jojadas kamen die
Oberen Judas und huldigten dem König;
da hörte der König auf sie. 18 Und sie ver-
ließen das Haus des HERRN, des Gottes
ihrer Väter, und dienten den Ascheren
und den Götzen. Da kam der Zorn über
Juda und Jerusalem um dieser ihrer Schuld
willen. 19 Der HERR aber sandte Propheten
zu ihnen, dass sie sich zum HERRN bekeh-
ren sollten, und sie ermahnten sie, aber sie
nahmen's nicht zu Ohren.

20 [a]Und der Geist Gottes ergriff Secharja,
den Sohn des Priesters Jojada. Der trat vor
das Volk und sprach zu ihnen: So spricht
Gott: Warum übertretet ihr die Gebote
des HERRN, sodass ihr kein Gelingen
habt? Denn ihr habt den HERRN verlas-
sen, darum wird er euch auch verlassen.
21 Aber sie machten eine Verschwörung
gegen ihn und steinigten ihn auf Be-
fehl des Königs im Vorhof am Hause des
HERRN. 22 Und der König Joasch gedachte
nicht an [a]die Barmherzigkeit, die Jojada,
der Vater Secharjas, an ihm getan hatte,
sondern tötete seinen Sohn. Der aber
sprach, als er starb: Der HERR wird es se-
hen und strafen.

23 [a]Und als das Jahr um war, zog her-
auf das Heer der Aramäer, und sie kamen
nach Juda und Jerusalem und brachten alle

24,6 *a* 2. Mose 30,12-13 **24,7** *a* Kap 22,3-4
24,20 *a* (20-21) Mt 23,35; Hebr 11,37 **24,22** *a* Kap 23,1-21
24,23 *a* (23-27) 2. Kön 12,18-22

Oberen im Volk um, und all ihren Raub
sandten sie dem König von Damaskus.
24 Denn obwohl das Heer der Aramäer
mit wenigen Männern kam, gab der HERR
ein sehr großes Heer in ihre Hand, weil sie
den HERRN, den Gott ihrer Väter, verlas-
sen hatten. Damit vollzogen sie an Joasch
die Strafe.

25 Und als sie von ihm zogen, ließen
sie ihn in großer Krankheit zurück. Es
machten aber seine Großen eine Ver-
schwörung gegen ihn um der Blutschuld
willen an dem Sohn des Priesters Jojada
und töteten ihn auf seinem Bett, und er
starb. Und [a]man begrub ihn in der Stadt
Davids, aber nicht in den Gräbern der Kö-
nige. 26 Diese aber machten die Verschwö-
rung gegen ihn: Sabad, der Sohn der Schi-
mat, der Ammoniterin, und Josabad, der
Sohn der Schimrit, der Moabiterin. 27 Aber
seine Söhne und die Menge der Steuern,
die er veranlasste, und der Bau des Hau-
ses Gottes, siehe, das steht geschrieben
in der Auslegung des Buchs der Könige.
Und sein Sohn Amazja wurde König an
seiner statt.

AMAZJA
(vgl. 2. Kön 14,1-20)

25 Fünfundzwanzig Jahre alt war Amazja,
als er König wurde; und er regierte
neunundzwanzig Jahre zu Jerusalem.
Seine Mutter hieß Joaddan, aus Jerusalem.
2 Und er tat, was dem HERRN wohlgefiel,
doch nicht von ganzem Herzen. 3 Als er
nun das Königtum fest in der Hand hatte,
tötete er [a]seine Großen, die den König,
seinen Vater, erschlagen hatten. 4 Aber
ihre Söhne tötete er nicht; denn so steht
es geschrieben im Gesetz, im Buch des
Mose, wo der HERR gebietet: [a]Die Väter
sollen nicht sterben für die Kinder und
die Kinder nicht für die Väter, sondern
ein jeder soll nur um seiner Sünde willen
sterben.

5 Und Amazja bot Juda auf und ordnete
sie, ganz Juda und Benjamin, nach ihren
Sippen unter die Obersten über Tausend
und unter die Hauptleute über Hundert
und musterte sie von zwanzig Jahren an
und darüber, und es fanden sich dreihun-
derttausend auserlesene Leute, die in den
Krieg ziehen und Spieß und Schild füh-
ren konnten. 6 Dazu warb er aus Israel
hunderttausend Kriegsleute für hundert
Zentner Silber.

7 Es kam aber ein Mann Gottes zu ihm
und sprach: König, lass nicht das Heer
Israels mit dir ziehen, denn der HERR ist
nicht mit Israel, mit allen Ephraimitern;
8 sondern zieh du allein in den Kampf; tu's
und sei stark! Sollte Gott dich fallen las-
sen vor dem Feind? Denn bei Gott steht
die Kraft zu helfen und fallen zu lassen.
9 Amazja sprach zu dem Mann Gottes:
Was soll man dann tun mit den hundert
Zentnern, die ich den Kriegsleuten aus
Israel gegeben habe? Der Mann Gottes
sprach: Es steht beim HERRN, dir mehr
zu geben als dies. 10 Da sonderte Amazja
die Kriegsleute ab, die zu ihm aus Ephraim
gekommen waren, dass sie wieder heim-
kehrten. Da entbrannte ihr Zorn sehr ge-
gen Juda, und sie zogen zurück an ihren
Ort mit grimmigem Zorn.

11 Und Amazja ward getrost und führte
sein Volk aus und zog ins Salztal und
schlug die Männer von Seïr, zehntau-
send. 12 Und die Judäer fingen zehntau-
send von ihnen lebendig; die führten sie
auf die Spitze eines Felsens und stürzten
sie von der Spitze des Felsens, dass sie alle
zerschellten. 13 Aber die Kriegsleute, die
Amazja hatte ziehen lassen, dass sie nicht
mit seinem Volk in den Kampf zögen, fie-
len in die Städte Judas ein von Samaria bis
nach Bet-Horon und erschlugen dreitau-
send Mann von ihnen und gewannen viel
Beute.

14 Und als Amazja vom Sieg über die
Edomiter wiederkam, brachte er die Göt-
ter der Leute von Seïr mit und stellte sie
sich als Götter auf und betete sie an und
räucherte ihnen. 15 Da entbrannte der Zorn
des HERRN über Amazja, und er sandte
einen Propheten zu ihm. Der sprach zu
ihm: Warum suchst du die Götter des
Volks, die ihr Volk nicht aus deiner Hand
erretten konnten? 16 Und als er so mit ihm
redete, sprach der König zu ihm: Hat man
dich zu des Königs Ratgeber gemacht?
Höre auf! Warum willst du getötet wer-
den? Da hörte der Prophet auf und sprach:

24,25 *a* Kap 21,20 **25,3** *a* Kap 24,25
25,4 *a* 5. Mose 24,16

Ich merke wohl, dass Gott beschlossen
hat, dich zu verderben, weil du solches ge-
tan und auf meinen Rat nicht gehört hast.
17 Und Amazja, der König von Juda, ent-
schloss sich hinzusenden zu Joasch, dem
Sohn des Joahas, des Sohnes Jehus, dem
König von Israel, und ließ ihm sagen:
Komm, wir wollen uns miteinander mes-
sen! 18 Aber Joasch, der König von Israel,
sandte zu Amazja, dem König von Juda,
und antwortete ihm: Der [a]Dornstrauch
im Libanon sandte zur Zeder im Liba-
non und ließ ihr sagen: Gib deine Tochter
meinem Sohn zur Frau! Aber das Wild im
Libanon lief über den Dornstrauch und
zertrat ihn. 19 Du denkst: Siehe, ich habe
die Edomiter geschlagen. Darüber erhebt
sich dein Herz und du suchst noch mehr
Ruhm. Bleib doch daheim. Warum suchst
du dein Unglück, dass du zu Fall kommst
und Juda mit dir?
20 Aber Amazja hörte nicht darauf; denn
es geschah von Gott, dass sie dahingege-
ben würden, weil sie die Götter der Edom-
iter gesucht hatten. 21 Da zog Joasch, der
König von Israel, herauf, und sie maßen
sich miteinander, er und Amazja, der Kö-
nig von Juda, bei Bet-Schemesch, das in
Juda liegt. 22 Aber Juda wurde vor Israel
her geschlagen, und sie flohen, ein jeder zu
seinen Zelten. 23 Aber Amazja, den Sohn
des Joasch, den König von Juda, nahm Jo-
asch, der Sohn des Joahas, der König von
Israel, bei Bet-Schemesch gefangen und
brachte ihn nach Jerusalem und riss die
Mauer von Jerusalem ein vom Tor Eph-
raim bis an das Ecktor, vierhundert Ellen
lang. 24 Und alles Gold und Silber und alle
Geräte, die im Hause Gottes unter der
Obhut von [a]Obed-Edom vorhanden wa-
ren, und die Schätze im Hause des Königs
und die Geiseln nahm er mit sich nach
Samaria.
25 Und Amazja, der Sohn des Joasch, der
König von Juda, lebte nach dem Tode des
Joasch, des Sohnes des Joahas, des Königs
von Israel, noch fünfzehn Jahre. 26 Was
aber mehr von Amazja zu sagen ist, das
Frühere und das Spätere, siehe, das steht
geschrieben im Buch der Könige von
Juda und Israel. 27 Und von der Zeit an, da
Amazja von dem HERRN wich, machten
sie eine [a]Verschwörung gegen ihn in Jeru-
salem. Er aber floh nach Lachisch. Da sand-
ten sie hinter ihm her nach Lachisch und
töteten ihn dort. 28 Und sie brachten ihn
auf Rossen und begruben ihn bei seinen
Vätern in der Stadt Judas.

USIJA

(vgl. 2. Kön 14,21-22; 15,1-7)

26 Da nahm das ganze Volk von Juda den
Usija – der war sechzehn Jahre alt –,
und sie machten ihn zum König an seines
Vaters Amazja statt. 2 Der baute Elat aus
und brachte es wieder an Juda, nachdem
der König sich zu seinen Vätern gelegt
hatte. 3 Sechzehn Jahre alt war Usija, als
er König wurde; und er regierte zweiund-
fünfzig Jahre zu Jerusalem. Seine Mutter
hieß Jecholja, aus Jerusalem. 4 Und [a]er tat,
was dem HERRN wohlgefiel, ganz wie
sein Vater Amazja getan hatte. 5 Und er
suchte Gott, solange Secharja lebte, der
ihn unterwies in der Furcht Gottes; und
solange er den HERRN suchte, ließ es ihm
Gott gelingen.
6 Er zog aus und kämpfte gegen die Phi-
lister und riss nieder die Mauer von Gat
und die Mauer von Jabne und die Mauer
von Aschdod und baute Städte um Asch-
dod und im Philisterland; 7 denn Gott half
ihm gegen die Philister, gegen die Araber,
die in Gur-Baal wohnten, und gegen die
Mëuniter. 8 Und die Ammoniter gaben
Usija Geschenke, und er wurde berühmt
bis da, wo es nach Ägypten geht; denn
er wurde stärker und stärker. 9 Und Usija
baute Türme in Jerusalem am Ecktor und
am Taltor und am Winkel und befestigte
sie. 10 Er baute auch Türme in der Wüste
und grub viele Brunnen; denn er hatte
viel Vieh sowohl im Hügelland wie in der
Ebene, auch Ackerleute und Weingärtner
auf den Bergen und am Karmel; denn er
hatte Lust am Ackerbau.
11 Und Usija hatte ein kriegstüchtiges
Heer, das in Abteilungen in den Kampf
zog, nach seiner Zahl aufgestellt durch
den Schreiber Jëiël und den Amtmann
Maaseja unter dem Befehl Hananjas,
eines der Obersten des Königs. 12 Und
die Zahl der Häupter der Sippen unter

25,18 *a* Ri 9,14 **25,24** *a* 1. Chr 26,13.15 **25,27** *a* Kap 24,25
26,4 *a* Kap 25,2

den Kriegern war 2600, [13]und unter ih-
rem Befehl stand eine Heeresmacht von
307 500 sehr kriegstüchtigen Männern,
um dem König gegen die Feinde zu hel-
fen. [14]Und Usija beschaffte für das ganze
Heer Schilde, Spieße, Helme, Panzer, Bo-
gen und Schleudersteine [15]und machte in
Jerusalem kunstvolle Geschütze, die auf
den Türmen und Ecken sein sollten, um
mit Pfeilen und großen Steinen zu schie-
ßen. Und sein Name drang weit hinaus,
weil ihm wunderbar geholfen wurde, bis
er mächtig war.

[16]Und als er mächtig geworden war,
[a]überhob sich sein Herz zu seinem Ver-
derben; denn er verging sich gegen den
HERRN, seinen Gott, und ging in den
Tempel des HERRN, um auf dem Räu-
cheraltar zu räuchern. [17]Aber der Priester
Asarja ging ihm nach und achtzig Pries-
ter des HERRN mit ihm, tüchtige Leute,
[18]und sie traten Usija, dem König, entge-
gen und sprachen zu ihm: Es gebührt nicht
dir, Usija, dem HERRN zu räuchern, son-
dern [a]den Priestern, den Söhnen Aaron,
die [b]geweiht sind zu räuchern. Geh hinaus
aus dem Heiligtum; denn du bist untreu
geworden und es wird dir keine Ehre brin-
gen vor Gott, dem HERRN.

[19]Da wurde Usija zornig, als er bereits
ein Räuchergefäß in der Hand hatte, um
zu räuchern; und wie er so über die Pries-
ter zornig wurde, brach an seiner Stirn der
Aussatz aus vor den Priestern im Hause
des HERRN am Räucheraltar. [20]Und der
Hohepriester Asarja wandte das Ange-
sicht ihm zu und alle Priester, und siehe,
da war der König aussätzig an seiner Stirn.
Und sie stießen ihn fort, und er eilte auch
selbst hinauszugehen; denn seine Plage
war vom HERRN. [21]So war der König Usija
aussätzig bis an seinen Tod und [a]wohn-
te als Aussätziger in einem besonderen
Hause; denn er war ausgeschlossen vom
Hause des HERRN. Jotam aber, sein Sohn,
stand dem Hause des Königs vor und rich-
tete das Volk des Landes.

[22]Was aber mehr von [a]Usija zu sagen
ist, das Frühere und das Spätere, hat be-
schrieben der Prophet [b]Jesaja, der Sohn
des Amoz. [23]Und Usija legte sich zu sei-
nen Vätern, und sie begruben ihn bei sei-
nen Vätern auf dem Felde neben der Grab-
stätte der Könige; denn sie sprachen: Er
ist aussätzig. Und sein Sohn Jotam wurde
König an seiner statt.

JOTAM

(vgl. 2. Kön 15,32-38)

27 Jotam war fünfundzwanzig Jahre alt,
als er König wurde; und er regierte
sechzehn Jahre zu Jerusalem. Seine Mutter
hieß Jeruscha, eine Tochter Zadoks. [2]Und
er tat, was dem HERRN wohlgefiel, ganz
wie sein Vater Usija getan hatte, nur [a]ging
er nicht in den Tempel des HERRN hinein.
Das Volk aber handelte noch immer böse.

[3]Er baute das obere Tor am Hause des
HERRN, und an der Mauer des Ofel baute
er viel [4]und baute Städte auf dem Gebirge
Juda, und in den Wäldern [a]baute er Bur-
gen und Türme. [5]Auch kämpfte er mit
dem König der Ammoniter und unterwarf
sie, sodass ihm die Ammoniter in diesem
Jahr hundert Zentner Silber, hunderttau-
send Scheffel Weizen und hunderttau-
send Scheffel Gerste gaben. So viel gaben
ihm die Ammoniter auch im zweiten und
im dritten Jahr. [6]So wurde Jotam mäch-
tig; denn er richtete seine Wege aus am
HERRN, seinem Gott.

[7]Was aber mehr von Jotam zu sagen ist
und alle seine Kriege und wie er wandelte,
siehe, das steht geschrieben im Buch der
Könige von Israel und Juda. [8]Fünfund-
zwanzig Jahre alt war er, als er König
wurde; und er regierte sechzehn Jahre zu
Jerusalem. [9]Und Jotam legte sich zu sei-
nen Vätern, und sie begruben ihn in der
Stadt Davids. Und sein Sohn Ahas wurde
König an seiner statt.

AHAS

(vgl. 2. Kön 16,1-20)

28 Ahas war zwanzig Jahre alt, als er Kö-
nig wurde; und er regierte sechzehn
Jahre zu Jerusalem. Er tat nicht, was dem
HERRN wohlgefiel, wie sein Vater David,
[2]sondern wandelte in den Wegen der
Könige von Israel. Dazu machte er den
Baalen gegossene Bilder [3]und räucherte
im Tal Ben-Hinnom und [a]verbrannte

26,16 *a* Kap 25,19 **26,18** *a* 4. Mose 18,7
b 2. Mose 30,7 **26,21** *a* 4. Mose 5,2 **26,22** *a* Jes 6,1
b Jes 1,1 **27,2** *a* Kap 26,16 **27,4** *a* Kap 26,10
28,3 *a* 5. Mose 18,9-12

seine Söhne im Feuer nach den gräulichen
Sitten der Heiden, die der HERR vor den
Israeliten vertrieben hatte, 4 und opferte
und [a]räucherte auf den Höhen und auf den
Hügeln und unter allen grünen Bäumen.
5 Darum gab ihn der HERR, sein Gott, in
die Hand des Königs von Aram, dass sie
ihn schlugen und eine große Menge der
Seinen gefangen wegführten und nach
Damaskus brachten. Auch wurde er in die
Hand des Königs von Israel gegeben; der
schlug ihn hart; 6 denn Pekach, der Sohn
Remaljas, schlug in Juda hundertzwanzig-
tausend streitbare Männer auf einen Tag,
weil sie den HERRN, den Gott ihrer Väter,
verlassen hatten. 7 Und Sichri, ein Kriegs-
mann aus Ephraim, erschlug Maaseja, den
Königssohn, und Asrikam, den Vorsteher
des Königshauses, und Elkana, den Ersten
nach dem König. 8 Und die von Israel führ-
ten von ihren Brüdern zweihunderttau-
send Frauen, Söhne und Töchter gefangen
weg und nahmen dazu große Beute von
ihnen und brachten sie nach Samaria.
9 [a]Es war aber dort ein Prophet des
HERRN, der hieß Oded. Der ging hinaus
dem Heer entgegen, das nach Samaria
kam, und sprach zu ihnen: Siehe, weil der
HERR, der Gott eurer Väter, über Juda zor-
nig ist, hat er sie in eure Hände gegeben;
ihr aber habt sie mit solcher Wut erschla-
gen, dass es gen Himmel schreit. 10 Nun
gedenkt ihr, die Leute von Juda und Je-
rusalem zu unterwerfen, dass sie eure
Sklaven und Sklavinnen seien. Ist denn
das nicht Schuld bei euch gegenüber dem
HERRN, eurem Gott? 11 So hört nun auf
mich und bringt die Gefangenen wieder
hin, die ihr aus euren Brüdern weggeführt
habt; denn des HERRN Zorn ist über euch
entbrannt.
12 Da traten auf einige Sippenhäupter
von Ephraim – Asarja, der Sohn Joha-
nans, Berechja, der Sohn Meschillemots,
Jehiskija, der Sohn Schallums, und Amasa,
der Sohn Hadlais – gegen die, die aus dem
Kampf kamen, 13 und sprachen zu ihnen:
Ihr sollt die Gefangenen nicht hierher
bringen; denn ihr bringt Schuld vor dem
HERRN über uns, sodass ihr unsere Sünde
und Schuld nur noch größer macht. Es ist
schon genug der Schuld, und der Zorn des
HERRN ist über Israel entbrannt. 14 Da ga-
ben die Kriegsleute die Gefangenen und
die Beute frei vor den Obersten und vor
der ganzen Gemeinde. 15 Und jene Män-
ner, die mit Namen genannt sind, [a]nah-
men die Gefangenen und bekleideten alle,
die bloß unter ihnen waren, mit Kleidern
aus der Beute und zogen ihnen Schuhe an
und gaben ihnen zu essen und zu trinken
und salbten sie, und alle, die schwach wa-
ren, führten sie auf Eseln und brachten
sie nach Jericho, zur Palmenstadt, zu ih-
ren Brüdern und kehrten nach Samaria
zurück.
16 Zu derselben Zeit sandte der König
Ahas zu dem König von Assur, dass er
ihm helfe. 17 Und es kamen abermals die
Edomiter und schlugen Juda und führ-
ten einige weg. 18 Auch die Philister fielen
ein in die Städte im Hügelland und im
Südland Judas und eroberten [a]Bet-Sche-
mesch, Ajalon, Gederot und Socho mit
seinen Ortschaften und Timna mit seinen
Ortschaften und Gimso mit seinen Ort-
schaften und wohnten darin; 19 denn der
HERR demütigte Juda um des Ahas wil-
len, des Königs von Juda, weil er in Juda
ein zuchtloses Wesen aufkommen ließ
und dem HERRN untreu wurde. 20 So zog
auch gegen ihn Tiglat-Pileser, der König
von Assur; der bedrängte ihn und half ihm
nicht; 21 denn obwohl Ahas das Haus des
HERRN und das Haus des Königs und die
Häuser der Oberen plünderte und es dem
König von Assur gab, half es ihm nichts.
22 Auch in seiner Not war der König Ahas
dem HERRN weiter untreu 23 und opferte
den Göttern von Damaskus, die ihn ge-
schlagen hatten, und sprach: Die Göt-
ter der Könige von Aram helfen ihnen;
darum will ich ihnen opfern, dass sie mir
auch helfen. Aber diese brachten ihn und
ganz Israel zu Fall. 24 Und Ahas brachte die
Geräte des Hauses Gottes zusammen und
zerschlug sie und schloss die Türen zu am
Hause des HERRN und machte sich Altäre
in allen Winkeln Jerusalems. 25 Und in den
Städten Judas hin und her machte er Hö-
hen, um andern Göttern zu opfern, und
reizte den HERRN, den Gott seiner Väter.
26 Was aber mehr von ihm zu sagen ist

28,4 ***a*** 1. Kön 14,22-23 **28,9** ***a*** (9-15) 3. Mose 19,18
28,15 ***a*** 2. Kön 6,22; Spr 25,21-22 **28,18** ***a*** Jos 15,10

und sein ganzer Wandel, der frühere und
der spätere, siehe, das steht geschrieben
im Buch der Könige von Juda und Israel.
27 Und Ahas legte sich zu seinen Vätern,
und sie begruben ihn in der Stadt, in Je-
rusalem; denn [a]sie brachten ihn nicht in
die Gräber der Könige von Israel. Und sein
Sohn Hiskia wurde König an seiner statt.

HISKIA STELLT DEN RECHTEN GOTTESDIENST WIEDER HER

(vgl. 2. Kön 18,1-6)

29 Hiskia war fünfundzwanzig Jahre
alt, als er König wurde; und er re-
gierte neunundzwanzig Jahre zu Jerusa-
lem. Seine Mutter hieß Abi, eine Tochter
Secharjas. 2 Und er tat, was dem HERRN
wohlgefiel, wie sein Vater David.

3 Er [a]tat auf die Türen am Hause des
HERRN im ersten Monat des ersten Jah-
res seiner Herrschaft und besserte sie aus
4 und ließ die Priester und Leviten kom-
men und versammelte sie auf dem Platz
im Osten 5 und sprach zu ihnen: Hört mir
zu, ihr Leviten! Heiligt euch nun, dass
ihr weiht das Haus des HERRN, des Got-
tes eurer Väter, und tut heraus den Unrat
aus dem Heiligtum. 6 Denn unsere Vä-
ter wurden untreu und haben getan, was
dem HERRN, unserm Gott, missfällt, und
haben ihn verlassen und haben ihr Ange-
sicht von der Wohnung des HERRN abge-
wandt und ihr den Rücken zugekehrt; 7 sie
haben sogar die Türen an der Vorhalle zu-
geschlossen und die Lampen ausgelöscht
und kein Räucherwerk geräuchert und
dem Gott Israels kein Brandopfer im Hei-
ligtum dargebracht. 8 Daher ist der Zorn
des HERRN über Juda und Jerusalem ge-
kommen, und er hat sie dahingegeben
zum Entsetzen und zum Erschrecken,
dass man sie verspottet, wie ihr mit euren
Augen seht; 9 denn siehe, um dessent-
willen sind unsere Väter durchs Schwert
gefallen und unsere Söhne, Töchter und
Frauen weggeführt.[a] 10 Nun habe ich im
Sinn, einen Bund zu schließen mit dem
HERRN, dem Gott Israels, dass sein Zorn
und Grimm sich von uns wende. 11 Nun,
meine Söhne, seid nicht lässig; denn
euch hat der HERR erwählt, dass ihr zum
Dienst vor ihm stehen sollt und dass ihr
seine Diener seid und ihm Opfer bringt!

12 Da machten sich auf die Leviten Ma-
hat, der Sohn Amasais, und Joel, der Sohn
Asarjas, aus den Söhnen Kehat; aus den
Söhnen Merari aber Kisch, der Sohn Ab-
dis, und Asarja, der Sohn Jehallelels; und
aus den Söhnen Gerschon Joach, der Sohn
Simmas, und Eden, der Sohn Joachs; 13 aus
den Söhnen Elizafan Schimri und Jëiël;
aus den Söhnen Asaf Secharja und Mat-
tanja; 14 aus den Söhnen Heman Jehiël und
Schimi; aus den Söhnen Jedutun Schemaja
und Usiël. 15 Sie versammelten ihre Brüder
und heiligten sich und gingen hinein, um
das Haus des HERRN zu reinigen, wie der
König nach dem Wort des HERRN gebo-
ten hatte. 16 Die Priester aber gingen ins
Innere des Hauses des HERRN, um es zu
reinigen, und taten alles Unreine, das im
Tempel des HERRN gefunden wurde, auf
den Vorhof am Hause des HERRN, und die
Leviten nahmen es auf und trugen es hin-
aus an den Bach Kidron. 17 Mit der Weihe
aber fingen sie am ersten Tage des ersten
Monats an, und am achten Tage des Mo-
nats gingen sie in die Vorhalle des HERRN
und weihten das Haus des HERRN acht
Tage lang, und am sechzehnten Tage des
ersten Monats vollendeten sie das Werk.
18 Und sie gingen hin zum König Hiskia
und sprachen: Wir haben gereinigt das
ganze Haus des HERRN, den Brandopfer-
altar und alle seine Geräte, den Tisch der
Schaubrote und alle seine Geräte; 19 und
alle Geräte, die der König Ahas, als er Kö-
nig war, hatte wegwerfen lassen, als er un-
treu wurde, die haben wir wieder aufge-
stellt und geweiht; siehe, sie sind vor dem
Altar des HERRN.

20 Da machte sich der König Hiskia früh
auf und versammelte die Oberen der Stadt
und ging hinauf zum Hause des HERRN.
21 Und sie brachten herzu sieben junge
Stiere, sieben Widder, sieben Lämmer
und sieben Ziegenböcke zum Sündopfer
für das Königreich, für das Heiligtum und
für Juda, und er sprach zu den Priestern,
den Söhnen Aaron, dass sie auf dem Altar
des HERRN opfern sollten. 22 Da schlach-
teten sie die Rinder, und die Priester nah-
men das Blut und sprengten es an den Al-
tar, und sie schlachteten die Widder und

28,27 *a* Kap 21,20 **29,3** *a* Kap 28,24 **29,9** *a* Kap 28,5-8

sprengten das Blut an den Altar, und sie
schlachteten die Lämmer und sprengten
das Blut an den Altar. 23 [a]Und sie brachten
die Böcke zum Sündopfer vor den König
und die Gemeinde und legten ihre Hände
auf sie; 24 und die Priester schlachteten sie
und taten ihr Blut zur Entsündigung an
den Altar, um Sühne zu schaffen für ganz
Israel; denn der König hatte befohlen,
Brandopfer und Sündopfer darzubringen
für ganz Israel.

25 Und er stellte die [a]Leviten auf im
Hause des HERRN mit Zimbeln, Psaltern
und Harfen, wie es David befohlen hatte
und Gad, der Seher des Königs, und der
Prophet Nathan; denn es war des HERRN
Gebot durch seine Propheten. 26 Und
so standen die Leviten mit den Saiten-
spielen Davids und die Priester mit den
Trompeten.

27 Und Hiskia gebot, das Brandopfer
auf dem Altar darzubringen. Und um die
Zeit, da das Brandopfer anfing, begann
auch [a]der Gesang für den HERRN und die
Trompeten und dazu die mancherlei Sai-
tenspiele Davids, des Königs von Israel.
28 Und die ganze Gemeinde betete an und
der Gesang erscholl und die Trompeten
ertönten; und das alles währte so lange,
bis das Brandopfer vollendet war. 29 Als
nun das Brandopfer verrichtet war, beug-
ten der König und alle, die sich bei ihm
befanden, die Knie und beteten an. 30 Und
der König Hiskia samt den Oberen gebot
den Leviten, den HERRN zu loben mit den
[a]Liedern Davids und des Sehers Asaf. Und
sie lobten mit Freuden und neigten sich
und beteten an.

31 Und Hiskia hob an und sprach: Nun
habt ihr für den HERRN eure Hände
gefüllt. Tretet herzu und bringt die
Schlachtopfer und Lobopfer zum Hause
des HERRN! Und die Gemeinde brachte
herzu Schlachtopfer und Lobopfer, dazu
jeder, der willigen Herzens war, Brand-
opfer. 32 Und die Zahl der Brandopfer,
die die Gemeinde brachte, war siebzig
Rinder, hundert Widder und zweihun-
dert Lämmer, dies alles zum Brandopfer
für den HERRN. 33 Es waren aber der ge-
weihten Tiere sechshundert Rinder und
dreitausend Schafe. 34 Aber die Priester
waren zu wenig, um allen Brandopfern
die Haut abziehen zu können. Darum
[a]halfen ihnen ihre Brüder, die Leviten, bis
die Arbeit verrichtet war und bis sich die
Priester geheiligt hatten; denn die Levi-
ten waren williger gewesen als die Pries-
ter, sich zu heiligen. 35 Auch waren es viele
Brandopfer mit dem [a]Fett der Dankopfer
und mit den [b]Trankopfern zu den Brand-
opfern.

So wurde der Dienst am Hause des
HERRN geordnet. 36 Und Hiskia freute
sich samt allem Volk über das, was Gott
dem Volke bereitet hatte; denn es war un-
versehens gekommen.

HISKIAS ERNEUERUNG DES PASSAFESTES

30 Und Hiskia sandte hin zu ganz Israel
und Juda und schrieb Briefe an Eph-
raim und Manasse, dass sie zum Hause des
HERRN nach Jerusalem kommen sollten,
[a]Passa zu halten dem HERRN, dem Gott
Israels. 2 Und der König beriet sich mit sei-
nen Oberen und der ganzen Gemeinde in
Jerusalem, das Passa [a]erst im zweiten Mo-
nat zu halten; 3 denn sie konnten's nicht
zur rechten Zeit halten, weil sich nicht
genug Priester geheiligt hatten und das
Volk noch nicht nach Jerusalem zusam-
mengekommen war. 4 Das gefiel dem Kö-
nig und der ganzen Gemeinde gut, 5 und
so beschlossen sie, durch ganz Israel von
Beerscheba an bis nach Dan auszurufen,
dass man kommen sollte, dem HERRN,
dem Gott Israels, Passa zu halten in Jeru-
salem; denn es war nicht von der ganzen
Menge gehalten worden, wie es geschrie-
ben steht.

6 Und die Läufer gingen hin mit den Brie-
fen von der Hand des Königs und seiner
Oberen durch ganz Israel und Juda nach
dem Befehl des Königs und sprachen: Ihr
Israeliten, kehrt um zu dem HERRN, dem
Gott Abrahams, Isaaks und Israels, so wird
er sich zu den Erretteten kehren, die die
Könige von Assur von euch übrig gelassen
haben; 7 und seid nicht wie eure Väter und
Brüder, die dem HERRN, dem Gott ihrer
Väter, untreu wurden, sodass er sie in die

29,23 *a* (23-24) 3. Mose 16,15-22 **29,25** *a* 1. Chr 25,1
29,27 *a* 1. Chr 23,5 **29,30** *a* Kap 23,18
29,34 *a* Kap 30,3.16-17 **29,35** *a* 3. Mose 3,16
b 4. Mose 15,4-10 **30,1** *a* Kap 35,1 **30,2** *a* Vers 15

Verwüstung dahingab, wie ihr selber seht.
8 So seid nun nicht halsstarrig wie eure Vä-
ter, sondern gebt eure Hand dem HERRN
und kommt zu seinem Heiligtum, das er
geheiligt hat für alle Zeit, und dient dem
HERRN, eurem Gott, so wird sich sein
grimmiger Zorn von euch wenden; 9 denn
wenn ihr euch bekehrt zu dem HERRN, so
werden eure Brüder und Kinder Barmher-
zigkeit finden bei denen, die sie gefangen
halten, sodass sie in dies Land zurückkeh-
ren. Denn der HERR, euer Gott, ist gnädig
und barmherzig und wird sein Angesicht
nicht von euch wenden, wenn ihr euch zu
ihm bekehrt.

10 Und die Läufer gingen von einer Stadt
zur andern im Lande Ephraim und Ma-
nasse und bis nach Sebulon. Aber die
verlachten und verspotteten sie. 11 Doch
einige von Asser und Manasse und Se-
bulon demütigten sich und [a]kamen nach
Jerusalem. 12 Auch war Gottes Hand über
Juda, dass er ihnen einerlei Sinn gab zu
tun, wie der König und die Oberen gebo-
ten hatten nach dem Wort des HERRN.

13 Und es kam viel Volk in Jerusalem zu-
sammen, um im zweiten Monat das Fest
der Ungesäuerten Brote zu halten, eine
sehr große Gemeinde. 14 Und sie machten
sich auf und entfernten die Altäre, die in
Jerusalem waren; und alles, was man zum
Räuchern braucht, taten sie weg und war-
fen es hin an den Bach Kidron. 15 Und sie
schlachteten das Passa [a]am vierzehnten
Tage des zweiten Monats. Und die Priester
und Leviten waren beschämt und heilig-
ten sich und brachten die Brandopfer zum
Hause des HERRN 16 und stellten sich an
ihren Platz, wie sich's gebührt nach dem
Gesetz des Mose, des Mannes Gottes. Und
die Priester nahmen das Blut aus der Hand
der Leviten und sprengten es; 17 denn es
waren viele in der Gemeinde, die sich
nicht geheiligt hatten; darum schlachte-
ten die Leviten das Passa für alle, die nicht
rein waren, dass sie dem HERRN geheiligt
würden. 18 Denn eine Menge Volk, vor al-
lem von Ephraim, Manasse, Issachar und
Sebulon, hatte sich nicht gereinigt und [a]aß
das Passa nicht so, wie geschrieben steht.
Doch Hiskia betete für sie und sprach: Der
HERR, der gütig ist, wolle gnädig sein 19 al-
len, die ihr Herz darauf richten, Gott zu
suchen, den HERRN, den Gott ihrer Vä-
ter, auch wenn sie nicht die Reinheit ha-
ben, die dem Heiligtum gebührt. 20 Und
der HERR erhörte Hiskia und [a]vergab dem
Volk.

21 So hielten die Israeliten, die in Jeru-
salem versammelt waren, das Fest der
Ungesäuerten Brote sieben Tage lang
mit großer Freude. Und die Leviten und
Priester lobten den HERRN alle Tage mit
den mächtigen Saitenspielen des HERRN.
22 Und Hiskia redete herzlich zu allen
Leviten, die sich gut auf den Dienst des
HERRN verstanden hatten. Und sie aßen
das Fest über, sieben Tage lang, und opfer-
ten Dankopfer und dankten dem HERRN,
dem Gott ihrer Väter.

23 Und die ganze Gemeinde beschloss,
noch weitere sieben Tage zu halten, und
sie hielten auch diese sieben Tage mit
Freuden. 24 Denn Hiskia, der König von
Juda, spendete für die Gemeinde tausend
junge Stiere und siebentausend Schafe.
Die Oberen aber spendeten für die Ge-
meinde tausend junge Stiere und zehn-
tausend Schafe. Auch von den Priestern
hatten sich viele geheiligt. 25 Und es freute
sich die ganze Gemeinde Judas, die Pries-
ter und die Leviten und die ganze Ge-
meinde, die aus Israel gekommen war,
und die Fremdlinge, die aus dem Lande
Israel gekommen waren, und die, die in
Juda wohnten. 26 Und es war eine große
Freude in Jerusalem; denn seit der Zeit
Salomos, des Sohnes Davids, des Königs
von Israel, war solches in Jerusalem nicht
geschehen. 27 Und die Priester und die Le-
viten standen auf und segneten das Volk,
und ihre Stimme wurde erhört, und ihr
Gebet kam in Gottes heilige Wohnung
im Himmel.

31 Und [a]da dies alles vollendet war, zog
ganz Israel, alle, die sich eingefunden
hatten, in die Städte Judas, und sie [b]zer-
brachen die Steinmale und hieben die
Ascheren um und brachen ab die Opfer-
höhen und Altäre in ganz Juda, Benjamin,
Ephraim und Manasse, bis alles vernichtet
war. Und die Israeliten zogen alle wieder
heim zu ihrem Besitz in ihre Städte.

30,11 ***a*** Kap 11,16 **30,15** ***a*** 4. Mose 9,10-13
30,18 ***a*** 2. Mose 12,1-20 **30,20** ***a*** Kap 7,14
31,1 ***a*** Kap 29,1-36 ***b*** 5. Mose 7,5; 2. Kön 18,4

HISKIA ORDNET DIE VERSORGUNG DER PRIESTER UND LEVITEN

2 Hiskia aber stellte die Priester und Leviten nach ihren Abteilungen auf, einen jeden nach seinem Amt, Priester und Leviten, für die Brandopfer und Dankopfer, dass sie dienten, dankten und lobten in den Toren des Lagers des HERRN. 3 Und der König gab von seiner Habe seinen Anteil für die Brandopfer am Morgen und am Abend und für die Brandopfer an den Sabbaten und an den Neumonden und Festen, [a]wie es geschrieben steht im Gesetz des HERRN. 4 Und er sagte dem Volk, das in Jerusalem wohnte, dass auch sie ihr Teil den Priestern und Leviten geben sollten, damit diese am Gesetz des HERRN festhalten könnten.

5 Und da das Wort sich ausbreitete, gaben die Israeliten reichlich die [a]Erstlinge von Getreide, Wein, Öl, Honig und allem Ertrag des Feldes; und auch [b]den Zehnten von allem brachten sie in Menge. 6 Und die Israeliten und Judäer, die in den Städten Judas wohnten, brachten auch den Zehnten von Rindern und Schafen und [a]den Zehnten von den heiligen Gaben, die sie dem HERRN, ihrem Gott, geweiht hatten, und legten es in Haufen zusammen. 7 Im dritten Monat fingen sie an es aufzuhäufen, und im siebenten Monat waren sie fertig.

8 Und als Hiskia mit den Oberen hinging und sie die Haufen sahen, lobten sie den HERRN und sein Volk Israel. 9 Und Hiskia befragte die Priester und Leviten wegen der Haufen. 10 Und der Priester Asarja, der Erste im Hause Zadok, sprach zu ihm: Seit der Zeit, da man angefangen hat, die Abgaben ins Haus des HERRN zu bringen, haben wir gegessen und sind satt geworden, und es ist noch viel übrig geblieben; denn der HERR hat sein Volk gesegnet, darum ist diese Menge übrig geblieben.

11 Da befahl der König, dass man Kammern herrichten sollte am Hause des HERRN. Und sie richteten sie her 12 und taten die Abgaben, die Zehnten und die heiligen Gaben getreu hinein. Und Vorsteher darüber wurde der Levit Konanja und als zweiter sein Bruder Schimi. 13 Und Jehiël, Asasja, Nahat, Asaël, Jerimot, Josabad, Eliël, Jismachja, Mahat und Benaja wurden Aufseher unter Konanja und seinem Bruder Schimi nach dem Befehl des Königs Hiskia und Asarjas, des Vorstehers im Hause Gottes.

14 Und der Levit Kore, der Sohn Jimnas, der Torhüter am Osttor, wurde über die freiwilligen Gaben für Gott gesetzt, dass er die Abgaben für den HERRN und das Hochheilige verteile. 15 Und ihm treu zur Seite standen Eden, Minjamin, Jeschua, Schemaja, Amarja und Schechanja in den Städten der Priester, um ihren Brüdern nach ihren Abteilungen auszuteilen, dem Kleinen wie dem Großen, 16 allen denen, die aufgezeichnet waren als männlich, drei Jahre alt und darüber, allen, die in das Haus des HERRN gingen, je an ihrem Tage zu ihrem Amt in ihrem Dienst nach ihren Abteilungen. – 17 Die Priester waren aufgezeichnet nach ihren Sippen und die Leviten von zwanzig Jahren an und darüber nach ihrem Dienst in ihren Abteilungen. – 18 Und man zeichnete sie auf mit allen Alten, Frauen, Söhnen und Töchtern für die ganze Gemeinde; denn in ihrer Treue heiligten sie sich.

19 Auch waren Männer namentlich bestellt für die Söhne Aaron, die Priester, in dem Gebiet ihrer Städte, für jede Stadt, dass sie Anteile ausgäben allem, was männlich war unter den Priestern, und allen, die als Leviten aufgezeichnet waren. 20 So tat Hiskia in ganz Juda; er tat, was gut, recht und wahrhaftig war vor dem HERRN, seinem Gott. 21 Und alles, was er anfing für den Dienst des Hauses Gottes nach dem Gesetz und Gebot, seinen Gott zu suchen, tat er von ganzem Herzen, und [a]es gelang ihm.

JERUSALEM WIRD VON SANHERIB BELAGERT UND WUNDERBAR ERRETTET

(vgl. 2. Kön 18,13–19,37; Jes 36,1–37,38)

32 Nach diesem [a]Erweis der Treue kam Sanherib, der König von Assur, und zog heran gegen Juda und lagerte sich vor die festen Städte und gedachte, sie an sich zu reißen. 2 Und als Hiskia sah, dass Sanherib heranzog zum Kampf gegen Jerusalem, 3 beriet er sich mit seinen Obersten

31,3 *a* 4. Mose 28,1–29,39 **31,5** *a* 2. Mose 23,19 *b* 5. Mose 14,22-23 **31,6** *a* 3. Mose 27,32 **31,21** *a* Ps 1,3 **32,1** *a* Kap 31,20-21

und Kriegshelden, ob man die Wasser-
quellen verstopfen sollte, die draußen vor
der Stadt waren; und sie halfen ihm. 4 Und
es versammelte sich viel Volk, und [a]sie
verstopften alle Quellen und den Bach,
der mitten durch das Land fließt, und
sprachen: Dass die Könige von Assur nur
kein Wasser finden, wenn sie kommen!

5 Und Hiskia ward getrost und besserte
alle Mauern aus, [a]wo sie Lücken hatten,
und führte Türme auf und baute drau-
ßen noch eine andere Mauer und befes-
tigte den Millo an der Stadt Davids und
machte viele Waffen und Schilde 6 und
setzte Hauptleute über das Kriegsvolk
und sammelte sie zu sich auf dem Platz am
Tor der Stadt und redete ihnen zu Herzen
und sprach: 7 Seid getrost und unverzagt,
fürchtet euch nicht und verzagt nicht vor
dem König von Assur noch vor dem gan-
zen Heer, das bei ihm ist; denn [a]mit uns
ist ein Größerer als mit ihm. 8 Mit ihm ist
ein [a]fleischlicher Arm, mit uns aber ist der
HERR, unser Gott, dass er uns helfe und
führe unsern Streit. Und das Volk verließ
sich auf die Worte Hiskias, des Königs von
Juda.

9 Danach sandte Sanherib, der König
von Assur, seine Großen nach Jerusalem –
denn er lag vor Lachisch und seine ganze
Heeresmacht mit ihm – zu Hiskia, dem
König von Juda, und zu ganz Juda, das in
Jerusalem war, und ließ ihm sagen: 10 So
spricht Sanherib, der König von Assur:
Worauf wollt ihr euch verlassen, die ihr in
dem belagerten Jerusalem wohnt? 11 His-
kia verführt euch und gibt euch in den Tod
durch Hunger und Durst, wenn er spricht:
Der HERR, unser Gott, wird uns erretten
aus der Hand des Königs von Assur.

12 Ist das nicht der Hiskia, der seine Op-
ferhöhen und Altäre entfernt und zu Juda
und Jerusalem gesagt hat: Vor *einem* Al-
tar sollt ihr anbeten und darauf opfern?
13 Wisst ihr nicht, was ich und meine Vä-
ter getan haben allen Völkern in den Län-
dern? Haben die Götter der Völker in den
Ländern ihr Land erretten können aus
meiner Hand? 14 Wo ist einer unter allen
Göttern dieser Völker, die meine Väter
mit dem Bann geschlagen haben, der sein
Volk hätte erretten können aus meiner
Hand, dass euer Gott euch aus meiner
Hand sollte erretten können? 15 So lasst
euch nun von Hiskia nicht betrügen und
lasst euch dadurch nicht verführen und
glaubt ihm nicht; denn wenn kein Gott
eines Volkes und Königreichs sein Volk
aus meiner und meiner Väter Hand hat
erretten können, so wird euch auch euer
Gott nicht erretten aus meiner Hand.
16 Dazu redeten seine Großen noch mehr
gegen Gott, den HERRN, und gegen sei-
nen Knecht Hiskia.

17 Auch schrieb er einen Brief, um dem
HERRN, dem Gott Israels, Hohn zu spre-
chen, und redete gegen ihn: Wie die Göt-
ter der Völker in den Ländern ihr Volk
nicht aus meiner Hand errettet haben, so
wird auch der Gott Hiskias sein Volk nicht
erretten aus meiner Hand.

18 Und sie riefen mit lauter Stimme auf
Judäisch zum Volk von Jerusalem, das
auf der Mauer war, um sie furchtsam zu
machen und zu erschrecken, damit sie
die Stadt erobern könnten, 19 und rede-
ten gegen den Gott Jerusalems wie gegen
die Götter der Völker auf Erden, die doch
Werke von Menschenhänden waren.

20 Aber der König Hiskia und der Prophet
Jesaja, der Sohn des Amoz, beteten des-
wegen und schrien gen Himmel. 21 Und
der HERR sandte einen Engel; der ver-
tilgte alle Kriegsleute und Obersten und
Hauptleute im Lager des Königs von As-
sur, dass er mit Schanden wieder in sein
Land zog. Und als er in seines Gottes Haus
ging, fällten ihn dort seine Söhne, sein
eigen Fleisch und Blut, durch das Schwert.
22 So half der HERR dem Hiskia und de-
nen zu Jerusalem aus der Hand Sanheribs,
des Königs von Assur, und aus der Hand
aller andern und gab ihnen Ruhe ringsum-
her, 23 dass viele dem HERRN Geschenke
brachten nach Jerusalem und Kleinode für
Hiskia, den König von Juda. Und er wurde
danach hoch geachtet in den Augen aller
Völker.

DAS ENDE DER REGIERUNG HISKIAS

(vgl. 2. Kön 20,1-21; Jes 38,1–39,8)

24 Zu dieser Zeit wurde Hiskia todkrank;
und er betete zum HERRN. Der redete

32,4 *a* Vers 30 **32,5** *a* Kap 25,23 **32,7** *a* 5. Mose 32,39; 2. Kön 6,16 **32,8** *a* Jer 17,5.7

mit ihm und gab ihm ein Wunderzeichen.
25 Aber Hiskia vergalt nicht nach dem, was
ihm geschehen war; denn [a]sein Herz über-
hob sich. Darum kam der Zorn über ihn
und über Juda und Jerusalem. 26 Da demü-
tigte sich Hiskia darüber, dass sein Herz
sich überhoben hatte, samt denen in Jeru-
salem. Darum kam der Zorn des HERRN
nicht über sie, solange Hiskia lebte.

27 Und Hiskia hatte sehr großen Reich-
tum und Ehre und sammelte sich Schätze
von Silber, Gold, Edelsteinen, Spezerei,
Schilden und allerlei kostbarem Gerät
28 und baute Vorratshäuser für den Ertrag
an Getreide, Wein und Öl und Ställe für
allerlei Vieh und Hürden für die Schafe.
29 Und er baute sich Städte und hatte Vieh
die Menge an Schafen und Rindern; denn
Gott gab ihm sehr großes Gut. 30 Hiskia
war es, [a]der die obere Wasserquelle des
Gihon verstopfte und sie hinunterleitete
westwärts zur Stadt Davids; denn es ge-
langen Hiskia alle seine Werke. 31 Als aber
die Botschafter der Fürsten von Babel zu
ihm gesandt waren, um nach dem Wun-
der zu fragen, das im Lande geschehen
war, verließ ihn Gott, um ihn zu versu-
chen, auf dass kundwürde alles, was in
seinem Herzen war.

32 Was aber mehr von Hiskia zu sagen ist
und seine barmherzigen Taten, siehe, das
steht geschrieben in den Geschichten des
Propheten Jesaja, des Sohnes des Amoz,
im Buch der Könige von Juda und Israel.
33 Und Hiskia legte sich zu seinen Vätern,
und sie begruben ihn, wo man hinaufgeht
zu den Gräbern der Söhne Davids. Und
ganz Juda und die Einwohner von Jeru-
salem [a]gaben ihm Ehre bei seinem Tod.
Und sein Sohn Manasse wurde König an
seiner statt.

MANASSE

(vgl. 2. Kön 21,1-18)

33 Manasse war zwölf Jahre alt, als er
König wurde; und er regierte fünf-
undfünfzig Jahre zu Jerusalem 2 und tat,
was dem HERRN missfiel, [a]nach den gräu-
lichen Sitten der Heiden, die der HERR vor
den Israeliten vertrieben hatte. 3 Er baute
die Opferhöhen wieder auf, [a]die sein Va-
ter Hiskia zerstört hatte, und errichtete
den Baalen Altäre und machte Ascheren
und betete das ganze Heer des Himmels
an und diente ihnen. 4 Er baute auch Al-
täre im Hause des HERRN, von dem doch
der HERR gesagt hatte: [a]Zu Jerusalem soll
mein Name sein ewiglich, 5 und baute Al-
täre dem ganzen Heer des Himmels in
beiden Vorhöfen am Hause des HERRN.
6 Und er [a]ließ seine Söhne durchs Feuer
gehen im Tal Ben-Hinnom und [b]trieb Zei-
chendeuterei und Wahrsagerei und Zau-
berei und beschwor Tote und weissagte.
So tat er viel, was dem HERRN missfiel,
um ihn zu erzürnen. 7 Er stellte auch das
Bild des Götzen, das er machen ließ, ins
Haus Gottes, von dem Gott zu David ge-
sagt hatte und zu seinem Sohn Salomo:
In diesem Hause zu Jerusalem, das ich er-
wählt habe vor allen Stämmen Israels, will
ich meinen Namen wohnen lassen ewig-
lich 8 und will nicht mehr den Fuß Israels
weichen lassen von dem Lande, das ich ih-
ren Vätern bestimmt habe, sofern sie alles
halten, was ich ihnen durch Mose geboten
habe, nach dem ganzen Gesetz, den Gebo-
ten und Rechten.

9 Aber Manasse verführte Juda und die
Einwohner von Jerusalem, dass sie es är-
ger trieben als die Völker, die der HERR
vor den Israeliten vertilgt hatte. 10 Und
wenn der HERR zu Manasse und seinem
Volk reden ließ, merkten sie nicht darauf.
11 Darum ließ der HERR über sie kommen
die Obersten des Heeres des Königs von
Assur; die nahmen Manasse gefangen
mit Fesseln und legten ihn in Ketten und
brachten ihn nach Babel. 12 Und als er in
Angst war, flehte er zu dem HERRN, sei-
nem Gott, und demütigte sich vor dem
Gott seiner Väter. 13 Und als er bat, ließ
sich der HERR erbitten und erhörte sein
Flehen und brachte ihn wieder als König
nach Jerusalem zurück. Da erkannte Ma-
nasse, dass [a]der HERR Gott ist.

14 Danach baute er die äußere Mauer an
der Stadt Davids westwärts vom Gihon im
Tal und wo man zum Fischtor hineingeht
und [a]führte sie um den Ofel und machte
sie sehr hoch. Und er legte Hauptleute in
alle festen Städte Judas. 15 Er entfernte die

32,25 *a* Kap 26,16 **32,30** *a* Verse 3-4 **32,33** *a* Kap 16,14
33,2 *a* 5. Mose 18,9 **33,3** *a* 2. Kön 18,4
33,4 *a* 5. Mose 12,5.11; 1. Kön 9,3 **33,6** *a* Kap 28,3
b 3. Mose 20,6 **33,13** *a* 1. Kön 18,39 **33,14** *a* Kap 27,3

fremden Götter und den Götzen aus dem Hause des HERRN und alle Altäre, die er gebaut hatte auf dem Berge des Hauses des HERRN und in Jerusalem, und warf sie hinaus vor die Stadt. 16 Und er stellte den Altar des HERRN wieder her und opferte darauf Dankopfer und Lobopfer und befahl Juda, dass sie dem HERRN, dem Gott Israels, dienen sollten. 17 Aber das Volk opferte noch auf den Höhen, jedoch dem HERRN, ihrem Gott.

18 Was aber mehr von Manasse zu sagen ist und sein Gebet zu seinem Gott und die Reden der Seher, die zu ihm redeten im Namen des HERRN, des Gottes Israels, siehe, das steht in den Geschichten der Könige von Israel. 19 Und sein Gebet und wie der HERR ihn erhörte und alle seine Sünde und Missetat und die Stätten, wo er die Opferhöhen baute und die Ascheren und Götzenbilder aufstellte, ehe er sich demütigte, siehe, das steht geschrieben in den Geschichten der Seher. 20 Und Manasse legte sich zu seinen Vätern, und sie begruben ihn in seinem Hause. Und sein Sohn Amon wurde König an seiner statt.

AMON

(vgl. 2. Kön 21,19-26)

21 Zweiundzwanzig Jahre alt war Amon, als er König wurde; und er regierte zwei Jahre zu Jerusalem 22 und tat, was dem HERRN missfiel, wie sein Vater Manasse getan hatte. Und Amon opferte allen Götzen, die sein Vater Manasse gemacht hatte, und diente ihnen. 23 Aber er demütigte sich nicht vor dem HERRN, wie sich sein Vater Manasse gedemütigt hatte, sondern häufte noch mehr Schuld auf. 24 Und seine Großen machten eine Verschwörung gegen ihn und töteten ihn in seinem Hause. 25 Da erschlug das Volk des Landes alle, die die Verschwörung gegen den König Amon gemacht hatten. Und das Volk des Landes machte seinen Sohn Josia zum König an seiner statt.

JOSIA ROTTET DEN GÖTZENDIENST AUS

(vgl. 2. Kön 22,1-2; 23,4-14)

34 Acht Jahre alt war Josia, als er König wurde; und er regierte einunddreißig Jahre zu Jerusalem 2 und [a]tat, was dem HERRN wohlgefiel, und wandelte in den Wegen seines Vaters David und wich weder zur Rechten noch zur Linken.

3 [a]Im achten Jahr seiner Herrschaft fing er an, obwohl er noch jung war, den Gott seines Vaters David zu suchen, und im zwölften Jahr fing er an, Juda und Jerusalem zu reinigen von den Opferhöhen und den Ascheren, von den Götzen und gegossenen Bildern. 4 Und er ließ vor seinen Augen abbrechen die Altäre der Baale, und die Räucheraltäre oben darauf zerschlug er, und die Ascheren und die geschnitzten und gegossenen Götzenbilder zerbrach er und machte sie zu Staub und streute ihn auf die Gräber derer, die ihnen geopfert hatten, 5 und [a]verbrannte die Gebeine der Priester auf ihren Altären und reinigte so Juda und Jerusalem. 6 Auch in den Städten Manasses, Ephraims, Simeons und bis nach Naftali in ihren Trümmern ringsumher[a] 7 brach er die Altäre und die Ascheren ab, und die Götzenbilder zertrümmerte und zermalmte er. Und alle Räucheraltäre zerschlug er im ganzen Lande Israel; dann kehrte er zurück nach Jerusalem.

DAS BUCH DES GESETZES WIRD GEFUNDEN

(vgl. 2. Kön 22,3-20; 23,1-3)

8 Im achtzehnten Jahr seiner Herrschaft, da er das Land und den Tempel gereinigt hatte, sandte er Schafan, den Sohn Azaljas, und den Stadthauptmann Maaseja und den Kanzler Joach, den Sohn des Joahas, das Haus des HERRN, seines Gottes, auszubessern. 9 Und sie kamen zu dem Hohenpriester Hilkija, und man gab ihnen das Geld, das zum Hause Gottes gebracht war und das die Leviten, die an der Schwelle Wache hielten, von Manasse, Ephraim und von allen in Israel Übriggebliebenen gesammelt hatten und von ganz Juda und Benjamin und von denen, die in Jerusalem wohnten. 10 Und sie gaben's in die Hände der Werkmeister, die bestellt waren am Hause des HERRN; und diese gaben's denen, die arbeiteten am Hause des HERRN, dass sie das Haus ausbesserten und instand setzten. 11 Sie gaben's den

34,2 *a* Kap 29,2 **34,3** *a* (3-4) Kap 14,2; 3. Mose 26,30
34,5 *a* 1. Kön 13,2 **34,6** *a* Kap 31,1

Zimmerleuten und Bauleuten, um gehau-
ene Steine zu kaufen und Holz zu Klam-
mern und Balken für die Gebäude, die die
Könige von Juda hatten verfallen lassen.
12 Und die Männer arbeiteten am Werk auf
Treu und Glauben.

Und es waren über sie gesetzt als Auf-
seher Jahat und Obadja, die Leviten von
den Söhnen Merari, Secharja und Me-
schullam von den Söhnen der Kehatiter.
Und die Leviten – alle waren kundig des
Saitenspiels – 13 waren über die Lastträ-
ger gesetzt und waren auch Aufseher über
die Arbeiter bei jedem Werk; einige der
Leviten waren Schreiber, Amtleute und
Torhüter.

14 Und als sie das Geld herausnahmen,
das zum Hause des HERRN gebracht wor-
den war, fand der Priester Hilkija das Buch
des Gesetzes des HERRN, das durch Mose
gegeben war. 15 Und Hilkija hob an und
sprach zu dem Schreiber Schafan: Ich habe
das Buch des Gesetzes gefunden im Hause
des HERRN. Und Hilkija gab das Buch
Schafan. 16 Schafan aber brachte es zum
König und gab ihm Bericht und sprach:
Alles, was deinen Knechten befohlen
ist, tun sie. 17 Sie haben das Geld ausge-
schüttet, das sich im Hause des HERRN
fand, und haben's denen gegeben, die be-
stellt sind, und den Arbeitern. 18 Und der
Schreiber Schafan sagte dem König: Der
Priester Hilkija hat mir ein Buch gegeben.
Und Schafan las vor dem König daraus
vor.

19 Und als der König die Worte des Ge-
setzes hörte, zerriss er seine Kleider.
20 Und der König gebot Hilkija und Ahi-
kam, dem Sohn Schafans, und Abdon,
dem Sohn Michas*, und Schafan, dem
Schreiber, und Asaja, dem Kämmerer des
Königs, und sprach: 21 Geht hin, befragt
den HERRN für mich und für die Übrig-
gebliebenen von Israel und Juda über die
Worte des Buches, das gefunden ist; denn
groß ist der Grimm des HERRN, der sich
über uns ergossen hat, weil unsere Väter
nicht gehalten haben das Wort des HERRN
und nicht alles taten, was geschrieben
steht in diesem Buch.

22 Da ging Hilkija samt den andern, die
der König gesandt hatte, hin zu der Pro-
phetin Hulda, der Frau Schallums, des
Sohnes Tokhats, des Sohnes Hasras, des
Kleiderhüters, die in Jerusalem wohnte in
der Neustadt, und sagten ihr dies. 23 Und
sie sprach zu ihnen: So spricht der HERR,
der Gott Israels:

Sagt dem Mann, der euch zu mir ge-
sandt hat: 24 So spricht der HERR: Siehe,
ich will Unheil bringen über diesen Ort
und seine Einwohner, [a]alle die Flüche, die
geschrieben stehen in dem Buch, aus dem
man vor dem König von Juda gelesen hat,
25 weil sie mich verlassen und andern Göt-
tern geopfert haben, um mich zu erzürnen
mit allen Werken ihrer Hände. Und mein
Grimm wird sich über diesen Ort ergie-
ßen und nicht ausgelöscht werden.

26 Und zum König von Juda, der euch ge-
sandt hat, den HERRN zu befragen, sollt
ihr so sagen: So spricht der HERR, der Gott
Israels: Was die Worte angeht, die du ge-
hört hast: 27 Weil dein Herz weich gewor-
den ist und du dich gedemütigt hast vor
Gott, als du seine Worte hörtest gegen
diesen Ort und gegen seine Einwohner,
und dich vor mir gedemütigt hast und
deine Kleider zerrissen und vor mir ge-
weint, so habe ich dich auch erhört, spricht
der HERR.[a] 28 Siehe, ich will dich versam-
meln zu deinen Vätern, dass du mit Frie-
den in dein Grab kommst und deine Au-
gen nicht sehen all das Unheil, das ich über
diesen Ort und seine Einwohner bringen
will. – Und sie sagten's dem König wieder.

29 Da sandte der König hin und ließ zu-
sammenkommen alle Ältesten Judas und
Jerusalems. 30 Und der König ging hinauf
ins Haus des HERRN und alle Männer Ju-
das und die Einwohner von Jerusalem, die
Priester, die Leviten und alles Volk, Klein
und Groß, und es wurden vor ihren Ohren
gelesen alle Worte aus dem Buch des Bun-
des, das im Hause des HERRN gefunden
war. 31 Und der König trat an seinen Platz
und [a]schloss einen Bund vor dem HERRN,
dass man dem HERRN nachwandeln und
seine Gebote, Ordnungen und Rechte von
ganzem Herzen und von ganzer Seele hal-
ten wolle, zu tun nach allen Worten des
Bundes, die geschrieben stehen in diesem

* **34,20** Der Name lautet in 2. Kön 22,12 »Achbor, der Sohn Michajas«.

34,24 ***a*** 3. Mose 26,14-39; 5. Mose 28,15-68
34,27 ***a*** Kap 33,12-13 **34,31** ***a*** Kap 15,12; Jos 24,25

Buch. 32 Und er ließ hintreten alle, die in
Jerusalem und in Benjamin waren. Und
die Einwohner von Jerusalem taten nach
dem Bund Gottes, des Gottes ihrer Väter.
33 Und Josia entfernte alle gräulichen Göt-
zen aus allen Gebieten Israels und brachte
es dahin, dass alle in Israel dem HERRN,
ihrem Gott, dienten. Solange Josia lebte,
wichen sie nicht von dem HERRN, dem
Gott ihrer Väter.

JOSIA HÄLT PASSA NACH DEM GESETZ GOTTES

(vgl. 2. Kön 23,21-23)

35 Und Josia hielt dem HERRN Passa in
Jerusalem, und sie schlachteten das
Passa [a]am vierzehnten Tage des ersten
Monats. 2 Und er bestellte die Priester zu
ihrem Dienst und stärkte sie für ihr Amt
im Hause des HERRN 3 und sprach zu den
Leviten, die ganz Israel lehrten und dem
HERRN geheiligt waren: [a]Bringt die hei-
lige Lade ins Haus, das Salomo, der Sohn
Davids, des Königs von Israel, gebaut hat.
[b]Ihr müsst sie nicht mehr auf den Schul-
tern tragen. So dient nun dem HERRN,
eurem Gott, und seinem Volk Israel 4 und
haltet euch bereit nach euren Sippen in
euren Abteilungen, wie sie aufgeschrie-
ben sind von David, dem König von Israel,
und seinem Sohn Salomo,[a] 5 und stellt
euch im Heiligtum auf, entsprechend den
Abteilungen der Sippen eurer Brüder aus
dem Volk je eine Abteilung einer Sippe
der Leviten, 6 und schlachtet das Passa
und heiligt euch und bereitet es für eure
Brüder, dass sie tun nach dem Wort des
HERRN durch Mose.

7 Und Josia gab als Opfergabe für das
Volk Lämmer und junge Ziegen – alles
zu dem Passa für alle, die sich eingefun-
den hatten – an Zahl dreißigtausend, und
dreitausend Rinder, alles von dem Gut
des Königs. 8 Seine Oberen aber gaben als
Opfergabe freiwillig für das Volk und für
die Priester und Leviten. Hilkija, Secharja
und Jehiël, die Vorsteher im Hause Gottes,
gaben den Priestern zum Passa zweitau-
sendsechshundert Lämmer und Ziegen,
dazu dreihundert Rinder. 9 Konanja aber
und seine Brüder, Schemaja und Netanel,
sowie Haschabja, Jëiël und Josabad, die
Vorsteher der Leviten, gaben als Opfer-
gabe den Leviten zum Passa fünftausend
Lämmer und Ziegen und dazu fünfhun-
dert Rinder.

10 So wurde der Gottesdienst geordnet.
Und die Priester standen an ihren Plät-
zen und die Leviten in ihren Abteilungen
nach dem Gebot des Königs. 11 Und sie
schlachteten das Passa, und die Priester
versprengten das Blut mit ihrer Hand,
und die Leviten zogen die Haut ab. 12 Und
die Brandopfer sonderten sie ab, um sie
den Abteilungen der Sippen des Volkes
zu geben, damit diese dem HERRN opfer-
ten, wie es geschrieben steht im Buch des
Mose. So taten sie auch mit den Rindern.
13 Und [a]sie kochten das Passa am Feuer,
wie sich's gebührt. Aber was geheiligt
war, kochten sie in Töpfen, Kesseln und
Schüsseln und brachten es eilends allem
Volk. 14 Danach aber bereiteten sie auch für
sich und für die Priester; denn die Priester,
die Söhne Aaron, hatten mit dem Brand-
opfer und dem Fett bis in die Nacht zu tun;
darum mussten die Leviten für sich und
für die Priester, die Söhne Aaron, zube-
reiten. 15 Und die [a]Sänger, die Söhne Asaf,
standen an ihrem Platz nach dem Gebot
Davids und Asafs und Hemans und Jedu-
tuns, des Sehers des Königs, und die [b]Tor-
hüter an allen Toren, und sie wichen nicht
von ihrem Dienst; denn die Leviten, ihre
Brüder, bereiteten auch für sie zu.

16 So wurde geordnet aller Gottesdienst
des HERRN an diesem Tage, um hinfort
Passa zu halten und Brandopfer darzu-
bringen auf dem Altar des HERRN nach
dem Gebot des Königs Josia. 17 So hiel-
ten die Israeliten, die sich eingefunden
hatten, zu dieser Zeit das Passa und das
Fest der Ungesäuerten Brote sieben Tage
lang. 18 Es war aber [a]kein Passa gehalten
worden in Israel wie dies von der Zeit des
Propheten Samuel an, und kein König in
Israel hatte das Passa so gehalten, wie Jo-
sia Passa hielt, mit den Priestern, Leviten,
ganz Juda und Israel, das sich eingefunden
hatte, und den Einwohnern von Jerusa-
lem. 19 Im achtzehnten Jahr der Herrschaft
Josias wurde dies Passa gehalten.

35,1 *a* 2. Mose 12,6 **35,3** *a* Kap 5,4-5; 1. Chr 23,26.28
b 2. Mose 25,13-15 **35,4** *a* 1. Chr 23,1-24
35,13 *a* 2. Mose 12,3-10 **35,15** *a* 1. Chr 25,1-31
b 1. Chr 26,1-19 **35,18** *a* Kap 30,26

JOSIAS TOD IM KAMPF GEGEN DEN PHARAO NECHO
(vgl. 2. Kön 23,28-30)

20 Nachdem aber Josia das Haus des Herrn
hergerichtet hatte, zog Necho, der König
von Ägypten, herauf, um Krieg zu führen
bei Karkemisch am Euphrat. Und Josia zog
aus ihm entgegen. 21 Aber Necho sandte
Boten zu ihm und ließ ihm sagen: Was
hab ich mit dir zu tun, König von Juda?
Ich komme jetzt nicht gegen dich, sondern
gegen das Königreich, mit dem ich Krieg
habe, und Gott hat gesagt, ich soll eilen.
Lass ab von Gott, der mit mir ist, dass er
dich nicht verderbe!
22 Aber Josia ließ nicht ab von ihm, son-
dern schickte sich an, mit ihm zu kämpfen,
und hörte nicht auf die Worte Nechos, die
aus dem Munde Gottes kamen, und zog
hin, mit ihm zu kämpfen in der Ebene von
Megiddo. 23 Aber die Schützen schossen
auf den König Josia, und der König sprach
zu seinen Männern: Führt mich fort; denn
ich bin schwer verwundet! 24 Und seine
Knechte hoben ihn von dem Wagen und
brachten ihn auf seinen andern Wagen
und führten ihn nach Jerusalem. Und er
starb und wurde begraben in den Gräbern
seiner Väter. Und ganz Juda und Jerusa-
lem trugen Leid um Josia. 25 Und Jeremia
hielt die Klage über Josia, und alle Sänger
und Sängerinnen sangen in ihren Klage-
liedern über Josia bis auf diesen Tag, und
das wurde zum festen Brauch in Israel.
Siehe, sie stehen geschrieben unter den
Klageliedern.
26 Was aber mehr von Josia zu sagen ist
und seine barmherzigen Taten, die dem
entsprachen, wie es geschrieben steht
im Gesetz des HERRN, 27 und seine Ge-
schichte, die frühere und die spätere,
siehe, das steht geschrieben im Buch der
Könige von Israel und Juda.

JOAHAS, JOJAKIM, JOJACHIN
(vgl. 2. Kön 23,30–24,17)

36 Und das Volk des Landes nahm Joahas,
den Sohn Josias, und machte ihn zum
König an seines Vaters statt zu Jerusalem.
2 Dreiundzwanzig Jahre alt war Joahas, als
er König wurde; und er regierte drei Mo-
nate zu Jerusalem; 3 denn der König von
Ägypten setzte ihn ab in Jerusalem und
legte eine Geldbuße auf das Land von
hundert Zentnern Silber und einem Zent-
ner Gold. 4 Und der König von Ägypten
machte Eljakim, seinen Bruder, zum Kö-
nig über Juda und Jerusalem und wandelte
seinen Namen um in Jojakim. Aber seinen
Bruder Joahas nahm Necho und brachte
ihn nach Ägypten.[a]
5 Fünfundzwanzig Jahre alt war Joja-
kim, als er König wurde; und er regierte
elf Jahre zu Jerusalem und tat, was dem
HERRN, seinem Gott, missfiel. 6 Und Ne-
bukadnezar, der König von Babel, zog ge-
gen ihn herauf und legte ihn in Ketten, um
ihn nach Babel zu führen. 7 Auch brachte
Nebukadnezar einen Teil der Geräte des
Hauses des HERRN nach Babel und tat
sie in seinen Tempel in Babel.[a] 8 Was
aber mehr von Jojakim zu sagen ist, und
die Gräuel, die er tat, und was sich über
ihn fand, siehe, das steht geschrieben im
Buch der Könige von Israel und Juda. Und
sein Sohn Jojachin wurde König an seiner
statt.
9 Acht* Jahre alt war Jojachin, als er König
wurde; und er regierte drei Monate und
zehn Tage zu Jerusalem und tat, was dem
HERRN missfiel. 10 Als aber das Jahr zu
Ende ging, [a]sandte Nebukadnezar hin und
ließ ihn nach Babel holen mit den kostba-
ren Geräten aus dem Hause des HERRN
und machte seinen Bruder Zedekia zum
König über Juda und Jerusalem.

ZEDEKIA UND DIE WEGFÜHRUNG NACH BABEL
(vgl. 2. Kön 24,18–25,21; Jer 52,1-30)

11 Einundzwanzig Jahre alt war Zedekia, als
er König wurde; und er regierte elf Jahre
zu Jerusalem 12 und tat, was dem HERRN,
seinem Gott, missfiel, und demütigte sich
nicht vor dem Propheten Jeremia, vor dem
Mund des HERRN.[a] 13 Auch wurde er ab-
trünnig von Nebukadnezar, dem König
von Babel, der einen Eid bei Gott von ihm
genommen hatte, und wurde halsstarrig
und verstockte sein Herz, sodass er sich
nicht bekehrte zu dem HERRN, dem Gott
Israels. 14 Auch alle Oberen Judas und die

* **36,9** Nach 2. Kön 24,8: »Achtzehn«.

36,4 *a* Jer 22,10-12 **36,7** *a* Esra 1,7; Dan 1,2
36,10 *a* Jer 22,24-30 **36,12** *a* Jer 37,1-21; 38,14-28

Priester und das Volk versündigten sich
noch mehr [a]mit all den gräulichen Sitten
der Heiden und machten unrein das Haus
des HERRN, das er geheiligt hatte in Je-
rusalem. 15 Und der HERR, der Gott ihrer
Väter, ließ [a]immer wieder gegen sie reden
durch seine Boten; denn er hatte Mitleid
mit seinem Volk und seiner Wohnung.
16 Aber sie verspotteten die Boten Gottes
und verachteten seine Worte und [a]ver-
höhnten seine Propheten, bis der Grimm
des HERRN über sein Volk wuchs und es
keine Heilung mehr gab.
17 Da führte er gegen sie heran den König
der Chaldäer und ließ ihre junge Mann-
schaft mit dem Schwert erschlagen im
Hause ihres Heiligtums und verschonte
weder die Jünglinge noch die Jungfrauen,
weder die Alten noch die Greise; alle gab
er sie in seine Hand. 18 Und alle Geräte
im Hause Gottes, große und kleine, die
Schätze im Hause des HERRN und die
Schätze des Königs und seiner Oberen,
alles ließ er nach Babel führen. 19 Und sie
verbrannten das Haus Gottes und rissen
die Mauer Jerusalems ein, und alle ihre
Burgtürme brannten sie mit Feuer aus,
sodass alle ihre kostbaren Geräte zunich-
tewurden. 20 Und er führte weg nach Babel
alle, die dem Schwert entgangen waren,
und sie wurden seine und seiner Söhne
Knechte, bis das Königtum der Perser zur
Herrschaft kam, 21 dass erfüllt würde das
Wort des HERRN durch den Mund Jere-
mias, bis das Land [a]an seinen Sabbaten
genug hätte. Denn die ganze Zeit, da es
[b]wüst lag, hatte es Sabbat, bis siebzig Jahre
voll wurden.

ENDE DER BABYLONISCHEN GEFANGENSCHAFT

(vgl. Esra 1,1-3)

22 [a]Aber im ersten Jahr des Kyrus, des
Königs von Persien, – dass erfüllt würde
das Wort des HERRN durch den Mund
Jeremias – erweckte der HERR den Geist
des Kyrus, des Königs von Persien, dass
er in seinem ganzen Königreich münd-
lich und auch schriftlich verkünden ließ:
23 So spricht Kyrus, der König von Per-
sien: Der HERR, der Gott des Himmels,
hat mir alle Königreiche der Erde gegeben,
und er hat mir befohlen, ihm ein Haus zu
bauen zu Jerusalem in Juda. Wer nun un-
ter euch von seinem Volk ist, mit dem sei
der HERR, sein Gott, und er ziehe hinauf!

DAS BUCH ESRA

1–2 Rückkehr aus Babylon **3–6** Wiederaufbau des Tempels **7–8** Esra kommt nach Jerusalem **9** Esras Bußgebet **10** Entlassung der fremden Frauen

KYRUS ERLAUBT DEN WIEDERAUFBAU DES TEMPELS

(vgl. 2. Chr 36,22-23)

1 Im ersten Jahr des Kyrus, des Königs
von Persien, erweckte der HERR – [a]dass
erfüllt würde das Wort des HERRN, das
durch den Mund Jeremias gesprochen
war – den Geist des Kyrus, des Königs von
Persien, und er ließ ausrufen in seinem
ganzen Königreich, auch durch Schrift,
und ließ sagen:
2 So spricht Kyrus, der König von Per-
sien: [a]Alle Königreiche der Erde hat mir
der HERR, der Gott des Himmels, gege-
ben, und [b]er hat mir befohlen, ihm ein
Haus zu Jerusalem in Juda zu bauen. 3 Wer
nun unter euch zu seinem Volk gehört,
mit dem sei sein Gott, und er ziehe hin-
auf nach Jerusalem in Juda und baue das
Haus des HERRN, des Gottes Israels; das
ist der Gott, der zu Jerusalem ist. 4 Und
wo auch immer einer übrig geblieben ist,
dem sollen die Leute des Orts, an dem er
als Fremdling gelebt hat, helfen mit Sil-
ber und Gold, Gut und Vieh neben der
freiwilligen Gabe für das Haus Gottes zu
Jerusalem.
5 Da machten sich auf die Häupter der
Sippen aus Juda und Benjamin und die
Priester und Leviten, alle, deren Geist

36,14 ***a*** 5. Mose 18,9 **36,15** ***a*** Jer 25,4
36,16 ***a*** Lk 20,10-12; Apg 7,52 **36,21** ***a*** Jer 25,11
b 3. Mose 26,34; Klgl 2,6 **36,22** ***a*** (22-23) Jer 29,10;
Jes 44,28 **1,1** ***a*** Jer 25,11; 29,10 **1,2** ***a*** Jes 45,1 ***b*** Jes 44,28

Gott erweckt hatte hinaufzuziehen, um
das Haus des HERRN zu Jerusalem zu
bauen. 6 Und alle, die um sie her wohnten,
stärkten ihre Hände mit silbernen Geräten
und Gold, mit Gut und Vieh und Klein-
oden außer dem, was sie freiwillig gaben.
7 Und der König Kyrus gab heraus die
Geräte des Hauses des HERRN, [a]die Nebu-
kadnezar aus Jerusalem genommen und
in das Haus seines Gottes gebracht hatte.
8 Und Kyrus, der König von Persien, gab
sie dem Schatzmeister Mitredat; der zählte
sie [a]Scheschbazar, dem Fürsten Judas, vor.
9 Und dies war ihre Zahl: 30 goldene Be-
cken und 1000 silberne Becken, 29 Op-
fermesser, 10 30 goldene Becher und dazu
410 silberne Becher und 1000 andere Ge-
räte. 11 Alle Geräte, goldene und silberne,
waren 5400*. Alles brachte Scheschbazar
hinauf, als man aus der Gefangenschaft
von Babel nach Jerusalem hinaufzog.

VERZEICHNIS DER RÜCKKEHRER AUS BABYLON

(vgl. Neh 7,5-72)

2 Dies sind die Leute der Provinz Juda, die
heraufzogen aus der Gefangenschaft,
die Nebukadnezar, der König von Babel,
nach Babel weggeführt hatte und die nach
Jerusalem und Juda zurückkehrten, ein je-
der in seine Stadt. 2 Die kamen mit Serub-
babel, Jeschua, Nehemja, Seraja, Reelaja,
Mordochai, Bilschan, Mispar, Bigwai, Re-
hum und Baana.

Dies ist die Zahl der Männer des Vol-
kes Israel: 3 die Söhne Parosch 2172; 4 die
Söhne Schefatja 372; 5 die Söhne Arach
775; 6 die Söhne Pahat-Moab, nämlich die
Söhne Jeschua und die Söhne Joab, 2812;
7 die Söhne Elam 1254; 8 die Söhne Sattu
945; 9 die Söhne Sakkai 760; 10 die Söhne
Bani 642; 11 die Söhne Bebai 623; 12 die
Söhne Asgad 1222; 13 die Söhne Adoni-
kam 666; 14 die Söhne Bigwai 2056; 15 die
Söhne Adin 454; 16 die Söhne Ater, näm-
lich die Söhne Hiskija, 98; 17 die Söhne
Bezai 323; 18 die Söhne Jorah 112; 19 die
Söhne Haschum 223; 20 die Söhne Gibbar
95; 21 die Männer von Bethlehem 123; 22 die
Männer von Netofa 56; 23 die Männer von
Anatot 128; 24 die Männer von Asmawet
42; 25 die Männer von Kirjat-Jearim, Kefira
und Beerot 743; 26 die Männer von Rama
und Geba 621; 27 die Männer von Michmas
122; 28 die Männer von Bethel und Ai 223;
29 die Männer von Nebo 52; 30 die Männer
von Magbisch 156; 31 die Männer aus dem
andern Elam 1254; 32 die Söhne Harim 320;
33 die Männer von Lod, Hadid und Ono
725; 34 die Männer von Jericho 345; 35 die
Söhne Senaa 3630.

36 Die Priester waren: die Söhne Je-
daja, nämlich das Haus Jeschua, 973; 37 die
Söhne Immer 1052; 38 die Söhne Paschhur
1247; 39 die Söhne Harim 1017.

40 Die Leviten waren: die Söhne [a]Je-
schua, nämlich Kadmiël, Binnui und Ho-
dawja, 74.

41 Die Sänger: die Söhne Asaf 128.

42 Die Torhüter: die Söhne Schallum, die
Söhne Ater, die Söhne Talmon, die Söhne
Akkub, die Söhne Hatita und die Söhne
Schobai, insgesamt 139.

43 Die [a]Tempeldiener: die Söhne Ziha,
die Söhne Hasufa, die Söhne Tabbaot,
44 die Söhne Keros, die Söhne Sia, die
Söhne Padon, 45 die Söhne Lebana, die
Söhne Hagaba, die Söhne Akkub, 46 die
Söhne Hagab, die Söhne Salmai, die Söhne
Hanan, 47 die Söhne Giddel, die Söhne Ga-
har, die Söhne Reaja, 48 die Söhne Rezin,
die Söhne Nekoda, die Söhne Gasam,
49 die Söhne Usa, die Söhne Paseach, die
Söhne Besai, 50 die Söhne Asna, die Söhne
der Mëuniter, die Söhne der Nefusiter,
51 die Söhne Bakbuk, die Söhne Hakufa,
die Söhne Harhur, 52 die Söhne Bazlut, die
Söhne Mehida, die Söhne Harscha, 53 die
Söhne Barkos, die Söhne Sisera, die Söhne
Temach, 54 die Söhne Neziach, die Söhne
Hatifa.

55 Die Nachkommen der [a]Knechte Sa-
lomos: die Söhne Sotai, die Söhne Sofe-
ret, die Söhne Peruda, 56 die Söhne Jaala,
die Söhne Darkon, die Söhne Giddel,
57 die Söhne Schefatja, die Söhne Hattil,
die Söhne Pocheret-Zebajim, die Söhne
Ami. 58 Alle [a]Tempeldiener und Nach-
kommen der Knechte Salomos waren
zusammen 392.

59 Diese aber zogen auch mit herauf von

* **1,11** Durch spätere Abänderungen entspricht die Gesamtzahl jetzt nicht mehr der Summe der Einzelangaben.

1,7 ***a*** 2. Chr 36,7.18 **1,8** ***a*** Kap 5,14 **2,40** ***a*** Neh 12,8 **2,43** ***a*** Kap 8,20 **2,55** ***a*** 1. Kön 9,21 **2,58** ***a*** Jos 9,23

Tel-Melach, Tel-Harscha, Kerub-Addon
und Immer und konnten nicht angeben,
ob ihre Sippe und ihre Nachkommen aus
Israel stammten: 60 die Söhne Delaja, die
Söhne Tobija, die Söhne Nekoda, 652.

61 Und von den Priestern: die Söhne Ha-
baja, die Söhne Hakkoz, die Söhne Barsil-
lai, der eine von den Töchtern des Gilead-
iters [a]Barsillai zur Frau genommen hatte
und nach dessen Namen genannt wurde.
62 Die suchten, wo sie im Geburtsregister
eingetragen waren, und man fand nichts;
darum wurden sie für das Priestertum als
untauglich erklärt. 63 Und der Tirschata*
gebot ihnen, sie sollten nicht essen vom
[a]Hochheiligen, bis ein Priester für »Licht
und Recht«* aufstände.

64 Die ganze Gemeinde zählte insgesamt
42 360, 65 ausgenommen ihre Knechte und
Mägde; diese waren 7337, davon 200 Sän-
ger und Sängerinnen. 66 Und sie hatten 736
Rosse, 245 Maultiere, 67 435 Kamele und
6720 Esel.

68 Und als einige Häupter der Sippen
zum Hause des HERRN in Jerusalem ka-
men, gaben sie freiwillig für das Haus
Gottes, damit man's an seiner früheren
Stätte erbaue, 69 und gaben nach ihrem
Vermögen zum Schatz für das Werk
61 000 Gulden und 5000 Pfund Silber und
100 Priesterkleider.

70 So ließen sich die Priester und die Le-
viten und etliche aus dem Volk nieder und
die Sänger und die Torhüter und die Tem-
peldiener in ihren Städten und ganz Israel
in seinen Städten.

ERRICHTUNG DES BRANDOPFERALTARS IN JERUSALEM

3 Und als der siebente Monat herbeikam
und die Israeliten nun in ihren Städten
waren, versammelte sich das ganze Volk
wie *ein* Mann in Jerusalem. 2 Und es mach-
ten sich auf [a]Jeschua, der Sohn Jozadaks,
und seine Brüder, die Priester, und Serub-
babel, der Sohn Schealtiëls, und seine Brü-
der und bauten den Altar des Gottes Isra-
els, um Brandopfer darauf zu opfern, [b]wie
es geschrieben steht im Gesetz des Mose,
des Mannes Gottes. 3 Und sie richteten
den Altar wieder her an seiner Stätte –
denn Schrecken war über sie gekommen
vor den Völkern der Länder – und opferten
dem HERRN Brandopfer darauf des Mor-
gens und des Abends.

4 Und sie hielten das [a]Laubhüttenfest,
wie geschrieben steht, und brachten
Brandopfer dar alle Tage nach der Zahl,
wie sich's gebührt und jeder Tag es erfor-
derte, 5 danach auch das [a]tägliche Brand-
opfer und die Opfer für die Neumonde
und alle heiligen Festtage des HERRN
und was sonst einer dem HERRN freiwil-
lig darbrachte.

6 Am ersten Tage des siebenten Monats
fingen sie an, dem HERRN Brandopfer zu
bringen. Aber der Grund des Tempels des
HERRN war noch nicht gelegt. 7 Und sie
gaben Geld den Steinmetzen und Zim-
merleuten und Speise und Trank und Öl
den Leuten von Sidon und Tyrus, damit
sie Zedernholz vom Libanon zur See nach
Jafo brächten, wie es ihnen Kyrus, der Kö-
nig von Persien, erlaubt hatte.[a]

BEGINN DES TEMPELBAUS

8 Im zweiten Jahr nach ihrer Ankunft beim
Hause Gottes in Jerusalem, im zweiten
Monat, begannen Serubbabel, der Sohn
Schealtiëls, und Jeschua, der Sohn Joza-
daks, und die übrigen ihrer Brüder, die
Priester und die Leviten, und alle, die aus
der Gefangenschaft nach Jerusalem ge-
kommen waren, und sie bestellten die
Leviten von zwanzig Jahren an und dar-
über, die Arbeit am Hause des HERRN zu
leiten. 9 Und [a]Jeschua mit seinen Söhnen
und seinen Brüdern Kadmiël, Binnui und
Hodawja traten einmütig an, um die Ar-
beiter am Hause Gottes anzuleiten, auch
die Söhne Henadads mit ihren Söhnen
und ihren Brüdern, die Leviten.

10 Und als die Bauleute den Grund zum
Tempel des HERRN gelegt hatten, stellten
sich die Priester auf in ihren Gewändern
mit Trompeten und die Leviten, die Söhne
Asafs, mit Zimbeln, um den HERRN zu lo-
ben nach der Ordnung Davids, des Königs
von Israel. 11 Und sie stimmten den Lob-

* **2,63** (1) Persischer Ehrentitel. (2) »Licht und Recht« bezeichnet ein Orakelverfahren (vgl. 2. Mose 28,30; 1. Sam 14,41).

2,61 ***a*** 2. Sam 17,27; 19,32 **2,63** ***a*** 4. Mose 18,9
3,2 ***a*** Kap 2,2 ***b*** 2. Mose 27,1; 3. Mose 6,2
3,4 ***a*** 3. Mose 23,34-43 **3,5** ***a*** 4. Mose 28,10-14
3,7 ***a*** 1. Kön 5,16-25 **3,9** ***a*** Kap 2,40

preis an und dankten dem HERRN: Denn
[a]er ist gütig, und seine Barmherzigkeit
währt ewiglich über Israel. Und das ganze
Volk jauchzte laut beim Lobe des HERRN,
weil der Grund zum Hause des HERRN
gelegt war. 12 Und viele von den betagten
Priestern, Leviten und Sippenhäuptern,
die [a]das frühere Haus auf seinem Grund
noch gesehen hatten – dies war der Tem-
pel in ihren Augen –, weinten laut. Viele
aber jauchzten mit Freuden, sodass das
Geschrei laut erscholl. 13 Und man konnte
das Jauchzen mit Freuden und das laute
Weinen im Volk nicht unterscheiden;
denn das Volk jauchzte laut, sodass man
den Schall weithin hörte.

DER BAU DES TEMPELS MUSS UNTERBROCHEN WERDEN

4 Als aber die Widersacher Judas und
Benjamins hörten, dass die, die aus der
Gefangenschaft zurückgekommen wa-
ren, dem HERRN, dem Gott Israels, einen
Tempel bauten, 2 kamen sie zu Serubba-
bel, Jeschua und den Sippenhäuptern und
sprachen zu ihnen: Wir wollen mit euch
bauen; denn wir suchen euren Gott wie
ihr und [a]haben ihm geopfert seit der Zeit
[b]Asarhaddons, des Königs von Assur, der
uns hierher gebracht hat. 3 Aber Serubba-
bel und Jeschua und die andern Häupter
der Sippen in Israel antworteten ihnen:
Es ziemt sich nicht, dass ihr und wir mit-
einander das Haus unseres Gottes bauen,
sondern wir allein wollen für den HERRN,
den Gott Israels, bauen, wie uns Kyrus,
der König von Persien, geboten hat. 4 Da
machte das Volk des Landes das Volk von
Juda mutlos und schreckte sie vom Bauen
ab. 5 Und sie dingten Ratgeber gegen sie
und verhinderten ihr Vorhaben, solange
Kyrus, der König von Persien, lebte, [a]bis
zur Herrschaft des Darius, des Königs von
Persien.

6 Und als Ahasveros* König wurde, im
Anfang seiner Herrschaft, schrieben sie
eine Anklage gegen die Bewohner von
Juda und Jerusalem.

7 Und in der Zeit des Artaxerxes schrie-
ben Bischlam, Mitredat, Tabeel und ihre
andern Genossen an Artaxerxes, den Kö-
nig von Persien. Der Brief war in aramä-
ischer Schrift geschrieben und ins Ara-
mäische übersetzt. 8 Der Kanzler Rehum
und der Schreiber Schimschai schrieben
folgenden Brief gegen Jerusalem an den
König Artaxerxes:

9 Rehum, der Kanzler, und Schimschai,
der Schreiber, und die andern Genossen,
die Richter, die Befehlshaber, die Schrei-
ber, die Beamten, die Leute von Erech,
von Babel, von Susa, das sind die Elamiter,
10 und die übrigen Völker, die der große
und berühmte Asenappar* hergebracht
und in den Städten Samariens und in den
andern Orten jenseits des Euphrat* ange-
siedelt hat. Und nun:

11 Dies ist die Abschrift des Briefes, den
sie an ihn sandten:

An König Artaxerxes, deine Knechte,
die Leute jenseits des Euphrat. Und nun:
12 Es sei dem König kundgetan, dass die
Juden, die von dir heraufgezogen und zu
uns nach Jerusalem gekommen sind, die
aufrührerische und böse Stadt wieder
aufbauen. Sie stellen die Mauern wieder
her und sichern die Fundamente. 13 So sei
nun dem König kundgetan: Wenn diese
Stadt wieder aufgebaut wird und die
Mauern vollendet werden, so werden sie
Steuern, Abgaben und Zoll nicht mehr
geben, und zuletzt wird es den Königen
Schaden bringen. 14 Weil wir aber das Salz
des Palastes essen und die Schmach des
Königs nicht länger sehen wollen, darum
schicken wir hin und lassen es den Kö-
nig wissen. 15 Man lasse in den Chroni-
ken deiner Väter suchen, so wirst du in
den Chroniken finden und erfahren, dass
diese Stadt eine aufrührerische Stadt ist
und Königen und Provinzen Schaden ge-
bracht hat und man in ihr auch von alters
her Aufruhr gemacht hat – darum ist diese
Stadt auch zerstört worden. 16 Und nun
tun wir dem König kund, dass, wenn
diese Stadt aufgebaut wird und ihre Mau-
ern vollendet werden, du hernach nichts
behalten wirst von dem, was jenseits des
Euphrat liegt.

17 Da sandte der König folgende Ant-

* **4,6** Griechisch: »Xerxes«. **4,10** (1) Asenappar ist Asarhaddon (Vers 2). (2) »Jenseits des Euphrat« bezeichnet die persische Provinz.

3,11 *a* 1. Chr 16,34; 2. Chr 5,13; Ps 118,1; 136,1-26
3,12 *a* Hag 2,3 **4,2** *a* Jer 41,5 *b* 2. Kön 17,24-33; 19,37
4,5 *a* Vers 24

wort: An Rehum, den Kanzler, und Schim-
schai, den Schreiber, und ihre andern Ge-
nossen, die in Samaria wohnen und in
den übrigen Orten jenseits des Euphrat
meinen Gruß! Und nun: 18 Der Brief, den
ihr uns zugeschickt habt, ist mir Wort für
Wort vorgelesen worden. 19 Und von mir
ist Befehl gegeben worden, und man hat
nachgeforscht und gefunden, dass diese
Stadt von alters her gegen die Könige sich
empört hat und Aufruhr und Abfall in ihr
geschieht. 20 Auch hat es mächtige Könige
zu Jerusalem gegeben, die geherrscht ha-
ben über alles, was jenseits des Euphrat
ist, sodass ihnen Steuern, Abgaben und
Zoll gegeben wurden. 21 So gebt nun den
Befehl, dass man diesen Männern wehre,
damit die Stadt nicht wieder aufgebaut
werde, bis von mir der Befehl gegeben
wird! 22 Und seht euch vor, dass ihr nicht
nachlässig darin seid, damit nicht gro-
ßer Schaden entstehe zum Nachteil der
Könige!

23 Als nun der Brief des Königs Artaxer-
xes vor Rehum und dem Schreiber Schim-
schai und ihren Genossen gelesen wurde,
gingen sie eilends nach Jerusalem zu den
Juden und wehrten ihnen mit Macht und
Gewalt. 24 Da hörte die Arbeit am Hause
Gottes in Jerusalem auf und blieb liegen
bis zum zweiten Jahr der Herrschaft des
Darius, des Königs von Persien.[a]

WIEDERAUFNAHME DES TEMPELBAUS

5 Es weissagten aber die Propheten [a]Hag-
gai und [b]Sacharja, der Sohn Iddos, den
Juden in Juda und Jerusalem im Namen
des Gottes Israels, der über ihnen war.
2 Da machten sich auf Serubbabel, der
Sohn Schealtiëls, und Jeschua, der Sohn
Jozadaks, und fingen an, das Haus Gottes
zu Jerusalem aufzubauen, und mit ih-
nen waren die Propheten Gottes, die sie
stärkten.

3 Zu der Zeit kamen zu ihnen Tattenai,
der Statthalter des Gebietes jenseits des
Euphrat, und Schetar-Bosnai und ihre
Genossen. Und so sprachen sie zu ihnen:
Wer hat euch Befehl gegeben, dies Haus
aufzubauen und sein Gebälk zu voll-
enden? 4 Dann sagten sie zu ihnen: Wie
heißen die Männer, die diesen Bau auf-
führen? 5 Aber [a]das Auge ihres Gottes
war über den Ältesten der Juden, dass
ihnen nicht gewehrt wurde, bis die Sache
an Darius gegangen wäre und darauf eine
Antwort käme.

6 Dies ist die Abschrift des Briefes Tatte-
nais, des Statthalters jenseits des Euphrat,
und Schetar-Bosnais und ihrer Genossen,
der Beamten, die jenseits des Euphrat wa-
ren, an den König Darius. 7 Der Bericht,
den sie ihm sandten, lautete:

Dem König Darius allen Frieden! 8 Es sei
dem König kundgetan, dass wir in die Pro-
vinz Juda gekommen sind zu dem Hause
des großen Gottes; dieses baut man mit
behauenen Steinen und legt Balken in die
Wände, und die Arbeit geht unter ihren
Händen gut voran. 9 Wir aber haben die
Ältesten gefragt und zu ihnen gesagt: Wer
hat euch befohlen, dies Haus zu bauen und
sein Gebälk zu vollenden? 10 Auch frag-
ten wir, wie sie hießen, damit wir es dir
kundtäten und die Namen der Männer
aufschrieben, die an ihrer Spitze stehen.
11 Sie aber gaben uns dies zur Antwort:
Wir sind Knechte des Gottes des Himmels
und der Erde und bauen das Haus wieder
auf, das einst vor vielen Jahren hier gebaut
war und das ein großer König Israels ge-
baut und vollendet hat. 12 Da aber unsere
Väter den Gott des Himmels erzürnten,
[a]gab er sie in die Hand Nebukadnezars,
des Königs von Babel, des Chaldäers; der
[b]zerstörte dies Haus und führte das Volk
weg nach Babel. 13 Aber im ersten Jahr
des Kyrus, des Königs von Babel, befahl
der König Kyrus, dies Haus Gottes wie-
der zu bauen.[a] 14 Auch die goldenen und
silbernen Geräte des Hauses Gottes, die
Nebukadnezar aus dem Tempel zu Jeru-
salem genommen und in den Tempel zu
Babel gebracht hatte, nahm der König Ky-
rus aus dem Tempel zu Babel und gab sie
einem mit Namen [a]Scheschbazar, den er
zum Statthalter einsetzte, 15 und sprach
zu ihm: Nimm diese Geräte, zieh hin und
bringe sie in den Tempel zu Jerusalem,
und das Haus Gottes soll wieder aufge-
baut werden an seiner Stätte. 16 Da kam
jener Scheschbazar und legte den Grund
zum Hause Gottes zu Jerusalem. Seit der

4,24 *a* Vers 5; Kap 6,15 **5,1** *a* Hag 1,1 *b* Sach 1,1
5,5 *a* 5. Mose 11,12; 1. Kön 8,29 **5,12** *a* 2. Kön 24,10-14
b 2. Kön 25,9 **5,13** *a* Kap 1,1-2 **5,14** *a* Kap 1,7-8

Zeit baut man, und es ist noch nicht voll-
endet. 17 Und nun: Gefällt es dem König,
so lasse man suchen im Schatzhaus des
Königs, das dort in Babel ist, [a]ob es von
dem König Kyrus befohlen sei, das Haus
Gottes zu Jerusalem wieder aufzubauen,
und man sende uns des Königs Meinung
darüber.

DARIUS BESTÄTIGT DIE ERLAUBNIS ZUM WIEDERAUFBAU

6 Da befahl der König Darius, dass man
nachforschen sollte im Haus der Schrif-
ten, wo in Babel die Schätze aufbewahrt
wurden. 2 Da fand sich in Achmeta* in
der Festung, die in der Provinz Medien
liegt, eine Schriftrolle, auf der geschrie-
ben stand:

Aufzeichnung. 3 Im ersten Jahr des Kö-
nigs Kyrus befahl der König Kyrus, das
Haus Gottes in Jerusalem wieder aufzu-
bauen als eine Stätte, an der man opfert,
und seinen Grund zu legen: seine Höhe
sechzig Ellen und seine Breite auch sechzig
Ellen 4 und drei Schichten von behauenen
Steinen und eine Schicht von Holz, und
die Kosten sollen vom Hause des Königs
getragen werden. 5 Auch soll man zurück-
geben die goldenen und silbernen Geräte
des Hauses Gottes, die Nebukadnezar aus
dem Tempel zu Jerusalem weggenommen
und nach Babel gebracht hat; alles soll wie-
der in den Tempel zu Jerusalem an seine
Stätte kommen. Du sollst es niederlegen
im Hause Gottes.

VOLLENDUNG DES TEMPELBAUS UNTER DARIUS

6 Darum, Tattenai, Statthalter jenseits des
Euphrat, und Schetar-Bosnai und eure
Genossen, ihr Beamten von jenseits des
Euphrat, haltet euch fern von dort! 7 Lasst
sie arbeiten an diesem Hause Gottes. Der
Statthalter der Juden und die Ältesten der
Juden mögen das Haus Gottes an seiner
früheren Stätte wieder aufbauen. 8 Auch
ist von mir befohlen worden, was ihr mit
den Ältesten der Juden tun sollt, um die-
ses Haus Gottes zu bauen, nämlich dass
man aus des Königs Einkünften, aus den
Steuern von jenseits des Euphrat, mit
Sorgfalt den Leuten die Kosten bezahle,
damit sie nicht aufgehalten werden. 9 Und
was sie bedürfen an Stieren, Widdern und
Lämmern zum Brandopfer für den Gott
des Himmels, an Weizen, Salz, Wein und
Öl nach dem Wort der Priester in Jerusa-
lem, das soll man ihnen täglich geben, und
es soll nicht lässig geschehen, 10 damit sie
opfern zum lieblichen Geruch dem Gott
des Himmels und bitten für das Leben
des Königs und seiner Kinder. 11 Ferner
wird von mir befohlen: Wenn irgendje-
mand diesen Erlass übertritt, so soll ein
Balken aus seinem Haus herausgerissen
und er daran aufrecht angeschlagen wer-
den, und sein Haus soll um seiner Tat
willen zum Schutthaufen gemacht wer-
den. 12 Der Gott aber, der seinen Namen
daselbst wohnen lässt, bringe jeden König
um und jedes Volk, das seine Hand aus-
reckt, diesen Erlass zu übertreten und das
Haus Gottes in Jerusalem zu zerstören.
Ich, Darius, habe diesen Befehl gegeben.
Er ist sorgfältig zu befolgen.

VOLLENDUNG UND EINWEIHUNG DES TEMPELS

13 Da taten Tattenai, der Statthalter jen-
seits des Euphrat, und Schetar-Bosnai und
ihre Genossen sorgfältig, was der König
Darius ihnen befohlen hatte. 14 Und die
Ältesten der Juden bauten, und es ging
vonstatten durch die Weissagung der Pro-
pheten Haggai und Sacharja, des Sohnes
Iddos, und sie bauten und vollendeten es
nach dem Befehl des Gottes Israels und
nach dem Befehl des Kyrus, Darius und
Artaxerxes, des Königs von Persien, 15 und
sie vollendeten das Haus bis zum dritten
Tag des Monats Adar im sechsten Jahr der
Herrschaft des Königs Darius.

16 Und die Israeliten, die Priester, die
Leviten und die übrigen, die aus der Ge-
fangenschaft zurückgekommen waren,
hielten [a]die Einweihung des Hauses
Gottes mit Freuden 17 und [a]opferten zur
Einweihung des Hauses Gottes hundert
Stiere, zweihundert Widder, vierhundert
Lämmer und zum Sündopfer für ganz Is-
rael zwölf Ziegenböcke nach der Zahl der
Stämme Israels 18 und bestellten die Pries-

* **6,2** Das ist die persische Residenz Ekbatana.

5,17 *a* Kap 8,36 **6,16** *a* 1. Kön 8,62-66
6,17 *a* 4. Mose 7,10

ter nach ihren Abteilungen und die Levi-
ten nach ihren Ordnungen zum Dienst
am Hause Gottes in Jerusalem, [a]wie es im
Buch des Mose geschrieben steht.

FEIER DES PASSA

19 Und die, die aus der Gefangenschaft
zurückgekommen waren, [a]hielten Passa
am vierzehnten Tage des ersten Monats.
20 Denn die Priester und Leviten, sie alle
hatten sich gereinigt, sodass sie alle rein
waren, und schlachteten das Passa für
alle, die aus der Gefangenschaft zurückge-
kommen waren, und für ihre Brüder, die
Priester, und für sich. 21 Und [a]es aßen das
Passa die Israeliten, die aus der Gefangen-
schaft zurückgekommen waren, und alle,
die sich zu ihnen abgesondert hatten von
der Unreinheit der Völker des Landes, um
den HERRN, den Gott Israels, zu suchen.
22 Und sie hielten das Fest der Ungesäuer-
ten Brote sieben Tage lang mit Freuden;
denn der HERR hatte sie fröhlich gemacht
und das Herz des Königs von Assur* ih-
nen zugewandt, dass sie gestärkt würden
zur Arbeit am Hause Gottes, des Gottes
Israels.

ESRAS BEAUFTRAGUNG DURCH ARTAXERXES

7 Nach diesen Geschichten unter der Re-
gierung des Artaxerxes, des Königs von
Persien, zog Esra herauf, der Sohn [a]Sera-
jas, des Sohnes Asarjas, des Sohnes Hil-
kijas, 2 des Sohnes Schallums, des Sohnes
Zadoks, des Sohnes Ahitubs, 3 des Sohnes
Amarjas, des Sohnes Asarjas, des Sohnes
Merajots, 4 des Sohnes Serachjas, des Soh-
nes Usis, des Sohnes Bukkis, 5 des Soh-
nes Abischuas, des Sohnes des Pinhas,
des Sohnes Eleasars, des Sohnes Aarons,
des Hohenpriesters. 6 Dieser Esra zog von
Babel herauf. Er war ein Schriftgelehr-
ter, kundig im Gesetz des Mose, das der
HERR, der Gott Israels, gegeben hatte.
Und der König gab ihm alles, was er erbat,
weil [a]die Hand des HERRN, seines Gottes,
über ihm war.

7 Und es zogen herauf etliche der Israeli-
ten und der Priester und der Leviten, der
Sänger, Torhüter und Tempeldiener nach
Jerusalem im siebenten Jahr des Königs
Artaxerxes. 8 Und er kam nach Jerusalem
im fünften Monat, im siebenten Jahr des
Königs. 9 Am ersten Tage des ersten Mo-
nats nämlich hatte er beschlossen, von Ba-
bel heraufzuziehen, und am ersten Tage
des fünften Monats kam er nach Jerusa-
lem, da die gute Hand seines Gottes über
ihm war. 10 Denn Esra richtete sein Herz
darauf, das Gesetz des HERRN zu erfor-
schen und danach zu tun und Gebote und
Rechte in Israel zu lehren.

ERLASS DES KÖNIGS ARTAXERXES ÜBER ESRAS VOLLMACHT

11 Und dies ist die Abschrift des Schrei-
bens, das der König Artaxerxes Esra gab,
dem Priester und Schriftgelehrten, der
kundig war in den Worten der Gebote des
HERRN und seiner Satzungen für Israel:

12 Artaxerxes, der König der Könige,
an Esra, den Priester und Schriftgelehr-
ten im Gesetz des Gottes des Himmels,
meinen Gruß! Und nun: 13 Von mir ist
befohlen worden, dass jeder, der von
dem Volk Israel und den Priestern und
Leviten in meinem Reich willig ist, nach
Jerusalem zu ziehen, mit dir ziehen darf,
14 weil du vom König und seinen sieben
Räten gesandt bist, um aufgrund des Ge-
setzes deines Gottes, das in deiner Hand
ist, nachzuforschen, wie es in Juda und
Jerusalem steht, 15 und hinzubringen Sil-
ber und Gold, das der König und seine
Räte freiwillig gegeben haben dem Gott
Israels, dessen Wohnung zu Jerusalem ist,
16 und was du sonst an Silber und Gold
erhältst in der ganzen Landschaft Babel
samt dem, was das Volk und die Priester
freiwillig geben für das Haus ihres Gottes
zu Jerusalem. 17 So kaufe nun mit Sorgfalt
von diesem Geld Stiere, Widder, Lämmer
und Speisopfer und Trankopfer dazu und
opfere sie auf dem Altar des Hauses eures
Gottes zu Jerusalem. 18 Und was dir und
deinen Brüdern mit dem übrigen Silber
und Gold zu tun gefällt, das tut nach dem
Willen eures Gottes. 19 Und die Geräte,
die dir gegeben werden zum Dienst im
Hause deines Gottes, übergib alle vor
dem Gott Jerusalems. 20 Und was sonst

* **6,22** Gemeint ist der König von Persien.

6,18 *a* 4. Mose 3,6 **6,19** *a* 2. Mose 12,6
6,21 *a* 5. Mose 16,1-8 **7,1** *a* 1. Chr 5,39-40
7,6 *a* Verse 9.28; Kap 8,18.22; Neh 2,8

noch gebraucht wird für das Haus deines
Gottes, was du ausgeben musst, das be-
kommst du aus den Schatzhäusern des
Königs.
21 Und von mir, König Artaxerxes, ist al-
len Schatzmeistern jenseits des Euphrat
befohlen worden: Alles, was Esra, der
Priester und Schriftgelehrte im Gesetz
des Gottes des Himmels, von euch for-
dert, das ist sorgfältig zu befolgen, 22 bis
zu hundert Zentner Silber und hundert
Sack Weizen und hundert Eimer Wein
und hundert Eimer Öl und Salz in jeder
Menge. 23 Alles, was der Befehl des Got-
tes des Himmels erfordert, das soll für das
Haus des Gottes des Himmels sorgfältig
getan werden, damit kein Zorn komme
über das Reich des Königs und seiner
Söhne. 24 Und euch sei kundgetan, dass
nicht erlaubt ist, Steuern, Abgaben und
Zoll zu legen auf irgendeinen Priester,
Leviten, Sänger, Torhüter, Tempeldiener
oder alle andern, die im Hause dieses
Gottes Dienst tun. 25 Du aber, Esra, setze
nach der Weisheit deines Gottes, die in
deiner Hand ist, Richter und Rechts-
pfleger ein, die allem Volk jenseits des
Euphrat Recht sprechen, nämlich allen,
die das Gesetz deines Gottes kennen;
und wer es nicht kennt, den sollt ihr es
lehren. 26 Aber jeder, der nicht sorgfältig
das Gesetz deines Gottes und das Gesetz
des Königs hält, über den soll Gericht ge-
halten werden, sei es zum Tod oder zur
Züchtigung oder zur Geldbuße oder zum
Gefängnis.
27 Gelobt sei der HERR, der Gott unse-
rer Väter, der solches dem König einge-
geben hat, dass er das Haus des HERRN
in Jerusalem so herrlich mache, 28 und
der mir die Gunst des Königs und sei-
ner Räte und aller mächtigen Oberen des
Königs zugewandt hat! Und ich ward ge-
trost, weil [a]die Hand des HERRN, meines
Gottes, über mir war, und sammelte aus
Israel Sippenhäupter, dass sie mit mir
hinaufzögen.

VERZEICHNIS DER ZURÜCKGEKEHRTEN

8 Dies sind die Häupter der Sippen mit
ihren Geschlechtsregistern, die mit mir
heraufzogen aus Babel zur Zeit, als der Kö-
nig Artaxerxes regierte.[a]
2 Von den Söhnen Pinhas: Gerschom;
von den Söhnen Itamar: Daniel; von
den Söhnen David: Hattusch, der Sohn
[a]Schechanjas; 3 von den Söhnen [a]Parosch:
Secharja und mit ihm verzeichnet hun-
dertfünfzig Männer; 4 von den Söhnen
[a]Pahat-Moab: Eljoënai, der Sohn Serach-
jas, und mit ihm zweihundert Männer;
5 von den Söhnen [a]Sattu: Schechanja, der
Sohn Jahasiëls, und mit ihm dreihundert
Männer; 6 von den Söhnen Adin: Ebed,
der Sohn Jonatans, und mit ihm fünfzig
Männer; 7 von den Söhnen Elam: Jeschaja,
der Sohn Ataljas, und mit ihm siebzig
Männer; 8 von den Söhnen Schefatja:
Sebadja, der Sohn Michaels, und mit ihm
achtzig Männer; 9 von den Söhnen Joab:
Obadja, der Sohn Jehiëls, und mit ihm
zweihundertachtzehn Männer; 10 von den
Söhnen [a]Bani: Schelomit, der Sohn Josif-
jas, und mit ihm hundertsechzig Männer;
11 von den Söhnen Bebai: Secharja, der
Sohn Bebais, und mit ihm achtundzwan-
zig Männer; 12 von den Söhnen Asgad:
Johanan, der Sohn Katans, und mit ihm
hundertzehn Männer; 13 von den Söhnen
Adonikam: die Letzten, und sie hießen:
Elifelet, Jëiël und Schemaja, und mit ihnen
sechzig Männer; 14 von den Söhnen Big-
wai: Utai, der Sohn Sabbuds, und mit ihm
siebzig Männer.

VORBEREITUNG ZUM AUFBRUCH NACH JERUSALEM

15 Und ich versammelte sie am Fluss,
der nach Ahawa fließt, und wir blieben
dort drei Tage. Und als ich mich umsah
unter dem Volk und den Priestern, fand
ich dort keine Leviten. 16 Da sandte ich zu
Eliëser, Ariel, Schemaja, Elnatan, Jarib,
Elnatan, Nathan, Secharja und Meschul-
lam, den Sippenhäuptern, und zu Joja-
rib und Elnatan, verständigen Männern,
17 und schickte sie zu Iddo, dem Vorste-
her zu Kasifja, damit sie uns Diener für
das Haus unseres Gottes holten. Und ich
legte ihnen in den Mund, was sie reden
sollten mit Iddo und seinen Brüdern, die
zu Kasifja waren. 18 Und sie brachten uns,
weil [a]die gute Hand unseres Gottes über

7,28 *a* Vers 6 **8,1** *a* Kap 7,1.7 **8,2** *a* 1. Chr 3,22
8,3 *a* Kap 2,3 **8,4** *a* Kap 2,6 **8,5** *a* Kap 2,8
8,10 *a* Kap 2,10 **8,18** *a* Kap 7,6

uns war, einen klugen Mann von den Söh-
nen Machlis, des Sohnes Levis, des Soh-
nes Israels, nämlich Scherebja mit seinen
Söhnen und Brüdern, achtzehn Männer;
19 und Haschabja und mit ihm Jeschaja von
den Söhnen Merari, seinen Brüdern, und
ihre Söhne, zwanzig Männer; 20 und von
den [a]Tempeldienern, die David und die
Oberen bestimmt hatten, den Leviten zu
dienen, zweihundertzwanzig. Sie alle sind
mit Namen aufgezeichnet.
21 Und ich rief dort am Fluss Ahawa ein
Fasten aus, damit wir uns vor unserm
Gott demütigten, um von ihm den [a]rech-
ten Weg zu erbitten für uns und unsere
Kinder und alle unsere Habe. 22 Denn ich
schämte mich, vom König Geleit und Rei-
ter zu fordern, um uns auf dem Wege vor
Feinden zu helfen. Denn wir hatten dem
König gesagt: [a]**Die Hand unseres Gottes
ist zum Besten über allen, die ihn su-
chen, und seine Stärke und sein Zorn
gegen alle, die ihn verlassen.** 23 So faste-
ten wir und erbaten solches von unserm
Gott; und er erhörte uns.
24 Und ich sonderte zwölf von den
Obersten der Priester aus, dazu Scherebja
und Haschabja und mit ihnen zehn von
ihren Brüdern, 25 und wog ihnen dar das
Silber und Gold und die Geräte als Abgabe
für das Haus unseres Gottes, die der König
und seine Räte und Oberen und ganz Is-
rael, das sich dort befand, gegeben hatten.
26 Ich wog ihnen dar und gab in ihre Hand
sechshundertfünfzig Zentner Silber und
an silbernen Geräten hundert Zentner
und an Gold hundert Zentner, 27 zwan-
zig goldene Becher, tausend Gulden
wert, und zwei schöne Gefäße aus gold-
glänzender Bronze, so kostbar wie Gold,
28 und sprach zu ihnen: Ihr seid heilig dem
HERRN, und die Geräte sind heilig, und
das Silber und Gold sind eine freiwillige
Gabe für den HERRN, den Gott eurer Vä-
ter. 29 So wacht und bewahrt es, bis ihr es
darwägt vor den Obersten der Priester
und Leviten und den Obersten der Sip-
pen Israels in Jerusalem in den Kammern
des Hauses des HERRN. 30 Da nahmen die
Priester und Leviten das dargewogene
Silber und Gold und die Geräte entgegen,
um sie nach Jerusalem zum Hause unseres
Gottes zu bringen.

ANKUNFT IN JERUSALEM

31 Dann brachen wir auf von dem Fluss
Ahawa am zwölften Tage des ersten Mo-
nats, um nach Jerusalem zu ziehen. Und
die Hand unseres Gottes war über uns,
und er errettete uns vor Feinden und We-
gelagerern. 32 Und wir kamen nach Jeru-
salem und blieben dort drei Tage. 33 Aber
am vierten Tage wurden im Hause unseres
Gottes das Silber und Gold und die Ge-
räte dargewogen dem Priester Meremot,
dem Sohn Urias, und mit ihm Eleasar,
dem Sohn des Pinhas, und mit ihnen den
Leviten Josabad, dem Sohn Jeschuas, und
Noadja, dem Sohn Binnuis, 34 nach Zahl
und Gewicht eines jeden Stückes; und
das ganze Gewicht wurde zu der Zeit auf-
geschrieben. 35 Die Leute aus der Verban-
nung, die aus der Gefangenschaft gekom-
men waren, opferten Brandopfer dem
Gott Israels, zwölf junge Stiere für ganz
Israel, sechsundneunzig Widder, sieben-
undsiebzig Lämmer, [a]zwölf Böcke zum
Sündopfer, alles zum Brandopfer für den
HERRN.
36 Und sie [a]übergaben die Befehle des
Königs den Satrapen* des Königs und den
Statthaltern jenseits des Euphrat. Und
diese halfen dem Volk und dem Hause
Gottes.

ESRAS BUSSGEBET

9 Als das alles ausgerichtet war, traten
die Oberen zu mir und sprachen: Das
Volk Israel und die Priester und Leviten
haben sich nicht abgesondert von den
Völkern der Länder mit ihren Gräueln,
nämlich von den Kanaanitern, Hetitern,
Perisitern, Jebusitern, Ammonitern, Mo-
abitern, Ägyptern und Amoritern; 2 denn
[a]sie haben deren Töchter genommen für
sich und für ihre Söhne, und der heilige
Same hat sich vermischt mit den Völkern
der Länder. Und die Oberen und Ratsher-
ren waren die Ersten bei diesem Treu-
bruch.
3 Als ich dies hörte, zerriss ich mein
Kleid und meinen Mantel und raufte mir
Haupthaar und Bart und setzte mich be-

* **8,36** Gouverneur einer großen Provinz.

8,20 ***a*** 1. Chr 9,2 **8,21** ***a*** 1. Sam 12,23; Ps 107,7
8,22 ***a*** Kap 7,6 **8,35** ***a*** Kap 6,17 **8,36** ***a*** Kap 5,17; 7,12-26
9,2 ***a*** 5. Mose 7,3; 23,3; Neh 13,23

stürzt hin. 4 Und es versammelten sich bei
mir alle, die über die Worte des Gottes Is-
raels erschrocken waren wegen des Treu-
bruchs derer, die aus der Gefangenschaft
gekommen waren; und ich saß bestürzt
da bis zum Abendopfer.
5 Und um das Abendopfer stand ich auf
von meiner Buße mit zerrissenem Ge-
wand und Mantel und fiel auf meine Knie
und breitete meine Hände aus zu dem
HERRN, meinem Gott, 6 und sprach: Mein
Gott, [a]ich schäme mich und scheue mich,
meine Augen aufzuheben zu dir, mein
Gott; denn unsere Missetat ist über un-
ser Haupt gewachsen, und unsere Schuld
ist groß bis an den Himmel. 7 Von der Zeit
unserer Väter an sind wir in großer Schuld
bis auf diesen Tag, und um unserer Misse-
tat willen sind wir und unsere Könige und
Priester in die Hand der Könige der Länder
gegeben worden, ins Schwert, in Gefan-
genschaft, zum Raub und zur Schmach,
so wie es heute ist. 8 Nun aber ist uns
einen kleinen Augenblick Gnade vor dem
HERRN, unserm Gott, geschehen, dass er
uns noch Errettete übrig gelassen und uns
einen festen Halt an seiner heiligen Stätte
gegeben hat, dass unser Gott unsere Au-
gen aufleuchten und uns ein wenig aufle-
ben ließ in unserer Knechtschaft. 9 Denn
wir sind Knechte, aber unser Gott hat uns
nicht verlassen in unserer Knechtschaft
und hat uns die Gunst der Könige von Per-
sien zugewandt, dass er uns wieder auf-
leben ließ, um das Haus unseres Gottes
aufzubauen und es aus seinen Trümmern
wieder aufzurichten, und uns eine Schutz-
wehr gebe in Juda und Jerusalem.
10 Und nun, unser Gott, was sollen wir
nach alledem sagen? Wir haben deine
Gebote verlassen, 11 die du durch deine
Knechte, die Propheten, geboten hast, als
sie sagten: Das Land, in das ihr kommt, um
es in Besitz zu nehmen, ist ein [a]beflecktes
Land, denn die Völker der Länder haben
es befleckt mit ihren Gräueln, mit denen
sie es von einem Ende bis zum andern
Ende in ihrer Unreinheit angefüllt haben.
12 So [a]sollt ihr nun eure Töchter nicht ihren
Söhnen geben, und ihre Töchter sollt ihr
nicht für eure Söhne nehmen. Und sucht
nicht ihren Frieden noch ihr Gutes ewig-
lich, damit ihr stark werdet und das Gute
des Landes esst und es euren Kindern ver-
erbt ewiglich.
13 Aber nach allem, was über uns gekom-
men ist um unserer bösen Werke und gro-
ßen Schuld willen – doch du, unser Gott,
hast unsere Missetat nicht bestraft, wie
wir's verdient hätten, und hast uns diese
Schar von Erretteten gegeben –, 14 sollten
wir wiederum deine Gebote übertreten,
dass wir uns verschwägerten mit den
Völkern, die diese Gräuel tun? Wirst du
nicht über uns zürnen, bis es ganz aus ist,
sodass es weder einen Rest noch Entron-
nene gibt? 15 HERR, Gott Israels, du bist
gerecht; denn wir sind übrig geblieben als
Errettete, wie es heute ist. Siehe, hier sind
wir vor dir in unserer Schuld; denn darum
kann niemand bestehen vor dir.

ENTLASSUNG DER FREMDEN FRAUEN

10 Und als Esra so betete und bekannte,
weinte und vor dem Hause Gottes
niedergefallen war, sammelte sich um ihn
aus Israel eine sehr große Gemeinde von
Männern, Frauen und Kindern; denn das
Volk weinte sehr. 2 Und Schechanja, der
Sohn Jehiëls, von den Söhnen Elam, hob
an und sprach zu Esra: Wir haben unserm
Gott die Treue gebrochen, als wir fremde
Frauen von den Völkern des Landes ge-
nommen haben. Nun, es ist trotz allem
noch Hoffnung für Israel! 3 So lasst uns
nun einen Bund schließen mit unserm
Gott, dass wir all die Frauen und die von
ihnen geboren sind, fortschicken nach
dem Rat meines Herrn und derer, die die
Gebote unseres Gottes fürchten, dass man
tue nach dem Gesetz. 4 So steh nun auf!
Denn an dir ist's zu handeln, und wir wol-
len mit dir sein. Sei getrost und tu es!
5 Da stand Esra auf und nahm einen Eid
von den obersten Priestern, den Leviten
und ganz Israel, dass sie nach diesem Wort
tun sollten. Und sie schworen. 6 Und Esra
ging fort von dem Platz vor dem Hause
Gottes und ging in die Kammer Johanans,
des Sohnes Eljaschibs. Und er blieb dort
über Nacht, [a]aß kein Brot und trank kein
Wasser; denn er trug Leid um den Treu-
bruch derer, die aus der Gefangenschaft
gekommen waren.

9,6 *a* Dan 9,7-8 **9,11** *a* 3. Mose 18,24-25 **9,12** *a* Vers 2
10,6 *a* 2. Mose 34,28; 5. Mose 9,9

7 Und man ließ ausrufen in Juda und
Jerusalem für alle, die in der Gefangen-
schaft gewesen waren, dass sie sich in Je-
rusalem versammeln sollten; 8 und wer
nicht in drei Tagen nach dem Ratschluss
der Oberen und Ältesten käme, dessen
ganze Habe sollte dem Bann verfallen und
er selbst ausgeschlossen sein aus der Ge-
meinde derer, die aus der Gefangenschaft
gekommen waren. 9 Da versammelten
sich alle Männer von Juda und Benjamin in
Jerusalem auf den dritten Tag, den zwan-
zigsten im neunten Monat. Und alles Volk
saß auf dem Platz vor dem Hause Gottes,
zitternd wegen der Sache und des strö-
menden Regens. 10 Und Esra, der Pries-
ter, stand auf und sprach zu ihnen: Ihr
habt dem Herrn die Treue gebrochen, als
ihr fremde Frauen genommen und so die
Schuld Israels gemehrt habt. 11 So bekennt
nun vor dem HERRN, dem Gott eurer Vä-
ter, und tut seinen Willen und scheidet
euch von den Völkern des Landes und von
den fremden Frauen.

12 Da antwortete die ganze Gemeinde
und sprach mit lauter Stimme: Es ge-
schehe, wie du uns gesagt hast! 13 Aber
es ist viel Volk hier, und es ist Regenzeit
und man kann nicht draußen stehen;
auch ist es nicht in ein oder zwei Tagen
getan, denn wir haben in dieser Sache viel
gesündigt. 14 Unsere Oberen sollen die
ganze Gemeinde vertreten, und alle, die
in unsern Städten fremde Frauen genom-
men haben, sollen zu bestimmten Zeiten
kommen und mit ihnen die Ältesten einer
jeden Stadt und ihre Richter, bis der Zorn
unseres Gottes um dieser Sache willen
von uns gewendet werde.

15 Nur Jonatan, der Sohn Asaëls, und
Jachseja, der Sohn Tikwas, widersetzten
sich dem, und Meschullam und Schabbe-
tai, der Levit, halfen ihnen. 16 Doch die aus
der Gefangenschaft gekommen waren, ta-
ten, wie sie versprochen hatten. Und der
Priester Esra sonderte sich Männer aus,
die Häupter ihrer Sippen, alle namentlich
genannt, und sie traten zusammen am
ersten Tage des zehnten Monats, um die
Sache zu untersuchen. 17 Und sie brach-
ten's zum Abschluss bei allen Männern,
die fremde Frauen hatten, bis zum ersten
Tage des ersten Monats.

18 Und es wurden gefunden unter den
Priestern, die fremde Frauen genom-
men hatten: bei den Söhnen [a]Jeschuas,
des Sohnes Jozadaks, und seinen Brü-
dern: Maaseja, Eliëser, Jarib und Gedalja,
19 und sie gaben die Hand darauf, dass sie
ihre Frauen fortschicken wollten. Und
ihr Schuldopfer war ein Widder für ihre
Schuld; 20 und von den Söhnen Immer:
Hanani und Sebadja; 21 und von den Söh-
nen Harim: Maaseja, Elija, Schemaja, Je-
hiël und Usija; 22 und von den Söhnen
Paschhur: Eljoënai, Maaseja, Jischmael,
Netanel, Josabad und Elasa; 23 und von
den Leviten: Josabad, Schimi und Kelaja,
das ist [a]Kelita, Petachja, Juda und Eliëser;
24 und von den Sängern: Eljaschib; un-
ter den Torhütern: Schallum, Telem und
Uri.

25 Und von den übrigen Israeliten: bei
den Söhnen Parosch: Ramja, Jisija, Mal-
kija, Mijamin, Eleasar, Haschabja und Be-
naja; 26 und von den Söhnen Elam: Mat-
tanja, Secharja, Jehiël, Abdi, Jeremot und
Elija; 27 und von den Söhnen Sattu: Eljo-
ënai, Eljaschib, Mattanja, Jeremot, Sabad
und Asisa; 28 und von den Söhnen Bebai:
Johanan, Hananja, Sabbai und Atlai; 29 und
von den Söhnen Bani: Meschullam, Mal-
luch, Adaja, Jaschub, Scheal und Jeremot;
30 und von den Söhnen Pahat-Moab: Adna,
Kelal, Benaja, Maaseja, Mattanja, Bezalel,
Binnui und Manasse; 31 und von den
Söhnen Harim: Eliëser, Jischija, Malkija,
Schemaja, Simeon, 32 Benjamin, Malluch,
Schemarja; 33 von den Söhnen Haschum:
Mattenai, Mattatta, Sabad, Elifelet, Jere-
mai, Manasse und Schimi; 34 bei den Söh-
nen Bani*: Maadai, Amram, Uël, 35 Benaja,
Bedja, Keluhi, 36 Wanja, Meremot, Elja-
schib, 37 Mattanja, Mattenai, Jaasai; 38 von
den Söhnen Binnui: Schimi, 39 Schelemja,
Nathan, Adaja, 40 Machnadbai, Schaschai,
Scharai, 41 Asarel, Schelemja, Schemarja,
42 Schallum, Amarja und Josef; 43 von den
Söhnen Nebo: Jëiël, Mattitja, Sabad, Se-
bina, Jaddai, Joel und Benaja.

44 Diese alle hatten fremde Frauen ge-
nommen; und nun entließen sie Frauen
und Kinder.

* **10,34** Der Name lautet in Neh 7,19 »Bigwai«.

10,18 *a* Kap 3,2 **10,23** *a* Neh 8,7; 10,11

DAS BUCH NEHEMIA

1–2 Nehemia kommt nach Jerusalem 3–7 Der Wiederaufbau der Stadtmauer
8–10 Esra verpflichtet die Israeliten auf das Gesetz
11–12 Namenslisten. Die Mauer wird eingeweiht 13 Nehemias Reformen

NEHEMIAS TRAUER UM JERUSALEM UND SEIN GEBET

1 Dies ist die Geschichte Nehemias, des
Sohnes Hachaljas.
Es geschah im Monat Kislew des zwan-
zigsten Jahres*, als ich in der Festung Susa
war, 2 da kam Hanani, einer meiner Brü-
der, mit einigen Männern aus Juda. Und
ich fragte sie, wie es den Juden ginge, den
Entronnenen, die von der Gefangenschaft
übriggeblieben waren, und wie es Jerusa-
lem ginge. 3 Und sie sprachen zu mir: Die
übrig geblieben sind von der Gefangen-
schaft, sind dort in der Provinz in großem
Unglück und Schmach; [a]die Mauern Jeru-
salems sind zerbrochen und seine Tore mit
Feuer verbrannt.
4 Als ich aber diese Worte hörte, [a]setzte
ich mich nieder und weinte und trug Leid
tagelang und fastete und betete vor dem
Gott des Himmels 5 und sprach: Ach,
HERR, Gott des Himmels, [a]du großer
und schrecklicher Gott, [b]der da hält den
Bund und die Treue denen, die ihn lieben
und seine Gebote halten! 6 Lass doch deine
Ohren aufmerken und deine Augen offen
sein, dass du das Gebet deines Knechtes
hörst, das ich jetzt vor dir bete Tag und
Nacht für die Israeliten, deine Knechte,
und bekenne die Sünden der Israeliten,
die wir an dir getan haben; und ich und
meines Vaters Haus haben auch gesün-
digt. 7 Wir haben übel an dir getan, dass
wir nicht gehalten haben die Gebote, Be-
fehle und Rechte, die du geboten hast dei-
nem Knecht Mose. 8 Gedenke aber doch
des Wortes, das du deinem Knecht Mose
gebotest und sprachst: Wenn ihr mir die
Treue brecht, so [a]will ich euch unter die
Völker zerstreuen. 9 Wenn ihr euch aber
bekehrt zu mir und haltet meine Gebote
und tut sie, so will ich, [a]auch wenn ihr ver-
sprengt wäret bis an des Himmels Ende,
euch doch von da sammeln und will euch
bringen an den Ort, den ich erwählt habe,
dass mein Name daselbst wohne. 10 Sie
sind ja doch deine Knechte und dein Volk,
das du erlöst hast durch deine große Kraft
und deine mächtige Hand. 11 Ach, Herr,
lass deine Ohren aufmerken auf das Gebet
deines Knechtes und auf das Gebet deiner
Knechte, die von Herzen deinen Namen
fürchten. [a]Und lass es deinem Knecht
heute gelingen und gib ihm Gnade vor
diesem Mann! – Denn ich war des Königs
Mundschenk.

NEHEMIA REIST NACH JERUSALEM

2 Im Monat Nisan des zwanzigsten Jah-
res des Königs Artaxerxes, als Wein
vor ihm stand, nahm ich den Wein und
gab ihn dem König. Und ich hatte zuvor
nie traurig ausgesehen. 2 Da sprach der
König zu mir: Warum siehst du so trau-
rig drein? Du bist doch nicht krank? Das
ist's nicht, sondern dich bedrückt etwas.
Ich aber fürchtete mich sehr 3 und sprach
zum König: Der König lebe ewig! Wie
sollte ich nicht traurig dreinsehen! Die
Stadt, in der meine Väter begraben sind,
liegt wüst, und ihre Tore sind vom Feuer
verzehrt. 4 Da sprach der König zu mir:
Was begehrst du denn? Da betete ich zu
dem Gott des Himmels 5 und sprach zum
König: Gefällt es dem König und ist dein
Knecht dir genehm, so wollest du mich
nach Juda reisen lassen, in die Stadt, wo
meine Väter begraben sind, damit ich sie
wieder aufbaue.
6 Und der König sprach zu mir, während
die Königin neben ihm saß: Wie lange
wird deine Reise dauern und wann wirst
du wiederkommen? Und als es dem König
gefiel, mich reisen zu lassen, nannte ich
ihm eine bestimmte Zeit 7 und sprach zum

* **1,1** Gemeint ist das zwanzigste Jahr des Königs Artaxerxes, 445 v. Chr.

1,3 *a* 2. Chr 36,19 **1,4** *a* Esra 9,3 **1,5** *a* Dan 9,4
b 5. Mose 7,9 **1,8** *a* 5. Mose 4,27 **1,9** *a* 5. Mose 30,4-9
1,11 *a* 1. Mose 24,12

König: Gefällt es dem König, so gebe man
mir Briefe an die Statthalter jenseits des
Euphrat, dass sie mich durchziehen lassen,
bis ich nach Juda komme, 8 und auch Briefe
an Asaf, den Aufseher über die Wälder des
Königs, dass er mir Holz gebe zu Balken
für die Pforten der Burg beim Tempel und
für die Stadtmauer und für das Haus, in
das ich einziehen soll. Und der König gab
sie mir, weil [a]die gute Hand meines Gottes
über mir war.
9 Und als ich zu den Statthaltern jenseits
des Euphrat kam, gab ich ihnen die Briefe
des Königs. Und der König sandte mit mir
Hauptleute und Reiter. 10 Als Sanballat,
der Horoniter, und Tobija, der ammoniti-
sche Knecht, davon hörten, verdross es sie
sehr, dass einer gekommen war, der Gutes
suchte für die Israeliten.

NEHEMIA UNTERSUCHT DIE ZERSTÖRTEN MAUERN

11 Und als ich nach Jerusalem kam und drei
Tage da gewesen war, 12 machte ich mich
des Nachts auf und wenige Männer mit
mir; denn ich hatte keinem Menschen ge-
sagt, was mir mein Gott eingegeben hatte,
für Jerusalem zu tun; und es war kein Tier
bei mir außer dem, auf dem ich ritt. 13 Und
ich ritt zum Taltor hinaus bei Nacht und
am Drachenquell vorbei und an das Mist-
tor und forschte genau, wo die Mauern
Jerusalems eingerissen waren und die
Tore vom Feuer verzehrt. 14 Und ich ritt
hinüber zu dem [a]Quelltor und zu des Kö-
nigs Teich, und es war da kein Raum, dass
mein Tier mit mir weiterkommen konnte.
15 Da stieg ich bei Nacht das Bachtal hin-
auf und achtete genau auf die Mauern und
kehrte um und kam durch das Taltor wie-
der heim.
16 Und die Vorsteher wussten nicht,
wohin ich gegangen war und was ich ge-
macht hatte; denn ich hatte bis dahin den
Juden nichts gesagt, weder den Priestern
noch den Vornehmen noch den Vorste-
hern und den andern, die am Werk arbei-
ten sollten. 17 Und ich sprach zu ihnen: Ihr
seht das Unglück, in dem wir sind, dass
Jerusalem wüst liegt und seine Tore mit
Feuer verbrannt sind. Kommt, lasst uns
die Mauern Jerusalems wieder aufbauen,
dass wir nicht weiter ein Gespött seien!
18 Und ich sagte ihnen, wie gut die Hand
meines Gottes über mir war, dazu auch
die Worte des Königs, die er zu mir gere-
det hatte. Und sie sprachen: Auf, lasst uns
bauen! Und sie [a]stärkten ihre Hände zum
guten Werk.
19 Als das aber Sanballat, der Horoniter,
und Tobija, der ammonitische Knecht,
und Geschem, der Araber, hörten, ver-
spotteten und verhöhnten sie uns und
sprachen: Was ist das, was ihr da tut?
Wollt ihr von dem König abfallen? 20 Da
antwortete ich ihnen und sprach: **Der
Gott des Himmels wird es uns gelingen
lassen; denn wir, seine Knechte, haben
uns aufgemacht und bauen wieder auf.**
Ihr aber habt keinen Anteil noch Anrecht
noch Gedenken in Jerusalem.

DER WIEDERAUFBAU DER STADTMAUER

3 Und [a]Eljaschib, der Hohepriester,
machte sich auf mit seinen Brüdern, den
Priestern, und sie bauten das Schaftor. Sie
deckten es und setzten seine Türen ein. Sie
bauten aber weiter bis an den Turm Mea,
bis an den [b]Turm Hananel. 2 Neben ihnen
bauten die Männer von Jericho. Und dane-
ben baute Sakkur, der Sohn Imris. 3 Aber
das Fischtor bauten die Söhne Senaa; sie
deckten es und setzten seine Türen ein,
seine Schlösser und Riegel. 4 Neben ih-
nen baute Meremot, der Sohn Urias, des
Sohnes des Hakkoz. Neben ihm baute Me-
schullam, der Sohn Berechjas, des Sohnes
Meschesabels. Neben ihm baute Zadok,
der Sohn Baanas. 5 Neben ihm bauten die
Leute von Tekoa, aber ihre Vornehmen
beugten ihren Nacken nicht zum Dienst
für ihre Herren.
6 Das Jeschanator bauten Jojada, der
Sohn Paseachs, und Meschullam, der
Sohn Besodjas; sie deckten es und setz-
ten seine Türen ein, seine Schlösser und
Riegel. 7 Neben ihnen bauten Melatja
von Gibeon und Jadon von Meronot und
die Männer von Gibeon und von Mizpa,
dort wo der Statthalter jenseits des Eu-
phrat seinen Sitz hatte. 8 Daneben baute
Usiël, der Sohn Harhajas, einer von den
Goldschmieden. Neben ihm baute Ha-

2,8 ***a*** Esra 7,6 **2,14** ***a*** Kap 3,15 **2,18** ***a*** Sach 8,9
3,1 ***a*** Kap 12,10 ***b*** Jer 31,38

nanja, der zu den Salbenbereitern ge-
hörte. Sie bauten in Jerusalem bis an die
breite Mauer. [9]Neben ihnen baute Refaja,
der Sohn Hurs, der Oberste über den hal-
ben Bezirk von Jerusalem. [10]Neben ihm
baute Jedaja, der Sohn Harumafs, gegen-
über seinem Hause. Neben ihm baute
Hattusch, der Sohn Haschabnejas. [11]Aber
Malkija, der Sohn Harims, und Haschub,
der Sohn Pahat-Moabs, bauten ein weite-
res Stück und den Ofenturm. [12]Daneben
baute Schallum, der Sohn des Lohesch,
der Oberste über den andern halben Be-
zirk von Jerusalem, er und seine Töchter.

[13]Das Taltor bauten Hanun und die Be-
wohner von Sanoach; sie bauten es und
setzten seine Türen ein, seine Schlösser
und Riegel – und tausend Ellen an der
Mauer bis an das Misttor. [14]Das Misttor
aber baute Malkija, der Sohn Rechabs, der
Oberste des Bezirkes von Bet-Kerem; er
baute es und setzte seine Türen ein, seine
Schlösser und Riegel. [15]Aber das [a]Quell-
tor baute Schallun, der Sohn Kolhoses, der
Oberste des Bezirkes von Mizpa; er baute
es und deckte es und setzte seine Türen
ein, seine Schlösser und Riegel, dazu die
Mauer am [b]Teich der Wasserleitung bei
dem Garten des Königs bis an die Stufen,
die von der Stadt Davids hinabführen.
[16]Neben ihm baute Nehemja, der Sohn
Asbuks, der Oberste über den halben Be-
zirk von Bet-Zur, bis gegenüber den Grä-
bern Davids und bis an den Teich, den
man angelegt hatte, und bis an das Haus
der Kriegsleute.

[17]Neben ihm bauten die Leviten: Re-
hum, der Sohn Banis. Neben ihm baute
Haschabja, der Oberste über den halben
Bezirk von Keïla, für seinen Bezirk. [18]Ne-
ben ihm bauten ihre Brüder unter Bin-
nui, dem Sohn Henadads, dem Obersten
über den andern halben Bezirk von Keïla.
[19]An seiner Seite baute Eser, der Sohn Je-
schuas, der Oberste zu Mizpa, ein weite-
res Stück gegenüber dem Aufgang zum
Zeughaus am Winkel. [20]Neben ihm zum
Berge hin baute Baruch, der Sohn Sabbais,
ein weiteres Stück vom Winkel bis an die
Haustür [a]Eljaschibs, des Hohenpriesters.
[21]Neben ihm baute [a]Meremot, der Sohn
Urias, des Sohnes des Hakkoz, ein weite-
res Stück von der Haustür Eljaschibs bis
an das Ende des Hauses Eljaschibs. [22]Ne-
ben ihm bauten die Priester, die Männer
aus dem Umkreis. [23]Neben ihnen bauten
Benjamin und Haschub gegenüber ih-
rem Hause. Neben ihnen baute Asarja,
der Sohn Maasejas, des Sohnes Ananjas,
neben seinem Hause. [24]Neben ihm baute
Binnui, der Sohn Henadads, ein weiteres
Stück vom Hause Asarjas bis an den Win-
kel und bis an die Ecke. [25]Palal, der Sohn
Usais, baute gegenüber dem Winkel und
dem oberen Turm, der vom Königshause
vorspringt bei dem Wachthof. Neben
ihm baute Pedaja, der Sohn des Parosch,
[26b]*bis gegenüber dem Wassertor im Os-
ten, wo der Turm vorspringt. [27]Neben
ihm bauten die Leute von Tekoa ein wei-
teres Stück gegenüber dem großen Turm,
der vorspringt, und bis an die Mauer des
Ofel. [26a]*Am Ofel wohnten die Tempel-
diener.

[28]Oberhalb des Rosstors bauten die
Priester, ein jeder gegenüber seinem Hau-
se. [29]Daneben baute Zadok, der Sohn Im-
mers, gegenüber seinem Hause. Neben
ihm baute Schemaja, der Sohn Schechan-
jas, der Torhüter des Osttors. [30]Neben
ihm bauten Hananja, der Sohn Schelem-
jas, und Hanun, der sechste Sohn Zalafs,
ein weiteres Stück. Neben ihnen baute
Meschullam, der Sohn Berechjas, gegen-
über seiner Kammer. [31]Neben ihm baute
Malkija, der zu den Goldschmieden ge-
hört, bis an das Haus der Tempeldiener
und der Händler gegenüber dem Wachttor
und bis an das Obergemach an der Mauer-
ecke. [32]Und zwischen dem Obergemach
an der Ecke und dem Schaftor bauten die
Goldschmiede und die Händler.

NEHEMIA SICHERT DEN BAU DER MAUER

[33]Als aber [a]Sanballat hörte, dass wir die
Mauer bauten, wurde er zornig und sehr
entrüstet und spottete über die Juden
[34]und sprach vor seinen Brüdern und dem
Heer in Samaria: Was machen diese ohn-
mächtigen Juden da? Soll man sie gewäh-
ren lassen? Werden sie opfern? Werden

* **3,26** Der Zusammenhang erfordert die Umstellung der Verse.

3,15 *a* Kap 2,14 *b* 2. Kön 20,20 **3,20** *a* Vers 1
3,21 *a* Esra 8,33 **3,33** *a* Kap 2,10.19

sie es in diesen Tagen schon vollenden?
Werden sie die Steine, die doch verbrannt
sind, aus den Aschehaufen lebendig ma-
chen? 35 Aber Tobija, der Ammoniter,
stand neben ihm und sprach: Lass sie nur
bauen; wenn ein Fuchs auf ihre steinerne
Mauer springt, reißt er sie ein.

36 Höre, unser Gott, wie verachtet sind
wir! Lass ihren Hohn auf ihren Kopf kom-
men, dass du sie der Plünderung preisgibst
in einem Land, in das man sie gefangen
führt! 37 Decke ihre Missetat nicht zu, und
ihre Sünde tilge nicht vor dir; denn sie ha-
ben dich vor den Bauleuten gelästert!

38 Aber wir bauten die Mauer und schlos-
sen sie bis zur halben Höhe. Und das Volk
gewann neuen Mut zu arbeiten.

4 Als aber Sanballat und Tobija und die
Araber und Ammoniter und Aschdod-
iter hörten, dass die [a]Wunden der Mauern
Jerusalems heilten, weil die Lücken ange-
fangen hatten sich zu schließen, wurden
sie sehr zornig 2 und verschworen sich alle
miteinander hinzuziehen, um gegen Jeru-
salem zu kämpfen und dort Verwirrung
zu stiften. 3 Wir aber beteten zu unserm
Gott und stellten gegen sie Tag und Nacht
Wachen auf zum Schutz vor ihnen. 4 Und
das Volk von Juda sprach: Die Kraft der
Träger ist zu schwach, und da ist zu viel
Schutt; wir schaffen es nicht, an der Mauer
zu bauen. 5 Unsere Widersacher aber dach-
ten: Sie sollen's nicht erfahren noch sehen,
bis wir mitten unter sie kommen und sie
töten und dem Werk ein Ende machen.

6 Als nun die Juden, die nahe bei ihnen
wohnten, kamen und uns wohl zehnmal
sagten von all den Plänen, die sie gegen
uns ersannen, 7 da stellte ich unten an die
Orte hinter der Mauer an den offenen Stel-
len das Volk auf nach seinen Geschlech-
tern mit Schwertern, Spießen und Bogen.
8 Und als ich sie besah, machte ich mich auf
und sprach zu den Vornehmen und Vor-
stehern und dem übrigen Volk: Fürch-
tet euch nicht vor ihnen; gedenkt an den
Herrn, [a]der groß und schrecklich ist, und
streitet für eure Brüder, Söhne, Töchter,
Frauen und Häuser!

9 Als aber unsere Feinde hörten, dass es
uns kundgeworden war und Gott ihren
Rat zunichtegemacht hatte, kehrten wir
alle zur Mauer zurück, ein jeder zu seiner
Arbeit. 10 Und es geschah hinfort, dass die
Hälfte meiner Leute am Bau arbeitete, die
andere Hälfte aber hielt Spieße, Schilde,
Bogen und Panzer bereit, und die Obers-
ten standen hinter dem ganzen Haus Juda,
11 das an der Mauer baute. Und die da Las-
ten trugen, arbeiteten so: Mit der einen
Hand taten sie die Arbeit und mit der
andern hielten sie die Waffe. 12 Und ein
jeder, der baute, hatte sein Schwert um
die Lenden gegürtet und baute so; und
der die Posaune zu blasen hatte, stand
neben mir.

13 Und ich sprach zu den Vornehmen
und Vorstehern und zum übrigen Volk:
Das Werk ist groß und weit, und wir sind
auf der Mauer weit verstreut und fern
voneinander. 14 Wo ihr nun die Posaune
tönen hört, dort sammelt euch zu uns.
[a]Unser Gott wird für uns streiten. 15 So ar-
beiteten wir am Bau, während die Hälfte
die Spieße bereithielt, vom Aufgang der
Morgenröte, bis die Sterne hervorkamen.

16 Auch sprach ich zu der Zeit zum
Volk: Ein jeder bleibe mit seinen Leuten
über Nacht in Jerusalem, dass sie uns des
Nachts als Wache dienen und am Tage für
die Arbeit. 17 Aber ich und meine Brüder
und meine Leute und die Wache, die mir
folgte, wir zogen unsere Kleider nicht aus;
ein jeder hatte seinen Spieß zur Rechten.

DER SCHULDENERLASS

5 Und es erhob sich ein großes Geschrei
des Volks und ihrer Frauen gegen ihre
jüdischen Brüder. 2 Die einen sprachen:
Unsere Söhne und Töchter sind viele,
wir müssen Getreide kaufen, damit wir
essen und leben können. 3 Die andern
sprachen: Unsere Äcker, Weinberge und
Häuser müssen wir verpfänden, damit
wir Getreide kaufen können in der Hun-
gerzeit. 4 Wieder andere sprachen: Wir
haben auf unsere Äcker und Weinberge
Geld aufnehmen müssen für die Steuern
des Königs. 5 Nun sind wir doch von glei-
chem Fleisch und Blut wie unsere Brüder,
und unsere Kinder sind wie ihre Kinder;
und siehe, wir müssen unsere Söhne und
Töchter als Sklaven dienen lassen, und
schon sind einige unserer Töchter ernied-

4,1 *a* Jer 30,17 **4,8** *a* Kap 1,5 **4,14** *a* 2. Mose 14,14

rigt worden, und wir können nichts dage-
gen tun, und unsere Äcker und Weinberge
gehören andern.[a]
6 Da ich aber ihr Schreien und diese
Worte hörte, wurde ich sehr zornig. 7 Und
ich hielt Rat mit mir selbst und schalt die
Vornehmen und die Vorsteher und sprach
zu ihnen: Ihr treibt [a]Wucher, einer gegen
den andern! Und ich brachte eine große
Versammlung gegen sie zusammen 8 und
sprach zu ihnen: Wir haben unsere jüdi-
schen Brüder losgekauft, [a]die den Heiden
verkauft waren, soweit es uns möglich
war; ihr aber wollt eure Brüder verkaufen,
damit wir sie wieder zurückkaufen müs-
sen? Da schwiegen sie und fanden nichts
zu antworten.
9 Und ich sprach: Es ist nicht gut, was ihr
tut. Solltet ihr nicht in der Furcht Gottes
wandeln um des Hohnes der Heiden wil-
len, die ja unsere Feinde sind? 10 Ich und
meine Brüder und meine Leute haben
unsern Brüdern auch Geld geliehen und
Getreide. [a]Erlassen wir ihnen doch diese
Schuld! 11 Gebt ihnen noch heute ihre
Äcker, Weinberge, Ölgärten und Häu-
ser zurück und erlasst ihnen die Schuld
an Geld, Getreide, Wein und Öl, die ihr
von ihnen zu fordern habt. 12 Da sprachen
sie: Wir wollen es zurückgeben und wol-
len nichts von ihnen fordern und wollen
tun, wie du gesagt hast. Und ich rief die
Priester und nahm einen Eid von ihnen,
dass sie so tun sollten. 13 Auch schüttelte
ich den Bausch meines Gewandes aus und
sprach: So schüttle Gott einen jeden aus
seinem Hause und aus seinem Besitz, der
dies Wort nicht hält: So sei er ausgeschüt-
telt und leer! Und die ganze Gemeinde
sprach »Amen« und lobte den HERRN.
Und das Volk tat so.

NEHEMIA IM DIENST SEINES VOLKES

14 Und von der Zeit an, da mir befohlen
wurde, Statthalter zu sein im Lande Juda,
nämlich vom zwanzigsten Jahr an bis in
das zweiunddreißigste Jahr des Königs
Artaxerxes, das sind zwölf Jahre, verzich-
tete ich für mich und meine Brüder auf
meine Einkünfte als Statthalter. 15 Denn
die früheren Statthalter, die vor mir gewe-
sen waren, hatten das Volk schwer belastet
und hatten für Brot und Wein täglich vier-
zig Schekel Silber von ihnen genommen;
auch ihre Leute waren gewaltsam verfah-
ren mit dem Volk. Ich aber tat nicht so um
der Furcht Gottes willen. 16 Auch bei der
Arbeit an der Mauer legte ich Hand an,
und wir kauften keinen Acker; und alle
meine Leute mussten sich dort zur Arbeit
versammeln. 17 Dazu waren von den Ju-
den und den Vorstehern hundertfünfzig
Mann an meinem Tisch und die, die zu
uns kamen aus den Völkern, die um uns
her wohnten. 18 Und man brauchte dafür
täglich einen Ochsen und sechs auserle-
sene Schafe und Geflügel und je für zehn
Tage allerlei Wein in Menge. Dennoch for-
derte ich nicht die Einkünfte eines Statt-
halters; denn der Dienst lag schwer auf
diesem Volk.
19 Gedenke, mein Gott, zu meinem Bes-
ten an alles, was ich für dies Volk getan
habe![a]

PLÄNE GEGEN NEHEMIA

6 Und als Sanballat, Tobija und Geschem,
der Araber, und unsere andern Feinde
erfuhren, dass ich die Mauer gebaut hätte
und keine Lücke mehr darin wäre, wie-
wohl ich die Türen zu der Zeit noch nicht
in die Tore gehängt hatte, 2 sandten San-
ballat und Geschem zu mir und ließen
mir sagen: Komm und lass uns zusam-
menkommen in Kefirim im Tal Ono! [a]Sie
gedachten mir aber Böses anzutun. 3 Ich
aber sandte Boten zu ihnen und ließ ih-
nen sagen: Ich hab ein großes Werk aus-
zurichten, ich kann nicht hinabkommen.
Das Werk würde liegen bleiben, wenn ich
davon abließe und zu euch hinabkäme.
4 Sie sandten aber viermal zu mir auf diese
Weise, und ich antwortete ihnen auf die
gleiche Weise.
5 Da sandte Sanballat zum fünften Mal
seinen Diener zu mir mit einem offenen
Brief in seiner Hand. 6 Darin war geschrie-
ben: Unter den Völkern hört man, und
[a]Geschem hat's gesagt, dass du und die
Juden abfallen wollt, dass du darum auch
[b]die Mauer baust, und du wollest ihr Kö-
nig werden; 7 und du habest dir Propheten

5,5 *a* 3. Mose 25,39; 2. Kön 4,1; Jes 50,1; Am 2,6; Mt 18,25 **5,7** *a* 2. Mose 22,24 **5,8** *a* 3. Mose 25,47-49 **5,10** *a* 5. Mose 15,1-11 **5,19** *a* Kap 13,14.22.31 **6,2** *a* 1. Mose 50,20 **6,6** *a* Kap 2,19 *b* Esra 4,12

bestellt, die in Jerusalem von dir ausrufen
und sagen sollen: Er ist der König in Juda!
Nun, solche Worte werden vor den König
kommen. So komm nun und lass uns mit-
einander Rat halten!
8 Ich aber sandte zu ihm und ließ ihm sa-
gen: Nichts von dem ist geschehen, was
du da sagst; du hast es in deinem Her-
zen ausgedacht. 9 Denn sie alle wollten
uns furchtsam machen und dachten: Sie
sollen die Hand abtun vom Werk, dass
es nicht fertig wird. Da stärkte ich desto
mehr meine Hände.
10 Und ich kam ins Haus Schemajas,
des Sohnes Delajas, des Sohnes Meheta-
bels; der hatte sich eingeschlossen, und er
sprach: Lass uns zusammenkommen im
Hause Gottes, im Innern des Tempels,
und die Türen des Tempels zuschließen;
denn sie werden kommen, dich zu töten,
in der Nacht werden sie kommen, dass sie
dich töten. 11 Ich aber sprach: Sollte ein
Mann wie ich fliehen? Sollte ein Mann wie
ich in den Tempel gehen, um am Leben
zu bleiben? Ich gehe nicht hinein. 12 Denn
ich merkte, dass nicht Gott ihn gesandt
hatte. Denn er sagte die Weissagung über
mich, weil Tobija und Sanballat ihm Geld
gegeben hatten. 13 Er hatte Geld genom-
men, damit ich mich fürchten sollte und
so handeln und mich verfehlen, dass ein
böses Gerücht aufkäme, damit sie mich
verhöhnen könnten.
14 Gedenke, mein Gott, des Tobija und
des Sanballat nach diesem ihrem Tun,
auch der Prophetin Noadja und der an-
dern Propheten, die mich abschrecken
wollten.[a]

DIE MAUER WIRD VOLLENDET

15 Und die Mauer wurde fertig am fünf-
undzwanzigsten Tage des Monats Elul in
zweiundfünfzig Tagen. 16 Und als alle un-
sere Feinde das hörten, fürchteten sich alle
Völker, die um uns her wohnten, und der
Mut entfiel ihnen; denn sie merkten, dass
dies Werk von Gott war. 17 Auch sandten
viele Vornehme aus Juda in jenen Tagen
Briefe an Tobija, und von Tobija gingen
Briefe zu ihnen. 18 Es gab nämlich viele in
Juda, die sich ihm verschworen hatten;
denn er war ein Schwiegersohn Schechan-
jas, des Sohnes Arachs, und sein Sohn Jo-
hanan hatte zur Frau die Tochter Meschul-
lams, des Sohnes Berechjas. 19 Und sie
sagten vor mir Gutes von ihm und trugen
ihm meine Worte zu. Da sandte Tobija
Briefe, um mich abzuschrecken.

SICHERUNG DER STADT

7 Als nun die Mauer gebaut war und ich
die Türen eingehängt hatte, wurden die
Torhüter, Sänger und Leviten eingesetzt.
2 Und ich setzte über Jerusalem meinen
Bruder Hanani und den Burgvogt Ha-
nanja; denn der war ein treuer Mann und
gottesfürchtig vor vielen andern. 3 Und ich
sprach zu ihnen: Man soll die Tore Jeru-
salems nicht auftun, ehe die Sonne heiß
scheint; und während sie noch am Him-
mel steht, soll man die Tore schließen und
verriegeln. Und man soll Wachen aufstel-
len aus den Bewohnern Jerusalems, jeden
auf seinem Wachtposten und jeden vor
seinem Haus.

VERZEICHNIS DER AUS BABEL ZURÜCKGEKEHRTEN

(vgl. Esra 2,1-67)

4 Die Stadt aber war weit und groß, aber
wenig Volk darinnen, und die Häuser
waren noch nicht wieder gebaut. 5 Und
mein Gott gab mir ins Herz, dass ich die
Vornehmen und die Vorsteher und das
Volk versammelte, um sie zu verzeichnen
nach Geschlechtern. Und ich fand das Ge-
schlechtsregister derer, die zuerst heimge-
kehrt waren, und fand darin geschrieben:
6 Dies sind die Leute der Provinz Juda,
die aus der Gefangenschaft heraufgezogen
sind, die Nebukadnezar, der König von Ba-
bel, weggeführt hatte und die wieder nach
Jerusalem und nach Juda zurückkehrten,
ein jeder in seine Stadt. 7 Sie kamen mit
Serubbabel, Jeschua, Nehemja, Asarja,
Raamja, Nahamani, Mordochai, Bilschan,
Misperet, Bigwai, Rehum und Baana.
Dies ist die Zahl der Männer des Vol-
kes Israel: 8 die Söhne Parosch 2172; 9 die
Söhne Schefatja 372; 10 die Söhne Arach
652; 11 die Söhne Pahat-Moab, nämlich die
Söhne Jeschua und die Söhne Joab, 2818;
12 die Söhne Elam 1254; 13 die Söhne Sattu
845; 14 die Söhne Sakkai 760; 15 die Söhne

6,14 *a* Kap 3,33-37

Binnui 648; 16die Söhne Bebai 628; 17die
Söhne Asgad 2322; 18die Söhne Adoni-
kam 667; 19die Söhne Bigwai 2067; 20die
Söhne Adin 655; 21die Söhne Ater, näm-
lich die Söhne Hiskija, 98; 22die Söhne
Haschum 328; 23die Söhne Bezai 324;
24die Söhne Harif 112; 25die Männer von
Gibeon 95; 26die Männer von Bethlehem
und Netofa 188; 27die Männer von Ana-
tot 128; 28die Männer von Bet-Asmawet
42; 29die Männer von Kirjat-Jearim, Kefira
und Beerot 743; 30die Männer von Rama
und Geba 621; 31die Männer von Michmas
122; 32die Männer von Bethel und Ai 123;
33die Männer des andern Nebo 52; 34die
Söhne des andern Elam 1254; 35die Söhne
Harim 320; 36die Männer von Jericho 345;
37die Männer von Lod, Hadid und Ono
721; 38die Söhne Senaa 3930.

39Die Priester waren: die Söhne Jedaja,
nämlich das Haus Jeschua, 973; 40die
Söhne Immer 1052; 41die Söhne Paschhur
1247; 42die Söhne Harim 1017.

43Die Leviten waren: die Söhne Je-
schua, nämlich Kadmiël, Binnui und Ho-
dawja, 74.

44Die Sänger: die Söhne Asaf 148.

45Die Torhüter: die Söhne Schallum, die
Söhne Ater, die Söhne Talmon, die Söhne
Akkub, die Söhne Hatita, die Söhne Scho-
bai, insgesamt 138.

46Die Tempeldiener: die Söhne Ziha, die
Söhne Hasufa, die Söhne Tabbaot, 47die
Söhne Keros, die Söhne Sia, die Söhne
Padon, 48die Söhne Lebana, die Söhne
Hagaba, die Söhne Salmai, 49die Söhne
Hanan, die Söhne Giddel, die Söhne Ga-
har, 50die Söhne Reaja, die Söhne Rezin,
die Söhne Nekoda, 51die Söhne Gasam,
die Söhne Usa, die Söhne Paseach, 52die
Söhne Besai, die Söhne der Mëuniter, die
Söhne der Nefusiter, 53die Söhne Bak-
buk, die Söhne Hakufa, die Söhne Harhur,
54die Söhne Bazlut, die Söhne Mehida, die
Söhne Harscha, 55die Söhne Barkos, die
Söhne Sisera, die Söhne Temach, 56die
Söhne Neziach, die Söhne Hatifa.

57Die Nachkommen der Knechte Sa-
lomos: die Söhne Sotai, die Söhne Sofe-
ret, die Söhne Peruda, 58die Söhne Jaala,
die Söhne Darkon, die Söhne Giddel,
59die Söhne Schefatja, die Söhne Hattil,
die Söhne Pocheret-Zebajim, die Söhne
Amon. 60Alle Tempeldiener und Nach-
kommen der Knechte Salomos waren 392.

61Diese aber zogen auch mit herauf von
Tel-Melach, Tel-Harscha, Kerub-Addon
und Immer, aber sie konnten nicht ange-
ben, ob ihr Vaterhaus und ihre Nachkom-
men aus Israel stammten: 62die Söhne
Delaja, die Söhne Tobija und die Söhne
Nekoda 642.

63Und von den Priestern: die Söhne Ha-
baja, die Söhne Hakkoz, die Söhne Barsil-
lai, der eine von den Töchtern des Gile-
aditers Barsillai zur Frau genommen hatte
und nach dessen Namen genannt wurde.

64Diese suchten im Geschlechtsregis-
ter, aber da man sie nicht fand, wurden sie
vom Priestertum ausgeschlossen. 65Und
der Tirschata* gebot ihnen, sie sollten
nicht essen vom [a]Hochheiligen, bis ein
Priester für »Licht und Recht«* aufstände.

66Die ganze Gemeinde zählte insgesamt
42360, 67ausgenommen ihre Knechte und
Mägde; die waren 7337, dazu 245 Sänger
und Sängerinnen. 68Und sie hatten 736
Rosse, 245 Maultiere, 435 Kamele, 6720
Esel.

GABEN FÜR DEN BAU DES TEMPELS

(vgl. Esra 2,68-69)

69Und einige Häupter der Sippen gaben
für das Werk. Der Tirschata gab zum
Schatz 1000 Gulden, 50 Schalen, 530
Priesterkleider. 70Und einige Häupter der
Sippen gaben zum Schatz für das Werk
20000 Gulden, 2200 Pfund Silber. 71Und
das übrige Volk gab 20000 Gulden und
2000 Pfund Silber und 67 Priesterklei-
der. 72Und die Priester und die Leviten,
die Torhüter, die Sänger und etliche aus
dem Volk und die Tempeldiener und ganz
Israel ließen sich nieder in ihren Städten.

ESRA VERLIEST DIE TORA

Als nun der siebente Monat herangekom-
men war und die Israeliten in ihren Städ-
8 ten waren, 1versammelte sich das ganze
Volk wie *ein* Mann auf dem Platz vor
dem Wassertor, und sie sprachen zu [a]Esra,
dem Schriftgelehrten, er sollte das Buch

* **7,65** (1) Persischer Ehrentitel. (2) »Licht und Recht« bezeichnet ein Orakelverfahren (vgl. 2. Mose 28,30; 1. Sam 14,41).

7,65 ***a*** 4. Mose 18,9 **8,1** ***a*** Esra 7,6

des Gesetzes des Mose holen, das der
HERR Israel geboten hat. 2 Und Esra, der
Priester, [a]brachte das Gesetz vor die Ge-
meinde, Männer und Frauen und alle, die
es verstehen konnten, am ersten Tage des
siebenten Monats 3 und las daraus auf dem
Platz vor dem Wassertor vom lichten Mor-
gen an bis zum Mittag vor Männern und
Frauen und wer's verstehen konnte. Und
die Ohren des ganzen Volks waren dem
Gesetzbuch zugekehrt. 4 Und Esra, der
Schriftgelehrte, stand auf einer hölzernen
Kanzel, die sie dafür gemacht hatten, und
neben ihm standen Mattitja, Schema,
Anaja, Uria, Hilkija und Maaseja zu seiner
Rechten, aber zu seiner Linken Pedaja, Mi-
schaël, Malkija, Haschum, Haschbaddana,
Secharja und Meschullam.
5 Und Esra tat das Buch auf vor aller Au-
gen, denn er überragte alles Volk; und da
er's auftat, stand alles Volk auf. 6 Und Esra
lobte den HERRN, den großen Gott. Und
alles Volk antwortete mit erhobenen Hän-
den »Amen! Amen!«, und sie neigten sich
und beteten den HERRN an mit dem Ant-
litz zur Erde. 7 Und die Leviten Jeschua,
Bani, Scherebja, Jamin, Akkub, Schabbe-
tai, Hodija, Maaseja, Kelita, Asarja, Josa-
bad, Hanan, Pelaja unterwiesen das Volk
im Gesetz; und das Volk stand auf seinem
Platz. 8 Und sie lasen aus dem Buch, dem
Gesetz Gottes, Abschnitt für Abschnitt
und erklärten es, sodass man verstand,
was gelesen wurde.
9 Und Nehemia, der [a]Tirschata*, und
Esra, der Priester und Schriftgelehrte, und
die Leviten, die das Volk unterwiesen,
sprachen zu allem Volk: Dieser Tag ist hei-
lig dem HERRN, eurem Gott; darum seid
nicht traurig und weint nicht! Denn alles
Volk weinte, als sie die Worte des Gesetzes
hörten. 10 Und Esra sprach zu ihnen: Geht
hin und esst fette Speisen und trinkt süße
Getränke und sendet davon auch denen,
die nichts für sich bereitet haben; denn
dieser Tag ist heilig unserm Herrn. Und
seid nicht bekümmert; denn **die Freude
am HERRN ist eure Stärke.** 11 Und die
Leviten hießen alles Volk schweigen und
sprachen: Seid still, denn der Tag ist heilig;
seid nicht bekümmert! 12 Und alles Volk
ging hin, um zu essen, zu trinken und da-
von auszuteilen und ein großes Freuden-
fest zu feiern; denn sie hatten die Worte
verstanden, die man ihnen kundgetan
hatte.

DIE FEIER DES LAUBHÜTTENFESTES

13 Und am zweiten Tage versammelten sich
die Häupter der Sippen des ganzen Volks
und die Priester und Leviten bei Esra, dem
Schriftgelehrten, dass er sie in den Wor-
ten des Gesetzes unterrichtete. 14 Und sie
fanden geschrieben im Gesetz, das der
HERR durch Mose geboten hatte, dass die
Israeliten [a]am Fest im siebenten Monat [b]in
Laubhütten wohnen sollten 15 und dass sie
es laut ausrufen und kundtun sollten in
allen ihren Städten und in Jerusalem und
sagen: Geht hinaus auf die Berge und [a]holt
Ölzweige, Balsamzweige, Myrtenzweige,
Palmenzweige und Zweige von Laubbäu-
men, dass man Laubhütten mache, wie es
geschrieben steht.
16 Und das Volk ging hinaus, und sie
holten sie und machten sich Laubhütten,
ein jeder auf seinem Dach und in ihren
Höfen und in den Vorhöfen am Hause
Gottes und [a]auf dem Platz am Wasser-
tor und auf dem Platz am Tor Ephraim.
17 Und die ganze Gemeinde derer, die aus
der Gefangenschaft wiedergekommen
waren, machte Laubhütten und wohnte
darin. Denn dies hatten die Israeliten seit
der Zeit Josuas, des Sohnes Nuns, bis auf
diesen Tag nicht mehr getan. Und es war
eine sehr große Freude. 18 Und es wurde
aus dem Buch des Gesetzes Gottes gelesen
alle Tage, vom ersten Tag an bis zum letz-
ten. Und sie hielten das Fest sieben Tage
und am achten Tage die Versammlung,
wie sich's gebührt.

DAS BUSSGEBET

9 Am vierundzwanzigsten Tage dieses
Monats kamen die Israeliten zu einem
Fasten zusammen, in Säcke gehüllt und
mit Erde auf ihren Häuptern. 2 Und es son-
derten sich die Nachkommen Israels ab
von allen Fremden und traten hin und be-
kannten ihre Sünden und die Missetaten
ihrer Väter. 3 Und sie standen auf an ihrem

* **8,9** Persischer Ehrentitel.

8,2 ***a*** 5. Mose 31,10-13 **8,9** ***a*** Kap 5,14
8,14 ***a*** 3. Mose 23,34-36 ***b*** 3. Mose 23,42
8,15 ***a*** 3. Mose 23,40 **8,16** ***a*** Vers 1

Platz, und man las vor aus dem Buch des
Gesetzes des HERRN, ihres Gottes, drei
Stunden lang*, und drei Stunden bekann-
ten sie und beteten an den HERRN, ihren
Gott. 4 Und auf dem erhöhten Platz für die
Leviten standen auf Jeschua, Bani, Kadmi-
ël, Schebanja, Bunni, Scherebja, Bani und
Kenani und schrien laut zu dem HERRN,
ihrem Gott. 5 Und die Leviten Jeschua,
Kadmiël, Bani, Haschabneja, Scherebja,
Hodija, Schebanja, Petachja sprachen:
Steht auf! Lobet den HERRN, euren Gott,
von Ewigkeit zu Ewigkeit! Und man lobe
seinen herrlichen Namen, der erhaben ist
über allen Preis und Ruhm!
6 HERR, du bist's allein, du hast gemacht
den Himmel und aller Himmel Himmel
mit ihrem ganzen Heer, die Erde und al-
les, was darauf ist, die Meere und alles,
was darinnen ist; du machst alles leben-
dig, und das himmlische Heer betet dich
an. 7 HERR, du bist Gott, der du Abram
erwählt hast und ihn aus [a]Ur in Chaldäa
geführt und [b]Abraham genannt hast 8 und
hast sein Herz treu erfunden vor dir und
einen Bund mit ihm geschlossen, [a]seinen
Nachkommen zu geben das Land der Ka-
naaniter, Hetiter, Amoriter, Perisiter, Je-
busiter und Girgaschiter, und hast dein
Wort gehalten; denn du bist gerecht. 9 Und
du hast das Elend unserer Väter in Ägyp-
ten angesehen und ihr Schreien am Schilf-
meer erhört[a] 10 und Zeichen und Wunder
getan am Pharao und allen seinen Großen
und an allem Volk seines Landes, denn du
erkanntest, dass sie [a]an ihnen vermessen
gehandelt hatten; so hast du dir einen
Namen gemacht, wie es heute ist. 11 Und
du hast [a]das Meer vor ihnen zerteilt, so-
dass sie mitten durchs Meer trocken hin-
durchgingen, und [b]hast ihre Verfolger in
die Tiefe geworfen wie Steine in mächtige
Wasser 12 und hast sie geführt [a]am Tage
in einer Wolkensäule und des Nachts in
einer Feuersäule, ihnen zu leuchten auf
dem Wege, den sie gehen sollten. 13 Und
du bist [a]herabgestiegen auf den Berg Sinai
und hast mit ihnen vom Himmel her ge-
redet und ihnen [b]ein wahrhaftiges Recht
und rechte Gesetze und gute Satzungen
und Gebote gegeben 14 und hast deinen
heiligen Sabbat ihnen kundgetan und
Gebote, Satzungen und Gesetz ihnen ge-
boten durch deinen Knecht Mose 15 und
hast ihnen [a]Brot vom Himmel gegeben,
als sie hungerte, und [b]Wasser aus dem
Felsen fließen lassen, als sie dürstete, und
ihnen geboten, sie sollten hingehen und
das Land einnehmen, über das du deine
Hand zum Schwur erhobst, es ihnen zu
geben.
16 Aber unsere Väter wurden stolz und
[a]halsstarrig, sodass sie deinen Geboten
nicht gehorchten, 17 und weigerten sich zu
hören und gedachten auch nicht an deine
Wunder, die du an ihnen tatest, sondern
[a]sie wurden halsstarrig und setzten sich in
den Kopf, zu ihrer Knechtschaft in Ägyp-
ten zurückzukehren. Aber **du bist ein
Gott, der vergibt, [b]gnädig, barmherzig,
geduldig und von großer Güte** und ver-
ließest sie nicht. 18 Und [a]obwohl sie ein
gegossenes Kalb machten und sprachen:
»Das ist dein Gott, der dich aus Ägypten-
land geführt hat«, und große Lästerun-
gen taten, 19 verließest du sie nicht in der
Wüste nach deiner großen Barmherzig-
keit, und die Wolkensäule wich nicht von
ihnen am Tage, um sie auf dem Wege zu
führen, noch die Feuersäule des Nachts,
um ihnen zu leuchten auf dem Wege, den
sie zogen. 20 Und [a]du gabst ihnen deinen
guten Geist, sie zu unterweisen, und [b]dein
Manna versagtest du nicht ihrem Munde
und [c]gabst ihnen Wasser, als sie dürs-
tete. 21 [a]Vierzig Jahre versorgtest du sie
in der Wüste, sodass ihnen nichts man-
gelte. Ihre Kleider zerfielen nicht, und ihre
Füße schwollen nicht an. 22 Und du gabst
ihnen Königreiche und Völker und teiltest
sie ihnen zu als Gebiet am Rand, und sie
nahmen ein das Land [a]Sihons, des Königs
von Heschbon, und das Land Ogs, des Kö-
nigs von Baschan. 23 Und du mehrtest ihre
Kinder wie die [a]Sterne am Himmel und
brachtest sie ins Land, das du ihren Vätern

* **9,3** Wörtlich: »ein Viertel des Tages«.

9,7 *a* 1. Mose 11,31 *b* 1. Mose 17,5 **9,8** *a* 1. Mose 15,18-21
9,9 *a* 2. Mose 3,7 **9,10** *a* 2. Mose 18,11
9,11 *a* 2. Mose 14,21 *b* 2. Mose 15,5.10
9,12 *a* 2. Mose 13,21 **9,13** *a* 2. Mose 19,18
b 2. Mose 20,1-17 **9,15** *a* 2. Mose 16,4.14-15
b 2. Mose 17,6 **9,16** *a* 2. Mose 32,1.9
9,17 *a* 4. Mose 14,4 *b* 2. Mose 34,6 **9,18** *a* 2. Mose 32,4
9,20 *a* 4. Mose 11,17.25 *b* 2. Mose 16,35; Ps 78,23-24
c 2. Mose 17,6; Ps 78,15-16 **9,21** *a* 5. Mose 8,4
9,22 *a* 4. Mose 21,23-35 **9,23** *a* 1. Mose 15,5; 22,17

zugesagt hattest, dass sie dort einziehen
und es einnehmen sollten. 24 Und die Kin-
der zogen hinein und nahmen das Land
ein. Und du demütigtest vor ihnen die Be-
wohner des Landes, die Kanaaniter, und
gabst sie in ihre Hand, ihre Könige und die
Völker im Lande, dass sie mit ihnen täten
nach ihrem Willen.[a] 25 Und sie eroberten
[a]feste Städte und ein fettes Land und nah-
men Häuser voller Güter in Besitz, ausge-
hauene Brunnen, Weinberge, Ölbäume
und Obstbäume in Menge, und sie aßen
und wurden [b]satt und fett und lebten in
Wonne durch deine große Güte.
26 Aber sie wurden ungehorsam und
widerstrebten dir und warfen dein Ge-
setz hinter sich und [a]töteten deine Pro-
pheten, die sie vermahnten und zu dir
zurückführen wollten, und taten große
Lästerungen. 27 [a]Darum gabst du sie in die
Hand ihrer Feinde, die sie ängsteten. Und
zur Zeit ihrer Angst schrien sie zu dir, und
du erhörtest sie vom Himmel, und durch
deine große Barmherzigkeit gabst du ih-
nen Retter, die ihnen halfen aus der Hand
ihrer Feinde. 28 Wenn sie aber zur Ruhe
kamen, taten sie wieder übel vor dir. Da
gabst du sie dahin in ihrer Feinde Hand,
dass sie über sie herrschten. So schrien
sie dann wieder zu dir, und du erhör-
test sie vom Himmel und errettetest sie
nach deiner großen Barmherzigkeit viele
Male. 29 Und du vermahntest sie, um sie
zu deinem Gesetz zurückzuführen. Aber
sie waren stolz und gehorchten deinen
Geboten nicht und sündigten an deinen
Rechten, [a]durch die der Mensch lebt, der
sie tut, und [b]kehrten dir den Rücken zu
und wurden halsstarrig und gehorch-
ten nicht. 30 Und du hattest viele Jahre
Geduld mit ihnen und vermahntest sie
durch deinen Geist durch deine Prophe-
ten, aber [a]sie nahmen's nicht zu Ohren.
Darum hast du sie gegeben in die Hand
der Völker in den Ländern. 31 Aber nach
deiner großen Barmherzigkeit hast du
mit ihnen nicht ein Ende gemacht noch
sie verlassen; denn du bist ein [a]gnädiger
und barmherziger Gott.
32 Nun, unser Gott, du großer Gott,
mächtig und schrecklich, [a]der du Bund
und Treue hältst, achte nicht gering all
das Elend, das uns getroffen hat, unsere
Könige, Fürsten, Priester, Propheten, Vä-
ter und dein ganzes Volk seit der Zeit der
Könige von Assur bis auf diesen Tag. 33 Du
bist gerecht in allem, was du über uns ge-
bracht hast; denn du hast recht getan, wir
aber sind gottlos gewesen.[a] 34 Und unsere
Könige, Fürsten, Priester und Väter ha-
ben nicht nach deinem Gesetz getan und
nicht achtgehabt auf deine Gebote und
Zeugnisse, mit denen du sie vermahnt
hast. 35 Und sie haben dir nicht gedient in
ihrem Königreich und bei deinen reichen
Gütern, die du ihnen gabst, und in dem
weiten und fetten Lande, das du ihnen ge-
geben hast, und haben sich nicht bekehrt
von ihrem bösen Tun. 36 Siehe, wir sind
heute Knechte; und in dem Lande, das du
unsern Vätern gegeben hast, seine Früchte
und Güter zu genießen, siehe, in ihm sind
wir Knechte. 37 Und seinen reichen Ertrag
bringt es den Königen, die du über uns ge-
setzt hast um unserer Sünden willen; und
sie herrschen über unsere Leiber und un-
ser Vieh nach ihrem Willen, und wir sind
in großer Not.

DAS VOLK VERPFLICHTET SICH AUF DAS GESETZ

10 Und wegen all dem treffen wir eine
feste Abmachung und schreiben sie
nieder, und unsere Fürsten, Leviten und
Priester sollen sie versiegeln. 2 Auf der ver-
siegelten Urkunde stehen: Nehemia, der
Tirschata*, der Sohn Hachaljas, und Zid-
kija, 3 Seraja, Asarja, Jirmeja, 4 Paschhur,
Amarja, Malkija, 5 Hattusch, Schebanja,
Malluch, 6 Harim, Meremot, Obadja, 7 Da-
niel, Ginneton, Baruch, 8 Meschullam,
Abija, Mijamin, 9 Maasja, Bilga und Sche-
maja; das sind die Priester.
10 Die Leviten aber sind: Jeschua, der
Sohn Asanjas, Binnui von den Söhnen
Henadads, Kadmiël, 11 und ihre Brüder:
Schechanja, Hodija, Kelita, Pelaja, Hanan,
12 Micha, Rehob, Haschabja, 13 Sakkur,
Scherebja, Schebanja, 14 Hodija, Bani und
Beninu.

* **10,2** Persischer Ehrentitel.

9,24 ***a*** Jos 12,1-24 **9,25** ***a*** 5. Mose 6,10-11 ***b*** 5. Mose 32,15 **9,26** ***a*** 1. Kön 19,10.14 **9,27** ***a*** (27-28) Ri 2,14-22; 3,9.15 **9,29** ***a*** 3. Mose 18,5 ***b*** Sach 7,11 **9,30** ***a*** Jer 7,25-26; 44,4-6 **9,31** ***a*** 2. Mose 34,6; Klgl 3,22 **9,32** ***a*** Kap 1,5; 5. Mose 7,9.12; 1. Kön 8,23 **9,33** ***a*** Dan 9,5.7

15 Die Oberen des Volks sind: Parosch,
Pahat-Moab, Elam, Sattu, Bani, 16 Bunni,
Asgad, Bebai, 17 Adonija, Bigwai, Adin,
18 Ater, Hiskija, Asur, 19 Hodija, Haschum,
Bezai, 20 Harif, Anatot, Nebai, 21 Magpi-
asch, Meschullam, Hesir, 22 Meschesabel,
Zadok, Jaddua, 23 Pelatja, Hanan, Anaja,
24 Hoschea, Hananja, Haschub, 25 Lohesch,
Pilha, Schobek, 26 Rehum, Haschabna,
Maaseja, 27 Ahija, Hanan, Anan, 28 Mal-
luch, Harim und Baana.

29 Und das übrige Volk, Priester, Levi-
ten, Torhüter, Sänger, Tempeldiener und
alle, die sich von den Völkern der Länder
abgesondert haben und sich zum Gesetz
Gottes halten, samt ihren Frauen, Söhnen
und Töchtern, alle, die es verstehen kön-
nen: 30 Sie schließen sich ihren Brüdern,
den Edlen, an und verpflichten sich unter
Eid und Schwur, zu wandeln im Gesetz
Gottes, das durch Mose, den Knecht Got-
tes, gegeben ist, und alle Gebote, Rechte
und Satzungen des HERRN, unseres Herr-
schers, zu halten und zu tun.

31 Wir wollen [a]unsere Töchter nicht
den Völkern des Landes geben noch [b]ihre
Töchter für unsere Söhne nehmen.

32 Wenn die Völker des Landes [a]am Sab-
bat Waren und allerlei Getreide zum Ver-
kauf bringen, wollen wir ihnen nichts ab-
nehmen, weder am Sabbat noch an einem
heiligen Tag.

Wir wollen in jedem siebenten Jahr
auf den [b]Ertrag des Bodens und auf [c]jede
Schuldforderung verzichten.

33 Wir legen uns das Gebot auf, dass
wir [a]jährlich den dritten Teil eines Sche-
kels geben zum Dienst im Hause unseres
Gottes, 34 nämlich für die [a]Schaubrote, für
das [b]tägliche Speisopfer, für das tägliche
Brandopfer, für die Opfer am Sabbat und
Neumond, für die Festtage, für das Ge-
heiligte und für das Sündopfer, womit für
Israel Sühne geschafft wird, und für alle
Arbeit im Hause unseres Gottes. 35 Auch
haben wir das Los geworfen unter den
Priestern, den Leviten und dem Volk, in
welcher Reihenfolge unsere Sippen jähr-
lich [a]das Brennholz für das Haus unse-
res Gottes zur bestimmten Zeit bringen
sollen, damit man es auf dem Altar des
HERRN, unseres Gottes, verbrenne, wie
es im Gesetz geschrieben steht.

36 Und wir wollen alljährlich die [a]Erst-
linge unseres Landes und die Erstlinge al-
ler Früchte von allen Bäumen zum Hause
des HERRN bringen 37 und die [a]Erstge-
burt unserer Söhne und unseres Viehs,
wie es im Gesetz geschrieben steht. Und
die Erstgeburt unserer Rinder und unse-
rer Schafe wollen wir zum Hause unse-
res Gottes bringen zu den Priestern, die
im Hause unseres Gottes dienen. 38 Auch
wollen wir als unsere Abgaben [a]den ers-
ten Teil von unserm Brotteig und von den
Früchten aller Bäume, von Wein und Öl
den Priestern bringen in die Kammern am
Hause unseres Gottes und [b]den Zehnten
unseres Landes für die Leviten; die Levi-
ten selbst sollen den Zehnten erheben in
allen Städten, wo wir den Acker bebauen.
39 Und ein Priester, ein Sohn Aarons, soll
bei den Leviten sein, wenn sie den Zehn-
ten einnehmen, und [a]die Leviten sollen
den Zehnten ihrer Zehnten heraufbringen
zum Hause unseres Gottes in die Kam-
mern im Vorratshaus. 40 Denn die Israeli-
ten und die Leviten sollen die Abgaben
von Getreide, Wein und Öl herauf in die
Kammern bringen. Dort sind die heiligen
Geräte und die Priester, die da dienen, und
die Torhüter und Sänger. So wollen wir es
im Haus unseres Gottes an nichts fehlen
lassen.

DIE BEWOHNER JERUSALEMS UND DES LANDES

(vgl. 1. Chr 9,2-17)

11 Und die Oberen des Volks wohnten in
Jerusalem. Das übrige Volk aber warf
das Los darum, wer von jeweils zehn nach
Jerusalem, in die heilige Stadt, ziehen
sollte, um dort zu wohnen, und die neun
in den andern Städten. 2 Und das Volk seg-
nete alle die Männer, die bereit waren, in
Jerusalem zu wohnen.

3 Dies sind die Häupter der Provinz, die
in Jerusalem und in den Städten Judas
wohnten; sie wohnten aber jeder in sei-

10,31 *a* 5. Mose 7,3 *b* 2. Mose 34,16; Esra 9,2
10,32 *a* Kap 13,15-18; Jer 17,21-27 *b* 2. Mose 23,10-11
c Kap 5,10; 5. Mose 15,1-11 **10,33** *a* 2. Mose 30,13;
2. Chr 24,6; Mt 17,24 **10,34** *a* 2. Mose 25,30
b 4. Mose 28,3 **10,35** *a* 3. Mose 6,5
10,36 *a* 2. Mose 23,19 **10,37** *a* 2. Mose 13,2
10,38 *a* 4. Mose 15,20-21 *b* 4. Mose 18,21
10,39 *a* 4. Mose 18,26.28

nem Eigentum in ihren Städten: Israel, die Priester, die Leviten, die Tempeldiener und die Nachkommen der Knechte Salomos.
4 In Jerusalem wohnten etliche von den Judäern und den Benjaminitern. Von den Judäern: Ataja, der Sohn Usijas, des Sohnes Secharjas, des Sohnes Amarjas, des Sohnes Schefatjas, des Sohnes Mahalalels, von den Söhnen Perez;
5 und Maaseja, der Sohn Baruchs, des Sohnes Kolhoses, des Sohnes Hasajas, des Sohnes Adajas, des Sohnes Jojaribs, des Sohnes Secharjas, von den [a]Nachkommen Schelas.
6 Alle Nachkommen des Perez, die in Jerusalem wohnten, waren 468, angesehene Männer.
7 Und dies waren die Benjaminiter: Sallu, der Sohn Meschullams, des Sohnes Joëds, des Sohnes Pedajas, des Sohnes Kolajas, des Sohnes Maasejas, des Sohnes Itiëls, des Sohnes Jeschajas,
8 und seine Brüder, 928, angesehene Männer.
9 Und Joel, der Sohn Sichris, war ihr Vorsteher, und Juda, der Sohn Senuas, war als Zweiter über die Stadt gesetzt.
10 Von den Priestern: Jedaja, Jojarib, Jachin
11 und Seraja, der Sohn Hilkijas, des Sohnes Meschullams, des Sohnes Zadoks, des Sohnes Merajots, des Sohnes Ahitubs, der Vorsteher im Hause Gottes,
12 und ihre Brüder, die am Hause Gottes Dienst taten, 822; und Adaja, der Sohn Jerohams, des Sohnes Pelaljas, des Sohnes Amzis, des Sohnes Secharjas, des Sohnes Paschhurs, des Sohnes Malkijas,
13 und seine Brüder, Häupter der Sippen, 242; und Amaschsai, der Sohn Asarels, des Sohnes Achsais, des Sohnes Meschillemots, des Sohnes Immers,
14 und ihre Brüder, tüchtige Männer, 128; und ihr Vorsteher war Sabdiël, der Sohn Haggedolims.
15 Von den Leviten: Schemaja, der Sohn Haschubs, des Sohnes Asrikams, des Sohnes Haschabjas, des Sohnes Bunnis,
16 und Schabbetai und Josabad von den Häuptern der Leviten für den äußeren Dienst am Hause Gottes,
17 und Mattanja, der Sohn Michas, des Sohnes Sabdis, des Sohnes Asafs, hatte beim Gebet den Lobgesang anzustimmen, und Bakbukja war unter seinen Brüdern der Zweite in diesem Dienst, – und Abda, der Sohn Schammuas, des Sohnes Galals, des Sohnes Jedutuns.
18 Alle Leviten in der heiligen Stadt waren 284.
19 Und die Torhüter: Akkub und Talmon und ihre Brüder, die an den Toren Wache hielten, 172.
20 Das übrige Israel aber, Priester und Leviten, blieb in allen Städten Judas, ein jeder auf seinem Erbteil.
21 Und die Tempeldiener wohnten am Ofel, und Ziha und Gischpa waren über die Tempeldiener gesetzt.
22 Der Vorsteher der Leviten aber in Jerusalem war Usi, der Sohn Banis, des Sohnes Haschabjas, des Sohnes Mattanjas, des Sohnes Michas, von den Söhnen Asaf, den Sängern beim Dienst im Hause Gottes.
23 Denn es gab ein Gebot des Königs für sie und eine feste Abmachung, an welchem Tag jeder zu singen hatte.
24 Und Petachja, der Sohn Meschesabels, von den Söhnen Serachs, des Sohnes Judas, stand dem König zur Seite in allem, was das Volk betraf.
25 Und etliche von den Judäern wohnten draußen in den Gehöften auf ihren Fluren in [a]Kirjat-Arba und seinen Ortschaften und in Dibon* und seinen Ortschaften und in Kabzeel und seinen Gehöften
26 und in Jeschua, Molada, Bet-Pelet,
27 Hazar-Schual, Beerscheba und seinen Ortschaften
28 und in [a]Ziklag und Mechona und seinen Ortschaften
29 und in En-Rimmon, Zora, Jarmut,
30 Sanoach, Adullam und ihren Gehöften, in Lachisch und seinen Fluren, in Aseka und seinen Ortschaften. So ließen sie sich nieder von Beerscheba bis zum Tal Hinnom.
31 Die Benjaminiter aber wohnten in Geba, Michmas, Aja, [a]Bethel und seinen Ortschaften
32 und in Anatot, Nob, Ananja,
33 Hazor, Rama, Gittajim,
34 Hadid, Zeboïm, Neballat,
35 Lod und Ono und im Tal der Zimmerleute.
36 Und von den Leviten gehörten einige Abteilungen in Juda zu Benjamin.

LISTEN VON PRIESTERN UND LEVITEN

12 Dies sind die Priester und Leviten, die mit Serubbabel, dem Sohn Schealtiëls, und Jeschua heraufzogen: Seraja, Jirmeja,

* **11,25** Der Name lautet in Jos 15,22 »Dimona«.

11,5 *a* 4. Mose 26,20 **11,25** *a* Jos 20,7 **11,28** *a* Jos 15,31 **11,31** *a* Jos 18,22

Esra, 2 Amarja, Malluch, Hattusch, 3 Sche-
chanja, Rehum, Meremot, 4 Iddo, Gin-
neton, [a]Abija, 5 Mijamin, Maadja, Bilga,
6 Schemaja, Jojarib, Jedaja, 7 Sallu, Amok,
Hilkija und Jedaja. Das waren die Häup-
ter der Priester und ihrer Brüder zur Zeit
Jeschuas.

8 Die Leviten aber waren diese: Jeschua,
Binnui, Kadmiël, Scherebja, Juda und Mat-
tanja; er und seine Brüder waren für die
Danklieder eingesetzt, 9 Bakbukja aber,
Unni und ihre Brüder standen ihnen ge-
genüber beim Dienst.

10 Jeschua zeugte Jojakim, Jojakim
zeugte [a]Eljaschib, Eljaschib zeugte Jojada,
11 Jojada zeugte Johanan, Johanan zeugte
Jaddua.

12 Und zur Zeit Jojakims waren diese die
Häupter der Sippen unter den Priestern:
nämlich von der Sippe Seraja: Meraja;
von Jirmeja: Hananja; 13 von Esra: Me-
schullam; von Amarja: Johanan; 14 von
Malluch: Jonatan; von Schebanja: Josef;
15 von Harim: Adna; von Meremot: Hel-
kai; 16 von Iddo: Sacharja; von Ginneton:
Meschullam; 17 von Abija: Sichri; von
Mijamin: …*; von Maadja: Piltai; 18 von
Bilga: Schammua; von Schemaja: Jona-
tan; 19 von Jojarib: Mattenai; von Jedaja:
Usi; 20 von Sallu: Kallai; von Amok: Eber;
21 von Hilkija: Haschabja; von Jedaja:
Netanel.

22 Und zur Zeit Eljaschibs, Jojadas, Joha-
nans und Jadduas wurden aufgezeichnet
die Häupter der Sippen unter den Levi-
ten und die Priester bis zur Herrschaft
des Persers Darius. 23 Es wurden aber von
den Söhnen Levi die Häupter der Sippen
aufgezeichnet in der Chronik bis zur Zeit
Johanans, des Sohnes Eljaschibs. 24 Und
dies waren die Häupter der Leviten: Ha-
schabja, Scherebja und Jeschua, der Sohn
des Kadmiël; und ihre Brüder standen ih-
nen gegenüber, [a]zu loben und zu danken,
wie es David, der Mann Gottes, geboten
hatte, Abteilung neben Abteilung, 25 näm-
lich Mattanja, Bakbukja und Obadja. Aber
Meschullam, Talmon und Akkub, die
[a]Torhüter, hatten die [b]Wache an den Vor-
ratskammern der Tore.

26 Diese lebten zur Zeit Jojakims, des
Sohnes Jeschuas, des Sohnes [a]Jozadaks,
und zur Zeit des Statthalters Nehemia
und des Priesters Esra, des Schrift-
gelehrten.

EINWEIHUNG DER STADTMAUER

27 Und bei der Einweihung der Mauer Je-
rusalems holte man die Leviten aus allen
ihren Orten nach Jerusalem, um Einwei-
hung zu halten mit Freuden, mit Danken
und Singen, mit Zimbeln, Psaltern und
Harfen. 28 Und es versammelten sich die
Sänger aus der Gegend rings um Jerusa-
lem und von den Gehöften der Netofatiter
29 und aus Bet-Gilgal und von den Fluren
um Geba und Asmawet; denn die Sänger
hatten sich rings um Jerusalem Gehöfte
gebaut. 30 Und die Priester und Leviten
reinigten sich und reinigten das Volk, die
Tore und die Mauer.

31 Und ich ließ die Oberen von Juda oben
auf die Mauer steigen und stellte zwei
große Dankchöre auf. Die einen gingen zur
Rechten oben auf der Mauer zum Misttor
hin, 32 und hinter ihnen gingen Hoschaja
und die Hälfte der Oberen von Juda 33 und
Asarja, Esra, Meschullam, 34 Juda, Benja-
min, Schemaja und Jirmeja 35 von den
Priestern mit Trompeten. Dann Secharja,
der Sohn Jonatans, des Sohnes Schema-
jas, des Sohnes Mattanjas, des Sohnes
Michajas, des Sohnes Sakkurs, des Soh-
nes Asafs, 36 und seine Brüder Schemaja,
Asarel, Milalai, Gilalai, Maai, Netanel und
Juda, Hanani mit den Saitenspielen Da-
vids, des Mannes Gottes; Esra aber, der
Schriftgelehrte, ging vor ihnen her. 37 Und
sie zogen zum Quelltor hin und stiegen
geradeaus die Stufen zur Stadt Davids hin-
auf auf dem Aufgang zur Mauer oberhalb
des Hauses Davids bis an das Wassertor
im Osten. 38 Der andere Dankchor ging
zur Linken hin, und ich ging hinter ihm
her mit der Hälfte des Volks oben auf der
Mauer oberhalb des Ofenturms bis an die
breite Mauer 39 und oberhalb des Ephraim-
tores zum Jeschanator und zum Fischtor
und zum Turm Hananel und zum Turm
der Hundert bis an das Schaftor, und sie
blieben am Wachttor stehen.

40 So standen die beiden Dankchöre

*** 12,17** Hier ist ein Name ausgefallen.

12,4 ***a*** Lk 1,5 **12,10** ***a*** Kap 3,1 **12,24** ***a*** 1. Chr 25,1-7; 2. Chr 29,25 **12,25** ***a*** 2. Chr 8,14 ***b*** Vers 44
12,26 ***a*** 1. Chr 5,40-41

am Hause Gottes und ich und die Hälfte
der Vorsteher mit mir 41 und die Pries-
ter, nämlich Eljakim, Maaseja, Mijamin,
Michaja, Eljoënai, Secharja, Hananja mit
Trompeten, 42 und Maaseja, Schemaja,
Eleasar, Usi, Johanan, Malkija, Elam und
Eser. Und die Sänger sangen laut, und Jis-
rachja stand ihnen vor. 43 Und es wurden
an diesem Tage große Opfer dargebracht,
und sie waren fröhlich, denn Gott hatte
ihnen eine große Freude gemacht, sodass
sich auch die Frauen und Kinder freuten,
und man hörte die Freude Jerusalems von
ferne.

DIE ABGABEN AN DIE PRIESTER UND LEVITEN

44 Zu der Zeit wurden Männer eingesetzt
über die Kammern für die Vorräte, für
die Abgaben, Erstlinge und Zehnten, um
in ihnen die Anteile von den Äckern um
die Städte her zu sammeln, die nach dem
Gesetz für die Priester und Leviten be-
stimmt waren; denn Juda hatte Freude an
den Priestern und Leviten, die im Dienst
standen. 45 Und sie versahen den Dienst
ihres Gottes und den Dienst der Reini-
gung und den der Sänger und Torhüter
nach dem Gebot Davids und seines Soh-
nes Salomo. 46 Denn schon zu den Zeiten
Davids und Asafs wurden die Vorsteher
der Sänger eingesetzt, um Gott zu loben
und zu danken.[a] 47 Und zur Zeit Serubba-
bels und zur Zeit Nehemias gab ganz Israel
den Sängern und Torhütern Anteil an den
heiligen Gaben Tag für Tag. Und den Le-
viten gaben sie einen heiligen Anteil, [a]die
Leviten aber gaben davon den heiligen
Anteil den Söhnen Aaron.

DER AUSSCHLUSS DER FREMDEN

13 Und in dieser Zeit las man aus dem
Buch des Mose vor den Ohren des
Volks und fand darin geschrieben, dass
[a]die Ammoniter und Moabiter niemals
in die Gemeinde Gottes kommen dürfen,
2 weil sie den Israeliten nicht entgegen-
kamen mit Brot und Wasser und [a]gegen
sie Bileam dingten, dass er sie verfluchen
sollte; aber unser Gott wandte den Fluch
in einen Segen. 3 Da sie nun dies Gesetz
hörten, schieden sie alles fremde Volk aus
Israel aus.

NEHEMIA BESEITIGT MISSSTÄNDE IM TEMPEL

4 Noch davor hatte der Priester Eljaschib,
der über die Kammern gesetzt war am
Hause unseres Gottes, ein Verwandter
des [a]Tobija, 5 diesem eine große Kammer
gegeben, in die man früher die Speisopfer
gelegt hatte, den Weihrauch, die Geräte
und den [a]Zehnten vom Getreide, Wein
und Öl, der den Leviten, Sängern und Tor-
hütern zustand, dazu die Abgaben für die
Priester. 6 Aber bei alledem war ich nicht in
Jerusalem; denn im zweiunddreißigsten
Jahr des Artaxerxes, des Königs von Ba-
bel, war ich zum König gereist und hatte
erst nach längerer Zeit den König gebeten,
dass er mich ziehen ließe, 7 und kam wie-
der nach Jerusalem. Da bemerkte ich, dass
es Unrecht war, was Eljaschib für Tobija
getan hatte, als er ihm eine Kammer gab
in den Vorhöfen des Hauses Gottes. 8 Und
es verdross mich sehr, und ich warf allen
Hausrat des Tobija hinaus vor die Kam-
mer 9 und befahl, dass sie die Kammer rei-
nigten. Und ich brachte wieder hinein die
Geräte des Hauses Gottes, das Speisopfer
und den Weihrauch.

10 Und ich erfuhr, dass [a]die Anteile für
die Leviten nicht entrichtet worden wa-
ren und deshalb die Leviten und Sänger,
die den Dienst versehen sollten, fortge-
gangen waren, ein jeder auf sein Land.
11 Da schalt ich die Vorsteher und sprach:
Warum wird das Haus Gottes vernachläs-
sigt? Und ich holte sie zurück und stellte
sie wieder in ihren Dienst. 12 Da brachte
ganz Juda den Zehnten vom Getreide,
Wein und Öl in die Vorratskammern.[a]
13 Und ich bestellte über die Vorräte den
Priester Schelemja und Zadok, den Schrei-
ber, und von den Leviten Pedaja und ihnen
zur Hand Hanan, den Sohn Sakkurs, des
Sohnes Mattanjas; denn sie galten als zu-
verlässig, und ihnen war befohlen, ihren
Brüdern auszuteilen.

14 Darum, mein Gott, gedenke an mich
und lösche nicht aus, was ich in Treue am
Hause meines Gottes und für den Dienst
an ihm getan habe![a]

12,46 *a* 1. Chr 25,1-7 **12,47** *a* Kap 10,39; 4. Mose 18,26
13,1 *a* 5. Mose 23,4-6 **13,2** *a* 4. Mose 22,5-6
13,4 *a* Kap 2,19 **13,5** *a* 4. Mose 18,21 **13,10** *a* Kap 12,47
13,12 *a* 4. Mose 18,21 **13,14** *a* Kap 5,19

NEHEMIA SETZT DIE HEILIGUNG DES SABBATS DURCH

15 Zur selben Zeit sah ich in Juda, [a]dass
man am Sabbat die Kelter trat und Ge-
treide einbrachte und auf Esel lud und
auch Wein, Trauben, Feigen und allerlei
Last nach Jerusalem brachte am Sabbattag.
Und ich verwarnte sie an dem Tage, als sie
Nahrung verkauften. 16 Es wohnten auch
Tyrer dort; die brachten Fisch und aller-
lei Ware und verkauften sie am Sabbat an
die Judäer und in Jerusalem. 17 Da schalt
ich die Vornehmen von Juda und sprach
zu ihnen: Was ist das für eine böse Sache,
die ihr da tut und entheiligt den Sabbat-
tag? 18 Taten das nicht auch eure Väter, und
unser Gott brachte all das Unheil über uns
und über diese Stadt? Und ihr bringt noch
mehr Zorn über Israel dadurch, dass ihr
[a]den Sabbat entheiligt!

19 Und vor dem Anbruch des Sabbats, als
es in den Toren Jerusalems dunkel wurde,
ließ ich die Tore schließen und befahl,
man sollte sie erst nach dem Sabbat auf-
tun. Und ich stellte etliche meiner Leute
an die Tore, damit man keine Last her-
einbringe am Sabbattag. 20 Da blieben die
Händler und Verkäufer von allerlei Ware
über Nacht draußen vor Jerusalem, ein-
oder zweimal. 21 Da verwarnte ich sie und
sprach zu ihnen: Warum bleibt ihr über
Nacht vor der Mauer? Werdet ihr das noch
einmal tun, so will ich Hand an euch le-
gen. Von der Zeit an kamen sie am Sabbat
nicht mehr. 22 Und ich befahl den Leviten,
dass sie sich reinigten und kämen und die
Tore bewachten, um den Sabbattag zu
heiligen.

Darum, mein Gott, [a]gedenke an mich und sei mir gnädig nach deiner großen Barmherzigkeit!

NEHEMIA GEHT GEGEN DIE VERBINDUNG MIT FREMDEN FRAUEN VOR

23 Zu dieser Zeit sah ich auch Juden, die
Frauen genommen hatten aus Aschdod,
Ammon und Moab. 24 Und die Hälfte ih-
rer Kinder sprach aschdodisch oder in der
Sprache eines der andern Völker, aber jü-
disch konnten sie nicht sprechen. 25 Und
ich schalt sie und fluchte ihnen und schlug
einige Männer und packte sie bei den Haa-
ren und beschwor sie bei Gott: [a]Ihr sollt
eure Töchter nicht ihren Söhnen geben
noch ihre Töchter für eure Söhne oder
euch selbst nehmen. 26 Hat nicht Salomo,
der König von Israel, ihretwegen gesün-
digt? Und war doch unter vielen Völkern
kein König ihm gleich, und er war seinem
Gott lieb, und Gott setzte ihn zum König
über ganz Israel. [a]Selbst ihn verleiteten die
ausländischen Frauen zur Sünde. 27 Und
von euch muss man das hören, dass ihr ein
so großes Unrecht tut und unserm Gott
die Treue brecht, indem ihr ausländische
Frauen nehmt?

28 Und einer von den Söhnen Jojadas,
des Sohnes [a]Eljaschibs, des Hohenpries-
ters, war der Schwiegersohn des Horoni-
ters [b]Sanballat; aber ich jagte ihn von mir.

29 Gedenke ihrer, mein Gott, dass sie
das Priestertum befleckt haben und [a]den
Bund des Priestertums und [b]der Leviten!

30 So reinigte ich sie von allem Aus-
ländischen und ordnete die Ämter der
Priester und Leviten, für einen jeden nach
seinem Dienst, 31 und die Lieferung von
Brennholz zu bestimmten Zeiten und die
Abgabe der Erstlinge.

Gedenke mir's, mein Gott, zum Besten!

13,15 *a* Kap 10,32 **13,18** *a* Hes 20,12-13 **13,22** *a* Vers 14
13,25 *a* 5. Mose 7,3 **13,26** *a* 1. Kön 11,3-8
13,28 *a* Kap 12,10 *b* Kap 2,10.19 **13,29** *a* 4. Mose 25,12-13
b Mal 2,8

DAS BUCH ESTER

1–2 Ester wird persische Königin 3–5 Der Plan Hamans
6–7 Haman wird entlarvt und hingerichtet 8–10 Rettung der Juden und das Purimfest

DER KÖNIG AHASVEROS VERSTÖSST SEINE GEMAHLIN

1 *Zu den Zeiten des Ahasveros*, der Kö-
nig war von Indien bis Kusch über hun-
dertsiebenundzwanzig Provinzen, 2als
er auf seinem königlichen Thron saß in
der Festung Susa, 3im dritten Jahr seiner
Herrschaft, machte er ein Festmahl für alle
seine Fürsten und Großen, die Heerführer
von Persien und Medien, die Edlen und
Obersten in seinen Provinzen, 4damit er
sehen ließe den herrlichen Reichtum sei-
nes Königtums und die köstliche Pracht
seiner Majestät viele Tage lang, hundert-
achtzig Tage.
5Und als die Tage um waren, machte der
König ein Festmahl für alles Volk, das in
der Festung Susa war, vom Größten bis
zum Kleinsten, sieben Tage lang im Hofe
des Gartens beim königlichen Palast. 6Da
hingen weiße, rote und blaue Tücher,
mit leinenen und scharlachroten Schnü-
ren eingefasst, in silbernen Ringen an
Marmorsäulen. Da waren Polster, golden
und silbern, auf grünem, weißem, gel-
bem und schwarzem Marmor. 7Und die
Getränke trug man auf in goldenen Ge-
fäßen, von denen keins wie das andere
war, königlichen Wein in Menge nach
königlicher Weise. 8Und man schrieb
niemand vor, was er trinken sollte; denn
der König hatte allen Vorstehern in sei-
nem Palast befohlen, den Wunsch eines
jeden zu erfüllen. 9Und die Königin
Waschti machte auch ein Festmahl für die
Frauen im königlichen Palast des Königs
Ahasveros.
10Und am siebenten Tage, als der König
guter Dinge war vom Wein, befahl er Me-
human, Biseta, Harbona, Bigta, Abagta,
Setar und Karkas, den sieben Kämmerern,
die vor dem König Ahasveros dienten,
11dass sie die Königin Waschti mit ihrer
königlichen Krone holen sollten vor den
König, um dem Volk und den Fürsten ihre
Schönheit zu zeigen; denn sie war schön.
12Aber die Königin Waschti wollte nicht
kommen, wie der König durch seine Käm-
merer geboten hatte.
Da wurde der König sehr zornig, und
sein Grimm entbrannte in ihm. 13Und der
König sprach zu den Weisen, die sich auf
die Gesetze verstanden – denn des Königs
Sachen mussten vor alle kommen, die sich
auf Recht und Gesetz verstanden; 14unter
ihnen waren ihm am nächsten Karschena,
Schetar, Admata, Tarsis, Meres, Marsena
und Memuchan, die sieben Fürsten der
Perser und Meder, die das Angesicht des
Königs sehen durften und obenan saßen
im Königreich –: 15Was soll man nach dem
Gesetz mit der Königin Waschti tun, weil
sie nicht getan hat, wie der König durch
seine Kämmerer geboten hatte?
16Da sprach Memuchan vor dem König
und den Fürsten: Die Königin Waschti
hat sich nicht allein an dem König ver-
fehlt, sondern auch an allen Fürsten und
an allen Völkern in allen Provinzen des
Königs Ahasveros. 17Denn es wird diese
Tat der Königin allen Frauen bekannt wer-
den, sodass sie ihre Männer verachten und
sagen: Der König Ahasveros gebot der Kö-
nigin Waschti, vor ihn zu kommen; aber
sie wollte nicht. 18Dann werden die Fürs-
tinnen in Persien und Medien auch so sa-
gen zu allen Fürsten des Königs, wenn sie
von dieser Tat der Königin hören; und es
wird Verachtung und Zorn genug geben.
19Gefällt es dem König, so lasse man ein
königliches Gebot von ihm ausgehen und
[a]unter die Gesetze der Perser und Meder
aufnehmen, sodass man es nicht aufhe-
ben darf, dass Waschti nicht mehr vor
den König Ahasveros kommen dürfe und
der König ihre königliche Würde einer
andern geben solle, die besser ist als sie.
20Und wenn dieser Erlass des Königs, den

* **1,1** (1) In der griechischen Übersetzung beginnt das Buch Ester mit dem Traum Mordechais, St zu Est A. (2) Griechisch: »Xerxes«.

1,19 ***a*** Dan 6,9

er geben wird, bekannt würde in seinem
ganzen Reich, welches groß ist, so würden
alle Frauen ihre Männer in Ehren halten
bei Hoch und Niedrig.
21 Das gefiel dem König und den Fürs-
ten, und der König tat nach dem Wort
Memuchans. 22 Da [a]wurden Schreiben
ausgesandt in alle Provinzen des Königs,
in jede Provinz nach ihrer Schrift und zu
jedem Volk nach seiner Sprache, dass ein
jeder Mann der Herr in seinem Hause sei;
und man sagte es in der Sprache seines
Volkes.

DER KÖNIG SUCHT EINE NEUE GEMAHLIN

2 Nach diesen Geschichten, als der
Grimm des Königs Ahasveros sich ge-
legt hatte, erinnerte er sich an Waschti, an
das, was sie getan hatte und was über sie
beschlossen war. 2 Da sprachen die Män-
ner des Königs, die ihm dienten: Man su-
che dem König schöne Jungfrauen, 3 und
der König bestelle Aufseher in allen Pro-
vinzen seines Königreichs, dass sie alle
schönen Jungfrauen zusammenbringen
in die Festung Susa ins Frauenhaus in die
Obhut Hegais, des königlichen Kämme-
rers, des Hüters der Frauen, und dass man
ihre Schönheit pflege; 4 und das Mädchen,
das dem König gefällt, werde Königin an
Waschtis statt. Das gefiel dem König, und
er tat so.
5 Es war ein jüdischer Mann in der Fes-
tung Susa, der hieß Mordechai, ein Sohn
Jaïrs, des Sohnes Schimis, des Sohnes des
[a]Kisch, ein Benjaminiter, 6 der mit wegge-
führt war von Jerusalem, als Jechonja*, der
König von Juda, durch Nebukadnezar, den
König von Babel, in die Gefangenschaft
geführt wurde.[a] 7 Und er war der [a]Pfle-
gevater der Hadassa, das ist Ester, einer
Tochter seines Oheims; denn sie hatte
weder Vater noch Mutter. Und sie war ein
schönes und hübsches Mädchen. Und als
ihr Vater und ihre Mutter starben, nahm
sie Mordechai als Tochter an.
8 Als nun das Gebot und Gesetz des Kö-
nigs bekannt wurde und viele Jungfrauen
zusammengebracht wurden in die Fes-
tung Susa in die Obhut Hegais, wurde
auch Ester in des Königs Palast geholt in
die Obhut Hegais, des Hüters der Frauen.
9 Und das Mädchen gefiel Hegai, und sie
fand Gunst bei ihm. Und er beeilte sich,
ihre Schönheit zu pflegen und ihr genü-
gend Speise zu geben und dazu sieben
auserlesene Dienerinnen aus dem Palast
des Königs. Und er brachte sie mit ihren
Dienerinnen an den besten Ort im Frau-
enhaus. 10 Aber Ester sagte ihm nichts
von ihrem Volk und ihrer Herkunft; denn
Mordechai hatte ihr geboten, sie sollte es
nicht sagen. 11 Und Mordechai ging alle
Tage am Hof des Frauenhauses vorbei, um
zu erfahren, ob's Ester gut gehe und was
mit ihr geschehen würde.
12 Wenn aber die bestimmte Zeit für
eine jede Jungfrau kam, dass sie zum Kö-
nig Ahasveros kommen sollte, nachdem
sie zwölf Monate nach der Vorschrift für
die Frauen gepflegt worden war – denn
ihre Pflege brauchte so viel Zeit, nämlich
sechs Monate mit Balsam und Myrrhe und
sechs Monate mit kostbarer Spezerei und
was sonst zur weiblichen Pflege gehört –,
13 dann ging die Jungfrau zum König, und
alles, was sie wollte, musste man ihr ge-
ben, dass sie damit vom Frauenhaus in den
Palast des Königs ginge. 14 Und wenn sie
am Abend hineingegangen war, ging sie
am Morgen von ihm in das andere Frau-
enhaus, in die Obhut des Schaaschgas,
des königlichen Kämmerers, des Hüters
der Nebenfrauen. Und sie durfte nicht
wieder zum König kommen, es sei denn,
sie gefiele dem König und er ließe sie mit
Namen rufen.

ESTER WIRD KÖNIGIN

15 Als nun für Ester, die Tochter Abihajils,
des Oheims Mordechais, die er als Toch-
ter angenommen hatte, die Zeit heran-
kam, dass sie zum König kommen sollte,
begehrte sie nichts, als was Hegai, des
Königs Kämmerer, der Hüter der Frauen,
sagte. Und Ester fand Gunst bei allen, die
sie sahen. 16 Es wurde aber Ester zum Kö-
nig Ahasveros gebracht in den königlichen
Palast im zehnten Monat, der da heißt Te-
bet, im siebenten Jahr seiner Herrschaft.
17 Und der König gewann Ester lieber als

* **2,6** Der Name lautet in 2. Kön 24,6 u. ö. »Jojachin«, in Jer 22,24 u. ö. »Konja«.

1,22 *a* Kap 3,12; 8,9 **2,5** *a* 1. Sam 9,1 **2,6** *a* 2. Kön 24,15 **2,7** *a* Kap 8,1

alle Frauen, und sie fand Gnade und Gunst
bei ihm vor allen Jungfrauen. Und er
setzte die königliche Krone auf ihr Haupt
und machte sie zur Königin an Waschtis
statt. 18 Und der König machte ein großes
Festmahl für alle seine Fürsten und Gro-
ßen, das Festmahl Esters, und gewährte
den Provinzen Steuererlass und teilte kö-
nigliche Geschenke aus.

MORDECHAI ENTDECKT EINE VERSCHWÖRUNG GEGEN DEN KÖNIG

19 Und als man noch einmal Jungfrauen
zusammenbrachte, saß Mordechai im Tor
des Königs. 20 Und Ester sagte nichts von
ihrer Herkunft und von ihrem Volk, wie
ihr Mordechai geboten hatte; denn Ester
tat nach dem Wort Mordechais wie zur
Zeit, als er ihr Pflegevater war. 21 [a]In jenen
Tagen, als Mordechai im Tor des Königs
saß, gerieten zwei Kämmerer des Königs,
Bigtan und Teresch, die an der Schwelle
die Wache hielten, in Zorn und trachte-
ten danach, Hand an den König Ahasveros
zu legen. 22 Als das Mordechai zu wissen
bekam, sagte er es der Königin Ester, und
Ester sagte es dem König in Mordechais
Namen. 23 Und als man nachforschte,
wurde es als richtig befunden, und sie
wurden beide an den Galgen gehängt.
Und es wurde vor dem König in die Chro-
nik geschrieben.

HAMANS ANSCHLAG ZUR VERTILGUNG DER JUDEN

3 Nach diesen Geschichten erhob der Kö-
nig Ahasveros den Haman, den Sohn
Hammedatas, den [a]Agagiter, und machte
ihn groß und setzte seinen Stuhl über alle
Fürsten, die bei ihm waren.[b] 2 Und alle
Großen des Königs, die im Tor des Kö-
nigs waren, beugten die Knie und fielen
vor Haman nieder; denn der König hatte
es so geboten. Aber [a]Mordechai beugte die
Knie nicht und fiel nicht nieder. 3 Da spra-
chen die Großen des Königs, die im Tor
des Königs waren, zu Mordechai: Warum
übertrittst du des Königs Gebot? 4 Und als
sie das täglich zu ihm sagten und er nicht
auf sie hörte, sagten sie es Haman, damit
sie sähen, ob solch ein Tun Mordechais be-
stehen würde; denn er hatte ihnen gesagt,
dass er ein Jude wäre.
5 Und als Haman sah, dass Mordechai
nicht die Knie beugte noch vor ihm nie-
derfiel, wurde er von Zorn erfüllt. 6 Aber
es war ihm zu wenig, dass er allein an
Mordechai die Hand anlegen sollte, denn
sie hatten ihm gesagt, von welchem Volk
Mordechai wäre; sondern er trachtete da-
nach, das Volk Mordechais, alle Juden, die
im ganzen Königreich des Ahasveros wa-
ren, zu vertilgen.
7 Im [a]ersten Monat, das ist der Monat
Nisan, im zwölften Jahr des Königs Ahas-
veros, wurde das [b]Pur, das ist das Los, ge-
worfen vor Haman, von einem Tage zum
andern und von Monat zu Monat, und das
Los fiel auf den dreizehnten Tag im zwölf-
ten Monat, das ist der Monat Adar. 8 Und
Haman sprach zum König Ahasveros: Es
gibt ein Volk, verstreut und abgesondert
unter allen Völkern in allen Provinzen dei-
nes Königreichs, und [a]ihr Gesetz ist anders
als das aller Völker, und sie tun nicht nach
des Königs Gesetzen. Es ziemt dem König
nicht, sie gewähren zu lassen. 9 Gefällt es
dem König, so lasse er schreiben, dass man
sie umbringe; so will ich [a]zehntausend
Zentner Silber darwägen in die Hand der
Amtleute, dass man's bringe in die Schatz-
kammer des Königs.
10 Da [a]tat der König seinen Ring von
der Hand und gab ihn Haman, dem Sohn
Hammedatas, dem Agagiter, dem Feind
der Juden. 11 Und der König sprach zu
Haman: Das Silber sei dir gegeben, dazu
das Volk, dass du mit ihm tust, was dir
gefällt.
12 Da rief man die Schreiber des Königs
am dreizehnten Tage des ersten Monats;
und es wurde geschrieben, wie Haman
befahl, an die Satrapen* des Königs und
an die Statthalter hin und her in den Pro-
vinzen und an die Obersten eines jeden
Volks in den Provinzen hin und her in der
Schrift eines jeden Volks und in seiner
Sprache, im Namen des Königs Ahasveros
und mit des Königs Ring gesiegelt. 13 Und
die Schreiben wurden gesandt durch die
Läufer in alle Provinzen des Königs, man

* **3,12** Gouverneur einer großen Provinz.

2,21 ***a*** (21-23) Kap 6,1-2 **3,1** ***a*** 1. Sam 15,32
b 2. Mose 17,14-16 **3,2** ***a*** Mt 4,9-10 **3,7** ***a*** 2. Mose 13,4;
12,2 ***b*** Kap 9,24 **3,8** ***a*** 5. Mose 4,5-8 **3,9** ***a*** Kap 4,7
3,10 ***a*** Kap 8,2; 1. Mose 41,42

sollte vertilgen, töten und umbringen alle
Juden, Jung und Alt, Kinder und Frauen,
auf *einen* Tag, nämlich am dreizehnten
Tag des zwölften Monats, das ist der Mo-
nat Adar, und ihr Hab und Gut plündern.*
14 Eine Abschrift des Schreibens sollte als
Gesetz erlassen werden in allen Provin-
zen, um allen Völkern zu eröffnen, dass
sie sich auf diesen Tag bereithalten soll-
ten. 15 Und die Läufer gingen eilends aus
nach des Königs Wort, und in der Festung
Susa wurde das Gesetz angeschlagen. Und
der König und Haman saßen und tranken;
aber die Stadt Susa war bestürzt.

MORDECHAI BESTIMMT ESTER, BEIM KÖNIG FÜR DIE JUDEN EINZUTRETEN

4 Als Mordechai alles erfuhr, was gesche-
hen war, zerriss er seine Kleider und
kleidete sich in Sack und Asche und ging
hinaus mitten in die Stadt und schrie laut
klagend. 2 Und er kam bis vor das Tor des
Königs; denn es durfte niemand in das
Tor des Königs eintreten, der den Sack
anhatte. 3 Und in allen Provinzen, wohin
des Königs Wort und Gebot gelangte, war
ein großes Klagen unter den Juden, und
viele fasteten, weinten, trugen Leid und
lagen in Sack und Asche. 4 Da kamen die
Dienerinnen Esters und ihre Kämmerer
und erzählten ihr davon. Da erschrak die
Königin sehr. Und sie sandte Kleider, dass
Mordechai sie anzöge und den Sack ab-
legte; er aber nahm sie nicht an.

5 Da rief Ester Hatach, einen von des
Königs Kämmerern, der ihr diente, und
gab ihm Befehl wegen Mordechai, um zu
erfahren, was das wäre und warum er so
täte. 6 Da ging Hatach hinaus zu Morde-
chai auf den Platz der Stadt, der vor dem
Tor des Königs war. 7 Und Mordechai sagte
ihm alles, was ihm begegnet war, auch die
[a]Summe des Silbers, das Haman verspro-
chen hatte, in des Königs Schatzkammer
darzuwägen, wenn die Juden vertilgt wür-
den, 8 und gab ihm eine Abschrift des Ge-
setzes, das in Susa angeschlagen war, sie
zu vertilgen, damit er's Ester zeige und es
ihr sage und ihr gebiete, dass sie zum Kö-
nig hineingehe und zu ihm flehe und bei
ihm Fürbitte tue für ihr Volk.

9 Und als Hatach hineinkam und Ester
die Worte Mordechais sagte, 10 sprach Es-
ter zu Hatach und gebot ihm, Mordechai
zu sagen: 11 Es wissen alle Großen des Kö-
nigs und das Volk in den Provinzen des
Königs, dass jeder, der ungerufen zum Kö-
nig hineingeht in den inneren Hof, Mann
oder Frau, nach dem Gesetz sterben muss,
es sei denn [a]der König strecke das goldene
Zepter ihm entgegen, damit er am Leben
bleibe. Ich aber bin nun seit dreißig Tagen
nicht gerufen worden, zum König hinein-
zukommen.

12 Und als Esters Worte Mordechai ge-
sagt wurden, 13 ließ Mordechai Ester ant-
worten: Denke nicht, dass du dein Leben
errettest, weil du im Palast des Königs
bist, du allein von allen Juden. 14 Denn
wenn du zu dieser Zeit schweigen wirst,
[a]wird eine Hilfe und Errettung von einem
andern Ort her den Juden erstehen. Du
aber und deines Vaters Haus, ihr werdet
umkommen. Und wer weiß, ob du nicht
gerade um dieser Zeit willen zur könig-
lichen Würde gekommen bist? 15 Ester
ließ Mordechai antworten: 16 So geh hin
und versammle alle Juden, die in Susa
sind, und fastet für mich, dass ihr nicht
esst und trinkt drei Tage lang, weder Tag
noch Nacht. Auch ich und meine Diene-
rinnen wollen so fasten. Und dann will
ich zum König hineingehen entgegen
dem Gesetz. Komme ich um, so komme
ich um. 17 Mordechai ging hin und tat alles,
was ihm Ester geboten hatte.*

ESTER GEHT ZUM KÖNIG UND LÄDT IHN UND HAMAN ZUM MAHLE

5 Und am dritten Tage kleidete sich Es-
ter königlich und trat in den inneren
Hof am Palast des Königs gegenüber dem
Palast des Königs. Und der König saß auf
seinem königlichen Thron im königlichen
Saale gegenüber dem Tor des Palastes.*
2 Und als der König die Königin Ester im
Hofe stehen sah, fand sie Gnade vor sei-
nen Augen. Und [a]der König streckte das

* **3,13** In der griechischen Übersetzung folgt an dieser Stelle der Befehl des Artaxerxes, St zu Est B.
4,17 In der griechischen Übersetzung folgen an dieser Stelle die Gebete Mordechais und Esters, St zu Est C.
5,1 In der griechischen Übersetzung folgt an dieser Stelle Esters Gang zum König, St zu Est D.

4,7 *a* Kap 3,9 **4,11** *a* Kap 5,2; 8,4 **4,14** *a* 1. Mose 45,7
5,2 *a* Kap 4,11

goldene Zepter in seiner Hand Ester ent-
gegen. Da trat Ester herzu und rührte die
Spitze des Zepters an.
3 Da sprach der König zu ihr: Was hast
du, Ester, Königin? Und was begehrst du?
[a]Auch die Hälfte des Königreichs soll dir
gegeben werden. 4 Ester sprach: Gefällt
es dem König, so komme der König mit
Haman heute zu dem Mahl, das ich berei-
tet habe. 5 Der König sprach: Eilt und holt
Haman, damit geschehe, was Ester gesagt
hat!
Da nun der König und Haman zu dem
Mahl kamen, das Ester bereitet hatte,
6 sprach der König zu Ester, als man Wein
trank: Was bittest du, Ester? Es soll dir
gegeben werden. Und was begehrst du?
Wäre es auch die Hälfte des Königreichs,
es soll geschehen. 7 Da antwortete Ester:
Meine Bitte und mein Begehren ist: 8 Hab
ich Gnade gefunden vor dem König und
gefällt es dem König, meine Bitte zu ge-
währen und zu tun nach meinem Begeh-
ren, [a]so komme der König mit Haman zu
dem Mahl, das ich für sie bereiten will.
Morgen will ich dann tun, was der König
gesagt hat.

HAMAN BESCHLIESST, SICH AN MORDECHAI ZU RÄCHEN

9 Da ging Haman an dem Tage hinaus fröh-
lich und guten Mutes. Aber als er Morde-
chai im Tor des Königs sah, wie er nicht
aufstand und sich nicht vor ihm fürch-
tete, wurde er voll Zorn über Mordechai.
10 Aber er hielt an sich. Und als er heim-
kam, sandte er hin und ließ seine Freunde
holen und seine Frau Seresch 11 und zählte
ihnen auf die Herrlichkeit seines Reich-
tums und die Menge seiner Söhne und
alles, wie ihn der König so groß gemacht
habe und dass er über die Fürsten und
Großen des Königs erhoben sei. 12 Auch
sprach Haman: Und die Königin Ester
hat niemand kommen lassen mit dem
König zum Mahl, das sie bereitet hat, als
nur mich, und auch morgen bin ich zu ihr
geladen mit dem König. 13 Aber das alles
ist mir nicht genug, solange ich den Juden
Mordechai sitzen sehe im Tor des Königs.
14 Da sprachen zu ihm seine Frau Seresch
und alle seine Freunde: Man mache einen
Galgen, fünfzig Ellen hoch, und morgen
früh sage dem König, dass man Morde-
chai daran aufhänge. Dann geh du mit
dem König fröhlich zum Mahl. Das ge-
fiel Haman gut, und er ließ einen Galgen
aufrichten.

HAMAN MUSS MORDECHAI EHREN

6 [a]In derselben Nacht konnte der König
nicht schlafen und ließ sich die Chronik
mit den Historien bringen. Als diese dem
König vorgelesen wurden, 2 fand sich's ge-
schrieben, dass Mordechai angezeigt hatte,
wie die zwei Kämmerer des Königs, Big-
tan und Teresch, die an der Schwelle die
Wache hielten, danach getrachtet hatten,
Hand an den König Ahasveros zu legen.
3 Und der König sprach: Welche Ehre und
Würde hat Mordechai dafür bekommen?
Da sprachen die Diener des Königs, die
um ihn waren: Er hat nichts bekommen.
4 Und der König sprach: Wer ist im Hof?
Haman aber war in den Vorhof gekommen
draußen vor des Königs Palast, um dem
König zu sagen, dass man [a]Mordechai an
den Galgen hängen sollte, den er für ihn
aufgerichtet hatte. 5 Und des Königs Die-
ner sprachen zu ihm: Siehe, Haman steht
im Hof. Der König sprach: Lasst ihn her-
eintreten.
6 Und als Haman hereinkam, sprach der
König zu ihm: Was soll man dem Mann
tun, dem der König Ehre erweisen will?
Haman aber dachte in seinem Herzen:
Wem anders sollte der König Ehre erwei-
sen wollen als mir? 7 Und Haman sprach
zum König: Dem Mann, dem der König
Ehre erweisen will, 8 soll man [a]königliche
Kleider bringen, die der König zu tragen
pflegt, und ein Ross, darauf der König rei-
tet und dessen Kopf königlichen Schmuck
trägt, 9 und man soll Kleid und Ross einem
Fürsten des Königs geben, dass er den
Mann bekleide, dem der König Ehre er-
weisen will, und ihn auf dem Ross über
den Platz der Stadt führen und vor ihm her
ausrufen lassen: So tut man dem Mann,
dem der König Ehre erweisen will.[a] 10 Der
König sprach zu Haman: Eile und nimm
Kleid und Ross, wie du gesagt hast, und tu
so mit Mordechai, dem Juden, der im Tor

5,3 ***a*** Mk 6,23 **5,8** ***a*** Kap 6,14 **6,1** ***a*** (1-2) Kap 2,21-23
6,4 ***a*** Kap 5,14 **6,8** ***a*** Dan 5,29 **6,9** ***a*** 1. Mose 41,42-43

des Königs sitzt, und lass nichts fehlen an
allem, was du gesagt hast.
11 Da nahm Haman Kleid und Ross und
zog Mordechai an und führte ihn über den
Platz der Stadt und rief aus vor ihm her:
So geschieht dem Mann, dem der König
Ehre erweisen will. 12 Und Mordechai
kam wieder zum Tor des Königs. Haman
aber eilte nach Hause, traurig und mit
verhülltem Haupt, 13 und erzählte seiner
Frau Seresch und allen seinen Freunden
alles, was ihm begegnet war. Da sprachen
zu ihm seine Freunde und seine Frau Se-
resch: Ist Mordechai, vor dem du zu fal-
len begonnen hast, vom Geschlecht der
Juden, so vermagst du nichts gegen ihn,
sondern du wirst vor ihm vollends zu Fall
kommen.
14 Als sie aber noch mit ihm redeten, ka-
men des Königs Kämmerer und geleiteten
Haman eilends [a]zu dem Mahl, das Ester
bereitet hatte.

HAMAN WIRD AN DEN GALGEN GEHÄNGT

7 Und als der König mit Haman zu dem
Mahl kam, das die Königin Ester berei-
tet hatte, 2 sprach der König zu Ester auch
am zweiten Tag, als man Wein trank: Was
bittest du, Königin Ester, das man dir ge-
ben soll? Und was begehrst du? Wäre
es auch das halbe Königreich, es soll ge-
schehen. 3 Die Königin Ester antwortete:
Hab ich Gnade vor dir gefunden, o Kö-
nig, und gefällt es dem König, so gib mir
mein Leben um meiner Bitte willen und
mein Volk um meines Begehrens willen.
4 Denn wir sind verkauft, ich und mein
Volk, dass wir vertilgt, getötet und umge-
bracht werden. Wären wir nur zu Knech-
ten und Mägden verkauft, so wollte ich
schweigen; denn die Bedrängnis wäre
nicht so groß, dass man den König darum
belästigen müsste. 5 Der König Ahasveros
antwortete und sprach zu der Königin Es-
ter: Wer ist der oder wo ist der, der sich
hat in den Sinn kommen lassen, solches zu
tun? 6 Ester sprach: Der Feind und Wider-
sacher ist dieser niederträchtige Haman!
Da erschrak Haman vor dem König und
der Königin.
7 Und der König stand im Zorn auf vom
Wein und ging in den Garten am Palast.
Aber Haman trat vor und bat die Königin
Ester um sein Leben; denn er sah, dass
sein Unglück vom König schon beschlos-
sen war. 8 Und als der König zurückkam
aus dem Garten am Palast in den Saal, wo
man gegessen hatte, fiel Haman vor dem
Lager nieder, auf dem Ester ruhte. Da
sprach der König: Will er auch der Köni-
gin Gewalt antun bei mir im Palast? Als
das Wort aus des Königs Munde gekom-
men war, verhüllten sie Haman das Ant-
litz. 9 Und Harbona, einer der Kämmerer
vor dem König, sprach: Siehe, es steht
ein Galgen beim Hause Hamans, fünfzig
Ellen hoch, den er für Mordechai aufge-
richtet hat, der doch zum Wohl des Kö-
nigs geredet hat. Der König sprach: Hängt
ihn daran auf! 10 So hängte man Haman
an den Galgen, den er für Mordechai auf-
gerichtet hatte. Da legte sich des Königs
Zorn.

DIE WENDUNG ZUGUNSTEN DER JUDEN

8 An dem Tage schenkte der König Ahas-
veros der Königin Ester das Haus Ha-
mans, des Judenfeindes. Und Mordechai
wurde vom König empfangen; denn Ester
hatte ihm gesagt, [a]wie er mit ihr verwandt
sei. 2 Und [a]der König tat ab seinen Ring,
den er Haman genommen hatte, und gab
ihn Mordechai. Und Ester setzte Morde-
chai über das Haus Hamans.
3 Und Ester redete noch einmal vor dem
König und fiel ihm zu Füßen und weinte
und flehte ihn an, dass er zunichtemache
die Bosheit Hamans, des Agagiters, und
seine Anschläge, die er gegen die Juden
erdacht hatte. 4 Und [a]der König streckte
das goldene Zepter Ester entgegen. Da
stand Ester auf und trat vor den König
5 und sprach: Gefällt es dem König und
habe ich Gnade gefunden vor ihm, und
dünkt es den König recht und gefalle ich
ihm, so möge man die Schreiben mit den
Anschlägen Hamans, des Sohnes Ham-
medatas, des Agagiters, widerrufen, die
er geschrieben hat, um die Juden um-
zubringen in allen Provinzen des Kö-
nigs. 6 Denn wie kann ich dem Unheil
zusehen, das mein Volk treffen würde?

6,14 *a* Kap 5,8 **8,1** *a* Kap 2,7 **8,2** *a* Kap 3,10
8,4 *a* Kap 4,11; 5,2

Und wie kann ich zusehen, dass mein
Geschlecht umkäme?
7 Da sprach der König Ahasveros zur Kö-
nigin Ester und zu Mordechai, dem Juden:
Siehe, ich habe Ester das Haus Hamans ge-
schenkt, und ihn hat man an einen Gal-
gen gehängt, weil er seine Hand gegen die
Juden erhoben hat. 8 So schreibt nun ihr
wegen der Juden, wie es euch gefällt, in
des Königs Namen und siegelt's mit des
Königs Ring. Denn ein Schreiben, das in
des Königs Namen geschrieben und mit
des Königs Ring gesiegelt war, durfte nie-
mand widerrufen.
9 Da wurden gerufen des Königs Schrei-
ber zu jener Zeit im dritten Monat, das ist
der Monat Siwan, am dreiundzwanzigsten
Tage, und es wurde geschrieben, wie Mor-
dechai gebot, an die Juden und an die Sa-
trapen*, Statthalter und Obersten in den
Provinzen von Indien bis Kusch, in hun-
dertsiebenundzwanzig Provinzen, einer
jeden Provinz in ihrer Schrift, einem je-
den Volk in seiner Sprache und auch den
Juden in ihrer Schrift und Sprache. 10 Und
es wurde geschrieben in des Königs Ahas-
veros Namen und mit des Königs Ring
gesiegelt. Und man sandte die Schrei-
ben durch reitende Boten auf den besten
Pferden.
11 Darin gab der König den Juden, in wel-
chen Städten sie auch waren, die Erlaub-
nis, sich zu versammeln und ihr Leben
zu verteidigen und alle Macht des Volks
und der Provinz, die sie samt Kindern und
Frauen angreifen würden, zu vertilgen, zu
töten und umzubringen und ihr Hab und
Gut zu plündern[a] 12 an *einem* Tag in allen
Ländern des Königs Ahasveros, näm-
lich am dreizehnten Tage des zwölften
Monats, das ist der Monat Adar.* 13 Eine
Abschrift des Schreibens aber sollte als
Gesetz erlassen werden in allen Provin-
zen, um allen Völkern zu eröffnen, dass
die Juden sich für diesen Tag bereithalten
würden, sich zu rächen an ihren Feinden.
14 Und die reitenden Boten auf den bes-
ten Pferden ritten aus schnell und eilends
nach dem Wort des Königs, und das
Gesetz wurde in der Festung Susa ange-
schlagen.
15 Mordechai aber ging hinaus von dem
König in königlichen Kleidern, blau und
weiß, und mit einer großen goldenen
Krone, angetan mit einem Mantel aus Lei-
nen und Purpurwolle. Und die Stadt Susa
jauchzte und war fröhlich. 16 Für die Juden
aber war Licht und Freude und Wonne und
Ehre gekommen. 17 Und in allen Provinzen
und Städten, an welchen Ort auch immer
des Königs Wort und Gesetz gelangte, da
war Freude und Wonne unter den Juden,
Gastmahl und Festtag; und viele aus den
Völkern im Lande schlossen sich den Ju-
den an; denn die Furcht vor den Juden war
über sie gekommen.

DIE RACHE AN DEN FEINDEN

9 Im zwölften Monat, das ist der Monat
Adar, am dreizehnten Tage, als des Kö-
nigs Wort und Gesetz ausgeführt werden
sollte, eben an dem Tage, als die Feinde der
Juden hofften, sie zu überwältigen, und
sich's wandte, dass nun die Juden ihre
Feinde überwältigen sollten, 2 da versam-
melten sich die Juden in ihren Städten in
allen Provinzen des Königs Ahasveros,
um die Hand zu erheben gegen die, die
ihnen übel wollten. Und niemand konnte
ihnen widerstehen; denn die Furcht vor
ihnen war über alle Völker gekommen.
3 Auch alle Obersten in den Provinzen und
die Satrapen* und Statthalter und Amt-
leute des Königs halfen den Juden; denn
die Furcht vor Mordechai war über sie ge-
kommen. 4 Denn Mordechai war groß am
Hof des Königs, und die Kunde von ihm
erscholl in allen Provinzen, wie er immer
mächtiger werde.
5 So schlugen die Juden alle ihre Feinde
mit dem Schwert und töteten und brach-
ten um und taten nach ihrem Gefallen an
denen, die ihnen feind waren. 6 Und in der
Festung Susa töteten und brachten die Ju-
den um fünfhundert Mann. 7 Dazu töte-
ten sie Parschandata, Dalfon, Aspata, 8 Po-
rata, Adalja, Aridata, 9 Parmaschta, Arisai,
Aridai und Wajesata, 10 die zehn Söhne
Hamans, des Sohnes Hammedatas, des
Judenfeindes. Aber [a]nach ihren Gütern
streckten sie ihre Hände nicht aus.

* **8,9** Gouverneur einer großen Provinz. **8,12** In der griechischen Übersetzung folgt an dieser Stelle Artaxerxes' erneuter Befehl, St zu Est E. **9,3** Gouverneur einer großen Provinz.

8,11 ***a*** Kap 3,13; 9,7-10.15-16 **9,10** ***a*** 1. Mose 14,21-24

11 Zu derselben Zeit kam die Zahl der
Getöteten in der Festung Susa vor den
König. 12 Und der König sprach zu der
Königin Ester: Die Juden haben in der
Festung Susa fünfhundert Mann getötet
und umgebracht, auch die zehn Söhne
Hamans; was werden sie getan haben in
den andern Provinzen des Königs? Was
bittest du, dass man dir's gebe? Und was
begehrst du mehr, dass man's tue? 13 Es-
ter sprach: Gefällt's dem König, so lasse
er auch morgen die Juden in Susa tun nach
dem Gesetz für den heutigen Tag, aber die
zehn Söhne Hamans soll man an den Gal-
gen hängen. 14 Und der König befahl, so zu
tun. Und das Gesetz wurde zu Susa gege-
ben, und die zehn Söhne Hamans wurden
gehängt.

15 Und die Juden in Susa versammelten
sich auch am vierzehnten Tage des Mo-
nats Adar und töteten in Susa dreihundert
Mann; aber nach ihren Gütern streckten
sie ihre Hände nicht aus. 16 Auch die an-
dern Juden in den Provinzen des Königs
kamen zusammen, um ihr Leben zu ver-
teidigen und sich vor ihren Feinden Ruhe
zu verschaffen, und töteten fünfundsieb-
zigtausend von ihren Feinden; aber nach
ihren Gütern streckten sie ihre Hände
nicht aus.

DIE STIFTUNG DES PURIMFESTES

17 Das geschah am dreizehnten Tage des
Monats Adar, und sie ruhten am vierzehn-
ten Tage desselben Monats. Den machten
sie zum Tag des Festmahls und der Freude.
18 Aber die Juden in Susa waren zusam-
mengekommen am dreizehnten und vier-
zehnten Tage und ruhten am fünfzehnten
Tage, und diesen Tag machten sie zum Tag
des Festmahls und der Freude. 19 Darum
machen die Juden, die verstreut in den
Dörfern und Höfen wohnen, den vier-
zehnten Tag des Monats Adar zum Tag
des Festmahls und der Freude und senden
einer dem andern Geschenke.

20 Und Mordechai schrieb diese Ge-
schichten auf und sandte Schreiben an
alle Juden, die in allen Provinzen des Kö-
nigs Ahasveros waren, nah und fern, 21 sie
sollten als Feiertage den vierzehnten und
fünfzehnten Tag des Monats Adar anneh-
men und jährlich halten 22 als die Tage, an
denen die Juden zur Ruhe gekommen wa-
ren vor ihren Feinden, und als den Monat,
in dem sich ihr Schmerz in Freude und ihr
Leid in Festtage verwandelt hatten: dass
sie diese halten sollten als Tage des Fest-
mahls und der Freude und einer dem an-
dern Geschenke und den Armen Gaben
schicke.

23 Und die Juden nahmen es an als
Brauch, was sie angefangen hatten zu tun
und was Mordechai an sie geschrieben
hatte. 24 Denn Haman, der Sohn Hamme-
datas, der Agagiter, der Feind aller Juden,
hatte gedacht, alle Juden umzubringen,
und hatte das [a]Pur, das ist das Los, gewor-
fen, um sie zu schrecken und umzubrin-
gen. 25 Und als das vor den König kam,
gebot dieser in einem Schreiben, dass
die bösen Anschläge, die Haman gegen
die Juden erdacht hatte, auf seinen Kopf
zurückfallen sollten, und [a]dass man ihn
und seine Söhne an den Galgen hängen
sollte. 26 Daher nannten sie diese Tage Pu-
rim nach dem Worte Pur. Und nach allen
Worten dieses Schreibens und nach dem,
was sie selbst gesehen hatten und was
sie getroffen hatte, 27 beschlossen die Ju-
den und nahmen es an als Brauch für sich
und für ihre Nachkommen und für alle,
die sich zu ihnen halten würden, dass sie
nicht unterlassen wollten, diese zwei Tage
jährlich zu halten, wie sie vorgeschrieben
und bestimmt waren, 28 dass man dieser
Tage gedenken und sie halten solle bei
Kindeskindern, bei allen Geschlechtern,
in allen Provinzen und Städten. Es sind die
Purimtage, die nicht übergangen werden
sollen unter den Juden, und ihr Anden-
ken soll nicht untergehen bei ihren Nach-
kommen.

29 Und die Königin Ester, die Tochter
Abihajils, und Mordechai, der Jude, schrie-
ben mit ganzem Ernst ein zweites Schrei-
ben über das Purimfest, um es zu bestä-
tigen. 30 Und man sandte die Schreiben
allen Juden in den 127 Provinzen des Kö-
nigreichs des Ahasveros mit Worten des
Friedens und der Treue, 31 dass sie diese
Purimtage bestätigten zu ihren Zeiten,
wie sie Mordechai, der Jude, und die Kö-
nigin Ester für sie festgesetzt hatten und

9,24 *a* Kap 3,7 **9,25** *a* Kap 7,10

wie sie für sich selbst und für ihre Nach-
kommen die Ordnung des Fastens und
der Klagen festgesetzt hatten. 32 Und Es-
ters Befehl bestätigte die Einsetzung die-
ser Purimtage. Und es wurde in ein Buch
geschrieben.

MORDECHAIS ANSEHEN BEI PERSERN UND JUDEN

10 Und der König Ahasveros legte eine
Steuer aufs Land und auf die Inseln
im Meer. 2 Aber alle Taten seiner Herr-
schaft und Macht und der Bericht über
[a]die Ehrung Mordechais, den der König
erhöht hatte, siehe, das ist geschrieben in
der Chronik der Könige von Medien und
Persien. 3 Denn Mordechai, der Jude, war
der Erste nach dem König Ahasveros und
groß unter den Juden und beliebt unter
der Menge seiner Brüder, weil er für sein
Volk Gutes suchte und Frieden für sein
ganzes Geschlecht.*

* **10,3** In der griechischen Übersetzung folgt die Deutung des Traumes Mordechais, St zu Est F.

10,2 *a* Kap 8,2.15

DAS BUCH HIOB (IJOB)

1–2 Gott stellt Hiob auf die Probe **3** Hiob beklagt sein Los
4–14 1. Redewechsel mit den Freunden **15–21** 2. Redewechsel mit den Freunden
22–27 3. Redewechsel mit den Freunden **28** Lob der Weisheit **29–31** Hiob ruft Gott an
32–37 Die Reden des Elihu **38–42** Gottes Antwort **42** Gott wendet Hiobs Geschick

HIOBS BEWÄHRUNG

1 Es war ein Mann im Lande [a]Uz, der
hieß [b]Hiob. [c]Der war fromm und recht-
schaffen, gottesfürchtig und mied das
Böse. 2 Und er zeugte sieben Söhne und
drei Töchter, 3 und er besaß siebentausend
Schafe, dreitausend Kamele, fünfhundert
Joch Rinder und fünfhundert Eselinnen
und sehr viel Gesinde, und er war reicher
als alle, die im Osten wohnten. 4 Und
seine Söhne gingen hin und machten ein
Gastmahl, ein jeder in seinem Hause an
seinem Tag, und sie sandten hin und lu-
den ihre drei Schwestern ein, mit ihnen
zu essen und zu trinken. 5 Und wenn die
Tage des Mahles um waren, sandte Hiob
hin und heiligte sie und machte sich früh
am Morgen auf und opferte Brandopfer
nach ihrer aller Zahl; denn Hiob dachte:
Meine Söhne könnten gesündigt und Gott
abgesagt haben in ihrem Herzen. So tat
Hiob allezeit.

6 Es begab sich aber eines Tages, da die
[a]Gottessöhne kamen und vor den HERRN
traten, kam auch der [b]Satan mit ihnen.*
7 Der HERR aber sprach zu dem Satan:
Wo kommst du her? Der Satan antwor-
tete dem HERRN und sprach: Ich habe die
Erde hin und her durchzogen. 8 Der HERR
sprach zum Satan: Hast du achtgehabt auf
meinen Knecht Hiob? Denn es ist sei-
nesgleichen nicht auf Erden, fromm und
rechtschaffen, gottesfürchtig und meidet
das Böse.

9 Der Satan antwortete dem HERRN
und sprach: Meinst du, dass Hiob [a]Gott
umsonst fürchtet? 10 Hast du doch ihn,
sein Haus und alles, was er hat, rings-
umher bewahrt. Du hast das Werk sei-
ner Hände gesegnet, und sein Besitz hat
sich ausgebreitet im Lande. 11 Aber strecke
deine Hand aus und taste alles an, was er
hat: Was gilt's, er wird dir ins Angesicht
fluchen! 12 Der HERR sprach zum Sa-
tan: Siehe, alles, was er hat, sei in deiner
Hand; nur an ihn selbst lege deine Hand
nicht. Da ging der Satan hinaus von dem
HERRN.[a]

13 Eines Tages aber, da seine Söhne und
Töchter aßen und Wein tranken im Hause
ihres Bruders, des Erstgeborenen, 14 kam
ein Bote zu Hiob und sprach: Die Rinder
pflügten und die Eselinnen gingen ne-
ben ihnen auf der Weide, 15 da fielen die
aus Saba ein und nahmen sie weg und er-
schlugen die Knechte mit der Schärfe des
Schwerts, und ich allein bin entronnen,
dass ich dir's ansagte.

16 Als der noch redete, kam ein anderer
und sprach: [a]Feuer Gottes fiel vom Him-
mel und verbrannte Schafe und Knechte
und verzehrte sie, und ich allein bin ent-
ronnen, dass ich dir's ansagte. 17 Als der
noch redete, kam einer und sprach: Die
[a]Chaldäer machten drei Abteilungen und
fielen über die Kamele her und nahmen sie
weg und erschlugen die Knechte mit der
Schärfe des Schwerts, und ich allein bin
entronnen, dass ich dir's ansagte. 18 Als der
noch redete, kam einer und sprach: Deine
Söhne und Töchter aßen und tranken im
Hause ihres Bruders, des Erstgeborenen,
19 und siehe, da kam ein großer Wind von
der Wüste her und stieß an die vier Ecken
des Hauses; da fiel es auf die jungen Leute,
dass sie starben, und ich allein bin entron-
nen, dass ich dir's ansagte.

20 Da stand Hiob auf und zerriss sein
Kleid und schor sein Haupt und fiel auf
die Erde und neigte sich tief 21 und sprach:
Ich bin [a]nackt von meiner Mutter Leibe
gekommen, nackt werde ich wieder da-

* **1,6** Siehe Sach- und Worterklärungen zu »Gottessöhne« und »Satan«.

1,1 ***a*** Jer 25,20; Klgl 4,21 ***b*** Hes 14,14.20 ***c*** Jak 5,11
1,6 ***a*** Kap 2,1; 1. Mose 6,2 ***b*** 1. Chr 21,1 **1,9** ***a*** Ps 73,13
1,12 ***a*** 5. Mose 8,2 **1,16** ***a*** Ps 78,48 **1,17** ***a*** Jer 51,24
1,21 ***a*** Pred 5,14; 1. Tim 6,7

hinfahren. **Der HERR hat's gegeben, der
HERR hat's genommen; der Name des
HERRN sei gelobt!**[b] – 22 In diesem allen
sündigte Hiob nicht und tat nichts Törich-
tes wider Gott.
2 Es begab sich aber eines Tages, da
die Gottessöhne kamen und vor den
HERRN traten, dass auch der Satan mit
ihnen kam und vor den HERRN trat.[a]
2 Da sprach der HERR zu dem Satan: Wo
kommst du her? Der Satan antwortete
dem HERRN und sprach: Ich habe die
Erde hin und her durchzogen. 3 Der HERR
sprach zu dem Satan: Hast du acht auf
meinen Knecht Hiob gehabt? Denn es ist
seinesgleichen auf Erden nicht, [a]fromm
und rechtschaffen, gottesfürchtig und
meidet das Böse und hält noch fest an sei-
ner [b]Frömmigkeit; du aber hast mich be-
wogen, ihn ohne Grund zu verderben.
4 Der Satan antwortete dem HERRN und
sprach: Haut für Haut! Und alles, was ein
Mann hat, lässt er für sein Leben. 5 Aber
strecke deine Hand aus und taste sein Ge-
bein und Fleisch an: Was gilt's, er wird dir
ins Angesicht fluchen! 6 Der HERR sprach
zu dem Satan: Siehe da, er sei in deiner
Hand, doch schone sein Leben!
7 Da ging der Satan hinaus vom Ange-
sicht des HERRN und schlug Hiob [a]mit
bösen Geschwüren von der Fußsohle an
bis auf seinen Scheitel. 8 Und er nahm
eine Scherbe und schabte sich und saß
in der Asche. 9 Und seine Frau sprach zu
ihm: Hältst du noch fest an deiner Fröm-
migkeit? Fluche Gott und stirb! 10 Er aber
sprach zu ihr: Du redest, wie die törich-
ten Frauen reden. **Haben wir Gutes emp-
fangen von Gott und sollten das Böse
nicht auch annehmen?** [a]In diesem allen
versündigte sich Hiob nicht mit seinen
Lippen.

HIOB WIRD VON DREI FREUNDEN BESUCHT

11 Als aber die drei Freunde Hiobs all das
Unglück hörten, das über ihn gekommen
war, kamen sie, ein jeder aus seinem Ort:
Elifas von [a]Teman, Bildad von [b]Schuach
und Zofar von [c]Naama. Denn sie wurden
eins, dass sie kämen, ihn zu beklagen und
zu trösten. 12 Und als sie ihre Augen auf-
hoben von ferne, erkannten sie ihn nicht
und erhoben ihre Stimme und weinten,
und ein jeder zerriss sein Kleid, und sie
warfen Staub gen Himmel auf ihr Haupt
13 und saßen mit ihm auf der Erde sie-
ben Tage und sieben Nächte und redeten
nichts mit ihm; denn sie sahen, dass der
Schmerz sehr groß war.

HIOBS KLAGE

3 Danach tat Hiob seinen Mund auf
und verfluchte seinen Tag. 2 Und Hiob
sprach:
3 Ausgelöscht sei [a]der Tag, an dem ich ge-
boren bin, und die Nacht, da man sprach:
Ein Knabe kam zur Welt! 4 Jener Tag sei
Finsternis, und Gott droben frage nicht
nach ihm! Kein Glanz soll über ihm schei-
nen! 5 Finsternis und Dunkel sollen ihn
überwältigen und düstere Wolken über
ihm bleiben, und Verfinsterung am Tage
mache ihn schrecklich! 6 Jene Nacht – das
Dunkel nehme sie hinweg, sie soll sich
nicht unter den Tagen des Jahres freuen
noch in die Zahl der Monde kommen!
7 Siehe, jene Nacht sei unfruchtbar und
kein Jauchzen darin! 8 Es sollen sie verflu-
chen, die einen Tag verfluchen können,
und die da kundig sind, den Leviatan* zu
wecken! 9 Ihre Sterne sollen finster sein
in ihrer Dämmerung. Die Nacht hoffe
aufs Licht, doch es komme nicht, und sie
sehe nicht die Wimpern der Morgenröte,
10 weil sie nicht verschlossen hat die Tür
des Leibes meiner Mutter und nicht ver-
borgen das Unglück vor meinen Augen!
11 Warum bin ich nicht gestorben im
Mutterschoß? Warum bin ich nicht umge-
kommen, als ich aus dem Mutterleib kam?
12 Warum hat man mich auf den Schoß ge-
nommen?* Warum bin ich an den Brüs-
ten gesäugt? 13 Dann läge ich da und wäre
still, dann schliefe ich und hätte Ruhe
14 mit den Königen und Ratsherren auf
Erden, die sich [a]Grüfte erbauten, 15 oder
mit den Fürsten, die Gold hatten und de-
ren Häuser voll Silber waren; 16 wie eine
Fehlgeburt, die man verscharrt hat, hätte

* **3,8** Siehe Sach- und Worterklärungen.
3,12 Wörtlich: »Warum nahmen mich Knie entgegen?«

1,21 ***b*** Jak 5,11 **2,1** ***a*** Kap 1,6 **2,3** ***a*** 1. Mose 17,2 ***b*** Kap 27,5; 31,6 **2,7** ***a*** 5. Mose 28,27 **2,10** ***a*** Kap 1,22
2,11 ***a*** 1. Mose 36,15; Jer 49,7 ***b*** 1. Mose 25,2 ***c*** Jos 15,41
3,3 ***a*** Jer 20,14-18 **3,14** ***a*** 2. Sam 18,18

ich nie gelebt, wie Kinder, die das Licht
nie gesehen haben. 17 Dort haben die Frev-
ler aufgehört mit Toben; dort ruhen, die
viel Mühe gehabt haben. 18 Da haben die
Gefangenen allesamt Frieden und hören
nicht die Stimme des Treibers. 19 Da sind
Klein und Groß gleich und der Knecht ist
frei von seinem Herrn.

20 Warum gibt Gott das Licht dem Müh-
seligen und das Leben den betrübten Her-
zen – 21 die auf den Tod warten, und er
kommt nicht, und [a]nach ihm suchen mehr
als nach Schätzen, 22 die sich sehr freuten
und fröhlich wären, wenn sie ein Grab be-
kämen –, 23 dem Mann, dessen Weg ver-
borgen ist, [a]dem Gott den Pfad ringsum
verdeckt hat? 24 Denn wenn ich essen
soll, muss ich seufzen, und mein Schreien
fährt heraus wie Wasser. 25 Denn was ich
gefürchtet habe, ist über mich gekom-
men, und wovor mir graute, hat mich ge-
troffen. 26 Ich hatte keinen Frieden, keine
Rast, keine Ruhe, da kam schon wieder
ein Ungemach!

HIOBS GESPRÄCH MIT SEINEN FREUNDEN

Kapitel 4,1–27,23

DES ELIFAS ERSTE REDE

4 Da hob Elifas von Teman an und sprach:
2 Du hast's vielleicht nicht gern, wenn
man versucht, mit dir zu reden; aber
Worte zurückhalten, wer kann's? 3 Siehe,
du hast viele unterwiesen und matte
Hände gestärkt; 4 deine Rede hat die
Strauchelnden aufgerichtet, und die be-
benden Knie hast du gekräftigt. 5 Nun es
aber an dich kommt, wirst du weich,
und nun es dich trifft, erschrickst du!
6 Ist nicht deine Gottesfurcht dein Trost,
und die Unsträflichkeit deiner Wege deine
Hoffnung?

7 Bedenke doch: Wo ist ein Unschul-
diger umgekommen? Oder wo wurden
die Gerechten je vertilgt? 8 Wohl aber
habe ich gesehen: Die da Frevel pflügten
und Unheil säten, ernteten es auch ein.[a]
9 Durch den Odem Gottes sind sie um-
gekommen und vom Schnauben seines
Zorns vertilgt. 10 Das Brüllen des Löwen
und die Stimme des Leuen und die Zähne
der jungen Löwen sind zerbrochen. 11 Der
Löwe kommt um, wenn er keine Beute
hat, und die Jungen der Löwin werden
zerstreut.

12 Zu mir ist heimlich ein Wort gekom-
men, und von ihm hat mein Ohr ein Flüs-
tern empfangen 13 [a]beim Nachsinnen über
Gesichte in der Nacht, wenn tiefer Schlaf
auf die Leute fällt; 14 da kam mich Furcht
und Zittern an, und alle meine Gebeine
erschraken. 15 Und ein Hauch fährt an mir
vorüber; es stehen mir die Haare zu Berge
an meinem Leibe. 16 Da steht ein Gebilde
vor meinen Augen, doch ich erkenne seine
Gestalt nicht; es ist eine Stille, und ich
höre eine Stimme:

17 Wie kann ein Mensch gerecht sein vor
Gott oder ein Mann rein sein vor dem, der
ihn gemacht hat?[a] 18 Siehe, [a]seinen Die-
nern traut er nicht, und seinen Boten wirft
er Torheit vor: 19 wie viel mehr denen, die
in Lehmhäusern wohnen und auf Staub
gegründet sind und wie Motten zerdrückt
werden! 20 Es währt vom Morgen bis zum
Abend, so werden sie zerschlagen, und
ehe man's gewahr wird, sind sie ganz da-
hin. 21 Ihr Zelt wird abgebrochen, und sie
sterben ohne Einsicht.

5 Rufe doch, ob einer dir antwortet! Und
an welchen von den Heiligen willst du
dich wenden? 2 Denn einen Toren tö-
tet der Unmut, und den Unverständigen
bringt der Eifer um. 3 [a]Ich sah einen To-
ren Wurzel schlagen, und sogleich fluchte
ich seinem Hause. 4 Seinen Kindern bleibt
Hilfe fern, und sie werden zerschlagen im
Tor; denn kein Erretter ist da. 5 Seine Ernte
verzehrt der Hungrige, und auch aus den
Hecken holt er sie, und nach seinem Gut
lechzen die Durstigen. 6 Denn Unheil
geht nicht aus der Erde hervor, und Müh-
sal wächst nicht aus dem Acker; 7 sondern
der Mensch wird zur Mühsal geboren, wie
die Funken des Feuers emporfliegen.

8 Ich aber würde mich zu Gott wenden
und meine Sache vor ihn bringen, 9 der
große Dinge tut, die nicht zu erforschen
sind, und Wunder, die nicht zu zählen
sind,[a] 10 der den Regen aufs Land gibt und

3,21 *a* Offb 9,6 **3,23** *a* Kap 19,8 **4,8** *a* Spr 22,8
4,13 *a* (13-17) Kap 33,15-18; 1. Mose 15,12
4,17 *a* 1. Kön 8,46; Ps 14,3; Spr 20,9 **4,18** *a* Kap 15,15
5,3 *a* (3-5) Ps 37,35-36 **5,9** *a* Kap 9,10

Wasser kommen lässt auf die Gefilde,
11 der [a]die Niedrigen erhöht und den Be-
trübten emporhilft. 12 Er macht zunichte
die Pläne der Klugen, dass ihre Hände
nichts zustande bringen. 13 Er [a]fängt die
Weisen in ihrer Klugheit und stürzt den
Rat der Verkehrten, 14 dass sie am Tage in
Finsternis laufen und [a]tappen am Mittag
wie in der Nacht. 15 Er hilft dem Armen
vor dem Schwert, vor ihrem Mund und
vor der Hand des Mächtigen den Elenden.
16 Dem Armen wird Hoffnung zuteil, und
die Bosheit muss ihren Mund zuhalten.

17 **Siehe, selig ist der Mensch, den Gott
zurechtweist; darum widersetze dich
der [a]Zucht des Allmächtigen nicht.
18 Denn er verletzt und verbindet; er
zerschlägt und seine Hand [a]heilt.** 19 In
sechs Trübsalen wird er dich erretten,
und in sieben wird dich kein Übel an-
rühren.[a] 20 In der Hungersnot wird er dich
vom Tod erlösen und im Kriege von des
Schwertes Gewalt. 21 Er wird dich ver-
bergen vor der Geißel der Zunge, dass
du dich nicht fürchten musst, wenn Ver-
derben kommt.

22 Über Verderben und Hunger wirst du
lachen und dich vor den wilden Tieren im
Lande nicht fürchten. 23 Denn dein Bund
wird sein mit den Steinen auf dem Felde,
und [a]die wilden Tiere werden Frieden mit
dir halten, 24 und du wirst erfahren, dass
deine Hütte Frieden hat, und wirst deine
Stätte überschauen und nichts vermis-
sen, 25 und du wirst erfahren, dass deine
Kinder sich mehren und deine Nachkom-
men wie das Gras auf Erden sind, 26 und
du wirst im Alter zu Grabe kommen, wie
Garben eingebracht werden zur rechten
Zeit. 27 Siehe, das haben wir erforscht, so
ist es; darauf höre und merke du dir's.

HIOBS ERSTE ANTWORT AN ELIFAS

6 Hiob antwortete und sprach:
2 Wenn man doch meinen Kummer
wägen und mein Leiden zugleich auf die
Waage legen wollte! 3 Denn nun ist es
schwerer als Sand am Meer; darum sind
meine Worte noch unbedacht. 4 Denn die
[a]Pfeile des Allmächtigen stecken in mir;
mein Geist muss ihr Gift trinken, und die
Schrecknisse Gottes sind auf mich gerich-
tet. 5 Schreit denn der Wildesel, wenn er
Gras hat, oder brüllt der Stier, wenn er
sein Futter hat? 6 Isst man denn Fades,
ohne es zu salzen, oder hat Eiweiß Wohl-
geschmack? 7 Meine Kehle sträubt sich, es
aufzunehmen; es ist, als wäre mein Brot
unrein.

8 Könnte meine Bitte doch geschehen
und Gott mir geben, was ich hoffe! 9 Dass
mich doch Gott erschlagen wollte und
seine Hand ausstreckte und mir den Le-
bensfaden abschnitte! 10 So hätte ich noch
diesen Trost und wollte fröhlich sprin-
gen – ob auch der Schmerz mich quält
ohne Erbarmen –, dass ich nicht verleug-
net habe die Worte des Heiligen.

11 Was ist meine Kraft, dass ich aushar-
ren könnte; und welches Ende wartet auf
mich, dass ich geduldig sein sollte? 12 Ist
doch meine Kraft nicht aus Stein und mein
Fleisch nicht aus Erz. 13 Hab ich denn keine
Hilfe mehr, und gibt es keinen Rat mehr
für mich?

14 Wer Barmherzigkeit seinem Nächs-
ten verweigert, der gibt die Furcht vor
dem Allmächtigen auf. 15 Meine [a]Brüder
sind trügerisch wie ein Bach, wie das Bett
der Bäche, die versickern, 16 die erst trübe
sind vom Eis, darin der Schnee sich birgt,
17 doch zur Zeit, wenn die Hitze kommt,
versiegen sie; wenn es heiß wird, ver-
gehen sie von ihrer Stätte: 18 Karawanen
gehen ihren Weg dahin, sie gehen hin
ins Nichts und verschwinden. 19 Die Ka-
rawanen von Tema blickten aus auf sie,
die Karawanen von [a]Saba hofften auf sie;
20 aber sie wurden zuschanden über ih-
rer Hoffnung und waren betrogen, als sie
dahin kamen. 21 So seid ihr jetzt für mich
geworden; weil ihr Schrecknisse seht,
fürchtet ihr euch. 22 Hab ich denn ge-
sagt: Schenkt mir etwas und bezahlt für
mich von eurem Vermögen 23 und errettet
mich aus der Hand des Feindes und kauft
mich los von der Hand der Gewalttätigen?

24 Belehrt mich, so will ich schweigen,
und worin ich geirrt habe, darin unter-
weist mich! 25 Wie könnten redliche
Worte betrüben? Aber euer Tadel, was

5,11 *a* Ps 75,8; Lk 1,52 **5,13** *a* 1. Kor 3,19
5,14 *a* Jes 59,9-10 **5,17** *a* Ps 94,12; Spr 3,11
5,18 *a* 5. Mose 32,39; Hos 6,1 **5,19** *a* Ps 37,24; Spr 24,16
5,23 *a* Jes 11,6-9; Hos 2,20 **6,4** *a* Ps 38,3 **6,15** *a* Ps 38,12
6,19 *a* Kap 1,15

tadelt er? 26 Gedenkt ihr, Worte zu rügen?
Aber die Rede eines Verzweifelnden ver-
hallt im Wind. 27 Ihr freilich könntet wohl
über eine Waise das Los werfen und euren
Nächsten verschachern. 28 Nun aber hebt
doch an und seht auf mich, ob ich euch ins
Angesicht lüge. 29 Kehrt doch um, damit
nicht Unrecht geschehe! Kehrt um! Noch
habe ich recht darin! 30 Ist denn auf meiner
Zunge Unrecht, oder sollte mein Gaumen
Böses nicht merken?

7 Muss nicht der Mensch immer im Dienst
stehen auf Erden, und sind seine Tage
nicht wie die eines [a]Tagelöhners? 2 Wie
ein Knecht sich sehnt nach dem Schatten
und ein Tagelöhner auf seinen Lohn war-
tet, 3 so erbte ich Monde der Enttäuschung,
und Nächte voller Mühsal wurden mir zu-
teil. 4 Wenn ich mich niederlegte, sprach
ich: Wann werde ich aufstehen? Bin ich
aufgestanden, so wird mir's lang bis zum
Abend, und mich quälte die Unruhe bis
zur Dämmerung. 5 Mein Fleisch ist geklei-
det in Maden und staubigen Schorf, meine
Haut ist verschrumpft und voller Eiter.
6 Meine Tage sind schneller dahingeflogen
als ein [a]Weberschiffchen und sind vergan-
gen ohne Hoffnung.

7 Bedenke, dass mein Leben ein Hauch
ist und meine Augen nicht wieder Gutes
sehen werden. 8 Und kein lebendiges Auge
wird mich mehr schauen; sehen deine Au-
gen nach mir, so bin ich nicht mehr. 9 Eine
Wolke vergeht und fährt dahin: so kommt
nicht wieder herauf, wer zu den Toten
hinunterfährt; 10 er [a]kommt nicht zurück,
und [b]seine Stätte kennt ihn nicht mehr.

11 Darum will auch ich meinem Munde
nicht wehren. Ich will reden in der Angst
meines Herzens und will klagen in der Be-
trübnis meiner Seele. 12 Bin ich denn das
Meer oder ein Ungeheuer, dass du eine
Wache gegen mich aufstellst? 13 Wenn ich
dachte, mein Bett soll mich trösten, mein
Lager soll mir meinen Jammer erleichtern,
14 so erschrecktest du mich mit Träumen
und machtest mir Grauen durch Gesichte,
15 dass meine Seele sich wünschte, er-
würgt zu sein, und mein Leib wünschte
den Tod. 16 Ich vergehe! Ich will nicht ewig
leben. Lass ab von mir, denn meine Tage
sind nur noch ein Hauch.[a]

17 Was ist der Mensch, dass du ihn groß
achtest und dich um ihn bekümmerst?
18 Jeden Morgen suchst du ihn heim
und prüfst ihn alle Stunden. 19 Warum
blickst du nicht einmal von mir weg und
lässt mir keinen Atemzug Ruhe? 20 Hab
ich gesündigt, was tue ich dir damit an,
du Menschenhüter? Warum machst du
mich zum Ziel deiner Anläufe, dass ich
mir selbst eine Last bin? 21 Und warum
vergibst du mir meine Sünde nicht oder
lässt meine Schuld hingehen? Denn nun
werde ich mich in den Staub legen, und
wenn du mich suchst, werde ich nicht
mehr da sein.

BILDADS ERSTE REDE

8 Da hob Bildad von Schuach an und
sprach:

2 Wie lange willst du so reden und sol-
len die Reden deines Mundes so unge-
stüm daherfahren? 3 Meinst du, dass Gott
unrecht richtet oder [a]der Allmächtige das
Recht verkehrt? 4 Haben [a]deine Söhne vor
ihm gesündigt, so hat er sie ihrer Missetat
preisgegeben. 5 Wenn du aber dich zu Gott
wendest und zu dem Allmächtigen um
Gnade flehst, 6 wenn du rein und fromm
bist, so wird er deinetwegen [a]aufwachen
und wird wieder herstellen deine Woh-
nung, wie es dir zusteht. 7 Ist dein Anfang
auch gering, wird doch dein Ende herrlich
sein.[a]

8 Denn frage die früheren Geschlech-
ter und merke auf das, was ihre Väter
erforscht haben, 9 denn wir sind von ges-
tern her und wissen nichts; unsere Tage
sind ein Schatten auf Erden. 10 Sind sie es
nicht, die dich lehren und dir sagen und
ihre Rede aus ihrem Herzen hervorbrin-
gen: 11 »Kann auch Rohr aufwachsen, wo
es nicht feucht ist, oder Schilf wachsen
ohne Wasser? 12 Noch steht's in Blüte, be-
vor man es schneidet, da verdorrt es schon
vor allem Gras. 13 So sind die Wege aller,
die Gott vergessen, und [a]die Hoffnung
des Ruchlosen wird verloren sein. 14 Denn
seine Zuversicht vergeht, und seine Hoff-
nung ist ein Spinnweb. 15 Er verlässt sich
auf sein Haus, aber es hält nicht stand; er

7,1 *a* Kap 14,6 **7,6** *a* Jes 38,12 **7,10** *a* Kap 10,21; 14,12
b Ps 103,16 **7,16** *a* 1. Kön 19,4 **8,3** *a* Kap 34,10
8,4 *a* Kap 1,4-5 **8,6** *a* Ps 35,23 **8,7** *a* Kap 42,10
8,13 *a* Kap 11,20; Spr 10,28

hält sich daran, aber es bleibt nicht stehen.
16 Er steht voll Saft im Sonnenschein, und
seine Reiser wachsen hinaus über seinen
Garten, 17 über Steinhaufen schlingen sich
seine Wurzeln und zwischen Steinen hält
er sich fest. 18 Wenn man ihn aber vertilgt
von seiner Stätte, so wird sie ihn verleug-
nen, als kennte sie ihn nicht. 19 Siehe, das
ist das Glück seines Lebens, und aus dem
Staube werden andre wachsen.«

20 Siehe, Gott verwirft die Frommen
nicht und hält die Hand der Boshaften
nicht fest, 21 bis er deinen Mund voll La-
chens mache und deine Lippen voll Jauch-
zens. 22 Die dich aber hassen, müssen sich
in Schmach kleiden, und die Hütte der
Gottlosen wird nicht bestehen.

HIOBS ERSTE ANTWORT AN BILDAD

9 Hiob antwortete und sprach:
2 Ja, ich weiß wohl, es ist so: Wie
[a]könnte ein Mensch recht behalten gegen
Gott. 3 Hat er Lust, mit ihm zu streiten,
so kann er ihm auf tausend nicht eines
antworten.[a] 4 Gott ist weise und mächtig;
wer stellte sich ihm entgegen und blieb
unversehrt?

5 Er versetzt Berge, ehe sie es innewer-
den; er stürzt sie um in seinem Zorn.
6 Er bewegt die Erde von ihrem Ort, dass
ihre Pfeiler zittern. 7 Er spricht zur Sonne,
so geht sie nicht auf, und versiegelt die
Sterne. 8 Er allein breitet den Himmel aus
und [a]geht auf den Wogen des Meers. 9 Er
macht den Großen Wagen am Himmel
und den [a]Orion und das Siebengestirn
und die Sterne des Südens. 10 Er tut große
Dinge, die nicht zu erforschen, und Wun-
der, die nicht zu zählen sind.[a]

11 Siehe, er geht an mir vorüber, ohne
dass ich's gewahr werde, und wandelt
vorbei, ohne dass ich's merke. 12 Siehe,
wenn er wegrafft, wer will ihm wehren?
Wer will zu ihm sagen: Was machst du?
13 Gott wehrt seinem Zorn nicht; unter ihn
mussten sich beugen die Helfer [a]Rahabs*.
14 Wie sollte dann ich ihm antworten und
Worte finden vor ihm? 15 Wenn ich auch
recht habe, so kann ich ihm doch nicht
antworten, sondern ich müsste um mein
Recht flehen.

16 Wenn ich ihn auch anrufe, dass er
mir antwortet, so glaube ich nicht, dass
er meine Stimme hört, 17 vielmehr greift
er nach mir im Wettersturm und schlägt
mir viele Wunden ohne Grund. 18 Er lässt
mich nicht Atem schöpfen, sondern sät-
tigt mich mit Bitternis. 19 Geht es um
Macht und Gewalt: Er hat sie. Geht es um
Recht: Wer will ihn vorladen?[a] 20 Wäre
ich gerecht, so müsste mich doch mein
Mund verdammen; wäre ich unschuldig,
so würde er mich doch schuldig sprechen.

21 Ich bin unschuldig! Ich möchte nicht
mehr leben; ich verachte mein Leben. 22 Es
ist eins, darum sage ich: [a]Er bringt den
Frommen um wie den Gottlosen. 23 Wenn
seine Geißel plötzlich tötet, so spottet er
über die Verzweiflung der Unschuldigen.
24 Die Erde ist in die Hand des Frevlers ge-
geben, und das Antlitz ihrer Richter ver-
hüllt er. Wenn nicht er, wer anders sollte
es tun?

25 Meine Tage sind schneller gewesen
als ein Läufer; sie sind dahingeflohen und
haben nichts Gutes erlebt. 26 Sie sind da-
hingefahren wie Schiffe aus Schilf, wie ein
Adler herabstößt auf die Beute. 27 Wenn
ich denke: Ich will meine Klage vergessen
und mein Angesicht ändern und heiter
bleiben, 28 so fürchte ich doch wieder
alle meine Schmerzen, weil ich weiß,
dass du mich nicht unschuldig sprechen
wirst. 29 Ich soll ja doch schuldig sein! Wa-
rum mühe ich mich denn so vergeblich?
30 Wenn ich mich auch mit Schneewasser
wüsche und [a]reinigte meine Hände mit
Lauge, 31 so wirst du mich doch eintauchen
in die Grube, dass sich meine Kleider vor
mir ekeln.

32 Denn er ist nicht ein Mensch wie
ich, dem ich antworten könnte, dass wir
miteinander vor Gericht gingen.[a] 33 Kein
Schiedsmann ist zwischen uns, der seine
Hand auf uns beide legte! 34 Dass er seine
Rute von mir nehme und sein Schre-
cken mich nicht mehr ängstige! 35 So
wollte ich reden und mich nicht vor ihm
fürchten, denn ich bin mir keiner Schuld
bewusst.

* **9,13** Siehe Sach- und Worterklärungen.

9,2 ***a*** Kap 40,3-5; Ps 143,2 **9,3** ***a*** Ps 19,13 **9,8** ***a*** Mt 14,25
9,9 ***a*** Kap 38,31; Am 5,8 **9,10** ***a*** Kap 5,9
9,13 ***a*** Kap 26,12; Ps 89,11 **9,19** ***a*** Vers 33
9,22 ***a*** Kap 8,20; Pred 9,2-3 **9,30** ***a*** Jer 2,22
9,32 ***a*** Pred 6,10

10 Mich ekelt mein Leben an. Ich will
meiner Klage ihren Lauf lassen und re-
den in der Betrübnis meiner Seele 2 und zu
Gott sagen: Verdamme mich nicht! Lass
mich wissen, warum du mich vor Gericht
ziehst. 3 Gefällt dir's, dass du Gewalt tust
und verwirfst das Werk deiner Hände und
dein Licht leuchten lässt über den Plan der
Frevler? 4 Hast du denn [a]Menschenaugen,
oder siehst du, wie ein Sterblicher sieht?
5 Oder ist deine Zeit wie eines Menschen
Zeit oder deine Jahre wie eines Mannes
Jahre, 6 dass du nach meiner Schuld fragst
und nach meiner Sünde suchst, 7 wo du
doch weißt, dass ich nicht schuldig bin
und niemand da ist, der aus deiner Hand
erretten kann?

8 [a]Deine Hände haben mich gebildet und
bereitet; danach hast du dich abgewandt
und mich verdorben. 9 Bedenke doch, dass
[a]du mich aus Lehm gemacht hast, und
[b]lässt mich wieder zum Staub zurück-
kehren? 10 Hast du mich nicht wie Milch
hingegossen und wie Käse gerinnen las-
sen? 11 Du hast mir Haut und Fleisch ange-
zogen; aus Knochen und Sehnen hast du
mich geflochten; 12 [a]**Leben und Wohltat
hast du an mir getan, und deine Obhut
hat meinen Odem bewahrt.** 13 Aber dies
verbargst du in deinem Herzen – ich weiß,
du hattest das im Sinn –, 14 dass du darauf
achten wolltest, wenn ich sündigte, und
mich von meiner Schuld nicht lossspre-
chen. 15 Wäre ich schuldig, dann wehe
mir! Und wäre ich schuldlos, so dürfte
ich doch mein Haupt nicht erheben, ge-
sättigt mit Schmach und getränkt mit
Elend. 16 Und wenn ich es aufrichtete, so
würdest du mich jagen [a]wie ein Löwe und
wiederum erschreckend an mir handeln.
17 Du würdest immer neue Zeugen gegen
mich stellen und deinen Zorn auf mich
noch mehren und immer neue Heerhau-
fen gegen mich senden.

18 Warum hast du mich aus meiner Mut-
ter Schoß kommen lassen? Ach dass ich
umgekommen wäre und mich nie ein
Auge gesehen hätte![a] 19 So wäre ich, als
wäre ich nie gewesen, vom Mutterleib
weg zum Grabe gebracht. 20 Ist denn mein
Leben nicht kurz? So höre auf und lass
ab von mir, dass ich ein wenig erquickt
werde, 21 ehe denn ich hingehe – [a]und
komme nicht zurück – ins Land der Fins-
ternis und des Dunkels, 22 ins Land, wo es
stockfinster ist und dunkel ohne alle Ord-
nung, und wenn's hell wird, so ist es im-
mer noch Finsternis.

ZOFARS ERSTE REDE

11 Da hob Zofar von Naama an und
sprach:

2 Soll ohne Antwort bleiben, der viele
Worte macht? Muss denn ein Schwätzer
immer recht haben? 3 Müssen Männer zu
deinem leeren Gerede schweigen, dass
du spottest und niemand dich beschämt?
4 Du sprichst: »Meine Rede ist rein, und
lauter bin ich vor deinen Augen.«[a] 5 Ach
dass Gott mit dir redete und täte seine
Lippen auf 6 und zeigte dir [a]die Tiefen der
Weisheit – denn sie ist zu wunderbar für
jede Erkenntnis –, damit du weißt, dass er
noch nicht an alle deine Sünden denkt.

7 Meinst du, du kannst die Tiefen Got-
tes ergründen oder die Grenze des All-
mächtigen erforschen? 8 Er ist höher als
der Himmel: Was willst du tun?, tiefer
als die Unterwelt: Was kannst du wis-
sen?, 9 länger als die Erde und breiter als
das Meer: 10 Wenn er daherfährt und ge-
fangen legt und Gericht hält – wer will's
ihm wehren? 11 Denn er kennt die heillo-
sen Leute; er sieht den Frevel und sollte es
nicht merken?

12 Kann ein Hohlkopf verständig wer-
den, kann ein junger Wildesel als Mensch
zur Welt kommen? 13 Wenn aber du dein
Herz auf ihn richtest und deine Hände zu
ihm ausbreitest – 14 wenn Frevel in deiner
Hand ist, entferne ihn, und lass in dei-
nen Zelten kein Unrecht wohnen –, 15 so
könntest du dein Antlitz aufheben ohne
Tadel und würdest fest sein und dich nicht
fürchten. 16 Dann würdest du alle Mühsal
vergessen und so wenig daran denken wie
an Wasser, das verrinnt, 17 und dein Leben
würde aufgehen wie der Mittag, und das
Finstre würde ein lichter Morgen werden,
18 [a]und du könntest Zuversicht haben, weil
es Hoffnung gibt, du wärest geborgen und

10,4 *a* 1. Sam 16,7 **10,8** *a* Ps 139,14 **10,9** *a* Kap 33,6; 1. Mose 2,7 *b* 1. Mose 3,19 **10,12** *a* Apg 17,28 **10,16** *a* Jes 38,13 **10,18** *a* Kap 3,11; Jer 20,14 **10,21** *a* Kap 7,10 **11,4** *a* Kap 9,21; 10,7 **11,6** *a* Ps 51,8 **11,18** *a* (18-19) Ps 4,9

könntest in Sicherheit schlafen, 19 würdest
ruhen und niemand würde dich aufschre-
cken, und viele würden deine Gunst er-
bitten. 20 Aber die Augen der Frevler wer-
den verschmachten, und sie werden nicht
entrinnen können, und [a]als ihre Hoffnung
bleibt, das Leben auszuhauchen.

HIOBS ERSTE ANTWORT AN ZOFAR

12 Da antwortete Hiob und sprach:
2 Ja, ihr seid die Richtigen, mit euch
wird die Weisheit sterben! 3 Ich hab
ebenso Verstand wie ihr und bin nicht ge-
ringer als ihr; wer wüsste das nicht? 4 Ich
muss von meinem Nächsten verlacht sein,
der ich Gott anrief und den er erhörte.
Der Gerechte und Fromme muss verlacht
sein. 5 Dem Unglück gebührt Verachtung,
so meint der Sichere; ein Stoß denen, de-
ren Fuß schon wankt! 6 Die Hütten der
Verwüster stehen ganz sicher, und Ruhe
haben, die wider Gott toben, die Gott in
ihrer Faust führen.[a]
7 Frage doch das Vieh, das wird dich's
lehren, und die Vögel unter dem Himmel,
die werden dir's sagen, 8 oder die Sträucher
der Erde, die werden dich's lehren, und
die Fische im Meer werden dir's erzählen.
9 Wer erkennte nicht an dem allen, dass
des HERRN Hand das gemacht hat, 10 dass
in seiner Hand ist die Seele von allem, was
lebt, in seiner Hand auch [a]der Geist im
Leib eines jeden Menschen? 11 Prüft nicht
das Ohr die Rede, wie der Mund die Speise
schmeckt? 12 Bei den Großvätern nur soll
Weisheit sein und Verstand nur bei den
Alten?[a]
13 Bei Gott ist Weisheit und Gewalt,
sein ist Rat und Verstand. 14 Siehe, wenn
er zerbricht, so hilft kein Bauen; [a]wenn er
jemand einschließt, kann niemand auf-
machen. 15 Siehe, [a]wenn er die Wasser
zurückhält, so wird alles dürr, und wenn
er sie loslässt, [b]verwüsten sie das Land.
16 Bei ihm ist Kraft und Einsicht. Sein ist,
der da irrt und [a]der irreführt. 17 Er lässt
die Ratsherren barfuß gehen und macht
die Richter zu Toren. 18 Er macht frei von
den Banden der Könige und umgürtet
ihre Lenden mit einem Gurt. 19 Er führt
die Priester barfuß davon und [a]bringt zu
Fall die alten Geschlechter. 20 Er entzieht
die Sprache den Verlässlichen und nimmt
weg den Verstand der Alten. 21 Er schüttet
Verachtung auf die Fürsten und [a]zieht den
Gewaltigen die Rüstung aus. 22 Er öffnet
die finstern Schluchten und bringt heraus
das Dunkel ans Licht. 23 Er macht Völker
groß und bringt sie wieder um; er brei-
tet ein Volk aus und treibt's wieder weg.
24 Er nimmt den Häuptern des Volks im
Lande den Mut und führt sie irre in weg-
loser Wüste, 25 dass sie in der Finsternis
tappen ohne Licht. Er führt sie irre wie die
Trunkenen.

13 Siehe, das hat alles mein Auge gesehen
und mein Ohr gehört, und ich hab's
verstanden. 2 Was ihr wisst, das weiß ich
auch, und ich bin nicht geringer als ihr.
3 Doch ich wollte gern zu dem Allmäch-
tigen reden und wollte rechten mit Gott.
4 Aber ihr seid Lügentüncher und seid alle
unnütze Ärzte. 5 Wollte Gott, dass ihr ge-
schwiegen hättet, so wäret ihr weise ge-
blieben.[a]
6 Hört doch, wie ich mich verantworte,
und merkt auf die Streitsache, von der ich
rede! 7 Wollt ihr Gott verteidigen mit Un-
recht und Trug für ihn reden? 8 Wollt ihr
für ihn Partei ergreifen? Wollt ihr Got-
tes Sache vertreten? 9 Wird's euch auch
wohlgehen, wenn er euch verhören wird?
Meint ihr, dass ihr ihn täuschen werdet,
wie man einen Menschen täuscht? 10 Er
wird euch hart zurechtweisen, wenn ihr
heimlich Partei ergreift. 11 Werdet ihr euch
nicht entsetzen, wenn er sich erhebt, und
wird sein Schrecken nicht über euch fal-
len? 12 Was ihr zu bedenken gebt, sind
Sprüche aus Asche; eure Bollwerke wer-
den zu Lehmhaufen. 13 Schweigt still und
lasst mich reden; es komme über mich,
was da will.
14 Was soll ich mein Fleisch mit meinen
Zähnen festhalten und mein Leben aufs
Spiel setzen? 15 Siehe, auch wenn er mich
umbringt, warte ich auf ihn; fürwahr, ich
will meine Wege vor ihm verantworten.
16 Auch das muss mir zum Heil sein; denn
es kommt kein Ruchloser vor ihn.

11,20 *a* Kap 8,14 **12,6** *a* Hab 1,11 **12,10** *a* 4. Mose 16,22; Apg 17,28 **12,12** *a* Kap 8,8 **12,14** *a* Offb 3,7
12,15 *a* 1. Kön 17,1.7 *b* 1. Mose 7,19-23
12,16 *a* 1. Kön 12,28-30; 2. Kön 19,10-37
12,19 *a* 1. Sam 2,30-32; 22,18-19 **12,21** *a* 1. Sam 17,5; 31,9; 2. Kön 19,37; Dan 4,29-30 **13,5** *a* Spr 17,28

17 Hört meine Rede und was ich darlege,
mit euren Ohren! 18 Siehe, ich bin zum
Rechtsstreit gerüstet; ich weiß, dass ich
recht behalten werde. 19 Wer ist, der mit
mir rechten könnte? Denn dann wollte
ich schweigen und zugrunde gehen. 20 Nur
zweierlei tu mir nicht, so will ich mich vor
dir nicht verbergen: 21 Lass deine Hand
fern von mir sein, und dein Schrecken er-
schrecke mich nicht;[a] 22 dann rufe, ich will
dir antworten, oder ich will reden, dann
antworte du mir!

23 Wie groß ist meine Schuld und Sün-
de? Lass mich wissen meine Übertre-
tung und Sünde. 24 Warum verbirgst du
dein Antlitz und [a]hältst mich für deinen
Feind? 25 Willst du ein verwehendes Blatt
schrecken und einen dürren Halm verfol-
gen, 26 dass du so Bitteres über mich ver-
hängst und über mich bringst [a]die Sünden
meiner Jugend? 27 Du hast meinen Fuß
in den Block gelegt und hast acht auf alle
meine Pfade und zeichnest meine Fuß-
stapfen nach, 28 der ich doch wie Moder
vergehe und wie ein Kleid, das die Mot-
ten fressen.

14 Der Mensch, vom Weibe geboren, lebt
kurze Zeit und ist voll Unruhe, 2 geht
auf wie eine Blume und welkt, flieht wie
ein Schatten und bleibt nicht.[a] 3 Doch du
tust deine Augen über einen solchen auf,
dass du mich vor dir ins Gericht ziehst.
4 Kann wohl ein Reiner kommen von Un-
reinen? Auch nicht einer![a] 5 Sind [a]seine
Tage bestimmt, steht die Zahl seiner
Monde bei dir und hast du [b]ein Ziel ge-
setzt, das er nicht überschreiten kann: 6 so
blicke doch weg von ihm, damit er Ruhe
hat, bis sein Tag kommt, auf den er sich
[a]wie ein Tagelöhner freut.

7 Denn ein Baum hat Hoffnung, auch
wenn er abgehauen ist; er kann wieder
ausschlagen, und seine Schösslinge blei-
ben nicht aus. 8 Ob seine Wurzel in der
Erde alt wird und sein Stumpf im Staub
erstirbt, 9 so grünt er doch wieder vom Ge-
ruch des Wassers und treibt Zweige wie
eine junge Pflanze. 10 Stirbt aber ein Mann,
so ist er dahin; kommt ein Mensch um –
wo ist er? 11 Wie Wasser ausläuft aus dem
See, und wie ein Strom versiegt und ver-
trocknet, 12 so ist ein Mensch, wenn er sich
niederlegt, [a]er wird nicht wieder aufste-
hen; er wird nicht aufwachen, solange der
Himmel bleibt, noch von seinem Schlaf
erweckt werden.

13 Ach dass du mich im Totenreich ver-
wahren und [a]verbergen wolltest, bis dein
Zorn sich legt, und mir eine Frist set-
zen und dann an mich denken wolltest!
14 Meinst du, einer stirbt und kann wieder
leben? Alle Tage meines Dienstes wollte
ich harren, bis meine Ablösung kommt.
15 Du würdest rufen und ich dir antwor-
ten; es würde dich verlangen nach dem
Werk deiner Hände. 16 Dann würdest du
meine Schritte zählen und nicht acht-
geben auf meine Sünde. 17 Du würdest
[a]meine Übertretung in ein Bündlein ver-
siegeln und meine Schuld übertünchen.

18 Doch ein Berg kann zerfallen und ver-
gehen und ein Fels von seiner Stätte wei-
chen, 19 Wasser wäscht Steine weg, und
seine Fluten schwemmen die Erde weg: so
machst du die [a]Hoffnung des Menschen
zunichte. 20 Du überwältigst ihn für im-
mer, dass er davon muss, entstellst sein
Antlitz und lässt ihn dahinfahren. 21 Sind
seine Kinder in Ehren, das weiß er nicht,
oder ob sie verachtet sind, das wird er
nicht gewahr. 22 Nur sein eigenes Fleisch
macht ihm Schmerzen, und nur um ihn
selbst trauert seine Seele.

DES ELIFAS ZWEITE REDE

15 Da antwortete Elifas von Teman und
sprach:

2 Soll ein Weiser antworten mit windi-
ger Einsicht und seinen Bauch so blähen
mit leeren Reden? 3 Du verantwortest
dich mit Worten, die nichts taugen, und
dein Reden ist nichts nütze. 4 Du selbst
zerstörst die Gottesfurcht und raubst dir
die Andacht vor Gott. 5 Denn deine Schuld
lehrt deinen Mund, und du hast erwählt
eine listige Zunge. 6 Dein Mund verurteilt
dich und nicht ich, deine Lippen zeugen
gegen dich.

7 Bist du als der erste Mensch geboren?
Kamst du vor den Hügeln zur Welt? 8 Hast
du zugehört [a]im Rat Gottes und die Weis-

13,21 ***a*** Kap 9,34 **13,24** ***a*** Kap 19,11 **13,26** ***a*** Ps 25,7
14,2 ***a*** Ps 90,5-6 **14,4** ***a*** Ps 14,3 **14,5** ***a*** Ps 31,16 ***b*** Ps 39,5
14,6 ***a*** Kap 7,1-2 **14,12** ***a*** Kap 7,10 **14,13** ***a*** Jes 26,20
14,17 ***a*** Hos 13,12 **14,19** ***a*** Röm 5,5 **15,8** ***a*** Kap 11,7;
Röm 11,33

heit an dich gerissen? 9 Was weißt du, das
wir nicht wissen? Was verstehst du, das
uns nicht bekannt ist?[a] 10 Es sind Ergraute
und Alte unter uns, die länger gelebt ha-
ben als dein Vater.

11 Gelten Gottes Tröstungen so gering
bei dir und ein Wort, das sanft mit dir
verfuhr? 12 Was reißt dein Herz dich fort?
Was funkeln deine Augen, 13 dass sich dein
Mut wider Gott richtet und du solche Re-
den aus deinem Munde lässt? 14 Was ist der
Mensch, dass er [a]rein sein sollte, und dass
der gerecht sein sollte, der vom Weibe ge-
boren ist? 15 Siehe, [a]seinen Heiligen traut
Gott nicht, und [b]selbst die Himmel sind
nicht rein vor ihm. 16 Wie viel weniger ein
Mensch, der ein Gräuel ist und verderbt,
der Unrecht säuft wie Wasser!

17 Ich will dir's zeigen, höre mir zu, und
ich will dir erzählen, was ich gesehen habe,
18 was die Weisen gesagt und ihre Väter
ihnen nicht verborgen haben, 19 denen
allein das Land gegeben war, sodass kein
Fremder unter ihnen umherzog: 20 [a]Der
Frevler bebt sein Leben lang, und dem
Tyrannen ist die Zahl seiner Jahre ver-
borgen. 21 Stimmen des Schreckens hört
sein Ohr, und mitten im Frieden kommt
der Verderber über ihn. 22 Er glaubt nicht,
dass er dem Dunkel entrinnen könne, und
fürchtet immer das Schwert. 23 Er zieht hin
und her nach Brot und weiß, dass ihm der
Tag der Finsternis bereitet ist. 24 Angst und
Not schrecken ihn, sie überwältigen ihn
wie ein König, bereit zum Kampf. 25 Denn
er hat seine Hand gegen Gott ausgereckt
und dem Allmächtigen getrotzt. 26 Er läuft
mit dem Kopf gegen ihn an und ficht hals-
starrig wider ihn. 27 Er brüstet sich wie ein
fetter Wanst und macht sich feist und
dick. 28 Er wohnt in zerstörten Städten,
in Häusern, darin niemand bleibt, die zu
Steinhaufen bestimmt sind.

29 Doch wird er nicht reich bleiben, und
sein Gut wird nicht bestehen, und sein Be-
sitz wird sich nicht ausbreiten im Lande.
30 Er wird der Finsternis nicht entrinnen.
Die Flamme wird seine Zweige verdor-
ren, und Gott wird ihn durch den Hauch
seines Mundes wegraffen. 31 Er traue nicht
auf Trug, sonst wird er betrogen sein, und
Trug wird sein Lohn werden. 32 Er ver-
welkt noch vor der Zeit, und sein Zweig
wird nicht mehr grünen. 33 Er gleicht dem
Weinstock, der die Trauben unreif ab-
stößt, und dem Ölbaum, der seine Blüte
abwirft. 34 Denn die Rotte der Ruchlo-
sen wird unfruchtbar bleiben, und das
Feuer wird die Hütten der Bestechlichen
fressen. 35 Sie gehen schwanger mit Müh-
sal und gebären Unglück, und ihr Schoß
bringt Trug zur Welt.[a]

HIOBS ZWEITE ANTWORT AN ELIFAS

16 Hiob antwortete und sprach:
2 Ich habe solches oft gehört. Ihr seid
allzumal leidige Tröster! 3 Wollen die lee-
ren Worte kein Ende haben? Oder was
reizt dich, so zu reden? 4 Auch ich könnte
wohl reden wie ihr, wärt ihr an meiner
Stelle. Auch ich könnte Worte gegen euch
zusammenbringen und [a]mein Haupt über
euch schütteln. 5 Ich würde euch stärken
mit dem Munde und mit meinen Lippen
trösten. 6 Aber wenn ich schon redete, so
würde mich mein Schmerz nicht verscho-
nen; hörte ich auf zu reden, so bliebe er
dennoch bei mir. 7 Nun aber hat er mich
müde gemacht. Du hast alles verstört,
was um mich ist. 8 Du hast mich runzlig
gemacht, das zeugt wider mich, und mein
Siechtum steht wider mich auf und ver-
klagt mich ins Angesicht. 9 Sein Grimm
hat mich zerrissen, und er war mir feind;
er knirschte mit den Zähnen gegen mich;
mein Widersacher funkelt mich mit sei-
nen Augen an. 10 Sie haben ihren Mund
aufgesperrt wider mich und haben mich
schmählich auf meine Backen geschlagen.
Sie rotten sich zusammen gegen mich.
11 Gott hat mich den Übeltätern überge-
ben und hat mich in die Hände der Frevler
kommen lassen. 12 Ich war in Frieden, aber
er hat mich zunichtegemacht; er hat mich
beim Genick genommen und zerschmet-
tert. [a]Er hat mich als seine Zielscheibe
aufgerichtet; 13 seine Pfeile schwirren um
mich her. Er hat meine Nieren durch-
bohrt und nicht verschont; er hat meine
Galle auf die Erde geschüttet. 14 Er schlägt
in mich eine Bresche nach der andern; er
läuft gegen mich an wie ein Kriegsmann.
15 Ich habe einen [a]Sack um meinen Leib

15,9 *a* Kap 13,2 **15,14** *a* Kap 14,4 **15,15** *a* Kap 4,18
b Kap 25,5 **15,20** *a* (20-24) 1. Mose 4,14 **15,35** *a* Jes 59,4
16,4 *a* Ps 22,8 **16,12** *a* Klgl 3,12 **16,15** *a* 1. Mose 37,34

gelegt und mein Haupt in den Staub ge-
beugt. 16 Mein Antlitz ist gerötet vom
Weinen, auf meinen Wimpern liegt Dun-
kelheit, 17 obwohl kein Frevel in meiner
Hand und mein Gebet rein ist.
18 Ach, Erde, [a]bedecke mein Blut nicht,
und mein Schreien finde keine Ruhestatt!
19 Siehe, auch jetzt noch ist [a]mein Zeuge
im Himmel, und mein Fürsprecher ist in
der Höhe. 20 [a]Meine Freunde verspotten
mich; unter Tränen blickt mein Auge zu
Gott auf, 21 dass er Recht verschaffe dem
Mann bei Gott, dem Menschen vor sei-
nem Freund. 22 Denn meine Tage sind ge-
zählt und [a]ich gehe den Weg, den ich nicht
wiederkommen werde.
17 Mein Geist ist zerbrochen, meine Tage
sind ausgelöscht; nur das Grab bleibt
mir. 2 Fürwahr, Gespött umgibt mich, und
auf ihrem Hadern muss mein Auge wei-
len. 3 Sei [a]du selbst mein Bürge bei dir –
wer sonst soll für mich bürgen? 4 Denn du
hast ihrem Herzen den Verstand verbor-
gen, darum wirst du ihnen den Sieg nicht
geben. 5 Zum Teilen lädt einer Freunde
ein, doch die Augen seiner Kinder müs-
sen verschmachten.
6 Er hat mich zum [a]Sprichwort unter den
Leuten gemacht, und ich muss mir ins An-
gesicht speien lassen. 7 Mein Auge ist dun-
kel geworden vor Gram, und alle meine
Glieder sind wie ein Schatten. 8 Darüber
entsetzen sich die Gerechten, und die Un-
schuldigen entrüsten sich über die Ruch-
losen. 9 Aber der Gerechte hält fest an
seinem Weg, und wer reine Hände hat,
nimmt an Stärke zu.
10 Wohlan, kehrt euch alle wieder her
und kommt; ich werde dennoch keinen
Weisen unter euch finden! 11 Meine Tage
sind vergangen; zerrissen sind meine
Pläne, die mein Herz besessen haben.
12 Nacht will man mir zum Tag machen:
Licht sei näher als Finsternis. 13 Wenn ich
auch lange warte, so ist doch bei den Toten
mein Haus, und in der Finsternis ist mein
Bett gemacht. 14 Das Grab nenne ich mei-
nen Vater und die Würmer meine Mutter
und meine Schwester. 15 Worauf soll ich
denn hoffen? Und wer sieht noch Hoff-
nung für mich? 16 Hinunter zu den Toten
wird sie fahren, wenn alle miteinander im
Staub liegen.

BILDADS ZWEITE REDE

18 Da antwortete Bildad von Schuach
und sprach:
2 Wie lange noch? Macht den Worten
ein Ende! Kommt zur Einsicht; danach
wollen wir reden! 3 Warum werden wir
geachtet wie Vieh und sind so töricht
in euren Augen? 4 Willst du vor Zorn
bersten? Soll um deinetwillen die Erde
veröden und der Fels von seiner Stätte
weichen?
5 Dennoch [a]wird das Licht der Frevler
verlöschen, und der Funke seines Feu-
ers wird nicht leuchten. 6 Das Licht wird
finster werden in seiner Hütte und seine
Leuchte über ihm verlöschen. 7 Seine
kräftigen Schritte werden kürzer, und
sein eigener Plan wird ihn fällen. 8 Denn
mit seinen Füßen gerät er ins Netz, und
über Fanggruben führt sein Weg. 9 Das
Netz wird seine Ferse festhalten, und
die Schlinge wird ihn fangen. 10 Ver-
steckt liegt der Fallstrick am Boden und
die Falle auf seinem Weg. 11 Um und um
schreckt ihn jähe Angst, dass er nicht
weiß, wo er hinaus soll.[a] 12 Unheil hun-
gert nach ihm, und Unglück steht bereit
zu seinem Sturz. 13 Die Glieder seines Lei-
bes werden verzehrt; seine Glieder wird
verzehren der [a]Erstgeborene des Todes.
14 Er wird aus seiner Hütte verjagt, auf
die er vertraute, und hingetrieben zum
König der Schrecken*. 15 In seiner Hütte
wird wohnen, was nicht zu ihm gehört;
über seine Stätte wird Schwefel gestreut.
16 Unten verdorren seine Wurzeln, und
oben verwelken seine Zweige. 17 Sein An-
denken wird vergehen im Lande, und er
wird keinen Namen haben auf der Gasse.
18 Er wird vom Licht in die Finsternis ver-
trieben und vom Erdboden verstoßen
werden. 19 Er wird keine Kinder haben
und keine Enkel unter seinem Volk; es
wird ihm keiner übrig bleiben in seinen
Wohnungen. 20 Die im Westen werden
sich [a]über seinen Tag entsetzen, und die
im Osten wird Furcht ankommen. 21 Ja,

* **18,14** Gemeint ist das Totenreich.

16,18 *a* 1. Mose 4,10; Hes 24,7-8 **16,19** *a* Kap 17,3
16,20 *a* (20-21) 1. Sam 2,25 **16,22** *a* Kap 10,21
17,3 *a* Kap 16,19 **17,6** *a* Kap 30,9 **18,5** *a* Spr 13,9
18,11 *a* 3. Mose 26,36 **18,13** *a* 4. Mose 12,10-12
18,20 *a* Ps 37,13

so geht's der Wohnung des Gottlosen und so der Stätte dessen, der Gott nicht kennt.

HIOBS ZWEITE ANTWORT AN BILDAD

19 Hiob antwortete und sprach:

2 Wie lange plagt ihr meine Seele und peinigt mich mit Worten? 3 Ihr habt mich nun zehnmal verhöhnt und schämt euch nicht, mir so zuzusetzen. 4 Habe ich wirklich geirrt, so trage ich meinen Irrtum selbst. 5 Wollt ihr euch wirklich über mich erheben und wollt mir meine Schande beweisen?

6 So merkt doch endlich, dass Gott mir unrecht getan hat und mich mit seinem Jagdnetz umgeben hat. 7 Siehe, [a]ich schreie »Gewalt!« und werde doch nicht gehört; ich rufe, aber kein Recht ist da.[b] 8 Er [a]hat meinen Weg vermauert, dass ich nicht hinüberkann, und hat Finsternis auf meine Steige gelegt. 9 Er hat mir mein Ehrenkleid ausgezogen und die Krone von meinem Haupt genommen. 10 Er hat mich zerbrochen um und um, dass ich dahinfuhr, und hat meine Hoffnung ausgerissen wie einen Baum. 11 Sein Zorn ist über mich entbrannt, und [a]er achtet mich seinen Feinden gleich. 12 Vereint kommen seine Kriegsscharen und haben ihren Weg gegen mich gebaut und sich um meine Hütte her gelagert.

13 Er hat meine Brüder von mir entfernt, und meine Verwandten sind mir fremd geworden.[a] 14 Meine [a]Nächsten haben sich zurückgezogen, und meine Freunde haben mich vergessen. 15 Meinen Hausgenossen und meinen Mägden gelte ich als Fremder; ich bin ein Unbekannter in ihren Augen. 16 Ich rief meinen Knecht und er antwortete mir nicht; ich musste ihn anflehen mit eigenem Munde. 17 Mein Atem ist zuwider meiner Frau, und die Söhne meiner Mutter ekelt's vor mir. 18 Selbst die Kinder geben nichts auf mich; stelle ich mich gegen sie, so geben sie mir böse Worte. 19 Alle meine Getreuen verabscheuen mich, und die ich lieb hatte, haben sich gegen mich gewandt. 20 Mein Gebein hängt nur noch an Haut und Fleisch, und nur das nackte Leben brachte ich davon. 21 Erbarmt euch über mich, erbarmt euch, ihr meine Freunde; denn die Hand Gottes hat mich getroffen! 22 Warum verfolgt ihr mich wie Gott und könnt nicht satt werden von meinem Fleisch?

23 Ach dass meine Reden aufgeschrieben würden! Ach dass sie aufgezeichnet würden als Inschrift, 24 mit einem eisernen Griffel und mit Blei für immer in einen Felsen gehauen! 25 Aber **ich weiß, dass [a]mein Erlöser* lebt, und als der Letzte wird er über dem Staub sich erheben.**[b] 26 **Nachdem meine Haut noch so zerschlagen ist, werde ich doch ohne mein Fleisch [a]Gott sehen.** 27 **Ich selbst werde ihn sehen, meine Augen werden ihn schauen und kein Fremder. Danach sehnt sich mein Herz in meiner Brust.** 28 Wenn ihr sprecht: Wie wollen wir ihn verfolgen und eine Sache gegen ihn finden!, 29 so fürchtet euch selbst vor dem Schwert; denn das sind Missetaten, die das Schwert straft, damit ihr wisst, dass es ein Gericht gibt.

ZOFARS ZWEITE REDE

(vgl. Kap 15,1-35; 18,1-21)

20 Da antwortete Zofar von Naama und sprach:

2 Darum muss ich antworten, und deswegen kann ich nicht schweigen; 3 denn ich muss hören, wie man mich schmäht und tadelt, aber der Geist aus meiner Einsicht lehrt mich antworten. 4 Weißt du nicht, dass es allezeit so gegangen ist, seitdem Menschen auf Erden gewesen sind, 5 dass das Frohlocken der Gottlosen nicht lange währt und die Freude des Ruchlosen nur einen Augenblick? 6 [a]Wenn auch sein Hochmut in den Himmel reicht und sein Haupt an die Wolken rührt, 7 so wird er doch für immer [a]vergehen wie sein Kot, und die ihn gesehen haben, werden sagen: Wo ist er? 8 Wie ein Traum wird er verfliegen und nicht mehr zu finden sein und wie ein Nachtgesicht verschwinden. 9 Das Auge, das ihn gesehen hat, wird ihn nicht mehr sehen, und [a]seine Stätte wird ihn

* **19,25** Wörtlich: »Löser«; siehe Sach- und Worterklärungen zu »Erlöser«.

19,7 ***a*** Jer 20,8; Hab 1,2 ***b*** Kap 30,20 **19,8** ***a*** Kap 3,23; Klgl 3,7.9 **19,11** ***a*** Kap 13,24; 33,10 **19,13** ***a*** Ps 31,12 **19,14** ***a*** Ps 38,12 **19,25** ***a*** Jes 41,14; Hos 13,14 ***b*** Kap 26,6 **19,26** ***a*** Ps 17,15; 73,24 **20,6** ***a*** (6-7) Ps 37,35-36 **20,7** ***a*** Mi 7,10 **20,9** ***a*** Ps 37,10

nicht mehr schauen. 10 Seine Söhne wer-
den bei den Armen betteln gehen, und
seine Hände müssen seine Habe wieder
hergeben. 11 Sind auch seine Gebeine voll
Jugendkraft, so müssen sie sich doch mit
ihm in den Staub legen.
12 Wenn ihm auch das Böse in seinem
Munde wohlschmeckt, dass er es birgt
unter seiner Zunge, 13 dass er es hegt und
nicht loslässt und es zurückhält in seinem
Gaumen, 14 so wird sich doch seine Speise
verwandeln in seinem Leibe und wird
Otterngift in seinem Bauch. 15 Die Güter,
die er verschlungen hat, muss er wieder
ausspeien, und Gott treibt sie aus seinem
Bauch heraus. 16 Er wird Otterngift sau-
gen, und die Zunge der Schlange wird ihn
töten. 17 Er wird nicht sehen die Ströme
noch die Bäche, die mit Honig und Milch
fließen. 18 Er wird [a]erwerben und doch
nichts davon genießen und über seine
eingetauschten Güter nicht froh werden.
19 Denn er hat unterdrückt und verlassen
den Armen; er hat Häuser an sich geris-
sen, die er nicht erbaut hat. 20 Denn sein
Wanst konnte nicht voll genug werden;
mit seinem köstlichen Gut wird er nicht
entrinnen. 21 Nichts entging seiner Fress-
gier; darum wird sein gutes Leben keinen
Bestand haben. 22 Wenn er auch die Fülle
und genug hat, wird ihm doch angst wer-
den; alle Gewalt der Mühsal wird über ihn
kommen.
23 Es soll geschehen: Damit er genug
bekommt, wird Gott den Grimm seines
Zorns über ihn senden und wird über
ihn regnen lassen seine Schrecknisse.
24 Flieht er vor dem eisernen Harnisch, so
wird ihn der eherne Bogen durchbohren!
25 Es dringt das Geschoss aus seinem Rü-
cken, der Blitz des Pfeiles aus seiner Galle;
Schrecken fahren über ihn hin.[a] 26 Alle
Finsternis ist für ihn aufgespart. Es wird
ihn [a]ein Feuer verzehren, das keiner an-
gezündet hat, und wer übrig geblieben ist
in seiner Hütte, dem wird's schlimm er-
gehen. 27 Der Himmel wird seine Schuld
enthüllen, und die Erde wird sich gegen
ihn erheben. 28 Die Flut wälzt sein Haus
fort, Regengüsse am Tage seines Zorns.
29 Das ist der Lohn eines gottlosen Men-
schen bei Gott und das Erbe, das Gott ihm
zugesprochen hat.

HIOBS ZWEITE ANTWORT AN ZOFAR

21 Hiob antwortete und sprach:
2 Hört doch meiner Rede zu und lasst
mir das eure Tröstung sein! 3 Ertragt mich,
dass ich rede, und danach spottet über
mich! 4 Geht denn gegen einen Menschen
meine Klage, oder warum sollte ich nicht
ungeduldig sein? 5 Kehrt euch her zu mir;
ihr werdet erstarren und [a]die Hand auf
den Mund legen müssen. 6 Wenn ich daran
denke, so erschrecke ich, und Zittern er-
greift meinen Leib.
7 Warum bleiben die Frevler am Leben,
werden alt und nehmen zu an Kraft?[a] 8 Ihr
Geschlecht ist sicher um sie her, und ihre
Nachkommen sind bei ihnen. 9 Ihr Haus
hat Frieden ohne Furcht, und Gottes Rute
ist nicht über ihnen. 10 Ihr Stier bespringt
und es missrät nicht; ihre Kuh kalbt und
wirft nicht fehl. 11 Ihre Knaben lassen sie
hinaus wie eine Herde, und ihre Kinder
springen umher. 12 Sie jauchzen mit Pau-
ken und Harfen und sind fröhlich mit Flö-
ten. 13 Sie werden alt bei guten Tagen, und
still ziehen sie in das Totenreich hinab,
14 und doch sagen sie zu Gott: [a]»Weiche
von uns, wir wollen von deinen Wegen
nichts wissen! 15 [a]Wer ist der Allmäch-
tige, dass wir ihm dienen sollten? Oder
was nützt es uns, wenn wir ihn anrufen?«
16 »Doch siehe, ihr Glück steht nicht in ih-
ren Händen, und [a]der Rat der Gottlosen
ist ferne von mir.«
17 Wie oft verlischt denn die Leuchte der
Frevler und kommt ihr Unglück über sie?
Teilt er Schmerzen zu in seinem Zorn,
18 dass sie werden wie Stroh im Wind und
wie [a]Spreu, die der Sturmwind mit sich
nimmt? 19 [a]Spart Gott sein Unheil auf
für die Kinder des Frevlers? Er vergelte
es ihm selbst, dass er's einsehe! 20 Mit
eigenen Augen möge er sein Verderben
sehen, und vom Grimm des Allmächti-
gen möge er trinken! 21 Denn was liegt
ihm an seinem Hause, wenn er dahin
ist, wenn die Zahl seiner Monde zu Ende
ist?
22 Wer will Gott Weisheit lehren, [a]der

20,18 *a* 5. Mose 28,30-33 **20,25** *a* 5. Mose 32,41
20,26 *a* 5. Mose 32,22 **21,5** *a* Kap 40,4 **21,7** *a* Jer 12,1
21,14 *a* Kap 22,17 **21,15** *a* 2. Mose 5,2; 2. Kön 18,35;
Ps 12,5; Dan 3,15 **21,16** *a* Ps 1,1 **21,18** *a* Ps 1,4
21,19 *a* Kap 20,10; 2. Mose 20,5 **21,22** *a* Pred 5,7

auch die Hohen richtet? 23 Der eine stirbt
frisch und gesund in allem Reichtum und
voller Genüge, 24 sein Melkfass ist voll
Milch, und sein Gebein wird gemästet mit
Mark; 25 der andere aber stirbt mit verbit-
terter Seele und hat nie vom Glück gekos-
tet, 26 miteinander [a]liegen sie im Staub,
und Gewürm deckt sie zu.

27 Siehe, ich kenne eure Gedanken und
eure Ränke, mit denen ihr mir Unrecht
antut. 28 Denn ihr sprecht: »Wo ist das
Haus des Fürsten, und wo ist die Hütte,
in der die Frevler wohnten?« 29 Habt ihr
nicht befragt, die des Weges kommen,
und nicht auf ihre Zeichen geachtet,
30 dass der Böse erhalten wird am Tage
des Verderbens und am Tage des Grimms
bleibt? 31 Wer sagt ihm ins Angesicht,
was er verdient? Wer vergilt ihm, was er
getan hat? 32 Wird er doch zu Grabe ge-
leitet, und man hält Wache über seinem
Hügel! 33 Süß sind ihm die Schollen des
Grabes, und alle Menschen ziehen ihm
nach, und die ihm vorangehen, sind nicht
zu zählen.

34 Wie tröstet ihr mich mit Nichtigkei-
ten, und von euren Antworten bleibt
nichts als Trug!

DES ELIFAS LETZTE REDE

22 Da antwortete Elifas von Teman und
sprach:

2 Kann denn ein Mann Gott etwas nüt-
zen? Nur sich selber nützt ein Kluger.
3 Meinst du, dem Allmächtigen gefalle,
dass du gerecht bist? Was hilft's ihm,
wenn deine Wege ohne Tadel sind?
4 Meinst du, er wird dich wegen deiner
Gottesfurcht zurechtweisen und mit dir
ins Gericht gehen? 5 Ist deine Bosheit
nicht zu groß, und sind deine Missetaten
nicht ohne Ende? 6 Du hast deinem Bru-
der [a]ein Pfand abgenommen ohne Grund,
du hast den [b]Nackten die Kleider entris-
sen; 7 du hast die Durstigen nicht getränkt
mit Wasser und hast dem Hungrigen dein
Brot versagt;[a] 8 dem Mächtigen gehört das
Land, und sein Günstling darf darin woh-
nen; 9 die Witwen hast du leer weggehen
lassen und die Arme der Waisen zerbro-
chen.[a] 10 Darum bist du von Fallstricken
umgeben, und Entsetzen hat dich plötz-
lich erschreckt. 11 Dein Licht ist Finster-
nis, sodass du nicht sehen kannst, und die
Wasserflut bedeckt dich.

12 Ist Gott nicht hoch wie der Himmel?
Sieh die Sterne an, wie hoch sie sind!
13 Du sprichst zwar: »Was weiß Gott?
Sollte er durchs Gewölk hindurch rich-
ten können? 14 Die Wolken sind seine
Hülle, dass er nicht sehen kann; er wan-
delt am Rande des Himmels.« 15 Willst du
dem Weg der Vorzeit folgen, auf dem die
Ungerechten gegangen sind, 16 die [a]fort-
gerafft wurden, ehe es Zeit war, und [b]das
Wasser hat ihren Grund weggewaschen,
17 die zu Gott sprachen: [a]»Heb dich von
uns!«? Was sollte der Allmächtige ihnen
antun können? 18 Hat er doch ihr Haus
mit Gütern gefüllt. Aber: [a]»Der Rat der
Gottlosen ist ferne von mir.« 19 Die [a]Ge-
rechten werden's sehen und sich freuen,
und der Unschuldige wird sie verspotten:
20 »Ja, unser Widersacher ist vertilgt,
und was er hinterließ, hat das Feuer
verzehrt.«

21 So vertrage dich nun mit Gott und
mache Frieden; daraus wird dir viel Gu-
tes kommen. 22 Nimm doch Weisung
an von seinem Munde, und fasse seine
Worte in dein Herz. 23 [a]Bekehrst du dich
zum Allmächtigen und demütigst du
dich und [b]tust das Unrecht weit weg von
deiner Hütte – 24 wirf in den Staub dein
Gold und zu den Steinen der Bäche das
Gold von Ofir –, 25 so wird der Allmäch-
tige dein Gold sein und erlesenes Silber
für dich. 26 Dann wirst du deine Lust
haben an dem Allmächtigen und dein
Antlitz zu Gott erheben. 27 Wenn du ihn
bitten wirst, wird er dich hören, und [a]du
wirst deine Gelübde erfüllen. 28 Was du
dir vornimmst, lässt er dir gelingen, und
das Licht wird auf deinen Wegen schei-
nen. 29 Denn [a]er erniedrigt die Hochmü-
tigen; aber wer seine Augen niederschlägt,
dem hilft er. 30 Auch wer nicht unschul-
dig ist, wird errettet werden; er wird
errettet um der Reinheit deiner Hände
willen.[a]

21,26 ***a*** Kap 3,18-19 **22,6** ***a*** 2. Mose 22,25-26
b Kap 24,9-10 **22,7** ***a*** Kap 31,17; Mt 25,42-43
22,9 ***a*** Kap 29,12-13 **22,16** ***a*** Kap 15,32-33 ***b*** 1. Mose 7,21
22,17 ***a*** Kap 21,14 **22,18** ***a*** Kap 21,16 **22,19** ***a*** Ps 107,42
22,23 ***a*** Kap 8,5-7 ***b*** Kap 11,14-15 **22,27** ***a*** Ps 50,14-15
22,29 ***a*** 1. Petr 5,5 **22,30** ***a*** Ps 18,21.25; 2. Kor 5,21

HIOBS DRITTE ANTWORT AN ELIFAS

23 Hiob antwortete und sprach:
2 Auch heute lehnt sich meine Klage
auf; seine Hand drückt schwer, dass ich
seufzen muss. 3 Ach dass ich wüsste, wie
ich ihn finden und zu seiner Stätte kom-
men könnte! 4 So würde ich ihm das Recht
darlegen und meinen Mund mit Bewei-
sen füllen 5 und erfahren die Reden, die
er mir antworten, und vernehmen, was
er mir sagen würde. 6 Würde er mit gro-
ßer Macht mit mir rechten? Nein, er selbst
würde achthaben auf mich. 7 Dort würde
ein Redlicher mit ihm rechten, und für
immer würde ich entrinnen meinem
Richter! 8 Aber gehe ich nach Osten, so
ist er nicht da; gehe ich nach Westen, so
spüre ich ihn nicht. 9 Wirkt er im Norden,
so schaue ich ihn nicht; verbirgt er sich im
Süden, so sehe ich ihn nicht.[a]

10 Er aber kennt meinen Weg gut. [a]Er
prüfe mich, so will ich befunden werden
wie das Gold. 11 Denn ich hielt meinen Fuß
auf seiner Bahn und bewahrte seinen Weg
und wich nicht ab 12 und übertrat nicht das
Gebot seiner Lippen und bewahrte die
Reden seines Mundes bei mir. 13 Doch er
hat's beschlossen, wer will ihm wehren?
Und er macht's, wie er will. 14 Ja, er wird
vollenden, was mir bestimmt ist, und hat
noch mehr derart im Sinn. 15 Darum er-
schrecke ich vor seinem Angesicht, und
wenn ich darüber nachdenke, so fürchte
ich mich vor ihm. 16 Gott ist's, der mein
Herz mutlos gemacht, und der Allmäch-
tige, der mich erschreckt hat; 17 denn nicht
der Finsternis wegen muss ich schweigen,
und nicht, weil Dunkel mein Angesicht
deckt.

24 Warum sind von dem Allmächtigen
nicht Zeiten vorbehalten, und [a]warum
sehen, die ihn kennen, seine Tage nicht?
2 Die Frevler [a]verrücken die Grenzen, rau-
ben die Herde und weiden sie. 3 Sie treiben
den Esel der Waisen weg und nehmen das
Rind der Witwe zum Pfande. 4 Sie stoßen
die Armen vom Wege, und die Elenden
im Lande müssen sich verkriechen.

5 Siehe, wie Wildesel in der Wüste ge-
hen sie hinaus an ihr Werk und suchen
Nahrung; die Einöde gibt ihnen Speise
für ihre Kinder. 6 Sie ernten des Nachts
auf dem Acker und halten Nachlese im
Weinberg des Gottlosen. 7 Sie liegen in
der Nacht nackt ohne Gewand und haben
keine Decke im Frost. 8 Sie triefen vom
Regen in den Bergen und drängen sich an
die Felsen, weil sie sonst keine Zuflucht
haben. 9 Man reißt das Waisenkind von
der Mutterbrust und nimmt den Säug-
ling der Armen zum Pfande. 10 [a]Nackt ge-
hen sie einher ohne Kleider, und hungrig
tragen sie Garben. 11 Gleich in den Gär-
ten pressen sie Öl, sie treten die Kelter
und leiden doch Durst.[a] 12 Aus der Stadt
seufzen Menschen, und die Seele der Er-
schlagenen schreit. Doch Gott achtet nicht
darauf!

13 Sie sind Feinde des Lichts geworden,
kennen seine Wege nicht und bleiben
nicht auf seinen Pfaden. 14 Wenn der Tag
anbricht, steht der Mörder auf und er-
würgt den Elenden und Armen, und des
Nachts schleicht der Dieb. 15 Das Auge des
Ehebrechers lauert auf das Dunkel, und er
denkt: [a]»Mich sieht kein Auge!«, und ver-
deckt sein Antlitz. 16 Im Finstern bricht
man in die Häuser ein; am Tage verber-
gen sie sich und scheuen alle das Licht. 17 Ja,
als Morgen gilt ihnen allen die Finsternis,
denn sie sind bekannt mit den Schrecken
der Finsternis.

18 Er fährt leicht wie auf dem Wasser da-
hin, verflucht wird sein Acker im Lande,
und man wendet sich seinem Weinberg
nicht zu. 19 Der Tod nimmt weg die da
sündigen, wie die Hitze und Dürre das
Schneewasser verzehrt. 20 Der Mutter-
schoß vergisst ihn; die Würmer laben sich
an ihm. An ihn denkt man nicht mehr; so
zerbricht Frevel wie Holz. 21 Er lässt sich
mit der Unfruchtbaren ein, und sie ge-
biert nicht, und der Witwe tut er nichts
Gutes.

22 Aber Gott rafft die Gewalttätigen hin
durch seine Kraft; steht er auf, so werden
sie ihres Lebens nicht gewiss sein. 23 Er gibt
ihnen zwar Schutz und Halt, doch sehen
seine Augen auf ihr Tun. 24 Sie sind hoch
erhöht; aber nach einer kleinen Weile sind
sie nicht mehr da; sie sinken hin und wer-
den hinweggerafft wie alle; wie die Spit-
zen der Ähren werden sie abgeschnitten.

23,9 *a* Kap 42,5 **23,10** *a* Ps 17,3; 139,23-24
24,1 *a* Pred 3,11; 8,6 **24,2** *a* 5. Mose 27,17
24,10 *a* Jes 58,7 **24,11** *a* Jak 5,4 **24,15** *a* Ps 10,11

25 Ist's nicht so? Wer will mich Lügen stra-
fen und erweisen, dass meine Rede nichts
sei?

BILDADS LETZTE REDE

25 Da antwortete Bildad von Schuach
und sprach:
2 Herrschaft und Schrecken ist bei ihm,
der Frieden schafft in seinen Höhen. 3 Wer
will seine Scharen zählen? Und über wem
geht sein Licht nicht auf? 4 Und [a]wie kann
ein Mensch gerecht sein vor Gott? Und
wie kann rein sein ein vom Weibe Ge-
borener? 5 Siehe, auch der Mond scheint
nicht hell, und [a]die Sterne sind nicht rein
vor seinen Augen – 6 wie viel weniger der
Mensch, eine Made, und das Menschen-
kind, ein [a]Wurm!

HIOBS DRITTE ANTWORT AN BILDAD

26 Hiob antwortete und sprach:
2 Wie sehr stehst du dem bei, der
keine Kraft hat, hilfst du dem, der keine
Stärke in den Armen hat! 3 Wie gibst du
Rat dem, der keine Weisheit hat, und
lehrst ihn Einsicht in Fülle! 4 Zu wem re-
dest du? Und wessen Geist geht von dir
aus?

DIE SCHÖPFERMACHT GOTTES

5 Die Schatten drunten erbeben, unter
dem Wasser und seinen Bewohnern.
6 [a]Das Totenreich ist aufgedeckt vor ihm,
und der [b]Abgrund hat keine Decke. 7 Er
spannt den Norden aus über dem Lee-
ren und hängt die Erde über das Nichts.
8 Er fasst das Wasser zusammen in seine
Wolken, und die Wolken zerreißen dar-
unter nicht. 9 Er verhüllt seinen Thron
und breitet seine Wolken davor. 10 Er hat
am Rande des Wassers eine Grenze gezo-
gen, wo Licht und Finsternis sich schei-
den. 11 Die Säulen des Himmels zittern
und entsetzen sich vor seinem Schelten.
12 Durch seine Kraft hat er das Meer erregt,
und durch seine Einsicht hat er [a]Rahab*
zerschmettert. 13 Am Himmel wurde es
schön durch seinen Wind, und seine
Hand durchbohrte die [a]flüchtige Schlange.
14 Siehe, das sind nur die Enden seiner
Wege, und nur ein leises Wörtlein davon
haben wir vernommen. Wer will aber den
Donner seiner Macht verstehen?

HIOB BETEUERT SEINE UNSCHULD

27 Und Hiob fuhr fort mit seinem Spruch
und sprach:
2 So wahr Gott lebt, der mir mein Recht
verweigert, und der Allmächtige, der
meine Seele betrübt – 3 solange noch mein
Odem in mir ist und der Hauch von Gott
in meiner Nase –: 4 Meine Lippen reden
nichts Unrechtes, und meine Zunge sagt
keinen Betrug.[a] 5 Das sei ferne von mir,
dass ich euch recht gebe; bis ich sterbe,
will ich von meiner Unschuld nicht lassen.
6 An meiner Gerechtigkeit halte ich fest
und lasse sie nicht; [a]mein Gewissen beißt
mich nicht wegen eines meiner Tage.

DAS ENDE DER FREVLER

7 Meinem Feind soll es gehen wie dem
Frevler und dem, der sich gegen mich auf-
lehnt, wie dem Ungerechten. 8 Denn was
ist die Hoffnung des Ruchlosen, [a]wenn
Gott mit ihm ein Ende macht und sein
Leben von ihm fordert? 9 Meinst du, dass
Gott sein Schreien hören wird, wenn die
Angst über ihn kommt? 10 Oder kann er an
dem Allmächtigen seine Lust haben und
Gott allezeit anrufen?
11 Ich will euch über Gottes Tun beleh-
ren, und wie der Allmächtige gesinnt ist,
will ich nicht verhehlen. 12 Siehe, ihr habt
es alle gesehen; warum bringt ihr dann so
unnütze Dinge vor?
13 [a]Das ist der Lohn eines Frevlers bei
Gott und das Erbe der Tyrannen, das sie
vom Allmächtigen bekommen: 14 Wird
er viele Kinder haben, so werden sie eine
Beute des Schwerts; und seine Nachkom-
men werden an Brot nicht satt.[a] 15 Die ihm
übrig bleiben, wird die Seuche ins Grab
bringen, und seine Witwen werden nicht
weinen. 16 Wenn er Geld zusammenbringt
wie Staub und schafft Kleider an, wie
man Lehm aufhäuft, 17 so wird er's zwar
anschaffen, aber der Gerechte wird's an-
ziehen, und dem Unschuldigen wird das
Geld zuteil. 18 Er baut sein Haus wie eine

* **26,12** Siehe Sach- und Worterklärungen.

25,4 *a* Kap 9,2; Ps 143,2 **25,5** *a* Kap 15,15 **25,6** *a* Jes 41,14
26,6 *a* Ps 139,8; Spr 15,11; Am 9,2 *b* Offb 9,1
26,12 *a* Kap 9,13; Ps 89,11 **26,13** *a* Jes 27,1
27,4 *a* Ps 34,14 **27,6** *a* Apg 24,16; 1. Kor 4,4
27,8 *a* Lk 12,20 **27,13** *a* (13-17) Spr 13,22; Pred 2,26
27,14 *a* Kap 21,19

Spinne und wie ein Wächter eine Hütte
macht. 19 Reich legt er sich nieder, aber
wird's nicht noch einmal tun können; tut
er seine Augen auf, dann ist nichts mehr
da. 20 Es wird ihn Schrecken überfallen wie
Wasserfluten; des Nachts nimmt ihn der
Sturmwind fort. 21 Der Ostwind wird ihn
wegführen, dass er dahinfährt, und wird
ihn von seinem Ort hinwegfegen. 22 Er
wirft sich auf ihn ohne Mitleid; vor solcher
Gewalt flieht er eilends. 23 Man wird über
ihn mit den Händen klatschen und über
ihn zischen, wo er gewesen ist.

DAS LIED VON DER WEISHEIT GOTTES

28 Es hat das Silber seine Gänge und
das Gold seinen Ort, wo man es läu-
tert. 2 Eisen bringt man aus der Erde, und
aus dem Gestein schmilzt man Kupfer.
3 Man macht der Finsternis ein Ende, und
bis ins Letzte erforscht man das Gestein,
das im Dunkel tief verborgen liegt. 4 Man
gräbt einen Schacht fern von da, wo man
wohnt; vergessen, ohne Halt für den Fuß,
hängen und schweben sie, fern von den
Menschen. 5 Man zerwühlt wie Feuer un-
ten die Erde, auf der doch oben das Brot
wächst. 6 Man findet Saphir in ihrem Ge-
stein, und es birgt Goldstaub. 7 Den Steig
dahin hat kein Geier erkannt und kein Fal-
kenauge gesehen. 8 Das stolze Wild hat ihn
nicht betreten, und kein Löwe ist darauf
gegangen. 9 Auch legt man die Hand an die
Felsen und gräbt die Berge von Grund aus
um. 10 Man bricht Stollen durch die Felsen,
und alles, was kostbar ist, sieht das Auge.
11 Man wehrt dem Tröpfeln des Wassers
und bringt, was verborgen ist, ans Licht.
12 Wo will man aber die Weisheit finden?
Und wo ist die Stätte der Einsicht?

13 Niemand weiß, was sie wert ist, und
sie wird nicht gefunden im Lande der
Lebendigen. 14 Die Tiefe spricht: »In mir
ist sie nicht«; und das Meer spricht: »Bei
mir ist sie auch nicht.« 15 Man kann nicht
Gold für sie geben noch Silber darwägen,
sie zu bezahlen.[a] 16 Sie kann mit Gold aus
Ofir nicht aufgewogen werden, nicht mit
kostbarem Onyx und Saphir. 17 Gold und
edles Glas kann man ihr nicht gleichachten
noch sie eintauschen um güldnes Kleinod.
18 Korallen und Kristall achtet man gegen
sie nicht; ein Beutel voll Weisheit ist mehr
wert als Perlen. 19 Topas aus Kusch wird
ihr nicht gleichgeschätzt, und das reinste
Gold wiegt sie nicht auf. 20 Woher kommt
denn die Weisheit? Und wo ist die Stätte
der Einsicht?

21 Sie ist verhüllt vor den Augen aller
Lebendigen, auch verborgen den Vögeln
unter dem Himmel. 22 Der Abgrund und
der Tod sprechen: »Wir haben mit unsern
Ohren nur ein Gerücht von ihr gehört.«
23 [a]Gott weiß den Weg zu ihr, er allein
kennt ihre Stätte. 24 Denn er sieht die En-
den der Erde und schaut alles, was unter
dem Himmel ist. 25 Als er dem Wind sein
Gewicht gegeben und dem Wasser sein
Maß gesetzt, 26 als er dem Regen ein Ge-
setz gegeben hat und dem Blitz und Don-
ner den Weg: 27 Damals schon sah er sie
und verkündigte sie, bereitete sie und
ergründete sie 28 und sprach zum Men-
schen: **Siehe, [a]die Furcht des Herrn, das
ist Weisheit, und meiden das Böse, das
ist Einsicht.**

HIOBS FRÜHERES GLÜCK

29 Und Hiob hob abermals an mit seinem
Spruch und sprach:

2 O dass ich wäre wie in den früheren
Monden, in den Tagen, da Gott mich be-
hütete, 3 da seine Leuchte über meinem
Haupt schien und ich [a]in seinem Licht
durch die Finsternis ging! 4 Wie war ich
in der Blüte meines Lebens, [a]als Gottes
Freundschaft mein Zelt beschützte, 5 als
der Allmächtige noch mit mir war und
meine Kinder um mich her, 6 als ich durch
Milch schritt und die Felsen mir Ölbäche
ergossen!

7 Wenn ich ausging zum Tor der Stadt
und meinen Platz auf dem Markt einnahm,
8 dann sahen mich die Jungen und verbar-
gen sich scheu, und die Alten standen vor
mir auf und blieben stehen, 9 die Oberen
hörten auf zu reden und legten ihre Hand
auf ihren Mund, 10 die Fürsten hielten ihre
Stimme zurück, und ihre Zunge klebte an
ihrem Gaumen. 11 Denn wessen Ohr mich
hörte, der pries mich glücklich, und wes-
sen Auge mich sah, der rühmte mich.

12 Denn ich errettete den Armen, der da

28,15 *a* Spr 3,13-15 **28,23** *a* (23-28) Spr 8,22-31
28,28 *a* Ps 111,10; Spr 1,7 **29,3** *a* Ps 18,29 **29,4** *a* Ps 25,14

schrie, und die Waise, die keinen Helfer
hatte.[a] 13 Der Segen des Verlassenen kam
über mich, und ich erfreute das Herz der
Witwe. 14 Gerechtigkeit war mein Kleid,
und wie Mantel und Turban umhüllte
mich das Recht. 15 Ich war des Blinden
Auge und des Lahmen Fuß. 16 Ich war [a]ein
Vater der Armen, und der Sache des Unbe-
kannten nahm ich mich an. 17 Ich zerbrach
die Kinnbacken des Ungerechten und
riss ihm den Raub aus den Zähnen. 18 Ich
dachte: Ich werde in meinem Nest ver-
scheiden und meine Tage so zahlreich ma-
chen wie Sand am Meer; 19 meine Wurzel
reiche zum Wasser hin, und der Tau bleibe
auf meinen Zweigen; 20 meine Ehre bleibe
immer frisch bei mir, und mein Bogen sei
immer stark in meiner Hand.

21 Sie hörten mir zu und warteten und
schwiegen vor meinem Rat. 22 Nach mei-
nen Worten redete niemand mehr, und
meine Rede troff auf sie nieder. 23 Sie war-
teten auf mich wie auf den Regen und
sperrten ihren Mund auf wie nach Spätre-
gen. 24 Wenn ich ihnen zulachte, so glaub-
ten sie es kaum, und das Licht meines
Angesichts tröstete die Trauernden. 25 Ich
bestimmte ihren Weg und saß obenan
und thronte wie ein König über der Schar,
als einer, der die Trauernden tröstet.

HIOBS JETZIGES UNGLÜCK

30 Jetzt aber [a]verlachen mich, die jünger
sind als ich, deren Väter ich nicht wert
geachtet hätte, sie zu meinen Hunden bei
der Herde zu stellen, 2 deren Stärke ich
für nichts hielt, denen die Kraft dahin-
schwand; 3 die vor Hunger und Mangel er-
schöpft sind, die das dürre Land abnagen,
die Wüste und Einöde; 4 die da Salzkraut
sammeln bei den Büschen, und Gins-
terwurzel ist ihre Speise. 5 Aus der Men-
schen Mitte werden sie weggetrieben;
man schreit ihnen nach wie einem Dieb;
6 an den Hängen der Täler wohnen sie, in
Erdlöchern und Steinklüften; 7 zwischen
den Büschen schreien sie, und unter den
Disteln sammeln sie sich – 8 verachtetes
Volk und Leute ohne Namen, die man aus
dem Lande weggejagt hatte.

9 Jetzt bin ich [a]ihr Spottlied geworden
und muss ihnen zum Gerede dienen. 10 Sie
verabscheuen mich und halten sich ferne
von mir und scheuen sich nicht, [a]vor mei-
nem Angesicht auszuspeien. 11 Er hat mein
Seil gelöst und mich gedemütigt, und sie
ließen die Zügel vor mir schleifen. 12 Zur
Rechten hat sich eine Schar gegen mich
erhoben, sie haben meinen Fuß wegge-
stoßen und haben gegen mich Wege an-
gelegt, mich zu verderben. 13 Sie haben
meine Pfade aufgerissen, zu meinem Fall
helfen sie; keiner gebietet ihnen Einhalt.
14 Sie kommen wie durch eine breite Bre-
sche herein, wälzen sich unter den Trüm-
mern heran. 15 Schrecken hat sich gegen
mich gekehrt und hat verjagt wie der
Wind meine Herrlichkeit, und wie eine
Wolke zog mein Glück vorbei.

16 Nun aber zerfließt meine Seele in
mir, und Tage des Elends haben mich er-
griffen. 17 Des Nachts bohrt es in meinem
Gebein, und die Schmerzen, die an mir
nagen, schlafen nicht. 18 Mit aller Gewalt
wird mein Kleid entstellt, wie der Kragen
meines Hemdes würgt es mich.[a] 19 Man
hat mich in den Dreck geworfen, dass ich
gleich bin dem Staub und der Asche.

20 Ich [a]schreie zu dir, aber du antwortest
mir nicht; ich stehe da, aber du achtest
nicht auf mich. 21 Du hast dich mir ver-
wandelt in einen Grausamen und streitest
gegen mich mit der Stärke deiner Hand.
22 Du hebst mich auf und lässt mich auf
dem Winde dahinfahren und vergehen
im Sturm. 23 Denn ich weiß, du wirst mich
zum Tod gehen lassen, zum Haus, da alle
Lebendigen zusammenkommen.

24 Aber wird man nicht die Hand ausstre-
cken unter Trümmern und nicht schreien
in der Not? 25 Weinte ich nicht über den,
der eine schwere Zeit hat, grämte sich
meine Seele nicht über den Armen? 26 Ich
wartete auf das Gute, und es kam das Böse;
ich hoffte auf Licht, und es kam Finsternis.
27 In mir kocht es und hört nicht auf; mich
haben überfallen Tage des Elends. 28 Ich
gehe schwarz einher, doch nicht von der
Sonne; ich stehe auf in der Gemeinde und
schreie. 29 Ich bin ein Bruder der Schakale
geworden und ein Geselle der Strauße.
30 Meine Haut ist schwarz geworden und

29,12 *a* Kap 31,16; 2. Mose 22,21-22 **29,16** *a* Kap 31,18
30,1 *a* Kap 19,18 **30,9** *a* Ps 69,13; Klgl 3,63
30,10 *a* Kap 17,6; Mt 26,67 **30,18** *a* Kap 7,5; 16,8
30,20 *a* Kap 19,7; Ps 22,3

löst sich ab von mir, und meine Gebeine
verdorren vor Hitze. 31 Mein Harfenspiel
ist zur Klage geworden und mein Flöten-
spiel zum Trauerlied.

HIOBS REINIGUNGSEID UND APPELL AN GOTT

31 Ich hatte einen Bund gemacht mit
meinen Augen, [a]dass ich nicht lüstern
blickte auf eine Jungfrau. 2 Was gäbe sonst
mir Gott als Teil von oben und was für
ein Erbe der Allmächtige aus der Höhe?
3 Wäre es nicht Verderben für den Unge-
rechten und Unglück für den Übeltäter?
4 Sieht er nicht meine Wege und zählt alle
meine Schritte?[a] 5 Bin ich gewandelt in
Falschheit, oder ist mein Fuß geeilt zum
Betrug? 6 Gott möge mich wiegen auf
rechter Waage, so wird er erkennen meine
Unschuld!

7 Ist mein Gang gewichen vom Wege
und mein Herz meinen Augen nachge-
folgt und blieb etwas hängen an meinen
Händen, 8 so [a]will ich säen, aber ein ande-
rer soll es essen, und meine Nachkommen
sollen entwurzelt werden.

9 Hat sich mein Herz betören lassen um
einer Frau willen und hab ich an meines
Nächsten Tür gelauert, 10 so soll meine
Frau einem andern mahlen, und andere
sollen bei ihr liegen.[a] 11 Denn das ist eine
Schandtat und eine Schuld, [a]die vor die
Richter gehört. 12 Ja, das ist ein Feuer, das
bis in den Abgrund frisst und all meine
Habe bis auf die Wurzel vernichtet.

13 Hab ich missachtet das Recht meines
Knechts oder meiner Magd, wenn sie eine
Sache wider mich hatten, 14 was wollte
ich tun, wenn Gott sich erhebt, und was
würde ich antworten, wenn er heim-
sucht? 15 Hat nicht [a]auch ihn erschaffen,
der mich im Mutterleibe schuf, hat nicht
der Eine uns im Mutterschoß bereitet?

16 Hab ich [a]den Bedürftigen ihr Begeh-
ren versagt und die Augen der Witwe
verschmachten lassen? 17 [a]Hab ich mei-
nen Bissen allein gegessen, und hat nicht
die Waise auch davon gegessen? 18 Nein,
ich habe sie von Jugend auf gehalten wie
ein Vater, und ich habe sie von Mutterleib
an geleitet.[a] 19 Hab ich zugesehen, wie je-
mand ohne Kleid verkommen ist, und den
Armen ohne Decke gehen lassen? 20 Hat
er mich nicht gesegnet, wenn er von der
Wolle meiner Lämmer erwärmt wurde?
21 Hab ich meine Hand gegen eine Waise
erhoben, weil ich sah, dass ich [a]im Tor
Helfer hatte? 22 Dann falle meine Schul-
ter vom Nacken und mein Arm breche aus
dem Gelenk! 23 Denn der Schrecken Got-
tes käme über mich und ich könnte seine
Hoheit nicht ertragen.

24 Hab ich das Gold zu meiner Zuversicht
gemacht und [a]zum Feingold gesagt: »Mein
Trost«? 25 Hab ich mich gefreut, dass ich
großes Gut besaß und meine Hand so viel
erworben hatte? 26 Hab ich das Licht an-
gesehen, wenn es hell leuchtete, und den
Mond, wenn er herrlich dahinzog,[a] 27 dass
sich mein Herz heimlich betören ließ, ih-
nen Küsse zuzuwerfen mit meiner Hand?
28 Das wäre auch eine Missetat, die vor die
Richter gehört; denn damit hätte ich ver-
leugnet Gott in der Höhe.

29 Hab ich mich [a]gefreut, wenn's mei-
nem Feinde übel ging, und [b]mich erhoben,
weil ihn Unglück getroffen hatte? 30 Nein,
ich ließ meinen Mund nicht sündigen,
dass ich [a]verwünschte mit einem Fluch
seine Seele. 31 Haben nicht die Männer in
meinem Zelt sagen müssen: »Wo ist einer,
der nicht satt geworden wäre von seinem
Fleisch?« 32 Kein Fremder durfte draußen
zur Nacht bleiben, sondern meine Tür tat
ich dem Wanderer auf.[a]

33 Hab ich meine Übertretungen, wie
Menschen tun, zugedeckt, um heimlich
meine Schuld zu verbergen, 34 weil ich mir
grauen ließ vor der großen Menge und die
Verachtung der Sippen mich abgeschreckt
hat, sodass ich still blieb und nicht zur Tür
hinausging?

38 *Hat mein Acker wider mich geschrien
und haben miteinander seine Furchen ge-
weint, 39 hab ich seine Früchte unbezahlt
gegessen und seine Besitzer seufzen las-
sen? 40a Dann sollen mir Disteln wachsen
statt Weizen und Unkraut statt Gerste.

* 31,38 Der Zusammenhang erfordert die Umstellung der Verse 38-40a.

31,1 *a* Mt 5,28-29 **31,4** *a* Kap 23,10 **31,8** *a* 3. Mose 26,16
31,10 *a* 2. Sam 12,11 **31,11** *a* 5. Mose 22,22
31,15 *a* Spr 14,31; Mt 25,40 **31,16** *a* Kap 29,12
31,17 *a* (17-20) Jes 58,7 **31,18** *a* Kap 29,16
31,21 *a* Rut 4,1-11 **31,24** *a* Ps 52,9 **31,26** *a* 5. Mose 4,19
31,29 *a* Spr 24,17 *b* Ps 7,5; 35,13-14 **31,30** *a* 1. Petr 3,9
31,32 *a* Ri 19,20-21; 1. Petr 4,9; Hebr 13,2

35 O hätte ich einen, der mich anhört –
hier meine Unterschrift! Der Allmächtige
antworte mir! –, oder die Schrift, die mein
Verkläger geschrieben![a] 36 Wahrlich, dann
wollte ich sie auf meine Schulter nehmen
und wie eine Krone tragen. 37 Ich wollte
alle meine Schritte ihm ansagen und wie
ein Fürst ihm nahen.
40b Zu Ende sind die Worte Hiobs.

DIE REDEN DES ELIHU

Kapitel 32,1–37,24

ELIHUS ERSTE REDE

32 Da hörten die drei Männer auf, Hiob
zu antworten, weil er sich für gerecht
hielt.
2 Aber Elihu, der Sohn Barachels des
[a]Busiters, aus dem Geschlecht Ram,
ward zornig. Er ward zornig über Hiob,
weil [b]er sich selber für gerechter hielt als
Gott. 3 Auch ward er zornig über seine
drei Freunde, weil sie keine Antwort fan-
den und [a]doch Hiob verdammten. 4 Elihu
aber hatte gewartet, bis sie mit Hiob ge-
redet hatten, weil sie älter waren als er.
5 Als Elihu nun sah, dass die drei Männer
keine Antwort mehr hatten, ward er zor-
nig. 6 Und Elihu, der Sohn Barachels des
Busiters, hob an und sprach:
Ich bin jung an Jahren, ihr aber seid alt;
darum hab ich mich gescheut und ge-
fürchtet, mein Wissen euch kundzutun.
7 Ich dachte: [a]Lass das Alter reden, und die
Menge der Jahre lass Weisheit beweisen.
8 Wahrlich, es ist der Geist im Menschen
und der Odem des Allmächtigen, der sie
verständig macht. 9 Die Betagten sind
nicht die Weisesten, und die Alten ver-
stehen nicht, was das Rechte ist. 10 Darum
sage ich: Höre mir zu; auch ich will mein
Wissen kundtun.
11 Siehe, ich habe gewartet, bis ihr ge-
redet hattet; ich habe aufgemerkt auf
eure Einsicht, bis ihr die rechten Worte
treffen würdet, 12 und habe achtgehabt
auf euch; aber siehe, da war keiner unter
euch, der Hiob zurechtwies oder seiner
Rede antwortete. 13 Sagt nur nicht: »Wir
haben Weisheit gefunden; Gott muss
ihn schlagen und nicht ein Mensch.«
14 Mich haben seine Worte nicht getrof-
fen, und mit euren Reden will ich ihm
nicht antworten.
15 Ach, betroffen stehen sie da und kön-
nen nicht mehr antworten; sie wissen
nichts mehr zu sagen. 16 Und da soll ich
warten, weil sie nicht mehr reden, weil
sie dastehen und nicht mehr antworten?
17 Auch ich will mein Teil antworten und
will mein Wissen kundtun! 18 Denn ich
bin voll von Worten, weil mich der Geist
in meinem Inneren bedrängt. 19 Siehe,
mein Inneres ist wie der Most, der zuge-
stopft ist, der die neuen Schläuche zer-
reißt. 20 Ich muss reden, dass ich mir Luft
mache, ich muss meine Lippen auftun
und antworten. 21 Vor mir soll kein Anse-
hen der Person gelten, und ich will keinem
Menschen schmeicheln. 22 Denn ich weiß
nicht zu schmeicheln; sonst würde mich
mein Schöpfer bald dahinraffen.
33 Höre doch, Hiob, meine Rede und
merke auf alle meine Worte! 2 Siehe,
ich tue meinen Mund auf, und meine
Zunge redet in meinem Munde. 3 Mein
Herz spricht aufrichtige Worte, und
meine Lippen reden lautere Erkenntnis.
4 Der Geist Gottes hat mich gemacht, und
der Odem des Allmächtigen hat mir das
Leben gegeben. 5 Kannst du, so antworte
mir; rüste dich gegen mich und stelle
dich. 6 Siehe, vor Gott bin ich wie du, und
[a]aus Lehm bin auch ich gemacht. 7 Siehe,
du brauchst vor mir nicht zu erschre-
cken, und mein Drängen soll nicht auf dir
lasten.
8 Du hast geredet vor meinen Ohren,
den Ton deiner Reden höre ich noch: 9 »Ich
bin rein, ohne Missetat, unschuldig und
habe keine Sünde.[a] 10 Siehe, Gott erfindet
Vorwürfe wider mich, [a]er betrachtet mich
als seinen Feind; 11 er [a]hat meine Füße
in den Block gelegt und hat acht auf alle
meine Wege.« 12 Siehe, darin hast du nicht
recht, muss ich dir antworten; denn Gott
ist mehr als ein Mensch. 13 Warum willst
du mit ihm hadern, weil er auf Menschen-
worte nicht Antwort gibt?
14 Denn auf eine Weise redet Gott und
auf eine zweite; nur beachtet man's nicht.

31,35 *a* Kap 23,3-7 **32,2** *a* 1. Mose 22,21 *b* Kap 13,18; 19,6-7; 27,5-6 **32,3** *a* Kap 15,4; 18,21; 20,29; 22,5 **32,7** *a* Kap 12,12 **33,6** *a* Kap 10,9 **33,9** *a* Kap 16,17; 27,6; 31,1-40 **33,10** *a* Kap 13,24; 19,11 **33,11** *a* Kap 13,27

15 Im [a]Traum, im Nachtgesicht, wenn der
Schlaf auf die Menschen fällt, wenn sie
schlafen auf dem Bett, 16 da [a]öffnet er das
Ohr der Menschen und schreckt sie auf
und warnt sie, 17 damit er den Menschen
von seinem Vorhaben abwende und von
ihm die Hoffart tilge 18 und bewahre seine
Seele vor dem Verderben und sein Leben
vor des Todes Geschoss. 19 Auch warnt er
ihn durch Schmerzen auf seinem Bett und
durch heftigen Kampf in seinen Gliedern,
20 dieses Leben verleidet ihm das Brot,
seiner Kehle die Lieblingsspeise. 21 Sein
Fleisch schwindet dahin, dass man's nicht
ansehen kann, und seine Knochen stehen
heraus, dass man lieber wegsieht; 22 so nä-
hert er sich der Grube und sein Leben den
Toten.

23 Kommt dann zu ihm ein Engel, ein
Mittler, einer aus tausend, kundzutun
dem Menschen, was für ihn recht ist, 24 so
wird er ihm gnädig sein und sagen: »Erlöse
ihn, dass er nicht hinunterfahre zu den To-
ten; denn [a]ich habe ein Lösegeld gefun-
den. 25 Sein Fleisch blühe wieder wie in der
Jugend, und [a]er soll wieder jung werden.«
26 Er wird Gott bitten und der wird ihm
Gnade erweisen und wird ihn sein Antlitz
sehen lassen mit Freuden und wird dem
Menschen seine Gerechtigkeit zurückge-
ben. 27 Er wird vor den Leuten lobsingen
und sagen: »Ich hatte gesündigt und das
Recht verkehrt, aber es ist mir nicht ver-
golten worden. 28 Gott hat mich erlöst,
dass ich nicht hinfahre zu den Toten, son-
dern mein Leben das Licht sieht.«

29 Siehe, das alles tut Gott zwei- oder
dreimal mit einem jeden, 30 dass er sein
Leben zurückhole von den Toten und
erleuchte ihn mit dem Licht der Leben-
digen.[a]

31 Merk auf, Hiob, und höre mir zu und
schweige, damit ich reden kann! 32 Hast du
aber etwas zu sagen, so antworte mir. Sage
an, ich will dir gern recht geben! 33 Hast du
aber nichts, so höre mir zu und schweige;
ich will dich Weisheit lehren.

ELIHUS ZWEITE REDE

34 Und Elihu hob an und sprach:
2 Höret, ihr Weisen, meine Rede, und
ihr Verständigen, merkt auf mich! 3 Denn
das Ohr prüft die Rede, wie der Gaumen
die Speise schmeckt.[a] 4 Lasst uns ein Urteil
finden, dass wir miteinander erkennen,
was gut ist. 5 Denn Hiob hat gesagt: [a]»Ich
bin gerecht, doch [b]Gott verweigert mir
mein Recht; 6 ich soll [a]lügen, obwohl ich
recht habe, und mich quält der [b]Pfeil, der
mich traf, obwohl ich doch ohne Schuld
bin.« 7 Wo ist so ein Mann wie Hiob, der
[a]Hohn trinkt wie Wasser 8 und [a]auf dem
Wege geht mit den Übeltätern und wan-
delt mit den gottlosen Leuten? 9 Denn
er hat gesagt: »Es nützt dem Menschen
nichts, wenn er Gottes Wohlgefallen
sucht.«[a]

10 Darum hört mir zu, ihr weisen Män-
ner: [a]Es sei ferne, dass Gott sollte gottlos
handeln und der Allmächtige ungerecht;
11 sondern er vergilt dem Menschen, wie
er verdient hat, und trifft einen jeden
nach seinem Tun.[a] 12 Ohne Zweifel, [a]Gott
tut niemals Unrecht, und der Allmächtige
beugt das Recht nicht.

13 Wer hat ihm die Erde anvertraut?
Und wer hat den ganzen Erdkreis hinge-
stellt? 14 Wenn er nur an sich dächte, sei-
nen Geist und Odem an sich zöge, 15 so
würde alles Fleisch miteinander vergehen,
und der Mensch würde wieder zu Staub
werden.[a]

16 Hast du nun Verstand, so höre das
und merke auf die Stimme meiner Re-
den! 17 Kann denn regieren, wer das Recht
hasst? Oder willst du den verdammen,
der gerecht und mächtig ist, 18 der zum
König sagt: »Du heilloser Mann«, und
zu den Fürsten: »Ihr Frevler«, 19 der nicht
ansieht die Person der Fürsten und ach-
tet den Vornehmen nicht mehr als den
Armen? Denn sie sind alle seiner Hände
Werk.

20 Plötzlich müssen die Leute sterben
und zu Mitternacht erschrecken und ver-
gehen; die Mächtigen werden weggenom-
men ohne Menschenhand. 21 Denn seine
Augen sehen auf eines jeden Weg, und
er schaut auf alle ihre Schritte.[a] 22 Es [a]gibt

33,15 *a* Kap 4,12-16 **33,16** *a* Kap 36,10 **33,24** *a* Ps 49,8-11
33,25 *a* Ps 103,5 **33,30** *a* Ps 56,14; 103,4; 116,9
34,3 *a* Kap 12,11 **34,5** *a* Kap 33,9 *b* Kap 27,2
34,6 *a* Kap 9,15.20 *b* Kap 6,4 **34,7** *a* Kap 15,16
34,8 *a* Ps 1,1 **34,9** *a* Kap 9,22 **34,10** *a* Kap 8,3;
5. Mose 32,4; 2. Chr 19,7 **34,11** *a* Ps 18,26-27; Röm 2,6;
Offb 22,12 **34,12** *a* Kap 19,6 **34,15** *a* Ps 104,29
34,21 *a* Kap 31,4; Spr 5,21 **34,22** *a* Ps 139,11-12

keine Finsternis und kein Dunkel, wo sich
verbergen könnten die Übeltäter. 23 Denn
es wird niemand gesagt, wann er vor Gott
zum Gericht erscheinen muss. 24 Er bringt
die Stolzen um, ohne sie erst zu verhören,
und stellt andere an ihre Stelle; 25 denn er
kennt ihre Werke und er stürzt sie des
Nachts, dass sie zerschlagen werden. 26 Er
urteilt sie ab wie die Frevler an einem Ort,
wo viele es sehen, 27 weil sie von ihm ge-
wichen sind und verstanden keinen sei-
ner Wege, 28 sodass das Schreien des Ar-
men vor ihn kommen musste und [a]er das
Schreien der Elenden hörte. – 29 Wenn er
sich aber ruhig hält, wer will ihn verdam-
men? Und wenn er das Antlitz verbirgt,
wer kann ihn schauen unter allen Völkern
und Leuten? – 30 So lässt er denn nicht
einen Frevler regieren, der ein Fallstrick
ist für das Volk.

31 Wenn einer zu Gott sagt: »Ich habe ge-
irrt, ich will kein Unrecht mehr tun; 32 was
ich nicht sehe, das lehre du mich; hab ich
unrecht gehandelt, ich will's nicht mehr
tun«, 33 soll er dann nach deinem Sinn ver-
gelten, weil du ja widerrufen hast? Denn
du hast zu wählen und nicht ich, und was
du erkannt, sage an!

34 Verständige Leute werden zu mir
sagen und ein weiser Mann, der mir zu-
hört: 35 »Hiob [a]redet mit Unverstand, und
seine Worte sind nicht klug.« 36 Ja, Hiob
sollte bis zum Äußersten geprüft werden,
weil er Antwort gibt wie die Ruchlosen.
37 Denn zu seiner Sünde fügt er noch Fre-
vel hinzu. Er treibt Spott unter uns und
macht viele Worte wider Gott.

ELIHUS DRITTE REDE

35 Und Elihu hob an und sprach:
2 Hältst du das für recht, nennst du das
[a]»meine Gerechtigkeit vor Gott«, 3 dass du
sprichst: [a]»Was nützt sie mir? Was habe
ich davon, dass ich nicht sündige?« 4 Ich
will dir antworten ein Wort und deinen
Freunden mit dir.

5 Schau gen Himmel und sieh; und schau
die Wolken an hoch über dir! 6 Sündigst
du, was kannst du ihm schaden? Und
wenn deine Missetaten viel sind, was
kannst du ihm tun?[a] 7 Und wenn du ge-
recht wärst, was kannst du ihm geben oder
was wird er von deinen Händen nehmen?[a]
8 Nur einem Menschen wie dir kann deine
Bosheit etwas tun und einem Menschen-
kind deine Gerechtigkeit.

9 Man schreit, dass viel Gewalt geschieht,
und ruft um Hilfe vor dem Arm der Gro-
ßen; 10 aber man fragt nicht: »Wo ist Gott,
mein Schöpfer, der [a]Lobgesänge gibt in
der Nacht, 11 der uns klüger macht als die
Tiere auf Erden und weiser als die Vögel
unter dem Himmel?« 12 Da schreien sie
über den Hochmut der Bösen, doch er
erhört sie nicht. 13 Denn [a]Gott wird Nich-
tiges nicht erhören, und der Allmächtige
wird es nicht ansehen. 14 Nun gar, wenn
du sprichst, [a]du könntest ihn nicht sehen –
der Rechtsstreit liegt ihm vor, harre nur
seiner! 15 Aber nun, [a]da sein Zorn nicht
heimsucht und er sich um Frevel nicht viel
kümmert, 16 sperrt Hiob seinen Mund auf
zu eitlem Gerede und macht viele Worte
ohne Verstand.

ELIHUS LETZTE REDE

36 Elihu hob noch einmal an und sprach:
2 Warte noch ein wenig, ich will dich
lehren; denn ich habe noch mehr für Gott
zu sagen. 3 Ich will mein Wissen von weit
herholen und meinem Schöpfer Recht
verschaffen. 4 Meine Reden sind wahr-
lich nicht falsch; vor dir steht einer, der es
wirklich weiß.

5 Siehe, Gott ist mächtig und verwirft
niemand; er ist mächtig an Kraft des Her-
zens. 6 Den Frevler erhält er nicht am Le-
ben, sondern schafft dem Elenden Recht.[a]
7 Er wendet seine Augen nicht von dem
Gerechten, sondern [a]mit Königen auf dem
Thron lässt er sie sitzen immerdar, dass
sie groß werden. 8 Und wenn sie gefan-
gen liegen in Ketten und elend, gebunden
mit Stricken, 9 so hält er ihnen vor, was sie
getan haben, und ihre Sünden, dass sie
sich überhoben haben, 10 und [a]öffnet ih-
nen das Ohr zur Warnung und sagt ihnen,
dass sie sich von dem Unrecht bekehren
sollen. 11 Gehorchen sie und dienen ihm,
so vollenden sie ihre Tage im Guten und

34,28 *a* 1. Mose 16,11 **34,35** *a* Kap 38,2
35,2 *a* Kap 32,2 **35,3** *a* Kap 34,9 **35,6** *a* Kap 7,20
35,7 *a* Kap 22,2-3; Röm 11,35 **35,10** *a* Apg 16,25
35,13 *a* Joh 9,31 **35,14** *a* Kap 23,8-9 **35,15** *a* Pred 8,11
36,6 *a* Ps 72,4.12; 146,7-9 **36,7** *a* Ps 113,7-8
36,10 *a* Kap 33,16

ihre Jahre in Wonne. 12 Gehorchen sie
nicht, so laufen sie in den Tod und verge-
hen in Unverstand. 13 Die Ruchlosen ver-
härten sich im Zorn. Sie flehen nicht, auch
wenn er sie gefangen legt; 14 so wird ihre
Seele in der Jugend sterben und ihr Le-
ben unter den Hurern im Tempel. 15 Aber
den Elenden wird er durch sein Elend
erretten und ihm das Ohr öffnen durch
Trübsal.

16 So reißt er auch dich aus dem Ra-
chen der Angst in einen weiten Raum,
wo keine Bedrängnis mehr ist; und dei-
nen Tisch füllt er mit Gutem. 17 Wenn
du aber richtest wie ein Frevler, so halten
dich Gericht und Recht fest. 18 Sieh zu,
dass nicht dein Zorn dich verlockt oder
die Menge des Lösegeldes dich verleitet.
19 Wird dein Geschrei dich aus der Not
bringen oder alle kräftigen Anstrengun-
gen? 20 Sehne dich nicht nach der Nacht,
die Völker wegnimmt von ihrer Stätte!
21 Hüte dich und kehre dich nicht zum
Unrecht, denn Unrecht wählst du lieber
als Elend!

22 Siehe, Gott ist groß in seiner Kraft; wo
ist ein Lehrer, wie er ist?[a] 23 Wer will ihm
weisen seinen Weg, und wer will zu ihm
sagen: »Du tust Unrecht«? 24 Denk daran,
dass du sein Werk preisest, von dem die
Menschen singen. 25 Denn alle Menschen
sehen es, der Mensch schaut's nur von
ferne. 26 Siehe, Gott ist groß und unbe-
greiflich; die Zahl seiner Jahre kann nie-
mand erforschen.

27 Er zieht empor die Wassertropfen und
treibt seine Wolken zusammen zum Re-
gen, 28 dass die Wolken überfließen und
Regen triefen lassen auf die Menge der
Menschen. 29 Wer versteht, wie er die
Wolken türmt und donnern lässt aus sei-
nem Gezelt? 30 Siehe, er breitet sein Licht
um sich und bedeckt alle Tiefen des Mee-
res. 31 Denn damit regiert er die Völker und
gibt Speise die Fülle. 32 Er bedeckt seine
Hände mit Blitzen und bietet sie auf gegen
den, der ihn angreift. 33 Ihn kündet an sein
Donnern, wenn er mit Zorn eifert gegen
den Frevel.

37 Darüber entsetzt sich mein Herz und
fährt bebend hoch. 2 O hört doch,
wie sein Donner rollt und was für Ge-
dröhn aus seinem Munde geht! 3 Er lässt
ihn hinfahren unter dem ganzen Him-
mel und seinen Blitz über die Enden der
Erde. 4 Ihm nach brüllt der Donner, und
er donnert mit seinem großen Schall;
und wenn sein Donner gehört wird, hält
er die Blitze nicht zurück. 5 Gott donnert
mit seinem Donner wunderbar und tut
große Dinge, die wir nicht begreifen. 6 Er
spricht zum Schnee: »Falle zur Erde!«, und
zum Platzregen, so ist der Platzregen da
mit Macht. 7 Aller Menschen Hand hat er
versiegelt, dass die Leute erkennen, was er
tun kann. 8 Die wilden Tiere gehen in die
Höhle und legen sich auf ihr Lager.[a] 9 Aus
seinen Kammern kommt der Sturm und
von Norden her die Kälte. 10 Vom Odem
Gottes kommt Eis, und die weiten Wasser
liegen erstarrt. 11 Die Wolken beschwert er
mit Wasser, und durch das Gewölk bricht
sein Licht. 12 Er kehrt die Wolken, wohin
er will, dass sie alles tun, was er ihnen ge-
bietet auf dem Erdkreis: 13 Zur Züchtigung
für ein Land oder zum Segen lässt er sie
kommen.

14 Das vernimm, Hiob, steh still und
merke auf die Wunder Gottes! 15 Weißt
du, wie Gott ihnen Weisung gibt und wie
er das Licht aus seinen Wolken hervorbre-
chen lässt? 16 Weißt du, wie die Wolken
schweben, die Wunder des Allwissen-
den? 17 Du, dem schon die Kleider heiß
werden, wenn das Land still liegt unterm
Südwind, 18 kannst du gleich ihm die Wol-
kendecke ausbreiten, die fest ist wie ein
gegossener Spiegel? 19 Zeige uns, was wir
ihm sagen sollen; denn wir können nichts
vorbringen vor Finsternis. 20 Wenn je-
mand redet, muss es ihm gesagt werden?
Hat je ein Mensch gesagt, er wolle ver-
nichtet werden? 21 Eben sah man das Licht
nicht, das hinter den Wolken hell leuch-
tet; als aber der Wind daherfuhr, da wurde
es klar. 22 Von Norden kommt goldener
Schein; um Gott her ist schrecklicher
Glanz. 23 Den Allmächtigen erreichen wir
nicht, der so groß ist an Kraft und reich an
Gerechtigkeit. Das Recht beugt er nicht.
24 Darum sollen ihn die Menschen fürch-
ten, und er sieht keinen an, wie weise sie
auch sind.

36,22 *a* Ps 25,9 **37,8** *a* Ps 104,21-22

DIE ANTWORT GOTTES

Kapitel 38,1–42,17

DIE ERSTE REDE DES HERRN AUS DEM STURM

38 Und der HERR [a]antwortete Hiob aus
dem Sturm und sprach:
2 Wer ist's, der den Ratschluss verdun-
kelt [a]mit Worten ohne Verstand? 3 Gürte
deine Lenden wie ein Mann! [a]Ich will dich
fragen, lehre mich!
4 Wo warst du, als ich die Erde grün-
dete? Sage mir's, wenn du so klug bist!
5 Weißt du, [a]wer ihr das Maß gesetzt hat
oder wer über sie die Messschnur gezogen
hat? 6 Worauf sind ihre Pfeiler eingesenkt,
oder wer hat ihren Eckstein gelegt, 7 als
[a]die Morgensterne miteinander jauchzten
und alle [b]Gottessöhne jubelten?
8 [a]Wer hat das Meer mit Toren ver-
schlossen, als es herausbrach wie aus dem
Mutterschoß, 9 als ich's mit Wolken klei-
dete und in Dunkel einwickelte wie in
Windeln, 10 als ich ihm seine Grenze be-
stimmte und setzte ihm Riegel und Tore
11 und sprach: »Bis hierher sollst du kom-
men und nicht weiter; hier sollen sich le-
gen deine stolzen Wellen!«?
12 Hast du zu deiner Zeit dem Morgen
geboten und der Morgenröte ihren Ort
gezeigt, 13 damit sie die Enden der Erde
fasste und die Frevler von ihr abgeschüt-
telt würden? 14 Sie wandelt sich wie Ton
unter dem Siegel und färbt sich bunt wie
ein Kleid. 15 Und den Frevlern wird ihr
Licht genommen und der erhobene Arm
zerbrochen werden.
16 Bist du zu den Quellen des Meeres ge-
kommen und auf dem Grund der Tiefe ge-
wandelt? 17 Haben sich dir des Todes Tore
je aufgetan, oder hast du gesehen die Tore
der Finsternis? 18 Hast du erkannt, wie
breit die Erde ist? Sage es, wenn du das al-
les weißt! 19 Welches ist der Weg dahin,
wo das Licht wohnt, und welches ist die
Stätte der Finsternis, 20 dass du sie zu ih-
rem Gebiet bringen könntest und kennen
die Pfade zu ihrem Hause? 21 Du weißt es
ja, denn zu der Zeit wurdest du geboren,
und deine Tage sind sehr viel!
22 [a]Bist du gewesen, wo der Schnee her-
kommt, oder hast du gesehen, wo der Ha-
gel herkommt, 23 die ich verwahrt habe für
die Zeit der Trübsal und für den Tag des
Streites und Krieges? 24 Welches ist der
Weg dahin, wo das Licht sich teilt und der
Ostwind hinfährt über die Erde? 25 Wer
hat dem Platzregen seine Bahn gebro-
chen und den Weg dem Blitz und Don-
ner,[a] 26 dass es regnet aufs Land, wo nie-
mand ist, in der Wüste, wo kein Mensch
ist, 27 damit Einöde und Wildnis gesättigt
werden und das Gras wächst? 28 Hat der
Regen einen Vater? Wer hat die Tropfen
des Taus gezeugt? 29 Aus wessen Schoß
geht das Eis hervor, und wer hat den Reif
unter dem Himmel geboren, 30 dass das
Wasser sich verbirgt, als wäre es Stein,
und der Wasserspiegel gefriert?
31 Kannst du die Bande des Siebenge-
stirns zusammenbinden oder den Gür-
tel des [a]Orion auflösen? 32 Kannst du die
Sterne des Tierkreises aufgehen lassen
zur rechten Zeit oder die Bärin samt ihren
Jungen heraufführen? 33 Weißt du [a]des
Himmels Ordnungen, oder bestimmst du
seine Herrschaft über die Erde?
34 Kannst du deine Stimme zu der Wolke
erheben, dass dich die Menge des Wassers
überströme? 35 Kannst du die Blitze aus-
senden, dass sie hinfahren und sprechen
zu dir: »Hier sind wir«? 36 Wer hat dem
Ibis Weisheit verliehen, und wer gab dem
Hahn Einsicht? 37 Wer ist so weise, dass er
die Wolken zählen könnte? Wer schüttet
die Krüge des Himmels aus, 38 wenn der
Erdboden hart wird, als sei er gegossen,
und die Schollen fest aneinanderkleben?
39 Kannst du der Löwin ihren Raub zu ja-
gen geben und die jungen Löwen sättigen,
40 wenn sie sich legen in ihren Höhlen und
lauern in ihrem Versteck? 41 Wer bereitet
dem Raben die Speise, wenn [a]seine Jun-
gen zu Gott rufen und irrefliegen, weil sie
nichts zu essen haben?
39 Weißt du die Zeit, wann die Gäm-
sen gebären, oder hast du aufgemerkt,
wann die Hirschkühe kreißen? 2 Zählst du
die Monde, die sie erfüllen müssen, oder
weißt du die Zeit, wann sie gebären? 3 Sie
kauern sich nieder, werfen ihre Jungen

38,1 *a* Kap 31,35 **38,2** *a* Kap 34,35 **38,3** *a* Kap 40,7
38,5 *a* Spr 30,4 **38,7** *a* Ps 19,2 *b* Kap 1,6
38,8 *a* (8-11) Ps 104,8-9; Spr 8,29
38,22 *a* (22-23) Jos 10,11; Jes 30,30 **38,25** *a* Kap 28,26
38,31 *a* Kap 9,9 **38,33** *a* Jer 33,25 **38,41** *a* Ps 147,9

und werden los ihre Wehen. 4Ihre Jungen
werden stark und groß im Freien und ge-
hen davon und kommen nicht wieder zu
ihnen.
5Wer hat dem Wildesel die Freiheit ge-
geben, wer hat ihm die Bande gelöst, 6dem
ich die Steppe zum Hause gegeben habe
und die Salzwüste zur Wohnung? 7Er ver-
lacht das Lärmen der Stadt, die Schreie des
Treibers hört er nicht; 8er durchstreift die
Berge, wo seine Weide ist, und sucht, wo
es grün ist.
9Meinst du, der Wildstier wird dir die-
nen wollen und nachts bleiben an deiner
Krippe? 10Kannst du ihm das Seil anknüp-
fen, um Furchen zu machen, oder wird er
hinter dir in den Tälern den Pflug ziehen?
11Kannst du dich auf ihn verlassen, weil
er so stark ist, und kannst du ihn für dich
arbeiten lassen? 12Kannst du ihm trauen,
dass er dein Korn einbringt und in deine
Scheune sammelt?
13Der Fittich der Straußin hebt sich
fröhlich; aber ist er wie die Schwinge eines
Storchs oder Falken? 14Lässt sie doch ihre
Eier auf der Erde liegen zum Ausbrüten
auf dem Boden 15und vergisst, dass ein
Fuß sie zertreten und ein wildes Tier sie
zerbrechen kann! 16Sie ist so hart gegen
ihre Jungen, als wären es nicht ihre; es
kümmert sie nicht, dass ihre Mühe um-
sonst war. 17Denn Gott hat ihr die Weis-
heit versagt und hat ihr keinen Verstand
zugeteilt. 18Doch wenn sie auffährt, ver-
lacht sie Ross und Reiter.
19Kannst du dem Ross Kräfte geben
oder seinen Hals zieren mit einer Mähne?
20Kannst du es springen lassen wie die
Heuschrecken? Schrecklich ist sein präch-
tiges Schnauben. 21Es stampft auf den Bo-
den und freut sich, mit Kraft zieht es aus,
den Geharnischten entgegen. 22Es spottet
der Furcht und erschrickt nicht und flieht
nicht vor dem Schwert. 23Über ihm klirrt
der Köcher und glänzen Spieß und Lanze.
24Mit Donnern und Tosen fliegt es über
die Erde dahin und lässt sich nicht halten
beim Schall der Trompete. 25Sooft die
Trompete erklingt, wiehert es »Hui!« und
wittert den Kampf von ferne, das Rufen
der Fürsten und Kriegsgeschrei.
26Fliegt der Habicht empor dank deiner
Einsicht und breitet seine Flügel aus, dem
Süden zu? 27Fliegt der Adler auf deinen
Befehl so hoch und baut sein Nest in der
Höhe? 28Auf Felsen wohnt er und nächtigt
auf Zacken der Felsen und steilen Klippen.
29Von dort schaut er aus nach Beute, und
seine Augen sehen sie von ferne. 30Seine
Jungen gieren nach Blut, und [a]wo Erschla-
gene liegen, da ist er.

HIOBS ERSTE ANTWORT AN DEN HERRN

40 Und der HERR antwortete Hiob und
sprach: 2Wer da meint, alles besser zu
wissen, sollte der [a]mit dem Allmächtigen
rechten? Wer Gott zurechtweist, der ant-
worte!
3Hiob aber antwortete dem HERRN und
sprach: 4Siehe, [a]ich bin zu gering, was soll
ich dir antworten? [b]Ich will meine Hand
auf meinen Mund legen. 5Einmal hab ich
geredet und will nicht mehr antworten,
ein zweites Mal geredet und will's nicht
wieder tun.

ZWEITE REDE DES HERRN AUS DEM STURM

6Und der HERR antwortete Hiob aus dem
Sturm und sprach:
7Gürte wie ein Mann deine Lenden! Ich
will dich fragen; lehre mich![a] 8Willst du
mein Urteil zunichtemachen und mich
schuldig sprechen, dass du recht behältst?
9Hast du einen Arm wie Gott, und kannst
du mit gleicher Stimme donnern wie er?
10Schmücke dich mit Pracht und Hoheit;
zieh Glanz und Herrlichkeit an! 11Streu
aus den Zorn deines Grimmes; schau an
alle Hochmütigen und demütige sie! 12Ja,
schau alle Hochmütigen an und demütige
sie und zertritt die Frevler, wo sie sind!
13Verscharre sie miteinander in der Erde,
und versenke sie ins Verborgene, 14so will
auch ich dich preisen, dass dir deine rechte
Hand helfen kann.
15Siehe da den Behemot*, den ich ge-
schaffen habe wie auch dich! Er frisst
Gras wie ein Rind. 16Siehe, welch eine
Kraft ist in seinen Lenden und welch eine
Stärke in den Muskeln seines Bauchs!
17Sein Schwanz streckt sich wie eine

* **40,15** Ein riesiges Tier nach Art des Nilpferds.

39,30 ***a*** Hab 1,8; Mt 24,28 **40,2** ***a*** Jes 45,9
40,4 ***a*** 1. Mose 32,11; Jes 6,5 ***b*** Spr 30,32
40,7 ***a*** Kap 38,3

Zeder; die Sehnen seiner Schenkel sind
dicht geflochten. 18Seine Knochen sind
wie eherne Röhren, seine Gebeine wie
eiserne Stäbe. 19Er ist das erste der Werke
Gottes; der ihn gemacht hat, gab ihm sein
Schwert. 20Denn die Berge bringen ihm
Tribut, und alle wilden Tiere spielen dort.
21Er liegt unter Lotosbüschen, im Rohr
und im Schlamm verborgen. 22Lotos-
büsche bedecken ihn mit Schatten, und
die Bachweiden umgeben ihn. 23Siehe,
der Strom schwillt gewaltig an: er dünkt
sich sicher, auch wenn ihm der Jordan ins
Maul dringt. 24Kann man ihn fangen Auge
in Auge und ihm einen Strick durch seine
Nase ziehen?

25Kannst du den [a]Leviatan* am Ha-
ken ziehen und sein Maul mit einem
Strick niederhalten? 26Kannst du ihm
ein Binsenseil an die Nase legen und mit
einem Haken ihm die Backen durchboh-
ren? 27Meinst du, er wird dich lang um
Gnade bitten oder dir süße Worte ge-
ben? 28Meinst du, er wird einen Bund
mit dir schließen, dass du ihn für im-
mer zum Knecht bekommst? 29Kannst
du mit ihm spielen wie mit einem Vogel
oder ihn für deine Mädchen anbinden?
30Meinst du, die Zunftgenossen werden
um ihn feilschen und die Händler ihn ver-
teilen? 31Kannst du mit Spießen spicken
seine Haut und mit Fischerhaken seinen
Kopf? 32Lege deine Hand an ihn! An die-
sen Kampf wirst du denken und es nicht
wieder tun!

41 Siehe, jede Hoffnung wird an ihm zu-
schanden; schon wenn einer ihn sieht,
stürzt er zu Boden. 2Niemand ist so kühn,
dass er ihn zu reizen wagt. – Wer ist denn,
der vor mir bestehen könnte? 3Wer kann
mir entgegentreten und ich lasse ihn un-
versehrt? Alles unter dem Himmel ist
mein!

4Ich will nicht schweigen von seinen
Gliedern, wie groß, wie mächtig und
wohlgeschaffen er ist. 5Wer kann ihm den
Panzer ausziehen, und wer darf es wagen,
ihm zwischen die Zähne zu greifen? 6Wer
kann die Tore seines Rachens auftun? Um
seine Zähne herum herrscht Schrecken.
7Sein Rücken ist eine Reihe von Schilden,
wie mit festem Siegel verschlossen. 8Einer
reiht sich an den andern, dass nicht ein
Lufthauch hindurchgeht. 9Es haftet einer
am andern, sie schließen sich zusammen
und lassen sich nicht trennen. 10Sein Nie-
sen lässt Licht aufleuchten; seine Augen
sind wie die Wimpern der Morgenröte.
11Aus seinem Rachen fahren Fackeln, und
feurige Funken schießen heraus. 12Aus
seinen Nüstern fährt Rauch wie von
einem siedenden Kessel und Binsenfeuer.
13Sein Odem ist wie lichte Lohe, und aus
seinem Rachen schlagen Flammen. 14Auf
seinem Nacken nächtigt die Stärke, und
vor ihm her tanzt die Angst. 15Die Wam-
pen seines Fleisches haften an ihm, fest
angegossen, ohne sich zu bewegen. 16Sein
Herz ist so hart wie ein Stein und so fest
wie der untere Mühlstein.

17Wenn er sich erhebt, so entsetzen sich
die Starken, und wenn er hervorbricht,
weichen sie zurück. 18Trifft man ihn mit
dem Schwert, so richtet es nichts aus,
auch nicht Spieß, Geschoss und Speer.
19Er achtet Eisen wie Stroh und Erz wie
faules Holz. 20Kein Pfeil wird ihn verja-
gen; die Schleudersteine sind ihm wie
Spreu. 21Die Keule achtet er wie Stoppeln;
er spottet der bebenden Lanze. 22Unter
seinem Bauch sind scharfe Spitzen; er
fährt wie ein Dreschschlitten über den
Schlamm. 23Er macht, dass die Tiefe bro-
delt wie ein Topf, und rührt das Meer um,
wie man Salbe mischt. 24Er lässt hinter
sich eine leuchtende Bahn; man denkt, die
Flut sei Silberhaar. 25Auf Erden ist nicht
seinesgleichen; er ist ein Geschöpf ohne
Furcht. 26Er sieht allem ins Auge, was
hoch ist; er ist König über alle Stolzen.

HIOBS LETZTE ANTWORT AN DEN HERRN

42 Und Hiob antwortete dem HERRN
und sprach:

2Ich erkenne, dass du alles vermagst,
und nichts, das du dir vorgenommen, ist
dir zu schwer. 3»Wer ist der, der den Rat-
schluss verhüllt mit Worten ohne Ver-
stand?« [a]Darum hab ich ohne Einsicht
geredet, was mir zu hoch ist und ich nicht
verstehe. 4»So höre nun, lass mich reden;
[a]ich will dich fragen, lehre mich!« 5Ich

* **40,25** Siehe Sach- und Worterklärungen.

40,25 *a* Ps 74,14 **42,3** *a* Kap 38,2 **42,4** *a* Kap 38,3

hatte von dir nur vom Hörensagen ver-
nommen; aber [a]nun hat mein Auge dich
gesehen. 6 Darum gebe ich auf und bereue
in Staub und Asche.

GOTT RECHTFERTIGT HIOB

7 Als nun der HERR diese Worte mit Hiob
geredet hatte, sprach er zu Elifas von
Teman: Mein Zorn ist entbrannt über dich
und über deine beiden Freunde; denn ihr
habt nicht recht von mir geredet wie mein
Knecht Hiob. 8 So nehmt euch nun [a]sieben
junge Stiere und sieben Widder und geht
hin zu meinem Knecht Hiob und opfert
Brandopfer für euch; aber mein Knecht
Hiob soll für euch bitten; denn [b]ihn will
ich erhören, dass ich euch nichts Schlim-
mes antue. Denn ihr habt nicht recht von
mir geredet wie mein Knecht Hiob.
9 Da gingen hin Elifas von Teman, Bildad
von Schuach und Zofar von Naama und
taten, wie der HERR ihnen gesagt hatte.
Und der HERR erhörte Hiob.
10 Und **der HERR wandte das Geschick
Hiobs, als er für seine Freunde bat.** Und
[a]der HERR gab Hiob doppelt so viel, wie
er gehabt hatte. 11 Und [a]es kamen zu ihm
alle seine Brüder und alle seine Schwes-
tern und alle, die ihn früher gekannt hat-
ten, und aßen mit ihm in seinem Hause
und sprachen ihm zu und trösteten ihn
über alles Unglück, das der HERR über
ihn hatte kommen lassen. Und ein jeder
gab ihm ein Goldstück und einen golde-
nen Ring.
12 Und der HERR segnete Hiob fortan
mehr als zuvor, er besaß vierzehntau-
send Schafe und sechstausend Kamele
und tausend Joch Rinder und tausend
Eselinnen. 13 Und er bekam sieben Söhne
und drei Töchter[a] 14 und nannte die erste
Jemima, die zweite Kezia und die dritte
Keren-Happuch*. 15 Und es fanden sich so
schöne Frauen wie die Töchter Hiobs im
ganzen Land nicht. Und ihr Vater [a]gab ih-
nen Erbteil unter ihren Brüdern.
16 Und Hiob lebte danach [a]hundertvier-
zig Jahre und sah seine Kinder und Kin-
deskinder bis in das vierte Glied. 17 Und
Hiob starb [a]alt und lebenssatt.

* **42,14** Die Namen bedeuten »Täubchen«, »Zimtblüte« und »Salbhörnchen«.

42,5 ***a*** Kap 19,26-27 **42,8** ***a*** 1. Chr 15,26 ***b*** Hes 14,14
42,10 ***a*** Kap 1,3; 8,7 **42,11** ***a*** Kap 19,13-14.19
42,13 ***a*** Kap 1,2 **42,15** ***a*** 4. Mose 27,8-11 **42,16** ***a*** Ps 90,10
42,17 ***a*** 1. Mose 25,8; 35,29; 1. Chr 29,28

DER PSALTER

1–41 Erstes Buch **42–72** Zweites Buch **73–89** Drittes Buch
90–106 Viertes Buch **107–150** Fünftes Buch

ERSTES BUCH

Psalm 1–41

DER WEG DES FROMMEN, DER WEG DES FREVLERS

1 Wohl dem, der nicht wandelt im Rat der Gottlosen* /
noch tritt auf den Weg der Sünder
noch sitzt, wo die Spötter sitzen,[a]
2 sondern hat Lust am Gesetz des HERRN
und [a]sinnt über seinem Gesetz Tag und Nacht!

3 Der ist [a]wie ein Baum, gepflanzt an den Wasserbächen, /
der seine Frucht bringt zu seiner Zeit, und seine Blätter verwelken nicht.
Und was er macht, das gerät wohl.

4 Aber so sind die Gottlosen nicht,
sondern wie Spreu, die der Wind verstreut.
5 Darum bestehen die Gottlosen nicht im Gericht
noch die Sünder in der Gemeinde der Gerechten.
6 Denn der HERR kennt den Weg der Gerechten,
aber der Gottlosen Weg vergeht.

GOTTES SIEG UND DIE HERRSCHAFT SEINES SOHNES

2 [a]Warum toben die Völker
und [b]murren die Nationen so vergeblich?
2 Die Könige der Erde lehnen sich auf, /
und die Herren halten Rat miteinander
wider den HERRN und seinen Gesalbten:
3 »Lasset uns [a]zerreißen ihre Bande
und von uns werfen ihre Stricke!«

4 Aber [a]der im Himmel wohnt, lachet ihrer,
und der Herr spottet ihrer.
5 Einst wird er mit ihnen reden in seinem [a]Zorn,
und mit seinem Grimm wird er sie schrecken:
6 »Ich aber habe meinen König eingesetzt
auf meinem [a]heiligen Berg Zion.«
7 Kundtun will ich den Ratschluss des HERRN. Er hat zu mir gesagt:
[a]»Du bist mein Sohn, heute habe ich dich gezeugt.
8 Bitte mich, so will ich dir Völker zum Erbe geben
und der Welt Enden zum Eigentum.[a]

* **1,1** Das hebräische Wort bedeutet auch »Frevler«.

1,1 *a* Ps 26,4; 119,1; Spr 4,14; Jer 15,17 **1,2** *a* Ps 119,148; Jos 1,8 **1,3** *a* Ps 92,13-15; Jer 17,8
2,1 *a* (1-2) Apg 4,25-26 *b* Offb 11,18 **2,3** *a* Jer 5,5 **2,4** *a* Ps 59,9 **2,5** *a* Jes 34,2; Offb 6,15-17
2,6 *a* Sach 8,3 **2,7** *a* Ps 89,27-28; 2. Sam 7,14; Apg 13,33; Hebr 1,5; 5,5 **2,8** *a* Dan 7,13-14; Hebr 1,2

9 Du sollst sie mit einem [a]eisernen Zepter zerschlagen,
wie Töpfe sollst du sie zerschmeißen.«

10 So seid nun verständig, ihr Könige,
und lasst euch warnen, ihr Richter auf Erden!
11 Dienet dem HERRN mit Furcht
und freut euch mit Zittern.[a]
12 Küsst den Sohn, dass er nicht zürne
und ihr umkommt auf dem Wege;
denn sein Zorn wird bald entbrennen.
Wohl allen, die auf ihn trauen!

MORGENLIED IN BÖSER ZEIT

3 EIN PSALM DAVIDS, [a]ALS ER VOR SEINEM SOHN ABSALOM FLOH.

2 Ach, HERR, wie sind meiner Feinde so viel
und erheben sich so viele wider mich!
3 Viele sagen von mir:
Er hat keine Hilfe bei Gott. SELA.
4 Aber du, HERR, bist [a]der Schild für mich,
du bist meine Ehre und hebst mein Haupt empor.

5 Ich rufe mit meiner Stimme zum HERRN,
so erhört er mich von seinem heiligen Berge. SELA.
6 Ich liege und schlafe und erwache;
denn der HERR hält mich.[a]
7 Ich [a]fürchte mich nicht vor vielen Tausenden,
die sich ringsum wider mich legen.

8 [a]Auf, HERR, und hilf mir, mein Gott! /
Denn du schlägst alle meine Feinde auf die Backe
und zerschmetterst der Frevler Zähne.
9 Bei dem HERRN findet man Hilfe.
Dein Segen komme über dein Volk! SELA.

EIN ABENDGEBET

4 EIN PSALM DAVIDS, VORZUSINGEN, BEIM SAITENSPIEL.

2 Erhöre mich, wenn ich rufe,
Gott meiner Gerechtigkeit,
der du mich tröstest in Angst;
sei mir gnädig und erhöre mein Gebet!
3 Ihr Herren, wie lange soll meine Ehre geschändet werden?
Wie habt ihr das Eitle so lieb und die Lüge so gern! SELA.
4 Erkennet doch, dass der HERR seine Heiligen wunderbar führt;
der HERR hört, wenn ich ihn anrufe.
5 [a]Zürnet ihr, so sündiget nicht;
redet in eurem Herzen auf eurem Lager und seid stille. SELA.
6 [a]Opfert, was recht ist,
und hoffet auf den HERRN.

2,9 *a* Offb 2,27; 12,5; 19,15 **2,11** *a* Phil 2,12; Hebr 12,28 **3,1** *a* 2. Sam 15,13-37 **3,4** *a* 1. Mose 15,1 **3,6** *a* Ps 4,9 **3,7** *a* Ps 27,3 **3,8** *a* 4. Mose 10,35 **4,5** *a* Eph 4,26 **4,6** *a* Ps 51,19.21; 1. Petr 2,5

7 Viele sagen: »Wer wird uns Gutes sehen lassen?«
HERR, [a]lass leuchten über uns das Licht deines Antlitzes!
8 Du erfreust mein Herz
mehr als zur Zeit, da es Korn und Wein gibt in Fülle.
9 **Ich liege und schlafe ganz mit Frieden;**
denn allein du, HERR, hilfst mir, dass ich sicher wohne.[a]

GEBET UM LEITUNG UND BEWAHRUNG

5 EIN PSALM DAVIDS, VORZUSINGEN, ZUM FLÖTENSPIEL.

2 HERR, höre meine Worte,
merke auf mein Seufzen!
3 Vernimm mein Schreien, mein König und mein Gott;
denn ich will zu dir beten.
4 HERR, frühe wollest du meine Stimme hören,
frühe will ich mich zu dir wenden und aufmerken.
5 Denn du bist nicht ein Gott, dem Frevel gefällt;
wer böse ist, bleibt nicht vor dir.
6 Die Ruhmredigen bestehen nicht vor deinen Augen;
du bist feind allen Übeltätern.
7 Du vernichtest die Lügner;
dem HERRN sind ein Gräuel die Blutgierigen und Falschen.
8 Ich aber [a]darf in dein Haus gehen durch deine große Güte
und anbeten vor deinem heiligen Tempel in deiner Furcht.

9 HERR, leite mich in deiner Gerechtigkeit um meiner Feinde willen;
ebne vor mir deinen Weg!
10 Denn in ihrem Munde ist nichts Verlässliches;
ihr Inneres ist Bosheit.
[a]Ihr Rachen ist ein offenes Grab;
mit ihren Zungen heucheln sie.
11 Sprich sie schuldig, Gott,
dass sie zu Fall kommen durch ihr Vorhaben.
Stoße sie aus um ihrer vielen Übertretungen willen;
denn sie sind widerspenstig gegen dich.
12 Lass sich freuen alle, die auf dich trauen;
ewiglich lass sie rühmen, denn du beschirmest sie.
Fröhlich lass sein in dir,
die deinen Namen lieben!
13 Denn du, HERR, segnest die Gerechten,
du deckest sie mit Gnade wie mit einem Schilde.

BUSSGEBET IN ANFECHTUNG (DER ERSTE BUSSPSALM)

6 EIN PSALM DAVIDS, VORZUSINGEN,
BEIM SAITENSPIEL AUF ACHT SAITEN.

2 Ach, HERR, strafe mich nicht in deinem Zorn
und [a]züchtige mich nicht in deinem Grimm!
3 HERR, sei mir gnädig, denn ich bin schwach;
heile mich, HERR, denn meine Gebeine sind erschrocken

4,7 ***a*** 4. Mose 6,25 **4,9** ***a*** Ps 3,6; Ps 139,3 **5,8** ***a*** Ps 26,8 **5,10** ***a*** Röm 3,13 **6,2** ***a*** Jer 10,24

4 und meine Seele ist sehr erschrocken.
Ach du, HERR, wie lange!

5 Wende dich, HERR, und errette meine Seele,
hilf mir um deiner Güte willen!
6 Denn im Tode gedenkt man deiner nicht;
[a]wer wird dir bei den Toten danken?
7 Ich bin so müde vom Seufzen; /
ich schwemme mein Bett die ganze Nacht
und netze mit meinen Tränen mein Lager.
8 Mein Auge ist trüb geworden vor Gram
und matt, weil meiner Bedränger so viele sind.

9 Weichet von mir, alle Übeltäter;
denn der HERR hört mein Weinen.
10 Der HERR hört mein Flehen;
mein Gebet nimmt der HERR an.
11 Es müssen alle meine Feinde zuschanden werden und sehr erschrecken;
sie müssen weichen und zuschanden werden plötzlich.

GEBET EINES UNSCHULDIG VERFOLGTEN

7 EIN KLAGELIED DAVIDS, DAS ER DEM HERRN SANG
WEGEN DER WORTE DES KUSCH, DES BENJAMINITERS.

2 Auf dich, HERR, mein Gott, traue ich!
Hilf mir von allen meinen Verfolgern und errette mich,
3 dass sie nicht wie Löwen mich packen
und zerreißen, weil kein Retter da ist.

4 HERR, mein Gott, hab ich solches getan
und ist [a]Unrecht an meinen Händen,
5 hab ich Böses vergolten denen, die friedlich mit mir lebten,
oder geschädigt, die mir ohne Ursache feind waren,
6 so verfolge mich der Feind und ergreife mich /
und trete mein Leben zu Boden
und lege meine Ehre in den Staub. SELA.
7 Steh auf, HERR, in deinem Zorn,
erhebe dich wider den Grimm meiner Feinde!
Wache auf, mir zu helfen,
der du Gericht verordnet hast,
8 so werden die Völker sich um dich sammeln;
und über ihnen kehre zurück in die Höhe!

9 Der HERR wird richten die Völker.
Schaffe mir Recht, HERR, nach [a]meiner Gerechtigkeit und Unschuld!
10 [a]Lass enden der Gottlosen Bosheit,
den Gerechten aber lass bestehen;
denn [b]du, gerechter Gott,
prüfest Herzen und Nieren.
11 Mein Schild ist bei Gott,
er, der den frommen Herzen hilft.

6,6 ***a*** Ps 30,10; 88,11; 115,17-18; Jes 38,18 **7,4** ***a*** Hiob 31,7-34 **7,9** ***a*** Ps 18,21-27
7,10 ***a*** Ps 104,35 ***b*** Ps 139,1; Jer 11,20; Offb 2,23

12 Gott ist ein gerechter Richter
und ein Gott, der täglich strafen kann.

13 Kehrt einer nicht um und wetzt sein [a]Schwert
und spannt seinen Bogen und zielt,
14 so hat er sich selber tödliche Waffen gerüstet
und feurige Pfeile bereitet.
15 Siehe, er hat Böses im Sinn,
mit Unheil ist er schwanger und wird Lüge gebären.
16 Er hat eine Grube gegraben und ausgehöhlt –
und ist in die Grube gefallen, die er gemacht hat.[a]
17 Sein Unheil wird auf seinen Kopf kommen
und sein Frevel auf seinen Scheitel fallen.

18 Ich danke dem HERRN um seiner Gerechtigkeit willen
und will loben den Namen des HERRN, des Allerhöchsten.

DIE HERRLICHKEIT GOTTES UND DIE GRÖSSE DES MENSCHEN

8 EIN PSALM DAVIDS, VORZUSINGEN, AUF DER GITTIT.

2 HERR, unser Herrscher, wie herrlich ist [a]dein Name in allen Landen,
der du zeigst deine Hoheit am Himmel!
3 [a]Aus dem Munde der jungen Kinder und Säuglinge /
hast du eine Macht zugerichtet um deiner Feinde willen,
dass du vertilgest den Feind und den Rachgierigen.
4 **Wenn ich sehe die Himmel, deiner Finger Werk,**
den Mond und die Sterne, die du bereitet hast:
5 [a]**was ist der Mensch, dass du seiner gedenkst,**
und des Menschen Kind, dass du dich seiner annimmst?
6 **Du hast ihn [a]wenig niedriger gemacht als Gott,**
mit Ehre und Herrlichkeit hast du ihn gekrönt.
7 Du hast ihn zum Herrn gemacht über deiner Hände Werk,
[a]alles hast du unter seine Füße getan:
8 Schafe und Rinder allzumal,
dazu auch die wilden Tiere,
9 die Vögel unter dem Himmel und die Fische im Meer
und alles, was die Meere durchzieht.

10 HERR, unser Herrscher,
wie herrlich ist dein Name in allen Landen!

DANKLIED FÜR RETTUNG AUS BEDRÄNGNIS

9 EIN PSALM DAVIDS, VORZUSINGEN,
NACH DER WEISE »SCHÖNE JUGEND«.

2 Ich danke dem HERRN von ganzem Herzen
und [a]erzähle alle deine Wunder.
3 Ich freue mich und bin fröhlich in dir
und lobe deinen Namen, du Allerhöchster,
4 dass meine Feinde zurückweichen mussten;
sie sind gestürzt und umgekommen vor dir. |

7,13 *a* 5. Mose 32,41 **7,16** *a* Spr 26,27 **8,2** *a* 2. Mose 3,13-15 **8,3** *a* Mt 21,16
8,5 *a* (5-7) Hebr 2,6-8 **8,6** *a* 1. Mose 1,27 **8,7** *a* 1. Kor 15,27 **9,2** *a* Ps 44,2

5 Denn du führst mein Recht und meine Sache,
du sitzest auf dem Thron, ein rechter Richter.
6 Du schiltst die Völker und vernichtest die Frevler;
ihren Namen vertilgst du auf immer und ewig.
7 Der Feind ist vernichtet, zertrümmert für immer,
die Städte hast du zerstört;
[a]jedes Gedenken an sie ist vergangen.

8 Der HERR aber thront ewiglich;
er hat seinen Thron bereitet zum Gericht,
9 er wird den Erdkreis richten mit Gerechtigkeit
und die Völker regieren, wie es recht ist.
10 Der HERR ist des Armen Schutz,
ein Schutz in Zeiten der Not.
11 Darum hoffen auf dich, die deinen Namen kennen;
denn du verlässest nicht, die dich, HERR, suchen.
12 Lobet den HERRN, der zu Zion wohnt;
verkündigt unter den Völkern sein Tun!
13 Denn der nach [a]Blutschuld fragt, [b]gedenkt der Elenden
und vergisst nicht ihr Schreien.

14 HERR, sei mir gnädig; /
sieh an mein Elend unter meinen Feinden,
der du mich erhebst aus den Toren des Todes,
15 dass ich [a]erzähle all deinen Ruhm,
in den Toren der Tochter Zion,
dass ich [b]fröhlich sei über deine Hilfe.
16 Völker sind versunken in der Grube, die sie gegraben,
ihr Fuß ist gefangen im Netz, das sie gestellt hatten.
17 Der HERR hat sich kundgetan und Gericht gehalten.
Der Frevler ist verstrickt in dem Werk seiner Hände.
ZWISCHENSPIEL. SELA.

18 Die Frevler sollen zu den Toten fahren,
alle Völker, die Gott vergessen!
19 Denn er [a]wird den Armen nicht für immer vergessen;
die Hoffnung der [b]Elenden wird nicht verloren sein ewiglich.
20 [a]HERR, steh auf, dass nicht Menschen die Oberhand gewinnen;
lass die Völker vor dir gerichtet werden!
21 Lege, HERR, einen Schrecken auf sie,
dass die Völker erkennen, dass sie Menschen sind. SELA.

KLAGE UND ZUVERSICHT BEIM ÜBERMUT DER FREVLER

10 HERR, warum stehst du so ferne,
verbirgst dich zur Zeit der Not?
2 Weil der Frevler Übermut treibt, müssen die Elenden leiden;
sie werden gefangen in den Ränken, die er ersann.
3 Denn der Frevler rühmt sich seines Mutwillens,
und der Habgierige sagt dem HERRN ab und lästert ihn.
4 Der Frevler meint in seinem Stolz, Gott frage nicht danach.
»Es ist kein Gott«, sind alle seine Gedanken.

9,7 ***a*** Ps 34,17 **9,13** ***a*** 1. Mose 4,10; 9,5 ***b*** Ps 72,4; 1. Mose 16,11 **9,15** ***a*** Ps 22,23 ***b*** Ps 13,6
9,19 ***a*** Ps 22,25 ***b*** Ps 10,17 **9,20** ***a*** 4. Mose 10,35

5 Er fährt fort in seinem Tun immerdar. /
[a]Deine Gerichte sind ferne von ihm,
er handelt gewaltsam an allen seinen Feinden.
6 Er spricht in seinem Herzen: »Ich werde nimmermehr wanken,
es wird für und für keine Not haben.«[a]
7 Sein [a]Mund ist voll Fluchens, voll Lug und Trug;
seine Zunge richtet Mühsal und Unheil an.
8 Er sitzt und lauert in den Höfen, /
er mordet die Unschuldigen heimlich,
seine Augen spähen nach den Armen.
9 Er lauert im Verborgenen wie ein Löwe im Dickicht, /
er lauert, dass er den Elenden fange;
er fängt ihn und zieht ihn in sein Netz.
10 Er duckt sich, kauert nieder,
und durch seine Gewalt fallen die Schwachen.
11 Er spricht in seinem Herzen: »Gott hat's vergessen,
er hat sein Antlitz verborgen, [a]er wird's nimmermehr sehen.«

12 [a]Steh auf, HERR! Gott, erhebe deine Hand!
Vergiss die Elenden nicht!
13 Warum lästert der Frevler
und spricht in seinem Herzen: »Du fragst doch nicht danach«?
14 Du siehst es ja, /
denn du schaust das Elend und den Jammer;
es steht in deinen Händen.
Die Armen befehlen es dir;
[a]du bist der Waisen Helfer.
15 [a]Zerbrich den Arm des Frevlers und Bösen /
und suche seinen Frevel heim,
dass man nichts mehr davon finde.

16 Der HERR ist König immer und ewiglich;
die Heiden sind verschwunden aus seinem Lande.
17 Das Verlangen der [a]Elenden hörst du, HERR;
du machst ihr Herz gewiss, dein Ohr merkt darauf,
18 dass du Recht schaffest den Waisen und Armen,
dass der Mensch nicht mehr trotze auf Erden.

VERTRAUEN AUF GOTTES GERECHTIGKEIT

11 VON DAVID, VORZUSINGEN.

Ich traue auf den HERRN. Wie sagt ihr denn zu mir:
»Flieh wie ein Vogel auf die Berge!
2 Denn siehe, die Frevler spannen den Bogen /
und legen ihre Pfeile auf die Sehne,
damit heimlich zu schießen auf die Frommen.
3 Ja, sie reißen die Grundfesten um;
was kann da der Gerechte ausrichten?«

4 [a]Der HERR ist in seinem heiligen Tempel,
[b]des HERRN Thron ist im Himmel.

10,5 ***a*** Am 6,3 **10,6** ***a*** Ps 73,6-8 **10,7** ***a*** Röm 3,14 **10,11** ***a*** Ps 73,11; 94,7; Jes 29,15 **10,12** ***a*** 4. Mose 10,35
10,14 ***a*** Ps 68,6; 2. Mose 22,22 **10,15** ***a*** Hiob 38,15 **10,17** ***a*** Ps 9,19 **11,4** ***a*** Hab 2,20 ***b*** Jes 66,1

[c]Seine Augen sehen herab,
seine Blicke prüfen die Menschenkinder.
5 Der HERR prüft den Gerechten,
aber den Frevler hasst er und den, der Gewalttat liebt.
6 Er wird [a]regnen lassen über die Frevler Feuer und Schwefel
und Glutwind ihnen zum Lohne geben.

7 Denn der HERR ist gerecht und hat Gerechtigkeit lieb.
[a]Die Frommen werden schauen sein Angesicht.

KLAGE ÜBER DIE MACHT DER BÖSEN

12 EIN PSALM DAVIDS, VORZUSINGEN, AUF ACHT SAITEN.

2 Hilf, HERR! Die Heiligen haben abgenommen,
und treu sind wenige unter den Menschenkindern.
3 Einer redet mit dem andern Lug und Trug,
sie heucheln und reden aus zwiespältigem Herzen.

4 Der HERR wolle ausrotten alle Heuchelei
und die Zunge, die hoffärtig redet,
5 die da sagen: [a]»Durch unsere Zunge sind wir mächtig,
uns gebührt zu reden! [b]Wer ist unser Herr?«

6 »Weil die Elenden Gewalt leiden
und die Armen seufzen,
will ich jetzt aufstehen«, spricht der HERR,
»ich will Hilfe schaffen dem, der sich danach sehnt.«

7 Die Worte des HERRN sind lauter wie Silber,
im Tiegel geschmolzen, geläutert siebenmal.
8 Du, HERR, wollest sie bewahren
und uns behüten vor diesem Geschlecht ewiglich!
9 Denn Frevler gehen allenthalben einher,
wo Gemeinheit herrscht unter den Menschenkindern.

HILFERUF EINES ANGEFOCHTENEN

13 EIN PSALM DAVIDS, VORZUSINGEN.

2 HERR, wie lange willst du mich so ganz vergessen?
Wie lange verbirgst du dein Antlitz vor mir?[a]
3 Wie lange soll ich sorgen in meiner Seele /
und mich ängsten in meinem Herzen täglich?
Wie lange soll sich mein Feind über mich erheben?

4 Schaue doch und erhöre mich, HERR, mein Gott!
Erleuchte meine Augen, dass ich nicht im Tode entschlafe,
5 dass nicht mein Feind sich rühme, er sei meiner mächtig geworden,
und meine Widersacher sich freuen, dass ich wanke.

6 Ich traue aber darauf, dass du so gnädig bist; /
mein Herz freut sich, dass du so gerne hilfst.
Ich will dem HERRN singen, dass er so wohl an mir tut.

11,4 ***c*** Ps 33,13-14 **11,6** ***a*** 1. Mose 19,24 **11,7** ***a*** Mt 5,8 **12,5** ***a*** Ps 73,8-9 ***b*** Hiob 21,14-15
13,2 ***a*** Ps 77,8; Hab 1,2

DIE TORHEIT DER MENSCHEN

(vgl. Ps 53,1-7)

14 VON DAVID, VORZUSINGEN.

Die Toren sprechen in ihrem Herzen:
»Es ist kein Gott.«
Sie taugen nichts; ihr Treiben ist ein Gräuel;
da ist keiner, der Gutes tut.
2 Der HERR schaut vom Himmel auf die Menschenkinder,
dass er sehe, ob jemand klug sei und nach Gott frage.
3 Aber sie sind alle abgewichen und allesamt verdorben;
da ist keiner, der Gutes tut, auch nicht einer.[a]

4 Will denn das keiner der Übeltäter begreifen, /
die [a]mein Volk fressen, dass sie sich nähren,
aber den HERRN rufen sie nicht an?
5 Da erschrecken sie sehr;
denn Gott ist bei dem Geschlecht der Gerechten.
6 Ihr lasst den Rat des Armen zuschanden werden;
aber der HERR ist seine Zuversicht.[a]

7 Ach dass die Hilfe aus Zion über Israel käme! /
Wenn [a]der HERR das Geschick seines Volkes wendet,
freue sich Jakob und sei Israel fröhlich!

WEN NIMMT GOTT AN?

(vgl. Ps 24,3-6; Jes 33,14-16)

15 EIN PSALM DAVIDS.

HERR, [a]wer darf weilen in deinem Zelt?
Wer darf wohnen auf deinem heiligen Berge?
2 Wer untadelig lebt und recht tut
und redet die Wahrheit von Herzen;
3 wer mit seiner Zunge nicht verleumdet, /
wer seinem Nächsten nichts Arges tut
und seinen Nachbarn nicht schmäht;
4 wer die Verworfenen für nichts achtet, /
aber ehrt die Gottesfürchtigen;
wer seinen Eid hält, auch wenn es ihm schadet;
5 wer [a]sein Geld nicht auf Zinsen gibt /
und nimmt nicht Geschenke wider den Unschuldigen.
Wer das tut, wird nimmermehr wanken.

DAS SCHÖNE ERBTEIL

16 EIN GÜLDENES KLEINOD DAVIDS.

Bewahre mich, Gott; denn ich traue auf dich. /
2 Ich habe gesagt zu dem HERRN: Du bist ja der Herr!
[a]Ich weiß von keinem Gut außer dir.
3 An den Heiligen, die auf Erden sind,
an den Herrlichen hab ich all mein Gefallen.

14,3 *a* 1. Mose 6,12; Röm 3,10-12 **14,4** *a* Mi 3,3 **14,6** *a* Ps 12,6 **14,7** *a* Ps 126,1
15,1 *a* Pred 4,17 **15,5** *a* 2. Mose 22,24; 5. Mose 23,20-21 **16,2** *a* Ps 73,25

4 Aber jene, die einem andern nachlaufen,
werden viel Herzeleid haben.
Ich will das Blut ihrer Trankopfer nicht opfern
noch ihren Namen in meinem Munde führen.

5 Der HERR ist mein Gut und mein Teil;
du hältst mein Los in deinen Händen![a]
6 Das Los ist mir gefallen auf liebliches Land;
mir ist ein schönes Erbteil geworden.
7 Ich lobe den HERRN, der mich beraten hat;
auch mahnt mich mein Herz des Nachts.
8 Ich habe den HERRN allezeit vor Augen;
er steht mir zur Rechten, so wanke ich nicht.
9 Darum freut sich mein Herz, und meine Seele ist fröhlich;
auch mein Leib wird sicher wohnen.
10 Denn du wirst meine Seele nicht dem Tode lassen
und nicht zugeben, dass dein Heiliger die Grube sehe.
11 **Du tust mir kund den Weg zum Leben:**
Vor dir ist Freude die Fülle
und Wonne zu deiner Rechten ewiglich.

UNTER DEM SCHATTEN DEINER FLÜGEL

17 EIN GEBET DAVIDS.

HERR, höre die gerechte Sache,
merke auf mein Schreien,
vernimm mein Gebet
von Lippen ohne Falsch.
2 [a]Sprich du in meiner Sache;
deine Augen sehen, was recht ist.
3 Du [a]prüfst mein Herz und suchst mich heim bei Nacht;
du läuterst mich und findest nichts.
Ich habe mir vorgenommen,
dass mein Mund sich nicht vergehe.
4 Im Treiben der Menschen bewahre ich mich /
durch das Wort deiner Lippen
vor Wegen der Gewalt.
5 Erhalte meinen Gang auf deinen Pfaden,
dass meine Tritte nicht gleiten.

6 Ich rufe zu dir, denn du, Gott, wirst mich erhören;
neige deine Ohren zu mir, höre meine Rede!
7 Beweise deine wunderbare Güte, du Heiland derer,
die Zuflucht suchen vor denen,
die sich gegen deine rechte Hand erheben.
8 Behüte mich [a]wie einen Augapfel im Auge,
beschirme mich [b]unter dem Schatten deiner Flügel
9 vor den Gottlosen, die mir Gewalt antun,
vor meinen Feinden, die mich ringsum bedrängen.
10 Ihr Herz haben sie verschlossen,
mit ihrem Munde reden sie stolz.

16,5 ***a*** Ps 73,26; 4. Mose 18,20; Klgl 3,24 **17,2** ***a*** Ps 43,1 **17,3** ***a*** Ps 139,1
17,8 ***a*** 5. Mose 32,10 ***b*** Ps 61,5; 63,8; 2. Mose 37,7-9

11 Wo wir auch gehen, da umgeben sie uns;
ihre Augen richten sie darauf,
dass sie uns zu Boden stürzen,
12 gleichwie ein Löwe, der nach Raub giert,
wie ein junger Löwe, der im Versteck sitzt.

13 [a]HERR, mache dich auf, tritt ihm entgegen und demütige ihn!
Errette mein Leben vor dem Frevler mit deinem Schwert,
14 vor den Leuten, HERR, mit deiner Hand,
vor den Leuten dieser Welt,
die ihr Teil haben schon im Leben,
denen du den Bauch füllst mit deinen Gütern,
dass noch ihre Söhne die Fülle haben
und ihren Kindern ein Übriges lassen.

15 Ich aber will schauen dein Antlitz in Gerechtigkeit,
ich will satt werden, wenn ich erwache, an deinem Bilde.

DANK DES KÖNIGS FÜR RETTUNG UND SIEG

(vgl. 2. Sam 22,1-51)

18 VON DAVID, DEM KNECHT DES HERRN,
DER ZUM HERRN DIE WORTE DIESES LIEDES REDETE,
ALS IHN DER HERR ERRETTET HATTE VON DER HAND
ALLER SEINER FEINDE UND VON DER HAND SAULS;
VORZUSINGEN. 2 UND ER SPRACH:

Herzlich lieb habe ich dich, HERR, meine Stärke!
3 HERR, mein [a]Fels, meine Burg, mein Erretter;
mein Gott, mein Hort, auf den ich traue,
mein Schild und Horn meines Heils und mein Schutz!
4 Ich rufe an den HERRN, den Hochgelobten,
so werde ich vor meinen Feinden errettet.

5 [a]Es umfingen mich des Todes Bande,
und die Fluten des Verderbens erschreckten mich.
6 Des Totenreichs Bande umfingen mich,
und des Todes Stricke überwältigten mich.
7 Als mir angst war, rief ich den HERRN an
und schrie zu meinem Gott.
Da erhörte er meine Stimme von seinem Tempel,
und mein Schreien kam vor ihn zu seinen Ohren.

8 Die Erde bebte und wankte,
und die Grundfesten der Berge bewegten sich
und bebten, da er zornig war.
9 [a]Rauch stieg auf von seiner Nase /
und verzehrend Feuer aus seinem Munde;
Flammen sprühten von ihm aus.
10 [a]Er neigte den Himmel und fuhr herab,
und Dunkel war unter seinen Füßen.
11 Und er fuhr auf dem [a]Cherub und flog daher,
er schwebte auf den Fittichen des Windes.

17,13 ***a*** 4. Mose 10,35 **18,3** ***a*** 5. Mose 32,18 **18,5** ***a*** *(5-6)* Ps 116,3
18,9 ***a*** 2. Mose 19,18 **18,10** ***a*** *(10-17)* Ps 144,5-7 **18,11** ***a*** Ps 99,1

12 Er machte Finsternis ringsum zu seinem Zelt,
dunkle Wasser, dichte Wolken.
13 Aus dem Glanz vor ihm zogen seine Wolken dahin
mit Hagel und Blitzen.
14 Der HERR donnerte im Himmel,
und der Höchste ließ seine Stimme erschallen
mit Hagel und Blitzen.
15 Er schoss seine Pfeile und zerstreute die Feinde,
sandte Blitze in Menge und erschreckte sie.
16 Da sah man die Tiefen der Wasser,
und des Erdbodens Grund ward aufgedeckt
vor deinem Schelten, HERR,
vor dem Odem und Schnauben deines Zorns.

17 Er streckte seine Hand aus von der Höhe und fasste mich
und zog mich aus großen Wassern.
18 Er errettete mich von meinen starken Feinden,
von meinen Hassern, die mir zu mächtig waren;
19 sie überwältigten mich zur Zeit meines Unglücks;
aber der HERR ward meine Zuversicht.
20 Er führte mich hinaus ins Weite,
er riss mich heraus; denn er hatte Lust zu mir.

21 Der HERR tut wohl an mir nach meiner Gerechtigkeit,
er vergilt mir nach der Reinheit meiner Hände.
22 Denn ich halte die Wege des HERRN
und bin nicht gottlos wider meinen Gott.
23 Denn alle seine Rechte hab ich vor Augen,
und seine Gebote werfe ich nicht von mir,
24 sondern ich bin ohne Tadel vor ihm
und hüte mich vor Schuld.
25 Darum vergilt mir der HERR nach meiner Gerechtigkeit,
nach der Reinheit meiner Hände vor seinen Augen.
26 Gegen die Heiligen bist du heilig,
und gegen die Treuen bist du treu,
27 gegen die Reinen bist du rein,
und gegen die Verkehrten bist du verkehrt.
28 Denn [a] du hilfst dem elenden Volk,
aber stolze Augen erniedrigst du.
29 Ja, du machst hell meine Leuchte,
der HERR, mein Gott, macht meine Finsternis licht.
30 Denn mit dir kann ich Kriegsvolk zerschlagen
und mit meinem Gott über Mauern springen.
31 Gottes Weg ist vollkommen, /
das Wort des HERRN ist durchläutert.
Er ist ein Schild allen, die ihm vertrauen.

32 Denn wo ist ein Gott außer dem HERRN
oder ein Fels außer unserm Gott?
33 Gott rüstet mich mit Kraft
und macht meinen Weg ohne Tadel.
34 Er macht meine Füße gleich den Hirschen
und stellt mich auf meine Höhen.

18,28 *a* Hiob 22,29

35 Er lehrt meine Hände streiten
und meinen Arm den ehernen Bogen spannen.
36 Du gibst mir den Schild deines Heils, /
und deine Rechte stärkt mich,
und deine Huld macht mich groß.*
37 Du gibst meinen Schritten weiten Raum,
dass meine Knöchel nicht wanken.

38 Ich will meinen Feinden nachjagen und sie ergreifen
und nicht umkehren, bis ich sie umgebracht habe.
39 Ich will sie zerschmettern; sie sollen sich nicht mehr erheben;
sie müssen unter meine Füße fallen.
40 Du rüstest mich mit Stärke zum Streit;
du wirfst unter mich, die sich gegen mich erheben.
41 Du treibst meine Feinde in die Flucht,
dass ich vernichte, die mich hassen.
42 Sie rufen – aber da ist kein Helfer –
zum HERRN, aber er antwortet ihnen nicht.[a]
43 Ich will sie zerstoßen zu Staub vor dem Winde,
ich werfe sie weg wie Unrat auf die Gassen.
44 Du hilfst mir aus dem Streit des Volkes /
und machst mich zum Haupt über die Völker;
ein Volk, das ich nicht kannte, dient mir.
45 Es gehorcht mir mit gehorsamen Ohren;
Söhne der Fremde müssen mir schmeicheln.
46 Die Söhne der Fremde verschmachten
und kommen mit Zittern aus ihren Burgen.

47 Der HERR lebt! Gelobt sei mein Fels!
Der Gott meines Heils sei hoch erhoben,
48 der Gott, der mir Vergeltung schafft
und zwingt die Völker unter mich,
49 der mich errettet von meinen Feinden. /
Du erhöhst mich über die, die sich gegen mich erheben;
du hilfst mir vor dem Gewalttäter.

50 Darum will ich dir danken, HERR, unter den Völkern
und deinem Namen lobsingen,[a]
51 der seinem Könige großes Heil erweist /
und wohltut seinem Gesalbten,
[a]David, und seinem Samen ewiglich.

GOTTES HERRLICHKEIT IN SEINER SCHÖPFUNG UND IN SEINEM GESETZ

19 EIN PSALM DAVIDS, VORZUSINGEN.

2 Die Himmel erzählen die Ehre Gottes,
und die Feste verkündigt seiner Hände Werk.[a]
3 Ein Tag sagt's dem andern,
und eine Nacht tut's kund der andern,
4 ohne Sprache und ohne Worte;
unhörbar ist ihre Stimme.

* **18,36** Luther übersetzte: »Und wenn du mich demütigst, machst du mich groß.«

18,42 *a* Spr 1,28 **18,50** *a* Röm 15,9 **18,51** *a* 2. Sam 7,12-16 **19,2** *a* Röm 1,19-20

5 Ihr Schall geht aus in alle Lande
und ihr Reden bis an die Enden der Welt.[a]

Er hat der Sonne ein Zelt am Himmel gemacht; /
6 sie geht heraus wie ein Bräutigam aus seiner Kammer
und freut sich wie ein Held, zu laufen die Bahn.
7 Sie geht auf an einem Ende des Himmels /
und läuft um bis wieder an sein Ende,
und nichts bleibt vor ihrer Glut verborgen.

8 Das Gesetz des HERRN ist vollkommen
und erquickt die Seele.
Das Zeugnis des HERRN ist gewiss
und macht die Unverständigen weise.
9 Die Befehle des HERRN sind richtig
und erfreuen das Herz.
Die Gebote des HERRN sind lauter
und erleuchten die Augen.
10 Die Furcht des HERRN ist rein und bleibt ewiglich.
Die Rechte des HERRN sind wahrhaftig, allesamt gerecht.
11 Sie sind köstlicher als Gold und viel feines Gold,
sie sind süßer als Honig und Honigseim.

12 Auch lässt dein Knecht sich durch sie warnen;
und wer sie hält, der hat großen Lohn.
13 **Wer kann merken, wie oft er fehlet?**
[a]Verzeihe mir die verborgenen Sünden!
14 Bewahre auch deinen Knecht vor den Stolzen,
dass sie nicht über mich herrschen;
so werde ich ohne Tadel sein
und unschuldig bleiben von großer Missetat.

15 Lass dir wohlgefallen die Rede meines Mundes /
und das Gespräch meines Herzens vor dir,
HERR, mein Fels und mein Erlöser.

GEBET DES VOLKES FÜR SEINEN KÖNIG

20 EIN PSALM DAVIDS, VORZUSINGEN.

2 Der HERR erhöre dich in der Not,
[a]der Name des Gottes Jakobs schütze dich!
3 Er sende dir Hilfe vom Heiligtum
und stärke dich aus Zion!
4 Er gedenke all deiner Speisopfer,
und dein Brandopfer sei ihm angenehm! SELA.
5 Er [a]gebe dir, was dein Herz begehrt,
und erfülle alles, was du dir vornimmst!
6 Dann wollen wir jubeln, weil er dir hilft; /
im Namen unsres Gottes erheben wir das Banner.
Der HERR gewähre dir alle deine Bitten!

7 Nun weiß ich, dass der HERR seinem Gesalbten hilft /
und ihn erhört von seinem heiligen Himmel,
[a]seine rechte Hand hilft mit Macht.

19,5 *a* Röm 10,18 **19,13** *a* Hiob 42,3-6 **20,2** *a* Spr 18,10 **20,5** *a* Ps 21,3 **20,7** *a* 2. Mose 15,6

8 Jene [a]verlassen sich auf Wagen und Rosse;
wir aber denken an den Namen des HERRN, unsres Gottes.
9 Sie sind niedergestürzt und gefallen,
wir aber stehen aufgerichtet.

10 Hilf, HERR!
Der König erhöre uns, wenn wir rufen.

GOTTES HILFE FÜR DEN KÖNIG

21 EIN PSALM DAVIDS, VORZUSINGEN.

2 HERR, der König freut sich in deiner Kraft,
und wie sehr fröhlich ist er über deine Hilfe!
3 Du [a]erfüllst ihm seines Herzens Wunsch
und verweigerst nicht, [b]was sein Mund bittet. SELA.
4 Denn du überschüttest ihn mit gutem Segen,
du setzest eine goldene Krone auf sein Haupt.
5 Er bittet dich um Leben; du gibst es ihm,
[a]langes Leben immer und ewiglich.
6 Er hat große Herrlichkeit durch deine Hilfe;
Pracht und Hoheit legst du auf ihn.
7 Denn du setzest ihn zum Segen ewiglich,
du erfreust ihn mit Freude vor deinem Antlitz.

8 Denn der König hofft auf den HERRN
und wird durch die Güte des Höchsten nicht wanken.
9 Deine Hand wird finden alle deine Feinde,
deine Rechte wird finden, die dich hassen.
10 Du lässt sie glühen wie einen Feuerofen,
wenn du erscheinst.
Der HERR wird sie verschlingen in seinem Zorn;
Feuer wird sie fressen.
11 Ihre Nachkommen wirst du tilgen vom Erdboden
und ihre Kinder aus der Zahl der Menschen.
12 Denn sie gedachten, dir Übles zu tun,
und planten Ränke, die sie nicht ausführen konnten.[a]
13 Denn du wirst machen, dass sie den Rücken kehren;
mit deinem Bogen wirst du auf ihr Antlitz zielen.

14 HERR, erhebe dich in deiner Kraft,
so wollen wir singen und loben deine Macht.

LEIDEN UND HERRLICHKEIT DES GERECHTEN

(vgl. Mt 27,35-46)

22 EIN PSALM DAVIDS, VORZUSINGEN,
NACH DER WEISE »DIE HIRSCHKUH DER MORGENRÖTE«.

2 **Mein Gott, mein Gott, warum hast du mich verlassen?**
Ich schreie, aber meine Hilfe ist ferne.
3 Mein Gott, des Tages rufe ich, doch antwortest du nicht,
und des Nachts, doch finde ich keine Ruhe.

20,8 ***a*** Ps 33,17; 5. Mose 20,1; Jes 31,1 **21,3** ***a*** Ps 20,5 ***b*** Ps 37,4 **21,5** ***a*** Ps 61,7 **21,12** ***a*** Jes 8,10

4 Aber du bist heilig,
der du thronst über den Lobgesängen Israels.
5 Unsere Väter hofften auf dich;
und da sie hofften, halfst du ihnen heraus.
6 Zu dir schrien sie und wurden errettet,
sie hofften auf dich und [a]wurden nicht zuschanden.
7 Ich aber bin ein [a]Wurm und kein Mensch,
ein Spott der Leute und verachtet vom Volk.
8 Alle, die mich sehen, verspotten mich,
[a]sperren das Maul auf und schütteln den Kopf:
9 »Er klage es dem HERRN, der helfe ihm heraus
und rette ihn, hat er Gefallen an ihm.«

10 Du hast mich aus meiner Mutter Leibe gezogen;
du ließest mich geborgen sein an der Brust meiner Mutter.
11 Auf dich bin ich geworfen von Mutterleib an,
du bist mein Gott von meiner Mutter Schoß an.
12 Sei nicht ferne von mir, denn Angst ist nahe;
denn es ist hier kein Helfer.

13 Gewaltige Stiere haben mich umgeben,
mächtige Büffel haben mich umringt.
14 Ihren Rachen sperren sie gegen mich auf
wie ein brüllender und reißender Löwe.
15 Ich bin ausgeschüttet wie Wasser, /
alle meine Gebeine haben sich zertrennt;
mein Herz ist in meinem Leibe wie zerschmolzenes Wachs.
16 Meine Kräfte sind vertrocknet wie eine Scherbe, /
und [a]meine Zunge klebt mir am Gaumen,
und du legst mich in des Todes Staub.
17 Denn Hunde haben mich umgeben, /
und der Bösen Rotte hat mich umringt;
[a]sie haben meine Hände und Füße durchgraben.
18 Ich kann alle meine Gebeine zählen;
sie aber schauen zu und weiden sich an mir.
19 Sie [a]teilen meine Kleider unter sich
und werfen das Los um mein Gewand.

20 Aber du, HERR, sei nicht ferne;
meine Stärke, eile, mir zu helfen!
21 Errette mein Leben vom Schwert,
mein einziges Gut von den Hunden!
22 Hilf mir aus dem [a]Rachen des Löwen /
und vor den Hörnern der wilden Stiere –
du hast mich erhört!*

23 Ich will deinen Namen kundtun meinen Brüdern,
ich will dich in der Gemeinde rühmen:[a]
24 Rühmet den HERRN, die ihr ihn fürchtet;
ehrt ihn, all ihr Nachkommen Jakobs,
und scheut euch vor ihm,
all ihr Nachkommen Israels!

* **22,22** Luther übersetzte: »und errette mich von den Einhörnern«.

22,6 ***a*** Ps 25,2-3 **22,7** ***a*** Hiob 25,6; Jes 41,14 **22,8** ***a*** Hiob 16,10 **22,16** ***a*** Joh 19,28
22,17 ***a*** Joh 20,25.27 **22,19** ***a*** Joh 19,24 **22,22** ***a*** Dan 6,23 **22,23** ***a*** Ps 26,12; Hebr 2,12

25 Denn er hat nicht verachtet noch [a]verschmäht
das Elend des Armen
und sein Antlitz vor ihm nicht verborgen;
und da er zu ihm schrie, hörte er's.

26 Dich will ich preisen in der großen Gemeinde,
ich will mein Gelübde erfüllen vor denen, die ihn fürchten.
27 Die [a]Elenden sollen essen, dass sie satt werden; /
und die nach dem HERRN fragen, werden ihn preisen;
euer Herz soll ewiglich leben.
28 Es werden gedenken und sich zum HERRN bekehren aller Welt Enden
und vor ihm anbeten alle Geschlechter der Völker.
29 Denn des HERRN ist das Reich,
und er herrscht unter den Völkern.
30 Ihn allein werden anbeten
alle Großen auf Erden;
vor ihm werden die Knie beugen alle, /
die zum Staube hinabfuhren
und ihr Leben nicht konnten erhalten.
31 Er wird Nachkommen haben, die ihm dienen;
vom Herrn wird man verkündigen Kind und Kindeskind.
32 Sie werden kommen und seine Gerechtigkeit predigen
dem Volk, das geboren wird. Denn er hat's getan.

DER GUTE HIRTE

23 EIN PSALM DAVIDS.

**Der HERR ist mein [a]Hirte,
mir wird nichts mangeln.
2 Er [a]weidet mich auf einer grünen Aue
und führet mich zum frischen Wasser.
3 Er erquicket meine Seele.
Er führet mich auf rechter Straße um seines Namens willen.
4 Und ob ich schon wanderte im finstern Tal,
[a]fürchte ich kein Unglück;
denn du bist bei mir,
dein Stecken und Stab trösten mich.
5 Du bereitest vor mir einen Tisch
im Angesicht meiner Feinde.
Du salbest mein Haupt mit Öl
und [a]schenkest mir voll ein.
6 Gutes und Barmherzigkeit werden mir folgen mein Leben lang,
und [a]ich werde bleiben im Hause des HERRN immerdar.**

EINZUG IN DAS HEILIGTUM

24 EIN PSALM DAVIDS.

[a]Die Erde ist des HERRN und was darinnen ist,
der Erdkreis und die darauf wohnen.

22,25 *a* Hebr 5,7 **22,27** *a* Ps 69,33 **23,1** *a* 1. Mose 48,15; Jes 40,11; Joh 10,11-30 **23,2** *a* Hes 34,13-14; Offb 7,17 **23,4** *a* Ps 46,3 **23,5** *a* Ps 36,9 **23,6** *a* Ps 84,5 **24,1** *a* Joh 1,11; 1. Kor 10,26

2 Denn er hat ihn über den Meeren gegründet
und über den Wassern bereitet.

3 [a]Wer darf auf des HERRN Berg gehen,
und wer darf stehen an seiner heiligen Stätte?
4 Wer unschuldige Hände hat
und reinen Herzens ist,
wer nicht bedacht ist auf Lüge
und nicht schwört zum Trug:
5 der wird den Segen vom HERRN empfangen
und [a]Gerechtigkeit von dem Gott seines Heiles.
6 Das ist das Geschlecht, das nach ihm fragt,
das da sucht dein Antlitz, Gott Jakobs. SELA.

7 Machet die Tore weit und die Türen in der Welt hoch,*
dass der König der Ehre einziehe![a]
8 Wer ist der König der Ehre?
Es ist der HERR, stark und mächtig,
der HERR, mächtig im Streit.
9 Machet die Tore weit und die Türen in der Welt hoch,
dass der König der Ehre einziehe!
10 Wer ist der König der Ehre?
Es ist der HERR Zebaoth; er ist der König der Ehre. SELA.

GEBET UM GOTTES VERGEBUNG UND LEITUNG

25 VON DAVID.

Nach dir, HERR, verlangt mich.
2 Mein Gott, ich hoffe auf dich;
lass mich nicht zuschanden werden,
dass meine Feinde nicht frohlocken über mich.
3 Denn keiner wird zuschanden, der auf dich harret;
aber zuschanden werden die leichtfertigen Verächter.

4 HERR, zeige mir deine Wege
und lehre mich deine Steige!
5 Leite mich in deiner Wahrheit und lehre mich!
Denn du bist der Gott, der mir hilft;
täglich harre ich auf dich.
6 Gedenke, HERR, an deine Barmherzigkeit und an deine Güte,
die von Ewigkeit her gewesen sind.
7 Gedenke nicht der Sünden meiner Jugend
und meiner Übertretungen,
gedenke aber meiner nach deiner Barmherzigkeit,
HERR, um deiner Güte willen!
8 Der HERR ist gut und gerecht;
darum weist er Sündern den Weg.
9 Er leitet die Elenden recht
und lehrt die Elenden seinen Weg.
10 Die Wege des HERRN sind lauter Güte und Treue
für alle, die seinen Bund und seine Zeugnisse halten.

* **24,7** Wörtlich: »Erhebt, ihr Tore, eure Häupter, und erhebt euch, ihr uralten Pforten«. So auch in Vers 9.

24,3 ***a*** *(3-6)* Ps 15,1-5 **24,5** ***a*** Jes 48,18 **24,7** ***a*** 2. Sam 6,1-19; Jes 40,3-4

11 Um deines Namens willen, HERR,
[a]vergib mir meine Schuld, die da groß ist!

12 Wer ist es, der den HERRN fürchtet?
Er wird ihm den Weg weisen, den er wählen soll.
13 Der wird im Guten wohnen,
und [a]seine Kinder werden das Land besitzen.
14 Am Rat des HERRN haben teil, die ihn fürchten;
und seinen Bund lässt er sie wissen.
15 Meine Augen sehen stets auf den HERRN;
denn er wird meinen Fuß aus dem Netze ziehen.

16 Wende dich zu mir und sei mir gnädig;
denn ich bin einsam und elend.
17 Die Angst meines Herzens ist groß;
führe mich aus meinen Nöten!
18 Sieh an meinen Jammer und mein Elend
und vergib mir alle meine Sünden!
19 Sieh, wie meiner Feinde so viel sind
und [a]zu Unrecht mich hassen.
20 Bewahre meine Seele und errette mich;
lass mich nicht zuschanden werden, denn ich traue auf dich!
21 Unschuld und Redlichkeit mögen mich behüten;
denn ich harre auf dich.
22 Gott, [a]erlöse Israel
aus aller seiner Not!

BITTE EINES UNSCHULDIGEN

26 VON DAVID.

HERR, schaffe mir Recht, denn ich bin unschuldig!
Ich hoffe auf den HERRN, darum werde ich nicht fallen.
2 Prüfe mich, HERR, und erprobe mich,
läutere meine Nieren und mein Herz!

3 Denn deine Güte ist mir vor Augen,
und ich wandle in deiner Wahrheit.
4 [a]Ich sitze nicht bei falschen Menschen
und habe nicht Gemeinschaft mit den Heuchlern.
5 Ich hasse die Versammlung der Boshaften
und sitze nicht bei den Gottlosen.
6 Ich [a]wasche meine Hände in Unschuld
und umschreite, HERR, deinen Altar,
7 dir zu danken mit lauter Stimme
und zu verkünden alle deine Wunder.
8 HERR, ich habe lieb [a]die Stätte deines Hauses
und den Ort, da deine Ehre wohnt.

9 Raffe meine Seele nicht hin mit den Sündern
noch mein Leben mit den Blutdürstigen,
10 an deren Händen Schandtat klebt
und die gern Geschenke nehmen.

25,11 *a* 2. Mose 34,6-7 **25,13** *a* Ps 37,9 **25,19** *a* Ps 35,19 **25,22** *a* Ps 130,8
26,4 *a* (4-5) Ps 1,1 **26,6** *a* 5. Mose 21,6-7; Mt 27,24 **26,8** *a* Ps 27,4; 122,1-2

11 Ich aber gehe meinen Weg in Unschuld.
Erlöse mich und sei mir gnädig!
12 Mein Fuß steht fest auf rechtem Grund.
[a]Ich will den HERRN loben in den Versammlungen.

GEMEINSCHAFT MIT GOTT

27 VON DAVID.

[a]Der HERR ist mein Licht und mein Heil;
[b]vor wem sollte ich mich fürchten?
Der HERR ist meines Lebens Kraft;
vor wem sollte mir grauen?
2 Wenn die Übeltäter an mich wollen,
mich zu verschlingen,
meine Widersacher und Feinde,
müssen sie selber straucheln und fallen.
3 Wenn sich auch ein Heer wider mich lagert,
so fürchtet sich dennoch mein Herz nicht;
wenn sich Krieg wider mich erhebt,
so verlasse ich mich auf *ihn.*[a]

4 Eines bitte ich vom HERRN, das hätte ich gerne:
dass ich [a]im Hause des HERRN bleiben könne mein Leben lang,
zu schauen die schönen Gottesdienste* des HERRN
und seinen Tempel zu betrachten.
5 Denn [a]er deckt mich in seiner Hütte zur bösen Zeit, /
er birgt mich im Schutz seines Zeltes
und erhöht mich auf einen Felsen.
6 Und nun erhebt sich mein Haupt
über meine Feinde, die um mich sind;
so will ich opfern in seinem Zelt mit Jubel,
ich will singen und Lob sagen dem HERRN.

7 HERR, höre meine Stimme, wenn ich rufe;
sei mir gnädig und antworte mir!
8 Mein Herz hält dir vor dein Wort: /
»Ihr sollt mein Antlitz suchen.«
Darum [a]suche ich auch, HERR, dein Antlitz.
9 Verbirg dein Antlitz nicht vor mir,
verstoße nicht im Zorn deinen Knecht!
Denn du bist meine Hilfe; verlass mich nicht
und tu die Hand nicht von mir ab, du Gott meines Heils!
10 Denn mein Vater und meine Mutter verlassen mich,
aber der HERR nimmt mich auf.

11 HERR, [a]weise mir deinen Weg
und leite mich auf ebener Bahn um meiner Feinde willen.
12 Gib mich nicht preis dem Willen meiner Feinde!
Denn es stehen falsche Zeugen wider mich auf
und tun mir Unrecht.

* **27,4** Wörtlich: »Schönheit«.

26,12 ***a*** Ps 22,23 **27,1** ***a*** Mi 7,8 ***b*** Ps 56,5 **27,3** ***a*** Ps 3,7 **27,4** ***a*** Ps 26,8; 42,5; 63,3; 84,4-5.11
27,5 ***a*** Ps 31,21 **27,8** ***a*** 5. Mose 4,29 **27,11** ***a*** Ps 86,11; 139,24

13 Ich glaube aber doch, dass ich [a]sehen werde
die Güte des HERRN im Lande der Lebendigen.
14 Harre des HERRN!
Sei getrost und unverzagt und harre des HERRN!

BITTE UM VERSCHONUNG – DANK FÜR ERRETTUNG

28 VON DAVID.

Wenn ich rufe zu dir, HERR, mein Fels,
so schweige mir nicht,
dass ich nicht, wenn du schweigst,
gleich werde denen, die in die Grube fahren.
2 Höre die Stimme meines Flehens, wenn ich zu dir schreie,
wenn ich meine Hände aufhebe zu deinem heiligen Tempel.
3 Raffe mich nicht hin
mit den Gottlosen und Übeltätern,
die [a]freundlich reden mit ihrem Nächsten
und haben Böses im Herzen.
4 Gib ihnen nach ihrem Tun
und nach ihren bösen Taten;
gib ihnen nach den Werken ihrer Hände;
vergilt ihnen, wie sie es verdienen.
5 Denn [a]sie wollen nicht achten auf das Tun des HERRN
noch auf die Werke seiner Hände;
darum wird er sie niederreißen
und nicht wieder aufbauen.

6 Gelobt sei der HERR; denn er hat erhört
die Stimme meines Flehens.
7 Der HERR ist meine Stärke und mein Schild;
auf ihn traut mein Herz und mir ist geholfen.
Nun ist mein Herz fröhlich,
und ich will ihm danken mit meinem Lied.

8 Der HERR ist seines Volkes Stärke,
Hilfe und Stärke für seinen Gesalbten.
9 Hilf deinem Volk und segne dein Erbe
und weide und trage sie ewiglich!

LOBPREIS DER HERRLICHKEIT GOTTES

29 EIN PSALM DAVIDS.

Bringet dar dem HERRN, ihr Himmlischen,
bringet dar dem HERRN Ehre und Stärke![a]
2 Bringet dar dem HERRN die Ehre seines Namens,
betet an den HERRN in heiligem Schmuck!
3 Die Stimme des HERRN erschallt über den Wassern,
der Gott der Ehre donnert, der HERR, über großen Wassern.
4 Die Stimme des HERRN ergeht mit Macht,
die Stimme des HERRN ergeht herrlich.

27,13 *a* Jes 38,11 **28,3** *a* 2. Sam 20,9-10 **28,5** *a* Jes 5,12-13 **29,1** *a* Ps 103,20-21

5 Die Stimme des HERRN zerbricht Zedern,
der HERR zerbricht die Zedern des Libanon.
6 Er lässt hüpfen wie ein Kalb den Libanon,
den [a]Sirjon wie einen jungen Wildstier.
7 Die Stimme des HERRN sprüht Feuerflammen; /
8 die Stimme des HERRN lässt die Wüste erbeben;
der HERR lässt erbeben die Wüste Kadesch.
9 Die Stimme des HERRN lässt Hirschkühe kreißen /
und reißt Wälder kahl.
In seinem Tempel ruft alles: »Ehre!«

10 Der HERR thront über der Flut;
der HERR bleibt ein König in Ewigkeit.
11 Der HERR wird seinem Volk Kraft geben;
der HERR wird sein Volk segnen mit Frieden.

DANK FÜR RETTUNG AUS TODESNOT

30 EIN PSALM DAVIDS, EIN LIED ZUR [a]EINWEIHUNG DES TEMPELS.

2 Ich preise dich, HERR; denn du hast mich aus der Tiefe gezogen
und lässest meine Feinde sich nicht über mich freuen.
3 HERR, mein Gott, da ich schrie zu dir,
[a]machtest du mich gesund.
4 HERR, du hast meine Seele geführt aus dem Reich des Todes;
[a]du hast mich aufleben lassen unter denen,
die in die Grube fuhren.

5 Lobsinget dem HERRN, ihr seine Heiligen,
und preiset seinen heiligen Namen!
6 Denn [a]sein Zorn währet einen Augenblick
und lebenslang seine Gnade.
Den Abend lang währet das Weinen,
aber des Morgens ist Freude.

7 Ich aber sprach, als es mir gut ging:
Ich werde nimmermehr wanken.
8 Denn, HERR, durch dein Wohlgefallen /
hattest du mich auf einen starken Fels gestellt.
Aber als du dein Antlitz verbargest, erschrak ich.
9 Zu dir, HERR, rief ich
und flehte zu meinem Gott.
10 Was nützt dir mein Blut, wenn ich zur Grube fahre?
[a]Wird dir auch der Staub danken und deine Treue verkündigen?
11 HERR, höre und sei mir gnädig!
HERR, sei mein Helfer!

12 Du hast mir meine Klage verwandelt in einen Reigen,
du hast mir den Sack der Trauer ausgezogen
und mich mit Freude gegürtet,
13 dass ich dir lobsinge und nicht stille werde.
HERR, mein Gott, ich will dir danken in Ewigkeit.

29,6 *a* 5. Mose 3,8-9 **30,1** *a* 1. Makk 4,52-54 **30,3** *a* 2. Mose 15,26 **30,4** *a* Ps 116,3-4.7-9
30,6 *a* Jes 54,7-8 **30,10** *a* Ps 6,6

IN GOTTES HÄNDEN GEBORGEN

31 EIN PSALM DAVIDS, VORZUSINGEN.

2 **HERR, auf dich traue ich, /**
lass mich nimmermehr zuschanden werden,
errette mich durch deine Gerechtigkeit!
3 [a]**Neige deine Ohren zu mir, hilf mir eilends!**
Sei mir ein starker Fels und eine Burg, dass du mir helfest!
4 **Denn du bist mein Fels und meine Burg,**
und um deines Namens willen
wollest du mich leiten und führen.
5 **Du wollest mich aus dem Netze ziehen, /**
das sie mir heimlich stellten;
denn du bist meine Stärke.
6 [a]**In deine Hände befehle ich meinen Geist;**
du hast mich erlöst, HERR, du treuer Gott.

7 Ich hasse, die sich halten an nichtige Götzen;
ich aber vertraue auf den HERRN.
8 Ich freue mich und bin fröhlich über deine Güte,
dass du mein Elend ansiehst und kennst die Not meiner Seele
9 und übergibst mich nicht in die Hände des Feindes;
du stellst meine Füße auf weiten Raum.

10 HERR, sei mir gnädig, denn mir ist angst!
Mein Auge ist trübe geworden vor Gram,
matt meine Seele und mein Leib.
11 Denn mein Leben ist hingeschwunden in Kummer
und meine Jahre in Seufzen.
Meine Kraft ist verfallen durch meine Missetat,
und meine Gebeine sind verschmachtet.
12 Allen meinen Bedrängern bin ich ein Spott geworden,
eine Last meinen Nachbarn und ein Schrecken meinen Freunden.
Die mich sehen auf der Gasse,
fliehen vor mir.
13 Ich bin vergessen im Herzen wie ein Toter;
ich bin geworden wie ein zerbrochenes Gefäß.
14 Denn ich höre, wie viele mich verleumden:
[a]Schrecken ist um und um!
Sie halten Rat miteinander über mich
und trachten danach, mir das Leben zu nehmen.

15 Ich aber, HERR, hoffe auf dich
und spreche: Du bist mein Gott!
16 [a]**Meine Zeit steht in deinen Händen.**
Errette mich von der Hand meiner Feinde
und von denen, die mich verfolgen.
17 [a]Lass leuchten dein Antlitz über deinem Knecht;
hilf mir durch deine Güte!
18 HERR, lass mich nicht zuschanden werden;
denn ich rufe dich an.

31,3 *a* (3-4) Ps 71,3 **31,6** *a* Lk 23,46 **31,14** *a* Jer 20,3 **31,16** *a* Ps 139,16; Pred 3,1-8
31,17 *a* Ps 80,4; 4. Mose 6,25

Die Frevler sollen zuschanden werden
und verstummen im Totenreich.
19 Verstummen sollen die Lügenmäuler,
die da reden wider den Gerechten frech, stolz und höhnisch.

20 Wie groß ist deine Güte, HERR,
die du bewahrt hast denen, die dich fürchten,
und erweisest vor den Menschen
denen, die auf dich trauen!
21 Du [a]birgst sie im Schutz deines Angesichts vor den Rotten der Leute,
du verbirgst sie in der Hütte vor den zänkischen Zungen.

22 Gelobt sei der HERR; denn er hat seine wunderbare Güte
mir erwiesen in einer festen Stadt.
23 Ich sprach wohl in meinem Zagen:
Ich bin von deinen Augen verstoßen.
Doch du hörtest die Stimme meines Flehens,
als ich zu dir schrie.

24 Liebet den HERRN, alle seine Heiligen!
Die Gläubigen behütet der HERR
und vergilt reichlich dem, der Hochmut übt.
25 Seid getrost und unverzagt alle,
die ihr des HERRN harret!

DIE FREUDE DER BUSSE (DER ZWEITE BUSSPSALM)

32 EINE UNTERWEISUNG DAVIDS.

[a]Wohl dem, dem die Übertretungen vergeben sind,
dem die Sünde bedeckt ist!
2 Wohl dem Menschen, dem der HERR die Schuld nicht zurechnet,
in dessen Geist kein Falsch ist!

3 Denn da ich es wollte verschweigen,
verschmachteten meine Gebeine durch mein tägliches Klagen.
4 Denn deine Hand lag Tag und Nacht schwer auf mir,
dass mein Saft vertrocknete,
wie es im Sommer dürre wird. SELA.
5 Darum [a]bekannte ich dir meine Sünde,
und meine Schuld verhehlte ich nicht.
Ich sprach: Ich will dem HERRN meine Übertretungen bekennen.
Da [b]vergabst du mir die Schuld meiner Sünde. SELA.

6 Deshalb werden alle Heiligen zu dir beten
zur Zeit der Angst;
darum, wenn große Wasserfluten kommen,
werden sie nicht an sie gelangen.
7 Du bist mein Schirm, du wirst mich vor Angst behüten,
dass ich errettet gar fröhlich rühmen kann. SELA.
8 Ich will dich unterweisen und dir den Weg zeigen, /
den du gehen sollst;
ich will dich mit meinen Augen leiten.

31,21 ***a*** Ps 27,5 **32,1** ***a*** (1-2) Röm 4,6-8 **32,5** ***a*** Ps 38,19; Spr 28,13; Jak 5,16 ***b*** Jes 38,17

9 Seid nicht wie Rosse und Maultiere,
die ohne Verstand sind,
denen man Zaum und Gebiss anlegen muss;
sie werden sonst nicht zu dir kommen.

10 Der Gottlose hat viel Plage;
wer aber auf den HERRN hofft, den wird die Güte umfangen.
11 Freuet euch des HERRN und seid fröhlich, ihr Gerechten,
und jauchzet, alle ihr Frommen.

EIN LOBLIED AUF GOTTES MACHT UND HILFE

33 Freuet euch des HERRN, ihr Gerechten;
die Frommen sollen ihn recht preisen.
2 Danket dem HERRN mit der Harfe;
lobsinget ihm zur Harfe von zehn Saiten!
3 Singet ihm [a]ein neues Lied;
spielt schön auf den Saiten mit fröhlichem Schall!
4 Denn **des HERRN Wort ist wahrhaftig,**
und was er zusagt, das hält er gewiss.
5 Er liebt Gerechtigkeit und Recht;
die Erde ist voll der Güte des HERRN.

6 Der Himmel ist durch das Wort des HERRN gemacht
und all sein Heer durch den Hauch seines Mundes.[a]
7 Er [a]hält die Wasser des Meeres zusammen wie in einem Schlauch
und sammelt in Kammern die Fluten.
8 **Alle Welt fürchte den HERRN,**
und vor ihm scheue sich alles, was auf dem Erdboden wohnet.
9 **Denn wenn er spricht, so geschieht's;**
[a]**wenn er gebietet, so steht's da.**
10 Der HERR macht zunichte der Heiden Rat
und wehrt den Plänen der Völker.
11 Aber der Ratschluss des HERRN bleibt ewiglich,
seines Herzens Gedanken für und für.
12 Wohl dem Volk, [a]dessen Gott der HERR ist,
dem Volk, das er zum Erbe erwählt hat!
13 Der HERR schaut vom Himmel
und sieht alle Menschenkinder.
14 Von seinem festen Thron sieht er auf alle,
die auf Erden wohnen.
15 Der ihnen allen das Herz geschaffen hat,
achtet auf alle ihre Werke.
16 Einem König hilft nicht seine große Macht;
[a]ein Held kann sich nicht retten durch seine große Kraft.
17 [a]Rosse helfen auch nicht; da wäre man betrogen;
und ihre große Stärke errettet nicht.
18 Siehe, des HERRN Auge sieht auf alle, die ihn fürchten,
die auf seine Güte hoffen,
19 dass er ihre Seele errette vom Tode
und sie am Leben erhalte in Hungersnot. |

33,3 *a* Ps 40,4; 96,1; 98,1; 144,9; 149,1; Jes 42,10; Offb 5,9 **33,6** *a* 1. Mose 1,6.14 **33,7** *a* Ps 104,9
33,9 *a* Ps 148,5 **33,12** *a* 5. Mose 33,29 **33,16** *a* 1. Sam 17,1-58 **33,17** *a* Ps 20,8

20 Unsre Seele harrt auf den HERRN;
er ist uns Hilfe und Schild.
21 Denn unser Herz freut sich seiner,
und wir trauen auf seinen heiligen Namen.
22 Deine Güte, HERR, sei über uns,
wie wir auf dich hoffen.

UNTER GOTTES SCHUTZ

34 VON DAVID, [a]ALS ER SICH WAHNSINNIG STELLTE VOR ABIMELECH UND DIESER IHN VERTRIEB UND ER WEGGING.

2 **Ich will den HERRN loben allezeit;**
sein Lob soll immerdar in meinem Munde sein.
3 **Meine Seele soll sich rühmen des HERRN,**
dass es die Elenden hören und sich freuen.
4 **Preiset mit mir den HERRN**
und lasst uns miteinander seinen Namen erhöhen!

5 **Da ich den HERRN suchte, antwortete er mir**
und errettete mich aus aller meiner Furcht.
6 Die auf ihn sehen, werden strahlen vor Freude,
und ihr Angesicht soll nicht schamrot werden.
7 Als einer im Elend rief, hörte der HERR
und half ihm aus allen seinen Nöten.
8 Der [a]Engel des HERRN lagert sich um die her,
die ihn fürchten, und hilft ihnen heraus.
9 [a]**Schmecket und sehet, wie freundlich der HERR ist.**
Wohl dem, der auf ihn trauet!
10 Fürchtet den HERRN, ihr seine Heiligen!
Denn die ihn fürchten, haben keinen Mangel.
11 [a]Reiche müssen darben und hungern;
aber die den HERRN suchen,
haben keinen Mangel an irgendeinem Gut.

12 Kommt her, ihr Kinder, höret mir zu!
Ich will euch die Furcht des HERRN lehren.
13 [a]Wer ist's, der Leben begehrt
und gerne gute Tage hätte?
14 Behüte deine Zunge vor Bösem
und deine Lippen, dass sie nicht Trug reden.
15 Lass ab vom Bösen und tue Gutes;
suche Frieden und jage ihm nach!

16 Die Augen des HERRN merken auf die Gerechten
und seine Ohren auf ihr Schreien.
17 Das Antlitz des HERRN steht wider alle, die Böses tun,
dass er [a]ihren Namen ausrotte von der Erde.
18 Wenn die Gerechten schreien, so hört der HERR
und errettet sie aus all ihrer Not.
19 Der HERR ist nahe denen, die zerbrochenen Herzens sind,
und hilft denen, die ein zerschlagenes Gemüt haben.[a]

34,1 *a* 1. Sam 21,14-16 **34,8** *a* Ps 91,11; 1. Mose 32,2-3; 2. Kön 6,17 **34,9** *a* 1. Petr 2,3
34,11 *a* Lk 1,53 **34,13** *a* (13-17) 1. Petr 3,10-12 **34,17** *a* Spr 10,7 **34,19** *a* Ps 51,19

20 Der Gerechte muss viel leiden,
aber aus alledem hilft ihm der HERR.[a]
21 Er bewahrt ihm alle seine Gebeine,
dass nicht eines von ihnen zerbrochen wird.
22 Den Frevler wird das Unglück töten,
und die den Gerechten hassen, fallen in Schuld.
23 Der HERR erlöst das Leben seiner Knechte,
und alle, die auf ihn trauen, werden frei von Schuld.

GEBET UM ERRETTUNG VON FEINDEN

35 VON DAVID.

HERR, führe meine Sache gegen meine Widersacher,
bekämpfe, die mich bekämpfen!
2 Ergreife Schild und Panzer
und mache dich auf, mir zu helfen!
3 Zücke Speer und Lanze wider meine Verfolger!
Sprich zu mir: Ich bin deine Hilfe!
4 Es sollen sich schämen und zum Spott werden,
die mir nach dem Leben trachten;
es sollen zurückweichen und zuschanden werden,
die mein Unglück wollen.
5 Sie sollen werden wie Spreu vor dem Winde,
und der Engel des HERRN stoße sie weg.
6 Ihr Weg soll finster und schlüpfrig werden,
und der Engel des HERRN verfolge sie.
7 Denn ohne Grund haben sie mir ihr Netz gestellt,
ohne Grund mir eine Grube gegraben.

8 Unversehens soll ihn Unheil überfallen; /
sein Netz, das er gestellt hat, fange ihn selber,
zum eigenen Unheil stürze er hinein.
9 Aber meine Seele soll sich freuen des HERRN
und fröhlich sein über seine Hilfe.
10 Alle meine Gebeine sollen sagen:
HERR, wer ist dir gleich?
Der du den Elenden rettest /
vor dem, der ihm zu stark ist,
und den Elenden und Armen vor seinem Räuber.

11 Ruchlose Zeugen treten auf;
sie werfen mir vor, wovon ich nichts weiß.
12 Sie vergelten mir Gutes mit Bösem,
einsam bin ich und verlassen*.
13 Ich aber [a]zog einen Sack an, wenn sie krank waren, /
quälte mich mit Fasten
und betete mit gesenktem Haupt,
14 als wären sie mir Freund und Bruder.
So ging ich einher,
wie einer Leid trägt über seine Mutter,
so beugte ich mich in Trauer.[a]

* **35,12** Wörtlich: »Kinderlosigkeit für mich«.

34,20 *a* 2. Kor 1,5 **35,13** *a* Hiob 31,29 **35,14** *a* Röm 12,15

15 Sie aber freuen sich, wenn ich wanke,
und rotten sich zusammen;
sie rotten sich heimlich zum Schlag wider mich,
sie schmähen und hören nicht auf.
16 Sie lästern und spotten immerfort
und knirschen mit ihren Zähnen wider mich.

17 Herr, wie lange willst du zusehen?
Errette doch mein Leben vor ihrem Wüten,
mein einziges Gut vor den jungen Löwen!
18 Ich will dir danken in großer Gemeinde;
unter vielem Volk will ich dich rühmen.
19 Lass sich nicht über mich freuen, die [a]mir zu Unrecht feind sind,
noch mit den Augen spotten, die [b]mich ohne Grund hassen!
20 Denn sie reden nicht, was dem Frieden dient,
und ersinnen falsche Anklagen wider die Stillen im Lande.
21 Sie sperren das Maul weit auf wider mich
und sprechen: »Da, da, wir sehen's mit eigenen Augen!«
22 HERR, du hast es gesehen, schweige nicht;
HERR, sei nicht ferne von mir!
23 Wach auf, werde wach für mein Recht
und meine Sache, mein Gott und Herr!
24 HERR, mein Gott, schaffe mir Recht nach deiner Gerechtigkeit,
dass sie sich nicht über mich freuen.
25 Lass sie nicht sagen in ihrem Herzen: »Da! Das wollten wir.«
Lass sie nicht sagen: »Wir haben ihn verschlungen.«

26 Sie sollen sich schämen und zuschanden werden,
alle, die sich meines Unglücks freuen;
sie sollen in Schmach und Schande sich kleiden,
die sich wider mich rühmen.
27 Jubeln und freuen sollen sich,
die Gefallen haben an meiner Gerechtigkeit,
und immer sagen: Der HERR sei hochgelobt,
der seinem Knecht so wohl will!
28 Und meine Zunge soll reden von deiner Gerechtigkeit
und dich täglich preisen.

DIE QUELLE DES LEBENS

36 VON DAVID, DEM KNECHT DES HERRN, VORZUSINGEN.

2 Es sinnt der Sünder auf Frevel /
im Grund seines Herzens,
[a]er kennt kein Erschrecken vor Gott.
3 Er schmeichelt Gott vor dessen Augen
und findet doch seine Strafe für seinen Hass.
4 Seine Worte sind falsch und erlogen,
verständig und gut handelt er nicht mehr.
5 Er [a]trachtet auf seinem Lager nach Schaden
und steht fest auf dem bösen Weg und scheut kein Arges.

6 **HERR, deine Güte reicht, so weit der Himmel ist,**
und deine Wahrheit, so weit die Wolken gehen.

35,19 ***a*** Ps 25,19 ***b*** Ps 69,5 **36,2** ***a*** Röm 3,18 **36,5** ***a*** Mi 2,1

7 Deine Gerechtigkeit steht wie die Berge Gottes /
und dein Recht wie die große Tiefe.
HERR, du hilfst Menschen und Tieren.
8 Wie köstlich ist deine Güte, Gott,
dass Menschenkinder [a]unter dem Schatten deiner Flügel Zuflucht haben!
9 Sie werden satt von den reichen Gütern deines Hauses,
und du tränkst sie mit Wonne wie mit einem Strom.
10 Denn **bei dir ist [a]die Quelle des Lebens,**
und in deinem Lichte sehen wir das Licht.

11 Breite deine Güte über die, die dich kennen,
und deine Gerechtigkeit über die Frommen.
12 Lass mich nicht kommen unter den Fuß der Stolzen,
und die Hand der Frevler vertreibe mich nicht!
13 Da sind gefallen die Übeltäter,
sind gestürzt und können nicht wieder aufstehen.

DAS SCHEINBARE GLÜCK DER FREVLER

37 VON DAVID.

[a]Entrüste dich nicht über die Bösen,
sei nicht neidisch auf die Übeltäter.
2 Denn wie das Gras werden sie bald verdorren,
und wie das grüne Kraut werden sie verwelken.
3 Hoffe auf den HERRN und tue Gutes,
bleibe im Lande und nähre dich redlich.
4 Habe deine Lust am HERRN;
der [a]wird dir geben, was dein Herz wünscht.
5 **Befiehl dem HERRN deine Wege**
und hoffe auf ihn, er wird's wohlmachen
6 und wird deine [a]Gerechtigkeit heraufführen wie das Licht
und dein Recht wie den Mittag.
7 **Sei stille dem HERRN und warte auf ihn.**
Entrüste dich nicht über den, dem es gut geht,
der seinen Mutwillen treibt.
8 Steh ab vom Zorn und lass den Grimm,
entrüste dich nicht, dass du nicht Unrecht tust.
9 Denn die Bösen werden ausgerottet;
die aber des HERRN harren, werden das Land erben.
10 Noch eine kleine Zeit, so ist der Gottlose nicht mehr da;
und wenn du nach seiner Stätte siehst, ist er weg.
11 Aber [a]die Elenden werden das Land erben
und ihre Freude haben an großem Frieden.

12 Der Frevler droht dem Gerechten
und knirscht mit seinen Zähnen wider ihn.
13 Aber der Herr lacht seiner;
denn er sieht, dass [a]sein Tag kommt.
14 Die Frevler ziehen das Schwert
und spannen ihren Bogen,

36,8 ***a*** Ps 17,8 **36,10** ***a*** Jer 2,13; Joh 4,14 **37,1** ***a*** Spr 24,19 **37,4** ***a*** Ps 20,5
37,6 ***a*** Mi 7,9 **37,11** ***a*** Mt 5,5 **37,13** ***a*** Hiob 18,20

dass sie fällen den Elenden und Armen
und morden die Frommen.
15 Aber ihr Schwert wird in ihr eigenes Herz dringen,
und ihr Bogen wird zerbrechen.

16 Das Wenige, das ein Gerechter hat,
ist besser als der Überfluss vieler Frevler.[a]
17 Denn die Arme der Frevler werden zerbrechen,
aber der HERR erhält die Gerechten.
18 Der HERR kennt die Tage der Frommen,
und [a]ihr Erbe wird ewiglich bleiben.
19 Sie werden nicht zuschanden in böser Zeit,
und [a]in den Tagen des Hungers werden sie satt werden.
20 Denn die Frevler werden umkommen;
und die Feinde des HERRN,
wenn sie auch sind wie prächtige Auen,
werden sie doch vergehen, wie der Rauch vergeht.

21 Der Frevler muss borgen und bezahlt nicht,
aber der Gerechte ist barmherzig und gibt.
22 Denn die Gesegneten des Herrn erben das Land;
aber die er verflucht, werden ausgerottet.
23 Von dem HERRN kommt es, wenn eines Mannes Schritte fest werden,
und er hat Gefallen an seinem Wege.
24 Fällt er, so stürzt er doch nicht;
denn der HERR hält ihn fest an der Hand.[a]

25 Ich bin jung gewesen und alt geworden
und habe noch nie den Gerechten verlassen gesehen
und seine Kinder um Brot betteln.
26 Er ist allezeit barmherzig und leiht gerne,
und [a]seine Nachkommen werden zum Segen sein.
27 Lass ab vom Bösen und tue Gutes,
so bleibst du wohnen immerdar.
28 Denn der HERR hat das Recht lieb
und verlässt seine Heiligen nicht.
Ewiglich werden sie bewahrt,
aber das Geschlecht der Frevler wird ausgerottet.
29 Die Gerechten werden das Land ererben
und darin wohnen allezeit.[a]

30 Der Mund des Gerechten spricht Weisheit,
und seine Zunge redet das Recht.
31 Das Gesetz seines Gottes ist in seinem Herzen;
seine Tritte gleiten nicht.
32 Der Frevler lauert dem Gerechten auf
und sucht ihn zu töten.
33 Aber der HERR lässt ihn nicht in seiner Hand
und verdammt ihn nicht, wenn er verurteilt wird.
34 Harre auf den HERRN und halte dich auf seinem Weg, /
so wird er dich erhöhen, dass du das Land erbest;
du wirst es sehen, dass die Frevler ausgerottet werden. |

37,16 *a* Spr 15,16 **37,18** *a* Pred 8,12 **37,19** *a* Spr 10,3 **37,24** *a* Spr 24,16
37,26 *a* 1. Mose 12,2-3 **37,29** *a* Jes 60,21

35 [a]Ich sah einen Frevler, der pochte auf Gewalt
und machte sich breit und grünte wie eine Zeder.
36 Da man vorüberging, siehe, da war er dahin.
Ich fragte nach ihm; doch ward er nirgends gefunden.
37 Bleibe fromm und halte dich recht;
denn einem solchen wird es zuletzt wohlgehen.
38 Die Übertreter aber werden allesamt vertilgt,
und die Frevler werden zuletzt ausgerottet.
39 Aber der HERR hilft den Gerechten,
er ist ihre Stärke in der Not.
40 Und [a]der HERR wird ihnen beistehen und sie erretten;
er wird sie von den Frevlern erretten und ihnen helfen;
denn sie trauen auf ihn.

IN SCHWERER HEIMSUCHUNG (DER DRITTE BUSSPSALM)

38 EIN PSALM DAVIDS, ZUM GEDENKOPFER.

2 HERR, strafe mich nicht in deinem Zorn
und züchtige mich nicht in deinem Grimm!
3 Denn [a]deine Pfeile stecken in mir,
und deine Hand drückt mich.

4 Es ist nichts Gesundes an meinem Leibe wegen deines Drohens
und ist nichts Heiles an meinen Gebeinen wegen meiner Sünde.
5 Denn [a]meine Sünden gehen über mein Haupt;
wie eine schwere Last sind sie mir zu schwer geworden.
6 Meine Wunden stinken und eitern
wegen meiner Torheit.
7 Ich gehe krumm und sehr gebückt;
den ganzen Tag gehe ich traurig einher.
8 Denn meine Lenden sind ganz verdorrt;
es ist nichts Gesundes an meinem Leibe.
9 Ich bin matt geworden und ganz zerschlagen;
ich schreie vor Unruhe meines Herzens.

10 Herr, du kennst all mein Begehren,
und mein Seufzen ist dir nicht verborgen.
11 Mein Herz erbebt, meine Kraft hat mich verlassen,
und das Licht meiner Augen ist dahin.
12 Meine Lieben und Freunde scheuen zurück vor meiner Plage,
und meine Nächsten halten sich fern.[a]
13 Die mir nach dem Leben trachten, stellen mir nach; /
und die mein Unglück suchen, bereden, wie sie schaden wollen;
sie sinnen Arges den ganzen Tag.
14 Ich bin wie taub und höre nicht,
und [a]wie ein Stummer, der seinen Mund nicht auftut.
15 Ich muss sein wie einer, der nicht hört
und keine Widerrede in seinem Munde hat.
16 Aber ich harre, HERR, auf dich;
du, Herr, mein Gott, wirst antworten.

37,35 *a* (35-36) 1. Sam 25,2-38; Hes 31,3-14 **37,40** *a* Lk 18,7-8 **38,3** *a* Hiob 6,4
38,5 *a* Klgl 1,14 **38,12** *a* Ps 69,9; 88,9; Hiob 19,13-19 **38,14** *a* Ps 39,3

17 Denn ich denke: Dass sie sich ja nicht über mich freuen!
Wenn mein Fuß wankte, würden sie sich hoch rühmen wider mich.
18 Denn ich bin dem Fallen nahe,
und mein Schmerz ist immer vor mir.

19 Denn ich [a]bekenne meine Missetat
und sorge mich wegen meiner Sünde.
20 Aber meine Feinde leben und sind mächtig;
die mich ohne Grund hassen, derer sind viele.
21 Die mir Gutes mit Bösem vergelten, feinden mich an,
weil ich mich an das Gute halte.
22 Verlass mich nicht, HERR,
mein Gott, sei nicht ferne von mir!
23 Eile, mir beizustehen,
Herr, meine Hilfe!

DIE VERGÄNGLICHKEIT DES MENSCHEN

39 EIN PSALM DAVIDS, VORZUSINGEN, FÜR [a]JEDUTUN.

2 Ich habe mir vorgenommen: Ich will mich hüten,
dass ich nicht sündige mit meiner Zunge;
ich will meinem Mund einen Zaum anlegen,
solange ich den Frevler vor mir sehen muss.
3 Ich bin [a]verstummt und still und schweige fern der Freude
und muss mein Leid in mich fressen.
4 Mein Herz ist entbrannt in meinem Leibe; /
wenn ich seufze, brennt es wie Feuer.
So rede ich mit meiner Zunge:

5 »HERR, lehre doch mich, /
dass es [a]ein Ende mit mir haben muss
und [b]mein Leben ein Ziel hat und ich davon muss.
6 Siehe, [a]meine Tage sind eine Handbreit bei dir,
und mein Leben ist wie nichts vor dir.
Ach, wie gar nichts sind alle Menschen,
die doch so sicher leben! SELA.
7 Sie gehen daher wie ein Schatten /
und machen sich viel vergebliche Unruhe;
sie sammeln und wissen nicht, wer es kriegen wird.«[a]

8 Nun, Herr, wes soll ich mich trösten?
Ich hoffe auf dich.
9 Errette mich von aller meiner Sünde
und lass mich nicht den Narren zum Spott werden.
10 Ich will schweigen und meinen Mund nicht auftun;
denn du hast es getan.
11 Wende deine Plage von mir;
ich vergehe, weil deine Hand nach mir greift.
12 Wenn du den Menschen züchtigst um der Sünde willen, /
so verzehrst du seine Schönheit wie Motten ein Kleid.
Ach, wie gar nichts sind doch alle Menschen. SELA. |

38,19 *a* Ps 32,5 **39,1** *a* 1. Chr 25,1.3 **39,3** *a* Ps 38,14 **39,5** *a* Ps 90,12 *b* Hiob 14,5
39,6 *a* Ps 90,5-6 **39,7** *a* Ps 49,17-21; Pred 2,18.21; Lk 12,15-21

13 Höre mein Gebet, HERR, und vernimm mein Schreien,
schweige nicht zu meinen Tränen;
denn [a]ich bin ein Gast bei dir,
ein Fremdling wie alle meine Väter.
14 Lass ab von mir, dass ich mich erquicke,
ehe ich dahinfahre und nicht mehr bin.

DANK, KLAGE UND RETTUNG

40 EIN PSALM DAVIDS, VORZUSINGEN.

2 Ich harrte des HERRN,
und er neigte sich zu mir und hörte mein Schreien.
3 Er zog mich aus der grausigen Grube,
aus lauter Schmutz und Schlamm,
und stellte meine Füße auf einen Fels,
dass ich sicher treten kann;
4 er hat mir [a]ein neues Lied in meinen Mund gegeben,
zu loben unsern Gott.
Das werden viele sehen und sich fürchten
und auf den HERRN hoffen.
5 Wohl dem, der seine Hoffnung setzt auf den HERRN
und sich nicht wendet zu den Hoffärtigen
und denen, die mit Lügen umgehen!

6 HERR, mein Gott, groß sind deine Wunder /
und deine Gedanken, die du an uns beweisest;
dir ist nichts gleich!
Ich will sie verkündigen und davon sagen,
wiewohl sie nicht zu zählen sind.[a]
7 [a]Schlachtopfer und Speisopfer gefallen dir nicht, /
aber die Ohren hast du mir aufgetan.
Du willst weder Brandopfer noch Sündopfer.
8 Da sprach ich: Siehe, ich komme;
im Buch ist von mir geschrieben:
9 Deinen Willen, mein Gott, tue ich gern,
und dein Gesetz hab ich in meinem Herzen.
10 Ich verkündige Gerechtigkeit in der großen Gemeinde.
Siehe, ich will mir meinen Mund nicht stopfen lassen;
HERR, das weißt du.
11 Deine Gerechtigkeit verberge ich nicht in meinem Herzen;
von deiner Wahrheit und von deinem Heil rede ich.
Ich verhehle deine Güte und Treue nicht
vor der großen Gemeinde.

12 Du aber, HERR, wollest deine Barmherzigkeit nicht von mir wenden;
lass deine Güte und Treue allewege mich behüten.
13 Denn es haben mich umgeben Leiden ohne Zahl.
Meine Sünden haben mich ereilt; ich kann sie nicht überblicken.
Ihrer sind mehr als Haare auf meinem Haupt,
und mein Mut hat mich verlassen.

39,13 ***a*** Ps 119,19; 3. Mose 25,23; 1. Petr 2,11; Hebr 11,13 **40,4** ***a*** Ps 33,3 **40,6** ***a*** Ps 139,17-18
40,7 ***a*** Ps 50,8-13; 51,18; 1. Sam 15,22; Hebr 10,5-10

14 [a]Lass dir's gefallen, HERR, mich zu erretten;
eile, HERR, mir zu helfen!
15 Schämen sollen sich und allesamt zuschanden werden,
die mir nach dem Leben trachten, dass sie mich umbringen.
Es sollen zurückweichen und zuschanden werden,
die mir mein Unglück gönnen.
16 Sie sollen in ihrer Schande erschrecken,
die über mich schreien: Da, da!
17 Lass deiner sich freuen und fröhlich sein
alle, die nach dir fragen;
und die dein Heil lieben, lass allewege sagen:
Der HERR sei hochgelobt!
18 Denn ich bin arm und elend;
der Herr aber sorgt für mich.
Du bist mein Helfer und Erretter;
mein Gott, säume doch nicht!

GEBET IN KRANKHEIT

41 EIN PSALM DAVIDS, VORZUSINGEN.

2 Wohl dem, der [a]sich des Schwachen annimmt!
Den wird der HERR erretten zur bösen Zeit.
3 Der HERR wird ihn bewahren und beim Leben erhalten /
und es ihm lassen wohlgehen auf Erden
und ihn nicht preisgeben dem Willen seiner Feinde.
4 Der HERR wird ihn erquicken auf seinem Lager;
du hilfst ihm auf von aller seiner Krankheit.

5 Ich sprach: HERR, sei mir gnädig! Heile mich;
denn ich habe an dir gesündigt.
6 Meine Feinde reden Arges wider mich:
»Wann wird er sterben und sein Name vergehen?«
7 Kommt einer, nach mir zu sehen,
meint er's doch nicht von Herzen;
er sammelt Bosheit,
geht hinaus und trägt's weiter.
8 Alle, die mich hassen, flüstern miteinander über mich
und denken sich Böses gegen mich aus:
9 »Unheil ist über ihn ausgegossen;
wer so daliegt, steht nicht wieder auf.«
10 Auch mein Freund, dem ich vertraute,
der mein Brot aß, tritt mich mit Füßen.[a]
11 Du aber, HERR, sei mir gnädig und hilf mir auf,
so will ich ihnen vergelten.

12 Daran merke ich, dass du Gefallen an mir hast,
dass mein Feind über mich nicht frohlocken wird.
13 Mich aber hältst du um meiner Frömmigkeit willen
und stellst mich vor dein Angesicht ewiglich.

14 Gelobt sei der HERR, der Gott Israels,
von Ewigkeit zu Ewigkeit! Amen! Amen![a]

40,14 *a* (14-18) Ps 70,2-6 **41,2** *a* Spr 14,21; Mt 5,7 **41,10** *a* Ps 55,13-15; Joh 13,18; Apg 1,16
41,14 *a* Ps 72,18; 89,53; 106,48; 150,6

ZWEITES BUCH
Psalm 42–72

SEHNSUCHT NACH GOTT

42 EINE UNTERWEISUNG DER [a]KORACHITER, VORZUSINGEN.

2 **Wie der Hirsch schreit nach frischem Wasser,**
so schreit meine Seele, Gott, zu dir.
3 [a]**Meine Seele dürstet nach Gott,**
nach dem lebendigen Gott.
Wann werde ich dahin kommen,
dass ich Gottes Angesicht schaue?
4 Meine Tränen sind meine Speise Tag und Nacht,
weil man täglich zu mir sagt: [a]Wo ist nun dein Gott?
5 Daran will ich denken
und ausschütten mein Herz bei mir selbst:
[a]wie ich einherzog in großer Schar,
mit ihnen zu wallen zum Hause Gottes
mit Frohlocken und Danken
in der Schar derer, die da feiern.
6 *Was betrübst du dich, meine Seele,*
und bist so unruhig in mir?
Harre auf Gott; denn ich werde ihm noch danken,
dass er mir hilft mit seinem Angesicht.[a]

7 Mein Gott, betrübt ist meine Seele in mir, /
darum gedenke ich an dich
im Lande am Jordan und Hermon, vom Berge Misar.
8 Deine Fluten rauschen daher, /
und eine Tiefe ruft die andere;
alle deine Wasserwogen und Wellen gehen über mich.
9 Am Tage sendet der HERR seine Güte,
und des Nachts singe ich ihm
und bete zu dem Gott meines Lebens.
10 Ich sage zu Gott, meinem [a]Fels:
Warum hast du mich vergessen?
Warum muss ich so traurig gehen,
wenn mein Feind mich drängt?
11 Es ist wie Mord in meinen Gebeinen, /
wenn mich meine Feinde schmähen
und täglich zu mir sagen: Wo ist nun dein Gott?
12 *Was betrübst du dich, meine Seele,*
und bist so unruhig in mir?
Harre auf Gott; denn ich werde ihm noch danken,
dass er meines Angesichts Hilfe und mein Gott ist.

43 Schaffe mir Recht, Gott, /
und führe meine Sache wider das treulose Volk
und errette mich von den falschen und bösen Leuten!
2 Denn du bist der Gott meiner Stärke:
Warum hast du mich verstoßen?

42,1 *a* 1. Chr 6,16.22; 2. Chr 20,19 **42,3** *a* Ps 63,2; 84,3; 143,6 **42,4** *a* Ps 79,10
42,5 *a* Ps 27,4 **42,6** *a* Ps 116,7 **42,10** *a* 5. Mose 32,4

Warum muss ich so traurig gehen,
wenn mein Feind mich drängt?
3 Sende dein Licht und deine Wahrheit, dass sie mich leiten
und bringen zu deinem heiligen Berg und zu deiner Wohnung,
4 dass ich hineingehe zum Altar Gottes, /
zu dem Gott, der meine Freude und Wonne ist,
und dir, Gott, auf der Harfe danke, mein Gott.
5 *Was betrübst du dich, meine Seele,*
und bist so unruhig in mir?
Harre auf Gott; denn ich werde ihm noch danken,
dass er meines Angesichts Hilfe und mein Gott ist.

HAT GOTT SEIN VOLK VERSTOSSEN?

44 EINE UNTERWEISUNG DER KORACHITER, VORZUSINGEN.

2 Gott, wir haben mit unsern Ohren gehört, /
[a]unsre Väter haben's uns erzählt,
was du getan hast zu ihren Zeiten, vor alters.
3 Du hast mit deiner Hand die Völker vertrieben,
sie aber hast du eingesetzt;
du hast die Nationen zerschlagen,
sie aber hast du ausgebreitet.
4 Denn sie haben das Land nicht eingenommen durch ihr Schwert,
und ihr Arm half ihnen nicht,
sondern deine Rechte, dein Arm und das Licht deines Angesichts;
denn du hattest Wohlgefallen an ihnen.

5 Du bist es, mein König und mein Gott,
der du Jakob Hilfe verheißest.
6 Durch dich wollen wir unsre Feinde niederstoßen,
in deinem Namen zertreten, die sich gegen uns erheben.
7 Denn ich verlasse mich nicht auf meinen Bogen,
und mein Schwert kann mir nicht helfen;
8 sondern du hilfst uns von unsern Feinden
und machst zuschanden, die uns hassen.
9 Täglich [a]rühmen wir uns Gottes
und preisen deinen Namen ewiglich. SELA.

10 Doch nun verstößt du uns /
und lässt uns zuschanden werden
und ziehst nicht aus mit unserm Heer.
11 Du lässt uns fliehen vor unserm Feind,
dass uns berauben, die uns hassen.
12 Du gibst uns dahin wie Schlachtschafe
und zerstreust uns unter die Heiden.
13 Du verkaufst dein Volk um ein Nichts
und hast keinen Gewinn davon.
14 Du machst uns zur Schmach bei unsern Nachbarn,
zu Spott und Hohn bei denen, die um uns her sind.[a]
15 Du machst uns zum Sprichwort unter den Völkern,
lässt die Nationen das Haupt über uns schütteln.

44,2 *a* 5. Mose 6,20-25 **44,9** *a* Jer 9,22-23 **44,14** *a* Ps 79,4; 1. Kön 9,7

16 Täglich ist meine Schmach mir vor Augen,
und mein Antlitz ist voller Scham,
17 weil ich sie höhnen und lästern höre
und die Feinde und Rachgierigen sehen muss.

18 Dies alles ist über uns gekommen;
und wir haben doch dich nicht vergessen
noch an deinem Bund untreu gehandelt.
19 Unser Herz ist nicht abgefallen
noch unser Schritt gewichen von deinem Weg,
20 dass du uns so zerschlägst am Ort der Schakale
und bedeckst uns mit Finsternis.
21 Wenn wir den Namen unsres Gottes vergessen hätten
und unsre Hände aufgehoben zum fremden Gott:
22 würde das Gott nicht erforschen?
Er kennt ja unsres Herzens Grund.
23 Um deinetwillen [a]werden wir täglich getötet
und sind geachtet wie Schlachtschafe.[b]

24 Wach auf, Herr! Warum schläfst du?
Werde wach und verstoß uns nicht für immer!
25 Warum verbirgst du dein Antlitz,
vergissest unser Elend und unsre Drangsal?
26 Denn unsre Seele ist gebeugt zum Staube,
unser Leib klebt am Boden.
27 Mache dich auf, hilf uns
und erlöse uns um deiner Güte willen!

LIED ZUR HOCHZEIT DES KÖNIGS

45 EINE UNTERWEISUNG DER KORACHITER, VORZUSINGEN,
NACH DER WEISE »LILIEN«, EIN BRAUTLIED.

2 Mein Herz dichtet ein feines Lied, /
einem König will ich es singen;
meine Zunge ist ein Griffel eines guten Schreibers:
3 Du bist der Schönste unter den Menschenkindern, /
holdselig sind deine Lippen;
darum hat dich Gott gesegnet ewiglich.
4 Gürte dein Schwert an die Seite, du Held, /
und schmücke dich herrlich!
5 Es soll dir gelingen in deiner Herrlichkeit.
Zieh einher für die Wahrheit /
in Sanftmut und Gerechtigkeit,
so wird deine rechte Hand Wunder vollbringen.
6 Scharf sind deine Pfeile, dass Völker vor dir fallen;
sie dringen ins Herz der Feinde des Königs.

7 [a]Gott, dein Thron bleibt immer und ewig;
das Zepter deines Reichs ist ein gerechtes Zepter.
8 Du liebst Gerechtigkeit
und hassest Frevel;
darum hat dich Gott, dein Gott, gesalbt
mit Freudenöl wie keinen deiner Gefährten.

44,23 ***a*** 1. Kor 15,31 ***b*** Röm 8,36 **45,7** ***a*** (7-8) Hebr 1,8-9

9 Von Myrrhe, Aloe und Kassia duften deine Kleider;
aus Elfenbeinpalästen erfreut dich Saitenspiel.
10 In deinem Schmuck gehen Töchter von Königen;
die Braut steht zu deiner Rechten in Goldschmuck aus Ofir.

11 Höre, Tochter, sieh und neige dein Ohr:
Vergiss dein Volk und dein Vaterhaus!
12 Den König verlangt nach deiner Schönheit;
denn er ist dein Herr, und du sollst ihm huldigen.
13 Die Tochter Tyrus kommt mit Geschenken;
die Reichen im Volk suchen deine Gunst.

14 Des Königs Tochter ist herrlich geschmückt;
mit goldenen Gewändern ist sie bekleidet.
15 Man führt sie in gestickten Kleidern zum König;
Jungfrauen folgen ihr, ihre Gespielinnen führt man zu dir.
16 Man führt sie hin mit Freude und Jubel;
sie ziehen ein in des Königs Palast.

17 An deiner Väter statt werden deine Söhne sein;
die wirst du zu Fürsten setzen in aller Welt.
18 Ich will deinen Namen kundmachen von Kind zu Kindeskind;
darum werden dir danken die Völker immer und ewig.

EIN FESTE BURG IST UNSER GOTT

46 EIN LIED DER KORACHITER, VORZUSINGEN,
NACH DER WEISE »JUNGE FRAUEN«.

2 **Gott ist unsre Zuversicht und Stärke,
eine Hilfe in den großen Nöten, die uns getroffen haben.**
3 Darum fürchten wir uns nicht, wenngleich die Welt unterginge
und die Berge mitten ins Meer sänken,
4 wenngleich das Meer wütete und wallte
und von seinem Ungestüm die Berge einfielen. SELA.
5 Dennoch soll die Stadt Gottes fein lustig bleiben
mit ihren [a]Brünnlein, da die heiligen Wohnungen des Höchsten sind.*
6 Gott ist bei ihr drinnen, darum wird sie fest bleiben;
Gott hilft ihr früh am Morgen.
7 Die Völker müssen verzagen und die Königreiche fallen,
das Erdreich muss vergehen, wenn er sich hören lässt.
8 Der HERR Zebaoth ist mit uns,
der Gott Jakobs ist unser Schutz. SELA.

9 [a]Kommt her und schauet die Werke des HERRN,
der auf Erden solch ein Zerstören anrichtet,
10 der den Kriegen ein Ende macht in aller Welt,
der [a]Bogen zerbricht, Spieße zerschlägt und Wagen mit Feuer verbrennt.
11 Seid stille und erkennet, dass ich Gott bin!
Ich will mich erheben unter den Völkern, ich will mich erheben auf Erden.
12 Der HERR Zebaoth ist mit uns,
der Gott Jakobs ist unser Schutz. SELA.

* **46,5** So Luther seit 1531. 1524 übersetzte er wörtlicher: »Der Strom mit seinen Bächen erfreut die Stadt Gottes, die heiligen Wohnungen des Höchsten.«

46,5 *a* Jes 12,3 **46,9** *a* (9-10) 2. Kön 19,35 **46,10** *a* Ps 76,4

GOTT IST KÖNIG ÜBER ALLE VÖLKER

47 EIN PSALM DER KORACHITER, VORZUSINGEN.

2 Schlagt froh in die Hände, alle Völker,
und jauchzet Gott mit fröhlichem Schall!
3 Denn der HERR, der Allerhöchste, ist zu fürchten,
ein großer König über die ganze Erde.
4 Er zwingt die Völker unter uns
und Völkerschaften unter unsere Füße.
5 Er erwählt uns unser Erbteil,
die Herrlichkeit [a]Jakobs, den er liebt. SELA.

6 Gott fährt auf unter Jauchzen,
der HERR beim Schall der Posaune.
7 Lobsinget, lobsinget Gott,
lobsinget, lobsinget unserm Könige!
8 Denn [a]Gott ist König über die ganze Erde;
lobsinget ihm mit Psalmen!

9 Gott ist König über die Völker,
Gott sitzt auf seinem heiligen Thron.
10 Die Fürsten der Völker sind versammelt
als Volk des Gottes Abrahams;
denn Gott gehören die Schilde auf Erden;
er ist hoch erhaben.

GOTTES STADT

48 EIN PSALMLIED DER KORACHITER.

2 Groß ist der HERR und hoch zu rühmen
in der Stadt unsres Gottes, auf seinem heiligen Berge.[a]
3 Schön ragt empor sein Gipfel,
daran sich freut die ganze Welt,
der Berg Zion fern im Norden,
[a]die Stadt des großen Königs.
4 Gott ist in ihren Palästen,
er ist bekannt als Schutz.

5 Denn siehe, Könige waren versammelt
und miteinander herangezogen.[a]
6 Sie haben sich verwundert, da sie solches sahen;
sie haben sich entsetzt und sind davongestürzt.
7 Zittern hat sie daselbst gepackt,
Angst wie eine Gebärende.
8 Du zerbrichst die großen Schiffe
durch den Sturm vom Osten.

9 Wie wir's gehört haben, so sehen wir's
an der Stadt des HERRN Zebaoth,
an der Stadt unsres Gottes:
Gott erhält sie ewiglich. SELA.

10 Gott, wir gedenken deiner Güte
in deinem Tempel.

47,5 *a* 5. Mose 32,9 **47,8** *a* Ps 93,1 **48,2** *a* Ps 46,5-6 **48,3** *a* Klgl 2,15; Mt 5,35 **48,5** *a* 2. Kön 18,17-18

11 Gott, [a]wie dein Name, so ist auch dein Ruhm
bis an der Welt Enden.
Deine Rechte ist voll Gerechtigkeit.
12 Es freue sich der Berg Zion,
und die Töchter Juda seien fröhlich
um deiner Rechte willen.

13 Ziehet um den Zion herum und umschreitet ihn,
zählt seine Türme;
14 habt gut acht auf seine Mauern, /
durchwandert seine Paläste,
dass ihr den Nachkommen davon erzählt:
15 [a]Dieser ist Gott, unser Gott für immer und ewig.
Er ist's, der uns führet.

DES MENSCHEN PRACHT VERGEHT

49 EIN PSALM DER KORACHITER, VORZUSINGEN,
NACH DER WEISE »JUGEND«.

2 Höret zu, alle Völker;
merket auf, alle, die in dieser Zeit leben,
3 einfache Leute und Herren,
Reich und Arm, miteinander!
4 Mein Mund soll Weisheit reden,
und was mein Herz sagt, soll verständig sein.
5 Ich will einem Spruch mein Ohr neigen
und mein Rätsel kundtun beim Klang der Harfe.

6 Warum sollte ich mich fürchten in bösen Tagen,
wenn mich die Missetat meiner Widersacher umgibt,
7 die sich verlassen auf Hab und Gut
und pochen auf ihren großen Reichtum?
8 [a]Kann doch keiner einen andern auslösen
oder für ihn an Gott ein Sühnegeld geben –
9 denn es kostet zu viel, ihr Leben auszulösen;
er muss davon abstehen ewiglich –,
10 dass er immer weiterlebe
und die Grube nicht sehe.

11 Denn man wird sehen: [a]Auch die Weisen sterben, /
so wie die Toren und Narren umkommen;
[b]sie müssen ihr Gut andern lassen.
12 Gräber sind ihre Häuser immerdar, ihre Wohnungen für und für,
wenn sie auch ihre Namen ausrufen über Länder.
13 *Der Mensch kann nicht bleiben in seiner Pracht,*
sondern [a]muss davon wie das Vieh.

14 Dies ist der Weg derer, die so voll Torheit sind,
und das Ende aller, denen ihr Reden so wohl gefällt. SELA.
15 Sie liegen im Totenreich wie Schafe, der Tod weidet sie,
aber die Frommen werden am Morgen über sie herrschen;

48,11 ***a*** Mal 1,11 **48,15** ***a*** Jes 25,9 **49,8** ***a*** (8-9) Mi 6,6-8; Mt 16,26 **49,11** ***a*** Pred 2,16
b Pred 6,2 **49,13** ***a*** Pred 3,19

ihre Gestalt wird vom Totenreich verschlungen;
sie hat keinen Bestand.
16 Aber [a]Gott wird mich erlösen aus des Todes Gewalt;
denn [b]er nimmt mich auf. SELA.

17 Fürchte dich nicht, wenn einer reich wird,
wenn die Herrlichkeit seines Hauses groß wird.[a]
18 Denn [a]er wird nichts bei seinem Sterben mitnehmen,
und seine Herrlichkeit wird ihm nicht nachfahren.
19 Er [a]freut sich wohl dieses guten Lebens,
und man preist dich, wenn es dir gut geht.
20 Aber doch fahren sie ihren Vätern nach
und sehen das Licht nimmermehr.
21 *Der Mensch kann nicht bleiben in seiner Pracht,*
sondern muss davon wie das Vieh.

DER RECHTE GOTTESDIENST

50 EIN PSALM [a]ASAFS.

Gott, der HERR, der Mächtige, redet und ruft der Welt zu
vom Aufgang der Sonne bis zu ihrem Niedergang.
2 **Aus Zion bricht an der schöne Glanz Gottes.**[a]
3 **Unser Gott kommt und schweiget nicht.**
Fressendes Feuer geht vor ihm her
und um ihn her ein gewaltiges Wetter.
4 Er [a]ruft Himmel und Erde zu,
dass er sein Volk richten wolle:
5 »Versammelt mir meine Heiligen,
die [a]den Bund mit mir schlossen beim Opfer.«
6 Und die Himmel werden seine Gerechtigkeit verkünden;
denn Gott selbst ist Richter. SELA.

7 »Höre, mein Volk, lass mich reden; /
Israel, ich will wider dich zeugen:
[a]Ich, Gott, bin dein Gott.
8 [a]Nicht deiner Opfer wegen klage ich dich an
– sind doch deine Brandopfer immer vor mir.
9 Ich will von deinem Hause Stiere nicht nehmen
noch Böcke aus deinen Ställen.
10 Denn alles Wild im Walde ist mein
und die Tiere auf den Bergen zu Tausenden.
11 Ich kenne alle Vögel auf den Bergen;
und was sich regt auf dem Felde, ist mein.
12 Wenn mich hungerte, wollte ich dir nicht davon sagen;
denn der Erdkreis ist mein und alles, was darauf ist.
13 Meinst du, dass ich Fleisch von Stieren essen wolle
oder Blut von Böcken trinken?
14 Opfere Gott Dank
und erfülle dem Höchsten deine Gelübde,[a]

49,16 ***a*** Hos 13,14 ***b*** Ps 73,24 **49,17** ***a*** Hiob 21,7-15 **49,18** ***a*** Pred 5,14; 1. Tim 6,7 **49,19** ***a*** Lk 12,16-21; 16,19-31 **50,1** ***a*** 1. Chr 25,1 **50,2** ***a*** Jes 62,1 **50,4** ***a*** 5. Mose 32,1; Jes 1,2 **50,5** ***a*** 2. Mose 24,4-11 **50,7** ***a*** 2. Mose 20,2 **50,8** ***a*** (8-13) Ps 40,7; 1. Sam 15,22; Jes 1,11 **50,14** ***a*** Jona 2,10

[15] und [a]**rufe mich an in der Not,**
so will ich dich erretten, und du sollst mich preisen.«

[16] [a]Aber zum Frevler spricht Gott: /
»Was redest du von meinen Geboten
und nimmst meinen Bund in deinen Mund,
[17] da du doch Zucht hassest
und wirfst meine Worte hinter dich?
[18] Wenn du einen Dieb siehst, so läufst du mit ihm
und hast Gemeinschaft mit den Ehebrechern.
[19] Deinen Mund lässest du Böses reden,
und deine Zunge treibt Falschheit.
[20] [a]Du sitzest und redest wider deinen Bruder;
deiner Mutter Sohn verleumdest du.
[21] Das tust du und ich schweige;
da meinst du, ich sei so wie du.
Aber ich will dich zurechtweisen
und es dir vor Augen stellen.

[22] Begreift es doch, die ihr Gott vergesset,
dass ich nicht hinraffe, und kein Retter ist da!
[23] Wer Dank opfert, der preiset mich,
und da ist der Weg, dass ich ihm zeige das Heil Gottes.«

GOTT, SEI MIR SÜNDER GNÄDIG! (DER VIERTE BUSSPSALM)

51 EIN PSALM DAVIDS, VORZUSINGEN,
[2] ALS DER PROPHET [a]NATHAN ZU IHM KAM,
NACHDEM ER ZU BATSEBA EINGEGANGEN WAR.

[3] Gott, [a]sei mir gnädig nach deiner Güte,
und tilge meine Sünden nach deiner großen Barmherzigkeit.
[4] Wasche mich rein von meiner Missetat,
und reinige mich von meiner Sünde;
[5] denn [a]ich erkenne meine Missetat,
und meine Sünde ist immer vor mir.
[6] An dir allein habe ich gesündigt
und übel vor dir getan,
[a]auf dass du recht behaltest in deinen Worten
und rein dastehst, wenn du richtest.
[7] Siehe, in Schuld bin ich geboren,
und meine Mutter hat mich in Sünde empfangen.
[8] Siehe, du liebst Wahrheit, die im Verborgenen liegt,
und im Geheimen tust du mir Weisheit kund.

[9] Entsündige mich mit [a]Ysop, dass ich rein werde;
wasche mich, [b]dass ich weißer werde als Schnee.
[10] Lass mich hören Freude und Wonne,
dass die Gebeine fröhlich werden, die du zerschlagen hast.[a]
[11] Verbirg dein Antlitz vor meinen Sünden,
und tilge alle meine Missetat.

50,15 ***a*** Ps 91,15 **50,16** ***a*** *(16-21)* Röm 2,21-23 **50,20** ***a*** *(20-21)* 1. Mose 42,21 **51,2** ***a*** 2. Sam 12,1-15
51,3 ***a*** Lk 18,13 **51,5** ***a*** Ps 32,5 **51,6** ***a*** Röm 3,4 **51,9** ***a*** 2. Mose 12,22-23 ***b*** Jes 1,18 **51,10** ***a*** Ps 32,3-4

12 **Schaffe in mir, Gott, ein [a]reines Herz**
und gib mir einen [b]neuen, beständigen Geist.
13 **Verwirf mich nicht von deinem Angesicht,**
und nimm deinen heiligen Geist nicht von mir.
14 **Erfreue mich wieder mit deiner Hilfe,**
und mit einem willigen Geist rüste mich aus.
15 Ich will die Übertreter deine Wege lehren,
dass sich die Sünder zu dir bekehren.

16 Errette mich von Blutschuld, /
Gott, der du mein Gott und Heiland bist,
dass meine Zunge deine Gerechtigkeit rühme.
17 Herr, tue meine Lippen auf,
dass mein Mund deinen Ruhm verkündige.
18 Denn Schlachtopfer willst du nicht, /
ich wollte sie dir sonst geben,
und Brandopfer gefallen dir nicht.[a]
19 Die Opfer, die Gott gefallen, sind ein geängsteter Geist,
ein geängstetes, zerschlagenes Herz wirst du, Gott, nicht verachten.[a]

20 Tue wohl an Zion nach deiner Gnade,
baue die Mauern zu Jerusalem.
21 Dann werden dir gefallen rechte Opfer, /
Brandopfer und Ganzopfer;
dann wird man Stiere auf deinem Altar opfern.

GERICHT ÜBER DEN TYRANNEN – TROST FÜR DEN GERECHTEN

52 EINE UNTERWEISUNG DAVIDS, VORZUSINGEN,
2 [a]ALS DOËG, DER EDOMITER, KAM UND ZEIGTE ES SAUL AN
UND SPRACH: DAVID IST IN AHIMELECHS HAUS GEKOMMEN.

3 Was rühmst du dich der Bosheit, du Tyrann,
da doch Gottes Güte noch täglich währt?
4 Deine Zunge trachtet nach Schaden
wie ein scharfes Schermesser, du Betrüger!
5 Du liebst das Böse mehr als das Gute
und redest lieber Falsches als Rechtes. SELA.
6 Du redest gern alles, was zum Verderben dient,
mit falscher Zunge.

7 Darum wird dich auch Gott für immer zerstören, /
dich zerschlagen und aus deinem Zelte reißen
und aus dem Lande der Lebendigen ausrotten. SELA.
8 [a]Und die Gerechten werden es sehen und sich fürchten
und werden seiner lachen:
9 »Siehe, das ist der Mann,
der nicht Gott für seinen Trost hielt,
sondern verließ sich auf seinen großen Reichtum
und nahm Zuflucht bei seinem verderblichen Tun.«

10 Ich aber [a]werde bleiben wie ein grünender Ölbaum im Hause Gottes;
ich verlasse mich auf Gottes Güte immer und ewig.

51,12 ***a*** Mt 5,8 ***b*** Hes 36,26-27 **51,18** ***a*** Ps 40,7 **51,19** ***a*** Ps 34,19 **52,2** ***a*** 1. Sam 22,9-19
52,8 ***a*** (8-9) Ps 91,8 **52,10** ***a*** Ps 92,13-16

11 Ich danke dir ewiglich,
denn du hast es getan.
Ich will harren auf deinen Namen vor deinen Heiligen,
denn er ist gut.

DIE TORHEIT DER GOTTLOSEN

(vgl. Ps 14,1-7)

53 EINE UNTERWEISUNG DAVIDS,
VORZUSINGEN, ZUM REIGENTANZ.

2 Die Toren sprechen in ihrem Herzen:
»Es ist kein Gott.«
Sie taugen nichts; ihr Treiben ist ein Gräuel;
da ist keiner, der Gutes tut.
3 Gott schaut vom Himmel auf die Menschenkinder,
dass er sehe, ob jemand klug sei und nach Gott frage.
4 Aber sie sind alle abgefallen und allesamt verdorben;
da ist keiner, der Gutes tut, auch nicht einer.

5 Wollen denn die Übeltäter sich nichts sagen lassen,
die mein Volk fressen, dass sie sich nähren,
Gott aber rufen sie nicht an?
6 Da erschrecken sie sehr,
wo kein Schrecken ist;
doch Gott zerstreut die Gebeine derer,
die dich bedrängen.
Du machst sie zuschanden,
denn Gott hat sie verworfen.
7 Ach dass die Hilfe aus Zion über Israel käme! /
Wenn Gott das Geschick seines Volkes wendet,
freue sich Jakob und sei Israel fröhlich!

HILFERUF EINES BEDRÄNGTEN

54 EINE UNTERWEISUNG DAVIDS, VORZUSINGEN,
BEIM SAITENSPIEL, 2 [a]ALS DIE LEUTE VON SIF KAMEN
UND ZU SAUL SPRACHEN: DAVID HÄLT SICH BEI UNS VERBORGEN.

3 Hilf mir, Gott, durch deinen Namen
und schaffe mir Recht durch deine Kraft.
4 Gott, erhöre mein Gebet,
vernimm die Rede meines Mundes.
5 Denn Stolze erheben sich gegen mich, /
und Gewalttäter trachten mir nach dem Leben;
sie haben Gott nicht vor Augen. SELA.

6 Siehe, Gott steht mir bei,
der Herr erhält mein Leben.
7 Er wird die Bosheit meinen Feinden vergelten.
Vertilge sie um deiner Treue willen!
8 Mit Freuden will ich dir Opfer bringen
und deinem Namen, HERR, danken, dass er so tröstlich ist.

54,2 *a* 1. Sam 23,19; 26,1

9 Denn du errettest mich aus aller meiner Not,
dass mein Auge auf meine Feinde herabsieht.

KLAGE ÜBER TREULOSE FREUNDE

55 EINE UNTERWEISUNG DAVIDS, VORZUSINGEN, BEIM SAITENSPIEL.

2 Gott, höre mein Gebet
und verbirg dich nicht vor meinem Flehen.
3 Merke auf mich und erhöre mich,
wie ich so ruhelos klage und heule,
4 dass der Feind so schreit
und der Frevler mich bedrängt;
denn sie wollen Unheil über mich bringen
und sind mir heftig gram.
5 Mein Herz ängstet sich in meinem Leibe,
und Todesfurcht ist auf mich gefallen.
6 Furcht und Zittern ist über mich gekommen,
und Grauen hat mich überfallen.
7 Ich sprach: O hätte ich Flügel wie Tauben,
dass ich wegflöge und Ruhe fände!
8 Siehe, so wollte ich in die Ferne fliehen
und in der Wüste bleiben. SELA.
9 Ich wollte eilen, dass ich entrinne
vor dem Sturmwind und Wetter.

10 Entzweie sie, Herr, verwirre ihre Sprache;
denn ich sehe Frevel und Hader in der Stadt.
11 Sie umkreisen die Stadt Tag und Nacht auf ihren Mauern,
und Mühsal und Unheil ist drinnen.
12 Verderbnis regiert darin,
Lügen und Trügen weicht nicht aus ihren Gassen.
13 [a]Denn nicht mein Feind schmäht mich,
das würde ich ertragen;
keiner, der mich hasst, tut groß wider mich,
vor ihm könnte ich mich verbergen;
14 sondern du bist es, mein Gefährte,
mein Freund und mein Vertrauter,
15 die wir freundlich miteinander waren,
die wir in Gottes Haus gingen inmitten der Menge!
16 Der Tod übereile sie, dass sie [a]lebendig zu den Toten fahren;
denn es ist lauter Bosheit bei ihnen.

17 Ich aber will zu Gott rufen
und der HERR wird mir helfen.
18 Des Abends, morgens und mittags will ich klagen und heulen;
so wird er meine Stimme hören.
19 Er erlöst mich von denen, die an mich wollen,
und schafft mir Ruhe; denn ihrer sind viele wider mich.
20 Gott wird hören und sie demütigen,
[a]der allewege bleibt. SELA.

55,13 *a* (13-15) Ps 41,10 **55,16** *a* 4. Mose 16,31-33 **55,20** *a* Ps 102,27-28

Denn sie werden nicht anders
und fürchten Gott nicht.
21 Der Feind legt seine Hände an seine Freunde
und entheiligt seinen Bund.
22 Sein Mund ist glatter als Butter,
und doch hat er Krieg im Sinn;
seine Worte sind linder als Öl
und sind doch gezückte Schwerter.[a]

23 **Wirf dein Anliegen auf den HERRN; /**
[a]der wird dich versorgen
und wird den Gerechten in Ewigkeit nicht wanken lassen.
24 Und du, Gott, wirst sie hinunterstoßen in die tiefe Grube. /
Die Blutgierigen und Falschen werden ihr Leben nicht [a]bis zur Hälfte bringen.
Ich aber hoffe auf dich.

GETROSTES VERTRAUEN IN SCHWERER NOT

56 EIN GÜLDENES KLEINOD DAVIDS, VORZUSINGEN,
NACH DER WEISE »DIE STUMME TAUBE UNTER DEN FREMDEN«,
[a]ALS IHN DIE PHILISTER IN GAT ERGRIFFEN HATTEN.

2 Gott, sei mir gnädig, denn Menschen stellen mir nach;
täglich bekämpfen und bedrängen sie mich.
3 Meine Feinde stellen mir täglich nach;
denn viele kämpfen gegen mich voll Hochmut.
4 Wenn ich mich fürchte,
so hoffe ich auf dich.
5 *Ich will Gottes Wort rühmen; /*
auf Gott will ich hoffen und [a]mich nicht fürchten.
Was können mir Menschen tun?

6 Täglich fechten sie meine Sache an;
alle ihre Gedanken suchen mir Böses zu tun.
7 Sie rotten sich zusammen, sie lauern /
und heften sich an meine Fersen;
so trachten sie mir nach dem Leben.
8 Sollten sie mit ihrer Bosheit entrinnen?
Gott, stoß diese Leute ohne alle Gnade hinunter!

9 Zähle die Tage meiner Flucht, /
sammle meine Tränen in deinen Krug;
ohne Zweifel, du zählst sie.
10 Dann werden meine Feinde zurückweichen, /
wenn ich dich anrufe.
Das weiß ich, dass du mein Gott bist.
11 *Ich will rühmen Gottes Wort;*
ich will rühmen des HERRN Wort.
12 *Auf Gott hoffe ich und fürchte mich nicht;*
was können mir Menschen tun?

13 Ich habe dir, Gott, gelobt,
dass ich dir danken will.

55,22 *a* Jer 9,7 **55,23** *a* 1. Petr 5,7 **55,24** *a* Ps 102,25 **56,1** *a* 1. Sam 21,11-16
56,5 *a* Ps 27,1; 118,6; Jes 12,2; 51,12; Mt 10,28

14 Denn [a]du hast meine Seele vom Tode errettet,
meine Füße vom Gleiten,
dass ich wandeln kann vor Gott
im Licht der Lebendigen.

UNTER DEM SCHATTEN SEINER FLÜGEL

57 EIN GÜLDENES KLEINOD DAVIDS, VORZUSINGEN, NACH DER WEISE »VERTILGE NICHT«, [a]ALS ER VOR SAUL IN DIE HÖHLE FLOH.

2 Sei mir gnädig, Gott, sei mir gnädig!
Denn auf dich traut meine Seele,
und [a]unter dem Schatten deiner Flügel habe ich Zuflucht,
bis das Unglück vorübergehe.
3 Ich rufe zu Gott, dem Allerhöchsten,
zu Gott, der meine Sache zum guten Ende führt.
4 Er sende vom Himmel und helfe mir /
von der Schmähung dessen, der mir nachstellt. SELA.
Gott sende seine Güte und Treue.
5 Ich liege mitten unter Löwen;
verzehrende Flammen sind die Menschen,
ihre Zähne sind Spieße und Pfeile
und ihre Zungen scharfe Schwerter.
6 *Erhebe dich, Gott, über den Himmel*
und deine Ehre über alle Welt!

7 Sie haben meinen Schritten ein Netz gestellt
und meine Seele gebeugt;
sie haben vor mir eine Grube gegraben –
und fallen doch selbst hinein. SELA.
8 [a]Mein Herz ist bereit, Gott,
mein Herz ist bereit, dass ich singe und lobe.
9 Wach auf, meine Ehre*, wach auf, Psalter und Harfe,
ich will das Morgenrot wecken!
10 Herr, ich will dir danken unter den Völkern,
ich will dir lobsingen unter den Leuten.
11 Denn deine Güte reicht, so weit der Himmel ist,
und deine Wahrheit, so weit die Wolken gehen.
12 *Erhebe dich, Gott, über den Himmel*
und deine Ehre über alle Welt!

GOTT, DER GERECHTE RICHTER

58 EIN GÜLDENES KLEINOD DAVIDS, VORZUSINGEN, NACH DER WEISE »VERTILGE NICHT«.

2 [a]Sprecht ihr in Wahrheit Recht, ihr Mächtigen?
Richtet ihr in Gerechtigkeit die Menschenkinder?
3 Nein, mutwillig tut ihr Unrecht im Lande,
und eure Hände treiben Frevel.

* **57,9** Luther merkte an: »Das ist mein Psalter und Lied, da ich Gott mit ehre.«

56,14 *a* Hiob 33,30 **57,1** *a* 1. Sam 22,1 **57,2** *a* Ps 17,8; 91,1-2 **57,8** *a* (8-12) Ps 108,2-6
58,2 *a* (2-3) Ps 82,2-4

4 Die Frevler sind abtrünnig vom Mutterschoß an,
die Lügner gehen irre von Mutterleib an.
5 Sie sind voller Gift wie eine giftige Schlange,
wie eine taube Otter, die ihr Ohr verschließt,
6 dass sie nicht höre die Stimme des Zauberers,
des Beschwörers, der gut beschwören kann.

7 Gott, zerbrich ihnen die Zähne im Maul,
zerschlage, HERR, das Gebiss der jungen Löwen!
8 Sie werden vergehen wie Wasser, das verrinnt.
Zielen sie mit ihren Pfeilen, so werden sie ihnen zerbrechen.
9 Sie vergehen, wie eine Schnecke verschmachtet,
wie eine Fehlgeburt sehen sie die Sonne nicht.
10 Ehe eure Töpfe das Dornfeuer spüren,
reißt alles der brennende Zorn hinweg.

11 Der Gerechte wird sich freuen, wenn er solche Vergeltung sieht,
und wird seine Füße baden in des Frevlers Blut;
12 und die Leute werden sagen: /
Ja, der Gerechte empfängt seine Frucht,
ja, Gott ist noch Richter auf Erden.

GEBET MITTEN UNTER DEN FEINDEN

59 EIN GÜLDENES KLEINOD DAVIDS, VORZUSINGEN,
NACH DER WEISE »VERTILGE NICHT«, [a]ALS SAUL HINSANDTE
UND SEIN HAUS BEWACHEN LIESS, UM IHN ZU TÖTEN.

2 Errette mich, mein Gott, von meinen Feinden
und schütze mich vor meinen Widersachern.
3 Errette mich von den Übeltätern
und hilf mir von den Blutgierigen!
4 Denn siehe, HERR, sie lauern mir auf;
Starke rotten sich wider mich zusammen
ohne meine Schuld und Missetat.
5 Ich habe nichts verschuldet; /
sie aber laufen herzu und machen sich bereit.
Erwache, komm herbei und sieh darein!
6 Du, HERR, Gott Zebaoth, Gott Israels,
wache auf und suche heim alle Völker!
Sei keinem von ihnen gnädig,
die so verwegene Übeltäter sind. SELA.

7 Des Abends kommen sie wieder,
heulen wie die Hunde und laufen in der Stadt umher.
8 Siehe, sie geifern mit ihrem Maul;
Schwerter sind auf ihren Lippen: »Wer sollte es hören?«
9 Aber du, HERR, wirst ihrer lachen
und aller Völker spotten.
10 *Meine Stärke, zu dir will ich mich halten;*
denn [a]Gott ist mein Schutz.

11 Gott erzeigt mir reichlich seine Güte,
Gott lässt mich herabsehen auf meine Feinde.

59,1 ***a*** 1. Sam 19,11 **59,10** ***a*** Ps 9,10-11

12 Bringe sie nicht um,
dass es mein Volk nicht vergesse;
zerstreue sie aber mit deiner Macht, Herr, unser Schild,
und stoß sie hinunter!
13 Das Wort ihrer Lippen ist nichts als Sünde;
darum sollen sie sich fangen in ihrer Hoffart
mit all ihren Flüchen und Lügen.
14 Vertilge sie ohne alle Gnade, vertilge sie,
dass sie nicht mehr sind!
Lass sie innewerden, dass Gott Herrscher ist in Jakob,
bis an die Enden der Erde. SELA.

15 Des Abends kommen sie wieder,
heulen wie die Hunde und laufen in der Stadt umher.
16 Sie laufen hin und her nach Speise
und murren, wenn sie nicht satt werden.

17 Ich aber will von deiner Macht singen /
und des Morgens rühmen deine Güte;
denn du bist mir Schutz und Zuflucht in meiner Not.
18 *Meine Stärke, dir will ich lobsingen;*
denn Gott ist mein Schutz, mein gnädiger Gott.

GEBET DES VERSTOSSENEN VOLKES

60 EIN GÜLDENES KLEINOD DAVIDS, VORZUSINGEN,
NACH DER WEISE »LILIE DES ZEUGNISSES«, ZUR BELEHRUNG,
2 ALS ER MIT DEN ARAMÄERN VON MESOPOTAMIEN
UND MIT DEN ARAMÄERN VON ZOBA KRIEG FÜHRTE;
ALS JOAB UMKEHRTE UND DIE EDOMITER IM SALZTAL SCHLUG,
ZWÖLFTAUSEND MANN.[a]

3 Gott, der du uns verstoßen und zerstreut hast
und zornig warst, tröste uns wieder;
4 der du die Erde erschüttert und zerrissen hast,
heile ihre Risse; denn sie wankt.
5 Du ließest deinem Volk Hartes widerfahren,
[a]du gabst uns einen Wein zu trinken, dass wir taumelten.
6 Du hast doch ein [a]Zeichen gegeben denen, die dich fürchten,
damit sie fliehen können vor dem Bogen. SELA.
7 [a]Dass deine Freunde errettet werden,
dazu hilf mit deiner Rechten und erhöre uns!

8 Gott hat in seinem Heiligtum geredet:
Ich will frohlocken;
ich will Sichem verteilen
und ausmessen das Tal Sukkot;
9 Gilead ist mein, mein ist Manasse, /
Ephraim ist der Schutz meines Hauptes,
[a]Juda ist mein Zepter.
10 Moab ist mein Waschbecken, /
meinen Schuh werfe ich auf Edom,
Philisterland, jauchze mir zu! |

60,2 ***a*** 2. Sam 8,3.13; 10,13.18 **60,5** ***a*** Ps 75,9 **60,6** ***a*** 2. Mose 17,15
60,7 ***a*** (7-14) Ps 108,7-14 **60,9** ***a*** 1. Mose 49,10

11 Wer wird mich führen in die feste Stadt?
Wer geleitet mich nach Edom?
12 Wirst du es nicht tun, Gott, der du uns verstoßen hast,
und ziehst nicht aus, Gott, mit unserm Heer?
13 Schaff uns Beistand in der Not;
denn Menschenhilfe ist nichts nütze.
14 Mit Gott wollen wir Taten tun.
Er wird unsre Feinde zertreten.

RUF NACH GOTT VON DEN ENDEN DER ERDE

61 VON DAVID, VORZUSINGEN, BEIM SAITENSPIEL.

2 Höre, Gott, mein Schreien
und merke auf mein Gebet!
3 Vom Ende der Erde rufe ich zu dir, denn mein Herz ist in Angst;
du wollest mich führen auf einen hohen Felsen.
4 Denn du bist meine Zuversicht,
ein starker Turm vor meinen Feinden.[a]
5 Lass mich wohnen in deinem Zelte ewiglich
und [a]Zuflucht haben unter deinen Fittichen. SELA.
6 Denn du, Gott, hörst meine Gelübde
und gibst mir teil am Erbe derer, die deinen Namen fürchten.

7 Du wollest dem König [a]langes Leben geben,
dass seine Jahre währen für und für,
8 dass er [a]immer throne vor Gott.
Lass Güte und Treue ihn behüten!
9 So will ich deinem Namen lobsingen ewiglich,
dass ich meine Gelübde erfülle täglich.

STILLE ZU GOTT

62 EIN PSALM DAVIDS, VORZUSINGEN, FÜR JEDUTUN.

2 *Meine Seele ist [a]stille*
zu Gott, der mir hilft.
3 *Denn er ist mein [a]Fels, meine Hilfe, mein Schutz,*
dass ich gewiss nicht wanken werde.
4 Wie lange stellt ihr alle einem nach,
wollt alle ihn morden,
als wäre er eine hangende Wand
und eine rissige Mauer?
5 Sie denken nur, wie sie ihn von seiner Höhe stürzen,
sie haben Gefallen am Lügen;
mit dem Munde segnen sie,
aber im Herzen fluchen sie. SELA.

6 *Aber sei nur stille zu Gott, meine Seele;*
denn er ist meine Hoffnung.
7 *Er ist mein Fels, meine Hilfe und mein Schutz,*
dass ich nicht wanken werde.

61,4 *a* Ps 71,3; Spr 18,10 **61,5** *a* Ps 17,8 **61,7** *a* Ps 21,5 **61,8** *a* 2. Sam 7,16
62,2 *a* Jes 30,15 **62,3** *a* Ps 18,3

8 Bei Gott ist mein Heil und meine Ehre, /
der Fels meiner Stärke,
meine Zuversicht ist bei Gott.
9 Hoffet auf ihn allezeit, liebe Leute, /
schüttet euer Herz vor ihm aus;
Gott ist unsre Zuversicht. SELA.

10 Aber Menschen sind ja nichts, große Leute täuschen auch;
sie wiegen weniger als nichts, so viel ihrer sind.
11 Verlasst euch nicht auf Gewalt
und setzt auf Raub nicht eitle Hoffnung;
[a]fällt euch Reichtum zu,
so hängt euer Herz nicht daran.
12 Eines hat Gott geredet,
ein Zweifaches habe ich gehört:
Gott allein ist mächtig,
13 und du, Herr, bist gnädig;
denn [a]du vergiltst einem jeden,
wie er's verdient hat.

GOTTES GÜTE IST BESSER ALS LEBEN

63 EIN PSALM DAVIDS, [a]ALS ER IN DER WÜSTE JUDA WAR.

2 Gott, du bist mein Gott, den ich suche.
[a]Es dürstet meine Seele nach dir,
mein Leib verlangt nach dir
aus trockenem, dürrem Land, wo kein Wasser ist.
3 So schaue ich aus nach dir in deinem Heiligtum,
wollte gerne sehen deine Macht und Herrlichkeit.
4 Denn deine Güte ist besser als Leben;
meine Lippen preisen dich.
5 So will ich dich loben mein Leben lang
und meine Hände in deinem Namen aufheben.

6 Das ist meines Herzens Freude und Wonne,*
wenn ich dich mit fröhlichem Munde loben kann;
7 **wenn ich mich zu Bette lege, so denke ich an dich,**
wenn ich wach liege, sinne ich über dich nach.[a]
8 Denn du bist mein Helfer,
und [a]unter dem Schatten deiner Flügel frohlocke ich.
9 Meine Seele hängt an dir;
deine rechte Hand hält mich.

10 Sie aber trachten mir nach dem Leben, mich zu verderben;
sie werden in die Tiefen der Erde hinunterfahren.
11 Sie werden dem Schwert dahingegeben
und den Schakalen zur Beute werden.
12 Aber der König freut sich in Gott. /
Wer bei ihm schwört, der darf sich rühmen;
denn die Lügenmäuler sollen verstopft werden.

* **63,6** Luther übersetzte 1524 wörtlicher: »Lass meine Seele voll werden wie mit Schmalz und Fettem«.

62,11 ***a*** Mt 19,22; Lk 12,15-21; 1. Tim 6,9.17 **62,13** ***a*** Röm 2,6-11 **63,1** ***a*** 1. Sam 22,5
63,2 ***a*** Ps 42,3 **63,7** ***a*** Jes 26,9 **63,8** ***a*** Ps 17,8

BITTE UM SCHUTZ VOR BÖSEN ANSCHLÄGEN

64 EIN PSALM DAVIDS, VORZUSINGEN.

2 Höre, Gott, meine Stimme in meiner Klage,
behüte mein Leben vor dem schrecklichen Feinde.
3 Verbirg mich vor den Anschlägen der Bösen,
vor dem Toben der Übeltäter,
4 die ihre Zunge schärfen wie ein Schwert,
mit ihren giftigen Worten zielen wie mit Pfeilen,
5 dass sie heimlich schießen auf den Frommen;
plötzlich schießen sie auf ihn ohne alle Scheu.

6 Sie sind kühn mit ihren bösen Anschlägen /
und reden davon, wie sie Stricke legen wollen,
und sprechen: [a]Wer kann sie sehen?
7 Sie haben Böses im Sinn und sprechen:
Wir haben einen hinterhältigen Plan gefasst.
Unergründlich sind Herz und Sinn.

8 Da trifft sie Gott mit dem Pfeil,
plötzlich sind sie zu Boden geschlagen.
9 Ihre eigene Zunge bringt sie zu Fall,
dass ihrer spotten wird, wer sie sieht.
10 Und alle Menschen werden sich fürchten /
und sagen: [a]Das hat Gott getan!,
und erkennen, dass es sein Werk ist.
11 Der Gerechte wird sich des HERRN freuen /
und auf ihn trauen,
und alle frommen Herzen werden sich seiner rühmen.

GOTT KRÖNT DAS JAHR MIT SEINEM GUT

65 EIN PSALM DAVIDS, EIN LIED, VORZUSINGEN.

2 Gott, man lobt dich in der Stille zu Zion,
und dir hält man Gelübde.
3 Du erhörst Gebet;
darum kommt alles Fleisch zu dir.
4 Unsre Missetat drückt uns hart;
du wollest unsre Sünde vergeben.
5 Wohl dem, den du erwählst und zu dir lässt,
dass er wohne in deinen Vorhöfen;
der hat reichen Trost von deinem Hause,
deinem heiligen Tempel.[a]

6 Erhöre uns nach der wunderbaren Gerechtigkeit, Gott, unser Heil,
der du bist die Zuversicht aller auf Erden und fern am Meer;
7 der du die Berge gründest in deiner Kraft
und gerüstet bist mit Macht;
8 der du [a]stillst das Brausen des Meeres,
das Brausen seiner Wellen und das Toben der Völker,
9 dass sich entsetzen, die an den Enden wohnen, vor deinen Zeichen.
Du machst fröhlich, was da lebet im Osten wie im Westen. |

64,6 *a* Ps 94,7 **64,10** *a* 2. Mose 8,15 **65,5** *a* Ps 63,3-4; 84,2-5; 5. Mose 4,7 **65,8** *a* Ps 89,10

10 Du [a]suchst das Land heim und bewässerst es /
und machst es sehr reich;
Gottes Brünnlein hat Wasser die Fülle.
Du lässt ihr Getreide gut geraten;
denn so baust du das Land.
11 Du [a]tränkst seine Furchen und feuchtest seine Schollen;
mit Regen machst du es weich und segnest sein Gewächs.
12 Du krönst das Jahr mit deinem Gut,
und deine Spuren triefen von Segen*.
13 Es triefen auch die Auen in der Steppe,
und die Hügel gürten sich mit Jubel.
14 Die Anger sind voller Schafe, /
und die Auen stehen dick mit Korn,
dass man jauchzet und singet.

DANK FÜR GOTTES WUNDERBARE FÜHRUNG

66 EIN PSALMLIED, VORZUSINGEN.

Jauchzet Gott, alle Lande! /
2 Lobsinget zur Ehre seines Namens;
rühmet ihn herrlich!
3 Sprecht zu Gott: Wie wunderbar sind deine Werke!
Deine Feinde müssen sich beugen vor deiner großen Macht.
4 Alles Land bete dich an und lobsinge dir,
lobsinge deinem Namen. SELA.

5 Kommt her und sehet an die Werke Gottes,
der so wunderbar ist in seinem Tun an den Menschenkindern.
6 Er [a]verwandelte das Meer in trockenes Land, /
sie gingen zu Fuß durch den Strom;
dort wollen wir uns seiner freuen.
7 Er herrscht mit seiner Gewalt ewiglich, /
seine Augen schauen auf die Völker.
Die Abtrünnigen können sich nicht erheben. SELA.
8 Lobet, ihr Völker, unsern Gott,
lasst seinen Ruhm weit erschallen,
9 der unsre Seelen am Leben erhält
und lässt unsere Füße nicht gleiten.
10 Denn, Gott, du hast uns [a]geprüft und geläutert,
wie das Silber geläutert wird;
11 du hast uns in den Turm werfen lassen,
du hast auf unsern Rücken eine Last gelegt,
12 du hast Menschen über unser Haupt fahren lassen, /
[a]wir sind in Feuer und Wasser gekommen.
Aber du hast uns herausgeführt und erquickt.

13 Darum will ich in dein Haus gehen mit Brandopfern
und dir meine Gelübde erfüllen,
14 wie ich meine Lippen aufgetan habe
und mein Mund geredet hat in meiner Not.

* **65,12** Wörtlich: »Fett«.

65,10 ***a*** Ps 67,7 **65,11** ***a*** Ps 104,13-16 **66,6** ***a*** 2. Mose 14,21-22; Jos 3,16-17
66,10 ***a*** Spr 17,3 **66,12** ***a*** Jes 43,2

15 Ich will dir Brandopfer bringen von fetten Schafen /
mit dem Opferrauch von Widdern;
ich will opfern Rinder mit Böcken. SELA.

16 Kommt her, höret zu alle, die ihr Gott fürchtet;
ich will erzählen, was er an mir getan hat.
17 Zu ihm rief ich mit meinem Munde
und pries ihn mit meiner Zunge.
18 Wenn ich Unrechtes vorgehabt hätte in meinem Herzen,
so würde der Herr nicht hören.[a]
19 Aber Gott hat mich erhört
und gemerkt auf mein Flehen.
20 Gelobt sei Gott, der mein Gebet nicht verwirft
noch seine Güte von mir wendet.

GOTTES SEGEN ÜBER ALLE WELT

67 EIN PSALMLIED, VORZUSINGEN, BEIM SAITENSPIEL.

2 Gott sei uns gnädig und segne uns,
er lasse uns sein Antlitz leuchten, – SELA –[a]
3 dass man auf Erden erkenne deinen Weg,
unter allen Heiden dein Heil.
4 *Es danken dir, Gott, die Völker,*
es danken dir alle Völker.

5 Die Völker freuen sich und jauchzen,
dass du die Menschen recht richtest
und regierst die Völker auf Erden. SELA.
6 *Es danken dir, Gott, die Völker,*
es danken dir alle Völker.

7 Das [a]Land gibt sein Gewächs;
es segne uns Gott, unser Gott!
8 Es segne uns Gott,
und alle Welt fürchte ihn!

DER SIEG GOTTES

68 EIN PSALMLIED DAVIDS, VORZUSINGEN.

2 [a]Gott steht auf; so werden seine Feinde zerstreut,
und die ihn hassen, fliehen vor ihm.
3 Wie Rauch verweht, so verwehen sie;
wie Wachs zerschmilzt vor dem Feuer,
so kommen die Frevler um vor Gott.
4 Die Gerechten aber freuen sich /
und sind fröhlich vor Gott
und freuen sich von Herzen.

5 Singet Gott, lobsinget seinem Namen! /
[a]Macht Bahn dem, der auf den Wolken einherfährt;
er heißt HERR. Freuet euch vor ihm!

66,18 ***a*** Spr 28,9 **67,2** ***a*** 4. Mose 6,24-25 **67,7** ***a*** Ps 65,10
68,2 ***a*** 4. Mose 10,35 **68,5** ***a*** Jes 57,14

6 Ein [a]Vater der Waisen und ein Helfer der Witwen
ist Gott in seiner heiligen Wohnung,
7 ein Gott, der die Einsamen nach Hause bringt, /
der die Gefangenen herausführt, dass es ihnen wohlgehe;
aber die Abtrünnigen bleiben in dürrem Lande.

8 Gott, [a]als du vor deinem Volk herzogst,
als du einhergingst in der Wüste, – SELA –
9 da [a]bebte die Erde, /
und die Himmel troffen vor Gott – am Sinai –,
vor Gott, dem Gott Israels.
10 Du gabst, Gott, Regen in Fülle,
und dein Erbe, das dürre war, erquicktest du,
11 dass deine Tiere darin wohnen konnten.
Gott, du labst die Elenden in deiner Güte.
12 Der Herr gibt ein Wort –
der [a]Freudenbotinnen ist eine große Schar –:
13 Die Könige der Heerscharen fliehen, sie fliehen,
und die Frauen teilen die Beute aus.
14 Wollt ihr zwischen den [a]Hürden lagern? /
Die Flügel der Tauben sind überzogen mit Silber,
und ihre Schwingen schimmern von Gold.
15 Als der Allmächtige dort Könige zerstreute,
fiel Schnee auf dem Zalmon.
16 Ein Berg Gottes ist Baschans Gebirge,
ein Gebirge, reich an Gipfeln, ist Baschans Gebirge.
17 Was seht ihr scheel, ihr Berge, ihr Gipfel, /
[a]auf den Berg, wo es Gott gefällt zu thronen?
Ja, dort bleibt der HERR immerdar.
18 Gottes Wagen sind vieltausendmal tausend;
der Herr ist unter ihnen, der vom Sinai ist im Heiligtum.
19 Du [a]bist aufgefahren zur Höhe
und führtest Gefangne gefangen,
du hast Gaben empfangen von Menschen – auch von Abtrünnigen –,
auf dass Gott der HERR daselbst wohne.

20 **Gelobt sei der Herr täglich.**
[a]Gott legt uns eine Last auf, aber er hilft uns auch*. SELA.
21 Wir haben einen Gott, der da hilft,
und den HERRN, einen Herrn, der vom Tode errettet.
22 Ja, Gott wird den Kopf seiner Feinde zerschmettern,
den Schädel derer, die da fortfahren in ihrer Sünde.
23 Der Herr hat gesagt: Aus Baschan will ich sie wieder holen,
aus der Tiefe des Meeres will ich sie holen,
24 dass du deinen Fuß im Blut der Feinde badest
und deine Hunde es lecken.

25 Man sieht, Gott, [a]wie du einherziehst,
wie du, mein Gott und König, [b]einherziehst im Heiligtum.
26 Die Sänger gehen voran, danach die Spielleute
inmitten der Mädchen, die da [a]Pauken schlagen.

* **68,20** Wörtlich: »der unsere Last trägt, der uns hilft«.

68,6 ***a*** Ps 10,14 **68,8** ***a*** 2. Mose 13,21 **68,9** ***a*** 2. Mose 19,16-18 **68,12** ***a*** Jes 52,7
68,14 ***a*** Ri 5,16 **68,17** ***a*** Ps 132,13 **68,19** ***a*** Eph 4,8-10 **68,20** ***a*** 1. Kor 10,13
68,25 ***a*** Ps 24,7 ***b*** 2. Sam 6,13-15 **68,26** ***a*** 2. Mose 15,20

27 »Lobet Gott in den Versammlungen,
den HERRN, [a]ihr vom Brunnen Israels.«
28 Benjamin, der Jüngste, geht ihnen voran, /
dann die Fürsten Judas mit ihren Scharen,
die Fürsten Sebulons, die Fürsten Naftalis.

29 Biete auf, Gott, deine Macht,
die Macht, Gott, die du an uns bewiesen hast
30 von deinem Tempel her; um Jerusalems willen
werden dir [a]Könige Geschenke bringen.
31 Bedrohe das Tier im Schilf,
die Rotte der Stiere unter den Kälbern, den Völkern,
die da zertreten um des Silbers willen.
Zerstreue die Völker, die gerne Krieg führen.
32 Aus Ägypten werden Gesandte kommen;
Kusch wird seine Hände ausstrecken zu Gott.[a]

33 Ihr Königreiche auf Erden, singet Gott,
lobsinget dem Herrn! SELA.
34 Er fährt einher durch die Himmel,
die von Anbeginn sind.
Siehe, er lässt seine Stimme erschallen,
eine gewaltige Stimme.
35 Gebt Gott die Macht! Seine Herrlichkeit ist über Israel
und seine Macht in den Wolken.
36 Zu fürchten bist du, Gott, in deinem Heiligtum. /
Er ist Israels Gott.
Er wird dem Volk Macht und Kraft geben.
Gelobt sei Gott!

IN SCHMACH, SCHANDE UND SCHAM

69 VON DAVID, VORZUSINGEN, NACH DER WEISE »LILIEN«.

2 Gott, hilf mir!
Denn das Wasser geht mir bis an die Kehle.
3 Ich versinke in tiefem Schlamm,
wo kein Grund ist;
ich bin in tiefe Wasser geraten,
und die Flut will mich ersäufen.
4 Ich habe mich müde geschrien,
mein Hals ist heiser.
Meine Augen sind trübe geworden,
weil ich so lange harren muss auf meinen Gott.
5 Die [a]mich ohne Grund hassen,
sind mehr, als ich Haare auf dem Haupt habe.
Die mir ohne Ursache feind sind /
und mich verderben wollen, sind mächtig.
Ich soll zurückgeben, was ich nicht geraubt habe.

6 Gott, du kennst meine Torheit,
und meine Schuld ist dir nicht verborgen.

68,27 *a* Jes 48,1 **68,30** *a* Ps 72,10 **68,32** *a* Jes 18,7; 19,21; 45,14; Apg 8,27
69,5 *a* Joh 15,25

7 Lass nicht zuschanden werden an mir,
die deiner harren, Herr, HERR Zebaoth!
Lass nicht schamrot werden an mir,
die dich suchen, Gott Israels!
8 Denn [a]um deinetwillen trage ich Schmach,
mein Angesicht ist voller Schande.
9 Ich [a]bin fremd geworden meinen Brüdern
und unbekannt den Kindern meiner Mutter;
10 denn [a]der Eifer um dein Haus hat mich gefressen,
und [b]die Schmähungen derer, die dich schmähen,
sind auf mich gefallen.
11 Ich weine bitterlich und faste,
und man spottet meiner dazu.
12 Ich habe einen Sack angezogen,
aber sie treiben ihren Spott mit mir.
13 Die im Tor sitzen, schwatzen von mir,
und beim Zechen singt man von mir.[a]

14 Ich aber bete, HERR, zu dir [a]zur Zeit der Gnade;
Gott, nach deiner großen Güte erhöre mich mit deiner treuen Hilfe.
15 Errette mich aus dem Schlamm,
dass ich nicht versinke,
dass ich errettet werde vor denen, die mich hassen,
und aus den tiefen Wassern;
16 dass mich die Wasserflut nicht ersäufe /
und die Tiefe nicht verschlinge
und [a]das Loch des Brunnens sich nicht über mir schließe.

17 [a]Erhöre mich, HERR, denn deine Güte ist tröstlich;
wende dich zu mir nach deiner großen Barmherzigkeit
18 und verbirg dein Angesicht nicht vor deinem Knecht,
denn mir ist angst; erhöre mich eilends.
19 Nahe dich meiner Seele und erlöse sie,
erlöse mich um meiner Feinde willen.
20 Du kennst meine Schmach, meine Schande und Scham;
meine Widersacher sind dir alle vor Augen.
21 Die Schmach bricht mir mein Herz
und macht mich krank.
Ich warte, ob jemand Mitleid habe, aber da ist niemand,
und auf Tröster, aber ich finde keine.
22 Sie geben mir Galle zu essen
und Essig zu trinken für meinen Durst.[a]

23 [a]Ihr Tisch werde vor ihnen zur Falle,
zur Vergeltung und zum Strick.
24 Ihre Augen sollen finster werden, dass sie nicht sehen,
und ihre Hüften lass immerfort wanken.
25 Gieß deine Ungnade über sie aus,
und dein grimmiger Zorn ergreife sie.
26 Ihre Wohnstatt soll verwüstet werden,
und niemand wohne in ihren Zelten.[a]

69,8 ***a*** Ps 44,23 **69,9** ***a*** Ps 38,12 **69,10** ***a*** Ps 119,139; Joh 2,17 ***b*** Röm 15,3 **69,13** ***a*** Hiob 30,9
69,14 ***a*** Jes 49,8 **69,16** ***a*** 1. Mose 29,3 **69,17** ***a*** (17-18) 4. Mose 6,26 **69,22** ***a*** Mt 27,34.48
69,23 ***a*** (23-24) Röm 11,9-10 **69,26** ***a*** Apg 1,20

27 Denn sie verfolgen, den du geschlagen hast,
und reden gern von dem Schmerz derer,
die du hart getroffen hast.
28 Lass sie aus einer Schuld in die andre fallen,
dass sie nicht kommen zu deiner Gerechtigkeit.
29 Tilge sie aus dem [a]Buch des Lebens,
dass sie nicht geschrieben stehen bei den Gerechten.
30 Ich aber bin elend und voller Schmerzen.
Gott, deine Hilfe schütze mich!

31 Ich will den Namen Gottes loben mit einem Lied
und will ihn hoch ehren mit Dank.
32 Das [a]wird dem HERRN besser gefallen
als ein Stier, der Hörner und Klauen hat.
33 Die Elenden sehen es und freuen sich.
Die ihr Gott sucht, euer Herz [a]lebe auf!
34 Denn der HERR hört die Armen
und verachtet seine Gefangenen nicht.

35 Es lobe ihn Himmel und Erde,
die Meere und alles, was sich darin regt.
36 Denn Gott wird Zion helfen /
und die Städte Judas bauen,
dass man dort wohne und sie besitze.
37 Und die Kinder seiner Knechte werden sie erben,
und die seinen Namen lieben, werden darin bleiben.

HILFERUF GEGEN WIDERSACHER

(vgl. Ps 40,14-18)

70 VON DAVID, VORZUSINGEN, ZUM GEDENKOPFER.

2 Eile, Gott, mich zu erretten,
HERR, mir zu helfen!
3 Es sollen sich schämen und zuschanden werden,
die mir nach dem Leben trachten;
sie sollen zurückweichen und zum Spott werden,
die mir mein Unglück gönnen.
4 Sie sollen umkehren um ihrer Schande willen,
die über mich schreien: Da, da!
5 Lass deiner sich freuen und fröhlich sein
alle, die nach dir fragen;
und die dein Heil lieben, lass allewege sagen:
Hochgelobt sei Gott!
6 Ich aber bin elend und arm; Gott, eile zu mir!
Du bist mein Helfer und Erretter; HERR, säume nicht!

BITTE UM GOTTES HILFE IM ALTER

71 HERR, ich traue auf dich,
lass mich nimmermehr zuschanden werden.
2 Errette mich durch deine Gerechtigkeit und hilf mir heraus,
neige deine Ohren zu mir und hilf mir!

69,29 ***a*** 2. Mose 32,32-33; Dan 12,1; Lk 10,20; Phil 4,3 **69,32** ***a*** Ps 50,8-13 **69,33** ***a*** Ps 22,27

3 Sei mir ein starker Hort, dahin ich immer fliehen kann, /
der du zugesagt hast, mir zu helfen;
denn du bist mein [a]Fels und meine Burg.

4 Mein Gott, hilf mir aus der Hand des Gottlosen,
aus der Hand des Ungerechten und Tyrannen.
5 Denn du bist meine Zuversicht, HERR, mein Gott,
meine Hoffnung von meiner Jugend an.
6 Auf dich habe ich mich verlassen vom Mutterleib an; /
du hast mich aus meiner Mutter Leibe gezogen.
Dich rühme ich immerdar.
7 Ich bin für viele wie ein Zeichen;
aber du bist meine starke Zuversicht.
8 Lass meinen Mund deines Ruhmes
und deines Preises voll sein täglich.

9 Verwirf mich nicht in meinem Alter,
verlass mich nicht, wenn ich schwach werde.
10 Denn meine Feinde reden über mich,
und die auf mich lauern, beraten sich miteinander
11 und sprechen: Gott hat ihn verlassen;
jagt ihm nach und ergreift ihn, denn da ist kein Erretter!

12 Gott, sei nicht ferne von mir;
mein Gott, eile, mir zu helfen!
13 Schämen sollen sich und umkommen,
die mir feind sind;
mit Schimpf und Schande sollen überschüttet werden,
die mein Unglück suchen.

14 Ich aber will immer harren
und mehren all deinen Ruhm.
15 Mein Mund soll verkündigen deine Gerechtigkeit,
täglich deine Wohltaten, die ich nicht zählen kann.
16 Ich gehe einher in der Kraft Gottes des HERRN;
ich preise deine Gerechtigkeit allein.

17 Gott, du hast mich von Jugend auf gelehrt,
und noch jetzt verkündige ich deine Wunder.
18 Auch verlass mich nicht, Gott, [a]im Alter,
wenn ich grau werde,
bis ich deine Macht verkündige Kindeskindern
und deine Kraft allen, die noch kommen sollen.
19 Gott, deine Gerechtigkeit reicht bis zum Himmel;
der du große Dinge tust, Gott, wer ist dir gleich?
20 Du lässest mich erfahren viel Angst und Not
und [a]machst mich wieder lebendig
und holst mich wieder herauf
aus den Tiefen der Erde.
21 Du machst mich sehr groß
und tröstest mich wieder.

22 So will auch ich dir danken mit Saitenspiel
für deine Treue, mein Gott;

71,3 *a* Ps 31,3-4 **71,18** *a* Jes 46,4 **71,20** *a* 1. Sam 2,6

ich will dir zur Harfe lobsingen,
du [a]Heiliger Israels.
23 Meine Lippen und meine Seele, die du erlöst hast,
sollen fröhlich sein und dir lobsingen.
24 Auch meine Zunge soll täglich reden
von deiner Gerechtigkeit;
denn zu Schmach und Schande werden,
die mein Unglück suchen.

DER FRIEDEFÜRST UND SEIN REICH

72 VON SALOMO.

Gott, gib dein Recht dem König
und deine Gerechtigkeit dem Königssohn,
2 dass er dein Volk richte in Gerechtigkeit
und deine Elenden nach dem Recht.
3 Lass die Berge Frieden bringen für das Volk
und die Hügel Gerechtigkeit.

4 Er soll den Elenden im Volk Recht schaffen
und den Armen helfen und die Bedränger zermalmen.
5 Er soll leben, solange die Sonne scheint
und solange der Mond währt, von Geschlecht zu Geschlecht.
6 Er soll herabfahren wie der Regen auf die Aue,
wie die Tropfen, die das Land feuchten.
7 Zu seinen Zeiten soll blühen die Gerechtigkeit
und großer Friede sein, bis der Mond nicht mehr ist.
8 Er soll herrschen von einem Meer bis ans andere
und von dem Strom bis zu den Enden der Erde.[a]
9 Vor ihm sollen sich neigen die Söhne der Wüste,
und [a]seine Feinde sollen Staub lecken.
10 Die Könige von [a]Tarsis und auf den Inseln
sollen [b]Geschenke bringen,
die Könige aus [c]Saba und Seba
sollen Gaben senden.
11 Alle Könige sollen vor ihm niederfallen
und alle Völker ihm dienen.

12 Denn er wird den Armen erretten, der um Hilfe schreit,
und den [a]Elenden, der keinen Helfer hat.
13 Er wird gnädig sein den Geringen und Armen,
und den Armen wird er helfen.
14 Er wird sie aus Bedrückung und Frevel erlösen,
und [a]ihr Blut ist wert geachtet vor ihm.

15 Er soll leben, und man soll ihm geben
vom Gold aus Saba.
Man soll immerdar für ihn beten
und ihn täglich segnen.
16 Voll stehe das Getreide im Land bis oben auf den Bergen;
wie am Libanon rausche seine Frucht.

71,22 ***a*** 2. Kön 19,22; Jes 43,3 **72,8** ***a*** Sach 9,10 **72,9** ***a*** Jes 49,23 **72,10** ***a*** Jes 60,9
b Ps 68,30 ***c*** 1. Kön 10,1-2 **72,12** ***a*** Hiob 36,15 **72,14** ***a*** Ps 9,13; 116,15

In den Städten sollen sie grünen
wie das Gras auf Erden.
17 Sein Name bleibe ewiglich;
solange die Sonne währt, blühe sein Name.
Und [a]durch ihn sollen gesegnet sein alle Völker,
und sie werden ihn preisen.

18 [a]Gelobt sei Gott der HERR, der Gott Israels,
der allein Wunder tut!
19 Gelobt sei sein herrlicher Name ewiglich,
und [a]alle Lande sollen seiner Ehre voll werden!
Amen! Amen!
20 ZU ENDE SIND DIE GEBETE DAVIDS, DES SOHNES ISAIS.

DRITTES BUCH
Psalm 73–89

ANFECHTUNG UND TROST BEIM GLÜCK DES FREVLERS

73 EIN PSALM ASAFS.

Gott ist dennoch Israels Trost
für alle, die reinen Herzens sind.
2 Ich aber wäre fast gestrauchelt mit meinen Füßen;
mein Tritt wäre beinahe geglitten.
3 Denn ich ereiferte mich über die Ruhmredigen,
da ich sah, [a]dass es den Frevlern so gut ging.

4 Denn für sie gibt es keine Qualen,
gesund und feist ist ihr Leib.
5 Sie sind nicht in Mühsal wie sonst die Leute
und werden nicht wie andere Menschen geplagt.
6 Darum prangen sie in Hoffart
und hüllen sich in Frevel.
7 Sie brüsten sich wie ein fetter Wanst,
sie tun, was ihnen einfällt.
8 Sie höhnen und reden böse,
sie reden und lästern hoch her.
9 Was sie reden, das soll vom Himmel herab geredet sein;
was sie sagen, das soll gelten auf Erden.
10 Darum läuft ihnen der Pöbel zu
und schlürft ihr Wasser in vollen Zügen.
11 Sie sprechen: [a]Wie sollte Gott es wissen?
Wie sollte der Höchste etwas merken?
12 Siehe, das sind die Frevler;
die sind glücklich für immer und werden reich.

13 [a]Soll es denn umsonst sein, dass ich mein Herz rein hielt
und meine Hände in Unschuld wasche?
14 Ich bin täglich geplagt,
und meine Züchtigung ist alle Morgen da.

72,17 *a* 1. Mose 12,3; 22,18 **72,18** *a* (18-19) Ps 41,14 **72,19** *a* Jes 6,3 **73,3** *a* Hiob 21,7
73,11 *a* Ps 10,11 **73,13** *a* (13-14) Mal 3,14

15 Hätte ich gedacht: Ich will reden wie sie,
siehe, dann hätte ich das Geschlecht deiner Kinder verraten.
16 So sann ich nach, ob ich's begreifen könnte,
aber es war mir zu schwer,
17 bis ich ging in das Heiligtum Gottes
und merkte auf ihr Ende.

18 Ja, du stellst sie auf schlüpfrigen Grund
und stürzest sie zu Boden.
19 Wie werden sie so plötzlich zunichte!
Sie gehen unter und nehmen ein Ende mit Schrecken.
20 Wie ein Traum verschmäht wird, wenn man erwacht,
so verschmähst du, Herr, ihr Bild, wenn du dich erhebst.
21 Als es mir wehe tat im Herzen
und mich stach in meinen Nieren,
22 da war ich ein Narr und wusste nichts,
ich war wie ein Tier vor dir.

23 **Dennoch [a]bleibe ich stets an dir;**
denn du hältst mich bei meiner rechten Hand,
24 **du leitest mich nach deinem Rat**
und [a]nimmst mich am Ende mit Ehren an.
25 **Wenn ich nur dich habe,**
so frage ich nichts nach Himmel und Erde.
26 **Wenn mir gleich Leib und Seele verschmachtet,**
so bist du doch, Gott, allezeit meines Herzens Trost und [a]mein Teil.

27 Denn siehe, die von dir weichen, werden umkommen;
du bringst um alle, die dir die Treue brechen.
28 Aber **das ist meine Freude, dass ich mich zu Gott halte /**
und meine Zuversicht setze auf Gott den HERRN,
dass ich verkündige all dein Tun.

KLAGE ÜBER DAS VERWÜSTETE HEILIGTUM

74 EINE UNTERWEISUNG ASAFS.

Gott, warum verstößest du uns für immer
und bist so zornig über die Schafe deiner Weide?
2 Gedenke an deine Gemeinde,
die du vorzeiten erworben
und dir zum Erbteil erlöst hast,
an den Berg [a]Zion, auf dem du wohnest.

3 Richte doch deine Schritte zu dem, /
was so lange wüste liegt.
Der Feind hat alles verheert im Heiligtum.
4 Deine Widersacher brüllen in deinem Hause
und stellen ihre Banner auf als Zeichen des Sieges.
5 Hoch sieht man Äxte sich heben
wie im Dickicht des Waldes.
6 Sie zerschlagen all sein Schnitzwerk
mit Beilen und Hacken.

73,23 ***a*** Röm 8,35-39 **73,24** ***a*** Ps 49,16 **73,26** ***a*** Ps 16,5 **74,2** ***a*** Ps 76,3

7 Sie [a]verbrennen dein Heiligtum,
bis auf den Grund entweihen sie die Wohnung deines Namens.
8 Sie sprechen in ihrem Herzen: /
Lasst uns sie allesamt unterdrücken!
Sie verbrennen alle Gotteshäuser im Lande.
9 Unsere Zeichen sehen wir nicht, /
kein Prophet ist mehr da,
und keiner ist bei uns, der wüsste, wie lange.

10 Ach, Gott, wie lange soll der Widersacher schmähen
und der Feind deinen Namen immerfort lästern?
11 Warum ziehst du deine Hand zurück?
Nimm deine Rechte aus dem Gewand und mach ein Ende!

12 Gott ist ja mein König von alters her,
der alle Hilfe tut, die auf Erden geschieht.
13 Du hast [a]das Meer aufgewühlt durch deine Kraft,
zerschmettert die Köpfe der [b]Drachen über den Wassern.
14 Du hast die Köpfe des [a]Leviatan zerschlagen
und ihn zum Fraß gegeben dem wilden Getier.
15 Du hast Quellen und Bäche hervorbrechen lassen
und ließest starke Ströme versiegen.
16 Dein ist der Tag, dein auch die Nacht;
[a]du hast Gestirn und Sonne die Bahn gegeben.
17 Du hast allem Land seine Grenze gesetzt;
Sommer und Winter hast du gemacht.

18 So gedenke doch, dass der Feind den HERRN schmäht
und ein törichtes Volk deinen Namen lästert.
19 Gib deine Taube nicht den Tieren preis;
das Leben deiner Elenden vergiss nicht für immer.
20 Schau auf den Bund;
denn die dunklen Winkel des Landes sind Stätten voller Gewalt.
21 Lass den Geringen nicht beschämt davongehen,
lass die Armen und Elenden rühmen deinen Namen.
22 Mach dich auf, Gott, und führe deine Sache;
gedenke an die Schmach, die dir täglich [a]von den Toren widerfährt.
23 Vergiss nicht das Geschrei deiner Feinde;
das Toben deiner Widersacher wird je länger, je größer.

GOTT IST RICHTER ÜBER DIE STOLZEN

75 EIN PSALM UND LIED ASAFS, VORZUSINGEN,
NACH DER WEISE »VERTILGE NICHT«.

2 Wir danken dir, Gott, wir danken dir
und verkündigen deine Wunder, dass [a]dein Name so nahe ist.

3 »Wenn meine Zeit gekommen ist,
werde ich recht richten.
4 Die Erde mag wanken und alle, die darauf wohnen,
aber ich halte ihre Säulen fest.« SELA. |

74,7 *a* 2. Kön 25,9 **74,13** *a* 2. Mose 15,8 *b* Jes 27,1 **74,14** *a* Hiob 40,25 **74,16** *a* Ps 104,19
74,22 *a* Ps 14,1-3 **75,2** *a* Jes 46,13

5 Ich sprach zu den Ruhmredigen: Rühmt euch nicht so!,
und zu den Frevlern: Brüstet euch nicht mit Macht!
6 Brüstet euch nicht so hoch mit eurer Macht,
redet nicht so halsstarrig!

7 Denn es kommt nicht vom Aufgang und nicht vom Niedergang,
nicht von der Wüste und nicht von den Bergen,
8 sondern Gott ist Richter,
der diesen [a]erniedrigt und jenen erhöht.

9 Denn der HERR hat einen Becher in der Hand,
mit starkem Wein voll eingeschenkt.
Er schenkt daraus ein, /
und [a]die Frevler auf Erden müssen alle trinken
und auch noch die Hefe schlürfen.

10 Ich aber will verkündigen ewiglich
und lobsingen dem Gott Jakobs.
11 Und ich will alle Gewalt der Frevler zerbrechen,
dass die Gewalt des Gerechten erhöht werde.

GOTT, DER FURCHTBARE RICHTER

76 EIN PSALMLIED ASAFS, VORZUSINGEN, BEIM SAITENSPIEL.

2 Gott ist in Juda bekannt,
in Israel ist sein Name herrlich.
3 So erstand in Salem sein Zelt
und [a]seine Wohnung in Zion.
4 Dort [a]zerbricht er die Pfeile des Bogens,
Schild, Schwert und Streitmacht. SELA.

5 Du bist herrlicher und mächtiger
als die ewigen Berge.
6 Beraubt sind die Stolzen und in Schlaf gesunken,
und allen Kriegern versagen die Hände.
7 Von deinem Schelten, Gott Jakobs,
sinken in Schlaf Ross und Wagen.

8 Furchtbar bist du!
Wer kann vor dir bestehen, wenn du zürnest?
9 Wenn du das Urteil lässest hören vom Himmel,
so erschrickt das Erdreich und wird [a]still,
10 wenn Gott sich aufmacht zu richten,
dass er helfe allen Elenden auf Erden. SELA.
11 Wenn Menschen wider dich wüten,
bringt es dir Ehre;
und wenn sie noch mehr wüten,
bist du auch noch gerüstet.

12 Tut Gelübde dem HERRN, eurem Gott, und haltet sie!
Alle, die ihr um ihn her seid, bringt Geschenke dem Furchtbaren,
13 der den Fürsten den Mut nimmt
und furchtbar ist für die Könige auf Erden.

75,8 *a* 1. Sam 2,7 **75,9** *a* Ps 60,5; Jer 25,15-16 **76,3** *a* Ps 132,13 **76,4** *a* Ps 46,10
76,9 *a* Ps 46,11; Hab 2,20

TROST AUS GOTTES FRÜHEREN TATEN

77 EIN PSALM ASAFS, VORZUSINGEN, FÜR JEDUTUN.

2 Ich rufe zu Gott und schreie um Hilfe,
zu Gott rufe ich, und er erhört mich.
3 In der Zeit meiner Not suche ich den Herrn; /
meine Hand ist des Nachts ausgereckt und lässt nicht ab;
denn meine Seele will sich nicht trösten lassen.
4 Ich denke an Gott – und bin betrübt;
ich sinne nach – und mein Geist verzagt. SELA.
5 Meine Augen hältst du, dass sie wachen müssen;
ich bin so voll Unruhe, dass ich nicht reden kann.

6 Ich [a]gedenke der uralten Zeiten,
der längst vergangenen Jahre.
7 Ich denke des Nachts an mein Saitenspiel /
und rede mit meinem Herzen,
mein Geist muss forschen.
8 Wird denn der Herr auf ewig verstoßen
und keine Gnade mehr erweisen?
9 Ist's denn ganz und gar aus mit seiner Güte,
und hat die Verheißung für immer ein Ende?
10 Hat Gott vergessen, gnädig zu sein,
hat er sein Erbarmen im Zorn verschlossen? SELA.
11 Ich sprach: Darunter leide ich,
dass die rechte Hand des Höchsten sich so ändern kann.

12 Darum gedenke ich an die Taten des HERRN,
ja, ich gedenke an deine früheren Wunder
13 und sinne über alle deine Werke
und denke deinen Taten nach.
14 **Gott, dein Weg ist heilig.**
[a]Wo ist ein so mächtiger Gott, wie du, Gott, bist?
15 Du bist der Gott, der Wunder tut,
du hast deine Macht bewiesen unter den Völkern.
16 Du hast dein Volk erlöst mit starkem Arm,
die Kinder Jakobs und Josefs. SELA.

17 Die Wasser sahen dich, Gott, /
die Wasser sahen dich und ängstigten sich,
ja, die Tiefen tobten.
18 Die dicken Wolken gossen Wasser, /
die Wolken donnerten,
und deine Pfeile fuhren einher.
19 Dein Donner rollte, Blitze erhellten den Erdkreis,
die Erde erbebte und wankte.
20 [a]Dein Weg ging durch das Meer /
und dein Pfad durch große Wasser;
doch niemand sah deine Spur.
21 Du führtest dein Volk wie eine Herde
durch die Hand von Mose und Aaron.

77,6 ***a*** Ps 143,5 **77,14** ***a*** 2. Mose 15,11 **77,20** ***a*** *(20-21)* 2. Mose 14,21-31

SCHULD, GERICHT UND GNADE IN ISRAELS GESCHICHTE
(vgl. Ps 106,1-48)

78 EINE UNTERWEISUNG ASAFS.

Höre, mein Volk, meine Unterweisung,
neiget eure Ohren zu der Rede meines Mundes!
2 Ich [a]will meinen Mund auftun zu einem Spruch
und Geschichten verkünden aus alter Zeit.
3 [a]Was wir gehört haben und wissen
und unsre Väter uns erzählt haben,
4 das wollen wir nicht verschweigen ihren Kindern;
wir verkündigen dem kommenden Geschlecht
den Ruhm des HERRN und seine Macht
und seine Wunder, die er getan hat.

5 Er richtete ein Zeugnis auf in Jakob
und gab ein Gesetz in Israel
und gebot unsern Vätern,
es ihre Kinder zu lehren,
6 auf dass es die Nachkommen lernten,
die Kinder, die noch geboren würden;
die sollten aufstehen
und es auch ihren Kindern verkündigen,
7 dass sie setzten auf Gott ihre Hoffnung /
und nicht vergäßen die Taten Gottes,
sondern seine Gebote hielten
8 und nicht würden wie ihre Väter,
[a]ein abtrünniges und ungehorsames Geschlecht,
dessen Herz nicht fest war
und dessen Geist sich nicht treu an Gott hielt,
9 [a]wie die Söhne Ephraim, wohl gerüstete Bogenschützen,
abfielen zur Zeit des Streits;
10 sie hielten den Bund Gottes nicht
und wollten nicht in seinem Gesetz wandeln
11 und vergaßen seine Taten und seine Wunder,
die er sie hatte sehen lassen.

12 Vor ihren Vätern tat er Wunder
in Ägyptenland, im Gefilde von Zoan.
13 Er [a]zerteilte das Meer und führte sie hindurch
und ließ das Wasser stehen wie eine Mauer.
14 Er leitete sie bei Tage mit einer Wolke
und die ganze Nacht mit einem hellen Feuer.[a]
15 [a]Er spaltete die Felsen in der Wüste
und tränkte sie reichlich wie mit Fluten;
16 er ließ Bäche aus den Felsen hervorbrechen
und Wasser hinabfließen wie Ströme.

17 Dennoch sündigten sie weiter wider ihn
und empörten sich in der Wüste gegen den Höchsten;

78,2 ***a*** Mt 13,35 **78,3** ***a*** *(3-4)* 2. Mose 13,14; 5. Mose 4,9-10 **78,8** ***a*** 5. Mose 32,5-6
78,9 ***a*** *(9-11)* Ri 2,11-13 **78,13** ***a*** 2. Mose 14,21-22 **78,14** ***a*** 2. Mose 13,21
78,15 ***a*** *(15-16)* 2. Mose 17,6; 4. Mose 20,7-11; 5. Mose 32,18

18 sie [a]versuchten Gott in ihrem Herzen,
[b]als sie Speise forderten für ihre Seelen,
19 und redeten wider Gott und sprachen:
Kann Gott wohl [a]einen Tisch bereiten in der Wüste?
20 Siehe, er hat wohl den Felsen geschlagen,
dass Wasser strömten und Bäche sich ergossen;
kann er aber auch Brot geben
und seinem Volk Fleisch verschaffen?
21 Da das der HERR hörte, [a]entbrannte er im Grimm,
und Feuer brach aus in Jakob, und Zorn kam über Israel,
22 weil sie nicht glaubten an Gott
und nicht hofften auf seine Hilfe.
23 Und er gebot den Wolken droben
und tat auf die Türen des Himmels
24 und [a]ließ Manna auf sie regnen zur Speise
und gab ihnen Himmelsbrot.
25 Brot der Engel aßen sie alle,
er sandte ihnen Speise in Fülle.
26 [a]Er ließ wehen den Ostwind unter dem Himmel
und erregte durch seine Stärke den Südwind
27 und ließ Fleisch auf sie regnen wie Staub
und Vögel wie Sand am Meer;
28 mitten in sein Lager ließ er sie fallen,
rings um seine Wohnung her.
29 Da aßen sie und wurden sehr satt;
und was sie verlangten, gewährte er ihnen.
30 Sie hatten ihr Verlangen noch nicht gestillt,
ihre Speise war noch in ihrem Munde,
31 da kam der Zorn Gottes über sie /
und brachte ihre Vornehmsten um
und schlug nieder die Besten in Israel.

32 Bei dem allen sündigten sie noch mehr
und glaubten nicht an seine Wunder.
33 Darum [a]ließ er ihre Tage dahinschwinden ins Nichts
und ihre Jahre in Schrecken.
34 Wenn er den Tod unter sie brachte, suchten sie ihn
und fragten wieder nach Gott
35 und dachten daran, dass Gott ihr Hort ist
und Gott, der Höchste, ihr Erlöser.
36 Doch sie betrogen ihn mit ihrem Munde
und belogen ihn mit ihrer Zunge.
37 Ihr Herz hing nicht fest an ihm,
und sie hielten nicht treu an seinem Bunde.
38 Er aber war barmherzig und vergab die Schuld
und vertilgte sie nicht
und wandte oft seinen Zorn ab
und ließ nicht seinen ganzen Grimm an ihnen aus.
39 Denn er dachte daran, dass sie Fleisch sind,
ein [a]Hauch, der dahinfährt und nicht wiederkommt. |

78,18 ***a*** 2. Mose 16,3 ***b*** 4. Mose 11,4 **78,19** ***a*** Ps 23,5 **78,21** ***a*** 4. Mose 11,1
78,24 ***a*** 2. Mose 16,4.14-15 **78,26** ***a*** *(26-31)* 4. Mose 11,31-33
78,33 ***a*** 4. Mose 14,22-23; 1. Kor 10,5 **78,39** ***a*** Ps 103,14-16

40 Wie oft trotzten sie ihm in der Wüste
und betrübten ihn in der Einöde!
41 Sie versuchten Gott immer wieder
und kränkten den Heiligen Israels.
42 Sie dachten nicht an seine Hand,
an den Tag, da er sie erlöste von den Feinden,
43 wie er seine Zeichen in Ägypten getan hatte
und seine Wunder im Lande Zoan.
44 Er verwandelte [a]ihre Ströme in Blut,
dass sie aus ihren Flüssen nicht trinken konnten.
45 Er schickte [a]Ungeziefer unter sie, das sie fraß,
und [b]Frösche, die ihnen Verderben brachten,
46 und gab ihr Gewächs den Raupen
und ihre Saat den [a]Heuschrecken.
47 Er schlug ihre Weinstöcke mit [a]Hagel
und ihre Maulbeerbäume mit Schloßen.
48 Er gab ihr Vieh dem Hagel preis
und ihre Herden dem Wetterstrahl.
49 Er sandte die Glut seines Zorns unter sie,
Grimm und Wut und Drangsal,
eine Schar Verderben bringender Engel.
50 Er ließ seinem Zorn freien Lauf /
und bewahrte ihre Seele nicht vor dem Tode
und gab [a]ihr Leben der Pest preis.
51 Er schlug [a]alle Erstgeburt in Ägypten,
die Erstlinge ihrer Kraft in den Zelten Hams.
52 Er ließ sein Volk ausziehen wie Schafe
und [a]führte sie wie eine Herde in der Wüste;
53 und er leitete sie sicher, /
dass sie sich nicht fürchteten;
[a]aber ihre Feinde bedeckte das Meer.
54 Er brachte sie in sein heiliges Land,
zu dem [a]Berg, den seine Rechte erworben hat,
55 und vertrieb vor ihnen her die Völker /
und verteilte ihr Land als Erbe
und ließ in ihren Zelten die Stämme Israels wohnen.

56 Aber sie versuchten Gott und trotzten dem Höchsten
und hielten seine Gebote nicht;
57 sie fielen ab und waren treulos wie ihre Väter
und versagten wie ein schlaffer Bogen;
58 sie erzürnten ihn mit ihren Höhen
und [a]reizten ihn zum Zorn mit ihren Götzen.
59 Da Gott das hörte, entbrannte sein Grimm,
und er verwarf Israel ganz.
60 Er gab [a]seine Wohnung in Silo dahin,
das Zelt, in dem er unter Menschen wohnte.
61 Er gab seine Macht in Gefangenschaft
und seine Herrlichkeit in die Hand des Feindes.*

* **78,61** Mit »Macht« und »Herrlichkeit« ist die Bundeslade gemeint (Ps 132,8; 1. Sam 4,22).

78,44 ***a*** 2. Mose 7,19-20 **78,45** ***a*** 2. Mose 8,20 ***b*** 2. Mose 8,2 **78,46** ***a*** 2. Mose 10,13
78,47 ***a*** 2. Mose 9,25 **78,50** ***a*** 2. Mose 9,8-12 **78,51** ***a*** 2. Mose 12,29 **78,52** ***a*** Ps 77,21
78,53 ***a*** 2. Mose 14,27 **78,54** ***a*** 2. Mose 15,17 **78,58** ***a*** 5. Mose 32,21 **78,60** ***a*** 1. Sam 1,3; Jer 7,12

62 Er übergab sein Volk dem Schwert
und ergrimmte über sein Erbe.
63 Ihre junge Mannschaft fraß das Feuer,
und ihre Jungfrauen mussten ungefreit bleiben.
64 Ihre [a]Priester fielen durchs Schwert,
und die Witwen konnten die Toten nicht beweinen.

65 Da erwachte der Herr wie aus dem Schlaf,
wie ein Starker, der vom Wein fröhlich ist,
66 und schlug seine Feinde zurück
und hängte ihnen ewige Schande an.[a]
67 Er verwarf das Zelt Josefs
und erwählte nicht den Stamm Ephraim,
68 sondern erwählte [a]den Stamm Juda,
den Berg Zion, den er liebt.
69 Er baute sein Heiligtum wie Himmelshöhen,
wie die Erde, die er gegründet hat für immer,
70 [a]und erwählte seinen Knecht David
und nahm ihn von den Schafhürden;
71 von den säugenden Schafen holte er ihn,
dass er sein Volk Jakob weide und sein Erbe Israel.
72 Und er weidete sie mit aller Treue
und leitete sie mit kluger Hand.

KLAGE ÜBER DIE ZERSTÖRUNG JERUSALEMS

79 EIN PSALM ASAFS.

Gott, es sind Heiden in dein Erbe eingefallen; /
die haben deinen heiligen Tempel entweiht
und aus Jerusalem einen Steinhaufen gemacht.
2 Sie haben die Leichname deiner Knechte /
den Vögeln unter dem Himmel zu fressen gegeben
und das Fleisch deiner Heiligen den Tieren im Lande.
3 Sie haben ihr Blut vergossen um Jerusalem her wie Wasser,
und da war niemand, der sie begrub.
4 Wir sind bei unsern Nachbarn zur Schmach geworden,
zu Spott und Hohn bei denen, die um uns her sind.[a]

5 Wie lange, HERR, willst du immerfort zürnen?
Wie lange wird dein Eifer brennen wie Feuer?
6 [a]Schütte deinen Grimm auf die Völker, die dich nicht kennen,
und auf die Königreiche, die deinen Namen nicht anrufen.
7 Denn sie haben Jakob gefressen
und seine Stätte verwüstet.
8 Rechne uns die Schuld der Väter nicht an,
erbarme dich unser bald, denn wir sind sehr elend.

9 Hilf du uns, Gott, unser Helfer,
um deines Namens Ehre willen!
Errette uns und vergib uns unsre Sünden
um deines Namens willen!

78,64 ***a*** 1. Sam 4,17-20 **78,66** ***a*** 1. Sam 5,6-12 **78,68** ***a*** 2. Chr 6,6 **78,70** ***a*** (70-71) 1. Sam 16,11-12; 2. Sam 7,8 **79,4** ***a*** Ps 44,14 **79,6** ***a*** Jer 10,25

10 Warum lässt du die Heiden sagen:
[a]»Wo ist nun ihr Gott?«
Lass unter den Heiden vor unsern Augen kundwerden
die Vergeltung für das Blut deiner Knechte, das vergossen ist.
11 Lass vor dich kommen das Seufzen der Gefangenen;
durch deinen starken Arm erhalte die Kinder des Todes
12 und [a]vergilt unsern Nachbarn siebenfach ihr Schmähen,
mit dem sie dich, Herr, geschmäht haben.

13 Wir aber, dein Volk, die Schafe deiner Weide,
danken dir ewiglich und verkünden deinen Ruhm für und für.

GEBET FÜR ISRAEL, DEN WEINSTOCK GOTTES

80 EIN ZEUGNIS UND PSALM ASAFS, VORZUSINGEN,
NACH DER WEISE »LILIEN«.

2 Du Hirte Israels, höre, /
der du Josef hütest wie Schafe!
Erscheine, der du [a]thronst über den Cherubim,
3 vor Ephraim, Benjamin und Manasse!
Erwecke deine Kraft
und komm uns zu Hilfe!
4 *Gott, tröste uns wieder**
und lass leuchten dein Antlitz, so ist uns geholfen.

5 HERR, Gott Zebaoth, wie lange willst du zürnen
beim Gebet deines Volkes?
6 Du speisest sie mit Tränenbrot
und tränkest sie mit einem großen Krug voll Tränen.
7 Du lässest unsre Nachbarn sich um uns streiten,
und unsre Feinde verspotten uns.
8 *Gott Zebaoth, tröste uns wieder*
und lass leuchten dein Antlitz, so ist uns geholfen.

9 Du hast einen [a]Weinstock aus Ägypten geholt,
hast vertrieben die Völker und ihn eingepflanzt.
10 Du hast vor ihm Raum gemacht /
und hast ihn lassen einwurzeln,
dass er das Land erfüllt hat.
11 Berge sind mit seinem Schatten bedeckt
und mit seinen Reben die Zedern Gottes.
12 Du hast [a]seine Ranken ausgebreitet bis an das Meer
und seine Zweige bis an den Strom.
13 Warum hast du denn seine Mauern zerbrochen,
dass jeder seine Früchte abreißt, der vorübergeht?
14 Es haben ihn zerwühlt die wilden Säue,
und die Tiere des Feldes haben ihn abgeweidet.
15 Gott Zebaoth, wende dich doch! /
Schau vom Himmel und sieh,
nimm dich dieses Weinstocks an!

* **80,4** Wörtlich: »bring uns wieder zurück«.

79,10 ***a*** Ps 115,12; Joel 2,17 **79,12** ***a*** Ps 137,7-9 **80,2** ***a*** Ps 18,11
80,9 ***a*** Jes 5,1-7; Jer 2,21 **80,12** ***a*** Hos 10,1

16 Schütze doch, was deine Rechte gepflanzt hat,
[a]den Sohn, den du dir großgezogen hast!
17 Sie haben ihn [a]mit Feuer verbrannt wie Kehricht;
vor dem Drohen deines Angesichts sollen sie umkommen.

18 Deine Hand schütze den Mann deiner Rechten,
den Sohn, den du dir großgezogen hast.
19 So wollen wir nicht von dir weichen.
Lass uns leben, so wollen wir deinen Namen anrufen.
20 *HERR, Gott Zebaoth, tröste uns wieder;*
lass leuchten dein Antlitz, so ist uns geholfen.

AUFRUF ZUR TREUE

81 VON ASAF, VORZUSINGEN, AUF DER GITTIT.

2 Singet fröhlich Gott, der unsre Stärke ist,
jauchzet dem Gott Jakobs!
3 Stimmt an den Gesang und lasst hören die Pauken,
liebliche Zithern und Harfen!
4 [a]Blaset am Neumond die Posaune,
am Vollmond, am Tag unsres Festes!
5 Denn das ist eine Satzung für Israel
und eine Ordnung des Gottes Jakobs.
6 Das hat er zum Zeugnis gesetzt für Josef,
als Er auszog wider Ägyptenland.

Eine Sprache höre ich, die ich bisher nicht kannte:
7 »Ich habe [a]ihre Schultern von der Last befreit,
und ihre Hände wurden den Tragkorb los.
8 Als du mich in der Not anriefst, half ich dir heraus
und [a]antwortete dir aus Wolke und Donner
und prüfte dich am [b]Haderwasser. SELA.
9 Höre, mein Volk, ich will dich ermahnen.
Israel, du sollst mich hören!
10 Kein andrer Gott sei unter dir,
und einen fremden Gott sollst du nicht anbeten![a]
11 Ich bin der HERR, dein Gott, /
der dich aus Ägyptenland geführt hat:
Tu deinen Mund weit auf, lass mich ihn füllen!

12 Aber mein Volk gehorcht nicht meiner Stimme,
und Israel will mich nicht.
13 So hab ich sie dahingegeben in die Verstocktheit ihres Herzens,
dass sie wandeln nach eigenem Rat.

14 Wenn doch mein Volk mir gehorsam wäre
und Israel auf meinem Wege ginge!
15 Dann wollte ich seine Feinde bald demütigen
und meine Hand gegen seine Widersacher wenden!
16 Und die den HERRN hassen, müssten sich vor ihm beugen,
aber Israels Zeit würde ewiglich währen,
17 und ich würde es mit dem besten Weizen speisen
und mit [a]Honig aus dem Felsen sättigen.«

80,16 *a* Hos 11,1 **80,17** *a* Hes 15,2-4 **81,4** *a* 3. Mose 23,24 **81,7** *a* 2. Mose 6,6; Jes 9,3
81,8 *a* 2. Mose 19,16 *b* 2. Mose 17,2.7; 4. Mose 20,13 **81,10** *a* 2. Mose 20,2-3 **81,17** *a* 5. Mose 32,13

DER HÖCHSTE RICHTER

82 EIN PSALM ASAFS.

Gott steht [a]in der Gottesgemeinde
und ist Richter unter den Göttern.
2 »Wie lange wollt ihr [a]unrecht richten
und die Frevler vorziehen? SELA.
3 Schaffet Recht dem Armen und der Waise
und helft dem Elenden und Bedürftigen zum Recht.[a]
4 Errettet den Geringen und Armen
und erlöst ihn aus der Gewalt der Frevler.«

5 Sie lassen sich nichts sagen und sehen nichts ein, /
sie tappen dahin im Finstern.
Es wanken alle Grundfesten der Erde.

6 »Wohl habe ich gesagt: [a]Ihr seid Götter
und allzumal Söhne des Höchsten;
7 aber ihr werdet sterben wie Menschen
und wie einer der Fürsten zugrunde gehen.«

8 Gott, mache dich auf und [a]richte die Erde;
denn du bist Erbherr über alle Völker!

FEINDE BEDROHEN DAS GOTTESVOLK

83 EIN PSALMLIED ASAFS.

2 Gott, schweige doch nicht!
Gott, bleib nicht so still und ruhig!

3 Denn siehe, deine Feinde toben,
und die dich hassen, erheben das Haupt.
4 Sie machen [a]listige Anschläge wider dein Volk
und halten Rat wider die, die bei dir sich bergen.
5 »Wohlan!«, sprechen sie. »Lasst uns sie ausrotten, /
dass sie kein Volk mehr seien
und des Namens Israel nicht mehr gedacht werde!«

6 Ja, sie haben einmütig beraten
und haben einen Bund wider dich gemacht:
7 die Zelte Edoms und die Ismaeliter,
Moab und die Hagariter,
8 Gebal, Ammon und Amalek,
die Philister mit denen von Tyrus;
9 auch Assur hat sich zu ihnen geschlagen,
sie helfen den Söhnen Lot. SELA.

10 Mach's mit ihnen wie mit [a]Midian,
wie mit [b]Sisera, mit Jabin am Bach Kischon,
11 die vertilgt wurden bei En-Dor
und wurden zu Mist auf dem Acker.
12 Mache ihre Fürsten wie [a]Oreb und Seeb,
alle ihre Edlen wie [b]Sebach und Zalmunna,

82,1 ***a*** 1. Kön 22,19 **82,2** ***a*** 5. Mose 1,17 **82,3** ***a*** Jes 1,17 **82,6** ***a*** Joh 10,34 **82,8** ***a*** 1. Mose 18,25
83,4 ***a*** Ps 35,20 **83,10** ***a*** Ri 7,14-15; Jes 9,3 ***b*** Ri 4,2.12-24 **83,12** ***a*** Ri 7,25 ***b*** Ri 8,21

13 die auch einmal sagten:
Wir wollen Gottes Auen einnehmen.

14 Mein Gott, mache sie wie verwehende Blätter,
wie Spreu vor dem Winde.
15 Wie ein Feuer den Wald verbrennt
und wie eine Flamme die Berge versengt,
16 so verfolge sie mit deinem Sturm
und erschrecke sie mit deinem Ungewitter.

17 Bedecke ihr Angesicht mit Schande,
dass sie, HERR, nach deinem Namen fragen müssen.
18 Schämen sollen sie sich und erschrecken für immer
und zuschanden werden und umkommen.
19 So werden sie erkennen, /
dass du allein der Höchste bist über die ganze Erde,
[a]HERR ist dein Name.

FREUDE AM HAUSE GOTTES

84 EIN PSALM DER [a]KORACHITER, VORZUSINGEN, AUF DER GITTIT.

2 Wie lieblich sind deine Wohnungen, HERR Zebaoth!
3 Meine Seele verlangt und sehnt sich nach den Vorhöfen des HERRN;
mein Leib und Seele freuen sich
in dem lebendigen Gott.[a]
4 Der Vogel hat ein Haus gefunden
und die Schwalbe ein Nest für ihre Jungen –
deine Altäre, HERR Zebaoth,
mein König und mein Gott.
5 Wohl denen, die [a]in deinem Hause wohnen;
die loben dich immerdar. SELA.

6 Wohl den Menschen, die dich für ihre Stärke halten
und von Herzen dir nachwandeln!
7 Wenn sie durchs dürre Tal ziehen, /
wird es ihnen zum Quellgrund,
und Frühregen hüllt es in Segen.
8 Sie gehen von einer Kraft zur andern
und schauen den wahren Gott in Zion.
9 HERR, Gott Zebaoth, höre mein Gebet;
vernimm es, Gott Jakobs! SELA.
10 Gott, unser Schild, schaue doch;
sieh an das Antlitz deines Gesalbten!

11 Denn **ein Tag in deinen Vorhöfen
ist besser als sonst tausend.**
Ich will lieber die Tür hüten in meines Gottes Hause
als wohnen in den Zelten der Frevler.[a]
12 Denn Gott der HERR ist Sonne und Schild; /
der HERR gibt Gnade und Ehre.
Er wird kein Gutes mangeln lassen den Frommen.
13 HERR Zebaoth, wohl dem Menschen,
der sich auf dich verlässt!

83,19 ***a*** Hos 12,6 **84,1** ***a*** 1. Chr 26,1 **84,3** ***a*** Ps 42,3 **84,5** ***a*** Ps 65,5 **84,11** ***a*** Ps 27,4

BITTE UM NEUEN SEGEN

85 EIN PSALM DER KORACHITER, VORZUSINGEN.

2 HERR, der du bist vormals gnädig gewesen deinem Lande
und hast erlöst die Gefangenen Jakobs;
3 der du die Missetat vormals vergeben hast deinem Volk
und all ihre Sünde bedeckt hast; – SELA –
4 der du vormals hast all deinen Zorn fahren lassen
und dich abgewandt von der Glut deines Zorns:
5 Hilf uns, Gott, unser Heiland,
und lass ab von deiner Ungnade über uns!
6 Willst du denn ewiglich über uns zürnen
und deinen Zorn walten lassen für und für?
7 Willst du uns denn nicht wieder erquicken,
dass dein Volk sich über dich freuen kann?
8 HERR, zeige uns deine Gnade
und gib uns dein Heil!

9 Könnte ich doch hören,
was Gott der HERR redet,
dass er [a]Frieden zusagte seinem Volk und seinen Heiligen,
auf dass sie nicht in Torheit geraten.
10 Doch ist ja seine Hilfe nahe denen, die ihn fürchten,
dass in unserm Lande Ehre wohne;
11 dass Güte und Treue einander begegnen,
Gerechtigkeit und Friede sich küssen;
12 dass Treue auf der Erde wachse
und Gerechtigkeit vom Himmel schaue;
13 dass uns auch der HERR Gutes tue
und unser Land seine Frucht gebe;
14 dass Gerechtigkeit vor ihm her gehe
und seinen Schritten folge.

GEBET IN BEDRÄNGNIS

86 EIN GEBET DAVIDS.

HERR, neige deine Ohren und erhöre mich;
denn ich bin elend und arm.
2 Bewahre meine Seele, denn ich bin dir treu.
Hilf du, mein Gott, deinem Knechte,
der sich verlässt auf dich.
3 Herr, sei mir gnädig;
denn ich rufe täglich zu dir.
4 Erfreue die Seele deines Knechts;
denn nach dir, Herr, verlangt mich.
5 Denn du, Herr, bist gut und gnädig,
von großer Güte allen, die dich anrufen.
6 Vernimm, HERR, mein Gebet
und merke auf die Stimme meines Flehens!
7 [a]In der Not rufe ich dich an;
du wollest mich erhören! |

85,9 *a* Jer 29,11; Mi 5,4 **86,7** *a* Ps 50,15

8 Herr, [a]es ist dir keiner gleich unter den Göttern,
und niemand kann tun, was du tust.
9 Alle Völker, die du gemacht hast, werden kommen
und vor dir anbeten, Herr,
und deinen Namen ehren,
10 dass du so groß bist und Wunder tust
und du allein Gott bist.

11 [a]Weise mir, HERR, deinen Weg,
dass ich wandle in deiner Wahrheit;
erhalte mein Herz bei dem einen,
dass ich deinen Namen fürchte.

12 Ich danke dir, Herr, mein Gott, von ganzem Herzen
und ehre deinen Namen ewiglich.
13 Denn deine Güte ist groß über mir,
du hast mein Leben errettet aus der Tiefe des Todes.

14 Gott, es erheben sich die Stolzen gegen mich, /
und eine Rotte von Gewalttätern trachtet mir nach dem Leben
und haben dich nicht vor Augen.
15 Du aber, Herr, Gott, bist barmherzig und gnädig,
geduldig und von großer Güte und Treue.[a]
16 Wende dich zu mir und sei mir gnädig;
stärke deinen Knecht mit deiner Kraft
und hilf dem Sohn deiner Magd!
17 Tu ein Zeichen an mir,
dass mir's wohlgehe,
dass es sehen, die mich hassen, und sich schämen,
weil du mir beistehst, HERR, und mich tröstest.

ZION, DIE MUTTER DER VÖLKER

87 EIN PSALMLIED DER KORACHITER.

Sie ist fest gegründet auf den heiligen Bergen.
2 Der HERR liebt die Tore Zions
mehr als alle Wohnungen Jakobs.
3 Herrliche Dinge sagt man von dir,
du Stadt Gottes. SELA.

4 »Ich zähle Ägypten und Babel
zu denen, die mich kennen,
auch die Philister und Tyrer samt den Kuschitern:
Die sind dort geboren.«[a]
5 Man wird von Zion sagen: /
»Ein jeder ist dort geboren«;
und er selbst, der Höchste, erhält es.
6 Der HERR spricht, wenn er aufschreibt die Völker:
»Die sind dort geboren.« SELA.
7 Und sie singen beim Reigen:
[a]Alle meine Quellen sind in dir!

86,8 ***a*** Ps 135,5; 2. Mose 15,11 **86,11** ***a*** Joh 14,6 **86,15** ***a*** Ps 103,8; 2. Mose 34,6
87,4 ***a*** Jes 19,24-25 **87,7** ***a*** Ps 36,10

GEBET IN VERLASSENHEIT UND TODESNÄHE

88 EIN PSALMLIED DER KORACHITER, VORZUSINGEN, ZUM REIGENTANZ IM WECHSEL, EINE UNTERWEISUNG [a]HEMANS, DES ESRACHITERS.

2 HERR, Gott, mein Heiland,
ich schreie Tag und Nacht vor dir.
3 Lass mein Gebet vor dich kommen,
neige deine Ohren zu meinem Schreien.
4 Denn meine Seele ist übervoll an Leiden,
und mein Leben ist nahe dem Totenreich.
5 Ich bin denen gleich geachtet, die in die Grube fahren,
ich bin wie ein Mann, der keine Kraft mehr hat.
6 Ich liege unter den Toten verlassen,
wie die Erschlagenen, die im Grabe liegen,
derer du nicht mehr gedenkst
und die von deiner Hand geschieden sind.
7 Du hast mich hinunter in die Grube gelegt,
in die Finsternis und in die Tiefe.
8 Dein Grimm drückt mich nieder,
du bedrängst mich mit allen deinen Fluten. SELA.

9 [a]Meine Freunde hast du mir entfremdet,
du hast mich ihnen zum Abscheu gemacht.
Ich liege gefangen und kann nicht heraus,
10 mein Auge vergeht vor Elend.
HERR, ich rufe zu dir täglich;
ich breite meine Hände aus zu dir.
11 [a]Wirst du an den Toten Wunder tun,
oder werden die Verstorbenen aufstehen und dir danken? SELA.
12 Wird man im Grabe erzählen deine Güte
und deine Treue bei den Toten?
13 Werden denn deine Wunder in der Finsternis erkannt
oder deine Gerechtigkeit im Lande des Vergessens?

14 Aber ich schreie zu dir, HERR,
und mein Gebet kommt frühe vor dich:
15 Warum verstößt du, HERR, meine Seele
und verbirgst dein Antlitz vor mir?
16 Ich bin elend und dem Tode nahe von Jugend auf;
ich erleide deine Schrecken, dass ich fast verzage.
17 Dein Grimm geht über mich,
deine Schrecken vernichten mich.
18 Sie umgeben mich täglich wie Fluten
und umringen mich allzumal.
19 Meine Freunde und Nächsten hast du mir entfremdet,
und mein Vertrauter ist die Finsternis.

ISRAELS NOT UND DIE VERHEISSUNG AN DAVID

89 EINE UNTERWEISUNG ETANS, DES ESRACHITERS.

2 Ich will singen von der Gnade des HERRN ewiglich
und seine Treue verkünden mit meinem Munde für und für;

88,1 *a* 1. Chr 6,18 **88,9** *a* Ps 38,12 **88,11** *a* (11-12) Ps 6,6; Jes 38,18

3 denn ich sage: Auf ewig steht die Gnade fest;
du gibst deiner Treue sicheren Grund im Himmel.
4 »Ich [a]habe einen Bund geschlossen mit meinem Auserwählten,
[b]ich habe David, meinem Knechte, geschworen:
5 Ich will deinem Geschlecht festen Grund geben auf ewig
und [a]deinen Thron bauen für und für.« SELA.
6 Und die Himmel werden, HERR, deine Wunder preisen
und deine Treue in der Gemeinde der Heiligen.

7 Denn wer in den Wolken könnte dem HERRN gleichen
und dem HERRN gleich sein unter [a]den Himmlischen?
8 Gott ist gefürchtet in der Versammlung der Heiligen,
groß und furchtbar über alle, die um ihn sind.
9 HERR, Gott Zebaoth, wer ist wie du?
Mächtig bist du, HERR, und deine Treue ist um dich her.
10 Du herrschest über das ungestüme Meer,
[a]du stillest seine Wellen, wenn sie sich erheben.
11 Du hast [a]Rahab* zu Tode geschlagen
und deine Feinde zerstreut mit deinem starken Arm.
12 [a]Himmel und Erde sind dein,
du hast gegründet den Erdkreis und was darinnen ist.
13 Nord und Süd hast du geschaffen,
Tabor und Hermon jauchzen über deinen Namen.
14 Du hast einen gewaltigen Arm,
stark ist deine Hand, und hoch ist deine Rechte.
15 Gerechtigkeit und Recht sind deines Thrones Stütze,
Gnade und Treue treten vor dein Angesicht.

16 Wohl dem Volk, das jauchzen kann!
HERR, sie werden im Licht deines Antlitzes wandeln;
17 sie werden über deinen Namen täglich fröhlich sein
und in deiner Gerechtigkeit herrlich sein.
18 Denn du bist der Ruhm ihrer Stärke,
und durch deine Gnade wirst du unser Horn erhöhen.
19 Denn dem HERRN gehört unser Schild
und dem Heiligen Israels unser König.

20 [a]Damals hast du geredet durch ein Gesicht
zu deinen Heiligen und gesagt:
Ich habe einem Helden Hilfe gewährt,
ich habe erhöht einen Auserwählten aus dem Volk.
21 Ich habe gefunden meinen Knecht David,
ich habe ihn gesalbt mit meinem heiligen Öl.
22 Meine Hand soll ihn erhalten,
und mein Arm soll ihn stärken.
23 Die Feinde sollen ihn nicht überwältigen
und die Ungerechten ihn nicht demütigen;
24 sondern ich will seine Widersacher vor ihm zerschlagen
und, die ihn hassen, zu Boden stoßen.
25 Aber meine Treue und Gnade soll bei ihm sein,
und sein Horn soll erhöht sein in meinem Namen.

* **89,11** Der Drache der Urzeit.

89,4 ***a*** Jes 55,3 ***b*** Ps 132,11 **89,5** ***a*** 2. Sam 7,16; Apg 2,30 **89,7** ***a*** 1. Kön 22,19 **89,10** ***a*** Ps 65,8; Mt 8,26
89,11 ***a*** Hiob 26,12; Jes 30,7; 51,9 **89,12** ***a*** Ps 24,1 **89,20** ***a*** (20-21) 1. Sam 13,14; 16,13

26 Seine Hand lege ich [a]auf das Meer
und seine Rechte auf die Ströme.
27 [a]Er wird mich nennen: Du bist mein Vater,
mein Gott und der Hort meines Heils.
28 Und ich will ihn zum erstgeborenen Sohn machen,
zum Höchsten unter den Königen auf Erden.
29 Ich will ihm ewiglich bewahren meine Gnade,
und mein Bund soll ihm fest bleiben.
30 Ich will ihm ewiglich Nachkommen geben
und seinen Thron erhalten, solange der Himmel währt.
31 Wenn aber seine Söhne mein Gesetz verlassen
und in meinen Rechten nicht wandeln,
32 wenn sie meine Ordnungen entheiligen
und meine Gebote nicht halten,
33 so will ich ihre Sünde mit der Rute heimsuchen
und ihre Missetat mit Plagen;
34 aber meine Gnade will ich nicht von ihm wenden
und meine Treue nicht brechen.
35 Ich will meinen Bund nicht entheiligen
und nicht ändern, was aus meinem Munde gegangen ist.
36 Eines habe ich geschworen bei meiner Heiligkeit
und will David nicht belügen:
37 »Sein Geschlecht soll ewig bestehen
und [a]sein Thron vor mir wie die Sonne,
38 wie der Mond, der ewiglich bleibt,
und wie [a]der treue Zeuge in den Wolken.« SELA.

39 Aber nun hast du verstoßen und verworfen
und zürnst mit deinem Gesalbten!
40 Du hast zerbrochen den Bund mit deinem Knecht
und seine Krone entweiht in den Staub.
41 Du hast eingerissen alle seine Mauern
und hast zerstört seine Festungen.
42 Es berauben ihn alle, die vorübergehen;
er ist seinen Nachbarn ein Spott geworden.
43 Du hast die Rechte seiner Widersacher erhöht
und alle seine Feinde erfreut.
44 Auch hast du die Kraft seines Schwerts weggenommen
und lässest ihn nicht siegen im Streit.
45 Du hast seinem Glanz ein Ende gemacht
und seinen Thron zu Boden geworfen.
46 Du hast die Tage seiner Jugend verkürzt
und ihn bedeckt mit Schande. SELA.

47 Wie lange, HERR, willst du dich immerfort verbergen
und deinen Grimm wie Feuer brennen lassen?
48 Gedenke, wie kurz mein Leben ist,
wie vergänglich du alle Menschen geschaffen hast!
49 Wo ist jemand, der da lebt und den Tod nicht sähe,
der seine Seele errette aus des Todes Hand? SELA.

50 Herr, wo ist deine Gnade von einst,
die du David geschworen hast in deiner Treue?

89,26 ***a*** Ps 72,8 **89,27** ***a*** (27-28) 2. Sam 7,14 **89,37** ***a*** Ps 72,17 **89,38** ***a*** 1. Mose 9,13

51 Gedenke, Herr, an die [a]Schmach deiner Knechte,
die ich trage in meiner Brust von all den vielen Völkern,
52 mit der, HERR, deine Feinde dich schmähen,
mit der sie schmähen die Spuren deines Gesalbten!

53 Gelobt sei der HERR ewiglich!
Amen! Amen![a]

VIERTES BUCH
Psalm 90–106

ZUFLUCHT IN UNSERER VERGÄNGLICHKEIT

90 EIN GEBET DES MOSE, DES MANNES GOTTES.

Herr, du bist unsre Zuflucht für und für. /
2 **Ehe denn die Berge wurden und die Erde und die Welt geschaffen wurden,**
bist du, Gott, von Ewigkeit zu Ewigkeit.

3 Der du [a]die Menschen lässest sterben
und sprichst: Kommt wieder, Menschenkinder![b]
4 Denn [a]tausend Jahre sind vor dir /
wie der Tag, der gestern vergangen ist,
und wie eine Nachtwache.
5 [a]Du lässest sie dahinfahren wie einen Strom, /
sie sind wie ein Schlaf,
wie ein Gras, das am Morgen noch sprosst,
6 das am Morgen blüht und sprosst
und des Abends welkt und verdorrt.

7 Das macht dein Zorn, dass wir so vergehen,
und dein Grimm, dass wir so plötzlich dahinmüssen.
8 Denn unsre Missetaten stellst du vor dich,
unsre unerkannte Sünde ins Licht vor deinem Angesicht.
9 Darum fahren alle unsre Tage dahin durch deinen Zorn,
wir bringen unsre Jahre zu wie ein Geschwätz.
10 Unser Leben währet siebzig Jahre,
und wenn's hoch kommt, so sind's achtzig Jahre,
und was daran köstlich scheint,
ist doch nur [a]vergebliche Mühe;*
denn es fähret schnell dahin,
als flögen wir davon.

11 Wer glaubt's aber, dass du so sehr zürnest,
und wer fürchtet sich vor dir in deinem Grimm?
12 [a]**Lehre uns bedenken, dass wir sterben müssen,**
auf dass wir klug werden.

13 HERR, kehre dich doch endlich wieder zu uns
und sei deinen Knechten gnädig!

* **90,10** Luther übersetzte: »und wenn's köstlich gewesen ist, so ist's Mühe und Arbeit gewesen«.

89,51 *a* Ps 44,10-25 **89,53** *a* Ps 41,14 **90,3** *a* Ps 146,4 *b* Pred 1,4 **90,4** *a* 2. Petr 3,8
90,5 *a* (5-6) Ps 102,12; 103,15; Hiob 14,2; Jes 40,6; 1. Petr 1,24-25 **90,10** *a* Pred 1,3
90,12 *a* Ps 39,5-7

14 Fülle uns frühe mit deiner Gnade,
so wollen wir rühmen und fröhlich sein unser Leben lang.
15 Erfreue uns nun wieder, nachdem du uns so lange plagest,
nachdem wir so lange Unglück leiden.
16 Zeige deinen Knechten [a]deine Werke
und deine Herrlichkeit ihren Kindern.
17 Und der Herr, unser Gott, sei uns freundlich /
und fördere das Werk unsrer Hände bei uns.
Ja, das Werk unsrer Hände wollest du fördern!

UNTER GOTTES SCHUTZ

91 Wer unter dem Schirm des Höchsten sitzt
und unter dem Schatten des Allmächtigen bleibt,
2 der spricht zu dem HERRN: /
Meine Zuversicht und meine Burg,
mein Gott, auf den ich hoffe.

3 Denn er errettet dich vom Strick des Jägers
und von der verderblichen Pest.
4 Er wird dich mit seinen Fittichen decken, /
und Zuflucht wirst du haben unter seinen Flügeln.
Seine Wahrheit ist Schirm und Schild,
5 dass du nicht erschrecken musst vor dem Grauen der Nacht,
vor dem Pfeil, der des Tages fliegt,
6 vor der Pest, die im Finstern schleicht,
vor der Seuche, die am Mittag Verderben bringt.
7 Wenn auch tausend fallen zu deiner Seite /
und zehntausend zu deiner Rechten,
so wird es doch dich nicht treffen.
8 Ja, du wirst es mit eigenen Augen sehen
und schauen, wie den Frevlern vergolten wird.

9 Denn der HERR ist deine Zuversicht,
der Höchste ist deine Zuflucht.*
10 Es wird dir kein Übel begegnen,
und keine Plage wird sich deinem Hause nahen.
11 [a]Denn er hat seinen Engeln befohlen,
dass sie dich behüten auf allen deinen Wegen,
12 dass sie dich auf den Händen tragen
und du deinen Fuß nicht an einen Stein stoßest.
13 Über Löwen und Ottern wirst du gehen
und junge Löwen und Drachen niedertreten.[a]

14 »Er liebt mich, darum will ich ihn erretten;
er kennt meinen Namen, darum will ich ihn schützen.
15 Er [a]ruft mich an, darum will ich ihn erhören; /
ich bin bei ihm in der Not,
ich will ihn herausreißen und zu Ehren bringen.
16 Ich will ihn sättigen mit langem Leben
und will ihm zeigen mein [a]Heil.«

* **91,9** Wörtlich: »›Denn du, HERR, bist meine Zuversicht.‹ Den Höchsten hast du zu deiner Zuflucht gemacht.«

90,16 *a* Jes 5,12 **91,11** *a* (11-12) Mt 4,6 **91,13** *a* Lk 10,19 **91,15** *a* Ps 50,15 **91,16** *a* Jes 52,10

FREUDE AM LOB GOTTES

92 EIN PSALM. EIN LIED FÜR DEN SABBATTAG.

2 Das ist ein köstlich Ding, dem HERRN danken
und [a]lobsingen deinem Namen, du Höchster,
3 des Morgens deine Gnade
und des Nachts deine Wahrheit verkündigen
4 auf dem Psalter mit zehn Saiten,
auf der Harfe und zum Klang der Zither.
5 Denn, HERR, du lässest mich fröhlich singen von deinen Werken,
und ich rühme die Taten deiner Hände.

6 HERR, wie sind [a]deine Werke so groß!
[b]Deine Gedanken sind sehr tief.
7 Ein Törichter glaubt das nicht,
und ein Narr begreift es nicht.

8 Die Gottlosen grünen wie das Gras, /
und die Übeltäter blühen alle –
nur um vertilgt zu werden für immer!
9 Aber du, HERR, bist der Höchste
und bleibest ewiglich.

10 Denn siehe, deine Feinde, HERR, /
siehe, deine Feinde werden umkommen,
und alle Übeltäter sollen zerstreut werden.
11 Aber du erhöhst mein Horn wie bei einem Wildstier
und [a]salbst mich mit frischem Öl.
12 Mit Freude sieht mein Auge auf meine Feinde herab
und hört mein Ohr von den Boshaften,
die sich gegen mich erheben.

13 [a]Der Gerechte wird grünen wie ein Palmbaum,
er wird wachsen wie eine Zeder auf dem Libanon.
14 Die gepflanzt sind im Hause des HERRN,
werden in den Vorhöfen unsres Gottes grünen.
15 Und wenn sie auch alt werden,
werden sie dennoch blühen, fruchtbar und frisch sein,
16 dass sie verkündigen, dass der HERR gerecht ist;
[a]er ist mein Fels und kein Unrecht ist an ihm.

DER HERR IST KÖNIG

93 Der HERR ist [a]König und herrlich gekleidet; /
der HERR ist gekleidet und umgürtet mit Kraft.
Fest steht der Erdkreis, dass er nicht wankt.
2 Von Anbeginn steht dein Thron fest;
du bist ewig.

3 HERR, die Fluten erheben, /
die Fluten erheben die Stimme,
die Fluten erheben ihr Brausen.

92,2 ***a*** Ps 147,1 **92,6** ***a*** Ps 104,24 ***b*** Jes 55,9 **92,11** ***a*** Ps 23,5 **92,13** ***a*** (13-15) Ps 1,3; 52,10
92,16 ***a*** 5. Mose 32,4 **93,1** ***a*** Ps 47,8; 96,10; 97,1; 98,6; 99,1; 146,10; 2. Mose 15,18

4 Mächtiger als das Tosen großer Wasser,
mächtiger als die Wellen des Meeres ist der HERR in der Höhe.

5 Deine Zeugnisse sind wahrhaftig und gewiss;
Heiligkeit ist die Zierde deines Hauses, HERR, für alle Zeit.

HILFERUF GEGEN DIE UNTERDRÜCKER DES VOLKES GOTTES

94 HERR, du [a]Gott, des die Rache ist,
du Gott, des die Rache ist, erscheine!
2 Erhebe dich, du [a]Richter der Welt;
vergilt den Hoffärtigen, was sie verdienen!

3 HERR, wie lange sollen die Frevler,
wie lange sollen die Frevler frohlocken?
4 Es reden so trotzig daher,
es rühmen sich alle Übeltäter.
5 HERR, sie zerschlagen dein Volk
und plagen dein Erbe.
6 Witwen und Fremdlinge bringen sie um
und töten die Waisen
7 und sagen: [a]Der HERR sieht's nicht,
und der Gott Jakobs beachtet's nicht.

8 Merkt es doch, ihr Narren im Volk!
Und ihr Toren, wann wollt ihr klug werden?
9 Der das Ohr gepflanzt hat, sollte der nicht hören?
Der das Auge gemacht hat, sollte der nicht sehen?[a]
10 Der die Völker in Zucht hält, /
sollte der nicht Rechenschaft fordern –
er, der die Menschen Erkenntnis lehrt?
11 Aber der HERR kennt die Gedanken der Menschen:
Sie sind nur ein Hauch![a]

12 Wohl dem, den du, HERR, [a]in Zucht nimmst
und lehrst ihn durch dein Gesetz,
13 dass er Geduld habe in bösen Tagen,
bis dem Frevler die Grube gegraben ist.
14 Denn [a]der HERR wird sein Volk nicht verstoßen
noch sein Erbe verlassen.
15 Denn **Recht muss doch Recht bleiben,**
und ihm werden alle frommen Herzen zufallen.

16 Wer steht mir bei wider die Boshaften?
Wer tritt zu mir wider die Übeltäter?
17 Wenn der HERR mir nicht hülfe,
läge ich bald [a]am Orte des Schweigens.
18 Wenn ich sprach: Mein Fuß ist gestrauchelt,
so hielt mich, HERR, deine Gnade.
19 Ich hatte viel Bekümmernis in meinem Herzen,
aber [a]deine Tröstungen erquickten meine Seele.

20 Kann sich mit dir verbünden der Richterstuhl des Verderbens,
der Unheil schafft gegen das Gesetz?

94,1 *a* 5. Mose 32,35 **94,2** *a* 1. Mose 18,25 **94,7** *a* Ps 10,11 **94,9** *a* 2. Mose 4,11 **94,11** *a* 1. Kor 3,20
94,12 *a* Hiob 5,17 **94,14** *a* Jes 37,33-35 **94,17** *a* Ps 115,17 **94,19** *a* 2. Kor 1,4-5

21 Sie rotten sich zusammen wider den Gerechten
und verurteilen unschuldiges Blut.

22 Aber der HERR ist mein Schutz,
mein Gott ist der Hort meiner Zuversicht.
23 Und er wird ihnen ihr Unrecht vergelten /
und sie um ihrer Bosheit willen vertilgen;
der HERR, unser Gott, wird sie vertilgen.

RUF ZU ANBETUNG UND GEHORSAM

95 Kommt herzu, lasst uns dem HERRN frohlocken
und jauchzen dem Hort unsres Heils!
2 Lasst uns mit Danken vor sein Angesicht kommen
und mit Psalmen ihm jauchzen!
3 Denn der HERR ist ein großer Gott
und [a]ein großer König über alle Götter.
4 Denn in seiner Hand sind die Tiefen der Erde,
und die Höhen der Berge sind auch sein.
5 Denn sein ist das Meer, und er hat's gemacht,
und seine Hände haben das Trockene bereitet.

6 Kommt, lasst uns anbeten und knien
und niederfallen vor dem HERRN, der uns gemacht hat.
7 Denn er ist unser Gott
und wir das Volk seiner Weide und Schafe seiner Hand.[a]

Wenn ihr doch heute auf seine Stimme hören wolltet:
8 [a]»Verstocket euer Herz nicht, wie zu Meriba geschah,
wie zu Massa in der Wüste,
9 wo mich eure Väter [a]versuchten und prüften
und hatten doch mein Werk gesehen.
10 Vierzig Jahre war dies Volk mir zuwider, dass ich sprach: /
Es sind Leute, deren Herz immer den Irrweg will
und die meine Wege nicht lernen wollen,
11 sodass ich schwor in meinem Zorn:
Sie sollen nicht zu meiner Ruhe kommen.«[a]

DER SCHÖPFER UND RICHTER ALLER WELT

(vgl. 1. Chr 16,23-33)

96 Singet dem HERRN [a]ein neues Lied;
singet dem HERRN, alle Welt!
2 Singet dem HERRN und lobet seinen Namen,
verkündet von Tag zu Tag sein Heil!
3 Erzählet unter den Heiden von seiner Herrlichkeit,
unter allen Völkern von seinen Wundern!
4 Denn der HERR ist groß und hoch zu loben,
mehr zu fürchten als alle Götter.
5 Denn alle Götter der Völker sind Götzen;
aber der HERR hat den Himmel gemacht.

95,3 *a* 2. Mose 15,11 **95,7** *a* Ps 100,3; Joh 10,27-28 **95,8** *a* *(8-11)* Hebr 3,7-8; 4,7
95,9 *a* 2. Mose 17,2.7 **95,11** *a* 4. Mose 14,22-23; Hebr 4,3 **96,1** *a* Ps 33,3

6 Hoheit und Pracht sind vor ihm,
Macht und Herrlichkeit in seinem Heiligtum.

7 Ihr Völker, bringet dar dem HERRN,
bringet dar dem HERRN Ehre und Macht!
8 Bringet dar dem HERRN die Ehre seines Namens,
bringet Geschenke und kommt in seine Vorhöfe!
9 Betet an den HERRN in heiligem Schmuck;
es fürchte ihn alle Welt!
10 Sagt unter den Heiden: Der HERR ist [a]König.
Er hat den Erdkreis gegründet, dass er nicht wankt.
Er richtet die Völker recht.

11 [a]Der Himmel freue sich, und die Erde sei fröhlich,
das Meer brause und was darinnen ist;
12 das Feld sei fröhlich und alles, was darauf ist;
jauchzen sollen alle Bäume im Walde
13 vor dem HERRN; denn er kommt,
denn er kommt, [a]zu richten das Erdreich.
Er [b]wird den Erdkreis richten mit Gerechtigkeit
und die Völker mit seiner Wahrheit.

FREUDE AM KÖNIGTUM GOTTES

97 Der HERR ist [a]König; des freue sich das Erdreich
und seien fröhlich die Inseln, so viel ihrer sind.
2 Wolken und Dunkel sind um ihn her,
Gerechtigkeit und Recht sind seines Thrones Stütze.
3 [a]Feuer geht vor ihm her
und verzehrt ringsum seine Feinde.
4 Seine Blitze erleuchten den Erdkreis,
das Erdreich sieht es und erschrickt.
5 Berge zerschmelzen wie Wachs vor dem HERRN,
vor dem [a]Herrscher der ganzen Erde.
6 Die Himmel verkündigen seine Gerechtigkeit,
und alle Völker sehen [a]seine Herrlichkeit.

7 Schämen sollen sich alle, die den Bildern dienen /
und [a]sich der Götzen rühmen.
[b]Betet ihn an, alle Götter!
8 Zion hört es und ist froh,
und die Töchter Juda sind fröhlich,
weil du, HERR, recht regierest.
9 Denn du, HERR, bist der Höchste über allen Landen,
[a]du bist hoch erhöht über alle Götter.

10 Die ihr den HERRN liebet, hasset das Arge!
Der Herr bewahrt die Seelen seiner Heiligen;
aus der Hand der Frevler wird er sie erretten.
11 Dem Gerechten muss das Licht immer wieder aufgehen
und Freude den aufrichtigen Herzen.

96,10 ***a*** Ps 93,1 **96,11** ***a*** (11-13) Ps 98,7-9; Jes 49,13 **96,13** ***a*** Ps 82,8 ***b*** Apg 17,31
97,1 ***a*** Ps 93,1 **97,3** ***a*** (3-4) Hab 3,4 **97,5** ***a*** Jos 3,13 **97,6** ***a*** Ps 67,5-6
97,7 ***a*** Jer 46,25 ***b*** Hebr 1,6 **97,9** ***a*** 2. Mose 15,11

12 Ihr Gerechten, freut euch des HERRN
und danket ihm und preiset seinen heiligen Namen!

DER KÖNIGLICHE RICHTER ALLER WELT

98 EIN PSALM.

Singet dem HERRN [a]ein neues Lied,
denn er tut Wunder.
[b]Er schafft Heil mit seiner Rechten
und mit seinem heiligen Arm.
2 Der HERR lässt sein Heil verkündigen;
vor den Völkern macht er seine Gerechtigkeit offenbar.
3 Er gedenkt an seine Gnade und Treue für das Haus Israel,
[a]aller Welt Enden sehen das Heil unsres Gottes.

4 Jauchzet dem HERRN, alle Welt,
singet, rühmet und lobet!
5 Lobet den HERRN mit Harfen,
mit Harfen und mit Saitenspiel!
6 Mit Trompeten und Posaunen
jauchzet vor dem HERRN, dem [a]König!
7 Das Meer brause und was darinnen ist,
der Erdkreis und die darauf wohnen.[a]
8 Die Ströme sollen in die Hände klatschen,
und alle Berge seien fröhlich
9 vor dem HERRN; denn er kommt, das Erdreich zu richten.
Er wird den Erdkreis richten mit Gerechtigkeit
und die Völker, wie es recht ist.

DER HEILIGE GOTT

99 Der HERR ist [a]König, darum zittern die Völker;
[b]er sitzt über den Cherubim, darum bebt die Welt.
2 Der HERR ist groß in Zion
und erhaben über alle Völker.
3 Preisen sollen sie deinen großen und wunderbaren Namen;
denn er ist heilig.

4 Die Stärke des Königs ist,
dass er das Recht liebt.
[a]Du hast bestimmt, was richtig ist,
du schaffest Recht und Gerechtigkeit in Jakob.
5 *Erhebet den HERRN, unsern Gott, /*
betet an [a]vor dem Schemel seiner Füße;
denn er ist heilig.

6 Mose und Aaron unter seinen Priestern /
und Samuel unter denen, die seinen Namen anrufen,
die riefen an den HERRN, und er erhörte sie.
7 Er redete mit ihnen aus der Wolkensäule;
sie hielten seine Zeugnisse und Gebote, die er ihnen gab.

98,1 ***a*** Ps 33,3 ***b*** Jes 59,16; 63,5 **98,3** ***a*** Jes 52,10 **98,6** ***a*** Ps 93,1 **98,7** ***a*** Ps 96,11-13
99,1 ***a*** Ps 93,1 ***b*** Ps 18,11 **99,4** ***a*** Jes 9,6 **99,5** ***a*** Ps 132,7-8; 1. Chr 28,2; Klgl 2,1

8 HERR, du bist unser Gott, du erhörtest sie;
du, Gott, [a]vergabst ihnen und straftest ihr Tun.
9 *Erhebet den HERRN, unsern Gott, /*
und betet an auf seinem heiligen Berge;
denn der HERR, unser Gott, ist heilig.

AUFRUF ZUM LOB GOTTES

100 EIN PSALM ZUM DANKOPFER.

Jauchzet dem HERRN, alle Welt!
2 Dienet dem HERRN mit Freuden,
kommt vor sein Angesicht mit Frohlocken!
3 Erkennet, dass der HERR Gott ist!
Er hat uns gemacht und nicht wir selbst
zu seinem Volk und [a]zu Schafen seiner Weide.

4 [a]Gehet zu seinen Toren ein mit Danken, /
zu seinen Vorhöfen mit Loben;
danket ihm, lobet seinen Namen!
5 Denn der HERR ist freundlich, /
und seine Gnade währet ewig
und seine Wahrheit für und für.

DIE VERPFLICHTUNG DES KÖNIGS

101 EIN PSALM DAVIDS.

Von Gnade und Recht will ich singen
und dir, HERR, Lob sagen.
2 Ich will mich halten an den rechten Weg. /
Wann kommst du zu mir?
Ich wandle mit lauterem Herzen in meinem Hause.
3 [a]Ich nehme mir keine böse Sache vor;
ich hasse es, Unrecht zu tun,
das soll nicht an mir haften.
4 Ein falsches Herz muss von mir weichen.
Böses leide ich nicht.
5 Wer seinen Nächsten heimlich verleumdet,
den bring ich zum Schweigen.
Ich mag den nicht, der stolze Gebärde
und Hochmut hat.
6 Meine Augen sehen nach den Treuen im Lande, /
dass sie bei mir wohnen;
[a]Wer auf rechtem Wege geht, der dient mir.
7 Falsche Leute dürfen in meinem Hause nicht bleiben,
die Lügner bestehen nicht vor mir.
8 Jeden Morgen bring ich zum Schweigen
alle Frevler im Lande,
[a]dass ich alle Übeltäter ausrotte
aus der Stadt des HERRN.

99,8 ***a*** 2. Mose 34,7 **100,3** ***a*** Ps 95,7 **100,4** ***a*** *(4-5)* Ps 106,1
101,3 ***a*** *(3-6)* Spr 20,8.28 **101,6** ***a*** Spr 22,11 **101,8** ***a*** Spr 20,26

BITTE UM WIEDERHERSTELLUNG DES ZION (DER FÜNFTE BUSSPSALM)

102 EIN GEBET FÜR DEN ELENDEN, WENN ER VERZAGT IST UND SEINE KLAGE VOR DEM HERRN AUSSCHÜTTET.

2 HERR, höre mein Gebet
und lass mein Schreien zu dir kommen!
3 Verbirg dein Antlitz nicht vor mir in der Not, /
neige deine Ohren zu mir;
wenn ich dich anrufe, so erhöre mich bald!

4 Denn meine Tage sind vergangen wie ein Rauch,
und meine Gebeine sind verbrannt wie von Feuer.
5 Mein Herz ist geschlagen und verdorrt wie Gras,
dass ich vergesse, mein Brot zu essen.
6 Mein Gebein klebt an meiner Haut
vor Heulen und Seufzen.
7 Ich bin wie eine Eule in der Wüste,
wie ein Käuzchen in zerstörten Städten.
8 Ich wache und klage
wie ein einsamer Vogel auf dem Dache.

9 Täglich schmähen mich meine Feinde,
und die mich verspotten, fluchen mit meinem Namen.
10 Denn ich esse Asche wie Brot
und mische meinen Trank mit Tränen
11 vor deinem Drohen und Zorn,
weil du mich hochgehoben und zu Boden geworfen hast.
12 Meine Tage sind dahin wie ein Schatten,
und [a]ich verdorre wie Gras.

13 Du aber, HERR, bleibst ewiglich
und [a]dein Name für und für.
14 Du wollest dich aufmachen und über Zion erbarmen;
denn es ist Zeit, dass du ihm gnädig seist,
und die Stunde ist gekommen –
15 denn deine Knechte lieben seine Steine
und tragen Leid um seine Trümmer –,
16 dass die Völker den Namen des HERRN fürchten
und alle Könige auf Erden deine Herrlichkeit,
17 wenn der HERR Zion wieder baut
und erscheint in seiner Herrlichkeit.
18 Er wendet sich zum Gebet der Verlassenen
und verschmäht ihr Gebet nicht.
19 Das werde geschrieben für die Nachkommen;
und das Volk, das er schafft, wird den HERRN loben.
20 Denn er schaut von seiner heiligen Höhe,
[a]der HERR sieht vom Himmel auf die Erde,
21 dass er das Seufzen der Gefangenen höre
und losmache die Kinder des Todes,
22 dass sie in Zion verkünden den Namen des HERRN
und sein Lob in Jerusalem,

102,12 ***a*** Ps 90,5-6 **102,13** ***a*** Ps 135,13 **102,20** ***a*** Ps 14,2

23 wenn die Völker zusammenkommen
und die Königreiche, dem HERRN zu dienen.[a]

24 Er demütigt auf dem Wege meine Kraft,
er verkürzt meine Tage.
25 Ich sage: Mein Gott, nimm mich nicht weg /
[a]in der Hälfte meiner Tage!
Deine Jahre währen für und für.
26 [a]Du hast vorzeiten die Erde gegründet,
und die Himmel sind deiner Hände Werk.
27 Sie [a]werden vergehen, du aber bleibst;
sie werden alle veralten wie ein Gewand;
wie ein Kleid wirst du sie wechseln,
und sie schwinden dahin.
28 Du aber bleibst, wie du bist,
und deine Jahre nehmen kein Ende.
29 Die Söhne deiner Knechte bleiben wohnen,
und ihr Geschlecht wird vor dir gedeihen.

DAS HOHELIED DER BARMHERZIGKEIT GOTTES

103 VON DAVID.

Lobe den HERRN, meine Seele,
und was in mir ist, seinen heiligen Namen!
2 **Lobe den HERRN, meine Seele,**
und [a]vergiss nicht, was er dir Gutes getan hat:
3 **der dir [a]alle deine Sünde vergibt**
und heilet alle deine Gebrechen,
4 **der dein Leben vom Verderben erlöst,**
der dich krönet mit Gnade und Barmherzigkeit,
5 der deinen Mund fröhlich macht*
und du wieder jung wirst [a]wie ein Adler.

6 Der HERR schafft Gerechtigkeit und Recht
allen, die Unrecht leiden.
7 Er [a]hat seine Wege Mose wissen lassen,
die Kinder Israel sein Tun.
8 **Barmherzig und gnädig ist der HERR,**
geduldig und von großer Güte.[a]
9 Er wird nicht für immer hadern
noch ewig zornig bleiben.[a]
10 **Er handelt nicht mit uns nach unsern Sünden**
und vergilt uns nicht nach unsrer Missetat.
11 **Denn [a]so hoch der Himmel über der Erde ist,**
lässt er seine Gnade walten über denen, die ihn fürchten.
12 **So fern der Morgen ist vom Abend,**
lässt er unsre Übertretungen von uns sein.
13 **Wie sich [a]ein Vater über Kinder erbarmt,**
so erbarmt sich der HERR über die, die ihn fürchten. |

* **103,5** Andere Übersetzung: »der dich sättigt mit Gutem«.

102,23 ***a*** Ps 87,4; Jes 60,3-10; Lk 13,29-30 **102,25** ***a*** Ps 55,24 **102,26** ***a*** (26-28) Hebr 1,10-12
102,27 ***a*** 2. Petr 3,10 **103,2** ***a*** 5. Mose 4,9 **103,3** ***a*** Ps 32,1 **103,5** ***a*** Jes 40,31 **103,7** ***a*** 2. Mose 33,13
103,8 ***a*** Ps 86,15 **103,9** ***a*** Jes 57,16 **103,11** ***a*** Ps 36,6; Jes 55,8-9 **103,13** ***a*** Lk 15,11-24

14 Denn er weiß, was für ein Gebilde wir sind;
er gedenkt daran, [a]dass wir Staub sind.
15 [a]Ein Mensch ist in seinem Leben wie Gras,
er blüht wie eine Blume auf dem Felde;
16 wenn der Wind darüber geht, so ist sie nimmer da,
und ihre Stätte kennet sie nicht mehr.
17 [a]Die Gnade aber des HERRN währt von Ewigkeit zu Ewigkeit
über denen, die ihn fürchten,
und seine Gerechtigkeit auf Kindeskind
18 bei denen, die seinen Bund halten
und gedenken an seine Gebote,
dass sie danach tun.

19 Der HERR hat seinen Thron im Himmel errichtet,
und sein Reich herrscht über alles.
20 [a]Lobet den HERRN, ihr seine Engel, /
ihr starken Helden, die ihr sein Wort ausführt,
dass man höre auf die Stimme seines Wortes!
21 Lobet den HERRN, alle seine Heerscharen,
seine Diener, die ihr seinen Willen tut!
22 Lobet den HERRN, alle seine Werke, /
an allen Orten seiner Herrschaft!
Lobe den HERRN, meine Seele!

LOB DES SCHÖPFERS

104 Lobe den HERRN, meine Seele!
HERR, mein Gott, du bist sehr groß;
in Hoheit und Pracht bist du gekleidet.
2 Licht ist dein Kleid, das du anhast.
Du breitest den Himmel aus wie ein Zelt;
3 du baust deine Gemächer [a]über den Wassern.
Du fährst auf den Wolken wie auf einem Wagen
und [b]kommst daher auf den Fittichen des Windes,
4 der du machst Winde zu deinen Boten
und Feuerflammen zu deinen Dienern;[a]
5 der du das Erdreich gegründet hast auf festen Boden,
dass es nicht wankt immer und ewiglich.[a]
6 Die Flut der Tiefe deckte es wie ein Kleid,
und die Wasser standen über den Bergen,
7 aber vor deinem Schelten flohen sie,
vor deinem Donner fuhren sie dahin.
8 Sie stiegen hoch empor auf die Berge
und sanken herunter in die Täler zum Ort,
den du ihnen gegründet hast.
9 Du hast [a]eine Grenze gesetzt, darüber kommen sie nicht
und dürfen nicht wieder das Erdreich bedecken.

10 Du lässest Brunnen quellen in den Tälern,
dass sie zwischen den Bergen dahinfließen,

103,14 ***a*** 1. Mose 2,7; 3,19 **103,15** ***a*** *(15-16)* Ps 90,5-6; Hiob 7,10 **103,17** ***a*** Lk 1,50
103,20 ***a*** *(20-22)* Jes 6,1-4; Ps 29,1; 148,1-14; Dan 7,10 **104,3** ***a*** 1. Mose 1,6-8 ***b*** Ps 18,10-12
104,4 ***a*** Hebr 1,7 **104,5** ***a*** Mt 24,35; Offb 21,1 **104,9** ***a*** Hiob 38,8-11; Spr 8,29

11 dass alle Tiere des Feldes trinken
und die Wildesel ihren Durst löschen.
12 Darüber sitzen die Vögel des Himmels
und singen in den Zweigen.
13 Du tränkst die Berge von oben her,
du machst das Land voll Früchte, die du schaffest.*
14 Du lässest Gras wachsen für das Vieh
und Saat zu Nutz den Menschen,
dass du Brot aus der Erde hervorbringst,
15 dass der Wein erfreue des Menschen Herz
und sein Antlitz glänze vom Öl
und das Brot des Menschen Herz stärke.
16 Die Bäume des HERRN stehen voll Saft,
die Zedern des Libanon, die er gepflanzt hat.
17 Dort nisten die Vögel,
und die Störche wohnen in den Wipfeln.
18 Die hohen Berge geben dem Steinbock Zuflucht
und die Felsklüfte dem Klippdachs.

19 Du hast den Mond gemacht, das Jahr danach zu teilen;
[a]die Sonne weiß ihren Niedergang.
20 Du machst Finsternis, dass es Nacht wird;
da regen sich alle Tiere des Waldes,
21 die jungen Löwen, die da brüllen nach Raub
und ihre Speise fordern von Gott.
22 Wenn aber die Sonne aufgeht, heben sie sich davon
und legen sich in ihre Höhlen.
23 Dann geht der Mensch hinaus an seine Arbeit
und an sein Werk bis an den Abend.

24 **HERR, wie sind deine Werke so groß und viel!**
Du hast sie alle weise geordnet,
und die Erde ist voll deiner Güter.[a]
25 Da ist das Meer, das so groß und weit ist,
da wimmelt's ohne Zahl, große und kleine Tiere.
26 Dort ziehen Schiffe dahin;
da ist der Leviatan, den du gemacht hast, damit zu spielen.

27 [a]**Es wartet alles auf dich,**
dass du ihnen Speise gebest zu seiner Zeit.
28 **Wenn du ihnen gibst, so sammeln sie;**
wenn du deine Hand auftust,
so werden sie mit Gutem gesättigt.
29 Verbirgst du dein Angesicht, so erschrecken sie;
nimmst du weg ihren Odem, so vergehen sie
und [a]werden wieder Staub.
30 Du sendest aus deinen Odem, so werden sie geschaffen,
und du machst neu das Antlitz der Erde.

31 Die Herrlichkeit des HERRN bleibe ewiglich,
der HERR freue sich seiner Werke!
32 Er schaut die Erde an, so bebt sie;
er rührt die Berge an, so rauchen sie.

* **104,13** Andere Übersetzung: »von der Frucht deiner Werke wird die Erde satt«.

104,19 *a* Ps 74,16 **104,24** *a* 1. Mose 1,31 **104,27** *a* (27-28) Ps 145,15-16 **104,29** *a* 1. Mose 3,19

33 Ich will dem HERRN singen mein Leben lang
und meinen Gott loben, solange ich bin.
34 Mein Reden möge ihm wohlgefallen.
Ich freue mich des HERRN.
35 Die Sünder sollen ein Ende nehmen auf Erden /
und die Gottlosen nicht mehr sein.
Lobe den HERRN, meine Seele! Halleluja!

LOB GOTTES FÜR SEINE HEILSTATEN IN ISRAELS FRÜHZEIT

105 [a]Danket dem HERRN und rufet an seinen Namen;
verkündigt sein Tun unter den Völkern!
2 Singet ihm und spielet ihm,
redet von allen seinen Wundern!
3 Rühmet seinen heiligen Namen;
es freue sich das Herz derer, die den HERRN suchen!
4 Fraget nach dem HERRN und nach seiner Macht,
suchet sein Antlitz allezeit!
5 Gedenket seiner Wunderwerke, die er getan hat,
seiner Zeichen und der Urteile seines Mundes,
6 du Geschlecht Abrahams, seines Knechts,
ihr Söhne Jakobs, seine Auserwählten!

7 Er ist der HERR, unser Gott,
er richtet in aller Welt.
8 Er gedenkt ewiglich an seinen Bund,
an das Wort, das er verheißen hat für tausend Geschlechter,[a]
9 an den Bund, den er geschlossen hat mit Abraham,
und an den Eid, den er Isaak geschworen hat.
10 Er stellte ihn auf für Jakob als Satzung
und für Israel als ewigen Bund
11 und sprach: »Dir will ich das Land Kanaan geben,
das Los eures Erbteils«,[a]
12 als sie gering waren an Zahl,
nur wenige und Fremdlinge im Lande.

13 Und sie zogen von Volk zu Volk,
von einem Königreich zum andern.
14 Er ließ keinen Menschen ihnen Schaden tun
und wies Könige zurecht um ihretwillen:[a]
15 »Tastet meine Gesalbten nicht an,
und tut meinen Propheten kein Leid!«

16 Und er rief den [a]Hunger ins Land
und nahm weg allen Vorrat an Brot.
17 Er sandte einen Mann vor ihnen hin;
[a]Josef wurde als Knecht verkauft.
18 Sie zwangen seine Füße in Fesseln,
sein Hals wurde in Eisen gelegt,
19 bis sein Wort eintraf
und die Rede des HERRN ihm recht gab.

105,1 *a* (1-15) 1. Chr 16,8-22 **105,8** *a* 5. Mose 7,9 **105,11** *a* 1. Mose 13,15 **105,14** *a* 4. Mose 23,7-10
105,16 *a* 1. Mose 41,54 **105,17** *a* 1. Mose 37,28

20 Da [a]sandte der König hin und ließ ihn losbinden,
der Herrscher über Völker, er gab ihn frei.
21 Er setzte ihn zum Herrn über sein Haus,
zum Herrscher über alle seine Güter,
22 dass er seine Fürsten unterwiese nach seinem Willen
und seine Ältesten Weisheit lehrte.
23 Und Israel zog nach Ägypten,
Jakob ward ein Fremdling im Lande Hams.[a]

24 Und der Herr [a]ließ sein Volk sehr wachsen
und machte sie mächtiger als ihre Feinde.
25 Diesen verwandelte er das Herz, /
dass sie seinem Volk gram wurden
und Arglist übten an seinen Knechten.
26 Er sandte seinen Knecht [a]Mose
und [b]Aaron, den er erwählt hatte.
27 Die taten seine Zeichen unter ihnen
und seine Wunder im Lande Hams.[a]
28 Er sandte Finsternis und machte es finster;
doch sie blieben ungehorsam seinen Worten.
29 Er verwandelte ihre Wasser in Blut
und tötete ihre Fische.
30 Ihr Land wimmelte von Fröschen
bis in die Kammern ihrer Könige.
31 Er gebot, da kam Ungeziefer,
Stechmücken in all ihr Gebiet.
32 Er gab ihnen Hagel statt Regen,
Feuerflammen in ihrem Lande
33 und schlug ihre Weinstöcke und Feigenbäume
und zerbrach die Bäume in ihrem Gebiet.
34 Er gebot, da kamen Heuschrecken
und Käfer ohne Zahl;
35 sie fraßen alles Gras in ihrem Lande,
und fraßen auch die Frucht ihres Ackers.
36 Er schlug alle Erstgeburt in Ägypten,
alle Erstlinge ihrer Kraft.
37 Er führte sie heraus [a]mit Silber und Gold;
es war kein Gebrechlicher unter ihren Stämmen.
38 Ägypten wurde froh, dass sie auszogen;
denn Furcht vor ihnen war auf sie gefallen.
39 Er breitete eine Wolke aus, sie zu decken,
und ein Feuer, die Nacht zu erleuchten.[a]
40 Sie baten, da ließ er [a]Wachteln kommen,
und er sättigte sie mit Himmelsbrot.
41 Er [a]öffnete den Felsen, da strömten Wasser heraus,
sie flossen dahin als Strom in der Wüste.
42 Denn er gedachte an sein heiliges Wort
und an Abraham, seinen Knecht.

43 So führte er sein Volk in Freuden heraus
und seine Auserwählten mit Jubel

105,20 *a* 1. Mose 41,14 **105,23** *a* 1. Mose 46,1.7 **105,24** *a* 2. Mose 1,7.12 **105,26** *a* 2. Mose 3,10 *b* 2. Mose 4,14-16 **105,27** *a* 2. Mose 7,1–12,51 **105,37** *a* 2. Mose 12,35 **105,39** *a* 2. Mose 13,21; 14,20 **105,40** *a* 2. Mose 16,13-15 **105,41** *a* 2. Mose 17,6

44 und gab ihnen die Länder der Völker,
dass sie die Güter der Nationen gewannen,
45 damit sie hielten seine Gebote
und seine Gesetze bewahrten. Halleluja!

GOTTES GNADE UND ISRAELS UNDANK

106 Halleluja!
[a]**Danket dem HERRN; denn er ist freundlich,**
und seine Güte währet ewiglich.
2 Wer kann [a]die großen Taten des HERRN alle erzählen
und sein Lob genug verkündigen?
3 Wohl denen, die das Gebot halten
und tun immerdar recht!

4 HERR, gedenke meiner nach der Gnade,
die du deinem Volk verheißen hast;
erweise an uns deine Hilfe,
5 dass wir sehen das Heil deiner Auserwählten
und uns freuen, dass es deinem Volke so gut geht,
und uns rühmen mit denen, die dein Eigen sind.

6 Wir haben gesündigt samt unsern Vätern,
wir haben unrecht getan und sind gottlos gewesen.[a]
7 Unsre Väter in Ägypten
wollten deine Wunder nicht verstehen.
Sie gedachten nicht an deine große Güte
und [a]waren ungehorsam am Meer, am Schilfmeer.
8 Er aber half ihnen um seines Namens willen,
dass er kundtue seine Macht.
9 Er schalt das Schilfmeer, da wurde es trocken,
und führte sie durch die Tiefen wie durch trockenes Land
10 und half ihnen aus der Hand dessen, der sie hasste,
und erlöste sie von der Hand des Feindes.
11 Und die Wasser bedeckten ihre Widersacher,
dass nicht einer übrig blieb.
12 Da glaubten sie an seine Worte
und [a]sangen sein Lob.

13 Aber sie vergaßen bald seine Werke,
sie warteten nicht auf seinen Rat.
14 Und [a]sie wurden lüstern in der Wüste
und versuchten Gott in der Einöde.
15 Er aber gab ihnen, was sie erbaten,
und [a]sandte ihnen eine Plage.
16 Und [a]sie empörten sich wider Mose im Lager,
wider Aaron, den Heiligen des HERRN.
17 [a]Die Erde tat sich auf und verschlang Datan
und deckte zu die Rotte Abirams,
18 und Feuer wurde unter ihrer Rotte angezündet,
die Flamme verbrannte die Frevler.

106,1 *a* Ps 100,4-5; 107,1; 118,1; 136,1; 1. Chr 16,34 **106,2** *a* Joh 21,25; Hebr 11,32 **106,6** *a* Dan 9,5
106,7 *a* 2. Mose 14,11-12 **106,12** *a* 2. Mose 15,21 **106,14** *a* 4. Mose 11,4-6 **106,15** *a* 4. Mose 11,33
106,16 *a* 4. Mose 16,1-3 **106,17** *a* (17-18) 4. Mose 16,31-35

19 [a]Sie machten ein Kalb am Horeb
und beteten das gegossene Bild an
20 und [a]tauschten die Herrlichkeit Gottes
gegen das Bild eines Ochsen, der Gras frisst.
21 Sie [a]vergaßen Gott, ihren Heiland,
der so große Dinge in Ägypten getan hatte,
22 Wunder im Lande Hams
und schreckliche Wunder am Schilfmeer.
23 Und er gedachte, sie zu vertilgen,
wäre nicht Mose gewesen, sein Auserwählter;
[a]der trat vor ihm in die Bresche,
seinen Grimm abzuwenden, dass er sie nicht verderbe.

24 Und sie achteten das köstliche Land gering;
sie glaubten seinem Worte nicht[a]
25 und murrten in ihren Zelten;
sie gehorchten der Stimme des HERRN nicht.
26 Da erhob er seine Hand wider sie,
dass er sie niederschlüge in der Wüste
27 und würfe ihre Nachkommen unter die Völker
und zerstreute sie in die Länder.
28 Und [a]sie hängten sich an den Baal-Peor
und aßen von den Opfern für die Toten
29 und erzürnten den Herrn mit ihrem Tun.
Da brach die Plage herein über sie.
30 Da trat Pinhas hinzu und vollzog das Gericht;
da wurde der Plage gewehrt;[a]
31 das wurde ihm gerechnet zur Gerechtigkeit
von Geschlecht zu Geschlecht ewiglich.
32 Und sie erzürnten den Herrn am [a]Haderwasser,
und Mose ging es übel um ihretwillen;
33 denn sie erbitterten seinen Sinn,
dass ihm unbedachte Worte entfuhren.

34 [a]Auch vertilgten sie die Völker nicht,
wie ihnen der HERR doch geboten hatte,
35 sondern vermischten sich mit den Heiden
und lernten ihre Werke
36 und dienten ihren Götzen;
die wurden ihnen zum Fallstrick.
37 [a]Und sie opferten ihre Söhne
und ihre Töchter den bösen Geistern
38 und vergossen unschuldig Blut,
das Blut ihrer Söhne und Töchter,
die sie opferten den Götzen Kanaans,
sodass das Land mit Blutschuld befleckt ward.
39 Sie machten sich unrein mit ihren Werken
und wurden abtrünnig durch ihr Tun.

40 Da entbrannte der Zorn des HERRN über sein Volk,
und sein Erbe wurde ihm zum Abscheu.

106,19 ***a*** *(19-23)* 2. Mose 32,1-14 **106,20** ***a*** Röm 1,23 **106,21** ***a*** 5. Mose 32,18
106,23 ***a*** 5. Mose 9,25-29; **106,24** ***a*** 5. Mose 8,7-10 **106,28** ***a*** 4. Mose 25,3
106,30 ***a*** 4. Mose 25,7-8 **106,32** ***a*** 4. Mose 20,2-13 **106,34** ***a*** *(34-36)* 5. Mose 7,1-2; 12,2-3; Ri 1,28; 2,23–3,6 **106,37** ***a*** *(37-38)* 3. Mose 18,21; 2. Kön 21,6.16

41 Er [a]gab sie in die Hand der Völker,
dass über sie herrschten, die ihnen gram waren.
42 Und ihre Feinde bedrängten sie,
und sie wurden gedemütigt unter ihre Hand.
43 Er errettete sie oftmals; /
aber sie erzürnten ihn mit ihrem Vorhaben
und schwanden dahin um ihrer Missetat willen.

44 Da sah er ihre Not an,
als er ihre Klage hörte,
45 und gedachte um ihretwillen an seinen Bund,
und es reute ihn nach seiner großen Güte.
46 Und er ließ sie Barmherzigkeit finden
bei allen, die sie gefangen hielten.

47 Hilf uns, HERR, unser Gott,
und [a]bring uns zusammen aus den Völkern,
dass wir preisen deinen heiligen Namen
und uns rühmen, dass wir dich loben können!

48 Gelobt sei der HERR, der Gott Israels,
von Ewigkeit zu Ewigkeit,
und alles Volk spreche: Amen!
Halleluja![a]

FÜNFTES BUCH
Psalm 107–150

DANKLIED DER ERLÖSTEN

107 [a]**Danket dem HERRN; denn er ist freundlich,**
und seine Güte währet ewiglich.
2 So sollen sagen, die erlöst sind durch den HERRN,
die er aus der Not erlöst hat,
3 die er aus den Ländern zusammengebracht hat
von Osten und Westen, von Norden und Süden.

4 Die irregingen in der Wüste, auf ungebahntem Wege,
und fanden keine Stadt, in der sie wohnen konnten,
5 die hungrig und durstig waren
und deren Seele verschmachtete,
6 *die dann zum HERRN riefen in ihrer Not*
und er errettete sie aus ihren Ängsten
7 und führte sie den richtigen Weg,
dass sie kamen zur Stadt, in der sie wohnen konnten:
8 *Die sollen dem HERRN danken für seine Güte /*
und für seine Wunder,
die er an den Menschenkindern tut,
9 dass er sättigt die durstige Seele
und [a]die Hungrigen füllt mit Gutem.
10 Die da sitzen mussten in Finsternis und Dunkel,
gefangen in Zwang und Eisen,

106,41 ***a*** Ri 2,14 **106,47** ***a*** 5. Mose 30,3; 1. Chr 16,35 **106,48** ***a*** Ps 41,14; 1. Chr 16,36
107,1 ***a*** Ps 106,1 **107,9** ***a*** Lk 1,53

11 weil sie Gottes Worten ungehorsam waren
und den Ratschluss des Höchsten verachtet hatten,
12 sodass er ihr Herz durch Unglück beugte
und sie stürzten und ihnen niemand half,
13 *die dann zum HERRN riefen in ihrer Not*
und er half ihnen aus ihren Ängsten
14 und führte sie aus Finsternis und Dunkel
und zerriss ihre Bande:
15 *Die sollen dem HERRN danken für seine Güte /*
und für seine Wunder,
die er an den Menschenkindern tut,
16 dass er zerbrach eherne Türen
und zerschlug eiserne Riegel.

17 Die Toren, die geplagt waren um ihrer Übertretung
und um ihrer Sünde willen,
18 dass ihnen ekelte vor aller Speise
und sie nahe waren den Pforten des Todes,
19 *die dann zum HERRN riefen in ihrer Not*
und er half ihnen aus ihren Ängsten,
20 er sandte sein Wort und machte sie gesund
und errettete sie, dass sie nicht starben:
21 *Die sollen dem HERRN danken für seine Güte /*
und für seine Wunder,
die er an den Menschenkindern tut,
22 und sollen Dank opfern
und erzählen seine Werke mit Freuden.

23 Die mit Schiffen auf dem Meere fuhren
und trieben ihren Handel auf großen Wassern,
24 die des HERRN Werke erfahren haben
und seine Wunder im Meer,
25 wenn er sprach und einen [a]Sturmwind erregte,
der die Wellen erhob,
26 und sie gen Himmel fuhren und in den Abgrund sanken,
dass ihre Seele vor Angst verzagte,
27 dass sie taumelten und wankten wie ein Trunkener
und wussten keinen Rat mehr,
28 *die dann zum HERRN schrien in ihrer Not*
und er führte sie aus ihren Ängsten
29 und stillte das Ungewitter,
dass die Wellen sich legten
30 und sie froh wurden, dass es still geworden war
und er sie zum ersehnten Hafen brachte:
31 *Die sollen dem HERRN danken für seine Güte /*
und für seine Wunder,
die er an den Menschenkindern tut,
32 und ihn in der Gemeinde preisen
und bei den Alten rühmen.

33 Er machte Ströme zur Wüste
und Wasserquellen zum öden Land,

107,25 ***a*** Jona 1,4; Ps 104,4

34 dass [a]fruchtbares Land zur Salzwüste wurde
wegen der Bosheit derer, die dort wohnten.
35 Er [a]machte das Trockene wieder wasserreich
und gab dem dürren Lande Wasserquellen
36 und ließ die Hungrigen dort bleiben,
dass sie eine Stadt bauten,
in der sie wohnen konnten,
37 und Äcker besäten und Weinberge pflanzten,
die reichlich Früchte trugen.
38 Und er segnete sie, dass sie sich sehr mehrten,
und gab ihnen viel Vieh.
39 Aber sie wurden gering an Zahl und geschwächt
von der Last des Unglücks und des Kummers.
40 Er [a]schüttete Verachtung aus auf die Fürsten
und ließ sie irren in der Wüste, wo kein Weg ist;
41 aber die Armen schützte er vor Elend
und mehrte ihre Geschlechter wie eine Herde.
42 Das [a]werden die Aufrichtigen sehen und sich freuen,
und aller Bosheit wird das Maul gestopft werden.

43 Wer ist weise und behält dies?
Der wird merken, wie viel Wohltaten der HERR erweist.

LOB GOTTES UND ZUVERSICHT IN KRIEGSNOT

108 EIN LIED. EIN PSALM DAVIDS.

2 [a]Gott, mein Herz ist bereit,
ich will singen und spielen. Wach auf, meine Seele*!
3 Wach auf, Psalter und Harfe!
Ich will das Morgenrot wecken.
4 Ich will dir danken, HERR, unter den Völkern,
ich will dir lobsingen unter den Leuten.
5 Denn **deine Gnade reicht, so weit der Himmel ist,**
und deine Treue, so weit die Wolken gehen.[a]
6 Erhebe dich, Gott, über den Himmel
und deine Ehre über alle Lande!

7 [a]Lass deine Freunde errettet werden,
dazu hilf mit deiner Rechten und erhöre mich!
8 Gott hat in seinem Heiligtum geredet:
Ich will frohlocken;
ich will Sichem verteilen
und das Tal Sukkot ausmessen.
9 Gilead ist mein, Manasse ist auch mein, /
und Ephraim ist der Schutz meines Haupts,
Juda ist mein Fürst.
10 Moab ist mein Waschbecken, /
ich will meinen Schuh auf Edom werfen,
über die Philister will ich jauchzen. |

* **108,2** Wörtlich: »meine Ehre«.

107,34 *a* 1. Mose 19,24-25 **107,35** *a* Jes 41,18 **107,40** *a* Hiob 12,21 **107,42** *a* Hiob 22,19-20
108,2 *a* (2-6) Ps 57,8-12 **108,5** *a* Ps 36,6; 57,11 **108,7** *a* (7-14) Ps 60,7-14

11 Wer wird mich führen in die feste Stadt?
Wer wird mich nach Edom leiten?
12 Wirst du es nicht tun, Gott, der du uns verstoßen hast,
und ziehst nicht aus, Gott, mit unserm Heer?
13 Schaff uns Beistand vor dem Feind;
denn Menschenhilfe ist nichts nütze.

14 Mit Gott wollen wir Taten tun.
Er wird unsre Feinde niedertreten.

EIN RUF ZU GOTT GEGEN ERBARMUNGSLOSE WIDERSACHER

109 EIN PSALM DAVIDS, VORZUSINGEN.

Gott, mein Ruhm, schweige nicht!
2 Denn ihr Mund ist voll Frevel,
ihr Lügenmaul haben sie wider mich aufgetan.
Sie reden wider mich mit falscher Zunge /
3 und reden giftig wider mich allenthalben
und streiten wider mich ohne Grund.
4 Dafür, dass ich sie liebe, feinden sie mich an;
ich aber bete.
5 Sie erweisen mir Böses für Gutes
und Hass für meine Liebe.

6 [a]Gib ihm einen Frevler zum Gegner,
und ein Ankläger stehe zu seiner Rechten.
7 Wenn er gerichtet wird, soll er schuldig gesprochen werden,
und sein Gebet werde zur Sünde.
8 Seiner Tage sollen wenige werden,
und [a]sein Amt soll ein andrer empfangen.
9 Seine Kinder sollen Waisen werden
und seine Frau eine Witwe.
10 Seine Kinder sollen umherirren und betteln
und vertrieben werden aus ihren Trümmern.
11 Es soll der Gläubiger alles fordern, was er hat,
und Fremde sollen seine Güter rauben.
12 Und niemand soll ihm Gutes tun,
und niemand erbarme sich seiner Waisen.
13 Seine Nachkommen sollen ausgerottet werden,
ihr Name soll schon im zweiten Glied getilgt werden.[a]
14 [a]Der Schuld seiner Väter soll gedacht werden vor dem HERRN,
und seiner Mutter Sünde soll nicht getilgt werden.
15 Der HERR soll sie nie mehr aus den Augen lassen,
und ihr Andenken soll ausgerottet werden auf Erden,
16 weil er so gar keine Barmherzigkeit übte,
sondern verfolgte den Elenden und Armen
und den Betrübten, ihn zu töten.
17 Er liebte den Fluch,
so komme er auch über ihn;
er wollte den Segen nicht,
so bleibe er auch fern von ihm.

109,6 *a* *(6-20)* Mt 5,43-44; Lk 23,34 **109,8** *a* Apg 1,20 **109,13** *a* Hes 18,20-23
109,14 *a* 2. Mose 20,5

18 Er zog den Fluch an wie sein Hemd;
[a]der drang in sein Inneres wie Wasser
und wie Öl in seine Gebeine;
19 er werde ihm wie ein Kleid, das er anhat,
und wie ein Gürtel, mit dem er allezeit sich gürtet.
20 So geschehe denen vom HERRN, die mich verklagen
und die Böses reden wider mich.

21 Aber du, HERR, mein Herr, /
sei du mit mir um deines Namens willen;
denn deine Gnade ist mein Trost: Errette mich!
22 Denn ich bin arm und elend;
mein Herz ist zerschlagen in mir.
23 Ich fahre dahin wie ein Schatten, der schwindet,
und werde abgeschüttelt wie Heuschrecken.
24 Meine Knie sind schwach vom Fasten,
und mein Leib ist mager und hat kein Fett.
25 Ich bin ihnen zum Spott geworden;
wenn sie mich sehen, schütteln sie den Kopf.
26 Steh mir bei, HERR, mein Gott!
Hilf mir nach deiner Gnade,
27 und lass sie innewerden, dass dies deine Hand ist
und du, HERR, das tust.
28 [a]Fluchen sie, so segne du. /
Erheben sie sich, so sollen sie zuschanden werden;
aber dein Knecht soll sich freuen.
29 Die mich verklagen, sollen mit Schmach angezogen
und mit ihrer Schande bekleidet werden wie mit einem Mantel.

30 Ich will dem HERRN sehr danken mit meinem Munde
und ihn rühmen in der Menge.
31 Denn er steht dem Armen zur Rechten,
dass er ihm helfe von denen, die ihn verurteilen.

DER EWIGE KÖNIG UND PRIESTER

110 EIN PSALM DAVIDS.

[a]Der HERR sprach zu meinem Herrn: /
»Setze dich zu meiner Rechten,
bis ich [b]deine Feinde zum Schemel unter deine Füße lege.«
2 Der HERR wird das Zepter deiner Macht ausstrecken aus [a]Zion.
Herrsche inmitten deiner Feinde!
3 Wenn du dein Heer aufbietest, wird dir dein Volk
willig folgen in heiligem Schmuck.
Aus dem Schoß der Morgenröte
habe ich dich geboren wie den Tau.

4 Der HERR hat geschworen und es wird ihn nicht gereuen:
»Du bist ein Priester ewiglich [a]nach der Weise Melchisedeks.«
5 Der Herr zu deiner Rechten [a]wird zerschmettern
die Könige am Tage seines Zorns.

109,18 ***a*** 4. Mose 5,24 **109,28** ***a*** Lk 6,27-28 **110,1** ***a*** Mt 22,44; Apg 2,34-35; Hebr 1,13 ***b*** 1. Kor 15,25; Phil 2,8-11; Hebr 10,12-13 **110,2** ***a*** Ps 2,6 **110,4** ***a*** 1. Mose 14,18-20; Hebr 5,6.10; 6,20; 7,17.21 **110,5** ***a*** Ps 2,2.5.9

6 Er wird richten unter den Völkern, /
aufhäufen Erschlagene,
[a]wird Häupter zerschmettern weithin auf der Erde.
7 Er wird trinken vom Bach auf dem Wege,
darum wird er das Haupt emporheben.

PREIS DER GOTTESGNADE

111 Halleluja!
Ich danke dem HERRN von ganzem Herzen
im Rate der Frommen und in der Gemeinde.
2 Groß sind die Werke des HERRN;
wer sie erforscht, der hat Freude daran.
3 Was er tut, das ist herrlich und prächtig,
und seine Gerechtigkeit bleibt ewiglich.
4 Er hat [a]ein Gedächtnis gestiftet seiner Wunder,
der gnädige und barmherzige HERR.
5 Er [a]gibt Speise denen, die ihn fürchten;
er gedenkt auf ewig an seinen Bund.
6 Er lässt verkündigen seine gewaltigen Taten seinem Volk,
dass er ihnen gebe das Erbe der Völker.
7 Die Werke seiner Hände sind Wahrheit und Recht;
alle seine Ordnungen sind beständig.
8 Sie stehen fest für immer und ewig;
sie sind geschaffen wahrhaftig und recht.
9 Er sandte Erlösung seinem Volk /
und gebot, dass sein Bund ewig bleiben soll.
Heilig und hehr ist sein Name.
10 Die [a]Furcht des HERRN ist der Weisheit Anfang. /
Wahrhaft klug sind alle, die danach tun.
Sein Lob bleibet ewiglich.

PREIS DER GOTTESFURCHT

112 [a]Halleluja!
Wohl dem, der den HERRN fürchtet,
der große Freude hat an seinen Geboten!
2 Sein Geschlecht wird gewaltig sein im Lande;
die Kinder der Frommen werden gesegnet sein.
3 Reichtum und Fülle wird in ihrem Hause sein,
und ihre Gerechtigkeit bleibt ewiglich.
4 Den Frommen geht das Licht auf in der Finsternis,
gnädig, barmherzig und gerecht.

5 Wohl dem, der barmherzig ist und gerne leiht
und das Seine tut, wie es recht ist!
6 Denn er wird niemals wanken;
der Gerechte wird nimmermehr vergessen.
7 Vor schlimmer Kunde fürchtet er sich nicht;
sein Herz hofft unverzagt auf den HERRN.
8 Sein Herz ist getrost und fürchtet sich nicht,
[a]bis er auf seine Feinde herabsieht.

110,6 ***a*** Dan 2,44 **111,4** ***a*** 2. Mose 12,1-28 **111,5** ***a*** Ps 145,15 **111,10** ***a*** Spr 1,7
112,1 ***a*** *(1-2)* Ps 1,2; Spr 20,7 **112,8** ***a*** Ps 91,8

9 [a]Er streut aus und gibt den Armen; /
seine Gerechtigkeit bleibt ewiglich.
Sein Horn wird erhöht mit Ehren.
10 Der Frevler wird's sehen und es wird ihn verdrießen; /
mit den Zähnen wird er knirschen und vergehen.
Denn was die Frevler wollen, das wird zunichte.

GOTTES HOHEIT UND HULD

(Ps 113,1–118,29: vgl. Mt 26,30)

113 Halleluja!
Lobet, ihr Knechte des HERRN,
lobet den Namen des HERRN!
2 Gelobt sei der Name des HERRN
von nun an bis in Ewigkeit!
3 [a]Vom Aufgang der Sonne bis zu ihrem Niedergang
sei gelobet der Name des HERRN!

4 Der HERR ist hoch über alle Völker;
seine Herrlichkeit reicht, so weit der Himmel ist.
5 Wer ist wie der HERR, unser Gott,
der oben thront in der Höhe,
6 der niederschaut in die Tiefe,
auf Himmel und Erde;
7 [a]der den Geringen aufrichtet aus dem Staube
und erhöht den Armen aus dem Schmutz,
8 dass er ihn setze neben die Fürsten,
neben die Fürsten seines Volkes;
9 der [a]die Unfruchtbare im Hause wohnen lässt,
dass sie eine fröhliche Kindermutter wird. Halleluja!

GOTTES WUNDER BEIM AUSZUG AUS ÄGYPTEN

114 Als [a]Israel aus Ägypten zog,
das Haus Jakob aus dem fremden Volk,
2 da wurde [a]Juda sein Heiligtum,
Israel sein Königreich.

3 Das [a]Meer sah es und floh,
der [b]Jordan wandte sich zurück.
4 Die Berge hüpften wie die Widder,
die Hügel wie die jungen Schafe.

5 Was war mit dir, du Meer, dass du flohest,
und mit dir, Jordan, dass du dich zurückwandtest?[a]
6 Ihr Berge, dass ihr hüpftet wie die Widder,
ihr Hügel, wie die jungen Schafe?

7 Vor dem Herrn [a]erbebe, du Erde,
vor dem Gott Jakobs,
8 der den [a]Felsen wandelte in einen See
und Gestein zur Wasserquelle!

112,9 *a* 2. Kor 9,9 **113,3** *a* Ps 50,1 **113,7** *a* (7-8) 1. Sam 2,8; Lk 1,48; 1. Mose 41,40-41
113,9 *a* 1. Mose 21,2; 1. Sam 1,20; Lk 1,57-58 **114,1** *a* 2. Mose 12,41 **114,2** *a* 2. Mose 19,6
114,3 *a* 2. Mose 14,21-22 *b* Jos 3,13.16 **114,5** *a* Jos 4,23-24 **114,7** *a* 2. Mose 19,18
114,8 *a* 2. Mose 17,6

GOTT ALLEIN DIE EHRE!

(Verse 4-11: vgl. Ps 135,15-20)

115 Nicht uns, HERR, nicht uns, /
sondern deinem Namen gib Ehre
um deiner Gnade und Treue willen!
2 Warum sollen die Heiden sagen:
[a]Wo ist denn ihr Gott?
3 **Unser Gott ist im Himmel;**
er kann schaffen, was er will.

4 [a]Ihre Götzen aber sind Silber und Gold,
von Menschenhänden gemacht.
5 Sie haben einen Mund und reden nicht,
sie haben Augen und sehen nicht,
6 sie haben Ohren und hören nicht,
sie haben Nasen und riechen nicht,
7 sie haben Hände und greifen nicht, /
Füße haben sie und gehen nicht,
und kein Laut kommt aus ihrer Kehle.

8 Die solche Götzen machen, werden ihnen gleich,
alle, die auf sie vertrauen.
9 Aber Israel hoffe auf den HERRN!
Er ist ihre Hilfe und Schild.
10 Das Haus Aaron hoffe auf den HERRN!
Er ist ihre Hilfe und Schild.
11 Die ihr den HERRN fürchtet, hoffet auf den HERRN!
Er ist ihre Hilfe und Schild.

12 **Der HERR denkt an uns und segnet uns;**
er segnet das Haus Israel, er segnet das Haus Aaron.
13 Er segnet, die den HERRN fürchten,
die Kleinen und die Großen.
14 Der HERR mehre euch,
euch und eure Kinder.
15 Ihr seid die [a]Gesegneten des HERRN,
der Himmel und Erde gemacht hat.

16 Der Himmel ist der Himmel des HERRN;
aber die Erde hat er den Menschenkindern gegeben.
17 Nicht die Toten loben den HERRN,
keiner, der hinunterfährt in die Stille;[a]
18 wir aber, wir loben den HERRN
von nun an bis in Ewigkeit.
Halleluja!

DANK FÜR RETTUNG AUS TODESGEFAHR

116 Das ist mir lieb,
dass der HERR meine Stimme und mein Flehen hört.
2 Denn er neigte sein Ohr zu mir;
darum will ich mein Leben lang ihn anrufen. |

115,2 *a* Ps 42,4 **115,4** *a* (4-8) 5. Mose 4,28; Jes 44,9-20 **115,15** *a* Ps 134,3 **115,17** *a* Jes 38,18

3 Stricke des Todes hatten mich umfangen, /
des Totenreichs Schrecken hatten mich getroffen;
ich kam in Jammer und Not.
4 Aber ich rief an den Namen des HERRN:
Ach, HERR, errette mich!

5 Der HERR ist gnädig und gerecht,
und unser Gott ist barmherzig.
6 Der HERR behütet die Unmündigen;
wenn ich schwach bin, so hilft er mir.

7 Sei nun wieder zufrieden, meine Seele;
denn der HERR tut dir Gutes.[a]
8 Denn du hast meine Seele vom Tode errettet,
mein Auge von den Tränen,
meinen Fuß vom Gleiten.
9 Ich werde wandeln vor dem HERRN
[a]im Lande der Lebendigen.

10 Ich glaube, auch wenn ich sage:
Ich werde sehr geplagt.
11 Ich sprach in meinem Zagen:
[a]Alle Menschen sind Lügner.
12 Wie soll ich dem HERRN vergelten
all seine Wohltat, die er an mir tut?

13 Ich will den Kelch des Heils erheben
und des HERRN Namen anrufen.
14 *Ich will meine Gelübde dem HERRN erfüllen*
vor all seinem Volk.

15 Der Tod seiner Heiligen
wiegt schwer vor dem HERRN.[a]
16 Ach, HERR, ich bin ja dein Knecht, /
ich bin dein Knecht, der Sohn deiner Magd;
du hast meine Bande zerrissen.

17 [a]Dir will ich Dankopfer bringen
und des HERRN Namen anrufen.
18 *Ich will meine Gelübde dem HERRN erfüllen*
vor all seinem Volk
19 in den Vorhöfen am Hause des HERRN,
in deiner Mitte, Jerusalem.
Halleluja!

AUFRUF AN DIE VÖLKER ZUM LOB GOTTES

117 Lobet den HERRN, alle Heiden!
Preiset ihn, alle Völker![a]
2 Denn [a]seine Gnade und Wahrheit
waltet über uns in Ewigkeit.
Halleluja!

116,7 ***a*** Ps 42,6 **116,9** ***a*** Ps 142,6 **116,11** ***a*** Röm 3,4 **116,15** ***a*** Ps 72,14
116,17 ***a*** (17-18) Jona 2,10 **117,1** ***a*** Röm 15,11 **117,2** ***a*** 2. Mose 34,6

DANKBARES BEKENNTNIS ZUR HILFE GOTTES

118 [a]Danket dem HERRN; denn er ist freundlich,
und seine Güte währet ewiglich.

2 Es sage nun Israel:
Seine Güte währet ewiglich.
3 Es sage nun das Haus Aaron:
Seine Güte währet ewiglich.
4 Es sagen nun, die den HERRN fürchten:
Seine Güte währet ewiglich.

5 In der Angst rief ich den HERRN an;
und der HERR erhörte mich und tröstete mich.
6 [a]Der HERR ist mit mir, darum [b]fürchte ich mich nicht;
was können mir Menschen tun?
7 Der HERR ist mit mir, mir zu helfen;
und ich werde herabsehen auf meine Feinde.
8 [a]Es ist gut, auf den HERRN vertrauen
und nicht sich verlassen auf Menschen.
9 Es ist gut, auf den HERRN vertrauen
und nicht sich verlassen auf Fürsten.

10 Alle Völker umgeben mich;
aber im Namen des HERRN will ich sie abwehren.
11 Sie umgeben, ja umringen mich;
aber im Namen des HERRN will ich sie abwehren.
12 Sie umgeben mich wie Bienen, /
sie entbrennen wie ein Feuer in Dornen;
aber im Namen des HERRN will ich sie abwehren.
13 Man stößt mich, dass ich fallen soll;
aber der HERR hilft mir.
14 **Der HERR ist meine Macht und mein Psalm
und ist [a]mein Heil.**

15 Man singt mit Freuden vom Sieg /
in den Hütten der Gerechten:
Die Rechte des HERRN behält den Sieg!
16 Die Rechte des HERRN ist erhöht;
die Rechte des HERRN behält den Sieg!
17 **Ich werde nicht sterben, sondern leben
und des HERRN Werke verkündigen.**
18 Der HERR züchtigt mich schwer;
aber [a]er gibt mich dem Tode nicht preis.

19 Tut mir auf die Tore der Gerechtigkeit,
dass ich durch sie einziehe und dem HERRN danke.
20 Das ist das Tor des HERRN;
[a]die Gerechten werden dort einziehen.
21 Ich danke dir, dass du mich erhört hast
und hast mir geholfen.

22 [a]**Der Stein, den die Bauleute verworfen haben,
ist zum Eckstein geworden.**

118,1 ***a*** Ps 106,1 **118,6** ***a*** Röm 8,31 ***b*** Ps 56,5; Hebr 13,6 **118,8** ***a*** *(8-9)* Ps 146,3 **118,14** ***a*** 2. Mose 15,2 **118,18** ***a*** 2. Kor 6,9 **118,20** ***a*** Jes 26,2 **118,22** ***a*** *(22-23)* Jes 28,16; Mt 21,42

23 Das ist vom HERRN geschehen
und ist ein Wunder vor unsern Augen.
24 **Dies ist der Tag, den der HERR macht;**
lasst uns freuen und fröhlich an ihm sein.
25 **O HERR, hilf!**
O HERR, lass wohlgelingen!
26 [a]Gelobt sei, der da kommt im Namen des HERRN!
Wir segnen euch vom Haus des HERRN.
27 Der HERR ist Gott, der uns erleuchtet.
Schmückt das Fest mit Maien bis an die [a]Hörner des Altars!

28 Du bist mein Gott, und ich danke dir;
mein Gott, ich will dich preisen.
29 Danket dem HERRN; denn er ist freundlich,
und seine Güte währet ewiglich.

DIE HERRLICHKEIT DES WORTES GOTTES*

119 [a]Wohl denen, die ohne Tadel leben,
die im Gesetz des HERRN wandeln!
2 Wohl denen, die sich an seine Zeugnisse halten,
die ihn von ganzem Herzen suchen,
3 die auf seinen Wegen wandeln
und kein Unrecht tun.
4 Du hast geboten, fleißig zu halten
deine Befehle.
5 O dass mein Leben deine Gebote
mit ganzem Ernst hielte.
6 Wenn ich schaue allein auf deine Gebote,
so werde ich nicht zuschanden.
7 Ich danke dir mit aufrichtigem Herzen,
dass du mich lehrst die Ordnungen deiner Gerechtigkeit.
8 Deine Gebote will ich halten;
verlass mich nimmermehr!

9 **Wie wird ein junger Mann seinen Weg unsträflich gehen?**
Wenn er sich hält an dein Wort.
10 Ich suche dich von ganzem Herzen;
lass mich nicht abirren von deinen Geboten.
11 Ich behalte dein Wort in meinem Herzen,
damit ich nicht wider dich sündige.
12 Gelobet seist du, HERR!
[a]Lehre mich deine Gebote!
13 Ich will mit meinen Lippen erzählen
alle Urteile deines Mundes.
14 Ich freue mich über den Weg deiner Zeugnisse
wie über allen Reichtum.
15 Ich will nachsinnen über deine Befehle
und schauen auf deine Wege.
16 Ich habe Freude an deinen Satzungen
und vergesse deine Worte nicht. |

* Der Psalm wird auch »güldenes ABC« genannt, da je 8 Verse den gleichen Anfangsbuchstaben nach der Ordnung des hebräischen Alphabets tragen.

118,26 *a* Mt 21,9; 23,39 **118,27** *a* 2. Mose 27,1-2 **119,1** *a* (1-3) Ps 112,1-2 **119,12** *a* Verse 26.64.68

17 Tu wohl deinem Knecht, dass ich lebe
und dein Wort halte.
**18 Öffne mir die Augen, dass ich sehe
die Wunder an deinem Gesetz.**
**19 Ich bin [a]ein Gast auf Erden;
verbirg deine Gebote nicht vor mir.**
20 Meine Seele verzehrt sich vor Verlangen
nach deinen Ordnungen allezeit.
21 Du schiltst die Stolzen;
[a]verflucht sind, die von deinen Geboten abirren.
22 Wende von mir Schmach und Verachtung;
denn ich halte mich an deine Zeugnisse.
23 Fürsten sitzen da und reden wider mich;
aber dein Knecht sinnt nach über deine Gebote.
24 Ich habe Freude an deinen Zeugnissen;
sie sind meine Ratgeber.

25 Meine Seele liegt im Staube;
erquicke mich nach deinem Wort.
26 Ich erzähle dir meine Wege, und du erhörst mich;
lehre mich deine Gebote.
27 Lass mich verstehen den Weg deiner Befehle,
so will ich nachsinnen über deine Wunder.
28 Meine Seele verschmachtet vor Gram;
richte mich auf durch dein Wort.
29 Halte fern von mir den [a]Weg der Lüge
und gib mir in Gnaden dein Gesetz.
30 Ich habe erwählt den Weg der Wahrheit,
deine Urteile habe ich vor mich gestellt.
31 Ich halte an deinen Zeugnissen fest;
HERR, lass mich nicht zuschanden werden!
32 Ich laufe den Weg deiner Gebote;
denn du tröstest mein Herz.

33 Zeige mir, HERR, den Weg deiner Gebote,
dass ich sie bewahre bis ans Ende.
34 Unterweise mich, dass ich bewahre dein Gesetz
und es halte von ganzem Herzen.
35 Führe mich auf dem Steig deiner Gebote;
denn ich habe Gefallen daran.
36 Neige mein Herz zu deinen Zeugnissen
und nicht zur Habsucht.
37 Wende meine Augen ab, dass sie nicht sehen nach unnützer Lehre,
und erquicke mich auf deinem Wege.
38 Erfülle deinem Knecht dein Wort,
dass man dich fürchte.
39 Wende meine Schmach, vor der mir graut;
denn deine Urteile sind gut.
40 Siehe, ich begehre deine Befehle;
erquicke mich mit deiner Gerechtigkeit.

**41 HERR, lass mir deine Gnade widerfahren,
deine Hilfe nach deinem Wort,**

119,19 ***a*** Ps 39,13 **119,21** ***a*** 5. Mose 27,26; Gal 3,10 **119,29** ***a*** Verse 104.128

42 dass ich antworten kann dem, der mich schmäht;
denn ich verlasse mich auf dein Wort.
43 Und nimm ja nicht von meinem Munde das Wort der Wahrheit;
denn ich hoffe auf deine Urteile.
44 Ich will dein Gesetz halten allezeit,
immer und ewiglich.
45 Und ich wandle in weitem Raum;
denn ich suche deine Befehle.
46 Ich [a]rede von deinen Zeugnissen vor Königen
und schäme mich nicht.
47 Ich habe meine Freude an deinen Geboten,
sie sind mir sehr lieb,
48 und hebe meine Hände auf zu deinen Geboten, die mir lieb sind,
und sinne nach über deine Weisungen.

49 Denk an das Wort für deinen Knecht,
und lass mich darauf hoffen.
50 Das ist mein Trost in meinem Elend,
dass dein Wort mich erquickt.
51 Die Stolzen treiben ihren Spott mit mir;
dennoch weiche ich nicht von deinem Gesetz.
52 HERR, wenn ich an deine ewigen Ordnungen denke,
so werde ich getröstet.
53 Zorn erfasst mich über die Frevler,
die dein Gesetz verlassen.
54 Deine Gebote sind mein Lied geworden
im Haus, in dem ich Fremdling bin.
55 HERR, ich gedenke des Nachts an deinen Namen
und halte dein Gesetz.
56 Das ist mein Schatz,
dass ich mich an deine Befehle halte.

57 Ich habe gesagt: HERR, das soll mein Erbe sein,
dass ich deine Worte halte.
58 Ich suche deine Gunst von ganzem Herzen;
sei mir gnädig nach deinem Wort.
59 Ich bedenke meine Wege
und lenke meine Füße zu deinen Zeugnissen.
60 Ich eile und säume nicht,
zu halten deine Gebote.
61 Der Frevler Stricke umschlingen mich;
aber dein Gesetz vergesse ich nicht.
62 Zur Mitternacht stehe ich auf, dir zu danken
für die Ordnungen deiner Gerechtigkeit.[a]
63 Ich halte mich zu allen, die dich fürchten
und deine Befehle halten.
64 HERR, die Erde ist voll deiner Güte;
lehre mich deine Gebote.

65 Du tust Gutes deinem Knecht,
HERR, nach deinem Wort.
66 Lehre mich heilsame Einsicht und Erkenntnis;
denn ich glaube deinen Geboten.

119,46 ***a*** Mt 10,18 **119,62** ***a*** Ps 42,9

67 Ehe ich gedemütigt wurde, irrte ich;
nun aber halte ich dein Wort.
68 Du bist gütig und freundlich,
lehre mich deine Gebote.
69 Die Stolzen erdichten Lügen über mich,
ich aber halte von ganzem Herzen deine Befehle.
70 Träge wie Fett ist ihr Herz;
ich aber habe Freude an deinem Gesetz.
71 Es ist gut für mich, dass ich gedemütigt wurde,
damit ich deine Gebote lerne.
72 Das Gesetz deines Mundes ist mir lieber
als viel tausend Stück Gold und Silber.

73 Deine Hände haben mich gemacht und bereitet;
unterweise mich, dass ich deine Gebote lerne.
74 Die dich fürchten, sehen mich und freuen sich;
denn ich hoffe auf dein Wort.
75 HERR, ich weiß, dass deine Urteile gerecht sind;
in deiner Treue hast du mich gedemütigt.
76 Deine Gnade soll mein Trost sein,
wie du deinem Knecht zugesagt hast.
77 Lass mir deine Barmherzigkeit widerfahren, dass ich lebe;
denn ich habe Freude an deinem Gesetz.
78 Ach dass die Stolzen zuschanden würden, /
die mich mit Lügen niederdrücken!
Ich aber sinne nach über deine Befehle.
79 Ach dass sich zu mir hielten, die dich fürchten
und deine Zeugnisse kennen!
80 Mein Herz bleibe rechtschaffen in deinen Geboten,
damit ich nicht zuschanden werde.

81 Meine Seele verlangt nach deinem Heil;
ich hoffe auf dein Wort.
82 Meine Augen sehnen sich nach deinem Wort
und sagen: Wann tröstest du mich?
83 Ich bin wie ein Weinschlauch im Rauch;
doch deine Gebote vergesse ich nicht.
84 Wie lange soll dein Knecht warten?
Wann willst du Gericht halten über meine Verfolger?
85 Die Stolzen graben mir Gruben,
sie, die nicht tun nach deinem Gesetz.
86 All deine Gebote sind Wahrheit;
sie aber verfolgen mich mit Lügen; hilf mir!
87 Sie haben mich fast umgebracht auf Erden;
ich aber verlasse deine Befehle nicht.
88 Erquicke mich nach deiner Gnade,
dass ich halte das Zeugnis deines Mundes.

89 HERR, [a]dein Wort bleibt ewiglich,
so weit der Himmel reicht;
90 deine Wahrheit währet für und für.
Du hast die Erde fest gegründet, und sie bleibt stehen.
91 Nach deinen Ordnungen bestehen sie bis heute;
denn es muss dir alles dienen.

119,89 ***a*** Jes 40,8

92 **Wenn dein Gesetz nicht mein [a]Trost gewesen wäre,**
so wäre ich vergangen in meinem Elend.
93 Ich will deine Befehle nimmermehr vergessen;
denn du erquickst mich damit.
94 Ich bin dein, hilf mir;
denn ich suche deine Befehle.
95 Frevler lauern mir auf, dass sie mich umbringen;
ich aber merke auf deine Zeugnisse.
96 Ich habe gesehen, dass alles Vollkommene ein Ende hat,
aber dein Gebot bleibt bestehen.

97 Wie habe ich dein Gesetz so lieb!
Täglich sinne ich ihm nach.[a]
98 Du machst mich mit deinem Gebot weiser, als meine Feinde sind;
denn es ist ewiglich mein Schatz.
99 Ich habe mehr Einsicht als alle meine Lehrer;
denn über deine Zeugnisse sinne ich nach.
100 Ich bin klüger als die Alten;
denn ich halte deine Befehle.
101 Ich verwehre meinem Fuß alle bösen Wege,
dass ich dein Wort halte.
102 Ich weiche nicht von deinen Ordnungen;
denn du lehrest mich.
103 Dein Wort ist meinem Munde
süßer als Honig.
104 Dein Wort macht mich klug;
darum [a]hasse ich alle falschen Wege.

105 **Dein Wort ist meines Fußes Leuchte**
und [a]ein Licht auf meinem Wege.
106 Ich schwöre und will's halten:
Die Ordnungen deiner Gerechtigkeit will ich bewahren.
107 Ich bin sehr gedemütigt;
HERR, erquicke mich nach deinem Wort!
108 [a]Lass dir gefallen, HERR, das Opfer meines Mundes,
und lehre mich deine Ordnungen.
109 Mein Leben ist immer in Gefahr;
aber dein Gesetz vergesse ich nicht.
110 Frevler legen mir Schlingen;
ich aber irre nicht ab von deinen Befehlen.
111 Deine Zeugnisse sind mein ewiges Erbe;
denn sie sind meines Herzens Wonne.
112 Ich neige mein Herz,
zu tun deine Gebote immer und ewiglich.

113 Ich [a]hasse die Wankelmütigen
und liebe dein Gesetz.
114 Du bist mein Schutz und mein Schild;
ich hoffe auf dein Wort.
115 Weichet von mir, ihr Übeltäter!
Ich will halten die Gebote meines Gottes.
116 Erhalte mich nach deinem Wort, dass ich lebe,
und lass mich nicht zuschanden werden in meiner Hoffnung.

119,92 ***a*** Jer 15,16 **119,97** ***a*** Ps 1,2 **119,104** ***a*** Vers 29 **119,105** ***a*** 2. Petr 1,19
119,108 ***a*** Ps 19,15 **119,113** ***a*** Ps 31,7; 1. Kön 18,21

117 Stärke mich, dass ich gerettet werde,
so will ich stets Freude haben an deinen Geboten.
118 Du verwirfst alle, die von deinen Geboten abirren;
denn ihr Tun ist Lug und Trug.
119 Du schaffst alle Frevler auf Erden weg [a]wie Schlacken,
darum liebe ich deine Zeugnisse.
120 Ich fürchte mich vor dir, dass mir die Haut schaudert,
und ich entsetze mich vor deinen Urteilen.

121 Ich übe Recht und Gerechtigkeit;
übergib mich nicht denen, die mir Gewalt antun wollen.
122 Tritt ein für deinen Knecht und tröste ihn,
dass mir die Stolzen nicht Gewalt antun!
123 Meine Augen sehnen sich nach deinem Heil
und nach dem Wort deiner Gerechtigkeit.
124 Handle mit deinem Knechte nach deiner Gnade
und lehre mich deine Gebote.
125 Ich bin dein Knecht: Unterweise mich,
dass ich verstehe deine Zeugnisse.
126 Es ist Zeit, dass der HERR handelt;
sie haben dein Gesetz zerbrochen.
127 Darum liebe ich deine Gebote
mehr als Gold und feines Gold.
128 Darum halte ich alle deine Befehle für recht,
[a]ich hasse alle falschen Wege.

129 Deine Zeugnisse sind Wunderwerke;
darum hält sie meine Seele.
130 Wenn dein Wort offenbar wird, so erleuchtet es
und macht klug die Unverständigen.
131 Ich tue meinen Mund weit auf und lechze,
denn mich verlangt nach deinen Geboten.
132 Wende dich zu mir und sei mir gnädig,
wie du pflegst zu tun denen, die deinen Namen lieben.
133 Lass meinen Gang in deinem Wort fest sein
und lass kein Unrecht über mich herrschen.
134 Erlöse mich von der Bedrückung durch Menschen,
so will ich halten deine Befehle.
135 Lass dein Antlitz leuchten über deinen Knecht,
und lehre mich deine Gebote.
136 Wasserbäche fließen aus meinen Augen,
weil man dein Gesetz nicht hält.

137 HERR, du bist gerecht,
und deine Urteile sind richtig.
138 Du hast deine Zeugnisse geboten
in Gerechtigkeit und großer Treue.
139 Ich habe mich fast zu Tode [a]geeifert,
weil meine Widersacher deine Worte vergessen.
140 Dein Wort ist ganz durchläutert,
und dein Knecht hat es lieb.
141 Ich bin gering und verachtet;
ich vergesse aber nicht deine Befehle.

119,119 ***a*** Jes 1,25 **119,128** ***a*** Vers 29 **119,139** ***a*** Ps 69,10

142 Deine Gerechtigkeit ist eine ewige Gerechtigkeit,
und dein Gesetz ist Wahrheit.
143 Angst und Not haben mich getroffen;
ich habe aber Freude an deinen Geboten.
144 Deine Zeugnisse sind gerecht in Ewigkeit;
unterweise mich, so lebe ich.

145 Ich rufe von ganzem Herzen;
erhöre mich, HERR; ich will deine Gebote halten.
146 Ich rufe zu dir, hilf mir,
so will ich deine Zeugnisse halten.
147 Ich komme in der Frühe und rufe um Hilfe;
auf dein Wort hoffe ich.
148 Ich wache auf, wenn's noch Nacht ist,
nachzusinnen über dein Wort.
149 Höre meine Stimme nach deiner Gnade;
HERR, erquicke mich nach deinen Ordnungen.
150 Meine arglistigen Verfolger nahen;
sie sind fern von deinem Gesetz.
151 HERR, du bist nahe,
und alle deine Gebote sind Wahrheit.
152 Längst weiß ich aus deinen Zeugnissen,
dass du sie für ewig gegründet hast.

153 Sieh doch mein Elend und errette mich;
denn ich vergesse dein Gesetz nicht.
154 Führe meine Sache und erlöse mich;
erquicke mich durch dein Wort.
155 Das Heil ist fern von den Gottlosen;
denn sie achten deine Gebote nicht.
156 HERR, deine Barmherzigkeit ist groß;
erquicke mich nach deinen Ordnungen.
157 Meiner Verfolger und Widersacher sind viele;
ich weiche aber nicht von deinen Zeugnissen.
158 Ich sehe die Verächter und es tut mir wehe,
dass sie dein Wort nicht halten.
159 Siehe, ich liebe deine Befehle;
HERR, erquicke mich nach deiner Gnade.
160 [a]Dein Wort ist nichts als Wahrheit,
alle Ordnungen deiner Gerechtigkeit währen ewiglich.

161 Fürsten verfolgen mich ohne Grund;
aber mein Herz fürchtet sich nur vor deinen Worten.
162 Ich freue mich über dein Wort
wie einer, der große Beute macht.
163 Lügen bin ich feind, und sie sind mir ein Gräuel;
aber dein Gesetz habe ich lieb.
164 Ich lobe dich des Tages siebenmal
um deiner gerechten Ordnungen willen.
165 Großen Frieden haben, die dein Gesetz lieben;
sie werden nicht straucheln.
166 HERR, ich warte auf dein Heil
und tue nach deinen Geboten.

119,160 *a* Joh 17,17

167 Meine Seele hält deine Zeugnisse
und liebt sie sehr.
168 Ich halte deine Befehle und deine Zeugnisse;
denn alle meine Wege liegen offen vor dir.

169 HERR, lass mein Klagen vor dich kommen;
unterweise mich nach deinem Wort.
170 Lass mein Flehen vor dich kommen;
errette mich nach deinem Wort.
171 Meine Lippen sollen dich loben;
denn du lehrst mich deine Gebote.
172 Meine Zunge soll singen von deinem Wort;
denn alle deine Gebote sind gerecht.
173 Lass deine Hand mir beistehen;
denn ich habe erwählt deine Befehle.
174 HERR, mich verlangt nach deinem Heil,
und an deinem Gesetz habe ich Freude.
175 Lass meine Seele leben, dass sie dich lobe,
und deine Ordnungen mir helfen.
176 Ich bin wie ein verirrtes und verlorenes Schaf;
suche deinen Knecht, denn ich vergesse deine Gebote nicht.

HILFERUF GEGEN VERLEUMDER

120 EIN WALLFAHRTSLIED.

Ich rufe zu dem HERRN in meiner Not
und er erhört mich.
2 HERR, errette mich von den Lügenmäulern,
von den falschen Zungen.

3 Was soll er dir antun, du falsche Zunge,
und was dir noch geben?
4 Scharfe Pfeile eines Starken
und feurige Kohlen!

5 Weh mir, dass ich ein Fremdling bin unter Meschech;
ich muss wohnen bei den Zelten Kedars!
6 Es wird meiner Seele lang,
zu wohnen bei denen, die den Frieden hassen.
7 Ich halte Frieden; aber wenn ich rede,
so fangen sie Krieg an.

DER TREUE MENSCHENHÜTER

121 EIN WALLFAHRTSLIED.

Ich hebe meine Augen auf zu den Bergen.
Woher kommt mir Hilfe?
2 Meine Hilfe kommt vom HERRN,
der Himmel und Erde gemacht hat.

3 Er wird deinen Fuß nicht gleiten lassen,
und der dich behütet, schläft nicht.
4 Siehe, der Hüter Israels
schläft noch schlummert nicht. |

5 Der HERR behütet dich;
der HERR ist dein Schatten über deiner rechten Hand,
6 dass dich des Tages die Sonne nicht steche
noch der Mond des Nachts.

7 [a]Der HERR behüte dich vor allem Übel,
er behüte deine Seele.
8 Der HERR behüte deinen Ausgang und Eingang
von nun an bis in Ewigkeit![a]

EIN SEGENSWUNSCH FÜR JERUSALEM

122 [a]VON DAVID, EIN WALLFAHRTSLIED.

Ich freute mich über die, die mir sagten:
Lasset uns ziehen zum Hause des HERRN!
2 Nun stehen unsere Füße
in deinen Toren, Jerusalem.

3 Jerusalem ist gebaut als eine Stadt,
in der man zusammenkommen soll,
4 wohin die Stämme hinaufziehen,
die Stämme des HERRN,
wie es geboten ist dem Volke Israel,
zu preisen den Namen des HERRN.
5 Denn dort stehen Throne zum Gericht,
die Throne des Hauses David.

6 Wünschet Jerusalem Frieden!
Es möge wohlgehen denen, die dich lieben!
7 Es möge Friede sein in deinen Mauern
und [a]Glück in deinen Palästen!
8 Um meiner Brüder und Freunde willen
will ich dir Frieden wünschen.
9 Um des Hauses des HERRN willen, unseres Gottes,
will ich dein Bestes suchen.

AUFBLICK ZU GOTTES GNADE

123 EIN WALLFAHRTSLIED.

Ich hebe meine Augen auf zu dir,
der du im Himmel thronst.
2 Siehe, wie die Augen der Knechte
auf die Hand ihrer Herren sehen,
wie die Augen der Magd
auf die Hand ihrer Herrin,
so sehen unsre Augen auf den HERRN, unsern Gott,
bis er uns gnädig werde.

3 Sei uns gnädig, HERR, sei uns gnädig;
denn übersatt sind wir der Verachtung.
4 Übersatt ist unsere Seele von der Stolzen Spott
und der Hoffärtigen Verachtung.

121,7 ***a*** (7-8) 4. Mose 6,24-26 **121,8** ***a*** 5. Mose 28,6 **122,1** ***a*** (1-2) Ps 26,8; Hes 48,35
122,7 ***a*** Sach 4,7

DER HELFER IN DER NOT

124 VON DAVID, EIN WALLFAHRTSLIED.

Wäre der HERR nicht bei uns
– so sage Israel –,
2 wäre der HERR nicht bei uns,
wenn Menschen wider uns aufstehen,
3 so verschlängen sie uns lebendig,
wenn ihr Zorn über uns entbrennt;
4 so [a]ersäufte uns Wasser,
Ströme gingen [b]über unsre Seele,
5 es gingen Wasser
allzu hoch über unsre Seele.

6 Gelobt sei der HERR, dass er uns nicht gibt
zum Raub in ihre Zähne!
7 Unsre Seele ist entronnen wie ein Vogel /
dem Netze des Vogelfängers;
das Netz ist zerrissen, und wir sind frei.

8 Unsre Hilfe steht im Namen des HERRN,
der Himmel und Erde gemacht hat.

DER HERR IST UM SEIN VOLK HER

125 EIN WALLFAHRTSLIED.

Die auf den HERRN hoffen, werden nicht fallen,
sondern ewig bleiben wie der Berg Zion.
2 Um Jerusalem her sind Berge,
und der HERR ist um sein Volk her
von nun an bis in Ewigkeit.

3 Denn das Zepter des Frevels wird nicht bleiben /
über dem Erbteil der Gerechten,
damit die Gerechten ihre Hände nicht ausstrecken
zur Ungerechtigkeit.

4 HERR, tu wohl den Guten
und denen, die frommen Herzens sind.
5 Die aber abweichen auf ihre krummen Wege, /
wird der HERR dahinfahren lassen mit den Übeltätern.
[a]Friede sei über Israel!

DER HERR ERLÖST SEINE GEFANGENEN

126 [a]EIN WALLFAHRTSLIED.

Wenn der HERR die Gefangenen Zions erlösen wird,
so werden wir sein wie die Träumenden.
2 Dann wird unser Mund voll Lachens
und unsre Zunge voll Rühmens sein.
Da wird man sagen unter den Völkern:
Der HERR hat Großes an ihnen getan! |

124,4 ***a*** Ps 69,16 ***b*** Ps 42,8 **125,5** ***a*** Ps 128,6; Gal 6,16 **126,1** ***a*** (1-2) Ps 14,7

3 Der HERR hat Großes an uns getan;
des sind wir fröhlich.

4 HERR, bringe zurück unsre Gefangenen,
wie du die Bäche wiederbringst im Südland.
5 **Die mit Tränen säen,**
werden mit Freuden ernten.[a]
6 **Sie gehen hin und weinen**
und tragen guten Samen
und [a]**kommen mit Freuden**
und bringen ihre Garben.

AN GOTTES SEGEN IST ALLES GELEGEN

127 VON SALOMO, EIN WALLFAHRTSLIED.

Wenn der HERR nicht das Haus baut,
so arbeiten umsonst, die daran bauen.
Wenn der HERR nicht die Stadt behütet,
so wacht der Wächter umsonst.
2 Es ist umsonst, dass ihr früh aufsteht
und hernach lange sitzet
und esset euer Brot mit Sorgen;
denn [a]seinen Freunden gibt er es im Schlaf.

3 Siehe, Kinder sind eine Gabe des HERRN,
und Leibesfrucht ist ein Geschenk.[a]
4 Wie Pfeile in der Hand eines Starken,
so sind die Söhne der Jugendzeit.
5 Wohl dem, der seinen Köcher mit ihnen gefüllt hat!
Sie werden nicht zuschanden,
wenn sie mit ihren Feinden verhandeln im Tor.

HAUSSEGEN

128 EIN WALLFAHRTSLIED.

Wohl dem, der den HERRN fürchtet
und auf seinen Wegen geht!
2 Du wirst dich nähren von deiner Hände Arbeit;
wohl dir, du hast's gut.

3 Deine Frau wird sein wie ein fruchtbarer Weinstock
drinnen in deinem Hause,
deine Kinder wie junge Ölbäume
um deinen Tisch her.[a]
4 Siehe, so wird gesegnet der Mann,
der den HERRN fürchtet.

5 Der HERR wird dich segnen aus Zion,
dass du siehst das Glück Jerusalems dein Leben lang
6 und [a]siehst Kinder deiner Kinder.
[b]Friede über Israel!

126,5 ***a*** Mt 5,4 **126,6** ***a*** Jes 35,10 **127,2** ***a*** Spr 10,22 **127,3** ***a*** Ps 128,3-4; 1. Mose 30,2; 33,5
128,3 ***a*** Ps 127,3 **128,6** ***a*** 1. Mose 48,11 ***b*** Ps 125,5

HOFFNUNG IN DER BEDRÄNGNIS

129 EIN WALLFAHRTSLIED.

Sie haben mich oft bedrängt von meiner Jugend auf
– so sage Israel –,
2 sie haben mich oft bedrängt von meiner Jugend auf;
aber sie haben mich nicht überwältigt.
3 Die Pflüger haben [a]auf meinem Rücken geackert
und ihre Furchen lang gezogen.
4 Der HERR, der gerecht ist,
hat der Frevler Stricke zerhauen.

5 Ach dass zuschanden würden und zurückwichen
alle, die Zion hassen!
6 Ach dass sie würden wie das Gras auf den Dächern,
das verdorrt, ehe man es ausrauft,
7 mit dem der Schnitter seine Hand nicht füllt
noch der Garbenbinder seinen Arm;
8 und keiner, der vorübergeht, soll sprechen: /
[a]Der Segen des HERRN sei über euch!
Wir segnen euch im Namen des HERRN.

AUS TIEFER NOT (DER SECHSTE BUSSPSALM)

130 EIN WALLFAHRTSLIED.

Aus der Tiefe rufe ich, HERR, zu dir. /
2 Herr, höre meine Stimme!
Lass deine Ohren merken auf die Stimme meines Flehens!
3 Wenn du, HERR, Sünden anrechnen willst –
Herr, wer wird bestehen?
4 Denn bei dir ist die [a]Vergebung,
dass man dich fürchte.

5 [a]Ich harre des HERRN, meine Seele harret,
und ich hoffe auf sein Wort.
6 Meine Seele wartet auf den Herrn
mehr als die Wächter auf den Morgen;
mehr als die Wächter auf den Morgen
7 hoffe Israel auf den HERRN!
Denn bei dem HERRN ist die Gnade
und viel Erlösung bei ihm.
8 Und er wird Israel erlösen
aus allen seinen Sünden.[a]

MIT GOTT IN FRIEDEN

131 VON DAVID, EIN WALLFAHRTSLIED.

HERR, mein Herz ist nicht hoffärtig,
und meine Augen sind nicht stolz.

129,3 *a* Jes 51,23 **129,8** *a* Rut 2,4 **130,4** *a* Jes 55,7; Röm 6,1-2
130,5 *a* (5-6) Jes 21,11; Lk 12,35-36 **130,8** *a* Mt 1,21

Ich gehe nicht um mit großen Dingen,
die mir zu wunderbar sind.
2 Ja, [a]ich ließ meine Seele still und ruhig werden;
wie ein kleines Kind bei seiner Mutter,
wie ein kleines Kind,
so ist meine Seele in mir.

3 Israel, hoffe auf den HERRN
von nun an bis in Ewigkeit!

DAS HEILIGTUM AUF DEM ZION

132 EIN WALLFAHRTSLIED.

Gedenke, HERR, an David
und all seine Mühsal,
2 der dem HERRN geschworen
und gelobt hat dem Mächtigen Jakobs:
3 [a]Ich will nicht in das Zelt meines Hauses gehen
noch mich aufs Lager meines Bettes legen,
4 ich will meine Augen nicht schlafen lassen
noch meine Augenlider schlummern,
5 bis ich eine Stätte finde für den HERRN,
eine Wohnung für den Mächtigen Jakobs.

6 Siehe, wir hörten von ihr in Efrata,
wir haben sie gefunden im Gefilde von Jaar.
7 Wir wollen in seine Wohnung gehen
und anbeten vor dem Schemel seiner Füße.
8 HERR, [a]mache dich auf zur Stätte deiner Ruhe,
du und [b]die Lade deiner Macht!
9 Deine Priester lass sich kleiden mit Gerechtigkeit
und deine Heiligen sich freuen.
10 Weise nicht ab das Antlitz deines Gesalbten
um deines Knechtes David willen!

11 Der HERR hat David in Treue [a]geschworen,
davon wird er sich nicht wenden:
Ich will auf deinen Thron setzen
die Frucht deines Leibes.
12 Werden deine Söhne meinen Bund halten
und mein Zeugnis, das ich sie lehren werde,
so sollen auch ihre Söhne
auf deinem Thron sitzen ewiglich.

13 Denn der HERR hat Zion erwählt,
und [a]es gefällt ihm, dort zu wohnen.
14 »Dies ist die Stätte meiner Ruhe ewiglich;
hier will ich wohnen, denn es gefällt mir wohl.
15 Ich will ihre Speise segnen
und ihren Armen Brot genug geben.
16 Ihre Priester will ich mit Heil kleiden,
und ihre Heiligen sollen fröhlich sein.

131,2 ***a*** Ps 62,2 **132,3** ***a*** (3-5) 2. Sam 7,2; Apg 7,46 **132,8** ***a*** 4. Mose 10,35; 2. Chr 6,41
b Ps 78,61 **132,11** ***a*** Ps 89,4-5; Hebr 6,17 **132,13** ***a*** Ps 68,17; 76,3

17 Daselbst lasse ich aufgehen das Horn Davids,
ich habe [a]meinem Gesalbten eine [b]Leuchte zugerichtet;
18 seine Feinde will ich in Schande kleiden,
aber über ihm soll blühen seine Krone.«

SEGEN DER BRÜDERLICHEN EINTRACHT

133 VON DAVID, EIN WALLFAHRTSLIED.

Siehe, wie fein und lieblich ist's,
wenn [a]Brüder einträchtig beieinander wohnen!
2 Es ist wie das feine [a]Salböl auf dem Haupte Aarons, /
das herabfließt in seinen Bart,
das herabfließt zum Saum seines Kleides,
3 wie der Tau, der vom Hermon herabfällt
auf die Berge Zions!
Denn dort verheißt der HERR Segen
und Leben bis in Ewigkeit.

NÄCHTLICHES LOBLIED IM TEMPEL

134 EIN WALLFAHRTSLIED.

Wohlan, lobet den HERRN, alle Knechte des HERRN,
die ihr steht des Nachts im Hause des HERRN!
2 Hebet eure Hände auf im Heiligtum
und lobet den HERRN!
3 Der HERR segne dich aus Zion,
der Himmel und Erde gemacht hat![a]

ANBETUNG DES LEBENDIGEN GOTTES

135 Halleluja!
Lobet den Namen des HERRN,
lobet, ihr Knechte des HERRN,
2 die ihr steht im Hause des HERRN,
in den Vorhöfen des Hauses unsres Gottes!
3 Lobet den HERRN, denn der HERR ist freundlich;
lobsinget seinem Namen, denn er ist lieblich!
4 Denn der HERR hat sich Jakob erwählt,
Israel zu seinem Eigentum.[a]

5 Ja, ich weiß, dass der HERR groß ist
und [a]unser Herr über allen Göttern.
6 Alles, was der HERR will, das tut er
im Himmel und auf Erden,
im Meer und in allen Tiefen;
7 der die Wolken lässt aufsteigen vom Ende der Erde, /
der die Blitze samt dem Regen macht,
der den Wind herausführt aus seinen Kammern;[a]
8 der [a]die Erstgeburten schlug in Ägypten
bei den Menschen und beim Vieh

132,17 *a* 1. Sam 2,10 *b* 1. Kön 11,36 **133,1** *a* 1. Mose 13,8 **133,2** *a* 2. Mose 29,7; 30,23-30
134,3 *a* Ps 115,15 **135,4** *a* 2. Mose 19,5-6 **135,5** *a* Ps 86,8 **135,7** *a* Jer 10,13 **135,8** *a* 2. Mose 12,29

9 und ließ [a]Zeichen und Wunder kommen über dich, Ägyptenland,
über den Pharao und alle seine Knechte;
10 [a]der viele Völker schlug
und tötete mächtige Könige,
11 Sihon, den König der Amoriter, /
und Og, den König von Baschan,
und alle Königreiche in Kanaan,
12 und [a]gab ihr Land zum Erbe,
zum Erbe seinem Volk Israel.

13 HERR, [a]dein Name währet ewiglich,
dein Ruhm, HERR, währet für und für.
14 Denn [a]der HERR schafft Recht seinem Volk
und wird seinen Knechten gnädig sein.

15 [a]Die Götzen der Heiden sind Silber und Gold,
gemacht von Menschenhänden.
16 Sie haben Mäuler und reden nicht,
sie haben Augen und sehen nicht,
17 sie haben Ohren und hören nicht,
auch ist kein Odem in ihrem Munde.
18 Die solche Götzen machen, sind ihnen gleich,
alle, die auf sie hoffen.

19 Das Haus Israel lobe den HERRN!
Lobet den HERRN, ihr vom Hause Aaron!
20 Ihr vom Hause Levi, lobet den HERRN!
Die ihr den HERRN fürchtet, lobet den HERRN!
21 Gelobt sei der HERR aus Zion,
der zu Jerusalem wohnt!
Halleluja!

GOTTES WUNDER IN SCHÖPFUNG UND GESCHICHTE

136 [a]Danket dem HERRN; denn er ist freundlich,
denn seine Güte währet ewiglich.
2 Danket dem Gott aller Götter,
denn seine Güte währet ewiglich.
3 Danket dem Herrn aller Herren,
denn seine Güte währet ewiglich.

4 Der allein große Wunder tut,
denn seine Güte währet ewiglich.
5 Der die Himmel mit Weisheit gemacht hat,
denn seine Güte währet ewiglich.
6 Der die Erde über den Wassern ausgebreitet hat,
denn seine Güte währet ewiglich.
7 [a]Der große Lichter gemacht hat,
denn seine Güte währet ewiglich:
8 die Sonne, den Tag zu regieren,
denn seine Güte währet ewiglich;
9 den Mond und die Sterne, die Nacht zu regieren,
denn seine Güte währet ewiglich. |

135,9 ***a*** Ps 78,42-52 **135,10** ***a*** *(10-12)* 4. Mose 21,21-35 **135,12** ***a*** Jos 12,1-6 **135,13** ***a*** Ps 102,13
135,14 ***a*** 5. Mose 32,36 **135,15** ***a*** *(15-20)* Ps 115,4-11 **136,1** ***a*** Ps 106,1 **136,7** ***a*** *(7-9)* 1. Mose 1,14-18

10 [a]Der die Erstgeborenen schlug in Ägypten,
denn seine Güte währet ewiglich;
11 und führte Israel von dort heraus,
denn seine Güte währet ewiglich;
12 mit starker Hand und ausgerecktem Arm,
denn seine Güte währet ewiglich.
13 Der das Schilfmeer teilte in zwei Teile,
denn seine Güte währet ewiglich;
14 und ließ Israel mitten hindurchgehen,
denn seine Güte währet ewiglich;
15 der den Pharao und sein Heer ins Schilfmeer stieß,
denn seine Güte währet ewiglich.

16 Der sein Volk führte durch die Wüste,
denn seine Güte währet ewiglich.
17 [a]Der große Könige schlug,
denn seine Güte währet ewiglich;
18 und brachte mächtige Könige um,
denn seine Güte währet ewiglich;
19 Sihon, den König der Amoriter,
denn seine Güte währet ewiglich;
20 und Og, den König von Baschan,
denn seine Güte währet ewiglich;
21 und gab ihr Land zum Erbe,
denn seine Güte währet ewiglich;
22 zum Erbe seinem Knecht Israel,
denn seine Güte währet ewiglich.
23 Der an uns dachte, als wir unterdrückt waren,
denn seine Güte währet ewiglich;
24 und uns erlöste von unsern Feinden,
denn seine Güte währet ewiglich.
25 Der [a]Speise gibt allem Fleisch,
denn seine Güte währet ewiglich.

26 Danket dem Gott des Himmels,
denn seine Güte währet ewiglich.

KLAGE DER GEFANGENEN ZU BABEL

137 An den Wassern zu Babel saßen wir und weinten,
wenn wir an Zion gedachten.
2 Unsere Harfen hängten wir
an die Weiden im Lande.
3 Denn dort hießen uns singen,
die uns gefangen hielten,
und in unserm Heulen fröhlich sein:
»Singet uns ein Lied von Zion!«

4 Wie könnten wir des HERRN Lied singen
in fremdem Lande?
5 [a]Vergesse ich dein, Jerusalem,
so werde meine Rechte vergessen.

136,10 ***a*** *(10-16)* Ps 135,8-12 **136,17** ***a*** *(17-22)* 4. Mose 21,23-35
136,25 ***a*** Ps 145,15 **137,5** ***a*** Jer 51,50

6 Meine Zunge soll an meinem Gaumen kleben,
wenn ich deiner nicht gedenke,
wenn ich nicht lasse Jerusalem
meine höchste Freude sein.

7 HERR, [a]vergiss den Söhnen Edom nicht den Tag Jerusalems, /
da sie sagten:
»Reißt nieder, reißt nieder bis auf den Grund!«
8 Tochter Babel, du Verwüsterin,
wohl dem, der dir vergilt, was du uns getan hast!
9 Wohl dem, der [a]deine jungen Kinder nimmt
und sie am Felsen zerschmettert![b]

DANK FÜR GOTTES HILFE

138 VON DAVID.

Ich danke dir von ganzem Herzen,
vor den Göttern will ich dir lobsingen.
2 Ich will anbeten zu deinem heiligen Tempel hin
und deinen Namen preisen für deine Güte und Treue;
denn du hast dein Wort herrlich gemacht
um deines Namens willen.
3 Wenn ich dich anrufe, so erhörst du mich
und gibst meiner Seele große Kraft.

4 Es danken dir, HERR, alle Könige auf Erden,
[a]dass sie hören das Wort deines Mundes;
5 sie singen von den Wegen des HERRN,
dass die Herrlichkeit des HERRN so groß ist.
6 Denn der HERR ist hoch und sieht auf den Niedrigen
und kennt den Stolzen von ferne.

7 Wenn ich mitten in der Angst wandle,
so erquickst du mich
und reckst deine Hand gegen den Zorn meiner Feinde
und hilfst mir mit deiner Rechten.
8 Der HERR wird's vollenden um meinetwillen. /
HERR, deine Güte ist ewig.
Das Werk deiner Hände wollest du nicht lassen.

GOTT – ALLWISSEND UND ALLGEGENWÄRTIG

139 [a]EIN PSALM DAVIDS, VORZUSINGEN.

HERR, du erforschest mich
und kennest mich.
2 Ich sitze oder stehe auf, so weißt du es;
du verstehst meine Gedanken von ferne.
3 Ich gehe oder liege, so bist du um mich
und siehst alle meine Wege.
4 Denn siehe, es ist kein Wort auf meiner Zunge,
das du, HERR, nicht alles wüsstest.

137,7 *a* Ps 79,12; Obd 10-15 **137,9** *a* Jes 13,16 *b* Röm 12,19 **138,4** *a* Jes 2,3
139,1 *a* (1-2) Ps 7,10; Jer 17,10

5 Von allen Seiten umgibst du mich
und hältst deine Hand über mir.
6 Diese Erkenntnis ist mir zu wunderbar und zu hoch,
ich kann sie nicht begreifen.

7 Wohin soll ich gehen vor deinem Geist,
und wohin soll ich fliehen vor deinem Angesicht?
8 Führe ich gen Himmel, so bist du da;
bettete ich mich bei den Toten, siehe, so bist du auch da.[a]
9 Nähme ich Flügel der Morgenröte
und [a]bliebe am äußersten Meer,
10 so würde auch dort deine Hand mich führen
und deine Rechte mich halten.
11 [a]Spräche ich: Finsternis möge mich decken
und Nacht statt Licht um mich sein –,
12 so wäre auch Finsternis nicht finster bei dir,
und die Nacht leuchtete wie der Tag.
Finsternis ist wie das Licht.

13 Denn du hast meine Nieren bereitet
und hast mich gebildet im Mutterleibe.
14 Ich danke dir dafür,
dass ich wunderbar gemacht bin;
wunderbar sind deine Werke;
das erkennt meine Seele.
15 Es war dir mein Gebein nicht verborgen, /
da ich im Verborgenen gemacht wurde,
da ich gebildet wurde unten in der Erde.
16 Deine Augen sahen mich,
da ich noch nicht bereitet war,
und [a]alle Tage waren in dein Buch geschrieben,
die noch werden sollten und von denen keiner da war.

17 Aber [a]wie schwer sind für mich, Gott, deine Gedanken!
Wie ist ihre Summe so groß!
18 Wollte ich sie zählen, so wären sie mehr als der Sand:
[a]Wenn ich aufwache, bin ich noch immer bei dir.

19 Ach, Gott, wolltest du doch den Frevler töten!
Dass doch die Blutgierigen von mir wichen!
20 Denn voller Tücke reden sie von dir,
und deine Feinde erheben sich ohne Ursache.
21 Sollte ich nicht hassen, HERR, die dich hassen,
und verabscheuen, die sich gegen dich erheben?
22 Ich hasse sie mit ganzem Ernst;
sie sind mir zu Feinden geworden.

23 **Erforsche mich, Gott, und erkenne mein Herz;**
prüfe mich und erkenne, wie ich's meine.
24 **Und sieh, ob ich auf bösem Wege bin,**
und leite mich auf ewigem Wege.

139,8 ***a*** Am 9,2 **139,9** ***a*** Jona 1,3 **139,11** ***a*** *(11-12)* Hiob 34,22 **139,16** ***a*** Ps 31,16
139,17 ***a*** Ps 40,6 **139,18** ***a*** Ps 63,7

BITTE UM RETTUNG VOR FEINDEN

140 EIN PSALM DAVIDS, VORZUSINGEN.

2 Errette mich, HERR, von den bösen Menschen;
behüte mich vor den Gewalttätigen,
3 die Böses planen in ihrem Herzen
und täglich Krieg erregen.
4 Sie schärfen ihre Zunge wie eine Schlange,
[a]Otterngift ist unter ihren Lippen. SELA.
5 Bewahre mich, HERR, vor den Händen des Frevlers;
behüte mich vor den Gewalttätigen, die mich zu Fall bringen wollen.
6 Die Hoffärtigen legen mir heimlich Schlingen /
und breiten Stricke aus zum Netz
und stellen mir Fallen an den Weg. SELA.

7 Ich aber sage zum HERRN: [a]Du bist mein Gott;
HERR, vernimm die Stimme meines Flehens!
8 HERR, mein Herr, meine starke Hilfe,
du beschirmst mein Haupt zur Zeit des Streites.
9 HERR, gib dem Frevler nicht, was er begehrt!
Was er sinnt, lass nicht gelingen, sie könnten sich sonst überheben. SELA.
10 Das Unglück, über das meine Feinde beraten,
komme über sie selber.
11 Er möge feurige Kohlen über sie schütten;
er möge sie stürzen in Gruben, dass sie nicht mehr aufstehen.

12 Ein böses Maul wird kein Glück haben auf Erden;
den Gewalttäter wird das Unglück jagen und stürzen.
13 Denn ich weiß, dass der HERR des Elenden Sache führen
und den Armen Recht schaffen wird.
14 Ja, die Gerechten werden deinen Namen preisen,
und die Frommen werden vor deinem Angesicht bleiben.

BITTE UM BEWAHRUNG

141 EIN PSALM DAVIDS.

HERR, ich rufe zu dir, eile zu mir;
vernimm meine Stimme, wenn ich dich anrufe.
2 Mein Gebet möge vor dir gelten als ein [a]Räucheropfer,
das Aufheben meiner Hände als ein [b]Abendopfer.
3 HERR, behüte meinen Mund
und bewahre meine Lippen![a]
4 Neige mein Herz nicht zum Bösen, /
dass ich nicht in Frevel lebe gemeinsam mit Übeltätern;
dass ich nicht esse von ihren leckeren Speisen.

5 Der Gerechte schlage mich freundlich und [a]weise mich zurecht;
das wird mir wohltun wie Balsam auf dem Haupte.
Mein Haupt wird sich dagegen nicht wehren.
Doch ich bete stets, dass jene mir nicht Schaden tun.
6 Ihre Führer sollen hinabgestürzt werden auf einen Felsen;
dann wird man meine Worte hören, dass sie lieblich sind. |

140,4 *a* Röm 3,13 **140,7** *a* Ps 22,11 **141,2** *a* 2. Mose 30,7 *b* 2. Mose 29,39
141,3 *a* Ps 39,2; Jak 3,5-6 **141,5** *a* 3. Mose 19,17; Spr 27,5-6

7 Unsere Gebeine sind zerstreut bis zur Pforte des Todes,
wie wenn einer das Land pflügt und zerwühlt.
8 Ja, auf dich, HERR, mein Herr, sehen meine Augen;
ich traue auf dich, gib mich nicht in den Tod dahin.
9 Bewahre mich vor der Schlinge, die sie mir gelegt haben,
und vor der Falle der Übeltäter.
10 Die Frevler sollen miteinander in ihr eigenes Netz fallen;
ich aber werde vorübergehen.

HILFERUF IN SCHWERER BEDRÄNGNIS

142 EINE UNTERWEISUNG DAVIDS,
[a]ALS ER IN DER HÖHLE WAR, EIN GEBET.

2 Ich schreie zum HERRN mit meiner Stimme,
ich flehe zum HERRN mit meiner Stimme.
3 Ich schütte meine Klage vor ihm aus
und zeige an vor ihm meine Not.
4 Wenn mein Geist in Ängsten ist,
so kennst du doch meinen Pfad.
Sie legen mir Schlingen
auf den Weg, den ich gehe.
5 Schau zur Rechten und sieh:
Da will mich niemand kennen.
Ich kann nicht entfliehen,
niemand nimmt sich meiner an.

6 HERR, zu dir schreie ich und sage: /
Du bist meine Zuversicht,
mein Teil [a]im Lande der Lebendigen.
7 Höre auf meine Klage,
denn ich werde sehr geplagt.
Errette mich von meinen Verfolgern,
denn sie sind mir zu mächtig.
8 Führe mich aus dem Kerker,
dass ich preise deinen Namen.
Die Gerechten werden sich zu mir sammeln,
wenn du mir wohltust.

BITTE UM VERSCHONUNG UND HILFE (DER SIEBENTE BUSSPSALM)

143 EIN PSALM DAVIDS.

HERR, erhöre mein Gebet, /
vernimm mein Flehen um deiner Treue willen,
erhöre mich um deiner Gerechtigkeit willen,
2 und **geh nicht ins Gericht mit deinem Knecht;**
denn [a]vor dir ist kein Lebendiger gerecht.
3 Denn der Feind verfolgt meine Seele
und schlägt mein Leben zu Boden,
er legt mich ins Finstere
wie die, die lange schon tot sind.

142,1 ***a*** 1. Sam 24,4 **142,6** ***a*** Ps 27,13 **143,2** ***a*** Ps 130,3; Hiob 9,2; Röm 3,20

4 Und mein Geist ist in mir geängstet,
mein Herz ist erstarrt in meinem Leibe.

5 Ich [a]gedenke an die früheren Zeiten; /
ich sinne nach über all deine Taten
und spreche von den Werken deiner Hände.
6 Ich breite meine Hände aus zu dir,
[a]meine Seele dürstet nach dir wie ein dürres Land. SELA.
7 HERR, erhöre mich bald, mein Geist vergeht;
verbirg dein Antlitz nicht vor mir,
dass ich nicht gleich werde denen,
die in die Grube fahren.
8 Lass mich am Morgen hören deine Gnade;
denn ich hoffe auf dich.
Tu mir kund den Weg, den ich gehen soll;
denn mich verlangt nach dir.
9 Errette mich, HERR, von meinen Feinden;
zu dir nehme ich meine Zuflucht.

10 Lehre mich tun nach deinem Wohlgefallen, /
denn du bist mein Gott;
dein guter Geist führe mich auf ebner Bahn.
11 HERR, erquicke mich um deines Namens willen;
führe mich aus der Not um deiner Gerechtigkeit willen,
12 und vernichte meine Feinde um deiner Güte willen
und bringe alle um, die mich bedrängen;
denn ich bin dein Knecht.

GEBET UM RETTUNG UND WOHLSTAND

144 VON DAVID.

Gelobt sei der HERR, mein Fels,
der meine Hände kämpfen lehrt
und meine Fäuste, Krieg zu führen,
2 meine Hilfe und meine [a]Burg,
mein Schutz und mein Erretter,
mein Schild, auf den ich traue,
der mein Volk unter mich zwingt.

3 HERR, was ist der Mensch, dass du dich seiner annimmst,
und des Menschen Kind, dass du ihn so beachtest?[a]
4 Ist doch der Mensch gleich wie nichts;
seine Zeit fährt dahin [a]wie ein Schatten.

5 [a]HERR, neige deinen Himmel und fahre herab;
rühre die Berge an, dass sie rauchen.
6 Sende Blitze und zerstreue deine Feinde, /
schick deine Pfeile und erschrecke sie,
7 streck aus deine Hand von der Höhe.
Erlöse mich und errette mich aus großen Wassern,
aus der Hand der Fremden,

143,5 *a* Ps 77,6 **143,6** *a* Ps 42,2-3 **144,2** *a* Ps 18,3 **144,3** *a* Ps 8,5
144,4 *a* Hiob 14,2 **144,5** *a* (5-7) Ps 18,10-17

8 deren Mund Falsches redet
und deren rechte Hand trügt.

9 Gott, ich will dir [a]ein neues Lied singen,
ich will dir spielen auf dem Psalter von zehn Saiten,
10 der du den Königen Sieg gibst
und erlösest deinen Knecht David vom mörderischen Schwert.
11 Erlöse mich und errette mich
aus der Hand der Fremden,
deren Mund Falsches redet
und deren rechte Hand trügt.

12 Unsere Söhne seien wie Pflanzen, /
hochgewachsen in ihrer Jugend –
unsere Töchter wie Säulen, geschnitzt für Paläste –
13 unsere Kammern gefüllt,
dass sie Vorrat geben, einen nach dem andern –
unsere Schafe, dass sie Tausende werfen
und Zehntausende auf unsern Triften –
14 unsere Rinder, dass sie tragen ohne Schaden und Verlust –
und kein Klagegeschrei sei auf unsern Gassen. –
15 Wohl dem Volk, dem es so ergeht!
[a]Wohl dem Volk, dessen Gott der HERR ist!

GOTTES EWIGE GÜTE

145 EIN LOBLIED DAVIDS.

Ich will dich erheben, mein Gott, du König,
und deinen Namen loben immer und ewiglich.
2 Ich will dich täglich loben
und deinen Namen rühmen immer und ewiglich.
3 Der HERR ist groß und sehr zu loben,
und seine Größe ist unausforschlich.
4 Kindeskinder werden deine Werke preisen
und deine gewaltigen Taten verkündigen.
5 Sie sollen reden von deiner hohen, herrlichen Pracht;
deinen Wundern will ich nachsinnen.[a]
6 Sie sollen reden von deinen mächtigen Taten,
und ich will erzählen von deiner Herrlichkeit;
7 sie sollen preisen deine große Güte
und deine Gerechtigkeit rühmen.

8 **Gnädig und barmherzig ist der HERR,**
geduldig und von großer Güte.[a]
9 [a]Der HERR ist allen gütig
und erbarmt sich aller seiner Werke.
10 Es sollen dir danken, HERR, alle deine Werke
und deine Heiligen dich loben
11 und die Ehre deines Königtums rühmen
und von deiner Macht reden,
12 dass den Menschenkindern deine gewaltigen Taten kundwerden
und die herrliche Pracht deines Königtums.

144,9 *a* Ps 33,3 **144,15** *a* 5. Mose 33,29 **145,5** *a* Ps 19,2-7 **145,8** *a* 2. Mose 34,6
145,9 *a* (9-10) Jes 64,7

13 Dein Reich ist ein ewiges Reich,
und deine Herrschaft währet für und für.

Der HERR ist getreu in all seinen Worten
und gnädig in allen seinen Werken.*
14 Der HERR hält alle, die da fallen,
und [a]richtet alle auf, die niedergeschlagen sind.
15 [a]**Aller Augen warten auf dich,**
und du gibst ihnen ihre Speise zur rechten Zeit.
16 **Du tust deine Hand auf**
und sättigst alles, was lebt, mit Wohlgefallen.
17 Der HERR ist gerecht in allen seinen Wegen
und gnädig in allen seinen Werken.
18 **Der HERR ist nahe allen, die ihn anrufen,**
allen, die ihn mit Ernst anrufen.
19 Er tut, [a]was die Gottesfürchtigen begehren,
und hört ihr Schreien und hilft ihnen.
20 Der HERR behütet alle, die ihn lieben,
und wird vertilgen alle Gottlosen.
21 Mein Mund soll des HERRN Lob verkündigen,
und alles Fleisch lobe seinen heiligen Namen
immer und ewiglich.

GOTTES EWIGE TREUE

146 Halleluja!
Lobe den HERRN, meine Seele! /
2 Ich will den HERRN loben, solange ich lebe,
und meinem Gott lobsingen, solange ich bin.
3 [a]Verlasset euch nicht auf Fürsten;
sie sind Menschen, die können ja nicht helfen.
4 Denn des Menschen Geist muss davon, /
und [a]er muss wieder zu Erde werden;
dann sind verloren alle seine Pläne.

5 Wohl dem, dessen Hilfe der Gott Jakobs ist,
der seine Hoffnung setzt auf den HERRN, seinen Gott,[a]
6 der Himmel und Erde gemacht hat,
das Meer und alles, was darinnen ist;
der Treue hält ewiglich, /
7 der Recht schafft denen, die Gewalt leiden,
der die Hungrigen speiset.

Der HERR macht die Gefangenen frei.
8 Der HERR macht die Blinden sehend.
[a]Der HERR richtet auf, die niedergeschlagen sind.
Der HERR liebt die Gerechten.
9 [a]Der HERR behütet die Fremdlinge /
und erhält Waisen und Witwen;
aber die [b]Gottlosen führt er in die Irre.

* **145,13** Die zweite Hälfte dieses Verses ist nur in einem Teil der Handschriften überliefert.

145,14 ***a*** Ps 146,8 **145,15** ***a*** (15-16) Ps 104,27-28; 136,25 **145,19** ***a*** Spr 10,24
146,3 ***a*** Ps 118,8-9; Jer 17,5 **146,4** ***a*** 1. Mose 3,19; Pred 3,20 **146,5** ***a*** Jer 17,7
146,8 ***a*** Ps 145,14 **146,9** ***a*** 2. Mose 22,20-21 ***b*** Ps 1,6

10 Der HERR ist [a]König ewiglich,
dein Gott, Zion, für und für.
Halleluja!

GOTTES WALTEN IN SCHÖPFUNG UND GESCHICHTE

147 Lobet den HERRN! /
Denn [a]unsern Gott loben, das ist ein köstlich Ding,
ihn loben ist lieblich und schön.

2 Der HERR baut Jerusalem auf
und bringt zusammen die Verstreuten Israels.
3 Er heilt, die [a]zerbrochenen Herzens sind,
und verbindet ihre Wunden.
4 Er zählt die Sterne
und [a]nennt sie alle mit Namen.
5 Unser Herr ist groß und von großer Kraft,
und unermesslich ist seine Weisheit.
6 Der HERR richtet die Elenden auf
und stößt die Frevler zu Boden.[a]

7 Singt dem HERRN ein Danklied
und lobt unsern Gott mit Harfen,
8 der den Himmel mit Wolken bedeckt /
und Regen gibt auf Erden;
der Gras auf den Bergen wachsen lässt,
9 der dem Vieh sein Futter gibt,
[a]den jungen Raben, die zu ihm rufen.
10 Er hat keine Freude an der Stärke des Rosses
noch Gefallen an den Schenkeln des Mannes.
11 Der HERR hat Gefallen an denen, die ihn fürchten,
die auf seine Güte hoffen.

12 Preise, Jerusalem, den HERRN;
lobe, Zion, deinen Gott!
13 Denn er macht fest die Riegel deiner Tore
und segnet deine Kinder in deiner Mitte.
14 Er schafft deinen Grenzen Frieden
und sättigt dich mit dem besten Weizen.
15 [a]Er sendet seine Rede auf die Erde,
sein Wort läuft schnell.
16 Er gibt Schnee wie Wolle,
er streut Reif wie Asche.
17 Er wirft seine Schloßen herab wie Brocken;
wer kann bleiben vor seinem Frost?
18 Er sendet sein Wort, da schmilzt der Schnee;
er lässt seinen Wind wehen, da taut es.
19 [a]Er verkündigt Jakob sein Wort,
Israel seine Gebote und sein Recht.
20 So hat er an keinem Volk getan;
sein Recht kennen sie nicht.
Halleluja!

146,10 ***a*** Ps 93,1 **147,1** ***a*** Ps 92,2 **147,3** ***a*** Jes 61,1 **147,4** ***a*** Jes 40,26 **147,6** ***a*** Lk 1,52
147,9 ***a*** Hiob 38,41 **147,15** ***a*** (15-18) Hiob 38,22-30 **147,19** ***a*** (19-20) 5. Mose 4,8; Röm 3,2

GOTTES LOB IM HIMMEL UND AUF ERDEN

148 [a]Halleluja!
Lobet im Himmel den HERRN,
lobet ihn in der Höhe!
2 Lobet ihn, alle seine Engel,
lobet ihn, all sein Heer!
3 [a]Lobet ihn, Sonne und Mond,
lobet ihn, alle leuchtenden Sterne!
4 Lobet ihn, ihr Himmel aller Himmel
und ihr Wasser über dem Himmel!
5 Die sollen loben den Namen des HERRN;
denn [a]er gebot, da wurden sie geschaffen.
6 Er lässt sie bestehen für immer und ewig;
er gab eine Ordnung, die dürfen sie nicht überschreiten.

7 Lobet den HERRN auf Erden,
ihr großen Fische und alle Tiefen des Meeres,
8 Feuer, Hagel, Schnee und Nebel,
Sturmwinde, die sein Wort ausrichten,
9 ihr Berge und alle Hügel,
ihr Fruchtbäume und alle Zedern,
10 ihr Tiere und alles Vieh,
Gewürm und Vögel,
11 ihr Könige auf Erden und alle Völker,
Fürsten und alle Richter auf Erden,
12 Jünglinge und Jungfrauen,
Alte mit den Jungen!
13 Die sollen loben den Namen des HERRN;
denn sein Name allein ist hoch,
seine Herrlichkeit reicht, so weit Himmel und Erde ist.
14 Er erhöht das Horn seines Volkes.
[a]Alle seine Heiligen sollen loben,
die Israeliten, das Volk, das ihm nahe ist.
Halleluja!

ZION LOBE DEN HERRN!

149 Halleluja!
Singet dem HERRN [a]ein neues Lied;
die Gemeinde der Heiligen soll ihn loben.
2 Israel freue sich [a]seines Schöpfers,
die Kinder Zions seien fröhlich über ihren [b]König.
3 Sie sollen loben seinen Namen im Reigen,
mit Pauken und Harfen sollen sie ihm spielen.
4 Denn der HERR hat Wohlgefallen an seinem Volk,
er hilft den Elenden herrlich.

5 Die Heiligen sollen fröhlich sein in Herrlichkeit
und rühmen auf ihren Lagern.
6 Ihr Mund soll Gott erheben;
sie sollen scharfe Schwerter in ihren Händen halten,

148,1 *a* (1-2) Ps 103,20-22 **148,3** *a* (3-13) 1. Mose 1,1-27 **148,5** *a* Ps 33,9
148,14 *a* 5. Mose 4,7-8 **149,1** *a* Ps 33,3 **149,2** *a* Ps 100,3 *b* Ps 93,1

7 dass sie Rache üben unter den Völkern,
Strafe unter den Nationen,
8 ihre Könige zu binden mit Ketten
und ihre Edlen mit eisernen Fesseln,
9 dass sie an ihnen [a]vollziehen das Gericht, wie geschrieben ist.
Solche Ehre werden alle seine Heiligen haben.
Halleluja!

DAS GROSSE HALLELUJA

150 Halleluja!
Lobet Gott in seinem Heiligtum,
lobet ihn in der Feste seiner Macht!
2 Lobet ihn für seine Taten,
lobet ihn in seiner großen Herrlichkeit!
3 Lobet ihn mit Posaunen,
lobet ihn mit Psalter und Harfen!
4 Lobet ihn mit Pauken und Reigen,
lobet ihn mit Saiten und Pfeifen!
5 Lobet ihn mit hellen Zimbeln,
lobet ihn mit klingenden Zimbeln!
6 **Alles, [a]was Odem hat, lobe den HERRN!**
Halleluja!

149,9 ***a*** Jes 34,1-17; 63,4-6; Joel 4,2-14 **150,6** ***a*** Ps 41,14; Offb 5,13

DIE SPRÜCHE SALOMOS (PROVERBIA)

1–9 Lob der Weisheit **10–22** Lebensregeln **22–24** Worte von Weisen
25–29 Weitere Lebensregeln **30** Worte Agurs. Zahlensprüche
31 Mahnungen an Lemuel. Lob der tüchtigen Frau

1 Dies sind die Sprüche [a]Salomos, des
Sohnes Davids, des Königs von Israel,
2 um zu lernen Weisheit und Zucht und
zu verstehen verständige Rede, 3 dass man
annehme Zucht, die da klug macht, Ge-
rechtigkeit, Recht und Redlichkeit; 4 dass
die Unverständigen klug werden und
die Jünglinge vernünftig und besonnen.
5 Wer weise ist, der höre zu und wachse
an Weisheit, und wer verständig ist, der
lasse sich raten, 6 dass er verstehe Sprü-
che und Gleichnisse, die Worte der Wei-
sen und ihre Rätsel. **7 Die [a]Furcht des
HERRN ist der Anfang der Erkenntnis.
Die Toren verachten Weisheit und
Zucht.**

WARNUNG VOR VERFÜHRERN

**8 Mein Sohn, gehorche der Zucht dei-
nes Vaters und verlass nicht das Ge-
bot deiner Mutter;**[a] **9 denn das ist ein
schöner Schmuck für dein Haupt und
eine Kette an deinem Halse. 10 Mein
Sohn, wenn [a]dich die bösen Buben*
locken, so folge nicht.** 11 Wenn sie sa-
gen: »Geh mit uns! Wir wollen auf Blut
lauern und den Unschuldigen nachstellen
ohne Grund; 12 wir wollen sie verschlin-
gen wie das Totenreich die Lebendigen,
und die Frommen sollen sein wie die, wel-
che hinunter in die Grube fahren; 13 wir
wollen kostbares Gut finden, wir wollen
unsre Häuser mit Raub füllen; 14 wage es
mit uns! *Einen* Beutel nur soll es für uns
alle geben« 15 mein Sohn, wandle den
Weg nicht mit ihnen, halte deinen Fuß
fern von ihrem Pfad; 16 denn ihre Füße
laufen zum Bösen und eilen, Blut zu ver-
gießen. 17 Denn es ist vergeblich, das Netz
auszuspannen vor den Augen der Vögel.
18 Sie aber lauern ihrem eigenen Blut auf
und trachten einander nach dem Leben.
19 So geht es allen, die nach unrechtem
Gewinn trachten; er nimmt ihnen das
Leben.

DIE BUSSPREDIGT DER WEISHEIT

20 [a]Die Weisheit ruft laut auf der Straße
und lässt ihre Stimme hören auf den
Plätzen. 21 Sie ruft im lautesten Getüm-
mel, am Eingang der Tore, sie redet ihre
Worte in der Stadt: 22 Wie lange wollt ihr
Unverständigen unverständig sein und
ihr Spötter Lust zu Spötterei haben und
ihr Toren die Erkenntnis hassen? 23 Kehrt
euch zu meiner Zurechtweisung! Siehe,
ich will über euch strömen lassen mei-
nen Geist und euch meine Worte kund-
tun.

24 Wenn ich aber rufe und ihr euch wei-
gert, wenn ich [a]meine Hand ausstrecke
und niemand darauf achtet, 25 wenn ihr
fahren lasst all meinen Rat und meine
Zurechtweisung nicht wollt, 26 dann will
ich auch lachen bei eurem Unglück und
euer spotten, wenn Schrecken über euch
kommt;[a] 27 wenn Schrecken über euch
kommt wie ein Sturm und euer Unglück
wie ein Wetter; wenn über euch Angst
und Not kommt. 28 Dann werden sie nach
mir rufen, aber ich werde nicht antwor-
ten; sie werden mich suchen und nicht
finden.[a] 29 Weil sie die Erkenntnis hassten
und die Furcht des HERRN nicht erwähl-
ten, 30 meinen Rat nicht wollten und all
meine Zurechtweisung verschmähten,
31 darum sollen sie [a]essen von den Früch-
ten ihres Wandels und satt werden an ih-
ren Ratschlägen. 32 Denn den Unverstän-
digen bringt ihre Abkehr den Tod, und die
Toren bringt ihre Sorglosigkeit um; 33 wer
aber mir gehorcht, wird sicher wohnen
und ohne Sorge sein und kein Unglück
fürchten.

* **1,10** Wörtlich: »Sünder«.

1,1 ***a*** 1. Kön 5,9-12 **1,7** ***a*** Kap 8,13; 9,10; Hiob 28,28;
Ps 111,10 **1,8** ***a*** Kap 6,20; 13,1; 5. Mose 21,18-21
1,10 ***a*** Kap 16,29; 5. Mose 13,7-9
1,20 ***a*** (20-21) Kap 8,1-3 **1,24** ***a*** Jes 65,2.12
1,26 ***a*** 5. Mose 28,63 **1,28** ***a*** Jes 59,2;
Mi 3,4 **1,31** ***a*** Jes 3,10-11

DIE WEISHEIT BEWAHRT VOR DEM VERDERBEN

2 Mein Sohn, wenn du meine Rede an-
nimmst und meine Gebote behältst,
2 sodass dein Ohr auf Weisheit achthat,
und du dein Herz der Einsicht zuneigst,
3 [a]ja, wenn du nach Vernunft rufst und
deine Stimme nach Einsicht erhebst,
4 wenn du sie suchst wie Silber und nach
ihr forschst wie nach Schätzen, 5 dann
wirst du die Furcht des HERRN verstehen
und die Erkenntnis Gottes finden. 6 Denn
[a]der HERR gibt Weisheit, und aus seinem
Munde kommt Erkenntnis und Einsicht.
**7 Er lässt es den Aufrichtigen gelingen
und [a]beschirmt die Frommen.** 8 Er be-
hütet, die recht tun, und bewahrt den Weg
seiner Getreuen. 9 Dann wirst du verste-
hen Gerechtigkeit und Recht und Fröm-
migkeit und jeden guten Weg.

10 Denn [a]Weisheit wird in dein Herz ein-
gehen, und Erkenntnis wird deiner Seele
lieblich sein, 11 Besonnenheit wird dich
bewahren und Einsicht dich behüten, –
12 dich zu retten vor dem Weg der Bösen,
vor den Leuten, die Falsches reden, 13 die
da verlassen die rechte Bahn und gehen
finstere Wege, 14 die sich freuen, Böses zu
tun, und sind fröhlich über böse Ränke,
15 die krumme Wege gehen und auf Ab-
wege kommen, – 16 dich zu retten vor der
fremden Frau, einer Fremden, die glatte
Worte gibt 17 und verlässt den Gefährten
ihrer Jugend und vergisst den Bund ihres
Gottes; 18 denn ihr Haus neigt sich zum
Tode und ihre Wege zu den Schatten;
19 alle, die zu ihr eingehen, kommen nicht
wieder und erreichen den Weg des Lebens
nicht, – 20 dass du wandelst auf dem Wege
der Guten und bleibst auf der Bahn der
Gerechten; 21 denn die Aufrechten werden
im Lande wohnen und die Frommen darin
bleiben,[a] 22 aber die [a]Gottlosen werden aus
dem Land ausgerottet und die Treulosen
daraus vertilgt.

VOM SEGEN DER GOTTESFURCHT UND WEISHEIT

3 [a]Mein Sohn, vergiss meine Weisung
nicht, und dein Herz behalte meine
Gebote, 2 denn sie werden dir langes Le-
ben bringen und gute Jahre und Frieden;
3 Gnade und Treue sollen dich nicht ver-
lassen. [a]Hänge meine Gebote an deinen
Hals und [b]schreibe sie auf die Tafel deines
Herzens, 4 so wirst du Freundlichkeit und
Klugheit erlangen, die Gott und den Men-
schen gefallen.

**5 Verlass dich auf den HERRN von
ganzem Herzen, und verlass dich nicht
auf deinen Verstand, 6 sondern ge-
denke an ihn in allen deinen Wegen,
so wird er dich recht führen.** 7 [a]Dünke
dich nicht, weise zu sein, sondern fürchte
den HERRN und weiche vom Bösen. 8 Das
wird deinem Leibe heilsam sein und deine
Gebeine erquicken.

9 Ehre den HERRN mit deinem Gut und
mit den [a]Erstlingen all deines Einkom-
mens, 10 so werden deine Scheunen voll
werden und deine Kelter von Wein über-
laufen.

11 [a]Mein Sohn, [b]verwirf die Zucht des
HERRN nicht und sei nicht unwillig, wenn
er dich zurechtweist; 12 denn wen der
HERR liebt, den [a]weist er zurecht, und hat
doch Wohlgefallen an ihm wie ein Vater
am Sohn.

13 Wohl dem Menschen, der Weisheit
erlangt, und dem Menschen, der Einsicht
gewinnt! 14 Denn es ist besser, sie zu er-
werben, als Silber, und ihr Ertrag ist besser
als Gold.[a] 15 Sie ist edler als Perlen, und al-
les, was du wünschen magst, ist ihr nicht
zu vergleichen. 16 Langes Leben ist in ihrer
rechten Hand, in ihrer Linken ist Reich-
tum und Ehre. 17 Ihre Wege sind liebliche
Wege, und alle ihre Steige sind Frieden.
18 Sie ist ein [a]Baum des Lebens allen, die
sie ergreifen, und glücklich sind, die sie
festhalten.

19 [a]Der HERR hat die Erde mit Weisheit
gegründet und nach seiner Einsicht die
Himmel bereitet. 20 Durch seine Erkennt-
nis quellen die Wasser der Tiefe hervor
und triefen die Wolken von Tau. 21 Mein
Sohn, lass sie nicht aus deinen Augen
weichen, bewahre Umsicht und Klug-
heit! 22 Das wird Leben sein für dein Herz

2,3 *a* (3-6) Jak 1,5 **2,6** *a* Dan 2,20-23 **2,7** *a* Ps 7,11
2,10 *a* 1. Kor 1,30 **2,21** *a* Ps 37,9; Mt 5,5 **2,22** *a* Ps 37,10
3,1 *a* (1-2) 3. Mose 18,5 **3,3** *a* 5. Mose 6,8 *b* Jer 31,33
3,7 *a* Jes 5,21 **3,9** *a* 2. Mose 23,19
3,11 *a* (11-12) Hebr 12,5-6 *b* Hiob 5,17-19
3,12 *a* 1. Kor 11,32; Offb 3,19 **3,14** *a* Kap 8,10
3,18 *a* Kap 11,30; 13,12; 15,4 **3,19** *a* (19-20) Kap 8,22-31

und ein Schmuck für deinen Hals. 23 Dann wirst du sicher wandeln auf deinem Wege, sodass dein Fuß sich nicht stoßen wird. 24 Legst du dich, so wirst du dich nicht fürchten, und liegst du, so wirst du süß schlafen.[a] 25 Fürchte dich nicht vor plötzlichem Schrecken noch vor dem Verderben der Frevler, wenn es über sie kommt; 26 denn [a]der HERR ist deine Zuversicht; er behütet deinen Fuß, dass er nicht gefangen werde.

ERMAHNUNG ZUM WOHLTUN UND ZUR FRIEDFERTIGKEIT

27 Weigere dich nicht, dem Bedürftigen Gutes zu tun, wenn deine Hand es vermag. 28 Sprich nicht zu deinem Nächsten: Geh hin und komm wieder; morgen will ich dir geben –, wenn du es doch hast.

29 Trachte nicht nach Bösem gegen deinen Nächsten, der arglos bei dir wohnt. 30 Geh nicht mutwillig mit jemand vor Gericht, wenn er dir kein Leid getan hat. 31 Sei nicht neidisch auf den Gewalttätigen und erwähle seiner Wege keinen, 32 denn wer auf Abwegen geht, ist dem HERRN ein Gräuel, aber [a]den Aufrechten ist er freund.

33 Im Hause des Frevlers ist der Fluch des HERRN, aber das Haus der Gerechten wird gesegnet. 34 Er wird der Spötter spotten, aber [a]den Demütigen wird er Gnade geben. 35 Die Weisen werden Ehre erben, aber die Toren werden Schande davontragen.

VÄTERLICHE MAHNUNG

4 Hört, meine Söhne, die Mahnung eures Vaters; merkt auf, dass ihr lernt und klug werdet! 2 Denn ich gebe euch eine gute Lehre; verlasst meine Weisung nicht. 3 Ein Sohn war ich bei meinem Vater, zart und einzig vor meiner Mutter, 4 da lehrte er mich und sprach: Lass dein Herz meine Worte aufnehmen; [a]halte meine Gebote, so wirst du leben. 5 Erwirb Weisheit, erwirb Einsicht; vergiss sie nicht und weiche nicht von der Rede meines Mundes; 6 verlass sie nicht, so wird sie dich bewahren; liebe sie, so wird sie dich behüten. 7 Denn der Weisheit Anfang ist: Erwirb Weisheit und erwirb Einsicht mit allem, was du hast. 8 Achte sie hoch, so wird sie dich erhöhen und wird dich zu Ehren bringen, wenn du sie herzest. 9 Sie wird dein Haupt schön schmücken und wird dich zieren mit einer prächtigen Krone.

10 Höre, mein Sohn, und nimm an meine Rede, so [a]werden deine Jahre viel werden. 11 Ich will dich den Weg der Weisheit führen; ich will dich auf rechter Bahn leiten, 12 dass, wenn du gehst, dein Gang dir nicht sauer werde, und wenn du läufst, du nicht strauchelst. 13 Halte fest an der Zucht, lass nicht davon; bewahre sie, denn sie ist dein Leben. 14 Komm nicht auf den Pfad der Gottlosen und tritt nicht auf den Weg der Bösen.[a] 15 Lass ihn liegen und geh nicht darauf; weiche von ihm und geh vorüber. 16 Denn sie schlafen nicht, wenn sie nicht Übel getan, und [a]sie ruhen nicht, ehe sie nicht jemanden zu Fall gebracht haben. 17 Sie nähren sich vom Brot des Frevels und trinken vom Wein der Gewalttat. – 18 **Der Gerechten Pfad glänzt wie das Licht am Morgen, das immer heller leuchtet bis zum vollen Tag.** 19 [a]Der Gottlosen Weg aber ist wie das Dunkel; sie wissen nicht, wodurch sie zu Fall kommen werden.

20 Mein Sohn, merke auf meine Rede und neige dein Ohr zu meinen Worten. 21 Lass sie dir nicht aus den Augen kommen; behalte sie in deinem Herzen, 22 denn sie sind das Leben denen, die sie finden, und [a]heilsam ihrem ganzen Leibe. 23 Behüte dein Herz mit allem Fleiß, denn daraus quillt das Leben. 24 Tu von dir die Falschheit des Mundes und sei kein Lästermaul. 25 Lass [a]deine Augen stracks vor sich sehen und deinen Blick geradeaus gerichtet sein. 26 Lass deinen Fuß auf ebener Bahn gehen, und [a]alle deine Wege seien gewiss. 27 [a]Weiche weder zur Rechten noch zur Linken; wende deinen Fuß vom Bösen.

WARNUNG VOR DER VERFÜHRERIN

5 Mein Sohn, merke auf meine Weisheit; neige dein Ohr zu meiner Einsicht, 2 dass du behaltest guten Rat und dein Mund wisse Erkenntnis zu bewahren! 3 [a]Denn die Lippen der fremden Frau sind süß wie Honigseim, und ihre Kehle

3,24 *a* Ps 3,6 **3,26** *a* Kap 10,29 **3,32** *a* Ps 25,14
3,34 *a* 1. Petr 5,5 **4,4** *a* 3. Mose 18,5 **4,10** *a* Kap 3,2
4,14 *a* Ps 1,1 **4,16** *a* Ps 36,5; Mi 2,1 **4,19** *a* Kap 24,20
4,22 *a* Kap 3,8 **4,25** *a* Kap 17,24 **4,26** *a* Hebr 12,13
4,27 *a* Jos 1,7 **5,3** *a* *(3-6)* Kap 2,16-19

ist glatter als Öl, 4hernach aber ist sie bit-
ter wie Wermut und scharf wie ein zwei-
schneidiges Schwert. 5Ihre Füße laufen
zum Tode hinab; ihre Schritte führen ins
Totenreich, 6so bahnt sie nicht den Weg
des Lebens; haltlos sind ihre Tritte, sie er-
kennt es nicht.

7So gehorcht mir nun, meine Söhne,
und weicht nicht von der Rede meines
Mundes. 8Lass deine Wege ferne von ihr
sein und nahe nicht zur Tür ihres Hauses,
9dass du nicht andern gebest deine Kraft
und deine Jahre einem Unbarmherzi-
gen; 10dass sich nicht Fremde von deinem
Vermögen sättigen und, was du mühsam
erworben, nicht komme in eines andern
Haus, 11und müssest hernach seufzen,
wenn dir Leib und Leben vergehen, 12und
sprechen: »Ach, wie konnte ich die Zucht
hassen, und wie konnte mein Herz die
Warnung verschmähen, 13dass ich nicht
gehorchte der Stimme meiner Lehrer und
mein Ohr nicht kehrte zu denen, die mich
lehrten! 14Ich wäre fast ganz ins Unglück
gekommen inmitten der Versammlung
und Gemeinde.«[a]

15Trinke Wasser aus *deiner* Zisterne und
was quillt aus *deinem* Brunnen. 16Deine
Quellen sollen herausfließen auf die
Straße und Wasserbäche auf die Gassen!
17Habe du sie allein und kein Fremder mit
dir. 18Dein Brunnen sei gesegnet, und
[a]freue dich der Frau deiner Jugend. 19Sie
ist lieblich wie eine Gazelle und holdselig
wie ein Reh. Lass dich von ihrer Anmut
allezeit sättigen und ergötze dich allewege
an ihrer Liebe.

20Mein Sohn, warum willst du dich an
der Fremden ergötzen und herzest eine
andere? 21Denn **eines jeden Wege liegen
offen vor dem HERRN, und er hat acht
auf aller Menschen Gänge.** 22Den Frev-
ler werden seine Missetaten fangen, und
er wird mit den Stricken seiner Sünde ge-
bunden. 23Er wird sterben, weil er Zucht
nicht wollte, und um seiner großen Tor-
heit willen taumelt er.

WARNUNG VOR BÜRGSCHAFTEN, VOR FAULHEIT UND FALSCHHEIT

6 [a]Mein Sohn, hast du gebürgt für deinen
Nächsten und hast du Handschlag gege-
ben für einen andern, 2so bist du gebun-
den durch die Rede deines Mundes und
gefangen in den Reden deines Mundes.
3Deshalb tu doch dies, mein Sohn, und
rette dich; denn du bist in deines Nächs-
ten Hand: Geh hin, dränge und bestürme
deinen Nächsten! 4Lass deine Augen nicht
schlafen noch deine Augenlider schlum-
mern. 5Errette dich wie ein Reh aus der
Schlinge und wie ein Vogel aus der Hand
des Fängers.

6**Geh hin zur Ameise, du Fauler,
sieh ihre Wege an und werde weise!**[a]
7**Wenn sie auch keinen Fürsten noch
Hauptmann noch Herrn hat,** 8**so be-
reitet sie doch ihr Brot im Sommer
und sammelt ihre Speise in der Ernte.**
9Wie lange liegst du, Fauler! Wann willst
du aufstehen von deinem Schlaf? 10[a]Ja,
schlafe noch ein wenig, schlummre ein
wenig, schlage die Hände ineinander
ein wenig, dass du schläfst, 11so wird
dich die Armut übereilen wie ein Räu-
ber und der Mangel wie ein gewappneter
Mann.

12Ein heilloser Mensch, ein nichtswür-
diger Mann, wer einhergeht mit [a]trügeri-
schem Munde, 13wer [a]winkt mit den Au-
gen, gibt Zeichen mit den Füßen, zeigt mit
den Fingern, 14trachtet nach Bösem und
Verkehrtem in seinem Herzen und richtet
allezeit Streit an. 15Darum wird plötzlich
sein Verderben über ihn kommen, und er
wird schnell zerschmettert werden, und
keine Hilfe ist da.

16Diese sechs Dinge hasst der HERR,
diese sieben sind ihm ein Gräuel: 17stolze
Augen, falsche Zunge, Hände, die un-
schuldiges Blut vergießen, 18ein Herz,
das arge Ränke schmiedet, eilige Füße, die
zum Bösen laufen, 19ein falscher Zeuge,
der frech Lügen redet, und wer Streit zwi-
schen Brüdern anrichtet.

WARNUNG VOR EHEBRUCH

20Mein Sohn, bewahre das Gebot deines
Vaters und lass nicht fahren die Weisung
deiner Mutter.[a] 21Binde sie dir aufs Herz
allezeit und hänge sie um deinen Hals,
22dass sie dich geleiten, wenn du gehst;

5,14 ***a*** 5. Mose 22,28-29 **5,18** ***a*** Pred 9,9
6,1 ***a*** (1-2) Kap 11,15; 20,16; 22,26 **6,6** ***a*** Kap 10,4; 20,4
6,10 ***a*** (10-11) Kap 24,33-34 **6,12** ***a*** Kap 10,31-32
6,13 ***a*** Kap 10,10 **6,20** ***a*** Kap 1,8

dass sie dich bewachen, wenn du dich
legst; [a]dass sie zu dir sprechen, wenn du
aufwachst. 23 Denn das Gebot ist eine
Leuchte und die Weisung ein Licht, und
die Vermahnung ist der Weg des Lebens,
24 auf dass du bewahrt werdest vor der bö-
sen Frau, vor der glatten Zunge der Frem-
den.[a] 25 Lass dich nach ihrer Schönheit
nicht gelüsten in deinem Herzen, und lass
dich nicht fangen durch ihre Augenlider.
26 Denn eine Hure bringt einen nur ums
Brot, aber eines andern Ehefrau um das
kostbare Leben.

27 Kann auch jemand ein Feuer unterm
Gewand tragen, ohne dass seine Klei-
der brennen? 28 Oder könnte jemand auf
Kohlen gehen, ohne dass seine Füße ver-
brannt würden? 29 So geht es dem, der zu
seines Nächsten Frau geht; es bleibt kei-
ner ungestraft, der sie berührt.[a] 30 Es ist für
einen Dieb nicht so schmachvoll, wenn er
stiehlt, um seine Gier zu stillen, weil ihn
hungert; 31 wenn er ergriffen wird, [a]ersetzt
er's siebenfach und gibt her alles Gut sei-
nes Hauses. 32 Aber wer mit einer Frau die
Ehe bricht, dem fehlt der Verstand. Wer
sein Leben ins Verderben bringen will,
der tut das. 33 Schläge und Schande treffen
ihn, und seine Schmach ist nicht zu tilgen.
34 Denn Eifersucht erweckt den Grimm
des Mannes, und er schont nicht am Tage
der Rache 35 und achtet kein Sühnegeld
und nimmt nichts an, wenn du auch viel
schenken wolltest.

7 Mein Sohn, behalte meine Rede und
verwahre meine Gebote bei dir. 2 **Be-
halte meine Gebote, so wirst du leben,
und hüte meine Weisung wie deinen
Augapfel.** 3 Binde sie an deine Finger,
schreibe sie auf die Tafel deines Herzens.
4 Sprich zur Weisheit: Du bist meine
Schwester, und nenne die Klugheit deine
Freundin, 5 dass sie dich behüte vor der
fremden Frau, vor der Fremden, die glatte
Worte gibt.

6 Denn am Fenster meines Hauses guckte
ich durchs Gitter 7 und sah einen unter den
Unverständigen und erblickte unter den
jungen Leuten einen Jüngling ohne Ver-
stand. 8 Der ging über die Gasse zu ihrer
Ecke und schritt daher auf dem Wege zu
ihrem Hause 9 in der Dämmerung, am
Abend des Tages, als es Nacht wurde und
dunkel war. 10 Und siehe, da begegnete
ihm eine Frau im Hurengewand, listig,
11 wild und unbändig, dass ihre Füße nicht
in ihrem Hause bleiben können. 12 Jetzt ist
sie draußen, jetzt auf der Gasse und lauert
an allen Ecken. 13 Und sie erwischt ihn und
küsst ihn, wird dreist und spricht: 14 »Ich
hatte [a]Dankopfer zu bringen, heute habe
ich meine Gelübde erfüllt. 15 Darum bin
ich ausgegangen, dir entgegen, um nach
dir zu suchen, und habe dich gefunden.
16 Ich habe mein Bett schön geschmückt
mit bunten Decken aus Ägypten. 17 Ich
habe mein Lager mit Myrrhe besprengt,
mit Aloe und Zimt. 18 Komm, wir wollen
uns satt trinken an der Liebe bis zum Mor-
gen, lass uns die Liebe genießen. 19 Denn
der Mann ist nicht daheim, er ist auf eine
weite Reise gegangen. 20 Er hat den Geld-
beutel mit sich genommen; er wird erst
zum Vollmond wieder heimkommen.«
21 Sie überredet ihn mit vielen Worten und
gewinnt ihn mit ihrem glatten Munde.
22 Er folgt ihr alsbald nach, wie ein Stier
zur Schlachtbank geführt wird, und wie
ein Hirsch, der ins Netz rennt, 23 bis ihm
der Pfeil die Leber spaltet; wie ein Vogel
zur Schlinge eilt und weiß nicht, dass es
das Leben gilt.

24 So hört nun auf mich, meine Söhne,
und merkt auf die Rede meines Mundes.
25 Lass dein Herz nicht abweichen auf ih-
ren Weg und irre nicht ab auf ihre Bahn.
26 Denn zahlreich sind die Erschlagenen,
die sie gefällt hat, und viele sind, die sie
getötet hat. 27 Ihr Haus ist der Weg ins
Totenreich, da man hinunterfährt in des
Todes Kammern.

EINLADUNG UND VERHEISSUNG DER WEISHEIT

8 [a]Ruft nicht die Weisheit, und lässt nicht
die Klugheit sich hören? 2 Öffentlich am
Wege steht sie und an der Kreuzung der
Straßen; 3 an den Toren am Ausgang der
Stadt und am Eingang der Pforte ruft sie:
4 O ihr Männer, euch rufe ich und erhebe
meine Stimme zu den Menschenkindern!
5 Merkt, ihr Unverständigen, auf Klugheit,

6,22 *a* Ps 119,172 **6,24** *a* Kap 2,16 **6,29** *a* Kap 5,8-14
6,31 *a* 2. Mose 21,37 **7,14** *a* 3. Mose 7,15-17
8,1 *a* (1-3) Kap 1,20-23

und ihr Toren, nehmt Verstand an! 6 Hört,
denn ich rede, was edel ist, und meine Lip-
pen sprechen, was recht ist. 7 Denn mein
Mund redet die Wahrheit, und meine Lip-
pen hassen, was gottlos ist. 8 Alle Reden
meines Mundes sind gerecht, es ist nichts
Verkehrtes noch Falsches darin. 9 Sie sind
alle recht für die Verständigen und richtig
denen, die Erkenntnis gefunden haben.
10 Nehmt meine Zucht an lieber als Silber
und achtet Erkenntnis höher als kostbares
Gold.[a] 11 Denn Weisheit ist besser als Per-
len, und alles, was man wünschen mag,
kann ihr nicht gleichen.

12 Ich, die Weisheit, wohne bei der Klug-
heit und finde Einsicht und guten Rat.
13 Die Furcht des HERRN hasst das Arge;
Hoffart und Hochmut, bösem Wandel
und verkehrter Rede bin ich feind. 14 Mein
ist beides, Rat und Tat, ich habe Verstand
und Macht. 15 Durch mich regieren die Kö-
nige und setzen die Ratsherren das Recht.[a]
16 Durch mich herrschen die Fürsten und
die Edlen richten auf Erden. 17 **Ich liebe,
die mich lieben, und die mich suchen,
finden mich.** 18 Reichtum und Ehre ist
bei mir, bleibendes Gut und Gerechtig-
keit. 19 Meine Frucht ist besser als Gold
und feines Gold, und mein Ertrag besser
als erlesenes Silber. 20 Ich wandle auf dem
Wege der Gerechtigkeit, mitten auf der
Straße des Rechts, 21 dass ich versorge mit
Besitz, die mich lieben, und ihre Schatz-
kammern fülle.

WEISHEIT UND SCHÖPFUNG

22 [a]Der HERR hat mich schon gehabt im
Anfang seiner Wege, ehe er etwas schuf,
von Anbeginn her. 23 Ich bin eingesetzt
von Ewigkeit her, im Anfang, ehe die Erde
war. 24 Als die Tiefe noch nicht war, ward
ich geboren, als die Quellen noch nicht
waren, die von Wasser fließen. 25 Ehe
denn die Berge eingesenkt waren, vor den
Hügeln ward ich geboren, 26 als er die Erde
noch nicht gemacht hatte noch die Fluren
darauf noch die Schollen des Erdbodens.
27 Als er die Himmel bereitete, war ich da,
als er den Kreis zog über der Tiefe, 28 als er
die Wolken droben mächtig machte, als er
stark machte die Quellen der Tiefe, 29 als
er [a]dem Meer seine Grenze setzte und
den Wassern, dass sie nicht überschrei-
ten seinen Befehl; als er die Grundfesten
der Erde legte, 30 da war ich beständig* bei
ihm; ich war seine Lust täglich und spielte
vor ihm allezeit; 31 ich spielte auf seinem
Erdkreis und hatte meine Lust an den
Menschenkindern.

32 So hört nun auf mich, meine Söhne!
Wohl denen, die meine Wege einhalten!
33 Hört die Zucht und werdet weise und
schlagt sie nicht in den Wind! 34 Wohl
dem Menschen, der mir gehorcht, dass er
wache an meiner Tür täglich, dass er hüte
die Pfosten meiner Tore! 35 Wer mich
findet, der findet das Leben und erlangt
Wohlgefallen vom HERRN. 36 Wer aber
mich verfehlt, zerstört sein Leben; alle,
die mich hassen, lieben den Tod.

WEISHEIT UND TORHEIT LADEN ZUM MAHLE

9 Die Weisheit hat ihr Haus gebaut und
ihre sieben Säulen behauen. 2 Sie hat ihr
Vieh geschlachtet, ihren Wein gemischt
und ihren Tisch bereitet 3 und sandte ihre
Mägde aus, zu rufen oben auf den Hö-
hen der Stadt: 4 »Wer noch unverständig
ist, der kehre hier ein!«, und zum Toren
spricht sie: 5 »Kommt, esst von meinem
Brot und trinkt von dem Wein, den ich
gemischt habe! 6 Verlasst die Torheit, so
werdet ihr leben, und geht auf dem Wege
der Klugheit.«

7 Wer den Spötter belehrt, der trägt
Schande davon, und wer den Frevler zu-
rechtweist, holt sich Schmach. 8 Rüge
nicht den Spötter, dass er dich nicht hasse;
rüge den Weisen, der wird dich lieben.
9 Gib dem Weisen, so wird er noch weiser
werden; lehre den Gerechten, so wird er
in der Lehre zunehmen.[a]

10 [a]**Der Weisheit Anfang ist die Furcht
des HERRN, und den Heiligen erken-
nen, das ist Verstand.** 11 Denn durch
mich werden deine Tage viel werden
und die Jahre deines Lebens sich mehren.
12 Bist du weise, so bist du's dir zugut; bist
du ein Spötter, so musst du's allein tragen.

13 Frau Torheit ist unbändig, trügerisch
und weiß nichts. 14 Sie sitzt vor der Tür

* **8,30** Luther übersetzte: »der Werkmeister«.

8,10 *a* Kap 3,14 **8,15** *a* Kap 16,12
8,22 *a* (22-31) 1. Mose 1,1–2,4; Hiob 28,23-28; Joh 1,1-3
8,29 *a* Ps 104,9 **9,9** *a* Mt 13,12 **9,10** *a* Kap 1,7

ihres Hauses auf einem Thron auf den
Höhen der Stadt, 15 einzuladen alle, die
vorübergehen und richtig auf ihrem We-
ge wandeln: 16 »Wer noch unverständig
ist, der kehre hier ein!«, und zum Toren
spricht sie: 17 »Gestohlenes Wasser ist süß,
und heimliches Brot schmeckt fein.«[a] 18 Er
weiß aber nicht, dass dort nur die Schatten
wohnen, dass ihre Gäste in der Tiefe des
Todes hausen.

SALOMOS LEHREN VON WEISHEIT UND FRÖMMIGKEIT

10 Dies sind die Sprüche Salomos.
[a]Ein weiser Sohn ist seines Vaters
Freude; aber ein törichter Sohn ist seiner
Mutter Grämen.
2 Unrecht Gut hilft nicht; aber Gerech-
tigkeit errettet vom Tode.
3 Der HERR lässt [a]den Gerechten nicht
Hunger leiden; aber die Gier der Gottlo-
sen stößt er zurück.
4 Lässige Hand macht arm; aber [a]der Flei-
ßigen Hand macht reich.
5 Wer im Sommer sammelt, der ist klug;
wer aber in der Ernte schläft, wird zu-
schanden.
6 Segen ruht auf dem Haupt des Gerech-
ten; aber der Mund der Frevler deckt Ge-
walttat.
7 Das Andenken des Gerechten bleibt im
Segen; aber [a]der Name der Frevler wird
verwesen.
8 Wer weisen Herzens ist, nimmt Ge-
bote an; wer aber ein Narrenmaul hat,
kommt zu Fall.
9 Wer in Unschuld lebt, der lebt sicher;
wer aber verkehrte Wege geht, wird er-
tappt werden.
10 Wer mit den Augen winkt, schafft
Verdruss, und wer ein Narrenmaul hat,
kommt zu Fall.[a]
11 Des Gerechten Mund ist ein Brunnen
des Lebens; aber der Mund der Frevler
deckt Gewalttat.
12 **Hass erregt Hader; aber [a]Liebe
deckt alle Übertretungen zu.**
13 Auf den Lippen des Verständigen fin-
det man Weisheit; aber auf den Rücken
des Unverständigen gehört eine Rute.
14 Die Weisen halten mit ihrem Wissen
zurück; aber der Toren Mund führt schnell
zum Verderben.
15 [a]Die Habe des Reichen ist seine feste
Stadt; aber das Verderben der Geringen ist
ihre Armut.
16 Dem Gerechten gereicht sein Erwerb
zum Leben, aber dem Frevler sein Ein-
kommen zur Sünde.
17 Zucht bewahren ist der Weg zum Le-
ben; wer aber Zurechtweisung nicht ach-
tet, geht in die Irre.
18 Wer Hass verdeckt, hat Lügen auf den
Lippen, und wer Verleumdung ausstreut,
der ist ein Narr.
19 Wo viel Worte sind, da geht's ohne
Sünde nicht ab; wer aber seine Lippen im
Zaum hält, ist klug.
20 Des Gerechten Zunge ist kostbares Sil-
ber; aber der Gottlosen Verstand ist wie
nichts.
21 Des Gerechten Lippen erquicken vie-
le; aber die Toren werden an ihrer Torheit
sterben.
22 **Der Segen des HERRN allein macht
reich, und nichts tut eigene Mühe
hinzu.**[a]
23 Ein Tor hat Lust an Schandtat, aber der
einsichtige Mann an Weisheit.
24 Was [a]der Frevler fürchtet, das wird
ihm begegnen; und was [b]die Gerechten
begehren, wird ihnen gegeben.
25 Wenn das Wetter daherfährt, ist der
Frevler nicht mehr; der Gerechte aber be-
steht ewiglich.[a]
26 Wie Essig den Zähnen und Rauch den
Augen tut, so tut der Faule denen, die ihn
senden.
27 Die Furcht des HERRN mehrt die Tage;
aber die Jahre der Gottlosen werden ver-
kürzt.
28 **Das [a]Warten der Gerechten wird
Freude werden; aber [b]der Gottlosen
Hoffnung wird verloren sein.**
29 Der [a]Weg des HERRN ist des From-
men Zuflucht; aber für die Übeltäter ist er
Verderben.
30 Der Gerechte wird nimmermehr wan-
ken; aber [a]die Frevler werden nicht im
Lande bleiben.

9,17 *a* Kap 20,17 **10,1** *a* Kap 15,20 **10,3** *a* Ps 37,19.25
10,4 *a* Kap 6,6 **10,7** *a* Hiob 18,17; Ps 9,6
10,10 *a* Kap 6,12-13 **10,12** *a* 1. Petr 4,8 **10,15** *a* Kap 18,11
10,22 *a* Ps 127,2 **10,24** *a* Kap 1,27 *b* Ps 37,4
10,25 *a* Kap 12,7 **10,28** *a* Ps 9,19 *b* Hiob 8,13
10,29 *a* Kap 3,26 **10,30** *a* Kap 2,22

31 [a]Aus dem Munde des Gerechten
sprießt Weisheit; aber die falsche Zunge
wird ausgerottet.
32 Die Lippen der Gerechten wissen, was
wohlgefällt; aber der Mund des Frevlers
weiß Dinge zu verdrehen.

11 Falsche Waage ist dem HERRN ein
Gräuel; aber [a]ein volles Gewicht ist
sein Wohlgefallen.
2 Wo [a]Hochmut ist, da ist auch Schande;
aber Weisheit ist bei den Demütigen.
3 Ihre Unschuld wird die Aufrechten lei-
ten; aber ihre Falschheit wird die Veräch-
ter verderben.
4 [a]Reichtum hilft nicht am Tage des
Zorns; aber [b]Gerechtigkeit errettet vom
Tode.
5 Die Gerechtigkeit des Aufrechten
macht seinen Weg eben; aber der Frevler
kommt durch seinen Frevel zu Fall.
6 Die Gerechtigkeit der Frommen wird
sie erretten; aber die Verächter werden ge-
fangen durch ihre Gier.
7 Wenn [a]der gottlose Mensch stirbt, ist
seine Hoffnung verloren, und das Harren
auf Reichtümer wird zunichte.
8 Der Gerechte wird aus der Not erlöst,
und der Gottlose kommt an seine Statt.
9 Durch den Mund des Gottesveräch-
ters wird sein Nächster verderbt; aber die
Gerechten werden durch Erkenntnis er-
rettet.
10 Eine Stadt freut sich, wenn's den Ge-
rechten wohlgeht, und wenn die Frevler
umkommen, wird man froh.
11 Durch den Segen der Aufrechten steigt
eine Stadt auf; aber durch den Mund der
Frevler wird sie niedergerissen.[a]
12 Wer [a]seinen Nächsten schmäht, ist ein
Tor; aber ein verständiger Mann schweigt
stille.
13 Ein Verleumder verrät, was er heim-
lich weiß; aber wer getreuen Herzens ist,
verbirgt es.
14 Wo nicht weiser Rat ist, da geht das
Volk unter; wo aber viele Ratgeber sind,
findet sich Hilfe.
15 Wer für einen andern [a]bürgt, der wird
Schaden haben; wer aber sich hütet, Bürge
zu sein, geht sicher.
16 Eine holdselige Frau erlangt Ehre;*
aber die Tyrannen erlangen Reichtum.
17 Ein barmherziger Mann nützt auch
sich selber; aber ein herzloser schneidet
sich ins eigene Fleisch.
18 Der Frevler Arbeit bringt trügerischen
Gewinn; aber wer Gerechtigkeit sät, hat
sicheren Lohn.
19 Gerechtigkeit [a]führt zum Leben; aber
dem Bösen nachjagen führt zum Tode.
20 Falsche Herzen sind dem HERRN ein
Gräuel; aber Wohlgefallen hat er an den
Frommen.
21 Die Hand darauf: Der Böse bleibt nicht
ungestraft; aber der Gerechten Geschlecht
wird errettet werden.
22 Eine schöne Frau ohne Zucht ist wie
eine Sau mit einem goldenen Ring durch
die Nase.[a]
23 Der Gerechten Wunsch führt zu lau-
ter Gutem; aber der Gottlosen Hoffen
führt zum Tage des Zorns.
24 [a]Einer teilt reichlich aus und hat im-
mer mehr; ein andrer kargt, wo er nicht
soll, und wird doch ärmer.
25 Wer reichlich gibt, wird gelabt, und
wer reichlich tränkt, der wird auch ge-
tränkt werden.
26 Wer Korn zurückhält, dem fluchen die
Leute; aber Segen kommt über den, der es
verkauft.
27 Wer da Gutes sucht, trachtet nach
Wohlgefallen; wer aber das Böse sucht,
dem wird's begegnen.
28 Wer sich auf seinen Reichtum verlässt,
der wird untergehen; aber die Gerechten
werden grünen wie das Laub.[a]
29 Wer sein eigenes Haus in Verruf
bringt, wird Wind erben, und ein Tor
muss des Weisen Knecht werden.
30 Die Frucht der Gerechtigkeit ist [a]ein
Baum des Lebens; und ein Weiser nimmt
sich der Leute herzlich an.
31 Siehe, dem Gerechten wird vergolten
auf Erden, wie viel mehr dem Gottlosen
und Sünder![a]

* **11,16** Die griechische Übersetzung ergänzt: »aber eine Schande ist eine Frau, die Redlichkeit hasst. Den Faulen wird es mangeln an Hab und Gut, die Fleißigen aber erlangen Reichtum.«

10,31 ***a*** Ps 37,30 **11,1** ***a*** 3. Mose 19,35-36 **11,2** ***a*** Kap 16,18
11,4 ***a*** Lk 12,20 ***b*** Kap 10,2 **11,7** ***a*** Kap 10,28
11,11 ***a*** Kap 28,12 **11,12** ***a*** Ps 15,3 **11,15** ***a*** Kap 6,1-2
11,19 ***a*** Kap 19,23 **11,22** ***a*** Kap 31,30
11,24 ***a*** (24-25) Mt 25,29; 2. Kor 9,6 **11,28** ***a*** Ps 52,9-10
11,30 ***a*** Kap 3,18 **11,31** ***a*** 1. Petr 4,17-18

12 Wer [a]Zucht liebt, der wird klug; aber
wer [b]Zurechtweisung hasst, der bleibt
ein Narr.
2 Wer fromm ist, der erlangt Wohlge-
fallen vom HERRN; aber den Heimtücki-
schen verdammt er.
3 Durch Frevel kann der Mensch nicht
bestehen; aber die Wurzel der Gerechten
wird bleiben.
4 Eine [a]tüchtige Frau ist ihres Mannes
Krone; aber eine schandbare ist wie Eiter
in seinem Gebein.
5 Die Gedanken der Gerechten sind red-
lich; aber was die Frevler planen, ist lauter
Trug.
6 Der Frevler Reden richten Blutvergie-
ßen an; aber die Aufrechten errettet ihr
Mund.
7 Die Frevler werden gestürzt und nicht
mehr sein; aber das Haus der Gerechten
bleibt stehen.[a]
8 Ein Mann wird gelobt nach seiner Klug-
heit; aber wer verschrobenen Sinnes ist,
wird verachtet.
9 Wer gering geachtet ist, aber einen
Knecht hat, ist besser als einer, der groß
sein will und an Brot Mangel hat.
10 **Der Gerechte [a]erbarmt sich seines
Viehs; aber das Herz der Frevler ist un-
barmherzig.**
11 Wer seinen Acker bebaut, wird Brot
die Fülle haben; wer aber nichtigen Din-
gen nachgeht, ist ein Tor.[a]
12 Des Frevlers Lust ist, Schaden zu
tun; aber die Wurzel der Gerechten wird
Frucht bringen.
13 Der Böse wird gefangen in seinen
eigenen falschen Worten; aber der Ge-
rechte entgeht der Not.
14 [a]Viel Gutes bekommt ein Mann durch
die Frucht seines Mundes; und dem Men-
schen wird vergolten nach den Taten sei-
ner Hände.
15 Den Toren dünkt sein Weg recht; aber
wer auf Rat hört, der ist weise.
16 Ein Tor zeigt seinen Zorn alsbald; aber
wer Schmähung überhört, der ist klug.
17 Wer wahrhaftig ist, der sagt offen, was
recht ist; aber ein falscher Zeuge betrügt.
18 Wer unvorsichtig herausfährt mit
Worten, sticht wie ein Schwert; aber die
Zunge der Weisen bringt Heilung.[a]
19 Wahrhaftiger Mund besteht immer-
dar; aber die falsche Zunge besteht nicht
lange.
20 Die Böses planen, haben Trug im Her-
zen; aber die zum Frieden raten, haben
Freude.
21 Es wird dem Gerechten kein Leid ge-
schehen; aber die Frevler werden voll Un-
glücks sein.
22 Lügenmäuler sind dem HERRN ein
Gräuel; die aber treulich handeln, gefal-
len ihm.
23 Ein verständiger Mann trägt seine
Klugheit nicht zur Schau; aber das Herz
des Toren schreit seine Torheit hinaus.
24 Die fleißige Hand wird herrschen; die
aber lässig ist, muss Frondienst leisten.
25 Sorge im Herzen bedrückt den Men-
schen; aber [a]ein freundliches Wort erfreut
ihn.
26 Der Gerechte findet seine Weide; aber
die Frevler führt ihr Weg in die Irre.
27 Ein Lässiger erjagt kein Wild; aber ein
fleißiger Mensch wird reich.
28 Auf dem Wege der Gerechtigkeit ist
Leben; aber böser Weg führt zum Tode.

13 Die [a]Unterweisung des Vaters macht
den Sohn weise; aber ein Spötter hört
selbst auf Drohen nicht.
2 Die Frucht seiner Worte genießt der
Fromme; aber die Verächter sind gierig
nach Frevel.
3 Wer seine Zunge hütet, bewahrt sein
Leben; wer aber mit seinem Maul heraus-
fährt, über den kommt Verderben.[a]
4 Der Faule begehrt und kriegt's doch
nicht; aber die Fleißigen kriegen genug.
5 Der Gerechte ist der Lüge feind; aber
der Frevler handelt schimpflich und
schändlich.
6 Die Gerechtigkeit behütet den Un-
schuldigen; aber die Gottlosigkeit bringt
den Sünder zu Fall.
7 Mancher stellt sich reich und hat nichts,
und mancher stellt sich arm und hat gro-
ßes Gut.* [a]

* **13,7** Luther übersetzte: »Mancher ist arm bei großem Gut, und mancher ist reich bei seiner Armut.«

12,1 ***a*** Kap 13,1 ***b*** Kap 13,18 **12,4** ***a*** Kap 31,10-31 **12,7** ***a*** Kap 10,25 **12,10** ***a*** 2. Mose 23,5 **12,11** ***a*** Kap 28,19 **12,14** ***a*** Kap 18,20 **12,18** ***a*** Kap 13,3 **12,25** ***a*** Kap 16,24 **13,1** ***a*** Kap 1,8; 12,1 **13,3** ***a*** Kap 12,18; 21,23 **13,7** ***a*** Offb 2,9; 3,17

8 Mit Reichtum muss mancher sein Le-
ben erkaufen; aber ein Armer bekommt
keine Drohung zu hören.
9 Das Licht der Gerechten brennt fröh-
lich; aber [a]die Leuchte der Frevler wird
verlöschen.
**10 Unter den Übermütigen ist immer
Streit; aber [a]Weisheit ist bei denen, die
sich raten lassen.**
11 Hastig errafftes Gut zerrinnt; wer aber
ruhig sammelt, bekommt immer mehr.
12 Hoffnung, die sich verzögert, ängstet
das Herz; wenn aber kommt, was man be-
gehrt, das ist ein Baum des Lebens.
13 Wer das Wort verachtet, muss dafür
büßen; wer aber das Gebot fürchtet, dem
wird es gelohnt.
14 Die Lehre des Weisen ist eine Quelle
des Lebens, zu meiden die Stricke des
Todes.
15 Rechte Einsicht schafft Gunst; aber der
Verächter Weg bringt Verderben.
16 Ein Kluger tut alles mit Vernunft; ein
Tor aber stellt Narrheit zur Schau.
17 Ein gottloser Bote bringt ins Unglück;
aber ein getreuer Bote bringt Hilfe.
18 Wer Zucht missachtet, hat Armut und
Schande; wer sich gern zurechtweisen
lässt, wird zu Ehren kommen.
19 Wenn kommt, was man begehrt, tut
es dem Herzen wohl; aber das Böse mei-
den ist den Toren ein Gräuel.
20 Wer mit den Weisen umgeht, der wird
weise; wer aber der Toren Geselle ist, der
wird Unglück haben.
21 Unheil verfolgt die Sünder; aber den
Gerechten wird mit Gutem vergolten.
22 Der Gute wird vererben auf Kindes-
kind; aber [a]des Sünders Habe wird gespart
für den Gerechten.
23 Es ist viel Speise in den Furchen der
Armen; aber wo kein Recht ist, da ist Ver-
derben.
24 Wer [a]seine Rute schont, der hasst sei-
nen Sohn; wer ihn aber lieb hat, der züch-
tigt ihn beizeiten.
25 Der Gerechte kann essen, bis er satt ist;
der Bauch der Frevler aber leidet Mangel.

14 Die Weisheit der Frauen baut ihr Haus;
aber ihre Torheit reißt's nieder mit
eigenen Händen.
2 Wer den HERRN fürchtet, der wandelt
auf rechter Bahn; wer ihn aber verachtet,
der geht auf Abwegen.
3 In des Toren Mund ist die Rute für sei-
nen Hochmut; aber die Weisen bewahrt
ihr Mund.
4 Wo keine Rinder sind, da ist die Krippe
leer; aber die Kraft des Ochsen bringt rei-
chen Ertrag.
5 Ein treuer Zeuge lügt nicht; aber ein
falscher Zeuge redet frech Lügen.[a]
6 Der Spötter sucht Weisheit und findet
sie nicht; aber dem Verständigen ist die
Erkenntnis leicht.
7 Geh weg von dem Toren, denn du
lernst nichts von ihm.
8 Das ist des Klugen Weisheit, dass er
achtgibt auf seinen Weg; aber der Toren
Torheit ist lauter Trug.
9 Die Narren treiben Gespött mit der
Schuld; unter Aufrechten aber herrscht
Wohlgefallen.
10 Das Herz allein kennt sein Leid, und
[a]auch in seine Freude kann sich kein Frem-
der mengen.
11 Das Haus der Frevler wird vertilgt;
aber [a]die Hütte der Aufrechten wird
grünen.
12 Manchem scheint ein Weg recht; aber
zuletzt bringt er ihn zum Tode.
13 Auch beim Lachen kann das Herz trau-
ern, und nach der Freude kommt Leid.
14 Einem gottlosen Menschen wird's ge-
hen, wie er wandelt, und auch einem gu-
ten nach seinen Taten.
15 Ein Unverständiger glaubt noch alles;
aber ein Kluger gibt acht auf seinen Gang.
16 Ein Weiser scheut sich und meidet
das Böse; ein Tor aber fährt trotzig hin-
durch.
17 Ein Jähzorniger handelt töricht; aber
ein Ränkeschmied wird gehasst.
18 Die Unverständigen erben Torheit;
aber Erkenntnis ist der Klugen Krone.
19 Die Bösen müssen sich bücken vor den
Guten und die Frevler an den Toren der
Gerechten.
20 Der [a]Arme ist verhasst auch seinem
Nächsten; aber die Reichen haben viele
Freunde.

13,9 *a* Hiob 18,5-6 **13,10** *a* Kap 1,5 **13,22** *a* Kap 28,8; Hiob 27,13-17; Pred 2,26 **13,24** *a* Kap 22,15
14,5 *a* 2. Mose 20,16; 23,1 **14,10** *a* Röm 12,15
14,11 *a* Kap 12,7 **14,20** *a* Kap 19,4.7

21 Wer seinen Nächsten verachtet, versündigt sich; aber [a]wohl dem, der sich der Elenden erbarmt!

22 Die nach Bösem trachten, werden in die Irre gehen; die aber auf Gutes bedacht sind, werden Güte und Treue erfahren.

23 Wo man arbeitet, da ist Gewinn; wo man aber nur mit Worten umgeht, da ist Mangel.

24 Den Weisen ist ihr Reichtum eine Krone; aber die Narrheit der Toren bleibt Narrheit.

25 Ein wahrhaftiger Zeuge rettet manchem das Leben; aber wer Lügen ausspricht, übt Verrat.

26 Wer den HERRN fürchtet, hat [a]eine sichere Festung, und auch seine Kinder werden beschirmt.

27 Die Furcht des HERRN ist eine Quelle des Lebens, dass man meide die Stricke des Todes.

28 Wenn ein König viel Volk hat, das ist seine Herrlichkeit; wenn aber wenig Volk da ist, das bringt einen Fürsten ins Verderben.

29 [a]Wer geduldig ist, der ist weise; wer aber ungeduldig ist, offenbart seine Torheit.

30 Ein gelassenes Herz ist des Leibes Leben; aber Eifersucht ist Eiter in den Gebeinen.

31 **Wer dem Geringen Gewalt tut, lästert dessen Schöpfer; aber wer sich des Armen erbarmt, der ehrt Gott.**[a]

32 Der Gottlose besteht nicht in seinem Unglück; aber der Gerechte ist auch in seinem Tode getrost.

33 Im Herzen des Verständigen ruht Weisheit, und inmitten der Toren wird sie offenbar.

34 **Gerechtigkeit erhöht ein Volk; aber die Sünde ist der Leute Verderben.**

35 Ein [a]kluger Knecht gefällt dem König, aber einen schändlichen trifft sein Zorn.

15 Eine [a]linde Antwort stillt den Zorn; aber [b]ein hartes Wort erregt Grimm.

2 Der Weisen Zunge bringt gute Erkenntnis; aber der Toren Mund speit nur Torheit.

3 [a]Die Augen des HERRN sind an allen Orten, sie schauen auf Böse und Gute.

4 Eine heilsame Zunge ist ein Baum des Lebens; aber eine lügenhafte bringt Herzeleid.

5 Der Tor verschmäht die Zucht seines Vaters; wer aber Zurechtweisung annimmt, ist klug.

6 In des Gerechten Haus ist großes Gut; aber in des Gottlosen Gewinn steckt Verderben.

7 Der Weisen Mund streut guten Rat; aber der Toren Herz ist nicht recht.

8 Der Gottlosen [a]Opfer ist dem HERRN ein Gräuel; aber das [b]Gebet der Frommen ist ihm wohlgefällig.

9 Des Gottlosen Weg ist dem HERRN ein Gräuel; wer aber der Gerechtigkeit nachjagt, den liebt er.

10 Den Weg verlassen bringt böse Züchtigung, und wer Zurechtweisung hasst, der muss sterben.

11 [a]Unterwelt und Abgrund liegen offen vor dem HERRN, wie viel mehr [b]die Herzen der Menschen!

12 Der Spötter liebt den nicht, der ihn zurechtweist, und geht nicht hin zu den Weisen.

13 Ein fröhliches Herz macht ein fröhliches Angesicht; aber wenn das Herz bekümmert ist, entfällt auch der Mut.

14 Des Klugen Herz sucht Erkenntnis; aber der Toren Mund geht mit Torheit um.

15 Ein Betrübter hat nie einen guten Tag; aber ein guter Mut ist ein tägliches Fest.[a]

16 Besser [a]wenig mit der Furcht des HERRN als ein großer Schatz, bei dem Unruhe ist.

17 Besser ein Gericht Kraut mit Liebe als ein gemästeter Ochse mit Hass.[a]

18 Ein zorniger Mann richtet Zank an; ein Geduldiger aber stillt den Streit.

19 [a]Der Weg des Faulen ist wie eine Dornenhecke; aber der Weg der Aufrechten ist wohlgebahnt.

20 Ein weiser Sohn erfreut den Vater; aber ein törichter Mensch verachtet seine Mutter.[a]

14,21 *a* Ps 41,2 **14,26** *a* Kap 18,10 **14,29** *a* Kap 16,32; 19,11 **14,31** *a* Kap 17,5; Hiob 31,13-15; Mt 25,40 **14,35** *a* 1. Mose 41,37-40 **15,1** *a* Kap 25,15 *b* 1. Kön 12,13-16 **15,3** *a* 2. Chr 16,9 **15,8** *a* Kap 21,27; Jes 1,11.15 *b* Kap 28,9; Lk 18,9-14 **15,11** *a* Hiob 26,6; Ps 139,8; Offb 9,1.11 *b* Jer 17,10 **15,15** *a* Kap 17,22 **15,16** *a* Kap 16,8; Ps 37,16 **15,17** *a* Kap 17,1 **15,19** *a* Kap 24,30-31 **15,20** *a* Kap 10,1

21 Dem Toren ist die Torheit eine Freude; aber ein verständiger Mann bleibt auf dem rechten Wege.

22 Die Pläne werden zunichte, wo man nicht miteinander berät; [a]wo aber viele Ratgeber sind, gelingen sie.

23 Es ist einem Mann eine Freude, wenn er richtig antwortet, und wie wohl tut ein Wort zur rechten Zeit!

24 Der Weg des Lebens führt den Klugen aufwärts, dass er meide die Tiefen des Todes.

25 Der HERR wird das Haus der Hoffärtigen einreißen und die Grenze der Witwe schützen.

26 Die Anschläge des Argen sind dem HERRN ein Gräuel; aber rein sind vor ihm freundliche Reden.

27 Wer [a]unrechtem Gewinn nachgeht, zerstört sein Haus; wer aber Bestechung hasst, der wird leben.

28 Das Herz des Gerechten bedenkt, was zu antworten ist; aber der Mund der Frevler schäumt Böses.

29 Der HERR ist ferne von den Frevlern; aber [a]der Gerechten Gebet erhört er.

30 Ein freundliches Antlitz erfreut das Herz; eine gute Botschaft labt das Gebein.

31 Das Ohr, das da hört auf heilsame Weisung, wird unter den Weisen wohnen.

32 Wer Zucht verwirft, der macht sich selbst zunichte; wer sich aber etwas sagen lässt, der wird klug.

33 Die Furcht des HERRN ist Zucht, die zur Weisheit führt, und [a]ehe man zu Ehren kommt, muss man Demut lernen.

16 Der Mensch setzt sich's wohl vor im Herzen; aber vom HERRN kommt, was die Zunge reden wird.

2 Einen jeglichen dünken seine Wege rein; aber der HERR prüft die Geister.

3 Befiehl dem HERRN deine Werke, so wird dein Vorhaben gelingen.[a]

4 Der HERR macht alles zu seinem Zweck, [a]auch den Frevler für den bösen Tag.

5 Ein stolzes Herz ist dem HERRN ein Gräuel und wird gewiss nicht ungestraft bleiben.

6 Durch Güte und Treue wird Missetat gesühnt, und durch die Furcht des HERRN meidet man das Böse.

7 Wenn eines Menschen Wege dem HERRN wohlgefallen, so [a]lässt er auch seine Feinde mit ihm Frieden machen.

8 Besser [a]wenig mit Gerechtigkeit als viel Einkommen mit Unrecht.

9 **Des Menschen Herz erdenkt sich seinen Weg; aber der HERR allein lenkt seinen Schritt.**[a]

10 Weissagung ist in dem Munde des Königs; sein Mund spricht nicht fehl im Gericht.

11 Waage und rechte Waagschalen sind vom HERRN; und alle Gewichte im Beutel sind sein Werk.[a]

12 Den Königen ist Unrecht tun ein Gräuel; denn [a]durch Gerechtigkeit wird der Thron befestigt.

13 Rechte Worte gefallen den Königen; und wer aufrichtig redet, wird geliebt.

14 [a]Des Königs Grimm ist ein Bote des Todes; aber ein weiser Mann wird ihn versöhnen.

15 Wenn des Königs Angesicht freundlich ist, das ist Leben, und seine Gnade ist wie ein Spätregen.

16 Weisheit erwerben ist besser als Gold und Einsicht erwerben edler als Silber.

17 Der Frommen Weg meidet das Arge; und wer auf seinen Weg achtet, bewahrt sein Leben.

18 [a]**Wer zugrunde gehen soll, der wird zuvor stolz; und Hochmut kommt vor dem Fall.**

19 Besser niedrig sein mit den Demütigen als Beute austeilen mit den Hoffärtigen.

20 Wer auf das Wort merkt, der findet Glück; und wohl dem, der sich auf den HERRN verlässt!

21 Ein Verständiger wird gerühmt als ein weiser Mann, und liebliche Rede mehrt die Einsicht.

22 Klugheit ist ein Brunnen des Lebens dem, der sie hat; aber die Strafe der Toren ist ihre Torheit.

23 Des Weisen Herz redet klug und mehrt auf seinen Lippen die Lehre.

15,22 *a* Kap 11,14 **15,27** *a* Ps 15,5 **15,29** *a* Vers 8; Joh 9,31 **15,33** *a* Kap 18,12; 22,4 **16,3** *a* Ps 37,5 **16,4** *a* Röm 9,22 **16,7** *a* 1. Mose 31,24; 33,4 **16,8** *a* Kap 15,16 **16,9** *a* Kap 19,21; Jer 10,23 **16,11** *a* Kap 11,1 **16,12** *a* Kap 20,28; 25,5; 29,14 **16,14** *a* (14-15) Kap 19,12; 20,2 **16,18** *a* Kap 18,12

24 [a]Freundliche Reden sind Honigseim,
süß für die Seele und heilsam für die
Glieder.
25 Manchem scheint ein Weg recht; aber
zuletzt bringt er ihn zum Tode.
26 Der Hunger des Arbeiters arbeitet für
ihn; denn sein Mund treibt ihn an.
27 Ein heilloser Mensch gräbt nach Un-
heil, und auf seinen Lippen ist's wie bren-
nendes Feuer.
28 Ein falscher Mensch richtet Zank an,
und ein Verleumder macht Freunde un-
eins.
29 Ein Frevler verlockt seinen Nächsten
und führt ihn auf keinen guten Weg.
30 Wer mit den Augen winkt, denkt
nichts Gutes; und wer mit den Lippen an-
deutet, vollbringt Böses.
31 [a]Graue Haare sind eine Krone der
Ehre; auf dem Weg der Gerechtigkeit wird
sie gefunden.
32 Ein [a]Geduldiger ist besser als ein
Starker und wer sich selbst beherrscht,
besser als einer, der Städte einnimmt.
33 Der Mensch wirft das Los; aber es fällt,
wie der HERR will.

17 Besser ein trockner Bissen mit Frieden
als ein Haus voll Geschlachtetem mit
Streit.[a]
2 Ein kluger Knecht wird herrschen über
einen schandbaren Sohn und wird mit den
Brüdern das Erbe teilen.
3 Wie der Tiegel das Silber und der Ofen
das Gold, so prüft der HERR die Herzen.[a]
4 Ein Böser achtet auf böse Mäuler, und
ein Falscher hört gern auf schändliche
Zungen.
5 Wer [a]den Armen verspottet, verhöhnt
dessen Schöpfer; und wer sich über eines
andern Unglück freut, wird nicht unge-
straft bleiben.
6 Der Alten Krone sind Kindeskinder,
und der Kinder Ehre sind ihre Väter.
7 Es steht einem Toren nicht wohl an,
von hohen Dingen zu reden, viel weniger
einem Edlen, dass er mit Lügen umgeht.
8 Ein Geschenk ist ein Zauberstein dem,
der es gibt; wohin er sich kehrt, hat er Er-
folg.
9 Wer Verfehlung zudeckt, stiftet
Freundschaft; wer aber eine Sache auf-
rührt, der macht Freunde uneins.
10 Ein Scheltwort dringt tiefer bei dem
Verständigen als hundert Schläge bei dem
Toren.
11 Ein böser Mensch trachtet stets zu
widersprechen; aber ein grausamer Bote
wird über ihn kommen.
12 Besser einer Bärin begegnen, der die
Jungen geraubt sind, als einem Toren in
seiner Torheit.
13 Wer Gutes mit Bösem vergilt, von
dessen Haus wird das Böse nicht weichen.
14 Wer Streit anfängt, gleicht dem, der
dem Wasser den Damm aufreißt. Lass ab
vom Streit, ehe er losbricht!
15 Wer [a]den Schuldigen gerecht spricht
und den Gerechten schuldig, die sind
beide dem HERRN ein Gräuel.
16 Was soll dem Toren Geld in der Hand,
Weisheit zu kaufen, wo er doch ohne Ver-
stand ist?
17 Ein Freund liebt allezeit, und ein Bru-
der wird für die Not geboren.[a]
18 Ein Tor ist, wer in die Hand gelobt und
[a]Bürge wird für seinen Nächsten.
19 Wer Zank liebt, der liebt Sünde; und
wer seine Tür zu hoch macht, strebt nach
Einsturz.
20 Ein verkehrtes Herz findet nichts Gu-
tes; und wer falscher Zunge ist, wird in
Unglück fallen.
21 Wer einen Toren zeugt, muss sich
grämen, und eines Toren Vater hat keine
Freude.
22 Ein fröhliches Herz tut dem Leibe
wohl; aber ein betrübtes Gemüt lässt das
Gebein verdorren.[a]
23 Der Frevler nimmt gern heimlich
Geschenke, zu beugen den Weg des
Rechts.[a]
24 Ein Verständiger hat die Weisheit vor
Augen; aber [a]die Augen des Toren schwei-
fen bis ans Ende der Welt.
25 Ein törichter Sohn ist seines Vaters
Verdruss und ein Gram für die Mutter, die
ihn geboren hat.
26 Es ist nicht gut, dass man den Gerech-
ten schindet oder den Edlen schlägt, der
recht handelt.

16,24 *a* Kap 12,25 **16,31** *a* Kap 20,29 **16,32** *a* Kap 14,29
17,1 *a* Kap 15,17 **17,3** *a* Ps 66,10 **17,5** *a* Kap 14,31
17,15 *a* Jes 5,23 **17,17** *a* Kap 18,24 **17,18** *a* Kap 6,1-5
17,22 *a* Kap 15,13.15 **17,23** *a* 2. Mose 23,8
17,24 *a* Kap 4,25

27 Ein Vernünftiger mäßigt seine Rede,
und ein verständiger Mann wird nicht
hitzig.[a]
28 Auch [a]ein Tor, wenn er schwiege,
würde für weise gehalten und für verstän-
dig, wenn er den Mund hielte.

18 Wer sich absondert, der sucht, was ihn
gelüstet, und widersetzt sich allem,
was gut ist.
2 Ein Tor hat nicht Gefallen an Einsicht,
sondern will kundtun, was in seinem
Herzen steckt.
3 Wohin ein Frevler kommt, kommt
auch Verachtung; und wo Schande ist, da
ist Hohn.
4 Die Worte in eines Mannes Munde
sind wie tiefe Wasser, und die Quelle der
Weisheit ist ein sprudelnder Bach.
5 Es ist nicht gut, die Person des Frevlers
zu achten, zu beugen den Gerechten im
Gericht.[a]
6 Die Lippen des Toren bringen Zank,
und sein Mund ruft nach Schlägen.
7 Der Mund des Toren bringt ihn ins Ver-
derben, und seine Lippen bringen ihn zu
Fall.
8 Die Worte des Verleumders sind wie
Leckerbissen und gehen einem glatt ein.[a]
9 Wer [a]lässig ist in seiner Arbeit, der ist
ein Bruder des Verderbers.
10 **Der Name des HERRN ist [a]eine feste**
Burg; der Gerechte läuft dorthin und
wird beschirmt.
11 [a]Des Reichen Habe ist ihm wie eine
feste Stadt und dünkt ihn eine hohe
Mauer.
12 [a]Vor dem Sturz ist das Herz eines Man-
nes stolz; und ehe man zu Ehren kommt,
muss man demütig sein.
13 Wer antwortet, ehe er hört, dem ist's
Torheit und Schande.
14 Wer ein mutiges Herz hat, weiß sich
auch im Leiden zu halten; wenn aber
der Mut darniederliegt, wer kann's
tragen?
15 Ein verständiges Herz erwirbt Ein-
sicht, und das Ohr der Weisen sucht Er-
kenntnis.
16 Das [a]Geschenk des Menschen schafft
ihm Raum und bringt ihn vor die großen
Herren.
17 Ein jeder hat zuerst in seiner Sache
recht; kommt aber der andere zu Wort,
so findet sich's.
18 Das Los schlichtet den Streit und
scheidet zwischen den Mächtigen.
19 Ein gekränkter Bruder ist abweisender
als eine feste Stadt, und Streitigkeiten sind
hart wie der Riegel einer Burg.
20 Von der [a]Frucht seines Mundes nährt
sich der Leib des Mannes, und er wird ge-
sättigt mit dem, was seine Lippen ihm
einbringen.
21 [a]Tod und Leben stehen in der Zunge
Gewalt; wer sie liebt, wird von ihrer
Frucht essen.
22 Wer [a]eine Frau gefunden hat, der hat
etwas Gutes gefunden und Wohlgefallen
erlangt vom HERRN.
23 Ein Armer redet mit Flehen, aber ein
Reicher antwortet hart.
24 Es gibt Allernächste, die bringen ins
Verderben, und es gibt Freunde, die han-
gen fester an als ein Bruder.[a]

19 Ein Armer, der in Unschuld wandelt,
ist besser als ein Lügner, der doch ein
Narr ist.[a]
2 Wo man nicht mit Vernunft handelt, da
geht es nicht gut zu; und wer hastig läuft,
der tritt fehl.
3 Des Menschen Torheit führt ihn in die
Irre, und doch tobt sein Herz wider den
HERRN.[a]
4 [a]Reichtum macht viel Freunde; aber der
Arme wird von seinem Freund verlassen.
5 Ein [a]falscher Zeuge bleibt nicht unge-
straft; und wer frech Lügen redet, wird
nicht entrinnen.
6 Viele schmeicheln dem Vornehmen;
und wer Geschenke gibt, hat jeden zum
Freund.
7 Den Armen hassen alle seine Brüder;
wie viel mehr halten sich seine Freunde
von ihm fern!
8 Wer Klugheit erwirbt, liebt sein Leben;
und der Verständige findet Gutes.
9 Ein falscher Zeuge bleibt nicht unge-

17,27 *a* Kap 10,19; Jak 1,19 **17,28** *a* Hiob 13,5
18,5 *a* 5. Mose 1,17 **18,8** *a* Kap 26,22 **18,9** *a* Kap 10,4
18,10 *a* Kap 14,26; Ps 61,4 **18,11** *a* Kap 10,15
18,12 *a* Kap 16,18 **18,16** *a* 1. Mose 43,11
18,20 *a* Kap 12,14 **18,21** *a* Kap 13,3 **18,22** *a* Kap 19,14; 31,10 **18,24** *a* Kap 17,17 **19,1** *a* Kap 28,6 **19,3** *a* Klgl 3,39
19,4 *a* Kap 14,20 **19,5** *a* Kap 21,28; 5. Mose 19,18-21

straft; und wer frech Lügen redet, wird
umkommen.
10 Dem Toren steht nicht an, gute Tage
zu haben, viel weniger einem Knecht, zu
herrschen über Fürsten.
11 Klugheit macht den Mann langsam
zum Zorn, und es ist ihm eine Ehre, dass
er Verfehlung übersehen kann.[a]
12 Die Ungnade des Königs ist wie das
Brüllen eines Löwen; aber seine Gnade
ist wie Tau auf dem Grase.[a]
13 Ein törichter Sohn ist seines Vaters
Herzeleid, und [a]eine zänkische Frau wie
ein stetig tropfendes Dach.
14 Haus und Habe vererben die Eltern;
aber [a]eine verständige Frau kommt vom
HERRN.
15 Faulheit macht schläfrig, und ein Läs-
siger wird Hunger leiden.
16 Wer das Gebot bewahrt, der bewahrt
sein Leben; [a]wer aber auf seinen Weg
nicht achtet, wird sterben.
**17 Wer sich des Armen erbarmt, der
leiht dem HERRN, und der wird ihm
vergelten, was er Gutes getan hat.**[a]
18 Züchtige deinen Sohn, solange Hoff-
nung da ist, aber [a]lass dich nicht hinrei-
ßen, ihn zu töten.
19 Großer Grimm muss Strafe leiden;
denn willst du ihm steuern, so wird er
noch größer.
20 Höre auf Rat und nimm Zucht an, dass
du hernach weise seist.
21 In eines Mannes Herzen sind viele
Pläne; aber zustande kommt der Rat-
schluss des HERRN.[a]
22 Der Mensch wünscht sich Güte, und
ein Armer ist besser als ein Lügner.
23 Die Furcht des HERRN führt zum
Leben; man wird satt werden und si-
cher schlafen, von keinem Übel heimge-
sucht.
24 Der Faule steckt seine Hand in die
Schüssel und bringt sie nicht wieder zum
Munde.[a]
25 Schlägt man den Spötter, so wird der
Unverständige vernünftig; weist man
den Verständigen zurecht, so gewinnt er
an Einsicht.[a]
26 Wer den Vater misshandelt und die
Mutter verjagt, der ist ein schandbarer und
verfluchter Sohn.
27 Lässt du ab, mein Sohn, auf Mahnung
zu hören, so irrst du ab von vernünftiger
Lehre.[a]
28 Ein nichtswürdiger Zeuge spottet des
Rechts, und [a]der Frevler Mund verbreitet
Unheil.
29 Den Spöttern sind Strafen bereitet
und [a]Schläge für den Rücken der Toren.

20 Der Wein macht Spötter, und starkes
Getränk macht wild; wer davon tau-
melt, wird niemals weise.[a]
2 Das [a]Drohen des Königs ist wie das
Brüllen eines Löwen; wer ihn erzürnt, der
sündigt wider das eigene Leben.
3 Eine Ehre ist es dem Mann, dem Streit
fernzubleiben; aber die gerne streiten,
sind allzumal Toren.
4 Im Herbst [a]will der Faule nicht pflügen;
so muss er in der Ernte betteln und kriegt
nichts.
5 Der Rat im Herzen eines Mannes ist
wie ein tiefes Wasser; aber ein Verständi-
ger kann es schöpfen.
6 Viele Menschen rühmen sich ihrer
Güte; aber wer findet einen, der zuverläs-
sig ist?
7 Ein Gerechter, der unsträflich wandelt,
[a]dessen Kindern wird's wohlgehen.
8 Ein König, der auf dem Richterstuhl
sitzt, sondert aus mit seinem Blick alles
Böse.[a]
9 Wer kann sagen: »Ich habe mein
Herz geläutert und [a]bin rein von meiner
Sünde«?
10 Zweierlei Gewicht und zweierlei Maß
ist beides dem HERRN ein Gräuel.
11 Schon einen Knaben erkennt man an
seinem Tun, ob er lauter und redlich wer-
den will.[a]
**12 Ein hörendes Ohr und ein sehendes
Auge, die macht beide der HERR.**
13 Liebe den Schlaf nicht, dass du nicht
arm wirst; lass deine Augen offen sein, so
wirst du Brot genug haben.
14 »Schlecht, schlecht!«, spricht man,

19,11 *a* Kap 14,29 **19,12** *a* Kap 16,14-15
19,13 *a* Kap 27,15-16 **19,14** *a* Kap 18,22 **19,16** *a* Kap 16,17
19,17 *a* Kap 14,31; Ps 41,2-4; Dan 4,24; Mt 5,7; 25,40;
2. Kor 9,6 **19,18** *a* 5. Mose 21,18-21 **19,21** *a* Kap 16,9
19,24 *a* Kap 26,15 **19,25** *a* Kap 21,11 **19,27** *a* Jak 1,22
19,28 *a* Kap 15,28 **19,29** *a* Kap 26,3 **20,1** *a* Kap 23,29-35;
31,5; Hos 4,11 **20,2** *a* Kap 16,14 **20,4** *a* Kap 6,6-11
20,7 *a* Ps 112,1-2 **20,8** *a* Ps 101,3 **20,9** *a* Kap 30,12;
Hiob 4,17; 9,2-3 **20,11** *a* Kap 22,6

wenn man kauft; aber wenn man weg-
geht, so rühmt man sich.
15 Es gibt Gold und viel Perlen; aber ein
Mund, der Vernünftiges redet, ist ein ed-
les Kleinod.
16 Nimm dem sein Kleid, der für einen
andern [a]Bürge wurde, und pfände ihn an-
stelle des Fremden!
17 Das [a]gestohlene Brot schmeckt dem
Manne gut; aber am Ende hat er den Mund
voller Kieselsteine.
18 Pläne kommen zum Ziel, wenn man
sich recht berät; und [a]Krieg soll man mit
Vernunft führen.
19 Wer Geheimnisse verrät, ist ein Ver-
leumder, und mit dem, der den Mund
nicht halten kann, lass dich nicht ein.
20 Wer seinem Vater und seiner Mutter
flucht, dessen Leuchte wird verlöschen in
der Finsternis.[a]
21 Das Erbe, nach dem man zuerst sehr
eilt*, wird zuletzt nicht gesegnet sein.
22 **Sprich nicht: [a]»Ich will Böses ver-**
gelten!« Harre des HERRN, der wird dir
helfen.
23 Zweierlei Gewicht ist dem HERRN ein
Gräuel, und eine falsche Waage ist nicht
gut.
24 Jedermanns Schritte bestimmt der
HERR. Welcher Mensch versteht seinen
Weg?
25 Es ist dem Menschen ein Fallstrick,
unbedacht Gelübde zu tun und erst nach
dem Geloben zu überlegen.
26 Ein weiser König sondert die Frevler
aus und lässt das Rad über sie gehen.
27 Eine Leuchte des HERRN ist [a]des Men-
schen Geist; er durchforscht alle Kam-
mern des Innern.
28 Gütig und treu sein behütet den
König, und [a]sein Thron besteht durch
Güte.
29 Der Jünglinge Ehre ist ihre Stärke, und
[a]graues Haar ist der Alten Schmuck.
30 Man muss dem Bösen wehren mit har-
ter Strafe und mit ernsten Schlägen, die
man fühlt.

21 Des Königs Herz ist in der Hand des
HERRN wie Wasserbäche; [a]er lenkt es,
wohin er will.
2 **Einen jeglichen dünkt sein Weg**
recht; aber der HERR prüft die Herzen.
3 Recht und Gerechtigkeit tun ist dem
HERRN lieber als Opfer.[a]
4 Hoffärtige Augen und stolzer Sinn, die
Leuchte der Gottlosen, ist Sünde.
5 Das Planen eines Emsigen bringt
Überfluss; wer aber hastet, dem wird's
mangeln.
6 Wer Schätze sammelt mit Lügen, der
ist ein flüchtiger Hauch unter denen, die
den Tod suchen.
7 Der Frevler Gewalt rafft sie selber
weg; denn sie wollen nicht tun, was recht
ist.
8 Wer mit Schuld beladen ist, geht
krumme Wege; wer aber rein ist, dessen
Tun ist gerade.
9 Besser im Winkel auf dem Dach woh-
nen als mit einer zänkischen Frau zusam-
men in einem Hause.
10 Die Seele des Frevlers gelüstet nach
Bösem und erbarmt sich nicht seines
Nächsten.
11 Wenn der Spötter gestraft wird, so
werden die Unverständigen weise, und
wenn man einen Weisen belehrt, so
nimmt er Erkenntnis an.[a]
12 Der Gerechte handelt weise an des
Frevlers Haus, er stürzt die Frevler ins
Verderben.
13 Wer seine Ohren verstopft vor dem
Schreien des Armen, der wird einst auch
rufen und nicht erhört werden.
14 Eine heimliche Gabe stillt den Zorn
und ein Geschenk im Verborgenen den
heftigen Grimm.[a]
15 Dem Gerechten ist es eine Freude, zu
tun, was recht ist, aber den Übeltätern ist
es ein Schrecken.
16 Ein Mensch, der vom Wege der Klug-
heit abirrt, wird weilen in der Schar der
Toten.
17 Wer gern in Freuden lebt, wird Mangel
haben; und [a]wer Wein und Salböl liebt,
wird nicht reich.
18 Der Frevler wird als Lösegeld gegeben

* **20,21** Andere Überlieferung: »das zu Anfang verachtet wurde«.

20,16 ***a*** Kap 6,1-2 **20,17** ***a*** Kap 9,17 **20,18** ***a*** Kap 24,6 **20,20** ***a*** Kap 30,17; 2. Mose 21,17 **20,22** ***a*** Kap 24,29; Röm 12,17 **20,27** ***a*** 1. Kor 2,11 **20,28** ***a*** Kap 16,12 **20,29** ***a*** Kap 16,31 **21,1** ***a*** Ps 33,15 **21,3** ***a*** 1. Sam 15,22; Hos 6,6 **21,11** ***a*** Kap 19,25 **21,14** ***a*** 1. Sam 25,18-35 **21,17** ***a*** Kap 23,21

für den Gerechten und der Verächter für die Frommen.

19 Besser in der Wüste wohnen als bei einem zänkischen und zornigen Weibe.

20 Im Hause des Weisen ist ein kostbarer Schatz an Öl; aber ein Tor vergeudet ihn.

21 **Wer der Gerechtigkeit und Güte nachjagt, der findet Leben, Gerechtigkeit und Ehre.**

22 Ein Weiser ersteigt die Stadt der Starken und stürzt ihre Macht, auf die sie sich verlässt.

23 Wer Mund und Zunge bewahrt, der bewahrt sein Leben vor Not.[a]

24 Wer stolz und vermessen ist, heißt ein Spötter; er treibt frechen Übermut.

25 Der [a]Faule stirbt über seinem Wünschen; denn seine Hände wollen nichts tun.

26 Den ganzen Tag begehrt die Gier; aber der Gerechte gibt und versagt nichts.

27 [a]Der Frevler Opfer ist ein Gräuel, wie viel mehr, wenn man's darbringt für eine Schandtat.

28 Ein [a]lügenhafter Zeuge wird umkommen; doch wer zu hören versteht, dessen Wort bleibt.

29 Der Gottlose macht ein freches Gesicht; aber wer fromm ist, macht seine Wege fest.

30 Keine Weisheit, kein Verstand, [a]kein Rat besteht vor dem HERRN.

31 [a]Rosse werden gerüstet zum Tage der Schlacht; aber der Sieg kommt vom HERRN.

22 Ein [a]guter Ruf ist köstlicher als großer Reichtum und Ansehen besser als Silber und Gold.

2 **Reiche und Arme begegnen einander; der HERR hat sie alle gemacht.**[a]

3 Der Kluge sieht das Unglück kommen und verbirgt sich; die Unverständigen laufen weiter und müssen büßen.[a]

4 Der Lohn der Demut und der Furcht des HERRN ist Reichtum, Ehre und Leben.[a]

5 Stacheln und Stricke sind auf dem Wege des Verkehrten; wer sich aber davon fernhält, bewahrt sein Leben.

6 Gewöhne einen Knaben an seinen Weg, so lässt er auch nicht davon, wenn er alt wird.[a]

7 Der Reiche herrscht über die Armen; und wer borgt, ist des Gläubigers Knecht.

8 Wer [a]Unrecht sät, der wird Unglück ernten, und die Rute seines Übermuts wird ein Ende haben.

9 Wer ein gütiges Auge hat, wird gesegnet; denn [a]er gibt von seinem Brot den Armen.

10 Treibe den Spötter hinaus, so geht der Zank weg, und Hader und Schmähung hören auf.[a]

11 Wer ein reines Herz und [a]liebliche Rede hat, dessen Freund ist der König.[b]

12 Die Augen des HERRN behüten die Erkenntnis; aber die Worte des Verächters bringt er zu Fall.

13 Der Faule spricht: [a]»Es ist ein Löwe draußen; ich könnte getötet werden auf der Gasse.«

14 [a]Der Mund fremder Frauen ist eine tiefe Grube; wem der HERR zürnt, der fällt hinein.

15 Torheit steckt dem Knaben im Herzen; aber [a]die Rute der Zucht treibt sie ihm aus.

16 [a]Wer dem Armen Unrecht tut, mehrt die Habe; wer dem Reichen gibt, schafft nur Mangel.

WORTE DER WEISEN

17 Neige dein Ohr und höre die [a]Worte
der Weisen und nimm zu Herzen meine
Lehre. 18 Denn lieblich ist's, wenn du sie
im Sinne behältst; lass sie miteinander
auf deinen Lippen bleiben. 19 Damit deine
Hoffnung sich gründe auf den HERRN,
erinnere ich daran heute gerade dich.
20 Hab ich dir nicht dreißig Sprüche* auf-
geschrieben als Rat und Erkenntnis, 21 um
dir kundzutun zuverlässige Worte der
Wahrheit, damit du rechte Antwort brin-
gen kannst denen, die dich senden?

22 [a]Beraube den Armen nicht, weil er arm ist, und unterdrücke den Elenden

* **22,20** Anspielung auf die ägyptische Weisheitslehre des Amenemope.

21,23 ***a*** Kap 13,3 **21,25** ***a*** Kap 13,4 **21,27** ***a*** Kap 15,8 **21,28** ***a*** Kap 19,5.9 **21,30** ***a*** Ps 33,10-11 **21,31** ***a*** Ps 33,17 **22,1** ***a*** Pred 7,1 **22,2** ***a*** Kap 29,13 **22,3** ***a*** Kap 27,12 **22,4** ***a*** Kap 15,33 **22,6** ***a*** Kap 20,11 **22,8** ***a*** Hiob 4,8 **22,9** ***a*** Kap 19,17 **22,10** ***a*** Kap 26,20 **22,11** ***a*** Kol 4,6 ***b*** Ps 101,6 **22,13** ***a*** Kap 26,13 **22,14** ***a*** Kap 5,3 **22,15** ***a*** Kap 13,24; 23,13-14; 29,17 **22,16** ***a*** Kap 14,31; 28,3 **22,17** ***a*** Kap 24,23 **22,22** ***a*** (22-23) 2. Mose 23,6

nicht im Tor; 23 denn der HERR wird ihre
Sache führen und wird denen, die sie be-
rauben, das Leben rauben.
24 Geselle dich nicht zum [a]Zornigen und
halt dich nicht zu einem wütenden Mann;
25 du könntest auf seinen Weg geraten und
dich selbst zu Fall bringen.
26 Sei nicht einer von denen, die mit
Handschlag haften und für Schulden
[a]Bürge werden; 27 denn wenn du nicht be-
zahlen kannst, so wird man dir dein Bett
unter dir wegnehmen.
28 [a]Verrücke nicht die uralten Grenzen,
die deine Väter gemacht haben.
29 Siehst du einen Mann, behände in sei-
nem Geschäft, der wird Königen dienen;
Unedlen wird er nicht dienen.

23 Wenn du zu Tische sitzt mit einem ho-
hen Herrn, so achte nur auf das, was
du vor dir hast, 2 und setze ein Messer an
deine Kehle, wenn du gierig bist; 3 wün-
sche dir nichts von seinen feinen Speisen;
denn es ist trügerisches Brot.
4 Bemühe dich nicht, reich zu werden; da
spare deine Klugheit![a] 5 Du richtest deine
Augen auf Reichtum, und er ist nicht mehr
da; denn er macht sich Flügel wie ein Ad-
ler und fliegt gen Himmel.
6 Iss nicht das Brot eines Missgünstigen
und wünsche dir von seinen feinen Spei-
sen nichts; 7 denn in seinem Herzen ist
er berechnend; er spricht zu dir: Iss und
trink!, und sein Herz ist doch nicht mit
dir. 8 Den Bissen, den du gegessen hast,
musst du ausspeien, und deine freund-
lichen Worte sind vergeudet.
9 Rede nicht vor des Unverständigen
Ohren; denn er verachtet die Klugheit
deiner Rede.
10 [a]Verrücke nicht uralte Grenzen und
vergreife dich nicht an dem Acker der
Waisen, 11 denn ihr Helfer ist mächtig; der
wird ihre Sache gegen dich führen.
12 Wende dein Herz hin zur Zucht und
deine Ohren zu vernünftiger Rede.
13 [a]Lass nicht ab, den Knaben zu züch-
tigen; denn wenn du ihn mit der Rute
schlägst, so wird er nicht sterben; 14 du
schlägst ihn mit der Rute, aber du erret-
test ihn vom Tode.
15 Mein Sohn, wenn dein Herz weise ist,
so freut sich auch mein Herz, 16 und meine
Seele* ist froh, wenn deine Lippen reden,
was recht ist.
17 Dein Herz sei nicht neidisch auf den
Sünder, sondern trachte täglich nach
der Furcht des HERRN; 18 denn das Ende
kommt noch und dann wird deine Hoff-
nung nicht zuschanden.
19 Höre, mein Sohn, und sei weise und
richte dein Herz auf den rechten Weg.
20 Sei nicht unter den Säufern und Schlem-
mern; 21 denn die [a]Säufer und Schlemmer
verarmen, und ein Schläfer muss zerris-
sene Kleider tragen.
22 Gehorche deinem Vater, der dich ge-
zeugt hat, und verachte deine Mutter
nicht, wenn sie alt wird.
23 Kaufe Wahrheit und verkaufe sie
nicht, die Weisheit, die Zucht und die
Einsicht.
24 [a]Der Vater eines Gerechten freut sich,
und wer einen Weisen gezeugt hat, ist
fröhlich über ihn. 25 Lass deinen Vater und
deine Mutter sich freuen, und fröhlich
sein, die dich geboren hat.
26 **Gib mir, mein Sohn, dein Herz und
lass deinen Augen meine Wege wohl-
gefallen.** 27 [a]Denn die Hure ist eine tiefe
Grube, und die fremde Frau ist ein enger
Brunnen. 28 Auch lauert sie wie ein Räuber
und mehrt die Treulosen unter den Men-
schen.
29 [a]Wer hat Weh? Wer hat Leid? Wer hat
Zank? Wer hat Klagen? Wer hat Wun-
den ohne Grund? Wer hat trübe Augen?
30 Die bis in die Nacht beim Wein sitzen
und kommen, gemischten Wein zu kos-
ten. 31 Sieh den Wein nicht an, wie er so
rot ist und im Glase so schön steht: Er geht
glatt ein, 32 aber danach beißt er wie eine
Schlange und sticht wie eine Otter. 33 Da
werden deine Augen seltsame Dinge se-
hen, und dein Herz wird Verkehrtes re-
den, 34 und du wirst sein wie einer, der
mitten im Meer schläft, und wie einer
schläft oben im Mastkorb. 35 »Sie schlugen
mich, aber es tat mir nicht weh; sie prügel-

* **23,16** Wörtlich: »Nieren«; siehe Sach- und Wort-
erklärungen zu »Nieren«.

22,24 *a* Kap 15,18 **22,26** *a* Kap 6,1 **22,28** *a* Kap 23,10;
5. Mose 27,17 **23,4** *a* Kap 28,22 **23,10** *a* Kap 22,28
23,13 *a* (13-14) Kap 22,15 **23,21** *a* Kap 21,17
23,24 *a* Kap 10,1 **23,27** *a* (27-28) Kap 22,14; 7,10-14
23,29 *a* (29-35) Kap 20,1; Jes 56,12

ten mich, aber ich fühlte es nicht. Wann
werde ich aufwachen? Dann will ich's wie-
der so treiben.«

24 Sei nicht neidisch auf böse Menschen
und wünsche nicht, bei ihnen zu sein;
2 denn ihr Herz trachtet nach Gewalt, und
ihre Lippen raten zum Unglück.
3 Durch Weisheit wird ein Haus gebaut
und durch Verstand erhalten, 4 und [a]durch
ordentliches Haushalten werden die Kam-
mern voll kostbarer, lieblicher Habe.
5 Ein weiser Mann ist stark und ein ver-
nünftiger Mann voller Kraft; 6 denn [a]mit
Überlegung soll man Krieg führen, und
wo [b]viele Ratgeber sind, da ist der Sieg.
7 Weisheit ist dem Toren zu hoch; er darf
seinen Mund im Tor nicht auftun.
8 Wer sich vornimmt, Böses zu tun, den
nennt man einen Erzbösewicht. 9 Das
Trachten des Toren ist Sünde, und der
Spötter ist den Leuten ein Gräuel.
10 Der ist nicht stark, der in der Not nicht
fest ist.
11 Errette, die man zum Tode schleppt,
und entzieh dich nicht denen, die zur
Schlachtbank wanken.[a] 12 Sprichst du:
»Siehe, wir haben's nicht gewusst!«, für-
wahr, der die Herzen prüft, merkt es, und
der auf deine Seele achthat, weiß es und
vergilt dem Menschen nach seinem Tun.
13 Iss Honig, mein Sohn, denn er ist gut,
und Honigseim ist süß deinem Gaumen.
14 So ist Weisheit gut für deine Seele;
wenn du sie findest, wird dir's am Ende
wohlgehen, und deine Hoffnung wird
nicht umsonst sein.
15 Laure nicht als Frevler auf das Haus
des Gerechten; zerstöre seine Ruhe nicht,
16 denn [a]ein Gerechter fällt siebenmal und
steht wieder auf, aber die Frevler versin-
ken im Unglück.
17 Freue dich nicht über den Fall deines
Feindes, und dein Herz sei nicht froh über
sein Unglück;[a] 18 der HERR könnte es se-
hen und Missfallen daran haben und sei-
nen Zorn von ihm wenden.
19 Erzürne dich nicht über die Bösen und
ereifre dich nicht über die Frevler;[a] 20 denn
der Böse hat nichts zu hoffen, und [a]die
Leuchte der Frevler wird verlöschen.
21 Mein Sohn, [a]fürchte den HERRN und
den König und menge dich nicht unter die
Aufrührer; 22 denn plötzlich wird sie das
Verderben treffen und unversehens von
beiden her das Unheil kommen.
23 Auch dies sind Worte der Weisen:
[a]Die Person ansehen im Gericht ist nicht
gut. 24 Wer zum Schuldigen spricht: »Du
hast recht«, dem fluchen die Völker, und
die Leute verwünschen ihn. 25 Die aber ge-
recht richten, denen geht es gut, und rei-
cher Segen kommt auf sie.
26 Eine [a]richtige Antwort ist wie ein lieb-
licher Kuss.
27 Richte erst draußen deine Arbeit
aus und bearbeite deinen Acker; danach
gründe dein Haus.
28 Sei nicht ein falscher Zeuge wider dei-
nen Nächsten und betrüge nicht mit dei-
nem Munde. 29 Sprich nicht: »Wie einer
mir tut, so will ich ihm auch tun und
[a]einem jeglichen sein Tun vergelten.«
30 Ich ging am Acker des Faulen ent-
lang und am Weinberg des Toren, 31 und
siehe, lauter Nesseln waren darauf, und
er stand voll Disteln, und die Mauer war
eingefallen. 32 Als ich das sah, nahm ich's
zu Herzen, ich schaute und lernte daraus:
33 [a]Noch ein wenig schlafen und ein we-
nig schlummern und ein wenig die Hände
zusammentun, dass du ruhst, 34 so wird
deine Armut kommen wie ein Räuber und
dein Mangel wie ein gewappneter Mann.

WEITERE SPRÜCHE SALOMOS

25 Auch dies sind [a]Sprüche Salomos; die
Männer Hiskias, des Königs von Juda,
haben sie gesammelt.
2 Es ist Gottes Ehre, eine Sache zu ver-
bergen; aber der Könige Ehre ist es, eine
Sache zu erforschen.
3 Der Himmel ist hoch und die Erde tief,
und der Könige Herz ist unerforschlich.
4 Man tue die Schlacken vom Silber, so
gelingt dem Goldschmied das Gefäß;
5 man tue den Frevler hinweg vom König,
so wird [a]sein Thron durch Gerechtigkeit
gefestigt.

24,4 *a* Kap 31,10-31 **24,6** *a* Kap 20,18 *b* Kap 11,14
24,11 *a* Ps 82,4 **24,16** *a* Ps 37,24 **24,17** *a* Hiob 31,29
24,19 *a* Ps 37,1 **24,20** *a* Kap 13,9 **24,21** *a* 1. Petr 2,17
24,23 *a* 3. Mose 19,15 **24,26** *a* Kap 15,23
24,29 *a* Kap 20,22 **24,33** *a* (33-34) Kap 6,9-11
25,1 *a* Kap 1,1; 10,1 **25,5** *a* Kap 16,12

6 Prange nicht vor dem Könige und stelle dich nicht an den Platz der Großen; 7 denn [a]es ist besser, dass man zu dir sage: Tritt hier herauf!, als dass du erniedrigt wirst vor einem Edlen, den deine Augen gesehen haben.

8 Laufe nicht zu schnell vor Gericht; denn was willst du zuletzt machen, wenn dich dein Nächster beschämt?

9 Trage deine Sache mit deinem Nächsten aus, aber [a]verrate nicht eines andern Geheimnis, 10 damit von dir nicht übel spricht, wer es hört, und dann das böse Gerede über dich nicht aufhört.

11 Ein Wort, geredet zu rechter Zeit, ist wie goldene Äpfel auf silbernen Schalen.[a]
12 Ein Weiser, der mahnt, und ein Ohr, das auf ihn hört, das ist wie ein goldener Ring und ein goldenes Halsband.

13 Wie die Kühle des Schnees zur Zeit der Ernte, so ist ein getreuer Bote dem, der ihn gesandt hat, und erquickt seines Herrn Seele.

14 Wer Geschenke verspricht und hält's nicht, der ist wie Wolken und Wind ohne Regen.

15 Durch Geduld wird ein Fürst überredet, und eine [a]linde Zunge zerbricht Knochen.

16 Findest du Honig, so iss davon nur, soviel du bedarfst, dass du nicht zu satt wirst und speist ihn aus. 17 Halte deinen Fuß zurück vom Hause deines Nächsten; er könnte dich satt bekommen und dir gram werden.

18 Wer wider seinen Nächsten [a]falsch Zeugnis redet, der ist wie ein Streithammer, Schwert und scharfer Pfeil.
19 Auf einen Treulosen hoffen zur Zeit der Not, das ist wie ein fauler Zahn und gleitender Fuß.

20 Wer einem missmutigen Herzen Lieder singt, das ist, wie wenn einer das Kleid ablegt an einem kalten Tag, und wie Essig auf Lauge.

21 [a]**Hungert deinen Feind, so speise ihn mit Brot, dürstet ihn, so tränke ihn mit Wasser, 22 denn du wirst feurige Kohlen auf sein Haupt häufen, und der HERR wird dir's vergelten.**

23 Der Nordwind bringt Regen und heimliche Zunge saure Gesichter.

24 Besser im Winkel auf dem Dache sitzen als mit einer zänkischen Frau zusammen in einem Hause.

25 Eine [a]gute Botschaft aus fernen Landen ist wie kühles Wasser für eine durstige Kehle.

26 Ein Gerechter, der angesichts eines Frevlers wankt, ist wie ein getrübter Brunnen und eine verderbte Quelle.

27 Zu viel Honig essen ist nicht gut; aber wer nach schweren Dingen forscht, dem bringt's Ehre.

28 Ein Mann, der [a]seinen Zorn nicht zurückhalten kann, ist wie eine offene Stadt ohne Mauern.

26 Wie Schnee nicht zum Sommer und Regen zur Ernte, so reimt sich Ehre nicht zum Toren.

2 Wie ein Vogel dahinfliegt und eine Schwalbe enteilt, so ist ein unverdienter Fluch: Er trifft nicht ein.

3 Dem Ross eine Peitsche und dem Esel einen Zaum und [a]dem Toren eine Rute auf den Rücken!

4 Antworte dem Toren nicht nach seiner Torheit, dass du ihm nicht gleich wirst.
5 Antworte aber dem Toren nach seiner Torheit, dass er sich nicht weise dünke.

6 Wer eine Sache durch einen törichten Boten ausrichtet, der ist wie einer, der sich selbst die Füße abhaut und Schaden leidet.

7 Kraftlos wie die Schenkel des Lahmen, so ist die Weisheit im Munde der Toren.

8 Einem Toren Ehre antun, das ist, wie wenn einer einen edlen Stein auf einen Steinhaufen wirft.

9 Ein Spruch in eines Toren Mund ist wie ein Dornzweig in der Hand eines Trunkenen.

10 Wie ein Schütze, der jeden verwundet, so ist, wer einen Toren oder einen Vorübergehenden dingt.

11 Wie [a]ein Hund wieder frisst, was er gespien hat, so ist der Tor, der seine Torheit immer wieder treibt.

12 Wenn du einen siehst, der sich [a]weise dünkt, da ist für einen Toren mehr Hoffnung als für ihn.

25,7 *a* Lk 14,7-11 **25,9** *a* Kap 20,19 **25,11** *a* Kap 15,23
25,15 *a* Kap 15,1 **25,18** *a* 2. Mose 20,16
25,21 *a* (21-22) Röm 12,20 **25,25** *a* Kap 15,30
25,28 *a* Kap 29,11 **26,3** *a* Kap 19,29 **26,11** *a* 2. Petr 2,22
26,12 *a* Kap 3,7

13 Der Faule spricht: [a]»Es ist ein junger
Löwe auf dem Wege, ein Löwe auf den
Gassen.«
14 Ein [a]Fauler wendet sich im Bett wie die
Tür in der Angel.
15 Der Faule steckt seine Hand in die
Schüssel, und es wird ihm sauer, dass er
sie zum Munde bringe.[a]
16 Ein Fauler dünkt sich weiser als sieben,
die da wissen, verständig zu antworten.
17 Wer vorübergeht und sich mengt in
fremden Streit, der ist wie einer, der den
Hund bei den Ohren zwackt.
18 Wie ein Wahnsinniger, der mit Ge-
schoss und Pfeilen schießt und tötet,
19 so ist ein Mensch, der seinen Nächsten
betrügt und spricht: »Ich habe nur ge-
scherzt.«
20 Wenn kein Holz mehr da ist, so ver-
lischt das Feuer, und [a]wenn der Verleum-
der weg ist, so hört der Streit auf.
21 Wie die Kohlen die Glut und Holz das
Feuer, so [a]facht ein zänkischer Mann den
Streit an.
22 Die Worte des Verleumders sind wie
Leckerbissen und gehen einem glatt ein.[a]
23 Glatte Lippen und ein böses Herz,
das ist wie Tongeschirr, mit Silberschaum
überzogen.
24 [a]Der Hasser verstellt sich mit sei-
ner Rede, aber im Herzen ist er falsch;
25 wenn er seine Stimme holdselig macht,
so glaube ihm nicht; denn es sind sie-
ben Gräuel in seinem Herzen. 26 Wer den
Hass trügerisch verbirgt, dessen Bosheit
wird doch vor der Gemeinde offenbar
werden.
27 Wer [a]eine Grube gräbt, der wird hin-
einfallen; und wer einen Stein wälzt, auf
den wird er zurückkommen.
28 Eine falsche Zunge hasst den, dem sie
Arges getan hat, und glatte Lippen richten
Verderben an.

27 **Rühme dich nicht des morgigen
Tages; denn du weißt nicht, was der
Tag bringt.**[a]
2 Lass dich von einem andern loben und
nicht von deinem Mund, von einem Frem-
den und nicht von deinen eignen Lippen.
3 Stein ist schwer, und Sand ist Last; aber
der Ärger über einen Toren ist schwerer
als beide.
4 Zorn ist ein wütig Ding, und Grimm
ist ungestüm; aber wer kann vor der Eifer-
sucht bestehen?
5 Offene [a]Zurechtweisung ist besser als
Liebe, die verborgen bleibt.
6 Die [a]Schläge des Freundes meinen es
gut; aber die [b]Küsse des Hassers sind trü-
gerisch.
7 Ein Satter tritt Honigseim mit Füßen;
aber einem Hungrigen ist alles Bittre süß.
8 Wie ein Vogel, der aus seinem Nest
flüchtet, so ist ein Mann, der aus seiner
Heimat flieht.
9 Das Herz freut sich an Salbe und Räu-
cherwerk, und süß ist der Freund, der
wohlgemeinten Rat gibt.
10 Deinen [a]Freund und deines Vaters
Freund verlass nicht. Geh nicht ins Haus
deines Bruders, wenn dir's übel geht. Ein
Nachbar in der Nähe ist besser als ein Bru-
der in der Ferne.
11 Sei weise, mein Sohn, und erfreue
mein Herz, so kann ich antworten dem,
der mich schmäht.
12 Ein Kluger sieht das Unglück kommen
und verbirgt sich; aber die Unverständi-
gen laufen weiter und müssen büßen.[a]
13 Nimm dem sein Kleid, der für einen
andern Bürge wurde, und pfände ihn an-
stelle des Fremden.
14 Wenn einer seinen Nächsten des Mor-
gens früh mit lauter Stimme segnet, so
wird ihm das für einen Fluch gerechnet.
15 [a]Ein zänkisches Weib und ein stetig
tropfendes Dach, wenn's sehr regnet,
lassen sich miteinander vergleichen:
16 Wer sie aufhalten will, der will den
Wind aufhalten und will Öl mit der Hand
fassen.
17 Ein Messer wetzt das andre und ein
Mann den andern.
18 Wer seinen Feigenbaum pflegt, der
isst Früchte davon, und wer seinem Herrn
treu dient, wird geehrt.
19 Wie sich im Wasser das Angesicht
spiegelt, so ein Mensch im Herzen des
andern.

26,13 *a* Kap 22,13 **26,14** *a* Kap 6,9-11 **26,15** *a* Kap 19,24
26,20 *a* Kap 22,10 **26,21** *a* Kap 15,18 **26,22** *a* Kap 18,8
26,24 *a* (24-25) Mt 12,45 **26,27** *a* Ps 7,16; Pred 10,8
27,1 *a* Jak 4,13-14 **27,5** *a* 3. Mose 19,17 **27,6** *a* Ps 141,5
b Mt 26,49 **27,10** *a* Kap 18,24 **27,12** *a* Kap 22,3
27,15 *a* (15-16) Kap 19,13

20 Unterwelt und Abgrund werden nie-
mals satt, und [a]der Menschen Augen sind
auch unersättlich.
21 Ein Mann bewährt sich in seinem Ruf
wie das Silber im Tiegel und das Gold im
Ofen.
22 Wenn du den Toren im Mörser zer-
stießest mit dem Stampfer wie Grütze,
so ließe doch seine Torheit nicht von
ihm.
23 Auf deine Schafe hab acht und nimm
dich deiner Herden an; 24 denn Vorräte
währen nicht ewig, und auch eine Krone
währt nicht für und für. 25 Ist das Gras ab-
geweidet und wiederum Grünes nachge-
wachsen und ist das Futter auf den Bergen
gesammelt, 26 dann kleiden dich die Läm-
mer, und die Böcke geben dir das Geld,
einen Acker zu kaufen; 27 du hast Ziegen-
milch genug zu deiner Speise, zur Speise
deines Hauses und zur Nahrung deiner
Mägde.

28 [a]Der Frevler flieht, auch wenn nie-
mand ihn jagt; der Gerechte aber ist
furchtlos wie ein junger Löwe.
2 Um des Landes Sünde willen wech-
seln häufig seine Herren; aber durch einen
verständigen und vernünftigen Mann ge-
winnt das Recht Bestand.
3 Ein Vornehmer, der die Geringen be-
drückt, ist wie ein Platzregen, der die
Frucht verdirbt.
4 Wer das Gesetz verlässt, rühmt den
Gottlosen; wer es aber bewahrt, der be-
kämpft ihn.
5 Böse Leute verstehen nichts vom
Recht; die aber nach dem HERRN fragen,
verstehen alles.
6 Besser ein Armer, der in seiner Un-
sträflichkeit wandelt, als ein Reicher, der
auf verkehrten Wegen geht.[a]
7 Wer das Gesetz bewahrt, ist ein ver-
ständiger Sohn; wer aber der Schlemmer
Geselle ist, macht seinem Vater Schande.
8 Wer sein Gut mehrt mit Zinsen und
Aufschlag, der sammelt es für den, der sich
der Armen erbarmt.[a]
9 Wer sein Ohr abwendet, um das Ge-
setz nicht zu hören, [a]dessen Gebet ist ein
Gräuel.
10 Wer die Frommen verführt auf einen
bösen Weg, wird selbst in seine Grube
fallen; aber die Frommen werden Gutes
ererben.
11 Ein Reicher meint weise zu sein, aber
ein verständiger Armer durchschaut
ihn.
12 Wenn die Gerechten Oberhand ha-
ben, so ist herrliche Zeit; [a]wenn aber die
Gottlosen hochkommen, verbergen sich
die Leute.
13 Wer seine Missetat leugnet, dem
wird's nicht gelingen; [a]wer sie aber be-
kennt und lässt, der wird Barmherzig-
keit erlangen.
14 Wohl dem, der die Furcht nicht ver-
lernt! Wer aber sein Herz verhärtet, wird
in Unglück fallen.
15 Ein Frevler, der über ein armes Volk re-
giert, ist wie ein brüllender Löwe und ein
gieriger Bär.
16 Wenn ein Fürst ohne Verstand ist, so
geschieht viel Unrecht; wer aber unrech-
ten Gewinn hasst, wird lange leben.
17 Wer schuldig ist am Blut eines Men-
schen, der wird flüchtig sein bis zum
Grabe, und niemand helfe ihm![a]
18 Wer ohne Tadel einhergeht, dem wird
geholfen; wer aber verkehrte Wege geht,
wird auf einmal fallen.
19 Wer seinen Acker bebaut, wird Brot
genug haben; wer aber nichtigen Dingen
nachgeht, wird Armut genug haben.
20 Ein treuer Mann wird von vielen ge-
segnet; [a]wer aber eilt, reich zu werden,
wird nicht ohne Schuld bleiben.
21 Die [a]Person ansehen ist nicht gut; aber
mancher vergeht sich schon um ein Stück
Brot.
22 Wer habgierig ist, [a]jagt nach Reich-
tum und weiß nicht, dass Mangel über ihn
kommen wird.
23 Wer einen Menschen zurechtweist,
wird zuletzt Dank haben, mehr als der da
freundlich tut.
24 Wer [a]seinem Vater oder seiner Mut-
ter etwas nimmt und spricht, es sei nicht
Sünde, der ist des Verderbers Geselle.
25 Ein Habgieriger erweckt Zank; wer

27,20 ***a*** Pred 1,8 **28,1** ***a*** Jes 57,21 **28,6** ***a*** Kap 19,1
28,8 ***a*** Kap 13,22; 3. Mose 25,35-37 **28,9** ***a*** Kap 15,8
28,12 ***a*** Kap 11,11 **28,13** ***a*** Ps 32,3-5; 1. Joh 1,8-9
28,17 ***a*** 1. Mose 4,14 **28,20** ***a*** Kap 13,11 **28,21** ***a*** Kap 18,5;
5. Mose 1,17 **28,22** ***a*** Kap 23,4; 1. Tim 6,9
28,24 ***a*** Mt 15,5

sich aber auf den HERRN verlässt, wird
gelabt.
26 **Wer [a]sich auf seinen Verstand ver-
lässt, ist ein Tor; wer aber in der Weis-
heit wandelt, wird entrinnen.**
27 Wer dem Armen gibt, dem wird nichts
mangeln; wer aber seine Augen abwendet,
der wird viel verflucht.
28 Wenn die Gottlosen hochkommen,
so verbergen sich die Leute; wenn sie aber
umkommen, werden der Gerechten viel.

29 Wer [a]gegen alle Warnung halsstarrig
ist, der wird plötzlich verderben ohne
alle Hilfe.
2 Wenn [a]der Gerechten viel sind, freut
sich das Volk; wenn aber der Frevler
herrscht, seufzt das Volk.
3 Wer Weisheit liebt, erfreut seinen Va-
ter; [a]wer aber mit Huren umgeht, kommt
um sein Gut.
4 Ein König richtet das Land auf durchs
Recht; wer aber viel Steuern erhebt, rich-
tet es zugrunde.
5 Wer seinem Nächsten schmeichelt, der
breitet ein Netz aus für seine Tritte.
6 Wenn ein Böser sündigt, verstrickt er
sich selbst; aber ein Gerechter freut sich
und hat Wonne.
7 Der Gerechte erkennt die Sache der Ar-
men; der Frevler achtet keine Vernunft.
8 Die Spötter bringen eine Stadt in Auf-
ruhr; aber die Weisen stillen den Zorn.
9 Wenn ein Weiser mit einem Toren
rechtet, so tobt der oder lacht, aber es gibt
keine Ruhe.
10 Die Blutgierigen hassen den From-
men; aber die Gerechten nehmen sich
seiner an.
11 [a]Ein Tor schüttet all seinen Unmut
aus, aber [b]ein Weiser hält an sich.
12 Wenn ein Herrscher auf Lügen hört,
werden alle seine Diener zu Frevlern.
13 [a]Der Arme und sein Peiniger begeg-
nen einander; der beiden [b]das Augenlicht
gab, ist der HERR.
14 Ein König, der die Armen treulich
richtet, dessen Thron wird für immer be-
stehen.[a]
15 Rute und Tadel gibt Weisheit; aber ein
Knabe, sich selbst überlassen, macht sei-
ner Mutter Schande.[a]
16 Wo viele Gottlose sind, da ist viel
Sünde; aber [a]die Gerechten werden ihren
Fall erleben.
17 [a]Züchtige deinen Sohn, so wird er dir
Freude machen und deine Seele erquicken.
18 Wo keine Offenbarung ist, wird das
Volk wild und wüst; aber wohl dem, der
auf das Gesetz achtet!
19 Ein Knecht lässt sich mit Worten nicht
in Zucht halten; denn wenn er sie auch
versteht, so nimmt er sie doch nicht an.
20 Siehst du einen, der [a]schnell ist zu re-
den, da ist für einen Toren mehr Hoffnung
als für ihn.
21 Wenn ein Knecht von Jugend auf ver-
wöhnt wird, so wird er am Ende wider-
spenstig sein.
22 Ein [a]zorniger Mann richtet Streit an,
und ein Grimmiger tut viel Sünde.
23 [a]Die Hoffart des Menschen wird ihn
stürzen; aber [b]der Demütige wird Ehre
empfangen.
24 Wer mit Dieben teilt, hasst sein Le-
ben; [a]den Fluch hört er und zeigt's nicht
an.
25 **Menschenfurcht bringt zu Fall; wer
sich aber auf den HERRN verlässt, wird
beschützt.**[a]
26 Viele suchen das Angesicht eines Fürs-
ten; aber eines jeglichen Recht kommt
vom HERRN.
27 Ein ungerechter Mensch ist dem Ge-
rechten ein Gräuel; und wer recht wan-
delt, ist dem Frevler ein Gräuel.

DIE SPRÜCHE AGURS

30 Dies sind die Worte Agurs, des Soh-
nes des Jake, aus [a]Massa. Es spricht
der Mann: Ich habe mich gemüht, o Gott,
ich habe mich gemüht, o Gott, und muss
davon lassen. 2 Denn ich bin der Allertö-
richtste, und Menschenverstand habe ich
nicht. 3 Weisheit hab ich nicht gelernt, und
Erkenntnis des Heiligen habe ich nicht.
4 Wer ist hinaufgefahren zum Himmel
und wieder herab? Wer hat den Wind in
seine Hände gefasst? Wer hat die Wasser

28,26 *a* Kap 3,5-6 **29,1** *a* Kap 15,10 **29,2** *a* Kap 11,10
29,3 *a* Lk 15,13.30 **29,11** *a* Kap 12,23 *b* Kap 25,28
29,13 *a* Kap 22,2 *b* Hiob 33,30; Ps 13,4 **29,14** *a* Kap 16,12
29,15 *a* Kap 22,15; 1. Kön 1,6 **29,16** *a* Ps 37,35-36
29,17 *a* Kap 23,13 **29,20** *a* Pred 5,1-2; Jak 1,19
29,22 *a* Kap 15,18; 22,24 **29,23** *a* Mt 23,12 *b* 1. Petr 5,5
29,24 *a* 3. Mose 5,1 **29,25** *a* Mt 10,28
30,1 *a* 1. Mose 25,12.14

in ein Kleid gebunden? Wer hat alle Enden
der Welt bestimmt? Wie heißt er? Und
wie heißt sein Sohn? Weißt du das?[a]

5 Alle [a]Worte Gottes sind im Feuer ge-
läutert; er ist ein Schild denen, die auf
ihn trauen. 6 [a]Tu nichts zu seinen Worten
hinzu, dass er dich nicht zurechtweise und
du als Lügner dastehst.

7 Zweierlei bitte ich von dir, das wollest
du mir nicht verweigern, ehe denn ich
sterbe: 8 **Falschheit und Lüge lass ferne
von mir sein; Armut und Reichtum
gib mir nicht; [a]lass mich aber mein Teil
Speise dahinnehmen, das du mir be-
schieden hast. 9 Ich könnte sonst, wenn
ich zu satt würde, verleugnen und sa-
gen: [a]Wer ist der HERR? Oder wenn
ich zu arm würde, könnte ich stehlen
und mich an dem Namen meines Got-
tes vergreifen.**

10 Verleumde nicht den Knecht bei sei-
nem Herrn, dass er dir nicht fluche und du
es büßen musst.

11 Es gibt ein Geschlecht, das seinen Va-
ter flucht und seine Mutter nicht segnet;
12 ein Geschlecht, das [a]sich rein dünkt und
ist doch von seinem Schmutz nicht gewa-
schen; 13 ein Geschlecht, das seine Augen
hoch trägt und seine Augenlider empor-
hebt; 14 ein Geschlecht, das Schwerter als
Zähne hat und Messer als Backenzähne
und verzehrt die Elenden im Lande und
die Armen unter den Leuten.

ZAHLENSPRÜCHE

15 Der Blutegel hat zwei Töchter: »Gib her,
gib her!«

Drei sind nicht zu sättigen, und vier sa-
gen nie: »Es ist genug«: 16 das Totenreich
und der Frauen verschlossner Schoß, die
Erde, die nicht des Wassers satt wird,
und das Feuer, das nie spricht: »Es ist
genug!«

17 Ein Auge, das den Vater verspottet,
und verachtet, der Mutter zu gehorchen,
das werden die Raben am Bach aushacken
und die jungen Adler fressen.[a]

18 Drei sind mir zu wundersam, und vier
verstehe ich nicht: 19 des Adlers Weg am
Himmel, der Schlange Weg auf dem Fel-
sen, des Schiffes Weg mitten im Meer und
des Mannes Weg bei der jungen Frau.

20 So ist der Weg der Ehebrecherin: Sie
verschlingt und wischt sich den Mund und
spricht: Ich habe nichts Böses getan.

21 Ein Land wird durch dreierlei unru-
hig, und viererlei kann es nicht ertragen:
22 einen Knecht, wenn er König wird;
einen Toren, wenn er zu satt ist;[a] 23 eine
[a]Verschmähte, wenn sie geehelicht wird,
und eine Magd, wenn sie ihre Herrin be-
erbt.

24 Vier sind die Kleinsten auf Erden und
doch klüger als die Weisen: 25 die Amei-
sen – ein schwaches Volk, dennoch schaf-
fen sie im Sommer ihre Speise;[a] 26 die
Klippdachse – ein schwaches Volk, den-
noch bauen sie ihr Haus in den Felsen;
27 die Heuschrecken – sie haben keinen
König, dennoch ziehen sie aus in Ord-
nung; 28 die Eidechse – man greift sie mit
den Händen, und sie ist doch in der Kö-
nige Schlössern.

29 Drei haben einen stattlichen Gang,
und vier gehen stolz einher: 30 der Löwe,
mächtig unter den Tieren und kehrt um
vor niemandem; 31 der stolze Hahn, der
Widder und der König, wenn er einher-
geht vor seinem Gefolge.

32 Ob du töricht gehandelt und dich
überhoben hast oder ob du recht überlegt
hast: lege die Hand auf den Mund! 33 Denn
wenn man Milch stößt, so wird Butter
daraus, und wer die Nase hart schnäuzt,
zwingt Blut heraus, und wer den Zorn
reizt, ruft Streit hervor.

DIE WORTE AN LEMUEL

31 Dies sind die Worte Lemuels, des Kö-
nigs von [a]Massa, die ihn seine Mutter
lehrte.

2 Was, mein Sohn, soll ich dir sagen,
was, du Sohn meines Leibes, was, mein
erbetener Sohn? 3 Lass nicht den Frauen
deine Kraft und geh nicht die Wege derer,
die Könige verderben![a] 4 Nicht den Kö-
nigen, Lemuel, ziemt es, [a]Wein zu trin-
ken, nicht den Königen, noch den Fürs-
ten Bier! 5 Sie könnten beim Trinken des
Rechts vergessen und verdrehen die Sache

30,4 *a* Hiob 38,28-34 **30,5** *a* Ps 12,7 **30,6** *a* 5. Mose 4,2
30,8 *a* 1. Tim 6,6-8 **30,9** *a* 2. Mose 5,2 **30,12** *a* Kap 20,9
30,17 *a* Kap 20,20 **30,22** *a* Pred 10,6-7
30,23 *a* 5. Mose 24,1-4 **30,25** *a* Kap 6,6-8
31,1 *a* Kap 30,1 **31,3** *a* 5. Mose 17,17; 1. Kön 11,1.4
31,4 *a* Kap 20,1

aller elenden Leute. 6 Gebt Bier denen, die
am Umkommen sind, und Wein den be-
trübten Seelen, 7 dass sie trinken und ih-
res Elends vergessen und ihres Unglücks
nicht mehr gedenken.
8 **Tu deinen Mund auf für die Stum-
men und für die Sache aller, die ver-
lassen sind.**[a] 9 Tu deinen Mund auf und
richte in Gerechtigkeit und schaffe Recht
dem Elenden und Armen.

LOB DER TÜCHTIGEN FRAU

10 Wem [a]eine tüchtige Frau beschert ist,
die ist viel edler als die köstlichsten Per-
len. 11 Ihres Mannes Herz darf sich auf sie
verlassen, und Nahrung wird ihm nicht
mangeln. 12 Sie tut ihm Liebes und kein
Leid ihr Leben lang.
13 Sie geht mit Wolle und Flachs um und
arbeitet gerne mit ihren Händen. 14 Sie ist
wie ein Kaufmannsschiff; ihre Nahrung
bringt sie von ferne. 15 Sie steht vor Tage
auf und gibt Speise ihrem Hause und den
Mägden ihr Teil.
16 Sie trachtet nach einem Acker und
kauft ihn und pflanzt einen Weinberg
vom Ertrag ihrer Hände. 17 Sie gürtet ihre
Lenden mit Kraft und macht ihre Arme
stark. 18 Sie merkt, wie ihr Handel Gewinn
bringt; ihr Licht verlischt des Nachts nicht.
19 Sie streckt ihre Hand nach dem Rocken,
und ihre Finger fassen die Spindel.
20 Sie breitet ihre Hände aus zu dem Ar-
men und reicht ihre Hand dem Bedürfti-
gen. 21 Sie fürchtet für die Ihren nicht den
Schnee; denn ihr ganzes Haus hat woll-
ene Kleider. 22 Sie macht sich selbst De-
cken; feine Leinwand und Purpur ist ihr
Kleid.
23 Ihr Mann ist bekannt in den Toren,
wenn er sitzt bei den Ältesten des Landes.
24 Sie macht einen Rock und verkauft
ihn, einen Gürtel gibt sie dem Händler.
25 Kraft und Würde sind ihr Gewand, und
sie lacht des kommenden Tages. 26 Sie tut
ihren Mund auf mit Weisheit, und auf ih-
rer Zunge ist gütige Weisung. 27 Sie schaut,
wie es in ihrem Hause zugeht, und isst ihr
Brot nicht mit Faulheit.
28 Ihre Söhne stehen auf und preisen sie,
ihr Mann lobt sie: 29 »Es sind wohl viele
tüchtige Töchter, du aber übertriffst sie
alle.«
30 Lieblich und [a]schön sein ist nichts;
eine Frau, die den HERRN fürchtet, soll
man loben. 31 Gebt ihr von den Früchten
ihrer Hände, und ihre Werke sollen sie lo-
ben in den Toren!

DER PREDIGER SALOMO (KOHELET)

1–3 »Alles ist eitel« 3–6 Lebenslust und Gottesfurcht
7–9 Leben in Weisheit 9–12 Die Endlichkeit des Menschen

ALLES IST EITEL

1 Dies sind die Reden des Predigers,
des Sohnes Davids, des Königs zu Jeru-
salem.
2 Es ist alles ganz eitel, sprach der Pre-
diger, es ist alles ganz eitel.[a] 3 Was hat der
Mensch für Gewinn von all seiner Mühe,
die er hat unter der Sonne? 4 [a]Ein Ge-
schlecht vergeht, das andere kommt; die
Erde aber bleibt immer bestehen. 5 Die
Sonne geht auf und geht unter und läuft
an ihren Ort, dass sie dort wieder aufgehe.
6 Der Wind geht nach Süden und dreht
sich nach Norden und wieder herum an
den Ort, wo er anfing. 7 Alle Wasser laufen
ins Meer, doch wird das Meer nicht voller;
an den Ort, dahin sie fließen, fließen sie
immer wieder.
8 Alles Reden ist so voll [a]Mühe, dass nie-
mand damit zu Ende kommt. [b]Das Auge
sieht sich niemals satt, und das Ohr hört
sich niemals satt. 9 Was geschehen ist,
eben das wird hernach sein. Was man
getan hat, eben das tut man hernach wie-
der, und es geschieht nichts Neues unter
der Sonne. 10 Geschieht etwas, von dem
man sagen könnte: »Sieh, das ist neu!« –
Es ist längst zuvor auch geschehen in den
Zeiten, die vor uns gewesen sind. 11 Man

31,8 *a* Hiob 29,12 **31,10** *a* Kap 18,22 **31,30** *a* Kap 11,22
1,2 *a* Kap 12,8 **1,4** *a* Ps 90,3 **1,8** *a* Ps 90,10 *b* Spr 27,20

gedenkt derer nicht, die früher gewesen
sind, und derer, die hernach kommen;
man wird auch ihrer nicht gedenken bei
denen, die noch später sein werden.

DER PREDIGER ALS WEISER KÖNIG

12 Ich, der Prediger, war König über Israel
zu Jerusalem 13 und richtete mein Herz
darauf, die Weisheit zu suchen und zu er-
forschen bei allem, was man unter dem
Himmel tut. Solch unselige Mühe hat
Gott den Menschenkindern gegeben, dass
sie sich damit quälen sollen. 14 Ich sah an
alles Tun, das unter der Sonne geschieht,
und siehe, es war alles eitel und Haschen
nach Wind. 15 [a]Krumm kann nicht gerade
werden, noch, was fehlt, gezählt werden.
16 Ich sprach in meinem Herzen: Siehe,
ich bin größer geworden und habe mehr
Weisheit gesammelt als alle, die vor mir
gewesen sind zu Jerusalem, und mein
Herz hat viel gelernt und erfahren. 17 Und
ich richtete mein Herz darauf, [a]dass ich
lernte Weisheit und erkennte Tollheit und
Torheit. Ich ward aber gewahr, dass auch
dies ein Haschen nach Wind ist. 18 Denn
wo viel Weisheit ist, da ist viel Grämen,
und wer viel lernt, der muss viel leiden.
2 Ich sprach in meinem Herzen: Wohlan,
ich will Wohlleben und gute Tage ha-
ben! Aber siehe, das war auch eitel. 2 Ich
sprach zum Lachen: Du bist närrisch!, und
zur Freude: Was machst du?
3 Da dachte ich in meinem Herzen, mei-
nen Leib mit [a]Wein zu laben, doch so,
dass mein Herz mich mit Weisheit lei-
tete, und mich an Torheit zu halten, bis
ich sähe, was den Menschen zu tun gut
wäre, solange sie unter dem Himmel le-
ben. 4 Ich tat große Dinge: Ich baute mir
Häuser, ich pflanzte mir Weinberge, 5 ich
machte mir Gärten und Lustgärten und
pflanzte allerlei fruchtbare Bäume hinein;
6 ich machte mir Teiche, daraus zu bewäs-
sern den Wald grünender Bäume. 7 Ich er-
warb mir Knechte und Mägde und hatte
auch Gesinde, im Hause geboren; ich
hatte eine größere Habe an Rindern und
Schafen als alle, die vor mir zu Jerusalem
waren. 8 Ich sammelte mir auch Silber und
Gold und was Könige und Länder besit-
zen; ich beschaffte mir Sänger und Sän-
gerinnen und die Wonne der Menschen,
allerlei Saitenspiel, 9 und [a]war größer als
alle, die vor mir zu Jerusalem waren. Auch
da blieb meine Weisheit bei mir. 10 Und al-
les, was meine Augen wünschten, das gab
ich ihnen und verwehrte meinem Her-
zen keine Freude, sodass es fröhlich war
von aller meiner Mühe; und das war mein
Teil von aller meiner Mühe. 11 Als ich aber
ansah alle meine Werke, die meine Hand
getan hatte, und die Mühe, die ich gehabt
hatte, siehe, da war es alles eitel und Ha-
schen nach Wind und kein Gewinn unter
der Sonne.
12 Da wandte ich mich, zu betrachten
die Weisheit und die Tollheit und Tor-
heit. Denn was wird der Mensch tun, der
nach dem König kommen wird? Was man
schon längst getan hat. 13 Da sah ich, dass
die Weisheit die Torheit übertrifft wie
das Licht die Finsternis. 14 Der Weise hat
seine Augen im Kopf, aber der Tor geht in
der Finsternis; und ich merkte doch, dass
es dem einen geht wie dem andern. 15 Da
dachte ich in meinem Herzen: Wenn es
denn mir geht wie dem Toren, warum hab
ich dann nach Weisheit getrachtet? Da
sprach ich in meinem Herzen: Auch das
ist eitel. 16 Denn man gedenkt des Wei-
sen nicht für immer, ebenso wenig wie
des Toren, und in künftigen Tagen ist al-
les vergessen. Wie [a]stirbt doch der Weise
samt dem Toren!
17 Darum verdross es mich zu leben,
denn es war mir zuwider, was unter der
Sonne geschieht, dass alles eitel ist und
Haschen nach Wind. 18 Und mich ver-
dross alles, um das ich mich gemüht hatte
unter der Sonne, [a]weil ich es einem Men-
schen lassen muss, der nach mir sein wird.
19 Denn wer weiß, ob er weise oder töricht
sein wird und soll doch herrschen über al-
les, was ich mit Mühe und Weisheit ge-
schafft habe unter der Sonne. Das ist auch
eitel.
20 Da wandte ich mich dahin, dass ich
mein Herz verzweifeln ließ an allem,
um das ich mich mühte unter der Sonne.
21 Denn es muss ein Mensch, der seine
Arbeit mit Weisheit, Verstand und Ge-
schicklichkeit mühsam getan hat, es

1,15 *a* Kap 7,13 **1,17** *a* Kap 2,12; 7,25 **2,3** *a* Spr 31,4
2,9 *a* 1. Kön 10,23 **2,16** *a* Ps 49,11 **2,18** *a* Vers 21; Ps 39,7

einem andern zum Erbteil überlassen, der
sich nicht darum gemüht hat. Das ist auch
eitel und ein großes Unglück. 22 Denn was
kriegt der Mensch von aller seiner Mühe
und dem Streben seines Herzens, womit
er sich abmüht unter der Sonne? 23 Alle
seine Tage sind voller Schmerzen, und voll
Kummer ist sein Mühen, dass auch sein
Herz des Nachts nicht Ruhe findet. Das ist
auch eitel.

24 Ist's nun [a]nicht besser für den Men-
schen, dass er esse und trinke und seine
Seele guter Dinge sei bei seinem Mühen?
Doch dies sah ich auch, dass es von Got-
tes Hand kommt. 25 Denn wer kann fröh-
lich essen und genießen, wenn nicht ich?
26 Denn dem Menschen, der ihm gefällt,
gibt er Weisheit, Verstand und Freude;
[a]aber dem Sünder gibt er Mühe, dass er
sammle und häufe und es doch dem gege-
ben werde, der Gott gefällt. Auch das ist
eitel und Haschen nach Wind.

ALLES HAT SEINE ZEIT

3 Ein [a]jegliches hat seine Zeit, und alles
Vorhaben unter dem Himmel hat seine
Stunde: 2 Geboren werden hat seine Zeit,
sterben hat seine Zeit; pflanzen hat seine
Zeit, ausreißen, was gepflanzt ist, hat
seine Zeit; 3 töten hat seine Zeit, heilen hat
seine Zeit; abbrechen hat seine Zeit, bauen
hat seine Zeit; 4 weinen hat seine Zeit, la-
chen hat seine Zeit; klagen hat seine Zeit,
tanzen hat seine Zeit; 5 Steine wegwerfen
hat seine Zeit, Steine sammeln hat seine
Zeit; herzen hat seine Zeit, aufhören zu
herzen hat seine Zeit; 6 suchen hat seine
Zeit, verlieren hat seine Zeit; behalten hat
seine Zeit, wegwerfen hat seine Zeit; 7 zer-
reißen hat seine Zeit, zunähen hat seine
Zeit; schweigen hat seine Zeit, reden hat
seine Zeit; 8 lieben hat seine Zeit, hassen
hat seine Zeit; Streit hat seine Zeit, Friede
hat seine Zeit.

9 Man mühe sich ab, wie man will, so hat
man keinen Gewinn davon.

10 Ich sah die Arbeit, die Gott den Men-
schen gegeben hat, dass sie sich damit pla-
gen. 11 Er hat alles schön gemacht zu seiner
Zeit, auch hat er die Ewigkeit in ihr Herz
gelegt; nur dass [a]der Mensch nicht ergrün-
den kann das Werk, das Gott tut, weder
Anfang noch Ende. 12 Da merkte ich, dass
es [a]nichts Besseres dabei gibt als fröhlich
sein und sich gütlich tun in seinem Leben.
13 Denn ein jeder Mensch, der da isst und
trinkt und hat guten Mut bei all seinem
Mühen, das ist eine Gabe Gottes.

14 Ich merkte, dass alles, was Gott tut,
das besteht für ewig; man kann nichts da-
zutun noch wegtun. Das alles tut Gott,
dass man sich vor ihm fürchten soll. 15 Was
geschieht, das ist schon längst gewesen,
und was sein wird, ist auch schon längst
gewesen; und Gott holt wieder hervor,
was vergangen ist.

VERGÄNGLICHKEIT DES MENSCHEN

16 Weiter sah ich unter der Sonne: An der
Stätte des Rechts war gottloses Treiben,
und an der Stätte der Gerechtigkeit war
Gottlosigkeit. 17 Da sprach ich in meinem
Herzen: [a]Gott wird richten den Gerechten
und den Gottlosen; denn alles Vorhaben
und alles Tun hat seine Zeit.

18 Ich sprach in meinem Herzen: Es ge-
schieht wegen der Menschenkinder, da-
mit Gott sie prüfe und sie sehen, dass sie
selber sind wie das Vieh. 19 Denn [a]es geht
dem Menschen wie dem Vieh: Wie dies
stirbt, so stirbt auch er, und sie haben alle
einen Odem, und der Mensch hat nichts
voraus vor dem Vieh; denn es ist alles
eitel. 20 Es fährt alles an *einen* Ort. [a]Es ist
alles aus Staub geworden und wird wieder
zu Staub. 21 Wer weiß, ob der Odem der
Menschen aufwärtsfahre und der Odem
des Viehes hinab unter die Erde fahre?
22 So sah ich denn, dass nichts Besseres ist,
als dass ein Mensch fröhlich sei in seiner
Arbeit; denn das ist sein Teil. Denn wer
will ihn dahin bringen, dass er sehe, was
nach ihm geschehen wird?

BEDRÜCKUNG, MÜHE UND EINSAMKEIT

4 Wiederum sah ich alle, die Unrecht lei-
den unter der Sonne, und siehe, da wa-
ren Tränen derer, die Unrecht litten und
keinen Tröster hatten. Und die ihnen Ge-
walt antaten, waren so mächtig, dass sie
keinen Tröster hatten. 2 Da [a]pries ich die
Toten, die schon gestorben waren, mehr

2,24 *a* Kap 3,12.22; 5,17; 8,15; 9,7 **2,26** *a* Spr 13,22; 28,8
3,1 *a* Kap 8,6 **3,11** *a* Kap 8,17 **3,12** *a* Kap 2,24
3,17 *a* Kap 12,14 **3,19** *a* Ps 49,13.21 **3,20** *a* 1. Mose 3,19;
Ps 146,4 **4,2** *a* Hiob 3,11.13

als die Lebendigen, die noch das Leben
haben. 3 Und [a]besser daran als beide ist,
wer noch nicht geboren ist und des Bösen
nicht innewird, das unter der Sonne ge-
schieht.
4 Ich sah alles Mühen an und alles ge-
schickte Tun. Da ist nur Neid des einen
auf den andern. Das ist auch eitel und
Haschen nach Wind. 5 Ein Tor [a]legt die
Hände ineinander und verzehrt sein eige-
nes Fleisch. 6 Besser eine Hand voll mit
Ruhe als beide Fäuste voll mit Mühe und
Haschen nach Wind.[a]
7 Wiederum sah ich Eitles unter der
Sonne: 8 Da ist einer, der steht allein und
hat weder Kind noch Bruder, doch ist sei-
ner Mühe kein Ende, und seine Augen
können nicht genug Reichtum sehen. Für
wen mühe ich mich denn und gönne mir
selber nichts Gutes? Das ist auch eitel und
eine böse Mühe.
9 [a]So ist's ja besser zu zweien als allein;
denn sie haben guten Lohn für ihre Mühe.
10 Fällt einer von ihnen, so hilft ihm sein
Gesell auf. Weh dem, der allein ist, wenn
er fällt! Dann ist kein anderer da, der
ihm aufhilft. 11 Auch, wenn zwei beiein-
anderliegen, wärmen sie sich; wie kann
ein Einzelner warm werden? 12 **Einer
mag überwältigt werden, aber zwei
können widerstehen, und eine drei-
fache Schnur reißt nicht leicht ent-
zwei.**

HERRSCHAFT KOMMT UND VERGEHT

13 Ein Knabe, der arm, aber weise ist, ist
besser als ein König, der alt, aber töricht
ist und nicht mehr versteht, sich warnen
zu lassen. 14 Es kommt einer aus dem Ge-
fängnis auf den Thron, und einer, der in
seinem Königreich geboren ist, verarmt.
15 Und ich sah alle Lebenden, die unter der
Sonne wandelten, bei dem zweiten Kna-
ben, der an jenes Stelle treten sollte. 16 Und
es war kein Ende des Volks, vor dem er
herzog. Und doch wurden seiner nicht
froh, die später kamen. Das ist auch eitel
und Haschen nach Wind.

MAHNUNG ZUR ACHTSAMKEIT

17 [a]Bewahre deinen Fuß, wenn du zum
Hause Gottes gehst, und komm, dass du
hörst. Das ist besser, als wenn die Toren
[b]Opfer bringen; denn sie wissen nichts
5 als Böses zu tun. 1 Sei [a]nicht schnell mit
deinem Munde und lass dein Herz nicht
eilen, etwas zu reden vor Gott; denn Gott
ist im Himmel und du auf Erden; darum
[b]lass deiner Worte wenig sein. 2 Denn wo
viel Mühe ist, da kommen Träume, und
[a]wo viel Worte sind, da hört man den
Toren.
3 Wenn du Gott ein [a]Gelübde tust, so zö-
gere nicht, es zu halten; denn er hat kein
Gefallen an den Toren; was du gelobst, das
halte. 4 Es ist besser, du gelobst nichts, als
dass du nicht hältst, was du gelobst. 5 Lass
nicht zu, dass dein Mund dich in Schuld
bringe, und sprich vor dem Boten nicht:
Es war ein Versehen. Gott könnte zür-
nen über deine Worte und verderben das
Werk deiner Hände. 6 Wo viel [a]Träume
sind, da ist Eitelkeit und viel Gerede;
darum fürchte Gott!
7 Siehst du, wie im Lande der [a]Arme Un-
recht leidet und Recht und Gerechtigkeit
zum Raub geworden sind, dann wun-
dere dich nicht darüber; denn ein Hoher
schützt den andern, und noch Höhere sind
über beiden. 8 Aber immer ist ein König,
der dafür sorgt, dass das Feld bebaut wer-
den kann, ein Gewinn für das Land.

NICHTIGKEIT DES REICHTUMS

9 Wer Geld liebt, wird vom Geld niemals
satt, und [a]wer Reichtum liebt, wird keinen
Nutzen davon haben. Das ist auch eitel.
10 Mehrt sich das Gut, so mehren sich, die
es verzehren; und was hat sein Besitzer
davon als das Nachsehen? 11 Wer arbeitet,
dem ist der Schlaf süß, er habe wenig oder
viel gegessen; aber die Fülle lässt den Rei-
chen nicht schlafen.
12 Es ist ein böses Übel, das ich sah un-
ter der Sonne: Reichtum, wohl verwahrt,
wird zum Schaden dem, der ihn hat.
13 Denn dieser Reichtum geht durch ein
böses Geschick verloren. Und wer einen
Sohn gezeugt hat, dem bleibt nichts in der
Hand. 14 Wie einer [a]nackt von seiner Mut-

4,3 *a* Kap 6,3 **4,5** *a* Spr 24,33-34 **4,6** *a* Spr 15,16
4,9 *a* (9-12) 1. Mose 2,18 **4,17** *a* Mt 5,23-24
b 1. Sam 15,22; Hos 6,6 **5,1** *a* Jak 1,19 *b* Mt 6,7
5,2 *a* Kap 10,14; Spr 10,19 **5,3** *a* 5. Mose 23,22; Ps 50,14
5,6 *a* Jer 23,27-28 **5,7** *a* 2. Mose 23,6 **5,9** *a* Spr 28,22;
Lk 12,15 **5,14** *a* Hiob 1,21

ter Leib gekommen ist, so fährt er wieder
dahin, wie er gekommen ist, und [b]nichts
behält er von seiner Arbeit, das er mit sich
nähme. 15 Das ist ein böses Übel, dass er
dahinfährt, wie er gekommen ist. Und
was gewinnt er dadurch, dass er in den
Wind gearbeitet hat? 16 Sein Leben lang
hat er im Finstern gegessen, in großem
Grämen und Krankheit und Verdruss.

17 Siehe, was ich Gutes gesehen habe:
dass es fein sei, wenn man isst und trinkt
und guten Mutes ist bei allem Mühen, das
einer sich macht unter der Sonne sein Le-
ben lang, das Gott ihm gibt; denn das ist
sein Teil. 18 Denn wenn Gott einem Men-
schen Reichtum und Güter gibt und lässt
ihn davon essen und trinken und sein Teil
nehmen und fröhlich sein bei seinem Mü-
hen, so ist das eine Gottesgabe. 19 Denn er
denkt nicht viel an die Kürze seines Le-
bens, weil [a]Gott sein Herz erfreut.

6 Es ist ein Unglück, das ich sah unter
der Sonne, und es liegt schwer auf
den Menschen: 2 Da ist einer, dem Gott
Reichtum, Güter und Ehre gegeben hat,
und es mangelt ihm nichts, was sein
Herz begehrt; aber Gott gibt ihm doch
nicht Macht, es zu genießen, sondern ein
Fremder verzehrt es. Das ist auch eitel und
ein schlimmes Leiden. 3 Wenn einer auch
hundert Kinder zeugte und hätte ein so
langes Leben, dass er sehr alt würde, aber
sein Herz sättigte sich nicht mit Gutem
und er bliebe ohne Grab, von dem sage
ich: [a]Eine Fehlgeburt hat es besser als er.
4 Denn sie kommt ohne Leben, und in
Finsternis fährt sie dahin, und ihr Name
bleibt von Finsternis bedeckt, 5 auch hat
sie die Sonne nicht gesehen noch gekannt;
so hat sie mehr Ruhe als jener. 6 Und ob
er auch zweitausend Jahre lebte und hätte
nichts Gutes genossen: fährt nicht alles
dahin an *einen* Ort?

7 Alles Mühen des Menschen ist für sei-
nen Mund, aber [a]sein Verlangen bleibt
ungestillt. 8 Denn was hat ein Weiser dem
Toren voraus? Was hilft's dem Armen,
dass er versteht, unter den Lebenden zu
wandeln? 9 Es ist besser, zu gebrauchen,
was vor Augen ist, als nach anderm zu
verlangen. Das ist auch eitel und Haschen
nach Wind.

DER MENSCH HAT KEINE MACHT ÜBER SEIN LEBEN

10 Was da ist, ist längst mit Namen ge-
nannt, und bestimmt ist, was ein Mensch
sein wird. [a]Darum kann er nicht hadern
mit dem, der ihm zu mächtig ist. 11 Denn
je mehr Worte, desto mehr Eitelkeit; was
hat der Mensch davon? 12 Denn wer weiß,
was dem Menschen nützlich ist im Leben,
in seinen kurzen, eitlen Tagen, die er ver-
bringt [a]wie einen Schatten? Oder wer will
dem Menschen sagen, was nach ihm kom-
men wird unter der Sonne?

VON DER WAHREN WEISHEIT

7 Ein [a]guter Ruf ist besser als gute Salbe
und der Tag des Todes besser als der Tag
der Geburt. 2 Es ist besser, in ein Haus zu
gehen, wo man trauert, als in ein Haus, wo
man feiert; denn da zeigt sich das Ende al-
ler Menschen, und der Lebende nehme
es zu Herzen! 3 Trauern ist besser als La-
chen; denn durch Trauern wird das Herz
gebessert. 4 Das Herz der Weisen ist dort,
wo man trauert, aber das Herz der Toren
dort, wo man sich freut.

5 Es ist besser, das Schelten des Weisen
zu hören als den Gesang der Toren. 6 Denn
wie das Krachen der Dornen unter den
Töpfen, so ist das Lachen der Toren; auch
das ist eitel.

7 Unrechter Gewinn macht den Wei-
sen zum Toren, und Bestechung verdirbt
das Herz. 8 Der Ausgang einer Sache ist
besser als ihr Anfang. Ein Geduldiger ist
besser als ein Hochmütiger. 9 [a]Sei nicht
schnell, dich zu ärgern; denn Ärger ruht
im Herzen des Toren. 10 Sprich nicht: Wie
kommt's, dass die früheren Tage besser
waren als diese? Denn du fragst das nicht
in Weisheit.

11 Weisheit ist gut mit einem Erbteil und
hilft denen, die die Sonne sehen. 12 Denn
wie Geld beschirmt, so beschirmt auch
Weisheit; Wissen aber gewinnt [a]Weis-
heit, und sie gibt Leben dem, der sie hat.

13 Sieh an die Werke Gottes; denn [a]wer
kann das gerade machen, was er krümmt?
14 Am guten Tage sei guter Dinge, und am

5,14 *b* Ps 49,18; 1. Tim 6,7 **5,19** *a* Ps 73,26 **6,3** *a* Kap 4,3 **6,7** *a* Kap 1,8 **6,10** *a* Hiob 9,2-4.32 **6,12** *a* 1. Chr 29,15; Ps 144,4 **7,1** *a* Spr 22,1 **7,9** *a* Jak 1,19 **7,12** *a* Spr 3,1-2 **7,13** *a* Kap 1,15

bösen Tag bedenke: Diesen hat Gott ge-
schaffen wie jenen, damit der Mensch
nicht wissen soll, was künftig ist.
15 Dies alles hab ich gesehen in den Tagen
meines eitlen Lebens: [a]Da ist ein Gerech-
ter, der geht zugrunde in seiner Gerechtig-
keit, und da ist ein Gottloser, der lebt lange
in seiner Bosheit. 16 Sei nicht allzu gerecht
und nicht allzu weise, damit du dich nicht
zugrunde richtest.[a] 17 Sei nicht allzu gott-
los und sei kein Tor, damit du nicht stirbst
vor deiner Zeit. 18 Es ist gut, wenn du dich
an das eine hältst und auch jenes nicht aus
der Hand lässt; denn wer Gott fürchtet,
der entgeht dem allen.
19 Die Weisheit macht den Weisen stär-
ker als zehn Gewaltige, die in der Stadt
sind. 20 Denn es ist kein Mensch so gerecht
auf Erden, dass er [a]nur Gutes tue und nicht
sündige. 21 Nimm auch nicht zu Herzen
alles, was man sagt, dass du nicht hören
musst, wie dein Knecht dir flucht; 22 denn
dein Herz weiß, dass du andern auch oft-
mals geflucht hast. 23 Das alles habe ich
versucht mit der Weisheit. Ich dachte, ich
will weise werden, sie blieb aber ferne von
mir. 24 Fern ist, was war, und sehr tief; wer
will's finden?
25 Ich richtete meinen Sinn darauf, zu
erfahren und zu erforschen und zu su-
chen Weisheit und Einsicht und zu er-
kennen, dass [a]Gottlosigkeit Torheit ist
und Narrheit Tollheit. 26 Und ich fand,
bitterer als der Tod sei eine Frau, die ein
Fangnetz ist und Stricke ihr Herz und
Fesseln ihre Hände. Wer Gott gefällt,
der wird ihr entrinnen; aber der Sünder
wird durch sie gefangen.[a] 27 Schau, das
habe ich gefunden, spricht der Prediger,
eins nach dem andern, dass ich Erkennt-
nis fände; 28 ich suchte immerfort und
hab's nicht gefunden: Unter tausend
habe ich einen einzigen Mann gefunden,
aber eine Frau habe ich unter diesen allen
nicht gefunden. 29 Schau, allein das hab
ich gefunden: Gott hat den Menschen
aufrichtig gemacht; aber sie suchen viele
Künste.

8 Wer ist wie der Weise, und wer versteht
etwas zu deuten? Die Weisheit des
Menschen erleuchtet sein Angesicht und
das Angesicht verliert seine Härte.

DAS UNRECHT IN DER WELT

2 Achte auf das Wort des Königs und halte
den Eid bei Gott! 3 Eile nicht fort vom An-
gesicht des Königs und halte dich nicht zu
einer bösen Sache; denn er tut alles, was er
will. 4 In des Königs Wort ist Gewalt, und
wer darf zu ihm sagen: Was machst du?
5 Wer das Gebot hält, wird nichts Böses
erfahren; und eines Weisen Herz weiß
um Zeit und Gericht. 6 Denn [a]jedes Vor-
haben hat seine Zeit und sein Gericht, und
des Menschen Bosheit liegt schwer auf
ihm. 7 Denn er weiß nicht, was geschehen
wird, ja [a]wer will ihm sagen, wie es wer-
den wird? 8 Der Mensch hat keine Macht,
den Wind aufzuhalten, und hat keine
Macht über den Tag des Todes, und keiner
bleibt verschont im Krieg, und das gott-
lose Treiben rettet den Gottlosen nicht.
9 Das alles habe ich gesehen und richtete
mein Herz auf alles Tun, das unter der
Sonne geschieht. Ein Mensch herrscht
zuzeiten über den andern zu seinem
Unglück.

UNBEGREIFLICHES VOR GOTT

10 Und weiter sah ich Gottlose, die begra-
ben wurden und zur Ruhe kamen; aber
die recht getan hatten, mussten hinweg
von heiliger Stätte und wurden vergessen
in der Stadt. Das ist auch eitel.
11 Weil [a]das Urteil über böses Tun nicht
sogleich ergeht, wird das Herz der Men-
schen voll Begier, Böses zu tun. 12 [a]Wenn
ein Sünder auch hundertmal Böses tut
und lange lebt, so weiß ich doch, dass es
wohlgehen wird denen, die Gott fürchten,
die sein Angesicht scheuen. 13 Aber dem
Gottlosen wird es nicht wohlgehen, und
wie der Schatten wird nicht lange leben,
wer sich vor Gott nicht fürchtet.
14 Es ist eitel, was auf Erden geschieht:
[a]Es gibt Gerechte, denen geht es, als hät-
ten sie Werke der Gottlosen getan, und es
gibt Gottlose, denen geht es, als hätten sie
Werke der Gerechten getan. Ich sprach:
Das ist auch eitel. 15 Darum pries ich die
Freude, dass der Mensch [a]nichts Besseres

7,15 *a* Kap 8,14; Ps 73,12-14 **7,16** *a* Lk 18,11-12
7,20 *a* Ps 14,3 **7,25** *a* Ps 14,1 **7,26** *a* Spr 2,16-22
8,6 *a* Kap 3,1 **8,7** *a* Kap 10,14 **8,11** *a* Hiob 35,15-16;
Mal 3,14-15 **8,12** *a* (12-13) Ps 37,18; 73,17-26
8,14 *a* Kap 7,15 **8,15** *a* Kap 2,24

hat unter der Sonne, als zu essen und zu
trinken und fröhlich zu sein. Das bleibt
ihm bei seinem Mühen sein Leben lang,
das Gott ihm gibt unter der Sonne.
16 Ich richtete mein Herz darauf, zu er-
kennen die Weisheit und zu schauen die
Mühe, die auf Erden geschieht, dass einer
weder Tag noch Nacht Schlaf bekommt in
seine Augen. 17 Und ich sah alles Tun Got-
tes. Denn [a]ein Mensch kann das Tun nicht
ergründen, das unter der Sonne geschieht.
Je mehr der Mensch sich müht zu suchen,
desto weniger findet er. Und auch wenn
der Weise meint: »Ich weiß es«, so kann
er's doch nicht finden.

AUFRUF ZUR FREUDE TROTZ DER EITELKEIT DES LEBENS

9 Denn ich habe das alles zu Herzen ge-
nommen, um dies alles zu erforschen:
Gerechte und Weise und ihre Werke sind
in Gottes Hand. Der Mensch erkennt nicht
alles, was er vor sich hat – weder Liebe
noch Hass. 2 [a]Es begegnet dasselbe Ge-
schick dem einen wie dem andern: dem
Gerechten wie dem Gottlosen, dem Gu-
ten und Reinen wie dem Unreinen; dem,
der opfert, wie dem, der nicht opfert. Wie
es dem Guten geht, so geht's auch dem
Sünder. Wie es dem geht, der schwört, so
geht's auch dem, der den Eid scheut.
3 Das ist das Unglück bei allem, was un-
ter der Sonne geschieht, dass es dem einen
geht wie dem andern. Und [a]dazu ist das
Herz der Menschen voll Bosheit, und
Torheit ist in ihrem Herzen, solange sie
leben; danach müssen sie sterben. 4 Denn
wer noch bei den Lebenden weilt, der
hat Hoffnung; denn ein lebender Hund
ist besser als ein toter Löwe. 5 Denn die
Lebenden wissen, dass sie sterben wer-
den, die Toten aber wissen nichts; sie
haben auch keinen Lohn mehr, denn ihr
Andenken ist vergessen. 6 Ihr Lieben
und ihr Hassen und ihr Eifern ist längst
dahin; für immer haben sie keinen Teil
mehr an allem, was unter der Sonne ge-
schieht.
7 So geh hin und [a]iss dein Brot mit Freu-
den, trink deinen Wein mit gutem Mut;
denn dein Tun hat Gott schon längst ge-
fallen. 8 Lass deine Kleider immer weiß
sein und lass deinem Haupte Salbe nicht
mangeln. 9 [a]Genieße das Leben mit der
Frau, die du lieb hast, solange du das eitle
Leben hast, das dir Gott unter der Sonne
gegeben hat; denn das ist dein Teil am
Leben und bei deiner Mühe, mit der du
dich mühst unter der Sonne. 10 Alles, was
dir vor die Hände kommt, es zu tun mit
deiner Kraft, das tu; denn im Totenreich,
in das du fährst, gibt es weder Tun noch
Denken, weder Erkenntnis noch Weis-
heit.

WERTLOSIGKEIT DER WEISHEIT

11 Wiederum sah ich, wie es unter der
Sonne zugeht: Zum Laufen hilft nicht
schnell sein, zum Kampf hilft nicht stark
sein, zur Nahrung hilft nicht geschickt
sein, zum Reichtum hilft nicht klug sein;
dass einer angenehm sei, dazu hilft nicht,
dass er etwas gut kann, sondern [a]alles
liegt an Zeit und Glück. 12 Auch weiß der
Mensch seine Zeit nicht, sondern wie die
Fische gefangen werden mit dem verderb-
lichen Netz und wie die Vögel mit dem
Garn gefangen werden, so werden auch
die Menschen verstrickt zur bösen Zeit,
wenn sie plötzlich über sie fällt.
13 Ich habe unter der Sonne auch diese
Weisheit gesehen, die mich groß dünkte:
14 Da war eine kleine Stadt und wenig
Männer darin, und es kam ein großer
König, der belagerte sie und baute große
Bollwerke gegen sie. 15 Und es fand sich
darin ein armer, weiser Mann, der die
Stadt rettete durch seine Weisheit; aber
kein Mensch dachte an diesen armen
Mann. 16 Da sprach ich: Weisheit ist bes-
ser als Stärke, doch des Armen Weisheit
wird verachtet, und auf seine Worte hört
man nicht. 17 Der Weisen Worte, in Ruhe
vernommen, sind besser als des Herr-
schers Schreien unter den Törichten.
18 Weisheit ist besser als Kriegswaffen;
aber ein einziger Bösewicht verdirbt viel
Gutes.

ÜBER WEISHEIT UND TORHEIT

10 Tote Fliegen verderben gute Salben.
Schon ein wenig Torheit verdirbt
Weisheit und Ehre. 2 Des Weisen Herz ist

8,17 *a* Kap 3,11; Jes 55,8-9 **9,2** *a* Kap 2,14; Hiob 9,22
9,3 *a* Kap 8,11 **9,7** *a* Kap 2,24 **9,9** *a* Spr 5,18-19
9,11 *a* Spr 16,9

zu seiner Rechten, aber des Toren Herz ist
zu seiner Linken. 3 Auch auf dem Weg, auf
dem er geht, fehlt es dem Toren an Ver-
stand. Er aber hält jedermann für einen
Toren.
4 Wenn des Herrschers Zorn wider dich
ergeht, so verlass deine Stätte nicht; denn
Gelassenheit wendet großes Unheil ab.
5 Dies ist ein Unglück, das ich sah unter
der Sonne, gleich einem Versehen, das
vom Gewaltigen ausgeht: 6 Ein Tor sitzt
in großer Würde, und Reiche müssen in
Niedrigkeit sitzen. 7 Ich sah Knechte auf
Rossen und Fürsten zu Fuß gehen wie
Knechte.
8 [a]Wer eine Grube gräbt, der kann hin-
einfallen, und wer eine Mauer einreißt,
den kann eine Schlange stechen. 9 Wer
Steine bricht, der kann sich dabei wehe
tun, und wer Holz spaltet, der kann sich
verletzen. 10 Wenn das Eisen stumpf wird
und an der Schneide ungeschliffen bleibt,
braucht man mehr Kraft. Aber den Vorteil
hat, wer Weisheit gebraucht. 11 Sticht die
Schlange vor der Beschwörung, so hat der
Beschwörer keinen Vorteil.[a]
12 Die Worte aus dem Munde des Wei-
sen bringen ihm Gunst; aber des Narren
Lippen verschlingen ihn selbst. 13 Der
Anfang seiner Worte ist Narrheit und das
Ende verderbliche Torheit. 14 Der Narr
macht [a]viele Worte; aber [b]der Mensch
weiß nicht, was sein wird, und wer will
ihm sagen, was nach ihm werden wird?
15 Die Arbeit ermüdet den Toren, der
nicht einmal weiß, in die Stadt zu ge-
hen.
16 Weh dir, Land, dessen [a]König ein Kind
ist und dessen Fürsten [b]in der Frühe ta-
feln! 17 Wohl dir, Land, dessen König ein
Edler ist und dessen Fürsten zur rechten
Zeit tafeln, sich zu stärken und nicht um
zu saufen. 18 Durch Faulheit sinken die
Balken, und durch lässige Hände tropft es
im Haus.
19 Sie bereiten das Mahl, um zu lachen,
und [a]der Wein erfreut das Leben, und das
Geld muss alles zuwege bringen.
20 Fluche dem König auch nicht in Ge-
danken und fluche dem Reichen nicht in
deiner Schlafkammer; denn die Vögel des
Himmels tragen die Stimme fort, und die
Fittiche haben, sagen's weiter.

GRENZEN DES WISSENS

11 Lass dein Brot über das Wasser fah-
ren; denn du wirst es finden nach
langer Zeit. 2 Teile aus unter sieben und
unter acht; denn du weißt nicht, was für
Unglück auf Erden kommen wird.
3 Wenn die Wolken voll sind, so ge-
ben sie Regen auf die Erde, und wenn
der Baum fällt – er falle nach Süden oder
Norden zu –, wohin er fällt, da bleibt er
liegen. 4 Wer auf den Wind achtet, der sät
nicht, und wer auf die Wolken sieht, der
erntet nicht. 5 Gleichwie du nicht weißt,
[a]welchen Weg der Wind nimmt und wie
die [b]Gebeine im Mutterleibe bereitet wer-
den, so kannst du auch [c]Gottes Tun nicht
wissen, der alles wirkt.
6 Am Morgen säe deinen Samen, und lass
deine Hand bis zum Abend nicht ruhen;
denn du weißt nicht, was geraten wird,
ob dies oder das oder ob beides mitein-
ander gut gerät. 7 Es ist das Licht süß, und
den Augen lieblich, die Sonne zu sehen.
8 Denn wenn ein Mensch viele Jahre lebt,
so sei er fröhlich in ihnen allen und denke
an die finstern Tage, dass es viele sein wer-
den; denn alles, was kommt, ist eitel.

JUGEND UND ALTER

9 So [a]freue dich, Jüngling, in deiner Ju-
gend und lass dein Herz guter Dinge sein
in deinen jungen Tagen. Tu, was dein Herz
gelüstet und deinen Augen gefällt, und
wisse, dass dich Gott um das alles vor Ge-
richt ziehen wird. 10 Lass Unmut fern sein
von deinem Herzen und halte das Übel
fern von deinem Leibe; denn Jugend und
dunkles Haar sind eitel.

12 Denk an deinen Schöpfer in deiner
Jugend, ehe die bösen Tage kommen
und die Jahre nahen, da du wirst sagen:
»Sie gefallen mir nicht«; 2 ehe die Sonne
und das Licht, der Mond und die Sterne
finster werden und die Wolken wieder-
kommen nach dem Regen, – 3 zur Zeit,
wenn die Hüter des Hauses zittern und
die Starken sich krümmen und müßig
stehen die Müllerinnen, weil es so wenige
geworden sind, wenn finster werden, die

10,8 *a* Spr 26,27 **10,11** *a* Ps 58,5-6 **10,14** *a* Kap 5,2
b Kap 8,7 **10,16** *a* Jes 3,4 *b* Jes 5,11 **10,19** *a* Ps 104,15
11,5 *a* Joh 3,8 *b* Ps 139,13 *c* Kap 8,17 **11,9** *a* Kap 2,24

durch die Fenster sehen, 4 wenn die Tü-
ren an der Gasse sich schließen, dass die
Stimme der Mühle leise wird und sie sich
hebt, wie wenn ein Vogel singt, und alle
Töchter des Gesanges sich neigen; 5 wenn
man vor Höhen sich fürchtet und sich
ängstigt auf dem Wege, wenn der Man-
delbaum blüht und die Heuschrecke sich
belädt und die Kaper aufbricht; denn der
Mensch fährt dahin, wo er ewig bleibt,
und die Klageleute gehen umher auf der
Gasse; – 6 ehe der silberne Strick zerreißt
und die goldene Schale zerbricht und der
Eimer zerschellt an der Quelle und das
Rad zerbrochen in den Brunnen fällt.*
7 Denn [a]der Staub muss wieder zur Erde
kommen, wie er gewesen ist, und der
Geist wieder zu Gott, der ihn gegeben
hat.
8 Es ist alles ganz eitel, sprach der Predi-
ger, ganz eitel.

NACHWORTE

9 Es bleibt noch übrig zu sagen: Der Pre-
diger war ein Weiser und lehrte auch
das Volk gute Lehre, und er hörte und
forschte, er formte viele Sprüche. 10 Der
Prediger suchte, dass er fände angenehme
Worte und schriebe recht die Worte
der Wahrheit. 11 Die Worte der Weisen
sind wie Stacheln, und wie eingeschla-
gene Nägel sind die einzelnen Sprüche;
sie sind von einem einzigen Hirten ge-
geben.
12 Und über sie hinaus, mein Sohn, lass
dich warnen: Des vielen Büchermachens
ist kein Ende, und viel Studieren macht
den Leib müde. 13 Lasst uns am Ende die
Summe von allem hören: [a]Fürchte Gott
und halte seine Gebote; denn das gilt
für alle Menschen. 14 Denn Gott wird alle
Werke vor Gericht bringen, alles, was ver-
borgen ist, es sei gut oder böse.[a]

DAS HOHELIED SALOMOS

1 Das Hohelied Salomos.
2 Er küsse mich mit dem Kusse seines
Mundes; ja, deine Liebe ist köstlicher als
Wein. 3 Köstlich riechen deine Salben;
dein Name ist eine ausgeschüttete Salbe,
darum lieben dich die Mädchen. 4 Zieh
mich dir nach, so wollen wir laufen. Der
König führte mich in seine Kammern. Wir
wollen uns freuen und fröhlich sein über
dich; wir preisen deine Liebe mehr als den
Wein. Mit Recht lieben sie dich.
5 Ich bin schwarz und gar lieblich, ihr
Töchter Jerusalems, wie die Zelte Kedars,
wie die Teppiche Salomos. 6 Seht mich
nicht an, dass ich so schwarz bin; denn
die Sonne hat mich so verbrannt. Meiner
Mutter Söhne zürnten mit mir. Sie haben
mich zur Hüterin der Weinberge gesetzt;
aber meinen eigenen Weinberg habe ich
nicht behütet.
7 Sage mir an, du, den meine Seele liebt,
wo du weidest, wo du ruhst am Mittag,
damit ich nicht umherirren muss bei den
Herden deiner Gesellen.
8 Weißt du es nicht, du Schönste unter
den Frauen, so geh hinaus auf die Spuren
der Schafe und weide deine Zicklein bei
den Zelten der Hirten.
9 Ich vergleiche dich, meine Freundin,
einer Stute an den Wagen des Pharao.
10 Deine Wangen sind lieblich mit den
Kettchen, dein Hals mit den Perlenschnü-
ren. 11 Wir wollen dir goldene Kettchen
machen mit kleinen silbernen Kugeln.
12 Solange der König beim Mahle war,
gab meine Narde ihren Duft. 13 Mein
Freund ist mir ein Büschel Myrrhen, das
zwischen meinen Brüsten ruht. 14 Mein
Freund ist mir eine Traube von Zyperblu-
men in den Weingärten von En-Gedi.
15 Siehe, meine Freundin, du bist schön;
schön bist du, deine Augen sind wie
Tauben.
16 Siehe, mein Freund, du bist schön und
lieblich. Unser Lager ist grün. 17 Zedern
sind die Balken unsres Hauses, Zypressen
unsre Wände.

* **12,6** Die Verse 3-6 beschreiben in Bildern das Altern der Menschen.

12,7 *a* Kap 3,20; 1. Mose 3,19 **12,13** *a* 5. Mose 6,2
12,14 *a* Röm 2,16; 2. Kor 5,10

2 Ich bin eine Blume in Scharon, eine
Rose* im Tal.
2 Wie eine Rose unter den Dornen, so ist
meine Freundin unter den Mädchen.
3 Wie ein Apfelbaum unter den Bäumen
des Waldes, so ist mein Freund unter den
Jünglingen. Unter seinem Schatten zu sit-
zen begehre ich, und seine Frucht ist mei-
nem Gaumen süß. 4 Er führt mich in den
Weinkeller, und die Liebe ist sein Zeichen
über mir. 5 Erquickt mich mit Traubenku-
chen, labt mich mit Äpfeln; denn ich bin
krank vor Liebe. 6 Seine Linke liegt unter
meinem Haupte, und seine Rechte herzt
mich.
7 Ich beschwöre euch, ihr Töchter Je-
rusalems, bei den Gazellen oder bei den
Hinden auf dem Felde, dass ihr die Liebe
nicht aufweckt noch stört, bis es ihr selbst
gefällt.
8 Da ist die Stimme meines Freundes!
Siehe, er kommt und hüpft über die Berge
und springt über die Hügel. 9 Mein Freund
gleicht einer Gazelle oder einem jun-
gen Hirsch. Siehe, er steht hinter unsrer
Wand und sieht durchs Fenster und blickt
durchs Gitter. 10 Mein Freund antwortet
und spricht zu mir:
Steh auf, meine Freundin, meine Schö-
ne, und komm her! 11 Denn siehe, der
Winter ist vergangen, der Regen ist vor-
bei und dahin. 12 Die Blumen sind hervor-
gekommen im Lande, der Lenz ist her-
beigekommen, und die Turteltaube lässt
sich hören in unserm Lande. 13 Der Feigen-
baum lässt Früchte reifen, und die Wein-
stöcke blühen und duften. Steh auf, meine
Freundin, und komm, meine Schöne,
komm her! 14 Meine Taube in den Fels-
klüften, im Versteck der Felswand, zeige
mir deine Gestalt, lass mich hören deine
Stimme; denn deine Stimme ist süß, und
deine Gestalt ist lieblich.
15 Fangt uns die Füchse, die kleinen
Füchse, die die Weinberge verderben;
denn unsere Weinberge haben Blüten be-
kommen.
16 Mein Freund ist mein und ich bin
sein, der unter Lotosblüten weidet. 17 Bis
es Tag wird und die Schatten schwinden,
wende dich her gleich einer Gazelle, mein
Freund, oder gleich einem jungen Hirsch
auf den Balsambergen.

3 Des Nachts auf meinem Lager suchte
ich, den meine Seele liebt. Ich suchte,
aber ich fand ihn nicht. 2 Ich will aufstehen
und in der Stadt umhergehen auf den Gas-
sen und Straßen und suchen, den meine
Seele liebt. Ich suchte, aber ich fand ihn
nicht. 3 Es fanden mich die Wächter, die
in der Stadt umhergehen: »Habt ihr nicht
gesehen, den meine Seele liebt?« 4 Als ich
ein wenig an ihnen vorüber war, da fand
ich, den meine Seele liebt. Ich hielt ihn
und ließ ihn nicht los, bis ich ihn brachte
in meiner Mutter Haus, in die Kammer
derer, die mich geboren hat. – 5 Ich be-
schwöre euch, ihr Töchter Jerusalems,
bei den Gazellen oder bei den Hinden auf
dem Felde, dass ihr die Liebe nicht auf-
weckt noch stört, bis es ihr selbst gefällt.
6 Wer ist die, die heraufsteigt aus der
Wüste wie eine Rauchsäule, wie der Duft
von Myrrhe, Weihrauch und allerlei Ge-
würz des Krämers? 7 Siehe, um das Bett
Salomos stehen sechzig Starke von den
Starken in Israel. 8 Alle halten sie Schwer-
ter und sind geübt im Kampf; ein jeder
hat sein Schwert an der Hüfte gegen die
Schrecken der Nacht. 9 Der König Salomo
ließ sich eine Sänfte machen aus Holz vom
Libanon. 10 Ihre Säulen machte er aus Sil-
ber, die Decke aus Gold, der Sitz purpurn;
das Innere geziert mit Edelsteinen. Ihr
Töchter Jerusalems, 11 kommt heraus und
seht, ihr Töchter Zions, den König Salomo
mit der Krone, mit der ihn seine Mutter
gekrönt hat am Tage seiner Hochzeit, am
Tage der Freude seines Herzens.

4 Siehe, meine Freundin, du bist schön!
Siehe, schön bist du! Deine Augen sind
wie Tauben hinter deinem Schleier. Dein
Haar ist wie eine Herde Ziegen, die her-
absteigen vom Gebirge Gilead. 2 Deine
Zähne sind wie eine Herde geschorener
Schafe, die aus der Schwemme kommen;
alle haben sie Zwillinge, und es fehlt kei-
ner unter ihnen. 3 Deine Lippen sind wie
eine scharlachfarbene Schnur, und dein
Mund ist lieblich. Deine Schläfen sind
hinter deinem Schleier wie eine Scheibe
vom Granatapfel. 4 Dein Hals ist wie der
Turm Davids, mit Brustwehr gebaut, an

* **2,1** Wörtlich: »Lotosblüte«.

der tausend Schilde hangen, alle Köcher
der Starken. 5 Deine beiden Brüste sind
wie zwei Kitze, Zwillinge einer Gazelle,
die unter den Lotosblüten weiden. 6 Bis es
Tag wird und die Schatten schwinden, will
ich zum Myrrhenberge gehen und zum
Weihrauchhügel. 7 Du bist schön, ganz
wunderschön, meine Freundin, und kein
Makel ist an dir.

8 Komm mit mir, meine Braut, vom Li-
banon, komm mit mir vom Libanon, steig
herab von der Höhe des Amana, von der
Höhe des Senir und Hermon, von den
Wohnungen der Löwen, von den Bergen
der Leoparden!

9 Du hast mir das Herz genommen,
meine Schwester, liebe Braut, du hast mir
das Herz genommen mit einem einzigen
Blick deiner Augen, mit einer einzigen
Kette an deinem Hals. 10 Wie schön ist
deine Liebe, meine Schwester, liebe Braut!
Köstlicher als Wein ist deine Liebe! Und
der Geruch deiner Salben übertrifft alle
Gewürze. 11 Von deinen Lippen, meine
Braut, träufelt Honigseim. Honig und
Milch sind unter deiner Zunge, und der
Duft deiner Kleider ist wie der Duft des
Libanon.

12 Ein verschlossener Garten bist du,
meine Schwester, liebe Braut, ein ver-
schlossener Garten, ein versiegelter Born.
13 Du bist wie ein Lustgarten von Granat-
äpfeln mit edlen Früchten, Zyperblumen
mit Narden, 14 Narde und Safran, Kalmus
und Zimt, mit allerlei Weihrauchsträu-
chern, Myrrhe und Aloe, mit allen feinen
Gewürzen. 15 Ein Gartenbrunnen bist du,
ein Born lebendiger Wasser, die vom Li-
banon fließen.

16 Steh auf, Nordwind, und komm, Süd-
wind, und wehe durch meinen Garten,
dass der Duft seiner Gewürze ströme!
Mein Freund komme in seinen Garten
und esse von seinen edlen Früchten.

5 Ich bin gekommen, meine Schwester,
liebe Braut, in meinen Garten. Ich habe
meine Myrrhe samt meinen Gewürzen
gepflückt; ich habe meine Wabe samt
meinem Honig gegessen; ich habe mei-
nen Wein samt meiner Milch getrunken.
Esst, meine Freunde, und trinkt und wer-
det trunken von Liebe!

2 Ich schlief, aber mein Herz war wach.
Horch, mein Freund klopft an: »Tu mir
auf, meine Schwester, meine Freundin,
meine Taube, du Makellose! Mein Haupt
ist voll Tau und meine Locken voll Trop-
fen der Nacht.« 3 »Ich habe mein Kleid
ausgezogen – wie soll ich es wieder an-
ziehen? Ich habe meine Füße gewa-
schen – wie soll ich sie wieder schmutzig
machen?« 4 Mein Freund steckte seine
Hand durchs Riegelloch, und mein Leib
bebte ihm entgegen. 5 Da stand ich auf,
dass ich meinem Freunde auftäte; meine
Hände troffen von Myrrhe und meine
Finger von fließender Myrrhe an den
Griffen des Riegels. 6 Aber als ich mei-
nem Freund aufgetan hatte, war er weg
und fortgegangen. Meine Seele war außer
sich, dass er sich abgewandt hatte. Ich
suchte ihn, aber ich fand ihn nicht; ich
rief, aber er antwortete mir nicht. 7 Es fan-
den mich die Wächter, die in der Stadt
umhergehen; die schlugen mich wund.
Die Wächter auf der Mauer nahmen mir
meinen Schleier.

8 Ich beschwöre euch, ihr Töchter Jeru-
salems, wenn ihr meinen Freund findet,
was sollt ihr ihm sagen? Dass ich krank bin
vor Liebe.

9 Was hat dein Freund andern Freunden
voraus, o du Schönste unter den Frauen?
Was hat dein Freund andern Freunden
voraus, dass du uns so beschwörst?

10 Mein Freund ist weiß und rot, aus-
erkoren unter vielen Tausenden. 11 Sein
Haupt ist das feinste Gold. Seine Lo-
cken sind Rispen, schwarz wie ein Rabe.
12 Seine Augen sind wie Tauben an den
Wasserbächen, sie baden in Milch und sit-
zen an reichen Wassern. 13 Seine Wangen
sind wie Balsambeete, in denen Gewürz-
kräuter wachsen. Seine Lippen sind wie
Lotosblüten, die von fließender Myrrhe
triefen. 14 Seine Arme sind wie goldene
Stäbe, voller Türkise. Sein Leib ist wie
aus Elfenbein, mit Saphiren geschmückt.
15 Seine Beine sind wie Marmorsäulen,
gegründet auf goldenen Füßen. Seine
Gestalt ist wie der Libanon, auserwählt
wie Zedern. 16 Sein Mund ist voll Süße
und alles an ihm ist lieblich. – So ist mein
Freund, so ist mein Geliebter, ihr Töchter
Jerusalems!

6 »Wo ist denn dein Freund hingegan-
gen, o du Schönste unter den Frauen?
Wo hat sich dein Freund hingewandt? So
wollen wir ihn mit dir suchen.«
2 Mein Freund ist hinabgegangen in sei-
nen Garten, zu den Balsambeeten, dass
er weide in den Gärten und Lotosblüten
pflücke. 3 Mein Freund ist mein und ich bin
sein, der unter Lotosblüten weidet.
4 Du bist schön, meine Freundin, wie
Tirza, lieblich wie Jerusalem, überwäl-
tigend wie die Bilder am Himmel.
5 Wende deine Augen von mir; denn
sie verwirren mich. Deine Haare sind
wie eine Herde Ziegen, die herabstei-
gen vom Gebirge Gilead. 6 Deine Zähne
sind wie eine Herde Schafe, die aus der
Schwemme kommen; alle haben sie
Zwillinge, und keines unter ihnen ist
unfruchtbar. 7 Deine Schläfen sind hinter
deinem Schleier wie eine Scheibe vom
Granatapfel.
8 Sechzig Königinnen sind es und achtzig
Nebenfrauen und Jungfrauen ohne Zahl.
9 Aber eine ist meine Taube, meine Makel-
lose; die Einzige ist sie für ihre Mutter, das
Liebste für die, die sie geboren hat. Als die
Töchter sie sahen, priesen sie sie glücklich;
die Königinnen und Nebenfrauen rühm-
ten sie. 10 Wer ist sie, die hervorbricht wie
die Morgenröte, schön wie der Mond, klar
wie die Sonne, überwältigend wie die Bil-
der am Himmel?
11 Ich bin hinabgegangen in den Nuss-
garten, zu schauen die Knospen im Tal,
zu schauen, ob der Weinstock sprosst, ob
die Granatbäume blühen. 12 Mein Verlan-
gen zog mich, ich wusste nicht wie, zu den
Wagen Ammi-Nadibs.

7 Wende dich, wende dich, o Sulamith!
Wende dich, wende dich, dass wir dich
schauen!
Was seht ihr an Sulamith beim Reigen
im Lager?
2 Wie schön ist dein Gang in den Schu-
hen, du Fürstentochter! Rund sind deine
Schenkel wie zwei Spangen, die des Meis-
ters Hand gemacht hat. 3 Dein Schoß ist
wie ein runder Becher, dem nimmer Ge-
tränk mangelt. Dein Leib ist wie ein Wei-
zenhügel, von Lotosblüten umsäumt.
4 Deine beiden Brüste sind wie zwei Kitze,
Zwillinge einer Gazelle. 5 Dein Hals ist
wie ein Turm von Elfenbein. Deine Au-
gen sind wie die Teiche von Heschbon
am Tor Bat-Rabbim. Deine Nase ist wie
der Turm auf dem Libanon, der nach Da-
maskus sieht. 6 Dein Haupt ragt auf wie
der Karmel. Das Haar auf deinem Haupt
ist wie Purpur; ein König liegt in deinen
Locken gefangen.
7 Wie schön und wie lieblich bist du, du
Liebe voller Wonne! 8 Dein Wuchs gleicht
einem Palmbaum und deine Brüste den
Trauben. 9 Ich sprach: Ich will auf den
Palmbaum steigen und seine Zweige er-
greifen. Lass deine Brüste sein wie Trau-
ben am Weinstock und den Duft deines
Atems wie Äpfel 10 und deinen Mund wie
der beste Wein, der meinem Freunde glatt
eingeht und die Lippen der Schlafenden
netzt.
11 Mein Freund ist mein und nach mir
steht sein Verlangen. 12 Komm, mein
Freund, lass uns aufs Feld hinausgehen
und unter Zyperblumen die Nacht ver-
bringen, 13 dass wir früh aufbrechen zu
den Weinbergen und sehen, ob der Wein-
stock sprosst und seine Blüten aufgehen,
ob die Granatbäume blühen. Da will ich
dir meine Liebe schenken.
14 Die Liebesäpfel geben den Duft, und
an unsrer Tür sind lauter edle Früchte,
heurige und auch vorjährige: Mein
Freund, für dich hab ich sie aufbewahrt.

8 O dass du mein Bruder wärest, der an
meiner Mutter Brüste gesogen! Fände
ich dich draußen, so wollte ich dich küs-
sen und niemand dürfte mich schelten!
2 Ich wollte dich führen und in mei-
ner Mutter Haus bringen, in die Kam-
mer derer, die mich gebar. Da wollte
ich dich tränken mit gewürztem Wein
und mit dem Most meiner Granat-
äpfel.
3 Seine Linke liegt unter meinem Haupt,
und seine Rechte herzt mich. – 4 Ich be-
schwöre euch, ihr Töchter Jerusalems,
dass ihr die Liebe nicht aufweckt und nicht
stört, bis es ihr selbst gefällt.
5 Wer ist sie, die heraufsteigt aus der
Wüste, an ihren Freund gelehnt?
Unter dem Apfelbaum weckte ich dich,
wo deine Mutter dich empfing, wo in We-

hen kam, die dich gebar. [6] **Lege mich wie**
ein Siegel auf dein Herz, wie ein Siegel
auf deinen Arm. Denn Liebe ist stark
wie der Tod und Leidenschaft unwider-
stehlich wie das Totenreich. Ihre Glut
ist feurig und eine gewaltige Flamme*.
[7] Viele Wasser können die Liebe nicht aus-
löschen noch die Ströme sie ertränken.
Wenn einer alles Gut in seinem Hause
um die Liebe geben wollte, würde man
ihn verachten?

[8] Unsre Schwester ist klein und hat keine
Brüste. Was sollen wir mit unsrer Schwes-
ter tun, wenn man um sie werben wird?
[9] Ist sie eine Mauer, so wollen wir ein sil-
bernes Bollwerk darauf bauen. Ist sie eine
Tür, so wollen wir sie sichern mit Zedern-
bohlen.

[10] Ich bin eine Mauer, und meine Brüste
sind wie Türme. Da bin ich geworden in
seinen Augen wie eine, die Frieden findet.

[11] Salomo hatte einen Weinberg zu
Baal-Hamon, den gab er den Wächtern.
Für seine Frucht zahlt ein jeder tausend
Silberstücke. [12] Mein eigener Weinberg
liegt vor mir. Die tausend lasse ich dir,
Salomo, und zweihundert den Wächtern
seiner Früchte.

[13] Die du wohnst in den Gärten, lass
mich deine Stimme hören; die Gefährten
lauschen dir.

[14] Flieh, mein Freund! Sei wie eine Ga-
zelle oder wie ein junger Hirsch auf den
Balsambergen!

*** 8,6** Luther übersetzte: »eine Flamme des HERRN«.

DER PROPHET JESAJA

1–12 Gericht über Israel und Juda. Neues Heil 13–23 Das Gericht über die Völker
24–27 Weltgericht und Erlösung Israels 28–31 Zwischen Assyrien und Ägypten
32–35 Ausblick auf neues Heil 36–39 Belagerung und Rettung Jerusalems
40–55 Das Trostbuch von der Erlösung Israels 56–66 Die kommende Heilszeit

1 Dies ist das Gesicht, das Jesaja, der Sohn
des Amoz, schaute über Juda und Jeru-
salem zur Zeit des [a]Usija, Jotam, Ahas und
Hiskia, der Könige von Juda.[b]

GOTTES ANKLAGE GEGEN DAS ABTRÜNNIGE VOLK

2 [a]Höret, ihr Himmel, und Erde, nimm
zu Ohren, denn der HERR redet: Ich
habe Kinder großgezogen und hochge-
bracht, und sie sind von mir abgefallen!
3 Ein Ochse kennt seinen Herrn und ein
Esel die Krippe seines Herrn; aber Israel
kennt's nicht, und mein Volk versteht's
nicht.

4 Wehe dem sündigen Volk, dem Volk
mit Schuld beladen, dem boshaften Ge-
schlecht, den verderbten Kindern, die
den HERRN verlassen, den Heiligen Is-
raels lästern, die abgefallen sind![a] 5 Wo-
hin soll man euch noch [a]schlagen, die ihr
doch weiter im Abfall verharrt? Das ganze
Haupt ist krank, das ganze Herz ist matt.
6 Von der Fußsohle bis zum Haupt ist
nichts Gesundes an ihm, sondern Beulen
und Striemen und frische Wunden, die
nicht gereinigt noch verbunden noch mit
Öl gelindert sind.[a]

7 Euer Land ist verwüstet, eure Städte
sind mit Feuer verbrannt; Fremde ver-
zehren eure Äcker vor euren Augen; alles
ist verwüstet wie durch Fremde verheert.
8 Übrig geblieben ist allein die Tochter
Zion wie ein Häuslein im Weinberg, wie
eine Nachthütte im Gurkenfeld, wie eine
belagerte Stadt. 9 Hätte uns der HERR Ze-
baoth nicht einen geringen Rest übrig
gelassen, so [a]wären wir wie Sodom und
gleich wie Gomorra.[b]

10 Höret des HERRN Wort, ihr Herren
von Sodom! Nimm zu Ohren die Wei-
sung unsres Gottes, du Volk von Go-
morra! 11 [a]Was soll mir die Menge eurer
Opfer?, spricht der HERR. Ich bin satt der
Brandopfer von Widdern und des Fettes
von Mastkälbern und habe kein Gefallen
am Blut der Stiere, der Lämmer und Bö-
cke. 12 Wenn ihr kommt, zu erscheinen
vor meinem Angesicht – wer fordert denn
von euch, dass ihr meine Vorhöfe zertre-
tet? 13 Bringt nicht mehr dar so vergeb-
liche Speisopfer! Das Räucherwerk ist mir
ein Gräuel! [a]Neumond und Sabbat, den
Ruf zur Versammlung – Frevel und Fest-
versammlung – ich mag es nicht! 14 Meine
Seele ist feind euren Neumonden und
Jahresfesten; sie sind mir eine Last, ich
bin's müde, sie zu tragen. 15 Und wenn ihr
auch eure Hände ausbreitet, verberge ich
doch meine Augen vor euch; und [a]wenn
ihr auch viel betet, höre ich euch doch
nicht; [b]denn eure Hände sind voll Blut.
16 Wascht euch, reinigt euch, tut eure bö-
sen Taten aus meinen Augen. Lasst ab
vom Bösen, 17 lernt Gutes tun! [a]Trach-
tet nach Recht, helft den Unterdrückten,
schafft den Waisen Recht, führt der Wit-
wen Sache!

18 So kommt denn und lasst uns mitein-
ander rechten, spricht der HERR. [a]**Wenn
eure Sünde auch blutrot ist, soll sie
doch schneeweiß werden, und wenn
sie rot ist wie Purpur, soll sie doch wie
Wolle werden.** 19 Wollt ihr mir gehor-
chen, so sollt ihr des Landes Gut genie-
ßen.[a] 20 Weigert ihr euch aber und seid
ungehorsam, so sollt ihr [a]vom Schwert
gefressen werden; [b]denn der Mund des
HERRN hat's geredet.

1,1 *a* 2. Chr 26,22 *b* Kap 2,1 **1,2** *a* 5. Mose 32,1
1,4 *a* Kap 30,1.9 **1,5** *a* Jer 2,30 **1,6** *a* 5. Mose 28,35
1,9 *a* 1. Mose 19,24-25 *b* Röm 9,29
1,11 *a* (11-14) Kap 66,3; Ps 40,7-9; Jer 6,20; Hos 8,13;
Am 5,21-22 **1,13** *a* 4. Mose 10,10 **1,15** *a* Spr 1,28; 15,29;
Joh 9,31 *b* Kap 9,3 **1,17** *a* Jer 7,5-6 **1,18** *a* Kap 44,22;
Ps 51,9 **1,19** *a* 3. Mose 25,18-19 **1,20** *a* 3. Mose 26,25
b Kap 40,5; 58,14

GOTTES GERICHT ZUR LÄUTERUNG JERUSALEMS

21 Ach, wie ist zur Hure geworden die
treue Stadt! Sie war voll Recht, Gerech-
tigkeit wohnte darin; nun aber – Mörder.
22 [a]Dein Silber ist Schlacke geworden und
dein Wein mit Wasser verfälscht. 23 Deine
Fürsten sind Abtrünnige und Diebsgesel-
len, sie nehmen alle gern Geschenke an
und trachten nach Gaben. Den Waisen
schaffen sie nicht Recht, und der Witwen
Sache kommt nicht vor sie.
24 Darum spricht der Herr, der HERR
Zebaoth, der Mächtige Israels: Wehe! Ich
werde mir Trost schaffen an meinen Fein-
den und mich rächen an meinen Widersa-
chern 25 und will meine Hand wider dich
kehren und wie mit Lauge [a]ausschmel-
zen, was Schlacke ist, und all dein Zinn
ausscheiden. 26 Und ich will dir wieder
Richter geben, wie sie vormals waren,
und Ratsherren wie im Anfang. [a]Als-
dann wirst du eine Stadt der Gerechtig-
keit und eine treue Stadt heißen. 27 Zion
wird durch Recht erlöst werden, und wer
dorthin umkehrt, durch Gerechtigkeit.[a]
28 Die Übertreter aber und Sünder wer-
den allesamt zerbrochen werden, und
die den HERRN verlassen, werden um-
kommen.
29 Denn sie sollen zuschanden werden
wegen der [a]Eichen, an denen ihr eure Lust
habt, und ihr sollt schamrot werden wegen
der [b]Gärten, die ihr erwählt habt. 30 Denn
ihr werdet sein wie eine Eiche mit dürren
Blättern und wie ein Garten ohne Wasser;
31 und der Starke wird sein wie Werg und
sein Tun wie ein Funke, und beides wird
miteinander brennen und niemand löscht.

IN ZION FINDEN ALLE VÖLKER HEIL UND FRIEDEN

2 Dies ist das Wort, das Jesaja, der Sohn
des Amoz, schaute über Juda und Je-
rusalem.[a] 2 [a]Es wird zur letzten Zeit der
Berg, da des HERRN Haus ist, fest ste-
hen, höher als alle Berge und über alle
Hügel erhaben, und alle Heiden werden
herzulaufen, 3 und viele Völker werden
hingehen und sagen: Kommt, lasst uns
hinaufgehen zum Berg des HERRN, zum
Hause des Gottes Jakobs, dass er uns lehre
seine Wege und wir wandeln auf seinen
Steigen! Denn [a]von Zion wird Weisung
ausgehen und des HERRN Wort von Jeru-
salem.[b] 4 Und **er wird richten unter den
Nationen und zurechtweisen viele Völ-
ker. [a]Da werden sie ihre Schwerter zu
Pflugscharen machen und ihre Spieße
zu Sicheln. Denn es wird kein Volk wi-
der das andere das Schwert erheben,
und sie werden hinfort nicht mehr ler-
nen, Krieg zu führen.**
5 Kommt nun, ihr vom Hause Jakob,
lasst uns wandeln im Licht des HERRN!

DER TAG DES HERRN MACHT ALLES HOHE NIEDRIG

6 Ja, du hast dein Volk, das Haus Jakob, ver-
stoßen; denn sie sind den Sitten des Os-
tens verfallen, und es gibt Zeichendeuter
wie bei den Philistern, und Kinder von
Fremden haben sie mehr als genug. 7 Ihr
Land wurde voll Silber und Gold, und
ihrer Schätze war kein Ende; [a]ihr Land
wurde voll Rosse, und ihrer Wagen war
kein Ende. 8 Auch wurde ihr Land voll
Götzen; [a]sie beten an ihrer Hände Werk,
das ihre Finger gemacht haben. 9 Aber ge-
beugt wurde der Mensch, gedemütigt der
Mann. Vergib ihnen nicht! 10 Geh in die
Felsen und verbirg dich in der Erde vor
dem Schrecken des HERRN und vor seiner
herrlichen Majestät![a] 11 Denn alle hoffär-
tigen Augen werden erniedrigt, und die
stolzen Männer müssen sich beugen; der
HERR aber wird allein hoch sein an jenem
Tage.[a]
12 [a]Denn [b]der Tag des HERRN Zebaoth
wird kommen über alles Hoffärtige und
Hohe und über alles Erhabene, dass es
erniedrigt werde: 13 über alle hohen und
erhabenen Zedern auf dem Libanon und
über alle Eichen in Baschan, 14 über alle
hohen Berge und über alle erhabenen Hü-
gel, 15 über alle hohen Türme und über alle
festen Mauern, 16 über alle Tarsisschiffe im
Meer und über alle kostbaren Boote, 17 dass
sich beugen muss alle Hoffart der Men-

1,22 ***a*** (22-25) Jer 6,28-30; Hes 22,18-22 **1,25** ***a*** Ps 119,119 **1,26** ***a*** Sach 8,3 **1,27** ***a*** Kap 46,13 **1,29** ***a*** Kap 57,5 ***b*** Kap 65,3; 66,17 **2,1** ***a*** Kap 1,1 **2,2** ***a*** (2-4) Kap 60,3; 66,23; Mi 4,1-3; Jer 3,17 **2,3** ***a*** Kap 51,4; 5. Mose 4,6; Joh 4,22 ***b*** Sach 8,20-22 **2,4** ***a*** Joel 4,10 **2,7** ***a*** Kap 31,1; Mi 5,9 **2,8** ***a*** Jer 1,16 **2,10** ***a*** Vers 19 **2,11** ***a*** Vers 17; Kap 5,15-16 **2,12** ***a*** (12-13) Kap 10,33-34 ***b*** Jer 46,10; Hes 30,3; Joel 1,15; Am 5,18; Zef 1,14

schen und sich demütigen müssen, die
stolze Männer sind, und der HERR allein
hoch sei an jenem Tage.[a]

18 Und mit den Götzen wird's ganz aus
sein. 19 Da wird man in die Höhlen der Fel-
sen gehen und in die Klüfte der Erde vor
dem Schrecken des HERRN und vor seiner
herrlichen Majestät, wenn er sich aufma-
chen wird, zu schrecken die Erde. 20 An
jenem Tage [a]wird jedermann wegwerfen
seine silbernen und goldenen Götzen, die
er sich hatte machen lassen, um sich vor
[b]Mäusen und Fledermäusen niederzuwer-
fen, 21 damit er sich verkriechen kann in
die Felsspalten und Steinklüfte vor dem
Schrecken des HERRN und vor seiner
herrlichen Majestät, wenn er sich aufma-
chen wird, zu schrecken die Erde. 22 So
lasst nun ab von dem Menschen, dessen
[a]Odem nur ein Hauch ist; denn für was
ist er zu achten?

GOTTES GERICHT ÜBER DIE HERREN JERUSALEMS UND SEINE EITLEN FRAUEN

3 Siehe, der Herr, der HERR Zebaoth,
wird von Jerusalem und Juda wegneh-
men Stütze und Stab: [a]allen Vorrat an
Brot und allen Vorrat an Wasser, 2 Helden
und Kriegsleute, Richter und Propheten,
Wahrsager und Älteste, 3 Hauptleute und
Vornehme, Ratgeber und Weise, Zauberer
und kluge Beschwörer.

4 Und ich will ihnen [a]Knaben zu Fürs-
ten geben, und Mutwillige sollen über sie
herrschen. 5 Und im Volk wird einer den
andern bedrängen, ein jeder seinen Nächs-
ten. Der Junge geht los auf den Alten und
der Verachtete auf den Geehrten.[a] 6 Dann
wird einer seinen Bruder in seines Vaters
Hause ergreifen: Du hast noch einen Man-
tel! Sei unser Herr! Dieser Trümmerhaufe
sei unter deiner Hand! 7 Er aber wird sie
zu der Zeit beschwören und sagen: Ich bin
kein Arzt; es ist kein Brot und kein Mantel
in meinem Hause! Macht mich nicht zum
Herrn über das Volk!

8 Denn Jerusalem ist gestrauchelt, und
Juda liegt da, weil ihre Worte und ihr Tun
wider den HERRN sind, dass sie den Au-
gen seiner Majestät widerstreben. 9 Ihr
Gesichtsausdruck zeugt gegen sie; ihrer
Sünde rühmen sie sich [a]wie die Leute in
Sodom und verbergen sie nicht. Wehe ih-
nen! Denn damit bringen sie sich selbst
ins Unglück. 10 Wohl den Gerechten, sie
haben es gut! Denn sie werden die Frucht
ihrer Werke genießen.[a] 11 Wehe aber den
Gottlosen, sie haben es schlecht! Denn
wie sie handeln, wird ihnen vergolten.
12 [a]Mein Volk – seine Gebieter üben Will-
kür, und Wucherer beherrschen es. Mein
Volk, deine Führer verführen dich und
verwirren den Weg, den du gehen sollst!

13 Der HERR steht da, den Rechtsstreit
zu führen, und ist aufgetreten, die Völker
zu richten. 14 Der HERR geht ins Gericht
mit den Ältesten seines Volks und mit
seinen Fürsten: Ihr habt den [a]Weinberg
abgeweidet, und was ihr den Armen ge-
raubt, ist in eurem Hause. 15 Warum zer-
tretet ihr mein Volk und zerschlagt das
Angesicht der Elenden?, spricht Gott, der
HERR Zebaoth.

16 Und der HERR sprach: Weil die Töch-
ter Zions stolz sind und gehen mit aufge-
recktem Halse, mit lüsternen Augen, trip-
peln daher und tänzeln und klimpern mit
den Spangen an ihren Füßen, 17 deshalb
wird der Herr den Scheitel der Töchter Zi-
ons kahl machen, und der HERR wird ihre
Schläfe entblößen. 18 Zu der Zeit wird der
Herr den Schmuck der Fußspangen weg-
nehmen und die Stirnbänder, die kleinen
Monde, 19 die Ohrringe, die Armspangen,
die Schleier, 20 die Hauben, die Fußkett-
chen, die Gürtel, die Riechfläschchen, die
Amulette, 21 die Fingerringe, die Nasen-
ringe, 22 die Feierkleider, die Mäntel, die
Tücher, die Täschchen, 23 die Spiegel, die
Hemden, die Kopftücher, die Überwürfe.
24 Und es wird Gestank statt Wohlgeruch
sein und ein Strick statt eines Gürtels und
eine Glatze statt lockigen Haars und statt
des Prachtgewandes ein Sack, Brandmal
statt Schönheit.

25 Deine Männer werden durchs Schwert
fallen und deine Krieger im Kampf. 26 Und
Zions Tore werden trauern und klagen,
und sie wird leer und einsam auf der Erde
sitzen.[a]

2,17 *a* Vers 11 **2,20** *a* Kap 30,22; 31,7 *b* 1. Sam 6,11
2,22 *a* 1. Mose 2,7 **3,1** *a* 3. Mose 26,26; Hes 4,16
3,4 *a* Pred 10,16 **3,5** *a* Mi 7,6 **3,9** *a* 1. Mose 19,5-9
3,10 *a* Ps 128,2 **3,12** *a* Kap 9,15 **3,14** *a* Kap 5,7; Jer 12,10
3,26 *a* Klgl 1,4

4 Und sieben Frauen werden zu der Zeit
einen Mann ergreifen und sprechen:
Wir wollen uns selbst ernähren und klei-
den, lass uns nur nach deinem Namen hei-
ßen, [a]nimm unsre Schmach von uns!

DAS KÜNFTIGE HEIL FÜR DIE GERETTETEN IN JERUSALEM

2 Zu der Zeit wird, [a]was der HERR sprie-
ßen lässt, lieb und wert sein und die
Frucht des Landes herrlich und schön für
alle von Israel, die entronnen sind. 3 Und
wer [a]übrig ist in Zion und übrig bleibt in
Jerusalem, der wird heilig heißen, ein je-
der, der [b]aufgeschrieben ist zum Leben in
Jerusalem. 4 Wenn der Herr den Unflat der
Töchter Zions abgewaschen und die Blut-
schuld Jerusalems weggespült hat durch
den Geist des Rechts und den Geist der
Läuterung, 5 dann wird der HERR über der
ganzen Stätte des Berges Zion und über
ihren Versammlungen eine [a]Wolke schaf-
fen am Tage und Rauch und Feuerglanz in
der Nacht. Ja, es wird ein Schutz sein über
allem, was herrlich ist, 6 und eine Hütte
[a]zum Schatten am Tage vor der Hitze und
Zuflucht und Obdach vor dem Wetter und
Regen.

DAS LIED VOM UNFRUCHTBAREN WEINBERG

5 [a]Wohlan, ich will von meinem lieben
Freunde singen, ein Lied von meinem
Freund und seinem Weinberg.

Mein Freund hatte einen Weinberg auf
einer fetten Höhe. 2 Und er grub ihn um
und entsteinte ihn und [a]pflanzte darin
edle Reben. Er baute auch einen Turm
darin und grub eine Kelter und wartete
darauf, dass er gute Trauben brächte; aber
er brachte schlechte.

3 Nun richtet, ihr Bürger zu Jerusalem
und ihr Männer Judas, zwischen mir und
meinem Weinberg! 4 Was sollte man
noch mehr tun an meinem Weinberg,
das ich nicht getan habe an ihm? Warum
hat er denn schlechte Trauben gebracht,
während ich darauf wartete, dass er gute
brächte?

5 Wohlan, ich will euch zeigen, was ich
mit meinem Weinberg tun will! Sein
Zaun soll weggenommen werden, dass
er kahl gefressen werde, und seine Mauer
soll eingerissen werden, dass er zertreten
werde. 6 Ich will ihn wüst liegen lassen,
dass er nicht beschnitten noch gehackt
werde, sondern Disteln und Dornen dar-
auf wachsen, und will den Wolken gebie-
ten, dass sie nicht darauf regnen.[a]

7 Des HERRN Zebaoth [a]Weinberg aber
ist das Haus Israel und die Männer Judas
seine Pflanzung, an der sein Herz hing. Er
wartete auf Rechtsspruch, siehe, da war
Rechtsbruch, auf Gerechtigkeit, siehe, da
war Geschrei über Schlechtigkeit.

WEHERUFE ÜBER DIE SÜNDEN DER GROSSEN

8 Weh denen, [a]die ein Haus zum andern
bringen und einen Acker an den andern
rücken, bis kein Raum mehr da ist und ihr
allein das Land besitzt! 9 Es ist in meinen
Ohren das Wort des HERRN Zebaoth:
[a]Fürwahr, die vielen Häuser sollen ver-
öden, die großen und feinen unbewohnt
sein, 10 denn zehn Morgen Weinberg sol-
len nur einen Eimer geben und ein Sack
Saat nur einen Scheffel.

11 Weh denen, die des Morgens früh auf
sind, dem Saufen nachzugehen, und sitzen
bis in die Nacht, dass sie der Wein erhitzt.
12 Und sie haben [a]Harfen, Zithern, Pauken,
Pfeifen und Wein bei ihren Gelagen, aber
[b]sehen nicht auf das Werk des HERRN und
schauen nicht auf das Tun seiner Hände!
13 Darum ist mein Volk weggeführt wor-
den, weil es keine [a]Erkenntnis hatte, und
seine Vornehmen mussten Hunger leiden
und die lärmende Menge Durst. 14 Darum
hat das Totenreich den Schlund weit auf-
gesperrt und den Rachen aufgetan ohne
Maß, dass hinunterfährt, was da prangt
und lärmt, alle Übermütigen und Fröh-
lichen. 15 [a]So wurde gebeugt der Mensch
und gedemütigt der Mann, und die Augen
der Hoffärtigen wurden erniedrigt, 16 aber
der HERR Zebaoth war hoch im Gericht
und Gott, der Heilige, erwies sich heilig in
Gerechtigkeit. 17 Da werden dann Lämmer

4,1 *a* Kap 54,4 **4,2** *a* Jer 23,5; 33,15 **4,3** *a* Kap 6,13
b 2. Mose 32,32; Ps 69,29; Mal 3,16 **4,5** *a* 2. Mose 13,21
4,6 *a* Kap 25,4 **5,1** *a* (1-7) Kap 27,2-6 **5,2** *a* Jer 2,21;
Mk 12,1-9 **5,6** *a* Kap 7,23-25 **5,7** *a* Kap 3,14
5,8 *a* 5. Mose 5,21; Mi 2,2 **5,9** *a* Kap 6,11
5,12 *a* Am 6,5-6 *b* Kap 22,11 **5,13** *a* Hos 4,6
5,15 *a* (15-16) Kap 2,11.17

weiden wie auf ihrer Trift und Ziegen sich
nähren in den Trümmerstätten der Wohl-
genährten.
18 Weh denen, die das Unrecht her-
beiziehen mit Stricken der Lüge und die
Sünde mit Wagenseilen 19 und sprechen:
[a]Er lasse eilends und bald kommen sein
Werk, dass wir's sehen; es nahe und treffe
ein der Ratschluss des Heiligen Israels,
dass wir ihn kennenlernen!
20 Weh denen, die Böses gut und Gutes
böse nennen, die aus Finsternis Licht und
aus Licht Finsternis machen, die aus sauer
süß und aus süß sauer machen!
21 Weh denen, die [a]weise sind in ihren
eigenen Augen und [b]halten sich selbst für
klug!
22 Weh denen, die Helden sind, [a]Wein
zu saufen, und wackere Männer, starkes
Getränk zu mischen, 23 die [a]den Schuldi-
gen gerecht sprechen für Geschenke und
das Recht nehmen denen, die im Recht
sind!
24 Darum, wie des Feuers Flamme Stroh
verzehrt und Stoppeln vergehen in der
Flamme, so wird ihre Wurzel verfau-
len und ihre Blüte auffliegen wie Staub.
[a]Denn sie haben verachtet die Weisung
des HERRN Zebaoth und gelästert die
Rede des Heiligen Israels.

GOTT RUFT DIE FEINDE INS LAND

25 Darum ist der Zorn des HERRN ent-
brannt über sein Volk, und er hat seine
Hand ausgereckt wider sie und sie ge-
schlagen, dass die Berge bebten und ihre
Leichen lagen wie Kehricht auf den Gas-
sen. [a]Bei all dem hat sein Zorn sich nicht
abgekehrt, seine Hand ist noch ausge-
reckt.
26 Er wird ein Feldzeichen aufrichten für
das Volk* aus der Ferne und [a]pfeift es her-
bei vom Ende der Erde. Und siehe, eilends
und schnell kommen sie daher. 27 Keiner
unter ihnen ist müde oder strauchelt, kei-
ner schlummert noch schläft; keinem geht
der Gürtel auf von seinen Hüften, und
keinem zerreißt ein Schuhriemen. 28 Ihre
Pfeile sind scharf und alle ihre Bogen ge-
spannt; die Hufe ihrer Rosse sind hart wie
Kieselsteine, und ihre Wagenräder sind
wie ein Sturmwind. 29 Ihr Brüllen ist wie
das der Löwen, und sie brüllen wie junge
Löwen. Sie wüten und packen den Raub
und tragen ihn davon und niemand ret-
tet. 30 Und es wird über ihnen wüten zu
der Zeit wie das Wüten des Meeres. [a]Sieht
man dann die Erde an, siehe, so ist sie fins-
ter vor Angst, und das Licht ist durch Wol-
ken verfinstert.

JESAJAS BERUFUNG ZUM PROPHETEN

6 [a]In dem Jahr, als der König [b]Usija starb,
[c]sah ich den Herrn sitzen auf einem ho-
hen und erhabenen Thron und sein Saum
füllte den Tempel. 2 Serafim standen über
ihm; ein jeder hatte sechs Flügel: Mit
zweien deckten sie ihr Antlitz, mit zweien
deckten sie ihre Füße und mit zweien flo-
gen sie. 3 Und einer rief zum andern und
sprach: [a]**Heilig, heilig, heilig ist der**
HERR Zebaoth, alle Lande sind seiner
Ehre voll! 4 Und die Schwellen bebten
von der Stimme ihres Rufens und das
Haus ward [a]voll Rauch.
5 Da sprach ich: [a]Weh mir, ich vergehe!
Denn ich bin unreiner Lippen und wohne
unter einem Volk von unreinen Lippen;
denn [b]ich habe den König, den HERRN
Zebaoth, gesehen mit meinen Augen.
6 Da flog einer der Serafim zu mir und
hatte eine glühende Kohle in der Hand,
die er mit der Zange vom Altar nahm,
7 und rührte meinen Mund an und sprach:
Siehe, hiermit sind deine Lippen be-
rührt, dass deine Schuld von dir genom-
men werde und deine Sünde gesühnt
sei.
8 Und ich hörte die Stimme des Herrn,
wie er sprach: Wen soll ich senden? Wer
will unser Bote sein? Ich aber sprach: Hier
bin ich, sende mich! 9 [a]Und er sprach: Geh
hin und sprich zu diesem Volk: Höret
und verstehet's nicht; sehet und merket's
nicht! 10 Verfette das Herz dieses Volks
und ihre Ohren verschließe und ihre Au-
gen verklebe, [a]dass sie nicht sehen mit ih-

* **5,26** Wörtlich: »für die Völker«.

5,19 ***a*** Jer 17,15; Am 5,18 **5,21** ***a*** Spr 3,7 ***b*** Röm 12,16
5,22 ***a*** Kap 28,7; 56,12 **5,23** ***a*** 2. Mose 23,8; Spr 17,15
5,24 ***a*** Jer 6,19; Am 2,4 **5,25** ***a*** Kap 9,11.16.20; 10,4
5,26 ***a*** Kap 7,18 **5,30** ***a*** Kap 8,22 **6,1** ***a*** (1-3) Kap 57,15
b 2. Chr 26,22-23 ***c*** 1. Kön 22,19 **6,3** ***a*** Ps 99,3.5.9;
Offb 4,8 **6,4** ***a*** Hes 10,4; Offb 15,8 **6,5** ***a*** Kap 24,16
b 2. Mose 33,20 **6,9** ***a*** (9-10) Kap 29,9-10; Mt 13,11-15;
Apg 28,26-27 **6,10** ***a*** Kap 32,3-4; 44,18; 5. Mose 29,3;
Joh 12,40; Röm 11,8

ren Augen noch hören mit ihren Ohren
noch verstehen mit ihrem Herzen und
sich nicht bekehren und genesen.
11 Ich aber sprach: Herr, wie lange? Er
sprach: Bis die Städte wüst werden, ohne
Einwohner, und [a]die Häuser ohne Men-
schen und das Feld ganz wüst daliegt.
12 Denn der HERR wird die Menschen
weit wegführen, sodass das Land sehr
verlassen sein wird. 13 Auch wenn nur der
zehnte Teil darin bleibt, so wird es aber-
mals kahl gefressen werden, doch wie bei
einer Terebinthe oder Eiche, von denen
beim Fällen noch ein [a]Stumpf bleibt. Ein
[b]heiliger Same wird solcher Stumpf sein.

JESAJA RUFT DEN KÖNIG AHAS ZUM GLAUBEN

7 Es begab sich zur Zeit des Ahas, des
Sohnes Jotams, des Sohnes Usijas, des
Königs von Juda, da zogen Rezin, der Kö-
nig von Aram, und Pekach, der Sohn Re-
maljas, der König von Israel, herauf nach
Jerusalem, um es zu bekämpfen; sie konn-
ten es aber nicht erobern.* [a]
2 Da wurde dem Hause David angesagt:
Die Aramäer haben sich gelagert in Eph-
raim. Da bebte ihm das Herz und das Herz
seines Volks, wie die Bäume im Walde be-
ben vom Winde. 3 Aber der HERR sprach
zu Jesaja: Geh hinaus, Ahas entgegen, du
und dein Sohn [a]Schear-Jaschub*, [b]an das
Ende der Wasserleitung des oberen Tei-
ches, an der Straße beim Acker des Wal-
kers, 4 und sprich zu ihm: Hüte dich und
[a]bleibe still; fürchte dich nicht, und dein
Herz sei unverzagt vor diesen beiden
Brandscheiten, die nur noch rauchen, dem
glühenden Zorn Rezins und der Aramäer
und des Sohnes Remaljas. 5 Weil die Ara-
mäer gegen dich Böses ersonnen haben
samt Ephraim und dem Sohn Remaljas
und sagen: 6 »Wir wollen hinaufziehen
nach Juda und es in Schrecken versetzen
und für uns erobern und zum König darin
machen den Sohn Tabeals«, – 7 so spricht
Gott der HERR: Das soll nicht bestehen
und wird nicht geschehen. 8 Denn das
Haupt von Aram ist Damaskus, und das
Haupt von Damaskus ist Rezin – und in
fünfundsechzig Jahren soll es mit Eph-
raim aus sein, dass sie nicht mehr ein Volk
seien. 9 Und das Haupt von Ephraim ist
Samaria, und das Haupt von Samaria ist
der Sohn Remaljas. [a]**Glaubt ihr nicht, so
bleibt ihr nicht.**

DAS ZEICHEN DES IMMANUEL UND DAS STRAFGERICHT DURCH DIE ASSYRER

10 Und der HERR redete abermals zu Ahas
und sprach: 11 Fordere dir ein Zeichen vom
HERRN, deinem Gott, es sei drunten in
der Tiefe oder droben in der Höhe! 12 Aber
Ahas sprach: Ich will's nicht fordern, [a]da-
mit ich den HERRN nicht versuche.
13 Da sprach Jesaja: Wohlan, so hört, ihr
vom Hause David: Ist's euch zu wenig,
dass ihr Menschen müde macht? Müsst
ihr auch meinen Gott müde machen?
14 Darum wird euch der Herr selbst ein
Zeichen geben: [a]**Siehe, eine Jungfrau*
ist schwanger und wird einen Sohn ge-
bären, den wird sie nennen Immanuel***.
15 [a]Butter und Honig wird er essen, bis er
weiß, Böses zu verwerfen und Gutes zu
erwählen. 16 Denn ehe [a]der Knabe weiß,
Böses zu verwerfen und Gutes zu erwäh-
len, wird das Land verödet sein, vor des-
sen zwei Königen dir graut. 17 Der HERR
wird über dich, über dein Volk und über
deines Vaters Haus Tage kommen lassen,
wie sie nicht gekommen sind seit der Zeit,
da Ephraim sich von Juda schied, nämlich
durch den König von Assyrien.
18 Zu der Zeit wird der HERR [a]herbei-
pfeifen die Fliege am Ende der Ströme
Ägyptens und die Biene im Lande Assur,
19 dass sie kommen und sich alle niederlas-
sen in den tiefen Tälern und in den Stein-
klüften und in allen Hecken und an jeder
Tränke. 20 Zu der Zeit wird der Herr das
Haupt und die Haare am Leib scheren und
den Bart abnehmen durch das Schermes-
ser, das gedungen ist jenseits des Stroms,
durch den König von Assyrien.
21 Zu der Zeit wird ein Mann eine junge

* **7,1** Siehe Sach- und Worterklärungen zu »Syrisch-Ephraimitischer Krieg«. **7,3** Der Name bedeutet »ein Rest wird sich bekehren«. **7,14** (1) Wörtlich: »junge Frau«. (2) Der Name bedeutet »Gott mit uns!«

6,11 ***a*** Kap 5,9 **6,13** ***a*** Kap 4,3; 10,20-21 ***b*** Esra 9,2 **7,1** ***a*** 2. Kön 16,5 **7,3** ***a*** Kap 10,21 ***b*** Kap 36,2 **7,4** ***a*** Kap 30,15 **7,9** ***a*** Kap 28,16; 2. Chr 20,20 **7,12** ***a*** 5. Mose 6,16 **7,14** ***a*** Kap 9,5; Mi 5,2; Mt 1,23; Lk 13,1 **7,15** ***a*** Vers 22 **7,16** ***a*** Kap 8,4 **7,18** ***a*** Kap 5,26

Kuh und zwei Schafe aufziehen 22 und wird so viel zu melken haben, dass er Butter essen wird; [a]denn Butter und Honig wird essen, wer übrig bleiben wird im Lande. 23 [a]Und es wird zu der Zeit geschehen: Wo jetzt tausend Weinstöcke stehen, tausend Silberstücke wert, da werden Dornen und Disteln sein, 24 dass man mit Pfeil und Bogen dahin gehen muss. Denn im ganzen Lande werden Dornen und Disteln sein, 25 dass man auch zu all den Bergen, die man jetzt mit der Hacke zu behacken pflegt, nicht kommen kann aus Scheu vor Dornen und Disteln, sondern man wird Rinder darüber treiben und Schafe es zertreten lassen.

DER SOHN DES PROPHETEN ALS ZEICHEN DES GERICHTS ÜBER ARAM UND ISRAEL

8 Und der HERR sprach zu mir: [a]Nimm dir eine große Tafel und schreib darauf mit unauslöschlicher Schrift: Raubebald-Eilebeute! 2 Und ich will mir als treue Zeugen nehmen den Priester Uria und Secharja, den Sohn Jeberechjas. 3 Und ich ging zu der Prophetin; die ward schwanger und gebar einen Sohn. Und der HERR sprach zu mir: Nenne ihn Raubebald-Eilebeute! 4 Denn ehe [a]der Knabe rufen kann: Lieber Vater! Liebe Mutter!, [b]wird man den Reichtum von Damaskus und die Beute aus Samaria vor den König von Assyrien tragen.

DAS GERICHT ÜBER JUDA UND DIE VÖLKER

5 Und der HERR redete weiter mit mir und sprach: 6 Weil dies Volk verachtet die Wasser von Siloah, die still dahinfließen, und Freude hat an Rezin und dem Sohn Remaljas, 7 darum wird der Herr über sie kommen lassen die starken und vielen Wasser des Stromes, nämlich den König von Assyrien und alle seine Macht. Der Strom wird alle seine Kanäle überfluten und über alle seine Ufer treten. 8 Und er wird einbrechen in Juda und es überschwemmen und überfluten, bis er den Menschen an den Hals reicht. Und seine ausgebreiteten Flügel werden dein Land füllen, so weit es ist, o [a]Immanuel*.

9 Tobet, ihr Völker, und erschreckt! Höret's alle, die ihr in fernen Landen seid! Rüstet euch und erschreckt; rüstet euch und erschreckt! 10 Beschließt einen Plan – es wird nichts draus werden; beredet euch – es wird nicht zustande kommen! Denn hier ist Immanuel*.

11 Denn so sprach der HERR zu mir, als seine Hand über mich kam und er mich davon abhielt, den Weg dieses Volks zu wandeln: 12 Ihr sollt nicht alles Verschwörung nennen, was dies Volk Verschwörung nennt, und vor dem, was sie fürchten, fürchtet euch nicht und lasst euch nicht grauen, 13 sondern [a]heiligt ihn, den HERRN Zebaoth; den lasst eure Furcht und euren Schrecken sein. 14 Und er wird ein Heiligtum sein und ein [a]Stein des Anstoßes und ein Fels des Ärgernisses für die beiden Häuser Israel, ein Fallstrick und eine Schlinge für die Bewohner Jerusalems, 15 dass viele von ihnen [a]sich daran stoßen, fallen, zerschmettern, verstrickt und gefangen werden.

DER PROPHET UND SEINE JÜNGER

16 [a]Verschließe das Zeugnis! Versiegele die Weisung in meinen Jüngern! 17 Und ich will hoffen auf den HERRN, der sein Antlitz verborgen hat vor dem Hause Jakob, und will auf ihn harren. 18 Siehe, [a]hier bin ich und die Kinder, die mir der HERR gegeben hat als Zeichen und Weissagung in Israel vom HERRN Zebaoth, der auf dem Berge Zion wohnt.

19 Wenn sie aber zu euch sagen: Ihr müsst die [a]Totengeister und Beschwörer befragen, die da flüstern und murmeln, so sprecht: Soll nicht ein Volk seinen Gott befragen? Oder soll man für Lebendige die Toten befragen? 20 Hin zur [a]Weisung und hin zur Offenbarung! Werden sie das nicht sagen, so wird ihnen kein Morgenrot scheinen, 21 sondern sie werden im Lande umhergehen, hart geschlagen und hungrig. Und wenn sie Hunger

* **8,8.10** Der Name bedeutet »Gott mit uns!«

7,22 *a* Vers 15 **7,23** *a* (23-25) Kap 5,6 **8,1** *a* Kap 30,8
8,4 *a* Kap 7,16 *b* 2. Kön 16,9; 17,6 **8,8** *a* Kap 7,14
8,13 *a* Kap 29,23 **8,14** *a* Röm 9,32-33; 1. Petr 2,8
8,15 *a* Kap 28,13 **8,16** *a* Dan 12,4 **8,18** *a* Vers 3; Kap 7,3; Hebr 2,13 **8,19** *a* 3. Mose 19,31; 1. Sam 28,8
8,20 *a* Vers 16

leiden, werden sie zürnen und fluchen
ihrem König und ihrem Gott, und sie
werden über sich blicken 22 und unter
sich [a]die Erde ansehen und nichts finden
als Trübsal und Finsternis; denn sie sind
im Dunkel der Angst und gehen irre im
Finstern.
23 [a]Doch **es wird nicht dunkel bleiben
über denen, die in Angst sind.** [b]Hat er
in früherer Zeit in Schmach gebracht das
Land Sebulon und das Land Naftali, so hat
er hernach zu Ehren gebracht den Weg am
Meer, das Land jenseits des Jordans, das
Galiläa der Heiden.

DER FRIEDEFÜRST WIRD VERHEISSEN

**9 Das Volk, das [a]im Finstern wandelt,
sieht ein großes Licht, und über de-
nen, die da wohnen im finstern Lande,
scheint es hell.** 2 Du weckst lauten Ju-
bel, du machst groß die Freude. Vor dir
freut man sich, wie man sich freut in
der Ernte, wie man fröhlich ist, wenn
man Beute austeilt.* 3 Denn [a]du hast ihr
drückendes Joch, die Jochstange auf ih-
rer Schulter und den Stecken ihres Trei-
bers zerbrochen wie am [b]Tage Midians.[c]
4 Denn jeder Stiefel, der mit Gedröhn
dahergeht, und jeder Mantel, durch Blut
geschleift, wird verbrannt und vom Feuer
verzehrt.
5 Denn [a]**uns ist ein Kind geboren, ein
Sohn ist uns gegeben, und** [b]**die Herr-
schaft ist auf seiner Schulter; und er
heißt Wunder-Rat, Gott-Held, Ewig-
Vater,** [c]**Friede-Fürst;** 6 **auf dass seine
Herrschaft groß werde und des Frie-
dens kein Ende auf dem** [a]**Thron Da-
vids und in seinem Königreich, dass
er's stärke und stütze durch** [b]**Recht und
Gerechtigkeit von nun an bis in Ewig-
keit. Solches wird tun der Eifer des
HERRN Zebaoth.**

GOTTES GERICHT ÜBER DAS NORDREICH

7 Der Herr hat ein Wort gesandt zu Jakob,
und es ist in Israel niedergefallen, 8 dass
alles Volk es innewerde, Ephraim und die
Bürger Samarias, die da sagen in Hoch-
mut und stolzem Sinn: 9 Ziegelsteine sind
gefallen, aber wir wollen's mit Quadern
wieder bauen. Man hat Maulbeerbäume
abgehauen, aber wir wollen Zedern an ihre
Stelle setzen. 10 Doch der HERR machte
stark gegen sie ihre Bedränger, nämlich
Rezin, und ihre Feinde stachelte er auf,
11 die Aramäer von vorn und die Philis-
ter von hinten, und sie fraßen Israel mit
vollem Maul.
*[a]Bei all dem kehrte sich sein Zorn nicht
ab, seine Hand ist noch ausgereckt.*
12 Aber das Volk kehrte nicht um zu
dem, der es schlug, und fragte nicht nach
dem HERRN Zebaoth. 13 Darum [a]hieb der
HERR von Israel [b]Kopf und Schwanz ab,
Ast und Stumpf, auf *einen* Tag. 14 Die
Ältesten und die Vornehmen sind der
Kopf, die Propheten aber, die falsch leh-
ren, sind der Schwanz. 15 Denn [a]die Lei-
ter dieses Volks wurden Verführer, und
die sich leiten ließen, wurden verwirrt.
16 Darum kann sich der Herr über ihre
junge Mannschaft nicht freuen noch ih-
rer Waisen und Witwen sich erbarmen;
denn sie sind allzumal gottlos und böse,
und aller Mund redet Torheit.
*[a]Bei all dem kehrte sich sein Zorn nicht
ab, seine Hand ist noch ausgereckt.*
17 Denn die Bosheit loderte wie Feuer
und verzehrte Dornen und Disteln; sie
zündete den dichten Wald an, der aufging
im hohen Rauch. 18 Im Zorn des HERRN
Zebaoth verbrannte das Land, und das
Volk wurde ein Fraß des Feuers; keiner
schonte den andern. 19 Sie verschlangen
zur Rechten und litten Hunger; sie fraßen
zur Linken und wurden doch nicht satt.
Ein jeder fraß das Fleisch seines Arms,
20 Manasse den Ephraim, Ephraim den
Manasse, und sie beide miteinander ge-
gen Juda.
*[a]Bei all dem kehrte sich sein Zorn nicht
ab, seine Hand ist noch ausgereckt.*

* **9,2** Andere Übersetzung für die Verse 1-2: »Das Volk, das im Finstern wandelte, sah ein großes Licht, und über denen, die da wohnten im finstern Lande, schien es hell. Du wecktest lauten Jubel, du machtest groß die Freude. Vor dir freute man sich, wie man sich freut in der Ernte, wie man fröhlich ist, wenn man Beute austeilt.«

8,22 ***a*** Kap 5,30 **8,23** ***a*** *(8,23–9,1)* Ps 107,10-14; Mt 4,12-16 ***b*** 2. Kön 15,29 **9,1** ***a*** Kap 60,2; Mt 4,16; Lk 1,79 **9,3** ***a*** Kap 14,5.25 ***b*** Ri 7,12-15 ***c*** Kap 10,26-27 **9,5** ***a*** Kap 7,14 ***b*** Kap 22,22; Mi 5,1 ***c*** Mi 5,4 **9,6** ***a*** 2. Sam 7,12-13; Lk 1,32 ***b*** Kap 11,4-5; Jer 23,5; Ps 72,1-4 **9,11** ***a*** Kap 5,25 **9,13** ***a*** Kap 10,33 ***b*** Kap 19,15 **9,15** ***a*** Kap 3,12 **9,16** ***a*** Kap 5,25 **9,20** ***a*** Kap 5,25

10 [a]Wehe den Schriftgelehrten, die un-
rechte Gesetze machen, und den
Schreibern, die unrechtes Urteil schrei-
ben, 2 um die Sache der Armen zu beugen
und Gewalt zu üben am Recht der Elen-
den in meinem Volk, dass die Witwen ihr
Raub und die Waisen ihre Beute werden!
3 Was wollt ihr tun am Tage der Heim-
suchung und des Unheils, das von ferne
kommt? Zu wem wollt ihr fliehen um
Hilfe? Und wo wollt ihr eure Herrlichkeit
lassen? 4 Wer sich nicht unter die Gefan-
genen bückt, wird unter den Erschlagenen
fallen.

*[a]Bei all dem kehrte sich sein Zorn nicht
ab, seine Hand ist noch ausgereckt.*

GEGEN DEN HOCHMUT DES KÖNIGS VON ASSYRIEN

5 Wehe Assur, der [a]Rute meines Zorns
und dem Stecken meines Grimms! 6 Ich
sende ihn wider ein gottloses Volk und
gebe ihm Befehl wider das Volk, dem ich
zürne, dass er's beraube und ausplündere
und es zertrete wie Dreck auf der Gasse.
7 Aber er meint's nicht so, und sein Herz
denkt nicht so, sondern sein Sinn steht da-
nach, zu vertilgen und auszurotten nicht
wenige Völker. 8 Denn er spricht: »Sind
meine Fürsten nicht allesamt Könige?
9 Ist Kalne nicht wie Karkemisch? Ist Ha-
mat nicht wie Arpad? Ist nicht Samaria
wie Damaskus? 10 [a]Wie meine Hand ge-
funden hat die Königreiche der Götzen,
obwohl ihre Götterbilder mehr waren als
die zu Jerusalem und Samaria: 11 Sollte ich
nicht Jerusalem tun und seinen Götzen,
wie ich Samaria und seinen Götzenbildern
getan habe?«

12 Wenn aber der Herr all sein Werk
ausgerichtet hat auf dem Berge Zion und
zu Jerusalem, wird er sprechen: [a]Ich will
heimsuchen die Frucht des Hochmuts des
Königs von Assyrien und den Stolz seiner
hoffärtigen Augen, 13 weil er spricht: »Ich
hab's durch meiner Hände Kraft ausge-
richtet und durch meine Weisheit, denn
ich bin klug. Ich habe die Grenzen der Län-
der aufgehoben und ihre Schätze geraubt
und wie ein Mächtiger die Bewohner zu
Boden gestoßen. 14 Meine Hand hat ge-
funden den Reichtum der Völker wie ein
Vogelnest, und ich habe alle Länder zu-
sammengerafft, wie man Eier sammelt,
die verlassen sind; kein Flügel regte sich,
und kein Schnabel sperrte sich auf und
zirpte.«

15 Vermag sich auch eine Axt zu rühmen
wider den, der damit haut, oder eine Säge
großzutun wider den, der sie zieht? Als
ob [a]die Rute den schwänge, der sie hebt;
als ob der Stock den höbe, der kein Holz
ist! 16 Darum wird der Herr, der HERR
Zebaoth, unter die Fetten in Assur die
Auszehrung senden, und unter Assurs
Herrlichkeit wird er einen Brand entfa-
chen, ein loderndes Feuer. 17 Und [a]das
Licht Israels wird ein Feuer sein, und sein
Heiliger wird eine Flamme sein, und sie
wird Assurs Dornen und Disteln anzün-
den und verzehren an einem einzigen Tag.
18 Und die Herrlichkeit seiner Wälder und
Gärten soll zunichtewerden mit Stumpf
und Stiel und wird vergehen und wie
ein Verschmachtender dahinschwinden,
19 dass die Bäume seiner Wälder, die übrig
bleiben, gezählt werden können und ein
Knabe sie aufschreiben kann.

ERRETTUNG EINES RESTES VON ISRAEL

20 [a]Zu der Zeit werden die Übriggeblie-
benen von Israel und was entkommen ist
vom Hause Jakob sich nicht mehr verlas-
sen auf den, der sie schlägt, sondern sie
werden sich verlassen auf den HERRN,
den Heiligen Israels, in Treue. 21 [a]Ein Rest
wird umkehren, ja, der Rest Jakobs, zu
Gott, dem [b]Helden. 22 Denn wäre auch
dein Volk, o Israel, [a]wie Sand am Meer, so
soll doch nur ein Rest von ihm umkehren.
Verderben ist beschlossen und bringt Flu-
ten von Gerechtigkeit. 23 Denn Gott der
HERR Zebaoth [a]wird Verderben ergehen
lassen, wie beschlossen ist, auf der gan-
zen Erde.

24 Darum spricht Gott der HERR Zeba-
oth: Fürchte dich nicht, mein Volk, das in
Zion wohnt, vor Assur, der dich mit dem
Stecken schlägt und seinen Stab gegen
dich aufhebt, wie es in Ägypten geschah.

10,1 *a* (1-2) Kap 1,17.23; 5,8-23 **10,4** *a* Kap 5,25
10,5 *a* Vers 15 **10,10** *a* (10-11) Kap 36,19-20;
2. Kön 18,33-35 **10,12** *a* Kap 37,36 **10,15** *a* Vers 5
10,17 *a* 5. Mose 4,24 **10,20** *a* (20-21) Kap 4,3
10,21 *a* Kap 7,3 *b* Kap 9,5 **10,22** *a* 1. Mose 22,17;
Röm 9,27 **10,23** *a* Kap 28,22

25 Denn es ist nur noch eine kleine Weile,
so wird mein Grimm ein Ende haben, und
mein Zorn wird sich richten auf sein Ver-
derben. 26 Alsdann wird der HERR Zeba-
oth eine Geißel über ihn schwingen wie
beim [a]Schlag gegen Midian am Raben-
felsen und wird seinen [b]Stab, den er am
Meer brauchte, aufheben wie in Ägypten.
27 Zu der Zeit wird seine Last von deiner
Schulter weichen und sein Joch von dei-
nem Halse, ja, das Joch wird von deinem
Nacken genommen.[a]

DER ANSTURM ASSURS

28 Assur kommt nach Aja, er zieht durch
Migron, nach Michmas befiehlt er sei-
nen Tross. 29 Sie ziehen durch den engen
Weg: »Geba sei unser Nachtlager!« Rama
erschrickt, das Gibea Sauls flieht. 30 Du
Tochter [a]Gallim, schreie laut! Merke auf,
Lajescha! Elend ist Anatot! 31 Madmena
weicht, die Bewohner von Gebim lau-
fen davon. 32 Noch heute macht er halt in
[a]Nob; er streckt seine Hand aus gegen den
Berg der Tochter Zion, gegen den Hügel
Jerusalems.

33 [a]Siehe, der Herr, der HERR Zebaoth,
wird die Äste mit Macht abhauen und was
hoch aufgerichtet steht niederschlagen,
dass die Hohen erniedrigt werden. 34 Und
der dichte Wald wird mit dem Eisen um-
gehauen werden, und der Libanon wird
fallen durch einen Mächtigen.

DER MESSIAS UND SEIN FRIEDENSREICH

11 [a]**Und es wird ein Reis hervorge-**
hen aus dem Stamm Isais und ein
Zweig aus seiner Wurzel Frucht brin-
gen. 2 **Auf ihm wird ruhen der** [a]**Geist**
des HERRN, der Geist der Weisheit
und des Verstandes, der Geist des Ra-
tes und der Stärke, der Geist der Er-
kenntnis und der Furcht des HERRN.
3 Und Wohlgefallen wird er haben an der
Furcht des HERRN. Er wird nicht richten
nach dem, was seine Augen sehen, noch
Urteil sprechen nach dem, was seine Oh-
ren hören, 4 sondern wird mit Gerechtig-
keit richten die Armen und rechtes Urteil
sprechen den Elenden im Lande, und er
wird mit dem Stabe seines Mundes den
Gewalttätigen schlagen und [a]mit dem
Odem seiner Lippen den Gottlosen tö-
ten. 5 Gerechtigkeit wird der Gurt seiner
Lenden sein und die Treue der Gurt seiner
Hüften.

6 [a]Da wird der Wolf beim Lamm woh-
nen und der Panther beim Böcklein lagern.
Kalb und Löwe werden miteinander gra-
sen, und ein kleiner Knabe wird sie leiten.
7 Kuh und Bärin werden zusammen wei-
den, ihre Jungen beieinanderliegen, und
der Löwe wird Stroh fressen wie das Rind.
8 Und ein Säugling wird spielen am Loch
der Otter, und ein kleines Kind wird seine
Hand ausstrecken zur Höhle der Natter.
9 Man wird weder Bosheit noch Schaden
tun auf meinem ganzen heiligen Berge;
[a]denn das Land ist voll Erkenntnis des
HERRN, wie Wasser das Meer bedeckt.

10 Und es wird geschehen zu der Zeit,
dass [a]die Wurzel Isais dasteht als Zeichen
für die Völker. Nach ihm werden die Völ-
ker fragen, und die Stätte, da er wohnt,
wird herrlich sein.

11 [a]Und der Herr wird zu der Zeit zum
zweiten Mal seine Hand ausstrecken, dass
er den Rest seines Volks loskaufe, der üb-
rig geblieben ist in Assur, Ägypten, Pa-
tros, Kusch, Elam, Schinar, Hamat und auf
den Inseln des Meeres. 12 Und er wird ein
Zeichen aufrichten unter den Völkern und
zusammenbringen die Verjagten Israels
und die Zerstreuten Judas sammeln von
den vier Enden der Erde. 13 Und der Neid
Ephraims wird aufhören und die Feinde
Judas werden ausgerottet. Ephraim wird
nicht mehr neidisch sein auf Juda und Juda
Ephraim nicht mehr feind.[a] 14 Sie werden
sich nach Westen auf die Hänge der Phi-
lister stürzen und miteinander berauben
alle, die im Osten wohnen. Nach Edom
und Moab werden sie ihre Hände aus-
strecken, die Ammoniter werden ihnen
gehorsam sein. 15 Und der HERR wird mit
dem Bann belegen die Zunge des Meeres
von Ägypten und wird seine Hand aus-
strecken über den Euphrat mit seinem
starken Wind und ihn in sieben Bäche

10,26 *a* Kap 9,3; 30,31; Ri 7,25 *b* 2. Mose 14,16.26-27
10,27 *a* Kap 9,3; 14,5.25 **10,30** *a* 1. Sam 25,44
10,32 *a* 1. Sam 21,2 **10,33** *a* (33-34) Kap 2,12-13
11,1 *a* (1-5) Kap 32,1; Jer 23,5 **11,2** *a* Kap 42,1; 61,1
11,4 *a* Hiob 4,9; 2. Thess 2,8 **11,6** *a* (6-9) Kap 65,25
11,9 *a* Hab 2,14 **11,10** *a* Röm 15,12
11,11 *a* (11-13) Kap 27,12-13; 49,22; 62,10; Hes 37,21-22
11,13 *a* Jer 3,18

zerschlagen, sodass man mit Schuhen
hindurchgehen kann. 16 Und [a]es wird eine
Straße da sein für den Rest seines Volks,
das übrig geblieben ist in Assur, wie sie für
Israel da war zur Zeit, als sie aus Ägypten-
land zogen.

DAS DANKLIED DER ERLÖSTEN

12 Zu der Zeit wirst du sagen:

Ich danke dir, HERR! Du bist zornig
gewesen über mich.
[a]Möge dein Zorn sich abkehren,
dass du mich tröstest.
2 **Siehe, Gott ist mein Heil,**
ich bin sicher und fürchte
mich nicht;
denn [a]Gott der HERR ist meine Stärke
und mein Psalm
und ist mein Heil.
3 **Ihr werdet mit Freuden Wasser**
schöpfen
aus den Brunnen des Heils.[a]

4 Und ihr werdet sagen zu der Zeit:
[a]Danket dem HERRN,
rufet an seinen Namen!
Machet kund unter den Völkern
sein Tun,
verkündiget, wie sein Name
so hoch ist!
5 Lobsinget dem HERRN, denn er hat sich
herrlich bewiesen.
Solches sei kund in allen Landen!
6 Jauchze und rühme, die du wohnst
auf Zion;
denn der Heilige Israels ist groß
bei dir!

GOTTES GERICHT ÜBER BABEL

(Kap 13,1–14,32: vgl. Kap 21,1-10; 47,1-15; Jer 50,1–51,64)

13 Dies ist die [a]Last* für Babel, die Jesaja,
der Sohn des Amoz, geschaut hat:
2 Auf kahlem Berge erhebt das Banner, ruft
laut ihnen zu, winkt mit der Hand, dass
sie einziehen durch die Tore der Fürsten.
3 Ich habe meine Geheiligten aufgeboten
und meine Starken gerufen zu meinem
Zorngericht; sie jauchzen über meine
Herrlichkeit. 4 Es ist Geschrei und Lärm
auf den Bergen wie von einem großen
Volk, Geschrei und Getümmel von den
versammelten Königreichen der Völker.
Der HERR Zebaoth rüstet ein Heer zum
Kampf. 5 Sie kommen aus fernen Landen,
vom Ende des Himmels, ja, der HERR
selbst samt den Werkzeugen seines Zorns,
um zu verderben die ganze Erde.
6 Heulet, denn [a]des HERRN Tag ist
nahe; er kommt wie eine Verwüstung
vom Allmächtigen. 7 Darum werden alle
Hände schlaff, und aller Menschen Herz
wird feige sein. 8 Schrecken, Angst und
Schmerzen wird sie ankommen, es wird
ihnen bange sein wie einer Gebärenden.
Einer wird sich vor dem andern entsetzen,
feuerrot werden ihre Angesichter sein.
9 Siehe, des HERRN Tag kommt, grau-
sam, voll Grimm und glühendem Zorn,
die Erde zu verwüsten und die Sünder
von ihr zu vertilgen. 10 Denn die Sterne am
Himmel und sein Orion scheinen nicht
hell, die Sonne geht finster auf, und der
Mond gibt keinen Schein.[a] 11 Ich will den
Erdkreis heimsuchen um seiner Bosheit
willen und die Gottlosen um ihrer Misse-
tat willen und will dem Hochmut der Stol-
zen ein Ende machen und die Hoffart der
Gewaltigen demütigen, 12 dass ein Mann
kostbarer sein soll als feinstes Gold und
ein Mensch wertvoller als Goldstücke aus
Ofir.
13 Darum will ich den Himmel zittern
lassen, die Erde soll beben und von ih-
rer Stätte weichen durch den Grimm des
HERRN Zebaoth, am Tage seines glühen-
den Zorns. 14 Und sie sollen sein wie eine
verscheuchte Gazelle und wie eine Herde
ohne Hirten, dass sich ein jeder zu seinem
Volk kehren und ein jeder in sein Land flie-
hen wird. 15 Wer da gefunden wird, wird
erstochen, und wen man aufgreift, wird
durchs Schwert fallen. 16 Es [a]sollen auch
ihre Kinder vor ihren Augen zerschmet-
tert, ihre Häuser geplündert und [b]ihre
Frauen geschändet werden.
17 Siehe, ich will die Meder gegen sie
erwecken, die nicht Silber suchen oder
nach Gold fragen, 18 sondern die jungen
Männer mit Bogen erschießen und sich

* **13,1** Siehe Sach- und Worterklärungen.

11,16 ***a*** 2. Mose 14,29 **12,1** ***a*** Kap 5,25; 9,11.16.20; 10,4
12,2 ***a*** 2. Mose 15,2; Ps 118,14 **12,3** ***a*** Kap 55,1; Sach 13,1
12,4 ***a*** 1. Chr 16,8; Ps 105,1 **13,1** ***a*** Jer 23,33
13,6 ***a*** Joel 1,15; 2,1; Obd 15 **13,10** ***a*** Hes 32,7; Joel 2,10;
Am 5,8; Mt 24,29 **13,16** ***a*** Ps 137,8-9 ***b*** Klgl 5,11

der Frucht des Leibes nicht erbarmen und
die Kinder nicht schonen. [19]So soll Babel,
das schönste unter den Königreichen, die
herrliche Pracht der Chaldäer, zerstört
werden von Gott [a]wie Sodom und Go-
morra, [20]dass man hinfort nicht mehr da
wohne noch jemand da bleibe für und
für, dass auch Araber dort keine Zelte auf-
schlagen noch Hirten ihre Herden lagern
lassen, [21][a]sondern Wüstentiere werden
sich da lagern, und ihre Häuser werden
voll Eulen sein; Strauße werden da woh-
nen, und Bocksgeister werden da hüpfen,
[22]und wilde Hunde werden in ihren Paläs-
ten heulen und Schakale in den Schlössern
der Lust. Ihre Zeit wird bald kommen, und
ihre Tage lassen nicht auf sich warten.

TRIUMPHLIED ÜBER DEN STURZ DES WELTHERRSCHERS

14 Denn der HERR wird sich über Jakob
erbarmen und Israel [a]noch einmal er-
wählen und sie in ihrem Land wieder ru-
hen lassen. Und [b]Fremdlinge werden sich
zu ihnen gesellen und dem Hause Jakob
anhangen. [2]Und [a]die Völker werden Israel
nehmen und an seinen Ort bringen, und
dann wird das Haus Israel sie als Knechte
und Mägde besitzen im Lande des HERRN.
Und sie werden gefangen halten die, von
denen sie gefangen waren, und werden
herrschen über ihre Treiber. [3]Und zu der
Zeit, wenn dir der HERR Ruhe geben wird
von deinem Jammer und Leid und von
dem harten Dienst, in dem du gewesen
bist, [4]wirst du dies Lied anheben gegen
den König von Babel und sagen:

Wie ist's mit dem Treiber so gar aus,
und das Toben hat ein Ende! [5]Der HERR
hat den Stock der Gottlosen zerbrochen,
die Rute der Herrscher.[a] [6]Der schlug die
Völker im Grimm ohne Aufhören und
herrschte mit Wüten über die Nationen
und verfolgte ohne Erbarmen. [7]Nun hat
Ruhe und Frieden alle Welt und jubelt
fröhlich. [8]Auch die Zypressen freuen sich
über dich und die Zedern auf dem Libanon
und sagen: »Seit du daliegst, kommt nie-
mand herauf, der uns abhaut.«

[9]Das Totenreich drunten erzittert vor
dir, wenn du kommst. Es schreckt auf vor
dir die Schatten, alle Gewaltigen der Erde,
und lässt alle Könige der Völker von ihren
Thronen aufstehen. [10]Sie alle heben an
und sagen zu dir: Auch du bist schwach
geworden wie wir, und es geht dir wie
uns. [11]Deine Pracht [a]ist herunter ins To-
tenreich gefahren samt dem Klang deiner
Harfen. Gewürm wird dein Bett sein und
Würmer deine Decke.

[12]Wie bist du [a]vom Himmel gefallen, du
schöner Morgenstern! Wie wurdest du zu
Boden geschlagen, du Bezwinger der Völ-
ker! [13][a]Du aber gedachtest in deinem Her-
zen: [b]»Ich will in den Himmel steigen und
meinen Thron über die Sterne Gottes er-
höhen, ich will mich setzen auf den [c]Berg
der Versammlung im fernsten Norden*.
[14]Ich will auffahren über die hohen Wol-
ken und gleich sein dem Allerhöchsten.«
[15]Doch hinunter ins Totenreich fährst du,
in die tiefste Grube!

[16]Wer dich sieht, wird auf dich schauen,
wird dich ansehen und sagen: »Ist das der
Mann, der die Welt zittern und die König-
reiche beben machte, [17]der den Erdkreis
zur Wüste machte und seine Städte zer-
störte und seine Gefangenen nicht nach
Hause entließ?« [18]Alle Könige der Völker
ruhen doch in Ehren, ein jeder in seiner
Kammer; [19]du aber bist [a]hingeworfen
ohne Grab wie ein verachteter Spross,
bedeckt von Erschlagenen, die mit dem
Schwert erstochen sind, wie eine zertre-
tene Leiche. [20]Du wirst nicht mit jenen
vereint sein im Grab; denn du hast dein
Land verderbt und dein Volk erschla-
gen. Man wird des Geschlechtes der Bö-
sen nicht mehr gedenken. [21]Richtet die
Schlachtbank zu für seine Söhne [a]um
der Missetat ihrer Väter willen, dass sie
nicht wieder hochkommen und die Welt
erobern und den Erdkreis mit Städten
füllen.

[22]Und ich will über sie kommen, spricht
der HERR Zebaoth, und von Babel ausrot-
ten Name und Rest, Kind und Kindes-
kind, spricht der HERR. [23]Und ich will Ba-
bel machen [a]zum Erbe für die Igel und zu

* **14,13** Der Sitz der Götter.

13,19 ***a*** Kap 1,7; 1. Mose 19,24-25
13,21 ***a*** (21-22) Kap 34,13-14 **14,1** ***a*** Sach 1,17 ***b*** Kap 56,3
14,2 ***a*** Kap 49,22; 60,4 **14,5** ***a*** Kap 9,3
14,11 ***a*** Hes 32,18-19 **14,12** ***a*** Offb 8,10
14,13 ***a*** (13-15) Mt 11,23 ***b*** Jer 51,53 ***c*** Ps 48,3; Hes 28,14
14,19 ***a*** Kap 34,3 **14,21** ***a*** 2. Mose 20,5 **14,23** ***a*** Kap 34,11

einem Wassersumpf und will es mit dem
Besen des Verderbens wegfegen, spricht
der HERR Zebaoth.

GEGEN ASSYRIEN

24 Der HERR Zebaoth hat geschworen:
[a]Wie ich es erdacht habe, so ist es gesche-
hen, und was ich beschlossen habe, das
kommt zustande, 25 dass ich Assur zer-
schlage in meinem Lande und zertrete auf
meinen Bergen, [a]damit sein Joch von ih-
nen genommen werde und seine Last von
ihrem Halse weiche. 26 Das ist der Plan,
den er hat für die ganze Erde, und das ist
die Hand, die ausgereckt ist über alle Völ-
ker. 27 Denn der HERR Zebaoth hat's be-
schlossen – wer will's wehren? Und seine
Hand ist ausgereckt – wer will sie wenden?

GEGEN DIE PHILISTER

(vgl. Jer 47,1-7)

28 Im Jahr, als König [a]Ahas starb, wurde
diese Last* angekündigt: 29 Freue dich
nicht, ganz Philisterland, dass der Stock,
der dich schlug, zerbrochen ist! Denn aus
der Wurzel der Schlange wird eine giftige
Natter kommen, und ihre Frucht wird eine
[a]fliegende Schlange sein. 30 Die Geringen
werden auf meiner Aue weiden und die
Armen sicher ruhen; aber deine Wurzel
will ich durch Hunger töten, und deine
Übriggebliebenen werde ich erwürgen.
31 Heule, Tor! Schreie, Stadt! Erzittere,
ganz Philisterland! Denn von Norden
kommt Rauch und keiner sondert sich ab
von seinen Scharen. 32 Und was wird man
den Boten der Völker sagen? »Der HERR
hat [a]Zion gegründet, und hier finden die
Elenden seines Volks Zuflucht.«

GEGEN MOAB

(vgl. Jer 48,1-47; Zef 2,8-11)

15 Dies ist die Last* für [a]Moab: Des
Nachts kommt Verheerung über Ar
in Moab, es ist dahin; des Nachts kommt
Verheerung über Kir in Moab, es ist da-
hin! 2 Sie sind hinaufgestiegen zum Tem-
pel und nach Dibon auf die Höhen, um zu
weinen; Moab heult über Nebo und über
Medeba. Jedes Haupt ist kahl geschoren,
jeder Bart ist abgeschnitten. 3 Auf ihren
Gassen gehen sie mit dem Sack umgürtet,
auf ihren Dächern und Straßen heulen sie
alle und zerfließen in Tränen. 4 [a]Heschbon
und Elale schreien, dass man's bis Jahaz
hört. Darum zittern die Gerüsteten Mo-
abs, es verzagt ihre Seele.
5 Mein Herz schreit über Moab; seine
Flüchtigen fliehen bis nach Zoar, bis
Eglat-Schelischija. Sie gehen die Steige
von Luhit hinauf und weinen, und auf
dem Wege nach Horonajim erhebt sich ein
Jammergeschrei. 6 Die Wasser von Nim-
rim versiegen, das Gras verdorrt und das
Kraut verwelkt und kein Grünes wächst.
7 Darum führen sie, was ihnen geblieben
ist und was sie verwahrt haben, über den
Weidenbach. 8 Geschrei geht um in den
Grenzen Moabs, Geheul bis Eglajim und
Geheul bis Beer-Elim! 9 Die Wasser von
Dimon sind voll Blut. Doch will ich über
Dimon noch mehr kommen lassen: Lö-
wen über die Entronnenen Moabs und
über die Übriggebliebenen im Lande.

MOAB SUCHT HILFE BEI JUDA

16 »Schickt Lämmer des Landesherrn
von Sela durch die Wüste zum Berge
der Tochter Zion!« 2 Wie ein Vogel dahin-
fliegt, der aus dem Nest vertrieben wird,
so werden die Töchter Moabs an den Fur-
ten des Arnon sein. 3 »Gib Rat, sprich
Recht, mach deinen Schatten am Mittag
wie die Nacht; verbirg die Verjagten, und
verrate die Flüchtigen nicht! 4 Lass Moabs
Verjagte bei dir herbergen, sei du für Moab
eine Zuflucht vor dem Verwüster!«
Wenn der Bedränger ein Ende hat, der
Verwüster aufhört und der Bedrücker aus
dem Lande muss, 5 dann wird ein Thron
bereitet werden aus Gnaden, dass einer in
Treue darauf sitze in der Hütte Davids und
richte und trachte nach Recht und fördere
Gerechtigkeit.[a]
6 »Wir haben gehört von dem Hoch-
mut Moabs, der so groß ist, von seinem
Hochmut, seinem Stolz und Mutwillen
und seinem eitlen Geschwätz.« 7 Darum
wird ein Moabiter über den andern heu-
len, allesamt werden sie heulen. Über die
Traubenkuchen von Kir-Heres werden sie

* **14,28; 15,1** Siehe Sach- und Worterklärungen.

14,24 *a* Kap 46,10 **14,25** *a* Kap 9,3; 10,27
14,28 *a* 2. Kön 16,20 **14,29** *a* Kap 30,6 **14,32** *a* Kap 8,16
15,1 *a* 4. Mose 21,10-32; Am 2,1-3; Hes 25,8-11
15,4 *a* (4-9) Kap 16,9-11 **16,5** *a* Kap 9,6; 11,5

seufzen, ganz zerschlagen. 8 Denn die Flu-
ren von Heschbon sind wüst geworden,
der Weinstock von Sibma ist verdorrt. Die
Herren unter den Völkern haben seine ed-
len Reben zerschlagen, die bis nach Jaser
reichten und sich zogen bis in die Wüste;
ihre Ranken breiteten sich aus und gingen
über das Meer.
9 [a]Darum weine ich mit Jaser um den
Weinstock von Sibma und vergieße viel
Tränen über dich, Heschbon und Elale.
Denn es ist Kriegsgeschrei über deinen
Sommer und deine Ernte hergefallen,
10 dass Freude und Wonne in den Gärten
aufhören, und in den Weinbergen jauchzt
und ruft man nicht mehr. Man keltert kei-
nen Wein in den Keltern, dem Gesang ist
ein Ende gemacht.[a] 11 Darum klagt mein
Herz über Moab wie eine Harfe und meine
Seele über Kir-Heres. 12 Alsdann, wenn
Moab hingeht und sich abmüht bei den
Altären auf der Höhe und kommt zu sei-
nem Heiligtum, um zu beten, so wird's
doch nichts ausrichten.
13 Das ist's, was der HERR damals gegen
Moab geredet hat. 14 Nun aber redet der
HERR und spricht: In drei Jahren, [a]wie
eines Tagelöhners Jahre sind, wird die
Herrlichkeit Moabs gering werden mit all
dem großen Gepränge, dass wenig übrig
bleibt, gar nicht viel.

GEGEN DAMASKUS UND DAS NORDREICH ISRAEL

(vgl. Jer 49,23-27; Am 1,3-5)

17 [a]Dies ist die Last* für Damaskus:
Siehe, Damaskus wird keine Stadt
mehr sein, sondern ein zerfallener Stein-
haufen; 2 seine Städte werden verlassen
sein für immer, dass Herden dort weiden,
die niemand verscheucht. 3 Und es wird
aus sein mit dem Bollwerk Ephraims und
mit dem Königtum von [a]Damaskus; und
dem Rest von Aram wird es gehen wie
der Herrlichkeit der Israeliten, spricht
der HERR Zebaoth. 4 Zu der Zeit wird die
Herrlichkeit Jakobs gering sein, und sein
fetter Leib wird mager sein. 5 Es wird sein,
wie wenn der Schnitter die Halme fasst
und mit seinem Arm die Ähren schneidet,
wie wenn einer Ähren liest im Tal Refaïm;
6 wie wenn man Oliven herunterschlägt in
der Ernte und eine Nachernte bleibt, zwei
oder drei oben in dem Wipfel, vier oder
fünf Früchte an den Zweigen, spricht der
HERR, der Gott Israels.[a]
7 Zu der Zeit wird der Mensch blicken auf
den, der ihn gemacht hat, und seine Augen
werden auf den Heiligen Israels schauen;
8 und er wird nicht mehr blicken auf die Al-
täre, die seine Hände gemacht haben, und
nicht schauen auf das, was seine Finger ge-
macht haben, auf die [a]heiligen Pfähle und
auf die Räucheraltäre.
9 Zu der Zeit werden ihre festen Städte
verlassen sein wie die Städte der Hiwi-
ter und Amoriter, die sie verließen vor
den Israeliten, und zur Wüste werden.
10 Denn [a]du hast vergessen den Gott dei-
nes Heils und nicht gedacht an den Fels
deiner Stärke.
Darum setze nur Pflanzen eines Lieb-
lichen und lege Reben eines fremden
Gottes! 11 Auch wenn du sie hochbringst
am Tag, da du sie pflanzt, und sie zum
Sprießen bringst an dem Morgen, da
du sie säst, – hin ist die Ernte am Tag
deiner Krankheit und des unheilbaren
Schmerzes.

DAS BRAUSENDE VÖLKERMEER

12 Weh, ein Brausen vieler Völker, wie das
Meer brausen sie, und ein Getöse mäch-
tiger Völker, wie große Wasser tosen sie!
13 Ja, wie große Wasser werden die Natio-
nen tosen. Aber er wird sie schelten, da
werden sie in die Ferne fliehen und wer-
den gejagt wie Spreu auf den Bergen vom
Winde und wie Disteln vom Ungewitter.
14 Um den Abend, siehe, da ist Schrecken,
und [a]ehe es Morgen wird, sind sie nicht
mehr da. Das ist der Lohn unsrer Räu-
ber und das Los derer, die uns das Unsre
nehmen.

GEGEN KUSCH

18 Weh dem Lande voll schwirrender
Flügel, [a]jenseits der Ströme von Kusch,
2 das Boten über das Meer sendet und in
leichten Schiffen auf den Wassern fährt!

* **17,1** Siehe Sach- und Worterklärungen.

16,9 ***a*** (9-11) Kap 15,4-9 **16,10** ***a*** Jer 48,33
16,14 ***a*** Kap 21,16 **17,1** ***a*** (1-3) Kap 7,16; 8,4
17,3 ***a*** 2. Kön 16,9 **17,6** ***a*** Kap 24,13 **17,8** ***a*** Kap 27,9
17,10 ***a*** Kap 51,13; 65,2-3; 5. Mose 32,15
17,14 ***a*** Kap 37,36 **18,1** ***a*** Zef 3,10

Geht hin, ihr schnellen Boten, zum Volk,
das hochgewachsen und glatt ist, zum
Volk, das weit und breit gefürchtet ist,
zum Volk, das voller Kraft alles zertritt,
dessen Land Wasserströme durchschnei-
den. [3]Alle, die ihr den Erdkreis bewohnt
und auf der Erde lebt – wenn man das
Banner auf den Bergen aufrichtet, so se-
het! Wenn man die Posaune bläst, so hö-
ret! [4]Denn so spricht der HERR zu mir:
Ich will schauen von meiner Stätte und
will still warten wie drückende Hitze am
hohen Mittag und wie Taugewölk in der
Hitze der Ernte. [5]Denn vor der Ernte,
wenn die Blüte vorüber ist und die Traube
noch reift, wird er die Ranken mit Win-
zermessern abschneiden und die Reben
wegnehmen und abhauen, [6]dass man's
miteinander liegen lässt für die Geier auf
den Bergen und die Tiere im Lande, dass
im Sommer die Geier darauf sitzen und
im Winter allerlei Tiere im Lande darauf
liegen.

[7]Zu der Zeit wird das hochgewachsene
und glatte Volk, das weit und breit ge-
fürchtet ist, das voller Kraft alles zertritt,
dessen Land Wasserströme durchschnei-
den, [a]Geschenke bringen dem HERRN Ze-
baoth an den Ort, da der Name des HERRN
Zebaoth wohnt, zum Berge Zion.

GEGEN ÄGYPTEN

(vgl. Jer 46,2-28; Hes 29,1–32,32)

19 Dies ist die Last* für Ägypten: Siehe,
der HERR wird auf einer schnellen
[a]Wolke fahren und über Ägypten kom-
men. Da werden die Götzen Ägyptens vor
ihm beben, und den Ägyptern wird das
Herz feige werden in ihrem Leibe. [2]Und
ich will die Ägypter gegeneinanderhet-
zen, dass ein Bruder wider den andern,
ein Freund wider den andern, eine Stadt
wider die andre, ein Reich wider das andre
kämpfen wird. [3]Und der Mut soll den
Ägyptern in ihrem Herzen vergehen, und
ich will ihre Anschläge zunichtemachen.
Da werden sie dann fragen ihre Götzen
und Beschwörer, ihre Totengeister und
Zeichendeuter. [4]Aber ich will die Ägyp-
ter übergeben in die Hand eines grausa-
men Herrn, und ein harter König soll über
sie herrschen, spricht der Herrscher, der
HERR Zebaoth.
[5]Und das Wasser im Nil wird vertrock-
nen, und der Strom wird versiegen und
verschwinden. [6]Und die Wasser werden
stinkend werden, und die Flüsse Ägyp-
tens werden seicht und trocken werden,
dass Rohr und Schilf verwelken. [7]Und
das Schilf an den Wassern des Nils wird
vergehen, und alle Saat am Fluss wird ver-
dorren, verwehen und zunichtewerden.
[8]Und die Fischer werden trauern, und
alle, die Angeln in den Nil werfen, werden
klagen; und alle, die Netze auswerfen aufs
Wasser, werden betrübt sein. [9]Es werden
zuschanden, die da Flachs kämmen und
verarbeiten, und die da weben, werden er-
bleichen. [10]Die Weber werden geschlagen
sein, und alle, die um Lohn arbeiten, sind
bekümmert.

[11]Die Fürsten von Zoan sind Toren,
die weisen Räte des Pharao sind mit ih-
rem Rat zu Narren geworden. Wie könnt
ihr zum Pharao sagen: »Ich bin ein Sohn
von Weisen und komme von Königen der
Vorzeit her«? [12]Wo sind denn nun deine
Weisen, dass sie dir's verkündigen und
anzeigen, was der HERR Zebaoth über
Ägypten beschlossen hat? [13]Die Fürsten
von Zoan sind zu Toren geworden, die
Fürsten von Memphis sind betrogen; die
Häupter seiner Geschlechter lassen Ägyp-
ten taumeln. [14]Denn der HERR hat einen
Taumelgeist unter sie ausgegossen, dass
sie Ägypten taumeln machen in all seinem
Tun, wie ein Trunkenbold taumelt, wenn
er speit. [15]Und Ägypten wird nichts ge-
lingen, was [a]Kopf oder Schwanz, Ast oder
Stumpf ausrichten wollen.

GOTTES PLAN FÜR ÄGYPTEN

[16]Zu der Zeit werden die Ägypter sein wie
Weiber und sich fürchten und erschre-
cken, wenn der HERR Zebaoth die Hand
gegen sie ausstreckt. [17]Und die Ägypter
werden sich fürchten vor dem Lande Juda;
sooft man es erwähnt, werden sie erschre-
cken vor dem Ratschluss des HERRN Ze-
baoth, den er über sie beschlossen hat.

[18]Zu der Zeit werden fünf Städte in
Ägyptenland die Sprache Kanaans spre-

* **19,1** Siehe Sach- und Worterklärungen.

18,7 *a* Kap 45,14; Ps 68,30.32 **19,1** *a* Ps 104,3
19,15 *a* Kap 9,13

chen und [a]bei dem HERRN Zebaoth
schwören. Eine wird heißen Ir-Heres*.
19 Zu der Zeit wird für den HERRN ein
Altar mitten in Ägyptenland sein und
ein Steinmal für den HERRN an sei-
ner Grenze; 20 das wird ein Zeichen und
Zeugnis sein für den HERRN Zebaoth
in Ägyptenland. Wenn sie zum HERRN
schreien vor den Bedrängern, so wird er
ihnen einen Retter senden; der wird ihre
Sache führen und sie erretten. 21 Und [a]der
HERR wird den Ägyptern bekannt wer-
den, und die Ägypter werden den HERRN
erkennen zu der Zeit und werden ihm die-
nen mit Schlachtopfern und Speisopfern
und werden dem HERRN Gelübde able-
gen und sie halten. 22 Und der HERR wird
die Ägypter schlagen und heilen; und sie
werden sich bekehren zum HERRN, und
er wird sich von ihnen bitten lassen und
sie heilen.
23 Zu der Zeit wird eine Straße sein von
Ägypten nach Assyrien, dass die Assyrer
nach Ägypten und die Ägypter nach As-
syrien kommen, und die Ägypter samt
den Assyrern werden dem Herrn dienen.
24 [a]Zu der Zeit wird Israel der Dritte sein
mit Ägypten und Assyrien, ein Segen
mitten auf Erden; 25 denn der HERR Ze-
baoth wird sie segnen und sprechen: Ge-
segnet bist du, Ägypten, mein Volk, und
du, Assur, meiner Hände Werk, und du,
Israel, [a]mein Erbe!

EIN ZEICHEN GEGEN ÄGYPTEN UND KUSCH

20 Im Jahr, da [a]der Tartan nach Aschdod
kam, als ihn gesandt hatte Sargon, der
König von Assyrien, und er gegen Asch-
dod kämpfte und es eroberte, – 2 zu der
Zeit redete der HERR durch Jesaja, den
Sohn des Amoz, und sprach: Geh hin und
tu den Sack von deinen Lenden und zieh
die Schuhe von deinen Füßen. Und er tat
so und ging [a]nackt und barfuß.
3 Da sprach der HERR: Gleichwie mein
Knecht Jesaja nackt und barfuß ging drei
Jahre lang als Zeichen und Weissagung
über Ägypten und Kusch, 4 so wird der
König von Assyrien wegtreiben die Ge-
fangenen Ägyptens und die Verbannten
von Kusch, jung und alt, nackt und bar-
fuß, in schmählicher Blöße, zur Schande
Ägyptens. 5 [a]Und sie werden erschrecken
in Juda und zuschanden werden wegen
der Kuschiter, auf die sie sich verließen,
und wegen der Ägypter, derer sie sich
rühmten. 6 Und die Bewohner dieser
Küste werden sagen zu der Zeit: Ist das
unsere Zuversicht, zu der wir um Hilfe ge-
flohen sind, dass wir errettet würden vor
dem König von Assyrien? Wie könnten
wir selber entrinnen?

GEGEN BABEL

(vgl. Kap 13,1–14,23)

21 Dies ist die Last* für die Wüste am
Meer: Wie ein Wetter vom Süden
herfährt, so kommt's aus der Wüste, aus
einem schrecklichen Lande. 2 Ein schreck-
liches Gesicht ist mir angezeigt worden:
[a]»Der Räuber raubt, und der Verwüster
verwüstet. Elam, zieh herauf! Medien,
belagere! Ich will allem Seufzen ein Ende
machen.« 3 Darum sind meine Lenden voll
Schmerzen, und Wehen haben mich er-
griffen wie eine Gebärende. Ich krümme
mich, wenn ich's höre, und erschrecke,
wenn ich's sehe. 4 Mein Herz zittert,
Grauen hat mich erschreckt; auch den
Abend, der mir so lieb ist, hat er mir zum
Schrecken gemacht.
5 Man deckt den Tisch, breitet den Tep-
pich aus, isst und trinkt. Macht euch auf,
ihr Fürsten, salbt den Schild! 6 Denn so
hat der Herr zu mir gesagt: Geh hin, stelle
den Wächter auf; was er schaut, soll er an-
sagen! 7 Und sieht er einen Zug von Wa-
gen mit Rossen, einen Zug von Eseln und
Kamelen, so soll er darauf achtgeben mit
allem Eifer.
8 Da rief der Späher: Herr, ich stehe auf
der Warte bei Tage immerdar und stelle
mich auf meine Wacht jede Nacht. 9 Und
siehe, da kommen Männer, ein Zug von
Wagen mit Rossen. Da hob er an und
sprach: [a]Gefallen ist Babel, es ist gefallen,
und alle Bilder seiner Götter sind zu Bo-
den geschlagen!

* **19,18** Der Name bedeutet »Sonnenstadt« (Heliopolis). **21,1** Siehe Sach- und Worterklärungen.

19,18 *a* Kap 65,16; Jer 12,16 **19,21** *a* Kap 66,19
19,24 *a* (24-25) 1. Mose 12,2; Sach 8,13; Röm 15,10
19,25 *a* Kap 63,17; 5. Mose 4,20; 32,9 **20,1** *a* 2. Kön 18,17
20,2 *a* Mi 1,8 **20,5** *a* (5-6) Kap 30,1-5; 31,1-3
21,2 *a* Kap 33,1 **21,9** *a* Jer 51,8; Offb 14,8; 18,2

10 Mein zerdroschenes und zertretenes
Volk! Was ich gehört habe vom HERRN
Zebaoth, dem Gott Israels, das verkün-
dige ich euch.

GEGEN DUMA

11 Dies ist die Last* für Duma: Man ruft
zu mir aus [a]Seïr: Wächter, ist die Nacht
bald hin? Wächter, ist die Nacht bald hin?
12 Der Wächter aber sprach: Der Morgen
kommt, doch noch ist es Nacht. Wenn ihr
fragen wollt, so kommt wieder und fragt.

GEGEN ARABIEN

(vgl. Jer 49,28-33)

13 [a]Dies ist die Last* für Arabien: Ihr müsst
im Gestrüpp, in der Steppe über Nacht
bleiben, ihr Karawanen der Dedaniter.
14 Bringt den Durstigen Wasser entgegen,
die ihr wohnt im Lande Tema; bietet Brot
den Flüchtigen. 15 Denn sie flohen vor dem
Schwert, ja, vor dem blanken Schwert, vor
dem gespannten Bogen, vor der Gewalt
des Kampfes.

16 [a]Denn so hat der Herr zu mir gespro-
chen: Noch ein Jahr, [b]wie des Tagelöhners
Jahre sind, dann soll alle Herrlichkeit Ke-
dars untergehen. 17 Und von all den Bo-
genschützen Kedars sollen nur wenige
übrig bleiben; denn der HERR, der Gott
Israels, hat's gesagt.

GEGEN JERUSALEM

22 Dies ist die Last* für das [a]Schautal:
Was habt ihr denn, [b]dass ihr alle auf
die Dächer gestiegen seid, 2 du Stadt voller
Lärmen und Toben, du [a]fröhliche Burg?
Deine Erschlagenen sind nicht mit dem
Schwert erschlagen und nicht im Kampf
gefallen. 3 Alle deine Hauptleute sind ge-
flohen, wurden gefangen ohne Bogen.
Alle, die man von dir gefunden hat, wur-
den gefangen, wie weit sie auch flohen.
4 Darum sage ich: Schaut weg von mir,
[a]lasst mich bitterlich weinen! Müht euch
nicht, mich zu trösten über die Verwüs-
tung der Tochter meines Volks!

5 Denn es kam ein Tag des Getümmels
und des Zertretens und der Verwirrung
vom Herrn, dem HERRN Zebaoth; im
[a]Schautal ließ man Lärm erschallen, schrie
zum Berge hin. 6 Elam erhob den Köcher,
fuhr daher mit Wagen, Leuten und Ros-
sen; und Kir ließ seine Schilde glänzen.
7 Und deine auserlesenen Täler füllten
sich mit Wagen, und Reiter stellten sich
auf gegen das Tor. 8 So nahm er Juda jeden
Schutz.

Aber ihr schautet zu der Zeit auf die
Rüstungen im [a]Waldhaus. 9 Und ihr saht,
dass viele Risse in der Stadt Davids wa-
ren, und sammeltet das Wasser des un-
teren Teiches. 10 Ihr zähltet auch die Häu-
ser Jerusalems und [a]bracht sie ab, um die
Mauer zu befestigen, 11 [a]und machtet ein
Becken zwischen beiden Mauern für das
Wasser des alten Teiches. [b]Doch ihr schau-
tet nicht auf den, der solches tut, und saht
nicht auf den, der solches schafft von ferne
her.

12 Zu der Zeit rief der Herr, der HERR
Zebaoth, dass man [a]weine und klage
und sich das Haar abschere und den Sack
anlege. 13 Aber siehe da, lauter Freude
und Wonne, Rindertöten und Schafe-
schlachten, Fleischessen und Weintrin-
ken: [a]»Lasst uns essen und trinken, denn
morgen sind wir tot!« 14 Aber meinen
Ohren ist vom HERRN Zebaoth offenbart:
»Wahrlich, diese Schuld soll euch nicht
vergeben werden, bis ihr sterbt«, spricht
der Herr, der HERR Zebaoth.

SCHEBNA UND ELJAKIM

15 So spricht der Herr, der HERR Zeba-
oth: Geh hinein zu dem Verwalter da, zu
[a]Schebna, dem Hofmeister, und sprich
zu ihm: 16 Was hast du hier? Und wen
hast du hier, dass du dir hier ein Grab
aushauen lässt, dass du dein Grab in der
Höhe aushauen und deine Wohnung in
den Felsen schlagen lässt? 17 Siehe, der
HERR wird dich niederwerfen, wie ein
Starker einen niederwirft, und wird dich
packen 18 und dich zum Knäuel machen
und dich wegschleudern wie eine Kugel
in ein weites Land. Dort wirst du ster-
ben, dort werden deine kostbaren Wagen
bleiben, du Schmach für das Haus deines

* **21,11.13; 22,1** Siehe Sach- und Worterklärungen.

21,11 *a* 5. Mose 2,5 **21,13** *a* (13-14) Jer 25,23-24
21,16 *a* (16-17) Kap 60,7; Jer 49,28 *b* Kap 16,14
22,1 *a* Vers 5 *b* Kap 15,3; Jer 48,38 **22,2** *a* Kap 32,13
22,4 *a* Jer 8,23 **22,5** *a* Vers 1 **22,8** *a* 1. Kön 10,17
22,10 *a* Jer 33,4 **22,11** *a* 2. Kön 20,20 *b* Kap 5,12
22,12 *a* Am 8,10 **22,13** *a* 1. Kor 15,32 **22,15** *a* Kap 36,3

Herrn! 19 Und ich will dich aus deiner Stel-
lung stürzen und dich aus deinem Amt
stoßen.
20 Und zu der Zeit will ich rufen mei-
nen Knecht [a]Eljakim, den Sohn Hilkijas,
21 und will ihm dein Amtskleid anziehen
und ihn mit deinem Gürtel gürten und
deine Herrschaft in seine Hand geben,
dass er [a]Vater sei für die, die in Jerusalem
wohnen, und für das Haus Juda. 22 Und ich
will die Schlüssel des Hauses Davids auf
seine Schulter legen, dass er [a]auftue und
niemand zuschließe, dass er zuschließe
und niemand auftue. 23 Und ich will ihn
als Nagel einschlagen an einen festen Ort,
und er soll einen Ehrenplatz haben in sei-
nes Vaters Haus.
24 An ihn wird man hängen das ganze
Gewicht seines Vaterhauses, Kind und
Kindeskinder, alle kleinen Geräte, Trink-
gefäße und allerlei Krüge. 25 Zu der Zeit,
spricht der HERR Zebaoth, soll der Na-
gel nachgeben, der am festen Ort steckt,
er soll abbrechen und fallen, sodass alles,
was daran hing, zerbricht; denn der HERR
hat's gesagt.

GEGEN TYRUS UND SIDON

(vgl. Hes 26,1–28,24)

23 Dies ist die Last* für Tyrus: [a]Heult, ihr
[b]Tarsisschiffe, denn Tyrus ist zerstört,
dass kein Haus mehr da ist! Als sie heim-
kehrten aus dem Lande Kittim, wurden
sie dessen gewahr. 2 Wehklagt, Bewoh-
ner der Küste, ihr Kaufleute von Sidon!
Deine Boten durchzogen das Meer 3 und
mächtige Wasser. Früchte vom Schihor
und Getreide vom Nil waren Sidons Er-
trag. Es war der Markt der Völker. 4 Schäme
dich, Sidon, denn das Meer, ja, die Feste
am Meer spricht: Ich werde nicht mehr
schwanger, ich gebäre nicht mehr; darum
ziehe ich keine Jünglinge auf und erziehe
keine Jungfrauen. 5 Wenn das die Ägypter
hören, erschrecken sie wie über die Kunde
von Tyrus.
6 Fahrt hin nach Tarsis, heult, ihr Be-
wohner der Küste! 7 Ist das eure fröhliche
Stadt, die sich ihres Alters rühmte? Ihre
Füße führten sie weit weg, in der Ferne zu
weilen. 8 Wer hat solches beschlossen über
Tyrus, das andere krönte, dessen Kauf-
leute Fürsten waren und dessen Händler
die Herrlichsten auf Erden? 9 Der HERR
Zebaoth hat's so beschlossen, auf dass er
erniedrigte die Pracht der stolzen Stadt
und verächtlich machte alle Herrlichen
auf Erden. 10 Fahr hin durch dein Land wie
der Nil, du Tochter Tarsis! Denn es gibt
keinen Hafen mehr.
11 Der HERR hat seine Hand ausgereckt
über das Meer und Königreiche erschreckt.
Er hat Befehl gegeben über Kanaan, dass
seine Bollwerke zerstört werden, 12 und er
hat gesagt: Du sollst nicht mehr fröhlich
sein, du geschändete Jungfrau, du Toch-
ter Sidon! Nach Kittim mach dich auf
und zieh fort, doch wirst du auch da keine
Ruhe haben. 13 Siehe, die Chaldäer – dies
Volk hat's getan, nicht Assur – haben die
Stadt zur Wüste gemacht; sie haben Be-
lagerungstürme aufgerichtet, ihre Paläste
niedergerissen und die Stadt geschleift.
14 [a]Heult, ihr Tarsisschiffe, denn euer Boll-
werk ist zerstört!
15 Zu der Zeit wird Tyrus vergessen wer-
den siebzig Jahre, solange etwa ein König
lebt. Aber nach siebzig Jahren wird es mit
Tyrus gehen, wie es im Hurenlied heißt:
16 Nimm die Harfe, geh in der Stadt um-
her, du vergessene Hure! Mach's gut auf
dem Saitenspiel und singe viel Lieder, auf
dass deiner gedacht werde! 17 Denn nach
siebzig Jahren wird der HERR die Stadt
Tyrus heimsuchen, dass sie wieder zu
ihrem Hurenlohn komme und [a]Hurerei
treibe mit allen Königreichen auf Erden.
18 Aber ihr Gewinn und Hurenlohn wird
dem HERRN geweiht werden. Man wird
ihn nicht wie Schätze sammeln und auf-
häufen, sondern ihr Gewinn wird denen
zufallen, die vor dem HERRN wohnen,
dass sie essen und satt werden und wohl-
bekleidet seien.

DIE ZERSTÖRUNG DER ERDE

24 Siehe, der HERR macht die Erde leer
und wüst und wirft um, was auf ihr
ist, und zerstreut ihre Bewohner. 2 Und
[a]es geht dem Priester wie dem Volk, dem
Herrn wie dem Knecht, der Herrin wie
der Magd, dem Verkäufer wie dem Käufer,

* **23,1** Siehe Sach- und Worterklärungen.

22,20 ***a*** Kap 6,3 **22,21** ***a*** 1. Mose 45,8
22,22 ***a*** Offb 3,7 **23,1** ***a*** Vers 14 ***b*** Hes 27,12
23,14 ***a*** Vers 1 **23,17** ***a*** Offb 17,2 **24,2** ***a*** Hos 4,9

dem Verleiher wie dem Borger, dem Gläu-
biger wie dem Schuldner. 3 Die Erde wird
leer und beraubt sein; denn der HERR hat
solches geredet.
4 Die Erde ist verdorrt und verwelkt,
der Erdkreis ist verschmachtet und ver-
welkt, die Höchsten des Volks auf Erden
verschmachten.[a] 5 Die Erde ist [a]entweiht
von ihren Bewohnern; denn sie haben
die Gesetze übertreten, das Gebot miss-
achtet und [b]den ewigen Bund gebrochen.
6 Darum frisst der Fluch die Erde, und
verschuldet haben es, die darauf wohnen.
Darum nehmen die Bewohner der Erde
ab, sodass wenig Leute übrig bleiben.
7 [a]Der Wein ist dahin, der Weinstock
verschmachtet, und alle, die von Herzen
fröhlich waren, seufzen. 8 Die Freude der
Pauken ist vorüber, das Jauchzen der Fröh-
lichen ist aus, und die Freude der Harfe hat
ein Ende. 9 Man trinkt keinen Wein mehr
bei frohem Gesang, und das Bier wird bit-
ter denen, die es trinken.
10 Die Stadt ist zerstört und wüst, alle
Häuser sind verschlossen, dass niemand
hineingehen kann.[a] 11 Man klagt um den
Wein auf den Gassen, dass alle Freude weg
ist, alle Wonne des Landes dahin ist. 12 Nur
Verwüstung ist in der Stadt geblieben,
und die Tore sind in Trümmer geschla-
gen. 13 Denn so geht es zu auf Erden und
unter den Völkern, wie wenn [a]ein Ölbaum
leer geschlagen wird, wie bei der Nachlese,
wenn die Weinernte aus ist.
14 Sie erheben ihre Stimme und rüh-
men und jauchzen vom Meer her über
die Herrlichkeit des HERRN: 15 »So preiset
nun den HERRN im Osten, auf den Inseln
des Meeres den Namen des HERRN, des
Gottes Israels.«[a] 16 Wir hören Lobgesänge
vom Ende der Erde: »Herrlichkeit dem
Gerechten!«
Aber ich muss sagen: Wie bin ich so
elend! Wie bin ich so elend! [a]Weh mir!
Denn es rauben [b]die Räuber, ja, immer-
fort rauben die Räuber. 17 [a]Über euch, Be-
wohner der Erde, kommt Schrecken und
Schacht und Schlinge. 18 Und wer entflieht
vor dem Geschrei des Schreckens, der
fällt in den Schacht; und wer entkommt
aus dem Schacht, der wird in der Schlinge
gefangen. Denn [a]die Fenster in der Höhe
sind aufgetan, und die Grundfesten der
Erde beben. 19 Mit Krachen zerbricht die
Erde, zerbirst und zerfällt.[a] 20 Die Erde
taumelt wie ein Trunkener und wird hin
und her geworfen wie eine schwankende
Hütte; denn ihre Missetat drückt sie, dass
sie fallen muss und nicht wieder aufste-
hen kann.
21 Zu der Zeit wird der HERR das Heer
der Höhe heimsuchen in der Höhe und
die Könige der Erde auf der Erde, 22 dass
sie gesammelt werden als Gefangene in
die Grube und verschlossen werden im
Kerker und nach langer Zeit heimgesucht
werden. 23 Und der Mond wird schamrot
werden und die Sonne erbleichen, wenn
der HERR Zebaoth [a]König sein wird auf
dem Berg Zion und zu Jerusalem und vor
seinen Ältesten in Herrlichkeit.[b]

DANKLIED DER ERLÖSTEN

25 HERR, [a]du bist mein Gott, dich preise
ich; ich lobe deinen Namen. Denn du
hast Wunder getan; deine Ratschlüsse
von alters her sind treu und wahrhaftig.
2 Denn [a]du hast die Stadt zum Steinhaufen
gemacht, die feste Stadt, dass sie in Trüm-
mern liegt, die Paläste der Fremden, dass
sie nicht mehr eine Stadt seien und nie
wieder aufgebaut werden. 3 Darum ehrt
dich ein mächtiges Volk, die Städte ge-
walttätiger Völker fürchten dich. 4 Denn
du bist der Geringen Schutz gewesen, der
Armen Schutz in der Trübsal, [a]eine Zu-
flucht vor dem Ungewitter, ein Schatten
vor der Hitze, wenn die Tyrannen wü-
ten wie ein Unwetter im Winter, 5 wie
die Hitze im dürren Land. Du demütigst
der Fremden Ungestüm, wie du die Hitze
brichst durch den Schatten der Wolken;
du dämpfst der Tyrannen Siegesgesang.

DAS GROSSE FREUDENMAHL

6 Und der HERR Zebaoth wird auf die-
sem Berge allen Völkern [a]ein fettes Mahl
machen, ein Mahl von reinem Wein, von
Fett, von Mark, von Wein, darin keine

24,4 *a* Kap 33,9; 34,4; 51,6; Hos 4,3 **24,5** *a* Jer 3,2.9
b Jer 11,10; Hes 16,59 **24,7** *a* (7-9) Kap 16,8-10
24,10 *a* Kap 25,2; 26,5; 27,10; 32,14 **24,13** *a* Kap 17,6
24,15 *a* Kap 42,10 **24,16** *a* Kap 6,5 *b* Kap 21,2
24,17 *a* (17-18) Jer 48,43-44; Klgl 3,47
24,18 *a* 1. Mose 7,11 **24,19** *a* 2. Petr 3,10
24,23 *a* Kap 52,7; Mi 4,7 *b* Kap 60,19 **25,1** *a* Ps 31,15
25,2 *a* Kap 24,10 **25,4** *a* Kap 4,6 **25,6** *a* Mt 8,11; 22,2-4

Hefe ist. 7 Und er wird auf diesem Berge
die Hülle wegnehmen, mit der alle Völ-
ker verhüllt sind, und die Decke, mit der
alle Heiden zugedeckt sind. 8 **Er wird [a]den
Tod verschlingen auf ewig. Und Gott
der HERR [b]wird die Tränen von al-
len Angesichtern abwischen und wird
aufheben die Schmach seines Volks in
allen Landen; denn der HERR hat's ge-
sagt.**
9 Zu der Zeit wird man sagen: »Siehe, das
ist unser Gott, auf den wir hofften, dass
er uns helfe. Das ist der HERR, auf den
wir hofften; lasst uns jubeln und fröhlich
sein über sein Heil.« 10 Denn die Hand des
HERRN ruht auf diesem Berge. Moab aber
wird zertreten werden an seinem Ort,
wie Stroh in die Mistlache getreten wird.
11 Und wenn es auch seine Hände darin
ausbreitet, wie sie ein Schwimmer aus-
breitet, um zu schwimmen, so wird doch
der Herr seinen Hochmut niederdrücken
trotz allen Mühens seiner Hände. 12 Und
[a]deine hohen, steilen Mauern hat er ge-
beugt, erniedrigt und in den Staub zu Bo-
den geworfen.

FREUDENLIED DES GOTTESVOLKES

26 Zu der Zeit wird man dies Lied singen
im Lande Juda: Wir haben eine feste
Stadt, zum Schutze schafft er Mauern und
Wehr. 2 Tut auf die Tore, dass hineingehe
das gerechte Volk, das den Glauben be-
wahrt![a] 3 Wer festen Herzens ist, dem be-
wahrst du Frieden; denn er verlässt sich
auf dich. 4 Darum verlasst euch auf den
HERRN immerdar; denn Gott der HERR
ist ein [a]Fels ewiglich. 5 Er erniedrigt, die in
der Höhe wohnen; [a]die hohe Stadt wirft
er nieder, ja, er stößt sie zur Erde, dass sie
im Staube liegt. 6 Mit Füßen wird sie zer-
treten, ja, mit den Füßen der Armen, mit
den Tritten der Geringen.

WARTEN AUF GOTTES GERECHTIGKEIT

7 [a]Des Gerechten Weg ist eben, den Steig
des Gerechten machst du gerade. 8 Wir
warten auf dich, HERR, auch auf dem Weg
deiner Gerichte; des Herzens Begehren
steht nach deinem Namen und deinem
Lobpreis. 9 [a]Von Herzen verlangt mich
nach dir des Nachts, ja, mit meinem Geist
suche ich dich am Morgen. Denn wenn
deine Gerichte über die Erde gehen, so
lernen die Bewohner des Erdkreises Ge-
rechtigkeit.
10 Aber wenn dem Gottlosen Gnade wi-
derfährt, so lernt er doch nicht Gerech-
tigkeit, sondern tut nur übel im Lande,
wo das Recht gilt, und sieht des HERRN
Herrlichkeit nicht. 11 HERR, deine Hand ist
erhoben, doch sie sehen es nicht. Aber sie
sollen sehen [a]den Eifer um dein Volk und
zuschanden werden. Mit dem [b]Feuer, mit
dem du deine Feinde verzehrst, wirst du
sie verzehren.[c] 12 Aber uns, HERR, wirst
du Frieden schaffen; denn auch alles, was
wir ausrichten, das hast du für uns getan.
13 HERR, unser Gott, es herrschen wohl
andere Herren über uns als du, aber wir
gedenken doch allein deiner und deines
Namens. 14 Tote werden nicht lebendig,
Schatten stehen nicht auf; denn du hast
sie heimgesucht und vertilgt und jedes
Gedenken an sie zunichtegemacht. 15 Du
hast vermehrt das Volk, HERR, vermehrt
das Volk, hast deine Herrlichkeit bewie-
sen und weit gemacht alle Grenzen des
Landes.
16 HERR, [a]in der Trübsal suchten sie dich;
als du sie gezüchtigt hast, waren sie in
Angst und Bedrängnis. 17 Gleich [a]wie eine
Schwangere, wenn sie bald gebären soll,
sich windet und schreit in ihren Schmer-
zen, so geht's uns auch, HERR, vor deinem
Angesicht. 18 Wir sind auch schwanger
und winden uns, und wenn wir gebären,
so ist's Wind. Wir können dem Lande
nicht helfen, und Bewohner des Erdkrei-
ses können nicht geboren werden.
19 Aber **deine Toten werden leben,
[a]deine Leichname werden auferstehen.**
Wachet auf und rühmet, die ihr liegt un-
ter der Erde! Denn ein Tau der Lichter ist
dein Tau, und die Erde wird die Schatten
herausgeben.
20 Geh hin, mein Volk, in deine Kam-
mer und schließ die Tür hinter dir zu!
Verbirg dich einen kleinen Augenblick,

25,8 ***a*** Hos 13,14; 1. Kor 15,54-55 ***b*** Offb 7,17; 21,4
25,12 ***a*** Kap 26,5 **26,2** ***a*** Ps 118,19-20
26,4 ***a*** 5. Mose 32,4; Ps 18,3 **26,5** ***a*** Kap 25,12
26,7 ***a*** Spr 11,5 **26,9** ***a*** Ps 63,7 **26,11** ***a*** Kap 9,6; 37,32
b Hebr 10,27 ***c*** 2. Mose 15,6 **26,16** ***a*** Hos 5,15
26,17 ***a*** Kap 13,8; Joh 16,21; Offb 12,2
26,19 ***a*** Hes 37,1-14; Dan 12,2; Mt 27,52-53

bis der Zorn vorübergehe. 21 Denn siehe,
[a]der HERR wird ausgehen von seinem Ort,
heimzusuchen die Bosheit der Bewohner
der Erde. Dann [b]wird die Erde offenbar
machen das Blut, das auf ihr vergossen ist,
und nicht weiter verbergen, die auf ihr ge-
tötet sind.

ISRAELS ERLÖSUNG

27 Zu der Zeit wird der HERR heimsu-
chen mit seinem harten, großen und
starken Schwert den [a]Leviatan, die flüch-
tige Schlange, und den Leviatan, die ge-
wundene Schlange, und wird den Dra-
chen im Meer töten.
2 Zu der Zeit wird es heißen: Lieblicher
[a]Weinberg, singet von ihm! 3 Ich, der
HERR, behüte ihn und begieße ihn im-
mer wieder. Damit man ihn nicht ver-
derbe, will ich ihn Tag und Nacht behüten.
4 Ich zürne nicht. Sollten aber Disteln und
Dornen aufschießen, so wollte ich über sie
herfallen und sie alle miteinander anste-
cken, 5 es sei denn, sie suchen Zuflucht bei
mir und machen Frieden mit mir, ja, Frie-
den mit mir. 6 Es wird einst dazu kommen,
dass [a]Jakob wurzeln und Israel blühen und
grünen wird, dass sie den Erdkreis mit
Früchten erfüllen.
7 [a]Hat er Israel geschlagen, wie er seine
Feinde schlägt? Oder hat er es getötet, wie
er seine Feinde tötet? 8 Vielmehr, indem
du es wegschicktest und wegführtest, hast
du es gerichtet, es verscheucht mit rauem
Sturm am Tage des Ostwinds. 9 Darum
wird die Schuld Jakobs dadurch gesühnt
werden, und das wird die Frucht davon
sein, dass seine Sünde weggenommen
wird: Er wird alle Altarsteine zerstoße-
nen Kalksteinen gleichmachen; und keine
[a]Bilder der Aschera noch Räucheraltäre
werden mehr bleiben.
10 Die feste Stadt ist einsam geworden,
die schönen Häuser verödet und verlassen
wie die Steppe, dass Kälber dort weiden
und ruhen und Zweige abfressen.[a] 11 Ihre
Zweige werden vor Dürre brechen, dass
die Frauen kommen und Feuer damit ma-
chen werden; denn [a]es ist ein unverstän-
diges Volk. Darum erbarmt sich ihrer auch
nicht, der sie gemacht hat; und der sie ge-
schaffen hat, ist ihnen nicht gnädig.
12 Zu der Zeit wird der HERR Ähren aus-
klopfen vom Ufer des Stromes bis an den
Bach Ägyptens, und ihr Israeliten werdet
aufgesammelt werden, einer nach dem
andern. 13 Zu der Zeit wird man mit einer
großen Posaune blasen, und [a]es werden
kommen die Verlorenen im Lande Assur
und die Verstoßenen im Lande Ägypten
und werden den HERRN anbeten [b]auf dem
heiligen Berg zu Jerusalem.

GERICHT ÜBER SAMARIA

28 [a]Weh der prächtigen Krone der Trun-
kenen von Ephraim, der welken
Blume seiner herrlichen Zierde hoch über
dem fetten Tal derer, die vom Wein tau-
meln! 2 Siehe, einen Starken und Mächti-
gen hält der Herr bereit; wie Hagelsturm,
wie verderbliches Wetter, wie Wasserflut,
die mächtig einreißt, wirft er zu Boden
mit Gewalt.[a] 3 Mit Füßen wird zertreten
die prächtige Krone der Trunkenen von
Ephraim. 4 Und die welke Blume seiner
herrlichen Zierde hoch über dem fetten
Tal wird sein wie eine Frühfeige vor dem
Sommer, die einer erspäht und flugs aus
der Hand verschlingt.
5 Zu der Zeit wird der HERR Zebaoth
eine zierende Krone sein und ein herr-
licher Kranz für den [a]Rest seines Volks
6 und ein Geist des Rechts für den, der zu
Gericht sitzt, und eine Kraft denen, die
den Kampf gegen das Tor zurückschlagen.

GERICHT ÜBER DIE PRIESTER UND PROPHETEN IN JERUSALEM

7 Aber auch diese sind vom Wein toll ge-
worden und taumeln vom Bier. Priester
und Propheten sind toll vom Bier, sind
im Wein ersoffen. Sie taumeln vom Bier,
sie sind toll beim Weissagen und wanken
beim Rechtsprechen. 8 Denn alle Tische
sind voll [a]Gespei und Unflat an allen Or-
ten! 9 Wen will denn der Priester Erkennt-
nis lehren, wem der Prophet Offenbarung
deuten? Denen, die entwöhnt sind von
der Milch, denen, die von der Brust abge-

26,21 ***a*** Mi 1,3 ***b*** Hiob 16,18; Offb 18,24 **27,1** ***a*** Kap 51,9; Hiob 26,13; Ps 74,13-14 **27,2** ***a*** Kap 5,1-7 **27,6** ***a*** Kap 37,31; Hos 14,6 **27,7** ***a*** (7-8) Jer 30,11 **27,9** ***a*** Kap 17,8; 3. Mose 26,30 **27,10** ***a*** Kap 24,10; 25,2; 32,14 **27,11** ***a*** Kap 1,3 **27,13** ***a*** Kap 11,11-12; 56,8 ***b*** Hes 20,40 **28,1** ***a*** Kap 5,22 **28,2** ***a*** 2. Kön 17,5-6 **28,5** ***a*** Kap 7,3; 10,20-22 **28,8** ***a*** Kap 19,14

setzt sind? 10 Denn sie sagen: »Zawlazaw
zawlazaw, kawlakaw kawlakaw,* hier ein
wenig, da ein wenig!«
11 Ja, Gott wird [a]mit stammelnder Lippe
und fremder Zunge reden zu diesem Volk,
12 er, der zu ihnen gesagt hat: [a]»Das ist die
Ruhe, schafft Ruhe den Müden; und das
ist die Erquickung!« Aber sie wollten nicht
hören. 13 Darum wird für sie des HERRN
Wort zu »Zawlazaw zawlazaw, kawla-
kaw kawlakaw, hier ein wenig, da ein we-
nig«, dass sie hingehen und [a]rücklings fal-
len, zerbrochen, verstrickt und gefangen
werden.

14 So höret nun des HERRN Wort, ihr
Spötter, die ihr herrscht über dies Volk,
das in Jerusalem ist. 15 Ihr sprecht: Wir ha-
ben mit dem Tod einen Bund geschlossen
und mit dem Totenreich einen Vertrag ge-
macht. Wenn die brausende Flut kommt,
wird sie uns nicht treffen; denn wir haben
Lüge zu unsrer Zuflucht und Trug zu un-
serm Schutz gemacht. 16 Darum spricht
Gott der HERR: **Siehe, ich lege in Zion
einen Grundstein, einen bewährten
Stein, einen kostbaren [a]Eckstein, der
fest gegründet ist. [b]Wer glaubt, der
flieht nicht.*** 17 Und ich will das Recht zur
Richtschnur und die Gerechtigkeit zur
Waage machen.

So wird Hagel die Zuflucht in der Lüge
zerschlagen, und Wasser sollen den
Schutz wegschwemmen, 18 dass hinfalle
euer Bund mit dem Tode und euer Vertrag
mit dem Totenreich nicht bestehen bleibe.
Wenn die brausende Flut kommt, wird sie
euch zermalmen; 19 sooft sie kommt, wird
sie euch erfassen. Denn Morgen für Mor-
gen wird sie kommen, des Tags und des
Nachts. Da wird man nur mit Entsetzen
Offenbarung deuten. 20 Denn das Bett ist
zu kurz, um sich auszustrecken, und die
Decke zu schmal, um sich dreinzuschmie-
gen. 21 Denn der HERR wird sich aufma-
chen wie am Berge [a]Perazim und toben
wie im Tal [b]Gibeon, dass er sein Werk
vollbringe, aber fremd ist sein Werk, und
dass er seine Tat tue, aber seltsam ist seine
Tat! 22 So lasst nun euer Spotten, auf dass
eure Bande nicht fester werden; denn [a]ich
habe von einem Verderben gehört, das
von Gott, dem HERRN Zebaoth, beschlos-
sen ist über die ganze Erde.

DAS GLEICHNIS VOM BAUERN

23 Nehmt zu Ohren und hört meine
Stimme, merkt auf und hört meine Rede:
24 Pflügt oder gräbt oder eggt denn ein
Ackermann immerfort seinen Acker zur
Saat? 25 Ist's nicht so: Wenn er ihn geebnet
hat, dann streut er Dill und wirft Kümmel
und sät Weizen und Gerste, ein jedes,
wohin er's haben will, und Dinkel an den
Rand? 26 So unterweist ihn sein Gott und
lehrt ihn, wie es recht sei. 27 Auch drischt
man den Dill nicht mit Dreschschlitten
und lässt auch nicht die Walze über den
Kümmel gehen, sondern den Dill schlägt
man aus mit einem Stabe und den Küm-
mel mit einem Stecken. 28 Zermalmt man
etwa das Getreide? Nein, endlos drischt
man's nicht. Man lässt seine Dreschwalze
und seine Pferde darüber gehen, aber zer-
malmt es nicht. 29 Auch das kommt her
vom HERRN Zebaoth; [a]sein Rat ist wun-
derbar, und er führt es herrlich hinaus.

JERUSALEMS BELAGERUNG UND ERRETTUNG

29 Weh [a]Ariel, Ariel*, du Stadt, wo David
lagerte! Fügt Jahr zu Jahr und feiert die
Feste! 2 Ich will den Ariel ängstigen, dass
er traurig und voll Jammer sei, und er soll
mir ein rechter Ariel sein. 3 Denn [a]ich will
dich belagern ringsumher und will dich
einschließen mit Bollwerk und will Wälle
um dich aufschütten lassen. 4 Dann sollst
du erniedrigt werden und von der Erde
her reden und aus dem Staube mit deiner
Rede murmeln, dass deine Stimme sei wie
die eines [a]Totengeistes aus der Erde, und
deine Rede wispert aus dem Staube.

5 Aber die Menge deiner Feinde soll
werden wie feiner Staub und die Menge
der Tyrannen wie wehende Spreu. Und
plötzlich, im Nu wird's geschehen: 6 Vom
HERRN Zebaoth wirst du heimgesucht

* **28,10** Die Worte ahmen das Lallen der Trunkenen nach. **28,16** In der griechischen Übersetzung heißt es: »Wer glaubt, der wird nicht zuschanden« (vgl. Röm 9,33; 10,11; 1. Petr 2,6). **29,1** Siehe Sach- und Worterklärungen.

28,11 ***a*** Kap 33,19; 5. Mose 28,49; Jer 5,15; 1. Kor 14,21
28,12 ***a*** Kap 30,15; Jer 6,16; Mt 11,28-29 **28,13** ***a*** Kap 8,15
28,16 ***a*** Ps 118,22; Eph 2,20 ***b*** Kap 7,9
28,21 ***a*** 2. Sam 5,20; 1. Chr 14,11 ***b*** Jos 10,10-14; 1. Chr 14,16 **28,22** ***a*** Kap 10,22-23 **28,29** ***a*** Kap 9,5
29,1 ***a*** Kap 33,7 **29,3** ***a*** Lk 19,43 **29,4** ***a*** Kap 8,19

werden mit Wetter und Erdbeben und
großem Donner, mit Wirbelsturm und
Ungewitter und [a]mit Flammen eines ver-
zehrenden Feuers. 7 Und wie ein Traum,
wie ein Nachtgesicht, so soll die Menge
aller Völker sein, die gegen Ariel kämpfen
mit ihrem ganzen Heer und Bollwerk und
die ihn ängstigen. 8 Denn wie ein Hung-
riger träumt, dass er esse – wenn er aber
aufwacht, so ist sein Verlangen nicht ge-
stillt; und wie ein Durstiger träumt, dass
er trinke – wenn er aber aufwacht, ist er
matt und durstig: So soll es der Menge
aller Völker ergehen, die gegen den Berg
Zion kämpfen.

DIE VERBLENDUNG DES VOLKES

9 [a]Starrt hin und werdet bestürzt, seid ver-
blendet und werdet blind! Seid trunken,
doch nicht vom Wein, taumelt, doch nicht
vom Bier! 10 Denn [a]der HERR hat über
euch einen Geist des tiefen Schlafs ausge-
gossen und eure Augen – die Propheten –
zugetan, und eure Häupter – die Seher –
hat er verhüllt. 11 Darum wurde euch diese
ganze Offenbarung wie die Worte eines
versiegelten Buches, das man einem gibt,
der lesen kann, und spricht: Lies das!, und
er spricht: »Ich kann nicht, denn es ist ver-
siegelt«; 12 oder das man einem gibt, der
nicht lesen kann, und spricht: Lies das!,
und er spricht: »Ich kann nicht lesen.«

13 Und der Herr sprach: Weil dies Volk
mir naht mit seinem Munde und mit
seinen Lippen mich ehrt, aber ihr Herz
fern von mir ist und sie mich fürchten
nur nach Menschengeboten, die man sie
lehrt,[a] 14 darum will ich auch hinfort mit
diesem Volk [a]wunderlich umgehen, aufs
Wunderlichste und Seltsamste, dass [b]die
Weisheit seiner Weisen vergehe und [c]der
Verstand seiner Verständigen sich verber-
gen müsse.

15 Weh denen, die mit ihrem Plan ver-
borgen sein wollen vor dem HERRN und
mit ihrem Tun im Finstern bleiben und
sprechen: [a]»Wer sieht uns und wer kennt
uns?« 16 Wie kehrt ihr alles um! Als ob der
[a]Ton dem Töpfer gleich wäre, dass das
Werk spräche von seinem Meister: Er hat
mich nicht gemacht!, und ein Bildwerk
spräche von seinem Bildner: Er versteht
nichts!

DIE GROSSE WANDLUNG

17 Wohlan, es ist noch eine kleine Weile,
so soll der Libanon [a]fruchtbares Land
werden, und was jetzt fruchtbares Land
ist, soll wie ein Wald werden. 18 [a]Zu der
Zeit werden die Tauben hören die Worte
des [b]Buches, und die Augen der Blinden
werden aus Dunkel und Finsternis sehen;
19 und die Elenden werden wieder Freude
haben am HERRN, und die Ärmsten un-
ter den Menschen werden fröhlich sein
in dem Heiligen Israels. 20 Denn es wird
ein Ende haben mit den Tyrannen und
mit den Spöttern aus sein, und es werden
vertilgt werden alle, die darauf aus sind,
Unheil anzurichten, 21 welche die Leute
schuldig sprechen vor Gericht und stellen
dem nach, der sie [a]zurechtweist im Tor,
und beugen durch Lügen das Recht des
Unschuldigen.[b]

22 Darum spricht der HERR, der Abraham
erlöst hat, zum Hause Jakob: Jakob soll
[a]nicht mehr beschämt dastehen, und sein
Antlitz soll nicht mehr erblassen. 23 Denn
wenn sie sehen werden die Werke meiner
Hände – ihre Kinder – in ihrer Mitte, wer-
den sie meinen Namen [a]heiligen; sie wer-
den den Heiligen Jakobs heiligen und den
Gott Israels fürchten. 24 Und die, welche
irren in ihrem Geist, werden Verstand an-
nehmen, und die, welche murren, werden
sich belehren lassen.

VERGEBLICHES VERTRAUEN AUF ÄGYPTEN

30 [a]Weh den [b]abtrünnigen Kindern,
spricht der HERR, die ohne mich Pläne
fassen und ohne meinen Geist Bündnisse
eingehen, um eine Sünde auf die andere
zu häufen, 2 die hinabziehen nach Ägyp-
ten und befragen meinen Mund nicht,
[a]um Zuflucht zu suchen beim Pharao und
sich zu bergen im Schatten Ägyptens!
3 [a]Aber es soll euch die Zuflucht beim Pha-
rao zur Schande geraten und der Schutz

29,6 *a* Kap 30,30 **29,9** *a* (9-10) Kap 6,9-10
29,10 *a* Kap 19,14; Röm 11,8 **29,13** *a* Kap 1,15; Hos 7,14; Mt 15,8-9 **29,14** *a* Kap 28,21 *b* Kap 44,25; 1. Kor 1,19 *c* Mt 11,25 **29,15** *a* Kap 47,10; Ps 10,11 **29,16** *a* Kap 45,9; 64,7; Jer 18,1-6; Röm 9,20-21 **29,17** *a* Kap 32,15
29,18 *a* (18-19) Kap 32,3; 35,5; Mt 11,5 *b* Verse 11-12
29,21 *a* Am 5,10 *b* Kap 5,23 **29,22** *a* Kap 45,17; 54,4
29,23 *a* Kap 8,13 **30,1** *a* (1-2) Kap 31,1 *b* Kap 1,2
30,2 *a* 2. Kön 18,21 **30,3** *a* (3-5) Kap 20,5

im Schatten Ägyptens zum Hohn. 4 Denn
seine [a]Fürsten waren zwar in Zoan, und
seine Boten sind nach Hanes* gekommen,
5 aber alle sind zuschanden geworden an
dem Volk, das ihnen nichts nützen kann,
weder zur Hilfe noch sonst zu Nutz, son-
dern nur zu Schande und Spott.

6 Dies ist die Last* für die Tiere des Süd-
landes: Im Lande der Trübsal und Angst,
wo Löwin und brüllender Löwe, wo Ot-
tern und [a]fliegende Schlangen sind, da
führen sie ihre Habe auf dem Rücken
von Eseln und ihre Schätze auf dem Hö-
cker von Kamelen zu dem Volk, das ih-
nen nichts nützen kann. 7 Denn Ägypten
ist nichts, und sein Helfen ist vergeblich.
Darum nenne ich Ägypten [a]»Rahab, zum
Schweigen gebracht«.

VERTRAUEN AUF FALSCHE PROPHETIE

8 So geh nun hin und [a]schreib es vor ihnen
nieder auf eine Tafel und zeichne es in ein
Buch, dass es bleibe als Zeuge für immer
und ewig. 9 Denn sie sind ein [a]ungehorsa-
mes Volk und verlogene Kinder, die nicht
hören wollen die Weisung des HERRN,
10 sondern sagen zu den Sehern: »Ihr sollt
nicht sehen!«, und zu den Schauern: »Was
wahr ist, sollt ihr uns nicht schauen! Re-
det zu uns, was angenehm ist; schaut, was
täuscht![a] 11 Weicht ab vom Wege, geht aus
der rechten Bahn! Lasst uns doch in Ruhe
mit dem Heiligen Israels!«

12 Darum, so spricht der Heilige Israels:
Weil ihr dies Wort verwerft und vertraut
auf Frevel und Mutwillen und verlasst
euch darauf, 13 so soll euch diese Schuld
sein wie ein Riss, der aufbricht und klafft
an einer hohen Mauer, die plötzlich, un-
versehens einstürzt, 14 wie wenn [a]ein Topf
zerschmettert wird, den man zerstößt
ohne Erbarmen, sodass man von seinen
Stücken nicht eine Scherbe findet, darin
man Feuer hole vom Herd oder Wasser
schöpfe aus dem Brunnen.

15 Denn so spricht Gott der HERR, der
Heilige Israels: **Wenn ihr umkehrtet
und stille bliebet, so würde euch gehol-
fen; [a]durch Stillesein und Vertrauen
würdet ihr stark sein.** Aber ihr habt nicht
gewollt 16 und spracht: »Nein, sondern auf
Rossen wollen wir dahinfliegen«, – darum
werdet ihr dahinfliehen, »und auf Ren-
nern wollen wir reiten«, – darum werden
euch eure Verfolger überrennen. 17 Denn
[a]tausend werden fliehen vor eines Einzi-
gen Drohen, ihr alle vor dem Drohen von
fünfen, bis ihr übrig bleibt wie ein Mast
oben auf einem Berge und wie ein Banner
auf einem Hügel.

GOTTES ERBARMEN

18 Darum harrt der HERR darauf, dass er
euch gnädig sei, und darum macht er sich
auf, dass er sich euer erbarme; denn der
HERR ist ein Gott des Rechts. [a]Wohl allen,
die auf ihn harren! 19 Du Volk Zions, das
in Jerusalem wohnt, du wirst nicht wei-
nen! [a]Er wird dir gnädig sein, wenn du
rufst. Er wird dir antworten, sobald er's
hört. 20 Und der Herr wird euch in Trübsal
Brot und in Ängsten Wasser geben. Und
dein Lehrer wird sich nicht mehr verber-
gen müssen, sondern deine Augen wer-
den deinen Lehrer sehen. 21 Und wenn ihr
zur Rechten oder zur Linken gehen wollt,
werden deine Ohren hinter dir das Wort
hören: [a]Dies ist der Weg; den geht! 22 Und
ihr werdet entweihen eure silbernen Göt-
zen und eure vergoldeten Bilder und wer-
det sie wegwerfen wie Unrat und zu ihnen
sagen: Hinaus![a]

23 Und er wird deinem Samen, den du
auf den Acker gesät hast, Regen geben
und dir Brot geben vom Ertrag des Ackers
in voller Genüge. Und dein Vieh wird zu
der Zeit weiden auf weiter Aue.[a] 24 Die
Rinder und Esel, die den Acker bearbei-
ten, werden würziges Futter fressen, das
geworfelt ist mit Schaufel und Wurfga-
bel. 25 Und es werden auf allen großen
Bergen und auf allen hohen Hügeln Was-
serbäche und Ströme fließen zur Zeit der
großen Schlacht, wenn die Türme fallen
werden. 26 Und des Mondes Schein wird
sein wie der Sonne Schein, und der Sonne
Schein wird siebenmal heller sein, so wie
das Licht von sieben Tagen, zu der Zeit,

* **30,4** Zoan und Hanes sind Städte in Oberägypten.
30,6 Siehe Sach- und Worterklärungen.

30,4 *a* Kap 19,11.13 **30,6** *a* Kap 14,29; 5. Mose 8,15
30,7 *a* Ps 89,11; Hes 29,3 **30,8** *a* Kap 8,1-2
30,9 *a* Kap 1,4 **30,10** *a* Am 2,12; Mi 2,6 **30,14** *a* Jer 19,11
30,15 *a* Kap 7,4; 28,12; 2. Mose 14,14
30,17 *a* 5. Mose 32,30 **30,18** *a* Ps 2,12 **30,19** *a* Kap 65,24
30,21 *a* 5. Mose 5,32 **30,22** *a* Kap 2,20; 27,9; 31,7
30,23 *a* 3. Mose 26,4-5; Joel 2,23

wenn der HERR den Schaden seines Volks
verbinden und [a]seine Wunden heilen
wird.

GERICHT ÜBER ASSYRIEN

27 Siehe, des HERRN Name kommt von
ferne! Sein Zorn brennt und mäch-
tig erhebt er sich, seine Lippen sind voll
Grimm und seine Zunge wie ein verzeh-
rendes Feuer 28 und sein Odem wie eine
Wasserflut, [a]die bis an den Hals reicht, zu
schwingen die Völker in der Schwinge des
Verderbens. Und er wird die Völker mit
einem Zaum im Maul in die Irre führen.
29 Da [a]werdet ihr singen wie in der Nacht
des heiligen Festes und euch von Herzen
freuen, wie wenn man mit Flötenspiel
geht zum Berge des HERRN, zum [b]Fels
Israels. 30 Und der HERR wird seine herr-
liche Stimme erschallen lassen, und man
wird sehen, wie sein Arm herniederfährt
mit zornigem Drohen und [a]mit Flammen
verzehrenden Feuers, mit Wolkenbruch
und Hagelschlag.
31 [a]Da wird Assur erschrecken vor der
Stimme des HERRN, der ihn schlägt mit
dem Stock. 32 Jeder Schlag der Zuchtrute,
die der HERR auf ihn niedersausen lässt,
geschieht unter Pauken- und Zither-
spiel, und er kämpft mit Assur, wie man
im Tanz ein Opfer schwingt. 33 Denn die
Feuergrube ist längst hergerichtet, ja,
sie ist auch dem König bereitet, tief und
weit genug. Der Scheiterhaufen darin hat
Feuer und Holz die Menge; der Odem
des HERRN wird ihn anzünden wie ein
Schwefelstrom.

NICHT ÄGYPTEN, SONDERN DER HERR RETTET JERUSALEM

31 [a]Weh denen, die hinabziehen nach
Ägypten um Hilfe und [b]sich verlassen
auf Rosse und vertrauen auf Wagen, weil
ihrer viele sind, und auf Gespanne, weil
sie sehr stark sind! Aber sie schauen nicht
auf den Heiligen Israels, und den HERRN
befragen sie nicht. 2 Aber auch er ist weise
und bringt Unheil herbei und [a]nimmt
seine Worte nicht zurück, sondern wird
sich aufmachen wider das Haus der Bösen
und wider die Hilfe der Übeltäter. 3 Denn
Ägypten ist [a]Mensch und nicht Gott, und
seine Rosse sind Fleisch und nicht Geist.
Und der HERR wird seine Hand ausstre-
cken, sodass der Helfer strauchelt und der,
dem geholfen wird, fällt und alle mitein-
ander umkommen.

DAS GERICHT ÜBER ASSYRIEN. ZIONS ERRETTUNG

4 So hat der HERR zu mir gesprochen:
Gleich wie ein Löwe und ein junger Löwe
brüllt über seinem Raub, wenn man wi-
der ihn aufruft die Menge der Hirten – er
erschrickt vor ihrem Geschrei nicht und es
ist ihm auch nicht angst vor ihrer Menge –,
so wird der HERR Zebaoth herniederfah-
ren, um zu kämpfen auf dem Berg Zion
und auf seinem Hügel. 5 Und der HERR
Zebaoth wird [a]Jerusalem beschirmen, wie
Vögel es tun mit ihren Flügeln, er wird be-
schirmen und erretten, schonen und be-
freien.
6 Kehrt um, ihr Israeliten, zu dem, von
welchem ihr so sehr abgewichen seid![a]
7 Denn zu der Zeit wird ein jeder seine
[a]silbernen und goldenen Götzen verwer-
fen, die eure Hände gemacht hatten euch
zur Sünde.
8 Und [a]Assur soll fallen durchs Schwert,
doch nicht durch das eines Mannes, und
ein Schwert soll ihn verzehren, doch nicht
das eines Menschen. Und Assur wird vor
dem Schwert fliehen, und seine junge
Mannschaft wird Frondienste leisten
müssen. 9 Und sein [a]Fels wird vor Furcht
weichen, und seine Fürsten werden er-
schreckt das Banner verlassen, spricht der
HERR, der zu Zion ein Feuer und zu Jeru-
salem einen Glutofen hat.

DAS KÜNFTIGE REICH DER GERECHTIGKEIT

32 Siehe, in Gerechtigkeit [a]wird ein Kö-
nig regieren, und Fürsten werden
herrschen, wie es recht ist, 2 dass ein je-
der von ihnen sein wird wie eine Zuflucht
vor dem Wind und wie ein Schutz vor
dem Platzregen, wie Wasserbäche am

30,26 *a* Jer 30,17 **30,28** *a* Kap 8,8 **30,29** *a* 5. Mose 16,14 *b* Ps 18,3 **30,30** *a* Kap 29,6 **30,31** *a* (31-33) Kap 10,26; 2. Kön 19,35-37 **31,1** *a* Kap 30,1-2 *b* 5. Mose 17,16; Ps 20,8 **31,2** *a* 4. Mose 23,19 **31,3** *a* Hes 28,2 **31,5** *a* Kap 37,35 **31,6** *a* Jer 3,14.22 **31,7** *a* Kap 2,20; 30,22 **31,8** *a* Kap 37,36 **31,9** *a* Kap 32,2; 5. Mose 32,31 **32,1** *a* Kap 11,1-5; Jer 23,5

dürren Ort, wie der Schatten eines gro-
ßen Felsens im trockenen Lande. 3 [a]Und
die Augen der Sehenden werden nicht
mehr [b]verklebt sein, und die Ohren der
Hörenden werden aufmerken. 4 Und das
Herz der Unvorsichtigen wird Klugheit
lernen, und [a]die Zunge der Stammeln-
den wird fließend und klar reden. 5 Es
wird nicht mehr [a]ein Narr Fürst heißen
noch ein Betrüger edel genannt werden.
6 Denn ein Narr redet Narrheit, und sein
Herz sinnt auf Unheil, dass er Ruchloses
anrichte und rede über den HERRN lauter
Trug; dadurch lässt er hungrig die hungri-
gen Seelen und wehrt den Durstigen das
Trinken. 7 Und des Betrügers Waffen sind
böse, er sinnt auf Tücke, um die Elenden
zu verderben mit falschen Worten, auch
wenn der Arme sein Recht vertritt. 8 Aber
der Edle hat edle Gedanken und beharrt
bei Edlem.

FALSCHE SORGLOSIGKEIT

9 Wohlan, [a]ihr stolzen Frauen, hört meine
Stimme! Ihr Töchter, die ihr so sicher seid,
nehmt zu Ohren meine Rede! 10 Über Jahr
und Tag, da werdet ihr Sicheren zittern;
denn es wird keine Weinlese sein, auch
keine Obsternte kommen. 11 Erschreckt,
ihr stolzen Frauen, zittert, ihr Sicheren!
Zieht euch aus, entblößt euch und um-
gürtet eure Lenden! 12 Man klagt um die
Äcker, ja, um die lieblichen Äcker, um
die fruchtbaren Weinstöcke, 13 um den
Acker meines Volks, auf dem [a]Dornen
und Disteln wachsen, um alle Häuser voll
Freude in der [b]fröhlichen Stadt. 14 Denn
die Paläste sind verlassen, und die Stadt,
die voll Getümmel war, ist einsam. Burg
und Turm sind Höhlen für immer, dem
Wild zur Freude, den Herden zur Weide,[a]
15 so lange, bis über uns ausgegossen wird
[a]der Geist aus der Höhe. Dann wird [b]die
Wüste zum fruchtbaren Lande und das
fruchtbare Land wie Wald geachtet wer-
den. 16 Und das Recht wird in der Wüste
wohnen und Gerechtigkeit im fruchtba-
ren Lande. 17 Und der Gerechtigkeit Frucht
wird Friede sein, und der Ertrag der Ge-
rechtigkeit wird Ruhe und Sicherheit sein
auf ewig, 18 dass mein Volk in friedlichen
Auen wohnen wird, [a]in sicheren Woh-
nungen und in sorgloser Ruhe. 19 Aber der
Wald wird niederbrechen, und die Stadt
wird versinken in Niedrigkeit. 20 Wohl
euch, die ihr säen könnt an allen Wassern
und könnt die Rinder und Esel frei gehen
lassen.

DIE RETTUNG ZIONS VOR DEM VERWÜSTER

33 Weh dir, du Verwüster, der du selbst
nicht verwüstet bist, und du [a]Räuber,
der du selbst nicht beraubt bist! [b]Wenn
du das Verwüsten vollendet hast, so wirst
du auch verwüstet werden; wenn du des
Raubens ein Ende gemacht hast, so wird
man dich auch berauben.
2 **HERR, sei uns gnädig, denn auf dich
harren wir! Sei unser Arm alle Morgen,
ja, unser Heil zur Zeit der Trübsal!** 3 Es
fliehen die Völker vor dem gewaltigen To-
sen, und die Nationen werden zerstreut,
wenn du dich erhebst. 4 Da wird man
Beute wegraffen, wie die Heuschrecken
wegraffen, und wie die Käfer herbeistür-
zen, so stürzt man sich darauf. 5 Der HERR
ist erhaben, denn er wohnt in der Höhe.
[a]Er hat Zion mit Recht und Gerechtig-
keit erfüllt. 6 Und du wirst sichere Zeiten
haben: Reichtum an Heil, Weisheit und
Klugheit; die Furcht des HERRN wird Zi-
ons Schatz sein.
7 Siehe, die Leute von [a]Ariel schreien
draußen, die Boten des Friedens [b]wei-
nen bitterlich. 8 Die Wege sind verödet,
es geht niemand mehr auf der Straße.
Man hält nicht Treu und Glauben, man
verwirft die Zeugen und achtet der Men-
schen nicht. 9 Das Land sieht traurig und
jämmerlich aus, der Libanon ist zuschan-
den geworden und verdorrt. Scharon ist
wie eine Steppe, und Baschan und Karmel
stehen kahl.[a]
10 Nun aber [a]will ich mich aufmachen,
spricht der HERR; nun will ich mich erhe-
ben, nun will ich aufstehen. 11 Mit Stroh
[a]geht ihr schwanger, Stoppeln gebärt ihr;
euer Zorn ist ein Feuer, das euch selbst

32,3 *a* (3-4) Kap 6,9-10; 29,9-10 *b* Kap 6,10
32,4 *a* Kap 35,6 **32,5** *a* Spr 28,16 **32,9** *a* Kap 3,16–4,1; Am 4,1-3; 6,1 **32,13** *a* Kap 5,6 *b* Kap 22,2
32,14 *a* Kap 25,2; 27,10 **32,15** *a* Kap 44,3; Joel 3,1 *b* Kap 29,17 **32,18** *a* Kap 33,20; Jer 33,16 **33,1** *a* Kap 21,2 *b* Mt 7,2 **33,5** *a* Kap 1,21 **33,7** *a* Kap 29,1-2 *b* Kap 22,4
33,9 *a* Kap 24,4; Am 1,2 **33,10** *a* Ps 12,6 **33,11** *a* Kap 59,4

verzehren wird. 12 Und die Völker werden
zu Kalk verbrannt werden; wie abgehau-
ene Dornen werden sie im Feuer verzehrt.
13 So hört nun, ihr, die ihr ferne seid, was
ich getan habe, und die ihr nahe seid, er-
kennt meine Stärke!
14 In Zion sind die Sünder erschrocken,
Zittern hat die Heuchler befallen, und sie
sprechen: »Wer ist unter uns, der [a]bei ver-
zehrendem Feuer wohnen kann? Wer ist
unter uns, der bei ewiger Glut wohnen
kann?« 15 [a]Wer in Gerechtigkeit wandelt
und redet, was recht ist; wer schändlichen
Gewinn hasst und seine Hände bewahrt,
dass er nicht Geschenke nehme; wer seine
Ohren zustopft, dass er nichts höre von
blutiger Gewalt, und seine Augen zuhält,
dass er nicht nach Bösem sehe: 16 Der wird
in der Höhe wohnen, und Felsen werden
seine Feste und Schutz sein. Sein Brot
wird ihm gegeben, sein Wasser hat er
gewiss.
17 Deine Augen werden den König schau-
en in seiner Schönheit; du wirst ein wei-
tes Land sehen. 18 Dein Herz wird an den
Schrecken zurückdenken und sagen: »Wo
ist, der zählte, wo, der abwog, wo, der die
Türme gezählt hat?« 19 Du wirst das fre-
che Volk nicht mehr sehen, [a]das Volk von
dunkler Sprache, die man nicht verstehen
kann, und von stammelnder Zunge, die
unverständlich bleibt.
20 Schaue auf Zion, die Stadt unsrer Fei-
ern! Deine Augen werden Jerusalem se-
hen, eine [a]sichere Wohnung, ein Zelt,
das nicht mehr abgebrochen wird. Seine
Pflöcke sollen nie mehr herausgezogen
und keines seiner Seile zerrissen werden.
21 Denn der HERR wird dort bei uns mäch-
tig sein, Flüsse und weite Wassergräben
wird es geben, auf denen keine Galeeren
mehr fahren, kein stolzes Schiff mehr da-
hinziehen kann. – 22 Denn **der HERR ist
unser Richter, der HERR ist unser Meis-
ter, der HERR ist unser [a]König; der hilft
uns!** – 23 Seine Taue hängen lose, sie halten
den Mastbaum nicht fest, und die Segel
spannen sich nicht. Dann wird viel Beute
ausgeteilt werden, und auch die Lahmen
werden plündern. 24 Und kein Bewohner
wird sagen: [a]»Ich bin schwach«; denn das
Volk, das darin wohnt, wird Vergebung
der [b]Schuld haben.

GERICHT ÜBER EDOM

34 Kommt herzu, ihr Völker, und höret;
ihr Nationen, merkt auf! Die Erde höre
zu und was sie füllt, der Erdkreis und was
darauf lebt! 2 Denn der HERR ist zornig
über alle Völker und ergrimmt über all
ihre Heere. Er hat sie mit dem Bann be-
legt und zur Schlachtung dahingegeben.[a]
3 Und ihre Erschlagenen werden hinge-
worfen werden, dass [a]der Gestank von
ihren Leichnamen aufsteigen wird und die
Berge von ihrem Blut fließen. 4 Und alles
Heer des Himmels wird dahinschwinden,
und [a]der Himmel wird zusammengerollt
werden wie eine Buchrolle, und all sein
Heer wird hinwelken, wie ein Blatt ver-
welkt am Weinstock und wie ein dürres
Blatt am Feigenbaum.
5 Denn mein Schwert ist trunken im
Himmel, und siehe, es wird hernieder-
fahren auf Edom und auf das Volk, das ich
mit dem Bann belegt habe zum Gericht.[a]
6 Des HERRN Schwert ist voll Blut und
trieft von Fett, vom Blut der Lämmer und
Böcke, vom Nierenfett der Widder. Denn
[a]der HERR hält ein Schlachten in Bozra
und ein großes Opfer im Lande Edom.
7 Da werden Wildstiere mit ihnen nieder-
sinken und junge Stiere samt den Büffeln.
Und ihr Land wird trunken werden von
Blut, und die Erde wird triefen von Fett.
8 Denn es kommt [a]der Tag der Rache des
HERRN und das Jahr der Vergeltung, um
Zion zu rächen. 9 Da werden Edoms Bäche
zu Pech werden und seine Erde zu [a]Schwe-
fel; ja, sein Land wird zu brennendem Pech
werden, 10 das weder Tag noch Nacht ver-
löschen wird, sondern immer wird Rauch
von ihm aufgehen. Und es wird verwüstet
sein von Geschlecht zu Geschlecht, dass
niemand hindurchgehen wird auf ewige
Zeiten, 11 sondern [a]Eulen und Igel wer-
den's in Besitz nehmen, Nachteulen und
Raben werden dort wohnen. Und er wird
die Messschnur darüberspannen, dass es
verwüstet werde, und das Bleilot werfen,

33,14 *a* Kap 10,17; 5. Mose 5,24; Hebr 12,29
33,15 *a* (15-16) Ps 15,1-5; 24,3-5 **33,19** *a* Kap 28,11;
5. Mose 28,49-50 **33,20** *a* Kap 32,18 **33,22** *a* Kap 6,5;
24,23; 52,7 **33,24** *a* Sach 12,8 *b* Kap 1,4 **34,2** *a* Kap 63,6
34,3 *a* Joel 2,20 **34,4** *a* Offb 6,13-14
34,5 *a* 5. Mose 32,41-42; Jer 49,7-22 **34,6** *a* Kap 63,1
34,8 *a* Kap 35,4; 61,2; 63,4 **34,9** *a* 1. Mose 19,24
34,11 *a* Kap 14,23; Zef 2,14

dass es öde sei. 12 Seine Edlen sind nicht
mehr, die dort das Königtum ausrufen.
Und alle seine Fürsten werden ein Ende
haben. 13 [a]Dornen werden wachsen in
seinen Palästen, Nesseln und Disteln in
seinen Schlössern; und es wird eine Be-
hausung sein der [b]Schakale und eine Stätte
für die Strauße. 14 Da werden Wüstentiere
und wilde Hunde einander treffen, und
ein Bocksgeist wird dem andern begeg-
nen. Auch Lilit* wird dort hausen und ihre
Stätte finden. 15 Da wird auch die Natter
nisten, ihre Eier legen und sie ausbrüten.
Auch die Raubvögel werden dort zusam-
menkommen. Keines vermisst das andere.
16 Sucht nun in dem Buch des HERRN
und lest! Keines von ihnen wird fehlen.
Denn sein Mund hat es geboten und sein
Geist sie zusammengebracht. 17 Er hat ih-
nen das Los geworfen, und seine Hand hat
es unter sie ausgeteilt mit der Messschnur,
[a]dass sie das Land besitzen auf ewige Zei-
ten und darin wohnen von Geschlecht zu
Geschlecht.

DIE RÜCKKEHR DER GERETTETEN

35 Die Wüste und Einöde wird frohlo-
cken, und die Steppe wird jubeln und
wird blühen wie die Lilien.[a] 2 Sie wird blü-
hen und jubeln in aller Lust und Freude.
Die [a]Herrlichkeit des Libanon ist ihr gege-
ben, die Pracht von Karmel und Scharon.
[b]Sie sehen die Herrlichkeit des HERRN,
die Pracht unsres Gottes. 3 Stärkt die mü-
den Hände und macht fest die wankenden
Knie![a] 4 [a]Sagt den verzagten Herzen: »Seid
getrost, fürchtet euch nicht! [b]Seht, da ist
euer Gott! [c]Er kommt zur Rache; Gott, der
da vergilt, kommt und wird euch helfen.«
5 Dann werden die Augen der Blinden
aufgetan und die Ohren der Tauben ge-
öffnet werden.[a] 6 Dann wird der Lahme
springen wie ein Hirsch, und die Zunge
des Stummen wird frohlocken. Denn es
werden Wasser in der Wüste hervorbre-
chen und Ströme im dürren Lande. 7 Und
[a]wo es zuvor trocken gewesen ist, sollen
Teiche stehen, und wo es dürre gewesen
ist, sollen Brunnquellen sein. Wo zuvor
die Schakale gelegen haben, soll Gras und
Rohr und Schilf stehen.
8 [a]Und es wird dort eine Bahn sein und
ein Weg, der der heilige Weg heißen wird.
Kein Unreiner darf ihn betreten; nur sie
werden auf ihm gehen; auch die Toren
dürfen nicht darauf umherirren. 9 Es wird
da kein Löwe sein und kein reißendes Tier
darauf gehen; sie sind dort nicht zu finden,
sondern die Erlösten werden dort gehen.
**10 Die Erlösten des HERRN werden wie-
derkommen und nach Zion kommen
mit Jauchzen; ewige Freude wird über
ihrem Haupte sein; Freude und Wonne
werden sie ergreifen, und Schmerz und
Seufzen wird entfliehen.**[a]

JERUSALEM VON SANHERIB BEDROHT UND WUNDERBAR ERRETTET

(Kap 36,1–37,38: vgl. 2. Kön 18,13–19,37; 2. Chr 32,1-23)

36 Und es begab sich im vierzehnten Jahr
des Königs Hiskia, da zog der König
von Assyrien, Sanherib, herauf gegen
alle festen Städte Judas und nahm sie ein.
2 Und der König von Assyrien sandte den
Rabschake von Lachisch nach Jerusalem
zu dem König Hiskia mit großer Heeres-
macht. Und er trat hin an die [a]Wasserlei-
tung des oberen Teiches, an der Straße
bei dem Acker des Walkers. 3 Und es ka-
men zu ihm heraus der Hofmeister [a]Elja-
kim, der Sohn Hilkijas, und der Schreiber
[b]Schebna und der Kanzler Joach, der Sohn
Asafs.
4 Und der Rabschake sprach zu ihnen:
Sagt doch dem Hiskia: So spricht der
große König, der König von Assyrien:
Was ist das für ein Vertrauen, das du da
hast? 5 Meinst du, bloße Worte seien
schon Rat und Macht zum Kämpfen? Auf
wen verlässt du dich denn, dass du von
mir abgefallen bist? 6 Verlässt du dich auf
den [a]zerbrochenen Rohrstab Ägypten, der
jedem, der sich darauf stützt, in die Hand
dringt und sie durchbohrt? So tut der Pha-
rao, der König von Ägypten, allen, die sich
auf ihn verlassen. 7 Willst du mir aber sa-
gen: Wir verlassen uns auf den HERRN,
unsern Gott, – ist's denn nicht derselbe,

* **34,14** Ein weiblicher Dämon.

34,13 *a* (13-14) Kap 13,21-22 *b* Kap 35,7 **34,17** *a* Kap 60,21
35,1 *a* Kap 32,15 **35,2** *a* Kap 60,13 *b* Kap 40,5
35,3 *a* Hebr 12,12 **35,4** *a* (4-6) Mt 11,5 *b* Kap 40,9
c Kap 34,8 **35,5** *a* Kap 29,18 **35,7** *a* Kap 41,18; 43,19-20
35,8 *a* (8-10) Kap 62,10-12 **35,10** *a* Kap 51,11; 65,19;
Offb 21,4 **36,2** *a* Kap 7,3 **36,3** *a* Kap 22,20 *b* Kap 22,15
36,6 *a* Hes 29,6-7

dessen [a]Höhen und Altäre Hiskia abge-
tan und zu Juda und Jerusalem gesagt hat:
»Nur vor diesem Altar sollt ihr anbeten«?
8 Wohlan, nimm eine Wette an mit mei-
nem Herrn, dem König von Assyrien: Ich
will dir zweitausend Rosse geben; lass se-
hen, ob du die Reiter dazu stellen kannst!
9 Wie willst du denn zurücktreiben auch
nur einen der geringsten Diener meines
Herrn? [a]Und du verlässt dich auf Ägyp-
ten um der Wagen und Gespanne wil-
len! 10 Meinst du denn, dass ich ohne den
HERRN heraufgezogen bin in dies Land, es
zu verderben? Ja, der HERR sprach zu mir:
Zieh hinauf in dies Land und verdirb es!
11 Da sprachen Eljakim und Schebna und
Joach zum Rabschake: Rede doch mit dei-
nen Knechten aramäisch, denn wir ver-
stehen's, und rede nicht hebräisch mit
uns vor den Ohren des Volks, das auf der
Mauer ist. 12 Aber der Rabschake sprach:
Meinst du, dass mein Herr mich nur zu
deinem Herrn oder zu dir gesandt habe,
solche Worte zu reden, und nicht viel-
mehr zu den Männern, die auf der Mauer
sitzen und mit euch ihren eigenen Kot
fressen und ihren Harn saufen? 13 Und
der Rabschake trat hin und rief laut auf
Hebräisch und sprach: Hört die Worte
des großen Königs, des Königs von As-
syrien! 14 So spricht der König: Lasst euch
von Hiskia nicht betrügen; denn er kann
euch nicht erretten. 15 Und lasst euch von
Hiskia nicht verleiten, auf den HERRN zu
vertrauen, wenn er sagt: Der HERR wird
uns erretten, und diese Stadt wird nicht
in die Hand des Königs von Assyrien ge-
geben werden.[a] 16 Hört nicht auf Hiskia!
Denn so spricht der König von Assyrien:
Nehmt meine Gnade an und kommt zu
mir heraus, so soll [a]ein jeder von euch von
seinem Weinstock und von seinem Fei-
genbaum essen und aus seinem Brunnen
trinken, 17 bis ich komme und hole euch in
ein Land, das wie euer Land ist, ein Land,
darin Korn und Wein ist, ein Land, darin
Brot und Weinberge sind. 18 Lasst euch
von Hiskia nicht bereden, wenn er sagt:
Der HERR wird uns erretten! [a]Hat auch
nur einer der Götter der andern Völker
sein Land errettet aus der Hand des Kö-
nigs von Assyrien? 19 [a]Wo sind die Göt-
ter von Hamat und Arpad? Wo sind die
Götter von Sefarwajim? Haben sie Sama-
ria errettet aus meiner Hand? 20 Welcher
unter allen Göttern dieser Länder hat sein
Land errettet aus meiner Hand, dass der
HERR Jerusalem erretten sollte aus mei-
ner Hand?
21 Sie schwiegen aber still und antworte-
ten ihm nichts; denn der König hatte ge-
boten: Antwortet ihm nichts. 22 Da kamen
der Hofmeister Eljakim, der Sohn Hilki-
jas, und der Schreiber Schebna und der
Kanzler Joach, der Sohn Asafs, mit zerris-
senen Kleidern zu Hiskia und sagten ihm
die Worte des Rabschake an.
37 Als aber der König Hiskia das hörte,
zerriss er seine Kleider und legte den
Sack an und ging in das Haus des HERRN.
2 Und er sandte den Hofmeister Eljakim
und den Schreiber Schebna samt den Äl-
testen der Priester, mit dem Sack ange-
tan, zu dem Propheten Jesaja, dem Sohn
des Amoz. 3 Und sie sprachen zu ihm: So
spricht Hiskia: Das ist ein Tag der Trübsal,
der Strafe und der Schmach – [a]wie wenn
Kinder eben geboren werden sollen, aber
die Kraft fehlt, sie zu gebären. 4 Vielleicht
hört der HERR, dein Gott, die Worte des
Rabschake, den sein Herr, der König von
Assyrien, gesandt hat, den lebendigen
Gott zu schmähen, und straft die Worte,
die der HERR, dein Gott, gehört hat! So
tu Fürbitte für die Übriggebliebenen, die
noch vorhanden sind.
5 Und die Großen des Königs Hiskia ka-
men zu Jesaja. 6 Jesaja aber sprach zu ih-
nen: So sollt ihr eurem Herrn sagen: So
spricht der HERR: [a]Fürchte dich nicht vor
den Worten, die du gehört hast, mit denen
mich die Knechte des Königs von Assy-
rien gelästert haben! 7 Siehe, ich gebe in
ihn einen Geist, dass er ein Gerücht hört
und in sein Land zurückkehrt, [a]und ich
will ihn durchs Schwert fällen in seinem
Lande.[b]
8 Als aber der Rabschake zurückkam,
fand er den König von Assyrien im
Kampf gegen Libna; denn er hatte gehört,
dass dieser von Lachisch abgezogen war.

36,7 *a* 2. Kön 18,4 **36,9** *a* Kap 31,1 **36,15** *a* Kap 37,10
36,16 *a* 1. Kön 5,5; Mi 4,4 **36,18** *a* Kap 37,12
36,19 *a* (19-20) Kap 10,9-11; 37,12-13 **37,3** *a* Kap 66,9;
Hos 13,13 **37,6** *a* Kap 10,24 **37,7** *a* Kap 31,8
b Verse 37-38

9 Denn der König von Assyrien hatte gehört über Tirhaka, den König von Kusch: Er ist ausgezogen, gegen dich zu kämpfen. Als er das hörte, sandte er Boten zu Hiskia und ließ ihm sagen: 10 So sprecht zu Hiskia, dem König von Juda: Lass dich durch deinen Gott nicht betrügen, auf den du dich verlässt und sprichst: Jerusalem wird nicht in die Hand des Königs von Assyrien gegeben werden.[a] 11 Siehe, du hast gehört, was die Könige von Assyrien allen Ländern getan haben, dass sie den Bann an ihnen vollstreckten, und du allein solltest errettet werden? 12 [a]Haben denn die Götter der Völker die Länder errettet, die von meinen Vätern vernichtet wurden: Gosan, Haran, Rezef und die von Eden in Telassar? 13 Wo ist der König von Hamat und der König von Arpad und der König der Stadt Sefarwajim, von Hena und Awa?

14 Und als Hiskia den Brief von den Boten empfangen und gelesen hatte, ging er hinauf in das Haus des HERRN und breitete ihn aus vor dem HERRN. 15 Und Hiskia betete zum HERRN und sprach: 16 HERR Zebaoth, du Gott Israels, [a]der du über den Cherubim thronst, du bist allein Gott über alle Königreiche auf Erden, du hast Himmel und Erde gemacht. 17 HERR, [a]neige deine Ohren und höre doch; HERR, tu deine Augen auf und sieh doch! Höre doch alle die Worte Sanheribs, die er gesandt hat, um den lebendigen Gott zu schmähen. 18 Wahr ist's, HERR, die Könige von Assyrien haben alle Königreiche verwüstet samt ihren Ländern 19 und haben ihre Götter ins Feuer geworfen; denn sie waren nicht Götter, sondern Werk von Menschenhänden, Holz und Stein. Die haben sie vertilgt. 20 Nun aber, HERR, unser Gott, errette uns aus seiner Hand, damit [a]alle Königreiche auf Erden erfahren, dass du allein der HERR bist!

21 Da sandte Jesaja, der Sohn des Amoz, zu Hiskia und ließ ihm sagen: So spricht der HERR, der Gott Israels: Was du von mir erbeten hast wegen des Königs Sanherib von Assyrien, habe ich gehört. 22 Dies ist's, was der HERR über ihn spricht:

Die Jungfrau, die Tochter Zion, verachtet dich und spottet deiner; die Tochter Jerusalem schüttelt das Haupt hinter dir her. 23 Wen hast du geschmäht und gelästert? Über wen hast du die Stimme erhoben? Du hobst deine Augen empor wider den Heiligen Israels. 24 [a]Durch deine Knechte hast du den Herrn geschmäht und gesagt: »Ich bin mit der Menge meiner Wagen heraufgezogen auf die Höhe der Berge in den innersten Libanon und habe seine hohen Zedern abgehauen samt seinen auserwählten Zypressen und bin bis zu seiner äußersten Höhe gekommen, in seinen dichtesten Wald. 25 Ich habe gegraben und Wasser getrunken und habe mit meinen Fußsohlen ausgetrocknet alle Flüsse Ägyptens.«

26 Hast du nicht gehört, dass ich es lange zuvor bereitet und von Anfang an geplant habe? Jetzt aber habe ich's kommen lassen, dass du feste Städte zerstören solltest zu Steinhaufen, 27 und ihre Einwohner sollten ohne Kraft werden und sich fürchten und zuschanden werden und wie Feldgras werden und wie grünes Kraut, [a]wie Gras auf den Dächern, das vor dem Ostwind verdorrt. 28 Ich weiß von deinem Aufstehen und Sitzen, von deinem Ausziehen und Einziehen und dass du tobst gegen mich. 29 Weil du nun gegen mich tobst und dein Stolz vor meine Ohren gekommen ist, will ich dir meinen Ring in die Nase legen und meinen Zaum in dein Maul und will dich den Weg wieder zurückführen, den du gekommen bist.

30 Und das sei dir, Hiskia, ein Zeichen: In diesem Jahr isst man, was von selber nachwächst, im nächsten Jahr, was auch dann noch wächst; im dritten Jahr sät und erntet, pflanzt Weinberge und esst ihre Früchte. 31 Und die Erretteten vom Hause Juda und was übrig geblieben ist werden von Neuem nach unten Wurzeln schlagen und oben Frucht tragen.[a] 32 Denn von Jerusalem werden ausgehen, die übrig geblieben sind, und die Erretteten vom Berge Zion. [a]Solches wird tun der Eifer des HERRN Zebaoth.

33 Darum spricht der HERR über den König von Assyrien: Er soll nicht in diese Stadt kommen und soll auch keinen Pfeil

37,10 *a* Kap 36,15 **37,12** *a* (12-13) Kap 36,18-20
37,16 *a* 1. Sam 4,4; Ps 80,2 **37,17** *a* Dan 9,18
37,20 *a* Kap 40,5; 45,6 **37,24** *a* (24-25) Kap 10,13
37,27 *a* Ps 129,6 **37,31** *a* Kap 27,6 **37,32** *a* Kap 9,6

hineinschießen und mit keinem Schild
gegen sie vorrücken und soll keinen Wall
gegen sie aufschütten, 34 sondern auf dem
Wege, den er gekommen ist, soll er zu-
rückkehren und nicht in diese Stadt kom-
men, spricht der HERR. 35 Denn [a]ich will
diese Stadt beschirmen, dass ich sie errette
um meinetwillen und um meines Knech-
tes David willen.
36 Da fuhr aus der Engel des HERRN und
schlug im Lager der Assyrer hundertfünf-
undachtzigtausend Mann. Und [a]als man
sich früh am Morgen aufmachte, siehe, da
lag alles voller Leichen. 37 Und Sanherib,
der König von Assyrien, brach auf, zog ab,
kehrte zurück und blieb zu Ninive. 38 Es
begab sich aber, als er anbetete im Hause
Nisrochs, seines Gottes, erschlugen ihn
seine Söhne Adrammelech und Sarezer
mit dem Schwert, und sie flohen ins Land
Ararat. Und sein Sohn Asarhaddon wurde
König an seiner statt.

HISKIAS KRANKHEIT, GENESUNG UND DANKLIED

(vgl. 2. Kön 20,1-11; 2. Chr 32,24)

38 Zu der Zeit wurde Hiskia todkrank.
Und der Prophet Jesaja, der Sohn des
Amoz, kam zu ihm und sprach zu ihm:
So spricht der HERR: Bestelle dein Haus,
denn du wirst sterben und nicht am Le-
ben bleiben. 2 Da wandte Hiskia sein An-
gesicht zur Wand und betete zum HERRN
3 und sprach: Ach, HERR, gedenke doch,
wie ich vor dir in Treue und ungeteilten
Herzens gewandelt bin und [a]getan habe,
was dir gefällt. Und Hiskia weinte sehr.
4 Da geschah das Wort des HERRN zu Je-
saja: 5 Geh hin und sage Hiskia: So spricht
der HERR, der Gott deines Vaters David:
Ich habe dein Gebet gehört und deine
Tränen gesehen. Siehe, ich will deinen
Tagen noch fünfzehn Jahre zulegen 6 und
will dich samt dieser Stadt [a]erretten aus
der Hand des Königs von Assyrien und
will diese Stadt beschirmen. 7 Und dies
sei dir das Zeichen von dem HERRN, dass
der HERR tun wird, was er zugesagt hat:
8 Siehe, ich lasse den Schatten, der auf den
Stufen des Ahas hinabgestiegen ist, mit
der Sonne zehn Stufen zurückgehen. Da
ging die Sonne die zehn Stufen zurück,
die sie hinabgestiegen war.
9 Dies ist das Lied Hiskias, des Königs
von Juda, als er krank gewesen und von
seiner Krankheit gesund geworden war:
10 Ich sprach: In der Mitte meines Lebens
muss ich dahinfahren,
zu des Totenreichs Pforten bin ich
befohlen für den Rest meiner Jahre.
11 Ich sprach: Nun werde ich
nicht mehr sehen den HERRN,
ja, den HERRN [a]im Lande
der Lebendigen,
nicht mehr schauen die Menschen,
mit denen, die auf der Welt sind.
12 [a]Meine Hütte ist abgebrochen
und über mir weggenommen
wie eines Hirten Zelt.
[b]Zu Ende gewebt hab ich mein Leben
wie ein Weber;
er schneidet mich ab vom Faden.
Tag und Nacht gibst du mich preis;
13 bis zum Morgen schreie ich
um Hilfe;
aber er zerbricht mir alle meine Knochen
wie ein Löwe;
Tag und Nacht gibst du mich preis.
14 Ich zwitschere wie eine Schwalbe
und [a]gurre wie eine Taube.
Meine Augen sehen verlangend
nach oben:
Herr, ich leide Not, tritt für mich ein!
15 Was soll ich reden und was ihm sagen?
Er hat's getan!
Entflohen ist all mein Schlaf
bei solcher Betrübnis meiner Seele.
16 Herr, davon lebt man,
und allein darin liegt
meines Lebens Kraft:
Du lässt mich genesen
und am Leben bleiben.
17 **Siehe, um Trost war mir sehr bange.**
Du aber hast dich meiner Seele
herzlich angenommen,
dass sie nicht verdürbe;
denn [a]du wirfst alle meine Sünden
hinter dich zurück.
18 Denn [a]die Toten loben dich nicht,
und der Tod rühmt dich nicht,

37,35 *a* Kap 31,5; 38,6 **37,36** *a* Kap 17,14; 31,8
38,3 *a* 2. Kön 18,3-6 **38,6** *a* Kap 31,5; 37,35
38,11 *a* Ps 27,13 **38,12** *a* Hiob 4,21; 2. Kor 5,1 *b* Hiob 7,6
38,14 *a* Kap 59,11 **38,17** *a* Ps 32,5; Mi 7,18-19
38,18 *a* Ps 6,6; 115,17

und die in die Grube fahren,
warten nicht auf deine Treue;
19 sondern allein, die da leben,
loben dich so wie ich heute.
[a]Der Vater macht den Kindern
deine Treue kund.
20 Der HERR hat mir geholfen,
darum wollen wir singen
und spielen,
solange wir leben,
im Hause des HERRN!

21 [a]Und Jesaja sprach, man sollte ein Pflas-
ter von Feigen nehmen und auf sein Ge-
schwür legen, dass er gesund würde.
22 Hiskia aber sprach: Was ist das Zeichen,
dass ich wieder zum Hause des HERRN
hinaufgehen kann?

HISKIA UND DIE GESANDTEN AUS BABEL

(vgl. 2. Kön 20,12-19; 2. Chr 32,27-31)

39 Zu der Zeit sandte Merodach-Baladan,
der Sohn Baladans, der König von Ba-
bel, Briefe und Geschenke an Hiskia; denn
er hatte gehört, dass er krank gewesen und
wieder gesund geworden wäre. 2 Darüber
freute sich Hiskia und zeigte den Gesand-
ten das Schatzhaus: Silber und Gold, Spe-
zerei und kostbare Salben, sein ganzes
Zeughaus und alle Schätze, die er hatte.
Es gab nichts, was ihnen Hiskia nicht ge-
zeigt hätte in seinem Hause und in seinem
ganzen Reich.
3 Da kam der Prophet Jesaja zum König
Hiskia und sprach zu ihm: Was haben
diese Männer gesagt, und woher sind sie
zu dir gekommen? Hiskia sprach: Sie sind
aus fernem Lande zu mir gekommen, aus
Babel. 4 Er aber sprach: Was haben sie in
deinem Hause gesehen? Hiskia sprach:
Alles, was in meinem Hause ist, haben sie
gesehen, und es gibt nichts, das ich ihnen
nicht gezeigt hätte von meinen Schät-
zen. 5 Da sprach Jesaja zu Hiskia: Höre
das Wort des HERRN Zebaoth: 6 Siehe, es
kommt die Zeit, dass alles, [a]was in deinem
Hause ist und was deine Väter gesammelt
haben bis auf diesen Tag, nach Babel ge-
bracht werden wird, sodass nichts übrig
bleibt, spricht der HERR. 7 Dazu wird man
von deinen [a]Söhnen, die von dir kommen
werden, die du zeugen wirst, einige neh-
men, dass sie Kämmerer sein müssen im
Palast des Königs von Babel. 8 Und Hiskia
sprach zu Jesaja: Das Wort des HERRN ist
gut, das du geredet hast. Denn er dachte:
Es wird doch Friede und Sicherheit sein,
solange ich lebe.

DAS TROSTBUCH VON DER ERLÖSUNG ISRAELS

Kapitel 40,1–55,13

DES HERRN TRÖSTENDES WORT FÜR SEIN VOLK

40 Tröstet, tröstet mein Volk!, spricht
euer Gott. 2 [a]Redet mit Jerusalem
freundlich und predigt ihr, dass ihre
Knechtschaft ein Ende hat, dass ihre
Schuld vergeben ist; denn [b]sie hat die
volle Strafe empfangen von der Hand des
HERRN für alle ihre Sünden.
3 [a]Es ruft eine Stimme: In der Wüste
bereitet dem HERRN den Weg, macht in
der Steppe eine ebene Bahn unserm Gott!
4 Alle Täler sollen erhöht werden, und [a]alle
Berge und Hügel sollen erniedrigt wer-
den, und was uneben ist, soll gerade, und
was hügelig ist, soll eben werden; 5 denn
die Herrlichkeit des HERRN soll offenbart
werden, und alles Fleisch miteinander
wird es sehen; denn des HERRN Mund
hat's geredet.
6 [a]Es spricht eine Stimme: Predige!, und
ich sprach: Was soll ich predigen? **Alles
Fleisch ist Gras, und alle seine Güte ist
wie eine Blume auf dem Felde.** 7 Das
Gras verdorrt, die Blume verwelkt; denn
des HERRN Odem bläst darein. Ja, Gras ist
das Volk! 8 **Das Gras verdorrt, die Blume
verwelkt, aber [a]das Wort unseres Got-
tes bleibt ewiglich.**
9 Zion, du Freudenbotin, steig auf einen
hohen Berg; Jerusalem, du Freudenbotin,
erhebe deine Stimme mit Macht; erhebe
sie und fürchte dich nicht! Sage den Städ-
ten Judas: Siehe, da ist euer Gott; 10 siehe,
da ist Gott der HERR! Er kommt gewal-
tig, und sein Arm wird herrschen. [a]Siehe,

38,19 *a* 5. Mose 4,9 **38,21** *a* 2. Kön 20,7-8
39,6 *a* 2. Kön 24,13 **39,7** *a* Dan 1,3 **40,2** *a* Hos 2,16
b Jer 16,18 **40,3** *a* (3-5) Lk 3,4-6; Joh 1,23
40,4 *a* Kap 49,11 **40,6** *a* (6-8) Ps 90,5-6; 103,15-17;
Jak 1,10-11 **40,8** *a* Ps 119,89; Lk 21,33 **40,10** *a* Kap 62,11

was er gewann, ist bei ihm, und was er sich
erwarb, geht vor ihm her. 11 Er wird seine
Herde weiden wie ein [a]Hirte. Er wird die
Lämmer in seinen Arm sammeln und im
Bausch seines Gewandes tragen und die
Mutterschafe führen.

ISRAELS UNVERGLEICHLICHER GOTT

12 Wer misst die Wasser mit der hohlen
Hand, und wer bestimmt des Himmels
Weite mit der Spanne und fasst den Staub
der Erde mit dem Maß und wiegt die
Berge mit einem Gewicht und die Hügel
mit einer Waage? 13 Wer bestimmt den
Geist des HERRN, und welcher Ratgeber
unterweist ihn?[a] 14 Wen fragt er um Rat,
der ihm Einsicht gebe und lehre ihn den
Weg des Rechts und lehre ihn Erkenntnis
und weise ihm den Weg des Verstandes?
15 Siehe, die Völker sind geachtet wie ein
Tropfen am Eimer und wie ein Sandkorn
auf der Waage. Siehe, die Inseln sind wie
ein Stäublein. 16 Der Libanon wäre zu we-
nig zum Feuer und seine Tiere zu wenig
zum Brandopfer. 17 Alle Völker sind vor
ihm wie nichts und gelten ihm als nichtig
und eitel.

18 [a]Mit wem wollt ihr denn Gott verglei-
chen? Oder was für ein [b]Abbild wollt ihr
von ihm machen? 19 Der Meister gießt ein
Bild und der Goldschmied vergoldet's und
macht silberne Ketten daran. 20 Wer aber
zu arm ist für eine solche Gabe, der wählt
ein Holz, das nicht fault, und sucht einen
klugen Meister dazu, ein Bild zu fertigen,
das nicht wackelt.

21 Wisst ihr denn nicht? Hört ihr denn
nicht? Ist's euch nicht von Anfang an
verkündigt? Habt ihr's nicht gelernt von
Anbeginn der Erde? 22 Er thront über
dem Kreis der Erde, und die darauf woh-
nen, sind wie Heuschrecken; er spannt
den Himmel aus wie einen Schleier und
breitet ihn aus wie ein Zelt, in dem man
wohnt; 23 er gibt die Fürsten preis, dass
sie nichts sind, und die Richter auf Erden
macht er zunichte: 24 Kaum sind sie ge-
pflanzt, kaum sind sie gesät, kaum wurzelt
ihr Stamm in der Erde, da bläst er sie an,
dass sie verdorren, und ein Wirbelsturm
führt sie weg wie Spreu. 25 Mit wem wollt
ihr mich also vergleichen, dem ich gleich
sei?, spricht der Heilige. 26 Hebt eure Au-
gen in die Höhe und seht! Wer hat all dies
geschaffen? Er führt ihr Heer vollzählig
heraus und [a]ruft sie alle mit Namen; seine
Macht und starke Kraft ist so groß, dass
nicht eins von ihnen fehlt.[b]

27 Warum sprichst du denn, Jakob,
und du, Israel, sagst: »Mein Weg ist dem
HERRN verborgen, und mein Recht geht
an meinem Gott vorüber«? 28 Weißt du
nicht? Hast du nicht gehört? Der HERR,
der ewige Gott, der die Enden der Erde
geschaffen hat, wird nicht müde noch
matt, sein Verstand ist unausforschlich.
29 **Er gibt dem Müden Kraft und Stärke
genug dem Unvermögenden.** 30 Jüng-
linge werden müde und matt, und Män-
ner straucheln und fallen; 31 aber **die auf
den HERRN harren, kriegen neue Kraft,
dass sie auffahren mit Flügeln [a]wie Ad-
ler, dass sie laufen und nicht matt wer-
den, dass sie wandeln und nicht müde
werden.**

DER GOTT ISRAELS UND DIE GÖTTER DER VÖLKER

41 Ihr Inseln, schweigt vor mir! Und die
Völker sollen neue Kraft gewinnen!
Sie sollen herzutreten und dann reden!
Lasst uns miteinander rechten! 2 Wer lässt
[a]den von Osten her kommen, dem Heil
auf dem Fuße folgt, vor dem er Völker und
Könige dahingibt, dass er ihrer mächtig
wird? Sein Schwert macht sie wie Staub
und sein Bogen wie verwehte Spreu. 3 Er
jagt ihnen nach und zieht unversehrt hin-
durch und berührt den Weg nicht mit
seinen Füßen. 4 Wer tut und macht das?
Wer ruft die Geschlechter von Anfang
her? Ich bin's, der HERR, [a]der Erste, und
bei den Letzten noch derselbe.

5 Als die Inseln das sahen, fürchteten sie
sich, und die Enden der Erde erschraken;
sie nahten sich und kamen herzu. 6 Einer
hilft dem andern und spricht zu seinem
Gesellen: Sei stark! 7 Der Meister bestärkt
den Feinschmied, der, welcher mit dem
Hammer das Blech glättet, den, der mit
dem Schlägel hämmert; er sagt: Das hält

40,11 *a* Ps 80,2; Joh 10,11 **40,13** *a* Röm 11,34; 1. Kor 2,16
40,18 *a* Kap 46,5 *b* 2. Mose 20,4; Apg 17,29
40,26 *a* Ps 147,4 *b* 1. Mose 1,14-18 **40,31** *a* Ps 103,5
41,2 *a* Kap 44,28; 45,1.13; 46,11; 48,14-15
41,4 *a* Kap 44,6; 48,12; Offb 1,8.17

gut zusammen!, und festigt es mit Nägeln,
dass es nicht wackelt.

GOTT STEHT ZU SEINEM ERWÄHLTEN VOLK

8 Du aber, Israel, mein [a]Knecht, Jakob, den
ich erwählt habe, du Same Abrahams,
meines [b]Geliebten, 9 du, den ich fest er-
griffen habe von den Enden der Erde her
und berufen von ihren Grenzen, zu dem
ich sprach: Du sollst mein Knecht sein; ich
erwähle dich und verwerfe dich nicht –,
10 [a]**fürchte dich nicht, ich bin mit dir;
weiche nicht, denn ich bin dein Gott.
Ich stärke dich, ich helfe dir auch, ich
halte dich durch die rechte Hand mei-
ner Gerechtigkeit.**

11 Siehe, zu Spott und zuschanden sol-
len werden alle, die dich hassen; sie sol-
len werden wie nichts und die Leute,
die mit dir streiten, sollen umkommen.
12 Wenn du nach ihnen fragst, wirst du
die nicht finden, die mit dir hadern. Es
sollen werden wie nichts und ein Ende
haben, die dich bekämpfen. 13 Denn ich
bin der HERR, dein Gott, der deine rechte
Hand fasst und zu dir spricht: Fürchte dich
nicht, ich helfe dir!

14 **Fürchte dich nicht, du Würmlein
Jakob, du armer Haufe Israel. [a]Ich helfe
dir, spricht der HERR, und dein Erlöser
ist der Heilige Israels.** 15 Siehe, ich habe
dich zum scharfen, neuen Dreschwagen
gemacht, der viele Zacken hat, dass du
Berge zerdreschen und zermalmen sollst
und Hügel wie Spreu machen. 16 Du sollst
sie worfeln, dass der Wind sie wegführt
und der Wirbelsturm sie verweht. Du aber
wirst fröhlich sein über den HERRN und
wirst dich rühmen des Heiligen Israels.

17 Die Elenden und Armen suchen Was-
ser und es ist nichts da, ihre Zunge ver-
dorrt vor Durst. Aber ich, der HERR, will
sie erhören; ich, der Gott Israels, will sie
nicht verlassen. 18 Ich will Wasserbäche
auf den Höhen öffnen und Quellen in-
mitten der Täler und [a]will die Wüste zu
Wasserstellen machen und das dürre Land
zu Wasserquellen. 19 Ich will in der Wüste
wachsen lassen Zedern, Akazien, Myr-
ten und Ölbäume; ich will in der Steppe
pflanzen miteinander Zypressen, Buchs-
baum und Kiefern, 20 damit man zugleich
sehe und erkenne und merke und ver-
stehe: Des HERRN Hand hat dies getan,
und der Heilige Israels hat es geschaffen.

DIE GÖTTER SOLLEN IHRE MACHT BEWEISEN

21 Bringt eure Sache vor, spricht der HERR;
sagt an, womit ihr euch verteidigen wollt,
spricht der König in Jakob. 22 Sie sollen
herzutreten und uns verkündigen, was
kommen wird. [a]Verkündigt es doch, was
früher geweissagt wurde, damit wir dar-
auf achten! Oder lasst uns hören, was
kommen wird, damit wir merken, dass es
eintrifft! 23 Verkündigt uns, was hernach
kommen wird, damit wir erkennen, dass
ihr Götter seid! Wohlan, tut Gutes oder
tut Schaden, damit wir uns verwundern
und erschrecken! 24 Siehe, ihr seid nichts
und euer Tun ist auch nichts, und euch er-
wählen ist ein Gräuel.

25 Von Norden habe ich einen kommen
lassen und er ist gekommen, vom Auf-
gang der Sonne her den, der meinen Na-
men anruft. Er zerstampft die Gewaltigen
wie Lehm und wie der Töpfer, der den Ton
tritt. 26 Wer hat es von Anfang an verkün-
digt, dass wir's vernahmen? Wer hat es
vorher geweissagt, dass wir sagen: Das ist
recht! Aber da ist keiner, der es verkün-
digte, keiner, der etwas hören ließ, keiner,
der von euch ein Wort hörte. 27 Ich bin der
Erste, der zu Zion sagt: Siehe, da ist's!,
und Jerusalem gebe ich einen [a]Freuden-
boten. 28 Schau ich mich um, da ist nie-
mand, und unter ihnen ist kein Ratgeber,
dass ich sie fragen könnte und sie mir ant-
worteten. 29 Siehe, sie sind alle nichts und
nichtig sind ihre Werke; ihre Götzenbilder
sind leerer Wind.

DER KNECHT GOTTES, DAS LICHT DER WELT

(vgl. Kap 49,1-6; 50,4-9; 52,13–53,12)

42 [a]**Siehe, das ist mein Knecht, den
ich halte, und mein Auserwählter,
an dem meine Seele Wohlgefallen hat.**
Ich habe ihm meinen Geist gegeben; er

41,8 *a* Kap 42,19; 44,1.21; 45,4; 48,20; Ps 135,4 *b* Jak 2,23
41,10 *a* Verse 13-14; Kap 43,1.5; 44,2 **41,14** *a* Kap 43,3;
44,2 **41,18** *a* Kap 35,1.7; 43,19; 2. Mose 17,6; Ps 107,35
41,22 *a* Kap 43,8-9; 44,7 **41,27** *a* Kap 52,7
42,1 *a* (1-4) Mt 12,18-21; 3,17

wird das Recht unter die Heiden bringen.
2 Er wird nicht schreien noch rufen, und
seine Stimme wird man nicht hören auf
den Gassen. 3 [a]**Das geknickte Rohr wird
er nicht zerbrechen, und den glimmen-
den Docht wird er nicht auslöschen.** In
Treue trägt er das Recht hinaus. 4 Er selbst
wird nicht verlöschen und nicht zerbre-
chen, [a]bis er auf Erden das Recht auf-
richte; und die Inseln warten auf seine
Weisung.

5 So spricht Gott, der HERR, [a]der die
Himmel schafft und ausbreitet, der die
Erde macht und ihr Gewächs, der dem
Volk auf ihr den Atem gibt und Lebens-
odem denen, die auf ihr gehen: 6 Ich, der
HERR, habe dich gerufen in Gerechtigkeit
und halte dich bei der Hand. Ich habe dich
geschaffen* und [a]bestimmt zum Bund für
das Volk, zum Licht der Heiden, 7 dass du
[a]die Augen der Blinden öffnen sollst und
[b]die Gefangenen aus dem Gefängnis füh-
ren und, die da sitzen in der Finsternis, aus
dem Kerker.

8 Ich, der [a]HERR, das ist mein Name,
[b]ich will meine Ehre keinem andern ge-
ben noch meinen Ruhm den Götzen.
9 Siehe, was ich früher verkündigt habe,
ist gekommen. So [a]verkündige ich auch
Neues; ehe denn es sprosst, lasse ich's
euch hören.

GOTT BEFREIT SEIN VOLK

10 Singet dem HERRN [a]ein neues Lied, sei-
nen Ruhm an den Enden der Erde, die ihr
auf dem Meer fahrt, und was im Meer ist,
ihr Inseln und die darauf wohnen! 11 Ruft
laut, ihr Wüsten und die Städte darin samt
den Dörfern, wo Kedar wohnt. Es sollen
jauchzen, die in Felsen wohnen, und ju-
beln von den Höhen der Berge! 12 Sie
sollen dem HERRN die Ehre geben und
seinen Ruhm auf den Inseln verkünden!
13 Der HERR zieht aus wie ein Held, wie
ein Kriegsmann kommt er in Eifer; laut er-
hebt er das Kampfgeschrei, zieht wie ein
Held wider seine Feinde.

14 Ich schwieg wohl eine lange Zeit, war
still und hielt an mich. Nun aber will ich
schreien wie eine Gebärende, ich will keu-
chen und nach Luft schnappen. 15 Ich will
Berge und Hügel zur Wüste machen und
[a]all ihr Gras verdorren lassen und will die
Wasserströme zu Inseln machen und die
Teiche austrocknen. 16 Aber die Blinden
will ich auf dem Wege leiten, den sie nicht
wissen; ich will sie führen auf den Steigen,
die sie nicht kennen. Ich will die Finsternis
vor ihnen her zum Licht machen und [a]das
Höckerige zur Ebene. Das alles will ich tun
und nicht davon lassen. 17 Die sich aber auf
Götzen verlassen und sprechen zum ge-
gossenen Bilde: »Ihr seid unsre Götter!«,
die müssen zurückweichen und zuschan-
den werden.[a]

18 Hört, ihr Tauben, und schaut her, ihr
Blinden, dass ihr seht![a] 19 Wer ist so blind
wie mein [a]Knecht, und wer ist so taub wie
mein Bote, den ich senden will? Wer ist
so blind wie der Vertraute und so blind
wie der Knecht des HERRN? 20 Du sahst
wohl viel, aber du hast's nicht beachtet.
Die Ohren offen – aber er hört nicht.[a]
21 Dem HERRN hat es gefallen um seiner
Gerechtigkeit willen, dass er sein Gesetz
groß und herrlich mache. 22 Es ist aber ein
beraubtes und geplündertes Volk; sie sind
alle gefangen in Höhlen und versteckt in
Kerkern. Sie sind zum Raub geworden,
und da ist kein Erretter, geplündert, und
niemand ist da, der sagt: Gib wieder her!
23 Wer ist unter euch, der das zu Ohren
nimmt, der aufmerkt und es hört für künf-
tige Zeiten?

24 Wer hat Jakob der Plünderung preis-
gegeben und Israel den Räubern? Hat es
nicht der HERR getan, an dem wir gesün-
digt haben? Und sie wollten nicht auf sei-
nen Wegen wandeln, und sie gehorchten
seinen Weisungen nicht. 25 Darum hat er
über sie ausgeschüttet seinen grimmigen
Zorn und die Gewalt des Krieges, dass er
sie ringsumher versengte, aber sie mer-
ken's nicht, und sie in Brand steckte, aber
sie nehmen's nicht zu Herzen.

GOTT ERLÖST SEIN VOLK

43 Und nun spricht der HERR, der dich
geschaffen hat, Jakob, und dich ge-

* **42,6** Luther übersetzte: »behütet«.

42,3 ***a*** Ps 34,19 **42,4** ***a*** Kap 51,5 **42,5** ***a*** 1. Mose 1,1-31
42,6 ***a*** Kap 49,6.8 **42,7** ***a*** Kap 35,5 ***b*** Kap 45,13;
Ps 126,1-4 **42,8** ***a*** 2. Mose 3,15 ***b*** Kap 48,11
42,9 ***a*** Kap 48,6 **42,10** ***a*** Ps 33,3 **42,15** ***a*** Kap 40,7
42,16 ***a*** Kap 40,4 **42,17** ***a*** Kap 44,11; Ps 97,7
42,18 ***a*** Kap 43,8 **42,19** ***a*** Kap 41,8 **42,20** ***a*** Kap 43,8

macht hat, Israel: **Fürchte dich nicht,
denn ich habe dich erlöst; ich habe
dich bei deinem Namen gerufen; du
bist mein!** 2 Wenn [a]du durch Wasser
gehst, will ich bei dir sein, und wenn du
durch Ströme gehst, sollen sie dich nicht
ersäufen. [b]Wenn du ins Feuer gehst, wirst
du nicht brennen, und die Flamme wird
dich nicht versengen. 3 Denn ich bin der
HERR, dein Gott, der Heilige Israels, dein
Heiland. Ich gebe Ägypten für dich als
Lösegeld, Kusch und Seba an deiner statt.
4 Weil du teuer bist in meinen Augen und
herrlich und weil ich dich lieb habe, gebe
ich Menschen an deiner statt und Völ-
ker für dein Leben. 5 So fürchte dich nun
nicht, denn ich bin bei dir. [a]Ich will vom
Osten deine Kinder bringen und dich
vom Westen her sammeln, 6 ich will sa-
gen zum Norden: Gib her!, und zum Sü-
den: Halte nicht zurück! Bring her meine
Söhne von ferne und meine Töchter vom
Ende der Erde, 7 alle, die [a]mit meinem Na-
men genannt sind, die ich zu meiner Ehre
geschaffen und zubereitet und gemacht
habe.

ISRAEL GOTTES ZEUGE VOR DER WELT

8 Es soll hervortreten das blinde Volk,
das doch Augen hat, und die Tauben, die
doch Ohren haben! 9 Alle Völker sind zu-
sammengekommen und die Nationen
versammeln sich. [a]Wer ist unter ihnen,
der dies verkündigen kann und uns hö-
ren lasse, was früher geweissagt wurde?
Sie sollen ihre Zeugen aufstellen, dass sie
recht bekommen, so wird man's hören
und sagen: Es ist die Wahrheit.

10 Ihr seid meine Zeugen, spricht der
HERR, und mein Knecht, den ich erwählt
habe, damit ihr wisst und mir glaubt und
erkennt, dass ich's bin. [a]Vor mir ist kein
Gott gemacht, so wird auch nach mir
keiner sein. **11 Ich, ich bin der HERR,
und [a]außer mir ist kein Heiland.** 12 Ich
hab's verkündigt und habe auch geholfen
und hab's euch hören lassen; und es war
kein fremder Gott unter euch. Ihr seid
meine Zeugen, spricht der HERR, und
ich bin Gott. 13 Auch künftig bin ich der-
selbe, und niemand ist da, der aus meiner
Hand erretten kann. Ich wirke; wer will's
wenden?

GOTT FÜHRT SEIN VOLK AUS DER GEFANGENSCHAFT

14 So spricht der HERR, euer Erlöser, der
Heilige Israels: Um euretwillen habe ich
nach Babel geschickt und habe die Riegel
eures Gefängnisses zerbrochen, und zur
Klage wird der Jubel der Chaldäer. 15 Ich
bin der HERR, euer Heiliger, der ich Israel
geschaffen habe, euer König.

16 So spricht der HERR, der [a]im Meer
einen Weg und [b]in starken Wassern Bahn
macht, 17 der [a]ausziehen lässt Wagen und
Rosse, Heer und Macht – da liegen sie, ste-
hen nicht wieder auf, sind verglüht wie ein
Docht, erloschen: 18 Gedenkt nicht an das
Frühere und achtet nicht auf das Vorige!
19 Denn siehe, ich will ein Neues schaf-
fen, jetzt wächst es auf, erkennt ihr's denn
nicht? Ich mache einen Weg in der Wüste
und [a]Wasserströme in der Einöde. 20 Das
Wild des Feldes preist mich, die Schakale
und Strauße; denn ich will in der Wüste
Wasser und in der Einöde Ströme geben,
zu tränken mein Volk, meine Auserwähl-
ten; 21 das Volk, das ich mir bereitet habe,
soll meinen Ruhm verkündigen.[a]

GOTT TILGT ISRAELS SÜNDE

22 Nicht, dass du mich gerufen hättest, Ja-
kob, oder dass du dich um mich gemüht
hättest, Israel. 23 Mir hast du nicht die
Schafe deines Brandopfers gebracht noch
mich geehrt mit deinen Schlachtopfern.
Ich habe dir nicht Arbeit gemacht mit Op-
fergaben, habe dich auch nicht bemüht mit
Weihrauch.[a] 24 Mir hast du nicht für Geld
köstliches Gewürz gekauft, mich hast du
mit dem Fett deiner Opfer nicht gelabt.
Aber [a]**mir hast du Arbeit gemacht mit
deinen Sünden und hast mir Mühe ge-
macht mit deinen Missetaten. 25 Ich,
ich tilge deine Übertretungen um mei-
netwillen und gedenke deiner Sünden
nicht.**[a]

26 Erinnere mich, lass uns miteinander
rechten! Berichte du, damit du recht be-

43,2 *a* 2. Mose 14,21 *b* Ps 66,12; Dan 3,25-27
43,5 *a* Kap 11,11-16; Jer 30,10 **43,7** *a* Jer 14,9
43,9 *a* Kap 41,22.26 **43,10** *a* Kap 44,8
43,11 *a* Kap 45,21; 5. Mose 32,39 **43,16** *a* Kap 51,10; 2. Mose 14,22 *b* Jos 3,16 **43,17** *a* 2. Mose 14,23-28
43,19 *a* Kap 41,18 **43,21** *a* 1. Petr 2,9 **43,23** *a* Kap 1,11-15
43,24 *a* 2. Kor 5,21 **43,25** *a* Kap 44,22; Jer 31,34

kommst! 27 Schon [a]dein Ahnherr hat ge-
sündigt, und deine Wortführer sind von
mir abgefallen. 28 Darum habe ich die
Fürsten des Heiligtums entheiligt und Ja-
kob dem Bann übergeben und Israel dem
Hohn.

DAS WAHRE ISRAEL

44 So höre nun, mein Knecht Jakob,
und Israel, den ich erwählt habe!
2 So spricht der HERR, der dich gemacht
und bereitet hat und der dir beisteht von
Mutterleibe an: Fürchte dich nicht, mein
Knecht Jakob, und du, [a]Jeschurun, den
ich erwählt habe! 3 Denn **ich will Wasser
gießen auf das Durstige und Ströme
auf das Dürre: [a]Ich will meinen Geist
auf deine Kinder gießen und meinen
Segen auf deine Nachkommen,** 4 dass
sie wachsen sollen wie Gras zwischen
Wassern, wie die Weiden an den Wasser-
bächen. 5 Dieser wird sagen: »Ich bin des
HERRN«. Und jener wird genannt werden
mit dem Namen »Jakob«. Und ein ande-
rer wird in seine Hand schreiben: »Dem
HERRN eigen«, und wird mit dem Namen
»Israel« genannt werden.

DER LEBENDIGE GOTT UND DIE TOTEN GÖTZEN

6 So spricht der HERR, der König Israels,
und sein Erlöser, der HERR Zebaoth: [a]**Ich
bin der Erste und ich bin der Letzte, und
[b]außer mir ist kein Gott.** 7 Und wer ist
mir gleich? Er rufe und verkünde es und
tue es mir dar! Wer hat vorzeiten kundge-
tan das Künftige? [a]Sie sollen uns verkün-
digen, was kommen wird! 8 Fürchtet euch
nicht und erschreckt nicht! Habe ich's dich
nicht schon lange hören lassen und es dir
verkündigt? Ihr seid doch meine Zeugen!
Ist auch ein Gott außer mir? [a]Es ist kein
Fels, ich weiß ja keinen.
9 [a]Die Götzenmacher sind alle nich-
tig; woran ihr Herz hängt, das ist nichts
nütze. Und ihre Zeugen sehen nichts,
merken auch nichts, damit sie zuschan-
den werden. 10 Wer sind sie, die einen
Gott machen und einen Götzen gie-
ßen, der nichts nütze ist? 11 Siehe, alle
ihre Genossen [a]werden zuschanden; die
Meister sind auch nur Menschen. Wenn
sie auch alle zusammentreten, sollen sie
dennoch erschrecken und zuschanden
werden.
12 [a]Der Schmied macht ein Messer in der
Glut und formt es mit Hammerschlägen.
Er arbeitet daran mit der ganzen Kraft sei-
nes Arms; dabei wird er hungrig, sodass
er nicht mehr kann, und trinkt auch kein
Wasser, sodass er matt wird. 13 Der Zim-
mermann spannt die Schnur und zeich-
net mit dem Stift. Er behaut das Holz
und zirkelt es ab und macht es wie eines
Mannes Gestalt, wie einen schönen Men-
schen; in einem Hause soll es thronen.
14 Er haut Zedern ab und nimmt Kiefern
und Eichen und wählt unter den Bäumen
des Waldes. Er hatte Fichten gepflanzt
und der Regen ließ sie wachsen. 15 Das
gibt den Leuten Brennholz; davon nimmt
er und wärmt sich; auch zündet er es an
und bäckt Brot; aber daraus macht er auch
einen Gott und betet's an; er macht einen
Götzen daraus und kniet davor nieder.
16 Die eine Hälfte verbrennt er im Feuer,
auf ihr brät er Fleisch und isst den Bra-
ten und sättigt sich, wärmt sich auch und
spricht: Ah! Ich bin warm geworden, ich
spüre das Feuer. 17 Aber die andere Hälfte
macht er zum Gott, dass es sein Götze sei,
vor dem er kniet und niederfällt und be-
tet und spricht: Errette mich, denn du bist
mein Gott!
18 Sie wissen nichts und verstehen
nichts; denn sie sind verblendet, dass
ihre Augen nicht sehen und ihre Herzen
nichts merken können. 19 Er kommt nicht
zur Einsicht; keine Vernunft und kein
Verstand ist da, dass er dächte: Ich habe
die eine Hälfte mit Feuer verbrannt und
habe auf den Kohlen Brot gebacken und
Fleisch gebraten und gegessen, und sollte
die andere Hälfte zum Götzen machen
und sollte knien vor einem Klotz? 20 Wer
Asche hütet, den hat sein Herz getäuscht
und betört, sodass er sein Leben nicht er-
retten und nicht zu sich sagen wird: Ist
das nicht Trug, woran meine Rechte sich
hält?

43,27 *a* Hos 12,4 **44,2** *a* 5. Mose 32,15
44,3 *a* Kap 32,15; 42,5; Ps 104,30 **44,6** *a* Kap 41,4
b Kap 43,11 **44,7** *a* Kap 41,22; 5. Mose 18,22
44,8 *a* 1. Sam 2,2 **44,9** *a* (9-11) Kap 45,16; Ps 115,4-8;
Jer 10,3-16 **44,11** *a* Kap 42,17
44,12 *a* (12-20) Kap 40,18-20

FREUDE ÜBER DIE ERLÖSUNG

21 Gedenke daran, Jakob, und du, Israel,
denn du bist mein [a]Knecht. Ich habe dich
bereitet, dass du mein Knecht seist. Israel,
ich vergesse dich nicht! 22 **Ich [a]tilge deine
Missetat wie eine Wolke und deine
Sünden wie den Nebel. Kehre dich zu
mir, denn ich erlöse dich!**
23 Jauchzet, ihr Himmel, denn der HERR
hat's getan! Jubelt, ihr Tiefen der Erde! Ihr
Berge, frohlocket mit Jauchzen, der Wald
und alle Bäume darin! Denn der HERR
hat Jakob erlöst, an Israel verherrlicht er
sich.[a]

KYRUS ALS WERKZEUG GOTTES

24 So spricht der HERR, dein Erlöser, der
dich von Mutterleibe bereitet hat: [a]Ich
bin der HERR, der alles schafft, der den
Himmel ausbreitet allein und die Erde
fest macht ohne Gehilfen; 25 der die Zei-
chen der Wahrsager zunichtemacht und
die Weissager zu Narren; [a]der die Weisen
zurücktreibt und ihre Kunst zur Torheit
macht; 26 der das Wort seines Knechts
wahr macht und den Rat seiner Boten
vollführt; der zu Jerusalem spricht: Du
sollst bewohnt sein!, und zu den Städten
Judas: Ihr sollt wieder aufgebaut werden!,
und ihre Trümmer richte ich auf; 27 der zu
der Tiefe spricht: Versiege!, und [a]deine
Fluten trockne ich aus; 28 der zu Kyrus
sagt: Mein Hirte! Er soll all meinen Wil-
len vollenden und [a]sagen zu Jerusalem:
Werde wieder gebaut!, und zum Tempel:
Werde gegründet!
45 So spricht der HERR zu seinem Ge-
salbten, zu Kyrus, den ich bei seiner
rechten Hand ergriff, [a]dass ich Völker vor
ihm unterwerfe und Königen das Schwert
abgürte, damit vor ihm Türen geöffnet
werden und Tore nicht verschlossen blei-
ben: 2 Ich will vor dir hergehen und das
Bergland eben machen, ich will die eher-
nen Türen zerschlagen und die eisernen
Riegel zerbrechen 3 und will dir heimliche
Schätze geben und verborgene Kleinode,
damit du erkennst, dass ich der HERR
bin, der dich beim Namen ruft, der Gott
Israels.
4 Um Jakobs, meines Knechts, und um
Israels, meines Auserwählten, willen
rief ich dich bei deinem Namen und gab
dir Ehrennamen, obgleich du mich nicht
kanntest. 5 [a]Ich bin der HERR, und sonst
keiner mehr, kein Gott ist außer mir. Ich
habe dich gerüstet, obgleich du mich
nicht kanntest, 6 damit man erfahre vom
Aufgang der Sonne bis zu ihrem Nieder-
gang, dass keiner ist außer mir. Ich bin der
HERR, und sonst keiner mehr, 7 der ich das
Licht mache und schaffe die Finsternis, der
ich Frieden gebe und [a]schaffe Unheil. Ich
bin der HERR, der dies alles tut.
8 Träufelt, ihr Himmel, von oben, und
ihr Wolken, regnet Gerechtigkeit! Die
Erde tue sich auf und bringe Heil, und Ge-
rechtigkeit wachse mit auf! Ich, der HERR,
erschaffe es.

GEGEN DIE VERMESSENEN

9 Weh dem, der [a]mit seinem Schöpfer ha-
dert, eine Scherbe unter irdenen Scher-
ben! [b]Spricht denn der Ton zu seinem
Töpfer: »Was machst du? Dein Tun ist
ungeschickt!« 10 Weh dem, der zum Vater
sagt: Warum zeugst du?, und zur Frau:
Warum gebierst du?
11 So spricht der HERR, der Heilige Is-
raels und sein Schöpfer: Wollt ihr mich
zur Rede stellen wegen meiner Söhne?
Und wollt ihr mir Befehl geben wegen
des Werkes meiner Hände? 12 Ich habe die
Erde gemacht und den Menschen auf ihr
geschaffen. [a]Ich bin's, dessen Hände den
Himmel ausgebreitet haben und der sei-
nem ganzen Heer geboten hat. 13 Ich habe
ihn erweckt in Gerechtigkeit, und alle
seine Wege will ich eben machen. Er soll
meine Stadt wieder aufbauen und meine
Gefangenen loslassen, nicht um Geld und
nicht um Geschenke, spricht der HERR
Zebaoth.[a]

VERHEISSUNG DER HERRLICHKEIT GOTTES IN ALLER WELT

14 So spricht der HERR: Der Ägypter Er-
werb und der Kuschiter Gewinn und die
hochgewachsenen Leute von Seba wer-

44,21 *a* Kap 41,8 **44,22** *a* Kap 43,25 **44,23** *a* Kap 49,13; 55,12; Ps 96,11-13 **44,24** *a* Kap 45,12 **44,25** *a* Kap 29,14
44,27 *a* Kap 51,9-10; Jos 4,23; Ps 77,16-18
44,28 *a* 2. Chr 36,23; Esra 1,1-4; 6,3-6 **45,1** *a* Kap 41,2
45,5 *a* (5-6) Kap 43,11; 44,6 **45,7** *a* Am 3,6
45,9 *a* Hiob 40,2 *b* Kap 29,16; Jer 18,6; Röm 9,20
45,12 *a* Kap 44,24 **45,13** *a* Kap 41,2; 44,28

den zu dir kommen und dein Eigen sein.
Sie werden dir folgen, in Fesseln werden
sie gehen und werden zu dir kommen
und niederfallen und zu dir flehen: Nur
bei dir ist Gott, und sonst ist kein Gott
mehr. 15 **Fürwahr, [a]du bist ein verbor-
gener Gott, du Gott Israels, der [b]Hei-
land.** 16 Aber die [a]Götzenmacher sollen
alle in Schmach und Schande geraten und
miteinander schamrot einhergehen. 17 Is-
rael aber wird errettet durch den HERRN
mit einer ewigen Rettung, und ihr werdet
nicht zuschanden noch zu Spott immer
und ewiglich.

18 Denn so spricht der HERR, der den
Himmel geschaffen hat – er ist Gott; der
die Erde bereitet und gemacht hat – er hat
sie gegründet; er hat sie nicht geschaffen,
dass sie leer sein soll, sondern sie bereitet,
dass man auf ihr wohnen solle: Ich bin der
HERR, und sonst keiner mehr. 19 [a]Ich habe
nicht im Verborgenen geredet an einem
finstern Ort der Erde; ich habe nicht zu
den Söhnen Jakobs gesagt: »Sucht mich
vergeblich!« Denn ich bin der HERR, der
von Gerechtigkeit redet und verkündigt,
was recht ist.

20 Versammelt euch und kommt mit-
einander herzu, ihr Entronnenen der Völ-
ker. Keine Erkenntnis haben, die sich ab-
schleppen mit den Klötzen ihrer Götzen
und zu einem Gott flehen, der nicht helfen
kann. 21 Tut es kund, bringt es vor, beratet
miteinander: Wer hat dies hören lassen
von alters her und vorzeiten verkündigt?
Hab ich's nicht getan, der HERR? Es ist
sonst kein Gott außer mir, ein gerechter
Gott und Heiland, und es ist keiner außer
mir.

22 **Wendet euch zu mir, so werdet
ihr gerettet, aller Welt Enden; denn
ich bin Gott, und sonst keiner mehr.**
23 [a]Ich schwöre bei mir selbst, und Ge-
rechtigkeit geht aus meinem Munde, ein
Wort, bei dem es bleiben soll: **Mir sollen
sich alle Knie beugen und alle Zungen
schwören** 24 **und sagen: [a]Im HERRN ha-
be ich Gerechtigkeit und Stärke.** Aber
alle, die ihm widerstehen, werden zu
ihm kommen und beschämt werden.
25 Im HERRN wird gerecht werden Israels
ganzes Geschlecht und [a]wird sich seiner
rühmen.

DIE HILFLOSEN GÖTTER UND DER HELFENDE GOTT

46 [a]Bel bricht zusammen, Nebo ist ge-
fallen, ihre Götzenbilder sind den
Tieren und dem Vieh aufgeladen, dass sie
sich müde tragen an dem, was eure Last
war. 2 Sie fallen und beugen sich allesamt,
sie können die Last nicht retten; sie selbst
müssen in die Gefangenschaft gehen.

3 Hört mir zu, ihr vom Hause Jakob und
alle, die ihr noch übrig seid vom Hause Is-
rael, die ihr von mir getragen werdet von
Mutterleibe an und vom Mutterschoße
an mir aufgeladen seid: 4 Auch [a]bis in euer
Alter bin ich derselbe, und ich will euch
tragen, bis ihr grau werdet. Ich habe es
getan; ich will heben und tragen und er-
retten.

5 [a]Wem wollt ihr mich gleichstellen, und
mit wem vergleicht ihr mich? An wem
messt ihr mich, dass ich ihm gleich sein
soll? 6 Sie schütten das Gold aus dem Beu-
tel und wiegen das Silber mit der Waage
dar und dingen den Goldschmied, dass
er einen Gott daraus mache, vor dem sie
knien und anbeten. 7 Sie heben ihn auf die
Schultern und tragen ihn und setzen ihn
nieder an seine Stätte, dass er stehe und
nicht von seinem Ort rücke. [a]Schreit einer
zu ihm, so antwortet er nicht und hilft
ihm nicht aus seiner Not.

8 Gedenkt doch daran und seid fest, ihr
Abtrünnigen, nehmt's zu Herzen! 9 Ge-
denkt des Vorigen von alters her, denn [a]ich
bin Gott, und sonst keiner, ein Gott, dem
nichts gleicht, 10 der ich zuvor verkündige,
was hernach kommen soll, und vorzeiten,
was noch nicht geschehen ist, und der ich
sage: Was ich beschlossen habe, geschieht,
und alles, was ich mir vorgenommen habe,
das tue ich. 11 Ich rufe einen Adler [a]vom
Osten her, aus fernem Lande den Mann,
der meinen Ratschluss ausführe. Wie ich's
gesagt habe, so lasse ich's kommen; was
ich geplant habe, das tue ich auch.

12 Hört mir zu, ihr trotzigen Herzen, die
ihr ferne seid von der Gerechtigkeit! 13 Ich
habe meine Gerechtigkeit nahe gebracht;

45,15 *a* Röm 11,33 *b* Kap 43,11 **45,16** *a* Kap 44,9-11
45,19 *a* Kap 48,16 **45,23** *a* (23-24) Röm 14,11; Phil 2,10-11
45,24 *a* Jer 23,6 **45,25** *a* Jer 9,22-23 **46,1** *a* Jer 50,2
46,4 *a* Ps 71,18 **46,5** *a* (5-8) Kap 44,9-20
46,7 *a* 1. Kön 18,26 **46,9** *a* Kap 44,6 **46,11** *a* Kap 41,2

sie ist nicht ferne und mein Heil säumt
nicht. Ich will zu Zion das Heil geben für
Israel, meine Zier.

DAS GERICHT ÜBER BABEL

47 Herunter, setze dich in den Staub,
Jungfrau, du Tochter Babel! Setze
dich auf die Erde, du Tochter der Chal-
däer, [a]da ist kein Thron mehr. Man wird
dich nicht mehr nennen »Zarte und Ver-
wöhnte«. 2 Nimm die Mühle und mahle
Mehl, decke auf deinen Schleier! Hebe die
Schleppe, entblöße den Schenkel, wate
durch Ströme, 3 dass [a]deine Blöße aufge-
deckt und deine Schande gesehen werde!
Ich will mich rächen, unerbittlich.

4 Unser Erlöser ist der Heilige Israels –
HERR Zebaoth ist sein Name.

5 Setze dich stumm hin, geh in die Fins-
ternis, du Tochter der Chaldäer! Denn du
sollst nicht mehr heißen »Herrin über Kö-
nigreiche«. 6 Als ich [a]über mein Volk zor-
nig war und mein Erbe entheiligte, gab ich
sie in deine Hand; aber du erwiesest ihnen
keine Barmherzigkeit, auch über die Alten
machtest du dein Joch allzu schwer. 7 Du
dachtest: Ich bin eine Herrin für immer.
Du hattest noch nicht zu Herzen genom-
men noch daran gedacht, wie es hernach
werden könnte. 8 [a]So höre nun dies, die
du in Wollust lebst und so sicher sitzt und
sprichst in deinem Herzen: »Ich bin's, und
sonst keine; ich werde keine Witwe wer-
den noch ohne Kinder sein«: 9 Dies bei-
des wird plötzlich über dich kommen auf
einen Tag, dass du Witwe und ohne Kin-
der bist. Ja, es wird in vollem Maße über
dich kommen trotz der Menge deiner Zau-
bereien und trotz der großen Macht deiner
Beschwörungen. 10 Denn du hast dich auf
deine Bosheit verlassen, als du dachtest:
[a]Niemand sieht mich! Deine Weisheit
und Kunst hat dich verleitet, dass du in
deinem Herzen sprachst: Ich bin's und
sonst keine! 11 Aber nun wird über dich
Unglück kommen, das du nicht wegzu-
zaubern weißt, und Unheil wird auf dich
fallen, das du nicht durch Sühne abwen-
den kannst. Und es wird plötzlich ein Ver-
derben über dich kommen, dessen du dich
nicht versiehst.

12 So tritt nun auf mit deinen Beschwö-
rungen und der Menge deiner Zaube-
reien, um die du dich von deiner Jugend
auf bemüht hast, ob du dir helfen und es
abwenden kannst.[a] 13 Du hast dich müde
gemacht mit der Menge deiner Pläne. Es
sollen hertreten und dir helfen die Meis-
ter des Himmelslaufs und die Stern-
gucker, die an jedem Neumond kundtun,
was über dich kommen werde! 14 Siehe,
sie sind wie Stoppeln, die das Feuer ver-
brennt, sie können ihr Leben nicht erret-
ten vor der Flamme Gewalt. Denn es wird
nicht eine Glut sein, an der man sich wär-
men, oder ein Feuer, um das man sitzen
könnte. 15 So sind alle, um die du dich be-
müht hast, die mit dir Handel trieben von
deiner Jugend auf: Ein jeder wird hierhin
und dorthin wanken, und du hast keinen
Retter.

GOTTES GNADE FÜR ISRAEL

48 Hört dies, ihr vom Hause Jakob, die ihr
nach dem Namen Israels heißt und aus
dem Wasser Judas gekommen seid; die ihr
schwört bei dem Namen des HERRN und
den Gott Israels bekennt, aber nicht in
Wahrheit und Gerechtigkeit,[a] – 2 sie nen-
nen sich nach der heiligen Stadt und po-
chen auf den Gott Israels, der da heißt der
HERR Zebaoth.

3 Ich habe vorzeiten verkündigt, was
schon gekommen ist; aus meinem Munde
ist es gekommen, und ich habe es sagen
lassen. Ich tat es plötzlich und es kam.
4 Weil ich weiß, dass du hart bist und dein
Nacken eine eiserne Sehne ist und deine
Stirn ehern, 5 darum habe ich dir's vor-
zeiten verkündigt und es dir sagen lassen,
ehe es gekommen ist, damit du nicht sa-
gen könntest: Mein Götze tat es, und mein
Schnitzbild und Abgott hat's befohlen.

6 Das hast du gehört, nun sieh dir das
alles an! Ihr aber, wollt ihr es nicht ver-
kündigen? – Von nun an lasse ich dich
Neues hören und Verborgenes, das du
nicht wusstest. 7 Jetzt ist es geschaffen
und nicht vorzeiten, und vorher hast du
nicht davon gehört, auf dass du nicht sa-
gen könntest: Siehe, das wusste ich schon.
8 Du hörtest es nicht und wusstest es auch
nicht, und dein Ohr war damals nicht ge-

47,1 *a* Kap 52,2 **47,3** *a* Nah 3,5 **47,6** *a* Sach 1,15
47,8 *a* (8-9) Zef 2,15; Offb 18,7 **47,10** *a* Ps 10,11
47,12 *a* Dan 2,2 **48,1** *a* Kap 51,1

öffnet. Denn ich wusste, [a]dass du treulos
bist und man dich nennt »Abtrünnig von
Mutterleib an«.
9 [a]Um meines Namens willen halte ich
lange meinen Zorn zurück, und um mei-
nes Ruhmes willen bezähme ich mich dir
zugut, dass du nicht ausgerottet wirst.
10 Siehe, ich habe dich geläutert, aber
nicht wie Silber, sondern ich habe dich
geprüft im [a]Glutofen des Elends.[b] 11 Um
meinetwillen, ja, um meinetwillen will
ich's tun, dass ich nicht gelästert werde;
denn [a]ich will meine Ehre keinem andern
lassen.

DIE RETTUNG ISRAELS IST NAHE

12 Höre mir zu, Jakob, und du, Israel, den
ich berufen habe: Ich bin's, [a]ich bin der
Erste und auch der Letzte. 13 Meine Hand
hat die Erde gegründet, und meine Rechte
hat den Himmel ausgespannt. Ich rufe
und alles steht da.
14 Versammelt euch alle und hört: Wer
ist unter ihnen, der es verkündigt hat? [a]Er,
den der HERR liebt, wird seinen Willen an
Babel beweisen und seinen Arm an den
Chaldäern. 15 Ich, ja, ich habe es gesagt, ich
habe ihn gerufen, ich habe ihn auch kom-
men lassen, und sein Weg soll ihm gelin-
gen. 16 Tretet her zu mir und hört dies! [a]Ich
habe von Anfang an nicht im Verborgenen
geredet; von der Zeit an, da es geschieht,
bin ich auf dem Plan. – Und nun sendet
mich Gott der HERR und sein Geist.
17 So spricht der HERR, dein Erlöser, der
Heilige Israels: Ich bin der HERR, dein
Gott, der dich lehrt, was dir hilft, und
dich leitet auf dem Wege, den du gehst.
18 **O [a]dass du auf meine Gebote gemerkt
hättest, so würde dein Friede sein wie
ein Wasserstrom und deine Gerech-
tigkeit wie Meereswellen.** 19 Deine Kin-
der würden [a]zahlreich sein wie Sand und
deine Nachkommen wie Sandkörner. Ihr
Name würde nicht ausgerottet und nicht
vertilgt werden vor mir.
20 [a]Geht heraus aus Babel, flieht von den
Chaldäern! Mit fröhlichem Schall verkün-
digt dies und lasst es hören, tragt's hinaus
bis an die Enden der Erde und sprecht: Der
HERR hat seinen Knecht Jakob erlöst. 21 Sie
litten keinen Durst, als er sie leitete in der
Wüste. [a]Er ließ ihnen Wasser aus dem
Felsen fließen, er spaltete den Fels, dass
Wasser herausrann. 22 Aber die Gottlosen,
spricht der HERR, haben keinen Frieden.[a]

GOTTES KNECHT WIRD DAS LICHT DER VÖLKER

(vgl. Kap 42,1-4; 50,4-9; 52,13–53,12)

49 Hört mir zu, ihr Inseln, und ihr Völ-
ker in der Ferne, merkt auf! Der HERR
hat mich berufen von Mutterleibe an; er
hat meines Namens gedacht, als ich noch
im Schoß der Mutter war. 2 Er hat [a]meinen
Mund wie ein scharfes Schwert gemacht,
[b]mit dem Schatten seiner Hand hat er
mich bedeckt. Er hat mich zum spitzen
Pfeil gemacht und mich in seinem Köcher
verwahrt. 3 Und er sprach zu mir: Du bist
mein Knecht, Israel, durch den ich mich
verherrlichen will. 4 Ich aber dachte, [a]ich
arbeitete vergeblich und verzehrte meine
Kraft umsonst und unnütz. Doch mein
Recht ist bei dem HERRN und mein Lohn
bei meinem Gott.
5 Und nun spricht der HERR, der mich
von Mutterleib an zu seinem Knecht be-
reitet hat, dass ich Jakob zu ihm zurück-
bringen soll und Israel zu ihm gesammelt
werde – und ich bin vor dem HERRN wert
geachtet und mein Gott ist meine Stärke –,
6 er spricht: **Es ist zu wenig, dass du
mein Knecht bist, die Stämme Jakobs
aufzurichten und die Zerstreuten Is-
raels wiederzubringen, sondern [a]ich
habe dich auch zum Licht der Völker
gemacht, dass mein Heil reiche bis an
die Enden der Erde.***

DIE WIEDERHERSTELLUNG ISRAELS

7 So spricht der HERR, der Erlöser Israels,
sein Heiliger, zu dem, der verachtet ist von
den Menschen und verabscheut vom Volk,

* **49,6** Luther übersetzte: »Ich habe dich auch zum Licht der Heiden gemacht, dass du seiest mein Heil bis an der Welt Ende«.

48,8 ***a*** Kap 43,27; Hos 12,4 **48,9** ***a*** (9-11) Kap 43,25; 52,5; Ps 79,9; Hes 20,8-9; 36,20-23
48,10 ***a*** 5. Mose 4,20 ***b*** Jer 6,27-30; Hes 22,18-22
48,11 ***a*** Kap 42,8 **48,12** ***a*** Offb 1,17 **48,14** ***a*** Kap 41,2
48,16 ***a*** Kap 45,19 **48,18** ***a*** 5. Mose 5,29
48,19 ***a*** 1. Mose 22,17 **48,20** ***a*** Jer 51,6; Offb 18,4
48,21 ***a*** 2. Mose 17,6 **48,22** ***a*** Kap 57,21
49,2 ***a*** Hebr 4,12; Offb 1,16 ***b*** Kap 51,16
49,4 ***a*** 1. Kor 15,58 **49,6** ***a*** Kap 42,6; 60,3; Lk 2,32; Apg 13,47

zu dem Knecht der Tyrannen: Könige sol-
len sehen und aufstehen, und Fürsten
sollen niederfallen um des HERRN wil-
len, der treu ist, um des Heiligen Israels
willen, der dich erwählt hat.
8 So spricht der HERR: [a]Ich habe dich er-
hört zur Zeit der Gnade und habe dir am
Tage des Heils geholfen und [b]habe dich be-
reitet und zum Bund für das Volk bestellt,
dass du das Land aufrichtest und das ver-
wüstete Erbe zuteilst, 9 zu sagen den Ge-
fangenen: Geht heraus!, und zu denen in
der Finsternis: Kommt hervor! Am Wege
werden sie weiden und auf allen kahlen
Höhen ihre Weide haben. 10 Sie [a]werden
weder hungern noch dürsten, sie wird we-
der Hitze noch Sonne stechen; denn ihr
Erbarmer wird sie führen und sie an die
Wasserquellen leiten. 11 Ich will alle meine
Berge zum ebenen Wege machen, und
meine Pfade sollen gebahnt sein.[a] 12 Siehe,
diese werden von ferne kommen, und
siehe, jene vom Norden und diese vom
Meer und jene vom Lande Sinim*.[a]

13 [a]Jauchzet, ihr Himmel; freue dich,
Erde! Lobet, ihr Berge, mit Jauchzen!
Denn der HERR hat sein Volk getröstet
und erbarmt sich seiner Elenden.

14 Zion aber sprach: Der HERR hat mich
verlassen, der Herr hat meiner vergessen.
15 Kann auch eine Frau ihr Kindlein
vergessen, [a]dass sie sich nicht erbarme
über den Sohn ihres Leibes? Und ob
sie seiner vergäße, [b]so will ich doch
deiner nicht vergessen. 16 Siehe, in die
Hände habe ich dich gezeichnet; deine
Mauern sind immerdar vor mir. 17 Deine
Erbauer eilen herbei, aber die dich zerbro-
chen und zerstört haben, werden sich da-
vonmachen.

18 [a]Hebe deine Augen auf und sieh um-
her: Diese alle sind versammelt und kom-
men zu dir. So wahr ich lebe, spricht der
HERR: Du sollst mit diesen allen wie mit
einem Schmuck angetan werden und
wirst sie als Gürtel um dich legen, wie
eine Braut es tut. 19 Denn dein wüstes,
zerstörtes und verheertes Land wird dir
alsdann zu eng werden, um darin zu woh-
nen, und deine Verderber werden vor dir
weichen, 20 sodass deine Söhne, du Kin-
derlose, noch sagen werden vor deinen
Ohren: [a]Der Raum ist mir zu eng; mach
mir Platz, dass ich wohnen kann. 21 Du
aber wirst sagen in deinem Herzen: Wer
hat mir diese geboren? Ich war kinderlos
und unfruchtbar, vertrieben und versto-
ßen. Wer hat mir diese aufgezogen? Siehe,
ich war allein gelassen – wo waren denn
diese?

22 So spricht Gott der HERR: Siehe, ich
will meine Hand zu den Heiden hin erhe-
ben und für die Völker mein Banner auf-
richten. [a]Dann werden sie deine Söhne in
den Armen herbringen und deine Töchter
auf der Schulter hertragen. 23 Und Könige
sollen deine Pfleger und ihre Fürstinnen
deine Ammen sein. [a]Sie werden vor dir
niederfallen zur Erde aufs Angesicht und
deiner Füße Staub lecken. Da [b]wirst du
erfahren, dass ich der HERR bin, an dem
nicht zuschanden werden, die auf mich
harren.

24 Kann man auch einem Starken den
Raub wegnehmen? Oder kann man einem
Gewaltigen seine Gefangenen entreißen?
25 So aber spricht der HERR: [a]Ja, auch die
Gefangenen des Starken werden wegge-
nommen, und der Raub wird dem Ge-
waltigen entrissen. Ich selbst will deinen
Gegnern entgegentreten und deinen Söh-
nen helfen. 26 Und ich will deine Schinder
speisen mit ihrem eigenen Fleisch, und
sie sollen von ihrem eigenen Blut wie von
jungem Wein trunken werden. Und alles
Fleisch soll erfahren, dass ich, der HERR,
dein Heiland bin und dein Erlöser, der
Mächtige Jakobs.

DIE SCHULD LIEGT BEIM VOLK

50 So spricht der HERR: Wo ist der
[a]Scheidebrief eurer Mutter, mit dem
ich sie entlassen hätte? Oder wer ist mein
Gläubiger, dem ich euch verkauft hätte?
Siehe, [b]ihr seid um eurer Sünden willen
verkauft, und eure Mutter ist um eurer
Abtrünnigkeit willen entlassen. 2 Warum
kam ich und niemand war da? Warum

* **49,12** Wahrscheinlich Syene (das heutige Assuan) an der Südgrenze von Ägypten.

49,8 *a* Ps 69,14; 2. Kor 6,2 *b* Kap 42,6 **49,10** *a* Offb 7,16 **49,11** *a* Kap 40,4 **49,12** *a* Lk 13,29 **49,13** *a* Kap 44,23 **49,15** *a* 1. Mose 21,16; 1. Kön 3,26 *b* Jer 31,20 **49,18** *a* Kap 60,4 **49,20** *a* Kap 54,1 **49,22** *a* Kap 60,4 **49,23** *a* Ps 72,9 *b* Kap 60,16 **49,25** *a* Mt 12,29 **50,1** *a* Kap 54,6; 5. Mose 24,1 *b* Kap 52,3

rief ich und niemand antwortete? [a]Ist
mein Arm denn zu kurz, dass er nicht er-
lösen kann? Oder habe ich keine Kraft,
zu erretten? Siehe, mit meinem Schelten
[b]mache ich das Meer trocken und die Was-
serströme zur Wüste, dass ihre Fische vor
Mangel an Wasser stinken und vor Durst
sterben. 3 Ich kleide den Himmel mit Dun-
kel und hülle ihn in Trauer.

DER KNECHT GOTTES IM LEIDEN

(vgl. Kap 42,1-4; 49,1-6; 52,13–53,12)

4 **Gott der HERR hat mir eine Zunge ge-**
geben, wie sie Jünger haben, dass ich
wisse, mit den Müden zu rechter Zeit
zu reden. Er weckt mich alle Morgen;
er weckt mir das Ohr, dass ich höre, wie
Jünger hören. 5 [a]Gott der HERR hat mir
das Ohr geöffnet. Und ich bin nicht un-
gehorsam und weiche nicht zurück. 6 **Ich**
[a]bot meinen Rücken dar denen, die
mich schlugen, und meine Wangen
denen, die mich rauften. [b]Mein An-
gesicht verbarg ich nicht vor Schmach
und Speichel.

7 Aber Gott der HERR hilft mir, darum
werde ich nicht zuschanden. Darum [a]hab
ich mein Angesicht hart gemacht wie
einen Kieselstein; denn ich weiß, dass ich
nicht zuschanden werde.[b] 8 Er ist nahe,
der mich [a]gerecht spricht; wer will mit
mir rechten? Lasst uns zusammen vor-
treten! Wer will mein Recht anfechten?
Der komme her zu mir! 9 Siehe, Gott der
HERR hilft mir; wer will mich verdam-
men? Siehe, sie alle werden wie ein Kleid
zerfallen, Motten werden sie fressen.

10 Wer ist unter euch, der den HERRN
fürchtet, der auf die Stimme seines
Knechts hört? Wer im Finstern wandelt
und wem kein Licht scheint, der hoffe auf
den Namen des HERRN und verlasse sich
auf seinen Gott! 11 Siehe, ihr alle, die ihr
ein Feuer entfacht und Brandpfeile ent-
zündet, geht hin in die Glut eures Feuers
und in die Brandpfeile, die ihr angezün-
det habt! Das widerfährt euch von meiner
Hand; in Schmerzen sollt ihr liegen.

GOTTES EWIGES HEIL FÜR ISRAEL

51 Hört mir zu, [a]die ihr der Gerechtigkeit
nachjagt, die ihr den HERRN sucht:
Schaut den Fels an, aus dem ihr gehauen
seid, und [b]des Brunnens Schacht, aus dem
ihr gegraben seid. 2 Schaut Abraham an,
euren Vater, und Sara, von der ihr gebo-
ren seid. Denn [a]als einen Einzelnen berief
ich ihn, um ihn zu segnen und zu mehren.
3 Ja, der HERR tröstet Zion, er tröstet alle
ihre Trümmer und macht ihre Wüste wie
Eden und ihr dürres Land wie den [a]Garten
des HERRN, dass man Wonne und Freude
darin findet, Dank und Lobgesang.

4 Merke auf mich, mein Volk, hört mich,
meine Leute! Denn Weisung wird von
mir ausgehen, und mein Recht will ich gar
bald zum Licht der Völker machen. 5 Denn
meine Gerechtigkeit ist nahe, mein Heil
tritt hervor, und meine Arme werden die
Völker richten. [a]Die Inseln harren auf mich
und warten auf meinen Arm. 6 Hebt eure
Augen auf gen Himmel und schaut unten
auf die Erde! Denn [a]der Himmel wird wie
ein Rauch vergehen und die Erde wie ein
Kleid zerfallen, und die darauf wohnen,
werden wie Mücken dahinsterben. Aber
mein Heil bleibt ewiglich, und meine Ge-
rechtigkeit wird nicht zerbrechen.

7 Hört mir zu, die ihr die Gerechtigkeit
kennt, du Volk, in dessen Herzen mein
Gesetz ist! [a]Fürchtet euch nicht, wenn
euch die Leute schmähen, und entsetzt
euch nicht, wenn sie euch verhöhnen!
8 Denn die Motten werden sie fressen wie
ein Kleid, und Würmer werden sie fres-
sen wie ein wollenes Tuch. Aber meine
Gerechtigkeit bleibt ewiglich und mein
Heil für und für.

ISRAEL RUFT NACH DER MACHT DES SCHÖPFERS

9 Wach auf, wach auf, zieh Macht an, du
Arm des HERRN! Wach auf, wie vor al-
ters zu Anbeginn der Welt! Warst du es
nicht, der [a]Rahab zerhauen und den Dra-
chen durchbohrt hat? 10 Warst du es nicht,
der das Meer austrocknete, die Wasser der
großen Tiefe, der den Grund des Meeres
zum Wege machte, dass die Erlösten hin-

50,2 *a* Kap 59,1; 4. Mose 11,23 *b* 2. Mose 14,21
50,5 *a* Ps 40,7 **50,6** *a* Joh 19,1 *b* Mt 26,67-68
50,7 *a* Hes 3,8-9 *b* Kap 49,4.23 **50,8** *a* Röm 8,33
51,1 *a* Kap 48,1 *b* 5. Mose 33,28 **51,2** *a* Kap 41,8;
1. Mose 12,1-2 **51,3** *a* 1. Mose 2,8 **51,5** *a* Kap 42,4
51,6 *a* Ps 102,26-27; Mt 24,35 **51,7** *a* Mt 5,11
51,9 *a* Ps 89,11

durchgingen?[a] 11 So werden die Erlösten
des HERRN heimkehren und nach Zion
kommen mit Jauchzen, und ewige Freude
wird auf ihrem Haupte sein. Wonne und
Freude werden sie ergreifen, aber Trauern
und Seufzen wird von ihnen fliehen.[a]

12 Ich, ich bin euer Tröster! Wer bist du
denn, [a]dass du dich vor Menschen fürch-
test, die doch sterben, und vor Menschen-
kindern, die [b]wie Gras vergehen, 13 und
vergisst den HERRN, der dich gemacht
hat, der [a]den Himmel ausgebreitet und
die Erde gegründet hat, und fürchtest dich
ständig den ganzen Tag vor dem Grimm
des Bedrängers, der darauf aus ist, dich
zu verderben? Wo ist denn der Grimm
des Bedrängers? 14 Der Gefangene wird
eilends losgegeben, dass er nicht sterbe
und begraben werde und dass er keinen
Mangel an Brot habe. 15 Denn ich bin der
HERR, dein Gott, [a]der das Meer erregt,
dass seine Wellen wüten – sein Name
heißt HERR Zebaoth –; 16 ich habe mein
Wort in deinen Mund gelegt und habe
dich unter dem Schatten meiner Hände
geborgen, auf dass ich den Himmel von
Neuem ausbreite und die Erde gründe und
zu Zion spreche: Du bist mein Volk.

GOTT WECKT DAS ERNIEDRIGTE JERUSALEM

17 Werde wach, werde wach, steh auf, Je-
rusalem, die du getrunken hast von der
Hand des HERRN den Kelch seines Grim-
mes! [a]Den Taumelkelch hast du ausge-
trunken, den Becher geleert. 18 Es war nie-
mand, der sie leitete, von allen Kindern,
die sie geboren hat, niemand, der sie bei
der Hand nahm, von allen Kindern, die
sie aufgezogen hat. 19 Dies beides ist dir
begegnet – wer trägt Leid um dich? –:
Verwüstung und Schaden, Hunger und
Schwert – wer tröstet dich? 20 Deine Kin-
der [a]lagen verschmachtet auf allen Gassen
wie ein Hirsch im Netz, getroffen vom
Zorn des HERRN und vom Schelten dei-
nes Gottes.

21 Darum höre dies, du Elende, die du
trunken bist, doch nicht von Wein! 22 So
spricht dein Herr, der HERR, und dein
Gott, der die Sache seines Volks führt:
Siehe, ich nehme den Taumelkelch aus
deiner Hand, den Becher meines Grim-
mes. Du sollst ihn nicht mehr trinken,
23 sondern ich will ihn deinen Peinigern in
die Hand geben, die zu dir sprachen: Wirf
dich nieder, dass wir darüber hin gehen!
Und [a]du machtest deinen Rücken dem
Erdboden gleich und wie eine Gasse, dass
man darüber hin laufe.

GOTT RUFT SEIN VOLK IN DIE FREIHEIT

52 Wach auf, wach auf, Zion, zieh an
deine Stärke! Schmücke dich herr-
lich, Jerusalem, du heilige Stadt! Denn es
wird hinfort kein Unbeschnittener oder
Unreiner zu dir hineingehen. 2 [a]Schüttle
den Staub ab, steh auf, setz dich auf den
Thron, Jerusalem! Mach dich los von den
Fesseln deines Halses, du gefangene Toch-
ter Zion! 3 Denn so spricht der HERR: [a]Ihr
seid umsonst verkauft, ihr sollt auch ohne
Geld ausgelöst werden.

4 So spricht Gott der HERR: [a]Mein Volk
zog einst hinab nach Ägypten, dass es dort
ein Fremdling wäre; [b]auch Assur hat ihm
ohne Grund Gewalt angetan. 5 Aber nun,
was habe ich hier zu schaffen?, spricht
der HERR. Mein Volk ist umsonst weg-
geführt; seine Tyrannen prahlen, spricht
der HERR, und [a]mein Name wird immer
den ganzen Tag gelästert. 6 Darum soll
an jenem Tag mein Volk meinen Namen
erkennen, dass ich es bin, der da spricht:
Hier bin ich!

DIE FROHE BOTSCHAFT

7 Wie [a]lieblich sind auf den Bergen die
Füße des Freudenboten, der da Frie-
den verkündigt, Gutes predigt, Heil
verkündigt, der da sagt zu Zion: Dein
Gott ist König! 8 Deine [a]Wächter rufen
mit lauter Stimme und jubeln miteinan-
der; denn sie werden's mit ihren Augen
sehen, wenn der HERR nach Zion zurück-
kehrt.

9 Seid fröhlich und jubelt miteinander,
ihr Trümmer Jerusalems; denn der HERR
hat sein Volk getröstet und Jerusalem er-

51,10 *a* 2. Mose 14,21-22 **51,11** *a* Kap 35,10
51,12 *a* Ps 56,5; Mt 10,28 *b* Kap 40,1.6 **51,13** *a* Kap 44,24
51,15 *a* Jer 31,35 **51,17** *a* Ps 60,5; 75,9; Jer 13,12-13;
Offb 16,19 **51,20** *a* Klgl 2,11.19 **51,23** *a* Ps 129,3
52,2 *a* Kap 47,1 **52,3** *a* Kap 50,1 **52,4** *a* 1. Mose 46,5-6
b 2. Kön 17,6 **52,5** *a* Hes 36,20 **52,7** *a* Kap 41,27;
Nah 2,1; Röm 10,15 **52,8** *a* Kap 62,6; Hes 3,17

löst. 10 Der HERR hat offenbart seinen
heiligen Arm vor den Augen aller Völker,
dass aller Welt Enden sehen das Heil uns-
res Gottes.
11 Weicht, weicht, zieht aus von dort
und rührt nichts Unreines an! Geht weg
aus ihrer Mitte, reinigt euch, die ihr des
HERRN Geräte tragt! 12 Denn [a]ihr sollt
nicht in Eile ausziehen und in Hast ent-
fliehen; denn [b]der HERR wird vor euch
herziehen und der Gott Israels euren Zug
beschließen.

DAS STELLVERTRETENDE LEIDEN UND DIE HERRLICHKEIT DES KNECHTES GOTTES

(vgl. Kap 42,1-4; 49,1-6; 50,4-9)

13 Siehe, meinem Knecht wird's gelingen,
er wird erhöht und sehr hoch erhaben
sein. 14 Wie sich viele über ihn entsetz-
ten – so entstellt sah er aus, nicht mehr
wie ein Mensch und seine Gestalt nicht
wie die der Menschenkinder –, 15 so wird
er viele Völker in Staunen versetzen, dass
auch Könige ihren Mund vor ihm zuhal-
ten. Denn [a]was ihnen nie erzählt wurde,
das werden sie nun sehen, und was sie nie
gehört haben, nun erfahren.

53 Aber [a]wer glaubt dem, was uns ver-
kündet wurde, und an wem ist der
[b]Arm des HERRN offenbart? 2 Er schoss
auf vor ihm [a]wie ein Reis und wie eine
Wurzel aus dürrem Erdreich. Er hatte
keine Gestalt und Hoheit. Wir sahen ihn,
aber da war keine Gestalt, die uns gefal-
len hätte. 3 Er war der [a]Allerverachtetste
und Unwerteste, voller Schmerzen und
Krankheit. Er war so verachtet, dass man
das Angesicht vor ihm verbarg; darum ha-
ben wir ihn für nichts geachtet.
**4 Fürwahr, [a]er trug unsre Krankheit
und lud auf sich unsre Schmerzen. Wir
aber hielten ihn für den, der geplagt
und von Gott geschlagen und gemar-
tert wäre. 5 Aber er ist um unsrer Mis-
setat willen verwundet und [a]um unsrer
Sünde willen zerschlagen. [b]Die Strafe
liegt auf ihm, auf dass wir Frieden hät-
ten, und durch seine Wunden sind wir
geheilt.**
6 Wir [a]gingen alle in die Irre wie Schafe,
ein jeder sah auf seinen Weg. Aber [b]der
HERR warf unser aller Sünde auf ihn. 7 Als
er gemartert ward, [a]litt er doch willig [b]und
tat seinen Mund nicht auf wie ein [c]Lamm,
das zur Schlachtbank geführt wird; und
wie ein Schaf, das verstummt vor seinem
Scherer, tat er seinen Mund nicht auf.[d]
8 Er ist aus Angst und Gericht hinweg-
genommen. Wen aber kümmert sein Ge-
schick? Denn er ist aus dem Lande der
Lebendigen weggerissen, da er für die
Missetat seines Volks geplagt war. 9 Und
man gab ihm sein Grab bei Gottlosen und
bei Übeltätern, als er gestorben war, wie-
wohl er niemand Unrecht getan hat und
[a]kein Betrug in seinem Munde gewesen
ist. 10 Aber der HERR wollte ihn also zer-
schlagen mit Krankheit. Wenn er [a]sein Le-
ben zum Schuldopfer gegeben hat, [b]wird
er Nachkommen haben und lange leben,
und des HERRN Plan wird durch ihn ge-
lingen. 11 Weil seine Seele sich abgemüht
hat, wird er das Licht schauen und die
Fülle haben.
[a]Durch seine Erkenntnis wird er, mein
Knecht, der Gerechte, den Vielen Gerech-
tigkeit schaffen; denn [b]er trägt ihre Sün-
den. 12 Darum will ich ihm die Vielen zur
Beute geben und er soll die Starken zum
Raube haben dafür, dass er sein Leben in
den Tod gegeben hat und [a]den Übeltätern
gleichgerechnet ist und er die Sünde der
Vielen getragen hat und [b]für die Übeltäter
gebeten.

GOTT VERHEISST GNADE UND ERBARMEN FÜR ALLE ZEIT

54 Juble, du Unfruchtbare, die du nicht
geboren hast! Freue dich und jauchze,
die du nicht schwanger warst! Denn die
Einsame hat mehr Kinder, als die den
Mann hat, spricht der HERR.[a] 2 Mache
den Raum deines Zeltes weit und breite
aus die Decken deiner Wohnstatt; spare
nicht! Spann deine Seile lang und stecke
deine Pflöcke fest! 3 Denn du wirst dich
ausbreiten zur Rechten und zur Linken,

52,12 *a* 2. Mose 12,11; 5. Mose 16,3 *b* 2. Mose 13,21
52,15 *a* Kap 65,1; Röm 15,21 **53,1** *a* Joh 12,38; Röm 10,16
b Kap 52,10 **53,2** *a* Kap 11,1 **53,3** *a* Ps 22,7-8; Mk 9,12
53,4 *a* Mt 8,17 **53,5** *a* Röm 4,25 *b* 1. Petr 2,24
53,6 *a* 1. Petr 2,25 *b* 2. Kor 5,21 **53,7** *a* Mk 14,65
b Mk 15,4-5 *c* Joh 1,29 *d* Apg 8,32 **53,9** *a* 1. Petr 2,22;
1. Joh 3,5 **53,10** *a* Mt 20,28 *b* Ps 22,31 **53,11** *a* 1. Kor 1,30
b Joh 1,29 **53,12** *a* Lk 22,37 *b* Lk 23,33-34
54,1 *a* Kap 49,20; Gal 4,27

und deine Nachkommen werden Völker
beerben und verwüstete Städte neu be-
wohnen.
4 Fürchte dich nicht, denn du sollst nicht
zuschanden werden; schäme dich nicht,
denn du sollst nicht zum Spott werden,
sondern du wirst die Schande deiner Ju-
gend vergessen und [a]der Schmach dei-
ner Witwenschaft nicht mehr gedenken.
5 Denn der dich gemacht hat, ist dein
Mann – HERR Zebaoth heißt sein Name –,
und dein Erlöser ist der Heilige Israels, der
aller Welt Gott genannt wird. 6 Denn der
HERR hat dich zu sich gerufen [a]wie eine
verlassene und von Herzen betrübte Frau;
und die Frau der Jugendzeit, wie könnte
sie verstoßen bleiben!, spricht dein Gott.
7 **Ich habe dich einen kleinen Augen-**
blick verlassen, aber mit großer Barm-
herzigkeit will ich dich sammeln.[a] 8 **Ich**
habe mein Angesicht [a]im Augenblick
des Zorns ein wenig vor dir verborgen,
aber mit ewiger Gnade will ich mich
deiner erbarmen, spricht der HERR,
dein Erlöser.
9 Ich halte es wie zur Zeit Noahs, [a]als
ich schwor, dass die Wasser Noahs nicht
mehr über die Erde gehen sollten. So habe
ich geschworen, dass ich nicht mehr über
dich zürnen und dich nicht mehr schelten
will. 10 Denn **es sollen wohl Berge wei-**
chen und Hügel hinfallen, aber meine
Gnade soll nicht von dir weichen, und
[a]der Bund meines Friedens soll nicht
hinfallen, spricht der HERR, dein Er-
barmer.

ZIONS KÜNFTIGE HERRLICHKEIT

11 [a]Du Elende, über die alle Wetter ge-
hen, die keinen Trost fand! Siehe, ich will
deine Mauern auf Edelsteine stellen und
will deinen Grund mit Saphiren legen
12 und deine Zinnen aus Kristallen ma-
chen und deine Tore von Rubinen und
alle deine Grenzen von erlesenen Steinen.
13 Und alle deine Kinder [a]sind Schüler des
HERRN, und großen Frieden haben deine
Kinder.
14 Du sollst auf Gerechtigkeit gegründet
sein. Du wirst ferne sein von Bedrückung,
denn du brauchst dich nicht zu fürchten,
und von Schrecken, denn er soll dir nicht
nahen. 15 Siehe, wenn man kämpft, dann
kommt es nicht von mir; wer gegen dich
streitet, wird im Kampf gegen dich fallen.
16 Siehe, ich habe den Schmied geschaffen,
der die Kohlen im Feuer anbläst und Waf-
fen macht nach seinem Handwerk; und
[a]ich habe auch den Verderber geschaffen,
um zu vernichten. 17 Keiner Waffe, die ge-
gen dich bereitet wird, soll es gelingen,
und jede Zunge, die sich zum Rechtsstreit
gegen dich erhebt, sollst du schuldig spre-
chen. Das ist das Erbteil der Knechte des
HERRN, und ihre Gerechtigkeit kommt
von mir, spricht der HERR.

EINLADUNG ZUM GNADENBUND GOTTES

55 Wohlan, [a]alle, die ihr durstig seid,
kommt her zum Wasser! Und die ihr
kein Geld habt, kommt her, kauft und
esst! Kommt her und kauft ohne Geld und
umsonst Wein und Milch! 2 Warum zählt
ihr Geld dar für das, was kein Brot ist, und
euren sauren Verdienst für das, was nicht
satt macht? Hört doch auf mich, so werdet
ihr Gutes essen und euch am Köstlichen
laben. 3 Neigt eure Ohren her und kommt
her zu mir! Höret, so werdet ihr leben!
[a]Ich will mit euch einen ewigen Bund
schließen, euch die beständigen Gnaden
Davids zu geben. 4 Siehe, ich habe ihn den
Völkern zum Zeugen bestellt, zum Fürs-
ten für sie und zum Gebieter. 5 Siehe, du
wirst Völker rufen, die du nicht kennst,
und Völker, die dich nicht kennen, wer-
den zu dir laufen um des HERRN willen,
deines Gottes, und des Heiligen Israels,
der dich herrlich gemacht hat.

GOTTES WUNDERBARER WEG

6 [a]Suchet den HERRN, solange er zu fin-
den ist; ruft ihn an, solange er nahe ist.
7 Der Gottlose [a]lasse von seinem Wege
und der Übeltäter von seinen Gedanken
und bekehre sich zum HERRN, so wird
er sich seiner erbarmen, und zu unserm
Gott, denn [b]bei ihm ist viel Vergebung.

54,4 *a* Jer 51,5 **54,6** *a* Kap 50,1 **54,7** *a* Ps 30,6
54,8 *a* Kap 60,10; Klgl 3,31-32 **54,9** *a* 1. Mose 9,11-17
54,10 *a* Hes 37,26 **54,11** *a* (11-12) Offb 21,18-21
54,13 *a* Joh 6,45 **54,16** *a* 2. Sam 24,16 **55,1** *a* Joh 7,37;
Offb 22,17 **55,3** *a* 2. Sam 7,8-16; Jer 31,31-34; Apg 13,34
55,6 *a* Jer 29,13-14; Am 5,4 **55,7** *a* Hes 18,27; 33,11
b Ps 130,4

8 Denn meine Gedanken sind nicht
eure Gedanken, und [a]eure Wege sind
nicht meine Wege, spricht der HERR,
9 sondern so viel der Himmel höher ist
als die Erde, so sind auch meine Wege
höher als eure Wege und meine Gedan-
ken als eure Gedanken.

10 Denn gleichwie der Regen und
Schnee vom Himmel fällt und nicht
wieder dahin zurückkehrt, sondern
feuchtet die Erde und macht sie frucht-
bar und lässt wachsen, dass sie gibt Sa-
men zu säen und Brot zu essen, 11 so soll
das Wort, das aus meinem Munde geht,
auch sein: [a]Es wird nicht wieder leer zu
mir zurückkommen, sondern wird tun,
was mir gefällt, und ihm wird gelingen,
wozu ich es sende.

12 Denn ihr sollt in Freuden ausziehen
und im Frieden geleitet werden. [a]Berge
und Hügel sollen vor euch her frohlo-
cken mit Jauchzen und alle Bäume auf
dem Felde in die Hände klatschen. 13 Es
sollen Zypressen statt Dornen wach-
sen und Myrten statt Nesseln. Und dem
HERRN soll es zum Ruhm geschehen und
zum ewigen Zeichen, das nicht vergehen
wird.[a]

DIE GEMEINDE GOTTES WÄCHST ÜBER IHRE GRENZEN

56 So spricht der HERR: Wahrt das Recht
und übt Gerechtigkeit; denn mein
Heil ist nahe, dass es komme, und meine
Gerechtigkeit, dass sie offenbart werde.
2 Wohl dem Menschen, der dies tut, und
dem Menschenkind, das daran festhält,
das [a]den Sabbat hält und nicht entheiligt
und seine Hand hütet, nichts Arges zu
tun!

3 Und [a]der Fremde, der sich dem HERRN
zugewandt hat, soll nicht sagen: Der HERR
wird mich scheiden von seinem Volk.
Und der [b]Verschnittene soll nicht sagen:
Siehe, ich bin ein dürrer Baum. 4 Denn so
spricht der HERR: Den Verschnittenen,
die meine Sabbate halten und erwählen,
was mir wohlgefällt, und an meinem
Bund festhalten, 5 denen will ich in mei-
nem Hause und in meinen Mauern ein
Denkmal und einen Namen geben; das
ist besser als Söhne und Töchter. Einen
ewigen Namen will ich ihnen geben, der
nicht vergehen soll. 6 Und die Fremden,
die sich dem HERRN zugewandt haben,
ihm zu dienen und seinen Namen zu lie-
ben, damit sie seine Knechte seien, alle,
die den Sabbat halten, dass sie ihn nicht
entheiligen, und die an meinem Bund
festhalten, 7 die will ich zu meinem hei-
ligen Berge bringen und will sie erfreuen
in meinem Bethaus, und ihre Brandopfer
und Schlachtopfer sollen mir wohlgefällig
sein auf meinem Altar; denn [a]mein Haus
wird ein Bethaus heißen für alle Völker.
8 Gott der HERR, der die Versprengten Is-
raels sammelt, spricht: Ich will noch mehr
sammeln zu der Schar derer, die versam-
melt sind.

KLAGE ÜBER DIE HIRTEN DES VOLKES

9 Ihr [a]Tiere alle auf dem Felde, kommt und
fresst, ihr Tiere alle im Walde! 10 Alle ihre
[a]Wächter sind blind, sie wissen alle nichts.
Stumme Hunde sind sie, die nicht bellen
können, sie sind faul, liegen und schlafen
gerne. 11 Aber es sind [a]gierige Hunde, die
nie satt werden können. Das sind die Hir-
ten, die keinen Verstand haben; ein jeder
sieht auf seinen Weg, alle sind auf ihren
Gewinn aus: 12 »Kommt her, ich will Wein
holen, wir wollen uns vollsaufen, und es
soll morgen sein wie heute und noch viel
herrlicher!«

DAS GESCHICK DER FROMMEN UND DER GOTTLOSEN

57 Der Gerechte ist umgekommen und
niemand ist da, der es zu Herzen
nimmt, und [a]fromme Leute sind hinge-
rafft und niemand achtet darauf, denn der
Gerechte ist weggerafft durch die Bos-
heit 2 und [a]geht zum Frieden ein. Es ru-
hen auf ihren Lagern, die recht gewandelt
sind.

3 Ihr aber, tretet herzu, ihr Söhne der
Zauberin, ihr [a]Kinder des Ehebrechers
und der Hure! 4 [a]Mit wem wollt ihr euren
Spott treiben? Über wen wollt ihr das

55,8 *a* Röm 11,33 **55,11** *a* Mt 13,8 **55,12** *a* Kap 44,23
55,13 *a* Kap 41,19-20 **56,2** *a* Kap 58,13; 1. Mose 2,2-3;
2. Mose 16,23; 20,8; Jer 17,21-22 **56,3** *a* Kap 14,1
b 5. Mose 23,2 **56,7** *a* Mk 11,17 **56,9** *a* Jer 12,9
56,10 *a* Hes 3,17; 33,6-9 **56,11** *a* Jer 6,13 **57,1** *a* Mi 7,2
57,2 *a* 2. Kön 22,20; Dan 12,13 **57,3** *a* Hos 2,4
57,4 *a* (4-6) 2. Kön 16,3-4; Jer 2,20.23-24

Maul aufsperren und die Zunge heraus-
strecken? Seid ihr nicht abtrünnige Kin-
der, ein verkehrtes Geschlecht, 5 die ihr bei
den Götzeneichen in Brunst geratet, un-
ter allen grünen Bäumen, und die Kinder
schlachtet in den Tälern unter den Fels-
klippen? 6 Bei den glatten Steinen im Tal
ist dein Teil, sie sind dein Los. Ihnen hast
du dein Trankopfer ausgeschüttet, hast du
Speisopfer geopfert. Sollte ich mich dar-
über nicht empören? 7 Du machtest dein
Lager auf hohem, erhabenem Berg und
gingst dort hinauf zu opfern. 8 Und hinter
die Tür und den Pfosten setztest du dein
Denkzeichen. Denn du hast dich von mir
abgewandt und aufgedeckt dein Lager, es
bestiegen und weit gemacht. Du hast dich
mit ihnen verbunden, liebtest ihr Lager
und buhltest mit ihnen. 9 Du bist mit Öl
zum König gezogen und mit viel köst-
licher Salbe und hast deine Boten in die
Ferne gesandt und tief hinab bis zum To-
tenreich. 10 Du hast dich abgemüht mit der
Menge deiner Wege und sprachst nicht:
Das lasse ich; sondern du fandest ja noch
Leben in deinen Gliedern, so wurdest du
dessen nicht müde.[a]

11 Wen hast du gescheut und gefürch-
tet, dass du treulos wurdest und nicht
an mich dachtest und es nicht zu Her-
zen nahmst? Meinst du, [a]weil ich allzeit
schwieg, brauchtest du mich nicht zu
fürchten? 12 Ich will aber deine Gerechtig-
keit kundtun und deine Werke, dass sie
dir nichts nütze sind. 13 Wenn du schreien
wirst, soll dir helfen, was du dir angesam-
melt hast. Aber der Wind wird sie alle
wegführen, und ein Hauch wird sie weg-
nehmen. Doch [a]wer auf mich traut, wird
das Land erben und meinen heiligen Berg
besitzen.

GOTT WILL SEINEM VOLK HEIL GEBEN

14 Und er spricht: Machet Bahn, machet
Bahn! [a]Bereitet den Weg, räumt die An-
stöße aus dem Weg meines Volks! 15 Denn
**so spricht [a]der Hohe und Erhabene, der
ewig wohnt, dessen Name heilig ist:
Ich wohne in der Höhe und im Heilig-
tum und [b]bei denen, die zerschlagenen
und demütigen Geistes sind, auf dass
ich erquicke den Geist der Gedemütig-
ten und das Herz der Zerschlagenen.**
16 Denn [a]ich will nicht immerdar hadern
und nicht ewiglich zürnen; sonst würde
ihr Geist vor mir verschmachten und der
Lebensodem, den ich geschaffen habe.

17 Ich war zornig über die Sünde ih-
rer Habgier und schlug sie, verbarg mich
und zürnte. Aber sie gingen treulos die
Wege ihres Herzens. 18 Ihre Wege habe
ich gesehen, aber ich [a]will sie heilen und
sie leiten und ihnen wieder Trost geben;
und denen, die da Leid tragen, 19 will
ich Frucht der Lippen schaffen. [a]Friede,
Friede denen in der Ferne und denen in
der Nähe, spricht der HERR; [b]ich will sie
heilen.

20 Aber die Gottlosen sind [a]wie das un-
gestüme Meer, das nicht still sein kann
und dessen Wellen Schlamm und Unrat
auswerfen. 21 Die Gottlosen haben keinen
Frieden, spricht mein Gott.[a]

FALSCHES UND RECHTES FASTEN

58 Rufe laut, halte nicht an dich! Erhebe
deine Stimme wie eine Posaune und
[a]verkündige meinem Volk seine Ab-
trünnigkeit und dem Hause Jakob seine
Sünden! 2 Sie suchen mich täglich und
wollen gerne meine Wege wissen, als
wären sie ein Volk, das die Gerechtig-
keit schon getan und das Recht seines
Gottes nicht verlassen hätte. Sie fordern
von mir Recht, sie wollen, dass Gott ih-
nen nahe sei.[a] 3 »Warum [a]fasten wir und
du siehst es nicht an? Warum kasteien
wir unseren Leib und du willst's nicht
wissen?«

Siehe, an dem Tag, da ihr fastet, geht ihr
doch euren Geschäften nach und bedrückt
alle eure Arbeiter. 4 Siehe, wenn ihr fastet,
hadert und zankt ihr und schlagt mit gott-
loser Faust drein. Ihr sollt nicht so fasten,
wie ihr jetzt tut, wenn eure Stimme in der
Höhe gehört werden soll. 5 Soll das ein
[a]Fasten sein, an dem ich Gefallen habe, ein
Tag, an dem man sich kasteit oder seinen
Kopf hängen lässt wie Schilf und in Sack

57,10 *a* Jer 2,25 **57,11** *a* Ps 50,21 **57,13** *a* Ps 37,9-11
57,14 *a* Kap 40,3; 62,10 **57,15** *a* Ps 113,5-9 *b* Kap 66,1-2;
Ps 51,19 **57,16** *a* Ps 103,9 **57,18** *a* 2. Mose 15,26
57,19 *a* 4. Mose 6,26; Lk 2,14; Eph 2,17 *b* 2. Mose 15,26;
Jer 17,14 **57,20** *a* Jud 13 **57,21** *a* Kap 48,22; Spr 28,1
58,1 *a* Mi 3,8 **58,2** *a* Kap 29,13-14 **58,3** *a* Jer 14,12
58,5 *a* Sach 7,5-6; Mt 6,16-18

und Asche sich bettet? Wollt ihr das ein Fasten nennen und einen Tag, an dem der HERR Wohlgefallen hat?

6 Ist nicht das ein Fasten, an dem ich Gefallen habe: Lass los, die du mit Unrecht gebunden hast, lass ledig, auf die du das Joch gelegt hast! Gib frei, die du bedrückst, reiß jedes Joch weg! 7 Heißt das nicht: **Brich dem Hungrigen dein Brot, und die im Elend ohne Obdach sind, führe ins Haus! Wenn du einen nackt siehst, so kleide ihn, und entzieh dich nicht deinem Fleisch und Blut!**[a] 8 Dann wird dein Licht hervorbrechen wie die Morgenröte, und deine Heilung wird schnell voranschreiten, und [a]deine Gerechtigkeit wird vor dir hergehen, und [b]die Herrlichkeit des HERRN wird deinen Zug beschließen. 9 Dann wirst du rufen [a]und der HERR wird dir antworten. Wenn du schreist, wird er sagen: Siehe, hier bin ich.

Wenn du in deiner Mitte niemand unterjochst und nicht mit Fingern zeigst und nicht übel redest, 10 sondern den Hungrigen dein Herz finden lässt und den Elenden sättigst, dann wird dein Licht in der Finsternis aufgehen, und dein Dunkel wird sein wie der Mittag. 11 Und der HERR wird dich immerdar führen und dich sättigen in der Dürre und dein Gebein stärken. Und du wirst sein [a]wie ein bewässerter Garten und wie eine Wasserquelle, der es nie an Wasser fehlt. 12 Und es soll durch dich wieder aufgebaut werden, was lange wüst gelegen hat, und du wirst wieder aufrichten, was vorzeiten gegründet ward; [a]und du sollst heißen: »Der die Lücken zumauert und die Wege ausbessert, dass man da wohnen könne«.

VOM SEGEN DER SABBATHEILIGUNG

13 Wenn du deinen Fuß am [a]Sabbat zurückhältst und nicht deinen Geschäften nachgehst an meinem heiligen Tage und den Sabbat »Lust« nennst und den heiligen Tag des HERRN »Geehrt«; wenn du ihn dadurch ehrst, dass du nicht deine Gänge machst und nicht deine Geschäfte treibst und kein leeres Geschwätz redest, 14 dann wirst du deine Lust haben am HERRN, und ich will dich über die Höhen auf Erden gehen lassen und will dich speisen mit dem Erbe deines Vaters Jakob; denn des HERRN Mund hat's geredet.

GOTT ÜBERWINDET DIE SÜNDE SEINES VOLKES

59 Siehe, [a]des HERRN Arm ist nicht zu kurz, dass er nicht helfen könnte, und seine Ohren sind nicht taub geworden, sodass er nicht hören könnte, 2 sondern eure Verschuldungen scheiden euch von eurem Gott, und eure Sünden verbergen sein Angesicht vor euch, dass ihr nicht gehört werdet.

3 Denn [a]eure Hände sind mit Blut befleckt und eure Finger mit Verschuldung; eure Lippen flüstern Falsches, eure Zunge spricht Bosheit. 4 Es ist niemand, der eine gerechte Sache vorbringt, und niemand, der redlich richtet. Man vertraut auf Nichtiges und redet Trug; [a]mit Unheil sind sie schwanger und gebären Verderben. 5 Sie brüten Natterneier und weben Spinnweben. Isst man von ihren Eiern, so muss man sterben, zertritt man sie aber, so fährt eine Schlange heraus. 6 Ihre Gewebe taugen nicht zu Kleidern, und ihr Gespinst taugt nicht zur Decke. Ihre Werke sind Unheilswerke, an ihren Händen ist Frevel. 7 [a]Ihre Füße laufen zum Bösen, und sie sind schnell dabei, [b]unschuldig Blut zu vergießen. Ihre Gedanken sind Unheilsgedanken, auf ihren Wegen wohnt Verderben und Schaden. 8 Sie kennen den Weg des Friedens nicht, und Unrecht ist auf ihren Pfaden. Sie gehen auf krummen Wegen; wer auf ihnen geht, der kennt keinen Frieden.

9 Darum ist das Recht ferne von uns, und die Gerechtigkeit kommt nicht zu uns. Wir harren auf Licht, siehe, so ist's finster, auf Helligkeit, siehe, so wandeln wir im Dunkeln. 10 Wir tasten an der Wand entlang wie die Blinden und tappen wie die, die keine Augen haben. [a]Wir stoßen uns am Mittag wie in der Dämmerung, wir sind im Düstern wie die Toten. 11 Wir

58,7 *a* 5. Mose 15,11; Hes 18,7; Mt 25,35-36
58,8 *a* Ps 37,6 *b* Kap 52,12 **58,9** *a* Kap 30,19
58,11 *a* Jer 31,12 **58,12** *a* Kap 61,4 **58,13** *a* Kap 56,2.4
59,1 *a* Kap 50,2 **59,3** *a* Kap 1,15 **59,4** *a* Ps 7,15
59,7 *a* (7-8) Röm 3,15-17 *b* Spr 1,16; Jer 2,34
59,10 *a* 5. Mose 28,29

brummen alle wie die Bären und gur-
ren wie die Tauben; denn wir harren auf
Recht, so ist's nicht da, auf Heil, so ist's
ferne von uns. 12 Denn wir sind zu oft von
dir abgefallen, und unsre Sünden zeugen
gegen uns. [a]Unsre Abtrünnigkeit steht uns
vor Augen, und wir kennen unsre Sünden:
13 abtrünnig sein und den HERRN verleug-
nen und abfallen von unserm Gott, Fre-
vel reden und Ungehorsam, Lügenworte
ausbrüten und bedenkenlos daherreden.
14 Und das Recht ist zurückgewichen, und
die Gerechtigkeit hat sich entfernt; denn
die Wahrheit ist auf der Gasse zu Fall ge-
kommen, und die Aufrichtigkeit findet
keinen Eingang. 15 Und die Wahrheit ist
dahin, und wer vom Bösen weicht, muss
sich ausplündern lassen.

Das alles sah der HERR und es missfiel
ihm sehr, dass kein Recht war. 16 Und [a]er
sah, dass niemand auf dem Plan war, und
war bestürzt, dass niemand einschritt. Da
half er sich selbst mit seinem Arm, und
seine Gerechtigkeit stand ihm bei. 17 Er
zog Gerechtigkeit an wie einen Panzer
und setzte den Helm des Heils auf sein
Haupt und zog an das Gewand der Rache
und kleidete sich mit Eifer wie mit einem
Mantel. 18 Nach den Taten vergilt er: mit
Grimm seinen Widersachern, mit Vergel-
tung seinen Feinden; ja, den Inseln zahlt
er heim, 19 dass der Name des HERRN
gefürchtet werde bei denen vom Nieder-
gang der Sonne und seine Herrlichkeit bei
denen von ihrem Aufgang, wenn er kom-
men wird wie ein reißender Strom, den
der Odem des HERRN treibt. 20 Aber [a]**für
Zion wird ein Erlöser kommen und für
die in Jakob, die sich von der Sünde ab-
wenden, spricht der HERR.**

21 Und dies ist mein Bund mit ihnen,
spricht der HERR: Mein Geist, der auf dir
ruht, und [a]meine Worte, die ich in dei-
nen Mund gelegt habe, sollen von deinem
Mund nicht weichen noch von dem Mund
deiner Kinder und Kindeskinder, spricht
der HERR, von nun an bis in Ewigkeit.

ZIONS KÜNFTIGE HERRLICHKEIT

**60 Mache dich auf, werde licht; denn
dein Licht kommt, und die Herr-
lichkeit des HERRN geht auf über dir!
2 Denn siehe, Finsternis bedeckt das
Erdreich und Dunkel die Völker; aber
über dir geht auf der HERR, und seine
Herrlichkeit erscheint über dir.** 3 Und
[a]die Völker werden zu deinem Lichte zie-
hen und [b]die Könige zum Glanz, der über
dir aufgeht.

4 [a]Hebe deine Augen auf und sieh um-
her: Diese alle sind versammelt, kommen
zu dir. [b]Deine Söhne werden von ferne
kommen und deine Töchter auf dem Arm
hergetragen werden. 5 Dann wirst du es
sehen und vor Freude strahlen, und dein
Herz wird erbeben und weit werden,
wenn sich die Schätze der Völker am Meer
zu dir kehren und der Reichtum der Völ-
ker zu dir kommt. 6 Denn die Menge der
Kamele wird dich bedecken, die jungen
Kamele aus Midian und Efa. Sie werden
aus [a]Saba alle kommen, [b]Gold und Weih-
rauch bringen und des HERRN Lob ver-
kündigen. 7 Alle Herden von Kedar sollen
zu dir gebracht werden, und die Widder
Nebajots sollen dir dienen. Sie sollen als
ein wohlgefälliges Opfer auf meinen Altar
kommen; denn ich will das Haus meiner
Herrlichkeit zieren.

8 Wer sind die, die da fliegen wie die
Wolken und wie die Tauben zu ihren
Schlägen? 9 Die [a]Inseln harren auf mich
und die Tarsisschiffe vor allem, dass sie
deine Söhne von ferne herbringen samt
ihrem Silber und Gold zum Ruhme des
HERRN, deines Gottes, und [b]für den Hei-
ligen Israels, der dich herrlich gemacht hat.
10 Fremde werden deine Mauern bauen,
und ihre Könige werden dir dienen. Denn
[a]in meinem Zorn habe ich dich geschla-
gen, aber in meiner Gnade erbarme ich
mich über dich. 11 Deine Tore sollen stets
offen stehen und weder Tag noch Nacht
zugeschlossen werden, dass der Reichtum
der Völker zu dir gebracht und ihre Könige
herzugeführt werden.[a] 12 Denn welche
Völker oder Königreiche dir nicht dienen
wollen, die sollen umkommen und die
Völker verwüstet werden. 13 Die Herr-
lichkeit des Libanon soll zu dir kommen,
Zypressen, Buchsbaum und Kiefern mit-

59,12 *a* Jer 14,7 **59,16** *a* Hes 13,4-5 **59,20** *a* Röm 11,26
59,21 *a* Jer 1,9 **60,3** *a* Kap 2,2-3 *b* Offb 21,24
60,4 *a* Kap 49,18 *b* Kap 49,22; 66,12 **60,6** *a* Ps 72,10
b Mt 2,1-11 **60,9** *a* Kap 42,4 *b* Kap 55,5
60,10 *a* Kap 54,8 **60,11** *a* Offb 21,25-26

einander, zu schmücken den Ort meines
Heiligtums; denn ich will die Stätte mei-
ner Füße herrlich machen. 14 Es werden
gebückt zu dir kommen, die dich unter-
drückt haben, und [a]alle, die dich gelästert
haben, werden niederfallen zu deinen Fü-
ßen und dich nennen »Stadt des HERRN«,
»Zion des Heiligen Israels«.

15 Denn dafür, dass du [a]die Verlassene
und Ungeliebte gewesen bist, zu der nie-
mand hinging, will ich dich zur Pracht
ewiglich machen und zur Freude für und
für. 16 Du sollst Milch von den Völkern
saugen, und der Könige Brust soll dich
säugen, [a]auf dass du erfahrest, dass ich,
der HERR, dein Heiland bin und ich, der
Mächtige Jakobs, dein Erlöser. 17 Ich will
Gold anstatt des Erzes und Silber anstatt
des Eisens bringen und Erz anstatt des
Holzes und Eisen anstatt der Steine. Und
ich will den Frieden zu deiner Obrigkeit
machen und die Gerechtigkeit zu deinem
Herrscher. 18 Man soll nicht mehr von Fre-
vel hören in deinem Lande noch von Scha-
den oder Verderben in deinen Grenzen,
sondern deine Mauern sollen »Heil« und
deine Tore »Lob« heißen.

19 [a]Die Sonne soll nicht mehr dein Licht
sein am Tage, und der Glanz des Mon-
des soll dir nicht mehr leuchten, sondern
[b]der HERR wird dein ewiges Licht und
dein Gott wird dein Glanz sein. 20 Deine
Sonne wird nicht mehr untergehen und
dein Mond nicht den Schein verlieren;
denn [a]der HERR wird dein ewiges Licht
sein, und die Tage deines Leidens sollen
ein Ende haben. 21 Und dein Volk sol-
len lauter Gerechte sein. Sie werden das
Land ewiglich besitzen als der Spross
meiner Pflanzung und als ein Werk mei-
ner Hände mir zum Preise. 22 Aus dem
Kleinsten sollen tausend werden und aus
dem Geringsten ein mächtiges Volk. Ich,
der HERR, will es zu seiner Zeit eilends
ausrichten.

DIE FROHE BOTSCHAFT VON DER KOMMENDEN HERRLICHKEIT

61 **Der [a]Geist Gottes des HERRN ist**
auf mir, weil der HERR mich gesalbt
hat. [b]Er hat mich gesandt, den Elenden
gute Botschaft zu bringen, die zerbro-
chenen Herzen zu verbinden, zu ver-
kündigen den Gefangenen die Freiheit,
den Gebundenen, dass sie frei und le-
dig sein sollen; 2 zu verkündigen [a]ein
gnädiges Jahr des HERRN und [b]einen
Tag der Rache unsres Gottes, zu trös-
ten alle Trauernden, 3 zu schaffen den
Trauernden zu Zion, dass ihnen Schmuck
statt Asche, Freudenöl statt Trauer, schöne
Kleider statt eines betrübten Geistes ge-
geben werden, dass sie genannt werden
»Bäume der Gerechtigkeit«, »Pflanzung
des HERRN«, ihm zum Preise.

4 Sie werden die alten Trümmer wie-
der aufbauen und, was vorzeiten zerstört
worden ist, wieder aufrichten; sie werden
die verwüsteten Städte erneuern, die von
Geschlecht zu Geschlecht zerstört gele-
gen haben.[a] 5 [a]Fremde werden hintreten
und eure Herden weiden, und Ausländer
werden eure Ackerleute und Weingärtner
sein. 6 Ihr aber sollt [a]Priester des HERRN
heißen, und man wird euch Diener unsres
Gottes nennen. Ihr werdet der Völker Gü-
ter essen und euch ihrer Herrlichkeit rüh-
men. 7 Dafür, dass ihr doppelte Schmach
trugt, und für die Schande sollen sie über
ihren Anteil fröhlich sein. Denn sie sollen
das Doppelte besitzen in ihrem Lande. Sie
sollen ewige Freude haben.

8 Denn ich bin der HERR, der das Recht
liebt und Raub und Unrecht hasst; ich will
ihnen den Lohn in Treue geben und einen
[a]ewigen Bund mit ihnen schließen. 9 Und
man soll ihr Geschlecht kennen unter den
Völkern und ihre Nachkommen unter den
Nationen, dass, wer sie sehen wird, erken-
nen soll, dass sie ein Geschlecht sind, ge-
segnet vom HERRN.

10 Ich freue mich im HERRN, und
meine Seele ist fröhlich in meinem
Gott; denn er hat mir die [a]Kleider des
Heils angezogen und mich mit dem
Mantel der Gerechtigkeit gekleidet, wie
einen Bräutigam mit priesterlichem Kopf-
schmuck geziert und wie eine Braut, die in
ihrem Geschmeide prangt. 11 Denn gleich-
wie Gewächs aus der Erde wächst und

60,14 *a* Kap 14,2 **60,15** *a* Kap 49,14 **60,16** *a* Kap 49,23
60,19 *a* Kap 24,23; Offb 21,23 *b* Offb 22,5
60,20 *a* Joh 8,12; Jak 1,17 **61,1** *a* Kap 11,2 *b* Mt 11,5;
Lk 4,18-19 **61,2** *a* 3. Mose 25,10.13 *b* Kap 63,4
61,4 *a* Kap 58,12 **61,5** *a* Kap 60,10 **61,6** *a* 2. Mose 19,6;
1. Petr 2,5.9 **61,8** *a* Kap 54,10; 55,3 **61,10** *a* Mt 22,11-12

Same im Garten aufgeht, so lässt Gott der
HERR Gerechtigkeit aufgehen und Ruhm
vor allen Völkern.

ZIONS GERECHTIGKEIT UND HEIL

62 Um Zions willen will ich nicht schwei-
gen, und um Jerusalems willen will
ich nicht innehalten, bis seine Gerechtig-
keit aufgehe wie ein Glanz und sein Heil
brenne wie eine Fackel, 2 dass die Völker
sehen deine Gerechtigkeit und alle Kö-
nige deine Herrlichkeit. Und du sollst mit
einem [a]neuen Namen genannt werden,
welchen des HERRN Mund nennen wird.
3 Und du wirst sein eine schöne [a]Krone in
der Hand des HERRN und ein königlicher
Reif in der Hand deines Gottes. 4 Man soll
dich nicht mehr nennen [a]»Verlassene« und
dein Land nicht mehr »Einsame«, son-
dern du sollst heißen »Meine Lust« und
dein Land »Liebe Frau«; denn der HERR
hat Lust an dir, und [b]dein Land hat einen
lieben Mann. 5 Denn wie ein junger Mann
eine Jungfrau freit, so wird dich dein Er-
bauer freien, und wie sich ein Bräutigam
freut über die Braut, so wird sich dein Gott
über dich freuen.
6 O Jerusalem, ich habe [a]Wächter über
deine Mauern bestellt, die den ganzen Tag
und die ganze Nacht nicht mehr schwei-
gen sollen. Die ihr den HERRN erinnern
sollt, ohne euch Ruhe zu gönnen, 7 lasst
ihm keine Ruhe, bis er Jerusalem wieder
aufrichte und es setze zum Lobpreis auf
Erden!
8 Der HERR hat geschworen bei seiner
Rechten und bei seinem starken Arm:
[a]Ich will dein Getreide nicht mehr dei-
nen Feinden zu essen geben noch deinen
Wein, mit dem du so viel Arbeit hattest,
die Fremden trinken lassen, 9 sondern die
es einsammeln, sollen's auch essen und
den HERRN rühmen, und die ihn einbrin-
gen, sollen ihn trinken in den Vorhöfen
meines Heiligtums.
10 Gehet ein, gehet ein durch die Tore!
Bereitet dem Volk den Weg! [a]Machet
Bahn, machet Bahn, räumt die Steine hin-
weg! Richtet ein Zeichen auf für die Völ-
ker! 11 Siehe, der HERR lässt es hören bis
an die Enden der Erde: Sagt der [a]Tochter
Zion: Siehe, dein Heil kommt! [b]Siehe,
was er gewann, ist bei ihm, und was er
sich erwarb, geht vor ihm her! 12 Man
wird sie nennen »Heiliges Volk«, [a]»Erlöste
des HERRN«, und dich wird man nennen
»Gesuchte« und »Nicht mehr verlassene
Stadt«.

GOTTES GERICHT ÜBER EDOM

63 Wer ist der, der von Edom kommt, mit
rötlichen Kleidern von [a]Bozra, der so
geschmückt ist in seinen Kleidern und ein-
herschreitet in seiner großen Kraft? »Ich
bin's, der in Gerechtigkeit redet, und bin
mächtig zu helfen.« 2 Warum ist denn dein
Gewand so rotfarben, sind deine Kleider
wie die eines Keltertreters?[a] 3 »Ich [a]trat die
Kelter allein, und niemand unter den Völ-
kern war mit mir. Ich habe sie gekeltert in
meinem Zorn und zertreten in meinem
Grimm. Da ist ihr Blut auf meine Kleider
gespritzt, und ich habe mein ganzes Ge-
wand besudelt. 4 Denn ich hatte einen [a]Tag
der Rache mir vorgenommen; das Jahr, die
Meinen zu erlösen, war gekommen. 5 Und
ich sah mich um, aber da war kein Helfer,
und ich war bestürzt, dass niemand mir
beistand. Da musste mein Arm mir hel-
fen, und mein Zorn stand mir bei. 6 Und
ich habe die Völker zertreten in meinem
Zorn und [a]habe sie trunken gemacht in
meinem Grimm und ihr Blut auf die Erde
geschüttet.«

KLAGE DES GOTTESVOLKES

7 Ich will der Gnade des HERRN geden-
ken und der Ruhmestaten des HERRN in
allem, was uns der HERR getan hat, und
der großen Güte an dem Hause Israel, die
er ihnen erwiesen hat nach seiner Barm-
herzigkeit und großen Gnade. 8 Denn er
sprach: Sie sind ja mein Volk, [a]Söhne,
die nicht falsch sind. Darum ward er ihr
Heiland 9 in aller ihrer Not. Nicht ein En-
gel und nicht ein Bote, sondern [a]sein An-
gesicht half ihnen. Er erlöste sie, weil er
sie liebte und Erbarmen mit ihnen hatte.
Er nahm sie auf und trug sie allezeit von

62,2 *a* Kap 65,15; Offb 2,17 **62,3** *a* 2. Tim 4,8
62,4 *a* Kap 54,6; 60,15 *b* Hos 2,21 **62,6** *a* Kap 52,8
62,8 *a* Kap 65,21-22 **62,10** *a* Kap 57,14 **62,11** *a* Sach 9,9
b Kap 40,9-10 **62,12** *a* Kap 35,10 **63,1** *a* Kap 34,6
63,2 *a* Offb 19,13 **63,3** *a* Joel 4,13; Offb 14,20
63,4 *a* Kap 13,9; 34,8; 61,2 **63,6** *a* Kap 51,17
63,8 *a* 5. Mose 32,5.20 **63,9** *a* 2. Mose 33,14-15

alters her. 10 Aber sie waren widerspens-
tig und betrübten seinen heiligen Geist;
darum ward er ihr Feind und stritt wider
sie.
11 Da gedachte man wieder an die vori-
gen Zeiten, an Mose und sein Volk: Wo ist
denn nun, der sie [a]aus dem Meer herauf-
führte samt den Hirten seiner Herde? Wo
ist, der [b]seinen heiligen Geist in sie gab?
12 Der seinen herrlichen Arm zur Rech-
ten des Mose gehen ließ? Der [a]die Was-
ser spaltete vor ihnen her, auf dass er sich
einen ewigen Namen machte? 13 Der sie
führte durch die Fluten wie Rosse, die in
der Wüste nicht straucheln? 14 Wie Vieh,
das ins Tal hinabsteigt, so brachte der
Geist des HERRN uns zur Ruhe. So hast
du dein Volk geführt, auf dass du dir einen
herrlichen Namen machtest.
15 So schau nun vom Himmel und
[a]sieh herab von deiner heiligen, herr-
lichen Wohnung! Wo ist nun dein Eifer
und deine Macht? Deine große, herz-
liche Barmherzigkeit hält sich hart gegen
mich. 16 Bist du doch unser Vater; denn
Abraham weiß von uns nichts, und Israel
kennt uns nicht. [a]**Du, HERR, bist unser
Vater; »Unser Erlöser«, das ist von al-
ters her dein Name.** 17 Warum [a]lässt du
uns, HERR, abirren von deinen Wegen
und unser Herz verstocken, dass wir dich
nicht fürchten? Kehr zurück um deiner
Knechte willen, um der Stämme willen,
die dein Erbe sind! 18 Kurze Zeit haben
sie dein heiliges Volk vertrieben, [a]unsre
Widersacher haben dein Heiligtum zer-
treten. 19 Wir sind geworden wie solche,
über die du niemals herrschtest, wie
Leute, über die dein Name nie genannt
wurde.
Ach dass du den Himmel zerrissest und
führest herab, dass die Berge vor dir zer-
64 flössen, 1 wie Feuer Reisig entzündet
und wie Feuer Wasser sieden macht,
dass dein Name kundwürde unter deinen
Feinden und die Völker vor dir zittern
müssten, 2 wenn du Furchtbares tust, das
wir nicht erwarten, und führest herab,
dass die Berge vor dir zerflössen! 3 Auch
hat man es von alters her nicht vernom-
men. Kein Ohr hat gehört, kein Auge hat
gesehen einen Gott außer dir, der so wohl-
tut denen, die auf ihn harren.[a] 4 Du begeg-
nest denen, die Gerechtigkeit üben und
auf deinen Wegen deiner gedenken. Siehe,
[a]du zürntest, und wir sündigten; als du
dich verbargst, gingen wir in die Irre. 5 So
wurden wir alle wie die Unreinen, und alle
unsre Gerechtigkeit ist wie ein beflecktes
Kleid. Wir sind alle verwelkt wie die Blät-
ter, und unsre Sünden tragen uns davon
wie der Wind. 6 Niemand ruft deinen Na-
men an oder macht sich auf, dass er sich an
dich halte; denn du hast dein Angesicht
vor uns verborgen und lässt uns vergehen
unter der Gewalt unsrer Schuld.
7 Aber nun, HERR, [a]du bist doch un-
ser Vater! [b]Wir sind Ton, du bist unser
Töpfer, und wir alle sind deiner Hände
Werk. 8 HERR, zürne nicht so sehr und
gedenke nicht ewig der Sünde! Sieh doch
an, dass wir alle dein Volk sind! 9 Deine
heiligen Städte sind zur Wüste gewor-
den, Zion ist zur Wüste geworden, Je-
rusalem liegt zerstört. 10 [a]Das Haus uns-
rer Heiligkeit und Herrlichkeit, in dem
dich unsre Väter gelobt haben, ist mit
Feuer verbrannt, und alles, was wir Schö-
nes hatten, ist zuschanden gemacht.
11 HERR, willst du bei alledem noch zö-
gern und schweigen und uns so sehr
niederschlagen?

ANNAHME UND VERWERFUNG

65 **Ich ließ mich suchen von denen,
die nicht nach mir fragten, [a]ich
ließ mich finden von denen, die mich
nicht suchten.** Zu einem Volk, das mei-
nen Namen nicht anrief, sagte ich: Hier
bin ich, hier bin ich! 2 Ich streckte meine
Hände aus den ganzen Tag nach einem
ungehorsamen Volk, das nach seinen eige-
nen Gedanken wandelt auf einem Wege,
der nicht gut ist;[a] 3 nach einem Volk, das
mich beständig ins Angesicht kränkt:
Sie opfern in den Gärten und räuchern
auf Ziegelsteinen, 4 sie sitzen in Gräbern
und bleiben über Nacht in Höhlen, essen
[a]Schweinefleisch und haben Gräuelsup-

63,11 *a* 2. Mose 2,5 *b* 4. Mose 11,17
63,12 *a* 2. Mose 14,29 **63,15** *a* 5. Mose 26,15
63,16 *a* 5. Mose 32,6 **63,17** *a* Kap 57,17 **63,18** *a* Ps 79,1
64,3 *a* 1. Kor 2,9 **64,4** *a* 2. Mose 32,8-10
64,7 *a* Kap 63,16 *b* Kap 45,9; Klgl 4,2; Röm 9,21
64,10 *a* Ps 74,7 **65,1** *a* Röm 10,20 **65,2** *a* Röm 10,21
65,4 *a* Kap 66,17; 3. Mose 11,7

pen in ihren Töpfen 5 und sprechen: Bleib
weg und rühr mich nicht an, denn ich bin
für dich heilig. Die sollen ein Rauch wer-
den in meiner Nase, ein Feuer, das den
ganzen Tag brennt. 6 Siehe, es steht vor
mir geschrieben: Ich will nicht schwei-
gen, sondern heimzahlen; ja, ich will es
ihnen heimzahlen, 7 beides, ihre Misse-
taten und ihrer Väter Missetaten mitein-
ander, spricht der HERR, die auf den Ber-
gen geräuchert und mich auf den Hügeln
geschändet haben. Ja, ich will ihnen heim-
zahlen ihr früheres Tun.

8 So spricht der HERR: Wie wenn man
noch Saft in der Traube findet und spricht:
Verdirb es nicht, denn es ist ein Segen
darin!, so will ich um meiner Knechte wil-
len tun, [a]dass ich nicht alles verderbe. 9 Ich
will aus Jakob Nachkommen wachsen las-
sen und aus Juda Erben, die meine Berge
besitzen; meine Auserwählten sollen sie
besitzen, und meine Knechte sollen dort
wohnen. 10 Und meinem Volk, das nach
mir fragt, soll [a]Scharon eine Weide für
die Herde werden und das [b]Tal Achor ein
Lagerplatz für das Vieh.

11 Aber ihr, die ihr den HERRN verlasst
und meines heiligen Berges vergesst und
dem Gad einen Tisch zurichtet und dem
Meni* vom Trankopfer voll einschenkt, –
12 wohlan, euch will ich dem Schwert
übergeben, dass ihr euch alle zur Schlach-
tung hinknien müsst; denn [a]ich rief, und
ihr habt nicht geantwortet, ich redete, und
ihr habt nicht gehört, sondern tatet, was
mir nicht gefiel, und erwähltet, wonach
ich kein Verlangen hatte.

13 Darum spricht Gott der HERR: Siehe,
[a]meine Knechte sollen essen, ihr aber
sollt hungern; siehe, meine Knechte sol-
len trinken, ihr aber sollt dürsten. Siehe,
meine Knechte sollen fröhlich sein, ihr
aber sollt zuschanden werden; 14 siehe,
meine Knechte sollen vor Herzenslust
jauchzen, ihr aber sollt vor Herzeleid
schreien und vor Jammer heulen. 15 Und
ihr sollt euren Namen meinen Auserwähl-
ten zum Fluch überlassen »Dass dich Gott
der HERR töte«; aber [a]meine Knechte wird
man mit einem andern Namen nennen.
16 Wer sich segnen wird auf Erden, der
wird sich im Namen des wahrhaftigen
Gottes segnen, und [a]wer schwören wird
auf Erden, der wird bei dem wahrhaftigen
Gott schwören. Denn die früheren Ängste
sind vergessen und vor meinen Augen
entschwunden.

NEUER HIMMEL UND NEUE ERDE

17 Denn **siehe, [a]ich will einen neuen
Himmel und eine neue Erde schaf-
fen, dass man der vorigen nicht mehr
gedenken und sie nicht mehr zu Her-
zen nehmen wird.** 18 [a]Freuet euch und
seid fröhlich immerdar über das, was ich
schaffe. Denn siehe, ich erschaffe Jerusa-
lem zur Wonne und sein Volk zur Freude,
19 und ich will fröhlich sein über Jerusalem
und mich freuen über mein Volk.

Man soll in ihm nicht mehr hören die
Stimme des Weinens noch die Stimme
des Klagens. 20 Es sollen keine Kinder
mehr da sein, die nur einige Tage leben,
oder Alte, die ihre Jahre nicht erfüllen,
sondern [a]als Knabe gilt, wer hundert Jahre
alt stirbt, und wer die hundert Jahre nicht
erreicht, gilt als verflucht. 21 Sie werden
Häuser bauen und bewohnen, sie werden
Weinberge pflanzen und [a]ihre Früchte
essen. 22 Sie sollen nicht [a]bauen, was ein
anderer bewohne, und nicht pflanzen,
was ein anderer esse. Denn die Tage mei-
nes Volks werden sein [b]wie die Tage eines
Baumes, und ihrer Hände Werk werden
meine Auserwählten genießen. 23 Sie sol-
len nicht umsonst arbeiten und keine Kin-
der für einen frühen Tod zeugen; denn sie
sind das Geschlecht der Gesegneten des
HERRN, und ihre Nachkommen sind bei
ihnen. 24 Und **es soll geschehen: [a]Ehe
sie rufen, will ich antworten; wenn
sie noch reden, will ich hören.** 25 [a]Wolf
und Lamm sollen beieinander weiden; der
Löwe wird Stroh fressen wie das Rind,
aber [b]die Schlange muss Erde fressen. Man
wird weder Bosheit noch Schaden tun auf
meinem ganzen heiligen Berge, spricht
der HERR.

* **65,11** Gad und Meni sind Schicksalsgötter.

65,8 *a* Kap 6,13; 1. Mose 18,26-32 **65,10** *a* Kap 33,9 *b* Jos 7,26 **65,12** *a* Kap 66,4; Jer 7,13 **65,13** *a* Kap 55,1 **65,15** *a* Kap 62,2 **65,16** *a* Kap 19,18; Jer 4,2 **65,17** *a* Kap 66,22; 2. Petr 3,13; Offb 21,1 **65,18** *a* (18-19) Kap 35,10; 25,8; Offb 21,4 **65,20** *a* Sach 8,4 **65,21** *a* Kap 62,8 **65,22** *a* 5. Mose 28,30 *b* Hiob 14,7 **65,24** *a* Kap 30,19; 58,9 **65,25** *a* Kap 11,6-9 *b* 1. Mose 3,14

FALSCHER GOTTESDIENST

66 So spricht der HERR: [a]Der Himmel ist
mein Thron und die Erde der [b]Sche-
mel meiner Füße! [c]Was ist denn das für
ein Haus, das ihr mir bauen könntet, oder
welches ist die Stätte, da ich ruhen sollte?
2 Meine Hand hat alles gemacht, was da
ist, spricht der HERR. **Ich sehe aber auf
den Elenden und auf den, [a]der zerbro-
chenen Geistes ist und der erzittert vor
meinem Wort.**
3 Wer einen Stier schlachtet, gleicht dem,
der einen Mann erschlägt; wer ein Schaf
opfert, gleicht dem, der einem Hund das
Genick bricht; wer ein Speisopfer bringt,
gleicht dem, der Schweineblut spendet;
wer Weihrauch anzündet, gleicht dem,
der Götzen verehrt: Wahrlich, wie sie
Lust haben an ihren eigenen Wegen und
ihre Seele Gefallen hat an ihren Gräueln,[a]
4 so will auch ich Lust daran haben, dass
ich ihnen wehe tue, und ich will über sie
kommen lassen, wovor ihnen graut. Denn
[a]ich rief und niemand antwortete, ich re-
dete und sie hörten nicht und taten, was
mir nicht gefiel, und hatten ihre Lust an
dem, woran ich kein Wohlgefallen hatte.

HEIL UND GERICHT

5 Hört des HERRN Wort, die ihr erzittert
vor seinem Wort: Es sprechen eure Brü-
der, [a]die euch hassen und verstoßen um
meines Namens willen: »Lasst doch den
HERRN sich verherrlichen, dass wir eure
Freude mit ansehen«, – doch sie sollen zu-
schanden werden. 6 Horch, Lärm aus der
Stadt! Horch, vom Tempel her! Horch, der
HERR vergilt seinen Feinden!
7 Ehe sie Wehen bekommt, hat sie gebo-
ren; ehe sie in Kindsnöte kommt, hat sie
einen Knaben geboren. 8 Wer hat solches
je gehört? Wer hat solches je gesehen?
Ward ein Land an *einem* Tage geboren? Ist
ein Volk auf einmal zur Welt gekommen?
Kaum in Wehen, hat Zion schon ihre Kin-
der geboren. 9 Sollte ich das Kind den Mut-
terschoß durchbrechen und nicht auch ge-
boren werden lassen?, spricht der HERR.
Sollte ich, der gebären lässt, den Schoß
verschließen?, spricht dein Gott.[a] 10 Freuet
euch mit Jerusalem und seid fröhlich über
die Stadt, alle, die ihr sie lieb habt! Freuet
euch mit ihr, alle, die ihr über sie traurig
gewesen seid. 11 Denn nun [a]dürft ihr sau-
gen und euch satt trinken an den Brüsten
ihres Trostes; denn nun dürft ihr reichlich
trinken und euch erfreuen an ihrer vollen
Mutterbrust. 12 Denn so spricht der HERR:
Siehe, ich breite aus bei ihr den Frieden
wie einen Strom und [a]den Reichtum der
Völker wie einen überströmenden Bach.
Da werdet ihr saugen, auf dem Arm wird
man euch tragen und auf den Knien euch
liebkosen. 13 **Ich will euch trösten, [a]wie
einen seine Mutter tröstet;** ja, ihr sollt
an Jerusalem getröstet werden. 14 Ihr
werdet's sehen und euer Herz wird sich
freuen, und euer Gebein soll grünen wie
Gras. Dann wird man erkennen die Hand
des HERRN an seinen Knechten und den
Zorn an seinen Feinden.
15 Denn siehe, [a]der HERR wird kom-
men mit Feuer und seine Wagen wie ein
Wetter, dass er vergelte im Grimm seines
Zorns und mit Schelten in Feuerflammen.
16 Denn der HERR wird durchs Feuer rich-
ten und durch sein Schwert alles Fleisch,
und der vom HERRN Getöteten werden
viele sein. 17 Die sich heiligen und reinigen
bei [a]den Gärten für den einen, [b]der in der
Mitte ist, und die Schweinefleisch essen,
gräuliches Getier und Mäuse, die sollen
miteinander weggerafft werden, spricht
der HERR.
18 Ich kenne ihre Werke und ihre Ge-
danken und komme, um alle Völker und
Zungen zu versammeln, dass sie kommen
und meine Herrlichkeit sehen. 19 Und ich
will ein Zeichen unter ihnen aufrichten
und einige von ihnen, die errettet sind,
zu den Völkern senden, nach Tarsis, nach
Pul und Lud, nach Meschech, Tubal und
Jawan und zu den fernen Inseln, wo man
nichts von mir gehört hat und die meine
Herrlichkeit nicht gesehen haben; und [a]sie
sollen meine Herrlichkeit unter den Völ-
kern verkündigen.
20 Und [a]sie werden alle eure Brüder aus
allen Völkern herbringen dem HERRN
zum Weihgeschenk auf Rossen und Wa-

66,1 ***a*** 1. Kön 8,27 ***b*** Klgl 2,1; Apg 7,49 ***c*** Apg 17,24
66,2 ***a*** Kap 57,15; Ps 51,19 **66,3** ***a*** 1. Sam 15,22-23
66,4 ***a*** Kap 65,12 **66,5** ***a*** Lk 6,22 **66,9** ***a*** Kap 37,3
66,11 ***a*** Kap 60,16 **66,12** ***a*** Kap 60,4 **66,13** ***a*** Ps 131,2
66,15 ***a*** Ps 50,3; Offb 19,11-15 **66,17** ***a*** Kap 65,3-5
b Hes 8,11 **66,19** ***a*** Mt 28,19 **66,20** ***a*** Kap 60,3-7

gen, in Sänften, auf Maultieren und Dro-
medaren nach Jerusalem zu meinem hei-
ligen Berge, spricht der HERR, gleichwie
die Israeliten die Opfergaben in reinem
Gefäße zum Hause des HERRN bringen.
21 Und ich will auch aus ihnen Priester
und Leviten nehmen, spricht der HERR.
22 Denn wie [a]der neue Himmel und die
neue Erde, die ich mache, vor mir Bestand
haben, spricht der HERR, so soll auch euer
Geschlecht und Name Bestand haben.
23 Und alles Fleisch wird einen Neumond
nach dem andern und einen Sabbat nach
dem andern kommen, um vor mir anzu-
beten, spricht der HERR.[a] 24 Und sie wer-
den hinausgehen und schauen die Leich-
name derer, die von mir abtrünnig waren;
denn [a]ihr Wurm wird nicht sterben, und
ihr Feuer wird nicht verlöschen, und sie
werden allem Fleisch ein Gräuel sein.

DER PROPHET JEREMIA

1–20 Gericht über Juda und Jerusalem 21–28 Könige und falsche Propheten
29–33 Künftiges Heil und neuer Bund 34–45 Die Leidensgeschichte Jeremias
46–51 Das Gericht über die Völker 52 Die Eroberung Jerusalems

1 Dies sind die Worte Jeremias, des Soh-
nes Hilkijas, aus dem Priestergeschlecht
zu [a]Anatot im Lande Benjamin. 2 Zu ihm
geschah das Wort des HERRN zur Zeit [a]Jo-
sias, des Sohnes Amons, des Königs von
Juda, im dreizehnten Jahr seiner Herr-
schaft 3 und hernach zur Zeit [a]Jojakims,
des Sohnes Josias, des Königs von Juda,
bis ans Ende des elften Jahres [b]Zedekias,
des Sohnes Josias, des Königs von Juda, bis
[c]Jerusalem weggeführt wurde im fünften
Monat.

JEREMIAS BERUFUNG

4 Und des HERRN Wort geschah zu mir:
5 Ich kannte dich, ehe ich dich im Mutter-
leibe bereitete, und [a]sonderte dich aus, ehe
du von der Mutter geboren wurdest, und
bestellte dich zum Propheten für die Völ-
ker. 6 Ich aber sprach: Ach, Herr HERR, [a]ich
tauge nicht zu predigen; denn ich bin zu
jung. 7 Der HERR sprach aber zu mir: Sage
nicht: »Ich bin zu jung«, sondern du sollst
gehen, wohin ich dich sende, und predi-
gen alles, was ich dir gebiete. 8 Fürchte dich
nicht vor ihnen; denn [a]ich bin bei dir und
will dich erretten, spricht der HERR.

9 Und der HERR streckte seine Hand aus
und [a]rührte meinen Mund an und sprach
zu mir: Siehe, [b]ich lege meine Worte in
deinen Mund. 10 Siehe, ich setze dich heute
über Völker und Königreiche, dass du
[a]ausreißen und einreißen, zerstören und
verderben sollst und bauen und pflanzen.

11 Und es geschah des HERRN Wort zu
mir: Jeremia, was siehst du? Ich sprach:
Ich sehe einen erwachenden Zweig. 12 Und
der HERR sprach zu mir: Du hast recht ge-
sehen; denn [a]ich will wachen über mei-
nem Wort, dass ich's tue.

13 Und es geschah des HERRN Wort zum
zweiten Mal zu mir: Was siehst du? Ich
sprach: Ich sehe einen siedenden Kessel
überkochen von Norden her. 14 Und der
HERR sprach zu mir: [a]Von Norden her
wird das Unheil losbrechen über alle, die
im Lande wohnen. 15 Denn siehe, ich will
rufen alle Geschlechter der Königreiche
des Nordens, spricht der HERR, dass sie
kommen sollen und ihre Throne setzen
vor die Tore Jerusalems und rings um
die Mauern her und vor alle Städte Ju-
das. 16 Und ich will mein Gericht über sie
ergehen lassen um all ihrer Bosheit wil-
len, dass sie mich verlassen und andern
Göttern opfern und ihrer Hände Werk
anbeten.

17 So gürte nun deine Lenden und ma-
che dich auf und predige ihnen alles, was
ich dir gebiete. Erschrick nicht vor ihnen,
auf dass ich dich nicht erschrecke vor ih-

66,22 *a* Kap 65,17 **66,23** *a* 4. Mose 10,10
66,24 *a* Mk 9,48 **1,1** *a* Kap 11,21; 32,7-9 **1,2** *a* 2. Kön 22,1
1,3 *a* 2. Kön 23,36 *b* 2. Kön 25,2 *c* Kap 39,9; 52,15;
2. Kön 25,11 **1,5** *a* Jes 49,1; Gal 1,15 **1,6** *a* 2. Mose 4,10;
Jes 6,5 **1,8** *a* 2. Mose 3,12 **1,9** *a* 5. Mose 18,18; Jes 6,7
b 2. Mose 4,12 **1,10** *a* Kap 18,7-10 **1,12** *a* Kap 31,28
1,14 *a* Kap 4,6; 6,1.22; 10,22; 25,9; 50,41

nen! 18 Denn ich will dich heute zur fes-
ten Stadt, zur eisernen Säule, zur [a]ehernen
Mauer machen wider das ganze Land: wi-
der die Könige Judas, wider seine Großen,
wider seine Priester, wider das Volk des
Landes, 19 dass, wenn sie auch wider dich
streiten, sie dir dennoch nichts anhaben
können; denn ich bin bei dir, spricht der
HERR, dass ich dich errette.

DAS UNTREUE GOTTESVOLK

2 Und des HERRN Wort geschah zu mir:
2 Geh hin und predige Jerusalem öffent-
lich und sprich: So spricht der HERR: Ich
gedenke der Treue deiner Jugend und der
Liebe deiner Brautzeit, wie du mir folgtest
[a]in der Wüste, im Lande, da man nicht sät.
3 Da war Israel [a]dem HERRN heilig, die
Erstlingsfrucht seiner Ernte. Wer davon
essen wollte, machte sich schuldig, und
Unheil musste über ihn kommen, spricht
der HERR.

4 Hört des HERRN Wort, ihr vom Hause
Jakob und alle Geschlechter vom Hause
Israel! 5 So spricht der HERR: [a]Was haben
doch eure Väter Unrechtes an mir gefun-
den, dass sie von mir wichen und hingen
den nichtigen Götzen an und wurden
so zunichte 6 und dachten niemals: Wo
ist der HERR, der uns aus Ägyptenland
führte und [a]leitete uns in der Wüste, im
wilden, ungebahnten Lande, im dürren
und finstern Lande, im Lande, das nie-
mand durchwandert und kein Mensch
bewohnt? 7 Und ich brachte euch in ein
fruchtbares Land, [a]dass ihr äßet seine
Früchte und Güter. Aber als ihr hinein-
kamt, [b]machtet ihr mein Land unrein und
mein Eigentum mir zum Gräuel. 8 Die
Priester fragten nicht: Wo ist der HERR?,
und die Hüter des Gesetzes achteten mei-
ner nicht, und die Hirten wurden mir
untreu, und die [a]Propheten weissagten
im Namen des Baal und hingen den Göt-
zen an, die nicht helfen können. 9 Darum
muss ich noch weiter mit euch und mit
euren Kindeskindern [a]rechten, spricht
der HERR.

10 Denn geht hin zu den Inseln der Kit-
täer und schaut, und sendet nach Kedar
und gebt genau acht und schaut, ob's da-
selbst so zugeht: 11 ob die Heiden ihre
Götter wechseln, die doch keine Götter
sind. Aber mein Volk hat [a]seine Herrlich-
keit eingetauscht gegen einen Götzen,
der nicht helfen kann! 12 Entsetze dich,
Himmel, darüber, erschrick und erbebe
gar sehr, spricht der HERR. 13 Denn mein
Volk tut eine zwiefache Sünde: Mich, [a]die
lebendige Quelle, verlassen sie und ma-
chen sich Zisternen, die doch rissig sind
und das Wasser nicht halten.

14 Ist denn Israel ein Sklave oder unfrei
geboren? Warum ist er zum Raub ge-
worden? 15 [a]Löwen brüllten über ihm,
brüllten laut und verwüsteten sein Land.
Seine Städte sind verbrannt, sodass nie-
mand darin wohnt. 16 Dazu scheren die
Leute von Memphis und Tachpanhes dir
den Kopf kahl. 17 Das alles hast du dir doch
selbst bereitet, weil du den HERRN, dei-
nen Gott, verlässt, sooft er dich den rech-
ten Weg leiten will. 18 Was hilft's dir, dass
du [a]nach Ägypten ziehst und willst vom
Nil trinken? Und was hilft's dir, dass du
nach Assyrien ziehst und willst vom Eu-
phrat trinken? 19 Deine Bosheit ist schuld,
dass du so geschlagen wirst, und dein Un-
gehorsam, dass du so gestraft wirst. Und
du musst innewerden und erfahren, was
es für Jammer und Herzeleid bringt, den
HERRN, deinen Gott, zu verlassen und
mich nicht zu fürchten, spricht Gott, der
HERR Zebaoth.

20 Denn von jeher hast du dein Joch zer-
brochen und deine Bande zerrissen und
gesagt: Ich will nicht unterworfen sein!
Sondern [a]auf allen hohen Hügeln und un-
ter allen grünen Bäumen triebst du Hu-
rerei. 21 Ich aber [a]hatte dich gepflanzt als
einen edlen Weinstock, ein ganz echtes
Gewächs. [b]Wie bist du mir denn gewor-
den zu einem schlechten, wilden Wein-
stock? 22 Und wenn du dich auch mit
Lauge wüschest und nähmest viel Seife
dazu, so bleibt doch der Schmutz deiner
Schuld vor mir, spricht Gott der HERR.

23 Wie wagst du denn zu sagen: Ich bin
nicht unrein, ich habe mich nicht an die

1,18 ***a*** Kap 15,20; Hes 3,8-9 **2,2** ***a*** 5. Mose 2,7; Hos 2,16; 13,5 **2,3** ***a*** 5. Mose 7,6; 26,19 **2,5** ***a*** Mi 6,3 **2,6** ***a*** 5. Mose 8,15 **2,7** ***a*** 5. Mose 6,10-11 ***b*** Kap 3,1; Ri 2,1-2 **2,8** ***a*** Kap 5,31 **2,9** ***a*** Mi 6,2 **2,11** ***a*** Röm 1,23 **2,13** ***a*** Kap 17,13; Ps 36,10 **2,15** ***a*** Kap 4,7 **2,18** ***a*** Vers 36; Jes 31,1 **2,20** ***a*** 1. Kön 14,23; Jes 57,5; Hes 6,13 **2,21** ***a*** Ps 80,9 ***b*** Jes 5,1-4

Baale gehängt? Sieh doch, wie du es treibst im Tal, und bedenke, was du getan hast! Du läufst kreuz und quer wie eine schnelle Kamelstute, 24 wie eine Wildeselin in der Wüste, wenn sie vor großer Brunst lechzt und läuft, dass niemand sie aufhalten kann. Wer sie haben will, muss nicht weit laufen; er trifft sie zur Zeit ihrer Brunst. 25 Schone doch deine Füße, dass sie nicht wund werden, und deine Kehle, dass sie nicht durstig werde. Aber du sprachst: [a]Da wird nichts draus; ich muss die Fremden lieben und ihnen nachlaufen.

26 Wie Schande über einen Dieb kommt, wenn man ihn ergreift, so ist Schande über das Haus Israel gekommen samt seinen Königen, Fürsten, Priestern und Propheten, 27 die zum Holz sagen: »Du bist mein Vater«, und zum Stein: »Du hast mich geboren.« Denn [a]sie kehren mir den Rücken zu und nicht das Angesicht. Aber wenn die Not über sie kommt, sprechen sie: »Auf und hilf uns!« 28 [a]Wo sind denn deine Götter, die du dir gemacht hast? Lass sie aufstehen; lass sehen, ob sie dir helfen können in deiner Not! Denn [b]so viel Städte, so viel Götter hast du, Juda.

29 Wie könnt ihr rechten mit mir? Ihr seid alle von mir abgefallen, spricht der HERR. 30 Alle [a]meine Schläge sind vergeblich an euren Kindern, sie lassen sich doch nicht erziehen; [b]euer Schwert frisst eure Propheten wie ein wütender Löwe.

31 Du böses Geschlecht, merke auf des HERRN Wort! Bin ich denn für Israel eine Wüste oder ein finsteres Land? Warum spricht denn mein Volk: »Wir streifen frei umher und brauchen dir nicht mehr nachzulaufen«? 32 Vergisst wohl eine Jungfrau ihren Schmuck oder eine Braut ihren Schleier? [a]Mein Volk aber vergisst mich seit endlos langer Zeit. 33 Wie fein findest du Wege, dir Liebhaber zu suchen! Darum hast du dich auch gewöhnt, auf bösen Wegen zu wandeln. 34 Auch fand man an deinen Kleidern [a]das Blut von Armen und Unschuldigen, die du nicht beim Einbruch ertappt hast, sondern die alledem widerstanden. 35 Und doch sprachst du: Ich bin unschuldig; [a]er hat ja doch seinen Zorn von mir gewandt. Siehe, ich will dich richten, weil du sprichst: Ich habe nicht gesündigt. 36 Was läufst du denn so leichtfertig bald dahin, bald dorthin! Auch [a]an Ägypten wirst du zuschanden werden, wie du an Assyrien zuschanden geworden bist. 37 Denn du musst auch von dort wegziehen, die Hände über dem Kopf; denn der HERR hat sie verworfen, auf die du deine Hoffnung setztest, und es wird dir nicht mit ihnen gelingen.

IST UMKEHR MÖGLICH?

3 Und er sprach: [a]Wenn sich ein Mann von seiner Frau scheidet und sie geht von ihm und gehört einem andern, darf er sie auch wieder annehmen? Ist's nicht so, dass das Land unrein würde? Du aber hast mit vielen gehurt und solltest wieder zu mir kommen?, spricht der HERR. 2 Hebe deine Augen auf zu den Höhen und sieh, wo du allenthalben dich hingegeben hast! An den Wegen hast du auf sie gewartet wie ein Araber in der Wüste und das Land unrein gemacht mit deiner [a]Hurerei und Bosheit. 3 Darum blieb der Frühregen aus und kein Spätregen kam. Aber du hattest eine Hurenstirn, wolltest dich nicht mehr schämen 4 und schriest dann doch zu mir: [a]Lieber Vater, du Vertrauter meiner Jugend! 5 »Will er denn ewiglich [a]zürnen und nicht vom Grimm lassen«, siehe, so hast du geredet und Böses getan und ließest dir nicht wehren.

6 Und der HERR sprach zu mir zur Zeit des Königs Josia: Hast du gesehen, was Israel, die Abtrünnige, tat? Sie ging hin [a]auf alle hohen Berge und unter alle grünen Bäume und trieb dort Hurerei. 7 [a]Und ich dachte, nachdem sie das alles getan, würde sie zu mir zurückkehren. Aber sie kehrte nicht zurück. Und obwohl ihre Schwester Juda, die Treulose, gesehen hat, 8 wie ich Israel, die Abtrünnige, wegen ihres Ehebruchs gestraft und sie entlassen und ihr einen Scheidebrief gegeben habe, scheute sich dennoch ihre Schwester, das treulose Juda, nicht, sondern ging hin und trieb auch Hurerei. 9 Und ihre

2,25 *a* Kap 18,12 **2,27** *a* Kap 7,24; 18,17; 32,33
2,28 *a* 5. Mose 32,37-38; Ri 10,14 *b* Kap 11,13
2,30 *a* Jes 1,5 *b* Mt 22,6; 23,37; Mk 12,5 **2,32** *a* Kap 18,15; 5. Mose 32,18 **2,34** *a* Kap 7,6 **2,35** *a* Jes 43,26
2,36 *a* Jes 30,3; Hos 7,11 **3,1** *a* 5. Mose 24,1-4
3,2 *a* Hos 4,13 **3,4** *a* Vers 19; Kap 31,9; Jes 63,16
3,5 *a* Ps 85,6 **3,6** *a* Kap 2,20 **3,7** *a* (7-9) 2. Kön 17,18-19; Hes 23,2-11

leichtfertige Hurerei hat das Land unrein
gemacht; denn sie trieb Ehebruch mit
Stein und Holz. 10 Und auch in diesem al-
len bekehrte sich das treulose Juda, ihre
Schwester, nicht zu mir von ganzem Her-
zen, sondern nur mit Heuchelei, spricht
der HERR.

11 Und der HERR sprach zu mir: Das ab-
trünnige Israel steht gerechter da als das
treulose Juda. 12 Geh hin und rufe diese
Worte nach Norden und sprich: Kehre
zurück, du abtrünniges Israel, spricht der
HERR, so will ich nicht zornig auf euch
blicken. Denn [a]ich bin gnädig, spricht der
HERR, und will nicht ewiglich zürnen.
13 Allein erkenne deine Schuld, dass du wi-
der den HERRN, deinen Gott, gesündigt
hast und bist hin und her gelaufen zu den
fremden Göttern unter allen grünen Bäu-
men, und ihr habt meiner Stimme nicht
gehorcht, spricht der HERR.

14 Kehrt um, ihr abtrünnigen Kinder,
spricht der HERR, denn ich bin euer Herr!
Und ich will euch holen, [a]einen aus einer
Stadt und zwei aus einem Geschlecht,
und will euch bringen nach Zion. 15 Und
ich will euch [a]Hirten geben nach meinem
Herzen, die euch weiden sollen in Einsicht
und Weisheit. 16 [a]Und es soll geschehen,
wenn ihr zahlreich geworden seid und
euch ausgebreitet habt im Lande, so soll
man, spricht der HERR, in jenen Tagen
nicht mehr sagen: Die Bundeslade des
HERRN. Man wird ihrer nicht mehr geden-
ken noch nach ihr fragen noch sie vermis-
sen; und sie wird nicht wieder gemacht
werden. 17 Sondern zu jener Zeit wird man
Jerusalem nennen [a]»Des HERRN Thron«,
und [b]es werden sich dahin sammeln alle
Völker um des Namens des HERRN willen
zu Jerusalem, und sie werden nicht mehr
wandeln in dem, was ihr böses Herz will.
18 In jenen Tagen wird das Haus Juda zum
Haus Israel gehen. [a]Sie werden miteinan-
der heimkommen von Norden her in das
Land, das ich euren Vätern zum Erbe ge-
geben habe.

19 Und ich dachte: Wie gern will ich dich
[a]unter die Söhne aufnehmen und dir das
liebe Land geben, [b]das allerschönste Erb-
teil unter den Völkern! Und ich dachte, du
würdest mich dann [c]»Lieber Vater« nen-
nen und nicht von mir weichen. 20 Aber
das Haus Israel hat mir nicht die Treue
gehalten, gleichwie eine Frau wegen ihres
Liebhabers nicht die Treue hält, spricht der
HERR.

21 Man hört ein klägliches Heulen und
Weinen der Israeliten [a]auf den Höhen,
weil sie übel getan und den HERRN, ih-
ren Gott, vergessen haben. 22 Kehrt zu-
rück, ihr abtrünnigen Kinder, so will ich
euch heilen von eurem Ungehorsam.
»Siehe, wir kommen zu dir; denn du bist
der HERR, unser Gott. 23 Wahrlich, es ist
ja nichts als Betrug mit den Hügeln und
mit dem Lärm auf den Bergen. Wahr-
lich, es hat Israel keine andere Hilfe als
am HERRN, unserm Gott. 24 Der schänd-
liche Baal hat gefressen, was unsere Vä-
ter erworben hatten, von unsrer Jugend
an, ihre Schafe und Rinder, Söhne und
Töchter. 25 So müssen wir uns betten in
unsere Schande, und unsre Schmach soll
uns bedecken. Denn [a]wir haben gesün-
digt wider den HERRN, unsern Gott, wir
und unsere Väter, von unsrer Jugend an
bis auf den heutigen Tag, und haben nicht
gehorcht der Stimme des HERRN, unseres
Gottes.«

4 Willst du dich, Israel, bekehren, spricht
der HERR, so kehre dich zu mir! Und
wenn du deine gräulichen Götzen von
meinem Angesicht wegtust, so brauchst
du nicht mehr umherzuschweifen, 2 und
wenn du ohne Heuchelei recht und heilig
[a]schwörst: »So wahr der HERR lebt«, dann
werden [b]Völker sich Segen wünschen
durch ihn und sich seiner rühmen. 3 Denn
so spricht der HERR zu denen in Juda und
zu Jerusalem: [a]Pflüget ein Neues und
säet nicht unter die Dornen! 4 [a]Beschnei-
det euch für den HERRN und tut weg die
Vorhaut eures Herzens, ihr Männer von
Juda und ihr Leute von Jerusalem, auf
dass nicht [b]um eurer Bosheit willen mein
Grimm ausfahre wie Feuer und brenne,
sodass niemand löschen kann.

3,12 *a* 2. Mose 34,6; Ps 103,9 **3,14** *a* Kap 29,14; 31,32
3,15 *a* Kap 23,3-4; Hes 34,23
3,16 *a* (16-17) 4. Mose 10,33-36 **3,17** *a* Kap 17,12
b Jes 2,2-4; Mi 4,1-3 **3,18** *a* Jes 11,11-13; Hos 2,2
3,19 *a* 5. Mose 7,6; 32,6 *b* 5. Mose 8,7 *c* Vers 4
3,21 *a* Kap 31,15 **3,25** *a* Kap 14,7.20 **4,2** *a* 5. Mose 10,20;
Jes 65,16 *b* 1. Mose 12,3; 18,18-19 **4,3** *a* Hos 10,12
4,4 *a* Kap 9,25; 5. Mose 10,16; Röm 2,29; Kol 2,11
b Kap 6,10; 21,12

DER FEIND AUS DEM NORDEN

5 Verkündet in Juda und schreit laut in Je-
rusalem und sprecht: »Blast die Posaune
im Lande!« Ruft mit voller Stimme und
sprecht: »Sammelt euch und lasst uns in
die festen Städte ziehen!«[a] 6 Richtet in
Zion ein Zeichen auf; flieht und säumet
nicht! Denn ich bringe [a]von Norden Un-
heil herzu und großen Jammer. 7 Es steigt
herauf der [a]Löwe aus seinem Dickicht,
und der Verderber der Völker hat sich auf-
gemacht und ist ausgezogen von seiner
Stätte, dein Land zu verwüsten und deine
Städte zu verbrennen, sodass niemand
darin wohnt. 8 Darum [a]zieht den Sack
an, klagt und heult; denn der grimmige
Zorn des HERRN will sich nicht von uns
wenden.

9 Zu der Zeit, spricht der HERR, wird
dem König und den Fürsten der Mut ent-
fallen, die Priester werden bestürzt und
die Propheten erschrocken sein. 10 Ich aber
sprach: Ach, Herr HERR, du hast dies Volk
und Jerusalem sehr getäuscht, als du sag-
test: »Es wird [a]Friede bei euch sein«, wo
doch das Schwert uns ans Leben geht!

11 Zu der Zeit wird man diesem Volk
und Jerusalem sagen: »Es kommt ein hei-
ßer Wind von den kahlen Höhen aus der
Wüste, geraden Weges zu der Tochter
meines Volks, nicht zum Worfeln noch
zum Sichten.« 12 Ja, ein Wind kommt auf
mein Geheiß, der ihnen zu stark sein
wird; da will ich dann mit ihnen rechten.
13 Siehe, er fährt daher wie Wolken, und
seine Wagen sind wie ein Sturmwind,
seine Rosse sind schneller als Adler. Weh
uns! Wir sind verloren! 14 So [a]wasche nun,
Jerusalem, dein Herz von der Bosheit, auf
dass dir geholfen werde. Wie lange wollen
bei dir bleiben deine heillosen Gedanken?
15 Horch, Kunde kommt von Dan her und
eine böse Botschaft vom Gebirge Eph-
raim. 16 Sagt an den Völkern, verkündet in
Jerusalem: Belagerer kommen aus fernen
Landen und erheben Kriegsgeschrei ge-
gen die Städte Judas. 17 Sie lagern sich [a]um
Jerusalem her wie die Wächter auf dem
Felde; denn es hat mich erzürnt, spricht
der HERR. 18 Das hast du zum Lohn für
deinen Wandel und dein Tun. Das kommt
von deiner [a]Bosheit, dass es so bitter um
dich steht und dir bis ans Herz dringt.

19 Wie ist mir so weh, so weh! Ich winde
mich. Mein [a]Herz pocht in meiner Brust.
Ich kann nicht schweigen; denn den Hall
der Posaune habe ich gehört, den Lärm
der Feldschlacht; 20 Niederlage auf Nie-
derlage wird gemeldet. Denn das ganze
Land wird verheert, plötzlich sind meine
[a]Hütten und meine Zelte zerstört. 21 Wie
lange soll ich noch das Feldzeichen sehen
und der Posaune Hall hören? 22 Aber mein
Volk ist toll, mich kennen sie nicht. [a]Tö-
richt sind sie und ohne Einsicht; weise
sind sie genug, Übles zu tun, aber Gutes
zu tun verstehen sie nicht.

DAS CHAOS KEHRT ZURÜCK

23 Ich sah das Land, und siehe, [a]es war
wüst und leer, sah zum Himmel, und er
war finster. 24 [a]Ich sah die Berge an, und
siehe, sie bebten und alle Hügel wankten.
25 Ich sah, und siehe, da war kein Mensch,
und alle Vögel unter dem Himmel waren
weggeflogen. 26 Ich sah, und siehe, das
Fruchtland war eine Wüste, und alle seine
Städte waren zerstört vor dem HERRN
und vor seinem grimmigen Zorn. 27 Denn
so spricht der HERR: Das ganze Land soll
wüst werden, aber [a]ich will mit ihm doch
nicht ganz ein Ende machen. 28 Darum
wird das Land betrübt und der Himmel
droben traurig sein; denn ich hab's ge-
redet, ich hab's beschlossen, und es soll
mich nicht gereuen, ich will auch nicht
davon ablassen.

29 Alle Städte fliehen vor dem Geschrei
der Reiter und Schützen. Sie sind in die
dichten Wälder gelaufen und in die Fel-
sen gestiegen. Alle Städte stehen verlas-
sen, sodass niemand darin wohnt. 30 Was
willst du dann tun, du Überwältigte?
Wenn du dich schon mit Purpur kleiden
und mit goldenen Kleinoden schmücken
und dein Angesicht schminken würdest,
so schmückst du dich doch vergeblich.
Deine Freier verschmähen dich. Sie trach-
ten dir nach dem Leben. 31 Denn ich höre

4,5 *a* Kap 6,1; 8,14 **4,6** *a* Kap 1,14 **4,7** *a* Kap 2,15; 5,6; 25,38; 49,19; 50,44 **4,8** *a* Kap 6,26 **4,10** *a* Kap 14,13 **4,14** *a* Kap 6,8; Jes 1,16 **4,17** *a* Kap 1,15; 6,3 **4,18** *a* Kap 2,19 **4,19** *a* Kap 8,18; 20,9 **4,20** *a* Kap 10,20 **4,22** *a* 5. Mose 32,28 **4,23** *a* 1. Mose 1,2 **4,24** *a* (24-26) Kap 9,9-10 **4,27** *a* Kap 5,18; 10,24; 18,3-8; Am 9,8

ein [a]Geschrei wie von einer Gebärenden,
Angstrufe wie von einer, die in den ersten
Kindsnöten ist, ein Geschrei der Tochter
Zion, die da keucht und die Hände aus-
breitet: Ach, weh mir! Ich muss vergehen
vor den Würgern.

JERUSALEMS SCHULD

5 Geht durch die Gassen Jerusalems und
schaut und merkt auf und [a]sucht auf den
Straßen der Stadt, ob ihr jemand findet,
der Recht übt und auf Wahrheit hält, so
will ich ihr gnädig sein. 2 Und wenn sie
auch sprechen: So wahr der HERR lebt!,
so [a]schwören sie doch falsch.

3 HERR, deine Augen sehen auf Wahr-
haftigkeit. Du hast sie geschlagen, aber
sie fühlten's nicht; [a]fast hast du sie ver-
nichtet, aber sie besserten sich nicht. Sie
haben ein Angesicht, härter als ein Fels,
und wollten sich nicht bekehren. 4 Ich aber
dachte: Wohlan, es sind arme, unver-
ständige Leute und wissen nicht um des
HERRN Weg und um ihres Gottes Recht.
5 Ich will zu den Großen gehen und mit
ihnen reden; die werden um des HERRN
Weg und ihres Gottes Recht wissen. Aber
[a]sie alle haben das Joch zerbrochen und
die Seile zerrissen. 6 Darum schlug sie
auch der [a]Löwe aus dem Walde, der Wolf
aus der Steppe fällt über sie her, und der
Panther belauert ihre Städte; alle, die von
da herausgehen, werden zerfleischt. Denn
ihrer Sünden sind zu viele, und sie bleiben
in ihrem Ungehorsam.

7 Wie soll ich dir denn gnädig sein?
Deine Kinder haben mich verlassen und
schwören bei dem, der nicht Gott ist.
Als ich sie satt gemacht hatte, trieben
sie Ehebruch und liefen ins Hurenhaus.
8 Ein jeder [a]wiehert nach seines Nächsten
Frau wie die vollen, müßigen Hengste.
9 Und ich sollte das an ihnen nicht heim-
suchen, spricht der HERR, und ich sollte
mich nicht rächen an einem Volk wie
diesem?[a]

10 Stürmt die schützenden Mauern und
verwüstet die Weingärten; aber verwüs-
tet sie nicht ganz! Reißt ihre Weinreben
weg; denn sie gehören nicht dem HERRN!
11 Denn [a]treulos geworden sind sie mir,
das Haus Israel und das Haus Juda, spricht
der HERR. 12 Sie verleugneten den HERRN
und sprachen: »Das tut er nicht; so übel
wird es uns nicht gehen; Schwert und
Hunger werden wir nicht sehen.«[a] 13 Die
Propheten werden zu Wind und Gottes
Wort ist nicht in ihnen. So ergehe es ih-
nen selbst! 14 Darum spricht der HERR,
der Gott Zebaoth: Weil ihr solche Reden
führt, siehe, so will ich meine [a]Worte
in deinem Munde zu Feuer machen und
dies Volk zu Brennholz, dass es verzehrt
werde.

15 [a]Siehe, ich will über euch vom Hause
Israel ein Volk von ferne her bringen,
spricht der HERR, ein Volk von uner-
schöpflicher Kraft, ein uraltes Volk, ein
Volk, dessen Sprache du nicht verstehst,
und was sie reden, kannst du nicht ver-
nehmen. 16 Seine Köcher sind wie offene
Gräber; es sind lauter Helden. 17 Sie wer-
den deine [a]Ernte und dein Brot verzeh-
ren, sie werden deine Söhne und Töch-
ter fressen, sie werden deine Schafe und
Rinder verschlingen, sie werden deine
Weinstöcke und Feigenbäume verzeh-
ren; deine festen Städte, auf die du dich
verlässt, werden sie mit dem Schwert ver-
derben.

18 Doch will ich, spricht der HERR, auch
zu jener Zeit mit euch [a]nicht ganz ein Ende
machen. 19 Und wenn sie sagen: Warum
tut uns der HERR, unser Gott, dies al-
les?, sollst du ihnen antworten: Wie ihr
mich verlasst und fremden Göttern dient
in eurem eigenen Lande, so sollt ihr auch
Fremden dienen in einem Lande, das nicht
euer ist.[a]

20 Verkündet im Hause Jakob und ruft
aus in Juda und sprecht: 21 Hört zu, ihr
tolles Volk, das keinen Verstand hat, [a]die
da Augen haben und sehen nicht, Ohren
haben und hören nicht! 22 Wollt ihr mich
nicht fürchten, spricht der HERR, und vor
mir nicht erschrecken, [a]der ich dem Meere
den Sand zur Grenze setze, darin es alle-
zeit bleiben muss, darüber es nicht gehen
darf? Und ob es auch aufwallt, so vermag

4,31 *a* Kap 30,5 **5,1** *a* 1. Mose 18,22-32; Ps 14,2-3
5,2 *a* Kap 4,2 **5,3** *a* Kap 2,30; 9,2 **5,5** *a* Kap 2,20
5,6 *a* Kap 4,7 **5,8** *a* Hes 22,11 **5,9** *a* Vers 29; Kap 9,8
5,11 *a* Kap 3,20 **5,12** *a* Mi 3,11 **5,14** *a* Kap 23,29
5,15 *a* (15-17) Kap 6,22-23; 5. Mose 28,49
5,17 *a* 5. Mose 28,33 **5,18** *a* Kap 4,27 **5,19** *a* Kap 16,10-13
5,21 *a* Jes 6,9-10; Hes 12,2 **5,22** *a* Hiob 38,8-11; Ps 104,9

es doch nichts; und ob seine Wellen auch
toben, so dürfen sie doch nicht darüberge-
hen. 23 Aber dies Volk hat ein abtrünniges,
ungehorsames Herz. Sie bleiben abtrün-
nig und gehen ihrer Wege 24 und sprechen
niemals in ihrem Herzen: »Lasst uns doch
den HERRN, unsern Gott, fürchten, der
uns [a]Frühregen und Spätregen gibt zur
rechten Zeit und uns die Ernte treulich
und jährlich gewährt.« 25 [a]Eure Verschul-
dungen verhindern das, und eure Sünden
halten das Gute von euch fern.

26 Man findet unter meinem Volk Frev-
ler, die den Leuten nachstellen und Fal-
len zurichten, um sie zu fangen, wie's
die Vogelfänger tun. 27 Ihre Häuser sind
voller Tücke, wie ein Vogelbauer voller
Lockvögel ist. Daher sind sie groß und
reich geworden, 28 fett und feist. Sie gin-
gen mit bösen Dingen um; sie hielten kein
Recht, [a]der Waisen Sache führten sie nicht
zum Erfolg und halfen den Armen nicht
zum Recht. 29 Sollte ich das an ihnen nicht
heimsuchen, spricht der HERR, und sollte
ich mich nicht rächen an einem Volk wie
diesem?[a]

30 Es steht gräulich und grässlich im
Lande. 31 Die [a]Propheten weissagen Lüge,
und die Priester lehren auf eigene Faust,
und mein Volk hat's gern so. Aber was
werdet ihr tun, wenn's damit ein Ende
hat?

UNHEIL VON NORDEN

6 Flieht, ihr Benjaminiter, aus Jerusalem
und blast die Posaune in Tekoa und rich-
tet ein Feldzeichen auf über Bet-Kerem!
Denn es droht [a]von Norden Unheil und
großer Jammer. 2 Die Tochter Zion ist wie
eine liebliche Aue; 3 aber es werden Hirten
über sie kommen mit ihren Herden, [a]die
haben Zelte aufgeschlagen rings um sie
her. Sie weiden ein jeder seinen Platz ab.
4 »Rüstet euch zum Krieg gegen sie! Wohl-
auf, lasst uns hinaufziehen am Mittag!«
»Weh uns, es will Abend werden, und die
Schatten werden lang!« 5 »Wohlan, lasst
uns hinaufziehen bei Nacht und ihre Pa-
läste zerstören!«

6 Denn so spricht der HERR Zebaoth:
Fällt Bäume und werft einen Wall auf
gegen Jerusalem; denn es ist eine Stadt,
von der erwiesen ist: Nichts als Unrecht
ist darin! 7 Denn wie ein Brunnen sein
Wasser quellen lässt, so quillt auch ihre
Bosheit. Frevel und Gewalt hört man in
ihr, und Morden und Schlagen treiben sie
täglich vor mir. 8 Bessre dich, Jerusalem,
ehe sich mein Herz von dir wende und ich
dich zum wüsten Lande mache, darin nie-
mand wohnt!

9 So spricht der HERR Zebaoth: Halte
Nachlese am Rest Israels wie am Wein-
stock, strecke deine Hand immer wie-
der aus wie ein Winzer nach den Reben.
10 »Ach, mit wem soll ich noch reden, und
wem soll ich Zeugnis geben? Dass doch
jemand hören wollte! Aber [a]ihr Ohr ist
unbeschnitten; sie können's nicht hö-
ren. Siehe, sie halten des HERRN Wort
für Spott und wollen es nicht. 11 Darum
bin ich von des HERRN Zorn so voll,
dass ich ihn nicht zurückhalten kann.«
So schütte ihn aus über die Kinder auf
der Gasse und über die Schar der jungen
Männer! Denn es sollen alle, Mann und
Frau, Alte und Hochbetagte, gefangen
weggeführt werden. 12 [a]Ihre Häuser sol-
len den Fremden zuteilwerden samt den
Äckern und Frauen; denn ich will meine
Hand ausstrecken wider die Bewohner
des Landes, spricht der HERR. 13 Denn sie
gieren alle, Klein und Groß, nach unrech-
tem Gewinn, und Propheten und Pries-
ter gehen alle mit Lüge um 14 und heilen
den Schaden meines Volks nur obenhin,
indem sie sagen: [a]»Friede! Friede!«, und
ist doch nicht Friede. 15 Sie werden mit
Schande dastehen, weil sie solche Gräuel
getrieben haben; aber sie wollen sich nicht
schämen und wissen nichts von Scham.
Darum sollen sie fallen unter den Fal-
lenden, und wenn ich sie heimsuchen
werde, sollen sie stürzen, spricht der
HERR.

16 So spricht der HERR: Tretet hin an die
Wege und schaut und fragt nach den We-
gen der Vorzeit, welches der gute Weg sei,
und wandelt darin, [a]so werdet ihr Ruhe
finden für eure Seele! Aber sie sprachen:

5,24 ***a*** 5. Mose 11,14 **5,25** ***a*** Jes 59,2
5,28 ***a*** 2. Mose 22,21; Jes 1,17 **5,29** ***a*** Vers 9
5,31 ***a*** Hes 13,6 **6,1** ***a*** Kap 1,14; 4,5-6 **6,3** ***a*** Kap 4,17
6,10 ***a*** Kap 4,4 **6,12** ***a*** (12-15) Kap 8,10-12
6,14 ***a*** Kap 30,5; Hes 13,10.16; 1. Thess 5,3
6,16 ***a*** Mt 11,29

Wir wollen's nicht tun! 17 Auch habe ich
[a]Wächter über euch gesetzt: Achtet auf
den Hall der Posaune! Aber sie sprachen:
Wir wollen's nicht tun!

18 Darum höret, ihr Völker, und merkt
auf samt euren Leuten! 19 Du, Erde, höre
zu! Siehe, ich will Unheil über dies Volk
bringen, ihren verdienten Lohn, weil sie
[a]auf meine Worte nicht achten und mein
Gesetz verwerfen.

20 Was frage ich nach dem Weihrauch
aus Saba und nach dem köstlichen Ge-
würz, das aus fernen Landen kommt?
[a]Eure Brandopfer sind mir nicht wohl-
gefällig, und eure Schlachtopfer gefallen
mir nicht. 21 Darum, so spricht der HERR:
Siehe, ich will diesem Volk Anstöße in
den Weg stellen, daran sich Väter und
Kinder zugleich stoßen und ein Nachbar
mit dem andern umkommen soll.

22 So spricht der HERR: Siehe, es kommt
ein Volk von Norden, und [a]ein großes
Volk wird sich erheben vom Ende der
Erde. 23 Sie führen Bogen und Schwert,
sind grausam und ohne Erbarmen. Sie
brausen daher wie ein ungestümes Meer
und reiten auf Rossen, gerüstet als Kriegs-
leute, gegen dich, du Tochter Zion.[a]

24 Wir haben von ihnen gehört und
unsre Hände sind uns niedergesunken; es
ist uns angst und weh geworden wie einer
Gebärenden. 25 Niemand gehe hinaus auf
den Acker, niemand gehe über Land; denn
es ist [a]Schrecken um und um vor dem
Schwert des Feindes.

26 O Tochter meines Volks, [a]zieh den
Sack an und wälze dich im Staube! Trage
Leid wie um den einzigen Sohn und klage
bitterlich; denn der Verderber kommt
über uns plötzlich.

JEREMIA ALS PRÜFER DES VOLKES

27 Ich habe dich zum Prüfer gesetzt für
mein Volk, dass du ihren Wandel erken-
nen und prüfen sollst. 28 Alle sind sie ab-
trünnig und wandeln verleumderisch;
[a]Erz und Eisen sind sie; alle bringen sie
Verderben. 29 Der Blasebalg schnaubte,
das Blei verschwand im Feuer; aber das
Schmelzen war umsonst, denn die Bösen
sind nicht ausgeschieden. 30 Darum hei-
ßen sie »Verworfenes Silber«; denn [a]der
HERR hat sie verworfen.

DIE TEMPELREDE

(vgl. Kap 26,1-19)

7 Dies ist das Wort, das vom HERRN
geschah zu Jeremia: 2 Tritt ins Tor am
Hause des HERRN und predige dort dies
Wort und sprich: Höret des HERRN Wort,
ihr alle von Juda, die ihr zu diesen Toren
eingeht, den HERRN anzubeten!

3 So spricht der HERR Zebaoth, der Gott
Israels: [a]Bessert euer Leben und euer Tun,
so will ich euch wohnen lassen an diesem
Ort. 4 Verlasst euch nicht auf Lügenworte,
wenn sie sagen: Hier ist des HERRN Tem-
pel, hier ist des HERRN Tempel, hier ist
des HERRN Tempel! 5 Sondern bessert
euer Leben und euer Tun, dass ihr recht
handelt einer gegen den andern 6 und [a]ge-
gen Fremdlinge, Waisen und Witwen
keine Gewalt übt und nicht unschuldiges
Blut vergießt an diesem Ort und nicht
andern Göttern nachlauft zu eurem eige-
nen Schaden, 7 so will ich euch immer und
ewiglich wohnen lassen an diesem Ort,
in dem Lande, das ich euren Vätern ge-
geben habe. 8 Aber nun verlasst ihr euch
auf Lügenworte, die zu nichts nütze sind.
9 Ihr seid [a]Diebe, Mörder, Ehebrecher und
Meineidige und opfert dem Baal und lauft
fremden Göttern nach, die ihr nicht kennt.
10 Und dann kommt ihr und tretet vor
mich in diesem Hause, das nach meinem
Namen genannt ist, und sprecht: Wir sind
geborgen, – und tut weiter solche Gräuel.
11 Haltet ihr denn [a]dies Haus, das nach
meinem Namen genannt ist, für eine Räu-
berhöhle? Siehe, ich sehe es wohl, spricht
der HERR.

12 Geht hin an meine Stätte zu [a]Silo,
wo früher mein Name gewohnt hat, und
schaut, was ich dort getan habe wegen der
Bosheit meines Volks Israel. 13 Weil ihr
denn lauter solche Dinge treibt, spricht
der HERR, und weil ich [a]immer wieder zu
euch redete und ihr nicht hören wolltet
und ich euch rief und ihr nicht antwor-
ten wolltet, 14 so will ich mit dem Hause,

6,17 *a* Hes 3,17 **6,19** *a* Jes 1,2 **6,20** *a* Kap 7,21; Ps 40,7; Jes 1,11-15; Hos 8,13 **6,22** *a* Kap 5,15; 5. Mose 28,49 **6,23** *a* Kap 50,42 **6,25** *a* Kap 20,3.10 **6,26** *a* Kap 4,8; Am 8,10 **6,28** *a* Hes 22,18 **6,30** *a* 1. Kön 9,7
7,3 *a* Kap 18,11; 26,13 **7,6** *a* Kap 22,3
7,9 *a* 2. Mose 20,3.13-16; Hos 4,2 **7,11** *a* Mt 21,13
7,12 *a* Kap 26,6; Jos 18,1; 1. Sam 4,4.12; Ps 78,60
7,13 *a* Kap 25,3; 35,15; Jes 65,12

das nach meinem Namen genannt ist, auf
das ihr euch verlasst, und mit der Stätte,
die ich euch und euren Vätern gegeben
habe, ebenso tun, wie ich mit Silo getan
habe, 15 und will euch [a]von meinem An-
gesicht verstoßen, wie ich verstoßen habe
alle eure Brüder, das ganze Geschlecht
Ephraim.

GEGEN FALSCHEN GOTTESDIENST

16 Du aber [a]sollst für dies Volk nicht bitten
und sollst für sie weder Klage noch Ge-
bet vorbringen, sollst auch nicht in mich
dringen; denn ich will dich nicht hören.
17 [a]Siehst du nicht, was sie tun in den Städ-
ten Judas und auf den Gassen Jerusalems?
18 Die Kinder lesen Holz, die Väter zünden
das Feuer an, und die Frauen kneten den
Teig, dass sie der Himmelskönigin Kuchen
backen, und fremden Göttern spenden
sie Trankopfer mir zum Verdruss. 19 Aber
machen sie denn mir Verdruss, spricht der
HERR, und nicht vielmehr sich selbst zu
ihrer eigenen Schande? 20 Darum spricht
Gott der HERR: Siehe, mein Zorn und
mein Grimm ist ausgeschüttet über diese
Stätte, über Menschen und über Vieh,
über die Bäume auf dem Felde und über
die Früchte des Landes; der wird brennen,
dass niemand löschen kann.

21 [a]So spricht der HERR Zebaoth, der
Gott Israels: Tut eure Brandopfer zu euren
Schlachtopfern und fresst Fleisch! 22 Denn
ich habe euren Vätern an dem Tage, als
ich sie aus Ägyptenland führte, nichts
gesagt noch geboten von Brandopfern
und Schlachtopfern; 23 sondern dies Wort
habe ich ihnen geboten: Gehorcht meiner
Stimme, so [a]will ich euer Gott sein, und
ihr sollt mein Volk sein; wandelt ganz auf
dem Wege, den ich euch gebiete, auf dass
es euch wohlgehe.

24 Aber [a]sie wollten nicht hören noch
ihr Ohr neigen, sondern wandelten nach
ihrem eignen Rat und nach ihrem ver-
stockten und bösen Herzen und kehrten
mir den Rücken zu und nicht das Ange-
sicht. 25 [a]Ja, von dem Tage an, da eure Vä-
ter aus Ägyptenland zogen, bis auf diesen
Tag habe ich immer wieder zu euch ge-
sandt alle meine Knechte, die Propheten.
26 Aber [a]sie wollten mich nicht hören noch
ihr Ohr neigen, sondern waren halsstarrig
und trieben es ärger als ihre Väter. 27 Und
wenn du schon ihnen dies alles sagst, so
werden sie doch nicht auf dich hören;
rufst du sie, so werden sie dir nicht ant-
worten. 28 Darum sprich zu ihnen: Dies ist
das Volk, das auf die Stimme des HERRN,
seines Gottes, nicht hören noch sich bes-
sern will. Die Wahrheit ist dahin und aus-
gerottet aus ihrem Munde.

29 [a]Schere deine Haare ab und wirf sie
von dir und wehklage auf den Höhen;
denn der HERR hat dies Geschlecht, über
das er zornig ist, verworfen und versto-
ßen. 30 Denn die Judäer haben getan, was
mir missfällt, spricht der HERR. [a]Sie ha-
ben ihre Gräuelbilder gesetzt in das Haus,
das nach meinem Namen genannt ist,
um es unrein zu machen, 31 [a]und haben
die Höhen des Tofet im Tal Ben-Hinnom
gebaut, um ihre Söhne und Töchter zu
verbrennen, was ich nie geboten habe
und mir nie in den Sinn gekommen ist.
32 Darum siehe, es kommt die Zeit, spricht
der HERR, dass man's nicht mehr nennen
wird »Tofet« und »Tal Ben-Hinnom«, son-
dern »Würgetal«. Und man wird im Tofet
begraben müssen, weil sonst kein Raum
mehr sein wird. 33 Und die [a]Leichname
dieses Volks sollen den Vögeln des Him-
mels und den Tieren des Feldes zum Fraß
werden, ohne dass sie jemand verscheu-
chen wird. 34 Und [a]ich will in den Städ-
ten Judas und auf den Gassen Jerusalems
wegnehmen den Jubel der Freude und
Wonne und die Stimme des Bräutigams
und der Braut; denn das Land soll wüst
werden.

8 Zu dieser Zeit, spricht der HERR, wird
man die Gebeine der Könige von Juda,
die Gebeine seiner Fürsten, die Gebeine
der Priester, die Gebeine der Propheten
und die Gebeine der Bürger Jerusalems
aus ihren Gräbern werfen 2 und wird sie
hinstreuen der Sonne, dem Mond und

7,15 *a* 2. Kön 17,18.20.23 **7,16** *a* Kap 11,14; 14,11; 37,3; 42,2; 2. Mose 32,11; 1. Sam 12,23 **7,17** *a* (17-18) Kap 19,13; 44,17; Jes 65,11 **7,21** *a* (21-22) Kap 6,20; 1. Sam 15,22; Ps 50,7-15; Hos 8,13; Mi 6,6-8 **7,23** *a* Kap 11,4; 24,7; 30,22; 31,1.33; 32,38; 3. Mose 26,12; Hes 11,20; 14,11; 34,30; 37,27 **7,24** *a* Kap 11,8; Jes 65,2
7,25 *a* (25-26) Kap 25,4 **7,26** *a* Kap 16,12 **7,29** *a* Mi 1,16
7,30 *a* Kap 32,34; 2. Kön 21,4-5 **7,31** *a* (31-33) Kap 19,5-7; 32,35; 3. Mose 18,21 **7,33** *a* Kap 9,21; 16,4; 5. Mose 28,26
7,34 *a* Kap 16,9; 25,10; 33,11

dem ganzen Heer des Himmels, die sie
geliebt und [a]denen sie gedient haben, de-
nen sie nachgelaufen sind, die sie befragt
und angebetet haben. Sie sollen nicht
wieder aufgelesen und begraben wer-
den, sondern Dung auf dem Acker sein.
3Und alle, die übrig geblieben sind von
diesem bösen Volk, werden an allen Or-
ten, wohin ich sie verstoße, lieber tot als
lebendig sein wollen, spricht der HERR
Zebaoth.

ALLE SIND VERBLENDET

4Sprich zu ihnen: So spricht der HERR:
Wo ist jemand, wenn er fällt, der nicht
gern wieder aufstünde? Wo ist jemand,
wenn er irregeht, der nicht gern wieder
zurechtkäme? 5Warum will denn dies
Volk zu Jerusalem irregehen für und für?
Sie halten so fest am Trug, dass sie nicht
umkehren wollen. 6Ich sehe und höre,
dass sie nicht die Wahrheit reden. Es gibt
niemand, dem seine Bosheit leid wäre und
der spräche: Was hab ich doch getan! Sie
laufen alle ihren Lauf wie ein Hengst, der
in der Schlacht dahinstürmt. 7Der Storch
unter dem Himmel weiß seine Zeit, Tur-
teltaube, Schwalbe und Drossel halten die
Zeit ein, in der sie wiederkommen sollen;
aber [a]mein Volk will das Recht des HERRN
nicht wissen.

8Wie könnt ihr sagen: »Wir sind weise
und haben das Gesetz des HERRN bei
uns«? Ist's doch lauter Lüge, was die
Schreiber daraus machen. 9Die Weisen
müssen zuschanden, erschreckt und ge-
fangen werden; denn was können sie
Weises lehren, wenn sie des HERRN Wort
verwerfen?

10Darum will ich ihre Frauen den Frem-
den geben und ihre Äcker denen, durch
die sie verjagt werden. Denn [a]sie gieren
alle, Klein und Groß, nach unrechtem
Gewinn; Priester und Propheten gehen
mit Lüge um 11und heilen den Schaden
meines Volks nur obenhin, indem sie sa-
gen: »Friede! Friede!«, und ist doch nicht
Friede. 12Sie werden mit Schande daste-
hen, weil sie solche Gräuel getrieben ha-
ben; aber sie wollen sich nicht schämen
und wissen nichts von Scham. Darum
sollen sie fallen unter den Fallenden, und
wenn ich sie heimsuchen werde, sollen sie
stürzen, spricht der HERR. 13Ich will un-
ter ihnen Lese halten, spricht der HERR:
Es bleiben keine Trauben am Weinstock
und keine Feigen am Feigenbaum, auch
die Blätter sind abgefallen. So habe ich es
für sie bestimmt: Man wird über sie her-
fallen.

DER FEIND NAHT

14»Wozu wollen wir noch da sitzen?
[a]Sammelt euch und lasst uns in die festen
Städte ziehen, dass wir dort umkommen.
Denn der HERR, unser Gott, lässt uns um-
kommen und [b]tränkt uns mit einem gif-
tigen Trank, weil wir so gesündigt haben
wider den HERRN. 15Wir hofften, es sollte
Friede werden, aber es kommt nichts Gu-
tes; wir hofften, wir sollten heil werden,
aber siehe, es ist Schrecken da.[a] 16Man
hört ihre [a]Rosse schnauben von Dan her,
vom Wiehern ihrer Hengste erbebt das
ganze Land. Sie fahren daher und fres-
sen das Land auf mit allem, was darin ist,
die Stadt samt allen, die darin wohnen.«
17Denn siehe, ich will Schlangen und Nat-
tern unter euch senden, die nicht zu be-
schwören sind; die sollen euch stechen,
spricht der HERR, 18ohne dass es Heilung
gibt.

Kummer steigt in mir auf. [a]Mein Herz
ist krank. 19Siehe, die Tochter meines
Volks schreit aus fernem Lande her: »Will
denn der HERR nicht mehr in Zion sein,
oder soll es keinen König mehr haben?«
Ja, warum haben sie mich so erzürnt
durch ihre Bilder, durch fremde, nichtige
Götzen? 20»Die Ernte ist vergangen, der
Sommer ist dahin und uns ist keine Hilfe
gekommen!« 21Mich jammert von Her-
zen, dass die Tochter meines Volks so zer-
schlagen ist; ich gräme und entsetze mich.
22Ist denn [a]keine Salbe in Gilead oder ist
kein Arzt da? Warum ist denn die Toch-
ter meines Volks nicht geheilt? 23Ach dass
ich Wasser genug hätte in meinem Haupte
und [a]meine Augen Tränenquellen wären,
dass ich Tag und Nacht [b]beweinen könnte
die Erschlagenen der Tochter meines
Volks!

8,2 *a* Kap 19,13; 5. Mose 4,19; 2. Kön 21,3 **8,7** *a* Jes 1,3
8,10 *a* Kap 6,13-15; 22,17 **8,14** *a* Kap 4,5 *b* Kap 9,14
8,15 *a* Kap 14,19 **8,16** *a* Kap 4,15 **8,18** *a* Klgl 1,22
8,22 *a* Kap 46,11 **8,23** *a* Kap 13,17 *b* Lk 19,41

BETRUG ÜBER BETRUG

9 Ach dass ich eine Herberge hätte in der
Wüste, so wollte ich mein Volk ver-
lassen und von ihnen ziehen! Denn es
sind lauter Ehebrecher und ein treuloser
Haufe. 2 Sie spannen ihre Zunge wie einen
Bogen. Lüge und keine Wahrheit herrscht
im Lande. Sie gehen von einer Bosheit
zur andern, mich aber achten sie nicht,
spricht der HERR. 3 [a]Ein jeder hüte sich
vor seinem Freunde und traue auch sei-
nem Bruder nicht; denn ein Bruder über-
listet den andern, und ein Freund ver-
leumdet den andern. 4 Ein Freund täuscht
den andern, sie reden kein wahres Wort.
Sie haben ihre Zunge an das Lügen ge-
wöhnt. Sie freveln, und es ist ihnen leid
umzukehren. 5 Es ist allenthalben nichts
als Trug unter ihnen, und vor lauter Trug
wollen sie mich nicht kennen, spricht der
HERR.

6 Darum spricht der HERR Zebaoth:
Siehe, ich will sie schmelzen und prüfen;
denn was soll ich sonst tun, wenn ich an-
sehe die Tochter meines Volks? 7 Ihre Zun-
gen sind tödliche Pfeile. [a]Sie reden Trug.
Mit seinem Mund redet einer freundlich
zu seinem Nächsten, aber im Herzen lau-
ert er ihm auf. 8 Sollte ich das nicht heim-
suchen an ihnen, spricht der HERR, und
sollte ich mich nicht rächen an einem Volk
wie diesem?[a]

KLAGE ÜBER JUDA

9 Ich muss über die Berge weinen und
heulen und über die Weidegründe in der
Steppe klagen; denn sie sind verheert,
dass niemand hindurchzieht und man
auch kein Vieh blöken hört. [a]Die Vögel
des Himmels und das Vieh sind geflohen
und fort. 10 Und ich will [a]Jerusalem zu
Steinhaufen und zur Wohnung der Scha-
kale machen und will die Städte Judas
zur Wüste machen, dass niemand darin
wohnen soll.

11 Wer ist nun weise, dass er dies ver-
stünde, und zu wem hat des HERRN
Mund geredet, dass er verkündete, warum
das Land verdirbt und verheert wird wie
eine Wüste, die niemand durchwandert?
12 Und der HERR sprach: Weil sie mein
Gesetz verlassen, das ich ihnen vorgelegt
habe, und [a]meiner Stimme nicht gehor-
chen, auch nicht danach leben, 13 sondern
[a]folgen ihrem verstockten Herzen und
den Baalen, wie ihre Väter sie gelehrt
haben, 14 darum spricht der HERR Zeba-
oth, der Gott Israels: Siehe, ich will dies
Volk [a]mit Wermut speisen und [b]mit Gift
tränken. 15 Ich will sie unter die Völker
zerstreuen, die weder sie noch ihre Väter
gekannt haben, und [a]will das Schwert hin-
ter ihnen her schicken, bis es aus ist mit
ihnen.

16 So spricht der HERR Zebaoth: Gebt
acht und bestellt Klageweiber, dass sie
kommen, und schickt nach den weisen
Frauen, dass sie kommen 17 und herbei-
eilen und um uns klagen, dass unsre Au-
gen von Tränen rinnen und unsre Augen-
lider von Wasser fließen. 18 Horch, man
hört ein Klagegeschrei in Zion: Ach, wie
hat man uns Gewalt angetan und wie sind
wir zuschanden geworden! Wir müssen
das Land räumen; denn sie haben unsre
Wohnungen geschleift.

19 Ja, höret, ihr Frauen, des HERRN
Wort, und nehmt zu Ohren die Rede sei-
nes Mundes! Lehrt eure Töchter klagen,
und eine lehre die andere dies Klagelied:
20 »Der Tod ist zu unsern Fenstern herein-
gestiegen und in unsere Paläste gekom-
men. Er würgt die Kinder auf der Gasse
und die jungen Männer auf den Plätzen.«
21 So spricht der HERR: [a]Die Leichen der
Menschen sollen liegen wie Dung auf dem
Felde und wie Garben hinter dem Schnit-
ter, die niemand sammelt.

DAS RECHTE RÜHMEN

22 So spricht der HERR: Ein Weiser rühme
sich nicht seiner Weisheit, ein Starker
rühme sich nicht seiner Stärke, ein Rei-
cher rühme sich nicht seines Reichtums.
23 Sondern [a]**wer sich rühmen will, der
rühme sich dessen, dass er klug sei und
mich kenne, dass ich der HERR bin, der
Barmherzigkeit, Recht und Gerechtig-
keit übt auf Erden; denn solches gefällt
mir, spricht der HERR.**

9,3 ***a*** (3-4) Kap 12,6; Ps 41,10; Mi 7,5-6 **9,7** ***a*** Ps 12,3
9,8 ***a*** Kap 5,9.29 **9,9** ***a*** Kap 4,25; 12,4
9,10 ***a*** Kap 26,18 **9,12** ***a*** 5. Mose 28,15
9,13 ***a*** Kap 7,24 **9,14** ***a*** Kap 23,15 ***b*** Kap 8,14
9,15 ***a*** 3. Mose 26,33 **9,21** ***a*** Kap 7,33; 8,23;
16,4; 25,33; Ps 79,2 **9,23** ***a*** 1. Kor 1,31; 2. Kor 10,17

GERICHT ÜBER UNBESCHNITTENE

24 Siehe, es kommt die Zeit, spricht der HERR, dass ich heimsuchen werde alle, die Beschnittenen mit den Unbeschnittenen: 25 nämlich Ägypten, Juda, Edom, die Ammoniter, Moab und alle, die [a]sich das Haar stutzen, die in der Wüste wohnen. Denn alle Völker sind unbeschnitten, und [b]ganz Israel hat ein unbeschnittenes Herz.

DIE TOTEN GÖTZEN UND DER LEBENDIGE GOTT

10 Höret, was der HERR zu euch redet, ihr vom Hause Israel! 2 So spricht der HERR: Ihr sollt nicht die Weise der Heiden annehmen und sollt euch nicht fürchten vor den Zeichen des Himmels, wie die Heiden sich fürchten. 3 Denn die Bräuche der Heiden sind alle nichts: [a]Man fällt im Walde einen Baum, und der Bildhauer macht daraus mit dem Beil ein Werk seiner Hände. 4 Er schmückt es mit Silber und Gold und befestigt es mit Nagel und Hammer, dass es nicht umfalle. 5 Es sind ja nichts als Vogelscheuchen im Gurkenfeld. Sie können nicht reden; auch muss man sie tragen, denn [a]sie können nicht gehen. Darum sollt ihr euch nicht vor ihnen fürchten; denn sie können weder helfen noch Schaden tun.

6 Aber [a]dir, HERR, ist niemand gleich; du bist groß, und dein Name ist groß, wie du es mit der Tat beweist. 7 Wer sollte dich nicht fürchten, du König der Völker? Dir muss man gehorchen; denn unter allen Weisen der Völker und in allen ihren Königreichen ist niemand dir gleich. 8 Sie sind allzumal Narren und Toren. Was man von den nichtigen Götzen lernt, ist nur Holz. 9 Silberblech bringt man aus Tarsis, Gold aus Ufas; durch den Bildhauer und Goldschmied werden sie hergestellt; blauen und roten Purpur zieht man ihnen an, und alles ist der Künstler Werk. 10 Aber der HERR ist der wahrhaftige Gott, der lebendige Gott, der ewige König. Vor seinem Zorn bebt die Erde, und die Völker können sein Drohen nicht ertragen.

11 So sollt ihr zu ihnen sagen: Die Götter, die Himmel und Erde nicht gemacht haben, müssen vertilgt werden von der Erde und unter dem Himmel. 12 [a]Er aber hat die Erde durch seine Kraft gemacht und den Erdkreis bereitet durch seine Weisheit und den Himmel ausgebreitet durch seinen Verstand. 13 Wenn er donnert, so ist Wasser die Menge am Himmel; Wolken lässt er heraufziehen vom Ende der Erde. Er macht die Blitze, dass es regnet, und lässt den Wind kommen aus seinen Kammern.[a] 14 Alle Menschen aber sind Toren mit ihrer Kunst, und [a]alle Goldschmiede stehen beschämt da mit ihren Bildern; denn ihre Götzen sind Trug und haben kein Leben, 15 sie sind nichts, ein Spottgebilde; sie müssen zugrunde gehen, wenn sie heimgesucht werden. 16 Aber so ist der nicht, der Jakobs Schatz ist; sondern er ist's, der alles geschaffen hat, und [a]Israel ist sein Erbteil. Er heißt HERR Zebaoth.

TRAUER ÜBER DIE ZERSTÖRUNG DES LANDES

17 Raffe dein Bündel auf von der Erde, die du sitzt in Bedrängnis! 18 Denn so spricht der HERR: Siehe, ich will die Bewohner des Landes diesmal wegschleudern und will sie ängstigen, damit sie sich finden lassen.

19 Weh mir, ich bin zerbrochen, [a]unheilbar ist meine Wunde. Ich dachte: Es ist nur eine Plage, ich muss sie erleiden. 20 Aber mein [a]Zelt ist zerstört, und alle meine Seile sind zerrissen. Meine Kinder sind von mir gegangen und nicht mehr da. Niemand richtet meine Hütte wieder auf, und mein Zelt schlägt keiner mehr auf. 21 Denn die Hirten sind zu Toren geworden und fragen nicht nach dem HERRN. Darum kann ihnen nichts Rechtes gelingen, und [a]ihre ganze Herde ist zerstreut. 22 Horch, es kommt eine Kunde daher und ein großes Getöse [a]aus dem Lande des Nordens, dass die Städte Judas verwüstet und zur [b]Wohnung der Schakale werden sollen.

23 Ich weiß, HERR, dass des Menschen Tun nicht in seiner Gewalt steht, und [a]es liegt in niemandes Macht, wie er wandle oder seinen Gang richte. 24 [a]Züchtige mich, HERR, doch mit Maßen und nicht

9,25 *a* 3. Mose 19,27 *b* Kap 4,4; 3. Mose 26,41
10,3 *a* Jes 44,13-17 **10,5** *a* Ps 115,4-7; Jes 46,7
10,6 *a* Ps 86,8 **10,12** *a* (12-16) Kap 51,15-19
10,13 *a* Ps 135,7 **10,14** *a* Jes 45,16 **10,16** *a* 5. Mose 32,9
10,19 *a* Kap 30,12 **10,20** *a* Kap 4,20 **10,21** *a* Kap 23,1
10,22 *a* Kap 4,6 *b* Kap 9,10 **10,23** *a* Spr 16,9
10,24 *a* Kap 30,11; 46,28; Ps 6,2; 38,2

in deinem Grimm, auf dass du mich nicht
ganz zunichtemachst. 25 Schütte aber dei-
nen Zorn aus über die Völker, die dich
nicht kennen, und über die Geschlechter,
die deinen Namen nicht anrufen. Denn sie
haben Jakob aufgefressen und verschlun-
gen, sie haben ihn vernichtet und seine
Wohnung verwüstet.[a]

DER GEBROCHENE BUND

11 Dies ist das Wort, das zu Jeremia ge-
schah vom HERRN: 2 Hört die Worte
dieses Bundes! Du sollst sie den Leuten in
Juda und den Bürgern von Jerusalem sa-
gen! 3 Und sprich zu ihnen: So spricht der
HERR, der Gott Israels: [a]Verflucht sei, wer
nicht gehorcht den Worten dieses Bun-
des, 4 die ich euren Vätern gebot an dem
Tage, als ich sie aus Ägyptenland führte,
aus dem glühenden Ofen, und sprach: Ge-
horcht meiner Stimme und tut, ganz wie
ich euch geboten habe, so [a]sollt ihr mein
Volk sein, und ich will euer Gott sein, 5 da-
mit ich den Eid halten kann, den ich euren
Vätern geschworen habe, ihnen [a]ein Land
zu geben, darin Milch und Honig fließt,
so wie es heute ist. Ich antwortete und
sprach: HERR, ja, so sei es!

6 Und der HERR sprach zu mir: Predige
alle diese Worte in den Städten Judas und
auf den Gassen Jerusalems und sprich:
Hört die Worte dieses Bundes und tut da-
nach! 7 [a]Denn ich habe eure Väter ermahnt
von dem Tage an, da ich sie aus Ägypten-
land führte, bis auf den heutigen Tag,
und ich ermahnte sie immer wieder und
sprach: Gehorcht meiner Stimme! 8 Aber
sie gehorchten nicht, kehrten auch ihre
Ohren mir nicht zu, sondern [a]wandelten
ein jeder im Starrsinn seines bösen Her-
zens. Darum habe ich auch über sie kom-
men lassen alle Worte dieses Bundes, den
ich geboten hatte zu halten und den sie
doch nicht gehalten haben.

9 Und der HERR sprach zu mir: Ich weiß
sehr wohl, wie sie in Juda und in Jerusa-
lem sich verschworen haben. 10 Sie sind
zurückgekehrt zu den Sünden ihrer Vä-
ter, die vor ihnen waren und die meinen
Worten auch nicht gehorchen wollten und
andern Göttern nachfolgten und ihnen
dienten. [a]So hat das Haus Israel und das
Haus Juda meinen Bund gebrochen, den
ich mit ihren Vätern geschlossen habe.
11 Darum siehe, spricht der HERR, ich will
[a]Unheil über sie kommen lassen, dem
sie nicht entgehen sollen; und [b]wenn sie
zu mir schreien, will ich sie nicht hören.
12 [a]Dann werden die Städte Judas und die
Bürger Jerusalems hingehen und zu den
Göttern schreien, denen sie geopfert ha-
ben; aber die werden ihnen nicht helfen
in ihrer Not. 13 Denn so viel Städte, so viel
Götter hast du, Juda; und so viele Gassen
es in Jerusalem gibt, so viele Schandaltäre
habt ihr aufgerichtet, um dem Baal zu op-
fern. 14 Du aber [a]bitte nicht für dies Volk
und bringe für sie kein Flehen noch Gebet
vor mich; denn ich will sie nicht hören,
wenn sie zu mir schreien in ihrer Not.

15 Was hat meine Geliebte in meinem
Hause zu schaffen? Sie macht böse Pläne.
Können Gelübde und [a]Opferfleisch dein
Unheil von dir abwenden? Dann könntest
du jubeln. 16 Der HERR nannte dich einen
grünen, schönen, fruchtbaren Ölbaum;
aber nun hat er mit großem Brausen ein
Feuer um ihn anzünden lassen, sodass
seine Äste verderben müssen. 17 Denn der
HERR Zebaoth, der dich gepflanzt hat, hat
dir Unheil angedroht um der Bosheit wil-
len des Hauses Israel und des Hauses Juda,
die sie getrieben haben, um mich zu er-
zürnen mit ihren Räucheropfern, die sie
dem Baal darbrachten.

VERFOLGUNG UND KLAGE (JEREMIAS ERSTE KLAGE)

18 Der HERR ließ mich's wissen, sodass
ich's wusste. Du zeigtest mir ihr Treiben.
19 Ich aber war [a]wie ein argloses Lamm,
das zur Schlachtbank geführt wird, und
wusste nicht, dass sie gegen mich berat-
schlagt hatten und gesagt: Lasst uns den
Baum in seinem Saft verderben und ihn
aus dem Lande der Lebendigen ausrotten,
dass seines Namens nimmermehr ge-
dacht werde. 20 Aber du, HERR Zebaoth,
[a]du gerechter Richter, [b]der du Nieren und

10,25 *a* Ps 79,6-7 **11,3** *a* 5. Mose 27,26 **11,4** *a* Kap 7,23
11,5 *a* 2. Mose 3,8 **11,7** *a* (7-8) Kap 7,24-26
11,8 *a* Kap 3,17; 9,13; 13,10; 18,12; 23,17 **11,10** *a* Kap 31,32
11,11 *a* Kap 18,11; 19,3 *b* Ps 18,42; Hes 8,18; Mi 3,4
11,12 *a* (12-13) Kap 2,27-28 **11,14** *a* Kap 7,16; 14,11
11,15 *a* Hos 8,13 **11,19** *a* Jes 53,7 **11,20** *a* Ps 7,10
b Kap 17,10; 20,12

Herzen prüfst, lass mich deine Rache an
ihnen sehen; denn dir habe ich meine Sa-
che befohlen.
21 Darum, so spricht der HERR über die
Männer von Anatot, die dir nach dem
Leben trachten und sprechen: Weissage
nicht im Namen des HERRN, wenn du
nicht von unsern Händen sterben willst! –
22 darum, so spricht der HERR Zebaoth:
Siehe, ich will sie heimsuchen. Ihre [a]junge
Mannschaft soll mit dem Schwert getö-
tet werden, und ihre Söhne und Töchter
sollen vor Hunger sterben, 23 dass keiner
von ihnen übrig bleibt; denn ich will über
die Männer von Anatot Unheil kommen
lassen in dem Jahr, da ich sie heimsuchen
werde.

12 HERR, wenn ich auch mit dir rechten
wollte, so behältst du doch recht; den-
noch muss ich vom Recht mit dir reden.
[a]Warum geht's doch den Gottlosen so gut,
und die Abtrünnigen haben alles in Fülle?
2 Du pflanzt sie ein, sie schlagen Wurzeln
und wachsen und bringen Frucht. Nahe
bist du ihrem Munde, aber ferne von ih-
rem Herzen. 3 [a]Mich aber, HERR, kennst
du und siehst mich und prüfst mein Herz
vor dir. Reiß sie weg wie Schafe zum
Schlachten, und sondere sie aus, dass sie
getötet werden! 4 Wie lange soll das Land
so trocken stehen und das Gras überall auf
dem Felde verdorren? Wegen der Bosheit
der Bewohner [a]schwinden Vieh und Vögel
dahin; denn sie sagen: Er sieht nicht, wie
es uns gehen wird.
5 Wenn es dich müde macht, mit Fuß-
gängern zu gehen, wie willst du mit Ros-
sen wetteifern? Und wenn du nur im
friedlichen Lande sicher bist, was willst du
tun im Dickicht des Jordans? 6 Denn auch
deine Brüder und deines Vaters Haus sind
treulos gegen dich, sie schreien hinter dir
her aus vollem Halse. Trau ihnen nicht,
auch wenn sie freundlich mit dir reden.[a]

GOTTES KLAGE ÜBER SEIN VERWÜSTETES LAND

7 Ich habe mein Haus verlassen und mein
Erbe verstoßen und, was meine Seele
liebt, in der Feinde Hand gegeben. 8 Mein
Erbe ist mir geworden wie ein Löwe im
Walde und brüllt wider mich; darum bin
ich ihm feind geworden. 9 Ist mir mein
Erbe zur Höhle der Hyäne geworden, dass
sich dort Raubvögel sammeln? Wohlauf
und sammelt euch, [a]alle Tiere des Feldes,
kommt und fresst! 10 [a]Viele Hirten haben
meinen Weinberg verwüstet und meinen
Acker zertreten; sie haben meinen schö-
nen Acker zur öden Wüste gemacht. 11 Sie
haben ihn jämmerlich verwüstet; ver-
ödet liegt er vor mir; ja, das ganze Land
ist verwüstet, aber niemand will es sich
zu Herzen nehmen. 12 Die Verwüster sind
dahergekommen über alle kahlen Höhen
der Steppe. Denn ein Schwert hat der
HERR, das frisst von einem Ende des Lan-
des bis zum andern, und kein Geschöpf
wird Frieden haben. 13 [a]Sie haben Weizen
gesät, aber Dornen geerntet; sie ließen's
sich sauer werden, aber sie konnten's nicht
genießen. Sie konnten ihres Ertrages nicht
froh werden vor dem grimmigen Zorn des
HERRN.

ÜBER DIE NACHBARVÖLKER

14 So spricht der HERR wider alle meine
bösen Nachbarn, die das Erbteil antasten,
das ich meinem Volk Israel zugeteilt habe:
Siehe, ich will sie aus ihrem Lande ausrei-
ßen und das Haus Juda aus ihrer Mitte
reißen. 15 Aber wenn ich sie ausgerissen
habe, will ich mich wieder über sie erbar-
men und will einen jeden in sein Erbteil
und in sein Land zurückbringen.[a] 16 Und
es soll geschehen, wenn sie von meinem
Volk lernen werden, [a]bei meinem Namen
zu schwören: So wahr der HERR lebt!, wie
sie mein Volk gelehrt haben, beim Baal zu
schwören, so [b]sollen sie inmitten meines
Volks aufgebaut werden. 17 Wenn sie aber
nicht hören wollen, so will ich solch ein
Volk ausreißen und vernichten, spricht
der HERR.

DER VERDORBENE GÜRTEL

13 So sprach der HERR zu mir: Geh hin
und kaufe dir einen leinenen Gürtel
und gürte damit deine Lenden, aber lass
ihn nicht nass werden! 2 Und ich kaufte
einen Gürtel nach dem Wort des HERRN
und gürtete ihn um meine Lenden. 3 Da

11,22 *a* Kap 18,21 **12,1** *a* Hiob 21,7; Ps 73,3 **12,3** *a* Ps 139,1
12,4 *a* Kap 9,9; 14,1-6; Hos 4,3 **12,6** *a* Kap 9,3
12,9 *a* Jes 56,9 **12,10** *a* (10-11) Kap 6,3 **12,13** *a* Hos 8,7
12,15 *a* Kap 1,10 **12,16** *a* 5. Mose 6,13 *b* Kap 4,2

geschah des HERRN Wort ein zweites Mal
zu mir: 4 Nimm den Gürtel, den du ge-
kauft und um deine Lenden gegürtet hast,
und mache dich auf und geh hin an den
Euphrat und verstecke ihn dort in einer
Felsspalte! 5 Ich ging hin und versteckte
ihn am Euphrat, wie mir der HERR gebo-
ten hatte. 6 Nach langer Zeit aber sprach
der HERR zu mir: Mache dich auf und geh
hin an den Euphrat und hole den Gürtel
wieder, den ich dir dort zu verstecken ge-
bot! 7 Ich ging hin an den Euphrat und grub
nach und nahm den Gürtel von dem Ort,
wo ich ihn versteckt hatte; und siehe, der
Gürtel war verdorben, sodass er zu nichts
mehr taugte.
8 Da geschah des HERRN Wort zu mir:
9 So spricht der HERR: Ebenso will ich ver-
derben den großen Hochmut Judas und
Jerusalems. 10 Dies böse Volk, das [a]meine
Worte nicht hören will, sondern im Starr-
sinn seines Herzens wandelt und andern
Göttern folgt, um ihnen zu dienen und sie
anzubeten: Es soll werden wie der Gürtel,
der zu nichts mehr taugt. 11 Denn gleich-
wie der Gürtel um die Lenden des Man-
nes gebunden wird, so habe ich das ganze
Haus Israel und das ganze Haus Juda um
mich gegürtet, spricht der HERR, dass sie
mein Volk sein sollten, mir zum Ruhm,
zu Lob und Ehren; aber sie haben nicht
gehört.

TÖDLICHE TRUNKENHEIT

12 Sage ihnen dies Wort: So spricht der
HERR, der Gott Israels: Alle Krüge wer-
den mit Wein gefüllt. Und wenn sie zu dir
sagen: Wer weiß das nicht, dass alle Krüge
mit Wein gefüllt werden?, 13 so antworte
ihnen: So spricht der HERR: Siehe, ich will
alle, die in diesem Lande wohnen, die Kö-
nige, die auf dem Thron Davids sitzen,
die Priester und Propheten und alle Ein-
wohner Jerusalems [a]mit Trunkenheit fül-
len 14 und will einen am andern, die Väter
samt den Söhnen, zerschmettern, spricht
der HERR, und will weder schonen noch
barmherzig sein und sie ohne Mitleid ver-
derben.

BEUGT EUCH VOR GOTT!

15 Hört und merkt auf und seid nicht so
hochfahrend, denn der HERR hat's ge-
redet. 16 Gebt dem HERRN, eurem Gott,
die Ehre, ehe es finster wird und ehe eure
Füße sich an den dunklen Bergen stoßen
und ihr auf das Licht wartet, während er
es doch finster und dunkel machen wird.
17 Wollt ihr das aber nicht hören, so muss
ich heimlich weinen über solchen Hoch-
mut; [a]meine Augen müssen von Tränen
überfließen, weil des HERRN Herde ge-
fangen weggeführt wird.
18 Sage [a]dem König und der Königin-
mutter: Setzt euch ganz nach unten; denn
[b]die Krone der Herrlichkeit ist euch vom
Haupt gefallen. 19 Die Städte im Südland
sind verschlossen, und es ist niemand, der
sie auftut; ganz Juda ist weggeführt, voll-
ständig weggeführt.

DIE SCHÄNDUNG JERUSALEMS

20 Hebt eure Augen auf und seht, wie sie
von Norden daherkommen. Wo ist nun
die Herde, die dir befohlen war, deine
herrliche Herde? 21 Was willst du sagen,
wenn er die über dich zum Haupt be-
stellen wird, die du als Freunde an dich
gewöhnt hast? Was gilt's? Es wird dich
Angst ankommen wie eine Frau in Kinds-
nöten. 22 Und wenn du in deinem Herzen
sagen wirst: »Warum ist mir dies wider-
fahren?« –: Um der Menge deiner Sünden
willen [a]wurde dein Gewand aufgehoben
und dir Gewalt angetan.
23 Kann etwa ein Mohr seine Haut wan-
deln oder ein Panther seine Flecken? So
wenig könnt auch ihr Gutes tun, die ihr
ans Böse gewöhnt seid. 24 Darum will
ich sie zerstreuen wie Spreu, die ver-
weht wird von dem Wind aus der Wüste.
25 Das ist dein Los, dein Teil, den ich dir
zugemessen habe, spricht der HERR:
Weil du mich vergessen und dich auf Lü-
gen verlassen hast, 26 will auch ich dein
Gewand hochheben, dass deine Schande
sichtbar werde, 27 deine Ehebrecherei,
deine Geilheit, deine freche Hurerei. Auf
den Hügeln und im Felde habe ich deine
Gräuel gesehen. Weh dir, Jerusalem,
dass du dich nicht reinigst! Wie lange
noch?

13,10 *a* Kap 11,8 **13,13** *a* Kap 25,15-28; Jes 51,17
13,17 *a* Kap 8,23; 14,17 **13,18** *a* Kap 22,26 *b* Klgl 5,16
13,22 *a* Jes 47,2-3; Hes 16,37

DIE GROSSE DÜRRE

14 Dies ist das Wort, das der HERR zu
Jeremia sagte über die große Dürre:
2 Juda liegt jämmerlich da, seine Städte
verschmachten. Sie sinken trauernd zu
Boden, und Jerusalems Wehklage steigt
empor. 3 Die Großen schicken ihre Die-
ner nach Wasser; aber wenn sie zum
Brunnen kommen, finden sie kein Was-
ser und bringen ihre Gefäße leer zurück.
Sie sind traurig und betrübt und verhül-
len ihre Häupter. 4 Die Erde ist rissig, weil
es nicht regnet auf das Land. Darum sind
die [a]Ackerleute traurig und verhüllen
ihre Häupter. 5 Selbst die Hirschkühe, die
auf dem Felde werfen, verlassen die Jun-
gen, weil kein Gras wächst. 6 Die Wild-
esel stehen auf den kahlen Höhen und
schnappen nach Luft wie die Schakale;
ihre Augen erlöschen, weil nichts Grünes
wächst.

7 Ach, HERR, wenn unsre Sünden uns
verklagen, so hilf doch um deines Na-
mens willen! Denn [a]unser Ungehorsam
ist groß, womit wir wider dich gesündigt
haben. 8 Du bist der Trost Israels und sein
Nothelfer. Warum stellst du dich, als
wärst du ein Fremdling im Lande und
ein Wanderer, der nur über Nacht bleibt?
9 Warum bist du wie einer, der verzagt
ist, und wie ein Held, der nicht helfen
kann? Du bist ja doch unter uns, HERR,
und [a]wir heißen nach deinem Namen;
verlass uns nicht!

10 So spricht der HERR von diesem Volk:
Sie laufen gern hin und her und schonen
ihre Füße nicht. [a]Darum hat der HERR
kein Gefallen an ihnen, sondern er denkt
nun an ihre Missetat und will ihre Sünden
heimsuchen.

11 Und der HERR sprach zu mir: [a]Du
sollst nicht für das Wohl dieses Volkes
bitten. 12 Denn wenn sie auch [a]fasten, so
will ich doch ihr Flehen nicht erhören; und
wenn sie auch [b]Brandopfer und Speisopfer
bringen, so gefallen sie mir doch nicht,
sondern ich will sie durch Schwert, Hun-
ger und Pest aufreiben. 13 Da sprach ich:
Ach, Herr HERR! Siehe, die Propheten sa-
gen ihnen: Ihr werdet das Schwert nicht
sehen und keine Hungersnot bei euch
haben, sondern ich will euch beständi-
gen Frieden geben an diesem Ort. 14 Aber
der HERR sprach zu mir: [a]Die Propheten
weissagen Lüge in meinem Namen; ich
habe sie nicht gesandt und ihnen nichts
befohlen und nicht zu ihnen geredet. Sie
predigen euch falsche Offenbarungen,
nichtige Wahrsagung und ihres Herzens
Trug.

15 Darum spricht der HERR: Wider die
Propheten, die [a]in meinem Namen weis-
sagen, obgleich ich sie nicht gesandt habe,
und die dennoch predigen, es werde we-
der Schwert noch Hungersnot in dies
Land kommen: Solche Propheten sol-
len sterben durch Schwert und Hunger.
16 Und die Leute, denen sie weissagen,
sollen auf den Gassen Jerusalems liegen,
vom Schwert und Hunger hingestreckt,
und [a]niemand wird sie begraben, sie und
ihre Frauen, Söhne und Töchter; und ich
will ihre Bosheit über sie ausschütten.

17 Und du sollst zu ihnen dies Wort sa-
gen: [a]Meine Augen fließen über von Trä-
nen, unaufhörlich Tag und Nacht; denn
die Jungfrau, die Tochter meines Volks,
ist [b]völlig zerschlagen und unheilbar
verwundet. 18 Gehe ich hinaus aufs Feld,
siehe, so liegen dort vom Schwert Er-
schlagene; komme ich in die Stadt, siehe,
so liegen dort vor Hunger Verschmach-
tete. Sogar Propheten und Priester müs-
sen in ein Land ziehen, das sie nicht
kennen.

19 Hast du denn Juda verworfen oder
einen Abscheu gegen Zion? Warum hast
du uns denn so geschlagen, dass uns nie-
mand heilen kann? [a]Wir hofften, es sollte
Friede werden; aber es kommt nichts Gu-
tes. Wir hofften, wir sollten heil werden;
aber siehe, es ist Schrecken da. 20 HERR,
wir erkennen unsren Frevel und uns-
rer Väter Missetat; denn [a]wir haben wi-
der dich gesündigt. 21 Aber um deines
Namens willen verwirf uns nicht! Lass
den Thron deiner Herrlichkeit nicht ver-
spottet werden; gedenke doch an deinen
Bund mit uns und lass ihn nicht aufhören!

14,4 *a* Joel 1,11 **14,7** *a* Dan 9,4-9 **14,9** *a* Kap 15,16; Jes 43,7 **14,10** *a* Hos 8,13 **14,11** *a* Kap 7,16; 11,14 **14,12** *a* Jes 58,3 *b* Kap 6,20 **14,14** *a* Kap 23,21-22; 27,9.14-15; 29,8-9; Hes 13,6 **14,15** *a* 5. Mose 18,20 **14,16** *a* Kap 9,21; 16,4 **14,17** *a* Kap 8,23; 13,17; Klgl 3,48-49 *b* Kap 10,19; 30,12 **14,19** *a* Kap 8,15 **14,20** *a* Kap 3,25; Ps 51,5-7; 106,6

22 Ist denn unter den Götzen der Heiden
einer, der Regen geben könnte, oder gibt
der Himmel den Regen? Bist du es nicht,
HERR, unser Gott, auf den wir hoffen?
Denn du hast das alles gemacht.
15 Und der HERR sprach zu mir: Und
[a]wenn auch Mose und Samuel vor mir
stünden, so hätte ich doch kein Herz für
dies Volk. Treibe sie weg von mir, und lass
sie weggehen! 2 Und wenn sie zu dir sa-
gen: Wo sollen wir hin?, dann antworte
ihnen: So spricht der HERR: [a]Wer dem
Tod gehört, zum Tod, wer dem Schwert,
zum Schwert, wer dem Hunger, zum
Hunger, wer der Gefangenschaft, in die
Gefangenschaft! 3 Denn ich will sie heim-
suchen mit [a]viererlei Plagen, spricht der
HERR: mit dem Schwert, dass sie getötet
werden; mit Hunden, die sie fortschleifen
sollen; [b]mit den Vögeln des Himmels und
mit den Tieren des Feldes, dass sie gefres-
sen und vertilgt werden sollen. 4 Und ich
will sie zu einem Bild des Entsetzens ma-
chen für alle Königreiche auf Erden um
[a]Manasses willen, des Sohnes Hiskias, des
Königs von Juda, für das, was er in Jerusa-
lem begangen hat.

KEIN MITLEID MIT JERUSALEM

5 Wer will sich denn deiner erbarmen, Je-
rusalem? Wer wird denn Mitleid mit dir
haben? Wer wird denn kommen und fra-
gen, ob es dir gut geht? 6 Du hast mich ver-
lassen, spricht der HERR, und bist von mir
abgefallen; darum habe ich meine Hand
gegen dich ausgestreckt, um dich zu ver-
derben; ich bin des Erbarmens müde. 7 Ich
worfelte sie mit der [a]Worfschaufel in den
Städten des Landes, und mein Volk, das
sich nicht bekehren wollte von seinem
Wandel, machte ich kinderlos und brachte
es um. 8 Es wurden mehr Frauen zu Wit-
wen unter ihnen, als Sand am Meer ist. Ich
ließ kommen über die Mütter der jungen
Mannschaft den Verderber am hellen Mit-
tag und ließ plötzlich über sie fallen Angst
und Schrecken. 9 Die sieben Kinder hatte,
welkte dahin; sie hauchte ihr Leben aus.
[a]Ihre Sonne ging unter am hellen Tag; sie
fiel in Schande und Schmach. Und was
von ihnen übrig ist, will ich dem Schwert
hingeben vor ihren Feinden, spricht der
HERR.

DIE LAST DES PROPHETENAMTS (JEREMIAS ZWEITE KLAGE)

10 Weh mir, meine Mutter, [a]dass du mich
geboren hast, gegen den jedermann ha-
dert und streitet im ganzen Lande! Ich
habe niemandem geliehen, und keiner
hat mir geliehen, und doch flucht mir je-
dermann.
11 Der HERR sprach: Wohlan, ich will et-
liche von euch übrig lassen, denen es wie-
der wohlgehen soll, und will euch zu Hilfe
kommen in der Not und Angst unter den
Feinden. 12 Kann man Eisen zerbrechen,
Eisen und Bronze aus dem Norden? 13 [a]Ich
will dein Gut und deine Schätze zum
Raube geben als Lohn für alle deine Sün-
den, die du in deinem ganzen Gebiet be-
gangen hast, 14 und will dich zum Knecht
deiner Feinde machen in einem Lande, das
du nicht kennst; denn [a]ein Feuer ist ent-
brannt durch meinen Zorn, über euch ist
es angezündet.
15 Ach, HERR, du weißt es! Gedenke an
mich und nimm dich meiner an und rä-
che mich an meinen Verfolgern! Raffe
mich nicht hinweg, indem du deinen
Zorn über sie zurückhältst; erkenne, dass
ich um deinetwillen geschmäht werde.
16 [a]**Dein Wort ward meine Speise, so-
oft ich's empfing, und dein Wort ist
meines Herzens Freude und Trost;
denn ich bin ja nach deinem Namen
genannt, HERR, Gott Zebaoth.** 17 Ich saß
nicht im Kreis der Fröhlichen und freute
mich, sondern saß einsam, gebeugt von
deiner Hand; [a]denn du hast mich erfüllt
mit Grimm. 18 Warum währt doch mein
Leiden so lange und ist meine Wunde so
schlimm, dass sie nicht heilen will? Du
bist mir geworden wie ein trügerischer
Born, der nicht verlässlich Wasser gibt.
19 Darum, so spricht der HERR: Wenn du
dich zu mir hältst, so will ich mich zu dir
halten, und du sollst mein Prediger blei-
ben. Und wenn du recht redest und nicht
leichtfertig, so sollst du mein Mund sein.

15,1 ***a*** 2. Mose 32,11; 1. Sam 7,9; Hes 14,14
15,2 ***a*** Kap 43,11; Sach 11,9 **15,3** ***a*** Hes 14,21 ***b*** Kap 7,33
15,4 ***a*** 2. Kön 21,11-16; 23,26 **15,7** ***a*** Mt 3,12
15,9 ***a*** Am 8,9 **15,10** ***a*** Kap 20,14
15,13 ***a*** (13-14) Kap 17,3-4 **15,14** ***a*** 5. Mose 32,22
15,16 ***a*** 5. Mose 8,3; Ps 119,111; Hes 3,1-3; Offb 10,8
15,17 ***a*** Kap 6,11

Sie sollen sich zu dir kehren, doch du kehre
dich nicht zu ihnen! 20 Denn [a]ich mache
dich für dies Volk zur festen, ehernen
Mauer. Wenn sie auch wider dich streiten,
sollen sie dir doch nichts anhaben; denn
ich bin bei dir, dass ich dir helfe und dich
errette, spricht der HERR, 21 und ich will
dich erretten aus der Hand der Bösen und
erlösen aus der Hand der Tyrannen.

JEREMIAS EINSAMKEIT ALS VORZEICHEN DES GERICHTS

16 Und des HERRN Wort geschah zu mir:
2 Du sollst dir keine Frau nehmen und
weder Söhne noch Töchter zeugen an die-
sem Ort. 3 Denn so spricht der HERR von
den Söhnen und Töchtern, die an diesem
Ort geboren werden, und von ihren Müt-
tern, die sie gebären, und von ihren Vä-
tern, die sie zeugen in diesem Lande: 4 Sie
sollen an bösen Krankheiten sterben und
nicht beklagt noch begraben werden, son-
dern sollen [a]Dung werden auf dem Acker.
Durch Schwert und Hunger sollen sie um-
kommen, und [b]ihre Leichname sollen den
Vögeln des Himmels und den Tieren des
Feldes zum Fraß werden.
5 So spricht der HERR: Du sollst in kein
Trauerhaus gehen, weder um zu klagen
noch um zu trösten; denn ich habe mei-
nen Frieden von diesem Volk weggenom-
men, die Gnade und die Barmherzigkeit,
spricht der HERR. 6 Große und Kleine
sollen sterben in diesem Lande und nicht
begraben noch beklagt werden, und [a]nie-
mand wird sich ihretwegen wund ritzen
oder kahl scheren. 7 Auch wird man kei-
nem das Trauerbrot brechen, um ihn zu
trösten wegen eines Toten, und auch nicht
den Trostbecher zu trinken geben wegen
seines Vaters oder seiner Mutter. 8 Du
sollst auch in kein Festhaus gehen, um bei
ihnen zu sitzen zum Essen und zum Trin-
ken. 9 Denn so spricht der HERR Zebaoth,
der Gott Israels: Siehe, [a]ich will an diesem
Ort vor euren Augen und zu euren Lebzei-
ten ein Ende machen dem Jubel der Freude
und Wonne, der Stimme des Bräutigams
und der Braut.

DER GRUND DES STRAFGERICHTS

10 [a]Und wenn du das alles diesem Volk ge-
sagt hast und sie zu dir sprechen werden:
»Warum kündigt uns der HERR all dies
große Unheil an? Was ist die Missetat und
Sünde, womit wir wider den HERRN, un-
sern Gott, gesündigt haben?«, 11 so sollst
du ihnen sagen: Weil eure Väter mich
verlassen haben, spricht der HERR, und
andern Göttern nachgelaufen sind, ih-
nen gedient und sie angebetet, mich aber
verlassen und mein Gesetz nicht gehalten
haben, 12 ihr aber noch ärger tut als eure
Väter; denn siehe, [a]ein jeder wandelt im
Starrsinn seines bösen Herzens, sodass er
mir nicht gehorcht. 13 Darum will ich euch
aus diesem Land stoßen in ein Land, das
weder ihr gekannt habt noch eure Väter.
[a]Dort werdet ihr andern Göttern dienen
Tag und Nacht; denn ich will euch keine
Gnade erweisen.

DIE HEIMKEHR

14 [a]Darum siehe, es kommt die Zeit,
spricht der HERR, dass man nicht mehr sa-
gen wird: »So wahr der HERR lebt, der die
Israeliten aus Ägyptenland geführt hat«,
15 sondern: »So wahr der HERR lebt, der
die Israeliten geführt hat aus dem Lande
des Nordens und aus allen Ländern, wohin
er sie verstoßen hatte.« Denn ich will sie
zurückbringen in ihr Land, das ich ihren
Vätern gegeben habe.

ES GIBT KEIN ENTKOMMEN

16 Siehe, ich will viele Fischer aussenden,
spricht der HERR, die sollen sie fischen;
und danach will ich viele Jäger aussenden,
die sollen sie fangen auf allen Bergen und
auf allen Hügeln und in den Felsklüften.
17 Denn [a]meine Augen sehen auf alle ihre
Wege, dass sie sich nicht vor mir verste-
cken können, und ihre Missetat ist vor
meinen Augen nicht verborgen. 18 Aber
zuvor will ich ihre Missetat und Sünde
[a]zwiefach vergelten, weil sie mein Land
mit ihren toten Götzen unrein gemacht
und mein Erbland mit ihren Gräueln an-
gefüllt haben.

15,20 *a* Kap 1,18-19 **16,4** *a* Kap 9,21; 25,33
b Kap 7,33; 5. Mose 28,26 **16,6** *a* Kap 41,5;
47,5; 48,37; 5. Mose 14,1 **16,9** *a* Kap 7,34
16,10 *a* (10-13) Kap 5,19; 22,8-9; 5. Mose 29,23-27;
1. Kön 9,8-9 **16,12** *a* Kap 7,26 **16,13** *a* 5. Mose 28,64
16,14 *a* (14-15) Kap 23,7-8 **16,17** *a* Hiob 34,21
16,18 *a* Jes 40,2

DIE VÖLKER WERDEN GOTT ERKENNEN

19 HERR, du bist meine Stärke und Kraft
und meine Zuflucht in der Not! Die Völker
werden zu dir kommen von den Enden der
Erde und sagen: Nur Lüge haben unsere
Väter gehabt, nichtige Götter, die nicht
helfen können. 20 Wie kann ein Mensch
sich Götter machen? Das sind doch keine
Götter![a] 21 Darum siehe, diesmal will ich
sie lehren und meine Kraft und Gewalt ih-
nen kundtun, dass sie erfahren sollen: Ich
heiße der HERR.

JUDAS SÜNDE UND STRAFE

17 [a]Die Sünde Judas ist geschrieben mit
eisernem Griffel und mit diamantener
Spitze gegraben [b]auf die Tafel ihres Her-
zens und auf die Hörner an ihren Altären;
2 denn ihre Söhne denken an ihre Altäre
und Ascherabilder unter den grünen Bäu-
men und auf den hohen Hügeln. 3 [a]Aber
ich will deine Opferhöhen auf Bergen
und Feldern samt deiner Habe und allen
deinen Schätzen zum Raube geben um
der Sünde willen, die in deinem ganzen
Gebiet begangen ist. 4 Und du musst von
deinem Erbe lassen, das ich dir gegeben
habe, und ich will dich zum Knecht dei-
ner Feinde machen in einem Lande, das
du nicht kennst; denn ihr habt ein Feuer
meines Zorns angezündet, das ewiglich
brennen wird.

FALSCHES UND WAHRES VERTRAUEN

5 So spricht der HERR: Verflucht ist der
Mann, der [a]sich auf Menschen verlässt und
[b]hält Fleisch für seinen Arm und weicht
mit seinem Herzen vom HERRN. 6 Der ist
wie ein [a]Strauch in der Wüste und wird
nicht sehen das Gute, das kommt, son-
dern er wird bleiben in der Dürre der
Wüste, im unfruchtbaren Lande, wo nie-
mand wohnt. 7 **Gesegnet ist der Mann,
[a]der sich auf den HERRN verlässt und
dessen Zuversicht der HERR ist.** 8 Der
ist [a]wie ein Baum, am Wasser gepflanzt,
der seine Wurzeln zum Bach hin streckt.
Denn obgleich die Hitze kommt, fürch-
tet er sich doch nicht, sondern seine Blät-
ter bleiben grün; und er sorgt sich nicht,
wenn ein dürres Jahr kommt, sondern
bringt ohne Aufhören Früchte.

9 **Es ist das Herz ein trotzig und ver-
zagt Ding; wer kann es ergründen?**
10 Ich, der HERR, [a]kann das Herz ergrün-
den und die Nieren prüfen und [b]gebe
einem jeden nach seinem Tun, nach den
Früchten seiner Werke. 11 Wie ein Reb-
huhn, das sich über Eier setzt, die es
nicht gelegt hat, so ist, wer unrecht Gut
sammelt; denn [a]mitten im Leben muss
er davon und zuletzt steht er als Narr
da.

12 Aber die Stätte unseres Heiligtums
ist der [a]Thron der Herrlichkeit, erhaben
von Anbeginn. 13 Denn du, HERR, bist
die Hoffnung Israels. Alle, die dich ver-
lassen, müssen zuschanden werden, und
die Abtrünnigen müssen auf die Erde
geschrieben werden; denn sie verlassen
den HERRN, [a]die Quelle des lebendigen
Wassers.

JEREMIAS GEBET IN ANFECHTUNG (JEREMIAS DRITTE KLAGE)

14 [a]**Heile du mich, HERR, so werde ich
heil; hilf du mir, so ist mir geholfen;**
[b]denn du bist mein Ruhm. 15 Siehe, sie
sprechen zu mir: »Wo ist denn des HERRN
Wort? [a]Soll es doch kommen!« 16 Aber ich
habe dich nie gedrängt, Unheil kommen
zu lassen; auch hab ich den bösen Tag
nicht herbeigewünscht, das weißt du. Was
ich gepredigt habe, das liegt offen vor dir.

17 Sei du mir nur nicht schrecklich,
meine Zuversicht in der Not! 18 [a]Lass die
zuschanden werden, die mich verfolgen,
und nicht mich; lass sie erschrecken, und
nicht mich. Lass den Tag des Unheils über
sie kommen und zerschlage sie zwiefach!

DIE HEILIGUNG DES SABBATS

19 [a]So sprach der HERR zu mir: Geh hin
und tritt ins Tor des Volks, durch das die
Könige von Juda aus und ein gehen, und
in alle Tore Jerusalems 20 und sprich zu ih-
nen: Höret des HERRN Wort, ihr Könige
Judas und ganz Juda und alle Einwohner
Jerusalems, die durch diese Tore gehen!

16,20 ***a*** Kap 2,11 **17,1** ***a*** *(1-2)* 1. Kön 14,22-23 ***b*** Kap 31,33
17,3 ***a*** *(3-4)* Kap 15,13-14 **17,5** ***a*** Ps 118,8; 146,3
b 2. Chr 32,8 **17,6** ***a*** Kap 48,6 **17,7** ***a*** Ps 146,5
17,8 ***a*** Ps 1,3 **17,10** ***a*** 1. Sam 16,7; Ps 7,10; Spr 15,11
b Kap 32,19; Röm 2,6 **17,11** ***a*** Lk 12,20 **17,12** ***a*** Kap 3,17
17,13 ***a*** Kap 2,13 **17,14** ***a*** 2. Mose 15,26; Ps 6,3
b Ps 109,1 **17,15** ***a*** Jes 5,19 **17,18** ***a*** Ps 35,4
17,19 ***a*** *(19-27)* Neh 13,15-22

21 [a]So spricht der HERR: Hütet euch um
eures Lebens willen und bringt keine Last
am Sabbattag durch die Tore Jerusalems
22 und tragt keine Last am Sabbattag aus
euren Häusern und tut keine Arbeit, son-
dern [a]heiligt den Sabbattag, wie ich euren
Vätern geboten habe. 23 Aber [a]sie hör-
ten nicht und neigten ihre Ohren nicht,
sondern blieben halsstarrig, dass sie ja
nicht auf mich hörten noch Zucht an-
nähmen.
24 Wenn ihr nun auf mich hören werdet,
spricht der HERR, dass ihr am Sabbattag
keine Last durch die Tore dieser Stadt
tragt, sondern den Sabbat heiligt, dass ihr
an diesem Tage keine Arbeit tut, 25 so [a]sol-
len auch durch die Tore dieser Stadt aus
und ein gehen Könige und Fürsten, die auf
dem Thron Davids sitzen und die mit Ross
und Wagen fahren, sie und ihre Fürsten,
die Männer Judas und die Einwohner Je-
rusalems; und diese Stadt soll für immer
bewohnt werden. 26 Und sie sollen kom-
men [a]aus den Städten Judas und aus der
Gegend von Jerusalem und aus dem Lande
Benjamin, aus dem Hügelland und vom
Gebirge und vom Südland, die da bringen
Brandopfer, Schlachtopfer, Speisopfer
und Weihrauch und die da Dankopfer
bringen zum Hause des HERRN. 27 Wer-
det ihr aber nicht auf mein Gebot hören,
[a]den Sabbattag zu heiligen und keine Last
am Sabbattag zu tragen durch die Tore Je-
rusalems, [b]so will ich ein Feuer in ihren
Toren anzünden, das die festen Häuser
Jerusalems verzehrt und nicht gelöscht
werden kann.

DAS GLEICHNIS VOM TÖPFER

18 Dies ist das Wort, das geschah vom
HERRN zu Jeremia: 2 Mach dich auf
und geh hinab in des Töpfers Haus; dort
will ich dich meine Worte hören las-
sen. 3 Und ich ging hinab in des Töpfers
Haus, und siehe, er arbeitete eben auf
der Scheibe. 4 Und wenn der Topf, den
er aus dem Ton machte, ihm unter den
Händen missriet, machte er daraus wie-
der einen andern Topf, ganz wie es ihm
gefiel.
5 Da geschah des HERRN Wort zu mir:
6 Kann ich nicht ebenso mit euch umge-
hen, ihr vom Hause Israel, wie dieser Töp-
fer?, spricht der HERR. Siehe, [a]wie der Ton
in des Töpfers Hand, so seid auch ihr in
meiner Hand, Haus Israel.
7 [a]Bald rede ich gegen ein Volk und Kö-
nigreich, dass ich es ausreißen, einreißen
und zerstören will; 8 wenn sich aber das
Volk, gegen das ich geredet habe, von sei-
ner Bosheit bekehrt, so [a]reut mich auch
das Unheil, das ich ihm gedachte zu tun.
9 Und bald rede ich über ein Volk und Kö-
nigreich, dass ich es bauen und pflanzen
will; 10 wenn es aber tut, was mir missfällt,
dass es meiner Stimme nicht gehorcht, [a]so
reut mich auch das Gute, das ich ihm ver-
heißen hatte zu tun.
11 Und nun sprich zu den Leuten in Juda
und zu den Bürgern Jerusalems: So spricht
der HERR: [a]Siehe, ich bereite euch Unheil
und fasse gegen euch einen Plan. So be-
kehrt euch doch, ein jeder von seinem
bösen Wege, und [b]bessert euern Wandel
und euer Tun! 12 Aber sie werden spre-
chen: [a]Daraus wird nichts! Wir wollen
unsern eigenen Plänen folgen und jeder
nach dem [b]Starrsinn seines bösen Her-
zens handeln.
13 Darum, so spricht der HERR: Fragt
doch unter den Völkern: Wer hat je der-
gleichen gehört? Gräuliche Dinge hat
die Jungfrau Israel getan! 14 Weicht denn
von den felsigen Hängen der Schnee des
Libanon? Oder versiegen die laufen-
den Wasser aus sprudelnden Quellen?
15 [a]Mein Volk jedoch hat mich vergessen.
Sie opfern den nichtigen Göttern. Die
haben sie zu Fall gebracht auf ihren von
alters her gebahnten Wegen. So müssen
sie nun gehen auf Pfaden, auf ungebahn-
tem Weg, 16 auf dass ihr Land zur Wüste
werde, ihnen zur ewigen Schande, dass,
wer vorübergeht, sich entsetze und den
Kopf schüttle.[a] 17 Denn wie der Ostwind
will ich sie zerstreuen vor dem Feind;
[a]ich will ihnen den Rücken und nicht
das Antlitz zeigen am Tag ihres Ver-
derbens.

17,21 ***a*** (21-22) 2. Mose 20,8-10 **17,22** ***a*** Jes 56,2
17,23 ***a*** Kap 7,26 **17,25** ***a*** Kap 22,4 **17,26** ***a*** Kap 32,44;
33,13 **17,27** ***a*** Hes 20,12-13 ***b*** Am 2,5 **18,6** ***a*** Jes 45,9;
Röm 9,21 **18,7** ***a*** (7-10) Kap 1,10 **18,8** ***a*** Kap 26,3;
Hes 33,11; Jona 3,10 **18,10** ***a*** 1. Mose 6,6 **18,11** ***a*** Kap 11,11
b Kap 7,3; 26,13 **18,12** ***a*** Kap 2,25; 6,16 ***b*** Kap 11,8
18,15 ***a*** Kap 2,23 **18,16** ***a*** Kap 19,8 **18,17** ***a*** Kap 2,27

JEREMIAS GEBET GEGEN SEINE FEINDE (JEREMIAS VIERTE KLAGE)

18 Sie sprachen: »Kommt und lasst uns ge-
gen Jeremia Pläne schmieden; denn dem
Priester wird's nicht fehlen an Weisung
noch dem Weisen an Rat noch dem Pro-
pheten am Wort! Kommt, lasst uns ihn
mit Worten totschlagen und nichts geben
auf alle seine Reden!«
19 HERR, hab acht auf mich und höre
die Stimme meiner Widersacher! 20 [a]Ist's
recht, dass man Gutes mit Bösem vergilt?
Denn sie haben mir eine Grube gegraben!
Gedenke doch, wie ich vor dir gestanden
bin, um für sie zum Besten zu reden und
deinen Grimm von ihnen abzuwenden!
21 So gib nun ihre Kinder dem Hunger
preis und lass sie ins Schwert fallen, dass
ihre Frauen kinderlos und Witwen seien
und ihre Männer vom Tode getroffen und
ihre [a]junge Mannschaft im Krieg vom
Schwert erschlagen werden; 22 dass Ge-
schrei aus ihren Häusern gehört werde,
wenn du plötzlich Kriegsvolk über sie
kommen lässt. Denn sie haben eine Grube
gegraben, mich zu fangen, und meinen
Füßen Fallen gestellt. 23 Aber du, HERR,
kennst alle ihre Anschläge gegen mich,
dass sie mich töten wollen. So [a]vergib
ihnen ihre Missetat nicht und tilge ihre
Sünde nicht aus vor dir! Lass sie vor dir zu
Fall kommen und handle an ihnen zur Zeit
deines Zorns!

DER ZERSCHMETTERTE KRUG

19 So sprach der HERR: Geh hin und
kaufe dir einen irdenen Krug vom
Töpfer und nimm mit etliche von den
Ältesten des Volks und von den Ältes-
ten der Priester 2 und geh hinaus ins Tal
[a]Ben-Hinnom, das vor dem Scherbentor
liegt, und predige dort die Worte, die ich
dir sage, 3 und sprich:
Höret des HERRN Wort, ihr Könige
von Juda und ihr Bürger Jerusalems! So
spricht der HERR Zebaoth, der Gott Is-
raels: [a]Siehe, ich will ein solches Unheil
über diese Stätte bringen, dass jedem, der
es hören wird, die Ohren gellen sollen,
4 weil sie mich verlassen und diese Stätte
missbraucht und dort andern Göttern
geopfert haben, die weder sie noch ihre
Väter noch die Könige von Juda kann-
ten, und weil sie die Stätte voll unschul-
digen Blutes gemacht 5 [a]und dem Baal
Höhen gebaut haben, um ihre Kinder
dem Baal als Brandopfer zu verbrennen,
was ich weder geboten noch geredet habe
und was mir nie in den Sinn gekommen
ist.
6 Darum siehe, es wird die Zeit kom-
men, spricht der HERR, dass man diese
Stätte nicht mehr »Tofet« und »Tal Ben-
Hinnom«, sondern »Würgetal« nennen
wird. 7 Und ich will das Vorhaben Judas
und Jerusalems an diesem Ort zunichte-
machen und will sie durchs Schwert fal-
len lassen vor ihren Feinden und durch
die Hand derer, die ihnen nach dem Le-
ben trachten, und will ihre Leichname den
Vögeln des Himmels und den Tieren auf
dem Felde zum Fraß geben. 8 Und ich will
diese Stadt zum Entsetzen und zum Spott
machen, dass alle, die vorübergehen, sich
entsetzen und spotten über alle ihre Pla-
gen.[a] 9 Ich will sie [a]ihrer Söhne und Töch-
ter Fleisch essen lassen, und einer soll
des andern Fleisch essen in der Not und
Angst, mit der ihre Feinde und die, die
ihnen nach dem Leben trachten, sie be-
drängen werden.
10 Und du sollst den Krug zerbrechen vor
den Augen der Männer, die mit dir gegan-
gen sind, 11 und zu ihnen sagen: So spricht
der HERR Zebaoth: [a]Wie man eines Töp-
fers Gefäß zerbricht, dass es nicht wieder
ganz werden kann, so will ich dies Volk
und diese Stadt zerbrechen. Und man
wird im [b]Tofet begraben, weil sonst kein
Raum dafür da sein wird. 12 So will ich's
mit dieser Stätte und ihren Bewohnern
machen, spricht der HERR, dass diese
Stadt wie das Tofet werden soll. 13 Und
die Häuser Jerusalems und die Häuser
der Könige von Juda sollen ebenso un-
rein werden wie die Stätte Tofet, alle
Häuser, wo sie [a]auf den Dächern dem
ganzen Heer des Himmels geopfert und
andern Göttern Trankopfer dargebracht
haben.

18,20 *a* Ps 35,7.12 **18,21** *a* Kap 11,22 **18,23** *a* Lk 23,34
19,2 *a* Kap 7,31 **19,3** *a* 2. Kön 21,12
19,5 *a* (5-7) Kap 7,31-33 **19,8** *a* Kap 18,16
19,9 *a* 3. Mose 26,29; 5. Mose 28,53 **19,11** *a* Jes 30,14
b Kap 7,32 **19,13** *a* Kap 32,29; 2. Kön 23,12; Zef 1,5

JEREMIA WIRD VON PASCHHUR MISSHANDELT

14 Und als Jeremia vom Tofet zurückkam,
wohin ihn der HERR gesandt hatte, um zu
weissagen, trat er in den Vorhof am Hause
des HERRN und sprach zu allem Volk: 15 So
spricht der HERR Zebaoth, der Gott Isra-
els: Siehe, ich will über diese Stadt und
über alle ihre Ortschaften all das Unheil
kommen lassen, das ich gegen sie geredet
habe, weil sie halsstarrig sind und meine
Worte nicht hören wollen.

20 Als aber Paschhur, der Sohn Immers,
der Priester, der zum Vorsteher im
Hause des HERRN bestellt war, hörte, wie
Jeremia solche Worte weissagte, 2 schlug
er den Propheten Jeremia und [a]schloss
ihn in den Block am oberen Benjamin-
tor, das am Hause des HERRN ist. 3 Und
am andern Morgen ließ Paschhur den Je-
remia aus dem Block los. Da sprach Jere-
mia zu ihm: Der HERR nennt dich nicht
Paschhur, sondern [a]»Schrecken um und
um«; 4 denn so spricht der HERR: Siehe,
ich will dich zum Schrecken machen für
dich selbst und alle deine Freunde; sie
sollen fallen durchs Schwert ihrer Feinde,
und du sollst es mit eigenen Augen se-
hen. Und ich will ganz Juda in die Hand
des Königs von Babel geben; der soll
sie wegführen nach Babel und mit dem
Schwert töten. 5 Auch will ich alle Güter
dieser Stadt und allen Ertrag ihrer Arbeit
und alle Kleinode und alle Schätze der
Könige von Juda in die Hand ihrer Feinde
geben; die [a]werden sie rauben, mitneh-
men und nach Babel bringen. 6 Und du,
Paschhur, sollst mit allen deinen Haus-
genossen gefangen weggeführt werden
und nach Babel kommen. Dort sollst du
sterben und begraben werden samt allen
deinen Freunden, denen du Lügen gepre-
digt hast.

DIE LAST DES PROPHETENAMTS (JEREMIAS FÜNFTE KLAGE)

7 HERR, [a]du hast mich überredet und
ich habe mich überreden lassen. Du bist
mir zu stark gewesen und hast gewon-
nen; aber ich bin darüber zum Spott ge-
worden täglich, und jedermann verlacht
mich. 8 Denn sooft ich rede, muss ich
schreien; »Frevel und Gewalt!« muss ich
rufen. Denn des HERRN Wort ist mir zu
Hohn und Spott geworden täglich. 9 Da
dachte ich: Ich will seiner nicht mehr
gedenken und nicht mehr in seinem
Namen predigen. Aber es ward in mei-
nem Herzen wie ein brennendes Feuer,
verschlossen in meinen Gebeinen. Ich
mühte mich, es zu ertragen, aber konnte
es nicht.[a]

10 Denn ich höre, wie viele heimlich re-
den: [a]»Schrecken ist um und um!« »Ver-
klagt ihn!« »Wir wollen ihn verklagen!«
[b]Alle meine Freunde und Gesellen lau-
ern, ob ich nicht falle: »Vielleicht lässt er
sich überlisten, dass wir ihm beikommen
können und uns an ihm rächen.« 11 Aber
[a]der HERR ist bei mir wie ein starker
Held, darum werden meine Verfolger fal-
len und nicht gewinnen. Sie müssen ganz
zuschanden werden, weil es ihnen nicht
gelingt. Ewig wird ihre Schande sein und
nie vergessen werden.

12 Und nun, HERR Zebaoth, der du
die Gerechten prüfst, Nieren und Herz
durchschaust: [a]Lass mich deine Rache
an ihnen sehen; denn dir habe ich meine
Sache befohlen. 13 Singet dem HERRN,
rühmet den HERRN, der des Armen Le-
ben aus den Händen der Boshaften er-
rettet!

14 Verflucht sei der Tag, an dem ich ge-
boren bin; der Tag soll ungesegnet sein,
an dem mich meine Mutter geboren
hat![a] 15 Verflucht sei, der meinem Vater
gute Botschaft brachte und sprach: »Du
hast einen Sohn«, sodass er ihn fröh-
lich machte! 16 Der Tag soll sein [a]wie die
Städte, die der HERR vernichtet hat ohne
Erbarmen. Am Morgen soll er Wehklage
hören und am Mittag Kriegsgeschrei,
17 weil er mich nicht getötet hat im Mut-
terleibe, sodass meine Mutter mein Grab
geworden und ihr Leib ewig schwanger
geblieben wäre! 18 Warum bin ich doch
aus dem Mutterleib hervorgekommen,
wenn ich nur Jammer und Herzeleid se-
hen muss und meine Tage in Schmach
zubringe!

20,2 *a* Apg 16,24 **20,3** *a* Vers 10; Kap 6,25; 46,5; 49,29; Ps 31,14 **20,5** *a* Jes 39,6 **20,7** *a* Kap 1,5-7 **20,9** *a* 1. Kor 9,16 **20,10** *a* Vers 3 *b* Kap 18,18 **20,11** *a* Kap 1,8.19 **20,12** *a* Kap 11,20 **20,14** *a* Kap 15,10; Hiob 3,3-11; 10,18 **20,16** *a* 1. Mose 19,24-25

JEREMIA KÜNDIGT ZEDEKIA DIE ZERSTÖRUNG JERUSALEMS AN

21 Dies ist das Wort, das vom HERRN
geschah zu Jeremia, als der König Ze-
dekia zu ihm sandte Paschhur, den Sohn
Malkijas, und [a]Zefanja, den Sohn Ma-
asejas, den Priester, und ihm sagen ließ:
2 Befrage doch den HERRN für uns; denn
Nebukadnezar, der König von Babel,
führt Krieg gegen uns. Vielleicht wird der
HERR doch an uns tun wie bei all seinen
früheren Wundern, sodass jener von uns
abzieht.
3 Jeremia sprach zu ihnen: So sagt zu
Zedekia: 4 Das spricht der HERR, der
Gott Israels: Siehe, ich will die Waffen
gegen euch wenden, die ihr in euren
Händen habt, mit denen ihr außen vor
der Mauer kämpft gegen den König von
Babel und gegen die Chaldäer, die euch
belagern, und will sie sammeln mit-
ten in dieser Stadt. 5 Und ich selbst will
wider euch streiten mit ausgestreckter
Hand, mit starkem Arm, mit Zorn und
Grimm und ohne Erbarmen 6 und will
die Bürger dieser Stadt schlagen, Men-
schen und Tiere, dass sie sterben sollen
durch eine große Pest. 7 Und danach,
spricht der HERR, will ich Zedekia, den
König von Juda, samt seinen Großen
und dem Volk, das in dieser Stadt von
Pest, Schwert und Hunger übrig gelas-
sen wird, in die Hand Nebukadnezars,
des Königs von Babel, geben und in die
Hand ihrer Feinde und in die Hand de-
rer, die ihnen nach dem Leben trachten.
Er wird sie mit der Schärfe des Schwerts
schlagen schonungslos, ohne Gnade und
Erbarmen.
8 Und zu diesem Volk sage: So spricht
der HERR: Siehe, [a]ich lege euch vor den
Weg zum Leben und den Weg zum Tode.
9 Wer in dieser Stadt bleibt, der wird ster-
ben müssen durch Schwert, Hunger und
Pest; wer sich aber hinausbegibt und
überläuft zu den Chaldäern, die euch be-
lagern, der soll am Leben bleiben und soll
sein Leben als Beute behalten.[a] 10 Denn ich
habe mein Angesicht gegen diese Stadt ge-
richtet zum Unheil und nicht zum Heil,
spricht der HERR. [a]Sie soll dem König von
Babel übergeben werden, dass er sie mit
Feuer verbrenne.

WORTE AN DIE KÖNIGE VON JUDA

11 Und zum Hause des Königs von Juda
sage: Höret des HERRN Wort, 12 ihr vom
Hause David! So spricht der HERR: [a]Hal-
tet alle Morgen gerechtes Gericht und
errettet den Beraubten aus des Frevlers
Hand, auf dass nicht [b]mein Grimm aus-
fahre wie Feuer und brenne, ohne dass je-
mand löschen kann, um eurer bösen Taten
willen.
13 Siehe, spricht der HERR, ich will an
dich, du Stadt, die du wohnst im Tal-
grund, du Fels in der Ebene. Ihr sprecht:
Wer will uns überfallen, und wer will in
unsere Feste kommen? 14 Ich [a]will euch
heimsuchen, spricht der HERR, nach der
Frucht eures Tuns; [b]ich will ein Feuer in
ihrem Wald anzünden, das soll alles um-
her verzehren.
22 So sprach der HERR: Geh hinab in
das Haus des Königs von Juda und
rede dort dies Wort 2 und sprich: Höre
des HERRN Wort, du König von Juda, der
du auf dem Thron Davids sitzt, du und
deine Großen und dein Volk, die durch
diese Tore hineingehen. 3 So spricht der
HERR: [a]Schafft Recht und Gerechtig-
keit und errettet den Beraubten von des
Frevlers Hand und bedrängt nicht die
Fremdlinge, Waisen und Witwen und
tut niemand Gewalt an und vergießt
kein unschuldiges Blut an dieser Stätte.
4 Werdet ihr das tun, so [a]sollen durch die
Tore dieses Hauses einziehen Könige,
die auf Davids Thron sitzen, und fahren
mit Wagen und Rossen samt ihren Gro-
ßen und ihrem Volk. 5 Werdet ihr aber
diesen Worten nicht gehorchen, so habe
ich bei mir selbst geschworen, spricht der
HERR: [a]Dies Haus soll zur Trümmerstätte
werden.
6 Denn so spricht der HERR von dem
Hause des Königs von Juda: Bist du mir
auch wie Gilead oder wie der Gipfel des
Libanon – was gilt's? Ich will dich zur
Wüste, zur Stadt ohne Einwohner ma-
chen! 7 Ich will Verderber wider dich be-
stellen, einen jeden mit seinen Waffen;
die sollen deine auserwählten Zedern

21,1 *a* Kap 37,3 **21,8** *a* 5. Mose 30,15 **21,9** *a* Kap 38,2
21,10 *a* Kap 34,2 **21,12** *a* Kap 22,3 *b* Kap 7,20
21,14 *a* Gal 6,7 *b* Hes 21,3 **22,3** *a* Kap 21,12
22,4 *a* Kap 17,25 **22,5** *a* 1. Kön 9,8

umhauen und ins Feuer werfen. 8 Da wer-
den viele Völker an dieser Stadt vorüber-
ziehen und zueinander sagen: Warum
hat der HERR an dieser großen Stadt so
gehandelt? 9 Und man wird antworten:
Weil sie den Bund des HERRN, ihres Got-
tes, verlassen und andere Götter angebetet
und ihnen gedient haben.

GEGEN SCHALLUM (JOAHAS)

10 [a]Weint nicht über den Toten und grämt
euch nicht um ihn; weint aber über den,
der fortgezogen ist; denn er wird nicht
mehr wiederkommen und sein Vaterland
nicht wiedersehen. 11 Denn so spricht der
HERR über [a]Schallum, den Sohn [b]Josias,
des Königs von Juda, der König wurde an
seines Vaters Josia statt: Der von dieser
Stätte fortgezogen ist, wird nicht wie-
der herkommen, 12 sondern muss ster-
ben an dem Ort, wohin er gefangen ge-
führt ist, und wird dies Land nicht mehr
sehen.

GEGEN JOJAKIM

13 [a]Weh dem, der [b]sein Haus mit Sünden
baut und seine Gemächer mit Unrecht, der
seinen Nächsten umsonst arbeiten lässt
und [c]gibt ihm seinen Lohn nicht 14 und
denkt: »Wohlan, ich will mir ein großes
Haus bauen und weite Gemächer«, und
lässt ihm Fenster einsetzen und es mit
Zedern täfeln und rot malen. 15 Meinst
du, du seist König, weil du mit Zedern
prangst? Hat dein Vater nicht auch geges-
sen und getrunken und hielt dennoch auf
Recht und Gerechtigkeit, und es ging ihm
gut? 16 Er half dem Elenden und Armen
zum Recht, und es ging ihm gut. Heißt
dies nicht, mich recht erkennen?, spricht
der HERR. 17 Aber deine Augen und dein
Herz sind auf nichts anderes aus als auf
unrechten Gewinn und darauf, unschul-
diges Blut zu vergießen, zu unterdrücken
und zu misshandeln.

18 Darum, so spricht der HERR über [a]Jo-
jakim, den Sohn Josias, den König von
Juda: Man wird ihn nicht beklagen: »Ach,
Bruder! Ach, Schwester!« Man wird ihn
nicht beklagen: »Ach, Herr! Ach, Edler!«
19 Er soll wie ein Esel begraben werden,
fortgeschleift und [a]hinausgeworfen vor
die Tore Jerusalems.

JERUSALEMS STURZ

20 Geh hinauf auf den Libanon und schreie
und lass deine Klage hören in Baschan
und schreie vom Abarim her; denn alle
deine Liebhaber sind jämmerlich um-
gebracht! 21 Ich habe dir's vorher gesagt,
als es noch gut um dich stand; aber du
sprachst: »Ich will nicht hören.« So hast
du es von Jugend an getan, dass du mei-
ner Stimme nicht gehorchtest. 22 Alle
deine Hirten weidet der Sturmwind, und
deine Liebhaber müssen gefangen fort.
So wirst du zu Spott und zuschanden
werden um aller deiner Bosheit willen.
23 Die du jetzt auf dem Libanon wohnst
und in Zedern nistest, wie wirst du stöh-
nen, wenn dir Schmerzen und Wehen
kommen werden wie einer in Kinds-
nöten!

GEGEN JOJACHIN (KONJA)

24 [a]So wahr ich lebe, spricht der HERR:
Wenn [b]Konja, der Sohn Jojakims, der Kö-
nig von Juda, ein Siegelring wäre an mei-
ner rechten Hand, so wollte ich dich doch
abreißen 25 und in die Hände derer geben,
die dir nach dem Leben trachten und vor
denen du dich fürchtest: in die Hände
Nebukadnezars, des Königs von Babel,
und der Chaldäer. 26 Und ich will dich und
deine Mutter, die dich geboren hat, in
ein anderes Land schleudern, in dem ihr
nicht geboren seid; dort sollt ihr sterben.[a]
27 Aber in das Land, wohin sie von Herzen
gern wiederkämen, sollen sie nicht zu-
rückkehren.

28 Ist denn dieser Mann Konja ein ver-
achtetes, zerschlagenes Gefäß oder ein
Gerät, das niemand haben will? Warum
wurde er denn samt seinem Geschlecht
fortgeschleudert und in ein unbekanntes
Land geworfen! 29 **O Land, Land, Land,
höre des HERRN Wort!** 30 So spricht
der HERR: Schreibt diesen Mann auf,
als [a]hätte er keine Kinder, als einen
Mann, dem sein Leben lang nichts ge-
lingt! Denn keiner seiner Nachkommen

22,10 ***a*** (10-12) 2. Kön 23,29-34 **22,11** ***a*** 1. Chr 3,15 ***b*** 2. Chr 36,1-4 **22,13** ***a*** (13-19) 2. Kön 24,1-4 ***b*** Mi 3,10; Hab 2,12 ***c*** 3. Mose 19,13; Jak 5,4 **22,18** ***a*** Kap 34,5; 2. Kön 23,34 **22,19** ***a*** Kap 36,30
22,24 ***a*** (24-30) 2. Kön 24,8-16 ***b*** Kap 24,1
22,26 ***a*** Kap 16,13 **22,30** ***a*** 1. Chr 3,17-24

wird das Glück haben, dass er auf dem
Thron Davids sitze und wieder in Juda
herrsche.

GEGEN DIE BÖSEN HIRTEN. VERHEISSUNG EINES GERECHTEN KÖNIGS

23 [a]Wehe den [b]Hirten, die die Herde
meiner Weide umkommen lassen und
zerstreuen!, spricht der HERR. 2 Darum,
so spricht der HERR, der Gott Israels, über
die Hirten, die mein Volk weiden: Ihr habt
meine Herde zerstreut und verstoßen und
nicht nach ihr gesehen. Siehe, ich will euch
heimsuchen um eures bösen Tuns willen,
spricht der HERR. 3 Und ich will die Üb-
riggebliebenen meiner Herde sammeln
aus allen Ländern, wohin ich sie versto-
ßen habe, und will sie wiederbringen zu
ihren Weideplätzen, dass sie fruchtbar
sein sollen und sich mehren. 4 Und [a]ich
will Hirten über sie setzen, die sie weiden
sollen, dass sie sich nicht mehr fürchten
noch erschrecken noch heimgesucht wer-
den, spricht der HERR.

**5 Siehe, es kommt die Zeit, spricht
der HERR, dass ich dem David einen
gerechten [a]Spross erwecken will. Der
soll [b]ein König sein, der wohl regieren
und Recht und Gerechtigkeit im Lande
üben wird. 6 Zu seiner Zeit soll Juda ge-
holfen werden und [a]Israel sicher woh-
nen. Und dies wird sein Name sein,
mit dem man ihn nennen wird: [b]»Der
HERR ist unsere Gerechtigkeit«.**

7 [a]Darum siehe, es wird die Zeit kom-
men, spricht der HERR, dass man nicht
mehr sagen wird: »So wahr der HERR lebt,
der die Israeliten aus Ägyptenland geführt
hat!«, 8 sondern: »So wahr der HERR lebt,
der die Nachkommen des Hauses Israel
heraufgeführt und hergebracht hat aus
dem Lande des Nordens und aus allen Lan-
den, wohin er sie verstoßen hatte.« Und
sie sollen in ihrem Lande wohnen.

ÜBER DIE FALSCHEN PROPHETEN

(vgl. Hes 13,2-16)

9 Wider die Propheten. Mein Herz will
mir in meinem Leibe brechen, alle meine
Gebeine zittern; mir ist wie einem trun-
kenen Mann und wie einem, der vom
Wein taumelt, vor dem HERRN und vor
seinen heiligen Worten. 10 Denn das Land
ist voller Ehebrecher, und wegen des Flu-
ches [a]vertrocknet das Land und die Wei-
deplätze in der Steppe verdorren. Böse
ist, wonach sie streben, und ihre Stärke ist
Unrecht. 11 Denn [a]Propheten wie Priester
sind ruchlos; auch in meinem Hause finde
ich ihre Bosheit, spricht der HERR.

12 Darum ist ihr Weg [a]wie ein glatter
Weg, auf dem sie im Finstern gleiten und
fallen; denn ich will Unheil über sie kom-
men lassen, das Jahr ihrer Heimsuchung,
spricht der HERR. 13 [a]Auch bei den Prophe-
ten zu Samaria sah ich Anstößiges, dass sie
weissagten im Namen des Baal und mein
Volk Israel verführten; 14 aber bei den Pro-
pheten zu Jerusalem sehe ich Gräuel, wie
sie ehebrechen und mit Lügen umgehen
und die Boshaften stärken, auf dass sich ja
niemand bekehre von seiner Bosheit. Sie
sind alle vor mir gleichwie Sodom und die
Bürger Jerusalems wie Gomorra. 15 Darum
spricht der HERR Zebaoth über die Pro-
pheten: Siehe, [a]ich will sie mit Wermut
speisen und mit Gift tränken; denn von
den Propheten Jerusalems geht Ruchlo-
sigkeit aus ins ganze Land.

16 So spricht der HERR Zebaoth: Hört
nicht auf die Worte der Propheten, die
euch weissagen! [a]Sie betrügen euch, [b]sie
verkünden euch Gesichte aus ihrem Her-
zen und nicht [c]aus dem Mund des HERRN.
17 Sie sagen denen, die des HERRN Wort
verachten: Es wird euch wohlgehen –,
und allen, [a]die im Starrsinn ihres Herzens
wandeln, sagen sie: Es wird kein Unheil
über euch kommen. 18 Aber wer hat [a]im
Rat des HERRN gestanden, dass er sein
Wort gesehen und gehört hätte? Wer
hat sein Wort vernommen und gehört?
19 [a]Siehe, es wird ein Wetter des HERRN
kommen voll Grimm und ein schreck-
liches Ungewitter auf den Kopf der Gott-
losen niedergehen. 20 Und des HERRN
Zorn wird nicht ablassen, bis er tue und

23,1 ***a*** (1-4) Hes 34,1-16 ***b*** Kap 10,21; Sach 11,5
23,4 ***a*** Kap 3,15 **23,5** ***a*** Sach 3,8 ***b*** Jes 32,1
23,6 ***a*** Kap 32,37; 1. Kön 5,5 ***b*** Kap 33,16; Jes 45,24
23,7 ***a*** (7-8) Kap 16,14-15 **23,10** ***a*** Kap 12,4
23,11 ***a*** Kap 5,31; 6,13 **23,12** ***a*** Ps 35,6
23,13 ***a*** (13-15) 5. Mose 18,20-22; Jes 1,10; Hes 13,22
23,15 ***a*** Kap 9,14 **23,16** ***a*** Kap 6,13-14 ***b*** Kap 14,14
c 5. Mose 8,3 **23,17** ***a*** Kap 7,24 **23,18** ***a*** Hiob 15,8;
Jes 40,13; Am 3,7 **23,19** ***a*** (19-20) Kap 30,23-24

ausrichte, was er im Sinn hat; zur letzten
Zeit werdet ihr es klar erkennen. 21 Ich
sandte die Propheten nicht, und doch
laufen sie; ich redete nicht zu ihnen, und
doch weissagen sie.[a] 22 Denn wenn sie in
meinem Rat gestanden hätten, so hätten
sie meine Worte meinem Volk gepredigt,
um es von seinem bösen Wandel und von
seinem bösen Tun zu bekehren.

23 **Bin ich nur ein Gott, der nahe ist,
spricht der HERR, und nicht auch ein
Gott, der ferne ist?** 24 Meinst du, dass
[a]sich jemand so heimlich verbergen kön-
ne, dass ich ihn nicht sehe?, spricht der
HERR. Bin ich es nicht, der Himmel und
Erde erfüllt?, spricht der HERR.

25 Ich höre es wohl, was die Propheten
reden, die Lüge weissagen in meinem
Namen und sprechen: Mir hat geträumt,
mir hat geträumt. 26 Wann wollen doch
die Propheten aufhören, die Lüge weis-
sagen und ihres Herzens Trug weissagen
27 und wollen, dass mein Volk meinen
Namen vergesse über ihren Träumen,
die einer dem andern erzählt, [a]so wie
ihre Väter meinen Namen vergaßen über
dem Baal? 28 Ein Prophet, der Träume hat,
der erzähle Träume; wer aber mein Wort
hat, der predige mein Wort recht. Wie
reimen sich Stroh und Weizen zusam-
men?, spricht der HERR. 29 **Ist mein Wort
nicht wie ein Feuer, spricht der HERR,
und wie ein Hammer, der Felsen zer-
schmeißt?**[a]

30 Darum siehe, ich will an die Prophe-
ten, spricht der HERR, die meine Worte
stehlen einer vom andern. 31 Siehe, ich
will an die Propheten, spricht der HERR,
die ihr eigenes Wort führen und spre-
chen: »Er hat's gesagt.« 32 Siehe, ich will
an die Propheten, spricht der HERR, die
falsche Träume erzählen und [a]verführen
mein Volk mit ihren Lügen und losem Ge-
schwätz, obgleich ich sie nicht gesandt und
ihnen nichts befohlen habe und sie auch
diesem Volk nichts nütze sind, spricht der
HERR.

DIE LAST DES HERRN

33 [a]Wenn dich dies Volk oder ein Prophet
oder ein Priester fragen wird und sagt:
Was ist die Last, die der HERR jetzt an-
kündigt?, sollst du zu ihnen sagen: Ihr
seid die Last*, ich will euch abwerfen,
spricht der HERR. – 34 Und wenn ein Pro-
phet oder Priester oder die Leute sagen
werden: »Das ist die Last des HERRN«,
den will ich heimsuchen und sein Haus
dazu. 35 Vielmehr sollt ihr einer mit dem
andern reden und zueinander sagen:
»Was hat der HERR geantwortet?«, und:
»Was hat der HERR gesagt?« 36 Aber sagt
nicht mehr »Last des HERRN«; denn
einem jeden wird sein eigenes Wort zur
Last werden, weil ihr so die Worte des
lebendigen Gottes, des HERRN Zebaoth,
unseres Gottes, verdreht. 37 So sollst du
zum Propheten sagen: »Was hat dir der
HERR geantwortet?«, und: »Was hat der
HERR gesagt?«

38 Wenn ihr aber sagt: »Last des HERRN«,
so spricht der HERR: Weil ihr dies Wort
Last des HERRN nennt, obgleich ich zu
euch gesandt habe und euch sagen ließ,
ihr sollt nicht »Last des HERRN« sagen, –
39 siehe, so will ich euch aufheben wie
eine Last und euch samt der Stadt, die
ich euch und euren Vätern gegeben habe,
von meinem Angesicht wegwerfen 40 und
will euch [a]ewige Schande und ewige
Schmach zufügen, die nie vergessen wer-
den soll.

DIE ZWEI FEIGENKÖRBE

24 Siehe, der HERR zeigte mir zwei [a]Fei-
genkörbe, aufgestellt vor dem Tempel
des HERRN, [b]nachdem Nebukadnezar,
der König von Babel, den Jechonja*, den
Sohn Jojakims, den König von Juda, aus
Jerusalem weggeführt hatte samt den
Großen Judas und den Zimmerleuten
und Schmieden und sie nach Babel ge-
bracht hatte. 2 In dem einen Korbe waren
sehr gute Feigen, wie die ersten reifen
Feigen sind; im andern Korbe waren sehr
schlechte Feigen, dass man sie nicht essen
konnte, so schlecht waren sie. 3 Und der
HERR sprach zu mir: Jeremia, was siehst
du? Ich sprach: Feigen; die guten Feigen

* **23,33** Siehe Sach- und Worterklärungen.
24,1 Der Name lautet in 2. Kön 24,6 u. ö. »Jojachin«, in Jer 22,24 u. ö. »Konja«.

23,21 ***a*** Kap 14,14 **23,24** ***a*** Ps 139,7-16 **23,27** ***a*** Ri 3,7
23,29 ***a*** Hebr 4,12 **23,32** ***a*** Kap 14,14
23,33 ***a*** (33-40) Jes 13,1 **23,40** ***a*** Kap 20,11
24,1 ***a*** Am 8,1 ***b*** Kap 29,2; 2. Kön 24,14-16

sind sehr gut, und die schlechten sind sehr
schlecht, dass man sie nicht essen kann, so
schlecht sind sie.
4[a]Da geschah des HERRN Wort zu mir:
5So spricht der HERR, der Gott Israels:
Wie auf diese guten Feigen, so will ich
gnädig blicken auf die Weggeführten aus
Juda, die ich von dieser Stätte habe fort-
ziehen lassen in der Chaldäer Land. 6Ich
will mein Auge gnädig auf sie richten und
sie wieder in dies Land bringen und [a]will
sie bauen und nicht niederreißen, ich will
sie pflanzen und nicht ausreißen. 7Und ich
will ihnen ein Herz geben, [a]dass sie mich
erkennen sollen, dass ich der HERR bin.
Und [b]sie sollen mein Volk sein, und ich
will ihr Gott sein; denn sie werden sich
von ganzem Herzen zu mir bekehren.
8[a]Aber wie die schlechten Feigen, die
so schlecht sind, dass man sie nicht essen
kann, spricht der HERR, so will ich dahin-
geben Zedekia, den König von Juda, samt
seinen Großen und allen, die übrig ge-
blieben sind in Jerusalem und in diesem
Lande und die in Ägyptenland wohnen.
9Ich will sie zum Bild des Entsetzens, ja
des Unglücks machen für alle Königreiche
auf Erden, [a]zum Spott und zum Sprich-
wort, zum Hohn und zum Fluch an allen
Orten, wohin ich sie verstoßen werde,
10und will Schwert, Hunger und Pest un-
ter sie schicken, [a]bis sie ganz vertilgt sind
aus dem Lande, das ich ihnen und ihren
Vätern gegeben habe.

DIE SIEBZIGJÄHRIGE HERRSCHAFT BABELS

25 Dies ist das Wort, das zu Jeremia ge-
schah über das ganze Volk von Juda
[a]im vierten Jahr Jojakims, des Sohnes
Josias, des Königs von Juda; das ist das
erste Jahr Nebukadnezars, des Königs von
Babel.
2Der Prophet Jeremia sprach zu dem
ganzen Volk von Juda und zu allen Bür-
gern Jerusalems: 3[a]Vom [b]dreizehnten
Jahr des Josia an, des Sohnes Amons, des
Königs von Juda, ist des HERRN Wort zu
mir geschehen bis auf diesen Tag, und ich
habe zu euch nun dreiundzwanzig Jahre
lang immer wieder gepredigt, aber ihr
habt nicht gehört. 4Und der HERR hat zu
euch [a]immer wieder alle seine Knechte,
die Propheten, gesandt; aber ihr habt
nicht gehört noch eure Ohren geneigt,
mir zu gehorchen, 5wenn er sprach: [a]Be-
kehrt euch, ein jeder von seinem bösen
Wege und von euren bösen Werken, so
sollt ihr in dem Lande, das der HERR euch
und euren Vätern gegeben hat, immer
und ewiglich bleiben. 6Folgt nicht andern
Göttern, ihnen zu dienen und sie anzube-
ten, und erzürnt mich nicht durch eurer
Hände Werk, damit ich euch nicht Unheil
zufügen muss. 7Aber ihr wolltet mir nicht
gehorchen, spricht der HERR, auf dass ihr
mich ja erzürntet durch eurer Hände Werk
zu eurem eigenen Unheil.
8Darum, so spricht der HERR Zebaoth:
Weil ihr denn meine Worte nicht gehört
habt, 9siehe, so will ich ausschicken und
kommen lassen alle Völker des Nordens,
spricht der HERR, auch meinen Knecht
Nebukadnezar, den König von Babel, und
will sie bringen über dies Land und über
seine Bewohner und über alle diese Völ-
ker ringsum und will an ihnen den Bann
vollstrecken und sie zum Entsetzen und
zum Spott und zur ewigen Wüste machen
10und [a]will wegnehmen allen fröhlichen
Gesang, die Stimme des Bräutigams und
der Braut, das Geräusch der Mühle und
das Licht der Lampe. 11[a]Dies ganze Land
soll wüst und zerstört liegen, und [b]diese
Völker sollen dem König von Babel dienen
siebzig Jahre.
12Wenn aber die siebzig Jahre um sind,
will ich heimsuchen den König von Ba-
bel und jenes Volk, spricht der HERR, um
ihrer Missetat willen, dazu das Land der
Chaldäer und will es zur ewigen Wüste
machen. 13So will ich über dieses Land
bringen alle meine Worte, die ich gegen
sie geredet habe, alles, was in diesem Buch
geschrieben steht, was Jeremia geweissagt
hat über alle Völker. 14[a]Auch sie sollen gro-
ßen Völkern und großen Königen dienen.
So will ich ihnen vergelten nach ihrem
Tun und nach den Werken ihrer Hände.

24,4 *a* (4-10) Hes 11,14-21 **24,6** *a* Kap 1,10; 31,28
24,7 *a* Kap 31,33-34; Hes 11,19 *b* Kap 7,23
24,8 *a* (8-10) Kap 21,7; 29,16-19 **24,9** *a* Kap 15,4;
1. Kön 9,7 **24,10** *a* Kap 35,15 **25,1** *a* Kap 36,1
25,3 *a* (3-7) Kap 35,14-15 *b* Kap 1,2; 36,2
25,4 *a* Kap 7,25-26; 11,7-8; 26,5; 29,19; 44,4-5;
2. Chr 36,15-16 **25,5** *a* Kap 18,11 **25,10** *a* Kap 7,34; 16,9
25,11 *a* 2. Chr 36,20-21 *b* Kap 29,10 **25,14** *a* Kap 27,7

DER BECHER DES ZORNS FÜR ALLE VÖLKER

15 Denn so sprach zu mir der HERR, der
Gott Israels: Nimm diesen [a]Becher mit
dem Wein meines Zorns aus meiner Hand
und lass daraus trinken alle Völker, zu de-
nen ich dich sende, 16 dass sie trinken, tau-
meln und toll werden vor dem Schwert,
das ich unter sie schicken will.

17 Und ich nahm den Becher aus der
Hand des HERRN und ließ trinken alle
Völker, zu denen mich der HERR sandte,
18 nämlich Jerusalem samt seinen Königen
und Fürsten und die Städte Judas, dass sie
wüst und zerstört liegen und ein Spott
und Fluch sein sollten – wie es denn heu-
tigentags steht –, 19 auch den Pharao, den
König von Ägypten, samt seinen Knech-
ten, seinen Fürsten, seinem ganzen Volk
20 und allem fremden Volk, alle Könige
im Lande Uz, alle Könige in der Philister
Lande samt Aschkelon, Gaza, Ekron und
denen, die übrig geblieben sind in Asch-
dod, 21 Edom, Moab und die Ammoniter,
22 alle Könige von Tyrus, alle Könige von
Sidon, die Könige auf den Inseln jenseits
des Meeres, 23 Dedan, Tema, Bus und alle,
die [a]sich das Haar stutzen, 24 alle Könige
der Araber und alle Könige Arabiens, die
in der Wüste wohnen, 25 alle Könige von
Simri, alle Könige von Elam, alle Könige
von Medien, 26 alle Könige des Nordens,
die in der Nähe und die in der Ferne, einen
wie den andern, alle Königreiche der Welt,
die auf Erden sind. Und der König von
[a]Scheschach* soll nach ihnen trinken.

27 Und sprich zu ihnen: So spricht der
HERR Zebaoth, der Gott Israels: Trinkt,
dass ihr trunken werdet, und speit, dass
ihr niederfallt und nicht aufstehen könnt
vor dem Schwert, das ich unter euch schi-
cken will. 28 Wenn sie aber den Becher
von deiner Hand nicht nehmen und nicht
trinken wollen, dann sprich zu ihnen: So
spricht der HERR Zebaoth: Ihr müsst trin-
ken! 29 Denn siehe, [a]bei der Stadt, die nach
meinem Namen genannt ist, fange ich an
mit dem Unheil, und ihr solltet unge-
straft bleiben? [b]Ihr sollt nicht ungestraft
bleiben, denn ich rufe das Schwert über
alle herbei, die auf Erden wohnen, spricht
der HERR Zebaoth.

30 Du aber sollst ihnen alle diese Worte
weissagen und zu ihnen sprechen: Der
HERR [a]wird brüllen aus der Höhe und
seinen [b]Donner hören lassen aus seiner
heiligen Wohnung. Er wird brüllen über
seine Fluren hin; wie einer, der die Kelter
tritt, wird er seinen Ruf erschallen lassen
über alle Bewohner der Erde hin, 31 und
sein Schall wird dringen bis an die Enden
der Erde. Der HERR hat einen Rechts-
streit mit den Völkern und will mit allem
Fleisch Gericht halten; die Schuldigen
wird er dem Schwert übergeben, spricht
der HERR.

32 So spricht der HERR Zebaoth: Siehe,
Unheil geht aus von Volk zu Volk, und
ein großes Wetter wird losbrechen von
den Enden der Erde. 33 Zu der Zeit werden
die vom HERRN Erschlagenen liegen von
einem Ende der Erde bis ans andere Ende;
sie werden nicht beklagt noch aufgehoben
noch begraben werden, sondern müssen
auf dem Felde liegen und [a]zu Dung wer-
den. 34 Heult, ihr [a]Hirten, und schreit,
wälzt euch in der Asche, ihr Herren der
Herde; denn die Zeit ist erfüllt, dass ihr
geschlachtet und zerstreut werdet und
zerbrechen müsst wie ein kostbares Ge-
fäß. 35 Und die Hirten werden nicht flie-
hen können, und die Herren der Herde
werden nicht entrinnen können. 36 Da
werden die Hirten schreien, und die Her-
ren der Herde werden heulen, dass der
HERR ihre Weide so verwüstet hat 37 und
ihre friedlichen Auen vernichtet sind von
dem grimmigen Zorn des HERRN. 38 Er
hat sein Versteck verlassen wie ein junger
[a]Löwe, und ihr Land ist verheert von sei-
nem gewaltigen Schwert und von seinem
grimmigen Zorn.

JEREMIAS TEMPELREDE UND SEINE GEFANGENNAHME

(vgl. Kap 7,1-15)

26 Im Anfang der Herrschaft [a]Jojakims,
des Sohnes Josias, des Königs von
Juda, geschah dies Wort vom HERRN: 2 So
spricht der HERR: Tritt in den Vorhof am

* **25,26** Deckname für Babel.

25,15 *a* Kap 51,7; Jes 51,17; Offb 14,10 **25,23** *a* Kap 9,25 **25,26** *a* Kap 51,41 **25,29** *a* Hes 9,6; 1. Petr 4,17 *b* Kap 49,12 **25,30** *a* Hos 11,10; Joel 4,16; Am 1,2 *b* Ps 29,1-11 **25,33** *a* Kap 8,2; 9,21; 16,4 **25,34** *a* Kap 23,1-2 **25,38** *a* Kap 4,7 **26,1** *a* 2. Kön 23,34-37

Hause des HERRN und predige denen, die
aus allen Städten Judas hereinkommen,
um anzubeten im Hause des HERRN, alle
Worte, die ich dir befohlen habe, ihnen zu
sagen, und tu nichts davon weg, 3 ob sie
vielleicht hören wollen und [a]sich bekeh-
ren, ein jeder von seinem bösen Wege,
damit mich auch reuen möge das Übel,
das ich gedenke, ihnen anzutun um ihrer
bösen Taten willen. 4 Und sprich zu ih-
nen: So spricht der HERR: Werdet ihr mir
nicht gehorchen und nicht nach meiner
Weisung wandeln, die ich euch vorgelegt
habe, 5 und nicht hören auf die Worte mei-
ner Knechte, der Propheten, die ich [a]im-
mer wieder zu euch gesandt habe und auf
die ihr doch nicht hören wolltet, 6 so [a]will
ich's mit diesem Hause machen wie mit
[b]Silo und will diese Stadt zum Fluchwort
machen bei allen Völkern auf Erden. 7 Und
die Priester, Propheten und alles Volk hör-
ten Jeremia, dass er solche Worte redete
im Hause des HERRN.

8 Da nun Jeremia alles gesagt hatte, was
ihm der HERR befohlen hatte, allem Volk
zu sagen, ergriffen ihn die Priester, Pro-
pheten und das ganze Volk und sprachen:
Du musst sterben! 9 Warum weissagst du
im Namen des HERRN: »Es wird diesem
Hause gehen wie Silo, und diese Stadt
soll so wüst werden, dass niemand mehr
darin wohnt«? Und das ganze Volk sam-
melte sich im Hause des HERRN wider
Jeremia.

10 Als das die Oberen von Juda hörten,
gingen sie aus des Königs Hause hinauf ins
Haus des HERRN und setzten sich an den
Eingang des [a]neuen Tors am Hause des
HERRN. 11 Und die Priester und Prophe-
ten sprachen vor den Oberen und allem
Volk: Dieser Mann ist des Todes schul-
dig; denn [a]er hat geweissagt gegen diese
Stadt, wie ihr mit eigenen Ohren gehört
habt. 12 Aber Jeremia sprach zu allen Obe-
ren und zu allem Volk: Der HERR hat mich
gesandt, dass ich dies alles, was ihr gehört
habt, weissagen sollte gegen dies Haus
und gegen diese Stadt. 13 So [a]bessert nun
eure Wege und euer Tun und gehorcht der
Stimme des HERRN, eures Gottes, so wird
den HERRN auch gereuen das Übel, das er
gegen euch geredet hat. 14 Ich aber, seht,
ich bin in eurer Hand; macht mit mir, [a]wie
es euch gut und recht dünkt. 15 Doch sollt
ihr wissen: Wenn ihr mich tötet, so [a]wer-
det ihr unschuldiges Blut auf euch laden,
auf diese Stadt und ihre Einwohner. Denn
wahrlich, der HERR hat mich zu euch ge-
sandt, dass ich dies alles vor euren Ohren
reden soll.

16 Da sprachen die Oberen und das ganze
Volk zu den Priestern und Propheten:
Dieser Mann ist des Todes nicht schul-
dig; denn er hat zu uns geredet im Na-
men des HERRN, unseres Gottes. 17 Und
es standen auf etliche von den Ältesten
des Landes und sprachen zu dem ver-
sammelten Volk: 18 Zur Zeit Hiskias, des
Königs von Juda, war ein Prophet, Micha
von Moreschet; der sprach zum ganzen
Volk Juda: »So spricht der HERR Zeba-
oth: [a]Zion wird wie ein Acker gepflügt
werden, und [b]Jerusalem wird zu Stein-
haufen werden und der Berg des Tempels
zu einer Höhe wilden Gestrüpps.« 19 Ließ
ihn denn Hiskia, der König von Juda, und
das ganze Juda deswegen töten? Fürchtete
er nicht vielmehr den HERRN und [a]flehte
zu ihm? Da [b]reute auch den HERRN das
Übel, das er gegen sie geredet hatte. Wir
aber würden großes Unheil über uns
bringen.

HINRICHTUNG DES PROPHETEN URIA

20 Da war noch einer, der im Namen des
HERRN weissagte, Uria, der Sohn Sche-
majas, von Kirjat-Jearim. Der weissagte
gegen diese Stadt und gegen dies Land
ganz wie Jeremia. 21 Als aber der König
Jojakim und alle seine Gewaltigen und
Oberen seine Worte hörten, wollte ihn
der König töten lassen. Und Uria erfuhr
das, fürchtete sich und floh und kam
nach Ägypten. 22 Aber der König Jojakim
schickte Leute nach Ägypten, Elnatan,
den Sohn Achbors, und andere mit ihm.
23 Die holten Uria aus Ägypten und brach-
ten ihn zum König Jojakim. Der ließ ihn
mit dem Schwert töten und seinen Leich-
nam zu den Gräbern des niederen Volks

26,3 ***a*** Kap 18,8; 36,3 **26,5** ***a*** Kap 7,25; 25,4
26,6 ***a*** 2. Kön 25,9 ***b*** Kap 7,12; Ps 78,60
26,10 ***a*** Kap 36,10 **26,11** ***a*** Apg 6,13 **26,13** ***a*** Kap 7,3; 18,11
26,14 ***a*** Jos 9,25 **26,15** ***a*** Kap 7,6; 22,3 **26,18** ***a*** Mi 3,12
b Kap 9,10 **26,19** ***a*** 2. Mose 32,11; 2. Kön 13,4;
2. Chr 33,12 ***b*** Vers 3; Kap 18,8

werfen. 24 Aber mit Jeremia war die Hand
[a]Ahikams, des Sohnes Schafans, sodass
man ihn nicht dem Volk in die Hände gab,
das ihn getötet hätte.

DAS JOCH NEBUKADNEZARS

27 Im Anfang der Herrschaft [a]Zedekias,
des Sohnes Josias, des Königs von
Juda, geschah dies Wort vom HERRN zu
Jeremia:
2 So sprach der HERR zu mir: Mache
dir Stricke und [a]Jochstangen und lege
sie auf deinen Nacken 3 und schicke sie
zum [a]König von Edom, zum König von
Moab, zum König der Ammoniter, zum
König von Tyrus und zum König von
Sidon durch die Boten, die zu Zedekia,
dem König von Juda, nach Jerusalem ge-
kommen sind, 4 und befiehl ihnen, dass
sie ihren Herren sagen: So spricht der
HERR Zebaoth, der Gott Israels: So sollt
ihr euren Herren sagen: 5 Ich [a]habe die
Erde gemacht und Menschen und Tiere,
die auf Erden sind, durch meine große
Kraft und meinen ausgereckten Arm und
gebe sie, wem ich will. 6 [a]Nun aber habe
ich alle diese Länder in die Hand meines
Knechts Nebukadnezar, des Königs von
Babel, gegeben und auch die Tiere auf
dem Felde, dass sie ihm untertan sein
sollen. 7 Und es sollen alle Völker ihm
dienen und seinem Sohn und seines Soh-
nes Sohn, bis auch für sein Land die Zeit
kommt, dass es vielen Völkern und gro-
ßen Königen untertan sein muss. 8 Das
Volk aber und das Königreich, das Ne-
bukadnezar, dem König von Babel, nicht
untertan sein will und das seinen Nacken
nicht unter das Joch des Königs von Babel
beugt, dieses Volk will ich heimsuchen
mit Schwert, Hunger und Pest, spricht
der HERR, bis ich sie durch seine Hand
umbringe.
9 [a]So hört doch nicht auf eure Prophe-
ten, Wahrsager, Traumdeuter, Zeichen-
deuter und Zauberer, die euch sagen: Ihr
werdet nicht untertan sein müssen dem
König von Babel. 10 Denn sie weissagen
euch Lüge, auf dass sie euch aus eurem
Lande fortbringen und ich euch verstoße
und ihr umkommt. 11 Aber das Volk, das
seinen Nacken unter das Joch des Königs
von Babel beugt und ihm untertan ist,
das will ich in seinem Lande lassen, dass
es dasselbe bebaue und bewohne, spricht
der HERR.
12 Auch zu Zedekia, dem König von Juda,
redete ich alle diese Worte und sprach:
Beugt euren Nacken unter das Joch des
Königs von Babel und seid ihm und sei-
nem Volk untertan, so sollt ihr am Leben
bleiben. 13 Warum wollt ihr sterben, du
und dein Volk, durch Schwert, Hunger
und Pest, wie der HERR geredet hat über
das Volk, das dem König von Babel nicht
untertan sein will? 14 Darum hört nicht
auf die Worte der Propheten, die euch
sagen: »Ihr werdet nicht untertan sein
müssen dem König von Babel!« Denn
[a]sie weissagen euch Lüge, 15 und ich habe
sie nicht gesandt, spricht der HERR, son-
dern sie weissagen Lüge in meinem Na-
men, auf dass ich euch verstoße und ihr
umkommt samt den Propheten, die euch
weissagen.
16 Und zu den Priestern und zu die-
sem ganzen Volk redete ich und sprach:
So spricht der HERR: Hört nicht auf die
Worte eurer Propheten, die euch weissa-
gen und sprechen: »Siehe, [a]die Geräte aus
dem Hause des HERRN werden nun bald
von Babel wieder herkommen!« Denn sie
weissagen euch Lüge. 17 Hört nicht auf sie,
sondern seid dem König von Babel un-
tertan, so werdet ihr am Leben bleiben.
Warum soll diese Stadt zur Trümmer-
stätte werden? 18 Sind sie aber Prophe-
ten und haben sie des HERRN Wort, so
lasst sie den HERRN Zebaoth bedrängen,
dass die Geräte, die übrig geblieben sind
im Hause des HERRN und im Hause des
Königs von Juda und zu Jerusalem, nicht
auch nach Babel geführt werden.
19 Denn so spricht der HERR Zebaoth
von [a]den Säulen und vom Meer und von
den Gestellen und von den Geräten, die
noch übrig geblieben sind in dieser Stadt,
20 die Nebukadnezar, der König von Babel,
nicht mitnahm, als er Jechonja, den Sohn
Jojakims, den König von Juda, von Jeru-

26,24 ***a*** 2. Kön 22,12 **27,1** ***a*** 2. Kön 24,17-18
27,2 ***a*** Kap 28,10 **27,3** ***a*** Kap 25,21-22 **27,5** ***a*** Kap 32,17
27,6 ***a*** (6-7) Kap 25,9; Hes 26,7; Dan 2,38
27,9 ***a*** (9-10) Kap 14,13-14; 29,8-9 **27,14** ***a*** Kap 14,14;
29,9 **27,16** ***a*** Kap 28,3 **27,19** ***a*** 1. Kön 7,15-39;
2. Kön 25,13-17

salem wegführte nach Babel samt allen
Vornehmen in Juda und Jerusalem, – 21 so
spricht der HERR Zebaoth, der Gott Isra-
els, von den Geräten, die übrig geblieben
sind im Hause des HERRN und im Hause
des Königs von Juda und zu Jerusalem:
22 Sie sollen nach Babel geführt werden
und dort bleiben bis auf den Tag, an dem
ich nach ihnen sehe, spricht der HERR,
und [a]ich sie wieder zurückbringen lasse
an diesen Ort.

JEREMIA UND HANANJA

28 In demselben Jahr, im Anfang der
Herrschaft Zedekias, des Königs von
Juda, im fünften Monat des vierten Jahrs,
sprach Hananja, der Sohn Asurs, ein Pro-
phet von Gibeon, zu mir im Hause des
HERRN in Gegenwart der Priester und des
ganzen Volks:
2 So spricht der HERR Zebaoth, der Gott
Israels: Ich habe das Joch des Königs von
Babel zerbrochen! 3 Ehe zwei Jahre um
sind, [a]will ich alle Geräte des Hauses des
HERRN, die Nebukadnezar, der König von
Babel, von diesem Ort weggenommen
und nach Babel geführt hat, wieder an
diesen Ort bringen; 4 auch [a]Jechonja, den
Sohn Jojakims, den König von Juda, samt
allen Weggeführten aus Juda, die nach
Babel gekommen sind, will ich wieder
an diesen Ort bringen, spricht der HERR,
denn ich will das Joch des Königs von Ba-
bel zerbrechen.
5 Da sprach der Prophet Jeremia zu dem
Propheten Hananja in Gegenwart der
Priester und des ganzen Volks, die im
Hause des HERRN standen, 6 und sagte:
Amen! Der HERR tue so; der HERR be-
stätige dein Wort, das du geweissagt hast,
dass er die Geräte aus dem Hause des
HERRN von Babel wiederbringe an die-
sen Ort und alle Weggeführten. 7 Doch
höre dies Wort, das ich vor deinen Ohren
rede und vor den Ohren des ganzen Volks:
8 Die Propheten, die vor mir und vor dir
gewesen sind von alters her, die haben ge-
gen viele Länder und große Königreiche
geweissagt von Krieg, von Unheil und
Pest. 9 Wenn aber ein Prophet von Heil
weissagt – [a]ob ihn der HERR wahrhaftig
gesandt hat, wird man daran erkennen,
dass sein Wort erfüllt wird.
10 Da nahm der Prophet Hananja das
[a]Joch vom Nacken des Propheten Jeremia
und zerbrach es. 11 Und Hananja sprach in
Gegenwart des ganzen Volks: So spricht
der HERR: Ebenso will ich zerbrechen das
Joch Nebukadnezars, des Königs von Ba-
bel, ehe zwei Jahre um sind, und es vom
Nacken aller Völker nehmen. Und der Pro-
phet Jeremia ging seines Weges.
12 Aber des HERRN Wort geschah zu Je-
remia, nachdem der Prophet Hananja das
Joch auf dem Nacken des Propheten Jere-
mia zerbrochen hatte: 13 Geh hin und sage
Hananja: So spricht der HERR: Du hast
hölzerne Jochstangen zerbrochen; so hast
du nun eiserne Jochstangen an ihre Stelle
gesetzt. 14 Denn so spricht der HERR Ze-
baoth, der Gott Israels: [a]Ein eisernes Joch
habe ich allen diesen Völkern auf den Na-
cken gelegt, dass sie [b]untertan sein sollen
Nebukadnezar, dem König von Babel, und
ihm dienen, und auch die wilden Tiere
habe ich ihm gegeben.
15 Und der Prophet Jeremia sprach zum
Propheten Hananja: Höre doch, Hananja!
Der HERR hat dich nicht gesandt; aber
du machst, dass dies Volk sich auf Lügen
verlässt. 16 Darum, so spricht der HERR:
Siehe, ich will dich vom Erdboden neh-
men; dies Jahr sollst du sterben, denn du
hast sie mit deiner Rede [a]vom HERRN
abgewendet. 17 Und der Prophet Hananja
starb im selben Jahr im siebenten Monat.

JEREMIAS BRIEF AN DIE WEGGEFÜHRTEN IN BABEL

29 Dies sind die Worte des Briefes, den
der Prophet Jeremia von Jerusalem
sandte an den Rest der Ältesten, die weg-
geführt waren, an die Priester und Pro-
pheten und an das ganze Volk, das Ne-
bukadnezar von Jerusalem nach Babel
weggeführt hatte – 2 nachdem der König
Jechonja und die Königinmutter mit den
Kämmerern und Oberen in Juda und Je-
rusalem samt den Zimmerleuten und
Schmieden aus Jerusalem weggeführt
waren[a] –, 3 durch Elasa, den Sohn Scha-
fans, und Gemarja, den Sohn Hilkijas, die

27,22 *a* Esra 1,7-11 **28,3** *a* Kap 27,16 **28,4** *a* Kap 27,20
28,9 *a* 5. Mose 18,21-22 **28,10** *a* Kap 27,2
28,14 *a* 5. Mose 28,48 *b* Kap 27,6 **28,16** *a* 5. Mose 13,6
29,2 *a* 2. Kön 24,14-16

Zedekia, der König von Juda, nach Babel
sandte zu Nebukadnezar, dem König von
Babel:
4 So spricht der HERR Zebaoth, der Gott
Israels, zu allen Weggeführten, die ich
von Jerusalem nach Babel habe wegführen
lassen: 5 Baut Häuser und wohnt darin;
pflanzt Gärten und esst ihre Früchte;[a]
6 nehmt euch Frauen und zeugt Söhne
und Töchter, nehmt für eure Söhne Frauen
und gebt eure Töchter Männern, dass sie
Söhne und Töchter gebären; mehrt euch
dort, dass ihr nicht weniger werdet. 7 **Su-**
chet der Stadt Bestes, dahin ich euch
habe wegführen lassen, **und betet für sie**
zum HERRN; denn wenn's ihr wohl-
geht, so geht's euch auch wohl.
8 [a]Denn so spricht der HERR Zebaoth,
der Gott Israels: Lasst euch durch die Pro-
pheten, die bei euch sind, und durch die
Wahrsager nicht betrügen, und hört nicht
auf die Träume, die sie träumen! 9 Denn
sie weissagen euch Lüge in meinem Na-
men. Ich habe sie nicht gesandt, spricht
der HERR.
10 Denn so spricht der HERR: [a]Wenn für
Babel siebzig Jahre voll sind, so will ich
euch heimsuchen und will mein gnädiges
Wort an euch erfüllen, dass ich euch wie-
der an diesen Ort bringe. 11 Denn **ich weiß**
wohl, was ich für Gedanken über euch
habe, spricht der HERR: Gedanken des
Friedens und nicht des Leides, dass ich
euch gebe Zukunft und Hoffnung.*
12 Und ihr werdet mich anrufen und hin-
gehen und mich bitten, und ich will euch
erhören. 13 [a]Ihr werdet mich suchen und
finden; denn **wenn ihr mich von gan-**
zem Herzen suchen werdet, 14 **so will**
ich mich von euch finden lassen, spricht
der HERR, und will eure Gefangenschaft
wenden und euch [a]sammeln aus allen Völ-
kern und von allen Orten, wohin ich euch
verstoßen habe, spricht der HERR, und
will euch wieder an diesen Ort bringen,
von wo ich euch habe wegführen lassen.
15 Zwar meint ihr, der HERR habe euch
auch in Babel Propheten erstehen lassen. –
16 Fürwahr, so spricht der HERR über den
König, der auf Davids Thron sitzt, und
über das ganze Volk, das in dieser Stadt
wohnt, über eure Brüder, die nicht mit
euch in die Gefangenschaft gezogen sind,
17 [a]ja, so spricht der HERR Zebaoth: Siehe,
ich will Schwert, Hunger und Pest unter
sie schicken und will sie machen wie die
schlechten Feigen, davor einem ekelt zu
essen, 18 und will hinter ihnen her sein mit
Schwert, Hunger und Pest und [a]will sie
zum Bild des Entsetzens machen für alle
Königreiche auf Erden, zum Fluch, zum
Grauen, zum Hohn und zum Spott un-
ter allen Völkern, wohin ich sie verstoßen
werde, 19 weil sie meinen Worten nicht ge-
horchten, spricht der HERR, der ich meine
Knechte, die Propheten, [a]immer wieder
zu ihnen gesandt habe. Aber ihr wolltet
nicht hören, spricht der HERR.
20 Aber ihr alle, die ihr gefangen weg-
geführt seid, die ich von Jerusalem habe
nach Babel ziehen lassen, höret des
HERRN Wort! 21 So spricht der HERR Ze-
baoth, der Gott Israels, wider Ahab, den
Sohn Kolajas, und wider Zidkija, den Sohn
Maasejas, die euch Lügen weissagen in
meinem Namen: Siehe, ich will sie geben
in die Hand Nebukadnezars, des Königs
von Babel. Der soll sie totschlagen lassen
vor euren Augen, 22 sodass man ihre Na-
men zum Fluchwort machen wird unter
allen Weggeführten aus Juda, die in Babel
sind, und sagen: Der HERR tue an dir wie
an Zidkija und Ahab, die der König von
Babel im Feuer rösten ließ, 23 weil sie eine
Schandtat in Israel begingen und trieben
Ehebruch mit den Frauen ihrer Nächsten
und predigten Lüge in meinem Namen,
was ich ihnen nicht befohlen hatte. Sol-
ches weiß ich und bezeuge es, spricht der
HERR.

JEREMIA UND SCHEMAJA

24 Und wider Schemaja von Nehelam sollst
du sagen: 25 So spricht der HERR Zebaoth,
der Gott Israels: Weil du unter deinem Na-
men Briefe gesandt hast an alles Volk, das
in Jerusalem ist, an den Priester [a]Zefanja,
den Sohn Maasejas, und an alle Priester
und gesagt: 26 Der HERR hat dich zum

* **29,11** Luther übersetzte: »dass ich euch gebe das Ende, des ihr wartet«.

29,5 *a* Jes 65,21; Am 9,14 **29,8** *a* (8-9) Kap 14,14; 27,9-10
29,10 *a* Kap 25,11-13 **29,13** *a* (13-14) 5. Mose 4,29; Jes 55,6 **29,14** *a* Kap 23,3; 32,37
29,17 *a* (17-18) Kap 24,8-10 **29,18** *a* 5. Mose 28,37
29,19 *a* Kap 7,25; 25,4; 35,15 **29,25** *a* Kap 21,1

Priester bestellt anstatt des Priesters Jo-
jada, dass du Aufseher sein sollst im Hause
des HERRN über alle Wahnsinnigen und
Weissager, dass du sie [a]in Block und Eisen
legst, – 27 nun, warum strafst du dann nicht
Jeremia von Anatot, der euch weissagt?
28 Hat er doch zu uns nach Babel geschickt
und sagen lassen: Es wird noch lange wäh-
ren; baut Häuser und wohnt darin, pflanzt
Gärten und esst ihre Früchte.
29 So hatte Zefanja, der Priester, diesen
Brief dem Propheten Jeremia vorgelesen.
30 Da geschah des HERRN Wort zu Je-
remia: 31 Sende hin zu allen Weggeführ-
ten und lass ihnen sagen: So spricht der
HERR wider Schemaja von Nehelam: Weil
euch Schemaja weissagt – und ich habe ihn
doch nicht gesandt – und macht, dass ihr
auf Lügen vertraut, 32 darum, so spricht
der HERR: Siehe, ich will Schemaja von
Nehelam heimsuchen samt seinen Nach-
kommen, dass keiner von den Seinen un-
ter diesem Volk bleiben soll. Und er soll
das Gute nicht sehen, das ich meinem Volk
tun will, spricht der HERR; [a]denn er hat es
mit seiner Rede vom HERRN abgewendet.

ISRAELS BEFREIUNG

30 Dies ist das Wort, das vom HERRN
geschah zu Jeremia: 2 So spricht der
HERR, der Gott Israels: Schreib dir alle
Worte, die ich zu dir geredet habe, in ein
Buch. 3 Denn siehe, es kommt die Zeit,
spricht der HERR, dass ich das Geschick
meines Volks Israel und Juda wenden will,
spricht der HERR; und [a]ich will sie wieder-
bringen in das Land, das ich ihren Vätern
gegeben habe, dass sie es besitzen sollen.
4 Und dies sind die Worte, die der HERR
redete über Israel und Juda. 5 Ja, so spricht
der HERR: Wir hören ein Geschrei des
Schreckens; nur Furcht ist da und kein
Friede. 6 Forscht doch und seht, ob Män-
ner gebären! Wie geht's denn zu, dass ich
alle Männer sehe, wie sie ihre Hände an
die Hüften halten wie Frauen in Kinds-
nöten, und alle Gesichter verstört und
so bleich sind? 7 Denn groß ist [a]jener Tag,
und seinesgleichen ist nicht gewesen, und
es ist eine Zeit der Angst für Jakob; doch
soll ihm daraus geholfen werden.
8 [a]Es soll aber geschehen zu dieser Zeit,
spricht der HERR Zebaoth, dass ich das
Joch auf deinem Nacken zerbrechen will
und deine Bande zerreißen. Sie werden
nicht mehr Fremden dienen, 9 sondern
dem HERRN, ihrem Gott, und ihrem Kö-
nig David, den ich ihnen erwecken will.
10 [a]Darum fürchte du dich nicht, mein
Knecht Jakob, spricht der HERR, und ent-
setze dich nicht, Israel. Denn siehe, ich
will dich erretten aus fernen Landen und
deine Nachkommen aus dem Lande ihrer
Gefangenschaft, dass Jakob zurückkehren
soll und in Frieden und Sicherheit leben,
und niemand soll ihn schrecken.[b] 11 Denn
ich bin bei dir, spricht der HERR, dass ich
dir helfe. Denn ich will mit allen Völkern
ein Ende machen, unter die ich dich zer-
streut habe; aber mit dir will ich nicht ein
Ende machen. [a]Ich will dich mit Maßen
züchtigen, doch ungestraft kann ich dich
nicht lassen.

DIE WUNDEN WERDEN GEHEILT

12 Denn so spricht der HERR: Dein Scha-
den ist verzweifelt böse, und [a]deine Wun-
den sind unheilbar. 13 Deine Sache führt
niemand; da ist keiner, der dich verbindet,
es kann dich niemand [a]heilen. 14 Alle deine
Liebhaber haben dich vergessen, fragen
nichts nach dir. Ich habe dich geschla-
gen wie einen Feind mit unbarmherziger
Züchtigung um deiner großen Schuld und
um deiner vielen Sünden willen. 15 Was
schreist du über deinen Schaden und über
dein verzweifelt böses Leiden? Um deiner
großen Schuld und um deiner vielen Sün-
den willen habe ich dir das angetan.
16 Doch alle, die dich fressen, sollen ge-
fressen werden, und alle, die dich ängsti-
gen, sollen gefangen fort; und [a]die dich
plündern, sollen geplündert werden,
und alle, die dich berauben, gebe ich dem
Raub preis. 17 Ja, ich will dich [a]wieder ge-
sund machen und deine Wunden heilen,
spricht der HERR, weil man dich nennt:
»die Verstoßene« und: »Zion, nach der
niemand fragt«.

29,26 *a* Kap 20,2 **29,32** *a* Kap 28,16; 5. Mose 13,6
30,3 *a* Kap 16,14-15; 29,14 **30,7** *a* Joel 2,11; Zef 1,14-15
30,8 *a* (8-9) Kap 23,5; 27,12; Hes 34,23; Hos 3,5
30,10 *a* (10-11) Kap 46,27-28 *b* Jes 43,5-6
30,11 *a* Kap 10,24; 5. Mose 8,5 **30,12** *a* Kap 10,19; 14,17; 15,18 **30,13** *a* Kap 8,22 **30,16** *a* Jes 33,1; Hes 39,10
30,17 *a* Kap 33,6; Jes 57,18-19

DER WIEDERAUFBAU

18 So spricht der HERR: Siehe, ich will das
Geschick der Hütten Jakobs wenden und
mich über seine Wohnungen erbarmen,
und die Stadt soll auf ihren Trümmern
wieder [a]gebaut werden, und die Burg soll
stehen auf ihrem rechten Platz. 19 Und von
dort soll erschallen Lob- und Freudenge-
sang; denn ich will sie mehren und nicht
mindern, ich will sie herrlich machen
und nicht geringer. 20 Ihre Söhne sollen
sein wie früher und ihre Gemeinde vor
mir fest gegründet stehen. Doch ich will
heimsuchen alle, die sie bedrängen. 21 Und
[a]ihr Fürst soll aus ihrer Mitte kommen und
ihr Herrscher aus ihnen hervorgehen. Ich
lasse ihn herzutreten, und er soll mir na-
hen; denn wer dürfte sonst sein Leben
wagen und mir nahen?, spricht der HERR.
22 Und ihr sollt mein Volk sein, und ich
will euer Gott sein.[a]

23 [a]Siehe, es wird ein Wetter des HERRN
kommen voll Grimm, ein schreckliches
Ungewitter wird auf den Kopf der Gott-
losen niedergehen. 24 Des HERRN grim-
miger Zorn wird nicht ablassen, bis er tue
und ausrichte, was er im Sinn hat; zur letz-
ten Zeit werdet ihr es erkennen.

DIE HEIMKEHR

31 Zu derselben Zeit, spricht der HERR,
[a]will ich der Gott aller Geschlechter
Israels sein, und sie sollen mein Volk sein.

2 So spricht der HERR: Das Volk, das
dem Schwert entronnen ist, hat Gnade
gefunden in der Wüste; Israel zieht hin
zu seiner Ruhe. 3 Der HERR ist mir er-
schienen von ferne: **Ich habe dich je und
je geliebt, darum habe ich dich zu mir
gezogen aus lauter Güte.** 4 Ich will dich
wiederum bauen, dass du gebaut sein
sollst, du Jungfrau Israel; du sollst dich
wieder schmücken und mit Pauken aus-
ziehen im fröhlichen Tanz. 5 Du sollst wie-
derum Weinberge pflanzen an den Bergen
Samarias; pflanzen wird man sie und ihre
Früchte genießen. 6 Denn es wird die Zeit
kommen, dass die Wächter auf dem Ge-
birge Ephraim rufen: Wohlauf, lasst uns
hinaufziehen nach Zion zum HERRN, un-
serm Gott!

7 Denn so spricht der HERR: Jubelt über
Jakob mit Freuden und jauchzet über
das Haupt unter den Völkern. Ruft laut,
rühmt und sprecht: HERR, hilf deinem
Volk, dem Rest Israels! 8 Siehe, ich will sie
aus dem Lande des Nordens bringen und
[a]will sie sammeln von den Enden der Erde,
unter ihnen Blinde und Lahme, Schwan-
gere und junge Mütter, dass sie als große
Gemeinde wieder hierher kommen sollen.
9 Sie werden weinend kommen, aber ich
will sie trösten und leiten. Ich will sie zu
Wasserbächen führen auf ebenem Wege,
auf dem sie nicht straucheln; denn [a]ich bin
Israels Vater und Ephraim ist mein erstge-
borener Sohn.

10 Höret, ihr Völker, des HERRN Wort
und verkündet's fern auf den Inseln und
sprecht: Der Israel zerstreut hat, der
wird's auch wieder sammeln und [a]wird es
hüten wie ein Hirte seine Herde; 11 denn
der HERR wird Jakob erlösen und von
der Hand des Mächtigen erretten. 12 Sie
werden kommen und auf der Höhe des
Zion jauchzen und vor Freude strahlen
über die Gaben des HERRN, über Ge-
treide, Wein, Öl und junge Schafe und
Rinder, dass ihre Seele sein wird [a]wie ein
wasserreicher Garten und sie nicht mehr
verschmachten sollen. 13 Alsdann wer-
den die Jungfrauen fröhlich beim Reigen
sein, die junge Mannschaft und die Al-
ten miteinander; denn ich will ihr Trau-
ern in Freude verwandeln und sie trösten
und sie erfreuen nach ihrer Betrübnis.
14 Und ich will die Priester mit Fett vom
Opfer laben, und mein Volk soll mei-
ner Gaben die Fülle haben, spricht der
HERR.

DIE KLAGE HAT EIN ENDE

15 So spricht der HERR: Man hört Klage-
geschrei und bittres Weinen in Rama:
[a]Rahel weint über ihre Kinder und will
sich nicht trösten lassen über ihre Kinder;
denn es ist aus mit ihnen. 16 Aber so spricht
der HERR: Lass dein Schreien und Wei-
nen und die Tränen deiner Augen; denn
deine Mühe wird belohnt werden, spricht
der HERR. Sie sollen wiederkommen aus

30,18 *a* Kap 31,38 **30,21** *a* Vers 9 **30,22** *a* Kap 7,23
30,23 *a* (23-24) Kap 23,19-20 **31,1** *a* Kap 7,23
31,8 *a* Jes 35,8-10; Hes 34,16; Mi 4,6-7
31,9 *a* 2. Mose 4,22; 2. Kor 6,18 **31,10** *a* Jes 40,11
31,12 *a* Jes 58,11 **31,15** *a* 1. Mose 35,16-20; Mt 2,18

dem Lande des Feindes, 17 und es gibt [a]eine
Hoffnung für deine Zukunft, spricht der
HERR: Deine Kinder sollen wieder in ihre
Heimat kommen.
18 Ich habe wohl gehört, wie Ephraim
klagt: »Du hast mich gezüchtigt, und ich
wurde [a]gezüchtigt wie ein junger Stier,
der noch nicht gezähmt ist. Bekehre du
mich, so will ich mich bekehren; denn
du, HERR, bist mein Gott! 19 Nachdem ich
bekehrt war, tat ich Buße, und als ich zur
Einsicht kam, schlug ich an meine Brust.
Ich bin zuschanden geworden und stehe
schamrot da; denn ich trage die Schande
meiner Jugend.« 20 Ist nicht Ephraim mein
teurer Sohn und mein liebes Kind? Denn
[a]sooft ich ihm auch drohe, muss ich doch
seiner gedenken; darum [b]bricht mir mein
Herz, dass ich mich seiner erbarmen
muss, spricht der HERR.
21 Richte dir Wegzeichen auf, setze dir
Steinmale und richte deinen Sinn auf die
Straße, auf der du gezogen bist! Kehr zu-
rück, Jungfrau Israel, kehr zurück zu die-
sen deinen Städten! 22 Wie lang willst du
in der Irre gehen, du abtrünnige Tochter?
Denn der HERR wird ein Neues im Lande
schaffen: Die Frau wird den Mann um-
geben.
23 So spricht der HERR Zebaoth, der Gott
Israels: »Man wird dies Wort wieder sa-
gen im Lande Juda und in seinen Städten,
wenn ich ihr Geschick wenden werde: Der
HERR segne dich, du [a]Wohnung der Ge-
rechtigkeit, du heiliger Berg! 24 Auch Juda
samt allen seinen Städten soll darin woh-
nen, die Ackerleute und die mit Herden
umherziehen; 25 denn ich will die Müden
erquicken und die Verschmachtenden sät-
tigen.« 26 Darüber bin ich aufgewacht und
sah auf und hatte so sanft geschlafen.

DIE NEUE SAAT

27 Siehe, es kommt die Zeit, spricht der
HERR, dass ich das Haus Israel und das
Haus Juda besäen will mit Menschen und
mit Vieh. 28 Und gleichwie ich über sie ge-
wacht habe, [a]auszureißen und einzurei-
ßen, zu verderben und zu zerstören und
zu plagen, so will ich über sie [b]wachen, zu
bauen und zu pflanzen, spricht der HERR.
29 [a]Zu derselben Zeit wird man nicht mehr
sagen: »Die Väter haben saure Trauben
gegessen und den Kindern werden die
Zähne stumpf«, 30 sondern ein jeder wird
um seiner eigenen Schuld willen sterben,
und wer saure Trauben isst, dem werden
die Zähne stumpf.

DER NEUE BUND

31 [a]**Siehe, es kommt die Zeit, spricht
der HERR, da will ich mit dem Hause
Israel und mit dem Hause Juda einen
neuen Bund schließen,** 32 nicht wie der
[a]Bund gewesen ist, den ich mit ihren Vä-
tern schloss, als ich sie bei der Hand nahm,
um sie aus Ägyptenland zu führen, mein
Bund, den sie [b]gebrochen haben, ob ich
gleich ihr Herr war, spricht der HERR;
33 sondern **das soll der Bund sein, den
ich mit dem Hause Israel schließen will
nach dieser Zeit, spricht der HERR: [a]Ich
will mein Gesetz in ihr Herz geben und
in ihren Sinn schreiben, und [b]sie sollen
mein Volk sein, und ich will ihr Gott
sein. 34 Und es wird keiner den andern
noch ein Bruder den andern lehren und
sagen: »Erkenne den HERRN«, denn
sie sollen mich alle erkennen, beide,
Klein und Groß, spricht der HERR;
denn [a]ich will ihnen ihre Missetat ver-
geben und ihrer Sünde nimmermehr
gedenken.**

DAS UNVERBRÜCHLICHE HEIL

35 So spricht der HERR, der die Sonne dem
Tage zum Licht gibt und den Mond und
die Sterne der Nacht zum Licht bestellt;
der das Meer bewegt, dass seine Wellen
brausen – HERR Zebaoth ist sein Name –:
36 Wenn jemals diese Ordnungen vor mir
ins Wanken kämen, spricht der HERR,
so müssten auch die Nachkommen Is-
raels aufhören, ein Volk zu sein vor mir
ewiglich.[a]
37 So spricht der HERR: Wenn man den
Himmel oben messen könnte und den
Grund der Erde unten erforschen, dann
würde ich auch verwerfen alle Nach-

31,17 *a* Kap 29,11 **31,18** *a* Hos 10,10-11 **31,20** *a* Jes 49,15 *b* Hos 11,8 **31,23** *a* Sach 8,3 **31,28** *a* Kap 1,10 *b* Kap 1,12
31,29 *a* (29-30) Hes 18,2; 2. Mose 20,5; Klgl 5,7
31,31 *a* (31-34) Kap 32,40-41; Hebr 8,8-12
31,32 *a* 2. Mose 24,3-8; 5. Mose 26,16-19 *b* Kap 11,10
31,33 *a* Hes 11,19; Hebr 10,16-17 *b* Kap 7,23
31,34 *a* Kap 33,8; Jes 43,25; Röm 11,27
31,36 *a* Kap 33,25-26; Jes 54,9-10; Röm 11,1

kommen Israels für all das, was sie getan
haben, spricht der HERR.
38 Siehe, es kommt die Zeit, spricht der
HERR, dass die Stadt für den HERRN wie-
der gebaut werden wird vom Turm Ha-
nanel an bis ans Ecktor; 39 und die Mess-
schnur wird weiter geradeaus gehen bis an
den Hügel Gareb und sich nach Goa hin
wenden. 40 Und das ganze Tal der Leichen
und der Asche und die Hänge bis zum
Bach Kidron, bis zu der Ecke am Rosstor
im Osten, wird dem HERRN heilig sein.
Und die Stadt wird niemals mehr einge-
rissen und abgebrochen werden.

DER ACKERKAUF

32 Dies ist das Wort, das vom HERRN
geschah zu Jeremia im zehnten Jahr
Zedekias, des Königs von Juda, das ist das
achtzehnte Jahr Nebukadnezars. 2 Damals
[a]belagerte das Heer des Königs von Ba-
bel Jerusalem. Und der Prophet Jeremia
lag gefangen im Wachthof am Hause des
Königs von Juda, 3 [a]wo Zedekia, der König
von Juda, ihn hatte gefangen setzen las-
sen, indem er sagte: Warum weissagst du
und sprichst: So spricht der HERR: Siehe,
ich gebe diese Stadt in die Hände des Kö-
nigs von Babel, und er soll sie erobern,
4 und Zedekia, der König von Juda, soll
den Chaldäern nicht entrinnen, sondern
dem König von Babel in die Hände fallen,
dass er von Mund zu Mund mit ihm reden
und Auge in Auge ihn sehen soll. 5 Und [a]er
wird Zedekia nach Babel führen; da soll
er auch bleiben, bis ich ihn heimsuche,
spricht der HERR; denn wenn ihr auch ge-
gen die Chaldäer kämpft, soll euch doch
nichts gelingen.
6 Und Jeremia sprach: Es ist des HERRN
Wort zu mir geschehen: 7 Siehe, Hanamel,
der Sohn Schallums, deines Oheims, wird
zu dir kommen und sagen: [a]Kaufe du mei-
nen Acker in Anatot; denn dir kommt es
zu, ihn einzulösen und zu kaufen. 8 Da
kam Hanamel, meines Oheims Sohn,
wie der HERR gesagt hatte, zu mir in den
Wachthof und sprach zu mir: Kaufe doch
meinen Acker in Anatot, der im Lande
Benjamin liegt; denn dir kommt es zu,
ihn zu erwerben und einzulösen; kaufe
du ihn! Da merkte ich, dass es des HERRN
Wort war, 9 und kaufte den Acker von
Hanamel, meines Oheims Sohn, in Ana-
tot, und wog ihm das Geld dar, siebzehn
Schekel Silber. 10 Und ich schrieb einen
Kaufbrief und versiegelte ihn und nahm
Zeugen dazu und wog das Geld dar auf der
Waage.
11 Und ich nahm den versiegelten Kauf-
brief nach Recht und Gewohnheit und die
offene Abschrift 12 und gab den Kaufbrief
Baruch, dem Sohn Nerijas, des Sohnes
Machsejas, in Gegenwart Hanamels, mei-
nes Vetters, und der Zeugen, die unter
dem Kaufbrief geschrieben standen, und
aller Judäer, die im Wachthof sich aufhiel-
ten, 13 und befahl Baruch vor ihren Augen:
14 So spricht der HERR Zebaoth, der Gott
Israels: Nimm diese Briefe, den versie-
gelten Kaufbrief samt dieser offenen Ab-
schrift, und lege sie in ein irdenes Gefäß,
dass sie lange erhalten bleiben. 15 Denn so
spricht der HERR Zebaoth, der Gott Isra-
els: Man wird wieder Häuser, [a]Äcker und
Weinberge kaufen in diesem Lande.

JEREMIAS GEBET

16 Und als ich den Kaufbrief Baruch, dem
Sohn Nerijas, gegeben hatte, betete ich
zum HERRN und sprach: 17 Ach, Herr
HERR, siehe, du hast Himmel und [a]Erde
gemacht durch deine große Kraft und
durch deinen ausgereckten Arm, und [b]es
ist kein Ding vor dir unmöglich; 18 der du
[a]Gnade erweist vielen Tausenden und die
Schuld der Väter kommen lässt auf das
Haupt ihrer Kinder nach ihnen, du großer
und starker Gott – HERR Zebaoth ist sein
Name –, 19 groß von Rat und mächtig von
Tat, und deine Augen stehen offen über
allen Wegen der Menschenkinder, [a]einem
jeden zu geben nach seinen Wegen und
nach der Frucht seines Tuns; 20 der du in
Ägyptenland hast Zeichen und Wunder
getan bis auf diesen Tag an Israel und an
den Menschen und hast dir einen Namen
gemacht, wie es heute am Tage ist, 21 [a]und
hast dein Volk Israel aus Ägyptenland ge-
führt durch Zeichen und Wunder, mit
mächtiger Hand, mit ausgerecktem Arm

32,2 *a* 2. Kön 25,1-2 **32,3** *a* (3-4) Kap 21,7; 34,2-3
32,5 *a* Kap 52,11 **32,7** *a* 3. Mose 25,25; Rut 4,3-4
32,15 *a* Vers 44 **32,17** *a* Kap 27,5 *b* 1. Mose 18,14; Lk 1,37
32,18 *a* 2. Mose 20,5-6 **32,19** *a* Kap 17,10; Röm 2,6
32,21 *a* (21-22) 5. Mose 26,8-9

und mit großem Schrecken, 22 und hast
ihnen dies Land gegeben, wie du ihren
Vätern geschworen hattest, dass du es ih-
nen geben wolltest, ein Land, darin Milch
und Honig fließt; 23 aber als sie hineinka-
men und es in Besitz nahmen, gehorchten
sie deiner Stimme nicht, wandelten auch
nicht nach deinem Gesetz, und alles, was
du ihnen gebotest, dass sie es tun sollten,
taten sie nicht; darum ließest du ihnen
auch all dies Unheil widerfahren:
24 Siehe, die Wälle reichen schon bis an
die Stadt, dass sie erobert werde, und sie
ist durch Schwert, Hunger und Pest in die
Hände der Chaldäer gegeben, die gegen sie
kämpfen; und wie du geredet hast, so ist's
geschehen; du siehst es ja selbst. 25 Aber
du, Herr HERR, sprichst zu mir: »Kaufe dir
einen Acker um Geld und nimm Zeugen
dazu«, obwohl doch die Stadt in die Hände
der Chaldäer gegeben ist?

GOTTES ERSTE ANTWORT

26 Und des HERRN Wort geschah zu Jere-
mia: 27 Siehe, ich, der HERR, [a]bin der Gott
allen Fleisches, [b]sollte mir etwas unmög-
lich sein? 28 Darum, so spricht der HERR:
Siehe, ich gebe diese Stadt in die Hände
der Chaldäer und in die Hand Nebukad-
nezars, des Königs von Babel, und er soll
sie erobern. 29 Und die Chaldäer, die gegen
diese Stadt kämpfen, werden hereinkom-
men und die Stadt in Brand stecken und
verbrennen samt den Häusern, [a]auf deren
Dächern man dem Baal Räucheropfer ge-
spendet und andern Göttern Trankopfer
dargebracht hat, um mich zu erzürnen.
30 Denn Israel und Juda haben von ihrer
Jugend auf getan, was mir missfällt; ja,
die Israeliten haben mich erzürnt durch
ihrer Hände Werk, spricht der HERR.
31 Denn seit diese Stadt gebaut ist, hat sie
mich zornig und grimmig gemacht bis
auf diesen Tag, dass ich sie von meinem
Angesicht wegtun muss 32 wegen all der
Bosheit Israels und Judas, die sie getan ha-
ben, um mich zu erzürnen. Sie, ihre Kö-
nige, Oberen, Priester und Propheten, die
Männer Judas und die Bewohner Jerusa-
lems, 33 haben mir [a]den Rücken und nicht
das Angesicht zugekehrt, und obwohl
ich sie stets lehren ließ, wollten sie nicht
hören noch sich bessern. 34 Dazu haben
sie ihre Gräuelbilder in das Haus gesetzt,
das nach meinem Namen genannt ist,
dass sie es unrein machten,[a] 35 und haben
[a]die Höhen des Baal gebaut im Tal Ben-
Hinnom, um ihre Söhne und Töchter für
den Moloch durchs Feuer gehen zu lassen,
was ich ihnen nie geboten habe und mir
nie in den Sinn gekommen ist, dass sie sol-
chen Gräuel tun sollten, um Juda in Sünde
zu bringen.
36 Nun aber, so spricht der HERR, der
Gott Israels, von dieser Stadt, von der ihr
sagt, dass sie durch Schwert, Hunger und
Pest in die Hände des Königs von Babel
gegeben sei: 37 Siehe, ich will sie [a]sammeln
aus allen Ländern, wohin ich sie verstoße
in meinem Zorn, Grimm und großem
Unmut, und will sie wieder an diesen Ort
bringen, dass sie sicher wohnen sollen.
38 Sie sollen mein Volk sein, und ich will
ihr Gott sein.[a] 39 Und ich will ihnen [a]einer-
lei Sinn und einerlei Wandel geben, dass
sie mich [b]fürchten ihr Leben lang, auf dass
es ihnen wohlgehe und ihren Kindern
nach ihnen. 40 Und **ich will [a]einen ewi-
gen Bund mit ihnen schließen, dass ich
nicht ablassen will, ihnen Gutes zu tun,
und will ihnen Furcht vor mir ins Herz
geben, dass sie nicht von mir weichen.**
41 Es [a]soll meine Freude sein, ihnen Gutes
zu tun, und [b]ich will sie in diesem Lande
einpflanzen in beständiger Treue, von
ganzem Herzen und von ganzer Seele.
42 Denn so spricht der HERR: Gleichwie
ich über dies Volk [a]all dies große Unheil
habe kommen lassen, so will ich auch alles
Gute über sie kommen lassen, das ich ih-
nen zugesagt habe. 43 Und es sollen Äcker
gekauft werden in diesem Lande, von dem
ihr sagt: »Eine Wüste ist's ohne Menschen
und Vieh; es ist in die Hände der Chaldäer
gegeben.« 44 Man wird [a]Äcker um Geld
kaufen und verbriefen, versiegeln und
Zeugen dazu nehmen im Lande Benjamin
und um Jerusalem her und in den Städten
Judas, in den Städten auf dem Gebirge, in

32,27 ***a*** 4. Mose 16,22 ***b*** Vers 17 **32,29** ***a*** Kap 19,13
32,33 ***a*** Kap 2,27; 7,24 **32,34** ***a*** Kap 7,30
32,35 ***a*** Kap 7,31; 19,5 **32,37** ***a*** Kap 23,3; 5. Mose 30,3
32,38 ***a*** Kap 7,23; 24,7 **32,39** ***a*** Hes 11,19; 36,27
b 5. Mose 6,24 **32,40** ***a*** Kap 31,31-34
32,41 ***a*** 5. Mose 30,9 ***b*** Am 9,15 **32,42** ***a*** Kap 16,10
32,44 ***a*** Vers 15

den Städten des Hügellandes und in den Städten des Südlandes; denn [b]ich will ihr Geschick wenden, spricht der HERR.

GOTTES ZWEITE ANTWORT

33 Und des HERRN Wort geschah zu Jeremia zum zweiten Mal, als er noch [a]im Wachthof gefangen war: 2 So spricht der HERR, der die Erde gemacht, sie gebildet und gegründet hat – HERR ist sein Name: 3 Rufe mich an, so will ich dir antworten und will dir kundtun große und unfassbare Dinge, von denen du nichts weißt. 4 Denn so spricht der HERR, der Gott Israels, von den [a]Häusern dieser Stadt und von den Häusern der Könige Judas, die abgebrochen wurden, um Bollwerke zu machen zur Abwehr 5 im Kampf gegen die Chaldäer und um sie zu füllen mit den Leichnamen der Menschen, die ich in meinem Zorn und Grimm erschlagen habe, als ich mein Angesicht vor dieser Stadt verbarg um all ihrer Bosheit willen:

6 Siehe, ich will sie [a]heilen und gesund machen und will ihnen dauernden Frieden gewähren. 7 Denn [a]ich will das Geschick Judas und das Geschick Israels wenden und [b]will sie bauen wie im Anfang 8 und will sie reinigen von aller Missetat, womit sie wider mich gesündigt haben; und [a]will ihnen vergeben alle Missetaten, womit sie wider mich gesündigt und gefrevelt haben. 9 Und das soll mein Ruhm und [a]meine Wonne, mein Preis und meine Ehre sein unter allen Völkern auf Erden, wenn sie all das Gute hören, das ich ihnen tue. Und sie werden sich verwundern und entsetzen über all das Gute und über all das Heil, das ich Jerusalem geben will.

10 So spricht der HERR: An diesem Ort, von dem ihr sagt: [a]»Er ist wüst, ohne Menschen und Vieh«, in den Städten Judas und auf den Gassen Jerusalems, die so verwüstet sind, dass niemand mehr darin ist, weder Menschen noch Vieh, 11 wird man dennoch wieder hören [a]den Jubel der Freude und Wonne, die Stimme des Bräutigams und der Braut und die Stimme derer, die da sagen: [b]»Danket dem HERRN Zebaoth; denn der HERR ist freundlich, und seine Güte währet ewiglich«, wenn sie Dankopfer bringen zum Hause des HERRN. Denn ich will das Geschick des Landes wenden, dass es werde, wie es im Anfang war, spricht der HERR.

12 So spricht der HERR Zebaoth: An diesem Ort, der so wüst ist, dass weder Menschen noch Vieh darin sind, und in allen seinen Städten werden dennoch wieder Auen sein für die Hirten, die da Herden weiden. 13 In den [a]Städten auf dem Gebirge und in den Städten des Hügellandes und in den Städten des Südlandes, im Lande Benjamin und um Jerusalem her und in den Städten Judas sollen dennoch wieder die Herden gezählt aus- und einziehen, spricht der HERR.

DER EWIGE BUND MIT DAVID UND DEN LEVITEN

14 [a]Siehe, es kommt die Zeit, spricht der HERR, dass ich das gnädige Wort erfüllen will, das ich zum Hause Israel und zum Hause Juda geredet habe. **15 In jenen Tagen und zu jener Zeit will ich dem David einen gerechten [a]Spross aufgehen lassen; der soll Recht und Gerechtigkeit schaffen im Lande. 16 Zu derselben Zeit soll Juda geholfen werden und Jerusalem [a]sicher wohnen, und man wird es nennen »Der HERR ist unsere Gerechtigkeit«.**

17 Denn so spricht der HERR: Es soll David niemals fehlen an einem, der [a]auf dem Thron des Hauses Israel sitzt. 18 Und den levitischen Priestern soll's niemals fehlen an einem, der täglich vor meinem Angesicht Brandopfer darbringt und Speisopfer in Rauch aufgehen lässt und Opfer schlachtet.

19 Und des HERRN Wort geschah zu Jeremia: 20 [a]So spricht der HERR: Wenn mein Bund mit Tag und Nacht aufhörte, dass nicht mehr Tag und Nacht wären zu ihrer Zeit, 21 so würde auch mein Bund aufhören mit meinem Knecht David, dass er keinen Sohn mehr hätte als König auf seinem Thron, und mit den Leviten, den

32,44 ***b*** Kap 29,14; 30,3 **33,1** ***a*** Kap 32,2 **33,4** ***a*** Jes 22,10
33,6 ***a*** Kap 30,17 **33,7** ***a*** Kap 29,14 ***b*** Kap 24,6
33,8 ***a*** Kap 31,34; 50,20 **33,9** ***a*** Kap 13,11
33,10 ***a*** Kap 32,43 **33,11** ***a*** Kap 7,34 ***b*** Esra 3,11; Ps 106,1
33,13 ***a*** Kap 32,44 **33,14** ***a*** (14-16) Kap 23,5-6
33,15 ***a*** Sach 3,8; 6,12 **33,16** ***a*** 5. Mose 33,28
33,17 ***a*** 2. Sam 7,12-13; 1. Kön 2,4; 9,5; Ps 89,30
33,20 ***a*** (20-21) Kap 31,35-36; 1. Mose 8,22

[a]Priestern, meinen Dienern. 22 Wie man [a]des Himmels Heer nicht zählen noch den Sand am Meer messen kann, so will ich mehren die Nachkommen Davids, meines Knechts, und die Leviten, die mir dienen.

23 Und des HERRN Wort geschah zu Jeremia: 24 Hast du nicht gemerkt, was diese Leute reden: »Die beiden Geschlechter, die der HERR auserwählt hatte, hat er verworfen«, und sie verachten mein Volk, als sei es kein Volk mehr in ihren Augen. 25 So spricht der HERR: Wenn ich jemals meinen Bund nicht hielte mit Tag und Nacht noch die Ordnungen des Himmels und der Erde, 26 so wollte ich auch verwerfen die Nachkommen Jakobs und Davids, meines Knechts, dass ich nicht mehr aus seinem Geschlecht Herrscher nähme über die Nachkommen Abrahams, Isaaks und Jakobs. Denn ich will ihr Geschick wenden und mich über sie erbarmen.

ZEDEKIA VOR DER ENTSCHEIDUNG

34 Dies ist das Wort, das vom HERRN geschah zu Jeremia, als [a]Nebukadnezar, der König von Babel, mit seinem ganzen Heer und allen Königreichen auf Erden, die unter seiner Gewalt waren, und allen Völkern kämpfte gegen Jerusalem und alle seine Städte. 2 So spricht der HERR, der Gott Israels: Geh hin und sprich mit Zedekia, dem König von Juda, und sage zu ihm: So spricht der HERR: Siehe, [a]ich will diese Stadt in die Hände des Königs von Babel geben, und er soll sie mit Feuer verbrennen. 3 Und auch du sollst seiner Hand nicht entrinnen, sondern ergriffen und in seine Hand gegeben werden. Du wirst den König von Babel [a]Auge in Auge sehen und von Mund zu Mund mit ihm reden und nach Babel kommen.

4 [a]So höre doch, Zedekia, du König von Juda, des HERRN Wort! So spricht der HERR über dich: Du sollst nicht durchs Schwert sterben, 5 sondern du sollst im Frieden sterben. Und wie deinen Vätern, den früheren Königen, die vor dir gewesen sind, so wird man auch dir zu Ehren [a]einen Brand anzünden und dich [b]beklagen: »Ach, Herr!«; denn ich habe es geredet, spricht der HERR.

6 Und der Prophet Jeremia sagte alle diese Worte zu Zedekia, dem König von Juda, in Jerusalem, 7 als das Heer des Königs von Babel schon kämpfte gegen Jerusalem und alle Städte Judas, die übrig geblieben waren, nämlich Lachisch und Aseka; denn diese waren noch übrig geblieben von den befestigten Städten Judas.

DER WORTBRUCH AN DEN SKLAVEN

8 Dies ist das Wort, das vom HERRN geschah zu Jeremia, nachdem der König Zedekia einen Bund geschlossen hatte mit dem ganzen Volk zu Jerusalem, eine [a]Freilassung auszurufen, 9 dass ein jeder seinen Sklaven und ein jeder seine Sklavin, die Hebräer und Hebräerinnen waren, freilassen sollte, sodass kein Judäer den andern als Sklaven hielte. 10 Da hatten alle Oberen und alles Volk gehorcht, die diesen Bund eingegangen waren, dass ein jeder seinen Sklaven und seine Sklavin freilassen und sie nicht mehr als Sklaven halten sollte; sie hatten gehorcht und sie losgegeben. 11 Aber danach hatten sie die Sklaven und Sklavinnen wieder zurückgefordert, die sie freigegeben hatten, und sie gezwungen, dass sie wieder Sklaven und Sklavinnen sein mussten.

12 Da geschah des HERRN Wort zu Jeremia vom HERRN: 13 So spricht der HERR, der Gott Israels: Ich habe einen Bund geschlossen mit euren Vätern, als ich sie aus Ägyptenland, aus der Knechtschaft, führte und sprach: 14 [a]Alle sieben Jahre soll ein jeder seinen Bruder, der ein Hebräer ist und sich ihm verkauft und sechs Jahre gedient hat, freilassen. Aber eure Väter [b]gehorchten mir nicht und kehrten ihre Ohren mir nicht zu. 15 Ihr aber hattet euch nun bekehrt und getan, was mir wohlgefiel, dass ihr [a]eine Freilassung ausrufen ließet, ein jeder für seinen Nächsten, und habt darüber einen Bund geschlossen vor mir in dem Hause, das nach meinem Namen genannt ist. 16 Jetzt aber seid ihr umgeschlagen und habt meinen Namen entheiligt! Ein jeder fordert seinen Sklaven und seine Sklavin zurück, die ihr freigelassen

33,21 *a* 4. Mose 25,12-13 **33,22** *a* 1. Mose 15,5; 22,17
34,1 *a* Kap 52,4; 2. Kön 25,1-2 **34,2** *a* Kap 21,10
34,3 *a* Kap 32,4 **34,4** *a* (4-5) Kap 52,11
34,5 *a* 2. Chr 16,14 *b* Kap 22,18 **34,8** *a* Vers 14
34,14 *a* 2. Mose 21,2; 3. Mose 25,39-41; 5. Mose 15,12
b Kap 7,24 **34,15** *a* 3. Mose 25,10

hattet, [a]sodass sie gehen konnten, wohin sie wollten, und zwingt sie jetzt, dass sie wieder eure Sklaven und Sklavinnen sein müssen.

17 Darum, so spricht der HERR: Ihr habt mir nicht gehorcht. Keiner rief für seinen Bruder und für seinen Nächsten die Freilassung aus. Siehe, so rufe ich, spricht der HERR, über euch die Freilassung aus für Schwert, für Pest, für Hunger und will euch zum Bild des Entsetzens machen für alle Königreiche auf Erden. 18 Und ich will die Leute, die meinen Bund übertreten und die Worte des Bundes nicht halten, den sie vor mir geschlossen haben, so zurichten wie das Kalb, das sie in zwei Stücke geteilt haben und zwischen dessen Stücken sie hindurchgegangen sind, 19 nämlich die Oberen von Juda und von Jerusalem, die Kämmerer, die Priester und das ganze Volk des Landes, alle, die zwischen den Stücken des Kalbes hindurchgegangen sind. 20 Und ich will sie geben in die Hand ihrer Feinde und derer, die ihnen nach dem Leben trachten, und ihre Leichname sollen den Vögeln unter dem Himmel und den Tieren auf dem Felde zum Fraß werden.[a] 21 Auch Zedekia, den König von Juda, und seine Oberen will ich geben in die Hände ihrer Feinde und derer, die ihnen nach dem Leben trachten, und in die Hand des Heeres des Königs von Babel, [a]das jetzt von euch abgezogen ist. 22 Siehe, ich will ihnen befehlen, spricht der HERR, und will sie wieder vor diese Stadt bringen. [a]Sie sollen gegen sie kämpfen und sie erobern und mit Feuer verbrennen. Und ich will die Städte Judas verwüsten, dass niemand mehr darin wohnen soll.

DER GEHORSAM DER RECHABITER

35 Dies ist das Wort, das vom HERRN geschah zu Jeremia zur Zeit [a]Jojakims, des Sohnes Josias, des Königs von Juda: 2 Geh in das Haus der [a]Rechabiter, rede mit ihnen und führe sie in des HERRN Haus, in eine der Kammern, und schenke ihnen Wein ein. 3 Da nahm ich Jaasanja, den Sohn Jirmejas, des Sohnes Habazzinjas, samt seinen Brüdern und allen seinen Söhnen, und das ganze Haus der Rechabiter 4 und führte sie in des HERRN Haus, in die Kammer der Söhne Hanans, des Sohnes Jigdaljas, des Mannes Gottes, die neben der Kammer der Oberen ist, über der Kammer Maasejas, des Sohnes Schallums, des Torhüters. 5 Und ich setzte den Männern vom Hause der Rechabiter Krüge voll Wein und Schalen vor und sprach zu ihnen: Trinkt Wein!

6 Sie aber antworteten: Wir trinken keinen Wein; denn unser Vater [a]Jonadab, der Sohn Rechabs, hat uns geboten: Ihr sollt niemals Wein trinken, weder ihr noch eure Kinder, 7 auch kein Haus bauen, keinen Samen säen, keinen Weinberg pflanzen noch besitzen, sondern ihr sollt in Zelten wohnen euer Leben lang, auf dass ihr lange lebet in dem Lande, in dem ihr umherzieht. 8 Also gehorchen wir der Stimme unseres Vaters Jonadab, des Sohnes Rechabs, in allem, was er uns geboten hat, dass wir keinen Wein trinken unser Leben lang, weder wir noch unsere Frauen noch unsere Söhne und Töchter; 9 und wir bauen auch keine Häuser, darin zu wohnen, und haben weder Weinberge noch Äcker noch Saat, 10 sondern wir wohnen in Zelten und gehorchen und tun in allem, wie es unser Vater Jonadab geboten hat. 11 Als aber Nebukadnezar, der König von Babel, gegen das Land heraufzog, sprachen wir: Kommt, lasst uns nach Jerusalem ziehen vor dem Heer der Chaldäer und der Aramäer! So sind wir in Jerusalem geblieben.

12 Da geschah des HERRN Wort zu Jeremia: 13 So spricht der HERR Zebaoth, der Gott Israels: Geh hin und sprich zu den Männern von Juda und zu den Bürgern von Jerusalem: Wollt ihr euch denn nicht bessern und meinen Worten gehorchen?, spricht der HERR. 14 Die Worte Jonadabs, des Sohnes Rechabs, der seinen Kindern geboten hat, dass sie keinen Wein trinken sollen, werden gehalten, und sie trinken keinen Wein bis auf diesen Tag; denn sie gehorchen ihres Vaters Gebot. Ich aber habe euch [a]immer wieder predigen lassen, doch gehorchtet ihr mir nicht. 15 Ich habe auch immer wieder [a]alle meine Knechte, die Propheten, zu euch gesandt und sagen

34,16 *a* 5. Mose 21,14 **34,20** *a* Kap 19,7 **34,21** *a* Kap 37,5 **34,22** *a* Kap 37,8 **35,1** *a* Kap 1,3 **35,2** *a* 1. Chr 2,55 **35,6** *a* 2. Kön 10,15 **35,14** *a* Kap 25,4 **35,15** *a* Kap 7,25

lassen: [b]Kehrt um, ein jeder von seinem
bösen Wege, und bessert euer Tun und
folgt nicht andern Göttern nach, ihnen zu
dienen, so sollt ihr in dem Lande bleiben,
das ich euch und euren Vätern gegeben
habe. Aber ihr wolltet eure Ohren nicht
neigen und mir nicht gehorchen. 16 Ja, die
Kinder Jonadabs, des Sohnes Rechabs, ha-
ben ihres Vaters Gebot gehalten, das er ih-
nen geboten hat. Aber dies Volk gehorcht
mir nicht!

17 Darum, so spricht der HERR, der Gott
Zebaoth, der Gott Israels: Siehe, ich will
über Juda und über alle Bürger Jerusalems
kommen lassen all das Unheil, das ich ge-
gen sie geredet habe, [a]weil ich zu ihnen re-
dete und sie nicht hören wollten, weil ich
rief und sie mir nicht antworten wollten.
18 Aber zum Haus der Rechabiter sprach
Jeremia: So spricht der HERR Zebaoth, der
Gott Israels: Weil ihr dem Gebot eures Va-
ters Jonadab gehorcht habt und alle seine
Gebote gehalten und alles getan, was er
euch geboten hat, 19 darum, so spricht der
HERR Zebaoth, der Gott Israels: Es soll
dem Jonadab, dem Sohn Rechabs, niemals
an einem Manne fehlen, der vor mir steht.

DIE VERBRENNUNG DER SCHRIFTROLLE

36 Im [a]vierten Jahr Jojakims, des Soh-
nes Josias, des Königs von Juda, ge-
schah dies Wort zu Jeremia vom HERRN:
2 Nimm eine Schriftrolle und schreibe dar-
auf alle Worte, die ich zu dir geredet habe
über Israel, über Juda und über alle Völker
von der Zeit an, da ich zu dir geredet habe,
nämlich [a]von der Zeit Josias an bis auf die-
sen Tag. 3 Vielleicht wird das Haus Juda,
wenn sie hören von all dem Unheil, das
ich ihnen zu tun gedenke, sich bekehren,
ein jeder von seinem bösen Wege, damit
ich ihnen ihre Schuld und Sünde vergeben
kann.[a]

4 Da rief Jeremia [a]Baruch, den Sohn Ne-
rijas. Und Baruch schrieb auf eine Schrift-
rolle alle Worte des HERRN, die er zu Je-
remia geredet hatte, wie Jeremia sie ihm
sagte. 5 Und Jeremia gebot Baruch und
sprach: Mir ist's verwehrt, ich kann nicht
in des HERRN Haus gehen. 6 Du aber geh
hin und lies die Schriftrolle, auf die du des
HERRN Worte, wie ich sie dir gesagt habe,
geschrieben hast, dem Volk vor im Hause
des HERRN am Fasttage, und du sollst sie
auch lesen vor den Ohren aller Judäer, die
aus ihren Städten hereinkommen. 7 Viel-
leicht werden sie sich mit Beten vor dem
HERRN demütigen und sich bekehren, ein
jeder von seinem bösen Wege; denn der
Zorn und Grimm ist groß, den der HERR
diesem Volk angedroht hat.

8 Und Baruch, der Sohn Nerijas, tat al-
les, wie ihm der Prophet Jeremia befoh-
len hatte, dass er die Worte des HERRN
aus der Schriftrolle vorläse im Hause des
HERRN.

9 Es begab sich aber im fünften Jahr Jo-
jakims, des Sohnes Josias, des Königs
von Juda, im neunten Monat, dass man
ein Fasten ausrief vor dem HERRN für al-
les Volk zu Jerusalem und für alles Volk,
das aus den Städten Judas nach Jerusalem
kam. 10 Und Baruch las aus der Schrift-
rolle die Worte Jeremias vor im Hause
des HERRN, in der Kammer Gemarjas, des
Sohnes [a]Schafans, des Schreibers, im obe-
ren Vorhof bei dem neuen Tor am Hause
des HERRN, vor dem ganzen Volk.

11 Als nun Michaja, der Sohn Gemar-
jas, des Sohnes Schafans, alle Worte des
HERRN gehört hatte aus der Schriftrolle,
12 ging er hinab in des Königs Haus in die
Kanzlei. Und siehe, dort saßen alle Obe-
ren: Elischama, der Schreiber, Delaja, der
Sohn Schemajas, [a]Elnatan, der Sohn Ach-
bors, Gemarja, der Sohn Schafans, und
Zidkija, der Sohn Hananjas, samt allen
andern Oberen. 13 Und Michaja berich-
tete ihnen alle Worte, die er gehört hatte,
als Baruch dem Volk aus der Schriftrolle
vorlas.

14 Da sandten alle Oberen Jehudi, den
Sohn Netanjas, des Sohnes Schelemjas,
des Sohnes Kuschis, zu Baruch und lie-
ßen ihm sagen: Nimm die Schriftrolle,
aus der du dem Volk vorgelesen hast, mit
dir und komm! Und Baruch, der Sohn Ne-
rijas, nahm die Schriftrolle mit sich und
kam zu ihnen. 15 Und sie sprachen zu ihm:
Setze dich und lies vor, dass wir's hören!
Und Baruch las ihnen vor.

16 Und als sie alle die Worte hörten,

35,15 *b* Kap 18,11; Sach 1,4 **35,17** *a* Kap 7,13-15
36,1 *a* Kap 25,1 **36,2** *a* Kap 25,3 **36,3** *a* Kap 26,3
36,4 *a* Kap 32,12; 45,1 **36,10** *a* 2. Kön 22,3
36,12 *a* Kap 26,22

entsetzten sie sich untereinander und
sprachen zu Baruch: Wir müssen alle
diese Worte dem König anzeigen. 17 Und
sie fragten Baruch: Sage uns, wie hast du
alle seine Worte niedergeschrieben? 18 Ba-
ruch sprach zu ihnen: Jeremia hat mir alle
diese Worte vorgesagt, und ich schrieb sie
mit Tinte auf die Schriftrolle. 19 Da spra-
chen die Oberen zu Baruch: Geh hin und
verbirg dich mit Jeremia, dass niemand
wisse, wo ihr seid!

20 Sie aber gingen hinein zum König in
den Vorhof und ließen die Schriftrolle
verwahren in der Kammer Elischamas,
des Schreibers, und teilten dem König
alle diese Worte mit. 21 Da sandte der Kö-
nig den Jehudi, die Schriftrolle zu holen.
Der nahm sie aus der Kammer Elischamas,
des Schreibers. Und Jehudi las dem König
vor und allen Oberen, die bei dem König
standen. 22 Der König aber saß im Win-
terhause vor dem Kohlenbecken; denn es
war im neunten Monat. 23 Sooft nun Je-
hudi drei oder vier Spalten gelesen hatte,
schnitt er sie ab mit einem Schreibmesser
und warf sie ins Feuer, das im Kohlen-
becken war, bis die ganze Schriftrolle im
Feuer verbrannt war.

24 Und niemand entsetzte sich und [a]zer-
riss seine Kleider, weder der König noch
seine Großen, die doch alle diese Worte
gehört hatten. 25 Und obwohl Elnatan,
Delaja und Gemarja den König baten, er
möge die Schriftrolle nicht verbrennen,
hörte er nicht auf sie. 26 Dazu gebot der
König Jerachmeel, dem Königssohn, und
Seraja, dem Sohn Asriëls, und Schelemja,
dem Sohn Abdeels, sie sollten Baruch,
den Schreiber, und Jeremia, den Prophe-
ten, ergreifen. Aber der HERR hatte sie
verborgen.

27 Nachdem der König die Schriftrolle
verbrannt hatte, auf die Baruch die Worte
geschrieben hatte, wie Jeremia sie ihm
sagte, geschah des HERRN Wort zu Jere-
mia: 28 Nimm dir eine neue Schriftrolle
und schreibe darauf alle vorigen Worte,
die auf der ersten Schriftrolle standen,
die Jojakim, der König von Juda, verbrannt
hat.

29 Über Jojakim aber, den König von Juda,
sollst du sagen: So spricht der HERR: Du
hast diese Schriftrolle verbrannt und ge-
sagt: Warum hast du darauf geschrieben,
dass [a]der König von Babel kommen und
dies Land verderben werde, sodass [b]weder
Menschen noch Vieh mehr darin sein wer-
den? 30 Darum, so spricht der HERR über
Jojakim, den König von Juda: [a]Es soll kei-
ner von den Seinen auf dem Thron Davids
sitzen, und [b]sein Leichnam soll hingewor-
fen liegen, am Tag in der Hitze und nachts
im Frost. 31 Und ich will ihn und seine
Nachkommen und seine Großen heimsu-
chen um ihrer Schuld willen, und ich will
über sie und über die Bürger Jerusalems
und über die in Juda kommen lassen all
das Unheil, von dem ich zu ihnen geredet
habe, und sie gehorchten doch nicht.

32 Da nahm Jeremia eine andere Schrift-
rolle und gab sie Baruch, dem Sohn Neri-
jas, dem Schreiber. Der schrieb darauf, so
wie ihm Jeremia vorsagte, alle Worte, die
auf der Schriftrolle standen, die Jojakim,
der König von Juda, im Feuer verbrannt
hatte; und es wurden zu ihnen noch viele
ähnliche Worte hinzugetan.

JEREMIA WARNT DEN KÖNIG

37 Und [a]Zedekia, der Sohn Josias, wurde
König anstatt Konjas*, des Sohnes
Jojakims; denn Nebukadnezar, der Kö-
nig von Babel, machte ihn zum König im
Lande Juda. 2 Aber er und seine Großen
und das Volk des Landes gehorchten nicht
den Worten des HERRN, die er durch den
Propheten Jeremia redete. 3 Gleichwohl
sandte der König Zedekia Juchal, den Sohn
Schelemjas, und den Priester Zefanja, den
Sohn Maasejas, zum Propheten Jeremia
und ließ ihm sagen: [a]Bitte den HERRN,
unsern Gott, für uns! 4 Denn Jeremia ging
noch unter dem Volk aus und ein, und
man hatte ihn noch nicht ins Gefängnis
geworfen.

5 Es war aber das Heer des Pharao aus
Ägypten aufgebrochen, und als die Chal-
däer, die Jerusalem belagerten, davon hör-
ten, zogen sie von Jerusalem ab.

6 Und des HERRN Wort geschah zum
Propheten Jeremia: 7 So spricht der HERR,
der Gott Israels: Sagt dem König von Juda,

* **37,1** Anderer Name für Jojachin, vgl. Kap 24,1.

36,24 *a* 2. Kön 22,11 **36,29** *a* Kap 25,8-11 *b* Kap 7,20; 9,9-10 **36,30** *a* Kap 22,30 *b* Kap 22,19 **37,1** *a* 2. Kön 24,17 **37,3** *a* Kap 7,16; 42,2

der euch zu mir gesandt hat, mich zu befra-
gen: Siehe, das Heer des Pharao, das euch
zu Hilfe ausgezogen ist, wird wieder heim
nach Ägypten ziehen, 8 und die Chaldäer
werden wiederkommen und gegen [a]diese
Stadt kämpfen und sie erobern und mit
Feuer verbrennen. 9 So spricht der HERR:
Betrügt euch nicht damit, dass ihr denkt:
»Die Chaldäer werden von uns abziehen.«
Sie werden nicht abziehen. 10 Selbst wenn
ihr das ganze Heer der Chaldäer schlüget,
die gegen euch kämpfen, und es blieben
von ihnen nur etliche Verwundete übrig,
so würden sie, ein jeder in seinem Zelt,
aufstehen und diese Stadt mit Feuer ver-
brennen.

JEREMIA WIRD GEFANGEN GESETZT

11 Als nun der Chaldäer Heer von Jerusa-
lem abgezogen war vor dem Heer des Pha-
rao, 12 wollte Jeremia aus Jerusalem heraus
ins Land Benjamin gehen, [a]um mit seinen
Verwandten ein Erbe zu teilen. 13 Und als
er zum Benjamintor kam, war dort ein
Wachhabender mit Namen Jirija, der Sohn
Schelemjas, des Sohnes Hananjas; der
griff den Propheten Jeremia und sprach:
Du willst zu den Chaldäern überlaufen.
14 Jeremia sprach: Das ist nicht wahr, ich
will nicht zu den Chaldäern überlaufen.
Aber Jirija wollte ihn nicht hören, son-
dern griff Jeremia und brachte ihn zu den
Oberen. 15 Und die Oberen wurden zornig
über Jeremia und [a]schlugen ihn und war-
fen ihn ins Gefängnis im Hause Jonatans,
des Schreibers; denn das hatten sie zum
Kerker gemacht. 16 So kam Jeremia in das
Gewölbe der Zisterne. Dort blieb Jeremia
lange Zeit.

ZEDEKIA BEFRAGT HEIMLICH DEN PROPHETEN

17 Aber der König Zedekia sandte hin und
ließ ihn holen. Und der König fragte ihn
heimlich in seinem Haus und sprach: Ist
wohl ein Wort vom HERRN vorhanden?
Jeremia sprach: Ja! [a]Du wirst dem König
von Babel in die Hände gegeben werden.
18 Und Jeremia sprach zum König Zede-
kia: Was hab ich gegen dich, gegen deine
Großen und gegen dies Volk gesündigt,
dass sie mich in den Kerker geworfen ha-
ben? 19 Wo sind nun eure Propheten, die
euch weissagten und sprachen: Der Kö-
nig von Babel wird nicht über euch noch
über dies Land kommen? 20 Und nun,
mein Herr und König, höre mich und lass
meine Bitte vor dir gelten! Lass mich nicht
wieder in Jonatans, des Schreibers, Haus
bringen, dass ich dort nicht sterbe.
21 Da befahl der König Zedekia, dass man
Jeremia [a]im Wachthof behalten sollte,
und ließ ihm täglich aus der Bäckergasse
einen Laib Brot geben, bis alles Brot in der
Stadt aufgezehrt war. So blieb Jeremia im
Wachthof.

JEREMIA IN DER ZISTERNE

38 Es hörten aber Schefatja, der Sohn
Mattans, und Gedalja, der Sohn Pasch-
hurs, und Juchal, der Sohn Schelemjas,
und [a]Paschhur, der Sohn Malkijas, die
Worte, die Jeremia zu allem Volk redete.
2 So spricht der HERR: Wer in dieser Stadt
bleibt, der wird durch Schwert, Hunger
und Pest sterben müssen; wer aber hin-
ausgeht zu den Chaldäern, der soll am
Leben bleiben und wird sein Leben wie
eine Beute davonbringen.[a] 3 So spricht der
HERR: Diese Stadt soll übergeben werden
dem Heer des Königs von Babel, und es
soll sie einnehmen.
4 Da sprachen die Oberen zum König:
Lass doch diesen Mann töten; denn auf
diese Weise nimmt er den Kriegsleuten,
die noch übrig sind in dieser Stadt, den
Mut, desgleichen dem ganzen Volk, weil
er solche Worte zu ihnen sagt. Denn [a]der
Mann sucht nicht, was diesem Volk zum
Heil, sondern was zum Unheil dient.
5 Der König Zedekia sprach: Siehe, er ist
in euren Händen; denn der König vermag
nichts wider euch. 6 Da nahmen sie Jere-
mia und warfen ihn in die Zisterne Mal-
kijas, des Königssohnes, die im Wachthof
war, und ließen ihn an Seilen hinab. In
der Zisterne aber war kein Wasser, son-
dern Schlamm und Jeremia sank in den
Schlamm.
7 Als aber der Kuschiter [a]Ebed-Melech,
ein Kämmerer in des Königs Haus, hörte,
dass man Jeremia in die Zisterne gewor-
fen hatte, und der König gerade im Ben-

37,8 *a* Kap 34,22 **37,12** *a* Kap 32,8-9 **37,15** *a* Kap 20,2 **37,17** *a* Kap 34,21 **37,21** *a* Kap 32,2 **38,1** *a* Kap 21,1 **38,2** *a* Kap 21,9 **38,4** *a* Am 7,10 **38,7** *a* Kap 39,15-18

jamintor saß, 8 da ging Ebed-Melech aus
des Königs Haus und redete mit dem
König und sprach: 9 Mein Herr und Kö-
nig, diese Männer haben übel gehandelt
an dem Propheten Jeremia, dass sie ihn in
die Zisterne geworfen haben; dort muss er
vor Hunger sterben; denn es ist kein Brot
mehr in der Stadt. 10 Da befahl der König
dem Kuschiter Ebed-Melech: Nimm von
hier drei Männer mit dir und zieh den
Propheten Jeremia aus der Zisterne, ehe
er stirbt. 11 Und Ebed-Melech nahm die
Männer mit sich und ging in des Königs
Haus unter die Schatzkammer und nahm
dort zerrissene, alte Lumpen und ließ sie
an Stricken hinab zu Jeremia in die Zis-
terne. 12 Und der Kuschiter Ebed-Melech
sprach zu Jeremia: Lege diese zerrissenen,
alten Lumpen unter deine Achseln um die
Stricke; und Jeremia tat so. 13 Und sie zo-
gen Jeremia an den Stricken herauf und
holten ihn aus der Zisterne. Und so blieb
Jeremia im Wachthof.

LETZTES GESPRÄCH MIT ZEDEKIA

14 Und der König Zedekia sandte hin und
ließ den Propheten Jeremia zu sich ho-
len an den dritten Eingang am Hause des
HERRN. Und der König sprach zu Jeremia:
Ich will dich etwas fragen; verhehle mir
nichts! 15 Jeremia sprach zu Zedekia: Sage
ich es dir, so tötest du mich; gebe ich dir
aber einen Rat, so gehorchst du mir nicht.
16 Da schwor der König Zedekia dem Je-
remia heimlich und sprach: So wahr der
HERR lebt, der uns dies Leben gegeben
hat: [a]Ich will dich nicht töten noch den
Männern in die Hände geben, die dir nach
dem Leben trachten.

17 Und Jeremia sprach zu Zedekia: So
spricht der HERR, der Gott Zebaoth, der
Gott Israels: Wirst du hinausgehen zu
den Obersten des Königs von Babel, so
sollst du am Leben bleiben und diese Stadt
soll nicht verbrannt werden, sondern du
und dein Haus sollen am Leben bleiben;
18 wirst du aber nicht hinausgehen zu den
Obersten des Königs von Babel, so wird
diese Stadt den Chaldäern in die Hände
gegeben, und sie werden sie mit Feuer
verbrennen, und auch du wirst ihren
Händen nicht entrinnen.

19 Der König Zedekia sprach zu Jeremia:
Ich habe aber Angst, dass ich den Judäern,
die zu den Chaldäern übergelaufen sind,
übergeben werden könnte, dass sie mir
übel mitspielen. 20 Jeremia sprach: Man
wird dich nicht übergeben. Gehorche doch
der Stimme des HERRN, die ich dir sage,
so wird dir's wohlgehen, und du wirst am
Leben bleiben. 21 Weigerst du dich aber
hinauszugehen, so ist dies das Wort, das
mir der HERR gezeigt hat:

22 Siehe, alle Frauen, die noch übrig sind
im Haus des Königs von Juda, müssen
hinaus zu den Obersten des Königs von
Babel. Dann werden sie sagen: »Ach, deine
guten Freunde haben dich überredet und
in ihre Gewalt gebracht; kaum stecken
deine Füße im Sumpf, machen sie sich
davon.« 23 Ja, alle deine Frauen und Kinder
werden hinausmüssen zu den Chaldäern,
und [a]du selbst wirst ihren Händen nicht
entgehen, sondern du wirst vom König
von Babel ergriffen und diese Stadt wird
mit Feuer verbrannt werden.

24 Und Zedekia sprach zu Jeremia: Sieh
zu, dass niemand diese Worte erfahre, so
wirst du nicht sterben. 25 Wenn aber die
Oberen erfahren sollten, dass ich mit dir
geredet habe, und zu dir kommen und
sprechen: »Sag an, was hast du mit dem
König geredet; verbirg es uns nicht, so
wollen wir dich nicht töten. Was hat der
König mit dir geredet?«, 26 so sprich zu ih-
nen: Ich habe dem König die Bitte vorge-
tragen, dass er mich nicht wieder in Jona-
tans Haus führen lasse, ich müsste sonst
dort sterben.

27 Da kamen alle Oberen zu Jeremia und
fragten ihn, und er antwortete ihnen, wie
ihm der König befohlen hatte. Da ließen
sie von ihm, weil sie nichts erfahren konn-
ten. 28 Und Jeremia [a]blieb im Wachthof bis
auf den Tag, da Jerusalem eingenommen
wurde.

DIE EROBERUNG JERUSALEMS

[b]Und dies geschah, als Jerusalem erobert
39 wurde: 1 Im neunten Jahr Zedekias, des
Königs von Juda, im zehnten Monat
kam Nebukadnezar, der König von Babel,
und sein ganzes Heer vor Jerusalem, und

38,16 ***a*** Verse 4-5 **38,23** ***a*** Kap 32,4; 34,3
38,28 ***a*** Kap 37,21 ***b*** (1-10) Kap 52,4-16; 2. Kön 25,1-12

sie belagerten es. 2 Und im elften Jahr
Zedekias, am neunten Tage des vierten
Monats, brach man in die Stadt ein. 3 Und
alle Obersten des Königs von Babel zogen
hinein und hielten unter dem Mitteltor,
nämlich Nergal-Sarezer von Sin-Magir,
Nebu-Sar-Sechim, der Oberkämmerer,
Nergal-Sarezer, der Oberhofmeister, und
alle andern Obersten des Königs von
Babel.
4 Als nun Zedekia, der König von Juda,
und alle seine Kriegsleute das sahen, flo-
hen sie bei Nacht zur Stadt hinaus auf dem
Weg zu des Königs Garten durch das Tor
zwischen den beiden Mauern und entwi-
chen zum Jordantal hin. 5 Aber die Kriegs-
leute der Chaldäer jagten ihnen nach und
holten Zedekia ein im Jordantal von Jeri-
cho und nahmen ihn gefangen und brach-
ten ihn zu Nebukadnezar, dem König von
Babel, nach Ribla, das im Lande Hamat
liegt. Der sprach das Urteil über ihn. 6 Und
der König von Babel tötete die Söhne Ze-
dekias vor dessen Augen in Ribla; auch
alle Vornehmen Judas tötete der König
von Babel. 7 Aber Zedekia ließ er die Au-
gen ausstechen und ihn in Ketten legen,
um ihn nach Babel zu führen.
8 Und die Chaldäer verbrannten das
Haus des Königs und die Häuser der Bür-
ger und rissen die Mauern Jerusalems nie-
der. 9 Was aber noch an Volk in der Stadt
war und wer zu ihnen übergelaufen war,
die führte Nebusaradan, der Oberste der
Leibwache, alle miteinander gefangen
nach Babel. 10 Aber von dem geringen
Volk, das nichts hatte, ließ zur selben Zeit
Nebusaradan, der Oberste der Leibwache,
etliche im Lande Juda zurück und gab ih-
nen Weinberge und Felder.

JEREMIA WIRD BEFREIT

11 Aber Nebukadnezar, der König von Ba-
bel, hatte Nebusaradan, dem Obersten
der Leibwache, Befehl gegeben wegen Je-
remia und gesagt: 12 Nimm ihn und lass
ihn dir befohlen sein und tu ihm kein
Leid, sondern [a]wie er's von dir begehrt,
so mach's mit ihm. 13 Da sandten hin Ne-
busaradan, der Oberste der Leibwache,
und Nebuschasban, der Oberkämmerer,
Nergal-Sarezer, der Oberhofmeister, und
alle Obersten des Königs von Babel 14 und
[a]ließen Jeremia aus dem Wachthof holen
und übergaben ihn [b]Gedalja, dem Sohn
Ahikams, des Sohnes Schafans, dass er
ihn nach Hause gehen ließe. Und so blieb
er unter dem Volk.
15 [a]Es war auch des HERRN Wort gesche-
hen zu Jeremia, als er noch gefangen im
Wachthof lag: 16 Geh hin und sage zu dem
Kuschiter Ebed-Melech: So spricht der
HERR Zebaoth, der Gott Israels: Siehe,
ich will meine Worte kommen lassen
über diese Stadt zum Unheil und nicht
zum Heil, und du sollst es sehen zur sel-
ben Zeit. 17 Aber dich will ich erretten zur
selben Zeit, spricht der HERR, und du
sollst den Leuten nicht ausgeliefert wer-
den, vor denen du dich fürchtest. 18 Denn
ich will dich entrinnen lassen, dass du
nicht durchs Schwert fällst, sondern du
sollst dein Leben wie eine Beute davon-
bringen, weil du mir vertraut hast, spricht
der HERR.

JEREMIA BEIM STATTHALTER GEDALJA

40 Dies ist das Wort, das vom HERRN
geschah zu Jeremia, [a]als ihn Nebusa-
radan, der Oberste der Leibwache, losließ
in Rama, wo er ihn gefunden hatte; denn
er war auch, mit Fesseln gebunden, unter
allen Gefangenen aus Jerusalem und Juda,
die nach Babel weggeführt werden sollten.
2 Als nun der Oberste der Leibwache Je-
remia hatte zu sich holen lassen, sprach
er zu ihm: Der HERR, dein Gott, hat dies
Unglück über diese Stätte vorhergesagt
3 und hat's auch kommen lassen und ge-
tan, wie er geredet hat; denn ihr habt
gesündigt wider den HERRN und seiner
Stimme nicht gehorcht; darum ist euch
solches widerfahren. 4 Und nun siehe, ich
mache dich heute los von den Fesseln, mit
denen deine Hände gebunden waren. [a]Ge-
fällt dir's, mit mir nach Babel zu ziehen,
so komm, du sollst mir befohlen sein. Ge-
fällt dir's aber nicht, mit mir nach Babel zu
ziehen, so lass es sein. Siehe, du hast das
ganze Land vor dir; wo dich's gut dünkt
und dir's gefällt, da zieh hin. 5 [a]Gefällt
dir's, hierzubleiben, dann magst du um-
kehren zu Gedalja, dem Sohne Ahikams,

39,12 *a* Kap 40,4 **39,14** *a* Kap 38,28 *b* Kap 40,5-6.14-16
39,15 *a* (15-18) Kap 38,7 **40,1** *a* Kap 39,11-14
40,4 *a* Kap 39,12 **40,5** *a* (5-6) Kap 39,14

des Sohnes Schafans, den der König von
Babel über die Städte in Juda gesetzt hat,
und bei ihm bleiben unter dem Volk; oder
geh, wohin dir's gefällt. Und der Oberste
der Leibwache gab ihm Wegzehrung und
ein Geschenk und ließ ihn gehen. 6 So kam
Jeremia zu Gedalja, dem Sohne Ahikams,
nach Mizpa und blieb bei ihm unter dem
Volk, das im Lande noch übrig geblieben
war.

GEDALJAS STATTHALTERSCHAFT

7 Als nun die Hauptleute, die samt ihren
Leuten noch im Lande verstreut waren,
erfuhren, dass der König von Babel [a]Ge-
dalja, den Sohn Ahikams, über das Land
gesetzt hatte und über die Männer, Frauen
und Kinder und über die Geringen im
Lande, die nicht nach Babel weggeführt
waren, 8 kamen sie zu Gedalja nach Mizpa,
nämlich [a]Jischmael, der Sohn Netanjas, Jo-
hanan und Jonatan, die Söhne Kareachs,
und Seraja, der Sohn Tanhumets, und
die Söhne Efais von Netofa und Jaasanja,
der Sohn eines Maachatiters, samt ihren
Leuten. 9 Und Gedalja, der Sohn Ahi-
kams, des Sohnes Schafans, schwor ihnen
und ihren Leuten einen Eid und sprach:
Fürchtet euch nicht, den Chaldäern un-
tertan zu sein; bleibt im Lande und seid
dem König von Babel untertan, so wird's
euch wohlgehen. 10 Siehe, ich bleibe hier
in Mizpa und habe die Verantwortung vor
den Chaldäern, die zu uns kommen; ihr
aber sollt Wein und Feigen und Öl ernten
und in eure Gefäße tun und sollt in euren
Städten wohnen, die ihr wieder in Besitz
genommen habt.

11 Auch alle Judäer, die in Moab und bei
den Ammonitern und in Edom und in al-
len Ländern waren, hörten, dass der König
von Babel einen Rest in Juda übrig gelas-
sen und über sie Gedalja gesetzt hatte, den
Sohn Ahikams, des Sohnes Schafans. 12 Da
kamen sie alle zurück aus allen Orten, wo-
hin sie verstreut waren, in das Land Juda
zu Gedalja nach Mizpa und ernteten sehr
viel Wein und Sommerfrüchte.

13 Aber Johanan, der Sohn Kareachs,
und alle Hauptleute, die im Lande ver-
streut gewesen waren, kamen zu Gedalja
nach Mizpa 14 und sprachen zu ihm: Weißt
du auch, dass Baalis, der König der Am-
moniter, Jischmael, den Sohn Netanjas,
gesandt hat, dass er dich erschlagen soll?
Das wollte ihnen aber Gedalja, der Sohn
Ahikams, nicht glauben. 15 Da sprach Jo-
hanan, der Sohn Kareachs, zu Gedalja
heimlich in Mizpa: Ich will hingehen und
Jischmael, den Sohn Netanjas, erschlagen,
ohne dass es jemand erfahren soll. Warum
soll er dich erschlagen, sodass alle Judäer,
die bei dir versammelt sind, zerstreut wer-
den und, die noch aus Juda übrig geblie-
ben sind, umkommen? 16 Aber Gedalja,
der Sohn Ahikams, sprach zu Johanan,
dem Sohn Kareachs: Du sollst das nicht
tun; es ist nicht wahr, was du von Jisch-
mael sagst.

GEDALJA WIRD ERMORDET

(vgl. 2. Kön 25,25)

41 Aber im siebenten Monat kam [a]Jisch-
mael, der Sohn Netanjas, des Sohnes
Elischamas, aus königlichem Geschlecht
und zehn Männer mit ihm zu Gedalja,
dem Sohn Ahikams, nach Mizpa und sie
aßen dort in Mizpa miteinander. 2 Und
Jischmael, der Sohn Netanjas, erhob sich
samt den zehn Männern, die bei ihm
waren, und sie erschlugen [a]Gedalja, den
Sohn Ahikams, des Sohnes Schafans,
mit dem Schwert, weil ihn der König
von Babel über das Land gesetzt hatte.
3 Auch alle Judäer, die bei Gedalja waren
in Mizpa, und die Chaldäer, die sich dort
fanden, sämtliche Kriegsleute, erschlug
Jischmael.

4 Am andern Tage, nachdem Gedalja
erschlagen war und es noch niemand
wusste, 5 kamen achtzig Männer von Si-
chem, von Silo und von Samaria und hat-
ten die Bärte abgeschoren und ihre Kleider
zerrissen und [a]sich wund geritzt und tru-
gen Speisopfer und Weihrauch mit, um es
zum Hause des HERRN zu bringen. 6 Und
Jischmael, der Sohn Netanjas, ging her-
aus von Mizpa ihnen entgegen, ging und
weinte. Als er nun an sie herankam, sprach
er zu ihnen: Ihr sollt zu Gedalja, dem Sohn
Ahikams, kommen. 7 Als sie aber mitten
in die Stadt kamen, ermordete sie Jisch-
mael, der Sohn Netanjas, er und die Män-

40,7 *a* 2. Kön 25,22-24 **40,8** *a* Kap 41,1.11
41,1 *a* Kap 40,8 **41,2** *a* Kap 40,5 **41,5** *a* Kap 16,6

ner, die bei ihm waren, und warfen sie in
die Zisterne. 8 Aber es waren zehn Männer
darunter, die sprachen zu Jischmael: Töte
uns nicht; wir haben Vorrat im Acker ver-
borgen liegen an Weizen, Gerste, Öl und
Honig. Da ließ er ab und tötete sie nicht
mit den andern.

9 Die Zisterne aber, in die Jischmael die
Leichname der Männer warf, die er er-
schlagen hatte, war eine große Zisterne,
welche der König [a]Asa hatte anlegen las-
sen im Krieg gegen Bascha, den König von
Israel. Die füllte Jischmael, der Sohn Ne-
tanjas, mit den Erschlagenen. 10 Und Jisch-
mael, der Sohn Netanjas, führte das Volk,
das in Mizpa übrig geblieben war, gefan-
gen weg: die Königstöchter samt allem
Volk, über das Nebusaradan, der Oberste
der Leibwache, Gedalja, den Sohn Ahi-
kams, gesetzt hatte; und er zog hin und
wollte hinüber zu den Ammonitern.

11 Als aber [a]Johanan, der Sohn Kareachs,
und alle Hauptleute des Heeres, die bei
ihm waren, von all dem Bösen erfuhren,
das Jischmael, der Sohn Netanjas, began-
gen hatte, 12 nahmen sie zu sich alle Män-
ner und zogen hin, um mit Jischmael, dem
Sohn Netanjas, zu kämpfen, und trafen auf
ihn an dem [a]großen Wasser bei Gibeon.
13 Als nun alles Volk, das bei Jischmael war,
den Johanan, den Sohn Kareachs, erblickte
samt allen Hauptleuten des Heeres, die
bei ihm waren, da wurde es froh. 14 Und
das ganze Volk, das Jischmael von Mizpa
weggeführt hatte, wandte sich von ihm ab
und ging zu Johanan, dem Sohn Kareachs,
über. 15 Aber Jischmael, der Sohn Netanjas,
entrann mit acht Männern dem Johanan
und zog zu den Ammonitern.

16 Und Johanan, der Sohn Kareachs, samt
allen Hauptleuten des Heeres, die bei ihm
waren, nahm zu sich das übrig gebliebene
Volk, das Jischmael, der Sohn Netanjas,
aus Mizpa weggeführt hatte, nachdem
er Gedalja, den Sohn Ahikams, erschla-
gen hatte, nämlich die Kriegsleute, die
Frauen und Kinder und Hofleute, die er
aus Gibeon zurückgebracht hatte. 17 Und
sie zogen hin und kehrten ein in der Her-
berge [a]Kimhams bei Bethlehem, um von
dort [b]nach Ägypten zu ziehen 18 aus Furcht
vor den Chaldäern. Denn sie fürchteten
sich vor ihnen, weil Jischmael, der Sohn
Netanjas, Gedalja, den Sohn Ahikams, er-
schlagen hatte, den der König von Babel
über das Land gesetzt hatte.

JEREMIA WARNT VOR DER AUSWANDERUNG NACH ÄGYPTEN

42 Da traten herzu alle Hauptleute des
Heeres und Johanan, der Sohn Ka-
reachs, und Asarja, der Sohn Hoschajas,
samt dem ganzen Volk, Klein und Groß,
2 und sprachen zum Propheten Jeremia:
Lass doch unsere Bitte vor dir gelten und
[a]bete für uns zum HERRN, deinem Gott,
für alle diese Übriggebliebenen – denn
leider sind wir von vielen nur wenige üb-
rig geblieben, wie du mit eigenen Augen
siehst –, 3 dass der HERR, dein Gott, uns
kundtun wolle, wohin wir ziehen und was
wir tun sollen. 4 Und der Prophet Jeremia
sprach zu ihnen: Wohlan, ich will gehor-
chen. Siehe, ich will zum HERRN, eurem
Gott, beten, wie ihr gesagt habt, und alles,
was euch der HERR antworten wird, das
will ich euch kundtun und will euch nichts
vorenthalten. 5 Und sie sprachen zu Jere-
mia: Der HERR sei ein zuverlässiger und
wahrhaftiger Zeuge wider uns, wenn wir
nicht alles tun werden, was uns der HERR,
dein Gott, durch dich befehlen wird. 6 Es
sei Gutes oder Böses, so wollen wir ge-
horchen der Stimme des HERRN, unseres
Gottes, zu dem wir dich senden, auf dass
es uns wohlgehe, wenn wir der Stimme
des HERRN, unseres Gottes, gehorchen.

7 Und nach zehn Tagen geschah des
HERRN Wort zu Jeremia. 8 Da rief er Joha-
nan, den Sohn Kareachs, und alle Haupt-
leute des Heeres, die bei ihm waren, und
alles Volk, Klein und Groß, 9 und sprach zu
ihnen: So spricht der HERR, der Gott Isra-
els, zu dem ihr mich gesandt habt, dass ich
euer Gebet vor ihn bringen sollte: 10 Wer-
det ihr in diesem Lande bleiben, so will
ich euch [a]bauen und nicht einreißen; ich
will euch pflanzen und nicht ausreißen;
denn es hat mich [b]gereut das Unheil, das
ich euch angetan habe. 11 [a]Fürchtet euch
nicht vor dem König von Babel, vor dem
ihr euch fürchtet! Fürchtet euch nicht vor

41,9 *a* 1. Kön 15,16-24 **41,11** *a* Kap 40,8.13-16
41,12 *a* 2. Sam 2,13 **41,17** *a* 2. Sam 19,38 *b* Kap 43,7
42,2 *a* Kap 37,3 **42,10** *a* Kap 24,6 *b* Kap 18,8
42,11 *a* Kap 40,9

ihm, spricht der HERR; denn [b]ich will bei
euch sein, dass ich euch helfe und von sei-
ner Hand errette. 12 Ich will euch Barm-
herzigkeit erweisen und mich über euch
erbarmen und euch wieder in euer Land
bringen.
13 [a]Werdet ihr aber sagen: »Wir wollen
nicht in diesem Lande bleiben«, und so der
Stimme des HERRN, eures Gottes, nicht
gehorchen 14 und werdet ihr sagen: »Nein,
wir wollen nach Ägyptenland ziehen, wo
wir weder Krieg sehen noch den Schall
der Posaune hören noch Hunger nach
Brot leiden müssen; dort wollen wir blei-
ben« –, 15 nun, so höret des HERRN Wort,
ihr Übriggebliebenen von Juda! So spricht
der HERR Zebaoth, der Gott Israels: Wer-
det ihr euer Angesicht nach Ägyptenland
richten, um dorthin zu ziehen und dort
zu wohnen, 16 so soll euch das Schwert,
vor dem ihr euch fürchtet, in Ägypten-
land treffen, und der Hunger, vor dem
ihr euch sorgt, soll stets hinter euch her
sein in Ägypten, und ihr sollt dort ster-
ben. 17 Denn sie seien, wer sie wollen: Wer
sein Angesicht nach Ägypten richtet, um
dorthin zu ziehen und dort zu wohnen,
der soll sterben durch Schwert, Hunger
und Pest, und es soll keiner übrig bleiben
noch dem Unheil entrinnen, das ich über
sie kommen lassen will.
18 Denn so spricht der HERR Zebaoth,
der Gott Israels: [a]Gleichwie sich mein
Zorn und Grimm über die Einwohner
Jerusalems ergossen hat, so soll er sich
auch über euch ergießen, wenn ihr nach
Ägypten zieht; [b]ihr sollt zum Fluch, zum
Entsetzen, zur Verwünschung und zur
Schande werden und diese Stätte nicht
mehr sehen. 19 Der HERR hat zu euch
gesprochen, die ihr übrig geblieben seid
von Juda: Zieht nicht nach Ägypten! So
wisset, dass ich euch heute gewarnt habe.
20 Ihr setzt euer Leben aufs Spiel, weil ihr
mich gesandt habt zum HERRN, eurem
Gott, und gesagt: Bete zum HERRN, un-
serm Gott, für uns, und alles, was der
HERR, unser Gott, sagen wird, tu uns
kund, so wollen wir danach tun. 21 Das
habe ich euch heute kundgetan; aber ihr
wollt der Stimme des HERRN, eures Got-
tes, nicht gehorchen noch allem, womit
er mich zu euch gesandt hat. 22 So sollt ihr
nun wissen, dass ihr durch Schwert, Hun-
ger und Pest sterben müsst an dem Ort,
wohin ihr zu ziehen gedenkt, um dort zu
wohnen.

DER ZUG NACH ÄGYPTEN

43 Als Jeremia dem ganzen Volk alle
Worte des HERRN, ihres Gottes, aus-
gerichtet hatte, wie ihm der HERR, ihr
Gott, alle diese Worte an sie befohlen
hatte, 2 sprachen Asarja, der Sohn Ho-
schajas, und Johanan, der Sohn Kareachs,
und alle aufsässigen Männer zu Jeremia:
Du lügst! Der HERR, unser Gott, hat dich
nicht zu uns gesandt und gesagt: »Ihr sollt
nicht nach Ägypten ziehen, um dort zu
wohnen«, 3 sondern [a]Baruch, der Sohn
Nerijas, hetzt dich gegen uns auf, damit
wir den Chaldäern übergeben werden
und sie uns töten oder nach Babel weg-
führen.
4 Da gehorchten Johanan, der Sohn Kare-
achs, und alle Hauptleute des Heeres samt
dem ganzen Volk der Stimme des HERRN
nicht, dass sie im Lande Juda geblieben
wären, 5 sondern Johanan, der Sohn Ka-
reachs, und alle Hauptleute des Heeres
nahmen zu sich alle Übriggebliebenen
von Juda, die von allen Völkern, wohin
sie geflohen, zurückgekommen waren,
um im Lande Juda zu wohnen, 6 nämlich
Männer, Frauen und Kinder, dazu die Kö-
nigstöchter und alle Übrigen, die Nebu-
saradan, der Oberste der Leibwache, bei
Gedalja, dem Sohn Ahikams, des Sohnes
Schafans, gelassen hatte, und auch den
Propheten Jeremia und Baruch, den Sohn
Nerijas. 7 Und sie [a]zogen nach Ägypten-
land, denn sie wollten der Stimme des
HERRN nicht gehorchen, und kamen nach
Tachpanhes.

DIE HEIMSUCHUNG ÄGYPTENS

8 Aber des HERRN Wort geschah zu Jere-
mia in Tachpanhes: 9 Nimm große Steine
und füge sie mit Lehm in das Ziegelpflas-
ter am Eingang des Hauses des Pharao in
Tachpanhes, sodass die Männer aus Juda
es sehen, 10 und sprich zu ihnen: So spricht
der HERR Zebaoth, der Gott Israels: Siehe,

42,11 *b* Kap 15,20 **42,13** *a* (13-17) Kap 29,17-18
42,18 *a* Kap 7,20 *b* Kap 25,9 **43,3** *a* Kap 36,32
43,7 *a* Kap 42,14-17; 2. Kön 25,26

ich will hinsenden und [a]meinen Knecht
Nebukadnezar, den König von Babel, ho-
len lassen und will seinen Thron oben auf
diese Steine setzen, die ich einfügen ließ;
und er soll seinen Thronhimmel darüber
ausspannen. 11 Er soll kommen und Ägyp-
tenland schlagen und [a]töten, wen es trifft,
gefangen führen, wen es trifft, mit dem
Schwert erschlagen, wen es trifft. 12 Und
er wird [a]die Tempel Ägyptens in Brand
stecken und niederbrennen und ihre
Götter wegführen. Und er soll Ägypten-
land lausen, wie ein Hirt sein Kleid laust,
und mit Frieden von dannen ziehen. 13 Er
soll die Steinmale von Bet-Schemesch
in Ägyptenland zerbrechen und die
Tempel der Götter Ägyptens mit Feuer
verbrennen.

JEREMIAS LETZTE PREDIGT

44 Dies ist das Wort, das zu Jeremia ge-
schah an alle Judäer, die in Ägypten-
land wohnten, nämlich in Migdol, [a]Tach-
panhes und Memphis, und die im Lande
Patros wohnten. 2 So spricht der HERR
Zebaoth, der Gott Israels: Ihr habt gese-
hen all das Unheil, das ich habe kommen
lassen über Jerusalem und über alle Städte
in Juda; siehe, heutigentags sind sie wüst,
und niemand wohnt darin; 3 und das um
ihrer Bosheit willen, die sie taten, dass sie
mich erzürnten und hingingen und opfer-
ten und dienten [a]andern Göttern, die we-
der sie noch ihr noch eure Väter kannten.
4 Und ich sandte [a]immer wieder zu euch
alle meine Knechte, die Propheten, und
ließ euch sagen: »Tut doch nicht solche
Gräuel, die ich hasse.« 5 Aber sie [a]wollten
nicht gehorchen, auch ihr Ohr nicht nei-
gen, dass sie sich von ihrer Bosheit bekehrt
und andern Göttern nicht geopfert hätten.
6 Darum ergoss sich auch mein Zorn und
Grimm und entbrannte über die Städte
Judas und die Gassen Jerusalems, dass sie
zur Wüste und Öde geworden sind, so
wie es heute ist.

7 Nun, so spricht der HERR, der Gott
Zebaoth, der Gott Israels: Warum tut
ihr euch selbst ein so großes Unheil an,
dass bei euch ausgerottet werden aus Juda
Mann und Frau, Kind und Säugling und
nichts von euch übrig bleibt,[a] 8 und er-
zürnt mich so durch eurer Hände Werke
und opfert andern Göttern in Ägypten-
land, wohin ihr gezogen seid, um dort zu
wohnen, auf dass ihr ausgerottet und zum
Fluch und zur Schmach werdet unter al-
len Völkern auf Erden? 9 Habt ihr verges-
sen [a]all das Böse, das eure Väter und die
Könige von Juda und ihre Frauen, dazu
ihr selbst und eure Frauen getan haben
im Lande Juda und auf den Gassen Jeru-
salems? 10 Sie haben sich bis auf diesen Tag
nicht gedemütigt, fürchten sich auch nicht
und wandeln nicht in meinem Gesetz und
den Ordnungen, die ich euch und euren
Vätern gegeben habe.

11 Darum, so spricht der HERR Zebaoth,
der Gott Israels: Siehe, [a]ich will mein An-
gesicht wider euch richten zum Unheil,
und ganz Juda soll ausgerottet werden.
12 Und ich will wegraffen, die übrig geblie-
ben sind von Juda, die ihr Angesicht nach
Ägyptenland gerichtet haben, um dorthin
zu ziehen und dort zu wohnen; es soll ein
Ende mit ihnen allen werden in Ägyp-
tenland. Durchs Schwert sollen sie fallen
und durch Hunger sollen sie umkommen,
Klein und Groß; sie sollen durch Schwert
und Hunger sterben und sollen zur Ver-
wünschung, zum Entsetzen, zum Fluch
und zur Schmach werden.[a] 13 Ich will auch
jene, die in Ägyptenland wohnen, heim-
suchen mit Schwert, Hunger und Pest,
gleichwie ich an Jerusalem getan habe,
14 sodass von denen, die übrig geblieben
sind von Juda und die hierher gekommen
sind nach Ägyptenland, um hier zu woh-
nen, keiner entrinnen und entkommen
soll. Sie sollen nicht mehr ins Land Juda
zurückkehren, wohin sie gerne wiederkä-
men und wohnten, sondern es soll keiner
dahin zurückkommen außer einigen Ent-
ronnenen.

15 Da antworteten dem Jeremia alle
Männer, die sehr wohl wussten, dass ihre
Frauen andern Göttern opferten, und
alle Frauen, die dabeistanden, eine große
Menge, samt allem Volk, das in Ägypten-
land und in [a]Patros wohnte, und spra-
chen: 16 Das Wort, das du uns im Namen
des HERRN sagst – wir wollen dir nicht

43,10 *a* Kap 25,9 **43,11** *a* Kap 15,2 **43,12** *a* Kap 46,25
44,1 *a* Kap 43,7 **44,3** *a* Kap 19,4 **44,4** *a* Kap 25,4
44,5 *a* Kap 7,26 **44,7** *a* Kap 42,22 **44,9** *a* Kap 7,17-18
44,11 *a* Am 9,4 **44,12** *a* Kap 42,14-17 **44,15** *a* Jes 11,11

gehorchen. 17 Das Wort, das aus unserm
eigenen Munde gekommen ist, das wol-
len wir halten und der [a]Himmelskönigin
opfern und ihr Trankopfer darbringen,
wie wir und unsere Väter, unsere Könige
und Oberen getan haben in den Städten
Judas und auf den Gassen Jerusalems. Da
[b]hatten wir auch Brot genug und es ging
uns gut, und wir sahen kein Unglück.
18 Seit der Zeit aber, da wir es unterlassen
haben, der Himmelskönigin zu opfern
und Trankopfer darzubringen, haben wir
an allem Mangel gelitten und sind durch
Schwert und Hunger umgekommen.
19 Und wenn wir Frauen der Himmelskö-
nigin opfern und Trankopfer darbringen,
das [a]tun wir ja nicht ohne den Willen un-
serer Männer, wenn wir ihr Opferkuchen
backen, die sie abbilden, und ihr Trank-
opfer darbringen.

20 Da sprach Jeremia zu dem ganzen
Volk, den Männern und Frauen und allen
Leuten, die ihm so geantwortet hatten:
21 Waren es nicht jene Opfer, an die der
HERR gedacht hat, die ihr in den Städten
Judas und auf den Gassen Jerusalems dar-
gebracht habt, ihr und eure Väter, Könige,
Oberen und alles Volk des Landes? Waren
nicht sie es, die ihm in den Sinn gekom-
men sind? 22 So konnte der HERR es nicht
mehr ertragen wegen eures bösen Wan-
dels und der Gräuel, die ihr tatet; daher ist
auch euer Land zur Wüste, zum Entsetzen
und zum Fluch geworden, dass niemand
darin wohnt, so wie es heute ist. 23 Weil
ihr der Himmelskönigin geopfert habt
und wider den HERRN sündigtet und der
Stimme des HERRN nicht gehorchtet und
in seinem Gesetze, seinen Rechten und
Mahnungen nicht gewandelt seid, darum
ist euch solches Unheil widerfahren, so
wie es heute ist.

24 Und Jeremia sprach zu allem Volk und
zu allen Frauen: Höret des HERRN Wort,
ihr alle aus Juda, die in Ägyptenland sind!
25 So spricht der HERR Zebaoth, der Gott
Israels: Ihr und eure Frauen, was ihr mit
eurem Munde gelobt habt, vollbringt ihr
mit euren Händen. Ihr sagt: »Wir wol-
len unsere Gelübde halten, die wir der
Himmelskönigin gelobt haben, dass wir
ihr opfern und Trankopfer darbringen.«
Wohlan, erfüllt doch eure Gelübde und
haltet eure Gelübde! 26 So höret nun des
HERRN Wort, ihr alle aus Juda, die ihr in
Ägyptenland wohnt: Siehe, ich schwöre
bei meinem großen Namen, spricht der
HERR, dass mein Name nicht mehr ge-
nannt werden soll durch irgendeines
Menschen Mund aus Juda in ganz Ägyp-
tenland, der da sagt: »So wahr Gott der
HERR lebt!« 27 Siehe, [a]ich will über sie
wachen zum Unheil und nicht zum Heil,
dass, wer aus Juda in Ägyptenland ist,
durch Schwert und Hunger umkommen
soll, bis es ein Ende mit ihnen hat. 28 Die
aber dem Schwert entrinnen, werden aus
Ägyptenland ins Land Juda zurückkom-
men als ein geringes Häuflein. So werden
dann alle, die übrig geblieben sind von
Juda und die nach Ägyptenland gezogen
waren, dort zu wohnen, erkennen, wes-
sen Wort wahr geworden ist, meines oder
ihres.

29 Und dies sei das Zeichen, spricht der
HERR: Ich will euch an diesem Ort heim-
suchen, damit ihr wisst, dass mein Wort
wahr werden soll über euch zum Unheil.
30 So spricht der HERR: Siehe, ich will den
Pharao Hofra, den König von Ägypten,
übergeben in die Hände seiner Feinde
und derer, die ihm nach dem Leben trach-
ten, [a]gleichwie ich Zedekia, den König
von Juda, übergeben habe in die Hand
Nebukadnezars, des Königs von Babel,
seines Feindes, der ihm nach dem Leben
trachtete.

TROSTWORT FÜR BARUCH

45 Dies ist das Wort, das der Prophet Je-
remia zu Baruch, dem Sohn Nerijas,
redete, [a]als er die Worte, wie Jeremia sie
ihm sagte, auf eine Schriftrolle schrieb, im
vierten Jahr Jojakims, des Sohnes Josias,
des Königs von Juda: 2 So spricht der HERR
Zebaoth, der Gott Israels, über dich, Ba-
ruch: 3 Du sprichst: Weh mir, wie hat mir
der HERR Jammer zu meinem Schmerz
hinzugefügt! [a]Ich bin müde vom Seuf-
zen und finde keine Ruhe. 4 Sage ihm:
So spricht der HERR: Siehe, [a]was ich ge-
baut habe, das reiße ich ein, und was ich
gepflanzt habe, das reiße ich aus. Das

44,17 *a* Kap 7,17-18 *b* Hos 2,7 **44,19** *a* 4. Mose 30,11-13 **44,27** *a* Kap 21,10 **44,30** *a* Hes 29,19 **45,1** *a* Kap 36,4 **45,3** *a* Ps 6,7 **45,4** *a* Kap 42,10

gilt der ganzen Erde. 5 Und du begehrst
für dich große Dinge? Begehre es nicht!
Denn siehe, ich will Unheil kommen las-
sen über alles Fleisch, spricht der HERR,
aber [a]dein Leben sollst du wie eine Beute
davonbringen, an welchen Ort du auch
ziehst.

GERICHTSWORTE GEGEN FREMDE VÖLKER

Kapitel 46,1–51,64

46 Dies ist das Wort des HERRN, das zu
dem Propheten Jeremia geschehen ist
wider die Völker.

ÜBER ÄGYPTEN: DIE NIEDERLAGE BEI KARKEMISCH

(vgl. Jes 19,1-25; Hes 29,1–32,32)

2 Über Ägypten. Wider das Heer des
[a]Pharao Necho, des Königs von Ägyp-
ten, welches lagerte am Euphratstrom bei
Karkemisch und das Nebukadnezar, der
König von Babel, schlug im vierten Jahr
Jojakims, des Sohnes Josias, des Königs
von Juda:

3 Rüstet Rundschild und Langschild und
zieht in den Streit! 4 Spannt Rosse an und
lasst Reiter aufsitzen, setzt die Helme auf
und schärft die Spieße und zieht Panzer
an! 5 Wie kommt's aber, dass ich sehe, dass
sie verzagt sind und die Flucht ergreifen
und ihre Helden erschlagen sind? Sie
fliehen und wenden sich nicht mehr zu-
rück. [a]Schrecken um und um!, spricht der
HERR. 6 [a]Der Schnelle kann nicht entflie-
hen noch der Starke entrinnen. Im Norden
am Euphratstrom sind sie gefallen und
niedergestreckt.

7 Wer ist's, der emporsteigt wie der Nil
und dessen Wasser wogen wie Ströme?
8 Ägypten steigt empor wie der Nil, und
seine Wasser wogen wie Ströme. Es
sprach: »Ich will emporsteigen, das Land
bedecken und die Städte verderben samt
denen, die darin wohnen.« 9 Bäumt euch,
ihr Rosse, rast dahin, ihr Wagen, zieht
aus, ihr Helden, [a]Kusch und Put, die
den Schild führen, und die Schützen aus
Lud! 10 Denn dies ist der Tag Gottes, des
HERRN Zebaoth, [a]ein Tag der Vergeltung,
dass er sich an seinen Feinden räche, wenn
das Schwert fressen und von ihrem Blut
voll und trunken werden wird. Denn sie
müssen Gott, dem HERRN Zebaoth, ein
Schlachtopfer werden im Lande des Nor-
dens am Euphratstrom.

11 Geh hinauf nach Gilead und hole Bal-
sam, Jungfrau, Tochter Ägypten! Aber
[a]es ist umsonst, dass du viel Heilmit-
tel gebrauchst; du wirst doch nicht heil.
12 Deine Schande ist unter den Völkern
erschollen, dein Heulen erfüllt die Erde;
denn ein Held ist über den andern gefal-
len und liegen beide miteinander dar-
nieder.

DIE BABYLONIER FALLEN EIN

13 Dies ist das Wort des HERRN, das er zu
dem Propheten Jeremia redete, als Nebu-
kadnezar, der König von Babel, heranzog,
um Ägyptenland zu schlagen: 14 Verkün-
digt's in Ägypten und sagt's an in Migdol,
sagt's an in Memphis und Tachpanhes
und sprecht: Stell dich auf und rüste dich!
Denn schon hat das Schwert gefressen,
was um dich her ist. 15 Wie geht's zu, dass
dein Gewaltiger zu Boden fiel? Er hielt
nicht stand, weil der HERR ihn stieß. 16 Er
macht, dass ihrer viele fallen, dass einer
mit dem andern darniederliegt. Da spra-
chen sie: Wohlauf, lasst uns wieder zu un-
serm Volk ziehen, in unser Vaterland [a]vor
dem mörderischen Schwert! 17 [a]Nennt den
Namen des Pharao, des Königs von Ägyp-
ten: »Lärm, der seine Zeit versäumt hat«.
18 So wahr ich lebe, spricht der König, der
HERR Zebaoth heißt: Er wird daherzie-
hen so hoch, wie der Berg Tabor unter den
Bergen ist und wie der Karmel am Meer
ist.

19 Pack dir Sachen für die Verbannung,
[a]du thronende Tochter Ägypten; [b]denn
Memphis wird wüst und verbrannt wer-
den, dass niemand darin wohnen wird.
20 Ägypten ist wie eine schöne junge Kuh;
die Hornisse von Norden stürzt sich auf
sie. 21 Auch die Söldner in seiner Mitte
sind wie gemästete Kälber; auch sie müs-
sen sich wenden, sie fliehen miteinander

45,5 *a* Kap 39,18 **46,2** *a* 2. Kön 23,29 **46,5** *a* Kap 6,25; 20,3 **46,6** *a* Am 2,14-15 **46,9** *a* Hes 27,10; Nah 3,9 **46,10** *a* Kap 51,6; Jes 34,8 **46,11** *a* Kap 8,22; 30,13 **46,16** *a* Kap 50,16 **46,17** *a* Jes 30,7 **46,19** *a* Kap 48,18; Sach 2,11 *b* Jes 20,4

und halten nicht stand; denn der Tag ih-
res Unheils kommt über sie, die Zeit ihrer
Heimsuchung.
22 Ägyptens Stimme zischt wie eine
fliehende Schlange, wenn jene anrücken
mit Heeresmacht. Mit Äxten kommen sie
über Ägypten wie die Holzhauer. 23 Sie
hauen seinen Wald um, der unermesslich
ist, spricht der HERR; ihrer sind mehr als
Heuschrecken, die niemand zählen kann.
24 Die Tochter Ägypten wird zuschanden;
sie ist dem Volk aus dem Norden in die
Hände gegeben.
25 [a]Der HERR Zebaoth, der Gott Israels,
spricht: Siehe, ich will heimsuchen den
Amon zu No und den Pharao und Ägyp-
ten samt seinen Göttern und Königen,
ja, den Pharao mit allen, die sich auf ihn
verlassen, 26 dass ich sie gebe in die Hände
derer, die ihnen nach dem Leben trachten,
und in die Hände Nebukadnezars, des Kö-
nigs von Babel, und seiner Großen. Aber
[a]danach soll das Land bewohnt werden
wie vor alters, spricht der HERR.

TROSTWORT AN ISRAEL

27 [a]Aber du, mein Knecht Jakob, fürchte
dich nicht, und du, Israel, verzage nicht!
Denn siehe, ich will dich erretten aus fer-
nen Landen und deine Nachkommen aus
dem Lande ihrer Gefangenschaft, dass Ja-
kob zurückkehren soll und in Frieden und
Sicherheit leben, und niemand soll ihn
schrecken. 28 Fürchte dich nicht, du mein
Knecht Jakob, spricht der HERR, denn ich
bin bei dir! Ich will mit allen Völkern ein
Ende machen, unter die ich dich versto-
ßen habe; aber mit dir will ich nicht ein
Ende machen. [a]Ich will dich mit Maßen
züchtigen, doch ungestraft kann ich dich
nicht lassen.

ÜBER DIE PHILISTER

(vgl. Jes 14,29-32; Hes 25,15-17)

47 Dies ist das Wort des HERRN, das zum
Propheten Jeremia geschah wider die
Philister, ehe der Pharao Gaza schlug.
2 So spricht der HERR: Siehe, es kom-
men Wasser heran von Norden, die zum
reißenden Strom werden und [a]das Land
überfluten und was darin ist, die Städte
und die darin wohnen, dass die Leute
schreien und alle Einwohner im Lande
heulen 3 vor dem Stampfen ihrer starken
Rosse, die dahertraben, vor dem Rasseln
ihrer Wagen und dem Poltern ihrer Räder.
Die Väter sehen sich nicht um nach den
Kindern, so verzagt sind sie 4 über den Tag,
der da kommt, um zu verderben alle Phi-
lister und auszurotten die letzten Helfer
für Tyrus und Sidon. Denn der HERR wird
die Philister verderben, den Rest derer,
die gekommen sind von der [a]Insel Kaftor.
5 Über [a]Gaza ist Trauer gekommen, Asch-
kelon ist vernichtet, der Rest der [b]Anak-
iter. Wie lange willst du dich [c]wund rit-
zen? 6 O du Schwert des HERRN, wann
willst du doch aufhören? Fahre in deine
Scheide und ruhe und sei still! 7 Aber wie
kann es aufhören, da doch der HERR ihm
Befehl gegeben hat? Wider Aschkelon
und wider das Ufer des Meeres, dorthin
hat er es bestellt.

ÜBER MOAB

(vgl. Jes 15,1–16,14; Hes 25,8-11; Am 2,1-3; Zef 2,8-11)

48 Über Moab. So spricht der HERR Ze-
baoth, der Gott Israels: Wehe der Stadt
Nebo, denn sie ist zerstört! Geschändet
ist Kirjatajim und eingenommen, die
hohe Feste ist zuschanden geworden und
zerbrochen. 2 Der Stolz Moabs ist dahin,
in Heschbon ersann man sein Verder-
ben: »Kommt, wir wollen sie ausrotten,
dass sie kein Volk mehr seien.« Auch du,
Madmen, musst vernichtet werden; das
Schwert wird hinter dir her sein. 3 Man
hört ein Geschrei in Horonajim von Ver-
wüstung und großem Jammer. 4 [a]Moab
ist zerschlagen. Man hört seinen Schrei
bis nach Zoar; 5 denn sie gehen mit Wei-
nen die Steige von Luhit hinauf, und man
hört ein Jammergeschrei den Weg von
Horonajim herab: 6 »Flieht und rettet euer
Leben!« Aber ihr werdet sein [a]wie ein
Strauch in der Wüste.
7 Weil du dich auf deine Werke verlässt
und auf deine Schätze, sollst auch du er-
obert werden, und [a]Kemosch muss gefan-
gen wegziehen samt seinen Priestern und

46,25 *a* (25-26) Kap 43,12-13 **46,26** *a* Hes 29,14
46,27 *a* (27-28) Kap 30,10 **46,28** *a* Kap 10,24
47,2 *a* Kap 8,16 **47,4** *a* Am 9,7 **47,5** *a* Am 1,6-7; Zef 2,4; Sach 9,5 *b* Jos 11,22 *c* Kap 16,6; 48,37
48,4 *a* (4-5) Jes 15,5 **48,6** *a* Kap 17,6
48,7 *a* 4. Mose 21,29

Fürsten. 8 Denn der Verwüster wird über
alle Städte kommen, dass nicht *eine* Stadt
entrinnen wird. Es sollen die Täler ver-
wüstet und die Ebene verheert werden;
denn der HERR hat's gesagt. 9 Setzt Moab
ein Grabmal, denn es wird völlig zerstört,
und seine Städte werden wüst liegen, dass
niemand darin wohnen wird. 10 Verflucht
sei, wer des HERRN Werk lässig tut; ver-
flucht sei, wer sein Schwert aufhält, dass
es nicht Blut vergießt!

11 Moab ist von seiner Jugend an unge-
stört gewesen und lag ruhig [a]auf seinen
Hefen. Nie ist es aus einem Fass ins andre
gegossen worden und musste nie in die
Gefangenschaft ziehen; darum ist sein
Geschmack ihm geblieben und sein Ge-
ruch nicht verändert worden. 12 Darum
siehe, spricht der HERR, es kommt die
Zeit, dass ich ihnen Küfer schicken will,
die sie ausschütten sollen und ihre Fässer
ausleeren und ihre Krüge zerschmettern.
13 Und Moab soll an Kemosch zuschan-
den werden, gleichwie das Haus Israel an
Bethel zuschanden worden ist, auf das sie
sich verließen.

14 Wie könnt ihr sagen: Wir sind Helden
und rechte Kriegsleute? 15 Moab wird ver-
wüstet und seine Städte werden erstiegen,
und seine beste Mannschaft muss hinab
zur Schlachtbank, [a]spricht der König, wel-
cher heißt der HERR Zebaoth. 16 Denn der
Untergang Moabs wird bald kommen, und
sein Unglück eilt herbei.

17 Habt doch Mitleid mit ihnen, alle,
die ihr um sie her wohnt und ihren Na-
men kennt. Sprecht: »Wie ist [a]das starke
Zepter und der herrliche Stab so zerbro-
chen!« 18 Herunter von der Herrlichkeit
und [a]setz dich in den Staub, [b]du thro-
nende Tochter Dibon! Denn der Ver-
wüster Moabs kommt zu dir hinauf und
zerstört deine Bollwerke. 19 Tritt an die
Straße und schaue, du Einwohnerin von
Aroër! Frage, die da fliehen und entrin-
nen, und sprich: »Was ist geschehen?«
20 Ach, Moab ist verwüstet und verheert!
Heult und schreit; sagt's am Arnon, dass
Moab vernichtet ist! 21 Das Gericht ist über
das ebene Land ergangen, nämlich über
Holon, Jahaz, Mefaat, 22 Dibon, Nebo,
Bet-Diblatajim, 23 Kirjatajim, Bet-Gamul,
Bet-Meon, 24 Kerijot, Bozra und über alle
Städte im Lande Moab, sie seien fern oder
nahe. 25 Das Horn Moabs ist abgeschlagen,
und sein Arm ist zerbrochen, spricht der
HERR.

26 [a]Macht es trunken; denn es hat sich ge-
gen den HERRN erhoben! So stürze Moab
in sein Gespei, auf dass es auch zum Ge-
spött werde. 27 Oder ist Israel dir nicht ein
Gespött gewesen, als hätte man es unter
den Dieben gefunden? Sooft du von ihm
sprachst, hast du es verhöhnt. 28 O ihr Be-
wohner von Moab, verlasst die Städte und
wohnt in den Felsen und tut wie die Tau-
ben, die da nisten in den Löchern!

29 [a]Man hat immer gesagt von dem stol-
zen Moab, dass es sehr stolz sei, hoffärtig,
hochmütig, trotzig und übermütig. 30 Ich
kenne seinen Übermut wohl, spricht der
HERR. Nichtig ist sein Geschwätz, nichtig
sein Tun. 31 Darum muss ich über Moab
heulen und über ganz Moab schreien
und über die Leute von Kir-Heres kla-
gen. 32 Mehr als über Jaser muss ich über
dich weinen, du Weinstock Sibma; denn
deine Ranken reichten über das Meer und
kamen bis nach Jaser. Der Verwüster ist
über deine Ernte und Weinlese herge-
fallen. 33 Freude und Wonne sind hin-
weggenommen aus dem Fruchtland und
dem Lande Moab. Dem Wein in den Ku-
fen mache ich ein Ende, der Kelterer wird
nicht mehr keltern, der Winzer wird nicht
mehr sein Lied singen. 34 Das Geschrei von
Heschbon wird gehört bis Elale, bis nach
Jahaz, von Zoar an bis nach Horonajim,
bis Eglat-Schelischija; denn auch die Was-
ser Nimrims sollen versiegen.[a] 35 Und ich
will, spricht der HERR, in Moab damit ein
Ende machen, dass sie auf den Höhen op-
fern und ihren Göttern Opfer darbringen.

36 [a]Darum klagt mein Herz über Moab
wie Flötenklage, und über die Leute in
Kir-Heres klagt mein Herz wie Flöten-
klage; denn [b]das Gut, das sie gesammelt,
ist zugrunde gegangen. 37 [a]Alle Köpfe wer-
den [b]kahl sein und alle Bärte abgeschoren,
alle Hände wund geritzt, und jeder wird
den Sack anziehen. 38 Auf allen Dächern

48,11 *a* Zef 1,12 **48,15** *a* Kap 46,18 **48,17** *a* Jes 14,5
48,18 *a* Jes 47,1 *b* Kap 46,19; Sach 2,11 **48,26** *a* Kap 25,15
48,29 *a* (29-33) Jes 16,6-10 **48,34** *a* Jes 15,4-5
48,36 *a* Jes 16,11 *b* Jes 15,7 **48,37** *a* (37-38) Jes 15,2-3
b Kap 16,6

und Gassen, allenthalben in Moab ist
Klage; denn ich habe Moab zerbrochen
wie ein Gefäß, das niemand haben will,
spricht der HERR. 39 O wie ist es zerschla-
gen, wie heulen sie! Wie hat Moab sich
schimpflich zur Flucht gewandt! Moab ist
zum Spott und zum Schrecken geworden
allen, die ringsum wohnen.

40 [a]Denn so spricht der HERR: Siehe, er
fliegt daher wie ein Adler und breitet seine
Flügel aus über Moab. 41 Die Städte sind er-
obert, und die Festungen sind eingenom-
men. Das Herz der Helden in Moab wird
an jenem Tage sein wie das Herz einer Frau
in Kindsnöten. 42 Denn Moab muss ver-
tilgt werden, dass es kein Volk mehr sei,
weil es sich gegen den HERRN erhoben
hat. 43 [a]Schrecken, Schacht und Schlinge
über dich, du Bewohner von Moab!,
spricht der HERR. 44 Wer dem Schrecken
entflieht, der wird in den Schacht fallen,
und wer dem Schacht entkommt, der wird
in der Schlinge gefangen; denn ich will
über Moab kommen lassen das Jahr seiner
Heimsuchung, spricht der HERR.

45 [a]Erschöpft suchen die Entronnenen
Zuflucht im Schatten von Heschbon; aber
Feuer geht aus von Heschbon und eine
Flamme aus dem Hause Sihon. Es ver-
zehrt die Schläfe Moabs und den Scheitel
der lärmenden Krieger. 46 Weh dir, Moab!
Verloren ist das Volk des Kemosch; denn
man hat deine Söhne und Töchter genom-
men und gefangen weggeführt. 47 [a]Aber in
der letzten Zeit will ich das Geschick Mo-
abs wenden, spricht der HERR. So weit das
Gericht über Moab.

ÜBER DIE AMMONITER

(vgl. Hes 25,2-7; Am 1,13-15; Zef 2,8-11)

49 Über die Ammoniter. So spricht der
HERR: Hat denn Israel keine Kinder
oder hat es keinen Erben? Warum besitzt
denn [a]Milkom das Land Gad, und warum
wohnt sein Volk in dessen Städten?
2 Darum siehe, es kommt die Zeit, spricht
der HERR, dass ich will ein Kriegsgeschrei
erschallen lassen über Rabba, die Stadt der
Ammoniter, und es soll zu einem [a]wüs-
ten Schutthügel werden und seine Toch-
terstädte sollen in Brand gesteckt werden.
Aber Israel soll seine Besitzer besitzen,
spricht der HERR.

3 Heule, Heschbon, denn Ai ist verwüs-
tet! Schreit, ihr Töchter von Rabba, und
zieht den Sack an; klagt und lauft hin und
her mit Ritzwunden! Denn Milkom [a]wird
gefangen weggeführt samt seinen Pries-
tern und Fürsten. 4 Was rühmst du dich
deines Tales, deines wasserreichen Tales,
du ungehorsame Tochter, die du dich auf
deine Schätze verlässt und sprichst: Wer
darf sich an mich machen? 5 Siehe, spricht
Gott, der HERR Zebaoth, ich will Schre-
cken über dich kommen lassen von allen
rings um dich her; ihr sollt in alle Rich-
tungen versprengt werden, und niemand
wird die Flüchtigen sammeln. 6 Aber da-
nach [a]will ich wieder wenden das Ge-
schick Ammons, spricht der HERR.

ÜBER EDOM

(vgl. Jes 21,11; 34,5-15; Hes 25,12-14;
Am 1,11-12; Obd 1-21)

7 Über Edom. So spricht der HERR Ze-
baoth: Ist denn keine Weisheit mehr in
Teman? Ist denn kein Rat mehr bei den
Klugen? Ist ihnen die Weisheit ausgegan-
gen? 8 [a]Flieht, wendet euch und verkriecht
euch tief, ihr Bürger von Dedan! Denn ich
lasse Unheil über Esau kommen, die Zeit
seiner Heimsuchung. 9 Es sollen Winzer
über dich kommen, die keine Nachlese
übrig lassen, und Diebe sollen des Nachts
kommen, die sollen dich verderben, bis
sie genug haben. 10 Denn ich habe Esau
entblößt und seine Verstecke aufgedeckt,
dass er sich nicht verbergen kann. Seine
Nachkommen, seine Brüder und seine
Nachbarn sind vernichtet, dass keiner
von ihnen mehr da ist. 11 Verlass nur deine
Waisen, ich will sie am Leben erhalten,
und deine Witwen sollen auf mich hoffen.

12 Denn so spricht der HERR: Siehe, die
es nicht verdient hatten, den Kelch zu
trinken, müssen trinken, und du solltest
ungestraft bleiben? Du sollst nicht un-
gestraft bleiben, sondern du musst auch
trinken.[a] 13 Denn ich habe bei mir selbst
geschworen, spricht der HERR, dass Bozra
zum Entsetzen, zur Schmach, zur Wüste

48,40 ***a*** *(40-41)* Kap 49,22 **48,43** ***a*** *(43-44)* Jes 24,17-18
48,45 ***a*** *(45-46)* 4. Mose 21,28-29 **48,47** ***a*** Kap 49,6.39
49,1 ***a*** 1. Kön 11,5 **49,2** ***a*** Jos 8,28 **49,3** ***a*** Kap 48,7
49,6 ***a*** Vers 39; Kap 48,47 **49,8** ***a*** Vers 30
49,12 ***a*** Kap 25,15.28-29

und zum Fluch werden soll und alle seine
Städte zur ewigen Wüste.
14 [a]Ich hab eine Kunde vernommen
vom HERRN, ein Bote ist unter die Völ-
ker gesandt: Sammelt euch und kommt
her wider Edom; macht euch auf zum
Kampf! 15 Denn siehe, ich mache dich
gering unter den Völkern und verachtet
unter den Menschen. 16 Dass die andern
dich fürchten, hat dich verführt, und dein
Herz ist hochmütig, weil du in Felsenklüf-
ten wohnst und hohe Gebirge innehast.
Wenn du auch dein Nest so hoch machtest
wie der Adler, dennoch will ich dich von
dort herunterstürzen, spricht der HERR.
17 Also soll Edom wüst werden, dass alle,
die vorübergehen, sich entsetzen und
spotten über alle seine Plagen.[a] 18 Gleich-
wie Sodom und Gomorra samt ihren
Nachbarn zerstört wurden, spricht der
HERR, so soll auch dort niemand wohnen
noch ein Mensch darin hausen.[a] 19 [a]Siehe,
wie ein Löwe heraufkommt aus dem Di-
ckicht des Jordans in die wasserreichen
Auen, so will ich sie eilends daraus weg-
treiben und den, der erwählt ist, dort ein-
setzen. Denn wer ist mir gleich, wer will
mich meistern, und wer ist der Hirte, der
mir widerstehen kann?
20 So hört nun den Ratschluss des
HERRN, den er über Edom gefasst hat,
und seine Gedanken, die er über die Ein-
wohner von Teman hat. Was gilt's? Man
wird sie fortschleifen, die schwachen
Schafe; ihre Aue wird sich über sie entset-
zen. 21 Vom Krachen ihres Sturzes erbebt
die Erde, und ihr Geschrei hört man am
Schilfmeer. 22 Siehe, er fliegt herauf wie
ein Adler und breitet seine Flügel aus über
Bozra. Zu der Zeit wird das Herz der Hel-
den in Edom sein wie das Herz einer Frau
in Kindsnöten.[a]

ÜBER DAMASKUS

(vgl. Jes 17,1-3; Am 1,3-5)

23 Über Damaskus. Hamat und Arpad sind
bestürzt, denn sie hören böse Kunde. Sie
wanken vor Angst wie das Meer, [a]das
keine Ruhe finden kann. 24 Damaskus
ist verzagt, hat sich zur Flucht gewandt.
Schrecken hat es erfasst, Angst und We-
hen haben es ergriffen wie eine Frau in
Kindsnöten. 25 Wie ist sie nun verlas-
sen, die berühmte und fröhliche Stadt!
26 Darum wird ihre junge Mannschaft auf
ihren Gassen fallen, und alle ihre Kriegs-
leute werden umkommen zur selben Zeit,
spricht der HERR Zebaoth.[a] 27 Und ich
will Feuer legen an die Mauern von Da-
maskus, das soll die Paläste Ben-Hadads
verzehren.[a]

ÜBER DIE ARABISCHEN STÄMME

28 Über [a]Kedar und die Königreiche von
[b]Hazor, die Nebukadnezar, der König von
Babel, schlug. So spricht der HERR: Wohl-
auf, zieht herauf gegen Kedar und vernich-
tet, die im Osten wohnen! 29 Man wird ih-
nen ihre Zelte und Herden nehmen, ihre
Zeltdecken, alle Geräte und Kamele weg-
führen und über sie rufen: [a]Schrecken um
und um!
30 [a]Flieht, hebt euch eilends davon, ver-
kriecht euch tief, ihr Einwohner von Ha-
zor!, spricht der HERR; denn Nebukad-
nezar, der König von Babel, hat etwas im
Sinn wider euch und plant etwas gegen
euch. 31 Wohlauf, zieht herauf wider ein
Volk, das ruhig und sicher wohnt!, spricht
der HERR; sie haben weder Tür noch Rie-
gel und wohnen allein. 32 Ihre Kamele sol-
len geraubt und die Menge ihres Viehs ge-
nommen werden, und in alle Winde will
ich die zerstreuen, die sich [a]das Haar stut-
zen, und von allen Seiten her will ich ihr
Unglück über sie kommen lassen, spricht
der HERR; 33 dass Hazor eine Wohnung
der Schakale und eine ewige Wüste wer-
den soll, dass niemand dort wohne und
kein Mensch darin hause.[a]

ÜBER ELAM

34 Dies ist das Wort des HERRN, das ge-
schah zu Jeremia, dem Propheten, über
Elam [a]im Anfang der Herrschaft Zede-
kias, des Königs von Juda: 35 So spricht
der HERR Zebaoth: Siehe, ich will den
[a]Bogen Elams zerbrechen, seine stärkste
Waffe, 36 und will die vier Winde von den

49,14 ***a*** (14-16) Obd 1-4 **49,17** ***a*** Kap 19,8; 50,13
49,18 ***a*** Kap 50,40; Jes 13,19
49,19 ***a*** (19-21) Kap 50,44-46 **49,22** ***a*** Kap 48,40-41
49,23 ***a*** Jes 57,20 **49,26** ***a*** Kap 50,30 **49,27** ***a*** Am 1,4
49,28 ***a*** Jes 21,16-17 ***b*** Jos 11,10 **49,29** ***a*** Kap 6,25; 46,5
49,30 ***a*** Vers 8 **49,32** ***a*** Kap 9,25; 25,23 **49,33** ***a*** Vers 18
49,34 ***a*** Kap 27,1 **49,35** ***a*** Jes 22,6

vier Enden des Himmels über sie kommen
lassen und will sie in alle diese Winde zer-
streuen, dass es kein Volk geben soll, wo-
hin nicht Vertriebene aus Elam kommen
werden. 37 Und ich will Elam verzagt ma-
chen vor seinen Feinden und vor denen,
die ihnen nach dem Leben trachten, und
will Unheil über sie kommen lassen, mei-
nen grimmigen Zorn, spricht der HERR,
[a]und will das Schwert hinter ihnen her
schicken, bis ich sie aufreibe. 38 Meinen
Thron will ich in Elam aufstellen und will
dort den König und die Fürsten umbrin-
gen, spricht der HERR. 39 Aber in der letz-
ten Zeit [a]will ich das Geschick Elams wie-
der wenden, spricht der HERR.

DER UNTERGANG BABELS

(vgl. Jes 13,1–14,32)

50 Dies ist das Wort, das der HERR durch
den Propheten Jeremia geredet hat
über Babel und das Land der Chaldäer:
2 [a]Verkündet's unter den Völkern und
lasst's erschallen, richtet das Banner auf!
Lasst's erschallen und verbergt es nicht
und sprecht: Babel ist genommen, [b]Bel ist
zuschanden, Merodach* ist zerschmet-
tert; ihre Götzen sind zuschanden, ihre
Götterbilder sind zerschmettert! 3 Denn
es zieht von Norden ein Volk heran gegen
sie, das wird ihr Land zur Wüste machen,
dass niemand darin wohnen wird, weder
Mensch noch Vieh; sie [a]fliehen und laufen
davon.

DIE ISRAELITEN KEHREN HEIM

4 In jenen Tagen und zur selben Zeit,
spricht der HERR, [a]werden kommen die
Leute von Israel samt den Leuten von
Juda und [b]weinend einherziehen und den
HERRN, ihren Gott, suchen. 5 Sie werden
fragen nach dem Wege nach Zion und sich
dorthin kehren: »Kommt, wir wollen uns
dem HERRN zuwenden [a]zu einem ewi-
gen Bunde, der nimmermehr vergessen
werden soll!« 6 Denn mein Volk war [a]eine
verlorne Herde. Ihre Hirten haben sie ver-
führt und auf den Bergen in die Irre gehen
lassen, dass sie über Berge und Hügel ge-
gangen sind und ihren Ruheplatz verga-
ßen. 7 Es fraßen sie alle, die sie antrafen,
und ihre Feinde sprachen: Wir tun nicht
unrecht! Denn sie haben sich versündigt
an dem HERRN, der rechten Weide, und
an dem HERRN, der ihrer Väter Hoffnung
war.

DER KAMPF DER VÖLKER GEGEN BABEL

8 [a]Flieht aus Babel und zieht aus der Chal-
däer Lande und macht's wie die Böcke vor
der Herde! 9 Denn siehe, ich will Völker in
großen Scharen erwecken und aus dem
Lande des Nordens gegen Babel heranfüh-
ren; die sollen sich gegen die Stadt rüsten
und sie auch einnehmen. Ihre Pfeile sind
wie die eines guten Kriegers, der nicht
ohne Beute zurückkehrt. 10 Und das Chal-
däerland soll ein Raub werden; alle, die es
berauben, sollen satt werden, spricht der
HERR.

11 Freut euch nur und rühmt, die ihr
mein Erbteil geplündert habt, und hüpft
wie die Kälber im Grase und wiehert wie
die starken Rosse! 12 Eure Mutter steht in
großen Schanden, und die euch geboren
hat, ist zum Spott geworden. Siehe, unter
den Völkern ist sie die Geringste, wüst,
dürr und öde. 13 Denn vor dem Zorn des
HERRN wird sie unbewohnt und ganz
wüst bleiben, dass [a]alle, die an Babel vor-
überziehen, sich entsetzen werden und
spotten über alle ihre Plagen.

14 Stellt euch ringsum gegen Babel auf, all
ihr Bogenschützen; schießt nach ihr, spart
nicht an Pfeilen; denn sie hat wider den
HERRN gesündigt. 15 Erhebt das Kriegsge-
schrei ringsum. Sie hat sich ergeben, ihre
Pfeiler sind gefallen, ihre Mauern sind ab-
gebrochen; denn so vergilt der HERR. Übt
Vergeltung an Babel, tut ihr, wie sie getan
hat. 16 Rottet aus von Babel den Sämann
und den Schnitter in der Ernte! [a]Vor dem
mörderischen Schwert wird sich jeder zu
seinem Volk wenden und in sein Land
fliehen.

ISRAEL WIRD HEIMGEFÜHRT

17 Israel ist ein versprengtes Schaf, das die
Löwen verscheucht haben. Zuerst fraß

* **50,2** »Bel« und »Merodach« sind Bezeichnungen für Marduk, den Hauptgott von Babel.

49,37 ***a*** Kap 9,15 **49,39** ***a*** Vers 6; Kap 48,47
50,2 ***a*** (2-3) Kap 4,5-6 ***b*** Jes 46,1 **50,3** ***a*** Kap 9,9
50,4 ***a*** Kap 3,18 ***b*** Kap 31,9 **50,5** ***a*** Kap 32,40
50,6 ***a*** Kap 23,1 **50,8** ***a*** Kap 51,6; Jes 48,20
50,13 ***a*** Kap 19,8; 49,17; 51,37 **50,16** ***a*** Kap 46,16

es der König von Assyrien, danach nagte seine Knochen ab Nebukadnezar, der König von Babel. 18 Darum, so spricht der HERR Zebaoth, der Gott Israels: Siehe, ich will heimsuchen den König von Babel und sein Land, gleichwie ich den König von Assyrien heimgesucht habe. 19 Israel aber will ich wieder heim zu seiner Aue bringen, dass sie auf dem Karmel und in Baschan weiden und sich sättigen sollen auf dem Gebirge Ephraim und Gilead.

20 Zur selben Zeit und in jenen Tagen wird man die Missetat Israels suchen, spricht der HERR, aber es wird keine da sein, und die Sünden Judas, aber es wird keine gefunden werden; denn [a]ich will sie vergeben denen, die ich übrig bleiben lasse.

VERGELTUNG FÜR BABELS ÜBERMUT

21 Zieh heran gegen das Land Meratajim; zieh heran gegen die Einwohner von Pekod*; vertilge sie und vollziehe den Bann an ihren Nachkommen, spricht der HERR, und tu alles, was ich dir befohlen habe! 22 Es ist ein Kriegsgeschrei im Lande und großer Jammer. 23 Wie ist der [a]Hammer der ganzen Welt zerbrochen und zerschlagen! Wie ist Babel zum Entsetzen geworden unter den Völkern![b] 24 Du hast dir selbst eine Falle gestellt, Babel, und du hast dich darin gefangen, ehe du dich's versahst; du bist getroffen und ergriffen, denn du hast den HERRN herausgefordert.

25 Der HERR hat sein Zeughaus aufgetan und die Waffen seines Zorns hervorgeholt; denn Gott, der HERR Zebaoth, hat etwas auszurichten in der Chaldäer Lande. 26 Kommt her gegen dies Land von allen Enden, öffnet seine Kornhäuser, werft alles auf einen Haufen und vollzieht den Bann an ihm, dass nichts übrig bleibe! 27 Tötet alle seine Stiere, führt sie hinab zur Schlachtbank! Weh ihnen, denn ihr Tag ist gekommen, die Zeit ihrer Heimsuchung! 28 Man hört ein Geschrei der Flüchtigen und derer, die entronnen sind aus dem Lande Babel, dass sie verkünden zu Zion [a]die Vergeltung des HERRN, unseres Gottes, die Vergeltung für seinen Tempel.

AUFGEBOT GEGEN BABEL

29 Ruft Schützen wider Babel, alle, die den Bogen spannen, belagert die Stadt ringsum und lasst keinen davonkommen! [a]Vergeltet ihr, wie sie verdient hat; wie sie getan hat, so tut ihr wieder! Denn sie hat stolz gehandelt wider den HERRN, den Heiligen Israels. 30 Darum soll ihre junge Mannschaft fallen auf ihren Gassen, und alle ihre Kriegsleute sollen umkommen an jenem Tage, spricht der HERR.[a]

31 Siehe, du Stolzer, ich will an dich, spricht Gott, der HERR Zebaoth; denn dein Tag ist gekommen, die Zeit deiner Heimsuchung. 32 Da soll der Stolze stürzen und fallen, dass ihn niemand aufrichte. Ich will an seine Städte Feuer legen; das soll alles, was ringsumher ist, verzehren.

33 So spricht der HERR Zebaoth: Siehe, die Leute von Israel samt den Leuten von Juda müssen Gewalt und Unrecht leiden; alle, die sie gefangen weggeführt haben, halten sie fest und [a]weigern sich, sie zu entlassen. 34 Aber ihr Erlöser ist stark, der heißt HERR Zebaoth; der wird ihre Sache so hinausführen, dass er das Land erbeben und die Einwohner von Babel erzittern lässt.

ÜBER BABEL KOMMT DER FEIND AUS DEM NORDEN

35 Das Schwert soll kommen, spricht der HERR, über die Chaldäer und über die Einwohner von Babel und über seine Fürsten und über seine Weisen! 36 Das Schwert soll kommen über seine Wahrsager, dass sie zu Narren werden; das Schwert soll kommen über seine Starken, dass sie verzagen! 37 Das Schwert soll kommen über seine Rosse und Wagen und über das ganze Gemenge der Völker in seiner Mitte, dass es [a]zu Weibern wird! Das Schwert soll kommen über seine Schätze, dass sie geplündert werden! 38 Dürre soll kommen über seine Wasser, dass sie versiegen! Denn es ist ein Götzenland, und

* **50,21** Die Namen »Meratajim« und »Pekod« bedeuten »Doppeltrotz« und »Heimsuchung«; gemeint ist Babel.

50,20 ***a*** Kap 31,34; 33,7-8; Ps 103,3 **50,23** ***a*** Kap 51,20 ***b*** Kap 51,41 **50,28** ***a*** Kap 51,11 **50,29** ***a*** Vers 15 **50,30** ***a*** Kap 49,26 **50,33** ***a*** 2. Mose 7,14 **50,37** ***a*** Kap 51,30

angesichts der Schrecken sollen sie toll
werden. 39 Darum sollen Wüstentiere
und wilde Hunde darin wohnen und
die Strauße, und es soll nimmermehr
bewohnt werden und niemand darin
hausen für und für.[a] 40 Gleichwie Gott
Sodom und Gomorra samt ihren Nach-
barn zerstört hat, spricht der HERR, soll
niemand darin wohnen noch ein Mensch
darin hausen.[a]

41 [a]Siehe, es kommt ein Volk von Nor-
den her, ein großes Volk, und viele Kö-
nige werden sich aufmachen von den
Enden der Erde. 42 Sie führen Bogen und
Schwert; sie sind grausam und ohne Er-
barmen; ihr Geschrei ist wie das Brausen
des Meeres; sie reiten auf Rossen, gerüs-
tet als Kriegsleute, gegen dich, du Tochter
Babel. 43 Wenn der König von Babel die
Kunde von ihnen hört, sinken ihm die
Hände; ihm ist angst und weh wie einer
Gebärenden.

44 [a]Siehe, wie ein Löwe heraufkommt
aus dem Dickicht des Jordans in die was-
serreichen Auen, so will ich sie eilends
daraus wegtreiben und den, der erwählt
ist, dort einsetzen. Denn wer ist mir
gleich, wer will mich meistern und wer
ist der Hirte, der mir widerstehen kann?

45 So hört nun den Ratschluss des
HERRN, den er über Babel gefasst hat,
und seine Gedanken, die er hat über die
Einwohner im Lande der Chaldäer! Was
gilt's? Wird man sie nicht fortschleifen
mit den geringsten ihrer Schafe, werden
ihretwegen nicht ihre Auen veröden?
46 Und die Erde bebt von dem Ruf: Babel
ist genommen!, und sein Wehgeschrei er-
schallt unter den Völkern.

BABEL WIRD ZERSTÖRT

51 So spricht der HERR: Siehe, ich will
einen Sturm des Verderbens erwe-
cken wider Babel und wider die Bewoh-
ner Chaldäas. 2 Ich will [a]Worfler nach Ba-
bel schicken, die sie worfeln sollen und
ihr Land ausfegen; die werden von allen
Seiten über sie kommen am Tage des Un-
heils. 3 Der Schütze spanne seinen Bogen
und erhebe sich in seinem Panzer! Ver-
schont nicht ihre junge Mannschaft, voll-
streckt den Bann an ihrem ganzen Heer,
4 dass die Erschlagenen daliegen im Lande
der Chaldäer und die Erstochenen auf ih-
ren Gassen! 5 Fürwahr, Israel und Juda sol-
len nicht [a]Witwen bleiben, verlassen von
ihrem Gott, dem HERRN Zebaoth; denn
das Land der Chaldäer hat sich sehr ver-
schuldet [b]am Heiligen Israels. 6 [a]Flieht aus
Babel und rette ein jeder sein Leben, dass
ihr nicht untergeht in seiner Schuld. Denn
dies ist für den HERRN die Zeit der Rache,
um ihm seine Taten zu vergelten.

7 Ein [a]goldener Kelch, der alle Welt trun-
ken gemacht hat, war Babel in der Hand
des HERRN. [b]Alle Völker haben von sei-
nem Wein getrunken; darum sind die
Völker so toll geworden. 8 Wie plötzlich
ist [a]Babel gefallen und zerschmettert!
Heult über Babel, bringt Balsam für seine
Wunden, ob es vielleicht geheilt werden
könnte. 9 Wir wollten Babel heilen; aber
es war nicht zu heilen. So lasst es fahren
und lasst uns ein jeder in sein Land ziehen!
Denn seine Strafe reicht bis an den Him-
mel und langt hinauf bis an die Wolken.
10 Der HERR hat unsere Gerechtigkeit ans
Licht gebracht. Kommt, lasst uns in Zion
erzählen die Werke des HERRN, unseres
Gottes!

11 Ja, schärft nun die Pfeile und füllt die
Köcher! [a]Der HERR hat den Mut der Kö-
nige von Medien erweckt; denn seine
Gedanken stehen wider Babel, dass er es
verderbe. Denn dies ist die [b]Vergeltung
des HERRN, die Vergeltung für seinen
Tempel. 12 Ja, erhebt nun das Banner ge-
gen die Mauern von Babel, macht stark die
Wachen, bestellt Wächter, legt einen Hin-
terhalt! Denn der HERR hat sich's vorge-
nommen und wird's auch tun, was er ge-
gen die Einwohner von Babel geredet hat.

13 Die du [a]an großen Wassern wohnst
und große Schätze hast, dein Ende ist
gekommen, dein Lebensfaden wird ab-
geschnitten! 14 Der HERR Zebaoth hat
bei sich geschworen: Wenn ich dich auch
gefüllt habe mit Menschen wie mit Heu-
schrecken, so wird man doch gegen dich
das Kriegsgeschrei anstimmen.

50,39 ***a*** Jes 13,20-22 **50,40** ***a*** Kap 49,18; 1. Mose 19,24-25 **50,41** ***a*** (41-43) Kap 6,22-24 **50,44** ***a*** (44-46) Kap 4,7; 49,19-21 **51,2** ***a*** Kap 15,7 **51,5** ***a*** Jes 54,4 ***b*** Kap 50,29 **51,6** ***a*** Kap 50,8; Offb 18,4 **51,7** ***a*** Offb 17,4 ***b*** Kap 25,15; Offb 18,3 **51,8** ***a*** Jes 21,9 **51,11** ***a*** Jes 13,17 ***b*** Kap 50,28 **51,13** ***a*** Offb 17,1

BABEL, DAS VERWORFENE WERKZEUG GOTTES

15 [a]Er hat die Erde durch seine Kraft ge-
macht und den Erdkreis bereitet durch
seine Weisheit und den Himmel ausge-
breitet durch seinen Verstand. 16 Wenn
er donnert, so ist Wasser die Menge am
Himmel; [a]Wolken lässt er heraufziehen
vom Ende der Erde. Er macht die Blitze,
dass es regnet, und lässt den Wind kom-
men aus seinen Kammern. 17 Alle Men-
schen aber sind Toren mit ihrer Kunst,
und alle Goldschmiede stehen beschämt
da mit ihren Bildern; denn ihre Götzen
sind Trug und haben kein Leben. 18 Sie
sind nichts, ein Spottgebilde; sie müssen
zugrunde gehen, wenn sie heimgesucht
werden. 19 Aber so ist der nicht, der Jakobs
Anteil ist, sondern er ist's, der alle Dinge
geschaffen hat, und [a]Israel ist der Stamm
seines Erbteils. Er heißt HERR Zebaoth.

20 Du, Babel, bist [a]mein Hammer, meine
Kriegswaffe; durch dich zerschmettere ich
Völker und zerstöre Königreiche. 21 Durch
dich zerschmettere ich Rosse und Reiter,
Wagen und Fahrer. 22 Durch dich zer-
schmettere ich Männer und Frauen, Alte
und Junge, Jünglinge und Jungfrauen.
23 Durch dich zerschmettere ich Hirten
und Herden, Bauern und Gespanne und
Fürsten und Herren. 24 Aber nun will ich
[a]Babel und allen Bewohnern von Chaldäa
vergelten alle ihre Bosheit, die sie an Zion
begangen haben, vor euren Augen, spricht
der HERR.

25 Siehe, ich will an dich, du Berg des
Verderbens, der du Verderben gebracht
hast über alle Welt, spricht der HERR.
Ich will meine Hand wider dich ausstre-
cken und dich von den Felsen herabwäl-
zen und will einen verbrannten Berg aus
dir machen, 26 dass man weder Ecksteine
noch Grundsteine aus dir nehmen kann,
sondern eine ewige Wüste sollst du sein,
spricht der HERR.

DER KAMPF DER VÖLKER GEGEN BABEL

27 Richtet auf das Banner auf Erden, blast
die Posaune unter den Völkern! [a]Heiligt
die Völker zum Kampf gegen die Stadt Ba-
bel! Ruft wider sie die Königreiche Ararat,
Minni und [b]Aschkenas! Sammelt Kriegs-
leute gegen sie, bringt Rosse herauf wie
Heuschrecken! 28 Heiligt die Völker zum
Kampf gegen sie, die Könige von Medien
samt ihren Statthaltern und allen Vorste-
hern und das ganze Land ihrer Herrschaft!
29 Da erbebt und erzittert das Land, wenn
die Gedanken des HERRN sich erfüllen
wider Babel, dass er das Land Babel zur
Wüste mache, darin niemand wohnt.

30 Die Helden zu Babel geben den Kampf
auf, sie bleiben in der Festung. Mit ihrer
Stärke ist's aus, [a]sie sind Weiber gewor-
den; Babels Wohnungen sind in Brand ge-
steckt und seine Riegel zerbrochen. 31 Ein
Läufer begegnet dem andern und ein Bote
dem andern, um dem König von Babel an-
zusagen, dass seine Stadt genommen sei
an allen Enden 32 und die Furten besetzt
seien und die Bollwerke verbrannt und die
Kriegsleute verzagt. 33 Denn so spricht der
HERR Zebaoth, der Gott Israels: Die Toch-
ter Babel ist wie eine Tenne, wenn man sie
feststampft; bald ist die Zeit der Ernte da.

GOTT FÜHRT JERUSALEMS RECHTSSTREIT

34 »Nebukadnezar, der König von Babel,
hat mich gefressen und umgebracht, er
hat aus mir ein leeres Gefäß gemacht. Er
hat mich verschlungen wie ein Drache, er
hat seinen Bauch gefüllt mit meinen Kost-
barkeiten; er hat mich vertrieben. 35 Über
Babel komme der Frevel, der an mir be-
gangen ist und an meinem Fleische«, soll
die Einwohnerin von Zion sagen, »und
mein Blut komme über die Bewohner von
Chaldäa!«, soll Jerusalem sagen.

36 Darum, so spricht der HERR: Siehe,
ich will deine Sache führen und dich rä-
chen. Ich will ihr Meer austrocknen und
ihre Brunnen versiegen lassen. 37 Und Ba-
bel soll zu Steinhaufen und zur Wohnung
der Schakale werden, [a]zum Entsetzen und
zum Spott, dass niemand darin wohne.
38 Sie sollen miteinander brüllen wie die
Löwen und knurren wie die jungen Lö-
wen. 39 Ihrer Gier will ich ein Mahl zu-
richten und will sie trunken machen, dass
sie umsinken und in ewigen Schlaf fallen,
von dem sie nimmermehr aufwachen sol-

51,15 *a* (15-19) Kap 10,12-16 **51,16** *a* Ps 135,7
51,19 *a* 5. Mose 32,9 **51,20** *a* Kap 50,23
51,24 *a* Kap 50,29 **51,27** *a* Jes 13,3 *b* 1. Mose 10,3
51,30 *a* Kap 50,37 **51,37** *a* Kap 50,13

len, spricht der HERR. 40 Ich will sie hinab-
führen wie Lämmer zur Schlachtbank, wie
Widder und Böcke.
41 Wie ist [a]Scheschach* gefallen und die
in aller Welt Berühmte eingenommen!
Wie ist Babel zum Entsetzen geworden
unter den Völkern! 42 Das Meer ist über
Babel gegangen, und mit der Menge sei-
ner Wellen ist es bedeckt. 43 Seine Städte
sind zur Wüste und zu einem dürren,
öden Lande geworden, zum Lande, darin
niemand wohnt und das kein Mensch
durchzieht. 44 Ja, den [a]Bel zu Babel suche
ich heim und reiße aus seinem Rachen,
was er verschlungen hat. Und die Völ-
ker sollen nicht mehr zu ihm laufen; denn
es sind auch die Mauern von Babel zer-
fallen.

GOTTES VOLK ZIEHT AUS BABEL

45 Zieh aus von dort, mein Volk, und rette
ein jeder sein Leben vor dem grimmigen
Zorn des HERRN! 46 Euer Herz könnte
sonst weich werden und verzagen vor den
Gerüchten, die man im Lande hören wird.
Denn es wird in einem Jahr ein Gerücht
umgehen und danach im nächsten Jahr
wieder ein Gerücht, und Gewalt wird im
Lande sein und ein Herrscher wider den
andern.
47 Darum siehe, es kommt die Zeit, dass
ich die Götzen zu Babel heimsuchen will
und sein ganzes Land zuschanden wer-
den soll und alle seine Erschlagenen darin
liegen werden. 48 [a]Himmel und Erde und
alles, was darinnen ist, werden jauchzen
über Babel, dass seine Verwüster von Nor-
den kommen, spricht der HERR. 49 Und
Babel muss fallen für die Erschlagenen
Israels, wie für Babel gefallen sind die Er-
schlagenen der ganzen Erde.
50 Die ihr dem Schwert entronnen seid,
zieht fort, säumet nicht! Gedenkt des
HERRN in fernem Lande und [a]lasst euch
Jerusalem im Herzen sein! 51 Wir sind zu-
schanden geworden, da wir Schmach hö-
ren mussten; Scham bedeckt unser Ange-
sicht, da Fremde über die Heiligtümer im
Hauses des HERRN kamen.
52 Darum siehe, die Zeit kommt, spricht
der HERR, dass ich die Götzen Babels
heimsuchen will, und im ganzen Lande
sollen die tödlich Verwundeten stöhnen.
53 Und wenn [a]Babel zum Himmel empor-
stiege und seine Festung unzugänglich
hoch machte, so sollen doch Verwüster
von mir über die Stadt kommen, spricht
der HERR.

BABELS ENDGÜLTIGER UNTERGANG

54 Man hört ein Geschrei aus Babel und
einen großen Jammer aus der Chaldäer
Lande; 55 denn der HERR verwüstet Babel
und vertilgt aus ihm das große Getümmel.
Wellen brausen heran wie große Wasser,
es erschallt ihr lautes Tosen; 56 denn es
ist über Babel der Verwüster gekommen.
Seine Helden werden gefangen, ihre Bo-
gen zerbrochen; denn [a]der Gott der Ver-
geltung, der HERR, zahlt es ihnen heim.
57 Ich will seine Fürsten, Weisen, Herren
und Hauptleute und seine Krieger [a]trun-
ken machen, dass sie in ewigem Schlaf
sinken sollen, von dem sie nimmermehr
aufwachen, spricht der König, der da heißt
HERR Zebaoth.
58 So spricht der HERR Zebaoth: Die
Mauern des großen Babel sollen geschleift
und seine hohen Tore mit Feuer verbrannt
werden, dass die Arbeit der Völker um-
sonst sei und [a]dem Feuer verfalle, was die
Nationen mit Mühe erbaut haben.

DIE SCHRIFTROLLE IM EUPHRAT

59 Dies ist das Wort, das der Prophet Jere-
mia befahl Seraja, dem Sohn [a]Nerijas, des
Sohnes Machsejas, als er mit Zedekia, dem
König von Juda, nach Babel zog im vier-
ten Jahr seiner Herrschaft. Und Seraja war
Quartiermeister. 60 Und Jeremia [a]schrieb
all das Unheil, das über Babel kommen
sollte, in ein Buch, nämlich alle diese
Worte, die wider Babel geschrieben sind.
61 Und Jeremia sprach zu Seraja: Wenn du
nach Babel kommst, so schaue zu und lies
alle diese Worte vor 62 und sprich: HERR,
du hast [a]geredet gegen diese Stätte, dass
du sie ausrotten willst, dass niemand
mehr darin wohne, weder Mensch noch
Vieh, sondern dass sie immerdar wüst sei.

* **51,41** Deckname für Babel.

51,41 *a* Kap 25,26 **51,44** *a* Kap 50,2; Jes 46,1
51,48 *a* Offb 18,20 **51,50** *a* Ps 137,5 **51,53** *a* 1. Mose 11,4; Jes 14,13 **51,56** *a* 5. Mose 32,39-41 **51,57** *a* Vers 39
51,58 *a* Hab 2,13 **51,59** *a* Kap 36,4
51,60 *a* Kap 50,1–51,58 **51,62** *a* Vers 26; Kap 50,3

63 [a]Und wenn du das Buch ausgelesen
hast, so binde einen Stein daran und wirf's
in den Euphrat 64 und sprich: So soll Babel
versinken und nicht wieder aufkommen
von dem Unheil, das ich über sie bringen
will.

So weit die Worte Jeremias.

BERICHT ÜBER DIE ZERSTÖRUNG JERUSALEMS UND DIE WEGFÜHRUNG NACH BABEL

(vgl. Kap 39,1-10; 2. Kön 24,18–25,21; 2. Chr 36,11-21)

52 Zedekia war einundzwanzig Jahre alt,
als er König wurde; und er regierte
elf Jahre zu Jerusalem. Seine Mutter hieß
Hamutal, eine Tochter Jirmejas aus Libna.
2 Und er tat, was dem HERRN missfiel,
gleichwie Jojakim getan hatte.

3 Denn so geschah es mit Jerusalem und
Juda um des Zornes des HERRN willen,
bis er sie von seinem Angesicht wegstieß.
Und Zedekia fiel ab vom König von Babel.
4 Im neunten Jahr seiner Herrschaft, am
zehnten Tage des zehnten Monats kam
Nebukadnezar, der König von Babel, mit
seinem ganzen Heer vor Jerusalem, und
sie belagerten es und machten [a]Bollwerke
ringsumher. 5 Und so blieb die Stadt be-
lagert bis ins elfte Jahr des Königs Zede-
kia. 6 Aber am neunten Tage des vierten
Monats nahm der Hunger überhand in
der Stadt, und das Volk des Landes hatte
nichts mehr zu essen. 7 Da brach man in
die Stadt ein, und alle Kriegsleute wand-
ten sich zur Flucht und zogen zur Stadt
hinaus bei Nacht durch das Tor zwischen
den zwei Mauern auf dem Wege, der zum
Garten des Königs geht. Aber die Chal-
däer lagen rings um die Stadt her. Und
als sie den Weg zum Jordantal nahmen,
8 jagte das Heer der Chaldäer dem Kö-
nig nach, und sie holten Zedekia ein im
Jordantal von Jericho. Da zerstreute sich
sein ganzes Heer und verließ ihn. 9 Und
sie nahmen den König gefangen und
brachten ihn hinauf zum König von Ba-
bel nach Ribla, das im Lande Hamat liegt;
der sprach das Urteil über ihn. 10 Allda
ließ der König von Babel die Söhne Ze-
dekias vor dessen Augen töten und tö-
tete auch alle Oberen von Juda in Ribla.
11 Aber Zedekia ließ er die Augen ausste-
chen und ihn in Ketten legen. So [a]führte
ihn der König von Babel nach Babel und
legte ihn ins Gefängnis bis zu seinem
Tod.

12 Am zehnten Tage des fünften Mo-
nats, das ist das neunzehnte Jahr Nebu-
kadnezars, des Königs von Babel, kam
Nebusaradan, der Oberste der Leibwa-
che, der stets um den König von Babel
war, nach Jerusalem 13 und verbrannte das
Haus des HERRN und das Haus des Kö-
nigs und alle Häuser von Jerusalem; alle
großen Häuser verbrannte er mit Feuer.
14 Und das ganze Heer der Chaldäer, das
bei dem Obersten der Leibwache war, riss
alle Mauern Jerusalems ringsumher nie-
der. 15 Und etliche von den Geringen im
Volk und was vom Volk noch übrig war
in der Stadt und die zum König von Babel
abgefallen waren und was übrig geblieben
war von den Werkleuten führte Nebusa-
radan, der Oberste der Leibwache, gefan-
gen weg. 16 Von den Geringen im Lande
aber ließ Nebusaradan, der Oberste der
Leibwache, Weingärtner und Ackerleute
zurück.

17 Die bronzenen Säulen am Hause des
HERRN und die Gestelle und das eherne
Meer am Hause des HERRN zerbrachen
die Chaldäer und brachten all die Bronze
nach Babel.[a] 18 Und die Töpfe, Schaufeln,
Messer, Schalen, Löffel und alle bron-
zenen Geräte, die man im Gottesdienst
zu gebrauchen pflegte, nahmen sie weg.
19 [a]Dazu nahm der Oberste der Leibwache,
was golden und silbern war an Bechern,
Räuchergefäßen, Schalen, Töpfen, Leuch-
tern, Löffeln und Schalen. 20 Die zwei Säu-
len, das eine Meer, die zwölf bronzenen
Rinder unter dem Meer und die Gestelle,
welche der König Salomo hatte machen
lassen für das Haus des HERRN – die
Bronze all dieser Geräte war unermess-
lich viel. 21 Von den zwei Säulen aber war
jede achtzehn Ellen hoch, vier Finger dick
und inwendig hohl. Und eine Schnur von
zwölf Ellen reichte um sie herum. 22 Oben
hatte sie einen bronzenen Knauf, fünf El-
len hoch, und Gitterwerk und Granatäpfel
waren an jedem Knauf ringsumher, alles
aus Bronze. Ebenso war es bei der anderen

51,63 *a* (63-64) Offb 18,21 **52,4** *a* Hes 4,2
52,11 *a* Kap 32,5 **52,17** *a* Kap 27,19-22
52,19 *a* (19-23) 1. Kön 7,15-37

Säule und den Granatäpfeln. 23 Es waren sechsundneunzig Granatäpfel daran; im Ganzen waren es hundert Granatäpfel rings um das Gitterwerk.

24 Und der Oberste der Leibwache nahm den obersten Priester Seraja und den zweitobersten Priester Zefanja und die drei Hüter der Schwelle 25 und aus der Stadt einen Kämmerer, der über die Kriegsleute gesetzt war, und sieben Männer, welche stets um den König sein mussten, die man in der Stadt fand, dazu den Schreiber des Feldhauptmanns, der das Volk des Landes zum Heer aufbot, und sechzig Mann vom Volk des Landes, die man in der Stadt fand; 26 diese nahm Nebusaradan, der Oberste der Leibwache, und brachte sie zum König von Babel nach Ribla. 27 Und der König von Babel schlug sie tot zu Ribla, das im Lande Hamat liegt. So wurde Juda aus seinem Lande weggeführt.

28 Dies ist das Volk, das Nebukadnezar weggeführt hat: im siebenten Jahr 3023 Judäer; 29 im achtzehnten Jahr Nebukadnezars 832 Leute aus Jerusalem. 30 Im dreiundzwanzigsten Jahr Nebukadnezars führte Nebusaradan, der Oberste der Leibwache, 745 Leute aus Juda weg. Alle zusammen sind 4600.

BEGNADIGUNG DES KÖNIGS JOJACHIN

(vgl. 2. Kön 25,27-30)

31 Aber im siebenunddreißigsten Jahr, nachdem Jojachin, der König von Juda, weggeführt war, am fünfundzwanzigsten Tage des zwölften Monats erhob Ewil-Merodach, der König von Babel, im Jahr, da er König wurde, das Haupt Jojachins, des Königs von Juda, und entließ ihn aus dem Gefängnis 32 und redete freundlich mit ihm und setzte seinen Sitz über die Sitze der Könige, die bei ihm in Babel waren. 33 Und Jojachin legte die Kleider seiner Gefangenschaft ab und aß stets bei dem König sein Leben lang. 34 Und was er zum Leben brauchte, wurde ihm als ständiger Unterhalt vom König von Babel gegeben, Tag für Tag sein ganzes Leben lang bis an sein Ende.

DIE KLAGELIEDER JEREMIAS

JERUSALEM KLAGT UND FLEHT UM HILFE

1 Ach, wie liegt die Stadt so verlassen, die voll Volks war! Sie ist [a]wie eine Witwe, die Fürstin unter den Völkern, und die eine Königin in den Ländern war, muss nun dienen. 2 Sie weint des Nachts, dass ihr die Tränen über die Backen laufen. Es ist [a]niemand unter allen ihren Liebhabern, der sie tröstet. Alle ihre Freunde sind ihr untreu und ihre Feinde geworden. 3 Juda ist gefangen in Elend und schwerem Dienst, es wohnt unter den Völkern und findet keine Ruhe; alle seine Verfolger kommen heran in Bedrängnissen. 4 Die Straßen nach Zion liegen wüst, weil niemand auf ein Fest kommt. All ihre Tore stehen öde, ihre Priester seufzen, ihre Jungfrauen sehen jammervoll drein, und sie ist betrübt. 5 Ihre Widersacher sind obenauf, ihren Feinden geht's gut; denn der HERR hat über sie Jammer gebracht um ihrer großen Sünden willen, und ihre Kinder sind gefangen vor dem Feind dahingezogen. 6 Es ist von der Tochter Zion aller Schmuck dahin. Ihre Fürsten sind wie Hirsche, die keine Weide finden und matt vor dem Verfolger herlaufen.

7 Jerusalem denkt in dieser Zeit, da sie elend und verlassen ist, wie viel Gutes sie von alters her gehabt hat, wie aber all ihr Volk darniedersank unter des Feindes Hand und ihr niemand half. Ihre Feinde sehen auf sie herab und spotten über ihren Untergang. 8 Jerusalem hat sich versündigt; darum muss sie sein wie eine unreine Frau. Alle, die sie ehrten, verschmähen sie jetzt, weil sie [a]ihre Blöße sehen; sie aber seufzt und hat sich abgewendet. 9 Ihr Unflat klebt an ihrem Saum. Sie hätte nicht gemeint, dass es ihr zuletzt so gehen würde. Sie ist ja gräulich heruntergesto-

1,1 *a* Jer 51,5 **1,2** *a* Ps 69,21 **1,8** *a* Hes 16,37

ßen und hat dazu niemand, der sie trös-
tet. »Ach, HERR, sieh an mein Elend; denn
der Feind triumphiert!« 10 Der Feind [a]hat
seine Hand gelegt an alle ihre Kleinode.
Ja, sie musste zusehen, dass [b]die Heiden
in ihr Heiligtum gingen, während du ge-
boten hast, sie sollten nicht in deine Ge-
meinde kommen. 11 Alles Volk seufzt und
geht nach Brot, es gibt seine Kleinode um
Speise, um sein Leben zu erhalten. »Ach,
HERR, sieh doch und schau, wie verachtet
ich bin!«

12 Euch allen, die ihr vorübergeht, sage
ich: »Schaut doch und seht, ob irgendein
Schmerz ist wie mein Schmerz, der mich
getroffen hat; denn der HERR hat Jammer
über mich gebracht am Tage seines grim-
migen Zorns. 13 Er hat ein Feuer aus der
Höhe in meine Gebeine gesandt und lässt
es wüten. Er hat meinen Füßen ein Netz
gestellt und mich rückwärts fallen las-
sen; er hat mich zur Wüste gemacht, dass
ich für immer siech bin. 14 Schwer ist das
Joch meiner Sünden; durch seine Hand
sind sie zusammengeknüpft. Sie sind mir
auf den Hals gekommen, sodass mir alle
meine Kraft vergangen ist. Der Herr hat
mich in die Gewalt derer gegeben, gegen
die ich nicht aufkommen kann. 15 Der Herr
hat zertreten alle meine Starken, die ich
hatte; er hat gegen mich ein Fest ausrufen
lassen, um meine junge Mannschaft zu
verderben. [a]Der Herr hat die Kelter getre-
ten der Jungfrau, der Tochter Juda. 16 Dar-
über weine ich so, und mein Auge fließt
von Tränen; denn der Tröster, der meine
Seele erquicken sollte, ist ferne von mir.
Meine Kinder sind dahin; denn der Feind
hat die Oberhand gewonnen.«

17 Zion streckt ihre Hände aus, und
doch ist niemand da, der sie tröstet; denn
der HERR hat gegen Jakob seine Feinde
ringsum aufgeboten, sodass Jerusalem
zwischen ihnen sein muss [a]wie eine un-
reine Frau.

18 »Der HERR ist gerecht, denn [a]ich bin
seinem Worte ungehorsam gewesen.
Höret, alle Völker, und schaut meinen
Schmerz! Meine Jungfrauen und Jüng-
linge sind in die Gefangenschaft gegangen.
19 Ich rief meine Freunde, aber sie ließen
mich im Stich. Meine Priester und meine
Ältesten sind in der Stadt verschmachtet,
sie gehen nach Brot, um ihr Leben zu er-
halten. 20 Ach, HERR, sieh doch, wie bange
ist mir, dass mir's im Leibe davon wehtut!
Mir dreht sich das Herz im Leibe um, weil
ich so ungehorsam gewesen bin. Drau-
ßen hat mich das Schwert und im Hause
hat mich der Tod meiner Kinder beraubt.
21 Man hört's wohl, dass ich seufze, und
doch habe ich keinen Tröster; alle meine
Feinde hören mein Unglück und [a]freuen
sich, dass du es gemacht hast. Du hast den
Tag kommen lassen, den du verkündet
hast, – aber ihnen soll es gehen wie mir.
22 Lass alle ihre Bosheit vor dich kommen
und richte sie zu, wie du mich zugerich-
tet hast um aller meiner Missetat willen;
denn meiner Seufzer sind viel, und mein
Herz ist betrübt.«

KLAGE ÜBER DIE VERWÜSTUNG JUDAS UND JERUSALEMS

2 Ach, wie hat der Herr die Tochter Zion
mit seinem Zorn überschüttet! Er hat
die Herrlichkeit Israels vom Himmel auf
die Erde geworfen; er hat nicht gedacht
an seinen [a]Fußschemel am Tage seines
Zorns. 2 Der Herr hat alle Wohnungen
Jakobs ohne Erbarmen vertilgt, er hat die
Burgen der Tochter Juda abgebrochen in
seinem Grimm, er hat zu Boden gestreckt
und entweiht ihr Königreich und ihre
Fürsten. 3 Er hat alle Macht Israels in sei-
nem grimmigen Zorn zerbrochen, er hat
seine rechte Hand zurückgezogen, als der
Feind kam, und hat in Jakob gewütet wie
ein flammendes Feuer, das alles ringsum
verzehrt. 4 Er hat seinen Bogen gespannt
wie ein Feind; seine rechte Hand hat er
geführt wie ein Widersacher und hat alles
getötet, was lieblich anzusehen war; im
Zelt der Tochter Zion hat er seinen Grimm
wie Feuer ausgeschüttet. 5 Der Herr ist wie
ein Feind geworden, er hat Israel vertilgt.
Er hat zerstört alle Paläste und hat die Bur-
gen vernichtet; er hat der Tochter Juda viel
Jammer und Leid gebracht.

6 Er hat sein eigenes Zelt zerwühlt wie
einen Garten und seine Wohnung ver-
nichtet. Der HERR hat in Zion [a]Feiertag
und Sabbat vergessen lassen, und in sei-

1,10 *a* Jer 52,17-19 *b* 5. Mose 23,4 **1,15** *a* Jes 63,3
1,17 *a* Vers 8 **1,18** *a* Kap 3,42; 5,16 **1,21** *a* Kap 4,21
2,1 *a* Ps 132,7-8 **2,6** *a* Hos 2,13

nem grimmigen Zorn [b]ließ er König und
Priester schänden. 7 Der Herr hat seinen
Altar verworfen und sein Heiligtum ent-
weiht. Er hat die Mauern ihrer Paläste in
des Feindes Hände gegeben, dass sie im
Hause des HERRN Geschrei erhoben ha-
ben wie an einem Feiertag.
8 Der HERR gedachte zu vernichten die
Mauer der Tochter Zion; er hat die [a]Mess-
schnur über die Mauern gezogen und seine
Hand nicht abgewendet, bis er sie ver-
tilgte. Er ließ Mauer und Wall trauern und
miteinander fallen. 9 Ihre Tore sind tief in
die Erde gesunken; er hat ihre Riegel zer-
brochen und zunichtegemacht. Ihr König
und ihre Fürsten sind unter den Völkern,
wo sie das Gesetz nicht üben können, und
ihre Propheten haben keine Gesichte vom
HERRN. 10 Die Ältesten der Tochter Zion
sitzen auf der Erde und sind still, sie wer-
fen Staub auf ihre Häupter und haben den
Sack angezogen. Die Jungfrauen von Jeru-
salem senken ihre Köpfe zur Erde.
11 Ich habe mir fast die Augen ausge-
weint, mein Leib tut mir weh, mein Herz
ist auf die Erde ausgeschüttet über dem
Jammer der Tochter meines Volks, weil
die Säuglinge und Unmündigen auf den
Gassen in der Stadt verschmachten. 12 Zu
ihren Müttern sprechen sie: Wo ist Brot
und Wein?, da sie auf den Gassen in der
Stadt verschmachten wie die tödlich Ver-
wundeten und in den Armen ihrer Mütter
den Geist aufgeben.
13 Ach, du Tochter Jerusalem, wem soll
ich dich vergleichen und wie soll ich dir
zureden? Du Jungfrau, Tochter Zion,
wem soll ich dich vergleichen, damit ich
dich tröste? Denn dein Schaden ist groß
wie das Meer. Wer kann dich heilen?
14 Deine Propheten haben dir trügerische
und törichte Gesichte verkündet und dir
deine Schuld nicht offenbart, wodurch sie
dein Geschick abgewandt hätten, sondern
sie haben dich Worte hören lassen, die
Trug waren und dich verführten.[a] 15 Alle,
die vorübergehen, klatschen in die Hände,
pfeifen und schütteln den Kopf über die
Tochter Jerusalem: [a]Ist das die Stadt, von
der man sagte, sie sei die allerschönste,
an der sich alles Land freut? 16 Alle deine
Feinde reißen ihr Maul auf über dich, pfei-
fen und knirschen mit den Zähnen und
sprechen: »Ha! Wir haben sie vertilgt!
Das ist der Tag, den wir begehrt haben; wir
haben's erlangt, wir haben's erlebt.« 17 Der
HERR hat getan, was er vorhatte; er hat
sein Wort erfüllt, das er längst zuvor ge-
boten hat. Er hat ohne Erbarmen zerstört,
er hat den Feind über dich frohlocken las-
sen und hat die Macht deiner Widersacher
erhöht.
18 Ihr Herz schrie zum Herrn: »Ach, du
Mauer der Tochter Zion!« Lass Tag und
Nacht Tränen herabfließen wie einen
Bach; höre nicht auf, und dein Augapfel
lasse nicht ab! 19 Steh des Nachts auf und
schreie zu Beginn jeder Nachtwache,
schütte dein Herz aus vor dem Herrn wie
Wasser. Hebe deine Hände zu ihm auf um
des Lebens deiner jungen Kinder willen,
die vor Hunger verschmachten an allen
Straßenecken!
20 HERR, schaue und sieh doch, wen du
so verderbt hast! Sollen denn die Frauen
[a]ihres Leibes Frucht essen, die Kindlein,
die man auf Händen trägt? Sollen denn
Propheten und Priester in dem Heiligtum
des Herrn erschlagen werden? 21 Es lagen
in den Gassen auf der Erde Knaben und
Alte; meine Jungfrauen und Jünglinge
sind durchs Schwert gefallen. Du hast ge-
tötet am Tage deines Zorns, du hast ohne
Erbarmen geschlachtet. 22 Du hast von al-
len Seiten her meine Feinde gerufen wie
zu einem Feiertag, sodass niemand am
Tage des Zorns des HERRN entronnen
und übrig geblieben ist. Die ich auf den
Händen getragen und großgezogen habe,
die hat der Feind umgebracht.

KLAGE UND TROST EINES LEIDENDEN

3 Ich bin der Mann, der Elend sehen muss
durch die Rute seines Grimmes. 2 Er hat
mich geführt und gehen lassen in die Fins-
ternis und nicht ins Licht. 3 Er hat seine
Hand gewendet gegen mich und erhebt sie
gegen mich Tag für Tag. 4 Er hat mir Fleisch
und Haut alt gemacht und mein Gebein
zerschlagen. 5 Er hat mich ringsum ein-
geschlossen und mich mit Bitternis und
Mühsal umgeben. 6 Er hat mich in Finster-
nis versetzt wie die, die längst tot sind. 7 Er

2,6 *b* Kap 5,12 **2,8** *a* 2. Kön 21,13 **2,14** *a* Jer 14,14-16; 23,16-22 **2,15** *a* Ps 48,3; Hes 16,14
2,20 *a* 5. Mose 28,53-57; Jer 19,9

hat mich ummauert, dass ich nicht heraus-
kann, und mich in harte Fesseln gelegt.
8 Und wenn ich auch schreie und rufe, so
stopft er sich die Ohren zu vor meinem
Gebet.[a] 9 Er hat meinen Weg vermauert
mit Quadern und meinen Pfad zum Irr-
weg gemacht. 10 Er hat auf mich gelauert
wie ein Bär, wie ein Löwe im Verborge-
nen. 11 Er lässt mich den Weg verfehlen, er
hat mich zerfleischt und zunichtegemacht.
12 Er hat seinen Bogen gespannt und mich
dem Pfeil zum Ziel gegeben. 13 Er hat mir
seine Pfeile in die Nieren geschossen. 14 Ich
bin ein Hohn für mein ganzes Volk und
täglich [a]ihr Spottlied. 15 Er hat mich mit
Bitterkeit gesättigt und mit Wermut ge-
tränkt. 16 Er hat mich auf Kiesel beißen las-
sen, er drückte mich nieder in die Asche.
17 Meine Seele ist aus dem Frieden vertrie-
ben; ich habe das Gute vergessen.

18 Ich sprach: Mein Ruhm und meine
Hoffnung auf den HERRN sind dahin.
19 Gedenke doch, wie ich so elend und
verlassen, mit Wermut und Bitterkeit ge-
tränkt bin!

20 Du wirst ja daran gedenken, denn
meine Seele sagt mir's. 21 Dies nehme ich
zu Herzen, darum hoffe ich noch: **22 Die
Güte des HERRN ist's, dass wir nicht
gar aus sind, seine Barmherzigkeit hat
noch kein Ende,[a] 23 sondern sie ist alle
Morgen neu, und deine Treue ist groß.
24 Der HERR [a]ist mein Teil, spricht
meine Seele; darum will ich auf ihn
hoffen. 25 Denn der HERR ist freundlich
dem, der auf ihn harrt, und dem Men-
schen, der nach ihm fragt. 26 Es ist ein
köstlich Ding, geduldig sein und [a]auf
die Hilfe des HERRN hoffen.** 27 Es ist
ein köstlich Ding für einen Mann, dass er
das Joch in seiner Jugend trage. 28 Er sitze
einsam und schweige, wenn Gott es ihm
auferlegt, 29 und stecke seinen Mund in
den Staub; vielleicht ist noch Hoffnung.
30 Er [a]biete die Backe dar dem, der ihn
schlägt, und lasse sich viel Schmach antun.
31 [a]Denn **der Herr verstößt nicht ewig;
32 sondern er betrübt wohl und erbarmt
sich wieder nach seiner großen Güte.
33 Denn nicht von Herzen plagt und be-
trübt er die Menschen.**

34 Wenn man alle Gefangenen auf Erden
unter die Füße tritt 35 und eines Mannes
Recht vor dem Allerhöchsten beugt 36 und
eines Menschen Sache verdreht, – sollte
das der Herr nicht sehen? 37 Wer darf denn
sagen, dass solches geschieht ohne des
Herrn Befehl[a] 38 und dass nicht Böses und
Gutes kommt aus dem Munde des Aller-
höchsten? 39 Was murren denn die Leute
im Leben, ein jeder über die Folgen seiner
Sünde? 40 Lasst uns erforschen und prüfen
unsern Wandel und uns zum HERRN be-
kehren! 41 Lasst uns unser Herz samt den
Händen aufheben zu Gott im Himmel!
42 Wir, [a]wir haben gesündigt und sind un-
gehorsam gewesen, darum hast du nicht
vergeben. 43 Du hast dich in Zorn gehüllt
und uns verfolgt und ohne Erbarmen ge-
tötet. 44 Du hast dich mit einer Wolke ver-
deckt, dass kein Gebet hindurchkonnte.
45 Du hast uns zu Kehricht und Unrat ge-
macht unter den Völkern. 46 Alle unsere
Feinde reißen ihr Maul auf über uns. 47 Wir
werden gedrückt und geplagt mit Schre-
cken und Angst.

48 Wasserbäche rinnen aus meinen Au-
gen über den Jammer der Tochter meines
Volks. 49 Meine Augen fließen und kön-
nen's nicht lassen, und es ist kein Aufhö-
ren da, 50 bis der HERR vom Himmel her-
abschaut und darein sieht.[a] 51 Mein Auge
macht mir Schmerzen wegen all der Töch-
ter meiner Stadt.

52 Meine Feinde haben mich ohne Grund
gejagt wie einen Vogel. 53 Sie haben mein
Leben in der Grube zunichtegemacht und
Steine auf mich geworfen. 54 Wasser hat
mein Haupt überschwemmt; da sprach
ich: Nun bin ich verloren. 55 Ich rief aber
deinen Namen an, HERR, unten aus der
Grube, 56 und du erhörtest meine Stimme:
»Verbirg deine Ohren nicht vor meinem
Seufzen und Schreien!« 57 Du nahtest dich
zu mir, als ich dich anrief, und sprachst:
Fürchte dich nicht! 58 Du führst, Herr,
meine Sache und erlöst mein Leben. 59 Du
siehst, HERR, wie mir Unrecht geschieht;
hilf mir zu meinem Recht! 60 Du siehst,
wie sie Rache üben wollen, und kennst
alle ihre Gedanken gegen mich. 61 HERR,
du hörst ihr Schmähen und alle ihre

3,8 *a* Ps 22,3; 69,4 **3,14** *a* Hiob 30,9 **3,22** *a* Neh 9,31
3,24 *a* Ps 16,5; 73,26 **3,26** *a* Röm 8,25 **3,30** *a* Mt 5,39
3,31 *a* (31-32) Jes 54,8 **3,37** *a* Jes 45,7; Am 3,6
3,42 *a* Ps 106,6 **3,50** *a* Ps 102,20-21

Anschläge gegen mich, 62 die Reden mei-
ner Widersacher und ihr Geschwätz über
mich den ganzen Tag. 63 Sieh doch: Ob sie
sitzen oder aufstehen, singen sie über mich
[a]Spottlieder. 64 Vergilt ihnen, HERR, wie
sie verdient haben![a] 65 Lass ihnen das Herz
verstockt werden, lass sie deinen Fluch
fühlen! 66 Verfolge sie mit Grimm und ver-
tilge sie unter dem Himmel des HERRN.

ZIONS ELEND UND SCHMACH

4 Ach, wie ist das Gold so ganz dunkel
und das feine Gold so hässlich gewor-
den, und wie liegen heilige Steine an al-
len Straßenecken zerstreut! 2 Die edlen
Kinder Zions, dem Golde gleich geachtet,
ach, wie sind sie nun den irdenen Töpfen
gleich, die ein Töpfer macht! 3 Auch Scha-
kale reichen ihren Jungen die Brüste und
säugen sie; aber die Tochter meines Volks
ist unbarmherzig [a]wie ein Strauß in der
Wüste. 4 Dem Säugling klebt seine Zunge
an seinem Gaumen vor Durst; die kleinen
Kinder verlangen nach Brot und niemand
ist da, der's ihnen bricht. 5 Die früher le-
ckere Speisen aßen, verschmachten jetzt
auf den Gassen; die früher auf Purpur
getragen wurden, die müssen jetzt im
Schmutz liegen. 6 Die Missetat der Tochter
meines Volks ist größer als die [a]Sünde So-
doms, [b]das plötzlich unterging und keine
Hand kam zu Hilfe.

7 Ihre Fürsten waren reiner als der
Schnee und weißer als Milch; ihr Leib war
rötlicher als Korallen, ihr Aussehen war
wie Saphir. 8 Nun aber ist ihre Gestalt so
dunkel vor Schwärze, dass man sie auf den
Gassen nicht erkennt; ihre Haut hängt an
den Knochen, und sie sind so dürr wie
ein Holzscheit. 9 Den durchs Schwert Er-
schlagenen ging es besser als denen, die
vor Hunger starben, die verschmachteten
und umkamen aus Mangel an Früchten
des Ackers. 10 Es haben die barmherzigs-
ten Frauen [a]ihre Kinder selbst kochen
müssen, damit sie zu essen hatten in dem
Jammer der Tochter meines Volks. 11 Der
HERR hat seinen Grimm austoben lassen,
er hat seinen grimmigen Zorn ausgeschüt-
tet; er hat in Zion ein Feuer angesteckt, das
auch ihre Grundfesten verzehrt hat.

12 Es hätten's die Könige auf Erden nicht
geglaubt noch alle Leute in der Welt, dass
der Widersacher und Feind zum Tor Je-
rusalems einziehen könnte. 13 Es ist aber
geschehen wegen der Sünden ihrer Pro-
pheten und wegen der Missetaten ihrer
Priester, die dort der Gerechten Blut ver-
gossen haben. 14 Sie irrten hin und her auf
den Gassen wie die Blinden und waren
mit Blut besudelt, dass man ihre Kleider
nicht anrühren konnte; 15 man rief ih-
nen zu: [a]»Weicht, ihr Unreinen! Weicht,
weicht, rührt nichts an!« Wenn sie flohen
und umherirrten, so sagte man auch unter
den Völkern: »Sie sollen nicht länger bei
uns bleiben.« 16 Des HERRN Zorn hat sie
zerstreut; er will sie nicht mehr ansehen.
Die [a]Priester ehrte man nicht, und [b]an den
Alten übte man keine Barmherzigkeit.

17 Noch immer blickten unsre Augen aus
nach nichtiger Hilfe; auf unserer Warte
warteten wir auf ein Volk, das uns doch
nicht helfen konnte. 18 Man jagte uns, dass
wir auf unsern Gassen nicht gehen konn-
ten. Da kam unser Ende; unsere Tage sind
aus, unser Ende ist gekommen. 19 Unsre
Verfolger waren schneller als die Adler
unter dem Himmel. Auf den Bergen ha-
ben sie uns verfolgt und in der Wüste auf
uns gelauert. 20 Der Gesalbte des HERRN,
der unser Lebensodem war, ist gefangen
worden in ihren Gruben; wir aber dach-
ten: »In seinem Schatten wollen wir leben
unter den Völkern.«

21 Ja, freue dich nur und sei fröhlich, du
Tochter Edom, die du wohnst im Lande
Uz! Denn [a]der Kelch wird auch zu dir
kommen, dass du trunken wirst und
dich entblößt. 22 [a]Deine Schuld ist abge-
tan, du Tochter Zion; der Herr wird dich
nicht mehr wegführen lassen. [b]Aber deine
Schuld, du Tochter Edom, wird er heim-
suchen und deine Sünden aufdecken.

GEBET DES VOLKS IN TIEFSTER ERNIEDRIGUNG

5 Gedenke, HERR, wie es uns geht; schau
und sieh an unsre Schmach! 2 Unser
Erbe ist den Fremden zuteilgeworden und

3,63 *a* Vers 14 **3,64** *a* Kap 1,21; Ps 137,8; 1. Petr 2,23; 3,9
4,3 *a* Hiob 39,14-16 **4,6** *a* 1. Mose 18,20
b 1. Mose 19,24-25 **4,10** *a* Kap 2,20 **4,15** *a* 3. Mose 13,45
4,16 *a* Kap 2,6 *b* Kap 5,12; 3. Mose 19,32
4,21 *a* Kap 3,64; Ps 137,7; Jer 25,15.21 **4,22** *a* Jes 40,2
b Jes 34,8-10; Hes 35,14-15

unsre Häuser den Ausländern. 3 Wir sind Waisen und haben keinen Vater; unsre Mütter sind wie Witwen. 4 Unser Wasser müssen wir um Geld trinken; unser eigenes Holz müssen wir bezahlen. 5 Die Verfolger sitzen uns im Nacken, und wenn wir auch müde sind, lässt man uns doch keine Ruhe. 6 Wir mussten Ägypten und Assur die Hand hinhalten, um uns an Brot zu sättigen. 7 Unsre Väter haben gesündigt und leben nicht mehr, wir aber müssen ihre Schuld tragen.[a]

8 Knechte herrschen über uns und niemand ist da, der uns von ihrer Hand errettet. 9 Wir müssen unser Brot unter Gefahr für unser Leben holen, bedroht von dem Schwert in der Wüste. 10 Unsre Haut ist verbrannt wie in einem Ofen von dem schrecklichen Hunger. 11 Sie haben die Frauen in Zion geschändet und die Jungfrauen in den Städten Judas. 12 Fürsten wurden von ihnen gehenkt, und die Alten hat man nicht geehrt.[a] 13 Jünglinge mussten Mühlsteine tragen und Knaben beim Holztragen straucheln. 14 Es sitzen die Ältesten nicht mehr im Tor und die Jünglinge nicht mehr beim Saitenspiel. 15 Unsres Herzens Freude hat ein Ende, unser Reigen ist in Wehklagen verkehrt. 16 [a]Die Krone ist von unserm Haupt gefallen. O weh, dass wir so gesündigt haben! 17 Darum ist auch unser Herz krank, und unsre Augen sind trübe geworden 18 um des Berges Zion willen, weil er so wüst liegt, dass die Füchse darüber laufen.

19 Aber du, HERR, der du ewiglich bleibst und dein Thron von Geschlecht zu Geschlecht, 20 warum willst du uns so ganz vergessen und uns lebenslang so ganz verlassen? 21 [a]Bringe uns, HERR, zu dir zurück, dass wir wieder heimkommen; erneure unsre Tage wie vor alters! 22 Auch wenn du uns ganz verworfen hast und über uns so sehr erzürnt warst.

DER PROPHET HESEKIEL (EZECHIEL)

1–3 Hesekiels Berufung **4–24** Das Gericht Gottes über Jerusalem
25–32 Das Gericht Gottes über die Völker **33** Der Prophet als Wächter
34–39 Rettung und Erneuerung Israels **40–48** Der neue Tempel im neuen Israel

1 Im dreißigsten Jahr am fünften Tage des vierten Monats, als ich inmitten der Verschleppten am [a]Fluss Kebar war, tat sich der Himmel auf, und ich sah Erscheinungen Gottes. 2 Am fünften Tag des Monats – es war das fünfte Jahr, nachdem der König [a]Jojachin gefangen weggeführt war –, 3 da geschah das Wort des HERRN zu Hesekiel, dem Sohn des Busi, dem Priester, im Lande der Chaldäer am Fluss Kebar. Dort [a]kam die Hand des HERRN über ihn.

DER PROPHET SCHAUT DIE HERRLICHKEIT DES HERRN

(vgl. Kap 10,1-22)

4 [a]Und ich sah, und siehe, es kam ein ungestümer Wind von Norden her, eine mächtige Wolke und loderndes Feuer, und Glanz war rings um sie her, und mitten im Feuer war es wie blinkendes Kupfer. 5 Und mitten darin war etwas wie vier Wesen; die waren anzusehen wie Menschen. 6 Und jedes von ihnen hatte vier Angesichter und vier Flügel. 7 Und ihre Beine standen gerade, und ihre Füße waren wie Hufe von Stieren und glänzten wie blinkende, glatte Bronze. 8 Und sie hatten Menschenhände unter ihren Flügeln an ihren vier Seiten; die vier hatten Angesichter und Flügel. 9 Ihre Flügel berührten einer den andern.

Und wenn sie gingen, brauchten sie sich nicht umzuwenden; immer gingen sie in der Richtung eines ihrer Angesichter. 10 Ihre Angesichter waren vorn gleich einem Menschen und zur rechten Seite gleich einem Löwen bei allen vieren und zur linken Seite gleich einem Stier bei allen vieren und hinten gleich einem Adler

5,7 *a* 2. Mose 20,5; Jer 31,29 **5,12** *a* 2. Kön 25,19-21 **5,16** *a* Jer 13,18 **5,21** *a* Ps 126,1-6 **1,1** *a* Vers 3; Kap 3,23; 10,15.20.22; 43,3 **1,2** *a* 2. Kön 24,15 **1,3** *a* Kap 3,22-23; 8,1; 33,22; 37,1; 40,1 **1,4** *a* (4-28) Offb 4,2-8

bei allen vieren. 11 Und ihre Flügel waren nach oben hin ausgespannt; je zwei Flügel berührten einander, und mit zwei Flügeln bedeckten sie ihren Leib. 12 Immer gingen sie in der Richtung eines ihrer Angesichter; wohin der Geist sie trieb, dahin gingen sie; sie brauchten sich im Gehen nicht umzuwenden.

13 Und in der Mitte zwischen den Wesen sah es aus, wie wenn feurige Kohlen brennen, und wie Fackeln, die zwischen den Wesen hin und her fuhren. Das Feuer leuchtete, und aus dem Feuer kamen Blitze. 14 Und die Wesen liefen hin und her, dass es aussah wie Blitze.

15 Als ich die Wesen sah, siehe, da stand je ein Rad auf der Erde bei den vier Wesen, bei ihren vier Angesichtern. 16 Die Räder waren anzuschauen wie ein Türkis und waren alle vier gleich, und sie waren so gemacht, dass ein Rad im andern war. 17 Nach allen vier Seiten konnten sie gehen; sie brauchten sich im Gehen nicht umzuwenden. 18 Und ihre Felgen waren hoch und furchterregend, ihre Felgen waren voller Augen ringsum bei allen vier Rädern. 19 Und wenn die Wesen gingen, so gingen auch die Räder mit, und wenn die Wesen sich von der Erde emporhoben, so hoben die Räder sich auch empor. 20 Wohin der Geist sie trieb, dahin gingen sie, und die Räder hoben sich mit ihnen empor; denn es war der Geist der Wesen in den Rädern. 21 Wenn sie gingen, so gingen diese auch; wenn sie standen, so standen diese auch; und wenn sie sich emporhoben von der Erde, so hoben sich auch die Räder mit ihnen empor; denn es war der Geist der Wesen in den Rädern.

22 Aber über den Häuptern der Wesen war es wie eine [a]Himmelsfeste, wie ein Kristall, unheimlich anzusehen, oben über ihren Häuptern ausgespannt, 23 dass unter der Feste ihre Flügel gerade ausgestreckt waren, einer an dem andern; und mit zwei Flügeln bedeckten sie ihren Leib. 24 Und ich hörte ihre Flügel rauschen wie große Wasser, wie die Stimme des Allmächtigen, wenn sie gingen, ein Getöse wie in einem Heerlager. Wenn sie aber stillstanden, ließen sie die Flügel herabhängen, 25 und es donnerte im Himmel über ihnen. Wenn sie stillstanden, ließen sie die Flügel herabhängen.

26 Und über der Feste, die über ihrem Haupt war, sah es aus [a]wie ein Saphir, einem Thron gleich, und [b]auf dem Thron saß einer, der aussah wie ein Mensch. 27 Und ich sah, und es war wie blinkendes Kupfer aufwärts von dem, was aussah wie seine Hüften; und abwärts von dem, was wie seine Hüften aussah, erblickte ich etwas wie Feuer und Glanz ringsumher. 28 Wie der Regenbogen steht in den Wolken, wenn es geregnet hat, so glänzte es ringsumher. So war [a]die Herrlichkeit des HERRN anzusehen.

Und als ich sie gesehen hatte, fiel ich auf mein Angesicht und hörte einen reden.

DIE BERUFUNG ZUM PROPHETENAMT

2 Und er sprach zu mir: Du Menschenkind, stelle dich auf deine Füße, so will ich mit dir reden. 2 Und als er so mit mir redete, kam der Geist in mich und stellte mich auf meine Füße, und ich hörte dem zu, der mit mir redete. 3 Und er sprach zu mir: Du Menschenkind, ich sende dich zu den abtrünnigen Israeliten und zu den Völkern, die von mir abtrünnig geworden sind. Sie und ihre Väter haben sich bis auf diesen heutigen Tag gegen mich aufgelehnt. 4 Und die Kinder, zu denen ich dich sende, haben harte Köpfe und verstockte Herzen. Zu denen sollst du sagen: »So spricht Gott der HERR!« 5 [a]Sie gehorchen oder lassen es – denn sie sind ein Haus des Widerspruchs –, dennoch sollen sie wissen, dass ein Prophet unter ihnen gewesen ist.

6 Und du, Menschenkind, sollst dich [a]vor ihnen nicht fürchten noch vor ihren Worten fürchten. Es sind wohl widerspenstige und stachlige Dornen um dich, und du wohnst unter Skorpionen; aber du sollst dich nicht fürchten vor ihren Worten und dich vor ihrem Angesicht nicht entsetzen – denn sie sind ein Haus des Widerspruchs –, 7 sondern du sollst ihnen meine Worte sagen, sie gehorchen

1,22 *a* 1. Mose 1,6 **1,26** *a* 2. Mose 24,10 *b* Offb 4,2-3; Jes 6,1 **1,28** *a* Kap 3,12.23; 8,4; 9,3; 10,4.18; 11,23; 43,4; 44,4 **2,5** *a* Vers 7; Kap 3,11.27 **2,6** *a* Jer 1,8

oder lassen es; denn sie sind ein Haus
des Widerspruchs.
8 Aber du, Menschenkind, höre, was ich
dir sage, und widersprich nicht wie das
Haus des Widerspruchs. Tu deinen Mund
auf und iss, was ich dir geben werde. 9 Und
ich sah, und siehe, da war eine Hand gegen
mich ausgestreckt, die hielt eine [a]Schrift-
rolle. 10 Die breitete sie aus vor mir, und
sie war außen und innen beschrieben,
und darin stand geschrieben Klage, Ach
und Weh.
3 [a]Und er sprach zu mir: Du Menschen-
kind, iss, was du vor dir hast! Iss diese
Schriftrolle und geh hin und rede zum
Hause Israel! 2 Da tat ich meinen Mund
auf und er gab mir die Rolle zu essen 3 und
sprach zu mir: Du Menschenkind, gib dei-
nem Bauch zu essen und fülle dein Inneres
mit dieser Schriftrolle, die ich dir gebe. Da
aß ich sie, und [a]sie war in meinem Munde
so süß wie Honig.
4 Und er sprach zu mir: Du Menschen-
kind, geh hin zum Hause Israel und ver-
kündige ihnen meine Worte. 5 Denn ich
sende dich ja nicht zu einem Volk, das un-
bekannte Worte und eine fremde Sprache
hat, sondern zum Hause Israel, 6 nicht zu
vielen Völkern, die unbekannte Worte
und eine fremde Sprache haben, deren
Worte du nicht verstehen könntest. Und
wenn ich dich zu solchen sendete, wür-
den sie dich gern hören. 7 Aber das Haus
Israel will dich nicht hören, denn sie wol-
len mich nicht hören; denn das ganze
Haus Israel hat eine harte Stirn und ein
verstocktes Herz. 8 Siehe, ich habe dein
[a]Angesicht so hart gemacht wie ihr An-
gesicht und deine Stirn so hart wie ihre
Stirn. 9 Ja, ich habe deine Stirn so hart
wie einen Diamanten gemacht, der här-
ter ist als ein Kieselstein. Darum fürchte
dich nicht, entsetze dich auch nicht vor
ihnen; denn sie sind ein Haus des Wider-
spruchs.
10 Und er sprach zu mir: Du Menschen-
kind, alle meine Worte, die ich dir sage,
die fasse mit dem Herzen und nimm sie
zu Ohren! 11 Und geh hin zu den Weg-
geführten deines Volks und verkündige
ihnen und sprich zu ihnen: »So spricht
Gott der HERR!«, [a]sie hören oder lassen
es.

DER PROPHET ALS WÄCHTER ÜBER ISRAEL

(vgl. Kap 33,1-9)

12 Und ein Wind hob mich empor, und
ich hörte hinter mir ein Getöse wie von
einem großen Erdbeben.
Gelobt sei [a]die Herrlichkeit des HERRN
an ihrem Ort!
13 Und es war ein Rauschen von den Flü-
geln der Gestalten, die aneinanderschlu-
gen, und auch ein Rasseln der Räder neben
ihnen, ein Getöse wie von einem großen
Erdbeben. 14 Da hob mich der Wind em-
por und führte mich weg. Und ich fuhr
dahin in bitterem Grimm meines Geistes,
und die Hand des HERRN lag schwer auf
mir. 15 Und ich kam zu den Weggeführ-
ten, die am Fluss Kebar wohnten, nach
Tel-Abib und setzte mich zu denen, die
dort wohnten, und blieb dort unter ihnen
sieben Tage ganz verstört.
16 Und als die sieben Tage um waren,
geschah des HERRN Wort zu mir: 17 **Du
Menschenkind, ich habe dich zum
[a]Wächter gesetzt über das Haus Is-
rael. Du wirst aus meinem Munde das
Wort hören und sollst sie vor mir war-
nen.** 18 **Wenn ich dem Gottlosen sage:
Du musst des Todes sterben!, und du
warnst ihn nicht und sagst es ihm nicht,
um den Gottlosen vor seinem gottlo-
sen Wege zu warnen, damit er am Le-
ben bleibe, – so wird der Gottlose um
seiner Sünde willen sterben, aber sein
Blut will ich von deiner Hand fordern.**[a]
19 **Wenn du aber den Gottlosen warnst
und er sich nicht bekehrt von seinem
gottlosen Wesen und Wege, so wird er
um seiner Sünde willen sterben, aber
du hast dein Leben errettet.**
20 Und [a]wenn sich ein Gerechter von
seiner Gerechtigkeit abwendet und Un-
recht tut, so werde ich ihn zu Fall brin-
gen und er muss sterben. Denn weil du
ihn nicht gewarnt hast, wird er um sei-
ner Sünde willen sterben, und seine Ge-
rechtigkeit, die er getan hat, wird nicht
angesehen werden; aber sein Blut will
ich von deiner Hand fordern. 21 Wenn du

2,9 *a* Offb 10,8 **3,1** *a* (1-3) Jer 1,9; 15,16; Offb 10,9-10
3,3 *a* Ps 19,11; 119,103 **3,8** *a* Jes 50,7; Jer 1,18
3,11 *a* Kap 2,5 **3,12** *a* Kap 1,28 **3,17** *a* Kap 33,7; Jes 52,8;
Hebr 13,17 **3,18** *a* Kap 14,10 **3,20** *a* Kap 18,24

aber den Gerechten warnst, dass er nicht
sündigen soll, und er sündigt auch nicht,
so wird er am Leben bleiben; denn er hat
sich warnen lassen, und du hast dein Le-
ben errettet.

DER PROPHET SOLL VERSTUMMEN

22 [a]Und dort kam des HERRN Hand über
mich, und er sprach zu mir: Mach dich auf
und geh hinaus in die Ebene; da will ich
mit dir reden. 23 Und ich machte mich auf
und ging hinaus in die Ebene; und siehe,
dort stand [a]die Herrlichkeit des HERRN,
wie ich sie am Fluss Kebar gesehen hatte;
und ich fiel nieder auf mein Angesicht.
24 Und [a]der Geist kam in mich und
stellte mich auf meine Füße. Und er re-
dete mit mir und sprach zu mir: Geh hin
und schließ dich ein in deinem Hause!
25 Und du, Menschenkind, siehe, man
wird dir Stricke anlegen und dich damit
binden, dass du nicht unter die Leute ge-
hen kannst. 26 Und ich will dir die Zunge
an deinem Gaumen kleben lassen, dass
du [a]stumm wirst und sie nicht mehr zu-
rechtweisen kannst; denn sie sind ein
Haus des Widerspruchs. 27 Wenn ich
aber mit dir reden werde, will ich dir
den Mund auftun, dass du zu ihnen sa-
gen sollst: »So spricht Gott der HERR!«
[a]Wer es hört, der höre es; wer es lässt,
der lasse es; denn sie sind ein Haus des
Widerspruchs.

ZEICHEN GEGEN JERUSALEM

4 Und du, Menschenkind, nimm dir
einen Ziegelstein; den lege vor dich hin
und ritze darauf die Stadt Jerusalem 2 und
mache eine Belagerung: Baue ein Bollwerk
um sie und schütte einen Wall gegen sie
auf und schlag ein Heerlager auf und stelle
Sturmböcke rings um sie her. 3 Nimm dir
aber eine eiserne Platte und lass sie eine
eiserne Mauer sein zwischen dir und der
Stadt und richte dein Angesicht gegen
sie: Sie soll belagert sein, und du sollst sie
belagern. Das sei ein Zeichen dem Hause
Israel.
4 Du aber, lege dich auf deine linke Seite
und lege die Schuld des Hauses Israel auf
dich. So viele Tage du so daliegst, so lange
sollst du auch ihre Schuld tragen. 5 Ich will
dir aber die Jahre ihrer Schuld auflegen,
für jedes Jahr einen Tag, nämlich dreihun-
dertneunzig Tage. So lange sollst du die
Schuld des Hauses Israel tragen.
6 Und wenn du dies vollbracht hast,
sollst du danach dich auf deine rechte
Seite legen und sollst tragen die Schuld
des Hauses Juda vierzig Tage lang; denn
ich gebe dir hier auch je einen Tag für ein
Jahr. 7 Richte aber dein Angesicht und dei-
nen bloßen Arm gegen das belagerte Jeru-
salem und weissage gegen die Stadt. 8 Und
siehe, ich will dir Stricke anlegen, dass du
dich nicht wenden kannst von einer Seite
zur andern, bis du die Tage deiner Belage-
rung vollendet hast.
9 Nimm dir aber Weizen, Gerste, Boh-
nen, Linsen, Hirse und Dinkel und tu
alles in ein einziges Gefäß und mache
dir Brot daraus, dass du daran zu essen
hast, solange du auf deiner Seite lie-
gen musst – dreihundertneunzig Tage.
10 Deine Speise, die du täglich essen
sollst, sei abgewogen zwanzig Schekel;
so viel darfst du von einem Tag zum an-
dern essen. 11 Das Wasser sollst du auch
abgemessen trinken, nämlich den sechs-
ten Teil von einer Kanne; so viel darfst
du von einem Tag zum andern trinken.
12 Gerstenfladen sollst du essen, die du
vor ihren Augen auf Menschenkot backen
sollst. 13 Und der HERR sprach: So sollen
die Israeliten ihr [a]unreines Brot essen un-
ter den Heiden, zu denen ich sie versto-
ßen werde.
14 Ich aber sprach: Ach, Herr HERR!
Siehe, ich bin noch nie unrein gewor-
den; denn ich habe von meiner Jugend an
bis auf diese Zeit [a]kein Aas oder gerisse-
nes Tier gegessen, und nie ist [b]unreines
Fleisch in meinen Mund gekommen. 15 Er
aber sprach zu mir: Sieh, ich will dir Kuh-
mist statt Menschenkot zulassen, dein
Brot darauf zu bereiten.
16 Und er sprach zu mir: Du Menschen-
kind, siehe, [a]ich will den Vorrat an Brot in
Jerusalem wegnehmen, dass sie [b]das Brot
abgewogen essen müssen und mit Kum-
mer, und das Wasser abgemessen trinken
müssen und mit Schaudern, 17 damit sie an

3,22 *a* (22-23) Kap 1,3 **3,23** *a* Kap 1,28 **3,24** *a* Kap 2,2
3,26 *a* Kap 24,27; 33,22 **3,27** *a* Kap 2,5.7 **4,13** *a* Hos 9,3
4,14 *a* 2. Mose 22,30 *b* 3. Mose 7,18; 19,7; Apg 10,14
4,16 *a* Kap 5,16 *b* 3. Mose 26,26

Brot und Wasser Mangel leiden und sie,
einer wie der andere, erschaudern und in
ihrer Schuld verschmachten sollen.
5 Und du, Menschenkind, nimm ein
scharfes Schwert und brauche es als
Schermesser und fahr damit über dein
Haupt und deinen Bart und nimm eine
Waage und teile das Haar: 2 Ein Drittel
sollst du mit Feuer verbrennen mitten in
der Stadt, wenn die Tage der Belagerung
um sind; ein anderes Drittel nimm und
schlag's mit dem Schwert ringsumher;
das letzte Drittel streue in den Wind, und
ich will hinter ihnen her das Schwert zie-
hen.[a] 3 Nimm aber ein klein wenig davon
und binde es in deinen Mantelzipfel. 4 Und
nimm noch einmal etwas davon und
wirf's ins Feuer und verbrenne es; davon
soll ein Feuer ausbrechen über das ganze
Haus Israel.

DEUTUNG DER ZEICHEN

5 So spricht Gott der HERR: Das ist Jeru-
salem, das ich mitten unter die Völker
gesetzt habe und unter die Länder rings-
umher! 6 Aber es widersprach meinen
Ordnungen und trieb es schlimmer als
die Völker und war gegen meine Gebote
ungehorsamer als die Länder, die rings-
umher liegen. Denn sie verwarfen meine
Ordnungen und wollten nicht nach mei-
nen Geboten leben.
7 Darum, so spricht Gott der HERR:
Weil ihr es schlimmer getrieben habt als
die Völker, die um euch her sind, und nach
meinen Geboten nicht gelebt und meine
Ordnungen nicht gehalten habt und nicht
einmal nach den Ordnungen der Völker
gelebt habt, die um euch her sind, 8 darum,
so spricht Gott der HERR: Siehe, auch ich
will an dich und Gericht über dich ergehen
lassen vor den Augen der Völker, 9 und will
so mit dir umgehen, wie ich es nie getan
habe und auch nicht mehr tun werde, um
aller deiner Gräuel willen. 10 Darum [a]sol-
len in deiner Mitte Väter ihre Kinder und
Kinder ihre Väter fressen; und ich will
solches Gericht über dich ergehen lassen,
dass alle, die von dir übrig geblieben sind,
in alle Winde zerstreut werden. 11 Darum,
so wahr ich lebe, spricht Gott der HERR:
[a]Weil du mein Heiligtum mit all deinen
Götzen und Gräueln unrein gemacht hast,
will auch ich dich zerschlagen, und [b]mein
Auge soll ohne Mitleid auf dich blicken,
und ich will nicht gnädig sein. 12 Es soll
ein Drittel von dir an der Pest sterben und
durch Hunger vernichtet werden in deiner
Mitte, und das zweite Drittel soll durchs
Schwert fallen rings um dich her, und
das letzte Drittel will ich in alle Winde
zerstreuen und will hinter ihnen her das
Schwert ziehen.[a]
13 So soll mein Zorn vollendet werden
und [a]mein Grimm über sie zum Ziel kom-
men, dass ich meinen Mut kühle, und sie
sollen erfahren, dass ich, der HERR, es in
meinem Eifer geredet habe, wenn ich mei-
nen Grimm an ihnen vollende. 14 [a]Ich will
dich zur Wüste und zur Schmach machen
unter den Völkern, die um dich her sind,
vor den Augen aller, die vorübergehen.
15 Und du sollst zur Schmach, zum Hohn,
zur Warnung und zum Entsetzen werden
für alle Völker, die um dich her sind, wenn
ich über dich Gericht ergehen lasse mit
Zorn, Grimm und zornigem Schelten –
das sage ich, der HERR – 16 und wenn ich
[a]die bösen Pfeile des Hungers unter euch
schießen werde, die Verderben bringen
und die ich schießen werde, um euch zu
verderben, und wenn ich den Hunger bei
euch immer größer werden lasse und euch
den [b]Vorrat an Brot wegnehme. 17 Ja, Hun-
ger und wilde Tiere will ich unter euch
schicken, die sollen euch kinderlos ma-
chen, und es soll Pest und Blutvergießen
bei dir umgehen, und ich will das Schwert
über dich bringen. Ich, der HERR, habe es
gesagt.[a]

DIE KOMMENDE VERWÜSTUNG DES LANDES

6 Und des HERRN Wort geschah zu mir:
2 Du Menschenkind, richte dein Ange-
sicht gegen die Berge Israels und [a]weis-
sage gegen sie 3 und sprich: Ihr Berge Is-
raels, höret das Wort Gottes des HERRN!
So spricht Gott der HERR zu den Bergen
und Hügeln, zu den Bächen und Tälern:
Siehe, ich will das Schwert über euch brin-

5,2 *a* Vers 12 **5,10** *a* 5. Mose 28,53-55 **5,11** *a* Kap 7,4; 8,7-18 *b* 5. Mose 13,9 **5,12** *a* Vers 2 **5,13** *a* Kap 16,42 **5,14** *a* (14-15) 5. Mose 28,37; Jer 24,9 **5,16** *a* 5. Mose 32,23-24 *b* Kap 4,16 **5,17** *a* Kap 14,21 **6,2** *a* Kap 36,1; Mi 6,1

gen und eure Opferhöhen zerstören, 4 dass
eure Altäre verwüstet und eure [a]Räucher-
altäre zerbrochen werden, und will eure
Erschlagenen vor eure Götzen werfen;
5 ja, ich will die Leichname der Israeliten
vor ihre Götzen hinwerfen und [a]will eure
Gebeine um eure Altäre her verstreuen.
6 Überall, wo ihr wohnt, sollen die Städte
verwüstet und die Opferhöhen zur Ein-
öde werden; denn man wird eure Altäre
wüst und zur Einöde machen und eure
Götzen zerbrechen und zunichtemachen
und eure Räucheraltäre zerschlagen und
eure Machwerke vertilgen. 7 Und Erschla-
gene sollen mitten unter euch daliegen,
und ihr sollt erfahren, dass ich der HERR
bin.

8 Ich [a]will aber einige von euch übrig
lassen, die dem Schwert entgehen, un-
ter den Völkern, wenn ihr in die Länder
zerstreut seid. 9 Diese eure Entronnenen
werden dann an mich denken unter den
Völkern, wohin sie gefangen weggeführt
sind, wenn ich ihr abgöttisches Herz, das
von mir gewichen ist, und ihre abgötti-
schen Augen, die nach ihren Götzen sa-
hen, zerschlagen habe. Und es wird sie
ekeln vor all dem Bösen, das sie mit all
ihren Gräueln begangen haben, 10 und sie
werden erfahren, dass ich der HERR bin;
nicht umsonst habe ich geredet, ihnen sol-
ches Unglück anzutun.

11 So spricht Gott der HERR: Schlag
deine Hände zusammen und stampfe
mit deinem Fuß und sprich: Weh über
alle schlimmen Gräuel des Hauses Is-
rael, derentwegen sie durch Schwert,
Hunger und Pest fallen müssen! 12 Wer
ferne ist, wird an der Pest sterben, und
wer nahe ist, wird durchs Schwert fallen;
wer aber übrig bleibt und davor bewahrt
ist, wird vor Hunger sterben. So will ich
meinen Grimm unter ihnen vollenden.
13 So sollt ihr erfahren, dass ich der HERR
bin, wenn ihre Erschlagenen mitten un-
ter ihren Götzen liegen um ihre Altäre
her, oben [a]auf allen Hügeln und oben
auf allen Bergen und unter allen grünen
Bäumen und unter allen dichten Eichen,
überall, wo sie all ihren Götzen lieblichen
Opferduft darbrachten. 14 Ich will meine
Hand gegen sie ausstrecken und das Land
wüst und öde machen von der Wüste an
bis nach [a]Ribla, überall, wo sie wohnen,
und sie sollen erfahren, dass ich der HERR
bin.

DAS ENDE NAHT

7 Und des HERRN Wort geschah zu mir:
2 Du Menschenkind, so spricht Gott der
HERR zum Land Israels: Das Ende kommt,
das Ende über alle vier Enden des Landes.
3 Nun [a]kommt das Ende über dich; denn
ich will meinen Zorn gegen dich senden
und dich richten, wie du verdient hast,
und alle deine Gräuel über dich bringen.
4 [a]Mein Auge soll ohne Mitleid auf dich
blicken, und ich will nicht gnädig sein,
sondern ich will dir geben, wie du ver-
dient hast, und deine Gräuel sollen über
dich kommen, dass ihr erfahrt, dass ich der
HERR bin.

5 So spricht Gott der HERR: Siehe, es
kommt ein Unglück über das andere! 6 Das
Ende kommt, es kommt das Ende, es ist
erwacht über dich; siehe, es kommt! 7 Es
geht schon an und bricht herein über dich,
du Bewohner des Landes. Die Zeit kommt,
der Tag ist nahe: Jammer und kein Singen
mehr auf den Bergen! 8 Nun will ich bald
meinen Grimm über dich schütten und
meinen Zorn an dir vollenden und will
dich richten, wie du verdient hast, und
alle deine Gräuel über dich bringen. 9 Mein
Auge soll ohne Mitleid auf dich blicken,
und ich will nicht gnädig sein, sondern ich
will dir geben, wie du verdient hast, und
deine Gräuel sollen über dich kommen,
dass ihr erfahrt, dass ich der HERR bin,
der euch schlägt.

10 Siehe, der [a]Tag, siehe, er kommt, er
bricht an! Unrecht blüht und Vermessen-
heit grünt. 11 Gewalttat hat sich erhoben
und wird zum Zepter des Frevels; nichts
ist mehr von ihnen da und nichts von ih-
rem Reichtum, nichts von ihrer Pracht und
nichts von ihrer Herrlichkeit. 12 Es kommt
die Zeit, es naht der Tag! Der Käufer freue
sich nicht, und der Verkäufer traure nicht;
denn es kommt der Zorn über all ihren
Reichtum. 13 Denn der Verkäufer wird
zum Verkaufen nicht zurückkehren, selbst

6,4 *a* 3. Mose 26,30 **6,5** *a* 2. Kön 23,14 **6,8** *a* Jes 6,13
6,13 *a* 1. Kön 14,23 **6,14** *a* 2. Kön 25,21
7,3 *a* 1. Mose 6,13; Am 8,2 **7,4** *a* Kap 5,11; 8,18; 9,10
7,10 *a* Jes 2,12

wenn sie noch am Leben sind; denn der
Zorn über all ihren Reichtum wird sich
nicht wenden; keiner wird sein Leben er-
halten um seiner Missetat willen.
14 Lasst sie die Posaune nur blasen und
alles zurüsten; es wird doch niemand in
den Krieg ziehen, denn mein Zorn ist ent-
brannt über all ihren Reichtum. 15 Drau-
ßen das Schwert, drinnen Pest und Hun-
ger! Wer auf dem Feld ist, der wird vom
Schwert sterben; wer in der Stadt ist, den
werden Pest und Hunger fressen. 16 Und
die von ihnen entrinnen, die werden auf
den Bergen sein wie gurrende Tauben in
den Schluchten, sie alle, ein jeder wegen
seiner Missetat.
17 [a]Alle Hände werden herabsinken und
alle Knie werden weich. 18 Und [a]sie wer-
den Säcke anlegen und mit Furcht über-
schüttet sein, und auf allen Gesichtern
liegt Scham, und alle Köpfe werden kahl
geschoren. 19 Sie werden ihr Silber hinaus
auf die Gassen werfen und ihr Gold wie
Unrat achten; denn [a]ihr Silber und Gold
kann sie nicht erretten am Tage des Zorns
des HERRN. Sie werden sich damit nicht
sättigen und ihren Bauch damit nicht fül-
len; denn es wurde zum Anlass ihrer Mis-
setat. 20 Sie haben ihre edlen Kleinode zur
Hoffart verwendet und Bilder ihrer gräu-
lichen Götzen, ihrer Scheusale, daraus ge-
macht. Darum will ich's ihnen zum Unrat
machen. 21 Und ich will es Fremden in die
Hände geben, dass sie es rauben, und den
Gottlosen auf Erden zur Beute, dass sie es
entheiligen. 22 Ich will mein Angesicht von
ihnen abwenden, und mein Kleinod soll
entheiligt werden; ja, Räuber sollen dar-
über kommen und es entheiligen.
23 Mache Ketten! Denn das Land ist voll
Blutschuld und die Stadt voll Frevel. 24 So
will ich die Schlimmsten unter den Völ-
kern herbringen; die sollen ihre Häuser
einnehmen. Und ich will der Hoffart der
Gewaltigen ein Ende machen, und ent-
heiligt werden ihre Heiligtümer. 25 Angst
kommt; da werden sie Heil suchen, aber
es wird nicht zu finden sein. 26 Ein Un-
glück wird über das andere kommen, eine
schlimme Kunde nach der andern. [a]So
werden sie dann eine Weissagung bei den
Propheten suchen; auch wird weder Wei-
sung bei den Priestern noch Rat bei den
Ältesten sein. 27 Der König wird trauern,
und der Fürst wird sich in Entsetzen klei-
den, und die Hände des Volks des Landes
werden kraftlos sein. Ich will mit ihnen
umgehen, wie sie gelebt haben, und wie sie
gerichtet haben, will ich sie richten, dass
sie erfahren sollen, dass ich der HERR bin.

DIE GRÄUEL DES GÖTZENDIENSTES IM TEMPEL

8 Und es begab sich im sechsten Jahr am
fünften Tage des sechsten Monats. Ich
saß in meinem Hause, und [a]die Ältesten
von Juda saßen vor mir. Da fiel die Hand
Gottes des HERRN auf mich. 2 Und ich
sah, und siehe, da war eine Gestalt wie
ein Mann, und abwärts von dem, was wie
seine Hüften aussah, war es wie Feuer,
aber oberhalb seiner Hüften war ein Glanz
zu sehen wie blinkendes Kupfer.[a] 3 Und er
streckte etwas wie eine Hand aus und er-
griff mich bei dem Haar meines Hauptes.
Da [a]hob mich ein Wind empor zwischen
Himmel und Erde und brachte mich nach
Jerusalem in göttlichen Gesichten zu
dem Eingang des inneren Tores, das ge-
gen Norden liegt, wo ein Bild stand zum
Ärgernis für den Herrn.
4 Und siehe, dort war [a]die Herrlichkeit
des Gottes Israels, so wie ich sie in der
Ebene gesehen hatte. 5 Und er sprach zu
mir: Du Menschenkind, hebe deine Augen
auf nach Norden. Und als ich meine Augen
aufhob nach Norden, siehe, da stand ein
Bild, das für den Herrn ein Ärgernis war,
nördlich vom Tor des Altars, da, wo man
hineingeht. 6 Und er sprach zu mir: Du
Menschenkind, siehst du auch, was diese
tun? Große Gräuel sind es, die das Haus
Israel hier tut, um mich von meinem Hei-
ligtum zu vertreiben. Aber du wirst noch
größere Gräuel sehen.
7 Und er führte mich zur Tür des Vor-
hofes. Da sah ich, und siehe, da war ein
Loch in der Wand. 8 Und er sprach zu mir:
Du Menschenkind, brich ein Loch durch
die Wand. Und als ich ein Loch durch die
Wand gebrochen hatte, siehe, da war eine
Tür. 9 Und er sprach zu mir: Geh hinein
und schaue die schlimmen Gräuel, die sie

7,17 *a* Jes 13,7 **7,18** *a* Jer 48,37 **7,19** *a* Spr 11,4; Zef 1,18
7,26 *a* Jer 8,8-9 **8,1** *a* Kap 14,1 **8,2** *a* Kap 1,4
8,3 *a* Kap 3,12 **8,4** *a* Kap 1,28

hier treiben. 10 Und als ich hineinkam und
schaute, siehe, da waren [a]lauter Bilder von
Gewürm und Getier, Scheusale, und alle
Götzen des Hauses Israel, ringsherum an
den Wänden eingemeißelt. 11 Davor stan-
den [a]siebzig Männer von den Ältesten
des Hauses Israel, und Jaasanja, der Sohn
Schafans, stand [b]mitten unter ihnen.
Und ein jeder hatte sein Räuchergefäß in
der Hand und der Duft einer Wolke von
Weihrauch stieg auf.

12 Und er sprach zu mir: Menschenkind,
siehst du, was die Ältesten des Hauses
Israel tun in der Finsternis, ein jeder in
der Kammer seines Götzenbildes? Denn
sie sagen: [a]Der HERR sieht uns nicht,
der HERR hat das Land verlassen. 13 Und
er sprach zu mir: Du sollst noch größere
Gräuel sehen, die sie tun. 14 Und er führte
mich zum Eingang des Tores am Hause
des HERRN, das gegen Norden liegt, und
siehe, dort saßen Frauen, die den Tammus
beweinten. 15 Und er sprach zu mir: Men-
schenkind, siehst du das? Aber du sollst
noch größere Gräuel sehen als diese.

16 Und er führte mich in den inneren
Vorhof am Hause des HERRN; und siehe,
vor dem Eingang zum Tempel des HERRN,
zwischen der Vorhalle und dem Altar,
standen etwa fünfundzwanzig Männer,
die ihren Rücken gegen den Tempel des
HERRN und ihr Gesicht gegen Osten ge-
wendet hatten, und [a]beteten gegen Os-
ten die Sonne an. 17 Und er sprach zu mir:
Menschenkind, siehst du das? Ist es dem
Hause Juda nicht genug, diese Gräuel hier
zu treiben, dass sie auch sonst das ganze
Land mit Gewalttat erfüllen und mich im-
mer wieder reizen? Und siehe, sie halten
sich die Weinrebe an die Nase.* 18 Darum
will ich auch mit Grimm an ihnen han-
deln, und [a]mein Auge soll ohne Mitleid
auf sie blicken, und ich will nicht gnädig
sein. [b]Wenn sie auch mit lauter Stimme
mir in die Ohren schreien, will ich sie doch
nicht hören.

DIE HEIMSUCHUNG JERUSALEMS

9 Und er rief mit lauter Stimme vor mei-
nen Ohren und sprach: Gekommen ist
die Heimsuchung der Stadt; ein jeder habe
sein Werkzeug zur Zerstörung in seiner
Hand! 2 Und siehe, da kamen sechs Män-
ner auf dem Wege vom oberen Tor her,
das gegen Norden liegt, und jeder hatte
ein Werkzeug zum Zerschlagen in sei-
ner Hand. Aber es war einer unter ihnen,
[a]der hatte ein leinenes Gewand an und
ein Schreibzeug an seiner Seite. Und sie
kamen heran und traten neben den bron-
zenen Altar.

3 Und [a]die Herrlichkeit des Gottes Israels
erhob sich von dem Cherub, über dem sie
war, zu der Schwelle des Tempels, und er
rief dem, der das leinene Gewand anhatte
und das Schreibzeug an seiner Seite. 4 Und
der HERR sprach zu ihm: Geh durch die
Stadt Jerusalem und [a]zeichne mit einem
Zeichen* an der Stirn die Leute, die da
seufzen und jammern über alle Gräuel,
die darin geschehen.

5 Zu den andern Männern aber sprach er,
sodass ich es hörte: Geht ihm nach durch
die Stadt und schlagt drein; [a]eure Augen
sollen ohne Mitleid blicken und nicht ver-
schonen. 6 Erschlagt Alte, Jünglinge, Jung-
frauen, Kinder und Frauen, schlagt alle tot;
aber die das Zeichen an sich haben, von
denen sollt ihr keinen anrühren. [a]Fangt
aber an bei meinem Heiligtum! Und sie
fingen an bei den Ältesten, die vor dem
Tempel waren. 7 Und er sprach zu ihnen:
Macht den Tempel unrein, füllt die Vor-
höfe mit Erschlagenen; dann geht hinaus!
Und sie gingen hinaus und erschlugen die
Leute in der Stadt.

8 Und als sie die erschlagen hatten, war
ich noch übrig. Und ich fiel auf mein An-
gesicht, schrie und sprach: [a]Ach, Herr
HERR, willst du denn den ganzen Rest
Israels verderben, dass du deinen Zorn
so ausschüttest über Jerusalem? 9 Und er
sprach zu mir: Die Missetat des Hauses
Israel und Juda ist allzu groß; es ist lauter
Blutschuld im Lande und lauter Unrecht in
der Stadt. Denn sie sprechen: [a]Der HERR
hat das Land verlassen, der HERR sieht
uns nicht. 10 Darum [a]soll mein Auge ohne

* **8,17** Gemeint ist ein abgöttischer Brauch.
9,4 Im Hebräischen steht hier das Zeichen für den Buchstaben »Taw«, ursprünglich in Kreuzform.

8,10 *a* Röm 1,23 **8,11** *a* 2. Mose 24,1; 4. Mose 11,16; Lk 10,1.17 *b* Jes 66,17 **8,12** *a* Kap 9,9 **8,16** *a* 5. Mose 4,19; 17,3; 2. Kön 23,5.11; Jer 8,2 **8,18** *a* Kap 7,4 *b* Jes 1,15
9,2 *a* Kap 10,2; Dan 10,5 **9,3** *a* Kap 1,28 **9,4** *a* Offb 7,3
9,5 *a* Kap 7,4 **9,6** *a* Jer 25,29; 1. Petr 4,17 **9,8** *a* Kap 11,13
9,9 *a* Kap 8,12 **9,10** *a* Kap 7,4

Mitleid auf sie blicken, ich will auch nicht gnädig sein, sondern will ihr Tun auf ihren Kopf kommen lassen. 11 Und siehe, der Mann, der das leinene Gewand anhatte und das Schreibzeug an seiner Seite, antwortete und sprach: Ich habe getan, wie du mir geboten hast.

DIE HERRLICHKEIT GOTTES ÜBER DEN CHERUBIM

(vgl. Kap 1,4-28)

10 Und ich sah, und siehe, an der Himmelsfeste über dem Haupt der Cherubim glänzte es wie ein Saphir, und über ihnen war etwas zu sehen wie ein Thron. 2 Und er sprach zu dem [a]Mann in dem leinenen Gewand: Geh hinein zwischen das Räderwerk unter dem Cherub und [b]fülle deine Hände mit glühenden Kohlen, die zwischen den Cherubim sind, und streue sie über die Stadt. Und er ging hinein vor meinen Augen. 3 Die Cherubim aber standen zur Rechten am Hause des Herrn, als der Mann hineinging, und die Wolke erfüllte den inneren Vorhof.

4 Und [a]die Herrlichkeit des HERRN erhob sich von dem Cherub zur Schwelle des Hauses, und [b]das Haus wurde erfüllt mit der Wolke und der Vorhof mit dem Glanz der Herrlichkeit des HERRN. 5 Und man hörte die Flügel der Cherubim rauschen bis in den äußeren Vorhof wie die Stimme des allmächtigen Gottes, wenn er redet. 6 Und als er dem Mann in dem leinenen Gewand geboten hatte: »Nimm von dem Feuer zwischen dem Räderwerk zwischen den Cherubim«, ging dieser hinein und trat neben das Rad. 7 Und der Cherub streckte seine Hand aus der Mitte der Cherubim hin zum Feuer, das zwischen den Cherubim war, nahm davon und gab es dem Mann in dem leinenen Gewand in die Hände; der empfing es und ging hinaus. 8 Und es erschien an den Cherubim etwas wie eines Menschen Hand unter ihren Flügeln.

9 Und ich sah, und siehe, vier Räder standen bei den Cherubim, bei jedem Cherub ein Rad, und die Räder sahen aus wie ein Türkis, 10 und alle vier sahen eins wie das andere aus; es war, als wäre ein Rad im andern. 11 Wenn sie gehen sollten, so konnten sie nach allen ihren vier Seiten gehen; sie brauchten sich im Gehen nicht umzuwenden; sondern wohin das erste ging, da gingen die andern nach, ohne sich im Gehen umzuwenden. 12 Und ihr ganzer Leib, Rücken, Hände und Flügel und die Räder waren voller Augen um und um, an allen vier Rädern. 13 Und die Räder wurden vor meinen Ohren »das Räderwerk« genannt. 14 Ein [a]jeder hatte vier Angesichter; das erste Angesicht war das eines Cherubs, das zweite das eines Menschen, das dritte das eines Löwen, das vierte das eines Adlers. 15 Und die Cherubim hoben sich empor. [a]Es war aber dasselbe Wesen, das ich am Fluss Kebar gesehen hatte. 16 Wenn die Cherubim gingen, so gingen auch die Räder neben ihnen, und wenn die Cherubim ihre Flügel schwangen, dass sie sich von der Erde erhoben, so wandten sich auch die Räder nicht von ihrer Seite weg. 17 Wenn jene standen, so standen diese auch; erhoben sie sich, so erhoben sich diese auch; denn der Odem dieses Wesens war in ihnen.

18 Und die Herrlichkeit des HERRN ging hinaus von der Schwelle des Tempels und stellte sich über die Cherubim.[a] 19 Da schwangen die Cherubim ihre Flügel und erhoben sich von der Erde vor meinen Augen, und als sie hinausgingen, gingen die Räder mit. Und sie traten in den Eingang des östlichen Tores am Hause des HERRN, und die Herrlichkeit des Gottes Israels war oben über ihnen. 20 Das war das Wesen, das ich unter dem Gott Israels am Fluss Kebar gesehen hatte; und ich merkte, dass es Cherubim waren. 21 Vier Angesichter hatte jeder und vier Flügel und etwas wie Menschenhände unter den Flügeln. 22 Und ihre Angesichter waren so gestaltet, wie ich sie am Fluss Kebar gesehen hatte; und sie gingen in der Richtung eines ihrer Angesichter, wie sie wollten.

GOTTES GERICHT ÜBER DIE OBERSTEN DES VOLKES

11 Und [a]ein Wind hob mich empor und brachte mich zum östlichen Tor am Hause des HERRN, das gen Morgen sieht. Und siehe, im Eingang des Tores waren

10,2 *a* Kap 9,2 *b* Offb 8,5 **10,4** *a* Kap 1,28 *b* 2. Mose 40,34; Jes 6,4 **10,14** *a* Kap 1,10 **10,15** *a* Kap 1,1-5 **10,18** *a* Kap 43,4 **11,1** *a* Kap 3,12

fünfundzwanzig Männer, und ich sah un-
ter ihnen Jaasanja, den Sohn Asurs, und
Pelatja, den Sohn Benajas, die Obersten
im Volk. 2 Und er sprach zu mir: Men-
schenkind, das sind die Männer, die Un-
heil planen und schädlichen Rat geben in
dieser Stadt; 3 denn sie sprechen: »Sind
nicht vor Kurzem die Häuser wieder auf-
gebaut worden? [a]Die Stadt ist der Topf,
wir sind das Fleisch.« 4 Darum weissage
gegen sie! Weissage, Menschenkind!
5 Und der Geist des HERRN fiel auf mich,
und er sprach zu mir: Sage: So spricht der
HERR: So habt ihr geredet, ihr vom Hause
Israel; und eures Geistes Gedanken kenne
ich wohl. 6 Ihr habt viele erschlagen in die-
ser Stadt, und ihre Gassen liegen voll To-
ter. 7 Darum, so spricht Gott der HERR:
Die ihr in der Stadt erschlagen habt, die
sind das Fleisch, und sie ist der Topf; aber
ihr müsst hinaus. 8 Das Schwert fürchtet
ihr, und das Schwert will ich über euch
kommen lassen, spricht Gott der HERR.
9 Ich will euch aus der Stadt hinaustrei-
ben und Fremden in die Hand geben und
will Gericht über euch halten. 10 Ihr [a]sollt
durchs Schwert fallen; an der Grenze Is-
raels will ich euch richten; und ihr sollt
erfahren, dass ich der HERR bin. 11 Die
Stadt aber soll für euch nicht der Topf sein
noch ihr das Fleisch darin, sondern an der
Grenze Israels will ich euch richten. 12 Und
ihr sollt erfahren, dass ich der HERR bin;
denn ihr seid nach meinen Geboten nicht
gewandelt und habt meine Ordnungen
nicht gehalten, sondern habt gelebt nach
den Ordnungen der Heiden, die um euch
her sind.
13 Und als ich noch so weissagte, starb
Pelatja, der Sohn Benajas. Da fiel ich auf
mein Angesicht und schrie mit lauter
Stimme und sprach: [a]Ach, Herr HERR,
willst du dem Rest Israels ganz und gar
ein Ende machen?

DAS NEUE HERZ

14 Da geschah des HERRN Wort zu mir:
15 Du Menschenkind, die Leute, die noch
in Jerusalem wohnen, sagen von dei-
nen Brüdern und Verwandten und dem
ganzen Haus Israel: Sie sind ferne vom
HERRN, aber uns ist das Land zum Eigen-
tum gegeben.
16 Darum sage: So spricht Gott der
HERR: Ja, [a]ich habe sie fern weg unter die
Heiden vertrieben und in die Länder zer-
streut und bin ihnen nur wenig zum Hei-
ligtum geworden in den Ländern, in die
sie gekommen sind. 17 [a]Darum sage: So
spricht Gott der HERR: [b]Ich will euch zu-
sammenbringen aus den Völkern und will
euch sammeln aus den Ländern, in die ihr
zerstreut seid, und will euch das Land Is-
raels geben. 18 Dorthin sollen sie kommen
und alle seine Götzen und Gräuel daraus
wegtun. 19 [a]Und **ich will ihnen ein ande-
res Herz geben und einen neuen Geist
in sie geben und [b]will das steinerne
Herz wegnehmen aus ihrem Leibe und
ihnen [c]ein fleischernes Herz geben,**
20 damit sie in meinen Geboten wandeln
und meine Ordnungen halten und danach
tun. Und [a]sie sollen mein Volk sein, und
ich will ihr Gott sein. 21 Denen aber, die
mit ihrem Herzen ihren Götzen und ihren
Gräueln nachwandeln, will ich ihr Tun auf
ihren Kopf kommen lassen, spricht Gott
der HERR.

DIE HERRLICHKEIT GOTTES VERLÄSST JERUSALEM

22 [a]Da schwangen die Cherubim ihre Flügel
und die Räder gingen mit, und die Herr-
lichkeit des Gottes Israels war oben über
ihnen. 23 Und die Herrlichkeit des HERRN
erhob sich aus der Stadt und stellte sich auf
den [a]Berg, der im Osten vor der Stadt liegt.
24 Und [a]ein Wind hob mich empor und
brachte mich nach Chaldäa zu den Wegge-
führten in einem Gesicht durch den Geist
Gottes. Und das Gesicht, das ich geschaut
hatte, verschwand vor mir. 25 Und ich sagte
den Weggeführten alle Worte des HERRN,
die er mir gezeigt hatte.

DIE WEGFÜHRUNG VON KÖNIG UND VOLK

12 Und des HERRN Wort geschah zu
mir: 2 Du Menschenkind, du wohnst
in einem Haus des Widerspruchs; [a]sie ha-

11,3 *a* Kap 24,3-14 **11,10** *a* 2. Kön 25,20-21
11,13 *a* Kap 9,8 **11,16** *a* Kap 6,8-10
11,17 *a* (17-19) Jer 32,37-39 *b* Jer 24,5-6; 29,14
11,19 *a* (19-20) Kap 36,26-28 *b* Kap 18,31 *c* Jer 24,7
11,20 *a* Kap 14,11; Jer 7,23 **11,22** *a* (22-23) Kap 1,28
11,23 *a* Kap 43,4 **11,24** *a* Kap 3,12 **12,2** *a* Jer 5,21

ben Augen zu sehen und sehen nicht, und
Ohren zu hören und hören nicht; denn
sie sind ein Haus des Widerspruchs. 3 Du
aber, Menschenkind, pack dir Sachen wie
für die Verbannung und zieh am hellen
Tage fort vor ihren Augen. Von deinem
Ort sollst du ziehen an einen andern Ort
vor ihren Augen; vielleicht sehen sie es.
Denn sie sind ein Haus des Widerspruchs.
4 Du sollst deine Sachen am hellen Tage
vor ihren Augen herausschaffen wie Ge-
päck für die Verbannung und am Abend
hinausziehen vor ihren Augen, wie man
zur Verbannung auszieht; 5 und du sollst
dir vor ihren Augen ein Loch durch die
Wand brechen und da hinausziehen, 6 und
du sollst deine Schulter vor ihren Augen
beladen und hinausziehen, wenn es dun-
kel wird! Dein Angesicht sollst du verhül-
len, damit du das Land nicht siehst. Denn
ich habe dich für das Haus Israel zum
[a]Wahrzeichen gesetzt. 7 Und ich tat, wie
mir befohlen war, und trug mein Gepäck
hinaus wie Gepäck für die Verbannung
am hellen Tage, und am Abend brach ich
mit der Hand ein Loch durch die Wand.
Und als es dunkel wurde, belud ich meine
Schulter und zog hinaus vor ihren Augen.

8 Und frühmorgens geschah des HERRN
Wort zu mir: 9 Du Menschenkind, hat das
Haus Israel, das Haus des Widerspruchs,
nicht zu dir gesagt: Was machst du da?
10 Sage zu ihnen: So spricht Gott der
HERR: Diese Last* trifft den Fürsten zu
Jerusalem und das ganze Haus Israel, das
dort wohnt. 11 Sprich: Ich bin euer Wahr-
zeichen. Wie ich getan habe, so wird ihnen
geschehen: In die Verbannung müssen sie
und gefangen weggeführt werden. 12 [a]Ihr
Fürst wird seine Habe auf die Schulter la-
den, wenn es dunkel wird, und ein Loch
durch die Wand brechen und da hinaus-
ziehen; sein Angesicht wird er verhüllen,
dass er nicht mit seinen Augen das Land
sehe. 13 Ich aber will [a]mein Netz über ihn
werfen, dass er in meinem Garn gefangen
werde, und will ihn nach Babel bringen in
der Chaldäer Land, [b]das er jedoch nicht
sehen wird, und dort soll er sterben. 14 Und
alle, die um ihn her sind, seine Helfer und
seinen ganzen Anhang, will ich in alle
Winde zerstreuen und das Schwert zie-
hen hinter ihnen her. 15 Dann sollen sie
erfahren, dass ich der HERR bin, wenn ich
sie unter die Völker verstoße und in die
Länder zerstreue. 16 Aber [a]ich will von ih-
nen einige wenige übrig lassen vor dem
Schwert, dem Hunger und der Pest. Die
sollen von all ihren Gräueltaten erzählen
unter den Heiden, zu denen sie kommen
werden; und sie sollen erfahren, dass ich
der HERR bin.

17 Und des HERRN Wort geschah zu mir:
18 Du Menschenkind, du sollst dein Brot
essen mit Beben und dein Wasser trinken
mit Zittern und Sorgen. 19 Und sage zum
Volk des Landes: So spricht Gott der HERR
zu den Einwohnern Jerusalems über das
Land Israels: Sie müssen ihr Brot essen mit
Sorgen und ihr Wasser trinken mit Schau-
dern; denn ihr Land soll wüst werden und
leer von allem, was darin ist, um der Ge-
walttat willen all seiner Bewohner. 20 Und
die Städte, die bewohnt sind, sollen ver-
wüstet werden und das Land öde; und ihr
werdet erfahren, dass ich der HERR bin.

ZWEIFEL AN DER WEISSAGUNG

21 Und des HERRN Wort geschah zu mir:
22 Du Menschenkind, was habt ihr da für
ein Sprichwort im Lande Israels? Ihr sagt:
[a]»Die Zeit vergeht, und es wird nichts aus
der Weissagung.« 23 Darum sage zu ihnen:
So spricht Gott der HERR: Ich will diesem
Sprichwort ein Ende machen, dass es nicht
mehr umgehen soll in Israel. Sage viel-
mehr zu ihnen: Die Zeit ist nahe und [a]al-
les kommt, was geweissagt ist. 24 Denn es
soll hinfort keine trügenden Gesichte und
keine falsche Offenbarung mehr geben im
Hause Israel. 25 Denn ich bin der HERR, ich
rede! Was ich rede, das soll geschehen und
sich nicht lange hinausziehen, sondern in
eurer Zeit, du Haus des Widerspruchs,
rede ich ein Wort und tue es auch, spricht
Gott der HERR.

26 Und des HERRN Wort geschah zu mir:
27 Du Menschenkind, siehe, das Haus Is-
rael spricht: Mit den Gesichten, die die-
ser schaut, dauert's noch lange, und er
weissagt auf Zeiten, die noch ferne sind.
28 Darum sage ihnen: So spricht Gott der

* **12,10** Siehe Sach- und Worterklärungen.

12,6 ***a*** Vers 11; Kap 24,24.27 **12,12** ***a*** 2. Kön 25,4
12,13 ***a*** Kap 17,20; 2. Kön 25,7 ***b*** Jer 39,7 **12,16** ***a*** Kap 6,8
12,22 ***a*** 2. Petr 3,4 **12,23** ***a*** Hab 2,3

HERR: Keines meiner Worte wird sich
lange hinausziehen. Was ich rede, soll ge-
schehen, spricht Gott der HERR.

GEGEN DIE FALSCHEN PROPHETEN

13 Und des HERRN Wort geschah zu
mir: 2 Du Menschenkind, weissage
gegen die Propheten Israels, die da weis-
sagen, und sprich zu denen, die aus ih-
rem eigenen Herzen weissagen »Höret
des HERRN Wort!«: 3 So spricht Gott der
HERR: [a]Weh den törichten Propheten, die
ihrem eigenen Geist folgen und nichts ge-
schaut haben! 4 O Israel, deine Propheten
sind wie die Füchse in den Trümmern!
5 Ihr seid nicht in die [a]Bresche getreten
und habt keine Mauer errichtet um das
Haus Israel, damit es fest steht im Kampf
am Tage des HERRN. 6 Ihre Gesichte sind
nichtig, und ihr Weissagen ist Lüge. [a]Sie
sprechen: »Der HERR hat's gesagt«, und
doch hat sie der HERR nicht gesandt, und
sie warten darauf, dass er ihr Wort erfüllt.
7 Ist's nicht vielmehr so: Eure Gesichte
sind nichtig, und euer Weissagen ist lauter
Lüge? Und ihr sprecht doch: »Der HERR
hat's geredet«, wo ich doch nichts geredet
habe.
8 Darum, so spricht Gott der HERR: Weil
ihr Trug geredet und Lüge geschaut habt,
siehe, darum will ich an euch, spricht Gott
der HERR. 9 Und meine Hand soll über die
Propheten kommen, die Trug reden und
Lüge schauen. Sie sollen in der Gemein-
schaft meines Volks nicht bleiben und in
das Buch des Hauses Israel nicht einge-
schrieben werden und ins Land Israels
nicht kommen – und ihr sollt erfahren,
dass ich Gott der HERR bin.
10 Weil sie mein Volk verführen und sa-
gen: [a]»Friede!«, wo doch kein Friede ist,
und weil sie, wenn das Volk sich eine
Wand baut, sie mit Kalk übertünchen, 11 so
sprich zu den Tünchern, die mit Kalk tün-
chen: »Die Wand wird einfallen!« Denn es
wird ein Platzregen kommen und Hagel
wie Steine fallen und ein Wirbelwind los-
brechen. 12 Siehe, da wird die Wand einfal-
len. Was gilt's? Dann wird man zu euch
sagen: Wo ist nun der Anstrich, den ihr
darüber getüncht habt?
13 Darum, so spricht Gott der HERR: Ich
will einen Wirbelwind losbrechen lassen
in meinem Grimm und einen Platzregen
in meinem Zorn und Hagel wie Steine
im Grimm, um alles zu vernichten. 14 So
will ich die Wand niederreißen, die ihr
mit Kalk übertüncht habt, und will sie zu
Boden stoßen, dass man ihren Grund se-
hen soll. Wenn sie fällt, sollt ihr auch darin
umkommen. Und ihr sollt erfahren, dass
ich der HERR bin. 15 Und ich will meinen
ganzen Grimm an der Wand auslassen
und an denen, die sie mit Kalk übertüncht
haben, und will zu euch sagen: Hier ist
weder Wand noch Tüncher. 16 Das sind die
Propheten Israels, die Jerusalem weissa-
gen und predigen »Friede!«, wo doch kein
Friede ist, spricht Gott der HERR.

GEGEN FALSCHE PROPHETINNEN

17 Und du, Menschenkind, richte dein An-
gesicht gegen die Töchter deines Volks,
die aus eigenem Antrieb als Prophetinnen
auftreten, und weissage gegen sie 18 und
sprich: So spricht Gott der HERR: Weh
euch, die ihr Binden näht für alle Handge-
lenke und Mützen für Köpfe jeder Größe,
um Seelen damit zu fangen! Wollt ihr See-
len fangen in meinem Volk und Seelen für
euch am Leben erhalten? 19 Ihr entheiligt
mich bei meinem Volk für eine Hand voll
Gerste und einen Bissen Brot, dadurch
dass ihr Seelen tötet, die nicht sterben
sollten, und Seelen am Leben erhaltet, die
nicht leben sollten, durch euer Lügen un-
ter meinem Volk, das gern auf Lügen hört.
20 Darum, so spricht Gott der HERR:
Siehe, ich will über eure Binden kommen,
mit denen ihr die Seelen fangt wie Vögel,
und will sie von euren Armen reißen und
die Seelen, die ihr wie Vögel gefangen
habt, befreien. 21 Und ich will eure Müt-
zen wegreißen und mein Volk aus eurer
Hand erretten, dass ihr sie nicht mehr fan-
gen könnt. Und ihr sollt erfahren, dass ich
der HERR bin. 22 Weil ihr das Herz der Ge-
rechten durch Lügen betrübt, die ich nicht
betrübt habe, und [a]die Hände der Gottlo-
sen stärkt, damit sie sich von ihrem bösen
Wandel nicht bekehren, um ihr Leben zu
retten: 23 Darum sollt ihr nicht mehr Trug
schauen und wahrsagen, sondern ich will

13,3 *a* Jer 14,14 **13,5** *a* Kap 22,30; Ps 106,23
13,6 *a* Kap 22,28; Jer 5,31 **13,10** *a* Jer 6,14
13,22 *a* Kap 18,23; Jer 23,14

mein Volk aus euren Händen erretten und
ihr sollt erfahren, dass ich der HERR bin.

ANTWORT AN DIE GÖTZENDIENER

14 Und es kamen [a]einige von den Äl-
testen Israels zu mir und setzten sich
vor mir nieder. 2 Da geschah des HERRN
Wort zu mir: 3 Du Menschenkind, diese
Leute hängen mit ihrem Herzen an ihren
Götzen und haben vor sich aufgestellt,
was sie schuldig werden lässt. Sollte ich
mich wirklich von ihnen befragen las-
sen? 4 Darum rede mit ihnen und sage zu
ihnen: So spricht Gott der HERR: Jedem
vom Hause Israel, der mit seinem Her-
zen an seinen Götzen hängt und vor sich
aufgestellt hat, was ihn schuldig werden
lässt, und dann zum Propheten kommt,
dem will ich, der HERR, antworten, wie
er's verdient hat mit seinen vielen Götzen,
5 damit ich so dem Hause Israel ans Herz
greife, weil sie von mir gewichen sind mit
all ihren Götzen.

6 Darum sollst du zum Hause Israel sa-
gen: So spricht Gott der HERR: Kehrt
um und wendet euch ab von euren Göt-
zen und wendet euer Angesicht von allen
euren Gräueln. 7 Denn jedem vom Hause
Israel oder von den Fremdlingen in Is-
rael, der von mir weicht und mit seinem
Herzen an seinen Götzen hängt und vor
sich aufgestellt hat, was ihn schuldig wer-
den lässt, und der dann zum Propheten
kommt, um durch ihn mich zu befragen,
dem will ich, der HERR, selbst antworten.
8 Ich will mein Angesicht gegen ihn rich-
ten und ihn zum Zeichen und Sprichwort
machen und will ihn aus meinem Volk
ausrotten. So sollt ihr erfahren, dass ich
der HERR bin.

9 Wenn aber ein Prophet [a]sich betören
lässt, etwas zu verkünden, so habe ich,
der HERR, diesen Propheten betört und
will meine Hand gegen ihn ausstrecken
und ihn aus meinem Volk Israel ausrotten.
10 [a]So sollen sie beide ihre Schuld tragen:
Wie die Schuld des Befragenden, so soll
auch die Schuld des Propheten sein, 11 da-
mit das Haus Israel nicht mehr von mir
abirrt und sich nicht mehr unrein macht
durch alle seine Übertretungen; sondern
[a]sie sollen mein Volk sein, und ich will ihr
Gott sein, spricht Gott der HERR.

WER GOTTES GERICHT ÜBERLEBEN WIRD

12 Und des HERRN Wort geschah zu mir:
13 Du Menschenkind, wenn ein Land an
mir sündigt und Treubruch begeht und
wenn ich meine Hand gegen das Land aus-
strecke und ihm [a]den Vorrat an Brot weg-
nehme und Hungersnot ins Land schicke,
um Menschen und Vieh darin auszurot-
ten, 14 und [a]wenn dann diese drei Männer
im Lande wären, Noah, Daniel und Hiob,
so würden sie durch ihre Gerechtigkeit
allein ihr Leben retten, spricht Gott der
HERR.

15 Und wenn ich wilde Tiere ins Land
bringen würde, die die Leute ausrotte-
ten und das Land zur Einöde machten,
sodass niemand mehr hindurchziehen
könnte wegen der wilden Tiere, 16 und
diese drei Männer wären auch darin – so
wahr ich lebe, spricht Gott der HERR: Sie
würden weder Söhne noch Töchter retten,
sondern allein sich selbst, und das Land
müsste öde werden.

17 Oder wenn ich das Schwert kommen
ließe über dies Land und sprechen würde:
Schwert, fahre durchs Land!, und würde
Menschen und Vieh ausrotten, 18 und
diese drei Männer wären darin – so wahr
ich lebe, spricht Gott der HERR: Sie wür-
den weder Söhne noch Töchter retten,
sondern sie allein würden errettet werden.

19 Oder wenn ich die Pest in dies Land
schicken und meinen Grimm darüber
ausschütten würde mit Blutvergießen,
um Menschen und Vieh darin auszurot-
ten, 20 und Noah, Daniel und Hiob wären
darin – so wahr ich lebe, spricht Gott der
HERR: Sie würden durch ihre Gerechtig-
keit weder Sohn noch Tochter retten, son-
dern allein ihr eigenes Leben.

21 Denn so spricht Gott der HERR:
Wenn ich meine [a]vier schweren Strafen,
Schwert, Hunger, wilde Tiere und Pest,
über Jerusalem schicken werde, um darin
auszurotten Menschen und Vieh, 22 siehe,
so sollen einige übrig bleiben und davon-
kommen, die Söhne und Töchter heraus-
bringen werden. Die sollen zu euch kom-

14,1 *a* Kap 20,1 **14,9** *a* 1. Kön 22,20-23
14,10 *a* (10-11) Kap 3,17-20 **14,11** *a* Kap 11,20
14,13 *a* Kap 4,16 **14,14** *a* Jer 15,1 **14,21** *a* Kap 5,17;
3. Mose 26,16-25; Jer 15,3; Offb 6,8

men, und ihr werdet ihren Wandel und
ihre Taten sehen und euch trösten über
das Unheil, das ich über Jerusalem habe
kommen lassen, und über all das andre,
das ich über die Stadt habe kommen las-
sen. 23 Sie werden euer Trost sein, wenn
ihr sehen werdet ihren Wandel und ihre
Taten, und ihr werdet erfahren, dass ich
nicht ohne Grund getan habe, was ich an
Jerusalem getan habe, spricht Gott der
HERR.

DAS GLEICHNIS VOM UNBRAUCHBAREN REBHOLZ

15 Und des HERRN Wort geschah zu mir:
2 Du Menschenkind, was hat das Holz
des Weinstocks voraus vor anderm Holz,
das Rebholz, das im Gehölz wächst?
3 Nimmt man es denn und macht etwas
daraus? Macht man auch nur einen Pflock
daraus, an den man etwas hängen kann?
4 Siehe, [a]man wirft's ins Feuer, dass es ver-
zehrt wird. Wenn das Feuer seine beiden
Enden verzehrt hat und die Mitte versengt
ist, wozu sollte es dann noch taugen?
5 Siehe, als es noch unversehrt war, konnte
man nichts daraus machen; wie viel weni-
ger kann dann noch daraus gemacht wer-
den, wenn es das Feuer verzehrt und
versengt hat!

6 Darum, so spricht Gott der HERR:
Wie ich das Holz des Weinstocks, das im
Gehölz wächst, dem Feuer zu verzehren
gebe, so will ich auch die Einwohner Jeru-
salems dahingeben 7 und will mein Ange-
sicht gegen sie richten: Sie sind dem Feuer
entgangen, aber das Feuer soll sie doch
fressen! Und ihr sollt erfahren, dass ich
der HERR bin, wenn ich mein Angesicht
gegen sie richte 8 und das Land zur Einöde
mache, weil sie die Treue gebrochen ha-
ben, spricht Gott der HERR.

JERUSALEM – EINE TREULOSE FRAU

(vgl. Kap 23,1-49)

16 Und des HERRN Wort geschah zu
mir: 2 Du Menschenkind, tu kund der
Stadt Jerusalem ihre Gräuel 3 und sprich:
So spricht Gott der HERR zu Jerusa-
lem: Nach Herkunft und Geburt bist du
aus dem Lande der Kanaaniter, dein Va-
ter war ein Amoriter, deine Mutter eine
Hetiterin. 4 Bei deiner Geburt war es so:
Als du geboren wurdest, hat man deine
Nabelschnur nicht abgeschnitten; auch
hat man dich nicht mit Wasser gebadet,
damit du sauber würdest, dich nicht mit
Salz abgerieben und nicht in Windeln
gewickelt. 5 Denn niemand sah mitleidig
auf dich und erbarmte sich, dass er et-
was von all dem an dir getan hätte, son-
dern du wurdest aufs Feld geworfen. So
verachtet war dein Leben, als du geboren
wurdest.

6 Ich aber ging an dir vorüber und sah
dich in deinem Blut strampeln und sprach
zu dir, als du so in deinem Blut dalagst:
Du sollst leben! Ja, zu dir sprach ich, als
du so in deinem Blut dalagst: Du sollst le-
ben 7 und heranwachsen; wie ein Gewächs
auf dem Felde machte ich dich. Und du
wuchsest heran und wurdest groß und
sehr schön. Deine Brüste wuchsen und
du bekamst lange Haare; aber du warst
noch nackt und bloß. 8 Und ich ging an dir
vorüber und sah dich an, und siehe, es war
die Zeit, um dich zu werben. Da [a]breitete
ich meinen Mantel über dich und bedeckte
deine Blöße. Und ich schwor dir's und
[b]schloss mit dir einen Bund, spricht Gott
der HERR, und du wurdest mein. 9 Und
ich badete dich mit Wasser und wusch
dich rein von deinem Blut und salbte dich
mit Öl 10 und kleidete dich mit bunten
Kleidern und zog dir Schuhe von feinem
Leder an. Ich gab dir einen Kopfbund
aus kostbarem Leinen und hüllte dich in
Seide. 11 Ich schmückte dich mit Kleinoden
und legte Spangen an deine Arme und
eine Kette um deinen Hals 12 und gab dir
einen Ring an deine Nase und Ohrringe
an deine Ohren und eine schöne Krone auf
dein Haupt. 13 So warst du geschmückt mit
Gold und Silber und gekleidet mit kostba-
rem Leinen, Seide und bunten Kleidern.
Du aßest feinstes Mehl, Honig und Öl
und wurdest überaus schön und kamst
zu königlichen Ehren. 14 Und dein Ruhm
erscholl unter den Völkern deiner Schön-
heit wegen, die vollkommen war durch
den Schmuck, den ich dir angelegt hatte,
spricht Gott der HERR.

15 Aber du verließest dich auf deine
Schönheit. Und weil du so gerühmt wur-

15,4 *a* Joh 15,6 **16,8** *a* Rut 3,9 *b* 2. Mose 19,5

dest, [a]triebst du Hurerei und botest dich
jedem an, der vorüberging, und warst ihm
zu Willen. 16 Du nahmst von deinen Klei-
dern und machtest dir bunte Opferhö-
hen und triebst auf ihnen deine Hurerei,
wie es nie geschehen ist noch geschehen
wird. 17 Du nahmst auch dein schönes Ge-
schmeide, das ich dir von meinem Gold
und Silber gegeben hatte, und [a]mach-
test dir Bilder von Männern daraus und
triebst deine Hurerei mit ihnen. 18 Und
du nahmst deine bunten Kleider und be-
decktest sie damit, und mein Öl und Räu-
cherwerk legtest du ihnen vor. 19 Meine
Speise, die ich dir zu essen gab, feinstes
Mehl, Öl und Honig, legtest du ihnen vor
zum lieblichen Geruch. Ja, es kam dahin,
spricht Gott der HERR, 20 [a]dass du deine
Söhne und Töchter nahmst, die du mir
geboren hattest, und opfertest sie ihnen
zum Fraß. War es denn noch nicht genug
mit deiner Hurerei, 21 dass du meine Kin-
der schlachtetest und ließest sie für die
Götzen verbrennen? 22 Und bei all deinen
Gräueln und deiner Hurerei hast du nie
gedacht an die Zeit deiner Jugend, wie du
bloß und nackt warst und strampelnd in
deinem Blute lagst.

23 Und nach all diesen deinen Übelta-
ten – o weh, weh dir!, spricht Gott der
HERR – 24 bautest du dir [a]einen Hurenaltar
und machtest dir ein Lager darauf an allen
Plätzen. 25 An jeder Straßenecke bautest
du dein Hurenlager und machtest deine
Schönheit zum Abscheu. Du spreiztest
deine Beine für alle, die vorübergingen,
und triebst viel Hurerei. 26 Zuerst triebst
du Hurerei mit den Ägyptern, deinen
Nachbarn voller Geilheit, und triebst viel
Hurerei, um mich zu reizen. 27 Ich aber
streckte meine Hand aus gegen dich und
minderte deinen Anteil und gab dich preis
der Willkür derer, die dich hassen, der
Töchter der Philister, die sich schämten
über dein schamloses Treiben.

28 Danach [a]triebst du Hurerei mit den
Assyrern, weil du nicht satt geworden
warst; du triebst mit ihnen Hurerei und
wurdest auch hier nicht satt. 29 Da triebst
du noch mehr Hurerei mit Chaldäa, dem
Land der Händler; doch auch da wurdest
du nicht satt. 30 Wie fieberte doch dein
Herz, spricht Gott der HERR, dass du alle
diese Werke einer großen Erzhure tatest:
31 dass du deinen Hurenaltar bautest an al-
len Straßenecken und dir ein Hurenlager
machtest auf allen Plätzen! Dazu warst du
nicht wie sonst eine Hure; denn du hast
ja Geld dafür verschmäht. – 32 Diese Ehe-
brecherin! Fremde nimmt sie statt ihres
Mannes! 33 Allen andern Huren gibt man
Geld; du aber gibst allen deinen Lieb-
habern noch Geld dazu und kaufst sie,
damit sie von überall her zu dir kommen
und mit dir Hurerei treiben. 34 So ist es bei
dir mit deiner Hurerei umgekehrt wie bei
andern Frauen, weil man dir nicht nach-
läuft und dir nicht Geld gibt, sondern du
noch Geld dazugibst; bei dir ist es also
umgekehrt.

35 Darum, du Hure, höre des HERRN
Wort! 36 So spricht Gott der HERR: Weil
du bei deiner Hurerei deine Scham ent-
blößtest und deine Blöße vor deinen Lieb-
habern aufdecktest und wegen all deiner
gräulichen Götzen und wegen des Blu-
tes deiner Kinder, die du ihnen geopfert
hast: 37 Darum, siehe, ich will sammeln
alle deine Liebhaber, denen du gefallen
hast, alle, die du geliebt, samt allen, die du
verschmäht hast, und will sie gegen dich
versammeln von überall her und [a]will ih-
nen deine Blöße aufdecken, dass sie deine
ganze Blöße sehen sollen. 38 Und ich will
dich richten, [a]wie man Ehebrecherinnen
und Mörderinnen richtet; ich lasse Grimm
und Eifer über dich kommen. 39 Und ich
will dich in ihre Hände geben, dass sie dei-
nen Hurenaltar abbrechen und dein Lager
einreißen und dir deine Kleider ausziehen
und dein schönes Geschmeide dir neh-
men und dich nackt und bloß liegen las-
sen. 40 Und sie sollen eine Versammlung
gegen dich einberufen und dich [a]steinigen
und mit ihren Schwertern zerhauen 41 und
[a]deine Häuser mit Feuer verbrennen und
an dir das Gericht vollstrecken vor den
Augen vieler Frauen. So will ich deiner
Hurerei ein Ende machen und auch Geld
sollst du nicht mehr dafür geben. 42 Dann
kommt mein Grimm gegen dich zum Ziel,

16,15 ***a*** Jer 2,20 **16,17** ***a*** Hos 8,4
16,20 ***a*** (20-21) Kap 20,26; 23,37; 5. Mose 12,31;
2. Kön 16,3; Jer 7,31 **16,24** ***a*** Jer 11,13 **16,28** ***a*** Kap 23,12
16,37 ***a*** Jer 13,26 **16,38** ***a*** 3. Mose 20,10
16,40 ***a*** 5. Mose 22,23-24 **16,41** ***a*** 2. Kön 25,9

und mein Eifer lässt von dir ab, sodass ich
Ruhe habe und nicht mehr zürnen muss.
43 Weil du nicht gedacht hast an die Zeit
deiner Jugend, sondern mich mit all dem
zum Zorn gereizt hast, darum will ich
auch all dein Tun auf deinen Kopf kom-
men lassen, spricht Gott der HERR. Hast
du nicht Unzucht getrieben zu all deinen
Gräueltaten hinzu?

44 Siehe, wer gern in Sprichwörtern re-
det, wird von dir dies Sprichwort sagen:
»Wie die Mutter, so die Tochter.« 45 Du
bist die Tochter deiner Mutter, die ihren
Mann und ihre Kinder von sich stieß, und
bist die Schwester deiner Schwestern, die
ihre Männer und Kinder von sich stie-
ßen. [a]Eure Mutter war eine Hetiterin und
euer Vater ein Amoriter. 46 Deine große
Schwester ist Samaria mit ihren Töch-
tern, die dir zur Linken wohnt, und deine
kleine Schwester ist Sodom mit ihren
Töchtern, die zu deiner Rechten wohnt.
47 Es war dir nicht genug, in ihren Wegen
zu gehen und nach ihren Gräueln zu tun;
du hast es noch ärger getrieben als sie in
all deinem Tun. 48 So wahr ich lebe, spricht
Gott der HERR: [a]Sodom, deine Schwester,
samt ihren Töchtern hat's nicht so getrie-
ben wie du und deine Töchter. 49 Siehe,
das war die Schuld deiner Schwester So-
dom: Stolz und alles in Fülle und sorg-
lose Ruhe hatte sie mit ihren Töchtern;
aber dem Armen und Elenden halfen sie
nicht, 50 sondern waren hoffärtig und ta-
ten Gräuel vor mir. [a]Darum habe ich sie
auch hinweggetan, wie du gesehen hast.
51 So hat auch Samaria nicht die Hälfte
deiner Sünden getan, sondern du hast so
viel mehr Gräuel getan als [a]deine Schwes-
tern, dass sie gerecht dastehen gegenüber
all den Gräueln, die du getan hast. 52 So
trag du nun auch deine Schande, weil du
an die Stelle deiner Schwestern getre-
ten bist durch deine Sünden, mit denen
du größere Gräuel getan hast als sie; sie
stehen gerechter da als du. So schäme du
dich nun auch und trag deine Schande,
während deine Schwestern gerecht da-
stehen.

53 Ich will aber [a]ihr Geschick wenden,
nämlich das Geschick Sodoms und ihrer
Töchter und das Geschick Samarias und
ihrer Töchter und auch dein Geschick in
ihrer Mitte, 54 dass du deine Schande tra-
gen musst und dich über all das schämst,
was du getan hast, ihnen zum Trost.
55 Und deine Schwestern, Sodom und ihre
Töchter, sollen wieder werden, wie sie zu-
vor gewesen sind, und Samaria und ihre
Töchter sollen wieder werden, wie sie zu-
vor gewesen sind; und auch du und deine
Töchter sollen wieder werden, wie ihr
zuvor gewesen seid. 56 Und hast du nicht
über deine Schwester Sodom gelästert zur
Zeit deines Hochmuts, 57 als deine Blöße
noch nicht aufgedeckt war, wie zur Zeit,
als dich die Töchter Edoms und die Töch-
ter der Philister überall schmähten und
dich ringsumher verachteten? 58 Deine
Schandtat und deine Gräuel – die musst
du tragen, spricht der HERR.

59 Denn so spricht Gott der HERR: Ich
will dir tun, wie du getan hast, als du den
Eid verachtet und den Bund gebrochen
hast. 60 Ich will aber [a]gedenken an meinen
Bund, den ich mit dir geschlossen habe
[b]zur Zeit deiner Jugend, und will mit dir
[c]einen ewigen Bund aufrichten. 61 Dann
[a]wirst du an deine Wege denken und dich
schämen, wenn ich deine großen und klei-
nen Schwestern nehmen und sie dir zu
Töchtern geben werde, aber nicht um dei-
nes Bundes willen. 62 Und ich will meinen
Bund mit dir aufrichten, sodass du erfah-
ren sollst, dass ich der HERR bin, 63 damit
[a]du daran denkst und dich schämst und
vor Schande deinen Mund nicht mehr auf-
zutun wagst, wenn ich dir alles vergeben
werde, was du getan hast, spricht Gott der
HERR.

DAS GLEICHNIS VOM ZEDERNWIPFEL UND VOM WEINSTOCK

17 Und des HERRN Wort geschah zu mir:
2 Du Menschenkind, lege dem Hause
Israel ein Rätsel vor und ein Gleichnis
3 und sprich: So spricht Gott der HERR:
Ein großer Adler mit großen Flügeln und
langen Fittichen und vollen Schwingen,
die bunt waren, kam auf den Libanon
und nahm hinweg den Wipfel einer Ze-
der 4 und brach die Spitze ab und führte

16,45 *a* Vers 3 **16,48** *a* Mt 10,15 **16,50** *a* 1. Mose 19,24
16,51 *a* Jer 3,11 **16,53** *a* 5. Mose 30,3
16,60 *a* 3. Mose 26,45 *b* Vers 8; Hos 2,17 *c* Kap 37,26;
Jer 31,31-34 **16,61** *a* Kap 20,43 **16,63** *a* Kap 36,31-32

sie [a]ins Land der Händler und setzte sie
in die Stadt der Kaufleute. 5 Dann nahm
er ein Gewächs des Landes und pflanzte
es in gutes Land, wo viel Wasser war, und
setzte es am Ufer ein. 6 Und es wuchs und
wurde ein ausgebreiteter [a]Weinstock mit
niedrigem Stamm; denn seine Ranken
bogen sich zu ihm und seine Wurzeln
blieben unter ihm; und so wurde es ein
Weinstock, der Schösslinge hervortrieb
und Zweige. 7 Da kam ein anderer gro-
ßer Adler mit großen Flügeln und starken
Schwingen. Und siehe, der Weinstock
bog seine Wurzeln zu diesem Adler hin
und streckte seine Ranken ihm entge-
gen; der Adler sollte ihm mehr Wasser
geben als das Beet, in das er gepflanzt
war. 8 Und er war doch auf guten Boden
an viel Wasser gepflanzt, sodass er wohl
hätte Zweige bringen können, Früchte
tragen und ein herrlicher Weinstock
werden.

9 So sage nun: So spricht Gott der HERR:
Sollte der geraten? Wird man nicht seine
Wurzeln ausreißen, dass seine Früchte
verderben? Und er wird verdorren; alle
Blätter, die ihm gewachsen sind, werden
verwelken. Ohne große Kraft und ohne
viel Volk wird man ihn mit seinen Wur-
zeln ausreißen. 10 Siehe, er ist zwar ge-
pflanzt; aber sollte er geraten? Sobald der
Ostwind ihn trifft, wird er verdorren auf
dem Beet, auf dem er gewachsen ist.

11 Und des HERRN Wort geschah zu
mir: 12 Sprich doch zu dem Haus des Wi-
derspruchs: Wisst ihr nicht, was damit
gemeint ist? Und sprich: Siehe, [a]es kam
der König von Babel nach Jerusalem und
nahm seinen König und seine Oberen
und führte sie weg zu sich nach Babel.
13 [a]Und er nahm einen vom königlichen
Geschlecht und schloss einen Bund mit
ihm und nahm einen Eid von ihm; aber
die Gewaltigen im Lande führte er fort,
14 damit das Königtum niedrig bliebe
und sich nicht erheben könnte, sondern
sein Bund gehalten würde und bestünde.
15 Aber er fiel von ihm ab und sandte seine
Boten nach Ägypten, dass man ihm Rosse
und viel Kriegsvolk schicken sollte. Sollte
es ihm gelingen? Sollte davonkommen,
wer das tut? Sollte davonkommen, wer
den Bund bricht? 16 So wahr ich lebe,
spricht Gott der HERR: An dem Ort des
Königs, der ihn als König eingesetzt hat,
dessen Eid er verachtet und dessen Bund
er gebrochen hat, da soll er sterben, mit-
ten in Babel. 17 Auch wird ihm der Pha-
rao nicht beistehen im Kriege mit einem
großen Heer und viel Volk, wenn man
zum Sturm den Wall aufwerfen und die
Bollwerke bauen wird, sodass viele um-
kommen. 18 Denn weil er den Eid ver-
achtet und den Bund gebrochen hat, weil
er seine Hand darauf gegeben und doch
dies alles getan hat, wird er nicht davon-
kommen.

19 Darum, so spricht Gott der HERR: So
wahr ich lebe, will ich meinen Eid, den er
verachtet hat, und meinen Bund, den er
gebrochen hat, auf seinen Kopf kommen
lassen. 20 Ich will [a]mein Netz über ihn wer-
fen, und er soll in meinem Garn gefangen
werden, und ich will ihn nach Babel brin-
gen und will dort mit ihm ins Gericht ge-
hen, weil er mir die Treue gebrochen hat.
21 Und alle Auserlesenen von seiner gan-
zen Streitmacht sollen durchs Schwert
fallen, und alle, die übrig geblieben sind,
sollen in alle Winde zerstreut werden,
und ihr sollt erfahren, dass ich, der HERR,
es geredet habe.

22 So spricht Gott der HERR: Dann will
ich selbst von dem Wipfel der Zeder die
Spitze wegnehmen und ihr einen Platz
geben; ich will oben von ihren Zweigen
[a]ein zartes Reis brechen und will's auf
einen hohen und erhabenen Berg pflan-
zen. 23 [a]Auf den hohen Berg Israels will
ich's pflanzen, dass es Zweige gewinnt
und Früchte bringt und ein herrlicher
Zedernbaum wird, sodass [b]Vögel aller
Art in ihm wohnen und alles, was fliegt,
im Schatten seiner Zweige bleiben kann.
24 Und alle Bäume auf dem Felde sollen
erkennen, dass ich der HERR bin: Ich [a]er-
niedrige den hohen Baum und erhöhe
den niedrigen; ich lasse den grünen Baum
verdorren und den dürren Baum lasse ich
grünen. Ich, der HERR, rede es und tue es
auch.

17,4 ***a*** Kap 16,29 **17,6** ***a*** Kap 19,10
17,12 ***a*** 2. Kön 24,10.15-16 **17,13** ***a*** (13-15) 2. Kön 24,17;
2. Chr 36,13 **17,20** ***a*** Kap 12,13 **17,22** ***a*** Jes 11,1
17,23 ***a*** Kap 20,40 ***b*** Dan 4,9; Mt 13,32 **17,24** ***a*** Kap 21,31;
1. Sam 2,7-8

GOTT RICHTET JEDEN NACH SEINEM TUN UND WARTET AUF UMKEHR

18 Und des HERRN Wort geschah zu mir:
2 Was habt ihr unter euch im Lande Is-
raels für ein Sprichwort: [a]»Die Väter haben
saure Trauben gegessen, aber den Kindern
sind die Zähne davon stumpf geworden«?
3 So wahr ich lebe, spricht Gott der HERR:
Dies Sprichwort soll nicht mehr unter
euch umgehen in Israel. 4 Denn siehe, alle
Menschen gehören mir; die Väter gehören
mir so gut wie die Söhne; jeder, der sün-
digt, soll sterben.

5 Wenn nun einer gerecht ist und Recht
und Gerechtigkeit übt, 6 der von den Hö-
henopfern nicht isst und seine Augen
nicht aufhebt zu den Götzen des Hauses
Israel, der [a]seines Nächsten Frau nicht
befleckt und [b]nicht liegt bei einer Frau in
ihrer Unreinheit, 7 der niemand bedrückt,
der [a]dem Schuldner sein Pfand zurückgibt
und niemand etwas mit Gewalt nimmt,
der [b]mit dem Hungrigen sein Brot teilt
und den Nackten kleidet, 8 der [a]nicht auf
Zinsen gibt und keinen Aufschlag nimmt,
der seine Hand von Unrecht zurückhält
und rechtes Urteil fällt unter den Leu-
ten, 9 der nach meinen Gesetzen lebt und
meine Gebote hält, dass er treu danach
tut: Das ist ein Gerechter, der soll das Le-
ben behalten, spricht Gott der HERR.

10 Wenn er aber einen gewalttätigen
Sohn zeugt, der Blut vergießt oder eine
dieser Sünden tut, 11 während der Vater
all das nicht getan hat: wenn er von den
Höhenopfern isst und seines Nächsten
Frau befleckt, 12 die Armen und Elenden
bedrückt, mit Gewalt etwas nimmt, das
Pfand nicht zurückgibt, seine Augen zu
den Götzen aufhebt und Gräuel begeht,
13 auf Zinsen gibt und einen Aufschlag
nimmt – sollte der am Leben bleiben? Er
soll nicht leben, sondern weil er alle diese
Gräuel getan hat, soll er des Todes sterben;
seine Blutschuld komme über ihn.

14 [a]Wenn der dann aber einen Sohn
zeugt, der alle diese Sünden sieht, die
sein Vater tut – wenn er sie sieht und doch
nicht so handelt, 15 nicht von den Höhen-
opfern isst, seine Augen nicht aufhebt zu
den Götzen des Hauses Israel, nicht sei-
nes Nächsten Frau befleckt, 16 niemand
bedrückt, kein Pfand fordert, nichts mit
Gewalt nimmt, sein Brot mit dem Hung-
rigen teilt und den Nackten kleidet, 17 sei-
ne Hand von Unrecht zurückhält, nicht
Zinsen noch Aufschlag nimmt, sondern
meine Gebote hält und nach meinen Ge-
setzen lebt: Der soll nicht sterben um der
Schuld seines Vaters willen, sondern soll
am Leben bleiben. 18 Aber sein Vater, der
Gewalt und Unrecht geübt und unter sei-
nem Volk getan hat, was nicht taugt, siehe,
der soll sterben um seiner Schuld willen.

19 Doch ihr sagt: [a]»Warum soll denn ein
Sohn nicht die Schuld seines Vaters tra-
gen?« Weil der Sohn Recht und Gerech-
tigkeit geübt und alle meine Gesetze ge-
halten und danach getan hat, soll er am
Leben bleiben. 20 Denn nur wer sündigt,
der soll sterben. [a]Der Sohn soll nicht tra-
gen die Schuld des Vaters, und der Vater
soll nicht tragen die Schuld des Sohnes,
sondern die Gerechtigkeit des Gerechten
soll ihm allein zugutekommen, und die
Ungerechtigkeit des Ungerechten soll auf
ihm allein liegen.

21 [a]Wenn sich aber der Gottlose bekehrt
von allen seinen Sünden, die er getan
hat, und hält alle meine Gesetze und übt
Recht und Gerechtigkeit, so soll er am Le-
ben bleiben und nicht sterben. 22 Es [a]soll
an alle seine Übertretungen, die er began-
gen hat, nicht gedacht werden, sondern
er soll am Leben bleiben um der Gerech-
tigkeit willen, die er getan hat. 23 **Meinst
du, dass ich Gefallen habe am Tode des
Gottlosen, spricht Gott der HERR, und
nicht vielmehr daran, dass [a]er sich be-
kehrt von seinen Wegen und am Leben
bleibt?**

24 Und [a]wenn sich der Gerechte abkehrt
von seiner Gerechtigkeit und tut Unrecht
und lebt nach allen Gräueln, die der Gott-
lose tut, sollte der am Leben bleiben? An
alle seine Gerechtigkeit, die er getan hat,
soll nicht gedacht werden, sondern wegen
seines Treubruchs und seiner Sünde, die
er getan hat, soll er sterben.

25 Und doch sagt ihr: »Der Herr handelt

18,2 *a* Jer 31,29 **18,6** *a* 3. Mose 18,20 *b* 3. Mose 18,19
18,7 *a* 5. Mose 24,10-13 *b* Jes 58,7 **18,8** *a* 2. Mose 22,24; Ps 15,5 **18,14** *a* (14-17) 5. Mose 24,16
18,19 *a* 2. Mose 20,5 **18,20** *a* 2. Kön 14,6
18,21 *a* (21-32) Kap 33,10-20 **18,22** *a* Jes 43,25
18,23 *a* 1. Tim 2,4 **18,24** *a* Kap 3,20

nicht recht.« So höret nun, ihr vom Hause
Israel: Handle denn *ich* unrecht? Ist's nicht
vielmehr so, dass *ihr* unrecht handelt?
26 Denn wenn der Gerechte sich abkehrt
von seiner Gerechtigkeit und tut Unrecht,
so muss er deswegen sterben; um seines
Unrechts willen, das er getan hat, stirbt
er. 27 Wenn sich dagegen [a]der Ungerechte
abkehrt von seiner Ungerechtigkeit, die
er getan hat, und übt nun Recht und Ge-
rechtigkeit, der wird sein Leben erhalten.
28 Denn weil er es gesehen und sich be-
kehrt hat von allen seinen Übertretun-
gen, die er begangen hat, so soll er leben
und nicht sterben. 29 Und doch sprechen
die vom Hause Israel: »Der Herr handelt
nicht recht.« Sollte *ich* unrecht handeln,
Haus Israel? Ist es nicht vielmehr so, dass
ihr unrecht handelt? 30 Darum will ich
euch richten, ihr vom Hause Israel, einen
jeden nach seinem Weg, spricht Gott der
HERR. Kehrt um und kehrt euch ab von al-
len euren Übertretungen, damit ihr nicht
durch sie in Schuld fallt.

31 Werft von euch alle eure Übertretun-
gen, die ihr begangen habt, und macht
euch [a]ein neues Herz und einen neuen
Geist. Denn warum wollt ihr sterben,
ihr vom Haus Israel? 32 Denn ich habe
kein Gefallen am Tod dessen, der sterben
müsste, spricht Gott der HERR. Darum
bekehrt euch, so werdet ihr leben.

KLAGELIED ÜBER DAS GESCHICK DES KÖNIGSHAUSES

19 Und du, stimm ein Klagelied an über
die Fürsten Israels 2 und sprich: Welch
eine Löwin war deine Mutter! [a]Unter Lö-
wen lagerte sie, unter jungen Löwen zog
sie ihre Jungen auf. 3 Und eins ihrer Jun-
gen zog sie groß, und es wurde ein junger
Löwe daraus; der lernte, Tiere zu reißen,
ja, Menschen fraß er. 4 Da boten sie Völ-
ker gegen ihn auf. Die fingen ihn in ihrer
Grube und [a]führten ihn an Ketten nach
Ägyptenland.

5 [a]Als nun die Mutter sah, dass ihre Hoff-
nung verloren war, nachdem sie lange
gehofft hatte, nahm sie ein andres von
ihren Jungen und machte einen jungen
Löwen daraus. 6 Der lebte unter den Lö-
wen, wurde ein junger Löwe und lernte,
Tiere zu reißen, ja, Menschen fraß er. 7 Er
zerstörte ihre Burgen und verwüstete ihre
Städte, dass das Land und was darin war
vor seinem lauten Brüllen sich entsetzte.
8 Da stellten sie Völker aus allen Ländern
ringsumher gegen ihn auf und warfen
ihr Netz über ihn und fingen ihn in ihrer
Grube 9 und stießen ihn gefesselt in einen
Käfig und [a]führten ihn zum König von Ba-
bel; und man brachte ihn in Gewahrsam,
damit seine Stimme nicht mehr gehört
würde auf den Bergen Israels.

10 Deine Mutter war [a]wie ein Weinstock
im Weingarten, am Wasser gepflanzt;
fruchtbar und voller Ranken war er von
dem vielen Wasser; 11 seine Ranken wur-
den so stark, dass sie zu Zeptern taugten;
sein Wuchs wurde hoch bis an die Wol-
ken und man sah, dass er so hoch war und
so viele Ranken hatte. 12 Aber er wurde im
Grimm ausgerissen und zu Boden gewor-
fen. Der Ostwind ließ seine Frucht ver-
dorren, und seine starken Ranken wur-
den zerbrochen, dass sie verdorrten und
verbrannt wurden. 13 Nun ist er gepflanzt
in eine Wüste, in ein dürres, durstiges
Land, 14 und ein Feuer ging aus von einer
Ranke; das verzehrte seine Triebe und
seine Frucht. Es blieb an ihm keine starke
Ranke mehr für ein Zepter.

Das ist ein Klagelied; zum Klagelied ist
es geworden.

GOTT ERHÄLT ISRAEL UM SEINES NAMENS WILLEN

20 Und es begab sich im siebenten Jahr
am zehnten Tage des fünften Monats,
da kamen [a]einige von den Ältesten Israels,
den HERRN zu befragen, und setzten sich
vor mir nieder. 2 Da geschah des HERRN
Wort zu mir: 3 Du Menschenkind, sage
den Ältesten Israels und sprich zu ihnen:
So spricht Gott der HERR: Seid ihr gekom-
men, mich zu befragen? So wahr ich lebe:
[a]Ich lasse mich nicht von euch befragen,
spricht Gott der HERR. 4 Willst du sie rich-
ten, du Menschenkind? Willst du richten?
[a]Zeige ihnen die Gräueltaten ihrer Väter
5 und sprich zu ihnen:

18,27 *a* Jes 55,7 **18,31** *a* Kap 11,19 **19,2** *a* 1. Mose 49,9
19,4 *a* 2. Kön 23,31-34; Jer 22,11-12
19,5 *a* (5-6) 2. Kön 24,6.8-9 **19,9** *a* 2. Kön 24,15
19,10 *a* Kap 17,6 **20,1** *a* Kap 14,1 **20,3** *a* Kap 14,3
20,4 *a* Kap 22,2; 23,36

So spricht Gott der HERR: Zu der Zeit,
[a]als ich Israel erwählte, erhob ich meine
Hand zum Schwur für das Geschlecht
des Hauses Jakob und gab mich ihnen zu
erkennen in Ägyptenland. Ja, ich erhob
meine Hand für sie und schwor: Ich bin
der HERR, euer Gott. 6 Ich erhob zur sel-
ben Zeit meine Hand zum Schwur, dass
[a]ich sie führen würde aus Ägyptenland in
ein Land, das ich für sie ausersehen hatte,
das von Milch und Honig fließt, ein edles
Land vor allen Ländern, 7 und sprach zu
ihnen: [a]Ein jeder werfe weg die Gräuel-
bilder vor seinen Augen, und macht euch
nicht unrein mit den Götzen Ägyptens;
denn ich bin der HERR, euer Gott. 8 Sie
aber waren mir ungehorsam und woll-
ten mir nicht gehorchen, und keiner von
ihnen warf die Gräuelbilder vor seinen
Augen weg, und sie verließen die Götzen
Ägyptens nicht. Da dachte ich, meinen
Grimm über sie auszuschütten und mei-
nen ganzen Zorn an ihnen auszulassen
noch in Ägyptenland. 9 Aber ich unterließ
es [a]um meines Namens willen, [b]damit er
nicht entheiligt würde vor den Völkern,
unter denen sie waren und vor deren Au-
gen ich mich ihnen zu erkennen gegeben
hatte, dass ich sie aus Ägyptenland führen
wollte.

10 Und als ich sie aus Ägyptenland ge-
führt und in die Wüste gebracht hatte,
11 gab ich ihnen meine Gebote und lehrte
sie meine Gesetze, [a]durch die der Mensch
lebt, der sie hält. 12 Ich gab ihnen auch
[a]meine Sabbate zum Zeichen zwischen
mir und ihnen, damit sie erkannten, dass
ich der HERR bin, der sie heiligt. 13 [a]Aber
das Haus Israel war mir ungehorsam auch
in der Wüste, und sie lebten nicht nach
meinen Geboten und verachteten meine
Gesetze, durch die der Mensch lebt, der
sie hält, und sie entheiligten meine Sab-
bate sehr. Da gedachte ich, meinen Grimm
über sie auszuschütten in der Wüste und
sie ganz und gar umzubringen. 14 Aber ich
unterließ es um meines Namens willen,
damit er nicht entheiligt würde vor den
Völkern, vor deren Augen ich sie heraus-
geführt hatte. 15 Doch ich erhob meine
Hand in der Wüste und [a]schwor ihnen,
sie nicht in das Land zu bringen, das ich
ihnen bestimmt hatte, das von Milch und
Honig fließt, ein edles Land vor allen Län-
dern, 16 weil sie meine Gesetze verachtet
und nicht nach meinen Geboten gelebt
und meine Sabbate entheiligt hatten;
denn ihr Herz folgte ihren Götzen nach.
17 Aber mein Auge blickte schonend auf
sie, dass ich sie nicht vertilgte; ich habe
mit ihnen nicht ein Ende gemacht in der
Wüste.

18 Und ich sprach zu ihren Söhnen in der
Wüste: Ihr sollt nicht nach den Geboten
eurer Väter leben und ihre Gesetze nicht
halten und mit ihren Götzen euch nicht
unrein machen; 19 denn ich bin der HERR,
euer Gott. Nach meinen Geboten sollt ihr
leben, und meine Gesetze sollt ihr halten
und danach tun; 20 und meine Sabbate sollt
ihr heiligen, dass sie ein Zeichen seien
zwischen mir und euch, damit ihr wisst,
dass ich, der HERR, euer Gott bin. 21 Aber
auch die Söhne waren mir ungehorsam,
lebten nicht nach meinen Geboten, hiel-
ten auch meine Gesetze nicht, dass sie da-
nach taten, durch die der Mensch lebt, der
sie hält, und entheiligten meine Sabbate.
Da gedachte ich, meinen Grimm über sie
auszuschütten und meinen ganzen Zorn
an ihnen auszulassen in der Wüste. 22 Ich
hielt aber meine Hand zurück und unter-
ließ es um meines Namens willen, damit
er nicht entheiligt würde vor den Völkern,
vor deren Augen ich sie herausgeführt
hatte. 23 Doch ich erhob meine Hand in
der Wüste und schwor ihnen, [a]sie unter
die Völker zu zerstreuen und in die Länder
zu versprengen, 24 weil sie meine Gesetze
nicht gehalten und meine Gebote verach-
tet und meine Sabbate entheiligt hatten
und nach den Götzen ihrer Väter sahen.
25 Darum gab auch ich ihnen Gebote, die
nicht gut waren, und Gesetze, durch die
sie kein Leben haben konnten, 26 und ließ
sie unrein werden durch ihre Opfer, als sie
[a]alle Erstgeburt durchs Feuer gehen lie-
ßen, damit ich Entsetzen über sie brachte
und sie so erkennen mussten, dass ich der
HERR bin.

20,5 ***a*** 2. Mose 6,7-8 **20,6** ***a*** 2. Mose 3,8
20,7 ***a*** Jos 24,14.23 **20,9** ***a*** Vers 14; Kap 36,21-22
b 2. Mose 32,12 **20,11** ***a*** 3. Mose 18,5; Lk 10,28
20,12 ***a*** 2. Mose 31,13-17 **20,13** ***a*** (13-14) 2. Mose 32,10-12
20,15 ***a*** 4. Mose 14,30 **20,23** ***a*** 3. Mose 26,33
20,26 ***a*** 2. Mose 13,2.13; 22,28

27 Darum rede, du Menschenkind, mit
dem Hause Israel und sprich zu ihnen: So
spricht Gott der HERR: Eure Väter haben
mich auch damit gelästert, dass sie mir die
Treue gebrochen haben, 28 als ich sie in das
Land gebracht hatte, über das ich meine
Hand erhoben hatte zu dem Schwur, es
ihnen zu geben: Wo sie irgendeinen ho-
hen Hügel oder dichten Baum sahen, da
opferten sie ihre Opfer und dahin brach-
ten sie ihre Gaben mir zum Ärgernis und
da legten sie ihre Räucheropfer nieder und
da gossen sie ihre Trankopfer aus. 29 Ich
aber sprach zu ihnen: Was ist das für eine
Höhe, auf die ihr geht? Daher heißt sie bis
auf diesen Tag »Höhe«.

30 Darum sprich zum Hause Israel: So
spricht Gott der HERR: Macht ihr euch
nicht unrein in der Weise eurer Väter und
treibt Abgötterei mit ihren Gräuelbildern?
31 Ihr macht euch unrein mit euren Göt-
zen bis auf den heutigen Tag dadurch, dass
ihr eure Gaben opfert und eure Söhne
und Töchter durchs Feuer gehen lasst.
Und da sollte ich mich von euch, Haus
Israel, befragen lassen? So wahr ich lebe,
spricht Gott der HERR: Ich will mich von
euch nicht befragen lassen. 32 Dazu soll
euch fehlschlagen, was euch in den Sinn
kommt, wenn ihr sagt: [a]Wir wollen sein
wie die Heiden, wie die Völker in den an-
dern Ländern, und Holz und Stein anbe-
ten. 33 So wahr ich lebe, spricht Gott der
HERR: Ich will über euch herrschen mit
starker Hand und ausgestrecktem Arm
und mit ausgeschüttetem Grimm 34 und
will euch aus den Völkern herausführen
und aus den Ländern, in die ihr zerstreut
worden seid, sammeln mit starker Hand,
mit ausgestrecktem Arm und mit ausge-
schüttetem Grimm 35 und will euch [a]in die
Wüste der Völker bringen und dort mit
euch ins Gericht gehen von Angesicht zu
Angesicht. 36 Wie ich [a]mit euren Vätern
in der Wüste von Ägypten ins Gericht
gegangen bin, ebenso will ich auch mit
euch ins Gericht gehen, spricht Gott der
HERR. 37 Ich will euch [a]unter dem Stabe
hindurchgehen lassen und [b]euch genau
abzählen 38 und will die Abtrünnigen und
die, die von mir abfielen, von euch ausson-
dern. Ja, aus dem Lande, in dem ihr jetzt
Fremdlinge seid, will ich sie herausfüh-
ren; aber ins Land Israels sollen sie nicht
hineinkommen, damit ihr erkennt: Ich bin
der HERR!

39 Aber ihr vom Hause Israel, so spricht
Gott der HERR: Weil ihr mir denn nicht
gehorchen wollt, so fahrt hin und dient
ein jeder seinem Götzen, aber meinen hei-
ligen Namen lasst hinfort ungeschändet
mit euren Opfern und Götzen! 40 Denn
so spricht Gott der HERR: Auf meinem
heiligen Berg, auf dem [a]hohen Berge Is-
raels, da wird mir das ganze Haus Israel
dienen, alle, die im Lande sind. Da werde
ich sie gnädig annehmen, und da will ich
eure Opfer und eure Erstlingsgaben for-
dern und alle eure heiligen Gaben. 41 Ich
will euch gnädig annehmen beim lieb-
lichen Geruch der Opfer, wenn ich euch
aus den Völkern bringen und aus den
Ländern sammeln werde, in die ihr zer-
streut worden seid, und ich werde mich
an euch als heilig erweisen vor den Augen
der Völker. 42 Und ihr werdet erfahren,
dass ich der HERR bin, wenn ich euch ins
Land Israels bringe, in das Land, über das
ich meine Hand erhob zu dem Schwur, es
euren Vätern zu geben. 43 Dort werdet ihr
gedenken an eure Wege und alle eure Ta-
ten, mit denen ihr euch unrein gemacht
habt, und werdet vor euch selbst Abscheu
haben wegen all der bösen Taten, die ihr
getan habt.[a] 44 Und ihr werdet erfahren,
dass ich der HERR bin, wenn ich so an
euch handle zur Ehre meines Namens und
nicht nach euren bösen Wegen und ver-
derblichen Taten, du Haus Israel, spricht
Gott der HERR.

DAS GLEICHNIS VOM WALDBRAND

21 Und des HERRN Wort geschah zu mir:
2 Du Menschenkind, richte dein Ange-
sicht nach Teman hin und rufe nach Süden
und weissage gegen den Wald im Süd-
land 3 und sprich zum Wald im Südland:
Höre des HERRN Wort! So spricht Gott
der HERR: Siehe, ich will in dir ein Feuer
anzünden, das soll jeden grünen und je-
den dürren Baum verzehren, dass man
seine Flamme nicht wird löschen können,
sondern es soll durch sie jedes Angesicht

20,32 *a* 2. Mose 23,24 **20,35** *a* Hos 2,16
20,36 *a* 4. Mose 14,22-23 **20,37** *a* 3. Mose 27,32
b Jer 33,13 **20,40** *a* Kap 17,23 **20,43** *a* Kap 36,31-32

versengt werden vom Südland bis zum
Norden hin. 4 Und alles Fleisch soll sehen,
dass ich, der HERR, es angezündet habe
und niemand es löschen kann. 5 Ich aber
sprach: Ach, Herr HERR, sie sagen von
mir: Redet der nicht immer in Rätseln?

EIN SCHWERT IST BEREIT

6 Und des HERRN Wort geschah zu mir:
7 Du Menschenkind, richte dein Ange-
sicht gegen Jerusalem und rede gegen sein
Heiligtum und weissage gegen das Land
Israels 8 und sprich zum Land Israels: So
spricht der HERR: Siehe, ich will an dich;
ich will mein Schwert aus der Scheide zie-
hen und will in dir ausrotten Gerechte
und Ungerechte. 9 Weil ich denn in dir
Gerechte und Ungerechte ausrotte, darum
soll mein Schwert aus der Scheide fahren
über alles Fleisch vom Südland bis zum
Norden hin. 10 Und alles Fleisch soll er-
fahren, dass ich, der HERR, mein Schwert
aus der Scheide gezogen habe; es soll nicht
wieder eingesteckt werden.
11 Und du, Menschenkind, sollst seuf-
zen, bis dir die Lenden wehtun, ja, bitter-
lich sollst du seufzen, dass sie es sehen!
12 Und wenn sie zu dir sagen werden:
Warum seufzest du?, so sollst du sagen:
Um einer Botschaft willen, die kommen
wird; vor ihr werden alle Herzen verzagen
und [a]alle Hände sinken, allen der Mut ent-
fallen und alle Knie weich werden. Siehe,
es kommt und wird geschehen, spricht
Gott der HERR.
13 Und des HERRN Wort geschah zu mir:
14 Du Menschenkind, weissage und sprich:
So spricht der Herr: Sprich: Ein Schwert,
ja, ein Schwert ist geschärft und geschlif-
fen. 15 Es ist geschärft, dass es schlach-
ten soll; es ist geschliffen, dass es blin-
ken soll. Wie sollten wir uns da freuen?
Mein Sohn, du hast den Stock verachtet
und jeden Rat. 16 Und er hat ein Schwert
zum Schleifen gegeben, dass man's ergrei-
fen soll; es ist geschärft und geschliffen,
dass man's dem Henker in die Hand gebe.
17 Schrei und heule, du Menschenkind;
denn es geht über mein Volk und über
alle Regenten in Israel, die dem Schwert
verfallen sind samt meinem Volk. Darum
schlage auf die Hüfte; 18 denn die Prüfung
ist da, und wie sollte es nicht geschehen,
da du doch [a]den Stock verachtet hast?,
spricht Gott der HERR.
19 Und du, Menschenkind, weissage und
schlag deine Hände zusammen! Denn
das Schwert wird zweifach, ja dreifach
kommen, ein Schlachtschwert, ein gro-
ßes Schlachtschwert, das sie umkreisen
wird, 20 damit die Herzen verzagen und
viele fallen sollen; an allen ihren Toren
lasse ich das Schwert wüten. Wehe, es ist
zum Blitzen gemacht, zum Schlachten
geschärft! 21 Hau drein zur Rechten und
Linken, wohin deine Schneiden gewandt
sind! 22 Dann will auch ich meine Hände
zusammenschlagen und meinen Zorn
stillen. Ich, der HERR, habe es gesagt.

DAS SCHWERT DES KÖNIGS VON BABEL

23 Und des HERRN Wort geschah zu
mir: 24 Du Menschenkind, mach dir zwei
Wege, auf denen das Schwert des Königs
von Babel kommen kann; sie sollen aber
beide von einem einzigen Land ausgehen.
Und stelle einen Wegweiser an den An-
fang eines jeden Weges, der zu einer Stadt
weisen soll, 25 und mache den einen Weg,
damit das Schwert nach Rabba kommen
kann, der Stadt der Ammoniter, und den
andern nach Juda, zu der festen Stadt Jeru-
salem. 26 Denn der König von Babel steht
an der Wegscheide, am Anfang der beiden
Wege, um sich wahrsagen zu lassen: Er
wirft mit den Pfeilen das Los, befragt sei-
nen Götzen und beschaut die Leber. 27 Und
das Los in seiner Rechten deutet nach Je-
rusalem, dass er Sturmböcke heranführe:
Da soll er den Mund auftun mit großem
Geschrei, die Stimme erheben mit Kriegs-
geschrei, [a]Sturmböcke heranführen gegen
die Tore, einen Wall aufschütten und ein
Bollwerk bauen. – 28 Aber ihnen wird diese
Wahrsagung trügerisch scheinen; haben
sie doch heilige Eide empfangen. Er aber
wird sie an ihre Schuld erinnern, dass sie
dabei behaftet werden.
29 Darum, so spricht Gott der HERR:
Weil ihr an eure Schuld erinnert habt und
euer Ungehorsam offenbar geworden ist,
sodass man eure Sünden sieht in all euren
Taten, ja, weil ihr daran erinnert habt,
sollt ihr dabei behaftet werden. 30 Und du,

21,12 *a* Kap 7,17 **21,18** *a* Jes 1,5 **21,27** *a* Kap 4,2

Fürst in Israel, du unheiliger Frevler, des-
sen Tag kommen wird, wenn die Schuld
zum Ende geführt hat, – 31 so spricht Gott
der HERR: Weg mit dem [a]Kopfbund und
herunter mit der Krone! Denn nichts
bleibt, wie es ist, sondern [b]was niedrig
ist, soll erhöht werden, und was hoch ist,
soll erniedrigt werden. 32 Zu Trümmern,
zu Trümmern, zu Trümmern will ich sie
machen – aber auch dies wird nicht blei-
ben –, [a]bis der kommt, der das Recht hat;
dem will ich es geben.

DAS SCHWERT ÜBER AMMON

33 Und du, Menschenkind, weissage und
sprich: So spricht Gott der HERR über
die [a]Ammoniter und über ihr Schmä-
hen: Du sollst sagen: Das Schwert, das
Schwert ist gezückt, dass es schlachten
soll; es ist geschliffen, dass es töten soll,
und soll blinken, 34 während du dir trüge-
rische Gesichte schauen und Lügen wahr-
sagen lässt; das Schwert soll an den Hals
unheiliger Frevler gesetzt werden, deren
Tag kommen wird, wenn die Schuld zum
Ende geführt hat. 35 Stecke es wieder in die
Scheide! Ich will dich richten an dem Ort,
an dem du geschaffen, und im Land, in
dem du geboren bist. 36 Und ich will mei-
nen Zorn über dich ausschütten; ich will
das Feuer meines Grimms über dich ent-
fachen und will dich rohen Leuten preis-
geben, die Verderben schmieden. 37 Du
sollst dem Feuer zum Fraß werden, und
dein Blut soll im Lande vergossen werden,
und man wird nicht mehr an dich denken;
denn ich, der HERR, habe es geredet.

JERUSALEMS BLUTSCHULD UND SCHANDTATEN

22 Und des HERRN Wort geschah zu
mir: 2 Du Menschenkind, [a]willst du
nicht richten, willst du nicht richten die
Stadt voller Blutschuld? [b]Zeige ihr alle
ihre Gräueltaten 3 und sprich: So spricht
Gott der HERR: O Stadt, die du das Blut
der Deinen vergießt, damit deine Zeit
komme, und die du dir Götzen machst,
damit du unrein werdest! 4 Durch das
[a]Blut, das du vergossen hast, wurdest du
schuldig, und durch die Götzen, die du dir
machtest, hast du dich unrein gemacht.
Damit hast du deine Tage herbeigezogen
und bewirkt, dass deine Jahre kommen
müssen. Darum will ich dich zum Spott
unter den Heiden und [b]zum Hohn in allen
Ländern machen. 5 In der Nähe wie in der
Ferne sollen sie über dich spotten; befleckt
ist dein Name und groß die Verwirrung.

6 Siehe, die Fürsten Israels, ein jeder in
dir pocht auf seine Macht, Blut zu vergie-
ßen. 7 Vater und Mutter verachten sie, den
[a]Fremdlingen tun sie Gewalt und Unrecht
an in deiner Mitte, die [b]Witwen und Wai-
sen bedrücken sie. 8 Du verachtest, was
mir heilig ist, und entheiligst meine Sab-
bate. 9 Verleumder trachten bei dir danach,
Blut zu vergießen. Sie essen von den Hö-
henopfern und treiben Schandtaten in
deiner Mitte. 10 [a]Sie decken die Blöße der
Väter auf und nötigen Frauen während
ihrer Unreinheit. 11 Sie treiben Gräuel mit
der Frau ihres Nächsten; sie entehren ihre
eigene Schwiegertochter durch Schand-
tat; sie tun ihren eigenen Schwestern Ge-
walt an, den Töchtern ihres Vaters. 12 Sie
lassen sich bestechen, um Blut zu vergie-
ßen. Du [a]nimmst Zinsen und Aufschlag
und suchst unrechten Gewinn an deinem
Nächsten mit Gewalt – und mich vergisst
du!, spricht Gott der HERR.

13 Siehe, ich schlage meine Hände zu-
sammen über den unrechten Gewinn,
den du gemacht hast, und über das Blut,
das in deiner Mitte vergossen ist. 14 Meinst
du aber, dein Herz kann standhalten oder
deine Hände werden festbleiben zu der
Zeit, wenn ich an dir handle? Ich, der
HERR, habe es geredet und will's auch tun
15 und will dich zerstreuen unter die Völ-
ker und dich verstoßen in die Länder und
will mit deiner Unreinheit ein Ende ma-
chen; 16 und du wirst durch eigenes Tun
entweiht vor den Völkern. Dann wirst du
erfahren, dass ich der HERR bin.

DAS GLEICHNIS VOM SCHMELZOFEN

17 Und des HERRN Wort geschah zu mir:
18 [a]Du Menschenkind, das Haus Israel ist
mir zu Schlacken geworden; sie alle sind

21,31 ***a*** 2. Mose 28,4 ***b*** Lk 18,14 **21,32** ***a*** 1. Mose 49,10
21,33 ***a*** Kap 25,2-7 **22,2** ***a*** Kap 24,6 ***b*** Kap 20,4
22,4 ***a*** 2. Kön 21,16 ***b*** Kap 5,15 **22,7** ***a*** 2. Mose 22,20
b 2. Mose 22,21 **22,10** ***a*** *(10-11)* 3. Mose 18,7.9.15.19-20
22,12 ***a*** 2. Mose 22,24 **22,18** ***a*** *(18-22)* Jes 1,22-25;
Jer 6,28-30

Kupfer, Zinn, Eisen und Blei im Ofen;
ja, zu Silberschlacken sind sie geworden.
19 Darum, so spricht Gott der HERR: Weil
ihr denn alle Schlacken geworden seid,
siehe, so will ich euch alle in Jerusalem
zusammenbringen. 20 Wie man Silber,
Kupfer, Eisen, Blei und Zinn im Ofen zu-
sammenbringt, dass man ein Feuer dar-
unter anfacht und es zerschmelzen lässt,
so will ich auch euch in meinem Zorn
und Grimm zusammenbringen, hinein-
tun und schmelzen. 21 Ja, ich will euch
sammeln und das Feuer meines Zorns
gegen euch anfachen, dass ihr darin zer-
schmelzen müsst. 22 Wie das Silber im
Ofen zerschmilzt, so sollt auch ihr darin
zerschmelzen und sollt erfahren, dass ich,
der HERR, meinen Grimm über euch aus-
geschüttet habe.

DIE SCHULD ALLER STÄNDE IM LANDE

23 Und des HERRN Wort geschah zu mir:
24 Du Menschenkind, sprich zu ihnen: Du
bist ein Land, das nicht gereinigt wurde,
das nicht beregnet wurde zur Zeit des
Zorns, 25 [a]dessen Fürsten in seiner Mitte
sind wie brüllende Löwen, wenn sie rau-
ben; [b]sie fressen Menschen, reißen Gut
und Geld an sich und machen viele zu
Witwen im Lande. 26 [a]Seine Priester tun
meinem Gesetz Gewalt an und entwei-
hen, was mir heilig ist; sie [b]machen zwi-
schen heilig und unheilig keinen Unter-
schied und lehren nicht, was rein oder
unrein ist, und vor meinen Sabbaten
schließen sie die Augen; so werde ich un-
ter ihnen entheiligt. 27 Die Oberen in sei-
ner Mitte sind wie reißende Wölfe, Blut
zu vergießen und Menschen umzubrin-
gen um ihrer Habgier willen. 28 Und seine
Propheten streichen ihnen mit Tünche
darüber, haben Truggesichte und wahr-
sagen ihnen Lügen; sie sagen: »So spricht
Gott der HERR«, wo doch der HERR gar
nicht geredet hat.[a] 29 Das Volk des Landes
übt Gewalt; sie rauben drauflos und be-
drücken die Armen und Elenden und tun
den Fremdlingen Gewalt an gegen alles
Recht.

30 Ich suchte unter ihnen, ob jemand
eine Mauer ziehen und [a]in die Bresche vor
mir treten würde für das Land, damit ich's
nicht vernichten müsste; aber ich fand kei-
nen. 31 Darum [a]schüttete ich meinen Zorn
über sie aus, und mit dem Feuer meines
Grimmes machte ich ihnen ein Ende und
ließ so ihr Tun auf ihren Kopf kommen,
spricht Gott der HERR.

DIE ZUCHTLOSEN SCHWESTERN OHOLA UND OHOLIBA

(vgl. Kap 16,1-63)

23 Und des HERRN Wort geschah zu mir:
2 Du Menschenkind, es waren zwei
Frauen, Töchter derselben Mutter. 3 Die
wurden Huren in Ägypten schon in ihrer
Jugend; dort ließen sie nach ihren Brüs-
ten greifen und ihren jungfräulichen Bu-
sen betasten. 4 Die große hieß Ohola und
ihre Schwester Oholiba. Und ich nahm sie
zu Frauen und sie gebaren mir Söhne und
Töchter. Ohola ist Samaria und Oholiba
Jerusalem.

5 Ohola trieb Hurerei, wurde mir untreu.
Sie entbrannte für ihre Liebhaber, für die
Assyrer, die zu ihr kamen, 6 für die Statt-
halter und Hauptleute, die mit Purpur ge-
kleidet waren, lauter junge hübsche Leute,
Reiter, hoch zu Ross. 7 Und sie trieb ihre
Hurerei mit ihnen, lauter auserlesenen
Söhnen Assurs, und bei allen, für die sie
entbrannte, machte sie sich auch unrein
mit ihren Götzen. 8 Dazu [a]ließ sie auch
nicht von ihrer Hurerei mit den Ägyptern,
die bei ihr gelegen hatten in ihrer Jugend
und ihre jungfräulichen Brüste betastet
und sie mit ihrer Hurerei besudelt hatten.
9 Darum übergab ich sie in die Hand ihrer
Liebhaber, der Söhne Assurs, für die sie
entbrannt war. 10 Die deckten ihre Blöße
auf und nahmen ihre Söhne und Töchter
weg; sie selbst aber töteten sie mit dem
Schwert, und sie wurde zum Gespött un-
ter den Frauen. So vollzogen sie das Ge-
richt an ihr.

11 Als aber ihre Schwester Oholiba das
sah, entbrannte sie noch viel mehr als ihre
Schwester und trieb die Hurerei noch
schlimmer als sie. 12 Sie entbrannte für
die Söhne Assurs, Statthalter und Haupt-
leute, die zu ihr kamen, herrlich gekleidet,
Reiter, hoch zu Ross, lauter junge hübsche

22,25 ***a*** Kap 34,3.8; Zef 3,3 ***b*** Ps 14,4
22,26 ***a*** (26-28) Kap 44,23; Zef 3,4 ***b*** 3. Mose 10,10
22,28 ***a*** Kap 13,6.10 **22,30** ***a*** Kap 13,5 **22,31** ***a*** Kap 21,36
23,8 ***a*** 2. Kön 17,4

Leute. 13 Da sah ich, dass sie beide auf glei-
che Weise unrein geworden waren. 14 Aber
diese trieb ihre Hurerei noch weiter. Denn
sie sah Bilder von Männern an der Wand
in roter Farbe, Bilder von Chaldäern, 15 um
ihre Lenden gegürtet und bunte Turbane
auf ihren Köpfen, ein Bild gewaltiger
Kämpfer allesamt, wie eben die Söhne
Babels sind, deren Vaterland Chaldäa ist.
16 Da entbrannte sie für sie, sobald sie die
Bilder sah, und schickte Boten zu ihnen
nach Chaldäa. 17 Und die Söhne Babels ka-
men zu ihr, um bei ihr zu schlafen, und
machten sie unrein mit ihrer Hurerei,
und sie machte sich unrein mit ihnen, bis
sie ihrer müde wurde. 18 Als sie ihre Hu-
rerei so offen trieb und ihre Schande so
enthüllte, da wurde ich auch ihrer über-
drüssig, wie ich ihrer Schwester müde ge-
worden war. 19 Sie aber trieb ihre Hurerei
immer schlimmer und dachte an die Zeit
ihrer Jugend, als sie in Ägyptenland Hu-
rerei getrieben hatte, 20 und entbrannte
für ihre Liebhaber, deren Brunst war wie
die der Esel und deren Rute wie die der
Hengste. 21 Und du sehntest dich nach der
Unzucht deiner Jugend, als die Ägypter
nach deinen Brüsten griffen und deinen
Busen betasteten.

22 Darum, Oholiba, so spricht Gott der
HERR: Siehe, ich will deine Liebhaber,
deren du müde geworden bist, gegen dich
aufstehen lassen und will sie von über-
all her gegen dich zusammenbringen,
23 nämlich die Söhne Babels und alle Chal-
däer, die von Pekod, Schoa und Koa und
alle Assyrer mit ihnen, die schöne junge
Mannschaft, lauter Statthalter und Haupt-
leute, Ritter und Edle, sie alle, Reiter, hoch
zu Ross. 24 Und sie werden über dich kom-
men, gerüstet mit Rossen und Wagen
und mit viel Kriegsvolk und werden dich
ringsum belagern mit großen und klei-
nen Schilden und Helmen. Denen will
ich den Rechtsfall vorlegen, dass sie dich
richten sollen nach ihrem Recht. 25 Ich will
meinen Eifer gegen dich richten, dass sie
unbarmherzig an dir handeln sollen. Sie
sollen dir Nase und Ohren abschneiden,
und was von dir übrig bleibt, soll durchs
Schwert fallen. Sie sollen deine Söhne und
Töchter wegnehmen und, was von dir üb-
rig bleibt, mit Feuer verbrennen. 26 Sie sol-
len dir deine Kleider ausziehen und deinen
Schmuck wegnehmen. 27 So will ich deiner
Unzucht und deiner Hurerei, die du schon
in Ägyptenland getrieben hast, ein Ende
machen, dass du deine Augen nicht mehr
nach ihnen aufheben und an Ägypten
nicht mehr denken sollst.

28 Denn so spricht Gott der HERR: Siehe,
ich will dich denen preisgeben, denen du
feind geworden und derer du müde bist.
29 Die sollen wie Feinde mit dir umgehen
und alles nehmen, was du erworben hast,
und dich nackt und bloß liegen lassen. Da
soll die Schande deiner Hurerei und deine
Unzucht und deine Buhlerei aufgedeckt
werden. 30 Das soll dir angetan werden
um deiner Hurerei willen, die du mit den
Heiden getrieben, weil du dich mit ihren
Götzen unrein gemacht hast. 31 Du bist
auf dem Wege deiner Schwester gegan-
gen, darum gebe ich dir auch ihren Kelch
in die Hand.

32 So spricht Gott der HERR: Du musst
den Kelch deiner Schwester trinken, so
tief und weit er ist; du sollst zu so großem
Spott und Hohn werden, dass es uner-
träglich sein wird. 33 Du musst dich [a]mit
starkem Trank und Jammer volltrinken;
denn der Kelch deiner Schwester Samaria
ist ein Kelch des Grauens und Entsetzens.
34 Den musst du bis zur Neige austrinken,
danach die Scherben ausschlürfen und
deine Brüste zerreißen; denn ich habe es
geredet, spricht Gott der HERR. 35 Darum,
so spricht Gott der HERR: Weil du [a]mich
vergessen und mich verworfen hast, so
trage nun auch du deine Unzucht und
deine Hurerei!

36 Und der HERR sprach zu mir: Du
Menschenkind, willst du nicht Ohola und
Oholiba richten? [a]Zeige ihnen ihre Gräu-
eltaten: 37 wie sie Ehebruch getrieben und
Blut vergossen und die Ehe gebrochen ha-
ben mit ihren Götzen; und [a]wie sie ihnen
noch dazu ihre Kinder, die sie mir geboren
hatten, zum Fraß darbrachten. 38 Überdies
haben sie mir das angetan: Sie haben noch
am gleichen Tag [a]mein Heiligtum unrein
gemacht und meine Sabbate entheiligt.
39 Denn als sie ihre Kinder den Götzen

23,33 ***a*** Jes 51,17 **23,35** ***a*** Jer 2,32 **23,36** ***a*** Kap 20,4
23,37 ***a*** Kap 16,20 **23,38** ***a*** Kap 8,5-18

geschlachtet hatten, gingen sie noch am
gleichen Tag in mein Heiligtum, es zu ent-
heiligen. Siehe, so haben sie es in meinem
Hause getrieben.
40 Sie haben sogar Boten geschickt nach
Männern, die aus fernen Landen kom-
men sollten. Und siehe, als sie kamen, da
badetest du dich und schminktest dich
und schmücktest dich mit Geschmeide
ihnen zu Ehren 41 und saßest auf einem
herrlichen Polster, und ein Tisch war da-
vor hergerichtet; darauf legtest du mein
Räucherwerk und mein Öl. 42 Und es er-
hob sich in der Stadt ein großes Freuden-
geschrei über die Männer, weil solch eine
Menge von Menschen herbeigebracht
war aus Saba, aus der Wüste, und sie ga-
ben ihnen Geschmeide an ihre Arme und
schöne Kronen auf ihre Häupter. 43 Ich
aber dachte: Sie ist das Ehebrechen ge-
wohnt von alters her, sie kann das Hu-
ren nicht lassen. 44 Denn man ging zu ihr,
wie man zu einer Hure geht; so ging man
zu Ohola und Oholiba, den zuchtlosen
Frauen. 45 Darum werden gerechte Män-
ner sie richten [a]nach dem Recht, das für
Ehebrecherinnen und für Mörderinnen
gilt; denn sie sind Ehebrecherinnen, und
ihre Hände sind voll Blut.
46 Denn so spricht Gott der HERR: Man
berufe eine Versammlung gegen sie ein
und gebe sie als Raub und Beute preis,
47 dass die Leute sie steinigen und mit ih-
ren Schwertern erstechen und ihre Söhne
und Töchter umbringen und ihre Häuser
mit Feuer verbrennen. 48 So will ich der
Unzucht im Lande ein Ende machen, dass
alle Frauen sich warnen lassen und nicht
nach solcher Unzucht tun. 49 Und man
wird die Strafe für eure Unzucht auf euch
legen, und ihr sollt tragen, was ihr mit
euren Götzen gesündigt habt, und sollt
erfahren, dass ich Gott der HERR bin.

DAS GLEICHNIS VOM ROSTIGEN TOPF

24 Und es geschah das Wort des HERRN
zu mir [a]im neunten Jahr am zehnten
Tage des zehnten Monats: 2 Du Menschen-
kind, schreib dir diesen Tag auf, ja, eben
diesen Tag; denn der König von Babel hat
sich an eben diesem Tage vor Jerusalem
gelagert. 3 Und gib dem Haus des Wider-
spruchs ein Gleichnis und sprich zu ihnen:
So spricht Gott der HERR: Setze einen
[a]Topf auf, setz ihn auf und gieß Wasser
hinein! 4 Tu Fleisch hinein, lauter gute
Stücke, Lenden und Schultern, und fülle
ihn mit den besten Knochen. 5 Nimm das
Beste von der Herde und schichte Holz-
scheite darunter und lass die Stücke tüch-
tig sieden und auch die Knochen darin gut
kochen.
6 Darum, so spricht Gott der HERR:
[a]Wehe der Stadt voller Blutschuld, die
einem Topf gleicht, an dem Rost sitzt und
nicht abgehen will! Nimm ein Stück nach
dem andern heraus und lose nicht darum,
welches zuerst heraussoll. 7 Denn das Blut,
das sie vergossen hat, ist noch in ihrer
Mitte; auf den nackten Felsen und nicht
auf die Erde hat sie es verschüttet, [a]sodass
man's mit Erde hätte zudecken können.
8 Und ich ließ sie darum das Blut auf den
nackten Felsen schütten, damit es nicht
zugedeckt würde, sodass der Grimm über
sie kommt und es gerächt wird.
9 Darum, so spricht Gott der HERR:
Wehe, du Stadt voller Blutschuld! Ich will
den Holzstoß groß machen. 10 Trage nur
viel Holz her, bring das Feuer zum Lodern,
koche das Fleisch gar und gieß die Brühe
aus, dass die Knochen anbrennen; 11 stelle
den Topf leer auf die Glut, damit er heiß
wird und sein Erz glüht und seine Unrein-
heit schmilzt und sein Rost abgeht! 12 Aber
sosehr der Topf glüht, will doch der starke
Rost von ihm im Feuer nicht abgehen.
13 Weil du durch Unzucht dich unrein
gemacht hast und nicht rein wurdest von
deiner Unreinheit, obwohl ich dich reini-
gen wollte, darum sollst du hinfort nicht
wieder rein werden, bis [a]mein Grimm sich
an dir gekühlt hat. 14 Ich, der HERR, habe
es geredet! Es wird kommen, ich will's tun
und nicht säumen. [a]Ich will nicht schonen,
und es wird mich nicht reuen; sondern sie
sollen dich richten, wie du gelebt und ge-
tan hast, spricht Gott der HERR.

KEINE TOTENKLAGE

15 Und des HERRN Wort geschah zu mir:
16 Du Menschenkind, siehe, ich will dir
deiner Augen Freude nehmen durch einen

23,45 *a* Kap 16,38.40 **24,1** *a* 2. Kön 25,1 **24,3** *a* Kap 11,3
24,6 *a* Kap 22,2; Nah 3,1 **24,7** *a* 3. Mose 17,13
24,13 *a* Kap 5,13 **24,14** *a* Jer 13,14

plötzlichen Tod. Aber du sollst nicht kla-
gen und nicht weinen und keine Träne
vergießen. 17 Heimlich darfst du seufzen,
aber keine Totenklage halten, sondern
du sollst deinen Kopfbund anlegen und
deine Schuhe anziehen; du sollst [a]deinen
Bart nicht verhüllen und nicht das [b]Trau-
erbrot essen.

18 Und als ich am Morgen zum Volk ge-
redet hatte, starb mir am Abend meine
Frau. Und ich tat am andern Morgen, wie
mir befohlen war. 19 Und das Volk sprach
zu mir: Willst du uns nicht erklären, was
das für uns bedeutet, was du tust? 20 Und
ich sprach zu ihnen: Der HERR hat mit mir
geredet und gesagt: 21 Sage dem Hause Is-
rael: So spricht Gott der HERR: Siehe, ich
will mein Heiligtum, eure herrliche Zu-
flucht, die Freude eurer Augen, das Ver-
langen eures Herzens, entheiligen, und
eure Söhne und Töchter, die ihr dort
zurücklassen musstet, werden durchs
Schwert fallen. – 22 Da werdet ihr dann
tun, wie ich getan habe: Euren Bart werdet
ihr nicht verhüllen und nicht das Trauer-
brot essen, 23 sondern werdet euren Kopf-
bund auf eurem Haupt behalten und eure
Schuhe an den Füßen; ihr werdet nicht
klagen und nicht weinen, sondern [a]in
eurer Schuld vergehen und untereinander
seufzen. – 24 So soll Hesekiel für euch [a]ein
Wahrzeichen sein, dass ihr tun werdet,
wie er getan hat, wenn es nun kommen
wird. Dann werdet ihr erfahren, dass ich
Gott der HERR bin.

25 Und du, Menschenkind, an dem Tage,
an dem ich von ihnen nehme ihre Zu-
flucht und ganze Wonne, die Freude ihrer
Augen und das Verlangen ihres Herzens,
dazu ihre Söhne und Töchter, 26 ja, an je-
nem Tage wird [a]einer, der entronnen ist,
zu dir kommen und dir's kundtun. 27 An
jenem Tage wird dein Mund aufgetan
werden, wenn der kommt, der entron-
nen ist, sodass du reden kannst und nicht
mehr [a]stumm bist; und du wirst für sie ein
Wahrzeichen sein, dass sie erfahren, dass
ich der HERR bin.

GERICHT ÜBER DIE NACHBARN JUDAS

25 Und des HERRN Wort geschah zu
mir: 2 [a]Du Menschenkind, richte dein
Angesicht gegen die Ammoniter und
weissage gegen sie 3 und sprich zu den
Ammonitern: Hört das Wort Gottes des
HERRN! So spricht Gott der HERR: [a]Weil
ihr über mein Heiligtum ruft: »Ha! Es
ist entweiht!«, und [b]über das Land Is-
raels: »Es ist verwüstet!«, und über das
Haus Juda: »Es ist weggeführt!«, 4 darum
siehe, ich will dich den Söhnen des Os-
tens übergeben, dass sie ihre Zeltdörfer in
dir aufschlagen und ihre Wohnungen in
dir bauen sollen; sie sollen deine Früchte
essen und deine Milch trinken. 5 Und ich
will Rabba zur Kameltrift machen und
das Land der Ammoniter zu Schafhürden,
und ihr sollt erfahren, dass ich der HERR
bin. 6 Denn so spricht Gott der HERR:
Weil du in die Hände geklatscht und mit
den Füßen gestampft und über das Land
Israels von ganzem Herzen so höhnisch
dich gefreut hast, 7 darum siehe, ich will
meine Hand gegen dich ausstrecken und
dich den Völkern zur Beute geben und
dich aus den Nationen ausrotten und aus
den Ländern austilgen und dich vernich-
ten; und du sollst erfahren, dass ich der
HERR bin.

8 [a]So spricht Gott der HERR: Weil Moab
und Seïr sprechen: »Siehe, das Haus Juda
ist nichts anderes als alle Völker!«, 9 siehe,
so will ich die Berghänge Moabs bloßle-
gen, dass es ohne Städte sei in seinem gan-
zen Gebiet, ohne den Stolz des Landes:
Bet-Jeschimot, Baal-Meon und Kirjatajim,
10 und will es den Söhnen des Ostens zum
Erbe geben, zum Land der Ammoniter
hinzu, sodass man der Ammoniter nicht
mehr gedenken wird unter den Völkern.
11 Und ich will das Gericht ergehen lassen
über Moab, und sie sollen erfahren, dass
ich der HERR bin.

12 [a]So spricht Gott der HERR: Weil sich
Edom am Hause Juda gerächt und sich
schwer verschuldet hat mit seiner Ra-
che, 13 darum, so spricht Gott der HERR:
Ich will meine Hand ausstrecken gegen
Edom und will von ihm ausrotten Men-
schen und Vieh und will es wüst machen

24,17 *a* Mi 3,7 *b* Hos 9,4 **24,23** *a* 3. Mose 26,39-40
24,24 *a* Kap 12,6 **24,26** *a* Kap 33,21 **24,27** *a* Kap 3,26
25,2 *a* (2-7) Kap 21,33-37; Jer 49,1-6; Am 1,13-15
25,3 *a* Kap 36,2 *b* Klgl 2,16 **25,8** *a* (8-11) Jes 15,1-9; 16,1-4;
Jer 48,1-47 **25,12** *a* (12-14) Kap 35,1-15; Jer 49,7-22;
Am 1,11-12; Obd 1-21; Ps 137,7

von Teman bis nach Dedan, und sie sollen durchs Schwert fallen. 14 Und ich will mich an Edom rächen durch mein Volk Israel, und sie sollen mit Edom umgehen nach meinem Zorn und Grimm, dass sie meine Vergeltung erfahren sollen, spricht Gott der HERR.

15 [a]So spricht Gott der HERR: Weil die Philister sich gerächt und mit beständigem Hass so höhnisch Rache geübt haben, um mein Volk zu verderben in ewiger Feindschaft, 16 darum, so spricht Gott der HERR: Siehe, ich will meine Hand ausstrecken gegen die Philister und will die Kreter ausrotten und will umbringen, die übrig geblieben sind am Ufer des Meeres, 17 und will bittere Rache an ihnen üben und sie mit Grimm strafen, dass sie erfahren sollen, dass ich der HERR bin, wenn ich Vergeltung an ihnen übe.

DAS GERICHT ÜBER TYRUS

(vgl. Am 1,9-10; Jes 23,1-18)

26 Und es begab sich im elften Jahr am ersten Tage des Monats, da geschah des HERRN Wort zu mir:

2 Du Menschenkind, weil Tyrus spricht über Jerusalem: »Ha! [a]Die Pforte der Völker ist zerbrochen; nun fällt es mir zu; ich werde jetzt reich werden, weil Jerusalem wüst liegt!«, 3 darum, so spricht Gott der HERR: Siehe, ich will an dich, Tyrus, und will viele Völker gegen dich heraufführen, wie das Meer seine Wellen heraufführt. 4 Die sollen die Mauern von Tyrus zerstören und seine Türme abbrechen; ja, ich will sogar seine Erde von ihm wegfegen und will einen nackten Fels aus ihm machen, 5 einen Platz im Meer, an dem man Fischnetze aufspannt; denn ich habe es geredet, spricht Gott der HERR, und es soll den Völkern zum Raub werden. 6 Und seine Tochterstädte auf dem Festland sollen mit dem Schwert geschlagen werden, und sie sollen erfahren, dass ich der HERR bin.

7 Denn so spricht Gott der HERR: Siehe, ich will über Tyrus kommen lassen [a]Nebukadnezar, den König von Babel, von Norden her, den [b]König der Könige, mit Rossen, Wagen, Reitern und einem großen Heer. 8 Der soll deine Tochterstädte auf dem Festland mit dem Schwert schlagen; aber gegen dich wird er Bollwerke errichten und einen Wall gegen dich aufschütten und ein Schilddach gegen dich erstellen. 9 Er wird mit Sturmböcken deine Mauern umstoßen und deine Türme mit seinen Werkzeugen einreißen. 10 Von der Menge seiner Pferde wird Staub dich bedecken. Deine Mauern werden erbeben von dem Getümmel seiner Rosse, Wagen und Reiter, wenn er in deine Tore eindringt, wie man eindringt in eine erstürmte Stadt. 11 Er wird mit den Hufen seiner Rosse alle deine Gassen zerstampfen. Dein Volk wird er mit dem Schwert erschlagen und deine stolzen Steinmale zu Boden reißen. 12 Sie werden deine Schätze rauben und deine Handelsgüter plündern. Deine Mauern werden sie abbrechen und deine schönen Häuser einreißen und werden deine Steine und die Balken und den Schutt ins Meer werfen. 13 Und ich will dem Getön deiner Lieder ein Ende machen, und den Klang deiner Harfen soll man nicht mehr hören.[a] 14 Und ich will einen nackten Fels aus dir machen, einen Platz, an dem man Fischnetze aufspannt, und du sollst nicht wieder gebaut werden. Denn ich, der HERR, habe geredet, spricht Gott der HERR.

15 So spricht Gott der HERR gegen Tyrus: Was gilt's? Werden nicht die Inseln erbeben, wenn du fallen wirst mit Getöse und deine Verwundeten stöhnen werden und das Schwert morden wird in deiner Mitte? 16 Alle Fürsten am Meer werden von ihren Thronen herabsteigen und ihre Oberkleider ablegen und ihre bunten Gewänder ausziehen und sich in Schrecken hüllen und auf der Erde sitzen und immer von Neuem erzittern und sich entsetzen über dich. 17 Sie werden über dich ein Klagelied anstimmen und zu dir sagen: Ach, wie bist du zugrunde gegangen, du berühmte Stadt, die du am Meer lagst und so mächtig warst auf dem Meer samt deinen Einwohnern, dass sich das ganze Land vor dir fürchten musste! 18 Nun entsetzen sich die Inseln am Tag deines Falls, und die Inseln im Meer erschrecken über deinen Untergang.

25,15 *a* (15-17) Jes 14,29-32; Jer 47,1-7; Am 1,6-8; Zef 2,4-5 **26,2** *a* Kap 25,3 **26,7** *a* Jer 27,6 *b* Dan 2,37 **26,13** *a* Am 5,23

19 Denn so spricht Gott der HERR: Ich
will dich zu einer verödeten Stadt ma-
chen gleich den Städten, in denen nie-
mand wohnt, und will eine große Flut
über dich kommen lassen, dass hohe Wo-
gen dich bedecken, 20 und will dich [a]hin-
unterstoßen zu denen, die in die Grube
gefahren sind, zu dem Volk der Vorzeit.
Ich will dich wohnen lassen in den Tiefen
unter der Erde zwischen den Trümmern
der Vorzeit bei denen, die in die Grube
gefahren sind, dass du keine Wohnung
und keine Stätte mehr hast im Lande der
Lebendigen; 21 ja, zum [a]Schrecken will ich
dich machen, dass es aus ist mit dir und
man dich nie mehr findet, wenn man nach
dir sucht, spricht Gott der HERR.

KLAGELIED ÜBER TYRUS

(vgl. Jes 23,1-18)

27 Und des HERRN Wort geschah zu mir:
2 Du Menschenkind, stimm ein Klage-
lied an über Tyrus 3 und sprich zu Tyrus,
die am Zugang zum Meer wohnt und für
die Völker mit vielen Inseln Handel treibt:
So spricht Gott der HERR: O Tyrus, du
sprichst: Ich bin die Allerschönste! 4 Dein
Gebiet liegt mitten im Meer, und deine
Bauleute haben dich aufs Allerschönste er-
baut. 5 Sie haben all dein Plankenwerk aus
Zypressenholz vom [a]Senir gemacht und
die Zedern vom Libanon geholt, um deine
Mastbäume daraus zu machen; 6 deine Ru-
der haben sie aus Eichen von Baschan ge-
macht und deine Wände mit Elfenbein
getäfelt, gefasst in Buchsbaumholz von
den Inseln der Kittäer. 7 Dein Segel war
beste bunte Leinwand aus Ägypten als
dein Kennzeichen, und deine Decken wa-
ren blauer und roter Purpur von den In-
seln [a]Elischas. 8 Die Bewohner von Sidon
und Arwad waren deine Ruderknechte.
Deine kundigsten Männer, Tyrus, waren
deine Schiffsleute. 9 Die Ältesten von [a]Ge-
bal und seine Kundigsten mussten deine
Risse abdichten. Alle Seeschiffe und ihre
Schiffsleute fanden sich bei dir ein, um mit
deinen Waren Handel zu treiben. 10 Perser,
Lyder und Libyer waren dein Kriegsvolk;
ihre Schilde und Helme hängten sie bei dir
auf; sie waren dein Schmuck. 11 Die Män-
ner von Arwad und die aus deinem Heer
waren ringsum auf deinen Mauern und
Gammaditer waren auf deinen Türmen.
Sie haben ihre Köcher ringsum an deinen
Mauern aufgehängt und haben dich so
schön geschmückt.
12 Tarsis hat für dich Handel getrieben
mit einer Fülle von Gütern aller Art und
Silber, Eisen, Zinn und Blei auf deine
Märkte gebracht. 13 Jawan, [a]Tubal und Me-
schech haben mit dir gehandelt und Skla-
ven und Geräte aus Bronze als Ware ge-
bracht. 14 Die von Bet-Togarma haben dir
Rosse und Reitpferde und Maulesel auf
deine Märkte gebracht. 15 Die Leute von
Rhodos sind deine Händler gewesen, und
viele Inseln haben Handel mit dir getrie-
ben; sie haben mit Elfenbein und Eben-
holz gezahlt. 16 Edom hat von dem vie-
len gekauft, das du gefertigt hattest, und
hat Malachit, Purpur, bunte Stoffe, feine
Leinwand, Korallen und Rubine auf deine
Märkte gebracht. 17 Juda und das Land Is-
rael haben mit dir gehandelt und haben
Weizen aus Minnit, Feigen, Honig, Öl
und Harz als Ware gebracht. 18 Damaskus
hat von dem vielen gekauft, das du gefer-
tigt hattest, von der Fülle der Güter aller
Art gegen Wein von Helbon und gegen
Wolle von Zahar. 19 Wedan und Jawan ha-
ben von Usal auf deine Märkte geformtes
Eisen, Zimt und Kalmus gebracht; die ka-
men als Ware. 20 Dedan hat mit dir gehan-
delt mit Decken zum Reiten. 21 Arabien
und alle Fürsten von [a]Kedar haben mit dir
Handel getrieben mit Schafen, Widdern
und Böcken. 22 Die Kaufleute aus [a]Saba
und Ragma haben mit dir gehandelt; den
besten Balsam und Edelsteine aller Art
und Gold haben sie auf deine Märkte ge-
bracht. 23 Haran und Kanne und Eden
samt den Kaufleuten aus Assur und ganz
Medien haben mit dir gehandelt. 24 Sie
waren deine Händler mit Prachtgewän-
dern, mit Mänteln von Purpur und bun-
ten Stoffen, mit Teppichen von Purpur,
mit geflochtenen und gedrehten Tauen
im Handel mit dir. 25 Tarsisschiffe waren
die Käufer deiner Ware. So bist du sehr
reich und herrlich geworden mitten im
Meer.

26,20 *a* Jes 14,11.15 **26,21** *a* Kap 27,36; 28,19
27,5 *a* 5. Mose 3,8-9 **27,7** *a* 1. Mose 10,4 **27,9** *a* Jos 13,5;
1. Kön 5,32 **27,13** *a* Kap 38,2 **27,21** *a* 1. Mose 25,13
27,22 *a* 1. Mose 10,7

26 Deine Ruderer haben dich auf die
hohe See geführt; aber ein Ostwind zer-
brach dich mitten auf dem Meer. 27 Dein
Reichtum, dein Handelsgut, deine Ware,
deine Schiffsleute, deine Steuerleute,
deine Zimmerleute, deine Händler und
alle deine Kriegsleute und alles Volk in
dir werden mitten ins Meer stürzen am
Tag deines Falls. 28 Da werden die Gestade
erbeben von dem Geschrei deiner Steu-
erleute. 29 Und alle, die das Ruder führen,
die Schiffsleute, alle Seefahrer werden
von ihren Schiffen herabsteigen, sie wer-
den an Land gehen 30 und laut über dich
schreien und bitterlich klagen, werden
Staub auf ihre Häupter werfen und sich in
der Asche wälzen. 31 Sie werden sich kahl
scheren deinetwegen und Säcke anlegen
und von Herzen bitterlich um dich wei-
nen und trauern. 32 In ihrer Trauer werden
sie ein Klagelied über dich anstimmen
und um dich klagen: Wer ist je auf dem
Meer so still geworden wie Tyrus? 33 Als
du deinen Handel auf dem Meer triebst,
da machtest du viele Länder satt, mit der
Menge deiner Güter und Waren machtest
du reich die Könige auf Erden. 34 Nun aber
bist du zerbrochen, hinweg vom Meer
in die tiefen Wasser gestürzt, dass dein
Handelsgut und all dein Volk in dir umge-
kommen sind. 35 Alle, die auf den Inseln
wohnen, erschrecken über dich, und ihre
Könige entsetzen sich und sehen jäm-
merlich drein. 36 Die Kaufleute unter den
Völkern zischen über dich, dass du [a]zum
Schrecken geworden bist und es aus ist mit
dir für immer.

DAS GERICHT ÜBER DEN KÖNIG VON TYRUS

28 Und des HERRN Wort geschah zu mir:
2 Du Menschenkind, sage dem Fürsten
zu Tyrus: So spricht Gott der HERR: [a]Weil
sich dein Herz überhebt und spricht: »Ich
bin ein Gott, ich sitze auf einem Götter-
sitz mitten im Meer«, während du doch
ein Mensch und nicht Gott bist; dennoch
überhebt sich dein Herz, als wäre es eines
Gottes Herz, – 3 siehe, du hältst dich für
klüger als [a]Daniel, dass dir nichts ver-
borgen sei, 4 und habest dir durch deine
Klugheit und deinen Verstand Macht er-
worben und Schätze von Gold und Silber
gesammelt 5 und habest in deiner großen
Weisheit durch deinen Handel deine
Macht gemehrt; nun bist du so stolz ge-
worden, weil du so mächtig bist. 6 Darum,
so spricht Gott der HERR: Weil sich dein
Herz überhebt, als wäre es eines Gottes
Herz, 7 darum siehe, ich will Fremde über
dich schicken, die Gewalttätigsten unter
den Völkern; [a]die sollen ihr Schwert zü-
cken gegen deine schöne Weisheit und
sollen deinen Glanz entweihen. 8 Sie sol-
len dich [a]hinunterstoßen in die Grube,
dass du den Tod eines Erschlagenen stirbst
mitten im Meer. 9 Was gilt's, wirst du dann
vor deinen Henkern noch sagen: »Ich bin
Gott«, während du doch nicht Gott bist,
sondern ein Mensch und in der Hand
deiner Henker? 10 Du sollst den Tod von
Unbeschnittenen sterben durch die Hand
von Fremden; denn ich habe es geredet,
spricht Gott der HERR.

KLAGELIED ÜBER DEN KÖNIG VON TYRUS

11 Und des HERRN Wort geschah zu
mir: 12 Du Menschenkind, [a]stimm ein
Klagelied an über den König von Tyrus
und sprich zu ihm: So spricht Gott der
HERR: Du warst ein vollendet gestaltetes
Siegel, voller Weisheit und über die Ma-
ßen schön. 13 In Eden warst du, im [a]Gar-
ten Gottes, geschmückt mit Edelsteinen
jeder Art, mit Sarder, Topas, Diamant,
Türkis, Onyx, Jaspis, Saphir, Malachit,
Smaragd. Von Gold war die Arbeit dei-
ner Ohrringe und des Perlenschmucks,
den du trugst; am Tag, als du geschaffen
wurdest, wurden sie bereitet. 14 Du warst
ein glänzender, schirmender Cherub und
auf den heiligen Berg hatte ich dich ge-
setzt; ein Gott warst du und wandeltest
inmitten der feurigen Steine. 15 Du warst
ohne Tadel in deinem Tun von dem Tage
an, als du geschaffen wurdest, bis an dir
Missetat gefunden wurde. 16 Durch deinen
großen Handel wurdest du voll von Ge-
walttat und hast dich versündigt. Da ver-
stieß ich dich vom Berge Gottes und tilgte
dich, du schirmender Cherub, hinweg aus

27,36 *a* Kap 26,21 **28,2** *a* Jes 31,3; Dan 5,20; Apg 12,23
28,3 *a* Kap 14,14; Dan 1,17 **28,7** *a* Kap 30,11
28,8 *a* Kap 26,20 **28,12** *a* Kap 27,2 **28,13** *a* Kap 31,8-9; 1. Mose 2,8

der Mitte der feurigen Steine. 17 Weil sich
dein Herz erhob, dass du so schön warst,
und du deine Weisheit verdorben hast in
all deinem Glanz, darum habe ich dich zu
Boden gestürzt und ein Schauspiel aus dir
gemacht vor den Königen. 18 Weil du mit
deiner großen Missetat durch unrechten
Handel dein Heiligtum entweiht hast,
darum habe ich ein Feuer aus dir hervor-
brechen lassen, das dich verzehrte und
dich zu Asche gemacht hat auf der Erde
vor aller Augen. 19 Alle, die dich kannten
unter den Völkern, haben sich über dich
entsetzt, dass du [a]zum Schrecken gewor-
den bist und es aus ist mit dir für immer.

DAS GERICHT ÜBER SIDON

20 Und des HERRN Wort geschah zu mir:
21 Du Menschenkind, richte dein Ange-
sicht gegen [a]Sidon und weissage gegen
die Stadt 22 und sprich: So spricht Gott der
HERR: Siehe, ich will an dich, Sidon, und
will meine Herrlichkeit erweisen in dei-
ner Mitte, damit man erfahren soll, dass
ich der HERR bin, wenn ich das Gericht
über die Stadt ergehen lasse und an ihr
zeige, dass ich heilig bin. 23 Und ich will
Pest und Blutvergießen in ihre Gassen
schicken, und in ihr sollen Erschlagene
liegen, gefallen durch das Schwert, das
von allen Seiten über sie kommt; und
sie sollen erfahren, dass ich der HERR
bin. 24 Und forthin soll für das Haus Is-
rael von all seinen feindseligen Nachbarn
ringsum kein Dorn übrig bleiben, es zu
stechen, und kein Gestrüpp, ihm wehe
zu tun, damit sie erfahren, dass ich Gott
der HERR bin.

ISRAELS HEIL NACH DEM GERICHT

25 So spricht Gott der HERR: Wenn ich
das Haus Israel wieder sammle aus den
Völkern, unter die sie zerstreut sind,
so will ich an ihnen vor den Augen der
Völker zeigen, dass ich heilig bin. Und
sie sollen wohnen in ihrem Lande, das
ich meinem Knecht Jakob gegeben habe,
26 und sollen darin sicher wohnen und
Häuser bauen und Weinberge pflanzen.
Ja, sicher sollen sie wohnen, wenn ich das
Gericht ergehen lasse über alle ihre Feinde
rings um sie her, und sie sollen erfahren,
dass ich, der HERR, ihr Gott bin.

DAS SCHICKSAL ÄGYPTENS

(vgl. Jes 19,1–20,6; Jer 46,2-28)

29 Im zehnten Jahr am zwölften Tag des
zehnten Monats geschah des HERRN
Wort zu mir: 2 Du Menschenkind, richte
dein Angesicht gegen den Pharao, den
König von Ägypten, und weissage gegen
ihn und gegen ganz Ägypten. 3 Rede und
sprich:

So spricht Gott der HERR: Siehe, ich will
an dich, Pharao, du König von Ägypten,
du großer [a]Drache, der in seinem Strom
liegt und spricht: »Der Nil ist mein und
ich habe ihn mir gemacht.« 4 Aber ich will
dir Haken ins Maul legen und die Fische
in deinem Strom an deine Schuppen hän-
gen und will dich aus deinem Strom her-
ausziehen samt allen Fischen in deinem
Strom, die an deinen Schuppen hängen.
5 Ich will dich und alle Fische aus deinem
Strom in die Wüste werfen; du wirst aufs
Land fallen und nicht wieder aufgelesen
und gesammelt werden, sondern ich gebe
dich den Tieren auf dem Land und den Vö-
geln des Himmels zum Fraß. 6 Und alle,
die in Ägypten wohnen, sollen erfahren,
dass ich der HERR bin.

Weil du dem Hause Israel ein [a]Rohrstab
gewesen bist – 7 wenn sie dich mit der
Hand anfassten, so brachst du und stachst
sie in die Seite; und wenn sie sich auf dich
lehnten, so brachst du entzwei und alle
Hüften wankten –, 8 darum, so spricht
Gott der HERR: Siehe, ich will das Schwert
über dich kommen lassen und Menschen
und Vieh in dir ausrotten. 9 Und Ägypten-
land soll zur Wüste und Öde werden, und
sie sollen erfahren, dass ich der HERR bin.

Weil du sprichst: »Der Nil ist mein und
ich bin's, der ihn gemacht hat«, – 10 darum
siehe, ich will an dich und an deine Was-
serströme und will Ägyptenland zur
Wüste und Öde machen [a]von Migdol bis
nach Syene und bis an die Grenze von
Kusch, 11 dass [a]vierzig Jahre lang weder
Mensch noch Tier das Land durchziehen
oder darin wohnen soll. 12 Denn ich will
Ägyptenland zur Wüste machen inmit-
ten verwüsteter Länder und ihre Städte
in Trümmern liegen lassen inmitten ver-

28,19 *a* Kap 26,21 **28,21** *a* Jes 23,2-4 **29,3** *a* Kap 32,2
29,6 *a* 2. Kön 18,21 **29,10** *a* Kap 30,6
29,11 *a* 4. Mose 14,33-34

wüsteter Städte vierzig Jahre lang und will
die Ägypter zerstreuen unter die Völker,
und in die Länder will ich sie verjagen.
13 Denn so spricht Gott der HERR: Wenn
die vierzig Jahre um sein werden, will ich
die Ägypter wieder sammeln aus den Völ-
kern, unter die sie zerstreut werden sol-
len, 14 und will das Geschick Ägyptens
wenden und sie wieder ins Land Patros
bringen, in ihr Vaterland; aber sie sollen
dort nur ein kleines Königreich sein. 15 Sie
sollen kleiner sein als andere Reiche und
nicht mehr sich erheben über die Völker,
und ich will sie gering machen, dass sie
nicht über die Völker herrschen sollen,
16 damit sich das Haus Israel nicht mehr
auf sie verlässt und sich damit versündigt,
wenn es sich an sie hängt; und sie sollen
erfahren, dass ich Gott der HERR bin.

ÄGYPTEN ALS LOHN FÜR NEBUKADNEZAR

17 Und es begab sich im siebenundzwan-
zigsten Jahr am ersten Tag des ersten Mo-
nats, da geschah des HERRN Wort zu mir:
18 Du Menschenkind! Nebukadnezar, der
König von Babel, hat sein Heer in hartem
Dienst vor Tyrus arbeiten lassen, sodass
alle Häupter kahl wurden und alle Schul-
tern wund gerieben waren; und doch ist
weder ihm noch seinem Heer all die Ar-
beit vor Tyrus belohnt worden. 19 Darum,
so spricht Gott der HERR: Siehe, ich will
Nebukadnezar, dem König von Babel,
Ägyptenland geben, dass er all ihr Gut
wegnehmen und sie berauben und plün-
dern soll, damit er seinem Heer den Sold
gebe. 20 Zum Lohn für die Arbeit, die er
vor Tyrus getan hat, will ich ihm das Land
Ägypten geben; denn sie haben für mich
gearbeitet, spricht Gott der HERR.
21 Zur selben Zeit will ich dem Hause Is-
rael wieder Macht geben und will deinen
Mund unter ihnen auftun, damit sie erfah-
ren, dass ich der HERR bin.

DER STURZ ÄGYPTENS

30 Und des HERRN Wort geschah zu mir:
2 Du Menschenkind, weissage und
sprich: So spricht Gott der HERR: Heu-
let! Wehe, was für ein Tag! 3 Denn der Tag
ist nahe, ja, [a]des HERRN Tag ist nahe, ein
finsterer Tag; die Zeit der Völker kommt.
4 Und das Schwert soll über Ägypten kom-
men, und Kusch wird erschrecken, wenn
die Erschlagenen in Ägypten fallen und
sein Reichtum weggenommen und seine
Grundfesten eingerissen werden. 5 Kusch
und Put und Lud mit allerlei fremdem
Volk und Kub und ihre Verbündeten sol-
len mit ihnen durchs Schwert fallen.[a]
6 So spricht der HERR: Alle, die Ägypten
stützen, müssen fallen, und seine stolze
Macht muss herunter. [a]Von Migdol bis
nach Syene sollen sie durchs Schwert fal-
len, spricht Gott der HERR. 7 Und sie sollen
inmitten verwüsteter Länder zur Wüste
werden und ihre Städte inmitten verwüs-
teter Städte in Trümmern liegen, 8 damit
sie erfahren, dass ich der HERR bin, wenn
ich Feuer an Ägypten lege, sodass alle, die
ihnen helfen, zunichtewerden.
9 Zur selben Zeit werden Boten von
mir ausziehen in Schiffen, [a]um Kusch zu
schrecken, das jetzt so sicher ist, und es
wird ein Schrecken über sie kommen am
Tage Ägyptens; denn siehe, das kommt
gewiss.
10 So spricht Gott der HERR: Ich will
dem Reichtum Ägyptens ein Ende ma-
chen durch Nebukadnezar, den König
von Babel. 11 Er und sein Volk, [a]die Ge-
walttätigsten unter den Völkern, werden
herangebracht werden, um das Land zu
verderben, und werden ihre Schwerter
ziehen gegen Ägypten, dass das Land
überall voll Erschlagener liegt. 12 Und [a]ich
will die Ströme austrocknen und das Land
an böse Leute verkaufen und will das Land
und was darin ist durch Fremde verwüs-
ten lassen. Ich, der HERR, habe es geredet.
13 So spricht Gott der HERR: Ich will
von Memphis die Götzen ausrotten und
die Abgötter vertilgen, und Ägypten
soll keinen Fürsten mehr haben, und ich
will Schrecken über Ägyptenland brin-
gen. 14 Ich will Patros zur Wüste machen
und an Zoan Feuer legen und das Gericht
über [a]No ergehen lassen 15 und will mei-
nen Grimm ausschütten über Sin, die
Festung Ägyptens, und will den Reich-
tum von No vernichten. 16 Ich will Feuer
an Ägypten legen, und Sin soll es angst

30,3 *a* Joel 1,15; Zef 1,14 **30,5** *a* Jer 46,9
30,6 *a* Kap 29,10 **30,9** *a* Jes 20,3-4 **30,11** *a* Kap 28,7
30,12 *a* Jes 19,5 **30,14** *a* Nah 3,8-9

und bange werden, und No soll erobert
und Memphis täglich geängstigt wer-
den. 17 Die junge Mannschaft von On und
Pi-Beset soll durchs Schwert fallen und
die Frauen gefangen weggeführt werden.
18 In [a]Tachpanhes wird sich der Tag ver-
finstern, wenn ich dort das Zepter Ägyp-
tens zerbreche und seine stolze Macht ein
Ende nimmt. Die Stadt wird mit Wolken
bedeckt werden, und ihre Töchter werden
gefangen weggeführt werden. 19 Und ich
will das Gericht über Ägypten ergehen
lassen, damit sie erfahren, dass ich der
HERR bin.

PHARAO UND DER KÖNIG VON BABEL

20 Und es begab sich im elften Jahr am sie-
benten Tag des ersten Monats, da geschah
des HERRN Wort zu mir: 21 Du Menschen-
kind, ich habe den Arm des Pharao, des
Königs von Ägypten, zerbrochen, und
siehe, er ist nicht verbunden worden, dass
er wieder heilen könnte, auch nicht mit
Binden umwickelt, dass er wieder stark
würde und ein Schwert fassen könnte.
22 Darum, so spricht Gott der HERR:
Siehe, ich will an den Pharao, den König
von Ägypten, und will seine Arme zerbre-
chen, den gesunden und den zerbroche-
nen, dass ihm das Schwert aus der Hand
fallen muss, 23 und will die Ägypter un-
ter die Völker zerstreuen und in die Län-
der verjagen. 24 Aber die Arme des Königs
von Babel will ich stärken und ihm mein
Schwert in die Hand geben und will die
Arme des Pharao zerbrechen, dass er vor
ihm stöhnen soll wie ein tödlich Verwun-
deter. 25 Ja, ich will die Arme des Königs
von Babel stärken, aber die Arme des Pha-
rao sollen sinken, damit sie erfahren, dass
ich der HERR bin, wenn ich mein Schwert
dem König von Babel in die Hand gebe,
damit er's gegen Ägyptenland zücke,
26 und ich die Ägypter unter die Völker
zerstreue und in die Länder verjage, da-
mit sie erfahren, dass ich der HERR bin.

DER PHARAO WIRD STÜRZEN

31 Und es begab sich im elften Jahr am
ersten Tag des dritten Monats, da ge-
schah des HERRN Wort zu mir: 2 Du Men-
schenkind, sage zum Pharao, dem König
von Ägypten, und zu seinem stolzen Volk:
Wem bist du gleich in deiner Herrlich-
keit? 3 Siehe, Assur war ein Zedernbaum
auf dem Libanon, mit schönen Ästen und
dichtem Laub und sehr hoch, sodass sein
Wipfel in die Wolken ragte. 4 Wasser ließ
ihn groß werden und die Flut der Tiefe
in die Höhe wachsen. Ihre Ströme gin-
gen rings um seinen Stamm her, und ihre
Wassergräben sandte sie zu allen Bäumen
auf dem Felde. 5 Darum ist er höher ge-
worden als alle Bäume auf dem Felde und
trieb viele Äste und lange Zweige; denn
er hatte Wasser genug, sich auszubrei-
ten. 6 Alle Vögel des Himmels nisteten
auf seinen Ästen und alle Tiere des Fel-
des hatten Junge unter seinen Zweigen,
und unter seinem Schatten wohnten alle
großen Völker. 7 Er war schön geworden
in seiner Größe mit seinen langen Ästen;
denn seine Wurzeln hatten viel Wasser.
8 So war ihm kein Zedernbaum gleich in
Gottes Garten, und die Zypressen waren
seinen Ästen nicht zu vergleichen, und
die Platanen waren nichts gegen seine
Zweige. Ja, er war so schön wie kein Baum
im Garten Gottes. 9 Ich hatte ihn so schön
gemacht mit seinen vielen Ästen, dass ihn
alle Bäume von Eden im Garten Gottes
beneideten.
10 Darum, so spricht Gott der HERR:
Weil er so hoch geworden war, dass sein
Wipfel bis in die Wolken ragte, und weil
sein Herz sich erhob, da er so hoch gewor-
den war, 11 darum gab ich ihn dem Mäch-
tigsten unter den Völkern in die Hände,
dass der mit ihm umginge, wie er verdient
hat mit seinem gottlosen Tun. So habe ich
ihn vertrieben. 12 Fremde hieben ihn um,
die Gewalttätigsten unter den Völkern,
und ließen ihn liegen. Seine Äste fielen
auf die Berge und in alle Täler, und seine
Zweige lagen zerbrochen an allen Bächen
im Lande, sodass alle Völker auf Erden aus
seinem Schatten wegziehen mussten und
ihn liegen ließen. 13 Alle Vögel des Him-
mels saßen auf seinem gefällten Stamm,
und alle Tiere des Feldes legten sich auf
seine Äste, 14 damit sich fortan kein Baum
am Wasser wegen seiner Höhe überhebe
und seinen Wipfel bis in die Wolken re-
cke und kein Baum am Wasser sich erhebe

30,18 *a* Jer 43,9

über die andern. Denn sie müssen alle un-
ter die Erde und dem Tod übergeben wer-
den zu den Menschen, die in die Grube
fahren.
15 So spricht Gott der HERR: An dem
Tage, an dem er hinunter ins Totenreich
fuhr, da ließ ich die Flut der Tiefe um ihn
trauern und hielt ihre Ströme an, dass die
großen Wasser nicht fließen konnten. Ich
ließ den Libanon um ihn trauern, dass alle
Bäume auf dem Felde um seinetwillen
verdorrten. 16 [a]Ich erschreckte die Völker,
als sie ihn fallen hörten, da ich ihn hinun-
terstieß ins Totenreich, zu denen, die in
die Grube gefahren sind. Damit trösteten
sich unter der Erde alle Bäume von Eden,
die edelsten und besten vom Libanon, alle,
die am Wasser gestanden hatten. 17 Denn
sie mussten auch mit ihm hinunter ins
Totenreich, zu den mit dem Schwert Er-
schlagenen, weil sie unter dem Schatten
seines Arms gewohnt hatten inmitten der
Völker. 18 Wem bist du gleich, Pharao, mit
deiner Pracht und Herrlichkeit unter den
Bäumen von Eden? Und du musst mit den
Bäumen von Eden unter die Erde hinab-
fahren und unter den Unbeschnittenen
liegen, die mit dem Schwert erschlagen
sind. So soll es dem Pharao gehen und
seinem stolzen Volk, spricht Gott der
HERR.

KLAGELIEDER ÜBER DEN PHARAO UND ÜBER ÄGYPTEN

32 Und es begab sich im zwölften Jahr
am ersten Tag des zwölften Monats,
da geschah des HERRN Wort zu mir: 2 Du
Menschenkind, stimm ein Klagelied an
über den Pharao, den König von Ägyp-
ten, und sprich zu ihm: Du warst wie ein
junger Löwe unter den Völkern und wie
ein [a]Drache im Meer und schnaubtest in
deinen Strömen und rührtest das Wasser
auf mit deinen Füßen und machtest seine
Ströme trübe.
3 So spricht Gott der HERR: [a]Ich will
mein Netz über dich auswerfen durch eine
Menge Völker; die sollen dich in meinem
Garn heraufholen; 4 und ich will dich an
Land ziehen und aufs Feld werfen, dass
sich [a]alle Vögel des Himmels auf dich set-
zen sollen und alle Tiere auf Erden von dir
satt werden. 5 Und ich will dein Fleisch auf
die Berge werfen und mit deinem Aas die
Täler füllen. 6 Das Land will ich mit dei-
nem Blut tränken bis zu den Bergen, und
die Bäche sollen davon voll werden. 7 [a]Und
wenn du ganz dahin bist, so will ich den
Himmel verhüllen und seine Sterne ver-
finstern und die Sonne mit Wolken über-
ziehen, und der Mond soll nicht scheinen.
8 Alle Lichter am Himmel lasse ich über dir
dunkel werden und bringe eine [a]Finster-
nis über dein Land, spricht Gott der HERR.
9 Dazu will ich die Herzen vieler Völker
erschrecken, wenn ich deine Gefangenen
unter die Völker bringe, in viele Länder,
die du nicht kennst. 10 Viele Völker sollen
sich über dich entsetzen, und ihren Kö-
nigen soll vor dir grauen, wenn ich mein
Schwert vor ihnen blinken lasse; sie zit-
tern und zittern, ein jeder um sein Leben,
am Tag deines Falls.
11 Denn so spricht Gott der HERR: Das
Schwert des Königs von Babel soll dich
treffen. 12 Ich will dein stolzes Volk fäl-
len durch die Schwerter der Helden, die
allesamt die Gewalttätigsten unter den
Völkern sind; sie werden die Herrlichkeit
Ägyptens verheeren und sein stolzes Volk
vernichten. 13 Und ich will alle seine Tiere
umbringen an den großen Wassern, dass
keines Menschen Fuß und keines Tieres
Klaue sie mehr trübe machen soll. 14 Als-
dann will ich seine Wasser klar machen,
dass seine Ströme fließen wie Öl, spricht
Gott der HERR, 15 wenn ich das Land
Ägypten verwüste und alles, was im Land
ist, öde mache und alle, die darin wohnen,
erschlage, und sie sollen erfahren, dass ich
der HERR bin.
16 Das ist ein Klagelied, und man soll es
singen; ja, die Töchter der Völker sollen
es singen, über Ägypten und sein stolzes
Volk sollen sie klagen, spricht Gott der
HERR.
17 Und im zwölften Jahr am fünfzehnten
Tag desselben Monats geschah des HERRN
Wort zu mir: 18 Du Menschenkind, weh-
klage über das stolze Volk Ägyptens und
[a]stoß es hinab mit den Töchtern der star-
ken Völker, tief unter die Erde zu denen,
die in die Grube gefahren sind. 19 Vor wem

31,16 ***a*** *(16-17)* Kap 28,8 **32,2** ***a*** Kap 29,3 **32,3** ***a*** Kap 12,13
32,4 ***a*** Kap 29,5 **32,7** ***a*** *(7-8)* Jes 13,10
32,8 ***a*** 2. Mose 10,22 **32,18** ***a*** Kap 31,16

hast du nun etwas voraus an Schönheit?
[a]Hinunter mit dir! Lege dich zu den Un-
beschnittenen! 20 Sie werden fallen mit-
ten unter denen, die mit dem Schwert
erschlagen sind. Das Schwert ist schon
gefasst und gezückt über ihr stolzes Volk.
21 Von ihm werden im Totenreich die star-
ken Helden mit ihren Helfern sagen: Sie
sind hinuntergefahren und liegen da, die
Unbeschnittenen und mit dem Schwert
Erschlagenen.

22 Da liegt Assur mit seinem ganzen
Volk, ringsherum seine Gräber, sie alle
erschlagen und durchs Schwert gefallen!
23 Seine Gräber bekam es in der tiefsten
Grube, und sein Volk liegt rings um sein
Grab, alle erschlagen und durchs Schwert
gefallen, von denen einst Schrecken aus-
ging im Lande der Lebendigen.

24 Da liegt [a]Elam mit seinem stolzen
Volk rings um sein Grab, sie alle erschla-
gen und durchs Schwert gefallen, hinun-
tergefahren als Unbeschnittene tief unter
die Erde, von denen einst Schrecken aus-
ging im Lande der Lebendigen; sie müs-
sen ihre Schande tragen mit denen, die
in die Grube gefahren sind. 25 Man hat
sie mitten unter die Erschlagenen gelegt
mit ihrem stolzen Volk, ringsherum ihre
Gräber, sie alle als Unbeschnittene und
mit dem Schwert Erschlagene, von denen
einst Schrecken ausging im Lande der Le-
bendigen; sie müssen ihre Schande tragen
mit denen, die in die Grube gefahren sind,
und bei den Erschlagenen liegen.

26 Da liegen [a]Meschech und Tubal mit ih-
rem stolzen Volk, ringsherum ihre Gräber,
sie alle als Unbeschnittene und mit dem
Schwert Erschlagene, von denen einst
Schrecken ausging im Lande der Leben-
digen. 27 Sie liegen nicht bei den Helden,
die in der Vorzeit gefallen und mit ihrer
Kriegswehr ins Totenreich gefahren sind,
denen man ihre Schwerter unter ihre
Häupter gelegt und ihre Schilde über ihre
Gebeine gedeckt hat, die gefürchtete Hel-
den waren im Lande der Lebendigen. 28 Du
aber musst inmitten der Unbeschnittenen
zerschmettert werden und bei denen lie-
gen, die mit dem Schwert erschlagen sind.

29 Da liegt [a]Edom mit seinen Königen
und allen seinen Fürsten, die in ihrer Hel-
denkraft zu den vom Schwert Erschlage-
nen getan wurden; da liegen sie bei den
Unbeschnittenen und denen, die in die
Grube gefahren sind.

30 Da sind alle Fürsten des Nordens und
alle [a]Sidonier, die mit den Erschlagenen
hinabgefahren sind, und ihre schreckliche
Gewalt ist zuschanden geworden; sie
müssen als Unbeschnittene bei denen lie-
gen, die mit dem Schwert erschlagen sind,
und ihre Schande tragen samt denen, die
in die Grube gefahren sind.

31 Diese alle wird der Pharao sehen und
sich trösten über sein stolzes Volk. Mit
dem Schwert erschlagen ist der Pharao und
sein ganzes Heer, spricht Gott der HERR.
32 Denn ich setzte ihn zum Schrecken im
Lande der Lebendigen, aber nun liegt er
bei den Unbeschnittenen und mit dem
Schwert Erschlagenen, der Pharao und
sein stolzes Volk, spricht Gott der HERR.

DAS WÄCHTERAMT DES PROPHETEN

(vgl. Kap 3,16-21)

33 Und des HERRN Wort geschah zu
mir: 2 Du Menschenkind, rede zu dei-
nem Volk und sprich zu ihnen: Wenn ich
das Schwert über ein Land bringe und das
Volk dieses Landes nimmt einen Mann
aus seiner Mitte und macht ihn zu sei-
nem Wächter 3 und er sieht das Schwert
kommen über das Land und bläst die Po-
saune und warnt das Volk – 4 wer nun den
Hall der Posaune hört und will sich nicht
warnen lassen und das Schwert kommt
und nimmt ihn weg, dessen Blut wird auf
seinen Kopf kommen. 5 Denn er hat den
Hall der Posaune gehört und sich dennoch
nicht warnen lassen; darum wird sein Blut
auf ihn kommen. Wer sich aber warnen
lässt, der wird sein Leben davonbringen.
6 Wenn aber der Wächter das Schwert
kommen sieht und nicht die Posaune bläst
und sein Volk nicht warnt und das Schwert
kommt und nimmt einen von ihnen weg,
so wird der wohl um seiner Sünde willen
weggenommen; aber sein Blut will ich
von der Hand des Wächters fordern.

7 Dich aber, du Menschenkind, habe
ich zum [a]Wächter gesetzt über das Haus
Israel. Wenn du ein Wort aus meinem

32,19 *a* Jes 14,11.15 **32,24** *a* Jer 49,37 **32,26** *a* Kap 27,13; 38,2 **32,29** *a* Kap 25,12-14 **32,30** *a* Kap 28,21-23
33,7 *a* Hebr 13,17

Munde hörst, sollst du sie vor mir war-
nen. 8 Wenn ich nun zu dem Gottlosen
sage: Du Gottloser musst des Todes ster-
ben!, und du sagst ihm das nicht, um den
Gottlosen vor seinem Wege zu warnen,
so wird er, der Gottlose, um seiner Sünde
willen sterben, aber sein Blut will ich von
deiner Hand fordern. 9 Warnst du aber
den Gottlosen vor seinem Wege, dass er
von ihm umkehre, und er will von seinem
Wege nicht umkehren, so wird er um sei-
ner Sünde willen sterben, aber du hast
dein Leben errettet.

GOTT RICHTET JEDEN NACH SEINEM HANDELN

(vgl. Kap 18,21-32)

10 Und du, Menschenkind, sage dem Hause
Israel: Ihr sprecht: Unsere Sünden und
Missetaten liegen auf uns, dass wir darun-
ter vergehen; wie können wir denn leben?
11 So sprich zu ihnen: **So wahr ich lebe,
spricht Gott der HERR: Ich habe kein
Gefallen am Tode des Gottlosen, son-
dern dass der Gottlose umkehre von
seinem Wege und lebe. So [a]kehrt nun
um von euren bösen Wegen. Warum
wollt ihr sterben, ihr vom Hause Israel?**
12 Und du, Menschenkind, sprich zu dei-
nem Volk: [a]Wenn ein Gerechter Böses tut,
so wird's ihm nicht helfen, dass er gerecht
gewesen ist; und wenn ein Gottloser von
seiner Gottlosigkeit umkehrt, so soll's ihm
nicht schaden, dass er gottlos gewesen ist.
Auch der Gerechte kann nicht am Leben
bleiben, wenn er sündigt. 13 Denn wenn
ich zu dem Gerechten spreche: Du sollst
leben!, und er verlässt sich auf seine Ge-
rechtigkeit und tut Böses, so soll all seiner
Gerechtigkeit nicht mehr gedacht werden,
sondern er soll sterben um des Bösen wil-
len, das er getan hat. 14 Und wenn ich zum
Gottlosen spreche: Du sollst sterben!, und
er bekehrt sich von seiner Sünde und tut,
was recht und gut ist, – 15 sodass der Gott-
lose [a]das Pfand zurückgibt und [b]erstattet,
was er geraubt hat, und nach den Satzun-
gen des Lebens wandelt und nichts Böses
tut –, so soll er am Leben bleiben und nicht
sterben, 16 und all seiner Sünden, die er ge-
tan hat, soll nicht mehr gedacht werden,
denn er hat nun getan, was recht und gut
ist; darum soll er am Leben bleiben.
17 Aber dein Volk spricht: »Der Herr han-
delt nicht recht«, während doch sie nicht
recht handeln. 18 Wenn der Gerechte sich
abkehrt von seiner Gerechtigkeit und
Unrecht tut, so muss er deshalb sterben.
19 Und wenn sich der Gottlose von seiner
Gottlosigkeit bekehrt und tut, was recht
und gut ist, so soll er deshalb am Leben
bleiben. 20 Und doch sprecht ihr: »Der
Herr handelt nicht recht«, während ich
doch euch vom Hause Israel richte, einen
jeden nach seinem Wandel.

DER PROPHET ERFÄHRT VON DER EROBERUNG JERUSALEMS

21 Und es begab sich im zwölften Jahr un-
serer Gefangenschaft am fünften Tag des
zehnten Monats, da kam zu mir ein [a]Ent-
ronnener von Jerusalem und sprach: Die
Stadt ist genommen. 22 Und die Hand des
HERRN war über mich gekommen am
Abend, bevor der Entronnene kam, und
er tat mir meinen Mund auf, als jener am
Morgen zu mir kam. Und mein Mund
wurde aufgetan, sodass ich nicht mehr
[a]stumm sein musste.

GEGEN DEN ANSPRUCH DER IM LANDE ZURÜCKGEBLIEBENEN

23 Und des HERRN Wort geschah zu mir:
24 [a]Du Menschenkind, die Bewohner jener
Trümmer im Lande Israels sprechen: [b]Ab-
raham war ein einzelner Mann und nahm
dies Land in Besitz; wir aber sind viele,
uns ist das Land zum Eigentum gegeben.
25 Darum sprich zu ihnen: So spricht Gott
der HERR: [a]Ihr habt Blutiges gegessen
und eure Augen zu den Götzen aufgeho-
ben und Blut vergossen – und ihr wollt das
Land besitzen? 26 Ihr verlasst euch auf euer
Schwert und übt Gräuel, und einer schän-
det die Frau des andern – und ihr wollt das
Land besitzen?
27 So sprich zu ihnen: So spricht Gott der
HERR: So wahr ich lebe, sollen alle, die in
den Trümmern wohnen, durchs Schwert
fallen, und die auf freiem Felde sind, will
ich den Tieren zum Fraß geben, und die in

33,11 ***a*** Jes 55,7; Joel 2,12-13 **33,12** ***a*** Kap 3,20
33,15 ***a*** Kap 18,7 ***b*** Lk 19,8 **33,21** ***a*** Kap 24,26;
2. Kön 25,2-4 **33,22** ***a*** Kap 3,26
33,24 ***a*** (24-28) Kap 11,15-21 ***b*** Jes 51,2
33,25 ***a*** 1. Sam 14,32-34

den Festungen und Höhlen sind, sollen an
der Pest sterben. 28 Denn ich will das Land
ganz verwüsten und seiner Hoffart und
Macht ein Ende machen, dass das Gebirge
Israel so zur Wüste wird, dass niemand
mehr hindurchzieht. 29 Und sie sollen er-
fahren, dass ich der HERR bin, wenn ich
das Land ganz verwüste um aller ihrer
Gräuel willen, die sie verübt haben.

GEGEN DIE LEICHTFERTIGEN HÖRER DES PROPHETISCHEN WORTES

30 Und du, Menschenkind, dein Volk re-
det über dich an den Mauern und in den
Haustüren, und einer spricht zum andern:
Kommt doch und lasst uns hören, was das
für ein Wort ist, das vom HERRN ausgeht.
31 Und sie werden zu dir kommen, wie das
Volk zusammenkommt, und vor dir sitzen
als mein Volk und [a]werden deine Worte
hören, aber nicht danach tun, sondern
ihr Mund ist voll Verlangen und danach
tun sie, und hinter ihrem Gewinn läuft
ihr Herz her. 32 Und siehe, du bist für sie
wie einer, der Liebeslieder singt, der eine
schöne Stimme hat und gut spielen kann.
Sie hören wohl deine Worte, aber sie tun
nicht danach. 33 Wenn es aber kommt –
und siehe, es kommt! –, so werden sie
erfahren, dass [a]ein Prophet unter ihnen
gewesen ist.

DIE SCHLECHTEN HIRTEN UND DER RECHTE HIRT

(vgl. Kap 37,24-28)

34 Und des HERRN Wort geschah zu mir:
2 Du Menschenkind, weissage gegen
die Hirten Israels, weissage und sprich zu
ihnen: So spricht Gott der HERR: [a]Wehe
den Hirten Israels, die sich selbst weiden!
Sollen die Hirten nicht die Herde weiden?
3 Aber ihr esst das Fett und kleidet euch
mit der Wolle und schlachtet das Gemäs-
tete, aber die Schafe wollt ihr nicht wei-
den. 4 [a]Das Schwache stärkt ihr nicht, und
das Kranke heilt ihr nicht, das Verwun-
dete verbindet ihr nicht, das Verirrte holt
ihr nicht zurück, und das Verlorene sucht
ihr nicht; das Starke aber tretet ihr nieder
mit Gewalt. 5 Und [a]meine Schafe sind zer-
streut, weil sie keinen Hirten haben, und
sind allen wilden Tieren zum Fraß gewor-
den und zerstreut. 6 Sie irren umher auf
allen Bergen und auf allen hohen Hügeln
und sind über das ganze Land zerstreut,
und niemand ist da, der nach ihnen fragt
oder sie sucht.
7 Darum hört, ihr Hirten, des HERRN
Wort! 8 So wahr ich lebe, spricht Gott der
HERR: Weil meine Schafe zum Raub ge-
worden sind und meine Herde zum Fraß
für alle wilden Tiere, weil sie keinen Hir-
ten hatten und meine Hirten nach meiner
Herde nicht fragten, sondern die Hirten
sich selbst weideten, aber meine Schafe
nicht weideten, 9 darum, ihr Hirten, hört
des HERRN Wort! 10 So spricht Gott der
HERR: Siehe, [a]ich will an die Hirten und
will meine Herde von ihren Händen for-
dern; ich will ein Ende damit machen,
dass sie Hirten sind, und sie sollen sich
nicht mehr selbst weiden. Ich will meine
Schafe erretten aus ihrem Rachen, dass sie
sie nicht mehr fressen sollen.
11 Denn so spricht Gott der HERR: Siehe,
[a]ich will mich meiner Herde selbst an-
nehmen und sie suchen. 12 Wie [a]ein Hirte
seine Schafe sucht, wenn sie von sei-
ner Herde verirrt sind, so will ich meine
Schafe suchen und will sie erretten von al-
len Orten, wohin sie zerstreut waren zur
Zeit, als es trüb und finster war. 13 Ich will
sie aus den Völkern herausführen und aus
den Ländern sammeln und will sie in ihr
Land bringen und will sie weiden auf den
Bergen Israels, in den Tälern und wo im-
mer sie wohnen im Lande. 14 Ich will sie
auf die beste Weide führen, und auf den
hohen Bergen in Israel sollen ihre Auen
sein; da [a]werden sie auf guten Auen lagern
und fette Weide haben auf den Bergen Is-
raels. 15 Ich selbst will meine Schafe wei-
den, und ich will sie lagern lassen, spricht
Gott der HERR. 16 [a]**Ich will das Verlorene
wieder suchen und das Verirrte zu-
rückbringen und das Verwundete ver-
binden und das Schwache stärken und,
was fett und stark ist, behüten*; ich will
sie weiden, wie es recht ist.**
17 Aber zu euch, meine Herde, spricht
Gott der HERR: Siehe, [a]ich will richten

* **34,16** Andere Überlieferung: »vertilgen«.

33,31 *a* Mt 7,24-27 **33,33** *a* Kap 2,5 **34,2** *a* Jer 23,1-4
34,4 *a* Sach 11,15-16 **34,5** *a* Mt 9,36 **34,10** *a* Jer 23,2
34,11 *a* Jes 40,11; Joh 10,11 **34,12** *a* Lk 15,4
34,14 *a* Ps 23,2 **34,16** *a* Jer 31,8-9 **34,17** *a* Mt 25,32

zwischen Schaf und Schaf und Widdern
und Böcken. 18 Ist's euch nicht genug, die
beste Weide zu haben, dass ihr die üb-
rige Weide mit Füßen tretet, und klares
Wasser zu trinken, dass ihr auch noch
hineintretet und es trübe macht, 19 so-
dass meine Schafe fressen müssen, was
ihr mit euren Füßen zertreten habt, und
trinken, was ihr mit euren Füßen trübe
gemacht habt? 20 Darum, so spricht Gott
der HERR zu ihnen: Siehe, ich will selbst
richten zwischen den fetten und den ma-
geren Schafen; 21 weil ihr mit Seite und
Schulter drängtet und die Schwachen von
euch stießt mit euren Hörnern, bis ihr sie
alle hinausgetrieben hattet, 22 will ich mei-
ner Herde helfen, dass sie nicht mehr zum
Raub werden soll, und will richten zwi-
schen Schaf und Schaf.

23 Und [a]**ich will ihnen einen einzigen
Hirten erwecken, der sie weiden soll,
nämlich meinen Knecht David. Der
wird sie weiden und soll ihr Hirte sein,
24 und ich, der HERR, will ihr Gott sein.**
Und mein Knecht David soll der Fürst un-
ter ihnen sein; das sage ich, der HERR.

25 Und ich will einen [a]Bund des Friedens
mit ihnen schließen und [b]alle bösen Tiere
aus dem Lande ausrotten, dass sie sicher in
der Steppe wohnen und in den Wäldern
schlafen können. 26 [a]Ich will sie und al-
les, was um meinen Hügel her ist, segnen
und auf sie regnen lassen zu rechter Zeit.
Das sollen gnädige Regen sein, 27 dass die
Bäume auf dem Felde ihre Früchte brin-
gen und das Land seinen Ertrag gibt, und
sie sollen sicher auf ihrem Lande wohnen
und sollen erfahren, dass ich der HERR
bin, wenn ich ihr Joch zerbrochen und
sie errettet habe aus der Hand derer, de-
nen sie dienen mussten. 28 Und sie sollen
nicht mehr den Völkern zum Raub wer-
den, und kein wildes Tier im Lande soll
sie mehr fressen, sondern sie sollen sicher
wohnen, und [a]niemand soll sie schrecken.
29 Und ich will ihnen eine Pflanzung auf-
gehen lassen zum Ruhm, dass sie nicht
mehr Hunger leiden sollen im Lande und
die Schmähungen der Völker nicht mehr
ertragen müssen.[a] 30 Und sie sollen er-
fahren, dass ich, [a]der HERR, ihr Gott, bei
ihnen bin und dass die vom Hause Israel
mein Volk sind, spricht Gott der HERR.
31 Ja, ihr sollt meine Herde sein, [a]die Herde
meiner Weide, und ich will euer Gott sein,
spricht Gott der HERR.

GERICHT ÜBER DAS GEBIRGE SEÏR (EDOM)

35 Und des HERRN Wort geschah zu mir:
2 Du Menschenkind, richte dein Ange-
sicht gegen das [a]Gebirge Seïr und weissage
gegen es 3 und sprich zu ihm: So spricht
Gott der HERR: Siehe, ich will an dich, du
Gebirge Seïr, und meine Hand gegen dich
ausstrecken und will dich ganz und gar zur
Wüste machen. 4 Ich will deine Städte öde
machen, dass du zur Wüste werden sollst,
und du sollst erfahren, dass ich der HERR
bin. 5 [a]Weil ihr ewige Feindschaft hattet
gegen die Israeliten und sie dem Schwert
preisgegeben habt, als es ihnen übel ging
und ihre Schuld sie ans Ende brachte, –
6 darum, so wahr ich lebe, spricht Gott der
HERR, will ich auch dich bluten lassen,
und du sollst dem Blutbad nicht entrin-
nen. Weil du dich mit Blut verschuldet
hast, soll auch dein Blut fließen. 7 Und ich
will das Gebirge Seïr wüst und öde ma-
chen und alle ausrotten, die dort hin und
her ziehen. 8 Und ich will seine Berge mit
Erschlagenen füllen, seine Hügel, seine
Täler und alle seine Bachläufe – überall
sollen vom Schwert Erschlagene liegen.
9 Ja, zu einer ewigen Wüste will ich dich
machen, dass niemand mehr in deinen
Städten wohnt, und ihr sollt erfahren,
dass ich der HERR bin.

10 Weil du sprachst: »Diese beiden Völker
mit ihren beiden Ländern müssen mein
werden, und wir wollen sie in Besitz neh-
men« – obgleich der HERR dort wohnt –,
11 darum, so wahr ich lebe, spricht Gott der
HERR, will ich an dir handeln mit dem-
selben Zorn und derselben Leidenschaft,
mit denen du an ihnen gehandelt hast
in deinem Hass, und will mich an ihnen
kundtun, wenn ich dich richte. 12 Und
du sollst erfahren, dass ich, der HERR, all
deine Lästerreden gegen die Berge Israels

34,23 ***a*** Kap 37,24; Jer 30,9; Hos 3,5; Joh 10,14-16
34,25 ***a*** Kap 37,26; Hos 2,20 ***b*** 3. Mose 26,6
34,26 ***a*** *(26-27)* 3. Mose 26,4 **34,28** ***a*** Kap 39,26; Jer 30,10 **34,29** ***a*** Kap 36,15.30; Joel 2,19
34,30 ***a*** Kap 11,20 **34,31** ***a*** Ps 100,3 **35,2** ***a*** 1. Mose 36,8
35,5 ***a*** *(5-6)* Ps 137,7

gehört habe, als du sagtest: Sie sind ver-
wüstet und uns zum Fraß gegeben. 13 So
habt ihr euch gegen mich gerühmt und
frech gegen mich geredet; das habe ich ge-
hört. 14 So spricht Gott der HERR: Wie du
dich gefreut hast, dass das ganze Land ver-
wüstet war, so will ich dir tun. 15 Ja, wie du
dich gefreut hast über das Erbe des Hau-
ses Israel, weil es verwüstet war, ebenso
will ich mit dir tun: Das Gebirge Seïr soll
zur Wüste werden mit ganz Edom, und
sie sollen erfahren, dass ich der HERR bin.

DIE VERHEISSUNG FÜR DIE BERGE ISRAELS

36 Und du, Menschenkind, weissage
den [a]Bergen Israels und sprich: Hört
des HERRN Wort, ihr Berge Israels! 2 So
spricht Gott der HERR: [a]Weil der Feind
über euch frohlockt: »Ha, die ewigen Hö-
hen sind nun unser Besitz geworden!«,
3 darum weissage und sprich: So spricht
Gott der HERR: Weil man euch allent-
halben verwüstet und vertilgt und ihr
zum Besitz der übrig gebliebenen Völker
geworden und übel ins Gerede der Leute
gekommen seid, 4 darum hört, ihr Berge
Israels, das Wort Gottes des HERRN! So
spricht Gott der HERR zu den Bergen und
Hügeln, zu den Bächen und Tälern, zu den
öden Trümmern und verlassenen Städten,
die den übrig gebliebenen Völkern rings-
umher zum Raub und Spott geworden
sind, – 5 darum, so spricht Gott der HERR:
Wahrlich, ich habe in meinem feurigen
Eifer geredet gegen die Völker, die übrig
geblieben sind, und gegen ganz [a]Edom,
die mein Land in Besitz genommen ha-
ben mit Freude von ganzem Herzen und
mit Hohnlachen, um es zu verheeren und
zu plündern.

6 Darum weissage über das Land Israels
und sprich zu den Bergen und Hügeln, zu
den Bächen und Tälern: So spricht Gott
der HERR: Siehe, ich rede in meinem Eifer
und Grimm, weil ihr solche Schmach von
den Völkern tragen musstet. 7 Darum, so
spricht Gott der HERR: Ich hebe meine
Hand auf zum Schwur: Wahrlich, eure
Nachbarn, die Völker ringsumher, sie
selbst müssen ihre Schande tragen. 8 Aber
ihr Berge Israels sollt wieder grünen und
eure Frucht bringen meinem Volk Israel,
denn bald sollen sie heimkehren. 9 Denn
siehe, ich will mich wieder zu euch keh-
ren und euch mein Angesicht zuwenden,
dass ihr angebaut und besät werdet. 10 Und
ich will viele Menschen auf euch wohnen
lassen, das ganze Haus Israel insgesamt,
und die Städte sollen wieder bewohnt und
die Trümmer aufgebaut werden. 11 Ja, ich
lasse Menschen und Vieh auf euch zahl-
reich werden; sie sollen sich mehren und
fruchtbar sein. Und ich will euch wieder
bewohnt sein lassen wie früher und [a]will
euch mehr Gutes tun als je zuvor, und ihr
sollt erfahren, dass ich der HERR bin. 12 Ich
will wieder Menschen über euch ziehen
lassen, nämlich mein Volk Israel; die wer-
den dich besitzen und du sollst ihr Erb-
teil sein und ihnen die Kinder nicht mehr
nehmen.[a]

13 So spricht Gott der HERR: Weil man
das von euch sagt: »Du hast Menschen
gefressen und deinem Volk die Kinder
genommen«, 14 darum sollst du nun nicht
mehr Menschen fressen und deinem Volk
nicht mehr die Kinder nehmen, spricht
Gott der HERR. 15 Und ich will dich nicht
mehr die Schmähungen der Völker hören
lassen, und du sollst den Spott der Völker
nicht mehr tragen und sollst deinem Volk
nicht mehr die Kinder nehmen, spricht
Gott der HERR.

DIE ERNEUERUNG ISRAELS DURCH GOTTES GEIST

16 Und des HERRN Wort geschah zu mir:
17 Du Menschenkind, als das Haus Israel
in seinem Lande wohnte und es [a]unrein
machte mit seinem Wandel und Tun, dass
ihr Wandel vor mir war wie die Unrein-
heit einer Frau, wenn sie ihre Tage hat,
18 da schüttete ich meinen Grimm über
sie aus um des Blutes willen, das sie im
Lande vergossen, und weil sie es unrein
gemacht hatten durch ihre Götzen. 19 Und
ich zerstreute sie unter die Völker und ver-
sprengte sie in die Länder und richtete sie
nach ihrem Wandel und Tun. 20 So kamen
sie zu den Völkern; aber wohin sie kamen,
[a]entheiligten sie meinen heiligen Namen,
weil man von ihnen sagte: »Sie sind des

36,1 *a* Kap 6,2 **36,2** *a* Kap 25,3; 35,10 **36,5** *a* Kap 35,15
36,11 *a* 3. Mose 26,9 **36,12** *a* Kap 5,17
36,17 *a* 3. Mose 18,24-25 **36,20** *a* Jes 52,5

Herrn Volk und mussten doch aus ihrem
Lande fortziehen!« 21 Da [a]tat es mir leid um
meinen heiligen Namen, den das Haus Is-
rael entheiligte unter den Völkern, wohin
sie auch kamen.
22 Darum sollst du zum Hause Israel sa-
gen: So spricht Gott der Herr: Ich tue
es nicht um euretwillen, ihr vom Hause
Israel, sondern [a]um meines heiligen Na-
mens willen, den ihr entheiligt habt unter
den Völkern, wohin ihr auch gekommen
seid. 23 Denn [a]ich will meinen großen Na-
men, der vor den Völkern entheiligt ist,
den ihr unter ihnen entheiligt habt, wie-
der heilig machen. [b]Und die Völker sollen
erfahren, dass ich der Herr bin, spricht
Gott der Herr, wenn ich vor ihren Augen
an euch zeige, dass ich heilig bin. 24 Denn
ich will euch aus den Völkern herausholen
und euch aus allen Ländern sammeln und
wieder in euer Land bringen, 25 und ich will
[a]reines Wasser über euch sprengen, dass
ihr rein werdet; von all eurer Unreinheit
und von allen euren Götzen will ich euch
reinigen. 26 [a]Und **ich will euch ein neues
Herz und einen neuen Geist in euch
geben und will das steinerne Herz aus
eurem Fleisch wegnehmen und euch
ein fleischernes Herz geben.** 27 **Ich will
[a]meinen Geist in euch geben und will
solche Leute aus euch machen, die [b]in
meinen Geboten wandeln und meine
Rechte halten und danach tun.** 28 Und
ihr sollt wohnen im Lande, das ich euren
Vätern gegeben habe, und [a]sollt mein Volk
sein, und ich will euer Gott sein.
29 Ich will euch von all eurer Unrein-
heit erlösen und will das Korn rufen und
will es mehren und will keine Hungers-
not über euch kommen lassen. 30 Ich will
die Früchte der Bäume und den Ertrag
des Feldes mehren, dass euch die Völker
nicht mehr verspotten, weil ihr hungern
müsst.[a] 31 Dann werdet ihr an euren bösen
Wandel denken und an euer Tun, das nicht
gut war, und werdet euch selbst zuwider
sein um eurer Sünde und eurer Gräuel
willen.[a] 32 Nicht um euretwillen tue ich
das, spricht Gott der Herr, das sollt ihr
wissen, sondern ihr werdet euch schämen
müssen und schamrot werden, ihr vom
Hause Israel, über euren Wandel.
33 So spricht Gott der Herr: Zu der Zeit,
wenn ich euch reinigen werde von allen
euren Sünden, will ich die Städte wieder
bewohnt sein lassen, und die Trümmer
sollen wieder aufgebaut werden. 34 Das
verwüstete Land soll wieder gepflügt
werden, nachdem es verheert war vor den
Augen aller, die vorübergingen. 35 Und
man wird sagen: Dies Land war verheert
und jetzt ist's wie der Garten Eden, und
diese Städte waren zerstört, öde und nie-
dergerissen und stehen nun fest gebaut
und sind bewohnt. 36 Und die Völker, die
um euch her übrig geblieben sind, sollen
erfahren, dass ich der Herr bin, der da
[a]baut, was niedergerissen ist, und pflanzt,
was verheert war. [b]Ich, der Herr, sage es
und tue es auch.
37 So spricht Gott der Herr: Auch darin
will ich mich vom Hause Israel bitten las-
sen, dass ich dies ihnen tue: [a]Ich will die
Menschen bei ihnen mehren wie eine
Herde. 38 Wie eine heilige Herde, wie eine
Herde in Jerusalem an ihren Festen, so
sollen die verwüsteten Städte voll Men-
schenherden werden, und sie sollen erfah-
ren, dass ich der Herr bin.

ISRAEL, DAS TOTENFELD, WIRD DURCH GOTTES ODEM LEBENDIG

37 [a]Des Herrn Hand kam über mich,
und er führte mich hinaus im Geist des
Herrn und stellte mich mitten auf ein
weites Feld; das lag voller Totengebeine.
2 Und er führte mich überall hindurch.
Und siehe, es lagen sehr viele Gebeine
über das Feld hin, und siehe, sie waren
ganz verdorrt.
3 Und er sprach zu mir: Du Menschen-
kind, meinst du wohl, dass diese Gebeine
wieder lebendig werden? Und ich sprach:
Herr, mein Gott, du weißt es. 4 Und er
sprach zu mir: Weissage über diese Ge-
beine und sprich zu ihnen: Ihr verdorr-
ten Gebeine, höret des Herrn Wort! 5 So
spricht Gott der Herr zu diesen Gebei-
nen: Siehe, [a]ich will Odem in euch brin-

36,21 *a* Kap 20,9 **36,22** *a* Kap 20,44; Jes 48,11; Jer 14,7
36,23 *a* Kap 39,7; Mt 6,9 *b* Kap 37,28; 38,16
36,25 *a* Sach 13,1; Hebr 10,22
36,26 *a* (26-27) Kap 11,19-20; Jer 31,33
36,27 *a* Kap 39,29; Jes 44,3 *b* Kap 37,24
36,28 *a* Kap 11,20 **36,30** *a* Kap 34,29 **36,31** *a* Kap 20,43
36,36 *a* Jer 31,28 *b* Kap 17,24 **36,37** *a* Mi 2,12
37,1 *a* Kap 1,3 **37,5** *a* Ps 104,30

gen, dass ihr wieder lebendig werdet. 6 Ich will euch Sehnen geben und lasse Fleisch über euch wachsen und überziehe euch mit Haut und will euch Odem geben, dass [a]ihr wieder lebendig werdet; und ihr sollt erfahren, dass ich der HERR bin.

7 Und ich weissagte, wie mir befohlen war. Und siehe, da rauschte es, als ich weissagte, und siehe, es regte sich und die Gebeine rückten zusammen, Gebein zu Gebein. 8 Und ich sah, und siehe, es wuchsen Sehnen und Fleisch darauf und sie wurden mit Haut überzogen; es war aber noch kein Odem in ihnen. 9 Und er sprach zu mir: Weissage zum Odem; weissage, du Menschenkind, und sprich zum Odem: So spricht Gott der HERR: Odem, komm herzu von den vier Winden und blase diese Getöteten an, dass sie wieder lebendig werden! 10 Und ich weissagte, wie er mir befohlen hatte. Da kam der Odem in sie, und sie wurden wieder lebendig und stellten sich auf ihre Füße, ein überaus großes Heer.

11 Und er sprach zu mir: Du Menschenkind, [a]diese Gebeine sind das ganze Haus Israel. Siehe, jetzt sprechen sie: Unsere Gebeine sind verdorrt, und unsere Hoffnung ist verloren, und es ist aus mit uns. 12 Darum weissage und sprich zu ihnen: So spricht Gott der HERR: Siehe, ich will eure Gräber auftun und hole euch, mein Volk, aus euren Gräbern herauf und bringe euch ins Land Israels. 13 Und ihr sollt erfahren, dass ich der HERR bin, wenn ich eure Gräber öffne und euch, mein Volk, aus euren Gräbern heraufhole. 14 Und ich will meinen Odem in euch geben, dass ihr wieder leben sollt, und will euch in euer Land setzen, und ihr sollt erfahren, dass ich der HERR bin. Ich rede es und tue es auch, spricht der HERR.

DIE WIEDERVEREINIGUNG ISRAELS UND JUDAS

15 Und des HERRN Wort geschah zu mir: 16 Du Menschenkind, nimm dir ein Holz und schreibe darauf: »Für Juda und die Israeliten, die sich zu ihm halten.« Und nimm noch ein Holz und schreibe darauf: »Für Josef, das Holz Ephraims, und das ganze Haus Israel, das sich zu ihm hält.« 17 Und füge eins an das andere, dass es *ein* Holz werde in deiner Hand. 18 Wenn nun dein Volk zu dir sprechen wird: Willst du uns nicht zeigen, was du damit meinst?, 19 so sprich zu ihnen: So spricht Gott der HERR: Siehe, ich will das Holz Josefs, das in der Hand Ephraims ist, nehmen samt den Stämmen Israels, die sich zu ihm halten, und will sie zu dem Holz Judas tun und *ein* Holz daraus machen, und sie sollen *eins* sein in meiner Hand.

20 Und du sollst die Hölzer, auf die du geschrieben hast, in deiner Hand halten vor ihren Augen 21 [a]und sollst zu ihnen sagen: So spricht Gott der HERR: Siehe, ich will die Israeliten herausholen aus den Völkern, wohin sie gezogen sind, und will sie von überall her sammeln und wieder in ihr Land bringen 22 und will ein einziges Volk aus ihnen machen im Land auf den Bergen Israels, und [a]sie sollen allesamt einen einzigen König haben und [b]sollen nicht mehr zwei Völker sein und nicht mehr geteilt in zwei Königreiche. 23 Und sie sollen sich nicht mehr unrein machen mit ihren Götzen und Gräuelbildern und allen ihren Sünden. Ich will sie retten von allen ihren Abwegen, auf denen sie gesündigt haben, und will sie reinigen, und [a]sie sollen mein Volk sein, und ich will ihr Gott sein. 24 Und [a]**mein Knecht David soll ihr König sein und der einzige Hirte für sie alle. Und [b]sie sollen wandeln in meinen Rechten und meine Gebote halten und danach tun.**

25 Und sie sollen wieder in dem Lande wohnen, das ich meinem Knecht Jakob gegeben habe, in dem eure Väter gewohnt haben. Sie und ihre Kinder und Kindeskinder sollen darin wohnen für immer, und [a]mein Knecht David soll für immer ihr Fürst sein. 26 [a]Und ich will mit ihnen einen [b]Bund des Friedens schließen, der soll ein ewiger Bund mit ihnen sein. Und ich will sie erhalten und mehren, und [c]mein Heiligtum soll unter ihnen sein für immer. 27 [a]Meine Wohnung soll unter ihnen sein, und ich [b]will ihr Gott sein, und sie sollen mein Volk sein, 28 da-

37,6 ***a*** Jes 26,19 **37,11** ***a*** Vers 1 **37,21** ***a*** *(21-22)* Jes 11,12-13 **37,22** ***a*** Kap 34,23 ***b*** Jer 3,18; Hos 2,2 **37,23** ***a*** Kap 11,20 **37,24** ***a*** Kap 34,23 ***b*** Kap 36,27 **37,25** ***a*** Lk 1,32-33 **37,26** ***a*** *(26-28)* 2. Mose 25,8; 29,45-46 ***b*** Kap 34,25; Jes 54,10 ***c*** Kap 48,8 **37,27** ***a*** Offb 21,3 ***b*** Kap 11,20

mit auch [a]die Völker erfahren, dass ich der HERR bin, der Israel heilig macht, wenn mein Heiligtum für immer unter ihnen sein wird.

GOTTES SIEG ÜBER GOG AUS MAGOG

38 Und des HERRN Wort geschah zu mir: 2 Du Menschenkind, richte dein Angesicht gegen Gog, der im Lande [a]Magog ist und der oberste Fürst von [b]Meschech und Tubal, und weissage gegen ihn 3 und sprich: So spricht Gott der HERR: Siehe, ich will an dich, Gog, der du der oberste Fürst bist von Meschech und Tubal! 4 Ich will dich herumlenken und dir Haken ins Maul legen und will dich herausführen mit deinem ganzen Heer, mit Ross und Mann, die alle voll gerüstet sind, ein großer Heerhaufe mit kleinen und großen Schilden; alle tragen sie Schwerter. 5 Du führst mit dir Perser, [a]Kuschiter und Libyer, die alle Schild und Helm tragen, 6 dazu [a]Gomer und sein ganzes Heer, die von [b]Bet-Togarma, die im äußersten Norden wohnen, mit ihrem ganzen Heer; ja, du führst viele Völker mit dir. 7 Wohlan, rüste dich gut, du und alle deine Heerhaufen, die bei dir sind, und sei du ihr Heerführer! 8 Nach langer Zeit sollst du aufgeboten werden. Zur letzten Zeit wirst du in ein Land kommen, das dem Schwert entrissen ist, das aus vielen Völkern gesammelt ist, nämlich auf die Berge Israels, die lange Zeit verwüstet gewesen sind, und nun ist es herausgeführt aus den Völkern, und sie alle wohnen sicher. 9 Du wirst heraufziehen und daherkommen wie ein Sturmwetter und wirst sein wie eine Wolke, die das Land bedeckt, du und dein ganzes Heer und die vielen Völker mit dir.

10 So spricht Gott der HERR: Zu jener Zeit wird dir dies in den Sinn kommen, du wirst Böses planen 11 und denken: [a]»Ich will das Land überfallen, das offen daliegt, und über die kommen, die still und sicher leben, die alle ohne Mauern dasitzen und haben weder Riegel noch Tore«, 12 damit du rauben und plündern kannst und deine Hand an die zerstörten Orte legst, die wieder bewohnt sind, und an das Volk, das aus den Völkern gesammelt ist und sich Vieh und Güter erworben hat und [a]in der Mitte der Erde wohnt. 13 Saba, Dedan und die Kaufleute von Tarsis und alle seine Gewaltigen werden zu dir sagen: Bist du gekommen, zu rauben, und hast du deine Heerhaufen versammelt, zu plündern, um Silber und Gold wegzunehmen, Vieh und Güter zu sammeln und große Beute zu machen?

14 Darum, so weissage, du Menschenkind, und sprich zu Gog: So spricht Gott der HERR: Ist's nicht so? Wenn mein Volk Israel sicher wohnen wird, dann wirst du aufbrechen. 15 Und wirst kommen von deinem Ort, vom äußersten Norden, du und viele Völker mit dir, alle zu Ross, ein großer Heerhaufe und ein mächtiges Heer, 16 du wirst heraufziehen gegen mein Volk Israel wie eine Wolke, die das Land bedeckt. Am Ende der Zeit wird das geschehen. Ich will dich aber dazu über mein Land kommen lassen, dass die Völker mich erkennen, wenn ich an dir, Gog, vor ihren Augen zeige, dass ich heilig bin. 17 [a]So spricht Gott der HERR: Du bist doch der, von dem ich vorzeiten geredet habe durch meine Diener, die Propheten in Israel, die in jener Zeit weissagten, dass ich dich über sie kommen lassen wollte?

18 Und es wird geschehen zu der Zeit, an dem Tag, da Gog kommen wird über das Land Israels, spricht Gott der HERR, wird mein Zorn in mir aufsteigen. 19 Und ich sage in meinem Eifer und im Feuer meines Zorns: Wahrlich, zu der Zeit wird ein großes Erdbeben sein im Lande Israels, 20 dass vor meinem Angesicht erbeben sollen die Fische im Meer, die Vögel unter dem Himmel, die Tiere auf dem Felde und alles, was sich regt und bewegt auf dem Lande, und alle Menschen, die auf der Erde sind. Und die Berge sollen niedergerissen werden und die Felswände und alle Mauern zu Boden fallen. 21 [a]Und ich will über ihn das Schwert herbeirufen auf allen meinen Bergen, spricht Gott der HERR, dass [b]jeder sein Schwert gegen den andern erhebt. 22 Und ich will ihn richten mit Pest

37,28 ***a*** Kap 36,23 **38,2** ***a*** Kap 39,6; 1. Mose 10,2 ***b*** Kap 27,13; 32,26 **38,5** ***a*** 1. Mose 10,6
38,6 ***a*** 1. Mose 10,2 ***b*** Kap 27,14; 1. Mose 10,3
38,11 ***a*** Sach 2,8-9 **38,12** ***a*** Ri 9,37 **38,17** ***a*** (17-18) Zef 3,8
38,21 ***a*** (21-23) Offb 20,8-9 ***b*** Ri 7,22; Hag 2,22

und Blutvergießen und will regnen lassen
Platzregen, Hagel wie Steine, Feuer und
Schwefel über ihn und sein Heer und über
die vielen Völker, die mit ihm sind. 23 So
will ich mich herrlich und heilig erweisen
und mich zu erkennen geben vor vielen
Völkern, dass sie erfahren, dass ich der
HERR bin.

39 Und du, Menschenkind, [a]weissage ge-
gen Gog und sprich: So spricht Gott
der HERR: Siehe, ich will an dich, Gog, der
du der oberste Fürst bist von Meschech
und Tubal. 2 Ich will dich herumlenken
und herbeilocken und dich heraufföh-
ren aus dem äußersten Norden und auf
die Berge Israels bringen. 3 Und ich will
dir den Bogen aus deiner linken Hand
schlagen und die Pfeile aus deiner rech-
ten Hand. 4 Auf den Bergen Israels sollst
du fallen, du mit deinem ganzen Heer und
mit den Völkern, die bei dir sind. Ich will
dich den Raubvögeln, allem was fliegt,
und den Tieren auf dem Felde zum Fraß
geben.[a] 5 Du sollst auf freiem Felde fallen;
denn ich habe es gesagt, spricht Gott der
HERR. 6 Und ich will Feuer werfen auf Ma-
gog und auf die Bewohner der Inseln, die
so sicher wohnen, und sie sollen erfahren,
dass ich der HERR bin. 7 Und ich will mei-
nen heiligen Namen kundmachen unter
meinem Volk Israel und will meinen hei-
ligen Namen nicht länger schänden lassen,
sondern die Völker sollen erfahren, dass
ich der HERR bin, der Heilige in Israel.
8 Siehe, es kommt und geschieht, spricht
Gott der HERR; das ist der Tag, von dem
ich geredet habe.

9 Und die Bewohner der Städte Israels
werden herausgehen und [a]Feuer anzün-
den und die Waffen verbrennen, kleine
und große Schilde, Bogen und Pfeile,
Keulen und Spieße. Und sie werden sie-
ben Jahre lang Feuer damit machen; 10 sie
brauchen kein Holz auf dem Felde zu ho-
len oder im Walde zu schlagen, sondern
von den Waffen werden sie Feuer machen
und [a]werden ihre Räuber berauben und
ihre Plünderer plündern, spricht Gott der
HERR.

11 Und zu der Zeit soll es geschehen, da
will ich Gog einen Ort geben zum Begräb-
nis in Israel, nämlich das Tal der Wanderer
östlich vom Meer, und das wird den Wan-
derern den Weg versperren. Dort wird
man Gog mit seinem ganzen Heerhau-
fen begraben; und es soll heißen »Tal der
Heerhaufen des Gog«. 12 Und das Haus Is-
rael wird sie sieben Monate lang begraben,
damit das Land gereinigt werde. 13 Ja, alles
Volk des Landes wird sie begraben; und sie
werden Ruhm davon haben an dem Tage,
an dem ich meine Herrlichkeit erweise,
spricht Gott der HERR. 14 Und sie werden
Leute aussondern, die ständig im Lande
umhergehen, die Leichen zu begraben, die
noch auf dem Lande liegen, damit es ge-
reinigt werde. Nach sieben Monaten sol-
len sie beginnen nachzuforschen. 15 Und
wenn sie im Lande umhergehen und Men-
schengebeine sehen, sollen sie ein Zeichen
aufrichten, bis die Totengräber sie auch im
»Tal der Heerhaufen des Gog« begraben.
16 Auch soll eine Stadt Hamona, »Heer-
haufen«, heißen. So werden sie das Land
reinigen.

17 Du Menschenkind, so spricht Gott
der HERR: Sage den Vögeln, allem was
fliegt, und allen Tieren auf dem Felde:
[a]Sammelt euch und kommt herbei, findet
euch zusammen von überall her zu mei-
nem Schlachtopfer, das ich euch schlachte,
einem großen Schlachtopfer auf den Ber-
gen Israels, und fresst Fleisch und sauft
Blut! 18 Fleisch der Starken sollt ihr fres-
sen, und Blut der Fürsten auf Erden sollt
ihr saufen, der Widder und Lämmer, der
Böcke und Stiere, all des Mastviehs aus
Baschan. 19 Und ihr sollt Fett fressen, bis
ihr satt werdet, und Blut saufen, bis ihr
trunken seid von dem Schlachtopfer, das
ich euch schlachte. 20 Sättigt euch von Ros-
sen und Reitern, von Starken und all den
Kriegsleuten an meinem Tisch, spricht
Gott der HERR.

21 Und ich will meine Herrlichkeit unter
die Völker bringen, dass alle Völker mein
Gericht sehen sollen, das ich gehalten
habe, und meine Hand, die ich an sie ge-
legt habe. 22 Und das Haus Israel soll er-
fahren, dass ich, der HERR, ihr Gott bin,
von dem Tage an und fernerhin, 23 und die
Völker sollen erfahren, dass das Haus Is-
rael um seiner Missetat willen weggeführt

39,1 *a* Kap 38,2 **39,4** *a* Vers 17; Jes 18,6 **39,9** *a* Jes 9,4
39,10 *a* Kap 38,12; Jer 30,16; Sach 2,12-13
39,17 *a* Offb 19,17-18

worden ist. Weil sie sich an mir versündigt
hatten, darum [a]habe ich mein Angesicht
vor ihnen verborgen und habe sie überge-
ben in die Hände ihrer Widersacher, dass
sie allesamt durchs Schwert fallen muss-
ten. 24 Ich habe ihnen getan, was sie mit ih-
rer Unreinheit und ihren Übertretungen
verdient haben, und habe mein Angesicht
vor ihnen verborgen.
25 Darum, so spricht Gott der HERR:
Nun [a]will ich das Geschick Jakobs wen-
den und mich des ganzen Hauses Israel
erbarmen und um meinen heiligen Na-
men eifern. 26 Sie aber sollen ihre Schmach
tragen und alle ihre Sünde, mit der sie sich
an mir versündigt haben, wenn sie nun si-
cher in ihrem Lande wohnen und niemand
sie schreckt 27 und ich sie aus den Völkern
zurückgebracht und aus den Ländern ihrer
Feinde gesammelt und an ihnen vor den
Augen vieler Völker gezeigt habe, dass
ich heilig bin. 28 Dann werden sie erfah-
ren, dass ich, der HERR, ihr Gott bin, der
ich sie unter die Völker weggeführt habe
und wieder in ihr Land sammle und nicht
einen von ihnen dort zurücklasse. 29 Und
ich will mein Angesicht nicht mehr vor
ihnen verbergen; denn [a]ich habe meinen
Geist über das Haus Israel ausgegossen,
spricht Gott der HERR.

DER NEUE TEMPEL

Kapitel 40,1–48,35

DER BEGINN DER VISIONEN

40 Im fünfundzwanzigsten Jahr unserer
Gefangenschaft, im Anfang des Jahres,
am zehnten Tag des Monats, im vierzehn-
ten Jahr, nachdem die Stadt eingenom-
men war, eben an diesem Tag [a]kam die
Hand des HERRN über mich und führte
mich dorthin, – 2 in göttlichen Gesichten
führte er mich ins Land Israel und stellte
mich auf einen sehr hohen Berg; [a]darauf
war etwas wie der Bau einer Stadt gegen
Süden. 3 Und als er mich dorthin gebracht
hatte, siehe, da war ein Mann, der war
anzuschauen wie Erz. Er hatte eine lei-
nene Schnur und eine [a]Messrute in seiner
Hand und stand im Tor. 4 Und er sprach
zu mir: Du Menschenkind, sieh her und
höre fleißig zu und merke auf alles, was ich
dir zeigen will; denn dazu bist du hierher
gebracht, dass ich dir dies zeige, damit du
alles, was du hier siehst, verkündigst dem
Hause Israel.

DER ÄUSSERE VORHOF UND SEINE TORE

5 [a]Und siehe, es ging eine Mauer außen
um das Gotteshaus ringsherum. Und der
Mann hatte die Messrute in der Hand;
die war sechs Ellen lang – jede Elle war
eine Handbreit länger als eine gewöhn-
liche Elle. Und er maß das Mauerwerk:
Es war eine Rute dick und auch eine Rute
hoch.
6 Und er ging zum Tor, das an der Ost-
seite lag, und ging seine Stufen hinauf
und maß die Schwelle des Tores: eine
Rute tief. 7 Und jede Nische des Tores
war eine Rute lang und eine Rute breit,
und der Raum zwischen den Nischen des
Tores war fünf Ellen breit. Und auch die
Schwelle des Tores an der Vorhalle des
Tores gegen den Tempel hin maß eine
Rute. 8 Und er maß die Vorhalle des To-
res: 9 acht Ellen; und ihre Pfeiler: zwei
Ellen. Und die Vorhalle des Tores lag ge-
gen den Tempel hin. 10 Und die Nischen
des Tores, das an der Ostseite lag, waren
drei auf jeder Seite, jede so weit wie die
andere, und die Pfeiler auf beiden Sei-
ten waren gleich breit. 11 Und er maß die
Weite der Öffnung des Tores: zehn Ellen;
und die gesamte Breite des Torweges:
dreizehn Ellen. 12 Und vorn an den Ni-
schen war eine Schranke, auf beiden Sei-
ten je eine Elle; aber die Nischen waren
je sechs Ellen auf beiden Seiten. 13 Dazu
maß er das Tor von der Rückwand der
Nischen auf der einen Seite bis zur Rück-
wand der Nischen auf der andern Seite:
fünfundzwanzig Ellen; eine Öffnung lag
der andern gegenüber. 14 Und er maß die
Öffnung der Vorhalle: zwanzig Ellen;
und bis zum Pfeiler des Tores reichte der
Vorhof ringsum. 15 Und vom Tor, wo man
von außen hineintritt, bis zur Vorhalle am
inneren Tor waren es fünfzig Ellen. 16 Und
es waren Fenster mit Stäben davor an den
Nischen nach innen am Tor auf beiden

39,23 *a* Jes 54,8 **39,25** *a* Kap 16,53-63
39,29 *a* Kap 36,26-27; 37,9-10; Joel 3,1 **40,1** *a* Kap 1,3
40,2 *a* Sach 14,10 **40,3** *a* Kap 47,3; Sach 2,5; Offb 21,15
40,5 *a* (40,5–42,20) 1. Kön 6,1-38

Seiten. Ebenso waren auch Fenster an der
Vorhalle nach innen auf beiden Seiten,
und an den Pfeilern waren Palmwedel
dargestellt.
17 Und er führte mich weiter zum äußeren Vorhof, und siehe, da waren Kammern und ein Pflaster rings um den Vorhof angelegt. Dreißig Kammern lagen an dem
Pflaster. 18 Und das Pflaster lief auch zur Seite der Tore, die ganze Seitenwand der Tore entlang; das war das untere Pflaster.
19 Und er maß die Breite des Vorhofs von dem unteren Tor an bis außen vor den inneren Vorhof: hundert Ellen. Das war der Osten. Und nun der Norden!
20 Er maß auch das Tor am äußeren Vorhof, das an der Nordseite lag, nach der
Länge und Breite. 21 Das hatte auf jeder Seite drei Nischen, und seine Pfeiler und seine Vorhalle waren ebenso groß wie am ersten Tor: fünfzig Ellen lang und fünf-
undzwanzig Ellen breit. 22 Und seine Fenster und seine Vorhalle und seine Palmwedel waren gleich wie am Tor an der Ostseite; und es hatte sieben Stufen, die man hinaufging, und hatte seine Vorhalle
auf der Innenseite. 23 Und ein Tor zum inneren Vorhof lag gegenüber diesem Tor, das an der Nordseite lag, wie bei dem Tor an der Ostseite; und er maß hundert Ellen von einem Tor zum andern.
24 Danach führte er mich nach Süden, und siehe, da war auch ein Tor an der Südseite, und er maß seine Pfeiler und seine Vorhalle; sie waren gleich den andern.
25 Und es waren Fenster an ihm und an seiner Vorhalle ringsherum gleich jenen Fenstern, und es war fünfzig Ellen lang
und fünfundzwanzig Ellen breit. 26 Und sieben Stufen führten hinauf und es hatte eine Vorhalle auf der Innenseite, und Palmwedel waren an ihren Pfeilern darge-
stellt auf jeder Seite. 27 Und es gab auch ein Tor zum inneren Vorhof an der Südseite; und er maß hundert Ellen von dem einen Südtor zum andern.

DER INNERE VORHOF UND SEINE TORE

28 Und er führte mich weiter durchs Südtor in den inneren Vorhof und maß dieses Tor: Es war gleich groß wie die andern
29 mit seinen Nischen, seinen Pfeilern und seiner Vorhalle in gleicher Größe und mit Fenstern an ihm und an der Vorhalle ringsherum: Es war fünfzig Ellen lang und
fünfundzwanzig Ellen breit. 30 Und es gab eine Vorhalle ringsherum: fünfundzwan-
zig Ellen lang und fünf Ellen breit. 31 Und die Vorhalle lag gegen den äußeren Vorhof hin und Palmwedel waren an ihren Pfeilern dargestellt; es waren aber acht Stufen hinaufzugehen.
32 Danach führte er mich in den inneren Vorhof auf die Ostseite und maß das Tor: Es war gleich groß wie die andern
33 mit seinen Nischen, seinen Pfeilern und seiner Vorhalle in gleicher Größe und mit Fenstern an ihm und an der Vorhalle ringsherum: Es war fünfzig Ellen lang und
fünfundzwanzig Ellen breit. 34 Und seine Vorhalle lag gegen den äußeren Vorhof hin, und Palmwedel waren an ihren Pfeilern dargestellt auf beiden Seiten, und acht Stufen waren hinaufzugehen.
35 Danach führte er mich zum Nordtor und maß es: Es war gleich groß wie die an-
dern 36 mit seinen Nischen, seinen Pfeilern und seiner Vorhalle und den Fenstern an ihm ringsherum: Es war fünfzig Ellen lang
und fünfundzwanzig Ellen breit. 37 Und seine Vorhalle lag gegen den äußeren Vorhof hin, und Palmwedel waren an ihren Pfeilern dargestellt auf beiden Seiten, und acht Stufen waren hinaufzugehen.

DIE TISCHE FÜR DIE OPFER UND DIE KAMMERN FÜR DIE PRIESTER

38 Und an jedem Tor war eine Kammer, und ihr Eingang war bei der Vorhalle des Tores; dort wäscht man die Brandopfer.
39 Und in der Vorhalle des Tores standen auf beiden Seiten zwei Tische, auf denen man die Brandopfer, Sündopfer und
Schuldopfer schlachtet. 40 Und außen, an der Seite, für den, der zum Tor hinaufgeht, nach Norden hin, standen zwei Tische und an der andern Seite der Vorhalle
des Tores auch zwei Tische. 41 So standen auf jeder Seite des Tores vier Tische; das sind zusammen acht Tische, auf denen
man schlachtet. 42 Und vier Tische zum Brandopfer waren aus gehauenen Steinen, je anderthalb Ellen lang und breit und eine Elle hoch; darauf legt man die Geräte, mit denen man Brandopfer und Schlachtopfer
schlachtet. 43 Und Gabelhaken, eine Hand

breit, waren am Gebäude fest angebracht
an beiden Seiten. Und auf die Tische sollte
man das Opferfleisch legen.
44 Und außen vor dem inneren Tor wa-
ren zwei Kammern im inneren Vorhof:
die eine an der Seite neben dem Nordtor,
die schaute nach Süden; die andere an
der Seite neben dem Südtor, die schaute
nach Norden. 45 Und er sprach zu mir:
Die Kammer, die nach Süden schaut, ge-
hört den Priestern, die im Hause Dienst
tun; 46 aber die Kammer, die nach Norden
schaut, gehört den Priestern, die am Altar
dienen. Dies sind die [a]Söhne Zadok, die
als einzige unter den Söhnen Levi vor den
HERRN treten dürfen, um ihm zu dienen.
47 Und er maß den Vorhof: hundert Ellen
lang und hundert Ellen breit im Geviert;
und [a]der Altar stand vor dem Tempel.

DER TEMPEL UND SEINE NEBENGEBÄUDE

48 Und er führte mich hinein zur Vorhalle
des Tempels und maß die Pfeiler der Vor-
halle: fünf Ellen auf jeder Seite; und das
Tor: vierzehn Ellen; und die Wände zu
beiden Seiten an der Tür: drei Ellen auf je-
der Seite. 49 Aber die Vorhalle war zwanzig
Ellen breit und zwölf Ellen tief und hatte
zehn Stufen, die man hinaufging, und
[a]Säulen standen an den Pfeilern, auf jeder
Seite eine.
41 Und er führte mich hinein in die Tem-
pelhalle und maß die Pfeiler; die wa-
ren auf jeder Seite sechs Ellen breit, so
weit das Heiligtum war. 2 Und die Tür war
zehn Ellen weit, aber die Wände zu beiden
Seiten an der Tür waren je fünf Ellen breit.
Und er maß den Raum der Tempelhalle:
vierzig Ellen tief und zwanzig Ellen breit.
3 Dann ging er in den innersten Raum
und maß die Pfeiler der Tür: zwei Ellen;
und die Tür: sechs Ellen; und die Breite
zu beiden Seiten an der Tür: je sieben El-
len. 4 Und er maß: zwanzig Ellen tief und,
wie die Tempelhalle, zwanzig Ellen breit.
Und er sprach zu mir: Dies ist das Aller-
heiligste.
5 Und er maß die Wand des Tempelhau-
ses: sechs Ellen dick. Und die Tiefe des
Anbaus betrug vier Ellen, rings um das
Haus herum. 6 Und Seitenräume gab es,
Stockwerk auf Stockwerk, dreimal drei-
ßig, und sie schlossen sich an die Wand
des Hauses so an, dass die Seitenräume
ringsherum liefen und in sich Halt hatten;
aber in der Wand des Hauses waren sie
nicht verankert. 7 Und der Umgang wurde
breiter von Stockwerk zu Stockwerk für
die Seitenräume, denn der Umgang des
Hauses lief in jedem Stockwerk rings um
das Haus herum; deshalb nahm die Breite
am Haus nach oben hin zu, und man stieg
von dem unteren Stockwerk auf zum
mittleren und oberen. 8 Und ich sah am
Hause ein erhöhtes Pflaster ringsherum,
den Unterbau für die Seitenräume, eine
volle Rute, sechs Ellen hoch. 9 [a]Und die
Dicke der Wand außen am Anbau betrug
fünf Ellen, und der Raum, der frei blieb,
zwischen den Seitenräumen am Hause
10 und den Kammern betrug zwanzig El-
len rings um das Haus herum. 11 Und es
gingen zwei Türen vom Anbau auf den frei
gelassenen Raum hin, eine nach Norden,
die andere nach Süden, und die Breite der
frei gelassenen Fläche betrug fünf Ellen
auf jeder Seite.
12 Und das Gebäude am Hofraum nach
Westen hin war siebzig Ellen tief und die
Mauer des Gebäudes war auf allen Seiten
fünf Ellen dick, und es war neunzig Ellen
breit. 13 Und er maß die Länge des Tem-
pels: hundert Ellen; und der Hofraum mit
jenem Gebäude und seinen Mauern war
auch hundert Ellen lang. 14 Und die Breite
der Vorderseite des Tempels und der Hof-
raum an seiner Ostseite ergaben zusam-
men auch hundert Ellen. 15 Und er maß
die Länge des Gebäudes, das am Ende des
Hofraums liegt, und seine Absätze auf bei-
den Seiten: hundert Ellen.
Und das Innere der Tempelhalle und die
Vorhalle draußen 16 waren getäfelt. Und
die Fenster mit Stäben und die Absätze
ringsum hatten in ihren drei Teilen ge-
genüber dem Gesims ein Tafelwerk: vom
Boden bis an die Fenster – die Fenster aber
waren verhängt – 17 bis oberhalb der Tür.
Bis ins Innere des Hauses und draußen
war die ganze Wand ringsherum innen
und außen in Felder eingeteilt; 18 darin
waren Cherubim und Palmwedel darge-

40,46 *a* Kap 43,19; 44,15; 48,11; 1. Kön 1,8.39; 1. Chr 5,34-41 **40,47** *a* Kap 43,13 **40,49** *a* 1. Kön 7,21
41,9 *a* (9-10) Kap 42,1-3

stellt, je eine Palme zwischen zwei Cheru-
bim, und jeder Cherub hatte zwei Ange-
sichter. 19 Zur einen Palme wendete er ein
Menschengesicht, zur andern Palme ein
Löwengesicht; die Darstellungen liefen
rings um das ganze Haus. 20 Vom Boden
an bis oberhalb der Tür waren Cherubim
und Palmwedel an der Wand geschnitzt.

21 [a]Und die Türpfosten im Tempel wa-
ren viereckig. Und vor dem Allerheiligs-
ten stand etwas, das aussah 22 wie ein Al-
tar aus Holz; der war drei Ellen hoch und
zwei Ellen lang und breit und hatte Ecken,
und sein Fuß und seine Wände waren aus
Holz. Und er sprach zu mir: Das ist der
Tisch, der vor dem HERRN steht.

23 Und die Tempelhalle und das Aller-
heiligste hatten je zwei Türflügel; 24 zwei
Türflügel hatten die Türen, beide Türflü-
gel konnten sich drehen, jede Tür hatte
zwei Türflügel. 25 Und auch an den Tür-
flügeln der Tempelhalle waren Cherubim
und Palmwedel dargestellt wie an den
Wänden. Und ein Gitter aus Holz war
außen vor der Vorhalle. 26 Und Fenster mit
Stäben und Palmwedel waren auf beiden
Seiten an den Wänden der Vorhalle und
an den Seitenräumen des Hauses.

42 [a]Und er führte mich hinaus zum äuße-
ren Vorhof nach Norden und brachte
mich zu den Kammern, die gegenüber
dem Hofraum und gegenüber jenem Ge-
bäude an der Nordseite lagen, 2 die Länge
hundert Ellen, an der Nordseite, und
die Breite fünfzig Ellen. 3 Zwischen den
zwanzig Ellen des inneren Vorhofs und
dem Pflaster im äußeren Vorhof war Ab-
satz an Absatz, dreimal. 4 Und ins Innere
führte vor den Kammern ein Gang, zehn
Ellen breit und hundert Ellen lang, und
ihre Türen lagen nach Norden. 5 Und die
oberen Kammern des Baues waren kür-
zer als seine unteren und mittleren Kam-
mern; denn die Absätze nahmen Raum
von ihnen weg. 6 Denn sie waren drei
Stockwerke hoch und hatten keine Säu-
len, wie die Vorhöfe Säulen hatten. Darum
waren die oberen Kammern gegenüber
den unteren und mittleren verkürzt vom
Boden an. 7 Und außen vor den Kammern
nach dem äußeren Vorhof hin lief eine
Mauer an den Kammern entlang, fünfzig
Ellen lang. 8 Denn die Länge der Kammern
nach dem äußeren Vorhof zu betrug fünf-
zig Ellen, aber am Tempel entlang waren
es hundert Ellen. 9 Und unten an diesen
Kammern war der Zugang von Osten her,
wenn man vom äußeren Vorhof her zu ih-
nen hineinging, 10 am Anfang der äußeren
Mauer.

In der Richtung nach Süden lagen auch
Kammern dem Hofraum und jenem Ge-
bäude gegenüber. 11 Und ein Gang lief vor
ihnen hin ganz wie vor jenen Kammern an
der Nordseite; ihre Länge und ihre Breite,
ihre Ausgänge und ihre Einrichtungen
und ihre Türen waren gleich. 12 Und wie
die Türen der Kammern, die nach Süden
lagen, so war auch eine Tür am Anfang des
Ganges, nämlich des Ganges am Bau ent-
lang, wenn man von Osten her kommt.

13 Und er sprach zu mir: Die Kammern
im Norden und die Kammern im Süden
gegenüber dem Hofraum, das sind die hei-
ligen Kammern, in denen die Priester, die
zum HERRN nahen, die hochheiligen Op-
fer essen. Dort legen sie die hochheiligen
Opfer nieder, die Speisopfer, die Sünd-
opfer und die Schuldopfer; denn die Stätte
ist heilig. 14 Und [a]wenn die Priester in das
Heiligtum hineingehen, dürfen sie von
dort nicht wieder in den äußeren Vorhof
gehen, sondern sollen zuvor in den Kam-
mern ihre Kleider ablegen, in denen sie
Dienst getan haben, denn die sind heilig;
und sie sollen andre Kleider anlegen und
dann hinausgehen unter das Volk.

DER UMFANG DES TEMPELBEZIRKS

15 Und als er den Tempel im Inneren
ganz ausgemessen hatte, führte er mich
zum Osttor hinaus und maß den gan-
zen Umfang des Tempels. 16 Er maß die
Ostseite mit der Messrute: fünfhundert
Ellen; 17 und die Nordseite maß er auch:
fünfhundert Ellen; 18 desgleichen die
Südseite auch: fünfhundert Ellen. 19 Und
er wandte sich zur Westseite und maß
auch fünfhundert Ellen. 20 Nach allen vier
Windrichtungen maß er. Und es war eine
Mauer ringsherum, fünfhundert Ellen im
Geviert, damit das Heilige von dem Un-
heiligen geschieden sei.

41,21 *a* (21-22) 2. Mose 25,23-30; 40,22-23
42,1 *a* (1-3) Kap 40,17; 41,9-10.13 **42,14** *a* Kap 44,19

DIE HERRLICHKEIT DES HERRN KEHRT IN DEN TEMPEL ZURÜCK

43 Und er führte mich wieder zum Tor
im Osten. 2 Und siehe, die [a]Herrlich-
keit des Gottes Israels kam von Osten und
brauste, wie ein großes Wasser braust,
und es ward sehr licht auf der Erde von
seiner Herrlichkeit. 3 Und es war ganz so
[a]wie das Gesicht, das ich geschaut hatte,
als der Herr kam, um die Stadt zu zerstö-
ren, und [b]wie das Gesicht, das ich gesehen
hatte am Fluss Kebar. Da fiel ich nieder auf
mein Angesicht. 4 Und die Herrlichkeit
des HERRN kam hinein in das Tempelhaus
durch [a]das Tor, das nach Osten liegt.
5 Da hob mich ein Wind empor und
brachte mich in den inneren Vorhof; und
siehe, [a]die Herrlichkeit des HERRN er-
füllte das Haus. 6 Und ich hörte einen mit
mir reden vom Hause heraus, während der
Mann neben mir stand. 7 Und er sprach zu
mir: Du Menschenkind, das ist der Ort
meines Thrones und [a]die Stätte meiner
Fußsohlen; hier will ich für immer woh-
nen unter den Israeliten. Und das Haus
Israel soll nicht mehr meinen heiligen
Namen entweihen, weder sie noch ihre
Könige, durch ihren Götzendienst und
durch die Leichen ihrer Könige, wenn sie
sterben; 8 denn sie haben ihre Schwelle an
meine Schwelle und ihre Pfosten neben
meine Pfosten gesetzt, sodass nur eine
Wand zwischen mir und ihnen war, und
haben so meinen heiligen Namen ent-
weiht [a]durch die Gräuel, die sie taten;
darum habe ich sie auch in meinem Zorn
vertilgt. 9 Nun aber sollen sie ihren Göt-
zendienst und die Leichen ihrer Könige
weit von mir wegtun, und ich will für im-
mer unter ihnen wohnen.
10 Und du, Menschenkind, beschreibe
dem Haus Israel den Tempel, dass [a]sie sich
schämen ihrer Missetaten. Und wenn sie
seine Anlage ausmessen, 11 so sollen sie
sich all dessen schämen, was sie getan
haben. Zeige ihnen Plan und Anlage des
Tempels und seine Ausgänge und Ein-
gänge und seinen ganzen Plan und alle
seine Ordnungen und alle seine Gesetze.
Schreibe sie vor ihren Augen auf, damit sie
auf seinen ganzen Plan und alle seine Ord-
nungen achthaben und danach tun. 12 Das
soll aber das Gesetz des Tempels sein: Auf
der Höhe des Berges soll sein ganzes Ge-
biet ringsum hochheilig sein. Siehe, das ist
das Gesetz des Tempels.

DER ALTAR UND SEINE WEIHE

13 [a]Das sind aber die Maße des Altars, ge-
messen nach Ellen, die eine Handbreit
länger sind als die gewöhnliche Elle: Die
Rinne um den Altar ist eine Elle tief und
eine Elle breit, und die Leiste an ihrem
Rand ist eine Spanne hoch ringsherum.
Und das ist die Höhe des Altars: 14 Von
der Rinne am Boden bis an den unteren
Absatz sind es zwei Ellen in der Höhe und
eine Elle in der Breite, und von dem nied-
rigeren Absatz bis zu dem höheren Absatz
sind es vier Ellen in der Höhe und eine Elle
in der Breite; 15 und der Opferherd ist vier
Ellen hoch, und auf dem Opferherd ste-
hen nach oben vier Hörner. 16 Und der
Opferherd ist zwölf Ellen lang und zwölf
Ellen breit im Geviert. 17 Und der Absatz
ist vierzehn Ellen lang und vierzehn El-
len breit im Geviert; und eine Leiste geht
ringsherum, eine halbe Elle hoch, und
seine Rinne ist eine Elle tief und seine Stu-
fen liegen nach Osten hin.
18 Und er sprach zu mir: Du Menschen-
kind, so spricht Gott der HERR: Dies sol-
len die Ordnungen für den Altar sein an
dem Tage, an dem er gebaut ist, um Brand-
opfer auf ihm zu opfern und Blut an ihn zu
sprengen. 19 [a]Da sollst du den levitischen
Priestern aus dem Geschlecht Zadoks, die
vor mich treten, um mir zu dienen, spricht
Gott der HERR, einen jungen Stier zum
Sündopfer geben. 20 Und von seinem Blut
sollst du nehmen und damit die vier Hör-
ner besprengen und die vier Ecken des
Absatzes und die Leiste, die ringsherum
geht; damit sollst du ihn entsündigen und
Sühne für ihn schaffen. 21 Und du sollst
den Stier des Sündopfers nehmen und ihn
verbrennen auf dem Platz am Tempel, wo
man die Opfertiere mustert, außerhalb
des Heiligtums.
22 Aber am nächsten Tag sollst du einen
Ziegenbock opfern, der ohne Fehler ist, als

43,2 *a* Kap 1,28 **43,3** *a* Kap 8,1–11,24 *b* Kap 1,1-28
43,4 *a* Kap 10,19 **43,5** *a* 2. Mose 40,34; 1. Kön 8,10-11
43,7 *a* Ps 132,7-8 **43,8** *a* Kap 8,7-18 **43,10** *a* Kap 36,32
43,13 *a* (13-17) Kap 40,47; 2. Mose 27,1-8
43,19 *a* (19-21) Kap 40,46; 3. Mose 4,1-12

Sündopfer und den Altar damit entsündi-
gen, wie er mit dem Stier entsündigt ist.
23 Nachdem du den Altar entsündigt hast,
sollst du einen jungen Stier opfern, der
ohne Fehler ist, und einen Widder von der
Herde ohne Fehler 24 und sollst sie beide
vor dem HERRN opfern, und die Priester
sollen Salz auf sie streuen und sollen sie so
dem HERRN opfern als Brandopfer.

25 So sollst du sieben Tage lang täglich
einen Bock als Sündopfer opfern, und sie
sollen einen jungen Stier und einen Wid-
der von der Herde, die beide ohne Fehler
sind, opfern. 26 So sollen sie sieben Tage
lang für den Altar Sühne schaffen und ihn
reinigen und weihen. 27 Und nach diesen
Tagen sollen die Priester am achten Tag
und danach immer wieder auf dem Altar
opfern eure Brandopfer und eure Dank-
opfer, so will ich euch gnädig sein, spricht
Gott der HERR.

DAS VERSCHLOSSENE OSTTOR

44 [a]Und er führte mich wieder zu dem
äußeren Tor des Heiligtums im Os-
ten; es war aber zugeschlossen. 2 Und der
HERR sprach zu mir: Dies Tor soll zuge-
schlossen bleiben und nicht aufgetan wer-
den, und niemand soll dort hineingehen.
Denn der HERR, der Gott Israels, ist dort
eingezogen; darum soll es zugeschlossen
bleiben. 3 Nur der Fürst darf sich, weil er
der Fürst ist, dort niederlassen und das
Opfermahl essen vor dem HERRN. [a]Durch
die Vorhalle des Tores soll er hineingehen
und durch sie wieder herausgehen.

DER DIENST IM TEMPEL

4 Danach führte er mich zum Tor im Nor-
den vor das Haus des HERRN. Und ich sah,
und siehe, das Haus war erfüllt von der
Herrlichkeit des HERRN, und ich fiel auf
mein Angesicht. 5 Und der HERR sprach
zu mir: Du Menschenkind, gib acht und
sieh und höre fleißig auf alles, was ich dir
sagen will von allen Ordnungen und Ge-
setzen im Haus des HERRN, und gib acht,
wie man es halten soll mit dem Zutritt
zum Heiligtum an allen Eingängen. 6 Und
sage dem Haus des Widerspruchs, dem
Hause Israel: So spricht Gott der HERR:
Lasst's genug sein, ihr vom Hause Israel,
mit allen euren Gräueltaten! 7 Denn ihr
habt fremde Leute mit unbeschnittenem
Herzen und [a]unbeschnittenem Fleisch
in mein Heiligtum hineingelassen und
so mein Haus entheiligt, als ihr mir Brot,
Fett und Blut opfertet; so habt ihr meinen
Bund gebrochen mit allen euren Gräuel-
taten; 8 ihr habt nicht selbst den Dienst in
meinem Heiligtum getan, sondern habt
sie bestellt, um für euch den Dienst in
meinem Heiligtum zu tun.

9 Darum spricht Gott der HERR: Es soll
kein Fremder mit unbeschnittenem Her-
zen und unbeschnittenem Fleisch in mein
Heiligtum kommen von allen Fremdlin-
gen, die unter den Israeliten leben, 10 son-
dern die Leviten, die von mir abgewichen
sind, als Israel von mir abfiel und irreging,
ihren Götzen nach, die sollen ihre Sünde
tragen 11 und sollen in meinem Heiligtum
Dienst tun als Hüter an den Türen des
Hauses und als Diener des Hauses. Sie
sollen das Brandopfer und das Schlacht-
opfer für das Volk schlachten und sol-
len vor ihnen stehen und ihnen dienen.
12 Weil sie ihnen gedient haben vor ih-
ren Götzen und dem Hause Israel einen
Anlass zur Sünde gegeben haben, darum
habe ich meine Hand gegen sie erhoben,
spricht Gott der HERR, dass sie ihre Sünde
tragen müssen. 13 Und sie sollen nicht zu
mir nahen, um mir Priesterdienst zu tun,
und sollen zu dem, was mir heilig ist, und
an die hochheiligen Opfer nicht kommen,
sondern sollen ihre Schande tragen und
ihre Gräuel, die sie getan haben. 14 Darum
habe ich sie bestellt, den Dienst an mei-
nem Hause zu tun bei aller Arbeit und bei
allem, was dort zu tun ist.

15 Aber die levitischen Priester, die
[a]Söhne Zadok, die den Dienst an mei-
nem Heiligtum getan haben, als die Is-
raeliten von mir abfielen, die sollen vor
mich treten, um mir zu dienen, und vor
mir stehen, um mir Fett und Blut zu op-
fern, spricht Gott der HERR. 16 Sie sollen
hineingehen in mein Heiligtum und vor
meinen Tisch treten, um mir zu dienen,
und sollen meinen Dienst tun.

17 Und wenn sie durch die Tore des inne-
ren Vorhofs gehen wollen, sollen sie [a]lei-

44,1 *a* (1-2) Kap 43,4 **44,3** *a* Kap 46,2 **44,7** *a* Jes 52,1; Jer 9,25 **44,15** *a* Kap 40,46 **44,17** *a* 3. Mose 16,4

nene Kleider anziehen und nichts Woll-
enes anhaben, solange sie in den Toren
des inneren Vorhofs und im Hause Dienst
tun. 18 Und sie sollen einen leinenen Kopf-
bund auf ihrem Haupt haben und leinene
Beinkleider um ihre Lenden und sollen
keine Kleider tragen, die sie in Schweiß
bringen. 19 Und [a]wenn sie in den äuße-
ren Vorhof zum Volk herausgehen, sollen
sie die Kleider, in denen sie Dienst getan
haben, ausziehen und in die Kammern
des Heiligtums legen und andere Kleider
anziehen, damit sie das Volk nicht durch
ihre Kleider mit dem Heiligen in Berüh-
rung bringen.

ORDNUNGEN FÜR DIE PRIESTER

20 [a]Ihr Haupt sollen sie nicht kahl scheren
und auch nicht die Haare frei wachsen
lassen, sondern sie sollen die Haare kurz
schneiden.

21 Und [a]die Priester sollen keinen Wein
trinken, wenn sie in den inneren Vorhof
gehen sollen.

22 Und [a]sie sollen keine Witwe oder
Verstoßene zur Frau nehmen, sondern
eine Jungfrau vom Hause Israel oder die
Witwe eines Priesters.

23 Und [a]sie sollen mein Volk lehren, dass
es zu unterscheiden wisse zwischen Hei-
ligem und Unheiligem und zwischen Rei-
nem und Unreinem.

24 Und wenn eine Streitsache vor sie
kommt, [a]sollen sie Richter sein und nach
meinem Recht das Urteil sprechen. Und
sie sollen bei allen meinen Festen meine
Gebote und Ordnungen halten und meine
Sabbate heiligen.

25 Und [a]sie sollen zu keinem Toten ge-
hen und sich unrein machen, [b]nur zu Va-
ter und Mutter, Sohn oder Tochter, Bru-
der oder einer Schwester, die noch keinen
Mann gehabt hat; an ihnen dürfen sie sich
unrein machen. 26 Und nach seiner Reini-
gung soll man ihm zuzählen sieben Tage.
27 Und wenn er wieder hinein zum Hei-
ligtum geht in den inneren Vorhof, um
im Heiligtum Dienst zu tun, soll er sein
Sündopfer opfern, spricht Gott der HERR.

28 Und [a]Erbbesitz sollen sie nicht haben;
denn ich bin ihr Erbbesitz. Auch sollt ihr
ihnen kein Eigentum an Land geben in
Israel; denn ich bin ihr Eigentum. 29 Sie
sollen ihre Nahrung haben vom Speis-
opfer, Sündopfer und Schuldopfer, und
[a]alles dem Bann Verfallene in Israel soll
ihnen gehören. 30 Und das Beste von allen
ersten Früchten und die [a]Abgaben von
allem, wovon ihr Abgaben leistet, sollen
den Priestern gehören. Ihr sollt den Pries-
tern auch [b]die Erstlinge eures Teiges ge-
ben, damit Segen auf deinem Hause ruhe.
31 Was aber verendet oder zerrissen ist, es
seien Vögel oder andere Tiere, das sollen
die Priester nicht essen.[a]

DIE LANDANTEILE FÜR DEN HEILIGEN BEZIRK, DIE STADT UND DEN FÜRSTEN

45 Wenn ihr nun das Land durchs Los
austeilt, sollt ihr eine Abgabe vom
Land absondern, die dem HERRN heilig
sein soll, fünfundzwanzigtausend Ellen
lang und zwanzigtausend breit; dieser
Raum soll heilig sein, so weit er reicht.
2 Von ihm sollen auf das Heiligtum kom-
men je fünfhundert Ellen im Geviert und
dazu ein freier Raum ringsherum von
fünfzig Ellen.

3 Und auf diesem abgemessenen Raum
sollst du abmessen eine Länge von fünf-
undzwanzigtausend Ellen und eine Breite
von zehntausend; und darin soll das Hei-
ligtum stehen, das Allerheiligste. 4 Das soll
ein heiliges Gebiet im Lande sein und den
Priestern gehören, die im Heiligtum die-
nen und vor den HERRN treten, um ihm
zu dienen, damit sie Raum für ihre Häuser
haben, und es soll heilig sein.

5 Aber die Leviten, die am Tempel Dienst
tun, sollen auch einen Raum fünfund-
zwanzigtausend Ellen lang und zehntau-
send breit als ihr Eigentum bekommen,
damit sie da wohnen.

6 Und [a]der Stadt sollt ihr als Eigentum
zuweisen einen Raum von fünftausend
Ellen Breite und fünfundzwanzigtausend
Ellen Länge, entlang der Abgabe für das
Heiligtum. Das soll dem ganzen Hause
Israel gehören.

44,19 *a* Kap 42,14 **44,20** *a* 3. Mose 19,27
44,21 *a* 3. Mose 10,9 **44,22** *a* 3. Mose 21,13-14
44,23 *a* Kap 22,26; 3. Mose 10,10
44,24 *a* 5. Mose 17,8-9 **44,25** *a* 4. Mose 19,11
b 3. Mose 21,1-4 **44,28** *a* 4. Mose 18,20
44,29 *a* 4. Mose 18,14 **44,30** *a* 2. Mose 25,2
b 4. Mose 15,20; Neh 10,38 **44,31** *a* 3. Mose 22,8
45,6 *a* Kap 48,15-20

7[a]Dem Fürsten aber sollt ihr auch einen
Raum geben zu beiden Seiten der Abgabe
für das Heiligtum und des Eigentums der
Stadt, neben der Abgabe für das Heiligtum
und dem Eigentum der Stadt, im Westen
westwärts und im Osten ostwärts, und es
soll die Länge einem der Stammesgebiete
entsprechen von der Grenze im Westen
bis zur Grenze im Osten 8 des Landes.
Das soll sein Eigentum sein in Israel, da-
mit [a]meine Fürsten nicht mehr mein Volk
bedrücken, sondern das Land dem Hause
Israel für seine Stämme lassen.

MAHNUNG AN DIE FÜRSTEN

9 So spricht Gott der HERR: [a]Genug, ihr
Fürsten Israels! Lasst ab von Frevel und
Gewalttat und tut, was recht und gut ist,
und hört auf, mein Volk von Haus und Hof
zu vertreiben, spricht Gott der HERR.
10 Ihr sollt [a]rechtes Gewicht und rechten
Scheffel und rechtes Maß haben. 11 Ein
Scheffel und ein Eimer sollen gleich sein,
sodass ein Eimer den zehnten Teil von
einem Fass hat und ein Scheffel auch den
zehnten Teil von einem Fass; nach dem
Fass soll man sie beide messen. 12 Und ein
Schekel soll zwanzig Gramm haben und
ein Pfund fünfzig Schekel.

DIE ABGABEN DES VOLKES

13 Das soll nun die Abgabe sein, die ihr
leisten sollt, nämlich den sechsten Teil
eines Scheffels von einem Fass Weizen
und den sechsten Teil eines Scheffels
von einem Fass Gerste. 14 Und vom Öl
sollt ihr geben je den zehnten Teil eines
Eimers von einem Fass, das zehn Eimer
oder zehn Scheffel fasst; denn zehn Eimer
sind zehn Scheffel; 15 und je ein Lamm von
zweihundert Schafen von den Herden Is-
raels zum Speisopfer und Brandopfer und
Dankopfer, um für sie Sühne zu schaffen,
spricht Gott der HERR. 16 Alles Volk des
Landes soll diese Abgaben zum Fürsten
in Israel bringen. 17 Und [a]der Fürst soll die
Brandopfer, Speisopfer und Trankopfer
ausrichten an den Festen, Neumonden
und Sabbaten und an allen Feiertagen des
Hauses Israel. Er soll die Sündopfer und
Speisopfer, Brandopfer und Dankopfer
darbringen, um Sühne zu schaffen für das
Haus Israel.

DIE GROSSEN FESTE UND DAS OPFER DES FÜRSTEN

18 So spricht Gott der HERR: Am ersten
Tag des ersten Monats sollst du nehmen
einen jungen Stier, der ohne Fehler ist,
und das Heiligtum entsündigen. 19 Und
der Priester soll von dem Blut des Sünd-
opfers nehmen und die Pfosten am Tem-
pel damit besprengen und die vier Ecken
des Absatzes am Altar samt den Pfosten
am Tor des inneren Vorhofs. 20 So sollst
du auch tun am siebenten Tag des Monats
wegen derer, [a]die sich verfehlt haben aus
Versehen oder Unwissenheit; damit ent-
sühnt ihr den Tempel.
21 Am vierzehnten Tag des ersten Mo-
nats sollt ihr [a]das Passa halten und sieben
Tage feiern und ungesäuertes Brot essen.
22 An diesem Tag soll der Fürst für sich
und für alles Volk des Landes einen Stier
zum Sündopfer opfern. 23 Und an den sie-
ben Tagen des Festes soll er dem HERRN
täglich ein [a]Brandopfer darbringen, je sie-
ben Stiere und sieben Widder, die ohne
Fehler sind, und je einen Ziegenbock zum
Sündopfer. 24 Zum [a]Speisopfer aber soll er
je einen Scheffel zu einem Stier und einen
Scheffel zu einem Widder opfern und je
eine Kanne Öl zu einem Scheffel.
25 Vom [a]fünfzehnten Tag des siebenten
Monats an soll er sieben Tage nachein-
ander feiern wie jene sieben Tage und es
ebenso halten mit Sündopfer, Brandopfer,
Speisopfer samt dem Öl.

TOR- UND OPFERORDNUNGEN

46 So spricht Gott der HERR: Das Tor am
inneren Vorhof im Osten soll an den
sechs Werktagen zugeschlossen sein, aber
am Sabbattag und am Neumond soll man's
auftun. 2 Und [a]der Fürst soll von draußen
unter die Vorhalle des Tores treten und
bei den Pfosten am Tor stehen bleiben.
Und die Priester sollen sein Brandopfer
und Dankopfer opfern, er aber soll auf der
Schwelle des Tores anbeten und danach

45,7 *a* Kap 48,21-22 **45,8** *a* Kap 46,18
45,9 *a* 1. Kön 12,4.11; 21,1-29; Jer 21,11-12; Mi 3,1-3
45,10 *a* 3. Mose 19,36; 5. Mose 25,15
45,17 *a* 2. Sam 6,17-18 **45,20** *a* 3. Mose 4,22; 5,17-18
45,21 *a* 3. Mose 23,5 **45,23** *a* 4. Mose 28,17-25
45,24 *a* Kap 46,5; 4. Mose 15,4-12
45,25 *a* 3. Mose 23,34 **46,2** *a* Kap 44,3

wieder hinausgehen; das Tor aber soll of-
fen bleiben bis zum Abend. 3 Ebenso soll
das Volk des Landes an der Tür dieses To-
res anbeten vor dem HERRN an den Sab-
baten und Neumonden.
4 Das [a]Brandopfer aber, das der Fürst
dem HERRN opfern soll am Sabbattag,
sollen sechs Lämmer sein, die ohne Fehler
sind, und ein Widder ohne Fehler 5 und als
[a]Speisopfer einen Scheffel zu jedem Wid-
der, als Speisopfer zu den Lämmern aber,
soviel seine Hand geben will, und je eine
Kanne Öl zu einem Scheffel. 6 Am Neu-
mond aber soll er einen jungen Stier op-
fern, der ohne Fehler ist, und sechs Läm-
mer und einen Widder, auch ohne Fehler,
7 und als Speisopfer je einen Scheffel zum
Stier und je einen Scheffel zum Widder,
aber zu den Lämmern so viel, wie er ge-
ben kann, und je eine Kanne Öl zu einem
Scheffel. 8 Und wenn der Fürst hineingeht,
soll er durch die Vorhalle des Tores hin-
eingehen und auf demselben Weg wieder
hinausgehen.
9 Aber wenn das Volk des Landes vor den
HERRN kommt an den Feiertagen, dann
sollen die, die zum Tor im Norden hin-
eingehen, um anzubeten, durch das Tor
im Süden wieder hinausgehen, und die,
die zum Tor im Süden hineingehen, sollen
durch das Tor im Norden wieder hinaus-
gehen und sollen nicht wieder durch das
Tor hinausgehen, durch das sie hineinge-
gangen sind, sondern sollen durch das Tor
gegenüber hinausgehen. 10 Der Fürst aber
soll mit ihnen sein, wenn sie hinein- und
wenn sie hinausgehen.
11 Und an den Festen und Feiertagen soll
man als Speisopfer zu je einem Stier einen
Scheffel und zu je einem Widder einen
Scheffel opfern und zu den Lämmern,
soviel seine Hand geben will, und je eine
Kanne Öl zu einem Scheffel.
12 Wenn aber der Fürst ein Brandopfer
oder Dankopfer als freiwillige Gabe dem
HERRN darbringen will, so soll man ihm
das Tor im Osten auftun, damit er sein
Brandopfer und Dankopfer opfern kann,
wie er es sonst am Sabbat zu opfern pflegt.
Und wenn er wieder hinausgeht, soll man
das Tor hinter ihm zuschließen.
13 Und er soll dem HERRN [a]täglich ein
Brandopfer darbringen, nämlich ein ein-
jähriges Lamm ohne Fehler; das soll er alle
Morgen opfern. 14 Und er soll alle Mor-
gen den sechsten Teil eines Scheffels als
Speisopfer dazu darbringen und den drit-
ten Teil einer Kanne Öl, um das Feinmehl
zu besprengen, als ein Speisopfer für den
HERRN. Das soll eine ewige Ordnung sein
über das tägliche Opfer. 15 Und so sollen
sie das Lamm mit dem Speisopfer und
dem Öl alle Morgen opfern als tägliches
Brandopfer.

DAS ERBLAND DES FÜRSTEN

16 So spricht Gott der HERR: Wenn der
Fürst einem seiner Söhne ein Geschenk
gibt von seinem Erbe, soll es seinen Söh-
nen verbleiben, und sie sollen es als ihr
Erbe besitzen. 17 Wenn er aber einem
seiner Großen von seinem Erbteil etwas
schenkt, so sollen sie es besitzen bis zum
[a]Jahr der Freilassung, und dann soll es an
den Fürsten wieder zurückfallen; nur der
Anteil seiner Söhne soll diesen verbleiben.
18 Es [a]soll auch der Fürst dem Volk nichts
nehmen von seinem Erbteil, um sie da-
durch aus ihrem Eigentum zu verdrängen,
sondern er soll sein Eigentum auf seine
Söhne vererben, damit nicht jemand von
meinem Volk aus seinem Eigentum ver-
trieben wird.

DIE OPFERKÜCHEN

19 Und er führte mich durch den Eingang
an der Seite des Tores zu den heiligen
Kammern im Norden, die den Priestern
gehörten, und siehe, dort war ein Raum
in der Ecke im Westen. 20 Und er sprach
zu mir: Dies ist der Ort, wo die Priester
das Schuldopfer und das Sündopfer ko-
chen und das Speisopfer backen sollen,
damit sie es nicht in den äußeren Vorhof
hinaustragen müssen und so das Volk
mit dem Heiligen in Berührung bringen.
21 Danach führte er mich in den äußeren
Vorhof hinaus und ließ mich in die vier
Ecken des Vorhofs gehen. Und siehe, da
war in jeder Ecke des Vorhofs wieder ein
Vorhof. 22 In den vier Ecken des Vorhofs
waren kleine Vorhöfe, vierzig Ellen lang
und dreißig Ellen breit, alle vier von glei-

46,4 *a* 4. Mose 28,9-10 **46,5** *a* Kap 45,24
46,13 *a* 2. Mose 29,38-42; 4. Mose 28,3
46,17 *a* 3. Mose 25,10; Jer 34,8 **46,18** *a* Kap 45,8-9

chem Maß. 23 Und es ging eine Mauer um
jeden der vier Vorhöfe herum; da waren
Herde ringsherum unten an den Mau-
ern. 24 Und er sprach zu mir: Dies sind
die Küchen, in denen die Tempeldie-
ner das Schlachtopfer des Volks kochen
sollen.

DER LEBENSSTROM AUS DEM TEMPEL

47 [a]Und er führte mich wieder zu der
Tür des Tempels. Und siehe, da [b]floss
ein Wasser heraus unter der Schwelle des
Tempels nach Osten; denn die vordere
Seite des Tempels lag gegen Osten. Und
das Wasser lief unten an der südlichen Sei-
tenwand des Tempels hinab, südlich am
Altar vorbei. 2 Und er führte mich hin-
aus durch das Tor im Norden und brachte
mich außen herum zum äußeren Tor im
Osten; und siehe, das Wasser entsprang
seiner südlichen Seitenwand. 3 Und der
Mann ging heraus nach Osten und hatte
eine [a]Messschnur in der Hand, und er
maß tausend Ellen und ließ mich durch
das Wasser gehen; da ging es mir bis an
die Knöchel. 4 Und er maß abermals tau-
send Ellen und ließ mich durch das Was-
ser gehen: Da ging es mir bis an die Knie;
und er maß noch tausend Ellen und ließ
mich durch das Wasser gehen: Da ging es
mir bis an die Lenden. 5 Da maß er noch
tausend Ellen: Da war es ein Strom, so
tief, dass ich nicht mehr hindurchgehen
konnte; denn das Wasser war so hoch,
dass man schwimmen musste und nicht
hindurchgehen konnte.

6 Und er sprach zu mir: Hast du das gese-
hen, Menschenkind? Und er führte mich
zurück am Ufer des Flusses entlang. 7 Und
als ich zurückkam, siehe, da standen sehr
viele Bäume am Ufer auf beiden Seiten.
8 Und er sprach zu mir: Dies Wasser fließt
hinaus in das östliche Gebiet und wei-
ter hinab zum Jordantal und mündet ins
Tote Meer. Und wenn es ins Meer fließt,
soll dessen Wasser gesund werden, 9 und
alles, was darin lebt und webt, wohin der
Strom kommt, das soll leben. Und es soll
sehr viele Fische dort geben, wenn die-
ses Wasser dorthin kommt; und alles soll
gesund werden und leben, wohin dieser
Strom kommt. 10 Und es werden an ihm
die Fischer stehen. Von En-Gedi bis nach
En-Eglajim wird man die Netze zum
Trocknen aufspannen; denn es wird dort
sehr viele Fische von aller Art geben wie
im großen Meer. 11 Aber die Teiche und
Lachen daneben werden nicht gesund
werden, sondern man soll daraus Salz
gewinnen. 12 Und an dem Strom werden
an seinem Ufer auf beiden Seiten [a]allerlei
fruchtbare Bäume wachsen; und ihre Blät-
ter werden nicht verwelken und mit ih-
ren Früchten hat es kein Ende. [b]Sie werden
alle Monate neue Früchte bringen; denn
ihr Wasser fließt aus dem Heiligtum. Ihre
Früchte werden zur Speise dienen und
ihre Blätter zur Arznei.

DIE GRENZEN DES LANDES

13 So spricht Gott der HERR: Dies sind die
Grenzen, nach denen ihr das Land den
zwölf Stämmen Israels austeilen sollt;
[a]zwei Teile gehören dem Stamm Josef.
14 Und ihr sollt es als Erbteil bekommen,
einer wie der andere; denn [a]ich habe
meine Hand aufgehoben zum Schwur,
dies Land euren Vätern zu geben, und so
soll es euch als Erbteil zufallen.

15 [a]Dies ist nun die Grenze des Landes
gegen Norden: von dem großen Meer an
auf Hetlon zu nach Zedad, 16 Hamat, Be-
rota, Sibrajim, das an Damaskus und Ha-
mat grenzt, und Hazar-Enan, das an den
Hauran grenzt. 17 Und so soll die Grenze
laufen vom Meer an bis nach Hazar-Enan,
und Damaskus und Hamat sollen nördlich
liegen bleiben. Das sei die Grenze gegen
Norden.

18 Aber die Grenze gegen Osten: von
Hazar-Enan, das zwischen dem Hauran
und Damaskus liegt, der Jordan zwischen
Gilead und dem Lande Israel bis hinab ans
östliche Meer nach Tamar. Das soll die
Grenze gegen Osten sein.

19 Aber die Grenze gegen Süden läuft
von Tamar bis an das [a]Haderwasser von
Kadesch und den [b]Bach Ägyptens hinab
bis an das große Meer. Das soll die Grenze
gegen Süden sein.

20 Und an der Seite gegen Westen ist das

47,1 ***a*** (1-12) 1. Mose 2,10-14 ***b*** Joel 4,18; Offb 22,1
47,3 ***a*** Kap 40,3 **47,12** ***a*** Jes 32,15 ***b*** Offb 22,2
47,13 ***a*** 1. Mose 48,5; Jos 17,17 **47,14** ***a*** 2. Mose 6,8
47,15 ***a*** (15-20) 4. Mose 34,2-12 **47,19** ***a*** 4. Mose 20,13
b 4. Mose 34,5

große Meer die Grenze bis dahin, wo es
nach Hamat geht. Das sei die Grenze ge-
gen Westen.

VERTEILUNG DES LANDES IM NORDEN

21 Und ihr sollt dies Land austeilen unter
die Stämme Israels, 22 und wenn ihr das
Los werft, um das Land unter euch zu tei-
len, so sollt ihr [a]die Fremdlinge, die bei
euch wohnen und Kinder unter euch zeu-
gen, halten wie die Einheimischen unter
den Israeliten; mit euch sollen sie ihren
Erbbesitz erhalten unter den Stämmen
Israels, 23 und ihr sollt auch ihnen ihren
Anteil am Lande geben, jedem bei dem
Stamm, bei dem er wohnt, spricht Gott
der HERR.
48 Dies sind die Namen der Stämme:
[a]Von Norden vom Meer an auf dem
Wege nach Hetlon bis dahin, wo es nach
Hamat geht, und nach Hazar-Enan, sodass
Damaskus nördlich liegen bleibt, gegen
Hamat: Das soll Dan als seinen Anteil ha-
ben von Osten bis nach Westen. 2 Neben
Dan soll Asser seinen Anteil haben von
Osten bis nach Westen. 3 Neben Asser
soll Naftali seinen Anteil haben von Os-
ten bis nach Westen. 4 Neben Naftali soll
Manasse seinen Anteil haben von Osten
bis nach Westen. 5 Neben Manasse soll
Ephraim seinen Anteil haben von Osten
bis nach Westen. 6 Neben Ephraim soll
Ruben seinen Anteil haben von Osten
bis nach Westen. 7 Neben Ruben soll Juda
seinen Anteil haben von Osten bis nach
Westen.

DAS LAND FÜR DEN HEILIGEN BEZIRK, DIE STADT UND DEN FÜRSTEN

8 [a]Neben Juda aber sollt ihr einen Teil als
Abgabe absondern von Osten bis nach
Westen, der fünfundzwanzigtausend
Ellen breit und so lang ist wie sonst ein
Anteil von Osten bis nach Westen. Mit-
ten darin soll das Heiligtum stehen. 9 Das
Land, das ihr als Abgabe dem HERRN ab-
sondern sollt, soll fünfundzwanzigtau-
send Ellen lang und zehntausend Ellen
breit sein. 10 Und diese Abgabe für das
Heiligtum soll den Priestern gehören,
nämlich fünfundzwanzigtausend Ellen
lang an der Nordseite und an der Süd-
seite und zehntausend Ellen breit an der
Ostseite und an der Westseite. Und das
Heiligtum des HERRN soll mitten darin
stehen. 11 Es soll den geweihten Priestern
gehören, den [a]Söhnen Zadok, die mir
Dienst getan haben und nicht mit den Is-
raeliten abgefallen sind, wie die Leviten
abgefallen sind. 12 Und diese besondere
Abgabe von der Abgabe des Landes soll
ihnen gehören und hochheilig sein, neben
dem Gebiet der Leviten.

13 Die Leviten aber sollen neben dem Ge-
biet der Priester auch ein Gebiet von fünf-
undzwanzigtausend Ellen in der Länge
und zehntausend Ellen in der Breite ha-
ben; denn im Ganzen soll die Länge fünf-
undzwanzigtausend Ellen und die Breite
zwanzigtausend Ellen sein. 14 Und sie dür-
fen nichts davon verkaufen oder vertau-
schen, damit dieser beste Teil des Landes
nicht in andere Hände kommt; denn er ist
dem HERRN geheiligt.

15 Aber die übrigen fünftausend Ellen
in der Breite entlang den fünfundzwan-
zigtausend Ellen sollen nicht heilig, son-
dern für die Stadt zum Wohnen und zur
Weidetrift bestimmt sein, und die Stadt
soll mitten darin stehen. 16 Und das sollen
ihre Maße sein: viertausendfünfhundert
Ellen an der Nordseite und an der Süd-
seite, ebenso auch an der Ostseite und an
der Westseite viertausendfünfhundert El-
len.[a] 17 Die Weidetrift der Stadt soll zwei-
hundertfünfzig Ellen gegen Norden und
gegen Süden messen, ebenso auch gegen
Osten und gegen Westen zweihundert-
fünfzig Ellen. 18 Aber das übrige Gebiet
entlang der Abgabe für das Heiligtum,
nämlich zehntausend Ellen gegen Osten
und zehntausend Ellen gegen Westen, das
soll dem Unterhalt derer dienen, die in der
Stadt arbeiten. 19 Und die in der Stadt ar-
beiten, aus allen Stämmen Israels, sollen
es bebauen. 20 So soll die ganze Abgabe
fünfundzwanzigtausend Ellen im Geviert
sein. Ein Viereck soll die Abgabe für das
Heiligtum sein mit dem, was Eigentum
der Stadt ist.

21 [a]Was aber noch übrig ist, soll dem
Fürsten gehören, nämlich auf beiden Sei-
ten neben der Abgabe für das Heiligtum

47,22 *a* 3. Mose 19,33-34 **48,1** *a* Kap 47,15-17
48,8 *a* (8-20) Kap 45,1-8 **48,11** *a* Kap 40,46
48,16 *a* Offb 21,16 **48,21** *a* (21-22) Kap 45,7

und neben dem Eigentum der Stadt ent-
lang den fünfundzwanzigtausend Ellen
an der Ostseite und an der Westseite, so
weit wie die Anteile der Stämme reichen;
das soll dem Fürsten gehören. Die Abgabe
für das Heiligtum und der Tempel sollen
in der Mitte liegen. 22 Abgesehen von dem
Eigentum der Leviten und dem Eigentum
der Stadt, das mitten im Gebiet des Fürs-
ten liegt, soll das Land zwischen dem Ge-
biet Judas und dem Gebiet Benjamins dem
Fürsten gehören.

VERTEILUNG DES LANDES IM SÜDEN

23 Danach sollen die übrigen Stämme
kommen: Benjamin soll seinen Anteil
haben von Osten bis nach Westen. 24 Ne-
ben dem Gebiet Benjamins soll Simeon
seinen Anteil haben von Osten bis nach
Westen. 25 Neben dem Gebiet Simeons
soll Issachar seinen Anteil haben von Os-
ten bis nach Westen. 26 Neben dem Gebiet
Issachars soll Sebulon seinen Anteil haben
von Osten bis nach Westen. 27 Neben dem
Gebiet Sebulons soll Gad seinen Anteil
haben von Osten bis nach Westen. 28 Ne-
ben dem Gebiet von Gad soll [a]im Süden
die Grenze von Tamar bis an das Hader-
wasser von Kadesch laufen und den Bach
Ägyptens hinab bis an das große Meer.
29 Das ist das Land, das ihr austeilen sollt
als Erbteil unter die Stämme Israels, und
das sollen ihre Erbteile sein, spricht Gott
der HERR.

DIE TORE UND DER NAME DER STADT

30 [a]Und dies sollen die Ausgänge der Stadt
sein: an der Nordseite mit ihren viertau-
sendfünfhundert Ellen 31 drei Tore: das
erste Tor Ruben, das zweite Juda, das
dritte Levi; denn die Tore der Stadt sollen
nach den Namen der Stämme Israels ge-
nannt werden. 32 So auch an der Ostseite
mit ihren viertausendfünfhundert Ellen
drei Tore: nämlich das erste Tor Josef, das
zweite Benjamin, das dritte Dan. 33 An der
Südseite mit ihren viertausendfünfhun-
dert Ellen auch drei Tore: das erste Tor
Simeon, das zweite Issachar, das dritte
Sebulon. 34 So auch an der Westseite mit
ihren viertausendfünfhundert Ellen drei
Tore: das erste Tor Gad, das zweite Asser,
das dritte Naftali. 35 So soll der ganze Um-
fang achtzehntausend Ellen sein. Und als-
dann soll die Stadt genannt werden [a]»Hier
ist der HERR«.

DAS BUCH DANIEL

1–6 Daniel und seine Freunde **7–12** Daniel schaut in die Zukunft

DANIEL UND SEINE GEFÄHRTEN AM BABYLONISCHEN HOF

1 *Im dritten Jahr der Herrschaft [a]Joja-
kims, des Königs von Juda, zog Nebu-
kadnezar, der König von Babel, vor Jerusa-
lem und belagerte es. 2 Und der Herr gab in
seine Hand Jojakim, den König von Juda,
und einen Teil der Geräte aus dem Hause
Gottes. Die ließ er ins [a]Land Schinar brin-
gen, in den Tempel seines Gottes, und tat
die Geräte in die Schatzkammer seines
Gottes.

3 Und der König sprach zu Aschpenas,
seinem obersten Kämmerer, er sollte
[a]einige von den Israeliten auswählen, und
zwar von königlichem Stamm und von ed-
ler Herkunft, 4 junge Leute, die keine Ge-
brechen hätten, sondern schön, einsichtig,
weise, klug und verständig wären, also fä-
hig, an des Königs Hof zu dienen; und er
sollte sie in Schrift und Sprache der Chal-
däer unterrichten lassen. 5 Und der König
bestimmte, was man ihnen täglich geben
sollte von der königlichen Speise und von
dem Wein, den er selbst trank; so sollten
sie drei Jahre erzogen werden und danach
vor dem König dienen. 6 Unter ihnen wa-
ren von den Judäern Daniel, Hananja,
Mischaël und Asarja. 7 Und der oberste
Kämmerer gab ihnen andere Namen und

* **1,1** In der griechischen Übersetzung beginnt das Buch Daniel mit der Geschichte von Susanna und Daniel, St zu Dan 1.

48,28 ***a*** Kap 47,19 **48,30** ***a*** (30-35) Offb 21,12-13 **48,35** ***a*** Kap 43,7; Jes 60,14; Offb 21,3 **1,1** ***a*** 2. Kön 24,1-2 **1,2** ***a*** 1. Mose 11,2 **1,3** ***a*** 2. Kön 20,18

nannte Daniel Beltschazar und Hananja
Schadrach und Mischaël Meschach und
Asarja Abed-Nego.
8 Aber Daniel nahm sich in seinem
Herzen vor, dass er sich mit des Königs
Speise und mit dem Wein, den dieser
trank, nicht [a]unrein machen wollte, und
bat den obersten Kämmerer, dass er sich
nicht unrein machen müsste. 9 Und Gott
gab Daniel, dass ihm der oberste Kämme-
rer günstig und gnädig gesinnt wurde.[a]
10 Der sprach zu ihm: Ich fürchte mich vor
meinem Herrn, dem König, der euch eure
Speise und euern Trank bestimmt hat.
Warum soll er sehen, dass eure Gesich-
ter schmächtiger sind als die der andern
jungen Leute eures Alters? So brächtet
ihr mich bei dem König um mein Leben.
11 Da sprach Daniel zu dem Aufseher, den
der oberste Kämmerer über Daniel, Ha-
nanja, Mischaël und Asarja gesetzt hatte:
12 Versuch's doch mit deinen Knechten
zehn Tage und lass uns Gemüse zu es-
sen und Wasser zu trinken geben. 13 Und
dann lass dir unser Aussehen und das der
jungen Leute, die von des Königs Speise
essen, zeigen; und danach magst du mit
deinen Knechten tun nach dem, was du
sehen wirst.
14 Und er hörte auf sie und versuchte
es mit ihnen zehn Tage. 15 Und nach den
zehn Tagen sahen sie schöner und kräfti-
ger aus als alle jungen Leute, die von des
Königs Speise aßen. 16 Da tat der Aufseher
die königliche Speise und den Wein weg,
die für sie bestimmt waren, und gab ihnen
Gemüse. 17 Und diesen vier jungen Leuten
gab Gott Verstand und Einsicht für jede
Art von Schrift und Weisheit. [a]Daniel aber
verstand sich auf Gesichte und Träume
jeder Art.
18 Und als die Zeit um war, die der Kö-
nig bestimmt hatte, dass sie danach vor
ihn gebracht werden sollten, brachte sie
der oberste Kämmerer vor Nebukadnezar.
19 Und der König redete mit ihnen, und es
wurde unter allen niemand gefunden,
der Daniel, Hananja, Mischaël und Asarja
gleich war. Und sie wurden des Königs
Diener. 20 Und der König fand sie in allen
Sachen, die er sie fragte, zehnmal klüger
und verständiger als alle Zeichendeu-
ter und Weisen in seinem ganzen Reich.
21 Und Daniel blieb dort bis ins [a]erste Jahr
des Königs Kyrus.

NEBUKADNEZARS TRAUM VON DEN VIER WELTREICHEN

(vgl. Kap 7,1-28)

2 Im zweiten Jahr seiner Herrschaft hatte
Nebukadnezar einen Traum, über den
sein Geist so erschrak, dass er aufwachte.
2 Und der König ließ alle Zeichendeuter
und Weisen und [a]Zauberer und Wahr-
sager zusammenrufen, dass sie ihm sei-
nen Traum sagen sollten. Und sie kamen
und traten vor den König. 3 Und der König
sprach zu ihnen: Ich hatte einen Traum,
und mein Geist war unruhig zu verstehen,
was der Traum bedeutet.
4 Da sprachen die Wahrsager zum Kö-
nig auf Aramäisch: Der König lebe ewig!
Sage deinen Knechten den Traum, so
wollen wir ihn deuten.[a] 5 Der König ant-
wortete und sprach zu den Wahrsagern:
Mein Wort steht fest: Werdet ihr mir nun
den Traum nicht kundtun und deuten,
so sollt ihr in Stücke gehauen und eure
Häuser sollen zu Schutthaufen gemacht
werden. 6 Werdet ihr mir aber den Traum
kundtun und deuten, so sollt ihr Ge-
schenke, Gaben und große Ehre von mir
empfangen. Darum sagt mir den Traum
und seine Deutung. 7 Sie antworteten wie-
derum und sprachen: Der König sage sei-
nen Knechten den Traum, so wollen wir
ihn deuten.
8 Der König antwortete und sprach:
Wahrlich, ich merke, dass ihr Zeit gewin-
nen wollt, weil ihr seht, dass mein Wort
fest steht. 9 Aber werdet ihr mir den Traum
nicht sagen, so ergeht ein Urteil über euch
alle, weil ihr euch vorgenommen habt, Lug
und Trug vor mir zu reden, bis die Zeiten
sich ändern. Darum sagt mir den Traum;
so kann ich merken, dass ihr auch die Deu-
tung trefft. 10 Da antworteten die Wahrsa-
ger vor dem König und sprachen zu ihm:
Es ist kein Mensch auf Erden, der sagen
könnte, was der König fordert. Ebenso gab
es auch keinen König, wie groß oder mäch-
tig er auch war, der solches von irgendei-
nem Zeichendeuter, Weisen oder Wahrsa-

1,8 *a* 3. Mose 11,1-47 **1,9** *a* 1. Mose 39,21 **1,17** *a* Hes 28,3
1,21 *a* Esra 1,1 **2,2** *a* 2. Mose 7,11; Jes 47,12-13
2,4 *a* 1. Mose 41,8

ger gefordert hätte. 11 Denn was der König
fordert, ist zu schwer, und es gibt auch
sonst niemand, der es vor dem König sa-
gen könnte, ausgenommen die Götter, die
nicht bei den Menschen wohnen.

12 Da wurde der König sehr zornig und
befahl, alle Weisen von Babel umzubrin-
gen. 13 Und das Urteil ging aus, dass man
die Weisen töten sollte. Auch Daniel und
seine Gefährten suchte man, um sie zu
töten.

14 Da wandte sich Daniel [a]mit einem Rat
und Vorschlag an Arjoch, den Obersten
der Leibwache des Königs, der ausgezogen
war, um die Weisen von Babel zu töten.
15 Und er fing an und sprach zu Arjoch,
dem der König Vollmacht gegeben hatte:
Warum ist ein so strenges Urteil vom Kö-
nig ergangen? Und Arjoch teilte es Daniel
mit. 16 Da ging Daniel hinein und bat den
König, ihm eine Frist zu geben, damit er
die Deutung dem König sagen könne.

17 Und Daniel ging heim und teilte es
seinen Gefährten Hananja, Mischaël und
Asarja mit, 18 damit sie den Gott des Him-
mels um Gnade bäten wegen dieses Ge-
heimnisses und Daniel und seine Gefähr-
ten nicht samt den andern Weisen von
Babel umkämen.

19 Da wurde Daniel das Geheimnis durch
ein Gesicht in der Nacht offenbart. Und
Daniel lobte den Gott des Himmels, 20 fing
an und sprach:

Gelobet sei der Name Gottes von
Ewigkeit zu Ewigkeit,
denn ihm gehören Weisheit und Stärke!
21 Er ändert Zeit und Stunde;
er setzt Könige ab und setzt Könige ein;
er gibt den Weisen ihre Weisheit und
den Verständigen ihren Verstand,
22 er offenbart, was tief und
verborgen ist;
er weiß, was in der Finsternis liegt,
und nur bei ihm ist das Licht.
23 Ich danke dir und lobe dich,
Gott meiner Väter,
denn du hast mir Weisheit und Stärke
verliehen
und mich jetzt wissen lassen,
was wir von dir erbeten haben;
denn du hast uns des Königs Sache
kundgetan.

24 Daraufhin ging Daniel hinein zu Ar-
joch, der vom König Befehl hatte, die
Weisen von Babel umzubringen. Er trat
ein und sprach zu ihm: Du sollst die Wei-
sen von Babel nicht umbringen, sondern
führe mich hinein vor den König, ich will
dem König die Deutung sagen. 25 Ar-
joch brachte Daniel eilends hinein vor
den König und sprach zu ihm: Ich habe
einen Mann gefunden unter den Gefan-
genen aus Juda, der dem König die Deu-
tung sagen kann. 26 Der König antwortete
und sprach zu Daniel, den sie Beltschazar
nannten: Bist du es, der mir den Traum,
den ich gesehen habe, und seine Deutung
kundtun kann?

27 Daniel fing an vor dem König und
sprach: Das Geheimnis, nach dem der
König fragt, vermögen die Weisen, Zau-
berer, Zeichendeuter und Sternkundigen
dem König nicht zu sagen. 28 Aber [a]es ist
ein Gott im Himmel, der Geheimnisse
offenbart. Der hat dem König Nebukad-
nezar kundgetan, was am Ende der Tage
geschehen soll. Mit deinem Traum und
deinen Gesichten, als du schliefst, verhielt
es sich so: 29 Du, König, dachtest auf dei-
nem Bett, was dereinst geschehen würde;
und der, der Geheimnisse offenbart, hat
dir kundgetan, was geschehen wird. 30 Mir
aber ist dies Geheimnis offenbart worden,
[a]nicht als wäre meine Weisheit größer als
die Weisheit aller, die da leben, sondern
damit dem König die Deutung kund-
würde und du deines Herzens Gedanken
erführest.

31 Du, König, schautest, und siehe, ein
sehr großes und hohes und hell glänzen-
des Bild stand vor dir, das war schrecklich
anzusehen. 32 Das Haupt dieses Bildes war
von feinem Gold, seine Brust und seine
Arme waren von Silber, sein Bauch und
seine Lenden waren von Bronze, 33 seine
Schenkel waren von Eisen, seine Füße
waren teils von Eisen und teils von Ton.
34 Das schautest du, bis ein Stein herun-
terkam, ohne Zutun von Menschenhän-
den; der traf das Bild an seinen Füßen, die
von Eisen und Ton waren, und zermalmte
sie. 35 Da wurden miteinander zermalmt

2,14 ***a*** Kap 1,20 **2,28** ***a*** 1. Mose 41,16.25
2,30 ***a*** 1. Mose 41,39

Eisen, Ton, Bronze, Silber und Gold und
wurden wie Spreu auf der Sommertenne,
und der Wind verwehte sie, dass man sie
nirgends mehr finden konnte. Der Stein
aber, der das Bild zerschlug, wurde zu
einem großen Berg und füllte die ganze
Welt.

36 Das ist der Traum. Nun wollen wir
die Deutung vor dem König sagen. 37 Du,
König, [a]König aller Könige, dem der Gott
des Himmels Königreich, Macht, Stärke
und Ehre gegeben hat 38 und dem er alle
Länder, in denen Leute wohnen, dazu [a]die
Tiere auf dem Felde und die Vögel unter
dem Himmel in die Hände gegeben und
dem er über alles Gewalt verliehen hat! Du
bist das goldene Haupt.

39 Nach dir wird ein anderes König-
reich aufkommen, geringer als deines,
und dann ein drittes Königreich, das aus
Bronze ist und über alle Länder herrschen
wird. 40 Und das vierte Königreich wird
hart sein wie Eisen; denn wie Eisen al-
les zermalmt und zerschlägt, so wird es
auch alles zermalmen und zerbrechen.
41 Dass du aber die Füße und Zehen teils
von Ton und teils von Eisen gesehen hast,
bedeutet: Das wird ein zerteiltes König-
reich sein; doch wird etwas von des Eisens
Härte darin bleiben, wie du ja gesehen
hast Eisen mit Ton vermengt. 42 Und dass
die Zehen an seinen Füßen teils von Eisen
und teils von Ton sind, bedeutet: Zum
Teil wird's ein starkes und zum Teil ein
schwaches Reich sein. 43 Und dass du ge-
sehen hast Eisen mit Ton vermengt, be-
deutet: Sie werden sich zwar durch Hei-
raten miteinander vermischen, aber sie
werden doch nicht aneinander festhalten,
so wie sich Eisen mit Ton nicht mengen
lässt.

44 Aber **zur Zeit dieser Könige wird der
Gott des Himmels [a]ein Reich aufrich-
ten, das nimmermehr zerstört wird;
und sein Reich wird auf kein anderes
Volk kommen. Es wird alle diese Kö-
nigreiche zermalmen und zerstören;
aber es selbst wird ewig bleiben,** 45 wie
du ja gesehen hast, dass ein Stein ohne Zu-
tun von Menschenhänden vom Berg her-
unterkam, der Eisen, Bronze, Ton, Silber
und Gold zermalmte. Ein großer Gott hat
dem König kundgetan, was dereinst ge-
schehen wird. Der Traum ist zuverlässig
und die Deutung ist richtig.

46 Da fiel der König Nebukadnezar auf
sein Angesicht und warf sich nieder vor
Daniel und befahl, man sollte ihm Speis-
opfer und Räucheropfer darbringen.
47 Und der König antwortete Daniel und
sprach: Wahrhaftig, [a]euer Gott ist ein
Gott über alle Götter und ein Herr über
alle Könige, der Geheimnisse offenbaren
kann, wie du dies Geheimnis hast offen-
baren können. 48 Und der König erhöhte
Daniel und [a]gab ihm große und viele Ge-
schenke und machte ihn zum Fürsten
über das ganze Land Babel und setzte ihn
zum Obersten über alle Weisen in Babel.
49 Und Daniel bat den König, Schadrach,
Meschach und Abed-Nego [a]über die Äm-
ter des Landes Babel zu setzen. Daniel aber
blieb am Hof des Königs.

DIE DREI MÄNNER IM FEUEROFEN

3 Der König Nebukadnezar ließ ein gol-
denes Bild machen sechzig Ellen hoch
und sechs Ellen breit und ließ es aufrich-
ten in der Ebene Dura im Lande Babel.
2 Und der König Nebukadnezar sandte
nach den Fürsten, Würdenträgern, Statt-
haltern, Richtern, Schatzmeistern, Räten,
Amtleuten und allen Mächtigen im Lande,
dass sie zur Weihe des Bildes zusammen-
kommen sollten, das der König Nebukad-
nezar hatte aufrichten lassen.

3 Da kamen zusammen die Fürsten,
Würdenträger, Statthalter, Richter, Schatz-
meister, Räte, Amtleute und alle Mäch-
tigen im Lande zur Weihe des Bildes, das
der König Nebukadnezar hatte aufrichten
lassen. Und sie stellten sich vor dem Bild
auf, das Nebukadnezar hatte aufrichten
lassen. 4 Und der Herold rief laut: Es wird
euch befohlen, euch Völkern, Nationen
und Sprachen: 5 Wenn ihr hören werdet
den Klang des Horns, der Flöte, der Zi-
ther, der Harfe, der Leier, der Doppelflöte
und aller andern Instrumente, dann sollt
ihr niederfallen und das goldene Bild an-
beten, das der König Nebukadnezar hat
aufrichten lassen. 6 Wer aber dann nicht

2,37 ***a*** Hes 26,7 **2,38** ***a*** Jer 27,6; 28,14
2,44 ***a*** Kap 7,14.27; Jes 9,6; 1. Kor 15,24; Offb 11,15
2,47 ***a*** Kap 3,29; Ps 86,8; Jes 42,8 **2,48** ***a*** Vers 6; Kap 5,29 **2,49** ***a*** Kap 3,12

niederfällt und anbetet, der soll zu dersel-
ben Stunde in den glühenden Feuerofen
geworfen werden. 7 Als sie nun den Klang
des Horns, der Flöte, der Zither, der Harfe,
der Leier und aller andern Instrumente
hörten, fielen alle Völker, Nationen und
Sprachen nieder und beteten an das gol-
dene Bild, das der König Nebukadnezar
hatte aufrichten lassen.
8 Da kamen einige chaldäische Män-
ner und verklagten die Juden, 9 fingen an
und sprachen zum König Nebukadnezar:
Der König lebe ewig! 10 Du, König, hast
[a]ein Gebot ergehen lassen, dass alle Men-
schen niederfallen und das goldene Bild
anbeten sollten, wenn sie den Klang des
Horns, der Flöte, der Zither, der Harfe,
der Leier und einer Doppelflöte und aller
andern Instrumente hören würden; 11 wer
aber nicht niederfiele und anbetete, sollte
in den glühenden Feuerofen geworfen
werden. 12 Nun sind da [a]judäische Män-
ner, die du über die einzelnen Ämter im
Lande Babel gesetzt hast, nämlich Schad-
rach, Meschach und Abed-Nego; diese
Männer verachten dich, o König! Sie eh-
ren deinen Gott nicht und beten das gol-
dene Bild nicht an, das du hast aufrichten
lassen.
13 Da befahl Nebukadnezar mit Grimm
und Zorn, Schadrach, Meschach und
Abed-Nego vor ihn zu bringen. Und die
Männer wurden vor den König gebracht.
14 Da fing Nebukadnezar an und sprach
zu ihnen: Wie? Wollt ihr, Schadrach,
Meschach und Abed-Nego, meinen Gott
nicht ehren und das goldene Bild nicht
anbeten, das ich habe aufrichten lassen?
15 Wohlan, seid bereit! Sobald ihr den
Klang des Horns, der Flöte, der Zither,
der Harfe, der Leier und einer Doppelflöte
und aller andern Instrumente hören wer-
det, so fallt nieder und betet das Bild an,
das ich habe machen lassen! Werdet ihr's
aber nicht anbeten, dann sollt ihr zu der-
selben Stunde in den glühenden Feuer-
ofen geworfen werden. [a]Lasst sehen, wer
der Gott ist, der euch aus meiner Hand
erretten könnte!
16 Da fingen an Schadrach, Meschach
und Abed-Nego und sprachen zum Kö-
nig Nebukadnezar: Es ist nicht nötig, dass
wir dir darauf antworten. 17 Siehe, unser
Gott, den wir verehren, kann uns erretten
aus dem glühenden [a]Feuerofen, und auch
aus deiner Hand, o König, kann er erret-
ten. 18 Und wenn er's nicht tut, so sollst
du dennoch wissen, [a]dass wir deinen Gott
nicht ehren und das goldene Bild, das du
hast aufrichten lassen, nicht anbeten
werden.
19 Da wurde Nebukadnezar voll Grimm
und der Ausdruck seines Angesichts ver-
änderte sich gegenüber Schadrach, Me-
schach und Abed-Nego, und er befahl,
man sollte den Ofen siebenmal heißer
machen, als man sonst zu tun pflegte.
20 Und er befahl den besten Kriegsleuten,
die in seinem Heer waren, Schadrach, Me-
schach und Abed-Nego zu binden und in
den glühenden Feuerofen zu werfen. 21 Da
wurden diese Männer in ihren Mänteln,
Hosen, Hüten und andern Kleidern ge-
bunden und in den glühenden Feuerofen
geworfen. 22 Weil das Gebot des Königs
so streng und der Ofen überaus heiß war,
tötete die Feuerflamme die Männer, die
Schadrach, Meschach und Abed-Nego
hinaufbrachten. 23 Aber die drei Männer,
Schadrach, Meschach und Abed-Nego,
fielen hinab in den glühenden Feuerofen,
gebunden wie sie waren.*
24 Da entsetzte sich der König Nebu-
kadnezar, fuhr auf und sprach zu seinen
Räten: Haben wir nicht drei Männer ge-
bunden in das Feuer werfen lassen? Sie
antworteten und sprachen zum König:
Ja, König. 25 Er antwortete und sprach: Ich
sehe aber vier Männer frei im Feuer um-
hergehen, und sie sind [a]unversehrt; und
der vierte sieht aus, als wäre er ein Sohn
der Götter.
26 Und Nebukadnezar trat vor die Tür
des glühenden Feuerofens und sprach:
Schadrach, Meschach und Abed-Nego, ihr
Knechte des höchsten Gottes, tretet her-
aus und kommt her! Da traten Schadrach,
Meschach und Abed-Nego heraus aus dem
Feuer. 27 Und die Fürsten, Würdenträger,
Statthalter und Räte des Königs kamen

* **3,23** In der griechischen Übersetzung folgen an dieser Stelle das Gebet Asarjas und der Gesang der drei Männer im Feuerofen, St zu Dan 3.

3,10 ***a*** Kap 6,13 **3,12** ***a*** Kap 2,49 **3,15** ***a*** 2. Mose 5,2; 2. Kön 18,35 **3,17** ***a*** 5. Mose 4,20; Ps 66,12 **3,18** ***a*** 2. Mose 20,3-5 **3,25** ***a*** Jes 43,2

zusammen und sahen, dass [a]das Feuer
den Leibern dieser Männer nichts hatte
anhaben können und ihr Haupthaar nicht
versengt und ihre Mäntel nicht versehrt
waren; ja, man konnte keinen Brand an
ihnen riechen.
28 Da fing Nebukadnezar an und sprach:
Gelobt sei der Gott Schadrachs, Meschachs
und Abed-Negos, der [a]seinen Engel ge-
sandt und seine Knechte errettet hat, die
ihm vertraut und des Königs Gebot nicht
gehalten haben, sondern ihren Leib preis-
gaben; denn sie wollten keinen andern
Gott verehren und anbeten als allein ihren
Gott! 29 So sei nun dies mein Gebot: Wer
unter allen Völkern, Nationen und Spra-
chen den Gott Schadrachs, Meschachs und
Abed-Negos lästert, der soll in Stücke ge-
hauen und sein Haus zu einem Schutthau-
fen gemacht werden. Denn [a]es gibt keinen
andern Gott als den, der so erretten kann.
30 Und der König gab Schadrach, Meschach
und Abed-Nego größere Macht im Lande
Babel.

NEBUKADNEZARS TRAUM

31 König Nebukadnezar allen Völkern, Na-
tionen und Sprachen auf der ganzen Erde:
Viel Friede zuvor! 32 Es gefällt mir, die
Zeichen und Wunder zu verkünden, die
der höchste Gott an mir getan hat. 33 Wie
groß sind seine Zeichen und wie mächtig
seine Wunder! [a]Sein Reich ist ein ewiges
Reich, und seine Herrschaft währet für
und für.
4 Ich, Nebukadnezar, hatte Ruhe in mei-
nem Hause und lebte zufrieden in mei-
nem Palast. 2 Da hatte ich einen Traum,
der erschreckte mich, und die Erschei-
nungen, die ich auf meinem Bett hatte,
und die Gesichte, die ich gesehen hatte,
beunruhigten mich. 3 Und ich befahl, dass
alle Weisen Babels vor mich gebracht wür-
den, damit sie mir sagten, was der Traum
bedeutete. 4 Da brachte man herein die
Zeichendeuter, Weisen, Wahrsager und
Sternkundigen, und ich erzählte den
Traum vor ihnen; aber sie konnten mir
nicht sagen, was er bedeutete, 5 bis zuletzt
Daniel vor mich trat, der Beltschazar heißt
nach dem Namen meines Gottes und [a]der
den Geist der heiligen Götter hat. Und ich
erzählte vor ihm den Traum: 6 Beltschazar,
du Oberster unter den Zeichendeutern,
von dem ich weiß, dass du den Geist der
heiligen Götter hast und dir kein Geheim-
nis zu dunkel ist, sage, was die Gesichte
meines Traumes, die ich gesehen habe,
bedeuten.
7 Dies sind aber die Gesichte, die ich ge-
sehen habe auf meinem Bett: Siehe, es
stand ein [a]Baum in der Mitte der Erde,
der war sehr hoch. 8 Und er wurde groß
und mächtig, und seine Höhe reichte bis
an den Himmel, und er war zu sehen bis
ans Ende der ganzen Erde. 9 Sein Laub war
dicht und seine Frucht reichlich, und er
gab Nahrung für alle. Die Tiere des Feldes
fanden Schatten unter ihm, und die Vögel
des Himmels saßen auf seinen Ästen, und
alles Fleisch nährte sich von ihm.
10 Und ich sah ein Gesicht auf meinem
Bett, und siehe, ein heiliger [a]Wächter fuhr
vom Himmel herab. 11 Der rief laut und
sprach: Haut den Baum um und schlagt
ihm die Äste weg, streift ihm das Laub ab
und zerstreut seine Frucht, dass die Tiere,
die unter ihm liegen, weglaufen und die
Vögel von seinen Zweigen fliehen. 12 Doch
lasst den Stock mit seinen Wurzeln in der
Erde bleiben; er soll in eisernen und eher-
nen Ketten auf dem Felde im Grase liegen.
Vom Tau des Himmels soll er nass werden
und soll sein Teil haben mit den Tieren an
den Kräutern der Erde. 13 Und das mensch-
liche Herz soll von ihm genommen und
ein tierisches Herz ihm gegeben werden,
und sieben Zeiten sollen über ihn hinge-
hen. 14 Dieser Befehl ist im Rat der Wäch-
ter beschlossen, und das Gebot ist eine
Entscheidung der Heiligen, damit die Le-
benden erkennen, dass der Höchste [a]Ge-
walt hat über die Königreiche der Men-
schen und sie geben kann, wem er will,
und selbst den niedrigsten der Menschen
über sie setzen kann.
15 Solch einen Traum hab ich, König Ne-
bukadnezar, gehabt; du aber, Beltschazar,
sage, was er bedeutet. Denn alle Weisen
in meinem Königreich können mir nicht
kundtun, was er bedeutet; du aber kannst
es, denn der Geist der heiligen Götter ist
bei dir.

3,27 *a* Hebr 11,33-34 **3,28** *a* Kap 6,23 **3,29** *a* Kap 2,47
3,33 *a* Kap 2,44; 7,14.27; Ps 145,13 **4,5** *a* Kap 5,11.14
4,7 *a* Ps 37,35 **4,10** *a* Kap 8,13 **4,14** *a* Kap 2,21

16 Da entsetzte sich Daniel, der auch
Beltschazar heißt, eine Zeit lang, und
seine Gedanken beunruhigten ihn. Aber
der König sprach: Beltschazar, lass dich
durch den Traum und seine Deutung
nicht beunruhigen.

Beltschazar fing an und sprach: Ach,
mein Herr, dass doch der Traum dei-
nen Feinden und seine Deutung deinen
Widersachern gelte! 17 Der [a]Baum, den
du gesehen hast, der groß und mächtig
wurde und dessen Höhe an den Himmel
reichte und der zu sehen war auf der gan-
zen Erde, 18 dessen Laub dicht und dessen
Frucht reichlich war, sodass er Nahrung
für alle gab, unter dem die Tiere des Fel-
des wohnten und auf dessen Ästen die
Vögel des Himmels saßen – 19 das bist du,
König, der du so groß und mächtig bist;
denn deine Macht ist groß und reicht bis
an den Himmel und deine Gewalt bis
ans Ende der Erde. 20 Dass aber der König
einen heiligen Wächter gesehen hat vom
Himmel herabfahren, der sagte: »Haut
den Baum um und zerstört ihn, doch
den Stock mit seinen Wurzeln lasst in
der Erde bleiben; er soll in eisernen und
ehernen Ketten auf dem Felde im Grase
liegen, und vom Tau des Himmels soll er
nass werden und mit den Tieren des Fel-
des zusammenleben, bis über ihn sieben
Zeiten hingegangen sind«; 21 das, König,
bedeutet – und zwar erging es als Rat-
schluss des Höchsten über meinen Herrn,
den König –: 22 Man wird dich aus der Ge-
meinschaft der Menschen verstoßen, und
du musst bei den Tieren des Feldes blei-
ben, und man wird dich Kraut fressen las-
sen wie die Rinder, und du wirst vom Tau
des Himmels nass werden, und sieben
Zeiten werden über dich hingehen, bis
du erkennst, dass der Höchste Gewalt hat
über die Königreiche der Menschen und
sie gibt, wem er will. 23 Wenn aber gesagt
wurde, man sollte dennoch den Stock des
Baumes mit seinen Wurzeln übrig las-
sen, das bedeutet: Dein Königreich soll
dir erhalten bleiben, sobald du erkannt
hast, dass der Himmel die Gewalt hat.
24 Darum, mein König, lass dir meinen
Rat gefallen und mache dich los und ledig
von deinen Sünden durch Gerechtigkeit
und von deiner Missetat durch [a]Wohl-
tat an den Armen, so wird es dir lange
wohlergehen.

25 Dies alles widerfuhr dem König Nebu-
kadnezar. 26 Denn nach zwölf Monaten, als
der König auf dem Dach des königlichen
Palastes in Babel sich erging, 27 [a]hob er an
und sprach: Das ist das große [b]Babel, das
ich erbaut habe zur Königsstadt durch
meine große Macht zu Ehren meiner
Herrlichkeit. 28 Ehe noch der König diese
Worte ausgeredet hatte, kam eine Stimme
vom Himmel: Dir, König Nebukadnezar,
wird gesagt: Dein Königreich ist dir ge-
nommen, 29 man wird dich aus der Ge-
meinschaft der Menschen verstoßen, und
du sollst bei den Tieren des Feldes bleiben;
Kraut wird man dich fressen lassen wie die
Rinder, und sieben Zeiten sollen hinge-
hen, bis du erkennst, dass [a]der Höchste
Gewalt hat über die Königreiche der Men-
schen und sie gibt, wem er will.

30 Im gleichen Augenblick wurde das
Wort erfüllt an Nebukadnezar, und er
wurde verstoßen aus der Gemeinschaft
der Menschen; und er fraß Kraut wie die
Rinder, und vom Tau des Himmels wurde
sein Leib nass, bis sein Haar wuchs so groß
wie Adlerfedern und seine Nägel wie Vo-
gelklauen wurden.

31 Nach dieser Zeit hob ich, Nebukadne-
zar, meine Augen auf zum Himmel, und
mein Verstand kam mir wieder, und ich
lobte den Höchsten. Ich pries und ehrte
den, der ewig lebt, [a]dessen Gewalt ewig ist
und dessen Reich für und für währt, 32 ge-
gen den [a]alle, die auf Erden wohnen, für
nichts zu rechnen sind. Er macht's, wie er
will, mit dem Heer des Himmels und mit
denen, die auf Erden wohnen. Und [b]nie-
mand kann seiner Hand wehren noch zu
ihm sagen: Was machst du? 33 Zur selben
Zeit kehrte mein Verstand zu mir zurück,
und meine Herrlichkeit und mein Glanz
kamen wieder an mich zur Ehre meines
Königreichs. Und meine Räte und Mächti-
gen suchten mich auf, und ich wurde wie-
der über mein Königreich eingesetzt und
gewann noch größere Macht. 34 Darum
lobe, ehre und preise ich, Nebukadnezar,
den König des Himmels; denn all sein Tun

4,17 *a* Hes 31,3-14 **4,24** *a* Spr 19,17; Mt 5,7
4,27 *a* (27-28) Spr 16,18 *b* 1. Mose 11,1-9 **4,29** *a* Kap 5,21
4,31 *a* Kap 3,33 **4,32** *a* Jes 40,17 *b* Hiob 9,12

ist Wahrheit, und seine Wege sind recht,
und [a]wer stolz einherschreitet, den kann
er demütigen.

BELSAZARS GASTMAHL

5 König Belsazar machte ein herrliches
Mahl für seine tausend Mächtigen und
soff sich voll mit ihnen. 2 Und als er be-
trunken war, ließ er [a]die goldenen und
silbernen Gefäße herbringen, die sein Va-
ter Nebukadnezar aus dem Tempel zu Je-
rusalem weggenommen hatte, damit der
König mit seinen Mächtigen, mit seinen
Frauen und mit seinen Nebenfrauen dar-
aus tränke. 3 Da wurden die goldenen und
silbernen Gefäße herbeigebracht, die aus
dem Tempel, aus dem Hause Gottes zu Je-
rusalem, weggenommen worden waren;
und der König, seine Mächtigen, seine
Frauen und Nebenfrauen tranken daraus.
4 Und als sie so tranken, lobten sie die gol-
denen, silbernen, bronzenen, eisernen,
hölzernen und steinernen Götter.

5 Im gleichen Augenblick gingen hervor
Finger wie von einer Menschenhand, die
schrieben gegenüber dem Leuchter auf
die getünchte Wand im Königspalast.
Und der König erblickte die Hand, die da
schrieb. 6 Da entfärbte sich der König, und
seine Gedanken erschreckten ihn, sodass
seine Glieder schwach wurden und ihm
die Knie schlotterten. 7 Und der König rief
laut, dass man die Zauberer, Wahrsager
und Sternkundigen herbeiholen sollte.
Und er ließ den Weisen von Babel sagen:
Welcher Mensch diese Schrift lesen kann
und mir sagt, was sie bedeutet, der soll
mit Purpur gekleidet werden und eine
goldene Kette um den Hals tragen und
als der Dritte in meinem Königreich herr-
schen. 8 Da wurden alle Weisen des Königs
hereingeführt, aber sie konnten weder die
Schrift lesen noch die Deutung dem Kö-
nig kundtun. 9 Darüber erschrak der König
Belsazar noch mehr und verlor seine Farbe
ganz, und seinen Mächtigen wurde angst
und bange.

10 Auf die Worte des Königs und seiner
Mächtigen hin kam die Königinmutter in
den Saal und sprach: Der König lebe ewig!
Lass dich von deinen Gedanken nicht so
erschrecken und entfärbe dich nicht! 11 Es
ist ein Mann in deinem Königreich, der
den [a]Geist der heiligen Götter hat. Denn
zu deines Vaters Zeiten fand sich bei ihm
Erleuchtung, Klugheit und Weisheit wie
der Götter Weisheit. Und dein Vater, der
König Nebukadnezar, [b]setzte ihn über
die Zeichendeuter, Zauberer, Wahrsager
und Sternkundigen, dein eigener Vater, o
König, 12 weil ein [a]überragender Geist bei
ihm gefunden wurde, dazu Verstand und
Klugheit, Träume zu deuten, dunkle Rät-
sel zu erraten und Verschlungenes aufzu-
lösen. Das ist Daniel, dem der König den
Namen Beltschazar gab. So rufe man nun
Daniel; der wird sagen, was es bedeutet.

13 Da wurde Daniel vor den König ge-
führt. Und der König sprach zu Daniel:
Bist du Daniel, einer der Gefangenen aus
Juda, die der König, mein Vater, aus Juda
hergebracht hat? 14 Ich habe von dir sagen
hören, dass du den Geist der Götter ha-
best und Erleuchtung, Verstand und über-
ragende Weisheit bei dir zu finden sei.
15 Nun hab ich vor mich rufen lassen die
Weisen und Zauberer, damit sie mir diese
Schrift lesen und kundtun sollen, was sie
bedeutet; aber sie können mir nicht sagen,
was das alles bedeutet.[a] 16 Von dir aber höre
ich, dass du Deutungen zu geben und Ver-
schlungenes aufzulösen vermagst. Kannst
du nun die Schrift lesen und mir sagen,
was sie bedeutet, so sollst du mit Purpur
gekleidet werden und eine goldene Kette
um deinen Hals tragen und als der Dritte
in meinem Königreich herrschen.

17 Da fing Daniel an und sprach vor dem
König: Behalte deine Gaben und gib dein
Geschenk einem andern; ich will dennoch
die Schrift dem König lesen und kundtun,
was sie bedeutet. 18 O König, [a]der höchste
Gott hat deinem Vater Nebukadnezar Kö-
nigreich, Macht, Ehre und Herrlichkeit ge-
geben. 19 Und um solcher Macht willen, die
ihm gegeben war, fürchteten und scheu-
ten sich vor ihm alle Völker, Nationen und
Sprachen. Er tötete, wen er wollte; er ließ
leben, wen er wollte; er erhöhte, wen er
wollte; er demütigte, wen er wollte. 20 Als
sich aber sein Herz überhob und er stolz
und hochmütig wurde, da wurde er vom
königlichen Thron gestoßen und verlor

4,34 *a* Lk 1,51; 18,14 **5,2** *a* Kap 1,2; 2. Chr 36,10;
Esra 1,7-11 **5,11** *a* Kap 4,5 *b* Kap 2,48 **5,12** *a* Kap 1,17
5,15 *a* 1. Mose 41,15 **5,18** *a* Kap 2,37

seine Ehre 21 und wurde verstoßen aus
der Gemeinschaft der Menschen, und sein
Herz wurde gleich dem der Tiere, und er
musste bei den Wildeseln hausen und
fraß Kraut wie die Rinder, und sein Leib
wurde nass vom Tau des Himmels, bis er
lernte, dass [a]der höchste Gott Gewalt hat
über die Königreiche der Menschen und
sie gibt, wem er will. 22 Aber du, Belsa-
zar, sein Sohn, hast dein Herz nicht ge-
demütigt, obwohl du das alles wusstest,
23 sondern hast dich gegen den Herrn des
Himmels erhoben, und die Gefäße seines
Hauses hat man vor dich bringen müssen,
und du, deine Mächtigen, deine Frauen
und deine Nebenfrauen, ihr habt daraus
getrunken; dazu hast du die silbernen,
goldenen, bronzenen, eisernen, hölzer-
nen, steinernen Götter gelobt, die weder
sehen noch hören noch etwas wissen kön-
nen. Den Gott aber, der deinen Odem und
alle deine Wege in seiner Hand hat, hast
du nicht verehrt. 24 Darum wurde von ihm
diese Hand gesandt und diese Schrift ge-
schrieben.

25 So aber lautet die Schrift, die dort ge-
schrieben steht: *Mene mene tekel u-par-
sin.* 26 Und sie bedeutet dies: *Mene,* das ist,
Gott hat dein Königtum *gezählt* und be-
endet. 27 *Tekel,* das ist, man hat dich auf der
Waage *gewogen* und zu leicht befunden.
28 *Peres,* das ist, dein Reich ist *zerteilt* und
den Medern und *Persern* gegeben. 29 Da
befahl Belsazar, dass man Daniel mit Pur-
pur kleiden sollte und ihm eine goldene
Kette um den Hals geben; und er ließ von
ihm verkünden, dass er der dritte Herr-
scher im Königreich sei.[a]

30 Aber in derselben Nacht wurde Belsa-
zar, der König der Chaldäer, getötet.

DANIEL IN DER LÖWENGRUBE

6 Und [a]Darius aus [b]Medien empfing das
Reich, als er zweiundsechzig Jahre alt
war. 2 Und es gefiel Darius, über das ganze
Königreich hundertzwanzig Statthalter zu
setzen. 3 Über sie setzte er drei Fürsten,
von denen einer Daniel war. Ihnen sollten
die Statthalter Rechenschaft ablegen, da-
mit der König nicht zu [a]Schaden komme.
4 Daniel aber übertraf alle Fürsten und
Statthalter, denn [a]es war ein überragen-
der Geist in ihm. Darum dachte der Kö-
nig daran, ihn über das ganze Königreich
zu setzen. 5 Da trachteten die Fürsten und
Statthalter danach, an Daniel etwas zu fin-
den, das gegen das Königreich gerichtet
wäre. Aber sie konnten keinen Grund zur
Anklage und kein Vergehen finden; denn
er war treu, sodass man keine Schuld und
kein Vergehen bei ihm finden konnte. 6 Da
sprachen die Männer: Wir werden keinen
Grund zur Anklage gegen Daniel finden,
es sei denn wegen seiner Treue zum Ge-
setz seines Gottes.

7 Da kamen die Fürsten und Statthalter
eilends vor den König gelaufen und spra-
chen zu ihm: Der König Darius lebe ewig!
8 Es haben die Fürsten des Königreichs, die
Würdenträger, die Statthalter, die Räte
und Befehlshaber alle gedacht, es sollte ein
königlicher Befehl gegeben und ein stren-
ges Gebot erlassen werden, dass jeder, der
in dreißig Tagen etwas bitten wird von ir-
gendeinem Gott oder Menschen außer
von dir, dem König, allein, zu den Lö-
wen in die Grube geworfen werden soll.
9 Darum, o König, wollest du ein solches
Gebot ausgehen lassen und ein Schreiben
aufsetzen, das nicht wieder geändert wer-
den darf [a]nach dem Gesetz der Meder und
Perser, das niemand aufheben kann. 10 So
ließ der König Darius das Schreiben und
das Gebot aufsetzen.

11 Als nun Daniel erfuhr, dass ein solches
Gebot ergangen war, ging er hinein in sein
Haus. Er hatte aber an seinem Oberge-
mach [a]offene Fenster nach Jerusalem, und
er fiel dreimal am Tag auf seine Knie, be-
tete, lobte und dankte seinem Gott, wie er
es auch vorher zu tun pflegte. 12 Da kamen
jene Männer eilends gelaufen und fanden
Daniel, wie er betete und flehte vor sei-
nem Gott.

13 Da traten sie vor den König und rede-
ten mit ihm über das königliche Gebot:
O König, [a]hast du nicht ein Gebot erlas-
sen, dass jeder, der in dreißig Tagen etwas
bitten würde von irgendeinem Gott oder
Menschen außer von dir, dem König, al-
lein, zu den Löwen in die Grube geworfen
werden solle? Der König antwortete und
sprach: Das ist wahr nach dem Gesetz der

5,21 *a* Kap 4,29 **5,29** *a* Kap 2,48; 1. Mose 41,42-43
6,1 *a* Kap 9,1 *b* Jes 13,17 **6,3** *a* Esra 4,22 **6,4** *a* Kap 5,12
6,9 *a* Est 1,19; 8,8 **6,11** *a* 1. Kön 8,48 **6,13** *a* Kap 3,10

Meder und Perser, das niemand aufheben
kann. 14 Sie antworteten und sprachen vor
dem König: Daniel, einer der Gefangenen
aus Juda, der achtet weder dich noch dein
Gebot, das du erlassen hast; denn er be-
tet dreimal am Tage. 15 Als der König das
hörte, wurde er sehr betrübt und war dar-
auf bedacht, Daniel zu retten, und mühte
sich, bis die Sonne unterging, ihn zu
befreien.

16 Aber die Männer kamen wieder zum
König gelaufen und sprachen zu ihm: Du
weißt doch, König, es ist das Gesetz der
Meder und Perser, dass alle Gebote und
Befehle, die der König beschließt, unver-
ändert bleiben sollen. 17 Da befahl der Kö-
nig, Daniel herzubringen. Und sie warfen
ihn zu den Löwen in die Grube. Der König
aber sprach zu Daniel: [a]Dein Gott, dem
du ohne Unterlass dienst, der helfe dir!
18 Und sie brachten einen Stein, den legten
sie auf die Öffnung der Grube; den versie-
gelte der König mit seinem eigenen Ring
und mit dem Ringe seiner Mächtigen, da-
mit nichts anderes mit Daniel geschähe.
19 Und der König ging weg in seinen Palast
und fastete die Nacht über und ließ kein
Essen vor sich bringen und konnte auch
nicht schlafen.

20 Früh am Morgen, als der Tag anbrach,
stand der König auf und ging eilends zur
Löwengrube. 21 Und als er zur Grube kam,
rief er Daniel mit angstvoller Stimme.
Und der König sprach zu Daniel: Daniel,
du Knecht des lebendigen Gottes, [a]hat
dich dein Gott, dem du ohne Unterlass
dienst, auch erretten können von den Lö-
wen? 22 Daniel aber redete mit dem König:
Der König lebe ewig! 23 Mein Gott hat [a]sei-
nen Engel gesandt, der [b]den Löwen den
Rachen zugehalten hat, sodass sie mir
kein Leid antun konnten; denn vor ihm
bin ich unschuldig, und auch gegen dich,
mein König, habe ich nichts Böses getan.

24 Da wurde der König sehr froh und ließ
Daniel aus der Grube herausziehen. Und
sie zogen Daniel aus der Grube heraus,
und man fand keine Verletzung an ihm;
denn er hatte seinem Gott vertraut. 25 Da
ließ der König die Männer, die Daniel ver-
klagt hatten, holen und zu den Löwen in
die Grube werfen samt ihren Kindern und
Frauen. Und ehe sie den Boden erreichten,
ergriffen die Löwen sie und zermalmten
alle ihre Knochen.

26 Da ließ der König Darius allen Völkern
und Leuten aus so vielen verschiedenen
Sprachen auf der ganzen Erde schreiben:
Viel Friede zuvor! 27 Das ist mein Befehl,
dass man überall in meinem ganzen Kö-
nigreich den Gott Daniels fürchten und
scheuen soll. Denn **er ist ein lebendiger
Gott, der ewig bleibt, und [a]sein Reich
ist unvergänglich, und seine Herr-
schaft hat kein Ende. 28 Er ist ein Retter
und Nothelfer, und er tut Zeichen und
Wunder im Himmel und auf Erden.** Der
hat Daniel von den Löwen errettet.

29 Und Daniel hatte große Macht im Kö-
nigreich des Darius und auch im König-
reich des [a]Kyrus von Persien.

DANIELS VISION VON DEN VIER TIEREN UND DEM MENSCHENSOHN

(vgl. Kap 2,1-49)

7 Im ersten Jahr [a]Belsazars, des Königs
von Babel, hatte Daniel einen Traum
und Gesichte auf seinem Bett; und er
schrieb den Traum auf:

2 Ich, Daniel, sah ein Gesicht in der
Nacht, und siehe, die vier Winde unter
dem Himmel wühlten das große Meer
auf. 3 [a]Und vier große Tiere stiegen her-
auf aus dem Meer, ein jedes anders als das
andere. 4 Das erste war wie ein Löwe und
hatte Flügel wie ein Adler. Ich sah, wie
ihm die Flügel ausgerissen wurden. Und
es wurde von der Erde aufgehoben und
auf die Füße gestellt wie ein Mensch, und
es wurde ihm ein menschliches Herz ge-
geben. 5 Und siehe, ein anderes Tier, das
zweite, war gleich einem Bären und war
auf der einen Seite aufgerichtet und hatte
in seinem Maul zwischen seinen Zähnen
drei Rippen. Und man sprach zu ihm: Steh
auf und friss viel Fleisch! 6 Danach sah ich,
und siehe, ein anderes Tier, gleich einem
Panther, das hatte vier Flügel wie ein Vogel
auf seinem Rücken und das Tier hatte vier
Köpfe, und ihm wurde Herrschergewalt
gegeben.

7 Danach sah ich in diesem Gesicht in
der Nacht, und siehe, ein viertes Tier war

6,17 ***a*** Kap 3,15 **6,21** ***a*** Kap 3,17 **6,23** ***a*** Kap 3,28
b Ps 22,22; Hebr 11,33 **6,27** ***a*** Kap 3,33 **6,29** ***a*** Kap 1,21
7,1 ***a*** Kap 5,1 **7,3** ***a*** (3-7) Offb 13,1-2

furchtbar und schrecklich und sehr stark
und hatte große eiserne Zähne, fraß um
sich und zermalmte, und was übrig blieb,
zertrat es mit seinen Füßen. Es war auch
ganz anders als die vorigen Tiere und hatte
zehn Hörner. 8 Als ich aber auf die Hörner
achtgab, siehe, da brach ein anderes klei-
nes Horn zwischen ihnen hervor, vor dem
drei der vorigen Hörner ausgerissen wur-
den. Und siehe, das Horn hatte Augen wie
Menschenaugen und ein Maul; [a]das redete
große Dinge.

9 Da sah ich: [a]Throne wurden aufgestellt,
und [b]einer, der uralt war, setzte sich. Sein
Kleid war weiß wie Schnee und das Haar
auf seinem Haupt wie reine Wolle; Feu-
erflammen waren sein Thron und des-
sen Räder loderndes Feuer. 10 Da ergoss
sich ein langer feuriger Strom und brach
vor ihm hervor. [a]Tausendmal Tausende
dienten ihm, und zehntausendmal Zehn-
tausende standen vor ihm. Das Gericht
wurde gehalten und [b]die Bücher wurden
aufgetan.

11 Ich sah auf um der großen Reden wil-
len, die das Horn redete, und ich sah, wie
[a]das Tier getötet wurde und sein Leib um-
kam und in die Feuerflammen geworfen
wurde. 12 Und mit der Macht der andern
Tiere war es auch aus; denn [a]es war ihnen
Zeit und Stunde bestimmt, wie lang ein
jedes leben sollte.

13 Ich sah in diesem Gesicht in der Nacht,
und **siehe, es kam einer mit den Wol-
ken des Himmels [a]wie eines Menschen
Sohn** und gelangte zu dem, der uralt war,
und wurde vor ihn gebracht. 14 Ihm wurde
gegeben Macht, Ehre und Reich, dass
ihm alle Völker und Leute aus so vielen
verschiedenen Sprachen dienen sollten.
[a]Seine Macht ist ewig und vergeht nicht,
und sein Reich hat kein Ende. 15 Ich, Da-
niel, war entsetzt, und dies Gesicht er-
schreckte mich.

16 Und ich ging zu einem von denen, die
dastanden, und bat ihn, dass er mir über
das alles Genaueres berichtete. Und er
redete mit mir und sagte mir, was es be-
deutete. 17 Diese vier großen Tiere sind
vier Königreiche, die auf Erden kommen
werden. 18 Aber **die Heiligen des Höchs-
ten werden das Reich empfangen und
werden's immer und ewig besitzen.**

19 Danach hätte ich gerne Genaueres ge-
wusst über das vierte Tier, das ganz anders
war als alle andern, ganz furchtbar, mit
eisernen Zähnen und ehernen Klauen, das
um sich fraß und zermalmte und mit sei-
nen Füßen zertrat, was übrig blieb; 20 und
über die zehn Hörner auf seinem Haupt
und über das andere Horn, das hervor-
brach, vor dem drei ausfielen; und es hatte
Augen und ein Maul, das große Dinge re-
dete, und war größer als die Hörner, die
neben ihm waren. 21 Und ich sah das Horn
[a]kämpfen gegen die Heiligen, und es be-
hielt den Sieg über sie, 22 bis der kam, der
uralt war, und Recht schuf den Heiligen
des Höchsten und bis die Zeit kam, dass
die Heiligen das Reich empfingen.

23 Er sprach: Das vierte Tier wird das
vierte Königreich auf Erden sein; das wird
ganz anders sein als alle andern Königrei-
che; es wird alle Länder fressen, zertre-
ten und zermalmen. 24 Die [a]zehn Hörner
bedeuten zehn Könige, die aus diesem
Königreich hervorgehen werden. Nach
ihnen aber wird ein anderer aufkommen,
der wird ganz anders sein als die vorigen
und wird drei Könige stürzen. 25 Er wird
[a]den Höchsten lästern und die Heiligen
des Höchsten vernichten und wird sich
unterstehen, Festzeiten und Gesetz zu
ändern. Sie werden in seine Hand gege-
ben werden [b]eine Zeit und zwei Zeiten
und eine halbe Zeit. 26 Danach wird das
Gericht gehalten werden; dann wird ihm
seine Macht genommen und ganz und gar
vernichtet werden. 27 Aber das Reich und
die Macht und die Gewalt über die König-
reiche unter dem ganzen Himmel wird
dem Volk der Heiligen des Höchsten ge-
geben werden, dessen Reich ewig ist, und
alle Mächte werden ihm dienen und ge-
horchen.

28 Das war das Ende der Rede. [a]Aber ich,
Daniel, wurde sehr beunruhigt in meinen
Gedanken und jede Farbe war aus mei-
nem Antlitz gewichen; doch behielt ich
die Rede in meinem Herzen.

7,8 *a* Kap 11,36 **7,9** *a* Hes 1,26; Offb 4,2 *b* Ps 90,2
7,10 *a* Offb 5,11 *b* 2. Mose 32,32; Ps 69,29; Offb 20,12
7,11 *a* Offb 19,20 **7,12** *a* Kap 2,21 **7,13** *a* Lk 21,27;
Offb 1,13; 14,14 **7,14** *a* Mt 6,13 **7,21** *a* Offb 13,7
7,24 *a* Offb 17,12 **7,25** *a* Offb 13,5-6 *b* Kap 12,7
7,28 *a* Kap 8,18; 10,8

DANIELS VISION VOM WIDDER UND ZIEGENBOCK

8 Im dritten Jahr der Herrschaft des Kö-
nigs [a]Belsazar erschien mir, Daniel, ein
Gesicht, nach jenem, das mir zuerst er-
schienen war. 2 Ich hatte ein Gesicht, und
während meines Gesichtes war ich in der
Festung Susa im Lande Elam, und ich war
am Fluss Ulai. 3 Und ich hob meine Augen
auf und sah, und siehe, ein Widder stand
vor dem Fluss, der hatte zwei hohe Hör-
ner, doch eins höher als das andere, und
das höhere war später hervorgewachsen.
4 Ich sah, dass der [a]Widder mit den Hör-
nern stieß nach Westen, nach Norden und
nach Süden hin. Und kein Tier konnte vor
ihm bestehen und vor seiner Gewalt erret-
tet werden, sondern er tat, was er wollte,
und wurde groß.

5 Und indem ich darauf achthatte, siehe,
da kam ein [a]Ziegenbock vom Westen her
über die ganze Erde, ohne den Boden zu
berühren, und der Bock hatte ein ansehn-
liches Horn zwischen seinen Augen. 6 Und
er kam bis zu dem Widder, der zwei Hör-
ner hatte, den ich vor dem Fluss stehen
sah, und er lief in gewaltigem Zorn auf ihn
zu. 7 Und ich sah, dass er nahe an den Wid-
der herankam, und voller Grimm stieß
er den Widder und zerbrach ihm seine
beiden Hörner. Und der Widder hatte
keine Kraft, dass er vor ihm hätte beste-
hen können, sondern der Bock warf ihn
zu Boden und zertrat ihn, und niemand
konnte den Widder aus seiner Gewalt er-
retten.

8 Und der Ziegenbock wurde sehr groß.
Und als er am stärksten geworden war,
zerbrach das große Horn, und es wuch-
sen an seiner Stelle vier ansehnliche Hör-
ner nach den vier Winden des Himmels
hin.[a] 9 Und aus einem von ihnen wuchs
[a]ein kleines Horn; das wurde sehr groß
nach Süden, nach Osten und nach dem
[b]herrlichen Land hin. 10 Und es wuchs bis
an das Heer des Himmels und warf einige
von dem Heer und von den Sternen zur
Erde und zertrat sie. 11 Ja, es wuchs bis zum
Fürsten des Heeres und [a]nahm ihm das
tägliche Opfer weg und verwüstete die
Wohnung seines Heiligtums. 12 Und es
wurde ein frevelhaftes Opfer an die Stelle
des täglichen Opfers eingesetzt, und das
Horn warf die Wahrheit zu Boden. Und
was es tat, gelang ihm.

13 Ich hörte aber einen Heiligen reden,
und ein anderer Heiliger sprach zu dem,
der da redete: Wie lange gilt dies Gesicht
vom täglichen Opfer, vom verwüstenden
Frevel und dass Heiligtum und Heer aus-
geliefert und zertreten werden? 14 Und er
antwortete mir: Bis [a]zweitausenddrei-
hundert Abende und Morgen vergangen
sind; dann wird das Heiligtum wieder
sein Recht erhalten.

15 Und als ich, Daniel, dies Gesicht sah
und es gerne verstanden hätte, siehe, da
stand einer vor mir, der aussah wie ein
Mann, 16 und ich hörte eine Menschen-
stimme mitten über dem [a]Ulai rufen und
sprechen: [b]Gabriel, lege diesem das Ge-
sicht aus, damit er's versteht. 17 Und Gab-
riel trat nahe zu mir. Ich erschrak aber, als
er kam, und fiel auf mein Angesicht. Er
aber sprach zu mir: Begreife, Menschen-
kind! Dies Gesicht gilt der [a]Zeit des En-
des. 18 Und als er mit mir redete, sank
ich in Ohnmacht zur Erde auf mein An-
gesicht. Er aber rührte mich an und rich-
tete mich auf, sodass ich wieder stand.
19 Und er sprach: Siehe, ich will dir kund-
tun, wie es sein wird zur letzten Zeit des
Zorns; denn das Gesicht gilt der Zeit des
Endes.

20 Der Widder mit den beiden Hörnern,
den du gesehen hast, bedeutet die Könige
von Medien und Persien. 21 Der Ziegen-
bock aber ist [a]der König von Griechenland.
Das große Horn zwischen seinen Augen
ist der erste König. 22 Dass aber vier an sei-
ner Stelle wuchsen, nachdem es zerbro-
chen war, bedeutet, dass vier Königreiche
aus dem Volk entstehen werden, aber
nicht so mächtig wie er. 23 [a]Aber gegen
Ende ihrer Herrschaft, wenn das Maß der
Frevler voll ist, wird aufkommen ein fre-
cher und verschlagener König. 24 Der wird
mächtig sein und ungeheures Unheil an-
richten, und es wird ihm gelingen, was er
tut. Er wird die Starken vernichten. Und
gegen das heilige Volk 25 richtet sich sein

8,1 *a* Kap 7,1 **8,4** *a* Vers 20 **8,5** *a* Vers 21 **8,8** *a* Kap 11,4
8,9 *a* Kap 7,8 *b* Kap 11,16 **8,11** *a* Kap 9,27
8,14 *a* Kap 7,25 **8,16** *a* Vers 2 *b* Kap 9,21; Lk 1,19.26
8,17 *a* Kap 12,1-13; Offb 10,6 **8,21** *a* Kap 11,3
8,23 *a* (23-24) Kap 11,21

Sinnen, und es wird ihm durch Betrug ge-
lingen, und er wird überheblich werden,
und unerwartet wird er viele verderben
und wird sich auflehnen gegen den Fürs-
ten aller Fürsten; aber er wird zerbrochen
werden [a]ohne Zutun von Menschenhand.
26 Dies Gesicht von den Abenden und
Morgen, das dir hiermit kundgetan ist,
das ist wahr; aber [a]du sollst das Gesicht
geheim halten; denn es ist noch eine lange
Zeit bis dahin.

27 Und ich, Daniel, war erschöpft und
lag einige Tage krank. Danach stand ich
auf und verrichtete meinen Dienst beim
König. Und ich wunderte mich über
das Gesicht und niemand konnte es mir
auslegen.

DANIELS BUSSGEBET UND DAS GEHEIMNIS DER SIEBZIG JAHRE

9 Im ersten Jahr des [a]Darius, des Sohnes
des Ahasveros*, aus dem Stamm der
Meder, der über das Reich der Chaldäer
König wurde, 2 in diesem ersten Jahr sei-
ner Herrschaft verstand ich, Daniel, in den
Büchern die Zahl der Jahre, die sich an Je-
rusalem erfüllen sollte. So war das Wort
des HERRN an den Propheten Jeremia er-
gangen: [a]Siebzig Jahre soll Jerusalem wüst
liegen. 3 Und ich kehrte mich zu Gott, dem
Herrn, um zu beten und zu flehen unter
Fasten und in Sack und Asche. 4 Ich betete
aber zu dem HERRN, meinem Gott, und
bekannte und sprach:

Ach, Herr, du großer und [a]schrecklicher
Gott, der du [b]Bund und Gnade bewahrst
denen, die dich lieben und deine Gebote
halten! 5 Wir haben gesündigt, Unrecht
getan, sind gottlos gewesen und abtrün-
nig geworden; wir sind von deinen Ge-
boten und Rechten abgewichen. 6 Wir
gehorchten nicht deinen Knechten, den
Propheten, die in deinem Namen zu un-
sern Königen, Fürsten, Vätern und zu al-
lem Volk des Landes redeten. 7 Du, Herr,
bist gerecht, wir aber müssen uns alle
heute schämen, die von Juda und von Je-
rusalem und vom ganzen Israel, die, die
nahe sind, und die zerstreut sind in allen
Ländern, wohin du sie verstoßen hast um
ihrer Missetat willen, die sie an dir began-
gen haben. 8 Ja, HERR, wir, unsre Könige,
unsre Fürsten und unsre Väter müssen
uns schämen, dass wir uns an dir ver-
sündigt haben.[a] 9 Bei dir aber, Herr, unser
Gott, ist Barmherzigkeit und [a]Vergebung.
Denn wir sind abtrünnig geworden 10 und
gehorchten nicht der Stimme des HERRN,
unseres Gottes, und wandelten nicht nach
seinen Gesetzen, die er uns vorlegte durch
seine Knechte, die Propheten; 11 sondern
ganz Israel übertrat dein Gesetz, und sie
wichen ab und gehorchten deiner Stimme
nicht. [a]Darum trifft uns auch der Fluch,
den er geschworen hat und der geschrie-
ben steht im Gesetz des Mose, des Knech-
tes Gottes, weil wir an ihm gesündigt ha-
ben. 12 Und Gott hat seine Worte gehalten,
die er geredet hat gegen uns und unsere
Richter, die uns richten sollten, dass er ein
so großes Unglück über uns hat kommen
lassen; denn unter dem ganzen Himmel
ist Derartiges nicht geschehen wie in Jeru-
salem. 13 Wie es geschrieben steht im Ge-
setz des Mose, so ist all dies große Unglück
über uns gekommen. Aber wir haben auch
nicht den HERRN, unsern Gott, besänf-
tigt, sodass wir uns von unsern Sünden
bekehrt und auf deine Wahrheit geachtet
hätten. 14 Darum [a]wachte der HERR über
das Unglück und hat's über uns kom-
men lassen. Denn der HERR, unser Gott,
ist gerecht in allen seinen Werken, die er
tut; aber wir gehorchten seiner Stimme
nicht.

15 Und nun, Herr, unser Gott, der du
dein Volk aus Ägyptenland geführt hast
mit starker Hand und hast dir einen Na-
men gemacht, so wie es heute ist: Wir
haben gesündigt, wir sind gottlos gewe-
sen. 16 Ach, Herr, um aller deiner Gerech-
tigkeit willen wende ab deinen Zorn und
Grimm von deiner Stadt Jerusalem und
deinem heiligen Berg. Denn wegen un-
serer Sünden und wegen der Missetaten
unserer Väter trägt Jerusalem und dein
Volk Schmach bei allen, die um uns her
wohnen. 17 Und nun, unser Gott, höre das
Gebet deines Knechtes und sein Flehen.
Lass leuchten dein Angesicht über dein
zerstörtes Heiligtum um deinetwillen,

* **9,1** Griechisch: »Xerxes«.

8,25 *a* Kap 2,34 **8,26** *a* Kap 12,4 **9,1** *a* Kap 6,1
9,2 *a* Jer 25,11-12; 29,10 **9,4** *a* Neh 1,5 *b* 5. Mose 7,9
9,8 *a* Esra 9,7; Jes 43,27 **9,9** *a* Ps 130,4
9,11 *a* 3. Mose 26,14-39; 5. Mose 28,15-68 **9,14** *a* Jer 1,12

Herr! 18 Neige deine Ohren, mein Gott,
und höre, tu deine Augen auf und sieh an
unsere Trümmer und die Stadt, die nach
deinem Namen genannt ist. Denn **wir lie-
gen vor dir mit unserm Gebet und ver-
trauen nicht auf unsre Gerechtigkeit,
sondern auf deine große Barmherzig-
keit.** 19 Ach, Herr, höre! Ach, Herr, sei
gnädig! Ach, Herr, merk auf und handle!
Säume nicht – um deinetwillen, mein
Gott! Denn deine Stadt und [a]dein Volk ist
nach deinem Namen genannt.

20 Als ich noch so redete und betete
und meine und meines Volkes Israel
Sünde bekannte und mit meinem Gebet
für den heiligen Berg meines Gottes vor
dem HERRN, meinem Gott, lag, 21 eben
als ich noch so redete in meinem Gebet,
da flog der Mann [a]Gabriel, den ich zuvor
im Gesicht gesehen hatte, um die Zeit des
Abendopfers dicht an mich heran. 22 Und
er unterwies mich und redete mit mir und
sprach: Daniel, jetzt bin ich ausgegangen,
um dir zum rechten Verständnis zu ver-
helfen. 23 Denn als du anfingst zu beten,
erging ein Wort, und ich komme, um dir's
kundzutun; denn du bist von Gott geliebt.
So merke nun auf das Wort, damit du das
Gesicht verstehst.

24 Siebzig Wochen* sind verhängt über
dein Volk und über deine heilige Stadt;
dann wird dem Frevel ein Ende gemacht
und die Sünde versiegelt und die Schuld
gesühnt, und es wird ewige Gerechtigkeit
gebracht und Gesicht und Weissagung
besiegelt und das Allerheiligste gesalbt
werden. 25 So wisse nun und gib acht:
Von der Zeit an, als das Wort erging, Je-
rusalem werde wieder aufgebaut werden,
bis ein Gesalbter, ein Fürst, kommt, sind
es sieben Wochen; und zweiundsechzig
Wochen lang wird es wieder aufgebaut
sein mit Plätzen und Gräben, wiewohl
in kummervoller Zeit. 26 Und nach den
zweiundsechzig Wochen wird ein Ge-
salbter ausgerottet werden, und niemand
wird ihm helfen. Und das Volk eines Fürs-
ten wird kommen und die Stadt und das
Heiligtum zerstören, aber dann kommt
das Ende durch eine Flut, und bis zum
Ende wird es Krieg geben und [a]Verwüs-
tung, die längst beschlossen ist. 27 Er wird
aber vielen den Bund schwer machen eine
Woche lang. Und in der Mitte der Woche
wird er Schlachtopfer und Speisopfer ab-
schaffen. Und im Heiligtum wird stehen
ein [a]Gräuelbild, das Verwüstung anrich-
tet, bis [b]das Verderben, das beschlossen
ist, sich über den Verwüster ergießen
wird.

DIE LETZTE OFFENBARUNG UND DIE VERSIEGELUNG DES BUCHES

10 Im dritten Jahr des Königs [a]Kyrus von
Persien wurde dem Daniel, der [b]Belt-
schazar heißt, etwas offenbart, was gewiss
ist und von großer Not handelt. Und er
achtete darauf und verstand das Gesicht.

2 Zu der Zeit trauerte ich, Daniel, drei
Wochen lang. 3 Ich aß keine leckere Speise;
Fleisch und Wein kamen nicht in meinen
Mund; und ich salbte mich auch nicht,
bis die drei Wochen um waren. 4 Und am
vierundzwanzigsten Tage des ersten Mo-
nats war ich an dem großen Strom Tigris
5 [a]und hob meine Augen auf und sah, und
siehe, da stand ein Mann, der hatte leinene
Kleider an und einen goldenen Gürtel um
seine Lenden. 6 Sein Leib war wie ein To-
pas, sein Antlitz sah aus wie ein Blitz,
seine Augen wie feurige Fackeln, seine
Arme und Füße wie helle, blanke Bronze,
und seine Rede war wie ein großes Brau-
sen.[a] 7 Aber ich, Daniel, sah dies Gesicht
allein, und die Männer, die bei mir waren,
sahen's nicht; doch fiel ein großer Schre-
cken auf sie, sodass sie flohen und sich
verkrochen.

8 Ich blieb allein und sah dies große Ge-
sicht. Es blieb aber keine Kraft in mir; jede
Farbe wich aus meinem Antlitz und ich
hatte keine Kraft mehr. 9 Und ich hörte
seine Rede; und während ich sie hörte,
sank ich ohnmächtig auf mein Angesicht
zur Erde. 10 Und siehe, eine Hand rührte
mich an und half mir auf die Knie und auf
die Hände, 11 und er sprach zu mir: Da-
niel, du von Gott [a]Geliebter, merk auf die
Worte, die ich mit dir rede, und richte dich

* **9,24** Gemeint sind Jahrwochen; jede umfasst sieben Jahre.

9,19 ***a*** Jer 14,9 **9,21** ***a*** Kap 8,16 **9,26** ***a*** Jes 28,22; Lk 21,23-24 **9,27** ***a*** Kap 8,11; 11,31; 12,11; Mt 24,15 ***b*** Jes 10,22-23 **10,1** ***a*** Kap 1,21 ***b*** Kap 1,7 **10,5** ***a*** (5-6) Kap 8,15; 12,6; Offb 1,13-15 **10,6** ***a*** Hes 1,27-28 **10,11** ***a*** Kap 9,23

auf; denn ich bin jetzt zu dir gesandt. Und
als er dies mit mir redete, richtete ich mich
zitternd auf.

12 Und er sprach zu mir: Fürchte dich
nicht, Daniel; denn von dem ersten Tage
an, als du von Herzen begehrtest zu ver-
stehen und anfingst, dich zu demütigen
vor deinem Gott, wurden deine Worte
erhört, und ich wollte kommen um dei-
ner Worte willen. 13 Aber der Engelfürst
des Königreichs Persien hat mir einund-
zwanzig Tage widerstanden; und siehe,
Michael, einer der Ersten unter den En-
gelfürsten, kam mir zu Hilfe, und ihm
überließ ich den [a]Kampf mit dem Engel-
fürsten des Königreichs Persien. 14 Nun
aber komme ich, um dir Bericht zu geben,
wie es deinem Volk gehen wird am Ende
der Tage; denn das Gesicht gilt erst ferner
Zeit.

15 Und als er das alles mit mir redete,
neigte ich mein Angesicht zur Erde und
schwieg still. 16 Und siehe, einer, der
einem Menschen gleich war, [a]rührte
meine Lippen an. Da tat ich meinen Mund
auf und redete und sprach zu dem, der vor
mir stand: Mein Herr, meine Glieder beb-
ten, als ich das Gesicht hatte, und es war
keine Kraft mehr in mir. 17 Wie kann der
Knecht meines Herrn mit meinem Herrn
reden, da auch jetzt noch keine Kraft
in mir ist und mir der Atem fehlt? 18 Da
[a]rührte mich abermals der an, der aussah
wie ein Mensch, und stärkte mich 19 und
sprach: [a]Fürchte dich nicht, du von Gott
Geliebter! Friede sei mit dir! Sei getrost,
sei getrost! Und als er mit mir redete, sah
ich mich gestärkt und sprach: Mein Herr,
rede; denn du hast mich gestärkt.

20 Und er sprach: Weißt du, warum ich
zu dir gekommen bin? Und jetzt muss ich
wieder hin und mit dem Engelfürsten von
Persien kämpfen; und wenn ich das hinter
mich gebracht habe, siehe, dann wird der
Engelfürst von Griechenland kommen.
21 Doch zuvor will ich dir kundtun, was
geschrieben ist im Buch der Wahrheit.
Und es ist keiner, der mir hilft gegen jene,
außer eurem Engelfürsten Michael.

11 Und ich stand bei ihm im ersten Jahr
des Darius des Meders, um ihm zu hel-
fen und ihn zu stärken. 2 Und nun [a]will ich
dir kundtun, was gewiss geschehen soll.
Siehe, es werden noch drei Könige in
Persien aufstehen, der vierte aber wird
größeren Reichtum haben als alle an-
dern. Und wenn er in seinem Reichtum
am mächtigsten ist, wird er alles gegen
das Königreich Griechenland aufbieten.
3 Danach wird [a]ein mächtiger König auf-
stehen und mit großer Macht herrschen,
und was er will, wird er ausrichten. 4 Aber
wenn er emporgekommen ist, wird sein
Reich zerbrechen und [a]in die vier Winde
des Himmels zerteilt werden, nicht auf
seine Nachkommen, auch nicht mit sol-
cher Macht, wie er sie hatte; denn sein
Reich wird zerstört und Fremden zuteil-
werden.

5 Und der König des Südens wird er-
starken; aber gegen ihn wird einer seiner
Fürsten noch stärker werden und herr-
schen; dessen Herrschaft wird groß sein.
6 Nach einigen Jahren aber werden sie sich
miteinander befreunden. Und die Toch-
ter des Königs des Südens wird kommen
zum König des Nordens, um ihr Bündnis
zu festigen. Aber sie wird keinen Erfolg
haben, und auch sein Nachkomme wird
nicht bleiben. Und sie wird preisgegeben
werden samt ihrem Gefolge, ihrem Kind
und dem, der sie eine Zeit lang mächtig
gemacht hat. 7 Es wird aber statt seiner ein
Spross aus ihrem Stamm emporkommen;
der wird gegen die Heeresmacht des Kö-
nigs des Nordens ziehen und in seine Fes-
tung eindringen und wird an ihnen seine
Macht zeigen. 8 Auch wird er ihre Götter
samt den Bildern und den kostbaren Ge-
räten aus Silber und Gold wegführen nach
Ägypten und einige Jahre von dem König
des Nordens ablassen. 9 Aber der wird ein-
dringen in das Reich des Königs des Sü-
dens, jedoch dann wieder in sein Land
zurückkehren.

10 Aber seine Söhne werden sich rüsten
und große Heere zusammenbringen; und
der eine wird kommen und wie eine Flut
heranbrausen. Dann wird er wiederum
rüsten zum Kampf gegen seine Festung.
11 Dann wird der König des Südens er-
grimmen und ausziehen und mit dem
König des Nordens kämpfen. Der wird ein

10,13 *a* Jes 24,21 **10,16** *a* Jes 6,7; Jer 1,9 **10,18** *a* Kap 8,18
10,19 *a* Offb 1,17 **11,2** *a* Kap 10,21 **11,3** *a* Kap 8,21
11,4 *a* Kap 8,8.22

großes Heer zusammenbringen, aber das
Heer wird in die Hand des andern gegeben
12 und vernichtet werden.

Daraufhin wird sich sein Herz überhe-
ben, und er wird viele Tausende erschla-
gen; aber er wird nicht mächtig bleiben.
13 Denn der König des Nordens wird wie-
derum ein Heer zusammenbringen, grö-
ßer als das vorige war; und nach einigen
Jahren wird er ausziehen mit großer Hee-
resmacht und vielem Tross. 14 Und zur
selben Zeit werden viele aufstehen gegen
den König des Südens. Auch werden sich
Gewalttätige aus deinem Volk erheben
und so eine Weissagung erfüllen, aber
sie werden fallen. 15 Und der König des
Nordens wird kommen und einen Wall
aufschütten und eine feste Stadt einneh-
men. Und die Heere des Südens können's
nicht verhindern, auch sein bestes Kriegs-
volk nicht, und keiner kann widerstehen;
16 sondern der gegen ihn zieht, wird tun,
was ihm gut dünkt, und niemand wird
ihm widerstehen können. Er wird auch in
das [a]herrliche Land kommen, und Verder-
ben ist in seiner Hand.

17 Und er wird seinen Sinn darauf rich-
ten, dass er mit Macht sein ganzes König-
reich bekomme. Und er wird sich mit ihm
vertragen und ihm eine Frau geben, um
ihn zu verderben. Aber es wird nicht [a]ge-
lingen, und es wird nichts daraus werden.
18 Danach wird er sich gegen die Inseln
wenden und viele von ihnen gewinnen.
Aber ein Mächtiger wird ihn zwingen,
mit Schmähen aufzuhören, und wird ihm
seine Schmähungen heimzahlen. 19 Da-
nach wird er sich wenden gegen die Fes-
tungen seines eigenen Landes; er wird
straucheln und fallen, dass man ihn nir-
gends finden wird.

20 Und an seiner statt wird einer em-
porkommen, der wird einen Steuerein-
nehmer das herrliche Land durchziehen
lassen; doch nach einigen Jahren wird er
umgebracht werden, aber weder öffentlich
noch im Kampf.

21 Dann wird an seiner statt [a]empor-
kommen ein verächtlicher Mensch, dem
die Ehre des Thrones nicht zugedacht
war. Der wird unerwartet kommen und
sich durch Ränke die Herrschaft erschlei-
chen. 22 Und heranflutende Heere werden
vor ihm hinweggeschwemmt und ver-
nichtet werden, dazu auch der Fürst des
Bundes. 23 Denn nachdem er sich mit ihm
angefreundet hat, wird er listig handeln
und heraufziehen und mit wenigen Leu-
ten Macht gewinnen. 24 Und unerwartet
wird er in die besten Städte des Landes
kommen und wird tun, was weder seine
Väter noch seine Vorväter getan haben,
und Raub, Beute und Güter an seine Leute
verteilen; er wird nach den allerfestesten
Städten trachten, aber nur für eine befris-
tete Zeit.

25 Und er wird seine Macht und seinen
Mut gegen den König des Südens aufbie-
ten mit einem großen Heer. Dann wird
der König des Südens sich aufmachen
zum Kampf mit einem großen, mächtigen
Heer, aber er wird nicht bestehen; denn
es werden Pläne gegen ihn geschmiedet.
26 Und die seine Speise essen, die werden
mit ihm brechen, sein Heer wird sich auf-
lösen und viele werden erschlagen. 27 Und
beide Könige werden darauf bedacht sein,
wie sie einander schaden können, und
sie werden an einem Tisch verlogen mit-
einander reden. Es wird ihnen aber nicht
gelingen, denn das Ende ist noch auf eine
andere Zeit bestimmt. 28 Danach wird er
wieder heimziehen mit großer Beute und
dabei seinen Sinn richten gegen den hei-
ligen Bund; er wird es ausführen und in
sein Land zurückkehren.

29 Und nach einer bestimmten Zeit wird
er wieder nach Süden ziehen; aber es wird
beim zweiten Mal nicht so sein wie beim
ersten Mal. 30 Denn es werden Schiffe aus
Kittim* gegen ihn kommen, sodass er ver-
zagen wird und umkehren muss. Dann
wird er gegen den heiligen Bund ergrim-
men und danach handeln und sich denen
zuwenden, die den heiligen Bund verlas-
sen. 31 Und seine Heere werden kommen
und Heiligtum und Burg entweihen und
das tägliche Opfer abschaffen und das
Gräuelbild der Verwüstung aufstellen.[a]
32 Und er wird mit Ränken alle zum Abfall
bringen, die den Bund übertreten. Aber
die vom Volk, die ihren Gott kennen,

* **11,30** Siehe Sach- und Worterklärungen.

11,16 *a* Kap 8,9 **11,17** *a* Jes 7,7 **11,21** *a* Kap 8,23-24
11,31 *a* Kap 9,27

werden stark sein und danach handeln.
33 Und die [a]Verständigen im Volk werden
vielen zur Einsicht verhelfen; darüber
werden sie verfolgt werden mit Schwert,
Feuer, Gefängnis und Raub eine Zeit lang.
34 Während sie verfolgt werden, wird ih-
nen eine kleine Hilfe zuteilwerden; aber
viele werden sich nicht aufrichtig zu ihnen
halten. 35 Und einige von den Verständi-
gen werden fallen, damit sie bewährt, rein
und lauter werden für die Zeit des Endes;
denn es dauert noch bis zur [a]bestimmten
Zeit.

36 Und der König wird tun, was er will,
und wird sich überheben und großtun
gegen jeden Gott. Und gegen den Gott
aller Götter [a]wird er Ungeheuerliches
reden, und es wird ihm gelingen, bis der
Zorn vollendet ist; denn es muss gesche-
hen, was beschlossen ist. 37 Auch die Göt-
ter seiner Väter wird er nicht achten; er
wird weder den [a]Lieblingsgott der Frauen
noch einen andern Gott achten; denn er
wird sich über alles erheben. 38 Dagegen
wird er den Gott der Festungen verehren;
einen Gott, von dem seine Väter nichts
gewusst haben, wird er ehren mit Gold,
Silber, Edelsteinen und Kostbarkeiten.
39 Und er wird mit einem fremden Gott
gegen die starken Festungen vorgehen.
Denen, die ihn erwählen, wird er große
Ehre antun und sie zu Herren machen
über viele und ihnen Land zum Lohn aus-
teilen.

40 Zur Zeit des Endes aber wird sich der
König des Südens mit ihm messen, und
der König des Nordens wird mit Wagen,
Reitern und vielen Schiffen gegen ihn an-
stürmen und wird in die Länder einfallen
und sie überschwemmen und überflu-
ten. 41 Und er wird in das [a]herrliche Land
einfallen und viele werden umkommen.
Es werden aber seiner Hand entrinnen
Edom, Moab und die Hauptleute der Am-
moniter. 42 Und er wird seine Hand aus-
strecken nach den Ländern und Ägypten
wird ihm nicht entrinnen, 43 sondern er
wird Herr werden über die goldenen und
silbernen Schätze und über alle Kostbar-
keiten Ägyptens; Libyer und Kuschiter
werden ihm folgen müssen. 44 Es wer-
den ihn aber Gerüchte erschrecken aus
Osten und Norden, und er wird mit gro-
ßem Grimm ausziehen, um viele zu ver-
tilgen und zu verderben. 45 Und er wird
seine prächtigen Zelte aufschlagen zwi-
schen dem Meer und dem herrlichen,
heiligen Berg; aber es wird mit ihm ein
[a]Ende nehmen und niemand wird ihm
helfen.

12 Zu jener Zeit wird [a]Michael auftreten,
der große Engelfürst, der für dein Volk
einsteht. Denn [b]es wird eine Zeit so gro-
ßer Trübsal sein, wie sie nie gewesen ist,
seitdem es Völker gibt, bis zu jener Zeit.
Aber zu jener Zeit wird dein Volk erret-
tet werden, alle, die [c]im Buch geschrieben
stehen. 2 Und [a]**viele, die im Staub der**
Erde schlafen, werden aufwachen, [b]**die**
einen zum ewigen Leben, die andern
zu ewiger Schmach und Schande. 3 Und
die [a]**Verständigen*** **werden leuchten**
wie des Himmels Glanz, und [b]**die viele**
zur Gerechtigkeit weisen, wie die
Sterne immer und ewiglich. 4 Und du,
Daniel, verbirg diese Worte und [a]versiegle
dies Buch bis auf die letzte Zeit. Viele wer-
den herumirren, und die Bosheit wird
zunehmen.

5 Und ich, Daniel, sah, und siehe, es stan-
den zwei andere da, einer an diesem Ufer
des Stroms, der andere an jenem Ufer.
6 Und er sprach zu dem Mann in [a]leine-
nen Kleidern, der über den Wassern des
Stroms stand: Wann kommt das Ende die-
ser großen Wunder? 7 Und ich hörte den
Mann in leinenen Kleidern, der über den
Wassern des Stroms stand. Er hob seine
rechte und linke Hand auf gen Himmel
und schwor bei dem, der ewiglich lebt,
dass es [a]eine Zeit und zwei Zeiten und
eine halbe Zeit währen soll; und wenn der
ein Ende hat, der die Macht des heiligen
Volks zerschlägt, soll dies alles geschehen.

8 Und ich hörte es, aber ich verstand's
nicht und sprach: Mein Herr, was wird das
Letzte davon sein? 9 Er aber sprach: Geh
hin, Daniel; denn es ist verborgen und
versiegelt bis auf die letzte Zeit. 10 Viele

* **12,3** Luther übersetzte: »Lehrer«.

11,33 ***a*** Kap 12,3 **11,35** ***a*** Vers 27 **11,36** ***a*** Kap 7,8.25; Offb 13,5-6 **11,37** ***a*** Hes 8,14 **11,41** ***a*** Vers 16 **11,45** ***a*** Kap 8,25 **12,1** ***a*** Kap 10,13; Offb 12,7 ***b*** Mt 24,21 ***c*** Kap 7,10 **12,2** ***a*** Jes 26,19 ***b*** Joh 5,29 **12,3** ***a*** Kap 11,33 ***b*** Spr 4,18; Mt 13,43 **12,4** ***a*** Offb 10,4 **12,6** ***a*** Kap 10,5 **12,7** ***a*** Kap 7,25; Offb 10,5-6

werden gereinigt, geläutert und geprüft
werden, aber die Gottlosen werden gott-
los handeln; alle Gottlosen werden's nicht
verstehen, aber die Verständigen werden's
verstehen. 11 Und von der Zeit an, da [a]das
tägliche Opfer abgeschafft und das Gräu-
elbild der Verwüstung aufgestellt wird,
sind 1290 Tage. 12 Wohl dem, der da wartet
und erreicht 1335 Tage! 13 Du aber, Daniel,
geh dem Ende entgegen, und ruhe, bis du
aufstehst zu deinem Erbteil am Ende der
Tage!*

DER PROPHET HOSEA

1–3 Hoseas Ehe als Bild für Israels Untreue und Gottes Treue
4–10 Gegen Priester und Könige **11–14** Gottes erbarmende Liebe

HOSEAS EHE – DAS ZEICHEN FÜR DIE UNTREUE ISRAELS

1 Dies ist das Wort des HERRN, das ge-
schehen ist zu Hosea, dem Sohn Bee-
ris, zur Zeit des [a]Usija, Jotam, Ahas und
Hiskia, der Könige von Juda, und zur Zeit
[b]Jerobeams, des Sohnes des Joasch, des
Königs von Israel.

2 Als der HERR anfing zu reden durch
Hosea, sprach er zu ihm: Geh hin und
nimm eine [a]hurende Frau und Hurenkin-
der; denn das Land läuft vom HERRN weg
der Hurerei nach.

3 Und er ging hin und nahm Gomer,
die Tochter Diblajims, zur Frau; die ward
schwanger und gebar ihm einen Sohn.
4 Und der HERR sprach zu ihm: Nenne
ihn Jesreel; denn es ist nur noch eine
kurze Zeit, dann will ich [a]die Blutschuld
von Jesreel heimsuchen am Hause Jehu
und will mit dem Königtum des Hauses
Israel ein Ende machen. 5 Zur selben Zeit
will ich den Bogen Israels zerbrechen in
der Ebene Jesreel.

6 Und sie ward abermals schwanger und
gebar eine Tochter. Und er sprach zu ihm:
Nenne sie [a]Lo-Ruhama*; denn ich will
mich nicht mehr über das Haus Israel er-
barmen noch ihnen vergeben. 7 Doch will
ich mich erbarmen über das Haus Juda
und will ihnen helfen durch den HERRN,
ihren Gott; ich will ihnen aber nicht helfen
durch Bogen, Schwert und Krieg, durch
Ross und Reiter.

8 Und als sie Lo-Ruhama entwöhnt
hatte, ward sie wieder schwanger und ge-
bar einen Sohn. 9 Und er sprach: Nenne
ihn Lo-Ammi*; denn ihr seid nicht mein
Volk, so will ich auch nicht der Eure sein.

2 Einst aber wird [a]die Zahl der Israeli-
ten sein wie der Sand am Meer, den
man weder messen noch zählen kann.
Und [b]es soll geschehen: An dem Ort, da
zu ihnen gesagt ist: »Ihr seid nicht mein
Volk«, wird zu ihnen gesagt werden:
»Kinder des lebendigen Gottes!« 2 Dann
[a]werden die Judäer und die Israeliten zu-
sammenkommen und sich ein gemein-
sames Haupt geben und aus dem Lande
heraufziehen; denn der Tag Jesreels wird
ein großer Tag sein. 3 Nennt eure Brü-
der: [a]»Mein Volk«, und eure Schwestern:
[b]»Erbarmen«.

GOTT ZIEHT DAS TREULOSE ISRAEL ZUR RECHENSCHAFT

4 Rechtet mit eurer Mutter, rechtet – sie ist
ja nicht meine Frau und ich bin nicht ihr
Mann! –, sie soll die Zeichen ihrer Hure-
rei von ihrem Angesicht wegtun und die
[a]Zeichen ihrer Ehebrecherei zwischen ih-
ren Brüsten,[b] 5 damit ich sie nicht nackt
ausziehe und hinstelle, wie sie war, als sie
geboren wurde, und ich sie nicht mache
wie die Wüste und sie zurichte wie dürres
Land und sie nicht sterben lasse vor Durst!
6 Auch ihrer Kinder will ich mich nicht
erbarmen; denn Hurenkinder sind sie.
7 Denn Hurerei trieb ihre Mutter, schänd-
lich führte sich auf, die sie getragen hat,

* **12,13** In der griechischen Übersetzung folgen die Erzählungen um Bel und den Drachen, St zu Dan 2.
1,6 Der Name bedeutet »Ohne Erbarmen«.
1,9 Der Name bedeutet »Nicht mein Volk«.

12,11 ***a*** Kap 9,27 **1,1** ***a*** Jes 1,1 ***b*** 2. Kön 14,23; Am 1,1 **1,2** ***a*** Kap 3,1; 5. Mose 23,18 **1,4** ***a*** 2. Kön 10,1-14 **1,6** ***a*** Kap 2,3.25 **2,1** ***a*** 1. Mose 22,17 ***b*** Röm 9,26 **2,2** ***a*** Jes 11,11-13; Jer 3,18; Hes 37,22 **2,3** ***a*** Kap 1,9 ***b*** Kap 1,6 **2,4** ***a*** Hes 16,1-63; 23,1-49 ***b*** Kap 4,1; 12,3

sprach sie doch: [a]Ich will meinen Liebha-
bern nachlaufen, die mir Brot geben und
Wasser, Wolle und Flachs, Öl und Trank.
8 Darum siehe, ich versperre ihren Weg
mit Dornen und ziehe eine Mauer, dass
sie ihre Pfade nicht findet. 9 Wird sie dann
ihren Liebhabern nachlaufen und sie nicht
einholen, nach ihnen suchen und sie nicht
finden, so wird sie sagen: Ich will wieder
zurückkehren zu meinem ersten Mann;
denn damals ging es mir besser als jetzt.
10 Aber sie weiß nicht, dass ich es war, [a]der
ihr Korn, Wein und Öl gab und sie über-
häufte mit Silber und Gold; das haben sie
für den Baal gebraucht.
11 Darum nehme ich mein Korn wieder
zurück zu seiner Zeit und meinen Wein
zu seiner Frist und entreiße ihr meine
Wolle und meinen Flachs, womit sie ihre
Blöße bedeckt. 12 Nun aber decke ich [a]ihre
Scham auf vor den Augen ihrer Liebhaber,
und niemand wird sie aus meiner Hand
erretten. 13 Ich will ein Ende machen mit
allen ihren Freuden, Festen, Neumonden,
Sabbaten und mit allen ihren Feiertagen.
14 Ich will ihre Weinstöcke und Feigenbäu-
me verwüsten, von denen sie sagte: »Das
ist mein Lohn, den mir meine Liebhaber
gegeben haben.« Ich will eine Wildnis aus
ihnen machen, dass die Tiere des Feldes sie
fressen. 15 Ich will an ihr heimsuchen die
Tage der Baale, an denen sie Räucheropfer
darbrachte und sich mit Stirnreifen und
Halsbändern schmückte und ihren Lieb-
habern nachlief, mich aber vergaß, spricht
der HERR.

GOTTES TREUE ÜBERWINDET ISRAELS UNTREUE

16 Darum siehe, ich will sie locken und will
sie in die Wüste führen und [a]freundlich
mit ihr reden. 17 Dann will ich ihr dort ihre
Weinberge geben und das [a]Tal Achor*
zum Tor der Hoffnung machen. Und dort
wird sie antworten wie zur Zeit ihrer Ju-
gend, als sie aus Ägyptenland heraufzog.
18 An jenem Tage geschieht's, spricht der
HERR, da wirst du mich nennen [a]»Mein
Mann« und nicht mehr »Mein Baal«.
19 Dann will ich die Namen der Baale aus
ihrem Munde wegtun, dass man ihrer Na-
men nicht mehr gedenken wird.
20 An jenem Tage will [a]ich einen Bund
für sie schließen mit den Tieren auf dem
Felde, mit den Vögeln unter dem Himmel
und mit dem Gewürm des Erdbodens
und will Bogen, Schwert und Rüstung
im Lande zerbrechen und [b]will sie sicher
wohnen lassen. **21 Ich will dich mir ver-
loben auf ewig, ich will dich mir ver-
loben in Gerechtigkeit und Recht, in
Gnade und Barmherzigkeit.**[a] **22 Ich will
dich mir verloben in Treue, und du
wirst [a]den HERRN erkennen.** 23 An je-
nem Tage will ich antworten, spricht der
HERR, ich antworte dem Himmel, und
der Himmel antwortet der Erde, 24 und
die Erde antwortet mit [a]Korn, Wein und
Öl, und diese antworten Jesreel*. 25 Dann
will ich mir Israel in das Land einsäen und
mich erbarmen über [a]Lo-Ruhama, und ich
will sagen zu [b]Lo-Ammi: »Du bist mein
Volk«, und Israel wird sagen: »Du bist
mein Gott«.

GOTTES LANGMUT WIRD SEIN VOLK ZURÜCKGEWINNEN

3 Und der HERR sprach zu mir: [a]Geh noch
einmal hin und liebe eine Frau, die Ge-
liebte eines anderen und eine Ehebreche-
rin ist, wie auch der HERR die Israeliten
liebt, obgleich sie sich andern Göttern
zuwenden und [b]Traubenkuchen lieben.
2 Da kaufte ich sie mir für fünfzehn Sil-
berstücke und fünfzehn Scheffel Gerste
3 und sprach zu ihr: Lange Zeit wirst du
bei mir bleiben, ohne zu huren und ohne
einem Mann anzugehören, und auch ich
werde nicht zu dir eingehen. 4 Denn lange
Zeit werden die Israeliten ohne König und
ohne Obere bleiben, ohne Opfer, ohne
Steinmal, ohne Efod und ohne Hausgott.[a]
5 Danach werden die Israeliten umkehren
und [a]den HERRN, ihren Gott, und Da-
vid, ihren König, suchen, und werden mit
Zittern zu dem HERRN und seiner Gnade
kommen in letzter Zeit.

* **2,17** Siehe Sach- und Worterklärungen.
2,24 »Jesreel« kann heißen »Gott sät ein« und meint die fruchtbare Ebene, zugleich aber den Prophetensohn (Vers 25). Dieser vertritt ganz Israel (vgl. Kap 1,4).

2,7 *a* Jer 44,17 **2,10** *a* 5. Mose 7,12-13 **2,12** *a* Jer 13,22 **2,16** *a* Jes 40,2 **2,17** *a* Jos 7,24-26 **2,18** *a* Jes 54,5 **2,20** *a* 1. Mose 9,9-10 *b* Hes 34,25 **2,21** *a* Offb 19,7 **2,22** *a* Jer 31,34 **2,24** *a* Vers 11 **2,25** *a* Kap 1,6 *b* Kap 1,9; Röm 9,25; 1. Petr 2,10 **3,1** *a* Kap 1,2 *b* Jer 7,17-18 **3,4** *a* 2. Chr 15,3 **3,5** *a* Jer 30,9; Hes 34,23-24

GEGEN DIE PRIESTER UND DEN GÖTZENDIENST ISRAELS

4 Höret, ihr Israeliten, des HERRN Wort!
Der HERR rechtet mit denen, die im
Lande wohnen; denn es gibt keine Treue,
keine Liebe und keine Erkenntnis Gottes
im Lande, 2 sondern Fluchen und Lügen,
Morden, Stehlen und Ehebrechen haben
überhandgenommen, und eine Blut-
schuld kommt nach der andern. 3 Darum
wird die Erde dürre stehen, und alle ihre
Bewohner werden dahinwelken; auch die
Tiere auf dem Felde und die Vögel unter
dem Himmel und die Fische im Meer wer-
den weggerafft.
4 Doch soll man niemand verklagen noch
zurechtweisen, sondern allein dich, Pries-
ter, klage ich an. 5 Straucheln sollst du bei
Tage, straucheln soll auch der Prophet mit
dir des Nachts; auch deine Mutter richte
ich zugrunde. 6 Zugrunde geht mein Volk,
weil es ohne Erkenntnis Gottes ist. Weil
du die Erkenntnis verworfen hast, will ich
dich auch verwerfen, dass du nicht mehr
mein Priester sein sollst. Weil du die Wei-
sung deines Gottes vergessen hast, will
ich auch deine Kinder vergessen.
7 Je mehr ihrer wurden, desto mehr sün-
digten sie gegen mich; ihre Ehre tausch-
ten sie gegen Schande. 8 Sie nähren sich
von den [a]Sündopfern meines Volks und
sind begierig nach seiner Schuld. 9 Darum
soll es dem Priester gehen wie dem Volk;
denn ich will an ihm heimsuchen seinen
Wandel und ihm vergelten sein Tun: 10 Sie
werden essen und nicht satt werden, Hu-
rerei treiben und sich nicht mehren, weil
sie den HERRN verlassen haben, um fest-
zuhalten an 11 Hurerei. Wein und Most
rauben den Verstand.
12 Mein Volk [a]befragt sein Holz, und sein
Stab soll ihm antworten. Ja, der [b]Geist der
Hurerei hat sie verführt, dass sie mit ihrer
Hurerei ihrem Gott wegliefen. 13 Oben
[a]auf den Bergen opfern sie, und auf den
Hügeln räuchern sie unter den Eichen, Te-
rebinthen und Pappeln; denn ihr Schatten
erquickt. Darum treiben eure Töchter Hu-
rerei, und eure Schwiegertöchter brechen
die Ehe. 14 Ich will's nicht an euren Töch-
tern heimsuchen, dass sie Hurerei treiben,
und an euren Schwiegertöchtern, dass sie
die Ehe brechen. [a]Ihr selbst geht ja mit den
Huren beiseite und opfert mit den Tem-
peldirnen. So kommt das unverständige
Volk zu Fall.
15 Willst du, Israel, schon huren, so soll
Juda sich nicht auch verschulden! [a]Geht
nicht hin nach Gilgal und zieht nicht hin-
auf nach [b]Bet-Awen und [c]schwört nicht:
So wahr der HERR lebt!
16 Ja, Israel war störrisch wie eine stör-
rische Kuh; soll da der HERR sie weiden
lassen wie Lämmer auf freiem Feld?
17 Ephraim hat sich zu den Götzen gesellt;
so lass es hinfahren. 18 War ihr Zechen vor-
bei, hurten sie umso mehr, trieben es hef-
tig; Schande war ihr Schild. 19 Schon hat
ein Sturm sie in seine Flügel gewickelt; so
werden sie zuschanden durch ihre Opfer.

DROHUNG GEGEN DIE FÜHRER ISRAELS

5 Hört dies, ihr Priester, und merke auf,
du Haus Israel, und nimm zu Ohren, du
Haus des Königs! Denn euch ist das Recht
anvertraut! Ihr aber seid eine Schlinge für
Mizpa geworden und ein ausgespanntes
Netz auf dem Tabor 2 und eine tiefe Grube
zu Schittim; aber ich will sie allesamt
züchtigen.
3 Ich kenne Ephraim gut, und Israel ist
vor mir nicht verborgen: Du hast gehurt,
[a]Ephraim, und Israel hat sich verunreinigt.
4 Ihre Taten lassen es nicht zu, dass sie
umkehren zu ihrem Gott; denn sie haben
einen [a]Geist der Hurerei in ihrem Herzen,
und den HERRN kennen sie nicht. 5 Wider
Israel zeugt seine Hoffart; Israel und
Ephraim straucheln durch ihre Schuld;
auch Juda ist mit ihnen gestrauchelt. 6 Mit
ihren Schafen und Rindern werden sie
kommen, den HERRN zu suchen, aber ihn
nicht finden; denn er hat sich von ihnen
gewandt.[a] 7 Dem HERRN sind sie untreu
geworden und zeugten fremde Kinder.
Jetzt wird sie ein Verderber fressen samt
ihrem Erbteil.

DER BRUDERKRIEG ZWISCHEN EPHRAIM UND JUDA

8 [a]Stoßt ins Horn zu Gibea, in die Trom-
pete zu Rama! Erhebt das Kriegsgeschrei

4,8 *a* 3. Mose 4,13-21.27-35; 6,19 **4,12** *a* Jer 2,27 *b* Kap 5,4 **4,13** *a* Hes 6,13 **4,14** *a* Kap 1,2 **4,15** *a* Am 5,5 *b* Kap 10,5 *c* Am 8,14 **5,3** *a* Kap 1,2; 6,10 **5,4** *a* Kap 4,12 **5,6** *a* Jes 1,11-15 **5,8** *a* (5,8–6,6) 2. Kön 15,37; Jes 7,1-9

zu [b]Bet-Awen: Dir nach, Benjamin! 9 Eph-
raim soll zur Wüste werden am Tag, da ich
sie strafen werde. Den Stämmen Israels
habe ich kundgetan, was fest beschlossen
ist. 10 Die Oberen von Juda sind denen
gleich, die [a]die Grenze verrücken; darum
will ich meinen Zorn über sie ausschüt-
ten wie Wasser. 11 Ephraim leidet Gewalt,
zertreten ist das Recht; denn es gefiel ihm,
dem Nichtigen nachzulaufen.

12 Ich aber war für Ephraim wie Eiter
und wie Knochenfraß für das Haus Juda.
13 Als Ephraim seine Krankheit sah und
Juda sein Geschwür, [a]zog Ephraim hin
nach Assur und schickte zum Großkönig.
Aber der kann euch nicht heilen noch euer
Geschwür entfernen. 14 Denn ich bin für
Ephraim [a]wie ein Löwe und für das Haus
Juda wie ein junger Löwe. Ich, ich [b]reiße
sie und gehe davon; ich schleppe sie weg,
und niemand kann sie retten.

15 Ich will wieder an meinen Ort gehen,
bis sie ihre Schuld büßen und mein Ange-
sicht suchen; [a]wenn's ihnen übel ergeht,
so werden sie mich suchen.

UMKEHR UND UNTREUE

6 **»Kommt, wir wollen wieder zum**
HERRN; denn er hat uns [a]zerrissen,
er wird uns auch heilen, er hat uns ge-
schlagen, er wird uns auch verbinden.
2 Er [a]macht uns lebendig nach zwei Tagen,
er wird uns am dritten Tage aufrichten,
dass wir vor ihm leben. 3 Lasst uns dar-
auf achthaben und danach trachten, den
HERRN zu erkennen; so gewiss wie die
schöne Morgenröte bricht er hervor und
kommt über uns wie der Regen, wie Spät-
regen, der das Land feuchtet.«

4 Was soll ich dir tun, Ephraim? Was soll
ich dir tun, Juda? Ist doch [a]eure Liebe wie
eine [b]Wolke am Morgen und wie der Tau,
der frühmorgens vergeht! 5 Darum schlug
ich drein durch die Propheten und [a]tötete
sie durch die Worte meines Mundes, dass
mein Recht wie das Licht hervorkomme.
6 Denn [a]**ich habe Lust an der Liebe und**
nicht am Opfer, an der Erkenntnis Got-
tes und nicht am Brandopfer.

7 Aber sie haben den Bund übertreten
bei Adam*; dort wurden sie mir untreu.
8 Gilead ist eine Stadt voller Übeltäter; blu-
tig ist ihre Spur. 9 Die Rotten der Priester
sind wie die Räuber, die da lauern auf die
Leute; sie morden auf dem Wege, der nach
Sichem geht, ja, Schandtaten vollbringen
sie. 10 Im Hause Israel habe ich gesehen,
wovor mir graut; da [a]treibt Ephraim Hu-
rerei, und Israel hat sich verunreinigt.
11 Auch dir, Juda, ist die Ernte bestimmt.
7 Wenn ich [a]meines Volkes Geschick
wende, 1 wenn ich Israel heile, wird auf-
gedeckt Ephraims Schuld und die Bosheit
Samarias, wie sie Lug und Trug treiben
und die Diebe einsteigen und die Räuber
auf der Straße plündern. 2 Aber sie sehen
nicht ein, dass ich all ihrer Bosheit ge-
denke. Jetzt haben ihre Taten sie ein-
gekreist, vor meinem Angesicht sind sie
geschehen!

3 Sie erfreuen den König mit ihrer Bos-
heit und Obere mit ihren Lügen; 4 sie sind
allesamt Ehebrecher, glühend wie ein
Backofen, dessen Feuer der Bäcker nicht
mehr schürt, wenn er den Teig knetet und
ihn durchsäuern und aufgehen lässt. 5 Am
Tag unseres Königs machten sie die Obe-
ren trunken, dass sie glühten vom Wein,
seine Gewalt packte die Übermütigen. 6 Ja,
sie traten heran, heiß wie ein Backofen, ihr
Herz voll Arglist. Ihr Grimm schläft die
ganze Nacht, aber am Morgen brennt er
lichterloh. 7 Allesamt sind sie erhitzt wie
ein Backofen. Sie fressen ihre Richter. Alle
ihre Könige sind gefallen. Unter ihnen ist
keiner, der zu mir ruft.

8 Ephraim wird unter die Völker ver-
mengt. Ephraim ist wie ein Brotfladen,
den niemand umwendet. 9 Fremde fressen
seine Kraft, doch er selber merkt es nicht;
seine Haare sind schon grau geworden,
doch er selber merkt es nicht. 10 Wider
Israel zeugt seine Hoffart, dennoch be-
kehrten sie sich nicht zum HERRN, ihrem
Gott, fragten auch trotz alledem nicht nach
ihm. 11 Ephraim ist wie eine Taube, leicht
zu verführen, ohne Verstand. Ägypten
rufen sie, nach Assur [a]laufen sie. 12 Wenn
sie laufen, will ich mein Netz über sie

* **6,7** Name einer Stadt (vgl. Jos 3,16).

5,8 ***b*** Kap 4,15 **5,10** ***a*** 5. Mose 19,14 **5,13** ***a*** Kap 7,11; 10,6; 12,2 **5,14** ***a*** Kap 13,7 ***b*** Kap 6,1 **5,15** ***a*** Jes 26,16 **6,1** ***a*** Kap 5,14 **6,2** ***a*** 5. Mose 32,39 **6,4** ***a*** Kap 7,16 ***b*** Kap 13,3 **6,5** ***a*** Jer 23,29 **6,6** ***a*** 1. Sam 15,22; Spr 21,3; Mt 9,13; 12,7 **6,10** ***a*** Kap 5,3; Jer 23,14 **6,11** ***a*** Joel 4,1 **7,11** ***a*** Kap 5,13

werfen und sie herunterholen wie Vögel
unter dem Himmel. Ich fange sie, sobald
man ihren Schwarm hört.
13 Weh ihnen, dass sie von mir gewichen
sind! Verderben über sie, weil sie von mir
abgefallen sind! [a]Ich wollte sie wohl los-
kaufen; aber sie reden Lügen wider mich.
14 Auch schreien sie nicht von Herzen zu
mir, sondern heulen auf ihren Lagern.
Sie ritzen sich wund um Korn und Wein,
aber gegen mich sind sie störrisch. 15 Ich
lehrte sie und stärkte ihre Arme; aber sie
sinnen Böses gegen mich. 16 Sie kehren
zurück zum Nicht-Hoch*. Sie [a]sind wie
ein schlaffer Bogen. Ihre Oberen werden
durchs Schwert fallen wegen ihrer frechen
Zunge. Deshalb wird man in Ägypten
über sie spotten.

ISRAEL HAT DAS GUTE VERWORFEN

8 Stoße laut ins [a]Horn! [b]Wie ein Adler
kommt es über das Haus des HERRN,
weil sie [c]meinen Bund übertreten und
mein Gesetz gebrochen haben. 2 Wohl
schreien sie zu mir: Du bist mein Gott;
wir, Israel, kennen dich. 3 Doch Israel hat
das Gute verworfen; darum soll der Feind
sie verfolgen.
4 Sie [a]machten Könige, aber ohne mich;
sie setzten Obere ein, und ich wusste
nichts davon. Aus ihrem Silber und Gold
machten sie Götzen, auf dass sie bald ver-
nichtet werden! 5 Er hat [a]dein Kalb ver-
worfen, Samaria. Mein Zorn ist gegen sie
entbrannt. Wie lange noch sind sie unfä-
hig zur Reinheit? 6 Sie sind doch aus Isra-
el! Das Kalb aber – ein Handwerker hat es
gemacht – ist doch kein Gott! Ja, das Kalb
Samarias soll zermalmt werden.
7 Denn sie säen Wind und werden
Sturm ernten. Halme ohne Ähren bringen
kein Mehl; sollten sie doch etwas bringen,
verschlingen es Fremde. 8 Verschlungen
ist Israel. Jetzt sind sie unter den Völkern
wie [a]ein Gefäß, das niemand haben will.
9 Denn [a]sie sind nach Assur gelaufen – der
Wildesel* bleibt für sich –, und Ephraim
buhlte mit Geschenken. 10 Auch wenn sie
unter den Heiden buhlen, will ich sie jetzt
einsammeln; dass sie sich bald winden un-
ter der Last des Königs der Fürsten.
11 Denn Ephraim hat sich viele Altäre
gemacht zu sündigen: Die sind ihm Altä-
re zur Sünde geworden. 12 Wenn ich ihm
auch noch so viele meiner Gebote auf-
schreibe, so werden sie doch geachtet wie
eine fremde Lehre. 13 [a]Voller Gier opfern
sie und essen das Fleisch. Aber der HERR
hat kein Gefallen daran. Jetzt gedenkt er
ihrer Schuld und sucht ihre Sünde heim.
Sie [b]müssen zurück nach Ägypten! 14 Isra-
el vergaß seinen Schöpfer und baute Paläs-
te, und Juda befestigte viele Städte; aber
ich will [a]Feuer in seine Städte senden, das
soll seine Paläste verzehren.

VERGELTUNG STATT FREUDE

9 Freue dich nicht, Israel, jauchze nicht
wie die Völker; denn du bist mit deiner
[a]Hurerei deinem Gott weggelaufen; gern
nimmst du Hurenlohn auf allen Tennen.
2 Tenne und Kelter sollen sie nicht nähren,
und der Wein soll ihnen fehlen. 3 Sie sollen
nicht bleiben im Lande des HERRN; son-
dern [a]Ephraim muss zurück nach Ägyp-
ten und muss in Assyrien Unreines essen.
4 Dort werden sie dem HERRN keinen
Wein darbringen, und ihre Schlachtopfer
werden ihm nicht wohlgefällig sein. Ihr
Brot wird sein wie das Brot der Trauern-
den, an dem unrein werden alle, die davon
essen; denn ihr Brot müssen sie selbst es-
sen, es wird nichts davon in des HERRN
Haus gebracht. 5 Was wollt ihr dann in
den Festzeiten und an den Feiertagen des
HERRN tun?
6 Denn siehe, die der Verwüstung ent-
gangen sind, die sammelt Ägypten ein,
Memphis begräbt sie. [a]Nesseln werden
wachsen, wo jetzt ihr kostbares Silber ist,
und Dornen in ihren Zelten. 7 Die Tage der
Heimsuchung sind gekommen, die Tage
der Vergeltung; dessen wird Israel inne-
werden.
»Ein Narr ist der Prophet und wahnsin-
nig der Mann des Geistes!« Um deiner
großen Schuld willen ist die Anfeindung
groß! 8 Ephraim liegt auf der Lauer – bei

* **7,16** Spöttisch für Baal, »der Hohe«. **8,9** Wortspiel mit dem Namen »Ephraim«.

7,13 ***a*** Ps 81,14-15 **7,16** ***a*** Ps 78,57 **8,1** ***a*** Jes 58,1 ***b*** 5. Mose 28,49 **c** Kap 6,7 **8,4** ***a*** 2. Kön 15,10.14.25.30 **8,5** ***a*** (5-6) 2. Mose 32,20; 1. Kön 12,28 **8,8** ***a*** Jer 22,28 **8,9** ***a*** Kap 5,13 **8,13** ***a*** Jes 1,11 ***b*** 5. Mose 28,68 **8,14** ***a*** Jer 17,27; Am 2,5 **9,1** ***a*** Kap 1,2 **9,3** ***a*** Kap 8,13 **9,6** ***a*** Kap 10,8

seinem Gott ist der Prophet. Fallen auf
allen seinen Wegen, Anfeindung selbst
im Hause seines Gottes! [9]Tief verdorben
ist ihr Tun wie in den [a]Tagen von Gibea.
Er gedenkt ihrer Schuld, sucht heim ihre
Sünden.

ISRAELS UNDANK GEGEN GOTTES WOHLTATEN

[10]Wie Trauben in der Wüste [a]fand ich
Israel, wie die ersten Feigen am Feigen-
baum sah ich eure Väter. Sie aber kamen
zum [b]Baal-Peor und weihten sich dem
schändlichen Abgott. So wurden sie zum
Gräuel wie ihr Liebhaber. [11]Ephraim – wie
ein Vogel fliegt davon seine Herrlichkeit,
dass sie weder gebären noch tragen noch
schwanger werden. [12]Und wenn sie ihre
Kinder auch großzögen, will ich sie doch
kinderlos machen, sodass kein Mensch
mehr da ist. Ja, weh ihnen, wenn ich von
ihnen weiche!

[13]Als ich Ephraim sah, war es eine junge
Palme, gepflanzt in einer Aue; aber Eph-
raim muss seine Söhne herausgeben dem
Henker. [14]Gib ihnen, HERR, was immer
du geben willst: Gib ihnen unfruchtbare
Leiber und versiegende Brüste! [15]All
ihre Bosheit geschah zu Gilgal; dort bin
ich ihnen feind geworden. So will ich
sie um ihres bösen Tuns willen aus mei-
nem Hause stoßen und ihnen keine Liebe
mehr erweisen; alle ihre Oberen sind ab-
trünnig.

[16]Ephraim ist geschlagen, seine Wurzel
ist verdorrt, sodass sie keine Frucht mehr
bringen können. Selbst wenn sie gebären
würden, will ich die ersehnte Frucht ihres
Leibes töten. [17]Mein Gott wird sie ver-
werfen, weil sie nicht auf ihn hörten. So
werden sie umherirren unter den Völkern.

DAS ENDE VON KÖNIGTUM UND GOTTESDIENST

10 Israel war ein [a]üppiger Weinstock, der
seine Frucht trägt. Je mehr Früchte
er hatte, desto mehr Altäre machten sie.
Je besser sein Land, desto prächtiger die
[b]Steinmale. [2]Ihr Herz ist falsch; nun müs-
sen sie ihre Schuld büßen. Er selbst zer-
bricht ihre Altäre, zerstört ihre Steinma-
le. [3]Schon müssen sie sagen: Wir haben
keinen König, denn wir fürchteten den
HERRN nicht. Und ein König, was könnte
der uns schon helfen? [4]Viele Worte ma-
chen, Meineide schwören, Bündnisse
schließen: So grünt das Recht wie giftiges
Kraut in allen Furchen im Felde.

[5]Die Einwohner von Samaria suchen
Schutz beim Kalb von [a]Bet-Awen. Sein
Volk trauert darum, aber seine Pfaffen ju-
beln über seine Herrlichkeit; doch sie wird
ihm genommen. [6]Ja, das Kalb wird nach
Assyrien gebracht [a]als Geschenk für den
Großkönig. Ephraim trägt Schande da-
von, und Israel wird zuschanden an sei-
nem Plan. [7]Dahin ist Samaria; sein König
gleicht einem Zweig auf dem Wasser. [8]Die
Höhen des Frevels werden verwüstet, auf
denen sich Israel versündigte; [a]Dornen
und Disteln wachsen auf ihren Altären.
Dann werden sie sagen zu den [b]Bergen:
Bedeckt uns!, und zu den Hügeln: Fallt
über uns!

[9]Israel, du hast seit den [a]Tagen von Gi-
bea gesündigt; dabei sind sie geblieben.
Wird darum nicht in Gibea der Krieg über
sie kommen wegen der bösen Leute? [10]Ich
werde sie züchtigen nach meinem Willen;
Völker sollen gegen sie versammelt wer-
den, denn sie sind verstrickt in ihre dop-
pelte Schuld. [11]Ephraim war eine junge
Kuh, daran gewöhnt, gern zu dreschen.
Als ich an ihrem kräftigen Nacken vor-
überging, spannte ich Ephraim ein; Juda
sollte pflügen, Jakob eggen.

[12]Säet Gerechtigkeit und erntet nach
dem Maße der Liebe! [a]Pflüget ein Neues,
[b]solange es Zeit ist, den HERRN zu suchen,
bis er kommt und Gerechtigkeit über euch
regnen lässt!

[13]Ihr aber habt Frevel [a]gepflügt, Übel ge-
erntet und Lügenfrüchte gegessen. Weil
du dich auf deine Wagen verlässt und auf
die Menge deiner Helden, [14]darum soll
sich ein Getümmel erheben in deinem
Volk, dass alle deine Festungen zerstört
werden, gleichwie Schalman am Tage
der Schlacht Bet-Arbeel zerstörte, als die
Mutter zerschmettert wurde samt den
Kindern. [15]So soll's euch zu Bethel auch

9,9 *a* Kap 10,9; Ri 19,22-30; 20,13 **9,10** *a* 5. Mose 32,10 *b* 4. Mose 25,3 **10,1** *a* Jer 2,21 *b* 3. Mose 26,1 **10,5** *a* Kap 4,15 **10,6** *a* Kap 5,13 **10,8** *a* Kap 9,6 *b* Lk 23,30; Offb 6,16 **10,9** *a* Kap 9,9 **10,12** *a* Jer 4,3 *b* Jes 55,6 **10,13** *a* Hiob 4,8

ergehen um eurer großen Bosheit willen.
Beim Morgengrauen ist völlig vernichtet
der König Israels.

GOTT KEHRT UM

11 Als Israel jung war, [a]gewann ich ihn
lieb und [b]rief meinen Sohn aus Ägyp-
ten. 2 Wie ich sie auch rief, liefen sie weg
von mir. Den Baalen opferten sie, und
den Bildern räucherten sie. 3 Ich aber hatte
Ephraim laufen gelehrt und sie auf meine
Arme genommen. Aber sie merkten
nicht, dass ich sie [a]heilte. 4 Mit menschli-
chen Seilen zog ich sie, mit Stricken der
Liebe. Ich half ihnen das Joch auf ihrem
Nacken tragen. Ich neigte mich zu ihm
und gab ihm zu essen. 5 Er muss zurück
nach Ägyptenland, und Assur wird sein
König sein; denn sie haben sich geweigert
umzukehren. 6 Das Schwert wird in sei-
nen Städten tanzen und seine Wahrsager
vertilgen und sie fressen um ihrer Pläne
willen. 7 Mein Volk verharrt in der Abkehr
von mir. Sie rufen zu Baal, dem Hohen,
doch der richtet sie nicht auf.

8 Wie kann ich dich preisgeben, Eph-
raim, dich ausliefern, Israel? Wie kann
ich dich preisgeben gleich [a]Adma und
dich zurichten wie Zebojim? [b]Mein Herz
wendet sich gegen mich, all mein Mitleid
ist entbrannt. 9 Ich will nicht tun nach
meinem grimmigen Zorn noch Ephraim
wieder verderben. Denn ich bin Gott und
nicht ein Mensch, heilig in deiner Mitte.
Darum komme ich nicht im Zorn.[a] 10 Als-
dann werden sie dem HERRN nachfolgen.
Wie ein Löwe wird [a]er brüllen, und wenn
er brüllt, werden zitternd herbeikommen
[b]seine Kinder von Westen her. 11 Sie kom-
men zitternd wie Vögel aus Ägypten und
wie Tauben aus dem Land Assur; und ich
will sie wieder wohnen lassen in ihren
Häusern, spricht der HERR.

DAS BEISPIEL JAKOBS

12 Mit Lüge hat mich Ephraim umzingelt,
mit Betrug das Haus Israel. Aber Juda
hält noch fest an Gott und ist dem Heili-
gen treu. 2 Ephraim weidet Wind, es läuft
dem Ostwind nach. Täglich mehrt es Lüge
und Gewalt. [a]Sie schließen mit Assur
einen Bund und bringen Öl nach Ägyp-
ten. 3 Darum rechtet der HERR mit Juda;
er wird Jakob heimsuchen nach seinem
Wandel und ihm vergelten nach seinem
Tun.

4 Schon [a]im Mutterleib hat er seinen
Bruder gepackt und [b]im Mannesalter mit
Gott gekämpft. 5 Er kämpfte mit dem En-
gel und siegte, er weinte und flehte ihn an.
In [a]Bethel hat er ihn gefunden, und dort
redet er mit uns, 6 der HERR, der Gott Ze-
baoth; [a]HERR ist sein Name. 7 Du wirst
mit deinem Gott zurückkehren. Halte fest
an Liebe und Recht und hoffe stets auf dei-
nen Gott!

8 Ein Kanaanäer ist Ephraim: Er hat eine
falsche Waage in der Hand und liebt den
Betrug. 9 Denn Ephraim spricht: Wie
[a]reich bin ich doch geworden, ich habe ge-
nug! Alles meine Arbeit! Man wird keine
Schuld an mir finden, die Sünde wäre.

10 [a]Ich aber bin der HERR, dein Gott, von
Ägyptenland her. Ich will dich wieder in
Zelten wohnen lassen wie in der Wüs-
tenzeit. 11 Immer wieder habe ich zu den
Propheten geredet, ich war's, der viele Ge-
sichte gab, und durch die Propheten habe
ich mich kundgetan. 12 War [a]Gilead auch
stark, so sind sie doch zunichtegeworden.
In [b]Gilgal opferten sie Stiere, doch auch
ihre Altäre werden wie Steinhaufen sein
an den Furchen des Feldes.

13 [a]Jakob floh in die Gegend von Aram,
und [b]Israel diente um eine Frau; um einer
Frau willen hütete er Schafe. 14 Aber durch
einen Propheten [a]führte der HERR Israel
aus Ägypten, und durch einen Propheten
ließ er sie hüten.

15 Nun aber hat ihn Ephraim bitter er-
zürnt; seine Blutschuld lässt er auf ihm
lasten, und seine Schmähung vergilt ihm
sein Herr.

GOTTES GERICHT ÜBER EPHRAIM

13 Wenn Ephraim redete, zitterte man;
erhaben war er in Israel. Danach ver-
sündigte er sich durch Baal und starb.

11,1 ***a*** 5. Mose 7,8 ***b*** 2. Mose 4,22-23; Mt 2,15
11,3 ***a*** Kap 6,1; 7,1; 14,5; 2. Mose 15,26
11,8 ***a*** 5. Mose 29,22 ***b*** Jer 31,20 **11,9** ***a*** Ps 31,3;
Klgl 3,31-36 **11,10** ***a*** Jer 25,30 ***b*** Kap 2,1 **12,2** ***a*** Kap 5,13
12,4 ***a*** 1. Mose 25,22.26; 27,36 ***b*** 1. Mose 32,25-29
12,5 ***a*** 1. Mose 35,15 **12,6** ***a*** Ps 83,19 **12,9** ***a*** Offb 3,17
12,10 ***a*** Kap 13,4 **12,12** ***a*** Kap 6,8 ***b*** Kap 9,15
12,13 ***a*** 1. Mose 27,43; 28,5 ***b*** 1. Mose 29,20
12,14 ***a*** 2. Mose 3,10

2 Dennoch sündigen sie weiter: Aus ih-
rem Silber [a]gießen sie Bilder, wie sie sich's
erdenken, Götzen, die allesamt doch nur
Schmiedewerk sind. Ihnen, sagen sie,
seien Menschen geopfert, Kälber küssen
sie. 3 Darum werden sie sein [a]wie eine
Wolke am Morgen und wie der Tau, der
frühmorgens vergeht; ja, [b]wie Spreu, die
von der Tenne verweht wird, und wie
Rauch aus der Luke.
4 Ich aber [a]bin der HERR, dein Gott, von
Ägyptenland her. Einen Gott neben mir
kennst du nicht und keinen Heiland als
allein mich. 5 Ich [a]nahm mich ja deiner an
in der Wüste, im dürren Lande. 6 Aber als
sie geweidet wurden, dass sie satt wurden
und genug hatten, erhob sich ihr Herz;
darum vergaßen sie mich.[a]
7 Da wurde ich für sie [a]wie ein Löwe, wie
ein Panther lauere ich am Weg. 8 Ich falle
sie an wie eine Bärin, der die Jungen ge-
nommen sind, und zerreiße ihnen Brust
und Herz und will sie dort wie ein Löwe
fressen; die wilden Tiere sollen sie zer-
reißen.
9 [a]Vernichtet hat dich, Israel, dass du
gegen mich bist, gegen dein Heil. 10 [a]Wo
ist dein König, der dir helfen kann in allen
deinen Städten, und deine Richter, von
denen du sagtest: Gib mir einen König
und Obere? 11 Ich gebe dir Könige in mei-
nem Zorn und nehme sie dir in meinem
Grimm.
12 Die Schuld Ephraims ist zusammen-
gebunden, seine Sünde sicher verwahrt.
13 Wehen kommen, dass er geboren
werden soll, aber er ist ein unverstän-
diges Kind: Wenn die Zeit gekommen
ist, so will er den Mutterschoß nicht
durchbrechen. 14 Sollte ich sie aus der
Hölle erlösen und vom Tod erretten?
[a]Tod, wo ist deine Seuche; Hölle, wo ist
deine Pest? Meine Augen kennen kein
Mitleid.

SAMARIAS ZERSTÖRUNG

15 Denn mag Ephraim auch zwischen sei-
nen Brüdern gedeihen, so wird doch ein
Ostwind kommen, der Sturm des HERRN
aus der Wüste herauffahren, dass sein
Brunnen vertrocknet und seine Quelle
versiegt; der wird rauben seinen Schatz,
14 alles kostbare Gerät. 1 Samaria muss
büßen, dass es sich aufgelehnt hat ge-
gen seinen Gott. Sie sollen durchs Schwert
fallen und ihre kleinen Kinder zerschmet-
tert und [a]ihre Schwangeren aufgeschlitzt
werden.

UMKEHR UND HEILUNG

2 [a]Bekehre dich, Israel, zu dem HERRN,
deinem Gott; denn du bist gestrauchelt
durch deine Schuld. 3 Nehmt diese Worte
mit euch und bekehrt euch zum HERRN
und sprecht zu ihm: **Vergib uns alle**
Sünde und tu uns wohl, so wollen wir
[a]**opfern die Frucht unserer Lippen.** 4 As-
sur soll uns nicht helfen; wir wollen nicht
mehr auf Rossen reiten, auch nicht mehr
sagen zu dem Werk unserer Hände: Du
bist unser Gott. Sondern bei dir finden die
Verwaisten Erbarmen.
5 Ich will ihre Abtrünnigkeit heilen;
gerne will ich sie lieben; denn mein Zorn
hat sich von ihnen gewendet. 6 Ich will für
Israel wie der Tau sein, dass es blüht wie
eine Lilie und seine Wurzeln ausschlagen
wie der Libanon 7 und seine Zweige sich
ausbreiten, dass es so schön sei wie ein
Ölbaum und so guten Geruch gebe wie
der Libanon. 8 Und sie sollen wieder un-
ter seinem Schatten sitzen; von Korn sol-
len sie sich nähren und sprossen wie der
Weinstock, der berühmt ist wie der Wein
vom Libanon.
9 Ephraim, was sollen ihm noch Götzen?
Ich will ihn erhören und ihn anschauen.
Ich will sein wie der üppige Wacholder.
Von mir erhältst du deine Frucht.
10 Wer ist weise, dass er dies versteht,
und klug, dass er dies einsieht? Die Wege
des HERRN sind richtig und die Gerechten
wandeln darauf; aber die Übertreter kom-
men auf ihnen zu Fall.

13,2 *a* 2. Kön 17,16; Jes 44,10 **13,3** *a* Kap 6,4 *b* Ps 1,4
13,4 *a* 2. Mose 20,2-3 **13,5** *a* Kap 9,10
13,6 *a* 5. Mose 32,15 **13,7** *a* Kap 5,14 **13,9** *a* Jer 2,17
13,10 *a* (10-11) 1. Sam 8,5-9 **13,14** *a* 1. Kor 15,54-55
14,1 *a* 2. Kön 15,16 **14,2** *a* Kap 12,7; Sach 1,4
14,3 *a* Hebr 13,15

DER PROPHET JOEL

1–2 Rettung am Tag des Herrn 3–4 Ausgießung des Geistes und Völkergericht

HEUSCHRECKEN UND DÜRRE

1 Dies ist das Wort des HERRN, das ge-
schehen ist zu Joel, dem Sohn Petuëls.
2 Hört dies, ihr Ältesten, und merkt auf,
alle Bewohner des Landes, ob solches ge-
schehen sei zu euren Zeiten oder zu eurer
Väter Zeiten! 3 Sagt euren Kindern davon,
und lasst's eure Kinder ihren Kindern sa-
gen und diese wiederum ihren Nachkom-
men: 4 Was die Raupen übrig ließen, das
fraßen die Heuschrecken, und was die
Heuschrecken übrig ließen, das fraßen die
Larven, und was die Larven übrig ließen,
das fraß das Geschmeiß.
5 Wacht auf, ihr Trunkenen, und weint,
und heult, alle Weinsäufer, um den Most;
denn er ist euch vor eurem Munde weg-
genommen! 6 Denn [a]es zog herauf gegen
mein Land ein Volk, mächtig und ohne
Zahl; das hatte Zähne wie die Löwen
und Backenzähne wie die Löwinnen. 7 Es
verwüstete meinen Weinstock und fraß
meinen Feigenbaum kahl, schälte ihn ab
und warf ihn hin, dass seine Zweige weiß
dastehen.
8 Heule wie eine Jungfrau, die Trauer an-
legt um ihres Bräutigams willen! 9 Denn
Speisopfer und Trankopfer sind vom
Hause des HERRN weggenommen, und
die Priester, des HERRN Diener, trauern.
10 Das Feld ist verwüstet und der Acker
ausgedörrt; das Getreide ist verdorben,
der Wein steht jämmerlich und das Öl
kläglich. 11 Steht beschämt, ihr Acker-
leute, heult, ihr Weingärtner, um den
Weizen und um die Gerste, weil aus der
Ernte auf dem Felde nichts werden kann!
12 Der Weinstock steht jämmerlich und
der Feigenbaum kläglich, auch die Gra-
natbäume, Palmbäume und Apfelbäume,
ja, alle Bäume auf dem Felde sind verdorrt.
So ist die Freude der Menschen zum Jam-
mer geworden.
13 Umgürtet euch und klagt, ihr Pries-
ter, heult, ihr Diener des Altars! Kommt,
schlaft im Trauergewand, ihr Diener mei-
nes Gottes! Denn Speisopfer und Trank-
opfer sind vom Hause eures Gottes weg-
genommen. 14 [a]Sagt ein heiliges Fasten
an, ruft einen Feiertag aus! Versammelt
die Ältesten und alle Bewohner des Lan-
des zum Hause des HERRN, eures Gottes,
und schreit zum HERRN:
15 O weh des Tages! Denn [a]der Tag des
HERRN ist nahe und kommt wie ein Ver-
derben vom Allmächtigen. 16 Ist nicht die
Speise vor unsern Augen weggenommen
und vom Hause unseres Gottes Freude
und Wonne? 17 Der Same ist unter der
Erde verdorrt, die Kornhäuser stehen
wüst, die Scheunen zerfallen; denn das
Getreide ist verdorben. 18 O wie seufzt
das Vieh! Die Rinder sehen kläglich
drein, denn sie haben keine Weide, und
die Schafe verschmachten. 19 HERR, dich
rufe ich an; denn das Feuer hat die Auen
in der Steppe verbrannt, und die Flamme
hat alle Bäume auf dem Felde angezündet.
20 Es schreien auch die wilden Tiere zu dir;
denn die Wasserbäche sind ausgetrocknet
und das Feuer hat die Auen in der Steppe
verbrannt.

DAS HEER AM TAG DES HERRN

2 Blast die Posaune zu Zion, ruft laut auf
meinem heiligen Berge! Erzittert, alle
Bewohner des Landes! Denn [a]der Tag des
HERRN kommt und ist nahe, 2 [a]ein fins-
terer Tag, ein dunkler Tag, ein wolkiger
Tag, ein nebliger Tag! Gleichwie die Mor-
genröte sich ausbreitet über die Berge, so
[b]kommt ein großes und mächtiges Volk,
[c]desgleichen vormals nicht gewesen ist
und hinfort nicht sein wird auf ewige Zei-
ten für und für.
3 Vor ihm her geht ein verzehrendes
Feuer und hinter ihm eine brennende
Flamme. Das Land ist vor ihm wie der Gar-
ten Eden, aber nach ihm wie eine wüste
Einöde, und niemand wird ihm entgehen.
4 Sie sind gestaltet wie Pferde und rennen

1,6 *a* Kap 2,2 **1,14** *a* Kap 2,15 **1,15** *a* Kap 2,1; Jes 13,6; Zef 1,7 **2,1** *a* Kap 1,15 **2,2** *a* Am 5,18-20; Zef 1,15 *b* Kap 1,6 *c* 2. Mose 10,13-15

wie die Rosse. 5 Sie sprengen daher über
die Höhen der Berge, wie die Wagen ras-
seln und wie eine Flamme prasselt im
Stroh, wie ein mächtiges Volk, das zum
Kampf gerüstet ist. 6 Völker entsetzen sich
vor ihm, und [a]jedes Angesicht erbleicht.
7 Sie laufen wie Helden und ersteigen die
Mauern wie Krieger; ein jeder geht stracks
seinen Weg, weicht nicht von seinen Pfa-
den. 8 Keiner drängt den andern, sondern
ein jeder zieht auf seinem Weg daher; sie
durchbrechen die feindlichen Waffen und
dabei reißt ihr Zug nicht ab. 9 Sie stürzen
sich auf die Stadt, laufen auf der Mauer, in
die Häuser steigen sie ein, wie ein Dieb
kommen sie durch die Fenster.

10 Vor ihm [a]erzittert das Land und bebt
der Himmel, [b]Sonne und Mond werden
finster, und die Sterne halten ihren Schein
zurück. 11 Und der HERR lässt seinen Don-
ner vor seinem Heer erschallen. Denn sein
Heer ist sehr groß; denn es ist mächtig und
richtet seinen Befehl aus. Ja, der Tag des
HERRN ist groß und voller Schrecken, wer
kann ihn ertragen?

AUFRUF ZUR BUSSE

12 [a]Doch auch jetzt noch, spricht der
HERR, kehrt um zu mir von ganzem Her-
zen mit Fasten, mit Weinen, mit Klagen!
13 **Zerreißt eure Herzen und nicht eure
Kleider und kehrt um zu dem HERRN,
eurem Gott! Denn [a]er ist gnädig, barm-
herzig, geduldig und von großer Güte,
und es reut ihn bald die Strafe.** 14 Wer
weiß, [a]ob er nicht umkehrt und es ihn
reut und er Segen zurücklässt, sodass ihr
opfern könnt Speisopfer und Trankopfer
dem HERRN, eurem Gott.

15 Blast die Posaune zu Zion, [a]sagt ein
heiliges Fasten an, ruft einen Feiertag
aus! 16 Versammelt das Volk, heiligt die
Gemeinde, sammelt die Ältesten, bringt
zusammen die Kinder und die Säuglinge!
Der Bräutigam gehe aus seiner Kammer
und die Braut aus ihrem Gemach! 17 Lasst
die Priester, des HERRN Diener, weinen
zwischen Vorhalle und Altar und sagen:
HERR, schone dein Volk und lass dein Erb-
teil nicht zuschanden werden, dass Völker
über sie herrschen! [a]Warum willst du un-
ter den Völkern sagen lassen: Wo ist nun
ihr Gott?

GOTTES GNADENZUSAGE

18 Da eiferte der HERR um sein Land und
verschonte sein Volk. 19 Und der HERR
antwortete und sprach zu seinem Volk:
Siehe, ich will euch Getreide, Wein und
Öl die Fülle schicken, dass ihr genug daran
haben sollt, und will euch nicht mehr un-
ter den Völkern zuschanden werden las-
sen. 20 Und ich will den Feind aus Norden
von euch wegtreiben und ihn in ein dürres
und wüstes Land verstoßen, seine Spitze
in das östliche Meer und sein Ende in das
westliche Meer; er soll verfaulen und stin-
ken, denn er hat Großes getan.

21 Fürchte dich nicht, liebes Land, son-
dern sei fröhlich und getrost; denn der
HERR hat Großes getan. 22 Fürchtet euch
nicht, ihr Tiere auf dem Felde; denn die
Auen in der Steppe grünen, und die
Bäume bringen ihre Früchte, und die Fei-
genbäume und Weinstöcke tragen reich-
lich. 23 Und ihr, Kinder Zions, freut euch
und seid fröhlich im HERRN, eurem Gott,
der euch den Lehrer zur Gerechtigkeit gibt
und euch herabsendet Regen, [a]Frühregen
und Spätregen wie zuvor, 24 dass die Ten-
nen voll Korn werden und die Keltern
Überfluss an Wein und Öl haben. 25 Und
ich will euch die Jahre erstatten, deren
Ertrag die Heuschrecken, Larven, Ge-
schmeiß und Raupen gefressen haben,
mein großes Heer, das ich unter euch
schickte. 26 Ihr sollt genug zu essen ha-
ben und [a]den Namen des HERRN, eures
Gottes, preisen, der Wunder unter euch
getan hat, und mein Volk soll nicht mehr
zuschanden werden. 27 Und ihr sollt's er-
fahren, dass ich mitten unter Israel bin
und dass ich, der HERR, euer Gott bin,
und sonst keiner mehr, und mein Volk soll
nicht mehr zuschanden werden.

AUSGIESSUNG DES GEISTES

(vgl. Apg 2,16-21)

3 **Und nach diesem will ich [a]meinen
Geist ausgießen über alles Fleisch,
und eure Söhne und Töchter sollen**

2,6 ***a*** Nah 2,11 **2,10** ***a*** Kap 4,16 ***b*** Kap 3,4; Jes 13,10
2,12 ***a*** (12-13) Hes 33,11 **2,13** ***a*** 2. Mose 34,6; Neh 9,17;
Ps 86,15; 103,8; 145,8; Jona 4,2 **2,14** ***a*** Jona 3,9
2,15 ***a*** Kap 1,14 **2,17** ***a*** Ps 79,10; Mi 7,10 **2,23** ***a*** Jer 5,24
2,26 ***a*** 5. Mose 8,10 **3,1** ***a*** 4. Mose 11,29; Jes 44,3;
Hes 39,29; Tit 3,5-6

weissagen, eure Alten sollen Träume haben, und eure Jünglinge sollen Gesichte sehen. 2 Auch will ich zur selben Zeit über Knechte und Mägde meinen Geist ausgießen. 3 Und ich will Wunderzeichen geben am Himmel und auf Erden: Blut, Feuer und Rauchsäulen. 4 Die [a]Sonne soll in Finsternis und der Mond in Blut verwandelt werden, ehe denn der große und schreckliche Tag des HERRN kommt. 5 Und es soll geschehen: [a]**Wer des HERRN Namen anrufen wird, der soll errettet werden.** Denn [b]auf dem Berge Zion und zu Jerusalem wird Errettung sein, wie der HERR verheißen hat, und bei den Entronnenen, die der HERR berufen wird.

GOTTES GERICHT ÜBER DIE VÖLKER. ISRAELS HEIL

4 Denn siehe, in jenen Tagen und zur selben Zeit, da ich das Geschick Judas und Jerusalems wenden werde, 2 will ich alle Völker zusammenbringen und will sie ins Tal Joschafat hinabführen und will dort mit ihnen rechten wegen meines Volks und meines Erbteils Israel, weil sie es unter die Völker zerstreut und sich mein Land geteilt haben; 3 sie haben das Los um mein Volk geworfen und haben Knaben für eine Hure hingegeben und Mädchen für Wein verkauft und vertrunken.

4 Und ihr, Tyrus und Sidon und alle Gebiete der Philister, was habt ihr mit mir zu tun? Wollt ihr mir's heimzahlen oder mir etwas antun? Eilends und bald lasse ich euer Tun zurückfallen auf euren Kopf, 5 die ihr mein Silber und Gold genommen und meine schönen Kleinode in eure Tempel gebracht habt. 6 Dazu habt ihr die Judäer und die Leute von Jerusalem an die Griechen verkauft, um sie weit weg von ihrem Lande zu bringen. 7 Siehe, ich will sie kommen lassen aus dem Ort, wohin ihr sie verkauft habt, und will's euch heimzahlen auf euren Kopf 8 und will nun eure Söhne und eure Töchter verkaufen in die Hand der Judäer; die sollen sie an die Sabäer, ein Volk in fernen Landen, verkaufen; denn der HERR hat's geredet.

9 Ruft dies aus unter den Völkern! Heiligt euch zum Krieg*! Bietet die Starken auf! Lasst herzukommen und hinaufziehen alle Kriegsleute! 10 [a]Macht aus euren Pflugscharen Schwerter und aus euren Sicheln Spieße! Der Schwache spreche: Ich bin stark! 11 Eilt und kommt, alle Völker ringsum, und versammelt euch! – Dorthin führe du hinab, HERR, deine Starken! – 12 Die Völker sollen sich aufmachen und heraufkommen zum Tal Joschafat; denn dort will ich sitzen und richten alle Völker ringsum. 13 Greift [a]zur Sichel, denn die Ernte ist reif! Kommt und [b]tretet, denn die Kelter ist voll, die Kufen laufen über, denn ihre Bosheit ist groß!

14 Es werden Scharen über Scharen von Menschen sein im Tal der Entscheidung; denn des HERRN Tag ist nahe im Tal der Entscheidung. 15 [a]Sonne und Mond werden sich verfinstern und die Sterne ihren Schein zurückhalten. 16 Und [a]der HERR wird aus Zion brüllen und aus Jerusalem seine Stimme hören lassen, dass [b]Himmel und Erde erbeben werden. Aber seinem Volk wird der HERR eine Zuflucht sein und eine Burg den Israeliten. 17 Und [a]ihr sollt's erfahren, dass ich, der HERR, euer Gott bin und zu Zion auf meinem heiligen Berge wohne. Dann wird Jerusalem heilig sein, und kein Fremder wird mehr hindurchziehen.

18 Zur selben Zeit werden [a]die Berge von Most triefen und die Hügel von Milch fließen, und alle Bäche in Juda werden voll Wasser sein. Und [b]es wird eine Quelle ausgehen vom Hause des HERRN, die wird das Tal Schittim bewässern. 19 Aber Ägypten soll wüst werden und Edom eine wüste Einöde [a]um des Frevels willen an den Judäern, weil sie unschuldiges Blut in ihrem Lande vergossen haben. 20 Aber Juda soll für immer bewohnt werden und Jerusalem für und für. 21 Und ich will [a]ihr Blut nicht ungesühnt lassen. Und [b]der HERR wird wohnen zu Zion.

* **4,9** Siehe Sach- und Worterklärungen.

3,4 ***a*** Kap 2,2.10-11; Mt 24,29; Offb 6,12
3,5 ***a*** Röm 10,13 ***b*** Obd 17 **4,10** ***a*** Jes 2,4
4,13 ***a*** Offb 14,15 ***b*** Jes 63,3.6; Offb 14,18
4,15 ***a*** Kap 2,10; 3,4 **4,16** ***a*** Am 1,2 ***b*** Kap 2,10; Ri 5,4; Hag 2,6.21 **4,17** ***a*** 2. Mose 6,7; Hes 34,30; 37,27-28 **4,18** ***a*** Am 9,13 ***b*** Hes 47,1 **4,19** ***a*** Obd 10
4,21 ***a*** 5. Mose 32,43 ***b*** Jes 8,18; Sach 8,3

DER PROPHET AMOS

1–2 Völkersprüche 3–6 Gericht über Israel und Samaria
7–9 Die fünf Visionen 9 Die kommende Heilszeit

GOTTES UNABWENDBARES GERICHT ÜBER ISRAELS NACHBARN UND ÜBER SEIN EIGENES VOLK

1 Dies ist's, was Amos, der unter den
[a]Schafzüchtern von Tekoa war, gesehen
hat über Israel zur Zeit [b]Usijas, des Königs
von Juda, und [c]Jerobeams, des Sohnes des
Joasch, des Königs von Israel, zwei Jahre
vor dem Erdbeben.
2 Und er sprach: [a]Der HERR wird aus
Zion brüllen und seine Stimme aus Jerusalem hören lassen, dass die Auen der Hirten vertrocknen werden und der Karmel oben verdorren wird.

DROHUNG GEGEN DIE NACHBARVÖLKER

3 [a]So spricht der HERR: Um der drei, ja der
vier Frevel willen derer von *Damaskus*
will ich es nicht zurücknehmen, weil sie
Gilead mit eisernen Dreschschlitten gedroschen haben; 4 sondern ich will Feuer
schicken in das Haus Hasaëls, das soll die
Paläste Ben-Hadads verzehren. 5 Und ich
will die Riegel von Damaskus zerbrechen
und den, der auf dem Thron sitzt, aus
Bikat-Awen ausrotten, und den, der das
Zepter hält, aus Bet-Eden, und das Volk
von Aram soll nach [a]Kir weggeführt werden, spricht der HERR.
6 [a]So spricht der HERR: Um der drei, ja
der vier Frevel willen derer von *Gaza* will
ich es nicht zurücknehmen, weil sie die
Gefangenen alle weggeführt und an Edom
ausgeliefert haben; 7 sondern ich will Feuer
in die Mauern von Gaza schicken, das soll
seine Paläste verzehren. 8 Und ich will die
Einwohner aus Aschdod und den, der das
Zepter hält, aus Aschkelon ausrotten und
meine Hand gegen Ekron wenden, und es
soll umkommen, was von den Philistern
noch übrig ist, spricht Gott der HERR.
9 [a]So spricht der HERR: Um der drei, ja
der vier Frevel willen derer von *Tyrus* will
ich es nicht zurücknehmen, weil sie die
Gefangenen alle an Edom ausgeliefert und
nicht an den Bruderbund gedacht haben;
10 sondern ich will Feuer in die Mauern
von Tyrus schicken, das soll seine Paläste
verzehren.
11 [a]So spricht der HERR: Um der drei, ja
der vier Frevel willen derer von *Edom* will
ich es nicht zurücknehmen, weil sie ihren
Bruder mit dem Schwert verfolgt und alles Erbarmen von sich getan haben und
immerfort wüteten in ihrem Zorn und an
ihrem Grimm ewig festhielten; 12 sondern
ich will Feuer schicken nach Teman, das
soll die Paläste von Bozra verzehren.
13 [a]So spricht der HERR: Um der drei, ja
der vier Frevel willen derer von *Ammon*
will ich es nicht zurücknehmen, weil sie
die Schwangeren in Gilead aufgeschlitzt
haben, um ihr Gebiet zu erweitern; 14 sondern ich will Feuer anzünden in den Mauern Rabbas, das soll seine Paläste verzehren, wenn man das Kriegsgeschrei erhebt
am Tage der Schlacht, wenn das Wetter
kommt am Tage des Sturms. 15 Da wird
dann ihr König samt seinen Oberen gefangen weggeführt werden, spricht der
HERR.
2 [a]So spricht der HERR: Um der drei, ja
der vier Frevel willen derer von *Moab*
will ich es nicht zurücknehmen, weil sie
die Gebeine des Königs von Edom verbrannt haben zu Kalk; 2 sondern ich will
Feuer schicken nach Moab, das soll die Paläste von Kerijot verzehren, und Moab soll
sterben im Getümmel und Geschrei und
Posaunenhall. 3 Und [a]ich will den Herrscher aus seiner Mitte ausrotten und alle
seine Oberen mit ihm töten, spricht der
HERR.
4 So spricht der HERR: Um der drei, ja
der vier Frevel willen derer von *Juda* will

1,1 ***a*** Kap 7,14 ***b*** 2. Kön 15,1; Sach 14,5 ***c*** 2. Kön 14,23
1,2 ***a*** Jer 25,30; Joel 4,16 **1,3** ***a*** *(3-5)* Jes 17,1-3
1,5 ***a*** 2. Kön 16,9 **1,6** ***a*** *(6-8)* 2. Chr 21,16-17; 28,18; Jer 47,1 **1,9** ***a*** *(9-10)* Jes 23,1-18; Joel 4,4; 1. Kön 5,26
1,11 ***a*** *(11-12)* Obd 10; 5. Mose 23,8; Jer 49,7
1,13 ***a*** *(13-15)* Jer 49,1-6 **2,1** ***a*** *(1-3)* Jes 15,1-9; Jer 48,1-47
2,3 ***a*** 4. Mose 24,17

ich es nicht zurücknehmen, weil sie des
HERRN Gesetz verachteten und seine
Ordnungen nicht hielten und sich von ih-
ren Lügengötzen verführen ließen, denen
ihre Väter nachgefolgt sind; 5 sondern [a]ich
will Feuer nach Juda schicken, das soll die
Paläste von Jerusalem verzehren.
6 So spricht der HERR: Um der drei, ja
der vier Frevel willen derer von *Israel* will
ich es nicht zurücknehmen, weil sie die
Unschuldigen um Geld und die Armen
[a]um ein Paar Schuhe verkaufen. 7 Sie [a]tre-
ten den Kopf der Armen in den Staub und
drängen die Elenden vom Wege. Sohn
und Vater gehen zu demselben Mädchen,
um meinen heiligen Namen zu enthei-
ligen. 8 Und bei allen Altären strecken sie
sich aus auf den [a]gepfändeten Kleidern
und trinken Wein vom Gelde der Bestraf-
ten im Hause ihres Gottes.
9 Und dabei habe ich [a]den Amoriter vor
ihnen her vertilgt, der so hoch war wie die
Zedern und so stark wie die Eichen, und
ich vertilgte oben seine Frucht und unten
seine Wurzel. 10 Auch habe ich euch aus
Ägyptenland geführt und vierzig Jahre in
der Wüste geleitet, damit ihr der Amo-
riter Land besäßet. 11 Und ich habe aus
euren Söhnen Propheten erweckt und
[a]Gottgeweihte aus euren Jünglingen. Ist's
nicht so, ihr Israeliten?, spricht der HERR.
12 Aber ihr habt den Gottgeweihten Wein
zu trinken gegeben und den Propheten ge-
boten: [a]Ihr sollt nicht weissagen!
13 Siehe, ich will's unter euch schwan-
ken machen, wie ein Wagen voll Garben
schwankt, 14 sodass, wer schnell ist, nicht
entfliehen noch der Starke etwas vermö-
gen soll, und der Mächtige soll nicht sein
Leben retten können. 15 Die Bogenschüt-
zen sollen nicht standhalten, und wer
schnell laufen kann, soll nicht entrinnen,
und wer da reitet, soll sein Leben nicht
retten, 16 und wer unter den Starken der
mannhafteste ist, soll nackt entfliehen
müssen an jenem Tage, spricht der HERR.

ERWÄHLUNG BEWAHRT NICHT VOR GERICHT

3 Hört dieses Wort, das der HERR wi-
der euch redet, ihr Israeliten, wider
das ganze Geschlecht, das ich aus Ägyp-
tenland geführt habe: 2 [a]Aus allen Ge-
schlechtern auf Erden habe ich allein euch
erkannt, darum will ich auch an euch
heimsuchen all eure Sünde.

WENN GOTT REDET, KANN DER PROPHET NICHT SCHWEIGEN

3 Können etwa zwei miteinander wan-
dern, sie hätten sich denn getroffen?
4 Brüllt etwa ein Löwe im Walde, wenn er
keinen Raub hat? Schreit etwa ein junger
Löwe aus seiner Höhle, er habe denn et-
was gefangen? 5 Fällt etwa ein Vogel zur
Erde, wenn kein Fangnetz da ist? Oder
springt eine Falle auf von der Erde, sie
habe denn etwas gefangen? 6 Bläst man
etwa das Horn in einer Stadt, und das Volk
entsetzt sich nicht? [a]Geschieht etwa ein
Unglück in der Stadt, und der HERR hat es
nicht getan? – 7 Gott der HERR tut nichts,
er offenbarte denn seinen Ratschluss sei-
nen Knechten, den Propheten.[a] – 8 Der
Löwe brüllt, wer sollte sich nicht fürch-
ten? Gott der HERR redet, wer sollte nicht
Prophet werden?

GERICHT ÜBER SAMARIA

9 Lasst hören über den Palästen von Asch-
dod und in den Palästen im Lande Ägyp-
ten und sprecht: Sammelt euch auf den
Bergen um Samaria und seht, welch ein
großes Zetergeschrei und Unrecht darin
ist! 10 Sie achten kein Recht, spricht der
HERR; sie horten Gewalttat und Raub in
ihren Palästen. 11 Darum, so spricht Gott
der HERR: Man wird dies Land ringsum-
her bedrängen und deine Macht niederrei-
ßen und deine Paläste plündern.
12 So spricht der HERR: Gleichwie ein
Hirte dem Löwen zwei Beine oder ein
Ohrläppchen aus dem Maul reißt, so sol-
len die Israeliten herausgerissen werden,
die zu Samaria sitzen an der Lehne des Ru-
hebettes und auf dem Lager von Damast.
13 Hört und bezeugt es dem Hause Jakob,
spricht Gott der HERR, der Gott Zebaoth:
14 Zur Zeit, da ich Israels Frevel an ihm
heimsuchen werde, will ich die Altäre in
Bethel heimsuchen und die Hörner des

2,5 *a* Hos 8,14 **2,6** *a* Kap 8,6 **2,7** *a* Kap 8,4
2,8 *a* 2. Mose 22,25 **2,9** *a* 4. Mose 21,21-28
2,11 *a* 4. Mose 6,2-13 **2,12** *a* Kap 7,13.16; Jer 11,21
3,2 *a* 5. Mose 4,34 **3,6** *a* Jes 45,7; Klgl 3,37
3,7 *a* 1. Mose 18,17; Offb 10,7

Altars abhauen, dass sie zu Boden fallen,
15 und will Winterhaus und Sommerhaus
zerschlagen, und die [a]Elfenbeinhäuser
sollen zugrunde gehen und viele Häuser
vernichtet werden, spricht der HERR.

4 Hört dies Wort, ihr fetten Kühe auf dem
Berge Samarias, die ihr den Geringen
Gewalt antut und schindet die Armen und
sprecht zu euren Herren: Bringt her, lasst
uns saufen! 2 Gott der HERR hat geschwo-
ren bei seiner Heiligkeit: Siehe, es kommt
die Zeit über euch, dass man euch her-
ausziehen wird mit Angeln und, was von
euch übrig bleibt, mit Fischhaken. 3 Und
ihr werdet zu den Mauerlücken hinaus-
müssen, eine jede vor sich hin, und zum
Hermon weggeschleppt werden, spricht
der HERR.

GOTTES ZÜCHTIGUNGEN WERDEN MISSACHTET

4 Ja, kommt her nach Bethel und sündigt,
nach [a]Gilgal und sündigt noch mehr!
Bringt eure Schlachtopfer am Morgen und
eure [b]Zehnten am dritten Tage, 5 räuchert
[a]Sauerteig zum Dankopfer und ruft frei-
willige Opfer aus und verkündet sie; denn
so habt ihr's gern, ihr Israeliten, spricht
Gott der HERR!

6 So habe ich euch auch in allen euren
Städten müßige Zähne gegeben und Man-
gel an Brot in allen euren Orten; *dennoch
seid ihr nicht umgekehrt zu mir,* spricht der
HERR.

7 So habe ich euch auch den [a]Regen vor-
enthalten, als noch drei Monate waren bis
zur Ernte, und ich ließ regnen über eine
Stadt, und auf die andere Stadt ließ ich
nicht regnen, ein Acker wurde beregnet,
und der andere Acker, der nicht beregnet
wurde, verdorrte. 8 Und es zogen zwei,
drei Städte zu *einer* Stadt, um Wasser zu
trinken, und konnten nicht genug finden;
dennoch seid ihr nicht umgekehrt zu mir,
spricht der HERR.

9 Ich plagte euch mit [a]dürrer Zeit und
mit Getreidebrand; auch fraßen die [b]Heu-
schrecken alles, was in euren Gärten und
Weinbergen, auf euren Feigenbäumen
und Ölbäumen wuchs; *dennoch seid ihr
nicht umgekehrt zu mir,* spricht der HERR.

10 Ich schickte unter euch die [a]Pest wie
in Ägypten; ich tötete eure junge Mann-
schaft durchs Schwert und ließ eure Pferde
gefangen wegführen, ich ließ den Gestank
eures Heerlagers in eure Nasen steigen;
dennoch seid ihr nicht umgekehrt zu mir,
spricht der HERR.

11 Ich richtete unter euch Zerstörung an,
wie Gott [a]Sodom und Gomorra zerstörte,
dass ihr wart wie ein [b]Brandscheit, das aus
dem Feuer gerissen wird; *dennoch seid ihr
nicht umgekehrt zu mir,* spricht der HERR.

12 Darum will ich so an dir tun, Israel!
Weil ich dir dies tun will, bereite dich, Is-
rael, deinem Gott zu begegnen! 13 Denn
siehe: Der die Berge gemacht und den
Wind geschaffen hat, der dem Menschen
sagt, was er im Sinne hat, der die Morgen-
röte zur Finsternis macht und [a]der auf den
Höhen der Erde einherschreitet – er heißt
»HERR, Gott Zebaoth«.

KLAGELIED ÜBER ISRAEL

5 Hört dies Wort, ein Klagelied, das ich
über euch anstimme, Haus Israel:

2 Die Jungfrau Israel ist gefallen, dass sie
nicht wieder aufstehen wird; sie ist zu Bo-
den gestoßen und niemand ist da, der ihr
aufhelfe. 3 Ja, so spricht Gott der HERR:
Die Stadt, aus der tausend zum Kampf
ausziehen, soll nur hundert übrig behal-
ten, und aus der hundert ausziehen, die
soll nur zehn übrig behalten – dies für das
Haus Israel.

GEGEN DIE UNTERDRÜCKER

4 Ja, so spricht der HERR zum Hause Israel:
[a]**Suchet mich, so werdet ihr leben.** 5 [a]Su-
chet nicht Bethel und kommt nicht nach
Gilgal und geht nicht nach Beerscheba;
denn Gilgal wird gefangen weggeführt
werden, und Bethel wird zunichtewerden.
6 Suchet den HERRN, so werdet ihr leben,
dass er nicht daherfahre über das Haus Jo-
sef wie ein verzehrendes Feuer, das nie-
mand löschen kann – dies für Bethel –,
7 die ihr [a]das Recht in Wermut verwandelt
und die Gerechtigkeit zu Boden gestoßen
habt.

3,15 *a* 1. Kön 22,39; Ps 45,9 **4,4** *a* Hos 12,12
b 5. Mose 14,28 **4,5** *a* 3. Mose 2,11 **4,7** *a* 1. Kön 17,1
4,9 *a* Hag 1,11 *b* Joel 1,4 **4,10** *a* 2. Mose 9,3
4,11 *a* 1. Mose 19,24-25 *b* Sach 3,2 **4,13** *a* Mi 1,3
5,4 *a* Jer 29,13 **5,5** *a* Kap 4,4; Hos 4,15
5,7 *a* Kap 6,12; Jes 5,20

8 Der das [a]Siebengestirn und den Orion
gemacht hat, der Finsternis in Morgen
verwandelt und Tag in Nacht verfinstert
hat, der [b]das Wasser des Meeres gerufen
und auf dem Erdboden ausgegossen hat –
er heißt »HERR« –, 9 der über den Starken
Verderben kommen lässt und bringt Verderben über die feste Stadt.

10 Sie hassen den, [a]der im Tor Recht
spricht, und verabscheuen den, der die
Wahrheit sagt.

11 Darum, weil ihr die Armen unterdrückt und nehmt von ihnen hohe Abgaben an Korn, so [a]sollt ihr in den Häusern
nicht wohnen, die ihr von Quadersteinen
gebaut habt, und den Wein nicht trinken, den ihr in den feinen Weinbergen
gepflanzt habt. 12 Denn ich kenne eure
Frevel, die so viel sind, und eure Sünden,
die so groß sind, wie ihr die Gerechten bedrängt und Bestechungsgeld nehmt und
die Armen im Tor unterdrückt. 13 Darum
muss der Kluge zu dieser Zeit schweigen;
denn [a]es ist eine böse Zeit.

14 Suchet das Gute und nicht das Böse,
auf dass ihr lebet und der HERR, der Gott
Zebaoth, mit euch sei, wie ihr rühmt.
15 [a]Hasst das Böse und liebt das Gute, richtet das Recht auf im Tor, vielleicht wird der
HERR, der Gott Zebaoth, gnädig sein dem
Rest Josefs.

16 Darum, so spricht der HERR, der Gott
Zebaoth, der Herr: Es wird in allen Gassen Wehklagen sein, und auf allen Straßen
wird man sagen: »Weh! Weh!« Und man
wird den Ackermann zum Trauern rufen
und zum Wehklagen, wer die Totenklage
erheben kann. 17 In allen Weinbergen wird
Wehklagen sein; [a]denn ich will unter euch
dreinfahren, spricht der HERR.

DER TAG DES HERRN IST EIN TAG DES GERICHTS

18 [a]Weh! Die ihr den Tag des HERRN
herbeiwünscht, was soll er euch? Denn
des HERRN Tag ist Finsternis und nicht
Licht, 19 gleich als wenn jemand vor dem
Löwen flieht und der Bär begegnet ihm,
und er kommt ins Haus und lehnt sich
mit der Hand an die Wand, da beißt ihn
die Schlange! 20 Ist nicht des HERRN Tag
finster und nicht licht, dunkel und nicht
hell?

RECHT STRÖME WIE WASSER

21 Ich hasse und verachte eure Feste und
[a]mag eure Versammlungen nicht riechen – 22 es sei denn, ihr bringt mir rechte
[a]Brandopfer dar –, und an euren Speisopfern habe ich kein Gefallen, und euer
fettes Schlachtopfer sehe ich nicht an.
23 Tu weg von mir das Geplärr deiner Lieder; denn ich mag dein Harfenspiel nicht
hören!

24 Es ströme aber das Recht wie Wasser und die Gerechtigkeit wie ein nie versiegender Bach.

25 [a]Habt ihr vom Hause Israel mir in der
Wüste die vierzig Jahre lang Schlachtopfer
und Speisopfer geopfert? 26 Ihr trugt den
Sakkut, euren König, und Kewan*, den
Stern eures Gottes, eure Bilder, welche
ihr euch selbst gemacht habt; 27 so will ich
euch wegführen lassen bis jenseits von
Damaskus, spricht der HERR, der Gott
Zebaoth heißt.

GEGEN SELBSTSICHERHEIT UND SCHWELGEREI

6 Weh! Die ihr sorglos seid zu Zion und
die ihr voll Zuversicht seid auf dem
Berge Samarias, ihr Vornehmen des Erstlings unter den Völkern, zu denen das
Haus Israel kommt, 2 geht hin nach [a]Kalne
und schaut und von da nach Hamat, der
großen Stadt, und zieht hinab nach Gat der
Philister! Seid ihr besser als diese Königreiche? Oder ist ihr Gebiet größer als das
eure, 3 die ihr meint, vom bösen Tag weit
ab zu sein, und [a]trachtet immer nach Frevelregiment, 4 die ihr schlaft auf elfenbeingeschmückten Lagern und euch streckt auf
euren Ruhebetten? Ihr esst die Lämmer
aus der Herde und die gemästeten Kälber
5 [a]und spielt auf der Harfe und erdichtet
euch Lieder wie David 6 und trinkt Wein
aus Schalen und salbt euch mit dem besten
Öl, aber bekümmert euch nicht um den
Schaden Josefs.

* **5,26** Sakkut (= Ninurta) und Kewan (= Saturn) sind babylonische Götter.

5,8 ***a*** Hiob 38,31 ***b*** Kap 9,6 **5,10** ***a*** Jes 29,21
5,11 ***a*** Zef 1,13 **5,13** ***a*** Mi 2,3 **5,15** ***a*** Ps 34,15; Röm 12,9
5,17 ***a*** 2. Mose 11,4 **5,18** ***a*** (18-20) Joel 2,11
5,21 ***a*** Jes 1,11-15 **5,22** ***a*** Mi 6,6-7
5,25 ***a*** (25-26) Jer 7,22-23; Apg 7,42-43
6,2 ***a*** 1. Mose 10,10 **6,3** ***a*** Ps 10,5 **6,5** ***a*** (5-6) Jes 5,12

7 Darum sollen sie nun vorangehen un-
ter denen, die gefangen weggeführt wer-
den, und soll das Schlemmen der Über-
mütigen aufhören. 8 Denn Gott der HERR
hat geschworen bei sich: Mich verdrießt
der [a]Stolz Jakobs, spricht der HERR, der
Gott Zebaoth, und ich hasse seine Pa-
läste. Darum will ich die Stadt überge-
ben mit allem, was darin ist. 9 Und wenn
auch zehn Männer in einem Hause übrig
bleiben, sollen sie doch sterben. 10 Und
nimmt dann einen sein Verwandter, der
ihn bestatten und seine Gebeine aus dem
Hause tragen will, so sagt er zu dem, der
drin im Hause ist: Sind ihrer noch mehr
da? Und der wird antworten: Sie sind alle
dahin! Und er wird sagen: Still! Denn
man darf des HERRN Namen nicht nen-
nen.[a] 11 Denn siehe, der HERR hat gebo-
ten, dass man die großen Häuser in Trüm-
mer schlagen soll und die kleinen Häuser
in Stücke.

12 Wer kann auf Felsen mit Rossen ren-
nen oder mit Rindern das Meer pflügen?
Doch [a]ihr wandelt das Recht in Gift und
die Frucht der Gerechtigkeit in Wermut,
13 die ihr euch freut über Lo-Dabar und
sprecht: Haben wir nicht durch unsere
Kraft Karnajim genommen? 14 Darum
siehe, ich will gegen euch, ihr vom Hause
Israel, ein Volk aufstehen lassen, spricht
der HERR, der Gott Zebaoth, das soll euch
bedrängen von da an, wo man nach Hamat
geht, bis an den Bach in der Wüste.

DIE ERSTEN DREI VISIONEN: HEUSCHRECKEN, FEUER, KRIEG

7 So ließ Gott der HERR mich schauen:
Und siehe, er schuf einen Schwarm
Heuschrecken, als die Spätsaat aufging. –
Die Spätsaat folgt auf die Mahd des Kö-
nigs. – 2 Als sie das Kraut im Lande abge-
fressen hatten, da sprach ich: Ach, Herr
HERR, sei gnädig! Wie soll Jakob beste-
hen? Er ist ja so klein. 3 Da reute es den
HERRN. Der HERR sprach: Es soll nicht
geschehen!

4 So ließ Gott der HERR mich schauen:
Und siehe, Gott der HERR rief einen Feu-
erregen herbei. Der verzehrte [a]die große
Tiefe und fraß das Ackerland. 5 Da sprach
ich: Ach, Herr HERR, halt ein! Wie soll Ja-
kob bestehen? Er ist ja so klein. 6 Da reute
es den HERRN. Gott der HERR sprach:
Auch das soll nicht geschehen.

7 So ließ er mich schauen: Und siehe,
der Herr stand auf einer Mauer von Zinn*,
und er hatte Zinn in seiner Hand. 8 Und
der HERR sprach zu mir: Was siehst du,
Amos? Ich sprach: Zinn. Der Herr sprach:
Siehe, ich bringe Zinn mitten unter mein
Volk Israel. Ich will nicht mehr an [a]ihm
vorübergehen! 9 Und die Höhen Isaaks
sollen verwüstet und die Heiligtümer Is-
raels zerstört werden, und ich will mich
mit dem Schwert über das Haus Jerobeam
hermachen.

AMOS WIRD AUS BETHEL AUSGEWIESEN

10 [a]Da sandte Amazja, der Priester in
Bethel, zu Jerobeam, dem König von Is-
rael, und ließ ihm sagen: Der Amos macht
einen Aufruhr gegen dich im Hause Israel;
das Land kann seine Worte nicht ertragen.
11 Denn so spricht Amos: Jerobeam wird
durchs Schwert sterben, und Israel wird
aus seinem Lande gefangen weggeführt
werden. 12 Und Amazja sprach zu Amos:
Du [a]Seher, geh weg und flieh ins Land
Juda und iss dort dein Brot und weissage
daselbst. 13 Aber weissage nicht mehr in
[a]Bethel; denn es ist des Königs Heiligtum
und der Tempel des Königreichs.

14 Amos antwortete und sprach zu
Amazja: Ich bin kein Prophet noch ein Pro-
phetenjünger, sondern [a]ich bin ein Rin-
derhirt, der Maulbeerfeigen ritzt. 15 Aber
der HERR nahm mich von der Herde und
sprach zu mir: Geh hin und weissage
meinem Volk Israel! 16 So höre nun des
HERRN Wort! Du sprichst: [a]Weissage
nicht wider Israel und eifere nicht wi-
der das Haus Isaak! 17 Darum spricht der
HERR: Deine Frau wird in der Stadt zur
Hure werden, und deine Söhne und Töch-
ter sollen durchs Schwert fallen, und dein
Acker soll mit der Messschnur ausgeteilt
werden. Du aber sollst in einem unreinen
Lande sterben, und Israel soll aus seinem
Lande vertrieben werden.

* **7,7** Zinn diente zur Herstellung von Waffen.

6,8 ***a*** Kap 8,7 **6,10** ***a*** Kap 8,3 **6,12** ***a*** Kap 5,7
7,4 ***a*** 1. Mose 7,11 **7,8** ***a*** Kap 8,2 **7,10** ***a*** (10-11) Jer 38,4
7,12 ***a*** 1. Sam 9,9 **7,13** ***a*** 1. Kön 12,28-29 **7,14** ***a*** Kap 1,1
7,16 ***a*** Kap 2,12

DIE VIERTE VISION: EIN ERNTEKORB

8 So ließ Gott der HERR mich schauen:
Und siehe, da stand ein Korb zur Ernte.
2 Und er sprach: Was siehst du, Amos? Ich
aber antwortete: Einen Korb zur Ernte. Da
sprach der HERR zu mir: Das Ende ist ge-
kommen über mein Volk Israel. Ich will
nicht mehr an [a]ihm vorübergehen! 3 Und
die Lieder im Tempel sollen in Heulen
verkehrt werden zur selben Zeit, spricht
Gott der HERR. [a]Es werden an allen Or-
ten viele Leichname liegen, die man hin-
geworfen hat. Still!

GEGEN DEN WUCHER DER REICHEN

4 Höret dies, die ihr [a]die Armen unter-
drückt und die Elenden im Lande zu-
grunde richtet 5 und sprecht: Wann will
denn der Neumond ein Ende haben, dass
wir Getreide verkaufen, und der [a]Sabbat,
dass wir Korn feilhalten können und das
Maß verringern und den Preis steigern
und die Waage fälschen, 6 damit wir die
Armen um Geld und [a]die Geringen um
ein Paar Schuhe in unsere Gewalt bringen
und Spreu für Korn verkaufen?

7 Der HERR hat bei sich, dem [a]Stolz Ja-
kobs, geschworen: Niemals werde ich
diese ihre Taten vergessen! 8 Sollte nicht
um solcher Taten willen das Land erbeben
müssen und alle Bewohner trauern? Ja, [a]es
soll sich heben wie die Wasser des Nils
und sich senken wie der Strom Ägyptens.

9 Zur selben Zeit, spricht Gott der HERR,
will ich [a]die Sonne am Mittag untergehen
und das Land am hellen Tage finster wer-
den lassen. 10 [a]Ich will eure Feiertage in
Trauer und alle eure Lieder in Wehklagen
verwandeln. Ich will über alle Lenden den
Sack bringen und alle Köpfe kahl machen
und will ein Trauern schaffen, [b]wie man
trauert über den einzigen Sohn, und es
soll ein bitteres Ende nehmen.

HUNGER NACH GOTTES WORT

**11 Siehe, es kommt die Zeit, spricht
Gott der HERR, dass ich einen Hun-
ger ins Land schicken werde, [a]nicht
einen Hunger nach Brot oder Durst
nach Wasser, sondern nach dem Wort
des HERRN, es zu hören; 12 dass sie hin
und her von einem Meer zum andern,
von Norden nach Osten laufen und des
HERRN Wort suchen und [a]doch nicht
finden werden.** 13 Zu der Zeit werden die
schönen Jungfrauen und die Jünglinge
verschmachten vor Durst, 14 die jetzt
schwören bei dem Abgott Samarias und
sprechen: [a]»So wahr dein Gott lebt, Dan!«,
und: »So wahr der [b]Weg nach Beerscheba
lebt!« Sie sollen so fallen, dass sie nicht
wieder aufstehen können.

DIE LETZTE VISION: GOTT ÜBER DEM ALTAR

9 Ich sah den Herrn über dem Altar ste-
hen, und er sprach: Schlage an den
Knauf, dass die Pfosten beben und die
Trümmer ihnen allen auf den Kopf fal-
len; und was noch übrig bleibt von ihnen,
will ich mit dem Schwert töten, dass kei-
ner von ihnen entfliehen noch irgendei-
ner entkommen soll! 2 Und [a]wenn sie sich
auch unten bei den Toten vergrüben, soll
sie doch meine Hand von dort holen, und
wenn sie zum Himmel hinaufstiegen, will
ich sie doch herunterstoßen. 3 Und wenn
sie sich auch versteckten oben auf dem
Berge Karmel, will ich sie doch suchen und
von dort herabholen; und wenn sie sich
vor meinen Augen verbärgen im Grunde
des Meeres, so will ich doch der Schlange
befehlen, sie dort zu beißen. 4 Und wenn
sie vor ihren Feinden gefangen einher-
gingen, so will ich doch dem Schwert be-
fehlen, sie dort zu töten. Denn [a]ich will
meine Augen auf sie richten zum Bösen
und nicht zum Guten.

5 Und Gott, der HERR Zebaoth, ist es,
der die Erde anrührt, dass sie bebt und
alle ihre Bewohner trauern müssen und
dass sie [a]sich hebt wie die Wasser des Nils
und sich senkt wie der Strom Ägyptens;
6 er ist es, der seinen Saal in den Himmel
gebaut und [a]seinen Palast über der Erde
gegründet hat, der [b]das Wasser im Meer
herbeirief und auf das Erdreich schüttete.
Er heißt HERR!

7 Seid ihr Israeliten mir nicht [a]gleichwie
die Kuschiter?, spricht der HERR. Habe

8,2 *a* Kap 7,8 **8,3** *a* Kap 6,10 **8,4** *a* Kap 2,7
8,5 *a* Neh 13,15 **8,6** *a* Kap 2,6 **8,7** *a* Kap 6,8
8,8 *a* Kap 9,5 **8,9** *a* Jer 15,9 **8,10** *a* Tob 2,6 *b* Jer 6,26
8,11 *a* 1. Sam 3,1 **8,12** *a* Mi 3,7 **8,14** *a* Ri 18,30 *b* Kap 5,5
9,2 *a* Hiob 26,6; Ps 139,8 **9,4** *a* Jer 44,11 **9,5** *a* Kap 8,8
9,6 *a* Ps 104,3 *b* Kap 5,8 **9,7** *a* 5. Mose 7,7

ich nicht Israel aus Ägyptenland geführt und die [b]Philister aus Kaftor und die Aramäer aus Kir? 8 Siehe, die Augen Gottes des HERRN sehen auf das sündige Königreich, dass ich's vom Erdboden vertilge, wiewohl ich das Haus Jakob nicht ganz vertilgen will, spricht der HERR. 9 Denn siehe, ich will befehlen und das Haus Israel unter allen Heiden schütteln lassen, gleichwie man mit einem Sieb schüttelt und kein Stein zur Erde fällt. 10 Alle Sünder in meinem Volk sollen durchs Schwert sterben, die da sagen: [a]Es wird das Unglück nicht so nahe sein noch uns begegnen.

DAS KÜNFTIGE HEIL DES GOTTESVOLKES

11 **Zur selben Zeit will ich die [a]zerfallene Hütte Davids wieder aufrichten und ihre Risse vermauern und, was abgebrochen ist, wieder aufrichten und will sie bauen, wie sie vorzeiten gewesen ist,** 12 damit sie in Besitz nehmen, was übrig ist von Edom, und alle Heiden, über die mein Name genannt ist, spricht der HERR, der solches tut.

13 Siehe, es kommt die Zeit, spricht der HERR, dass man [a]zugleich ackern und ernten, zugleich keltern und säen wird. Und [b]die Berge werden von Most triefen, und alle Hügel werden fruchtbar sein. 14 Ich [a]will die Gefangenschaft meines Volkes Israel wenden, dass sie [b]die verwüsteten Städte wieder aufbauen und bewohnen sollen, dass sie Weinberge pflanzen und Wein davon trinken, Gärten anlegen und Früchte daraus essen. 15 Ich will sie in ihr Land pflanzen, dass sie nicht mehr aus ihrem Lande ausgerottet werden, das ich ihnen gegeben habe, spricht der HERR, dein Gott.

DER PROPHET OBADJA

GOTTES STRAFGERICHT ÜBER DIE EDOMITER

(vgl. Jer 49,7-22)

1 Dies ist es, was Obadja geschaut hat.

So spricht Gott der HERR über Edom: – Wir haben vom HERRN eine Botschaft gehört, ein Bote ist unter die Völker gesandt: Wohlauf, lasst uns wider Edom streiten! – 2 Siehe, ich habe dich gering gemacht und sehr verachtet unter den Völkern. 3 Der Hochmut deines Herzens hat dich betrogen, weil du [a]in den Felsenklüften wohnst, in deiner erhabenen Höhe, und sprichst in deinem Herzen: Wer will mich zu Boden stoßen? 4 Wenn du auch in die Höhe führest wie ein Adler und machtest dein Nest [a]zwischen den Sternen, dennoch will ich dich von dort herunterstürzen, spricht der HERR.

5 Wenn Diebe oder Räuber nachts über dich kommen – ach, wie bist du zunichtegeworden! – Werden sie nicht stehlen, bis sie genug haben? Und wenn Winzer über dich kommen, werden sie gar keine Nachlese übrig lassen? 6 Ach, wie ist Esau durchsucht, wie sind seine Verstecke aufgespürt! 7 Alle deine Bundesgenossen haben dich bis zur Grenze zurückgetrieben. Alle deine Vertrauten haben dich betrogen und überwältigt; die dein Brot essen, haben dich verraten. – Esau hat keine Einsicht. –

8 Was gilt's?, spricht der HERR, ich will zur selben Zeit die Weisen in Edom zunichtemachen und die Klugheit auf dem Gebirge Esau. 9 Auch deine Starken, Teman, sollen verzagen, auf dass alle auf dem Gebirge Esau ausgerottet werden.

10 [a]Um des Mordens willen, um der Gewalttat, an deinem Bruder Jakob begangen, sollst du zuschanden werden und für immer ausgerottet sein. 11 Zu der Zeit, als du dabeistandest und sahst, wie Fremde sein Heer gefangen wegführten und Ausländer zu seinen Toren einzogen und über Jerusalem das Los warfen, da warst auch du wie einer von ihnen. 12 Du hättest nicht herabsehen sollen auf deinen Bruder zur

9,7 ***b*** Jer 47,4 **9,10** ***a*** Kap 6,3 **9,11** ***a*** 1. Kön 12,19; Apg 15,16-17 **9,13** ***a*** 3. Mose 26,5 ***b*** Joel 4,18
9,14 ***a*** 5. Mose 30,3 ***b*** Jes 65,21 **Vers 3** ***a*** 4. Mose 24,21
Vers 4 ***a*** Jes 14,13 **Vers 10** ***a*** Joel 4,19; Am 1,11

Zeit seines Elends und dich nicht freuen
über die Söhne Juda zur Zeit ihres Un-
tergangs und mit deinem Mund nicht so
stolz reden zur Zeit der Not.[a] 13 Du hättest
nicht zum Tor meines Volks einziehen
sollen zur Zeit seines Verderbens, gerade
du nicht herabsehen auf sein Unglück zur
Zeit seines Verderbens, nicht nach sei-
nem Gut greifen zur Zeit seines Verder-
bens. 14 Du hättest nicht stehen sollen an
den Fluchtwegen, um seine Entronnenen
zu morden, seine Übriggebliebenen nicht
ausliefern sollen zur Zeit der Not.

DIE RETTUNG ISRAELS

15 Denn [a]der Tag des HERRN ist nahe über
alle Völker. [b]Wie du getan hast, soll dir ge-
schehen, deine Tat fällt auf deinen Kopf
zurück. 16 Denn wie ihr auf meinem hei-
ligen Berge getrunken habt, so [a]sollen alle
Völker täglich trinken; ja, sie sollen's sau-
fen und ausschlürfen und sollen sein, als
wären sie nie gewesen.

17 Aber [a]auf dem Berge Zion wird Ret-
tung sein, und er soll heilig sein, und
das Haus Jakob soll seine Besetzer besit-
zen. 18 Und [a]das Haus Jakob soll ein Feuer
werden und das Haus Josef eine Flamme,
aber das Haus Esau Stroh; das werden sie
anzünden und verzehren, sodass vom
Hause Esau keiner entrinnen wird; denn
der HERR hat's geredet. 19 Und die im
Südland werden das Gebirge Esau besit-
zen und die im Hügelland das Land der
Philister. Ja, sie werden das Gefilde Eph-
raims und das Gefilde Samarias besitzen
und Benjamin das Gebirge Gilead. 20 Und
die Weggeführten von Israel werden das
Gebiet der Kanaaniter bis nach Sarepta
besitzen, und die Weggeführten von Je-
rusalem, die in Sefarad sind, werden die
Städte im Südland besitzen. 21 Und es
werden die Geretteten auf den Berg Zion
ziehen, um das Gebirge Esau zu rich-
ten, [a]und die Königsherrschaft wird des
HERRN sein.

DER PROPHET JONA

1–2 Jona flieht vor Gott 3–4 Gottes Erbarmen über Ninive

JONAS FLUCHT VOR GOTT

1 Es geschah das Wort des HERRN zu
[a]Jona, dem Sohn Amittais: 2 Mache dich
auf und geh in die große Stadt Ninive und
predige wider sie; denn ihre Bosheit ist
vor mich gekommen.

3 Aber Jona machte sich auf und [a]wollte
vor dem HERRN nach Tarsis fliehen und
kam hinab nach Jafo. Und als er ein Schiff
fand, das nach Tarsis fahren wollte, gab
er Fährgeld und trat hinein, um mit ih-
nen nach Tarsis zu fahren, weit weg vom
HERRN.

4 Da ließ der HERR einen großen Wind
aufs Meer kommen, und es erhob sich ein
großes Ungewitter auf dem Meer, dass
man meinte, das Schiff würde zerbrechen.
5 Und die Schiffsleute fürchteten sich und
schrien, ein jeder zu seinem Gott, und
warfen die Ladung, die im Schiff war, ins
Meer, dass es leichter würde.

Aber Jona war hinunter in das Schiff ge-
stiegen, lag und schlief. 6 Da trat zu ihm
der Schiffsherr und sprach zu ihm: Was
schläfst du? Steh auf, rufe deinen Gott an!
Vielleicht wird dieser Gott an uns geden-
ken, dass wir nicht verderben. 7 Und einer
sprach zum andern: Kommt, wir wollen
[a]losen, dass wir erfahren, um wessent-
willen es uns so übel geht. Und als sie los-
ten, traf's Jona. 8 Da sprachen sie zu ihm:
Sage uns, um wessentwillen es uns so
übel geht? Was ist dein Gewerbe, und wo
kommst du her? Aus welchem Lande bist
du, und von welchem Volk bist du? 9 Er
sprach zu ihnen: Ich bin ein Hebräer und
fürchte den HERRN, den Gott des Him-
mels, der [a]das Meer und das Trockene ge-
macht hat.

10 Da fürchteten sich die Leute sehr und
sprachen zu ihm: Was hast du da getan?
Denn sie wussten, dass er vor dem HERRN

Vers 12 ***a*** Ps 137,7 **Vers 15** ***a*** Joel 1,15 ***b*** Jer 50,15.29 **Vers 16** ***a*** Jer 25,15 **Vers 17** ***a*** Joel 3,5; 4,17 **Vers 18** ***a*** Sach 12,6 **Vers 21** ***a*** Ps 22,29; Mi 4,7 **1,1** ***a*** 2. Kön 14,25 **1,3** ***a*** Ps 139,7.9-10 **1,7** ***a*** Spr 16,33 **1,9** ***a*** 1. Mose 1,9-10

floh; denn er hatte es ihnen gesagt. 11 Da
sprachen sie zu ihm: Was sollen wir denn
mit dir tun, dass das Meer stille werde und
von uns ablasse? Denn das Meer ging im-
mer ungestümer. 12 Er sprach zu ihnen:
Nehmt mich und werft mich ins Meer, so
wird das Meer still werden und von euch
ablassen. Denn ich weiß, dass um meinet-
willen dies große Ungewitter über euch
gekommen ist.
13 Doch die Leute ruderten, dass sie
wieder ans Land kämen; aber sie konnten
nicht, denn das Meer ging immer ungestü-
mer gegen sie an. 14 Da riefen sie zu dem
HERRN und sprachen: Ach, HERR, lass
uns nicht verderben um des Lebens die-
ses Mannes willen und rechne uns nicht
unschuldiges Blut zu; [a]denn du, HERR,
tust, wie dir's gefällt.
15 Und sie nahmen Jona und warfen ihn
ins Meer. Da wurde das Meer still und ließ
ab von seinem Wüten. 16 Und die Leute
fürchteten den HERRN sehr und brach-
ten dem HERRN Opfer dar und taten
Gelübde.

JONAS GEBET

2 Aber der HERR ließ einen großen Fisch
kommen, Jona zu verschlingen. Und
[a]Jona war im Leibe des Fisches drei Tage
und drei Nächte.
2 Und Jona betete zu dem HERRN, sei-
nem Gott, im Leibe des Fisches 3 und
sprach:

[a]Ich rief zu dem HERRN
in meiner Angst,
und er antwortete mir.
Ich schrie aus dem Rachen des Todes,
und du hörtest meine Stimme.
4 Du warfst mich in die Tiefe,
mitten ins Meer,
dass die Fluten mich umgaben.
[a]Alle deine Wogen und Wellen
gingen über mich,
5 dass ich dachte, [a]ich wäre
von deinen Augen verstoßen,
ich würde deinen heiligen Tempel
nicht mehr sehen.
6 [a]Wasser umgaben mich
bis an die Kehle,
die Tiefe umringte mich,
Schilf bedeckte mein Haupt.
7 Ich sank hinunter zu der Berge
Gründen,
der Erde Riegel schlossen sich
hinter mir ewiglich.
Aber [a]du hast mein Leben aus dem
Verderben geführt,
HERR, mein Gott!
8 Als meine Seele in mir verzagte,
gedachte ich an den HERRN,
und [a]mein Gebet kam zu dir
in deinen heiligen Tempel.
9 Die [a]sich halten an das Nichtige,
verlassen ihre Gnade.
10 [a]Ich aber will mit Dank
dir Opfer bringen.
Meine Gelübde will ich erfüllen.
[b]Hilfe ist bei dem HERRN.

11 Und der HERR sprach zu dem Fisch, und
der spie Jona aus ans Land.

JONAS PREDIGT UND NINIVES BUSSE

3 Und es geschah das Wort des HERRN
zum zweiten Mal zu Jona: 2 Mach dich
auf, geh in die große Stadt Ninive und pre-
dige ihr, was ich dir sage!
3 Da machte sich Jona auf und ging hin
nach Ninive, wie der HERR gesagt hatte.
[a]Ninive aber war eine große Stadt vor
Gott, drei Tagereisen groß. 4 Und als Jona
anfing, in die Stadt hineinzugehen, und
eine Tagereise weit gekommen war, pre-
digte er und sprach: Es sind noch vierzig
Tage, so wird Ninive untergehen. 5 Da
[a]glaubten die Leute von Ninive an Gott
und [b]riefen ein Fasten aus und zogen alle,
Groß und Klein, den Sack zur Buße an.
6 Und als das vor den König von Ninive
kam, stand er auf von seinem Thron und
legte seinen Purpur ab und hüllte sich in
den Sack und setzte sich in die Asche 7 und
ließ ausrufen und sagen in Ninive als Be-
fehl des Königs und seiner Gewaltigen:
Es sollen weder Mensch noch Vieh, we-
der Rinder noch Schafe etwas zu sich neh-
men, und man soll sie nicht weiden noch
Wasser trinken lassen; 8 und sie sollen sich
in den Sack hüllen, Menschen und Vieh,

1,14 ***a*** Ps 135,6 **2,1** ***a*** Mt 12,40; 16,4 **2,3** ***a*** Ps 120,1
2,4 ***a*** Ps 42,8 **2,5** ***a*** Ps 31,23 **2,6** ***a*** Ps 18,5; 69,2
2,7 ***a*** Ps 103,4 **2,8** ***a*** Ps 142,2-4 **2,9** ***a*** Ps 31,7
2,10 ***a*** Ps 50,14; 116,17-18 ***b*** Ps 3,9 **3,3** ***a*** Kap 4,11
3,5 ***a*** Mt 12,41 ***b*** Joel 1,14

und heftig zu Gott rufen. Und ein jeder
kehre um von seinem bösen Wege und
vom Frevel seiner Hände! 9 [a]Wer weiß, ob
Gott nicht umkehrt und es ihn reut und
er sich abwendet von seinem grimmigen
Zorn, dass wir nicht verderben.

10 Als aber Gott ihr Tun sah, wie sie [a]um-
kehrten von ihrem bösen Wege, reute ihn
das Übel, das er ihnen angekündigt hatte,
und tat's nicht.

JONAS UNMUT UND GOTTES ANTWORT

4 Das aber verdross Jona sehr, und er ward
zornig 2 und betete zum HERRN und
sprach: Ach, HERR, das ist's ja, was ich
dachte, als ich noch in meinem Lande war.
Deshalb wollte ich ja nach Tarsis fliehen;
denn ich wusste, [a]dass du gnädig, barm-
herzig, langmütig und von großer Güte
bist und lässt dich des Übels gereuen. 3 So
[a]nimm nun, HERR, meine Seele von mir;
denn ich möchte lieber tot sein als leben.
4 Aber der HERR sprach: Meinst du, dass
du mit Recht zürnst?

5 Und Jona ging zur Stadt hinaus und
ließ sich östlich der Stadt nieder und
machte sich dort eine Hütte; darunter
setzte er sich in den Schatten, bis er sähe,
was der Stadt widerfahren würde. 6 Gott
der HERR aber ließ einen Rizinus wach-
sen; der wuchs über Jona, dass er Schatten
gab seinem Haupt und ihn errettete von
seinem Übel. Und Jona freute sich sehr
über den Rizinus.

7 Aber am Morgen, als die Morgenröte
anbrach, ließ Gott einen Wurm kommen;
der stach den Rizinus, dass er verdorrte.
8 Als aber die Sonne aufgegangen war, ließ
Gott einen heißen Ostwind kommen,
und die Sonne stach Jona auf den Kopf,
dass er matt wurde. Da wünschte er sich
den Tod und sprach: Ich möchte lieber tot
sein als leben.

9 Da sprach Gott zu Jona: Meinst du, dass
du mit Recht zürnst um des Rizinus wil-
len? Und er sprach: Mit Recht zürne ich
bis an den Tod. 10 Und der HERR sprach:
Dich jammert der Rizinus, um den du
dich nicht gemüht hast, hast ihn auch
nicht aufgezogen, der in einer Nacht ward
und in einer Nacht verdarb, 11 und mich
sollte nicht jammern Ninive, eine so
große Stadt, in der mehr als hundertzwan-
zigtausend Menschen sind, die nicht wis-
sen, was rechts oder links ist, dazu auch
viele Tiere?

DER PROPHET MICHA

1–3 Gericht über Israel und Juda **4–5** Das künftige Heil **6–7** Warnung und Hoffnung

GOTT ERSCHEINT ZUM GERICHT ÜBER ISRAEL UND JUDA

1 Dies ist das Wort des HERRN, welches
geschah zu [a]Micha aus Moreschet zur
Zeit des [b]Jotam, Ahas und Hiskia, der Kö-
nige von Juda, das er geschaut hat über Sa-
maria und Jerusalem.

2 Höret, alle Völker! Merk auf, Erde und
alles, was darinnen ist! Gott der HERR
tritt gegen euch als Zeuge auf, ja, der Herr
aus seinem heiligen Tempel. 3 Denn siehe,
der HERR geht aus von [a]seiner Stätte und
fährt herab und [b]tritt auf die Höhen der
Erde, 4 [a]dass die Berge unter ihm schmel-
zen und die Täler sich spalten, gleichwie
Wachs vor dem Feuer zerschmilzt, wie
die Wasser, die talwärts stürzen. 5 Das al-
les um Jakobs Übertretung und um der
Sünden des Hauses Israel willen. Was
ist aber die Übertretung Jakobs? [a]Ist's
nicht Samaria? Was sind aber die Opfer-
höhen Judas? Ist's nicht Jerusalem? 6 So
will ich [a]Samaria zum [b]Steinhaufen im
Felde machen, zum Land, auf dem man
Reben pflanzt, und will seine Steine ins
Tal schleifen und es bis auf den Grund
bloßlegen. 7 Alle seine Götzen sollen zer-
brochen und all sein [a]Hurenlohn soll mit
Feuer verbrannt werden. Und ich will
alle seine Götzenbilder zerstören; denn
sie sind von Hurenlohn zusammen-

3,9 *a* Joel 2,14 **3,10** *a* Jer 18,7-8 **4,2** *a* 2. Mose 34,6; Joel 2,13 **4,3** *a* 1. Kön 19,4 **1,1** *a* Jer 26,18 *b* Jes 1,1 **1,3** *a* 1. Kön 8,1-66 *b* Am 4,13 **1,4** *a* Ps 97,5 **1,5** *a* Jer 23,13-14 **1,6** *a* 1. Kön 16,24; Hos 14,1 *b* Kap 3,12 **1,7** *a* Hos 2,7.14

gebracht und sollen auch wieder zu
Hurenlohn werden.

UNHEIL KOMMT ÜBER DIE STÄDTE JUDAS

8 Darüber muss ich klagen und heulen,
ich muss barfuß und bloß dahergehen;
ich muss klagen wie die Schakale und
jammern wie die Strauße: 9 Dass Sama-
rias Wunde unheilbar ist, dass sie bis
nach Juda eindrang; der Schlag reicht bis
an meines Volkes Tor, bis hin nach Jeru-
salem.
10 Verkündet's ja nicht in [a]Gat; lasst euer
Weinen nicht hören; in Bet-Leafra wälzt
euch im Staube! 11 Ihr Einwohner von
Schafir müsst dahin mit allen Schanden;
die Einwohner von Zaanan sind nicht aus-
gezogen; Bet-Ezel klagt: Er nimmt euch
seine Stütze. 12 Die Einwohner von Ma-
rot vermögen sich nicht zu trösten; denn
Unheil vom HERRN ist gekommen bis an
die Tore Jerusalems. 13 Du Stadt Lachisch,
spanne die Rosse vor die Wagen; denn
das war für die Tochter Zion der An-
fang zur Sünde. In dir fanden sich ja die
Übertretungen Israels. 14 Du wirst dich
scheiden müssen von Moreschet-Gat;
die Häuser von Achsib werden den Köni-
gen von Israel zum Trug. 15 Ich will über
dich, Marescha, den Eroberer bringen,
und die Herrlichkeit Israels soll kommen
bis Adullam. 16 [a]Lass dir die Haare absche-
ren und geh kahl um deiner verzärtelten
Kinder willen; ja, mach dich kahl wie ein
Geier, denn sie sind gefangen von dir weg-
geführt.*

WEHERUF ÜBER DIE MACHTHABER, DIE DAS VOLK BERAUBEN

2 Weh denen, die [a]Unheil planen und
gehen mit bösen Gedanken um auf ih-
rem Lager, dass sie es frühe, wenn's licht
wird, vollbringen, weil sie die Macht ha-
ben! 2 Sie [a]begehren Äcker und nehmen
sie weg, Häuser und reißen sie an sich. So
treiben sie Gewalt mit eines jeden Hause
und mit eines jeden Erbe. 3 Darum, so
spricht der HERR: Siehe, ich plane wider
dies Geschlecht Unheil, aus dem ihr euren
Hals nicht ziehen sollt und nicht so stolz
dahergehen sollt; denn [a]es ist eine böse
Zeit. 4 Zur selben Zeit wird man einen
Spruch von euch machen und bitter kla-
gen. Man wird sagen: Es ist aus, wir sind
vernichtet! Meines Volkes Land kriegt
einen fremden Herrn! Wie entreißt er
es mir! Als Vergeltung verteilt man un-
ser Feld! 5 Darum wirst du keinen haben,
der für dich die Messschnur wirft, dass dir
ein Losanteil in der Gemeinde des HERRN
zufällt.[a]
6 »Geifert nicht!«, so geifern sie. [a]»Sol-
ches soll man nicht predigen! Wir wer-
den nicht so zuschanden werden! 7 Darf
so etwas gesagt werden, Haus Jakob?
Meinst du, [a]der HERR sei schnell zum
Zorn? Sollte er solches tun wollen?« Es
ist wahr, meine Reden sind freundlich den
Frommen.
8 Aber ihr steht wider mein Volk wie ein
Feind; denn ihr raubt Rock und Mantel
denen, die sicher dahergehen, die sich ab-
wenden vom Krieg. 9 Ihr treibt die Frauen
meines Volks aus ihren lieben Häusern
und nehmt von ihren kleinen Kindern
meinen Schmuck auf immer: 10 »Macht
euch auf! Ihr müsst davon, ihr sollt an
dieser Stätte nicht bleiben!« Um der Un-
reinheit willen muss sie grausam zerstört
werden.
11 Ja, wenn ein Irrgeist käme und ein Lü-
genprediger und predigte, wie sie saufen
und schwelgen sollen – das wäre ein Pre-
diger für dies Volk!

VERHEISSUNG DES KÜNFTIGEN HEILS

12 »Ich [a]will dich, Jakob, sammeln ganz
und gar und den Rest Israels zusammen-
bringen. Ich will sie wie Schafe mitein-
ander in einen festen Stall tun und [b]wie
eine Herde in ihre Hürden, dass es von
Menschen dröhnen soll.« 13 Ein Durch-
brecher ist vor ihnen heraufgezogen; sie
haben das Tor durchbrochen und sind
hindurch- und hinausgezogen: Ihr König
zog vor ihnen her, ja [a]der HERR an ihrer
Spitze.

* **1,16** Die Verse 10-16 beruhen auf Wortspielen, die an die Namen judäischer Orte (vgl. Jos 15,33-47) anknüpfen.

1,10 ***a*** 2. Sam 1,20 **1,16** ***a*** Jer 7,29 **2,1** ***a*** Ps 36,5
2,2 ***a*** 5. Mose 5,21; Spr 24,15; Jes 5,8 **2,3** ***a*** Am 5,13
2,5 ***a*** Jos 17,14; 18,8.10 **2,6** ***a*** Am 2,12; 7,16
2,7 ***a*** Am 6,3 **2,12** ***a*** Kap 4,6; Jer 31,10 ***b*** Hes 36,37
2,13 ***a*** Jes 52,12

GEGEN DIE FÜHRENDEN MÄNNER IN JUDA

3 Und ich sprach: Höret doch, ihr [a]Häup-
ter Jakobs und ihr Herren im Hause
Israel! Ihr solltet die sein, die [b]das Recht
kennen. 2 Aber [a]sie hassen das Gute und
lieben das Arge; sie schinden ihnen die
Haut ab und das Fleisch von ihren Kno-
chen 3 und [a]fressen das Fleisch meines
Volks. Und wenn sie ihnen die Haut abge-
zogen und ihnen die Knochen zerbrochen
haben, zerlegen sie es wie für den Topf
und wie Fleisch für den Kessel. 4 [a]Wenn
sie dann zum HERRN schreien, wird er
sie nicht erhören, sondern wird sein An-
gesicht vor ihnen verbergen zur selben
Zeit, wie sie es mit ihrem bösen Treiben
verdient haben.

5 So spricht der HERR wider die Pro-
pheten, die [a]mein Volk verführen, die
da predigen, es werde gut gehen, wenn
man ihnen zu fressen gibt; wer ihnen
aber nichts ins Maul gibt, dem erklären
sie den Krieg*. 6 Darum kommt Nacht
über euch [a]statt Gesicht und Finsternis
statt Wahrsagung. Die Sonne soll über
den Propheten untergehen und der Tag
über ihnen finster werden. 7 Und die Se-
her sollen zuschanden und die Wahrsager
zu Spott werden; sie müssen alle ihren
Bart verhüllen, weil [a]Gott nicht antwor-
ten wird.

8 Ich aber bin voll Kraft, voll Geist des
HERRN, voll Recht und Stärke, dass ich
[a]Jakob seine Übertretung und Israel seine
Sünde anzeigen kann.

9 So höret doch dies, ihr Häupter im
Hause Jakob und ihr Herren im Hause Is-
rael, [a]die ihr das Recht verabscheut und
alles, was gerade ist, krumm macht; 10 die
ihr [a]Zion mit Blut baut und Jerusalem
mit Unrecht. 11 Jerusalems Häupter [a]spre-
chen Recht für Geschenke, seine Priester
lehren für Lohn, und seine Propheten
wahrsagen für Geld, und dennoch ver-
lassen sie sich auf den HERRN und spre-
chen: [b]»Ist nicht der HERR unter uns? Es
kann kein Unglück über uns kommen«:
12 Darum wird Zion um euretwillen zum
Acker umgepflügt werden, und [a]Jerusa-
lem wird zu Steinhaufen werden und der
Berg des Tempels zu einer Höhe wilden
Gestrüpps.

DAS KOMMENDE FRIEDENSREICH GOTTES

4 [a]In den letzten Tagen aber wird der Berg,
darauf des HERRN Haus ist, fest stehen,
höher als alle Berge und über alle Hügel er-
haben. Und die Völker werden herzulau-
fen, 2 und viele Heiden werden hingehen
und sagen: Kommt, lasst uns hinauf zum
Berge des HERRN gehen und zum Hause
des Gottes Jakobs, dass er uns lehre seine
Wege und wir in seinen Pfaden wandeln!
Denn von Zion wird Weisung ausgehen
und [a]des HERRN Wort von Jerusalem.
3 **Er wird unter vielen Völkern richten
und mächtige Nationen zurechtwei-
sen in fernen Landen. [a]Sie werden ihre
Schwerter zu Pflugscharen machen
und ihre Spieße zu Sicheln. Es wird
kein Volk wider das andere das Schwert
erheben, und sie werden hinfort nicht
mehr lernen, Krieg zu führen.** 4 Ein [a]je-
der wird unter seinem Weinstock und
Feigenbaum wohnen, und niemand wird
sie schrecken. Denn der Mund des HERRN
Zebaoth hat's geredet.

5 Ein jedes Volk wandelt im Namen sei-
nes Gottes, aber wir wandeln im Namen
des HERRN, unseres Gottes, immer und
ewiglich!

DIE BEGNADIGUNG DES ZERSCHLAGENEN VOLKES

6 Zur selben Zeit, spricht der HERR, will
ich [a]die Lahmen sammeln und [b]die Ver-
stoßenen zusammenbringen, alle, die
ich geplagt habe. 7 Ich will die Lahmen als
[a]Rest übrig lassen und die Verstoßenen
zum mächtigen Volk machen. Und der
HERR wird König über sie sein auf dem
Berge Zion von nun an bis in Ewigkeit.
8 Und du, Turm der Herde, du Feste der
Tochter Zion, zu dir wird kommen und
wiederkehren die frühere Herrschaft, das
Königtum der Tochter Jerusalem.

* **3,5** Wörtlich: »heiligen Krieg«; siehe Sach- und Worterklärungen zu »Krieg«.

3,1 ***a*** Vers 9 ***b*** Jer 5,5; Hos 5,1 **3,2** ***a*** Am 5,14
3,3 ***a*** Ps 14,4 **3,4** ***a*** Jer 14,12; Hes 8,18 **3,5** ***a*** Jer 23,13
3,6 ***a*** Hes 13,23 **3,7** ***a*** 1. Kön 18,26 **3,8** ***a*** Jes 58,1
3,9 ***a*** Am 5,7 **3,10** ***a*** Hab 2,12 **3,11** ***a*** Jes 1,23
b Jer 7,4; Am 9,10 **3,12** ***a*** Ps 79,1; Jer 9,10; 26,18
4,1 ***a*** (1-3) Jes 2,2-4 **4,2** ***a*** Lk 24,47 **4,3** ***a*** Joel 4,10
4,4 ***a*** 1. Kön 5,5; Sach 3,10 **4,6** ***a*** Jer 31,8; Zef 3,19
b 5. Mose 30,4 **4,7** ***a*** Kap 2,12; 5,6-7

9 Jetzt aber, warum [a]schreist du denn so
laut? Ist kein König bei dir? Und ist dein
Ratgeber fort, dass dich die Wehen er-
fasst haben wie eine Gebärende? 10 Leide
doch solche Wehen und stöhne, du Toch-
ter Zion, wie eine Gebärende; denn jetzt
musst du zur Stadt hinaus und auf dem
Felde wohnen und nach Babel kommen.
Dort wirst du errettet werden, dort wird
dich der HERR erlösen aus der Hand dei-
ner Feinde.

11 Jetzt aber haben sich viele Heiden
wider dich zusammengerottet und spre-
chen: Zion sei entweiht; unsere Augen
sollen sich daran weiden! 12 Aber sie wis-
sen des HERRN Gedanken nicht und ken-
nen seinen Ratschlag nicht, dass er sie
zusammengebracht hat wie Garben auf
der Tenne. 13 Darum mache dich auf und
drisch, du Tochter Zion! [a]Denn ich will
dir eiserne Hörner und eherne Hufe ma-
chen, und du sollst viele Völker zermal-
men und ihr Gut dem HERRN weihen
und ihre Habe dem Herrscher der ganzen
Welt.

14 Jetzt aber, zerraufe und zerkratze
dich, denn man belagert uns und schlägt
den Richter Israels mit der Rute auf die
Backe.

DER KOMMENDE HERRSCHER AUS BETHLEHEM

5 Und **du, [a]Bethlehem Efrata, die du
klein bist unter den Tausenden* in
Juda, aus dir soll mir der kommen, der
in Israel Herr sei, [b]dessen Ausgang von
Anfang und von Ewigkeit her gewesen
ist.** 2 Indes lässt er sie plagen bis auf die
Zeit, dass die, [a]welche gebären soll, ge-
boren hat. Da wird dann [b]der Rest seiner
Brüder wiederkommen zu den Israeliten.
3 Er aber wird auftreten und sie [a]weiden
in der Kraft des HERRN und in der Hoheit
des Namens des HERRN, seines Gottes.
Und sie werden sicher wohnen; denn er
wird zur selben Zeit herrlich werden bis
an die Enden der Erde. 4 Und [a]er wird der
Friede sein.

Wenn Assur in unser Land fällt und in
unsere festen Häuser einbricht, so werden
wir sieben Hirten und acht Fürsten dage-
gen aufstellen. 5 Sie werden das Land As-
sur mit dem Schwert weiden und das Land
Nimrods mit ihren bloßen Waffen. So
wird er uns von Assur erretten, wenn es
in unser Land fallen und in unsere Gren-
zen einbrechen wird.

6 Dann wird der [a]Rest Jakobs unter vie-
len Völkern sein [b]wie Tau vom HERRN,
wie Regen aufs Gras, der auf niemand
harrt noch auf Menschen wartet. 7 Und
der Rest Jakobs wird unter den Natio-
nen inmitten vieler Völker sein wie ein
Löwe unter den Tieren im Walde, wie ein
junger Löwe unter einer Herde Schafe,
dem niemand wehren kann, wenn er
einbricht, zertritt und zerreißt. 8 Erhebe
deine Hand gegen alle deine Widersa-
cher, dass alle deine Feinde ausgerottet
werden.

9 Zur selben Zeit, spricht der HERR,
[a]will ich die Rosse aus deiner Mitte aus-
rotten und deine Wagen zunichtemachen
10 und will die Städte deines Landes aus-
rotten und alle deine Festungen zerbre-
chen. 11 Und ich will die Zauberei bei dir
ausrotten, dass keine Zeichendeuter bei
dir bleiben sollen. 12 [a]Ich will deine Göt-
zenbilder und Steinmale aus deiner Mitte
ausrotten, dass du nicht mehr anbeten
sollst deiner Hände Werk, 13 und will
deine Ascherabilder ausreißen aus deiner
Mitte und deine Städte vertilgen. 14 Und
ich will mit Grimm und Zorn Vergeltung
üben an den Völkern, die nicht gehorcht
haben.

DER RECHTE GOTTESDIENST

6 Hört doch, was der HERR sagt: »Mach
dich auf, führe einen Rechtsstreit mit
den Bergen, [a]auf dass die Hügel deine
Stimme hören!«

2 Hört, ihr Berge, [a]den Rechtsstreit des
HERRN, ihr starken Grundfesten der
Erde; denn der HERR will mit seinem Volk
rechten und mit Israel ins Gericht gehen!
3 [a]»Was habe ich dir getan, mein Volk, und
womit habe ich dich beschwert? Das sage
mir! 4 Habe ich dich doch aus Ägypten-

* **5,1** So übersetzte Luther. Seit 1912 »unter den Städten« (vgl. Mt 2,5-6).

4,9 ***a*** Jer 8,19 **4,13** ***a*** Kap 5,7 **5,1** ***a*** 1. Mose 35,19 ***b*** Joh 1,1-2 **5,2** ***a*** Jes 7,14 ***b*** Jes 11,12 **5,3** ***a*** Hes 34,23 **5,4** ***a*** Jes 9,5; Eph 2,14 **5,6** ***a*** Kap 2,12; 4,6 ***b*** Hos 14,6 **5,9** ***a*** Sach 9,10 **5,12** ***a*** (12-13) Sach 13,2 **6,1** ***a*** Hes 6,2 **6,2** ***a*** Jes 3,13; Hos 4,1; 12,3 **6,3** ***a*** Jer 2,5

land geführt und aus der Knechtschaft er-
löst und vor dir her gesandt Mose, Aaron
und [a]Mirjam. 5 Mein Volk, denke doch
daran, was Balak, der König von Moab,
vorhatte und was ihm [a]Bileam, der Sohn
Beors, antwortete; wie du hinüberzogst
von [b]Schittim bis nach [c]Gilgal, damit du
erkennst, wie der HERR dir alles Gute
getan hat.«
6 »Womit soll ich mich dem HERRN na-
hen, mich beugen vor dem Gott in der
Höhe? Soll ich mich [a]ihm mit Brand-
opfern nahen, mit einjährigen Kälbern?
7 Wird wohl der HERR Gefallen haben
an viel tausend Widdern, an unzähligen
Strömen von Öl? [a]Soll ich meinen Erst-
geborenen für meine Übertretung ge-
ben, meines Leibes Frucht für meine
Sünde?«
8 Es ist dir gesagt, Mensch, was gut
ist und [a]was der HERR von dir fordert:
nichts als Gottes Wort halten und
Liebe üben* und demütig sein vor dei-
nem Gott.

GEGEN LUG UND TRUG IN JERUSALEM

9 Des HERRN Stimme ruft über die Stadt –
und weise ist es, deinen Namen zu fürch-
ten! – Hört, Stamm und Stadtversamm-
lung! 10 Kann ich vergessen unrecht Gut in
des Gottlosen Hause und [a]das verfluchte
falsche Maß? 11 Oder sollte ich unrechte
Waage und [a]falsche Gewichte im Beutel
billigen? 12 Ihre Reichen üben nichts als
Gewalt, und ihre Einwohner gehen mit
Lügen um und haben falsche Zungen in
ihrem Halse.
13 Darum will auch ich anfangen, dich
zu schlagen und dich um deiner Sünden
willen wüst zu machen. 14 Du sollst essen
[a]und doch nicht satt werden. Und was du
beiseiteschaffst, wirst du doch nicht ret-
ten; und was du rettest, will ich doch dem
Schwert preisgeben. 15 Du sollst säen und
nicht ernten; du sollst Öl keltern und dich
damit nicht salben und Wein keltern und
ihn nicht trinken.[a] 16 Denn man hielt sich
an die Weisungen Omris und alle Werke
des Hauses [a]Ahab. Ihr folgtet ihrem Rat.
Darum mache ich dich zur Wüste. Die
Einwohner der Stadt soll man auspfeifen,
und ihr sollt die Schmach meines Volks
tragen.

KLAGE ÜBER DIE VERDERBNIS DES VOLKES

7 Ach, es geht mir wie einem, der Obst
pflücken wollte, der im Weinberge
Nachlese hielt, [a]doch keine Traube gab's
zu essen, keine Frühfeige, nach der ich
verlangte! 2 [a]Die frommen Leute sind weg
in diesem Lande, und die Gerechten sind
nicht mehr unter den Leuten. Sie lauern
alle auf Blut, ein jeder jagt den andern,
dass er ihn fange. 3 Ihre Hände sind ge-
schäftig, Böses zu tun. Obere und Richter
fordern Geschenke. Der Gewaltige redet
nach seinem Mutwillen, und so verdre-
hen sie alles. 4 Der Beste unter ihnen ist
wie ein [a]Dornstrauch und der Redlichste
schlimmer als eine Dornenhecke. Der Tag
ist gekommen, den deine Späher geschaut
haben, deine Heimsuchung ist da; dann
werden sie nicht wissen, wo aus noch
ein.
5 [a]Niemand glaube seinem Nächsten,
niemand verlasse sich auf einen Freund!
Bewahre die Tür deines Mundes vor der,
die in deinen Armen schläft! 6 Denn der
Sohn verachtet den Vater, die Tochter wi-
dersetzt sich der Mutter, die Schwieger-
tochter ist wider die Schwiegermutter;
und des Menschen Feinde sind seine eige-
nen Hausgenossen.[a]
7 Ich aber will auf den HERRN schauen
und harren auf den Gott meines Heils;
mein Gott wird mich erhören.

DIE HOFFNUNG DER GEMEINDE AUF GOTTES GNADE

8 [a]Freue dich nicht über mich, meine Fein-
din! Wenn ich auch darniederliege, so
werde ich wieder aufstehen; und wenn
ich auch im Finstern sitze, so [b]ist doch der
HERR mein Licht. 9 Ich will des HERRN
Zorn tragen – denn [a]ich habe wider ihn ge-
sündigt –, bis er meinen Rechtsstreit führe
und mir Recht schaffe. Er wird mich ans
Licht bringen, dass ich meine Freude an

* **6,8** Wörtlich: »nichts als Recht tun, Güte lieben«.

6,4 ***a*** 2. Mose 15,20 **6,5** ***a*** 4. Mose 22,1–24,25 ***b*** Jos 2,1 ***c*** Jos 4,19 **6,6** ***a*** Ps 50,8-13; Am 5,22 **6,7** ***a*** 3. Mose 18,21 **6,8** ***a*** 5. Mose 10,12; Hos 6,6; Am 5,24 **6,10** ***a*** 3. Mose 19,35; Am 8,5 **6,11** ***a*** Spr 20,10 **6,14** ***a*** Hos 4,10 **6,15** ***a*** 5. Mose 28,38-40; Am 5,11 **6,16** ***a*** 1. Kön 16,29-33 **7,1** ***a*** Jer 6,9 **7,2** ***a*** Ps 12,2; Jes 57,1 **7,4** ***a*** Ri 9,14 **7,5** ***a*** (5-6) Jer 9,3-4 **7,6** ***a*** Mt 10,35-36 **7,8** ***a*** Obd 12 ***b*** Ps 27,1 **7,9** ***a*** Jer 14,7

seiner Gerechtigkeit habe. 10 Meine Fein-
din wird's sehen müssen und in Schande
dastehen, die jetzt zu mir sagt: [a]Wo ist er,
der HERR, dein Gott? Meine Augen wer-
den's sehen, dass sie dann wie Dreck auf
der Gasse zertreten wird.
11 Es kommt der Tag, da werden [a]deine
Mauern gebaut werden, der Tag, an dem
die Grenzen sich weiten; 12 an jenem Tag
werden sie von Assur und von den Städ-
ten Ägyptens zu dir kommen, von Ägyp-
ten bis an den Euphrat, von einem Meer
zum andern, von einem Gebirge zum
andern. 13 Die Erde wird wüst sein ihrer
Bewohner wegen, um der Frucht ihrer
Werke willen.
14 [a]Weide dein Volk mit deinem Stabe,
die Herde deines Erbteils, die da einsam
wohnt im Walde, mitten im fruchtbaren
Lande; [b]lass sie in Baschan und Gilead
weiden wie vor alters! 15 Lass uns Wun-
der sehen wie zur Zeit, als du aus Ägyp-
tenland zogst, 16 dass die Völker es sehen
und zuschanden werden in ihrer ganzen
Macht und die Hand auf ihren Mund legen
und ihre Ohren taub werden. 17 Sie sollen
[a]Staub lecken wie die Schlangen und wie
das Gewürm auf Erden. [b]Zitternd sol-
len sie hervorkommen aus ihren Verste-
cken. Dem HERRN, unserm Gott, sollen
sie sich ängstlich nähern und sich vor dir
fürchten.
**18 Wo ist [a]solch ein Gott, wie du bist,
der die Sünde vergibt und erlässt die
Schuld denen, die geblieben sind als
Rest seines Erbteils; der an seinem
Zorn nicht ewig festhält, denn er hat
Gefallen an Gnade! 19 Er wird sich unser
wieder erbarmen, unsere Schuld unter
die Füße treten und alle unsere Sünden
in die Tiefen des Meeres werfen.** 20 Du
wirst [a]Jakob die Treue halten und [b]Abra-
ham Gnade erweisen, wie du unsern Vä-
tern vorzeiten geschworen hast.

DER PROPHET NAHUM

DER GOTT DER RACHE

1 Dies ist die Last* für Ninive, das Buch
der Weissagung Nahums aus Elkosch.
2 [a]Der HERR ist ein eifernder Gott und
ein Rächer, ja, ein Rächer ist der HERR und
zornig. Der HERR ist ein Rächer an seinen
Widersachern; er vergisst es seinen Fein-
den nicht. 3 Der HERR [a]ist geduldig und
von großer Kraft, doch ungestraft lässt er
niemanden. Er ist der HERR, dessen Weg
in Wetter und Sturm ist; Wolken sind der
Staub unter seinen Füßen. 4 Er schilt das
Meer und macht es trocken; alle Wasser
lässt er versiegen. Baschan und Karmel
verschmachten, und was auf dem Berge
Libanon blüht, verwelkt. 5 Die [a]Berge er-
zittern vor ihm, und die Hügel zergehen;
das Erdreich bebt vor ihm, der Erdkreis
und alle, die darauf wohnen. 6 Wer kann
vor seinem Zorn bestehen, und wer kann
vor seinem Grimm bleiben? Sein Zorn
brennt wie Feuer, und die Felsen zer-
springen vor ihm. **7 Der HERR ist gütig
und eine Feste zur Zeit der Not und
[a]kennt, die auf ihn trauen.** 8 Mit reißen-
der Flut macht er seinen Widersachern
ein Ende, und seine Feinde verfolgt er mit
Finsternis.

GERICHT ÜBER NINIVE – HEIL FÜR JUDA

9 Was wollt ihr ersinnen wider den
HERRN? Er führt doch das Ende herbei.
Es wird das Unglück nicht zweimal kom-
men. 10 Denn wenn sie auch sind wie die
Dornen, die noch ineinanderwachsen und
im besten Saft sind, so sollen sie doch ganz
verbrannt werden wie dürres Stroh.
11 Denn von dir ist gekommen, der Bö-
ses wider den HERRN plant und Ruch-
loses ersinnt. 12 So spricht der HERR: Sie
mögen kommen so gerüstet und mäch-
tig, wie sie wollen, sie sollen doch um-
gehauen werden und dahinfahren. Ich

* **1,1** Siehe Sach- und Worterklärungen.

7,10 ***a*** Ps 79,10; Joel 2,17 **7,11** ***a*** Jes 61,4 **7,14** ***a*** Kap 5,3; Ps 95,7 ***b*** Jer 50,19 **7,17** ***a*** Ps 72,9 ***b*** Hos 3,5; 11,11 **7,18** ***a*** 2. Mose 34,6-7; Ps 103,3.8-13 **7,20** ***a*** 1. Mose 28,13-15 ***b*** 1. Mose 22,16-18; Lk 1,73 **1,2** ***a*** 2. Mose 20,5; Ps 94,1 **1,3** ***a*** 2. Mose 34,6-7; Joel 2,14 **1,5** ***a*** Ps 97,5 **1,7** ***a*** Ps 1,6; 2,12

habe dich gedemütigt, aber ich will dich
nicht wiederum demütigen. 13 Jetzt will
ich sein Joch, das du trägst, zerbrechen
und deine Bande zerreißen. 14 Wider dich
hat der HERR geboten, dass von deinem
Namen kein Nachkomme mehr blei-
ben soll. Vom Hause deines Gottes will
ich ausrotten die Götzen und Bilder; ein
Grab will ich dir machen, denn du bist
zunichtegeworden.
2 Siehe [a]auf den Bergen die Füße eines
guten Boten, der da Frieden verkün-
digt! Feiere deine Feste, Juda, und erfülle
deine Gelübde! Denn es wird der Ruch-
lose nicht mehr über dich kommen; er ist
ganz ausgerottet.
2 Es ist gegen dich heraufgezogen, der
dich zerstreut. Bewahre die Festung! Gib
acht auf die Straße, rüste dich aufs Beste
und stärke dich aufs Gewaltigste! – 3 Denn
der HERR erneuert die Pracht Jakobs wie
die Pracht Israels, denn Verwüster haben
sie verwüstet und ihre Reben verderbt.

NINIVE WIRD ANGEGRIFFEN

4 Die Schilde seiner Starken sind rot. Sein
Heervolk ist in Purpur gehüllt. Feurig
leuchten die Beschläge der Wagen, wenn
er sie aufstellt. Die Rosse rasen, 5 die Wa-
gen rollen auf den Gassen und rasseln auf
den Plätzen; sie glänzen wie Fackeln und
fahren einher wie die Blitze.
6 Er gedenkt an seine Gewaltigen, sie
stürzen heran auf ihren Wegen, sie eilen
zur Mauer, und aufgerichtet wird das
Schutzdach. 7 Schon sind die Tore an den
Wassern geöffnet, es wankt der Palast.
8 Die Königin wird gefangen weggeführt,
und ihre Jungfrauen seufzen wie die Tau-
ben und schlagen an ihre Brust. 9 Ninive
ist wie ein voller Teich, aber seine Wasser
müssen verrinnen. »Steht, steht!«, ruft
man, aber niemand wendet sich um.
10 So raubt nun Silber, raubt Gold! Denn
hier ist der Schätze kein Ende und die
Menge aller kostbaren Kleinode. 11 Nun
muss sie verheert und geplündert werden,
dass [a]aller Herzen verzagen und die Knie
schlottern, aller Lenden zittern und [b]aller
Angesicht bleich wird.
12 Wo ist nun die Wohnung der Löwen
und die Höhle der jungen Löwen, wo der
Löwe und die Löwin mit den jungen Lö-
wen herumliefen und niemand wagte, sie
zu scheuchen? 13 Der Löwe raubte genug
für seine Jungen und würgte für seine Lö-
winnen. Seine Höhlen füllte er mit Raub
und seine Wohnung mit dem, was er
zerrissen hatte. 14 Siehe, ich will an dich,
spricht der HERR Zebaoth, und deine Wa-
gen anzünden, und das Schwert soll deine
jungen Löwen fressen. Und ich will dei-
nem Rauben ein Ende machen auf Erden,
dass man die Stimme deiner Boten nicht
mehr hören soll.

DER UNTERGANG NINIVES

3 [a]Weh der mörderischen Stadt, die voll
Lügen und Räuberei ist und von ihrem
Rauben nicht lassen will! 2 Man hört die
Peitschen knallen, die Räder rasseln, die
Rosse jagen, die Wagen rollen. 3 Reiter rü-
cken herauf mit glänzenden Schwertern
und mit blitzenden Spießen. Da liegen
viele Erschlagene, eine Unzahl von Lei-
chen; ihrer ist kein Ende, sodass man über
sie fallen muss. 4 Das alles um der großen
Hurerei willen [a]der schönen Hure, die
mit Zauberei umgeht, die mit ihrer Hure-
rei die Völker und mit ihrer Zauberei Land
und Leute an sich gebracht hat.
5 Siehe, ich will an dich, spricht der
HERR Zebaoth; ich hebe den Saum dei-
nes Gewandes über dein Angesicht und
[a]zeige den Völkern deine Blöße und den
Königreichen deine Schande. 6 Ich werfe
Unrat auf dich, schände dich und ma-
che ein Schauspiel aus dir, 7 dass alle, die
dich sehen, vor dir fliehen und sagen: Ni-
nive ist verwüstet; wer will Mitleid mit
ihr haben? Und wo soll ich dir Tröster
suchen?
8 Meinst du, du seist besser als die Stadt
[a]No-Amon*, die da lag am Nil und vom
Wasser umgeben war, deren Mauern und
Bollwerk Wasserfluten waren? 9 Kusch
und Ägypten waren ihre unermessliche
Macht, Put und Libyen waren deine Hilfe.
10 Dennoch wurde sie vertrieben und
musste gefangen wegziehen. Ihre Kin-
der sind auf allen Gassen zerschmettert
worden, und um ihre Edlen [a]warf man

* **3,8** Gemeint ist Theben.

2,1 *a* Jes 52,7 **2,11** *a* Jes 13,7-8 *b* Joel 2,6 **3,1** *a* Hes 24,6.9 **3,4** *a* Jes 23,16; Offb 17,1-6 **3,5** *a* Jes 47,3 **3,8** *a* Jer 46,25 **3,10** *a* Joel 4,3

das Los, und alle ihre Gewaltigen wurden
in Ketten und Fesseln gelegt. 11 Auch du
[a]musst trunken werden und von Sinnen
kommen; auch du musst Zuflucht suchen
vor dem Feinde!
12 Alle deine festen Städte sind wie Fei-
genbäume mit reifen Feigen: Wenn man
sie schüttelt, so fallen sie dem in den
Mund, der sie essen will. 13 Siehe, deine
Krieger, sie sind Weiber in deiner Mitte.
Die Tore deines Landes stehen deinen
Feinden offen, denn Feuer hat deine Rie-
gel verzehrt. 14 Schöpfe dir Wasser, denn
du wirst belagert! Verstärke deine Boll-
werke! Knete den Ton und tritt den Lehm
und mache harte Ziegel! 15 Aber das Feuer
wird dich fressen und das Schwert töten –
es wird dich fressen, [a]wie Larven fres-
sen –, magst du auch zahlreich sein wie
Larven, magst du auch zahlreich sein wie
Heuschrecken.
16 Du hast mehr Händler, als Sterne am
Himmel sind; die Larven sind geschlüpft
und fliegen davon. 17 Deine Wachleute
sind wie die Heuschrecken und deine
Werber wie die Larven, die sich an die
Zäune lagern in den kalten Tagen; wenn
aber die Sonne aufgeht, heben sie sich da-
von, dass man nicht weiß, wo sie bleiben.
18 Deine Hirten schlafen, o König von
Assur, deine Mächtigen schlummern.
Dein Volk ist auf den Bergen zerstreut,
und niemand sammelt sie. 19 Niemand lin-
dert deinen Schaden, und deine [a]Wunde
ist unheilbar. Alle, die das von dir hören,
klatschen über dich in die Hände; denn
über wen ist nicht deine Bosheit ohne Un-
terlass ergangen?

DER PROPHET HABAKUK

1–2 Gottes Gerechtigkeit 3 Der Psalm Habakuks

KLAGE ÜBER DAS UNRECHT

1 Dies ist die Last*, die der Prophet Haba-
kuk geschaut hat.
2 HERR, wie lange soll ich schreien, und
du willst nicht hören? Wie lange soll ich
zu dir rufen: »Frevel!«, und du willst nicht
helfen? 3 Warum lässt du mich Bosheit
sehen und siehst dem Jammer zu? Raub
und Frevel sind vor mir; es geht Gewalt
vor Recht. 4 Darum ist das Gesetz ohn-
mächtig, und die rechte Sache kann nie
gewinnen; denn der Gottlose übervorteilt
den Gerechten; darum ergehen verkehrte
Urteile.

GOTTES STRAFGERICHT DURCH DIE CHALDÄER

5 Schaut hin unter die Völker, seht und
verwundert euch! Denn ich will etwas
tun zu euren Zeiten, was ihr nicht glau-
ben werdet, wenn man davon sagen wird.[a]
6 Denn siehe, ich will die Chaldäer erwe-
cken, ein grimmiges und schnelles Volk,
das hinziehen wird, so weit die Erde ist,
um Wohnstätten einzunehmen, die ihm
nicht gehören. 7 Grausam und schrecklich
ist es; es gebietet und zwingt, wie es will.
8 Seine Rosse sind schneller als die Panther
und bissiger als die [a]Wölfe der Steppe.
Seine Reiter sprengen herbei. Seine Rei-
ter kommen von ferne. Sie fliegen, wie
die Adler eilen zum Fraß. 9 Sie kommen
allesamt, um Schaden zu tun; ihre Gesich-
ter schauen nach vorn. Sie raffen Gefan-
gene zusammen wie Sand. 10 Sie spotten
der Könige und verlachen die Fürsten.
Alle Festungen sind ihnen ein Scherz; sie
schütten Erde auf und erobern sie. 11 Als-
dann brausen sie dahin wie ein Sturm und
jagen weiter; so machen sie ihre Kraft zu
ihrem Gott.

WO BLEIBT GOTTES GERECHTIGKEIT?

12 Aber du, HERR, bist du nicht mein Gott,
mein Heiliger, von Ewigkeit her? Lass
uns nicht sterben; sondern lass sie uns,
o HERR, nur eine Strafe sein, und lass sie,
o unser Fels, uns nur züchtigen.
13 Deine Augen sind zu rein, als dass du
Böses ansehen könntest, und dem Jam-

* **1,1** Siehe Sach- und Worterklärungen.

3,11 *a* Jer 25,15 **3,15** *a* Joel 1,4 **3,19** *a* Jer 30,12
1,5 *a* Apg 13,41 **1,8** *a* Zef 3,3

mer kannst du nicht zusehen! Warum
siehst du dann aber den Treulosen zu und
schweigst, wenn der Gottlose den ver-
schlingt, der gerechter ist als er?[a]
14 Du
lässt es den Menschen gehen wie den Fi-
schen im Meer, wie dem Gewürm, das
keinen Herrn hat.
15 Sie ziehen's alles mit
der Angel heraus und fangen's mit ihrem
Netze und sammeln's mit ihrem Garn.
Darüber freuen sie sich und sind fröhlich.
16 Darum opfern sie ihrem Netze und räu-
chern ihrem Garn, weil durch diese ihr
Anteil so fett und ihre Speise so üppig
geworden ist.
17 Sollen sie darum ihr Netz
immerdar ausleeren und Völker umbrin-
gen ohne Erbarmen?

GOTTES ANTWORT

2 Auf meiner Warte will ich [a]stehen und
mich auf meinen Turm stellen und Aus-
schau halten und sehen, was er mir sagen
und antworten werde auf das, was ich ihm
vorgehalten habe.
2 Der HERR aber ant-
wortete mir und sprach: [a]Schreib auf, was
du schaust, deutlich auf eine Tafel, dass
es lesen könne, wer vorüberläuft!
3 Die
Weissagung wird ja noch erfüllt werden
zu ihrer Zeit und wird endlich frei an den
Tag kommen und nicht trügen. [a]Wenn
sie sich auch hinzieht, so harre ihrer;
sie wird gewiss kommen und nicht aus-
bleiben.

4 Siehe, [a]wer halsstarrig ist, der wird
keine Ruhe in seinem Herzen haben, [b]**der
Gerechte aber wird durch seinen Glau-
ben leben.**
5 Aber der Reichtum betrügt
den stolzen Mann, dass er nicht bleibt. Er
sperrt seinen Rachen auf wie das Reich des
Todes und ist wie der Tod, der nicht zu sät-
tigen ist: Er rafft an sich alle Völker und
sammelt zu sich alle Nationen.

WEHE DEN UNTERDRÜCKERN

6 Was gilt's aber? Diese alle werden einen
Spruch über ihn machen und ein Lied und
ein Sprichwort sagen:

Weh dem, der sein Gut mehrt mit frem-
dem Gut – wie lange wird's währen? – und
häuft viel Pfänder bei sich auf!
7 Wie plötz-
lich werden aufstehen, die dich beißen,
und erwachen, die dich peinigen! Und du
musst ihnen zum Raube werden.
8 Denn
du hast viele Völker beraubt. So werden
dich wieder berauben alle übrigen Völker
um des Menschenblutes willen und um
des Frevels willen, begangen am Lande
und an der Stadt und an allen, die darin
wohnen.

9 *Weh dem,* der unrechten Gewinn
macht zum Unglück seines Hauses, auf
dass er sein Nest in der Höhe baue, um
dem Unheil zu entrinnen!
10 Aber dein
Ratschlag wird zur Schande deines Hau-
ses geraten; denn du hast zu viele Völker
zerschlagen und damit gegen dein Leben
gesündigt.
11 Denn auch [a]die Steine in der
Mauer werden schreien, und die Sparren
am Gebälk werden ihnen antworten.

12 *Weh dem,* der [a]die Stadt mit Blut baut
und richtet die Stadt auf mit Unrecht!
13 Wird's nicht so vom HERRN Zebaoth
geschehen: Woran die Völker sich abgear-
beitet haben, muss mit Feuer verbrennen,
und wofür die Leute sich müde gemacht
haben, das muss verloren sein?[a] –
14 Denn
die Erde wird voll werden von Erkenntnis
der Ehre des HERRN, wie Wasser das Meer
bedeckt.[a]

15 *Weh dem,* der seinen Nächsten trin-
ken lässt und seinen Grimm beimischt
und ihn trunken macht, [a]dass er seine
Blöße sehe!
16 Du hast dich gesättigt mit
Schande und nicht mit Ehre. So [a]trinke
du nun auch, dass du taumelst! Denn an
dich wird der Kelch in der Rechten des
HERRN kommen und Schande über deine
Ehre.
17 Denn der Frevel, den du am Liba-
non begangen, wird über dich kommen,
und die vernichteten Tiere werden dich
schrecken um des Menschenblutes willen
und um des Frevels willen, begangen am
Lande und an der Stadt und an allen, die
darin wohnen.
18 Was hilft ein Bild? Sein
Meister hat's gebildet. Was hilft ein gegos-
senes Bild, ein falscher Lehrer? Sein Meis-
ter verlässt sich auf sein Werk, obgleich er
stumme Götzen macht.[a]

19 *Weh dem,* der zum Holz spricht:
»Wach auf!«, und zum stummen Steine:
»Steh auf!« Wie sollte ein Götze lehren

1,13 ***a*** Jer 12,1 **2,1** ***a*** Jes 21,8 **2,2** ***a*** Jes 30,8; Offb 1,11.19
2,3 ***a*** Hes 12,23; 2. Petr 3,9 **2,4** ***a*** Jes 48,22 ***b*** Röm 1,17;
Gal 3,11; Hebr 10,38 **2,11** ***a*** Lk 19,40 **2,12** ***a*** Jer 22,13;
Mi 3,10 **2,13** ***a*** Jer 51,58 **2,14** ***a*** Jes 11,9
2,15 ***a*** 1. Mose 9,22 **2,16** ***a*** Jer 25,15.26
2,18 ***a*** Jes 44,10-20

können? Siehe, er ist [a]mit Gold und Sil-
ber überzogen, und kein Odem ist in
ihm. 20 Aber [a]**der HERR ist in seinem**
heiligen Tempel. [b]**Es sei stille vor ihm**
alle Welt!

DER PSALM HABAKUKS

3 Dies ist das Gebet des Propheten Habakuk, nach Art eines Klageliedes:

2 HERR, ich habe die Kunde
von dir gehört,
ich habe dein Werk gesehen, HERR!
Mache es lebendig in naher Zeit,
und lass es kundwerden
in naher Zeit.
Im Zorne denke an Barmherzigkeit!
3 Gott kommt von Teman
und der Heilige vom [a]Gebirge Paran.
SELA.
Seine Hoheit bedeckt den Himmel,
und seines Ruhmes ist die Erde voll.
4 Sein Glanz ist wie Licht;
Strahlen gehen aus
von seinen Händen.
Darin ist verborgen seine Macht.

5 Pest geht vor ihm her,
und Seuche folgt, wo er hintritt.
6 Er steht auf und [a]lässt erbeben die Erde;
er schaut und lässt erzittern
die Völker.
Zerschmettert werden die uralten Berge,
und bücken müssen sich
die uralten Hügel.
Das sind von jeher seine Wege.
7 Ich sehe die Hütten von Kuschan in Not
und die Zelte Midians beben.

8 Entbrannte gegen die Ströme, HERR,
gegen die Ströme dein Zorn,
gegen das Meer dein Grimm,
dass du auf deinen Rossen einherfährst,
auf deinen siegreichen Wagen?
9 Du ziehst deinen Bogen hervor,
legst die Pfeile auf deine Sehne. SELA.
Du spaltest das Land,
dass Ströme fließen,
10 die Berge sehen dich und beben.
Platzregen stürzt herab,
[a]die Tiefe lässt sich hören,
reckt hoch empor ihre Hände,
11 Sonne und [a]Mond stehen still;
deine Pfeile fahren mit Glänzen dahin
beim Leuchten deines blitzenden
Speeres.
12 Du zertrittst das Land im Zorn
und zerdrischst die Völker
im Grimm.

13 Du ziehst aus, deinem Volk zu helfen,
zu helfen deinem Gesalbten.
Du zerschlägst das Dach vom Hause
des Gottlosen
und [a]entblößt die Grundfeste
bis auf den Fels. SELA.
14 Du durchbohrst mit seinen eigenen
Pfeilen das Haupt seiner Krieger.
Sie stürmen heran.
Ihre Freude ist es, mich zu zerstreuen,
als wollten sie den Elenden
im Verborgenen fressen.
15 Du trittst nieder seine Rosse im Meer,
im Schlamm der Wasserfluten.

16 Weil ich solches höre, bebt mein Leib,
meine Lippen zittern
von dem Geschrei.
Fäulnis fährt in meine Gebeine,
und meine Knie beben.
Aber ich will harren auf die Zeit
der Trübsal,
dass sie heraufziehe über das Volk,
das uns angreift.
17 Denn der Feigenbaum grünt nicht,
und es ist kein Gewächs
an den Weinstöcken.
Der Ertrag des Ölbaums bleibt aus,
und die Äcker bringen keine
Nahrung;
Schafe sind aus den Hürden gerissen,
und in den Ställen sind keine Rinder.
18 Aber **ich will mich freuen des**
HERRN
und fröhlich sein in Gott,
meinem Heil.[a]
19 Denn der HERR ist meine Kraft,
[a]er hat meine Füße wie Hirschfüße
gemacht und führt mich
über die Höhen.

VORZUSINGEN, BEIM SAITENSPIEL.

2,19 *a* Ps 115,4-8 **2,20** *a* Ps 11,4 *b* Zef 1,7; Sach 2,17; Offb 8,1 **3,3** *a* 5. Mose 33,2 **3,6** *a* Ps 104,32 **3,10** *a* Ps 77,17 **3,11** *a* Jos 10,13 **3,13** *a* Ps 18,8.16 **3,18** *a* Jes 61,10 **3,19** *a* Ps 18,34

DER PROPHET ZEFANJA

1 Der Tag des Herrn 2–3 Gericht und Rettung

DER TAG DES ZORNES GOTTES

1 Dies ist das Wort des HERRN, das ge-
schah zu Zefanja, dem Sohn Kuschis,
des Sohnes Gedaljas, des Sohnes Amar-
jas, des Sohnes Hiskias, zur Zeit [a]Josias,
des Sohnes Amons, des Königs von Juda.
2 Ich will alles vom Erdboden wegraf-
fen, spricht der HERR. 3 Ich will Mensch
und Vieh, die Vögel des Himmels und
die Fische im Meer wegraffen; ich will
zu Fall bringen die Gottlosen, ja, ich will
die Menschen ausrotten vom Erdboden,
spricht der HERR.
4 Ich will meine Hand ausstrecken gegen
Juda und gegen alle, die in Jerusalem woh-
nen, und will ausrotten von dieser Stätte,
was vom Baal noch übrig ist, dazu den
Namen der [a]Pfaffen und Priester 5 und die
[a]auf den Dächern anbeten [b]des Himmels
Heer, die den HERRN anbeten und bei
ihm schwören und zugleich bei [c]Milkom
6 und die vom HERRN abfallen und die
nach dem HERRN nichts fragen und ihn
nicht achten.
7 Seid [a]stille vor Gott dem HERRN, denn
des HERRN Tag ist nahe; denn der HERR
hat ein Schlachtopfer zubereitet und seine
Gäste dazu geheiligt. 8 Und am Tage des
Schlachtopfers des HERRN will ich heim-
suchen die Oberen und die Söhne des
Königs und alle, die ein fremdländisches
Gewand tragen. 9 Auch will ich zur sel-
ben Zeit die heimsuchen, die über die
Schwelle springen, die ihres Herrn Haus
füllen mit Rauben und Trügen.
10 Zur selben Zeit, spricht der HERR,
wird sich ein lautes Geschrei erheben
vom Fischtor her und ein Geheul von
der Neustadt und ein großer Jammer von
den Hügeln. 11 Heult, die ihr im Mörser*
wohnt; denn das ganze Krämervolk ist
dahin, alle, die Silber wiegen, sind aus-
gerottet.
12 Zur selben Zeit will ich Jerusalem mit
Lampen durchsuchen und heimsuchen
die Leute, [a]die träge auf ihren Hefen liegen
und sprechen in ihrem Herzen: Der HERR
wird weder Gutes noch Böses tun. 13 Ihre
Güter sollen zum Raub werden und ihre
Häuser verwüstet. [a]Sie werden Häuser
bauen und nicht darin wohnen, sie wer-
den Weinberge pflanzen und keinen Wein
davon trinken.
14 [a]Des HERRN großer Tag ist nahe, er
ist nahe und eilt sehr. Horch, der Tag des
HERRN ist bitter! Da schreit selbst der
Starke. 15 Denn dieser Tag ist ein Tag des
Grimmes, ein Tag der Trübsal und der
Angst, ein Tag des Unwetters und der
Verwüstung, [a]ein Tag der Finsternis und
des Dunkels, ein Tag der Wolken und des
Nebels, 16 ein Tag der Posaune und des
Kriegsgeschreis gegen die festen Städte
und die hohen Zinnen. 17 Und ich will die
Menschen ängstigen, dass sie umherge-
hen sollen wie die Blinden, weil sie wider
den HERRN gesündigt haben. Ihr Blut soll
ausgeschüttet werden, als wäre es Staub,
und ihr Fleisch, als wäre es Kot. 18 [a]Auch
ihr Silber und Gold wird sie nicht erretten
können am Tage des Zorns des HERRN.
Die ganze Erde soll durch das Feuer seines
Grimmes verzehrt werden; denn er wird
ein schreckliches Ende machen mit allen,
die auf Erden wohnen.

SUCHET DEN HERRN

2 Sammelt euch und kommt her, du Volk,
das keine Scham kennt, 2 ehe denn das
Urteil ergeht – wie Spreu verfliegt der
Tag –, ehe denn des HERRN grimmiger
Zorn über euch kommt, ehe der Tag des
Zorns des HERRN über euch kommt!
3 Suchet den HERRN, all ihr Elenden im
Lande, die ihr seine Rechte haltet! [a]Suchet
Gerechtigkeit, suchet Demut! Vielleicht
könnt ihr euch bergen am Tage des Zorns
des HERRN!

* **1,11** Name eines Stadtviertels in Jerusalem.

1,1 *a* Jer 1,2 **1,4** *a* 2. Kön 23,5; Hos 10,5 **1,5** *a* Jer 19,13 *b* 2. Kön 23,4-5 *c* 2. Kön 23,13 **1,7** *a* Hab 2,20 **1,12** *a* Jer 48,11 **1,13** *a* 5. Mose 28,30.39; Am 5,11 **1,14** *a* Joel 1,15 **1,15** *a* Joel 2,2 **1,18** *a* Hes 7,19 **2,3** *a* Am 5,15

GERICHT ÜBER DIE VÖLKER

4 Denn Gaza wird verlassen und Aschke-
lon verwüstet werden. Aschdod soll am
Mittag vertrieben und Ekron ausgewur-
zelt werden. 5 Weh denen, die zum Meer
hin wohnen, dem Volk der [a]Kreter! Des
HERRN Wort wird über euch kommen,
du Kanaan, der [b]Philister Land; ich will
dich umbringen, dass niemand mehr da
wohnen soll. 6 Dann sollen zum Meer hin
Hirtenfelder und Schafhürden sein. 7 Und
das Land am Meer soll den Übriggebliebe-
nen vom Hause Juda zuteilwerden, dass
sie darauf weiden. Am Abend sollen sie
sich in den Häusern von Aschkelon la-
gern. Denn der HERR, ihr Gott, wird sie
wiederum heimsuchen und [a]ihr Geschick
wenden.

8 Ich habe das Schmähen [a]Moabs und
das Lästern der [b]Ammoniter gehört, wo-
mit sie mein Volk geschmäht und gegen
sein Land großgetan haben. 9 Wohlan, so
wahr ich lebe!, spricht der HERR Zebaoth,
der Gott Israels: Moab soll wie [a]Sodom
und die Ammoniter wie Gomorra wer-
den, ein Unkrautfeld und eine Salzgrube
und ewige Wüste. Die Übriggebliebenen
meines Volks sollen sie berauben, und der
Rest von meinem Volk soll sie beerben.
10 Das soll ihnen begegnen für ihre Hof-
fart, weil sie das Volk des HERRN Zebaoth
geschmäht und gegen es großgetan haben.
11 Schrecklich ist der HERR gegen sie; denn
er vertilgt alle Götter auf Erden, [a]und es
sollen ihn anbeten alle Inseln der Völker,
ein jedes an seiner Stätte.

12 Auch ihr [a]Kuschiter sollt durch mein
Schwert erschlagen werden.

13 Und er wird seine Hand ausstrecken
nach Norden und Assur umbringen. [a]Ni-
nive wird er öde machen, dürr wie eine
Wüste, 14 dass [a]Herden sich darin lagern
werden, allerlei Tiere des Feldes. Auch
[b]Dohlen und Eulen werden auf ihren
Säulen die Nacht verbringen. Sie werden
in den Fenstern schreien und die Raben
auf den Schwellen. Denn das Zedernholz
ist abgerissen. 15 Das ist die fröhliche Stadt,
die so sicher wohnte und in ihrem Herzen
sprach: [a]»Ich bin's und sonst keine mehr.«
Wie ist sie so wüst geworden, dass Tiere
darin lagern! Wer vorübergeht, pfeift über
sie und klatscht in die Hände.

GERICHT ÜBER JERUSALEM

3 Weh der widerspenstigen, befleckten,
tyrannischen Stadt! 2 Sie will nicht ge-
horchen noch sich zurechtweisen lassen;
sie will auf den HERRN nicht trauen noch
sich zu ihrem Gott halten. 3 Ihre [a]Oberen
sind brüllende Löwen und ihre Rich-
ter Wölfe der Steppe, die nichts bis zum
Morgen übrig lassen. 4 Ihre Propheten
sind leichtfertig und voll Trug; ihre Pries-
ter entweihen das Heiligtum und deuten
das Gesetz freventlich.[a] 5 Der HERR ist ge-
recht in ihrer Mitte und tut kein Arges. Er
bringt alle Morgen sein Recht ans Licht;
es bleibt nicht aus. Aber der Frevler kennt
keine Scham.

6 Ich habe Völker ausgerottet, ihre Bur-
gen verwüstet und ihre Gassen so leer
gemacht, dass niemand darauf geht; ihre
Städte sind zerstört, dass niemand mehr
darin wohnt. 7 Ich sprach: Mich sollst du
fürchten und dich zurechtweisen lassen –,
so würde ihre Wohnung nicht ausgerottet
und nichts von allem kommen, womit ich
sie heimsuchen wollte. Aber sie sind eifrig
dabei, alles Böse zu tun. 8 Darum wartet
auf mich, spricht der HERR, bis auf den
Tag, an dem ich als Kläger auftrete; denn
mein Recht ist es, Völker zu versammeln
und Königreiche zusammenzubringen,
um [a]meinen Zorn über sie auszuschüt-
ten, ja, alle Glut meines Grimmes; denn
alle Welt soll durch meines Eifers Feuer
verzehrt werden.

DAS KOMMENDE HEIL

9 Dann aber will ich den Völkern reine
Lippen geben, dass sie alle des HERRN
Namen anrufen und ihm einträchtig die-
nen. 10 Von jenseits [a]der Ströme von Kusch
[b]werden meine Anbeter in der Zerstreu-
ung mir Geschenke bringen.

11 Zur selben Zeit wirst du dich all deiner
Taten nicht mehr zu schämen brauchen,
mit denen du dich gegen mich empört
hast; denn dann will ich deine stolzen
Prahler von dir tun, und du wirst dich

2,5 *a* Hes 25,16 *b* Jer 47,1-7 **2,7** *a* Kap 3,20
2,8 *a* Jer 48,1-47 *b* Jer 49,1-6 **2,9** *a* 1. Mose 19,24-25
2,11 *a* Mal 1,11 **2,12** *a* Hes 30,9 **2,13** *a* Nah 1,1
2,14 *a* Jes 13,21 *b* Jes 34,11 **2,15** *a* Jes 47,8 **3,3** *a* Hes 22,27
3,4 *a* Mi 3,11 **3,8** *a* Ps 79,6 **3,10** *a* Ps 68,32; Jes 18,1
b Apg 8,27

nicht mehr überheben auf meinem hei-
ligen Berge. 12 **Ich will in dir [a]übrig las-
sen ein armes und geringes Volk; die
werden auf des HERRN Namen trauen.**
13 Und diese Übriggebliebenen in Israel
werden nichts Böses tun noch Lüge re-
den, und man wird in ihrem Munde keine
betrügerische Zunge finden, sondern sie
sollen weiden und lagern ohne alle Furcht.
14 [a]Jauchze, du Tochter Zion! Frohlocke,
Israel! Freue dich und sei fröhlich von
ganzem Herzen, du Tochter Jerusalem!
15 Denn der HERR hat deine Strafe weg-
genommen und deine Feinde abgewen-
det. Der HERR, der König Israels, ist bei
dir, dass du dich vor keinem Unheil mehr
fürchten musst. 16 Zur selben Zeit wird
man sprechen zu Jerusalem: Fürchte dich
nicht, Zion! Lass deine Hände nicht sin-
ken! 17 Denn der HERR, dein Gott, ist
bei dir, ein starker Heiland. [a]Er wird
sich über dich freuen und dir freund-
lich sein, er wird dir vergeben in seiner
Liebe und wird über dich mit Jauchzen
fröhlich sein. 18 Wie an einem festlichen
Tage nehme ich von dir hinweg das Un-
heil, dass du seinetwegen keine Schmach
mehr trägst.
19 Siehe, zur selben Zeit will ich mit allen
denen ein Ende machen, die dich bedrän-
gen, und [a]will den Hinkenden helfen und
die Zerstreuten sammeln und will sie zu
Lob und Ehren bringen in allen Landen,
wo man sie verachtet.
20 Zur selben Zeit will ich euch heim-
bringen und euch zur selben Zeit sam-
meln; denn ich will euch zu Lob und Eh-
ren bringen unter allen Völkern auf Erden,
[a]wenn ich euer Geschick wenden werde
vor euren Augen, spricht der HERR.

DER PROPHET HAGGAI

AUFRUF ZUM TEMPELBAU

1 Im [a]zweiten Jahr des Königs Darius,
im sechsten Monat, am ersten Tage des
Monats, geschah des HERRN Wort durch
den Propheten [b]Haggai zu Serubbabel,
dem Sohn Schealtiëls, dem Statthalter von
Juda, und zu [c]Jeschua, dem Sohn Jozadaks,
dem Hohenpriester:
2 So spricht der HERR Zebaoth: Dies Volk
spricht: Die Zeit ist noch nicht da, dass das
Haus des HERRN gebaut werde. 3 Und des
HERRN Wort geschah durch den Prophe-
ten Haggai: 4 Ist denn eure Zeit da, dass ihr
in euren getäfelten Häusern wohnt, aber
[a]dies Haus muss wüst stehen?
5 Nun, so spricht der HERR Zebaoth:
Achtet doch darauf, wie es euch geht: 6 Ihr
[a]sät viel und bringt wenig ein; ihr esst
und werdet doch nicht satt; ihr trinkt und
bleibt doch durstig; ihr kleidet euch, und
keinem wird warm; und wer Geld ver-
dient, der legt's in einen löchrigen Beutel.
7 So spricht der HERR Zebaoth: Ach-
tet doch darauf, wie es euch geht! 8 Geht
hin auf das Gebirge und holt Holz und
baut das Haus! Und ich will Wohlgefallen
daran haben und will meine Herrlichkeit
erweisen, spricht der HERR. 9 Ihr erwar-
tet wohl viel, aber siehe, es wird wenig;
und wenn ihr's schon heimbringt, so
blase ich's weg. Warum das?, spricht der
HERR Zebaoth. Weil mein Haus so wüst
dasteht; ihr aber eilt, ein jeder für sein
Haus zu sorgen. 10 Darum hat der Him-
mel über euch [a]den Tau zurückgehalten
und das Erdreich seinen Ertrag. 11 Und ich
habe die [a]Dürre gerufen über Land und
Berge, über Korn, Wein, Öl und über al-
les, was aus der Erde kommt, auch über
Mensch und Vieh und über alle Arbeit der
Hände.
12 Da gehorchten Serubbabel, der Sohn
Schealtiëls, und Jeschua, der Sohn Joza-
daks, der Hohepriester, und alle Übrigen
vom Volk der Stimme des HERRN, ihres
Gottes, und den Worten des Propheten
Haggai, wie ihn der HERR, ihr Gott, ge-
sandt hatte; und das Volk fürchtete sich

3,12 ***a*** Hes 6,8 **3,14** ***a*** Sach 9,9 **3,17** ***a*** Jes 62,5
3,19 ***a*** Mi 4,7 **3,20** ***a*** Kap 2,7; Jer 29,14 **1,1** ***a*** Esra 4,24;
Sach 1,1 ***b*** Esra 5,1-2 ***c*** Esra 2,2; Sach 3,1 **1,4** ***a*** 2. Sam 7,2
1,6 ***a*** Kap 2,15-19; 5. Mose 28,38; Sach 8,10
1,10 ***a*** 1. Kön 17,1; Sach 8,12 **1,11** ***a*** Kap 2,17;
5. Mose 28,22; Am 4,9

vor dem HERRN. 13 Da sprach Haggai, der
[a]Bote des HERRN, der beauftragt war mit
der Botschaft des HERRN an das Volk: Ich
bin mit euch, spricht der HERR.
14 Und der HERR erweckte den Geist
Serubbabels, des Sohnes Schealtiëls, des
Statthalters von Juda, und den Geist Je-
schuas, des Sohnes Jozadaks, des Hohen-
priesters, und den Geist aller Übrigen vom
Volk, dass sie kamen und arbeiteten am
Hause des HERRN Zebaoth, ihres Gottes,
15 am vierundzwanzigsten Tage des sechs-
ten Monats im zweiten Jahr des Königs
Darius.

DIE KÜNFTIGE HERRLICHKEIT DES TEMPELS

2 Am einundzwanzigsten Tage des sie-
benten Monats geschah des HERRN
Wort durch den Propheten Haggai:
2 Sage zu Serubbabel, dem Sohn Sche-
altiëls, dem Statthalter von Juda, und zu
Jeschua, dem Sohn Jozadaks, dem Ho-
henpriester, und zu den Übrigen vom
Volk und sprich: 3 Wer ist unter euch
noch übrig, der dies Haus [a]in seiner frü-
heren Herrlichkeit gesehen hat? Und wie
seht ihr's nun? Sieht es nicht wie nichts
aus? 4 Aber nun, Serubbabel, [a]sei getrost,
spricht der HERR, sei getrost, Jeschua,
du Sohn Jozadaks, du Hoherpriester! Sei
getrost, alles Volk im Lande, spricht der
HERR, und arbeitet! Denn ich bin mit
euch, spricht der HERR Zebaoth – 5 [a]nach
dem Wort, das ich euch zusagte, als ihr
aus Ägypten zogt –, und [b]mein Geist
soll unter euch bleiben. Fürchtet euch
nicht!
6 Denn so spricht der HERR Zebaoth:
Es ist nur noch eine kleine Weile, dass
[a]ich Himmel und Erde, das Meer und
das Trockene erschüttere. 7 Dann will ich
alle Völker erschüttern, dass aller Völker
Kostbarkeiten kommen, und ich will dies
Haus mit Herrlichkeit füllen, spricht der
HERR Zebaoth. 8 [a]Denn mein ist das Sil-
ber, und mein ist das Gold, spricht der
HERR Zebaoth. 9 Es soll die Herrlichkeit
dieses neuen Hauses größer werden, als
die des ersten gewesen ist, spricht der
HERR Zebaoth; und ich will Frieden ge-
ben an dieser Stätte, spricht der HERR
Zebaoth.

KÖNNEN UNHEILIGE MENSCHEN DEN TEMPEL BAUEN?

10 Am vierundzwanzigsten Tage des neun-
ten Monats, im zweiten Jahr des Darius,
geschah des HERRN Wort zu dem Prophe-
ten Haggai:
11 So spricht der HERR Zebaoth: Frage
die Priester nach dem Gesetz und sprich:
12 Wenn jemand heiliges Fleisch trüge im
Zipfel seines Kleides und berührte danach
mit seinem Zipfel Brot, Gekochtes, Wein,
Öl oder was es für Speise wäre, würde es
auch heilig? Und die Priester antworte-
ten und sprachen: Nein. 13 Haggai sprach:
Wenn aber jemand [a]durch Berührung
eines Toten unrein wäre und eins davon
anrührte, würde es auch unrein? Die
Priester antworteten und sprachen: Es
würde unrein.
14 Da antwortete Haggai und sprach:
Ebenso ist es mit diesem Volk und
mit diesen Leuten vor mir, spricht der
HERR, und auch mit allem Werk ihrer
Hände; und [a]was sie dort opfern, ist un-
rein.

ERMUTIGUNG ZUM WEITERBAU DES TEMPELS

15 [a]Doch achtet nun darauf, was von die-
sem Tage an geschieht! Bevor ein Stein
auf den andern gelegt wurde am Tem-
pel des HERRN, war es so: 16 Kam einer
[a]zum Kornhaufen, der zwanzig Maß ha-
ben sollte, so waren kaum zehn da; kam
er zur Kelter und meinte, fünfzig Eimer
zu schöpfen, so waren kaum zwanzig da.
17 Ich [a]schlug euch mit Dürre, Getreide-
brand und Hagel in all eurer Arbeit; doch
keiner von euch hat sich zu mir bekehrt,
spricht der HERR.
18 Achtet doch darauf, was von diesem
Tage an geschieht – vom vierundzwan-
zigsten Tage des neunten Monats an –,
nämlich von dem Tag an, da der Tempel
des HERRN gegründet wurde! Achtet
darauf: 19 Noch liegt das Saatgut in der
Scheune, noch haben Weinstock, Feigen-
baum, Granatapfel und Ölbaum nicht

1,13 *a* Mal 2,7 **2,3** *a* Esra 3,12; Sach 4,10 **2,4** *a* Jos 1,9 **2,5** *a* 2. Mose 19,5 *b* Sach 4,6 **2,6** *a* Hebr 12,26 **2,8** *a* Jes 60,5-7 **2,13** *a* 3. Mose 5,2; 22,4; 4. Mose 5,2; 9,10 **2,14** *a* Esra 4,1-3 **2,15** *a* (15-19) Sach 8,9-12 **2,16** *a* Kap 1,6 **2,17** *a* Kap 1,11; Am 4,6

getragen; aber von diesem Tage an will
ich Segen geben.

SERUBBABEL – EIN SIEGELRING GOTTES

20 Und des HERRN Wort geschah zum
zweiten Mal zu Haggai am vierundzwan-
zigsten Tage des Monats:
21 Sage Serubbabel, dem Statthalter von
Juda: [a]Ich will Himmel und Erde erschüt-
tern 22 und will die Throne der Königreiche
umstürzen und die Macht der Königreiche
der Völker vertilgen und umstürzen die
Wagen und ihre Fahrer; Ross und Reiter
werden fallen, ein jeder durch des andern
Schwert. 23 Zur selben Zeit, spricht der
HERR Zebaoth, [a]will ich dich, Serubba-
bel, du Sohn Schealtiëls, meinen Knecht,
nehmen, spricht der HERR, und dich wie
einen [b]Siegelring halten; denn ich habe
dich erwählt, spricht der HERR Zebaoth.

DER PROPHET SACHARJA

1–6 Die Visionen Sacharjas 7–8 Über Fasten und Tempelbau 9–14 Das künftige Heil Jerusalems

DIE GESCHICHTE DER VÄTER MAHNT ZUR BUSSE

1 Im achten Monat des zweiten Jahrs des
Königs Darius geschah das Wort des
HERRN zu [a]Sacharja, dem Sohn Berechjas,
des Sohnes Iddos, dem Propheten:
2 Der HERR ist über eure Väter [a]zornig
gewesen, sehr zornig! 3 Aber sprich zu ih-
nen: So spricht der HERR Zebaoth: [a]Kehrt
um zu mir, spricht der HERR Zebaoth, so
will ich zu euch umkehren, spricht der
HERR Zebaoth. 4 Seid nicht wie eure Väter,
denen die [a]früheren Propheten predigten
und sprachen: »So spricht der HERR Ze-
baoth: [b]Kehrt doch um von euren bösen
Wegen und von eurem bösen Tun!«, aber
sie gehorchten nicht und achteten nicht
auf mich, spricht der HERR. 5 Wo sind
nun eure Väter? Und die Propheten, leben
sie denn noch? 6 Aber haben nicht meine
Worte und meine Rechte, die ich durch
meine Knechte, die Propheten, geboten
habe, eure Väter getroffen? Da kehrten
sie um und sagten: »Wie der HERR Ze-
baoth vorhatte, uns zu tun nach unsern
Wegen und Taten, so hat er uns auch
getan.«

DIE ERSTE VISION: DER MANN AUF DEM ROTEN PFERD

7 Am vierundzwanzigsten Tage des elften
Monats – das ist der Monat Schebat – im
zweiten Jahr des Königs Darius geschah
das Wort des HERRN zu Sacharja, dem
Sohn Berechjas, des Sohnes Iddos, dem
Propheten:
8 Ich sah in dieser Nacht, und siehe, ein
Mann saß auf einem roten Pferde, und er
hielt zwischen den Myrten in der Tiefe,
und hinter ihm waren [a]rote, braune und
weiße Pferde. 9 Und ich sprach: Mein Herr,
wer sind diese? Und der Engel, der mit
mir redete, sprach zu mir: Ich will dir zei-
gen, wer diese sind. 10 Und der Mann, der
zwischen den Myrten hielt, antwortete:
Diese sind's, die der HERR ausgesandt
hat, die Lande zu durchziehen. 11 Sie aber
antworteten dem Engel des HERRN, der
zwischen den Myrten stand, und spra-
chen: Wir haben die Lande durchzogen,
und siehe, die ganze Erde liegt ruhig und
still.
12 Da hob der Engel des HERRN an und
sprach: HERR Zebaoth, wie lange noch
willst du dich nicht [a]erbarmen über Je-
rusalem und über die Städte Judas, über
die du zornig gewesen bist diese [b]siebzig
Jahre? 13 Und der HERR antwortete dem
Engel, der mit mir redete, freundliche
Worte und tröstliche Worte. 14 Und der
Engel, der mit mir redete, sprach zu mir:
Predige und sprich: So spricht der HERR
Zebaoth: Ich eifere für Jerusalem und
Zion mit großem Eifer 15 und bin sehr
[a]zornig über die stolzen Völker; denn ich
war nur ein wenig zornig, sie aber halfen
zum Verderben.

2,21 *a* Vers 6 **2,23** *a* Sach 4,6; 6,12-13 *b* Jer 22,24
1,1 *a* Esra 5,1; 6,14; Neh 12,16 **1,2** *a* Vers 15 **1,3** *a* Mal 3,7; Jak 4,8 **1,4** *a* Kap 7,7 *b* 2. Kön 17,13-14; Jer 3,12; Hes 33,11
1,8 *a* Kap 6,1-8 **1,12** *a* Ps 79,5; 102,14 *b* Jer 25,11; 29,10; Dan 9,2 **1,15** *a* Jes 47,6; Nah 1,2; Hab 3,12

16 Darum, so spricht der HERR: [a]Ich will
mich wieder Jerusalem zuwenden mit
Barmherzigkeit, und mein Haus soll darin
wieder aufgebaut werden, spricht der
HERR Zebaoth, und die Messschnur soll
über Jerusalem gespannt werden. 17 Und
weiter predige und sprich: So spricht der
HERR Zebaoth: Es sollen meine Städte
wieder Überfluss haben an Gutem, und
der HERR wird Zion wieder [a]trösten und
wird Jerusalem [b]wieder erwählen.

DIE ZWEITE VISION: VIER HÖRNER UND VIER SCHMIEDE

2 Und ich hob meine Augen auf und sah,
und siehe, da waren vier Hörner. 2 Und
ich sprach zu dem Engel, der mit mir re-
dete: Wer sind diese? Er sprach zu mir: Es
sind die Hörner, die Juda samt Israel und
Jerusalem zerstreut haben.
3 Und der HERR zeigte mir vier Schmie-
de. 4 Da sprach ich: Was wollen die ma-
chen? Er sprach: Jene sind die Hörner,
die Juda so zerstreut haben, dass niemand
mehr sein Haupt erhob; diese aber sind
gekommen, jene abzuschrecken und die
Hörner der Völker abzuschlagen, die ihr
Horn gegen das Land Juda erhoben haben,
um es zu zerstreuen.

DIE DRITTE VISION: DER MANN MIT DER MESSSCHNUR

5 Und ich hob meine Augen auf und sah,
und siehe, ein Mann hatte eine [a]Mess-
schnur in der Hand. 6 Und ich sprach: Wo
gehst du hin? Er sprach zu mir: Jerusa-
lem auszumessen und zu sehen, wie lang
und breit es werden soll. 7 Und siehe, der
Engel, der mit mir redete, ging hinaus,
und ein anderer Engel kam ihm entge-
gen 8 und sprach zu ihm: Lauf hin und
sage diesem jungen Mann: Jerusalem soll
[a]ohne Mauern bleiben wegen der Menge
der Menschen und des Viehs, die darin
sein werden. 9 Und [a]ich selbst will, spricht
der HERR, eine feurige Mauer rings um
sie her sein und will mich herrlich darin
erweisen.

FLUCHT UND NEUE FREUDE

10 Wehe, wehe! Flieht aus dem Lande des
Nordens!, spricht der HERR; denn ich habe
euch in die vier Winde unter dem Him-
mel zerstreut, spricht der HERR. 11 Wehe!
Nach Zion rette dich, die du wohnst bei
der Tochter Babel! 12 Denn so spricht der
HERR Zebaoth, nachdem seine Herrlich-
keit mich gesandt hat zu den Völkern, die
euch berauben: Wer euch antastet, der
[a]tastet seinen Augapfel an. 13 Denn siehe,
ich schwinge meine Hand über sie, dass
sie ein Raub derer werden, die ihnen die-
nen. – Und ihr sollt erkennen, dass mich
der HERR Zebaoth gesandt hat.
14 Freue dich und sei fröhlich, du
Tochter Zion! Denn siehe, ich komme
und will bei dir wohnen, spricht der
HERR. 15 Und es sollen zu der Zeit viele
Völker sich zum HERRN wenden und sol-
len mein Volk sein, und [a]ich will bei dir
wohnen. – Und du sollst erkennen, dass
mich der HERR Zebaoth zu dir gesandt
hat. – 16 Und der HERR wird Juda in Besitz
nehmen als sein Erbteil in dem heiligen
Lande und [a]wird Jerusalem wieder er-
wählen. 17 [a]Alles Fleisch sei stille vor dem
HERRN; denn er hat sich aufgemacht von
seiner heiligen Stätte!

DIE VIERTE VISION: DER HOHEPRIESTER JESCHUA

3 Und er ließ mich sehen den Hohen-
priester [a]Jeschua, wie er vor dem Engel
des HERRN stand, und der [b]Satan stand
zu seiner Rechten, um ihn zu [c]verklagen.
2 Und der HERR sprach zum Satan: [a]Der
HERR schelte dich, du Satan! Ja, der HERR
schelte dich, der Jerusalem erwählt hat! Ist
dieser nicht ein Brandscheit, das aus dem
Feuer gerettet ist?
3 Jeschua aber hatte unreine Kleider an
und stand vor dem Engel, 4 der anhob und
sprach zu denen, die vor ihm standen:
Tut die unreinen Kleider von ihm! Und er
sprach zu ihm: Sieh her, ich [a]nehme deine
Sünde von dir und lasse dir [b]Feierklei-
der anziehen. 5 Und ich sprach: Setzt ihm
einen reinen [a]Kopfbund auf sein Haupt!
Und sie setzten ihm den reinen Kopfbund
auf sein Haupt und zogen ihm Kleider an,
und der Engel des HERRN stand dabei.

1,16 *a* Kap 8,3 **1,17** *a* Jes 40,1-2 *b* Jes 14,1 **2,5** *a* Hes 40,3
2,8 *a* Hes 38,11 **2,9** *a* Kap 9,8 **2,12** *a* 5. Mose 32,10
2,15 *a* Jes 11,10 **2,16** *a* Kap 1,17 **2,17** *a* Hab 2,20
3,1 *a* Hag 1,1 *b* Hiob 1,9 *c* Offb 12,10 **3,2** *a* Jud 9
3,4 *a* Jes 6,7 *b* Jes 61,3 **3,5** *a* 2. Mose 28,39

6 Und der Engel des HERRN bezeugte es
Jeschua und sprach: 7 So spricht der HERR
Zebaoth: Wirst du in meinen Wegen
wandeln und meinen Dienst recht ver-
sehen, so sollst du meinem Haus Recht
sprechen und meine Vorhöfe bewahren.
Und ich will dir Zugang zu mir geben mit
diesen, die hier stehen.

8 Höre nun, Jeschua, du Hoherpriester:
Du und deine Brüder, die vor dir sitzen,
sind miteinander ein [a]Zeichen; denn
siehe, ich will meinen Knecht [b]»Spross«
kommen lassen.

9 Ja, siehe, auf dem einen Stein, den ich
vor Jeschua hingelegt habe, sind [a]sieben
Augen. Siehe, ich grabe seine Inschrift
ein, spricht der HERR Zebaoth: Ich will
die Sünde jenes Landes wegnehmen an
einem einzigen Tag.

10 Zu derselben Zeit, spricht der HERR
Zebaoth, wird einer den andern einla-
den [a]unter den Weinstock und unter den
Feigenbaum.

DIE FÜNFTE VISION: DER GOLDENE LEUCHTER UND DIE ZWEI ÖLBÄUME

4 Und der Engel, der mit mir redete,
weckte mich abermals auf, wie man
vom Schlaf erweckt wird, 2 und sprach zu
mir: Was siehst du? Ich aber sprach: Ich
sah, und siehe, da war ein [a]Leuchter, ganz
aus Gold, mit einer Schale oben darauf, auf
der sieben Lampen waren und je sieben
Schnauzen an jeder Lampe, die auf ihr war,
3 und zwei Ölbäume dabei, einer zu sei-
ner Rechten, der andere zu seiner Linken.
4 Und ich fuhr fort und sprach zu dem En-
gel, der mit mir redete: Mein Herr, was ist
das? 5 Und der Engel, der mit mir redete,
antwortete und sprach zu mir: Weißt du
nicht, was das ist? Ich aber sprach: Nein,
mein Herr.

VERHEISSUNG ÜBER SERUBBABEL

6 Und er antwortete und sprach zu mir:
Das ist das Wort des HERRN an Serub-
babel: **Es soll nicht durch Heer oder
Kraft, sondern durch meinen Geist
geschehen, spricht der HERR Zebaoth.**
7 Wer bist du, großer Berg? Vor Serubba-
bel werde zur Ebene! Er wird hervorholen
den Grundstein unter Jubelrufen: Glück
zu! Glück zu!

8 Und es geschah zu mir das Wort des
HERRN: 9 Die Hände [a]Serubbabels haben
dies Haus gegründet, seine Hände sollen's
auch vollenden, damit ihr erkennt, dass
mich der HERR Zebaoth zu euch gesandt
hat. 10 Denn [a]wer hat den Tag der geringen
Anfänge verachtet? Die werden doch mit
Freuden sehen den [b]Schlussstein in Se-
rubbabels Hand.

DEUTUNG DER FÜNFTEN VISION

Jene [c]sieben sind des HERRN Augen, die
alle Lande durchziehen.

11 Und ich fuhr fort und sprach zu ihm:
Was sind die zwei Ölbäume zur Rechten
und zur Linken des Leuchters? 12 Und ich
sprach weiter zu ihm: Was sind die bei-
den Zweige der Ölbäume bei den zwei
goldenen Röhren, aus denen das goldene
Öl herabfließt? 13 Und er sprach zu mir:
Weißt du nicht, was sie sind? Ich aber
sprach: Nein, mein Herr. 14 Und er sprach:
Es sind die zwei [a]Gesalbten, die [b]vor dem
Herrscher aller Lande stehen.

DIE SECHSTE VISION: DIE FLIEGENDE SCHRIFTROLLE

5 Und ich hob meine Augen abermals
auf und sah, und siehe, da war eine
fliegende Schriftrolle. 2 Und er sprach
zu mir: Was siehst du? Ich aber sprach:
Ich sehe eine fliegende Schriftrolle, die
ist zwanzig Ellen lang und zehn Ellen
breit. 3 Und er sprach zu mir: Das ist der
Fluch, der ausgeht über das ganze Land.
Denn alle Diebe blieben seither unge-
straft – wie lange noch? Und alle Mein-
eidigen blieben seither ungestraft – wie
lange noch? 4 Ich will ihn ausgehen las-
sen, spricht der HERR Zebaoth, dass er
kommen soll über das Haus des Diebes
und über das Haus dessen, der bei mei-
nem Namen falsch schwört. Und er soll
in seinem Haus bleiben und soll's ver-
zehren samt seinem Holz und seinen
Steinen.

3,8 *a* Jes 8,18 *b* Kap 6,12; Jer 23,5; 33,15
3,9 *a* Kap 4,10; Offb 5,6 **3,10** *a* 1. Kön 5,5; Mi 4,4
4,2 *a* 2. Mose 25,31-40 **4,9** *a* Esra 3,8
4,10 *a* Hag 2,3 *b* Vers 7 *c* Kap 3,9 **4,14** *a* 4. Mose 3,3
b Kap 6,5; Offb 11,4

DIE SIEBENTE VISION: DIE FRAU IN DER TONNE

5 Und der Engel, der mit mir redete, trat
hervor und sprach zu mir: Hebe deine
Augen auf und sieh! Was kommt da her-
vor? 6 Und ich sprach: Was ist das? Er aber
sprach: Das ist die Tonne, die da hervor-
kommt – und sprach weiter: Das ist ihre
Sünde im ganzen Lande. 7 Und siehe, es
hob sich der Deckel aus Blei, und da war
eine Frau, die saß in der Tonne. 8 Er aber
sprach: Das ist die Gottlosigkeit. Und er
stieß sie in die Tonne und warf den Klum-
pen Blei auf die Öffnung.

9 Und ich hob meine Augen auf und
sah, und siehe, zwei Frauen traten heran,
und Wind war unter ihren Flügeln, und
sie hatten Flügel wie Storchenflügel. Und
sie trugen die Tonne zwischen Erde und
Himmel dahin. 10 Und ich sprach zum En-
gel, der mit mir redete: Wo tragen diese
die Tonne hin? 11 Er aber sprach zu mir:
Dass ihr ein Haus gebaut werde [a]im Lande
Schinar. Und wenn es vollendet ist, wird
sie dort abgestellt an ihrem Platz.

DIE ACHTE VISION: DIE VIER WAGEN

6 [a]Und ich hob meine Augen abermals auf
und sah, und siehe, da waren vier Wa-
gen, die kamen zwischen den zwei Bergen
hervor; die Berge aber waren aus Kupfer.
2 Am ersten Wagen waren rote Rosse, am
zweiten Wagen waren schwarze Rosse,
3 am dritten Wagen waren weiße Rosse,
am vierten Wagen waren scheckige Rosse,
allesamt stark. 4 Und ich hob an und sprach
zum Engel, der mit mir redete: Mein Herr,
wer sind diese? 5 Der Engel antwortete
und sprach zu mir: Es sind die vier Winde
des Himmels, die hervorkommen, nach-
dem sie gestanden haben [a]vor dem Herr-
scher der ganzen Erde. 6 Die schwarzen
Rosse zogen in das Land des Nordens, die
weißen zogen hinter ihnen her, und die
scheckigen zogen in das Land des Südens.

7 Diese starken Rosse also zogen aus und
wollten sich aufmachen, um [a]die Lande zu
durchziehen. Und er sprach: Geht hin und
durchzieht die Lande! Und sie durchzogen
die Lande. 8 Und er rief mich an und redete
mit mir und sprach: Sieh, die in das Land
des Nordens ziehen, lassen meinen Geist
ruhen im Lande des Nordens.

DIE KRÖNUNG JESCHUAS

9 Und des HERRN Wort geschah zu mir:
10 Nimm von den Weggeführten, von
Heldai und von Tobija und von Jedaja,
und komm du am selben Tag, komm in
das Haus Joschijas, des Sohnes Zefanjas,
wohin sie von Babel gekommen sind,
11 [a]nimm Silber und Gold und mache Kro-
nen und kröne das Haupt Jeschuas, des
Hohenpriesters, des Sohnes Jozadaks,
12 und sprich zu ihm: So spricht der HERR
Zebaoth: Siehe, es ist ein Mann, der heißt
»Spross«; denn unter ihm wird's spros-
sen, und er wird bauen des HERRN Tem-
pel. 13 Ja, den Tempel des HERRN wird er
bauen, und er wird den Schmuck tragen
und wird sitzen und herrschen auf seinem
Thron. Auch der [a]Priester wird auf sei-
nem Thron sein, und es wird Friede sein
zwischen den beiden. 14 Und die Kronen
sollen zum Gedenken an Chelem, Tobija,
Jedaja und Chen, den Sohn des Zefanja,
im Tempel des HERRN bleiben. 15 Und [a]es
werden kommen von ferne, die am Tem-
pel des HERRN bauen werden. Da werdet
ihr erkennen, dass mich der HERR Zeba-
oth zu euch gesandt hat; und das soll ge-
schehen, wenn ihr gehorchen werdet der
Stimme des HERRN, eures Gottes.

AM BLOSSEN FASTEN HAT GOTT KEIN GEFALLEN

7 Und es geschah im vierten Jahr des
Königs Darius, da geschah des HERRN
Wort zu Sacharja am vierten Tag des neun-
ten Monats, im Kislew. 2 Und man sandte
Bethel-Sarezer und Regem-Melech und
seine Leute, um den HERRN anzuflehen
3 und die Priester am Hause des HERRN
Zebaoth und die Propheten zu befragen:
Muss ich immer noch im [a]fünften Mo-
nat weinen und enthaltsam sein, wie ich
es nun so viele Jahre getan habe? 4 Und
des HERRN Zebaoth Wort geschah zu
mir: 5 Sage allem Volk im Lande und den
Priestern und sprich: [a]Als ihr fastetet und
Leid trugt im fünften und siebenten Mo-
nat diese [b]siebzig Jahre lang, habt ihr da

5,11 *a* 1. Mose 11,2 **6,1** *a* (1-8) Kap 1,8; Offb 6,1-8
6,5 *a* Kap 4,14 **6,7** *a* Kap 1,10 **6,11** *a* (11-12) Kap 3,8
6,13 *a* Ps 110,4 **6,15** *a* Jes 60,10 **7,3** *a* Kap 8,19;
2. Kön 25,8-9; Jer 52,12-13 **7,5** *a* Jes 58,5 *b* Kap 1,12;
Jer 25,11; 29,10; Dan 9,2

wirklich für mich gefastet? 6 Und wenn ihr
esst und trinkt, esst und trinkt ihr da nicht
für euch selbst?

GOTTES GERICHT ÜBER DIE UNBARMHERZIGKEIT

7 Ist’s nicht das, was der HERR durch die
früheren Propheten predigen ließ, als
Jerusalem bewohnt war und sicher samt
seinen Städten ringsum und Leute im
Südland und im Hügelland wohnten.
8 Und des HERRN Wort geschah zu Sa-
charja: 9 So sprach der HERR Zebaoth:
[a]**Richtet recht, und [b]ein jeder erweise
seinem Bruder Güte und Barmherzig-
keit, 10 und [a]bedrückt nicht die Wit-
wen, Waisen, Fremdlinge und Armen,
und denke keiner gegen seinen Bruder
etwas Arges in seinem Herzen!**
11 Sie aber weigerten sich aufzumerken
und kehrten mir störrisch den Rücken zu
und verstopften ihre Ohren, dass sie nicht
hörten, 12 und machten ihre Herzen [a]hart
wie Diamant, damit sie nicht hörten das
Gesetz und die Worte, die der HERR Ze-
baoth durch seinen Geist sandte [b]durch
die früheren Propheten. Daher ist so gro-
ßer Zorn vom HERRN Zebaoth gekom-
men. 13 Und es ist so ergangen: Gleichwie
gepredigt wurde und sie nicht hörten, so
wollte ich auch nicht hören, als sie riefen,
spricht der HERR Zebaoth. 14 Darum habe
ich sie zerstreut unter alle Völker, die sie
nicht kannten, und das Land blieb verwüs-
tet hinter ihnen liegen, sodass niemand
mehr darin hin und her zog; so haben sie
das liebliche Land zur Wüste gemacht.

DAS KÜNFTIGE HEIL FÜR DAS VOLK GOTTES

8 Und es geschah das Wort des HERRN
Zebaoth: 2 So spricht der HERR Ze-
baoth: [a]Ich eiferte um Zion mit großem
Eifer, und mit großem Zorn eiferte ich um
seinetwillen.
3 So spricht der HERR: Ich kehre wie-
der auf den Zion zurück und [a]will zu Je-
rusalem wohnen, dass Jerusalem [b]»Stadt
der Treue« heißen soll und der Berg des
HERRN Zebaoth [c]»heiliger Berg«.
4 So spricht der HERR Zebaoth: [a]Es sol-
len hinfort wieder sitzen auf den Plätzen
Jerusalems alte Männer und Frauen, jeder
mit seinem Stock in der Hand vor hohem
Alter, 5 und die Plätze der Stadt sollen voll
sein von Knaben und Mädchen, die dort
spielen.
6 So spricht der HERR Zebaoth: Selbst
wenn das dem [a]Rest dieses Volkes in
dieser Zeit unmöglich scheint, sollte es
darum auch mir [b]unmöglich scheinen?,
spricht der HERR Zebaoth.
7 So spricht der HERR Zebaoth: Siehe,
ich will mein Volk retten aus dem Lande
gegen Aufgang und aus dem Lande ge-
gen Niedergang der Sonne 8 und will sie
heimbringen, dass sie in Jerusalem woh-
nen. Und [a]sie sollen mein Volk sein, und
ich will ihr Gott sein in Treue und Gerech-
tigkeit.
9 [a]So spricht der HERR Zebaoth: [b]Stärkt
eure Hände, die ihr diese Worte hört in
dieser Zeit durch der Propheten Mund – an
dem Tage, da der Grund gelegt wurde zum
Hause des HERRN Zebaoth, auf dass der
Tempel gebaut würde. 10 Denn vor diesen
Tagen war der Menschen Arbeit verge-
bens, und auch der Tiere Arbeit erbrachte
nichts; und für den, der aus- und einzog,
gab es keinen Frieden vor dem Feind, und
ich ließ alle Menschen aufeinander los,
einen jeden gegen seinen Nächsten.
11 Aber nun will ich nicht wie in den vo-
rigen Tagen verfahren mit dem Rest dieses
Volkes, spricht der HERR Zebaoth, 12 denn
das wird eine Saat des Friedens sein: [a]Der
Weinstock soll seine Frucht geben und
das Land sein Gewächs, und der Himmel
soll seinen Tau geben. Und ich will dem
Rest dieses Volkes das alles zum Besitz
geben. 13 Und es soll geschehen: Wie ihr
vom Hause Juda und vom Hause Israel ein
Fluch gewesen seid unter den Völkern, so
will ich euch retten, dass ihr [a]ein Segen
sein sollt. Fürchtet euch nur nicht und
stärkt eure Hände!
14 So spricht der HERR Zebaoth: Gleich-
wie ich euch zu plagen gedachte, als mich
eure Väter erzürnten, spricht der HERR

7,9 *a* Kap 8,16; Hes 18,8 *b* Mi 6,8
7,10 *a* 2. Mose 22,20-21 **7,12** *a* Jes 48,4 *b* Kap 1,4
8,2 *a* Kap 1,14 **8,3** *a* Kap 1,16 *b* Jes 1,21.26 *c* Ps 2,6
8,4 *a* Jes 65,20 **8,6** *a* Jes 46,3; Jer 31,7 *b* Lk 1,37
8,8 *a* 2. Mose 6,7; 3. Mose 26,12; Jer 24,7
8,9 *a* (9-12) Hag 2,15-19 *b* Jes 35,3 **8,12** *a* Kap 3,10
8,13 *a* 1. Mose 12,2

Zebaoth, und es mich nicht gereute, 15 so
gedenke ich nun wiederum in diesen
Tagen, wohlzutun Jerusalem und dem
Hause Juda. Fürchtet euch nur nicht! 16 Das
ist's aber, was ihr tun sollt: [a]**Rede einer
mit dem andern Wahrheit und richtet
[b]wahrhaftig und recht, schafft Frieden
in euren Toren; 17 [a]keiner ersinne Arges
in seinem Herzen gegen seinen Nächs-
ten, und liebt nicht falsche Eide; denn
das alles hasse ich, spricht der HERR.**
18 Und es geschah des HERRN Zebaoth
Wort zu mir: 19 So spricht der HERR Ze-
baoth: [a]Das Fasten des vierten, fünften,
siebenten und zehnten Monats soll dem
Hause Juda zur Freude und Wonne und
zu fröhlichen Festzeiten werden. Liebt
Wahrheit und Frieden!

DAS KÜNFTIGE HEIL FÜR DIE VÖLKER

20 So spricht der HERR Zebaoth: Es werden
noch [a]Völker kommen und Bürger vieler
Städte, 21 und die Bürger der einen Stadt
werden zur andern gehen und sagen: Lasst
uns gehen, den HERRN anzuflehen und zu
suchen den HERRN Zebaoth; wir wollen
mit euch gehen. 22 So werden viele Völker
und mächtige Nationen kommen, [a]den
HERRN Zebaoth in Jerusalem zu suchen
und den HERRN anzuflehen.
23 So spricht der HERR Zebaoth: Zu jener
Zeit werden zehn Männer aus allen
Sprachen der Völker einen jüdischen
Mann beim Zipfel seines Gewandes er-
greifen und sagen: Wir wollen mit euch
gehen, denn wir haben gehört, dass Gott
mit euch ist.

LÄUTERUNG DER NACHBARN JUDAS

9 Dies ist die Last*, die der HERR an-
kündigt im Lande Hadrach, und auf
[a]Damaskus lässt sie sich nieder – ja, der
HERR schaut auf die Menschen und auf
alle Stämme Israels –, 2 dazu auf Hamat,
das daran grenzt, auch auf [a]Tyrus und Si-
don, die doch sehr weise sind. 3 Denn Ty-
rus baute sich eine Festung und sammelte
Silber wie Sand und Gold wie Dreck auf
der Gasse. 4 Siehe, der Herr wird Tyrus er-
obern und wird seine Seemacht schlagen,
und [a]es wird mit Feuer verbrannt werden.
5 Wenn Aschkelon das sehen wird, wird
es sich fürchten, und [a]Gaza wird sehr
angst werden, dazu Ekron, denn seine
Zuversicht wurde zuschanden. Es wird
aus sein mit dem König von Gaza, und
in Aschkelon wird man nicht mehr woh-
nen, 6 und in Aschdod werden [a]Mischlinge
wohnen.
Und ich will den Hochmut der Philister
ausrotten. 7 Und ich will [a]das Blut aus ih-
rem Munde wegnehmen und ihre Gräuel
zwischen ihren Zähnen, dass auch sie un-
serm Gott übrig bleiben und wie ein Ver-
wandter für Juda werden und Ekron wie
die [b]Jebusiter. 8 Und [a]ich will mich selbst
als Wache um mein Haus lagern, sodass
keiner dort hin und her ziehe und nicht
mehr der Treiber über sie komme. Denn
ich habe es nun angesehen mit meinen
Augen.

DER FRIEDENSKÖNIG

9 **Du, [a]Tochter Zion, freue dich sehr,
und du, Tochter Jerusalem, jauchze!
Siehe, [b]dein König kommt zu dir, ein
Gerechter und ein Helfer*, arm und
reitet auf einem Esel, auf einem Füllen
der Eselin.** 10 Denn [a]ich will die Wagen
vernichten in Ephraim und die Rosse in
Jerusalem, und der Kriegsbogen soll zer-
brochen werden. Denn er wird Frieden ge-
bieten den Völkern, und seine Herrschaft
wird sein von einem Meer bis zum andern
und vom Strom bis an die Enden der Erde.
11 Auch lasse ich [a]um des Blutes deines
Bundes willen deine Gefangenen frei aus
der Grube, in der kein Wasser ist. 12 [a]Kehrt
heim zur festen Stadt, die ihr auf Hoff-
nung gefangen liegt. Denn heute verkün-
dige ich, dass ich dir [b]zweifach erstatten
will.
13 Denn ich habe mir Juda zum Bogen
gespannt und Ephraim darauf gelegt und
will deine Söhne, Zion, aufbieten ge-
gen deine Söhne, Griechenland, und will
dich zum Schwert eines Helden machen.

* **9,1** Siehe Sach- und Worterklärungen. **9,9** Andere Übersetzung: »einer, der Hilfe erfahren hat«.

8,16 *a* Eph 4,25 *b* Kap 7,9 **8,17** *a* Kap 7,10
8,19 *a* Kap 7,3.5 **8,20** *a* Kap 2,15 **8,22** *a* Kap 7,2; 14,16
9,1 *a* Jes 17,1-6 **9,2** *a* Jes 23,1-18; Hes 26,1–28,24
9,4 *a* Am 1,9-10 **9,5** *a* Jer 47,1-7; Am 1,6-8
9,6 *a* 5. Mose 23,3 **9,7** *a* 1. Mose 9,4 *b* Jos 15,63; 2. Sam 5,6 **9,8** *a* Kap 2,9 **9,9** *a* Kap 2,14; Zef 3,14
b Mt 21,5 **9,10** *a* Mi 5,9 **9,11** *a* 2. Mose 24,8
9,12 *a* Kap 10,9 *b* Jes 61,7

14 Und der HERR wird über ihnen er-
scheinen, und sein Pfeil wird ausfahren
wie der Blitz, und Gott der HERR wird
die Posaune blasen und wird einherfah-
ren in den Stürmen vom Südland. 15 Der
HERR Zebaoth wird sie schützen, dass sie
essen und Schleudersteine unter sich tre-
ten, dass sie trinken und lärmen wie vom
Wein und voll werden wie die Opfer-
schale und wie die Ecken des Altars. 16 Und
der HERR, ihr Gott, wird ihnen zu der Zeit
helfen, der Herde seines Volks; denn wie
[a]edle Steine werden sie in seinem Lande
glänzen. 17 Ja, wie gut es ist und wie schön!
Korn lässt Jünglinge und Wein lässt Jung-
frauen blühen.

GOTT RÜSTET SEIN VOLK ZUM KAMPF UND FÜHRT ES HEIM

10 Bittet den HERRN, dass es regne zur
Zeit des Spätregens. Der HERR, der
die Wolken macht und Regengüsse, der
gibt ihnen genug für jedes Gewächs auf
dem Felde. 2 Weil die Götzen Lüge rede-
ten und die Wahrsager Trug schauten,
nichtige Träume erzählen und ihr Trösten
nichts ist, darum sind sie weitergezogen
wie eine Herde und [a]verschmachten, weil
kein Hirte da ist.

3 Mein Zorn ist entbrannt über [a]die Hir-
ten, und ich will die Böcke heimsuchen;
denn der HERR Zebaoth hat seine Herde
heimgesucht, nämlich das Haus Juda, und
sie gerüstet wie sein Ross, das geschmückt
ist zum Kampf. 4 Aus Juda kommt der Eck-
stein, aus ihm der Zeltpflock, aus ihm der
Kriegsbogen, aus ihm geht jeder Treiber
hervor. 5 Und sie sollen sein wie Helden,
die im Kampf durch den Kot der Gassen
stampfen, und sie sollen kämpfen, denn
der HERR wird mit ihnen sein, dass die
Reiter zuschanden werden.

6 Und ich will das Haus Juda stärken und
das Haus Josef erretten und will sie wieder
heimkehren lassen, denn ich habe mich
ihrer erbarmt. Und sie sollen sein, wie sie
waren, als ich sie nicht verstoßen hatte;
denn ich, der HERR, bin ihr Gott und will
sie erhören. 7 Und Ephraim soll sein wie
ein Held, und ihr Herz soll fröhlich wer-
den wie vom Wein; ihre Söhne sollen's se-
hen und sich freuen, ihr Herz soll fröhlich
sein über den HERRN.

8 Ich will sie herbeipfeifen und sie sam-
meln, denn ich habe sie erlöst. Und sie
sollen sich mehren, wie sie sich vormals
gemehrt haben. 9 Ich [a]säte sie unter die
Völker, dass sie [b]meiner gedächten in fer-
nen Landen und leben sollten mit ihren
Kindern und wieder heimkehren. 10 Denn
ich will sie zurückbringen aus Ägypten-
land und sie sammeln aus Assyrien und
will sie ins Land Gilead und zum Libanon
bringen, [a]dass man nicht Raum genug
für sie finden wird. 11 Und der HERR wird
[a]durchs Meer der Angst gehen und die
Wellen im Meer schlagen und alle Tiefen
des Nils vertrocknen lassen. Da soll dann
zu Boden sinken die Pracht Assyriens, und
das Zepter Ägyptens soll weichen. 12 Ich
will sie stärken in dem HERRN, dass sie
wandeln sollen in seinem Namen, spricht
der HERR.

11 Tu deine Türen auf, Libanon, dass
das Feuer deine Zedern verzehre!
2 Heult, ihr Zypressen; denn die Zedern
sind gefallen und die Herrlichen vernich-
tet. Heult, ihr Eichen Baschans; denn der
dichte Wald ist umgehauen. 3 Horch, das
Heulen der Hirten, denn ihre Herrlichkeit
ist vernichtet; horch, das Gebrüll junger
Löwen, denn die Pracht des Jordans ist
vernichtet.

GEGEN DIE TREULOSEN HIRTEN DES VOLKES

4 So sprach der HERR, mein Gott: Hüte
die Schlachtschafe! 5 Denn ihre Käufer
schlachten sie und büßen's nicht, und ihre
Verkäufer sprechen: Gelobt sei der HERR,
ich bin nun reich! Und [a]ihre Hirten scho-
nen sie nicht. 6 Darum will ich auch nicht
mehr schonen die Bewohner des Landes,
spricht der HERR. Und siehe, ich will die
Leute fallen lassen, einen jeden in die
Hand des andern und in die Hand seines
Königs; sie werden das Land zerschlagen,
und ich will sie nicht erretten aus ihrer
Hand.

7 Und ich hütete die Schlachtschafe um
der elenden Schafe willen und nahm mir
zwei Stäbe; den einen nannte ich »Huld«,

9,16 *a* Jes 54,12 **10,2** *a* Mt 9,36 **10,3** *a* Kap 11,5
10,9 *a* Jes 66,19 *b* Jer 51,50 **10,10** *a* Jes 49,19
10,11 *a* 2. Mose 14,16; Jes 11,15 **11,5** *a* Jer 23,1-4;
Hes 13,1-6; 34,1-16

den andern nannte ich »Eintracht« und hü-
tete die Schafe. 8 Und ich vertilgte die drei
Hirten in einem einzigen Monat. Und ich
mochte sie nicht mehr, wie auch sie mich
nicht mehr wollten. 9 Und ich sprach: Ich
will euch nicht mehr hüten; was da stirbt,
das sterbe; was verschmachtet, das ver-
schmachte; und von den Übriggebliebe-
nen fresse ein jeder des andern Fleisch![a]
10 Und ich nahm meinen Stab »Huld« und
zerbrach ihn, um meinen Bund aufzuhe-
ben, den ich mit allen Völkern geschlossen
hatte. 11 Und er wurde aufgehoben am sel-
ben Tage. Und so erkannten [a]die elenden
Schafe, die auf mich achteten, dass es des
HERRN Wort war.

12 Und ich sprach zu ihnen: [a]Gefällt's
euch, so gebt her meinen Lohn; wenn
nicht, so lasst's bleiben. Und sie wogen
mir meinen Lohn dar, dreißig Silberstü-
cke. 13 Und der HERR sprach zu mir: Wirf's
hin dem Schmelzer! Was für eine treffli-
che Summe, deren ich wert geachtet bin
von ihnen! Und [a]ich nahm die dreißig
Silberstücke und warf sie ins Haus des
HERRN, dem Schmelzer hin. 14 Und ich
zerbrach meinen andern Stab »Eintracht«,
um die [a]Bruderschaft zwischen Juda und
Israel aufzuheben.

15 Und der HERR sprach zu mir: Nimm
abermals zu dir das Gerät eines törichten
Hirten! 16 Denn siehe, ich werde einen
Hirten im Lande erwecken, der nach
den Verschmachtenden nicht sehen, das
Verlaufene nicht suchen, der das Zer-
brochene nicht heilen und das Gesunde
nicht versorgen wird; aber das Fleisch der
Fetten wird er fressen und ihre Klauen
zerreißen. 17 Weh über meinen nichts-
nutzigen Hirten, der die Herde verlässt!
Das Schwert komme über seinen Arm
und über sein rechtes Auge! Sein Arm
soll verdorren und sein rechtes Auge
erlöschen.

GOTTES SCHUTZ FÜR JERUSALEM

12 Dies ist die Last*, die der HERR ankün-
digt. Über Israel spricht der HERR, der
den Himmel ausbreitet und die Erde grün-
det und den Odem des Menschen in ihm
macht: 2 Siehe, ich will [a]Jerusalem zum
Taumelbecher zurichten für alle Völker
ringsumher, und auch Juda wird's gelten,
wenn Jerusalem belagert wird. 3 Zur sel-
ben Zeit will ich Jerusalem machen zum
Laststein für alle Völker. Alle, die ihn weg-
heben wollen, sollen sich daran wund rei-
ßen; alle Völker auf Erden werden sich
gegen Jerusalem versammeln.[a]

4 Zu der Zeit, spricht der HERR, will
ich alle Rosse scheu und ihre Reiter irre
machen, aber über das Haus Juda will ich
meine Augen offen halten und alle Rosse
der Völker mit Blindheit plagen. 5 Und
die Fürsten in Juda werden sagen in ih-
rem Herzen: Die Bürger Jerusalems sind
meine Stärke in dem HERRN Zebaoth, ih-
rem Gott! 6 Zu der Zeit will ich die Fürsten
Judas machen zum Feuerbecken mitten
im Holz und [a]zur Fackel im Stroh, dass
sie verzehren zur Rechten und zur Linken
alle Völker ringsumher. Aber Jerusalem
soll auch fernerhin bleiben an seinem Ort
zu Jerusalem.

7 Und der HERR wird zuerst die Hütten
Judas erretten, auf dass sich nicht zu hoch
rühme das Haus David noch die Bürger
Jerusalems wider Juda. 8 Zu der Zeit wird
der HERR die Bürger Jerusalems beschir-
men, und es wird zu dieser Zeit gesche-
hen, dass, wer von ihnen strauchelt, sein
wird wie David; und das Haus David wird
sein wie Gott, wie der Engel des HERRN
vor ihnen her.

KLAGE ÜBER DEN DURCHBOHRTEN

9 Und zu der Zeit werde ich darauf bedacht
sein, [a]alle Völker zu vertilgen, die gegen
Jerusalem gezogen sind. 10 Aber über das
Haus David und über die Bürger Jerusa-
lems will ich [a]ausgießen den Geist der
Gnade und des Gebets. Und [b]sie werden
mich ansehen, den sie durchbohrt haben,
und sie werden um ihn klagen, wie man
klagt um [c]das einzige Kind, und werden
sich um ihn betrüben, wie man sich be-
trübt um den Erstgeborenen.

11 Zu der Zeit wird große Klage sein in
Jerusalem, wie die um [a]Hadad-Rimmon
in der Ebene von Megiddo war. 12 Und das

* **12,1** Siehe Sach- und Worterklärungen.

11,9 ***a*** Jer 15,2 **11,11** ***a*** Vers 7 **11,12** ***a*** Mt 26,15
11,13 ***a*** Mt 27,9-10 **11,14** ***a*** Hes 37,22 **12,2** ***a*** Jes 51,17;
Jer 25,15-29 **12,3** ***a*** Kap 14,3; Joel 4,12 **12,6** ***a*** Obd 18
12,9 ***a*** Offb 20,9 **12,10** ***a*** Joel 3,1 ***b*** Joh 19,37; Offb 1,7
c 1. Mose 22,2; Am 8,10 **12,11** ***a*** 2. Kön 5,18

Land wird klagen, ein jedes Geschlecht
für sich: das Geschlecht des Hauses David
für sich und die Frauen für sich, das Ge-
schlecht des Hauses Nathan für sich und
die Frauen für sich, 13 das Geschlecht des
Hauses Levi für sich und die Frauen für
sich, das Geschlecht Schimis für sich und
die Frauen für sich; 14 so auch alle andern
übrig gebliebenen Geschlechter, ein jedes
für sich und die Frauen für sich.

DAS ENDE VON GÖTZENDIENST UND PROPHETIE

13 Zu der Zeit werden das Haus David
und die Bürger Jerusalems einen
[a]offenen Quell haben gegen Sünde und
Befleckung.

2 Zu der Zeit, spricht der HERR Zebaoth,
[a]will ich die Namen der Götzen ausrotten
aus dem Lande, dass man ihrer nicht mehr
gedenken soll; dazu will ich auch die [b]Pro-
pheten und den Geist der Unreinheit aus
dem Lande treiben. 3 Und so soll es gesche-
hen: Wenn jemand weiterhin als Prophet
auftritt, dann sollen sein Vater und seine
Mutter, die ihn gezeugt haben, zu ihm
sagen: [a]Du sollst nicht am Leben blei-
ben; denn du redest Lüge im Namen des
HERRN! Und es werden Vater und Mutter,
die ihn gezeugt haben, ihn durchbohren,
wenn er als Prophet auftritt. 4 Und es soll
zu der Zeit geschehen, dass [a]die Prophe-
ten in Schande dastehen, ein jeder wegen
seiner Gesichte, die er weissagt. Und sie
sollen nicht mehr einen härenen [b]Mantel
anziehen, um zu betrügen; 5 und jeder
wird sagen: [a]Ich bin kein Prophet, sondern
ein Ackermann; denn ein Acker ist mein
Besitz von meiner Jugend auf. 6 Und wenn
man zu ihm sagen wird: Was sind das für
Wunden auf deiner Brust?, wird er sagen:
So wurde ich geschlagen im Hause derer,
die mich lieben.

DER GELÄUTERTE REST

7 Schwert, mach dich auf gegen meinen
Hirten, gegen den Mann, der mir der
nächste ist!, spricht der HERR Zebaoth.
[a]Schlage den Hirten, dass sich die Herde
zerstreue. Dann will ich meine Hand wie-
der kehren zu den Kleinen. 8 Und es soll
geschehen in dem ganzen Lande, spricht
der HERR, dass zwei Teile darin ausgerot-
tet werden sollen und untergehen, und
nur der dritte Teil soll darin übrig blei-
ben.[a] 9 Und ich will den dritten Teil durchs
Feuer gehen lassen und läutern, wie man
Silber läutert, und ihn prüfen, wie man
Gold prüft. Der wird dann meinen Na-
men anrufen, und ich will ihn erhören. Ich
sage: [a]Er ist mein Volk, und er wird sagen:
Der HERR ist mein Gott!

JERUSALEM UND DIE VÖLKERWELT AM TAGE DES HERRN

14 Siehe, es kommt für den HERRN der
[a]Tag, dass man in deiner Mitte austei-
len wird, [b]was man dir geraubt hat. 2 Denn
ich werde alle Völker sammeln zum Kampf
gegen Jerusalem. [a]Und die Stadt wird er-
obert, die Häuser werden geplündert und
die Frauen geschändet werden. Und die
Hälfte der Stadt wird gefangen wegge-
führt werden, aber das übrige Volk wird
nicht aus der Stadt ausgerottet werden.

3 Und [a]der HERR wird ausziehen und
kämpfen gegen diese Völker, wie er zu
kämpfen pflegt am Tage der Schlacht.
4 Und an jenem Tag werden seine Füße
auf dem Ölberg stehen, [a]der vor Jerusa-
lem liegt nach Osten hin. Und der Ölberg
wird sich in seiner Mitte [b]spalten vom Os-
ten bis zum Westen zu einem sehr wei-
ten Tal, sodass die eine Hälfte des Berges
nach Norden und die andere nach Süden
weichen wird. 5 Und ihr werdet fliehen in
das Tal zwischen meinen Bergen, denn
das Tal zwischen den Bergen reicht nahe
heran an Azal. Und ihr werdet fliehen,
wie ihr vorzeiten geflohen seid [a]vor dem
Erdbeben zur Zeit Usijas, des Königs von
Juda. Da wird dann kommen der HERR,
mein Gott, und alle Heiligen mit ihm.
6 Und [a]an jenem Tag wird kein Licht sein,
sondern Kälte und Frost. 7 Und es wird
ein einziger Tag sein – [a]er ist dem HERRN
bekannt! –, es wird nicht Tag und Nacht
sein, und auch um den Abend wird es licht
sein.

13,1 *a* 4. Mose 19,9.20-21; Jes 12,3 **13,2** *a* Mi 5,12
b Jer 29,8-9 **13,3** *a* Kap 10,2; Jer 23,25 **13,4** *a* Mi 3,7
b 2. Kön 2,8 **13,5** *a* Am 7,14 **13,7** *a* Mt 26,31
13,8 *a* Jes 6,13 **13,9** *a* Hos 2,25 **14,1** *a* Joel 1,15 *b* Kap 2,13
14,2 *a* Kap 12,3 **14,3** *a* Jes 42,13; Offb 16,14
14,4 *a* Hes 11,23 *b* Mi 1,4 **14,5** *a* Am 1,1 **14,6** *a* Am 5,20
14,7 *a* Mk 13,32

8 Und an jenem Tag werden [a]lebendige
Wasser aus Jerusalem fließen, die eine
Hälfte zum Meer im Osten und die an-
dere Hälfte zum Meer im Westen, und so
wird es sein im Sommer und im Winter.
9 Und [a]der HERR wird König sein über alle
Lande. An jenem Tag wird der HERR der
einzige sein und sein Name der einzige.
10 Und das ganze Land wird verwandelt
werden wie die Ebene von Geba bis nach
Rimmon im Süden von Jerusalem. Die
Stadt aber wird hoch aufragen und [a]an
ihrer Stätte bleiben, vom Tor Benjamin
bis an die Stelle des ersten Tors, bis an
das Ecktor, und vom Turm Hananel bis an
des Königs Kelter. 11 Und man wird darin
wohnen; es wird [a]keinen Bann mehr ge-
ben, denn [b]Jerusalem wird ganz sicher
wohnen.

12 Und dies wird die Plage sein, mit der
der HERR alle Völker plagen wird, die
gegen Jerusalem in den Kampf gezogen
sind: Ihr Fleisch lässt er verwesen, wäh-
rend sie noch auf ihren Füßen stehen, und
ihre Augen werden in ihren Höhlen ver-
wesen und ihre Zungen werden in ihrem
Mund verwesen. 13 An jenem Tag wird
der HERR [a]eine große Verwirrung unter
ihnen anrichten, sodass einer den andern
bei der Hand packen und seine Hand wi-
der des andern Hand erheben wird; 14 und
auch Juda wird gegen Jerusalem kämpfen.
Und es werden eingesammelt die [a]Güter
der Völker ringsumher: Gold, Silber und
Kleider über die Maßen viel. 15 Und so
wie jene Plage wird auch eine Plage kom-
men über Rosse, Maultiere, Kamele, Esel
und [a]alles Vieh, das in diesen Heerlagern
ist.

16 Und alle, die übrig geblieben sind von
allen Völkern, die gegen Jerusalem zogen,
werden jährlich [a]heraufkommen, um an-
zubeten den König, den HERRN Zebaoth,
und um das Laubhüttenfest zu halten.
17 Aber über die Geschlechter auf Erden,
die nicht heraufziehen werden nach Je-
rusalem, um anzubeten den König, den
HERRN Zebaoth, über die wird's nicht
regnen. 18 Und wenn das Geschlecht der
Ägypter nicht heraufzöge und käme, so
wird auch über sie die Plage kommen, mit
der der HERR alle Völker plagen wird, die
nicht heraufkommen, um das Laubhüt-
tenfest zu halten. 19 Denn darin besteht
die Sünde der Ägypter und aller Völker,
dass sie nicht heraufkommen, um das
Laubhüttenfest zu halten.

20 An jenem Tag wird auf den Schellen
der Rosse stehen [a]»Heilig dem HERRN«.
Und die Kessel im Hause des HERRN
werden sein wie die Opferschalen vor
dem Altar. 21 Und es werden alle Kessel
in Jerusalem und Juda dem HERRN Zeba-
oth heilig sein, sodass alle, die da opfern
wollen, kommen werden und sie nehmen
und darin kochen werden. Und [a]es wird
keinen Händler mehr geben im Hause des
HERRN Zebaoth an jenem Tage.

DER PROPHET MALEACHI

GOTTES LIEBE ZU ISRAEL

1 Dies ist die Last*, die der HERR ankün-
digt über Israel durch Maleachi*.

2 Ich habe euch lieb, spricht der HERR.
Ihr aber sprecht: »Wie hast du uns lieb?«
Ist nicht Esau Jakobs Bruder?, spricht der
HERR; [a]und doch hab ich Jakob lieb 3 und
hasse Esau und habe sein Gebirge öde ge-
macht und sein Erbe [a]den Schakalen zur
Wüste. 4 Und wenn Edom spricht: Wir
sind zerschlagen, aber wir wollen das Zer-
störte wieder bauen!, so spricht der HERR
Zebaoth: Werden sie bauen, so will ich ab-
brechen, und man wird sie nennen »Land
des Frevels« und »Das Volk, über das der
HERR ewiglich zürnt«. 5 Das sollen eure
Augen sehen, und ihr werdet sagen: Der
HERR ist herrlich über die Grenzen Israels
hinaus.

* **1,1** (1) Siehe Sach- und Worterklärungen.
(2) Der Name bedeutet »mein Bote«.

14,8 *a* Hes 47,1-8 **14,9** *a* Ps 97,1; Offb 11,15
14,10 *a* Kap 12,6 **14,11** *a* Offb 22,3 *b* Jer 33,16
14,13 *a* Ri 7,22; Hes 38,21 **14,14** *a* 2. Mose 3,21-22;
Esra 1,4 **14,15** *a* 2. Mose 12,12 **14,16** *a* Kap 8,22; Jes 66,23
14,20 *a* 2. Mose 28,36 **14,21** *a* Zef 1,11; Mt 21,12; Joh 2,16
1,2 *a* 1. Mose 25,23; Röm 9,13 **1,3** *a* Jes 34,13

GEGEN MINDERWERTIGE OPFER

6 [a]Ein Sohn soll seinen Vater ehren und
ein Knecht seinen Herrn. Bin ich nun Va-
ter, wo ist meine Ehre? Bin ich Herr, wo
fürchtet man mich?, spricht der HERR Ze-
baoth zu euch Priestern, die meinen Na-
men verachten. Ihr aber sprecht: »Womit
verachten wir deinen Namen?« 7 Damit,
dass ihr opfert auf meinem Altar unreine
Speise. Ihr aber sprecht: »Womit opfern
wir dir Unreines?« Damit, dass ihr sagt:
»Des HERRN Tisch ist für nichts zu ach-
ten.« 8 Denn wenn ihr [a]ein blindes Tier als
Opfer darbringt – ist das etwa nicht böse?
Und wenn ihr ein lahmes oder ein kran-
kes darbringt – ist das nicht böse? Bring
es doch deinem Statthalter! Meinst du,
dass du ihm gefallen werdest oder dass er
dich freundlich ansehen werde?, spricht
der HERR Zebaoth. 9 Und nun bittet doch
Gott, dass er uns gnädig sei! Von euch ist
solches geschehen. Meint ihr, er werde
euch freundlich ansehen?, spricht der
HERR Zebaoth.

10 Dass doch einer unter euch die Türen
zuschlösse, damit ihr nicht umsonst auf
meinem Altar Feuer anzündet! Ich habe
kein Gefallen an euch, spricht der HERR
Zebaoth, und [a]das Opfer von euren Hän-
den ist mir nicht angenehm. 11 Denn **vom
Aufgang der Sonne bis zu ihrem Nie-
dergang ist mein Name herrlich unter
den Völkern,** [a]und an allen Orten wird
meinem Namen ein Räucheropfer und
ein reines Opfer dargebracht; denn mein
Name ist herrlich unter den Völkern,
spricht der HERR Zebaoth.

12 Ihr aber entheiligt ihn damit, dass ihr
sagt: »Des Herrn Tisch ist unrein, und sein
Opfer ist für nichts zu achten, samt seiner
Speise.« 13 Und ihr sprecht: »Siehe, welch
eine Mühsal!«, und facht das Feuer an,
spricht der HERR Zebaoth, und ihr bringt
herzu, was geraubt, lahm und krank ist,
und bringt es dar zum Opfer. Sollte mir
solches gefallen von eurer Hand?, spricht
der HERR. 14 Verflucht sei der Betrüger,
der in seiner Herde [a]ein gutes männliches
Tier hat und es gelobt, aber dem Herrn
ein fehlerhaftes opfert. Denn ich bin ein
großer König, spricht der HERR Zebaoth,
und mein Name ist gefürchtet unter den
Völkern.

STRAFREDE GEGEN DIE PRIESTER

2 Und nun, ihr Priester, dieses Gebot gilt
euch: 2 Wenn ihr's nicht hören noch zu
Herzen nehmen werdet, dass ihr meinem
Namen die Ehre gebt, spricht der HERR
Zebaoth, so [a]werde ich den Fluch unter
euch schicken und [b]euren Segen verflu-
chen; ja, ich habe ihn verflucht, weil ihr's
nicht wollt zu Herzen nehmen. 3 Siehe,
ich will euch den Arm zerbrechen und
euch Kot ins Angesicht werfen, den Kot
eurer Feste, und man wird euch zu ihm
hinaustragen. 4 So werdet ihr dann er-
fahren, dass ich solches Gebot zu euch
gesandt habe, damit mein Bund mit
Levi bestehen bleibe, spricht der HERR
Zebaoth.

5 Denn mein Bund mit ihm war Leben
und Friede; die gab ich ihm, dazu Furcht,
dass er mich fürchtete und meinen Na-
men scheute. 6 Verlässliche Weisung war
in seinem Munde, und es wurde nichts
Böses auf seinen Lippen gefunden. [a]Er
wandelte mit mir friedsam und aufrichtig
und hielt viele von Sünden zurück. 7 Denn
[a]des Priesters Lippen sollen die Lehre be-
wahren, dass man aus seinem Munde
Weisung suche; denn er ist ein Bote des
HERRN Zebaoth.

8 Ihr aber seid von dem Wege abgewi-
chen und habt viele zu Fall gebracht durch
falsche Weisung und habt den Bund mit
Levi verdorben, spricht der HERR Zeba-
oth. 9 Darum habe auch ich euch veracht-
lich und unwert gemacht vor dem ganzen
Volk, weil ihr meine Wege nicht haltet
und die Person anseht, wenn ihr Weisung
gebt.

GEGEN EHEN MIT HEIDNISCHEN FRAUEN UND GEGEN EHESCHEIDUNG

10 Haben wir nicht [a]alle *einen* Vater? Hat
uns nicht [b]*ein* Gott geschaffen? Warum
verachten wir denn einer den andern und
entheiligen den Bund mit unsern Vä-
tern? 11 Juda ist treulos geworden, und in
Israel und in Jerusalem geschehen Gräuel.
Denn Juda entheiligte das Heiligtum des

1,6 *a* 2. Mose 20,12 **1,8** *a* 3. Mose 22,20.23
1,10 *a* Kap 2,13; Jes 1,13 **1,11** *a* Jona 1,16
1,14 *a* 3. Mose 22,19 **2,2** *a* 5. Mose 28,15
b 4. Mose 6,23-26 **2,6** *a* 1. Mose 5,24
2,7 *a* 5. Mose 33,10 **2,10** *a* Kap 1,6 *b* Hiob 31,15; Eph 4,6

HERRN, das er lieb hat, und [a]freite eines
fremden Gottes Tochter. 12 Aber der HERR
wird den, der solches tut, ausrotten aus
den Zelten Jakobs mit seinem ganzen Ge-
schlecht, auch wenn er noch dem HERRN
Zebaoth Opfer bringt.

13 Weiter tut ihr auch das: Ihr bedeckt
den Altar des HERRN mit Tränen und
Weinen und Seufzen, weil [a]er das Opfer
nicht mehr ansehen noch es mit Wohlge-
fallen von euren Händen empfangen mag.
14 Ihr aber sprecht: »Warum das?« Weil der
HERR Zeuge war zwischen dir und der
Frau deiner Jugend, der du untreu gewor-
den bist, obwohl sie doch deine Gefährtin
und die Frau ist, mit der du einen Bund
geschlossen hast. 15 Einer, in dem noch ein
Rest von Geist war, hat das nicht getan.
Was sucht dieser eine? Nachkommen-
schaft von Gott. Darum so seht euch vor in
eurem Geist, und werde keiner treulos der
Frau seiner Jugend. 16 Wer ihr aber gram ist
und [a]sie verstößt, spricht der HERR, der
Gott Israels, der bedeckt mit Frevel sein
Kleid, spricht der HERR Zebaoth. Darum
so seht euch vor in eurem Geist und brecht
nicht die Treue!

GEGEN DAS UNRECHT

17 Ihr macht den HERRN unwillig [a]durch
euer Reden! Ihr aber sprecht: »Womit ma-
chen wir ihn unwillig?« Damit, dass ihr
sprecht: »Wer Böses tut, der gefällt dem
HERRN, und an solchen hat er Freude«,
oder: »Wo ist der Gott, der da straft?«

3 **Siehe, [a]ich will meinen Engel* sen-
den, der vor mir her den Weg be-
reiten soll. Und bald wird kommen
zu seinem Tempel der Herr, den ihr
sucht; und der Engel des Bundes, den
ihr begehrt, siehe, er kommt!,** spricht
der HERR Zebaoth.

2 Wer wird aber den Tag seines Kom-
mens ertragen können, und wer wird be-
stehen, wenn er erscheint? Denn [a]er ist
wie das Feuer eines Schmelzers und wie
die Lauge der Wäscher. 3 Er wird sitzen
und schmelzen und das Silber reinigen,
er wird die Söhne Levi reinigen und [a]läu-
tern wie Gold und Silber. Dann werden
sie dem HERRN Opfer bringen in Gerech-
tigkeit, 4 und es wird dem HERRN wohl-
gefallen das Opfer Judas und Jerusalems
wie vormals und vor langen Jahren. 5 Und
ich will zu euch kommen zum Gericht
und will ein schneller Zeuge sein gegen
die Zauberer, Ehebrecher, Meineidigen
und gegen die, die Gewalt und Unrecht
tun den Tagelöhnern, Witwen und Wai-
sen und die den Fremdling drücken und
mich nicht fürchten, spricht der HERR
Zebaoth.

GEGEN DIE UNTERSCHLAGUNG DES ZEHNTEN

6 Ich, der HERR, wandle mich nicht; und
ihr habt nicht aufgehört, Jakobs Söhne zu
sein: 7 Ihr seid von eurer Väter Zeit an im-
merdar abgewichen von meinen Geboten
und habt sie nicht gehalten. [a]Kehrt um zu
mir, so will ich zu euch umkehren, spricht
der HERR Zebaoth. Ihr aber sprecht: »Wo-
von sollen wir umkehren?« 8 Ist's recht,
dass ein Mensch Gott betrügt? Doch ihr
betrügt mich. Ihr aber sprecht: »Womit
betrügen wir dich?« Mit dem Zehnten
und der [a]Abgabe! 9 [a]Ihr seid verflucht,
mich betrügt ihr allesamt.

10 Bringt aber die Zehnten in voller Höhe
in mein Vorratshaus, auf dass in meinem
Hause Speise sei, und prüft mich hiermit,
spricht der HERR Zebaoth, ob ich euch
dann nicht des Himmels Fenster auftun
werde und Segen herabschütten die Fülle.
11 Und ich will um euretwillen [a]den »Fres-
ser« bedrohen, dass er euch die Frucht auf
dem Acker nicht verderben soll und der
Weinstock auf dem Felde euch nicht un-
fruchtbar sei, spricht der HERR Zebaoth.
12 Dann werden euch alle Völker glücklich
preisen, denn ihr sollt ein herrliches Land
sein, spricht der HERR Zebaoth.

DER LOHN DER GOTTESFURCHT

13 Ihr redet hart gegen mich, spricht der
HERR. Ihr aber sprecht: »Was reden wir
gegen dich?« 14 Ihr sagt: [a]»Es ist umsonst,
dass man Gott dient; und was nützt es,
dass wir sein Gebot halten und in Trauer
einhergehen vor dem HERRN Zebaoth?

* **3,1** Andere Übersetzung: »Boten«.

2,11 *a* Esra 9,2 **2,13** *a* Kap 1,10 **2,16** *a* 5. Mose 24,1
2,17 *a* Kap 3,13-14 **3,1** *a* Mt 11,10; Mk 1,2; Lk 1,17
3,2 *a* Jes 1,25 **3,3** *a* Sach 13,9 **3,7** *a* Sach 1,3
3,8 *a* 2. Mose 25,2 **3,9** *a* (9-10) Hag 1,5-6 **3,11** *a* Joel 1,4
3,14 *a* Ps 73,13-14; Sach 7,3.5

15 Und nun preisen wir die Verächter;
denn die Gottlosen gedeihen, und die
Gott versuchen, bleiben bewahrt.«
16 So redeten die Gottesfürchtigen un-
tereinander. Der HERR merkte auf und
hörte es, und es ward vor ihm ein Ge-
denkbuch geschrieben für die, welche den
HERRN fürchten und an seinen Namen
gedenken. 17 Sie sollen, spricht der HERR
Zebaoth, an dem Tage, den ich machen
will, [a]mein Eigentum sein, und ich will
mich ihrer erbarmen, wie ein Mann sich
seines Sohnes erbarmt, der ihm dient.
18 Dann sollt ihr wieder sehen, was für ein
Unterschied ist zwischen dem Gerech-
ten und dem Gottlosen, zwischen dem,
der Gott dient, und dem, der ihm nicht
dient.[a]
19 Denn siehe, es kommt der Tag, der
brennen soll wie ein Ofen. Da werden alle
Verächter und Gottlosen Stroh sein, und
der kommende Tag wird sie anzünden,
spricht der HERR Zebaoth, und er wird
ihnen weder Wurzel noch Zweig lassen.
20 **Euch aber, die ihr meinen Namen
fürchtet, [a]soll aufgehen die Sonne der
Gerechtigkeit und Heil unter ihren
Flügeln.** Und ihr sollt herausgehen und
springen wie die Mastkälber. 21 Ihr wer-
det die Gottlosen zertreten; denn sie sol-
len Staub unter euren Füßen werden [a]an
dem Tage, den ich machen will, spricht der
HERR Zebaoth.

DAS GESETZ DES MOSE UND DIE WIEDERKEHR DES ELIA

22 Gedenkt an das Gesetz meines Knechtes
Mose, das ich ihm befohlen habe auf dem
Berge Horeb für ganz Israel, an alle Gebote
und Rechte![a] 23 Siehe, ich will euch sen-
den den Propheten [a]Elia, [b]ehe der große
und schreckliche Tag des HERRN kommt.
24 Der soll [a]das Herz der Väter bekehren
zu den Kindern und das Herz der Kin-
der zu ihren Vätern, auf dass ich nicht
komme und das Erdreich mit dem Bann
schlage.

3,17 *a* 2. Mose 19,5 **3,18** *a* 1. Mose 18,25 **3,20** *a* Lk 1,78 **3,21** *a* Vers 17 **3,22** *a* Jos 1,7 **3,23** *a* Mt 11,14; 17,11-13 *b* Joel 3,4 **3,24** *a* Lk 1,17

DIE APOKRYPHEN

EINFÜHRUNG

»Das sind Bücher, so der Heiligen Schrift nicht gleich gehalten und doch nützlich und gut zu lesen sind.« Mit diesen Worten kennzeichnete Martin Luther eine Reihe von Schriften, die im Inhaltsverzeichnis seiner Bibel zwar genannt, aber in einen eigenen Abschnitt zwischen Altem und Neuem Testament eingeordnet werden. Sie sind in der griechischen und lateinischen Übersetzung der Bibel enthalten, gehören aber nicht zu den Schriften der Hebräischen Bibel. Deshalb werden sie von den reformatorischen Kirchen nicht als biblisch im Vollsinn anerkannt, während die katholische Kirche sie im Konzil von Trient (1546) als vollwertige Bücher der Heiligen Schrift bezeichnet.

Der Grund für den größeren Umfang der griechischen und lateinischen Bibelübersetzungen ist darin zu suchen, dass in der Zeit der endgültigen Festlegung des hebräischen Kanons am Ende des 1. Jahrhunderts n. Chr. im Griechisch sprechenden Judentum und im jungen Christentum noch weitere Bücher als heilige Schriften in Gebrauch waren. Für diese Bücher hat sich der Name Apokryphen, d. h. versteckte, von der öffentlichen Verbreitung ausgeschlossene Schriften, eingebürgert. Außer den in unsrer Ausgabe enthaltenen Apokryphen gibt es in den griechischen und lateinischen Bibelübersetzungen weitere Schriften dieser Art, etwa das 3. und 4. Buch Esra sowie das 3. Makkabäerbuch. Diese hat Luther nicht in seine Bibel aufgenommen, doch nach seinem Tod fanden sie eine Zeit lang in einige Ausgaben der Lutherbibel Eingang.

Einen Sonderfall stellt das Gebet Manasses dar. Luther schätzte dieses Bußgebet sehr, daher stellte er es trotz seiner schlechten Textüberlieferung zu den Apokryphen. Allerdings wurde es weder in das Inhaltsverzeichnis der Bibel aufgenommen noch bekam es eine erläuternde Vorrede. Daher ist anzunehmen, dass Luther es als Gebet zum Abschluss des Alten Testaments verstanden hat.

Für die erste vollständige Lutherbibel von 1534 wurden die Apokryphen – mit der Ausnahme der Weisheit Salomos – nicht von Luther selbst, sondern von seinen Mitarbeitern verdeutscht. Überdies übersetzte man zum Teil nicht aus der griechischen Bibel, sondern aus der deutlich jüngeren lateinischen Übersetzung des Kirchenvaters Hieronymus. Auch waren die damals zur Verfügung stehenden Textausgaben an vielen Stellen unzuverlässig. Die späteren Revisionen der Lutherbibel haben diese Probleme nicht behoben, sondern sich meist auf die Modernisierung der deutschen Sprache beschränkt. Daher weicht die bisherige Übersetzung der Apokryphen der Lutherbibel in vielen Fällen deutlich von dem Text ab, der dem heutigen Stand der Wissenschaft entspricht.

Bei den Vorbereitungen zur Revision der Lutherbibel für das Reformationsjubiläum 2017 beschloss der Rat der Evangelischen Kirche in Deutschland, dass die Apokryphen künftig einheitlich aus der griechischen Bibel, der sogenannten Septuaginta, übersetzt werden sollten. Zwar sind bei manchen Büchern inzwischen auch ältere hebräische oder aramäische Textteile bekannt. Doch keine dieser Schriften ist so vollständig in ihrer Ursprache überliefert, dass man sie als ganze daraus übersetzen könnte. Folgende Bücher wurden neu übersetzt, deren Vorlage bisher die lateinische Bibel war: Judit, Tobit, Jesus Sirach, 1. Makkabäer, Stücke zu Ester, Gebet Manasses.

Die neuen Übersetzungen orientieren sich so weit wie möglich am Sprachklang der bisherigen Texte. Sie verwenden in vielen Fällen eine neue Verszählung, die der des griechischen Textes entspricht und heute bei Bibelübersetzungen allgemein üblich ist. Die bisherige Verszählung der Lutherbibel wird in Klammern weiter mitgeteilt, um die Vergleichbarkeit mit älteren Ausgaben zu ermöglichen.

Die Apokryphen vermitteln einen Einblick in die geistige und religiöse Lage des Judentums kurz vor den Ereignissen, die uns die Evangelien schildern. Sie dokumentieren die zum Teil erheblichen historischen Konflikte des zweiten vorchristlichen Jahrhunderts und die theologischen Weiterentwicklungen im Denken des Judentums, die im Neuen Testament vorausgesetzt werden. So stehen die Apokryphen mit Recht »zwischen den Testamenten« sie bilden eine Verbindung zwischen der Hebräischen Bibel Israels und dem Neuen Testament. Die zahlreich angegebenen Verweisstellen wollen die Leser darauf aufmerksam machen, wo Aussagen der Apokryphen entweder auf die Verkündigung des Alten Testaments zurückgehen oder Parallelen im Neuen Testament haben.

Besondere Zeichen und Hervorhebungen, die innerhalb der Apokryphen in dieser Bibelausgabe verwendet werden, sind im Anhang unter »Hinweise zu dieser Ausgabe« erklärt.

DAS BUCH JUDIT*

DAS WELTREICH NEBUKADNEZARS
Kapitel 1,1–3,10

NEBUKADNEZAR FÜHRT KRIEG GEGEN ARPHAXAD

1 Es geschah im zwölften Jahr des Kö-
nigs Nebukadnezar, der über die Assy-
rer herrschte in der großen Stadt Ninive,
und in den Tagen Arphaxads, der über die
Meder herrschte in Ekbatana. 2 Arphaxad
hatte rings um Ekbatana eine Mauer aus
Quadersteinen gebaut, drei Ellen breit
und sechs Ellen lang, und er hatte die
Mauer siebzig Ellen hoch und fünfzig El-
len breit gemacht. 3 Ihre Türme hatte er
über ihren Toren errichtet, hundert El-
len hoch, gegründet auf sechzig Ellen im
Geviert. 4 Und er hatte Tore gemacht, die
siebzig Ellen in die Höhe ragten, vier-
zig Ellen breit, damit seine Streitmacht
und die Schlachtreihen seiner Fußtrup-
pen ausrücken konnten. 5 In jenen Tagen
führte der König Nebukadnezar Krieg
gegen den König Arphaxad in der großen
Ebene, das ist die Ebene in dem Gebiet
von Ragau. 6 Und zu Arphaxad stießen
alle Bewohner des Gebirges und alle, die
am Euphrat und am Tigris, am Hydaspes
und in der Ebene Ariochs, des Königs der
Elymäer, wohnten. Und viele andere Völ-
ker schlossen sich dem Heer der Söhne
Cheleüds an.

NEBUKADNEZAR BESCHLIESST EINEN FELDZUG GEGEN DIE UNBOTMÄSSIGEN VÖLKER

7 Da sandte Nebukadnezar, der König der
Assyrer, Boten zu allen, die in Persien
und nach Westen hin wohnten, den Be-
wohnern von Kilikien und Damaskus, zu
denen, die auf dem Libanon und dem An-
tilibanon wohnten, und zu allen am Meer,
8 zu den Völkern am Karmel und in Gilead,
nach Obergaliläa und in die große Ebene
Jesreel, 9 zu allen in Samarien und seinen
Städten, zu denen jenseits des Jordans bis
hin nach Jerusalem und Betane, Chelus,
Kadesch und dem Strom Ägyptens, nach
Tachpanhes und Ramses und dem ganzen
Land Goschen, 10 über Zoan und Memphis
hinaus zu allen, die in Ägypten wohnten,
bis an die Grenzen Äthiopiens. 11 Doch die
Bewohner aller dieser Länder missachte-
ten das Wort Nebukadnezars, des Königs
der Assyrer. Sie kamen ihm nicht zu Hilfe,
denn sie fürchteten ihn nicht, da er ihnen
vorkam wie einer, der keine Macht hat. So
sandten sie seine Boten wieder zurück,
unverrichteter Dinge und entehrt. 12 Da
wurde Nebukadnezar sehr zornig über alle
diese Länder. Und er schwor bei seinem
Thron und bei seiner Königsherrschaft,
dass er sich rächen werde an dem ganzen
Gebiet von Kilikien, Damaskus und Sy-
rien und dass er mit dem Schwert töten
werde alle Bewohner des Landes Moab
und die Ammoniter und ganz Judäa und
alle in Ägypten, bis zum Gebiet der bei-
den Meere.

13 Und er trat mit seiner Streitmacht an
gegen den König Arphaxad im siebzehn-
ten Jahr und überwand ihn im Kampf. Die
ganze Streitmacht Arphaxads schlug er in
die Flucht, seine Reiterei und alle Streit-
wagen. 14 Er nahm seine Städte in Besitz
und drang vor bis Ekbatana, bemächtigte
sich ihrer Türme, plünderte ihre Straßen
und zerstörte ihre Pracht. 15 Den König
Arphaxad aber ergriff er in den Bergen
von Ragau, durchbohrte ihn mit seinen
Speeren und vernichtete ihn ein für alle
Mal. 16 Danach kehrte er heim mit sei-
ner ganzen Heerschar, einer gewaltigen
Menge von Kriegern. Hundertzwanzig
Tage lang feierte und tafelte er mit seiner
Streitmacht.

* Das Buch Judit wurde neu aus dem griechischen Text übersetzt, der sich in Umfang und Wortlaut deutlich von dem bisher übersetzten lateinischen Text unterscheidet. Daher wurde auf die Angabe der bisherigen Verszählung der Lutherbibel verzichtet.

NEBUKADNEZAR SINNT AUF RACHE

2 Im achtzehnten Jahr, am zweiundzwan-
zigsten Tag des Monats, wurde im Hause
Nebukadnezars, des Königs der Assyrer,
befohlen, an allen Ländern Rache zu neh-
men, wie er es angekündigt hatte. 2 Und
er rief sein ganzes Gefolge und alle seine
Würdenträger zusammen und beriet sich
mit ihnen im Geheimen. Mit seiner Rede
beschwor er großes Unheil über die ganze
Erde herauf: 3 Sie beschlossen, alle zu ver-
nichten, die seinem Befehl nicht gehorcht
hatten. 4 Und als er die Ratsversammlung
beendet hatte, rief Nebukadnezar, der Kö-
nig der Assyrer, Holofernes herbei, den
Feldhauptmann seiner Streitmacht, den
Zweiten nach ihm, und sagte zu ihm: 5 So
spricht der Großkönig, der Herr der gan-
zen Erde: Siehe, du sollst von hier aus auf-
brechen und Männer mit dir nehmen, die
auf ihre Kraft vertrauen, etwa hundert-
zwanzigtausend Mann zu Fuß und ein
Aufgebot von zwölftausend Pferden mit
Reitern. 6 Zieh aus zum Kampf gegen alle
Länder, die nach Westen hin liegen; denn
sie haben meinem Befehl nicht gehorcht.
7 Du sollst sie auffordern, sich zu unterwer-
fen, denn ich werde in meinem Zorn über
sie kommen. Ich werde die ganze Erde mit
meiner Streitmacht überziehen und werde
ihr alle Länder zur Beute geben. 8 Ihre Ver-
wundeten sollen Schluchten und Sturzbä-
che füllen, und jeder Fluss soll von Leichen
überfließen. 9 Die Gefangenen will ich
wegführen bis an die Enden der Erde. 10 Du
aber zieh aus und nimm ihr ganzes Gebiet
für mich ein. Sie sollen sich dir ergeben,
und du wirst sie festhalten bis zu dem
Tag, an dem ich sie richten werde. 11 Mit
den Widerspenstigen aber sollst du keine
Nachsicht üben, sondern sie überall Mord
und Plünderung preisgeben. 12 Denn, so
wahr ich lebe und bei meiner Königs-
macht: Ich habe es gesagt und werde es
ausführen mit meiner Hand! 13 Du aber
sollst auch nicht eines dieser Worte deines
Herrn übertreten, sondern gewissenhaft
ausführen, was ich dir geboten habe, und
sollst nicht zögern, es zu tun.

HOLOFERNES BEGINNT SEINEN FELDZUG

14 Da ging Holofernes hinaus von seinem
Herrn, rief alle Mächtigen, die Heerfüh-
rer und die Befehlshaber der assyrischen
Streitmacht herbei 15 und musterte ge-
eignete Männer für die Schlachtordnung,
wie ihm sein Herr befohlen hatte: hun-
dertzwanzigtausend zu Fuß und zwölf-
tausend Bogenschützen zu Pferde, 16 und
er stellte sie so auf, wie ein Heer zur
Schlacht geordnet wird. 17 Er beschaffte
Kamele, Esel und Maultiere für ihre Aus-
rüstung, eine gewaltige Menge, und zahl-
lose Schafe, Rinder und Ziegen zu ihrer
Versorgung, 18 auch reichliche Vorräte für
alle, dazu sehr viel Gold und Silber aus der
königlichen Schatzkammer. 19 So brach
er mit seiner ganzen Streitmacht zum
Feldzug auf, dem König Nebukadnezar
voraus, um die ganze Erde nach Westen
hin mit Streitwagen, Reitern und ausge-
suchten Fußtruppen zu bedecken. 20 Und
der Heerhaufen wuchs gewaltig. Wie die
Heuschrecken schlossen sich ihnen Leute
an, und zahllos wie der Staub der Erde
wurde ihre Menge. 21 Von Ninive aus zo-
gen sie drei Tagesmärsche weit bis zu der
Ebene von Bektilet. Und sie schlugen ihr
Lager auf jenseits von Bektilet, nahe dem
Gebirge, das im Norden von Oberkilikien
liegt. 22 Und er nahm seine ganze Streit-
macht, die Fußtruppen, die Reiter und
seine Streitwagen, und zog in das Gebirge
hinauf. 23 Und er zerschlug Pud und Lud
und plünderte alle Rassiter und Ismaeli-
ter, die am Rande der Wüste südlich der
Cheleer wohnten. 24 Dann überschritt er
den Euphrat, durchzog Mesopotamien
und zerstörte alle befestigten Städte am
Fluss Habor bis hin zum Meer. 25 Er nahm
das Gebiet von Kilikien ein und schlug alle
nieder, die ihm Widerstand leisteten, und
kam bis in das Gebiet von Jafet, das im Sü-
den liegt, am Rande von Arabien. 26 Und er
umzingelte alle Midianiter, brannte ihre
Zelte nieder und plünderte ihre Viehher-
den. 27 Danach stieg er hinab in die Ebene
von Damaskus zur Zeit der Weizenernte,
steckte alle ihre Felder in Brand und gab
die Schafe und Rinderherden der Ver-
nichtung preis. Er raubte ihre Städte aus,
verwüstete ihre Ebenen und erschlug alle
ihre Jünglinge mit der Schärfe des Schwer-
tes. 28 Da befiel Furcht und Zittern alle, die
am Meer wohnten, in Tyrus und Sidon,
und die Bewohner von Sur und Okina,

von Jamnia, Aschdod und Aschkelon. Sie
alle fürchteten ihn sehr.

VIELE VÖLKER UNTERWERFEN SICH

3 Und sie sandten Friedensboten, die ihm
sagen sollten: 2 »Siehe wir, die Knechte
des Großkönigs Nebukadnezar, liegen vor
dir. Tu mit uns, was dir gefällt! 3 Siehe,
unsere Höfe und alle unsere Ortschaften
und alle Weizenfelder und die Schafe und
Rinderherden und alles Vieh bei unseren
Zelten liegen vor dir. Tu mit ihnen, was
dir gefällt! 4 Siehe, auch unsere Städte
und alle, die darin wohnen, sind deine
Sklaven. Komm und verfahre mit ihnen,
wie es dir gut erscheint!« 5 Und die Boten
kamen zu Holofernes und richteten ihm
alles Wort für Wort aus. 6 Da zog er mit
seiner Streitmacht zum Meer hinunter,
besetzte die befestigten Städte und hob in
ihnen geeignete Männer für seine Hilfs-
truppen aus. 7 Und die Bewohner der gan-
zen Gegend empfingen ihn mit Kränzen,
Tänzen und Trommeln. 8 Er aber zerstörte
ihr gesamtes Gebiet und riss ihre Heilig-
tümer nieder. Denn ihm war aufgetragen,
die Götter des Landes auszurotten, damit
alle Völker Nebukadnezar allein dienen
und alle Zungen und Stämme ihn allein
als Gott anrufen sollten. 9 Und er kam bis
nach Jesreel in die Nähe von Dotan, das
gegenüber der großen Bergkette von Judäa
liegt. 10 Dann schlug er zwischen Gabbai
und Skythopolis sein Lager auf und blieb
dort einen Monat lang, um die Ausrüs-
tung seiner Streitmacht neu zu ordnen.

DIE BEDRÄNGNIS DES GOTTESVOLKES

Kapitel 4,1–7,32

DIE BEWOHNER JUDÄAS LEISTEN WIDERSTAND

4 Die Israeliten aber, die in Judäa wohn-
ten, hörten alles, was Holofernes, der
Feldhauptmann Nebukadnezars, des Kö-
nigs der Assyrer, den Völkern angetan und
wie er alle ihre Heiligtümer beraubt und
sie der Vernichtung preisgegeben hatte.
2 Da gerieten sie in größte Furcht vor ihm
und wurden bestürzt, weil sie an Jeru-
salem und den Tempel des Herrn, ihres
Gottes, dachten. 3 Denn gerade erst waren
sie aus der Gefangenschaft zurückgekom-
men, und erst vor Kurzem hatte sich das
ganze Volk von Judäa wieder zusammen-
gefunden, und die Geräte, der Altar und
das Haus Gottes waren nach ihrer Schän-
dung wieder geweiht worden. 4 Darum
sandten sie Boten in das ganze Gebiet von
Samarien, Kona, Bet-Horon und Belmain,
nach Jericho, Choba und Hazor und in die
Talebene von Salim. 5 Zuerst besetzten sie
alle hohen Bergkuppen, dann befestigten
sie ihre Dörfer und legten Nahrungsvor-
räte für den Krieg an, denn ihre Felder wa-
ren eben erst abgeerntet worden.
6 Jojakim aber, der zu dieser Zeit Hoher-
priester in Jerusalem war, schrieb an die
Einwohner von Betulia und Betomesta-
jim, das Jesreel gegenüber nahe bei Dotan
liegt, 7 sie sollten die Zugänge ins Gebirge
besetzt halten, durch die der Weg nach Ju-
däa führte. Hier nämlich wäre es leichter,
die Eindringenden aufzuhalten. Denn der
Durchgang war hier so eng, dass immer
nur zwei Mann nebeneinander hindurch
konnten. 8 Und die Israeliten taten, was
ihnen der Hohepriester Jojakim und der
Rat der Ältesten des Volkes Israel in Jeru-
salem aufgetragen hatten. 9 Alle Männer
in Israel schrien inständig zu Gott und
demütigten sich selbst mit großer In-
brunst. 10 Sie selbst, ihre Frauen und Kin-
der, ihr Vieh und alle Fremden, Knechte
und Sklaven legten Säcke um ihre Hüf-
ten.[a] 11 Alle Männer, Frauen und Kinder,
die in Jerusalem wohnten, fielen vor dem
Tempel nieder auf ihr Angesicht, streuten
Asche auf ihre Häupter und breiteten ihre
Bußgewänder vor dem Herrn aus. 12 So-
gar den Brandopferaltar umhüllten sie
mit Säcken, und sie schrien zu dem Gott
Israels einmütig und inständig, dass er
nicht den Heiden überlasse ihre Kinder
zum Raub und ihre Frauen zur Beute,
die Städte ihres Erbteils zur Vernichtung
und das Heiligtum zu Entweihung, Spott
und Schändung. 13 Und der Herr hörte
auf ihr Rufen und schaute ihre Bedräng-
nis an. Das Volk in Judäa und Jerusalem
aber fastete mehrere Tage lang vor dem
Heiligtum des Herrn, des Allmächtigen.
14 Auch der Hohepriester Jojakim und alle

4,10 *a* Dan 9,3; Jona 3,5-8

Priester, die vor dem Herrn standen, und
alle, die dem Herrn dienten, hatten Säcke
um ihre Hüften gelegt und brachten so das
tägliche Brandopfer sowie die Opfer und
Gaben des Volkes dar. 15 Sie hatten Asche
auf ihre Häupter gestreut und schrien zum
Herrn mit aller Kraft, er möge das Haus
Israel gnädig bewahren.

HOLOFERNES HÄLT KRIEGSRAT

5 Da wurde Holofernes, dem Feldhaupt-
mann der assyrischen Streitmacht, ge-
meldet, dass sich die Israeliten zum Krieg
gerüstet, die Gebirgspässe versperrt, alle
hohen Bergkuppen befestigt und in den
Ebenen Hindernisse errichtet hätten.
2 Darüber entbrannte er in großem Zorn.
Er rief alle Obersten der Moabiter und
alle Heerführer der Ammoniter und alle
Statthalter der Meeresküste zusammen
3 und sprach zu ihnen: Sagt mir doch, ihr
Kanaaniter, was ist das für ein Volk, das
im Gebirge lebt! Welche Städte bewohnen
sie? Wie groß ist ihre Streitmacht? Worin
bestehen ihre Kraft und Stärke? Welcher
König führt ihr Heer? 4 Warum haben al-
lein sie unter allen anderen Bewohnern
des Westens sich geweigert, mir zur Hul-
digung entgegenzuziehen?

REDE DES ACHIOR

5 Da antwortete ihm Achior, der Anführer
aller Ammoniter: Möge mein Herr doch
ein Wort aus dem Munde seines Knech-
tes anhören! So will ich dir die Wahrheit
sagen über dieses Volk, das im Gebirge
wohnt, ganz in deiner Nähe, und ich
werde dich gewiss nicht belügen. 6 Dieses
Volk stammt von den Chaldäern ab. 7 Frü-
her haben sie als Fremdlinge in Mesopo-
tamien gewohnt, denn sie wollten nicht
mehr den Göttern ihrer Väter nachfolgen,
die im Lande der Chaldäer waren. 8 [a]Des-
halb verließen sie den Weg ihrer Vorfah-
ren und beteten den Gott des Himmels an,
dem allein sie als Gott dienten. Da vertrie-
ben die Chaldäer sie von dem Angesicht
ihrer Götter, und sie flohen nach Meso-
potamien und wohnten da als Fremdlinge
lange Zeit. 9 [a]Ihr Gott aber gebot ihnen, sie
sollten fortziehen und nach Kanaan gehen.
Dort ließen sie sich nieder und wurden
reich an Gold, Silber und großen Viehher-
den. 10 Als nun eine Hungersnot über das
Land Kanaan kam, zogen sie hinab nach
Ägypten und lebten wiederum als Fremd-
linge, solange sie Nahrung fanden. Dort
wurden sie zu einem so großen Volk, dass
ihre Menge nicht mehr zu zählen war.

11 Der König von Ägypten aber be-
drückte sie und zwang sie zum Ziegel-
streichen, erniedrigte sie und machte sie
zu Sklaven. 12 Und sie schrien zu ihrem
Gott. Der schlug das ganze Land Ägypten
mit Plagen, vor denen es keine Rettung
gab. Da jagten die Ägypter sie fort. 13 Und
Gott trocknete vor ihnen das Rote Meer
aus 14 und führte sie auf den Weg zum
Sinai und nach Kadesch-Barnea. Und sie
vertrieben alle, die in der Wüste wohnten.
15 Danach ließen sie sich nieder im Lande
der Amoriter und zerstörten Heschbon
durch ihre Stärke. Sie überschritten den
Jordan und nahmen das ganze Gebirge als
Erbteil in Besitz.

16 Sie vertrieben die Kanaaniter und Pe-
risiter, Jebusiter und Sichemiter und alle
Girgaschiter und ließen sich dort nieder
für lange Zeit. 17 Und solange sie nicht sün-
digten vor ihrem Gott, ging es ihnen gut,
denn sie haben einen Gott, der das Un-
recht hasst. 18 Als sie aber von dem Weg
abwichen, den er ihnen geboten hatte,
wurden sie in vielen Schlachten geschla-
gen und gefangen in ein fremdes Land
geführt. Der Tempel ihres Gottes wurde
dem Erdboden gleichgemacht, und ihre
Städte wurden von Feinden eingenom-
men. 19 Und jetzt, da sie sich wieder zu
ihrem Gott bekehrt haben, sind sie her-
aufgezogen aus der Fremde, wohin sie
zerstreut waren, haben Jerusalem, wo ihr
Heiligtum steht, wieder in Besitz genom-
men, und haben sich niedergelassen im
Gebirge, das verödet war.

20 Darum nun, mein Herr und Gebie-
ter: Nur wenn es in diesem Volk ein Ver-
gehen gibt und sie sich gegen ihren Gott
versündigt haben und wir Kunde davon
erhalten, dann können wir hinaufziehen
und gegen sie Krieg führen. 21 Wenn es
aber kein solches Vergehen in ihrem Volk
gibt, dann, mein Herr, lass ab von dei-
nem Vorhaben, damit nicht ihr Herr und

5,8 *a* Jos 24,14 **5,9** *a* 1. Mose 12,1

Gott sie beschirme und wir vor aller Welt
zum Gespött werden.
22 Und es geschah, als Achior diese Rede
beendet hatte, da murrte das ganze Volk,
das rings um das Zelt stand, und die Wür-
denträger des Holofernes und alle, die am
Meer und in Moab wohnten, sagten: Haut
ihn in Stücke! 23 Wir fürchten uns doch
nicht vor den Israeliten! Denn siehe, die-
sem Volk fehlen Macht und Stärke, um ein
geordnetes Heer aufzustellen. 24 So lass
uns hinaufziehen und sie deinem Heer
zum Fraß vorwerfen, Holofernes, du un-
ser Gebieter!

ANTWORT DES HOLOFERNES

6 Als sich der Tumult unter den Männern
rings um den Kriegsrat gelegt hatte,
sprach Holofernes, der Feldhauptmann
der assyrischen Streitmacht, zu Achior
vor der ganzen Volksversammlung der
Philister und zu allen Moabitern: 2 Wer
bist du denn, Achior, mit deinen Söldnern
aus Ephraim, dass du heute unter uns als
Prophet auftrittst und sagst, man solle
gegen das Volk Israel keinen Krieg füh-
ren, weil ihr Gott sie beschirme? Wer ist
denn Gott außer Nebukadnezar? Der wird
seine Macht aufbieten und sie vernichten
von der Erde, und ihr Gott wird sie nicht
retten können. 3 Sondern wir, Nebukad-
nezars Knechte, werden sie schlagen wie
einen einzigen Mann, und sie werden der
Kraft unserer Rosse nicht standhalten.
4 Denn wir werden sie überrennen, und
ihre Berge werden trunken sein von ih-
rem Blut, und ihre Felder werden übersät
sein mit ihren Leichen, und sie werden
uns nicht widerstehen können, sondern
zugrunde gehen – spricht der König Nebu-
kadnezar, der Herr der ganzen Erde. Denn
er hat es gesagt, und was er sagt, wird ge-
schehen 5 Du aber, Achior, du ammoniti-
scher Söldner, der du dich heute um Kopf
und Kragen geredet hast, du sollst mir von
diesem Tag an nicht mehr unter die Au-
gen kommen, bis ich dieses Volk, das aus
Ägypten dahergelaufen ist, bestraft habe.
6 Dann werden das Schwert meiner Leute
und der Spieß meiner Diener deine Rip-
pen durchbohren, und du wirst unter den
Verwundeten Israels liegen, wenn ich zu-
rückkehre. 7 Meine Knechte werden dich
jetzt in eine der Städte am Rande des Ge-
birges bringen. 8 Und du sollst nicht eher
als die Verwundeten Israels zugrunde ge-
hen. 9 Solltest du aber in deinem Herzen
hoffen, dass sie doch nicht besiegt werden,
dann musst du den Blick nicht senken. Ich
habe es gesagt, und so wird es geschehen.

ACHIOR WIRD AN DIE EINWOHNER BETULIAS AUSGELIEFERT

10 Und Holofernes befahl seinen Knech-
ten, die in seinem Zelt bereitstanden,
Achior zu ergreifen, ihn nach Betulia zu
bringen und in die Hände der Israeliten
auszuliefern. 11 Da ergriffen ihn seine
Knechte und führten ihn hinaus aus dem
Lager in die Ebene, und von dort brachten
sie ihn in das Gebirge hinauf. So kamen
sie zu den Quellen, die unterhalb von Be-
tulia liegen. 12 Als die Männer der Stadt sie
von oben sahen, griffen sie zu den Waffen
und liefen hinaus auf die Bergkuppe. Die
Schleuderer aber besetzten den Weg, der
zur Stadt hinaufführte, und beschossen
sie mit Steinen. 13 Da suchten die Assy-
rer unten am Berg Schutz, fesselten den
Achior und ließen ihn dort liegen. Dann
zogen sie sich wieder zurück zu ihrem
Herrn.

ACHIOR WIRD EHRENVOLL AUFGENOMMEN

14 Die Israeliten aber kamen herab aus ih-
rer Stadt, traten zu ihm und banden ihn
los. Und sie führten ihn nach Betulia und
stellten ihn vor die Oberhäupter der Stadt.
15 Das waren zu dieser Zeit Usija, der Sohn
des Micha aus dem Stamme Simeon, und
Kabri, der Sohn des Otniël, und Karmi, der
Sohn des Malkiël. 16 Die riefen alle Ältes-
ten der Stadt zusammen; ebenso kamen
alle jungen Männer und Frauen herbei.
Sie stellten Achior in die Mitte des gan-
zen Volkes, und Usija fragte ihn, was sich
zugetragen habe. 17 Der antwortete und
berichtete ihnen alles, was Holofernes im
Kriegsrat und im Kreis der assyrischen Be-
fehlshaber gesagt und wie er gegen Israel
geprahlt hatte.
18 Da fiel das Volk nieder, und alle bete-
ten zu Gott, schrien und sprachen: 19 Herr,
Gott des Himmels, sieh doch herab auf
ihren Hochmut und erbarme dich des

Elends unseres Volkes, und schau gnädig
auf dein heiliges Volk am heutigen Tag!
20 Dann sprachen sie Achior Mut zu und
lobten ihn sehr. 21 Nach der Versammlung
nahm Usija ihn mit in sein Haus und be-
reitete ihm ein Gastmahl mit den Ältes-
ten, und die ganze Nacht hindurch riefen
sie den Gott Israels um Hilfe an.

HOLOFERNES BELAGERT BETULIA

7 Am nächsten Tag aber befahl Holofer-
nes seinem ganzen Heer und allen sei-
nen Leuten, die als Hilfstruppe zu ihnen
gestoßen waren, gegen Betulia zu ziehen,
die Zugänge ins Gebirge zu besetzen und
gegen die Israeliten Krieg zu führen. 2 Da
zogen alle waffenfähigen Männer hinauf.
Ihre Streitmacht umfasste hundertsieb-
zigtausend Mann zu Fuß und zwölftau-
send Reiter, ohne den Tross und die Män-
ner, die sie begleiteten, eine sehr große
Menge. 3 Und sie schlugen ihr Lager in der
Talebene nahe bei Betulia an der Quelle
auf. Es dehnte sich aus in der Breite von
Dotan bis Belmain und in der Länge von
Betulia bis Kyamon, das Jesreel gegen-
überliegt.
4 Als aber die Israeliten diese Menge sa-
hen, wurden sie bestürzt und sagten zu-
einander: Jetzt werden sie das ganze Land
aussaugen. Weder die hohen Berge noch
die Schluchten und Hügel werden diese
Last tragen können. 5 Da griffen alle zu ih-
ren Waffen, entzündeten Feuer auf ihren
Türmen und hielten die ganze Nacht hin-
durch Wache.
6 Am zweiten Tag aber führte Holofer-
nes seine Reiterei heraus vor den Augen
der Israeliten, die in Betulia waren. 7 Er
erkundete die Zugänge zu ihrer Stadt,
spähte ihre Wasserquellen aus, besetzte
sie und stellte bei ihnen bewaffnete Pos-
ten auf. Dann kehrte er wieder zu seinen
Leuten zurück. 8 Und es kamen zu ihm alle
Oberhäupter der [a]Söhne Esaus und alle
Anführer des Volkes Moab und die Heer-
führer von der Meeresküste und sprachen:
9 Möge doch unser Gebieter ein Wort
anhören, damit deiner Streitmacht kein
Schaden entstehe! 10 Denn das Volk der Is-
raeliten vertraut weniger auf seine Speere
als auf die Höhe der Berge, auf denen sie
wohnen, denn es ist nicht leicht, zu ihnen
ins Gebirge vorzudringen. 11 Deshalb, un-
ser Gebieter, kämpfe gegen sie nicht in
der gewohnten Schlachtordnung! Dann
wird auch kein Einziger von deinen Leu-
ten fallen. 12 Bleibe vielmehr in deinem La-
ger und schone die Männer deiner Streit-
macht! Deine Knechte aber sollen sich der
Wasserquelle bemächtigen, die am Fuße
des Gebirges entspringt, 13 weil dort alle
Einwohner von Betulia ihr Wasser holen.
Dann wird der Durst sie umbringen, und
sie werden dir ihre Stadt übergeben. Wir
aber und unsere Leute wollen auf die be-
nachbarten Berggipfel steigen und darauf
Wachposten errichten, sodass niemand
die Stadt verlassen kann. 14 So werden sie
mit ihren Frauen und Kindern vor Hunger
dahinschwinden und in den Straßen ihrer
Stadt niedergestreckt liegen, noch ehe das
Schwert über sie kommt. 15 Dann magst
du an ihnen unerbittlich Vergeltung üben,
weil sie sich gegen dich erhoben haben
und dir nicht im Frieden entgegengezogen
sind. 16 Diese Worte gefielen Holofernes
und seinem ganzen Gefolge, und er befahl
zu tun, was sie vorgeschlagen hatten.
17 Da brach das Lager der Ammoniter auf
und mit ihnen fünftausend Assyrer. Sie
lagerten im Tal und besetzten die Wasser-
stellen und Quellen der Israeliten. 18 Die
Söhne Esaus aber und die Ammoniter zo-
gen hinauf ins Gebirge und schlugen ihr
Lager gegenüber von Dotan auf, und sie
sandten einige nach Süden und einige nach
Osten, in das Gebiet gegenüber Egrebel,
das nahe bei Chus am Bach Mochmur liegt.
Das übrige Heer der Assyrer aber lagerte
in der Ebene und bedeckte das ganze Land.
Ihre Zelte und ihr Tross breiteten sich ge-
waltig aus; es war eine riesige Menge.

DIE EINWOHNER BETULIAS GERATEN IN VERZWEIFLUNG

19 Da schrien die Israeliten zum Herrn, ih-
rem Gott, weil ihr Geist verzagte. Denn
alle ihre Feinde hatten sie umringt, und
es gab kein Entrinnen mehr. 20 Und die Be-
lagerung der Assyrer, ihrer Fußtruppen,
Streitwagen und Reiter dauerte vierund-
dreißig Tage. Da gingen den Bewohnern
von Betulia die Wasservorräte aus, 21 und

7,8 *a* 1. Mose 36,1-43

die Zisternen vertrockneten. Weil ihnen
das Wasser zugemessen werden musste,
hatten sie an keinem Tag mehr genug, um
ihren Durst zu stillen. 22 Ihre kleinen Kin-
der siechten dahin, und die Frauen und die
Jünglinge wurden ohnmächtig vor Durst.
Auf den Straßen der Stadt und in den
Torwegen brachen sie zusammen, weil
sie keine Kraft mehr hatten. 23 Da versam-
melte sich das ganze Volk vor Usija und
den Oberhäuptern der Stadt, junge Män-
ner, Frauen und Kinder. Sie schrien mit
lauter Stimme und sprachen zu den Äl-
testen: 24 Gott sei Richter zwischen euch
und uns! Ihr habt großes Unglück über
uns gebracht, weil ihr nicht mit den As-
syrern Frieden schließen wolltet! 25 Nun
gibt es für uns keine Hilfe mehr, sondern
Gott hat uns in ihre Hand gegeben, damit
wir vor ihren Augen verschmachten und
jämmerlich zugrunde gehen! 26 So ruft
nun die Leute des Holofernes herbei und
liefert ihnen und ihrer Streitmacht die
ganze Stadt zur Plünderung aus! 27 Denn
es ist besser für uns, ihre Beute zu werden
und als Sklaven am Leben zu bleiben, als
mit eigenen Augen den Tod unserer Säug-
linge, Frauen und Kinder ansehen zu müs-
sen. 28 Als Zeugen gegen euch rufen wir an
Himmel und Erde, unseren Gott und den
Herrn unserer Väter, der uns bestraft um
unserer Sünden und um der Übertretun-
gen unserer Väter willen: Er lasse [a]diese
Worte am heutigen Tag nicht an uns wahr
werden!

29 Und es erhob sich großes Wehklagen
inmitten der ganzen Gemeinde wie mit
einer Stimme, und sie schrien laut zum
Herrn, ihrem Gott.

30 Da sprach Usija zu ihnen: Nur Mut,
Brüder und Schwestern! Lasst uns noch
fünf Tage aushalten, in denen der Herr,
unser Gott, uns sein Erbarmen wieder
zuwenden kann, denn er wird uns nicht
endgültig verlassen. 31 Wenn aber diese
Tage vorüber sind, ohne dass wir Hilfe
erfahren haben, dann wollen wir tun,
was ihr gesagt habt. 32 Und er schickte das
Volk fort, alle auf ihre Posten. Sie besetz-
ten wieder die Mauern und Türme, die
Frauen und Kinder aber gingen zurück in
ihre Häuser. Und in der Stadt herrschte
große Verzagtheit.

DIE RETTUNG DES GOTTESVOLKES

Kapitel 8,1–16,25

JUDITS HERKUNFT UND LEBENSFÜHRUNG

8 Das hörte in jenen Tagen auch Judit,
die Tochter Meraris, des Sohnes des
Uz, des Sohnes Josefs, des Sohnes Usiëls,
des Sohnes Hilkijas, des Sohnes des Ha-
nanjas, des Sohnes Gideons, des Sohnes
Rafaïns, des Sohnes Ahitubs, des Sohnes
Elijas, des Sohnes Hilkijas, des Sohnes
Eliabs, des Sohnes Natanaëls, des Sohnes
Schelumiëls, des Sohnes Zurischaddais,
des Sohnes Israels. 2 Judits Mann Manasse
aber, aus ihrem Stamm und ihrer Sippe,
war zur Zeit der Gerstenernte gestorben.
3 Er hatte auf dem Felde die Garbenbinder
beaufsichtigt, als ihn ein [a]Hitzschlag traf.
Da fiel er auf sein Bett und starb in seiner
Stadt Betulia. Und sie begruben ihn bei
seinen Vätern auf dem Feld, das zwischen
Dotan und Belmain liegt.

4 Judit aber lebte nun schon drei Jahre
und vier Monate als Witwe in ihrem Haus.
5 Auf dem Dach ihres Hauses hatte sie sich
ein Zelt gemacht. Um ihre Hüften hatte
sie einen [a]Sack gelegt und trug darüber
die Kleider einer Witwe. 6 Und sie fas-
tete alle Tage ihrer Witwenschaft, außer
am Tag vor dem Sabbat und am Sabbat
selbst, am Tag vor dem Neumond und am
Neumond selbst sowie an den Festen und
Freudentagen des Hauses Israel. 7 Sie war
sehr schön von Gestalt und von blühen-
dem Aussehen. Ihr Mann Manasse hatte
ihr Gold und Silber, Knechte und Mägde,
Vieh und Felder hinterlassen, über die sie
verfügte. 8 Und es gab niemanden, der ihr
etwas Schlechtes nachsagen konnte, denn
sie fürchtete Gott sehr.

JUDIT REDET ZU DEN ÄLTESTEN VON BETULIA

9 Und Judit hörte die harten Reden des
Volkes gegen sein Oberhaupt Usija, weil
sie kleinmütig geworden waren wegen
des Mangels an Wasser. Auch hörte sie
alle Worte, die Usija zu ihnen gesagt
hatte, und wie er ihnen geschworen hatte,
die Stadt nach fünf Tagen an die Assyrer

7,28 *a* Vers 25 **8,3** *a* 2. Kön 4,18-20 **8,5** *a* Kap 9,1; 10,3

zu übergeben. 10 Da sandte sie die Magd, die ihr Hab und Gut verwaltete, und lud Usija, Kabri und Karmi zu sich ein, die Ältesten ihrer Stadt.

REDE DER JUDIT

11 Als die nun zu ihr kamen, sprach sie zu ihnen: Hört mich an, ihr Oberhäupter von Betulia! Das Wort, das ihr heute zu dem Volk gesprochen habt, war nicht recht. Ihr habt einen Eid geschworen, der nun zwischen Gott und euch steht, und habt versprochen, die Stadt unseren Feinden zu übergeben, wenn der Herr uns unterdessen nicht hilft! 12 Wer seid ihr denn, dass ihr [a]Gott am heutigen Tage versucht und euch vor allen Menschen über Gott erhebt? 13 [a]Wollt ihr etwa den Herrn, den Allmächtigen, herausfordern? Wollt ihr denn ewig unverständig bleiben? 14 Könnt ihr doch nicht einmal die Tiefe des menschlichen Herzens noch seine Gedanken begreifen! Wie wollt ihr da Gott erforschen, der alles geschaffen hat, seinen Sinn erkennen oder seine Überlegungen begreifen? Niemals, Brüder! Erzürnt nicht den Herrn, unsern Gott! 15 Denn auch wenn er uns nicht in diesen fünf Tagen helfen will, hat er doch die Macht, uns vor unseren Feinden zu schützen oder uns zu vernichten, wann immer er will. 16 Versucht nicht, den Willen des Herrn, unseres Gottes, zu erzwingen! [a]Gott ist ja nicht wie ein Mensch, dem man drohen könnte, und nicht wie einer, der sich bedrängen ließe! 17 Darum lasst uns auf seine Rettung warten und ihn um Hilfe anrufen! Er wird unsere Stimme erhören, wann es ihm gefällt!

18 Denn es gibt ja zu dieser Zeit unter uns keinen Stamm und keine Sippe, kein Geschlecht und keine Stadt mehr, die selbst gemachte Götter anbeten, wie das in früheren Zeiten geschehen ist. 19 Darum kamen Schwert und Raub über unsere Väter, und sie wurden vor unseren Feinden tief gedemütigt. 20 [a]Wir aber kennen keinen anderen Gott als ihn allein. Deshalb hoffen wir auch, dass er niemanden von uns und unserem Volk vergessen wird. 21 Denn wenn wir besiegt werden, wird ganz Judäa fallen. Dann wird auch unser Heiligtum geplündert, und für seine Entweihung wird von uns [a]Rechenschaft gefordert. 22 Der Tod unserer Brüder und die Verbannung aus unserem Land und die Verwüstung unseres Erbteils werden auf unser Haupt zurückfallen, wenn wir fremden Völkern dienen müssen. Und wir müssen zu Hohn und Spott werden bei denen, die uns beherrschen. 23 Dann wird sich unsere Knechtschaft nicht mehr zum Guten wenden; sondern der Herr, unser Gott, wird uns zuschanden machen. 24 Deshalb lasst uns unseren Brüdern in Jerusalem zeigen, dass wir für ihr Leben einstehen und uns vor das Heiligtum, den Tempel und den Altar stellen wollen. 25 Zugleich aber lasst uns dem Herrn, unserem Gott, danken, dass er uns ebenso prüft wie unsere Väter auch. 26 Erinnert euch, was er mit Abraham getan hat, wie er Isaak versuchte und wie es Jakob in Mesopotamien erging, als er die Schafe Labans, des Bruders seiner Mutter, hütete. 27 Denn wie er jene im Feuer geläutert hat, um ihre Herzen zu prüfen, so ist auch dies keine Strafe für uns, sondern durch Züchtigung ermahnt der Herr, die ihm nahe sind.

ANTWORT DES USIJA

28 Da antwortete Usija ihr: Alles, was du sagst, kommt aus einem reinen Herzen, und es gibt niemanden, der deinen Worten widerstehen könnte. 29 Nicht erst seit heute ist ja deine Weisheit offenbar, sondern schon von jeher kennt das ganze Volk deine Einsicht und das Gute, das dein Herz ersinnt.

30 Aber das Volk litt furchtbaren Durst und zwang uns, zu tun, was wir ihnen zugesagt haben, und uns einen Eid aufzuerlegen, den wir nicht mehr brechen dürfen. 31 Darum bete nun für uns, denn du bist eine gottesfürchtige Frau. Vielleicht wird der Herr uns Regen senden, damit sich unsere Zisternen füllen und wir nicht verschmachten müssen.

JUDIT BITTET DIE ÄLTESTEN UM UNTERSTÜTZUNG

32 Judit aber entgegnete ihnen: Hört mich an! Ich will eine Tat vollbringen, von der

8,12 ***a*** 5. Mose 6,16 **8,13** ***a*** 5. Mose 6,16-18; Jes 7,12
8,16 ***a*** 4. Mose 23,19 **8,20** ***a*** 5. Mose 6,4-5
8,21 ***a*** Ps 94,10

man noch in fernen Zeiten bei den Nachkommen unseres Volkes erzählen wird. 33 Wartet heute Nacht am Tor, wenn ich mit meiner Magd hinausgehe. Noch bevor ihr die Stadt übergeben müsst, wie ihr es versprochen habt, wird sich der Herr durch meine Hand Israel wieder zuwenden. 34 Ihr sollt aber meinem Vorhaben nicht nachforschen, denn nichts davon will ich euch sagen, bis vollbracht ist, was ich tun will. 35 Und Usija und die Oberhäupter sprachen zu ihr: Geh hin in Frieden! Gott der Herr sei mit dir, um uns an unseren Feinden zu rächen! 36 Und sie verließen Judits Zelt und kehrten auf ihre Posten zurück.

GEBET DER JUDIT

9 Judit aber fiel nieder auf ihr Angesicht, streute Asche auf ihr Haupt und enthüllte den [a]Sack, mit dem sie sich bekleidet hatte. Es war aber gerade um die [b]Zeit, da man zu Jerusalem das abendliche Rauchopfer im Hause Gottes darbrachte. Und Judit schrie mit lauter Stimme zum Herrn und sprach: 2 Herr, du Gott meines Vaters Simeon, dem [a]du ein Schwert in die Hand gegeben hast zur Rache an den Fremden, die dem Leib der Jungfrau Gewalt antaten, um sie zu beflecken, und die ihren Schenkel entblößten, um sie zu entehren, und die ihren Schoß aufbrachen, um sie zu schänden. Denn du hattest gesagt: So soll es nicht sein! Und sie taten es doch. 3 Deshalb gabst du ihre Befehlshaber dem Tode preis. Ihr Bett, missbraucht durch ihren Betrug, wurde nun selbst blutig betrogen. Du erschlugst die Knechte wie die Mächtigen, ja die Mächtigen auf ihren Thronen. 4 Und du gabst ihre Frauen der Plünderung und ihre Töchter der Gefangenschaft preis und all ihren Besitz zur Verteilung an deine geliebten Söhne; denn die eiferten deinem Vorbild nach und verabscheuten die Schande, die an ihrem Blut geschehen war, und riefen dich als Helfer an. Gott, mein Gott, erhöre auch mich, die Witwe! 5 [a]Denn alle Dinge, die vormals waren und danach, hast du gemacht, und die jetzigen wie die noch kommenden hast du ersonnen, und was du erdacht hast, ist geschehen. 6 Und die Dinge, die du beschlossen hattest, standen da und sprachen: Siehe, hier sind wir! Denn alle deine Wege sind bereitet, und dein Urteil ist schon gesprochen.

7 [a]Und siehe, die Assyrer sind groß geworden mit ihrer Streitmacht, sie sind emporgekommen mit Ross und Reiter, sie haben sich gebrüstet mit der Kraft ihres Kriegsvolks, haben ihre Hoffnung gesetzt auf Schild und Speer, Bogen und Schleuder, aber sie haben nicht erkannt: [b]Du bist der Herr, der die Kriege zerschlägt!* 8 »Herr« ist dein Name. Brich ihre Stärke mit deiner Macht und wirf ihre Kraft nieder in deinem Zorn! Denn sie haben beschlossen, dein Heiligtum zu entweihen, das Zelt zu verunreinigen, in dem dein herrlicher Name wohnt, und das Horn deines Altars mit dem [a]Eisen abzuhauen. 9 Sieh an ihren Hochmut! Gieß aus deinen Zorn über ihre Häupter! Gib meiner schwachen Hand die Kraft, zu tun, was ich vorhabe! 10 Wirf zu Boden den Knecht wie den Herrn und den Herrn wie den Diener durch meine trügerischen Worte! Brich ihren Hochmut durch die Hand einer Frau! 11 Denn [a]**nicht in der Übermacht liegt deine Kraft, und deine Herrschaft ruht nicht auf den Starken, sondern du bist ein Gott der Erniedrigten, ein Helfer der Geringen, ein Beistand der Schwachen, ein Beschützer der Verachteten und ein Retter der Hoffnungslosen!** 12 Ja, du Gott meines Vaters und Gott des Erbbesitzes Israels, du Herrscher des Himmels und der Erde, Schöpfer allen Wassers und König deiner ganzen Schöpfung, erhöre mein Flehen! 13 Gib, dass mein trügerisches Wort zur [a]Wunde und Strieme werde für jene, die Unheil beschlossen haben gegen deinen Bund und deinen heiligen Tempel, gegen den Berg Zion und das Haus, das deine Söhne bewohnen. 14 Lass dein ganzes Volk und jeden Stamm erkennen, dass du der Gott aller Macht und Kraft bist und dass es keinen anderen gibt, der das Volk Israel beschirmt, als dich allein!

* **9,7** Dieser Vers nimmt die griechische Übersetzung von 2. Mose 15,3 auf.

9,1 *a* Kap 8,5; 10,3 *b* Dan 9,21 **9,2** *a* 1. Mose 34,1-2.25-29 **9,5** *a* Jes 46,9 **9,7** *a* Sach 4,6 *b* Kap 16,2 **9,8** *a* 2. Mose 20,25 **9,11** *a* Jes 61,1-3 **9,13** *a* 1. Mose 4,23

JUDIT BEREITET IHRE TAT VOR

10 Als sie nun aufgehört hatte, zu dem
Gott Israels zu schreien, und als ihr
Gebet beendet war, 2 da stand sie vom Bo-
den auf, rief ihre Magd herbei und ging
hinunter in das Haus, wo sie sich am Sab-
bat und an Festtagen aufzuhalten pflegte.
3 Sie zog die Kleider ihrer Witwenschaft
aus und legte den [a]Sack ab, mit dem sie
sich bekleidet hatte. Sie wusch ihren Leib
mit Wasser und salbte sich mit betören-
dem Balsam, flocht ihre Haare und wand
Bänder hinein und zog jene Festkleider an,
die sie zu Lebzeiten ihres Mannes Manasse
getragen hatte. 4 Sie wählte Sandalen für
ihre Füße aus und legte Fußkettchen und
Armreifen, Fingerringe und Ohrgehänge
und all ihr Geschmeide an. So machte sie
sich schön, um die Augen der Männer zu
blenden. 5 Dann gab sie ihrer Magd einen
Schlauch mit Wein, einen Krug mit Öl
und einen Beutel, der mit Gerstengrau-
pen, Fruchtkuchen und reinen Broten
gefüllt war, bedeckte die Gefäße und
lud ihr alles auf. 6 So gingen sie hin zum
Stadttor von Betulia. Dort warteten Usija
und die Ältesten der Stadt, Kabri und
Karmi.

7 Als die sahen, wie ihr Antlitz strahlte
und ihre Kleidung verwandelt war, be-
wunderten sie ihre Schönheit über die
Maßen und sprachen zu ihr: 8 Der Gott
unserer Väter gebe dir Gnade und voll-
ende, was du dir vorgenommen hast,
zum Ruhm der Israeliten und zur Er-
höhung Jerusalems! Und sie beteten Gott
an.

JUDIT GEHT IN DAS LAGER DER ASSYRER

9 Sie aber sprach zu ihnen: Gebt Befehl,
dass mir das Stadttor geöffnet werde!
Dann will ich hinausgehen, um zu voll-
enden, was ihr mir gesagt habt. Und sie
befahlen den jungen Männern, ihr zu öff-
nen, wie sie gesagt hatte. 10 Das taten sie.
Und Judit ging hinaus. Die Männer der
Stadt aber blickten ihr nach, bis sie den
Berg hinabgestiegen war, das Tal erreicht
hatte und nicht mehr zu sehen war.

11 Als sie nun im Tal geradeaus weiter-
ging, stieß sie auf eine assyrische Wache.
12 Die nahmen sie gefangen und fragten sie
aus: Zu wem gehörst du, wo kommst du
her und wo gehst du hin? Und sie sprach:
Ich bin eine Tochter der Hebräer und bin
ihnen entlaufen, weil sie euch bald zum
Fraß vorgeworfen werden. 13 Und nun
gehe ich zu Holofernes, dem Feldhaupt-
mann eurer Streitmacht, um ihm Wichti-
ges mitzuteilen. Denn ich will ihm einen
Weg zeigen, den er gehen kann, um das
ganze Gebirge in Besitz zu nehmen, ohne
dass auch nur einer von seinen Männern
Leib und Leben verliert. 14 Als aber die
Männer ihre Worte hörten und sie näher
betrachteten, waren sie von ihrer großen
Schönheit betört. Und sie sagten zu ihr:
15 Das hat dir dein Leben gerettet, dass du
rechtzeitig herabgestiegen bist zu unse-
rem Herrn! Und nun komm mit zu sei-
nem Zelt, damit wir dich in seine Hände
übergeben. 16 Wenn du dann vor ihm
stehst, fürchte dich nicht in deinem Her-
zen, sondern berichte ihm, was du weißt,
so wird er dich gut behandeln. 17 Und sie
wählten unter sich hundert Männer aus,
die sie und ihre Magd begleiteten und zum
Zelt des Holofernes führten. 18 Da lief das
ganze Lager zusammen, denn ihre An-
kunft hatte sich bei den Zelten herumge-
sprochen. Und sie kamen und umringten
sie, wie sie draußen vor dem Zelt des Ho-
lofernes stand, bis man sie ihm gemeldet
hatte. 19 Sie staunten über ihre Schönheit
und bewunderten die Israeliten ihretwe-
gen und sprachen untereinander: Wer
könnte ein Volk verachten, in dem es sol-
che Frauen gibt? Keinen einzigen Mann
sollte man von ihnen übrig lassen. Denn
wenn man sie verschonte, wären sie im-
stande, alle Welt zu überlisten. 20 Da ka-
men die Leibwächter des Holofernes mit
allen seinen Beamten heraus und führten
sie in das Zelt.

21 Holofernes aber ruhte gerade auf sei-
nem Bett unter einem Mückennetz, das
aus Purpur, Gold und Smaragd gewirkt
und mit Edelsteinen verziert war. 22 Und
sie berichteten ihm von ihr. Da ging er
hinaus in das Vorzelt, und ihm wurden
silberne Leuchter vorangetragen. 23 Als
Judit aber vor ihn und seine Beamten trat,
staunten alle über ihre Schönheit. Und

10,3 *a* Kap 8,5; 9,1

sie fiel vor ihm nieder und huldigte ihm,
und seine Diener richteten sie wieder
auf.

JUDIT REDET MIT HOLOFERNES

11 Und Holofernes sprach zu ihr: Nur
Mut, Frau! Fürchte dich nicht in dei-
nem Herzen! Denn ich habe noch keinem
Menschen etwas zuleide getan, der Ne-
bukadnezar, dem König der ganzen Erde,
dienen will. 2 Auch jetzt hätte ich meinen
Speer nicht erhoben gegen dein Volk, das
im Gebirge wohnt, wenn sie mich nicht
missachtet hätten. Sie selbst haben sich
das angetan. 3 Und nun sage mir, warum
du ihnen entlaufen und zu uns gekom-
men bist! Denn damit hast du dein Leben
gerettet! Nur Mut! In dieser Nacht und
auch in Zukunft sollst du am Leben blei-
ben! 4 Niemand darf dir ein Unrecht tun,
sondern man soll dich gut behandeln, wie
es den Dienern meines Herrn, des Königs
Nebukadnezar, gebührt.

5 Da antwortete ihm Judit: Vernimm
die Worte deiner Magd, und lass deine
Dienerin vor dir reden, denn ich werde
meinen Herrn nicht belügen in dieser
Nacht. 6 Wenn du den Worten deiner
Dienerin folgst, wird Gott mit dir sein
Werk vollenden, und mein Herr wird
nicht ablassen von dem, was er vorhat.
7 So wahr Nebukadnezar, der König der
ganzen Erde, lebt und bei der Kraft dei-
nes Herrn, der dich gesandt hat, um al-
les, was lebt, recht zu ordnen: Nicht al-
lein die Menschen werden deinem Herrn
dienen durch dich, sondern auch die Tiere
des Feldes und das Vieh und die Vögel
des Himmels werden leben durch deine
Stärke für Nebukadnezar und sein gan-
zes Haus. 8 Denn wir haben von deiner
Weisheit und Tüchtigkeit gehört. Auf
der ganzen Erde ist bekannt, dass du der
Beste bist im Königreich, mächtig im Rat
und bewundernswert in der Kriegskunst.
9 Und nun zu den Worten, die Achior in
deinem Kriegsrat gesprochen hat: Auch
wir haben seine Reden gehört, denn die
Männer von Betulia haben ihn leben las-
sen, und er hat ihnen alles berichtet, was
er vor dir gesagt hat. 10 Darum, mein Herr
und Gebieter, missachte seine Rede nicht,
sondern nimm sie dir zu Herzen, denn sie
ist wahr. Unser Volk nämlich wird weder
gestraft noch vom Schwert überwältigt,
es sei denn, es hätte gegen seinen Gott
gesündigt.

11 Bevor nun aber mein Herr ohne Er-
folg und mit leeren Händen wieder ab-
ziehen muss, wird sie der Tod doch noch
ereilen. Denn ihnen droht eine Schuld,
mit der sie ihren Gott erzürnen werden,
sobald sie dieses tun: 12 Denn als ihnen
das Essen ausging und das Wasser knapp
wurde, beschlossen sie, nicht nur ihr Vieh
zu schlachten, sondern auch [a]all das auf-
zuzehren, was ihnen Gott im Gesetz ver-
boten hat. 13 [a]Sogar die Erstlinge des Ge-
treides und die Zehnten von Wein und
Öl, die sie als Weihegaben für die Priester
unseres Gottes in Jerusalem aufbewahren
und die keiner aus dem Volk auch nur mit
den Händen berühren darf, wollen sie auf-
brauchen. 14 Auch haben sie Boten nach Je-
rusalem gesandt, die ihnen eine Erlaubnis
vom Rat der Ältesten beschaffen sollen,
weil die Bewohner dort das Gleiche tun.
15 Und so wird es geschehen: An dem Tag,
da sie die Erlaubnis erhalten und danach
handeln, werden sie dir zum Verderben
ausgeliefert.

16 Als ich, deine Magd, dies alles erkannt
hatte, bin ich von ihnen geflohen. Gott
hat mich zu dir gesandt, um mit dir etwas
zu tun, worüber die ganze Erde und alle,
die davon hören, außer sich geraten wer-
den. 17 Denn deine Magd ist gottesfürch-
tig und dient dem Gott des Himmels Tag
und Nacht. Und nun, mein Herr, will ich
bei dir bleiben. In der Nacht aber wird
deine Magd hinausgehen zur Schlucht.
Dort will ich zu Gott beten, und er wird
mir sagen, wann sie ihr Unrecht begangen
haben. 18 Dann werde ich kommen und es
dir berichten, und du wirst ausziehen mit
deiner ganzen Streitmacht, und niemand
wird dir widerstehen können. 19 Und ich
werde dich durch Judäa hindurchführen,
bis du nach Jerusalem kommst, und mit-
ten in der Stadt werde ich deinen Thron-
sitz aufstellen. Und du wirst sie wegfüh-
ren [a]wie Schafe, die keinen Hirten haben,
und kein Hund wird es wagen, dich auch

11,12 *a* 3. Mose 11,1-47 **11,13** *a* 3. Mose 22,10-16
11,19 *a* 1. Kön 22,17

nur anzuknurren. Das alles wurde mir of-
fenbart, und ich bin gesandt, es dir mit-
zuteilen.
20 Diese Worte gefielen Holofernes und
allen seinen Beamten, und sie staun-
ten über ihre Weisheit und sprachen:
21 Von einem Ende der Erde bis zum an-
dern gibt es keine Frau, die ihr an Schön-
heit und Verstand gleichkäme! 22 Und
Holofernes sprach zu ihr: Dein Gott hat
gut daran getan, dich von deinem Volk
fortzuschicken, damit in unseren Hän-
den die Kraft, aber der Untergang bei
denen sei, die meinen Herrn verachten.
23 Du bist anmutig in deiner Erscheinung
und klug in deinen Worten. Wenn du
tust, was du gesagt hast, soll [a]dein Gott
auch mein Gott werden, und du wirst sit-
zen im Hause des Königs Nebukadnezar
und wirst berühmt sein auf der ganzen
Erde.

JUDIT DARF DAS LAGER ZUM GEBET VERLASSEN

12 Da befahl er, sie in das Zelt hineinzu-
führen, wo sein silbernes Tafelgeschirr
lag. Und er [a]gebot, dass ihr von seinen
Leckereien aufgetragen und von seinem
Wein zu trinken gegeben werde. 2 Judit
aber sprach: [a]Ich darf nichts davon essen,
damit kein Anstoß entsteht. Ich will mich
aber versorgen mit dem, was ich mitge-
bracht habe. 3 Und Holofernes sprach zu
ihr: Wenn aber deine Vorräte zu Ende
gehen, wie sollen wir dann Ersatz be-
schaffen, um dir davon vorzusetzen? Wir
haben ja bei uns niemanden aus deinem
Volk. 4 Judit antwortete ihm: Bei deinem
Leben, mein Herr, deine Magd wird ihre
Vorräte nicht aufbrauchen, bis der Herr
durch meine Hand vollbringt, was er be-
schlossen hat.
5 Und die Beamten des Holofernes führ-
ten sie in ihr Zelt, und sie schlief dort bis
Mitternacht. Vor der Morgenwache aber
stand sie auf. 6 Und sie sandte zu Holo-
fernes und ließ ihm ausrichten: Mein
Herr möge doch seiner Magd erlauben,
zum Gebet hinauszugehen. 7 Und Holo-
fernes befahl seiner Leibwache, sie nicht
daran zu hindern. Und sie blieb drei Tage
im Lager. Des Nachts ging sie hinaus zur
Schlucht von Betulia und wusch sich in
der Wasserquelle beim Lager. 8 Und wenn
sie heraussteig, betete sie zu dem Herrn,
dem Gott Israels, dass er ihr den Weg eb-
nen möge, ihr Volk wieder aufzurichten.
9 Und gereinigt kehrte sie zurück und blieb
im Zelt, bis sie am Abend ihre Speise zu
sich nahm.

HOLOFERNES LÄDT JUDIT ZUM FESTMAHL EIN

10 Und es geschah am vierten Tag, da ver-
anstaltete Holofernes ein Trinkgelage für
seine nächsten Diener, und er lud dazu
niemanden ein von denen, die sonst um
ihn waren. 11 Und er sprach zu dem Käm-
merer Bagoas, der seine Habe verwaltete:
Geh doch und überrede die Hebräerin, die
bei dir ist, dass sie zu uns kommt und mit
uns isst und trinkt! 12 Denn siehe, es wäre
doch eine Schande für uns, wenn uns eine
solche Frau entgehen sollte, ohne dass
wir mit ihr verkehrt hätten. Wenn wir
uns ihrer nicht bemächtigen, wird sie uns
verlachen. 13 Da ging Bagoas von Holofer-
nes weg, trat bei ihr ein und sprach: Die
schöne Frau möge doch keine Bedenken
haben, zu meinem Herrn zu kommen,
um vor ihm geehrt zu werden und mit
uns zum Vergnügen Wein zu trinken und
an diesem Tage wie eine der Töchter der
Assyrer zu werden, die im Hause Nebu-
kadnezars leben. 14 Und Judit sprach zu
ihm: Wer bin ich, dass ich meinem Herrn
widersprechen könnte? Denn alles, was
wohlgefällig ist in seinen Augen, will
ich eilends tun, und das wird mir eine
Freude sein bis zum Tag meines Todes.
15 Und sie stand auf und machte sich zu-
recht mit einem festlichen Gewand und
all ihrem Schmuck. Und ihre Magd ging
voraus und breitete für sie vor Holofernes
die Felle aus, die sie von Bagoas erhalten
hatte, um darauf während des Essens zu
liegen.
16 Als nun auch Judit hineinging und
sich niederlegte, geriet das Herz des Ho-
lofernes ganz außer sich, und seine Seele
erbebte und er entbrannte vor Begierde
nach ihr. [a]Denn er suchte schon seit dem
Tage, an dem er sie zuerst gesehen hatte,

11,23 *a* 2. Kön 5,17; Dan 6,27 **12,1** *a* 2. Kön 25,30
12,2 *a* Dan 1,8; Tob 1,11 **12,16** *a* Sir 9,8

nach einer Gelegenheit, um sie zu verfüh-
ren. 17 Und Holofernes sprach zu ihr: Trink
doch und vergnüge dich mit uns! 18 Judit
aber sprach: Gern will ich trinken, mein
Herr, denn heute bin ich erhöht worden,
mehr als je zuvor in meinem Leben! 19 Und
sie aß und trank vor ihm, was ihre Magd
ihr zubereitet hatte. 20 Und Holofernes
wurde ihretwegen immer ausgelassener,
und er trank so viel Wein, wie er noch nie
im Leben an einem einzigen Tag getrun-
ken hatte.

JUDIT TÖTET HOLOFERNES

13 Als es nun spät geworden war, brachen
seine Knechte eilends auf. Und Bagoas
verschloss das Zelt von außen und ent-
ließ alle, die noch Dienst taten. Und sie
gingen fort zu ihren Nachtlagern. Denn
alle waren erschöpft, weil das Gelage so
lange gedauert hatte. 2 Judit aber blieb al-
lein in dem Zelt zurück mit Holofernes,
der vornüber auf sein Bett gefallen war.
Denn er war völlig betrunken. 3 Und Judit
hatte ihrer Magd gesagt, sie solle draußen
vor ihrem Schlafzelt stehen und warten,
dass sie wie üblich komme. Dann wolle sie
wieder zum Gebet hinausgehen. Auch zu
Bagoas hatte sie so gesprochen. 4 Als sich
nun alle entfernt hatten und niemand
mehr zurückgeblieben war, vom Kleins-
ten bis zum Größten, da trat Judit an sein
Bett heran und sprach in ihrem Herzen:
Herr, du Gott aller Macht, sieh in dieser
Stunde gnädig herab auf das Werk meiner
Hände, zur Erhöhung Jerusalems! 5 Denn
jetzt ist die Stunde gekommen, dass du
dich deines Erbteils annimmst und ich
mein Vorhaben ausführe, um die Feinde
zu zerschmettern, die sich gegen uns er-
hoben haben.

6 Und sie ging zum Bettpfosten am Kopf
des Holofernes, nahm sein Schwert herab,
7 trat ganz nah an das Bett heran, packte
das Haar seines Hauptes und sprach: Gib
mir Kraft, Herr, du Gott Israels, an diesem
Tag! 8 Und sie schlug zweimal auf seinen
Nacken, so stark sie nur konnte, und hieb
ihm den Kopf ab. 9 Dann wälzte sie seinen
Körper vom Bett herunter und löste das
[a]Mückennetz von den Stangen. Danach
ging sie hinaus und übergab ihrer Magd
das Haupt des Holofernes. 10 Die steckte es
in den Beutel für ihre Speisevorräte. Und
die beiden gingen gemeinsam hinaus, als
ob sie nach ihrer Gewohnheit beten woll-
ten. Doch als sie das Lager durchquert
hatten, machten sie einen Bogen um die
Schlucht, stiegen auf den Berg von Be-
tulia hinauf und kamen vor die Tore der
Stadt.

JUDIT KEHRT HEIM

11 Und Judit rief den Wächtern bei den
Toren schon von Weitem zu: Öffnet, öff-
net doch das Tor! [a]Gott ist mit uns! Gott
zeigt noch immer Stärke in Israel und
Kraft gegen unsere Feinde, so wie er auch
heute getan hat! 12 Und es geschah, als die
Männer in der Stadt ihre Stimme hörten,
eilten sie zum Stadttor und riefen die Äl-
testen zusammen. 13 Da liefen alle, Klein
und Groß, herbei, denn auf ihre Rückkehr
hatten sie kaum noch zu hoffen gewagt.
Und sie öffneten das Tor, nahmen beide in
Empfang, entzündeten zur Beleuchtung
ein Feuer und umringten sie.

14 Judit aber sprach zu ihnen mit lau-
ter Stimme: Lobt Gott, ja lobet ihn! Lobt
Gott, der dem Haus Israel sein Erbarmen
noch nicht entzogen, sondern unsere
Feinde zerschmettert hat in dieser Nacht
durch meine Hand!

15 Dann zog sie das Haupt aus dem Beu-
tel hervor, zeigte es ihnen und sprach:
Seht, das Haupt des Holofernes, des Feld-
hauptmanns der assyrischen Streitmacht!
Und seht, das Mückennetz, unter dem er
in seiner Trunkenheit lag! [a]Der Herr hat
ihn erschlagen durch die Hand einer Frau!
16 So wahr der Herr lebt, der mich bewahrt
hat auf meinem Weg, den ich gegangen
bin: Mein Aussehen hat ihn verführt zu
seinem Verderben, doch er konnte mir
keine Gewalt antun, um mich zu befle-
cken oder zu schänden.

17 Und das ganze Volk geriet außer sich,
und sie warfen sich nieder, beteten Gott
an und sprachen einmütig: Gepriesen
seist du, unser Gott, der du am heutigen
Tag die Feinde deines Volkes zuschan-
den gemacht hast! 18 Und Usija sprach
zu ihr: Gesegnet bist du, Tochter, mehr

13,9 *a* Kap 10,21 **13,11** *a* Ps 46,8; Jes 8,10
13,15 *a* Kap 9,10

als alle Frauen auf der Erde, von Gott,
dem Höchsten, und gepriesen sei Gott
der Herr, der Himmel und Erde gemacht
hat, der dich geleitet hat, das Haupt un-
serer Feinde zu schlagen! 19 Denn die
Hoffnung, die dich geleitet hat, soll nicht
aus den Herzen der Menschen weichen,
die der Stärke Gottes vertrauen ewiglich!
20 Gott gebe, dass dies zu deinem ewigen
Ruhm werde und belohne dich mit Gu-
tem, weil du dein Leben nicht geschont
hast in der Erniedrigung unseres Volkes,
sondern unserem Untergang entgegenge-
treten und vor unserem Gott auf geradem
Wege gegangen bist! Und das ganze Volk
sprach: Amen! Amen!

JUDIT RÄT ZUM ANGRIFF

14 Und Judit sprach zu ihnen: Hört mich
an, liebe Brüder! Nehmt dieses Haupt
und [a]hängt es über die Zinne eurer Mauer!
2 Und so sollt ihr es machen: Wenn der
Morgen dämmert und die Sonne aufgeht
über der Erde, dann nehmt eure Waf-
fen und rückt aus der Stadt aus, jeder im
Kampf erprobte Mann. Bestimmt einen
Anführer und stellt euch so, als ob ihr hin-
unter in das Tal gegen die Vorposten der
Assyrer ziehen wolltet. Doch zieht nicht
hinab! 3 Dann werden diese zu den Waf-
fen greifen und in ihr Lager gehen und die
Heerführer der assyrischen Streitmacht
wecken. Und sie werden zum Zelt des
Holofernes laufen. Doch sie werden ihn
dort nicht finden. Da wird sie Furcht be-
fallen und sie werden vor euch fliehen.
4 Dann könnt ihr sie verfolgen, ihr und alle
Bewohner Israels, und könnt sie nieder-
strecken auf ihrer Flucht. 5 Doch bevor ihr
das tut, ruft mir den Ammoniter Achior
herbei, damit er den sieht und wiederer-
kennt, der das Haus Israel verachtet und
ihn als Todgeweihten zu uns gesandt
hat.

ACHIOR BEKENNT SICH ZU DEM GOTT ISRAELS

6 Und sie riefen Achior herbei aus dem
Hause des Usija. Als der aber zur Volks-
versammlung kam und das Haupt des
Holofernes in der Hand eines der Män-
ner sah, fiel er zu Boden und wurde ohn-
mächtig.
7 Als sie ihn aber wieder aufgerichtet
hatten, fiel er zu Füßen der Judit nieder,
huldigte ihr und sprach: Gesegnet seist
du in allen Zelten Judas und bei allen Völ-
kern! Wer deinen Namen hört, wird er-
schaudern! 8 Und nun berichte mir, was
du getan hast in diesen Tagen! Da erzählte
ihm Judit vor dem ganzen Volk, was sie
getan hatte, seitdem sie hinausgegan-
gen war, bis zu diesem Augenblick. 9 Als
sie aber zu reden aufgehört hatte, brach
das Volk in lauten Jubel aus und ließ ein
Freudengeschrei in der ganzen Stadt er-
schallen.
10 Da nun Achior all das sah, was der
Gott Israels getan hatte, kam er zum fes-
ten Glauben an ihn, ließ sich beschneiden
und wurde dem Haus Israel hinzugefügt
bis auf diesen Tag.

DIE ASSYRER GERATEN IN VERWIRRUNG

11 Sobald aber der Morgen heraufzog,
hängten die Judäer das Haupt des Holo-
fernes über die Mauer. Und alle Männer
griffen zu den Waffen und rückten in
Gruppen zu den Zugängen in das Gebirge
vor.
12 Als die Assyrer sie sahen, meldeten sie
es ihren Oberen, die aber gingen zu ihren
Heerführern und Hauptleuten und allen
ihren Befehlshabern. 13 Und sie kamen
zum Zelt des Holofernes und sprachen zu
[a]dem, der seine Habe verwaltete: Wecke
doch unseren Herrn, denn diese Knechte
wagen es, zum Kampf gegen uns herabzu-
ziehen, auf dass sie nun endgültig ausge-
rottet werden.
14 Da ging Bagoas hinein und schlug laut
gegen den Vorhang des Zeltes, denn er
meinte, dass Holofernes noch bei Judit
schliefe. 15 Als sich aber nichts regte, zog
er den Vorhang zur Seite, ging hinein zum
Lager und fand Holofernes tot vor dem
Bett hingestreckt, und sein Haupt war ab-
geschlagen. 16 Da schrie er auf mit lauter
Stimme unter Klagen und Stöhnen und
großem Geschrei und zerriss seine Klei-
der. 17 Und er ging in das Zelt, in dem Ju-
dit gewohnt hatte, und fand sie nicht. Da
stürzte er hinaus zu dem Volk und schrie:
18 Diese Knechte haben uns hintergangen!

14,1 *a* 1. Sam 31,10; 2. Makk 15,35 **14,13** *a* Kap 12,11

Eine einzige hebräische Frau hat [a]Schande
über das Haus des Königs Nebukadnezar
gebracht! Seht! Holofernes liegt am Bo-
den, und sein Haupt ist abgeschlagen.
19 Als das die Befehlshaber der assyrischen
Streitmacht hörten, zerrissen sie ihre Ge-
wänder und waren tief bestürzt. Und im
Lager erhob sich Wehklagen und großes
Geschrei.

DIE ASSYRER WERDEN GESCHLAGEN

15 Als nun die Leute in den Zelten das
hörten, gerieten sie darüber ganz
außer sich 2 und wurden von Furcht und
Zittern befallen, sodass es keinen mehr
bei dem anderen hielt. Alle liefen sie
auseinander und suchten ihr Heil in der
Flucht auf allen Wegen in der Ebene und
im Gebirge.
3 Auch diejenigen, die ihr Lager im Ge-
birge rings um Betulia aufgeschlagen
hatten, wandten sich zur Flucht. Da aber
stürzten sich alle Krieger der Israeliten auf
sie. 4 Und Usija sandte Boten nach Beto-
mestajim und Choba und Kola und in das
ganze Gebiet Israels, die von den Ereig-
nissen berichteten, damit sich alle auf die
Feinde stürzen und sie vollständig aufrei-
ben sollten. 5 Als die Israeliten das hörten,
fielen sie einmütig über die Feinde her
und schlugen sie bis nach Choba. Ihnen
schlossen sich die aus Jerusalem und dem
Gebirge an, denn es war ihnen berichtet
worden, was sich im Lager der Feinde er-
eignet hatte. Die aus Gilead und Galiläa
schnitten ihnen den Weg ab und fügten
ihnen schwere Verluste zu, bis sie über
das Gebiet von Damaskus hinaus geflo-
hen waren.
6 Die übrigen Bewohner von Betulia fie-
len über das Lager der Assyrer her, plün-
derten es und machten reiche Beute. 7 Was
sie aber übrig ließen, nahmen die Israeli-
ten in Besitz, als sie vom Kampf zurück-
kehrten. Auch die Dörfer und Höfe im
Gebirge wie in der Ebene machten reiche
Beute.
8 Und [a]Jojakim, der Hohepriester, und
der Ältestenrat der Israeliten kamen aus
Jerusalem, um anzuschauen, was der Herr
den Israeliten Gutes getan hatte, und um
Judit zu sehen und ihr Frieden zu wün-
schen. 9 Als sie zu ihr kamen, priesen sie
Judit einmütig und sprachen zu ihr: Du
bist die Krone Jerusalems, du bist der Stolz
Israels, du bist der Ruhm unseres Volkes.
10 Mit eigner Hand hast du dies alles voll-
bracht. Du hast Gutes an Israel getan, und
Gott hatte Gefallen daran. Gepriesen seist
du in Ewigkeit vor dem Herrn, dem All-
mächtigen. Und das ganze Volk sprach:
Amen!
11 Das Volk plünderte das Lager dreißig
Tage lang. Und Judit gaben sie das Zelt
des Holofernes und alle silbernen Ge-
räte, die Liegen, die Gefäße und seine ge-
samte Einrichtung. Und sie nahm es und
bepackte ihr Maultier. Dann spannte sie
ihre Wagen an und belud sie. 12 Und alle
Frauen aus Israel liefen herbei, um sie zu
sehen. Sie priesen sie, und einige [a]tanzten
im Reigen. Und Judit nahm Zweige in ihre
Hände und gab davon auch den Frauen,
die bei ihr waren. 13 Sie alle bekränzten
sich mit Ölzweigen, und Judit ging her vor
dem ganzen Volk im Reigen und führte
die Frauen an. Und es folgten alle Män-
ner Israels unter Waffen, mit Kränzen auf
dem Haupt und mit Hymnen auf den Lip-
pen. 14 Und Judit stimmte vor Israel dieses
Loblied an, und das ganze Volk fiel in den
Lobgesang ein.

LOBGESANG DER JUDIT

16 Und Judit sang:

Spielt meinem Gott mit Pauken,
singt meinem Herrn mit Zimbeln!
Lasst ihm erklingen Psalm
und Lobgesang,
erhöht und ruft an seinen Namen![a]
2 [a]**Denn der Herr ist ein Gott,**
der die Kriege zerschlägt!
Denn er führte mich heim in sein
Lager inmitten des Volkes,
und entriss mich aus der Hand
meiner Verfolger.
3 Assur kam von den Bergen
des Nordens,
kam mit Zehntausenden
seiner Streitmacht,
ihre Menge erfüllte die Täler,

14,18 *a* Kap 12,12 **15,8** *a* Kap 4,6 **15,12** *a* 2. Mose 15,20; 1. Sam 18,6-7; Jer 31,1-14 **16,1** *a* 2. Mose 15,20-21; Ri 5,1 **16,2** *a* Kap 9,7

und ihre Reiter bedeckten die Hügel.
4 Sie drohten, mein Land
zu verbrennen,
meine Jünglinge mit dem Schwert
zu töten,
meine [a]Säuglinge am Boden
zu zerschmettern,
meine Kinder der Plünderung
preiszugeben
und meine Jungfrauen als Beute
zu nehmen.
5 Doch der Herr, der Allmächtige, hat sie
verworfen durch die Hand einer Frau.
6 Denn der Machthaber fiel nicht
durch junge Krieger,
noch haben Göttersöhne ihn erschlagen;
auch sind ihm keine Riesen
entgegengetreten,
sondern Judit, die Tochter Meraris,
hat ihn mit ihrer Schönheit
überwunden.
7 Denn sie legte ihre Witwenkleider ab,
um die Bedrückten in Israel
aufzurichten,
sie salbte ihr Antlitz mit Öl,
8 wand Bänder in ihr Haar
und kleidete sich in Leinen,
um ihn zu verführen.
9 Ihre Sandalen blendeten
seine Augen,
und ihre Schönheit nahm
seine Seele gefangen
– da traf das Schwert seinen Nacken.
10 Die Perser erschraken
vor solcher Kühnheit,
und die Meder entsetzten sich
über ihren Mut.
11 Da jubelte mein erniedrigtes Volk,
und alle Schwachen jauchzten auf.
Die Feinde aber erschraken.
Sie schrien laut auf und flohen.
12 Unmündige Knaben erstachen
die Feinde
und erschlugen sie auf der Flucht.
Sie wurden vernichtet durch das Heer
des Herrn, meines Gottes.
13 Ich will singen meinem Gott
ein neues Lied!
Groß bist du, Herr, und herrlich,
wunderbar in deiner Stärke,
und niemand kann dich überwinden!
14 [a]Dir muss die ganze Schöpfung
dienen.
Denn du sprachst, und es geschah.
Du [b]sandtest aus deinen Geist,
und alles wurde geschaffen,
und niemand kann deiner Stimme
widerstehen.
15 Berge und Meer erbeben
in ihren Grundfesten,
und Felsen schmelzen vor deinem
Angesicht wie Wachs.
Denen aber, die dich fürchten,
schenkst du Gnade!
16 Denn [a]viel zu gering
sind alle Opfer,
als dass sie dir wohlgefielen,
und viel zu wenig ist alles Fett,
als dass es ein Brandopfer sein könnte
für dich.
Wer aber den Herrn fürchtet,
ist groß allezeit.
17 Wehe den Völkern, die gegen
mein Volk aufstehen!
Der Herr, der Allmächtige, wird sie
bestrafen am Tag des Gerichts
und wird ihren Leib plagen
[a]mit Feuer und Würmern.
Da werden sie seiner Macht
innewerden und klagen
bis in Ewigkeit.

DIE JUDÄER FEIERN IHREN SIEG

18 Als sie nun nach Jerusalem kamen, be-
teten sie Gott an, und sobald sich das Volk
gereinigt hatte, brachten sie ihre Brand-
opfer, Dankopfer und Gaben dar. 19 Judit
aber legte alle Geräte des Holofernes, die
ihr das Volk gegeben hatte, im Tempel
nieder. Auch das Mückennetz, das sie von
seinem Bett genommen hatte, brachte sie
Gott als Weihegabe dar.
20 Und das Volk war fröhlich in Jerusa-
lem bei dem Heiligtum drei Monate lang,
und Judit blieb bei ihnen.

JUDIT BESCHLIESST IHR LEBEN

21 Nach diesen Tagen brachen alle wieder
auf zu ihrem Erbteil. Auch Judit kehrte
zurück nach Betulia und wohnte in ihrem
Haus. Und sie war hochgeehrt zu ihrer
Zeit im ganzen Land. 22 Viele begehrten
sie zur Frau, doch zeit ihres Lebens ver-

16,4 ***a*** Ps 137,9 **16,14** ***a*** Weish 16,24 ***b*** Ps 104,30
16,16 ***a*** Ps 40,7 **16,17** ***a*** Jes 66,24; Sir 7,17

mochte keiner sie zu gewinnen, nach-
dem ihr Mann Manasse gestorben und zu
seinen Vätern versammelt worden war.
23 Und sie wurde sehr alt und lebte im
Haus ihres Mannes, bis sie hundertund-
fünf Jahre alt war. Und sie schenkte ihrer
Magd die Freiheit. Sie starb in Betulia, und
man begrub sie in der Grabhöhle ihres
Mannes Manasse. 24 Und das ganze Haus
Israel [a]betrauerte sie sieben Tage lang.
Noch vor ihrem Tod hatte sie ihr Hab und
Gut unter ihre Verwandten und die ihres
Mannes Manasse verteilt.
25 Und niemand vermochte die Israeli-
ten in Furcht zu versetzen, solange Judit
lebte und weit über ihren Tod hinaus.

DIE WEISHEIT SALOMOS

1–5 Das Schicksal von Weisen und Toren 6–9 Der weise König Salomo
10–12 u. 16–19 Die Weisheit wirkt in der Geschichte 13–15 Verehrung von Götterbildern

RUF ZUR GERECHTIGKEIT UND WEISHEIT

**1 Habt Gerechtigkeit lieb, ihr Herr-
scher der Erde! Denkt über den Herrn
nach in lauterem Sinn und sucht ihn
mit aufrichtigem Herzen!** 2 Denn er
lässt sich [a]finden von denen, die ihn nicht
versuchen, und [b]erscheint denen, die ihm
nicht misstrauen. 3 Denn verkehrtes Den-
ken [a]scheidet von Gott; und wird seine
Macht auf die Probe gestellt, so bestraft
sie solche Narren.[b]
4 Denn die Weisheit kommt nicht in eine
arglistige Seele und [a]wohnt nicht in einem
Leibe, der [b]der Sünde verfallen ist. 5 Denn
der heilige Geist, der ein Geist der Zucht
ist, flieht die Falschheit und weicht von
den törichten Gedanken und wird ver-
trieben, wenn Ungerechtigkeit ihm naht.[a]
6 Die Weisheit ist ein Geist, der den
Menschen liebt; und sie lässt den Lästerer
nicht unbestraft für seine Reden. Denn
[a]Gott ist Zeuge seiner heimlichsten Ge-
danken und erkennt in Wahrheit sein
Herz und hört seine Worte. 7 [a]Denn der
Erdkreis ist erfüllt vom Geist des Herrn,
und der Geist, der alles zusammenhält,
kennt jedes Wort. 8 Darum kann keiner
verborgen bleiben, der Unrechtes redet;
und das Recht, das ihn bestrafen soll, wird
ihn nicht verfehlen. 9 Denn die Pläne des
Frevlers müssen vor Gericht, und seine
Reden sollen vor den Herrn kommen, da-
mit seine Übertretungen bestraft werden.
10 Denn das Ohr des [a]eifernden Gottes
hört alles, und das Gerede der Murrenden
bleibt nicht verborgen.

NICHT GOTT HAT DEN TOD GESCHAFFEN

11 So hütet euch nun vor unnützem Murren
und bewahrt die Zunge vor böser Nachre-
de. Denn was ihr heimlich einander in die
Ohren redet, wird nicht ohne Folgen blei-
ben, und [a]der Mund, der lügt, bringt sich
den Tod. 12 [a]Strebt nicht nach dem Tod auf
dem Irrweg eures Lebens, und [b]zieht nicht
das Verderben herbei durch das Werk eu-
rer Hände. 13 Denn Gott hat den Tod nicht
gemacht und hat kein Gefallen am Unter-
gang der Lebenden; 14 sondern er hat alles
geschaffen, dass es Bestand haben sollte;
und [a]was in der Welt geschaffen wird, ist
heilsam; es ist kein tödliches Gift darin,
und das Reich des Todes herrscht nicht
auf Erden. 15 Denn die Gerechtigkeit ist
unsterblich; 16 aber die Frevler haben den
Tod herbeigerufen mit Worten und mit
Werken. Denn sie hielten ihn für ihren
Freund und sehnten sich nach ihm; sie
[a]schlossen mit ihm einen Bund, weil sie
es wert sind, ihm anzugehören.[b]

REDE DER FREVLER

2 In die Irre gingen ihre Gedanken, und
sie sagten zueinander: »Kurz und müh-
selig ist unser Leben, und [a]wenn ein
Mensch dahin ist, so ist es aus mit ihm.

16,24 ***a*** 1. Mose 50,10 **1,2** ***a*** 5. Mose 4,29 ***b*** Joh 11,40
1,3 ***a*** Jes 59,2 ***b*** Röm 1,21 **1,4** ***a*** Röm 7,14 ***b*** Röm 7,18
1,5 ***a*** Eph 4,30 **1,6** ***a*** Ps 139,2; Hebr 4,13 **1,7** ***a*** Jes 6,3
1,10 ***a*** Jos 24,19 **1,11** ***a*** Spr 19,5.9; Apg 5,1-11
1,12 ***a*** (12-14) Kap 2,23-24; Hes 33,11; Röm 6,23 ***b*** Jes 5,18
1,14 ***a*** 1. Mose 1,31 **1,16** ***a*** Jes 28,15 ***b*** Spr 8,36
2,1 ***a*** Hiob 14,10-12

Auch weiß man von keinem, [b]der aus dem Totenreich befreit. [2]Denn nur zufällig sind wir geworden, und nachher werden wir sein, als wären wir nie gewesen. Denn der Atem in unsrer Nase ist nur Rauch und unser Denken nur ein Funke, der aus dem Pochen unsres Herzens entsteht. [3]Wenn er verloschen ist, so geht der Leib dahin wie Asche, und der Geist zerflattert wie Luft.[a] [4]Unser Name wird mit der Zeit vergessen, und niemand wird sich unseres Tuns erinnern. Unser Leben fährt dahin, als wäre nur eine Wolke da gewesen, und zergeht wie Nebel, der von den Strahlen der Sonne verjagt und von ihrer Hitze verzehrt wird. [5]Unsre Zeit geht vorbei wie ein Schatten, und wenn wir weg sind, gibt es keine Wiederkehr; denn es ist besiegelt, dass niemand wiederkommt. [6]Kommt nun und lasst uns genießen, was wir jetzt haben, und die Schöpfung auskosten, solange wir jung sind.[a] [7][a]Wir wollen mit bestem Wein uns füllen und uns salben, und keine Frühlingsblume soll uns entgehen. [8]Lasst uns Kränze tragen von Rosenknospen, ehe sie welk werden. [9]Keine Wiese bleibe von unserem Übermut verschont; überall lasst uns Spuren unserer Freude hinterlassen. Denn das ist unser Teil und dies unser Los. [10]Lasst uns [a]den Gerechten unterdrücken, der in Armut lebt; lasst uns keine Witwe verschonen; wir wollen uns nicht scheuen vor dem grauen Haar des Greises. [11]Unsere Stärke sei das Gesetz der Gerechtigkeit; denn [a]es zeigt sich, dass Schwäche nichts ausrichtet. [12]So [a]lasst uns dem Gerechten auflauern; denn er ist uns lästig und widersetzt sich unserm Tun und schilt uns, weil wir gegen das Gesetz sündigen, und hält uns vor, dass wir gegen die Zucht verstoßen.[b] [13]Er behauptet, Erkenntnis Gottes zu haben, und rühmt sich, ein Kind des Herrn zu sein. [14][a]Er wird uns zum Vorwurf bei allem, was wir denken; [15]er ist uns unleidlich, wenn er sich nur sehen lässt. [15]Denn sein Leben unterscheidet sich von dem der andern, und ganz anders sind seine Wege. [16]Als falsche Münze gelten wir ihm, und er meidet unsre Wege wie Schmutz; er rühmt, [a]wie es die Gerechten zuletzt gut haben werden, und prahlt damit, dass Gott sein [b]Vater sei. [17]So lasst doch sehen, ob sein Wort wahr ist, und prüfen, was bei seinem Ende geschehen wird. [18][a]Ist der Gerechte Gottes Sohn, so wird er ihm helfen und ihn erretten aus der Hand der Widersacher. [19]Durch Schmach und Qual wollen wir ihn auf die Probe stellen, damit wir sehen, wie es mit seiner Sanftmut steht, und prüfen, wie geduldig er ist.[a] [20]Wir wollen ihn zu schändlichem Tod verurteilen, denn er selbst sagt ja, es werde ihm Rettung zuteil.«

[21]Das alles dachten sie – und irrten; denn ihre Bosheit hat sie verblendet, [22]sodass sie Gottes Geheimnisse nicht erkannten; auch hatten sie nicht die Hoffnung, dass ein frommes Leben belohnt wird, und sie achteten die Ehre für nichts, die untadeligen Seelen gegeben wird. [23]Denn Gott hat den Menschen [a]zur Unvergänglichkeit geschaffen und ihn [b]zum Abbild seines eignen Wesens gemacht. [24][a]Aber durch des Teufels Neid ist der Tod in die Welt gekommen, [25]und es müssen ihn erfahren, die ihm angehören.

DIE HOFFNUNG DER GERECHTEN

3 Aber **die Seelen der Gerechten [a]sind in Gottes Hand, und keine Qual rührt sie an.** [2]In den Augen der Unverständigen galten sie als tot. Ihr Scheiden wurde für Strafe gehalten [3]und ihr Fortgehen für Verderben; aber sie sind im Frieden. [4]Obwohl sie den Menschen gestraft erscheinen, sind sie doch [a]erfüllt von Hoffnung auf Unsterblichkeit. [5][a]Sie wurden ein wenig gezüchtigt, aber viel Gutes wird ihnen widerfahren; denn Gott versuchte sie und fand sie seiner wert. [6]Er prüfte sie wie Gold im Schmelzofen und nahm sie an wie ein Ganzopfer.

[7]Und zur Zeit ihrer Rettung werden sie [a]aufleuchten und wie [b]Funken durch ein Stoppelfeld stieben. [8]So werden sie

2,1 ***b*** Mt 20,28 **2,3** ***a*** Pred 3,20-21 **2,6** ***a*** Jes 22,6; 1. Kor 15,32 **2,7** ***a*** Jes 56,11-12 **2,10** ***a*** Am 8,4-6
2,11 ***a*** Hab 1,11 **2,12** ***a*** Jer 11,18-19 ***b*** Lk 11,54
2,14 ***a*** *(14-15)* 1. Petr 4,4 **2,16** ***a*** Ps 37,37 ***b*** Ps 2,7; Sir 23,1
2,18 ***a*** *(18-20)* Mt 27,43 **2,19** ***a*** Jak 5,6
2,23 ***a*** Kap 6,17-18; 2. Tim 1,10 ***b*** 1. Mose 1,27
2,24 ***a*** *(24-25)* 1. Mose 3,1-19; Joh 8,44; Röm 5,12; 7,7-13
3,1 ***a*** Ps 31,6; Lk 23,46; 1. Petr 4,19
3,4 ***a*** 2. Makk 7,9.23.36; 2. Kor 4,17–5,1
3,5 ***a*** *(5-6)* Sir 2,5; 1. Petr 1,6-7 **3,7** ***a*** Dan 12,3 ***b*** Obd 18

[a]die Heiden richten und über die Völker
herrschen, und der Herr wird König sein
über sie in Ewigkeit. 9 Die auf ihn vertrau-
en, werden die Wahrheit erkennen, und
die treu sind in der Liebe, werden bei ihm
bleiben. Denn [a]Gnade und Barmherzig-
keit wohnt bei seinen Heiligen, und er
rettet seine Auserwählten.

DIE HOFFNUNGSLOSIGKEIT DER FREVLER

10 Aber die Frevler werden die [a]Strafe emp-
fangen, die ihrem eigenen Denken ent-
spricht; denn sie achten den Gerechten für
nichts und fallen ab vom Herrn. 11 Denn
elend sind, die Weisheit und Zucht ver-
achten. Ihre Hoffnung ist nichtig und ihre
Mühe ist umsonst und ihr Tun ist unnütz.
12 Ihre Frauen sind töricht und ihre Kinder
böse. Verflucht ist, was von ihnen geboren
wird.

AUCH DER GERECHTE KANN KINDERLOS SEIN

13 Selig ist die Unfruchtbare, die [a]unbe-
fleckt ist und kein sündiges Lager kennt;
sie wird die Frucht dafür genießen zu der
Zeit, wenn die Seelen gerichtet werden.
14 Selig ist auch der [a]Entmannte, der nichts
Unrechtes tut und nichts Böses gegen den
Herrn erdenkt; dem wird für seine Treue
eine auserlesene Gabe und ein besseres
Los im Tempel des Herrn gegeben wer-
den. 15 Denn gute Arbeit gibt herrliche
Frucht, und die Wurzel der Klugheit ver-
fault nicht.

16 Aber die Kinder der Ehebrecher gera-
ten nicht, und die Nachkommen aus ver-
botenem Lager gehen zugrunde.[a] 17 Denn
wenn sie auch lange leben, werden sie
doch nichts gelten, und ihr Alter wird zu-
letzt doch ohne Ehre sein. 18 Sterben sie
aber bald, so haben sie nichts zu hoffen
und keinen Trost am Tage des Gerichts.
19 Denn die Ungerechten [a]nehmen ein
schlimmes Ende.

4 [a]Besser ist's, keine Kinder zu haben,
wenn man dabei in Tugend lebt; denn
Unsterblichkeit ist ihr Lohn, und sie wird
bei Gott und den Menschen gerühmt. 2 Ist
sie da, nimmt man sie zum Vorbild; ist sie
aber nicht da, so sehnt man sich nach ihr,
und in der Ewigkeit zieht sie bekränzt ein-
her; denn [a]sie hat gesiegt in einem Wett-
kampf um einen edlen Preis.

3 Aber [a]die große Nachkommenschaft
der Gottlosen ist zu nichts nütze. Weil
sie aus unechten Schösslingen hervor-
gegangen ist, kann sie nicht tief wurzeln
und keinen festen Grund gewinnen. 4 Und
wenn sie auch eine Zeit lang an den Zwei-
gen grünt, so wird sie doch, weil sie nicht
sicher steht, vom Wind geschüttelt und
vom Sturm entwurzelt. 5 Ihre zu schwach
gebliebenen Äste werden zerbrochen, und
ihre Frucht ist unbrauchbar, zu unreif zum
Essen, und taugt zu nichts. 6 Denn Kinder,
die verbotenem Beischlaf entstammen,
sind Zeugen für die Schlechtigkeit ihrer
Eltern im Gericht.

DER FRÜH VOLLENDETE GERECHTE

7 Wenn aber der Gerechte zu frühzeitig
stirbt, so ist er doch in der Ruhe.[a] 8 Denn
die Würde des Alters entsteht nicht durch
ein langes Leben und wird nicht nach der
Zahl der Jahre gemessen; 9 Einsicht ist un-
ter den Menschen das wahrhaft graue Haar
und ein unbeflecktes Leben das rechte
Greisenalter.

10 [a]Der Gott wohlgefiel, wurde ihm lieb,
und weil er unter Sündern lebte, wurde er
hinweggenommen; 11 er wurde entrückt,
damit nicht Schlechtigkeit seinen Sinn
verkehren und Trug seine Seele verfüh-
ren könnte. 12 Denn der Reiz des Bösen
verdunkelt das Gute, und die lockende
Begierde verkehrt den arglosen Sinn.
13 Obwohl früh vollendet, hat er doch
viele Jahre erfüllt. 14 Denn seine Seele ge-
fiel dem Herrn; darum eilte sie fort von
den bösen Menschen.

[15] Aber die Leute, die es sahen, beach-
teten es nicht und [a]nahmen's nicht zu
Herzen, 15 dass [a]Gnade und Barmherzig-
keit bei seinen Auserwählten wohnt und
dass er seine Heiligen gnädig heimsucht.
16 Es wird aber der verstorbene Gerechte
die lebenden Gottlosen verurteilen und
der früh Vollendete den Ungerechten mit

3,8 *a* 1. Kor 6,2; Offb 2,26-27 **3,9** *a* Kap 4,14
3,10 *a* Kap 2,21 **3,13** *a* Hebr 13,4 **3,14** *a* Jes 56,3-5;
Mt 19,12 **3,16** *a* Sir 23,22-25 **3,19** *a* Ps 73,19
4,1 *a* Sir 16,1-3 **4,2** *a* 1. Kor 9,24-25 **4,3** *a* Sir 41,5-6
4,7 *a* Kap 3,1 **4,10** *a* (10-11) 1. Mose 5,21-24; Sir 44,16
4,14 *a* Jes 57,1 **4,15** *a* Kap 3,9

seinem hohen Alter. 17 Sie werden wohl das Ende des Weisen sehen, aber nicht merken, was der Herr über ihn beschlossen und wofür er ihn bewahrt hat. 18 Sie werden es sehen und es nicht achten.

Aber [a]der Herr wird sie verlachen, 19 und dann werden ihre Leichen entehrt sein, und [a]sie werden unter den Toten ewig zum Gespött. [19] Sie werden verstummen, wenn er sie kopfüber zu Boden stürzt; er wird sie erschüttern bis ins Mark. Sie werden völlig verwüstet sein; [20] sie werden schlimme Schmerzen erleiden, und ihr [b]Andenken wird vernichtet sein. 20 Wenn ihre Sünden zusammengerechnet werden, dann werden sie verzagt daherkommen, und ihre Missetaten werden ihnen gegenübertreten und sie überführen.

DER GERECHTE UND DER GOTTLOSE IM ENDGERICHT

5 Dann wird der Gerechte in großer Zuversicht dastehen vor denen, die ihn bedrückt und sein Leiden verachtet haben. 2 Wenn sie ihn dann sehen, werden sie in Furcht und Schrecken geraten und außer sich sein über seine unvermutete Rettung.[a] 3 [a]Sie werden voller Reue untereinander sprechen und in Herzensangst seufzen: 4 »Das ist doch der, der einst bei uns Gelächter hervorrief und über den wir unsere Scherze machten, wir Narren! [4] Wir hielten sein Leben für unsinnig und sein Ende für ehrlos. 5 Wie kommt es, dass er nun zu den Söhnen Gottes gezählt wird und [a]sein Erbteil bei den Heiligen hat? 6 Dann sind also wir vom Weg der Wahrheit abgeirrt, und das Licht der Gerechtigkeit hat uns nicht geleuchtet, und die Sonne ist uns nicht aufgegangen. 7 Auf unrechten und verderblichen Wegen sind wir gestrauchelt, unwegsame Wüsten haben wir durchwandert, den Weg des Herrn aber nicht erkannt.[a] 8 Was hat uns nun der Hochmut genutzt? Was hat uns der [a]Reichtum eingebracht samt seiner Prahlerei? 9 Es ist alles dahingefahren wie ein Schatten und wie ein Gerücht, das vorübergeht, 10 wie ein Schiff, das auf den Wasserwogen dahinfährt: Wenn es vorüber ist, kann man seine Spur nicht mehr finden und nicht die Bahn seines Kiels in den Wellen. 11 Oder wie man bei einem Vogel, der durch die Luft fliegt, keine Spur seines Weges finden kann: Durch seine Federn wird die leichte Luft bewegt und zerteilt durch den Schlag seiner Flügel; danach aber gibt es nichts mehr, was auf seinen Flug hindeutet. 12 Oder wie wenn ein Pfeil abgeschossen wird zum Ziel: Die durchschnittene Luft schlägt sogleich wieder zusammen, sodass man seine Bahn nicht mehr erkennen kann. 13 So haben auch wir, kaum geboren, schon ein Ende genommen. [14] Wir können kein Zeichen der Tugend vorweisen und haben uns in unsrer Bosheit verzehrt.«

14 [15] Denn die Hoffnung des Gottlosen ist [a]wie Staub, vom Winde zerstreut, und wie feiner Schnee, vom Sturm getrieben, und wie Rauch, vom Winde verweht, und wie man einen vergisst, der nur einen Tag lang Gast gewesen ist. 15 [16] Aber die Gerechten werden ewig leben, und beim Herrn ist ihr Lohn, und der Höchste sorgt für sie. 16 [17] Darum werden sie ein herrliches [a]Reich empfangen und eine schöne [b]Krone aus der Hand des Herrn. Denn er wird sie mit seiner Rechten beschirmen und mit seinem Arm beschützen.

17 [18] [a]Er wird seinen Eifer nehmen als Harnisch und die Schöpfung bewaffnen zur Abwehr der Feinde. 18 [19] Er wird Gerechtigkeit anziehen als Panzer und unbestechliches Gericht aufsetzen als Helm. 19 [20] Er wird unüberwindliche Heiligkeit ergreifen als Schild. 20 [21] Er wird seinen strengen Zorn schärfen zum Schwert. Und [a]die Welt wird mit ihm zum Kampf ausziehen gegen die Toren. 21 [22] Die Geschosse der Blitze werden gut gezielt dahinfliegen und aus den Wolken wie von einem straff gespannten Bogen ins Ziel treffen. 22 [23] Und durch Gottes Zorn, der Steine schleudert, wird [a]Hagel auf sie herabstürzen. Die Wasser des Meeres werden wider sie wüten, und die Ströme werden sie überfluten. 23 [24] Der Geist göttlicher Kraft wird sich gegen sie erhe-

4,18 ***a*** Ps 2,4 **4,19** ***a*** Jes 14,4-21 ***b*** Spr 10,7 **5,2** ***a*** Offb 1,7
5,3 ***a*** (3-7) Jes 53,3-9 **5,5** ***a*** Kol 1,12 **5,7** ***a*** Spr 22,5
5,8 ***a*** 1. Tim 6,17; 1. Joh 2,16 **5,14** ***a*** Ps 1,4
5,16 ***a*** Mt 25,34 ***b*** 2. Tim 4,8 **5,17** ***a*** (17-20) Jes 59,16-18; Eph 6,11-17 **5,20** ***a*** Kap 16,17; Ri 5,20-21; Lk 21,25
5,22 ***a*** Kap 16,16

ben, und wie ein Wirbelwind wird er sie
zerstreuen. [6,1]Unrecht wird die gesamte
Erde verwüsten und Freveltat die Throne
der Herrscher umstürzen.[a]

DIE REGENTEN WERDEN ZUR WEISHEIT ERMAHNT

6 [2]So hört nun, ihr Könige, und merkt
auf; lernt es, die ihr die ganze Erde rich-
tet![a] 2 [3]Horcht auf, die ihr herrscht über
die Menge und die ihr prahlt mit den Scha-
ren eurer Völker! 3 [4]Denn [a]vom Herrn ist
euch die Herrschaft gegeben und die Ge-
walt vom Höchsten, der eure Taten prüfen
und eure Pläne erforschen wird. 4 [5]Denn
ihr seid Diener seines Reiches. Aber ihr
habt nicht recht regiert, habt das Gesetz
nicht beachtet und nicht nach dem Willen
Gottes gehandelt. 5 [6]Er wird schrecklich
und schnell über euch kommen, denn
es ergeht ein strenges Gericht über die
Herrscher.[a] 6 [7]Denn dem Geringsten wi-
derfährt Erbarmen, aber die Gewaltigen
werden mit Gewalt zur Rechenschaft ge-
zogen.[a] 7 [8]Denn der Herr aller wird nie-
manden fürchten und keines Menschen
Größe scheuen. Er hat die Kleinen und
die Großen geschaffen und [a]sorgt für alle
gleich. 8 [9]Die Mächtigen aber werden
streng verhört werden.

9 [10]An euch nun, ihr Herrscher, erge-
hen meine Worte, damit ihr Weisheit
lernt und nicht fehlgeht. 10 [11]Denn wer
das Heilige heilig hält, der wird geheiligt
werden, und wer darin unterwiesen ist,
der wird im Gericht bestehen. 11 [12]Ver-
langt also nach meinen Worten; begehrt
sie und lasst euch belehren!

12 [13]Die Weisheit ist schön und unver-
gänglich und [a]lässt sich gern sehen von de-
nen, die sie lieb haben, und lässt sich von
denen finden, die sie suchen. 13 [14]Kaum
will man sie erkennen, ist sie schon da.
14 [15]Wer sich früh zu ihr aufmacht, muss
sich nicht mühen; denn sie wartet schon
vor seiner Tür.[a] 15 [16]Denn nach ihr zu
trachten, ist vollkommene Klugheit, und
wer sich ihretwegen wach hält, wird bald
ohne Sorge sein. 16 [17]Denn sie geht selbst
umher und sucht, die ihrer wert sind.
Sie erscheint ihnen freundlich auf ihren
Wegen und begegnet ihnen in jedem
Gedanken.

17 [18]Denn da ist der Anfang der Weis-
heit, [a]wo einer aufrichtig Unterweisung
begehrt. 18 Wer aber nach Unterweisung
trachtet, der hat die Weisheit lieb; [19]wer
sie aber lieb hat, der hält ihre Gebote; wer
aber die Gebote hält, dem ist [a]unvergäng-
liches Leben gewiss; 19 [20]unvergängliches
Leben aber schafft Nähe zu Gott. 20 [21]So
führt das Verlangen nach Weisheit zu kö-
niglicher Herrschaft.

21 [22]Habt ihr nun Gefallen an Thron und
Zepter, ihr Herrscher der Völker, [23]so hal-
tet die Weisheit in Ehren, damit ihr für
immer die Herrschaft behaltet.[a]

22 [24]Was aber [a]die Weisheit ist und wie
sie entstand, will ich verkünden und euch
ihre Geheimnisse nicht verbergen. Ich
will ihrer Spur nachgehen vom [b]Anfang
der Schöpfung an. Ich will sie allen be-
kannt machen und an der Wahrheit nicht
vorbeigehen. 23 [25]Denn ich will mit dem
giftigen [a]Neid nichts zu tun haben; denn
er hat nichts gemein mit der Weisheit.
24 [26]Viele Weise aber sind Heil für die
Welt, und [a]ein kluger König ist das Glück
seines Volkes. 25 [27]Darum lasst euch un-
terweisen durch meine Worte, so werdet
ihr Nutzen haben.

SALOMO EMPFÄNGT UND ERFÄHRT DIE WEISHEIT

7 Auch ich bin ein sterblicher Mensch wie
alle andern, ein Nachkomme des ersten
aus Erde geschaffenen Menschen, [2]und
bin Fleisch, [a]im Mutterleib 2 zehn Monate
lang gebildet, im Blut zusammengeron-
nen aus [a]Mannessamen und der Lust, die
im Beischlaf dazukam. 3 Auch ich habe,
als ich geboren war, Atem geholt aus der
Luft, die allen gemeinsam ist, und bin
gefallen auf die Erde, die alle in gleicher
Weise trägt; und Weinen war wie bei allen
mein erster Laut; 4 und ich bin in [a]Win-
deln gelegt und voll Fürsorge aufgezogen
worden. 5 Denn selbst ein König hatte nie-
mals einen andern Anfang seines Lebens,

5,23 ***a*** Spr 14,34; 16,12; Jer 9,11-12 **6,1** ***a*** Kap 1,1; Ps 2,10
6,3 ***a*** Dan 2,21; Röm 13,1 **6,5** ***a*** Dan 5,30
6,6 ***a*** Jer 39,6-10 **6,7** ***a*** Kap 12,13 **6,12** ***a*** Kap 1,2; Spr 8,17
6,14 ***a*** Spr 8,1-3 **6,17** ***a*** Kap 7,7 **6,18** ***a*** Kap 2,23
6,21 ***a*** Spr 16,12 **6,22** ***a*** Spr 8,22-31 ***b*** Kap 9,9; Sir 24,3-9
6,23 ***a*** Jak 3,14-17 **6,24** ***a*** Pred 5,8 **7,1** ***a*** Ps 139,13;
Hiob 10,10-11 **7,2** ***a*** Joh 1,13 **7,4** ***a*** Lk 2,7.12

[6]sondern alle haben denselben Eingang
in das Leben und auch den gleichen Aus-
gang.[a] [7]Deshalb betete ich, und mir wurde
Einsicht gegeben; ich rief den Herrn an,
und der [a]Geist der Weisheit kam zu mir.[b]
[8]Ich achtete sie höher als Zepter und
Throne, und Reichtum hielt ich für nichts
im Vergleich mit ihr. [9][a]Neben ihr war mir
kein Edelstein etwas wert, und war er
noch so teuer. Wenn man sie ansieht, ist
alles Gold nur geringer Sand, und Silber ist
Dreck gegen sie.[b] [10]Ich hatte sie lieber als
Gesundheit und schöne Gestalt und zog
sie sogar dem Licht vor; denn der Glanz,
der von ihr ausgeht, erlischt nicht. [11]Zu-
gleich aber kamen mit ihr alle Güter zu
mir, und [a]unermesslicher Reichtum war
in ihrer Hand. [12]Ich freute mich all die-
ser Dinge, weil die Weisheit sie mit sich
führte; ich wusste aber noch nicht, dass
sie auch ihre Schöpferin ist.
[13]Arglos habe ich sie gelernt, neidlos
teile ich sie aus; ich will ihren Reichtum
nicht verbergen. [14]Denn sie ist den Men-
schen ein unerschöpflicher Schatz; die
ihn erwarben, erlangten [a]Gottes Freund-
schaft. Denn sie haben sich ihm empfoh-
len mit den Gaben, die die [b]Unterweisung
verleiht.
[15]Gott aber gebe mir, nach seinem
Sinn zu reden und so zu denken, wie es
der Gaben würdig ist, die ich empfangen
habe. Denn er ist's, der auch die Weisheit
auf ihren Weg führt und den Weisen zu-
rechthilft. [16]Denn in seiner Hand sind wir
selbst und unsre Worte, dazu alle Klug-
heit und Kenntnisse in mancherlei Fertig-
keiten.
[17]Denn er gab mir sichere [a]Erkenntnis
dessen, was ist, sodass ich den Bau der
Welt begreife und das Wirken der Elemen-
te: [18]Anfang, Ende und Mitte der Zeiten,
wie die Tage zu- und abnehmen, wie die
Jahreszeiten wechseln, [19]wie das Jahr um-
läuft und wie die Sterne stehen, [20]die Ar-
ten der zahmen und der wilden Tiere, die
Macht der Geister und die Gedanken der
Menschen, die Vielfalt der Pflanzen und
die Kräfte der Wurzeln.[a] [21]So erkannte
ich alles, was verborgen und was sichtbar
ist; [22]denn die Weisheit, die alles kunst-
voll gebildet hat, lehrte mich's. [22][a]Denn
es wohnt in ihr ein Geist, der verständig
ist, heilig, eines und vieles zugleich, fein,
beweglich, durchdringend, rein, klar, un-
versehrt, freundlich, scharfsinnig, [23]unge-
hindert, wohltätig, [23]menschenfreund-
lich, beständig, gewiss, ohne Sorge; er
vermag alles, sieht alles und durchdringt
selbst alle Geister, die verständig, rein und
fein sind. [24]Denn die Weisheit ist reg-
samer als alles, was sich regt, sie geht und
dringt durch alles – so rein ist sie.
[25]Denn sie ist ein Hauch der göttlichen
Kraft und ein reiner Strahl der Herrlich-
keit des Allmächtigen; darum kann nichts
Unreines in sie hineinkommen. [26]Denn
sie ist ein [a]Abglanz des ewigen [b]Lichts
und ein fleckenloser Spiegel des göttlichen
Wirkens und ein Bild seiner Güte. [27]Sie ist
ein und dieselbe und kann alles. Sie bleibt,
was sie ist, und erneuert alles. In jedem
Geschlecht geht sie in heilige Seelen ein
und macht sie zu [a]Freunden Gottes und zu
Propheten. [28]Denn Gott liebt niemanden,
er bleibe denn bei der Weisheit.[a]
[29]Denn sie ist herrlicher als die Sonne
und übertrifft die Schönheit der Sterne.
Sie ist strahlender als das Licht. [30]Denn
das Licht muss der Nacht weichen, aber
die Bosheit überwältigt die Weisheit
nimmermehr.
8 Gewaltig erstreckt sie sich von einem
Ende zum andern, und vortrefflich re-
giert sie das All.

DER LEBENSBUND SALOMOS MIT DER WEISHEIT

[2]Diese Weisheit habe ich geliebt und ge-
sucht von meiner Jugend an und danach
getrachtet, sie mir zur Braut zu nehmen,
und ich habe ihre Schönheit lieb gewon-
nen. [3]Sie ist von herrlichem Adel, denn sie
ist eine Gefährtin Gottes, und [a]der Herr
aller Dinge hat sie lieb. [4]Denn [a]sie ist in
Gottes Wissen eingeweiht und hat teil an
seinen Werken.
[5]Ist aber Reichtum ein köstlich Ding im
Leben, was ist dann reicher als die Weis-
heit, die alles schafft? [6]Ist's aber Klugheit,

7,6 *a* Hiob 1,21 **7,7** *a* Kap 1,6 *b* 1. Kön 3,5-12
7,9 *a* Hiob 28,15-19 *b* Phil 3,8 **7,11** *a* 1. Kön 3,13
7,14 *a* Vers 27 *b* Röm 12,1 **7,17** *a* Sir 17,7-8
7,20 *a* 1. Kön 5,13 **7,22** *a* (22-23) Kap 8,7; Jak 3,17
7,26 *a* Hebr 1,3 *b* 1. Joh 1,5 **7,27** *a* Vers 14; Jak 2,23
7,28 *a* Sir 4,14 **8,3** *a* Spr 8,30 **8,4** *a* Kap 9,9

die etwas schafft, wer ist dann der Klug-
heit Schöpferin, wenn nicht die Weisheit?
7 Hat aber jemand Gerechtigkeit lieb – so
ist es die Weisheit, welche die Tugenden
wirkt. Denn sie lehrt Besonnenheit und
Klugheit, Gerechtigkeit und Tapferkeit,
und nichts Nützlicheres als dies gibt es im
Leben für die Menschen. 8 Begehrt aber je-
mand, viele Dinge zu wissen, so ist es die
Weisheit, die das Vergangene kennt und
[a]das Zukünftige errät. Sie versteht sich
auf gewandte Rede und [b]weiß, Rätsel zu
lösen. Zeichen und Wunder erkennt sie
im Voraus und was Stunden und Zeiten
bringen werden.

9 Daher habe ich beschlossen, mir die
Weisheit zur [a]Gefährtin zu nehmen, denn
ich wusste, dass sie mir ein Ratgeber zum
Guten sein würde und ein Trost in Sorgen
und Traurigkeit. 10 Ich werde ihretwegen
Ruhm beim Volk und Ehre bei den Alten
haben, [a]obwohl ich jung bin. 11 Ich werde
als scharfsinnig gelten, [a]wenn ich Recht
spreche, und [b]bewundert werden bei den
Mächtigen. 12 Wenn ich schweige, werden
sie auf mich warten; wenn ich rede, wer-
den sie aufmerken; wenn ich weiterrede,
werden sie die Hand auf ihren Mund le-
gen.[a] 13 Ich werde ihretwegen [a]Unsterb-
lichkeit empfangen und ein ewiges An-
denken bei denen hinterlassen, die nach
mir kommen. 14 Ich werde Völker regie-
ren, und Nationen werden mir untertan
sein. 15 Grausame Tyrannen werden sich
fürchten, wenn sie von mir hören; in der
Menge werde ich mich tüchtig zeigen und
im Krieg tapfer. 16 Kehre ich aber heim, so
finde ich bei der Weisheit Ruhe. [16] Denn
mit ihr Umgang zu haben, bringt keinen
Verdruss, und mit ihr zusammenzule-
ben, keinen Schmerz, sondern Lust und
Freude.

17 Das bedachte ich bei mir und erwog es
in meinem Herzen: Wer bei der Weisheit
ruht, gewinnt [a]Unsterblichkeit, 18 und wer
mit ihr befreundet ist, wahre Lust. Wer
seiner Hände Arbeit mit ihr verrichtet,
hat unerschöpflichen Reichtum, und wer
mit ihr Gemeinschaft pflegt, Klugheit.
Und guter Ruf wird dem zuteil, der mit
ihr Zwiesprache hält. Darum ging ich um-
her und suchte, wie ich sie zu mir nehmen
könnte.

19 [a]Ich war aber ein schöner junger Mann
und hatte eine edle Seele empfangen,
20 oder vielmehr: Da ich edel war, kam ich
in einen makellosen Leib. 21 Als ich aber er-
kannte, dass ich die Weisheit nur erlangen
kann, wenn Gott sie mir gibt – und es war
schon Klugheit zu wissen, von wem diese
Gnadengabe kommt –, da wandte ich mich
an den Herrn, betete zu ihm und sprach
von ganzem Herzen:

SALOMOS GEBET UM WEISHEIT

9 Gott meiner Väter und Herr des Erbar-
mens, der du [a]alle Dinge durch dein
Wort geschaffen 2 und den Menschen
durch deine Weisheit bereitet hast, dass
er [a]herrsche über die Geschöpfe, die von
dir gemacht wurden, 3 und die Welt in
Heiligkeit und Gerechtigkeit regiere und
Gericht halte mit aufrichtigem Herzen:
4 Gib mir die Weisheit, die bei dir auf dei-
nem Thron sitzt, und verwirf mich nicht
aus der Schar deiner Kinder. 5 Denn ich bin
dein Knecht und der Sohn deiner [a]Magd,
ein schwacher Mensch, der nur ein kurzes
Leben hat und dem es an Einsicht fehlt
für Recht und Gesetz. 6 Denn selbst wenn
einer unter den Menschenkindern voll-
kommen wäre, so wird er doch nichts gel-
ten, wenn ihm die Weisheit fehlt, die von
dir kommt. 7 [a]Du hast mich erwählt zum
König über dein Volk und zum Richter
über deine Söhne und Töchter. 8 Du hie-
ßest mich einen Tempel bauen auf dei-
nem heiligen Berge und einen Altar in der
Stadt, in der du wohnst, einen Altar, ein
[a]Abbild des heiligen Zeltes, das du von
Anfang an bereitet hast.

9 Und bei dir ist [a]die Weisheit, die deine
Werke kennt und die dabei war, als du
die Welt schufst, und die weiß, was dir
wohlgefällt und was recht ist nach deinen
Geboten. 10 Sende sie herab von deinem
heiligen Himmel, und von dem Thron
deiner Herrlichkeit. Sende sie, dass sie bei
mir sei und mit mir arbeite, dass ich erken-

8,8 *a* 1. Mose 40,8 *b* 1. Kön 10,1-3 **8,9** *a* Spr 7,4
8,10 *a* 1. Kön 3,7-12; Ps 119,100; St zu Dan 1,45-50
8,11 *a* 1. Kön 3,28 *b* 1. Kön 5,14; 10,7 **8,12** *a* Hiob 29,7-11
8,13 *a* Kap 3,4 **8,17** *a* Kap 3,4; 6,17-19
8,19 *a* (19-20) Ps 51,7 **9,1** *a* Kap 16,12; 18,15; Ps 33,6;
Joh 1,3 **9,2** *a* 1. Mose 1,26-28 **9,5** *a* 2. Sam 12,24
9,7 *a* (7-8) 2. Sam 7,12-13 **9,8** *a* 2. Mose 25,8-9.40
9,9 *a* Kap 8,4.6; Spr 8,22-31

ne, was dir wohlgefällt. 11 Denn sie weiß alles und versteht's. Und sie wird mich mit Besonnenheit leiten bei meinen Werken und mich behüten in ihrer Herrlichkeit. 12 Dann werden dir meine Werke angenehm sein, und ich werde dein Volk gerecht richten und würdig sein des Throns meines Vaters.

13 Denn welcher Mensch erkennt den Ratschluss Gottes? Oder wer kann ergründen, was der Herr will?[a] 14 Denn die Gedanken der sterblichen Menschen sind armselig und unsre Vorsätze hinfällig.[a] 15 Denn der vergängliche Leib beschwert die Seele, und die irdische [a]Hütte bedrückt den sorgenvollen Sinn. 16 Wir erfassen kaum, was auf Erden ist, und begreifen nur schwer, was wir in Händen haben. Was aber im Himmel ist, wer hat es erforscht?[a] 17 Und wer hat deinen Ratschluss erkannt? Es sei denn, du hast Weisheit gegeben und [a]deinen heiligen Geist aus der Höhe gesandt. 18 Und so wurden die Erdenbewohner auf den rechten Weg gebracht. Die Menschen wurden in dem unterwiesen, was dir gefällt, [19] und durch die Weisheit errettet.

DAS RETTENDE WALTEN DER WEISHEIT VON ADAM BIS MOSE

10 Dieselbe Weisheit behütete den [a]Erstерschaffenen, den Vater der Welt, als er noch als Einziger geschaffen war, [2] und zog ihn aus seiner [b]Sünde. 2 Sie gab ihm Kraft, [a]über alles zu herrschen.

3 Als aber ein Ungerechter in seinem Zorn von ihr abfiel, ging er zugrunde durch seinen Grimm, der ihn [a]den Bruder morden ließ. 4 Und als die Erde seinetwegen von der [a]Sintflut überschwemmt wurde, rettete die Weisheit sie wieder und steuerte den Gerechten auf einem [b]Stück Holz hindurch.

5 Und [a]als die Völker verwirrt waren in allgemeiner Bosheit, da [b]entdeckte sie den Gerechten und bewahrte ihn untadelig vor Gott. Sie [c]ließ ihn fest bleiben, als er sich erbarmen wollte über seinen Sohn.

6 [a]Die Weisheit rettete den Gerechten, als er beim Untergang der Gottlosen vor dem Feuer floh, das auf die fünf Städte herabfiel. 7 Von ihrer Bosheit zeugen noch heute rauchendes und ödes Land, Bäume, die zur Unzeit Frucht bringen, und eine Salzsäule, die dasteht als Denkmal einer ungläubigen Seele. 8 Denn sie achteten die Weisheit nicht und hatten danach nicht nur den Schaden, dass sie das Gute nicht erkannten, sondern hinterließen den künftig Lebenden auch noch ein Denkmal ihrer Torheit, damit ihr Irrtum keinesfalls verborgen bliebe. 9 Die Weisheit aber errettete die aus allen Nöten, die ihr dienen.

10 [a]Sie leitete den Gerechten, der vor dem Zorn seines Bruders fliehen musste, auf geraden Wegen; sie zeigte ihm das Reich Gottes und gab ihm zu erkennen, was heilig ist; sie half ihm aus, wo er es schwer hatte, und mehrte den Ertrag seiner Mühen. 11 Sie stand ihm bei, da er von Habsüchtigen Gewalt litt, und machte ihn reich. 12 Sie bewahrte ihn vor seinen Feinden und [a]beschützte ihn vor denen, die ihm nachstellten; sie entschied einen schweren Kampf für ihn, damit er erkannte, dass [b]die Frömmigkeit mächtiger ist als alles.

13 [a]Die Weisheit verließ den Gerechten nicht, als er verkauft wurde, sondern rettete ihn vor der Sünde. 14 Sie stieg mit ihm hinab in die Grube [14] und verließ ihn nicht, als er in Fesseln lag, bis sie ihm das Zepter des Königreichs brachte und Macht über seine Peiniger; sie erwies die als Lügner, die ihn geschmäht hatten, und gab ihm ewige Herrlichkeit.

15 Die Weisheit [a]erlöste das heilige Volk, das Geschlecht, an dem kein Tadel war, vor den Heiden, die es [b]bedrückten. 16 Sie [a]ging ein in die Seele dessen, der Diener des Herrn war, und widerstand grausamen Königen durch [b]Wunder und Zeichen. 17 Sie [a]belohnte die Heiligen für ihre Mühen, [b]leitete sie auf wunderbarem Wege und war ihnen am Tage ein Schutz

9,13 *a* Jes 40,13; Röm 11,34; 1. Kor 2,16 **9,14** *a* Ps 146,4
9,15 *a* 2. Kor 5,1-4; 2. Petr 1,13-14 **9,16** *a* Joh 3,12
9,17 *a* 1. Kor 2,9-16 **10,1** *a* 1. Mose 2,7-18 *b* Röm 5,15
10,2 *a* Kap 9,2 **10,3** *a* 1. Mose 4,3-12
10,4 *a* 1. Mose 6,5–8,19; 2. Petr 2,5 *b* Kap 14,6
10,5 *a* 1. Mose 12,1-3 *b* 1. Mose 11,1-9 *c* 1. Mose 22,1-18
10,6 *a* (6-7) 1. Mose 19,1-29; 2. Petr 2,6-8
10,10 *a* (10-11) 1. Mose 27,41-45; 28,10-22; 30,25-43
10,12 *a* 1. Mose 31,1–32,33 *b* 1. Tim 4,8
10,13 *a* (13-14) 1. Mose 37,12-28; 39,7-23; 41,37-46
10,15 *a* 2. Mose 12,29-51 *b* 2. Mose 1,6-14
10,16 *a* 2. Mose 4,10-16 *b* 2. Mose 7,1–11,10
10,17 *a* 2. Mose 12,35-36 *b* 2. Mose 13,21

und bei Nacht eine Flamme aus Sternen.
18 [a]Sie führte sie durchs Rote Meer und lei-
tete sie durch große Wasser. 19 Aber ihre
Feinde ersäufte sie, warf sie wieder her-
auf aus der Tiefe des [a]Abgrunds. 20 [a]Darum
raubten die Gerechten den Gottlosen ihre
Waffen und priesen, Herr, deinen heiligen
Namen und lobten einmütig deine sieg-
hafte Hand. 21 Denn die Weisheit öffnete
den Mund der Stummen und machte die
Unmündigen beredt.

11 Sie ließ ihre Werke gelingen durch
einen heiligen [a]Propheten.

WASSER ALS STRAFE UND WOHLTAT

(Fortsetzung in Kap 16,1–19,22)

2 Die Israeliten [a]zogen durch eine unbe-
wohnte Wüste und schlugen ihre Zelte
auf in der Einöde. 3 Sie widerstanden ihren
Feinden und [a]erwehrten sich ihrer Wider-
sacher. 4 Als es sie dürstete, riefen sie dich
an, und ihnen [a]wurde Wasser gegeben aus
schroffem Fels, und sie löschten den Durst
aus hartem Stein.

5 Denn wodurch [a]ihre Feinde bestraft
wurden, eben dadurch geschah ihnen
Gutes, als sie Not litten. 6 Jene bestraftest
du, indem du [a]das ewig fließende Wasser
des Nils mit Blut vermengtest, 7 weil sie
den [a]Befehl gegeben hatten, dass man die
Kinder töten sollte. Ihnen aber gabst du
in der Wüste ganz unerwartet reichlich
Wasser. 8 Damals zeigtest du durch den
Durst, wie du die Widersacher bestrafst.
9 [a]Denn als die Israeliten zwar geprüft,
doch nur mit Gnaden gezüchtigt worden
waren, erkannten sie, wie die Gottlosen
mit Zorn gerichtet und gequält wurden.
10 Denn du hast sie wie ein Vater ermahnt
und geprüft, jene aber wie ein strenger
König verhört und verdammt.

11 Und es wurden die Ägypter, die da-
bei waren, in gleicher Weise geplagt wie
diejenigen, die nicht dabei waren. 12 Denn
es kam doppeltes Leid über sie und Seuf-
zen, wenn sie an das Vergangene dachten.
13 Denn als sie hörten, dass jenen Gutes
durch genau das geschah, wodurch sie
selbst bestraft worden waren, spürten sie
das Wirken des Herrn. 14 Denn [a]den sie
einst ins Wasser ausgesetzt und später
verspottet hatten, über den mussten sie
staunen, als es am Ende so ausging, [b]wäh-
rend sie selbst ganz anders als die Gerech-
ten Durst gelitten hatten.

15 [a]Zur Strafe für die törichten Gedan-
ken, die aus ihrer Ungerechtigkeit kamen
und durch die sie verführt wurden, un-
vernünftiges Gewürm und Ungeziefer
anzubeten, sandtest du unter sie eine
Menge unvernünftiger Tiere, 16 damit sie
erkennen sollten: Womit jemand sündigt,
damit wird er auch bestraft.

GOTTES ERBARMEN MIT SEINER SCHÖPFUNG

17 Denn deiner allmächtigen Hand, wel-
che die Welt [a]aus ungeformtem Stoff
geschaffen hat, fehlte es nicht an Macht,
über sie [b]eine Menge von Bären kommen
zu lassen oder mutige [c]Löwen 18 oder
neu geschaffene, grimmige unbekannte
Tiere, die [a]Feuer speien oder stinkenden
Rauch schnauben oder schreckliche Fun-
ken aus den Augen blitzen lassen 19 und
die ihnen nicht nur durch Verletzungen
Verderben bringen, sondern sie auch mit
ihrem furchtbaren Anblick umbringen
können. 20 Aber sie hätten auch ohne dies
alles durch einen einzigen Hauch fallen
können, verfolgt von der strafenden Ge-
rechtigkeit und [a]zerstreut von dem Hauch
deiner Macht.

21 Aber du hast alles nach Maß, Zahl und
Gewicht geordnet. Denn deine Kraft ge-
waltig zu erweisen ist dir allezeit möglich,
und wer kann der Macht deines Arms wi-
derstehen?[a] 22 Denn die ganze Welt ist vor
dir [a]wie ein Staubkorn auf der Waage und
wie ein Tropfen des Morgentaus, der auf
die Erde fällt.

23 Aber **du erbarmst dich über alle,
denn du kannst alles und du [a]siehst
über die Sünden der Menschen hin-
weg, damit sie [b]sich bekehren sollen.**

10,18 ***a*** *(18-19)* 2. Mose 14,1-31 **10,19** ***a*** 2. Mose 14,30
10,20 ***a*** *(20-21)* 2. Mose 15,1-21; Mt 21,16
11,1 ***a*** 5. Mose 34,10-12; Hos 12,14
11,2 ***a*** 2. Mose 15,22.27; 16,1 **11,3** ***a*** 2. Mose 17,8-13
11,4 ***a*** 2. Mose 17,3-6 **11,5** ***a*** Kap 18,8
11,6 ***a*** 2. Mose 7,19-21 **11,7** ***a*** 2. Mose 1,22
11,9 ***a*** *(9-10)* 5. Mose 8,2-5; Jer 10,24-25; Hebr 12,4-11
11,14 ***a*** 2. Mose 2,3 ***b*** 2. Mose 7,21
11,15 ***a*** *(15-16)* Kap 12,24; 15,18–16,1; 2. Mose 7,26–8,28; Röm 1,18-32 **11,17** ***a*** 1. Mose 1,2 ***b*** 3. Mose 26,22; 2. Kön 2,24 ***c*** 2. Kön 17,26 **11,18** ***a*** Hiob 41,10-13
11,20 ***a*** Jes 11,4 **11,21** ***a*** Jes 40,26 **11,22** ***a*** Jes 40,15
11,23 ***a*** Ps 130,4 ***b*** Röm 2,4

24 **Denn du liebst alles, was ist, und
verabscheust nichts von dem, was du
gemacht hast.** Denn du hast ja nichts be-
reitet, gegen das du Hass gehabt hättest.[a]
25 Wie könnte etwas bleiben, wenn du
nicht wolltest? Oder wie könnte erhalten
werden, was du nicht gerufen hättest?
26 Du [a]schonst aber alles, denn es ist dein,
12 Herr, du [b]Liebhaber des Lebens, 1 und
dein unvergänglicher Geist ist in allem.

GOTTES NACHSICHT IN DER BESTRAFUNG DER KANAANITER

2 Darum bestrafst du die, die fallen, nur
leicht und [a]warnst sie, indem du sie an
ihre Sünden erinnerst, damit sie von ihrer
Schlechtigkeit loskommen und an dich,
Herr, glauben.
3 [a]Denn als du den früheren Bewohnern
deines heiligen Landes feind warst, 4 weil
sie die widerwärtigsten Dinge trieben,
Zauberei und unheilige Bräuche, 5 weil sie
ihre Kinder erbarmungslos töteten, weil
sie Blut und menschliche Eingeweide in
ihren Gastmählern aßen – sie, die zum
geheimen Opfermahl zusammenkamen
6 und als Eltern zu Mördern ihrer hilflo-
sen Kinder wurden, wolltest du vertilgen
durch unserer Väter Hände, 7 damit das
Land, das dir von allen das liebste ist, als
würdige Bewohner die Kinder Gottes auf-
nehmen könnte.
8 Dennoch verschontest du sie, weil
auch sie Menschen waren, und [a]sandtest
deinem Heer Hornissen voraus, damit
diese sie nur nach und nach umbräch-
ten. 9 Es war dir zwar nicht unmög-
lich, die Gottlosen in einer Schlacht den
Gerechten zu unterwerfen oder durch
grausame Tiere oder durch ein hartes
Wort allesamt zu zerschmettern; 10 aber
du richtetest sie nur nach und nach und
[a]gabst ihnen so Gelegenheit zur Buße,
obwohl du genau wusstest, dass sie bö-
ser Art waren und ihre Bosheit ihnen
angeboren und dass sich ihr Sinn nie-
mals mehr ändern würde. 11 Denn sie
waren ein [a]verfluchtes Geschlecht von
Anfang an.
So hast du auch nicht darum, weil du
jemand gescheut hättest, ihre Sünden un-
bestraft gelassen. 12 Denn [a]wer darf zu dir
sagen: »Was tust du?« Oder wer kann dei-
nem Gericht widerstehen? Oder wer darf
dich beschuldigen wegen des Untergangs
von Völkern, die du geschaffen hast? Oder
wer darf kommen und vor dich hintreten
als Verteidiger für ungerechte Menschen?
13 Denn es ist kein Gott außer dir, [a]der du
für alle sorgst. Du musst nicht beweisen,
dass du nicht ungerecht richtest. 14 Es kann
dir auch weder ein König noch ein Tyrann
die Stirn bieten um derer willen, die du
bestrafst.
15 Weil du aber gerecht bist, so regierst
du alle Dinge gerecht und siehst es als dei-
ner Majestät nicht gemäß an, [a]jemand zu
verdammen, der die Strafe nicht verdient
hat. 16 Denn deine Stärke ist der Ursprung
der Gerechtigkeit, und weil du über alle
Herr bist, so kannst du auch alle [a]verscho-
nen. 17 Denn an denen, die an die Voll-
kommenheit deiner Macht nicht glauben,
beweist du deine Stärke, und an denen, die
davon wissen, bestrafst du ihren Über-
mut. 18 Aber du, gewaltiger Herrscher,
richtest mit Milde und regierst uns mit
viel Verschonen; denn du vermagst alles,
wenn du willst.
19 Dein Volk aber hast du durch solche
Werke gelehrt, dass [a]der Gerechte men-
schenfreundlich sein soll, und deinen
Kindern gibst du damit zu verstehen, sie
sollten froher Hoffnung sein, dass du ih-
nen für die Sünden Gelegenheit zur Buße
gebest. 20 [a]Denn wenn du die Feinde dei-
ner Kinder, die des Todes schuldig waren,
mit solcher Sorgfalt bestraft hast, wenn
du ihnen Zeit und Raum gegeben hast,
dass sie von ihrer Bosheit lassen konn-
ten: 21 Mit wie viel mehr Bedacht richtest
du deine Kinder, deren Vätern du mit
Eid und Bund viele gute Verheißungen
gegeben hast! 22 [a]Während du also uns
erziehst, plagst du unsre Feinde tausend-
fach, damit wir deine Güte bedenken,
wenn wir richten, und auf deine Barm-
herzigkeit trauen, wenn wir gerichtet
werden.

11,24 *a* Jak 1,17 **11,26** *a* Kap 12,16 *b* Hes 18,23; Joh 3,16
12,2 *a* Hes 3,16-21 **12,3** *a* (3-6) Kap 14,23; 5. Mose 18,9-12
12,8 *a* 2. Mose 23,28-30 **12,10** *a* Kap 11,23
12,11 *a* 1. Mose 9,24-25 **12,12** *a* Dan 4,32; Röm 9,20
12,13 *a* Kap 6,7 **12,15** *a* Hes 18,20 **12,16** *a* Kap 11,23.26
12,19 *a* Lk 6,35-36 **12,20** *a* Apg 17,26-27
12,22 *a* Kap 11,9-10

SCHWERE BESTRAFUNG NACH VERGEBLICHER WARNUNG

23 [a]Daher quältest du auch die Ungerech-
ten, die ein unverständiges Leben führ-
ten, mit ihren eignen Gräueln. 24 Denn
sie waren so weit auf Irrwege geraten,
dass sie sogar Tiere für Götter hielten,
die unter den verabscheuten Tieren die
verächtlichsten sind; wie unverständige
Kinder waren sie betrogen. 25 Darum hast
du ihnen wie unverständigen Kindern
eine Strafe geschickt, die sie zum Ge-
spött machte. 26 Die sich aber durch Spott
und Strafe nicht warnen lassen, werden
das verdiente Gericht Gottes erfahren.
27 Denn sie wurden eben durch die ge-
quält, die sie für Götter hielten, und als
sie unter ihnen litten, ärgerten sie sich
über sie und [a]erkannten nun deutlich den
als den wahren Gott, [b]den sie vorher nicht
erkennen wollten. Darum kam auch das
Äußerste an Strafe über sie.

ANBETUNG DER ELEMENTE

13 Es waren von Natur alle Menschen
nichtig, denen die Gotteserkenntnis
fehlte und die [a]an den sichtbaren Gütern
den, [b]der da ist, nicht erkennen konn-
ten. Sie haben auch nicht erkannt, wer
der Werkmeister ist, obwohl sie seine
Werke sahen, 2 sondern sie hielten das
Feuer, den Wind, die flüchtige Luft, die
Sterne, mächtige Wasser oder [a]die Lich-
ter am Himmel für Götter und Wäch-
ter der Welt. 3 Wenn sie aber an ihrer
Schönheit sich freuten und sie darum für
Götter hielten, hätten sie auch erkennen
sollen, [a]um wie viel herrlicher als diese
der Herr ist. Denn er, der aller Schön-
heit Meister ist, hat sie alle geschaffen.
4 Wenn sie aber schon über deren Macht
und Kraft staunten, hätten sie merken
sollen, um wie viel mächtiger der ist, der
das alles bereitet hat. 5 Denn es wird an
der Größe und Schönheit der Geschöp-
fe ihr Schöpfer wie in einem Bild er-
kannt.[a]

6 Trotzdem sind sie nicht zu sehr zu
tadeln; denn sie irren vielleicht und
[a]suchen doch Gott und hätten ihn gern
gefunden. 7 Denn sie gehen zwar mit sei-
nen Werken um und erforschen sie, aber
sie lassen sich durch das, was vor Augen
ist, gefangen nehmen, weil so schön ist,
was man sieht. 8 Doch sind sie damit nicht
entschuldigt. 9 Denn wenn sie so viel zu
erkennen vermochten, dass sie die Welt
erforschen konnten, warum haben sie
dann nicht viel eher den Herrn über das
alles gefunden?

ANBETUNG VON GÖTTERBILDERN

10 [a]Aber unselig sind, die ihre Hoffnung
auf tote Dinge setzen, die Werke von
Menschenhand Götter nennen: Gold und
Silber, kunstvoll verarbeitet, und Abbilder
von Tieren oder unnütze Steine, behauen
in alter Zeit. 11 Da sägte ein Holzschnitzer
ein handliches Stück Holz heraus, schabte
geschickt seine ganze Rinde ringsum ab,
bearbeitete es kunstgerecht und machte
daraus ein Gerät, das für den Gebrauch
im Leben nützlich ist. 12 Die Abfälle sei-
ner Arbeit aber nutzte er, um sich Essen
zu kochen und sich zu sättigen. 13 Ein
Stück Abfall aber, das zu nichts taugte,
ein krummes, mit Ästen durchwachsenes
Stück Holz, nahm er und schnitzte es mit
Sorgfalt, als er nichts anderes zu tun hatte,
und gestaltete es mit Geschick, um sich
zu erholen, und machte daraus das Bild
eines Menschen, 14 oder er schnitzte das
Bild eines gewöhnlichen Tieres. [14] Er be-
schmierte es mit rotem Ocker und färbte
mit Schminke seine Oberfläche rot, und
wo ein Fleck war, übermalte er ihn. 15 Und
er machte ihm eine Behausung, die sei-
ner würdig war, brachte es an der Wand
an und befestigte es mit Eisen, 16 damit es
nicht herunterfalle. So sorgte er vor, weil
er wusste, dass es sich selber nicht helfen
kann, denn es ist ein Bild und bedarf der
Hilfe.

17 Aber wenn er betet für sein Hab und
Gut, für seine Ehe und für seine Kinder,
dann schämt er sich nicht, mit etwas Leb-
losem zu reden. [18] Er ruft das Schwache
um Gesundheit an, 18 bittet das Tote um
Leben, fleht zu dem Unfähigsten um
Hilfe und zu dem um glückliche Reise,
was nicht einmal den Fuß bewegen kann;

12,23 ***a*** (23-24) Kap 11,15-16 **12,27** ***a*** 2. Mose 8,15 ***b*** 2. Mose 5,2 **13,1** ***a*** Röm 1,18-21 ***b*** Offb 1,8 **13,2** ***a*** Hiob 31,26-28 **13,3** ***a*** Sir 43,28 **13,5** ***a*** Ps 104,1-2 **13,6** ***a*** Apg 17,27 **13,10** ***a*** (10-19) Jes 44,9-20; Ps 115,3-9; Bar 6,4-72; St zu Dan 2,5-7.23-27

19 und für sein Geschäft, sein Gewerbe
und das Werk seiner Hände ruft er das
um Kraft an, dessen Hände ganz kraftlos
sind.
14 Ebenso hält es einer, der eine See-
fahrt unternehmen will und der durch
wilde Fluten fahren muss und dabei ein
Holz anfleht, das doch viel morscher ist
als das Schiff, auf dem er fährt. 2 Denn der
Wunsch nach Reichtum hat es ersonnen,
und die Werkmeisterin Weisheit hat es
gebaut. 3 [a]Aber deine Vorsehung, Vater,
steuert es hindurch; denn du gibst auch
im Meer Wege und mitten in den Wellen
sichere Fahrt 4 und zeigst dadurch, wie du
aus aller Not zu retten vermagst, damit
man ein Schiff besteigen kann, auch wenn
man es nicht bauen kann.
5 [a]Du willst aber, dass die Werke deiner
Weisheit nicht wirkungslos bleiben. Des-
halb vertrauen die Menschen ihr Leben
auch einem ganz geringen Stück Holz an
und werden sogar auf einem Floß gerettet,
wenn sie durch die Meereswellen fahren.
6 [a]Denn auch vor alters, als die hochmü-
tigen Giganten umkamen, flüchtete die
Hoffnung der ganzen Welt auf ein Floß.
Sie hinterließ – von deiner Hand gelenkt –
der Welt die Stammeltern für ein neues
Geschlecht. 7 Gesegnet sei das [a]Holz,
durch das Gerechtigkeit geschieht. 8 Aber
[a]verflucht sei, was mit Händen geschnitzt
ist, wie auch der, der es schnitzte – er, weil
er's gemacht hat, das Holz hingegen, weil
es Gott genannt wurde, obwohl es doch
vergänglich ist.
9 Denn Gott sind beide gleich verhasst,
der Gottlose und sein gottloses Werk;
10 denn das Werk wird samt dem Meister
bestraft werden. 11 Darum werden auch
[a]die Götterbilder der Heiden heimge-
sucht; denn sie sind in der Schöpfung Got-
tes zum Gräuel geworden und zur Falle für
die Seelen der Menschen und zur Schlinge
für die Füße der Unverständigen.

DIE HERKUNFT DER GÖTTERBILDER

12 [a]Götterbilder zu ersinnen, ist der An-
fang der Hurerei, und sie zu erfinden, rich-
tet das Leben zugrunde. 13 Weder sind sie
von Anfang an gewesen noch werden sie
in Ewigkeit Bestand haben. 14 Durch eitlen
Wahn der Menschen sind sie in die Welt
gekommen, und darum ist ihnen auch ein
schnelles Ende zugedacht.
15 Als etwa ein Vater über seinen Sohn,
der ihm allzu früh genommen wurde, Leid
und Schmerzen trug, ließ er ein Bild von
ihm machen. Dann [a]verehrte er den längst
Verstorbenen als Gott und stiftete für
seine Untergebenen geheime Feste und
heilige Bräuche. 16 Danach festigte sich mit
der Zeit solch gottloser Brauch und wurde
wie ein Gesetz eingehalten.
Auch auf [a]Befehl von Tyrannen wurden
Bilder verehrt: 17 Die Leute konnten sie
nicht von Angesicht zu Angesicht ver-
ehren, weil sie zu ferne wohnten. Daher
ahmten sie das entfernte Angesicht nach
und fertigten ein sichtbares Bild des Kö-
nigs an, den sie ehren wollten, damit sie
eifrig dem Abwesenden schmeichelten,
als ob er anwesend wäre. 18 Der Ehrgeiz
des Künstlers aber lockte auch noch die
an, die den Herrscher nicht kannten, und
so verbreitete sich die Verehrung des Bil-
des. 19 Denn er wollte dem Herrscher ge-
fallen und machte durch seine Kunst das
Bild eher schön als ähnlich. 20 Die Menge
aber, angezogen von der Anmut des Wer-
kes, hielt jetzt den für einen Gott, der kurz
zuvor nur als Mensch verehrt worden war.
21 Dies wurde zu einer Gefahr für das Le-
ben: [a]Durch ein Unglück getroffen oder
weil sie dem Tyrannen dienen mussten,
legten die Menschen den Steinen und
Hölzern den Namen bei, der keinem an-
dern gebührt.[b]
22 Und dann, als ob es nicht genug wäre,
in der Erkenntnis Gottes zu irren, nannten
sie solche Übel auch noch [a]Frieden, ob-
wohl sie im Krieg der Unwissenheit leb-
ten. 23 Sie [a]töteten ihre Kinder als heiliges
Opfer, kamen zu geheimen Festen zusam-
men oder feierten wilde Gelage nach ab-
sonderlichen Satzungen. 24 Und sie halten
weder ihren Wandel noch ihre Ehen rein:
Einer tötet den andern mit List oder kränkt
ihn durch Ehebruch; 25 [a]und so kommt al-
les zusammen: Blut und Mord, Diebstahl

14,3 *a* (3-4) Ps 107,23-32; Mt 8,26 **14,5** *a* (5-6) Kap 10,4
14,6 *a* 1. Mose 6,1-8 **14,7** *a* 1. Petr 2,24
14,8 *a* 5. Mose 27,15 **14,11** *a* Jer 46,25 **14,12** *a* Hes 16,17
14,15 *a* 2. Makk 11,23 **14,16** *a* Dan 3,1-7 **14,21** *a* Jer 2,27
b Offb 9,20; 16,9 **14,22** *a* Jer 6,13-15; 7,9-10
14,23 *a* Kap 12,3-6 **14,25** *a* (25-26) Röm 1,26-32

und Betrug, Schändung, Untreue, Streit,
Meineid, 26 Verkehren der Tugend, [26] Ver-
gessen des Danks, Befleckung der Seelen,
widernatürliche Unzucht, Zerrüttung der
Ehen, Ehebruch und Ausschweifungen.
27 Denn den namenlosen Götterbildern
zu dienen, das ist Anfang, Ursache und
Ende alles Bösen. 28 Feiern sie ein Fest, so
geraten sie in Raserei; weissagen sie, so
ist's lauter Lüge. Sie leben nicht recht und
schwören leichtfertig falsche Eide. 29 Denn
weil sie an leblose Götterbilder glauben,
fürchten sie keinen Schaden, wenn sie
falsch schwören. 30 Für beides wird ge-
rechte Strafe über sie kommen: dafür,
dass sie falsch von Gott denken und sich
an Götterbilder halten, und dafür, dass sie
unrecht schwören und Frömmigkeit ver-
achten. 31 Denn nicht die Macht derer, die
sie [a]beschwören, kommt über sie, sondern
immer kommt die Macht der Gerechtig-
keit, die alle Sünden bestraft, über die Un-
gerechten und ihre Vergehen.

ISRAEL WURDE NICHT GETÄUSCHT

15 Aber du, unser Gott, bist freundlich,
wahrhaftig und geduldig, und alles
regierst du mit Barmherzigkeit.[a] 2 Wenn
wir auch sündigen, sind wir doch dein
und kennen deine Macht. [a]Aber wir wer-
den nicht sündigen, weil wir wissen, dass
wir dir angehören. 3 Denn dich kennen
ist vollkommene Gerechtigkeit, und von
deiner Macht wissen ist die Wurzel der
Unsterblichkeit.[a] 4 Denn uns hat nicht
verführt, was Menschen arglistig erson-
nen haben, noch die unnütze Arbeit der
Maler, die ein hässliches Bild mit Farbe
übermalt haben, 5 sodass sein Anblick das
Begehren des Unverständigen weckt und
er Sehnsucht nach dem leblosen und toten
Bild hat.
6 Denn die es machen, die es begehren
und die es ehren, sind Liebhaber des Bö-
sen und dessen wert, worauf sie hoffen.

GUTE UND BÖSE WERKE DES TÖPFERS

7 Denn auch ein Töpfer, der den weichen
Ton mühevoll knetet, macht ein jedes
Gefäß zu unserm Gebrauch. Er macht
aber aus demselben Ton Gefäße, die zu
sauberen Zwecken dienen, und andere
zu gegenteiligen Zwecken, alle in glei-
cher Weise. Wozu aber jedes einzelne
von den Gefäßen dann gebraucht wird,
darüber entscheidet der Töpfer.[a] 8 Aber
es ist ein böses Werk, wenn er aus dem-
selben Ton einen nichtigen Gott macht,
er, der doch selbst nicht lange zuvor aus
[a]Erde geschaffen worden ist und [b]nach
kurzer Zeit wieder dahin fährt, von wo
er genommen worden ist, wenn die an-
vertraute Gabe der Seele zurückgefordert
wird. 9 Aber es bekümmert ihn nicht, dass
er dahinschwinden wird und ein kur-
zes Leben hat, sondern er wetteifert mit
den Goldschmieden und Silbergießern,
ahmt die Bronzebildner nach und hält es
für eine Ehre, Fälschungen zu machen.
10 Die Gedanken seines Herzens sind wie
[a]Asche, seine Hoffnung ist geringer als
Erde und sein Leben verächtlicher als Ton,
11 weil er den nicht kennt, der ihn [a]gebil-
det und ihm die Seele, die in ihm wirkt,
eingehaucht und den lebendigen Geist
eingeblasen hat; 12 er hält vielmehr unser
Leben für ein [a]Spiel und unsern Wandel
für einen Jahrmarkt; er gibt vor, [b]man
müsse überall Gewinn suchen, selbst aus
Bösem. 13 Solch einer weiß besser als alle
andern, dass er sündigt, wenn er aus ir-
dischem Stoff zerbrechliche Gefäße und
Bilder erschafft.
14 Alle aber sind sie törichter und ge-
ringer als eine Kinderseele. Sie sind die
Feinde deines Volks, die es unterdrückt
haben. 15 Sie halten alle die Götzenbilder
der Heiden für Götter, die doch mit ih-
ren Augen nicht sehen können, mit ihren
Nasen nicht Luft holen, mit ihren Oh-
ren nicht hören, mit ihren Fingern nicht
fühlen und mit ihren Füßen nicht gehen
können.[a] 16 [a]Denn ein Mensch hat sie ge-
macht, und einer, dem der Geist nur gelie-
hen ist, hat sie gebildet.
[17] Daher kann kein Mensch ein Ab-
bild seiner selbst zu einem Gott machen.
17 Weil er sterblich ist, kann er mit seinen
ruchlosen Händen nur Totes schaffen. Er
selbst ist ja besser als das, was er verehrt,
denn er lebt doch, jenes aber niemals.

14,31 *a* Am 8,14 **15,1** *a* 2. Mose 34,6 **15,2** *a* 1. Joh 3,6
15,3 *a* Joh 17,3 **15,7** *a* Röm 9,21 **15,8** *a* 1. Mose 3,19
b Pred 12,7 **15,10** *a* Jes 44,20 **15,11** *a* 1. Mose 2,7
15,12 *a* 1. Kor 10,7 *b* Apg 19,24-26 **15,15** *a* Ps 115,4-7
15,16 *a* Vers 8

ANBETUNG DER TIERE

18 Sie verehren sogar die widerlichsten
Tiere, die in ihrer Dummheit noch tiefer
stehen als die andern.[a] 19 Sie sind nicht ein-
mal so schön wie andre Tiere, sodass man
an ihrem Anblick Gefallen haben könnte;
vielmehr haben sie sich dem Lob und dem
Segen Gottes entzogen.

GOTT HANDELT UNTERSCHIEDLICH AN ISRAEL UND ÄGYPTEN

Kapitel 16,1–19,21

PLAGE DURCH HUNGER – SPEISUNG MIT WACHTELN

16 Darum wurden die Ägypter mit Recht
durch ähnliche Tiere geplagt und
durch eine Menge [a]Ungeziefer gequält.
2 Statt solcher Plage tatest du deinem Volk
Gutes und bereitetest ihm, als es danach
verlangte, eine wunderbare Speise; als
Nahrung schicktest du ihnen [a]Wachteln.
3 So sollte den Ägyptern, wenn sie nach
Nahrung verlangten, wegen des scheuß-
lichen Anblicks der ihnen zur Plage ge-
sandten [a]Tiere die natürliche Lust am
Essen vergehen. Die Israeliten aber, die
nur kurze Zeit Mangel litten, sollten eine
wunderbare Speise empfangen. 4 Denn es
musste über die Ägypter, die tyrannisch
handelten, ein unerbittlicher Mangel
kommen; den Israeliten aber musste nur
gezeigt werden, wie ihre Feinde gequält
wurden.

TOD DURCH INSEKTENSTICH – RETTUNG VOM SCHLANGENBISS

5 [a]Damals kamen auch über die Israeliten
böse, zornige Tiere, und so wurden sie
gebissen und vernichtet durch die sich
krümmenden Schlangen. [6]Doch blieb
dein Zorn nicht bis zum Ende, 6 vielmehr
wurden sie nur kurze Zeit zur Warnung
erschreckt und bekamen ein rettendes
Zeichen zur Erinnerung an das Gebot dei-
nes Gesetzes. 7 Denn wer sich zu diesem
Zeichen hinwandte, der wurde errettet –
nicht durch das, was er anschaute, sondern
durch dich, den [a]Heiland aller Menschen.
8 Und damit bewiesest du unsern Feinden,
dass du es bist, der aus allem Unheil erret-
ten kann.[a]
9 Denn über die Ägypter kam durch
[a]Heuschrecken und [b]Fliegen Tod und Ver-
derben, und sie konnten keine Heilung
finden für ihr Leben; denn sie hatten's
verdient, von solchen Tieren geplagt zu
werden. 10 Aber deine Kinder wurden
nicht einmal durch die Zähne der giftigen
[a]Drachen getötet; denn dein Erbarmen
trat dazwischen und machte sie gesund.
11 Denn sie wurden dadurch angestachelt,
an deine Worte zu denken, und wurden
schnell wieder geheilt, damit sie nicht in
tiefes Vergessen versinken, sondern dei-
nen Wohltaten zugewandt bleiben soll-
ten. 12 Denn **es heilte sie weder Kraut
noch Pflaster, sondern [a]dein Wort,
Herr, das alles heilt.** 13 Denn du [a]hast Ge-
walt über Leben und Tod; und [b]du führst
hinunter zu den Pforten des Totenreichs
und führst wieder herauf.
14 Wenn aber ein Mensch in seiner Bos-
heit jemanden tötet, so kann er den Geist,
der entwichen ist, nicht zurückholen und
die Seele nicht aus dem Totenreich be-
freien.

PLAGE MIT UNWETTER – SPEISUNG MIT MANNA

15 Aber unmöglich ist's, deiner Hand zu
entfliehen.[a] 16 Denn die Frevler, die dich
nicht kennen wollten, sind durch deinen
mächtigen Arm gegeißelt worden, als sie
durch ungewöhnlich heftige Regengüsse,
Hagel und schreckliche Unwetter verfolgt
wurden und das Feuer sie verzehrte.[a]
17 Denn das Verwunderlichste war: In dem
Wasser, das sonst alles auslöscht, brannte
[a]das Feuer noch stärker. Denn [b]die Welt
streitet für die Gerechten. 18 Denn zuwei-
len brannte die Flamme schwächer, um
nicht die [a]Tiere zu verbrennen, die gegen
die Frevler geschickt worden waren; sie
sollten ja sehen und erkennen, dass sie
von Gottes Gericht so bedrängt wurden.
19 Zuweilen aber brannte die Flamme in-
mitten der Wasser stärker, als Feuer sonst

15,18 *a* Kap 11,15-16 **16,1** *a* Kap 11,15-16
16,2 *a* 2. Mose 16,12-13 **16,3** *a* 2. Mose 7,26-29
16,5 *a* (5-7) 4. Mose 21,4-9; Joh 3,14-15 **16,7** *a* 1. Tim 4,10
16,8 *a* 2. Mose 15,26 **16,9** *a* 2. Mose 10,12-15; Offb 9,3
b 2. Mose 8,16-20 **16,10** *a* Verse 5-6 **16,12** *a* Ps 107,20;
Mt 8,8 **16,13** *a* 5. Mose 32,39 *b* Tob 13,2 **16,15** *a* Ps 139,7
16,16 *a* 2. Mose 9,22-26 **16,17** *a* Kap 19,20 *b* Kap 5,17.20
16,18 *a* 2. Mose 8,1.12.20

brennt, um den [a]Ertrag des ungerechten
Landes zu verderben.
20 Dagegen nährtest du dein Volk mit
[a]Engelspeise, und unermüdlich gewähr-
test du ihnen [b]Brot vom Himmel, das
ihnen großen Genuss bereitete und sich
bei jedem nach dessen Geschmack richte-
te. 21 Denn deine Gabe machte offenbar,
wie freundlich du zu deinen Kindern bist.
Denn jedem, der davon aß, verwandelte
sie sich nach seinem Verlangen in das, was
er gern wollte. 22 Schnee und [a]Eis hielten
das Feuer aus und schmolzen nicht. So
sollten sich die Israeliten erinnern, dass es
das Feuer war, das [b]die Erträge der Feinde
vernichtete, als es im Hagel brannte und
in den Regengüssen aufblitzte, 23 und dass
dieses Feuer seine eigne Kraft vergessen
musste, damit die Gerechten ernährt
wurden.
24 Denn die Schöpfung, die dir als dem
Schöpfer dient, steigert ihre Kräfte, um
die Ungerechten zu bestrafen, und min-
dert sie, um denen wohlzutun, die dir
vertrauen.[a] 25 Darum ließ sie sich auch
damals in mancherlei verwandeln und
diente damit dir, der mit seinen Gaben alle
nährt. So wurden die Bitten derer erfüllt,
die dich anriefen, 26 damit deine Kinder,
die du, Herr, liebst, lernen, dass nicht
die Kräfte der Natur, welche die Früchte
hervorbringen, den Menschen ernähren,
sondern dass dein Wort die erhält, die an
dich glauben.[a]
27 Denn das, was vom Feuer nicht ver-
zehrt wurde, zerschmolz, [a]sobald es von
einem flüchtigen Strahl der Sonne er-
wärmt wurde, 28 damit deutlich würde,
dass man dir danken solle, [a]ehe die Sonne
aufgeht, und vor dich treten, wenn es tagt.
29 Denn [a]die Hoffnung des Undankbaren
wird wie Reif des Winters vergehen und
zerrinnen wie unnützes Wasser.

FINSTERNIS – LICHT UND FEUERSÄULE

17 [a]Groß und unaussprechbar sind deine
Urteile, Herr; darum gingen auch die
Seelen in die Irre, denen Bildung fehlte.
2 Denn als die Ungerechten meinten, das
heilige Volk unterdrücken zu können,
wurden sie Gebundene der [a]Finsternis
und Gefangene einer langen Nacht und la-
gen eingeschlossen unter ihren Dächern,
auf der Flucht vor der ewigen Vorsehung.
3 Denn als sie meinten, sie könnten sich
bei ihren verborgenen Sünden verstecken
unter der dunklen Decke der Vergessen-
heit, wurden sie zerstreut, furchtbar er-
schreckt und durch Gespenster geängs-
tigt. 4 Denn auch der Winkel, in dem sie
kauerten, konnte sie nicht vor der Furcht
bewahren: Getöse brach über sie herein
und war um sie her, und es erschienen
gräuliche Gestalten mit düsteren Mienen.
5 Und keines Feuers Macht vermochte ih-
nen zu leuchten, noch konnten die hell
flammenden Sterne jene furchtbare Nacht
licht machen. 6 Es erschien ihnen nur ein
von selbst brennendes Feuer voller Schre-
cken. In ihrem Entsetzen schien ihnen
dann das, was sie zuvor gesehen hatten,
noch viel schlimmer.

VOM VERSAGEN DER MAGIE

7 [a]Auch das Gaukelwerk der Schwarzen
Kunst lag darnieder, und ihr Rühmen
wurde zu Spott, als ihre Kunst auf die
Probe gestellt wurde. 8 Denn die verspro-
chen hatten, Furcht und Schrecken von der
kranken Seele vertreiben zu können, wur-
den selbst krank vor lächerlicher Angst.
9 Und wenn auch sonst nichts Schreck-
liches sie ängstigte, so wurden sie doch
aufgescheucht durch das Vorbeilaufen
wilder Tiere und durch das Zischen von
Schlangen, 10 [9] und sie gingen zitternd
zugrunde, weil sie sich sogar weigerten,
die Luft auch nur anzusehen, der man
doch nicht entkommen kann. 11 [10] Denn
die Bosheit verrät sich durch ihre [a]Feig-
heit, und verurteilt sich dadurch selbst,
[11] und vom [b]Gewissen bedrückt, nimmt
sie immer schon das Schlimmste an.
12 Denn Furcht ist nichts anderes, als
dass einer sich weigert, sich von seinem
Verstand helfen zu lassen. 13 Wenn aber
die Hoffnung im Herzen zu schwach ist,
hält man die Ratlosigkeit für schlimmer
als die eigentliche Ursache der Plage.

16,19 *a* 2. Mose 9,25 **16,20** *a* Ps 78,25
b 2. Mose 16,4.13-15.31 **16,22** *a* Kap 19,21;
2. Mose 16,14.23 *b* 2. Mose 9,24-25 **16,24** *a* Sir 39,24-27
16,26 *a* 5. Mose 8,3 **16,27** *a* 2. Mose 16,21
16,28 *a* Ps 5,4; 57,9; Mk 1,35 **16,29** *a* Kap 5,14
17,1 *a* 2. Mose 7,3-4; Röm 11,33 **17,2** *a* 2. Mose 10,21-23;
Mt 22,13 **17,7** *a* (7-8) 2. Mose 9,11 **17,11** *a* Jes 13,6-7
b Sir 14,2; Hebr 10,22-23

14 Die Ägypter aber lagen in dieser un-
entrinnbaren Nacht*, die aus den Schlupf-
winkeln des unentrinnbaren Totenreichs
gekommen war, alle im gleichen Schlaf:
15 Sie wurden bald bedrängt durch schreck-
liche Erscheinungen, bald aber dadurch
gelähmt, dass ihnen der Mut entsank.
Denn plötzlich und unversehens überfiel
sie Furcht; 16 und so wurde, wer dort zu-
sammenbrach, bewacht und eingeschlos-
sen wie in einen Kerker ohne Eisen.

17 Ob es nun ein Bauer war oder ein Hirte
oder ein Arbeiter, der sich in der Einsam-
keit abmühte: Jeder musste, plötzlich er-
fasst, solch unvermeidliche Not tragen.
18 Denn sie waren alle zugleich mit ein und
derselben Kette der Finsternis gefesselt.
[19] Ob etwa ein Wind pfiff oder Vögel süß
sangen in dichtem Gezweig oder Wasser
gewaltig dahinschossen 19 oder Felsen
mit lautem Gepolter herabstürzten oder
Tiere, die man nicht sehen konnte, vorbei-
sprangen oder grausame Wildtiere heul-
ten oder Widerhall aus den Schluchten der
Berge schallte: Schrecknisse lähmten sie.
20 Die ganze Welt hatte helles Licht und
ging ungehindert ihren Geschäften nach;
21 [20] nur über die Ägypter hatte sich tiefe
Nacht ausgebreitet, ein Bild der [a]Finster-
nis, die über sie kommen sollte; aber sie
waren sich selbst noch mehr zur Last als
die Finsternis.

18 Aber deine Heiligen hatten hellstes
[a]Licht. Als die Ägypter ihre Stimme
hörten, aber keine Gestalt sahen, [2] prie-
sen die Ägypter sie selig, weil sie nicht
gelitten hatten. 2 Mehr noch: Sie dankten
ihnen dafür, dass sie ihnen jetzt keinen
Schaden zufügten, obwohl sie vorher
Unrecht erlitten hatten, und [a]flehten, sie
möchten ihnen die Gnade erweisen, sich
zu entfernen.

3 Dagegen gabst du den Deinen [a]eine
feurige Säule, die ihnen den unbekann-
ten Weg wies und ihnen eine freundliche
[b]Sonne war auf jenem ruhmvollen Weg
durch die Fremde. 4 Denn die Ägypter
hätten's auch verdient, des Lichts beraubt
und in Finsternis gefangen zu sein, weil
sie deine Kinder eingekerkert hatten,
[a]durch die der Welt das unvergängliche
[b]Licht des Gesetzes gegeben werden
sollte.

TOD DER ERSTGEBURT – RETTUNG AUS TODESNOT

5 Die Ägypter aber hatten beschlossen,
[a]die kleinen Kinder der Heiligen zu töten.
Aber [b]eines der Kinder wurde ausgesetzt
und dadurch gerettet. Da [c]nahmst du ih-
nen zur Strafe die Menge ihrer Kinder weg
und [d]ließest sie alle zusammen umkom-
men in gewaltigem Wasser. 6 Jene Nacht
aber [a]war unsern Vätern vorher angekün-
digt worden, damit ihnen die Verheißun-
gen, an die sie glaubten, gewiss würden
und sie darüber frohen Mutes wären. 7 So
wartete dein Volk auf das Heil der Ge-
rechten und auf das Verderben der Feinde.
8 Denn womit du die Widersacher bestraft
hast, eben damit hast du uns zu dir geru-
fen und uns herrlich gemacht.[a] 9 Denn im
Verborgenen opferten die heiligen Kinder
der Frommen und verpflichteten sich ein-
trächtig auf das göttliche Gesetz, dass die
Heiligen in gleicher Weise an denselben
Gütern wie an denselben Gefahren teilha-
ben sollten, nachdem sie vorher die Lob-
gesänge der Väter angestimmt hatten.[a]

10 [a]Als Widerhall aber erscholl die wirre
Klage der Feinde, und man hörte überall
bitteres Weinen um ihre Kinder. 11 Denn
es erging gleiche Strafe über Herr und
Knecht, und der König musste dasselbe
wie der einfache Mann erleiden. 12 So hat-
ten sie alle zusammen unzählige Tote, die
den gleichen Tod gestorben waren, sodass
es nicht genug Lebende gab, um sie zu be-
graben; denn in einem einzigen Augen-
blick waren ihre edelsten Nachkommen
dahin. 13 Denn während sie vorher, [a]durch
ihre Zauberer verhindert, ganz ungläubig
waren, bekannten sie jetzt beim [b]Unter-
gang ihrer Erstgeborenen, dass dieses Volk
Gottes [c]Sohn sei.

14 Denn als tiefes Schweigen das All
umfing und die Nacht in ihrem Gang die
Mitte erreichte, 15 fuhr dein allmächtiges

* **17,14** Gemeint ist die Nacht, in der die Erstgeburt getötet wurde.

17,21 ***a*** 1. Sam 2,9 **18,1** ***a*** 2. Mose 10,23 **18,2** ***a*** Kap 19,3; 2. Mose 12,33 **18,3** ***a*** 2. Mose 13,21 ***b*** Ps 121,6
18,4 ***a*** Jes 2,3 ***b*** Bar 4,1-3; Mt 5,14; Joh 1,5
18,5 ***a*** 2. Mose 1,22 ***b*** 2. Mose 2,2-3 ***c*** 2. Mose 12,29 ***d*** 2. Mose 14,27-28 **18,6** ***a*** 2. Mose 12,21-23
18,8 ***a*** Kap 11,5 **18,9** ***a*** 2. Mose 12,1-28
18,10 ***a*** (10-11) 2. Mose 12,29-30 **18,13** ***a*** 2. Mose 7,11-13 ***b*** 2. Mose 4,22-23 ***c*** Hos 11,1; Mt 2,15

[a]Wort vom Himmel herab, vom königlichen Thron, ein harter Kriegsmann, mitten in das Land, das zugrunde gerich-
tet werden sollte. 16 Er trug [a]ein schar-
fes Schwert, nämlich dein unerbittliches Gebot, und trat hin und erfüllte alles mit Tod; sein Haupt berührte den Himmel,
seine Füße standen auf der Erde. 17 Da er-
schreckten sie plötzlich grauenhafte Gesichte, und unversehens kam Furcht über
sie. 18 Andere wiederum lagen halb tot, der eine hier, der andre dort, und taten kund, aus welchem Grund sie sterben mussten.
19 Denn die schrecklichen Träume hatten es ihnen vorher angezeigt, damit sie genau wüssten, wodurch sie so elend zugrunde gingen.

20 [a]Aber auch die Gerechten mussten den Tod erfahren, und eine Menge wurde in der Wüste dahingerafft. Aber der Zorn
währte nicht lange. 21 Denn eilends kam der untadelige Mann, der für sie stritt, mit der Waffe seines Amts herbei, mit Gebet und sühnendem [a]Räucherwerk. Er widerstand dem Zorn und machte dem Unheil ein Ende. Damit bewies er, dass er dein
Diener ist. 22 Er überwand den Grimm; nicht mit Körperkraft noch mit Waffengewalt, sondern mit dem [a]Wort unterwarf er den Züchtiger, indem er an Gottes Eid und
Bund mit den Vätern erinnerte. 23 Denn
als schon die Toten haufenweise übereinanderlagen, trat er dazwischen und hielt den Zorn auf und schnitt ihm den Weg
zu den Lebenden ab. 24 Denn auf seinem
langen Gewand war die ganze Welt abgebildet, und die [a]Ehrennamen der Väter waren in die [b]vier Reihen der Steine eingegraben und deine Herrlichkeit auf dem
[c]Stirnband seines Hauptes. 25 Davor wich
der [a]Verderber, und davor erschrak er; denn es war schon genug, dass die Israeliten eine Probe des Zorns erfahren hatten.

UNTERGANG DER ÄGYPTER – RETTUNG DER ISRAELITEN

19 [a]Aber die Frevler überfiel der Zorn ohne Erbarmen bis zum bitteren Ende.
[2]Denn Gott wusste im Voraus, was sie
künftig tun würden: 2 dass sie den Israeliten zunächst den Auszug erlauben und sie eilig entlassen würden, um es dann aber zu bereuen und ihnen nachzujagen.
3 Denn als sie noch Leid trugen und an den Gräbern der Toten klagten, verfielen sie auf ein anderes törichtes Vorhaben und verfolgten jetzt die als Flüchtlinge, die sie eben mit [a]flehentlichen Bitten fort-
geschickt hatten. 4 [a]Es musste aber so geschehen, dass sie zu einem solchen Ende kämen, wie sie es verdient hatten; und sie mussten vergessen, was ihnen widerfahren war, damit sie noch die Strafe erlitten, die bisher an ihren Qualen gefehlt hatte,
5 und damit deinem Volk auf seiner Wanderung Wunderbares geschehe, jene aber einen ungewöhnlichen Tod fänden.

6 Denn die ganze Schöpfung wurde in ihrer Eigenart wieder neu gestaltet, um deinen Geboten zu dienen, damit deine
Kinder unversehrt bewahrt blieben. 7 Da
zeigte sich die Wolke und überschattete das Lager. Wo vorher Wasser stand, sah man trockenes Land hervorkommen. Da zeigte sich im Roten Meer ein Weg ohne Hindernis, und aus den mächtigen Fluten
erhob sich ein grünes Feld. 8 Darüber zog
das ganze Volk, alle, die von deiner Hand beschirmt wurden, und dabei sahen sie
Zeichen und [a]Wunder. 9 Sie gingen wie
die [a]Rosse auf der Weide und [b]hüpften wie die Lämmer und [c]lobten dich, Herr,
der sie gerettet hatte. 10 Denn sie erinner-
ten sich noch, wie es ihnen in der Fremde ergangen war, wie die Erde gegen ihre Natur statt des Viehs [a]Mücken hervorbrachte und der Fluss anstelle von Fischen [b]Frö-
sche in großer Menge ausspie. 11 [a]Danach
aber sahen sie auch, wie eine neue Art Vögel entstand, als sie in ihrer Gier um lecke-
re Speise baten. 12 Denn ihnen zum Trost
kamen Wachteln aus dem Meer.

SODOM UND ÄGYPTEN

13 Auch kamen die Strafen über die Sünder nicht ohne Zeichen, die vorher durch gewaltige Blitze geschehen waren; denn mit Recht litten sie um ihrer Bosheit willen,

18,15 *a* Offb 19,11-13 **18,16** *a* Hebr 4,12; Offb 19,15
18,20 *a* (20-23) 4. Mose 17,6-15 **18,21** *a* 4. Mose 17,12
18,22 *a* Vers 15 **18,24** *a* Offb 21,12-14 *b* 2. Mose 28,15-21
c 2. Mose 28,36-38 **18,25** *a* 2. Mose 12,23
19,1 *a* (1-3) 2. Mose 12,31-33; 14,5-8 **19,3** *a* Kap 18,2
19,4 *a* (4-8) 2. Mose 14,19-31 **19,8** *a* 2. Mose 15,6
19,9 *a* Jes 63,13-14 *b* Mal 3,20 *c* 2. Mose 15,1-21
19,10 *a* 2. Mose 8,13 *b* 2. Mose 8,2
19,11 *a* (11-12) 2. Mose 16,13

weil sie einen besonders schlimmen Hass gegen Fremde gezeigt hatten. 14 [13] Denn die Leute von [a]Sodom hatten nur Unbekannte, die zu ihnen gekommen waren, nicht aufgenommen; die Ägypter aber zwangen Gäste, die ihnen [b]Gutes getan hatten, zum [c]Sklavendienst. 15 [14] Und nicht nur dies, die Heimsuchung derer von Sodom wird gewiss eine andere sein, [15] weil sie nur Fremde feindlich aufnahmen, 16 während die Ägypter diejenigen mit schwerer Arbeit plagten, denen sie zuvor [a]feierliche Aufnahme und Anteil an ihren Rechten gewährt hatten. 17 [16] Die Ägypter wurden aber auch mit Blindheit geschlagen – so wie die Leute von Sodom an der [a]Tür des Gerechten. Die Ägypter wurden von dichter Finsternis überfallen und jeder suchte den Zugang zu seiner Tür.

SCHLUSSWORT

18 [17] Denn die Elemente verändern ihr Wesen, so wie auf der Harfe die Töne je andere Melodien hervorbringen, obwohl der jeweilige Ton immer der gleiche bleibt. Dies ist aus der Betrachtung der Geschehnisse deutlich abzuleiten:[a] 19 [18] [a]Landtiere wurden in Wassertiere verwandelt, und [b]Wassertiere gingen ans Land. 20 [19] Das Feuer behielt im Wasser die ihm eigene Natur, und das Wasser vergaß seine Kraft zum Löschen.[a] 21 [20] Wiederum verzehrten die [a]Flammen nicht das zarte Fleisch der Tiere und [b]brachten nicht die himmlische Speise zum Schmelzen, die doch so leicht schmilzt wie Eis.

22 [21] Herr, du hast dein Volk in allem groß und herrlich gemacht und hast es nicht verachtet, sondern ihm allezeit und an allen Orten beigestanden.

DAS BUCH TOBIAS (TOBIT)*

1–3 Das Schicksal Tobits und Saras 4–6 Tobias' Reise mit dem Engel nach Medien
7–9 Saras Befreiung und Hochzeit mit Tobias 10–12 Heimkehr und Heilung Tobits
13–14 Danklied und Mahnungen Tobits

TOBIT, DER VATER DES TOBIAS

1 Dies ist das Buch der Geschichte Tobits, des Sohnes Tobiëls, des Sohnes Hananiëls, des Sohnes Aduels, des Sohnes Gabaëls, des Sohnes Rafaëls, des Sohnes Raguëls, aus dem Geschlecht Asiëls aus dem Stamme [a]Naftali. 2 Der wurde aus Tischbe mit in die Gefangenschaft geführt zur Zeit [a]Salmanassars, des Königs von Assyrien. Tischbe aber liegt südlich von Kedesch Naftali in Galiläa oberhalb von [b]Hazor und nordwestlich von Fogor.

3 Ich, Tobit, wandelte mein Leben lang auf den Wegen der Wahrheit, übte gerechte Werke und erwies meinen Brüdern viel Barmherzigkeit und meinem Volk, das mit mir in die Gefangenschaft in das Land Assyrien nach Ninive gezogen war. 4 Als ich noch ein junger Mann in meiner Heimat im Land Israel war, fiel der ganze Stamm meines Vaters vom Haus meines Vaters David und von der Stadt Jerusalem ab. Sie aber ist aus allen Stämmen Israels erwählt, damit man dort opfere, und der Tempel der Wohnung Gottes ist dort geheiligt und erbaut für alle Geschlechter auf ewig. 5 Alle meine Brüder und das Haus meines Vaters Naftali opferten [a]dem Kalb, das Jerobeam, der König von Israel, in Dan auf den Bergen Galiläas gemacht hatte. 6 [a]Ich allein begab mich oft an den Festtagen nach Jerusalem, wie es ganz Israel geboten ist als ewige Satzung. Mit den Erstlingsgaben und den Erstlingsfrüchten und den Zehnten vom Vieh und der ersten Wolle der Schafe zog ich eilends nach

* Das Buch Tobias wurde neu aus dem griechischen Text übersetzt, der sich in Umfang und Wortlaut deutlich von dem bisher übersetzten lateinischen Text unterscheidet. Daher wurde auf die Angabe der bisherigen Verszählung der Lutherbibel verzichtet.

19,14 *a* 1. Mose 19,1-11 *b* 1. Mose 41,1-57 *c* 2. Mose 1,8-11 **19,16** *a* 1. Mose 47,11-12 **19,17** *a* 1. Mose 19,11 **19,18** *a* Vers 6 **19,19** *a* 2. Mose 14,22 *b* 2. Mose 8,1 **19,20** *a* Kap 16,17 **19,21** *a* Kap 16,18 *b* Kap 16,22.27; 2. Mose 16,14.23 **1,1** *a* Jos 19,32 **1,2** *a* 2. Kön 18,8-11 *b* Jos 19,36 **1,5** *a* 1. Kön 12,28-30 **1,6** *a* (6-8) 5. Mose 12,4-6; 2. Mose 23,19; 5. Mose 14,22.28-29

Jerusalem 7 und gab es den Priestern, den
Söhnen Aarons, für den Altar; und den
Zehnten von Getreide und Wein und Öl
und Granatäpfeln und Feigen und den
übrigen Früchten gab ich den Söhnen
Levis, die Dienst tun in Jerusalem. Und
den zweiten Zehnten von sechs Jahren
verkaufte ich und gab das Silber in jedem
Jahr bei der Wallfahrt in Jerusalem. 8 Und
ich gab es den Waisen und Witwen und
denen, die sich Israel angeschlossen hat-
ten; ich brachte den Zehnten herbei und
gab ihn im dritten Jahr, und wir verzehr-
ten ihn nach der Anordnung im Gesetz
des Mose und nach dem, was mir Debora,
die Mutter unseres Vaters Hananiël, ge-
boten hatte. Denn mein Vater war ge-
storben und hatte mich als Waise zurück-
gelassen.

9 Da ich nun erwachsen war, nahm ich
eine Frau [a]aus dem Geschlecht unserer
Väter und zeugte mit ihr einen Sohn,
den nannte ich Tobias. 10 Als ich aber zu
den Assyrern in Gefangenschaft gebracht
worden war und gefangen nach Ninive
kam, da aßen alle meine Brüder und die
aus meinem Volk von den Speisen der
Heiden. 11 Ich aber hütete mich, [a]von den
Speisen der Heiden zu essen. 12 [a]Und da
ich mit ganzer Seele meines Gottes ge-
dachte, 13 ließ mich der Höchste Gnade
und Gunst bei Salmanassar finden, und
ich kaufte für ihn alles, was er brauchte.
14 Und ich reiste nach Medien und kaufte
für ihn dort ein, solange er lebte. Damals
ließ ich bei Gabaël, dem Bruder des Gabri,
im Lande Medien zehn Talente Silber
zurück.

15 Als aber Salmanassar starb und sein
Sohn Sanherib König wurde an seiner
statt, da wurden die Wege in Medien un-
sicher, und ich konnte nicht mehr dorthin
reisen. 16 Auch in den Tagen Salmanas-
sars erwies ich den Brüdern aus meinem
Geschlecht viel Barmherzigkeit: 17 [a]Die
Hungrigen speiste ich, [b]die Nackten klei-
dete ich, und wenn ich einen Toten aus
meinem Volk sah, der hinter Ninives
Mauer geworfen war, so begrub ich ihn.
18 Sanherib aber war in den Tagen des Ge-
richts, [a]das der König des Himmels an ihm
um seiner Lästerungen willen vollzog, aus
Judäa [b]geflohen. Wenn er jemanden tö-
tete, so begrub ich ihn. Denn in seinem
Zorn tötete er viele der Israeliten. Da stahl
ich ihre Leichname und begrub sie. San-
herib aber suchte sie und fand sie nicht.
19 Doch einer aus Ninive ging hin und
zeigte mich beim König an, dass ich sie
begrub. Da verbarg ich mich. Als ich aber
erfuhr, dass der König über mich Bescheid
wusste und ich gesucht wurde, um getötet
zu werden, fürchtete ich mich und flüch-
tete. 20 All mein Hab und Gut wurde mir
geraubt. Mir blieb nichts, was nicht zum
königlichen Schatz zugeschlagen wurde,
außer meiner Frau Hanna und meinem
Sohn Tobias.

21 Doch es waren noch keine vierzig Tage
vergangen, da [a]wurde der König von zwei
seiner Söhne erschlagen, und sie flohen in
das Gebirge Ararat. Da wurde sein Sohn
Asarhaddon König an seiner statt. Der
setzte Achikar, den Sohn meines Bruders
Hanaël, über den gesamten Schatz seines
Reiches, und er erhielt Macht über die
ganze Verwaltung. 22 Damals legte Achi-
kar Fürsprache für mich ein, und ich kam
zurück nach Ninive. Achikar war nämlich
der oberste Mundschenk, Siegelbewahrer,
Verwalter und Schatzmeister unter San-
herib, dem König der Assyrer. Und Asar-
haddon setzte ihn wieder in sein Amt ein.
Achikar war mein Neffe und aus meiner
Verwandtschaft.

2 Danach, als Asarhaddon König war,
kehrte ich in mein Haus zurück. Und
meine Frau Hanna und Tobias, mein
Sohn, wurden mir wiedergeschenkt. Und
an unserem heiligen Wochenfest berei-
tete man mir ein herrliches Mahl, und ich
setzte mich nieder, um zu essen. 2 Als mir
der Tisch mit den vielen Speisen vorge-
setzt wurde, sagte ich zu Tobias, meinem
Sohn: Kind, geh hin, und wenn du unter
unseren Brüdern, die nach Ninive ver-
bannt wurden, einen Armen findest, der
mit ganzem Herzen des Herrn gedenkt,
so lade ihn ein, mit mir zu essen. Und
siehe, mein Kind, ich will auf dich war-
ten, bis du wiederkommst. 3 Da machte
sich Tobias auf, um einen Armen unter

1,9 *a* 4. Mose 36,6-7 **1,11** *a* Dan 1,8; Jdt 12,2
1,12 *a* (12-13) Dan 1,18-19 **1,17** *a* Jes 58,7; Hiob 31,17
b Hiob 31,19 **1,18** *a* 2. Kön 18,35 *b* 2. Kön 19,35-36
1,21 *a* 2. Kön 19,37

unseren Brüdern zu suchen. Und als er zurückkam, sagte er: Vater! Und ich sagte zu ihm: Hier bin ich, mein Kind! Und er antwortete und sprach: Vater, siehe, einer aus unserem Volk wurde ermordet und ist auf den Marktplatz geworfen worden – dort liegt er nun erwürgt. 4 Da sprang ich auf und ließ das Essen stehen, ehe ich davon gekostet hatte. Und ich trug ihn weg vom Marktplatz und legte ihn in eine Hütte, bis die Sonne untergegangen war und ich ihn heimlich begraben konnte. 5 Dann ging ich zurück, wusch mich und [a]aß mein Brot in großer Trauer. 6 [a]Und ich dachte an das Wort des Propheten, das Amos über Bethel gesagt hatte: Eure Feiertage sollen in Trauer verwandelt werden, und alle eure Lieder in Wehklagen. 7 Und ich weinte. Als aber die Sonne unterging, machte ich mich auf, hob ein Grab aus und begrub ihn. 8 Aber meine Nachbarn verspotteten mich und sagten: Fürchtet er sich nicht mehr? Erst neulich wurde er doch gesucht, um für solch eine Tat getötet zu werden. Da ist er davongelaufen – und siehe, schon begräbt er wieder die Toten!

9 Es geschah aber in derselben Nacht, da wusch ich mich und ging in meinen Hof und schlief im Schutz einer Mauer. Wegen der Hitze war mein Gesicht unbedeckt. 10 Ich wusste aber nicht, dass Schwalben über mir in der Mauer nisteten. Und ihr Dreck fiel heiß auf meine Augen und machte dort weiße Flecken. Da ging ich hin zu vielen Ärzten, um mich heilen zu lassen, aber je mehr Salben sie mir aufstrichen, umso mehr erblindeten meine Augen durch die Flecken, bis sie endlich ganz blind waren. Vier Jahre lang konnte ich damals meine Augen nicht gebrauchen. Und alle meine Brüder waren betrübt um meinetwillen. Achikar aber versorgte mich zwei Jahre lang, bis er nach Elam ging.

DER STREIT MIT HANNA

11 Zu jener Zeit ernährte mich meine Frau Hanna durch Arbeiten, wie Frauen sie tun; 12 und sie schickte ihre Arbeiten ihren Herren, und die gaben ihr den Lohn.

Und am siebenten Tag des Monats Dystros schnitt sie das Webtuch ab und sandte es den Herren. Die gaben ihr den ganzen Lohn und dazu ein Ziegenböcklein für den Herd. 13 Als sie dann zu mir kam, fing das Böcklein zu blöken an. Und ich rief sie und sprach: Woher ist das Böcklein? Wenn das nur nicht gestohlen ist! Gib es dem Besitzer zurück! Denn es ist uns nicht erlaubt, von gestohlenem Gut zu essen! 14 Sie aber sprach zu mir: Ich bekam es als Geschenk zu meinem Lohn hinzu. – Ich aber glaubte ihr nicht und befahl, es den Besitzern zurückzugeben. Und ich wurde ihretwegen schamrot. Da antwortete sie und sprach zu mir: Wo sind jetzt deine Almosen, wo deine gerechten Werke? Man sieht doch, was du davon hast.[a]

3 Da wurde ich sehr betrübt in meiner Seele. Ich seufzte und weinte und begann zu beten und zu klagen. 2 Herr, [a]du bist gerecht, und all dein Tun ist recht und all deine Wege sind Barmherzigkeit und Wahrheit. Ja, du richtest die Welt! 3 Und nun, Herr, gedenke meiner; sieh doch und strafe mich nicht wegen meiner Sünden und meiner Versehen, noch um des Bösen willen, das meine Väter getan haben vor dir.[a] 4 Auch ich habe deine Gebote nicht gehalten. So hast du uns der Plünderung preisgegeben, der Gefangenschaft und dem Tod und hast uns zu Spott, Schmach und Hohn all der Völker gemacht, unter die du uns zerstreut hast.[a] 5 Ach, zahlreich sind deine Strafen, die du meiner Sünden wegen über mich bringst, weil wir deine Gebote nicht gehalten haben und nicht recht gewandelt sind vor dir. 6 Und nun, tue an mir nach deinem Wohlgefallen, und nimm meinen Geist von mir, dass ich erlöst werde vom Angesicht der Erde und wieder zu Erde werde. Weil ich falsche Schmähungen hören muss und große Betrübnis in mir ist, [a]will ich lieber tot sein als leben! Herr, erlöse mich von dieser Not, erlöse mich zu deiner ewigen Stätte und wende dein Angesicht, Herr, nicht von mir. Lieber als große Not zu sehen, möchte ich sterben und keine Schmähungen mehr hören!

2,5 *a* Hes 24,17 **2,6** *a* Am 8,10 **2,14** *a* Hiob 2,9
3,2 *a* Ps 119,137 **3,3** *a* Ps 25,7; 79,8
3,4 *a* 5. Mose 28,15.37.48 **3,6** *a* 1. Kön 19,4

SARAS NOT UND GEBET

7 Es begab sich nun an demselben Tage,
dass auch Sara, die Tochter Raguëls, in
der Stadt Ekbatana in Medien von einer
der Mägde ihres Vaters geschmäht wurde.
8 Man hatte sie nämlich sieben Männern
nacheinander zur Frau gegeben, aber ein
böser Geist, Aschmodai genannt, hatte
sie alle getötet, sobald sie mit ihr das La-
ger teilen wollten, wie es Brauch ist. Und
die Magd sagte zu ihr: Du bist es, die
deine Männer tötet! Siehe, schon sieben
Männern wurdest du gegeben, doch nach
keinem von ihnen bist du benannt! 9 Was
weist du uns zurecht wegen deiner Män-
ner, die doch alle gestorben sind? Geh
doch mit ihnen! Wenn wir nur niemals
einen Sohn oder eine Tochter von dir se-
hen müssen!
10 An jenem Tag wurde Sara betrübt in
ihrer Seele, sie weinte und ging in eine
Kammer oben im Hause ihres Vaters. Dort
wollte sie sich erhängen. Dann aber dachte
sie bei sich und sagte: Niemals sollen sie
meinen Vater schmähen und zu ihm sa-
gen: Du hattest nur eine einzige, geliebte
Tochter, und die hat sich aus Kummer er-
hängt! Nein, ich werde meinen greisen
Vater nicht mit Leid zu den Toten hin-
abfahren lassen! Statt mich zu erhängen,
will ich lieber den Herrn bitten, dass er
mich sterben lässt und ich niemals mehr
in meinem Leben solche Schmähungen
hören muss.[a]
11 Da hob sie ihre Hände zum [a]Fenster
und betete und sprach: Gelobt seist du,
barmherziger Gott, gelobt sei dein Name
in Ewigkeit. Alle deine Werke sollen dich
loben in Ewigkeit. 12 Zu dir habe ich mein
Angesicht und meine Augen erhoben.
13 Befiehl, dass ich von der Erde erlöst
werde und nicht länger solche Schmähun-
gen hören muss. 14 Du weißt, Herr, dass
ich niemals durch einen Mann unrein ge-
worden bin 15 und dass ich weder meinen
Namen noch den Namen meines Vaters
im Lande meiner Gefangenschaft befleckt
habe. Ich bin das einzige Kind meines Va-
ters, und er hat kein anderes Kind, das ihn
beerben könnte. [a]Auch hat er weder einen
Bruder noch Verwandten, dass ich mich
am Leben erhalten müsste, um seine Frau
zu werden. Schon sieben Männer sind mir
gestorben! Was soll denn noch mein Le-
ben? Wenn es dir noch nicht gefällt, mich
sterben zu lassen, Herr, so achte doch auf
meine Schmach!

DIE ERHÖRUNG

16 [a]In derselben Stunde wurden beider
Gebete von Gott in seiner Herrlichkeit er-
hört. 17 Und [a]Rafaël wurde gesandt, beide
zu heilen: Tobit, indem er die weißen Fle-
cken von seinen Augen löse, damit er mit
seinen Augen das Licht Gottes sehe, und
Sara, die Tochter Raguëls, indem er sie To-
bias, dem Sohn des Tobit, zur Frau gebe
und den bösen Geist Aschmodai von ihr
löse. Denn mehr als allen anderen, die sie
heiraten wollten, stand es Tobias zu, sie
zur Frau zu nehmen.
In jener Stunde ging Tobit vom Hof
in sein Haus zurück, und auch Sara, die
Tochter Raguëls, stieg aus ihrer Kammer
herab.

DAS VERMÄCHTNIS DES ALTEN TOBIT

4 An jenem Tag erinnerte sich Tobit an
das Silber, das er bei Gabaël in Rages im
Lande Medien hinterlegt hatte, 2 und er
sprach in seinem Herzen: Siehe, ich habe
darum gebetet, sterben zu dürfen. Warum
rufe ich nicht Tobias, meinen Sohn, und
berichte ihm von diesem Silber, ehe ich
sterbe?
3 Da rief er Tobias, seinen Sohn; und
als er zu ihm kam, da sprach er zu ihm:
[a]Begrabe mich, wie es sich gehört. Und
[b]ehre deine Mutter und verlasse sie nicht
alle Tage ihres Lebens. Und tue, was ihr
gefällt, und bereite ihrer Seele nur ja kei-
nen Kummer! 4 Denke daran, mein Kind,
dass sie um deinetwillen [a]viele Gefahren
ausgestanden hat, als sie dich unter ihrem
Herzen trug. Und wenn sie stirbt, so [b]lege
sie zu mir in mein Grab. 5 Gedenke des
Herrn, mein Kind, dein Leben lang und
hüte dich, jemals in eine Sünde einzu-
willigen und seine Gebote zu übertreten.
Alle Tage deines Lebens übe Gerechtigkeit
und wandle nicht auf den Wegen der Un-
gerechtigkeit.

3,10 ***a*** 1. Mose 37,35; 42,38; 44,29.31 **3,11** ***a*** Dan 6,11
3,15 ***a*** 5. Mose 25,5-6 **3,16** ***a*** (16-17) Apg 10,3-4
3,17 ***a*** Kap 12,15 **4,3** ***a*** 1. Mose 50,5 ***b*** 2. Mose 20,12;
Spr 23,22; Sir 3,2.4.16 **4,4** ***a*** Sir 7,27 ***b*** Jdt 16,23

6 Denen, die Wahrheit tun, werden ihre
Werke gelingen. Und allen, die Gerechtig-
keit tun, 7 [a]gib Almosen von deinem Hab
und Gut. Dein Auge soll niemals neidisch
sein, wenn du Almosen gibst. Und wende
dein Angesicht auch nicht von einem ein-
zigen Armen ab, dann wird sich das Ange-
sicht Gottes auch nicht von dir abwenden.
8 Nach deinem Vermögen gib Almosen;
auch wenn du nur wenig hast, scheue dich
nicht, wenig Almosen zu geben. 9 So wirst
du dir einen guten Schatz für den Tag der
Not sammeln.[a] 10 Denn [a]Almosen retten
vom Tode und bewahren vor der Finster-
nis. 11 Almosen sind ja eine gute Gabe für
alle, die sie vor dem Höchsten geben.[a]

12 Hüte dich, mein Sohn, vor jeder Un-
zucht und nimm dir vor allem eine Frau
aus dem Geschlecht deiner Väter. Nimm
dir nur ja keine fremde Frau, die nicht
aus dem Stamm deines Vaters ist! Denn
wir sind Söhne von Propheten. Bedenke,
Kind, dass alle, Noah, Abraham, Isaak, Ja-
kob, unsere Väter, von Ewigkeit an Frauen
von ihren eigenen Brüdern genommen
haben. Und sie wurden gesegnet in ihren
Kindern, und ihr Geschlecht wird das Land
erben. 13 Und nun, mein Kind, liebe deine
Brüder, und erhebe dich nicht in deinem
Herzen über sie und über die Söhne und
Töchter deines Volkes, indem du dir eine
Frau aus einem fremden Stamme nimmst.
Denn im Hochmut liegen Verderben und
viel Streit, und der Schlechtigkeit folgen
Armut und großer Mangel. Denn Schlech-
tigkeit ist die Mutter des Hungers.

14 Wenn jemand für dich gearbeitet hat,
lass seinen Lohn nicht über Nacht bei
dir liegen, sondern zahle ihn gleich aus!
Und wenn du Gott dienst, wird auch dir
Lohn zuteilwerden. Hüte dich, Kind, in
allen deinen Werken, und durch deinen
ganzen Wandel zeige deine gute Erzie-
hung. 15 [a]Was du nicht willst, dass man
dir tu, das füg auch keinem anderen zu!
Wein trinke nicht bis zur Trunkenheit,
und Trunkenheit begleite dich nicht auf
deinem Wege. 16 [a]Teile dein Brot mit dem
Hungrigen und von deinen Kleidern gib
den Nackten. Alles, was du im Überfluss
hast, gib als Almosen. Und dein Auge
blicke nicht neidisch, wenn du Almosen
gibst. 17 Verteil dein Brot beim Grab der
Gerechten und gib es nicht den Sündern.
18 Suche Rat bei den Weisen und verachte
keinen nützlichen Rat. 19 Der Herr wird
ihnen guten Rat geben. Er erniedrigt, wen
er will, bis hinab in das Totenreich. Und
nun, mein Kind, gedenke dieser Gebote;
sie sollen nicht getilgt werden aus deinem
Herzen.

20 Und nun sollst du wissen, mein Kind,
dass ich zehn Talente Silber bei Gabaël,
dem Sohn des Gabri, in Rages im Lan-
de Medien hinterlegt habe. 21 Hab keine
Angst, Kind, dass wir verarmt sind. Du
besitzt viele Güter, wenn du Gott fürch-
test, vor jeder Sünde fliehst und Gutes tust
vor dem Herrn, deinem Gott.

DER BEGLEITER DES JUNGEN TOBIAS

5 Da antwortete Tobias und sprach zu
Tobit, seinem Vater: Alles, was du mir
gesagt hast, mein Vater, das will ich tun.
2 Wie aber kann ich das Geld bei ihm ho-
len? Dieser Gabaël kennt mich nicht,
und ich kenne ihn auch nicht. Was für
ein Zeichen soll ich ihm geben, damit er
mir Glauben schenkt und mir das Silber
gibt? Auch kenne ich den Weg nach Me-
dien nicht und weiß nicht, wie ich dort-
hin komme. 3 Da antwortete Tobit sei-
nem Sohn Tobias: Seine Unterschrift hat
er mir gegeben, und auch ich habe ihm
meine Unterschrift gegeben. Dann habe
ich das Schriftstück geteilt, und jeder von
uns nahm eine Hälfte, und ich legte sie zu
dem Silber. Siehe, nun ist es zwanzig Jahre
her, seit ich das Silber hinterlegt habe. Und
nun, mein Kind, suche dir einen zuverläs-
sigen Begleiter. Dem wollen wir seinen
Lohn geben, wenn du wiederkommst.
Auf, hole bei Gabaël das Silber!

4 Da ging Tobias hinaus, um jemanden
zu suchen, der den Weg kannte und mit
ihm nach Medien reisen würde. Und er
ging hinaus und fand den Engel Rafaël, der
bereits zur Reise gerüstet dastand. Und
Tobias erkannte nicht, dass er ein Engel
Gottes war. 5 Und er sprach zu ihm: Woher
kommst du, mein Freund? Der aber ant-
wortete ihm: Von den Israeliten, deinen
Brüdern; ich bin hierher gekommen, um

4,7 *a* (7-12) 5. Mose 15,7-11; Sir 4,1-5; Mt 6,3-4
4,9 *a* Lk 16,9 **4,10** *a* Dan 4,24; Sir 3,30; 1. Petr 4,8
4,11 *a* Spr 19,17 **4,15** *a* Mt 7,12 **4,16** *a* Kap 1,17; Jes 58,7

Arbeit zu finden. Und Tobias fragte ihn:
Kennst du den Weg nach Medien? 6 Und
er sagte zu ihm: Ja, ich bin schon oft dort
gewesen und kenne alle Wege. Oft bin ich
nach Medien gezogen und habe Herberge
genommen bei unserem Bruder Gabaël,
der in der Stadt Rages im Lande Medien
wohnt. Zwei ganze Tagereisen sind es von
[a]Ekbatana bis nach Rages. Denn es liegt im
Gebirge, Ekbatana aber in der Ebene. 7 Und
Tobias sagte zu ihm: Warte doch einen
Augenblick auf mich, mein Freund. Ich
will hineingehen und es meinem Vater er-
zählen. Denn ich brauche dich, dass du mit
mir ziehst. Ich will dir auch einen Lohn da-
für geben. 8 Der antwortete ihm: Siehe, ich
warte, nur verweile nicht zu lange.

9 Und Tobias ging hinein und erzählte
es Tobit, seinem Vater: Siehe, ich habe
jemanden gefunden, der ist von unseren
Brüdern, den Israeliten. Da sprach Tobit
zu ihm: Rufe mir den Menschen herein,
damit ich erfahre, aus welcher Familie
und aus welchem Stamm er ist und ob er
zuverlässig genug ist, um mit dir zu rei-
sen, mein Kind. 10 Und Tobias ging hin-
aus, rief ihn und sagte zu ihm: Freund,
mein Vater ruft dich. So ging er zu ihm
hinein, und Tobit grüßte ihn zuerst, und
er sagte zu ihm: Freude sei mit dir! Und
Tobit antwortete und sprach zu ihm: Was
soll ich denn für Freude haben? Ich bin
ein Mensch, der sein Augenlicht verloren
hat und des Himmels Glanz nicht schauen
kann, sondern liege in der Finsternis wie
die Toten, die das Licht nicht mehr sehen
können. Noch lebendig, weile ich doch
unter den Toten: Ich höre die Menschen
reden, doch ich sehe sie nicht. Und er
sprach zu ihm: Sei getrost, bald wird Gott
dich heilen. Sei getrost! Und Tobit sagte
zu ihm: Tobias, mein Sohn, will nach Me-
dien ziehen. Kannst du ihn begleiten und
ihn hinführen? Ich will dir den Lohn da-
für geben, mein Bruder. Und er antwor-
tete ihm: Gern will ich mit ihm ziehen, ich
kenne alle Wege. Ich bin oft nach Medien
gewandert und habe all seine Ebenen und
Gebirge durchzogen; dort kenne ich alle
Wege.

11 Und Tobit sagte zu ihm: Bruder, aus
welchem Vaterhaus bist du und aus wel-
chem Stamm? Sage es mir! 12 Da sprach er:
Wozu willst du denn meinen Stamm wis-
sen? Und er sagte zu ihm: Ich möchte jetzt
die Wahrheit wissen: Wessen Sohn bist
du, mein Bruder, und wie ist dein Name?
13 Und er sagte zu ihm: Ich bin Asarja,
der Sohn des großen Hananja, einer von
deinen Brüdern. 14 Da sprach er zu ihm:
Gesund und wohlbehalten mögest du
ziehen, mein Bruder! Zürne mir nicht,
Bruder, dass ich die Wahrheit über dein
Vaterhaus wissen wollte! Es fügt sich,
dass du ein Bruder und aus gutem und
edlem Geschlecht bist! Ich kenne Hananja
und Nathan, die zwei Söhne des großen
Schimi; sie sind einst mit mir nach Jeru-
salem gezogen und haben dort mit mir
den Herrn angebetet. Sie sind nie vom
rechten Wege abgefallen; ja, deine Brü-
der sind gute Menschen! Von guter Her-
kunft bist du. Fröhlich mögest du ziehen!
15 Und er fuhr fort: Ich gebe dir zum Lohn
eine Drachme am Tag, dazu auch das,
was ihr, du und mein Sohn, zum Leben
braucht! Mach dich nun auf mit meinem
Sohn, 16 und ich will dir auch noch etwas
zu deinem Lohn hinzufügen. Und er ant-
wortete ihm: Ich werde mit ihm reisen.
Fürchte dich nicht; wohlbehalten werden
wir ausziehen, und wohlbehalten werden
wir zu dir zurückkehren, denn der Weg ist
sicher!

17 Tobit sprach zu ihm: Segen sei mit dir,
mein Bruder. Und er rief seinen Sohn und
sagte zu ihm: Mein Kind, rüste dich für
den Weg und zieh hin mit deinem Bru-
der. Der [a]Gott, der im Himmel wohnt, be-
wahre euch und bringe euch wohlbehal-
ten zu mir zurück. Und sein Engel begleite
euch mit seinem Schutz, mein Kind.

DER ABSCHIED VON DEN ELTERN

Da ging Tobias hinaus, um seines Weges
zu ziehen, und er küsste seinen Vater und
seine Mutter; und Tobit sprach zu ihm:
Reise wohlbehalten. 18 Und seine Mutter
weinte und sagte zu Tobit: Warum hast
du mein Kind weggeschickt? Ist er nicht
unsere Stütze, wenn er bei uns aus und
ein geht? 19 Es muss doch nicht das Sil-
ber zum Silber kommen; ach könnte es
doch das Lösegeld für das Leben unseres

5,6 *a* Jdt 1,1 **5,17** *a* 1. Mose 24,7.40; 2. Mose 23,20

Sohnes werden! 20 Was uns vom Herrn
zum Leben gegeben wurde, ist doch ge-
nug für uns! 21 Doch Tobit sprach zu ihr:
Sorge dich nicht! Wohlbehalten wird un-
ser Kind dahinziehen und wohlbehalten
wird es zu uns zurückkehren. Deine Au-
gen werden es sehen an dem Tage, an dem
es wohlbehalten zu dir zurückkehrt. Sorge
dich nicht um die beiden und fürchte dich
nicht, meine Schwester. 22 Denn ein guter
Engel wird ihn begleiten, und seine Reise
wird gelingen, und er wird wohlbehalten
zurückkehren.
6 Und sie hörte auf zu weinen.

DIE REISE NACH MEDIEN.
DER GROSSE FISCH

2 Und der junge Tobias zog dahin und der
Engel mit ihm, und sein [a]Hund lief hin-
terher und machte sich mit ihnen auf die
Reise. So zogen die beiden hinaus, und als
die Nacht über sie hereinbrach, nächtigten
sie am Fluss Tigris.
3 Und Tobias stieg zum Fluss Tigris
hinab, um seine Füße zu waschen; und
siehe, ein großer Fisch schoss aus dem
Wasser heraus und wollte den Fuß des
Jungen verschlingen. Da schrie er laut.*
4 Und der Engel sagte zu ihm: Pack den
Fisch und zieh ihn heraus! Und der Junge
packte den Fisch und zog ihn aufs Land.
5 Da sagte der Engel zu ihm: Nimm den
Fisch aus und behalte das Herz, die Galle
und die Leber; die Eingeweide aber wirf
weg. Denn Galle, Herz und Leber sind
sehr gut als Arznei. 6 Und Tobias nahm
den Fisch aus und legte Galle, Herz und
Leber beiseite. Den Fisch aber briet er und
aß davon. Er ließ etwas übrig und legte
es in Salz ein. Und die beiden zogen zu-
sammen weiter, bis sie in die Nähe Medi-
ens kamen. 7 Da fragte Tobias den Engel:
Bruder Asarja, was für eine Arznei ist im
Herzen und in der Leber des Fisches und
in seiner Galle? 8 Und er antwortete ihm:
Wenn ein Mann oder eine Frau mit einem
Dämon oder einem bösen Geist geschla-
gen ist, lass das Herz und die Leber des Fi-
sches in Rauch aufgehen. Dann wird jede
Plage von ihnen fliehen, und alle bösen
Geister werden ihnen in Ewigkeit nicht
schaden. 9 Die Galle aber streiche auf die
Augen eines Menschen, die mit weißen
Flecken befallen sind; dann hauche gegen
sie auf die weißen Flecken, und die Augen
werden geheilt.
10 Und als er nach Medien kam und sich
schon in der Nähe Ekbatanas aufhielt,
11 sagte Rafaël zu dem Jungen: Bruder To-
bias! Der antwortete: Siehe, hier bin ich.
Und er sprach zu ihm: Wir müssen diese
Nacht bei Raguël einkehren. Dieser Mann
ist dein Verwandter und hat eine Toch-
ter mit Namen Sara. 12 Da er nun weder
einen männlichen Nachkommen noch
eine Tochter außer Sara hat, bist du ihr
nächster Verwandter. Deshalb kommt es
dir vor allen anderen Männern zu, sie zu
gewinnen. Dir ist es auch bestimmt, alle
Güter ihres Vaters zu erben. Das Mädchen
ist verständig und tüchtig und sehr schön,
und ihr Vater ist edel. 13 Und er sagte: Dir
ist es bestimmt, sie zur Frau zu nehmen.
Hör auf mich, mein Bruder: Heute Nacht
wollen wir mit dem Vater über das Mäd-
chen sprechen und ihn bitten, dass sie
deine Braut werde. Und wenn wir aus
Rages zurückkehren, wollen wir deine
Hochzeit mit ihr feiern. Denn ich weiß,
dass Raguël sie dir nicht verweigern oder
sie einem anderen antrauen kann. Nach
der Ordnung im Buch des Mose wäre er
dann des Todes schuldig, weil er weiß,
dass es dir vor jedem andern zukommt,
seine Tochter zur Frau zu nehmen. Nun
hör mich an, mein Bruder: Wir werden
diese Nacht über das Mädchen sprechen
und sie mit dir verloben. Wenn wir dann
aus Rages zurückkehren, werden wir
die Hochzeit feiern und sie mit uns in
dein Haus führen. 14 Da antwortete To-
bias und sagte zu Rafaël: Bruder Asarja,
ich habe gehört, dass sie schon [a]sieben
Männern nacheinander zur Frau gegeben
worden ist. Alle starben des Nachts in ih-
rem Brautgemach; als sie zu ihr eingehen
wollten, da starben sie. Man sagt, dass
ein böser Geist sie getötet habe. 15 Darum
fürchte ich mich. Denn Sara fügt er keinen
Schaden zu; aber wer sich ihr nähern will,
den tötet er sogleich. Ich bin das einzige
Kind meines Vaters – ach dass ich doch

* **6,3** Der lateinische Text ergänzt: »O Herr, er will mich fressen!«

6,2 ***a*** Kap 11,4 **6,14** ***a*** Kap 3,8

nicht sterben muss und meinen Vater und
meine Mutter aus Schmerz über mich ins
Grab bringe! Sie haben doch keinen ande-
ren Sohn, der sie begraben könnte.
16 Der Engel sprach zu ihm: Gedenkst
du nicht der Worte deines Vaters, der dir
gebot, eine Frau aus dem Hause deines
Vaters zu nehmen? Und nun hör mich,
mein Bruder, und sorg dich nicht wegen
dieses bösen Geistes. Nur zu, denn ich bin
gewiss, dass sie dir diese Nacht zur Frau
gegeben wird.* 17 Wenn du in das Braut-
gemach hineingehst, nimm von der Leber
des Fisches und sein Herz und lege sie auf
glühende Kohlen. Der Geruch wird auf-
steigen 18 und der böse Geist wird ihn rie-
chen und fliehen und nicht mehr bei ihr
erscheinen in alle Ewigkeit. Und wenn du
zu ihr eingehen willst, erhebt euch beide
zuerst; betet und bittet den Herrn des
Himmels, dass Gnade und Heil auf euch
komme. Und fürchte dich nicht, denn dir
ist sie von Ewigkeit her bestimmt, und du
wirst sie retten, und sie wird mit dir zie-
hen. Ja, ich bin mir dessen gewiss, dass du
mit ihr Kinder haben wirst, und sie wer-
den dir wie Brüder sein. Sorg dich also
nicht. Und als Tobias die Worte Rafaëls
hörte und verstand, dass sie eine Schwes-
ter aus der Sippe seines Vaters sei, gewann
er sie lieb und sein Herz hing an ihr.

DIE VERMÄHLUNG

7 Und als sie nach Ekbatana hineingin-
gen, sagte Tobias zu ihm: Bruder Asarja,
führe mich geradewegs zu unserem Bru-
der Raguël. Da führte er ihn zum Hause
Raguëls, und sie fanden ihn, wie er an
der Tür des Hofes saß. Sie grüßten ihn als
Erste, da sagte er zu ihnen: Seid vielmals
gegrüßt, Brüder; wie gut, dass ihr wohl-
behalten angekommen seid. Und er führte
sie in sein Haus. 2 Zu seiner Frau Edna sagte
er: Wie gleicht dieser junge Mann doch
meinem Bruder Tobit! 3 Da fragte Edna
sie: Woher seid ihr, Brüder? Sie antworte-
ten: Aus dem Stamm Naftali sind wir, von
den Gefangenen in Ninive. 4 Und sie sagte
zu ihnen: [a]Kennt ihr Tobit, unseren Bru-
der? Sie antworteten: Ja, wir kennen ihn.
5 Und sie fragte: Ist er wohlauf? Sie ant-
worteten: Ja, er lebt und ist wohlauf. Und
Tobias sagte: Er ist mein Vater. 6 Da sprang
Raguël auf, [a]küsste ihn und weinte 7 und
sprach zu ihm: [a]Gesegnet seist du, mein
Kind, Sohn eines edlen und guten Vaters!
Welch schlimmes Unglück, dass ein so
gerechter und barmherziger Mann blind
wurde! Und er fiel seinem Bruder Tobias
um den Hals und weinte. 8 Und auch seine
Frau Edna und ihre Tochter Sara fingen an
zu weinen. 9 Danach ließ er einen Widder
von der Herde schlachten und nahm sie
mit Freuden auf.

Als sie nach dem Bade zu Tische saßen,
sagte Tobias zu Rafaël: Bruder Asarja,
sage doch zu Raguël, dass er mir meine
Schwester Sara zur Frau gebe. 10 Als Ra-
guël das hörte, sprach er zu dem Jungen:
Iss und trink und sei fröhlich diese Nacht,
denn es gibt niemanden außer dir, Bru-
der, dem es zukommt, Sara, meine Toch-
ter, zur Frau zu nehmen. Auch habe ich
nicht die Macht, sie einem anderen als dir
zu geben, denn du bist mein nächster Ver-
wandter. Freilich will ich dir die Wahrheit
sagen, Kind. 11 Ich habe sie schon sieben
von unseren Brüdern zur Frau gegeben,
und alle sind in der Nacht gestorben, als
sie zu ihr eingehen wollten. Doch jetzt,
mein Kind, iss und trink, und der Herr
wird es euch gewähren. Tobias aber sagte:
Ich will weder essen noch trinken, ehe du
nicht meine Sache entschieden hast. Und
Raguël sagte zu ihm: Wohlan, sie sei dir
gegeben nach der Ordnung im Buch des
Mose. Vom Himmel her ist es bestimmt,
dass sie dir gegeben werde! Nimm deine
Schwester zur Frau! Von nun an bist du
ihr Bruder, und sie ist deine Schwes-
ter. Sie sei dir gegeben von heute an und
bis in Ewigkeit. Und der Herr des Him-
mels bewahre euch in dieser Nacht, mein
Kind, und gewähre euch Gnade und Frie-
den! 12 Dann rief Raguël seine Tochter
Sara, und sie kam herbei. Da legte er ihre
Hände ineinander und sprach: Nimm sie
nach dem Gesetz und der Ordnung, die
im Buch des Mose geschrieben steht, dass
sie deine Frau sei; behalte sie bei dir und

* **6,16** Der lateinische Text berichtet den Befehl des Engels Rafaël, dass Tobias und Sara drei Tage und Nächte im Gebet verbringen sollten, bevor sie die Ehe vollzogen.

7,4 *a* 1. Mose 29,4-6 **7,6** *a* 1. Mose 33,4; 46,29
7,7 *a* 1. Mose 24,31; Ps 112,2

führe sie wohlbehalten zu deinem Vater.
Und der Gott des Himmels bewahre euch
in Frieden! 13 Und er rief ihre Mutter und
befahl ihr, eine Schriftrolle zu bringen,
und er schrieb den Ehevertrag, dass er sie
ihm zur Frau gebe nach der Ordnung im
Gesetz des Mose. 14 Danach begannen sie
zu essen und zu trinken.
15 Und Raguël rief seine Frau Edna und
sprach zu ihr: Meine Schwester, richte die
andere Kammer her und führe sie dort
hinein. 16 Und sie ging und richtete das
Bett in der Kammer her, wie er ihr gesagt
hatte, und sie führte ihre Tochter dort
hinein. Und sie weinte ihretwegen, und
nachdem sie die Tränen abgewischt hatte,
sagte sie zu ihr: 17 Sei getrost, Tochter, der
Herr des Himmels verwandle dein Leid in
Freude. Sei getrost, Tochter! Und sie ging
hinaus.

HOCHZEITSNACHT UND FREUDENMAHL

8 Nachdem sie aufgehört hatten, zu essen
und zu trinken, wollten sie sich schlafen
legen. Und sie holten den jungen Tobias
und führten ihn in die Kammer. 2 Und
Tobias dachte an die Worte Rafaëls und
nahm Leber und Herz des Fisches aus dem
Beutel, den er bei sich trug, und legte sie
auf die glühenden Kohlen.[a] 3 Da hielt der
Geruch des Fisches den bösen Geist zu-
rück, und er entfloh bis nach Ägypten. Ra-
faël aber zog los, band ihm dort die Füße
und fesselte ihn sogleich.
4 Und sie gingen hinaus und verschlos-
sen die Kammertür. Und Tobias erhob
sich vom Lager und sagte zu ihr: Meine
Schwester, steh auf, lass uns beten und
unseren Herrn bitten, dass er uns Barm-
herzigkeit und Heil schenke. 5 Da stand
sie auf, und die beiden begannen zu be-
ten und zu bitten, dass ihnen Heil ge-
schenkt werde. Und Tobias begann zu be-
ten: Gelobt seist du, Gott unserer Väter,
und gelobt sei dein Name in alle Ewigkeit
von Geschlecht zu Geschlecht. Dich sol-
len preisen alle Himmel und deine ganze
Schöpfung in alle Ewigkeit![a] 6 Du hast
Adam erschaffen und seine Frau Eva zur
Hilfe und Stütze, und aus beiden erstand
das Geschlecht der Menschen. Und du
sagtest: »Es ist nicht gut, dass der Mensch
allein sei, wir wollen ihm eine Hilfe ma-
chen, die ihm entspricht.«[a] 7 Und nun,
nicht aus böser Lust nehme ich meine
Schwester zur Frau, sondern reinen Sin-
nes. Lass uns beide Gnade finden und ge-
meinsam alt werden. 8 Und sie sagten mit-
einander: Amen, Amen! 9 Und sie legten
sich schlafen für die Nacht.
Und Raguël stand auf und rief seine Die-
ner zu sich, und sie gingen hin, ein Grab
auszuheben. 10 Denn er sagte: Damit wir
nicht wieder zu Spott und Schmach wer-
den, wenn auch er gestorben ist! 11 Und als
sie das Grab ausgehoben hatten, kehrte
Raguël in sein Haus zurück und rief seine
Frau 12 und sagte: Schick eine Magd los
und lass sie hineingehen und sehen, ob er
noch lebt. Sollte er tot sein, so müssen wir
ihn eilends begraben, damit es niemand
erfahre. 13 Da schickten sie die Magd vor,
zündeten die Lampe an und öffneten die
Tür. Die ging hinein und fand die beiden
ruhig beieinander schlafen.
14 Und die Magd kam zurück und brachte
ihnen die Botschaft, dass er lebte und ihm
kein Übel widerfahren wäre. 15 Und sie
priesen den Gott des Himmels und spra-
chen: Gelobt seist du, Gott, mit lauterem
Dank, loben soll man dich in alle Ewigkeit.
16 Und gelobt seist du, dass du mich mit
Freude erfüllt hast und dass nicht gesche-
hen ist, was wir befürchtet haben. Denn
du hast uns deine große Barmherzigkeit
erwiesen. 17 Und gelobt seist du, dass du
dich dieser beiden Kinder, der einzigen ih-
rer Eltern, erbarmt hast. Gib ihnen, Herr,
Barmherzigkeit und Heil und vollende ihr
Leben in Freude und Barmherzigkeit.
18 Und sogleich befahl Raguël seinen
Dienern, das Grab wieder zuzuschütten,
ehe es Tag würde. 19 Seiner Frau aber trug
er auf, viele Brote zu backen. Er ließ zwei
Rinder und vier Widder schlachten und
für ein Festmahl zubereiten. 20 Dann rief
er Tobias und sagte zu ihm: Vierzehn Tage
sollst du noch nicht von hier abreisen,
sondern bleib, um mit uns zu essen und
zu trinken und die betrübte Seele mei-
ner Tochter zu erfreuen. 21 Alsdann nimm
von all meinen Gütern die Hälfte und
kehre wohlbehalten zu deinem Vater zu-
rück. Die andere Hälfte soll euch zufallen,

8,2 *a* Kap 6,8.17 **8,5** *a* Ps 148,1-14 **8,6** *a* 1. Mose 2,7.18

wenn ich und meine Frau gestorben sind.
Sei getrost, mein Kind, ich bin dein Vater,
und Edna ist deine Mutter, und wir sind
bei dir und bei deiner Schwester von nun
an bis in Ewigkeit. Sei getrost, mein Kind.

RAFAËLS REISE ZU GABAËL

9 Da rief Tobias Rafaël herbei und sprach
zu ihm: 2 Bruder Asarja, nimm dir vier
Knechte und zwei Kamele und ziehe nach
Rages. Dort geh zu Gabaël, leg ihm die [a]Un-
terschrift vor, hole das Silber und bringe
ihn mit zu meiner Hochzeit. 3-4 Denn du
weißt, dass mein Vater die Tage zählt, und
wenn ich auch nur einen Tag zu lange fort-
bliebe, würde ich ihn sehr betrüben. Ich
muss hierbleiben, denn du siehst ja, wie
sehr mich Raguël gebeten hat, sodass ich's
ihm nicht abschlagen kann.

5 Da zog Rafaël mit vier Knechten und
zwei Kamelen nach Rages in Medien, und
sie nahmen bei Gabaël Herberge. Und Ra-
faël zeigte ihm die Unterschrift und be-
richtete ihm, dass Tobias, der Sohn des
Tobit, eine Frau genommen habe und ihn
zur Hochzeit einlade. Da stand Gabaël auf
und zählte ihm die versiegelten Beutel
vor, und sie luden sie auf. 6 Und früh am
Morgen brachen sie gemeinsam auf und
machten sich auf den Weg zur Hochzeit.

Als sie in das Haus Raguëls kamen, fan-
den sie Tobias bei Tisch. Der sprang auf
und begrüßte Gabaël, und er weinte und
segnete ihn und sprach zu ihm: Du Guter
und Edler, Sohn eines guten, edlen, ge-
rechten und barmherzigen Mannes! Der
Herr gebe dir und deiner Frau und auch
deinem Vater und der Mutter deiner Frau
den Segen des Himmels. Gelobt sei Gott,
dass ich in dir meinen Vetter Tobit sehe, so
[a]ähnlich bist du ihm!

SORGE UM TOBIAS

10 Tag für Tag zählte Tobit, wie lange
sein Sohn Tobias hinreisen und wann
er zurückkehren werde. Als aber die Tage
um waren und sein Sohn nicht erschien,
2 fragte er sich: Ist er vielleicht dort aufge-
halten worden? Vielleicht ist Gabaël ge-
storben, und niemand will ihm das Silber
zurückgeben? 3 Da wurde er sehr traurig.
4 Und Hanna, seine Frau, klagte: Mein
Kind ist umgekommen und weilt nicht
mehr unter den Lebenden! So begann sie,
über ihren Sohn zu weinen und zu klagen,
und sie sprach: 5 Weh mir, Kind, dass ich
dich ziehen ließ, du Licht meiner Augen!

6 Und Tobit sagte zu ihr: Sei still und
sorge dich nicht, Schwester! Unserm
Sohn geht's gut! Gewiss sind sie dort auf-
gehalten worden. Er hat doch einen zuver-
lässigen Begleiter, einen von unseren Brü-
dern! Trauere nicht um ihn, Schwester, er
wird schon zurückkehren! 7 Sie aber sagte
zu ihm: Schweig still und täusche mich
nicht! Umgekommen ist mein Kind! Und
sie sprang auf und hielt alle Tage Ausschau
auf den Weg, den ihr Sohn gegangen war,
und ließ sich durch niemanden über-
zeugen. Und wenn die Sonne unterging,
kehrte sie ins Haus zurück und klagte und
weinte die ganze Nacht und fand keinen
Schlaf.

ABSCHIED IN EKBATANA

Und als die vierzehn Tage der Hochzeit
um waren, die Raguël seiner Tochter ver-
sprochen hatte, ging Tobias zu ihm hin-
ein und sagte: Lass mich ziehen! Ich weiß,
dass mein Vater und meine Mutter schon
nicht mehr glauben, mich wiederzuse-
hen! Und nun bitte ich dich, mich ziehen
zu lassen, um zu meinem Vater zu reisen!
Ich habe dir ja schon erzählt, wie ich ihn
zurückgelassen habe. 8 Raguël aber sagte
zu Tobias: Bleib, Kind, bleibe bei mir; ich
will Boten zu deinem Vater Tobit schicken
und ihn wissen lassen, wie es dir geht.
9 Tobias aber antwortete: Nein! Ich bitte
dich: Lass mich zu meinem Vater ziehen!
10 Da erhob sich Raguël und gab Tobias
seine Frau Sara und die Hälfte von all sei-
nem Hab und Gut: Knechte und Mägde,
Rinder und Schafe, Esel und Kamele, Klei-
dung und Silber und kostbares Geschirr.[a]
11 Und er ließ ihn gesund und fröhlich von
sich ziehen und sprach zu ihm: Bleib ge-
sund, Kind, und zieh wohlbehalten dahin!
Der Herr des Himmels sei mit dir und dei-
ner Frau Sara auf dem Wege! Meine Au-
gen mögen eure Kinder sehen, ehe ich
sterbe. 12 Und Raguël sprach zu Sara, sei-
ner Tochter: Geh zu deinem Schwieger-
vater, denn er und seine Frau sind von nun

9,2 *a* Kap 5,3 **9,6** *a* Kap 7,2 **10,10** *a* 1. Mose 24,35

an wie deine eigenen Eltern! Zieh hin in Frieden, Tochter; ich möchte gute Nachricht von dir hören, solange ich lebe. So nahm er Abschied von ihnen und ließ die beiden ziehen. Edna aber sprach zu Tobias: Kind und geliebter Bruder! Der Herr bringe dich zurück, und noch zu meinen Lebzeiten möchte ich eure Kinder sehen! Der Herr sei Zeuge: Wie ein kostbares Gut vertraue ich dir meine Tochter an. Betrübe sie nicht, dein Leben lang! Kind, zieh in Frieden. Von nun an bin ich deine Mutter, und Sara ist deine Schwester! Mögen wir alle gesund und fröhlich sein alle Tage unseres Lebens. Und sie küsste sie beide und ließ sie wohlbehalten ziehen. 13 Und Tobias zog von Raguël los, gesund und fröhlich, und er pries den Herrn des Himmels und der Erde, den König über alles, dass er seinen Weg hatte gelingen lassen.*

HEIMKEHR UND HEILUNG

11 Und als sie auf dem Heimweg nach Kaserin kamen, das Ninive gegenüber liegt, 2 sagte Rafaël: Du weißt, [a]wie es deinem Vater ging, als wir ihn verlassen haben. 3 Wir wollen nun deiner Frau vorauseilen und das Haus herrichten, in das sie mit dem Gesinde dann nachkommen wird. 4 Da zogen sie gemeinsam voraus. Der Engel aber sprach zu Tobias: Nimm etwas von der Galle des Fisches zur Hand. Der Hund aber lief hinter ihnen her.

5 Hanna aber saß da und hielt am Wege Ausschau nach der Heimkehr ihres Sohnes. 6 Und als sie ihn kommen sah, sprach sie zu seinem Vater: Siehe, dein Sohn kommt und mit ihm sein Begleiter!

7 Aber noch bevor sich Tobias seinem Vater nähern konnte, sprach Rafaël zu ihm: Ich weiß, wie seine Augen wieder geöffnet werden können: 8 Reibe die Fischgalle in seine Augen! So wird die Arznei die weißen Flecken zusammenziehen und von seinen Augen abschälen, und dein Vater wird aufblicken und das Licht wieder schauen.

9 Da lief Hanna herbei und fiel ihrem Sohn um den Hals und sagte zu ihm: Ich habe dich wiedergesehen, Kind, nun kann ich sterben. Und sie weinte. 10 Und Tobit stand auf und stolperte zur Tür des Hofes hinaus. Tobias aber ging ihm entgegen 11 mit der Fischgalle in der Hand. Und er blies ihm in die Augen, ergriff ihn und sprach: Sei getrost, Vater! Und er trug die Arznei auf und verrieb sie. 12-13 So schälte er die weißen Flecken mit den Händen aus seinen Augenwinkeln. Da fiel ihm Tobit um den Hals, 14 und er weinte und sprach zu ihm: Ich sehe dich, Kind, du Licht meiner Augen! Und er hob an: [a]Gepriesen sei Gott und gepriesen sei sein großer Name, und gepriesen seien alle seine heiligen Engel! Sein großer Name sei unter uns, und gepriesen seien alle Engel in alle Ewigkeiten! 15 Denn er hat mich [a]gezüchtigt, aber siehe, nun kann ich meinen Sohn Tobias wieder sehen! Da ging Tobias hinein voll Freude und pries Gott aus vollem Munde, und er erzählte seinem Vater, dass sein Weg gelungen sei und dass er das Silber mitgebracht habe. Und er berichtete, wie er Sara, die Tochter Raguëls, zur Frau genommen habe und dass sie schon auf dem Weg und kurz vor den Toren Ninives sei.

TOBIT EMPFÄNGT SARA

16 Da ging Tobit hinaus an das Tor Ninives, seiner Schwiegertochter entgegen; voller Freude pries er Gott. Als die Bewohner Ninives ihn gehen sahen, wie er aus eigener Kraft einherschritt und von keinem an der Hand geführt werden musste, wunderten sie sich sehr. 17 Tobit aber tat ihnen kund, dass Gott sich seiner erbarmt und ihm die Augen geöffnet habe. Und Tobit näherte sich Sara, der Frau seines Sohnes Tobias. Er segnete sie und sagte zu ihr: Mögest du wohlbehalten eintreten, Tochter! Gepriesen sei dein Gott, der dich zu uns geführt hat, Tochter! Und gesegnet sei dein Vater und gesegnet sei mein Sohn Tobias und gesegnet seist du, Tochter. Tritt wohlbehalten ein in dein Haus, in Segen und Freude; tritt ein, Tochter! An diesem Tag widerfuhr allen Juden, die in Ninive wohnten, große Freude. 18 Auch Achikar und Nabad, die Vettern des Tobias, kamen und freuten sich mit ihm.

* **10,13** Im griechischen Text folgt ein Satz, der wohl am Ende der Rede des Raguël (Vers 12) stand: »Und er sagte zu ihm: Möge es dir gelingen, ihn alle Tage ihres Lebens zu ehren.«

11,2 *a* Kap 5,10 **11,14** *a* 1. Chr 29,10; Jdt 13,17
11,15 *a* Weish 3,5

RAFAËLS ABSCHIED

12 Und als die Hochzeit vorüber war, rief
Tobit seinen Sohn Tobias und sprach
zu ihm: Kind, achte darauf, deinem [a]Be-
gleiter seinen Lohn zu geben, und gib ihm
noch etwas dazu. 2 Und Tobias antwortete
ihm: Vater, welchen Lohn soll ich ihm ge-
ben? Ich schade mir wohl nicht, wenn ich
ihm die Hälfte des Guts gebe, das er mit
mir hierher gebracht hat. 3 Wohlbehalten
hat er mich hin- und zurückgeleitet und
meine Frau geheilt. Auch hat er das Silber
zusammen mit mir hierher gebracht, und
noch dazu hat er dich geheilt. Wie viel soll
ich ihm als Lohn geben? 4 Und Tobit sagte
zu ihm: Kind, ihm steht die Hälfte von
allem zu, das er mit hierher gebracht hat.
5 Und er rief Rafaël und sagte: Nimm dir
als Lohn die Hälfte von allem, was du mit
hierher gebracht hast, und ziehe gesund
und fröhlich dahin!

6 Da nahm der Engel die beiden bei-
seite und sprach zu ihnen: Lobt Gott und
dankt ihm vor allen Geschöpfen, dass er
euch Gutes getan hat, damit man seinen
Namen preist und rühmt! Verkündet
die Worte Gottes allen Menschen in Eh-
ren und verschweigt nicht sein Lob! 7 Es
ist gut, das Geheimnis eines [a]Königs zu
verbergen, doch die Werke Gottes soll
man offenbar machen und in Ehren prei-
sen. Tut Gutes, so wird euch das Böse
nicht finden. 8 Ein Gebet in Wahrheit und
[a]Almosengeben in Barmherzigkeit sind
besser als Reichtum in Ungerechtigkeit.
Almosen geben ist besser, als Gold anzu-
häufen.[b] 9 **Barmherzigkeit errettet vom
Tode, und sie reinigt von jeder Sünde.
Wer Barmherzigkeit übt, wird mit Le-
ben gesättigt.**[a] 10 Wer aber Sünde und
Unrecht tut, bringt sich selber um sein
Leben.[a]

11 So will ich euch nun die ganze Wahr-
heit offenbaren und euch nichts verheim-
lichen. Ich habe euch schon kundgetan
und gesagt: Es ist gut, das Geheimnis
eines Königs zu verbergen, doch die
Werke Gottes soll man in Ehren offen-
bar machen. 12 Als du, Tobit, hier gebetet
hast und Sara in Ekbatana, da brachte ich
euer Gebet vor die Herrlichkeit des Herrn,
und solches geschah auch, als du die To-
ten begrubst. 13 Als du nicht gezögert hast,
aufzustehen und dein [a]Mahl im Stich zu
lassen, und hingegangen bist, um den To-
ten zu begraben, 14 da wurde ich zu dir
geschickt, um dich zu prüfen. Zugleich
aber sandte mich Gott, um dich und deine
Schwiegertochter Sara zu heilen. 15 Denn
ich bin Rafaël*, einer von den [a]sieben En-
geln, die vor die Herrlichkeit des Herrn
treten dürfen.

16 Da erschraken die beiden und fielen
auf ihr Angesicht, denn sie fürchteten
sich. 17 Der Engel aber sprach zu ihnen:
Fürchtet euch nicht! Friede sei mit euch!
Preist Gott in alle Ewigkeit! 18 Denn nicht
aus eigener Güte, sondern nach dem Wil-
len Gottes ist es geschehen, dass ich bei
euch war. Preist ihn alle Tage und lobsingt
ihm! 19 Ihr habt nicht gesehen, dass ich et-
was gegessen habe – es war nur eine Er-
scheinung. 20 Und nun preist den Herrn
auf der Erde und dankt Gott! Siehe, ich
steige zu dem empor, der mich gesandt
hat. Schreibt alles auf, was euch geschehen
ist! Und der Engel stieg empor.

21 Und als sie sich erhoben, war er nicht
mehr zu sehen. 22 Da priesen und lobsan-
gen sie Gott und dankten ihm für seine
großen Werke und dass ihnen ein Engel
Gottes erschienen war.

DER LOBGESANG DES TOBIT

13 Da sprach Tobit:

[a]Gepriesen sei Gott, der Lebendige,
und seine Königsherrschaft
in Ewigkeit,
2 denn er [a]züchtigt und ist gnädig,
er [b]führt hinab in die Unterwelt
unter der Erde
und er führt wieder hinauf
aus dem großen Verderben,
und niemand kann [c]seiner Hand
entfliehen.

3 Dankt ihm, ihr Israeliten,
vor den Völkern.
Denn er hat euch unter sie zerstreut

* **12,15** Der Name bedeutet »Gott heilt«.

12,1 *a* Kap 5,10 **12,7** *a* Spr 25,2 **12,8** *a* Kap 4,10
b Spr 28,6 **12,9** *a* Spr 10,2; Sir 29,10-13
12,10 *a* Spr 14,34 **12,13** *a* Kap 2,3-4 **12,15** *a* Offb 8,2
13,1 *a* 1. Chr 29,10 **13,2** *a* Kap 11,15 *b* 1. Sam 2,6-7;
Weish 16,13 *c* Weish 16,15

4 und hat euch dort seine Größe
kundgetan.
Erhebt ihn vor allem Lebendigen,
denn er ist unser Herr und er ist
unser Gott;
er ist unser Vater und er ist Gott
in alle Ewigkeit!
5 Er wird euch züchtigen wegen eurer
ungerechten Taten
und wird sich euer aller erbarmen
unter allen Völkern,
unter die ihr zerstreut worden seid.
6-9 Wenn ihr zu ihm zurückkehrt
mit eurem ganzen [a]Herzen
und mit eurer ganzen Seele,
um vor ihm in der [b]Wahrheit
zu wandeln,
dann wird auch er zu euch
zurückkehren
und sein Angesicht nicht mehr
vor euch verbergen.
So erkennt, was er an euch getan hat,
und dankt ihm aus vollem Munde.
Ja, preist den Herrn der Gerechtigkeit
und erhebt den König
der Ewigkeiten!
10 Und dein Zelt, [a]Jerusalem,
wird mit Freuden wieder erbaut
werden.
Und der Herr erfreue alle deine
Gefangenen
und erweise Liebe allen deinen
Elenden
für alle Geschlechter auf ewig.
11 Ein helles Licht wird leuchten
bis an die Grenzen der Erde.
Viele Völker [a]werden von Ferne
zu dir kommen,
die Bewohner von allen Enden der Erde
zu deinem heiligen Namen,
und ihre [b]Geschenke werden sie
in den Händen halten für den König
des Himmels.
Die fernsten Geschlechter werden
in dir Jubellieder singen,
und der Name der auserwählten
Stadt bleibe auf ewig!
12 Verflucht seien alle,
die ein hartes Wort sagen;
verflucht seien alle,
die dich zerstören
und deine Mauern stürzen,
die deine Türme einreißen und deine
Häuser niederbrennen;
aber [a]gesegnet seien alle,
die dich fürchten, in Ewigkeit.
13 Dann mache dich auf, Jerusalem,
und juble über die Söhne
der Gerechten,
denn [a]sie werden alle versammelt
werden
und den Herrn der Ewigkeit preisen.
14 Selig sind, die dich lieben,
und selig, die sich über deinen
Frieden freuen!
Und selig seien alle Menschen,
die über dich und alle deine
Züchtigungen betrübt sind,
denn in dir werden sie sich freuen
und alle deine Freude sehen
in Ewigkeit.
15 Lobe den Herrn, meine Seele,
den großen König!
16 [a]Denn Jerusalem wird
erbaut werden,
ja, Gottes Haus in alle Ewigkeit!
Selig werde ich sein,
wenn meine Nachkommen
deine Herrlichkeit sehen
und dem König des Himmels danken!
Deine Tore, Jerusalem,
werden von Saphir und von Smaragd
erbaut werden
und von Edelsteinen all deine Mauern.
Die Türme Jerusalems werden
mit Gold erbaut werden,
ja, ihre Zinnen mit reinem Gold!
17 Die Plätze Jerusalems werden
mit Rubin gepflastert werden
und mit Ofirstein.
18 Und die Tore Jerusalems
werden Jubellieder singen
und alle Häuser werden rufen:
»Halleluja. Gepriesen sei
der Gott Israels.«
Ja, die Gesegneten werden
den heiligen Namen preisen
bis in alle Ewigkeit!

14 Hier endet Tobits Lobgesang.

13,6-9 *a* 5. Mose 6,5 *b* Ps 86,11 **13,10** *a* Jes 44,26.28; Am 9,11 **13,11** *a* Jes 2,3 *b* Mt 2,11 **13,12** *a* 4. Mose 24,9
13,13 *a* Jes 49,18; Bar 4,37; 5,5
13,16 *a* (16-17) Offb 21,18-21; Jes 54,11-12

TOBITS VERMÄCHTNIS

Und Tobit starb in Frieden, 112 Jahre alt,
und wurde mit Ehren in [a]Ninive begraben.
2 Denn zweiundsechzig Jahre war er alt, als
seine Augen blind wurden. Und nachdem
er wieder sehend geworden war, lebte er
im Reichtum und übte Barmherzigkeit.
Und alle Tage pries er Gott, dankte ihm
und lobte seine Größe.
3 Und als er im Sterben lag, [a]rief er sei-
nen Sohn Tobias zu sich und gebot ihm:
Mein Kind, nimm deine Kinder 4 und
zieh nach Medien; denn ich bin gewiss,
dass das Wort Gottes über Ninive, das
[a]Nahum gesprochen hat, über Assur und
Ninive eintreffen wird; ja, alles wird ein-
treffen, was die Propheten Israels gesagt
haben, die Gott gesandt hat, und [b]keines
von allen Worten wird vergehen, sondern
alles wird sich ereignen zu seiner Zeit. In
Medien aber wird eher Rettung sein als
in Assyrien und Babylonien. Denn ich
bin gewiss, dass alles, was Gott gespro-
chen hat, in Erfüllung gehen und ge-
schehen wird; und keines seiner Worte
wird vergehen. Und unsere Brüder, die
im Land Israel wohnen, werden alle zer-
streut und aus dem guten Land in die
Gefangenschaft geführt werden, und das
ganze Land Israel wird wüst sein, Sama-
rien und Jerusalem werden wüst sein,
und das Haus Gottes wird eine Zeit lang
trauern und verbrannt sein. 5 Aber Gott
wird sich ihrer wieder erbarmen, und
Gott wird sie in das Land Israel zurück-
führen, und sie werden das Haus wieder
erbauen – aber nicht so wie das erste ge-
wesen ist – bis zu der Zeit, da der Welten
Lauf erfüllt ist. Und danach [a]werden sie
alle zurückkehren aus ihrer Gefangen-
schaft und Jerusalem herrlich aufbauen,
und das Haus Gottes wird darin gebaut
werden, wie die Propheten Israels ge-
sprochen haben. 6 [a]Und alle Völker auf der
ganzen Welt, alle werden umkehren und
Gott in Wahrheit fürchten. Sie werden
alle ihre [b]Götzenbilder verlassen, die sie
täuschten und auf falsche Wege führten.
7 Und sie werden den Gott der Ewigkeit
in Gerechtigkeit preisen. Alle Israeliten,
die in jenen Tagen gerettet werden und
Gottes in Wahrheit gedenken, werden
versammelt werden und nach Jerusa-
lem kommen und auf ewig in [a]Sicher-
heit im Land Abrahams wohnen, und
es wird ihnen gegeben werden. Freuen
sollen sich alle, die Gott in Wahrheit lie-
ben, die aber Sünde und Ungerechtigkeit
tun, werden von der ganzen Erde ver-
schwinden.
8-9 Nun aber, Kinder, gebiete ich euch:
[a]Dient Gott in Wahrheit und tut, was
ihm gefällt. Lehrt eure Kinder, Gerechtig-
keit und Barmherzigkeit zu üben, Gottes
zu gedenken und seinen Namen allezeit
in Wahrheit und mit aller Kraft zu prei-
sen. Und nun, Kind, zieh fort aus Ninive
und bleibe nicht hier. 10 Von dem Tag an,
an dem du deine Mutter [a]neben mir be-
graben hast, bleibe nicht mehr an diesem
Ort! Denn ich sehe, dass viel Ungerech-
tigkeit in Ninive ist und dass viel Betrug
dort verübt wird und sie sich nicht schä-
men. Sieh, Kind, was Nadab dem Achi-
kar antat, der ihn doch aufgezogen hat.
Wurde er nicht lebendig unter die Erde
gebracht? Und Gott vergalt ihm seine
Schande ins Angesicht. Achikar ging
heraus ins Licht, Nadab aber ging hinein
in die ewige Finsternis, weil er Achikar
töten wollte. Indem er Barmherzigkeit
wirkte, entkam er der Schlinge des To-
des, die Nadab ihm gelegt hatte; Nadab
aber fiel in die Schlinge des Todes, und
sie richtete ihn zugrunde. 11 Und nun,
Kinder, seht, was Barmherzigkeit ver-
mag und was Ungerechtigkeit vermag,
denn sie tötet. Und siehe, meine Seele
verlässt mich! Da legten sie ihn auf sein
Lager, und er starb und wurde in Ehren
begraben.
12 Und als auch seine Mutter gestor-
ben war, begrub Tobias sie neben seinem
Vater. Er selbst aber zog mit seiner Frau
[a]nach Medien und wohnte bei seinem
Schwiegervater Raguël in Ekbatana. 13 Er
aber sorgte für sie in Ehren in ihrem Al-
ter und begrub sie in Ekbatana in Medien;
und er [a]erbte das Haus Raguëls und das
seines Vaters Tobit. 14 Und er starb in Eh-
ren im Alter von 117 Jahren. 15 Vor seinem

14,1 *a* Kap 1,10 **14,3** *a* 1. Mose 47,29; 49,1
14,4 *a* Nah 3,1-19; Zef 2,13 *b* Jos 21,45 **14,5** *a* Jer 30,10
14,6 *a* (6-7) Jes 2,2-3; Offb 15,4 *b* Jer 16,19
14,7 *a* Hes 34,28 **14,8-9** *a* Ps 26,3; Joh 4,24
14,10 *a* Kap 4,4 **14,12** *a* Kap 10,11 **14,13** *a* Kap 8,21

Tod aber bekam er noch Kunde vom [a]Untergang Ninives und er sah, wie die Gefangenen, die Achiachar, der König von Medien, genommen hatte, nach Medien gebracht wurden. Da pries er Gott für alles, was er den Leuten von Ninive und den Assyrern angetan hatte. [b]So freute er sich vor seinem Tod über den Untergang Ninives und pries Gott den Herrn in alle Ewigkeit.

DAS BUCH JESUS SIRACH

VORREDE

1 Vieles und Großes ist uns gegeben [a]durch das Gesetz und die Propheten 2 und die Schriften, die sich daran anschließen; 3 daher [a]muss man Israel wegen solcher Lehre und Weisheit loben. 4 [2] Darum sollen nicht allein, die sie lesen, daraus weise werden, 5-6 sondern die sich um Erkenntnis mühen, sollen mit Lehren und Schreiben auch denen dienen, die dazu nicht imstande sind.

7 [3] So hat mein Großvater Jesus mit besonderem Fleiß 8 das Gesetz, 9 die Propheten 10 und die andern Bücher unserer Väter gelesen, 11 sich wohl darin geübt 12 und es auch selbst unternommen, etwas von rechtem und weisem Leben zu schreiben, 13 [4] damit die, die gerne lernen und sich darin vertiefen wollen, 14 in einem gesetzestreuen Leben immer verständiger werden.

15 [5] Darum bitte ich euch, 16-19 dies Buch freundlich aufzunehmen und aufmerksam zu lesen und dort Nachsicht zu üben, wo es scheint, 20 dass wir einige Worte nicht recht getroffen haben, obwohl wir uns bemühten, gut zu übersetzen. 21-22 [6] Denn was in hebräischer Sprache geschrieben ist, wirkt nicht ebenso, wenn man's in einer andern Sprache wiedergibt. 23 Nicht allein mein Buch, 24 [7] sondern selbst das Gesetz und die Propheten 25 und die übrigen Bücher 26 lauten oft recht anders, wenn sie in ihrer eignen Sprache gelesen werden.

27 [8] Im achtunddreißigsten Jahr des Königs Ptolemäus Euergetes* 28 kam ich nach Ägypten und blieb dort, solange er lebte. 29 Da ich auch dort nicht geringe Bildung fand, 30 [9] sah ich's als gut und notwendig an, auch selbst Eifer und Mühe darauf zu verwenden, dies Buch zu übersetzen. 31-32 [10] Im Laufe der Zeit habe ich viele schlaflose Nächte und große Kenntnisse darauf verwendet, 33 dies Buch fertigzustellen und herauszubringen, 34 damit auch alle, die in der Fremde gerne lernen wollen, 35-36 sich gute Sitten aneignen, um gesetzestreu zu leben.

DER GÖTTLICHE URSPRUNG DER WEISHEIT

**1 Alle Weisheit kommt vom Herrn
und ist bei ihm in Ewigkeit.**[a] 2 [a]Wer
kann sagen, wie viel Sand das Meer, wie
viel Tropfen der Regen und wie viel Tage
die Welt hat? 3 Wer kann erforschen, wie
hoch der Himmel, wie breit die Erde, wie
tief das Meer ist? Wer kann die Weisheit
ergründen? 4 Denn die Weisheit ist [a]vor
allem geschaffen; Verstand und Einsicht
sind von Ewigkeit her. 5 [Das Wort Got-
tes in der Höhe ist die [a]Quelle der Weis-
heit, und sie verzweigt sich in die ewi-
gen Gebote.] 6 [a]Wem wurde die Wurzel
der Weisheit aufgedeckt, und wer kann
ihre Pläne erkennen? 7 [Wem wurde
das Wissen um die Weisheit offenbart,
und wer hat die Fülle ihrer Erfahrung
erfasst?]
8 [7] Einer ist's, der ist weise und sehr
zu fürchten; [8] er sitzt auf seinem Thron.
9 [9] Der Herr selbst hat die Weisheit ge-

* **Vers 27** 133/132 v. Chr.

14,15 *a* Nah 3,7 *b* Jona 4,11 **Vers 1** *a* Lk 24,44
Vers 3 *a* 5. Mose 4,6 **1,1** *a* Spr 2,6; 8,22-23; Weish 9,4; Jak 1,17 **1,2** *a* (2-3) Spr 30,4; Jes 40,12-14 **1,4** *a* Kap 24,9
1,5 *a* Kap 24,25-27; Bar 3,12 **1,6** *a* (6-8) Hiob 28,21-23

schaffen und [a]gesehen und hat sie gemes-
sen [10]und hat sie ausgeschüttet über alle
seine Werke 10 und über alles Fleisch nach
seinem Gefallen und [a]gibt sie denen, die
ihn lieben. [14] [**Gott lieben, das ist die al-
lerschönste Weisheit.** Und er gewährt
sie, denen er sich zeigt, sodass sie ihn
schauen.]

GOTTESFURCHT UND MENSCHLICHE WEISHEIT

11 [11]Die Furcht des Herrn ist Ehre und
Ruhm, Freude und ein Siegeskranz.
12 [12]Die Furcht des Herrn macht das Herz
fröhlich und gibt Freude und Wonne und
langes Leben. [Die Furcht des Herrn ist
vom Herrn gegeben, und durch Liebe be-
festigt sie die Pfade.] 13 [13][a]Wer den Herrn
fürchtet, dem wird's am Ende wohlerge-
hen, und am Tage seines Todes wird er den
Segen empfangen.

14 [16][a]Die Furcht des Herrn ist der Weis-
heit Anfang: Zugleich mit den Gläubi-
gen ist sie im Mutterleib erschaffen. 15 Bei
den Menschen baut sie ein Nest – einen
Grundstein auf ewig, und auch die Nach-
kommen werden auf sie trauen.

16 [20][a]Den Herrn fürchten sättigt mit
Weisheit, und sie macht trunken mit ih-
ren Früchten. 17 [21]Sie erfüllt das ganze
Haus mit begehrten Gaben und die Scheu-
nen mit ihren Schätzen.

18 [22]Die Furcht des Herrn ist die Krone
der Weisheit, [23]Frieden und Heil lässt sie
sprießen. [Beides aber sind Gaben Gottes
zum Frieden, und Ruhm breitet sich aus
bei denen, die ihn lieben.] 19 [24]Wissen,
Erkenntnis und Einsicht lässt der Herr
regnen; er erhöht den Ruhm derer, die an
der Weisheit festhalten.

20 [25]Den Herrn fürchten ist die Wur-
zel der Weisheit, und ihre Zweige grü-
nen ewiglich. 21 [Die Furcht des Herrn
[a]vertreibt die Sünden; wo sie bleibt, be-
schwichtigt sie allen Zorn.] 22 [27]Unrech-
ter Zorn kann nicht recht behalten; denn
Unmaß im Zorn bringt zu Fall. 23 [28]Ein
Langmütiger hält aus bis zur rechten Zeit,
und später wird ihm Freude erwachsen.
24 [29]Bis zur rechten Zeit unterdrückt
er seine Worte; [30]dann aber werden
viele seine Einsicht rühmen. 25 [31]Aus
dem Schatz der Weisheit kommen tref-
fende Worte, aber dem Sünder ist Fröm-
migkeit ein Gräuel.

26 [32]Willst du weise werden, so halte
die Gebote, dann wird der Herr dir die
Weisheit geben. 27 [33]Denn [a]die Furcht des
Herrn ist Weisheit und Zucht; Glaube und
Geduld gefallen ihm wohl.

28 [34]**Sei nicht ungehorsam dem Ge-
bot, den Herrn zu fürchten, und die-
ne Gott nicht mit geteiltem Herzen.**
29 [35]Suche nicht [a]Ruhm bei den Leuten
durch Heuchelei und gib acht, was du re-
dest. 30 [36]Überhebe dich nicht, damit du
nicht fällst und zuschanden wirst.[a] [37]Der
Herr wird deine Tücke offenbaren und
dich öffentlich vor den Leuten stürzen,
[38]weil du dem Herrn nicht in rechter
Furcht gedient hast und dein Herz voller
Falsch gewesen ist.

ANFECHTUNG UND GOTTVERTRAUEN

2 Mein Kind, willst du des Herrn Diener
sein, so bereite dich auf Anfechtung vor.
2 Festige dein Herz und wanke nicht und
lass dich nicht erschüttern in der Zeit der
Not. 3 Halt dich an Gott und weiche nicht,
damit du am Ende gestärkt bist. 4 Alles,
was dir widerfährt, das nimm auf dich,
und sei geduldig bei jeder neuen Demü-
tigung. 5 Denn [a]**wie das Gold durchs
Feuer, so werden auch, die Gott gefal-
len, durchs Feuer der Trübsal erprobt.**
[In Krankheit und Not vertraue auf ihn.]

6 Vertraue Gott, so wird er sich deiner
annehmen; geh gerade Wege und [a]hoffe
auf ihn! 7 [9]Die ihr den Herrn fürchtet,
wartet auf seine Gnade und weicht nicht,
damit ihr nicht zugrunde geht. 8 [7]Die
ihr den Herrn fürchtet, vertraut ihm, so
wird es euch an Lohn nicht fehlen. 9 [8]Die
ihr den Herrn fürchtet, hofft das Beste
von ihm, hofft auf ewige Freude und
Gnade. [Denn dafür gibt er ewige Gabe
mit Freude.] 10 [10][a]Blickt auf die früheren
Geschlechter und besinnt euch: [11][b]Wer
ist jemals zuschanden geworden, der auf
den Herrn gehofft hat? [12]Wer ist jemals

1,9 ***a*** Hiob 28,27 **1,10** ***a*** Pred 2,26 **1,13** ***a*** Ps 37,37
1,14 ***a*** Spr 1,7 **1,16** ***a*** *(16-17)* Weish 7,11 **1,21** ***a*** Spr 16,6
1,27 ***a*** Spr 15,33 **1,29** ***a*** Mt 6,1-2 **1,30** ***a*** Spr 16,18;
Mt 23,12 **2,5** ***a*** Weish 3,5-6 **2,6** ***a*** Ps 37,5
2,10 ***a*** *(10-11)* Ps 22,5-6; Jdt 13,14; 1. Makk 2,50-61
b Hiob 4,7

verlassen worden, der in der Furcht des
Herrn geblieben ist? Oder wer ist jemals
von ihm verschmäht worden, der ihn an-
gerufen hat? 11 [13] Denn der Herr ist gnädig
und barmherzig und [a]vergibt Sünden und
hilft in der Not.

12 [14] Weh denen, die an Gott verzagen
und nicht an ihm festhalten, und dem
Gottlosen, der hin und her schwankt!
13 [15] Weh den Verzagten! Denn sie glau-
ben nicht; darum werden sie auch nicht
beschirmt.[a] 14 [16] Weh euch, die ihr die
Geduld verloren habt: [17] Wie wird es
euch ergehen, wenn euch der Herr heim-
sucht?

15 [18] Die den Herrn fürchten, glauben
seinem Wort; und die ihn lieben, bleiben
auf seinen Wegen.[a] 16 [19] Die den Herrn
fürchten, tun, was ihm gefällt; [20] und die
ihn lieben, sättigen sich an seinem Gesetz.
17 [21] Die den Herrn fürchten, machen ihr
Herz bereit und demütigen sich vor ihm
und sagen: 18 [22] Wir wollen lieber in die
Hände des Herrn fallen als in die Hände
der Menschen; [23] denn seine [a]Barmher-
zigkeit ist ja so groß wie er selbst.

EHRT DIE ELTERN

3 [a]Ihr Kinder, gehorcht mir, eurem Vater,
[2] und lebt so, auf dass es euch wohler-
gehe. 2 [3] Denn der Herr will, dass die Kin-
der den Vater ehren, und er bekräftigt die
Weisung der Mutter an die Söhne.[a]

3 [4] Wer seinen Vater ehrt, macht damit
Sünden gut, 4 [5] und wer seine Mutter ehrt,
der sammelt sich einen bleibenden Schatz.
5 [6] Wer seinen Vater ehrt, der wird auch
Freude an seinen Kindern haben; und
wenn er betet, so wird er erhört. 6 [7] Wer
seinen Vater ehrt, der wird lange leben;
und wer dem Herrn gehorsam ist, an dem
hat seine Mutter Trost. 7 [8] [Wer den Herrn
fürchtet, der ehrt auch den Vater;] er dient
seinen Eltern, wie man Herrschern dient.
8 [9] Ehre deinen Vater mit Wort und Tat,
[10] damit sein Segen über dich komme.
9 [11] Denn **der Segen des Vaters baut
den Kindern Häuser, aber der Fluch
der Mutter reißt die Grundmauern
nieder.**

10 [12] Suche nicht Ehre auf Kosten deines
Vaters, denn das ehrt dich nicht. 11 [13] Denn
[a]den Vater ehren, bringt den Kindern
Ehre, und die Mutter verachten, bringt
ihnen Schande.

12 [14] [a]Mein Kind, nimm dich deines Va-
ters im Alter an und betrübe ihn ja nicht,
solange er lebt; 13 [15] und habe Nachsicht
mit ihm, selbst wenn er kindisch wird,
und verachte ihn nicht im Gefühl dei-
ner Kraft. 14 [16] Denn was du deinem Va-
ter Gutes getan hast, das wird nicht mehr
vergessen werden, sondern es wird deine
Sünden aufwiegen. 15 [17] Und in der Not
wird an dich gedacht werden, und deine
Sünden werden vergehen wie das Eis vor
der Sonne. 16 [18] Wer seinen Vater verlässt,
der ist wie einer, der Gott lästert; und wer
seine Mutter betrübt, der ist verflucht vom
Herrn.[a]

VON DER DEMUT

17 [19] Mein Kind, tu deine Arbeit in Demut;
so wird ein aufrechter Mensch dich lieben.
18 [20] Je höher du stehst, desto mehr demü-
tige dich; so wirst du beim Herrn Gnade
finden.[a] 19 [Zahlreich sind die Großen und
Berühmten, aber den Demütigen enthüllt
er seine Geheimnisse.] 20 [21] Denn groß ist
allein die Majestät des Herrn, und von den
Demütigen wird er gepriesen.

21 [22] Strebe nicht nach dem, was zu hoch
ist für dich, und suche nicht nach dem, was
deine Kraft übersteigt,[a] 22 [23] [a]sondern was
dir Gott befohlen hat, das habe im Sinn;
denn es nützt dir gar nichts, wenn du nach
Verborgenem schaust. 23 [24] Mit dem, was
dir nicht aufgetragen ist, gib dich nicht
ab; [25] denn dir ist schon mehr gezeigt, als
Menschenverstand fassen kann; 24 [26] ihre
Überheblichkeit hat schon viele irregelei-
tet, und ihre Vermessenheit hat sie ge-
stürzt.

STARRSINN UND VERNUNFT

25 [Ohne Augen siehst du das Licht nicht;
ohne Erkenntnis lehre nicht.]

26 [27] Ein starrköpfiger Mensch nimmt
ein schlimmes Ende, [28] und wer die Ge-
fahr liebt, kommt darin um. 27 [29] Ein starr-

2,11 *a* 2. Mose 34,6-7 **2,13** *a* Jes 7,9 **2,15** *a* Spr 14,2;
Joh 14,21 **2,18** *a* Vers 11; 2. Sam 24,14
3,1 *a* (1-2) 2. Mose 20,12; Spr 1,8 **3,2** *a* Kap 7,27
3,11 *a* Spr 17,6 **3,12** *a* (12-13) Spr 23,22 **3,16** *a* Spr 19,26;
30,17; Mt 15,4-6 **3,18** *a* 4. Mose 12,3; 1. Kön 21,27-29
3,21 *a* Ps 131,1 **3,22** *a* (22-23) 5. Mose 29,28

köpfiger Mensch macht es sich selber
schwer, und [a]der Sünder häuft Sünde auf
Sünde. 28 [30] Gegen [a]Hochmut ist kein
Kraut gewachsen, die Pflanze des Unheils
wurzelt ja in ihm. 29 [31] Ein vernünftiger
Mensch lernt Weisheitssprüche, [32] und
wer nach Weisheit strebt, hört aufmerk-
sam zu.
30 [33] Wie das Wasser ein brennendes
Feuer löscht, so [a]tilgt das Almosen die
Sünden. 31 [34] [a]Der die Wohltaten vergilt,
wird dereinst ihrer gedenken, und wer
fällt, wird eine Stütze finden.

HILFE FÜR DIE ARMEN

4 [a]Mein Kind, lass den Armen nicht Not
leiden, und verschließe nicht deine
Augen vor den Bedürftigen. 2 Verachte
den [a]Hungrigen nicht, und betrübe den
Menschen nicht in seiner Armut. 3 Einem
betrübten Herzen füge nicht noch mehr
Leid zu, und [a]versage deine Gabe dem
Bedürftigen nicht. 4 Die Bitte des Elenden
schlage nicht ab, und [a]wende dein An-
gesicht nicht von dem Armen. 5 Wende
deine Augen nicht von dem Bittenden,
und gib ihm keinen Anlass, dir zu fluchen.
6 Denn der ihn gemacht hat, [a]erhört sein
Gebet, wenn er mit bitterem Herzen dich
verflucht.
7 Mach dir Freunde in der Gemeinde,
und vor einem Großen beuge dein Haupt.
8 Höre den Armen an, und antworte
ihm freundlich und sanft. 9 **Rette den,
dem Gewalt geschieht, vor dem, der
ihm Unrecht tut; und sei unerschro-
cken, wenn du urteilen sollst.** 10 Sei zu
den [a]Waisen wie ein Vater, und tritt für
ihre Mutter ein, als wärst du ihr Mann;
[11] so wirst du sein wie ein Sohn des Aller-
höchsten, und er wird dich mehr lieben,
als deine Mutter dich liebt.[b]

DER WERT DER WEISHEIT

11 [12] Die Weisheit erhöht ihre Kinder und
nimmt die auf, die sie suchen. 12 [13] Wer
sie liebt, der liebt das Leben; und wer sie
eifrig sucht, wird große Freude haben.[a]
13 [14] Wer fest an ihr hält, der wird Ehre
erlangen; und wo er einkehrt, da segnet
der Herr. 14 [15] Wer der Weisheit dient,
der dient dem Heiligen; und wer sie
liebt, den liebt auch der Herr. 15 [16] [a]Wer
ihr gehorcht, der wird Völker regieren;
und wer sich zu ihr hält, der wird sicher
wohnen.
16 [17] Wenn er ihr vertraut, wird er sie
erlangen; und auch seine Nachkommen
werden sie besitzen. 17 [18] Denn anfangs
geht sie unerkannt mit ihm; [19] sie macht
ihm Angst und Bange und quält ihn mit
ihrer Erziehung, bis sie ihm vertrauen
kann; sie prüft ihn mit ihren Forde-
rungen. 18 [20] Endlich wird sie gerade-
wegs auf ihn zukommen, ihn erfreuen
[21] und ihm ihre Geheimnisse offenbaren.
19 [22] Wenn er aber abirrt, wird sie ihn ver-
lassen und ihn dahingeben in sein Ver-
derben.

MASS UND ZIEL ZUR RECHTEN ZEIT

20 [23] Mein Kind, tu nichts zur Unzeit und
hüte dich vor Unrecht, [24] so schämst du
dich nicht deiner selbst. 21 [25] Denn es gibt
eine Scham, die führt in Sünde, und [a]es
gibt eine Scham, die bringt Gnade und
Ehre.
22 [26] Wende dich nicht gegen dich selbst,
so stürzt du dich nicht ins Verderben.
23 [27] Halte dein Wort nicht zurück [28] zur
rechten Zeit [und verbirg deine Weisheit
nicht unter äußerer Schönheit], 24 [29] denn
im Wort wird die Weisheit erkannt
und Erziehung in dem, was die Zunge
spricht.
25 [30] Widersprich nicht der Wahrheit
und sei beschämt, wenn du nicht erzogen
bist. 26 [31] Schäme dich nicht zu [a]bekennen,
wenn du gesündigt hast, und stelle dich
nicht gegen den Strom.
27 [32] Mach dich nicht zum Diener eines
Narren noch setze das Gesicht eines Mäch-
tigen auf. 28 [33] [a]**Verteidige die Wahrheit
bis in den Tod, so wird Gott der Herr
für dich streiten.**
29 [34] Sei nicht übermütig in deiner Rede
noch träge und nachlässig in deinen Ta-
ten. 30 [35] Sei nicht wie ein Löwe in deinem
Hause und kein Wüterich gegen deine
Hausgenossen.

3,27 *a* Jes 30,1 **3,28** *a* Tob 4,13 **3,30** *a* Kap 29,12; Dan 4,24 **3,31** *a* Mt 6,3-4 **4,1** *a* (1-6) Kap 7,32-36; 29,8-13; Tob 4,7-11 **4,2** *a* Jes 58,7 **4,3** *a* Spr 3,27-28 **4,4** *a* Mt 5,42 **4,6** *a* 2. Mose 22,21-23 **4,10** *a* Jes 1,17 *b* Ps 68,6 **4,12** *a* Spr 3,16-18 **4,15** *a* 1. Kön 3,9-12 **4,21** *a* Kap 41,16 **4,26** *a* Spr 28,13 **4,28** *a* 2. Makk 13,14

31 [36] Deine Hand sei nicht offen, wenn's
ums Nehmen geht, und nicht geschlossen,
wenn's ans Geben geht.[a]

WARNUNG VOR TRÜGERISCHER SICHERHEIT

5 [a]Verlass dich nicht auf deinen Reich-
tum und denke nicht: Ich habe genug
für mich.
2 Gib nicht dir selbst nach, auch wenn du
es könntest, dass du den Begierden deines
Herzen folgest![a] 3 Denke nicht: Wer will
mir's wehren? Denn streng wird [a]der Herr
es strafen.
4 [a]Denke nicht: [b]Ich habe gesündigt,
doch was ist mir schon widerfahren?
Denn der Herr ist langmütig. 5 Rechne
nicht so fest auf Vergebung, dass du
darum Sünde auf Sünde häufst. 6 Denke
auch nicht: Sein Erbarmen ist groß; er
wird sich versöhnen lassen, wenn ich
auch noch so viel sündige. [7] Denn bald
zeigt er Mitleid, bald Zorn, und sein
Grimm über die Sünder hört nicht auf.[a]
7 [8] Darum zögere nicht, dich wieder zum
Herrn zu wenden, und verschieb es nicht
von einem Tag auf den andern; [9] denn
sein Zorn kommt plötzlich; und zur Zeit
der Vergeltung wirst du zugrunde ge-
richtet.[a]
8 [10] Auf [a]unrechtes Gut verlass dich
nicht; denn es hilft dir nichts am Tag der
Anfechtung.

VERANTWORTLICHES REDEN

9 [11] [a]Worfle nicht bei jedem Wind, und
folge nicht jedem Weg wie der doppelzün-
gige Sünder. 10 [12] Bleib bei deiner Einsicht,
und [a]steh zu deinem Wort.
11 [13] Sei bereit zu hören, und gib deine
Antwort mit Bedacht.[a] 12 [14] Verstehst du
etwas von der Sache, so antworte dei-
nem Nächsten, wenn nicht, so halte dei-
nen Mund. 13 [15] Reden bringt Ehre oder
Schande, und [a]seine Zunge bringt den
Menschen zu Fall.
14 [16] Mache niemand heimlich schlecht,
und rede nicht hinterhältig! [17] Denn über
den Doppelzüngigen kommt Verachtung
wie Schande über den Dieb.
6 15 [18] Achte nichts gering, es sei klein
oder groß. 1 Und deinem Freund werde
nicht zum Feind. Denn ein schlechter Ruf
bringt Schimpf und Schande; so ergeht es
dem doppelzüngigen Sünder.
2 [a]Überhebe dich nicht an deinen Wün-
schen, damit deine Seele nicht geschun-
den werde wie ein Stier unter dem Joch.
3 Deine Blätter werden sie verschlingen
und deine Früchte vernichten, und du
wirst enden wie ein verdorrter Baum.
4 Eine verdorbene Seele richtet ihren Be-
sitzer zugrunde und macht ihn zum Ge-
spött seiner Feinde.

VOM UMGANG MIT FREUNDEN

5 [a]Wer freundlich redet, der macht sich
viele Freunde; und wer wohlwollend
spricht, der verbreitet Güte.
6 Lebe in Frieden mit vielen, aber zum
[a]Ratgeber nimm unter tausend nur einen.
7 Willst du einen Freund finden, so er-
probe zuerst seine Treue und vertrau ihm
nicht allzu rasch. 8 Denn mancher ist ein
Freund, solange es ihm gefällt; doch in
der Not hält er nicht stand. 9 Und mancher
Freund wird bald zum Feind und macht
den Streit bekannt, der dich beschämt.
10 Und mancher Freund sitzt mit dir am
Tisch, doch in der Not hält er nicht stand.[a]
11 Solange dir's gut geht, tut er wie du und
gebietet deinen Dienern; 12 geht dir's aber
schlecht, so stellt er sich gegen dich und
verbirgt sich vor dir.[a]
13 Halte dich fern von deinen Feinden,
aber sei auch vor den Freunden auf der
Hut.
14 Ein treuer Freund ist ein starker
Schutz; wer den findet, der findet einen
großen Schatz. 15 Ein treuer Freund ist
nicht mit Gold aufzuwiegen, und sein
Wert ist nicht hoch genug zu schätzen.
16 Ein [a]treuer Freund ist ein Trost im Le-
ben; ihn findet, wer den Herrn fürch-
tet. 17 Denn [a]wer den Herrn fürchtet, der
wird auch gute Freundschaft halten; und
wie er ist, so wird auch sein Nächster sein.

4,31 *a* Apg 20,35 **5,1** *a* Ps 62,11 **5,2** *a* Kap 18,30; Röm 6,12 **5,3** *a* 5. Mose 32,35; 1. Thess 4,6
5,4 *a* *(4-6)* Kap 7,8-9; Röm 2,4-6 *b* Pred 8,11
5,6 *a* Kap 16,11 **5,7** *a* Kap 18,21-24; Ps 95,7-8
5,8 *a* Spr 10,2 **5,9** *a* Eph 4,14 **5,10** *a* Mt 5,37; Jak 5,12
5,11 *a* Jak 1,19 **5,13** *a* Spr 13,3; Mt 12,36-37
6,2 *a* (2-4) Kap 18,30-31 **6,5** *a* *(5-17)* Kap 7,12.18; 9,10; 12,7-9; 13,21; 20,23; 22,20-26; 27,16-19; 37,1-6
6,6 *a* Kap 37,7 **6,10** *a* Spr 19,4 **6,12** *a* Hiob 19,19
6,16 *a* 1. Sam 18,3 **6,17** *a* 1. Sam 20,30-34

DAS LEBEN IN DER WEISHEIT

18 Mein Kind, lass dich erziehen [a]von Ju-
gend an, so wirst du bis ins hohe Alter
Weisheit finden. 19 Geh an sie heran wie
einer, der pflügt und sät, und warte auf
ihre guten Früchte. [20] In ihrem Dienst
brauchst du dich nur ein wenig zu mü-
hen, so wirst du bald von ihren Früchten
essen.[a] 20 [21] Ein steiniger Acker ist die
Weisheit für alle, die sich nicht erziehen
lassen, und ein Unverständiger hält es bei
ihr nicht aus. 21 [22] Denn sie ist für ihn ein
schwerer Prüfstein, und er wirft sie bald
von sich. 22 [23] Denn die Weisheit wird ih-
rem Namen gerecht, aber sie offenbart sich
nur wenigen.
23 [24] Höre, mein Kind, nimm meine
Lehre an und weise meinen Rat nicht zu-
rück. 24 [25] Leg deine Füße in ihre Fesseln
und deinen Hals in ihr Eisen. 25 [26] [a]Beu-
ge deine Schultern, nimm sie auf dich
und sperre dich nicht gegen ihre Bande.
26 [27] [a]Von ganzer Seele wende dich ihr zu,
und bleib auf ihren Wegen mit all deiner
Kraft. 27 [28] Forsche nach ihr und [a]suche
sie, so lässt sie sich erkennen; und wenn
du sie ergriffen hast, so lass sie nicht mehr
los. 28 [29] Denn am Ende wirst du in ihr
Ruhe finden, und sie wird sich für dich
in Freude verwandeln. 29 [30] [a]Ihre Fes-
seln werden dir ein starker Schutz sein
und ihr Halseisen ein herrlicher Reif.
30 [31] Denn ihr Schmuck ist aus Gold, und
ihre Fesseln sind hyazinthfarbene Bänder.
31 [32] Als herrliches Gewand wirst du sie
anziehen und als schöne [a]Krone dir auf-
setzen.
32 [33] Wenn du willst, mein Kind, wirst
du erzogen; und setzt du dein Herz dar-
an, so wirst du klug. 33 [34] Hörst du gerne
zu, so wirst du sie empfangen, und neigst
du deine Ohren, so wirst du weise wer-
den.[a] 34 [35] Unter den Ältesten halte
dich auf, und ihrer Weisheit folge nach.
35 Höre gern von Gottes Taten, und lass
dir keinen Weisheitsspruch entgehen.[a]
36 Wenn du einen Verständigen siehst,
geh eifrig zu ihm, und dein Fuß trete
seine Schwelle aus. 37 [a]Betrachte immer
die Gebote des Herrn und halte dich stets
an sein Wort; so macht er dein Herz fest,
und das Verlangen nach Weisheit wird dir
zuteil.

WARNUNG VOR UNRECHT

7 Tu nichts Böses, so widerfährt dir nichts
Böses. 2 **Halte dich fern vom Unrecht,
so wendet es sich ab von dir.** 3 Säe nicht
in die Furchen des Unrechts, so wirst du
es nicht siebenfach ernten.[a]

WARNUNG VOR EHRGEIZ

4 Erstrebe nicht Herrschaft vom Herrn
noch vom König einen Ehrenplatz.[a] 5 Halte
dich nicht für gerecht vor dem Herrn und
tu nicht klug vor dem König. 6 Strebe nicht
danach, Richter zu werden, du vermagst
doch nicht, das Unrecht auszurotten; sieh
zu, [a]dass du dich nie vor einem Herrscher
in Acht nehmen musst und mit deiner
Rechtschaffenheit Anstoß erregst.

WARNUNG VOR HOCHMUT

7 Versündige dich nicht an deinen Mit-
bürgern und erniedrige dich nicht selbst
vor der Menge. 8 [a]Begeh eine Sünde nicht
zweimal, denn schon für das erste Mal
bleibst du nicht ungestraft. 9 Denke auch
nicht: Er wird schon auf die Fülle mei-
ner Gaben schauen und mich annehmen,
wenn ich dem Allerhöchsten opfere.
10 [a]Sei nicht halbherzig in deinem Ge-
bet, [11] [b]und säume nicht, Almosen zu
geben.[c]
11 [12] [a]Einen bekümmerten Menschen
verlache nicht; denn es gibt einen, [b]der
kann erniedrigen und erhöhen. 12 [13] Streu
keine Lügen über deinen Bruder aus und
auch nicht über deinen Freund. 13 [14] Ge-
wöhne dich nicht an die Lüge; denn diese
Gewohnheit bringt nichts Gutes.
14 [15] Sei [a]nicht schwatzhaft im Kreis
der Ältesten, und wenn du betest, [b]mach
nicht viele Worte.
15 [16] Verachte die [a]beschwerliche Ar-
beit nicht noch den Ackerbau, den der
Höchste gestiftet hat. 16 [17] Hoffe nicht, in
der Menge der Sünder zu verschwinden;
[18] bedenke, dass [a]sein Zorn nicht auf sich

6,18 ***a*** Kap 51,13; Spr 22,6 **6,19** ***a*** Kap 51,27
6,25 ***a*** Kap 51,26 **6,26** ***a*** 5. Mose 6,5 **6,27** ***a*** Weish 6,12
6,29 ***a*** *(29-31)* Kap 21,21 **6,31** ***a*** Spr 4,9 **6,33** ***a*** Spr 19,20
6,35 ***a*** Kap 8,8; 9,14-16 **6,37** ***a*** 5. Mose 6,6-9; Ps 1,2
7,3 ***a*** Spr 22,8; Hos 10,12; Gal 6,7-8 **7,4** ***a*** Spr 25,6-7
7,6 ***a*** 3. Mose 19,15 **7,8** ***a*** *(8-9)* Kap 5,4-6 **7,10** ***a*** Jak 1,6
b Kap 29,12 ***c*** Apg 10,31 **7,11** ***a*** Spr 17,5 ***b*** 1. Sam 2,7
7,14 ***a*** Kap 32,7-8 ***b*** Mt 6,7 **7,15** ***a*** 1. Mose 3,19
7,16 ***a*** Kap 5,7

warten lässt. 17 [19] Darum demütige dich
von Herzen; denn [a]Feuer und Würmer
sind die Strafe für die Gottlosen.

DIE PFLICHTEN DES HAUSHERRN

18 [20] Tausche nicht einen Freund um eines
Vorteils willen und nicht deinen leiblichen
Bruder gegen Gold aus Ofir.
19 [21] Missachte nicht eine verständige
und tüchtige Frau; denn ihre Anmut ist
mehr wert als Gold.[a]
20 [22] [a]Behandle einen Sklaven nicht
schlecht, der treu arbeitet, und auch einen
Tagelöhner nicht, der sein Bestes gibt.
21 [23] Schätze einen umsichtigen Sklaven
und hindere ihn nicht, wenn er frei wer-
den kann.
22 [24] Hast du Vieh? [a]Kümmere dich dar-
um. Und bringt es dir Nutzen, behalte es.
23 [25] Hast du [a]Kinder? Erzieh sie streng,
und beuge ihren Nacken von Jugend auf.
24 [26] Hast du [a]Töchter? Bewahre ihre
Keuschheit und verwöhne sie nicht.
25 [27] Verheirate deine Tochter, [a]so ist ein
großes Werk getan; doch gib sie einem
verständigen Mann.
26 [28] Hast du eine Frau nach deinem Her-
zen? Verstoße sie nicht; doch einer unge-
liebten vertraue dich nicht an.

EHRT ELTERN UND PRIESTER

27 [29] [a]**Ehre deinen Vater von ganzem
Herzen und vergiss nicht, [b]welche
Schmerzen deine Mutter um dich ge-
litten hat,** 28 [30] und bedenke, dass du von
ihnen das Leben hast; womit kannst du
ihnen vergelten, was du ihnen verdankst?
29 [31] Fürchte den Herrn von ganzer
Seele, und halte seine Priester in allen
Ehren. 30 [a]Liebe den, der dich geschaf-
fen hat, mit ganzer Kraft und lass seine
Diener nicht im Stich. 31 [32] Fürchte den
Herrn und ehre den Priester [33] und gib
ihm seinen Anteil, wie dir geboten ist:
[34] Erstlingsgabe und Schuldopfer [35] und
Schwingopfer und Brandopfer für die
Heiligung und die Erstlingsgabe für die
Heiligen.

FÜRSORGE FÜR DEN NÄCHSTEN

32 [36] [a]Reiche dem Armen deine Hand, da-
mit du reich gesegnet wirst.[b] 33 [37] Erfreue
jeden, der lebt, mit einer Gabe, und ver-
wehre dem Toten die letzte Wohltat nicht.
34 [38] Lass die Weinenden nicht ohne Bei-
stand, sondern [a]trauere mit den Trauern-
den. 35 [39] Zögere nicht, [a]einen Kranken
zu besuchen; denn dafür wird man dich
lieben. 36 [40] **Was du auch tust, [a]bedenke
das Ende, so wirst du nicht sündigen in
Ewigkeit.**

VERHALTEN IN DER GESELLSCHAFT

8 Streite nicht mit einem Mächtigen, da-
mit du ihm nicht in die Hände fällst.
2 Zanke nicht mit einem [a]Reichen, damit
er sein Gewicht nicht gegen dich geltend
macht. [3] Denn viele hat das Geld ins Un-
glück gestürzt, und es bewegt sogar das
Herz der Könige. 3 [4] Streite nicht mit
einem Schwätzer, damit du nicht Holz zu
seinem Feuer trägst. 4 [5] Treibe nicht dei-
nen Scherz mit einem, der keine Erzie-
hung hat, damit er nicht deine Vorfahren
beschimpft.
5 [6] **Halte dem nichts vor, der sich von
seiner Sünde abkehrt; bedenke, [a]dass
wir alle Schuld tragen.** 6 [7] [a]Verachte
einen Menschen nicht, weil er alt ist; denn
auch wir können alt werden. 7 [8] Freue dich
nicht, wenn jemand stirbt; bedenke, [a]dass
wir alle sterben müssen.
8 [9] [a]Verachte nicht, was die Weisen vor-
tragen, sondern richte dich nach ihren
Weisheitssprüchen. [10] Denn von ihnen
kannst du Bildung empfangen und lernen,
wie du dich gegenüber großen Leuten ver-
halten sollst. 9 [11] [a]Sag dich nicht los von
der Unterweisung der Alten, denn auch
sie haben von ihren Vätern gelernt: [12] Von
ihnen kannst du lernen, wie du verstän-
dig antworten sollst, wenn es notwendig
ist.
10 [13] Blase nicht das Feuer des Sünders
an, damit du nicht darin verbrennst.
11 [14] Setze dich nicht mit einem Streitsüch-
tigen auseinander, damit er nicht auf ein
falsches Wort von dir lauert.

7,17 *a* Jes 66,24; Jdt 16,17 **7,19** *a* Kap 26,1-4.13-16
7,20 *a* (20-21) Kap 33,29-32 **7,22** *a* Spr 12,10
7,23 *a* Kap 30,1-13 **7,24** *a* Kap 26,10-11
7,25 *a* Kap 42,9-10 **7,27** *a* Kap 3,2 *b* Tob 4,3-4
7,30 *a* 5. Mose 6,5 **7,32** *a* (32-36) Kap 4,1-6 *b* Spr 19,17
7,34 *a* Röm 12,15 **7,35** *a* Mt 25,36 **7,36** *a* Kap 18,24; 28,6
8,2 *a* Kap 13,2 **8,5** *a* Gal 6,1 **8,6** *a* Kap 3,13;
3. Mose 19,32 **8,7** *a* Kap 14,17 **8,8** *a* Kap 6,35
8,9 *a* Hiob 8,8-10

12 [15]Leihe keinem etwas, der mächtiger
ist als du; und wenn du ihm leihst, so [a]gib
es verloren. 13 [16]Verbürge dich nicht hö-
her, als du kannst; wenn du aber [a]bürgst,
so rechne damit, dass du zahlen musst.
14 [17]Zieh einen Richter nicht vor Ge-
richt; denn man spricht das Urteil, wie er
will. 15 [18]Mach dich nicht mit einem Toll-
kühnen auf den Weg, damit er dich nicht
ins Unglück bringt; denn er richtet sich
nach seinem eignen Kopf, und du musst
um seiner Torheit willen mit ihm Scha-
den erleiden. 16 [19]Fang nicht Streit mit
einem [a]Jähzornigen an, und reise nicht
allein mit ihm durch eine einsame Ge-
gend; denn er scheut sich nicht, Blut zu
vergießen, und wenn du keine Hilfe hast,
so bringt er dich um.
17 [20]Berate dich nicht mit einem Nar-
ren, denn er kann kein Geheimnis wah-
ren. 18 [21]Vor einem Fremden tu nichts,
was geheim bleiben soll; denn du weißt
nicht, was er daraus macht. 19 [22]Öffne
dein Herz nicht jedem; es wird dir nicht
gedankt werden.

WARNUNG VOR VERFÜHRERINNEN

9 Wache nicht zu eifersüchtig über die
Frau in deinen Armen, sonst bringst du
sie dazu, dir Böses anzutun. 2 Verliere dich
nicht an eine Frau, damit sie nicht Herr
über dich wird.[a]
3 Meide die Frau, die dich verführen will,
damit du ihr nicht ins Netz gehst.[a] 4 Lass
dich nicht hinreißen von einer Sängerin,
damit sie dich nicht mit ihren Künsten
fängt. 5 [a]Verführe nicht eine Jungfrau,
damit ihre Schande dich nicht teuer zu
stehen kommt. 6 Verliere dich nicht an
die Huren, damit du nicht um dein Erbe
kommst.[a] 7 Gaffe nicht umher in den Gas-
sen der Stadt, und streife nicht durch ihre
verlassenen Winkel.
8 Wende den Blick weg von schönen
Frauen, und schau nicht nach Reizen,
die dich nichts angehen; [9]denn [a]schöne
Frauen haben schon viele betört, [10]und
Liebe lodert auf wie Feuer.
9 [11]Sitze niemals bei der Frau eines an-
dern [12]und speise nicht mit ihr [13]beim
Wein, damit nicht dein Herz sich ihr zu-
neigt und [a]deine Lust dich ins Verderben
stürzt.

VOM RICHTIGEN UMGANG

10 [14][a]Gib einen alten Freund nicht auf;
denn kein neuer kommt ihm gleich.
[15]Ein neuer Freund ist wie neuer Wein;
lass ihn erst alt werden, so wird er dir gut
schmecken.[b]
11 [16]Ereifere dich nicht, [a]wenn ein Sün-
der in hohen Ehren steht; denn du weißt
nicht, welch schlimmes Ende er nehmen
wird. 12 [17]Hab keinen Gefallen am Erfolg
der Frevler; bedenke, dass sie bis in den
Tod nicht gerecht gesprochen werden.
13 [18]Halte dich fern von dem, der Ge-
walt hat zu töten, so brauchst du dich nicht
zu fürchten, dass er dich tötet. [19]Musst du
aber um ihn sein, so tu keinen Missgriff,
damit er dir nicht das Leben nimmt, ehe
du dich's versiehst; [20]und wisse, dass du
zwischen Fußangeln wandelst und auf ho-
hen Zinnen gehst.[a]
14 [21][a]Lerne deinen Nächsten genau ken-
nen, und wenn du Rat brauchst, so suche
ihn bei weisen Leuten. 15 [22]Besprich dich
mit Verständigen, und all dein Reden
richte sich nach dem Gesetz des Höchs-
ten. 16 [23]Lade dir rechtschaffene Leute zu
Gast, und [a]dein Ruhm sei, den Herrn zu
fürchten.

DER WEISE REGENT

17 [24]Das Werk lobt den Meister, und einen
weisen Fürsten ehrt seine Rede. 18 [25]Es ist
gefährlich, wenn ein Schwätzer regiert,
und wer redet, bevor er denkt, der erntet
Hass.
10 Ein weiser Regent erzieht sein Volk,
und wo eine verständige Regierung
ist, da geht es wohlgeordnet zu.[a] 2 [a]Wie
der Regent ist, so sind auch seine Amt-
leute, wie der Stadtfürst, so sind auch
die Bürger. 3 Ein König ohne Zucht rich-
tet Land und Leute zugrunde; wenn aber
die Mächtigen klug sind, so gedeiht die
Stadt.
4 [a]Alle Herrschaft auf Erden liegt in des
Herrn Hand, und zur rechten Zeit schickt

8,12 *a* Kap 29,5-6 **8,13** *a* Kap 29,14-20
8,16 *a* Spr 22,24-25 **9,2** *a* 1. Kön 21,4-24 **9,3** *a* Spr 7,6-23
9,5 *a* Hiob 31,1; Mt 5,28 **9,6** *a* Spr 29,3
9,8 *a* 2. Sam 11,2-4; Jdt 12,16 **9,9** *a* 3. Mose 20,10
9,10 *a* Spr 27,10 *b* Kap 6,5-17 **9,11** *a* Ps 37,1-2; 73,3
9,13 *a* Spr 16,14 **9,14** *a* (14-16) Kap 6,35; 37,11-12
9,16 *a* Kap 10,22 **10,1** *a* Weish 6,24; Spr 28,12
10,2 *a* Spr 29,12 **10,4** *a* Spr 8,15; Jer 27,5; Dan 2,21

er den rechten Mann. 5 Es [a]liegt in des
Herrn Hand, ob ein Mann Erfolg hat, und
vor [b]dem Gelehrten begründet er seinen
Ruhm.

WARNUNG VOR ÜBERHEBLICHKEIT

6 [a]Rechne deinem Nächsten seine Missetat
nicht an, und behandle ihn niemals von
oben herab! 7 Den [a]Hoffärtigen sind Gott
und die Welt feind; denn das Unrecht ist
beiden verhasst. 8 [a]Durch Unrecht, Hoch-
mut und Geld geht die Königsherrschaft
von einem Volk aufs andre über. [Niemand
ist gesetzloser als der Habgierige. Denn er
verkauft sogar seine eigene Seele.]
9 Was überhebt sich der Mensch, der
nur [a]Erde und Asche ist? [10] Ich habe doch
seinen Leib schon zu Lebzeiten verwor-
fen. 10 [11] Lang ist die Krankheit, und der
Arzt spottet: [12] »Heute König, morgen
tot!« 11 [13] Und wenn der Mensch tot ist,
so fressen ihn Schlangen, wilde Tiere und
[a]Würmer.
12 [14] [a]**Daher kommt aller Hochmut:
wenn ein Mensch vom Herrn abfällt
und [b]sein Herz von seinem Schöpfer
weicht.** 13 [15] Denn Hochmut kommt aus
der Sünde, und wer an ihr festhält, der
richtet viel Gräuel an. [16] Darum hat der
Herr den Hochmütigen furchtbare Pla-
gen geschickt und sie am Ende gestürzt.
14 [17] Der Herr stürzt den Thron der Ge-
waltigen und setzt die Demütigen an ihre
Stelle.[a] 15 [18] Der Herr hat Heiden mit der
Wurzel ausgerissen und an ihrer Stelle
Demütige eingepflanzt. 16 [19] Der Herr hat
Länder der Heiden verheert und bis zu den
Grundfesten der Erde verwüstet. 17 [20] Er
hat sie ausgerottet und vernichtet und [a]ihr
Gedächtnis von der Erde getilgt. 18 [21] Dass
die Menschen hoffärtig sind und die vom
Weibe Geborenen zornig, das ist von Gott
nicht geschaffen.[a]

GOTTESFURCHT UND RUHM

19 [23] Ein ehrenhaftes Geschlecht – welches
ist es? Das Geschlecht des Menschen. Ein
ehrenhaftes Geschlecht – welches ist es?
Die den Herrn fürchten. Ein ehrloses Ge-
schlecht – welches ist es? Das Geschlecht
des Menschen. Ein ehrloses Geschlecht –
welches ist es? Die seine Gebote übertre-
ten. 20 [24] Unter Brüdern steht der älteste in
Ehren, [a]der Herr aber sieht die an, die ihn
fürchten. 21 [Der Herr nimmt die an, die
ihn fürchten, und verstößt, die harten und
hochmütigen Herzens sind.] 22 [25] Zum
Herrn Bekehrte, Fremde und Arme – [a]ihr
Ruhm ist die Furcht des Herrn.
23 [26] Es ist nicht recht, dass man [a]einen
verständigen Armen verachtet und einen
sündigen Menschen ehrt. 24 [27] **Fürsten,
Richter und Regenten stehen in hohem
Ansehen; aber [a]so groß sind sie doch
nicht wie der, der den Herrn fürchtet.**
25 [28] [a]Einem klugen Knecht werden auch
Freie dienen, und ein Verständiger wird
darüber nicht murren.
26 [29] Spiele nicht den Klugen bei dei-
ner Arbeit, und spiele nicht den Starken,
wenn du nicht weiterweißt. 27 [30] Besser,
einer arbeitet und hat an allem genug, als
dass er sich ehren lässt und nichts zu es-
sen hat.[a]
28 [31] Mein Kind, in Demut ehre dich
selbst, und achte dich so, wie es dir zu-
kommt. 29 [32] Wer wird dem sein Recht
geben, der an sich selbst sündigt, und wer
wird dem Ehre geben, der sich selbst ver-
achtet?
30 [33] Der Arme wird geehrt um seiner
Klugheit willen und der Reiche um seiner
Güter willen. 31 [34] Wer schon in Armut
geehrt wird, wird er's im Reichtum nicht
umso mehr? Und wer ehrlos ist im Reich-
tum, ist er's in Armut nicht noch mehr?
11 Die Weisheit des Geringen bringt ihn
zu Ehren und setzt ihn mitten unter
die Fürsten.[a]
2 Du sollst niemand rühmen um seiner
Schönheit willen noch jemand verachten,
weil er hässlich aussieht. 3 Denn die Biene
ist klein unter allem, was Flügel hat, und
bringt doch die allersüßeste Frucht.
4 [a]Rühme dich nicht wegen deiner herr-
lichen Kleider, und wenn du in Ehren
stehst, überhebe dich nicht; denn wun-
derbar sind allein die Werke des Herrn,
und den Menschen sind sie verborgen.

10,5 *a* 1. Chr 29,12 *b* Röm 13,4 **10,6** *a* Mt 18,21-22
10,7 *a* Jes 13,11 **10,8** *a* Weish 5,23 **10,9** *a* 1. Mose 18,27
10,11 *a* Hiob 17,14; Jes 14,11 **10,12** *a* (12-13) Kap 3,28
b 5. Mose 8,14 **10,14** *a* Kap 11,5; 1. Sam 2,7-8
10,17 *a* Ps 9,6-7 **10,18** *a* Pred 7,29 **10,20** *a* 1. Sam 16,7
10,22 *a* Jer 9,22-23 **10,23** *a* Pred 9,16 **10,24** *a* Kap 25,10
10,25 *a* Spr 17,2 **10,27** *a* Spr 12,9 **11,1** *a* 1. Mose 41,37-46;
Dan 2,48 **11,4** *a* Apg 12,21-23

5 Viele Tyrannen saßen am Ende im Staub,
aber die Krone trug der, an den man nicht
gedacht hätte.[a] 6 Viele Herrscher wurden
entehrt und angesehene Männer an andere
ausgeliefert.

WARNUNG VOR FALSCHEM RICHTEN

7 Verdamme niemanden, ehe du die Sache
untersucht hast; denke erst nach und tadle
dann. 8 Du sollst nicht urteilen, ehe du
die Sache gehört hast, und lass die Leute
erst ausreden. 9 Misch dich nicht in eine
fremde Sache, und sitze nicht zusammen
mit Sündern zu Gericht.

VOM REICHTUM

10 Mein Kind, verliere dich nicht in viele
Geschäfte: Wenn du dir zu viel vor-
nimmst, bleibt das nicht ungestraft. Wenn
du es noch so sehr verfolgst, erreichst du
doch nichts; wenn du aber davor fliehst, so
kannst du nicht entkommen. 11 Mancher
lässt sich's sauer werden, müht sich und
rennt dem Reichtum nach und fällt doch
immer mehr zurück.[a] 12 Mancher ist lang-
sam und hat Hilfe nötig, ist arm an Kraft
und reich an Schwäche: [13] Den sieht der
Herr in Gnaden an und hilft ihm aus sei-
nem Elend 13 und bringt ihn zu Ehren, so-
dass sich viele über ihn wundern.

14 [14] Gutes und Böses, Leben und Tod,
Armut und Reichtum kommen vom
Herrn.[a] 15 [Weisheit und Einsicht und
Erkenntnis des Gesetzes kommen vom
Herrn, Liebe und gute Werke stammen
von ihm. 16 Irrtum und Finsternis sind mit
den Sündern erschaffen, und die Schlech-
tigkeit wird alt mit denen, die sich ihrer
rühmen.] 17 [15] Was der Herr gibt, wird den
Frommen bleiben; [16] und was er plant, hat
Bestand in Ewigkeit.

18 [17] [a]Mancher kargt und spart und
wird dadurch reich. [18] Und sein Lohn ist,
19 [19] dass er sagt: »Nun will ich mir ein gu-
tes Leben machen, will essen und trinken
von dem, was ich habe.« Doch er weiß
nicht, dass sein Ende nahe ist und dass er
alles anderen lassen und sterben muss.[a]

20 [20] [a]Bleibe bei dem, was dir anvertraut
ist, und übe dich darin, und bis ins Alter
bleibe bei deinem Tun. 21 [a]Lass dich nicht
davon beirren, wie die Gottlosen zu Geld
kommen, [21] sondern vertraue dem Herrn
und halte aus in deinen Mühen; [22] denn
dem Herrn ist es ein Leichtes, einen Ar-
men plötzlich reich zu machen.[b] 22 [23] Der
Segen des Herrn ist der Lohn des From-
men, und schon bald erblüht sein Glück.

23 [24] Sage nicht: Wie viel fehlt mir noch
und was werde ich künftig besitzen?
24 [25] Sage aber auch nicht: [a]Ich habe ge-
nug, was kann mir künftig zustoßen?
25 [26] Wenn dir's gut geht, so bedenke,
dass dir's wieder schlecht gehen kann; und
wenn dir's schlecht geht, so bedenke, dass
dir's wieder gut gehen kann.[a] 26 [27] Denn
der Herr kann jedem im Tod leicht [a]ver-
gelten, wie er's verdient hat. 27 [28] Eine
böse Stunde lässt alle Freude vergessen;
und [a]wenn der Mensch stirbt, werden
seine Werke offenbar. 28 [29] Rühme nie-
mand vor seinem Ende. An seinen Kin-
dern erkennt man den Mann.

WARNUNG VOR FREMDEN

29 [30] Nimm nicht jeden bei dir auf; denn
die Welt ist voller List und Tücke. 30 [31] Ein
Rebhuhn als Lockvogel im Korb – so ist
das Herz des Hochmütigen, er [a]lauert
wie ein Späher auf deinen Untergang.
31 [32] Denn was er Gutes sieht, deutet er
aufs Schlimmste, und den Allerbesten sagt
er das Schändlichste nach.[a] 32 [33] Aus einem
Funken macht er ein großes Feuer, und
der Frevler lässt nicht ab, bis Blut fließt.
33 [34] Hüte dich vor dem [a]Übeltäter – er hat
nichts Gutes im Sinn –, dass er dir nicht
ewige Schande anhänge. 34 [35] Nimmst du
einen Fremden bei dir auf, so wird er dir
Unruhe bringen und dich in deinem eig-
nen Haus zum Fremden machen.

ÜBER DIE WOHLTÄTIGKEIT

12 Willst du Gutes tun, so sieh zu, wem
du es tust; dann verdienst du Dank
damit. 2 Tu dem Frommen Gutes, so wird
dir's reichlich vergolten, wenn nicht von
ihm, so doch gewiss vom Höchsten.[a] 3 Es
gibt nichts Gutes für den, der beharrlich

11,5 ***a*** Kap 10,14; Pred 4,14 **11,11** ***a*** Spr 10,22
11,14 ***a*** Hiob 1,21; 2,10; Spr 22,2; Klgl 3,37-38
11,18 ***a*** (18-19) Pred 2,21 **11,19** ***a*** Lk 12,16-21
11,20 ***a*** Ps 37,3 **11,21** ***a*** Ps 49,17 ***b*** Kap 2,6-9; Tob 4,21
11,24 ***a*** Kap 5,1 **11,25** ***a*** Kap 18,25 **11,26** ***a*** Kap 17,23; Röm 2,6 **11,27** ***a*** 1. Tim 5,24-25 **11,30** ***a*** Lk 11,53-54
11,31 ***a*** Jes 5,20 **11,33** ***a*** Spr 1,10 **12,2** ***a*** Lk 14,12-14

Böses tut und nicht gern Almosen gibt.
4 Gib dem Frommen, doch des Frevlers
nimm dich nicht an. 5 Tu Gutes dem De-
mütigen, aber dem Gottlosen gib nichts.
[a]Verweigere ihm dein Brot und gib ihm
nichts, damit er dadurch nicht stärker wird
als du: [6] Denn du wirst doppelt so viel
Schlechtes empfangen, wie du ihm Gutes
getan hast. 6 Denn auch der Höchste ist
den Sündern feind und wird die Gottlosen
bestrafen. [Doch er bewahrt sie bis zum
Tag ihrer Strafe.] 7 Gib dem Guten, doch
des Frevlers nimm dich nicht an.

WARNUNG VOR FALSCHEN FREUNDEN

8 [7] [a]Wenn's einem wohl geht, erkennt man
den wahren Freund nicht, wenn's einem
aber schlecht geht, bleibt der Feind nicht
verborgen. 9 [8] Denn wenn's einem wohl
geht, verdrießt das den Feind; [a]wenn's
einem aber schlecht geht, so ziehen auch
die Freunde sich zurück.

10 [9] [a]Trau niemals deinem Feinde;
[10] denn wie Eisen stets rostet, so geht es
mit seiner Bosheit. 11 Und wenn er sich
auch verneigt und verbeugt, so halte dich
dennoch zurück und hüte dich vor ihm.
Und sei zu ihm wie einer, der einen Spie-
gel poliert. Bedenke, dass er immer wie-
der Rost ansetzt. 12 Stelle ihn nicht neben
dich, dass er dich nicht wegstoße und an
deinen Platz trete. Setze ihn auch nicht ne-
ben dich, dass er nicht nach deinem Stuhl
trachte und du zuletzt an meine Worte
denken musst und meine Rede dich dann
betrübt.[a]

13 Wer hat Mitleid mit einem Schlangen-
beschwörer, der gebissen wird, oder mit
all jenen, die sich wilden Tieren nähern?
14 So geht's auch dem, der sich mit dem
Frevler einlässt und sich in seine Sünden
verstrickt. 15 [14] Er bleibt wohl eine Weile
bei dir; aber wenn du strauchelst, harrt er
nicht aus bei dir.

16 [15] Der Feind hat süße Worte auf den
Lippen, doch im Herzen plant er, dich
in die Grube zu stürzen. [16] Er füllt seine
Augen mit Tränen, doch wenn er Gele-
genheit findet, bekommt er nicht genug
von deinem Blut.[a] 17 [17] Wenn dir Unheil
widerfährt, so ist er als Erster zur Stelle,
[18] und als wollte er helfen, bringt er dich
hinterrücks zu Fall. 18 [19] Mit dem Kopf
nickt er Beifall und klatscht in die Hände;
er wird tuscheln und dann sein wahres
Gesicht zeigen.[a]

VOM UMGANG MIT REICHEN UND MÄCHTIGEN

13 Wer Pech angreift, besudelt sich; und
wer sich zum Hoffärtigen gesellt, wird
ihm ähnlich. 2 Hebe keine Last, die über
deine Kräfte geht, und geselle dich nicht
zu einem, der stärker und reicher ist als
du. [3] Was soll der irdene Topf beim Kes-
sel? Sie stoßen zusammen, und der Topf
zerbricht.[a]

3 [4] Der Reiche tut Unrecht und beharrt
noch darauf; der Arme erleidet Unrecht,
und muss sich dafür noch bedanken.
4 [5] Solange du ihm nützlich bist, bemüht
sich der Reiche um dich; aber wenn du
nicht mehr kannst, lässt er dich fallen.
5 [6] Solange du etwas hast, bleibt er bei dir,
nimmt dich aus und müht sich selbst nicht
ab. 6 [7] Wenn er dich braucht, so täuscht er
dich: Er lächelt dich an, verheißt dir viel,
tut dir schön und fragt: Brauchst du et-
was? 7 [8] Er lädt dich großzügig ein, um
dich später zwei- oder dreimal auszu-
nehmen, und zuletzt verspottet er dich
noch. [9] Dann sieht er dich an, lässt dich
fallen und schüttelt den Kopf über dich.[a]
8 [10] Darum sieh zu, dass du dich nicht täu-
schen lässt [11] und in deiner Einfalt nicht
gedemütigt wirst.

9 [12] [a]Wenn dich ein Mächtiger zu sich
ruft, so zieh dich zurück; umso mehr
wird er dich rufen. 10 [13] Dränge dich nicht
selbst zu ihm hin, damit du nicht versto-
ßen wirst; halte dich auch nicht zu fern,
damit man dich nicht vergisst. 11 [14] Sei
nicht darauf aus, mit ihm zu reden wie mit
deinesgleichen, und traue seinen Worten
nicht; denn mit viel Gerede will er dich
verführen, und mit freundlichem Lächeln
horcht er dich aus. 12 [15] Er ist unbarmher-
zig, hält sein Wort nicht [16] und spart nicht
mit Strafen und Gefängnis. 13 [17] Darum
gib gut acht und sieh dich vor: [18] Du lebst
in großer Gefahr! 14 [Wenn du solches im

12,5 *a* Spr 25,21-22 **12,8** *a* (8-9) Kap 6,5-17
12,9 *a* Spr 19,4 **12,10** *a* (10-11) Spr 26,24-25
12,12 *a* Kap 11,34 **12,16** *a* Jer 9,7; 41,6-7
12,18 *a* Kap 13,6-7 **13,2** *a* Kap 8,1-2 **13,7** *a* Kap 12,17-18
13,9 *a* (9-10) Spr 25,6-7

Schlaf hörst, wach auf! Mit deinem gan-
zen Leben [a]liebe den Herrn und rufe ihn
zu deiner Rettung.]
15 [19] [a]Jedes Tier liebt seinesgleichen und
jeder Mensch den, der ihm am nächs-
ten steht. 16 [20] Jedes Geschöpf hält sich
zu seiner eignen Art; so soll sich auch
der Mensch zu seinesgleichen gesellen.
17 [21] Was [a]hat der Wolf mit dem Lamm
gemein? So viel wie der Frevler mit dem
Frommen. 18 [22] Hält denn die Hyäne Frie-
den mit dem Hund? Und der Reiche mit
dem Armen? 19 [23] Wie der Löwe in der
Wüste die Wildesel frisst, so fressen die
Reichen die Armen. 20 [24] Dem Hochmüti-
gen ist Demut ein Gräuel; so ist auch dem
Reichen der Arme ein Gräuel.[a]
21 [25] Ein Reicher, der zu fallen droht,
wird von seinen Freunden gestützt; [a]ein
Armer aber, der fällt, wird von seinen
Freunden zu Boden gestoßen. 22 [26] Wenn
ein Reicher strauchelt, so gibt es viele, die
ihm beistehen; wenn er sich mit Wor-
ten vergriffen hat, so gibt man ihm noch
recht. [27] Wenn aber ein Armer strau-
chelt, so macht man ihm noch Vorwürfe;
er [a]spricht verständig, und doch gilt es
nichts. 23 [28] Der Reiche redet, und alle
schweigen, und [a]seine Worte hebt man
in den Himmel. [29] Der Arme redet, und
man sagt: Wer ist denn das? Und beim
kleinsten Fehltritt fällt man über ihn
her.

VOM GEBRAUCH DES REICHTUMS

24 [30] Reichtum ist gut, wenn an ihm kei-
ne Sünde haftet, und allein der Gottlose
nennt die Armut schlecht.
25 [31] Das Herz verändert des Menschen
Gesicht, sei es zum Guten, sei es zum Bö-
sen.[a] 26 [32] Ein Herz, das Gutes im Sinn hat,
erkennt man an einem fröhlichen Gesicht,
und wer über Sprüche nachsinnt, dem
sieht man seine Mühe an.
14 Wohl dem, [a]der sich nicht mit Reden
vergeht und davon ein böses Gewissen
hat! 2 Wohl dem, der kein böses Gewissen
hat und der seine Zuversicht nicht verlo-
ren hat!
3 Einem Knauser steht es nicht wohl an,
reich zu sein; und was soll Geld und Gut
einem Geizkragen? 4 Wer nur sammelt
und sich selber nichts Gutes gönnt, der
sammelt's für andere, und andere wer-
den's verprassen.[a] 5 Wer sich selber nichts
Gutes gönnt, was sollte der andern Gutes
tun? Er wird niemals Freude an seinem
Eigentum haben. 6 Es ist nichts schlim-
mer, als wenn einer sich selbst herabsetzt;
und das ist die rechte Strafe für seine Bos-
heit. 7 Tut er etwas Gutes, so tut er's aus
Versehen; zuletzt kommt doch wieder
seine Bosheit zum Vorschein. 8 Der ist
ein böser Mensch, der andere mit Blicken
herabsetzt, sein Angesicht abwendet und
über Menschen hinwegsieht. 9 Ein hab-
gieriger Mensch hat nie genug an dem,
was ihm beschieden ist, und kann vor
lauter Geiz nicht gedeihen. 10 Ein Neid-
hammel missgönnt den andern das Brot,
und es tut ihm weh, wenn er auftischen
muss.[a]
11 Mein Kind, tu dir selbst so viel Gu-
tes, wie du kannst, und gib dem Herrn
die Opfer, die ihm gebühren. 12 Bedenke,
dass der Tod nicht auf sich warten lässt
und dass du nicht weißt, was in der Un-
terwelt über dich [a]beschlossen ist. 13 Tu
dem Freund Gutes noch vor deinem Ende
und gib dem Armen nach deinen Kräften.
14 Versäume keinen fröhlichen Tag und
lass dir die Freuden nicht entgehen, die
dir beschieden sind.[a] 15 Musst du nicht al-
les, was du sauer erworben hast, andern
hinterlassen und den Ertrag deiner Arbeit
den Erben geben?[a] 16 Schenke und lass
dich beschenken, und gönne dir etwas;
[17] denn in der Unterwelt lässt sich nicht
schwelgen.
17 [18] Alles Fleisch verschleißt wie ein
Kleid, denn es gilt der ewige Beschluss:
Du musst sterben! 18 [19] Wie mit den [a]grü-
nen Blättern auf einem schönen Baum –
die einen fallen ab, andere wiederum
wachsen –, so geht's mit dem Menschen-
geschlecht auch: [b]Die einen sterben, an-
dere werden geboren. 19 [20] Alles vergäng-
liche Werk muss ein Ende nehmen; [21] und
wer es vollbracht hat, fährt mit ihm da-
hin.

13,14 *a* 5. Mose 6,5 **13,15** *a* Kap 27,9 **13,17** *a* Mt 10,16
13,20 *a* Spr 29,27 **13,21** *a* Spr 19,4 **13,22** *a* Pred 9,16
13,23 *a* Ps 73,9 **13,25** *a* Spr 15,13 **14,1** *a* Kap 25,8; Jak 3,2
14,4 *a* Pred 2,21 **14,10** *a* Spr 23,6-7 **14,12** *a* Jes 28,15;
Weish 1,16 **14,14** *a* Pred 2,24; 7,14 **14,15** *a* Ps 49,11
14,18 *a* Jes 40,6 *b* Pred 1,4

WEISHEIT UND GOTTESFURCHT

20 [22] [a]Wohl dem, der über die Weisheit
nachsinnt und sie aufnimmt in sein gan-
zes Denken, 21 [23] der ihre Wege von Her-
zen betrachtet und ihren Geheimnissen
immer weiter [a]nachforscht, 22 ihr wie ein
Späher nachschleicht und auf ihren We-
gen auf sie wartet 23 [24] und guckt zu ih-
rem Fenster hinein und horcht an ihrer
Tür, 24 [25] sucht Herberge nahe bei ihrem
Hause und schlägt seine Pflöcke bei ihren
Mauern ein 25 und richtet an ihrer Wand
sein Zelt auf, sodass er eine gute Herberge
hat. 26 [a]Der bringt auch seine Kinder unter
ihr Dach und bleibt unter ihren Zweigen;
27 da wird er vor Hitze beschirmt und wird
in ihrem Glanz wohnen.
15 Das alles tut nur, wer den Herrn fürch-
tet; und wer sich an das Gesetz hält,
der findet die Weisheit.[a] 2 Und sie wird
ihm begegnen wie eine Mutter und [a]wird
ihn empfangen wie eine junge Braut. 3 Sie
reicht ihm die Speise der Einsicht und den
Trank der Weisheit.[a] 4 Er wird sich auf sie
stützen, dass er nicht fällt, und sich an sie
halten, dass er nicht zuschanden wird.
5 Sie wird ihn erhöhen über seine Nächs-
ten und ihm den Mund auftun in der
Gemeinde.[a] 6 Sie wird ihn [a]krönen mit
Freude und Wonne und ihm einen [b]ewi-
gen Namen verleihen.

7 Aber die Narren finden die Weisheit
nicht, und die Sünder können sie nicht
entdecken. 8 Fern ist sie den Hoffärtigen,
und die Heuchler wollen nichts von ihr
wissen.

9 Wertlos ist das Lob aus dem Mund
eines Sünders; denn es kommt nicht vom
Herrn. 10 Denn in Weisheit wird Lob ge-
sprochen, und der Herr lässt's gelingen.

DIE WAHL ZWISCHEN GUT UND BÖSE

11 Du darfst nicht sagen: »Bin ich abtrün-
nig geworden, so hat's der Herr getan.«
Denn was Gott hasst, das tut er nicht.[a]
12 Du darfst nicht sagen: »Er selbst hat
mich verführt.« Denn er braucht kei-
nen Frevler. 13 Der Herr [a]hasst alles, was
ein Gräuel ist; und wer ihn fürchtet, der
scheut sich davor.

14 Er hat im Anfang [a]den Menschen ge-
schaffen und [b]ihm die Wahl gelassen:
15 Wenn du willst, so [a]kannst du die Ge-
bote halten und in rechter Treue tun, was
ihm gefällt. 16 Er hat dich vor Feuer und
Wasser gestellt: Wähle, was du willst!
17 **Der Mensch [a]hat vor sich Leben und
Tod; was er wählt, wird ihm gegeben
werden.**

18 Denn die Weisheit des Herrn ist groß,
er ist stark und mächtig [19] und [a]sieht alles:
19 [20] [a]Seine Augen sehen auf die, die ihn
fürchten, und er kennt jedes Menschen
Werk. 20 [21] Er hat niemandem geboten,
[a]gottlos zu sein, und keinem erlaubt zu
sündigen.

GOTTLOSIGKEIT UND GOTTES GERICHT

16 Wünsche dir nicht viele Kinder, wenn
sie dann missraten, und freue dich
nicht über Söhne, 2 wenn sie dann gott-
los werden; und freue dich nicht darüber,
dass du viele Kinder hast, wenn sie nicht
den Herrn fürchten.[a] 3 Verlass dich nicht
darauf, dass sie am Leben bleiben, und
vertraue nicht auf ihre große Zahl. [In frü-
her Trauer wirst du seufzen, und plötzlich
wirst du ihr Ende erleben.] [3] Denn bes-
ser *ein* frommes Kind als tausend gott-
lose, [4] und besser kinderlos sterben als
gottlose Kinder haben. 4 [5] Ein einziger
kluger Mann kann einer Stadt zur Blüte
verhelfen, aber wie zahlreich die Frevler
auch sind, so wird ihre Stadt doch ver-
öden.[a]

5 [6] Das hat mein Auge oft gesehen, und
noch Schlimmeres hat mein Ohr gehört:
6 [7] Feuer bricht aus in der Versammlung
der Sünder, und über das ungehorsame
Volk [a]entbrannte Gottes Zorn. 7 [8] Er ver-
schonte die [a]Giganten* der Vorzeit nicht,
die auf ihre Stärke vertrauten und abtrün-
nig wurden. 8 [9] Er schonte auch die nicht,
bei denen Lot als Fremdling lebte, sondern
verdammte sie um ihres Übermuts wil-

* **16,7** Siehe Sach- und Worterklärungen.

14,20 *a* (20-24) Spr 8,34 **14,21** *a* Kap 6,27
14,26 *a* (26-27) Jes 25,4 **15,1** *a* Kap 19,20
15,2 *a* Weish 8,2.9 **15,3** *a* Kap 24,21; Spr 9,5
15,5 *a* Weish 8,10 **15,6** *a* Kap 6,31 *b* Kap 39,9
15,11 *a* Jak 1,13-14 **15,13** *a* Kap 17,26 **15,14** *a* 1. Mose 2,7
b 1. Mose 2,16-17 **15,15** *a* 1. Joh 5,3 **15,17** *a* Jer 21,8
15,18 *a* Kap 17,19; 23,19; 39,19; 42,18 **15,19** *a* Kap 34,16;
Ps 33,18; 34,16 **15,20** *a* Ps 5,5 **16,2** *a* Spr 17,21;
Weish 4,1.3 **16,4** *a* Spr 2,21-22 **16,6** *a* 4. Mose 16,35
16,7 *a* 1. Mose 6,4-7; Bar 3,26-28

len.[a] 9 [10] Und er erbarmte sich nicht über
das Volk, das er dem Untergang geweiht
hatte, sondern trieb sie aus ihrem Lande
um ihrer Sünde willen. [Dies alles tat er
den hartherzigen Völkern an und ließ sich
nicht von der großen Anzahl seiner Hei-
ligen umstimmen.][a] 10 [11] So hat er auch die
[a]sechshunderttausend hinweggerafft, die
sich in ihrer Hartherzigkeit zusammen-
gerottet hatten. [Der Herr geißelte und
erbarmte sich, er schlug und heilte. So
bewahrte er sie ständig in Erbarmen und
Zucht.] 11 Und gäbe es auch nur einen ein-
zigen Halsstarrigen, so wäre es ein Wun-
der, wenn er unbestraft bliebe.

[12] [a]Erbarmen und Zorn sind bei ihm;
er ist der Herr der Versöhnung und gießt
auch Zorn aus. 12 So groß wie seine Barm-
herzigkeit ist auch seine Zurechtweisung;
und er [a]richtet jeden nach seinen Werken.
13 [13] Der Sünder wird mit seinem Raub
nicht entkommen, doch was der Fromme
erhofft, wird nicht ausbleiben. 14 [14] Jede
Wohltat wird ihre Stätte finden, und [a]je-
der wird Lohn empfangen nach seinen
Werken. 15 [Der Herr verstockte den Pha-
rao, sodass der ihn nicht erkannte. So wur-
den Gottes Großtaten unter dem Himmel
bekannt. 16 Der ganzen Schöpfung ist sein
Erbarmen offenbar; sein Licht, aber auch
die Finsternis teilte er Adam zu.]

WARNUNG VOR DEM ZWEIFEL AN GOTTES GERICHT

17 [15] [a]Sage nicht: Der Herr sieht nicht nach
mir; wer fragt nach mir im Himmel? [16] In
der Menge bemerkt er mich nicht; was
bin ich angesichts der unermesslichen
Schöpfung? 18 [17] Denn siehe, der ganze
Himmel, das Meer und die Erde erbeben,
wenn er sie heimsucht; [die ganze Welt
ist entstanden und entsteht nach seinem
Willen.] 19 [18] Die Berge und die Grundfes-
ten der Erde beben, wenn er sie ansieht.[a]
20 [19] Doch was er tun will, das sieht nie-
mand, und wer könnte seine Wege er-
messen? 21 Er ist wie ein Sturmwind, den
kein Mensch sieht; [20] die meisten seiner
Taten geschehen im Verborgenen. 22 Die
Werke der Gerechtigkeit, wer macht sie
bekannt? [21] Und wer bleibt bestehen?
Fern ist der Bund [und die Prüfung für
alle am Ende].[a] – 23 [22] Solches meinen nur
Leute, denen es an Verstand fehlt, und
nur ein beschränkter Mensch denkt so
Törichtes.

LEBEN, WIE ES GOTT GEFÄLLT

24 [23] Höre mir zu, mein Kind, lerne Weis-
heit und beherzige meine Worte! 25 [24] Ich
will dir eine zuverlässige Lehre geben und
dich mit Sorgfalt unterrichten: 26 [25] Als
der Herr im Anfang seine Werke erschuf
[26] und von ihrem Ursprung an ihnen ihre
Bestimmung gab, 27 [27] [a]da hat er für im-
mer geordnet, was sie tun, und für alle
Zeit, wie weit ihre Herrschaft reichen
sollte, dass sie nicht müde noch matt wer-
den noch ihren Dienst versäumen 28 und
keins das andere behindern, sondern dass
alle immer seinem Befehl gehorsam sein
sollten. 29 Danach hat der Herr auf die Erde
geblickt und sie mit seinen Gütern erfüllt;
30 mit [a]lebendigen Wesen hat er sie bevöl-
kert, die [b]wieder zur Erde zurückkehren.
17 Der Herr hat den Menschen aus Erde
geschaffen[a] [2] und ihn wieder zur Erde
zurückkehren lassen.[b] 2 [3] [a]Er bestimmte
ihnen die [b]Zeit ihres Lebens und gab ih-
nen Macht über das, was auf Erden ist,
3 und verlieh ihnen Kraft, wie er selber sie
hat, und schuf sie nach seinem Bilde. 4 [4] Er
bestimmte, dass alles Fleisch ihn fürchten
sollte, und gab den Menschen die Herr-
schaft über Tiere und Vögel.[a] 5 [Er gab
ihnen den Gebrauch der fünf Sinne, als
Sechstes gab er ihnen Verstand und teilte
ihnen diesen zu und als Siebtes das Wort,
seine Werke auszulegen.] 6 [5] Er gab ihnen
Vernunft, Sprache, Augen, Ohren und das
Herz zum Denken. 7 [6] Er erfüllte sie mit
kluger Erkenntnis und [a]zeigte ihnen bei-
des, Gutes und Böses. 8 [7] [a]Er richtete sein
Auge auf ihre Herzen, [8] ihnen die Größe
seiner Werke zu zeigen, [und trug ihnen
auf, ewig den Ruhm seiner Wunder zu

16,8 ***a*** 1. Mose 19,1-28 **16,9** ***a*** 5. Mose 7,1-2
16,10 ***a*** Kap 46,8; 2. Mose 12,37; 4. Mose 14,21-23;
5. Mose 2,14 **16,11** ***a*** Kap 5,6 **16,12** ***a*** Jer 17,10
16,14 ***a*** Hiob 34,11 **16,17** ***a*** (17-23) Kap 23,18.20; Ps 94,7;
Jer 23,24 **16,19** ***a*** Ps 104,32 **16,22** ***a*** Mal 3,14.16
16,27 ***a*** (27-28) 1. Mose 1,16-18; Ps 19,5-7; Jes 40,26
16,30 ***a*** 1. Mose 1,20-25 ***b*** Pred 3,19-20
17,1 ***a*** 1. Mose 2,7 ***b*** 1. Mose 3,19; Kap 40,11
17,2 ***a*** (2-4) 1. Mose 1,26-28 ***b*** Kap 18,9; 1. Mose 6,3;
Ps 90,10 **17,4** ***a*** 1. Mose 9,2; Weish 9,2
17,7 ***a*** 5. Mose 30,15 **17,8** ***a*** (8-10) Ps 145,5; Röm 1,19-20

verkünden,] 10 damit sie seinen heiligen
Namen loben 9 und seine großen Taten
erzählen sollten. 11 [9] Er hat sie Wissen ge-
lehrt und ihnen [a]das Gesetz des Lebens
zum Erbe gegeben, [damit sie erkennen,
dass sie, obwohl sie sterblich sind, jetzt
am Leben bleiben]. 12 [10] Er hat einen ewi-
gen [a]Bund mit ihnen geschlossen und ih-
nen seine Ordnungen offenbart. 13 [11] Sie
[a]haben mit ihren Augen seine hohe Ma-
jestät gesehen und mit ihren Ohren seine
herrliche Stimme gehört. 14 [12] Und er
sprach zu ihnen: Hütet euch vor allem
Unrecht!, und befahl einem jeden [a]seinen
Nächsten an.
15 [13] Ihre Wege hat er immer vor Augen,
und nichts ist vor ihm verborgen. 16 [Ihre
Wege sind von Jugend an auf das Böse
gerichtet, und nicht vermochten sie, ihre
[a]steinernen Herzen in solche aus Fleisch
zu verwandeln. 17 [14] Denn als er die Völker
der ganzen Erde einteilte,] hat er für jedes
Volk einen Herrscher eingesetzt, [15] aber
über Israel ist er selbst Herr geworden.[a]
18 [Den Erstgeborenen wird er in Zucht er-
ziehen, er wird ihm das Licht seiner Liebe
geben und ihn nicht loslassen.] 19 [16] Alle
ihre Werke sind ihm so wenig verborgen
wie die Sonne, und seine Augen sehen
ohne Unterlass all ihre Wege.[a] 20 [17] Ihre
Ungerechtigkeiten sind ihm nicht ver-
borgen, und alle ihre Sünden sind vor
dem Herrn offenbar.[a] 21 [Der Herr aber,
der gut ist und seine Geschöpfe kennt,
hat sie nicht verlassen noch aufgegeben.]
22 [18] Die Barmherzigkeit eines Mannes ist
wie sein [a]Siegelring, und seine Güte wird
er wie seinen [b]Augapfel bewahren. [Seine
Söhne und Töchter führt er zur Umkehr.]
23 [19] Und zuletzt wird der Herr aufstehen
und [a]ihnen vergelten, und Vergeltung
kommt über ihr Haupt. 24 [20] Die aber um-
kehren, lässt er wieder zu Gnaden kom-
men, und die da [a]müde werden, tröstet er,
dass sie nicht verzagen.
25 [21] So bekehre dich nun zum Herrn
und lass die Sünden; [22] flehe zu ihm und
biete keinen Anstoß mehr! 26 [23] Kehre
zum Höchsten zurück und wende dich
vom Unrecht ab. [Denn er wird dich aus
der Finsternis zum Licht des Heils füh-
ren.] [24] Hasse unversöhnlich, was ihm
ein Gräuel ist.[a]

LOB DER BARMHERZIGKEIT GOTTES

27 [25] [a]Wer wird den Höchsten loben bei
den Toten? [26] Denn allein die Lebendi-
gen können loben; 28 die Toten, die kein
Leben haben, können nicht mehr loben.
[27] Darum: Wer lebt und gesund ist, der
lobe den Herrn!
29 [28] [a]Wie ist die Barmherzigkeit des
Herrn so groß! Er zeigt sich denen gnädig,
die sich zu ihm bekehren. 30 [29] Denn der
Mensch ist nicht vollkommen, da er nicht
unsterblich ist. 31 [30] Was ist heller als die
Sonne? Selbst das muss vergehen. Was
Fleisch und Blut sich ausdenken, ist böse.
32 [31] Das Heer der Himmelshöhe hält der
Herr in Ordnung; aber [a]alle Menschen
sind Erde und Staub.
18 Der ewig lebt, hat alles miteinander
geschaffen. 2 Der Herr allein ist ge-
recht. [Und es gibt keinen außer ihm. 3 Er
lenkt die Welt mit einem Wink seiner
Hand, und alles gehorcht seinem Willen;
denn in seiner Macht ist er König über al-
les; er trennt Heiliges von Unheiligem.]
4 [2] [a]Niemand kann seine Werke aufzäh-
len. Wer kann seine großen Taten erfor-
schen? 5 [3] Wer kann seine große Macht
ermessen? [4] Und wer kann die Taten sei-
ner Barmherzigkeit alle erzählen? 6 [5] Man
kann sie [a]nicht mindern noch mehren,
und [b]die Wunder des Herrn kann man
nicht begreifen. 7 [6] Wenn der Mensch sein
Bestes getan hat, steht er doch erst am An-
fang; und wenn er zum Ende kommt, fehlt
noch viel.
8 [7] [a]Was ist der Mensch? Wozu ist er
nütze? Was ist das Gute und was das
Böse an ihm? 9 [8] [a]Die Zahl der Tage eines
Menschen kann viele Jahre betragen –
vielleicht hundert. [Niemand aber kann
den Todesschlaf berechnen.] 10 Wie ein
Tropfen Wasser im Meer und wie ein
Körnlein Sand, so gering sind des Men-
schen Jahre gegen einen Tag der Ewig-
keit.

17,11 ***a*** Kap 45,5 **17,12** ***a*** 2. Mose 19,5; Ps 111,9
17,13 ***a*** 2. Mose 24,10-11 **17,14** ***a*** 3. Mose 19,18
17,16 ***a*** Hes 36,26 **17,17** ***a*** 5. Mose 4,20; 1. Sam 8,5.7
17,19 ***a*** Kap 15,18 **17,20** ***a*** Ps 90,8 **17,22** ***a*** Kap 49,11
b 5. Mose 32,10 **17,23** ***a*** Kap 11,26 **17,24** ***a*** Jes 40,29-31
17,26 ***a*** Kap 15,13; 3. Mose 18,26 **17,27** ***a*** (27-28) Ps 6,6
17,29 ***a*** (29-30) Kap 18,9-12; Ps 103,13 **17,32** ***a*** Kap 33,10
18,4 ***a*** Kap 42,17; Ps 106,2 **18,6** ***a*** Kap 42,21 ***b*** Pred 8,17
18,8 ***a*** Hiob 7,17; Ps 8,5 **18,9** ***a*** Kap 17,2; Ps 90,10

11 [9] [a]Darum hat der Herr Geduld mit ih-
nen und gießt seine Barmherzigkeit aus
über sie. 12 [10] Er sieht und weiß, wie bitter
ihr Ende ist; [11] umso reichlicher schenkt er
seine Versöhnung.
13 [12] **Die Barmherzigkeit eines Men-
schen gilt allein seinem Nächsten; aber
die Barmherzigkeit des Herrn gilt der
ganzen Welt.** [13] Er weist zurecht, erzieht
und belehrt und führt zurück wie ein
Hirte seine Herde. 14 [14] Er erbarmt sich
aller, die sich erziehen lassen und eifrig
seine Ordnungen befolgen.

BARMHERZIGKEIT MIT DEM NÄCHSTEN

15 Mein Kind, wenn du jemand Gutes tust,
so tu's nicht mit tadelnden Worten; und
wenn du jemand etwas gibst, so kränke
ihn nicht dabei.[a] 16 Kühlt nicht der Tau
die Hitze? So ist das Wort besser als die
Gabe. 17 Gilt nicht ein Wort mehr als eine
gute Gabe? Und ein freundlicher Mensch
gibt sie beide. 18 Ein Narr schmäht lieb-
los, und eines Böswilligen Gabe führt zu
Tränen.

BEDENKE DAS ENDE

19 Lerne, bevor du redest, [20] und sorge für
deine Gesundheit, bevor du krank wirst;
20 [21] prüfe dich selbst, bevor das Gericht
kommt, so wirst du in der Stunde der
Heimsuchung Gnade finden.
21 [22] Übe Demut, ehe du krank wirst,
und [a]noch im Augenblick der Sünde kehre
um. 22 Lass dich [a]nicht aufhalten, dein Ge-
lübde bald zu erfüllen, und warte nicht bis
an den Tod, um es einzulösen. 23 [23] [a]Ma-
che dich bereit für das Gelübde, ehe du es
ablegst, und sei nicht wie einer, der den
Herrn versucht. 24 Denk an den Zorn,
der am Ende kommen wird, und an die
Stunde der Strafe, in der Gott sein Antlitz
abwendet.[a]
25 Wenn man satt ist, soll man beden-
ken, dass man vielleicht wieder hungern
muss; und wenn man reich ist, soll man
bedenken, dass man wieder arm wer-
den kann.[a] 26 [a]Es kann vor Abend noch
ganz anders werden, als es am Morgen
war; so schnell wandelt sich alles vor dem
Herrn.
27 Ein weiser Mensch ist in allem sorg-
sam, und wenn andre sündigen, hütet er
sich vor Verfehlungen. 28 Wer verständig
ist, nimmt solche Weisheit an und preist
den, der sie gefunden hat. 29 [a]Wer Weis-
heitslehren recht versteht, ist selbst ein
Weiser und findet treffende Sprüche.
[Besser mit Freimut vor einem einzigen
Herrscher gesprochen, als mit totem Her-
zen einem toten Herrscher anzuhängen.]

Über die Selbstbeherrschung

30 [a]Folge deinen Begierden nicht, sondern
zügle dein Verlangen. 31 Denn wenn du
deinen Begierden folgst, so wirst du dich
zum Gespött deiner Feinde machen.[a]
32 [a]Sei kein Prasser und gewöhne dich
nicht ans Schlemmen, 33 damit du nicht
zum Bettler wirst, der andre von geliehe-
nem Geld bewirtet, weil er kein eigenes
im Beutel hat. [Denn sonst wirst du zum
Verräter an deinem eigenen Leben.]
19 Ein Arbeiter, der sich gern vollsäuft,
wird nicht reich; und wer das Wenige
allzu gering achtet, der kommt zu Fall.
2 [a]Wein und Weiber betören die Weisen;
[3] und wer sich an Huren hängt, der wagt
zu viel; 3 den fressen Maden und Würmer,
und wer so verwegen lebt, der wird hin-
weggerafft.

ÜBER BÖSES GEREDE

4 Wer leichtgläubig ist, der ist leichtsin-
nig, und wer sündigt, der schadet sich
selbst. 5 Wer sich über eine Bosheit freut,
den wird man verachten, [wer gegen
seine Gelüste kämpft, der krönt sein Le-
ben. 6 [5] Wer seine Zunge im Zaum hält,
der wird in Frieden leben,] und wer Ge-
schwätz hasst, der verringert das Übel.
7 [6] Hörst du etwas, so sage es nicht wei-
ter, und dir wird es an nichts fehlen. 8 [7] Du
sollst es weder Freund noch Feind sagen,
[8] und wenn es für dich keine Sünde be-
deutet, [a]gib es nicht preis. 9 [9] Denn man
hört dir wohl zu, aber man hütet sich vor
dir, und bei Gelegenheit lässt man dich
den Hass spüren.

18,11 *a* (11-12) Kap 17,29-30 **18,15** *a* Kap 41,22
18,21 *a* Kap 5,7 **18,22** *a* Pred 5,3 **18,23** *a* Spr 20,25
18,24 *a* Kap 7,36 **18,25** *a* Kap 11,25 **18,26** *a* Hiob 1,13-22
18,29 *a* Kap 50,2 **18,30** *a* Kap 5,2 **18,31** *a* Kap 6,4
18,32 *a* (32-33) Spr 23,20-21 **19,2** *a* (2-3) Kap 9,3-9;
1. Kön 11,3; Hos 4,11; Spr 5,1-13 **19,8** *a* Spr 25,9

10 Hast du etwas gehört, so [a]lass es mit
dir sterben; sei ohne Sorge, du wirst ja
nicht davon bersten! 11 Aber aus einem
Narren bricht es heraus wie ein Kind, das
geboren werden will. 12 Wie der Pfeil im
Schenkel so steckt das Wort im Bauch des
Narren.
13 Stell deinen Freund zur Rede; viel-
leicht hat er's nicht getan. Hat er's aber
doch getan, damit er's nicht wieder tut.
14 Stell deinen Nächsten zur Rede; viel-
leicht hat er's nicht gesagt. Hat er's aber
doch gesagt, damit er's nicht wieder sagt.
15 Stell deinen Freund zur Rede, denn man
verleumdet die Leute gern. Darum glaube
nicht alles, was du hörst. 16 Oft entfährt
einem ein Wort, das nicht so gemeint war;
denn wer hat noch nicht mit der Zunge
gesündigt?[a] 17 Stell deinen Nächsten zur
Rede, bevor du ihm drohst, und bedenke,
was das Gesetz des Höchsten fordert.
18 [Der Herr nimmt die an, die ihn fürch-
ten, und Weisheit erwirkt seine Liebe.[a]
19 Die Gebote des Herrn zu kennen, ist
Erziehung zum Leben; die aber tun, was
ihm gefällt, ernten vom [a]Baum der Un-
sterblichkeit.]

WEISHEIT UND ARGLIST

20 [18] Alle [a]Weisheit besteht in der Furcht
des Herrn, und zu aller Weisheit gehört
das Tun des Gesetzes [und die Erkenntnis
seiner Allmacht.[b] 21 Ein Knecht, der zum
Herrn sagt: »Ich tue nicht, was du willst«,
erzürnt seinen Ernährer, auch wenn er es
dann doch tut].[a] 22 [19] Böses zu kennen, ist
keine Weisheit, und die Pläne der Sünder
sind nicht Klugheit zu nennen. 23 [20] Es
gibt eine [a]Schläue, die ein Gräuel ist, und
der ist ein Tor, dem es an Weisheit fehlt.
24 [21] Besser ist geringe Klugheit mit Got-
tesfurcht als große Klugheit mit Übertre-
tung des Gesetzes.
25 [22] Einer kann listig und schlau sein
und ist doch nicht gerecht. Er kann eine
Sache so verdrehen, dass er im Gericht
besteht [und im Urteil der Gerechten als
weise gilt]. 26 [23] Manch einer ist boshaft:
Er gibt sich ernsthaft, sein Inneres aber ist
voll Arglist. 27 [24] Er schlägt die Augen nie-
der und stellt sich taub; und wenn du nicht
auf ihn achtgibst, so wird er dich übervor-
teilen. 28 [25] Und wenn er auch zu schwach
ist, um dir zu schaden, so wird er's doch
tun, wenn er seine Zeit gekommen sieht.
29 [26] Man [a]sieht's einem an, was für ein
Mann er ist, und einen Vernünftigen er-
kennt man, wenn man ihm ins Gesicht
sieht. 30 [27] Denn an Kleidung, Lachen und
Gang erkennt man den Mann.

REDEN UND SCHWEIGEN

20 Es tadelt einer oft seinen Nächsten
zur [a]Unzeit, doch wäre es klüger,
wenn er schwiege. 2 Es ist besser, offen
zu tadeln, als heimlich zu grollen; 3 und
wer's mit Dank annimmt, dem bringt's
Nutzen. 4 Wer mit Gewalt ein Urteil er-
zwingen möchte, der ist [a]wie ein Eunuch,
der eine Jungfrau schänden will. 5 Der eine
[a]schweigt und wird deshalb für weise ge-
halten; der andere macht sich unbeliebt,
weil er viel redet. 6 [a]Der eine schweigt,
weil er nichts zu antworten weiß; der
andere aber schweigt und wartet auf
seine Zeit. 7 Ein weiser Mann schweigt,
bis er seine Zeit gekommen sieht; aber
ein Prahler und Narr achtet nicht auf die
rechte Zeit. 8 Wer [a]viele Worte macht,
wird verabscheut; und [b]wer auf seinem
Recht besteht, macht sich verhasst. [Wie
gut, wenn jemand getadelt wird und Reue
zeigt, so wird er mutwillige Sünde ver-
meiden.]

GEWINN UND VERLUST

9 Manches Unglück führt einen zum Gu-
ten, und mancher Gewinn führt zum
Schaden. 10 Manche Gaben bringen keinen
Gewinn; andere dagegen werden doppelt
vergolten. 11 Mancher, der in hohem An-
sehen steht, fällt tief; und mancher, der
erniedrigt ist, kommt empor. 12 Mancher
kauft zunächst viel für wenig Geld; aber
nachher muss er's siebenfach bezahlen.

DER UNBELIEBTE NARR

13 Ein weiser Mann macht sich mit we-
nigem beliebt, aber was Narren schen-
ken, hat keinen Wert. 14 Das Geschenk

19,10 *a* Spr 11,13 **19,16** *a* Pred 7,21-22; Jak 3,2
19,18 *a* Jak 3,17 **19,19** *a* 1. Mose 2,9 **19,20** *a* Kap 15,1;
Spr 1,7 *b* Kap 21,11 **19,21** *a* Mt 21,28-31 **19,23** *a* Kap 21,12;
Jak 3,15 **19,29** *a* Kap 13,25 **20,1** *a* Kap 22,6
20,4 *a* Kap 30,20 **20,5** *a* Spr 17,28 **20,6** *a* (6-7) Pred 3,7
20,8 *a* Spr 10,19 *b* 1. Mose 37,5-11

des Narren wird dir nichts nützen; [auch
nicht das eines Neiders, weil er etwas da-
für erwartet,] denn mit einem Auge gibt
er und mit sieben Augen sieht er, was er
dafür bekommt.* 15 Er gibt wenig und hält
es einem vielfach vor und schreit's aus wie
ein Ausrufer. [16] Heute leiht er, morgen
will er's wiederhaben. Das sind wider-
wärtige Leute.
16 [17] Der Narr klagt: »Niemand ist mein
Freund; niemand dankt mir für meine
Wohltaten. [18] Sie essen mein Brot und
reden schlecht von mir.« 17 [19] Wie oft und
von wie vielen wird er verspottet! [Denn
mit seinem Besitz ist er nicht in rechter
Weise umgegangen. Selbst nichts zu be-
sitzen, ist ihm gleichgültig.]

UNZEITIGES REDEN

18 [20] Besser, es kommt einer auf schlüpfri-
gem Boden zu Fall als [a]durch sein Reden;
so geht's den Bösen: Plötzlich müssen sie
fallen. 19 [21] Ein grober Mensch fällt auf
durch unpassende Reden; im Munde un-
erzogener Leute sind sie gang und gäbe.
20 [22] Auch wenn ein Narr etwas Richtiges
sagt, so findet es doch keinen Anklang;
denn er [a]sagt es nicht zur rechten Zeit.

ARMUT UND FALSCHE SCHAM

21 [23] Manchen hindert nur seine Armut
daran, Böses zu tun; kommt er zur Ru-
he, so hat er kein schlechtes Gewissen.
22 [24] Mancher setzt sein Leben aufs Spiel
aus Furcht vor Schande; aber um törichter
Leute willen verliert er es. 23 [25] Mancher
macht aus Scham seinem Freund Ver-
sprechungen und macht ihn sich grund-
los zum Feind.

WARNUNG VOR LÜGEN

24 [26] Die [a]Lüge ist ein hässlicher Schand-
fleck an einem Menschen; im Munde
unerzogener Leute ist sie gang und gä-
be. 25 [27] Schlimmer als ein Dieb ist ein
Mensch, der ständig lügt; aber zuletzt
werden sie beide untergehen.[a] 26 [28] Ein
verlogener Mensch ist ehrlos, und sein
schändliches Verhalten hört nicht auf.

Weisheitssprüche

27 [29] Ein weiser Mann bringt sich mit we-
nigem zu Ehren, und ein kluger Mann ge-
fällt den Mächtigen. 28 [30] Wer [a]einen Acker
fleißig bebaut, vermehrt seine Ernte; und
wer dem Mächtigen gefällt, kann Unrecht
gutmachen.
29 [31] Geschenke und Gaben machen die
Augen der Weisen blind. Sie sind wie ein
Zaum im Maul, sodass sie niemand mehr
zurechtweisen können.[a] 30 [32] Verborgene
Weisheit und ein vergrabener Schatz,
was nützen sie beide?[a] 31 [33] Besser ein
Mensch, der seine Torheit verbirgt, als
einer, der seine Weisheit verheimlicht.
32 [Besser unbeirrte Geduld bei der Suche
nach dem Herrn, als ein unbeherrsch-
ter Wagenlenker des eigenen Lebens zu
sein.]

WARNUNG VOR SÜNDEN

21 Mein Kind, [a]hast du gesündigt? Tu es
nicht wieder und bitte, dass dir die frü-
heren Sünden vergeben werden. 2 [a]Flieh
vor der Sünde wie vor einer Schlange;
denn wenn du ihr zu nahe kommst, beißt
sie dich. [3] Ihre Zähne sind wie die Zähne
der Löwen; sie rauben den Menschen
das Leben. 3 [4] Wie ein zweischneidiges
Schwert ist jede Übertretung des Geset-
zes; für die Wunde, die es schlägt, gibt es
keine Heilung.
4 [5] [a]Gewalt und Hochmut werden den
Reichtum vernichten; so wird das Haus
des Hoffärtigen zerstört. 5 [6] [a]Die Bitte
aus dem Mund eines Bettlers kommt Gott
zu Ohren, und sein Urteil folgt auf dem
Fuße. 6 [7] Wer Tadel hasst, der ist schon
auf dem [a]Weg des Sünders; und wer den
Herrn fürchtet, der wird im Herzen um-
kehren. 7 [8] Wer zu reden versteht, ist weit-
hin bekannt, und ein Kluger merkt, wo er
fehlgeht.
8 [9] Wer sein Haus baut mit fremdem
Hab und Gut, gleicht einem, der Steine
für sein Grab sammelt.
9 [10] Die Schar der Gottlosen ist wie
[a]Werg, das vom Feuer verzehrt wird.

* **20,14** Mit Luther wird hier die lateinische Text-tradition aufgenommen.

20,18 ***a*** Spr 12,13 **20,20** ***a*** Verse 6-7 **20,24** ***a*** Eph 4,25 **20,25** ***a*** 3. Mose 19,11 **20,28** ***a*** Spr 12,11 **20,29** ***a*** 2. Mose 23,8; 5. Mose 16,19 **20,30** ***a*** Kap 41,15; Mt 13,44 **21,1** ***a*** Joh 8,11 **21,2** ***a*** 1. Mose 39,7-12 **21,4** ***a*** Hiob 20,10 **21,5** ***a*** Ps 34,7 **21,6** ***a*** Ps 1,6 **21,9** ***a*** Jes 1,31

10 [11] Die Sünder gehen auf einem gepflas-
terten Weg, aber an seinem Ende ist der
Abgrund der Hölle.[a]

WEISE UND NARREN

11 [12] Wer das Gesetz hält, der [a]beherrscht
seine Gedanken, [13] und Vollendung der
Furcht des Herrn ist Weisheit.[b] 12 [14] Wer
nicht klug ist, der lässt sich nicht erzie-
hen;[a] [15] es gibt aber eine Klugheit, die
viel Bitterkeit schafft.[b] 13 [16] Die Erkennt-
nis eines Weisen wächst wie eine Flut,
und wie [a]eine Quelle des Lebens ist sein
Rat. 14 [17] Das Innere des Narren ist wie ein
Topf mit einem Sprung und kann keine
Erkenntnis behalten. 15 [18] Wenn ein Ver-
nünftiger eine kluge Lehre hört, lobt er
sie und fügt noch mehr hinzu; hört sie
aber einer, der im Überfluss lebt, miss-
fällt sie ihm, und er kehrt ihr den Rü-
cken. 16 [19] Die Rede des Narren [a]drückt
wie eine Last beim Gehen; aber wenn
ein Verständiger redet, hört man gern zu.
17 [20] In der Gemeinde bittet man den Ein-
sichtigen zu reden; und seine Worte be-
denkt man im Herzen. 18 [21] Weisheit ist
für den Narren wie ein verfallenes Haus;
und die Erkenntnis des Unverständigen
hält der Prüfung nicht stand. 19 [22] Erzie-
hung ist für den Narren wie eine Fessel
an den Füßen und an der rechten Hand.
20 [29] Ein Narr lacht überlaut; ein klu-
ger Mann lächelt ein wenig. 21 [23] Für den
Einsichtigen ist Erziehung wie goldener
Schmuck und wie Geschmeide am rech-
ten Arm.[a]

22 [24] Ein Narr läuft einfach ins Haus; aber
ein erfahrener Mann scheut sich davor.
23 [25] Ein Narr schaut einfach zum Fens-
ter hinein; aber ein Wohlerzogener bleibt
draußen stehen. 24 [26] Es ist ungezogen, an
der Tür zu horchen; für den Vernünftigen
wäre das eine große Schmach. 25 [27] Die
Fremden werden davon erzählen, die
Einsichtigen aber [a]halten ihre Worte im
Zaum. 26 [28] Die Narren tragen ihr Herz auf
der Zunge, aber die Weisen haben ihren
Mund im Herzen.[a]

27 [30] Wenn der Gottlose dem Satan
flucht, so flucht er sich selbst. 28 [31] Wer
übel nachredet, befleckt seine eigene
Seele, und in der Nachbarschaft wird er
gehasst.[a]

UNGERATENE KINDER

22 Ein fauler Mensch ist wie ein schmut-
ziger Stein, und jeder zischt ihn aus
wegen seiner Schande. 2 Ein fauler Mensch
ist wie ein Mistklumpen; wer ihn aufhebt,
muss sich die Hände abwischen.

3 [a]Unerzogene Kinder sind eine Schande
für den Vater, und eine missratene Toch-
ter bringt ihm Schaden. 4 Eine vernünftige
Tochter wird einen Mann bekommen;
aber eine Tochter, die sich schändlich auf-
führt, macht ihrem Vater Kummer. 5 Eine
freche Tochter ist für den Vater wie für
den Mann eine Schande und wird von bei-
den verachtet.

6 Eine Rede zur Unzeit ist wie fröhliches
Saitenspiel in der Zeit der Trauer. Doch
Schläge und Zucht sind allezeit weise.
7 [Kinder, die ein gutes Leben und ihr Aus-
kommen haben, werden die niedrige Her-
kunft ihrer Eltern verheimlichen. 8 Kinder,
die verächtlich und unerzogen prahlen,
beflecken ihre gute Herkunft.]

VOM UMGANG MIT NARREN

9 [7] Wer einen Narren lehrt, der leimt
Scherben zusammen oder handelt wie
einer, der jemanden aus tiefem Schlaf
weckt. 10 [8] Wer mit einem Narren redet,
der redet mit einem Schlafenden, [9] der am
Ende fragt: Was ist denn?

11 [10] Über einen Toten soll man trauern,
denn das Licht ist ihm erloschen; und über
einen Narren soll man trauern, denn der
Verstand ist ihm erloschen. [11] Doch soll
man über einen Toten nicht zu sehr trau-
ern; denn er ist zur Ruhe gekommen;
[12] aber das Leben des Narren ist schlim-
mer als der Tod.[a] 12 [13] [a]Sieben Tage trauert
man über einen Toten, aber über Narren
und Gottlose ihr Leben lang.

13 [14] Rede nicht viel mit einem Narren;
und geh nicht zu einem Unverständigen.
[Denn er wird dich nicht verstehen und
alles verachten, was dich angeht.] [15] Hüte
dich vor ihm, dass du nicht Mühe durch
ihn hast und durch das befleckt wirst, was

21,10 *a* Mt 7,13 **21,11** *a* Kap 10,26 *b* Hiob 28,28
21,12 *a* Kap 32,14; Spr 15,32 *b* Kap 19,23-25
21,13 *a* Spr 18,4; Ps 36,10 **21,16** *a* Kap 22,14-15
21,21 *a* Kap 6,29-31 **21,25** *a* Kap 28,25 **21,26** *a* Spr 13,3
21,28 *a* Kap 5,14 **22,3** *a* Spr 17,25 **22,11** *a* Kap 38,16-17
22,12 *a* 1. Mose 50,10

er ausspeit. [16]Weiche ihm aus, so findest du Ruhe und kommst nicht in Angst und Not durch seine Torheit. 14 [17]Was ist schwerer als Blei? Wie kann man ihn anders nennen als »Narr«? 15 [18]Sand, Salz und Eisen sind leichter zu tragen als ein unverständiger Mensch.[a]

DAS FURCHTLOSE HERZ

16 [19]Wie [a]ein Haus, das Holzbalken in seinen Mauern hat, beim Erdbeben nicht einstürzt, so ist auch ein Herz, das auf klugen Rat baut: Es fürchtet sich zu keiner Zeit. 17 [20]Wie schöner Stuck an einer glatten Wand, so ist ein Herz, das festhält an verständiger Erkenntnis. 18 [21]Wie kleine Steine auf der Höhe dem Wind nicht standhalten, [22]so hält ein zaghaftes Herz, das Törichtes vorhat, keinem Schrecken stand.

FREUNDSCHAFT UND VERGEBUNG

19 [23]Wer ins Auge trifft, treibt Tränen hervor; [24]wer ins Herz trifft, löst Kummer aus. 20 [25]Wer einen Stein unter die Vögel wirft, der scheucht sie weg; wer seinen Freund schmäht, der zerstört die Freundschaft.

21 [26][a]Selbst wenn du gegen deinen Freund das Schwert gezückt hast, gib die Hoffnung nicht auf; denn es gibt einen Weg zurück. 22 [27]Hast du gegen deinen Freund den Mund aufgetan, so sei ohne Sorge, denn ihr könnt euch wieder versöhnen; nur Schmähung, Missachtung, Verrat von Geheimnissen und hinterlistige Nachrede: Das verjagt jeden Freund.

23 [28][a]Bleib deinem Nächsten treu, wenn er arm wird, damit du dich mit ihm freuen kannst, wenn's ihm wieder gut geht. [29]Halte zu ihm, wenn's ihm schlecht geht, damit du auch sein Glück mit ihm teilen kannst. [Denn niemals darf man nach dem Äußeren urteilen, und ein Reicher ohne Verstand ist nicht der Bewunderung wert.] 24 [30]Rauch und Qualm im Ofen gehen dem Feuer voraus; so kommt vor dem Blutvergießen das Schmähen.[a]

25 [31]Ich schäme mich nicht, den Freund zu schützen, und ziehe mich nicht von ihm zurück. 26 [32]Widerfährt mir aber etwas Böses von ihm, dann wird sich jeder vor ihm hüten, der davon hört.

BITTE UM BEWAHRUNG VOR GOTTLOSIGKEIT

27 [33]Wer legt [a]ein Schloss vor meinen Mund und drückt ein Siegel fest auf meine Lippen, dass ich nicht zu Fall komme und meine Zunge mich nicht verdirbt?

23 Herr, [a]Vater und Herrscher über mein Leben, verlass mich nicht, wenn meine Zunge mich verführen will, und lass mich durch sie nicht zu Fall kommen. 2 Wer gibt mir eine Geißel für meine Gedanken und eine Zuchtrute zur Weisheit für mein Herz, dass ich nicht geschont werde, wenn ich falsch handle, und meine Sünden nicht unbestraft bleiben, 3 dass meine Torheiten nicht mehr werden und meine Sünden nicht zunehmen, damit ich nicht zu Fall komme vor meinen Feinden und ihnen zum Spott werde? [Vergebens hoffen sie auf dein Erbarmen!] 4 Herr, [a]Vater und Gott meines Lebens, [5]behüte mich vor [b]hochmütigem Blick 5 und wende Begierde von mir ab! 6 Lass mich nicht in Schlemmerei und Unkeuschheit geraten und behüte mich vor Schamlosigkeit!

Erziehung zur rechten Rede

7 [a]Ihr Kinder, hört die Unterweisung zur rechten Rede; denn wer ihr folgt, der wird sich in seinen Worten nicht so vergreifen, 8 wie der Sünder sich verfängt und Lästerer und Hochmütige durch sie zu Fall kommen.

9 Gewöhne deinen Mund nicht ans [a]Schwören und nicht daran, ständig [b]den Namen des Heiligen zu nennen. 10 Denn wie ein Knecht, der beim Verhör oft geschlagen wird, nicht ohne Striemen ist, [11]so kann auch der nicht rein von Sünde bleiben, der oft schwört und Gottes Namen ständig nennt. 11 [12]Wer oft schwört, der sündigt oft, und die Plage wird seinem Hause nicht fernbleiben. [13]Schwört er [a]unbedacht, so sündigt er dennoch; hält er's nicht, so sündigt er zweifach; [14]schwört er aber ohne

22,15 *a* Spr 27,3 **22,16** *a* Mt 7,24-25
22,21 *a* (21-22) Kap 19,13-17; 27,16-21 **22,23** *a* Kap 12,8-9; 6,7 **22,24** *a* Kap 28,11 **22,27** *a* Kap 28,24; Ps 141,3
23,1 *a* Ps 89,27 **23,4** *a* Ps 89,27 *b* Hiob 31,1
23,7 *a* (7-8) Spr 10,14.19 **23,9** *a* Mt 5,33-37
b 2. Mose 20,7 **23,11** *a* 3. Mose 5,4-6

Grund, so wird er nicht gerecht gespro-
chen. So oder so: Sein Haus wird hart
bestraft.
12 [15]Es gibt eine Art zu reden, die dem
Tod gleicht; dies sei ferne vom Haus Ja-
kob! [16]Die Gottesfürchtigen sollen all
dies meiden und sich nicht in solche Sün-
den verstricken. 13 [17]Gewöhne deinen
Mund nicht an ungehörige und schmut-
zige Rede; denn sie ist die Sprache der
Sünde.
14 [18]Denk an deinen Vater und deine
Mutter, wenn du unter vornehmen Leu-
ten sitzt, [19]damit du dich nicht vor ih-
nen vergisst und nicht durch dein Beneh-
men zum Narren wirst, sonst wünschst
du schließlich, du wärst nie geboren,
und verfluchst [a]den Tag deiner Geburt.
15 [20]Wer sich daran gewöhnt, schändlich
zu reden, der nimmt sich sein Leben lang
nicht in Zucht.

WARNUNG VOR UNZUCHT

16 [21]Zwei Arten von Menschen bege-
hen viele Sünden, und die dritte bringt
Strafe über sich: [22]Ein hitziges Gemüt ist
wie ein brennendes Feuer; es hört nicht
auf, bis es sich selbst verzehrt hat. [23]Der
Leib eines unzüchtigen Menschen findet
keine Ruhe, bis das Feuer ausgebrannt
ist. 17 [24]Einem unzüchtigen Menschen
scheint alle Speise süß, und er lässt nicht
ab bis zum Ende.
18 [25]Ein Mann bricht seine Ehe und
denkt bei sich: [a]Wer sieht mich schon?
[26]Es ist finster um mich, und die Wände
verbergen mich, sodass mich niemand
sieht; was soll ich scheuen? Der Höchste
achtet auf meine Sünden nicht. 19 [27]Solch
einer scheut nur die Augen der Menschen
[28]und bedenkt nicht, dass die Augen des
Herrn vieltausendmal heller sind als die
Sonne und [a]alles sehen, was die Menschen
tun, und auch in die verborgenen Winkel
schauen; 20 [29]alle Dinge sind ihm bekannt,
ehe sie geschaffen werden, und ebenso,
wenn sie vollbracht sind. 21 [30][a]Dieser
Mann wird öffentlich in der Stadt bestraft
werden, [31]und er wird ergriffen, wenn er
sich's am wenigsten versieht.
22 [32]Ebenso wird's auch einer Frau er-
gehen, die ihren Mann betrügt und einen
Erben von einem andern bekommt.
23 [33]Erstens ist sie dem Gebot des Höchs-
ten ungehorsam, zum andern versündigt
sie sich an ihrem Mann, und zum Dritten
bekommt sie durch ihre Unzucht Kinder
von einem andern. 24 [34]Eine solche Frau
wird man der Gemeinde vorführen, und
ihre Kinder müssen's büßen. 25 [35]Ihre
Kinder werden nicht zur Wurzel eines
Stammes, und ihre Zweige bringen keine
Frucht.[a] 26 [36]Wenn man sich an sie er-
innert, flucht man ihr, und ihre Schande
wird niemals ausgetilgt.[a] 27 [37]Daran ler-
nen die Nachkommen, dass nichts besser
ist, als den Herrn zu fürchten, und nichts
[a]süßer, als auf die Gebote des Herrn zu
achten. 28 [Gott zu folgen, bringt großen
Ruhm. Und ein langes Leben bedeutet: Er
nimmt dich an.]

Das Lob der Weisheit

24 [a]Die Weisheit preist sich selbst, und
im Volk rühmt sie sich. 2 Sie tut ihren
Mund auf in der Gemeinde des Höchs-
ten [3]und rühmt sich im Angesicht sei-
ner Macht: 3 [4][a]»Ich ging aus vom Munde
des Höchsten [5]und bedeckte wie Nebel
die Erde. 4 [6]Mein Zelt war in der Höhe
und auf einer Wolkensäule mein Thron.[a]
5 [7]Ich allein umkreiste des Himmels Ge-
wölbe [8]und durchzog die Tiefe des Ab-
grunds. 6 [9]Auf den Wogen des Meeres,
überall auf Erden, [10]unter allen Menschen
und Völkern gewann ich Besitz. 7 [11]Bei
diesen allen suchte ich Wohnung, um in
einem Land Erbbesitz zu finden.
8 [12]Da gebot mir der Schöpfer aller
Dinge, und der mich geschaffen hat, gab
mir eine bleibende Wohnung [13]und
sprach: [a]In Jakob sollst du wohnen, und in
Israel soll dein Erbbesitz sein. 9 [14]Vor der
Welt, [a]von Anbeginn hat er mich geschaf-
fen, und ich werde ewig bleiben. 10 [15]Im
heiligen Zelt habe ich vor ihm gedient und
so [a]auf dem Zion eine feste Stätte gefun-
den. 11 Er hat mich in die geliebte Stadt
gesetzt, dass ich in Jerusalem regieren

23,14 ***a*** Jer 20,14 **23,18** ***a*** Hiob 24,15 **23,19** ***a*** Kap 15,18; Spr 15,11; Hebr 4,13 **23,21** ***a*** (21-24) 2. Mose 20,14; 5. Mose 22,22 **23,25** ***a*** Kap 40,15; Weish 3,16; 4,3
23,26 ***a*** Weish 10,8 **23,27** ***a*** Ps 119,103
24,1 ***a*** (1-34) Spr 8,1-36; Hiob 28,1-28
24,3 ***a*** Weish 6,22; 7,25; Spr 2,6 **24,4** ***a*** Bar 3,29
24,8 ***a*** Bar 3,37-38 **24,9** ***a*** Kap 1,4
24,10 ***a*** 1. Kön 8,1.9.16

sollte. 12 [16] Ich habe Wurzeln geschlagen
bei einem geehrten Volk, im Eigentum des
Herrn, meinem [a]Erbteil.
13 [17] [a]Ich bin hochgewachsen wie eine
Zeder auf dem Libanon und wie eine Zy-
presse auf dem Gebirge Hermon. 14 [18] Ich
bin hochgewachsen wie eine Palme in
En-Gedi und wie die Rosenstöcke in Je-
richo, [19] wie ein schöner Ölbaum auf
freiem Felde; ich bin hochgewachsen wie
eine Platane. 15 [20] Ich strömte einen [a]lieb-
lichen Geruch aus wie Zimt und köstliche
Kräuter und duftete wie die beste Myr-
rhe, [21] wie Galbanum* und Onyx und
Harz und wie der Weihrauch im Tempel.[b]
16 [22] Ich breitete meine Zweige aus wie
eine Terebinthe, und meine Zweige waren
herrlich und schön. 17 [23] Ich spross lieblich
wie der Weinstock, [24] und meine Blüte
brachte herrliche und reiche Frucht. 18 [Ich
bin die Mutter der schönen Liebe und der
Gottesfurcht und der Erkenntnis und der
heiligen Hoffnung. Mit allen meinen Kin-
dern gebe ich denen Leben, die von ihm
benannt sind.]
19 [25] [a]Kommt her zu mir alle, die ihr
nach mir verlangt, [26] und sättigt euch an
meinen Früchten! 20 [27] Denn an mich zu
denken, ist [a]süßer als Honig, und mich zu
besitzen, süßer als Honigseim. 21 [28] Wer
von mir isst, den hungert immer nach mir;
[29] und wer von mir trinkt, den dürstet im-
mer nach mir.[a] 22 [30] Wer mir gehorcht, der
wird nicht zuschanden; [31] und wer mir
dient, der wird nicht sündigen.«

WEISHEIT UND GOTTESWORT

23 [32] Dies alles ist das [a]Buch des Bundes,
den der höchste Gott aufgerichtet hat,
[33] [b]das Gesetz, das uns Mose befohlen hat,
das Erbe der Gemeinden Jakobs. 24 [Wer-
det nicht müde, stark zu sein im Herrn,
hängt ihm an, damit er euch stärkt. Der
Herr, der Allmächtige, er allein ist Gott,
und es gibt keinen Retter außer ihm.[a]]
25 [34] [a]Das Gesetz erfüllt mit Weisheit,
so wie der Pischon [35] und der Tigris an-
schwellen in den Tagen des Frühlings;
26 [36] es lässt Verstand überströmen wie der
Euphrat und wie der Jordan in den Tagen
der Ernte; 27 [37] es lässt Bildung aufschei-
nen wie Licht, wie der Gihon in den Tagen
der Weinlese. 28 [38] [a]Niemand hat bisher
die Tiefe der Weisheit erkannt, und nie-
mand wird sie je ergründen. 29 [39] Denn ihr
Sinn ist reicher als das Meer und ihr Rat
tiefer als der große Abgrund.
30 [40] So ging auch ich aus einem Strom
hervor wie ein Wassergraben, wie eine
Wasserleitung zu einem Lustgarten.
31 [41] Ich sprach: Ich will meinen Garten
wässern [42] und meine Beete tränken.
[43] Und siehe, mein Wassergraben führt
wieder zum Strom [44] und mein Strom
zum Meer.[a] 32 [45] Immerdar lasse ich Bil-
dung leuchten wie den lichten Morgen
und lasse sie scheinen bis in die Ferne.
33 [46] Immerdar schütte ich meine Lehre
aus wie eine Weissagung und hinterlasse
sie künftigen Geschlechtern. 34 [47] Seht,
dass ich mich nicht für mich allein ge-
müht habe, sondern für alle, die Weisheit
suchen.[a]

DREI GUTE UND DREI BÖSE DINGE

25 Drei Dinge gefallen mir, die dem
Herrn und den Menschen wohlgefal-
len: [2] [a]brüderliche Eintracht, [b]Liebe zum
Nächsten und wenn Frau und Mann gut
miteinander umgehen. 2 [3] Drei Dinge gibt
es, denen ich von Herzen feind bin, und es
missfällt mir sehr, dass es sie gibt: [4] wenn
ein Armer hoffärtig ist und ein Reicher
lügt und ein alter Ehebrecher keine Ein-
sicht hat.

DIE WEISHEIT DES ALTERS

3 [5] Wenn du in der Jugend nicht sam-
melst, wie kannst du im Alter etwas fin-
den? 4 [6] [a]Wie schön ist's, wenn die grauen
Häupter urteilen können und die Alten
Rat wissen. 5 [7] Wie schön ist Weisheit bei
den Alten und bei Angesehenen Überle-
gung und Rat. 6 [8] Die [a]Krone der Alten
ist reiche Erfahrung; und ihre Ehre ist die
Furcht des Herrn.

* **24,15** Ein Doldengewächs, dessen eingedickter Saft für Weihrauchmischungen verwendet wurde.

24,12 ***a*** 5. Mose 7,6 **24,13** ***a*** *(13-14)* Ps 92,13
24,15 ***a*** Kap 39,13-14 ***b*** 2. Mose 30,34-35
24,19 ***a*** Kap 51,23; Spr 9,5; Jes 55,1; Mt 11,28; Joh 7,37
24,20 ***a*** Kap 23,27 **24,21** ***a*** Joh 4,13-14; 6,35
24,23 ***a*** 2. Kön 23,2; Bar 4,1 ***b*** 5. Mose 33,4
24,24 ***a*** Jes 43,11; 45,5 **24,25** ***a*** *(25-27)* 1. Mose 2,10-14; Jos 3,15 **24,28** ***a*** *(28-29)* Röm 11,33 **24,31** ***a*** Joh 7,38
24,34 ***a*** Kap 33,18 **25,1** ***a*** Ps 133,1 ***b*** 3. Mose 19,18
25,4 ***a*** *(4-5)* Hiob 32,7 **25,6** ***a*** Spr 16,31

ZEHN GUTE DINGE

7 [9] Neun Dinge kommen mir in den Sinn,
die ich in meinem Herzen lobe, und das
zehnte will ich mit meinem Munde prei-
sen: [10] ein Mann, der [a]Freude an seinen
Kindern hat; einer, der erlebt, dass [b]seine
Feinde untergehen. 8 [11] Wohl dem, der
eine [a]verständige Frau hat! Einer, der mit
seiner Rede kein Unheil anrichtet; einer,
der denen nicht dienen muss, die seiner
nicht wert sind. 9 [12] Wohl dem, der Ein-
sicht gefunden hat und lehrt, wo man ihm
zuhört! 10 [13] Wie groß ist der, der Weisheit
gefunden hat! [14] Aber niemand ist über
dem, [a]der den Herrn fürchtet. 11 [15] Die
Furcht des Herrn übertrifft alles.[a] [16] Wer
sie festhält – mit wem kann man den ver-
gleichen? 12 [Die Furcht des Herrn ist der
Anfang der Liebe zu Gott, der Glaube aber
ist der Anfang des Weges mit ihm.]

DIE BÖSE FRAU

13 [17] Es ist kein Leiden so groß wie Herze-
leid. [18] Es ist keine Bosheit so schlimm
wie Frauenbosheit. 14 [19] Es ist keine Heim-
suchung so schwer wie die Heimsuchung
durch Menschen, die hassen. [20] Es ist
keine Rachgier so groß wie die Rachgier
von Feinden. 15 [21] Es ist kein Gift so stark
wie Schlangengift und kein Zorn so bitter
wie der Zorn einer Frau. 16 [22] Ich wollte
lieber bei Löwen und Drachen wohnen
als bei einer bösen Frau.[a] 17 [23] Wenn sie
böse wird, verzerren sich ihre Züge, und
sie verfinstert ihr Gesicht wie ein Bär.
18 [24] Ihr Mann muss vor Bitterkeit seuf-
zen, wenn er bei seinen Freunden sitzt.
19 [25] Alle Schlechtigkeit ist gering gegen
die [a]Schlechtigkeit einer Frau; es ge-
schehe ihr das, was dem Sünder geschieht!
20 [26] Eine schwatzhafte Frau ist für einen
stillen Mann wie ein sandiger Weg berg-
auf für einen alten Mann. 21 [27] Fall nicht
auf die Schönheit einer Frau herein, und
begehre sie nicht![a] 22 [29] Es gibt Streit, Be-
schimpfung und große Schande, [28] wenn
eine Frau ihren Mann ernährt. 23 [30] Eine
böse Frau schafft ein betrübtes Herz,
ein trauriges Angesicht und Herzeleid.
[31] Eine Frau, die ihren Mann nicht glück-
lich macht, lässt seine Hände schlaff wer-
den und lähmt seine Knie. 24 [32] Die Sünde
[a]nahm ihren Anfang bei einer Frau, und
um ihretwillen müssen wir alle sterben.
25 [33] Lass dem Wasser keinen Weg noch
einer bösen Frau ihren Willen! 26 [34] Will
sie dir nicht folgen, verstoße sie!

GUTE FRAUEN – BÖSE FRAUEN

26 [a]Wohl dem, der eine gute Frau hat! Der
lebt noch einmal so lange. 2 Eine tüch-
tige Frau ist für ihren Mann eine Freude
und erfüllt seine Jahre mit Frieden. 3 Eine
gute Frau ist eine köstliche Gabe und wird
dem gegeben, der den Herrn fürchtet. 4 Ob
er reich oder arm ist, sein Herz ist guter
Dinge, und er ist allezeit fröhlich.

5 Vor drei Dingen scheut sich mein Herz,
und vor dem vierten graut mir: [6] böse
Gerüchte in der Stadt, Volksauflauf, Ver-
leumdung [7] – all dies ist ärger als der Tod.
6 [8] Das aber ist Herzeleid und Kummer,
wenn eine Frau auf die andre eifersüch-
tig ist; und ihr Keifen macht es allen be-
kannt.

7 [9] Eine böse Frau gleicht einem schlecht
sitzenden Joch; [10] wer sie nimmt, der fasst
einen Skorpion an. 8 [11] Eine betrunkene
Frau erregt Ärgernis, sie kann ihre Scham
nicht bedeckt lassen. 9 [12] Eine lüsterne
Frau erkennt man an den Augen und an
ihren Blicken.[a] 10 [13] [a]Hast du eine starr-
sinnige Tochter, bewache sie scharf, damit
sie deine Nachgiebigkeit nicht ausnutzt.
11 [14] Wenn sie schamlos blickt, pass gut
auf und wundere dich nicht, wenn sie dir
Schande macht! 12 [15] Wie ein Wanderer,
der durstig ist, lechzt und vom nächstbes-
ten Wasser trinkt, das er bekommen kann,
so setzt sie sich am Wegrand nieder und
öffnet für jeden Pfeil ihren Köcher.

13 [16] Eine anmutige Frau erfreut ih-
ren Mann, und ihre Klugheit stärkt ihn.
14 [17] Eine Frau, die schweigen kann, ist
eine Gabe des Herrn, [18] und eine wohl-
erzogene Frau ist nicht mit Gold aufzu-
wiegen. 15 [19] Es gibt nichts Liebenswer-
teres auf Erden als eine [a]schamhafte Frau,
[20] und nichts kommt einer keuschen Frau
gleich.

25,7 ***a*** Spr 23,24 ***b*** Mt 5,44 **25,8** ***a*** Kap 26,1-4
25,10 ***a*** Kap 10,24 **25,11** ***a*** Kap 1,11-13 **25,16** ***a*** Spr 21,9.19
25,19 ***a*** 1. Kön 21,1-29 **25,21** ***a*** Spr 6,25
25,24 ***a*** 1. Mose 3,6 **26,1** ***a*** (1-4) Kap 7,19; 25,8; Spr 19,14;
31,10-31 **26,9** ***a*** Spr 6,25 **26,10** ***a*** (10-11) Kap 42,11
26,15 ***a*** 1. Tim 2,9-10

16 [21] Wie die Sonne, die am hohen Him-
mel des Herrn aufgeht, so ist die Schönheit
einer guten Frau die Zierde ihres Hauses.
17 [22] Wie das helle Licht auf dem heiligen
[a]Leuchter, so ist ein schönes Antlitz auf
edler Gestalt. 18 [24] Wie goldene Säulen auf
silbernem Sockel, [23] so sind schöne Beine
auf schlanken Fesseln. 19 [Mein Kind, in
der Blüte deiner Jahre bewahre deine Ge-
sundheit und vergeude nicht deine Kraft!
20 Suche aus allen Feldern das fruchtbarste
Land, säe dort deinen Samen aus und ver-
traue auf deine edle Herkunft! 21 So wer-
den deine Nachkommen Bestand haben
und die Freiheit rühmen, die ihre edle
Herkunft bringt. 22 Eine Frau, die sich be-
zahlen lässt, ist wertlos wie ein Tropfen
Speichel, eine verheiratete Frau aber ist
wie ein Turm des Todes für die, die zu ihr
eingehen. 23 Eine gottlose Frau wird dem
Frevler zuteil und eine Fromme dem,
der den Herrn fürchtet. 24 Eine scham-
lose Frau verzehrt sich in ihrer Schande,
eine anmutige Tochter aber begegnet ih-
rem Mann mit Ehrfurcht. 25 Eine starr-
köpfige Frau ist nicht mehr wert als ein
Hund, eine schamhafte aber fürchtet den
Herrn. 26 Eine Frau, die ihren Mann ehrt,
gilt allen als weise. Tut sie dies nicht und
überhebt sich, werden alle ihre Gottlosig-
keit erkennen. Wohl dem, der eine gute
Frau hat! Denn der lebt noch einmal so
lange.[a] 27 Eine laute und geschwätzige
Frau ist wie eine Kriegstrompete, die zum
Rückzug bläst. Jeder Mensch, der sich so
benimmt, lebt unruhig wie in Kriegs-
wirren.]
28 [25] Zwei Dinge sind's, die mich ver-
drießen, und das dritte erregt meinen
Zorn: [26] ein Krieger, den man verarmen
lässt, einsichtige Männer, die man ver-
achtet, [27] und einer, der sich von der Ge-
rechtigkeit zur Sünde wendet – den hat der
Herr zum Schwert verurteilt.[a]

BETRUG BEIM HANDELN

29 [28] Ein Kaufmann kann sich kaum vor
Unrecht hüten, und ein Händler bleibt
nicht frei von Sünden.[a]
27 Wegen eines Vorteils sündigen viele;
und wer reich werden will, wendet die
Augen ab. 2 Wie ein Nagel in der Mauer
zwischen zwei Steinen steckt, [3] so steckt
die Sünde zwischen Kauf und Verkauf.
3 [4] Wenn einer nicht beständig ist in der
Furcht des Herrn, wird sein Haus bald zer-
stört.[a]

DIE GESINNUNG BEIM REDEN

4 [5] Wie beim Sieben Unrat zurückbleibt,
so werden die Fehler eines Menschen
durch Nachdenken sichtbar. 5 [6] [a]Wie der
Ofen die Gefäße des Töpfers erprobt, so
kann man den Menschen prüfen an sei-
ner Rede. 6 [7] An der Frucht merkt man,
wie der Baum gepflegt ist; ebenso erkennt
man das Herz des Menschen an seiner klu-
gen Rede. 7 [8] Du sollst niemand loben, be-
vor du über ihn nachgedacht hast; denn so
prüft man die Menschen.
8 [9] Folgst du der Gerechtigkeit, so wirst
du sie erlangen und [a]anziehen wie ein Eh-
renkleid. 9 [10] Die [a]Vögel gesellen sich zu
ihresgleichen; ebenso kehrt die Wahrheit
zurück zu denen, [b]die sie tun. 10 [11] Wie der
Löwe auf den Raub, so lauert die Sünde
auf die, die Unrecht tun.[a] 11 [12] Ein Got-
tesfürchtiger redet allezeit, was weise ist;
ein Narr aber ist wandelbar wie der Mond.
12 [13] Wenn du unter Unverständigen bist,
so geize mit deiner Zeit; aber unter Ver-
ständigen kannst du allezeit bleiben.
13 [14] Die Rede der Narren ist ein Ärger-
nis, und sie lachen, wenn sie in Sünden
schwelgen. 14 [15] Wo man viel [a]schwören
hört, da stehen einem die Haare zu Berge;
und Streit verstopft die Ohren. 15 [16] Wenn
Hochmütige streiten, wird [a]Blut vergos-
sen, und ihre Schmähungen anzuhören,
ist unerträglich.

ÜBER GEHEIMNISSE

16 [17] Wer [a]Geheimnisse preisgibt, der ver-
liert das Vertrauen und findet nie mehr
einen Freund. 17 [18] Liebe deinen Freund
und halte ihm die Treue! [19] Wenn du
aber seine Geheimnisse preisgibst, wirst
du ihn nicht wiedergewinnen. 18 [20] Denn
wie einer einen Leichnam schändet, so
hast du die Freundschaft mit deinem

26,17 *a* 2. Mose 25,31.37 **26,26** *a* Vers 1
26,28 *a* Ps 78,56.62.64 **26,29** *a* Kap 37,11; 42,4
27,3 *a* Spr 15,25.27 **27,5** *a* (5-6) Mt 12,33-37; 15,11.18-19
27,8 *a* Jes 61,10 **27,9** *a* Kap 13,15 *b* Joh 7,17
27,10 *a* 1. Mose 4,7; 1. Petr 5,8 **27,14** *a* Kap 23,9-12
27,15 *a* Kap 22,24 **27,16** *a* Kap 22,22; Spr 25,9

Nächsten zerstört. 19 [21] Wie wenn du
einen Vogel aus deiner Hand lässt, so
hast du deinen Freund losgelassen [22] und
kannst ihn nicht wieder einfangen. 20 Lauf
ihm nicht nach! Er ist schon zu weit weg,
entkommen wie eine Gazelle aus der
Schlinge. 21 [23] Wunden kann man ver-
binden, Scheltworte kann man sühnen,
[24] aber wer Geheimnisse preisgibt, kann
seine Hoffnung aufgeben.

FALSCHHEIT UND HINTERLIST

22 [25] Wer [a]mit den Augen winkt, hat Bö-
ses im Sinn, und wer das sieht, wird sich
von ihm zurückziehen. 23 [26] [a]Vor deinen
Augen redet er süß und bewundert deine
Worte sehr; später aber redet er anders
und findet Anstößiges in deinen Worten.
24 [27] Vieles hasse ich, aber nichts so wie
ihn, auch der Herr wird ihn hassen.

25 [28] [a]Wer einen Stein in die Höhe wirft,
dem fällt er auf den Kopf; und mit einem
tückischen Hieb verwundet man sich
selbst. 26 [29] [a]Wer eine Grube gräbt, fällt
selbst hinein; wer eine Falle stellt, fängt
sich selbst in ihr. 27 [30] Wer dem andern Bö-
ses tut, auf den fällt es zurück, und er weiß
nicht, woher es ihn trifft.

28 [31] Spott und Beleidigung dem Hoch-
mütigen! Die Strafe lauert auf ihn wie
ein Löwe. 29 [32] Wer sich freut am Fall der
Frommen, wird in einer Schlinge gefan-
gen, und Gram wird ihn verzehren, bevor
er stirbt.

RACHSUCHT, STREIT UND VERLEUMDUNG

30 [33] Zorn und Wüten, das sind Gräuel,
doch der Sünder hält an ihnen fest.
28 [a]Wer sich rächt, an dem wird sich der
Herr wieder rächen und wird ihm
seine Sünden gewiss anrechnen. 2 Vergib
deinem Nächsten sein Unrecht, so werden
auch dir deine Sünden vergeben, wenn du
darum betest. 3 [a]Ein Mensch hält gegen
den andern am Zorn fest – und will beim
Herrn [b]Heilung suchen? 4 Er ist unbarm-
herzig gegen seinesgleichen – und will für
seine eigenen Sünden bitten? 5 Er ist nur
Fleisch und hält am Zorn fest – wer will
ihm dann seine Sünden vergeben?

6 Denk an das Ende und lass die Feind-
schaft fahren! [7] Denk an das Verderben
und den Tod und bleibe bei den Geboten![a]
7 [8] Denk an die Gebote und zürne deinem
Nächsten nicht! [9] Denk an den Bund des
Höchsten und vergib die Unwissenheit!

8 [10] [a]Lass ab vom Streit, so wirst du we-
niger sündigen! [11] Denn ein zorniger
Mensch entfacht Streit, 9 und ein Sünder
trennt gute Freunde und hetzt gegenein-
ander, die in Frieden leben. 10 [12] Wenn viel
Holz da ist, wird das Feuer umso größer,
und wenn der Streit hart ist, entbrennt
er umso heftiger; wenn einer Macht hat,
wird seine Wut umso größer, und wenn
einer reich ist, wird sein Zorn umso hef-
tiger. 11 [13] Schnell sein zum Zank zündet
ein Feuer an, und schnell sein zum Streit
führt zu Blutvergießen.[a] 12 [14] Bläst du in
die Funken, wird ein Feuer daraus; doch
spuckst du auf sie, verlöschen die Fun-
ken; und beides kann aus deinem Munde
kommen.

13 [15] Den [a]Verleumder und Doppelzün-
gigen soll man verfluchen; denn er rich-
tet viele zugrunde, die in Frieden leben.
14 [16] Wer Gerüchte verbreitet, bringt viele
Leute zu Fall und vertreibt sie aus einem
Land ins andre. [17] Er reißt feste Städte
ein und zerstört die Paläste der Fürsten.
15 [18] Wer Gerüchte verbreitet, verstößt
tüchtige Frauen [19] und beraubt sie der
Früchte ihrer Arbeit. 16 [20] Wer auf Ge-
rüchte hört, hat keine Ruhe mehr und
kann nicht in Frieden leben.

17 [21] Der Hieb der Geißel macht Strie-
men; aber der Hieb der Zunge zerschmet-
tert Knochen. 18 [22] Viele sind gefallen
durch die Schärfe des Schwerts, aber nicht
so viele wie durch die [a]Zunge. 19 [23] Wohl
dem, der vor ihr bewahrt bleibt und von
ihrem Zorn verschont wird, der ihr Joch
nicht tragen muss und nicht mit ihren
Fesseln gebunden ist! 20 [24] Denn ihr Joch
ist eisern, und ehern sind ihre Fesseln.
21 [25] Bitteren Tod bringt die Zunge, selbst
die Unterwelt ist besser als sie. 22 [26] Die
Frommen aber wird sie nicht unterdrü-
cken, und sie werden in ihrem Feuer nicht

27,22 *a* Spr 6,12-13 **27,23** *a* (23-24) Sach 8,16-17
27,25 *a* (25-26) Ps 7,16-17 **27,26** *a* Spr 26,27
28,1 *a* (1-2) Mt 6,12.14-15 **28,3** *a* (3-5) Mt 5,23-24; 18,21-35 *b* Ps 30,3 **28,6** *a* Kap 7,36; Mt 5,25
28,8 *a* (8-9) Spr 29,22 **28,11** *a* Kap 22,24; Spr 26,21; Jak 1,19-20 **28,13** *a* Spr 16,28 **28,18** *a* Jak 3,5-8

verbrennen. 23[27]Die den Herrn verlassen,
werden ihr verfallen; ihr Feuer werden sie
noch anfachen, und keiner kann es lö-
schen. Wie ein Löwe setzt sie ihnen nach
und zerfleischt sie wie ein Panther.
24[28]Umzäune deinen Besitz mit Dor-
nen, und lege Schloss und Riegel [a]vor dei-
nen Mund! 25[29]Wäge und verwahre dein
Silber und Gold, und lege deine Worte
auf die Goldwaage! 26[30]Hüte dich, dass
du nicht ausgleitest und deine Zunge dich
nicht zu Fall bringt vor dem, der auf dich
lauert!

ÜBER DARLEHEN UND IHRE RÜCKZAHLUNG

29 [a]Wer seinem Nächsten etwas leiht, tut
ein Werk der Barmherzigkeit, und wer
ihm aushilft, der hält die Gebote. 2Leihe
deinem Nächsten, wenn er's nötig hat,
und zahle auch du deinem Nächsten deine
Schulden, wenn es an der Zeit ist. 3Halte
dein Wort und sei zuverlässig, dann be-
kommst du stets, was du brauchst.
4Viele halten ein Darlehen für ein Ge-
schenk und fallen dem zur Last, der ih-
nen geholfen hat. 5Manch einer küsst die
Hände, bis er erhält, was er verlangt, und
redet unterwürfig, um an das Geld des
Nächsten zu kommen; [6]aber wenn er's
zurückgeben soll, verzögert er's, klagt und
bittet um Aufschub. 6[7]Wenn er bezahlen
kann, bekommt jener kaum die Hälfte zu-
rück, und selbst darüber muss er froh sein.
[8]Wenn aber nicht, so bringt er den ande-
ren um sein Geld und macht ihn sich zum
Feind. [9]Denn er bezahlt ihn mit Fluchen
und Schelten und gibt ihm Schmähworte
statt Dank.
7[10]Viele verleihen ungern, nicht aus
Bosheit, sondern weil sie fürchten, schuld-
los um ihr Gut zu kommen.[a] 8[11][a]Doch
du habe Geduld mit dem Bedürftigen,
sei barmherzig und dränge ihn nicht![b]
9[12]Um des Gebotes willen hilf dem Ar-
men, und lass ihn in der Not nicht mit lee-
ren Händen fortgehen.[a] 10[13][a]Verlier dein
Geld lieber an deinen Bruder oder Freund,
und lass es nicht [b]unter einem Stein ros-
ten, bis es verloren ist! 11[14]Sammle dir
[a]einen Schatz nach dem Gebot des Aller-
höchsten: Er [b]wird dir mehr einbringen
als alles Gold. 12[15]Fülle deine Kammer
mit Wohltaten: Sie werden dich aus al-
lem Unglück retten;[a] 13[16]sie werden dich
besser vor deinen Feinden schützen [17]als
ein starker Schild oder schwerer Spieß.

ÜBER BÜRGSCHAFTEN

14[18]Ein guter Mann bürgt für seinen
Nächsten, [19]aber ein Schamloser lässt
ihn im Stich. 15[20]Vergiss nicht, was dein
Bürge für dich getan hat, [21]denn er hat
sich selbst für dich verpfändet. 16[22]Der
Sünder bringt seinen Bürgen um Hab
und Gut, 17[23]und der Undankbare lässt
seinen Retter im Stich. [24][a]Eine Bürg-
schaft hat viele aufrechte Leute zugrunde
gerichtet und umhergeworfen wie die
Wellen im Meer. 18[25]Sie hat mächtige
Männer von Haus und Hof vertrieben,
dass sie in fremden Ländern umherirren
mussten.
19[26]Ein Sünder gerät in eine Bürgschaft,
und wer auf Gewinn aus ist, wird vor Ge-
richt gezogen. 20[27]Hilf deinem Nächsten
aus, soviel du kannst; doch [a]sieh dich vor,
dass du nicht selbst darüber zu Schaden
kommst!

VOM ELEND IN DER FREMDE

21[28]Das Erste zum Leben sind Wasser
und Brot, Kleider und Haus als Schutz.[a]
22[29]Besser ein armes Leben in einer eige-
nen Hütte als ein köstlich gedeckter Tisch
in fremden Häusern. 23[30]Lass dir genü-
gen, ob du wenig oder viel hast; so wirst
du nicht als Fremder geschmäht. 24Denn
[a]es ist ein schlimmes Leben, von Haus
zu Haus zu ziehen. [31]Und wo du fremd
bist, darfst du deinen Mund nicht auftun.
25[32]Auch wenn du Speis und Trank berei-
test, wirst du keinen Dank erfahren [33]und
sogar noch bittere Worte hören: 26»Auf,
Fremder, komm, bereite den Tisch und
lass mich essen, was du hast!«, 27[34]oder:
»Geh, Fremder, du verdienst die Ehre
nicht; mein Bruder kommt zu Gast, ich
muss das Haus haben.«

28,24 *a* Kap 22,27 **29,1** *a* Ps 37,21.26 **29,7** *a* Kap 8,12
29,8 *a* (8-13) Kap 4,1-6; 7,32-36 *b* Mt 18,29
29,9 *a* 5. Mose 15,11 **29,10** *a* Lk 6,30.35 *b* Mt 25,18
29,11 *a* Mt 6,20 *b* Jak 5,2-3 **29,12** *a* Kap 3,30; Ps 41,2;
Tob 4,10; 12,8-9; Lk 16,9 **29,17** *a* Spr 6,1-2
29,20 *a* Kap 8,13 **29,21** *a* Kap 39,26; 1. Tim 6,8
29,24 *a* Kap 40,28

28 [35] Das ist schwer für einen vernünfti-
gen Menschen: Verachtung in der Fremde
und Schmähung als Gläubiger.

Über die Kinder

30 [a]Wer seinen Sohn lieb hat, der wird
ihn stets züchtigen, dass er bis ins Al-
ter Freude an ihm habe. 2 Wer seinen Sohn
so erzieht, der wird Freude an ihm haben
und kann sich bei den Bekannten seiner
rühmen. 3 Wer seinen Sohn gut unter-
weist, macht seinen Feind neidisch, und
vor seinen Freunden kann er sich glücklich
preisen über ihn. 4 Wenn der Vater stirbt,
so ist's, als wäre er nicht gestorben; denn
er hat einen hinterlassen, der ihm gleicht.
5 Als er lebte, sah er ihn und freute sich;
als er starb, musste er nicht betrübt sein;
6 denn er hat einen Sohn hinterlassen, der
bei den Feinden sein Recht vertritt und
den Freunden Dank erweist.[a]

7 Wer aber zu weich ist gegen seinen
Sohn, der verbindet ihm die Wunden
und ist bestürzt, sooft er weint. 8 Ein un-
gezähmtes Pferd bricht störrisch aus, und
ein zügelloser Sohn wird aufsässig. 9 [a]Ver-
zärtelst du dein Kind, dann wirst du dich
wundern; spiele mit ihm, so wird es dich
betrüben. 10 Scherze nicht mit ihm, damit
du nicht mit ihm leidest und zuletzt mit
den Zähnen knirschen musst. 11 Lass ihm
seinen Willen nicht in der Jugend [und
entschuldige seine Torheit nicht. 12 Beuge
ihm den Nacken in seiner Jugend]; bläue
ihm den Rücken, solange er noch klein
ist, damit er nicht halsstarrig und unge-
horsam werde [und dir Herzeleid bereite].
13 Erzieh deinen Sohn und mühe dich um
ihn, dass du durch seine Schande nicht zu
Fall kommst.

DER WERT DER GESUNDHEIT

14 Es ist besser, einer ist arm und dabei
frisch und gesund als reich und mit Krank-
heit geschlagen. 15 Gesund und frisch sein
ist besser als alles Gold, und ein gesun-
der Atem ist besser als unermesslicher
Reichtum.

Über die Speisen

16 Kein Reichtum ist zu vergleichen mit
einem gesunden Körper, und keine Freude
gleicht der Freude des Herzens.
17 Der [a]Tod ist besser als ein bitteres
Leben und ewige Ruhe besser als stete
Krankheit. 18 Ein gutes Gericht vor einem
Mund, der nicht essen kann, ist wie die
Speise, die man einem Toten aufs Grab
stellt. 19 Was nützt einem Götzen ein Op-
fer? Er kann weder essen noch riechen.
[20] So ist's mit dem, der vom Herrn ver-
stoßen wird. 20 [21] Er sieht es zwar mit
den Augen und seufzt, aber er ist [a]wie ein
Eunuch, der eine Jungfrau in den Armen
hält und seufzt. [So ergeht es auch dem,
der mit Gewalt ein Urteil erzwingen
will.]

DAS FRÖHLICHE HERZ

21 [22] [a]Gib deine Seele nicht der Traurig-
keit hin, und betrübe dich nicht selbst mit
deinen eigenen Gedanken. 22 [23] Denn [a]ein
fröhliches Herz ist des Menschen Leben,
und seine Freude verlängert sein Leben.
23 [24] Lenke dich ab und tröste dein Herz,
und [a]weise die Traurigkeit weit von dir.
[25] Denn sie hat schon viele Leute ins Ver-
derben geführt und dient doch zu nichts.
24 [26] Eifer und Zorn verkürzen das Leben,
und Sorge macht alt vor der Zeit. 25 [27] Ein
fröhlicher und heiterer Mensch achtet auf
seine Speisen.

GEFAHREN DES REICHTUMS

31 [a]Wachen um des Reichtums willen
verzehrt den Leib, und die Sorge dar-
um hält den Schlaf fern. 2 Wenn einer
wach liegt und sich sorgt, kann er nicht
einschlafen, und schwere Krankheit ver-
scheucht den Schlaf.

3 Der Reiche müht sich, Geld anzuhäu-
fen, und wenn er ausruht, kann er's auch
genießen. 4 Der Arme müht sich und lebt
doch kärglich, und wenn er ausruht, wird
er zum Bettler.

5 [a]Wer das Geld liebt, wird nicht gerecht-
fertigt, und wer Gewinn sucht, geht in die
Irre. 6 [a]Viele kommen zu Fall um des Gel-
des willen, und ihr Verderben steht ihnen
vor Augen.[b] 7 Die danach trachten, kom-

30,1 ***a*** (1-13) Kap 7,23; Spr 22,15; Eph 6,4
30,6 ***a*** 1. Kön 2,5-9 **30,9** ***a*** 1. Kön 1,5-6 **30,17** ***a*** Kap 41,2; Hiob 3,20-22 **30,20** ***a*** Kap 20,4 **30,21** ***a*** Ps 42,6
30,22 ***a*** Spr 17,22 **30,23** ***a*** Kap 38,18; 2. Kor 7,10
31,1 ***a*** (1-11) Lk 12,15-31 **31,5** ***a*** Kap 27,1; Spr 28,20
31,6 ***a*** Kap 8,2 ***b*** 1. Tim 6,9

men darüber zu Fall, und die Unverstän-
digen verfangen sich darin.
8 [a]Wohl dem Reichen, der untadelig be-
funden wird und nicht das Geld sucht!
9 Gibt es den? Ihn wollen wir loben, denn
er tut große Dinge unter seinem Volk.
10 Wer bewährt sich darin bis ans Ende?
Der soll gelobt werden. Wer konnte das
Gesetz übertreten und tat's doch nicht,
konnte Böses tun und tat's auch nicht?
11 Deshalb werden seine Güter sicher blei-
ben, und die Gemeinde wird seine Almo-
sen preisen.

MASSHALTEN BEIM ESSEN UND TRINKEN

12 [a]Wenn du am Tisch eines reichen Man-
nes sitzt, sperr deinen Mund nicht auf
[13] und sag nicht: Hier gibt es aber viel!,
13 [14] sondern bedenke, dass ein neidisches
Auge schlimm ist. [15] Denn was ist neidi-
scher als das Auge? Darum weint es schon
beim geringsten Anlass.
14 [16] Greif nicht nach dem, worauf ein
anderer blickt, [17] damit du nicht mit
ihm in der Schüssel zusammenstößt.
15 [18] Schließe von dir darauf, [a]was dein
Nächster gern oder ungern hat, und be-
denke alles, was du tust. 16 [19] Iss wie ein
Mensch, was dir vorgesetzt wird, und
friss nicht, damit man dich nicht verachte.
17 [20] Zeige deine Erziehung und höre als
Erster auf; sei nicht unersättlich, dass du
keinen Anstoß erregst. 18 [21] Wenn du mit
vielen am Tisch sitzt, greif nicht zuerst
zu.
19 [22] Ein wohlerzogener Mensch ist mit
wenig zufrieden und muss in seinem Bett
nicht stöhnen. 20 [23] [a]Wer Maß hält beim
Essen, schläft gut; am Morgen steht er auf
und fühlt sich wohl. [24] Aber wer zu viel
isst, schläft unruhig und krümmt sich
vor Schmerzen. 21 [25] Wenn du genötigt
worden bist, zu viel zu essen, steh auf
und erbrich dich, dann wirst du Ruhe ha-
ben. 22 [26] Mein Kind, gehorche mir und
missachte mich nicht, so wirst du zuletzt
meine Worte verstehen. [27] Was du auch
tust, tue es richtig, und du wirst nicht
krank werden.
23 [28] Wer sich bei Tisch gut benimmt,
den loben die Leute; sein Ruhm steht fest.
24 [29] Wer mit Brot geizt, wird in der Stadt
gescholten, und zu Recht hat er einen
schlechten Ruf.
25 [30] Sei kein [a]Held beim Wein, denn
schon viele hat er ins Verderben gestürzt.
26 [31] Die Esse prüft die Härte des Eisens,
wenn man es eintaucht; ebenso prüft der
Wein die Herzen, wenn die Mutwilligen
in Streit geraten. 27 [32] Der Wein erquickt
die Menschen, [a]wenn man ihn mäßig
trinkt. [33] Was ist das Leben ohne Wein?
[34] Denn er ist von Anbeginn [b]zur Freude
geschaffen. 28 [35] Der Wein, zu rechter Zeit
und in rechtem Maße getrunken, erfreut
Herz und Seele. 29 [36] [a]Zu viel Wein bei
[b]Ärger und Streit macht die Seele bitter.
30 [37] Trunkenheit macht einen Narren
ganz maßlos, [38] bis er hinfällt und sich
verletzt.[a] 31 [39] Beschäme deinen Nächsten
nicht beim Wein und verspotte ihn nicht,
wenn er lustig wird! [40] Beschimpfe und
dränge ihn nicht, wenn er dir etwas zu-
rückzahlen muss!

BESCHEIDENHEIT BEIM GASTMAHL

32 [a]Du sollst ein Gastmahl leiten? Erhebe
dich nicht über die andern, sondern
stelle dich ihnen gleich. Sorge erst für sie,
dann setze dich. 2 Und wenn du alles getan
hast, was notwendig war, dann setz dich
zu ihnen, [3] damit sie dich loben und du
einen Kranz erhältst, weil du alles so wohl
geordnet hast.
3 [4] Der du zu den Älteren zählst, er-
greif das Wort, rede mit Bedacht, denn
es steht dir zu; [5] aber hindere die Spiel-
leute nicht. 4 [6] Wenn man ihnen lauscht,
so schwatz nicht dazwischen und spare dir
deine Weisheit für andere Zeiten. 5 [7] Wie
ein Rubin auf einem Goldring leuchtet,
so ziert Musik das Festmahl. 6 [8] Wie ein
Smaragd auf schönem Gold, [9] so wirken
Lieder bei gutem Wein.
7 [10] [a]Du aber, junger Mann, rede nur,
wenn du musst, aber ein zweites Mal
höchstens, [11] wenn man dich fragt. 8 Mach
es kurz und sage mit wenigen Worten viel;
[12] verhalte dich wie einer, der Bescheid

31,8 ***a*** Mk 10,17-27 **31,12** ***a*** *(12-18)* Spr 23,1-3.6-8
31,15 ***a*** Mt 7,12 **31,20** ***a*** *(20-21)* Kap 37,30-31
31,25 ***a*** Jes 5,22 **31,27** ***a*** 1. Tim 5,23 ***b*** Ri 9,13; Ps 104,15; Spr 31,6-7 **31,29** ***a*** 1. Mose 9,20-21 ***b*** Spr 23,29-35
31,30 ***a*** Spr 20,1 **32,1** ***a*** *(1-2)* Mt 23,6.11
32,7 ***a*** *(7-8)* Kap 7,14; Hiob 32,6-7

weiß, aber doch schweigt. 9[13]Bei Vorneh-
men spiel dich nicht auf, und wo Alte sind,
schwatz nicht viel. 10[14]Vor dem Donner
leuchtet der Blitz; und dem Bescheidenen
geht große Gunst voraus.
11[15]Steh beizeiten vom Tisch auf und
sei nicht der Letzte; [16]sondern geh eilends
heim und halte dich nicht auf. 12 Dort sei
unbeschwert und gehe deinen Gedanken
nach, aber versündige dich nicht in über-
mütiger Rede, 13[17]sondern danke für all
dies deinem Schöpfer, der dich [a]mit sei-
nen Gütern gesättigt hat.

VERTRAUEN AUF DAS GESETZ

14[18][a]Wer den Herrn fürchtet, der nimmt
Erziehung an, und die sich früh darum be-
mühen, werden Gunst erfahren. 15[19][a]Wer
nach dem Gesetz fragt, der wird von ihm
erfüllt; wer aber nur so tut, der wird daran
zu Fall kommen. 16[20]Wer den Herrn
fürchtet, der findet das Recht, und [a]ge-
rechte Taten leuchten auf wie das Licht.
17[21]Ein Sünder lässt sich nicht zurecht-
weisen und findet Gründe, wie er sie ge-
rade braucht. 18[22]Ein vernünftiger Mann
verachtet guten Rat nicht, [23]doch ein
überheblicher schreckt vor nichts zurück.
19[24]Tu nichts ohne [a]Rat, so gereut's dich
nicht nach der Tat.
20[25]Geh nicht den Weg, auf dem du
fallen oder dich an Steinen stoßen könn-
test. 21[26]Traue keinem Weg, der nicht
bekannt ist; 22 ja, [a]hüte dich auch vor dei-
nen eignen Kindern. 23[27]Bei allem, was
du tust, [a]traue deiner Seele; denn auch so
hält man die Gebote. 24[28]Wer dem Ge-
setz vertraut, achtet die Gebote; und [a]wer
dem Herrn vertraut, dem wird nichts
fehlen.
33 Wer den Herrn fürchtet, dem wider-
fährt nichts Böses; sondern [a]wenn er
angefochten ist, wird er wieder erlöst wer-
den. 2 Ein Weiser wird das Gesetz nicht
hassen; aber wer heuchelt, nach dem Ge-
setz zu leben, ist wie ein Schiff im Sturm.
3 Ein verständiger Mensch wird dem Wort
vertrauen, und das Gesetz ist ihm vertraut
wie eine Frage nach dem, was man schon
weiß.
4 Lege dir deine Worte zurecht, dann
wird man dich anhören; lass dich zu-
vor belehren, dann kannst du antworten.
5 Des Narren Herz ist wie ein Rad am Wa-
gen, und wie um eine Achse dreht sich
sein Denken.
6 Wie ein geiler Hengst, der unter jedem
Reiter wiehert, so ist ein Freund, der Lust
zum Spott hat.

DIE ORDNUNG IN GOTTES WELT

7[a]Warum soll ein Tag besser sein als der
andre, wo doch alle Tage im Jahr von der
Sonne herkommen? 8 Die Weisheit des
Herrn hat sie so unterschieden, und er hat
die Zeiten des Jahres und die Festtage so
geordnet: 9 Er hat einige auserwählt und
geheiligt, und andere hat er zu den übrigen
Tagen gestellt.
10[a]Alle Menschen sind aus Erde, und
aus Staub wurde Adam geschaffen. 11 In
der Fülle seiner Einsicht hat sie der Herr
unterschieden und ihre Wege verschie-
den bestimmt. 12 Einige hat er gesegnet,
erhöht und geheiligt und näher zu sich
gebracht; andere aber hat er verflucht und
erniedrigt und aus ihrem Stand gestürzt.[a]
13[a]Wie Ton in der Hand des Töpfers, den
er nach seinem Wohlgefallen formt, [14]so
sind auch die Menschen in der Hand des-
sen, der sie gemacht hat: Er gibt ihnen, was
er für recht hält. 14[15][a]Wie das Gute dem
Bösen und das Leben dem Tod gegenüber-
steht, so der Gottlose dem Gottesfürch-
tigen. 15[16]Und so schaue alle Werke des
Höchsten an: Es sind immer zwei, und
eins steht dem andern gegenüber.

JESUS SIRACH ÜBER SICH SELBST

16[17]Als Letzter bin auch ich aufmerk-
sam wie einer, der [a]Nachlese hält hinter
denen, die Trauben sammeln. 17 Mit dem
Segen des Herrn habe ich es erreicht, und
wie die Traubensammler habe ich meine
Kelter gefüllt. 18 Bedenkt, dass ich nicht für
mich allein gearbeitet habe, sondern für
alle, die Erziehung suchen![a] 19 Hört mich
an, ihr Mächtigen im Volk, und ihr Vorste-
her der Gemeinde, vernehmt es!

32,13 *a* 5. Mose 8,10 **32,14** *a* Kap 21,11-12
32,15 *a* Spr 2,3-5 **32,16** *a* 1. Kön 3,16-28 **32,19** *a* Tob 4,18
32,22 *a* 2. Sam 15,1-6 **32,23** *a* 1. Tim 4,16 **32,24** *a* Ps 23,1
33,1 *a* 1. Kor 10,13 **33,7** *a* (7-9) 1. Mose 2,3
33,10 *a* Kap 17,32; 40,11; 1. Mose 2,7 **33,12** *a* 1. Sam 2,6-8
33,13 *a* Jer 18,6; Röm 9,21 **33,14** *a* (14-15) Kap 42,24
33,16 *a* 3. Mose 19,9-10 **33,18** *a* Kap 24,34

ÜBER DAS LEBEN IN HAUS UND FAMILIE

20 Gib [a]Sohn, Frau, Bruder oder Freund
keine Macht über dich, solange du lebst;
und übergib niemand dein Hab und Gut,
damit es dich nicht reut und du später
darum bitten musst. 21 Solange du lebst
und Atem in dir ist, lass dich von kei-
nem verdrängen. 22 Denn es ist besser,
dass deine Kinder dich brauchen, als dass
du sie brauchst. 23 Bei allem, was du tust,
behalte die Oberhand, und lass dir deine
Ehre nicht nehmen. 24 Erst wenn dein
Ende naht und der Tod kommt, teile dein
Erbe aus.

25 Futter, Stock und Last dem Esel, Brot,
Zucht und Arbeit dem Knecht. 26 Sorge
für seine Zucht, so hast du Ruhe vor ihm;
lässt du ihn müßig gehen, so sucht er die
Freiheit. 27 Joch und Riemen beugen den
Nacken, und einem bösen Knecht ge-
bühren Schläge und Qualen.[a] 28 Treibe
ihn zur Arbeit an, dass er nicht müßig
gehe; [29] denn Müßiggang lehrt viel Bos-
heit. 29 [30] [a]Lege ihm Arbeiten auf, wie
es ihm gebührt, und gehorcht er dann
nicht, so mache die Fußfesseln schwer.
30 Doch nutze deine Macht nicht aus und
tue nur, worauf du ein Recht hast. 31 Hast
du einen Knecht, halte es mit ihm wie
mit dir selbst; denn du hast ihn teuer er-
worben. 32 [31] Hast du nur einen Knecht,
so behandle ihn wie einen Bruder; denn
du brauchst ihn. 33 [32] Behandelst du ihn
aber schlecht, sodass er sich aufmacht
und davonläuft: wo willst du ihn dann
suchen?

NICHTIGKEIT VON TRÄUMEN

34 [a]Unverständige betrügen sich selbst
mit törichten Hoffnungen, und Nar-
ren verlassen sich auf Träume. 2 Wer sich
auf Träume verlässt, der greift nach dem
Schatten und will den [a]Wind haschen.
3 Das eine ist wie das andere: Träume sind
wie Bilder im Spiegel. 4 Was unrein ist,
wie kann das rein werden? Und was Lüge
ist, wie kann das wahr werden? 5 [a]Weis-
sagungen, Zeichendeutung und Träume
sind nichts, und man sieht dabei Wahn-
bilder wie eine Frau in Wehen; 6 und wenn
sie nicht [a]durch Eingebung des Höchs-
ten kommen, halte nichts davon. 7 Denn
Träume haben viele Menschen betrogen,
und gescheitert sind, die darauf hofften.
8 Das Gesetz erfüllt sich ohne Trugbil-
der, ebenso die Weisheit im Munde des
Frommen.

ERFAHRUNG DES WEISEN UND VERTRAUEN DES FROMMEN

9 Wer viel herumgekommen ist, versteht
viel, und wer viel erfahren hat, kann ver-
ständig erzählen. 10 Wer nicht erfahren
ist, versteht wenig; [11] wer aber weit her-
umgekommen ist, ist voller Klugheit.
11 [12] Vieles habe ich gesehen auf meinen
Reisen, und ich weiß mehr, als ich sagen
kann. 12 [13] Oft bin ich in Todesgefahr ge-
kommen [a]und errettet worden um meiner
Erfahrung willen.

13 [14] Die den Herrn fürchten, werden
am Leben bleiben; [15] denn ihre Hoffnung
richtet sich auf den, der ihnen helfen kann.
14 [16] [a]Wer den Herrn fürchtet, muss vor
nichts erschrecken noch verzagen; denn
er ist seine Zuversicht. 15 [17] Wohl dem, der
den Herrn fürchtet! [18] Worauf verlässt er
sich? Wer ist sein Halt? 16 [19] **Die [a]Augen
des Herrn sehen auf die, die ihn lieben.**
Er ist ein gewaltiger Schild, eine starke
Stütze, [b]ein Schutz gegen die Hitze, ein
Schatten am heißen Mittag, er bewahrt
vor dem Straucheln, er hilft vor dem Fall;
17 [20] **er erhebt die Seele und macht das
Angesicht fröhlich, [a]gibt Gesundheit,
Leben und Segen.**

UNRECHTE UND RECHTE OPFER

18 [21] [a]Wer von unrechtem Gut opfert,
dessen Opfer ist eine Lästerung, [22] und
Gaben der Frevler sind nicht wohlgefäl-
lig. 19 [23] Die Gaben der Gottlosen gefallen
dem Höchsten nicht, auch vergibt er Sün-
den nicht, wenn man viel opfert. 20 [24] Wer
eine Opfergabe vom Besitz der Armen
darbringt, ist wie einer, der den [a]Sohn
vor den Augen des Vaters opfert. 21 [25] Der
Arme hat nichts zum Leben als ein wenig
Brot; [a]wer ihn darum bringt, ist ein Mör-

33,20 *a* Kap 32,21-22 **33,27** *a* Spr 29,19
33,29 *a* (29-30) Kap 7,20-21; 2. Mose 21,20-21
34,1 *a* (1-7) Jer 23,25-32 **34,2** *a* Pred 1,14 **34,5** *a* Jer 14,14
34,6 *a* 4. Mose 12,6; Hiob 33,15-18 **34,12** *a* 2. Kor 11,23
34,14 *a* (14-15) Ps 27,1; 112,1.7 **34,16** *a* Kap 15,19
b Jes 4,5-6 **34,17** *a* Ps 103,3-5 **34,18** *a* (18-19) Spr 15,8;
1. Sam 15,22 **34,20** *a* 1. Mose 22,1-19; 2. Makk 7,1-42
34,21 *a* 2. Sam 12,1-5

der. 22 [26] [a]Wer seinem Nächsten die Nah-
rung nimmt, der tötet ihn. [27] Wer dem
Arbeiter seinen Lohn nicht gibt, der ist
ein Bluthund.
23 [28] Der eine baut, und der andre
reißt ein: Was haben sie anderes davon
als Mühe? 24 [29] Der eine betet, und der
andre flucht: Wessen Stimme wird der
Herr erhören? 25 [30] Wer [a]sich wäscht,
wenn er einen Toten berührt hat, und
berührt ihn wieder: Was hilft ihm sein
Waschen? 26 [31] So ist der Mensch, der für
seine Sünden fastet und immer wieder
sündigt: Wer wird sein Gebet erhören,
und was hilft ihm, dass er sich erniedrigt
hat?[a]

35 [a]Wer das Gesetz beachtet, opfert
reichlich. 2 Wer die Gebote hält, bringt
ein Dankopfer. 3 Wer Gott dankt, gibt ein
Speisopfer,[a] 4 und wer Barmherzigkeit
übt, ein Lobopfer.[a] 5 Vom Bösen zu lassen,
gefällt dem Herrn; und [a]vom Unrecht zu
lassen, ist ein Sühnopfer.
6 Erscheine vor dem Herrn nicht [a]mit
leeren Händen, 7 denn das alles muss man
tun [a]um des Gebotes willen. 8 Des Ge-
rechten Opfer lässt den Altar glänzen,
und der liebliche [a]Geruch kommt vor den
Höchsten. 9 Des Gerechten Opfer ist an-
genehm und wird nicht vergessen. 10 Mit
fröhlichem Gesicht lobe den Herrn, und
[a]gib deine Erstlingsgaben, ohne zu gei-
zen. 11 Wenn du gibst, tu es mit heite-
rer Miene, und bring den Zehnten mit
Freude dar. 12 Gib dem Höchsten, wie er
dir gegeben hat, und [a]gib mit fröhlichem
Gesicht, soviel du kannst. 13 Denn der
Herr, der [a]vergilt, wird dir's [b]siebenfach
vergelten.
14 [a]Bring nichts dar, um Gott zu beste-
chen; denn er wird's nicht annehmen.
15 Verlass dich nicht auf ein ungerechtes
Opfer; denn der Herr ist ein Richter, und
[a]vor ihm gilt kein Ansehen der Person.

DAS GEBET UND GOTTES GERICHT

16 [a]Er hilft dem Armen ohne Ansehen der
Person und erhört das Gebet des Unter-
drückten. 17 [a]Er verachtet das Flehen der
Waisen nicht noch die [b]Witwe, wenn
sie ihre Klage erhebt. 18 Laufen ihr nicht
die Tränen die Wangen hinunter, 19 und
richtet sich ihr Schreien nicht gegen
den, der die Tränen fließen lässt? 20 Wer
Gott dient, den nimmt er mit Wohlge-
fallen an, und [a]sein Gebet reicht bis in
die Wolken. 21 Das Gebet eines Demü-
tigen dringt durch die Wolken, doch bis
es dort ist, bleibt er ohne Trost, und er
lässt nicht nach, bis der Höchste sich sei-
ner annimmt 22 und den Gerechten ihr
Recht zuspricht und Gericht hält. Der
Herr wird nicht säumen noch Langmut
zeigen, bis er den Unbarmherzigen die
Lenden zerschmettert. 23 Auch an den
Heiden wird er Vergeltung üben, bis er
die Menge der Frevler vernichtet und die
Zepter der Ungerechten zerbricht, 24 bis er
[a]dem Menschen nach seinen Taten vergilt
und die Werke der Menschen nach ihren
Plänen, 25 bis er seinem Volk Recht schafft
und es erfreut mit seiner Barmherzigkeit.
26 Sein Erbarmen erquickt in der Zeit der
Not wie Regenwolken in der Zeit der
Dürre.

BITTE UM HILFE GEGEN DIE FEINDE

36 Herr, Gott des Alls, erbarme dich un-
ser, 2 und [a]wirf deinen Schrecken auf
alle Völker! 3 Erhebe deine Hand gegen
die fremden Völker, dass sie deine Macht
sehen. 4 Wie du dich an uns vor ihnen
heilig erwiesen hast, so [a]zeige dich vor
uns mächtig an ihnen; 5 sie sollen dich
erkennen, so wie wir erkannt haben,
dass es [a]keinen andern Gott gibt als dich,
Herr.
6 Tu neue Zeichen und neue Wunder.
7 Verherrliche deine Hand und deinen
rechten Arm. 8 Errege Grimm und schütte
Zorn aus.[a] 9 Wirf den Widersacher nie-
der und vertilge den Feind; 10 [a]eile und
denke an deinen [b]Eid, dass man deine
Wundertaten preise. 11 Im Zorn des Feu-
ers soll verschlungen werden, wer sich

34,22 *a* (22-23) 3. Mose 19,13; Tob 4,14; Jak 5,4
34,25 *a* 4. Mose 19,11-12 **34,26** *a* Jes 58,3-5
35,1 *a* (1-2) 1. Sam 15,22 **35,3** *a* Ps 50,14.23
35,4 *a* Hebr 13,16 **35,5** *a* Spr 21,3 **35,6** *a* 2. Mose 23,17
35,7 *a* Mt 23,23 **35,8** *a* 1. Mose 8,21
35,10 *a* 2. Mose 23,19 **35,12** *a* 2. Kor 9,7
35,13 *a* 1. Sam 26,23 *b* Ps 79,12 **35,14** *a* (14-15) Mal 1,8; 2. Chr 19,7 **35,15** *a* Jak 2,1
35,16 *a* (16-19) 5. Mose 10,17-18; Lk 18,7
35,17 *a* 2. Mose 22,21-22 *b* Lk 18,3 **35,20** *a* Spr 15,29
35,24 *a* Jer 17,10 **36,2** *a* 2. Mose 23,27; Ps 9,21
36,4 *a* Hes 28,22 **36,5** *a* 5. Mose 4,35; Jdt 9,14
36,8 *a* Ps 79,6 **36,10** *a* 5. Mose 32,35 *b* 5. Mose 32,40-41

zu sicher fühlt; und die deinem Volk Leid
antun, sollen zugrunde gehen. 12 Zer-
schmettre die Häupter der feindlichen
Fürsten, die sagen: Außer uns gibt es
niemand![a]
13 Versammle alle Stämme Jakobs und
gib ihnen ihr Erbe wie am Anfang.[a] 14 Er-
barme dich über dein Volk, Herr, das dei-
nen [a]Namen trägt, und über Israel, das du
als [b]Erstgeborenen eingesetzt hast. 15 Er-
barme dich über die Stadt deines Heilig-
tums, über Jerusalem, den Ort, an dem du
[a]Ruhe findest. 16 Erfülle Zion mit deinen
Ruhmestaten und den Tempel mit dei-
ner Herrlichkeit. 17 Gib denen ein Zeug-
nis von dir, die von Anfang an deine Ge-
schöpfe gewesen sind; und erneure die
[a]Verheißungen, die in deinem Namen
verkündigt sind. 18 Lohne es denen, die auf
dich warten, und deine [a]Propheten sollen
sich als glaubwürdig erweisen. [19] Erhöre,
Herr, das Gebet deiner Diener, 19 da du
Wohlgefallen an deinem Volk hast, damit
alle, die auf Erden wohnen, erkennen,
dass du der Herr bist, der Gott der Ewig-
keiten.

DIE RICHTIGE WAHL

20 Der Bauch isst alles; doch die eine Speise
ist besser als die andre. 21 Wie die Zunge
das Wildbret schmeckt, so erkennt ein
verständiges Herz die falschen Worte.
22 Ein tückischer Mensch kann Schmerz
bereiten; aber ein erfahrener weiß es ihm
zu vergelten.
23 Eine Frau muss jeden zum Manne
nehmen; doch [a]eine Braut ist besser als
die andere. 24 Eine schöne Frau sieht man
gerne und hat nichts lieber; 25 wenn sie
dazu barmherzig und milde redet, so ist
ihr Mann nicht zu vergleichen mit anderen
Männern.[a]
26 Wer eine Frau erwirbt, erwirbt noch
mehr: eine [a]Hilfe, die ihm entspricht,
und eine [b]Stütze, bei der er Ruhe findet.
27 Wo kein Zaun ist, wird Hab und Gut
geraubt; und wo keine Frau ist, wird der
Mann umherirren und seufzen.[a] 28 Denn
wer wird einem Straßenräuber trauen,
der von einer Stadt zur andern zieht? Ge-
nauso wenig traut man einem Mann, der
kein Heim hat und bleiben muss, wo er am
Abend hinkommt.[a]

ÜBER FREUNDE UND RATGEBER

37 Jeder Freund sagt zwar: Ich bin auch
dein Freund –; aber manche sind nur
dem Namen nach Freunde. 2 Bleibt nicht
Gram bis zum Tod, wenn ein Gefährte
und Freund einem zum Feind wird? 3 Ach
trauriger Gedanke: Woher kommt es,
dass du in Hinterlist verstrickt bist und
damit die Welt überziehst? 4 Wenn's dem
Freund gut geht, freut sich sein Gefährte
mit ihm; [a]wenn's ihm aber schlecht geht,
wird er sich gegen ihn stellen. 5 Der Ge-
fährte steht dem Freund bei, wenn es um
den Bauch geht; aber wenn es Kampf gibt,
versteckt er sich hinter dem Schild. 6 Ver-
giss den Freund nicht in deinem Herzen,
[7] und erinnere dich seiner, wenn du reich
wirst.
7 [8] Jeder [a]Ratgeber bietet seinen Rat an,
aber manche raten zu ihrem eignen Nut-
zen. 8 [9] Darum hüte dich vor dem Ratge-
ber: Überlege zuvor, was ihm nützlich sein
kann, denn er denkt vielleicht daran, zu
seinem Vorteil zu raten; lass ihn nicht über
dich bestimmen, 9 [10] damit er nicht sagt:
Du bist auf dem rechten Weg –, selbst aber
beiseitesteht und achtgibt, wie es dir er-
geht.
10 [11] Berate dich nicht mit dem, der
dich missgünstig betrachtet, und vor de-
nen, die dich beneiden, verbirg deinen
Plan. 11 [12] Berate dich nicht mit einer Frau
über ihre Nebenbuhlerin oder mit einem
Ängstlichen über den Krieg oder mit
einem Kaufmann über die Ware oder mit
einem Käufer über den Preis. [13] Berate
dich auch nicht mit einem Missgünsti-
gen über Dankbarkeit oder mit einem
Unbarmherzigen über Barmherzigkeit,
mit einem Faulen über die Arbeit [14] oder
mit einem Tagelöhner über das Ende
der Arbeit oder mit einem trägen Haus-
knecht über zu viel Arbeit. Solche Leute
frag nicht um Rat, 12 [15] sondern halte dich
stets an einen Gottesfürchtigen, von dem
du weißt, dass er die Gebote hält,[a] [16] der

36,12 *a* Vers 5; Hab 1,11 **36,13** *a* 5. Mose 30,3
36,14 *a* Jes 43,1 *b* 2. Mose 4,22 **36,15** *a* Hebr 3,11
36,17 *a* Röm 15,8 **36,18** *a* 2. Petr 1,19
36,23 *a* 1. Mose 29,16-18 **36,25** *a* Kap 26,13
36,26 *a* 1. Mose 2,18 *b* Spr 31,10-11 **36,27** *a* Kap 26,2
36,28 *a* Kap 29,23 **37,4** *a* Kap 6,8 **37,7** *a* Kap 6,6
37,12 *a* Kap 9,14-16

wie du gesinnt ist und Mitleid mit dir hat,
wenn du strauchelst.
13 [17] Und bleibe bei dem, was dir dein
Herz rät; denn du wirst keinen treueren
Ratgeber finden. 14 [18] Denn mit seinem
Herzen kann ein Mann mehr erkennen als
sieben Wächter, die oben auf der Warte
sitzen. 15 [19] Doch bei alledem rufe den Al-
lerhöchsten an, dass er in Wahrheit deinen
Weg ebne.
16 [20] Ehe du etwas anfängst, überleg dir's
zuvor; und ehe du etwas tust, geh mit dir
zurate. 17 [21] Veränderung beginnt im Her-
zen, 18 und vier Dinge erwachsen daraus:
Gutes und Böses, Leben und Tod; und
darüber [a]regiert allezeit die Zunge.
19 [22] Mancher ist zwar fähig, vielen an-
dern zu raten, aber sich selbst kann er
nicht helfen. 20 [23] Mancher möchte klug
raten und wird doch gehasst; der wird al-
les verlieren. 21 [24] Denn er hat vom Herrn
keine Gnade empfangen, weil keine Weis-
heit in ihm ist. 22 [25] Mancher ist weise nur
für sich selbst und schafft mit seinem Rat
für sich selbst Nutzen.
23 [26] Aber ein weiser Mann lehrt sein
Volk und schafft mit seinem Rat bleiben-
den Nutzen. 24 [27] Ein weiser Mann wird
sehr gelobt, und alle, die ihn sehen, prei-
sen ihn. 25 [28] Jeder hat eine [a]bestimmte
Zeit zu leben; aber [b]Israels Tage sind nicht
zu zählen. 26 [29] Der Weise hat in seinem
Volk großes Ansehen, und sein Name
bleibt ewig.

WARNUNG VOR UNMÄSSIGKEIT

27 [30] Mein Kind, prüfe, was für dich ge-
sund ist, und meide, was schlecht ist.
28 [31] Denn nicht alles ist jedem nützlich,
auch mag nicht jeder alles. 29 [32] Überfriss
dich nicht beim Gastmahl und sei nicht
gierig beim Essen. 30 [33] [a]Denn zu viel Es-
sen macht krank, und Unersättlichkeit
führt zu Erbrechen. 31 [34] An übermäßigem
Essen sind viele gestorben; wer aber mä-
ßig isst, lebt länger.

LOB DES ARZTES

38 Erweise dem Arzt gebührende Vereh-
rung, damit du ihn hast, wenn du ihn
brauchst; [2] denn auch ihn hat der Herr ge-
schaffen, 2 und von Königen erhält er Ge-
schenke – [a]Heilung kommt vom Höchs-
ten. 3 Die Kunst des Arztes erhöht ihn,
und Fürsten bewundern ihn.
4 Der Herr hat die [a]Arznei aus der Erde
geschaffen, und ein Vernünftiger verach-
tet sie nicht. 5 Wurde nicht [a]das bittere
Wasser süß durch Holz, damit man seine
Kraft erkennen sollte? 6 Und er selbst
gab den Menschen das Wissen, um sich
herrlich zu erweisen in seinen wunderba-
ren Mitteln. 7 Mit ihnen heilt er und ver-
treibt die Schmerzen, 8 und der Apothe-
ker macht Arznei daraus, [8] damit Gottes
Werke kein Ende nehmen und sein [a]Friede
über der Erde liege.
9 [a]Mein Kind, wenn du krank bist, sieh
nicht darüber hinweg, sondern bitte den
Herrn, dann wird er dich gesund machen.
10 Lass ab von der [a]Sünde, handle recht-
schaffen und reinige dein Herz von aller
Missetat. 11 Opfre lieblichen Geruch und
[a]feines Mehl zum Gedenkopfer, und gib
ein fettes Opfer, als müsstest du sterben.
12 Danach lass den Arzt zu dir, denn der
Herr hat auch ihn geschaffen; und weise
ihn nicht von dir, denn du brauchst ihn.
13 Es gibt Zeiten, in denen auch die Hand
des Arztes hilft; 14 denn auch er wird den
Herrn bitten, dass er's ihm gelingen lasse,
damit der Kranke Ruhe findet, gesund
wird und wieder für sich sorgen kann.
15 Wer vor seinem Schöpfer sündigt, der
wird dem Arzt in die Hände fallen!

ÜBER DAS TRAUERN

16 Mein Kind, wenn einer stirbt, so be-
weine ihn und klage wie einer, dem großes
Leid geschehen ist. Verhülle seinen Leib,
wie es ihm zukommt, und bestatte ihn
mit Ehren.[a] 17 Du sollst bitterlich weinen
und von Herzen betrübt sein. Halte die
Trauerklage, wie es ihm gebührt, [18] einen
Tag oder zwei, dass man nicht schlecht
von dir redet; dann tröste dich, damit du
nicht allezeit traurig bleibst.[a] 18 [19] Denn
vom Trauern kommt der Tod, und die
Traurigkeit des Herzens schwächt die

37,18 ***a*** Spr 18,21; Jak 3,5 **37,25** ***a*** Hiob 14,5
b 5. Mose 11,21 **37,30** ***a*** (30-31) Kap 31,20-21;
Röm 13,13-14 **38,2** ***a*** 2. Mose 15,26 **38,4** ***a*** Hes 47,12
38,5 ***a*** 2. Mose 15,23-25 **38,8** ***a*** Mt 4,23-24
38,9 ***a*** (9-10) Jak 5,14-15 **38,10** ***a*** Joh 9,1-2
38,11 ***a*** 3. Mose 2,1-2 **38,16** ***a*** Tob 2,3-7
38,17 ***a*** Kap 22,11-12

Kraft. 19[20]– In der Not bleibt auch Trauer,
und ein Leben in Armut ist ein Fluch für
das Herz – 20[21][a]Gib dein Herz nicht der
Trauer hin, sondern weise sie ab und denk
ans Ende. 21 Vergiss nicht: [22]Es gibt kein
Wiederkommen. Du hilfst dem Toten
nicht, dir aber schadest du. 22[23]Denke
an sein Los: denn so ist auch das deine.
Gestern war's an mir, heute ist's an dir.
23[24]Weil der Tote nun ruht, lass auch sein
Gedächtnis ruhen, und tröste dich wieder,
weil sein Geist von ihm geschieden ist.

ÜBER DAS ERLERNEN DER WEISHEIT

24[25]Die Weisheit des Gelehrten braucht
Zeit und Muße, und nur wer nicht ge-
schäftig ist, wird Weisheit gewinnen.
25[26]Wie kann einer Weisheit erlernen,
der den Pflug führt und sich seines Ste-
ckens rühmt, der die Ochsen antreibt und
nur solche Arbeiten tut und weiß nichts
anderes, als mit Ochsen zu reden? 26[27]Er
muss daran denken, wie er den Acker be-
stellen soll, und muss früh und spät den
Kühen Futter geben.

27[28]Ebenso geht es den Zimmerleuten
und Baumeistern, die Tag und Nacht ar-
beiten, oder denen, die Siegel stechen und
fleißig Bilder malen; die müssen daran
denken, dass das Bild gelingt, und früh
und spät darauf bedacht sein, dass sie es
vollenden.

28[29]Ebenso geht es dem Schmied bei
seinem Amboss, der auf das Schmiede-
werk achtet und vom Feuer versengt wird
und sich in der Hitze des Ofens müde
arbeitet. [30]Das Hämmern dröhnt ihm
in den Ohren, und er sieht darauf, wie
er das Werk richtig macht, [31]und muss
daran denken, wie er's fertigbringt, und
früh und spät darauf bedacht sein, dass es
schön aussieht.

29[32]Ebenso geht es dem Töpfer; der
muss bei seiner Arbeit sitzen und die
Scheibe mit seinen Füßen drehen und
muss immer um sein Werk besorgt sein
und sein bestimmtes Maß an Arbeit tun.
30[33]Er muss mit seinen Armen aus dem
Ton sein Gefäß formen und mit den Fü-
ßen kräftig die Töpferscheibe drehen.
[34]Er muss daran denken, wie er's fein gla-
siert, und früh und spät den Ofen fegen.

31[35]Diese alle vertrauen auf ihre Hände,
und jeder versteht sich auf sein Handwerk.
32[36]Ohne sie wird keine Stadt erbaut,
[37]und sie gelten weder als Fremde noch
müssen sie umherziehen – doch in den Rat
des Volks werden sie nicht gebeten, 33 und
in der Gemeinde treten sie nicht hervor;
[38]auf dem Stuhl des Richters sitzen sie
nicht, auf Gesetz und Recht verstehen
sie sich nicht; Bildung und rechtes Urteil
zeigen sie nicht, [39]und Weisheitssprüche
kennen sie nicht; 34[a]doch sie [b]stützen den
Bestand der Welt, und ihrer Hände Ar-
beit ist ihr Gebet. [39,1]Wer aber mit gan-
zer Seele über das Gesetz des Höchsten
39 nachsinnt, 1 der erforscht die Weisheit
aller Alten und studiert die Schriften
der Propheten. 2 Er kennt die Geschichten
berühmter Leute und sinnt über die Be-
deutung der Sprüche nach. 3 Er erforscht
den verborgenen Sinn der Gleichnisse
und vertieft sich in die Rätsel der Sprü-
che. 4 Er dient den Fürsten und erscheint
vor den Herren. [5]Er durchzieht das Land
fremder Völker; so hat er bei den Men-
schen Gutes und Böses erfahren.[a] 5[6]Er
richtet sein Herz darauf, [a]in der Frühe
den Herrn zu suchen, der ihn geschaffen
hat, und betet vor dem Höchsten. [7]Er tut
seinen Mund auf im Gebet und betet für
seine Sünden. 6[8]Und wenn der Herr, der
Große, es will, [a]wird er mit dem Geist der
Erkenntnis erfüllt. [9]Er selbst lässt Worte
seiner Weisheit sprudeln und dankt dem
Herrn im Gebet. 7[10]Er lenkt sein Wollen
und Wissen in rechte Bahnen und denkt
über die [a]Geheimnisse des Herrn nach.
8[11]Er legt seine Bildung und Lehre dar
und rühmt sich des Gesetzes des Bundes
des Herrn.

9[12]Viele werden seine Einsicht loben,
und bis in Ewigkeit wird sie nicht ausge-
löscht. [13]Sein Andenken wird niemals
vergehen, und [a]sein Name wird von Ge-
schlecht zu Geschlecht bestehen. 10[14]Von
seiner Weisheit werden die Völker erzäh-
len, und die Gemeinde wird sein Lob ver-
künden. 11[15]Solange er lebt, hat er einen
größeren Namen als tausend andere; und
auch nach seinem Tode bleibt er ihm.

38,20 ***a*** *(20-21)* 2. Sam 12,19-23
38,34 ***a*** *(38,34–39,3)* Ps 1,2; 78,2-3 ***b*** Spr 18,9
39,4 ***a*** Kap 34,9 **39,5** ***a*** Weish 16,28 **39,6** ***a*** Jak 1,5
39,7 ***a*** Kol 2,2-3 **39,9** ***a*** Kap 37,26; 41,12-13; Weish 8,13

JESUS SIRACH LOBT DIE WERKE GOTTES

12 [16] Ich habe noch mehr überlegt und will
es erzählen; denn wie der Vollmond bin
ich erfüllt. 13 [17] Hört auf mich, ihr from-
men Söhne, und ihr werdet wachsen wie
eine Rose, [a]gepflanzt an den Wasser-
bächen. 14 [18] Wie [a]Weihrauch werdet ihr
Duft verströmen und aufblühen wie eine
Lilie. [19] Erhebt eure Stimme zum Lobge-
sang und preist den Herrn für all seine
Werke. 15 Verherrlicht seinen Namen
[20] und stimmt in sein Lob ein mit Singen
und Klingen, preist ihn und sprecht so:

16 [21] [a]Alle Werke des Herrn sind sehr
gut; und was er gebietet, geschieht zur
rechten Zeit. 17 [22] Und man darf nicht sa-
gen: [a]Was soll das? Wozu ist das? Denn
[b]zur rechten Zeit tritt alles ein. [c]Durch sein
Wort stand das Wasser wie eine Mauer
und durch seine Rede die Wasser, als wä-
ren sie eingefasst. 18 [23] [a]Jeder seiner Be-
fehle zeigt sein ganzes Wohlgefallen, und
wenn er rettet, kann's keiner hindern.

19 [24] Aller Menschen Werke sind vor
ihm, und [a]vor seinen Augen ist nichts
verborgen. 20 [25] Er blickt von Ewigkeit zu
Ewigkeit, und nichts ist unbegreiflich vor
ihm. 21 [26] Man darf nicht sagen: Was soll
das? Wozu ist das? Denn jedes Ding ist zu
seinem Zweck geschaffen. 22 [27] Sein Segen
fließt über wie ein Strom und [a]tränkt die
Erde wie eine reiche Flut. 23 [28] Sein Zorn
trifft die Völker, wie damals, als er [a]ein
wasserreiches Land in ein Salzmeer ver-
wandelte.

24 [29] Seine Wege sind für die Frommen
gerade, aber Hindernisse für die Frevler.
25 [30] Das Gute ist den Guten geschaffen
von Anbeginn, so auch den Sündern das
Böse. 26 [31] Der Mensch braucht zu seinem
Leben vor allem Wasser, Feuer, Eisen,
Salz, Mehl, Milch, Honig, Wein, Öl und
Kleider. 27 [32] Das alles kommt den From-
men zugute, aber wandelt sich für die
Sünder zum Bösen. 28 [33] [a]Es gibt Winde,
die sind zur Strafe geschaffen, und in ih-
rer Wut verstärken sie ihre Wucht; [34] und
wenn die Strafe kommen soll, dann toben
sie und besänftigen die Wut dessen, der
sie geschickt hat. 29 [35] Feuer, Hagel, Hun-
ger, Tod, das alles ist zur Strafe geschaf-
fen.[a] 30 [36] Die Zähne der wilden Tiere,
Skorpione, Schlangen und das Schwert
der Strafe sind geschaffen zur [a]Vernich-
tung der Gottlosen. 31 [37] Mit Freuden [a]er-
füllen sie seinen Befehl und sind bereit,
wenn er sie auf Erden braucht; und wenn
ihre Zeit kommt, widersetzen sie sich ihm
nicht.

32 [38] Darum war ich von Anfang an mei-
ner Sache gewiss und besann mich und
schrieb es nieder: 33 [39] [a]**Die Werke des
Herrn sind alle gut, und alles, was not-
tut, wird er zur rechten Zeit gewähren.**
34 [40] Und man darf nicht sagen: Dies ist
schlechter als jenes; denn alles wird zur
rechten Zeit geachtet. 35 [41] Und nun singt
mit Herz und Mund und preist den Na-
men des Herrn.

VOM ELEND DES MENSCHEN

40 Große Mühe ist für jeden Menschen
geschaffen, und ein schweres Joch
liegt auf den Söhnen Adams [a]von Mut-
terleib an, bis sie zurückkehren zur Erde,
die unser aller Mutter ist. 2 Sie haben Sorge
und [a]Herzensangst, leben in Ungewiss-
heit – und am Ende steht der Tod.

3 [a]Von einem, der auf einem herrlichen
Thron sitzt, bis zu einem, der gedemütigt
in Staub und Asche liegt, 4 von einem, der
Purpur und Krone trägt, bis zu einem, der
einen groben Kittel anhat – immer gibt
es 5 Zorn und Eifersucht, Kummer, Un-
friede und Todesfurcht, Hass und Streit.
[5] Und wenn einer auf seinem Bett zur
Ruhe kommt, verwirrt ihm der Schlaf
des Nachts den Sinn.[a] 6 Kaum ruht er ein
wenig, so ist's doch nichts damit; denn
bald müht er sich im Schlaf, als wäre er
wach – erschrocken im Traum, als müsste
er aus der Schlacht fliehen; 7 und im Au-
genblick seiner Not wacht er auf und ist
verwundert, dass die Furcht umsonst
war.

8 [a]Dies widerfährt allem Fleisch, Mensch
und Tier, aber den Sündern siebenmal

39,13 *a* Ps 1,3 **39,14** *a* Kap 24,15 **39,16** *a* 1. Mose 1,31; Ps 104,24 **39,17** *a* Dan 4,32 *b* Pred 3,11 *c* 2. Mose 14,21-22; Jos 3,14-16 **39,18** *a* Ps 33,9 **39,19** *a* Kap 15,18; Ps 33,13 **39,22** *a* Ps 65,10 **39,23** *a* 1. Mose 13,10; 14,3 **39,28** *a* (28-29) Ps 104,4 **39,29** *a* Weish 5,20-22 **39,30** *a* Kap 40,8-10 **39,31** *a* Ps 148,8 **39,33** *a* Verse 16.21 **40,1** *a* 1. Mose 2,7 **40,2** *a* Hebr 2,15 **40,3** *a* (3-4) Weish 7,1-6 **40,5** *a* Pred 2,23 **40,8** *a* (8-10) Kap 39,29-30

mehr: 9 Mord und Blutvergießen, Streit und Schwert, Unglück und Hunger, Verderben und Plage. 10 Für die Gottlosen ist all dies geschaffen; [a]und ihretwegen kam die Sintflut. 11 Alles, [a]was aus der Erde kommt, muss wieder zu Erde werden, wie [b]alle Wasser wieder ins Meer fließen.

DER UNTERGANG DER UNGERECHTEN UND GOTTLOSEN

12 Alle Geschenke und unrechten Zuwendungen werden untergehen; aber die Treue bleibt ewig.[a] 13 Die Güter der Ungerechten versiegen wie ein Fluss und verhallen wie ein starker Donner im Regen. 14 Sie sind fröhlich, solange sie Geschenke nehmen; aber zuletzt gehen sie doch zugrunde. 15 Die Nachkommen der Gottlosen bringen keine Zweige hervor, und auf bloßem Fels wachsen nur verkrüppelte Wurzeln.[a] 16 Und selbst wenn sie [a]wie das Riedgras auf feuchtem Boden und nahe am Wasser stünden, würden sie doch eher ausgerottet als alles andere Gras.

17 [a]Wohltun ist wie ein gesegneter Garten, und Barmherzigkeit bleibt ewig.

GUTES UND BESSERES

18 Wer genügsam und wer fleißig lebt, hat es gut; aber besser als beide hat es der, der einen Schatz findet. 19 Kinder und ein Haus in der Stadt machen einen bleibenden Namen; aber eine untadelige [a]Frau wird mehr geschätzt als beides. 20 Wein und Musik erfreuen das Herz, aber besser als beide ist die Liebe zur Weisheit. 21 Flöte und Harfe klingen schön, aber [a]besser als beide ist eine freundliche Rede. 22 Nach Anmut und Schönheit sehnt sich das Auge, aber eine grüne Saat ist besser als beides.

23 Freund und Gefährte helfen zur rechten Zeit, aber mehr noch als beide die Frau ihrem Mann. 24 Brüder und Helfer sind gut in der Not, aber mehr als beide rettet Barmherzigkeit.[a] 25 Gold und Silber geben sicheren Stand, aber mehr als beides wird guter Rat geschätzt. 26 Geld und Gut machen Mut, aber mehr als beides die Furcht des Herrn.

[27] In der Furcht des Herrn fehlt einem nichts, und man braucht keine Hilfe.[a] 27 [28] Die Furcht des Herrn ist wie ein [a]gesegneter Garten, und sie beschützt mehr als alle Herrlichkeit.

WARNUNG VOR DEM BETTELN

28 [29] Mein Kind, verlege dich nicht aufs Betteln; es ist besser, zu sterben als zu betteln.[a] 29 [30] Wer sich nach fremden Tischen umsieht, dessen Leben ist kein rechtes Leben; denn er macht sich mit fremden Speisen unrein; [31] aber gerade davor hütet sich ein vernünftiger, wohlerzogener Mann. 30 [32] Süß schmeckt dem Unverschämten das Betteln; aber in seinem Bauch wird es wie Feuer brennen.

VOM TOD

41 O Tod, [a]wie bitter bist du, wenn an dich gedenkt ein Mensch, der gute Tage und genug hat und ohne Sorge lebt [2] und dem es wohlgeht in allen Dingen und der noch kräftig genug ist, um gut zu essen! 2 [3] O Tod, wie wohl tut dein Urteil dem Bedürftigen, [4] dessen Kräfte schwinden, der dich vor Augen hat und immer voller Sorgen ist, der sich gegen alles auflehnt und die Hoffnung verloren hat![a]

3 [5] Fürchte nicht das Urteil des Todes! Denke an die, die vor dir gewesen sind und nach dir kommen werden. 4 [a]Dies ist das Urteil des Herrn über alles Fleisch. [6] Und was wehrst du dich gegen den Willen des Höchsten? Ob du zehn oder hundert oder tausend Jahre lebst, [7] in die Unterwelt kommen alle.

DAS LOS DER SÜNDER UND GOTTLOSEN

5 [8] Schamlose Menschen bringen sündige Kinder hervor, die leben fern von der Gemeinschaft der Frommen.[a] 6 [9] Das Erbe sündiger Kinder aber geht verloren; und ihren Nachkommen bleibt die Schande. 7 [10] Die Kinder werden den gottlosen Vater anklagen; denn um seinetwillen sind sie verachtet.

40,10 *a* 1. Mose 6,13 **40,11** *a* 1. Mose 3,19; Pred 3,20 *b* Pred 1,7 **40,12** *a* 1. Chr 29,17 **40,15** *a* Kap 23,25 **40,16** *a* Hiob 8,11-13 **40,17** *a* Vers 27; Jes 58,10-11 **40,19** *a* Kap 36,26 **40,21** *a* Spr 16,24 **40,24** *a* Kap 29,12 **40,26** *a* Ps 33,16-18 **40,27** *a* Vers 17 **40,28** *a* Kap 29,23; 1. Thess 4,11-12 **41,1** *a* Jes 38,10 **41,2** *a* Kap 30,17; Hiob 3,20-22 **41,4** *a* Kap 14,17 **41,5** *a* Kap 23,25

8[11][a]Weh euch, ihr Gottlosen, die ihr des
Höchsten Gesetz verlasst! 9[12][Vermehrt
ihr euch, dann zum Untergang.] Werdet
ihr geboren, dann zum Fluch; und sterbt
ihr, auch dann zum Fluch. 10[13]Wie [a]alles,
was aus der Erde kommt, wieder zu Erde
wird, so kommen die Gottlosen aus dem
Fluch zur [b]Verdammnis.

DER GUTE NAME

11[14]Die Menschen trauern um ihren
Leib, aber bei den Gottlosen wird auch
[a]der Name getilgt, denn er taugt nichts.
12[15]Sieh zu, dass du einen guten Namen
behältst; der [a]bleibt dir länger als tausend
große, goldene Schätze. 13[16]Ein Leben,
es sei so gut, wie es wolle, währt nur eine
kurze Zeit; aber [a]ein guter Name bleibt
ewig.

RECHTE UND FALSCHE SCHAM

14[17]Meine Kinder, bewahrt in Frieden,
was man euch gelehrt hat. [a]Weisheit, die
man verbirgt, und ein Schatz, der ver-
graben ist – was hat man von beiden?
15Besser ist ein Mensch, der seine Torheit
verbirgt, als einer, der seine Weisheit ver-
birgt. 16[18]So achtet nun auf mein Urteil:
[19]Man [a]schämt sich oft, wo man sich nicht
schämen müsste, und billigt oft, was man
nicht billigen sollte. 17[20]Schämt euch der
Unzucht vor Vater und Mutter, der Lüge
vor dem Fürsten und Herrn, 18[21]des Un-
rechts vor dem Richter und Rat; schämt
euch vor Gemeinde und Volk, das Ge-
setz zu übertreten, [22]vor dem Nächsten
und Freund, treulos zu sein, 19vor den
Nachbarn, zu stehlen, und besonders
vor der Wahrheit Gottes und seinem
Bund.

[23]Schäme dich, beim Essen den Arm
aufzustützen. [24]Schäme dich, verächtlich
zu geben und zu nehmen 20und zu schwei-
gen, wenn man dich grüßt. [25]Schäme
dich, nach einer Hetäre zu sehen 21und
den Blick von deinen Verwandten abzu-
wenden. [26]Schäme dich, an dich zu brin-
gen, was andern zusteht, und [a]nach der
Frau eines andern zu blicken[b] 22[27]noch
seine Magd zu begehren und an ihr Bett
zu treten. [28]Schäme dich, deinen Freund
zu schmähen, und [a]wenn du ihm etwas
gegeben hast, so wirf ihm das nicht vor.

42 [41,29]Schäme dich, alles [a]weiterzusa-
gen, was du gehört hast, und Worte
auszuplaudern, die geheim sind. So wirst
du wahrhaft schamhaft sein und allen
Leuten lieb und wert.

[1]Dieser Dinge aber schäme dich nicht
und [b]nimm keine Rücksicht, dass du dich
nicht versündigst: 2Schäme dich nicht für
das Gesetz des Höchsten und den Bund
[2]und das Urteil, den Gottlosen zu bestra-
fen; 3nicht dafür, mit dem Nächsten und
Gefährten Kosten auf Heller und Pfennig
abzurechen, noch dafür, das Erbteil ande-
rer zu verteilen;[a] 4nicht für die Genau-
igkeit von Waage und Gewicht noch für
dein Einkommen, sei es viel oder wenig;
5nicht für Gewinn beim [a]Handeln mit
Kaufleuten noch für eine strenge Erzie-
hung der [b]Kinder und nicht dafür, den
bösen [c]Knecht kräftig zu züchtigen.

6Gut ist es, eine schlechte Frau ein-
zuschließen; und wo viele Hände sind,
schließ gut ab! 7Wenn du etwas heraus-
gibst, in Zahl und Gewicht, Soll und Ha-
ben: alles schriftlich!

8Schäme dich nicht für die Erziehung
der Unverständigen und Toren noch für
die der Alten, wenn sie unzüchtig leben.
So wirst du wahrhaft erzogen sein und bei
allen geachtet.

ÜBER TÖCHTER UND FRAUEN

9Eine Tochter bereitet dem Vater schlaf-
lose Nächte, und die [a]Sorge um sie raubt
ihm den Schlaf: Wenn sie jung ist, dass sie
nicht verblühe, [b]wenn sie mit einem Mann
lebt, dass er ihrer nicht überdrüssig werde,
10wenn sie noch Jungfrau ist, dass sie
nicht geschändet und im Hause ihres Va-
ters nicht schwanger werde; wenn sie bei
ihrem Mann ist, dass sie keinen Fehltritt
tue, und wenn sie mit einem Mann lebt,
dass sie nicht kinderlos bleibe. 11Über eine
verstockte Tochter wache scharf, dass sie
dich nicht vor deinen Feinden zum Spott
mache noch zum Gerede in der Stadt und

41,8 *a* (8-9) 5. Mose 27,26 **41,10** *a* Kap 40,11 *b* Phil 3,19
41,11 *a* Kap 10,17; Spr 10,7 **41,12** *a* Spr 22,1
41,13 *a* Kap 39,9-11; 46,12; Lk 10,20 **41,14** *a* Kap 20,30-31
41,16 *a* Kap 4,21 **41,21** *a* Kap 9,9 *b* Mt 5,27-28
41,22 *a* Kap 18,15.18; 20,15 **42,1** *a* Kap 27,16
b 3. Mose 19,15; 5. Mose 16,19 **42,3** *a* Lk 16,10-11
42,5 *a* Spr 20,14 *b* Kap 30,1-13 *c* Kap 33,25-31
42,9 *a* Kap 7,25 *b* 5. Mose 24,1-3

zum Geschwätz der Leute und dass sie
dich nicht vor allen beschäme.[a]
12 Für alle gilt: Blicke nicht auf Schön-
heit und [a]suche nicht die Gesellschaft von
Frauen! 13 Denn aus Kleidern kommen
Motten und aus Frauen nichts als weib-
liche Schlechtigkeit. 14 Besser die Schlech-
tigkeit eines Mannes als [a]eine rechtschaf-
fene Frau und als eine, die Schimpf und
Schande bringt.

GOTTES HERRLICHKEIT IN DER SCHÖPFUNG

15 Ich will nun der Werke des Herrn geden-
ken und erzählen, was ich gesehen habe.
[a]Durch die Worte des Herrn sind seine
Werke geworden. [Und es hat ihm gefal-
len, seinen Beschluss wirklich werden zu
lassen.] 16 Leuchtend blickt die Sonne auf
alles herab, und des Herrn Werke sind
seiner Herrlichkeit voll. 17 Auch den Hei-
ligen des Herrn ist es nicht gegeben, [a]all
die Wunder zu erzählen, die der Herr, der
Allmächtige, geschaffen hat, damit das All
durch seine Herrlichkeit Bestand hat.
18 Er allein [a]erforscht den Abgrund und
das Herz, und an seinen großen Taten
wird er erkannt. [19] Denn der Höchste
weiß alle Dinge und schaut in die Ewig-
keit. 19 [20] Er verkündet, was vergangen
und was zukünftig ist, und offenbart, was
verborgen ist; 20 [a]es entgeht ihm kein Ge-
danke, und kein einziges Wort bleibt ihm
verborgen. 21 [21] [a]Die großen Werke seiner
Weisheit hat er geordnet. Einer ist er von
Ewigkeit zu Ewigkeit.[b] [22] Man [c]kann ihn
weder größer noch geringer machen. Er
[d]bedarf keines Ratgebers.
22 [23] Wie wunderbar sind alle seine
Werke, obwohl man kaum einen Funken
davon erkennen kann! 23 [24] Sie alle leben
und bleiben in Ewigkeit und dienen ihrem
Zweck, und [a]alles gehorcht ihm. 24 [25] Es
sind [a]immer zwei; eins steht dem andern
gegenüber, und nichts hat er geschaffen,
was nicht gelungen ist. 25 [26] Die Dinge
hat er so geordnet, dass eins dem andern
nützt. [43,1] Und wer kann sich an seiner
Herrlichkeit satt sehen?
43 Die erhabene Höhe, das klare Firma-
ment und der wunderbare Himmel
sind herrlich anzusehen.[a] 2 Wenn die
Sonne aufgeht, verkündet sie den Tag; sie
ist ein Wunderwerk des Höchsten. 3 Am
Mittag trocknet sie das Land aus, und wer
kann ihre Hitze ertragen? 4 [a]Glühende
Hitze bringt die Sonne der Erde, dreimal
stärker noch erhitzt sie die Berge; sie ver-
breitet Gluthauch, ist gleißend hell und
blendet die Augen. 5 Groß ist der Herr,
der sie gemacht hat, auf seine Worte hin
durcheilt sie ihre [a]Bahn.
6 Und der Mond muss aufgehen zu sei-
ner Zeit und [a]die Zeiten anzeigen und
ein Zeichen für immer sein. 7 [a]Nach dem
Mond rechnet man die Feste; er ist ein
Licht, das abnimmt und wieder zunimmt.
8 Der Neumond ist, wie sein Name sagt:
Er erneuert und verändert sich wun-
derbar. [9] Ein [a]Feldzeichen ist er für das
himmlische Heer, wenn er aufstrahlt am
Firmament.
9 Die hellen Sterne zieren den Himmel,
[10] ein leuchtender Schmuck in den Hö-
hen des Herrn. 10 [11] [a]Nach den Worten
des Heiligen halten sie ihre Ordnung ein
und werden nicht müde, wenn sie Wache
halten.
11 [12] Sieh den [a]Regenbogen an und lobe
den, der ihn schön gemacht hat in seinem
Glanz. 12 [13] Er wölbt sich am Himmel in
einem herrlichen Bogen; die Hand des
Höchsten hat ihn gespannt.
13 [14] [a]Auf sein Geheiß hin fällt der
Schnee, und er lässt Blitze herabfahren,
wie er will. 14 Darum tun sich die Himmel
auf, [15] und die Wolken ziehen wie Vögel
dahin. 15 [16] Mit seiner Kraft presst er die
Wolken zusammen, und der Hagel pras-
selt herab. 17a *Seines Donners Stimme
erschüttert die Erde, 16 [17] [a]bei seinem An-
blick zittern die Berge. [18] Nach seinem
Willen wehen der Südwind 17b [18] und der
Nordwind und der Wirbelsturm. [19] Wie

* **43,17a** Der Zusammenhang erfordert die Umstellung der Verse.

42,11 *a* Kap 26,10-11 **42,12** *a* Kap 9,3-9
42,14 *a* Pred 7,26 **42,15** *a* Kap 39,18; 1. Mose 1,3
42,17 *a* Kap 18,4 **42,18** *a* Spr 15,11 **42,20** *a* Joh 2,25
42,21 *a* Spr 3,19 *b* Jes 48,12-13 *c* Kap 18,6 *d* Jes 40,13
42,23 *a* Kap 39,31 **42,24** *a* Kap 33,14-15 **43,1** *a* Ps 104,1-2
43,4 *a* (4-5) Ps 19,4-7 **43,5** *a* Ps 74,16
43,6 *a* 1. Mose 1,14 **43,7** *a* (7-8) 3. Mose 23,5; Ps 104,19
43,8 *a* Bar 3,34-35 **43,10** *a* Jes 40,26; Hiob 38,31-33
43,11 *a* 1. Mose 9,13; Hes 1,28
43,13 *a* (13-20) Hiob 38,22-30; Ps 147,16-18
43,16 *a* Ps 29,3.6

einen Vogelschwarm streut er den Schnee;
der fällt herab, wie Heuschrecken sich nie-
derlassen. 18 [20] Seine weiße Pracht blen-
det das Auge, und das Herz staunt über
solch seltsamen Regen. 19 [21] Er schüttet
den Reif auf die Erde wie Salz, und wie
Dornen wachsen Kristalle. 20 [22] Wenn
der kalte Nordwind weht, friert das Was-
ser zu Eis; wo Wasser ist, da bleibt er und
kleidet es wie mit einem Harnisch. 21 [23] Er
verschlingt die Berge und verbrennt die
Wüste, und was grün ist, versengt er wie
Feuer.[a] 22 [24] Dagegen hilft der feuchte Ne-
bel; und der [a]Tau nach der Hitze erquickt
alles wieder.

23 [25] Durch seinen Ratschluss brachte
der Herr die [a]Wasser der Tiefe zur Ruhe
und [b]setzte Inseln darein. 24 [26] Die [a]auf
dem Meer fahren, erzählen von seinen
Gefahren, und wir, die es hören, verwun-
dern uns. 25 [27] Dort gibt es erstaunliche
Dinge und wunderbare Werke, [a]man-
cherlei Tiere und [b]Seeungeheuer. 26 Der
Herr geleitet seinen Boten ans Ziel, [28] und
durch sein Wort besteht alles.[a]

27 [29] Wenn [a]wir auch viel sagen, so reicht
es doch nicht aus; mit einem Wort: [b]Er ist
alles in allem. 28 [30] Wenn wir auch alles
hoch rühmen – was ist das schon? [a]Denn
er selbst ist größer als alle seine Werke.
29 [31] Zu fürchten ist der Herr und sehr
groß, und seine Macht ist wunderbar.

30 [32] Lobt und preist den Herrn, so sehr
ihr könnt; er wird auch das noch übertref-
fen. [33] Preist ihn aus allen Kräften und
lasst nicht ab – [34] dennoch kann es nicht
genügen! 31 [35] Wer [a]hat ihn gesehen, dass
er von ihm erzählen könnte? Wer kann
ihn so hoch preisen, wie er ist? 32 [36] Vieles
ist verborgen – Größeres als dieses, denn
[a]wenig nur haben wir von seinen Werken
gesehen. 33 [37] Denn alles hat der Herr ge-
macht, und [a]den Gottesfürchtigen gibt er
Weisheit.

Das Lob der Väter

Kapitel 44,1–50,21

44 Lasst uns loben berühmte Männer,
unsre Väter von Anfang an. 2 Viel
Herrliches hat der Herr geschaffen, sein
mächtiges Werk von Ewigkeit her:
3 Herrscher über Königreiche, Männer,
berühmt für ihre Stärke, verständige Rat-
geber und prophetische Seher. 4 Sie haben
Land und Leute mit Rat und Verstand
regiert und das Volk unterrichtet; mit
weisen Worten haben sie belehrt. 5 Sie
ersannen Lieder und schrieben Erzählun-
gen – 6 Männer, die reich und mächtig ge-
wesen sind und in Frieden an ihrem Ort
lebten. 7 Sie alle sind zu ihren Zeiten ge-
priesen und zu ihren Lebzeiten gerühmt
worden. 8 Einige unter ihnen haben einen
solchen Namen hinterlassen, dass man
noch heute ihr Lob verkündet. 9 Von an-
dern aber gibt es kein Andenken, sie sind
ausgelöscht, als wären sie nie gewesen.
Und als sie lebten, war es, als lebten sie
nicht noch ihre Kinder nach ihnen.

10 Anders aber jene gesegneten Män-
ner, deren Gerechtigkeit nicht vergessen
wird; 11 [10] sie bleibt auch bei ihren Nach-
kommen, ein gutes Erbe sind ihre Enkel.
12 [11] Ihre Nachkommen hielten fest an den
Bundesschlüssen und um ihrer Väter wil-
len auch die Kinder. 13 Für immer bleibt
ihr Geschlecht, [12] und ihr Lob wird nicht
untergehen. 14 [13] Sie sind in Frieden be-
graben, und [a]ihr Name lebt ewig. 15 [14] Das
Volk redet von ihrer Weisheit, [15] und die
Gemeinde verkündet ihr Lob.

HENOCH UND NOAH

16 Henoch gefiel dem Herrn und [a]wurde
hinweggenommen, ein Beispiel der Buße
für künftige Geschlechter.

17 Noah wurde als vollkommen gerecht
befunden, und zur Zeit des Zorns fand er
Gnade;[a] [18] durch ihn blieb ein Rest auf Er-
den, als die Sintflut kam. 18 [19] Ein ewiger
Bund wurde mit ihm geschlossen, dass
niemals wieder alles Fleisch durch eine
Sintflut vertilgt werden sollte.[a]

ABRAHAM

19 [20] Abraham war der hochberühmte [a]Va-
ter vieler Völker, und an seiner Ehre fand

43,21 *a* Am 1,2 **43,22** *a* 1. Mose 27,28.39
43,23 *a* Hiob 38,8-11 *b* Jes 40,15 **43,24** *a* Ps 107,23-32
43,25 *a* Ps 104,25-26 *b* 1. Mose 1,21 **43,26** *a* Kap 39,18;
Kol 1,17 **43,27** *a* Ps 106,2 *b* 1. Kor 15,28
43,28 *a* Weish 13,3 **43,31** *a* Joh 1,18 **43,32** *a* Hiob 26,14
43,33 *a* Kap 1,14 **44,14** *a* Kap 41,13 **44,16** *a* 1. Mose 5,24
44,17 *a* 1. Mose 6,8-9; 7,1 **44,18** *a* 1. Mose 9,8-11
44,19 *a* 1. Mose 17,4-5

man keinen Makel. 20 [21] Er hielt das Gesetz
des Höchsten und stand im Bund mit ihm;
er bestätigte den [a]Bund mit seiner Be-
schneidung; und er wurde für treu befun-
den, als er [b]versucht wurde. 21 [22] Darum
verhieß ihm Gott mit einem Eid, [a]dass
durch sein Geschlecht die Völker geseg-
net werden sollten. Seine Nachkommen
sollten zahlreich werden wie der Staub der
Erde [23] und erhöht wie die Sterne und ihr
Erbe erhalten [b]von einem Meer bis ans
andre und vom Euphrat im Osten bis an
die Enden der Erde.

ISAAK UND JAKOB

22 [24] [a]Und mit Isaak bestätigte er den
Bund um seines Vaters Abraham wil-
len. Den Segen für alle Menschen und
den Bund 23 [25] ließ er ruhen auf Jakobs
Haupt.[a] [26] Ihn hat er gnädig gesegnet und
ihm das Erbe gegeben und [b]seine Anteile
bestimmt und in zwölf Stämme aufgeteilt.

MOSE

[45,1] Aus Jakob hat er einen gesegneten
Mann kommen lassen, der [c]vor aller Welt
45 Gefallen fand, 1 geliebt von Gott und
den Menschen: Mose, dessen Name
hoch gepriesen wird. 2 Er hat ihm [a]Herr-
lichkeit gegeben wie den Heiligen und ihn
groß gemacht, sodass die Feinde ihn
fürchteten. 3 Er [a]ließ ihn mit seinen Wor-
ten Zeichen tun, [3] machte ihn herrlich vor
Königen, gab ihm Befehle für sein Volk
und [b]zeigte ihm seine Herrlichkeit. 4 Er hat
ihn um seiner Treue und [a]Demut willen
geheiligt und aus allen Menschen erwählt.
5 Er ließ ihn seine Stimme hören und
führte ihn [a]in die dunkle Wolke. [6] Er hat
ihm [b]die Gebote gegeben von Angesicht
zu Angesicht, das Gesetz des [c]Lebens und
der [d]Weisheit, damit er Jakob den Bund
lehren sollte und Israel seine Ordnungen.

AARON

6 [7] Er hat Aaron, den Bruder des Mose, aus
dem Stamm Levi, gleich ihm geheiligt und
erhöht. 7 [8] [a]Er schloss einen ewigen Bund
mit ihm und gab ihm das Priestertum im
Volk. [9] Er pries ihn selig und schmückte
ihn und legte ihm ein herrliches Gewand
um. 8 Er bekleidete ihn mit vollkomme-
nem Ruhm [10] und krönte ihn mit dem
Gewand der Macht, mit Beinkleidern,
dem Ehrenmantel und dem Priester-
schurz; 9 [11] und er umgab ihn mit klei-
nen Granatäpfeln, unzähligen goldenen
Schellen ringsumher, damit es bei seinen
Schritten klingen sollte und der Klang im
Heiligtum gehört würde zum Gedächtnis
für die Söhne seines Volkes. 10 [12] Er um-
gab ihn mit einem heiligen Gewand, gol-
den und hyazinthfarben und purpurrot,
ein Werk des Stickers; [13] mit der Brust-
tasche für die [a]Lose zum Offenlegen der
Wahrheit, 11 gesponnen mit rotem Garn,
ein Werk des Künstlers, [a]mit kostbaren
Steinen wie Siegel in goldener Fassung,
Werke des Steinschneiders, in die die Na-
men der Stämme Israels zum Gedächtnis
eingeschnitten waren; 12 [14] ein goldenes
Stirnblatt oben an dem Kopfbund, ein Ab-
druck des heiligen Siegels, eine ehrenvolle
Pracht, ein großes Werk. All das war be-
gehrenswert für die Augen und vollkom-
men. 13 [15] So Schönes hat man nie zuvor
gesehen, [16] bis in Ewigkeit kleidet sich
kein Fremder so, allein seine Söhne und
seine Nachkommen.

14 [17] Seine Opfer sollen als Brandopfer
täglich zweimal dargebracht werden.[a]
15 [18] Mose füllte ihm die Hände und salbte
ihn mit heiligem Öl.[a] [19] Es wurde ein
[b]ewiger Bund mit ihm und seinen Söhnen
geschlossen, dass sie dem Herrn dienen
und Priester sein und sein Volk in seinem
Namen [c]segnen sollten, solange der Him-
mel besteht. 16 [20] Der Herr hat ihn erwählt
aus allen Lebenden, damit er ihm Brand-
opfer darbringe und wohlriechende Räu-
cheropfer zum Gedächtnis, um [a]für das
Volk Sühne zu schaffen. 17 [21] Er gab ihm in
seinen Geboten die Macht über die Ord-
nungen des Bundes, [a]dass er Jakob seine
Satzungen lehren und Israel mit seinem
Gesetz erleuchten sollte.

44,20 ***a*** 1. Mose 17,10.13 ***b*** 1. Mose 22,12
44,21 ***a*** 1. Mose 22,15-18 ***b*** 1. Mose 15,18; Ps 72,8; 2,8;
72,8 **44,22** ***a*** 1. Mose 26,3-5 **44,23** ***a*** 1. Mose 28,13-14
b Jos 14,1-5 ***c*** 2. Mose 11,3 **45,2** ***a*** 2. Mose 34,29-35
45,3 ***a*** 2. Mose 7,2-3; Apg 7,22 ***b*** 2. Mose 33,18–34,8
45,4 ***a*** 4. Mose 12,3.6-8 **45,5** ***a*** 2. Mose 24,15-18
b 2. Mose 31,18 ***c*** Kap 17,11; 5. Mose 30,19 ***d*** 5. Mose 4,6
45,7 ***a*** (7-13) 2. Mose 28,1-43 **45,10** ***a*** 2. Mose 28,30
45,11 ***a*** 2. Mose 39,14 **45,14** ***a*** 2. Mose 29,38-42
45,15 ***a*** 2. Mose 28,41 ***b*** 2. Mose 40,15 ***c*** 4. Mose 6,23-27
45,16 ***a*** 3. Mose 16,34 **45,17** ***a*** 5. Mose 33,10

18 [22] [a]Es rotteten sich seine Gegner zu-
sammen und eiferten gegen ihn in der
Wüste: die Leute um Dathan und Abiram
und die Rotte Korach in wütendem Zorn.
19 [23] Aber der Herr sah es, und es gefiel
ihm nicht, und sie wurden verschlungen
im grimmigen Zorn. [24] Er tat ein schreck-
liches Zeichen an ihnen und verzehrte sie
mit seinem Feuer.

20 [25] [a]Und er verlieh Aaron noch mehr
Herrlichkeit und gab ihm ein Erbteil: Die
Erstlingsgaben teilte er ihm zu, vor allem
Brot im Überfluss – 21 [26] denn sie werden
die Opfer des Herrn essen, die er ihm
und seinen Nachkommen gab. 22 [27] Doch
Aaron wird keinen Anteil am Land des
Volkes haben noch ein Erbe gemeinsam
mit dem Volk, denn: [a]Der Herr selbst ist
dein Teil und Erbe.

PINHAS

23 [28] [a]Pinhas, der Sohn Eleasars, kam als
Dritter zu solcher Herrlichkeit, weil er
ihm in der Furcht des Herrn nachgeeifert
hatte. [29] Denn als das Volk abfiel, blieb er
treu in seinem Eifer für Gott und schaffte
Sühne für Israel. 24 [30] Darum wurde ihm
ein Bund des Friedens gegeben: dem
Heiligtum und Gottes Volk vorzuste-
hen, damit er und seine Nachkommen
das Hohepriestertum für immer haben
sollten. 25 [31] [a]Wie bei dem Bund mit Da-
vid, dem Sohn Isais aus dem Stamm Juda,
das Königtum immer von Sohn zu Sohn
vererbt werden soll: [32] So soll auch das
Erbe Aarons allein seinen Söhnen gehö-
ren. 26 [32] Er gebe euch Weisheit in euer
Herz, sein Volk zu richten in Gerech-
tigkeit, dass ihr Glück nicht schwinde;
und er gebe ihnen Herrlichkeit für ihre
Nachkommen.

JOSUA UND KALEB

46 Ein Kriegsheld war Josua, der Sohn
Nuns, und der [a]Nachfolger des Mose
im Prophetenamt. [2] Er tat Großes zur
Rettung der Auserwählten des Herrn,
wie sein Name sagt,* und strafte die Fein-
de, die sich erhoben hatten, damit er Is-
rael als [b]Erben einsetzen könnte. 2 [3] Wie
herrlich stand er da, [a]als er die Hand aus-
streckte und das Schwert zückte gegen
die Städte! 3 [4] Wer war ihm überlegen,
wie er so dastand? Er selbst führte ja die
[a]Kriege des Herrn.

4 [5] [a]Wurde nicht durch seine Hand die
Sonne angehalten, und ein Tag wurde so
lang wie zwei? 5 [6] Er rief den höchsten
Herrscher an, als ihn seine Feinde ringsum
bedrängten, und der höchste Herr erhörte
ihn: [a]Er ließ Hagel wie Steine auf die
Feinde fallen 6 [7] und brachte Krieg über
das Volk. Beim Abstieg vernichtete er die
Gegner, damit die Heiden seine Waffen
erkannten [8] und merkten, dass sie gegen
den Herrn selbst Krieg führten. Denn Jo-
sua war dem Allmächtigen treu nachge-
folgt.

7 [9] [a]Schon zur Zeit des Mose blieb er
treu, gemeinsam mit Kaleb, dem Sohn
Jefunnes: Sie stellten sich der Gemeinde
entgegen, um das Volk von der Sünde
abzuhalten und das böse Murren zu un-
terdrücken. 8 [10] Darum wurden allein
sie beide gerettet unter [a]sechshundert-
tausend Mann und haben das Volk in
sein Erbteil geführt, in ein Land, darin
Milch und Honig fließt. 9 [11] [a]Und der
Herr gab Kaleb Kraft bis ins hohe Alter,
dass er hinaufziehen konnte ins Gebirge;
und seine Nachkommen behielten es
als Erbe, 10 [12] damit alle Israeliten sehen
konnten, wie gut es ist, dem Herrn zu
folgen.

DIE RICHTER UND SAMUEL

11 [13] Und die Richter, jeder nach seinem
Namen, die nicht anderen Göttern dien-
ten und nicht vom Herrn abfielen, auch
ihr Gedächtnis bleibe gesegnet![a] 12 [14] Ihre
Gebeine [a]mögen grünen, wo sie liegen;
[15] und ihr [b]Name, auf ihre Kinder vererbt,
werde bei den Menschen gepriesen!

13 [16] Geliebt von seinem Herrn rich-
tete Samuel, der [a]Prophet des Herrn, das
Königtum auf und [b]salbte Fürsten über

* **46,1** Der Name »Josua« bedeutet »Der Herr ist die Rettung«.

45,18 ***a*** *(18-19)* 4. Mose 16,1-35
45,20 ***a*** *(20-22)* 4. Mose 18,8-20 **45,22** ***a*** 4. Mose 18,20
45,23 ***a*** *(23-24)* 4. Mose 25,6-13 **45,25** ***a*** 2. Sam 7,12
46,1 ***a*** 4. Mose 27,12-23 ***b*** Jos 1,6 **46,2** ***a*** Jos 8,18-19.26
46,3 ***a*** Jos 10,42; 1. Sam 18,17 **46,4** ***a*** Jos 10,12-14
46,5 ***a*** Jos 10,11 **46,7** ***a*** *(7-8)* 4. Mose 14,6-9.28-30
46,8 ***a*** Kap 16,10 **46,9** ***a*** *(9-10)* Jos 14,10-14
46,11 ***a*** Ri 2,6-18 **46,12** ***a*** Kap 49,10; Jes 66,14
b Kap 41,13 **46,13** ***a*** 1. Sam 3,20 ***b*** 1. Sam 10,1; 16,13

sein Volk. 14 [17] Er [a]richtete die Gemeinde
nach dem Gesetz des Herrn, und der Herr
wandte sich Jakob wieder zu. 15 [18] Und
der Prophet erwies sich als treu und ge-
wissenhaft, und an seinen Sprüchen [a]er-
kannte man, dass seine Weissagungen
wahr waren.

16 [19] [a]Er rief den Herrn an, den Mäch-
tigen, als seine Feinde ihn ringsum be-
drängten, und opferte ein Milchlamm.
17 [20] Und der Herr donnerte vom Himmel
herab und ließ seine Stimme hören mit
lautem Schall 18 [21] und zerschlug die An-
führer der Tyrer und alle Fürsten der Phi-
lister. 19 [22] Und bevor er sich zur ewigen
Ruhe legte, bezeugte er vor dem Herrn
und seinem Gesalbten, dass er von kei-
nem Menschen Geld genommen hätte,
nicht einmal Sandalen; und kein Mensch
konnte ihn anklagen.[a] 20 [23] Und noch
nachdem er entschlafen war, weissagte
er und verkündete dem König das Ende;
er erhob seine Stimme aus der Erde, als er
weissagte, dass die Gottlosigkeit des Vol-
kes ausgelöscht werde.[a]

DAVID

47 Und nach ihm trat Nathan auf, der in
den Tagen Davids Prophet war.[a]

2 Und [a]David war unter den Israeliten
auserkoren, wie das Fett vom Heilsopfer
für Gott bestimmt ist. 3 Er [a]spielte mit Lö-
wen wie mit jungen Böcken und mit Bä-
ren wie mit Lämmern. 4 Schlug er nicht in
seiner Jugend den Riesen tot und nahm
die Schmach von seinem Volk? [5] Hob er
nicht seine Hand mit der Steinschleuder
und zerbrach den Hochmut des Goliat?[a]
5 [6] Denn er rief den Herrn an, den Höchs-
ten; der stärkte ihm seine Hand, dass er
den starken Krieger tötete und das Horn
seines Volkes erhöhte. 6 [7] Deshalb rühmte
man ihn als [a]Sieger über zehntausend und
ehrte ihn mit Lobliedern auf den Herrn,
als er die königliche Krone empfing. 7 [8] Er
schlug die Feinde ringsumher und [a]demü-
tigte die Philister, seine Widersacher, und
zerbrach ihr Horn bis zum heutigen Tag.

8 [9] [a]Bei jeder Tat dankte er dem Hei-
ligen, dem Höchsten, mit herrlichen Wor-
ten. [10] Von ganzem Herzen rühmte und
[b]liebte er den, der ihn geschaffen hatte.
9 [11] Er ließ Sänger vor den Altar treten und
Psalmen mit kunstvollen [a]Melodien sin-
gen. [Und täglich werden sie Lobgesänge
erklingen lassen.] 10 [12] Und er ordnete an,
dass man die Feiertage würdig begehen
und die Jahresfeste prächtig feiern sollte,
damit der heilige Name des Herrn gelobt
und vom frühen Morgen an das Heiligtum
vom Klang der Lobgesänge erfüllt würde.

11 [13] Der Herr [a]vergab ihm seine Sünden
und erhöhte sein Horn für alle Zeit; er gab
ihm die Satzung des Königtums und den
herrlichen Thron in Israel.[b]

SALOMO

12 [14] [a]Auf ihn folgte sein kluger Sohn,
der erbte von ihm ein weites und siche-
res Reich: 13 Salomo herrschte in Frieden;
[15] Gott hatte ihm ringsumher Ruhe ver-
schafft, dass er seinem Namen ein Haus
baue und ein Heiligtum aufrichte für alle
Zeit.

14 [16] [a]Wie weise warst du von Jugend an
und mit Einsicht erfüllt wie ein Strom!
15 [17] [a]Deine Klugheit umfängt die Erde,
und mit Weisheitssprüchen hast du sie
erfüllt. 16 Bis zu den fernsten Inseln drang
dein Name, und um deines Friedens wil-
len wurdest du geliebt. 17 [18] Alle Lande be-
wunderten deine Lieder, Sprüche, Gleich-
nisse und Auslegungen. 18 [19] Im Namen
Gottes des Herrn, [a]der »Gott Israels« ge-
nannt wird, [20] häuftest du Gold an wie
Zinn und vermehrtest Silber wie Blei.[b]

19 [21] Du gabst deine Lenden den Frauen
hin und ließest dich von deinem Körper
beherrschen. 20 Du beflecktest deine Ehre
[22] und entweihtest deinen Samen, sodass
der Zorn über deine Nachkommen erging
und sie wegen deiner Torheit gestraft
wurden 21 [23] und zwei Reiche entstanden
und aus Ephraim ein abtrünniges König-
reich wurde.

22 [24] Aber der Herr ließ nicht ab von sei-
ner Barmherzigkeit und hob seine Verhei-

46,14 ***a*** 1. Sam 7,3-6.15-17 **46,15** ***a*** 1. Sam 9,6
46,16 ***a*** *(16-18)* 1. Sam 7,9-10 **46,19** ***a*** 1. Sam 12,3-5
46,20 ***a*** 1. Sam 28,11-19 **47,1** ***a*** 2. Sam 7,4; 12,1
47,2 ***a*** 1. Sam 13,14 **47,3** ***a*** 1. Sam 17,34-35
47,4 ***a*** 1. Sam 17,45-51 **47,6** ***a*** 1. Sam 18,7
47,7 ***a*** 2. Sam 8,1 **47,8** ***a*** *(8-10)* 1. Chr 16,7-42
b 5. Mose 6,5 **47,9** ***a*** Weish 19,18 **47,11** ***a*** 2. Sam 12,13
b 2. Sam 7,16 **47,12** ***a*** *(12-13)* 1. Kön 2,12; 5,17-19
47,14 ***a*** *(14-17)* 1. Kön 3,7-9; 10,1-9 **47,15** ***a*** 1. Kön 5,12-13
47,18 ***a*** 2. Sam 12,25 ***b*** 1. Kön 10,14-29

ßungen nicht auf und rottete die Nach-
kommen seines Auserwählten nicht ganz
aus; er raffte die Söhne dessen nicht hin-
weg, der ihn geliebt hatte, [25] sondern be-
hielt einen Rest übrig aus Jakob und eine
Wurzel von David.[a]

REHABEAM UND JEROBEAM

23 [26] [a]Und Salomo legte sich zu sei-
nen Vätern [27] und hinterließ aus seiner
Nachkommenschaft den Dümmsten al-
ler Leute, einen Narren ohne jeden Ver-
stand: [28] Das war Rehabeam, der das
Volk abtrünnig machte durch seinen
Ratschluss. [29] [b]Und daneben Jerobeam,
der Sohn Nebats, der sich verging an Is-
rael und Ephraim auf den Weg der Sünde
führte. 24 [30] [a]Und ihre Sünden wurden so
zahlreich, dass sie zuletzt aus ihrem Lande
vertrieben wurden. 25 [31] Und sie trachte-
ten nach jeder Art von Frevel, bis die Strafe
über sie kam.

ELIA UND ELISA

48 [a]Und der Prophet Elia erhob sich wie
ein Feuer, und sein Wort brannte
wie eine Fackel; 2 er brachte Hungersnot
über sie, und durch seinen Eifer verrin-
gerte er ihre Zahl. 3 Durch das Wort des
Herrn schloss er den Himmel zu; dreimal
brachte er Feuer herab.

4 Wie herrlich bist du gewesen, Elia,
mit deinen Wunderzeichen! Wer wird
gerühmt wie du? 5 Durch das Wort des
Höchsten hast du [a]einen Toten aufer-
weckt und aus dem Totenreich zurückge-
bracht. 6 Du hast Könige in den Untergang
geführt und Vornehme von ihrem Lager
getrieben.[a] 7 Du hast auf dem Sinai die
künftige Strafe gehört und auf dem Ho-
reb die Verurteilung.[a] 8 Du hast Könige
gesalbt, die Vergeltung üben sollten, und
Propheten, die dir nachfolgten. 9 Du wur-
dest emporgehoben in einem Feuersturm,
auf einem Wagen mit feurigen Rossen.[a]
10 Du bist bestimmt worden, zur rechten
Zeit bereit zu sein, den Zorn zu stillen,
ehe der Grimm kommt: das Herz des
Vaters wieder zum Sohn zu kehren und
die Stämme Jakobs wieder aufzurichten.[a]
11 Wohl denen, die dich gesehen haben
und in Liebe zu dir entschlafen sind! [12] So
werden auch wir das Leben haben.

12 [13] Als Elia im Feuersturm verborgen
war, [a]kam sein Geist auf Elisa. Zu seiner
Zeit erschrak er vor keinem Herrscher,
und [b]niemand hatte Gewalt über ihn.
13 [14] Kein Wort konnte ihn bezwingen,
und noch im Tod [a]wirkte er Wunder.
14 [15] In seinem Leben tat er Zeichen, und
im Tod waren seine Werke wunderbar.
15 [16] Trotz alledem besserte sich das Volk
nicht und ließ nicht ab von seinen Sün-
den, bis es [a]aus seinem Lande vertrieben
und über die ganze Erde zerstreut wurde;
[17] und nur ein kleines Häuflein blieb übrig
und ein Fürst im Hause David. 16 [18] Unter
ihnen taten die einen, was Gott gefiel; die
andern aber häuften Sünden an.

HISKIA UND JESAJA

17 [19] Hiskia befestigte seine Stadt und
leitete Wasser hinein; er ließ mit Eisen
einen Tunnel in den Fels hauen und
Brunnen für das Wasser bauen.[a] 18 [20] In
seinen Tagen zog Sanherib herauf, sandte
den Rabschake* und zog wieder ab; der
erhob seine Hand gegen Zion und brüs-
tete sich in seinem Hochmut.[a] 19 [21] Da
zitterten ihre Herzen und Hände, und
sie hatten Schmerzen wie die Gebären-
den. 20 [22] Und sie riefen den Herrn, den
Barmherzigen, an und hoben ihre Hände
zu ihm auf. [23] Und der Heilige erhörte sie
sogleich vom Himmel her und erlöste sie
durch die Hand des [a]Jesaja. 21 [24] Er schlug
das Heer der Assyrer, und sein Engel ver-
nichtete sie.[a]

22 [25] Denn [a]Hiskia tat, was dem Herrn
wohlgefiel, und blieb beständig auf den
Wegen Davids, seines Vaters, wie sie der
Prophet Jesaja geboten hatte, der groß
war und wahrhaftig in seiner Weissa-
gung. 23 [26] In seinen Tagen ging die Sonne
wieder zurück und verlängerte dem Kö-

* **48,18** Siehe Sach- und Worterklärungen.

47,22 ***a*** Jes 1,1 **47,23** ***a*** 1. Kön 11,43; 12,1-19
b 1. Kön 12,26-30 **47,24** ***a*** *(24-25)* 2. Kön 17,6-23
48,1 ***a*** *(1-3)* 1. Kön 17,1; 18,38; 2. Kön 1,10.12
48,5 ***a*** 1. Kön 17,17-24 **48,6** ***a*** 1. Kön 21,17-21;
2. Kön 1,2-4.15-17 **48,7** ***a*** 1. Kön 19,8.15-17
48,9 ***a*** 2. Kön 2,11 **48,10** ***a*** Mal 3,23-24
48,12 ***a*** 2. Kön 2,9.15 ***b*** 2. Kön 6,16
48,13 ***a*** 2. Kön 13,20-21 **48,15** ***a*** 2. Kön 18,9-12
48,17 ***a*** 2. Kön 20,20 **48,18** ***a*** 2. Kön 18,13.17.28-35
48,20 ***a*** 2. Kön 19,5-7 **48,21** ***a*** 2. Kön 19,35
48,22 ***a*** 2. Kön 18,3

nig das Leben.[a] 24 [27] [a]Mit reichem Geist erfüllt schaute er, was am Ende geschehen sollte, und tröstete die Trauernden in Zion. 25 [28] Für alle Zeiten hat er gezeigt, was geschehen sollte und was verborgen ist, ehe es kommt.

JOSIA UND JEREMIA

49 Josias zu gedenken, ist wie edles Räucherwerk aus der Apotheke; [2] es ist süß wie Honig im Munde und wie Saitenspiel beim Wein.[a] 2 [3] [a]Er war dazu ausersehen, das Volk zu bekehren, und vernichtete die Gräuel der Abgötterei. 3 [4] Er richtete sein Herz auf den Herrn, in den Tagen des Unrechts stärkte er die Frömmigkeit.

4 [5] Alle Könige, ausgenommen David, Hiskia und Josia, sind schuldig geworden; [6] denn sie verließen das Gesetz des Höchsten. [7] Danach war es aus mit den Königen von Juda; 5 denn sie mussten ihre Macht andern überlassen und ihre Hoheit einem fremden Volk. 6 [8] Die verbrannten die auserwählte Stadt des Heiligtums und machten ihre Straßen öde, 7 [a]wie Jeremia geweissagt hatte. [9] Ihn [b]misshandelten sie schwer, der doch schon [c]im Mutterleib zum Propheten auserkoren war, um auszurotten, zu zerbrechen und zu zerstören und wiederum auch zu bauen und zu pflanzen.

HESEKIEL UND DIE ZWÖLF PROPHETEN

8 [10] Hesekiel sah eine herrliche Erscheinung, die der Herr ihm zeigte auf dem Wagen der Cherubim.[a] 9 [11] Auch erinnerte er sich an die Feinde im Regen und daran, denen Gutes zu tun, die die Wege ebnen.

10 [12] Und [a]die Gebeine der zwölf Propheten mögen grünen, wo sie liegen. Denn sie haben Jakob getröstet und die erlöst, die glauben und hoffen.

SERUBBABEL, JESCHUA UND NEHEMIA

11 [13] Wie wollen wir [a]Serubbabel preisen? Er war wie ein Siegelring an der rechten Hand, 12 [14] und so auch [a]Jeschua, der Sohn Jozadaks. Sie bauten zu ihrer Zeit den Tempel und richteten dem Herrn wieder auf das heilige Haus, das bereitet war zu ewiger Herrlichkeit. 13 [15] Und [a]Nehemia bleibe lange in Erinnerung. Er hat uns die zerstörten Mauern wieder aufgerichtet, sie mit Toren und Riegeln versehen und unsre Häuser wieder aufgebaut.

RÜCKBLICK AUF DIE URZEIT

14 [16] Niemand ist auf Erden geschaffen, der Henoch gleich wäre; denn er wurde von der Erde [a]entrückt. 15 [17] Und es gab keinen Mann wie [a]Josef, der seine Brüder geführt und sein Volk erhalten hat. [18] Seine Gebeine wurden wieder mit heimgebracht.[b] 16 [19] [a]Sem und [b]Set standen bei den Menschen in großen Ehren, [20] über allem aber, was lebt in der Schöpfung, steht Adam.[c]

LOB DES HOHENPRIESTERS SIMON

50 Simon, der Sohn des Onias, der Hohepriester – er besserte zu seiner Zeit das Haus des Herrn aus und befestigte den Tempel; 2 er legte den Grundstein für die Stützmauern des Vorhofs, hohe Mauern, die das Heiligtum umschlossen. 3 Zu seiner Zeit wurde ein Wasserbecken ausgehauen, ein Becken fast so groß wie ein Meer. 4 Er bewahrte sein Volk vor Schaden und befestigte die Stadt gegen eine Belagerung.

5 Wie herrlich war er, wenn er aus dem Tempel kam [6] und [a]vor den Vorhang trat – 6 wie der Morgenstern durch die Wolken, wie der volle Mond an den Festtagen, 7 wie die Sonne strahlt auf den Tempel des Höchsten, wie der [a]Regenbogen herrlich glänzt in den Wolken, 8 wie eine Rosenblüte im Frühling, wie die Lilien an Wasserbächen, wie das Grün des Libanon im Sommer, 9 wie angezündeter Weihrauch im Räuchergefäß, [10] wie ein Kelch von getriebenem Gold, mit vielerlei Edelsteinen geschmückt, 10 [11] wie ein grünender Ölbaum und wie eine Zypresse, die in den Himmel reicht.

48,23 *a* 2. Kön 20,8-11 **48,24** *a* (24-25) Jes 40,1; 46,10; 48,5 **49,1** *a* 2. Kön 22,1-2 **49,2** *a* (2-3) 2. Kön 23,1-25
49,7 *a* Jer 21,10 *b* Jer 20,1-2; 37,15 *c* Jer 1,5.10
49,8 *a* Hes 1,1-28 **49,10** *a* Kap 46,12 **49,11** *a* Hag 2,23
49,12 *a* Esra 3,2.8 **49,13** *a* Neh 2,17; 7,1
49,14 *a* Kap 44,16; 1. Mose 5,24 **49,15** *a* 1. Mose 42,6; 50,20 *b* Jos 24,32 **49,16** *a* 1. Mose 9,26
b 1. Mose 4,25-26 *c* 1. Mose 1,26-28; Kol 1,15-18
50,5 *a* 2. Mose 26,33; 3. Mose 16,11-17
50,7 *a* Kap 43,11-12

11 [12] Wenn er [a]das herrliche Gewand
anzog und den prachtvollen Schmuck
anlegte und zum heiligen Altar hinauf-
schritt, so verlieh er dem Heiligtum herr-
lichen Glanz. 12 [13] Wenn er aus den Hän-
den der Priester die Opferstücke nahm
und bei dem Feuer stand, das auf dem
Altar brannte, [14] so standen seine Brüder
rings um ihn wie die Zedern auf dem Liba-
non, und wie Palmzweige umringten ihn
13 [15] alle Söhne Aaron in ihrem Schmuck,
mit dem Opfer für den Herrn in ihren
Händen vor der ganzen Gemeinde Israel.
14 [16] Und wenn er seinen Dienst am Altar
verrichtet und dem Höchsten, dem All-
mächtigen, ein Opfer dargebracht hatte,
15 [17] dann streckte er seine Hand aus nach
dem [a]Trankopfer und opferte roten Wein
und goss ihn an den Fuß des Altars zum
lieblichen Geruch dem Höchsten, der über
alles König ist.

16 [18] Dann erhoben die Söhne Aaron
ihre Stimme und ließen silberne [a]Trom-
peten erschallen; sie jubelten laut, damit
ihrer vor dem Höchsten gedacht würde.
17 [19] Da lief das ganze Volk eilends zusam-
men, warf sich zu Boden und betete sei-
nen Herrn an, den allmächtigen, höchsten
Gott. 18 [20] Und die Psalmensänger lobten
ihn mit ihren Stimmen, und alles war er-
füllt von süßem Klang. 19 [21] Und das Volk
rief zum höchsten Herrn und betete vor
dem Barmherzigen, bis der Gottesdienst
beendet war und sie ihren Opferdienst
vollbracht hatten. 20 [22] Wenn er nun wie-
der herabschritt, so erhob er seine Hand
über die ganze Gemeinde Israel, um
über ihr den Segen des Herrn [a]auszuru-
fen und sich seines Namens zu rühmen.
21 [23] Da fielen sie abermals zu Boden,
um den Segen des Höchsten zu emp-
fangen.

DANK UND BITTE

22 [24] Nun dankt dem Gott des Alls, der
große Dinge tut an allen Enden, der unsre
Tage erhöht vom Mutterleib an und an
uns handelt nach seiner Barmherzigkeit.
23 [25] Er gebe uns ein fröhliches Herz, und
es werde Friede in Israel in unseren Tagen
und immerdar; 24 [26] sein Erbarmen bleibe
stets bei uns und erlöse uns in unseren
Tagen.*

DREI BÖSE VÖLKER

25 [27] Zwei Völker sind mir zuwider, das
dritte ist gar kein Volk: 26 [28] die in den Ber-
gen Samarias wohnen, die [a]Philister und
die törichten Leute von [b]Sichem.

SCHLUSS DES BUCHES

27 [29] Erziehung zu Verständnis und Wis-
sen lehrt in diesem Buch Jesus, der Sohn
des Sirach, der Sohn des Eleasar aus Je-
rusalem, der die Weisheit strömen ließ
aus seinem Herzen. 28 [30] Wohl dem, der
danach lebt! Und wer's sich zu Herzen
nimmt, der wird weise werden. 29 [31] Denn
wer danach handelt, vermag alles, weil
die Furcht des Herrn ihn leitet. [Und den
Frommen gab er Weisheit. Gepriesen sei
der Herr in Ewigkeit. Amen. Amen.]

Gebet Jesu, Sohn des Sirach

51 Ich will dir danken, Herr, mein König,
und dich preisen, Gott,
meinen Heiland.
[2] Ich danke deinem Namen,
2 dass du mir Schutz und Hilfe
geworden bist
[3] und hast meinen Leib erlöst
vom Verderben
und vom Strick der falschen Zunge,
von den [a]Lügenmäulern;
[4] und hast mir gegen die Feinde geholfen
3 und mich erlöst nach deiner
großen Barmherzigkeit
und um deines hohen Namens willen
aus den Schlingen derer,
die mich fressen wollten,
[5] aus der Hand derer, die mir
nach dem Leben trachteten,
und aus viel Trübsal, die ich hatte;
4 [6] und [a]hast mich errettet,
als die Hitze mich zu ersticken
drohte,

* **50,24** Luther übersetzte die Verse 22-24 nach dem lateinischen Text: **»Nun danket alle Gott, der große Dinge tut an allen Enden, der uns von Mutterleib an lebendig erhält und tut uns alles Gute. Er gebe uns ein fröhliches Herz und verleihe immerdar Frieden zu unsrer Zeit in Israel und dass seine Gnade stets bei uns bleibe und uns erlöse, solange wir leben.«**

50,11 *a* Kap 45,7-13 **50,15** *a* 2. Mose 29,40
50,16 *a* 4. Mose 10,2.10 **50,20** *a* 4. Mose 6,23-27
50,26 *a* Kap 46,18; 47,7 *b* 2. Kön 17,24-41
51,2 *a* Ps 120,2 **51,4** *a* Dan 3,1-33

mitten aus dem Feuer,
das ich nicht entzündet hatte,
5 aus dem tiefen [a]Rachen
der Unterwelt
[7] und von den Verleumdern
und Lügnern
6 und den Pfeilen der ungerechten
Zunge.

[8] Meine Seele war dem Tode nahe,
und mein Leben der Unterwelt.
7 [9] Ich war umringt von allen Seiten,
und niemand half mir;
[10] ich suchte Hilfe bei den Menschen
und fand keine.
8 [11] Da [a]gedachte ich, Herr,
deiner Barmherzigkeit
und deiner Wohltaten
von Ewigkeit her,
[12] dass du allen aufhilfst,
die auf dich warten,
und sie errettest aus der Hand
der Bösen.
9 [13] Von der Erde erhob ich mein Bitten
und flehte um Erlösung vom Tod;
10 [14] ich rief den Herrn an,
den Vater meines Herrn,
dass er mich nicht verlasse in
den Tagen der Not,
wenn ich den Überheblichen
gegenüber hilflos bin.
11 [15] Ich will deinen Namen loben
ohne Unterlass
und dich preisen und dir danken.
Und mein Gebet wurde erhört,
12 [16] denn du hast mich errettet aus
dem Verderben und emporgehoben,
als ich in Not war.
[17] Darum will ich dich loben
und preisen und Dank sagen
im Namen des Herrn.

SCHLUSSWORT

13 [18] [a]Als ich noch jünger war, bevor ich
mich hätte [b]verirren können, suchte ich
schon mit Eifer die Weisheit in meinem
Gebet. 14 [19] Vor dem Tempel bat ich um
sie, und bis zum Ende will ich sie su-
chen. 15 [20] Mein Herz freut sich an ihr,
wie wenn Blüten aufgehen und Trauben
reifen. [21] Ich ging auf geradem Weg und
spürte ihr nach von Jugend an. 16 Nur we-
nig neigte ich mein Ohr und nahm sie
auf, [22] und viel Erziehung fand ich für
mich. 17 Ich hatte reichen Gewinn von ihr.
[23] Darum will ich den rühmen, der mir
Weisheit gab.

18 [24] Denn ich nahm mir vor, nach ihr zu
handeln, und suchte das Gute und werde
[a]nicht zuschanden. 19 [25] Meine Seele rang
mit ihr, und ich war darauf bedacht, sorg-
fältig nach dem Gesetz zu leben. [26] Ich
hob meine Hände auf zum Himmel [27] und
sann über ihre Geheimnisse nach. 20 [28] Ich
richtete meine Seele auf sie und fand sie
in ihrer Reinheit. Mit ihr gewann ich von
Anfang an Einsicht; darum werde ich ge-
wiss nicht verworfen. 21 [29] Und mein In-
neres brannte danach, sie zu suchen; so
gewann ich einen guten Schatz. 22 [30] Als
Lohn hat mir der Herr eine [a]Zunge gege-
ben; damit will ich ihn loben.

23 [31] [a]Kommt her zu mir, ihr Ungebil-
deten, und wohnt im Haus der Bildung!
24 [32] Warum wollt ihr noch warten und
eure Seelen dürsten lassen? 25 [33] Ich habe
meinen Mund aufgetan und gesprochen:
[a]Kauft euch Weisheit – ganz ohne Geld!
26 [34] Beugt euren Nacken unter ihr [a]Joch
und nehmt ihre Erziehung an. Sie ist nahe
und leicht zu finden. 27 [35] Seht mich an:
**Ich habe [a]eine kleine Zeit Mühe und
Arbeit gehabt und habe großen Trost
gefunden.** 28 [36] Nehmt Bildung an, die
wertvoll ist wie Silber, und gewinnt Gold
durch sie.[a]

29 [37] Freut euch an der Barmherzigkeit
Gottes und schämt euch nicht, ihn zu
loben. 30 [38] Tut euer Werk zur rechten
Zeit, so wird er euch belohnen zu seiner
Zeit.* [a]

* **51,30** Einige Handschriften ergänzen: »Weisheit Jesu, Sohn des Sirach«.

51,5 ***a*** Ps 5,10 **51,8** ***a*** Ps 25,6 **51,13** ***a*** Kap 6,18 ***b*** Kap 34,9 **51,18** ***a*** Kap 24,22; Ps 119,6 **51,22** ***a*** Jes 50,4 **51,23** ***a*** Kap 24,19 **51,25** ***a*** Jes 55,1 **51,26** ***a*** Mt 11,29 **51,27** ***a*** Kap 6,19 **51,28** ***a*** Spr 4,7; 16,16 **51,30** ***a*** Gal 6,9-10

DAS BUCH BARUCH

1–3 Bußgebet für die Verbannten 3–4 Lob der Weisheit
4–5 Klage und Heimkehr nach Jerusalem 6 Der Brief des Jeremia

1 Dies ist der Inhalt des Buches, das [a]Ba-
ruch, der Sohn Nerijas, des Sohnes
Machsejas, des Sohnes Zidkijas, des Soh-
nes Hasadjas, des Sohnes Hilkijas, nie-
dergeschrieben hat in Babel 2 im fünften
Jahr, am siebenten Tage des Monats, zu der
Zeit, als die Chaldäer [a]Jerusalem erobert
und mit Feuer verbrannt hatten.

DIE GELDSAMMLUNG DER JUDEN UND IHR BRIEF NACH JERUSALEM

3 [a]Und Baruch las dies Buch vor den Ohren
Jechonjas*, des Sohnes Jojakims, des Kö-
nigs von Juda, und vor den Ohren des gan-
zen versammelten Volkes 4 und vor den
Ohren der Mächtigen und Königssöhne,
vor den Ältesten und dem ganzen Volk,
Klein und Groß, das in Babel am Fluss Sud
wohnte.
5 Und sie weinten, fasteten und beteten
vor dem Herrn 6 und legten Geld zusam-
men, so viel wie jeder vermochte, 7 und
sandten hin nach Jerusalem zu dem Pries-
ter Jojakim, dem Sohn Hilkijas, des Soh-
nes Schallums, und zu den andern Pries-
tern und zu dem ganzen Volk, das bei ihm
in Jerusalem war.
8 Das geschah, als Baruch am zehnten
Tag des Monats Siwan die Geräte des Hau-
ses des Herrn, die aus dem Tempel weg-
genommen worden waren, empfing, um
sie zurückzubringen ins Land Juda: näm-
lich die silbernen Geräte, die [a]Zedekia, der
König von Juda, der Sohn des Josia, hatte
machen lassen, 9 nachdem Nebukadnezar,
der König von Babel, den Jechonja und
die Oberen und die Gefangenen und die
Mächtigen und das Volk des Landes aus
Jerusalem weggeführt und sie nach Babel
gebracht hatte.
10 Und sie sagten: Siehe, wir senden euch
Geld; kauft dafür Brandopfer, Sündopfer
und Weihrauch und richtet Speisopfer
zu und opfert auf dem Altar des Herrn,
unseres Gottes. 11 [a]Und [b]betet für das Le-
ben Nebukadnezars, des Königs von Ba-
bel, und für das Leben [c]Belsazars, seines
Sohnes, dass ihre Tage seien wie die Tage
des Himmels über der Erde. 12 So wird der
Herr uns Kraft geben und unsere Augen
erleuchten, und wir werden leben unter
dem Schatten Nebukadnezars, des Kö-
nigs von Babel, und unter dem Schatten
Belsazars, seines Sohnes, und ihnen lange
Zeit dienen und Gnade vor ihnen finden.
13 [a]Betet auch für uns zu dem Herrn, un-
serm Gott; denn wir haben gesündigt
vor dem Herrn, unserm Gott, und sein
Grimm und Zorn haben sich nicht von
uns gewandt bis auf den heutigen Tag.
14 Und lest dies Buch vor, das wir darum
zu euch gesandt haben, damit ihr's im
Hause des Herrn verkündet an Festen und
Feiertagen, 15 und sprecht:

BUSSGEBET

(vgl. Dan 9,4-19)

Der Herr, unser Gott, ist gerecht; wir aber
tragen heute mit Recht unsre Schande,
wir, die Männer von Juda und die Ein-
wohner von Jerusalem 16 und unsre Kö-
nige, unsre Oberen, unsre Priester, unsre
Propheten und unsre Väter, 17 weil wir vor
dem Herrn gesündigt haben 18 und ihm
ungehorsam waren [18] und nicht gehorcht
haben der Stimme des Herrn, unsres Got-
tes, nach seinen Geboten zu wandeln, die
er uns gegeben hat. 19 Ja, von der Zeit an,
da der Herr unsre Väter aus Ägyptenland
geführt hat, bis auf den heutigen Tag sind
wir dem Herrn, unserm Gott, ungehor-
sam gewesen und handelten eigensin-
nig, sodass wir seiner Stimme nicht ge-
horchten.[a]
20 Darum haben sich die Übel an uns
geheftet, der [a]Fluch, den der Herr sei-

* **1,3** Jechonja = Jojachin (2. Kön 24,6).

1,1 ***a*** Jer 36,4 **1,2** ***a*** 2. Kön 25,8-9
1,3 ***a*** (3-4) 2. Kön 24,6.10-16 **1,8** ***a*** 2. Kön 24,17
1,11 ***a*** (11-12) 1. Tim 2,1-2 ***b*** Jer 29,7 ***c*** Dan 5,1-2
1,13 ***a*** Jak 5,14-16 **1,19** ***a*** Ps 106,6-43
1,20 ***a*** 5. Mose 28,15-68

nem Knecht Mose angekündigt hat, als er
unsre Väter aus Ägyptenland führte, um
uns ein Land zu geben, in dem Milch und
Honig fließt, so wie es heute ist. 21 Und wir
gehorchten nicht der Stimme des Herrn,
unsres Gottes, wie sie uns die Propheten
sagten, die er zu uns sandte;[a] 22 sondern
jeder folgte den Gedanken [a]seines bösen
Herzens, um fremden Göttern zu dienen
und zu tun, was böse war vor dem Herrn,
unserem Gott.

2 Und der Herr hat sein Wort gehalten,
das er zu uns geredet hat und zu unsren
Richtern, die Israel richteten, zu unseren
Königen und Oberen und zu denen von
Israel und Juda, 2 [a]und noch nie ist unter
dem ganzen Himmel geschehen, was über
Jerusalem ergangen ist, wie geschrieben
steht im Gesetz des Mose, 3 dass jeder von
uns das Fleisch seines Sohnes und das
Fleisch seiner Tochter essen soll. 4 Und er
machte sie zu Sklaven in allen Königrei-
chen ringsumher, zur Schmach und zum
Fluch bei allen Völkern um uns, unter
die sie der Herr zerstreut hat. 5 Und sie
wurden unterdrückt und kamen nicht
mehr hoch; denn wir haben uns versün-
digt an dem Herrn, unserm Gott, in-
dem wir seiner Stimme nicht gehorcht
haben.

6 Der Herr, unser Gott, ist gerecht; wir
aber und unsre Väter tragen heute zu
Recht unsre Schande. 7 Alles Unglück, das
der Herr gegen uns geredet hat, ist über
uns gekommen. 8 Wir haben ja auch nicht
gefleht zu dem Herrn, dass sich jeder ab-
gewandt hätte von den Gedanken seines
bösen Herzens. 9 [a]Der Herr war wachsam,
doch zu unserm Unglück, das er über uns
hat kommen lassen. Denn der Herr ist ge-
recht in allen seinen Werken, die er uns
geboten hat; 10 wir aber gehorchten seiner
Stimme nicht und lebten nicht nach den
Geboten des Herrn, die er uns gegeben
hat.

11 Und nun, Herr, Gott Israels, der du
dein Volk aus Ägyptenland geführt hast
mit starker Hand, durch Zeichen und
Wunder, mit großer Macht und ausge-
recktem Arm, und dir einen Namen ge-
macht hast, so wie es heute ist: 12 Ach,
Herr, unser Gott, wir haben ja gesün-
digt und sind gottlos gewesen und haben
Unrecht getan gegen alle deine Gebote.
13 Dein Grimm wende sich ab von uns;
denn nur noch wenige von uns sind übrig
geblieben unter den Heiden, unter die du
uns zerstreut hast.

14 Erhöre, Herr, unser Gebet und unser
Flehen und hilf uns um deinetwillen; lass
uns Gnade finden bei denen, die uns weg-
geführt haben, 15 damit alle Welt erkennt,
dass du, Herr, unser Gott bist; denn Israel
und seine Nachkommen sind ja nach dir
genannt. 16 [a]Sieh herab, Herr, von dei-
nem heiligen Haus und denke doch an
uns; neige, Herr, deine Ohren und höre
doch; 17 tu deine Augen auf, Herr, und sieh
doch! Denn [a]nicht die Toten in der Unter-
welt, deren Lebensodem aus ihrem Leibe
gewichen ist, rühmen des Herrn Herr-
lichkeit und Recht; 18 sondern eine Seele,
die [a]sehr betrübt ist und gebückt und
schwach einhergeht und ihre Augen aus-
geweint hat und hungrig ist, die rühmt,
Herr, deine Herrlichkeit und Gerechtig-
keit.

19 Und nun, Herr, unser Gott, liegen
wir vor dir mit unserm Gebet, nicht we-
gen der Gerechtigkeit unsrer Väter und
unsrer Könige; 20 denn du hast deinen
Grimm und Zorn über uns ergehen las-
sen, wie du geredet hast durch die Prophe-
ten, deine Knechte: 21 So spricht der Herr:
[a]Beugt eure Schultern und seid untertan
dem König von Babel, so werdet ihr im
Lande bleiben, das ich euren Vätern ge-
geben habe; 22 [a]wenn ihr aber der Stimme
des Herrn nicht gehorchen und dem Kö-
nig von Babel nicht untertan sein werdet,
23 so will ich von den Städten Judas und
von Jerusalem den Jubel der Freude und
Wonne und die Stimme des Bräutigams
und der Braut wegnehmen, und das ganze
Land soll wüst werden und niemand darin
wohnen.

24 Wir aber gehorchten deiner Stimme
nicht und wurden dem König von Babel
nicht untertan. Darum hast du dein Wort
gehalten, das du geredet hast durch die
Propheten, deine Knechte, [a]dass man die
Gebeine unsrer Könige und die Gebeine

1,21 *a* Jer 25,4 **1,22** *a* Jer 11,8 **2,2** *a* (2-3) 5. Mose 28,53
2,9 *a* Jer 44,27 **2,16** *a* 5. Mose 26,15 **2,17** *a* Ps 6,6
2,18 *a* Ps 74,21 **2,21** *a* Jer 27,11-12
2,22 *a* (22-23) Jer 25,8-11 **2,24** *a* Jer 8,1-2

unsrer Väter aus ihren Gräbern geworfen
hat, [25]sodass sie der Hitze des Tages und
dem Frost der Nacht ausgesetzt waren. So
sind sie jämmerlich umgekommen [a]durch
Hunger, Schwert und Vertreibung. [26]Und
um der Missetat willen des Hauses Israel
und des Hauses Juda hast du dein Haus,
das nach deinem Namen genannt war, so
zugerichtet, wie es heute ist.

[27]Doch du, Herr, unser Gott, bist sehr
gnädig und barmherzig mit uns umge-
gangen, [28][a]wie du durch Mose, deinen
Knecht, geredet hast an dem Tag, als du
ihm gebotest, dein Gesetz vor den Israeli-
ten zu schreiben, und sprachst: [29]Wenn
ihr meiner Stimme nicht gehorchen wer-
det, so soll gewiss diese große und lär-
mende Menge ganz klein werden unter
den Völkern, unter die ich sie zerstreuen
will. [30]Denn ich weiß genau, dass sie mir
nicht gehorchen werden; denn es ist ein
halsstarriges Volk.

Sie werden aber in dem Land, in dem
sie gefangen sind, in sich gehen [31]und er-
kennen, dass ich, der Herr, ihr Gott bin.
Und ich will ihnen ein verständiges Herz
geben und Ohren, die hören. [32]Dann wer-
den sie mich preisen in dem Land, in dem
sie gefangen sind, und meines Namens
gedenken [33]und sich von ihrer Hartnä-
ckigkeit und von ihren bösen Taten ab-
kehren. Denn sie werden daran denken,
wie es ihren Vätern ergangen ist, die vor
dem Herrn sündigten. [34]Und ich will sie
zurückbringen in das Land, das ich ihren
Vätern Abraham, Isaak und Jakob zuge-
schworen habe, und sie sollen darin herr-
schen. Ich will sie mehren, und sie wer-
den sich nicht vermindern. [35]Und ich will
[a]einen ewigen Bund mit ihnen aufrichten,
dass ich ihr Gott sein will und sie mein
Volk; und ich will mein Volk Israel nicht
mehr aus dem Land vertreiben, das ich ih-
nen gegeben habe.

3 Allmächtiger Herr, du Gott Israels,
meine geängstigte Seele und mein ver-
zagter Geist schreien zu dir: [2]Höre und
sei gnädig, Herr; denn wir haben vor dir
gesündigt! [3]Du regierst in Ewigkeit; wir
aber vergehen für immer.

[4]Allmächtiger Herr, du Gott Israels,
höre nun das Gebet der Israeliten, die
schon dem Tod preisgegeben sind, und
das Gebet der Söhne derer, die sich an dir
versündigt und der Stimme des Herrn, ih-
res Gottes, nicht gehorcht haben; darum
haben sich die Übel an unsre Fersen gehef-
tet. [5]Gedenke nicht der Missetaten uns-
rer Väter, sondern gedenke jetzt der Taten
deiner Hand und deines Namens!

[6]Denn du bist ja der Herr, unser Gott;
und wir wollen, Herr, dich loben. [7]Denn
darum hast du die Furcht vor dir in unser
Herz gegeben, damit wir deinen Namen
anrufen und dich in unserer Gefangen-
schaft loben. Denn alle Missetaten unsrer
Väter, die vor dir gesündigt haben, haben
wir aus unserm Herzen getilgt, [8]wir, die
jetzt in Gefangenschaft sind. Hierher hast
du uns zerstreut zur Schmach, zum Fluch
und zur Strafe für alle Missetaten unsrer
Väter, die von dem Herrn, unserem Gott,
abgewichen sind.

UMKEHR ZUR WEISHEIT

[9][a]Höre, Israel, die Gebote des Lebens;
achtet gut darauf, dass ihr Klugheit lernt!
[10]Wie kommt es, Israel, dass du im Land
deiner Feinde bist, [11]dass du in einem
fremden Land alt wirst, [11]dass du [a]dich
unrein machst unter den Toten, dass du
zu denen gerechnet wirst, die in der Un-
terwelt sind? [12]Das ist die Ursache: weil
du die [a]Quelle der Weisheit verlassen
hast. [13]Wärst du auf Gottes Weg geblie-
ben, du hättest wohl immer im Frieden
gewohnt.

[14]So lerne nun, wo es Klugheit, Tüch-
tigkeit und Einsicht gibt, damit du zu-
gleich erfährst, wo es langes Leben und
Glück, leuchtende Augen und Frieden
gibt. [15][a]Wer weiß, wo die Weisheit
wohnt? Wer ist in ihre Schatzkammern
gekommen? [16]Wo sind die Oberen der
Völker und die, die über die Tiere auf Er-
den herrschen, [17]die mit den Vögeln un-
ter dem Himmel spielen, die Silber und
Gold anhäufen, worauf die Menschen ihr
Vertrauen setzen und wovon sie nie genug
haben können, [18]die das Silber bearbeiten
und sich darum mühen und deren Werke
nicht zu begreifen sind?

2,25 *a* Jer 32,36 **2,28** *a* (28-35) 5. Mose 31,24-29; 4,25-31; 30,1-6 **2,35** *a* Jer 31,31-33
3,9 *a* (9-13) 5. Mose 30,15-20 **3,11** *a* 4. Mose 19,11
3,12 *a* Sir 1,5; Spr 13,14; 14,27 **3,15** *a* (15-23) Hiob 28,1-28

19 Sie sind verschwunden und in die Un-
terwelt gestiegen, und andere sind an ihre
Stelle getreten. 20 Die Jüngeren sahen zwar
das Licht und wohnten auf dem Erdboden,
doch fanden sie den Weg der Erkenntnis
nicht 21 und erkannten ihre Pfade nicht;
auch ihre Kinder erfassten sie nicht und
sind irregegangen. 22 [a]In Kanaan hörte
man nichts von ihr; in Teman sah man sie
nicht. 23 Die Kinder Hagars forschten der
irdischen Einsicht zwar nach, die Kauf-
leute von Midian und Teman dichteten
zwar Fabeln und strebten nach Einsicht;
aber sie fanden doch den Weg zur Weis-
heit nicht, und ihre Pfade hatten sie ver-
gessen.

24 O Israel, wie groß ist das Haus Got-
tes! Wie weit ist die Stätte, die er besitzt![a]
25 Sie ist groß und hat kein Ende, sie ist
unermesslich hoch. 26 [a]Vorzeiten wurden
Riesen geboren, berühmte Leute und gute
Krieger; 27 die hat Gott nicht erwählt noch
ihnen den Weg der Erkenntnis offenbart.
28 Und sie kamen um, weil sie die Klugheit
nicht hatten; sie sind untergegangen we-
gen ihrer Torheit.

29 [a]Wer ist zum Himmel gefahren und
hat die Klugheit geholt und aus den Wol-
ken herabgebracht? 30 Wer ist übers Meer
gefahren und hat sie gefunden und für
kostbares Gold hergebracht? 31 Es gibt nie-
manden, der den Weg zu ihr weiß noch
über den Pfad zu ihr nachdenkt.

32 Der aber alle Dinge weiß, kennt sie und
hat sie durch seine Einsicht bereitet, er, der
die Erde [a]auf ewige Zeit gegründet und
sie mit vielerlei Tieren erfüllt hat, 33 [a]der
das Licht sendet und es fährt dahin, und
wenn er's zurückruft, so gehorcht es mit
Zittern. 34 Die Sterne leuchteten auf und
hielten Wacht mit Freuden, 35 und er hat
sie gerufen, und sie antworteten: [35] Hier
sind wir!, und leuchteten mit Freuden für
den, der sie geschaffen hat. 36 Das ist unser
Gott, und keiner kommt ihm gleich. 37 Er
hat jeden Weg der Erkenntnis bereitet und
hat ihn Jakob, seinem Diener, und Israel,
seinem Geliebten, gewiesen. 38 Danach ist
die Erkenntnis auf Erden erschienen und
[a]hat bei den Menschen gewohnt.

4 Dies ist das Buch von den Geboten Got-
tes und das Gesetz, das ewig ist. Alle,
die daran festhalten, werden leben; die es
aber verlassen, werden sterben. 2 Kehre
um, Jakob, und nimm es an; geh hin zu
seinem [a]Licht, das dir entgegenleuchtet!
3 Überlass nicht deine Ehre einem an-
dern; und was dir nützt, gib nicht einem
fremden Volk! 4 Selig sind wir, Israel!
Denn Gott hat uns seinen Willen offen-
bart![a]

VERHEISSUNG FÜR ISRAEL

5 [a]Sei getrost, mein Volk, du bewahrst die
Erinnerung an Israel! 6 Ihr seid an die Völ-
ker verkauft, doch nicht zum Verderben.
Weil ihr Gott erzürnt habt, seid ihr euren
Feinden übergeben: 7 Denn ihr habt den,
der euch erschaffen hat, dadurch zum
Zorn gereizt, dass ihr nicht Gott, sondern
Dämonen geopfert habt.[a] 8 Ihr habt den
ewigen Gott vergessen, der euch ernährt
hat, und habt Jerusalem betrübt, das euch
großgezogen hat. 9 Denn es hat den Zorn
Gottes gesehen, der über euch gekommen
ist, und hat gesagt: Hört zu, ihr Nachbarn
Zions! Gott hat großes Leid über mich ge-
bracht. 10 Ich habe ja die Gefangenschaft
gesehen, die der Ewige über meine Söhne
und Töchter gebracht hat. 11 Ich habe sie
mit Freuden großgezogen; mit Weinen
aber und Herzeleid musste ich sie fort-
schicken. 12 Niemand mache sich lustig
über mich, weil ich eine Witwe und von
vielen verlassen bin. Ich bin einsam ge-
worden wegen der Sünden meiner Kin-
der. [13] Denn sie sind vom Gesetz Gottes
abgewichen: 13 Seine Weisungen haben
sie nicht anerkannt und sind nicht auf den
Wegen der Gebote Gottes gewandelt; die
Pfade der Erziehung zur Gerechtigkeit ha-
ben sie nicht betreten.

14 Kommt her, ihr Nachbarn Zions, und
denkt an die Gefangenschaft meiner Söh-
ne und Töchter, in die der Ewige sie ge-
bracht hat! 15 [a]Denn er hat ein Volk von
fern her über sie gebracht, ein anmaßen-
des Volk mit einer unbekannten Sprache,
[16] die die Alten nicht achteten noch sich
der Kinder erbarmten. 16 Die geliebten

3,22 *a* (22-23) Jer 49,7; Hiob 4,1 **3,24** *a* Jes 66,1-2
3,26 *a* (26-28) 1. Mose 6,4; 5. Mose 2,10-12.20-21
3,29 *a* (29-30) 5. Mose 30,11-14 **3,32** *a* Jes 66,22
3,33 *a* (33-35) Hiob 38,35; Sir 43,8-10 **3,38** *a* Sir 24,5-8
4,2 *a* Joh 8,12 **4,4** *a* 5. Mose 4,8 **4,5** *a* Vers 27
4,7 *a* 5. Mose 32,15-18 **4,15** *a* (15-16) 5. Mose 28,49-50

Söhne der Witwe haben sie weggeführt und die Einsame ihrer Töchter beraubt.

17 Aber wie kann ich euch helfen? 18 Denn er, der dies Unglück über euch gebracht hat, wird euch aus der Hand eurer Feinde erretten.[a] 19 Zieht hin, liebe Kinder, zieht hin! Ich aber bin verlassen und einsam. 20 Ich habe mein Freudenkleid ausgezogen und das Trauerkleid angezogen; ich will zu dem Ewigen schreien, solange ich lebe.

21 Seid getrost, Kinder! Schreit zu Gott, so wird er euch aus der Gewalt und Hand der Feinde reißen. 22 Denn ich habe meine Hoffnung auf den Ewigen gesetzt, dass er euch retten wird. Da habe ich Freude vom Heiligen empfangen über die Barmherzigkeit, die euch von unserm ewigen Retter bald widerfahren wird. 23 Ich habe euch fortgeschickt mit Trauer und Klage; Gott aber wird euch mir wiedergeben mit Wonne und Freude für immer. 24 Denn wie die Nachbarn Zions nun eure Gefangenschaft gesehen haben, so werden sie auch bald die Rettung durch euren Gott sehen, die über euch kommen wird mit großer Herrlichkeit und dem Glanz des Ewigen.

25 Ihr Kinder, ertragt geduldig den Zorn, der von Gott über euch kommt. Denn dein Feind hat dich verfolgt; aber bald wirst du sein Verderben sehen, und auf seinen Nacken wirst du treten. 26 Meine zarten Kinder mussten auf rauem Wege gehen; sie sind wie eine Herde weggeführt, vom Feinde geraubt. 27 Seid getrost, meine Kinder, und schreit zu Gott! Denn der dies alles über euch kommen ließ, wird euch nicht vergessen.[a] 28 Denn wie ihr darauf aus wart, von Gott abzuweichen, so trachtet nun zehnmal mehr danach, umzukehren und ihn zu [a]suchen. 29 Denn der dies Übel hat über euch kommen lassen, der wird euch auch ewige Freude und Rettung bringen.

30 Jerusalem, sei getrost! Der wird dich trösten, der dich [a]mit Namen genannt hat. 31 Unglücklich sollen werden, die dir Leid angetan und sich über deinen Fall gefreut haben.[a] 32 Unglücklich sollen die Städte werden, denen deine Kinder gedient haben, und unglücklich die Stadt, die deine Söhne gefangen hält. 33 Denn wie sie über deinen Fall gejauchzt und über dein Verderben sich gefreut hat, so soll sie betrübt sein, wenn sie selbst verwüstet wird. 34 Und ich will die Menge ihres Volkes, auf die sie stolz ist, wegnehmen und ihre Prahlerei in Klage verwandeln. 35 Denn ein Feuer wird von dem Ewigen über sie kommen viele Tage lang, und [a]böse Geister werden ihre Wohnung in ihr haben lange Zeit.

36 Sieh nach Osten, Jerusalem, und schau die Freude, die von Gott zu dir kommt! 37 [a]Siehe, deine Kinder kommen, die du hast fortschicken müssen! Ja, sie kommen, versammelt vom Osten und vom Westen durch das Wort des Heiligen, und freuen sich über Gottes Herrlichkeit.

5 Zieh dein [a]Trauerkleid aus, Jerusalem, und leg an das herrliche Festgewand, das Gott dir auf ewig verleiht! 2 Zieh an den kostbaren [a]Mantel der Gerechtigkeit Gottes, und setze die Krone der Herrlichkeit des Ewigen auf dein Haupt! 3 Gott wird allem, was unter dem Himmel ist, deinen Glanz offenbaren, 4 denn dein Name wird von Gott genannt werden für alle Zeit: »Friede der Gerechtigkeit; Herrlichkeit der Gottesfurcht«.[a] 5 Mache dich auf, Jerusalem, und tritt auf die Höhe und sieh nach Osten und schau deine Kinder, die vom Westen und vom Osten versammelt sind durch das Wort des Heiligen und sich freuen, dass [a]Gott wieder an sie gedacht hat! 6 Sie zogen aus von dir zu Fuß, weggeführt von den Feinden; Gott aber bringt sie zu dir, in Ehren getragen wie auf einem Königsthron.

7 Denn Gott will alle hohen Berge und die ewigen Hügel erniedrigen und die Täler auffüllen zu ebenem Land, auf dass Israel sicher heimziehen kann unter Gottes Herrlichkeit.[a] 8 Die Wälder aber und alle wohlriechenden Bäume spenden Israel Schatten auf Gottes Befehl.[a] 9 Denn Gott wird Israel zurückbringen mit Freuden im Licht seiner Herrlichkeit, mit Barmherzigkeit und Gerechtigkeit.

4,18 *a* Hos 6,1 **4,27** *a* Jes 54,7-8 **4,28** *a* 5. Mose 4,29
4,30 *a* Jes 43,1 **4,31** *a* Ps 137,7 **4,35** *a* Jes 34,12
4,37 *a* Jes 49,12.22 **5,1** *a* Kap 4,20 **5,2** *a* Jes 61,10
5,4 *a* Jes 61,3 **5,5** *a* Kap 4,5 **5,7** *a* Jes 40,3-5
5,8 *a* Jes 55,12-13

DER BRIEF DES JEREMIA*
(vgl. Jer 29,1-29)

6 [1]Dies ist die Abschrift des Briefes,
den Jeremia an die gesandt hat, die von
dem König von Babel nach Babel gefan-
gen weggeführt werden sollten, worin er
ihnen verkündigte, wie es ihm Gott be-
fohlen hatte.
1[2]Wegen eurer Sünden, die ihr gegen
Gott begangen habt, werdet ihr nach Babel
gefangen weggeführt werden von Nebu-
kadnezar, dem König von Babel. 2[3]Und
ihr werdet in Babel bleiben müssen viele
Jahre, eine lange Zeit, bis zum siebenten
Geschlecht. Danach aber will ich euch von
dort wieder herausführen mit Frieden.[a]
3[4]In Babel werdet ihr nun sehen, dass
man auf den Schultern die silbernen,
goldenen und hölzernen [a]Götzen trägt,
vor denen sich die Heiden fürchten.
4[5]Darum seht euch vor, dass ihr ihnen
das nicht nachtut und den Heiden nicht
gleich werdet und Furcht vor den Götzen
auch euch ergreift. 5[6]Und wenn ihr seht,
wie das Volk vor und hinter ihnen nieder-
fällt und sie anbetet, so sprecht in eurem
Herzen: Dich allein, Herr, soll man anbe-
ten! 6[7]Denn mein [a]Engel ist bei euch und
wird auf euer Leben achten.
7[8]Ihre Zunge ist vom Künstler fein ge-
macht; sie sind mit Gold und Silber über-
zogen; aber sie sind Truggebilde und kön-
nen nicht reden. 8[9]Sie schmücken sie mit
Gold wie ein herausgeputztes Mädchen
9und flechten Kränze für die göttlichen
Häupter. [10]Es kommt auch vor, dass die
Priester Gold und Silber von den Götzen
stehlen und es für sich verwenden, 10ja
sogar den Huren im Freudenhaus davon
geben. [11]Und sie schmücken die silber-
nen, goldenen und hölzernen Götzen mit
Kleidern, als wären's Menschen. 11[12]Aber
die Götzen können sich nicht vor Rost
und Motten schützen. [13]Auch wenn sie
ein Purpurkleid anhaben, 12muss man
ihnen den Staub des Tempels vom Ge-
sicht abwischen, der dick auf ihnen liegt.
13[14]Und der Götze hält ein Zepter wie
ein Landesherr, und kann doch nieman-
den bestrafen, der ihm ein Leid antut.
14[15]Er hält auch ein Schwert in der Rech-
ten und eine Axt; er kann sich aber des
Kriegsvolks und der Räuber nicht er-
wehren. *Daran sieht man deutlich, dass
sie keine Götter sind. Darum fürchtet sie
nicht!*
15[16]Wie ein zerbrochenes Gefäß unnütz
ist, so sind ihre Götzen. 16[17]Wenn man
sie in ihre Tempel gestellt hat, werden ihre
Augen voll Staub von den Füßen derer, die
hineingehen. 17[18]Wie man einen gefan-
gen setzt und verwahrt, der sich am Kö-
nig vergriffen hat und zum Tode verurteilt
ist, so verwahren die Priester die Götzen
in Tempeln mit Türen, Schlössern und
Riegeln, damit sie von den Räubern nicht
gestohlen werden. 18[19]Sie zünden ihnen
Lampen an, sogar mehr als für sich selbst,
von denen sie keine einzige sehen kön-
nen. 19[20]Die Götzen sind wie die Balken
im Tempel, deren Inneres, wie man sagt,
herausgefressen wird. Von den Würmern,
die auf der Erde kriechen und sie und
ihre Kleider fressen, merken sie nichts.
20[21]Ihr Angesicht ist schwarz vom Rauch
im Tempel. 21[22]Und die Fledermäuse,
Schwalben und andere Vögel setzen sich
auf ihre Leiber und Köpfe, ebenso auch
die Katzen. 22[23]*Daran könnt ihr merken,
dass sie keine Götter sind. Darum fürchtet
sie nicht!*
23[24]Das Gold, mit dem man sie zum
Schmuck belegt, glänzt nur, wenn man's
poliert. Selbst als sie gegossen wurden,
spürten sie nichts. 24[25]Für teures Geld hat
man sie gekauft, und doch ist kein Leben
in ihnen. 25[26]Weil sie nicht gehen kön-
nen, muss man sie auf Schultern tragen.
So zeigen sie den Leuten, wie nichtig sie
sind. [27]Auch die müssen sich schämen,
die ihnen dienen. 26Denn wenn die Göt-
zen zu Boden fallen, müssen sie von ih-
nen wieder aufgerichtet werden. Wenn
man sie aufrecht hinsetzt, können sie sich
nicht von selbst bewegen. Wenn sie sich
zur Seite geneigt haben, können sie sich
nicht aufrichten. Und wie Toten setzt man
ihnen die Gaben vor. 27[28]Was ihnen aber
geopfert wird, das verkaufen und verbrau-
chen ihre Priester; ähnlich handeln auch
ihre Frauen: Sie salzen davon ein und ge-
ben weder dem Armen noch dem Kran-

* Der Brief des Jeremia wird zum Teil als eine eigenständige Schrift überliefert.

6,2 *a* Jer 29,10 **6,3** *a* Ps 115,4-8; Jes 44,6-20; Jer 10,1-16; St zu Dan 2,1-22 **6,6** *a* 2. Mose 23,20; Dan 3,28

ken etwas davon ab. 28 [29] [a]Unreine Frauen und Wöchnerinnen rühren ihre Opfer an. *Daran könnt ihr merken, dass sie keine Götter sind. Darum fürchtet sie nicht!*

29 [30] Weshalb sollten sie Götter genannt werden, wo doch Frauen ihnen Speisen vorsetzen, diesen Göttern aus Silber, Gold und Holz? 30 [31] Und die Priester sitzen in ihren Tempeln mit zerrissenen Gewändern, [a]scheren sich den Bart ab und tragen Glatzen, sitzen da mit bloßen Köpfen, 31 [32] heulen und schreien vor ihren Göttern wie beim Leichenmahl.[a] 32 [33] Die Priester stehlen ihnen Kleider und kleiden damit ihre Frauen und Kinder. 33 [34] Ob man ihnen Böses oder Gutes tut, sie können es doch nicht vergelten. Sie können einen König weder einsetzen noch absetzen. 34 [35] Ebenso können sie weder Geld noch Gut geben. [a]Gelobt ihnen jemand etwas und hält es nicht, so werden sie es gewiss nicht einfordern. 35 [36] [a]Sie können einen Menschen vom Tod nicht erretten noch einen Schwächeren dem Starken entreißen; 36 [37] sie können keinen Blinden sehend machen; sie können einen Menschen nicht aus der Not befreien; 37 [38] sie erbarmen sich der Witwen nicht und tun den Waisen nichts Gutes.[a] 38 [39] Denn sie sind aus Holz, mit Gold und Silber überzogen, den Steinen gleich, die man aus dem Berg haut. Darum müssen, die ihnen dienen, zuschanden werden. 39 [40] *Wie darf man sie dann für Götter halten oder Götter nennen?*

40 Ja, selbst die Chaldäer halten nichts von ihnen. [41] Wenn sie einen Stummen sehen, der nicht reden kann, bringen sie den [a]Bel herbei und fordern vom Stummen, er solle zu ihm schreien – als ob der das verstünde. 41 [42] Und obwohl sie das wissen, können sie nicht von ihren Götzen lassen, weil sie verblendet sind. 42 [43] Die Frauen aber sitzen am Weg zum Tempel, mit Schnüren umgürtet, und räuchern Kleie. 43 [44] Wenn jemand vorübergeht und eine von ihnen mitnimmt, um mit ihr zu schlafen, verspottet sie die andere, weil diese nicht so wie sie beachtet und ihre Schnur nicht gelöst wurde. 44 [45] Alles, was mit den Götzen geschieht, ist nichts als Betrug. *Wie darf man sie dann für Götter halten oder Götter nennen?*

45 [46] Von Künstlern und Goldschmieden sind sie gemacht. Was die Handwerker wollten, musste daraus werden und nichts anderes. 46 [47] Und die sie gemacht haben, leben nicht lange. 47 Wie sollten das dann Götter sein, die von ihnen gemacht wurden? [48] Ja, sie hinterlassen ihren Nachkommen nichts als Lug und Trug. 48 [49] Wenn Krieg oder sonst ein Unglück über sie kommt, beraten die Priester, wo sie sich mit ihren Götzen verbergen können. 49 [50] Wie sollte man da nicht merken, dass sie keine Götter sind, wenn sie sich selber weder vor Krieg noch Unglück schützen können? 50 [51] Was aus Holz gemacht und mit Gold und Silber überzogen ist, wird zuletzt als Trugbild erkannt. Allen Völkern und Königen wird offenbar werden, dass sie keine Götter sind, sondern Werke von Menschenhand, und dass keine Gotteskraft in ihnen wirkt. 51 [52] *Wer merkt da nicht, dass sie keine Götter sind?*

52 [53] Denn sie [a]erwecken keinen König über ein Land, sie [b]geben den Menschen nicht Regen 53 [54] und [a]schaffen ihnen kein Recht noch retten sie den, dem Unrecht geschieht. Sie können's auch gar nicht, 54 so wenig wie Krähen, die zwischen Himmel und Erde fliegen. [55] Wenn im Tempel der hölzernen, vergoldeten und versilberten Götzen Feuer ausbricht, so laufen die Priester davon und retten sich; die Götter aber verbrennen darin wie die Balken. 55 [56] Sie können weder Königen noch Feinden widerstehen. 56 *Wie darf man sie dann für Götter halten oder Götter nennen?*

[57] Die hölzernen, versilberten und vergoldeten Götter können sich vor Dieben und Räubern nicht schützen. 57 [58] Denn die sie in ihre Gewalt bekommen, die ziehen ihnen das Gold und Silber ab und das Gewand, mit dem sie bekleidet sind, und gehen damit fort; sie können sich selber nicht helfen. 58 [59] Besser als solche ohnmächtigen Götzen ist darum ein König, der seine Tapferkeit beweist, oder nütz-

6,28 *a* 3. Mose 12,2-5 **6,30** *a* 3. Mose 21,5
6,31 *a* 1. Kön 18,27-28 **6,34** *a* Mal 1,14
6,35 *a* (35-36) 5. Mose 32,37-39; Ps 146,7-8
6,37 *a* Ps 68,6 **6,40** *a* St zu Dan 2,1-22
6,52 *a* 1. Kön 14,14 *b* Jer 14,22 **6,53** *a* Ps 103,6

licher Hausrat, den der Besitzer gebrau-
chen kann, oder eine Tür, die das Haus
schützt, oder eine hölzerne Säule in einem
königlichen Saal.
59 [60] Sonne, Mond und Sterne, die hell
scheinen und nützlich sein sollen, sind
gehorsam. 60 [61] Ebenso ist auch der Blitz,
wenn er aufleuchtet, gut zu sehen; ebenso
weht der Wind in jedem Land; 61 [62] und
die Wolken ziehen über den ganzen Erd-
kreis und tun, was Gott ihnen befiehlt.
[63] Auch das Feuer, das von oben her ge-
sandt ist, um Berge und Wälder zu ver-
zehren, tut, was ihm geboten ist. 62 [64] Die
Götzen aber sind ihnen allen weder an
Gestalt noch an Kräften zu vergleichen.
63 *Darum darf man sie nicht für Götter
halten oder Götter nennen;* denn sie kön-
nen weder Recht sprechen noch den Men-
schen helfen. 64 [65] *Weil ihr also wisst, dass
sie keine Götter sind, so fürchtet euch nicht
vor ihnen.*
65 [66] Denn sie können Könige weder ver-
fluchen noch segnen. 66 [67] Sie können den
Völkern auch keine [a]Zeichen am Himmel
geben. Sie können es nicht hell werden
lassen wie die Sonne noch einen Schein
geben wie der Mond. 67 [68] Den wilden Tie-
ren geht es besser als ihnen: Sie können
in eine Höhle fliehen und sich schützen.
68 [69] Also ist allenthalben offenbar, dass sie
keine Götter sind. Darum fürchtet euch
nicht vor ihnen!
69 [70] Denn wie eine [a]Vogelscheuche, die
im Gurkenfeld nichts bewachen kann, so
sind auch ihre hölzernen, vergoldeten und
versilberten Götter. 70 [71] Wie eine Hecke
im Garten, auf die sich allerlei Vögel set-
zen, oder wie ein Toter, der im Grabe liegt,
so sind ihre hölzernen, vergoldeten und
versilberten Götter.
71 [72] Auch daran werdet ihr merken, dass
sie keine Götter sind: Ihr Purpur und das
kostbare Leinen werden zerfressen und sie
selbst endlich auch. Alle im Land werden
über sie spotten. 72 [73] Wohl dem Men-
schen, der gerecht ist und keine Götzen-
bilder hat! Der wird nicht zu Spott.

DAS ERSTE BUCH DER MAKKABÄER

1 Entweihung des Tempels in Jerusalem 2–3 Aufstand des Mattatias und seines Sohnes Judas
4–9 Judas Makkabäus schlägt die Syrer 9–12 Jonatan wird Hoherpriester
13–16 Simon befreit Jerusalem

ALEXANDER DER GROSSE ÜBERGIBT DAS REICH SEINEN NACHFOLGERN

1 Alexander, der Sohn Philipps, König
von Makedonien, der zuerst über Grie-
chenland herrschte, ist aus dem Lande
Kittim ausgezogen und hat Darius, den
König der Perser und Meder, geschla-
gen und wurde König an seiner statt.[a]
2 Er hat viele Kriege geführt, befestigte
Städte erobert und die andern Könige der
Erde umgebracht 3 und ist immer weiter-
gezogen bis an die Enden der Erde und
hat Beute bei vielen Völkern gemacht,
und die Erde musste still sein vor ihm.
Da wurde er stolz und sein Herz hoch-
mütig. 4 Er [a]brachte eine gewaltige Hee-
resmacht zusammen [5] und nahm alle
Länder und Reiche ein, und sie mussten
ihm Tribut zahlen. 5 [6] Dann aber warf
ihn eine Krankheit aufs Lager und er
merkte, dass er sterben würde. 6 [7] Da rief
er seine Hauptleute zu sich, die mit ihm
von Jugend auf erzogen worden waren,
und [a]teilte sein Reich noch zu seinen
Lebzeiten unter sie auf. 7 [8] Darauf starb
Alexander, nachdem er zwölf Jahre re-
giert hatte.* 8 [9] Dann übernahmen seine
Hauptleute das Reich, jeder in seinem
Gebiet. 9 [10] Nach seinem Tod setzten sie
sich die Krone auf und regierten mit ih-
ren Nachkommen lange Zeit, und sie
vermehrten [a]die Schlechtigkeit auf Er-
den. 10 [11] Aus ihnen [a]ging ein sündhafter
Spross hervor, [b]Antiochus Epiphanes.
Der war zuvor [c]Geisel in Rom für seinen

* **1,7** 336–323 v. Chr.

6,66 ***a*** 1. Mose 1,14; Jes 7,11; Am 8,9 **6,69** ***a*** Jer 10,5
1,1 ***a*** Dan 8,5-7.21 **1,4** ***a*** Dan 8,8 **1,6** ***a*** Dan 11,4
1,9 ***a*** 1. Mose 6,5 **1,10** ***a*** Dan 8,23-24 ***b*** 2. Makk 4,7
c Kap 8,7

Vater Antiochus den Großen gewesen. Er
begann im 137. Jahr der griechischen Herr-
schaft zu regieren.*

IN ISRAEL ENTSTEHT EINE GRIECHENFREUNDLICHE PARTEI

11 [12] [a]Zu dieser Zeit traten in Israel fre-
velhafte Leute auf; die überredeten viele
und sagten: Lasst uns ein Bündnis mit
den Völkern ringsum schließen; denn
wir haben viel leiden müssen seit der
Zeit, da wir uns von den Völkern abge-
sondert haben. 12 [13] Diese Meinung ge-
fiel ihnen gut. 13 [14] [a]Und einige aus dem
Volk entschlossen sich, zum König zu
gehen; der gestattete ihnen, heidni-
sche Lebensweisen einzuführen. 14 [15] Da
richteten sie in Jerusalem ein Gymna-
sion her, wie es auch die Heiden hatten,
15 [16] ließen ihre Vorhaut wieder herstel-
len und fielen vom heiligen Bund ab,
passten sich den andern Völkern an und
gaben sich dazu her, allen Lastern zu
frönen.

ANTIOCHUS IV. EPIPHANES PLÜNDERT DEN TEMPEL

(vgl. 2. Makk 5,1; 5,11-21)

16 [17] Als nun Antiochus seine Herrschaft
gefestigt hatte, gedachte er, auch das Kö-
nigreich Ägypten an sich zu bringen, da-
mit er über beide Königreiche herrschte,
17 [18] und zog nach Ägypten, gut gerüstet
mit großem Heer, mit Wagen und Ele-
fanten und einer großen Flotte, 18 [19] und
führte Krieg gegen Ptolemäus, den König
von Ägypten. Aber Ptolemäus wandte
sich vor ihm zur Flucht und viele Ägypter
sind umgekommen. 19 [20] Und Antiochus
hat die befestigten Städte in Ägypten ein-
genommen und große Beute im Land ge-
macht. 20 [21] Als aber Antiochus in Ägyp-
ten gesiegt hatte und wieder heimzog im
143. Jahr,* zog er hinauf gegen Israel [22] und
kam nach Jerusalem mit einem großen
Heer, 21 [23] ging frech und ohne Scheu in
das [a]Heiligtum und ließ wegnehmen den
goldenen [b]Altar, den [c]Leuchter und alle
Geräte, die dazugehören, 22 den [a]Tisch,
auf dem die Schaubrote lagen, die Kan-
nen, die Schalen, die goldenen Kellen, den
[b]Vorhang, die Kronen. Auch den goldenen
Schmuck an der Vorderseite des Tempels
rissen sie ab. 23 [24] Er nahm das Silber und
Gold, die kostbaren Gefäße und verbor-
gene Schätze, so viel er fand, 24 und führte
alles mit sich in sein Land. [25] Dann rich-
tete er ein Blutbad an und führte läster-
liche Reden. 25 [26] Da herrschte tiefe Trauer
in ganz Israel: 26 [27] Die Oberen und Ältes-
ten trauerten, junge Mädchen und jun-
ge Männer wurden kraftlos, [28] und die
Schönheit der Frauen verfiel. 27 Ein je-
der Bräutigam wehklagte, und die im
Brautgemach warteten, fielen in Trauer;[a]
28 [29] und das ganze Land war erschüttert
über die Unterdrückung seiner Bewoh-
ner; und das ganze Haus Jakob war mit
Schmach bedeckt.

ANTIOCHUS IV. EPIPHANES VERWÜSTET UND BESETZT JERUSALEM

(vgl. 2. Makk 5,24-26)

29 [30] Nach zwei Jahren sandte der König
den obersten Steuereinnehmer in die
Städte Judäas; der kam mit einer gro-
ßen Schar Bewaffneter nach Jerusalem.
30 [31] Und er redete voll Hinterlist fried-
liche Worte zu ihnen, [32] und sie glaubten
ihm. Er aber überfiel die Stadt unverse-
hens, hauste übel in ihr und brachte viele
aus Israel um. 31 [33] Und er plünderte die
Stadt, steckte sie in Brand und riss die
Häuser und Mauern ringsum nieder.
32 [34] Die Feinde führten Frauen und Kin-
der weg und raubten das Vieh. 33 [35] Sie
befestigten die [a]Stadt Davids mit star-
ken Mauern und Türmen, und machten
sie zu ihrer Burg. 34 [36] Dann legten sie
eine heidnische Besatzung dorthin, fre-
velhafte Leute, deren Zahl immer grö-
ßer wurde. 35 [37] Sie brachten Waffen und
Vorräte hinein, und was sie in der Stadt
Jerusalem zusammenrafften, brachten
sie auf die Burg; damit wurden sie zu
einer großen Gefahr. 36 [38] So entstand
eine ständige Bedrohung für das Hei-
ligtum und eine schlimme Bedrängnis
für Israel. 37 [39] Sie entweihten das Hei-
ligtum und vergossen viel unschuldiges

* **1,10** 175 v. Chr.; vgl. die Zeittafel im Anhang.
1,20 169 v. Chr.

1,11 *a* (11-12) Esra 9,1-3.10-12 **1,13** *a* (13-14) 2. Makk 4,7-15
1,21 *a* Dan 8,11-12 *b* 2. Mose 30,1-3 *c* 2. Mose 25,31-39
1,22 *a* 2. Mose 25,23-30 *b* 2. Mose 26,31-33
1,27 *a* Jer 7,34 **1,33** *a* 2. Sam 5,7

Blut ringsum. 38 [40] Da flohen die Bür-
ger Jerusalems ihretwegen. Die Frem-
den aber blieben in der Stadt, sodass sie
denen fremd wurde, die in ihr geboren
waren, und ihre Kinder sie verließen.
39 [41] Das Heiligtum wurde öde wie die
Wüste, die [a]Feiertage wurden zu Trau-
ertagen, die Sabbate zur Schmach, und
alle ihre Herrlichkeit wurde zunichte.
40 [42] So groß ihr Ruhm einst war, so groß
war nun ihre Schande; aus ihrer Hoheit
wurde Trauer.

ANTIOCHUS VERFOLGT DEN GLAUBEN ISRAELS

(vgl. 2. Makk 6,1-7)

41 [43] König Antiochus erließ ein Gebot
für sein ganzes Reich, dass alle zu einem
Volk werden 42 [44] und ihre Gesetze aufge-
ben sollten. Und alle Völker willigten in
das Wort des Königs ein. 43 [45] Und auch
viele aus Israel willigten ein und opfer-
ten den Götzen und entweihten den Sab-
bat. 44 [46] Auch sandte Antiochus Boten
mit Briefen nach Jerusalem und in alle
Städte Judäas; in ihnen gebot er, die Ge-
bräuche der Heiden anzunehmen, 45 [47] die
Brandopfer, Speisopfer und Sündopfer
im Heiligtum einzustellen, [48] Sabbate
und andere Feste abzuschaffen, 46 [49] das
Heiligtum und das [a]heilige Volk Israel
zu entheiligen, 47 [50] Altäre, Tempel und
Heiligtümer für die Götzen zu errich-
ten, Schweine und andere [a]unreine Tiere
zu opfern. 48 [51] Auch die [a]Beschneidung
ihrer Söhne verbot er. So brachte er die
Leute dazu, sich in allem mit Unrein-
heit und Gräuel zu beflecken, 49 damit sie
Gottes Gesetz vergäßen und alle seine
Rechtsordnungen abschafften. 50 [52] Und
wer dem König Antiochus nicht gehor-
sam wäre, der sollte sterben. 51 [53] Dies
Gebot ließ er ausgehen durch sein ganzes
Königreich und setzte Aufseher ein, die
das ganze Volk zwingen sollten, dies zu
halten. [54] Den Städten Judäas befahlen
sie zu opfern, Stadt für Stadt. 52 [55] Viele
aus dem Volk schlossen sich denen an,
die das Gesetz verlassen hatten, und trie-
ben ihr Unwesen im Lande. 53 [56] Und sie
verjagten das Volk Israel, sodass es sich
an [a]verborgenen Fluchtorten verstecken
musste.

ANTIOCHUS IV. EPIPHANES BRINGT ISRAEL IN GROSSE NOT

54 [57] Im 145. Jahr, am fünfzehnten Tage des
Monats Kislew,* ließ König Antiochus das
[a]Gräuelbild der Verwüstung* auf den Altar
Gottes setzen und in allen Städten Judäas
Altäre für Götzen errichten, 55 [58] damit
man öffentlich auf dem Markt und jeder
vor seinem Haus räucherte und opferte.
56 [59] Fand man Bücher des Gesetzes, wur-
den sie von ihnen zerrissen und verbrannt,
57 [60] und alle, bei denen man Bücher des
Bundes fand, und alle, die das Gesetz hiel-
ten, wurden nach dem Gebot des Königs
totgeschlagen. 58 [61] So ließen sie Monat
für Monat ihre Kraft an den Israeliten aus,
die sie in den Städten entdeckten. 59 [62] Am
fünfundzwanzigsten Tage des Monats
opferten sie auf dem Götzenaltar, der
auf dem Altar des Herrn stand. 60 [63] Die
[a]Frauen, die ihre Söhne hatten beschnei-
den lassen, wurden getötet, wie Antio-
chus befohlen hatte; 61 [64] man hängte ih-
nen die Knäblein an den Hals und tötete
die, die zu ihnen gehörten, und die, die sie
beschnitten hatten. 62 [65] [a]Aber viele vom
Volk Israel blieben standhaft und wollten
nichts Unreines essen 63 [66] und ließen sich
lieber töten, als sich durch Speisen unrein
zu machen, [67] und wollten den heiligen
Bund nicht entweihen; darum wurden sie
umgebracht. 64 [68] So kam ein gewaltiger
Zorn über Israel.

MATTATIAS KLAGT ÜBER DIE UNTERDRÜCKUNG ISRAELS

2 Zu dieser Zeit trat Mattatias auf, der
Sohn des Johannes, des Sohns Sime-
ons, ein Priester aus dem Geschlecht
[a]Jojaribs von Jerusalem; der wohnte in
Modeïn 2 und hatte fünf Söhne: Johan-
nes mit dem Zunamen Gaddi, 3 Simon
mit dem Zunamen Tassi, 4 Judas mit dem
Zunamen Makkabäus, 5 Eleasar mit dem
Zunamen Awaran und Jonatan mit dem
Zunamen Aphus. 6 Als nun Mattatias das

* **1,54** (1) Dezember 168 v. Chr. (2) Siehe Sach- und Worterklärungen zu »Gräuelbild der Verwüstung«.

1,39 *a* Am 8,10; Tob 2,6 **1,46** *a* 3. Mose 19,2
1,47 *a* 3. Mose 11,1-47 **1,48** *a* 3. Mose 12,3
1,53 *a* Hebr 11,38 **1,54** *a* Dan 9,27
1,60 *a* 2. Makk 6,10 **1,62** *a* (62-63) 2. Makk 6,18; 7,1
2,1 *a* 1. Chr 9,10; Neh 11,10

schreckliche Elend in Judäa und Jerusalem
sah, 7klagte er: Ach dass ich dazu geboren
bin, die Zerstörung meines Volks und der
heiligen Stadt mit ansehen zu müssen; ich
aber muss stillsitzen und die Feinde ihren
Mutwillen treiben lassen! [8]Das Heilig-
tum ist in die Hände der Fremden gekom-
men. 8Der Tempel ist wie ein verachte-
ter Mensch geworden. 9Seine kostbaren
Geräte hat man weggeführt. Die Kinder
sind auf den Straßen erschlagen, und die
jungen Männer sind von den Feinden er-
stochen. 10Welches Volk hat sich nicht an
Jerusalems Königtum bereichert und wer
hat nicht von ihr Beute genommen? 11Ihre
ganze Herrlichkeit ist dahin. Einst eine
[a]Freie, ist sie nun eine Magd. 12Siehe, un-
ser Heiligtum, unser Ruhm und Preis, ist
verwüstet! Die Heiden haben's entweiht.
13Wer sollte da noch Lust haben zu leben?
14Und Mattatias zerriss seine Kleider, er
und seine Söhne, und zogen Säcke an und
trauerten sehr.

DER AUFSTAND DES MATTATIAS

15Als nun die Abgesandten des Königs
Antiochus in die Stadt Modeïn kamen,
um sie zum Opfern zu zwingen, 16da lie-
fen ihnen viele vom Volk Israel zu. Auch
Mattatias und seine Söhne kamen herbei.
17Da sagten die Abgesandten des Königs
zu Mattatias: Du bist der Vornehmste
und Angesehenste in dieser Stadt und
hast viele Söhne und eine große Ver-
wandtschaft. 18Darum tritt du zuerst hin
und tu, was der König befohlen hat, wie
alle Völker getan haben, auch die Männer
von Judäa und die, die noch in Jerusalem
sind. [a]Dann werden du und deine Söhne
zu den Freunden des Königs gezählt wer-
den und Gold und Silber und große Ga-
ben bekommen. 19[a]Da sagte Mattatias frei
heraus: Wenn auch alle Völker dem Kö-
nig gehorsam wären und davon abfielen,
Gott so zu dienen wie ihre Väter, und in
das Gebot des Königs einwilligten, 20so
wollen doch ich und meine Söhne und
Brüder nicht vom Bund unsrer Väter ab-
fallen. 21[a]Der Gnädige bewahre uns davor,
Gesetz und Gebote preiszugeben! 22Den
Befehlen des Königs werden wir nicht ge-
horchen und Gott auf keine andere Weise
dienen.[a] 23Kaum hatte er diese Rede be-
endet, trat ein Jude vor aller Augen hin,
um auf dem Götzenaltar in Modeïn zu
opfern, wie der König befohlen hatte.
24[a]Als das Mattatias sah, gab es ihm einen
Stich ins Herz, er ließ seinem gerechten
Zorn freien Lauf, [25]lief hinzu und stach
ihn am Altar nieder. 25Auch tötete er den
Mann, den der König Antiochus gesandt
hatte, um sie zum Opfern zu zwingen,
und riss den Altar nieder. 26So eiferte er
für das Gesetz, wie einst [a]Pinhas gegen
Simri, den Sohn des Salus, getan hatte.
27Und Mattatias rief laut durch die Stadt:
Wer für das Gesetz eifern und den Bund
halten will, der [a]ziehe mit mir! 28So flo-
hen er und seine Söhne ins Gebirge und
ließen alles zurück, was sie in der Stadt
besaßen.

DIE AUFSTÄNDISCHEN ENTSCHLIESSEN SICH ZUM KAMPF AM SABBAT

29Da zogen viele, die nach Recht und
Gerechtigkeit verlangten, in die Wüste
hinaus und blieben dort 30mit Frauen
und Kindern und ihrem Vieh; denn die
Unterdrückung war ihnen allzu schwer
geworden. 31Als nun den Leuten des Kö-
nigs und seinem Kriegsvolk in der Stadt
Davids in Jerusalem gemeldet wurde,
dass einige sich dem Befehl des Königs
widersetzt hätten und hinabgezogen wä-
ren zu den Höhlen in der Wüste, 32da
zogen viele eilends hinter ihnen her und
machten sich bereit, sie am Sabbat zu
überfallen, 33und sie sagten zu ihnen:
Nun ist's genug! Kommt heraus und tut,
was der König befohlen hat, so werdet
ihr am Leben bleiben. 34Darauf antwor-
teten sie: Wir werden nicht herauskom-
men, auch wollen wir [a]den Sabbat nicht
entheiligen, wie der König befiehlt. 35Da
stürmten die Feinde gegen sie an; 36sie
aber wehrten sich nicht, schleuderten
keinen Stein und verschlossen auch die
Höhlen nicht 37und sagten: Wir alle wol-
len lieber schuldlos sterben; Himmel und
Erde werden Zeuge sein, dass ihr uns mit
Gewalt und Unrecht umbringt. 38So wur-

2,11 *a* Klgl 1,1 **2,18** *a* 2. Makk 7,24
2,19 *a* (19-20) Jos 24,15 **2,21** *a* (21-22) 2. Makk 7,30
2,22 *a* 5. Mose 5,29 **2,24** *a* (24-25) 5. Mose 13,7-10
2,26 *a* 4. Mose 25,7-13 **2,27** *a* 2. Mose 32,26
2,34 *a* 2. Makk 6,11

den sie am Sabbat überfallen und sie und ihre Frauen und Kinder samt dem Vieh umgebracht, an die tausend Personen. 39 Als Mattatias und seine Freunde das hörten, hielten sie die Totenklage über sie 40 und sagten zueinander: Wenn wir alle wie unsre Brüder handelten und uns nicht gegen die Heiden wehrten, um unser Leben und unsere Rechtsordnungen zu retten, so werden sie uns bald von der Erde vertilgt haben. 41 Und am selben Tag beschlossen sie: Wenn man uns am Sabbat angreift, so wollen wir uns wehren, damit wir nicht alle umkommen wie unsere Brüder, die in den Höhlen gestorben sind.

ERSTE ERFOLGE DER AUFSTÄNDISCHEN

42 Da schlossen sich ihnen tapfere Männer aus Israel an, die Gruppe der [a]Hasidäer, alle treue Anhänger des Gesetzes. 43 Zu ihnen kamen alle, die vor der Unterdrückung flohen, und verstärkten sie. 44 So sammelten sie ein Heer und erschlugen in ihrem Zorn viele Frevler und in ihrem Eifer viele Abtrünnige; die Übrigen aber flohen und entkamen zu den Heiden. 45 Danach zogen Mattatias und seine Freunde im Lande Israel umher und rissen die Götzenaltäre wieder nieder. 46 Sie beschnitten unter Zwang die Knaben, die sie in Israel noch unbeschnitten fanden, 47 sie verfolgten die Abtrünnigen; und so gelang es ihnen, 48 das Gesetz gegen alle Macht der Heiden und Könige zu erhalten, sodass die Frevler nicht über sie Herr wurden.

VERMÄCHTNIS UND TOD DES MATTATIAS

49 Als aber Mattatias sehr alt war, sagte er vor seinem Tod zu seinen Söhnen: Unterdrückung und Verfolgung sind über uns gekommen, Verwüstung und großer Zorn. 50 Darum, meine Kinder, eifert für das Gesetz und wagt euer Leben für den Bund unsrer Väter; 51 denkt daran, welche Taten unsre Väter zu ihren Zeiten getan haben; so werdet ihr rechte Ehre und einen ewigen Namen erlangen. 52 [a]Wurde nicht Abraham versucht und blieb im Glauben fest und wurde ihm [b]das nicht zur Gerechtigkeit angerechnet? 53 Josef [a]hielt das Gebot, als er bedrängt wurde, und ist [b]Herr in Ägypten geworden. 54 [a]Pinhas, unser Vater, bewies großen Eifer; darum empfing er den Bund, dass das Priestertum ewig bei ihm bleiben sollte. 55 Josua führte den Befehl aus, der ihm gegeben war; darum wurde er Richter in Israel.[a] 56 [a]Kaleb legte in der Gemeinde Zeugnis ab; darum hat er Land als sein Erbteil empfangen. 57 David übte Barmherzigkeit; darum [a]erbte er den Königsthron für immer. 58 Elia [a]eiferte für das Gesetz; darum [b]wurde er in den Himmel aufgenommen. 59 Hananja, Asarja und Mischaël glaubten und wurden aus dem Feuer errettet.[a] 60 Daniel war ohne Schuld; darum [a]wurde er aus dem Maul der Löwen errettet. 61 **So bedenkt, was von Geschlecht zu Geschlecht geschehen ist, dass [a]alle, die auf Gott vertrauen, nicht unterliegen werden.** 62 Darum fürchtet euch nicht vor den Drohungen des Frevlers: denn seine Herrlichkeit wird zu Dreck und von den Würmern gefressen. 63 [a]Heute wird er erhöht und morgen ist er nicht mehr, denn er ist [b]wieder zu Erde geworden und sein Vorhaben ist zunichte. 64 Darum, meine Kinder, seid unerschrocken und haltet fest am Gesetz, so wird euch Gott wieder herrlich machen. 65 Seht, euer Bruder Simon ist weise im Rat; dem gehorcht allezeit als eurem Vater. 66 Judas Makkabäus ist ein starker Held von Jugend auf; der soll euer Heerführer sein und den Krieg gegen die Völker führen. 67 [a]Sammelt nun alle um euch, die das Gesetz halten. Rächt, was an eurem Volk verübt wurde, 68 und zahlt den Heiden heim, was sie verdient haben; ihr aber haltet fest am Gesetz! 69 Danach segnete er sie und wurde zu seinen Vätern versammelt 70 und starb im 146. Jahr* und wurde begraben im Grab seiner Väter in [a]Modeïn und ganz Israel trauerte sehr um ihn.

* **2,70** 167/166 v. Chr.

2,42 ***a*** Kap 7,13; 2. Makk 14,6 **2,52** ***a*** 1. Mose 22,1-12 ***b*** 1. Mose 15,6; Jdt 8,26 **2,53** ***a*** 1. Mose 39,9 ***b*** 1. Mose 41,40 **2,54** ***a*** Vers 26; Sir 45,23-24 **2,55** ***a*** Jos 1,2.16; Sir 46,1-6 **2,56** ***a*** 4. Mose 14,6; Jos 14,6; Sir 46,6-8 **2,57** ***a*** 2. Sam 7,11-16 **2,58** ***a*** 1. Kön 18,21.40 ***b*** 2. Kön 2,11 **2,59** ***a*** Dan 1,6-7; 3,26 **2,60** ***a*** Dan 6,21 **2,61** ***a*** St zu Dan 2,38 **2,63** ***a*** Sir 10,10 ***b*** Ps 146,4 **2,67** ***a*** *(67-68)* 5. Mose 32,40-43 **2,70** ***a*** Vers 1; Kap 13,25-30

JUDAS MAKKABÄUS KÄMPFT GEGEN DIE ABTRÜNNIGEN JUDEN

(vgl. 2. Makk 8,1-7)

3 Judas Makkabäus trat nun an die Stelle
seines Vaters. 2 Und seine Brüder und
alle, die sich zu seinem Vater gehalten hat-
ten, halfen ihm und kämpften für Israel
mit Freuden.
3 Judas gewann seinem Volk großes An-
sehen. Er legte den Harnisch an wie ein
Held und gürtete sich mit seinen Waf-
fen. Er führte Schlachten und schützte
sein Heerlager mit dem Schwert. 4 Er
war mutig wie ein Löwe, kühn wie [a]ein
junger brüllender Löwe, wenn er et-
was jagt. 5 Er spürte die Abtrünnigen auf
und verfolgte sie, und die, die das Volk
verführten, bestrafte er mit Feuer,[a] 6 so-
dass überall die Gesetzlosen vor ihm er-
schraken und alle Abtrünnigen nieder-
geworfen wurden; und er hatte Glück
und Sieg. 7 Er bereitete vielen Königen
Verdruss; für Jakob aber waren seine Ta-
ten eine Freude. Sein Andenken werde
auf ewig zum Segen! 8 Er zog durch die
Städte Judäas und erschlug die Frevler,
um den Zorn von Israel abzuwenden. 9 So
wurde sein Name berühmt bis an die En-
den der Erde, sodass alle Verlorenen ihm
zuliefen.

JUDAS MAKKABÄUS BESIEGT APOLLONIUS UND SERON

10 Da brachte [a]Apollonius ein großes Heer
zusammen von Heiden und Leuten aus
Samarien, um gegen Israel zu kämpfen.
11 Als Judas das hörte, zog er ihm entge-
gen, kämpfte mit ihm und erschlug ihn,
und viele Feinde wurden verwundet und
getötet; die Übrigen aber flohen. 12 Judas
machte große Beute und nahm sich das
Schwert des Apollonius; das führte er
fortan sein Leben lang.
13 Als dann Seron, der Befehlshaber des
syrischen Heeres, hörte, dass Judas eine
Schar und ein Aufgebot von Getreuen
versammelt hatte, die bereit waren, mit
ihm in den Kampf zu ziehen, 14 sprach er:
Ich will mir einen [a]Namen machen, da-
mit ich im ganzen Königreich gepriesen
werde, und will Judas und seinen Hau-
fen, der den Befehl des Königs verachtet,
schlagen. 15 Darum rüstete er sich und mit
ihm zog ein großes Heer von Frevlern,
um ihm zu helfen und sich an Israel zu
rächen.
16 Und sie kamen zur Steige von [a]Bet-
Horon. [16]Da zog Judas ihm mit einer
kleinen Schar entgegen. 17 Als sie das Heer
sahen, das ihnen entgegenzog, sprachen
sie zu Judas: Wie können wir gegen eine
so gewaltige Menge kämpfen, obwohl wir
so wenige sind? Auch sind wir erschöpft,
da wir heute noch nichts gegessen haben.
18 Judas aber sagte: Es kann leicht gesche-
hen, dass wenige ein großes Heer über-
winden; denn [a]es ist dem Himmel nicht
schwer, durch viele oder wenige zu hel-
fen. 19 Denn [a]der Sieg im Kampf kommt
vom Himmel und wird nicht durch eine
große Zahl errungen. 20 Sie ziehen gegen
uns voller Frevel und Bosheit und wollen
uns, unsre Frauen und Kinder ermorden
und berauben. 21 Wir aber müssen uns
wehren und für unser Leben und Gesetz
kämpfen. 22 Darum wird der Himmel sie
vor unsern Augen vernichten; ihr sollt sie
nicht fürchten.
23 Als er das gesagt hatte, griff er die
Feinde an, ehe sie sich's versahen, und
schlug den Seron und sein Heer in die
Flucht 24 und jagte sie von Bet-Horon
hinab in die Ebene. Da fielen von den Fein-
den etwa achthundert Mann; die Übrigen
aber flohen ins Philisterland. 25 So kam
Furcht auf vor Judas und seinen Brüdern,
und Angst befiel alle Völker ringsum.
26 Und sein Ruhm kam bis vor den König,
und unter allen Völkern sprach man von
Judas und seinen Schlachten.

LYSIAS FÜHRT DEN KRIEG FORT

27 Als nun König Antiochus das alles hörte,
entbrannte sein Zorn. Er sandte Boten aus
und zog alle Truppen seines Reichs zu-
sammen, ein gewaltiges Heer. 28 Er öffnete
sein Schatzhaus, gab dem Heer den Sold
für ein Jahr und befahl, dass man für alles
gerüstet sein sollte. 29 Er sah aber, dass er
nicht mehr genug Geld in den Schatzkam-
mern hatte und dass die Abgaben der Pro-
vinz zurückgingen wegen des Aufruhrs
und des Schlages, den er dem Land mit

3,4 *a* 1. Mose 49,9 **3,5** *a* Kap 5,5.44 **3,10** *a* Kap 1,2; 2. Makk 4,21; 5,24 **3,14** *a* Kap 2,51 **3,16** *a* Jos 10,10 **3,18** *a* 1. Sam 14,6 **3,19** *a* Spr 21,31

dem Verbot der althergebrachten Gebräu-
che versetzt hatte. 30 Da wurde er besorgt,
dass er, wie schon öfter, nichts mehr übrig
behalten könnte für die Kosten seines Ho-
fes und für die Geschenke, die er früher
mit freigebiger Hand mehr als alle Könige
vor ihm ausgegeben hatte. 31 Darüber war
er sehr bestürzt und beschloss, nach Per-
sien zu ziehen, um von den Provinzen Ab-
gaben einzutreiben und dadurch viel Geld
zusammenzubringen.

32 Und er ließ im Lande einen angese-
henen Mann aus königlichem Geschlecht
zurück mit Namen Lysias; den machte er
zu seinem Statthalter vom Euphrat bis an
die Grenzen Ägyptens 33 und vertraute
ihm seinen Sohn Antiochus zur Erzie-
hung an, solange er außer Landes sein
würde. 34 Er überließ ihm die Hälfte des
Kriegsvolks und die Elefanten und gab
ihm den Befehl, alles auszuführen, was er
gegen die Bewohner von Judäa und Je-
rusalem vorhatte: 35 Er sollte ein Heer ge-
gen sie schicken, um das Heer Israels und
die Überlebenden in Jerusalem auszurot-
ten und sogar ihr Andenken an diesem
Ort auszutilgen; 36 auch sollte er in ihrem
ganzen Gebiet Leute aus fremdem Stamm
ansiedeln und das Land durchs Los an sie
verteilen.

37 Der König Antiochus aber nahm das
übrige Kriegsvolk und zog im 147. Jahr*
von seiner Hauptstadt Antiochia aus
über den Euphrat hinauf in die oberen
Länder.

ANGRIFF AUF JUDÄA
(vgl. 2. Makk 8,8-15)

38 Aber Lysias bestimmte einige mächtige
Männer von den Freunden des Königs*
zu Hauptleuten, nämlich [a]Ptolemäus,
den Sohn des Dorymenes, [b]Nikanor und
Gorgias, 39 und gab ihnen vierzigtausend
Mann und siebentausend Reiter, damit
sie das Land Judäa überfallen und es ver-
heeren sollten, wie der König befohlen
hatte. 40 Nachdem sie nun mit ihrem gan-
zen Heer ausgezogen waren, lagerten sie
sich bei Emmaus in der Ebene. 41 Als die
Kaufleute in der Umgegend davon hörten,
kamen sie in das Lager und brachten sehr
viel Silber und Gold und Fesseln mit sich,
um die Israeliten als Sklaven zu kaufen.
Auch aus Syrien und dem Philisterland
stieß viel Kriegsvolk zu ihnen.

42 Als nun Judas und seine Brüder sa-
hen, dass die Verfolgung immer schlim-
mer wurde und dass die Feinde an der
Grenze lagen, und erfuhren, dass der Kö-
nig befohlen hatte, das Volk zu vertilgen,
43 sagten sie zueinander: Wir wollen unser
Volk, das darniederliegt, wieder aufrich-
ten und für Volk und Heiligtum kämpfen.
44 Und die Gemeinde kam zusammen, um
sich zum Kampf zu rüsten und Gnade und
Hilfe zu erflehen.

45 Die Stadt Jerusalem aber war unbe-
wohnt [a]wie eine Wüste. Keines ihrer
Kinder ging mehr aus noch ein. Das [b]Hei-
ligtum war zertreten, Fremde hatten die
Burg besetzt und zur Behausung für die
Völker gemacht. Die Freude war von Jakob
weggenommen, verstummt waren Flöte
und Harfe.

BITTGOTTESDIENST IN MIZPA
(vgl. 2. Makk 8,16-23)

46 Darum kam das Volk zusammen und
zog nach Mizpa, gegenüber von Jerusalem;
denn [a]vorzeiten war in Mizpa eine Stätte
des Gebets für Israel. 47 An diesem Tag
fasteten sie und zogen Säcke an, [a]streuten
Asche auf ihr Haupt und zerrissen ihre
Kleider 48 und entrollten das Buch des Ge-
setzes, um es zu befragen, so wie die Hei-
den ihre Götzenbilder befragen. 49 Auch
brachten sie dorthin die priesterlichen
Kleider, die Erstlinge und Zehnten und lie-
ßen die [a]Gottgeweihten herbeikommen,
bei denen die Zeit ihres Gelübdes erfüllt
war, 50 und schrien laut zum Himmel: Was
sollen wir mit diesen machen, und wo sol-
len wir sie hinführen? 51 Denn dein Hei-
ligtum ist zertreten und entweiht, deine
Priester leben in Trauer und Erniedrigung.
52 Und siehe, die Heiden haben sich gegen
uns versammelt, um uns ganz zu vertil-
gen. Du weißt, was sie gegen uns im Sinn
haben. 53 Wie können wir ihnen standhal-
ten, wenn nicht du uns hilfst? 54 Und sie
[a]bliesen die Trompeten und schrien mit
lauter Stimme.

* **3,37** 166/165 v. Chr. **3,38** Hoftitel.

3,38 ***a*** 2. Makk 4,45; 6,8; 8,8 ***b*** Kap 7,26 **3,45** ***a*** Klgl 5,18 ***b*** Dan 8,13 **3,46** ***a*** 1. Sam 7,5 **3,47** ***a*** Jdt 4,15 **3,49** ***a*** 4. Mose 6,2-21 **3,54** ***a*** 4. Mose 10,9

55 Danach setzte Judas Anführer für das Kriegsvolk ein, [a]Oberste über Tausend, über Hundert, über Fünfzig und über Zehn. 56 Auch ließ er ausrufen, dass alle, die Häuser gebaut oder Frauen geheiratet oder Weinberge gepflanzt hatten, oder alle, die voll Furcht waren, wieder heimziehen könnten, wie das Gesetz es ihnen erlaubt.[a] 57 Danach zog das Heer davon und lagerte im Süden von Emmaus. 58 Und Judas sagte: Rüstet euch und seid unerschrocken, damit ihr morgen früh bereit seid, gegen diese Heiden zu kämpfen, die zusammengekommen sind, um uns und unser Heiligtum zu vernichten! 59 Denn es ist besser für uns, im Krieg zu fallen, als das Unglück unsres Volks und des Heiligtums zu sehen. 60 Aber wie es der Himmel will, so soll es geschehen!

JUDAS MAKKABÄUS BESIEGT GORGIAS

(vgl. 2. Makk 8,20-36)

4 Und Gorgias nahm fünftausend Mann zu Fuß und tausend auserlesene Reiter und rückte bei Nacht vor, 2 um das Lager der Juden zu überfallen und unversehens zu vernichten; als Führer dienten ihm die Leute von der Burg. 3 Als Judas davon hörte, zog auch er mit den besten Leuten aus, um das Heer des Königs, das bei [a]Emmaus lag, zu schlagen, 4 solange das Heer noch nicht geordnet war. 5 Als nun Gorgias bei Nacht an das Lager des Judas kam und dort niemand fand, suchte er sie im Gebirge, da er meinte: Sie fliehen vor uns!

6 Aber bei Anbruch des Tages erschien Judas mit dreitausend Mann in der Ebene; doch waren sie nicht so gerüstet und bewaffnet, wie sie es wünschten. 7 Als sie nun sahen, dass das Heer der Feinde gut gerüstet und von starker Reiterei umgeben war und dass sie erfahrene Kriegsleute waren, 8 sagte Judas zu seinem Volk: Fürchtet euch nicht vor ihrer großen Menge, und vor ihrem Ansturm erschreckt nicht! 9 Denkt daran, [a]wie unsre Väter im Roten Meer errettet worden sind, als ihnen der Pharao mit einem Heer nacheilte. 10 So wollen wir nun den Himmel anrufen, ob er uns gnädig sein und an den Bund denken will, den er mit unsern Vätern geschlossen hat, und dieses Heer heute vor unsern Augen vernichtet. 11 Und alle Heiden sollen erkennen, dass einer ist, der sich Israels annimmt und es rettet.

12 Als nun die Fremden aufblickten und sahen, dass die Juden gegen sie heranrückten, 13 zogen auch sie aus dem Lager zum Kampf. Und die Leute des Judas [a]bliesen die Trompeten zum Angriff. 14 Da stießen sie aufeinander und die Heiden wurden geschlagen und flohen in die Ebene hinaus. 15 Die Letzten aber fielen durch das Schwert. [15] Und Judas jagte ihnen nach bis nach Geser und bis ins Gebiet von Idumäa, bis Aschdod und Jamnia, und es fielen von ihnen an die dreitausend Mann.

16 Als aber Judas und das Heer von der Verfolgung zurückgekehrt waren, 17 gebot er dem Volk: [17] Seid nicht gierig nach Beute, denn es steht uns noch eine Schlacht bevor. 18 Gorgias und das Heer sind nahe vor uns im Gebirge; darum tretet nun unsern Feinden entgegen und schlagt sie. Danach könnt ihr ungehindert plündern. 19 Während Judas noch redete, erschien eine Schar, die aus dem Gebirge kam. 20 Und sie sahen, dass ihre Leute geschlagen waren und dass die Juden das Lager angezündet hatten; denn sie sahen den Rauch; daraus konnten sie entnehmen, was geschehen war. 21 Darüber erschraken sie sehr. Als sie auch noch Judas und sein Kriegsvolk in der Ebene sahen, gerüstet zur Schlacht, 22 flohen sie alle ins Gebiet der Philister.

23 Dann kehrte Judas wieder zurück, um das Lager zu plündern, und sie nahmen viel Gold, Silber, blauen und roten Purpur und viele andere Schätze. 24 Danach zogen sie heim, und sangen Loblieder zum Himmel: Er ist gut [a]und seine Güte währet ewiglich. 25 An diesem Tag ist Israel großes Heil widerfahren.

JUDAS MAKKABÄUS BESIEGT LYSIAS

(vgl. 2. Makk 11,1-12)

26 Die Fremden aber, die entronnen waren, kamen zu [a]Lysias und berichteten ihm, wie es ihnen ergangen war. 27 Als

3,55 *a* 2. Mose 18,25 **3,56** *a* 5. Mose 20,5-8; 24,5; 28,30 **4,3** *a* Kap 3,40 **4,9** *a* 2. Mose 14,30 **4,13** *a* 4. Mose 10,9 **4,24** *a* Ps 106,1 **4,26** *a* Kap 3,32

der das hörte, war er bestürzt und niedergeschlagen, weil nicht gelungen war, was er Israel hatte antun wollen und was ihm der König befohlen hatte. 28 Darum brachte er im folgenden Jahr wiederum viel auserlesenes Kriegsvolk zusammen, sechzigtausend Mann und fünftausend Reiter, um die Juden zu besiegen. 29 Dieses Heer zog nach Idumäa und lagerte sich bei [a]Bet-Zur.

Doch Judas trat ihnen entgegen mit zehntausend Mann. 30 Als er aber sah, dass die Feinde ein so großes Heer hatten, betete er und sprach: Lob sei dir, du Heiland Israels, der du [a]durch deinen Knecht David den Angriff des Starken zunichtegemacht und das ganze Heer der Philister in die Hände [b]Jonatans, des Sohnes Sauls, und seines Waffenträgers gegeben hast. 31 Gib dieses Heer in die Hand deines Volkes Israel, dass es mit seiner Streitmacht und seinen Reitern zuschanden wird. 32 Jage ihnen Furcht ein und lass ihren Mut schwinden, dass sie wanken und geschlagen werden. 33 Schlage sie nieder mit dem Schwert derer, die dich lieben, dass dich alle loben und preisen, die deinen Namen kennen!

34 Als sie nun zusammenstießen, fielen vom Heer des Lysias fünftausend im Kampf Mann gegen Mann. 35 Als aber Lysias sah, dass sich seine Truppen auflösten und flohen, die des Judas dagegen unerschrocken und bereit waren, in Ehren zu leben oder in Ehren zu sterben, zog er ab nach Antiochia, um Kriegsvolk anzuwerben und mit noch stärkerer Heeresmacht wieder nach Judäa zu ziehen.

JUDAS MAKKABÄUS WEIHT DEN TEMPEL NEU

(vgl. 2. Makk 10,1-8)

36 Judas aber und seine Brüder sprachen: Unsre Feinde sind verjagt. So lasst uns hinaufziehen und das Heiligtum reinigen und von Neuem weihen! 37 Darum sammelte sich das ganze Kriegsvolk, und sie zogen zum Berg Zion. 38 Und als sie sahen, wie das Heiligtum verwüstet, der [a]Altar entheiligt, die [b]Tore niedergebrannt waren und dass der Platz mit Unkraut bewachsen war wie ein Wald oder Gebirge und die Zellen der Priester zerstört waren, 39 da zerrissen sie ihre Kleider und hielten eine große Klage, streuten Asche auf ihr Haupt, 40 warfen sich nieder auf ihr Angesicht und bliesen die Trompeten und schrien zum Himmel.

41 Sodann stellte Judas Männer auf, die die Leute in der Burg abwehren sollten, bis er das Heiligtum gereinigt hätte. 42 Und er wählte Priester aus, die rein und dem Gesetz treu geblieben waren. 43 Die reinigten das Heiligtum und trugen die entweihten Steine weg an einen unreinen Ort. 44 Weil nun der Brandopferaltar [a]entheiligt war, überlegten sie, was sie mit ihm machen sollten. 45 Und sie hatten den guten Einfall, dass man ihn niederreißen sollte, damit kein Ärgernis von ihm käme, weil ihn die Heiden entheiligt hatten. Darum rissen sie den Altar nieder. 46 Und sie verwahrten die Steine auf dem Tempelberg an einem geeigneten Ort, [a]bis ein Prophet kommen und verkünden würde, was man damit tun sollte.

47 Sie nahmen aber [a]unbehauene Steine, wie das Gesetz lehrt, und bauten einen neuen Altar ganz so, wie der frühere gewesen war. 48 Und sie bauten das Heiligtum wieder auf und weihten das Innere des Hauses und die Vorhöfe. 49 [a]Und sie ließen neue heilige Gefäße machen und brachten den Leuchter, den Räucheraltar und den Tisch in den Tempel. 50 Und sie legten Räucherwerk auf den Altar und zündeten die Lampen auf dem Leuchter an, damit sie im Tempel leuchteten. 51 Auf den Tisch legten sie Brote und hängten die Vorhänge auf.

Und als sie alle Arbeiten, die sie ausführten, vollendet hatten, 52 erhoben sie sich [a]früh am Morgen des fünfundzwanzigsten Tages des neunten Monats, der Kislew heißt, im 148. Jahr,* 53 und [a]opferten nach dem Gesetz auf dem neuen Brandopferaltar, den sie aufgerichtet hatten. 54 Zur gleichen Zeit und am gleichen Tage, an dem die Heiden ihn entweiht hatten, wurde er wieder geweiht mit Gesang und mit

* **4,52** Dezember 165 v. Chr.

4,29 *a* 2. Makk 11,5 **4,30** *a* 1. Sam 17,50 *b* 1. Sam 14,13-15 **4,38** *a* Kap 1,54 *b* 2. Makk 1,8; 8,33 **4,44** *a* Kap 1,59 **4,46** *a* Kap 9,27; 14,41 **4,47** *a* 2. Mose 20,25 **4,49** *a* (49-51) Kap 1,21-22 **4,52** *a* (52-54) Kap 1,54.59 **4,53** *a* 2. Mose 29,38-42

Zithern, Harfen und Zimbeln. 55 Und alles
Volk fiel nieder auf das Angesicht, betete
an und lobte den Himmel, der ihnen den
Weg bereitet hatte.

56 Und sie feierten die [a]Weihe des Altars
acht Tage lang und opferten mit Freuden
Brandopfer, Dankopfer und Lobopfer;
57 und sie schmückten die Vorderseite
des Tempels mit goldenen Kränzen und
Schilden und machten neue Tore und
Zellen und setzten die Türen ein. 58 Und
es herrschte sehr große Freude im Volk,
dass die Schande von ihnen genommen
war, die ihnen die Heiden angetan hat-
ten. 59 Und Judas und seine Brüder und
die ganze Gemeinde Israel beschlossen,
dass man jährlich vom fünfundzwan-
zigsten Tage des Monats Kislew an acht
Tage lang das Fest der Weihe des Al-
tars* mit Freude und Fröhlichkeit halten
solle.[a]

60 Zu derselben Zeit bauten sie hohe
Mauern und feste Türme um den Berg
Zion, damit die Heiden das Heiligtum
nicht noch einmal einnehmen und zer-
treten könnten. 61 Und Judas legte dort
Kriegsvolk hinein, um das Heiligtum zu
schützen. Er befestigte auch Bet-Zur, da-
mit das Volk eine Festung gegen Idumäa
hätte.

JUDAS MAKKABÄUS BESIEGT DIE IDUMÄER UND ANDERE VÖLKER

(vgl. 2. Makk 10,15-18)

5 Als aber die Heiden ringsum hörten,
dass der Altar aufgerichtet und das Hei-
ligtum wieder geweiht war, so wie es frü-
her gewesen war, wurden sie sehr zornig
2 und nahmen sich vor, das Geschlecht
Jakobs, das unter ihnen wohnte, auszu-
rotten, und fingen an, im Volk zu morden
und zu rauben. 3 Aber Judas zog gegen das
Geschlecht Esaus in Idumäa und in Akra-
battene, wo sie die Israeliten belagerten.
Er brachte ihnen eine schwere Nieder-
lage bei, demütigte sie und plünderte sie
aus.

4 Und Judas dachte an die Niedertracht
der Beoniter, die auf den Straßen zu einer
ständigen Gefahr und zu einem Ärger-
nis für das Volk durch ihre Nachstellun-
gen geworden waren. 5 Darum schloss er
sie in ihren Burgen ein, belagerte sie und
vollstreckte den Bann an ihnen und ver-
brannte ihre Burgen mit allen, die darin
waren.

6 Danach zog er gegen die Ammoniter;
die waren gut gerüstet und hatten viel
Kriegsvolk und einen Hauptmann [a]Timo-
theus. 7 Darum hatte Judas viele Kämpfe
mit ihnen zu bestehen, und sie wurden
von ihm geschlagen und besiegt. 8 Und er
eroberte die Stadt [a]Jaser mit ihren umlie-
genden Ortschaften. Danach zog er wie-
der heim nach Judäa.

HILFE FÜR DIE JUDEN IM OSTJORDANLAND UND IN GALILÄA

9 Es versammelten sich aber die Heiden
auch in Gilead gegen die Israeliten, die un-
ter ihnen wohnten, um sie auszurotten;
aber das Volk floh auf die Burg Datema.
10 Und sie schrieben an Judas und seine
Brüder: [11] Die Heiden ringsum haben
sich gegen uns versammelt, um uns um-
zubringen. 11 Sie wollen kommen und die
Burg stürmen, in die wir geflohen sind;
und Timotheus führt ihre Streitmacht an.
12 So komm nun und rette uns aus ihrer
Hand; denn es sind schon viele von uns
gefallen; 13 und im Lande [a]Tob sind alle
unsre Brüder, um die tausend Mann, ge-
tötet und ihre Frauen, Kinder und ihr Hab
und Gut weggeführt worden.

14 Noch während man diesen Brief ver-
las, kamen andere Boten aus Galiläa; die
hatten ihre Kleider zerrissen und melde-
ten: 15 Die aus Ptolemais, Tyrus und Sidon
und die Fremden aus ganz Galiläa sind zu-
sammengekommen, um uns auszurotten.

16 Als Judas und das Volk das hörten,
hielten sie eine große Versammlung ab,
um zu überlegen, wie sie ihren Brüdern
helfen könnten, die in solcher Not waren
und vom Feinde bedrängt wurden. 17 Und
Judas befahl seinem Bruder Simon: Wähle
dir Männer aus, zieh hin und rette deine
Brüder in Galiläa; ich aber und mein Bru-
der Jonatan wollen nach Gilead ziehen.
18 Und er ließ Josef, den Sohn Secharjas,
und Asarja als Anführer des Volkes bei
dem restlichen Kriegsvolk zurück, um

* **4,59** Das jüdische Chanukkafest bezieht sich auf diese Begebenheit.

4,56 *a* 2. Chr 7,9 **4,59** *a* Joh 10,22 **5,6** *a* 2. Makk 8,30 **5,8** *a* 4. Mose 21,32 **5,13** *a* Ri 11,3; 2. Sam 10,6

Judäa zu beschützen, 19 und befahl ihnen:
Regiert das Volk, aber lasst euch nicht auf
einen Krieg mit den Heiden ein, bis wir
zurückkommen. 20 Und Simon wurden
dreitausend Mann zugeteilt, um nach Ga-
liläa zu ziehen; Judas aber zog mit achttau-
send Mann nach Gilead.

SIMON RETTET DIE JUDEN AUS GALILÄA

(vgl. 2. Makk 12,10-31)

21 Als nun Simon nach Galiläa kam, be-
stritt er viele Kämpfe mit den Heiden, und
sie wurden von ihm besiegt. 22 Er verfolgte
sie bis zum Tor von Ptolemais. [22] Gegen
dreitausend Heiden kamen um, und er
machte Beute bei ihnen. 23 Danach nahm
er die Leute aus Galiläa und Arbatta mit
Weib und Kind und all ihr Hab und Gut
mit und führte sie mit großer Freude nach
Judäa.

JUDAS UND JONATAN SIEGEN IM OSTJORDANLAND

24 Aber Judas Makkabäus und sein Bru-
der Jonatan zogen über den Jordan in die
Wüste drei Tagereisen weit. 25 Da trafen
sie auf die Nabatäer. Die empfingen sie
freundlich und erzählten ihnen, wie es
ihren Brüdern in Gilead ergangen war,
26 auch, dass viele eingeschlossen waren
in Bosora, Bosor, Alema, Kaspin, Maked
und Karnajim, alles große und befestigte
Städte; 27 und auch, dass viele in andern
Städten in Gilead eingeschlossen waren
und dass die Feinde beschlossen hatten,
schon am nächsten Tage die Befestigun-
gen zu überfallen, zu stürmen und sie alle
an einem Tage umzubringen. 28 Da kehrte
Judas mit seinem Heer sogleich um in die
Wüste von Bosora, eroberte die Stadt und
erschlug alles, was männlich war, mit der
Schärfe des Schwerts, plünderte die Stadt
und setzte sie in Brand.

29 Danach zogen sie bei Nacht fort zu der
Burg. 30 Und als sie am Morgen aufblick-
ten, sahen sie, dass eine unzählbar große
Menge Kriegsvolk Leitern und Sturm-
böcke trug, um die Festung im Sturm zu
nehmen, und dass sie zu kämpfen began-
nen. 31 Und als Judas sah, dass der Kampf
begonnen hatte und in der Stadt Trom-
peten und lautes Geschrei zum Himmel
schallten, 32 da ermahnte er die Männer
seines Heeres: Kämpft heute für unsere
Brüder! 33 Und er griff mit drei Heerhau-
fen von hinten an und ließ die Trompeten
blasen; und das Volk schrie laut im Gebet.
34 Als aber das Heer des Timotheus sah,
dass der Makkabäer hinter ihnen war,
flohen sie vor ihm. Und er schlug sie ver-
nichtend, sodass von ihnen an diesem Tag
gegen achttausend Mann fielen.

35 Danach zog er nach Maapha, stürmte
und eroberte es und ließ alles, was männ-
lich war, töten und plünderte und ver-
brannte die Stadt.

36 Von dort zog er weiter und eroberte
[a]Kaspin, Maked, Bosor und die andern
Städte in Gilead.

37 Danach aber brachte [a]Timotheus ein
neues Heer zusammen und lagerte sich
gegenüber von Rafon jenseits des Bachs.
38 Da schickte Judas Leute aus, die das
Lager erkunden sollten. Die meldeten
ihm: Er hat alle Völker ringsum bei sich
versammelt; sie bilden eine sehr große
Streitmacht! 39 Auch Söldner aus Arabien
unterstützen sie. Ihr Heer hat sich jenseits
des Bachs gelagert und ist zur Schlacht ge-
gen dich bereit. Darauf zog Judas ihnen
entgegen. 40 Und Timotheus sagte zu sei-
nen Hauptleuten, als Judas mit seinem
Heer an den Bach kam: Wenn er zuerst
zu uns herüberzieht, so können wir ihm
nicht widerstehen, sondern er wird uns
schlagen. 41 Wenn er sich aber fürchtet
und jenseits des Baches bleibt, so wol-
len wir über das Wasser und ihn über-
wältigen.

42 Als nun Judas an den Bach kam, stellte
er die Aufseher an das Wasser und befahl
ihnen: Sorgt dafür, dass keiner zurück-
bleibt. Alle sollen in den Kampf ziehen!
43 [a]Da zog er als Erster gegen sie hinüber
und all seine Leute hinter ihm her. Und
die Feinde wurden von ihnen geschlagen;
sie warfen ihre Waffen weg und flohen in
den Tempel in der Stadt Karnajim. 44 Aber
Judas eroberte die Stadt und verbrannte
den Tempel und alle, die darin waren; so
wurde Karnajim unterworfen und konnte
Judas nicht widerstehen.

5,36 *a* 2. Makk 12,13 **5,37** *a* 2. Makk 12,20
5,43 *a* (43-44) 2. Makk 12,26

JUDAS MAKKABÄUS HOLT DIE JUDEN AUS GILEAD NACH JUDÄA

(vgl. 2. Makk 12,27-31)

45 Danach ließ Judas alle Israeliten, die
in Gilead waren, Klein und Groß, ihre
Frauen und Kinder, eine sehr große Zahl,
zusammenkommen, damit sie nach Ju-
däa zogen. 46 Und auf dem Wege kamen
sie nach Efron, einer großen, gut befes-
tigten Stadt, die an der Straße lag, durch
die man hindurchmusste und nicht rechts
oder links vorbeiziehen konnte. 47 Doch
die Leute der Stadt versperrten ihnen den
Weg [48] und wälzten Steine vor die Tore.
48 [49] Da schickte Judas zu ihnen, sagte
ihnen Frieden zu und bat freundlich:
[50] [a]Lasst uns durch euer Land ziehen, da-
mit wir in unser Land kommen. Keiner
wird euch Schaden zufügen. Wir begeh-
ren nichts anderes, als zu Fuß durch die
Stadt zu ziehen. Aber sie wollten sie nicht
einlassen. 49 [51] Da ließ Judas im ganzen
Heer ausrufen, dass das Kriegsvolk sich
in Schlachtordnung aufstellen sollte. 50 So
stellten sie sich in Schlachtordnung auf,
stürmten den ganzen Tag und die ganze
Nacht gegen die Stadt an, bis sie in ihre
Hand fiel.

51 [52] Und er ließ alles, was männlich
war, erstechen, zerstörte und plünderte
und zog durch die Stadt über die Erschla-
genen hinweg. 52 Und sie kamen über den
Jordan in die weite Ebene gegenüber von
Bet-Schean. 53 Und Judas sammelte die
Nachzügler und sprach dem Volk auf dem
ganzen Wege Mut zu, bis sie ins Land Ju-
däa kamen. 54 Da zogen sie mit Freude
und Jubel zum Berg Zion und opferten
Brandopfer, weil keiner von ihnen gefal-
len war, bis sie in Frieden heimgekehrt
waren.

JOSEF UND ASARJA UNTERLIEGEN BEI JAMNIA

55 Zu der Zeit, als Judas und Jonatan in
Gilead waren und ihr Bruder Simon in
Galiläa vor Ptolemaïs, 56 hörten die bei-
den Hauptleute Josef, der Sohn Secharjas,
und Asarja von ihren Siegen und großen
Taten. 57 Da sagten sie: Auch wir wollen
Ehre einlegen und ausziehen und die Hei-
den um uns her angreifen. 58 Und sie gaben
ihrem Kriegsvolk Befehl, und sie zogen
nach Jamnia. 59 Da zog Gorgias mit seinem
Heer aus der Stadt, um gegen sie zu kämp-
fen. 60 Da wurden Josef und Asarja in die
Flucht geschlagen und bis an die Grenze
Judäas verfolgt. Und Israel verlor an die-
sem Tag an die zweitausend Mann.

61 So erlitt das Volk eine schwere Nie-
derlage, [a]weil sie Judas und seinen Brü-
dern nicht gehorcht und gemeint hatten,
sie könnten Ruhm erringen, 62 obwohl sie
nicht aus dem Geschlecht der Männer wa-
ren, denen es von Gott gegeben war, Israel
zu retten. 63 Aber der Held Judas und seine
Brüder wurden sehr hoch geachtet in ganz
Israel und bei allen Heiden, [64] wo immer
man ihren Namen hörte. 64 Und viele ka-
men und huldigten ihnen.

JUDAS KÄMPFT GEGEN EDOMITER UND PHILISTER

65 Und Judas zog aus mit seinen Brüdern
gegen das Geschlecht Esaus im Südland
und eroberte Hebron und die umliegen-
den Orte und riss ihre Mauern nieder und
verbrannte ihre Türme ringsum, 66 und
er brach auf und kehrte um ins Philister-
land und zog durch Marescha. 67 An je-
nem Tag sind Priester gefallen, die sich als
Helden erweisen wollten und unbedacht
in den Kampf gezogen waren. 68 Darauf
zog Judas nach Aschdod ins Philisterland
und riss ihre Götzenaltäre ein und ver-
brannte ihre Götzenbilder und plünderte
die Städte und kam wieder heim ins Land
Judäa.

ANTIOCHUS IV. EPIPHANES UNTERLIEGT IN ELYMAÏS UND STIRBT

(vgl. 2. Makk 9,1-29)

6 Als aber König Antiochus durch die
[a]oberen Länder zog, hörte er von der
Stadt Elymaïs in [b]Persien, die berühmt
war für ihr Gold und Silber und ihren
großen Reichtum 2 und in deren Tempel
reiche Schätze und die goldenen Gewän-
der, Harnische und Waffen aufbewahrt
wurden, die [a]Alexander, der Sohn Phil-
ipps, der König von Makedonien, der zu-
erst über Griechenland herrschte, dort
zurückgelassen hatte. 3 Darum zog An-

5,48 *a* 4. Mose 20,17 **5,61** *a* Vers 19 **6,1** *a* Kap 3,37 *b* Kap 3,31 **6,2** *a* Kap 1,1

tiochus vor die Stadt und versuchte, sie
zu erobern und zu plündern; aber es ge-
lang ihm nicht, weil die Einwohner der
Stadt gewarnt worden waren 4 und sich
ihm zum Kampf entgegenstellten. Und
er musste fliehen und zog mit großem
Unmut wieder ab und kehrte nach Ba-
bylon um.

5 Da kam ein Bote zu ihm nach Persien
und meldete, dass das Heer, das er in das
Land Judäa gesandt hatte, geschlagen wor-
den wäre 6 und dass [a]Lysias an der Spitze
eines starken Heeres ausgezogen wäre,
aber vor den Juden hätte fliehen müssen,
und dass die von seinen geschlagenen
Truppen viele Waffen und große Beute
erobert hätten, mit denen sie sich dann
besser gerüstet hätten; 7 und sie hätten
das [a]Gräuelbild der Verwüstung, das er auf
den Altar in Jerusalem gesetzt hatte, zer-
stört und das Heiligtum wieder mit hohen
Mauern umgeben wie früher, dazu auch
seine Stadt Bet-Zur befestigt.[b]

8 Als der König das hörte, erschrak er
heftig und wurde sehr bestürzt, legte
sich nieder und wurde krank vor Kum-
mer, weil sein Vorhaben nicht gelungen
war. 9 Und er blieb lange dort; denn der
Kummer wurde je länger umso größer
und machte ihn so schwach, dass er er-
kannte, er werde sterben. 10 Darum rief er
alle seine Freunde und sagte zu ihnen: Ich
kann keinen Schlaf mehr finden vor lauter
Kummer und Herzeleid. 11 Ich dachte bei
mir selbst: In welche Trübsal und in was
für Fluten von Trauer bin ich jetzt geraten,
der ich doch gütig und beliebt war, solange
ich regiert habe! 12 Aber nun denke ich an
das Böse, das ich in Jerusalem getan habe,
als ich [a]alle silbernen und goldenen Ge-
räte aus dem Tempel wegführte und die
Bewohner Judäas ohne Grund ausrotten
wollte. 13 Jetzt weiß ich, woher dies Un-
glück über mich kommt; und darum muss
ich in einem fremden Land in großer Trau-
rigkeit sterben.

14 Und er rief einen seiner Freunde,
[a]Philippus, zu sich; den setzte er über
sein ganzes Königreich, 15 übergab ihm
Krone, Mantel und Ring und befahl ihm,
seinen Sohn Antiochus* zu erziehen und
zum Herrscher heranzubilden.[a] 16 Danach
[a]starb König Antiochus dort im 149. Jahr.*

JUDAS BELAGERT DIE BURG VON JERUSALEM

17 Als nun Lysias hörte, dass der König ge-
storben war, machte er dessen Sohn [a]An-
tiochus, den er erzogen hatte, zum König
an seiner statt und nannte ihn [b]Eupator.

18 Nun versperrten die Feinde, die die
[a]Burg besetzt hielten, Israel das Heiligtum
an allen Seiten; sie trachteten danach, ihm
überall zu schaden und die Heiden zu un-
terstützen. 19 Darum nahm Judas sich vor,
sie zu vernichten, und rief das ganze Volk
zusammen, um sie zu belagern. 20 Und
sie kamen zusammen und belagerten die
Burg im 150. Jahr* und stellten Geschütze
und Sturmböcke auf.

21 Aber manche von den Belagerten
entkamen. Zu ihnen stießen einige [a]Ab-
trünnige aus Israel. 22 Die [a]zogen zum
König und sagten: [22] Wie lange willst du
sie ohne Strafe lassen und unsre Brüder
nicht rächen? 23 Wir nämlich haben be-
schlossen, deinem Vater untertan zu sein
und seinen Befehlen zu folgen und sei-
nen Geboten gehorsam zu sein. 24 Darum
wurde unser Volk uns feind, mehr noch:
Wenn sie einen von uns fanden, töteten
sie ihn und verteilten unseren Erbbesitz.
25 Doch nicht allein gegen uns streckten
sie ihre Hand aus, sondern auch gegen
alle Nachbarländer. 26 Und jetzt belagern
sie sogar die Burg von Jerusalem, um sie
zu erobern, und sie haben das Heiligtum
und [a]Bet-Zur befestigt. 27 Wenn du dich
nicht beeilst, sie abzuwehren, werden sie
noch Schlimmeres tun, und du wirst sie
gar nicht mehr aufhalten können.

ANTIOCHUS V. EUPATOR KÄMPFT GEGEN DIE JUDEN

(vgl. 2. Makk 13,9-22)

28 Als er das hörte, wurde der König sehr
zornig und ließ alle seine Fürsten zu-
sammenrufen und die Hauptleute über
das Fußvolk und über die Reiter, 29 und

* **6,15** Antiochus V. Eupator; 164–162 v. Chr.
6,16 164 v. Chr. **6,20** 163/162 v. Chr.

6,6 ***a*** Kap 4,26-35 **6,7** ***a*** Kap 1,54; Dan 11,31
b Kap 4,36-61 **6,12** ***a*** Kap 1,21-24 **6,14** ***a*** Vers 55;
2. Makk 9,29; 13,23 **6,15** ***a*** Kap 3,33
6,16 ***a*** 2. Makk 1,13-16; Dan 8,25 **6,17** ***a*** Kap 3,32-33
b 2. Makk 13,1-2 **6,18** ***a*** Kap 1,33 **6,21** ***a*** Kap 1,11
6,22 ***a*** Kap 1,13 **6,26** ***a*** Kap 4,29.61

es kamen zu ihm Söldner aus andern
Königreichen und von den Inseln. 30 So
brachte er hunderttausend Mann zu Fuß,
zwanzigtausend Reiter und zweiund-
dreißig kampferprobte Elefanten zusam-
men. 31 Und sie zogen durch Idumäa und
belagerten Bet-Zur und kämpften viele
Tage lang und stellten Sturmböcke auf;
aber die Juden machten einen Ausfall und
steckten sie in Brand und kämpften tapfer.
32 Und Judas zog von der Burg ab und
lagerte bei Bet-Sacharja gegenüber dem
Lager des Königs. 33 Da brach der Kö-
nig morgens früh auf und führte das
Heer zum Angriff an die Straße nach
Bet-Sacharja. Die Truppen stellten sich
in Schlachtordnung auf und stießen in
die Trompeten 34 und hielten den Elefan-
ten roten Wein und Maulbeersaft vor, um
sie zum Kampf zu reizen; 35 und sie ver-
teilten die Tiere auf die Abteilungen und
stellten zu jedem Elefanten tausend Mann
in Harnischen und eisernen Helmen, und
fünfhundert ausgewählte Reiter wurden
jedem Tier zugeordnet. 36 Diese standen
schon vorher an der Stelle, wohin der Ele-
fant geführt wurde; und wohin er ging, da
gingen sie auch hin und wichen nicht von
ihm. 37 Und jedes Tier trug einen starken
hölzernen Turm, der ihm kunstvoll an-
gegürtet war; darin standen je vier Krie-
ger, die auf ihm kämpften, und der Inder,
der das Tier leitete. 38 Die übrige Reiterei
ordnete er auf beiden Seiten des Heeres
an, um das feindliche Heer ins Wanken
zu bringen und die eigenen Reihen zu
schützen.
39 Und als die Sonne aufging und auf die
goldenen und ehernen Schilde schien,
glänzte das ganze Gebirge davon und
leuchtete, als wäre es lauter Feuer. 40 Und
ein Teil des königlichen Heeres verbreitete
sich über die hohen Berge, ein anderer un-
ten in der Ebene, und sie zogen vorsichtig
und in guter Ordnung heran. 41 Und wer
sie hörte, der geriet in Angst vor dem Lär-
men ihrer Menge, dem Aufmarsch der
Truppen und dem Klirren der Waffen;
denn es war ein sehr großes und gut ge-
rüstetes Heer.
42 Und auch Judas zog gegen sie mit
seinem wohlgeordneten Heer. Und vom
Heer des Königs fielen sechshundert
Mann. 43 Und [a]Eleasar Awaran bemerkte
einen Elefanten, größer als die andern
und mit königlichem Panzer angetan. Da
meinte er, der König wäre darauf. 44 Und
er wollte sich opfern, um sein Volk zu er-
retten und einen ewigen Namen zu erlan-
gen.[a] 45 Er lief mit großer Kühnheit her-
bei, drang durch die Feinde hindurch und
teilte nach rechts und nach links tödliche
Schläge aus, sodass sie auf beiden Seiten
vor ihm zurückwichen, 46 kroch unter den
Elefanten und erstach ihn, sodass der auf
ihn fiel und er dort starb.
47 Da sahen die Juden die Macht des
Königreichs und den Andrang der Trup-
pen, und sie wichen vor ihnen zurück.
48 Darum zog das Heer des Königs gegen
sie nach Jerusalem und schlug in Judäa am
Berg Zion das Lager auf.
49 Und er schloss Frieden mit den Leuten
von Bet-Zur. Sie aber verließen die Stadt,
denn es gab dort keine Nahrung mehr, um
in ihr zu bleiben, denn im Land galt ein
[a]Sabbatjahr. 50 Da nahm der König Bet-Zur
ein und legte eine Besatzung hinein, um
die Festung zu bewachen.
51 Er belagerte das Heiligtum lange Zeit
und stellte Wurfmaschinen, Sturmböcke,
Feuerschleudern, Steinkatapulte, Skor-
pione zum Werfen von Pfeilen und
Schleudermaschinen dagegen auf. 52 Da
machten sich die Juden Geschütze ge-
gen seine Geschütze und kämpften viele
Tage lang. 53 Aber auch sie hatten nichts
mehr zu essen, weil es das siebente Jahr
war; denn die auswärtigen Juden, die vor
den Heiden [a]nach Judäa geflüchtet waren,
hatten den gesamten Vorrat aufgezehrt.
54 Und es blieben sehr wenige im Heilig-
tum, denn der Hunger nahm überhand.
Darum mussten sie sich zerstreuen und
gingen, jeder an seinen Ort.

ANTIOCHUS V. EUPATOR GEWÄHRT RELIGIONSFREIHEIT

(vgl. 2. Makk 13,23-24)

55 Da hörte Lysias, dass [a]Philippus, dem
König Antiochus noch zu seinen Lebzei-
ten [b]seinen Sohn Antiochus zur Erzie-
hung anvertraut hatte, damit der König

6,43 ***a*** Kap 2,5 **6,44** ***a*** Kap 2,51 **6,49** ***a*** 2. Mose 23,10-11
6,53 ***a*** Kap 5,23.45 **6,55** ***a*** Vers 14 ***b*** Vers 15

würde, 56 mit dem Kriegsvolk, das der König dorthin geführt hatte, aus Persien und Medien zurückgekommen wäre und nach der Herrschaft trachtete. 57 Darum beeilte er sich, den König, die Hauptleute und die Soldaten zum Abzug zu überreden: Wir verlieren täglich Leute und haben kaum zu essen, und der Ort, den wir belagern, ist befestigt; wir aber müssten für unser eigenes Königreich sorgen. 58 Lasst uns nun den Leuten hier die Hand reichen und mit ihnen und ihrem ganzen Volk Frieden schließen 59 und gestatten, dass sie ihre Gebote befolgen wie früher; denn [a]weil wir sie daran gehindert haben, ihre Gebote zu befolgen, wurden sie zornig und haben all dies getan.

60 Diese Meinung gefiel dem König und den Fürsten gut. Und der König schickte zu den Juden, um mit ihnen Frieden zu schließen; und sie nahmen ihn an. 61 Und als der König und die Fürsten ihnen einen Eid geleistet hatten, kamen sie aus der Festung heraus. 62 Und der König zog auf den Berg Zion. [62] Als er aber sah, wie stark der Ort befestigt war, brach er den Eid, den er geschworen hatte, und befahl, die Mauer ringsum niederzureißen 63 Danach zog er eilends zurück nach Antiochia und fand Philippus als Herrn der Stadt vor. Den griff er an und eroberte die Stadt zurück.

DEMETRIUS I. SOTER BESTIMMT STATTHALTER UND HOHEPRIESTER

(vgl. 2. Makk 14,1-2)

7 Im 151. Jahr* floh Demetrius, der Sohn des Seleukus, aus Rom und kam mit einem kleinen Gefolge in eine Stadt am Meer und regierte dort als König. 2 Und als er in den Palast seiner Vorfahren kam, nahm das Kriegsvolk Antiochus und Lysias gefangen, um sie ihm zu übergeben. 3 Als das aber Demetrius gemeldet wurde, befahl er, sie nicht vor seine Augen kommen zu lassen. 4 [a]Darum tötete sie das Kriegsvolk.

Als nun [b]Demetrius auf den Thron gelangt war, 5 kamen zu ihm gottlose und abtrünnige Leute aus Israel; ihr Anführer war [a]Alkimus; der wäre gern Hoherpriester geworden. 6 Diese verklagten ihr eigenes Volk beim König und sagten: Judas und seine Brüder haben alle, die dir gehorsam sein wollten, umgebracht und uns aus unserm Lande verjagt. 7 Darum sende jemand, dem du vertraust, dorthin; er soll sich ansehen, welche Zerstörung sie über uns und das Land des Königs gebracht haben, und er soll sie und ihren ganzen Anhang bestrafen.

8 Darum wählte der König aus seinen Freunden [a]Bakchides aus, der Statthalter über das Land jenseits des Euphrat* war und ein Mächtiger im Reich und dem König treu. 9 Und er schickte mit ihm den abtrünnigen Alkimus, den er zum Hohenpriester gemacht hatte, und befahl ihm, das Volk Israel zu bestrafen.

10 Und sie zogen ins Land Judäa mit einem großen Heer und schickten Boten zu Judas und seinen Brüdern, um über den Frieden zu verhandeln, und taten so, als wollten sie Frieden mit ihnen halten. 11 Aber die glaubten ihnen nicht; denn sie sahen, dass sie mit einem großen Heer gekommen waren.

12 Aber viele Schriftgelehrte kamen zu Alkimus und Bakchides, um zu fragen, was nun Recht sein solle. 13 Die [a]Hasidäer aber waren die Ersten in Israel, [13] die sie um Frieden baten. 14 Und sie sagten: Ein Priester aus dem Geschlecht Aaron ist mit dem Heer gekommen; der wird uns nichts Unrechtes tun. 15 Und Alkimus sagte ihnen Frieden zu und schwor einen Eid: Wir wollen euch und euren Freunden kein Leid antun. 16 Und sie glaubten ihm. Er aber ließ sechzig Mann von ihnen gefangen nehmen und tötete sie alle an einem einzigen Tag, wie die Schrift sagt: 17 »Das Fleisch deiner Heiligen haben sie zerstreut und ihr Blut haben sie rings um Jerusalem vergossen; und da war niemand, der sie begrub.«[a]

18 Darum kam Furcht und Schrecken über das ganze Volk und sie klagten: Bei denen gibt es weder Recht noch Wahrheit, denn sie haben den Vertrag und ihren Eid gebrochen.

* 7,1 162/161 v. Chr. 7,8 Die Provinz des Seleukidenreiches westlich des Euphrat (vgl. Esra 4,10).

6,59 ***a*** Kap 1,41-53 **7,4** ***a*** (4-7) 2. Makk 14,3-10 ***b*** Kap 9,1 **7,5** ***a*** Kap 9,54; 2. Makk 14,3.13.26 **7,8** ***a*** Kap 9,1; 10,12; 2. Makk 8,30 **7,13** ***a*** Kap 2,42 **7,17** ***a*** Ps 79,2-3

19 Und Bakchides zog weg von Jerusalem
und belagerte Bet-Sajit und ließ viele ge-
fangen nehmen, die ihn vorher anerkannt
hatten, dazu auch einige vom Volk, und
er ließ sie in eine große Zisterne stürzen.
20 Danach übergab Bakchides das Land
dem Alkimus und ließ Kriegsvolk bei
ihm, um ihm zu helfen; dann zog er wie-
der zum König.

JUDAS MAKKABÄUS BEKÄMPFT ALKIMUS

21 Und Alkimus nahm sich vor, mit aller
Gewalt Hoherpriester zu werden. 22 Und
zu ihm stießen alle, die ihr Volk verwirr-
ten; und sie unterwarfen sich das Land
Judäa mit Gewalt und unterdrückten das
Volk Israel schwer. 23 Als nun Judas sah,
dass Alkimus und die Abtrünnigen aus Is-
rael noch viel größeren Schaden im Lande
anrichteten als die Heiden, 24 durchzog er
abermals das ganze Land Judäa, bestrafte
die Abtrünnigen und hinderte sie daran,
sich frei im Land zu bewegen. 25 Als aber
Alkimus sah, dass Judas und seine Leute
wieder stark waren, und erkannte, dass
er ihnen nicht widerstehen konnte, zog
er wieder zum König und klagte sie vieler
Verbrechen an.

JUDAS MAKKABÄUS BESIEGT NIKANOR

(vgl. 2. Makk 14,11-36; 15,1-36)

26 Darum sandte der König einen hohen
Fürsten, [a]Nikanor, der Israel hasste, und
befahl ihm, das Volk auszurotten. 27 Und
Nikanor zog mit einem großen Heer nach
Jerusalem und schickte Boten zu Judas
und seinen Brüdern, als ob er eine fried-
liche Botschaft hätte, und sie sollten sa-
gen: 28 Es soll keinen Kampf zwischen mir
und euch geben. Mit wenigen Leuten nur
will ich kommen, um friedlich mit euch zu
reden. 29 So kam Nikanor zu Judas, und sie
begrüßten sich friedlich; die Soldaten aber
waren bereit, Judas gefangen zu nehmen.
30 Es wurde aber Judas berichtet, dass er zu
ihm gekommen war, um ihn durch diesen
Betrug gefangen zu nehmen; darum hü-
tete er sich vor ihm und wollte ihm nicht
mehr begegnen.
31 Und als Nikanor merkte, dass sein
Vorhaben bekannt geworden war, zog
er gegen Judas und kämpfte mit ihm bei
Kafar-Salama. 32 Da verlor Nikanor an die
fünftausend Mann, und sein Heer musste
in die Davidstadt fliehen.
33 Danach kam Nikanor auch zum Berg
Zion. Und einige von den Priestern des
Heiligtums und den Ältesten des Volks
kamen heraus, um ihn friedlich zu emp-
fangen und ihm das [a]Brandopfer zu
zeigen, das sie Gott für den König dar-
brachten. 34 Aber Nikanor verspottete
und verhöhnte sie, verunreinigte sie und
führte lästerliche Reden 35 und schwor
voller Zorn einen Eid: Werden mir Judas
und sein Heer nicht ausgeliefert, so will
ich Feuer an dieses Haus legen, sobald ich
wohlbehalten zurückgekommen bin. Und
er zog weg in heftigem Zorn.
36 Aber die Priester gingen in den Tem-
pel hinein und traten vor den Altar und
das Heiligtum und weinten und sprachen:
37 Ach, Herr, weil du dieses Haus [a]erwählt
hast, damit dein Name über ihm ausgeru-
fen werde und es für dein Volk ein Haus
des [b]Betens und Bittens sei, 38 bitten wir,
du wollest diesen Menschen und sein
Heer bestrafen und sie durchs Schwert
umkommen lassen; denke an ihre Läs-
terungen, und lass sie nicht im Lande
bleiben.
39 Und Nikanor zog von Jerusalem weg
und schlug sein Lager bei Bet-Horon auf.
Dort schloss sich ihm ein Heer aus Syrien
an. 40 Aber Judas lagerte bei Adasa mit
dreitausend Mann und betete und sprach:
41 [a]Als dich die Boten des Königs lästerten,
kam dein [b]Engel; der tötete von ihnen
hundertfünfundachtzigtausend Mann.
42 So schlage dieses Heer heute vor unsern
Augen und richte Nikanor wegen seiner
schweren Untat, damit die andern erken-
nen, dass er dein Heiligtum geschmäht
hat, und richte ihn, wie es seine Schmä-
hung verdient.
43 Und am dreizehnten Tag des Mo-
nats Adar* kämpften sie miteinander.
Da wurde das Heer Nikanors geschlagen
und er selbst fiel als Allererster im Kampf.
44 Und als sein Heer sah, dass Nikanor

* **7,43** März 161 v. Chr.

7,26 *a* Kap 3,38; 9,1; 2. Makk 8,9; 9,3; 12,2
7,33 *a* Esra 6,9-10; Jer 29,7; 1. Tim 2,1-2
7,37 *a* 1. Kön 8,29-30 *b* Jes 56,7 **7,41** *a* 2. Kön 18,28-35
b 2. Kön 19,35

gefallen war, warfen sie die Waffen weg
und flohen. 45 Aber Judas jagte ihnen eine
Tagereise nach von Adasa bis Geser und
ließ hinter ihnen die [a]Kriegstrompeten
blasen. 46 Und das Volk aus allen Ortschaf-
ten Judäas ringsum kam herbei und griff
die Fliehenden von allen Seiten an. Die
stellten sich dem Kampf, doch fielen alle
durch das Schwert, und nicht einer von ih-
nen kam davon. 47 Und sie machten Beute
und nahmen ihre Vorräte mit sich. Dem
Nikanor aber schlugen sie den Kopf und
die rechte Hand ab, die er zu seinem läs-
terlichen Eid ausgestreckt hatte; und [a]sie
ließen beides mitnehmen und in Jerusa-
lem aufhängen.

48 Da wurde das Volk sehr fröhlich, und
sie feierten diesen Tag mit großer Freude
49 und ordneten an, dass man jährlich die-
sen Tag, nämlich den [a]dreizehnten Tag des
Monats Adar, feiern sollte. 50 So hatte das
Land Judäa für kurze Zeit [a]Ruhe.

BÜNDNIS MIT DEN RÖMERN

8 Es hörte aber Judas von den Römern,
dass sie geübte Krieger waren und frem-
den Völkern gern Schutz und Freund-
schaft gewährten, die Hilfe bei ihnen
suchten. 2 Und man hatte ihm von ihren
Kämpfen erzählt und von ihren Helden-
taten bei den Galatern, die sie bezwun-
gen und tributpflichtig gemacht hatten;
3 auch, wie sie in Spanien gekämpft und
dort die Silberminen und Goldminen
erobert hatten, 4 und dass sie viele ferne
Länder durch ihre Klugheit und Beharr-
lichkeit eingenommen hatten; [4] dass sie
auch die Könige, die von den Enden der
Erde in ihr Land gezogen waren, besiegt
und schwer geschlagen hatten, während
die andern ihnen jährlich Tribut zahlen
mussten; 5 und dass sie den König von
Kittim, Philippus, und seinen Sohn Per-
seus samt denen, die sich sonst noch ge-
gen sie aufgelehnt, im Krieg überwunden
und unterjocht hatten.

6 [a]Auch Antiochus der Große, der König
über die Asia, der gegen sie gezogen war
mit hundertzwanzig Elefanten, mit Rei-
tern und Wagen und sehr viel Kriegsvolk,
war von ihnen geschlagen worden, 7 und
sie hatten ihn gefangen genommen. Und
sie hatten ihm und seinen Erben einen
großen Tribut auferlegt, den sie jähr-
lich den Römern zahlen mussten; dazu
musste er den Römern Geiseln schicken
und Land abtreten. 8 Sie nahmen ihm auch
Indien, Medien und Lydien, seine bes-
ten Gebiete, und gaben sie dem König
Eumenes.

9 Auch hörte er, dass die Griechen be-
schlossen hatten, zu kommen und sie zu
vernichten. 10 Als die Römer davon hör-
ten, schickten sie einen Feldhauptmann
gegen die Griechen; der schlug sie, so-
dass viele von ihnen fielen, führte ihre
Frauen und Kinder gefangen fort, plün-
derte sie aus und nahm ihr Land ein, ließ
in den Städten die Mauern niederreißen
und unterwarf sie bis auf den heutigen
Tag. 11 Auch die andern Königreiche und
die Inseln, die sich ihnen jemals wider-
setzt hatten, verheerten und unterwarfen
sie.

12 Aber mit den Freunden und Bundes-
genossen hielten sie Frieden. Sie herrsch-
ten über die Könige nah und fern, und
alle, die auch nur ihren Namen hörten,
fürchteten sie. 13 Wen sie unterstützen
und zum König einsetzen wollten, der
durfte herrschen; wen sie aber nicht
wollten, den setzten sie ab. Und so wur-
den sie sehr mächtig. 14 [a]Aber bei alldem
hat sich niemand von ihnen eine Krone
aufgesetzt und sich in Purpur gekleidet,
um damit zu prangen, 15 sondern einen
Rat hatten sie eingesetzt; der bestand
aus dreihundertzwanzig Männern; die
berieten sich täglich, um das Volk stets
gut zu regieren. 16 Und jährlich vertrau-
ten sie einem Einzelnen die Herrschaft
an, der in ihrem ganzen Land zu gebieten
hatte; diesem einen gehorchten alle. Und
es herrschte weder Neid noch Zwietracht
bei ihnen.

17 Und Judas wählte [a]Eupolemus, den
Sohn des Johannes, des Sohnes des Koz,
und Jason, den Sohn [b]Eleasars, und sandte
sie nach Rom, dass sie mit den Römern
Freundschaft und ein Bündnis schlie-
ßen, 18 um Israel von seinem Joch zu be-
freien, wenn die Römer sähen, dass es
von dem Königreich der Griechen unter-

7,45 *a* Kap 3,54 **7,47** *a* 1. Sam 17,51-54 **7,49** *a* Est 9,17
7,50 *a* Ri 3,11 **8,6** *a* (6-7) Kap 1,10 **8,14** *a* (14-15) Ri 9,7-15
8,17 *a* 2. Makk 4,11 *b* Kap 2,5

drückt würde. [19]Die Abgesandten mach-
ten den weiten Weg nach Rom, traten
vor den Rat, erhoben die Stimme und
sagten: [20]Judas, genannt Makkabäus,
und seine Brüder und das jüdische Volk
haben uns zu euch gesandt, um Frieden
und ein Bündnis mit euch zu schließen,
dass wir als eure Freunde und Bundes-
genossen eingeschrieben werden. [21]Das
hießen die Römer gut. [22]Und dies ist die
Abschrift des Vertrages, die sie auf bron-
zene Tafeln schrieben und nach Jerusalem
schickten zur Erinnerung an den Frieden
und das Bündnis, das sie geschlossen
hatten:

[23]Glück und Frieden den Römern und
den Juden zu Wasser und zu Lande in
Ewigkeit. Schwert und Feind seien fern
von ihnen! [24]Wenn Rom zuerst in einen
Krieg verwickelt wird oder irgendeiner
seiner Bundesgenossen in seinem ganzen
Gebiet, [25]dann soll das Volk der Juden
treue Hilfe leisten, wie es die Not erfor-
dert; [26]den Gegnern aber weder Nahrung
noch Waffen, Geld oder Schiffe liefern
oder verschaffen, wie Rom es für rich-
tig hält. Und sie sollen diese Abmachun-
gen einhalten, ohne Ersatz zu verlangen.
[27]Und ebenso: Wenn das Volk der Juden
zuerst in einen Krieg verwickelt wird,
dann sollen ihm die Römer treue Hilfe
leisten, wie es die Not erfordert; [28]auch
ihren Feinden sollen sie nicht Nahrung,
Waffen, Geld oder Schiffe liefern, wie
Rom es für richtig hält. Und sie wollen
diese Abmachungen ohne Betrug ein-
halten.

[29]Mit diesen Worten ist das Bündnis
zwischen den Römern und den jüdischen
Bürgern festgelegt. [30]Wenn aber später
einer von beiden Teilen etwas hinzufü-
gen oder streichen will, so sollen beide
sich darüber einigen. Und was sie hin-
zufügen oder streichen, soll eingehalten
werden.

[31]Weil nun [a]König Demetrius an ihnen
Gewalttaten verübt hatte, haben wir ihm
geschrieben: Warum hast du unsren
Freunden und Bundesgenossen, den Ju-
den, dein Joch aufgezwungen? [32]Wenn
sie weiter über dich klagen, so müssen wir
ihnen Recht schaffen und werden dich zu
Wasser und zu Lande angreifen.

JUDAS FÄLLT IM KAMPF GEGEN BAKCHIDES

9 Als Demetrius hörte, dass [a]Nikanor und
sein Heer im Kampf gefallen waren,
sandte er [b]Bakchides und [c]Alkimus wieder
nach Judäa und mit ihnen die Truppen, die
stets auf dem rechten Flügel kämpfen. [2]Sie
zogen nach Gilgal und belagerten Masloth
bei Arbela, eroberten es und brachten viele
um. [3]Darauf zogen sie nach Jerusalem im
152. Jahr, im ersten Monat,* [4]und von dort
nach Berea mit zwanzigtausend Mann zu
Fuß und zweitausend Reitern. [5]Und Judas
hatte sein Lager bei Elasa aufgeschlagen
mit dreitausend auserlesenen Männern.

[6]Als sie aber sahen, wie zahlreich das
Kriegsvolk der Feinde war, erschraken sie
sehr und viele liefen vom Heer weg, sodass
nicht mehr als achthundert Mann bei Judas
blieben. [7]Als er sah, dass sein Heer floh,
da es doch zum Kampf kommen musste,
wurde ihm angst und bange; denn er hatte
keine Zeit, sie wieder zusammenzubrin-
gen. [8]In dieser Angst sagte er zu den Üb-
riggebliebenen: Auf, lasst uns versuchen,
ob wir die Feinde angreifen und schlagen
können! [9]Aber sie weigerten sich und sag-
ten: Wir können nichts ausrichten; lasst
uns unser Leben retten. Später wollen wir
dann zurückkehren und sie zusammen
mit unsern Brüdern angreifen; jetzt sind
wir viel zu wenige. [10]Aber Judas sagte: Das
sei ferne, dass wir vor ihnen fliehen! Ist
unsre Zeit gekommen, so wollen wir tap-
fer unser Leben lassen für die Brüder und
unsrer Ehre keine Schande machen.

[11]Und die feindliche Streitmacht zog aus
dem Lager und stellte sich in Schlachtord-
nung auf. Die Reiterei war auf zwei Flügel
aufgeteilt, die Schleuderer und Bogen-
schützen standen in der ersten Reihe, und
die besten Krieger standen an der Spitze.
[12]Bakchides war beim rechten Flügel. Und
die Schlachtreihe rückte von beiden Sei-
ten mit Kriegsgeschrei und Trompeten
vor. [13]Da ließ auch Judas die Trompeten
blasen. [13]Und die Erde erbebte vom Lärm
der Heere, und die Schlacht dauerte vom
Morgen bis zum Abend.

[14]Als nun Judas sah, dass Bakchides samt

* **9,3** April 161 v. Chr.

8,31 *a* Kap 7,1.4 **9,1** *a* Kap 7,43 *b* Kap 7,8 *c* Kap 7,5

der größten Heeresmacht auf dem rech-
ten Flügel kämpfte, griff er dort an, und es
folgten ihm alle beherzten Männer, 15 und
sie schlugen das Heer auf der rechten Seite
in die Flucht und jagten ihnen nach bis zu
den Bergen von Aschdod. 16 Als aber die
auf dem linken Flügel sahen, dass der
rechte Flügel geschlagen war, setzten sie
ihrerseits Judas und seinen Leuten von
hinten nach. 17 Und es kam zu einem har-
ten Kampf, sodass viele von beiden Hee-
ren verwundet wurden und umkamen.
18 Auch Judas fiel. Da flohen die Übrigen.
19 Und Jonatan und Simon nahmen ih-
ren Bruder Judas und [a]begruben ihn im
Grab seiner Väter in Modeïn. 20 Und ganz
Israel weinte und klagte sehr um Judas. Sie
trauerten lange Zeit um ihn und sprachen:
21 Ach dass der Held umgekommen ist, der
Israel errettet hat![a] 22 Die weiteren Ge-
schichten von Judas und seinen Kämpfen
und seine Heldentaten und seine Größe
können nicht alle beschrieben werden,
weil es zu viele sind.[a]

JONATAN ÜBERNIMMT DIE NACHFOLGE

23 Nach dem Tode des Judas wurden die
[a]Verächter des Gesetzes wieder mächtig
im ganzen Land Israel, und alle Abtrün-
nigen erhoben sich. 24 Und zu dieser Zeit
herrschte sehr großer Hunger im Lande,
sodass sich das ganze Volk unterwarf. 25 Da
wählte Bakchides gottlose Männer aus, die
machte er zu Aufsehern über das Land.
26 Und sie suchten überall die Freunde des
Judas, spürten sie auf und führten sie vor
Bakchides, dass er sie bestrafe und seinen
Mutwillen mit ihnen treibe. 27 Und in Is-
rael war so viel Jammer, wie nicht gewesen
ist, seit ihnen [a]kein Prophet mehr erschie-
nen war.
28 Darum kamen alle Anhänger des Judas
zusammen und sagten zu Jonatan: 29 Nach
dem Tod deines Bruders Judas haben wir
niemand mehr, der ihm gleich ist und
uns anführen kann gegen unsre Feinde
und Bakchides und die, die unserm Volk
feindlich gesonnen sind. 30 Darum wählen
wir dich heute an seiner statt zu unserem
Fürsten und Feldherrn, damit du diesen
Krieg für uns führst. 31 So wurde Jonatan
ihr Fürst und regierte anstelle seines Bru-
ders Judas.

JONATAN RÄCHT DEN TOD SEINES BRUDERS

32 Als das Bakchides erfuhr, suchte er, ihn
zu töten. 33 Als aber Jonatan und sein Bru-
der Simon und alle, die bei ihnen waren,
das merkten, flohen sie in die [a]Wüste
Tekoa und lagerten bei der Zisterne von
Asfar. 34 Das hörte Bakchides und zog am
[a]Sabbat mit seinem ganzen Heer über den
Jordan.
35 Nun hatte Jonatan seinen Bruder,
den Feldhauptmann Johannes, zu seinen
Freunden, den [a]Nabatäern, gesandt, um
sie zu bitten, ihr ganzes Hab und Gut für
sie zu verwahren. 36 Aber die Männer von
Jambri zogen aus Madaba heraus und nah-
men den Johannes gefangen und raubten
alles, was er mit sich führte, und kehrten
damit zurück.
37 Danach wurde Jonatan und seinem
Bruder Simon hinterbracht, dass die Leute
von Jambri eine große Hochzeit feiern
und die Braut mit großer Pracht aus Na-
dabat abholen würden; denn sie war die
Tochter eines Fürsten aus Kanaan. 38 Da
dachten sie an den Mord an ihrem Bruder
Johannes, zogen hinauf und versteckten
sich im Schutz des Berges. 39 Und sie blick-
ten auf, und siehe, da kam mit Geschrei
ein großer Zug daher, und der Bräutigam
zog ihnen entgegen mit seinen Freunden
und Brüdern, mit Pauken und Pfeifen
und mit vielen Waffen. 40 Da überfielen
Jonatan und Simon sie aus dem Hinter-
halt und schlugen sie, sodass viele ver-
wundet wurden und fielen und die Üb-
rigen ins Gebirge fliehen mussten. Und
sie erbeuteten all ihr Hab und Gut. 41 Da
wurde aus der Hochzeit Herzeleid und
aus dem Pfeifen Heulen. 42 So rächten sie
den Mord an ihrem Bruder und kehrten
wieder um und zogen in die Sümpfe am
Jordan.

BAKCHIDES KÄMPFT MIT JONATAN

43 Als Bakchides das hörte, kam er am Sab-
bat an die Ufer des Jordan mit einem gro-
ßen Heer. 44 Da sagte Jonatan zu seinen
Leuten: Auf, rüstet euch zur Schlacht! Es

9,19 *a* Kap 2,69-70 **9,21** *a* 2. Sam 1,19-27
9,22 *a* Joh 21,25 **9,23** *a* Kap 1,11 **9,27** *a* Kap 14,41; Ps 74,9; St zu Dan 3,38 **9,33** *a* 2. Chr 20,20
9,34 *a* Kap 2,32 **9,35** *a* Kap 5,25

gilt unser Leben! Denn heute ist nichts wie gestern oder vorgestern. 45 Denn es droht uns ein Kampf von vorn und von hinten. Auf der einen Seite ist das Wasser des Jordan, auf der andern Sumpf und Wald, und es gibt keinen Weg, um zu entkommen. 46 Darum schreit zum Himmel, dass ihr vor unseren Feinden errettet werdet.[a]

47 Dann begann der Kampf, und Jonatan streckte seine Hand aus, um Bakchides zu schlagen, der aber wich vor ihm zurück. 48 Da sprangen Jonatan und sein Kriegsvolk in den Jordan und kamen über das Wasser; doch die Leute des Bakchides setzten ihnen nicht über den Jordan nach. 49 An diesem Tage sind aus dem Heer des Bakchides an die tausend Mann umgekommen.

FESTIGUNG DER HERRSCHAFT IN JUDÄA

50 Darum zog Bakchides wieder ab, kam nach Jerusalem und fing an, die Städte in Judäa zu befestigen. Er ließ hohe Mauern mit Toren und Riegeln um Jericho, Emmaus, Bet-Horon, Bethel, Timna, Piraton, Tefon bauen 51 und legte eine Besatzung hinein, die Israel niederhalten sollte. 52 Ebenso [a]ließ er Bet-Zur, Geser und die Burg von Jerusalem befestigen, und er verlegte auch dorthin Kriegsvolk und versorgte es mit Nahrung. 53 Und er nahm die Söhne der vornehmsten Männer des Landes als Geiseln und behielt sie auf der Burg von Jerusalem.

ALKIMUS STIRBT

54 Im 153. Jahr, im zweiten Monat,* befahl Alkimus, auch die Mauer des inneren Vorhofs am Tempel abzureißen. Er begann die Arbeiten und riss so nieder, was [a]die Propheten gebaut hatten. 55 Doch da traf den Alkimus der Schlag, sodass sein Plan verhindert und sein Mund gestopft wurde; denn er wurde gelähmt, sodass er nicht mehr reden oder sein Haus bestellen konnte. 56 Und Alkimus [a]starb zu jener Zeit mit großen Schmerzen. 57 Als aber Bakchides sah, dass Alkimus gestorben war, zog er wieder weg zum König. Da hatte das Land Judäa zwei Jahre lang Ruhe.

BAKCHIDES SCHLIESST FRIEDEN MIT JONATAN

58 Aber die Abtrünnigen im Lande hielten Rat und sagten: Jonatan und seine Leute leben jetzt in Ruhe und Frieden. Lasst uns Bakchides wieder rufen, der könnte sie jetzt in einer einzigen Nacht alle gefangen nehmen. 59 So zogen sie zu ihm und sagten ihm ihren Plan. 60 Da machte sich Bakchides mit einem großen Heer auf und schickte heimlich Schreiben an alle seine Bundesgenossen in Judäa, dass sie Jonatan und alle, die bei ihm waren, ergreifen sollten. Aber ihr Plan wurde bekannt; darum erreichten sie nichts, 61 sondern Jonatan nahm fünfzig Männer vom Volk des Landes gefangen, die Anführer der [a]Abtrünnigen, und ließ sie töten.

62 Darauf zogen sich Jonatan und Simon mit ihrem Kriegsvolk zurück in einen zerstörten Ort in der Wüste, Bet-Basi; den baute er wieder auf und befestigte ihn. 63 Als nun Bakchides das erfuhr, sammelte er sein ganzes Heer und bot auch seine Leute in Judäa auf. 64 Dann zog er vor Bet-Basi, belagerte es lange und stellte Sturmböcke davor auf.

65 Aber Jonatan ließ seinen Bruder Simon in der Stadt zurück und zog mit einer kleinen Schar ins offene Land 66 und schlug Odomera und dessen Brüder und die Söhne Fasiron an ihrem Wohnplatz. Weil sie aber solchen Erfolg hatten, liefen ihnen noch mehr Kämpfer zu.

67 Mittlerweile machte Simon mit seinen Leuten einen Ausfall aus der Stadt und setzte die Sturmböcke in Brand, 68 und sie kämpften gegen Bakchides und schlugen ihn in die Flucht.

Und sie setzten ihm sehr zu, denn sein Plan und sein Feldzug waren vergeblich gewesen. 69 Da wurde er sehr zornig auf die abtrünnigen Juden, die ihm geraten hatten, wieder in ihr Land zu kommen, und ließ viele von ihnen töten und beschloss, wieder in sein Land zu ziehen. 70 Als Jonatan das erfuhr, schickte er Boten zu ihm, um Frieden mit ihm zu schließen und die Herausgabe der Gefangenen

* **9,54** Mai 160 v. Chr.

9,46 ***a*** Kap 3,18-19 **9,52** ***a*** Kap 4,60-61 **9,54** ***a*** Esra 6,14; Hag 1,1.8; Sach 4,8-9 **9,56** ***a*** 2. Makk 9,9 **9,61** ***a*** Kap 7,5

zu erreichen. 71 Hierin willigte Bakchides
gern ein und tat, was Jonatan begehrte,
und schwor einen Eid, ihm sein Leben
lang kein Leid mehr anzutun. 72 Und er
gab ihm die [a]Gefangenen wieder heraus,
die er zuvor aus Judäa weggeführt hatte,
kehrte um, zog in sein Land und kam nie
wieder in ihr Gebiet.
73 Da [a]ruhte das Schwert in Israel. Und
Jonatan ließ sich in Michmas nieder und
regierte dort über das Volk und vernich-
tete die Gottlosen in Israel.

ALEXANDER BALAS UND DEMETRIUS I. SOTER SUCHEN JONATANS FREUNDSCHAFT

10 Im 160. Jahr* kam Alexander, der
[a]Sohn des Antiochus Epiphanes, und
besetzte die Stadt Ptolemais; und sie er-
gaben sich ihm, und er regierte dort. 2 Als
aber König [a]Demetrius das erfuhr, brachte
er ein sehr großes Heer zusammen und
zog ihm entgegen, um mit ihm zu kämp-
fen. 3 Da schrieb Demetrius an Jonatan
und sagte ihm zu, er [a]wolle Frieden mit
ihm halten und ihm zur Macht verhel-
fen. 4 Denn er dachte: Es ist besser, wir
schließen mit ihm Frieden, ehe er sich ge-
gen uns auf die Seite Alexanders schlägt;
5 denn er wird an all das Böse denken, das
wir ihm, seinen Brüdern und seinem Volk
angetan haben.[a] 6 Und Demetrius erlaubte
ihm, ein Heer aufzustellen und Waffen zu
schmieden. Auch wolle er sein Bundesge-
nosse sein. Und er befahl, dass man Jona-
tan die [a]Geiseln von der Burg wieder frei-
geben solle.
7 Darum kam Jonatan nach Jerusalem
und las diese Schreiben dem ganzen Volk
und der Besatzung der Burg vor. 8 Als die
Bewohner der Burg nun hörten, dass der
König ihm erlaubt hatte, ein Heer zu un-
terhalten, und ihn als Bundesgenossen
anerkannt hatte, fürchteten sie sich sehr
vor ihm 9 und gaben Jonatan die Geiseln
frei; und er gab sie ihren Eltern zurück.
10 Von jetzt an wohnte Jonatan in Jeru-
salem und begann, die Stadt wieder auf-
zubauen und auszubessern,[a] 11 und er
sagte den Handwerkern, sie sollten die
Mauern wieder aufrichten und den Berg
Zion ringsum mit Quadersteinen wie-
der befestigen; [12] und sie machten es so.
12 [13] [a]Und die Fremden in den Ortschaf-
ten, die Bakchides hatte befestigen las-
sen, flohen, 13 und ein jeder zog fort und
flüchtete in sein Land. 14 Nur in Bet-Zur
blieben einige von den Abtrünnigen und
Verächtern des Gesetzes; denn dort hatten
sie eine [a]Freistadt.

EINSETZUNG JONATANS ZUM HOHENPRIESTER

15 Als nun König Alexander hörte, was De-
metrius dem Jonatan versprochen hatte,
und man ihm von den Kriegen und Hel-
dentaten erzählte, die er und seine Brüder
vollbracht, und von den Mühen, die sie auf
sich genommen hatten, 16 sagte er: Findet
man noch einmal einen solchen Mann?
Wir wollen ihn nun zu unserem Freund*
und Bundesgenossen machen.
17 Und er sandte ihm die folgende Bot-
schaft: 18 König Alexander entbietet sei-
nem Bruder Jonatan seinen Gruß. 19 Wir
hören von dir, dass du ein tüchtiger Mann
bist, und halten dich für wert, unser
Freund zu sein. 20 [a]Darum setzen wir dich
heute zum Hohenpriester über dein Volk
ein. Du sollst [b]»Freund des Königs« hei-
ßen und dich darum treu zu uns halten
und uns Freundschaft bewahren. [c]Und
er schickte ihm ein Purpurgewand und
eine goldene Krone. 21 So [a]zog Jonatan das
priesterliche Gewand an im 160. Jahr, im
siebenten Monat,* am Laubhüttenfest.
Und er sammelte ein Heer und ließ viele
Waffen schmieden.

ZUGESTÄNDNISSE DES DEMETRIUS AN JONATAN

22 Als aber Demetrius das hörte, war er
sehr niedergeschlagen und dachte: 23 Was
haben wir da gemacht, dass Alexander uns
zuvorgekommen ist und die Freundschaft
der Juden gewonnen hat und dadurch stär-
ker geworden ist? 24 Auch ich will ihnen
freundlich schreiben und ihnen Ehrungen

* **10,1** 153/152 v. Chr. **10,16** Hoftitel.
10,21 September/Oktober 153 v. Chr.

9,72 *a* Kap 7,19 **9,73** *a* Vers 57 **10,1** *a* Kap 6,17
10,2 *a* Kap 7,1-3 **10,3** *a* Kap 9,70 **10,5** *a* Kap 7,19; 9,11-18.50-53 **10,6** *a* Kap 9,53 **10,10** *a* Kap 9,52.73; 2. Sam 5,6-10 **10,12** *a* (12-14) Kap 9,50-52
10,14 *a* 4. Mose 35,9-15; 2. Makk 4,33-34
10,20 *a* (20-21) Kap 9,30; 7,9; 9,56 *b* Kap 2,18 *c* Kap 8,14
10,21 *a* 2. Mose 28,1-43

und Geschenke versprechen, damit sie
mir Hilfe zusagen.
25 Und er sandte ihnen die folgende
Botschaft: König Demetrius entbietet
dem Volk der Juden seinen Gruß! 26 Dass
ihr nicht von uns abfallt zu unsern Fein-
den, sondern den Vertrag mit uns haltet
und in Freundschaft mit uns bleibt, haben
wir gern gehört und es ist uns eine große
Freude. 27 Haltet auch weiterhin treu zu
uns, dann wollen wir euch Wohltat mit
Wohltat vergelten. 28 Und wir wollen
euch viele Abgaben erlassen und Ge-
schenke machen. 29 Und nun gewähre ich
euch Freiheiten: Ich [a]erlasse allen Juden
die Tribute, die Salzsteuer und die Bei-
träge zum Ehrenkranz 30 und den dritten
Teil vom Getreide und die Hälfte, die mir
vom Obst zusteht. [30] Von diesen Abgaben
sollen nun das [a]Land Judäa und die drei
Bezirke, die ihm von Samaria und Galiläa
zugeschlagen sind, für alle Zeit befreit
sein. 31 Und Jerusalem mit seiner Um-
gebung soll heiliges Gebiet und frei sein
auch von Zehnten und Abgaben. 32 Ich
will auch die [a]Burg in Jerusalem wieder
räumen und dem Hohenpriester über-
geben, dass er Mannschaften hineinlegt,
die er selbst ausgewählt hat, um sie zu be-
wachen.
33 Und [a]jeder Jude, den man aus Judäa
weggeführt hat, soll in meinem ganzen
Königreich ohne Lösegeld freigelassen
werden, und man soll ihm die Abgaben
für sich und sein Vieh erlassen. 34 Und an
[a]allen Festen, Sabbaten, Neumonden und
andern Feiertagen [35] und drei Tage vor
und nach einem Fest sollen die Juden in
meinem Reich frei von Steuern und Ab-
gaben sein, 35 und niemand soll gestattet
sein, von ihnen etwas zu verlangen oder
sie wegen einer Forderung zu belästigen.
36 Und man soll dreißigtausend Mann von
den Juden für das Heer des Königs aushe-
ben; denen soll man Sold geben, wie er
allen Truppen des Königs zusteht. 37 Ein
Teil von ihnen soll in die großen Festun-
gen des Königs gelegt werden, [37] und von
ihnen sollen einige eingesetzt werden, die
der König in seinen Staatsgeschäften als
Männer seines Vertrauens zurate ziehen
wird. Sie sollen auch nicht fremde, son-
dern eigne Hauptleute haben, aus ihrer
Mitte gewählt, damit sie ihre Gesetze hal-
ten können, wie es der König bereits für
das Land Judäa zugestanden hat.
38 Und die drei Bezirke, die Judäa vom
Gebiet Samarias zugeschlagen wurden,
sollen mit Judäa zu einem Gebiet verbun-
den werden, damit erkannt werde, dass sie
niemand untertan sind als nur dem Ho-
henpriester. 39 [a]Die Stadt Ptolemais und
die Landschaft, die dazugehört, schenke
ich dem Tempel in Jerusalem, damit aus
ihren Einkünften die Kosten für das Hei-
ligtum bezahlt werden. 40 Ich will auch
jährlich fünfzehntausend Schekel Silber
aus den Einnahmen des Königs dazuge-
ben. 41 Und was mir meine Verwalter aus
den früheren Jahren nicht abgeliefert ha-
ben, das soll jetzt für die Bauarbeiten am
Tempel verwendet werden. 42 Und auch
die fünftausend Schekel Silber, die aus
den jährlichen Einkünften des Tempels
abgegeben werden mussten, sollen nicht
mehr erhoben werden, sondern den Pries-
tern zustehen, die den Tempeldienst tun.
43 Und wer beim König in irgendei-
ner Sache in der Schuld steht und in den
Tempel von Jerusalem oder in sein Gebiet
flieht, der soll dort sicher sein mit allem,
was ihm in meinem ganzen Königreich
gehört.[a] 44 Auch zum Bau und zur Aus-
besserung des Tempels werden die Kosten
bezahlt aus den Einnahmen des Königs,
45 und zum Aufbau der Mauern Jerusa-
lems und zu seiner Befestigung ringsum
[45] werden die Kosten bezahlt aus den Ein-
nahmen des Königs, und so auch überall
in Judäa.

BÜNDNIS ZWISCHEN JONATAN UND ALEXANDER BALAS

46 Als man aber dies Schreiben Jonatan
und dem Volk vorlas, [a]wollten sie ihm
nicht trauen und nahmen's nicht an; denn
sie wussten genau, wie viel böse und
grausame Taten Demetrius in Israel ver-
übt hatte. 47 Und sie wollten es lieber mit
Alexander halten, der ihnen schon früher
Frieden angeboten hatte; und an seiner
Seite kämpften sie allezeit.

10,29 *a* Kap 11,34-35 **10,30** *a* Kap 11,34 **10,32** *a* Kap 9,52 **10,33** *a* Kap 9,72 **10,34** *a* Neh 10,32 **10,39** *a* (39-42) 2. Makk 3,3 **10,43** *a* 2. Mose 21,13-14; 1. Kön 1,51-53 **10,46** *a* Kap 7,8-11

48 König Alexander sammelte ein großes
Heer und schlug Demetrius gegenüber
sein Lager auf. 49 Und als die beiden Kö-
nige einander angriffen, da floh das Heer
des Alexander, und Demetrius verfolgte
ihn und gewann die Oberhand; 50 und die
Schlacht tobte erbittert bis zum Abend;
und an jenem Tag fiel Demetrius.

51 Darauf sandte Alexander Boten zu
Ptolemäus, dem König von Ägypten,
mit folgender Botschaft: 52 Ich bin wie-
der in mein Reich gekommen und sitze
auf dem Thron meiner Väter und habe
die Herrschaft an mich gebracht und habe
Demetrius vernichtet und unser Land
wieder erobert 53 [52] und habe gegen ihn
gekämpft, und er und sein Heer wurden
von uns überwunden, und ich habe mich
auf seinen Königsthron gesetzt. 54 [53] Lass
uns nun Freundschaft miteinander schlie-
ßen. Ich bitte dich, mir deine Tochter zur
Frau zu geben. [54] Dann will ich mich ge-
gen dich wie dein Schwiegersohn verhal-
ten und dir und ihr Geschenke geben, die
deiner würdig sind.

55 Darauf antwortete König Ptolemäus:
Glücklich der Tag, an dem du wieder in
das Land deiner Väter gekommen bist
und dich auf ihren Königsthron gesetzt
hast! 56 Und nun will ich tun, was du ge-
schrieben hast. Aber komm mir entgegen
nach Ptolemais, damit wir einander sehen
und ich dir meine Tochter zur Frau geben
kann, wie du gewünscht hast.

57 Im 162. Jahr* zog Ptolemäus mit seiner
Tochter Kleopatra aus Ägypten und sie
kamen nach Ptolemais. 58 Dahin kam auch
König Alexander. Und Ptolemäus gab ihm
seine Tochter Kleopatra zur Frau, und die
Hochzeit wurde in Ptolemais mit großer
königlicher Pracht gefeiert.

59 König Alexander schrieb auch an Jo-
natan und lud ihn zu sich ein. 60 Da kam
Jonatan mit großer Pracht nach Ptolemais
zu den beiden Königen und schenkte ih-
nen und ihren Freunden Silber und Gold
und viele Gaben und fand Gnade bei ih-
nen. 61 Doch einige [a]Abtrünnige aus Is-
rael, Männer, die sich gegen das Gesetz
stellten, rotteten sich gegen ihn zusam-
men, um ihn zu verklagen; aber der Kö-
nig wollte sie nicht anhören. 62 [a]Und der
König befahl, dass Jonatan seine Kleider
ablegen und man ihm ein Purpurgewand
anziehen solle; und so geschah es. 63 Da
setzte ihn der König neben sich und befahl
seinen Fürsten: Führt ihn mitten durch
die Stadt und ruft aus, dass niemand ihn
verklagen oder ihm sonst Schaden zufü-
gen solle, aus welchem Anlass es auch sei.
64 Als aber seine Ankläger sahen, wie hoch
er ihn ehrte und was er von ihm ausrufen
ließ und dass er ihn mit einem Purpurge-
wand bekleidet hatte, flohen sie alle.

65 Und der König ehrte ihn und [a]ließ
ihn unter seine ersten Freunde* aufneh-
men und machte ihn zum Befehlshaber
und zum Statthalter. 66 Danach zog Jona-
tan wieder nach Jerusalem in Frieden und
mit Freuden.

JONATANS SIEG ÜBER APOLLONIUS

67 Im 165. Jahr* kehrte Demetrius, der Sohn
des Demetrius, aus Kreta in das Land sei-
ner Väter zurück. 68 Als König Alexander
das hörte, erschrak er sehr und begab sich
nach Antiochia. 69 Aber Demetrius ge-
wann den Apollonius, den Befehlshaber
von Zölesyrien, als Feldherrn; der brachte
ihm ein großes Kriegsvolk zusammen,
schlug ein Lager bei Jamnia auf und sandte
zu Jonatan, dem Hohenpriester, und ließ
ihm sagen: 70 [a]Niemand leistet uns Wider-
stand als du allein, sodass man mich dei-
netwegen verlacht und schmäht. Fühlst
du dich uns nur im Gebirge gewachsen?
71 Wenn du dich auf dein Kriegsvolk ver-
lassen kannst, dann zieh herunter zu uns
in die Ebene, damit wir uns dort mitein-
ander messen; denn mit mir ist die Hee-
resmacht der Städte. 72 Wenn du fragst,
wie stark wir sind, ich und die andern,
die mir helfen, so wird man dir sagen: Ihr
werdet diesen Leuten nicht standhalten
können, [a]von denen deine Väter zweimal
in ihrem eignen Lande geschlagen worden
sind. 73 So wirst du vor einem so großen
Heer an Reiterei und Fußvolk in der Ebene
nicht bestehen können, wo weder Stein
noch Kiesel ist noch sonst ein Ort, wohin
man fliehen könnte.[a]

* **10,57** 151/150 v. Chr. **10,65** Hoftitel.
10,67 148/147 v. Chr.

10,61 *a* Kap 1,11 **10,62** *a* (62-63) Est 6,7-9
10,65 *a* Vers 20 **10,70** *a* (70-71) 1. Kön 20,23-30
10,72 *a* Kap 7,8-20; 9,11-18 **10,73** *a* Kap 2,27-30

74 Als Jonatan diese Worte des Apollo-
nius hörte, wurde er zornig und wählte
zehntausend Mann aus und brach von Je-
rusalem auf; und sein Bruder Simon kam
ihm entgegen, um ihm zu helfen. 75 Und
sie schlugen ihr Lager vor Joppe auf. Aber
die Einwohner der Stadt ließen ihn nicht
ein, denn Apollonius hatte Kriegsvolk als
Besatzung hineingelegt; darum griffen sie
die Stadt an. 76 Da erschraken die Einwoh-
ner in der Stadt und öffneten die Tore. So
eroberte Jonatan Joppe.

77 Als Apollonius das hörte, rückte er
mit dreitausend Reitern und viel Fuß-
volk nach Aschdod vor und tat so, als ob
er hindurchziehen wollte. Doch er stieß
in die Ebene vor; denn er hatte viel Rei-
terei, auf die er sich verließ. 78 Jonatan
aber drängte ihn nach Aschdod ab und
beide Heere gerieten aneinander. 79 Aber
Apollonius hatte hinter ihnen heimlich
tausend Reiter zurückgelassen. 80 Nun
merkte Jonatan, dass hinter ihm Leute
versteckt waren; und sie griffen sein Heer
von allen Seiten an [81] und schossen Pfeile
auf das Kriegsvolk den ganzen Tag vom
Morgen bis zum Abend. 81 Das Kriegs-
volk aber hielt stand, wie Jonatan es auf-
gestellt hatte, doch ihre Pferde wurden
müde.

82 Darauf warf Simon sein Heer in den
Kampf. Und weil auch die Reiter der
Feinde müde geworden waren, wurden
die Fußtruppen von ihm geschlagen und
flohen; 83 auch die Reiter wurden ver-
sprengt über die Ebene und flohen nach
[a]Aschdod und eilten in den Tempel ih-
res Götzen [b]Dagon, um dort ihr Leben
zu retten. 84 Aber Jonatan plünderte die
Stadt Aschdod und die Orte ringsum
und zündete sie an. Er brannte auch den
Götzentempel nieder mit allen, die hin-
eingeflohen waren. 85 Und die Zahl der Er-
schlagenen und Verbrannten betrug gegen
achttausend Mann.

86 Von dort zog Jonatan mit dem Heer
vor Aschkelon. Da kamen ihm die Leute
aus der Stadt entgegen und empfingen
ihn mit großer Pracht. 87 Und Jonatan und
seine Leute hatten reiche Beute dabei, als
sie nach Jerusalem zurückkehrten.

88 Und es geschah, als König Alexander
dies hörte, [a]ehrte er Jonatan noch mehr
89 und sandte ihm eine goldene Spange,
wie sie nur die Verwandten* des Königs
bekamen; dazu schenkte er ihm Ekron
und sein Gebiet zum Eigentum.

DEMETRIUS II. WIRD KÖNIG ÜBER SYRIEN

11 Und der König von Ägypten brachte so
viel Kriegsvolk wie Sand am Meer zu-
sammen und viele Schiffe; und er wollte
das Reich Alexanders durch Hinterlist an
sich bringen, [a]um es mit seinem König-
reich zu vereinigen. 2 Darum zog er nach
Syrien, als käme er als Freund. Da öffne-
ten ihm die Bewohner der Städte die Tore
und zogen ihm entgegen. Denn es gab ein
Gebot des Königs Alexander, ihn ehren-
voll zu empfangen, weil er sein [a]Schwie-
gervater war. 3 Wenn Ptolemäus aber in
die Städte kam, ließ er überall eine Schar
Kriegsleute als Besatzung zurück.

4 Und als er [a]nach Aschdod kam, zeigten
sie ihm den Tempel Dagons, der niederge-
brannt war, dazu Aschdod und die Orte
ringsum, die verwüstet waren, und die
Leichname, die überall umherlagen, und
die, die im Krieg verbrannt waren, denn
man hatte sie in Haufen an seinen Weg
gelegt. 5 Und sie sagten dem König, dass
Jonatan dies alles getan hatte, um ihn ver-
hasst zu machen. Aber der König schwieg
dazu. 6 Auch Jonatan zog dem König mit
großer Pracht entgegen nach Joppe; da
begrüßten sie einander und blieben dort
über Nacht. 7 Und Jonatan geleitete den
König bis an den Fluss, genannt Eleu-
therus. Dann zog er wieder heim nach
Jerusalem.

8 Und König Ptolemäus brachte die
Städte an der Küste unter seine Herrschaft
bis Seleukia am Meer und plante, Alexan-
der zu vertreiben. 9 Und er schickte Boten
zu König [a]Demetrius: Wohlan, wir wol-
len ein Bündnis schließen. Ich will dir
meine Tochter geben, die jetzt Alexan-
der zur Frau hat, und du sollst König im
Reich deines Vaters werden. 10 Ich bereue
jetzt, dass ich ihm meine Tochter gege-
ben habe, denn er hat versucht, mich zu

*** 10,89** Hoftitel.

10,83 ***a*** 1. Sam 5,1 ***b*** 1. Sam 5,2 **10,88** ***a*** Verse 61-62.65
11,1 ***a*** Kap 1,16 **11,2** ***a*** Kap 10,57-58 **11,4** ***a*** Kap 10,84
11,9 ***a*** Kap 10,67

töten. 11 Ptolemäus verleumdete ihn aber, weil er nach Alexanders Königreich trachtete. 12 Er nahm ihm die Tochter weg und gab sie Demetrius. So wandte er sich von Alexander ab, und ihre Feindschaft wurde sichtbar. 13 Und als Ptolemäus nach Antiochia kam, setzte er sich die Krone der Asia auf; so trug er beide Kronen: die von Ägypten und die der Asia.

14 Aber König Alexander war damals in Kilikien; denn die Leute jener Gegend waren von ihm abgefallen. 15 Als Alexander nun davon hörte, zog er aus, um mit ihm zu kämpfen. Aber Ptolemäus war stark gerüstet, zog ihm entgegen und verjagte ihn.

16 Und Alexander floh nach Arabien, um dort Schutz zu suchen. Doch König Ptolemäus war überall sehr mächtig geworden; 17 darum ließ Sabdiël, der Araber, dem Alexander den Kopf abhauen und schickte ihn an Ptolemäus. 18 Und Ptolemäus starb am dritten Tag danach. Da wurden auch seine Kriegsleute, die er in den befestigten Städten zurückgelassen hatte, dort vom Volk umgebracht. 19 Und im 167. Jahr* wurde Demetrius König.

STEUERFREIHEIT FÜR JUDÄA

20 Zu dieser Zeit brachte Jonatan das Volk in Judäa zusammen, um die [a]Burg in Jerusalem zu erobern, und er ließ viele Geschütze davor aufstellen. 21 Da zogen einige [a]Abtrünnige, die ihr Volk hassten, zum König und meldeten ihm, dass Jonatan die Burg belagerte. 22 Als der das hörte, geriet er in Zorn. Er zog sogleich nach Ptolemais und schrieb an Jonatan, dass er die Burg nicht länger belagern, sondern eilends ihm entgegen kommen sollte; um ihm in Ptolemais zu begegnen.

23 Doch als Jonatan diese Botschaft bekam, ließ er nicht ab von der Belagerung. Er wählte einige von den Ältesten Israels und den Priestern aus, machte sich auf und wagte sein Leben. 24 Er nahm Silber, Gold und Gewänder mit und viele andere Geschenke und zog nach Ptolemais zum König und fand Gnade bei ihm. 25 Als ihn dann etliche der Abtrünnigen seines Volks anklagten, 26 hielt der König zu ihm, wie schon seine Vorgänger zu ihm gehalten hatten, und [a]erwies ihm große Ehre vor allen seinen Freunden*. 27 Und er bestätigte ihn im Amt des Hohenpriesters und in allen andern Ehren, die er bisher gehabt hatte, und machte ihn zu einem seiner ersten [a]Freunde*.

28 Jonatan bat auch den König, dass er [a]ganz Judäa und den drei Bezirken und Samaria die Steuer erlassen möge, und versprach ihm dafür dreihundert Talente Silber. 29 Das bewilligte der König und stellte Jonatan einen Brief über all dies aus:

30 König Demetrius entbietet seinem Bruder Jonatan und dem jüdischen Volk seinen Gruß. 31 Wir senden euch eine Abschrift des Briefs, den wir an unsern Verwandten* Lasthenes euretwegen geschrieben haben, damit auch ihr es wisst.

32 König Demetrius entbietet Lasthenes, seinem Vater*, seinen Gruß. 33 Wir haben beschlossen, unsern Freunden und treuen Bundesgenossen, dem Volk der Juden, Gunst zu gewähren wegen ihrer Freundschaft gegen uns. 34 [a]Darum bestätigen wir ihnen, dass ganz Judäa und die drei Bezirke Ephraim, Lydda und Ramatajim zu ihrem Land gehören sollen; sie und ihr Gebiet sollen von Samaria an Judäa übergehen. [35]Wir erlassen auch allen, die in Jerusalem opfern, alles, was sie dem König früher an jährlichen Abgaben von Getreide und Obst haben geben müssen, 35 und ebenso erlassen wir von jetzt an alles andere, was uns zusteht von dem Zehnten und den Abgaben, von der Salzgewinnung, auch die Beiträge zum Ehrenkranz. [36]Von all diesem sollen sie in Zukunft befreit sein. 36 Diese Freiheit soll ihnen für alle Zeit bewahrt bleiben. 37 Lasst nun eine Abschrift dieses Briefs anfertigen; die soll man Jonatan geben, damit man sie auf dem heiligen Berg auf einem öffentlichen Platz ausstellt.[a]

TRYPHON UNTERSTÜTZT ANTIOCHUS VI.

38 Als nun König Demetrius sah, dass im ganzen Königreich Ruhe herrschte und sich ihm niemand mehr widersetzte, entließ er sein ganzes Kriegsvolk, jeden in

* **11,19** 146/145 v. Chr. **11,26-32** Hoftitel.

11,20 ***a*** Kap 10,32 **11,21** ***a*** Kap 1,11 **11,26** ***a*** Kap 10,6.88
11,27 ***a*** Kap 10,20 **11,28** ***a*** Vers 34
11,34 ***a*** (34-36) Kap 10,29-31 **11,37** ***a*** Kap 14,26

seine Stadt. Das [a]fremde Kriegsvolk aber, das er auf den [b]Inseln der Heiden angeworben hatte, behielt er bei sich; das zog ihm den Hass des ganzen einheimischen Kriegsvolks zu.

39 Als aber Tryphon, der früher zu [a]Alexanders Leuten gehört hatte, sah, dass das ganze Kriegsvolk Hass gegen Demetrius empfand, zog er zu dem Araber Jamliku, der Antiochus, den Sohn Alexanders, erzog. 40 Den drängte er, ihm den Knaben zu übergeben, damit er ihn auf den Thron seines Vaters setzen könne. Und er berichtete ihm, was Demetrius angeordnet hatte und dass sein Kriegsvolk ihn hasst. Und er blieb eine Zeit lang dort.

JONATAN ERNTET UNDANK

41 Inzwischen schrieb Jonatan an König Demetrius, dass er die Bewohner der [a]Burg in Jerusalem und die Leute in den Festungen vertreiben sollte, da sie Israel viel Schaden zufügten. 42 Da schrieb Demetrius an Jonatan: Nicht allein das, was du begehrst, will ich dir und deinem Volk gewähren, sondern auch dich und dein Volk hoch ehren, sobald ich kann. 43 Doch nun kannst du mir helfen, [a]wenn du mir Männer schickst, die mich unterstützen; denn mein ganzes Kriegsvolk ist abgefallen.

44 Darum schickte ihm Jonatan dreitausend tüchtige Kriegsleute nach Antiochia; die kamen zum König, und der König war über ihre Ankunft sehr erfreut. 45 Nun machte das Volk inmitten der Stadt einen Aufruhr, an die hundertzwanzigtausend Mann, die wollten den König totschlagen. 46 Aber der König floh in den Palast. Da besetzte das Volk die Straßen und begann den Kampf. 47 Da rief der König die Juden zu Hilfe. Die sammelten sich um ihn, verteilten sich über die Stadt [48] und erschlugen an diesem Tag an die hunderttausend Mann 48 und zündeten die Stadt an und machten an jenem Tag reiche Beute. So retteten sie den König.

49 Als nun die Leute in der Stadt sahen, dass die Juden sich der Stadt bemächtigt hatten, ganz wie sie wollten, verzagten sie, schrien zum König und baten: 50 Reiche uns die Hand zum Frieden, damit die Juden aufhören, gegen uns und die Stadt zu kämpfen. 51 Da legten sie die Waffen nieder und schlossen Frieden; die Juden aber wurden hoch geehrt vom König und berühmt in seinem ganzen Reich und zogen wieder heim nach Jerusalem und brachten reiche Beute mit.

52 Als nun König Demetrius wieder sicher auf seinem Königsthron saß und die ganze Erde ruhig vor ihm geworden war, 53 hielt er nichts von dem, was er versprochen hatte, und wandte sich ganz von Jonatan ab und war ihm undankbar für seine Wohltaten und unterdrückte ihn sehr.[a]

JONATAN KÄMPFT GEGEN DEMETRIUS II.

54 Nicht lange danach kam Tryphon mit dem jungen Antiochus zurück. Dieser wurde nun König und setzte sich die Krone auf. 55 Und zu ihm kam alles Kriegsvolk, das Demetrius entlassen hatte. Sie griffen ihn an; er aber floh und wurde vertrieben. 56 Und Tryphon bemächtigte sich der [a]Elefanten und eroberte Antiochia.

57 Da schrieb der junge Antiochus an Jonatan: Ich bestätige dich im Amt des Hohenpriesters und setze dich über die vier Bezirke* und als Freund* des Königs ein.[a] 58 Er sandte ihm goldenes Tafelgeschirr und Dienerschaft und erlaubte ihm, aus goldenen Gefäßen zu trinken und ein [a]Purpurgewand und eine [b]goldene Spange zu tragen. 59 Und seinen Bruder Simon machte er zum Befehlshaber über das Land von der tyrischen Leiter* bis an die Grenze Ägyptens.

60 Als nun Jonatan auszog und durch die Städte in der Provinz jenseits des Euphrat kam, sammelte sich bei ihm alles Kriegsvolk aus Syrien, um ihm beizustehen. Und als er nach [a]Aschkelon kam, gingen ihm die Leute entgegen und empfingen ihn mit Ehren. 61 Dann aber zog er nach Gaza; aber die Leute von Gaza wollten ihn nicht einlassen; darum belagerte er die Stadt

* **11,57** (1) Die drei in Vers 34 genannten Bezirke und Judäa. (2) Hoftitel. **11,59** Ein Bergrücken zwischen Ptolemais und Tyrus.

11,38 ***a*** Kap 6,29 ***b*** 1. Mose 10,2-5 **11,39** ***a*** Verse 16-17 **11,41** ***a*** Vers 20 **11,43** ***a*** Kap 10,36 **11,53** ***a*** Kap 10,46 **11,56** ***a*** Kap 6,33-37 **11,57** ***a*** Vers 27 **11,58** ***a*** Kap 10,62 ***b*** Kap 10,89 **11,60** ***a*** Kap 10,86

und brannte die Ortschaften ringsum
nieder und plünderte sie. 62 Da baten die
Leute von Gaza Jonatan um Frieden. Und
er schloss Frieden mit ihnen und nahm die
Söhne ihrer Vornehmen als Geiseln und
schickte sie nach Jerusalem; er aber zog
weiter durch die Provinz bis Damaskus.

63 Als Jonatan aber hörte, dass die
Hauptleute des Demetrius mit einem
großen Heer nach Kedesch in Galiläa ge-
kommen waren, um ihn an seinem Vor-
haben zu hindern, 64 da zog er gegen sie.
Er hatte aber seinen Bruder Simon im
Land zurückgelassen. 65 Und Simon zog
vor [a]Bet-Zur und belagerte es lange Zeit
und schloss es ein. 66 Darum baten sie um
Frieden; und er schloss Frieden mit ihnen;
dennoch vertrieb er die Bewohner, nahm
die Stadt ein und legte Kriegsvolk als Be-
satzung hinein.

67 Aber Jonatan und sein Heer schlugen
ihr Lager am See Genezareth auf und bra-
chen morgens früh auf und kamen in die
Ebene bei Hazor. 68 Und siehe, ein Heer
von Fremden zog ihm in der Ebene ent-
gegen, und sie hatten einen Hinterhalt
im Gebirge gelegt; sie selbst aber rückten
von vorn an. 69 Als nun die Schar aus dem
Hinterhalt hervorbrach und sie im Kampf
aufeinandertrafen, 70 floh das ganze Heer
Jonatans und niemand blieb zurück als die
Hauptleute Mattatias, der Sohn Abscha-
loms, und Judas, der Sohn Halfis.

71 Da [a]zerriss Jonatan seine Kleider und
[b]streute Erde auf sein Haupt und betete
72 und griff die Feinde wiederum an und
schlug sie in die Flucht, dass sie davonlie-
fen. 73 Als nun Jonatans Leute, die geflo-
hen waren, das sahen, kehrten sie zu ihm
zurück und jagten den Feinden nach bis
Kedesch in ihr Lager; dort schlugen auch
sie ihr Lager auf. 74 An diesem Tag sind an
die dreitausend Fremde umgekommen.
Und Jonatan kehrte wieder nach Jerusa-
lem zurück.

JONATAN ERNEUERT DAS BÜNDNIS MIT ROM UND SPARTA

12 Als aber Jonatan sah, dass die Zeit
ihm half, wählte er einige aus, die er
nach Rom sandte, um das Bündnis mit
ihnen zu erneuern und wieder zu bestä-
tigen.[a] 2 Er schrieb auch nach Sparta und
an andere Orte. 3 Als die Boten nun nach
Rom kamen, traten sie vor den Rat und
sagten: Der Hohepriester Jonatan und
das jüdische Volk haben uns gesandt, um
die Freundschaft und das Bündnis, das
zwischen uns früher einmal geschlossen
worden ist, wieder zu erneuern. 4 Und die
Römer gaben ihnen Geleitbriefe für jeden
Ort, damit sie wieder sicher ins Land Judäa
heimziehen konnten.

5 Und dies ist die Abschrift des Briefs,
den Jonatan an die Spartaner schrieb: 6 Der
Hohepriester Jonatan und die Ältesten
des Volks und die Priester und das jüdi-
sche Volk entbieten ihren Brüdern, den
Spartanern, ihren Gruß. 7 Schon früher
hat euer König Arëus an den Hohenpries-
ter Onias geschrieben, dass ihr unsre Brü-
der seid, wie die Abschrift seines Briefs
lautet.[a] 8 Und Onias empfing den Boten
mit Ehren und nahm die Freundschaft
und das Bündnis an, von denen im Brief
geschrieben war.

9 Obwohl wir jetzt keine fremde Hilfe
brauchen und [a]Trost haben an den heiligen
Schriften in unsern Händen, 10 so senden
wir dennoch die Botschaft an euch, dass
wir die Bruderschaft und Freundschaft
zwischen uns erneuern und bestätigen
wollen, um sie nicht zu vergessen; denn
es ist schon lange Zeit her, dass ihr zu uns
geschickt habt. 11 Allezeit denken wir an
euch, an Feiertagen und an allen andern
Tagen, an denen man opfert, bei unserm
Opfer und Gebet – so wie sich's gebührt,
an die Brüder zu denken.[a] 12 Euer Ruhm
bereitet uns Freude. 13 Aber wir haben
große Not gelitten und viele schwere
Kriege gehabt, denn die Könige ringsum
haben uns bekämpft. 14 Wir aber wollten
euch und unsren andern Bundesgenossen
und Freunden in diesen Kriegen nicht zur
Last fallen. 15 Denn [a]wir haben einen star-
ken Beistand vom Himmel her; so wurden
wir aus der Hand unserer Feinde befreit,
sie aber wurden gedemütigt.

16 Weil wir aber jetzt [a]Numenius, den
Sohn des Antiochus, und Antipater, den
Sohn Jasons, ausgewählt haben und als

11,65 *a* Kap 10,14 **11,71** *a* Kap 2,14 *b* 2. Makk 10,25-27
12,1 *a* Kap 8,17-32 **12,7** *a* Vers 21 **12,9** *a* 2. Makk 15,9; Röm 15,4 **12,11** *a* 1. Tim 2,1 **12,15** *a* Kap 3,18-24; 2. Makk 11,6-9 **12,16** *a* Kap 14,22; 15,15

Boten zu den Römern senden, um die
Freundschaft und das einstige Bündnis
mit ihnen wieder zu erneuern, 17 haben
wir ihnen befohlen, dass sie auch zu euch
reisen, euch grüßen und unsern Brief
übergeben sollen, um die Bruderschaft zu
erneuern, 18 und nun bitten wir euch um
Antwort.
19 Und dies ist die Abschrift des Briefs,
den sie dem Onias gesandt hatten: 20 Arë-
us, König von Sparta, entbietet dem Ho-
henpriester Onias seinen Gruß. 21 Wir
finden in den Schriften, [a]dass die Sparta-
ner und die Juden Brüder sind, weil sie
aus dem Geschlecht Abrahams stammen.
22 Nachdem wir das nun wissen, bitten
wir, uns zu schreiben, wie es euch geht.
23 Wir aber schreiben euch hiermit: [a]Euer
Vieh und euer Hab und Gut soll sein, als
wäre es unser eignes; und das unsere soll
sein, als wäre es euer eignes. Wir befehlen
hiermit, dass man euch dieses mitteilt.

JONATAN VERTEIDIGT DIE GRENZEN JUDÄAS

24 Danach hörte Jonatan, dass [a]die Haupt-
leute des Demetrius wieder mit einem
größeren Heer als zuvor kamen und ge-
gen ihn kämpfen wollten. 25 Darum zog er
von Jerusalem gegen sie in das Gebiet von
Hamat; denn er wollte ihnen keine Zeit
lassen, in sein Land einzufallen. 26 Als er
nun Kundschafter in ihr Lager gesandt
hatte, kamen sie zurück und sagten, dass
die Feinde beschlossen hätten, sie in die-
ser Nacht anzugreifen. 27 Darum befahl
Jonatan abends seinem Heer, dass sie wa-
chen und die ganze Nacht unter Waffen
zum Kampf bereit sein sollten, und stellte
Wachen rings um das Lager.
28 Als aber die Feinde hörten, dass Jona-
tan und sein Heer zur Schlacht gerüstet
waren, gerieten sie in Furcht und verloren
den Mut. Und sie ließen überall in ihrem
Lager viele Feuer machen. 29 Jonatan und
sein Heer aber erkannten bis zum frühen
Morgen nicht, dass sie weggezogen wa-
ren; denn sie sahen die Feuer brennen.
30 Dann aber jagte Jonatan ihnen nach,
doch konnte er sie nicht mehr ereilen;
denn sie hatten bereits den [a]Fluss Eleu-
therus überschritten.
31 Da wandte sich Jonatan gegen die
Araber, die Sabadäer heißen, schlug sie
und machte Beute bei ihnen; 32 und er
kam nach Damaskus und durchzog das
ganze Land. 33 Simon aber brach auf und
zog durch das Land bis Aschkelon und
zu den befestigten Städten in der Nähe;
danach wandte er sich gegen [a]Joppe und
eroberte es. 34 Denn er hatte gehört, dass
sie die Festung den Männern des Deme-
trius übergeben wollten. Darum legte er
nun Kriegsvolk hinein, um die Stadt zu
schützen.
35 Danach kehrte Jonatan wieder zurück
und versammelte die Ältesten des Volks
und hielt mit ihnen darüber Rat, dass man
in Judäa Festungen errichten sollte. 36 Man
sollte auch die Mauern von Jerusalem hö-
her machen und zwischen der Burg und
der Stadt eine hohe Mauer bauen, die die
Burg von der Stadt trennen sollte, sodass
[a]die in der Burg auf sich selbst gestellt wä-
ren und auch nichts kaufen und verkaufen
könnten. 37 So kam das Volk zusammen
und fing an, die Stadt zu befestigen. Da
stürzte die Mauer am Bach im Osten ein,
und sie bauten das Stück wieder auf, das
Kafnata heißt. 38 Und Simon baute Hadid
im Hügelland und befestigte und schützte
es mit Toren und Riegeln.

TRYPHON NIMMT JONATAN GEFANGEN

39 Nun hatte Tryphon vor, die Königsherr-
schaft über die Asia an sich zu bringen
und sich die Krone aufzusetzen und den
König Antiochus zu töten.[a] 40 Er befürch-
tete aber, Jonatan würde es verhindern
und er müsste gegen ihn kämpfen. Daher
trachtete er danach, ihn gefangen zu neh-
men und umzubringen. So zog er nach
Bet-Schean. 41 Da zog Jonatan ihm mit
vierzigtausend ausgesuchten Männern
entgegen und kam auch nach Bet-Schean.
42 Als aber Tryphon sah, dass er ein so gro-
ßes Heer bei sich hatte, fürchtete er sich,
offen etwas gegen ihn zu unternehmen;
43 darum empfing er ihn mit Ehren und
empfahl ihn allen seinen Freunden und
gab ihm Geschenke und gebot seinen
Freunden und seinem Heer, Jonatan ge-
horsam zu sein wie ihm selbst.

12,21 *a* 2. Makk 5,9 **12,23** *a* 1. Kön 22,4 **12,24** *a* Kap 11,63 **12,30** *a* Kap 11,7 **12,33** *a* Kap 10,74-76 **12,36** *a* Kap 9,52; 11,41 **12,39** *a* Kap 11,39.54

44 Und er sagte zu Jonatan: Warum bemühst du dein ganzes Kriegsvolk, wenn uns doch kein Krieg bevorsteht? 45 Lass sie wieder heimziehen. Doch wähle dir einige Leute aus, die bei dir bleiben, und zieh mit mir nach [a]Ptolemais. Diese Stadt und die andern befestigten Städte und das übrige Kriegsvolk und alle Amtleute will ich dir übergeben – aus diesem Grund bin ich hierher gekommen –, dann will ich wieder wegziehen. 46 Und er glaubte ihm und tat, wie er gesagt hatte, und ließ sein Kriegsvolk heimziehen ins Land Judäa[a] 47 und behielt nur dreitausend Mann; davon ließ er zweitausend in Galiläa, tausend aber zogen mit ihm. 48 Als nun Jonatan nach Ptolemais kam, schlossen die Einwohner der Stadt die Tore und nahmen ihn gefangen und töteten alle mit dem Schwert, die mit ihm gekommen waren.

49 Und Tryphon schickte Fußvolk und Reiterei nach Galiläa und in die große Ebene, um auch das übrige Kriegsvolk Jonatans umzubringen. 50 Als die aber erfuhren, [a]dass er ergriffen und umgekommen war samt seinen Leuten, sprachen sie sich Mut zu und rüsteten sich zur Schlacht und zogen getrost gegen die Feinde. 51 Als aber die Feinde sahen, dass es ihnen ans Leben ging, kehrten sie wieder um. 52 Und sie zogen alle wieder zurück ins Land Judäa mit Frieden und [a]hielten Totenklage um Jonatan und seine Leute. Sie gerieten in große Furcht, und ganz Israel stimmte einen großen Klagegesang an. 53 Und alle Völker ringsum planten, sie auszulöschen, denn sie sagten sich: [54] Sie haben keinen Anführer und keinen Beistand mehr; nun wollen wir sie bekämpfen und ihr Andenken unter den Menschen austilgen.

SIMON TRITT AN DIE STELLE SEINES BRUDERS JONATAN

13 Als nun Simon hörte, dass Tryphon ein großes Heer beieinanderhatte, um das Land Judäa anzugreifen und zugrunde zu richten, 2 und sah, dass dem Volk angst und bange war, zog er hinauf nach Jerusalem und versammelte das Volk 3 und tröstete sie und sagte zu ihnen: Ihr wisst, was ich und meine Brüder und das Haus meines Vaters für das Gesetz und das Heiligtum getan und welche Kriege und Nöte wir gesehen haben. 4 Darin sind [a]alle meine Brüder für Israel umgekommen, und es lebt keiner mehr außer mir. 5 Nun möchte ich in dieser Trübsal mein Leben gewiss nicht schonen; denn ich bin nicht besser als meine Brüder; 6 sondern ich will mein Volk, das Heiligtum und eure Frauen und Kinder rächen. Denn [a]alle Völker ringsum haben sich feindselig zusammengerottet, um uns zu vernichten.

7 Als das Volk diese Worte hörte, fasste es neuen Mut 8 und antwortete mit lauter Stimme: Sei du unser Anführer wie vorher deine Brüder Judas und Jonatan. 9 Führe unsern Krieg! [9] Wir wollen tun, was immer du uns gebietest.

10 Da rief Simon das ganze Kriegsvolk zusammen. Auch sorgte er dafür, [a]dass man eilends die Mauern von Jerusalem vollendete; so befestigte er die Stadt ringsumher. 11 Und er schickte Jonatan, den Sohn Abschaloms, mit einem neuen Heer nach [a]Joppe. Der vertrieb die Feinde von dort und blieb in der Stadt.

TRYPHONS FELDZUG GEGEN JERUSALEM

12 Da zog Tryphon mit einem großen Heer von [a]Ptolemais aus, um ins Land Judäa einzufallen, und führte Jonatan gefangen mit. 13 Aber Simon lagerte bei [a]Hadid am Rand der Ebene. 14 Als aber Tryphon erfuhr, dass Simon anstelle seines Bruders Jonatan Anführer geworden war und mit ihm kämpfen wollte, sandte er Boten zu ihm und ließ ihm sagen: 15 Wir haben deinen Bruder Jonatan wegen des Geldes, das er der Schatzkammer des Königs aus seinen Ämtern schuldig geblieben ist, gefangen genommen; 16 und nun: Wenn du hundert Talente Silber und zwei seiner Söhne als Geiseln schickst, damit er nicht von uns abfällt, sobald er freikommt, dann wollen wir ihn freilassen.

17 Obwohl aber Simon genau merkte, dass sie mit Hinterlist zu ihm sprachen, ließ er das Geld und die Kinder holen,

12,45 *a* Kap 10,39 **12,46** *a* Kap 10,46 **12,50** *a* Kap 13,23 **12,52** *a* Kap 9,20-21 **13,4** *a* Kap 2,2-5; 6,46; 9,18.36.38; 12,50 **13,6** *a* Kap 12,53 **13,10** *a* Kap 10,10-11 **13,11** *a* Kap 12,33-34 **13,12** *a* Kap 12,48 **13,13** *a* Kap 12,38

damit er sich nicht das Volk zum Feind machte, 18 die meinen könnten, Jonatan wäre umgekommen, weil er ihm das Geld und die Kinder nicht hatte geben wollen. 19 Darum schickte er die Kinder samt den hundert Talenten. Aber Tryphon hielt nicht Wort und wollte Jonatan nicht freilassen.

20 Danach kam Tryphon, um in das Land einzufallen und es zu verheeren. Er machte einen Umweg nach Adora. Doch Simon verfolgte ihn mit seinem Heer, wohin er auch zog. 21 Es schickten auch [a]die Leute auf der Burg Boten zu Tryphon und bedrängten ihn, er solle durch die Wüste ziehen und ihnen Nahrung bringen. 22 Darum wollte Tryphon mit seiner ganzen Reiterei sich aufmachen und zu ihnen kommen. Aber in dieser Nacht fiel sehr viel Schnee; und er kam wegen des Schnees nicht durch. Deshalb brach er auf und zog nach Gilead, 23 und als er nach Baskama gekommen war, [a]tötete er Jonatan. Der wurde dort begraben. 24 Darauf zog Tryphon wieder in sein Land.

25 Da schickte Simon dorthin und ließ den Leichnam seines Bruders Jonatan holen und [a]legte ihn ins Grab in Modeïn, der Stadt seiner Väter. 26 Und ganz Israel hielt eine große Totenklage über ihn und betrauerte ihn lange Zeit. 27 Und Simon ließ über dem Grab seines Vaters und seiner Brüder ein Denkmal bauen, hoch und weithin sichtbar, hinten und vorn aus geglätteten Steinen, 28 und darauf ließ er sieben Pyramiden setzen, eine der andern gegenüber: dem Vater, der Mutter und den vier Brüdern. 29 Und er ließ um sie herum Kunstwerke und hohe Säulen setzen und an den Säulen Rüstungen anbringen zum ewigen Ruhm und neben den Rüstungen in Stein gehauene Schiffe, sodass es alle sehen konnten, die auf dem Meer fahren. 30 Dies Grabmal, das er in Modeïn errichtet hat, steht noch bis auf den heutigen Tag.

31 Aber Tryphon handelte hinterlistig an König Antiochus dem Jüngeren und tötete ihn.[a] 32 Darauf wurde er selbst König an seiner statt und setzte sich die Krone der Asia auf; und er fügte dem Land schweren Schaden zu.

JUDÄA WIRD UNABHÄNGIG

33 Aber Simon baute und [a]befestigte viele Städte in Judäa mit hohen Türmen und dicken Mauern, Toren und Riegeln und schaffte Nahrung in die befestigten Städte; 34 und Simon wählte Männer aus und schickte sie zu König [a]Demetrius, um für das Land um Erleichterung zu bitten; denn Tryphon hatte das ganze Land ausgeplündert.

35 Darauf sandte König Demetrius ihm einen Brief mit diesen Worten als Antwort: 36 König Demetrius entbietet dem Hohenpriester Simon, dem Freund* des Königs, und den Ältesten und dem jüdischen Volk seinen Gruß. 37 Die goldene Krone samt dem Palmzweig, die ihr geschickt habt, haben wir empfangen und sind bereit, einen dauernden Frieden mit euch zu schließen und den Amtleuten zu schreiben, dass sie euch die Lasten erleichtern. 38 Und was wir euch versprochen haben, das soll Bestand haben. Alle Festungen, die ihr gebaut habt, sollt ihr behalten. 39 Und wir vergeben euch, was ihr bis heute aus Versehen oder mit Absicht getan habt. Die [a]Kranzsteuer, die ihr schuldet, und was auch immer in Jerusalem bezahlt werden musste, soll nun nicht mehr bezahlt werden. 40 Und wer unter euch [a]geeignet ist, in unserm Heer zu dienen, der soll eintreten. Und es soll zwischen uns Friede herrschen.

41 Im 170. Jahr* wurde Israel befreit vom Joch der Fremden, 42 und das Volk schrieb von jetzt an in Urkunden und Verträgen: Im ersten Jahr Simons, des großen Hohenpriesters und Feldherrn und Anführers der Juden.

43 Zu dieser Zeit belagerte Simon die Stadt Geser und schloss sie ein mit seinen Truppen; er baute einen Belagerungsturm und führte ihn an die Stadt heran, er schlug eine Bresche in einen Turm und eroberte ihn. 44 Und die Soldaten auf dem Belagerungsturm sprangen in die Stadt. Da entstand große Unruhe in der Stadt, 45 und die Leute liefen mit Frauen und Kindern auf die Mauer und zerrissen ihre

* **13,36** Hoftitel. **13,41** 143/142 v. Chr.

13,21 *a* Kap 12,36 **13,23** *a* Kap 12,50 **13,25** *a* Kap 2,70; 9,19 **13,31** *a* Kap 12,39 **13,33** *a* Kap 12,35 **13,34** *a* Kap 11,55 **13,39** *a* Kap 11,35 **13,40** *a* Kap 10,36

Kleider und schrien laut und baten Simon,
mit ihnen Frieden zu schließen, 46 und
sprachen: Bestrafe uns nicht nach unseren
bösen Taten, sondern nach deiner Gnade!
47 Und Simon gab ihnen nach, sodass er
sie nicht tötete. Aber er vertrieb sie aus
der Stadt und [a]ließ die Häuser reinigen,
in denen sie Götzenbilder aufgestellt hat-
ten. [48] Dann zog er unter Lobliedern und
Preisgesängen in die Stadt hinein. 48 Und
er ließ alles entfernen, was unrein macht,
und setzte Leute hinein, die das Gesetz
hielten, und befestigte die Stadt und baute
sich selbst ein Haus darin.

49 Und die Leute auf der Burg von Jeru-
salem wurden belagert, sodass niemand
heraus- oder hineinkommen und [a]weder
kaufen noch verkaufen konnte; und sie lit-
ten so großen Hunger, dass viele vor Hun-
ger sterben mussten. 50 Darum schrien sie
zu Simon und baten um Frieden. Den ge-
währte er ihnen, aber er vertrieb sie aus der
Burg. Und er ließ sie wieder reinigen von
allem, was befleckte, 51 und nahm sie ein
am dreiundzwanzigsten Tage des zweiten
Monats im 171. Jahr* und zog hinein mit
Lobgesang und Palmzweigen, mit Harfen
und Zimbeln und Zithern, mit Lobliedern
und Preisliedern, weil dieser starke Feind
aus Israel vertrieben war.

52 Und er gebot, dass man diesen Tag
jährlich mit Freude begehen sollte. [53] Auch
befestigte er den Berg des Tempels neben
der Burg noch mehr und ließ sich dort
oben mit seinen Leuten nieder.[a] 53 [54] Und
weil Simon sah, dass sein Sohn Johannes
ein tüchtiger Mann war, machte er ihn
zum Anführer über das ganze Kriegsvolk,
und der ließ sich nieder in Geser.

DEMETRIUS II. NIKATOR GERÄT IN GEFANGENSCHAFT

14 Im 172. Jahr* sammelte König De-
metrius seine Truppen und zog nach
Medien, um Hilfe zum Kampf gegen Try-
phon zu holen. 2 Als aber Arsakes, der
König der Perser und Meder,* hörte, dass
Demetrius in sein Königreich eingefallen
war, schickte er einen seiner Hauptleute,
dass er ihn lebendig ergreife. 3 Der zog hin,
schlug das Heer des Demetrius, nahm ihn
gefangen und brachte ihn zu Arsakes. Da
setzte Arsakes ihn gefangen.

LOBLIED AUF SIMON

4 Da kam das Land Judäa zur Ruhe, so-
lange Simon lebte. Er strebte nach dem
Wohl seines Volkes, und sie priesen alle
Tage seine Macht und seinen Ruhm. 5 Sein
Ruhm wuchs noch, als er [a]Joppe einnahm,
um einen Hafen zu haben. So öffnete er
einen Weg zu den Inseln des Meeres.
6 Und er [a]erweiterte die Grenzen für sein
Volk und bemächtigte sich des ganzen
Landes. 7 Er machte viele Gefangene [7] und
beherrschte [a]Geser und [b]Bet-Zur und die
[c]Burg von Jerusalem und rottete dort alle
Unreinheit aus; und keiner konnte sich
ihm widersetzen. 8 Jeder bebaute sein
Feld in Frieden; und [a]das Land gab sein
Gewächs, und die Bäume auf dem Felde
brachten ihre Früchte. 9 Die Ältesten sa-
ßen auf dem Markt und erzählten einander
von den Ruhmestaten, und die Jünglinge
gingen im Schmuck ihrer Kriegsrüstung
einher.[a] 10 Und [a]Simon beschaffte auch für
die Städte Vorrat von Korn und rüstete sie
mit Bollwerken aus, bis sein Name in aller
Welt gerühmt wurde.

11 Er brachte dem Land [a]Frieden, sodass
lauter Freude in Israel herrschte. 12 Und
[a]jeder saß unter seinem Weinstock und
unter seinem Feigenbaum, und niemand
versetzte sie mehr in Schrecken, 13 denn
es gab niemand mehr auf Erden, der sie
angriff. [13] Und die fremden Könige wur-
den in jener Zeit besiegt. 14 Und er stärkte
alle Armen in seinem Volk, fragte in allem
nach dem Gesetz und vertilgte jeden Ge-
setzlosen und Bösen.[a] 15 Dem Heiligtum
gab er neuen Glanz und ließ noch mehr
heilige Geräte anfertigen.

SIMON BEKRÄFTIGT DIE VERTRÄGE MIT ROM UND SPARTA

16 Und als man in Rom und bis Sparta
hörte, [a]dass Jonatan umgekommen war,
waren alle tief betrübt. 17 Als die Römer

* **13,51** Mai 142 v. Chr. **14,1** 141/140 v. Chr.
14,2 Gemeint ist der Partherkönig Mithridates, der Persien und Medien kürzlich besetzt hatte.

13,47 *a* 2. Chr 34,3-7 **13,49** *a* Kap 12,36
13,52 *a* Kap 10,10-11 **14,5** *a* Kap 13,11
14,6 *a* 2. Mose 34,24 **14,7** *a* Kap 13,43-48
b Kap 11,65-66 *c* Kap 13,50-51 **14,8** *a* 3. Mose 26,4
14,9 *a* Sach 8,4-5 **14,10** *a* Kap 13,33
14,11 *a* 3. Mose 26,6 **14,12** *a* Mi 4,4 **14,14** *a* Ps 72,4
14,16 *a* Kap 13,23

aber hörten, dass sein Bruder Simon an
seiner Stelle Hoherpriester geworden
war und über das Land und seine Städte
herrschte, 18 erneuerten sie die Freund-
schaft und das [a]Bündnis, das sie früher sei-
nen Brüdern Judas und Jonatan gewährt
hatten, und schrieben das auf bronzene
Tafeln und schickten sie ihm. 19 Und man
las sie in Jerusalem dem versammelten
Volk vor.

20 Und dies ist die Abschrift des Briefes,
den die Spartaner sandten: Die Obersten
der Spartaner und die ganze Stadt ent-
bieten dem Hohenpriester Simon und
den Ältesten, den Priestern und dem
übrigen jüdischen Volk, ihren Brüdern,
ihren Gruß. 21 Eure [a]Boten sind zu uns
gekommen und haben uns von eurem
Ruhm und eurer Ehre berichtet, und ihr
Kommen war uns eine große Freude.
22 Wir haben das, was sie gesagt haben,
so in die Beschlüsse des Volkes aufge-
nommen: Die Boten der Juden, [a]Nu-
menius, der Sohn des Antiochus, und
Antipater, der Sohn Jasons, sind zu uns
gekommen, um die Freundschaft mit
uns zu erneuern. 23 Und das Volk hat be-
schlossen, dass man diese Boten mit Eh-
ren empfangen und die Abschrift ihrer
Reden in unsere Beschlüsse aufnehmen
sollte, dem Volk der Spartaner zum Ge-
dächtnis. Eine Abschrift davon schickten
sie dem Hohenpriester Simon. 24 Dar-
auf sandte Simon den Numenius wieder
nach Rom, um einen großen goldenen
Schild dorthin zu bringen, tausend Pfund
schwer, und das Bündnis mit ihnen zu
bestätigen.

SIMON WIRD HOHERPRIESTER

25 Als nun das Volk davon hörte, sagte
es: Wie können wir Simon und seinen
Söhnen Dank erweisen? 26 Denn er und
seine Brüder und das Haus seines Va-
ters waren unsere Stütze und haben die
Feinde Israels im Kampf vertrieben und
ihm die Freiheit verschafft. [a]Das alles
ließen sie auf bronzene Tafeln schrei-
ben und brachten sie an den Säulen auf
dem Berge Zion an. 27 Und die Abschrift
der Tafeln lautete: Am achtzehnten Tag
des Monats Elul im 172. Jahr,* [a]im drit-
ten Jahr des großen Hohenpriesters Si-
mon, [28] des Fürsten des Volkes Gottes,
28 ist uns in der großen Versammlung
der Priester und des Volks und der Obe-
ren des Volks und der Ältesten aus dem
Lande Judäa kundgetan worden: 29 [28] In
den vielen Kriegen, die bisher im Land
gewesen sind, [29] haben [a]Simon, der Sohn
des Mattatias, aus dem Geschlecht Joja-
ribs, und seine Brüder ihr Leben gewagt.
Sie haben sich den Feinden ihres Volkes
entgegengestellt, damit das Heiligtum
und das Gesetz erhalten bleiben, und sie
haben ihrem Volk großen Ruhm erwor-
ben. 30 Jonatan [a]brachte sein Volk wieder
zusammen und wurde ihr [b]Hoherpries-
ter, bis er zu seinen Vätern versammelt
wurde. 31 Als dann die Feinde wieder-
kommen und [a]das Land zugrunde richten
und das Heiligtum verwüsten wollten,
32 da stand Simon auf und [a]führte den
Krieg für sein Volk und verschaffte den
Kriegsleuten seines Volks Waffen und
gab ihnen Sold von seinem eignen Geld
und Gut; 33 und er befestigte die Städte in
Judäa und [a]Bet-Zur an der Grenze Judäas;
er legte eine jüdische Besatzung dorthin,
wo die Feinde vorher ihre Waffen und
Kriegsrüstung verwahrt hatten. 34 Er be-
festigte auch [a]Joppe am Meer und [b]Ge-
ser an den Grenzen nach Aschdod; denn
dort war vorher eine Festung der Feinde
gewesen; und er verlegte Juden dorthin
und gab ihnen, was sie für ihren Unter-
halt brauchten.

35 Weil nun das Volk Simons große
Treue erfahren hatte und wusste, wel-
chen Ruhm er seinem Volk verschaffen
wollte, [a]wählten sie ihn zu ihrem Fürs-
ten und Hohenpriester wegen all die-
ser Taten und seiner Gerechtigkeit und
der Treue, die er seinem Volk erwiesen
hatte, und weil er sich auf jede Weise ge-
müht hatte, sein Volk zu erhöhen. 36 [a]In
jenen Tagen gelang es ihm, die Heiden
aus dem Lande zu vertreiben, auch die
in Jerusalem, in der Stadt Davids, wo

* **14,27** September 141 v. Chr.

14,18 *a* Kap 8,21-22; 12,1 **14,21** *a* Kap 12,2
14,22 *a* Kap 12,16 **14,26** *a* Kap 11,37 **14,27** *a* Kap 13,42
14,29 *a* Kap 2,1-5 **14,30** *a* Kap 9,73 *b* Kap 10,20
14,31 *a* Kap 12,53 **14,32** *a* Kap 13,7-10 **14,33** *a* Vers 7
14,34 *a* Kap 13,11 *b* Kap 13,43-48 **14,35** *a* Kap 13,42
14,36 *a* (36-37) Kap 13,50-52

sie sich eine Burg gebaut hatten, aus
der sie Ausfälle unternahmen und alles
rings um das Heiligtum befleckten und
seiner Heiligkeit großen Schaden zu-
fügten. 37 Und Simon siedelte dort jüdi-
sche Männer an und befestigte die Burg,
um das Land und die Stadt zu schüt-
zen, und er ließ die Mauern Jerusalems
erhöhen.
38 [a]Und so bestätigte König Demetrius
ihn im Amt des Hohenpriesters 39 und
ernannte ihn zu seinem Freund* und er-
wies ihm große Ehre. 40 Denn er hatte
gehört, dass die Juden von [a]den Römern
Freunde, Bundesgenossen und Brüder ge-
nannt wurden und sie Simons Boten mit
Ehren aufgenommen hatten. 41 Darum
haben die Juden und die Priester einge-
willigt, dass Simon für immer ihr Fürst
und Hoherpriester sein sollte, so lange,
[a]bis ein wahrer Prophet erweckt würde;
42 auch sollte er ihr Feldherr sein, für das
Heiligtum sorgen und Amtleute ein-
setzen über den Dienst am Heiligtum,
über das Land und alle Waffen und Fes-
tungen. 43 Und alle sollten ihm gehorsam
sein, und alle Erlasse sollten [a]in seinem
Namen ausgehen; und [b]er sollte Purpur
und Gold tragen dürfen. 44 Keinem vom
Volk oder von den Priestern sollte es er-
laubt sein, eines dieser Gebote aufzuhe-
ben oder sich dem zu widersetzen, was
er geboten hatte. Es sollte auch niemand
Macht haben, ohne seinen Willen das Volk
im Lande zusammenzurufen oder Pur-
pur und eine goldene Spange zu tragen,
als er allein. 45 Wer aber dagegen handeln
oder sich unterstehen würde, eine dieser
Ordnungen zu brechen, der machte sich
schuldig.
46 So beschloss das ganze Volk, Simon zu
erlauben, nach diesen Regeln zu regieren.
47 Und Simon willigte ein, Hoherpries-
ter und Feldherr und Fürst der Juden und
Priester zu sein und in allem über sie zu
regieren.
48 Und sie befahlen, dass man diese Ent-
scheidung auf bronzene Tafeln schreiben
und sie öffentlich an der Mauer des Hei-
ligtums anbringen sollte. 49 Eine Abschrift
davon sollte man in die Schatzkammer
legen, damit Simon und seine Nachkom-
men sie allezeit finden könnten.

DAS BÜNDNIS ZWISCHEN SIMON UND ANTIOCHUS VII. SIDETES

15 Es schrieb auch Antiochus, der Sohn
des Königs [a]Demetrius, von den In-
seln des Meeres aus an Simon, den Priester
und Fürsten der Juden, und an das ganze
Volk. 2 Und dies war der Inhalt: König An-
tiochus entbietet dem Hohenpriester und
Fürsten Simon und dem jüdischen Volk
seinen Gruß.
3 Nachdem mir einige Abtrünnige das
Königreich meiner Väter genommen ha-
ben, [4]gedenke ich, das Reich wieder ein-
zunehmen und so wiederherzustellen,
wie es früher war. Darum habe ich frem-
des Kriegsvolk angeworben und Kriegs-
schiffe ausgerüstet 4 und will in das Land
ziehen, um die zu bestrafen, die großen
Schaden in meinem Land angerichtet und
viele Städte in meinem Königreich ver-
wüstet haben.
5 Darum [a]erlasse auch ich dir alle Abga-
ben, wie es schon die Könige vor mir ge-
tan haben, dazu alle anderen Steuern, die
sie dir sonst erlassen haben, 6 und gebe dir
das Recht, eigne Münze in deinem Lande
zu schlagen. 7 Und [a]Jerusalem und das
Heiligtum sollen frei sein. Und du sollst
alle Waffen behalten, die du hergestellt
hast, ebenso die Festungen, die du gebaut
hast und beherrschst. 8 Was du dem Kö-
nig schuldest, jetzt oder künftig, sei dir
für alle Zeiten erlassen. 9 Und wenn wir
unser Königreich wieder erobert haben,
wollen wir dir und deinem Volk und dem
Tempel große Ehre erweisen, sodass ihr
auf der ganzen Erde gerühmt werden sollt.
10 Im 174. Jahr* zog Antiochus wieder in
das Land seiner Väter. Und alles Kriegs-
volk lief zu ihm über, sodass nur sehr we-
nige bei [a]Tryphon blieben. 11 Als ihm nun
Antiochus nachzog, flüchtete er nach Dor
ans Meer; 12 denn er hatte erkannt, dass
ihm Unheil drohte und dass das Kriegs-
volk von ihm abfiel. 13 Aber Antiochus be-
lagerte Dor mit hundertzwanzigtausend
Mann zu Fuß und achttausend Reitern
14 und schloss die Stadt ringsum ein, und

* **14,39** Hoftitel. **15,10** 139/138 v. Chr.

14,38 *a* (*38-39*) Kap 13,36 **14,40** *a* Vers 18
14,41 *a* Kap 4,46; 5. Mose 18,15 **14,43** *a* Kap 13,42
b Kap 11,58 **15,1** *a* Kap 14,3 **15,5** *a* Kap 11,34-36
15,7 *a* Kap 10,31-32 **15,10** *a* Kap 13,31-32

die Schiffe griffen vom Meer aus an, und
er bedrängte die Stadt vom Land und vom
Wasser her, sodass niemand heraus- oder
hineinkommen konnte.

DER RÖMISCHE SCHUTZBRIEF FÜR DIE JUDEN

15 Um diese Zeit kamen [a]Numenius und
seine Begleiter aus Rom zurück und
brachten Briefe an die Könige und Län-
der. In ihnen stand geschrieben: 16 Luzius,
Konsul der Römer, entbietet dem König
Ptolemäus seinen Gruß.

17 Die Gesandten der Juden sind als un-
sere Freunde und Bundesgenossen zu
uns gekommen, um die alte Freundschaft
und das Bündnis zwischen uns zu erneu-
ern. Simon, der Hohepriester, und das
jüdische Volk, unsre Freunde, haben sie
gesandt 18 und haben uns einen [a]golde-
nen Schild von tausend Pfund geschickt.
19 Nun hat es uns gefallen, an die Könige
und Länder zu schreiben, den Juden kein
Unheil zuzufügen, auch nicht gegen sie
und ihre Städte und ihr Land zu kämp-
fen und niemand gegen sie zu unterstüt-
zen; 20 denn wir haben beschlossen, den
Schild von ihnen anzunehmen. 21 Wenn
etwa einige Abtrünnige aus ihrem Lande
zu euch geflohen sind, so sollt ihr sie dem
Hohenpriester Simon ausliefern, dass
er sie nach dem Gesetz der Juden be-
strafe.

22 So schrieb er auch an König Deme-
trius, an Attalus, an Ariarathes, an [a]Arsa-
kes 23 und an alle Länder, auch nach Sam-
psame und an die Spartaner, nach Delos,
Myndos, Sikyon, Karien, Samos, Pamphy-
lien, Lykien, Halikarnass, Rhodos, Phase-
lis, Kos, Side, Arados, Gortyna, Knidos,
Zypern und Kyrene. 24 Eine Abschrift des
Schreibens aber sandten sie dem Hohen-
priester Simon.

ANTIOCHUS VII. SIDETES WENDET SICH GEGEN DIE JUDEN

25 König Antiochus aber begann die [a]Be-
lagerung von Dor zum zweiten Male;
er führte immerfort Kriegsleute heran
und stellte Sturmböcke auf und schloss
Tryphon ein, sodass er nicht heraus-
und hineinkommen konnte. 26 Und Si-
mon schickte ihm zweitausend Mann
zu Hilfe, gutes, auserlesenes Kriegsvolk,
dazu viel Silber und Gold und genügend
Waffen.

27 Aber Antiochus wollte das nicht an-
nehmen und hielt nicht ein, [a]was er ihm
früher zugesagt hatte, und wandte sich
von ihm ab 28 und sandte einen seiner
Freunde, der Athenobius hieß, zu ihm,
um mit ihm zu verhandeln. Der sollte
ihm sagen: Ihr habt Joppe und Geser und
die Burg von Jerusalem eingenommen,
Städte, die zu meinem Königreich gehö-
ren, 29 und habt das Land ringsum verheert
und großen Schaden in meinem Land an-
gerichtet und viele Orte in meinem Kö-
nigreich eingenommen. 30 Darum gebt
mir nun die Städte zurück, die ihr einge-
nommen habt, dazu den Tribut aus den
Orten, die ihr außerhalb des Landes Judäa
besetzt habt. 31 Wenn ihr das nicht tun
wollt, so gebt mir für die Städte fünfhun-
dert Talente Silber und für den Schaden,
den ihr angerichtet habt, und vom Tri-
but der Städte noch fünfhundert Talente
dazu. Wenn ihr aber auch das nicht tut, so
wollen wir kommen und gegen euch Krieg
führen.

32 Als nun Athenobius, der Freund des
Königs, nach Jerusalem kam und die Pracht
Simons und die prunkvolle Tafel mit dem
goldenen und silbernen Geschirr und die
zahlreiche Dienerschaft sah, wunderte er
sich sehr und richtete aus, was ihm der Kö-
nig befohlen hatte. 33 Und Simon antwor-
tete und sprach zu ihm: Wir haben kein
fremdes Land erobert noch fremde Güter
geraubt, sondern nur das [a]Erbe unserer
Väter genommen. Unsre Feinde haben es
aber eine Zeit lang mit Gewalt und zu Un-
recht besetzt gehalten. 34 Nun aber haben
wir den Erbbesitz unserer Väter wieder
an uns gebracht, als die Zeit für uns güns-
tig war. 35 Weil du aber [a]Joppe und Geser
zurückverlangst: Diese Städte haben un-
serem Volk und unserem Land [b]großen
Schaden zugefügt. Doch wollen wir für
beide Städte hundert Talente bezahlen.
Er aber antwortete ihm mit keinem Wort
36 und kehrte im Zorn zum König zurück
und meldete ihm diese Antwort und be-

15,15 *a* Kap 12,16 **15,18** *a* Kap 14,24 **15,22** *a* Kap 14,2
15,25 *a* Verse 13-14 **15,27** *a* Verse 5-9 **15,33** *a* Jos 14,1
15,35 *a* Kap 10,74-76; 13,43-48 *b* 2. Makk 12,3-4

richtete ihm von der Pracht Simons und
von allem, was er gesehen hatte. Da wurde
der König sehr zornig.
37 Tryphon aber flüchtete auf einem
Schiff nach Orthosia. 38 Da machte der
König den Kendebäus zum Hauptmann
über das Land am Meer, gab ihm Fußvolk
und Reiter 39 und befahl ihm, sich an der
Grenze Judäas zu lagern und die Stadt
Kidron zu befestigen, ihre Tore zu verstär-
ken und das jüdische Volk zu bekämpfen.
Der König aber jagte Tryphon nach. 40 Als
nun Kendebäus nach Jamnia kam, begann
er damit, das Volk zu reizen. Dann fiel er in
Judäa ein, machte im Volk Gefangene und
brachte sie um. 41 Und er befestigte Kidron
[41] und ordnete Reiter und Fußvolk dort-
hin ab, damit sie Ausfälle machen und auf
den Straßen Judäas umherstreifen sollten,
wie der König es ihm befohlen hatte.

SIMONS SÖHNE SCHLAGEN DIE SYRER

16 Darum zog [a]Johannes aus Geser zu
seinem Vater Simon hinauf und be-
richtete ihm alles, was Kendebäus getan
hatte. 2 Da rief Simon seine zwei ältesten
Söhne zu sich, Judas und Johannes, und
sagte zu ihnen: Ich und meine Brüder und
das Haus meines Vaters haben von Jugend
auf bis zum heutigen Tag Krieg gegen die
Feinde des Volkes geführt, und oft ist es
gelungen, Israel durch unsre Hände zu ret-
ten. 3 Weil ich aber nun [a]alt geworden bin
und ihr durch die Gnade alt genug seid,
sollt ihr [b]an meine Stelle und an die mei-
nes Bruders treten und ausziehen und für
unser Volk kämpfen. Und der [c]Beistand
des Himmels möge mit euch sein!
4 Und er ließ im Lande zwanzigtausend
Kriegsleute und Reiter auswählen. Und sie
zogen gegen Kendebäus und lagerten über
Nacht in [a]Modeïn. 5 Am Morgen, als sie
aufbrachen und in die Ebene kamen, zog
ihnen ein großes Heer zu Fuß und zu Ross
entgegen. Nur ein Bach war zwischen ih-
nen. 6 Da lagerte er mit seinem Kriegsvolk
ihnen gegenüber. Als er aber sah, dass das
Kriegsvolk Angst hatte, durch den Bach zu
ziehen, ging er als Erster hindurch. Als die
Männer das sahen, folgten sie ihm.
7 Danach ordnete er das Heer, die Reiter
zwischen das Fußvolk, denn die Feinde
hatten eine sehr starke Reiterei. 8 Als
sie aber die [a]Posaunen blasen ließen, da
wandte sich [b]Kendebäus mit seinem Heer
zur Flucht, und viele wurden verwundet
oder fielen; die Übrigen aber flohen in die
Festung. 9 In dieser Schlacht wurde Judas,
der Bruder des Johannes, verwundet; aber
Johannes jagte den Fliehenden nach bis
zur Festung Kidron. 10 Und sie flohen in
die Türme auf den Feldern von Aschdod.
Da setzte Johannes die Türme in Brand,
sodass an die zweitausend Mann von ih-
nen umkamen. Danach zog er wohlbehal-
ten wieder zurück nach Judäa.

SIMON WIRD ERMORDET

11 Ptolemäus, der Sohn Abubs, aber war als
Amtmann in der Ebene von Jericho ein-
gesetzt; der besaß viel Silber und Gold,
12 denn er war der Schwiegersohn des Ho-
henpriesters. 13 Da überhob sich sein Herz
und er trachtete danach, Herr im Lande zu
werden, und fasste einen heimtückischen
Plan, wie er Simon und seine Söhne um-
bringen könnte.
14 Als Simon im Lande umherzog, um
nach den Städten zu sehen und für ihre
Ordnung zu sorgen, kam er mit seinen
Söhnen Mattatias und Judas auch nach
Jericho, im 177. Jahr, im elften Monat, der
Schebat heißt.* 15 Da empfing sie der Sohn
Abubs voller Tücke in seiner Burg namens
Dok, die er sich gebaut hatte, und richtete
ihnen ein großes Gelage aus; doch er hatte
dort Kriegsvolk versteckt. 16 Und als Si-
mon und seine Söhne betrunken waren,
standen Ptolemäus und seine Leute auf,
nahmen ihre Waffen und gingen während
des Gelages zu Simon hinein und töteten
ihn samt seinen beiden Söhnen und eini-
gen von seinen Leuten. 17 So eine [a]schänd-
liche Tat verübte er in Israel und [b]vergalt
Gutes mit Bösem.

JOHANNES HYRKANUS WIRD HOHERPRIESTER

18 Danach schrieb Ptolemäus alles auf und
sandte es dem König und bat ihn, dass er
ihm Kriegsvolk zu Hilfe schicke und ihm

* **16,14** Februar 135 v. Chr.

16,1 *a* Kap 13,53 **16,3** *a* Kap 2,49 *b* Kap 2,65-66 *c* Kap 3,19 **16,4** *a* Kap 2,1.70 **16,8** *a* 4. Mose 10,9 *b* Kap 15,38-41 **16,17** *a* 5. Mose 22,21; Ri 19,23 *b* Jer 18,20; Ps 35,12

die Städte und das Land übergebe. 19 Und
er sandte andere Leute nach Geser, um Jo-
hannes umzubringen, und an die Haupt-
leute schickte er Briefe, dass sie zu ihm
kommen sollten; er wolle ihnen Silber,
Gold und Geschenke geben. 20 Wieder an-
dere schickte er los, um Jerusalem und das
Heiligtum einzunehmen.
21 Aber einer lief voraus nach Geser und
meldete Johannes, dass sein Vater und
seine Brüder umgekommen seien und
dass Leute unterwegs seien, um auch ihn
umzubringen. 22 Als Johannes das hörte,
entsetzte er sich sehr und ließ die Leute
gefangen nehmen, die gekommen waren,
ihn umzubringen, und tötete sie. Denn er
hatte erkannt, dass sie ihn wirklich hatten
ermorden wollen.
23 Was aber Johannes danach weiter ge-
tan hat, seine Kriege und Heldentaten, die
er vollbracht hat, wie er regiert und wie er
die Mauern gebaut und was er sonst getan
hat, 24 das alles ist aufgeschrieben in der
Chronik seines Hohepriesteramts, von
der Zeit an, als er nach seinem Vater Ho-
herpriester geworden war.

DAS ZWEITE BUCH DER MAKKABÄER

1–2 Briefe an die Juden in Ägypten 3 Bewahrung des Tempelschatzes
4–6 Einführung griechischer Sitten in Israel 7 Das Martyrium der sieben Brüder
8–10 Aufstand des Judas Makkabäus 11–15 Kämpfe gegen Israels Feinde

DER ERSTE BRIEF

1 Viel Friede zuvor. Wir Juden, eure Brü-
der, die in Jerusalem und im Land Ju-
däa sind, grüßen euch Juden und wün-
schen unseren Brüdern, die in Ägypten
wohnen: 2 Gott segne euch und gedenke
an [a]seinen Bund, den er Abraham, Isaak
und Jakob, seinen treuen Knechten, zuge-
sagt hat, 3 und gebe euch allen ein Herz,
das bereit ist, ihn zu fürchten und seinen
Weisungen gern und willig zu folgen; 4 er
tue euer Herz auf durch sein Gesetz und
seine Gebote und schaffe Frieden; 5 er er-
höre euer Gebet und versöhne sich mit
euch und verlasse euch nicht in der Not!
6 Das alles erbitten wir hier jetzt für euch.
7 Zur Zeit des Königs Demetrius, im 169.
Jahr,* haben wir in Judäa an euch geschrie-
ben in unsrer höchsten Not, die uns in je-
nen Jahren betroffen hatte, seit [a]Jason und
sein Anhang von dem heiligen Land und
von dem Königreich abtrünnig geworden
waren, 8 [a]unsre Tore verbrannt und un-
schuldiges Blut vergossen hatten. Damals
beteten wir und der Herr erhörte uns. Und
[b]wir brachten ihm Opfer und feines Mehl
dar und zündeten die Lampen an und leg-
ten die [c]Schaubrote auf. 9 Und nun möch-
ten wir, dass ihr ein Fest wie das [a]Laubhüt-
tenfest* im Monat Kislew haltet wie wir.
Gegeben im 188. Jahr.*

DER ZWEITE BRIEF

10 Wir in Jerusalem und in Judäa, die Äl-
testen und Judas Makkabäus wünschen
Aristobulos, dem Lehrer des Königs
Ptolemäus, der von hohepriesterlichem
Stamme ist, und den andern Juden, die in
Ägypten wohnen, Glück und Gesundheit.
11 Wir danken Gott sehr, dass er uns, die
wir uns gegen einen so mächtigen König
wehren mussten, aus großer Not erlöst
hat. 12 Denn er selbst hat unsere Feinde aus
der heiligen Stadt vertrieben.
13 Als nämlich der Fürst mit seinem
scheinbar unüberwindlichen Heer nach
Persien gekommen war, wurde er im
Tempel der Nanäa durch List der Priester
der Nanäa erschlagen.[a] 14 Denn Antiochus
kam mit seinem Gefolge, als wollte er sich
mit der Göttin vermählen, dachte aber nur
daran, die reichen Schätze aus dem Tem-
pel als Mitgift zu nehmen. 15 Als die Pries-
ter der Nanäa sie hervortrugen und er mit
einigen in das Heiligtum gegangen war,
schlossen sie den Tempel zu, als Antio-
chus eingetreten war. 16 Dann öffneten sie

* **1,7** 144/143 v. Chr. **1,9** (1) Gemeint ist ein Tempelweihfest, das mit so vielen Tagen wie das Laubhüttenfest gefeiert wird. (2) 125/124 v. Chr.

1,2 *a* 2. Mose 2,24 **1,7** *a* Kap 4,7-17 **1,8** *a* 1. Makk 4,38 *b* 1. Makk 4,50-51 *c* 2. Mose 25,23-39 **1,9** *a* 1. Makk 4,59; Joh 10,22 **1,13** *a* Kap 9,1-29; 1. Makk 6,1-16

die geheime Tür in der Decke und warfen
den Fürsten mit Steinen zu Tode. Danach
hieben sie alle in Stücke, schlugen ihnen
die Köpfe ab und warfen sie denen zu, die
draußen standen. 17 Unser Gott sei für al-
les gelobt, der die Gottlosen so dahinge-
geben hat!

18 Weil wir nun gedenken, [a]am 25. Tag
des Monats Kislew die Reinigung des
Tempels zu begehen, haben wir's für un-
sere Pflicht gehalten, euch das mitzutei-
len, damit auch ihr dieses Fest so begeht
wie das [b]Laubhüttenfest und das Fest des
Feuers*, an dem Nehemia, der Erbauer
von Tempel und Altar, wieder Opfer dar-
brachte.

19 Denn als unsre Väter nach Persien
weggeführt wurden, haben die from-
men Priester jener Zeit [a]Feuer vom Altar
genommen und es heimlich in der Höh-
lung eines Brunnens versteckt, der eine
wasserfreie Stelle besaß; dort verwahrten
sie es so, dass niemand den Ort erfuhr.
20 Als nun [a]nach vielen Jahren Nehemia
nach dem Willen Gottes vom König von
Persien heimgesandt wurde, schickte er
Nachkommen der Priester, die das Feuer
verborgen hatten, damit sie es wieder
suchten. 21 Aber wie sie uns berichtet ha-
ben, haben sie kein Feuer, sondern dick-
flüssiges Wasser gefunden. [21][a]Das gebot
er ihnen zu schöpfen und zu bringen.
Als nun alles zum Opfer zugerüstet war,
hat Nehemia den Priestern befohlen, sie
sollten das Wasser über das Holz und das
Opfer, das auf dem Holz lag, gießen. 22 Als
sie das getan hatten und nach einiger Zeit
die Sonne aufleuchtete und die Wolken
vergangen waren, da entzündete sich ein
großes Feuer. Darüber verwunderten sich
alle. 23 Die Priester und das Volk aber be-
teten, bis das Opfer verbrannt war. Und
Jonatan stimmte an, die andern aber ant-
worteten ihm mit Nehemia.[a]

24 Dies aber war das Gebet: Herr, Herr,
Gott, der du alle Dinge geschaffen hast
und furchterregend, stark und gerecht bist
und barmherzig und allein der rechte Kö-
nig und Wohltäter, 25 der du allein alle Ga-
ben gibst, der du allein gerecht, allmächtig
und ewig bist, der du Israel erlöst aus allem
Übel, der du unsere Väter erwählt und sie
geheiligt hast; 26 nimm das Opfer an für
dein ganzes Volk Israel und bewahre und
heilige dein Erbe. 27 Bring uns aus der Zer-
streuung wieder zusammen, erlöse, die
den Heiden dienen müssen, und sieh die
Verachteten an, vor denen alle ein Grauen
haben: damit die Heiden erfahren, dass du
unser Gott bist. 28 Bestrafe, die uns unter-
drücken und mit großem Übermut uns
alle Schande antun. 29 Pflanze dein Volk
wieder ein an deinem heiligen Ort, wie
Mose gesagt hat.[a] 30 Die Priester aber san-
gen die Lobgesänge dazu.

31 Als aber das Opfer verzehrt war, [31]ließ
Nehemia das übrige Wasser auf große
Steine gießen. 32 Da ging eine Flamme auf;
aber sie wurde verzehrt, als das Licht am
Altar erstrahlte.*

33 Dies alles ist bekannt geworden und
vor den König der Perser gekommen, dass
man nämlich an dem Ort, wo die wegge-
führten Priester das Feuer versteckt hat-
ten, Wasser gefunden hätte, mit dem
dann die Leute Nehemias die Opfer gehei-
ligt hätten. 34 Da prüfte es der König nach
und ließ den Ort einfrieden und zum Hei-
ligtum erklären; 35 und als Zeichen seiner
Gnade gab er viele kostbare Geschenke aus
seinem Schatz dazu. 36 Und die Leute Ne-
hemias nannten dies Wasser Neftar, das
heißt übersetzt: Reinigung; die meisten
aber nennen es Neftai.

2 Man findet auch in den Schriften, dass
der Prophet Jeremia denen, die wegge-
führt wurden, geboten habe, sie sollten
[a]vom Feuer etwas verstecken, wie oben
berichtet, 2 und dass er ihnen das Gesetz
mitgegeben und befohlen habe, sie sollten
die Gebote des Herrn ja nicht vergessen
und [a]sich nicht verführen lassen, wenn
sie die goldenen und silbernen Götzen
und ihren Schmuck sehen würden; 3 und
er habe ihnen noch anderes dieser Art ge-
sagt und sie ermahnt, sie sollten das Ge-
setz nicht aus ihrem Herzen lassen.

4 Auch stand in derselben Schrift, der
Prophet habe auf göttlichen Befehl hin ih-

* **1,18** Dieses Fest ist sonst nicht bekannt.
1,32 Gemeint ist, dass die Flamme in den Steinen gespeichert wird (vgl. Kap 10,3).

1,18 ***a*** 1. Makk 4,59 ***b*** 3. Mose 23,34 **1,19** ***a*** Kap 2,1 **1,20** ***a*** Neh 2,1-8 **1,21** ***a*** (21-22) 1. Kön 18,34-38 **1,23** ***a*** Neh 8,6; Jdt 15,14 **1,29** ***a*** 2. Mose 15,17; 5. Mose 30,3-5 **2,1** ***a*** Kap 1,19 **2,2** ***a*** Bar 6,6-72

nen geboten, [a]dass sie die Stiftshütte und
die Bundeslade mitnehmen sollten. [5]als
er auszog [b]an den Berg, auf den Mose ge-
stiegen war und von dem aus er das Erb-
land Gottes gesehen hatte. 5 Als Jeremia
dorthin kam, fand er eine Höhle; darin
versteckte er die Stiftshütte und die Lade
und den Räucheraltar und verschloss den
Eingang. 6 Aber einige Männer, die mit
ihm gegangen waren, traten hinzu und
wollten sich am Weg ein Zeichen machen;
sie konnten ihn aber nicht finden. 7 Als das
Jeremia erfuhr, tadelte er sie und sagte:
Diese Stätte soll kein Mensch kennen, bis
Gott sein Volk wieder zusammenbringen
und ihm gnädig sein wird. 8 Dann wird der
Herr dies alles wieder ans Licht bringen;
und [a]dann wird die Herrlichkeit des Herrn
und die Wolke erscheinen, wie sie sich [b]zu
Moses Zeiten gezeigt hat und [c]damals, als
Salomo bat, dass die Stätte über die Ma-
ßen geheiligt würde.

9 Es wurde auch erzählt, [a]wie Salomo
in seiner Weisheit [b]zur Einweihung und
Vollendung des Tempels geopfert hat.
10 Und ebenso, wie [a]Mose den Herrn ge-
beten hatte und Feuer vom Himmel fiel
und die Opfer verzehrte, so betete auch
[b]Salomo und das Feuer fiel herab und ver-
zehrte die Brandopfer. 11 Und Mose sagte,
das Sündopfer sei vom Feuer verzehrt
worden, weil man's nicht gegessen habe.[a]
12 Ebenso hat auch Salomo die acht Tage
gefeiert.[a]

13 Das alles findet man auch in den
Schriften und den Denkwürdigkeiten Ne-
hemias; ferner, wie Nehemia die Bücher
über die Könige und Propheten, auch die
von David und die Briefe der Könige über
Weihegeschenke zusammengebracht und
eine Bibliothek eingerichtet hat. 14 Ebenso
hat aber auch Judas die Bücher, die verlo-
ren gegangen waren, weil Krieg im Land
herrschte, alle wieder zusammengebracht;
[15]und wir haben sie hier. 15 Solltet ihr sie
also brauchen, so lasst sie bei uns holen!

16 Weil wir nun die Tempelreinigung
begehen wollen, schreiben wir es euch
hiermit; ihr werdet also gut daran tun,
die Tage auch zu begehen. 17 Gott aber ist
es, der seinem ganzen Volk geholfen und
allen das Erbe, [a]das Königtum, die Pries-
terschaft und die Heiligung gegeben hat,
18 wie er's durch das Gesetz verheißen hat.
Wir hoffen nämlich auf Gott, [a]er wolle
sich unser bald erbarmen und uns aus der
weiten Welt an den heiligen Ort wieder
zusammenbringen. [19]Denn er hat uns ja
bereits aus großem Unglück errettet und
die heilige Stätte gereinigt.

VORWORT DES VERFASSERS

19 [20] Die Geschichten aber von Judas, dem
Makkabäer, und seinen Brüdern und von
der Reinigung des erhabenen Tempels
und der Weihe des Altars; 20 [21] von den
Kriegen gegen Antiochus Epiphanes und
seinen Sohn Eupator; 21 [22] von den Er-
scheinungen vom Himmel her, die denen
widerfuhren, die für das Judentum red-
lich gekämpft haben, sodass ihre kleine
Schar das ganze Land mit Krieg überzog
und die große Menge der Barbaren in
die Flucht geschlagen und verfolgt hat;
22 [23] und weiter davon, wie sie den Tem-
pel, der in aller Welt berühmt ist, wieder-
gewonnen und die Stadt befreit haben
und wie sie die Gesetze, die man auflösen
wollte, wieder aufgerichtet haben, weil
der Herr ihnen wohlwollte und gnädig
war: 23 [24] Dies alles, das Jason von Kyrene
in fünf Büchern aufgezeichnet hat, geden-
ken wir, hier auf das Kürzeste zusammen-
zufassen.

24 [25] Denn wir sehen, um wie viel Zah-
len es geht und dass es wegen der Fülle des
Stoffs schwer sein wird, die Erzählungen
und Berichte recht zu erfassen. 25 [26] Wir
haben uns also vorgenommen, denen,
die gerne lesen, Anregung zu verschaf-
fen, denen, die ihrem Gedächtnis etwas
einprägen möchten, leichtere Übersicht
zu geben, allen aber, die das Buch in
die Hand nehmen, Gewinn zu bringen.
26 [27] Doch für uns, die wir uns der Mühe
dieser Kürzung unterzogen haben, ist
es nicht eben leicht gewesen, sondern
eine Arbeit voller Schweiß und schlaflo-
ser Nächte, 27 [28] wie es auch ohne Arbeit
nicht zugeht, wenn man eine Mahlzeit

2,4 ***a*** 4. Mose 4,1-49; 10,17 ***b*** 5. Mose 34,1-4
2,8 ***a*** Hes 43,1-5 ***b*** 2. Mose 40,34-35
c 1. Kön 8,10-13.28-30 **2,9** ***a*** 1. Kön 5,9-11.14 ***b*** 1. Kön 8,63
2,10 ***a*** 3. Mose 9,24 ***b*** 2. Chr 7,1 **2,11** ***a*** 3. Mose 10,16-20
2,12 ***a*** 1. Kön 8,65-66 **2,17** ***a*** 2. Mose 19,5-6; 1. Petr 2,9
2,18 ***a*** 5. Mose 30,3-5

bereiten und den Gästen etwas zugute-
tun will. Dennoch wollen wir diese Mühe
gern auf uns nehmen, weil es uns viele
danken werden, 28 [29] dabei allerdings die
genaue Erforschung des Einzelnen dem
Geschichtsschreiber überlassen, uns selbst
aber darum bemühen, die Regeln für das
Schreiben einer Zusammenfassung zu be-
herzigen.

29 [30] Denn wie ein Baumeister, der ein
neues Haus baut, sich um den gesamten
Bau zu kümmern hat, der aber, der es
übernimmt, das Haus auszumalen, nichts
weiter zu bedenken hat, als was man zur
Ausschmückung braucht, so, meine ich,
steht es auch bei uns. 30 [31] In die Dinge
einzudringen und sie zu durchforschen
und sich mit den Einzelheiten genau zu
beschäftigen, das kommt dem Geschichts-
schreiber zu; 31 [32] wer aber nur nacherzäh-
len will, der darf sich kürzer fassen und
sich von der eingehenden Darstellung der
Geschichte frei machen. 32 [33] Und nun
wollen wir mit der Erzählung beginnen,
nachdem wir so viel dem Voraufgeschick-
ten hinzugefügt haben; es wäre ja töricht,
die Vorrede länger zu machen, die Erzäh-
lung aber zu kürzen.[a]

DER TEMPELSCHATZ WIRD VOR HELIODOR BEWAHRT

3 Als man in gutem Frieden in der hei-
ligen Stadt wohnte und die Gesetze
aufs Beste gehalten wurden, weil der
[a]Hohepriester Onias fromm war und das
Böse hasste, 2 wurden sogar die Könige
bewogen, die Stadt zu ehren und herr-
liche Geschenke in den Tempel zu schi-
cken. 3 So gewährte auch Seleukus, der
König in der Asia, aus seinen eignen Ein-
künften alle Kosten, die der Opferdienst
mit sich brachte.

4 Ein gewisser Simon aber aus dem
Haus Balgeas, der zum Tempelvorste-
her eingesetzt war, verfeindete sich mit
dem Hohenpriester wegen der Ordnung
der Märkte in der Stadt. 5 Weil ihm aber
Onias zu mächtig war, zog er zu Apollo-
nius, dem Sohn des Tharseas, der damals
Befehlshaber in Zölesyrien und Phönizien
war, 6 und meldete ihm, dass der Tempel-
schatz in Jerusalem unermesslich reich
sei, sodass man die Höhe der Gelder nicht
errechnen könne; man bedürfe ihrer auch
nicht zum Opfer; es sei möglich, dass
diese Gelder unter das Verfügungsrecht
des Königs fielen.

7 Als nun Apollonius zum König kam,
berichtete er ihm, was ihm über die Gelder
bekannt war. Da bestimmte der König sei-
nen Kanzler Heliodor, entsandte ihn und
gab ihm den Befehl, sich die erwähnten
Gelder ausliefern zu lassen. 8 Der machte
sich sogleich auf und gab an, er müsste die
Städte in Zölesyrien und Phönizien berei-
sen. Seine Absicht aber war, den Befehl
des Königs auszuführen.

9 Als Heliodor nun nach Jerusalem kam
und der Hohepriester der Stadt ihn
freundlich empfangen hatte, erzählte er,
was seinem Herrn angezeigt worden war,
und teilte mit, wozu er da wäre, und
fragte, ob das in Wahrheit zuträfe. 10 Da
antwortete ihm der Hohepriester: Es ist
Geld, das Witwen und Waisen gehört,
hinterlegt zu treuer Hand.[a] 11 Anderes aber
gehört dem Hyrkanus, dem Sohn des
Tobias, einem sehr bedeutenden Mann.
Und es verhält sich gar nicht so, wie der
Verräter Simon gesagt hat; denn es sind
nicht mehr als vierhundert Talente Silber
und zweihundert Talente Gold. 12 Es wäre
gänzlich unmöglich, denen Unrecht zu
tun, die auf die Heiligkeit der Stätte ver-
traut haben und auf die Würde des Tem-
pels, der in aller Welt so hoch geehrt wird,
und auf seine Unverletzlichkeit. 13 Aber
Heliodor bestand auf dem Befehl des
Königs und sagte, er müsste die Gelder für
den königlichen Schatz nehmen, 14 und
bestimmte einen Tag und kam in den
Tempel, um sie zu besichtigen.

Da erhob sich großer Jammer in der
ganzen Stadt. 15 Die Priester warfen sich
in ihrem heiligen Schmuck vor den Altar
und riefen den Himmel an, der [a]geboten
hatte, das, was hinterlegt worden war, zu
schützen – nun möge er den Leuten das
Hinterlegte unversehrt erhalten. 16 Den
Hohenpriester aber konnte niemand ohne
Bestürzung anblicken; denn weil sein Ge-
sicht so erbleicht war, sah man ihm an,
dass er in großen Ängsten war. 17 Denn

2,32 *a* Kap 1,1–2,18 **3,1** *a* Kap 15,12 **3,10** *a* 5. Mose 27,19
3,15 *a* 2. Mose 22,6-7

er war so tief erschrocken und zitterte am ganzen Leibe, dass alle, die ihn sahen, verspüren mussten, welcher Schmerz sein Herz erfüllte.

18 Die Leute aber liefen in Scharen aus den Häusern und beteten miteinander, weil sie sahen, dass die heilige Stätte in Schmach und Schande gebracht werden
sollte. 19 Und die Frauen legten Säcke an, entblößten die Brust und liefen auf die Gassen; und sogar jene Jungfrauen, die sonst nicht unter die Leute gingen, liefen unter die Tore und auf die Mauern. Etliche lehnten sich aus den Fenstern; 20 alle
aber hoben ihre Hände auf zum Himmel und hielten das Bittgebet. 21 Es war zum
Erbarmen, wie das Volk in einem großen Durcheinander niederfiel und dem Hohenpriester so angst und bange vor dem Kommenden war.

22 Während sie so den allmächtigen Herrn anriefen, dass er das anvertraute Gut denen, die es hinterlegt hatten, unversehrt und sicher erhalten wollte,
23 suchte Heliodor sein Vorhaben auszuführen. 24 Und als er schon mit den Kriegsleuten in der Schatzkammer stand,
[24] tat der Herrscher über die Geister und alle Mächte ein gewaltiges Zeichen, sodass alle, die einzudringen sich erdreistet hatten, von der Macht Gottes geschlagen in lähmende Furcht und Verzagtheit fielen. 25 Denn es erschien ihnen ein Pferd,
das mit prächtigem Geschirr geschmückt war, darauf saß ein furchterregender Reiter; das rannte mit aller Macht auf Heliodor zu und drang mit den Vorderfüßen auf ihn ein. Und der Reiter auf dem Pferd schien eine goldene Rüstung zu tragen.
26 Auch erschienen dem Heliodor zwei junge Männer, die stark und schön waren und prächtig gekleidet; die traten auf beiden Seiten neben ihn hin und geißelten ihn unablässig mit vielen Schlägen, 27 so-
dass er im Nu zu Boden fiel und in Ohnmacht sank.

[28] Da nahm man ihn und legte ihn auf eine Trage. 28 Eben noch war er mit
großem Gefolge und allen Kriegsleuten in die Schatzkammer gegangen, und nun trug man ihn, weil er sich selbst nicht mehr helfen konnte. [29] Deutlich erkannten
alle die Macht Gottes. 29 Er aber lag durch
Gottes Wirken stumm da und war jeder Hoffnung und Hilfe beraubt; 30 die Juden
aber lobten den Herrn, der seine heilige Stätte so geehrt hatte. Und den Tempel, der kurz zuvor voll Furcht und Schrecken gewesen war, erfüllte Freude und Wonne nach diesem Zeichen des allmächtigen Herrn.

31 Aber einige Freunde des Heliodor kamen eilends und baten Onias, doch den Höchsten anzurufen, dass er dem Heliodor, der jetzt in den letzten Zügen lag, das Leben schenken solle.[a] 32 Weil aber der
Hohepriester die Sorge hatte, der König könnte den Argwohn haben, die Juden hätten dem Heliodor etwas angetan, opferte er für ihn, damit er gesund würde.
33 Und als der Hohepriester das Sühnopfer darbrachte, erschienen die beiden jungen Männer wieder in derselben Kleidung und sagten zu Heliodor: Danke dem Hohenpriester Onias vielmals, denn um seinetwillen hat dir der Herr das Leben geschenkt; 34 Du aber verkündige al-
len die große Kraft Gottes, weil du vom Himmel herab gegeißelt worden bist. Und als sie dies gesagt hatten, verschwanden
sie. 35 Heliodor aber opferte dem Herrn
und tat ihm sehr große Gelübde, weil er ihm das Leben wiedergegeben hatte, und empfing den Onias und kehrte danach mit der Streitmacht zum König zurück 36 und
bezeugte allen, wie er mit eignen Augen die Taten des höchsten Gottes gesehen hätte.

37 Als ihn aber der König fragte, welchen geeigneten Mann er sonst noch einmal nach Jerusalem schicken könnte, antwortete ihm Heliodor: 38 Wenn du einen
Feind hast oder einen, der dich zu stürzen gedenkt, den schicke hin! Du wirst ihn dann zurückbekommen, nachdem er gegeißelt worden ist, wenn er überhaupt mit dem Leben davonkommt. [39] Denn
es wirkt wahrhaftig eine Kraft Gottes an jener Stätte. 39 Der [a]seine Wohnung im
Himmel hat, wacht darüber und hilft ihr; und alle, die ihr in böser Absicht nahen, schlägt und vernichtet er.

40 Damit genug von Heliodor und der Bewahrung der Schatzkammer.

3,31 ***a*** 1. Kön 13,6 **3,39** ***a*** 1. Kön 8,30.43

ONIAS BEIM KÖNIG

4 Jener Simon aber, der den Schatz und
sein Vaterland verraten hatte, verleum-
dete den Onias, kein anderer als er habe
dem Heliodor übel mitgespielt und sein
Unglück angestiftet; 2 er beschuldigte ihn
sogar, selbst Herr im Land werden zu wol-
len, obwohl er doch der Stadt alles Gute tat
und es mit seinem Volk treu meinte und
voll Eifer an Gottes Geboten festhielt.
3 Als nun die Feindschaft so groß gewor-
den war, dass einer von Simons Vertrau-
ten sogar Morde verübte, 4 und als Onias
sah, dass viel Unheil aus solcher Uneinig-
keit kommen würde, weil Apollonius, der
Sohn des Menestheus, der Befehlshaber in
Zölesyrien und Phönizien, den Simon in
seiner Bosheit noch bestärkte, 5 da machte
Onias sich auf zum König, [5] nicht, um
seine Mitbürger zu verklagen, sondern
weil er auf das Wohl des ganzen Volkes
und jedes Einzelnen bedacht war. 6 Denn
er sah: Wenn der König nicht Vorsorge
treffen würde, so wäre es nicht möglich,
im öffentlichen Leben noch zum Frieden
zu kommen und Simon von seiner Torheit
abzubringen.

JASON WIRD HOHERPRIESTER

7 Als aber Seleukus gestorben und die
Herrschaft an [a]Antiochus mit dem Bei-
namen Epiphanes* gekommen war, er-
schlich Jason, der Bruder des Onias, sich
das Amt des Hohenpriesters. 8 Er sandte
dem König eine Bittschrift und versprach
dreihundertsechzig Talente Silber und
aus anderm Einkommen achtzig Talente.
9 Und darüber hinaus versprach er, ihm
noch hundertfünfzig Talente zu über-
schreiben, wenn man gestatten wollte,
dass er aus eigner Vollmacht ein Gymna-
sion und einen Kampfplatz nach griechi-
scher Art für junge Leute herrichtete und
die Jerusalemer zu Bürgern Antiochias
erklärte.
10 Als der König zustimmte und Jason
die Macht ergriffen hatte, gewöhnte er
sogleich seine jüdischen Mitbürger an die
griechische Lebensart. 11 Und die Vorrech-
te, die der König aus Menschenfreund-
lichkeit den Juden durch Vermittlung
des Johannes verliehen hatte, des Vaters
jenes [a]Eupolemus, der als Gesandter nach
Rom geschickt wurde, um über Freund-
schaft und Waffenhilfe zu verhandeln,
die gab er auf, schaffte die alten gesetz-
mäßigen Einrichtungen ab und führte
neue Sitten ein, die dem Gesetz wider-
sprachen.
12 Ganz bewusst nämlich baute er unter
der Burg ein [a]Gymnasion und brachte die
stärksten der jungen Leute dazu, dort an
den Wettkämpfen teilzunehmen. 13 Und
das griechische Wesen und die Aneig-
nung fremder Sitten nahmen durch die
übergroße Ruchlosigkeit des gottlosen
falschen Hohenpriesters Jason so über-
hand, 14 dass die Priester nicht mehr eif-
rig im Dienst am Altar waren, vielmehr
den Tempel verachteten und die Opfer
vernachlässigten und nach dem Aufruf
zum Diskuswerfen zur Kampfbahn lie-
fen und an den gesetzwidrigen Spielen
teilnahmen; 15 und was den Vätern eine
Ehre war, galt ihnen nichts, aber die grie-
chischen Auszeichnungen hielten sie für
ungemein wertvoll. 16 Dafür mussten sie
bezahlen; denn gerade die, denen sie in
ihren Spielen und auch sonst ganz gleich
werden wollten, wurden zu ihren Feinden
und Rächern. 17 Denn [a]mit Gottes Gebo-
ten ist nicht zu scherzen – das wird sich in
der Folge zeigen.
18 Als man nun in Tyrus das Kampfspiel
hielt, das alle vier Jahre gefeiert wurde,
und der König selbst dabei war, 19 schickte
der ruchlose Jason einige Jerusalemer, [a]die
zu Antiochenern geworden waren, als
Festgesandtschaft und durch sie dreihun-
dert Drachmen Silber, um dem Herakles*
davon zu opfern. Als sie das überbrachten,
baten sie darum, [b]es nicht zum Opfer zu
verwenden, weil sich das nicht schicken
würde, sondern es für etwas anderes zu-
rückzulegen. 20 Obgleich er also das Geld
zum Opfer für Herakles gesendet hatte,
verwendete man es wegen der Männer,
die es überbracht hatten, zur Ausrüstung
von Kriegsschiffen.
21 Antiochus sandte Apollonius, den
Sohn des Menestheus, wegen der Thron-

* **4,7** Der Name bedeutet »der (in göttlichem Lichte) Strahlende«. **4,19** Halbgöttlicher Held der griechischen Sage.

4,7 ***a*** 1. Makk 1,10 **4,11** ***a*** 1. Makk 8,17 **4,12** ***a*** 1. Makk 1,14 **4,17** ***a*** Gal 6,7 **4,19** ***a*** 2. Makk 4,9 ***b*** 5. Mose 13,7-9

besteigung des Königs Philometor nach Ägypten. So erfuhr Antiochus, dass ihm Philometor nicht mehr geneigt war, und daher war er auf seine Sicherheit bedacht; deshalb kam er nach Joppe und begab sich nach Jerusalem. 22 Er wurde von Jason und der ganzen Stadt prächtig empfangen und mit Fackeln und großem Triumph hineingeleitet. Danach zog er mit seinem Heer wieder nach Phönizien.

MENELAUS WIRD HOHERPRIESTER

23 Aber nach drei Jahren schickte Jason den Menelaus, den Bruder des oben genannten [a]Simon, um dem König das Geld zu überbringen und notwendige Regierungsgeschäfte schriftlich abzuschließen. 24 Und als er zum König vorgelassen wurde, huldigte er ihm heuchlerisch und brachte das Amt des Hohenpriesters dadurch an sich selber, dass er dem König [a]dreihundert Talente Silber mehr gab als Jason. 25 Und nachdem er die königliche Beauftragung empfangen hatte, kam er nach Jerusalem; aber er hatte nichts von einem Hohenpriester an sich, sondern die Leidenschaften eines rohen Tyrannen und die Wut eines wilden Tieres.

26 So wurde Jason, der seinen eigenen Bruder betrogen hatte, wieder durch einen andern betrogen und musste in das Land der Ammoniter fliehen; 27 und Menelaus bemächtigte sich der Herrschaft. Als er aber das Geld, das er dem König versprochen hatte, nicht entrichtete, 28 obwohl es Sostratus, der Burghauptmann, an den das Geld zu zahlen war, von ihm forderte, [28] ließ der König die beiden vor sich laden. 29 Und Menelaus ließ als seinen Stellvertreter im Amt des Hohenpriesters seinen Bruder Lysimachus zurück, Sostratus aber als seinen Stellvertreter den Krates, den Hauptmann über die Kriegsleute aus Zypern.

DIE ERMORDUNG DES ONIAS

30 Als die Dinge so standen, gab es in Tarsus und Mallus einen Aufruhr, weil der König diese Städte seiner Nebenfrau Antiochis geschenkt hatte. 31 Da machte sich der König eilends auf, die Angelegenheit in Ordnung zu bringen, und ließ den Andronikus, einen seiner angesehensten Würdenträger, als Statthalter zurück. 32 Menelaus aber dachte, dass er diese gute Gelegenheit nützen müsste: Er stahl einige goldene Geräte aus dem Tempel und schenkte sie dem Andronikus; andere hatte er nach Tyrus und in die umliegenden Städte verkauft.

33 Als das Onias erfuhr, begab er sich in den Schutz eines Tempels in Daphne, das bei Antiochia liegt, und tadelte Menelaus scharf. 34 Da nahm dieser den Andronikus beiseite und forderte ihn auf, Hand an Onias zu legen. Andronikus ging zu Onias, beredete ihn mit List, gab ihm Handschlag und Eid, und obwohl Onias einen Verdacht hegte, überredete Andronikus ihn, aus der Freistatt herauszukommen. Dann aber brachte er ihn sogleich um ohne alle Scheu vor dem Recht. 35 Das fanden nicht allein die Juden entsetzlich, sondern auch viele aus den andern Völkern; sie waren entrüstet über den ruchlosen Mord an diesem Mann.

36 Als nun der König aus Kilikien wieder heimkehrte, wandten sich die Juden in der Stadt an ihn, und auch die Griechen zeigten sich mit ihnen darüber empört, dass Onias gewissenlos ermordet worden war. 37 Und Antiochus war in tiefster Seele betrübt und von Mitleid ergriffen und weinte, dass ein Mann von so edler Gesinnung und so untadeliger Haltung umgekommen war; 38 und er ergrimmte voll Zorn und ließ dem Andronikus sogleich das Purpurkleid abnehmen und die Kleider zerreißen, ihn so in der ganzen Stadt umherführen und zuletzt den Meuchelmörder an dem Ort aus der Welt schaffen, wo er Onias heimtückisch umgebracht hatte. So hat ihn der Herr nach seinem Verdienst bestraft.

DER AUFSTAND GEGEN LYSIMACHUS

39 Als aber Lysimachus in der Stadt mit Wissen seines Bruders Menelaus viel aus dem Tempel gestohlen hatte und die Kunde davon unter die Leute gekommen war, versammelte sich die Gemeinde gegen Lysimachus, als schon viele goldene Geräte weggebracht worden waren. 40 Als nun die Massen sich erregten und sehr

4,23 *a* Kap 3,4 **4,24** *a* Vers 8

zornig waren, bewaffnete Lysimachus an
die dreitausend Mann und begann mit
Gewalttaten; dabei war der Anführer
ein gewisser Auranus, [a]gereift an Jahren,
doch nicht an Verstand. 41 Als die Bürger
sahen, dass Lysimachus sie angreifen ließ,
nahmen die einen Steine, die andern di-
cke Äste, wieder andre rafften etwas von
der daliegenden Asche zusammen und
warfen alles miteinander auf die Leute
des Lysimachus, 42 sodass viele von ihnen
verwundet, andre zu Boden geschlagen
wurden, alle aber davonliefen. Den Tem-
pelräuber selbst aber erschlugen sie bei der
Schatzkammer.

DER PROZESS GEGEN MENELAUS

43 Wegen dieser Vorgänge wurde Mene-
laus vor Gericht gezogen. 44 Und sobald
der König nach Tyrus gekommen war,
trugen ihm drei Gesandte aus dem Rat
der Ältesten die Klage vor. 45 Als aber
Menelaus schon unterlegen war, versprach
er [a]Ptolemäus, dem Sohn des Doryme-
nes, viel Geld, damit er beim König für
ihn bitten sollte. 46 Da nahm Ptolemäus
den König beiseite und ging mit ihm in
einen Säulengang, als wollte er ihm Küh-
lung verschaffen, und stimmte ihn um,
47 sodass er den Menelaus, der doch alles
Unglück angerichtet hatte, von der Ankla-
ge freisprach, aber die armen Leute zum
Tode verurteilte, die doch sogar bei den
[a]Skythen als unschuldig erkannt und frei-
gelassen worden wären. 48 Sogleich muss-
ten die, die für die Stadt, das Volk und die
heiligen Geräte eingetreten waren, un-
schuldig sterben.

49 Darüber waren sogar Leute von Ty-
rus empört, und sie bereiteten ihnen ein
großartiges Begräbnis. 50 Menelaus aber
blieb an der Macht dank der Habsucht der
Herrschenden und trieb es je länger, desto
ärger und tat den Bürgern alles Unrecht an.

HIMMELSERSCHEINUNGEN IN JERUSALEM

5 Um diese Zeit zog Antiochus zum zwei-
ten Mal gegen Ägypten. 2 Man sah aber
in der ganzen Stadt fast vierzig Tage lang
Reiter in den Lüften mit golddurchwirk-
ten Gewändern und Lanzen, die Scharen
verschieden bewaffnet, auch sah man ge-
zückte Schwerter 3 und Reiterscharen in
Schlachtordnung. Man sah, wie sie auf-
einandertrafen und sich wieder zurück-
zogen, wie sie aufeinander schossen. Die
goldenen Rüstungen schimmerten, auch
hatten sie Harnische von vielerlei Art. 4 Da
beteten alle, dass dies doch ja nichts Böses
bedeuten sollte.

JASONS ENDE

5 Nun kam das falsche Gerücht auf, dass
Antiochus tot wäre. Da nahm Jason nicht
weniger als tausend Mann und griff un-
versehens die Stadt an. Als aber die Vertei-
diger der Mauer zurückgetrieben worden
waren und die Stadt gerade erobert wurde,
[6] floh Menelaus auf die Burg. 6 Jason aber
schlachtete seine Mitbürger schonungslos
ab und bedachte nicht, dass Kriegsglück
gegen Blutsverwandte das größte Un-
glück ist, sondern er meinte, er siege gegen
Feinde und nicht gegen Landsleute. 7 Er
konnte aber gleichwohl die Macht nicht
erlangen, sondern erntete zuletzt Schande
für seinen Anschlag und [a]floh wieder ins
Land der Ammoniter.

8 Schließlich kam es mit ihm zu einem
bösen Ende. Er wurde bei Aretas, dem Kö-
nig der Araber, angeklagt und musste von
einer Stadt in die andere fliehen, von allen
verfolgt; er wurde gehasst, weil er von den
Gesetzen abtrünnig war, und verabscheut
als Verräter seiner Vaterstadt und Henker
seiner Mitbürger, und es verschlug ihn
nach Ägypten. 9 Und wie er viele Leute
aus ihrer Vaterstadt vertrieben hatte, so
kam er auch selbst in der Fremde um, auf
dem Weg zu den Spartanern. Bei ihnen
hatte er Sicherheit zu finden gehofft, da sie
[a]verbündet waren. 10 Und wie er viele [a]un-
begraben hatte liegen lassen, so trug auch
keiner um ihn Leid. Er fand kein würdiges
Begräbnis und wurde nicht bei seinen Vä-
tern begraben.

ANTIOCHUS PLÜNDERT DEN TEMPEL

(vgl. 1. Makk 1,20-28)

11 Als diese Vorfälle dem König zu Oh-
ren kamen, dachte er, ganz Judäa würde
von ihm abfallen. Und er zog in wildem

4,40 *a* Sir 25,4-6 **4,45** *a* 1. Makk 3,38 **4,47** *a* Kap 7,4
5,7 *a* Kap 4,26 **5,9** *a* 1. Makk 12,21 **5,10** *a* Tob 1,17-18

Grimm von Ägypten herauf und nahm
Jerusalem mit Gewalt ein 12 und befahl
den Kriegsleuten, ohne Erbarmen alle zu
erschlagen, die ihnen in die Hände fielen,
und auch die abzuschlachten, die sich auf
die Häuser hinaufflüchteten. 13 Da mor-
dete man hin Junge und Alte, Frauen und
Kinder, Jungfrauen und auch die Kinder
in der Wiege, 14 sodass in drei Tagen acht-
zigtausend Menschen zugrunde gingen,
vierzigtausend wurden getötet und nicht
weniger wurden in die Knechtschaft ver-
kauft.

15 Aber dem Antiochus genügte selbst
das nicht, sondern er wagte sogar, in die
heiligste Stätte auf Erden einzudringen;
und [a]Menelaus, der Verräter der Geset-
ze und der Vaterstadt, führte ihn hinein.
16 Da raubte er mit seinen unreinen Hän-
den die heiligen Geräte; und alles, was
andere Könige zu Mehrung, Glanz und
Ehre der Stätte gegeben hatten, das raffte
er mit seinen befleckten Händen hinweg,
17 und Antiochus überhob sich sehr und
sah nicht, dass der Herr um der Sünden
derer willen, die in der Stadt wohnten,
[a]für kurze Zeit erzürnt war.

Das war der Grund, dass der Herr sein
Angesicht von der heiligen Stätte abge-
wandt hatte. 18 Wäre das Volk nicht in so
viele Sünden verstrickt gewesen, so wäre
es dem Antiochus ebenso ergangen wie
dem [a]Heliodor, der vom König Seleu-
kus gesandt worden war, um die Schatz-
kammer zu besichtigen. Er wäre, als er
eindrang, alsbald gegeißelt worden und
hätte von seinem frevelhaften Vorgehen
ablassen müssen. 19 Denn der Herr hat
das Volk nicht auserwählt um der Stätte
willen, sondern die Stätte um des Volkes
willen.[a] 20 Darum musste die heilige Stätte
auch mit leiden, als das Volk im Unglück
war, wie sie auch an den Wohltaten teil-
hatte, die dem Volk später erwiesen wur-
den. Denn wie die Stätte im Stich gelassen
wurde, als der Allmächtige zürnte, so ist
sie mit aller Herrlichkeit wieder zu Ehren
gebracht worden, als Gott, der große Herr-
scher, seinem Volk wieder gnädig wurde.

21 Als Antiochus nun achtzehnhundert
Talente Silber aus dem Tempel geraubt
hatte, zog er eilends nach Antiochia; aus
Hoffart und Überheblichkeit dachte er, er
könnte schaffen, dass man auf dem Land
mit Schiffen fahren könnte wie auf dem
Meer und auf dem Meer gehen wie auf
dem Land. 22 Und er ließ Amtleute zu-
rück, die das Volk quälen sollten: in Jeru-
salem den Philippus, einen Phrygier, der
noch ärger und wilder war als der, der ihn
eingesetzt hatte. 23 Auf dem Garizim ließ
er Andronikus zurück; neben den beiden
aber Menelaus, der noch ärger als die an-
dern sich über die Bürger erhob und ge-
gen seine jüdischen Mitbürger feindselig
gesinnt war.

24 Antiochus aber schickte den Anführer
der Mysier, [a]Apollonius, mit zweiund-
zwanzigtausend Mann ins Land und gebot
ihm, er sollte alle erwachsenen Männer er-
schlagen, die Frauen aber und die jungen
Leute verkaufen. 25 Als er nun nach Jeru-
salem kam, stellte er sich friedlich bis zum
heiligen Sabbattag; sobald er aber sah, dass
die Juden nicht arbeiteten, befahl er sei-
nen Leuten, sich zu rüsten. 26 Als nun alle
herauskamen, um zu sehen, was da wer-
den würde, ließ er sie alle erstechen; dann
stürmte er mit seinem Heer in die Stadt
und erschlug eine große Zahl.

27 Aber Judas, der auch Makkabäus heißt,
machte sich mit neun andern davon in die
Wildnis und ernährte sich im [a]Gebirge
mit seinen Gefährten nach Art der Tiere
von Kräutern, um nicht auch unrein zu
werden.

DAS VERBOT DER JÜDISCHEN RELIGION

(vgl. 1. Makk 1,41-53)

6 Nicht lange danach sandte der König
den Athener Geron, damit er die Juden
zwingen sollte, dass sie von den Gesetzen
ihrer Väter abfielen und nicht mehr nach
Gottes Gesetzen lebten. 2 Auch sollte er
[a]den Tempel zu Jerusalem entweihen und
ihn »Tempel des Zeus Olympios« nennen
und den [b]auf dem Garizim »Tempel des
Zeus Xenios«, wie es diejenigen wollten,
die dort wohnten.

3 Aber das wüste Treiben nahm so über-
hand, dass es schlimm und ganz wider-
wärtig war. 4 Denn die Heiden schwelg-
ten und prassten im Heiligtum, gaben

5,15 *a* Kap 4,23-25 **5,17** *a* Jes 54,7-8 **5,18** *a* Kap 3,22-29
5,19 *a* Mk 2,27 **5,24** *a* 1. Makk 3,10 **5,27** *a* 1. Makk 2,28
6,2 *a* 1. Makk 1,54 *b* Joh 4,20

sich leichtfertig mit Dirnen ab und sogar im heiligen Bezirk wohnten sie Frauen bei; auch trugen sie viel hinein, was sich nicht gehörte. [5][a]Man opferte auf dem Altar Opfer, die in den Gesetzen verboten sind; [6]es war nicht mehr möglich, den Sabbat oder andere altgewohnte Feiertage zu halten, und man durfte nicht einmal bekennen, Jude zu sein; [7]vielmehr trieb man sie mit roher Gewalt alle Monate zum Opferschmaus, wenn der Geburtstag des Königs war. Wenn man aber das Fest des Dionysos beging, zwang man sie, dass sie mit Kränzen von Efeu dem Dionysos zu Ehren einherziehen mussten.

[8]Man hatte auch auf Anraten des [a]Ptolemäus an die benachbarten griechischen Städte ein Gebot ausgehen lassen, sie sollten die Juden ebenso zum Opferschmaus zwingen; [9]wenn aber jemand darauf bestehen würde, nicht zu den griechischen Sitten überzugehen, sollte man ihn niedermachen. Da sah man einen großen Jammer. [10]Zwei Frauen nämlich wurden vorgeführt, weil sie ihre Söhne beschnitten hatten. Denen [a]band man die Kindlein an die Brust und führte sie öffentlich herum durch die ganze Stadt und warf sie zuletzt über die Mauer hinab. [11]Andere hatten sich in den nahen Höhlen zusammengefunden, um heimlich den Sabbat zu halten. Als das Philippus angezeigt wurde, verbrannte man sie; denn [a]sie wollten sich nicht wehren, damit sie sich nicht gegen den hochheiligen Tag vergingen.

DER SINN DER LEIDEN DES JÜDISCHEN VOLKES

[12][a]Ich möchte aber hier diejenigen, die dieses Buch in die Hände bekommen, ermahnen, sich durch diesen Jammer nicht entmutigen zu lassen, sondern zu bedenken, dass unserm Volk Strafen nicht zum Verderben, sondern zur Erziehung widerfahren. [13]Denn das ist ein Zeichen großer Gnade, wenn den Sündern nicht lange Zeit gewährt wird, sondern sie bald der Strafe anheimgegeben werden. [14]Denn unser Herrscher sieht uns nicht so langmütig zu wie den andern Völkern, die er hingehen lässt, bis sie das Maß ihrer Sünden erfüllt haben, und sie dann bestraft; sondern er hat beschlossen, uns gegenüber nicht so zu sein, [15][14]dass wir's nicht zu weit treiben mit unseren Sünden und er zuletzt sich an uns rächen müsse. [16][15]Deshalb nimmt er seine Barmherzigkeit nie ganz von uns; und wenn er uns durch ein Unglück erzieht, [a]lässt er doch sein Volk nie im Stich. [17][16]Dies habe ich als Ermahnung hier sagen wollen. [17]Nun aber wollen wir rasch wieder auf die Geschichte kommen.

ELEASARS MÄRTYRERTOD

[18]Eleasar war einer der angesehensten Schriftgelehrten, ein schon betagter und sehr schöner Mann; dem sperrte man mit Gewalt den Mund auf, [a]weil er Schweinefleisch essen sollte. [19]Aber er wollte lieber in Ehren sterben als in Schande leben und ließ sich freiwillig martern [20]und spie es aus, wie es sich ziemt für die, die sich standhaft weigern, aus Liebe zum Leben [a]Verbotenes zu essen.

[21]Weil nun die Männer, die zur Aufsicht beim gesetzwidrigen Opferschmaus bestellt waren, ihn seit langer Zeit gekannt hatten, nahmen sie ihn beiseite und redeten ihm zu, er sollte sich Fleisch besorgen, das er essen dürfte, und es selbst zubereiten; er sollte aber so tun, als wäre es das vom König befohlene Opferfleisch, [22]damit er so vor dem Tode bewahrt bleiben und wegen der alten Freundschaft mit ihnen Freundlichkeit erfahren könnte.

[23]Aber er dachte so edel, wie es seinen hohen Jahren, dem Ansehen seines Greisenalters und seinem in Ehren ergrauten Haupt wohl anstand, auch seinem untadeligen Wandel von Jugend auf; und mehr noch: Er folgte der heiligen Gesetzgebung Gottes und sagte sogleich geradeheraus: Schickt mich nur in das Totenreich! [24]Denn es will meinem Alter übel anstehen, dass ich heuchle, sodass viele von den Jungen denken müssen, Eleasar, der nun neunzig Jahre alt ist, sei auch zum Heiden geworden, [25]und sie durch mich verführt werden, weil ich vor den Leuten heuchle und so mein Leben noch eine kleine Zeit friste. Das wäre für mein Alter

6,5 ***a*** (5-6) 1. Makk 1,44-50; Dan 7,25 **6,8** ***a*** 1. Makk 3,38
6,10 ***a*** 1. Makk 1,60-61 **6,11** ***a*** 1. Makk 2,31-38
6,12 ***a*** (12-17) Spr 3,11-12 **6,16** ***a*** Kap 7,16
6,18 ***a*** 3. Mose 11,7 **6,20** ***a*** Dan 1,8

Schimpf und Schande. 26 Wenn ich auch jetzt der Strafe der Menschen entgehen würde, so kann ich doch den [a]Händen des Allmächtigen nicht entfliehen, weder lebendig noch tot. 27 Darum will ich jetzt tapfer sterben, wie es mir altem Mann wohl ansteht, 28 und den Jungen [a]ein gutes Beispiel hinterlassen, damit auch sie freudig und tapfer um der erhabenen, heiligen Gesetze willen einen guten Tod sterben.

[29] Als er diese Worte gesagt hatte, ging er sogleich zum Richtplatz. 29 Die ihn aber führten und ihm kurz vorher freundlich gewesen waren, wurden ihm jetzt feind um solcher Worte willen; denn sie meinten, er hätte sie aus Trotz gesagt. 30 Als sie ihn aber so geschlagen hatten, dass er dem Tode nahe war, seufzte er und sprach: Der Herr, der die heilige Erkenntnis hat, der weiß, dass ich die Schläge und großen Schmerzen, die ich an meinem [a]Leibe ertrage, und den Tod wohl hätte umgehen können, dass meine Seele sie aber gern erleidet, weil ich ihn fürchte. 31 Und so ist er verschieden und hat mit seinem Tod nicht allein der Jugend, sondern für sein ganzes Volk ein Beispiel edler Gesinnung und ein Denkmal der Tapferkeit hinterlassen.

DER MÄRTYRERTOD DER SIEBEN BRÜDER UND IHRER MUTTER

7 Es wurden auch sieben Brüder samt ihrer Mutter gefangen und vom König bedrängt, sie [a]sollten Schweinefleisch essen, das ihnen im Gesetz verboten war, darum wurden sie mit Geißeln und Riemen geschlagen. 2 Da sagte einer von ihnen, der Wortführer: Was willst du viel fragen und von uns wissen? [a]Wir wollen eher sterben, als die väterlichen Gesetze zu übertreten.

3 Da ergrimmte der König und gebot, man sollte Eisenroste und Kessel über das Feuer setzen. 4 Als man das sogleich getan hatte, gebot er, man sollte dem, der für sie das Wort geführt hatte, die Zunge herausschneiden und die Haut vom Kopf abziehen, wie das die [a]Skythen tun, und Hände und Füße abhauen, und die andern Brüder und die Mutter sollten dabei zusehen. 5 Als er nun so verstümmelt war, ließ der König ihn noch lebend zum Feuer bringen und rösten. Und als der Dampf von dem Rost sich weithin verbreitete, ermahnten sich die Brüder untereinander, mit ihrer Mutter unverzagt zu sterben, und sprachen: 6 Gott der Herr sieht alles und wird sich unser ganz gewiss erbarmen, wie uns Mose in seinem [a]Gesang eindeutig bezeugt hat, wenn er verkündigt: [b]»Und über seine Knechte wird er sich erbarmen.«

7 Als der Erste so aus dem Leben geschieden war, führten sie den Zweiten auch hin, um ihren Mutwillen mit ihm zu treiben; und sie zogen ihm vom Kopf Haut und Haar ab und fragten ihn, ob er Schweinefleisch essen wollte oder den ganzen Leib Glied für Glied martern lassen. 8 Er aber antwortete in der Sprache seiner Väter und sagte: Ich will's nicht tun. [9] Daher marterten sie ihn weiter wie den Ersten. 9 Als er nun in den letzten Zügen lag, sprach er: Du verruchter Mensch, du nimmst uns wohl das zeitliche Leben; aber **der König der Welt wird uns, die wir um seiner Gesetze willen sterben, [a]wieder erwecken in der Auferstehung zum ewigen Leben.**

10 Danach nahmen sie den Dritten und trieben auch mit ihm ihren Mutwillen. Und als sie es von ihm forderten, streckte er sogleich die Zunge heraus und hielt unerschrocken die Hände hin 11 und sagte tapfer: [11] Diese Glieder sind mir vom Himmel gegeben; darum will ich sie gern gering achten um seiner Gesetze willen; denn ich hoffe, er wird sie mir wiedergeben. 12 Der König aber und sein Gefolge wunderten sich darüber, dass der Jüngling so mutig war und die Marter für nichts achtete.

13 Als auch dieser aus dem Leben geschieden war, peinigten sie den Vierten ebenso und geißelten ihn. 14 Als es aber mit ihm zum Sterben ging, sprach er: Das ist ein großer Trost, dass wir auf Gottes Verheißungen trauen: [a]Wenn uns Menschen töten, wird er uns wieder [b]auferwecken. Du aber wirst nicht auferweckt werden zum Leben.

6,26 *a* Ps 139,7-10; Hebr 10,31 **6,28** *a* Dan 12,3
6,30 *a* Mt 10,28 **7,1** *a* Kap 6,18 **7,2** *a* Dan 3,16-18
7,4 *a* Kap 4,47 **7,6** *a* 5. Mose 31,19 *b* 5. Mose 32,36
7,9 *a* Dan 12,2 **7,14** *a* Mt 16,25 *b* Hebr 11,35

15 Gleich danach brachten sie den Fünften und geißelten ihn. 16 Der sah Antiochus an und sprach zu ihm: [16][a]Du bist zwar ein Mensch und musst sterben; weil du aber unter den Menschen Gewalt hast, tust du, was du willst. Du sollst aber nicht meinen, [b]dass Gott unser Volk verlassen habe. 17 Warte nur, dann wirst du erfahren, wie mächtig der ist, der dich und dein Geschlecht plagen wird.[a]

18 Nach diesem führten sie den Sechsten auch heran. Der sagte, als er sterben sollte: Täusche dich nicht! [a]Wir haben ja unser Leiden sehr wohl verdient, da wir uns an unserm Gott versündigt haben. – Bewundernswertes ist hier geschehen! – 19 Du aber meine nicht, du würdest ungestraft bleiben, da du es gewagt hast, gegen Gott zu kämpfen.[a]

20 Überaus bewundernswert aber war die Mutter und wert, dass man mit höchstem Lobe an sie denkt. Denn sie sah, wie ihre Söhne alle sieben nacheinander an einem einzigen Tag zu Tode gemartert wurden, und durchlitt es tapfer um der Hoffnung willen, die sie zum Herrn hatte. 21 Dadurch wurde sie so hochgesinnt, dass sie einen Sohn nach dem andern in der Sprache ihrer Väter tröstete, und fasste sich, obwohl sie nur eine schwache Frau war, ein männliches Herz und sprach zu ihnen: 22 Ich weiß nicht, wie ihr in meinem Schoß entstanden seid, und den Odem und das Leben habe ich euch nicht gegeben noch habe ich zusammengefügt, woraus jeder von euch besteht.[a] 23 Darum wird der, der die Welt geschaffen und alle Menschen gemacht und das Werden aller Dinge erdacht hat, euch den Odem und das Leben gnädig zurückgeben, weil ihr jetzt um seiner Gesetze willen keinerlei Rücksicht nehmt auf euch selbst.

24 Antiochus meinte voll Argwohn, sie verachtete und schmähte ihn in ihrer Sprache; so redete er dem jüngsten Sohn, der noch übrig war, nicht allein mit guten Worten zu, sondern verhieß ihm sogar mit einem Eide, wenn er sich von den Gesetzen seiner Väter lossagen würde, so wollte er ihn reich und glücklich machen, ihn [a]unter seine Freunde aufnehmen und ihm Ämter anvertrauen. 25 Als der Jüngling sich aber nicht bereden lassen wollte, ließ der König die Mutter vor sich kommen und ermahnte sie, sie sollte den Sohn doch zu seinem Besten beraten.

26 Als er sie mit vielen Worten ermahnt hatte, nahm sie es auf sich, ihren Sohn zu überreden. 27 Aber sie spottete nur über den rohen Tyrannen. Denn sie neigte sich zu ihrem Sohn und sagte in der Sprache ihrer Väter zu ihm: [28]Mein lieber Sohn, den ich neun Monate unter meinem Herzen getragen und drei Jahre gestillt und großgezogen und bis zu diesem Alter geleitet und gepflegt habe, erbarme dich doch über mich! 28 Ich bitte dich, mein Kind, sieh Himmel und Erde an und betrachte alles, was darin ist, und erkenne: [a]**Dies hat Gott alles aus nichts* gemacht, und wir Menschen sind auch so gemacht.** 29 Darum fürchte dich nicht vor diesem Henker, sondern zeige dich deiner Brüder würdig und nimm den Tod auf dich, damit ich dich zur Zeit des Erbarmens samt deinen Brüdern wiederbekomme.

30 Während sie noch redete, sprach der Jüngling: Worauf wartet ihr? Ich gehorche dem Gebot des Königs nicht, sondern ich höre auf das Gebot des Gesetzes, das unsern Vätern durch Mose gegeben ist.[a] 31 Du aber, der du jede Bosheit gegen die Hebräer ausgeheckt hast, wirst der Hand Gottes gewiss nicht entrinnen. 32 Wir leiden ja um unsrer Sünden willen; 33 aber [a]obwohl unser lebendiger Herr eine Zeit lang zornig ist und uns bestraft und züchtigt, so wird er doch seinen Knechten wieder gnädig werden. 34 Du Gottloser, Verruchtester unter allen Menschen, überhebe dich nicht in eitlen Hoffnungen und lege nicht Hand an die Kinder des Himmels! 35 Denn du bist dem Gericht des allmächtigen Gottes, der alle Dinge sieht, noch nicht entronnen. 36 Unsere Brüder, [a]die eine kurze Zeit sich haben martern lassen, die haben jetzt teil am ewigen Leben nach der Verheißung Gottes: du aber sollst nach dem Urteil Gottes bestraft werden, wie du es mit deinem Hochmut verdient hast.

* **7,28** Wörtlich: »nicht aus schon Bestehendem«.

7,16 ***a*** *(16-17)* Dan 5,18-30 ***b*** Kap 6,15 **7,17** ***a*** Kap 9,5 **7,18** ***a*** Bar 1,15 **7,19** ***a*** Jes 10,5-7 **7,22** ***a*** Ps 139,13-15; Pred 11,5 **7,24** ***a*** 1. Makk 2,18 **7,28** ***a*** Röm 4,17; Hebr 11,3 **7,30** ***a*** Apg 5,29 **7,33** ***a*** Jes 54,7-8 **7,36** ***a*** 2. Kor 4,17

37 Ich will Leib und Leben um der Ge-
setze meiner Väter willen dahingeben
wie meine Brüder und zu Gott schreien,
dass er bald seinem Volk gnädig werde,
du aber [a]unter Prüfungen und Qualen
bekennen musst, dass er allein Gott ist.
38 Der Zorn des Allmächtigen aber, der
mit Recht über unser ganzes Volk ergan-
gen ist, möge an mir und meinen Brüdern
zum Stehen kommen. 39 Als dies der Kö-
nig hörte, geriet er außer sich und ließ ihn
noch schlimmer martern als die andern;
denn es verdross ihn, dass er so verspot-
tet wurde. 40 So ist auch dieser, ohne un-
rein geworden zu sein, gestorben und hat
sein ganzes Vertrauen auf den Herrn ge-
stellt.

41 Zuletzt, nach den Söhnen, wurde auch
die Mutter hingerichtet. 42 Dies sei genug
von den heidnischen Opfern und grausa-
men Martern.

JUDAS MAKKABÄUS BEGINNT DEN KAMPF

(vgl. 1. Makk 3,1-9)

8 Aber Judas Makkabäus und seine Ge-
fährten schlichen heimlich in die Dörfer
und riefen ihre Blutsverwandten zusam-
men und was sonst noch bei dem Glauben
der Juden geblieben war und brachten an
sechstausend Mann zusammen.[a] 2 Und
sie riefen den Herrn an, er wolle das Volk
ansehen, das von allen zu Boden getre-
ten worden war, und sich erbarmen über
den Tempel, den die gottlosen Menschen
entheiligt hatten, 3 und über die Stadt, die
eben zugrunde ging und ganz dem Erd-
boden gleichgemacht werden sollte. Auch
wolle er doch [a]das unschuldige Blut, das
zu ihm rief, hören 4 und [a]der unschuldigen
Kinder gedenken, die wider alles Recht
umgebracht wurden, und sich an die Läs-
terung seines Namens erinnern und sei-
nen Hass gegen all dies Böse erweisen.

5 Dem Makkabäus aber mit seiner Heer-
schar konnten die Heiden schon nicht
mehr Widerstand leisten; denn der Herr
ließ von seinem Zorn ab und war sei-
nem Volk wieder gnädig. 6 Judas aber
überfiel unversehens Städte und Dörfer
und steckte sie in Brand und brachte die
günstig gelegenen Orte an sich und schlug
nicht wenige Feinde in die Flucht; 7 dabei
nutzte er besonders die Nächte aus. So
sprach man weit und breit von seinen
tapferen Taten.

DER SIEG ÜBER NIKANOR, TIMOTHEUS UND BAKCHIDES

(vgl. 1. Makk 3,37–4,25)

8 Als aber [a]Philippus sah, dass Judas je län-
ger, desto stärker wurde, zumal ihm oft
das Glück beistand, schrieb er an Ptole-
mäus, den Befehlshaber in Zölesyrien und
Phönizien, er solle der Sache des Königs zu
Hilfe kommen. 9 Der aber bestimmte als-
bald den Nikanor, den Sohn des Patroklus,
der zu den engsten Freunden des Königs
gehörte, und schickte ihn mit nicht weni-
ger als zwanzigtausend Mann aus den ver-
schiedensten Völkern, um die Juden voll-
ständig auszurotten; und er gab ihm einen
Hauptmann bei mit Namen Gorgias,
der ein erfahrener Krieger war. 10 Nikanor
aber hatte vor, mit den gefangenen Juden
den [a]Tribut hereinzubringen, den der Kö-
nig den Römern zahlen musste, nämlich
zweitausend Talente in Silber. 11 Darum
schickte er alsbald in die Städte am Meer
und forderte dazu auf, [a]jüdische Sklaven
zu kaufen, neunzig Juden für ein Talent.
Er dachte aber nicht daran, dass ihm die
Strafe des Allmächtigen so nahe wäre.

12 Als nun Judas hörte, dass Nikanor
heranzog, gab er seinen Leuten bekannt,
dass ein Heer heranrückte. 13 Da liefen alle
auseinander, die [a]verzagt waren und nicht
darauf vertrauten, dass Gott die Feinde
bestrafen würde, und machten sich da-
von. 14 Die andern aber verkauften alles,
was sie noch hatten, und baten den Herrn,
er wolle sie erretten, denn der ruchlose
Nikanor hatte sie schon vor dem Kampf
verkauft. 15 Und wenn er sie schon nicht
um ihretwillen erretten wolle, so möge
er es doch tun um des [a]Bundes mit ihren
Vätern willen und weil sein herrlicher und
großer [b]Name über ihnen ausgerufen sei.

16 Als nun Makkabäus seine Leute ver-
sammelt hatte, sechstausend Mann, er-
mahnte er sie, sie sollten sich nicht ent-
setzen vor den Feinden noch sich fürchten

7,37 *a* Kap 9,13-17 **8,1** *a* Kap 5,27 **8,3** *a* 1. Mose 4,10
8,4 *a* Kap 6,10 **8,8** *a* Kap 5,22 **8,10** *a* 1. Makk 8,7
8,11 *a* 3. Mose 25,42 **8,13** *a* 1. Makk 3,56
8,15 *a* 3. Mose 26,42-45 *b* Ps 115,1; Dan 9,18-19

vor der großen Zahl der Heiden, die ohne alles Recht gegen sie heranzogen, [17]sondern sich tapfer wehren 17 und an die Schmach denken, die die Feinde der heiligen Stätte frevlerisch angetan und wie sie die Stadt verhöhnt und geplagt und die überkommene Ordnung zerstört hatten.

18 Sie verlassen sich, sagte er, auf ihre Waffen und auf ihre Kühnheit; aber [a]wir verlassen uns auf den allmächtigen Gott, der mit einem einzigen Wink nicht allein die, die jetzt gegen uns ziehen, sondern auch die ganze Welt zu Boden schlagen kann. 19 Er zählte ihnen aber auf, wie Gott so oft ihren Vätern geholfen hätte und wie zur Zeit Sanheribs [a]185 000 Mann umgekommen wären; 20 und wie Gott in Babylon bei der Schlacht gegen die Galater geholfen hätte, als im Ganzen nur achttausend Juden und viertausend Makedonier in die Schlacht zogen; als aber die Makedonier in große Not gekommen waren, erschlugen sechstausend Juden allein durch die Hilfe vom Himmel her 120 000 Mann und erlangten dadurch große Beute.

21 [a]Als er sie so wieder mutig und sogar bereit gemacht hatte, um der Gesetze und der Vaterstadt willen zu sterben, [22]teilte er das Heer in vier Abteilungen ein 22 und stellte seine Brüder an ihre Spitze, nämlich Simon, Josef und Jonatan, und unterstellte einem jeden tausendfünfhundert Mann 23 und auch dem Eleasar. Danach las er aus dem heiligen Buch vor, gab ihnen die Losung: [a]Gott unsre Hilfe!, zog selbst der ersten Schar voran und griff Nikanor an. 24 Aber der Allmächtige stand ihnen bei, sodass sie über neuntausend Feinde erschlugen, den größeren Teil von Nikanors Heer verwundeten und verstümmelten und alle in die Flucht schlugen. 25 [a]Denen aber, die gekommen waren, um die Juden zu kaufen, nahmen sie das Geld ab.

[26]Und nachdem sie den Feinden lange nachgejagt hatten, mussten sie wieder umkehren; 26 denn es war der Abend vor dem Sabbat. Darum hörten sie auf, jenen nachzueilen. 27 Sie sammelten die Waffen der Feinde und nahmen ihnen die Rüstungen ab; dann [a]hielten sie den Sabbat und lobten und priesen den Herrn aus vollem Herzen, dass er ihnen bis zu diesem Tage geholfen und wieder angefangen hatte, ihnen seine Gnade zu erweisen. 28 Nach dem Sabbat teilten sie von der Beute aus unter die Bedrängten, Witwen und Waisen; und das Übrige behielten sie für sich und ihre Kinder.[a] 29 Als sie dies alles vollbracht hatten, hielten sie ein gemeinsames Gebet und riefen den barmherzigen Herrn an, dass er seinen Knechten für immer gnädig sein wolle.

30 Danach hatten sie viele Kämpfe mit den Leuten des [a]Timotheus und [b]Bakchides, erschlugen über zwanzigtausend Mann und eroberten starke Festungen; sie teilten die große Beute gleichmäßig unter sich und unter die Bedrängten, Waisen, Witwen, aber auch die Alten. 31 Und als sie sich mit Waffen versorgt hatten, lagerten sie diese alle sorgfältig an günstig gelegenen Orten und brachten den Rest der Rüstungen nach Jerusalem. 32 Sie töteten den Befehlshaber der Leute des Timotheus, einen überaus niederträchtigen Mann, der die Juden sehr geplagt hatte.

33 Sie feierten aber ihren Sieg in ihrer Vaterstadt. Dabei verbrannten sie die Männer, die [a]die heiligen Tore angezündet hatten, und Kallisthenes, der in ein kleines Haus geflohen war; so empfing er den verdienten Lohn für seine Ruchlosigkeit. 34 Der Erzfrevler Nikanor aber, der die tausend Kaufleute mitgebracht hatte, dass sie die Juden kaufen sollten, 35 wurde durch die Hilfe des Herrn von denen gedemütigt, die er für die Allergeringsten gehalten hatte. Und nachdem er sein prächtiges Gewand abgelegt hatte, kam er ganz allein wie ein entlaufener Knecht mitten durchs Land nach Antiochia und konnte darüber noch froh sein, da doch sein Heer vernichtet war. 36 Und er, der den Römern versprochen hatte, er werde von dem Erlös für die Gefangenen Jerusalems den Tribut bezahlen, musste jetzt verkünden, dass ein andrer für die Juden streite und dass die Juden unverwundbar seien, [a]weil sie in den Geboten wandelten, die jener ihnen gegeben habe.

8,18 ***a*** 1. Sam 17,45-47 **8,19** ***a*** 2. Kön 19,35
8,21 ***a*** (21-23) 1. Makk 2,2-5 **8,23** ***a*** Kap 13,15; Ps 46,2
8,25 ***a*** Vers 11 **8,27** ***a*** Kap 6,6 **8,28** ***a*** 4. Mose 31,27
8,30 ***a*** 1. Makk 5,6 ***b*** 1. Makk 7,8 **8,33** ***a*** Kap 1,8
8,36 ***a*** 2. Mose 23,22

DAS SCHRECKLICHE ENDE DES ANTIOCHUS IV.

(vgl. 1. Makk 6,1-16)

9 Um dieselbe Zeit musste Antiochus un-
geordnet aus Persien abziehen. 2 Denn
als er in Persepolis eingerückt war und den
Tempel zu plündern und die Stadt fest in
die Hand zu bekommen versuchte, mach-
ten sich die Einwohner in Scharen auf und
suchten Hilfe bei den Waffen; so kam es,
dass Antiochus von ihnen zurückgeschla-
gen wurde und mit Schimpf und Schande
abziehen musste.

3 Als er nun in [a]Ekbatana war, kam ihm
zu Ohren, wie es Nikanor und den Leuten
des Timotheus ergangen war. 4 Zornent-
brannt nahm er sich vor, die Schmach, die
ihm von denen widerfahren war, die ihn
in die Flucht geschlagen hatten, nunmehr
an den Juden zu rächen. Darum gebot er
dem Wagenlenker, Tag und Nacht zu fah-
ren, um die Reise rasch hinter sich zu brin-
gen. Doch das Gericht vom Himmel her
schwebte schon über ihm. Denn in seiner
Überheblichkeit hatte er gesagt: Sobald ich
nach Jerusalem komme, mache ich aus der
Stadt einen Totenacker für die Juden.[a]

5 Darum bestrafte ihn [a]der Herr, der alles
sieht, der Gott Israels, mit einem inneren
Leiden, das niemand heilen konnte. Denn
sobald er das gesagt hatte, kam ihn ein sol-
ches Reißen im Leib an und ein so großes
Grimmen in den Därmen, dass man ihm
nicht helfen konnte.[b] 6 So geschah ihm
eben recht, weil er andere Leute mit so
vielen und bisher unerhörten Martern ge-
plagt hatte. 7 Dennoch ließ er von seinem
wilden Trotz nicht ab, sondern wurde
noch überheblicher und brannte vor Wut
gegen die Juden und befahl, noch schneller
zu fahren. Da stürzte er von dem dahinja-
genden Wagen und tat einen so unglück-
lichen Fall, dass ihm alle Glieder seines
Leibes verrenkt wurden. 8 Da musste er,
der soeben noch [a]in übermenschlicher
Prahlerei meinte, er könnte den Wogen
des Meeres gebieten und [b]die hohen Berge
auf die Waagschale legen, nach einem ein-
zigen Fall sich in einer Sänfte tragen las-
sen, sodass alle an ihm die Gewalt Gottes
erkannten.

9 Es kam so weit, dass auch unzählige
[a]Würmer aus den Augen des Gottlosen
hervorkrochen und dass ihm noch bei le-
bendigem Leibe unter großen Schmerzen
und Qualen ganze Stücke seines Fleisches
abfielen und dass er so scheußlich stank,
dass das ganze Heer darunter litt. 10 Und
ihn, der kurz zuvor noch gemeint hatte,
er [a]könnte nach den Sternen am Himmel
greifen, den konnte niemand tragen we-
gen des unerträglichen Gestanks. 11 Da
begann er, schwer getroffen, von seiner
Überheblichkeit abzulassen und zur Er-
kenntnis zu kommen, weil er von Gott
so gegeißelt wurde und die Schmerzen
jeden Augenblick größer wurden. 12 Und
als er zuletzt den Gestank selbst nicht
mehr ertragen konnte, da sagte er: [a]Es
ist recht, dass man sich Gott unterwirft
und dass ein sterblicher Mensch nicht
so vermessen ist, zu meinen, er sei Gott
gleich.

13 Und der Verruchte hob an und betete
zu dem Herrscher, [a]der sich nun freilich
nicht mehr über ihn erbarmen wollte,
14 und versprach, dass er die heilige Stadt,
auf die er eilends zugefahren war, um sie
dem Erdboden gleichzumachen und sie in
einen Totenacker zu verwandeln, für frei
erklären wollte. 15 Und die Juden, die er
zuvor nicht wert geachtet hatte, dass sie
begraben würden, sondern samt ihren
Kindern den Vögeln und wilden Tieren
zum Fraß vorwerfen wollte, die wollte
er alle den Bürgern von Athen gleichstel-
len. 16 Und den heiligen Tempel, den er
zuvor beraubt hatte, [a]wollte er mit den
schönsten Weihegaben schmücken und
heilige Geräte zurückgeben, mehr als zu-
vor da gewesen wären; und alle Zuwen-
dungen, die man für Opfer nötig hätte,
würde er von seinen eignen Einkünften
gewähren. 17 Darüber hinaus [a]wollte er
selber ein Jude werden und an allen be-
wohnten Orten die Macht Gottes ver-
künden.

18 Als aber die Qualen nicht nachlassen
wollten – denn es war Gottes gerechtes
Gericht über ihn gekommen –, verzwei-
felte er an seinem Leben und schrieb an
die Juden folgenden Brief, der als Bitt-

9,3 ***a*** Jdt 1,1 **9,4** ***a*** Spr 16,18 **9,5** ***a*** Ps 33,13-16 ***b*** Kap 7,17
9,8 ***a*** Kap 5,21 ***b*** Jes 40,12 **9,9** ***a*** Apg 12,23
9,10 ***a*** Jes 14,13-17 **9,12** ***a*** Dan 4,27-34 **9,13** ***a*** Kap 6,14
9,16 ***a*** Kap 3,2-3 **9,17** ***a*** Kap 7,37

schrift abgefasst war und so lautete: 19 Den
redlichen Juden, den Bürgern, entbietet
seinen Gruß und wünscht Gesundheit
und Wohlergehen Antiochus, König und
oberster Heerführer. 20 Wenn ihr samt
euren Kindern frisch und gesund seid
und es euch gut geht, will ich dafür Gott
danken, der ich meine Hoffnung auf den
Himmel setze. 21 Ich aber bin sehr krank
und denke in Liebe an eure Ehrerbietung
und Freundlichkeit. Weil ich bei der Rück-
kehr aus Persien schwer krank geworden
bin, habe ich es für nötig gehalten, für die
gemeinsame Sicherheit aller zu sorgen,
22 wiewohl ich an meinem Leben nicht
verzweifle, sondern fest hoffe, dass es bes-
ser mit mir werden wird. 23 Aber wie mein
Vater, als er mit einem Heer in die oberen
Länder zog, seinen künftigen Nachfolger
bestimmte, 24 damit die Bewohner des
Landes, falls sich etwas Unerwartetes zu-
trüge oder Schlimmes gemeldet würde,
wüssten, wer Herr werden sollte, und
nicht in Verwirrung gerieten, 25 so auch
ich: Weil ich überdies sehe, wie die an-
grenzenden Fürsten und die Nachbarn
des Reiches auf die Gelegenheit lauern
und darauf warten, wie es ausgehen wird,
habe ich meinen Sohn Antiochus zum Kö-
nig bestimmt, [a]den ich den meisten von
euch schon oft anvertraut und anbefohlen
habe, wenn ich in die oberen Provinzen
gezogen bin. Im gleichen Sinn habe ich
auch an ihn geschrieben. 26 Deshalb er-
mahne und bitte ich euch, all der Wohlta-
ten zu gedenken, die ich allen gemeinsam
wie auch jedem Einzelnen erwiesen habe,
und mir und meinem Sohn fortan wie bis-
her freundlich und treu zu sein. 27 Denn
ich habe das Vertrauen zu ihm, er werde
meine Milde und Menschenfreundlich-
keit fortsetzen und so mit euch gut aus-
kommen.

28 So litt denn der Mörder und Gottes-
lästerer so große Schmerzen, wie er sie
andern angetan hatte, und starb eines jäm-
merlichen Todes in fremdem Lande in der
Wildnis. 29 [a]Philippus aber, der mit ihm
erzogen worden war, besorgte seine Be-
stattung. Das ist der Philippus, der später,
weil er sich vor dem Sohn des Antiochus
fürchtete, nach Ägypten zu Ptolemäus
[b]Philometor floh.

RÜCKEROBERUNG UND WIEDER-EINWEIHUNG DES TEMPELS

(vgl. 1. Makk 4,36-59)

10 Der Herr aber gab Judas Makkabäus
und seinen Leuten den Mut, dass sie
den Tempel und die Stadt wieder einnah-
men. 2 [a]Und sie zerstörten die Altäre, die
die Heiden auf dem Marktplatz errichtet
hatten, und die Heiligtümer. 3 Und nach-
dem sie den Tempel gereinigt hatten,
bauten sie einen neuen Altar und nahmen
Feuersteine, schlugen Feuer und brachten
wieder Opfer dar. [a]Das war zwei Jahre lang
nicht geschehen. Sie opferten Räucher-
werk, zündeten die Lampen an und leg-
ten die Schaubrote auf. 4 Als nun das alles
geschehen war, fielen sie auf ihr Angesicht
nieder und baten den Herrn: Er wolle sie
ja nicht wieder in solchen Jammer kom-
men lassen, sondern, wenn sie sich auch
einmal versündigen würden, sie [a]in Milde
züchtigen und nicht in die Hände der Got-
teslästerer, der grausamen Heiden, geben.

5 Und es fügte sich so, dass an dem
gleichen Tage, an dem die Fremden den
Tempel unrein gemacht hatten, der Tem-
pel gereinigt wurde, nämlich am fünf-
undzwanzigsten Tag des Monats Kislew.
6 Und sie feierten mit Freuden acht Tage
lang, wie beim [a]Laubhüttenfest, und dach-
ten daran, dass sie noch vor kurzer Zeit ihr
Laubhüttenfest in der Wildnis und in den
[b]Höhlen wie wilde Tiere gehalten hat-
ten. 7 Sie trugen laubumwundene Stäbe
und schöne Zweige und Palmwedel und
priesen mit Lobgesängen den, der es ge-
fügt hatte, dass seine heilige Stätte wieder
gereinigt wurde. 8 Dann stimmten sie in
der Gemeinde ab, fassten den Beschluss
und ließen als Gebot für das ganze Volk
der Juden ausgehen, dass man diese Tage
jährlich feiern sollte.

9 So ging es zu, als [a]Antiochus mit dem
Beinamen Epiphanes starb.

ANTIOCHUS EUPATOR V. WIRD KÖNIG

10 Nun berichten wir über Antiochus [a]Eu-
pator, den Sohn des gottlosen Antiochus,
und erzählen kurz die wichtigsten Kriegs-

9,25 *a* 1. Makk 3,32-37 **9,29** *a* 1. Makk 6,14-15 *b* Kap 4,21
10,2 *a* (2-3) 5. Mose 12,1-6 **10,3** *a* 1. Makk 1,20-21
10,4 *a* Jer 10,24 **10,6** *a* Kap 1,18 *b* Hebr 11,37-38
10,9 *a* Kap 4,7 **10,10** *a* 1. Makk 6,17

nöte. 11 Als Eupator König wurde, setzte er [a]Lysias zum Statthalter und obersten Befehlshaber in Zölesyrien und Phönizien ein. 12 [a]Ptolemäus Makron nämlich, der die Juden gern in ihrem Recht geschützt hätte, weil sie bisher so viel Unrecht erleiden mussten, hatte darauf hingearbeitet, sie in Frieden leben zu lassen. 13 Deshalb hatten ihn die Freunde des Königs bei Eupator verklagt. Auch nannte man ihn bei jeder Gelegenheit einen Verräter, weil er die Insel Zypern, die ihm von Philometor anvertraut worden war, verlassen hatte und zu Antiochus Epiphanes übergelaufen war. Da er nun sein Amt nicht mehr in Ehren führen konnte, nahm er sich mit Gift das Leben.

JUDAS MAKKABÄUS EROBERT IDUMÄISCHE FESTUNGEN

14 Als nun [a]Gorgias in diesen Gebieten Befehlshaber wurde, nahm er Kriegsleute in Sold und hielt den Krieg mit den Juden beständig in Gang. 15 Gemeinsame Sache mit Gorgias machten auch die [a]Idumäer: Da sie günstig gelegene Festungen innehatten, ließen sie die Juden nicht zur Ruhe kommen. Auch nahmen sie die bei sich auf, die aus Jerusalem verjagt worden waren, und ließen den Krieg immer wieder aufflammen. 16 Da kamen Makkabäus und seine Leute zusammen und hielten ein Bittgebet, dass ihnen Gott beistehen möge. [17]Dann [a]stürmten sie gegen die Festungen der Idumäer, 17 griffen ungestüm an und eroberten sie. Alle, die sich auf den Mauern zur Gegenwehr stellten, vertrieben sie. Wer ihnen sonst in die Hände fiel, den machten sie nieder und töteten nicht weniger als zwanzigtausend Mann.

18 Es entrannen ihnen aber an die neuntausend in zwei überaus starke Burgen, die gegen eine Belagerung mit allem ausgerüstet waren. 19 Da ließ Makkabäus den Simon und Josef, dazu Zachäus und seine Leute zurück, die zur Belagerung stark genug waren. Er selbst aber zog fort vor andere Städte, wo man ihn dringender brauchte. 20 Die Leute des Simon aber ließen sich, geldgierig, wie sie waren, durch einige von den Belagerten bestechen und nahmen siebzigtausend Drachmen von ihnen und ließen sie entkommen. 21 Als das nun Makkabäus erfuhr, rief er die Hauptleute zusammen und klagte jene an, sie hätten ihre Brüder für schnödes Geld verkauft, indem sie die Feinde hatten entkommen lassen. 22 Er ließ sie als Verräter töten und stürmte alsbald die beiden Burgen. 23 Und weil ihm alles glückte, was er mit den Waffen unternahm, brachte er in den beiden Festungen mehr als zwanzigtausend Mann um.

DER TOD DES TIMOTHEUS

24 Timotheus aber, [a]den die Juden einst geschlagen hatten, rüstete sich mit einer Menge fremden Kriegsvolks und sammelte viel Reiterei aus Asien und trat mit der Absicht auf, Judäa mit Gewalt einzunehmen. 25 Und als er sich dem Lande näherte, streuten Makkabäus und seine Leute zum gemeinsamen Gebet vor Gott [26][a]Staub auf ihr Haupt und legten Säcke an. 26 Sie fielen am Fuße des Altars nieder und baten, dass Gott ihnen gnädig und ihren Feinden feind sein wolle und ihren [a]Widersachern ein Widersacher, wie es im Gesetz verkündet ist.

27 Als sie nun gebetet hatten, nahmen sie ihre Waffen auf und zogen ein gutes Stück vor die Stadt hinaus, bis sie in die Nähe der Feinde kamen. Da machten sie halt. 28 Und sobald die Sonne aufging, stießen die beiden Heere aufeinander. Die einen hatten neben ihrer Tapferkeit als Bürgschaft für Kriegsglück und Sieg die Zuflucht, die sie zum Herrn genommen hatten, die andern aber ließen sich im Kampf allein von blinder Wut leiten. 29 Als nun die Schlacht am heftigsten war, [a]erschienen den Feinden vom Himmel her fünf herrliche Männer auf Pferden mit goldenen Zäumen. Die zogen vor den Juden her, 30 und zwei von ihnen hielten sich zu beiden Seiten neben Makkabäus und beschützten ihn mit ihren Waffen, sodass ihn niemand verwunden konnte, und schossen blitzende Pfeile auf die Feinde, sodass sie geblendet und verwirrt auseinanderstoben. 31 Und es wurden erschlagen 20 500 Mann zu Fuß und

10,11 *a* 1. Makk 3,32 **10,12** *a* (12-13) Kap 9,29; 1. Makk 1,18 **10,14** *a* Kap 8,9; 1. Makk 5,59 **10,15** *a* Am 1,11-12 **10,16** *a* 1. Makk 5,3 **10,24** *a* Kap 8,30 **10,25** *a* Jdt 4,15 **10,26** *a* 2. Mose 23,22 **10,29** *a* Kap 3,25

sechshundert Reiter. 32 Timotheus selbst aber entfloh nach Geser, einem stark befestigten Ort. Dort führte der Hauptmann Chäreas den Befehl. 33 Da belagerten Makkabäus und seine Leute die Festung mit freudigem Mut vier Tage lang. 34 Aber die Besatzung verließ sich auf die Stärke des Orts und stieß ungeheuerliche Lästerungen und Schmähungen aus. 35 Aber am fünften Tage entbrannten zwanzig junge Männer von den Leuten des Makkabäus in Zorn über die dauernde Schmähung und liefen todesmutig Sturm gegen die Mauer und erschlugen in wilder Wut jeden, der ihnen in den Weg kam. 36 Denen folgten andere und erstiegen die Mauer, legten Feuer an die Türme und verbrannten die Gotteslästerer bei lebendigem Leibe. [37] Wieder andere brachen die Tore auf, ließen das übrige Heer hinein und eroberten so die Stadt. 37 Sie erschlugen Timotheus, der sich in einer Zisterne versteckt hatte, und seinen Bruder Chäreas und den Apollophanes. 38 Als sie das alles vollbracht hatten, priesen sie mit Lobgesängen und Dankliedern den Herrn, der Israel eine so große Wohltat erwiesen und ihnen den Sieg gegeben hatte.

JUDAS MAKKABÄUS BESIEGT LYSIAS

(vgl. 1. Makk 4,26-35)

11 Als nun [a]Lysias, der Vormund und Vetter* und Statthalter des Königs, dies alles erfuhr, ging es ihm sehr nahe. 2 Und er zog in ganz kurzer Zeit achtzigtausend Mann und die ganze Reiterei zusammen und wandte sich gegen die Juden in der Absicht, Griechen in der Stadt Jerusalem anzusiedeln, 3 den Tempel nach Art der anderen Heiligtümer der Heiden abgabepflichtig zu machen und das Amt des Hohenpriesters jährlich für Geld zu vergeben. 4 Er bedachte aber nicht die Macht Gottes, sondern [a]verließ sich auf die Zehntausende zu Fuß und die Tausende zu Ross und auf die achtzig Elefanten.

5 Als er nun nach Judäa kam, lagerte er vor einem befestigten Ort, Bet-Zur genannt, der etwa fünf Stunden von Jerusalem entfernt lag, und setzte ihm hart zu. 6 Als aber Makkabäus und seine Leute hörten, dass er die Festungen belagerte, baten sie mit dem ganzen Volk unter Wehklagen und Tränen den Herrn, [a]einen guten Engel zu senden, der Israel helfen sollte. 7 Und Makkabäus war der Erste, der die Waffen aufnahm, und er mahnte die andern, es mit ihm zusammen zu wagen und ihren Brüdern Hilfe zu bringen. [8] So zogen sie mutig miteinander aus. 8 Sobald sie aber aus der Stadt Jerusalem hinauszogen, erschien ihnen einer hoch zu Ross in einem weißen Gewand. Der schwang goldene Waffen und zog vor ihnen her. 9 Da lobten sie alle den barmherzigen Gott und wurden in ihrer Zuversicht so gestärkt, dass sie bereit waren, nicht nur gegen Menschen, sondern auch gegen die wildesten Tiere und eiserne Mauern anzugehen. 10 Sie rückten in bester Ordnung vor; denn sie hatten den Helfer, den ihnen ihr barmherziger Herr vom Himmel her gesandt hatte. 11 Und sie griffen ihre Feinde an wie Löwen und erschlugen von ihnen elftausend zu Fuß und sechzehnhundert zu Ross [12] und trieben die andern alle in die Flucht. 12 Der größte Teil warf die Waffen fort und kam verwundet davon. Auch Lysias selbst floh schimpflich und entkam.

VERTRAG DES LYSIAS MIT DEN JUDEN

(vgl. 1. Makk 6,58-60)

13 Lysias aber war ein vernünftiger Mann. Als er nun über die Schlacht nachdachte, die er verloren hatte, sah er ein, dass die Hebräer unüberwindlich waren, weil ihnen der mächtige Gott beistand. Deshalb sandte er zu ihnen 14 und bot ihnen Frieden unter gerechten Bedingungen an [14] und versprach ihnen, den König dahin zu bringen, dass er ihr guter Freund würde. 15 Makkabäus ging auf alles ein, was Lysias anbot. Denn er erkannte, dass es das Beste war. Und der König bewilligte alles, was Makkabäus dem Lysias wegen der Juden schriftlich vorgetragen hatte.

16 Das Schreiben des Lysias an die Juden aber lautete: »Lysias entbietet dem Volk der Juden seinen Gruß. 17 Johannes und Abschalom, eure Gesandten, haben diesen Brief überbracht und um Antwort in

* **11,1** Hoftitel.

11,1 ***a*** Kap 10,11 **11,4** ***a*** Ps 147,10-11 **11,6** ***a*** 2. Mose 23,20

der Sache gebeten. 18 Was nun dem König
vorzulegen ist, habe ich ihm berichtet.
Was ich aber selbst entscheiden konnte,
habe ich bewilligt. 19 Werdet ihr nun Treu
und Glauben wahren, so will ich auch wei-
terhin bemüht sein, zu eurem Besten zu
wirken. 20 Über dies alles und über Ein-
zelnes haben eure und meine Gesandten
Befehl, sich mit euch zu besprechen. Ge-
habt euch wohl! 21 Gegeben im 148. Jahr,
am vierundzwanzigsten Tage des Monats
Dioskorus.«*

FRIEDE ZWISCHEN ANTIOCHUS V. EUPATOR UND DEN JUDEN

(vgl. 1. Makk 6,60)

22 Das Schreiben des Königs lautete: »Kö-
nig Antiochus entbietet seinem Bruder*
Lysias seinen Gruß. 23 Nachdem unser
Vater von hinnen geschieden und [a]ein
Gott geworden ist, ist uns nichts lieber,
als dass Friede in unserm Reich herrsche,
damit alle sich um das Ihre kümmern
können. 24 Nun hören wir, dass die Juden
[a]in den Übergang zu griechischen Sitten,
wie ihn mein Vater forderte, nicht ein-
willigen, sondern bei ihrer Lebensweise
bleiben wollen und deshalb bitten, dass
man ihnen ihre Gesetze lasse. 25 Weil wir
es nun für gut ansehen, dass auch dies
Volk in aller Ruhe lebt, so ist das unsre
Meinung, dass man ihnen ihren Tempel
wiedergebe und sie ihr Gemeinwesen
führen lasse, wie es ihre Vorfahren ge-
halten haben. 26 Du wirst also gut daran
tun, wenn du Gesandte zu ihnen schickst
und einen Vertrag mit ihnen schließt, da-
mit sie unsere Entscheidung erfahren,
guten Mutes werden und sich ihrer An-
gelegenheiten ohne alle Sorge annehmen
können.«

27 Das Schreiben des Königs an die Ju-
den lautete: »König Antiochus entbietet
dem Rat der Ältesten und der Gemeinde
der Juden seinen Gruß. 28 Wenn es euch
allen gut ginge, so wäre uns das lieb; uns
geht es auch gut. 29 [a]Menelaus hat uns be-
richtet, dass ihr gern nach Haus und Hof
zurückkehren und wieder euer Gewerbe
betreiben möchtet. 30 Darum soll für alle,
die zwischen heute und dem dreißigsten
Tag des Xanthikus zurückkehren wer-
den, die Zusicherung gelten, 31 dass die
Juden unter dem Schutz der Straflosig-
keit ihren eignen Tempeldienst und ihre
eignen Gesetze ganz wie früher halten
dürfen und dass niemand unter ihnen ir-
gendwie für Ungesetzlichkeiten belangt
werden soll, die er aus Unkenntnis be-
gangen hat. 32 Auch sende ich Menelaus,
um euch gut zuzureden. 33 Gehabt euch
wohl! Im 148. Jahr, am fünfzehnten Tage
des Xanthikus.«*

VERMITTLUNG DURCH DIE RÖMER

34 Es schrieben aber auch die Römer den
Juden wie folgt: »Quintus Memmius und
Titus Manius, die Botschafter der Rö-
mer, entbieten dem Volk der Juden ihren
Gruß. 35 Allem, was euch Lysias, des Kö-
nigs Vetter*, zugestanden hat, stimmen
auch wir zu. 36 Über die Fragen aber, die
er dem König vorlegen will, beratet euch
untereinander und sendet sogleich jeman-
den zu uns, damit wir sie vortragen, wie
es für euch günstig ist. Wir sind nämlich
unterwegs nach Antiochia. 37 Darum sen-
det eilends einige Leute, damit auch wir
erfahren, was eure Meinung ist. 38 Gehabt
euch wohl! Im 148. Jahr, am fünfzehnten
Tage des Xanthikus.«*

NEUE UNRUHEN

12 Nachdem diese Verträge abgeschlos-
sen waren, begab sich Lysias zum Kö-
nig; die Juden aber wandten sich wieder
dem Ackerbau zu. 2 Aber einige Befehls-
haber in der Gegend, nämlich Timotheus
und Apollonius, der Sohn des Gennäus,
ferner Hieronymus und Demophon, dazu
Nikanor, der Hauptmann über die Kriegs-
leute aus Zypern, ließen ihnen keinen
Frieden noch Ruhe.

3 Die Leute von Joppe aber begingen ein
himmelschreiendes Unrecht: Sie berede-
ten die Juden, die bei ihnen wohnten, mit
ihren Frauen und Kindern in bereitge-
stellte Boote zu steigen, als wären sie gut
Freund mit ihnen. 4 Das geschah aber auf
allgemeinen Beschluss der Stadt. Als nun
die Juden das annahmen, weil sie mög-
lichst Frieden halten wollten und keiner-

* **11,21** März 164 v. Chr. **11,22** Hoftitel. **11,33** April 164 v. Chr. **11,35** Hoftitel. **11,38** April 164 v. Chr.

11,23 ***a*** Weish 14,15-20 **11,24** ***a*** 1. Makk 1,41-50
11,29 ***a*** Kap 4,23-29

lei Verdacht hegten, fuhr man sie hinaus
aufs Meer und ertränkte sie, nicht weni-
ger als zweihundert Personen. 5 Als nun
Judas hörte, wie grausam man an seinen
Landsleuten gehandelt hatte, bot er seine
Männer auf 6 und rief zu Gott, dem gerech-
ten Richter. Dann zog er gegen die aus,
die seine Brüder ermordet hatten, und
zündete bei Nacht den Hafen an und ver-
brannte die Boote. Und alle, die dahin ge-
flohen waren, tötete er mit dem Schwert.
7 Weil aber die Stadt selbst verschlossen
war, zog er ab in der Absicht, bald wieder-
zukommen und die gesamte Bürgerschaft
von Joppe auszurotten.

8 Es wurde ihm aber mitgeteilt, dass die
Leute von Jamnia das Gleiche mit den
Juden vorhatten, die bei ihnen wohnten.
9 Darum überfiel er auch sie bei Nacht und
verbrannte den Hafen und alle Schiffe, so-
dass man das Feuer in Jerusalem sah, das
doch zweihundertvierzig Stadien davon
entfernt liegt.

KAMPF GEGEN ARABISCHE NOMADEN UND TIMOTHEUS

10 Als Judas von dort neun Stadien weiter-
gezogen war, weil er sich gegen Timotheus
wenden wollte, warfen sich ihm Araber
entgegen, nicht weniger als fünftausend
Mann und fünfhundert Reiter. 11 Es kam
zu einem heftigen Kampf. Doch Judas mit
seinen Leuten behielt durch Gottes Hilfe
den Sieg. Und da die Araber unterlegen
waren, baten sie ihn um Frieden und ver-
sprachen, sie wollten ihm Vieh liefern und
auch sonst Hilfe leisten. 12 Judas bedachte,
wie sie ihm in der Tat in vielem nützlich
sein könnten, und sagte ihnen Frieden zu.
Und als er ihnen das durch Handschlag be-
siegelt hatte, kehrten sie zu ihren Zelten
zurück.

13 Auch griff Judas eine Stadt an, die mit
einem Wall befestigt und mit einer Mauer
umschlossen war und in der ein bunt ge-
mischtes Volk wohnte; die hieß [a]Kaspin.
14 Ihre Einwohner verließen sich auf ihre
festen Mauern und den großen Vorrat
an Nahrung und benahmen sich unver-
schämt gegen Judas und seine Leute: Sie
schmähten sie, ja, sie lästerten und führ-
ten frevelhafte Reden. 15 Da riefen Judas
und seine Leute zu dem mächtigen Herr-
scher aller Welt, der zu Josuas Zeiten
ohne Mauerbrecher und Sturmgerät Jeri-
cho zum Einsturz gebracht hatte, [16]und
stürmten in wilder Wut gegen die Mauer
an.[a] 16 So eroberten sie nach Gottes Wil-
len die Stadt und töteten unsagbar viele
Menschen, sodass der Teich, der dabei lag
und wohl zwei Stadien breit war, aussah
wie lauter Blut.

17 Danach zogen sie siebenhundertfünf-
zig Stadien weiter und kamen nach Cha-
rax zu den Juden, die man Tubianer nennt.
18 Aber sie fanden Timotheus dort nicht.
Denn er hatte die Gegend verlassen, nach-
dem er dort nichts ausgerichtet, sondern
nur eine starke Besatzung zurückgelassen
hatte. 19 Da machten sich zwei Hauptleute
aus der Schar des Makkabäus auf, nämlich
Dositheus und Sosipater, und brachten
alle um, die Timotheus in der Festung zu-
rückgelassen hatte, mehr als zehntausend
Mann.

20 Makkabäus aber ordnete sein Kriegs-
volk, stellte es in mehreren Abteilun-
gen auf und zog gegen [a]Timotheus, der
120 000 Mann zu Fuß und 2500 Reiter bei
sich hatte. 21 Als nun Timotheus erfuhr,
dass Judas gegen ihn heranzog, schickte
er Frauen und Kinder und den übrigen
Tross fort nach Karnajim, einem Ort, der
in einem engen Gebirgstal lag, sodass man
ihn nicht belagern und nur schwer errei-
chen konnte. 22 Als aber die Feinde die
erste Abteilung des Judas sahen, überfiel
sie Furcht und Schrecken, weil zugleich
der vor ihnen erschien, der alle Dinge
sieht. Da wandten sie sich zur Flucht, der
eine dahin, der andere dorthin, sodass sie
sich selbst oft untereinander verwundeten
und mit der Spitze des Schwerts durch-
bohrten. 23 Judas aber setzte ihnen unge-
stüm nach und schlug die Frevler zusam-
men und brachte an die dreißigtausend
von ihnen um.

24 Timotheus selbst aber geriet den Leu-
ten des Dositheus und Sosipater in die
Hände und bat sie um Leben und Freiheit.
Denn er hätte viele ihrer Väter und Brü-
der in seiner Gewalt, und diese müssten
sterben, wenn er getötet würde, wie er mit

12,13 *a* 1. Makk 5,26.36 **12,15** *a* Jos 6,20
12,20 *a* 1. Makk 5,37

großer Übertreibung vorgab. 25 Nachdem er sich nun mehrfach verbürgt hatte, dass er sie ihnen wohlbehalten übergeben wollte, ließen sie ihn frei, um ihre Brüder zu retten. 26 Danach zog Makkabäus gegen [a]Karnajim und den Tempel der Atargatis* und machte fünfundzwanzigtausend Menschen nieder.

ZUG GEGEN EFRON UND SKYTHOPOLIS

(vgl. 1. Makk 5,45-54)

27 Nachdem sie besiegt und vernichtet waren, brach Judas gegen die befestigte Stadt Efron auf, in der Lysias und eine Bevölkerung aus mancherlei Stämmen wohnten. Vor der Stadt aber standen kräftige junge Männer, die sich tapfer wehrten; und drinnen hatten sie Geschütze und Geschosse genug. 28 Da riefen die Juden zu dem Herrscher, der mit Gewalt die Stärke der Feinde zerbricht, und eroberten die Stadt und erschlugen von denen, die darin waren, an die fünfundzwanzigtausend Menschen.

29 Von dort brachen sie auf und zogen gegen Skythopolis, das sechshundert Stadien von Jerusalem entfernt liegt. 30 Weil aber die Juden, die dort wohnten, den Bürgern von Skythopolis bezeugten, dass sie ihnen wohlgesinnt gewesen wären und ihnen in den schweren Zeiten alle Freundschaft bewiesen hätten, 31 dankten sie den Bürgern dafür und legten ihnen ans Herz, auch weiterhin gegen ihr Volk guten Willens zu sein. Dann zogen sie wieder nach Jerusalem, weil das Wochenfest bevorstand.

SIEG ÜBER GORGIAS

(vgl. 1. Makk 5,65-66)

32 Nach diesem Fest, das auch Fünfzigtagefest* genannt wird, zogen sie gegen Gorgias, den Befehlshaber von Idumäa. 33 Der begegnete ihnen mit dreitausend Mann zu Fuß und vierhundert Reitern. 34 Als es zum Kampf kam, fielen einige Juden. 35 Und Dositheus, ein Reiter aus der Schar des Bakenor, ein starker Mann, packte Gorgias und hielt ihn am Mantel und zog ihn mit Gewalt fort und wollte den Verfluchten lebendig gefangen nehmen. Aber ein Reiter aus Thrakien sprengte auf ihn zu und hieb ihm den Arm ab. So entkam Gorgias nach Marescha. 36 Als nun Esri und seine Schar vom allzu langen Kampf müde wurden, rief Judas zum Herrn, er möge ihnen als Helfer erscheinen und an ihrer Spitze kämpfen, 37 stimmte in der [a]Sprache der Väter unter Lobgesängen das Kriegsgeschrei an und stürmte auf die Leute des Gorgias unerwartet los und jagte sie in die Flucht. 38 Und Judas zog mit dem Heer in die Stadt Adullam; und weil der siebente Tag herbeigekommen war, reinigten sie sich nach dem Gesetz und hielten dort den Sabbat.

SÜHNOPFER FÜR DIE GEFALLENEN

39 Am Tage danach zogen die Leute des Judas aus, weil es schon höchste Zeit geworden war, um die Toten zu holen und in den Gräbern der Väter bei ihren Verwandten zu bestatten. 40 Da fanden sie bei jedem der Erschlagenen unter dem Hemd Abbilder der Götzen von Jamnia, die den Juden im Gesetz verboten sind. Da wurde es allen deutlich, dass sie um dieser Schuld willen gefallen waren.[a] 41 Da priesen alle den Herrn, den gerechten Richter, der das Verborgene an den Tag bringt. 42 Dann wandten sie sich zum gemeinsamen Gebet und flehten, dass diese Sünde gänzlich getilgt werde. Und der edle Judas ermahnte die Menge, sich fortan vor Sünden zu hüten, weil sie nun mit eignen Augen sehen könnten, dass diese um ihrer Sünde willen gefallen wären.

43 [a]Danach brachte er durch eine Sammlung an die zweitausend Drachmen in Silber zusammen. Die schickte er nach Jerusalem zum Sündopfer. Und er tat gut und löblich daran, weil er an die Auferstehung dachte. 44 Wenn er nicht erwartet hätte, dass die Gefallenen auferstehen würden, so wäre es überflüssig, ja töricht gewesen, für Tote zu bitten.[a] 45 Sodann aber bedachte er auch, dass denen, die als fromme Leute entschlafen, die herrlichste Gnadengabe bereitet ist. Das ist ein frommer und heiliger Gedanke. [46] Darum hat

* **12,26** Eine in Syrien und Mesopotamien verehrte Mutter- und Schutzgottheit. **12,32** Siehe Sach- und Worterklärungen zu »Wochenfest«.

12,26 *a* 1. Makk 5,43-44 **12,37** *a* Kap 7,8.27
12,40 *a* 2. Mose 20,4-5 **12,43** *a* (43-46) Kap 7,9
12,44 *a* 1. Kor 15,29

er auch für diese Toten ein Sühnopfer dar-
gebracht, damit sie von ihrer Sünde erlöst
würden.

DER TOD DES MENELAUS

13 [a]Im 149. Jahr* kam es Judas und seinen
Leuten zu Ohren, dass Antiochus Eu-
pator mit einer großen Heeresmacht ge-
gen Judäa heranziehe. 2 Und Lysias, sein
Vormund und Statthalter, zog mit ihm,
und zwar jeder mit einem griechischen
Heer von 110 000 Mann zu Fuß und 5300
zu Ross und zweiundzwanzig Elefanten
und dreihundert Sichelwagen.
3 Und [a]Menelaus schlug sich auch auf
ihre Seite und redete mit viel Heuchelei
auf Antiochus ein, nicht um sein Vaterland
zu retten, sondern weil er meinte, dass er
dadurch das Amt des Hohenpriesters wie-
dererlangen könnte. 4 Aber der [a]König aller
Könige erweckte den Zorn des Antiochus
gegen diesen Frevler. Denn Lysias legte
ihm dar, dass Menelaus die Ursache aller
dieser Unruhen wäre. Darum ließ der Kö-
nig ihn nach Beröa führen und so töten,
wie es dort Brauch ist. 5 Denn da gab es
einen Turm, fünfzig Ellen hoch, voll glü-
hender Asche; und über der Asche war
eine umlaufende Rampe, die überall zur
Asche hin steil abfiel. 6 Dorthin trieb die
Volksmenge jeden, der des Tempelraubs
schuldig war oder andere schwere Verbre-
chen begangen hatte, sodass er umkam.
7 Eines solchen Todes musste auch der
abtrünnige Menelaus sterben und ohne
Grab bleiben. 8 Und es geschah ihm recht.
Denn weil er sich so oft an dem Altar, wo
das Feuer und die Asche heilig sind, ver-
sündigt hatte, musste er auch in der Asche
den Tod finden.[a]

SIEG BEI MODEÏN

(vgl. 1. Makk 6,28; 6,32-46)

9 Der König aber ergrimmte sehr gegen die
Juden und begann, ihnen so Grausames
anzutun, wie es sein Vater getan hatte.
10 Das erfuhr Judas und gebot dem gan-
zen Volk, sie sollten Tag und Nacht den
Herrn anrufen, damit er ihnen jetzt, wie
schon oft, gegen die helfe, 11 die ihnen das
Gesetz, das Vaterland und den heiligen
Tempel rauben wollten, [11]und dass er
das Volk, das sich kaum ein wenig erholt
hatte, nicht in die Hände der ruchlosen
Heiden geben möge.
12 Als sie das nun einhellig miteinander
taten und den barmherzigen Herrn unter
Weinen und Fasten baten und drei Tage
unaufhörlich auf der Erde lagen, ermun-
terte sie Judas und befahl ihnen, zu ihm
zu kommen. 13 Und als er mit den Ältesten
beisammen war, beschloss er mit ihnen,
er wollte, ehe der König mit seinem Heer
nach Judäa käme und die Stadt einnähme,
ihm entgegenziehen und die Sache mit
Gottes Hilfe entscheiden. 14 Und er ver-
traute sich dem [a]Schöpfer der Welt an und
ermahnte seine Leute, sie sollten tapfer bis
in den Tod kämpfen, um die Gesetze, den
Tempel, die Stadt, das Vaterland und ihre
eigne Ordnung zu erhalten. [15]Und er la-
gerte sich bei Modeïn.
15 Und er gab ihnen diese Worte als Lo-
sung: Gott gibt Sieg! Danach machte er
sich bei Nacht auf mit den besten und aus-
erlesensten jungen Kriegsleuten, überfiel
die königliche Befestigung und erschlug
im Lager an die zweitausend Mann, dazu
auch den Leitelefanten und den, der mit
ihm im Stall war. 16 Damit brachten sie
zum Schluss großen Schrecken und Ver-
wirrung in das ganze Lager und zogen
glücklich davon 17 am Morgen, als der Tag
anbrach; denn der Herr war ihr Helfer ge-
wesen.

ANTIOCHUS V. EUPATOR VOR BET-ZUR

(vgl. 1. Makk 6,29-31; 6,47-50)

18 Als aber der König den Wagemut der Ju-
den geschmeckt hatte, suchte er die Orte
mit List in seine Gewalt zu bringen 19 und
zog vor die Festung der Juden Bet-Zur.
Aber er wurde in die Flucht geschlagen,
griff wieder an und richtete nichts aus;
20 denn Judas hatte alles Nötige in die Fes-
tung geschickt. 21 Es war aber einer unter
den Juden, Rhodokus, der verriet den
Feinden alle Geheimnisse. Man suchte
nach ihm, nahm ihn fest und warf ihn
ins Gefängnis. 22 Danach verhandelte der
König wieder und schloss Frieden mit der
Besatzung von Bet-Zur und zog davon.

* **13,1** 164/163 v. Chr.

13,1 *a* (1-2) 1. Makk 6,17 **13,3** *a* Kap 4,23-24
13,4 *a* 1. Tim 6,15 **13,8** *a* Weish 11,16 **13,14** *a* Kap 7,23

DER KÖNIG SCHLIESST FRIEDEN MIT DEN JUDEN

(vgl. 1. Makk 6,55-63)

23 Dann griff Antiochus Judas und seine
Leute an und verlor die Schlacht. [23] Und
als er erfahren hatte, dass [a]Philippus, den
er in Antiochia als Statthalter zurückge-
lassen hatte, abgefallen war, erschrak er
sehr und sandte den Juden eine freund-
liche Botschaft, verhandelte und schwor
einen Eid und einigte sich mit ihnen
zu gerechten Bedingungen. Er opferte
und ehrte den Tempel und behandelte
die Stadt freundlich. 24 Er empfing auch
Makkabäus und machte den Hegemo-
nides zum Befehlshaber über das Land
von Ptolemais bis zum Gebiet der Ger-
rener.

25 Als aber der König nach Ptolemais
kam, sahen die Ptolemaier den Vertrag
nicht gern. Denn sie fanden ihn uner-
träglich und wollten deswegen die Ab-
machungen aufheben. 26 Da trat Lysias
öffentlich auf und entschuldigte den Kö-
nig vielmals und beredete sie, dass sie zu-
frieden waren, und beruhigte sie. Danach
kehrte er wieder nach Antiochia zurück.
So gingen Aufmarsch und Rückzug des
Königs vor sich.

NIKANOR ZIEHT GEGEN DIE JUDEN

(vgl. 1. Makk 7,1-7; 7,26)

14 Drei Jahre danach vernahmen Judas
und seine Leute, dass Demetrius, der
Sohn des Seleukus, im Hafen von Tripolis
mit starker Heeresmacht und vielen Schif-
fen angekommen war 2 und das Land ein-
genommen und Antiochus samt seinem
Vormund Lysias erschlagen hatte.

3 Alkimus aber, der vorher Hoherpries-
ter gewesen war und zur Zeit des Wider-
standes schmählich nachgegeben hatte,
dachte nun, dass ihm sonst nichts hel-
fen und er auch nicht wieder zum Amt
des Hohenpriester kommen könnte. 4 So
zog er im 151. Jahr* zu König Demetrius,
brachte ihm einen goldenen Kranz und
einen Palmwedel und dazu Ölzweige,
die im Tempel gebräuchlich waren. [5] An
diesem Tag verhielt er sich ruhig. 5 Er
fand aber eine günstige Gelegenheit für
seine Ruchlosigkeit, als ihn Demetrius
vor den Kronrat fordern und fragen ließ,
wie es bei den Juden stünde und was sie
vorhätten. [6] Da antwortete er:

6 [a]Die unter den Juden, die sich Hasidäer
nennen und die Judas Makkabäus anführt,
halten Krieg und Aufruhr immer in Gang
und lassen deinem Reich keinen Frie-
den. 7 Dieser hat auch mir meine ererbte
Würde, nämlich das Amt des Hohen-
priester, geraubt. Darum bin ich hierher
gekommen: 8 zum Ersten, weil ich mich
dem König aufrichtig verpflichtet weiß;
zum andern, weil ich auch um meine
Landsleute Sorge habe. Denn durch ihre
Unvernunft wird unser ganzes Volk ins
Unglück stürzen. 9 Darum wolle der Kö-
nig, weil er dies alles erkannt hat, nach
seiner entgegenkommenden Freundlich-
keit zu jedermann unserm Lande und
unserm bedrängten Volk in dieser Sache
raten und helfen. 10 Denn solange Judas
lebt, ist es nicht möglich, dass Friede im
Lande wird.

11 Als er das gesagt hatte, hetzten auch
die andern Freunde* des Königs, die dem
Judas feindlich gesinnt waren, Demetrius
gegen ihn auf. 12 Sogleich rief er Nikanor,
den Hauptmann über die Elefanten, zu
sich und machte ihn zum Befehlshaber
über Judäa und sandte ihn aus 13 und be-
fahl ihm, Judas umzubringen, seine Leute
zu zerstreuen und Alkimus zum Hohen-
priester des erhabenen Tempels einzuset-
zen. 14 Da schlugen sich alle die scharen-
weise auf Nikanors Seite, die als Heiden
vor Judas aus Judäa geflüchtet waren. Sie
hofften, das Unglück der Juden werde ihr
Glück sein.

NIKANOR UND JUDAS EINIGEN SICH

(vgl. 1. Makk 7,27-29)

15 Als nun die Juden hörten, dass Nika-
nor heranzog und die Heiden ihn unter-
stützten, [a]bestreuten sie sich mit Staub
und riefen Gott an, der sein Volk auf ewig
eingesetzt hat und seinem Erbteil immer
durch sein Erscheinen hilft. 16 Als nun der
Anführer Befehl gab, machten sie sich
sogleich auf und stießen auf die Feinde
beim Dorf Dessau. 17 Simon aber, der Bru-

* **14,4** 162/161 v. Chr. **14,11** Hoftitel.

13,23 *a* 1. Makk 6,14 **14,6** *a* (6-10) St zu Est B,3-7
14,15 *a* Kap 10,25

der des Judas, war schon auf Nikanor ge-
troffen und wäre fast geschlagen worden,
weil ihn die Feinde angriffen, ehe er ihrer
gewahr wurde.
18 Doch als Nikanor hörte, dass Judas so
kühne Leute bei sich hatte, die Leib und
Gut getrost für ihr Vaterland wagten,
fürchtete er sich und wollte keine Schlacht
mit ihnen schlagen, 19 sondern sandte
Posidonius, Theodotus und Mattatias
zu ihm, um Frieden zu schließen. 20 Als
man nun lange darüber beraten und der
Anführer dem Kriegsvolk die Sache vor-
getragen hatte und sie in der Sache einig
wurden, willigten sie in den Vertrag ein
21 und bestimmten einen Tag, an dem die
beiden allein zusammenkommen sollten.
Als nun der Tag kam, stellte man für je-
den einen Stuhl auf. 22 Und Judas verteilte
einige Bewaffnete auf günstige Plätze,
falls die Feinde doch unerwartet eine Falle
stellen würden. Doch kamen sie zu voller
Übereinstimmung.
23 Nikanor blieb eine Zeit lang in Jeru-
salem und unternahm nichts Unrechtes
gegen sie und entließ die zusammen-
geströmten Scharen. 24 Und er hatte den
Judas allezeit bei sich und behandelte ihn
freundlich, 25 ermahnte ihn auch, dass
er eine Frau nehmen und Kinder zeu-
gen sollte. So nahm denn Judas eine Frau
und hatte guten Frieden und genoss das
Leben.[a]

NIKANOR GEHT GEGEN JUDAS MAKKABÄUS VOR

(vgl. 1. Makk 7,29-38)

26 Als nun Alkimus sah, dass diese beiden
miteinander eins waren, nahm er den Ver-
trag, ging zu Demetrius und verklagte den
Nikanor, er wäre untreu geworden. Denn
er hätte den Judas, einen Feind des Rei-
ches, zu seinem Nachfolger als Hohen-
priester eingesetzt. 27 Da wurde der König
durch die Lüge des Verleumders sehr er-
regt und zornig und schrieb an Nikanor,
es gefiele ihm gar nicht, dass er Frieden
mit den Juden geschlossen hätte, und
gebot ihm, er sollte eilends Makkabäus
gefangen nehmen und nach Antiochia
schicken.
28 Als nun dieser Befehl Nikanor er-
reichte, wurde er bestürzt und unwillig,
dass er den Vertrag brechen sollte, ob-
wohl doch Judas nichts verschuldet hatte.
29 Aber weil er nicht gegen den König zu
handeln wagte, wartete er auf eine Ge-
legenheit, ihn mit List zu fangen. 30 Aber
Makkabäus merkte, dass er sich un-
freundlicher gegen ihn verhielt und ihm
nicht mehr so herzlich begegnete, und
erkannte, dass sein abweisendes Wesen
nichts Gutes bedeutete, und nahm einige
von seinen Leuten zu sich und verbarg sich
vor Nikanor.
31 Als nun Nikanor sah, dass ihn Mak-
kabäus geschickt überlistet hatte, ging er
hinauf zu dem erhabenen und heiligen
Tempel und befahl den Priestern, die die
gebotenen Opfer darbrachten, sie soll-
ten ihm den Mann herausgeben. 32 Als
sie aber hoch und heilig schworen, sie
wüssten nicht, wo er wäre, 33 streckte er
seine rechte Hand gegen den Tempel aus
[33] und schwor: Wenn ihr mir den Judas
nicht gefesselt herausgebt, will ich dies
Gotteshaus dem Erdboden gleichmachen
und den Altar umreißen und dem [a]Dio-
nysos einen prächtigen Tempel errichten.
34 Und als er das gesagt hatte, ging er da-
von. Die Priester aber hoben ihre Hände
empor zum Himmel und riefen den an,
der allezeit unser Volk beschützt hat,
[35] und sprachen: 35 [a]Du, Herr, bedarfst
keiner Dinge. Dennoch hat es dir wohl-
gefallen, dass dein Tempel, in dem du
wohnst, unter uns ist. 36 Darum, heiliger
Herr, der du allein heilig machst, bewahre
fortan dein Haus, das wir vor Kurzem neu
geweiht haben, damit es nicht wieder un-
rein werde.

DER TOD DES RASI

37 Es wurde aber Nikanor angezeigt, dass
ein Ältester von Jerusalem mit Namen
Rasi ein Mann wäre, der seine Mitbürger
liebte, in hohem Ansehen stand und we-
gen seiner aufrechten Gesinnung »Vater
der Juden« genannt wurde. 38 Auch war er
früher in der Zeit des Widerstandes we-
gen seines jüdischen Glaubens verklagt
worden und hatte dafür beharrlich Leib
und Leben gewagt.

14,25 *a* 1. Makk 3,56 **14,33** *a* Kap 6,7
14,35 *a* *(35-36)* 1. Kön 8,27-30

39 Als nun Nikanor zeigen wollte, wie
bitter feind er den Juden war, sandte er
über fünfhundert Kriegsleute, die Rasi ge-
fangen nehmen sollten. 40 Denn er meinte,
wenn er ihn gefangen hätte, würde er den
Juden dadurch großen Schaden zufügen.
41 Als sie aber den Turm, in dem Rasi war,
erobern und das Hoftor stürmen woll-
ten, ließen sie Feuer bringen und das Tor
anzünden. Da merkte er, dass er gefan-
gen war, und wollte sich [a]in sein Schwert
stürzen. 42 Denn lieber wollte er ehrenhaft
sterben als den Gottlosen in die Hände
fallen und von ihnen erniedrigt und ver-
höhnt werden. 43 Aber in der Hast traf er
sich nicht recht. [43] Als nun die Menge
durch das Hoftor eindrang, zog er sich
entschlossen auf die Mauer zurück und
stürzte sich mutig hinab unter die Leute.
44 Sie wichen ihm aber schnell aus, so-
dass ein freier Raum entstand; und er fiel
mitten auf den leeren Platz. 45 Er war aber
noch immer am Leben und stand in glü-
hendem Zorn wieder auf, obwohl er sehr
blutete und die Wunden ihn schmerzten,
lief durch das Volk hindurch und trat auf
einen hohen Felsen. 46 Und obwohl er
schon fast verblutet war, riss er sich noch
die Därme aus dem Leibe, fasste sie mit
beiden Händen und warf sie unter die
Kriegsleute und rief zu dem, der über Le-
ben und Geist herrscht, [a]dies alles möge er
ihm wiedergeben, und starb so.

SIEG ÜBER NIKANOR

(vgl. 1. Makk 7,39-46)

15 Als aber Nikanor hörte, dass Judas
sich mit seinen Leuten in Samarien
aufhielt, dachte er, er könnte sie am Sab-
bat ohne jede Gefahr angreifen. 2 Und als
ihn die Juden, die er gezwungen hatte
mitzuziehen, baten, er möge sie nicht so
grausam und unmenschlich umbringen,
sondern den heiligen Tag achten, den der
Allwissende selbst geehrt und geheiligt
hat, 3 fragte sie der Erzfrevler: Gibt es denn
den Herrscher im Himmel, der den Sab-
bat geboten hätte? 4 Und sie antworteten
ihm: Ja, der lebendige Herr ist Herrscher
im Himmel, der hat [a]den siebenten Tag zu
feiern geboten. 5 Darauf sagte er: So bin
ich [a]der Herrscher auf Erden und gebiete
euch, ihr sollt die Waffen ergreifen und
den Befehl des Königs ausführen. [6] Aber
er konnte sein ruchloses Vorhaben trotz-
dem nicht vollbringen. 6 Und Nikanor
prahlte vermessen und hatte sich schon
vorgenommen, für seinen Sieg über Judas
ein Denkmal errichten zu lassen.

7 Aber Makkabäus hatte unablässig die
Zuversicht und Hoffnung, der Herr werde
ihm beistehen, 8 und ermunterte seine
Männer, sie sollten sich vor den anrü-
ckenden Heiden nicht fürchten, sondern
an die Hilfe denken, die ihnen früher oft
vom Himmel gesandt worden war, und
jetzt auch auf den Sieg hoffen, den der All-
mächtige ihnen schicken werde. 9 Er sagte
ihnen [a]ermutigende Worte aus dem Ge-
setz und den Propheten und erinnerte sie
an die Schlachten, die sie früher gewonnen
hatten, und machte ihnen so Mut. 10 Als er
sie nun angefeuert hatte, erzählte er ihnen
auch, wie die Heiden ihre Zusagen nicht
gehalten und ihre Eide gebrochen hätten.
11 Und er rüstete sie aus, doch nicht mit
Vertrauen auf Schild und Spieß, sondern
mit Zuspruch guter Worte. Er berichtete
ihnen auch von einem Traum, der glaub-
würdig war; davon bekamen alle Mut.

12 Und dies hatte er gesehen: [a]Onias,
der frühere Hohepriester, ein trefflicher,
im Umgang bescheidener, gütiger, bered-
ter Mann, der von Jugend auf allem Gu-
ten nachgestrebt hatte, der streckte seine
Hände aus und betete für das ganze Heer
der Juden. 13 Danach erschien ihm ein
würdiger, alter Mann, und um ihn war
ein wunderbarer, herrlicher Glanz. 14 Und
Onias sagte zu Judas: Dies ist Jeremia, der
Prophet Gottes, der deine Brüder sehr lieb
hat und stets [a]für das Volk und die heilige
Stadt betet. 15 Danach gab Jeremia mit der
Rechten dem Judas ein goldenes Schwert
[16] und sagte zu ihm: 16 Nimm hin das hei-
lige Schwert, das dir Gott schenkt; damit
sollst du die Feinde schlagen!

17 Als Judas sie nun mit solchen guten
Worten, die zur Tapferkeit anfeuern und
den Jungen Mut geben konnten, aufge-
rufen hatte, beschlossen sie, kein Lager
mehr aufzuschlagen, sondern entschlos-
sen gegen die Feinde zu ziehen, sie tapfer

14,41 *a* 1. Sam 31,4 **14,46** *a* Kap 7,11 **15,4** *a* 2. Mose 20,8
15,5 *a* Dan 7,25 **15,9** *a* 1. Makk 12,9; 2. Mose 14,13-14
15,12 *a* Kap 3,1 **15,14** *a* Jer 37,3

anzugreifen und die Sache zu entscheiden,
weil die Stadt, [a]der Gottesdienst und der
Tempel in Gefahr waren. 18 Denn sie bang-
ten nicht so sehr um ihre Frauen und Kin-
der, Brüder und Verwandten, sondern sie
sorgten sich vor allem um den heiligen
Tempel. 19 Und die in der Stadt blieben,
waren in großer Sorge um ihr Kriegsvolk
draußen im Felde.

20 Als es nun zum Treffen kommen
sollte und die Feinde sich gesammelt hat-
ten und in Schlachtordnung angetreten
und die Elefanten an einem günstigen Ort
aufgestellt und die Reiter auf beide Flügel
verteilt worden waren 21 und als Makka-
bäus die Feinde sah und ihre vielfältige
Rüstung und die schrecklichen Tiere,
streckte er seine Hände zum Himmel
empor und betete zum Herrn, der Wun-
der tut. Denn [a]er wusste wohl, dass der
Sieg nicht durch Waffen kommt, sondern
Gott ihn denen gibt, die er würdig findet.
22 Und er betete so: Herr, zur Zeit Hiskias,
des Königs von Juda, hast du deinen Engel
gesandt; der erschlug in Sanheribs Lager
185 000 Mann.[a] 23 So schicke nun auch, du
Herrscher im Himmel, einen guten En-
gel vor uns her, der Furcht und Schrecken
verbreitet. 24 Lass die erzittern vor deinem
starken Arm, die mit Gotteslästerung ge-
gen dein heiliges Volk ziehen. Und damit
hörte Judas auf.

25 So zogen Nikanor und sein Heer heran
mit Trompeten und Kriegsgeschrei. 26 Ju-
das aber und seine Leute griffen die Feinde
an mit Gebet und Flehen. 27 Und mit den
Händen führten sie das Schwert, [27] mit
dem Herzen aber schrien sie zu Gott und
erschlugen nicht weniger als 35 000 Mann.
Und sie freuten sich sehr, dass Gott sich
so mächtig gezeigt hatte. 28 Als nun die
Schlacht beendet war und sie mit Freu-
den wieder abzogen, sahen sie, wie Ni-
kanor in seinem Harnisch gefallen dalag.
29 Da erhob sich ein Freudengeschrei und
Jauchzen, und sie lobten den Herrn in der
Sprache ihrer Väter.

DAS SIEGESFEST

(vgl. 1. Makk 7,47-49)

30 Judas, der Leib und Leben für sein Volk
eingesetzt und von Jugend auf sich zu sei-
nen Landsleuten gehalten hatte, gebot,
[a]man solle dem Nikanor den Kopf und
die Hand samt der Schulter abhauen und
mit nach Jerusalem bringen. 31 Als er nun
dorthin kam, rief er seine Landsleute zu-
sammen und stellte die Priester vor den
Altar und schickte zu den Feinden auf der
Burg 32 und zeigte den Kopf des verruch-
ten Nikanor und die Hand des Lästerers,
die er gegen das heilige Haus des Allmäch-
tigen ausgestreckt und dabei Lästerworte
ausgestoßen hatte. 33 Er [a]schnitt auch dem
gottlosen Nikanor die Zunge aus und ließ
sie in Stücken den Vögeln vorwerfen und
die Hand, mit der er so unsinnig gehan-
delt hatte, gegenüber dem Tempel auf-
hängen.

34 Und das ganze Volk lobte den Herrn
im Himmel, der wahrhaftig erschienen
war*, und sprach: Gelobt sei, der seine
Stätte bewahrt hat, dass sie nicht unrein
geworden ist! 35 Und er steckte Nikanors
Kopf auf, sodass ihn alle aus der Burg se-
hen konnten, zu einem öffentlichen Zei-
chen dafür, dass ihnen der Herr geholfen
hatte.

36 Es wurde auch einträchtig von allen
beschlossen, man solle diesen Tag nie-
mals vergessen, [37] sondern ihn feiern am
dreizehnten Tag des zwölften Monats, der
auf Syrisch Adar heißt, einen Tag vor dem
Gedenktag des Mordechai.[a]

SCHLUSSWORT DES VERFASSERS

37 [38] So will ich nun hiermit dies Buch be-
schließen, nachdem Nikanor umgekom-
men ist und die Hebräer die Stadt seit je-
ner Zeit wieder in Besitz haben. 38 [39] Und
wenn es gut gelungen und geschickt ge-
ordnet ist, so war das meine Absicht.
Ist's aber zu schlicht und einfach geraten,
so habe ich doch getan, soviel ich ver-
mochte. 39 [40] Denn immer nur Wein oder
nur Wasser trinken wird einem zuwider.
Wenn aber Wein mit Wasser vermischt
erst wirklich Freude macht, so erfreut die
Art, wie man die Worte setzt, die Ohren
derer, die die Geschichte hören. Damit bin
ich am Ende angelangt.

* **15,34** Sprachspiel mit »Epiphanes« – »der Erschienene (Gott)«, dem Beinamen des Antiochus IV.

15,17 ***a*** Kap 14,33 **15,21** ***a*** Kap 12,22 **15,22** ***a*** Kap 8,19; 2. Kön 19,35 **15,30** ***a*** 1. Sam 17,54 **15,33** ***a*** Kap 7,4 **15,36** ***a*** Est 9,17-19

STÜCKE ZUM BUCH ESTER

A u. F Mordechais Traum und seine Deutung B Befehl zur Ausrottung der Juden
C Gebete Mordechais und Esters D–E Ester erwirkt beim König Rettung

DER TRAUM MORDECHAIS

(In der griechischen Übersetzung vor Est 1,1)

A [6,1] Im zweiten Jahr des Großkönigs Artaxerxes, am ersten Tag des Monats Nisan, hatte Mordechai, der Sohn Jaïrs, des Sohnes Schimis, des Sohnes des [a]Kisch, vom Stamm Benjamin, einen Traum. 2 Er war ein Jude und wohnte in der Stadt Susa und war ein vornehmer Mann, der am königlichen Hofe diente. 3 [2] Er war aber einer der [a]Gefangenen, die Nebukadnezar, der König von Babel, mit Jechonja*, dem König von Juda, von Jerusalem weggeführt hatte.

4 Und das war sein Traum: [3] Es erhob sich Geschrei und Getümmel, Donner und Erdbeben und ein Schrecken auf Erden. 5 Und siehe, da erschienen zwei große Drachen, bereit, gegeneinander zu kämpfen. Sie brüllten mit lauter Stimme, 6 [4] und auf ihr Geschrei hin rüsteten sich alle Völker zum Krieg, um gegen ein Volk von Gerechten zu kämpfen.[a] 7 [5] Und es war ein Tag großer Dunkelheit und Finsternis; Trübsal und Angst, großer Jammer und Schrecken waren auf Erden. 8 [6] Und das ganze Volk der Gerechten war sehr bestürzt, und sie befürchteten Unheil für sich und machten sich auf den Tod gefasst, 9 [7] und sie schrien zu Gott. Wie eine kleine Quelle zu einem großen Fluss wird, so wurde ihr Schreien zu einem mächtigen Strom. 10 [8] Da gingen Licht und Sonne wieder auf; und die Geringen wurden erhöht und fraßen die Angesehenen.

11 [9] Als Mordechai von seinem Traum erwachte, in dem er gesehen hatte, was Gott zu tun gedachte, bewegte er ihn in seinem Herzen, und versuchte bis in die Nacht hinein, jedes einzelne Wort zu verstehen.

MORDECHAI RETTET DEN KÖNIG

12 Einmal ruhte Mordechai im Hof. Er lag nahe bei Gabata und Teresch, den beiden Kämmerern des Königs, die den Hof bewachten. 13 Er hörte ihre Gespräche und überlegte, warum sie in Unruhe waren. So erfuhr er, dass sie an König Artaxerxes Hand anlegen wollten. Da zeigte er sie beim König an. 14 Der König aber verhörte die beiden Kämmerer, und weil sie gestanden, wurden sie hingerichtet. 15 Diese Geschehnisse ließ der König zur Erinnerung aufzeichnen, und auch Mordechai schrieb sie auf. 16 Und der König befahl, dass Mordechai künftig am Hof [a]Dienst tue, und dankte ihm mit Geschenken.

17 Es gab aber einen Bugäer* namens Haman, den Sohn Hammedatas, der war beim König sehr angesehen. Er trachtete danach, Mordechai und seinem Volk wegen der beiden Kämmerer des Königs zu schaden.*

ARTAXERXES BEFIEHLT, DAS JÜDISCHE VOLK AUSZUROTTEN

(zu Est 3,13)

B [1,1] Dies ist die Abschrift des Schreibens: Der Großkönig Artaxerxes* an die Statthalter der hundertsiebenundzwanzig Provinzen von Indien bis Äthiopien und die untergebenen Fürsten:

2 Da ich über viele Völker herrsche und Gewalt habe über die ganze Erde, habe ich dieses beschlossen – will ich doch nicht überheblich werden in meiner Macht, sondern immer darauf bedacht sein, gnädig und mild zu regieren: Alle meine Untertanen sollen ohne Furcht in [a]Ruhe leben und bis an die fernen Grenzen reisen können. Dazu will ich den Frieden erneuern, nach dem alle Menschen verlangen. 3 Da überlegte ich mit meinen Ratgebern, wie

* **A,3** Jechonja = Jojachin (2. Kön 24,6). **A,17** (1) Unbekannter Volksname. (2) Nach diesem Vers beginnt der hebräische Text des Buches Ester, Est 1,1. **B,1** Während das hebräische Buch Ester den König Ahasveros (griechisch: »Xerxes«; 485–465 v. Chr.) nennt, sprechen die griechische Übersetzung des Buches wie auch die Stücke zum Buch Ester von König Artaxerxes.

A,1 *a* 1. Sam 9,1 **A,3** *a* 2. Kön 24,15 **A,6** *a* Ps 2,1 **A,16** *a* Dan 2,48 **B,2** *a* 1. Tim 2,2

das geschehen könnte. Haman aber, unser besonnenster, ergebenster und getreuester Ratgeber, der nach dem König der Höchste ist, 4 [3] zeigte an, dass sich unter die Stämme der Erde ein übel gesinntes Volk gemischt habe. Durch seine [a]besonderen Gesetze steht es zu allen Völkern im Gegensatz und [b]missachtet unablässig die Gebote der Könige. So schadet es unserer untadeligen Verwaltung des Reiches. 5 [4] Wir haben nun erkannt, dass sich dieses Volk als einziges gegen alle Welt stellt, nach fremden und verkehrten Gesetzen lebt, unsere Gebote ablehnt und Schaden anrichtet. So stört es Frieden und Einigkeit in unserm Reich. 6 Deshalb haben wir befohlen: Alle, die Haman aufschreibt, der Höchste nach dem König, der über alle Provinzen gesetzt ist und für uns wie ein Vater ist, alle diese sollen mit Weib und Kind durchs Schwert der Feinde ohne alles Erbarmen umgebracht und niemand soll verschont werden, und zwar am vierzehnten Tag im Adar, dem zwölften Monat, in diesem Jahr. 7 So sollen diese seit jeher ruchlosen Menschen an einem einzigen Tag in die Unterwelt gestürzt werden, auf dass künftig unserer Herrschaft für alle Zeit Ruhe und Frieden zurückgegeben werde.

DAS GEBET MORDECHAIS

(zu Est 4,17)

C [2,1] Und Mordechai betete zum Herrn und [a]dachte an alle seine Werke und sprach: 2 Herr, Herr, oh König, du [a]herrschst über alles; denn alles steht in deiner Macht, und deinem Willen kann niemand widerstehen, wenn du Israel retten willst. 3 [2] Du hast Himmel und Erde gemacht und alles Wunderbare, das unter dem Himmel ist. 4 [3] Du bist Herr über alles, und niemand kann dir widerstehen, dir, dem Herrn.[a]

5 [4] Du kennst alle Dinge; du, Herr, weißt auch, dass es weder aus Hochmut noch aus Überheblichkeit noch aus Ruhmsucht geschehen ist, wenn ich vor diesem überheblichen Haman nicht niedergefallen bin; 6 denn ich wäre bereit, ihm sogar die Fußsohlen zu küssen, wenn ich Israel damit retten könnte. 7 Ich habe es vielmehr getan, um nicht die Ehre eines Menschen über die [a]Ehre Gottes zu stellen. Vor keinem außer dir, meinem Herrn, will ich die Knie beugen – und das tue ich nicht aus Überheblichkeit.

8 [5] [a]Und nun, Herr, Gott, König, Gott Abrahams, verschone dein Volk! Denn sie blicken auf uns, um uns zu vertilgen, und wollen das Erbe ausrotten, das von Anfang an dir gehört hat. 9 [6] Verachte dein Erbteil nicht, das du dir aus Ägypten losgekauft hast! 10 [7] Erhöre mein Gebet und sei deinem Erbe gnädig und verwandle unsere Trauer in Freude, auf dass wir leben und deinen Namen, Herr, preisen; und lass den Mund derer nicht verstummen, die dich loben!

11 [8] Und ganz Israel rief mit aller Kraft; denn sie hatten den sicheren Tod vor Augen.

DAS GEBET DER KÖNIGIN ESTER

(zu Est 4, Fortsetzung des vorigen Stückes)

12 [3,1] [a]Auch die Königin Ester nahm in ihrer Todesangst Zuflucht beim Herrn. 13 [2] Sie legte ihre königlichen Gewänder ab und zog Trauerkleider an, und statt der kostbaren Salben tat sie Asche und Staub auf ihr Haupt und demütigte ihren Leib durch Fasten, und wo früher ihr Schmuck prangte, hing wirr ihr Haar.

14 [3] Und sie betete zum Herrn, dem Gott Israels, und sprach: [4] Mein Herr, unser König, du bist der Einzige. Hilf mir; denn ich bin allein und habe keinen andern Helfer als dich 15 und muss mich nun in Gefahr stürzen. 16 [5] Von [a]Jugend auf habe ich im Haus meines Vaters gehört, dass du, Herr, Israel aus allen Völkern erwählt hast und [b]unsere Väter von all ihren Vorfahren. Sie sollen dein ewiges Erbe sein! Auch weiß ich, [c]dass du gehalten hast, was du ihnen zugesagt hast. 17 [6] Wir aber haben vor dir gesündigt; darum hast du uns in die Hände unserer Feinde gegeben, 18 denn wir haben ihre Götter geehrt; Herr, du bist gerecht! 19 [7] Aber nun genügt es ihnen nicht, uns in harter Knechtschaft zu halten. Sondern sie haben ihre Hände auf die Hände ihrer Götzenbilder gelegt und

B,4 ***a*** 5. Mose 4,8 ***b*** Dan 3,8-12 **C,1** ***a*** Ps 105,4-5 **C,2** ***a*** Ps 93,1 **C,4** ***a*** 2. Chr 20,6 **C,7** ***a*** Apg 5,29 **C,8** ***a*** *(8-9)* 5. Mose 9,26 **C,12** ***a*** *(12-30)* Esra 9,3-15; Dan 9,3-19 **C,16** ***a*** 2. Mose 12,26 ***b*** 1. Mose 12,1 ***c*** 5. Mose 6,20-23

geschworen, 20 deine Verheißungen zu-
nichtezumachen und dein Erbe auszurot-
ten, jeden Mund, der dich lobt, zu stopfen
und deinen herrlichen Tempel und Altar
zu zerstören. 21 Den Heiden aber wollen
sie den Mund auftun zum Lob der nich-
tigen Götzen, dass sie einen sterblichen
König rühmen auf immer und ewig.
22 [8] Herr, gib nicht dein Zepter denen,
[a]die doch nichts sind; lass sie nicht spot-
ten über unsern Untergang, sondern lass
ihre Ränke auf sie selbst zurückschlagen.
Die solches gegen uns angezettelt haben,
lass zum warnenden Beispiel werden!
23 [9] Denk an uns, Herr, und zeige dich in
unsrer Not und gib mir Mut, du König al-
ler Götter und Herrscher über alle Mächte!
24 Lege mir die [a]rechten Worte in den
Mund, wenn ich gleich vor dem [b]Löwen
stehe, und wende sein Herz, dass er un-
serm Feinde feind wird. Der und alle seine
Anhänger sollen umkommen! 25 [10] Uns
aber errette durch deine Hand und hilf
mir; denn ich habe keine andre Hilfe als
dich allein, Herr, der du alle Dinge kennst
26 [11] und weißt, dass ich die Ehre hasse,
die ich bei den Gottlosen habe, wie ich das
Bett eines Unbeschnittenen und Fremden
verabscheue.
27 Du kennst meine Not, dass ich das edle
Tuch meiner Würde verabscheue, das ich
auf dem Haupt trage, wenn ich mich al-
len zeigen muss – ich verabscheue es wie
meine blutige [a]Binde und trage es nicht,
wenn ich mich nicht zu zeigen brauche.
28 Deine Magd [a]hat nie an Hamans Tisch
gegessen noch einem Gelage des Königs
Ehre erwiesen oder vom Opferwein ge-
trunken. 29 Bis auf diesen Tag hat deine
Magd an nichts [a]Freude empfunden, seit
ich Königin wurde, [12] außer an dir allein,
Herr, du Gott Abrahams.
30 Gott, der du Macht hast über alle, er-
höre die Stimme derer, die keine andre
Hoffnung haben, und errette uns aus der
Hand der Gottlosen und befreie mich aus
meinen Ängsten!

ESTER GEHT ZUM KÖNIG

(zu Est 5,1)

D [4,1] [a]Als sie am dritten Tage ihr Gebet
beendet hatte, zog sie die Bußkleider
aus und legte ihren königlichen Schmuck
an. 2 Und als sie wieder strahlend schön
war, rief sie Gott, den Retter, an, der alles
sieht. Dann nahm sie zwei Dienerinnen
mit sich 3 und stützte sich vornehm auf die
eine; 4 die andere aber folgte ihr und trug
ihr die Schleppe. 5 [3] Sie strahlte in voller
Schönheit, und ihr Angesicht war heiter
und lieblich, doch ihr Herz war wie abge-
schnürt vor Angst.
6 [4] Und als sie alle Türen durchschritten
hatte, trat sie vor den König, der auf sei-
nem königlichen Thron saß in seinen
glänzenden Gewändern, übersät von
Gold und Edelsteinen; und er war furcht-
erregend anzuschauen. 7 [5] Als er nun auf-
blickte und sie glühend vor Zorn ansah,
erblasste die Königin, sank dahin und
musste sich auf die Dienerin stützen, die
vorausging.
8 [6] Da besänftigte Gott den Geist des
Königs. Voller Sorge sprang er auf von
seinem Thron und umfing sie mit seinen
Armen, bis sie wieder zu sich kam, 9 und
sprach sie freundlich an: Was ist mit dir,
Ester? Ich bin dein Bruder; fürchte dich
nicht! 10 Du sollst nicht sterben. Denn die-
ser Befehl betrifft nur gewöhnliche Men-
schen! 11 [7] Tritt herzu! 12 [8] Und er hob
das [a]goldene Zepter auf und legte es auf
ihre Schulter, küsste sie und sagte: Sprich
doch!
13 [9] Und sie antwortete: Als ich dich
sah, Herr, war mir, als sähe ich einen En-
gel Gottes, sodass mein Herz vor deiner
Majestät erschrak. 14 [10] Denn du bist be-
wundernswürdig, Herr, und dein Ange-
sicht ist voller Huld. 15 [11] Als sie aber so
redete, sank sie zu Boden. 16 [12] Der König
aber erschrak, und all seine Diener trös-
teten sie.

ARTAXERXES BEFIEHLT, DEM JÜDISCHEN VOLK BEIZUSTEHEN

(zu Est 8,12)

E [5,1] Dies ist die Abschrift des Briefes: Ar-
taxerxes, der Großkönig, entbietet den
Statthaltern der hundertsiebenundzwan-
zig Provinzen von Indien bis Äthiopien
und den Fürsten, die uns wohlgesonnen
sind, seinen Gruß.

C,22 *a* Ps 62,10 **C,24** *a* Mt 10,19 *b* Spr 20,2
C,27 *a* 3. Mose 15,19 **C,28** *a* Dan 1,8; Jdt 12,2
C,29 *a* Ps 137,1 **D,1** *a* (1-5) Jdt 10,1-6 **D,12** *a* Est 4,11

2 Viele, die durch die überreiche Güte ihrer Wohltäter hoch geehrt wurden, sind immer noch stolzer geworden, 3 sodass sie nicht nur versuchen, unsere Untertanen zu bedrücken, sondern auch ihren Überfluss nicht ertragen können und sich anschicken, gegen ihre eigenen Wohltäter die Hand zu erheben. 4 [3] Sie verweigern nicht nur den Menschen die Dankbarkeit, sondern werden überheblich durch das Prahlen derer, die vom Guten nichts wissen, und meinen sogar, sie könnten der Strafe Gottes entgehen, der doch alles wahrnimmt und das Böse hasst.

5 [4] Schon viele Herrscher haben ihren untergebenen Beratern vertraut und wurden so zu ihren Verbündeten, dass sie unschuldiges Blut vergossen und sich in unheilbares Unglück gestürzt haben. 6 Durch Lüge, Trug und Berechnung hat man das arglose Wohlwollen der Herrscher getäuscht. 7 [5] Solches findet ihr nicht nur in Erzählungen aus unseren alten Überlieferungen, sondern viel klarer, wenn ihr untersucht, was vor euren Augen geschieht – wie unwürdige Statthalter in ihrer Niedertracht Verbrechen begehen. 8 [6] Wir nehmen uns nun vor, künftig darauf zu achten, dass alle Menschen im Königreich in Ruhe und Frieden leben können. 9 [7] Wir werden Änderungen einführen und künftig über das, was uns vor Augen kommt, stets mit größter Sorgfalt urteilen.

10 [8] So hat nun [a]Haman, der Sohn Hammedatas, ein Makedonier, der in Wahrheit nicht persischen Blutes ist und keinen Anspruch auf unsre Großmut hat, bei uns gastliche Aufnahme gefunden. 11 Er hat unsere Menschenfreundlichkeit erfahren, die wir jedem Volk erweisen in so reichem Maße, dass wir ihn unsern Vater* genannt haben und er von jedermann als Zweiter am königlichen Thron geehrt worden ist. 12 Doch er konnte seine Überheblichkeit nicht zügeln, sodass er danach trachtete, uns um Herrschaft und Leben zu bringen. 13 [9] Er hat Mordechai, unseren [a]Retter und treuen Wohltäter, und Ester, die untadelige Gefährtin des Königs, samt ihrem ganzen Volk hinterlistig verleumdet und angeklagt, um sie ins Verderben zu stürzen. 14 Auf diese Weise gedachte er, uns allein und machtlos dastehen zu lassen und das Reich der Perser an die Makedonier zu bringen.

15 [10] Wir befinden aber, dass die Juden, die dieser dreifach verfluchte Frevler töten lassen wollte, keine Übeltäter, sondern Bürger mit sehr [a]gerechten Gesetzen 16 und Kinder des höchsten, größten und lebendigen Gottes sind, der uns und [a]unsern Vorfahren das Königreich gegeben hat und aufs Beste erhält. 17 [11] Ihr tut also gut daran, wenn ihr euch nicht nach dem [a]Schreiben richtet, das Haman, der Sohn Hammedatas, ausgesandt hat. 18 [12] Er, der diese Untat begangen hat, ist mit seinem ganzen Haus vor den Toren Susas an den Galgen gehängt worden. So hat der allmächtige Gott ihm sehr bald die verdiente Strafe geschickt.[a]

19 [13] Die Abschrift dieses Briefes sollt ihr überall bekannt machen, damit die Juden nach ihren eigenen Gesetzen leben können. 20 [14] Und ihr sollt ihnen beistehen, damit sie sich in ihrer Not wehren können, wenn ihnen Gewalt droht – an eben [a]diesem Tag, am dreizehnten Tage des zwölften Monats, des Adar. 21 Denn diesen Tag, an dem das [a]auserwählte Volk umkommen sollte, hat der allmächtige Gott ihm zum Freudentag gemacht. 22 [15] Darum sollt auch ihr neben euren Feiertagen diesen besonderen Tag mit aller Freude begehen, 23 damit er von nun an uns und allen treuen Persern Heil bedeute, denen aber, die gegen uns Ränke schmieden, eine Erinnerung sei an den Untergang.

24 [16] Jedes Land aber und jede Stadt, die dies Gebot nicht halten, die sollen ohne Gnade mit Speer und Feuer vertilgt werden – nicht nur von [a]Menschen verlassen, sondern allezeit verhasst bei Tieren und Vögeln.

MORDECHAI DEUTET SEINEN TRAUM

(zu Est 10,3)

F [7,1] Und Mordechai sagte: Gott hat das alles geschickt. 2 Ich denke an den Traum, in dem ich diese Ereignisse gesehen habe;

* **E,11** Hoftitel.

E,10 ***a*** Kap B,3-5 **E,13** ***a*** Est 2,19-23 **E,15** ***a*** 5. Mose 4,6-8 **E,16** ***a*** Dan 4,14; 5,18 **E,17** ***a*** Kap B,3-4 **E,18** ***a*** Est 7,10 **E,20** ***a*** Est 3,13 **E,21** ***a*** Jes 41,8 **E,24** ***a*** Zef 1,3

denn nichts davon ist unerfüllt geblie-
ben. 3Die kleine Quelle, die zum Strom
wurde und die Licht, Sonne und das große
Wasser war – dieser Fluss ist Ester, die der
König zur Gemahlin genommen und zur
Königin gemacht hat. 4Die beiden Dra-
chen aber sind ich und Haman. 5Die Völ-
ker, die zusammenkamen, sind die, die
den Namen der Juden austilgen wollten.
6Mein Volk, das ist Israel, das zu Gott rief;
und der Herr half seinem Volk und erlöste
uns aus allen diesen Nöten. Und Gott tat
große Zeichen und Wunder, wie sie kei-
nem Volk widerfahren sind.
7Denn Gott hat zwei Lose* gemacht,
eins für das Volk Gottes und das andere
für alle übrigen Nationen. 8Und diese bei-
den Lose kamen zur Zeit und zur Stunde
und zum Tag des Gerichts vor Gott und
mitten unter alle Völker. 9Und Gott ge-
dachte seines Volkes und gab seinem
Erbteil recht.
10 [7]Und diese Tage soll man halten im
Monat Adar, am vierzehnten und fünf-
zehnten Tag desselben Monats: mit Jubel
und Freude soll das Volk vor Gott zusam-
menkommen; und es soll fortan so gehal-
ten werden von Geschlecht zu Geschlecht
in seinem Volk Israel.

DIE NACHSCHRIFT ZUR GRIECHISCHEN ÜBERSETZUNG

11 [8]Im vierten Jahr des Königs Ptolemäus
und der Kleopatra brachten Dositheus,
der sich als Priester aus dem Stamm Levi
vorstellte, und Ptolemäus, sein Sohn, dies
Schreiben über das Purimfest und sagten,
dass es echt wäre und dass Lysimachus,
ein Sohn des Ptolemäus, es in Jerusalem
übersetzt hätte.

STÜCKE ZUM BUCH DANIEL

1 Susanna und Daniel 2 Vom Bel und vom Drachen zu Babel
3 Gebete Asarjas und der drei Männer

SUSANNA UND DANIEL

(Zusatz am Anfang des Buches)

1 *Es wohnte ein Mann in Babylon mit
Namen Jojakim; 2der hatte eine Frau,
die hieß Susanna, eine Tochter Hilkijas;
die war sehr schön und fürchtete den
Herrn. 3Denn sie hatte fromme Eltern,
*a*die ihre Tochter nach dem Gesetz des
Mose unterwiesen hatten. 4Und Jojakim
war sehr reich und hatte *a*einen schönen
Garten an seinem Hause. Und die Juden
kamen stets bei ihm zusammen, weil er
der Angesehenste von allen war.
5Es wurden aber im selben Jahr zwei Äl-
teste aus dem Volk als Richter bestellt; das
waren solche Leute, von denen der Herr
gesagt hatte: Unrecht ging aus von Baby-
lon von den Ältesten und Richtern, die
das Volk zu leiten schienen. 6Die kamen
täglich in Jojakims Haus; und wer eine
Streitsache hatte, musste dorthin vor sie
kommen.
7Und wenn das Volk mittags weggegan-
gen war, kam Susanna, um sich im Garten
ihres Mannes zu ergehen. 8Und als die bei-
den Ältesten sie täglich dorthin kommen
und umhergehen sahen, entbrannten sie
in Begierde nach ihr 9und *a*wurden dar-
über zu Narren und *b*warfen die Augen so
sehr auf sie, dass sie nicht mehr zum Him-
mel aufsehen konnten und nicht mehr
an gerechte Urteile dachten. 10Sie waren
beide zugleich für sie entbrannt, verrieten
jedoch einander ihre Leidenschaft nicht
11und schämten sich, einander ihre Be-
gierde zu verraten; denn jeder hätte sich
gern zu ihr gelegt. 12Und sie warteten täg-
lich gespannt auf sie, um sie nur sehen zu
können.
13Es sprach aber einer zum andern:
Komm, lass uns heimgehen! Denn es ist
nun Essenszeit. Und sie gingen hinaus
und trennten sich. 14Danach kehrte jeder
wieder um und sie kamen an derselben

*** F,7** In dem Wort »Lose« (hebräisch: »Purim«) liegt eine Anspielung auf das Purimfest vor (vgl. Vers 11; Est 9,24). **1,1** Andere Bibelausgaben fügen die Geschichte als Kapitel 13 an das Buch Daniel an.

1,3 *a* 5. Mose 6,6-7 **1,4** *a* Jer 29,5-7 **1,9** *a* Spr 6,32 *b* Mt 5,28-29

Stelle wieder zusammen. Als nun einer
den andern nach dem Grund fragte, be-
kannten sie beide ihre Begierde. Danach
kamen sie miteinander überein, darauf
zu warten, wann sie die Frau allein finden
könnten.
15 Und als sie auf einen günstigen Tag
lauerten, kam Susanna wie an den Tagen
davor nur mit zwei Mägden in den Garten
und wollte baden; denn es war sehr heiß.[a]
16 Und es war dort keiner außer den beiden
Ältesten, die sich heimlich versteckt hat-
ten und auf sie lauerten. 17 Und sie sagte
zu ihren Mägden: Holt mir Öl und Salben
und schließt die Türen des Gartens zu, da-
mit ich baden kann! 18 Und die Mägde ta-
ten, wie sie befohlen hatte, und schlossen
die Türen zu und gingen zur hinteren Tür
hinaus, um ihr zu bringen, was sie haben
wollte; aber sie sahen die Ältesten nicht,
denn die hatten sich versteckt.
19 Als nun die Mägde hinausgegangen
waren, kamen die beiden Ältesten hervor,
liefen zu ihr 20 und sagten: Siehe, die Tü-
ren sind verschlossen, [a]niemand sieht uns,
und wir begehren dich; darum lege dich
zu uns und sei uns zu Willen! 21 Willst du
aber nicht, so [a]werden wir dich beschul-
digen, dass ein junger Mann bei dir war
und dass du deine Mägde deshalb hinaus-
geschickt hast. 22 Da seufzte Susanna und
sagte: In wie großer Bedrängnis bin ich!
Denn [a]wenn ich das tue, so bin ich des
Todes; tu ich's aber nicht, so komme ich
nicht aus euren Händen. 23 Doch ich will
lieber unschuldig in eure Hände fallen, als
[a]gegen den Herrn zu sündigen.
24 Und Susanna fing an, laut zu [a]schreien;
aber die Ältesten schrien gegen sie an.
25 Und der eine lief hin zu den Türen des
Gartens und öffnete sie. 26 Als nun die
Leute im Haus das Geschrei im Garten
hörten, liefen sie durch die hintere Tür
herbei, um zu sehen, was ihr widerfah-
ren wäre. 27 Und als die Ältesten gegen sie
aussagten, schämten sich die Diener ihret-
wegen sehr; denn so etwas war bisher nie
über Susanna gesagt worden.
28 Und am andern Tag, als das Volk im
Hause Jojakims, ihres Mannes, zusam-
menkam, da kamen auch die beiden Äl-
testen in der schändlichen Absicht, Su-
sanna dem Tod zu überliefern; [29] und sie
sagten vor allem Volk: 29 Schickt nach Su-
sanna, der Tochter Hilkijas, Jojakims Frau!
Da schickten sie hin. 30 Und sie kam mit
ihren Eltern und Kindern und ihrer gan-
zen Verwandtschaft. 31 Susanna aber war
sehr schön von Gestalt und Angesicht;
32 darum befahlen die Übeltäter, ihr den
[a]Schleier abzunehmen, mit dem sie ver-
hüllt war, um sich an ihrer Schönheit zu
ergötzen. 33 Und alle, die bei ihr standen
und sie sahen, weinten um sie.
34 Und die beiden Ältesten traten auf
mitten unter dem Volk und [a]legten die
Hände auf ihr Haupt. 35 Sie aber weinte
und [a]hob die Augen auf zum Himmel;
denn ihr Herz vertraute auf den Herrn.
36 Und die Ältesten fingen an und sagten:
Als wir beide allein im Garten umher-
gingen, kam sie hinein mit zwei Mägden
und schloss die Türen zu und schickte die
Mägde fort. 37 Da kam ein junger Mann zu
ihr, der sich versteckt hatte, und legte sich
zu ihr. 38 Wir aber waren in einem Winkel
des Gartens, und als wir diese Schande sa-
hen, liefen wir eilends hinzu. 39 Und wir
fanden sie beieinander, [39] aber den jun-
gen Mann konnten wir nicht überwälti-
gen; denn er war uns zu stark und stieß
die Tür auf und sprang davon. 40 Sie aber
ergriffen wir und fragten, wer der junge
Mann wäre. 41 Aber sie wollte es uns nicht
sagen. Das bezeugen wir.
[41] Und die Versammlung glaubte den
beiden als Ältesten und Richtern im Volk,
und man verurteilte Susanna zum Tode.
42 Susanna aber schrie mit lauter Stimme:
Ewiger Gott, [a]der du alle Heimlichkei-
ten kennst und alle Dinge zuvor weißt,
ehe sie geschehen, 43 du weißt, dass sie
[a]falsches Zeugnis gegen mich vorge-
bracht haben. Und nun siehe, ich muss
sterben, obwohl ich doch nicht begangen
habe, was sie so bösartig gegen mich ge-
logen haben. 44 Und [a]der Herr erhörte ihr
Rufen.
45 Und als man sie zum Tode führte,
erweckte Gott den heiligen Geist eines
jungen Mannes, der hieß [a]Daniel; 46 und

1,15 *a* 2. Sam 11,2 **1,20** *a* Sir 23,18-19 **1,21** *a* 5. Mose 19,15
1,22 *a* 3. Mose 20,10 **1,23** *a* 1. Mose 39,9
1,24 *a* 5. Mose 22,24 **1,32** *a* 4. Mose 5,18
1,34 *a* 3. Mose 24,14 **1,35** *a* Vers 9 **1,42** *a* Sir 42,18-19
1,43 *a* 2. Mose 20,16 **1,44** *a* Ps 66,18-19 **1,45** *a* Dan 4,5

er rief mit lauter Stimme: [46]Ich will un-
schuldig sein an ihrem Blut! 47 Und das
ganze Volk wandte sich ihm zu und fragte
ihn, was er mit solchen Worten meinte.
48 Er aber trat mitten unter sie und sprach:
Seid ihr Männer von Israel solche Narren,
dass ihr eine Tochter Israels verdammt,
[a]ehe ihr die Sache erforscht und Gewiss-
heit erlangt habt? 49 Kehrt wieder um vors
Gericht, denn diese haben falsches Zeug-
nis gegen sie geredet! 50 Und alles Volk
kehrte eilends wieder um.

Und die Ältesten sagten zu Daniel:
Setze dich her zu uns und berichte uns;
denn [a]dir hat Gott gegeben, was er sonst
nur dem Alter gibt. 51 Und Daniel sagte zu
ihnen: Stellt die beiden weit auseinander,
so will ich jeden für sich verhören! 52 Als
nun der eine vom andern getrennt war,
rief er den einen und sagte zu ihm: In Bos-
heit bist du alt geworden, jetzt treffen dich
deine Sünden, die du bisher begangen
hast, 53 als du ungerechte Urteile gespro-
chen und [a]die Unschuldigen verurteilt,
aber die Schuldigen losgesprochen hast,
obwohl doch der Herr geboten hat: [b]Du
sollst den Unschuldigen und Gerechten
nicht töten. 54 Hast du nun diese Frau ge-
sehen, so sag doch: Unter welchem Baum
hast du die zwei beieinander gefunden? Er
aber antwortete: Unter dem gespaltenen
Baum.* 55 Da sagte Daniel: Ganz recht!
[a]Mit deiner Lüge bringst du dich selbst
um dein Leben. Denn schon hat [b]der Engel
Gottes von Gott dein Urteil empfangen
und wird dich mittendurch spalten.

56 Und er ließ ihn wegbringen und den
andern vor sich kommen und sagte zu
ihm: Du [a]Nachkomme Kanaans und nicht
Judas, die Schönheit hat dich betört, und
die Begierde hat dein Herz verkehrt. 57 So
seid ihr mit den Töchtern Israels verfah-
ren, und sie haben euch aus Furcht zu Wil-
len sein müssen. Aber diese Tochter Judas
hat nicht in euer Unrecht eingewilligt.
58 Nun sage mir: Unter welchem Baum
hast du sie beieinander ertappt? Er aber
antwortete: Bei dem gefällten Baum.*
59 Da sagte Daniel: Ganz recht! Mit deiner
Lüge bringst du dich selbst um dein Leben.
Der Engel Gottes wartet schon mit seinem
Schwert und wird dich fällen, um euch so
beide zu vernichten.

60 Da fing die Versammlung an, mit lau-
ter Stimme zu rufen, und sie priesen Gott,
der denen hilft, die auf ihn hoffen und ver-
trauen. 61 Und sie erhoben sich gegen die
beiden Ältesten, weil Daniel sie aus ihren
eignen Worten überführt hatte, dass sie
falsche Zeugen waren. [62]Und [a]man tat
mit ihnen, was sie ihrer Nächsten antun
wollten; 62 man handelte nach dem Gesetz
des Mose und tötete sie.

So wurde an diesem Tage unschuldiges
Blut errettet. 63 Aber Hilkija und seine Frau
lobten Gott um Susannas, ihrer Tochter,
willen, mit Jojakim, ihrem Mann, und
der ganzen Verwandtschaft, dass nichts
Unehrenhaftes an ihr gefunden worden
war. 64 Und Daniel wurde groß vor dem
Volk von dem Tage an und blieb es auch
weiterhin.

VOM BEL ZU BABEL

(Zusatz am Schluss des Buches Daniel)

2 Nachdem der König Astyages zu sei-
nen Vätern versammelt war, übernahm
[a]Kyrus aus Persien sein Königreich. 2 Und
Daniel war stets um den König und an-
gesehener als alle seine Freunde.[a] 3 [2]Nun
hatten die Babylonier einen Götzen, der
hieß [a]Bel; dem musste man täglich opfern
zwölf Sack feines Mehl und vierzig Schafe
und sechs Fass Wein. 4 [3]Selbst der König
diente dem Götzen und ging täglich hin,
um ihn anzubeten; aber Daniel betete sei-
nen Gott an.

5 [4]Und der König sagte zu ihm: Warum
betest du nicht auch den Bel an? Er aber
sagte: Ich diene nicht den [a]Götzen, die mit
Händen gemacht sind, sondern dem le-
bendigen Gott, der Himmel und Erde ge-
macht hat und ein Herr ist über alles, was
lebt. 6 [5]Da sagte der König zu ihm: Hältst
du denn Bel nicht für einen lebendigen
Gott? Siehst du nicht, wie viel er täglich
isst und trinkt? 7 [6]Aber Daniel lachte und

* **1,54** Um ein Wortspiel des griechischen Textes wiederzugeben, reimte Luther: »Unter einer Linden. (Vers 55) … der Engel des Herrn wird dich finden.« **1,58** Luther reimte: »Unter einer Eichen. (Vers 59) … der Engel des Herrn wird dich zeich(n)en«.

1,48 ***a*** 5. Mose 19,18 **1,50** ***a*** Hiob 32,7-9; Weish 8,10 **1,53** ***a*** Spr 17,15 ***b*** 2. Mose 23,7 **1,55** ***a*** Apg 5,4-5 ***b*** 1. Chr 21,15-16 **1,56** ***a*** 3. Mose 18,3.20.28 **1,61** ***a*** 5. Mose 19,18-19 **2,1** ***a*** Dan 6,29 **2,2** ***a*** Dan 2,48 **2,3** ***a*** Jer 50,2 **2,5** ***a*** Ps 115,3-9; Bar 6,3-5

sagte: Mein König, lass dich nicht täu-
schen; denn dieser Bel ist innen nur Ton
und außen nur Bronze und hat noch nie
etwas gegessen oder getrunken.
8 [7] Da wurde der König zornig und ließ
seine Priester rufen und sprach zu ihnen:
9 Werdet ihr mir nicht sagen, wer dies alles
verzehrt, so müsst ihr sterben! [8] Könnt
ihr aber beweisen, dass Bel es verzehrt,
so muss Daniel sterben; denn er hat Bel
gelästert. Und Daniel sprach zum König:
Es geschehe, wie du gesagt hast.
10 [9] Es gab aber siebzig Priester des Bel,
ohne ihre Frauen und Kinder. Und der Kö-
nig ging mit Daniel in den Tempel des Bel.
11 [10] Da sagten die Priester des Bel: Siehe,
wir wollen hinausgehen; und du, König,
sollst die Speise selbst hinstellen und den
Trank selbst mischen und hinsetzen und
die Tür hinter dir zuschließen und mit
deinem eignen Ring versiegeln. 12 [11] Und
wenn du morgen früh wiederkommst und
findest, dass Bel nicht alles verzehrt hat, so
wollen wir sterben; sonst aber Daniel, der
uns verleumdet hat. 13 [12] Sie waren aber
unbesorgt, da sie einen geheimen Gang
bis unter den Opfertisch gemacht hatten;
durch den gingen sie immer wieder hinein
und verzehrten, was da war.
14 [13] Als nun die Priester hinausgegan-
gen waren, ließ der König dem Bel die
Speisen vorsetzen. Aber Daniel gab seinen
Dienern Befehl, und sie holten Asche und
streuten sie nur vor den Augen des Königs
im ganzen Tempel aus. Danach gingen sie
hinaus und schlossen die Tür zu und ver-
siegelten sie mit dem Ring des Königs und
gingen davon. 15 [14] Des Nachts aber kamen
die Priester nach ihrer Gewohnheit mit
ihren Frauen und Kindern und aßen und
tranken alles.
16 [15] Und früh am Morgen stand der Kö-
nig auf und Daniel mit ihm. 17 [16] Und der
König fragte: Sind die Siegel unversehrt,
Daniel? [17] Er aber antwortete: Sie sind es,
mein König. 18 Und sobald die Tür aufge-
tan war, sah der König auf den Tisch und
rief mit lauter Stimme: Groß bist du, o
Bel, und es gibt keinerlei Betrug bei dir!
19 [18] Aber Daniel lachte und hielt den
König zurück, damit er nicht hinein-
ging, und sagte: Sieh auf den Boden und
erkenne, wessen Fußspuren das sind.
20 [19] Der König sprach: Ich sehe die Fuß-
spuren von Männern, Frauen und Kin-
dern. 21 [20] Da wurde der König zornig
und ließ die Priester mit ihren Frauen und
Kindern ergreifen. Und sie mussten ihm
die geheimen Türen zeigen, durch die sie
ein und aus gegangen waren und verzehrt
hatten, was auf dem Tisch lag. 22 [21] Und
der König ließ sie töten und gab den Bel
in Daniels Gewalt; der zerstörte ihn und
seinen Tempel.

VOM DRACHEN ZU BABEL

23 [22] Es gab da auch einen großen Drachen,
den die Babylonier anbeteten. 24 [23] Und
der König sprach zu Daniel: Von dem
kannst du nicht behaupten, dass er kein
lebendiger Gott ist. Darum bete ihn an!
25 [24] Aber Daniel antwortete: Ich will den
Herrn, meinen Gott, anbeten; [a]denn er
ist der lebendige Gott. 26 [25] Du aber, mein
König, gib mir Vollmacht, so will ich die-
sen Drachen umbringen [a]ohne Schwert
und Spieß. Und der König sprach: Sie sei
dir gegeben. 27 [26] Da nahm Daniel Pech,
Fett und Haare und kochte es zusammen,
machte Fladen daraus und warf sie dem
Drachen ins Maul; und der Drache fraß
und wurde davon zerrissen. Und Daniel
sagte: [a]Seht, das sind eure Götter, die ihr
verehrt habt!
28 [27] [a]Als nun die Babylonier das hörten,
wurden sie sehr zornig, und sie machten
einen Aufruhr gegen den König und sag-
ten: Unser König ist ein Jude geworden;
denn er hat den Bel zerstört und den Dra-
chen getötet und die Priester umgebracht.
29 [28] Und sie traten vor den König und
sprachen: Gib uns Daniel heraus; sonst
werden wir dich und dein ganzes Haus
umbringen!
30 [29] Als nun der König sah, dass sie mit
Gewalt auf ihn eindrangen, musste er
ihnen Daniel herausgeben. 31 [30] Und sie
warfen ihn in die Löwengrube; darin lag
er sechs Tage lang. 32 [31] Und es waren sie-
ben Löwen in der Grube; denen gab man
täglich zwei Menschen und zwei Schafe.
Nun aber gab man ihnen nichts, damit sie
Daniel fressen sollten.

2,25 ***a*** Dan 6,27 **2,26** ***a*** 1. Sam 17,45 **2,27** ***a*** 2. Mose 32,4
2,28 ***a*** *(28-42)* Dan 6,15-28

33 [32] Es war aber ein Prophet, Habakuk,
in Judäa; der hatte einen Brei gekocht und
Brot eingebrockt in eine tiefe Schüssel und
ging damit aufs Feld, um es den Schnittern
zu bringen. 34 [33] Und der Engel des Herrn
sprach zu Habakuk: Bring das Essen, das
du trägst, zu Daniel nach Babylon in die
Löwengrube. 35 [34] Und Habakuk antwor-
tete: Herr, ich habe Babylon nie gesehen
und weiß nicht, wo die Grube ist.

36 [35] Da [a]fasste ihn der Engel des Herrn
beim Schopf und trug ihn in Windeseile
an den Haaren nach Babylon, oben an die
Grube. 37 [36] Und Habakuk rief: Daniel,
Daniel, nimm das Essen, das dir Gott ge-
sandt hat! 38 [37] Und Daniel sprach: Gott,
du hast ja meiner gedacht; du [a]lässt die
nicht im Stich, die dich lieben! 39 [38] Da
stand Daniel auf und aß. Und der Engel
Gottes versetzte Habakuk sogleich wieder
an seinen Ort.

40 [39] Der König aber kam am siebenten
Tage, um Daniel zu beklagen. Und er kam
zur Grube und schaute hinein, und siehe,
Daniel saß noch da. 41 [40] Da rief er laut:
Groß bist du, Herr, du Gott Daniels. Es
gibt keinen andern außer dir! 42 [41] Und er
zog ihn hinauf; aber die andern, die seinen
Tod gewollt hatten, warf er in die Grube;
und sie wurden sofort vor seinen Augen
aufgefressen.

DAS GEBET ASARJAS IM FEUEROFEN

(Zusatz zu Dan 3,23)

3 24 Und sie gingen umher inmitten der
Flammen, sangen zu Gott und lob-
ten den Herrn. 25 Und [a]Asarja stand mit-
ten im Feuer, tat seinen Mund auf und
betete:

26 [2] Gelobt seist du, Herr,
du Gott unsrer Väter,
und dein Name soll gepriesen
und verherrlicht werden ewiglich!
27 [3] [a]Denn du bist gerecht in allem,
was du getan hast;
alle deine Werke sind beständig,
und deine Wege sind gerade,
und alle deine Urteile sind wahr.
28 [4] Du tust uns recht,
dass du uns bestraft hast
mit all den Strafen, die du über uns
hast ergehen lassen
und über Jerusalem,
die heilige Stadt unsrer Väter;
ja, du tust recht und billig mit
alledem um unsrer Sünden willen.[a]
29 [5] Denn wir haben gesündigt
und gegen dein Gesetz verstoßen,
weil wir von dir gewichen sind.
Und wir haben in allem schwer
gesündigt
30 [6] und deinen Geboten nicht
gehorcht noch sie bewahrt
und haben nicht getan,
wie du uns befohlen hast,
damit es uns wohlerginge.
31 [7] Darum hast du wahr geurteilt
und recht daran getan,
dass du das alles über uns hast
kommen lassen und uns das alles
angetan hast
32 [8] und uns übergeben hast
den Händen unsrer Feinde,
gesetzloser, abtrünniger Verräter,
und dem ungerechten, grausamsten
König auf Erden.[a]
33 [9] Und nun dürfen wir unsern Mund
nicht auftun:
So sehr ist über deine Knechte
und alle, die dich fürchten,
Schande und Spott gekommen.

34 [10] Doch verstoße uns nicht ganz
um deines Namens willen,
und [a]verwirf deinen Bund nicht,
35 [11] und nimm deine Barmherzigkeit
nicht von uns
um [a]Abrahams, deines geliebten
Freundes, willen
und Isaaks, deines Knechtes,
und Israels, deines Heiligen,
36 [12] denen du verheißen hast,
ihre Nachkommen zu [a]mehren
wie die Sterne am Himmel und
wie den Sand am Ufer des Meeres.
37 [13] Denn, Herr, wir sind geringer
geworden als alle Völker
und sind heute verachtet
auf der ganzen Erde
um unsrer Sünden willen.

2,36 ***a*** Hes 8,3 **2,38** ***a*** Sir 2,10 **3,25** ***a*** Dan 1,7
3,27 ***a*** (27-33) Dan 9,5-12 **3,28** ***a*** Neh 9,33
3,32 ***a*** Dan 7,25 **3,34** ***a*** 3. Mose 26,42.45 **3,35** ***a*** Jes 41,8
3,36 ***a*** 1. Mose 22,17; 26,4; 28,14

38 [14] Wir haben jetzt keinen [a]Fürsten,
Propheten noch Vorsteher mehr
und weder Brandopfer
noch Schlachtopfer noch Speisopfer
noch Räucherwerk
und haben keine [b]Stätte,
wo wir vor dir opfern
und Gnade finden könnten,[c]
39 [15] sondern [a]mit betrübter Seele
und demütigem Geist
nimm uns an –
40 [16] so als brächten wir [a]Brandopfer
von Widdern und Rindern
und viel tausend fetten Schafen.
So wollest du unser Opfer heute
vor dir gelten
und wohlgefällig sein lassen.
Denn du lässt nicht zuschanden werden,
die auf dich hoffen.

41 [17] Nun folgen wir dir
[a]mit ganzem Herzen
und fürchten dich
und suchen dein Angesicht.
42 [18] Lass uns nicht zuschanden werden;
sondern tu mit uns nach deiner Güte
und nach [a]deiner großen
Barmherzigkeit!
43 [19] Und errette uns nach deinen
[a]Wundertaten
und gib deinem Namen die Ehre,
Herr!
44 Schämen sollen sich alle,
die deinen Knechten Leid antun,
[20] und zuschanden werden
mit ihrer ganzen Macht,
und ihre Gewalt soll zerstört werden,
45 [21] [a]damit sie erfahren,
dass du, Herr, allein Gott bist,
herrlich auf dem ganzen Erdkreis.

46 [22] Und die Diener des Königs, die sie in
den Ofen geworfen hatten, hörten nicht
auf, ihn mit Öl, Pech, Werg und dürren
Reisern zu heizen, 47 [23] und die Flamme,
etwa neunundvierzig Ellen hoch, schlug
oben aus dem Ofen, 48 [24] fraß um sich
und [a]verbrannte die Chaldäer, die sie
vor dem Ofen erreichte. 49 [25] Aber [a]der
Engel des Herrn war zugleich mit Asarja
und denen, die bei ihm waren, in den
Ofen gestiegen, hatte die Feuerflamme
aus dem Ofen herausgestoßen 50 [26] und
ließ es mitten im Ofen so sein, als ob ein
Wind wehte, der kühlen Tau bringt. So
rührte das Feuer sie überhaupt nicht an
und fügte ihnen weder Schmerz noch
Schaden zu.

DER GESANG DER DREI MÄNNER IM FEUEROFEN

51 [27] Da sangen die drei wie aus einem
Munde, sie priesen und lobten Gott in
dem Ofen und sprachen:

52 [28] Gelobt seist du, Herr,
du Gott unsrer Väter,
und sollst gepriesen und
hoch gerühmt werden ewiglich!
[29] Gelobt sei dein herrlicher
und heiliger Name
und soll gepriesen und
hoch gerühmt werden ewiglich!
53 [30] Gelobt seist du in deinem heiligen,
herrlichen Tempel
und sollst gepriesen und
verherrlicht werden ewiglich!
54 [31] Gelobt seist du,
der du [a]sitzt über den Cherubim
und siehst in die Tiefen,
und sollst gepriesen und
hoch gerühmt werden ewiglich!
55 [32] Gelobt seist du auf deinem
königlichen Thron
und sollst gepriesen und
hoch gerühmt werden ewiglich!
56 [33] [a]Gelobt seist du in der Feste
des Himmels
und sollst gepriesen und
verherrlicht werden ewiglich!

57 [34] [a]Lobet den Herrn,
all ihr Werke des Herrn,
preist und rühmt ihn ewiglich!
58 [36] [a]Lobet den Herrn,
ihr Engel des Herrn,
preist und rühmt ihn ewiglich!
59 [35] Lobet den Herrn, ihr Himmel,
preist und rühmt ihn ewiglich!

3,38 *a* Dan 8,11-12 *b* 1. Makk 1,44-47 *c* Hos 3,4
3,39 *a* Ps 51,19; Tob 3,1 **3,40** *a* Mi 6,6-8
3,41 *a* Jer 29,13-14 **3,42** *a* Dan 9,18
3,43 *a* 2. Mose 34,10 **3,45** *a* Jes 37,20
3,48 *a* Dan 3,22 **3,49** *a* Dan 3,24-25 **3,54** *a* Ps 99,1-5
3,56 *a* (33-63) Ps 148,1-14 **3,57** *a* Ps 145,10
3,58 *a* Ps 103,20

60 [37] Lobet den Herrn,
all ihr [a]Wasser über dem Himmel,
preist und rühmt ihn ewiglich!

61 [38] Lobet den Herrn, all ihr Mächte,
preist und rühmt ihn ewiglich!
62 [39] Lobet den Herrn, Sonne und Mond,
preist und rühmt ihn ewiglich!
63 [40] Lobet den Herrn,
ihr Sterne am Himmel,
preist und rühmt ihn ewiglich!
64 [41] Lobet den Herrn, Regen und Tau,
preist und rühmt ihn ewiglich!
65 [42] Lobet den Herrn, all ihr Winde,
preist und rühmt ihn ewiglich!
66 [43] Lobet den Herrn, Feuer und Glut,
preist und rühmt ihn ewiglich!
67 [44] Lobet den Herrn, Frost und Hitze,
preist und rühmt ihn ewiglich!
68 Lobet den Herrn, Tau und Schnee,
preist und rühmt ihn ewiglich!
69 [47] Lobet den Herrn, Eis und Frost,
preist und rühmt ihn ewiglich!
70 [48] Lobet den Herrn, Reif und Schnee,
preist und rühmt ihn ewiglich!
71 [45] Lobet den Herrn,
ihr Nächte und Tage,
preist und rühmt ihn ewiglich!
72 [46] Lobet den Herrn,
Licht und Finsternis,
preist und rühmt ihn ewiglich!
73 [49] Lobet den Herrn,
ihr Blitze und Wolken,
preist und rühmt ihn ewiglich!

74 [50] Die Erde lobe den Herrn,
sie preise und rühme ihn ewiglich!
75 [51] Lobet den Herrn,
ihr Berge und Hügel,
preist und rühmt ihn ewiglich!
76 [52] Lobet den Herrn,
ihr Gräser und Kräuter,
preist und rühmt ihn ewiglich!
77 [53] Lobet den Herrn, ihr Quellen,
preist und rühmt ihn ewiglich!
78 [54] Lobet den Herrn,
ihr Meere und Ströme,
preist und rühmt ihn ewiglich!
79 [55] Lobet den Herrn, ihr Fische
und alles, was sich im Wasser regt,
preist und rühmt ihn ewiglich!
80 [56] Lobet den Herrn,
all ihr Vögel unter dem Himmel,
preist und rühmt ihn ewiglich!
81 [57] Lobet den Herrn,
all ihr Tiere, wilde und zahme,
preist und rühmt ihn ewiglich!

82 [58] Lobet den Herrn,
ihr Menschenkinder,
preist und rühmt ihn ewiglich!
83 [59] Lobe den Herrn, Israel,
preise und rühme ihn ewiglich!
84 [60] Lobet den Herrn,
ihr Priester des Herrn,
preist und rühmt ihn ewiglich!
85 [61] Lobet den Herrn,
ihr [a]Knechte des Herrn,
preist und rühmt ihn ewiglich!
86 [62] Lobet den Herrn, ihr Geister und
[a]Seelen der Gerechten,
preist und rühmt ihn ewiglich!
87 [63] Lobet den Herrn, all ihr Frommen
und die ihr [a]von Herzen demütig seid,
preist und rühmt ihn ewiglich!

88 [64] Lobet den Herrn,
Hananja, Asarja und Mischaël,
preist und rühmt ihn ewiglich!
Denn er hat uns erlöst
aus dem Totenreich
und errettet vom Tode,
er hat uns befreit
aus dem glühenden Ofen
und mitten aus dem Feuer gerissen.
89 [65] [a]Danket dem Herrn;
denn er ist freundlich,
und seine Güte währet ewiglich.
90 [66] Lobet den Gott der Götter,
alle, die ihr den Herrn fürchtet,
preist ihn und danket,
denn seine Güte währet ewiglich!

3,60 ***a*** 1. Mose 1,7 **3,85** ***a*** Ps 134,1
3,86 ***a*** Ps 103,1-5; Lk 1,46 **3,87** ***a*** Mt 11,29
3,89 ***a*** (89-90) Ps 136,1-26

DAS GEBET MANASSES*

DAS GEBET MANASSES, DES KÖNIGS VON JUDA, ALS ER IN BABEL GEFANGEN WAR

(zu 2. Chr 33,12)

1 Herr, Allmächtiger, [a]Gott unsrer Väter,
Abrahams, Isaaks und Jakobs,
und ihrer [b]gerechten Nachkommen,
2 der du Himmel und Erde
gemacht hast samt all ihrer Ordnung.
3 Du [a]hast das Meer gebunden
durch dein Gebot
und hast die Tiefe verschlossen
und versiegelt [4] durch deinen furchterregenden und herrlichen Namen,
4 dass jeder vor dir erschrecken
und sich vor deiner Macht
fürchten muss!
5 Denn unerträglich ist die Größe
deiner Herrlichkeit
und unwiderstehlich dein Zorn,
mit dem du die Sünder bedrohst.
6 Aber die Barmherzigkeit,
die du verheißt,
ist [a]unermesslich und unerforschlich.
7 Denn du bist der Herr, der Höchste,
gütig, langmütig und voller
Barmherzigkeit,
[a]und lässt dich der Menschen Übel
gereuen.
8 Du hast aber, Herr,
du Gott der Gerechten,
die Buße nicht bestimmt den Gerechten,
[a]Abraham, Isaak und Jakob,
die nicht an dir gesündigt haben,
sondern mir Sünder hast du Buße
auferlegt.
9 Ich habe ja gesündigt,
unzählbar wie der Sand am Meer
sind meine Missetaten,
Herr, so viele sind es!
Wegen der Fülle meiner Vergehen
bin ich nicht würdig,
aufzublicken und die Höhe
des Himmels zu schauen.
10 Hinabgedrückt bin ich
durch eine eiserne Fessel,
erheben kann ich mich nicht
wegen meiner Sünde.
Keine Ruhe habe ich,
weil ich deinen Zorn geweckt
und Böses vor dir getan habe:
[a]Gräuelbilder habe ich aufgestellt
und Schändliches verbreitet.

11 Nun aber beuge ich die Knie
meines Herzens
und bitte dich um deine Gnade.
12 Ach, Herr, ich habe gesündigt,
ja, ich habe gesündigt
und erkenne meine Missetaten.
13 Ich bitte und flehe: Vergib mir,
Herr, vergib mir!
Richte mich nicht zugrunde
wegen meiner Missetaten,
behalte nicht im Gedächtnis
meine Übeltaten bis in Ewigkeit,
verdamme mich nicht
in die Tiefen der Erde.
Denn du, Herr, bist der Gott derer,
die umkehren.
14 Erweise an mir deine Güte;
[15] auch wenn ich unwürdig bin,
wirst du mich [a]nach deiner großen
Barmherzigkeit erretten.
15 Dann will ich dich preisen
alle Tage meines Lebens,
[16] denn dich lobt das ganze
Himmelsheer,
dein ist die Ehre bis in Ewigkeit,
Amen.

* Das Gebet wurde von Luther als Schlussgebet zum Alten Testament verstanden. Er nahm es nicht ins Inhaltsverzeichnis der Schriften auf. Vgl. die Einführung zu den Apokryphen.

Vers 1 ***a*** 2. Mose 3,6 ***b*** Jes 45,25 **Vers 3** ***a*** Hiob 38,8-11 **Vers 6** ***a*** Röm 11,33 **Vers 7** ***a*** 2. Mose 34,6-7; Jona 4,2 **Vers 8** ***a*** 1. Mose 15,6; Gal 3,6 **Vers 10** ***a*** 2. Chr 33,1-10 **Vers 14** ***a*** Ps 51,3

DAS NEUE TESTAMENT

DAS EVANGELIUM NACH MATTHÄUS

JESU STAMMBAUM

(Lk 3,23-38)

1 Dies ist das Buch der Geschichte Jesu
Christi, des [a]Sohnes Davids, des [b]Soh-
nes Abrahams.
2 Abraham zeugte [a]Isaak. Isaak zeugte
[b]Jakob. Jakob zeugte [c]Juda und seine Brü-
der. 3 [a]Juda zeugte [b]Perez und Serach mit
der Tamar. Perez zeugte Hezron. Hezron
zeugte Ram. 4 Ram zeugte Amminadab.
Amminadab zeugte Nachschon. Nach-
schon zeugte Salmon. 5 Salmon zeugte
Boas mit der [a]Rahab. Boas zeugte Obed
mit der Rut. Obed zeugte Isai. 6 Isai zeugte
den König David.
David zeugte [a]Salomo mit der Frau des
Uria. 7 [a]Salomo zeugte Rehabeam. Reha-
beam zeugte Abija. Abija zeugte Asa. 8 Asa
zeugte Joschafat. Joschafat zeugte Joram.
Joram zeugte Usija. 9 Usija zeugte Jotam.
Jotam zeugte Ahas. Ahas zeugte Hiskia.
10 Hiskia zeugte Manasse. Manasse zeugte
Amon. Amon zeugte Josia. 11 Josia zeugte
Jojachin und seine Brüder um die Zeit der
[a]babylonischen Gefangenschaft.
12 Nach der babylonischen Gefangen-
schaft zeugte Jojachin [a]Schealtiël. Sche-
altiël zeugte [b]Serubbabel. 13 Serubbabel
zeugte Abihud. Abihud zeugte Eljakim.
Eljakim zeugte Azor. 14 Azor zeugte Za-
dok. Zadok zeugte Achim. Achim zeug-
te Eliud. 15 Eliud zeugte Eleasar. Eleasar
zeugte Mattan. Mattan zeugte Jakob.
16 Jakob zeugte [a]Josef, den Mann Marias,
von der geboren ist Jesus, der da heißt
Christus.
17 Alle Geschlechter von Abraham bis zu
David sind vierzehn Geschlechter. Von
David bis zur babylonischen Gefangen-
schaft sind vierzehn Geschlechter. Von
der babylonischen Gefangenschaft bis zu
Christus sind vierzehn Geschlechter.

JESU GEBURT

18 Die Geburt Jesu Christi geschah aber
so: Als Maria, seine Mutter, dem Josef
vertraut* war, fand es sich, ehe sie zu-
sammenkamen, [a]dass sie schwanger war
von dem Heiligen Geist. 19 Josef aber, ihr
Mann, der fromm und gerecht war und
sie nicht in Schande bringen wollte, ge-
dachte, sie heimlich zu verlassen.
20 Als er noch so dachte, siehe, da er-
schien ihm ein Engel des Herrn im Traum
und sprach: Josef, du Sohn Davids, fürchte
dich nicht, Maria, deine Frau, zu dir zu
nehmen; denn was sie empfangen hat, das
ist von dem Heiligen Geist. 21 Und sie wird
einen Sohn gebären, dem sollst du den Na-
men Jesus geben, denn **er wird sein Volk
retten von ihren Sünden.**[a] 22 Das ist aber
alles geschehen, auf dass erfüllt würde,
was der Herr durch den Propheten gesagt
hat, der da spricht (Jesaja 7,14): 23 »Siehe, eine
Jungfrau wird schwanger sein und einen
Sohn gebären, und sie werden ihm den
Namen Immanuel geben«, das heißt über-
setzt: Gott mit uns.
24 Als nun Josef vom Schlaf erwachte, tat
er, wie ihm der Engel des Herrn befohlen
hatte, und nahm seine Frau zu sich. 25 Und
er erkannte sie nicht, bis sie einen Sohn
gebar; und er gab ihm den Namen Jesus.

DIE WEISEN AUS DEM MORGENLAND

2 Da [a]Jesus geboren war zu Bethlehem
in Judäa zur Zeit des Königs Herodes,
siehe, da kamen Weise aus dem Morgen-

* **1,18** Wörtlich: »zur Ehe versprochen«.

1,1 ***a*** 1. Chr 17,11 ***b*** 1. Mose 22,18 **1,2** ***a*** 1. Mose 21,3.12 ***b*** 1. Mose 25,26 ***c*** 1. Mose 29,35; 49,10 **1,3** ***a*** *(3-6)* Rut 4,12-22; 1. Chr 2,4-15 ***b*** 1. Mose 38,29-30 **1,5** ***a*** Jos 2,1 **1,6** ***a*** 2. Sam 12,24 **1,7** ***a*** *(7-11)* 1. Chr 3,10-16 **1,11** ***a*** 2. Kön 25,7.11.21 **1,12** ***a*** 1. Chr 3,17 ***b*** Esra 3,2 **1,16** ***a*** Lk 1,27 **1,18** ***a*** Lk 1,35 **1,21** ***a*** Ps 130,8; Lk 1,31 **2,1** ***a*** Lk 2,1-7

land* nach Jerusalem und sprachen: 2 Wo ist der neugeborene König der Juden? Wir [a]haben seinen Stern aufgehen sehen und sind gekommen, ihn anzubeten*.

3 Als das der König Herodes hörte, erschrak er und mit ihm ganz Jerusalem, 4 und er ließ zusammenkommen alle Hohenpriester und Schriftgelehrten des Volkes und erforschte von ihnen, wo der Christus geboren werden sollte. 5 Und sie sagten ihm: In [a]Bethlehem in Judäa; denn so steht geschrieben durch den Propheten (Micha 5,1): 6 »Und du, Bethlehem im Lande Juda, bist mitnichten die kleinste unter den Fürsten Judas; denn aus dir wird kommen der [a]Fürst, der mein Volk Israel weiden soll.«

7 Da rief Herodes die Weisen heimlich zu sich und erkundete genau von ihnen, wann der Stern erschienen wäre, 8 und schickte sie nach Bethlehem und sprach: Zieht hin und forscht fleißig nach dem Kindlein; und wenn ihr's findet, so sagt mir's wieder, dass auch ich komme und es anbete. 9 Als sie nun den König gehört hatten, zogen sie hin. Und siehe, der Stern, den sie hatten aufgehen sehen, ging vor ihnen her, bis er über dem Ort stand, wo das Kindlein war. 10 Da sie den Stern sahen, wurden sie hocherfreut 11 und gingen in das Haus und sahen* das Kindlein mit Maria, seiner Mutter, und fielen nieder und beteten es an und taten ihre Schätze auf und [a]schenkten ihm Gold, Weihrauch und Myrrhe.

12 Und da ihnen im Traum befohlen wurde, nicht wieder zu Herodes zurückzukehren, zogen sie auf einem andern Weg wieder in ihr Land.

DIE FLUCHT NACH ÄGYPTEN

13 Als sie aber hinweggezogen waren, siehe, da erschien der Engel des Herrn dem Josef im Traum und sprach: Steh auf, nimm das Kindlein und seine Mutter mit dir und flieh nach Ägypten und bleib dort, bis ich dir's sage; denn Herodes hat vor, das [a]Kindlein zu suchen, um es umzubringen.

14 Da stand er auf und nahm das Kindlein und seine Mutter mit sich bei Nacht und entwich nach Ägypten 15 und blieb dort bis nach dem Tod des Herodes, auf dass erfüllt würde, was der Herr durch den Propheten gesagt hat, der da spricht (Hosea 11,1): »Aus Ägypten habe ich meinen Sohn gerufen.«

DER KINDERMORD DES HERODES

16 Als Herodes nun sah, dass er von den Weisen betrogen war, wurde er sehr zornig und schickte aus und ließ alle Knaben in Bethlehem töten und in der ganzen Gegend, die zweijährig und darunter waren, nach der Zeit, die er von den Weisen genau erkundet hatte. 17 Da wurde erfüllt, was gesagt ist durch den Propheten Jeremia, der da spricht (Jeremia 31,15): 18 »In Rama hat man ein Geschrei gehört, viel Weinen und Wehklagen; [a]Rahel beweinte ihre Kinder und wollte sich nicht trösten lassen, denn es war aus mit ihnen.«

DIE RÜCKKEHR AUS ÄGYPTEN

19 Als aber Herodes gestorben war, siehe, da erschien der Engel des Herrn dem Josef im Traum in Ägypten 20 und sprach: Steh auf, nimm das Kindlein und seine Mutter mit dir und zieh hin in das Land Israel; [a]sie sind gestorben, die dem Kindlein nach dem Leben getrachtet haben.

21 Da stand er auf und nahm das Kindlein und seine Mutter mit sich und kam in das Land Israel. 22 Als er aber hörte, dass Archelaus in Judäa König war anstatt seines Vaters Herodes, fürchtete er sich, dorthin zu gehen. Und im Traum empfing er einen Befehl und zog ins galiläische Land 23 und kam und wohnte in einer Stadt mit Namen [a]Nazareth, auf dass erfüllt würde, was gesagt ist durch die Propheten: Er soll Nazoräer* heißen.

JOHANNES DER TÄUFER

(Mk 1,2-8; Lk 3,1-18)

3 [a]Zu der Zeit kam Johannes der Täufer und predigte in der Wüste von Judäa 2 und sprach: **Tut Buße, denn das Him-**

* **2,1** Siehe Sach- und Worterklärungen zu »Weise aus dem Morgenland«. **2,2** Andere Übersetzung: »ihm zu huldigen«. **2,11** Luther übersetzte nach anderen Handschriften: »fanden«. **2,23** Siehe Sach- und Worterklärungen.

2,2 ***a*** 4. Mose 24,17 **2,5** ***a*** Joh 7,42 **2,6** ***a*** 2. Sam 5,2; 1. Chr 11,2 **2,11** ***a*** Ps 72,10.15; Jes 60,6 **2,13** ***a*** 2. Mose 1,16 **2,18** ***a*** 1. Mose 35,18 **2,20** ***a*** 2. Mose 4,19 **2,23** ***a*** Lk 2,39; Joh 1,46 **3,1** ***a*** (1-3) Joh 1,6-8.23

melreich ist nahe herbeigekommen![a]
3 Denn dieser ist's, von dem der Prophet
Jesaja gesprochen und gesagt hat (Jesaja 40,3):
»Es ist eine Stimme eines Predigers* in der
Wüste: Bereitet dem Herrn den Weg und
macht eben seine Steige!«[a]

4 Er aber, Johannes, hatte ein Gewand
aus Kamelhaaren an und [a]einen ledernen
Gürtel um seine Lenden; seine Speise aber
waren Heuschrecken und wilder Honig.
5 Da ging zu ihm hinaus Jerusalem und
ganz Judäa und das ganze Land am Jordan
6 und ließen sich taufen von ihm im Jordan
und bekannten ihre Sünden.

7 Als er nun viele Pharisäer und Saddu-
zäer sah zu seiner Taufe kommen, sprach
er zu ihnen: [a]Ihr Otterngezücht, wer hat
euch gewiss gemacht, dass ihr dem künf-
tigen Zorn entrinnen werdet? 8 Seht zu,
bringt rechtschaffene Frucht der Buße!
9 Denkt nur nicht, dass ihr bei euch sa-
gen könntet: [a]Wir haben Abraham zum
Vater. Denn ich sage euch: Gott vermag
dem Abraham aus diesen Steinen Kin-
der zu erwecken. 10 Es ist schon die Axt
den Bäumen an die Wurzel gelegt. Dar-
um: [a]Jeder Baum, der nicht gute Frucht
bringt, wird abgehauen und ins Feuer ge-
worfen.

11 Ich taufe euch mit Wasser zur Buße;
[a]der aber nach mir kommt, ist stärker als
ich, und ich bin nicht wert, ihm die Schuhe
zu tragen; der wird euch mit dem Heiligen
Geist und mit Feuer taufen.[b] 12 Er hat die
Worfschaufel in seiner Hand und wird
die Spreu vom Weizen trennen und sei-
nen Weizen in die Scheune sammeln; aber
die Spreu wird er verbrennen mit unaus-
löschlichem Feuer.[a]

JESU TAUFE

(Mk 1,9-11; Lk 3,21-22; Joh 1,32-34)

13 Zu der Zeit kam Jesus aus Galiläa an den
Jordan zu Johannes, dass er sich von ihm
taufen ließe. 14 Aber Johannes wehrte ihm
und sprach: Ich bedarf dessen, dass ich
von dir getauft werde, und du kommst zu
mir?[a] 15 Jesus aber antwortete und sprach
zu ihm: Lass es jetzt zu! Denn so gebührt
es uns, alle Gerechtigkeit zu erfüllen. Da
ließ er's ihm zu.

16 Und als Jesus getauft war, stieg er als-
bald herauf aus dem Wasser. Und siehe,
da tat sich ihm der Himmel auf, und er
sah [a]den Geist Gottes wie eine Taube her-
abfahren und über sich kommen. 17 Und
siehe, eine Stimme aus dem Himmel
sprach: [a]**Dies ist mein lieber Sohn,** [b]**an
dem ich Wohlgefallen habe.**

JESU VERSUCHUNG

(Mk 1,12-13; Lk 4,1-13)

4 Da wurde Jesus vom Geist in die Wüste
geführt, damit er von dem Teufel [a]ver-
sucht würde. 2 Und da er [a]vierzig Tage
und vierzig Nächte gefastet hatte, hun-
gerte ihn. 3 Und der Versucher trat herzu
und sprach zu ihm: Bist du Gottes Sohn,
so sprich, dass diese Steine Brot werden.
4 Er aber antwortete und sprach: Es steht
geschrieben (5. Mose 8,3): **»Der Mensch
lebt nicht vom Brot allein, sondern von
einem jeden Wort, das aus dem Mund
Gottes geht.«**

5 Da führte ihn der Teufel mit sich in die
heilige Stadt und stellte ihn auf die Zinne
des Tempels 6 und sprach zu ihm: Bist du
Gottes Sohn, so wirf dich hinab; denn es
steht geschrieben (Psalm 91,11-12): »Er wird
seinen Engeln für dich Befehl geben; und
sie werden dich auf den Händen tragen,
damit du deinen Fuß nicht an einen Stein
stößt.« 7 Da sprach Jesus zu ihm: Wie-
derum steht auch geschrieben (5. Mose 6,16):
**»Du sollst den Herrn, deinen Gott,
nicht versuchen.«**

8 Wiederum führte ihn der Teufel mit
sich auf einen sehr hohen Berg und zeigte
ihm alle Reiche der Welt und ihre Herr-
lichkeit 9 und sprach zu ihm: Das alles
will ich dir geben, wenn du niederfällst
und mich anbetest. 10 Da sprach Jesus zu
ihm: Weg mit dir, Satan! Denn es steht ge-
schrieben (5. Mose 6,13): **»Du sollst anbeten
den Herrn, deinen Gott, und ihm allein
dienen.«** 11 Da verließ ihn der Teufel. Und
siehe, da [a]traten Engel herzu und dienten
ihm.

* **3,3** Wörtlich: »Rufers«.

3,2 *a* Kap 4,17; 10,7; Röm 12,2; Apg 13,24; 19,4
3,3 *a* Joh 1,23 **3,4** *a* 2. Kön 1,8 **3,7** *a* Kap 23,33
3,9 *a* Joh 8,33.39; Röm 2,28-29; 4,12 **3,10** *a* Kap 7,19;
Lk 13,6-9 **3,11** *a* Apg 13,25 *b* Kap 11,3; Joh 1,26-27.33;
Apg 1,5 **3,12** *a* Kap 13,30 **3,14** *a* Joh 13,6 **3,16** *a* Jes 11,2
3,17 *a* Kap 16,16; 17,5; Ps 2,7 *b* Jes 42,1 **4,1** *a* Hebr 4,15
4,2 *a* 2. Mose 34,28; 5. Mose 9,9; 1. Kön 19,8
4,11 *a* Joh 1,51; Hebr 1,6.13-14

DER BEGINN DES WIRKENS JESU IN GALILÄA

(Mk 1,14-15; Lk 4,14-15)

12 Da nun Jesus hörte, dass [a]Johannes ge-
fangen gesetzt worden war, zog er sich
nach Galiläa zurück. 13 Und er verließ Na-
zareth, kam und wohnte in Kapernaum,
das am Galiläischen Meer liegt im Ge-
biet von Sebulon und Naftali, 14 auf dass
erfüllt würde, was gesagt ist durch den
Propheten Jesaja, der da spricht (Jesaja 8,23;
9,1): 15 »Das Land Sebulon und das Land
Naftali, das Land am Meer, das Land jen-
seits des Jordans, das Galiläa der Heiden,
16 **das Volk, das in Finsternis saß, hat
ein großes Licht gesehen; und denen,
die saßen im Land und Schatten des
Todes, ist ein Licht aufgegangen.**«[a]
17 Seit der Zeit fing Jesus an zu predigen
und zu sagen: [a]**Tut Buße, denn das Him-
melreich ist nahe herbeigekommen!**

DIE BERUFUNG DER ERSTEN JÜNGER

(Mk 1,16-20; Lk 5,1-11; Joh 1,35-51)

18 Als nun Jesus am Galiläischen Meer ent-
langging, sah er zwei Brüder, Simon, der
Petrus genannt wird, und Andreas, seinen
Bruder; die warfen ihre Netze ins Meer;
denn sie waren Fischer. 19 Und er sprach
zu ihnen: Kommt, folgt mir nach! [a]Ich will
euch zu Menschenfischern machen. 20 So-
gleich verließen sie ihre Netze und folgten
ihm nach.
21 Und als er von dort weiterging, sah er
zwei andere Brüder, Jakobus, den Sohn
des Zebedäus, und Johannes, seinen Bru-
der, im Boot mit ihrem Vater Zebedäus,
wie sie ihre Netze flickten. Und er rief sie.
22 Sogleich verließen sie das Boot und ih-
ren Vater und folgten ihm nach.
23 [a]Und er zog umher in ganz Galiläa,
lehrte in ihren Synagogen und predigte
das Evangelium von dem Reich und heilte
alle Krankheiten und alle Gebrechen im
Volk. 24 Und die Kunde von ihm erscholl
durch ganz Syrien. Und sie brachten zu
ihm alle Kranken, mit mancherlei Leiden
und Qualen behaftet, Besessene, Mond-
süchtige und Gelähmte; und er machte sie
gesund. 25 Und es folgte ihm eine große
Menge aus Galiläa, aus den Zehn Städten,
aus Jerusalem, aus Judäa und von jenseits
des Jordans.

DIE BERGPREDIGT

Kapitel 5,1–7,29

DIE SELIGPREISUNGEN

(Lk 6,20-49)

5 Als er aber das Volk sah, ging er auf
einen [a]Berg. Und er setzte sich, und
seine Jünger traten zu ihm. 2 Und er tat
seinen Mund auf, lehrte sie und sprach:
3 **Selig sind, die da geistlich arm sind;
denn ihrer ist das Himmelreich.**[a]
4 **Selig sind, die da Leid tragen; denn
sie sollen getröstet werden.**[a]
5 **Selig sind die Sanftmütigen; denn
sie werden das Erdreich besitzen*.**[a]
6 **Selig sind, die da hungert und dürs-
tet nach der Gerechtigkeit; denn sie
sollen satt werden.**[a]
7 **Selig sind die Barmherzigen; denn
sie werden Barmherzigkeit erlangen.**[a]
8 **Selig sind, die reinen Herzens sind;
denn sie werden Gott schauen.**[a]
9 **Selig sind, die Frieden stiften*; denn
sie werden Gottes Kinder heißen.**[a]
10 **Selig sind, die um der Gerechtigkeit
willen verfolgt werden; denn ihrer ist
das Himmelreich.**[a]
11 Selig seid ihr, wenn euch die Men-
schen [a]um meinetwillen schmähen und
verfolgen und allerlei Böses gegen euch
reden und dabei lügen. 12 Seid fröhlich und
jubelt; es wird euch im Himmel reichlich
belohnt werden. Denn ebenso haben sie
[a]verfolgt die Propheten, die vor euch ge-
wesen sind.

SALZ UND LICHT

13 **Ihr seid das Salz der Erde.** Wenn nun
das Salz nicht mehr salzt*, womit soll man
salzen? Es ist zu nichts mehr nütze, als

* **5,5** Andere Übersetzung: »das Land erben« (vgl. Ps 37,11). **5,9** Luther übersetzte: »die Friedfertigen«, und erklärte: »nämlich, die den Frieden machen«. **5,13** Luther übersetzte: »wenn nun das Salz dumm wird«.

4,12 *a* Kap 14,3 **4,16** *a* Lk 1,79; Joh 8,12 **4,17** *a* Kap 3,2 **4,19** *a* Kap 28,19-20 **4,23** *a* (23-24) Kap 9,35; Mk 6,55; Lk 4,14-15 **5,1** *a* 2. Mose 19,3.11 **5,3** *a* Jes 57,15 **5,4** *a* Ps 126,5; Jes 61,1-2; Offb 7,17 **5,5** *a* Kap 11,29 **5,6** *a* Ps 17,15; Joh 6,35 **5,7** *a* Kap 18,33; 25,35-46 **5,8** *a* Ps 24,3-4; 51,12-13; 1. Joh 3,2-3; 1. Kor 13,12; Offb 22,4 **5,9** *a* Vers 45; Jak 3,18 **5,10** *a* 1. Petr 3,14 **5,11** *a* Kap 10,22; Apg 5,41; 1. Petr 4,14 **5,12** *a* 2. Chr 36,15-16; Hebr 11,33-38; Apg 7,52

dass man es wegschüttet und lässt es von den Leuten zertreten.[a]

14 **Ihr seid [a]das Licht der Welt.** Es kann die Stadt, die auf einem Berge liegt, nicht verborgen sein. 15 Man zündet auch nicht ein Licht an und setzt es unter einen Scheffel, sondern auf einen Leuchter; so leuchtet es allen, die im Hause sind.[a] 16 **So lasst [a]euer Licht leuchten vor den Leuten, damit sie [b]eure guten Werke sehen und euren Vater im Himmel preisen.**

JESU STELLUNG ZUM GESETZ

17 **Ihr sollt nicht meinen, dass ich gekommen bin, das Gesetz oder die Propheten aufzulösen; ich bin nicht gekommen aufzulösen, sondern zu erfüllen.**[a] 18 Denn wahrlich, ich sage euch: [a]Bis Himmel und Erde vergehen, wird nicht vergehen der kleinste Buchstabe noch ein [b]Tüpfelchen vom Gesetz, bis es alles geschieht. 19 Wer nun [a]eines von diesen kleinsten Geboten auflöst und lehrt die Leute so, der wird der Kleinste heißen im Himmelreich; wer es aber tut und lehrt, der wird groß heißen im Himmelreich.

20 Denn ich sage euch: Wenn eure Gerechtigkeit nicht besser ist als die der Schriftgelehrten und Pharisäer, so werdet ihr nicht in das Himmelreich kommen.[a]

VOM TÖTEN

21 Ihr habt gehört, dass zu den Alten gesagt ist (2. Mose 20,13; 21,12): »Du sollst nicht töten«; wer aber tötet, der soll des Gerichts schuldig sein. 22 Ich aber sage euch: Wer mit seinem Bruder zürnt, der ist des Gerichts schuldig; wer aber zu seinem Bruder sagt: Du Nichtsnutz!, der ist des Hohen Rats schuldig; wer aber sagt: Du Narr!, der ist des höllischen Feuers schuldig.[a]

23 Darum, wenn du deine Gabe auf dem Altar opferst und dort kommt dir in den Sinn, dass dein Bruder etwas gegen dich hat, 24 so lass dort vor dem Altar deine Gabe und geh zuerst hin und [a]versöhne dich mit deinem Bruder, und dann komm und opfere deine Gabe.

25 [a]Vertrage dich mit deinem Widersacher sogleich, solange du noch mit ihm auf dem Weg bist, auf dass dich der Widersacher nicht dem Richter überantworte und der Richter dem Gerichtsdiener und du ins Gefängnis geworfen werdest.[b] 26 Wahrlich, ich sage dir: Du wirst nicht von dort herauskommen, bis du auch den letzten Heller bezahlt hast.

VOM EHEBRECHEN

27 Ihr habt gehört, dass gesagt ist (2. Mose 20,14): »Du sollst nicht ehebrechen.« 28 Ich aber sage euch: [a]Wer eine Frau ansieht, sie zu begehren, der hat schon mit ihr die Ehe gebrochen in seinem Herzen.

29 [a]Wenn dich aber dein rechtes Auge verführt, so reiß es aus und wirf's von dir. Es ist besser für dich, dass eins deiner Glieder verderbe und nicht der ganze Leib in die Hölle geworfen werde. 30 Wenn dich deine rechte Hand verführt, so hau sie ab und wirf sie von dir. Es ist besser für dich, dass eins deiner Glieder verderbe und nicht der ganze Leib in die Hölle fahre.

31 Es ist auch gesagt (5. Mose 24,1): »Wer sich von seiner Frau scheidet, der soll ihr einen Scheidebrief geben.«[a] 32 Ich aber sage euch: Wer sich von seiner Frau scheidet, es sei denn wegen Unzucht, der macht, dass sie die Ehe bricht; und wer eine Geschiedene heiratet, der bricht die Ehe.[a]

VOM SCHWÖREN

33 Ihr habt weiter gehört, dass zu den Alten gesagt ist (3. Mose 19,12; 4. Mose 30,3): »Du sollst keinen falschen Eid schwören und sollst dem Herrn deine Eide halten.« 34 [a]Ich aber sage euch, dass ihr überhaupt nicht schwören sollt, weder bei dem [b]Himmel, denn er ist Gottes Thron; 35 noch bei der Erde, denn sie ist der Schemel seiner Füße; noch bei Jerusalem, denn sie ist die Stadt des großen Königs. 36 Auch sollst du nicht bei deinem Haupt schwören; denn du vermagst nicht ein einziges Haar weiß oder schwarz zu machen. 37 Eure Rede aber sei: Ja, ja; nein, nein. Was darüber ist, das ist vom Bösen.

5,13 ***a*** Mk 9,50 **5,14** ***a*** Joh 8,12 **5,15** ***a*** Lk 8,16
5,16 ***a*** Eph 5,8-9; Phil 2,14-15 ***b*** Joh 15,8; 1. Petr 2,12
5,17 ***a*** Kap 3,15; Röm 10,4; 1. Joh 2,7 **5,18** ***a*** Kap 24,35 ***b*** Lk 16,17 **5,19** ***a*** Jak 2,10 **5,20** ***a*** Kap 7,21; 23,2-33
5,22 ***a*** 1. Joh 3,15 **5,24** ***a*** Mk 11,25
5,25 ***a*** *(25-26)* Lk 12,58-59 ***b*** Kap 18,23-35
5,28 ***a*** Hiob 31,1 **5,29** ***a*** *(29-30)* Kap 18,8-9; Kol 3,5
5,31 ***a*** Kap 19,3-9 **5,32** ***a*** Lk 16,18; 1. Kor 7,10-11
5,34 ***a*** *(34-35)* Kap 23,16-22; Ps 48,3; Jak 5,12 ***b*** Jes 66,1

VOM VERGELTEN

38 Ihr habt gehört, dass gesagt ist (2. Mose
21,24): »Auge um Auge, Zahn um Zahn.«
39 Ich aber sage euch, dass ihr nicht wi-
derstreben sollt dem Bösen, sondern:
Wenn dich jemand auf deine rechte Ba-
cke schlägt, dem biete die andere auch
dar.[a] 40 Und [a]wenn jemand mit dir rech-
ten will und dir deinen Rock nehmen,
dem lass auch den Mantel.[b] 41 Und wenn
dich jemand eine Meile nötigt*, so geh mit
ihm zwei. 42 Gib dem, der dich bittet, und
wende dich nicht ab von dem, der etwas
von dir borgen will.[a]

VON DER FEINDESLIEBE

43 Ihr habt gehört, dass gesagt ist: [a]»Du
sollst deinen Nächsten lieben« (3. Mose
19,18) und deinen Feind hassen.* 44 Ich aber
sage euch: **Liebt eure Feinde und [a]bit-**
tet für die, die euch verfolgen,* 45 **auf**
dass ihr [a]Kinder seid eures Vaters im
Himmel. Denn er lässt seine Sonne
aufgehen über Böse und Gute und
lässt regnen über Gerechte und Un-
gerechte.
46 Denn wenn ihr liebt, die euch lieben,
was werdet ihr für Lohn haben? Tun nicht
dasselbe auch die Zöllner? 47 Und wenn
ihr nur zu euren Brüdern freundlich seid,
was tut ihr Besonderes? Tun nicht das-
selbe auch die Heiden? 48 **Darum sollt**
ihr [a]vollkommen sein, wie euer himm-
lischer Vater vollkommen ist.

VOM ALMOSENGEBEN

6 Habt aber acht, dass ihr eure Gerech-
tigkeit nicht übt vor den Leuten, [a]um
von ihnen gesehen zu werden; ihr habt
sonst keinen Lohn bei eurem Vater im
Himmel.
2 Wenn du nun Almosen gibst, sollst
du es nicht vor dir ausposaunen, wie es
die Heuchler tun in den Synagogen und
auf den Gassen, damit sie von den Leu-
ten gepriesen werden. Wahrlich, ich sage
euch: Sie haben ihren Lohn schon ge-
habt. 3 Wenn du aber Almosen gibst, so
lass deine linke Hand nicht wissen, was
die rechte tut,[a] 4 auf dass dein Almosen
verborgen bleibe; und dein Vater, der
in das Verborgene sieht, wird dir's ver-
gelten.

VOM BETEN. DAS VATERUNSER

5 Und wenn ihr betet, sollt ihr nicht sein
wie die Heuchler, die gern in den Synago-
gen und an den Straßenecken stehen und
beten, um sich vor den Leuten zu zeigen.
Wahrlich, ich sage euch: Sie haben ihren
Lohn schon gehabt. 6 Wenn du aber betest,
so geh in dein Kämmerlein und schließ
die Tür zu und bete zu deinem Vater, der
im Verborgenen ist; und dein Vater, der
in das Verborgene sieht, wird dir's ver-
gelten.
7 Und wenn ihr betet, sollt ihr nicht viel
plappern wie die Heiden; denn [a]sie mei-
nen, sie werden erhört, wenn sie viele
Worte machen. 8 Darum sollt ihr ihnen
nicht gleichen. Denn euer Vater weiß, was
ihr bedürft, bevor ihr ihn bittet. 9 [a]Darum
sollt ihr so beten:

Unser Vater im Himmel!
Dein Name werde geheiligt.[b]
10 **Dein Reich komme.**
Dein Wille geschehe
wie im Himmel so auf Erden.[a]
11 **Unser tägliches Brot* gib uns heute.**[a]
12 **Und vergib uns unsere Schuld,**
wie auch wir vergeben unsern
Schuldigern.*[a]
13 **Und führe uns nicht in Versuchung,**
sondern erlöse uns von dem Bösen.[a]
[Denn dein ist das Reich und die Kraft
und die Herrlichkeit in Ewigkeit.
Amen.]*

14 Denn wenn ihr den Menschen ihre
Verfehlungen vergebt, so wird euch
euer himmlischer Vater auch vergeben.[a]
15 Wenn ihr aber den Menschen nicht ver-

* **5,41** Das bedeutet: zum Dienst zwingt. **5,43** Den Feind zu hassen, wird im Alten Testament nirgends geboten. **5,44** In der späteren Überlieferung wird der Text nach Lk 6,27-28 erweitert. **6,11** Wörtlich: »das Brot für morgen«. **6,12** Wörtlich: »Und erlass uns unsere Schulden, wie auch wir vergeben haben unsern Schuldigern«. **6,13** Dieser Abschluss ist in den ältesten Handschriften nicht enthalten.

5,39 ***a*** Klgl 3,30; Joh 18,22; Röm 12,14-21; 1. Petr 2,20-23 **5,40** ***a*** 1. Kor 6,7 ***b*** Hebr 10,34 **5,42** ***a*** 5. Mose 15,7-8 **5,43** ***a*** Kap 22,39 **5,44** ***a*** Lk 23,34; Apg 7,60 **5,45** ***a*** Eph 5,1 **5,48** ***a*** 3. Mose 19,2 **6,1** ***a*** Kap 23,5 **6,3** ***a*** Röm 12,8 **6,7** ***a*** Jes 1,15 **6,9** ***a*** (9-13) Lk 11,2-4 ***b*** Kap 23,9; Jes 29,23; Hes 36,23 **6,10** ***a*** Kap 26,39; Ps 135,6 **6,11** ***a*** 2. Mose 16,4; Ps 145,15 **6,12** ***a*** Kap 18,21-35; Sir 28,2 **6,13** ***a*** 1. Kor 10,13 **6,14** ***a*** Mk 11,25

gebt, so wird euch euer Vater eure Verfehlungen auch nicht vergeben.

VOM FASTEN

16 Wenn ihr fastet, sollt ihr nicht sauer dreinsehen wie die Heuchler; denn sie verstellen ihr Gesicht, um sich vor den Leuten zu zeigen mit ihrem Fasten. Wahrlich, ich sage euch: Sie haben ihren Lohn schon gehabt.[a] 17 Wenn du aber fastest, so salbe dein Haupt und wasche dein Gesicht, 18 damit du dich nicht vor den Leuten zeigst mit deinem Fasten, sondern vor deinem Vater, der im Verborgenen ist; und dein Vater, der in das Verborgene sieht, wird dir's vergelten.

VOM SCHÄTZESAMMELN UND SORGEN

19 [a]Ihr sollt euch nicht Schätze sammeln auf Erden, wo Motten und Rost sie fressen und wo Diebe einbrechen und stehlen. 20 Sammelt euch aber Schätze im Himmel, wo weder Motten noch Rost sie fressen und wo Diebe nicht einbrechen und stehlen. 21 Denn **wo dein Schatz ist, da ist auch dein Herz.**

22 [a]Das Auge ist das Licht des Leibes. Wenn dein Auge lauter ist, so wird dein ganzer Leib licht sein. 23 Wenn aber dein Auge böse ist, so wird dein ganzer Leib finster sein. Wenn nun das Licht, das in dir ist, Finsternis ist, wie groß wird dann die Finsternis sein![a]

24 **Niemand kann zwei Herren dienen: Entweder er wird den einen hassen und den andern lieben, oder er wird an dem einen hängen und den andern verachten. Ihr könnt nicht Gott dienen und dem Mammon.**[a]

25 [a]Darum sage ich euch: [b]Sorgt euch nicht um euer Leben, was ihr essen und trinken werdet; auch nicht um euren Leib, was ihr anziehen werdet. Ist nicht das Leben mehr als die Nahrung und der Leib mehr als die Kleidung? 26 Seht die Vögel unter dem Himmel an: Sie säen nicht, sie ernten nicht, sie sammeln nicht in die Scheunen; und euer himmlischer Vater ernährt sie doch. Seid ihr denn nicht viel kostbarer als sie?[a] 27 Wer ist aber unter euch, der seiner Länge* eine Elle zusetzen könnte, wie sehr er sich auch darum sorgt?

28 Und warum sorgt ihr euch um die Kleidung? Schaut die Lilien auf dem Feld an, wie sie wachsen: Sie arbeiten nicht, auch spinnen sie nicht. 29 Ich sage euch, dass auch [a]Salomo in aller seiner Herrlichkeit nicht gekleidet gewesen ist wie eine von ihnen. 30 Wenn nun Gott das Gras auf dem Feld so kleidet, das doch heute steht und morgen in den Ofen geworfen wird: Sollte er das nicht viel mehr für euch tun, ihr Kleingläubigen? 31 Darum sollt ihr nicht sorgen und sagen: Was werden wir essen? Was werden wir trinken? Womit werden wir uns kleiden?[a] 32 Nach dem allen trachten die Heiden. Denn euer himmlischer Vater weiß, dass ihr all dessen bedürft.

33 **Trachtet zuerst nach dem [a]Reich Gottes und nach seiner Gerechtigkeit, [b]so wird euch das alles zufallen.** 34 Darum sorgt nicht für morgen, denn [a]der morgige Tag wird für das Seine sorgen. Es ist genug, dass jeder Tag seine eigene Plage hat.

VOM RICHTEN

7 Richtet nicht, damit ihr nicht gerichtet werdet.[a] 2 Denn wie ihr richtet, werdet ihr gerichtet werden; und [a]mit welchem Maß ihr messt, wird euch zugemessen werden.

3 Was siehst du aber den Splitter in deines Bruders Auge und nimmst nicht wahr den Balken in deinem Auge? 4 Oder wie kannst du sagen zu deinem Bruder: Halt, ich will dir den Splitter aus deinem Auge ziehen! – und siehe, ein Balken ist in deinem Auge? 5 Du Heuchler, zieh zuerst den Balken aus deinem Auge; danach kannst du sehen und den Splitter aus deines Bruders Auge ziehen.

6 Ihr sollt das Heilige nicht den Hunden geben, und eure Perlen sollt ihr nicht vor die Säue werfen, damit die sie

* **6,27** Das griechische Wort kann »Lebenslänge« oder »Körpergröße« bedeuten.

6,16 ***a*** Jes 58,5-6 **6,19** ***a*** *(19-21)* Lk 12,33-34; Kol 3,1-2; Jak 5,2-3 **6,22** ***a*** *(22-23)* Lk 11,34-36 **6,23** ***a*** Joh 11,10 **6,24** ***a*** Lk 16,13; Jak 4,4 **6,25** ***a*** *(25-33)* Lk 12,22-31 ***b*** Ps 145,15-16; Phil 4,6; 1. Petr 5,7 **6,26** ***a*** Kap 10,29-31; Hiob 38,41 **6,29** ***a*** 1. Kön 10,1-29 **6,31** ***a*** Phil 4,6; 1. Petr 5,7 **6,33** ***a*** Röm 14,17 ***b*** 1. Kön 3,13-14; Ps 37,4.25 **6,34** ***a*** 2. Mose 16,16-19 **7,1** ***a*** Lk 6,37; Röm 2,1; 1. Kor 4,5 **7,2** ***a*** Jes 33,1; Mk 4,24

nicht zertreten mit ihren Füßen und sich
umwenden und euch zerreißen.[a]

VON DER ZUVERSICHT BEIM BETEN

(Lk 11,9-13)

7 [a]**Bittet, so wird euch gegeben; [b]su-**
chet, so werdet ihr finden; klopfet an,
so wird euch aufgetan. 8 Denn wer da
bittet, der empfängt; und wer da sucht,
der findet; und wer da anklopft, dem
wird aufgetan.
9 Oder ist ein Mensch unter euch, der
seinem Sohn, wenn er ihn bittet um Brot,
einen Stein biete? 10 Oder der ihm, wenn
er ihn bittet um einen Fisch, eine Schlange
biete? 11 Wenn nun ihr, die ihr doch böse
seid, dennoch euren Kindern gute Gaben
zu geben wisst, wie viel mehr [a]wird euer
Vater im Himmel Gutes geben denen, die
ihn bitten!

DIE GOLDENE REGEL. VON DEN ZWEI WEGEN

12 **Alles nun, was ihr wollt, dass euch**
die Leute tun sollen, das tut ihr ih-
nen auch! Das ist das Gesetz und die
Propheten.[a]
13 [a]Geht hinein durch die enge Pforte.
Denn die Pforte ist weit und der Weg ist
breit, der zur Verdammnis führt, und viele
sind's, die auf ihm hineingehen. 14 Wie
eng ist die Pforte und wie schmal der Weg,
der zum Leben führt, und wenige sind's,
die ihn finden![a]

WARNUNG VOR DEN FALSCHEN PROPHETEN

15 Seht euch vor vor den [a]falschen Prophe-
ten, die in Schafskleidern zu euch kom-
men, inwendig aber sind sie reißende
Wölfe. 16 An ihren [a]Früchten sollt ihr sie
erkennen. Kann man denn Trauben le-
sen von den Dornen oder Feigen von
den Disteln? 17 So bringt jeder gute Baum
gute Früchte; aber ein fauler Baum bringt
schlechte Früchte.[a] 18 Ein guter Baum kann
nicht schlechte Früchte bringen und ein
fauler Baum kann nicht gute Früchte brin-
gen. 19 Jeder Baum, der nicht gute Früchte
bringt, wird abgehauen und ins Feuer
geworfen.[a] 20 Darum, an ihren Früchten
sollt ihr sie erkennen.
21 **Es werden nicht alle, die zu mir sa-**
gen: Herr, Herr!, in das Himmelreich
kommen, sondern [a]die den Willen tun
meines Vaters im Himmel. 22 [a]Es werden
viele zu mir sagen an jenem Tage: Herr,
Herr, [b]haben wir nicht in deinem Namen
geweissagt? Haben wir nicht in deinem
Namen Dämonen ausgetrieben? Haben
wir nicht in deinem Namen viele Machtta-
ten getan? 23 Dann werde ich ihnen beken-
nen: [a]Ich habe euch nie gekannt; [b]weicht
von mir, die ihr das Gesetz übertretet!

VOM HAUSBAU

24 Darum, wer diese meine Rede hört und
tut sie, der gleicht einem klugen Mann,
der sein Haus auf Fels baute. 25 Als nun
ein Platzregen fiel und die Wasser kamen
und die Winde wehten und stießen an das
Haus, fiel es doch nicht ein; denn es war
auf Fels gegründet.
26 Und wer diese meine Rede hört und
tut sie nicht, der gleicht einem törichten
Mann, der sein Haus auf Sand baute. 27 Als
nun ein Platzregen fiel und die Wasser ka-
men und die Winde wehten und stießen
an das Haus, da fiel es ein und sein Fall war
groß.
28 Und es begab sich, als Jesus diese Rede
vollendet hatte, dass sich das Volk [a]ent-
setzte über seine Lehre; 29 denn er lehrte
sie mit Vollmacht und nicht wie ihre
Schriftgelehrten.[a]

DIE HEILUNG EINES AUSSÄTZIGEN

(Mk 1,40-44; Lk 5,12-14)

8 Als er aber vom Berge herabging, folgte
ihm eine große Menge. 2 Und siehe,
ein Aussätziger kam heran und fiel vor
ihm nieder und sprach: Herr, wenn du
willst, kannst du mich reinigen. 3 Und Je-
sus streckte die Hand aus, rührte ihn an
und sprach: Ich will's tun; sei rein! Und
sogleich wurde er von seinem Aussatz
rein. 4 Und Jesus sprach zu ihm: Sieh zu,
[a]sage es niemandem, sondern geh hin und

7,6 *a* Kap 10,11 **7,7** *a* Mk 11,24; Joh 14,13; 15,7 *b* Spr 8,17; Jer 29,13-14 **7,11** *a* Jak 1,17 **7,12** *a* Kap 22,36-40; Röm 13,8-10; Gal 5,14 **7,13** *a* Lk 13,24 **7,14** *a* Kap 19,24; Apg 14,22 **7,15** *a* Kap 24,4-5.11.24; 2. Kor 11,13-15; 2. Petr 2,1; 1. Joh 4,1 **7,16** *a* Gal 5,19-23 **7,17** *a* Kap 12,33 **7,19** *a* Kap 3,10; Joh 15,2.6 **7,21** *a* Röm 2,13; Jak 1,22 **7,22** *a* (22-23) Lk 13,25-27 *b* Jer 27,15 **7,23** *a* Kap 25,12; 2. Tim 2,19 *b* Ps 6,9 **7,28** *a* Kap 22,33; Mk 1,22; Apg 2,12 **7,29** *a* Kap 28,18; Joh 7,16.46 **8,4** *a* Kap 9,30; Mk 8,30

[b]zeige dich dem Priester und opfere die
Gabe, die Mose befohlen hat, ihnen zum
Zeugnis.

DER HAUPTMANN VON KAPERNAUM

(Lk 7,1-10; Joh 4,46-53)

5 Als aber Jesus nach Kapernaum hinein-
ging, trat ein Hauptmann zu ihm; der
bat ihn 6 und sprach: Herr, mein Knecht*
liegt zu Hause und ist gelähmt und lei-
det große Qualen. 7 Jesus sprach zu ihm:
Ich will kommen und ihn gesund ma-
chen.* 8 Der Hauptmann antwortete und
sprach: Herr, ich bin nicht wert, dass du
unter mein Dach gehst, sondern sprich
nur ein Wort, so wird mein Knecht ge-
sund. 9 Denn auch ich bin ein Mensch, der
einer Obrigkeit untersteht, und habe Sol-
daten unter mir; und wenn ich zu einem
sage: Geh hin!, so geht er; und zu einem
andern: Komm her!, so kommt er; und zu
meinem Knecht: Tu das!, so tut er's.

10 Als das Jesus hörte, wunderte er sich
und sprach zu denen, die ihm nachfolg-
ten: Wahrlich, ich sage euch: Solchen
Glauben habe ich in Israel bei keinem ge-
funden![a] 11 [a]Aber ich sage euch: Viele wer-
den kommen von Osten und von Westen
und mit Abraham und Isaak und Jakob im
Himmelreich zu Tisch sitzen; 12 aber die
Kinder des Reichs werden hinausgesto-
ßen in die äußerste Finsternis; [a]da wird
sein Heulen und Zähneklappern.

13 Und Jesus sprach zu dem Hauptmann:
Geh hin; [a]dir geschehe, wie du geglaubt
hast. Und sein Knecht wurde gesund zu
derselben Stunde.

JESUS IM HAUS DES PETRUS

(Mk 1,29-34; Lk 4,38-41)

14 Und Jesus kam in das Haus des Petrus
und sah, dass dessen [a]Schwiegermutter
zu Bett lag und hatte das Fieber. 15 Da be-
rührte er ihre Hand und das Fieber verließ
sie. Und sie stand auf und diente ihm.

16 Am Abend aber brachten sie viele Be-
sessene zu ihm; und er trieb die Geister
aus durch sein Wort und machte alle
Kranken gesund, 17 auf dass erfüllt würde,
was gesagt ist durch den Propheten Jesaja,
der da spricht (Jesaja 53,4): »Er hat unsre
Schwachheit auf sich genommen, und
unsre Krankheiten hat er getragen.«

VOM ERNST DER NACHFOLGE

(Lk 9,57-60)

18 Als aber Jesus die Menge um sich sah,
befahl er, hinüber ans andre Ufer zu fah-
ren. 19 Und es trat ein Schriftgelehrter
herzu und sprach zu ihm: Meister, ich will
dir folgen, wohin du gehst. 20 Jesus sagt zu
ihm: **Die Füchse haben Gruben und die
Vögel unter dem Himmel haben Nes-
ter; aber [a]der Menschensohn hat nichts,
wo er sein Haupt hinlege.**

21 Ein anderer aber, einer seiner Jünger,
sprach zu ihm: Herr, erlaube mir, dass
ich zuvor hingehe und meinen Vater be-
grabe.[a] 22 Aber Jesus spricht zu ihm: Folge
mir nach und lass die Toten ihre Toten be-
graben!

DIE STILLUNG DES STURMS

(Mk 4,35-41; Lk 8,22-25)

23 Und er stieg in das Boot und seine Jünger
folgten ihm. 24 Und siehe, da war ein [a]gro-
ßes Beben im Meer, sodass das Boot von
den Wellen bedeckt wurde. Er aber schlief.
25 Und sie traten zu ihm, weckten ihn auf
und sprachen: Herr, hilf, wir verderben!
26 Da sagt er zu ihnen: [a]Ihr Kleingläubigen,
warum seid ihr so furchtsam?, und stand
auf und bedrohte den Wind und das Meer;
und es ward eine große Stille.[b]

27 Die Menschen aber verwunderten
sich und sprachen: Was ist das für ein
Mann, dass ihm Wind und Meer gehor-
sam sind?

DIE HEILUNG VON ZWEI BESESSENEN GADARENERN

(Mk 5,1-17; Lk 8,26-37)

28 Und er kam ans andre Ufer in die Ge-
gend der Gadarener. Da liefen ihm ent-
gegen zwei Besessene; die kamen aus
den Grabhöhlen und waren sehr gefähr-
lich, sodass niemand diese Straße gehen
konnte. 29 Und siehe, sie schrien: [a]Was
haben wir mit dir zu schaffen, du [b]Sohn

* **8,6** Andere Übersetzung (hier und in Vers 8 und 13): »mein Kind«. **8,7** Andere Übersetzung: »Ich soll kommen und ihn gesund machen?«

8,4 ***b*** 3. Mose 14,2-32; Lk 17,14 **8,10** ***a*** Mk 6,6; Lk 18,8 **8,11** ***a*** (11-12) Lk 13,28-29 **8,12** ***a*** Kap 13,42.50; 22,13; 24,51; 25,30 **8,13** ***a*** Kap 9,22.29; 15,28; Lk 7,50 **8,14** ***a*** 1. Kor 9,5 **8,20** ***a*** 2. Kor 8,9 **8,21** ***a*** Kap 10,37 **8,24** ***a*** Offb 6,12 **8,26** ***a*** Kap 14,31 ***b*** Ps 89,10; Apg 27,22 **8,29** ***a*** Mk 1,24 ***b*** Mk 3,11; Lk 4,41

Gottes? Bist du hergekommen, [c]uns zu
quälen, ehe es Zeit ist?
30 Es war aber fern von ihnen eine große
Herde Säue auf der Weide. 31 Da baten ihn
die Dämonen und sprachen: Willst du
uns austreiben, so schick uns in die Herde
Säue. 32 Und er sprach: Weg mit euch! Da
fuhren sie aus und fuhren in die Säue. Und
siehe, die ganze Herde stürmte den Ab-
hang hinunter ins Meer, und sie ersoffen
im Wasser.
33 Und die Hirten flohen und gingen
hin in die Stadt und berichteten das alles
und wie es den Besessenen ergangen war.
34 Und siehe, da ging die ganze Stadt hin-
aus Jesus entgegen. Und als sie ihn sahen,
baten sie ihn, dass er ihr Gebiet verlasse.

DIE HEILUNG EINES GELÄHMTEN

(Mk 2,1-12; Lk 5,17-26)

9 Da stieg er in ein Boot und fuhr hinüber
und kam in [a]seine Stadt. 2 Und siehe, da
brachten sie zu ihm einen Gelähmten, der
lag auf einem Bett. Als nun Jesus ihren
Glauben sah, sprach er zu dem Gelähm-
ten: **Sei getrost, mein Kind, [a]deine Sün-
den sind dir vergeben.**
3 Und siehe, einige unter den Schriftge-
lehrten sprachen bei sich selbst: [a]Dieser
lästert Gott. 4 Da aber Jesus [a]ihre Gedan-
ken sah, sprach er: Warum denkt ihr so
Böses in euren Herzen? 5 Was ist denn
leichter, zu sagen: Dir sind deine Sünden
vergeben, oder zu sagen: Steh auf und geh
umher? 6 Damit ihr aber wisst, dass [a]der
Menschensohn Macht hat, auf Erden Sün-
den zu vergeben – sprach er zu dem Ge-
lähmten: Steh auf, hebe dein Bett auf und
geh heim!
7 Und er stand auf und ging heim. 8 Als
das Volk das sah, fürchtete es sich und
pries Gott, der solche Macht den Men-
schen gegeben hat.

DIE BERUFUNG DES MATTHÄUS UND DAS MAHL MIT DEN ZÖLLNERN

(Mk 2,13-17; Lk 5,27-32)

9 Und als Jesus von dort wegging, sah er
einen Menschen am Zoll sitzen, der hieß
[a]Matthäus; und er sprach zu ihm: Folge
mir! Und er stand auf und folgte ihm.
10 Und es begab sich, als er zu Tisch saß
im Hause, siehe, da kamen viele Zöllner
und Sünder und saßen zu Tisch mit Jesus
und seinen Jüngern. 11 Als das die Phari-
säer sahen, sprachen sie zu seinen Jün-
gern: Warum isst euer Meister mit den
Zöllnern und Sündern?[a] 12 Als das Jesus
hörte, sprach er: Nicht die Starken be-
dürfen des Arztes, sondern die Kranken.[a]
13 Geht aber hin und lernt, was das heißt
(Hosea 6,6): [a]»Barmherzigkeit will ich und
nicht Opfer.« [b]**Ich bin nicht gekommen,
Gerechte zu rufen, sondern Sünder.**

DIE FRAGE NACH DEM FASTEN

(Mk 2,18-22; Lk 5,33-38)

14 Da kamen die Jünger des Johannes zu
ihm und sprachen: Warum [a]fasten wir
und die Pharisäer so viel und deine Jün-
ger fasten nicht? 15 Jesus sprach zu ihnen:
Wie können die Hochzeitsgäste Leid tra-
gen, solange der [a]Bräutigam bei ihnen ist?
Es wird aber die Zeit kommen, dass der
Bräutigam von ihnen genommen wird;
dann werden sie fasten.
16 Niemand flickt ein altes Kleid mit
einem Lappen von neuem Tuch; denn der
Lappen reißt doch wieder vom Kleid ab
und der Riss wird ärger. 17 Man füllt auch
nicht neuen Wein in alte Schläuche; sonst
zerreißen die Schläuche und der Wein
wird verschüttet und die Schläuche ver-
derben. Sondern man füllt neuen Wein in
neue Schläuche, so bleiben beide mitein-
ander erhalten.

DIE HEILUNG EINER BLUTFLÜSSIGEN FRAU UND DIE AUFERWECKUNG EINES MÄDCHENS

(Mk 5,21-43; Lk 8,40-56)

18 Als er dies mit ihnen redete, siehe, da
kam einer der Oberen, fiel vor ihm nie-
der und sprach: Meine Tochter ist eben
gestorben, aber komm und lege deine
Hand auf sie, so wird sie lebendig. 19 Und
Jesus stand auf und folgte ihm mit seinen
Jüngern.
20 Und siehe, eine [a]Frau, die seit zwölf
Jahren den Blutfluss hatte, trat von hinten

8,29 *c* 2. Petr 2,4; Jak 2,19 **9,1** ***a*** Kap 4,13
9,2 ***a*** 2. Mose 34,6-7; Ps 103,3; Lk 7,48 **9,3** ***a*** Kap 26,65
9,4 ***a*** Joh 2,25 **9,6** ***a*** Kap 28,18; Joh 17,2 **9,9** ***a*** Kap 10,3
9,11 ***a*** Kap 11,19; Lk 15,1-2 **9,12** ***a*** Hes 34,16
9,13 ***a*** Kap 12,7; 1. Sam 15,22 ***b*** Lk 19,10 **9,14** ***a*** Lk 18,12
9,15 ***a*** Joh 3,29 **9,20** ***a*** 3. Mose 15,25

an ihn heran und berührte den Saum sei-
nes Gewandes. 21 Denn sie sprach bei sich
selbst: Wenn ich nur [a]sein Gewand be-
rühre, so werde ich gesund. 22 Da wandte
sich Jesus um und sah sie und sprach: Sei
getrost, meine Tochter, [a]dein Glaube hat
dir geholfen. Und die Frau wurde gesund
zu derselben Stunde.
23 Und als Jesus in das Haus des Oberen
kam und sah die Flötenspieler und das
Getümmel des Volks, 24 sprach er: Geht
hinaus! Denn [a]das Mädchen ist nicht tot,
sondern es schläft. Und sie verlachten ihn.
25 Als aber das Volk hinausgetrieben war,
ging er hinein und [a]ergriff es bei der Hand.
Da stand das Mädchen auf. 26 Und diese
Kunde erscholl durch dieses ganze Land.

DIE HEILUNG ZWEIER BLINDER UND EINES STUMMEN

27 Und als Jesus von dort weiterging, folg-
ten ihm zwei Blinde, die schrien: Du Sohn
Davids, erbarme dich unser![a] 28 Als er aber
ins Haus kam, traten die Blinden zu ihm.
Und Jesus sprach zu ihnen: [a]Glaubt ihr,
dass ich das tun kann? Da sprachen sie zu
ihm: Ja, Herr. 29 Da berührte er ihre Augen
und sprach: Euch [a]geschehe nach eurem
Glauben! 30 Und ihre Augen wurden ge-
öffnet. Und Jesus bedrohte sie und sprach:
[a]Seht zu, dass es niemand erfahre! 31 Aber
sie gingen hinaus und verbreiteten die
Kunde von ihm in diesem ganzen Lande.
32 [a]Als diese nun hinausgingen, siehe, da
brachten sie zu ihm einen Menschen, der
war stumm und besessen. 33 Da der Dä-
mon ausgetrieben war, redete der Stum-
me. Und das Volk verwunderte sich und
sprach: So etwas ist noch nie in Israel ge-
sehen worden. 34 Aber die Pharisäer spra-
chen: Durch den Obersten der Dämonen
treibt er die Dämonen aus.

DIE GROSSE ERNTE

35 Und Jesus zog umher in alle Städte und
Dörfer, lehrte in ihren Synagogen und
predigte das Evangelium von dem Reich
und heilte alle Krankheiten und alle Ge-
brechen.[a] 36 Und als er das Volk sah, jam-
merte es ihn; denn sie waren geängstet
und [a]zerstreut wie die Schafe, die keinen
Hirten haben.[b] 37 [a]Da sprach er zu seinen
Jüngern: **Die Ernte ist groß, aber we-
nige sind der Arbeiter.** 38 **Darum bittet
den Herrn der Ernte, dass er Arbeiter
in seine Ernte sende.**

DIE BERUFUNG DER ZWÖLF

(Mk 6,7; 3,13-19; Lk 9,1; 6,12-16)

10 Und er rief seine zwölf Jünger zu sich
und gab ihnen Macht über die un-
reinen Geister, dass sie die austrieben
und heilten alle Krankheiten und alle Ge-
brechen.
2 [a]Die Namen aber der zwölf Apostel
sind diese: zuerst Simon, genannt Petrus,
und Andreas, sein Bruder; Jakobus, der
Sohn des Zebedäus, und Johannes, sein
Bruder; 3 Philippus und Bartholomäus;
Thomas und Matthäus, der Zöllner; Ja-
kobus, der Sohn des Alphäus, und Thad-
däus; 4 Simon Kananäus und Judas Iska-
riot, der ihn verriet.

DIE AUSSENDUNGSREDE

Kapitel 10,5-42

DIE AUSSENDUNG DER ZWÖLF

(Mk 6,7-13; Lk 9,1-6)

5 Diese Zwölf sandte Jesus aus, gebot ih-
nen und sprach: Geht nicht den Weg zu
den Heiden und zieht nicht in eine Stadt
der Samariter, 6 sondern geht hin zu den
verlorenen Schafen aus dem Hause Israel.[a]
7 [a]Geht aber und predigt und sprecht: [b]Das
Himmelreich ist nahe herbeigekommen.
8 Macht Kranke gesund, weckt Tote auf,
macht Aussätzige rein, [a]treibt Dämonen
aus. Umsonst habt ihr's empfangen, um-
sonst gebt es auch. 9 Ihr sollt [a]weder Gold
noch Silber noch Kupfer in euren Gürteln
haben, 10 auch keine Tasche für den Weg,
auch nicht zwei Hemden, keine Schuhe,
auch keinen Stecken. Denn [a]ein Arbeiter
ist seiner Speise wert.
11 Wenn ihr aber in eine Stadt oder ein
Dorf geht, da erkundigt euch, ob jemand

9,21 *a* Kap 14,36 **9,22** *a* Mk 10,52; Lk 7,50; 17,19; Apg 14,9-10 **9,24** *a* Joh 11,11.14.25 **9,25** *a* Mk 1,31; 9,27 **9,27** *a* Kap 20,30-31 **9,28** *a* Apg 14,9 **9,29** *a* Kap 8,13 **9,30** *a* Kap 8,4 **9,32** *a* (32-34) Kap 12,22-32 **9,35** *a* Kap 4,23; Mk 6,6; Lk 8,1 **9,36** *a* 1. Kön 22,17; Hes 34,5 *b* Mk 6,34 **9,37** *a* (37-38) Lk 10,2 **10,2** *a* (2-4) Apg 1,13 **10,6** *a* Kap 15,24 **10,7** *a* (7-15) Lk 10,4-12 *b* Kap 4,17 **10,8** *a* Mk 16,17 **10,9** *a* Apg 20,33 **10,10** *a* 4. Mose 18,31; 1. Kor 9,14; 1. Tim 5,18

darin ist, der es wert ist; bei dem bleibt,
bis ihr weiterzieht. 12 Wenn ihr aber in ein
Haus geht, so grüßt es; 13 und wenn es
das Haus wert ist, kehre euer Friede dort
ein. Ist es aber nicht wert, so wende sich
euer Friede wieder zu euch. 14 Und wenn
euch jemand nicht aufnehmen und eure
Rede nicht hören wird, so geht heraus
aus diesem Hause oder dieser Stadt und
[a]schüttelt den Staub von euren Füßen.
15 Wahrlich, ich sage euch: Dem Land von
[a]Sodom und Gomorra wird es erträglicher
ergehen am Tage des Gerichts als dieser
Stadt.[b]

DIE ANSAGE KOMMENDER VERFOLGUNGEN
(Mk 13,9-13; Lk 21,12-17)

16 [a]**Siehe, ich sende euch wie Schafe mit-
ten unter die Wölfe. Darum [b]seid klug
wie die Schlangen und ohne Falsch wie
die Tauben.**

17 Hütet euch aber vor den Menschen;
denn [a]sie werden euch den Gerichten
überantworten und werden euch geißeln
in ihren Synagogen. 18 Und man wird
euch vor Statthalter und Könige führen
um meinetwillen, ihnen und den Hei-
den zum Zeugnis.[a] 19 Wenn sie euch nun
überantworten werden, so sorgt nicht,
wie oder was ihr reden sollt; denn es wird
euch zu der Stunde gegeben werden, was
ihr reden sollt.[a] 20 Denn nicht ihr seid es,
die da reden, sondern [a]eures Vaters Geist
ist es, der durch euch redet. 21 Es wird aber
ein Bruder den andern zum Tod überant-
worten und der Vater das Kind, und die
Kinder werden sich empören gegen ihre
Eltern und werden sie zu Tode bringen.[a]
22 Und [a]ihr werdet gehasst werden von
jedermann um meines Namens willen.
Wer aber [b]bis an das Ende beharrt, der
wird selig.[c]

23 [a]Wenn sie euch aber in einer Stadt ver-
folgen, so flieht in eine andere. Wahrlich,
ich sage euch: [b]Ihr werdet mit den Städ-
ten Israels nicht zu Ende kommen, bis der
Menschensohn kommt.

24 Der Jünger steht nicht über dem Meis-
ter und der Knecht nicht über seinem
Herrn.[a] 25 Es ist für den Jünger genug, dass
er werde wie sein Meister und der Knecht
wie sein Herr. Haben sie [a]den Hausherrn
Beelzebul genannt, wie viel mehr wer-
den sie seine Hausgenossen so nennen!
26 Darum fürchtet euch nicht vor ihnen.

MENSCHENFURCHT UND GOTTESFURCHT
(Lk 12,2-9)

Denn es ist nichts verborgen, was nicht of-
fenbar wird, und nichts geheim, was man
nicht wissen wird.[a] 27 Was ich euch sage in
der Finsternis, das redet im Licht; und was
euch gesagt wird in das Ohr, das verkün-
digt auf den Dächern.

28 Und fürchtet euch nicht vor denen, die
den Leib töten, doch die Seele nicht töten
können; [a]fürchtet viel mehr den, der Leib
und Seele verderben kann in der Hölle.
29 Verkauft man nicht zwei Sperlinge für
einen Groschen? Dennoch fällt keiner
von ihnen auf die Erde ohne euren Vater.
30 Bei euch aber sind sogar die Haare auf
dem Haupt alle gezählt.[a] 31 Darum fürch-
tet euch nicht; ihr seid kostbarer als viele
Sperlinge.[a]

32 **Wer nun mich bekennt vor den
Menschen, zu dem will ich mich auch
bekennen vor meinem Vater im Him-
mel.**[a] 33 **Wer mich aber verleugnet
vor den Menschen, den will ich auch
verleugnen vor meinem Vater im
Himmel.**[a]

ENTZWEIUNGEN UM JESU WILLEN

34 [a]Ihr sollt nicht meinen, dass ich gekom-
men bin, Frieden zu bringen auf die Erde.
Ich bin nicht gekommen, Frieden zu brin-
gen, sondern das Schwert. 35 Denn ich bin
gekommen, den Menschen zu entzweien
mit seinem Vater und die Tochter mit ih-
rer Mutter und die Schwiegertochter mit
ihrer Schwiegermutter. 36 Und des Men-
schen Feinde werden seine eigenen Haus-
genossen sein.

10,14 *a* Apg 13,51 **10,15** *a* 1. Mose 19,1-29 *b* Kap 11,24
10,16 *a* Lk 10,3 *b* Röm 16,19; Eph 5,15 **10,17** *a* Kap 23,34; Apg 5,40; 2. Kor 11,24 **10,18** *a* Apg 25,23; 27,24
10,19 *a* 2. Mose 4,12; Lk 12,11-12 **10,20** *a* Apg 4,8; 1. Kor 2,4 **10,21** *a* Mi 7,6 **10,22** *a* Joh 15,18 *b* 2. Tim 2,12 *c* Kap 24,9-13 **10,23** *a* Apg 8,1 *b* Kap 16,28
10,24 *a* Lk 6,40; Joh 13,16; 15,20 **10,25** *a* Kap 12,24
10,26 *a* Mk 4,22; Lk 8,17 **10,28** *a* Hebr 10,31; Jak 4,12
10,30 *a* Lk 21,18; Apg 27,34 **10,31** *a* Kap 6,26
10,32 *a* Offb 3,5 **10,33** *a* Mk 8,38; Lk 9,26; 2. Tim 2,12
10,34 *a* (34-36) Lk 12,51-53; Mi 7,6

37 Wer Vater oder Mutter mehr liebt als
mich, der ist meiner nicht wert; und wer
Sohn oder Tochter mehr liebt als mich, der
ist meiner nicht wert.[a] 38 [a]Und wer nicht
sein Kreuz auf sich nimmt und folgt mir
nach, der ist meiner nicht wert. 39 **Wer
sein Leben findet, der wird's verlieren;
und wer sein Leben verliert um mei-
netwillen, der wird's finden.**[a]

AUFNAHME UM JESU WILLEN

40 **Wer euch aufnimmt, der nimmt
mich auf; und wer mich aufnimmt, der
nimmt den auf, der mich gesandt hat.**[a]
41 Wer einen Propheten aufnimmt, weil es
ein Prophet ist, der wird den Lohn eines
Propheten empfangen; und [a]wer einen
Gerechten aufnimmt, weil es ein Gerech-
ter ist, der wird den Lohn eines Gerechten
empfangen. 42 Und wer einem dieser Klei-
nen auch nur einen Becher kalten Was-
sers zu trinken gibt, weil es ein Jünger ist,
wahrlich, ich sage euch: Er wird nicht um
seinen Lohn kommen.[a]

DIE FRAGE DES TÄUFERS

(Lk 7,18-23)

11 Und es begab sich, als Jesus diese Ge-
bote an seine zwölf Jünger beendet
hatte, ging er von dort weiter, zu lehren
und zu predigen in ihren Städten. 2 Da aber
Johannes im [a]Gefängnis von den Werken
Christi hörte, sandte er seine Jünger 3 und
ließ ihn fragen: [a]Bist du, der da kommen
soll, oder sollen wir auf einen andern war-
ten? 4 Jesus antwortete und sprach zu ih-
nen: Geht hin und sagt Johannes wieder,
was ihr hört und seht: 5 **Blinde sehen und
Lahme gehen, Aussätzige werden rein
und Taube hören, [a]Tote stehen auf und
Armen wird das Evangelium gepre-
digt;**[b] 6 **und selig ist, wer sich nicht an
mir ärgert.**[a]

JESU ZEUGNIS ÜBER DEN TÄUFER

(Lk 7,24-35)

7 Als sie fortgingen, fing Jesus an, zu dem
Volk über Johannes zu reden: Was zu
sehen seid ihr [a]hinausgegangen in die
Wüste? Ein Schilfrohr, das vom Wind be-
wegt wird? 8 Oder was zu sehen seid ihr
hinausgegangen? Einen Menschen in wei-
chen Kleidern? Siehe, die weiche Kleider
tragen, sind in den Häusern der Könige.
9 Oder was zu sehen seid ihr hinausgegan-
gen? Einen [a]Propheten? Ja, ich sage euch:
Er ist mehr als ein Prophet. 10 Dieser ist's,
von dem geschrieben steht: »Siehe, ich
sende meinen Boten vor dir her, der dei-
nen Weg vor dir bereiten soll.«[a]
11 Wahrlich, ich sage euch: Unter allen,
die von einer Frau geboren sind, ist kei-
ner aufgetreten, der größer ist als Johan-
nes der Täufer; der aber der Kleinste ist im
Himmelreich, ist größer als er. 12 Aber von
den Tagen Johannes des Täufers bis heute
leidet das Himmelreich Gewalt, und die
Gewalt tun, reißen es an sich.[a] 13 Denn alle
Propheten und das Gesetz haben geweis-
sagt bis hin zu Johannes;[a] 14 und wenn
ihr's annehmen wollt: Er ist [a]Elia, der da
kommen soll. 15 Wer Ohren hat, der höre![a]
16 Mit wem soll ich aber dieses Ge-
schlecht vergleichen? Es ist den Kindern
gleich, die auf dem Markt sitzen und ru-
fen den andern zu: 17 Wir haben euch auf-
gespielt und ihr habt nicht getanzt; wir
haben Klagelieder gesungen und ihr habt
nicht geweint.[a] 18 Denn Johannes ist ge-
kommen, [a]aß nicht und trank nicht, und
sie sagen: Er ist von einem Dämon beses-
sen. 19 Der Menschensohn ist gekommen,
[a]isst und trinkt, und sie sagen: Siehe, die-
ser Mensch ist ein Fresser und Weinsäufer,
[b]ein Freund der Zöllner und Sünder! Und
doch ist die [c]Weisheit gerechtfertigt wor-
den aus ihren Werken.

WEHERUFE ÜBER GALILÄISCHE STÄDTE

(Lk 10,13-15)

20 Da fing er an, die Städte zu schelten, in
denen die meisten seiner Taten geschehen
waren; denn sie hatten nicht Buße getan:
21 Wehe dir, Chorazin! Weh dir, Bet-
saida! Wären in [a]Tyrus und Sidon die
Taten geschehen, die bei euch geschehen

10,37 *a* 5. Mose 13,7-12; 33,9; Lk 14,26-27 **10,38** *a* (38-39) Kap 16,24-25 **10,39** *a* Joh 12,25 **10,40** *a* Mk 9,37; Joh 13,20; Gal 4,14 **10,41** *a* 1. Kön 17,8-24 **10,42** *a* Kap 25,40; Mk 9,41 **11,2** *a* Kap 14,3 **11,3** *a* Kap 3,11 **11,5** *a* Jes 26,19 *b* Jes 35,5-6; 61,1 **11,6** *a* Kap 13,57; 26,31; Joh 6,61 **11,7** *a* Kap 3,1.5 **11,9** *a* Kap 21,26; Lk 1,76 **11,10** *a* 2. Mose 23,20; Mal 3,1; Mk 1,2 **11,12** *a* Lk 16,16 **11,13** *a* 1. Petr 1,10 **11,14** *a* Kap 17,10-13; Mal 3,23 **11,15** *a* Kap 13,9.43; Offb 2,7 **11,17** *a* Joh 5,35 **11,18** *a* Kap 3,4; Lk 1,15 **11,19** *a* Kap 9,10-15; Joh 2,2 *b* Lk 15,1-2; 19,7 *c* 1. Kor 1,24-30 **11,21** *a* Joel 4,4-5

sind, sie hätten längst [b]in Sack und Asche
Buße getan. 22 Doch ich sage euch: Es wird
Tyrus und Sidon erträglicher ergehen am
Tage des Gerichts als euch. 23 Und du,
[a]Kapernaum, wirst du [b]bis zum Himmel
erhoben werden? Du wirst bis zur Hölle
hinabfahren. Denn wenn in Sodom die
Taten geschehen wären, die in dir gesche-
hen sind, es stünde noch heutigen Tages.
24 Doch ich sage euch: Es wird dem [a]Land
von Sodom erträglicher ergehen am Tage
des Gerichts als dir.[b]

JESU LOBPREIS. DER HEILANDSRUF

25 [a]Zu der Zeit fing Jesus an und sprach: Ich
preise dich, Vater, Herr des Himmels und
der Erde, dass du dies Weisen und Klugen
verborgen hast und hast es Unmündigen
offenbart.[b] 26 Ja, Vater; denn so hat es dir
wohlgefallen. 27 [a]Alles ist mir übergeben
von meinem Vater, [b]und niemand kennt
den Sohn als nur der Vater; und niemand
kennt den Vater als nur der Sohn und wem
es der Sohn offenbaren will.

28 **Kommt her zu mir, alle, die ihr müh-
selig und beladen seid; ich will euch er-
quicken.**[a] 29 **Nehmt auf euch mein Joch
und lernt von mir; denn ich bin sanft-
mütig und von Herzen demütig; so
werdet ihr [a]Ruhe finden für eure See-
len.** 30 **Denn mein Joch ist sanft, und
meine Last ist leicht.**[a]

DAS ÄHRENRAUFEN AM SABBAT

(Mk 2,23-28; Lk 6,1-5)

12 Zu der Zeit ging Jesus am Sabbat durch
die Kornfelder; und seine Jünger waren
hungrig und fingen an, [a]Ähren auszurau-
fen und zu essen. 2 Da das die Pharisäer sa-
hen, sprachen sie zu ihm: Siehe, deine Jün-
ger tun, [a]was am Sabbat nicht erlaubt ist.

3 [a]Er aber sprach zu ihnen: Habt ihr
nicht gelesen, was David tat, als ihn und
die mit ihm waren, hungerte: 4 Wie er in
das Haus Gottes ging und aß die Schau-
brote, die doch weder er noch die mit ihm
waren, essen durften, sondern [a]allein die
Priester? 5 Oder habt ihr nicht gelesen im
Gesetz, dass die Priester am Sabbat im
Tempel den Sabbat brechen und sind doch
ohne Schuld?[a] 6 Ich sage euch aber: Hier ist
Größeres als der Tempel. 7 Wenn ihr aber
wüsstet, was das heißt (Hosea 6,6): [a]»Barm-
herzigkeit will ich und nicht Opfer«, dann
hättet ihr die Unschuldigen nicht ver-
dammt. 8 Denn **der Menschensohn ist
Herr über den Sabbat.**

DIE HEILUNG EINES MANNES AM SABBAT

(Mk 3,1-6; Lk 6,6-11)

9 Und er ging von dort weiter und kam in
ihre Synagoge. 10 Und siehe, da war ein
Mensch, der hatte eine verdorrte Hand.
Und sie fragten ihn und sprachen: Ist's er-
laubt, am Sabbat zu heilen?, damit sie ihn
verklagen könnten. 11 Aber er sprach zu ih-
nen: Wer ist unter euch, der sein einziges
Schaf, wenn es am Sabbat in eine Grube
fällt, nicht ergreift und es heraufhebt?[a]
12 Wie viel mehr ist nun ein Mensch als
ein Schaf! Darum ist es erlaubt, am Sab-
bat Gutes zu tun.

13 Da sprach er zu dem Menschen: Stre-
cke deine Hand aus! Und er streckte sie
aus; und sie wurde wieder gesund wie die
andere. 14 Da gingen die Pharisäer hinaus
und hielten Rat über ihn, dass sie ihn um-
brächten.[a]

DER GOTTESKNECHT

(Mk 3,7-12; Lk 6,17-19)

15 Da aber Jesus das erkannte, entwich er
von dort. Und eine große Menge folgte
ihm, und er heilte sie alle 16 und gebot ih-
nen, dass sie ihn nicht offenbar machten,[a]
17 auf dass erfüllt würde, was gesagt ist
durch den Propheten Jesaja, der da spricht
(Jesaja 42,1-4): 18 »Siehe, das ist mein Knecht,
den ich erwählt habe, mein Geliebter, an
dem meine Seele Wohlgefallen hat; [a]ich
will meinen Geist auf ihn legen, und er
soll den Völkern das Recht verkündigen.
19 Er wird nicht streiten noch schreien, und
man wird seine Stimme nicht hören auf
den Gassen; 20 das geknickte Rohr wird er
nicht zerbrechen, und den glimmenden

11,21 *b* Jona 3,6 **11,23** *a* Kap 4,13; 8,5; 9,1 *b* Jes 14,13-15
11,24 *a* 1. Mose 19,1-25 *b* Kap 10,15 **11,25** *a* (25-27)
Jes 29,14; Lk 10,21-22; Joh 17,25 *b* 1. Kor 1,18-29
11,27 *a* Kap 28,18; Joh 3,35; 17,2; Phil 2,9 *b* Joh 1,18; 10,15
11,28 *a* Kap 23,4; Jer 31,25 **11,29** *a* Jes 28,12; Jer 6,16
11,30 *a* 1. Joh 5,3 **12,1** *a* 5. Mose 23,26
12,2 *a* 2. Mose 20,10 **12,3** *a* (3-4) 1. Sam 21,1-7
12,4 *a* 3. Mose 24,9 **12,5** *a* 4. Mose 28,9-10; Joh 7,23
12,7 *a* Kap 9,13 **12,11** *a* Lk 13,15; 14,3-5 **12,14** *a* Joh 5,16
12,16 *a* Kap 8,4 **12,18** *a* Kap 3,17

Docht wird er nicht auslöschen, bis er das
Recht zum Sieg führt; 21 und die Völker
werden auf seinen Namen hoffen.«

JESUS UND DIE DÄMONEN

(Mk 3,22-27; Lk 11,14-23)

22 Da wurde ein Besessener zu Jesus ge-
bracht, der war blind und stumm; und
er heilte ihn, sodass der Stumme re-
dete und sah. 23 Und alles Volk entsetzte
sich und sprach: Ist dieser etwa [a]Davids
Sohn? 24 Aber als die Pharisäer das hörten,
sprachen sie: [a]Dieser treibt die Dämonen
nicht anders aus als durch Beelzebul, den
Obersten der Dämonen.

25 Jesus kannte aber ihre Gedanken und
sprach zu ihnen: Jedes Reich, das mit sich
selbst uneins ist, wird verwüstet; und jede
Stadt oder jedes Haus, das mit sich selbst
uneins ist, wird nicht bestehen. 26 Wenn
nun der Satan den Satan austreibt, so muss
er mit sich selbst uneins sein; wie kann
dann sein Reich bestehen? 27 Wenn ich
aber die Dämonen durch Beelzebul aus-
treibe, durch wen treiben eure Söhne sie
aus? Darum werden sie eure Richter sein.
28 Wenn ich aber [a]die Dämonen durch den
Geist Gottes austreibe, so ist ja das Reich
Gottes zu euch gekommen. 29 Oder wie
kann jemand in das Haus des Starken ein-
dringen und ihm seinen Hausrat rauben,
wenn er nicht zuvor den Starken fesselt?
Und dann wird er sein Haus ausrauben.[a]
30 [a]Wer nicht mit mir ist, der ist gegen
mich; und wer nicht mit mir sammelt,
der zerstreut.

DIE SÜNDE GEGEN DEN HEILIGEN GEIST

(Mk 3,28-30; Lk 6,43-45; 12,10)

31 Darum sage ich euch: Alle Sünde und
Lästerung wird den Menschen vergeben;
aber die Lästerung gegen den Geist wird
nicht vergeben.[a] 32 Und [a]wer etwas redet
gegen den Menschensohn, dem wird es
vergeben; aber wer etwas redet gegen den
Heiligen Geist, dem wird's nicht verge-
ben, weder in dieser noch in der künfti-
gen Welt.

VOM BAUM UND SEINEN FRÜCHTEN

(Lk 6,43-45)

33 Nehmt an, ein Baum ist gut, so wird
auch seine Frucht gut sein; oder nehmt
an, ein Baum ist faul, so wird auch seine
Frucht faul sein. Denn an der Frucht er-
kennt man den Baum.[a] 34 Ihr [a]Otternge-
zücht, wie könnt ihr Gutes reden, die ihr
böse seid? Wes das Herz voll ist, des geht
der Mund über. 35 Ein guter Mensch bringt
Gutes hervor aus seinem guten Schatz;
und ein böser Mensch bringt Böses hervor
aus seinem bösen Schatz. 36 Ich sage euch
aber, dass die Menschen Rechenschaft ge-
ben müssen am Tage des Gerichts von je-
dem nichtsnutzigen Wort, das sie reden.[a]
37 Aus deinen Worten wirst du gerechtfer-
tigt werden, und aus deinen Worten wirst
du verdammt werden.

DIE ZEICHENFORDERUNG DER PHARISÄER

(Mk 8,11-12; Lk 11,16.29-32)

38 [a]Da antworteten ihm einige von den
Schriftgelehrten und Pharisäern und spra-
chen: Meister, wir [b]wollen ein Zeichen
von dir sehen. 39 Er aber antwortete und
sprach zu ihnen: Ein böses und ehebre-
cherisches Geschlecht fordert ein Zeichen,
und [a]es wird ihm kein Zeichen gegeben
werden außer dem Zeichen des Propheten
Jona. 40 Denn [a]wie Jona drei Tage und drei
Nächte im Bauch des Fisches war, so wird
der Menschensohn drei Tage und drei
Nächte [b]im Herzen der Erde sein.

41 Die Leute von Ninive werden auftre-
ten beim Gericht mit diesem Geschlecht
und werden es verdammen; denn [a]sie ta-
ten Buße nach der Predigt des Jona. Und
siehe, hier ist mehr als Jona. 42 Die Königin
vom Süden wird auftreten beim Gericht
mit diesem Geschlecht und wird es ver-
dammen; denn [a]sie kam vom Ende der
Erde, Salomos Weisheit zu hören. Und
siehe, hier ist mehr als Salomo.

43 Wenn der unreine Geist von einem
Menschen ausgefahren ist, so durchstreift
er dürre Stätten, sucht Ruhe und findet sie
nicht. 44 Dann spricht er: Ich will wieder
zurückkehren in mein Haus, aus dem ich

12,23 *a* Kap 21,9; Joh 7,42 **12,24** *a* Kap 9,34
12,28 *a* 1. Joh 3,8 **12,29** *a* Jes 49,24 **12,30** *a* Mk 9,40
12,31 *a* 1. Joh 5,16; Hebr 6,4-6; 10,26 **12,32** *a* 1. Tim 1,13
12,33 *a* Kap 7,16-18 **12,34** *a* Kap 3,7 **12,36** *a* Jak 3,6;
Jud 15 **12,38** *a* (38-41) Kap 16,1-4 *b* Lk 23,8; Joh 4,48;
1. Kor 1,22-24 **12,39** *a* Kap 27,62–28,15 **12,40** *a* Jona 2,1
b Eph 4,9; 1. Petr 3,19 **12,41** *a* Jona 3,5
12,42 *a* 1. Kön 10,1-10

fortgegangen bin. Und wenn er kommt, so
findet er's leer, gekehrt und geschmückt.
45 Dann geht er hin und nimmt mit sich
sieben andre Geister, die böser sind als
er selbst; und wenn sie hineinkommen,
wohnen sie darin; und [a]es wird mit die-
sem Menschen am Ende ärger, als es vor-
her war. So wird's auch diesem bösen Ge-
schlecht ergehen.

JESU WAHRE VERWANDTE

(Mk 3,31-35; Lk 8,19-21)

46 Als er noch zu dem Volk redete, siehe,
da standen [a]seine Mutter und seine Brüder
draußen, die wollten mit ihm reden. 47 Da
sprach einer zu ihm: Siehe, deine Mutter
und deine Brüder stehen draußen und
wollen mit dir reden.

48 Er antwortete aber und sprach zu dem,
der es ihm ansagte: Wer ist meine Mut-
ter und wer sind meine Brüder?[a] 49 Und
er streckte die Hand aus über seine Jünger
und sprach: Siehe da, das ist meine Mutter
und das sind meine Brüder![a] 50 Denn **wer
den Willen tut meines Vaters im Him-
mel, [a]der ist mir Bruder und Schwester
und Mutter.**

DIE GLEICHNISREDE

Kapitel 13,1-52

13 An demselben Tage ging Jesus aus dem
Hause und setzte sich an das Meer.
2 Und es versammelte sich eine große
Menge bei ihm, sodass er in ein Boot stieg
und sich setzte, und alles Volk stand am
Ufer.

VOM SÄMANN

(Mk 4,2-9; Lk 8,4-8)

3 Und er redete vieles zu ihnen in Gleich-
nissen und sprach:

Siehe, es ging ein Sämann aus zu säen.
4 Und indem er säte, fiel etliches an den
Weg; da kamen die Vögel und fraßen's
auf. 5 Anderes fiel auf felsigen Boden, wo
es nicht viel Erde hatte, und ging bald auf,
weil es keine tiefe Erde hatte. 6 Als aber die
Sonne aufging, verwelkte es, und weil es
keine Wurzel hatte, verdorrte es. 7 Ande-
res fiel unter die Dornen; und die Dornen
wuchsen empor und erstickten's. 8 An-
deres fiel auf das gute Land und brachte
Frucht, etliches hundertfach, etliches
sechzigfach, etliches dreißigfach. 9 Wer
Ohren hat, der höre![a]

VOM SINN DER GLEICHNISSE

(Mk 4,10-12; Lk 8,9-10)

10 Und die Jünger traten hinzu und spra-
chen zu ihm: Warum redest du zu ihnen in
Gleichnissen? 11 Er antwortete und sprach
zu ihnen: [a]Euch ist's gegeben, zu wissen
die Geheimnisse des Himmelreichs, die-
sen aber ist's nicht gegeben. 12 Denn [a]wer
da hat, dem wird gegeben, dass er die Fülle
habe; wer aber nicht hat, dem wird auch
das genommen, was er hat.[b] 13 Darum
[a]rede ich zu ihnen in Gleichnissen. Denn
[b]mit sehenden Augen sehen sie nicht und
mit hörenden Ohren hören sie nicht; und
sie verstehen es nicht. 14 [a]Und an ihnen
wird die Weissagung Jesajas erfüllt, die da
sagt (Jesaja 6,9-10): »Mit den Ohren werdet
ihr hören und werdet nicht verstehen; und
mit sehenden Augen werdet ihr sehen und
werdet nicht erkennen. 15 Denn das Herz
dieses Volkes ist verfettet, und mit ihren
Ohren hören sie schwer, und ihre Augen
haben sie geschlossen, auf dass sie nicht
mit den Augen sehen und mit den Ohren
hören und mit dem Herzen verstehen und
sich bekehren, dass ich sie heile*.«[a] 16 Aber
selig sind eure Augen, dass sie sehen, und
eure Ohren, dass sie hören.[a] 17 Wahrlich,
ich sage euch: Viele Propheten und Ge-
rechte haben begehrt, zu sehen, was ihr
seht, und haben's nicht gesehen, und zu
hören, was ihr hört, und haben's nicht ge-
hört.[a]

DIE DEUTUNG DES GLEICHNISSES VOM SÄMANN

(Mk 4,13-20; Lk 8,11-15)

18 So hört nun ihr dies Gleichnis von dem
Sämann: 19 Wenn jemand das Wort von
dem Reich hört und nicht versteht, so

* **13,15** Andere Übersetzung: »aber ich werde sie heilen«.

12,45 *a* 2. Petr 2,20 **12,46** *a* Kap 13,55 **12,48** *a* Lk 2,49
12,49 *a* Hebr 2,11 **12,50** *a* Röm 8,29 **13,9** *a* Kap 11,15
13,11 *a* 1. Kor 2,10 **13,12** *a* Spr 9,9 *b* Kap 25,28-29; Mk 4,25 **13,13** *a* Joh 16,25 *b* 5. Mose 29,3
13,14 *a* (14-15) Joh 12,40; Apg 28,26-27 **13,15** *a* Joh 9,39
13,16 *a* Lk 10,23-24 **13,17** *a* 1. Petr 1,10

kommt der Böse und reißt hinweg, was
in sein Herz gesät ist; das ist der, der an
den Weg gesät ist. 20 Der aber auf felsi-
gen Boden gesät ist, das ist, der das Wort
hört und es alsbald aufnimmt mit Freu-
den; 21 aber er hat keine Wurzel in sich,
sondern er ist wetterwendisch; wenn
sich Bedrängnis oder Verfolgung erhebt
um des Wortes willen, so kommt er als-
bald zu Fall. 22 Der aber unter die Dor-
nen gesät ist, das ist, der das Wort hört,
und [a]die Sorge der Welt und der trügeri-
sche Reichtum ersticken das Wort, und
er bringt keine Frucht. 23 Der aber auf
das gute Land gesät ist, das ist, der das
Wort hört und versteht und dann auch
Frucht bringt; und der eine trägt hundert-
fach, der andere sechzigfach, der dritte
dreißigfach.

VOM UNKRAUT UNTER DEM WEIZEN

24 Er legte ihnen ein anderes Gleichnis
vor und sprach: Das Himmelreich gleicht
einem Menschen, der guten Samen auf
seinen Acker säte. 25 Als aber die Leute
schliefen, kam sein Feind und säte Un-
kraut zwischen den Weizen und ging
davon. 26 Als nun die Halme wuchsen
und Frucht brachten, da fand sich auch
das Unkraut. 27 Da traten die Knechte
des Hausherrn hinzu und sprachen zu
ihm: Herr, hast du nicht guten Samen
auf deinen Acker gesät? Woher hat er
denn das Unkraut? 28 Er sprach zu ihnen:
Das hat ein Feind getan. Da sprachen die
Knechte: Willst du also, dass wir hinge-
hen und es ausjäten? 29 Er sprach: Nein,
auf dass ihr nicht zugleich den Weizen
mit ausrauft, wenn ihr das Unkraut aus-
jätet. 30 Lasst beides miteinander wach-
sen bis zur Ernte; und um die Erntezeit
will ich zu den Schnittern sagen: Sam-
melt zuerst das Unkraut und bindet es
in Bündel, damit man es verbrenne;
aber den Weizen sammelt in meine
Scheune.[a]

VON SENFKORN UND SAUERTEIG

(Mk 4,30-32; Lk 13,18-21)

31 Ein anderes Gleichnis legte er ihnen
vor und sprach: Das Himmelreich gleicht
einem Senfkorn, das ein Mensch nahm
und auf seinen Acker säte; 32 das ist das
kleinste unter allen Samenkörnern; wenn
es aber gewachsen ist, so ist es größer als
alle Kräuter und [a]wird ein Baum, dass die
Vögel unter dem Himmel kommen und
wohnen in seinen Zweigen.
33 Ein anderes Gleichnis sagte er ihnen:
Das Himmelreich gleicht einem Sauerteig,
den eine Frau nahm und unter [a]drei Schef-
fel Mehl mengte, bis es ganz durchsäuert
war.[b]

VOM SINN DER GLEICHNISSE

(Mk 4,33-34)

34 Das alles redete Jesus in Gleichnissen zu
dem Volk, und ohne Gleichnisse redete er
nichts zu ihnen, 35 auf dass erfüllt würde,
was gesagt ist durch den Propheten, der da
spricht (Psalm 78,2): »Ich will meinen Mund
auftun in Gleichnissen und will ausspre-
chen, was verborgen war vom Anfang der
Welt an.«

DIE DEUTUNG DES GLEICHNISSES VOM UNKRAUT

36 Da ließ Jesus das Volk gehen und kam
heim. Und seine Jünger traten zu ihm und
sprachen: Deute uns das Gleichnis vom
Unkraut auf dem Acker.
37 Er antwortete und sprach zu ihnen:
Der Menschensohn ist's, der den guten
Samen sät. 38 Der [a]Acker ist die Welt. Der
gute Same, das sind die Kinder des Reichs.
Das Unkraut sind die [b]Kinder des Bösen.
39 Der Feind, der es sät, ist der Teufel. Die
Ernte ist das Ende der Welt. Die Schnitter
sind die Engel. 40 Wie man nun das Un-
kraut ausjätet und mit Feuer verbrennt,
so wird's auch am Ende der Welt gehen.[a]
41 Der Menschensohn wird seine Engel
senden, und sie werden sammeln aus sei-
nem Reich alle Ärgernisse und die, die
da Unrecht tun, 42 und werden sie in den
[a]Feuerofen werfen; [b]da wird sein Heu-
len und Zähneklappern. 43 Dann werden
die Gerechten [a]leuchten wie die Sonne in
ihres Vaters Reich. [b]Wer Ohren hat, der
höre!

13,22 ***a*** Kap 6,19-34; 19,16-24; 1. Tim 6,9
13,30 ***a*** Kap 3,12; 15,13; Offb 14,15 **13,32** ***a*** Hes 17,23; Dan 4,8-9.17-18 **13,33** ***a*** 1. Mose 18,6 ***b*** 1. Kor 5,6; Gal 5,9
13,38 ***a*** 1. Kor 3,9 ***b*** Joh 8,44 **13,40** ***a*** Kap 3,10; 7,19; Joh 15,6 **13,42** ***a*** Offb 20,15 ***b*** Kap 8,12
13,43 ***a*** Dan 12,3 ***b*** Kap 11,15

VOM SCHATZ IM ACKER UND DER KOSTBAREN PERLE

44 Das Himmelreich gleicht einem Schatz,
verborgen im Acker, den ein Mensch fand
und verbarg; und in seiner Freude geht er
hin und [a]verkauft alles, was er hat, und
kauft den Acker.

45 Wiederum gleicht das Himmelreich
einem Kaufmann, der gute Perlen suchte,
46 und da er eine kostbare Perle fand, ging
er hin und verkaufte alles, was er hatte,
und kaufte sie.

VOM FISCHNETZ

47 Wiederum gleicht das Himmelreich
einem Netz, das ins Meer geworfen wurde
und Fische aller Art fing.[a] 48 Als es voll war,
zogen sie es heraus an das Ufer, setzten
sich und lasen die guten in Gefäße zu-
sammen, aber die schlechten warfen sie
weg. 49 So wird es auch am Ende der Welt
gehen: Die Engel werden ausgehen und
[a]die Bösen von den Gerechten scheiden
50 und werden sie in den Feuerofen wer-
fen; da wird sein Heulen und Zähne-
klappern.

51 Habt ihr das alles verstanden? Sie spra-
chen: Ja. 52 Da sprach er: Darum gleicht
jeder Schriftgelehrte, der ein Jünger des
Himmelreichs geworden ist, einem Haus-
vater, der aus seinem Schatz Neues und
Altes hervorholt.

DIE VERWERFUNG JESU IN NAZARETH

(Mk 6,1-6; Lk 4,16-30)

53 Und es begab sich, als Jesus diese Gleich-
nisse vollendet hatte, ging er davon 54 und
kam in seine Vaterstadt und lehrte sie in
ihrer Synagoge, sodass sie sich entsetzten
und sprachen: [a]Woher hat dieser solche
Weisheit und solche Machttaten? 55 [a]Ist
das nicht der Sohn des Zimmermanns?
Heißt nicht seine Mutter Maria? Und
seine Brüder Jakobus und Josef und Si-
mon und Judas? 56 Und seine Schwestern,
sind sie nicht alle bei uns? Woher hat er
denn dies alles? 57 Und sie ärgerten sich an
ihm.

Jesus aber sprach zu ihnen: [a]Ein Prophet
gilt nirgends weniger als in seinem Vater-
land* und in seinem Hause. 58 Und er tat
dort nicht viele Machttaten um ihres Un-
glaubens willen.

DAS ENDE JOHANNES DES TÄUFERS

(Mk 6,14-29; Lk 3,19-20; 9,7-9)

14 Zu der Zeit kam die Kunde von Jesus
vor den Landesfürsten Herodes. 2 Und
er sprach zu seinen Knechten: Das ist Jo-
hannes der Täufer; er ist von den Toten
auferstanden, und darum wirken solche
Kräfte in ihm. 3 Denn Herodes hatte Jo-
hannes ergriffen, gefesselt und [a]in das
Gefängnis geworfen wegen der Herodias,
der Frau seines Bruders Philippus. 4 Denn
Johannes hatte zu ihm gesagt: [a]Es ist
nicht recht, dass du sie hast. 5 Und er hätte
ihn gern getötet, fürchtete sich aber vor
dem Volk; denn [a]sie hielten ihn für einen
Propheten.

6 Als aber Herodes seinen Geburtstag
beging, da tanzte die Tochter der Hero-
dias vor ihnen. Das gefiel Herodes gut.
7 Darum versprach er ihr mit einem Eid,
er wolle ihr geben, was sie fordern würde.
8 Und wie sie zuvor von ihrer Mutter an-
gestiftet war, sprach sie: Gib mir hier auf
einer Schale das Haupt Johannes des Täu-
fers! 9 Und der König wurde traurig; doch
wegen des Eides und derer, die mit ihm
zu Tisch lagen, befahl er, es ihr zu geben,
10 und schickte hin und ließ Johannes im
Gefängnis enthaupten. 11 Und sein Haupt
wurde hergetragen auf einer Schale und
dem Mädchen gegeben; und sie brachte
es ihrer Mutter. 12 Da kamen seine Jünger
und nahmen seinen Leichnam und begru-
ben ihn; und sie kamen und verkündeten
das Jesus.

DIE SPEISUNG DER FÜNFTAUSEND

(Mk 6,31-44; Lk 9,10-17; Joh 6,1-13)

13 Als das Jesus hörte, entwich er von dort
in einem Boot in eine einsame Gegend
allein. Und als das Volk das hörte, folgte
es ihm zu Fuß aus den Städten. 14 Und Je-
sus stieg aus und sah die große Menge;
und sie jammerten ihn und er heilte ihre
Kranken.

15 Am Abend aber traten seine Jünger zu
ihm und sprachen: Die Stätte ist einsam,

* **13,57** Wörtlich: »Ein Prophet wird nirgends verachtet außer in seiner Vaterstadt«.

13,44 *a* Kap 19,29; Lk 14,33; Phil 3,7 **13,47** *a* Kap 4,19
13,49 *a* Kap 25,32 **13,54** *a* Joh 7,15
13,55 *a* (55-56) Joh 6,42 **13,57** *a* Joh 4,44 **14,3** *a* Kap 11,2
14,4 *a* 3. Mose 18,16; 20,21 **14,5** *a* Kap 21,26

und die Nacht bricht herein; lass das Volk
gehen, damit sie in die Dörfer gehen und
sich zu essen kaufen. 16 Aber Jesus sprach
zu ihnen: Es ist nicht nötig, dass sie fort-
gehen; gebt ihr ihnen zu essen. 17 Sie
sprachen zu ihm: Wir haben hier nichts
als fünf Brote und zwei Fische. 18 Und er
sprach: Bringt sie mir her!

19 Und er ließ das Volk sich lagern auf
das Gras und nahm die fünf Brote und
die zwei Fische, sah auf zum Himmel,
dankte und brach's und gab die Brote den
Jüngern, und die Jünger gaben sie dem
Volk. 20 Und sie aßen alle und wurden satt
und sammelten auf, was an Brocken übrig
blieb, zwölf Körbe voll.[a] 21 Die aber geges-
sen hatten, waren etwa fünftausend Män-
ner, ohne Frauen und Kinder.

JESUS UND DER SINKENDE PETRUS AUF DEM MEER

(Mk 6,45-52; Joh 6,15-21)

22 Und alsbald drängte Jesus die Jünger, in
das Boot zu steigen und vor ihm ans an-
dere Ufer zu fahren, bis er das Volk gehen
ließe. 23 Und als er das Volk hatte gehen
lassen, [a]stieg er auf einen Berg, um für sich
zu sein und zu beten. Und am Abend war
er dort allein. 24 Das Boot aber war schon
weit vom Land entfernt und kam in Not
durch die Wellen; denn der Wind stand
ihm entgegen.

25 Aber in der vierten Nachtwache kam
Jesus zu ihnen und ging auf dem Meer.
26 Und da ihn die Jünger sahen auf dem
Meer gehen, erschraken sie und riefen: [a]Es
ist ein Gespenst!, und schrien vor Furcht.
27 Aber sogleich redete Jesus mit ihnen und
sprach: **Seid getrost, ich bin's; fürchtet
euch nicht!**

28 Petrus aber antwortete ihm und
sprach: Herr, bist du es, so befiehl mir, zu
dir zu kommen auf dem Wasser. 29 Und
er sprach: Komm her! Und Petrus stieg
aus dem Boot und ging auf dem Wasser
und kam auf Jesus zu. 30 Als er aber den
starken Wind sah, erschrak er und be-
gann zu sinken und schrie: Herr, rette
mich! 31 Jesus aber streckte sogleich die
Hand aus und ergriff ihn und sprach zu
ihm: [a]Du Kleingläubiger, warum hast du
gezweifelt?

32 Und sie stiegen in das Boot und der
Wind legte sich. 33 Die aber im Boot wa-
ren, fielen vor ihm nieder und sprachen:
[a]Du bist wahrhaftig Gottes Sohn!

KRANKENHEILUNGEN IN GENEZARETH

(Mk 6,53-56)

34 Und sie fuhren hinüber und kamen
ans Land, nach Genezareth. 35 Und als
die Leute an diesem Ort ihn erkann-
ten, schickten sie aus in das ganze Land
ringsum und brachten alle Kranken zu
ihm, 36 und sie baten ihn, dass sie nur [a]den
Saum seines Gewandes berühren dürf-
ten. Und alle, die ihn berührten, wurden
gesund.

VON UNREINEN HÄNDEN UND HERZEN

(Mk 7,1-23)

15 Da kamen zu Jesus Pharisäer und
Schriftgelehrte aus Jerusalem und
sprachen: 2 Warum übertreten deine Jün-
ger die Überlieferung der Ältesten? Denn
sie [a]waschen ihre Hände nicht, wenn sie
Brot essen.

3 Er antwortete und sprach zu ihnen:
Warum übertretet denn ihr Gottes Gebot
um eurer Überlieferung willen? 4 Denn
Gott hat gesagt (2. Mose 20,12; 21,17): »Du sollst
Vater und Mutter ehren«, und: »Wer Vater
oder Mutter schmäht, der soll des Todes
sterben.« 5 [a]Ihr aber lehrt: Wer zu Vater
oder Mutter sagt: Eine Opfergabe soll
sein, was dir von mir zusteht, 6 der braucht
seinen Vater nicht zu ehren. Damit habt
ihr Gottes Wort aufgehoben um eurer
Überlieferung willen. 7 Ihr Heuchler, rich-
tig hat Jesaja von euch geweissagt und ge-
sprochen (Jesaja 29,13): 8 »Dies Volk ehrt mich
mit den Lippen, aber ihr Herz ist fern von
mir; 9 vergeblich dienen sie mir, weil sie
lehren solche Lehren, die nichts als Men-
schengebote sind.«[a]

10 Und er rief das Volk zu sich und sprach
zu ihnen: Hört zu und begreift: 11 [a]Nicht
was zum Mund hineingeht, macht den
Menschen unrein; sondern was aus dem
Mund herauskommt, das macht den Men-
schen unrein. 12 Da traten die Jünger hinzu

14,20 *a* 2. Kön 4,44 **14,23** *a* Lk 6,12; 9,18
14,26 *a* Lk 24,37 **14,31** *a* Kap 8,26 **14,33** *a* Kap 16,16;
27,54; Joh 1,49; 11,27 **14,36** *a* Kap 9,20-21; Lk 6,19
15,2 *a* Lk 11,38 **15,5** *a* (5-6) Spr 28,24; 1. Tim 5,8
15,9 *a* Kol 2,22 **15,11** *a* Apg 10,15; 1. Tim 4,4; Tit 1,15

und sprachen zu ihm: Weißt du auch, dass
die Pharisäer an dem Wort Anstoß nah-
men, als sie es hörten? 13 Aber er antwor-
tete und sprach: Alle Pflanzen, die mein
himmlischer Vater nicht gepflanzt hat,
die werden ausgerissen.[a] 14 Lasst sie, sie
sind [a]blinde Blindenführer! Wenn aber
ein Blinder den andern führt, so fallen sie
beide in die Grube.

15 Da antwortete Petrus und sprach
zu ihm: Deute uns dies Gleichnis! 16 Er
sprach zu ihnen: Seid denn auch ihr noch
immer unverständig? 17 Versteht ihr nicht,
dass alles, was zum Mund hineingeht, das
geht in den Bauch und wird danach in die
Grube ausgeleert? 18 [a]Was aber aus dem
Mund herauskommt, das kommt aus dem
Herzen, und das macht den Menschen
unrein. 19 Denn [a]aus dem Herzen kom-
men [b]böse Gedanken, Mord, Ehebruch,
Unzucht, Diebstahl, falsches Zeugnis,
Lästerung. 20 Das sind die Dinge, die den
Menschen unrein machen. Aber mit un-
gewaschenen Händen essen macht den
Menschen nicht unrein.

DIE KANAANÄISCHE FRAU

(Mk 7,24-30)

21 Und Jesus ging weg von dort und ent-
wich in die Gegend von Tyrus und Sidon.
22 Und siehe, eine kanaanäische Frau kam
aus diesem Gebiet und schrie: Ach, Herr,
du Sohn Davids, erbarme dich meiner!
Meine Tochter wird von einem bösen
Geist übel geplagt. 23 Er aber antwortete
ihr kein Wort. Da traten seine Jünger zu
ihm, baten ihn und sprachen: Lass sie
doch gehen*, denn sie schreit uns nach.
24 Er antwortete aber und sprach: Ich bin
nur gesandt zu den verlorenen Schafen des
Hauses Israel.[a]

25 Sie aber kam und fiel vor ihm nieder
und sprach: Herr, hilf mir! 26 Aber er ant-
wortete und sprach: Es ist nicht recht,
dass man den Kindern ihr Brot nehme
und werfe es vor die Hunde. 27 Sie sprach:
Ja, Herr; aber doch essen die Hunde von
den Brosamen, die vom Tisch ihrer Her-
ren fallen. 28 Da antwortete Jesus und
sprach zu ihr: **Frau, [a]dein Glaube ist
groß. Dir geschehe, wie du willst!** Und
ihre Tochter wurde gesund zu derselben
Stunde.

WEITERE HEILUNGEN

29 Und Jesus ging von dort weiter und
kam an das Galiläische Meer und ging auf
einen Berg und setzte sich dort. 30 Und es
kam eine große Menge zu ihm; die hat-
ten bei sich Lahme, Blinde, Verkrüppelte,
Stumme und viele andere und legten sie
ihm vor die Füße, und er heilte sie, 31 so-
dass sich das Volk verwunderte, als sie sa-
hen, dass die Stummen redeten, die Ver-
krüppelten gesund waren, die Lahmen
gingen und die Blinden sahen; und sie
priesen den Gott Israels.[a]

DIE SPEISUNG DER VIERTAUSEND

(Mk 8,1-10)

32 [a]Und Jesus rief seine Jünger zu sich und
sprach: Das Volk jammert mich; denn sie
harren nun schon drei Tage bei mir aus
und haben nichts zu essen; und ich will
sie nicht hungrig gehen lassen, damit sie
nicht verschmachten auf dem Wege. 33 Da
sprachen die Jünger zu ihm: Woher sollen
wir so viel Brot nehmen in der Einöde, um
eine so große Menge zu sättigen? 34 Und
Jesus sprach zu ihnen: Wie viele Brote
habt ihr? Sie sprachen: Sieben, und ein
paar Fische.

35 Und er ließ das Volk sich lagern auf
die Erde 36 und nahm die sieben Brote
und die Fische, dankte, brach sie und gab
sie den Jüngern, und die Jünger gaben sie
dem Volk. 37 Und sie aßen alle und wurden
satt; und sie sammelten auf, was an Bro-
cken übrig blieb, sieben Körbe voll. 38 Und
die da gegessen hatten, waren viertausend
Männer, ohne Frauen und Kinder. 39 Und
als er das Volk hatte gehen lassen, stieg
er ins Boot und kam in das Gebiet von
Magadan.

DIE ZEICHENFORDERUNG DER PHARISÄER

(Mk 8,11-12; Lk 12,54-56)

16 Da traten die Pharisäer und Sadduzäer
zu ihm; die versuchten ihn und forder-
ten ihn auf, sie [a]ein Zeichen vom Himmel

* **15,23** Andere Übersetzung: »Stell sie zufrieden«.

15,13 ***a*** Apg 5,38 **15,14** ***a*** Kap 23,16.24; Lk 6,39; Röm 2,19
15,18 ***a*** Kap 12,34 **15,19** ***a*** 1. Mose 8,21 ***b*** Röm 1,29-31;
Gal 5,19-21; Eph 5,3-5 **15,24** ***a*** Kap 10,5-6; Röm 15,8
15,28 ***a*** Kap 8,10.13 **15,31** ***a*** Kap 11,5; Mk 7,37
15,32 ***a*** (32-39) Kap 14,13-21 **16,1** ***a*** Kap 12,38

sehen zu lassen. 2 Aber er antwortete und
sprach zu ihnen: Des Abends sprecht ihr:
Es wird ein schöner Tag werden, denn der
Himmel ist rot. 3 Und des Morgens sprecht
ihr: Es wird heute ein Unwetter kommen,
denn der Himmel ist rot und trübe. Über
das Aussehen des Himmels wisst ihr zu
urteilen, über die [a]Zeichen der Zeit aber
könnt ihr nicht urteilen?* 4 Ein böses und
ehebrecherisches Geschlecht fordert ein
Zeichen; doch es [a]wird ihm kein Zeichen
gegeben werden, es sei denn das Zeichen
des Jona*. Und er ließ sie stehen und ging
davon.

WARNUNG VOR DER LEHRE DER PHARISÄER UND SADDUZÄER

(Mk 8,14-21)

5 Und als die Jünger ans andre Ufer ge-
kommen waren, hatten sie vergessen,
Brot mitzunehmen. 6 Jesus aber sprach zu
ihnen: [a]Seht zu und hütet euch vor dem
Sauerteig der Pharisäer und Sadduzäer!
7 Da dachten sie bei sich selbst und spra-
chen: Das wird's sein, dass wir kein Brot
mitgenommen haben.
8 Als das Jesus merkte, sprach er: Ihr
Kleingläubigen, was bekümmert ihr euch
doch, dass ihr kein Brot habt? 9 Versteht
ihr noch nicht? Erinnert ihr euch nicht an
die [a]fünf Brote für die fünftausend und
wie viele Körbe voll ihr da eingesammelt
habt? 10 Auch nicht an die [a]sieben Brote
für die viertausend und wie viele Körbe
voll ihr da eingesammelt habt? 11 Wieso
versteht ihr denn nicht, dass ich nicht vom
Brot zu euch geredet habe? Hütet euch
vielmehr vor dem Sauerteig der Pharisäer
und Sadduzäer! 12 Da verstanden sie, dass
er nicht gesagt hatte, sie sollten sich hüten
vor dem Sauerteig des Brotes, sondern vor
der Lehre der Pharisäer und Sadduzäer.

DAS BEKENNTNIS DES PETRUS UND DIE VERHEISSUNG AN IHN

(Mk 8,27-30; Lk 9,18-21)

13 Da kam Jesus in die Gegend von Cä-
sarea Philippi und fragte seine Jünger
und sprach: Wer sagen die Leute, dass
der Menschensohn sei? 14 Sie sprachen:
Einige sagen, du seist [a]Johannes der Täu-
fer, andere, du seist [b]Elia, wieder andere,
du seist Jeremia oder einer der Propheten.
15 Er sprach zu ihnen: Wer sagt denn ihr,
dass ich sei? 16 Da antwortete Simon Pe-
trus und sprach: [a]**Du bist der Christus,
des lebendigen Gottes Sohn!**
17 Und Jesus antwortete und sprach zu
ihm: Selig bist du, Simon, Jonas Sohn;
[a]denn Fleisch und Blut haben dir das nicht
offenbart, sondern mein Vater im Him-
mel. 18 Und ich sage dir auch: Du bist Pe-
trus, und auf diesen [a]Felsen will ich meine
Gemeinde bauen, und die Pforten der
Hölle sollen sie nicht überwältigen. 19 Ich
will dir die Schlüssel des Himmelreichs
geben: [a]Was du auf Erden binden wirst,
soll auch im Himmel gebunden sein, und
was du auf Erden lösen wirst, soll auch im
Himmel gelöst sein.
20 Da gebot er den Jüngern, niemandem
zu sagen, dass er der Christus sei.[a]

DIE ERSTE ANKÜNDIGUNG VON JESU LEIDEN UND AUFERSTEHUNG

(Mk 8,31-33; Lk 9,22)

21 Seit der Zeit fing Jesus an, seinen Jün-
gern zu zeigen, dass er [a]nach Jerusalem
gehen und viel leiden müsse von den Äl-
testen und Hohenpriestern und Schrift-
gelehrten und getötet werden und [b]am
dritten Tage auferstehen.
22 Und Petrus nahm ihn beiseite und
fuhr ihn an und sprach: Gott bewahre
dich, Herr! Das widerfahre dir nur nicht!
23 Er aber wandte sich um und sprach zu
Petrus: Geh weg von mir, Satan!* Du bist
mir ein Ärgernis; denn du meinst nicht,
was göttlich, sondern was menschlich ist.

VON DER NACHFOLGE

(Mk 8,34–9,1; Lk 9,23-27)

24 [a]Da sprach Jesus zu seinen Jüngern:
**Will mir jemand nachfolgen, der ver-
leugne sich selbst und nehme sein
Kreuz auf sich und folge mir.**[b] 25 **Denn**

* **16,3** Verse 2b-3 (»Des Abends … urteilen?«) finden sich in wichtigen Handschriften nicht. **16,4** Siehe Sach- und Worterklärungen. **16,23** Andere Übersetzung: »Geh weg, hinter mich, Satan!«

16,3 ***a*** Kap 11,4 **16,4** ***a*** Kap 12,39 **16,6** ***a*** Lk 12,1
16,9 ***a*** Kap 14,17-21 **16,10** ***a*** Kap 15,34-38
16,14 ***a*** Kap 14,2 ***b*** Kap 17,10 **16,16** ***a*** Kap 14,33; Joh 6,69
16,17 ***a*** Kap 11,27; Gal 1,15-16 **16,18** ***a*** Joh 1,42; Eph 2,20
16,19 ***a*** Kap 18,18 **16,20** ***a*** Kap 17,9 **16,21** ***a*** Kap 17,22-23; 20,18-19 ***b*** Kap 12,40; Joh 2,19
16,24 ***a*** (24-25) Kap 10,38-39 ***b*** 1. Petr 2,21

**wer sein Leben erhalten will, der wird's
verlieren; wer aber sein Leben verliert
um meinetwillen, der wird's finden.[a]
26 Was hülfe es dem Menschen, [a]wenn
er die ganze Welt gewönne und nähme
doch Schaden an seiner Seele? Oder
was kann der Mensch geben, womit er
[b]seine Seele auslöse?**

27 Denn es wird geschehen, dass der
Menschensohn kommt in der Herrlich-
keit seines Vaters mit seinen Engeln, und
dann wird er [a]einem jeden vergelten nach
seinem Tun. 28 Wahrlich, ich sage euch: Es
sind etliche unter denen, die hier stehen,
die werden den Tod nicht schmecken, bis
sie den Menschensohn kommen sehen in
seinem Reich.

DIE VERKLÄRUNG JESU

(Mk 9,2-13; Lk 9,28-36)

17 Und nach sechs Tagen [a]nahm Jesus
mit sich Petrus und Jakobus und Jo-
hannes, dessen Bruder, und führte sie al-
lein auf einen hohen Berg. 2 [a]Und er wurde
verklärt vor ihnen, und [b]sein Angesicht
leuchtete wie die Sonne, und seine Kleider
wurden weiß wie das Licht. 3 Und siehe, da
erschienen ihnen Mose und Elia; die rede-
ten mit ihm.

4 Petrus aber antwortete und sprach zu
Jesus: Herr, hier ist gut sein! Willst du, so
will ich hier drei Hütten bauen, dir eine,
Mose eine und Elia eine. 5 Als er noch so
redete, siehe, da überschattete sie eine
lichte Wolke. Und siehe, eine Stimme aus
der Wolke sprach: [a]**Dies ist mein lieber
Sohn, an dem ich Wohlgefallen habe;
den sollt ihr hören!**

6 Als das die Jünger hörten, fielen sie auf
ihr Angesicht und fürchteten sich sehr.
7 Jesus aber trat zu ihnen, rührte sie an
und sprach: Steht auf und fürchtet euch
nicht! 8 Als sie aber ihre Augen aufhoben,
sahen sie niemand als Jesus allein. 9 Und
als sie vom Berge hinabgingen, gebot ih-
nen Jesus und sprach: Ihr sollt von dieser
Erscheinung [a]niemandem sagen, bis der
Menschensohn von den Toten auferstan-
den ist.

10 Und die Jünger fragten ihn und spra-
chen: Warum sagen denn die Schriftge-
lehrten, zuerst müsse [a]Elia kommen? 11 Er
antwortete und sprach: Ja, [a]Elia kommt
und wird alles zurechtbringen. 12 Doch
ich sage euch: Elia ist schon gekommen,
und sie haben ihn nicht erkannt, sondern
[a]haben mit ihm getan, was sie wollten. So
wird auch der Menschensohn durch sie
leiden müssen. 13 Da verstanden die Jün-
ger, dass er von Johannes dem Täufer zu
ihnen geredet hatte.[a]

DIE HEILUNG EINES MOND-SÜCHTIGEN KNABEN

(Mk 9,14-29; Lk 9,37-42)

14 Und als sie zu dem Volk kamen, trat
ein Mensch zu ihm, kniete vor ihm nie-
der 15 und sprach: Herr, erbarme dich über
meinen Sohn! Denn er ist mondsüchtig
und hat schwer zu leiden; er fällt oft ins
Feuer und oft ins Wasser; 16 und ich habe
ihn zu deinen Jüngern gebracht und sie
konnten ihm nicht helfen. 17 Jesus aber
antwortete und sprach: O du ungläubiges
und verkehrtes Geschlecht, wie lange soll
ich bei euch sein? Wie lange soll ich euch
ertragen? Bringt ihn mir her! 18 Und Jesus
bedrohte ihn; und der Dämon fuhr aus
von ihm, und der Knabe wurde gesund zu
derselben Stunde.

19 Da traten die Jünger zu Jesus, als
sie allein waren, und sprachen: [a]Warum
konnten wir ihn nicht austreiben? 20 Er
aber sprach zu ihnen: Wegen eures
Kleinglaubens. Denn wahrlich, ich sage
euch: [a]Wenn ihr Glauben habt wie ein
Senfkorn, so könnt ihr sagen zu diesem
Berge: Heb dich dorthin!, so wird er sich
heben; und euch wird nichts unmöglich
sein.*

DIE ZWEITE ANKÜNDIGUNG VON JESU LEIDEN UND AUFERSTEHUNG

(Mk 9,30-32; Lk 9,43-45)

22 [a]Als sie in Galiläa zusammen waren,
sprach Jesus zu ihnen: Der Menschensohn
wird überantwortet werden in die Hände

* **17,20** Vers 21 findet sich erst in der späteren Überlieferung: »Aber diese Art fährt nur aus durch Beten und Fasten« (vgl. Mk 9,29).

16,25 *a* Kap 10,39; Joh 12,25; Offb 12,11 **16,26** *a* Lk 12,20 *b* Ps 49,9 **16,27** *a* Ps 62,13; Röm 2,6 **17,1** *a* Kap 26,37; Mk 5,37; 13,3 **17,2** *a* (2-5) 2. Petr 1,16-18 *b* 2. Mose 34,29; Offb 1,16 **17,5** *a* Kap 3,17 **17,9** *a* Kap 16,20 **17,10** *a* Kap 11,14 **17,11** *a* Mal 3,23 **17,12** *a* Kap 14,9-10 **17,13** *a* Lk 1,17 **17,19** *a* Kap 10,1 **17,20** *a* Kap 21,21; Lk 17,6; 1. Kor 13,2 **17,22** *a* (22-23) Kap 16,21; 20,18-19

der Menschen 23 und sie werden ihn töten,
und am dritten Tag wird er auferstehen.
Und sie wurden sehr betrübt.

VON DER TEMPELSTEUER

24 Als sie nun nach Kapernaum kamen,
traten zu Petrus, die den Tempelgroschen
einnehmen, und sprachen: Zahlt euer
Meister nicht den [a]Tempelgroschen? 25 Er
sprach: Ja.

Und als er in das Haus kam, kam ihm
Jesus zuvor und sprach: Was meinst du,
Simon? Von wem nehmen die Könige
auf Erden Zoll oder Steuern: von ihren
Kindern oder von den Fremden? 26 Da
sprach zu ihm Petrus: Von den Fremden.
Jesus sprach zu ihm: So sind die Kinder
frei. 27 Damit wir ihnen aber keinen An-
stoß geben, geh hin an das Meer und wirf
die Angel aus, und den ersten Fisch, der
heraufkommt, den nimm; und wenn du
sein Maul aufmachst, wirst du ein Zwei-
groschenstück finden; das nimm und gib's
ihnen für mich und dich.

DER RANGSTREIT UNTER DEN JÜNGERN

(Mk 9,33-37; Lk 9,46-48)

18 Zu derselben Stunde traten die Jün-
ger zu Jesus und sprachen: [a]Wer ist
nun der Größte im Himmelreich? 2 Und
er rief ein Kind zu sich und stellte es mit-
ten unter sie 3 und sprach: Wahrlich, ich
sage euch: **Wenn ihr nicht umkehrt
und werdet wie die Kinder, so werdet
ihr nicht ins Himmelreich kommen.**[a]
4 Wer nun sich selbst erniedrigt und wird
wie dieses Kind, der ist der Größte im
Himmelreich. 5 Und wer ein solches Kind
aufnimmt in meinem Namen, der nimmt
mich auf.[a]

WARNUNG VOR VERFÜHRUNG

(Mk 9,42-48; Lk 17,1-3a)

6 Wer aber einen dieser Kleinen, die an
mich glauben, zum Bösen verführt, für
den wäre es besser, dass ein Mühlstein um
seinen Hals gehängt und er ersäuft würde
im Meer, wo es am tiefsten ist. 7 Weh der
Welt der Verführungen wegen! Es müs-
sen ja Verführungen kommen; doch weh
dem Menschen, der zum Bösen verführt!
8 [a]Wenn aber deine Hand oder dein Fuß
dich verführt, so hau sie ab und wirf sie
von dir. Es ist besser für dich, dass du lahm
oder verkrüppelt zum Leben eingehst, als
dass du zwei Hände oder zwei Füße hast
und wirst in das ewige Feuer geworfen.
9 Und wenn dich dein Auge verführt, reiß
es aus und wirf's von dir. Es ist besser für
dich, dass du einäugig zum Leben ein-
gehst, als dass du zwei Augen hast und
wirst in das höllische Feuer geworfen.

VOM VERLORENEN SCHAF

(Lk 15,4-7)

10 Seht zu, dass ihr nicht einen von diesen
Kleinen verachtet. Denn ich sage euch:
Ihre Engel im Himmel sehen allezeit das
Angesicht meines Vaters im Himmel.*
12 Was meint ihr? Wenn ein Mensch
hundert Schafe hätte und eins unter ih-
nen sich verirrte: lässt er nicht die neun-
undneunzig auf den Bergen, geht hin und
sucht das verirrte? 13 Und wenn es ge-
schieht, dass er's findet, wahrlich, ich sage
euch: Er freut sich über dieses eine mehr
als über die neunundneunzig, die sich
nicht verirrt haben. 14 So ist's auch nicht
der Wille bei eurem Vater im Himmel,
dass auch nur eines von diesen Kleinen
verloren werde.

ZURECHTWEISUNG UND GEBET IN DER GEMEINDE

15 Sündigt aber dein Bruder*, so geh hin
und [a]weise ihn zurecht zwischen dir und
ihm allein. Hört er auf dich, so hast du dei-
nen Bruder gewonnen. 16 Hört er nicht auf
dich, so nimm noch einen oder zwei zu
dir, damit [a]jede Sache durch zweier oder
dreier Zeugen Mund bestätigt werde.
17 Hört er auf die nicht, so sage es der Ge-
meinde. Hört er auch auf die Gemeinde
nicht, so sei er für dich wie ein Heide und
Zöllner.[a] 18 Wahrlich, ich sage euch: **Alles,
was ihr auf Erden binden werdet, soll
auch im Himmel gebunden sein, und**

* **18,10** Vers 11 findet sich erst in der späteren Überlieferung: »Denn der Menschensohn ist gekommen, selig zu machen, was verloren ist« (vgl. Lk 19,10).
18,15 Luther übersetzte nach anderen Handschriften: »Sündigt aber dein Bruder an dir«.

17,24 ***a*** 2. Mose 30,13; 2. Kön 12,5-6 **18,1** ***a*** Lk 22,24
18,3 ***a*** Kap 19,14; Mk 10,15 **18,5** ***a*** Kap 10,40
18,8 ***a*** (8-9) Kap 5,29-30 **18,15** ***a*** 3. Mose 19,17; Lk 17,3; Gal 6,1 **18,16** ***a*** 5. Mose 19,15 **18,17** ***a*** 1. Kor 5,13; 2. Thess 3,6; Tit 3,10

alles, was ihr auf Erden lösen werdet,
soll auch im Himmel gelöst sein.[a]
19 Wahrlich, ich sage euch auch: Wenn
zwei unter euch einig werden auf Erden,
worum sie bitten wollen, so soll es ihnen
widerfahren von meinem Vater im Him-
mel.[a] 20 Denn **wo zwei oder drei versam-**
melt sind in meinem Namen, [a]da bin
ich mitten unter ihnen.

VON DER VERGEBUNG (DER SCHALKSKNECHT)

21 Da trat Petrus hinzu und sprach zu ihm:
Herr, wie oft muss ich denn meinem Bru-
der, der an mir sündigt, vergeben? Ist's ge-
nug siebenmal? 22 Jesus sprach zu ihm: Ich
sage dir: nicht siebenmal, sondern siebzig-
mal siebenmal*.[a]
23 Darum gleicht das Himmelreich ei-
nem König, der mit seinen Knechten
abrechnen wollte. 24 Und als er anfing ab-
zurechnen, wurde einer vor ihn gebracht,
der war ihm zehntausend Zentner Silber
schuldig. 25 Da er's nun nicht bezahlen
konnte, befahl der Herr, ihn und seine
Frau und [a]seine Kinder und alles, was er
hatte, zu verkaufen und zu zahlen. 26 Da
fiel der Knecht nieder und flehte ihn an
und sprach: Hab Geduld mit mir; ich will
dir's alles bezahlen. 27 Da hatte der Herr
Erbarmen mit diesem Knecht und ließ
ihn frei und die Schuld erließ er ihm auch.
28 Da ging dieser Knecht hinaus und traf
einen seiner Mitknechte, der war ihm
hundert Silbergroschen schuldig; und er
packte und würgte ihn und sprach: Be-
zahle, was du schuldig bist! 29 Da fiel sein
Mitknecht nieder und bat ihn und sprach:
Hab Geduld mit mir; ich will dir's bezah-
len. 30 Er wollte aber nicht, sondern ging
hin und warf ihn ins Gefängnis, bis er be-
zahlt hätte, was er schuldig war.
31 Als nun seine Mitknechte das sahen,
wurden sie sehr betrübt und kamen und
brachten bei ihrem Herrn alles vor, was
sich begeben hatte. 32 Da befahl ihn sein
Herr zu sich und sprach zu ihm: Du bö-
ser Knecht! Deine ganze Schuld habe ich
dir erlassen, weil du mich gebeten hast;
33 hättest du dich da nicht auch erbarmen
sollen über deinen Mitknecht, wie ich
mich über dich erbarmt habe?[a] 34 Und
sein Herr wurde zornig und überantwor-
tete ihn den Peinigern, [a]bis er alles bezahlt
hätte, was er schuldig war.
35 So wird auch mein himmlischer Vater
an euch tun, wenn ihr nicht von Herzen
vergebt, ein jeder seinem Bruder.[a]

VON EHE, EHESCHEIDUNG, EHELOSIGKEIT

(Mk 10,1-12)

19 Und es begab sich, als Jesus diese Rede
vollendet hatte, machte er sich auf aus
Galiläa und kam in das Gebiet von Judäa
jenseits des Jordans; 2 und eine große
Menge folgte ihm, und er heilte sie dort.
3 Da traten Pharisäer zu ihm und ver-
suchten ihn und sprachen: Ist's erlaubt,
dass sich ein Mann aus irgendeinem
Grund von seiner Frau scheidet? 4 Er aber
antwortete und sprach: Habt ihr nicht
gelesen, dass der Schöpfer sie am An-
fang [a]schuf als Mann und Frau 5 und
sprach (1. Mose 2,24): »Darum wird ein Mann
Vater und Mutter verlassen und an sei-
ner Frau hängen, und die zwei werden
ein Fleisch sein«? 6 So sind sie nun nicht
mehr zwei, sondern *ein* Fleisch*. **Was nun**
Gott zusammengefügt hat, das [a]soll der
Mensch nicht scheiden!
7 Sie sprachen zu ihm: Warum hat dann
Mose geboten, ihr einen [a]Scheidebrief zu
geben und sich von ihr zu scheiden? 8 Er
sprach zu ihnen: Mose hat euch erlaubt,
euch zu scheiden von euren Frauen, eures
Herzens Härte wegen; von Anfang an aber
ist's nicht so gewesen. 9 Ich aber sage euch:
Wer sich von seiner Frau scheidet, es sei
denn wegen Unzucht, und heiratet eine
andere, der bricht die Ehe.[a]
10 Da sprachen seine Jünger zu ihm:
Steht die Sache eines Mannes mit seiner
Frau so, dann ist's nicht gut zu heiraten.
11 Er sprach aber zu ihnen: Dies Wort fas-
sen nicht alle, sondern die, denen es ge-
geben ist.[a] 12 Denn es gibt Verschnittene*,
die von Geburt an so sind; und es gibt

* **18,22** Andere Übersetzung: »bis zu siebenundsiebzigmal«. **19,6** Siehe Sach- und Worterklärungen. **19,12** Griechisch: »Eunuchen«.

18,18 *a* Kap 16,19; Joh 20,23 **18,19** *a* Kap 7,7-8; Mk 11,24 **18,20** *a* Kap 28,20 **18,22** *a* 1. Mose 4,24; Lk 17,4; Eph 4,32 **18,25** *a* Neh 5,5 **18,33** *a* 1. Joh 4,11 **18,34** *a* Kap 5,26 **18,35** *a* Kap 6,14-15; Jak 2,13 **19,4** *a* 1. Mose 1,27 **19,6** *a* 1. Kor 7,10-11 **19,7** *a* Kap 5,31 **19,9** *a* Kap 5,32 **19,11** *a* 1. Kor 7,7

Verschnittene, die von den Menschen
verschnitten worden sind; und es gibt
Verschnittene, die sich selbst verschnit-
ten haben um des Himmelreiches willen.
Wer es fassen kann, der fasse es!

DIE SEGNUNG DER KINDER

(Mk 10,13-16; Lk 18,15-17)

13 Da wurden Kinder zu ihm gebracht, dass
er die Hände auf sie legte und betete. Die
Jünger aber fuhren sie an. 14 Aber Jesus
sprach: **Lasset die Kinder und wehret
ihnen nicht, zu mir zu kommen; denn
solchen gehört das Himmelreich.**[a]
15 Und er legte die Hände auf sie und zog
von dort weiter.

DER REICHE JÜNGLING

(Mk 10,17-27; Lk 18,18-27)

16 Und siehe, einer trat zu ihm und sprach:
Meister, was soll ich Gutes tun, damit ich
das ewige Leben habe? 17 Er aber sprach zu
ihm: Was fragst du mich nach dem, was
gut ist? Gut ist nur der Eine. Willst du aber
zum Leben eingehen, so halte die Gebote.
18 Da sprach er zu ihm: Welche? Jesus aber
sprach: »Du sollst nicht töten; du sollst
nicht ehebrechen; du sollst nicht steh-
len; du sollst nicht falsch Zeugnis geben;
19 ehre Vater und Mutter« (2. Mose 20,12-16);
und: »Du sollst deinen Nächsten lieben
wie dich selbst« (3. Mose 19,18).

20 Da sprach der Jüngling zu ihm: Das
habe ich alles gehalten; was fehlt mir
noch? 21 Jesus sprach zu ihm: Willst du
[a]vollkommen sein, so geh hin, verkaufe,
was du hast, und gib's den Armen, so
wirst du einen [b]Schatz im Himmel haben;
und komm und folge mir nach! 22 Da der
Jüngling das Wort hörte, ging er betrübt
davon; denn er hatte viele Güter.[a]

23 Jesus aber sprach zu seinen Jüngern:
Wahrlich, ich sage euch: Ein Reicher wird
schwer ins Himmelreich kommen. 24 Und
weiter sage ich euch: Es ist leichter, dass
ein Kamel durch ein Nadelöhr gehe, als
dass ein Reicher ins Reich Gottes komme.
25 Da das die Jünger hörten, entsetzten sie
sich sehr und sprachen: Ja, wer kann dann
selig werden? 26 Jesus aber sah sie an und
sprach zu ihnen: Bei den Menschen ist's
unmöglich; aber [a]bei Gott sind alle Dinge
möglich.

DER LOHN DER NACHFOLGE

(Mk 10,28-31; Lk 18,28-30)

27 Da antwortete Petrus und sprach zu
ihm: Siehe, [a]wir haben alles verlassen
und sind dir nachgefolgt; was wird uns
dafür zuteil? 28 Jesus aber sprach zu ihnen:
Wahrlich, ich sage euch: Ihr, die ihr mir
nachgefolgt seid, werdet bei der Wieder-
geburt, wenn der Menschensohn sitzen
wird auf dem Thron seiner Herrlichkeit,
auch [a]sitzen auf zwölf Thronen und [b]rich-
ten die zwölf Stämme Israels. 29 Und wer
Häuser oder Brüder oder Schwestern oder
Vater oder Mutter oder Kinder oder Äcker
verlässt um meines Namens willen, der
wird's hundertfach empfangen und das
ewige Leben ererben. 30 Aber viele, die die
Ersten sind, werden die Letzten und die
Letzten werden die Ersten sein.[a]

VON DEN ARBEITERN IM WEINBERG

20 Denn das Himmelreich gleicht einem
Hausherrn, der früh am Morgen aus-
ging, um Arbeiter anzuwerben für seinen
Weinberg. 2 Und als er mit den Arbeitern
einig wurde über einen Silbergroschen als
Tagelohn, sandte er sie in seinen Wein-
berg.

3 Und er ging aus um die dritte Stunde
und sah andere auf dem Markt müßig ste-
hen 4 und sprach zu ihnen: Geht ihr auch
hin in den Weinberg; ich will euch geben,
was recht ist. 5 Und sie gingen hin. Aber-
mals ging er aus um die sechste und um
die neunte Stunde und tat dasselbe. 6 Um
die elfte Stunde aber ging er aus und fand
andere stehen und sprach zu ihnen: Was
steht ihr den ganzen Tag müßig da? 7 Sie
sprachen zu ihm: Es hat uns niemand an-
geworben. Er sprach zu ihnen: Geht ihr
auch hin in den Weinberg.

8 Als es nun Abend wurde, sprach der
Herr des Weinbergs zu seinem Verwalter:
Ruf die Arbeiter und gib ihnen den Lohn
und fang an bei den letzten bis zu den ers-
ten. 9 Da kamen, die um die elfte Stunde
angeworben waren, und jeder empfing
seinen Silbergroschen. 10 Als aber die Ers-
ten kamen, meinten sie, sie würden mehr

19,14 ***a*** Kap 18,2-3 **19,21** ***a*** Kap 5,48 ***b*** Kap 6,20; Lk 12,33
19,22 ***a*** Ps 62,11 **19,26** ***a*** 1. Mose 18,14; Hiob 42,2
19,27 ***a*** Kap 4,20-22 **19,28** ***a*** Lk 22,30; Offb 3,21
b 1. Kor 6,2 **19,30** ***a*** Kap 20,16; Lk 13,30

empfangen; und sie empfingen auch ein
jeder seinen Silbergroschen. 11 Und als sie
den empfingen, murrten sie gegen den
Hausherrn 12 und sprachen: Diese Letzten
haben nur eine Stunde gearbeitet, doch du
hast sie uns gleichgestellt, die wir des Ta-
ges Last und die Hitze getragen haben.

13 Er antwortete aber und sagte zu einem
von ihnen: Mein Freund, ich tu dir nicht
Unrecht. Bist du nicht mit mir einig
geworden über einen Silbergroschen?
14 Nimm, was dein ist, und geh! Ich will
aber diesem Letzten dasselbe geben wie
dir. 15 Oder habe ich nicht Macht zu tun,
was ich will, mit dem, was mein ist? Siehst
du darum scheel, weil ich so gütig bin?

16 So werden die Letzten die Ersten und
die Ersten die Letzten sein.[a]

DIE DRITTE ANKÜNDIGUNG VON JESU LEIDEN UND AUFERSTEHUNG

(Mk 10,32-34; Lk 18,31-33)

17 Und Jesus zog hinauf nach Jerusalem
und nahm die zwölf Jünger beiseite und
sprach zu ihnen auf dem Wege: 18 Siehe,
wir [a]ziehen hinauf nach Jerusalem, und
[b]der Menschensohn wird den Hohen-
priestern und Schriftgelehrten überant-
wortet werden; und sie werden ihn zum
Tode verurteilen 19 und werden ihn den
Heiden überantworten, damit sie ihn ver-
spotten und geißeln und kreuzigen; und
am dritten Tage wird er auferstehen.

VOM HERRSCHEN UND VOM DIENEN

(Mk 10,35-45)

20 Da trat zu ihm die Mutter der [a]Söhne
des Zebedäus mit ihren Söhnen, fiel vor
ihm nieder und wollte ihn um etwas bit-
ten. 21 Und er sprach zu ihr: Was willst
du? Sie sprach zu ihm: Lass diese meine
beiden Söhne sitzen [a]in deinem Reich,
einen zu deiner Rechten und den andern
zu deiner Linken.[b] 22 Aber Jesus antwor-
tete und sprach: Ihr wisst nicht, was ihr
bittet. Könnt ihr den [a]Kelch trinken, den
ich trinken werde? Sie sprachen zu ihm:
Ja, das können wir. 23 Er sprach zu ihnen:
[a]Meinen Kelch werdet ihr zwar trinken,
aber das Sitzen zu meiner Rechten und
Linken zu geben steht mir nicht zu. Das
wird denen zuteil, für die es bestimmt ist
von meinem Vater.

24 [a]Als das die Zehn hörten, wurden sie
unwillig über die zwei Brüder. 25 Aber Je-
sus rief sie zu sich und sprach: Ihr wisst,
dass die Herrscher ihre Völker nieder-
halten und die Mächtigen ihnen Gewalt
antun. 26 So soll es nicht sein unter euch;
sondern wer unter euch groß sein will, der
[a]sei euer Diener; 27 und wer unter euch der
Erste sein will, der sei euer Knecht,[a] 28 so
wie der Menschensohn nicht gekommen
ist, dass er sich dienen lasse, sondern [a]dass
er diene und [b]gebe sein Leben als Lösegeld
für viele.

DIE HEILUNG VON ZWEI BLINDEN BEI JERICHO

(Mk 10,46-52; Lk 18,35-43)

29 Und als sie aus Jericho hinauszogen,
folgte ihm eine große Menge. 30 Und siehe,
zwei Blinde saßen am Wege; und als sie
hörten, dass Jesus vorüberging, schrien sie
und sprachen: [a]Ach, Herr, du Sohn Davids,
erbarme dich unser! 31 Aber das Volk fuhr
sie an, dass sie schweigen sollten. Doch sie
schrien noch viel mehr und sprachen: Ach,
Herr, du Sohn Davids, erbarme dich unser!

32 Jesus aber blieb stehen, rief sie und
sprach: Was wollt ihr, dass ich für euch
tun soll? 33 Sie sprachen zu ihm: Herr, dass
unsere Augen aufgetan werden. 34 Und es
jammerte Jesus und er berührte ihre Au-
gen; und sogleich wurden sie sehend, und
sie folgten ihm nach.

JESU EINZUG IN JERUSALEM

(Mk 11,1-10; Lk 19,29-40; Joh 12,12-19)

21 Als sie nun in die Nähe von Jerusalem
kamen, nach Betfage an den Ölberg,
sandte Jesus zwei Jünger voraus 2 und
sprach zu ihnen: Geht hin in das Dorf, das
vor euch liegt. Und sogleich werdet ihr
eine Eselin angebunden finden und ein
Füllen bei ihr; bindet sie los und führt sie
zu mir! 3 Und wenn euch jemand etwas
sagen wird, so sprecht: Der Herr bedarf
ihrer. Sogleich wird er sie euch überlas-

20,16 ***a*** Kap 19,30 **20,18** ***a*** Joh 2,13 ***b*** Kap 16,21; 17,22-23 **20,20** ***a*** Kap 10,2 **20,21** ***a*** Kap 13,41; 16,28 ***b*** Kap 19,28 **20,22** ***a*** Kap 26,39 **20,23** ***a*** Apg 12,2 **20,24** ***a*** (24-28) Lk 22,24-27 **20,26** ***a*** Kap 23,11; 1. Kor 9,19 **20,27** ***a*** Mk 9,35 **20,28** ***a*** Phil 2,7 ***b*** Kap 26,28; 1. Tim 2,6; 1. Petr 1,18-19 **20,30** ***a*** Kap 9,27 **21,3** ***a*** Kap 26,18

sen.[a] 4 Das geschah aber, auf dass erfüllt
würde, was gesagt ist durch den Prophe-
ten, der da spricht (Sacharja 9,9): 5 »Sagt der
Tochter Zion: Siehe, dein König kommt
zu dir sanftmütig und reitet auf einem
Esel und auf einem Füllen, dem Jungen
eines Lasttiers.«

6 Die Jünger gingen hin und taten, wie
ihnen Jesus befohlen hatte, 7 und brachten
die Eselin und das Füllen und legten ihre
Kleider darauf, und er setzte sich darauf.
8 Aber eine sehr große Menge [a]breitete
ihre Kleider auf den Weg; andere hieben
Zweige von den Bäumen und streuten sie
auf den Weg. 9 Das Volk aber, das ihm vor-
anging und nachfolgte, schrie und sprach:
[a]**Hosianna dem Sohn Davids! Gelobt
sei, der da kommt in dem Namen des
Herrn! Hosianna in der Höhe!**

10 Und als er in Jerusalem einzog, erregte
sich die ganze Stadt und sprach: Wer ist
der? 11 Das Volk aber sprach: Das ist [a]der
Prophet Jesus aus Nazareth in Galiläa.

DIE TEMPELREINIGUNG

(Mk 11,15-19; Lk 19,45-48; Joh 2,13-16)

12 Und Jesus ging in den Tempel hinein
und trieb hinaus alle Verkäufer und Käufer
im Tempel und stieß die Tische der Geld-
wechsler um und die Stände der Tauben-
händler 13 und sprach zu ihnen: Es steht
geschrieben (Jesaja 56,7): »Mein Haus soll
ein Bethaus heißen«; ihr aber macht eine
[a]Räuberhöhle daraus.

14 Und es kamen zu ihm Blinde und
Lahme im Tempel, und er heilte sie. 15 Als
aber die Hohenpriester und Schriftgelehr-
ten die Wunder sahen, die er tat, und die
Kinder, die im Tempel schrien und sagten:
Hosianna dem Sohn Davids!, entrüsteten
sie sich 16 und sprachen zu ihm: Hörst du
auch, was diese sagen? Jesus sprach zu
ihnen: Ja! Habt ihr nie gelesen (Psalm 8,3):
»Aus dem Munde der Unmündigen und
Säuglinge hast du dir Lob bereitet«? 17 Und
er ließ sie stehen und ging zur Stadt hinaus
nach Betanien und blieb dort über Nacht.

DER VERDORRTE FEIGENBAUM

(Mk 11,12-14; 11,20-24)

18 Als er aber am Morgen wieder in die
Stadt ging, hungerte ihn. 19 Und er sah
einen Feigenbaum an dem Wege, ging
hinzu und [a]fand nichts daran als Blät-
ter und sprach zu ihm: Nie mehr wachse
Frucht auf dir in Ewigkeit! Und der Fei-
genbaum verdorrte sogleich.

20 Und als das die Jünger sahen, verwun-
derten sie sich und sprachen: Wie ist der
Feigenbaum so plötzlich verdorrt? 21 Je-
sus aber antwortete und sprach zu ihnen:
Wahrlich, ich sage euch: Wenn ihr Glau-
ben habt und nicht zweifelt, so werdet ihr
solches nicht allein mit dem Feigenbaum
tun, sondern, [a]wenn ihr zu diesem Berge
sagt: Heb dich und wirf dich ins Meer!, so
wird's geschehen. 22 Und **alles, was ihr
bittet im Gebet: so ihr glaubt, werdet
ihr's empfangen.**

DIE FRAGE NACH JESU VOLLMACHT

(Mk 11,27-33; Lk 20,1-8)

23 Und als er in den Tempel kam und
lehrte, traten die Hohenpriester und die
Ältesten des Volkes zu ihm und sprachen:
[a]Aus welcher Vollmacht tust du das, und
wer hat dir diese Macht gegeben? 24 Jesus
aber antwortete und sprach zu ihnen: Ich
will euch auch eine Sache fragen; wenn ihr
mir die sagt, will ich euch auch sagen, aus
welcher Vollmacht ich das tue. 25 Woher
war die Taufe des Johannes? War sie vom
Himmel oder von den Menschen?

Da bedachten sie's bei sich selbst und
sprachen: Sagen wir, sie war vom Him-
mel, so wird er zu uns sagen: Warum habt
ihr ihm dann nicht geglaubt? 26 Sagen wir
aber, sie war von Menschen, so müssen
wir uns vor dem Volk fürchten, denn sie
[a]halten alle Johannes für einen Prophe-
ten. 27 Und sie antworteten Jesus und
sprachen: Wir wissen's nicht. Da sprach
er zu ihnen: So sage ich euch auch nicht,
aus welcher Vollmacht ich das tue.

VON DEN UNGLEICHEN SÖHNEN

28 Was meint ihr aber? Es hatte ein Mann
zwei Söhne und ging zu dem ersten und
sprach: Mein Sohn, geh hin und arbeite
heute im Weinberg. 29 Er antwortete aber
und sprach: Ich will nicht. Danach aber
reute es ihn, und er ging hin. 30 Und der

21,8 *a* 2. Kön 9,13 **21,9** *a* Ps 118,25-26 **21,11** *a* Vers 46; Lk 7,16; Joh 4,19 **21,13** *a* Jer 7,11 **21,19** *a* Lk 13,6 **21,21** *a* Kap 17,20 **21,23** *a* Joh 2,18; Apg 4,7 **21,26** *a* Kap 14,5

Vater ging zum andern Sohn und sagte
dasselbe. Der aber antwortete und sprach:
[a]Ja, Herr!, und ging nicht hin. 31 Wer von
den beiden hat des Vaters Willen getan?
Sie sprachen: Der erste. Jesus sprach zu
ihnen: Wahrlich, ich sage euch: Die [a]Zöll-
ner und Huren kommen eher ins Reich
Gottes als ihr. 32 Denn Johannes kam zu
euch und wies euch den Weg der Gerech-
tigkeit, und ihr glaubtet ihm nicht; aber
[a]die Zöllner und Huren glaubten ihm.
Und obwohl ihr's saht, reute es euch nicht,
sodass ihr ihm danach geglaubt hättet.

VON DEN BÖSEN WEINGÄRTNERN

(Mk 12,1-12; Lk 20,9-19)

33 Hört ein anderes Gleichnis: Es war ein
Hausherr, der [a]pflanzte einen Weinberg
und zog einen Zaun darum und grub
eine Kelter darin und baute einen Turm
und verpachtete ihn an Weingärtner und
ging außer Landes. 34 Als nun die Zeit
der Früchte herbeikam, sandte er seine
Knechte zu den Weingärtnern, damit sie
seine Früchte empfingen. 35 Da nahmen
die Weingärtner seine [a]Knechte: Den
einen schlugen sie, den zweiten töteten
sie, den dritten steinigten sie. 36 Aber-
mals sandte er andere Knechte, mehr als
die ersten; und sie taten mit ihnen das-
selbe. 37 Zuletzt aber sandte er seinen Sohn
zu ihnen und sagte sich: Sie werden sich
vor meinem Sohn scheuen. 38 Als aber die
Weingärtner den Sohn sahen, sprachen
sie zueinander: Das ist der Erbe; kommt,
lasst uns ihn töten und sein Erbe an uns
bringen![a] 39 Und sie nahmen ihn und stie-
ßen ihn zum Weinberg hinaus und töte-
ten ihn.

40 Wenn nun der Herr des Weinbergs
kommen wird, was wird er mit diesen
Weingärtnern tun? 41 Sie sprachen zu
ihm: Er wird den Bösen ein böses Ende
bereiten und seinen Weinberg andern
Weingärtnern verpachten, die ihm die
Früchte zur rechten Zeit geben.

42 Jesus sprach zu ihnen: Habt ihr nie
gelesen in der Schrift (Psalm 118,22-23): »Der
[a]Stein, den die Bauleute verworfen ha-
ben, der ist zum Eckstein geworden. Vom
Herrn ist das geschehen, und er ist ein
Wunder vor unsern Augen*«? 43 Darum
sage ich euch: Das Reich Gottes wird von
euch genommen und einem Volk gegeben
werden, das seine Früchte bringt. 44 Und
wer auf diesen Stein fällt, der wird zer-
schellen; auf wen aber er fällt, den wird er
zermalmen.*

45 Und als die Hohenpriester und die
Pharisäer seine Gleichnisse hörten, er-
kannten sie, dass er von ihnen redete.
46 Und sie trachteten danach, ihn zu ergrei-
fen; aber sie fürchteten sich vor dem Volk,
denn es hielt ihn für einen [a]Propheten.

DIE KÖNIGLICHE HOCHZEIT

(Lk 14,16-24)

22 Und Jesus fing an und redete abermals
in Gleichnissen zu ihnen und sprach:
2 Das Himmelreich gleicht einem König,
der seinem Sohn die Hochzeit ausrich-
tete.[a] 3 Und er sandte seine Knechte aus,
die Gäste zur Hochzeit zu rufen; doch
sie wollten nicht kommen. 4 Abermals
sandte er andere Knechte aus und sprach:
Sagt den Gästen: Siehe, meine Mahlzeit
habe ich bereitet, meine Ochsen und
mein Mastvieh ist geschlachtet und alles
ist bereit; kommt zur Hochzeit! 5 Aber sie
verachteten das und gingen weg, einer
auf seinen Acker, der andere an sein Ge-
schäft. 6 Die Übrigen aber ergriffen seine
Knechte, verhöhnten und töteten sie.[a]
7 Da wurde der König zornig und schickte
seine Heere aus und brachte diese Mörder
um und zündete ihre Stadt an.[a]

8 Dann sprach er zu seinen Knechten:
Die Hochzeit ist zwar bereit, aber die
Gäste waren's nicht wert. 9 Darum geht
hinaus auf die Straßen und ladet zur
Hochzeit ein, wen ihr findet. 10 Und die
Knechte gingen auf die Straßen hinaus
und brachten zusammen, [a]alle, die sie fan-
den, Böse und Gute; und der Hochzeits-
saal war voll mit Gästen.

11 Da ging der König hinein zum Mahl,
sich die Gäste anzusehen, und sah da
einen Menschen, der hatte [a]kein hochzeit-

* **21,42** Andere Übersetzung: »Vom Herrn ist er das geworden, und er ist wunderbar vor unsern Augen«.
21,44 Dieser Vers fehlt in alten Handschriften.

21,30 *a* Kap 7,21 **21,31** *a* Lk 18,9-14 **21,32** *a* Lk 3,12; 7,29 **21,33** *a* Jes 5,1-2 **21,35** *a* Kap 22,6 **21,38** *a* Kap 26,3-5; Joh 1,11 **21,42** *a* Apg 4,11; 1. Petr 2,4-8 **21,46** *a* Vers 11 **22,2** *a* Joh 3,29; Offb 19,7-9 **22,6** *a* Kap 21,35 **22,7** *a* Kap 24,2 **22,10** *a* Kap 13,47 **22,11** *a* Offb 19,8

liches Gewand an, 12 und sprach zu ihm:
Freund, wie bist du hier hereingekom-
men und hast doch kein hochzeitliches
Gewand an? Er aber verstummte. 13 Da
sprach der König zu seinen Dienern: Bin-
det ihm Hände und Füße und werft ihn
in die äußerste Finsternis! Da wird sein
Heulen und Zähneklappern.
14 Denn viele sind berufen, aber wenige
sind auserwählt.

DIE FRAGE NACH DER STEUER (DER ZINSGROSCHEN)

(Mk 12,13-17; Lk 20,20-26)

15 Da gingen die Pharisäer hin und hielten
Rat, dass sie ihn fingen in seinen Worten,
16 und sandten zu ihm ihre Jünger samt
den Anhängern des Herodes*. Die spra-
chen: [a]Meister, wir wissen, dass du wahr-
haftig bist und lehrst den Weg Gottes
recht und fragst nach niemand; denn du
achtest nicht das Ansehen der Menschen.
17 Darum sage uns, was meinst du: Ist's
recht, dass man dem Kaiser Steuern zahlt,
oder nicht?
18 Da nun Jesus ihre Bosheit merkte,
sprach er: Ihr Heuchler, was versucht ihr
mich? 19 Zeigt mir die Steuermünze! Und
sie reichten ihm einen Silbergroschen.
20 Und er sprach zu ihnen: Wessen Bild
und Aufschrift ist das? 21 Sie sprachen zu
ihm: Des Kaisers. Da sprach er zu ihnen:
**So gebt dem Kaiser, was des Kaisers ist,
und Gott, was Gottes ist!**[a] 22 Als sie das
hörten, wunderten sie sich, ließen von
ihm ab und gingen davon.

DIE FRAGE NACH DER AUFERSTEHUNG

(Mk 12,18-27; Lk 20,27-40)

23 An demselben Tage traten Sadduzäer
zu ihm, [a]die sagen, es gebe keine Auf-
erstehung, und fragten ihn 24 und spra-
chen: Meister, Mose hat gesagt (5. Mose
25,5): »Wenn einer stirbt und hat keine
Kinder, so soll sein Bruder die Frau hei-
raten und seinem Bruder Nachkommen
erwecken.«[a] 25 Nun waren bei uns sieben
Brüder. Der erste heiratete und starb; und
weil er keine Nachkommen hatte, hinter-
ließ er seine Frau seinem Bruder; 26 des-
gleichen der zweite und der dritte bis zum
siebenten. 27 Zuletzt nach allen starb die
Frau. 28 Nun in der Auferstehung: Wessen
Frau wird sie sein von diesen sieben? Sie
haben sie ja alle gehabt.
29 Jesus aber antwortete und sprach zu
ihnen: Ihr irrt, weil ihr weder die Schrift
kennt noch die Kraft Gottes. 30 Denn in
der Auferstehung werden sie weder hei-
raten noch sich heiraten lassen, sondern
sie sind wie Engel im Himmel. 31 Habt ihr
denn nicht gelesen von der Auferstehung
der Toten, was euch gesagt ist von Gott,
der da spricht (2. Mose 3,6): 32 »Ich bin der
Gott Abrahams und der Gott Isaaks und
der Gott Jakobs«? **Gott ist nicht ein Gott
der Toten, sondern der Lebenden.**
33 Und als das Volk das hörte, entsetzten
sie sich über seine Lehre.

DIE FRAGE NACH DEM HÖCHSTEN GEBOT

(Mk 12,28-31; Lk 10,25-28)

34 Als aber die Pharisäer hörten, dass er
den Sadduzäern das Maul gestopft hatte,
versammelten sie sich. 35 Und einer von
ihnen, ein Lehrer des Gesetzes, versuchte
ihn und fragte: 36 Meister, welches ist das
höchste Gebot im Gesetz? 37 Jesus aber
sprach zu ihm: **»Du sollst den Herrn,
deinen Gott, lieben von ganzem Her-
zen, von ganzer Seele und von gan-
zem Gemüt*«** (5. Mose 6,5). 38 **Dies ist das
höchste und erste Gebot.** 39 **Das andere
aber ist dem gleich: »Du sollst dei-
nen Nächsten lieben wie dich selbst«**
(3. Mose 19,18). 40 **In diesen beiden Gebo-
ten hängt das ganze Gesetz und die
Propheten.**[a]

DER SOHN DAVIDS

(Mk 12,34-37; Lk 20,40-44)

41 Als nun die Pharisäer beieinander wa-
ren, fragte sie Jesus 42 und sprach: Was
denkt ihr von dem Christus? Wessen
Sohn ist er? Sie sprachen zu ihm: [a]Da-
vids. 43 Er sprach zu ihnen: Wie nennt ihn
dann David im Geist »Herr«, wenn er sagt
(Psalm 110,1): 44 »Der Herr sprach zu meinem
Herrn: [a]Setze dich zu meiner Rechten, bis
ich deine Feinde unter deine Füße lege«?

* **22,16** Siehe Sach- und Worterklärungen zu »Herodes«. **22,37** Siehe Sach- und Worterklärungen.

22,16 ***a*** Joh 3,2 **22,21** ***a*** Röm 13,7 **22,23** ***a*** Apg 4,2; 23,6.8
22,24 ***a*** 1. Mose 38,8 **22,40** ***a*** Kap 7,12; Röm 13,9-10
22,42 ***a*** Jes 11,1; Joh 7,42 **22,44** ***a*** Kap 26,64

[45]Wenn nun David ihn Herr nennt, wie
ist er dann sein Sohn? [46]Und niemand
konnte ihm ein Wort antworten, auch
wagte niemand von dem Tage an, ihn hin-
fort zu fragen.

GEGEN DIE SCHRIFTGELEHRTEN UND PHARISÄER

(Mk 12,38-40; Lk 20,45-47; 11,39-52)

23 Da redete Jesus zu dem Volk und zu
seinen Jüngern [2]und sprach: Auf dem
Stuhl des Mose sitzen die Schriftgelehrten
und die Pharisäer. [3]Alles nun, was sie euch
sagen, das tut und haltet; aber nach ihren
Werken sollt ihr nicht handeln; denn [a]sie
sagen's zwar, tun's aber nicht. [4][a]Sie binden
schwere und unerträgliche Bürden und le-
gen sie den Menschen auf die Schultern;
aber sie selbst wollen keinen Finger dafür
rühren.

[5]Alle ihre Werke aber tun sie, [a]damit
sie von den Leuten gesehen werden. Sie
machen ihre [b]Gebetsriemen breit und die
Quasten an ihren Kleidern groß.* [6]Sie [a]sit-
zen gern obenan beim Gastmahl und in
den Synagogen [7]und haben's gern, dass sie
auf dem Markt gegrüßt und von den Leu-
ten Rabbi genannt werden. [8]Aber ihr sollt
euch nicht Rabbi nennen lassen; denn
**einer ist euer Meister; ihr aber seid alle
Brüder.** [9]Und ihr sollt niemand euren Va-
ter nennen auf Erden; denn einer ist euer
Vater: der im Himmel. [10]Und ihr sollt euch
nicht Lehrer nennen lassen; denn einer ist
euer Lehrer: Christus. [11]Der Größte un-
ter euch soll euer Diener sein.[a] [12]**Wer sich
selbst erhöht, der wird erniedrigt wer-
den; und wer sich selbst erniedrigt, der
wird erhöht werden.**[a]

[13]Weh euch, Schriftgelehrte und Pha-
risäer, ihr Heuchler, die ihr das Himmel-
reich zuschließt vor den Menschen! Ihr
geht nicht hinein und die hineinwollen,
lasst ihr nicht hineingehen.*

[15]Weh euch, Schriftgelehrte und Phari-
säer, ihr Heuchler, die ihr Land und Meer
durchzieht, damit ihr einen Proselyten*
gewinnt; und wenn er's geworden ist,
macht ihr aus ihm ein Kind der Hölle, dop-
pelt so schlimm wie ihr.

[16][a]Weh euch, ihr [b]blinden Führer, die
ihr sagt: Wenn einer schwört bei dem
Tempel, das gilt nicht; wenn aber einer
schwört bei dem Gold des Tempels, der
ist gebunden. [17]Ihr Narren und Blinden!
Was ist denn größer: das Gold oder der
Tempel, der das Gold heiligt? [18]Und:
Wenn einer schwört bei dem Altar, das gilt
nicht; wenn aber einer schwört bei dem
Opfer, das darauf liegt, der ist gebunden.
[19]Ihr Blinden! Was ist denn größer: das
Opfer oder der Altar, der das Opfer hei-
ligt? [20]Darum, wer schwört bei dem Al-
tar, der schwört bei ihm und bei allem,
was darauf liegt. [21]Und wer schwört bei
dem Tempel, der schwört bei ihm und bei
dem, der darin wohnt. [22]Und wer schwört
bei dem Himmel, der schwört bei dem
Thron Gottes und bei dem, der darauf
sitzt.

[23]Weh euch, Schriftgelehrte und Pha-
risäer, ihr Heuchler, die ihr den [a]Zehnten
gebt von Minze, Dill und Kümmel und
lasst das [b]Wichtigste im Gesetz beiseite,
nämlich das Recht, die Barmherzigkeit
und den Glauben! Doch dies sollte man
tun und jenes nicht lassen. [24]Ihr blinden
Führer, die ihr Mücken aussiebt, aber Ka-
mele verschluckt!

[25]Weh euch, Schriftgelehrte und Pha-
risäer, ihr Heuchler, [a]die ihr die Becher
und Schüsseln außen reinigt, innen aber
sind sie voller Raub und Gier! [26]Du [a]blin-
der Pharisäer, reinige zuerst das Innere
des Bechers, damit auch das Äußere rein
werde![b]

[27]Weh euch, Schriftgelehrte und Pha-
risäer, ihr Heuchler, die ihr seid wie die
übertünchten Gräber, die von außen
hübsch scheinen, aber innen sind sie vol-
ler Totengebeine und lauter Unrat! [28]So
auch ihr: Von außen scheint ihr vor den
Menschen gerecht, aber innen seid ihr vol-
ler Heuchelei und missachtet das Gesetz.

* **23,5** Siehe Sach- und Worterklärungen zu »Quasten« und »Gebetsriemen«. **23,13** Vers 14 findet sich erst in der späteren Überlieferung: »Weh euch, Schriftgelehrte und Pharisäer, ihr Heuchler, die ihr die Häuser der Witwen fresst und zum Schein lange Gebete verrichtet! Darum werdet ihr ein umso härteres Urteil empfangen« (vgl. Mk 12,40). **23,15** Siehe Sach- und Worterklärungen.

23,3 ***a*** Röm 2,21-23 **23,4** ***a*** Kap 11,28-30; Apg 15,10.28 **23,5** ***a*** Kap 6,1 ***b*** 4. Mose 15,38-39 **23,6** ***a*** Lk 14,7 **23,11** ***a*** Kap 20,26-27 **23,12** ***a*** Hiob 22,29; Spr 29,23; Hes 21,31; Lk 14,11; 1. Petr 5,6 **23,16** ***a*** (*16-22*) Kap 5,34-37 ***b*** Kap 15,14 **23,23** ***a*** 3. Mose 27,30; Lk 18,12 ***b*** Mi 6,8 **23,25** ***a*** Mk 7,4 **23,26** ***a*** Joh 9,40 ***b*** Tit 1,15

29 Weh euch, Schriftgelehrte und Phari-
säer, ihr Heuchler, die ihr den Propheten
Grabmäler baut und schmückt die Gräber
der Gerechten 30 und sprecht: Hätten wir
zu Zeiten unserer Väter gelebt, so wären
wir nicht mit ihnen schuldig geworden
am Blut der Propheten! 31 Damit bezeugt
ihr von euch selbst, dass ihr Kinder derer
seid, [a]die die Propheten getötet haben.
32 Wohlan, macht auch ihr das Maß eurer
Väter voll! 33 Ihr Schlangen, ihr Otternge-
zücht! Wie wollt ihr der höllischen Ver-
dammnis entrinnen?[a]

34 Darum: Siehe, ich sende zu euch Pro-
pheten und Weise und Schriftgelehrte;
von ihnen werdet ihr einige töten und
kreuzigen, und einige werdet ihr [a]geißeln
in euren Synagogen und werdet sie ver-
folgen von einer Stadt zur andern, 35 auf
dass [a]über euch komme all das gerechte
Blut, das vergossen ist auf Erden, vom
Blut [b]Abels, des Gerechten, bis zum Blut
[c]Secharjas, des Sohnes Berechjas, den ihr
getötet habt zwischen Tempel und Altar.
36 Wahrlich, ich sage euch: Das alles wird
über dieses Geschlecht kommen.

KLAGE ÜBER JERUSALEM

(Lk 13,34-35)

37 Jerusalem, Jerusalem, die du tötest die
Propheten und steinigst, die zu dir ge-
sandt sind! Wie oft habe ich deine Kinder
versammeln wollen, wie eine Henne ihre
Küken versammelt unter ihre Flügel; und
ihr habt nicht gewollt! 38 Siehe, »euer Haus
soll euch wüst gelassen werden« (Jeremia
22,5; Psalm 69,26).[a] 39 Denn ich sage euch: Ihr
werdet mich von jetzt an nicht sehen, bis
ihr sprecht: [a]Gelobt sei, der da kommt im
Namen des Herrn!

JESU REDE ÜBER DIE ENDZEIT

Kapitel 24,1–25,46

DAS ENDE DES TEMPELS

(Mk 13,1-2; Lk 21,5-6)

24 Und Jesus ging aus dem Tempel fort
und seine Jünger traten zu ihm und
zeigten ihm die Gebäude des Tempels.
2 Er aber antwortete und sprach zu ih-
nen: Seht ihr nicht das alles? Wahrlich,
ich sage euch: [a]Es wird hier nicht ein
Stein auf dem andern bleiben, der nicht
zerbrochen werde.

DIE VORZEICHEN

(Mk 13,3-13; Lk 21,7-19)

3 Und als er auf dem Ölberg saß, traten
seine Jünger zu ihm und sprachen, als sie
allein waren: Sage uns, wann wird das ge-
schehen? Und was wird das Zeichen sein
für dein Kommen und für das Ende der
Welt?[a] 4 Jesus aber antwortete und sprach
zu ihnen: Seht zu, dass euch nicht jemand
verführe. 5 Denn es werden viele [a]kom-
men unter meinem Namen und sagen:
[b]Ich bin der Christus, und sie werden viele
verführen. 6 Ihr werdet hören von Krie-
gen und Kriegsgeschrei; seht zu und er-
schreckt nicht. Denn es muss geschehen.
Aber es ist noch nicht das Ende. 7 Denn es
wird sich ein Volk gegen das andere erhe-
ben und ein Königreich gegen das andere;
und es werden Hungersnöte sein und Erd-
beben hier und dort. 8 Das alles aber ist der
Anfang der Wehen.

9 [a]Dann werden sie euch der Bedrängnis
überantworten und euch töten. Und ihr
werdet gehasst werden um meines Na-
mens willen von allen Völkern. 10 Dann
werden viele zu Fall kommen und wer-
den sich untereinander verraten und sich
untereinander hassen. 11 Und es werden
sich viele [a]falsche Propheten erheben und
werden viele verführen. 12 Und weil die
Missachtung des Gesetzes überhandneh-
men wird, wird die Liebe in vielen erkal-
ten.[a] 13 **Wer aber beharrt bis ans Ende,
der wird selig.**[a] 14 Und es wird gepredigt
werden dies Evangelium vom Reich in der
ganzen Welt zum Zeugnis für [a]alle Völker,
und dann wird das Ende kommen.

DIE GROSSE BEDRÄNGNIS

(Mk 13,14-23; Lk 21,20-24)

15 Wenn ihr nun sehen werdet den Gräuel
der Verwüstung stehen an der heiligen
Stätte, wovon gesagt ist durch den Pro-

23,31 *a* Neh 9,26; Jer 26,20-23; Kap 5,12; Apg 7,52
23,33 *a* Kap 3,7 **23,34** *a* Kap 10,17 **23,35** *a* Kap 27,25
b 1. Mose 4,8 *c* 2. Chr 24,20-21 **23,38** *a* 1. Kön 9,7-8
23,39 *a* Kap 21,9; Ps 118,26 **24,2** *a* Lk 19,44
24,3 *a* Apg 1,6-8 **24,5** *a* Joh 5,43 *b* 1. Joh 2,18
24,9 *a* (9-10) Kap 10,21-22; Joh 16,2 **24,11** *a* 2. Petr 2,1;
1. Joh 4,1 **24,12** *a* 2. Tim 3,1-5 **24,13** *a* Kap 10,22;
Offb 13,10 **24,14** *a* Kap 28,19

pheten Daniel (Daniel 9,27; 11,31) – wer das
liest, der merke auf! –, 16 alsdann fliehe auf
die Berge, wer in Judäa ist; 17 [a]und wer auf
dem Dach ist, der steige nicht hinunter,
etwas aus seinem Hause zu holen; 18 und
wer auf dem Feld ist, der kehre nicht zu-
rück, seinen Mantel zu holen. 19 Weh aber
den Schwangeren und den Stillenden
in jenen Tagen![a] 20 Bittet aber, dass eure
Flucht nicht geschehe im Winter oder am
Sabbat. 21 Denn [a]es wird dann eine große
Bedrängnis sein, wie sie nicht gewesen
ist vom Anfang der Welt bis jetzt und
auch nicht wieder werden wird. 22 Und
wenn jene Tage nicht verkürzt würden,
so würde kein Mensch gerettet werden;
aber um der Auserwählten willen werden
diese Tage verkürzt.
23 Wenn dann jemand zu euch sagen
wird: Siehe, hier ist der Christus!, oder:
Da!, so sollt ihr's nicht glauben. 24 Denn
es werden falsche Christusse und [a]falsche
Propheten aufstehen und [b]große Zei-
chen und Wunder tun, sodass sie, wenn
es möglich wäre, auch die Auserwählten
verführten. 25 Siehe, ich habe es euch vor-
ausgesagt. 26 [a]Wenn sie also zu euch sagen
werden: Siehe, er ist in der Wüste!, so
geht nicht hinaus; siehe, er ist drinnen im
Haus!, so glaubt es nicht. 27 Denn wie der
Blitz ausgeht vom Osten und leuchtet bis
zum Westen, so wird auch das Kommen
des Menschensohns sein. 28 Wo das Aas
ist, da sammeln sich die Geier.[a]

DAS KOMMEN DES MENSCHENSOHNS

(Mk 13,24-27; Lk 21,25-28)

29 Sogleich aber nach der Bedrängnis jener
Tage wird die [a]Sonne sich verfinstern und
der Mond seinen Schein verlieren, und
die Sterne werden vom Himmel fallen
und [b]die Kräfte der Himmel werden ins
Wanken kommen. 30 Und dann wird er-
scheinen das Zeichen des Menschensohns
am Himmel. Und dann werden [a]wehkla-
gen alle Stämme der Erde und werden [b]se-
hen den Menschensohn kommen auf den
Wolken des Himmels mit großer Kraft
und Herrlichkeit. 31 Und er wird seine
Engel senden mit hellen [a]Posaunen, und
sie werden seine Auserwählten sammeln
von den vier Winden, von einem Ende des
Himmels bis zum andern.

MAHNUNG ZUR WACHSAMKEIT

(Mk 13,28-32; Lk 21,29-33; 12,39-40)

32 An dem Feigenbaum lernt ein Gleichnis:
Wenn seine Zweige jetzt saftig werden
und Blätter treiben, so wisst ihr, dass der
Sommer nahe ist. 33 Ebenso auch: Wenn
ihr das alles seht, so wisst, dass er nahe vor
der Tür ist. 34 Wahrlich, ich sage euch: Die-
ses Geschlecht wird nicht vergehen, bis
dies alles geschieht. 35 **Himmel und Erde
werden vergehen; aber meine Worte
werden nicht vergehen.**[a] 36 Von dem Tage
aber und von der Stunde weiß niemand,
auch die Engel im Himmel nicht, auch der
Sohn nicht, sondern allein der Vater.[a]
37 [a]Denn wie es in den Tagen Noahs war,
so wird es sein beim Kommen des Men-
schensohns. 38 Denn wie sie waren in den
Tagen vor der Sintflut – sie aßen, sie tran-
ken, sie heirateten und ließen heiraten
bis an den Tag, an dem Noah in die Arche
hineinging; 39 und sie beachteten es nicht,
bis die Sintflut kam und raffte sie alle da-
hin –, so wird es auch sein beim Kommen
des Menschensohns. 40 Dann werden zwei
auf dem Felde sein; der eine wird ange-
nommen, der andere wird preisgegeben.
41 Zwei Frauen werden mahlen mit der
Mühle; die eine wird angenommen, die
andere wird preisgegeben.[a]
42 Darum **wachet; denn ihr wisst nicht,
an welchem Tag euer Herr kommt.**[a]
43 Das sollt ihr aber wissen: Wenn ein
Hausherr wüsste, [a]zu welcher Stunde in
der Nacht der Dieb kommt, so würde er
ja wachen und nicht in sein Haus einbre-
chen lassen. 44 Darum seid auch ihr bereit!
Denn der Menschensohn kommt zu einer
Stunde, da ihr's nicht meint.

VOM TREUEN UND VOM BÖSEN KNECHT

(Lk 12,41-46)

45 Wer ist nun der treue und kluge
Knecht, den der Herr über sein Gesinde

24,17 ***a*** (17-18) Lk 17,31 **24,19** ***a*** Lk 23,29 **24,21** ***a*** Dan 12,1
24,24 ***a*** Kap 7,15; 5. Mose 13,2-4 ***b*** 2. Thess 2,8-9;
Offb 13,13 **24,26** ***a*** (26-27) Lk 17,23-24 **24,28** ***a*** Lk 17,37;
Offb 19,17-18 **24,29** ***a*** Jes 13,10; Joel 2,10; Offb 6,12-13
b 2. Petr 3,10 **24,30** ***a*** Offb 1,7 ***b*** Kap 26,64; Dan 7,13-14;
Offb 19,11-13 **24,31** ***a*** 1. Kor 15,52; Offb 8,2
24,35 ***a*** Kap 5,18; Jes 51,6 **24,36** ***a*** Apg 1,7
24,37 ***a*** (37-38) Lk 17,26-27; 1. Mose 6,9–7,23
24,41 ***a*** Lk 17,35 **24,42** ***a*** Kap 25,13; Mk 13,35
24,43 ***a*** 1. Thess 5,2

gesetzt hat, dass er ihnen zur rechten
Zeit Speise gebe? 46 Selig ist der Knecht,
den sein Herr, wenn er kommt, das
tun sieht. 47 Wahrlich, ich sage euch: Er
wird ihn über alle seine Güter setzen.[a]
48 Wenn aber der böse Knecht in sei-
nem Herzen sagt: [a]Mein Herr kommt
noch lange nicht, 49 und fängt an, seine
Mitknechte zu schlagen, isst und trinkt
mit den Betrunkenen, 50 dann wird der
Herr dieses Knechts kommen an einem
Tage, an dem er's nicht erwartet, und
zu einer Stunde, die er nicht kennt,
51 und er wird ihn in Stücke hauen las-
sen und ihm seinen Platz geben bei den
Heuchlern; da wird sein Heulen und
Zähneklappern.

VON DEN KLUGEN UND TÖRICHTEN JUNGFRAUEN

25 Dann wird das Himmelreich gleichen
zehn Jungfrauen, die ihre Lampen
nahmen und gingen hinaus, dem Bräu-
tigam entgegen.[a] 2 Aber fünf von ihnen
waren töricht und fünf waren klug. 3 Die
törichten nahmen ihre Lampen, aber sie
nahmen kein Öl mit. 4 Die klugen aber
nahmen Öl mit in ihren Gefäßen, samt
ihren Lampen.

5 Als nun der Bräutigam lange ausblieb,
wurden sie alle schläfrig und schliefen
ein. 6 Um Mitternacht aber erhob sich lau-
tes Rufen: Siehe, der Bräutigam kommt!
Geht hinaus, ihm entgegen! 7 Da standen
diese Jungfrauen alle auf und machten ihre
Lampen fertig.

8 Die törichten aber sprachen zu den klu-
gen: Gebt uns von eurem Öl, denn unsre
Lampen verlöschen. 9 Da antworteten die
klugen und sprachen: Nein, sonst würde
es für uns und euch nicht genug sein; geht
aber zu den Händlern und kauft für euch
selbst.

10 [a]Und als sie hingingen zu kaufen, kam
der Bräutigam; und die bereit waren, gin-
gen mit ihm hinein zur Hochzeit, und die
Tür wurde verschlossen. 11 Später kamen
auch die andern Jungfrauen und sprachen:
Herr, Herr, tu uns auf! 12 Er antwortete
aber und sprach: Wahrlich, ich sage euch:
[a]Ich kenne euch nicht.

13 Darum wachet! Denn ihr wisst weder
Tag noch Stunde.[a]

VON DEN ANVERTRAUTEN TALENTEN

(Lk 19,12-27)

14 Denn es ist wie mit einem Menschen, der
außer Landes ging: Er rief seine Knechte
und vertraute ihnen sein Vermögen an;
15 dem einen gab er fünf Zentner* Silber,
dem andern zwei, dem dritten einen, [a]je-
dem nach seiner Tüchtigkeit, und ging
außer Landes. Sogleich 16 ging der hin,
der fünf Zentner empfangen hatte, und
handelte mit ihnen und gewann weitere
fünf dazu. 17 Ebenso gewann der, der zwei
Zentner empfangen hatte, zwei weitere
dazu. 18 Der aber einen empfangen hatte,
ging hin, grub ein Loch in die Erde und
verbarg das Geld seines Herrn.

19 Nach langer Zeit kam der Herr dieser
Knechte und forderte Rechenschaft von
ihnen. 20 Da trat herzu, der fünf Zentner
empfangen hatte, und legte weitere fünf
Zentner dazu und sprach: Herr, du hast
mir fünf Zentner anvertraut; siehe da, ich
habe fünf Zentner dazugewonnen. 21 Da
sprach sein Herr zu ihm: **Recht so, du
guter und [a]treuer Knecht, du bist über
wenigem treu gewesen, ich will dich
über viel setzen; geh hinein zu deines
Herrn Freude!**

22 Da trat auch herzu, der zwei Zentner
empfangen hatte, und sprach: Herr, du
hast mir zwei Zentner anvertraut; siehe
da, ich habe zwei dazugewonnen. 23 Sein
Herr sprach zu ihm: Recht so, du guter
und treuer Knecht, du bist über wenigem
treu gewesen, ich will dich über viel set-
zen; geh hinein zu deines Herrn Freude!

24 Da trat auch herzu, der einen Zent-
ner empfangen hatte, und sprach: Herr,
ich wusste, dass du ein harter Mann bist:
Du erntest, wo du nicht gesät hast, und
sammelst ein, wo du nicht ausgestreut
hast; 25 und ich fürchtete mich, ging hin
und verbarg deinen Zentner in der Erde.
Siehe, da hast du das Deine. 26 Sein Herr
aber antwortete und sprach zu ihm: Du
böser und fauler Knecht! Wusstest du,
dass ich ernte, wo ich nicht gesät habe,
und einsammle, wo ich nicht ausgestreut

* **25,15** Griechisch: »Talente«.

24,47 *a* Kap 25,21.23 **24,48** *a* 2. Petr 3,4
25,1 *a* Lk 12,35-36; Offb 19,7 **25,10** *a* (10-12) Lk 13,25
25,12 *a* Kap 7,23 **25,13** *a* Kap 24,42.44 **25,15** *a* Röm 12,6
25,21 *a* Kap 24,45-47

habe? 27 Dann hättest du mein Geld zu den Wechslern bringen sollen, und wenn ich gekommen wäre, hätte ich das Meine wiederbekommen mit Zinsen. 28 Darum nehmt ihm den Zentner ab und gebt ihn dem, der zehn Zentner hat. 29 Denn wer da hat, dem wird gegeben werden, und er wird die Fülle haben; wer aber nicht hat, dem wird auch, was er hat, genommen werden.[a] 30 Und den unnützen Knecht werft hinaus in die äußerste Finsternis; da wird sein Heulen und Zähneklappern.

VOM WELTGERICHT

31 Wenn aber [a]der Menschensohn kommen wird in seiner Herrlichkeit und alle Engel mit ihm, dann [b]wird er sich setzen auf den Thron seiner Herrlichkeit, 32 und [a]alle Völker werden vor ihm versammelt werden. Und [b]er wird sie voneinander scheiden, wie ein Hirt die Schafe von den Böcken scheidet, 33 und wird die Schafe zu seiner Rechten stellen und die Böcke zur Linken.[a]

34 Da wird dann der König sagen zu denen zu seiner Rechten: Kommt her, ihr Gesegneten meines Vaters, ererbt das Reich, das euch bereitet ist von Anbeginn der Welt! 35 [a]Denn ich bin hungrig gewesen und ihr habt mir zu essen gegeben. Ich bin durstig gewesen und ihr habt mir zu trinken gegeben. Ich bin ein Fremder gewesen und ihr habt mich aufgenommen. 36 Ich bin nackt gewesen und ihr habt mich gekleidet. Ich bin krank gewesen und ihr habt mich besucht. Ich bin im Gefängnis gewesen und ihr seid zu mir gekommen.

37 Dann werden ihm die Gerechten antworten und sagen: Herr, wann haben wir dich hungrig gesehen und haben dir zu essen gegeben? Oder durstig und haben dir zu trinken gegeben? 38 Wann haben wir dich als Fremden gesehen und haben dich aufgenommen? Oder nackt und haben dich gekleidet? 39 Wann haben wir dich krank oder im Gefängnis gesehen und sind zu dir gekommen? 40 Und der König wird antworten und zu ihnen sagen: Wahrlich, ich sage euch: [a]**Was ihr getan habt einem von diesen meinen geringsten Brüdern, das habt ihr mir getan.**

41 Dann wird er auch sagen zu denen zur Linken: Geht weg von mir, ihr Verfluchten, in das [a]ewige Feuer, das bereitet ist dem Teufel und seinen Engeln! 42 Denn ich bin hungrig gewesen und ihr habt mir nicht zu essen gegeben. Ich bin durstig gewesen und ihr habt mir nicht zu trinken gegeben. 43 Ich bin ein Fremder gewesen und ihr habt mich nicht aufgenommen. Ich bin nackt gewesen und ihr habt mich nicht gekleidet. Ich bin krank und im Gefängnis gewesen und ihr habt mich nicht besucht.

44 Dann werden auch sie antworten und sagen: Herr, wann haben wir dich hungrig oder durstig gesehen oder als Fremden oder nackt oder krank oder im Gefängnis und haben dir nicht gedient? 45 Dann wird er ihnen antworten und sagen: Wahrlich, ich sage euch: Was ihr nicht getan habt einem von diesen Geringsten, das habt ihr mir auch nicht getan. 46 Und sie werden hingehen: diese zur ewigen Strafe, aber die Gerechten in das ewige Leben.[a]

JESU LEIDEN, STERBEN UND AUFERSTEHUNG

Kapitel 26,1–28,20

(Mk 14,1–16,20; Lk 22,1–24,53; Joh 13,1-38; 18,1–21,25)

26 Und es begab sich, als Jesus alle diese Reden vollendet hatte, sprach er zu seinen Jüngern: 2 Ihr wisst, dass in zwei Tagen [a]Passa ist; und [b]der Menschensohn wird überantwortet werden, dass er gekreuzigt werde.

DER PLAN DER HOHENPRIESTER UND DER ÄLTESTEN

3 Da versammelten sich die Hohenpriester und die Ältesten des Volkes im Palast des Hohenpriesters, der hieß [a]Kaiphas, 4 und hielten Rat, Jesus mit List zu ergreifen und zu töten. 5 Sie sprachen aber: Ja nicht bei dem Fest, damit es nicht einen Aufruhr gebe im Volk.

25,29 *a* Kap 13,12; Spr 11,24-25 **25,31** *a* Kap 16,27 *b* Offb 20,11-13 **25,32** *a* Röm 14,10 *b* Kap 13,49 **25,33** *a* Hes 34,17 **25,35** *a* (35-36) Jes 58,7 **25,40** *a* Kap 10,42; Spr 14,31; 19,17; Hebr 2,11 **25,41** *a* Offb 20,10.15 **25,46** *a* Joh 5,29; Jak 2,13 **26,2** *a* 2. Mose 12,1-20 *b* Kap 17,22; 20,18 **26,3** *a* Lk 3,2

DIE SALBUNG IN BETANIEN
(Lk 7,36-50; Joh 12,1-8)

6 Als nun Jesus in Betanien war im Hause
Simons des Aussätzigen, 7 trat zu ihm
eine Frau, die hatte ein Alabastergefäß
mit kostbarem Salböl und goss es auf sein
Haupt, als er zu Tisch saß. 8 Da das die Jün-
ger sahen, wurden sie unwillig und spra-
chen: Wozu diese Vergeudung? 9 Es hätte
teuer verkauft und das Geld den Armen
gegeben werden können.
10 Als Jesus das merkte, sprach er zu ih-
nen: Was bekümmert ihr die Frau? Sie hat
ein gutes Werk an mir getan. 11 Denn ihr
habt allezeit [a]Arme bei euch, mich aber
habt ihr nicht allezeit. 12 Dass sie dies Öl
auf meinen Leib gegossen hat, hat sie ge-
tan, dass sie mich für das Begräbnis be-
reite. 13 Wahrlich, ich sage euch: Wo dies
Evangelium gepredigt wird in der ganzen
Welt, da wird man auch sagen zu ihrem
Gedächtnis, was sie getan hat.

DER VERRAT DES JUDAS

14 Da ging einer von den Zwölfen, mit Na-
men Judas Iskariot, zu den Hohenpries-
tern 15 und sprach: [a]Was wollt ihr mir ge-
ben? Ich will ihn euch verraten. Und sie
boten ihm [b]dreißig Silberlinge. 16 Und von
da an suchte er eine Gelegenheit, dass er
ihn ausliefere.

DAS ABENDMAHL

17 Aber am ersten [a]Tag der Ungesäuerten
Brote traten die Jünger zu Jesus und spra-
chen: Wo willst du, dass wir dir das Pas-
salamm zum Essen bereiten? 18 Er sprach:
Geht hin in die Stadt zu einem und sprecht
zu ihm: Der Meister lässt dir sagen: Meine
Zeit ist nahe; ich will bei dir das Passa-
mahl halten mit meinen Jüngern.[a] 19 Und
die Jünger taten, wie ihnen Jesus befohlen
hatte, und bereiteten das Passalamm.
20 Und am Abend setzte er sich zu Tisch
mit den Zwölfen. 21 Und als sie aßen,
sprach er: Wahrlich, ich sage euch: Einer
unter euch wird mich verraten. 22 Und sie
wurden sehr betrübt und fingen an, jeder
einzeln zu ihm zu sagen: Herr, bin ich's?
23 Er antwortete und sprach: Der die Hand
mit mir in die Schüssel taucht, der wird
mich verraten. 24 Der Menschensohn geht
zwar dahin, wie von ihm geschrieben
steht; doch [a]weh dem Menschen, durch
den der Menschensohn verraten wird! Es
wäre für diesen Menschen besser, wenn
er nie geboren wäre. 25 Da antwortete Ju-
das, der ihn verriet, und sprach: Bin ich's,
Rabbi? Er sprach zu ihm: Du sagst es.
26 [a]Als sie aber aßen, nahm Jesus das
Brot, dankte und brach's und gab's den
Jüngern und sprach: Nehmet, esset; das
ist mein Leib. 27 Und er nahm den Kelch
und dankte, gab ihnen den und sprach:
Trinket alle daraus; 28 das ist mein [a]Blut
des Bundes*, das vergossen wird für
viele zur Vergebung der Sünden. 29 Ich
sage euch: Ich werde von nun an nicht
mehr von diesem Gewächs des Wein-
stocks trinken bis an den Tag, an dem ich
aufs Neue davon trinken werde mit euch
in meines Vaters Reich. 30 Und als sie den
[a]Lobgesang gesungen hatten, gingen sie
hinaus an den Ölberg.

DIE ANKÜNDIGUNG DER VERLEUGNUNG DES PETRUS

31 Da sprach Jesus zu ihnen: In dieser Nacht
werdet ihr euch alle ärgern an mir; denn es
steht geschrieben (Sacharja 13,7): »Ich werde
den Hirten schlagen, und [a]die Schafe der
Herde werden sich zerstreuen.« 32 Wenn
ich aber auferstanden bin, will ich vor euch
hingehen nach [a]Galiläa.
33 Petrus aber antwortete und sprach zu
ihm: Wenn sich auch alle an dir ärgern, so
will ich doch mich niemals ärgern. 34 Jesus
sprach zu ihm: Wahrlich, ich sage dir: In
dieser Nacht, ehe der Hahn kräht, wirst du
mich dreimal verleugnen. 35 Petrus sprach
zu ihm: Und wenn ich mit dir sterben
müsste, werde ich dich nicht verleugnen.
Das Gleiche sagten auch alle Jünger.

JESUS IN GETHSEMANE

36 Da kam Jesus mit ihnen zu einem Gar-
ten, der hieß Gethsemane, und sprach zu
den Jüngern: Setzt euch hierher, solange
ich dorthin gehe und bete. 37 Und [a]er nahm

* **26,28** Luther übersetzte: »des neuen Testaments«.

26,11 *a* 5. Mose 15,11 **26,15** *a* Joh 11,57 *b* Sach 11,12
26,17 *a* 2. Mose 12,18-20 **26,18** *a* Kap 21,3
26,24 *a* Lk 17,1-2 **26,26** *a* (26-28) 1. Kor 10,16; 11,23-25
26,28 *a* 2. Mose 24,8; Jer 31,31; Sach 9,11; Hebr 9,15-16
26,30 *a* Ps 113,1–118,29 **26,31** *a* Joh 16,32
26,32 *a* Kap 28,7 **26,37** *a* Kap 17,1

mit sich Petrus und die zwei Söhne des
Zebedäus und [b]fing an zu trauern und zu
zagen. 38 Da sprach Jesus zu ihnen: [a]Meine
Seele ist betrübt bis an den Tod; bleibt hier
und wachet mit mir!

39 Und er ging ein wenig weiter, fiel
nieder auf sein Angesicht und betete
und sprach: **Mein Vater, ist's möglich,
so gehe dieser [a]Kelch an mir vorüber;
doch [b]nicht, wie ich will, sondern wie
du willst!** 40 Und er kam zu seinen Jün-
gern und fand sie schlafend und sprach
zu Petrus: Konntet ihr denn nicht eine
Stunde mit mir wachen? 41 [a]**Wachet
und betet, dass ihr nicht in [b]Anfech-
tung fallt! Der Geist ist willig; aber das
Fleisch ist schwach.**

42 Zum zweiten Mal ging er wieder hin,
betete und sprach: Mein Vater, ist's nicht
möglich, dass dieser Kelch vorübergehe*,
ohne dass ich ihn trinke, so geschehe dein
Wille! 43 Und er kam und fand sie aber-
mals schlafend, und ihre Augen waren
voller Schlaf. 44 Und er ließ sie und ging
wieder hin und [a]betete zum dritten Mal
und redete abermals dieselben Worte.
45 Dann kam er zu den Jüngern und sprach
zu ihnen: Ach, wollt ihr weiter schla-
fen und ruhen? Siehe, die Stunde ist da,
dass der Menschensohn in die Hände der
Sünder überantwortet wird. 46 Steht auf,
lasst uns gehen! Siehe, er ist da, der mich
verrät.

JESU GEFANGENNAHME

47 Und als er noch redete, siehe, da kam Ju-
das, einer von den Zwölfen, und mit ihm
eine große Schar mit Schwertern und mit
Stangen, von den Hohenpriestern und
Ältesten des Volkes. 48 Und der Verräter
hatte ihnen ein Zeichen genannt und ge-
sagt: Welchen ich küssen werde, der ist's;
den ergreift. 49 Und alsbald trat er zu Je-
sus und sprach: Sei gegrüßt, Rabbi!, und
küsste ihn. 50 Jesus aber sprach zu ihm:
Mein Freund, dazu bist du gekommen? Da
traten sie heran und legten Hand an Jesus
und ergriffen ihn.

51 Und siehe, einer von denen, die bei
Jesus waren, streckte die Hand aus und
zog sein Schwert und schlug nach dem
Knecht des Hohenpriesters und hieb ihm
ein Ohr ab. 52 Da sprach Jesus zu ihm: Ste-
cke dein Schwert an seinen Ort! Denn
[a]wer das Schwert nimmt, der wird durchs
Schwert umkommen. 53 Oder meinst du,
ich könnte meinen Vater nicht bitten, und
er würde mir sogleich mehr als zwölf Legi-
onen [a]Engel schicken? 54 Wie würde dann
aber die Schrift erfüllt, dass es so gesche-
hen muss?

55 Zu der Stunde sprach Jesus zu der
Schar: Ihr seid ausgezogen wie gegen
einen Räuber mit Schwertern und mit
Stangen, mich gefangen zu nehmen?
Habe ich doch [a]täglich im Tempel geses-
sen und gelehrt, und ihr habt mich nicht
ergriffen. 56 Aber das ist alles geschehen,
auf dass erfüllt würden die Schriften der
Propheten. Da verließen ihn alle Jünger
und flohen.

JESUS VOR DEM HOHEN RAT

57 Die aber Jesus ergriffen hatten, führten
ihn zu dem Hohenpriester Kaiphas, wo
die Schriftgelehrten und die Ältesten sich
versammelt hatten. 58 Petrus aber folgte
ihm nach von ferne bis zum Palast des Ho-
henpriesters und ging hinein und setzte
sich zu den Knechten, um zu sehen, wo-
rauf es hinauswollte.

59 Die Hohenpriester aber und der ganze
Hohe Rat suchten falsches Zeugnis gegen
Jesus, dass sie ihn töteten, 60 und fanden
keins, obwohl viele falsche Zeugen her-
zutraten. Zuletzt aber traten zwei herzu
61 und sprachen: Er hat gesagt: Ich kann
[a]den Tempel Gottes abbrechen und in drei
Tagen aufbauen.[b] 62 Und der Hohepriester
stand auf und sprach zu ihm: Antwortest
du nichts auf das, was diese gegen dich
bezeugen? 63 Aber Jesus [a]schwieg still.
Und **der Hohepriester sprach zu ihm:
Ich beschwöre dich bei dem lebendi-
gen Gott, [b]dass du uns sagst, ob du der
Christus bist, der Sohn Gottes.** 64 **Jesus
sprach zu ihm: Du sagst es. Doch sage
ich euch: Von nun an werdet ihr sehen**

* **26,42** Luther übersetzte nach anderen Hand-
schriften: »von mir gehe«.

26,37 ***b*** Hebr 5,7 **26,38** ***a*** Joh 12,27 **26,39** ***a*** Joh 18,11
b Joh 6,38; Hebr 5,8 **26,41** ***a*** Eph 6,18 ***b*** Hebr 2,18
26,44 ***a*** 2. Kor 12,8 **26,52** ***a*** 1. Mose 9,6
26,53 ***a*** Kap 4,11; Ps 91,11-12 **26,55** ***a*** Lk 19,47
26,61 ***a*** Apg 6,14 ***b*** Joh 2,19-21 **26,63** ***a*** Kap 27,12;
Jes 53,7 ***b*** Joh 10,24

**den Menschensohn [a]sitzen zur Rech-
ten der Kraft und [b]kommen auf den
Wolken des Himmels.**
65 [a]Da zerriss der Hohepriester seine
Kleider und sprach: Er hat Gott geläs-
tert! Was bedürfen wir weiterer Zeugen?
Siehe, jetzt habt ihr die Gotteslästerung
gehört. 66 Was meint ihr? Sie antworte-
ten und sprachen: Er ist des Todes schul-
dig. 67 Da spien sie ihm ins Angesicht und
schlugen ihn mit Fäusten. Einige aber
schlugen ihn ins Angesicht[a] 68 und spra-
chen: Weissage uns, Christus, wer ist's,
der dich schlug?

DIE VERLEUGNUNG DES PETRUS

69 Petrus aber saß draußen im Hof. Und es
trat eine Magd zu ihm und sprach: Und du
warst auch mit dem Jesus aus Galiläa. 70 Er
leugnete aber vor ihnen allen und sprach:
Ich weiß nicht, was du sagst. 71 Als er aber
hinausging in die Torhalle, sah ihn eine
andere und sprach zu denen, die da wa-
ren: Dieser war auch mit dem [a]Jesus von
Nazareth*. 72 Und er leugnete abermals
und schwor dazu: Ich kenne den Men-
schen nicht.
73 Und nach einer kleinen Weile traten
hinzu, die da standen, und sprachen zu
Petrus: Wahrhaftig, du bist auch einer von
denen, denn deine Sprache verrät dich.
74 Da fing er an, sich zu verfluchen und zu
schwören: Ich kenne den Menschen nicht.
Und alsbald krähte der Hahn. 75 Da dachte
Petrus an das Wort, das Jesus gesagt hatte:
Ehe der Hahn kräht, wirst du mich drei-
mal verleugnen. Und er ging hinaus und
weinte bitterlich.

JESUS VOR PILATUS. DAS ENDE DES JUDAS

27 Am Morgen aber hielten alle Hohen-
priester und die Ältesten des Volkes
einen Rat über Jesus, dass sie ihn töte-
ten, 2 und sie banden ihn, führten ihn ab
und überantworteten ihn dem Statthalter
Pilatus.
3 Als Judas, der ihn verraten hatte, sah,
dass er zum Tode verurteilt war, reute es
ihn, und er brachte die dreißig Silberlinge
den Hohenpriestern und Ältesten zurück[a]
4 und sprach: Ich habe gesündigt, unschul-
diges Blut habe ich verraten. Sie aber spra-
chen: Was geht uns das an? Da sieh du zu!
5 Und er warf die Silberlinge in den Tem-
pel, ging davon und [a]erhängte sich.
6 Aber die Hohenpriester nahmen die
Silberlinge und sprachen: [a]Es ist nicht
recht, dass wir sie in den Tempelschatz
legen; denn es ist Blutgeld. 7 Sie beschlos-
sen aber, den Töpferacker davon zu kaufen
zum Begräbnis für die Fremden. 8 Daher
heißt dieser Acker Blutacker bis auf den
heutigen Tag. 9 [a]Da wurde erfüllt, was
gesagt ist durch den Propheten Jeremia,
der da spricht: »Sie nahmen die dreißig
Silberlinge, den Preis, der geschätzt wor-
den war – den hatten einige von den Isra-
eliten geschätzt –, 10 und gaben sie für den
Töpferacker, wie mir der Herr befohlen
hat.«
11 Jesus aber wurde vor den Statthalter
gebracht; und der Statthalter fragte ihn
und sprach: Bist du der König der Juden?
Jesus aber sprach: Du sagst es. 12 Und als
er von den Hohenpriestern und Ältesten
verklagt wurde, [a]antwortete er nichts.
13 Da sprach Pilatus zu ihm: Hörst du
nicht, was sie alles gegen dich vorbringen?
14 Und er antwortete ihm nicht auf ein ein-
ziges Wort, sodass sich der Statthalter sehr
verwunderte.[a]

JESU VERURTEILUNG UND VERSPOTTUNG

15 Zum Fest aber hatte der Statthalter die
Gewohnheit, dem Volk einen Gefangenen
loszugeben, welchen sie wollten. 16 Sie
hatten aber zu der Zeit einen berüchtig-
ten Gefangenen, der hieß Jesus Barabbas.
17 Und als sie versammelt waren, sprach
Pilatus zu ihnen: Welchen wollt ihr?
Wen soll ich euch losgeben, Jesus Barab-
bas oder Jesus, von dem gesagt wird, er sei
der Christus? 18 Denn er wusste, dass sie
ihn [a]aus Neid überantwortet hatten.
19 Und als er auf dem Richterstuhl
saß, schickte seine Frau zu ihm und ließ

* **26,71** Andere Übersetzung: »Jesus, dem Nazoräer«; siehe Sach- und Worterklärungen zu »Nazoräer«.

26,64 *a* Ps 110,1 *b* Kap 16,27; 24,30; Dan 7,13
26,65 *a* (*65-66*) 3. Mose 24,16; Joh 10,33; 19,7
26,67 *a* Jes 50,6 **26,71** *a* Kap 2,23 **27,3** *a* Kap 26,15
27,5 *a* Apg 1,18-19 **27,6** *a* 5. Mose 23,19
27,9 *a* (*9-10*) Jer 32,9; Sach 11,12-13 **27,12** *a* Kap 26,63; Jes 53,7 **27,14** *a* Joh 19,9 **27,18** *a* Joh 12,19

ihm sagen: Habe du nichts zu schaffen
mit diesem Gerechten; denn ich habe
heute viel erlitten im Traum um seinet-
willen.
20 Aber die Hohenpriester und die Äl-
testen überredeten das Volk, dass sie um
Barabbas bitten, Jesus aber umbringen
sollten. 21 Da antwortete nun der Statt-
halter und sprach zu ihnen: Welchen
wollt ihr? Wen von den beiden soll ich
euch losgeben? Sie sprachen: Barabbas![a]
22 Pilatus sprach zu ihnen: Was soll ich
dann machen mit Jesus, von dem gesagt
wird, er sei der Christus? Sie sprachen
alle: Lass ihn kreuzigen! 23 Er aber sagte:
Was hat er denn Böses getan? Sie schrien
aber noch mehr: Lass ihn kreuzigen! 24 Da
aber Pilatus sah, dass er nichts ausrichtete,
sondern das Getümmel immer größer
wurde, nahm er Wasser und [a]wusch sich
die Hände vor dem Volk und sprach: Ich
bin unschuldig am Blut dieses Menschen;
seht ihr zu! 25 Da antwortete alles Volk und
sprach: [a]Sein Blut komme über uns und
unsere Kinder!
26 Da gab er ihnen Barabbas los, aber Je-
sus ließ er geißeln und überantwortete
ihn, dass er gekreuzigt werde.
27 Da nahmen die Soldaten des Statthal-
ters Jesus mit sich in das Prätorium und
versammelten um ihn die ganze Kohorte*
28 und zogen ihn aus und legten ihm einen
Purpurmantel an 29 und flochten eine Dor-
nenkrone und setzten sie auf sein Haupt
und gaben ihm ein Rohr in seine rechte
Hand und beugten die Knie vor ihm und
[a]verspotteten ihn und sprachen: Gegrü-
ßet seist du, der Juden König!, 30 und spien
ihn an und nahmen das Rohr und schlu-
gen damit auf sein Haupt.[a]

JESU KREUZIGUNG UND TOD

31 Und als sie ihn verspottet hatten, zogen
sie ihm den Mantel aus und zogen ihm
seine Kleider an und führten ihn ab, um
ihn zu kreuzigen. 32 Und als sie hinausgin-
gen, fanden sie einen Menschen aus Ky-
rene mit Namen Simon; den zwangen sie,
dass er ihm sein Kreuz trug.
33 Und als sie an die Stätte kamen mit Na-
men Golgatha, das heißt: Schädelstätte,
34 gaben sie ihm Wein zu trinken mit
[a]Galle vermischt; und da er's schmeckte,
wollte er nicht trinken. 35 Als sie ihn aber
gekreuzigt hatten, [a]verteilten sie seine
Kleider und warfen das Los darum. 36 Und
sie saßen da und bewachten ihn. 37 Und
oben über sein Haupt setzten sie eine Auf-
schrift mit der Ursache seines Todes: Dies
ist Jesus, der Juden König.
38 Da wurden zwei [a]Räuber mit ihm ge-
kreuzigt, einer zur Rechten und einer zur
Linken.
39 Die aber vorübergingen, lästerten ihn
und [a]schüttelten ihre Köpfe 40 und spra-
chen: [a]Der du den Tempel abbrichst und
baust ihn auf in drei Tagen, hilf dir selber,
wenn du Gottes Sohn bist, und steig herab
vom Kreuz! 41 Desgleichen spotteten auch
die Hohenpriester mit den Schriftgelehr-
ten und Ältesten und sprachen: 42 Andern
hat er geholfen und kann sich selber nicht
helfen. Er ist der König von Israel, er steige
nun herab vom Kreuz. Dann wollen wir
an ihn glauben. 43 Er hat [a]Gott vertraut;
der erlöse ihn nun, wenn er Gefallen an
ihm hat; denn er hat gesagt: Ich bin Got-
tes Sohn.[b] 44 Desgleichen schmähten ihn
auch die Räuber, die mit ihm gekreuzigt
waren.
45 Von der sechsten Stunde an kam eine
Finsternis über das ganze Land bis zur
neunten Stunde. 46 Und um die neunte
Stunde schrie Jesus laut: Eli, Eli, lama
asabtani?* Das heißt: [a]**Mein Gott, mein
Gott, warum hast du mich verlassen?**
47 Einige aber, die da standen, als sie das
hörten, sprachen sie: Der ruft nach Elia.
48 Und sogleich lief einer von ihnen, nahm
einen Schwamm und füllte ihn mit [a]Essig
und steckte ihn auf ein Rohr und gab ihm
zu trinken. 49 Die andern aber sprachen:
Halt, lasst uns sehen, ob Elia komme und
ihm helfe! 50 Aber Jesus schrie abermals
laut und verschied.
51 Und siehe, der [a]Vorhang im Tempel
zerriss in zwei Stücke von oben an bis

* **27,27** Siehe Sach- und Worterklärungen zu »Prätorium« und »Kohorte«. **27,46** Andere Schreibweise: »Eli, eli, lema sabachtani?«.

27,21 *a* Apg 3,13-14 **27,24** *a* 5. Mose 21,6; Ps 26,6; 73,13
27,25 *a* Jer 26,15; Apg 5,28 **27,29** *a* Kap 20,19
27,30 *a* Jes 50,6 **27,34** *a* Ps 69,22 **27,35** *a* Joh 19,24
27,38 *a* Jes 53,12 **27,39** *a* Ps 22,8 **27,40** *a* Kap 26,61; Joh 2,19 **27,43** *a* Ps 22,9 *b* Weish 2,13.16-20
27,46 *a* Ps 22,2 **27,48** *a* Ps 69,22
27,51 *a* 2. Mose 26,31-33; 2. Chr 3,14

unten aus. Und die Erde erbebte, und die
Felsen zerrissen, 52 und die Gräber taten
sich auf und viele Leiber der entschlafenen
Heiligen standen auf 53 und gingen aus den
Gräbern nach seiner Auferstehung und
kamen in die heilige Stadt und erschienen
vielen. 54 Als aber der Hauptmann und die
mit ihm Jesus bewachten das Erdbeben
sahen und was da geschah, erschraken sie
sehr und sprachen: **Wahrlich, dieser ist**
[a]**Gottes Sohn gewesen!**
55 Und es waren viele Frauen da, die
von ferne zusahen; die waren Jesus aus
Galiläa nachgefolgt und hatten ihm gedient;[a]
56 unter ihnen war Maria Magdalena und Maria, die Mutter des Jakobus
und Josef, und die Mutter der Söhne des
Zebedäus.

JESU GRABLEGUNG

57 [a]Am Abend aber kam ein reicher Mann
aus Arimathäa, der hieß Josef und war
auch ein Jünger Jesu. 58 Der ging zu Pilatus
und bat um den Leib Jesu. Da befahl Pilatus, man sollte ihm den geben. 59 Und Josef nahm den Leib und wickelte ihn in ein
reines Leinentuch 60 und legte ihn in sein
eigenes neues Grab, das er in einen Felsen hatte hauen lassen, und wälzte einen
großen Stein vor die Tür des Grabes und
ging davon.
61 Es waren aber dort Maria Magdalena
und die andere Maria; die saßen dem Grab
gegenüber.

DIE BEWACHUNG DES GRABES

62 Am nächsten Tag, der auf den [a]Rüsttag
folgt, versammelten sich die Hohenpriester und die Pharisäer bei Pilatus 63 und
sprachen: Herr, wir haben daran gedacht,
dass dieser Verführer [a]sprach, als er noch
lebte: Nach drei Tagen werde ich auferweckt. 64 Darum befiehl, dass man das
Grab bewache bis zum dritten Tag, damit nicht seine Jünger kommen und ihn
stehlen und zum Volk sagen: Er ist auferstanden von den Toten, und der letzte
Betrug ärger wird als der erste. 65 Pilatus
sprach zu ihnen: Da habt ihr die Wache; geht hin und bewacht es, so gut ihr
könnt. 66 Sie gingen hin und sicherten das
Grab mit der Wache und versiegelten den
Stein.

JESU AUFERSTEHUNG

(Mk 16,1-10; Lk 24,1-10; Joh 20,1-18)

28 Als aber der Sabbat vorüber war und
[a]der erste Tag der Woche anbrach,
kamen Maria Magdalena und die andere Maria, um nach dem Grab zu sehen.
2 Und siehe, es geschah ein großes Erdbeben. Denn ein Engel des Herrn kam vom
Himmel herab, trat hinzu und wälzte den
Stein weg und setzte sich darauf. 3 Seine
Erscheinung war wie der Blitz und [a]sein
Gewand weiß wie der Schnee. 4 Die Wachen aber erbebten aus Furcht vor ihm und
wurden, als wären sie tot.
5 Aber der Engel sprach zu den Frauen:
Fürchtet euch nicht! Ich weiß, dass ihr Jesus, den Gekreuzigten, sucht. 6 Er ist nicht
hier; [a]er ist auferstanden, wie er gesagt
hat. Kommt und seht die Stätte, wo er gelegen hat; 7 und geht eilends hin und sagt
seinen Jüngern: Er ist auferstanden von
den Toten. Und siehe, er geht vor euch
hin nach [a]Galiläa; da werdet ihr ihn sehen.
Siehe, ich habe es euch gesagt. 8 Und sie
gingen eilends weg vom Grab mit Furcht
und großer Freude und liefen, um es seinen Jüngern zu verkündigen.
9 Und siehe, da begegnete ihnen Jesus
und sprach: Seid gegrüßt! Und sie traten
zu ihm und umfassten seine Füße und fielen vor ihm nieder. 10 Da sprach Jesus zu
ihnen: Fürchtet euch nicht! Geht hin und
verkündigt es meinen [a]Brüdern, dass sie
nach Galiläa gehen: Dort werden sie mich
sehen.
11 Als sie aber hingingen, siehe, da kamen einige von der Wache in die Stadt
und verkündeten den Hohenpriestern alles, was geschehen war. 12 Und die kamen
mit den Ältesten zusammen, hielten Rat
und gaben den Soldaten viel Geld 13 und
sprachen: Sagt, seine Jünger sind in der
Nacht gekommen und haben ihn gestohlen, während wir schliefen.[a] 14 Und wenn
es dem Statthalter zu Ohren kommt,
wollen wir ihn beschwichtigen und dafür
sorgen, dass ihr nichts zu fürchten habt.

27,54 *a* Kap 3,17; 14,33; 16,16; 17,5 **27,55** *a* Lk 8,2-3
27,57 *a* (57-58) 5. Mose 21,22-23 **27,62** *a* Mk 15,42
27,63 *a* Kap 12,40 **28,1** *a* Apg 20,7; 1. Kor 16,2; Offb 1,10
28,3 *a* Kap 17,2; Apg 1,10 **28,6** *a* Kap 12,40; 16,21; 17,23; 20,19 **28,7** *a* Kap 26,32 **28,10** *a* Hebr 2,11
28,13 *a* Kap 27,64

15 Sie nahmen das Geld und taten, wie sie angewiesen waren. Und dies Gerücht hat sich bei Juden verbreitet bis auf den heutigen Tag.

DER MISSIONSBEFEHL

16 Aber die elf Jünger gingen nach Galiläa auf den Berg, wohin Jesus sie beschieden hatte. 17 Und als sie ihn sahen, fielen sie vor ihm nieder; einige aber zweifelten.

18 Und Jesus trat herzu, redete mit ihnen und sprach: [a]**Mir ist gegeben alle Gewalt im Himmel und auf Erden. 19 Darum gehet hin und [a]lehret alle Völker:* Taufet sie auf den Namen des Vaters und des Sohnes und des Heiligen Geistes 20 und lehret sie halten alles, was ich euch befohlen habe. Und siehe, [a]ich bin bei euch alle Tage bis an der Welt Ende.**

DAS EVANGELIUM NACH MARKUS

1–8 Jesu Wirken in Galiläa und Umgebung 8–10 Der Weg nach Jerusalem
11–12 Auseinandersetzungen 13 Über das Ende der Welt
14–16 Jesu Leiden, Tod und Auferstehung

1 Dies ist der Anfang des Evangeliums von Jesus Christus, dem Sohn Gottes.

JOHANNES DER TÄUFER

(Mt 3,1-12; Lk 3,1-18; Joh 1,19-27)

2 Wie geschrieben steht im Propheten Jesaja: »Siehe, ich sende meinen Boten vor dir her, der deinen Weg bereiten soll.«[a] 3 »Es ist eine Stimme eines Predigers* in der Wüste: Bereitet den Weg des Herrn, macht seine Steige eben!«,[a] 4 so war Johannes in der Wüste, taufte und predigte die Taufe der Buße zur Vergebung der Sünden. 5 Und es ging zu ihm hinaus das ganze judäische Land und alle Leute von Jerusalem und ließen sich von ihm taufen im Jordan und bekannten ihre Sünden. 6 Und Johannes trug ein Gewand aus Kamelhaaren und einen [a]ledernen Gürtel um seine Lenden und aß Heuschrecken und wilden Honig. 7 Und er predigte und sprach: Nach mir kommt der, der stärker ist als ich; ich bin nicht wert, dass ich mich vor ihm bücke und die Riemen seiner Schuhe löse. 8 Ich habe euch mit Wasser getauft; aber [a]er wird euch mit dem Heiligen Geist taufen.

JESU TAUFE UND VERSUCHUNG

(Mt 3,13–4,11; Lk 3,21-22; 4,1-13; Joh 1,32-34)

9 Und es begab sich zu der Zeit, dass Jesus aus [a]Nazareth in Galiläa kam und ließ sich taufen von Johannes im Jordan. 10 Und alsbald, als er aus dem Wasser stieg, sah er, dass sich der Himmel auftat und der Geist wie eine Taube herabkam auf ihn. 11 Und da geschah eine Stimme vom Himmel: [a]**Du bist mein lieber Sohn, an dir habe ich Wohlgefallen.**[b]

12 Und alsbald trieb ihn der Geist in die Wüste; 13 und er war in der Wüste vierzig Tage und wurde versucht von dem Satan und war bei den Tieren, und die Engel dienten ihm.

DER BEGINN DES WIRKENS JESU IN GALILÄA

(Mt 4,12-17; Lk 4,14-15)

14 Nachdem aber Johannes [a]überantwortet wurde, kam Jesus nach Galiläa und predigte das Evangelium Gottes 15 und sprach: [a]**Die Zeit ist erfüllt, und das Reich Gottes ist nahe herbeigekommen. Tut Buße und glaubt an das Evangelium!**

DIE BERUFUNG DER ERSTEN JÜNGER

(Mt 4,18-22; Lk 5,1-11; Joh 1,35-51)

16 Als er aber am Galiläischen Meer entlangging, sah er Simon und Andreas, Simons Bruder, wie sie ihre Netze ins Meer

* **28,19** Andere Übersetzung: »machet zu Jüngern alle Völker«. **1,3** Wörtlich: »Rufers«.

28,18 ***a*** Kap 11,27; Joh 3,35; Eph 1,20-22 **28,19** ***a*** Kap 24,14; Mk 16,15-16; 2. Kor 5,20 **28,20** ***a*** Kap 18,20 **1,2** ***a*** 2. Mose 23,20; Mal 3,1; Mt 11,10 **1,3** ***a*** Jes 40,3 **1,6** ***a*** 2. Kön 1,8 **1,8** ***a*** Joh 1,33 **1,9** ***a*** Mt 2,23 **1,11** ***a*** Ps 2,7; Jes 42,1 ***b*** Kap 9,7; 15,39 **1,14** ***a*** Kap 6,17 **1,15** ***a*** Gal 4,4

warfen; denn sie waren Fischer. 17 Und
Jesus sprach zu ihnen: Kommt, folgt mir
nach; ich will euch zu Menschenfischern
machen! 18 Und sogleich verließen sie ihre
Netze und folgten ihm nach.
19 Und als er ein wenig weiterging, sah
er Jakobus, den Sohn des Zebedäus, und
Johannes, seinen Bruder, wie sie im Boot
die Netze flickten. 20 Und sogleich rief er
sie, und sie ließen ihren Vater Zebedäus
im Boot mit den Tagelöhnern und gingen
fort, ihm nach.

JESUS IN KAPERNAUM

(Mt 8,14-17; Lk 4,31-44)

21 Und sie gingen hinein nach Kapernaum;
und alsbald am Sabbat ging er in die Syn-
agoge und lehrte. 22 Und [a]sie entsetzten
sich über seine Lehre; denn er lehrte sie
mit Vollmacht und nicht wie die Schrift-
gelehrten.[b]
23 Und alsbald war in ihrer Synagoge
ein Mensch, besessen von einem unrei-
nen Geist*; der schrie: 24 [a]Was haben wir
mit dir zu schaffen, Jesus von Nazareth?
Bist du gekommen, uns zu vernichten?
Ich weiß, wer du bist: der Heilige Gottes!
25 Und Jesus bedrohte ihn und sprach: Ver-
stumme und fahre aus von ihm! 26 Und
der unreine Geist riss ihn hin und her und
schrie laut und fuhr aus von ihm.[a] 27 Und
sie entsetzten sich alle, sodass sie sich un-
tereinander befragten und sprachen: Was
ist das? Eine neue Lehre in Vollmacht! Er
gebietet auch den unreinen Geistern, und
sie gehorchen ihm! 28 Und die Kunde von
ihm erscholl alsbald überall in das ganze
Land um Galiläa.
29 Und alsbald gingen sie aus der Syn-
agoge und kamen in das Haus des Simon
und Andreas mit Jakobus und Johannes.
30 Die Schwiegermutter Simons aber lag
darnieder und hatte das Fieber; und als-
bald sagten sie ihm von ihr. 31 Und er trat
zu ihr, ergriff sie bei der Hand und richtete
sie auf; und das Fieber verließ sie, und sie
diente ihnen.
32 Am Abend aber, da die Sonne unterge-
gangen war, brachten sie zu ihm alle Kran-
ken und Besessenen. 33 Und die ganze
Stadt war versammelt vor der Tür. 34 Und
er heilte viele, die an mancherlei Krank-
heiten litten, und trieb viele Dämonen aus
und [a]ließ die Dämonen nicht reden; denn
sie kannten ihn.
35 Und am Morgen, noch vor Tage, stand
er auf und ging hinaus. Und [a]er ging an eine
einsame Stätte und betete dort. 36 Und Si-
mon und die bei ihm waren, eilten ihm
nach. 37 Und da sie ihn fanden, sprachen
sie zu ihm: Jedermann sucht dich. 38 Und
er sprach zu ihnen: Lasst uns anderswohin
gehen, in die nächsten Orte, dass ich auch
dort predige; denn dazu bin ich gekom-
men. 39 Und er kam und predigte in ihren
Synagogen in ganz Galiläa und trieb die
Dämonen aus.[a]

DIE HEILUNG EINES AUSSÄTZIGEN

(Mt 8,2-4; Lk 5,12-16)

40 Und es kam zu ihm ein Aussätziger, der
bat ihn, kniete nieder und sprach zu ihm:
Willst du, so kannst du mich reinigen.
41 Und es jammerte ihn, und er streckte
seine Hand aus, rührte ihn an und sprach
zu ihm: Ich will's tun; sei rein! 42 Und
alsbald wich der Aussatz von ihm, und
er wurde rein. 43 Und Jesus bedrohte ihn
und trieb ihn alsbald von sich 44 und sprach
zu ihm: Sieh zu, dass du [a]niemandem et-
was sagst; sondern [b]geh hin und zeige dich
dem Priester und opfere für deine Reini-
gung, was Mose geboten hat, ihnen zum
Zeugnis.
45 Er aber ging fort und fing an, viel da-
von zu reden und die Geschichte be-
kannt zu machen, sodass Jesus hinfort
nicht mehr öffentlich in eine Stadt gehen
konnte; sondern er war draußen an ein-
samen Orten; und sie kamen zu ihm von
allen Enden.

DIE HEILUNG EINES GELÄHMTEN UND DIE VOLLMACHT ZUR SÜNDENVERGEBUNG

(Mt 9,1-8; Lk 5,17-26)

2 Und nach etlichen Tagen ging er wie-
der nach Kapernaum; und es wurde
bekannt, dass er im Hause war. 2 Und [a]es
versammelten sich viele, sodass sie nicht
Raum hatten, auch nicht draußen vor der

* **1,23** Siehe Sach- und Worterklärungen.

1,22 ***a*** Kap 11,18 ***b*** Mt 7,28-29 **1,24** ***a*** Kap 5,7 **1,26** ***a*** Kap 9,26 **1,34** ***a*** Kap 3,11-12 **1,35** ***a*** Mt 14,23; Lk 5,16 **1,39** ***a*** Mt 4,23; 9,35 **1,44** ***a*** Kap 5,43; 7,36 ***b*** 3. Mose 14,2-32 **2,2** ***a*** Kap 3,20

Tür; und er sagte ihnen das Wort. 3 Und es
kamen einige, die brachten zu ihm einen
Gelähmten, von vieren getragen. 4 Und da
sie ihn nicht zu ihm bringen konnten we-
gen der Menge, deckten sie das Dach auf,
wo er war, gruben es auf und ließen das
Bett herunter, auf dem der Gelähmte lag.
5 Da nun Jesus ihren Glauben sah, sprach
er zu dem Gelähmten: **Mein Sohn, deine
Sünden sind dir vergeben.**
6 Es saßen da aber einige Schriftgelehrte
und dachten in ihren Herzen: 7 Wie redet
der so? Er lästert Gott! [a]Wer kann Sünden
vergeben als Gott allein? 8 Und Jesus er-
kannte alsbald in seinem Geist, dass sie so
bei sich selbst dachten, und sprach zu ih-
nen: Was denkt ihr solches in euren Her-
zen? 9 Was ist leichter, zu dem Gelähmten
zu sagen: Dir sind deine Sünden vergeben,
oder zu sagen: Steh auf, nimm dein Bett
und geh hin? 10 Damit ihr aber wisst, dass
der Menschensohn Vollmacht hat, Sün-
den zu vergeben auf Erden – sprach er zu
dem Gelähmten: 11 Ich sage dir, steh auf,
nimm dein Bett und geh heim![a] 12 Und
er stand auf und nahm sogleich sein Bett
und ging hinaus vor aller Augen, sodass
sie sich alle entsetzten und Gott priesen
und sprachen: Wir haben solches noch nie
gesehen.

DIE BERUFUNG DES LEVI UND DAS MAHL MIT DEN ZÖLLNERN

(Mt 9,9-13; Lk 5,27-32)

13 Und er ging wieder hinaus an das Meer*;
und alles Volk kam zu ihm, und er lehrte
sie. 14 Und als er vorüberging, sah er Levi,
den Sohn des Alphäus, am Zoll sitzen
und sprach zu ihm: Folge mir nach! Und
er stand auf und [a]folgte ihm nach.
15 Und es begab sich, dass er zu Tisch saß
in seinem Hause, [a]da setzten sich viele
Zöllner und Sünder zu Tisch mit Jesus und
seinen Jüngern; denn es waren viele, und
sie folgten ihm nach. 16 Und als die Schrift-
gelehrten unter den Pharisäern sahen,
dass er mit den Sündern und Zöllnern aß,
sprachen sie zu seinen Jüngern: Mit den
Zöllnern und Sündern isst er? 17 Da das
Jesus hörte, sprach er zu ihnen: **Nicht die
Starken bedürfen des Arztes, sondern
die Kranken. Ich bin nicht gekommen,
Gerechte zu rufen, sondern Sünder.**

DIE FRAGE NACH DEM FASTEN

(Mt 9,14-17; Lk 5,33-38)

18 Und die Jünger des Johannes und die
Pharisäer fasteten viel. Und es kamen et-
liche, die sprachen zu ihm: Warum fasten
die Jünger des Johannes und die Jünger der
Pharisäer, aber deine Jünger fasten nicht?
19 Und Jesus sprach zu ihnen: **Wie kön-
nen die Hochzeitsgäste fasten, während
der Bräutigam bei ihnen ist? Solange der
Bräutigam bei ihnen ist, können sie nicht
fasten.** 20 **Es werden aber Tage kommen,
da der Bräutigam von ihnen genommen
ist; dann werden sie fasten, an jenem Tage.**
21 **Niemand flickt einen Lappen von
neuem Tuch auf ein altes Kleid; sonst reißt
der neue Lappen vom alten ab und der Riss
wird ärger.** 22 **Und niemand füllt neuen
Wein in alte Schläuche; sonst zerreißt
der Wein die Schläuche, und der Wein ist
verloren und die Schläuche auch; sondern
man füllt neuen Wein in neue Schläuche.**

DAS ÄHRENRAUFEN AM SABBAT

(Mt 12,1-8; Lk 6,1-5)

23 Und es begab sich, dass er am Sabbat
durch die Kornfelder ging, und seine Jün-
ger fingen an, während sie gingen, [a]Ähren
auszuraufen. 24 Und die Pharisäer spra-
chen zu ihm: Sieh doch! Warum tun deine
Jünger [a]am Sabbat, was nicht erlaubt ist?
25 [a]Und er sprach zu ihnen: Habt ihr nie
gelesen, was David tat, da er Mangel hatte
und ihn hungerte, ihn und die bei ihm wa-
ren: 26 wie er ging in das Haus Gottes zur
Zeit des Hohenpriesters Abjatar und aß
die Schaubrote, die [a]niemand essen darf
als die Priester, und gab sie auch denen, die
bei ihm waren? 27 Und er sprach zu ihnen:
**Der Sabbat ist um des Menschen willen
gemacht und nicht der Mensch um des
Sabbats willen. 28 So ist der Menschen-
sohn Herr auch über den Sabbat.**

DIE HEILUNG AM SABBAT

(Mt 12,9-14; Lk 6,6-11)

3 Und er ging abermals in die Synagoge.
Und es war da ein Mensch, der hatte

* **2,13** Gemeint ist der See Genezareth.

2,7 *a* Ps 130,4; Jes 43,25 **2,11** *a* Joh 5,8 **2,14** *a* Kap 1,18
2,15 *a* Lk 7,34 **2,23** *a* 5. Mose 23,26
2,24 *a* 2. Mose 20,10 **2,25** *a* (25-26) 1. Sam 21,2-7
2,26 *a* 3. Mose 24,9

eine verdorrte Hand. 2 Und sie gaben
acht, ob er ihn am Sabbat heilen würde,
damit sie ihn verklagen könnten. 3 Und er
sprach zu dem Menschen mit der verdorr-
ten Hand: Steh auf und tritt in die Mitte!
4 Und er sprach zu ihnen: Was ist am Sab-
bat erlaubt: Gutes tun oder Böses tun, Le-
ben retten oder töten? Sie aber schwiegen
still. 5 Und er sah sie ringsum an mit Zorn,
betrübt über ihr erstarrtes Herz, und
sprach zu dem Menschen: Strecke deine
Hand aus! Und er streckte sie aus; und
seine Hand wurde wieder gesund. 6 Und
die Pharisäer gingen hinaus und hielten
alsbald Rat über ihn mit den Anhängern
des Herodes*, dass sie ihn [a]umbrächten.

ANDRANG DES VOLKES UND VIELE HEILUNGEN

(Mt 12,15-16; Lk 6,17-19)

7 [a]Aber Jesus entwich mit seinen Jüngern
an das Meer, und eine große Menge aus
Galiläa folgte ihm; auch aus Judäa 8 und Je-
rusalem, aus Idumäa und von jenseits des
Jordans und aus der Umgebung von Tyrus
und Sidon kam eine große Menge zu ihm,
da sie von seinen Taten hörten. 9 Und er
sagte zu seinen Jüngern, sie sollten ihm
ein Boot bereithalten, damit das Volk ihn
nicht bedränge. 10 Denn er heilte viele,
sodass sie über ihn herfielen, damit ihn
anrührten alle, die geplagt waren. 11 Und
wenn ihn die unreinen Geister sahen, fie-
len sie vor ihm nieder und schrien: [a]Du
bist Gottes Sohn! 12 Und [a]er bedrohte sie
hart, dass sie ihn nicht offenbar machten.

DIE BERUFUNG DER ZWÖLF

(Mt 10,1-4; Lk 6,12-16)

13 Und er ging auf einen Berg und rief zu
sich, welche er wollte, und die gingen hin
zu ihm. 14 Und er setzte zwölf ein, die er
auch Apostel nannte, dass sie bei ihm sein
sollten und dass er sie aussendete zu pre-
digen 15 und dass sie Vollmacht hätten, die
Dämonen auszutreiben.[a] 16 Und er setzte
die Zwölf ein: Simon – ihm gab er den
Namen Petrus – 17 und Jakobus, den Sohn
des Zebedäus, und Johannes, den Bruder
des Jakobus – ihnen gab er den Namen Bo-
anerges, das heißt: Donnersöhne – 18 und
Andreas und Philippus und Bartholomäus
und Matthäus und Thomas und Jakobus,
den Sohn des Alphäus, und Thaddäus und
Simon Kananäus 19 und Judas Iskariot, [a]der
ihn dann verriet.

JESUS UND SEINE VERWANDTEN

20 Und er ging in ein Haus. Und [a]da kam
abermals das Volk zusammen, sodass sie
nicht einmal essen konnten. 21 Und als es
die Seinen hörten, machten sie sich auf
und wollten ihn ergreifen; denn sie spra-
chen: Er ist von Sinnen.[a]

JESUS UND DIE DÄMONEN

(Mt 12,24-32; Lk 11,14-23)

22 Die Schriftgelehrten aber, die von Jeru-
salem herabgekommen waren, sprachen:
Er hat den Beelzebul, und: [a]Durch den
Obersten der Dämonen treibt er die Dä-
monen aus. 23 Und er rief sie zu sich und
sprach zu ihnen in Gleichnissen: Wie
kann der Satan den Satan austreiben?
24 Wenn ein Reich mit sich selbst uneins
wird, kann es nicht bestehen. 25 Und wenn
ein Haus mit sich selbst uneins wird, kann
es nicht bestehen. 26 Erhebt sich nun der
Satan gegen sich selbst und ist mit sich
selbst uneins, so kann er nicht bestehen,
sondern es ist aus mit ihm. 27 Niemand
aber kann in das Haus des Starken eindrin-
gen und seinen Hausrat rauben, wenn er
nicht zuvor den Starken fesselt; und dann
wird er sein Haus ausrauben.[a]

28 Wahrlich, ich sage euch: Alles wird
den Menschenkindern vergeben werden,
die Sünden und die Lästerungen, so viel
sie auch lästern mögen; 29 wer aber den
Heiligen Geist lästert, der hat keine Ver-
gebung in Ewigkeit, sondern ist ewiger
Sünde schuldig. 30 Denn sie hatten gesagt:
Er hat einen unreinen Geist.

JESU WAHRE VERWANDTE

(Mt 12,46-50; Lk 8,19-21)

31 Und es kamen seine Mutter und seine
Brüder und standen draußen, schickten
zu ihm und ließen ihn rufen. 32 Und das
Volk saß um ihn. Und sie sprachen zu

* **3,6** Siehe Sach- und Worterklärungen zu »Herodes«.

3,6 *a* 2. Mose 31,14-15 **3,7** *a* (7-8) Mt 4,25
3,11 *a* Kap 1,24; Lk 4,41 **3,12** *a* Kap 1,34 **3,15** *a* Kap 6,7
3,19 *a* Kap 14,10.18.43 **3,20** *a* Kap 2,2; 6,31
3,21 *a* Kap 6,4; Joh 7,5; 10,20 **3,22** *a* Mt 9,34
3,27 *a* Jes 49,24-25

ihm: Siehe, [a]deine Mutter und deine Brü-
der und deine Schwestern draußen fragen
nach dir. 33 Und er antwortete ihnen und
sprach: Wer ist meine Mutter und meine
Brüder? 34 Und er sah ringsum auf die,
die um ihn im Kreise saßen, und sprach:
Siehe, das ist meine Mutter und das sind
meine Brüder! 35 Denn [a]**wer Gottes Wil-
len tut, der ist mein Bruder und meine
Schwester und meine Mutter.**

GLEICHNISSE
Kapitel 4,1-34

4 [a]Und er fing abermals an, am Meer zu
lehren. Und es versammelte sich eine so
große Menge bei ihm, dass er in ein Boot
stieg, das im Wasser lag, und er setzte sich;
und alles Volk stand auf dem Lande am
Meer. 2 Und er [a]lehrte sie vieles in Gleich-
nissen; und in seiner Predigt sprach er zu
ihnen:

DAS GLEICHNIS VOM SÄMANN
(Mt 13,3-9; Lk 8,5-8)

3 Hört zu! Siehe, es ging ein Sämann aus
zu säen. 4 Und es begab sich, indem er
säte, fiel etliches an den Weg; da kamen
die Vögel und fraßen's auf. 5 Anderes fiel
auf felsigen Boden, wo es nicht viel Erde
hatte, und ging bald auf, weil es keine tiefe
Erde hatte. 6 Da nun die Sonne aufging,
verwelkte es, und weil es keine Wurzel
hatte, verdorrte es. 7 Und anderes fiel un-
ter die Dornen, und die Dornen wuchsen
empor und erstickten's, und es brachte
keine Frucht. 8 Und all das Übrige fiel auf
das gute Land, ging auf und wuchs und
brachte Frucht, und einiges trug dreißig-
fach und einiges sechzigfach und einiges
hundertfach. 9 Und er sprach: Wer Ohren
hat zu hören, der höre![a]

VOM SINN DER GLEICHNISSE
(Mt 13,10-17; Lk 8,9-10)

10 Und als er allein war, fragten ihn, die
um ihn waren, samt den Zwölfen nach
den Gleichnissen. 11 Und er sprach zu ih-
nen: Euch ist das Geheimnis des Reiches
Gottes gegeben; denen draußen aber wi-
derfährt es alles in Gleichnissen, 12 auf dass
[a]sie mit sehenden Augen sehen und doch
nicht erkennen und mit hörenden Ohren
hören und doch nicht verstehen, damit sie
sich nicht etwa bekehren und ihnen verge-
ben werde.[b]

DIE DEUTUNG DES GLEICHNISSES
(Mt 13,18-23; Lk 8,11-15)

13 Und er sprach zu ihnen: Versteht ihr
dies Gleichnis nicht, wie wollt ihr dann
die andern alle verstehen? 14 Der Sämann
sät das Wort. 15 Diese aber sind es, die an
dem Wege sind: Wo das Wort gesät wird
und sie es gehört haben, kommt alsbald
der Satan und nimmt das Wort weg, das
in sie gesät war. 16 Und diese sind es, die
auf felsigen Boden gesät sind: Wenn sie
das Wort gehört haben, nehmen sie es so-
gleich mit Freuden auf, 17 aber sie haben
keine Wurzel in sich, sondern sind wet-
terwendisch; wenn sich [a]Bedrängnis oder
Verfolgung um des Wortes willen erhebt,
so kommen sie alsbald zu Fall. 18 Und an-
dere sind es, die unter die Dornen gesät
sind: Die haben das Wort gehört, 19 und
die Sorgen der Welt und der trügerische
Reichtum und die Begierden nach allem
andern dringen ein und ersticken das
Wort, und es bleibt ohne Frucht. 20 Und
jene sind es, die auf das gute Land gesät
sind: Die hören das Wort und nehmen's
an und bringen Frucht, einige dreißigfach
und einige sechzigfach und einige hun-
dertfach.

VOM LICHT UND VOM RECHTEN MASS
(Lk 8,16-18)

21 Und er sprach zu ihnen: Zündet man
denn ein Licht an, um es unter den Schef-
fel oder unter die Bank zu setzen? Und
nicht, um es auf den Leuchter zu setzen?[a]
22 Denn es ist nichts verborgen, das nicht
offenbar werden soll, und ist nichts ge-
heim, das nicht an den Tag kommen soll.[a]
23 Wer Ohren hat zu hören, der höre![a]

24 Und er sprach zu ihnen: Seht zu, was
ihr hört! [a]Mit welchem Maß ihr messt,
wird man euch zumessen, und man wird
euch noch dazugeben. 25 Denn wer da hat,

3,32 *a* Kap 6,3 **3,35** *a* Mt 7,21 **4,1** *a* (1-2) Mt 13,1-3; Lk 8,4 **4,2** *a* Kap 1,22 **4,9** *a* Vers 23; Offb 2,7 **4,12** *a* Kap 8,18 *b* Jes 6,10 **4,17** *a* Kap 13,9.19 **4,21** *a* Mt 5,15 **4,22** *a* Mt 10,26-27; Lk 12,2 **4,23** *a* Vers 9 **4,24** *a* Mt 7,2; Lk 6,38

dem wird gegeben; und wer nicht hat,
dem wird man auch das nehmen, was er
hat.[a]

DAS GLEICHNIS VOM WACHSEN DER SAAT

26 Und er sprach: Mit dem Reich Gottes ist
es so, wie wenn ein Mensch Samen aufs
Land wirft 27 und schläft und steht auf,
Nacht und Tag; und der Same geht auf und
wächst – er weiß nicht wie.[a] 28 Von selbst
bringt die Erde Frucht, zuerst den Halm,
danach die Ähre, danach den vollen Wei-
zen in der Ähre. 29 Wenn aber die Frucht
reif ist, so schickt er alsbald die Sichel hin;
denn die Ernte ist da.

DAS GLEICHNIS VOM SENFKORN

(Mt 13,31-32; Lk 13,18-19)

30 Und er sprach: Womit wollen wir das
Reich Gottes vergleichen, und durch wel-
ches Gleichnis wollen wir es abbilden?
31 Es ist wie mit einem Senfkorn: Wenn
das gesät wird aufs Land, so ist's das
kleinste unter allen Samenkörnern auf
Erden; 32 und wenn es gesät ist, so geht es
auf und wird größer als alle Kräuter und
treibt große Zweige, sodass [a]die Vögel un-
ter dem Himmel unter seinem Schatten
wohnen können.

33 [a]Und durch viele solche Gleichnisse
sagte er ihnen das Wort so, wie sie es hö-
ren konnten. 34 Und ohne Gleichnisse re-
dete er nicht zu ihnen; aber wenn sie allein
waren, legte er seinen Jüngern alles aus.

DIE STILLUNG DES STURMES

(Mt 8,23-27; Lk 8,22-25)

35 Und am Abend desselben Tages sprach
er zu ihnen: Lasst uns ans andre Ufer
fahren. 36 Und sie ließen das Volk gehen
und nahmen ihn mit, wie er im Boot war,
und es waren noch andere Boote bei ihm.
37 [a]Und es erhob sich ein großer Wind-
wirbel, und die Wellen schlugen in das
Boot, sodass das Boot schon voll wurde.
38 Und er war hinten im Boot und schlief
auf einem Kissen. Und sie weckten ihn
auf und sprachen zu ihm: Meister, fragst
du nichts danach, dass wir umkommen?
39 Und er stand auf und [a]bedrohte den
Wind und sprach zu dem Meer: Schweig!
Verstumme! Und der Wind legte sich und
es ward eine große Stille. 40 Und er sprach
zu ihnen: Was seid ihr so furchtsam? Habt
ihr noch keinen Glauben? 41 Und sie fürch-
teten sich sehr und [a]sprachen untereinan-
der: Wer ist der, dass ihm Wind und Meer
gehorsam sind!

DER BESESSENE GERASENER

(Mt 8,28-34; Lk 8,26-39)

5 Und sie kamen ans andre Ufer des Mee-
res in die Gegend der Gerasener. 2 Und
als er aus dem Boot stieg, lief ihm alsbald
von den Gräbern her ein Mensch entge-
gen mit einem unreinen Geist. 3 Der hatte
seine Wohnung in den Grabhöhlen. Und
niemand konnte ihn mehr binden, auch
nicht mit einer Kette; 4 denn er war oft mit
Fesseln an den Füßen und mit Ketten ge-
bunden gewesen und hatte die Ketten zer-
rissen und die Fesseln zerrieben; und nie-
mand konnte ihn bändigen. 5 Und er war
allezeit, Tag und Nacht, [a]in den Grabhöh-
len und auf den Bergen, schrie und schlug
sich mit Steinen. 6 Da er aber Jesus sah von
ferne, lief er hinzu und fiel vor ihm nieder,
7 schrie laut und sprach: Was habe ich mit
dir zu schaffen, Jesus, du Sohn des höchs-
ten Gottes? Ich beschwöre dich bei Gott:
Quäle mich nicht![a] 8 Denn er hatte zu ihm
gesagt: Fahre aus, du unreiner Geist, von
dem Menschen! 9 Und er fragte ihn: Wie
heißt du? Und er sprach zu ihm: Legion
heiße ich; denn wir sind viele. 10 Und er
bat Jesus sehr, dass er sie nicht aus der Ge-
gend vertreibe.

11 Es war aber dort am Berg eine große
Herde Säue auf der Weide. 12 Und die un-
reinen Geister baten ihn und sprachen:
Lass uns in die Säue fahren! 13 Und er er-
laubte es ihnen. Da fuhren sie aus und
fuhren in die Säue, und die Herde stürmte
den Abhang hinunter ins Meer, etwa zwei-
tausend, und sie ersoffen im Meer.

14 Und die Sauhirten flohen und ver-
kündeten das in der Stadt und auf dem
Lande. Und die Leute gingen, um zu se-
hen, was da geschehen war, 15 und kamen
zu Jesus und sahen den Besessenen, der
den Geist »Legion« gehabt hatte, wie er

4,25 *a* Mt 13,12 **4,27** *a* Jak 5,7 **4,32** *a* Hes 17,23
4,33 *a* (33-34) Mt 13,34 **4,37** *a* (37-41) Jona 1,4-16
4,39 *a* Ps 107,28-29 **4,41** *a* Kap 1,27 **5,5** *a* Jes 65,3-5
5,7 *a* Kap 1,24; 3,11

dasaß, bekleidet und vernünftig, und sie
fürchteten sich. 16 Und die es gesehen hat-
ten, erzählten ihnen, was dem Besessenen
widerfahren war und das von den Säuen.
17 Und sie fingen an und baten Jesus, aus
ihrem Gebiet fortzugehen.

18 Und als er in das Boot stieg, bat ihn,
der zuvor besessen war, dass er bei ihm
bleiben dürfe. 19 Aber er ließ es ihm nicht
zu, sondern sprach zu ihm: Geh hin in
dein Haus zu den Deinen und verkünde
ihnen, welch große Dinge der Herr an
dir getan und wie er sich deiner erbarmt
hat. 20 Und er ging hin und fing an, in den
[a]Zehn Städten auszurufen, wie viel Jesus
an ihm getan hatte; und jedermann ver-
wunderte sich.

DIE HEILUNG EINER BLUTFLÜSSIGEN FRAU UND DIE AUFERWECKUNG DER TOCHTER DES JAÏRUS

(Mt 9,18-26; Lk 8,40-56)

21 Und als Jesus im Boot wieder ans andre
Ufer gefahren war, versammelte sich eine
große Menge bei ihm, und er war am
Meer. 22 Da kam einer von den Vorstehern
der Synagoge, mit Namen Jaïrus. Und als
er Jesus sah, fiel er ihm zu Füßen 23 und bat
ihn sehr und sprach: Meine Tochter liegt
in den letzten Zügen; komm und lege ihr
die Hände auf, dass sie gesund werde und
lebe. 24 Und er ging hin mit ihm.

Und es folgte ihm eine große Menge,
und sie umdrängten ihn. 25 Und da war
eine Frau, die hatte den [a]Blutfluss seit
zwölf Jahren 26 und hatte viel erlitten von
vielen Ärzten und all ihr Gut dafür aufge-
wandt; und es hatte ihr nichts geholfen,
sondern es war nur schlimmer geworden.
27 Da sie von Jesus gehört hatte, kam sie in
der Menge von hinten heran und berührte
sein Gewand. 28 Denn sie sagte sich: Wenn
ich nur seine Kleider berühre, so werde
ich gesund.[a] 29 Und sogleich versiegte die
Quelle ihres Blutes, und sie spürte es am
Leibe, dass sie von ihrer Plage geheilt war.
30 Und Jesus spürte sogleich an sich selbst,
dass [a]eine Kraft von ihm ausgegangen war,
wandte sich um in der Menge und sprach:
Wer hat meine Kleider berührt? 31 Und
seine Jünger sprachen zu ihm: Du siehst,
dass dich die Menge umdrängt, und
sprichst: Wer hat mich berührt? 32 Und er
sah sich um nach der, die das getan hatte.
33 Die Frau aber fürchtete sich und zitterte,
denn sie wusste, was an ihr geschehen
war; sie kam und fiel vor ihm nieder und
sagte ihm die ganze Wahrheit. 34 Er aber
sprach zu ihr: Meine Tochter, [a]dein Glaube
hat dich gesund gemacht; geh hin in Frie-
den und sei gesund von deiner Plage!

35 Als er noch redete, kamen Leute vom
Vorsteher der Synagoge und sprachen:
Deine Tochter ist gestorben; was bemühst
du weiter den Meister? 36 Jesus aber hörte
nicht auf das, was da gesagt wurde, und
sprach zu dem Vorsteher: Fürchte dich
nicht, glaube nur! 37 Und er ließ nieman-
den mit sich gehen als Petrus und Jakobus
und Johannes, den Bruder des Jakobus.[a]

38 Und sie kamen in das Haus des Vor-
stehers, und er sah das Getümmel und
wie sehr sie weinten und heulten. 39 Und
er ging hinein und sprach zu ihnen: Was
lärmt und weint ihr? [a]Das Kind ist nicht
gestorben, sondern es schläft. 40 Und sie
verlachten ihn. Er aber trieb sie alle hinaus
und nahm mit sich den Vater des Kindes
und die Mutter und die bei ihm waren,
und ging hinein, wo das Kind lag, 41 und
ergriff das Kind bei der Hand und sprach
zu ihm: Talita kum! – das heißt übersetzt:
Mädchen, [a]ich sage dir, steh auf! 42 Und
sogleich stand das Mädchen auf und ging
umher; es war aber zwölf Jahre alt. Und sie
entsetzten sich sogleich über die Maßen.
43 Und [a]er gebot ihnen streng, dass es nie-
mand wissen sollte, und sagte, sie sollten
ihr zu essen geben.

DIE ABLEHNUNG JESU IN NAZARETH

(Mt 13,53-58; Lk 4,16-30)

6 Und er ging von dort weg und kam in
seine Vaterstadt, und seine Jünger folg-
ten ihm nach. 2 Und als der Sabbat kam,
fing er an zu lehren in der Synagoge. Und
viele, die zuhörten, verwunderten sich
und sprachen: [a]Woher hat er dies? Und
was ist das für eine Weisheit, die ihm ge-
geben ist? Und solche Taten geschehen
durch seine Hände?[b] 3 Ist der nicht der
Zimmermann, [a]Marias Sohn und der Bru-

5,20 *a* Kap 7,31 **5,25** *a* 3. Mose 15,25-27 **5,28** *a* Kap 3,10
5,30 *a* Lk 6,19 **5,34** *a* Kap 10,52 **5,37** *a* Mt 17,1
5,39 *a* Joh 11,11 **5,41** *a* Lk 7,14; Apg 9,40 **5,43** *a* Kap 1,44
6,2 *a* Joh 7,15 *b* Kap 1,22.27 **6,3** *a* Kap 3,32

der des Jakobus und Joses und Judas und
Simon? Sind nicht auch seine Schwes-
tern hier bei uns? Und sie ärgerten sich
an ihm.[b] 4 Jesus aber sprach zu ihnen: Ein
Prophet gilt nirgends weniger als in sei-
nem Vaterland* und bei seinen Verwand-
ten und in seinem Hause.[a] 5 Und er konnte
dort nicht eine einzige Tat tun, außer dass
er wenigen Kranken die Hände auflegte
und sie heilte. 6 Und er wunderte sich über
ihren Unglauben. Und er zog rings umher
in die Dörfer und lehrte.

DIE AUSSENDUNG DER ZWÖLF

(Mt 10,1; 10,5-14; Lk 9,1-6)

7 Und er rief die Zwölf zu sich und fing an,
sie auszusenden [a]je zwei und zwei, und
gab ihnen Macht über die unreinen Geis-
ter[b] 8 und gebot ihnen, nichts mitzuneh-
men auf den Weg als allein einen Stab,
kein Brot, keine Tasche, kein Geld im Gür-
tel, 9 wohl aber Schuhe an den Füßen. Und
zieht nicht zwei Hemden an!

10 Und er sprach zu ihnen: Wo ihr in
ein Haus geht, da bleibt, bis ihr von dort
weiterzieht. 11 Und wo man euch nicht
aufnimmt und euch nicht hört, da geht
hinaus und schüttelt den Staub von euren
Füßen, ihnen zum Zeugnis. 12 Und sie zo-
gen aus und [a]predigten, man sollte Buße
tun, 13 und trieben viele Dämonen aus und
[a]salbten viele Kranke mit Öl und machten
sie gesund.

DAS ENDE JOHANNES DES TÄUFERS

(Mt 14,1-12; Lk 9,7-9; 3,19-20)

14 [a]Und es kam dem König Herodes zu
Ohren; denn der Name Jesu war nun be-
kannt. Und die Leute sprachen: Johannes
der Täufer ist von den Toten auferweckt
worden, und darum wirken solche Kräfte
in ihm. 15 Andere aber sprachen: Er ist Elia;
wieder andere: ein Prophet wie einer der
Propheten. 16 Als es aber Herodes hörte,
sprach er: Es ist Johannes, den ich ent-
hauptet habe, der ist auferweckt worden.

17 Denn er, Herodes, hatte ausgesandt
und Johannes ergriffen und ins Gefäng-
nis geworfen um der Herodias willen,
der Frau seines Bruders Philippus; denn
er hatte sie geheiratet. 18 Johannes aber
hatte zu Herodes gesagt: [a]Es ist nicht er-
laubt, dass du die Frau deines Bruders
hast. 19 Herodias aber stellte ihm nach
und wollte ihn töten und konnte es nicht.
20 Denn Herodes fürchtete Johannes, weil
er wusste, dass er ein gerechter und hei-
liger Mann war, und hielt ihn in Gewahr-
sam; und wenn er ihn hörte, wurde er sehr
unruhig; doch hörte er ihn gern.

21 Und es kam ein gelegener Tag, als He-
rodes an seinem Geburtstag ein Festmahl
gab für seine Großen und die Obersten
und die Vornehmsten von Galiläa. 22 Da
trat herein seine Tochter, die von Hero-
dias, und tanzte, und sie gefiel Herodes
und denen, die mit zu Tisch lagen. Da
sprach der König zu dem Mädchen: Bitte
von mir, was du willst, ich will dir's ge-
ben. 23 Und er schwor ihr feierlich: Was du
von mir bittest, will ich dir geben, [a]bis zur
Hälfte meines Königreichs.

24 Und sie ging hinaus und fragte ihre
Mutter: Was soll ich bitten? Die sprach:
Das Haupt Johannes des Täufers. 25 Da
ging sie sogleich eilig hinein zum König,
bat ihn und sprach: Ich will, dass du mir
gibst, jetzt gleich auf einer Schale, das
Haupt Johannes des Täufers. 26 Und der
König wurde sehr betrübt. Doch wegen
der Eide und derer, die mit zu Tisch la-
gen, wollte er sie nicht abweisen. 27 Und
alsbald schickte der König den Henker hin
und befahl, das Haupt des Johannes her-
zubringen. Der ging hin und enthauptete
ihn im Gefängnis 28 und trug sein Haupt
herbei auf einer Schale und gab's dem
Mädchen, und das Mädchen gab's seiner
Mutter. 29 Und da das seine Jünger hörten,
kamen sie und nahmen seinen Leichnam
und legten ihn in ein Grab.

DIE SPEISUNG DER FÜNFTAUSEND

(Mt 14,13-21; Lk 9,10-17; Joh 6,1-13)

30 Und die Apostel kamen bei Jesus zu-
sammen und verkündeten ihm alles, was
sie getan und gelehrt hatten. 31 Und er
sprach zu ihnen: Geht ihr allein an eine
einsame Stätte und ruht ein wenig. [a]Denn
es waren viele, die kamen und gingen, und

* **6,4** Wörtlich: »Ein Prophet wird nirgends verachtet außer in seiner Vaterstadt«.

6,3 *b* Joh 6,42 **6,4** *a* Joh 4,44 **6,7** *a* Lk 10,1 *b* Kap 3,14-15 **6,12** *a* Kap 1,14-15 **6,13** *a* Jak 5,14-15 **6,14** *a* (14-15) Kap 8,28 **6,18** *a* 3. Mose 18,16; 20,21 **6,23** *a* Est 5,3.6 **6,31** *a* Kap 3,20

sie hatten nicht Zeit genug zum Essen.
32 Und sie fuhren in einem Boot an eine
einsame Stätte für sich allein. 33 Und man
sah sie wegfahren, und viele hörten es und
liefen aus allen Städten zu Fuß dorthin zu-
sammen und kamen ihnen zuvor. 34 Und
Jesus stieg aus und sah die große Menge;
und [a]sie jammerten ihn, denn sie waren
[b]wie Schafe, die keinen Hirten haben. Und
er fing eine lange Predigt an.

35 [a]Da nun der Tag fast vergangen war,
traten seine Jünger zu ihm und sprachen:
Die Stätte ist einsam, und der Tag ist fast
vergangen; 36 lass sie gehen, damit sie in
die Höfe und Dörfer ringsum gehen und
sich etwas zu essen kaufen. 37 [a]Er aber ant-
wortete und sprach zu ihnen: Gebt ihr ih-
nen zu essen! Und sie sprachen zu ihm:
Sollen wir denn hingehen und für zwei-
hundert Silbergroschen Brot kaufen und
ihnen zu essen geben? 38 Er aber sprach zu
ihnen: Wie viele Brote habt ihr? Geht hin
und seht nach! Und als sie es erkundet hat-
ten, sprachen sie: Fünf, und zwei Fische.
39 Und er gebot ihnen, dass sich alle lager-
ten, tischweise, auf das grüne Gras. 40 Und
sie setzten sich, in Gruppen zu hundert
und zu fünfzig.

41 Und er nahm die fünf Brote und zwei
Fische und [a]sah auf zum Himmel, [b]dankte
und brach die Brote und gab sie den Jün-
gern, dass sie sie ihnen austeilten, und die
zwei Fische teilte er unter sie alle. 42 Und
sie aßen alle und wurden satt. 43 Und [a]sie
sammelten die Brocken auf, zwölf Körbe
voll, und von den Fischen. 44 Und die die
Brote gegessen hatten, waren fünftausend
Männer.

JESUS KOMMT ZU SEINEN JÜNGERN AUF DEM MEER

(Mt 14,22-33; Joh 6,15-21)

45 Und alsbald trieb er seine Jünger, in das
Boot zu steigen und vor ihm hinüberzu-
fahren nach Betsaida, bis er das Volk gehen
ließe. 46 Und als er sich von ihnen getrennt
hatte, [a]ging er hin auf einen Berg, um zu
beten.

47 Und am Abend war das Boot mitten
auf dem Meer, und er war an Land al-
lein. 48 Und er sah, dass sie sich abplagten
beim Rudern – denn der Wind stand ih-
nen entgegen –, da kam er um die vierte
Nachtwache zu ihnen und [a]wandelte auf
dem Meer und wollte an ihnen [b]vorüber-
gehen. 49 Als sie ihn aber auf dem Meer
wandeln sahen, meinten sie, es wäre ein
Gespenst, und schrien; 50 denn sie sahen
ihn alle und erschraken. Aber sogleich
redete er mit ihnen und sprach zu ih-
nen: Seid getrost, ich bin's; fürchtet euch
nicht! 51 Und er stieg zu ihnen ins Boot,
und [a]der Wind legte sich. Und sie ent-
setzten sich über die Maßen; 52 denn sie
waren um nichts verständiger geworden
angesichts der Brote, sondern [a]ihr Herz
war erstarrt.

KRANKENHEILUNGEN IN GENEZARETH

(Mt 14,34-36)

53 Und als sie hinübergefahren waren ans
Land, kamen sie nach Genezareth und leg-
ten an. 54 Und als sie aus dem Boot stie-
gen, erkannten ihn die Leute alsbald 55 und
liefen im ganzen Land umher und fingen
an, die Kranken auf Tragen überall dort-
hin zu bringen, wo sie hörten, dass er war.
56 Und wo er in Dörfer, Städte oder Höfe
hineinging, da legten sie die Kranken auf
den Markt und baten ihn, dass diese auch
nur [a]den Saum seines Gewandes berüh-
ren dürften; und alle, die ihn berührten,
wurden gesund.

VON UNREINEN HÄNDEN UND HERZEN

(Mt 15,1-20)

7 Und es versammelten sich bei ihm die
Pharisäer und einige von den Schrift-
gelehrten, die aus Jerusalem gekommen
waren. 2 Und sie sahen, dass einige seiner
Jünger mit unreinen, das heißt ungewa-
schenen Händen das Brot aßen. 3 Denn
die Pharisäer und alle Juden essen nicht,
wenn sie nicht die Hände mit einer Hand-
voll Wasser gewaschen haben, und halten
so an der Überlieferung der Ältesten* fest;
4 und wenn sie vom Markt kommen, essen
sie nicht, bevor sie sich gewaschen haben.
Und es gibt viele andre Dinge, die sie zu

* **7,3** Siehe Sach- und Worterklärungen zu »Älteste«.

6,34 ***a*** Mt 9,36 ***b*** 2. Chr 18,16; Hes 34,5
6,35 ***a*** (35-44) Kap 8,1-9 **6,37** ***a*** (37-44) 2. Kön 4,42-44
6,41 ***a*** Kap 7,34 ***b*** Kap 14,22 **6,43** ***a*** Kap 8,19
6,46 ***a*** Lk 6,12; 9,28 **6,48** ***a*** Hiob 9,8 ***b*** 2. Mose 33,19;
1. Kön 19,11 **6,51** ***a*** Kap 4,39 **6,52** ***a*** Kap 3,5; 8,17
6,56 ***a*** Kap 5,27-28; Apg 5,15; 19,11-12

halten angenommen haben, wie: [a]Becher
und Krüge und Kessel und Bänke zu wa-
schen. 5 Da fragten ihn die Pharisäer und
die Schriftgelehrten: Warum wandeln
deine Jünger nicht nach der Überlieferung
der Ältesten, sondern essen das Brot mit
unreinen Händen?

6 Er aber sprach zu ihnen: Richtig hat von
euch Heuchlern Jesaja geweissagt, wie ge-
schrieben steht (Jesaja 29,13): »Dies Volk ehrt
mich mit den Lippen, aber ihr Herz ist fern
von mir. 7 Vergeblich dienen sie mir, weil
sie lehren solche Lehren, die nichts sind
als Menschengebote.« 8 Ihr verlasst Got-
tes Gebot und haltet an der Überlieferung
der Menschen fest. 9 Und er sprach zu ih-
nen: Trefflich hebt ihr Gottes Gebot auf,
damit ihr eure Überlieferung aufrichtet!
10 Denn Mose hat gesagt (2. Mose 20,12; 21,17):
»Du sollst deinen Vater und deine Mut-
ter ehren«, und: »Wer Vater oder Mutter
schmäht, der soll des Todes sterben.« 11 Ihr
aber lehrt: Wenn einer zu Vater oder Mut-
ter sagt: Korban*, das heißt: Opfergabe,
soll sein, was dir von mir zusteht, 12 so
lasst ihr ihn nichts mehr tun für seinen Va-
ter oder seine Mutter 13 und hebt so Gottes
Wort auf durch eure Überlieferung, die ihr
weitergegeben habt; und dergleichen tut
ihr viel.

14 Und er rief das Volk wieder zu sich und
sprach zu ihnen: Hört mir alle zu und be-
greift's! 15 Es [a]gibt nichts, was von außen
in den Menschen hineingeht, das ihn
unrein machen könnte; sondern was aus
dem Menschen herauskommt, das ist's,
was den Menschen unrein macht.*

17 Und als er von dem Volk ins Haus
ging, fragten ihn seine Jünger nach die-
sem Gleichnis.[a] 18 Und er sprach zu ihnen:
Seid denn auch ihr so unverständig? Ver-
steht ihr nicht, dass alles, was von außen
in den Menschen hineingeht, ihn nicht
unrein machen kann? 19 Denn es geht
nicht in sein Herz, sondern in den Bauch
und kommt heraus in die Grube. Damit
erklärte er alle Speisen für rein. 20 Und
er sprach: Was aus dem Menschen her-
auskommt, das macht den Menschen un-
rein. 21 [a]Denn [b]von innen, aus dem Her-
zen der Menschen, kommen heraus die
bösen Gedanken, Unzucht, Diebstahl,
Mord, 22 Ehebruch, Habgier, Bosheit, Arg-
list, Ausschweifung, Missgunst, Läste-
rung, Hochmut, Unvernunft. 23 All dies
Böse kommt von innen heraus und macht
den Menschen unrein.

DIE SYROPHÖNIZISCHE FRAU

(Mt 15,21-28)

24 Und er stand auf und ging von dort in
das Gebiet von Tyrus. Und er ging in ein
Haus und [a]wollte es niemanden wissen
lassen und konnte doch nicht verborgen
bleiben; 25 sondern alsbald hörte eine Frau
von ihm, deren Töchterlein einen unrei-
nen Geist hatte. Und sie kam und fiel nie-
der zu seinen Füßen – 26 die Frau war aber
eine Griechin aus Syrophönizien – und bat
ihn, dass er den Dämon aus ihrer Tochter
austreibe. 27 [a]Jesus aber sprach zu ihr: Lass
zuvor die Kinder satt werden; denn es ist
nicht recht, dass man den Kindern das
Brot nehme und werfe es vor die Hunde.
28 Sie antwortete aber und sprach zu ihm:
Herr, aber doch essen die Hunde unter
dem Tisch von den Brosamen der Kinder.
29 Und er sprach zu ihr: Um dieses Wortes
willen geh hin, der Dämon ist aus deiner
Tochter ausgefahren.[a] 30 Und sie ging hin
in ihr Haus und fand das Kind auf dem
Bett liegen, und der Dämon war ausge-
fahren.

DIE HEILUNG EINES TAUBEN

31 [a]Und als er wieder fortging aus dem Ge-
biet von Tyrus, kam er durch Sidon an das
Galiläische Meer, mitten in das Gebiet der
[b]Zehn Städte. 32 Und sie brachten zu ihm
einen, der taub war und stammelte, und
baten ihn, dass er ihm die Hand auflege.
33 Und er nahm ihn aus der Menge beiseite
und legte ihm die Finger in die Ohren und
spuckte aus und berührte seine Zunge[a]
34 und sah auf zum Himmel und seufzte
und sprach zu ihm: Hefata!, das heißt: Tu
dich auf! 35 Und sogleich taten sich seine

* **7,11** Mit dieser Gelöbnisformel (vgl. 3. Mose 1,1-17) konnte man den Tempel zum alleinigen Erben von Eigentum einsetzen. **7,15** Vers 16 findet sich erst in der späteren Überlieferung: »Hat jemand Ohren zu hören, der höre!« (vgl. 4,9.23).

7,4 ***a*** Mt 23,25 **7,15** ***a*** Röm 14,14 **7,17** ***a*** Kap 4,10
7,21 ***a*** (21-22) Röm 1,28-31 ***b*** Lk 11,39 **7,24** ***a*** Kap 9,30
7,27 ***a*** (27-28) Kap 6,41-43; 8,6-8 **7,29** ***a*** Mt 8,13;
Joh 4,50 **7,31** ***a*** (31-37) Mt 15,29-31 ***b*** Kap 5,20
7,33 ***a*** Kap 8,23

Ohren auf, und die Fessel seiner Zunge
wurde gelöst, und er redete richtig.
36 Und er gebot ihnen, sie sollten's nie-
mandem sagen. Je mehr er's ihnen aber
verbot, desto mehr breiteten sie es aus.[a]
37 Und sie wunderten sich über die Ma-
ßen und sprachen: [a]**Er hat alles wohl ge-
macht; die [b]Tauben macht er hören und
die Sprachlosen reden.**

DIE SPEISUNG DER VIERTAUSEND

(Mt 15,32-39)

8 Zu der Zeit, als wieder eine große Men-
ge da war und sie nichts zu essen hatten,
rief Jesus die Jünger zu sich und sprach zu
ihnen: 2 [a]Mich jammert das Volk, denn sie
harren nun schon drei Tage bei mir aus
und haben nichts zu essen. 3 Und wenn
ich sie hungrig heimgehen ließe, wür-
den sie auf dem Wege verschmachten;
denn einige sind von ferne gekommen.
4 Seine Jünger antworteten ihm: Woher
nehmen wir Brot hier in der Einöde, dass
wir sie sättigen? 5 Und er fragte sie: Wie
viele Brote habt ihr? Sie sprachen: Sieben.
6 Und er gebot dem Volk, sich auf die Erde
zu lagern. Und er nahm die sieben Brote,
dankte, brach sie und gab sie seinen Jün-
gern, dass sie sie austeilten, und sie teilten
sie unter das Volk aus. 7 Sie hatten auch
einige Fische; und er sprach den Segen
darüber und ließ auch diese austeilen.
8 Und sie aßen und wurden satt. Und
[a]sie sammelten die übrigen Brocken auf,
sieben Körbe voll. 9 Es waren aber etwa
viertausend; und er ließ sie gehen.

DIE ZEICHENFORDERUNG DER PHARISÄER

(Mt 16,1-4)

10 Und alsbald stieg er in das Boot mit sei-
nen Jüngern und kam in die Gegend von
Dalmanuta. 11 [a]Und die Pharisäer kamen
heraus und fingen an, mit ihm zu strei-
ten, [b]versuchten ihn und [c]forderten von
ihm ein Zeichen vom Himmel. 12 Und er
seufzte in seinem Geist und sprach: Was
fordert doch dieses Geschlecht ein Zei-
chen? Wahrlich, ich sage euch: Es wird
diesem Geschlecht kein Zeichen gegeben
werden! 13 Und er verließ sie und stieg
wieder in das Boot und fuhr ans andere
Ufer.

DAS UNVERSTÄNDNIS DER JÜNGER

(Mt 16,5-12)

14 Und sie hatten vergessen, Brot mitzu-
nehmen, und hatten nicht mehr mit sich
im Boot als ein Brot. 15 Und er gebot ih-
nen und sprach: Merkt auf, [a]seht euch vor
vor dem Sauerteig der Pharisäer und vor
dem Sauerteig des [b]Herodes. 16 Und sie
überlegten hin und her, weil sie kein Brot
hatten. 17 Und er merkte das und sprach zu
ihnen: Was bekümmert ihr euch, dass ihr
kein Brot habt? Versteht ihr noch nicht,
und begreift ihr noch nicht? [a]Habt ihr ein
erstarrtes Herz in euch? 18 [a]Habt ihr Au-
gen und seht nicht und habt Ohren und
hört nicht? Und denkt ihr nicht daran:
19 Als ich die fünf Brote brach für die fünf-
tausend, wie viele Körbe voll Brocken habt
ihr da aufgesammelt? Sie sagten: Zwölf.[a]
20 Und als ich die sieben brach für die vier-
tausend, wie viele Körbe voll Brocken habt
ihr da aufgesammelt? Und sie sagten: Sie-
ben.[a] 21 Und er sprach zu ihnen: Begreift
ihr denn noch nicht?

DIE HEILUNG EINES BLINDEN

22 Und sie kamen nach Betsaida. Und sie
brachten zu ihm einen Blinden und baten
ihn, dass er ihn anrühre. 23 Und er nahm
den Blinden bei der Hand und führte ihn
hinaus vor das Dorf, [a]spuckte in seine Au-
gen, legte ihm die Hände auf und fragte
ihn: Siehst du etwas? 24 Und er sah auf und
sprach: Ich sehe die Menschen umherge-
hen, als sähe ich Bäume. 25 Danach legte er
abermals die Hände auf seine Augen. Da
sah er deutlich und wurde wieder zurecht-
gebracht und konnte alles scharf sehen.
26 Und er schickte ihn heim und sprach:
Geh aber nicht hinein in das Dorf!

DAS BEKENNTNIS DES PETRUS

(Mt 16,13-20; Lk 9,18-21; Joh 6,67-69)

27 Und Jesus ging fort mit seinen Jüngern
in die Dörfer bei Cäsarea Philippi. Und
auf dem Wege fragte er seine Jünger und
sprach zu ihnen: Wer, sagen die Leute,

7,36 ***a*** Kap 1,43-45 **7,37** ***a*** 1. Mose 1,31 ***b*** Jes 35,5-6
8,2 ***a*** (2-9) Kap 6,34-44 **8,8** ***a*** Vers 20
8,11 ***a*** (11-12) Mt 12,38-39 ***b*** Kap 10,2 ***c*** Joh 6,30
8,15 ***a*** Lk 12,1 ***b*** Kap 3,6; 6,14; 8,11 **8,17** ***a*** Kap 6,52
8,18 ***a*** Jer 5,21; Mt 13,13.16 **8,19** ***a*** Kap 6,41-44
8,20 ***a*** Verse 6-9 **8,23** ***a*** Kap 7,33; Joh 9,6

dass ich sei? 28 Sie aber sprachen zu ihm:
Sie sagen, du seiest Johannes der Täu-
fer; andere sagen, du seiest Elia; wieder
andere, du seiest einer der Propheten.[a]
29 Und er fragte sie: Ihr aber, wer, sagt ihr,
dass ich sei? Da antwortete Petrus und
sprach zu ihm: [a]**Du bist der Christus!**
30 Und er bedrohte sie, dass sie nieman-
dem von ihm sagen sollten.[a]

DIE ERSTE ANKÜNDIGUNG VON JESU LEIDEN UND AUFERSTEHUNG

(Mt 16,21-23; Lk 9,22)

31 Und er fing an, sie zu lehren: Der Men-
schensohn muss viel leiden und verwor-
fen werden von den Ältesten und den
Hohenpriestern und den Schriftgelehrten
und getötet werden und nach drei Tagen
auferstehen.[a] 32 Und er redete das Wort
frei und offen. Und Petrus nahm ihn bei-
seite und fing an, ihm zu wehren. 33 Er aber
wandte sich um, sah seine Jünger an und
bedrohte Petrus und sprach: Geh [a]hinter
mich, du Satan! Denn du meinst nicht,
was göttlich, sondern was menschlich ist.

VON DER NACHFOLGE

(Mt 16,24-28; Lk 9,23-27)

34 Und er rief zu sich das Volk samt seinen
Jüngern und sprach zu ihnen: **Will mir
jemand nachfolgen, der verleugne sich
selbst und nehme sein Kreuz auf sich
und folge mir nach.** 35 **Denn wer sein
Leben behalten will, der wird's verlie-
ren; und wer sein Leben verliert [a]um
meinetwillen und um des Evangeliums
willen, der wird's behalten.**[b] 36 Denn was
hilft es dem Menschen, die ganze Welt zu
gewinnen und Schaden zu nehmen an sei-
ner Seele? 37 Denn was kann der Mensch
geben, womit er seine Seele auslöse?

38 Wer sich aber meiner und meiner
Worte schämt unter diesem ehebreche-
rischen und sündigen Geschlecht, dessen
wird sich auch der [a]Menschensohn schä-
men, wenn er kommen wird in der Herr-
lichkeit seines Vaters mit den heiligen
Engeln.[b]

9 Und er sprach zu ihnen: Wahrlich, ich
sage euch: Es stehen einige hier, die
werden den Tod nicht schmecken, bis
sie sehen das Reich Gottes kommen mit
Kraft.[a]

DIE VERKLÄRUNG JESU

(Mt 17,1-13; Lk 9,28-36)

2 Und nach sechs Tagen nahm Jesus mit
sich [a]Petrus, Jakobus und Johannes und
führte sie auf einen hohen Berg, nur sie
allein. Und er wurde vor ihnen verklärt;
3 und seine Kleider wurden hell und sehr
weiß, wie sie kein Bleicher auf Erden so
weiß machen kann. 4 Und es erschien ih-
nen Elia mit Mose, und sie redeten mit Je-
sus. 5 Und Petrus antwortete und sprach
zu Jesus: Rabbi, hier ist für uns gut sein;
wir wollen drei Hütten bauen, dir eine,
Mose eine und Elia eine. 6 Er wusste aber
nicht, was er redete; denn sie waren ver-
stört. 7 Und es kam eine Wolke, die über-
schattete sie. Und eine Stimme geschah
aus der Wolke: **Das ist mein lieber Sohn;
[a]den sollt ihr hören!**[b] 8 Und auf einmal,
als sie um sich blickten, sahen sie niemand
mehr bei sich als Jesus allein.

9 Als sie aber vom Berg herabgingen,
gebot ihnen Jesus, [a]dass sie niemandem
sagen sollten, was sie gesehen hatten, bis
der Menschensohn auferstünde von den
Toten. 10 Und sie behielten das Wort und
befragten sich untereinander: Was ist das,
auferstehen von den Toten?

11 Und sie fragten ihn und sprachen: Sa-
gen nicht die Schriftgelehrten, dass [a]zuvor
Elia kommen muss? 12 Er aber sprach zu
ihnen: Elia soll ja zuvor kommen und alles
wieder zurechtbringen. Wie steht dann
geschrieben von dem Menschensohn, dass
er [a]viel leiden und verachtet werden soll?
13 Aber ich sage euch: [a]Elia ist gekommen,
und sie haben ihm angetan, was sie woll-
ten, wie [b]von ihm geschrieben steht.

DIE HEILUNG EINES BESESSENEN KNABEN

(Mt 17,14-20; Lk 9,37-42)

14 Und sie kamen zu den Jüngern und sa-
hen eine große Menge um sie herum und
Schriftgelehrte, die mit ihnen stritten.
15 Und sobald die Menge ihn sah, entsetz-

8,28 *a* Kap 6,14-15 **8,29** *a* Kap 14,61; Joh 11,27
8,30 *a* Kap 9,9 **8,31** *a* Kap 9,31; 10,32-34 **8,33** *a* Kap 1,17
8,35 *a* Kap 10,29 *b* Mt 10,39 **8,38** *a* Kap 13,26-27
b Mt 10,33 **9,1** *a* Kap 13,30 **9,2** *a* Kap 5,37
9,7 *a* 5. Mose 18,15 *b* Kap 1,11; 15,39 **9,9** *a* Kap 8,30
9,11 *a* Mal 3,23 **9,12** *a* Jes 53,3-5 **9,13** *a* Mt 11,14
b 1. Kön 19,2.10

ten sich alle, liefen herbei und grüßten
ihn. 16 Und er fragte sie: Was streitet ihr
mit ihnen? 17 Einer aber aus der Menge
antwortete: Meister, ich habe meinen
Sohn hergebracht zu dir, der hat einen
sprachlosen Geist. 18 Und wo er ihn er-
wischt, reißt er ihn zu Boden; und er hat
Schaum vor dem Mund und knirscht mit
den Zähnen und wird starr. Und ich habe
mit deinen Jüngern geredet, dass sie ihn
austreiben sollen, und sie konnten's nicht.
19 Er antwortete ihnen aber und sprach: O
du ungläubiges Geschlecht, wie lange soll
ich bei euch sein? Wie lange soll ich euch
ertragen? Bringt ihn her zu mir!

20 Und sie brachten ihn zu ihm. Und so-
gleich, als ihn der Geist sah, riss er ihn hin
und her. Und er fiel auf die Erde, wälzte
sich und hatte Schaum vor dem Mund.
21 Und Jesus fragte seinen Vater: Wie
lange ist's, dass ihm das widerfährt? Er
sprach: Von Kind auf. 22 Und oft hat er
ihn ins Feuer und ins Wasser geworfen,
dass er ihn umbrächte. Wenn du aber et-
was kannst, so erbarme dich unser und
hilf uns! 23 Jesus aber sprach zu ihm: Du
sagst: Wenn du kannst! [a] **Alle Dinge sind
möglich dem, der da glaubt.*** 24 Sogleich
schrie der Vater des Kindes: **Ich glaube;
hilf meinem Unglauben!**

25 [a]Als nun Jesus sah, dass die Menge
zusammenlief, bedrohte er den unreinen
Geist und sprach zu ihm: Du sprachloser
und tauber Geist, ich gebiete dir: Fahre
von ihm aus und fahre nicht mehr in ihn
hinein! 26 Da schrie er und riss ihn heftig
hin und her und fuhr aus. Und er lag da
wie tot, sodass alle sagten: Er ist tot. 27 Je-
sus aber ergriff seine Hand und richtete
ihn auf, und er stand auf.

28 Und als er ins Haus kam, fragten ihn
seine Jünger für sich allein: Warum konn-
ten wir ihn nicht austreiben? 29 Und er
sprach: Diese Art kann durch nichts aus-
fahren als durch Beten.*

DIE ZWEITE ANKÜNDIGUNG VON JESU LEIDEN UND AUFERSTEHUNG

(Mt 17,22-23; Lk 9,43-45)

30 Und sie gingen von dort weg und zogen
durch Galiläa; und [a]er wollte nicht, dass
es jemand wissen sollte. 31 Denn er lehrte
seine Jünger und sprach zu ihnen: [a]Der
Menschensohn wird überantwortet wer-
den in die Hände der Menschen, und sie
werden ihn töten; und wenn er getötet ist,
so wird er nach drei Tagen auferstehen.[b]
32 Sie aber verstanden das Wort nicht und
fürchteten sich, ihn zu fragen.

DER RANGSTREIT UNTER DEN JÜNGERN

(Mt 18,1-5; Lk 9,46-48)

33 Und sie kamen nach Kapernaum. Und
als er im Haus war, fragte er sie: Was habt
ihr auf dem Weg besprochen? 34 [a]Sie aber
schwiegen; denn sie hatten auf dem Weg
miteinander besprochen, wer der Größte
sei. 35 Und er setzte sich und rief die Zwölf
und sprach zu ihnen: [a]Wenn jemand will
der Erste sein, der soll der Letzte sein von
allen und aller Diener. 36 Und er nahm
ein Kind, stellte es mitten unter sie und
[a]herzte es und sprach zu ihnen: 37 Wer
ein solches Kind in meinem Namen auf-
nimmt, der nimmt mich auf; und wer
mich aufnimmt, der nimmt nicht mich
auf, sondern den, der mich gesandt hat.[a]

DER FREMDE WUNDERTÄTER

(Lk 9,49-50)

38 [a]Johannes sprach zu ihm: Meister, wir
sahen einen, der trieb Dämonen in dei-
nem Namen aus, und wir verboten's ihm,
weil er uns nicht nachfolgt.[b] 39 Jesus aber
sprach: Ihr sollt's ihm nicht verbieten.
Denn niemand, der ein Wunder tut in
meinem Namen, kann so bald übel von
mir reden. 40 Denn wer nicht gegen uns
ist, der ist für uns.[a]

41 Denn wer euch einen Becher Wasser
zu trinken gibt deshalb, weil ihr Christus
angehört, wahrlich, ich sage euch: Er wird
nicht um seinen Lohn kommen.[a]

WARNUNG VOR VERFÜHRUNG

(Mt 18,6-9)

42 Und wer einen dieser Kleinen, die an
mich glauben, zum Bösen verführt, für

* **9,23** Andere Übersetzung: »Alles kann Gott dem zugute, der glaubt.« **9,29** In der späteren Überlieferung finden sich zusätzlich die Worte: »und Fasten«.

9,23 *a* Kap 10,27; 11,23 **9,25** *a* (25-26) Kap 1,25-26
9,30 *a* Kap 7,24 **9,31** *a* Kap 14,41 *b* Kap 8,31; 10,32-34
9,34 *a* (34-35) Lk 22,24-26 **9,35** *a* Kap 10,43-44; Mt 23,11 **9,36** *a* Kap 10,16 **9,37** *a* Mt 10,40
9,38 *a* (38-40) 4. Mose 11,26-29 *b* 4. Mose 11,27-28
9,40 *a* Lk 11,23 **9,41** *a* Mt 10,42

den wäre es besser, dass ihm ein Mühl-
stein um den Hals gehängt und er ins Meer
geworfen würde.[a]
43 Wenn dich aber deine Hand verführt,
so haue sie ab! Es ist besser für dich, dass
du verkrüppelt zum Leben eingehst, als
dass du zwei Hände hast und fährst in die
Hölle, in das Feuer, das nie verlöscht.*[a]
45 Und wenn dich dein Fuß verführt, so
haue ihn ab! Es ist besser für dich, dass du
lahm zum Leben eingehst, als dass du zwei
Füße hast und wirst in die Hölle gewor-
fen.* 47 Und wenn dich dein Auge verführt,
so wirf's von dir! Es ist besser für dich, dass
du einäugig in das Reich Gottes eingehst,
als dass du zwei Augen hast und wirst in
die Hölle geworfen,[a] 48 wo ihr Wurm nicht
stirbt und das Feuer nicht verlöscht.[a]
49 Denn jeder wird mit Feuer gesalzen
werden. 50 [a]Das Salz ist gut; [b]wenn aber
das Salz nicht mehr salzt, womit werdet
ihr's würzen? [c]Habt Salz bei euch und
[d]habt Frieden untereinander!

VON EHE UND EHESCHEIDUNG

(Mt 19,1-9)

10 Und er machte sich von dort auf und
kam in das Gebiet von Judäa und jen-
seits des Jordans. Und abermals lief das
Volk in Scharen bei ihm zusammen, und
wie es seine Gewohnheit war, lehrte er sie
abermals.
2 Und Pharisäer traten hinzu und frag-
ten ihn, ob es einem Mann erlaubt sei, sich
von seiner Frau zu scheiden, [a]und ver-
suchten ihn damit. 3 Er antwortete aber
und sprach zu ihnen: Was hat euch Mose
geboten? 4 Sie sprachen: [a]Mose hat zuge-
lassen, einen Scheidebrief zu schreiben
und sich zu scheiden. 5 Jesus aber sprach
zu ihnen: Um eures Herzens Härte wil-
len hat er euch dieses Gebot geschrieben;
6 aber von Anfang der Schöpfung an hat
Gott sie geschaffen als Mann und Frau.[a]
7 [a]Darum wird ein Mann seinen Vater und
seine Mutter verlassen und wird an seiner
Frau hängen, 8 und die zwei werden *ein*
Fleisch sein. So sind sie nicht mehr zwei,
sondern ein Fleisch*. 9 **Was nun Gott zu-
sammengefügt hat, soll der Mensch
nicht scheiden.**
10 Und im Haus fragten ihn die Jünger
abermals danach. 11 [a]Und er sprach zu ih-
nen: Wer sich scheidet von seiner Frau
und heiratet eine andere, der bricht ihr
gegenüber die Ehe;[b] 12 und wenn die Frau
sich scheidet von ihrem Mann und heira-
tet einen andern, bricht sie die Ehe.

DIE SEGNUNG DER KINDER

(Mt 19,13-15; Lk 18,15-17)

13 Und sie brachten Kinder zu ihm, damit
er sie anrühre. Die Jünger aber fuhren sie
an. 14 Als es aber Jesus sah, wurde er un-
willig und sprach zu ihnen: **Lasset die
Kinder zu mir kommen und wehret
ihnen nicht, denn solchen gehört das
Reich Gottes.** 15 Wahrlich, ich sage euch:
Wer das Reich Gottes nicht empfängt wie
ein Kind, der wird nicht hineinkommen.[a]
16 Und [a]er herzte sie und legte die Hände
auf sie und segnete sie.

REICHTUM UND NACHFOLGE

(Mt 19,16-26; Lk 18,18-27)

17 Und als er hinausging auf den Weg, lief
einer herbei, kniete vor ihm nieder und
fragte ihn: Guter Meister, was soll ich tun,
damit ich das ewige Leben ererbe? 18 Aber
Jesus sprach zu ihm: Was nennst du mich
gut? Niemand ist gut [a]als der eine Gott.
19 Du kennst die Gebote: [a]»Du sollst nicht
töten; du sollst nicht ehebrechen; du sollst
nicht stehlen; du sollst nicht falsch Zeug-
nis reden; du sollst niemanden [b]berauben;
du sollst deinen Vater und deine Mutter
ehren.« 20 Er aber sprach zu ihm: Meister,
das habe ich alles gehalten von meiner Ju-
gend auf. 21 Und Jesus sah ihn an und ge-
wann ihn lieb und sprach zu ihm: Eines
fehlt dir. Geh hin, [a]verkaufe alles, was
du hast, und gib's den Armen, so wirst
du einen Schatz im Himmel haben, und
komm, [b]folge mir nach! 22 Er aber wurde
betrübt über das Wort und ging traurig da-
von; denn er hatte viele Güter.[a]

* **9,43.45** In der späteren Überlieferung wird als Vers 44 und 46 der Text von Vers 48 eingefügt.
10,8 Siehe Sach- und Worterklärungen.

9,42 *a* Lk 17,1-2 **9,43** *a* Mt 5,30 **9,47** *a* Mt 5,29 **9,48** *a* Jes 66,24 **9,50** *a* Lk 14,34 *b* Mt 5,13 *c* Kol 4,6 *d* 1. Thess 5,13 **10,2** *a* Kap 8,11 **10,4** *a* 5. Mose 24,1; Mt 5,31 **10,6** *a* 1. Mose 1,27 **10,7** *a* (7-8) 1. Mose 2,24 **10,11** *a* (11-12) 1. Kor 7,10-11 *b* Lk 16,18 **10,15** *a* Mt 18,3 **10,16** *a* Kap 9,36 **10,18** *a* Kap 2,7; 5. Mose 6,4-5 **10,19** *a* 2. Mose 20,12-16 *b* Sir 4,1 **10,21** *a* Lk 12,33 *b* Kap 2,14 **10,22** *a* Ps 62,11; 1. Tim 6,17

[23]Und Jesus sah um sich und sprach zu seinen Jüngern: [a]Wie schwer werden die Reichen in das Reich Gottes kommen! [24]Die Jünger aber entsetzten sich über seine Worte. Aber Jesus antwortete wiederum und sprach zu ihnen: Liebe Kinder, wie schwer ist's, ins Reich Gottes zu kommen! [25]Es ist leichter, dass ein Kamel durch ein Nadelöhr gehe, als dass ein Reicher ins Reich Gottes komme. [26]Sie entsetzten sich aber noch viel mehr und sprachen untereinander: Wer kann dann selig werden? [27]Jesus sah sie an und sprach: [a]Bei den Menschen ist's unmöglich, aber nicht bei Gott; denn alle Dinge sind möglich bei Gott.

DER LOHN DER NACHFOLGE

(Mt 19,27-30; Lk 18,28-30)

[28]Da fing Petrus an und sagte zu ihm: Siehe, [a]wir haben alles verlassen und sind dir nachgefolgt. [29]Jesus sprach: Wahrlich, ich sage euch: Es ist niemand, der Haus oder Brüder oder Schwestern oder Mutter oder Vater oder Kinder oder Äcker verlässt [a]um meinetwillen und um des Evangeliums willen, [30]der nicht hundertfach empfange: jetzt in dieser Zeit Häuser und [a]Brüder und Schwestern und Mütter und Kinder und Äcker mitten unter Verfolgungen – und in der kommenden Welt das ewige Leben. [31]Viele aber werden die Letzten sein, die die Ersten sind, und die Ersten sein, die die Letzten sind.[a]

DIE DRITTE ANKÜNDIGUNG VON JESU LEIDEN UND AUFERSTEHUNG

(Mt 20,17-19; Lk 18,31-34)

[32][a]Sie waren aber auf dem Wege hinauf nach Jerusalem, und Jesus ging ihnen voran; und sie entsetzten sich; die ihm aber nachfolgten, fürchteten sich. Und er nahm abermals die Zwölf zu sich und fing an, ihnen zu sagen, was ihm widerfahren werde: [33]Siehe, wir gehen hinauf nach Jerusalem, und der [a]Menschensohn wird überantwortet werden den Hohenpriestern und den Schriftgelehrten, und [b]sie werden ihn zum Tode verurteilen und den Heiden überantworten, [34]und [a]die werden ihn verspotten und anspeien und geißeln und töten, und nach drei Tagen wird er auferstehen.

VOM HERRSCHEN UND VOM DIENEN

(Mt 20,20-28)

[35]Da gingen zu ihm [a]Jakobus und Johannes, die Söhne des Zebedäus, und sprachen zu ihm: Meister, wir wollen, dass du für uns tust, was wir dich bitten werden. [36]Er sprach zu ihnen: Was wollt ihr, dass ich für euch tue? [37]Sie sprachen zu ihm: Gib uns, dass wir sitzen einer zu deiner Rechten und einer zu deiner Linken in deiner Herrlichkeit. [38]Jesus aber sprach zu ihnen: Ihr wisst nicht, was ihr bittet. Könnt ihr den [a]Kelch trinken, den ich trinke, oder euch taufen lassen mit der [b]Taufe, mit der ich getauft werde? [39]Sie sprachen zu ihm: Ja, das können wir. Jesus aber sprach zu ihnen: [a]Ihr werdet zwar den Kelch trinken, den ich trinke, und getauft werden mit der Taufe, mit der ich getauft werde; [40]zu sitzen aber zu meiner Rechten oder zu meiner Linken, das zu geben steht mir nicht zu, sondern das wird denen zuteil, für die es bestimmt ist.

[41]Und als das die Zehn hörten, wurden sie unwillig über Jakobus und Johannes. [42][a]Da rief Jesus sie zu sich und sprach zu ihnen: Ihr wisst, die als Herrscher gelten, halten ihre Völker nieder, und ihre Mächtigen tun ihnen Gewalt an. [43]Aber so ist es unter euch nicht; sondern wer groß sein will unter euch, der soll euer Diener sein; [44]und wer unter euch der Erste sein will, der soll aller Knecht sein.[a] [45]Denn auch **der Menschensohn ist nicht gekommen, dass er sich dienen lasse, sondern dass er diene und [a]sein Leben gebe als Lösegeld [b]für viele.**

DIE HEILUNG EINES BLINDEN BEI JERICHO

(Mt 20,29-34; Lk 18,35-43)

[46]Und sie kamen nach Jericho. Und als er aus Jericho hinausging, er und seine Jünger und eine große Menge, da saß ein blinder Bettler am Wege, Bartimäus, der [a]Sohn des Timäus. [47]Und als er hörte,

10,23 *a* Kap 4,19 **10,27** *a* Kap 9,23; Sach 8,6
10,28 *a* Kap 1,18.20 **10,29** *a* Kap 8,35 **10,30** *a* Kap 3,34
10,31 *a* Lk 13,30 **10,32** *a* (32-34) Kap 8,31; 9,31
10,33 *a* Kap 14,41 *b* Kap 14,64; 15,1 **10,34** *a* Kap 15,19-20
10,35 *a* Kap 1,19-20 **10,38** *a* Kap 14,36 *b* Lk 12,50
10,39 *a* Apg 12,2 **10,42** *a* (42-45) Lk 22,25-27
10,44 *a* Kap 9,35; 2. Kor 4,5 **10,45** *a* Jes 53,10-12; 1. Tim 2,6 *b* Kap 14,24 **10,46** *a* Kap 12,35-37

dass es Jesus von Nazareth war, fing er an
zu schreien und zu sagen: Jesus, du Sohn
Davids, erbarme dich meiner! 48 Und viele
fuhren ihn an, er sollte schweigen. Er aber
schrie noch viel mehr: Du Sohn Davids,
erbarme dich meiner! 49 Und Jesus blieb
stehen und sprach: Ruft ihn her! Und sie
riefen den Blinden und sprachen zu ihm:
Sei getrost, steh auf! Er ruft dich! 50 Da
warf er seinen Mantel von sich, sprang auf
und kam zu Jesus. 51 Und Jesus antwor-
tete ihm und sprach: Was willst du, dass
ich für dich tun soll? Der Blinde sprach
zu ihm: Rabbuni*, dass ich sehend werde.
52 Und Jesus sprach zu ihm: [a]Geh hin, dein
Glaube hat dir geholfen. Und sogleich
wurde er sehend und folgte ihm nach auf
dem Wege.

JESU EINZUG IN JERUSALEM

(Mt 21,1-11; Lk 19,28-38; Joh 12,12-14)

11 [a]Und als sie in die Nähe von Jerusalem
kamen, bei Betfage und Betanien am
Ölberg, sandte er zwei seiner Jünger 2 und
sprach zu ihnen: Geht hin in das Dorf,
das vor euch liegt. Und alsbald wenn ihr
hineinkommt, werdet ihr ein [a]Füllen an-
gebunden finden, auf dem noch nie ein
Mensch gesessen hat; bindet es los und
führt es her! 3 Und wenn jemand zu euch
sagen wird: Was tut ihr da?, so sprecht:
Der Herr bedarf seiner, und er sendet es
alsbald wieder her. 4 Und sie gingen hin
und fanden das Füllen angebunden an
einer Tür draußen am Weg und banden's
los. 5 Und einige, die da standen, sprachen
zu ihnen: Was tut ihr da, dass ihr das Fül-
len losbindet? 6 Sie sagten aber zu ihnen,
wie ihnen Jesus geboten hatte, und die
ließen's zu.

7 Und sie führten das Füllen zu Jesus und
legten ihre Kleider darauf, und er setzte
sich darauf. 8 Und viele breiteten ihre
Kleider auf den Weg, andere aber grüne
Zweige, die sie auf den Feldern abgehauen
hatten. 9 Und die vorangingen und die
nachfolgten, schrien: [a]**Hosianna! Gelobt
sei, der da kommt in dem Namen des
Herrn!** 10 Gelobt sei das [a]Reich unseres
Vaters David, das da kommt! Hosianna in
der Höhe!

11 Und er ging hinein nach Jerusalem in
den Tempel und er besah ringsum alles,
und spät am Abend [a]ging er hinaus nach
Betanien mit den Zwölfen.

DER VERDORRTE FEIGENBAUM. JESUS IM TEMPEL

(Mt 21,12-22; Lk 19,45-48; Joh 2,13-16)

12 Und am nächsten Tag, als sie von Be-
tanien weggingen, hungerte ihn. 13 Und
er sah einen Feigenbaum von ferne, der
Blätter hatte; da ging er hin, ob er etwas
darauf fände. Und als er zu ihm kam, fand
er nichts als Blätter; denn es war nicht die
Zeit für Feigen. 14 Da antwortete Jesus und
sprach zu ihm: Nun esse niemand mehr
eine Frucht von dir in Ewigkeit! Und seine
Jünger hörten das.

15 Und sie kamen nach Jerusalem. Und
Jesus ging in den Tempel und fing an, hin-
auszutreiben die Verkäufer und Käufer im
Tempel; und die Tische der Geldwechsler
und die Stände der Taubenhändler stieß
er um 16 und ließ nicht zu, dass jemand
etwas durch den Tempel trüge. 17 Und er
lehrte und sprach zu ihnen: Steht nicht ge-
schrieben (Jesaja 56,7): »Mein Haus wird ein
Bethaus heißen für [a]alle Völker«? Ihr aber
habt eine [b]Räuberhöhle daraus gemacht.
18 Und es kam vor die Hohenpriester und
Schriftgelehrten, und [a]sie trachteten da-
nach, wie sie ihn umbrächten. Sie fürch-
teten sich nämlich vor ihm; denn alles
Volk [b]verwunderte sich über seine Lehre.
19 Und am Abend gingen sie hinaus vor
die Stadt.

20 Und als sie am Morgen an dem Fei-
genbaum vorbeigingen, sahen sie, dass er
verdorrt war bis zur Wurzel. 21 Und Petrus
erinnerte sich und sprach zu ihm: Rabbi,
sieh, der Feigenbaum, den du verflucht
hast, ist verdorrt. 22 Und Jesus antwor-
tete und sprach zu ihnen: Habt Glauben
an Gott! 23 Wahrlich, ich sage euch: Wer
zu diesem Berge spräche: Heb dich und
wirf dich ins Meer!, und [a]zweifelte nicht
in seinem Herzen, sondern glaubte, dass
geschehen würde, was er sagt, so wird's
ihm geschehen.[b] 24 Darum sage ich euch:
Alles, was ihr betet und bittet, glaubt

* **10,51** Das heißt übersetzt: »mein Lehrer«.

10,52 *a* Kap 5,34 **11,1** *a* (1-7) Kap 14,13-16 **11,2** *a* Sach 9,9 **11,9** *a* Ps 118,25-26 **11,10** *a* Lk 1,32-33 **11,11** *a* Mt 21,17; Lk 21,37 **11,17** *a* Kap 13,10 *b* Jer 7,11 **11,18** *a* Kap 12,12; 14,1-2 *b* Kap 1,22 **11,23** *a* Jak 1,6 *b* Kap 9,23; Mt 17,20

nur, dass ihr's empfangt, so wird's euch
zuteilwerden.[a] 25 Und wenn ihr steht und
betet, so vergebt, wenn ihr etwas gegen
jemanden habt, damit auch euer Vater
im Himmel euch vergebe eure Übertre-
tungen.*[a]

DIE FRAGE NACH JESU VOLLMACHT

(Mt 21,23-27; Lk 20,1-8)

27 Und sie kamen wieder nach Jerusalem.
Und als er im Tempel umherging, kamen
zu ihm die Hohenpriester, Schriftgelehr-
ten und Ältesten 28 und sprachen zu ihm:
Aus welcher Vollmacht tust du das? Oder
wer hat dir diese Macht gegeben, dass du
das tust? 29 Jesus aber sprach zu ihnen: Ich
will euch eine Sache fragen; antwortet
mir, so will ich euch sagen, aus welcher
Vollmacht ich das tue. 30 Die [a]Taufe des
Johannes – war sie vom Himmel oder von
Menschen? Antwortet mir!
31 Und sie bedachten es bei sich selbst
und sprachen: Sagen wir, sie war vom
Himmel, so wird er sagen: [a]Warum habt
ihr ihm dann nicht geglaubt? 32 Oder sol-
len wir sagen, sie war von Menschen?
Doch sie fürchteten sich vor dem Volk;
denn [a]sie meinten alle, dass Johannes
wirklich ein Prophet sei. 33 Und sie ant-
worteten und sprachen zu Jesus: Wir wis-
sen's nicht. Und Jesus sprach zu ihnen: So
sage ich euch auch nicht, aus welcher Voll-
macht ich das tue.

VON DEN BÖSEN WEINGÄRTNERN

(Mt 21,33-46; Lk 20,9-19)

12 Und er fing an, zu ihnen in Gleichnis-
sen zu reden: Ein Mensch [a]pflanzte
einen Weinberg und zog einen Zaun
darum und grub eine Kelter und baute
einen Turm und verpachtete ihn an Wein-
gärtner und ging außer Landes. 2 Und er
sandte, als die Zeit kam, einen Knecht
zu den Weingärtnern, damit er von den
Weingärtnern seinen Anteil an den Früch-
ten des Weinbergs nähme. 3 Da nahmen
sie ihn, schlugen ihn und schickten ihn
mit leeren Händen fort. 4 Abermals sandte
er zu ihnen einen andern Knecht; dem
schlugen sie auf den Kopf und schmähten
ihn. 5 Und er sandte einen andern, den
töteten sie; [a]und viele andere: die einen
schlugen sie, die andern töteten sie. 6 Da
hatte er noch einen, den [a]geliebten Sohn;
den sandte er als Letzten zu ihnen und
sagte sich: Sie werden sich vor meinem
Sohn scheuen. 7 Sie aber, die Weingärt-
ner, sprachen untereinander: Dies ist der
Erbe; kommt, lasst uns ihn töten, so wird
das Erbe unser sein! 8 Und sie nahmen ihn
und töteten ihn und warfen ihn hinaus vor
den Weinberg.
9 Was wird nun der Herr des Weinbergs
tun? Er wird kommen und die Weingärt-
ner umbringen und den Weinberg an-
dern geben. 10 Habt ihr denn nicht dieses
Schriftwort gelesen (Psalm 118,22-23): »Der
Stein, den die Bauleute [a]verworfen ha-
ben, der ist zum [b]Eckstein geworden.
11 Vom Herrn ist das geschehen und ist ein
Wunder vor unsern Augen*«? 12 Und [a]sie
trachteten danach, ihn zu ergreifen, und
fürchteten sich doch vor dem Volk; denn
sie verstanden, dass er auf sie hin dies
Gleichnis gesagt hatte. Und sie ließen ihn
und gingen davon.

DIE FRAGE NACH DER STEUER (DER ZINSGROSCHEN)

(Mt 22,15-22; Lk 20,20-26)

13 Und sie sandten zu ihm einige von
den Pharisäern und von den Anhängern
des Herodes*, dass sie ihn fingen in sei-
nen Worten. 14 Und sie kamen und spra-
chen zu ihm: Meister, wir wissen, dass du
wahrhaftig bist und fragst nach niemand;
denn du siehst nicht auf das Ansehen der
Menschen, sondern du lehrst den Weg
Gottes recht. Ist's recht, dass man dem
Kaiser Steuern zahlt, oder nicht? Sollen
wir sie zahlen oder nicht zahlen?
15 Er aber merkte ihre Heuchelei und
sprach zu ihnen: Was [a]versucht ihr mich?
Bringt mir einen Silbergroschen, dass

* **11,25** Vers 26 findet sich erst in der späteren Überlieferung: »Wenn ihr aber nicht vergebt, so wird euer Vater im Himmel eure Übertretungen auch nicht vergeben« (vgl. Mt 6,15). **12,11** Andere Übersetzung: »Vom Herrn ist er das geworden, und er ist wunderbar vor unsern Augen«. **12,13** Siehe Sach- und Worterklärungen zu »Herodes«.

11,24 *a* Mt 7,7; Joh 14,13; 1. Joh 5,14-15
11,25 *a* Mt 5,23-24; 6,14; Lk 6,37 **11,30** *a* Kap 1,4
11,31 *a* Mt 21,32 **11,32** *a* Kap 1,5 **12,1** *a* Jes 5,1-2
12,5 *a* Neh 9,26-31; Jer 7,25-26 **12,6** *a* Kap 1,11
12,10 *a* Kap 8,31 *b* 1. Petr 2,6-7 **12,12** *a* Kap 11,18
12,15 *a* Kap 10,2

ich ihn sehe! 16 Und sie brachten einen.
Da sprach er zu ihnen: Wessen Bild und
Aufschrift ist das? Sie sprachen zu ihm:
Des Kaisers. 17 Da sprach Jesus zu ihnen:
[a]**Gebt dem Kaiser, was des Kaisers ist,
und Gott, was Gottes ist!** Und sie wun-
derten sich über ihn.

DIE FRAGE NACH DER AUFERSTEHUNG

(Mt 22,23-33; Lk 20,27-38)

18 Da traten die Sadduzäer zu ihm, die sa-
gen, es gebe keine Auferstehung; die frag-
ten ihn und sprachen: 19 Meister, Mose hat
uns vorgeschrieben (5. Mose 25,5-6): »Wenn
jemandes Bruder stirbt und hinterlässt
eine Frau, aber keine Kinder, so soll sein
Bruder sie zur Frau nehmen und seinem
Bruder Nachkommen erwecken.« 20 Nun
waren sieben Brüder. Der erste nahm eine
Frau; der starb und hinterließ keine Kin-
der. 21 Und der zweite nahm sie und starb
und hinterließ auch keine Kinder. Und
ebenso der dritte. 22 Und alle sieben hin-
terließen keine Kinder. Zuletzt nach allen
starb die Frau auch. 23 Nun in der Auferste-
hung, wenn sie auferstehen: Wessen Frau
wird sie sein? Denn alle sieben haben sie
zur Frau gehabt.

24 Da sprach Jesus zu ihnen: Irrt ihr nicht
darum, weil ihr weder die Schrift kennt
noch die [a]Kraft Gottes? 25 Denn wenn sie
von den Toten auferstehen, so werden sie
weder heiraten noch sich heiraten lassen,
sondern sie sind wie die Engel im Him-
mel. 26 Aber von den Toten, dass sie auf-
erstehen, habt ihr nicht gelesen im Buch
des Mose, bei dem Dornbusch, wie Gott
zu ihm sagte und sprach (2. Mose 3,6): »Ich
bin der Gott Abrahams und der Gott Isa-
aks und der Gott Jakobs«? 27 **Gott ist nicht
ein Gott der Toten, sondern der Leben-
den.** Ihr irrt sehr.

DIE FRAGE NACH DEM HÖCHSTEN GEBOT

(Mt 22,35-40; Lk 10,25-28)

28 Und es trat zu ihm einer der Schrift-
gelehrten, der ihnen zugehört hatte, wie
sie miteinander stritten. Als er sah, dass
er ihnen gut geantwortet hatte, fragte er
ihn: Welches ist das höchste Gebot von
allen? 29 Jesus antwortete: **Das höchste
Gebot ist das: »Höre, Israel, der Herr,
unser Gott, ist der Herr allein,** 30 **und du
sollst den Herrn, deinen Gott, lieben
von ganzem Herzen, von ganzer Seele,
von ganzem Gemüt* und mit all deiner
Kraft«** (5. Mose 6,4-5). 31 **Das andre ist dies:**
[a]**»Du sollst deinen Nächsten lieben wie
dich selbst«** (3. Mose 19,18). **Es ist kein an-
deres Gebot größer als diese.**

32 [a]Und der Schriftgelehrte sprach zu
ihm: Ja, Meister, du hast recht geredet!
[b]Er ist *einer,* und ist kein anderer außer
ihm; 33 und ihn lieben von ganzem Her-
zen, von ganzem Gemüt und mit aller
Kraft, und seinen Nächsten lieben wie
sich selbst, [a]das ist mehr als alle Brand-
opfer und Schlachtopfer. 34 Da Jesus sah,
dass er verständig antwortete, sprach er zu
ihm: Du bist nicht fern vom Reich Got-
tes. [a]Und niemand wagte mehr, ihn zu
fragen.

DER SOHN DAVIDS

(Mt 22,41-45; Lk 20,41-44)

35 Und Jesus fing an und sprach, als er im
Tempel lehrte: Wieso sagen die Schrift-
gelehrten, [a]der Christus sei [b]Davids Sohn?
36 David selbst hat [a]durch den Heiligen
Geist gesagt (Psalm 110,1): [b]»Der Herr sprach
zu meinem Herrn: Setze dich zu meiner
Rechten, bis ich deine Feinde unter deine
Füße lege.« 37 David selbst nennt ihn ja
»Herr«. Woher ist er dann sein Sohn? Und
die große Menge hörte ihn gern.

WARNUNG VOR DEN SCHRIFTGELEHRTEN

(Mt 23,5-13; Lk 20,45-47)

38 Und er lehrte sie und sprach: Seht euch
vor vor den Schriftgelehrten, die gern in
langen Gewändern umhergehen und sich
auf dem Markt grüßen lassen 39 und sit-
zen gern obenan in den Synagogen und
beim Gastmahl; 40 sie [a]fressen die Häuser
der Witwen und verrichten zum Schein
lange Gebete. Die werden ein umso [b]här-
teres Urteil empfangen.

* **12,30** Siehe Sach- und Worterklärungen.

12,17 *a* Röm 13,7 **12,24** *a* 1. Kor 6,14 **12,31** *a* Röm 13,9; Gal 5,14; Jak 2,8 **12,32** *a* (32-34) Lk 20,39-40 *b* 5. Mose 4,35; 6,4 **12,33** *a* 1. Sam 15,22; Hos 6,6; Mt 9,13 **12,34** *a* Lk 20,40 **12,35** *a* Jes 9,5-6; Joh 7,42; Röm 1,3 *b* Kap 10,47 **12,36** *a* 2. Sam 23,2 *b* Apg 2,34; 1. Kor 15,25; Hebr 1,13 **12,40** *a* Jes 10,1-2 *b* Jak 3,1

DAS SCHERFLEIN DER WITWE

(Lk 21,1-4)

41 Und Jesus setzte sich dem [a]Gotteskas-
ten* gegenüber und sah zu, wie das Volk
Geld einlegte in den Gotteskasten. Und
viele Reiche legten viel ein. 42 Und es kam
eine arme Witwe und legte zwei Scherf-
lein ein; das ist ein Heller. 43 Und er rief
seine Jünger zu sich und sprach zu ih-
nen: Wahrlich, ich sage euch: Diese arme
Witwe hat mehr in den Gotteskasten ge-
legt als alle, die etwas eingelegt haben.
44 Denn sie haben alle von ihrem Überfluss
eingelegt; diese aber hat von ihrer Armut
ihre ganze Habe eingelegt, alles, was sie
zum Leben hatte.

JESU REDE ÜBER DIE ENDZEIT

Kapitel 13,1-37

(Mt 24,1-44; Lk 21,5-36)

DAS ENDE DES TEMPELS

13 Und als er aus dem Tempel ging, sprach
zu ihm einer seiner Jünger: Meister,
siehe, was für Steine und was für Bauten!
2 Und Jesus sprach zu ihm: Siehst du diese
großen Bauten? Hier wird nicht ein Stein
auf dem andern bleiben, der nicht zerbro-
chen werde.

DIE VORZEICHEN

3 Und als er auf dem Ölberg saß gegen-
über dem Tempel, fragten ihn [a]Petrus
und Jakobus und Johannes und Andreas,
als sie allein waren: 4 Sage uns, wann
wird das geschehen? Und was wird das
Zeichen sein, wann das alles vollendet
werden soll? 5 Jesus fing an und sagte
zu ihnen: Seht zu, dass euch nicht je-
mand verführe! 6 Es werden viele kom-
men unter meinem Namen und sagen:
[a]Ich bin's, und werden viele verführen.
7 Wenn ihr aber hören werdet von Krie-
gen und Kriegsgeschrei, so erschreckt
nicht: Es [a]muss geschehen. Aber das Ende
ist noch nicht da. 8 Denn es wird sich ein
Volk gegen das andere erheben und ein
Königreich gegen das andere; es wer-
den Erdbeben geschehen hier und dort,
es werden Hungersnöte sein: Das ist der
Anfang der Wehen.
9 [a]Ihr aber seht euch vor! Sie werden
euch den Gerichten überantworten, und
in den Synagogen werdet ihr geschlagen
werden, und vor Statthalter und Könige
werdet ihr geführt werden um meinet-
willen, ihnen zum Zeugnis. 10 Und **das
Evangelium muss zuvor gepredigt
werden unter allen Völkern.**[a] 11 Und
wenn sie euch hinführen und überant-
worten werden, so sorgt euch nicht vor-
her, was ihr reden sollt; sondern was euch
in jener Stunde gegeben wird, das redet.
Denn ihr seid's nicht, die da reden, son-
dern der Heilige Geist. 12 Und es wird ein
Bruder den andern zum Tod überant-
worten und der Vater das Kind, und die
Kinder werden sich empören gegen die
Eltern und werden sie zu Tode bringen.[a]
13 Und [a]ihr werdet gehasst sein von jeder-
mann um meines Namens willen. **Wer
aber beharrt bis an das Ende, der wird
selig.**

DIE GROSSE BEDRÄNGNIS

14 Wenn ihr aber sehen werdet den [a]Gräuel
der Verwüstung stehen, wo er nicht soll –
wer es liest, der merke auf! –, alsdann,
wer in Judäa ist, der fliehe auf die Berge.
15 [a]Wer auf dem Dach ist, der steige nicht
hinunter und gehe nicht hinein, etwas
aus seinem Hause zu holen. 16 Und wer
auf dem Feld ist, der wende sich nicht
um, seinen Mantel zu holen. 17 Weh aber
den Schwangeren und den Stillenden in
jenen Tagen! 18 Bittet aber, dass es nicht im
Winter geschehe. 19 Denn in diesen Tagen
wird [a]eine solche Bedrängnis sein, wie sie
nie gewesen ist bis jetzt vom Anfang der
Schöpfung, die Gott geschaffen hat, und
auch nicht wieder werden wird. 20 Und
wenn der Herr diese Tage nicht verkürzt
hätte, würde kein Mensch gerettet wer-
den; aber um der Auserwählten willen,
die er auserwählt hat, hat er diese Tage
verkürzt.
21 Wenn dann jemand zu euch sagen
wird: Siehe, hier ist der Christus; siehe,
da ist er!, so glaubt es nicht.[a] 22 Denn es

* **12,41** Siehe Sach- und Worterklärungen.

12,41 *a* 2. Kön 12,10 **13,3** *a* Mt 17,1 **13,6** *a* Kap 6,50; 14,62
13,7 *a* Dan 2,28; Offb 1,1 **13,9** *a* (9-12) Mt 10,17-22
13,10 *a* Kap 16,15 **13,12** *a* Mi 7,6 **13,13** *a* Joh 15,18.21
13,14 *a* Dan 9,27; 11,31 **13,15** *a* (15-16) Lk 17,31
13,19 *a* Dan 12,1 **13,21** *a* Lk 17,23

werden sich erheben falsche Christusse
und falsche Propheten, die Zeichen und
Wunder tun, um, wenn möglich, die
Auserwählten zu verführen. 23 Ihr aber
seht euch vor! Ich habe euch alles zuvor
gesagt!

DAS KOMMEN DES MENSCHENSOHNS

24 [a]Aber in jenen Tagen, nach jener Be-
drängnis, wird die Sonne sich verfinstern
und der Mond seinen Schein verlieren,
25 und die Sterne werden vom Himmel
fallen, und die Kräfte der Himmel wer-
den ins Wanken kommen. 26 Und dann
werden sie [a]sehen den Menschensohn
kommen in den Wolken mit großer Kraft
und Herrlichkeit. 27 Und dann wird er
die Engel senden und wird seine Auser-
wählten versammeln von den vier Win-
den, vom Ende der Erde bis zum Ende des
Himmels.

VOM ZEITPUNKT DES ENDES

28 An dem Feigenbaum aber lernt ein
Gleichnis: Wenn seine Zweige saftig
werden und Blätter treiben, so wisst ihr,
dass der Sommer nahe ist. 29 Ebenso auch,
wenn ihr seht, dass dies geschieht, so
wisst, dass er nahe vor der Tür ist. 30 Wahr-
lich, ich sage euch: Dieses Geschlecht wird
nicht vergehen, bis dies alles geschieht.[a]
31 [a]**Himmel und Erde werden verge-
hen; meine Worte aber werden nicht
vergehen.** 32 Von jenem Tage aber oder der
Stunde weiß niemand, auch die Engel im
Himmel nicht, auch der Sohn nicht, son-
dern allein der Vater.

MAHNUNG ZUR WACHSAMKEIT

33 [a]Seht euch vor, wachet! Denn ihr wisst
nicht, wann die Zeit da ist.[b] 34 Es ist wie
bei einem Menschen, der über Land
zog und verließ sein Haus und gab sei-
nen Knechten Vollmacht, einem jeden
seine Arbeit, und gebot dem Türhüter, er
sollte wachen: 35 So wacht nun; denn ihr
wisst nicht, wann der Herr des Hauses
kommt, ob am Abend oder [a]zu Mitter-
nacht oder um den Hahnenschrei oder am
Morgen, 36 damit er euch nicht [a]schlafend
finde, wenn er plötzlich kommt. 37 Was
ich aber euch sage, das sage ich allen:
Wachet!

JESU LEIDEN, STERBEN UND AUFERSTEHUNG

Kapitel 14,1–16,20
(Mt 26,1–28,20; Lk 22,1–24,53; Joh 13,1-38; 18,1–21,25)

DER PLAN DER HOHENPRIESTER UND DER SCHRIFTGELEHRTEN

(Joh 11,47-57)

14 Es waren noch zwei Tage bis zum [a]Pas-
safest und den Tagen der Ungesäuer-
ten Brote. [b]Und die Hohenpriester und
Schriftgelehrten suchten, wie sie ihn mit
List ergreifen und töten könnten. 2 Denn
sie sprachen: Ja nicht bei dem Fest, damit
es nicht einen Aufruhr im Volk gebe.

DIE SALBUNG IN BETANIEN

(Joh 12,1-8)

3 Und als er in Betanien war im Hause Si-
mons des Aussätzigen und saß zu Tisch,
da kam eine Frau, die hatte ein Alabas-
tergefäß mit unverfälschtem, kostbarem
Nardenöl, und sie zerbrach das Gefäß und
goss das Öl auf sein Haupt.[a] 4 Da wurden
einige unwillig und sprachen unterein-
ander: Was soll diese Vergeudung des
Salböls? 5 Man hätte dieses Öl für mehr
als dreihundert Silbergroschen [a]verkaufen
können und das Geld den Armen geben.
Und sie fuhren sie an.

6 Jesus aber sprach: Lasst sie! Was be-
kümmert ihr sie? Sie hat ein gutes Werk
an mir getan. 7 Denn [a]ihr habt allezeit
Arme bei euch, und wenn ihr wollt,
könnt ihr ihnen Gutes tun; mich aber
habt ihr nicht allezeit. 8 Sie hat getan, was
sie konnte; sie hat meinen Leib im Voraus
[a]gesalbt zu meinem Begräbnis. 9 Wahrlich,
ich sage euch: Wo das [a]Evangelium gepre-
digt wird in der ganzen Welt, da wird man
auch das sagen zu ihrem Gedächtnis, was
sie getan hat.

DER VERRAT DES JUDAS

10 Und Judas Iskariot, einer von den
Zwölfen, ging hin zu den Hohenpries-
tern, dass er ihn an sie verriete. 11 Da sie

13,24 *a* Jes 13,10; 34,4; Offb 6,12-13 **13,26** *a* Kap 8,38; 14,62; Dan 7,13-14; Offb 1,7 **13,30** *a* Kap 9,1 **13,31** *a* Jes 51,6 **13,33** *a* (33-34) Mt 25,13-15 *b* Lk 12,40 **13,35** *a* Lk 12,38 **13,36** *a* Mt 25,5 **14,1** *a* 5. Mose 16,1-4 *b* Kap 11,18 **14,3** *a* Lk 7,36-38 **14,5** *a* Kap 10,21 **14,7** *a* 5. Mose 15,11 **14,8** *a* Kap 16,1 **14,9** *a* Kap 13,10

das hörten, wurden sie froh und verspra-
chen, ihm Geld zu geben. Und er suchte,
wie er ihn bei guter Gelegenheit verraten
könnte.

DAS ABENDMAHL

12 Und am ersten Tage der Ungesäuerten
Brote, da man das Passalamm opferte,
sprachen seine Jünger zu ihm: Wo willst
du, dass wir hingehen und das Passa-
lamm bereiten, damit du es essen kannst?
13 [a]Und er sandte zwei seiner Jünger und
sprach zu ihnen: Geht hin in die Stadt,
und es wird euch ein Mensch begegnen,
der trägt einen Krug mit Wasser; folgt
ihm, 14 und wo er hineingeht, da sprecht
zu dem Hausherrn: Der Meister lässt dir
sagen: Wo ist die Herberge für mich, in
der ich das Passalamm essen kann mit
meinen Jüngern? 15 Und er wird euch
einen großen Saal zeigen, der schön aus-
gelegt und vorbereitet ist; und dort richtet
für uns zu. 16 Und die Jünger gingen hin
und kamen in die Stadt und fanden's, wie
er ihnen gesagt hatte, und bereiteten das
Passalamm.

17 Und am Abend kam er mit den Zwöl-
fen. 18 Und als sie bei Tisch waren und
aßen, sprach Jesus: Wahrlich, ich sage
euch: Einer unter euch, der mit mir isst,
wird mich verraten. 19 Da wurden sie trau-
rig und sagten zu ihm, einer nach dem an-
dern: Bin ich's? 20 Er aber sprach zu ihnen:
Einer von den Zwölfen, der mit mir sei-
nen Bissen in die Schüssel taucht. 21 Der
[a]Menschensohn geht zwar hin, wie von
ihm geschrieben steht; weh aber dem
Menschen, durch den der Menschen-
sohn verraten wird! Es wäre für diesen
Menschen besser, wenn er nie geboren
wäre.

22 [a]Und **als sie aßen, [b]nahm er das Brot,**
dankte und brach's und gab's ihnen
und sprach: Nehmet; das ist mein Leib.
23 Und er nahm den Kelch, dankte und
gab ihnen den; und sie tranken alle dar-
aus. 24 Und er sprach zu ihnen: Das ist
mein [a]Blut des Bundes*, das [b]für viele
vergossen wird. 25 Wahrlich, ich sage
euch, dass ich nicht mehr trinken werde
vom Gewächs des Weinstocks bis an den
Tag, an dem ich aufs Neue davon trinke im
Reich Gottes.

26 Und als sie den Lobgesang gesungen
hatten, gingen sie hinaus an den Ölberg.

DIE ANKÜNDIGUNG DER VERLEUGNUNG DES PETRUS

27 Und Jesus sprach zu ihnen: Ihr wer-
det alle Ärgernis nehmen; denn es steht
geschrieben (Sacharja 13,7): »Ich werde den
Hirten schlagen, und [a]die Schafe werden
sich zerstreuen.« 28 Wenn ich aber aufer-
standen bin, will ich [a]vor euch hingehen
nach Galiläa.

29 Petrus aber sagte zu ihm: Wenn auch
alle Ärgernis nehmen, so doch ich nicht!
30 Und Jesus sprach zu ihm: Wahrlich, ich
sage dir: Heute, in dieser Nacht, ehe denn
der Hahn zweimal kräht, wirst du mich
dreimal verleugnen. 31 Er aber redete noch
weiter: Auch wenn ich [a]mit dir sterben
müsste, werde ich dich nicht verleugnen!
Das Gleiche sagten sie alle.

JESUS IN GETHSEMANE

32 Und sie kamen zu einem Garten mit
Namen Gethsemane. Und er sprach zu
seinen Jüngern: Setzt euch hierher, bis ich
gebetet habe. 33 Und er [a]nahm mit sich Pe-
trus und Jakobus und Johannes und fing
an zu zittern und zu zagen 34 und sprach
zu ihnen: [a]Meine Seele ist betrübt bis an
den Tod; bleibt hier und wachet!

35 Und er ging ein wenig weiter, fiel nie-
der auf die Erde und betete, dass, wenn
es möglich wäre, die Stunde an ihm vor-
überginge, 36 und sprach: [a]**Abba, Vater,**
alles ist dir möglich; nimm [b]diesen
Kelch von mir; doch [c]nicht, was ich
will, sondern was du willst! 37 Und er
kam und fand sie schlafend und sprach zu
Petrus: Simon, schläfst du? Vermochtest
du nicht *eine* Stunde zu wachen? 38 [a]**Wa-**
chet und betet, dass ihr nicht in Versu-
chung fallt! Der Geist ist willig; aber
das Fleisch ist schwach.

39 Und er ging wieder hin und betete
und sprach dieselben Worte 40 und kam

* **14,24** Luther übersetzte: »des neuen Testaments«.

14,13 ***a*** *(13-16)* Kap 11,1-7 **14,21** ***a*** Kap 9,12
14,22 ***a*** *(22-24)* 1. Kor 10,16; 11,23-25 ***b*** Kap 6,41
14,24 ***a*** 2. Mose 24,8; Hebr 9,15-22 ***b*** Kap 10,45
14,27 ***a*** Joh 16,32 **14,28** ***a*** Kap 16,7 **14,31** ***a*** Joh 11,16
14,33 ***a*** Mt 17,1 **14,34** ***a*** Ps 42,6; Joh 12,27
14,36 ***a*** Gal 4,6 ***b*** Kap 10,38 **c** Joh 6,38 **14,38** ***a*** Lk 21,36

wieder und fand sie schlafend; denn ihre
Augen waren voller Schlaf, und sie wuss-
ten nicht, was sie ihm antworten sollten.
41 Und er kam zum dritten Mal und sprach
zu ihnen: Ach, wollt ihr weiter schlafen
und ruhen? Es ist genug; die Stunde ist ge-
kommen. Siehe, der [a]Menschensohn wird
überantwortet in die Hände der Sünder.
42 [a]Steht auf, lasst uns gehen! Siehe, der
mich verrät, ist nahe.

JESU GEFANGENNAHME

43 Und alsbald, während er noch redete,
kam herzu Judas, einer von den Zwölfen,
und mit ihm eine Schar mit Schwertern
und mit Stangen, von den Hohenpries-
tern und Schriftgelehrten und Ältesten.
44 Und der Verräter hatte ihnen ein Zei-
chen genannt und gesagt: Welchen ich
küssen werde, der ist's; den ergreift und
führt ihn sicher ab. 45 Und als er kam, trat
er alsbald zu ihm und sprach: Rabbi!,
und küsste ihn. 46 Die aber legten Hand
an ihn und ergriffen ihn. 47 Einer aber
von denen, die dabeistanden, zog sein
Schwert und schlug nach dem Knecht
des Hohenpriesters und hieb ihm ein
Ohr ab.

48 Und Jesus antwortete und sprach zu
ihnen: Seid ihr ausgezogen wie gegen
einen [a]Räuber mit Schwertern und mit
Stangen, mich gefangen zu nehmen? 49 Ich
bin täglich bei euch im Tempel gewesen
und habe gelehrt, und ihr habt mich nicht
ergriffen. Aber so muss die [a]Schrift er-
füllt werden. 50 Da verließen ihn alle und
flohen.

51 Und ein junger Mann folgte ihm nach,
der war mit einem Leinengewand beklei-
det auf der bloßen Haut; und sie griffen
nach ihm. 52 Er aber ließ das Gewand fah-
ren und [a]floh nackt.

JESUS VOR DEM HOHEN RAT

53 Und sie führten Jesus zu dem Hohen-
priester; und es versammelten sich alle
Hohenpriester und Ältesten und Schrift-
gelehrten. 54 Petrus aber folgte ihm nach
von ferne, bis hinein in den Palast des Ho-
henpriesters, und saß da bei den Knechten
und wärmte sich am Feuer.

55 Aber die Hohenpriester und der ganze
Hohe Rat suchten Zeugnis gegen Jesus,
auf dass sie ihn zu Tode brächten, und
fanden nichts. 56 Denn viele gaben [a]fal-
sches Zeugnis gegen ihn; aber ihr Zeug-
nis stimmte nicht überein. 57 Und einige
standen auf und gaben falsches Zeugnis
gegen ihn und sprachen: 58 Wir haben
gehört, dass er gesagt hat: Ich will diesen
[a]Tempel, der mit Händen gemacht ist, ab-
brechen und [b]in drei Tagen einen andern
bauen, der nicht mit Händen gemacht ist.
59 Aber ihr Zeugnis stimmte auch darin
nicht überein. 60 Und der Hohepriester
stand auf, trat in die Mitte und fragte Jesus
und sprach: Antwortest du nichts auf das,
was diese gegen dich bezeugen? 61 Er aber
[a]schwieg still und antwortete nichts. Da
fragte ihn der Hohepriester abermals und
sprach zu ihm: **Bist du der [b]Christus, der
Sohn des Hochgelobten?** 62 **Jesus aber
sprach: Ich bin's; und [a]ihr werdet sehen
den Menschensohn sitzen zur Rechten
der Kraft und kommen mit den Wol-
ken des Himmels.**

63 Da zerriss der Hohepriester seine Klei-
der und sprach: Was bedürfen wir weiterer
Zeugen? 64 Ihr habt die Gotteslästerung
gehört. Was meint ihr? Sie aber verurteil-
ten ihn alle, dass er des Todes schuldig sei.
65 Da fingen einige an, ihn anzuspeien und
sein Angesicht zu verdecken und ihn mit
Fäusten zu schlagen und zu ihm zu sagen:
Weissage uns! Und die Knechte schlugen
ihn ins Angesicht.[a]

DIE VERLEUGNUNG DES PETRUS

66 Und Petrus war unten im Hof. Da kam
eine von den Mägden des Hohenpries-
ters; 67 und als sie Petrus sah, wie er sich
wärmte, schaute sie ihn an und sprach:
Und du warst auch mit dem Jesus von
Nazareth. 68 Er leugnete aber und sprach:
Ich weiß nicht und verstehe nicht, was du
sagst. Und er ging hinaus in den Vorhof,
und der Hahn krähte.

69 Und die Magd sah ihn und fing aber-
mals an, denen zu sagen, die dabeistan-
den: Dieser ist einer von denen. 70 Und er
leugnete abermals.

14,41 ***a*** Kap 9,31; 10,33 **14,42** ***a*** Joh 14,31
14,48 ***a*** Kap 15,27 **14,49** ***a*** Kap 9,12 **14,52** ***a*** Am 2,16
14,56 ***a*** Ps 27,12 **14,58** ***a*** Kap 13,2 ***b*** Kap 8,31; 12,10
14,61 ***a*** Kap 15,5; Jes 53,7 ***b*** Kap 8,29 **14,62** ***a*** Kap 12,36;
13,26; Ps 110,1; Dan 7,13-14 **14,65** ***a*** Kap 15,19

Und nach einer kleinen Weile sprachen
die, die dabeistanden, abermals zu Petrus:
Wahrhaftig, du bist einer von denen; denn
du bist auch ein Galiläer. 71 Er aber fing
an, sich zu verfluchen und zu schwören:
Ich kenne den Menschen nicht, von dem
ihr redet. 72 Und alsbald krähte der Hahn
zum zweiten Mal. Da gedachte Petrus an
das Wort, das Jesus zu ihm gesagt hatte:
Ehe der Hahn zweimal kräht, wirst du
mich dreimal verleugnen. Und er fing an
zu weinen.

JESUS VOR PILATUS

15 Und alsbald am Morgen hielten die
Hohenpriester Rat mit den Ältesten
und Schriftgelehrten, dazu der ganze
Hohe Rat, und sie banden Jesus und führ-
ten ihn ab und überantworteten ihn Pi-
latus. 2 Und Pilatus fragte ihn: Bist du
der König der Juden? Er aber antwortete
ihm und sprach: Du sagst es. 3 Und die
Hohenpriester beschuldigten ihn hart.
4 Pilatus aber fragte ihn abermals und
sprach: Antwortest du nichts? Siehe, wie
hart sie dich verklagen! 5 Jesus aber [a]ant-
wortete nichts mehr, sodass sich Pilatus
verwunderte.

JESU VERURTEILUNG UND VERSPOTTUNG

6 Er pflegte ihnen aber zum Fest einen
Gefangenen loszugeben, welchen sie er-
baten. 7 Es war aber einer, genannt Barab-
bas, gefangen mit den Aufrührern, die
beim Aufruhr einen Mord begangen hat-
ten. 8 Und das Volk ging hinauf und bat,
dass er tue, wie er ihnen zu tun pflegte.
9 Pilatus aber antwortete ihnen: Wollt ihr,
dass ich euch den König der Juden los-
gebe? 10 Denn er erkannte, dass ihn die
Hohenpriester aus Neid überantwortet
hatten.

11 Aber die Hohenpriester wiegelten das
Volk auf, dass er ihnen viel lieber den
Barabbas losgebe. 12 Pilatus aber antwor-
tete wiederum und sprach zu ihnen: Was
wollt ihr dann, dass ich tue mit dem, den
ihr den König der Juden nennt? 13 Sie
schrien abermals: Kreuzige ihn! 14 Pilatus
aber sprach zu ihnen: Was hat er denn
Böses getan? Aber sie schrien noch viel
mehr: Kreuzige ihn! 15 Pilatus aber wollte
dem Volk Genüge tun und gab ihnen
Barabbas los und ließ Jesus geißeln und
überantwortete ihn, dass er gekreuzigt
würde.

16 Die Soldaten aber führten ihn hin-
ein in den Palast, das ist ins Prätorium,
und riefen die ganze Kohorte* zusammen
17 und zogen ihm einen Purpurmantel
an und flochten eine Dornenkrone und
setzten sie ihm auf 18 und fingen an, ihn
zu grüßen: Gegrüßet seist du, der Juden
König! 19 Und sie schlugen ihn mit einem
Rohr auf das Haupt und spien ihn an und
fielen auf die Knie und huldigten ihm.[a]
20 Und als sie ihn verspottet hatten, zogen
sie ihm den Purpurmantel aus und zogen
ihm seine Kleider an.

JESU KREUZIGUNG UND TOD

Und sie führten ihn hinaus, dass sie ihn
kreuzigten. 21 Und zwangen einen, der
vorüberging, Simon von Kyrene, der vom
Feld kam, den Vater des Alexander und
des Rufus, dass er ihm das Kreuz trage.
22 Und sie brachten ihn zu der Stätte Gol-
gatha, das heißt übersetzt: Schädelstätte.
23 Und sie [a]gaben ihm Myrrhe im Wein zu
trinken; aber [b]er nahm's nicht.

24 Und sie kreuzigten ihn. Und sie teilten
seine Kleider und warfen das Los darum,
wer was bekommen sollte.[a] 25 Und es war
die dritte Stunde, als sie ihn kreuzig-
ten. 26 Und es stand geschrieben, welche
Schuld man ihm gab, nämlich: Der König
der Juden. 27 Und sie kreuzigten mit ihm
zwei [a]Räuber, einen zu seiner Rechten
und einen zu seiner Linken.*

29 Und die vorübergingen, [a]lästerten
ihn und schüttelten ihre Köpfe und spra-
chen: Ha, [b]der du den Tempel abbrichst
und baust ihn auf in drei Tagen, 30 hilf dir
nun selber und steig herab vom Kreuz!
31 Desgleichen verspotteten ihn auch die
Hohenpriester untereinander samt den
Schriftgelehrten und sprachen: Er hat an-

* **15,16** Siehe Sach- und Worterklärungen zu »Prätorium« und »Kohorte«. **15,27** Luther übersetzte Vers 28 nach einer späteren Überlieferung: »Da ward die Schrift erfüllet, die da sagt: Er ist unter die Übeltäter gerechnet.«

15,5 *a* Kap 14,61; Jes 53,7 **15,19** *a* Kap 14,65
15,23 *a* Spr 31,6 *b* Kap 14,25 **15,24** *a* Ps 22,19
15,27 *a* Kap 14,48; Jes 53,12 **15,29** *a* Ps 22,8 *b* Kap 14,58

dern [a]geholfen und kann sich selber nicht
helfen. 32 Der Christus, der König von
Israel, er steige nun vom Kreuz, [a]damit
wir sehen und glauben. Und die mit ihm
gekreuzigt waren, schmähten ihn auch.
33 Und zur sechsten Stunde kam eine
[a]Finsternis über das ganze Land bis zur
neunten Stunde. 34 Und zu der neunten
Stunde rief Jesus laut: Eli, Eli, lama asab-
tani?* Das heißt übersetzt: [a]**Mein Gott,
mein Gott, warum* hast du mich ver-
lassen?**
35 Und einige, die dabeistanden, als sie
das hörten, sprachen sie: Siehe, er ruft
den Elia. 36 Da lief einer und füllte einen
Schwamm mit [a]Essig, steckte ihn auf ein
Rohr, gab ihm zu trinken und sprach:
Halt, lasst uns sehen, ob Elia komme und
ihn herabnehme!
37 Aber Jesus schrie laut und verschied.
38 Und der [a]Vorhang im Tempel zer-
riss in zwei Stücke von oben an bis unten
aus. 39 Der Hauptmann aber, der dabei-
stand, ihm gegenüber, und sah, dass er
so verschied, sprach: [a]**Wahrlich, dieser
Mensch ist Gottes Sohn gewesen!**
40 Und es waren auch Frauen da, die von
ferne zuschauten, unter ihnen Maria Mag-
dalena und Maria, die Mutter Jakobus des
Kleinen und des Joses, und Salome, 41 [a]die
ihm nachgefolgt waren, als er in Galiläa
war, und ihm gedient hatten, und viele
andere Frauen, die mit ihm hinauf nach
Jerusalem gegangen waren.

JESU GRABLEGUNG

42 [a]Und als es schon Abend wurde und
weil Rüsttag war, das ist der Tag vor dem
Sabbat, 43 kam Josef von Arimathäa, ein
angesehener Ratsherr, der auch auf das
Reich Gottes wartete; der wagte es und
ging hinein zu Pilatus und bat um den
Leichnam Jesu. 44 Pilatus aber wunderte
sich, dass er schon tot war, und rief den
Hauptmann und fragte ihn, ob er schon
länger gestorben wäre. 45 Und als er's er-
kundet hatte von dem Hauptmann, über-
ließ er Josef den Leichnam. 46 Und der
kaufte ein Leinentuch und nahm ihn ab
vom Kreuz und wickelte ihn in das Tuch
und legte ihn in ein Grab, das war in einen
Felsen gehauen, und wälzte einen Stein
vor des Grabes Tür. 47 Aber Maria Magda-
lena und Maria, die Mutter des Joses, sa-
hen, wo er hingelegt war.

DIE BOTSCHAFT VON JESU AUFERSTEHUNG

16 Und als der Sabbat vergangen war,
kauften [a]Maria Magdalena und Maria,
die Mutter des Jakobus, und Salome wohl-
riechende Öle, um hinzugehen und ihn
zu salben. 2 Und sie kamen zum Grab am
ersten Tag der Woche, sehr früh, als die
Sonne aufging. 3 Und sie sprachen unter-
einander: Wer wälzt uns den Stein von des
Grabes Tür? 4 Und sie sahen hin und wur-
den gewahr, dass der Stein weggewälzt
war; denn er war sehr groß.
5 Und sie gingen hinein in das Grab und
sahen einen Jüngling zur rechten Hand
sitzen, der hatte ein langes weißes Ge-
wand an, und sie entsetzten sich. 6 Er aber
sprach zu ihnen: Entsetzt euch nicht! Ihr
sucht Jesus von Nazareth, den Gekreuzig-
ten. Er ist auferstanden, er ist nicht hier.
Siehe da die Stätte, wo sie ihn hinlegten.
7 Geht aber hin und sagt seinen Jüngern
und Petrus, [a]dass er vor euch hingeht
nach Galiläa; da werdet ihr ihn sehen, wie
er euch gesagt hat. 8 Und sie gingen hinaus
und flohen von dem Grab; denn Zittern
und Entsetzen hatte sie ergriffen. Und sie
sagten niemand etwas; denn sie fürchte-
ten sich.

ERSCHEINUNGEN DES AUFERSTANDENEN UND HIMMELFAHRT

9 [a][Als aber Jesus auferstanden war früh
am ersten Tag der Woche, erschien er zu-
erst [b]Maria Magdalena, von der er sieben
Dämonen ausgetrieben hatte. 10 Und sie
ging hin und verkündete es denen, die mit
ihm gewesen waren, [a]die da Leid trugen
und weinten. 11 Und als diese hörten, dass

* **15,34** (1) Die Handschriften bieten den aramäischen Wortlaut des Psalms: »Eloï, Eloï, lema sabachtani?«, Luther den hebräischen. (2) Andere Übersetzung: »wozu«.

15,31 ***a*** Kap 5,34; 6,56 **15,32** ***a*** Joh 4,48 **15,33** ***a*** Am 8,9 **15,34** ***a*** Ps 22,2 **15,36** ***a*** Ps 69,22 **15,38** ***a*** 2. Mose 26,31-33; 2. Chr 3,14 **15,39** ***a*** Kap 1,11; 14,61 **15,41** ***a*** Lk 8,2-3; Joh 12,26 **15,42** ***a*** *(42-43)* 5. Mose 21,22-23 **16,1** ***a*** Kap 15,40 **16,7** ***a*** Kap 14,28 **16,9** ***a*** *(9-10)* Joh 20,1.14-18 ***b*** Lk 8,2 **16,10** ***a*** Mt 5,4; Lk 6,21

er lebe und ihr erschienen sei, glaubten
sie nicht.[a] 12 [a]Danach offenbarte er sich
in anderer Gestalt zweien von ihnen un-
terwegs, als sie aufs Feld gingen. 13 Und
die gingen auch hin und verkündeten es
den andern. Aber auch denen glaubten sie
nicht.
14 [a]Zuletzt, als die Elf zu Tisch saßen,
offenbarte er sich ihnen und schalt ih-
ren Unglauben und ihres Herzens Härte,
dass sie [b]nicht geglaubt hatten denen, die
ihn gesehen hatten als Auferstandenen.
15 Und er sprach zu ihnen: **Gehet hin in
alle Welt und predigt das Evangelium
aller Kreatur.**[a] 16 Wer da [a]glaubt und ge-
tauft wird, der wird selig werden; wer aber
nicht glaubt, der wird verdammt werden.
17 Die Zeichen aber, die folgen werden de-
nen, die da glauben, sind diese: In meinem
Namen werden sie [a]Dämonen austreiben,
[b]in neuen Zungen reden, 18 [a]Schlangen mit
den Händen hochheben, und wenn sie et-
was Tödliches trinken, wird's ihnen nicht
schaden; [b]Kranken werden sie die Hände
auflegen, so wird's gut mit ihnen.
19 [a]Nachdem der Herr Jesus mit ihnen
geredet hatte, wurde er aufgehoben gen
Himmel und [b]setzte sich zur Rechten Got-
tes. 20 Sie aber zogen aus und predigten an
allen Orten. Und der Herr [a]wirkte mit ih-
nen und bekräftigte das Wort durch die
mitfolgenden Zeichen.]*

DAS EVANGELIUM NACH LUKAS

1 Vorwort 1–2 Geburt des Täufers und Geburt Jesu 3 Wirken des Täufers Johannes
4–9 Jesu Wirken in Galiläa 9–19 Von Galiläa nach Jerusalem 19–21 Jesu Wirken in Jerusalem
22–23 Jesu Leiden und Sterben 24 Auferstehung und Himmelfahrt

1 Da es nun schon viele unternommen
haben, Bericht zu geben von den Ge-
schichten, die sich unter uns erfüllt haben,
2 wie uns das überliefert haben, die es von
Anfang an selbst gesehen haben und Die-
ner des Wortes gewesen sind,[a] 3 habe auch
ich's für gut gehalten, nachdem ich alles
von Anfang an sorgfältig erkundet habe,
[a]es für dich, hochgeehrter Theophilus, in
guter Ordnung aufzuschreiben, 4 auf dass
du den sicheren Grund der Lehre erfährst,
in der du unterrichtet bist.

DIE ANKÜNDIGUNG DER GEBURT JOHANNES DES TÄUFERS

5 Zu der Zeit des Herodes, des Königs von
Judäa, lebte ein Priester von der [a]Ord-
nung Abija mit Namen Zacharias, und
seine Frau war von den Töchtern Aaron,
die hieß Elisabeth. 6 Sie waren aber alle
beide gerecht und fromm vor Gott und
lebten in allen Geboten und Satzungen
des Herrn untadelig. 7 Und sie hatten kein
Kind; denn Elisabeth war unfruchtbar,
und beide waren hochbetagt.
8 Und es begab sich, als Zacharias den
Priesterdienst vor Gott versah, da seine
Ordnung an der Reihe war, 9 dass ihn nach
dem Brauch der Priesterschaft das Los traf,
das [a]Räucheropfer darzubringen; und er
ging in den Tempel des Herrn. 10 Und die
ganze Menge des Volkes betete draußen
zur Stunde des Räucheropfers. 11 Da er-
schien ihm der Engel des Herrn, der stand
an der rechten Seite des Räucheraltars.
12 Und als Zacharias ihn sah, erschrak er,
und Furcht überfiel ihn. 13 Aber der Engel
sprach zu ihm: Fürchte dich nicht, Zacha-
rias, denn dein Gebet ist erhört, und deine
Frau Elisabeth wird dir einen Sohn gebä-
ren, dem sollst du den Namen Johannes
geben. 14 Und du wirst Freude und Wonne
haben, und viele werden sich über seine
Geburt freuen. 15 Denn er wird groß sein
vor dem Herrn; [a]Wein und starkes Ge-
tränk wird er nicht trinken und wird

* **16,20** Nach den ältesten Handschriften endet das Markusevangelium mit Vers 8. Die Verse 9-20 sind im 2. Jahrhundert hinzugefügt worden.

16,11 ***a*** Lk 24,11 **16,12** ***a*** (12-13) Lk 24,13-35
16,14 ***a*** (14-15) Lk 24,36-48 ***b*** Joh 20,25
16,15 ***a*** Kap 13,10; 14,9; Mt 28,19-20 **16,16** ***a*** Apg 2,38; 16,31.33 **16,17** ***a*** Kap 6,13; Apg 16,18 ***b*** Apg 10,46; 11,17; 19,6 **16,18** ***a*** Lk 10,19; Apg 28,3-6 ***b*** Jak 5,14-15
16,19 ***a*** Apg 1,2.9 ***b*** Kap 12,36; 14,62 **16,20** ***a*** Apg 14,3; Hebr 2,4 **1,2** ***a*** 1. Joh 1,1-4 **1,3** ***a*** Apg 1,1; Kol 4,14
1,5 ***a*** 1. Chr 24,10.19 **1,9** ***a*** 2. Mose 30,7 **1,15** ***a*** Ri 13,4-5

schon von Mutterleib an erfüllt werden
mit dem Heiligen Geist. 16 Und er wird
viele der Israeliten zu dem Herrn, ihrem
Gott, bekehren. 17 Und er wird vor ihm
hergehen im Geist und in der Kraft des
[a]Elia, zu bekehren die Herzen der Väter
zu den Kindern und die Ungehorsamen
zu der Klugheit der Gerechten, zuzurich-
ten dem Herrn ein Volk, das wohl vorbe-
reitet ist.
18 Und Zacharias sprach zu dem Engel:
Woran soll ich das erkennen? Denn [a]ich
bin alt und meine Frau ist hochbetagt.
19 Der Engel antwortete und sprach zu
ihm: Ich bin [a]Gabriel, der vor Gott steht,
und bin gesandt, mit dir zu reden und
dir dies zu verkündigen. 20 Und siehe, du
wirst verstummen und nicht reden kön-
nen bis zu dem Tag, an dem dies gesche-
hen wird, weil du meinen Worten nicht
geglaubt hast, die erfüllt werden sollen zu
ihrer Zeit.
21 Und das Volk wartete auf Zacharias
und wunderte sich, dass er so lange im
Tempel blieb. 22 Als er aber herauskam,
konnte er nicht mit ihnen reden; und sie
merkten, dass er eine Erscheinung gehabt
hatte im Tempel. Und er winkte ihnen
und blieb stumm.
23 Und es begab sich, als die Zeit seines
Dienstes um war, da ging er heim in sein
Haus. 24 Nach diesen Tagen wurde seine
Frau Elisabeth schwanger und hielt sich
fünf Monate verborgen und sprach: 25 So
hat der Herr an mir getan in den Tagen,
als er mich angesehen hat, [a]um meine
Schmach unter den Menschen von mir zu
nehmen.

DIE ANKÜNDIGUNG DER GEBURT JESU

26 Und im sechsten Monat wurde der En-
gel Gabriel von Gott gesandt in eine Stadt
in Galiläa, die heißt Nazareth, 27 zu einer
Jungfrau, die vertraut* war [a]einem Mann
mit Namen Josef vom Hause David; und
die Jungfrau hieß Maria. 28 Und der Engel
kam zu ihr hinein und sprach: Sei gegrüßt,
du Begnadete*! Der Herr ist mit dir! 29 Sie
aber erschrak über die Rede und dachte:
Welch ein Gruß ist das? 30 Und der Engel
sprach zu ihr: **Fürchte dich nicht, Ma-
ria! Du hast Gnade bei Gott gefunden.**
31 **Siehe, [a]du wirst schwanger werden
und einen Sohn gebären, dem [b]sollst
du den Namen Jesus geben.** 32 **Der wird
groß sein und Sohn des Höchsten ge-
nannt werden; und Gott der Herr wird
ihm den [a]Thron seines Vaters David ge-
ben,** 33 **und er wird König sein über das
Haus Jakob in Ewigkeit, und sein Reich
wird kein Ende haben.**
34 Da sprach Maria zu dem Engel: Wie
soll das zugehen, da ich doch von kei-
nem Manne weiß? 35 Der Engel antwor-
tete und sprach zu ihr: [a]Der Heilige Geist
wird über dich kommen, und die Kraft
des Höchsten wird dich überschatten;
darum wird auch das Heilige, das gebo-
ren wird, Gottes Sohn genannt werden.
36 Und siehe, Elisabeth, deine Verwandte,
ist auch schwanger mit einem Sohn, in ih-
rem Alter, und ist jetzt im sechsten Monat,
sie, von der man sagt, dass sie unfrucht-
bar sei. 37 Denn bei Gott ist kein Ding un-
möglich.[a] 38 Maria aber sprach: Siehe, ich
bin des Herrn Magd; mir geschehe, wie
du gesagt hast. Und der Engel schied von
ihr.

MARIAS BESUCH BEI ELISABETH (MARIÄ HEIMSUCHUNG)

39 Maria aber machte sich auf in diesen
Tagen und ging eilends in das Gebirge
zu einer Stadt in Juda 40 und kam in das
Haus des Zacharias und begrüßte Elisa-
beth. 41 Und es begab sich, als Elisabeth
den Gruß Marias hörte, hüpfte das Kind
in ihrem Leibe. Und Elisabeth wurde vom
Heiligen Geist erfüllt 42 und rief laut und
sprach: Gesegnet bist du unter den Frauen,
und gesegnet ist die Frucht deines Leibes!
43 Und wie geschieht mir, dass die Mutter
meines Herrn zu mir kommt? 44 Denn
siehe, als ich die Stimme deines Grußes
hörte, hüpfte das Kind vor Freude in mei-
nem Leibe. 45 Ja, [a]selig ist, die da geglaubt
hat! Denn es wird vollendet werden, was
ihr gesagt ist von dem Herrn.

* **1,27** Wörtlich: »zur Ehe versprochen«. **1,28** Luther übersetzte: »Holdselige«.

1,17 ***a*** Mal 3,1.23-24; Mt 17,11-13 **1,18** ***a*** 1. Mose 18,11 **1,19** ***a*** Dan 8,16 **1,25** ***a*** 1. Mose 30,23 **1,27** ***a*** Mt 1,16.18 **1,31** ***a*** Jes 7,14 ***b*** Mt 1,21-23 **1,32** ***a*** Jes 9,6 **1,35** ***a*** Mt 1,18.20 **1,37** ***a*** 1. Mose 18,14 **1,45** ***a*** Kap 11,27-28

MARIAS LOBGESANG

46[a] Und Maria sprach:

Meine Seele erhebt den Herrn,
47 **und mein Geist freuet sich**
Gottes, meines Heilandes;
48 denn er hat die Niedrigkeit
seiner Magd angesehen.
Siehe, von nun an werden mich
selig preisen alle Kindeskinder.
49 Denn er hat große Dinge an mir getan,
der da mächtig ist
und dessen Name heilig ist.
50 Und seine Barmherzigkeit währet
für und für
bei denen, die ihn fürchten.[a]
51 Er übt Gewalt mit seinem Arm
und [a]zerstreut, die hoffärtig sind
in ihres Herzens Sinn.
52 Er stößt die Gewaltigen vom Thron
und erhebt die Niedrigen.[a]
53 Die Hungrigen füllt er mit Gütern
und lässt die Reichen leer ausgehen.[a]
54 Er gedenkt der Barmherzigkeit
und hilft seinem Diener Israel auf,*
55 wie er geredet hat zu unsern Vätern,
Abraham und seinen Nachkommen
in Ewigkeit.[a]

56 Und Maria blieb bei ihr etwa drei Monate; danach kehrte sie wieder heim.

DIE GEBURT JOHANNES DES TÄUFERS

57 Und für Elisabeth kam die Zeit, dass sie gebären sollte; und sie gebar einen Sohn.
58 Und ihre Nachbarn und Verwandten hörten, dass der Herr große Barmherzigkeit an ihr getan hatte, und freuten sich mit
ihr. 59 Und es begab sich [a]am achten Tag, da kamen sie, das Kindlein zu beschneiden, und wollten es nach seinem Vater Zacharias nennen. 60 Aber seine Mutter antwortete und sprach: Nein, sondern er soll
Johannes heißen. 61 Und sie sprachen zu ihr: Ist doch niemand in deiner Verwandtschaft, der so heißt. 62 Und sie winkten seinem Vater, wie er ihn nennen lassen
wollte. 63 Und er forderte eine kleine Tafel und schrieb: Er heißt Johannes. Und
sie wunderten sich alle. 64 Und sogleich wurde sein Mund und seine Zunge aufgetan, und er redete und lobte Gott.
65 Und es kam Furcht über alle Nachbarn; und diese ganze Geschichte wurde bekannt auf dem ganzen Gebirge Judäas.
66 Und alle, die es hörten, nahmen's zu Herzen und sprachen: Was wird aus diesem Kindlein werden? Denn die Hand des Herrn war mit ihm.

DER LOBGESANG DES ZACHARIAS

67 Und sein Vater Zacharias wurde vom Heiligen Geist erfüllt, weissagte und sprach:

68 **Gelobt sei der Herr, der Gott Israels!**
Denn [a]er hat besucht
und erlöst sein Volk
69 und hat uns aufgerichtet
ein [a]Horn* des Heils
im Hause seines Dieners David –
70 wie er vorzeiten geredet hat
durch den Mund seiner
heiligen Propheten –,
71 dass er uns errettete
von unsern Feinden
und aus der Hand aller,
die uns hassen,
72 und Barmherzigkeit erzeigte
unsern Vätern
und gedächte [a]an seinen
heiligen Bund,
73 an den [a]Eid, den er geschworen hat
unserm Vater Abraham,
uns zu geben, 74 dass wir,
erlöst aus der Hand der Feinde,
ihm dienten ohne Furcht
75 unser Leben lang
in Heiligkeit und Gerechtigkeit
vor seinen Augen.[a]
76 Und du, Kindlein, wirst Prophet
des Höchsten heißen.
Denn [a]du wirst dem Herrn
vorangehen, dass du seinen Weg
bereitest
77 und Erkenntnis des Heils gebest
seinem Volk
in der Vergebung ihrer Sünden,[a]

* **1,54** So Luther 1545. 1522 übersetzte er: »Er hat Gewalt geübt … und seinem Diener Israel aufgeholfen«. **1,69** Siehe Sach- und Worterklärungen.

1,46 *a* (46-55) 1. Sam 2,1-10 **1,50** *a* Ps 103,13.17
1,51 *a* 1. Mose 11,8 **1,52** *a* Ps 147,6 **1,53** *a* Ps 34,11; 107,9
1,55 *a* 1. Mose 17,7; 18,18 **1,59** *a* 1. Mose 17,12
1,68 *a* Kap 7,16 **1,69** *a* 1. Sam 2,10; Ps 18,3; 132,17
1,72 *a* 1. Mose 17,7 **1,73** *a* 1. Mose 22,16-18; Mi 7,20
1,75 *a* Tit 2,12.14 **1,76** *a* Mal 3,1 **1,77** *a* Jer 31,34

78 durch die herzliche Barmherzigkeit
unseres Gottes,
durch die uns besuchen wird
[a]das aufgehende Licht aus der Höhe,
79 auf dass es erscheine denen, die [a]sitzen
in Finsternis und Schatten des Todes,
und richte unsere Füße
auf den Weg des Friedens.

80 Und das Kindlein wuchs und wurde
stark im Geist. Und er [a]war in der Wüste
bis zu dem Tag, an dem er vor das Volk
Israel treten sollte.

JESU GEBURT

2 Es begab sich aber zu der Zeit, dass ein
Gebot von dem Kaiser Augustus aus-
ging, dass alle Welt geschätzt würde. 2 Und
diese Schätzung* war die allererste und
geschah zur Zeit, da Quirinius Statthal-
ter in Syrien war. 3 Und jedermann ging,
dass er sich schätzen ließe, ein jeglicher in
seine Stadt.
4 Da machte sich auf auch Josef aus Ga-
liläa, aus der Stadt Nazareth, in das judä-
ische Land zur Stadt Davids, die da heißt
Bethlehem, darum dass er von dem Hause
und Geschlechte Davids war, 5 auf dass er
sich schätzen ließe mit Maria, seinem ver-
trauten Weibe*; die war schwanger. 6 Und
als sie daselbst waren, kam die Zeit, dass
sie gebären sollte. 7 Und [a]sie gebar ihren
ersten Sohn und wickelte ihn in Windeln
und legte ihn in eine Krippe; denn sie hat-
ten sonst keinen Raum in der Herberge.
8 Und es waren Hirten in derselben Ge-
gend auf dem Felde bei den Hürden, die
hüteten des Nachts ihre Herde. 9 Und des
Herrn Engel trat zu ihnen, und die Klar-
heit des Herrn leuchtete um sie; und sie
fürchteten sich sehr. 10 Und der Engel
sprach zu ihnen: **Fürchtet euch nicht!**
Siehe, ich verkündige euch große
Freude, die allem Volk widerfahren
wird; 11 denn euch ist heute der Hei-
land geboren, welcher ist Christus, der
Herr, in der Stadt Davids. 12 Und das
habt zum Zeichen: Ihr werdet finden das
Kind in Windeln gewickelt und in einer
Krippe liegen. 13 Und alsbald war da bei
dem Engel [a]die Menge der himmlischen
Heerscharen, die lobten Gott und spra-
chen: 14 [a]**Ehre sei Gott in der Höhe und**
[b]**Friede auf Erden bei den Menschen**
seines Wohlgefallens*.
15 Und da die Engel von ihnen gen Him-
mel fuhren, sprachen die Hirten unter-
einander: Lasst uns nun gehen gen Beth-
lehem und die Geschichte sehen, die da
geschehen ist, die uns der Herr kundgetan
hat. 16 Und sie kamen eilend und fanden
beide, Maria und Josef, dazu das Kind in
der Krippe liegen. 17 Da sie es aber gese-
hen hatten, breiteten sie das Wort aus,
welches zu ihnen von diesem Kinde ge-
sagt war. 18 Und alle, vor die es kam, wun-
derten sich über die Rede, die ihnen die
Hirten gesagt hatten. 19 Maria aber behielt
alle diese Worte und bewegte sie in ihrem
Herzen. 20 Und die Hirten kehrten wieder
um, priesen und lobten Gott für alles, was
sie gehört und gesehen hatten, wie denn
zu ihnen gesagt war.

JESU BESCHNEIDUNG UND DARSTELLUNG IM TEMPEL

21 Und als acht Tage um waren und [a]er be-
schnitten werden sollte, [b]gab man ihm
den Namen Jesus, welcher genannt war
von dem Engel, ehe er im Mutterleib emp-
fangen war.
22 Und als die [a]Tage ihrer Reinigung
nach dem Gesetz des Mose um waren,
brachten sie ihn hinauf nach Jerusalem,
[b]um ihn dem Herrn darzustellen, 23 wie
geschrieben steht im Gesetz des Herrn
(2. Mose 13,2; 13,15): »Alles Männliche, das zu-
erst den Mutterschoß durchbricht, soll
dem Herrn geheiligt heißen«, 24 und um
das Opfer darzubringen, wie es gesagt ist
im Gesetz des Herrn: »ein Paar Turteltau-
ben oder zwei junge Tauben« (3. Mose 12,6-8).
25 Und siehe, ein Mensch war in Jeru-
salem mit Namen Simeon; und dieser
Mensch war gerecht und gottesfürchtig
und [a]wartete auf den Trost Israels, und der
Heilige Geist war auf ihm. 26 Und ihm war
vom Heiligen Geist geweissagt worden, er

* **2,2** Siehe Sach- und Worterklärungen. **2,5** Wörtlich: »mit Maria, die ihm zur Ehe versprochen war«. **2,14** Luther übersetzte nach anderer Überlieferung: »und den Menschen ein Wohlgefallen«.

1,78 ***a*** Jes 60,1-2 **1,79** ***a*** Jes 9,1 **1,80** ***a*** Mt 3,1 **2,7** ***a*** Mt 1,25 **2,13** ***a*** Ps 103,20-21 **2,14** ***a*** Kap 19,38 ***b*** Jes 9,5-6; 57,19; Eph 2,14.17 **2,21** ***a*** Kap 1,59; 1. Mose 17,12 ***b*** Kap 1,31 **2,22** ***a*** 3. Mose 12,1-4 ***b*** 4. Mose 18,15 **2,25** ***a*** 1. Mose 49,18

sollte den Tod nicht sehen, er habe denn
zuvor den Christus* des Herrn gesehen.
27 Und er kam vom Geist geführt in den
Tempel. Und als die Eltern das Kind Jesus
in den Tempel brachten, um mit ihm zu
tun, wie es Brauch ist nach dem Gesetz,
28 da nahm er ihn auf seine Arme und lobte
Gott und sprach:

29 Herr, nun lässt du deinen Diener
in Frieden fahren,
wie du gesagt hast;
30 denn meine Augen haben
deinen Heiland gesehen,
31 das Heil, das du bereitet hast
vor allen Völkern,
32 ein [a]Licht zur Erleuchtung
der Heiden
und zum Preis deines Volkes Israel.

33 Und sein Vater und seine Mutter wun-
derten sich über das, was von ihm gesagt
wurde. 34 Und Simeon segnete sie und
sprach zu Maria, seiner Mutter: Siehe,
dieser ist dazu bestimmt, dass viele in
Israel fallen und viele aufstehen, und ist
bestimmt zu einem Zeichen, dem wider-
sprochen wird[a] – 35 und [a]auch durch deine
Seele wird ein Schwert dringen –, damit
aus vielen Herzen die Gedanken offenbar
werden.
36 Und es war eine Prophetin, Hanna,
eine Tochter Phanuëls, aus dem Stamm
Asser. Sie war hochbetagt. Nach ihrer
Jungfrauschaft* hatte sie sieben Jahre mit
ihrem Mann gelebt 37 und war nun eine
Witwe von vierundachtzig Jahren; die
wich nicht vom Tempel und [a]diente Gott
mit Fasten und Beten Tag und Nacht. 38 Die
trat auch hinzu zu derselben Stunde und
pries Gott und redete von ihm zu allen,
die auf die Erlösung Jerusalems warteten.
39 Und als sie alles vollendet hatten nach
dem Gesetz des Herrn, kehrten sie wie-
der zurück nach Galiläa in ihre Stadt Na-
zareth. 40 Das Kind aber wuchs und wurde
stark, voller Weisheit, und Gottes Gnade
lag auf ihm.

DER ZWÖLFJÄHRIGE JESUS IM TEMPEL

41 Und seine Eltern [a]gingen alle Jahre
nach Jerusalem zum Passafest. 42 Und als
er zwölf Jahre alt war, gingen sie hinauf
nach dem Brauch des Festes. 43 Und als
[a]die Tage vorüber waren und sie wieder
nach Hause gingen, blieb der Knabe Jesus
in Jerusalem, und seine Eltern wussten's
nicht. 44 Sie meinten aber, er wäre unter
den Gefährten, und kamen eine Tagereise
weit und suchten ihn unter den Verwand-
ten und Bekannten. 45 Und da sie ihn nicht
fanden, gingen sie wieder nach Jerusalem
und suchten ihn.
46 Und es begab sich nach drei Tagen, da
fanden sie ihn im Tempel sitzen, mitten
unter den Lehrern, wie er ihnen zuhörte
und sie fragte. 47 Und alle, die ihm zuhör-
ten, verwunderten sich über seinen [a]Ver-
stand und seine Antworten. 48 Und als sie
ihn sahen, entsetzten sie sich. Und seine
Mutter sprach zu ihm: Mein Kind, warum
hast du uns das getan? Siehe, dein Vater
und ich haben dich mit Schmerzen ge-
sucht. 49 Und er sprach zu ihnen: Warum
habt ihr mich gesucht? Wusstet ihr nicht,
dass ich sein muss in dem, [a]was meines
Vaters ist? 50 Und sie verstanden das Wort
nicht, das er zu ihnen sagte. 51 Und er ging
mit ihnen hinab und kam nach Naza-
reth und war ihnen gehorsam. Und seine
Mutter behielt alle diese Worte in ihrem
Herzen. 52 Und Jesus nahm zu an Weis-
heit, Alter und Gnade bei Gott und den
Menschen.[a]

JOHANNES DER TÄUFER

(Mt 3,1-12; Mk 1,1-8)

3 Im fünfzehnten Jahr der Herrschaft
des Kaisers Tiberius, als Pontius Pila-
tus Statthalter in Judäa war und Herodes
Landesfürst von Galiläa und sein Bruder
Philippus Landesfürst von Ituräa und der
Landschaft Trachonitis und Lysanias Lan-
desfürst von Abilene, 2 als Hannas und
Kaiphas Hohepriester waren, da [a]geschah
das Wort Gottes zu Johannes, dem Sohn
des Zacharias, in der Wüste. 3 Und er kam
in die ganze Gegend um den Jordan und

* **2,26** Siehe Sach- und Worterklärungen zu »Messias«. **2,36** Siehe Sach- und Worterklärungen zu »Jungfrau«.

2,32 *a* Jes 49,6 **2,34** *a* Kap 20,17-18; Apg 28,22; 1. Kor 1,23 **2,35** *a* Joh 19,25 **2,37** *a* 1. Tim 5,5 **2,41** *a* 5. Mose 16,1-8 **2,43** *a* 2. Mose 12,18 **2,47** *a* Jes 11,2 **2,49** *a* Joh 2,16 **2,52** *a* 1. Sam 2,26 **3,2** *a* Hes 1,3; Hos 1,1

predigte die Taufe der Buße zur Verge-
bung der Sünden, 4 wie geschrieben steht
im Buch der Worte des Propheten Jesaja
(Jesaja 40,3-5): »Es ist eine Stimme eines Pre-
digers* in der Wüste: Bereitet den Weg
des Herrn, macht seine Steige eben! 5 Alle
Täler sollen erhöht werden, und alle Berge
und Hügel sollen erniedrigt werden; und
was krumm ist, soll gerade werden, und
was uneben ist, soll ebener Weg werden,
6 und alles Fleisch wird das Heil Gottes
sehen.«
7 Da sprach Johannes zu der Menge, die
hinausging, um sich von ihm taufen zu
lassen: Ihr Otterngezücht, wer hat euch
gewiss gemacht, dass ihr dem künfti-
gen Zorn entrinnen werdet? 8 Seht zu,
bringt rechtschaffene Früchte der Buße;
und nehmt euch nicht vor zu sagen: Wir
haben Abraham zum Vater. Denn ich
sage euch: Gott kann dem Abraham aus
diesen Steinen Kinder erwecken. 9 Es ist
schon die Axt den Bäumen an die Wurzel
gelegt; jeder Baum, der nicht gute Frucht
bringt, wird abgehauen und ins Feuer ge-
worfen.
10 Und die Menge fragte ihn und sprach:
Was sollen wir nun tun? 11 Er antwortete
aber und sprach zu ihnen: Wer zwei Hem-
den hat, der gebe dem, der keines hat; und
wer Speise hat, tue ebenso. 12 Es kamen
aber auch Zöllner, um sich taufen zu las-
sen, und sprachen zu ihm: Meister, was
sollen denn wir tun? 13 Er sprach zu ihnen:
Fordert nicht mehr, als euch vorgeschrie-
ben ist! 14 Da fragten ihn auch Soldaten
und sprachen: Was sollen denn wir tun?
Und er sprach zu ihnen: Tut niemandem
Gewalt noch Unrecht und lasst euch ge-
nügen an eurem Sold!
15 Als aber das Volk voll Erwartung war
und alle dachten in ihren Herzen, [a]ob Jo-
hannes vielleicht der Christus wäre, 16 ant-
wortete Johannes und sprach zu allen: Ich
taufe euch mit Wasser; es kommt aber der,
der stärker ist als ich; ich bin nicht wert,
dass ich ihm die Riemen seiner Schuhe
löse; der wird euch mit dem Heiligen
Geist und mit Feuer taufen. 17 In seiner
Hand ist die Worfschaufel, und er wird
die Spreu vom Weizen trennen und den
Weizen in seine Scheune sammeln, die
Spreu aber wird er mit unauslöschlichem
Feuer verbrennen. 18 Und mit vielem an-
dern mehr ermahnte er das Volk und pre-
digte ihm.
19 [a]Herodes aber, der Landesfürst, der
von Johannes zurechtgewiesen wurde
wegen Herodias, der Frau seines Bru-
ders, und wegen all des Bösen, das er ge-
tan hatte, 20 fügte zu dem allen noch dies
hinzu: Er warf Johannes ins Gefängnis.

JESU TAUFE

(Mt 3,13-17; Mk 1,9-11)

21 Und es begab sich, als alles Volk sich tau-
fen ließ und Jesus auch getauft worden
war und betete, da tat sich der Himmel
auf, 22 und [a]der Heilige Geist fuhr hernie-
der auf ihn in leiblicher Gestalt wie eine
Taube, und eine Stimme kam aus dem
Himmel: [b]**Du bist mein lieber Sohn, an
dir habe ich Wohlgefallen.**

JESU STAMMBAUM

(Mt 1,1-17)

23 Und Jesus war, als er auftrat, etwa drei-
ßig Jahre alt und [a]wurde gehalten für
einen Sohn Josefs, der war ein Sohn Elis,
24 der war ein Sohn Mattats, der war ein
Sohn Levis, der war ein Sohn Melchis, der
war ein Sohn Jannais, der war ein Sohn Jo-
sefs, 25 der war ein Sohn Mattitjas, der war
ein Sohn des Amos, der war ein Sohn Na-
hums, der war ein Sohn Heslis, der war ein
Sohn Naggais, 26 der war ein Sohn Mahats,
der war ein Sohn Mattitjas, der war ein
Sohn Schimis, der war ein Sohn Josechs,
der war ein Sohn Jodas, 27 der war ein Sohn
Johanans, der war ein Sohn Resas, der war
ein Sohn Serubbabels, der war ein Sohn
Schealtiëls, der war ein Sohn Neris, 28 der
war ein Sohn Melchis, der war ein Sohn
Addis, der war ein Sohn Kosams, der war
ein Sohn Elmadams, der war ein Sohn
Gers, 29 der war ein Sohn Joschuas, der
war ein Sohn Eliësers, der war ein Sohn
Jorims, der war ein Sohn Mattats, der war
ein Sohn Levis, 30 der war ein Sohn Sime-
ons, der war ein Sohn Judas, der war ein
Sohn Josefs, der war ein Sohn Jonams,
der war ein Sohn Eljakims, 31 der war ein

* **3,4** Wörtlich: »Rufers«.

3,15 ***a*** Joh 1,19-28 **3,19** ***a*** (19-20) Mt 14,3-4; Mk 6,17-18
3,22 ***a*** Joh 1,32 ***b*** Kap 9,35 **3,23** ***a*** Kap 4,22

Sohn Meleas, der war ein Sohn Mennas,
der war ein Sohn Mattatas, der war ein
Sohn Natams, der war ein Sohn Davids,
32 der war ein Sohn [a]Isais, der war ein
Sohn Obeds, der war ein Sohn des Boas,
der war ein Sohn Salas, der war ein Sohn
Nachschons, 33 [a]der war ein Sohn Ammi-
nadabs, der war ein Sohn Admins, der war
ein Sohn Arnis, der war ein Sohn Hez-
rons, der war ein Sohn des Perez, der war
ein Sohn Judas, 34 der war ein Sohn Jakobs,
der war ein Sohn Isaaks, der war ein Sohn
Abrahams, der war ein Sohn Terachs, der
war ein Sohn Nahors, 35 der war ein Sohn
Serugs, der war ein Sohn Regus, der war
ein Sohn Pelegs, der war ein Sohn Ebers,
der war ein Sohn Schelachs, 36 der war ein
Sohn Kenans, der war ein Sohn Arpach-
schads, der war ein Sohn Sems, der war ein
Sohn Noahs, der war ein Sohn Lamechs,
37 der war ein Sohn Metuschelachs, der war
ein Sohn Henochs, der war ein Sohn Je-
reds, der war ein Sohn Mahalalels, der war
ein Sohn Kenans, 38 der war ein Sohn des
Enosch, der war ein Sohn Sets, der war ein
Sohn Adams. Der war Gottes.

JESU VERSUCHUNG

(Mt 4,1-11; Mk 1,12-13)

4 Jesus aber, voll Heiligen Geistes, kam
zurück vom Jordan. Und er wurde vom
Geist in der Wüste umhergeführt 2 vier-
zig Tage lang und von dem Teufel ver-
sucht. Und er aß nichts in diesen Tagen,
und als sie ein Ende hatten, hungerte ihn.
3 Der Teufel aber sprach zu ihm: Bist du
Gottes Sohn, so sprich zu diesem Stein,
dass er Brot werde. 4 Und Jesus antwortete
ihm: Es steht geschrieben (5. Mose 8,3): **»Der
Mensch lebt nicht vom Brot allein.«***

5 Und der Teufel führte ihn hoch hin-
auf und zeigte ihm alle Reiche der ganzen
Welt in einem Augenblick 6 und sprach
zu ihm: Alle diese Macht will ich dir ge-
ben und ihre Herrlichkeit; denn sie ist
mir übergeben und ich gebe sie, wem ich
will. 7 Wenn du mich nun anbetest, so soll
sie ganz dein sein. 8 Jesus antwortete und
sprach zu ihm: Es steht geschrieben (5. Mose
6,13): **»Du sollst den Herrn, deinen Gott,
anbeten und ihm allein dienen.«**

9 Und er führte ihn nach Jerusalem und
stellte ihn auf die Zinne des Tempels und
sprach zu ihm: Bist du Gottes Sohn, so
wirf dich von hier hinunter; 10 denn es
steht geschrieben (Psalm 91,11-12): »Er wird
befehlen seinen Engeln für dich, dass sie
dich bewahren.« 11 Und: »Sie werden dich
auf den Händen tragen, damit du deinen
Fuß nicht an einen Stein stößt.« 12 Jesus
antwortete und sprach zu ihm: Es ist ge-
sagt (5. Mose 6,16): **»Du sollst den Herrn,
deinen Gott, nicht versuchen.«**

13 Und [a]als der Teufel alle Versuchung
vollendet hatte, wich er von ihm bis zur
[b]bestimmten Zeit.

DER BEGINN DES WIRKENS JESU IN GALILÄA

(Mt 4,12-17; Mk 1,14-15)

14 Und Jesus kam in der Kraft des Geistes
wieder nach Galiläa; und die Kunde von
ihm erscholl durch das ganze umliegende
Land. 15 Und er lehrte in ihren Synagogen
und wurde von jedermann gepriesen.

JESU PREDIGT IN NAZARETH

(Mt 13,53-58; Mk 6,1-6)

16 Und er kam nach Nazareth, wo er auf-
gewachsen war, und ging nach seiner Ge-
wohnheit am Sabbat in die Synagoge und
stand auf, um zu lesen. 17 Da wurde ihm
das Buch des Propheten Jesaja gereicht.
Und als er das Buch auftat, fand er die
Stelle, wo geschrieben steht (Jesaja 61,1-2):
18 **»Der Geist des Herrn ist auf mir, weil
er mich gesalbt hat und gesandt, zu ver-
kündigen das Evangelium den Armen,
[a]zu predigen den Gefangenen, dass sie
frei sein sollen, und den Blinden, dass
sie sehen sollen, und die Zerschlage-
nen [b]zu entlassen in die Freiheit 19 und
zu verkündigen das [a]Gnadenjahr des
Herrn.«**

20 Und als er das Buch zutat, gab er's dem
Diener und setzte sich. Und aller Augen
in der Synagoge sahen auf ihn. 21 Und er
fing an, zu ihnen zu reden: **Heute ist die-
ses Wort der Schrift erfüllt vor euren
Ohren.**

* **4,4** In der späteren Überlieferung finden sich zusätzlich die Worte: »sondern von einem jeden Wort Gottes« (vgl. Mt 4,4).

3,32 ***a*** Rut 4,17-22 **3,33** ***a*** (33-38) 1. Mose 5,1-32; 11,10-26; 21,2-3; 29,35 **4,13** ***a*** Hebr 4,15 ***b*** Kap 22,3 **4,18** ***a*** Jes 42,7 ***b*** Jes 58,6 **4,19** ***a*** 3. Mose 25,10

22 Und sie gaben alle Zeugnis von ihm
und wunderten sich über die Worte der
Gnade, die aus seinem Munde kamen, und
sprachen: [a]Ist das nicht Josefs Sohn? 23 Und
er sprach zu ihnen: Ihr werdet mir freilich
dies Sprichwort sagen: Arzt, hilf dir selber!
Denn wie große Dinge haben wir gehört,
die in Kapernaum geschehen sind! Tu so
auch hier in deiner Vaterstadt! 24 Er sprach
aber: Wahrlich, ich sage euch: [a]Kein Pro-
phet ist willkommen in seinem Vaterland.
25 [a]Aber wahrhaftig, ich sage euch: Es wa-
ren viele Witwen in Israel zur Zeit des Elia,
als der Himmel verschlossen war drei Jahre
und sechs Monate und eine große Hun-
gersnot herrschte im ganzen Lande, 26 und
zu keiner von ihnen wurde Elia gesandt als
allein nach Sarepta im Gebiet von Sidon zu
einer Witwe. 27 Und viele Aussätzige wa-
ren in Israel zur Zeit des Propheten Elisa,
und keiner von ihnen wurde rein als allein
[a]Naaman, der Syrer.
28 Und alle, die in der Synagoge waren,
wurden von Zorn erfüllt, als sie das hör-
ten. 29 Und sie standen auf und stießen ihn
zur Stadt hinaus und führten ihn an den
Abhang des Berges, auf dem ihre Stadt ge-
baut war, um ihn hinabzustürzen. 30 Aber
er ging mitten durch sie hinweg.

JESUS IN KAPERNAUM
(Mt 8,14-17; Mk 1,21-39)

31 Und er ging hinab nach [a]Kapernaum,
einer Stadt in Galiläa, und lehrte sie am
Sabbat. 32 Und sie waren bestürzt über
seine Lehre; denn [a]seine Rede war ge-
waltig.
33 Und es war ein Mensch in der Syn-
agoge, besessen von einem Dämon, ei-
nem unreinen Geist, und der schrie laut:
34 Halt, was haben wir mit dir zu schaf-
fen, Jesus von Nazareth? Bist du gekom-
men, uns zu vernichten? Ich weiß, wer
du bist: der Heilige Gottes! 35 Und Jesus
bedrohte ihn und sprach: Verstumme und
fahre aus von ihm! Und der Dämon warf
ihn mitten unter sie und fuhr von ihm
aus und tat ihm keinen Schaden. 36 Und
es kam eine Furcht über sie alle, und sie
redeten miteinander und sprachen: Was
ist das für ein Wort? Er gebietet mit Voll-
macht und Gewalt den unreinen Geis-
tern, und sie fahren aus. 37 Und die Kunde
von ihm erscholl in alle Orte des umlie-
genden Landes.
38 Und er machte sich auf aus der Syn-
agoge und kam in Simons Haus. Und
Simons Schwiegermutter lag in hohem
Fieber, und sie baten ihn für sie. 39 Und er
trat zu ihr und bedrohte das Fieber, und es
verließ sie. Und sogleich stand sie auf und
diente ihnen.
40 Und als die Sonne untergegangen war,
brachten alle ihre Kranken mit mancher-
lei Leiden zu ihm. Und er legte einem je-
den die Hände auf und machte sie gesund.
41 Von vielen fuhren auch die Dämonen
aus, schrien und sprachen: [a]Du bist der
Sohn Gottes! Und er bedrohte sie und ließ
sie nicht reden; denn sie wussten, dass er
der Christus war.
42 Als es aber Tag wurde, ging er hinaus
an eine einsame Stätte; und die Menge
suchte ihn, und sie kamen zu ihm und
wollten ihn festhalten, damit er nicht von
ihnen ginge. 43 Er sprach aber zu ihnen: Ich
muss auch den andern Städten das Evan-
gelium predigen vom Reich Gottes; denn
dazu bin ich gesandt. 44 Und er predigte in
den Synagogen des jüdischen Landes.[a]

DER FISCHZUG DES PETRUS
(Mt 4,18-22; Mk 1,16-20)

5 Es begab sich aber, als sich die Menge zu
ihm drängte, zu hören das Wort Gottes,
da stand er am See Genezareth. 2 Und er
sah zwei Boote am Ufer liegen; die Fischer
aber waren ausgestiegen und wuschen
ihre Netze. 3 Da stieg er in eines der Boote,
das Simon gehörte, und bat ihn, ein wenig
vom Land wegzufahren. Und er setzte sich
und lehrte die Menge vom Boot aus.
4 [a]Und als er aufgehört hatte zu reden,
sprach er zu Simon: Fahre hinaus, wo es
tief ist, und werft eure Netze zum Fang
aus! 5 Und Simon antwortete und sprach:
Meister, wir haben die ganze Nacht gear-
beitet und nichts gefangen; aber auf dein
Wort hin will ich die Netze auswerfen.
6 Und als sie das taten, fingen sie eine große
Menge Fische und ihre Netze begannen zu

4,22 *a* Kap 3,23 **4,24** *a* Joh 4,44
4,25 *a* *(25-26)* 1. Kön 17,1.9-24 **4,27** *a* 2. Kön 5,1-14
4,31 *a* Mt 4,13; Joh 2,12 **4,32** *a* Mt 7,28-29; Joh 7,46
4,41 *a* Mt 8,29; Mk 3,11-12 **4,44** *a* Mt 4,23
5,4 *a* *(4-10)* Joh 21,3-11

reißen. 7 Und sie winkten ihren Gefähr-
ten, die im andern Boot waren, sie sollten
kommen und ihnen ziehen helfen. Und
sie kamen und füllten beide Boote voll,
sodass sie fast sanken. 8 Da Simon Petrus
das sah, fiel er Jesus zu Füßen und sprach:
Herr, geh weg von mir! [a]Ich bin ein sün-
diger Mensch. 9 Denn ein Schrecken hatte
ihn erfasst und alle, die mit ihm waren,
über diesen Fang, den sie miteinander ge-
tan hatten, 10 ebenso auch Jakobus und Jo-
hannes, die Söhne des Zebedäus, Simons
Gefährten. Und Jesus sprach zu Simon:
Fürchte dich nicht! Von nun an wirst du
Menschen fangen. 11 Und sie brachten die
Boote ans Land und [a]verließen alles und
folgten ihm nach.

DIE HEILUNG EINES AUSSÄTZIGEN

(Mt 8,1-4; Mk 1,40-45)

12 Und es begab sich, als er in einer der
[a]Städte war, siehe, da war ein Mann vol-
ler Aussatz. Als der Jesus sah, fiel er nie-
der auf sein Angesicht und bat ihn und
sprach: Herr, willst du, so kannst du mich
reinigen. 13 Und er streckte die Hand aus,
rührte ihn an und sprach: Ich will's tun,
sei rein! Und sogleich wich der Aussatz
von ihm. 14 Und er gebot ihm, dass er's
niemandem sagen sollte. [a]Geh aber hin
und zeige dich dem Priester und opfere
für deine Reinigung, wie Mose geboten
hat, ihnen zum Zeugnis.

15 Aber die Kunde von ihm [a]breitete sich
immer weiter aus, und es kam eine große
Menge zusammen, zu hören und gesund
zu werden von ihren Krankheiten. 16 Er
aber entwich in die Einöde und betete.[a]

DIE HEILUNG EINES GELÄHMTEN UND DIE VOLLMACHT ZUR SÜNDENVERGEBUNG

(Mt 9,1-8; Mk 2,1-12)

17 Und es begab sich eines Tages, als er
lehrte, dass auch Pharisäer und Lehrer des
Gesetzes dasaßen, die gekommen waren
aus allen Dörfern in Galiläa und Judäa und
aus Jerusalem. Und [a]die Kraft des Herrn
war mit ihm, dass er heilen konnte. 18 Und
siehe, einige Männer brachten einen Men-
schen auf einem Bett; der war gelähmt.
Und sie versuchten, ihn hineinzubringen
und vor ihn zu legen. 19 Und weil sie we-
gen der Menge keinen Zugang fanden,
ihn hineinzubringen, stiegen sie auf das
Dach und ließen ihn durch die Ziegel hin-
unter mit dem Bett mitten unter sie vor
Jesus. 20 Und als er ihren Glauben sah,
sprach er: **Mensch, [a]deine Sünden sind
dir vergeben.**

21 Und die Schriftgelehrten und die Pha-
risäer fingen an zu überlegen und spra-
chen: Wer ist der, dass er Gotteslästerun-
gen redet? [a]Wer kann Sünden vergeben als
allein Gott? 22 Als aber Jesus ihre Gedan-
ken erkannte, antwortete er und sprach
zu ihnen: Was denkt ihr in euren Herzen?
23 Was ist leichter, zu sagen: Dir sind deine
Sünden vergeben, oder zu sagen: Steh auf
und geh umher? 24 [a]Damit ihr aber wisst,
dass der Menschensohn Vollmacht hat auf
Erden, Sünden zu vergeben – sprach er zu
dem Gelähmten: Ich sage dir, steh auf,
nimm dein Bett und geh heim!

25 Und sogleich stand er auf vor ihren
Augen und nahm das Bett, auf dem er ge-
legen hatte, und ging heim und pries Gott.
26 Und sie entsetzten sich alle und prie-
sen Gott und wurden von Furcht erfüllt
und sprachen: Wir haben heute seltsame
Dinge gesehen.

DIE BERUFUNG DES LEVI UND DAS MAHL MIT DEN ZÖLLNERN

(Mt 9,9-13; Mk 2,13-17)

27 Und danach ging er hinaus und sah
einen Zöllner mit Namen Levi am Zoll
sitzen und sprach zu ihm: Folge mir nach!
28 Und er verließ alles, stand auf und folgte
ihm nach.

29 Und Levi richtete ihm ein großes
Mahl zu in seinem Haus, und [a]viele Zöll-
ner und andre saßen mit ihm zu Tisch.
30 Und die Pharisäer und ihre Schriftge-
lehrten murrten und sprachen zu seinen
Jüngern: Warum [a]esst und trinkt ihr mit
den Zöllnern und Sündern? 31 Und Je-
sus antwortete und sprach zu ihnen: **Die
Gesunden bedürfen des Arztes nicht,
sondern die Kranken. 32 Ich bin nicht**

5,8 *a* Kap 18,13 **5,11** *a* Kap 18,28 **5,12** *a* Kap 4,43
5,14 *a* 3. Mose 14,2-32 **5,15** *a* Kap 4,14.37
5,16 *a* Kap 6,12; 9,18; 22,41; Mk 1,35 **5,17** *a* Kap 6,19
5,20 *a* Kap 1,77; 7,48 **5,21** *a* Kap 7,49; Ps 130,4;
Jes 43,25; 55,7 **5,24** *a* (24-25) Joh 5,8-9 **5,29** *a* Kap 15,1
5,30 *a* Kap 7,34; 15,2; 19,7

**gekommen, Gerechte zu rufen, son-
dern Sünder zur Buße.**[a]

DIE FRAGE NACH DEM FASTEN

(Mt 9,14-17; Mk 2,18-22)

33 Sie aber sprachen zu ihm: Die Jünger des
Johannes fasten oft und beten viel, ebenso
[a]die Jünger der Pharisäer; aber deine Jün-
ger essen und trinken.[b] 34 Jesus sprach aber
zu ihnen: Könnt ihr denn die Hochzeits-
gäste fasten lassen, solange der Bräuti-
gam bei ihnen ist? 35 Es wird aber die Zeit
kommen, dass der Bräutigam von ihnen
genommen ist; dann werden sie fasten, in
jenen Tagen.
36 Und er sagte zu ihnen ein Gleichnis:
Niemand reißt einen Lappen von einem
neuen Kleid und flickt ihn auf ein altes
Kleid; sonst zerreißt man das neue und
der Lappen vom neuen passt nicht auf das
alte. 37 Und niemand füllt neuen Wein in
alte Schläuche; sonst zerreißt der neue
Wein die Schläuche und wird verschüttet,
und die Schläuche verderben. 38 Sondern
neuen Wein soll man in neue Schläuche
füllen. 39 Und niemand, der vom alten
Wein trinkt, will neuen; denn er spricht:
Der alte ist milder.

DAS ÄHRENRAUFEN AM SABBAT

(Mt 12,1-8; Mk 2,23-28)

6 [a]Und es begab sich an einem Sabbat, dass
er durch die Kornfelder ging; und seine
Jünger [b]rauften Ähren aus und zerrieben
sie mit den Händen und aßen. 2 Einige der
Pharisäer aber sprachen: Warum tut ihr,
was [a]am Sabbat nicht erlaubt ist? 3 [a]Und
Jesus antwortete und sprach zu ihnen:
Habt ihr nicht das gelesen, was David tat,
als ihn hungerte, und die, die bei ihm wa-
ren? 4 Wie er in das Haus Gottes ging und
die [a]Schaubrote nahm und aß, die doch
niemand essen darf als die Priester allein,
und wie er sie auch denen gab, die bei ihm
waren? 5 Und er sprach zu ihnen: Der
Menschensohn ist Herr über den Sabbat.

DIE HEILUNG EINES MANNES AM SABBAT

(Mt 12,9-14; Mk 3,1-6)

6 Es geschah aber an einem andern Sabbat,
dass er in die Synagoge ging und lehrte.
Und da war ein Mensch, dessen rechte
Hand war verdorrt. 7 Aber die Schriftge-
lehrten und die Pharisäer gaben acht, ob
er auch [a]am Sabbat heilen würde, damit sie
etwas fänden, ihn zu verklagen. 8 Er aber
kannte ihre Gedanken und sprach zu dem
Mann mit der verdorrten Hand: Steh auf
und tritt in die Mitte! Und er stand auf
und trat vor. 9 Da sprach Jesus zu ihnen:
Ich frage euch: Ist's erlaubt, am Sabbat
Gutes zu tun oder Böses zu tun, Leben zu
retten oder zu verderben? 10 Und er sah sie
alle ringsum an und sprach zu ihm: Stre-
cke deine Hand aus! Und er tat's; da wurde
seine Hand wieder gesund. 11 Sie aber wur-
den ganz von Sinnen und beredeten sich
miteinander, was sie Jesus tun wollten.

DIE BERUFUNG DER ZWÖLF AUF DEM BERG

(Mt 10,1-4; Mk 3,13-19)

12 Es begab sich aber zu der Zeit, dass er auf
einen Berg ging, um zu beten; und er blieb
über Nacht im Gebet zu Gott.[a] 13 [a]Und als
es Tag wurde, rief er seine Jünger und er-
wählte zwölf von ihnen, die er auch Apos-
tel nannte: 14 Simon, den er auch Petrus
nannte, und Andreas, seinen Bruder, Ja-
kobus und Johannes; Philippus und Bar-
tholomäus; 15 Matthäus und Thomas; Ja-
kobus, den Sohn des Alphäus, und Simon,
genannt der Zelot; 16 Judas, den Sohn des
Jakobus, und Judas Iskariot, [a]der zum Ver-
räter wurde.

DIE FELDREDE

Kapitel 6,17-49

17 [a]Und er ging mit ihnen hinab und trat auf
ein ebenes Feld, er und eine große Schar
seiner Jünger und eine große Menge des
Volkes aus dem ganzen jüdischen Land
und Jerusalem und aus dem Küstenland
von Tyrus und Sidon, 18 die gekommen
waren, ihn zu hören und von ihren Krank-
heiten geheilt zu werden; und die von un-

5,32 ***a*** Kap 19,10 **5,33** ***a*** Kap 18,12 ***b*** Kap 7,33-34
6,1 ***a*** *(1-11)* Kap 13,10-17; 14,1-6 ***b*** 5. Mose 23,26
6,2 ***a*** 2. Mose 20,8-11; 5. Mose 5,12-15
6,3 ***a*** *(3-4)* 1. Sam 21,2-7 **6,4** ***a*** 3. Mose 24,5-9
6,7 ***a*** 2. Mose 20,8-11; 5. Mose 5,12-15 **6,12** ***a*** Mt 14,23;
Mk 1,35 **6,13** ***a*** *(13-16)* Apg 1,13 **6,16** ***a*** Kap 22,3-4
6,17 ***a*** *(17-19)* Mt 4,23-25; 12,15; Mk 3,7-12

reinen Geistern umgetrieben wurden, die wurden gesund. 19 Und alles Volk suchte ihn anzurühren; denn [a]es ging Kraft von ihm aus und heilte sie alle.

DIE SELIGPREISUNGEN

(Mt 5,3-12)

20 Und er hob seine Augen auf über seine Jünger und sprach:

[a]Selig seid ihr Armen; denn das Reich Gottes ist euer. 21 Selig seid ihr, die ihr jetzt hungert; denn ihr sollt satt werden. Selig seid ihr, die ihr jetzt weint; denn ihr werdet lachen.[a] 22 Selig seid ihr, wenn euch die Menschen hassen und euch ausstoßen und schmähen und verwerfen euren Namen als böse um des Menschensohnes willen.[a] 23 Freut euch an jenem Tage und tanzt; denn siehe, euer Lohn ist groß im Himmel. Denn [a]das Gleiche haben ihre Väter den Propheten getan.

DIE WEHERUFE

24 Aber dagegen: Weh euch Reichen; denn ihr habt euren Trost schon gehabt.[a] 25 Weh euch, die ihr jetzt satt seid; denn ihr werdet hungern. Weh euch, die ihr jetzt lacht; denn ihr werdet weinen und klagen.[a] 26 Wehe, wenn jedermann gut über euch redet; denn [a]das Gleiche haben ihre Väter den falschen Propheten getan.

VON DER FEINDESLIEBE

(Mt 5,39-48)

27 Aber ich sage euch, die ihr zuhört: **Liebt eure Feinde; tut wohl denen, die euch hassen; 28 segnet, die euch verfluchen; bittet für die, die euch beleidigen.[a]** 29 Und wer dich auf die eine Backe schlägt, dem [a]biete die andere auch dar; und wer dir den Mantel nimmt, dem verweigere auch den Rock nicht. 30 Wer dich bittet, dem gib; und wer dir das Deine nimmt, von dem fordere es nicht zurück. 31 Und **wie ihr wollt, dass euch die Leute tun sollen, so tut ihnen auch![a]**

32 Und wenn ihr liebt, die euch lieben, welchen Dank habt ihr davon? Denn auch die Sünder lieben, die ihnen Liebe erweisen. 33 Und wenn ihr euren Wohltätern wohltut, welchen Dank habt ihr davon? Das tun die Sünder auch. 34 Und wenn ihr denen leiht, von denen ihr etwas zu bekommen hofft, welchen Dank habt ihr davon? Auch Sünder leihen Sündern, damit sie das Gleiche zurückbekommen. 35 Vielmehr liebt eure Feinde und tut Gutes und leiht, ohne etwas dafür zu erhoffen. So wird euer Lohn groß sein, und ihr werdet Kinder des Höchsten sein; denn er ist gütig gegen die Undankbaren und Bösen.

VOM UMGANG MIT DEM NÄCHSTEN

(Mt 7,1-5)

36 **Seid barmherzig, wie auch euer Vater barmherzig ist.** 37 Und richtet nicht, so werdet ihr auch nicht gerichtet. Verdammt nicht, so werdet ihr nicht verdammt. Vergebt, so wird euch vergeben.[a]

38 Gebt, so wird euch gegeben. Ein volles, gedrücktes, gerütteltes und überfließendes Maß wird man in euren Schoß geben; denn [a]eben mit dem Maß, mit dem ihr messt, wird man euch zumessen.

39 Er sagte ihnen aber auch ein Gleichnis: Kann denn ein Blinder einem Blinden den Weg weisen? Werden sie nicht alle beide in die Grube fallen?[a] 40 Ein Jünger* steht nicht über dem Meister; wer aber alles gelernt hat, der ist wie sein Meister.[a]

41 Was siehst du den Splitter in deines Bruders Auge, aber den Balken im eigenen Auge nimmst du nicht wahr? 42 Wie kannst du sagen zu deinem Bruder: Halt still, Bruder, ich will dir den Splitter aus deinem Auge ziehen, und du siehst selbst nicht den Balken in deinem Auge? Du Heuchler, zieh zuerst den Balken aus deinem Auge, danach kannst du sehen und den Splitter aus deines Bruders Auge ziehen.

VOM BAUM UND SEINEN FRÜCHTEN

(Mt 12,33-35)

43 [a]Denn es gibt keinen guten Baum, der faule Frucht trägt, noch einen faulen Baum, der gute Frucht trägt. 44 Ein jeder

* **6,40** Andere Übersetzung: »Schüler«.

6,19 *a* Kap 5,17; 8,46 **6,20** *a* Kap 4,18; Jes 61,1; Jak 2,5 **6,21** *a* Jes 49,10; 61,2; Offb 7,16-17; 21,4 **6,22** *a* Kap 21,17; Joh 15,18-19; 1. Petr 4,14 **6,23** *a* 2. Chr 36,16; Neh 9,26 **6,24** *a* Mt 19,23; Jak 5,1 **6,25** *a* Jes 65,13 **6,26** *a* Jer 5,31 **6,28** *a* Röm 12,14; 1. Kor 4,12; 1. Petr 3,9 **6,29** *a* Jes 50,6; Klgl 3,30 **6,31** *a* Mt 7,12 **6,37** *a* Mt 6,14; Mk 11,25 **6,38** *a* Mk 4,24 **6,39** *a* Mt 15,14 **6,40** *a* Mt 10,24-25 **6,43** *a* (43-44) Mt 7,16-18

Baum wird an seiner eigenen Frucht er-
kannt. Denn man pflückt nicht Feigen
von den Dornen, auch liest man nicht
Trauben von den Hecken. 45 Ein guter
Mensch bringt Gutes hervor aus dem gu-
ten Schatz seines Herzens; und ein böser
bringt Böses hervor aus dem bösen. Denn
wes das Herz voll ist, des geht der Mund
über.

46 Was nennt ihr mich aber Herr, Herr,
und tut nicht, was ich euch sage?[a]

VOM HAUSBAU

(Mt 7,24-27)

47 Wer zu mir kommt und hört meine Rede
und tut sie – ich will euch zeigen, wem er
gleicht. 48 Er gleicht einem Menschen, der
ein Haus baute und grub tief und legte den
Grund auf Fels. Als aber eine Wasserflut
kam, da riss der Fluss an dem Haus und
konnte es nicht erschüttern; denn es war
gut gebaut.

49 Wer aber hört und nicht tut, der gleicht
einem Menschen, der ein Haus baute auf
die Erde, ohne Grund zu legen; und der
Fluss riss an ihm, und es fiel gleich zusam-
men, und der Einsturz dieses Hauses war
gewaltig.

DER HAUPTMANN VON KAPERNAUM

(Mt 8,5-13; Joh 4,46-53)

7 Nachdem Jesus seine Rede vor dem Volk
vollendet hatte, ging er nach Kaper-
naum. 2 [a]Ein Hauptmann aber hatte einen
Knecht, der ihm lieb und wert war; der
lag todkrank. 3 Da er aber von Jesus hörte,
sandte er Älteste der Juden zu ihm und
bat ihn, zu kommen und seinen Knecht
gesund zu machen. 4 Als sie aber zu Jesus
kamen, baten sie ihn inständig und spra-
chen: Er ist es wert, dass du ihm dies er-
füllst; 5 denn er hat unser Volk lieb, und
die Synagoge hat er uns erbaut.

6 Da ging Jesus mit ihnen. Als er aber
nicht mehr fern von dem Haus war, sandte
der Hauptmann Freunde zu ihm und ließ
ihm sagen: Ach, Herr, bemühe dich nicht;
ich bin nicht wert, dass du unter mein
Dach gehst; 7 darum habe ich auch mich
selbst nicht für würdig geachtet, zu dir
zu kommen; sondern sprich ein Wort, so
wird mein Knecht gesund. 8 Denn auch ich
bin ein Mensch, der einer Obrigkeit unter-
steht, und habe Soldaten unter mir; und
wenn ich zu einem sage: Geh hin!, so geht
er hin; und zu einem andern: Komm her!,
so kommt er; und zu meinem Knecht: Tu
das!, so tut er's.

9 Da Jesus das hörte, wunderte er sich
über ihn und wandte sich um und sprach
zu dem Volk, das ihm nachfolgte: Ich sage
euch: Solchen Glauben habe ich auch in
Israel nicht gefunden. 10 Und als die Boten
wieder nach Hause kamen, fanden sie den
Knecht gesund.

DER SOHN DER WITWE ZU NAIN

11 Und es begab sich danach, dass er in eine
Stadt mit Namen Nain ging; und seine
Jünger gingen mit ihm und eine große
Menge. 12 [a]Als er aber nahe an das Stadt-
tor kam, siehe, da trug man einen Toten
heraus, der der einzige Sohn seiner Mut-
ter war, und sie war eine Witwe; und eine
große Menge aus der Stadt ging mit ihr.
13 Und da sie der Herr sah, jammerte sie
ihn, und er sprach zu ihr: Weine nicht!
14 Und trat hinzu und berührte den Sarg,
und die Träger blieben stehen. Und er
sprach: Jüngling, [a]ich sage dir, steh auf!
15 Und der Tote richtete sich auf und fing
an zu reden, und Jesus [a]gab ihn seiner
Mutter. 16 Und Furcht ergriff sie alle, und
sie priesen Gott und sprachen: [a]Es ist ein
großer Prophet unter uns aufgestanden,
und: [b]Gott hat sein Volk besucht. 17 Und
diese Kunde von ihm erscholl im ganzen
jüdischen Land und in allen umliegenden
Ländern.[a]

DIE FRAGE DES TÄUFERS

(Mt 11,2-6)

18 Und die Jünger des Johannes verkünde-
ten ihm das alles. Und Johannes rief zwei
seiner Jünger zu sich 19 und sandte sie zum
Herrn und ließ ihm sagen: Bist du, [a]der
da kommen soll, oder sollen wir auf einen
andern warten? 20 Als aber die Männer zu
ihm kamen, sprachen sie: Johannes der
Täufer hat uns zu dir gesandt und lässt dir
sagen: Bist du, der da kommen soll, oder

6,46 *a* Mal 1,6; Mt 7,21 **7,2** *a* (2-5) Apg 10,1-5
7,12 *a* (12-16) 1. Kön 17,17-24; 2. Kön 4,32-37
7,14 *a* Kap 8,54-55; Mk 5,41; Apg 9,40 **7,15** *a* Kap 9,42
7,16 *a* Kap 24,19; Mt 16,14 *b* Kap 1,68 **7,17** *a* Kap 4,14
7,19 *a* Kap 3,16; Mal 3,1

sollen wir auf einen andern warten? 21 Zu der Stunde machte Jesus viele gesund von Krankheiten und Plagen und bösen Geistern, und vielen Blinden schenkte er das Augenlicht. 22 Und er antwortete und sprach zu ihnen: Geht und verkündet Johannes, was ihr gesehen und gehört habt: [a]Blinde sehen, Lahme gehen, Aussätzige werden rein und Taube hören, [b]Tote stehen auf, [c]Armen wird das Evangelium gepredigt; 23 und **selig ist, wer sich nicht ärgert an mir.**

JESU ZEUGNIS ÜBER DEN TÄUFER

(Mt 11,7-19)

24 Als aber die Boten des Johannes fortgingen, fing Jesus an, zu dem Volk über Johannes zu reden: Was zu sehen seid ihr hinausgegangen in die Wüste? Ein Schilfrohr, das vom Wind bewegt wird? 25 Oder was zu sehen seid ihr hinausgegangen? Einen Menschen in weichen Kleidern? Seht, die herrliche Kleider tragen und üppig leben, die sind an den königlichen Höfen.[a] 26 Oder was zu sehen seid ihr hinausgegangen? Einen Propheten? Ja, ich sage euch: Er ist mehr als ein Prophet.[a] 27 Er ist's, von dem geschrieben steht (Maleachi 3,1): »Siehe, ich sende meinen Boten vor dir her, der deinen Weg vor dir bereiten soll.«[a] 28 Ich sage euch, dass unter denen, die von einer Frau geboren sind, [a]keiner größer ist als Johannes; der aber der Kleinste ist im Reich Gottes, ist größer als er.

29 Und alles Volk, das ihn hörte, und [a]die Zöllner gaben Gott recht und ließen sich taufen mit der Taufe des Johannes. 30 Aber die Pharisäer und die Lehrer des Gesetzes verwarfen für sich Gottes Ratschluss und ließen sich nicht von ihm taufen.

31 Mit wem soll ich die Menschen dieses Geschlechts vergleichen, und wem sind sie gleich? 32 Sie sind den Kindern gleich, die auf dem Markt sitzen und rufen einander zu: Wir haben euch aufgespielt, und ihr habt nicht getanzt; wir haben Klagelieder gesungen, und ihr habt nicht geweint. 33 Denn Johannes der Täufer ist gekommen und [a]aß kein Brot und [b]trank keinen Wein; und ihr sagt: Er ist von einem Dämon besessen. 34 Der Menschensohn ist gekommen, isst und trinkt; und ihr sagt: Siehe, dieser Mensch ist ein Fresser und Weinsäufer, ein [a]Freund der Zöllner und Sünder! 35 Und doch ist die Weisheit gerechtfertigt worden von allen ihren Kindern.[a]

JESU SALBUNG DURCH EINE SÜNDERIN

36 Es bat ihn aber einer der Pharisäer, mit ihm zu essen. Und er ging hinein in das Haus des Pharisäers und setzte sich zu Tisch.[a] 37 Und siehe, eine Frau war in der Stadt, die war eine Sünderin. Als die vernahm, dass er zu Tisch saß im Haus des Pharisäers, [a]brachte sie ein Alabastergefäß mit Salböl 38 und trat von hinten zu seinen Füßen, weinte und fing an, seine Füße mit Tränen zu netzen und mit den Haaren ihres Hauptes zu trocknen, und küsste seine Füße und salbte sie mit dem Salböl.

39 Da aber das der Pharisäer sah, der ihn eingeladen hatte, sprach er bei sich selbst und sagte: Wenn dieser ein Prophet wäre, so wüsste er, wer und was für eine Frau das ist, die ihn anrührt; denn sie ist eine Sünderin. 40 Jesus antwortete und sprach zu ihm: Simon, ich habe dir etwas zu sagen. Er aber sprach: Meister, sag es! 41 Ein Gläubiger hatte zwei Schuldner. Einer war fünfhundert Silbergroschen schuldig, der andere fünfzig. 42 Da sie aber nicht bezahlen konnten, [a]schenkte er's beiden. Wer von ihnen wird ihn mehr lieben? 43 Simon antwortete und sprach: Ich denke, der, dem er mehr geschenkt hat. Er aber sprach zu ihm: Du hast recht geurteilt.

44 Und er wandte sich zu der Frau und sprach zu Simon: Siehst du diese Frau? Ich bin in dein Haus gekommen; [a]du hast mir kein Wasser für meine Füße gegeben; diese aber hat meine Füße mit Tränen genetzt und mit ihren Haaren getrocknet. 45 Du hast mir keinen Kuss gegeben; diese aber hat, seit ich hereingekommen bin, nicht abgelassen, meine Füße zu küssen. 46 Du hast mein Haupt nicht mit Öl gesalbt; sie aber hat meine Füße mit Salböl

7,22 *a* Jes 29,18; 35,5-6 *b* Jes 26,19 *c* Kap 4,18-19; Jes 61,1 **7,25** *a* Mt 3,4; Mk 1,6 **7,26** *a* Kap 1,76 **7,27** *a* Mk 1,2 **7,28** *a* Kap 1,15 **7,29** *a* Kap 3,12; Mt 21,32 **7,33** *a* Mt 3,4 *b* Kap 1,15 **7,34** *a* Kap 5,30; 15,2; 19,7 **7,35** *a* Spr 8,32; Sir 4,11; 1. Kor 1,24-30 **7,36** *a* Kap 11,37 **7,37** *a* Mk 14,3 **7,42** *a* Mt 18,27 **7,44** *a* 1. Mose 18,4

gesalbt. 47 Deshalb sage ich dir: Ihre vielen
Sünden sind vergeben, denn sie hat viel
geliebt; wem aber wenig vergeben wird,
der liebt wenig. 48 [a]Und er sprach zu ihr:
Dir sind deine Sünden vergeben. 49 Da
fingen die an, die mit zu Tisch saßen, und
sprachen bei sich selbst: Wer ist dieser, der
auch Sünden vergibt? 50 Er aber sprach zu
der Frau: [a]**Dein Glaube hat dir geholfen;
geh hin in Frieden!**

FRAUEN IN DER NACHFOLGE JESU

8 Und es begab sich danach, dass er [a]von
Stadt zu Stadt und von Dorf zu Dorf
zog und predigte und verkündigte das
Evangelium vom Reich Gottes; und die
Zwölf waren mit ihm, 2 [a]dazu etliche
Frauen, die er gesund gemacht hatte von
bösen Geistern und Krankheiten, nämlich
[b]Maria, genannt Magdalena, von der sie-
ben Dämonen ausgefahren waren, 3 und
Johanna, die Frau des Chuza, eines Ver-
walters des Herodes, und Susanna und
viele andere, die ihnen dienten mit ihrer
Habe.

VOM SÄMANN

(Mt 13,1-9; Mk 4,1-9)

4 Als nun eine große Menge beieinander
war und sie aus jeder Stadt zu ihm eilten,
sprach er durch ein Gleichnis: 5 Es ging ein
Sämann aus zu säen seinen Samen. Und
indem er säte, fiel einiges an den Weg
und wurde zertreten, und die Vögel unter
dem Himmel fraßen's auf. 6 Und anderes
fiel auf den Fels; und als es aufging, ver-
dorrte es, weil es keine Feuchtigkeit hatte.
7 Und anderes fiel mitten unter die Dor-
nen; und die Dornen gingen mit auf und
erstickten's. 8 Und anderes fiel auf das gute
Land; und es ging auf und trug hundert-
fach Frucht. Da er das sagte, rief er: [a]Wer
Ohren hat zu hören, der höre!

VOM SINN DER GLEICHNISSE

(Mt 13,10-17; Mk 4,10-12)

9 Es fragten ihn aber seine Jünger, was dies
Gleichnis bedeute. 10 Er aber sprach: Euch
ist's gegeben, zu wissen die Geheimnisse
des Reiches Gottes, den andern aber ist's
gegeben in Gleichnissen, [a]dass sie es se-
hen und doch nicht sehen und hören und
nicht verstehen.

DIE DEUTUNG DES GLEICHNISSES VOM SÄMANN

(Mt 13,18-23; Mk 4,13-20)

11 Das ist aber das Gleichnis: Der Same ist
das Wort Gottes. 12 Die aber an dem Weg,
das sind die, die es hören; danach kommt
der Teufel und nimmt das Wort von ih-
rem Herzen, damit sie nicht glauben und
selig werden. 13 Die aber auf dem Fels
sind die: Wenn sie es hören, nehmen sie
das Wort mit Freuden an. Sie haben aber
keine Wurzel; eine Zeit lang glauben sie,
und zu der Zeit der Anfechtung fallen sie
ab. 14 Was aber unter die Dornen fiel, sind
die, die es hören und gehen hin und er-
sticken unter den Sorgen, dem Reichtum
und den Freuden des Lebens und bringen
keine Frucht zur Reife. 15 **Das aber auf
dem guten Land sind die, die das Wort
hören und behalten in einem feinen,
guten Herzen und bringen Frucht in
Geduld.**

VOM LICHT UND VOM RECHTEN HÖREN

(Mk 4,21-25)

16 Niemand aber zündet ein Licht an und
bedeckt es mit einem Gefäß oder setzt
es unter eine Bank; sondern er setzt es
auf einen Leuchter, auf dass, wer hinein-
geht, das Licht sehe.[a] 17 Denn es ist nichts
verborgen, was nicht offenbar werden
wird, auch nichts geheim, was nicht be-
kannt werden und an den Tag kommen
wird.[a]
18 So seht nun darauf, wie ihr hört; denn
[a]wer da hat, dem wird gegeben; wer aber
nicht hat, dem wird auch das genommen,
was er meint zu haben.

JESU WAHRE VERWANDTE

(Mt 12,46-50; Mk 3,31-35)

19 Es kamen aber seine Mutter und seine
Brüder zu ihm und konnten wegen der
Menge nicht zu ihm gelangen. 20 Da wur-
de ihm gesagt: Deine Mutter und deine
Brüder stehen draußen und wollen dich
sehen. 21 Er aber antwortete und sprach

7,48 ***a*** (48-49) Kap 5,20-21 **7,50** ***a*** Kap 8,48; 17,19; 18,42
8,1 ***a*** Kap 4,43 **8,2** ***a*** (2-3) Kap 23,49; 24,10; Mk 15,40-41
b Mk 16,9; Joh 20,1.11-18 **8,8** ***a*** Kap 14,35
8,10 ***a*** Jes 6,9-10; Joh 12,40; Apg 28,26-27
8,16 ***a*** Kap 11,33; Mt 5,15 **8,17** ***a*** Kap 12,2; Mt 10,26;
1. Kor 4,5 **8,18** ***a*** Kap 19,26; Mt 13,12; 25,29

zu ihnen: Meine Mutter und meine Brü-
der sind diese, [a]die Gottes Wort hören
und tun.

DIE STILLUNG DES STURMS

(Mt 8,18.23-27; Mk 4,35-41)

22 Und es begab sich an einem der Tage,
dass er in ein Boot stieg mit seinen Jün-
gern; und er sprach zu ihnen: Lasst uns
ans andere Ufer des Sees fahren. Und sie
stießen vom Land ab. 23 Und als sie fuhren,
schlief er ein. Und es kam ein Windwirbel
über den See und die Wellen überfielen
sie, und sie waren in großer Gefahr. 24 Da
traten sie zu ihm und weckten ihn auf und
sprachen: Meister, Meister, wir kommen
um! Da stand er auf und bedrohte den
Wind und die Wogen des Wassers, und
sie legten sich und es ward eine Stille.[a]
25 Er sprach aber zu ihnen: Wo ist euer
Glaube? Sie fürchteten sich aber und ver-
wunderten sich und sprachen untereinan-
der: Wer ist dieser, dass er auch dem Wind
und dem Wasser gebietet und sie sind ihm
gehorsam?

DER BESESSENE GERASENER

(Mt 8,28-34; Mk 5,1-20)

26 Und sie fuhren weiter in die Gegend
der Gerasener, die Galiläa gegenüberliegt.
27 Und als er ans Land trat, begegnete ihm
ein Mann aus der Stadt, der war von Dä-
monen besessen; er trug seit langer Zeit
keine Kleider mehr und blieb in keinem
Hause, sondern in den Grabhöhlen. 28 Da
er aber Jesus sah, schrie er auf und fiel vor
ihm nieder und [a]rief laut: Was habe ich mit
dir zu schaffen, Jesus, du Sohn des höchs-
ten Gottes? Ich bitte dich: Quäle mich
nicht! 29 Denn er hatte dem unreinen Geist
geboten, aus dem Menschen auszufahren.
Denn der hatte ihn lange Zeit geplagt; und
er wurde mit Ketten und Fesseln an den
Füßen gebunden und gefangen gehalten,
doch er zerriss seine Fesseln und wurde
von dem Dämon in die Wüste getrieben.
30 Und Jesus fragte ihn: Wie heißt du? Er
antwortete: Legion. Denn es waren viele
Dämonen in ihn gefahren. 31 Und sie ba-
ten ihn, dass er ihnen nicht gebiete, in den
Abgrund zu fahren.

32 Es war aber dort auf dem Berg eine
große Herde [a]Säue auf der Weide. Und sie
baten ihn, dass er ihnen erlaube, in diese
zu fahren. Und er erlaubte es ihnen. 33 Da
fuhren die Dämonen von dem Menschen
aus und fuhren in die Säue, und die Herde
stürmte den Abhang hinunter in den See
und ersoff.

34 Als aber die Hirten sahen, was da ge-
schah, flohen sie und verkündeten es in
der Stadt und auf dem Lande. 35 Da gingen
die Leute hinaus, zu sehen, was geschehen
war, und kamen zu Jesus und fanden den
Menschen, von dem die Dämonen ausge-
fahren waren, sitzend zu den Füßen Jesu,
bekleidet und vernünftig, und sie erschra-
ken. 36 Und die es gesehen hatten, verkün-
deten ihnen, wie der Besessene gerettet
worden war. 37 Und die ganze Menge aus
dem umliegenden Land der Gerasener bat
ihn, von ihnen fortzugehen; denn es hatte
sie große Furcht ergriffen. Und er stieg ins
Boot und kehrte zurück.

38 Aber der Mann, von dem die Dämo-
nen ausgefahren waren, bat ihn, dass er
bei ihm bleiben dürfe. Aber Jesus schickte
ihn fort und sprach: 39 Geh wieder heim
und sage, wie große Dinge Gott an dir ge-
tan hat. Und er ging hin und verkündigte
überall in der Stadt, wie große Dinge Jesus
an ihm getan hatte.

DIE HEILUNG EINER BLUTFLÜSSIGEN FRAU UND DIE AUFERWECKUNG DER TOCHTER DES JAÏRUS

(Mt 9,18-26; Mk 5,21-43)

40 Als Jesus zurückkam, nahm ihn das
Volk auf; denn sie warteten alle auf ihn.
41 Und siehe, da kam ein Mann mit Na-
men Jaïrus, der ein Vorsteher der Syn-
agoge war, und fiel Jesus zu Füßen und
bat ihn, in sein Haus zu kommen; 42 denn
er hatte eine einzige Tochter von etwa
zwölf Jahren, die lag in den letzten Zü-
gen. Und als er hinging, umdrängte ihn
das Volk.

43 Und eine Frau hatte den [a]Blutfluss seit
zwölf Jahren; die hatte alles, was sie zum
Leben hatte, für die Ärzte aufgewandt
und konnte von niemandem geheilt wer-
den. 44 Die trat von hinten heran und [a]be-
rührte den Saum seines Gewandes; und

8,21 *a* Vers 15 **8,24** *a* Ps 65,8; 89,10; 107,29
8,28 *a* Kap 4,41; Mk 3,11 **8,32** *a* 3. Mose 11,7-8; 5. Mose 14,8 **8,43** *a* 3. Mose 15,25 **8,44** *a* Mt 14,36

sogleich hörte ihr Blutfluss auf. 45 Und
Jesus sprach: Wer hat mich berührt?
Als es aber alle leugneten, sprach Pe-
trus: Meister, das Volk drängt und drückt
dich. 46 Jesus aber sprach: Es hat mich je-
mand berührt; denn ich habe gespürt,
dass [a]eine Kraft von mir ausgegangen ist.
47 Da aber die Frau sah, dass sie nicht ver-
borgen blieb, kam sie mit Zittern und fiel
vor ihm nieder und verkündete vor allem
Volk, warum sie ihn angerührt hatte und
wie sie sogleich gesund geworden war.
48 Er aber sprach zu ihr: Meine Tochter,
[a]dein Glaube hat dir geholfen. Geh hin in
Frieden!

49 Als er noch redete, kam einer von
den Leuten des Vorstehers der Synagoge
und sprach: Deine Tochter ist gestorben;
bemühe den Meister nicht mehr. 50 Als
aber Jesus das hörte, antwortete er ihm:
Fürchte dich nicht; glaube nur, so wird sie
gesund!

51 Als er aber in das Haus kam, ließ er
niemanden mit hineingehen [a]als Petrus
und Johannes und Jakobus und den Vater
des Kindes und die Mutter. 52 Sie wein-
ten aber alle und klagten um sie. Er aber
sprach: [a]Weint nicht, denn sie ist nicht
gestorben, sondern sie schläft. 53 Und sie
verlachten ihn, denn sie wussten, dass
sie gestorben war. 54 Er aber nahm sie bei
der Hand und rief: Kind, steh auf! 55 Und
[a]ihr Geist kam wieder und sie stand so-
gleich auf, und er befahl, man sollte ihr zu
essen geben. 56 Und ihre Eltern entsetzten
sich. [a]Er aber gebot ihnen, niemandem zu
sagen, was geschehen war.

DIE AUSSENDUNG DER ZWÖLF

(Mt 10,1; 10,5-14; Mk 6,7-13)

9 [a]Er rief aber die Zwölf zusammen und
gab ihnen Gewalt und Macht über alle
Dämonen und dass sie Krankheiten heilen
konnten 2 und sandte sie aus, zu predigen
das Reich Gottes und zu heilen die Kran-
ken. 3 Und er sprach zu ihnen: Ihr sollt
nichts mit auf den Weg nehmen, weder
Stab noch Tasche noch Brot noch Geld; es
soll auch einer nicht zwei Hemden haben.[a]
4 Und wo ihr in ein Haus geht, da bleibt
und von dort zieht weiter. 5 Und wenn
sie euch nicht aufnehmen, dann geht fort
aus dieser Stadt und [a]schüttelt den Staub
von euren Füßen zum Zeugnis gegen sie.
6 Und sie gingen hinaus und zogen von
Dorf zu Dorf, predigten das Evangelium
und heilten an allen Orten.

HERODES ANTIPAS UND JESUS

(Mt 14,1-2; Mk 6,14-16)

7 [a]Es kam aber vor Herodes, den Landes-
fürsten, alles, was geschah; und er wurde
unruhig, weil von einigen gesagt wurde:
Johannes ist von den Toten auferweckt
worden; 8 von einigen aber: [a]Elia ist er-
schienen; von anderen aber: Einer von den
alten Propheten ist auferstanden. 9 Und
Herodes sprach: [a]Johannes, den habe ich
enthauptet; wer ist aber dieser, über den
ich solches höre? Und [b]er begehrte ihn zu
sehen.

DIE RÜCKKEHR DER ZWÖLF. DIE SPEISUNG DER FÜNFTAUSEND

(Mt 14,13-21; Mk 6,30-44; Joh 6,1-13)

10 Und die Apostel kamen zurück und er-
zählten Jesus, wie große Dinge sie getan
hatten. Und er nahm sie zu sich und zog
sich mit ihnen allein in eine Stadt zurück,
die heißt Betsaida. 11 Als die Menge das
merkte, zog sie ihm nach. Und er ließ sie
zu sich und sprach zu ihnen vom Reich
Gottes und machte gesund, die der Hei-
lung bedurften. 12 Aber [a]der Tag fing an,
sich zu neigen. Da traten die Zwölf zu
ihm und sprachen: Lass das Volk gehen,
dass sie hingehen in die Dörfer und Höfe
ringsum und Herberge und Essen finden;
denn wir sind hier an einer einsamen
Stätte. 13 [a]Da sprach er zu ihnen: Gebt ihr
ihnen zu essen. Sie aber sprachen: Wir
haben nicht mehr als fünf Brote und zwei
Fische, es sei denn, dass wir hingehen sol-
len und für dieses ganze Volk Essen kau-
fen. 14 Denn es waren etwa fünftausend
Männer. Er sprach aber zu seinen Jün-
gern: Lasst sie sich lagern in Gruppen zu
je fünfzig. 15 Und sie taten das und ließen
alle sich lagern.

8,46 *a* Kap 6,19 **8,48** *a* Kap 7,50; 17,19; 18,42; Mk 10,52
8,51 *a* Mt 17,1 **8,52** *a* Kap 7,13; Joh 11,11-13
8,55 *a* 1. Kön 17,22 **8,56** *a* Kap 5,14; Mk 7,36
9,1 *a* (1-6) Kap 10,1-12 **9,3** *a* Kap 22,35 **9,5** *a* Kap 10,11; Apg 13,51 **9,7** *a* (7-8) Kap 9,19 **9,8** *a* Mal 3,23; Sir 48,10; Mk 9,11-13 **9,9** *a* Kap 3,20; Mt 14,10; Mk 6,27 *b* Kap 23,8
9,12 *a* Kap 24,29 **9,13** *a* (13-17) 2. Kön 4,42-44

16 Da nahm er die fünf Brote und zwei
Fische und sah auf zum Himmel und seg-
nete sie, brach die Brote und gab sie den
Jüngern, dass sie dem Volk austeilten.[a]
17 Und sie aßen und wurden alle satt;
und es wurde aufgesammelt, was ih-
nen an Brocken übrig blieb, zwölf Körbe
voll.

DAS BEKENNTNIS DES PETRUS. DIE ERSTE LEIDENSANKÜNDIGUNG

(Mt 16,13-21; Mk 8,27-31; Joh 6,67-69)

18 Und es begab sich, als Jesus allein betete,
waren seine Jünger bei ihm; und er fragte
sie und sprach: Wer, sagen die Leute, dass
ich sei? 19 Sie antworteten und sprachen:
[a]Sie sagen, du seiest Johannes der Täufer;
andere aber, du seiest [b]Elia; andere aber,
es sei einer der alten Propheten auferstan-
den. 20 Er aber sprach zu ihnen: Ihr aber,
wer sagt ihr, dass ich sei? Da antwortete
Petrus und sprach: Du bist [a]der Christus
Gottes!

21 Er aber bedrohte sie und gebot ihnen,
dass sie das niemandem sagen sollten,
22 und sprach: Der Menschensohn muss
viel leiden und verworfen werden von
den Ältesten und Hohenpriestern und
Schriftgelehrten und getötet werden und
am dritten Tage auferstehen.[a]

VON DER NACHFOLGE

(Mt 16,24-28; Mk 8,34–9,1)

23 Da sprach er zu allen: **Wer mir fol-**
gen will, der verleugne sich selbst und
[a]nehme sein Kreuz auf sich täglich und
folge mir nach. 24 **Denn wer sein Leben**
erhalten will, der wird es verlieren; wer
aber sein Leben verliert um meinetwil-
len, der wird's erhalten.[a] 25 **Denn wel-**
chen Nutzen hätte der Mensch, wenn
er die ganze Welt gewönne und verlöre
sich selbst oder nähme Schaden an sich
selbst?

26 Wer sich aber meiner und meiner
Worte schämt, dessen wird sich der Men-
schensohn auch schämen, wenn er kom-
men wird in seiner Herrlichkeit und der
des Vaters und der heiligen Engel.[a] 27 Ich
sage euch aber wahrlich: [a]Einige von de-
nen, die hier stehen, die werden den Tod
nicht schmecken, bis sie das Reich Gottes
sehen.

DIE VERKLÄRUNG JESU

(Mt 17,1-9; Mk 9,2-10)

28 Und es begab sich etwa acht Tage nach
diesen Reden, dass er mit sich nahm [a]Pe-
trus, Johannes und Jakobus und ging auf
einen Berg, um zu beten. 29 Und als er
betete, wurde das Aussehen seines An-
gesichts ein anderes, und sein Gewand
wurde weiß und glänzte.[a] 30 Und siehe,
zwei Männer redeten mit ihm; das waren
Mose und Elia. 31 Die erschienen in [a]himm-
lischer Klarheit und redeten von seinem
Ende, das er in Jerusalem erfüllen sollte.

32 Petrus aber und die mit ihm waren,
waren voller Schlaf. Als sie aber aufwach-
ten, sahen sie seine Klarheit und die zwei
Männer, die bei ihm standen. 33 Und es be-
gab sich, als sie von ihm schieden, sprach
Petrus zu Jesus: Meister, hier ist für uns
gut sein! Lasst uns drei Hütten bauen, dir
eine, Mose eine und Elia eine. Er wusste
aber nicht, was er redete. 34 Als er aber dies
redete, [a]kam eine Wolke und überschat-
tete sie; und sie erschraken, als sie in die
Wolke hineinkamen. 35 Und es geschah
eine Stimme aus der Wolke, die sprach:
[a]Dies ist mein auserwählter Sohn; [b]den
sollt ihr hören!

36 Und als die Stimme geschah, fanden
sie Jesus allein. Und sie schwiegen und
verkündeten in jenen Tagen niemandem,
was sie gesehen hatten.

DIE HEILUNG EINES BESESSENEN KNABEN

(Mt 17,14-20; Mk 9,14-29)

37 Es begab sich aber am nächsten Tag, als
sie von dem Berg herabkamen, da kam ihm
eine große Menge entgegen. 38 Und siehe,
ein Mann aus der Menge rief: Meister, ich
bitte dich, sieh doch nach meinem Sohn;
denn er ist mein einziger Sohn. 39 Siehe,
ein Geist ergreift ihn, und plötzlich schreit
er, und er reißt ihn hin und her, dass er
Schaum vor dem Mund hat, und lässt kaum
von ihm ab und reibt ihn ganz auf. 40 Und
ich habe deine Jünger gebeten, dass sie ihn

9,16 *a* Kap 24,30; Kap 22,19 **9,19** *a* Verse 7-8 *b* Mal 3,23; Sir 48,10 **9,20** *a* Joh 11,27 **9,22** *a* Verse 44-45; Kap 18,31-34 **9,23** *a* Kap 14,27 **9,24** *a* Kap 17,33; Mt 10,39; Joh 12,25 **9,26** *a* Kap 12,8-9; Mt 10,33; Röm 1,16; 2. Tim 1,8 **9,27** *a* Kap 19,11 **9,28** *a* Kap 8,51 **9,29** *a* 2. Mose 34,29-30 **9,31** *a* Kap 2,9 **9,34** *a* 2. Mose 24,15-18 **9,35** *a* Kap 3,22; Ps 2,7 *b* 5. Mose 18,15

austrieben, und sie konnten es nicht. 41 Da
antwortete Jesus und sprach: O du un-
gläubiges und verkehrtes Geschlecht, wie
lange soll ich bei euch sein und euch erdul-
den? Bring deinen Sohn her!
42 Und da er zu ihm kam, riss ihn der Dä-
mon zu Boden und zerrte ihn hin und her.
Jesus aber bedrohte den unreinen Geist
und machte den Knaben gesund und [a]gab
ihn seinem Vater wieder. 43 Und sie ent-
setzten sich alle über Gottes große Macht.

DIE ZWEITE LEIDENSANKÜNDIGUNG

(Mt 17,22-23; Mk 9,31-32)

Als sie sich aber alle verwunderten über
alles, was er tat, sprach er zu seinen Jün-
gern: 44 Lasst diese Worte in eure Ohren
dringen; denn der Menschensohn wird
überantwortet werden in die Hände der
Menschen.[a] 45 Sie aber [a]verstanden dieses
Wort nicht, und [b]es war vor ihnen verbor-
gen, sodass sie es nicht begriffen. Und sie
fürchteten sich, ihn nach diesem Wort zu
fragen.

RANGSTREIT UNTER DEN JÜNGERN

(Mt 18,1-5; Mk 9,33-37)

46 Es kam aber unter ihnen der Gedanke
auf, wer von ihnen der Größte wäre.[a] 47 Da
aber Jesus den Gedanken ihres Herzens
erkannte, nahm er ein Kind und stellte es
neben sich 48 und sprach zu ihnen: Wer
dieses Kind aufnimmt in meinem Namen,
der nimmt mich auf; und [a]wer mich auf-
nimmt, der nimmt den auf, der mich ge-
sandt hat. Denn wer der Kleinste ist unter
euch allen, der ist groß.

EIN FREMDER WUNDERTÄTER

(Mk 9,38-40)

49 Da antwortete Johannes und sprach:
Meister, wir sahen einen, der trieb Dä-
monen aus in deinem Namen; und wir
wehrten ihm, denn er folgt dir nicht nach
mit uns. 50 Und Jesus sprach zu ihm: Weh-
ret ihm nicht! Denn [a]wer nicht gegen euch
ist, der ist für euch.

AUFBRUCH NACH JERUSALEM. ABLEHNUNG JESU IN EINEM SAMARITANISCHEN DORF

51 Es begab sich aber, als die Zeit erfüllt
war, dass [a]er in den Himmel aufgenom-
men werden sollte, da wandte er das An-
gesicht, entschlossen, [b]nach Jerusalem zu
wandern. 52 Und er sandte Boten vor sich
her; die gingen hin und kamen in ein Dorf
der Samariter, ihm Herberge zu bereiten.
53 Und [a]sie nahmen ihn nicht auf, weil er
sein Angesicht gewandt hatte, nach Jerusa-
lem zu wandern. 54 Als aber das die Jünger
Jakobus und Johannes sahen, sprachen sie:
Herr, willst du, so wollen wir sagen, [a]dass
Feuer vom Himmel falle und sie verzehre.
55 Er aber wandte sich um und bedrohte sie.
56 Und sie gingen in ein anderes Dorf.

VOM ERNST DER NACHFOLGE

(Mt 8,19-22)

57 Und als sie auf dem Wege waren, sprach
einer zu ihm: Ich will dir folgen, wohin
du gehst. 58 Und Jesus sprach zu ihm: **Die
Füchse haben Gruben und die Vögel
unter dem Himmel haben Nester; aber
der Menschensohn hat nichts, wo er
sein Haupt hinlege.**
59 Und er sprach zu einem andern: Folge
mir nach! Der sprach aber: [a]Herr, erlaube
mir, dass ich zuvor hingehe und meinen
Vater begrabe. 60 Er aber sprach zu ihm:
Lass die Toten ihre Toten begraben; du
aber geh hin und verkündige das Reich
Gottes!
61 Und ein andrer sprach: Herr, ich will
dir nachfolgen; aber erlaube mir zuvor,
dass ich Abschied nehme von denen,
die in meinem Hause sind.[a] 62 Jesus aber
sprach zu ihm: **Wer die Hand an den
Pflug legt und sieht zurück, der ist
nicht geschickt für das Reich Gottes.**[a]

EINSETZUNG UND AUSSENDUNG DER ZWEIUNDSIEBZIG

(Mt 10,7-16)

10 Danach setzte der Herr [a]zweiundsieb-
zig* andere ein und sandte sie [b]je zwei
und zwei vor sich her in alle Städte und
Orte, wohin er gehen wollte, 2 und sprach

* **10,1** Luther übersetzte nach anderer Überlieferung: »siebzig«.

9,42 *a* Kap 7,15 **9,44** *a* Vers 22; Kap 18,31-34
9,45 *a* Kap 2,50 *b* Kap 24,25.45 **9,46** *a* Kap 22,24-26
9,48 *a* Kap 10,16; Mt 10,40 **9,50** *a* Kap 11,23; Phil 1,18
9,51 *a* Kap 24,51; Apg 2,1 *b* Kap 13,22; 17,11; 18,31; 19,11.28; Mk 10,32 **9,53** *a* Joh 4,9 **9,54** *a* 2. Kön 1,10-12
9,59 *a* Tob 4,3; 6,15 **9,61** *a* Kap 5,11; 1. Kön 19,20
9,62 *a* Phil 3,13 **10,1** *a* Kap 9,1 *b* Mk 6,7

zu ihnen: **Die Ernte ist groß, der Arbei-
ter aber sind wenige. Darum bittet den
Herrn der Ernte, dass er Arbeiter aus-
sende in seine Ernte.**[a]
3 Geht hin; siehe, ich sende euch wie
Lämmer mitten unter die Wölfe. 4 [a]Tragt
keinen Geldbeutel bei euch, keine Tasche,
keine Schuhe, und [b]grüßt niemanden auf
der Straße. 5 Wenn ihr in ein Haus kommt,
sprecht zuerst: [a]Friede sei diesem Hause!
6 Und wenn dort ein Kind des Friedens ist,
so wird euer Friede auf ihm ruhen; wenn
aber nicht, so wird sich euer Friede wie-
der zu euch wenden. 7 In demselben Haus
aber bleibt, esst und trinkt, was man euch
gibt; denn [a]ein Arbeiter ist seines Lohnes
wert. Ihr sollt nicht von einem Haus zum
andern gehen.
8 Und wenn ihr in eine Stadt kommt
und sie euch aufnehmen, dann esst, was
euch vorgesetzt wird, 9 und heilt die Kran-
ken, die dort sind, und sagt ihnen: [a]Das
Reich Gottes ist nahe zu euch gekommen.
10 Wenn ihr aber in eine Stadt kommt und
sie euch nicht aufnehmen, so geht hinaus
auf ihre Straßen und sprecht: 11 Auch [a]den
Staub aus eurer Stadt, der sich an unsre
Füße gehängt hat, schütteln wir ab auf
euch. Doch das sollt ihr wissen: Das Reich
Gottes ist nahe herbeigekommen. 12 Ich
sage euch: Es wird [a]Sodom erträglicher
ergehen an jenem Tage als dieser Stadt.

WEHERUFE ÜBER GALILÄISCHE STÄDTE
(Mt 11,20-24)

13 Weh dir, Chorazin! Weh dir, Betsaida!
Denn wären solche Taten in Tyrus und
Sidon geschehen, wie sie bei euch gesche-
hen sind, sie hätten längst in Sack und
Asche gesessen und Buße getan. 14 Doch
es wird Tyrus und Sidon erträglicher er-
gehen im Gericht als euch. 15 Und du, Ka-
pernaum, wirst du bis zum Himmel er-
hoben werden? Du wirst bis in die Hölle
hinabfahren.[a]
16 **Wer euch hört, der hört mich; und
wer euch verachtet, der verachtet mich;
wer aber mich verachtet, der verachtet
den, der mich gesandt hat.**[a]

RÜCKKEHR DER ZWEIUNDSIEBZIG

17 Die Zweiundsiebzig* aber kamen zurück
voll Freude und sprachen: Herr, auch die
Dämonen sind uns untertan in deinem
Namen. 18 Er sprach aber zu ihnen: Ich sah
den Satan vom Himmel fallen wie einen
Blitz.[a] 19 Seht, ich habe euch Macht gege-
ben, [a]zu treten auf Schlangen und Skor-
pione, und Macht über alle Gewalt des
Feindes; und nichts wird euch schaden.
20 Doch darüber freut euch nicht, dass
euch die Geister untertan sind. **Freut
euch aber, dass [a]eure Namen im Him-
mel geschrieben sind.**

JESU LOBPREIS DES VATERS
(Mt 11,25-27)

21 Zu der Stunde freute sich Jesus im Hei-
ligen Geist und rief: Ich preise dich, Vater,
Herr des Himmels und der Erde, [a]weil du
dies Weisen und Klugen verborgen hast
und hast es Unmündigen offenbart. Ja,
Vater, so hat es dir wohlgefallen. 22 Alles
ist mir übergeben von meinem Vater. Und
[a]niemand weiß, wer der Sohn ist, als nur
der Vater, noch, wer der Vater ist, als nur
der Sohn und wem es der Sohn offenba-
ren will.
23 [a]Und er wandte sich zu seinen Jüngern
und sprach zu ihnen allein: Selig sind die
Augen, die sehen, was ihr seht. 24 Denn ich
sage euch: [a]Viele Propheten und Könige
wollten sehen, was ihr seht, und haben's
nicht gesehen, und hören, was ihr hört,
und haben's nicht gehört.

DIE FRAGE NACH DEM EWIGEN LEBEN. DER BARMHERZIGE SAMARITER

25 [a]Und siehe, da stand ein Gesetzesleh-
rer auf, versuchte ihn und sprach: Meis-
ter, was muss ich tun, dass ich das ewige
Leben ererbe? 26 Er aber sprach zu ihm:
Was steht im Gesetz geschrieben? Was
liest du? 27 Er antwortete und sprach:
**»Du sollst den Herrn, deinen Gott,
lieben von ganzem Herzen, von gan-**

* **10,17** Vgl. Vers 1.

10,2 *a* Mt 9,37-38; Joh 4,35 **10,4** *a* (4-11) Kap 9,3-5
b 2. Kön 4,29 **10,5** *a* Joh 20,19 **10,7** *a* 1. Tim 5,18
10,9 *a* Mt 4,17; Mk 1,15 **10,11** *a* Apg 13,51
10,12 *a* Kap 17,28-29; 1. Mose 19,1-29 **10,15** *a* Jes 14,13-15
10,16 *a* Mt 10,40; Joh 5,23; 13,20 **10,18** *a* Joh 12,31;
Offb 12,8-9 **10,19** *a* Ps 91,13; Mk 16,18; Apg 28,3-6
10,20 *a* 2. Mose 32,32; Jes 4,3; Hebr 12,23; Offb 3,5
10,21 *a* Jes 29,14; 1. Kor 2,7 **10,22** *a* Joh 1,18; 10,15
10,23 *a* (23-24) Mt 13,16-17 **10,24** *a* 1. Petr 1,10
10,25 *a* (25-27) Kap 18,18-20; Mt 22,35-40; Mk 12,28-34

zer Seele und mit all deiner Kraft und
deinem ganzen Gemüt*, und [a]deinen
Nächsten wie dich selbst« (5. Mose 6,5;
3. Mose 19,18). 28 Er aber sprach zu ihm: Du
hast recht geantwortet; [a]tu das, so wirst
du leben.

29 Er aber wollte sich selbst rechtferti-
gen und sprach zu Jesus: [a]Wer ist denn
mein Nächster? 30 Da antwortete Jesus
und sprach: Es war ein Mensch, der ging
von Jerusalem hinab nach Jericho und fiel
unter die Räuber; die zogen ihn aus und
schlugen ihn und machten sich davon und
ließen ihn halb tot liegen.
31 Es traf sich aber, dass ein Priester die-
selbe Straße hinabzog; und als er ihn sah,
[a]ging er vorüber. 32 Desgleichen auch ein
Levit: Als er zu der Stelle kam und ihn sah,
ging er vorüber. 33 Ein Samariter aber, der
auf der Reise war, kam dahin; und als er
ihn sah, jammerte es ihn; 34 und er ging zu
ihm, goss Öl und Wein auf seine Wun-
den und verband sie ihm, hob ihn auf sein
Tier und brachte ihn in eine Herberge
und pflegte ihn. 35 Am nächsten Tag zog
er zwei Silbergroschen heraus, gab sie dem
Wirt und sprach: Pflege ihn; und wenn
du mehr ausgibst, will ich dir's bezahlen,
wenn ich wiederkomme.

36 Wer von diesen dreien, meinst du,
ist der Nächste geworden dem, der un-
ter die Räuber gefallen war? 37 Er sprach:
Der die Barmherzigkeit an ihm tat. Da
sprach Jesus zu ihm: So geh hin und tu
desgleichen!

MARIA UND MARTA

38 Als sie aber weiterzogen, kam er in
ein Dorf. Da war [a]eine Frau mit Namen
Marta, die [b]nahm ihn auf. 39 Und sie hatte
eine Schwester, die hieß Maria; die [a]setzte
sich dem Herrn zu Füßen und hörte sei-
ner Rede zu. 40 Marta aber machte sich
viel zu schaffen, ihnen zu dienen. Und
sie trat hinzu und sprach: Herr, fragst du
nicht danach, dass mich meine Schwes-
ter lässt allein dienen? Sage ihr doch, dass
sie mir helfen soll! 41 Der Herr aber ant-
wortete und sprach zu ihr: Marta, Marta,
du hast viel Sorge und Mühe. 42 **Eins**
aber ist not. Maria hat das gute Teil er-
wählt; das soll nicht von ihr genommen
werden.

DAS VATERUNSER

(Mt 6,9-13)

11 Und es begab sich, dass er an einem
Ort war und betete. Als er aufgehört
hatte, sprach einer seiner Jünger zu ihm:
Herr, lehre uns beten, wie auch Johannes
seine Jünger lehrte. 2 Er aber sprach zu
ihnen: Wenn ihr betet, so sprecht:

Vater!
Dein Name werde geheiligt.
Dein Reich komme.[a]
3 [a]**Gib uns unser täglich Brot**
Tag für Tag
4 **und vergib uns unsre Sünden;**
denn [a]auch wir vergeben jedem,
der an uns schuldig wird.
Und führe uns nicht in Versuchung.

DER BITTENDE FREUND

5 Und er sprach zu ihnen: Wer unter euch
hat einen Freund und ginge zu ihm um
Mitternacht und spräche zu ihm: Lieber
Freund, leih mir drei Brote; 6 denn mein
Freund ist zu mir gekommen auf der
Reise, und ich habe nichts, was ich ihm
vorsetzen kann, 7 und der drinnen würde
antworten und sprechen: Mach mir keine
Unruhe! Die Tür ist schon zugeschlossen
und meine Kinder und ich liegen schon zu
Bett; ich kann nicht aufstehen und dir et-
was geben. 8 Ich sage euch: Und wenn er
schon nicht aufsteht und ihm etwas gibt,
weil er sein Freund ist, so wird er doch we-
gen seines unverschämten Drängens auf-
stehen und ihm geben, so viel er bedarf.

ZUVERSICHT BEIM BETEN

(Mt 7,7-11)

9 Und ich sage euch auch: [a]**Bittet, so wird**
euch gegeben; suchet, so werdet ihr
finden; klopfet an, so wird euch auf-
getan. 10 **Denn wer da bittet, der emp-**
fängt; und wer da sucht, der findet; und
wer da anklopft, dem wird aufgetan.
11 Wo bittet unter euch ein Sohn den

* **10,27** Siehe Sach- und Worterklärungen.

10,27 *a* Röm 13,9; Gal 5,14 **10,28** *a* 3. Mose 18,5; Mt 19,17 **10,29** *a* 3. Mose 19,16-18 **10,31** *a* 3. Mose 21,1 **10,38** *a* Joh 11,1; 12,2-3 *b* Kap 9,53; 19,6 **10,39** *a* Kap 8,35; Apg 22,3 **11,2** *a* Kap 1,49; 10,9; Ps 145,11.13; Jes 29,23; 52,7; 63,16 **11,3** *a* Kap 12,22-24; Ps 145,15 **11,4** *a* Kap 17,3-4 **11,9** *a* Mk 11,24; Joh 14,13-14

Vater um einen Fisch, und der gibt ihm
statt des Fisches eine Schlange? 12 Oder
gibt ihm, wenn er um ein Ei bittet, einen
Skorpion? 13 Wenn nun ihr, die ihr böse
seid, euren Kindern gute Gaben zu geben
wisst, wie viel mehr wird der Vater im
Himmel den Heiligen Geist geben denen,
die ihn bitten!

JESUS UND DIE DÄMONEN

(Mt 12,22-30.43-45; Mk 3,22-27)

14 [a]Und er trieb einen Dämon aus, der war
stumm. Und es geschah, als der Dämon
ausfuhr, da redete der Stumme, und die
Menge verwunderte sich. 15 Einige aber
unter ihnen sprachen: Er treibt die Dä-
monen aus durch Beelzebul, den Obersten
der Dämonen. 16 Andere aber versuchten
ihn und [a]forderten von ihm ein Zeichen
vom Himmel.

17 Er aber kannte ihre Gedanken und
sprach zu ihnen: Jedes Reich, das mit sich
selbst uneins ist, wird verwüstet und ein
Haus fällt über das andre. 18 Ist aber der Sa-
tan auch mit sich selbst uneins, wie kann
sein Reich bestehen? Denn ihr sagt, ich
treibe die Dämonen aus durch Beelzebul.
19 Wenn aber ich die Dämonen durch Be-
elzebul austreibe, durch wen treiben eure
Söhne sie aus? Darum werden sie eure
Richter sein. 20 Wenn ich aber [a]durch den
Finger Gottes die Dämonen austreibe, so
ist ja das Reich Gottes zu euch gekom-
men. 21 Wenn ein [a]gewappneter Starker
seinen Palast bewacht, so bleibt, was er
hat, in Frieden. 22 Wenn aber ein Stärkerer
über ihn kommt und überwindet ihn, so
nimmt er ihm seine Rüstung, auf die er
sich verließ, und verteilt die Beute.[a] 23 Wer
nicht mit mir ist, der ist gegen mich; und
wer nicht mit mir sammelt, der zerstreut.[a]

24 Wenn der unreine Geist von einem
Menschen ausgefahren ist, so durchstreift
er dürre Stätten, sucht Ruhe und findet
sie nicht; dann spricht er: Ich will wieder
zurückkehren in mein Haus, aus dem ich
fortgegangen bin. 25 Und wenn er kommt,
so findet er's gekehrt und geschmückt.
26 Dann geht er hin und nimmt sieben
andre Geister mit sich, die böser sind als
er selbst; und wenn sie hineinkommen,
wohnen sie dort, und es wird mit diesem
Menschen am Ende ärger als zuvor.

ZWEIERLEI SELIGPREISUNGEN

27 Und es begab sich, als er solches re-
dete, da erhob eine Frau aus dem Volk
ihre Stimme und sprach zu ihm: [a]Selig ist
der Leib, der dich getragen hat, und die
Brüste, an denen du gesogen hast. 28 Er
aber sprach: **Selig sind, die das Wort
Gottes hören und bewahren.**[a]

ABLEHNUNG DER ZEICHENFORDERUNG

(Mt 12,38-42; Mk 8,11-13)

29 Die Menge aber drängte herzu. Da fing
er an und sagte: Dies Geschlecht ist ein
böses Geschlecht; [a]es fordert ein Zei-
chen, und es wird ihm kein Zeichen ge-
geben werden als nur das Zeichen des
Jona. 30 Denn wie Jona zum Zeichen ge-
worden ist für die Leute von Ninive,* so
wird es auch der Menschensohn sein für
dieses Geschlecht. 31 Die Königin vom
Süden wird auftreten beim Gericht mit
den Leuten dieses Geschlechts und wird
sie verdammen; denn [a]sie kam vom Ende
der Erde, zu hören die Weisheit Salomos;
und siehe, hier ist mehr als Salomo. 32 Die
Leute von Ninive werden auftreten beim
Gericht mit diesem Geschlecht und wer-
den es verdammen; denn [a]sie taten Buße
nach der Predigt des Jona. Und siehe, hier
ist mehr als Jona.

BILDWORTE VOM LICHT

(Mt 5,15; 6,22-23)

33 Niemand zündet ein Licht an und setzt
es in einen Winkel, auch nicht unter einen
Scheffel, sondern auf den Leuchter, damit,
wer hineingeht, das Licht sehe.[a] 34 Dein
Auge ist das Licht des Leibes. Wenn dein
Auge lauter ist, so ist dein ganzer Leib
licht; wenn es aber böse ist, so ist auch dein
Leib finster. 35 So schaue darauf, dass nicht
das Licht in dir Finsternis sei. 36 Wenn nun
dein ganzer Leib licht ist und kein Teil an
ihm finster, dann wird er ganz licht sein,
wie wenn dich das Licht erleuchtet mit
hellem Schein.[a]

* **11,30** Siehe Sach- und Worterklärungen zu »Jona«.

11,14 *a* (14-15) Mt 9,32-34 **11,16** *a* Mk 8,11; 1. Kor 1,22 **11,20** *a* 2. Mose 8,15 **11,21** *a* Jes 49,24 **11,22** *a* Kol 2,15; 1. Joh 4,4 **11,23** *a* Kap 9,50; Mk 9,40 **11,27** *a* Kap 1,42 **11,28** *a* Kap 8,15.21 **11,29** *a* Vers 16; Mt 16,1-4 **11,31** *a* 1. Kön 10,1-10 **11,32** *a* Jona 3,5 **11,33** *a* Kap 8,16; Mk 4,21 **11,36** *a* 2. Kor 4,6

WEHERUFE GEGEN DIE PHARISÄER UND DIE LEHRER DES GESETZES

(Mt 23,1-36)

37 Als er noch redete, bat ihn ein Pharisäer,
mit ihm zu essen. Und er ging hinein und
setzte sich zu Tisch.[a] 38 Als das der Pha-
risäer sah, wunderte er sich, dass er sich
nicht [a]vor dem Essen gewaschen hatte.
39 Der Herr aber sprach zu ihm: Ihr Pha-
risäer, ihr haltet die Becher und Schüsseln
außen rein; aber euer Inneres ist voll Raub
und Bosheit. 40 Ihr Narren, hat nicht der,
der das Äußere geschaffen hat, auch das
Innere geschaffen? 41 Doch gebt als [a]Al-
mosen von dem, was da ist; siehe, dann
ist euch alles rein. 42 Aber weh euch Pha-
risäern! Denn [a]ihr gebt den Zehnten von
Minze und Raute und allem Kraut und
geht vorbei am Recht und an der Liebe
Gottes. Doch dies sollte man tun und je-
nes nicht lassen.

43 Weh euch Pharisäern! Denn [a]ihr sitzt
gern obenan in den Synagogen und wollt
gegrüßt sein auf dem Markt.

44 Weh euch! Denn ihr seid wie die [a]ver-
deckten Gräber, die Leute laufen darüber
und wissen es nicht.

45 Da antwortete einer von den Lehrern
des Gesetzes und sprach zu ihm: Meis-
ter, mit diesen Worten schmähst du uns
auch. 46 Er aber sprach: Weh auch euch
Lehrern des Gesetzes! Denn ihr [a]beladet
die Menschen mit unerträglichen Lasten
und ihr selbst rührt sie nicht mit einem
Finger an.

47 Weh euch! Denn ihr baut den Prophe-
ten Grabmäler; [a]eure Väter aber haben sie
getötet. 48 So seid ihr Zeugen für die Taten
eurer Väter und billigt sie; denn sie haben
sie getötet, und ihr baut ihnen Grabmäler!
49 Darum spricht auch die Weisheit Got-
tes: [a]Ich will Propheten und Apostel zu ih-
nen senden, und einige von ihnen werden
sie töten und verfolgen, 50 damit gefordert
werde von diesem Geschlecht das Blut al-
ler Propheten, das vergossen ist, seit der
Welt Grund gelegt ist, 51 von [a]Abels Blut
an bis zum Blut [b]Secharjas, der umkam
zwischen Altar und Tempel. Ja, ich sage
euch: Es wird gefordert werden von die-
sem Geschlecht.

52 Weh euch Lehrern des Gesetzes!
Denn ihr habt den Schlüssel der Erkennt-
nis weggenommen. Ihr selbst seid nicht
hineingegangen und habt auch denen ge-
wehrt, die hineinwollten.

53 Und als er von dort hinausging, fingen
die Schriftgelehrten und die Pharisäer an,
heftig auf ihn einzudringen und ihm mit
vielerlei Fragen zuzusetzen, 54 und belau-
erten ihn, ob sie etwas aus seinem Mund
erjagen könnten.[a]

MENSCHENFURCHT UND GOTTESFURCHT

(Mt 10,26-33)

12 Unterdessen kamen viele Tausend
Menschen zusammen, sodass sie ein-
ander fast niedertraten. Da fing er an und
sagte zuerst zu seinen Jüngern: [a]Hütet
euch vor dem Sauerteig der Pharisäer, das
ist die Heuchelei.

2 [a]Es ist aber [b]nichts verborgen, was
nicht offenbar wird, und nichts geheim,
was man nicht wissen wird. 3 Darum, was
ihr in der Finsternis sagt, das wird man im
Licht hören; und was ihr ins Ohr flüstert
in den Kammern, das wird man auf den
Dächern verkündigen.

4 Ich sage aber euch, [a]meinen Freun-
den: Fürchtet euch nicht vor denen, die
den Leib töten und danach nichts mehr
tun können. 5 Ich will euch aber zeigen,
wen ihr fürchten sollt: Fürchtet den,
der, nachdem er getötet hat, Macht hat,
in die Hölle zu werfen. Ja, ich sage euch,
den sollt ihr fürchten. 6 Verkauft man
nicht fünf Sperlinge für zwei Groschen?
Dennoch ist vor Gott nicht einer von
ihnen vergessen. 7 Auch sind [a]die Haare
auf eurem Haupt alle gezählt. Fürchtet
euch nicht! [b]Ihr seid kostbarer als viele
Sperlinge.

8 Ich sage euch aber: **Wer mich bekennt
vor den Menschen, zu dem wird sich
auch der Menschensohn bekennen vor
den Engeln Gottes. 9 Wer mich aber
verleugnet vor den Menschen, der wird**

11,37 *a* Kap 7,36; 14,1 **11,38** *a* Mt 15,2; Mk 7,2-5
11,41 *a* Kap 12,33; Apg 9,36 **11,42** *a* Kap 18,12;
3. Mose 27,30; 5. Mose 14,22-23 **11,43** *a* Kap 14,7-11;
20,46; Mk 12,38-39 **11,44** *a* 4. Mose 19,16
11,46 *a* Apg 15,10 **11,47** *a* Kap 6,23; Apg 7,52
11,49 *a* Jer 7,25-26 **11,51** *a* 1. Mose 4,8-11
b 2. Chr 24,20-22 **11,54** *a* Kap 20,20 **12,1** *a* Mt 16,6;
Mk 8,15 **12,2** *a* (2-3) Mt 10,26-27 *b* Kap 8,17; Mk 4,22
12,4 *a* Joh 15,14-15 **12,7** *a* Kap 21,18 *b* Vers 24

verleugnet werden vor den Engeln Got-
tes.[a] 10 Und wer ein Wort gegen den Men-
schensohn sagt, dem soll es vergeben wer-
den; wer aber den Heiligen Geist lästert,
dem soll es nicht vergeben werden.[a]
11 [a]Wenn sie euch aber führen werden
in die Synagogen und vor die Machthaber
und die Obrigkeiten, so sorgt nicht, wie
oder womit ihr euch verantworten oder
was ihr sagen sollt; 12 denn der Heilige
Geist wird euch in derselben Stunde leh-
ren, was ihr sagen sollt.

WARNUNG VOR HABGIER

13 Es sprach aber einer aus dem Volk zu
ihm: Meister, sage meinem Bruder, dass er
mit mir das Erbe teile. 14 Er aber sprach zu
ihm: Mensch, wer hat mich zum Richter
oder Schlichter über euch gesetzt? 15 Und
er sprach zu ihnen: Seht zu und [a]hütet
euch vor aller Habgier; denn [b]**niemand**
lebt davon, dass er viele Güter hat.

DER REICHE KORNBAUER

16 Und er sagte ihnen ein Gleichnis und
sprach: Es war ein reicher Mensch, dessen
Land hatte gut getragen. 17 Und er dachte
bei sich selbst und sprach: Was soll ich
tun? Ich habe nichts, wohin ich meine
Früchte sammle. 18 Und sprach: Das will
ich tun: Ich will meine Scheunen abbre-
chen und größere bauen und will darin
sammeln all mein Korn und meine Gü-
ter 19 [a]und will sagen zu meiner Seele:
Liebe Seele, du hast einen großen Vorrat
für viele Jahre; habe nun Ruhe, [b]iss, trink
und habe guten Mut! 20 Aber Gott sprach
zu ihm: Du Narr! Diese Nacht wird man
deine Seele von dir fordern. [a]Und wem
wird dann gehören, was du bereitet hast?
21 So geht es dem, der sich Schätze sam-
melt und ist nicht reich bei Gott.[a]

VOM FALSCHEN UND RECHTEN SORGEN

(Mt 6,25-33; 6,20-21)

22 Er sprach aber zu seinen Jüngern: Dar-
um sage ich euch: Sorgt euch nicht um das
Leben, was ihr essen sollt, auch nicht um
den Leib, was ihr anziehen sollt. 23 Denn
das Leben ist mehr als die Nahrung und
der Leib mehr als die Kleidung. 24 Seht
die Raben: Sie säen nicht, sie ernten
nicht, sie haben keinen Keller und keine
Scheune, [a]und Gott ernährt sie doch. Wie
viel mehr seid ihr als die Vögel![b] 25 Wer
ist unter euch, der, wie sehr er sich auch
darum sorgt, seiner Länge* eine Elle zu-
setzen könnte? 26 Wenn ihr nun auch das
Geringste nicht vermögt, warum sorgt ihr
euch um das Übrige?
27 Seht die Lilien, wie sie wachsen: Sie
arbeiten nicht, auch spinnen sie nicht.
Ich sage euch aber, dass auch [a]Salomo in
aller seiner Herrlichkeit nicht gekleidet
gewesen ist wie eine von ihnen. 28 Wenn
nun Gott das Gras, das heute auf dem
Feld steht und morgen in den Ofen ge-
worfen wird, so kleidet, wie viel mehr
wird er euch kleiden, ihr Kleingläubigen!
29 Darum auch ihr, fragt nicht danach, was
ihr essen oder was ihr trinken sollt, und
macht euch keine Unruhe. 30 Nach dem al-
len trachten die Heiden in der Welt; aber
euer Vater weiß, dass ihr dessen bedürft.
31 Trachtet vielmehr nach seinem Reich, so
wird euch dies zufallen.
32 **Fürchte dich nicht, du kleine Herde!**
Denn es hat eurem Vater wohlgefallen,
euch [a]das Reich zu geben.
33 Verkauft, was ihr habt, und gebt Almo-
sen. Macht euch Geldbeutel, die nicht al-
tern, einen [a]Schatz, der niemals abnimmt,
im Himmel, wo sich kein Dieb naht, und
den keine Motten fressen. 34 Denn **wo**
euer Schatz ist, da wird auch euer Herz
sein.

VOM WARTEN AUF DAS KOMMEN DES HERRN

(Mt 24,42-51)

35 [a]Lasst eure Lenden umgürtet sein und
[b]eure Lichter brennen 36 und seid gleich
den Menschen, die auf ihren Herrn war-
ten, wann er aufbrechen wird von der
Hochzeit, auf dass, [a]wenn er kommt und
anklopft, sie ihm sogleich auftun. 37 Selig

* **12,25** Das griechische Wort kann »Lebenslänge« oder »Körpergröße« bedeuten.

12,9 ***a*** Kap 9,26; 1. Sam 2,30 **12,10** ***a*** Mt 12,32; Mk 3,28-29 **12,11** ***a*** (11-12) Kap 21,12-15; Mt 10,17-20; Mk 13,11 **12,15** ***a*** Pred 5,9; 1. Tim 6,9-10 ***b*** Jak 5,1-3
12,19 ***a*** (19-20) Ps 39,7; 49,17-20 ***b*** Pred 2,24
12,20 ***a*** Kap 9,25 **12,21** ***a*** Verse 33-34
12,24 ***a*** Hiob 38,41; Ps 17,9 ***b*** Verse 6-7
12,27 ***a*** 1. Kön 10,4-7 **12,32** ***a*** Kap 22,29
12,33 ***a*** Kap 18,22 **12,35** ***a*** 2. Mose 12,11; 1. Petr 1,13 ***b*** Mt 25,1-13 **12,36** ***a*** Offb 3,20

sind die Knechte, die der Herr, wenn er
kommt, wachend findet. Wahrlich, ich
sage euch: Er wird sich schürzen und wird
sie zu Tisch bitten und kommen und ih-
nen dienen. 38 Und wenn er kommt in der
zweiten oder in der dritten Nachtwache
und findet's so: Selig sind sie.

39 Das sollt ihr aber wissen: Wenn der
Hausherr wüsste, [a]zu welcher Stunde
der Dieb kommt, so ließe er nicht in sein
Haus einbrechen. 40 Seid auch ihr bereit!
Denn der Menschensohn kommt zu einer
Stunde, da ihr's nicht meint.[a]

41 Petrus aber sprach: Herr, sagst du
dies Gleichnis zu uns oder auch zu allen?
42 Und der Herr sprach: Wer ist nun der
treue und kluge Verwalter, den der Herr
über sein Gesinde setzt, dass er ihnen zur
rechten Zeit gebe, was ihnen an Getreide
zusteht? 43 Selig ist der Knecht, den sein
Herr, wenn er kommt, solches tun sieht.
44 Wahrlich, ich sage euch: Er wird ihn
über alle seine Güter setzen. 45 Wenn aber
jener Knecht in seinem Herzen sagt: Mein
Herr lässt sich Zeit zu kommen, und fängt
an, die Knechte und Mägde zu schlagen,
auch zu essen und zu trinken und sich
vollzusaufen, 46 dann wird der Herr dieses
Knechts kommen an einem Tage, an dem
er's nicht erwartet, und zu einer Stunde,
die er nicht kennt, und wird ihn in Stücke
hauen lassen und wird ihm sein Teil geben
bei den Ungläubigen.

47 Der Knecht aber, der den Willen sei-
nes Herrn kennt und hat nichts vorberei-
tet noch nach seinem Willen getan, der
wird viel Schläge erleiden.[a] 48 Wer ihn aber
nicht kennt und getan hat, was Schläge
verdient, wird wenig Schläge erleiden.

**Wem viel gegeben ist, bei dem wird
man viel suchen; und wem viel anver-
traut ist, von dem wird man umso mehr
fordern.**

ENTZWEIUNGEN UM JESU WILLEN

(Mt 10,34-36)

49 Ich bin gekommen, Feuer auf die Erde
zu werfen; was wollte ich lieber, als dass
es schon brennte! 50 Aber ich muss mich
taufen lassen mit einer Taufe, und wie ist
mir so bange, bis sie vollendet ist![a]

51 Meint ihr, dass ich gekommen bin,
[a]Frieden zu bringen auf Erden? Ich sage
euch: Nein, sondern Zwietracht. 52 Denn
von nun an werden fünf in einem Hause
uneins sein, drei gegen zwei und zwei
gegen drei. 53 Es wird der Vater gegen
den Sohn sein und der Sohn gegen den
Vater, die Mutter gegen die Tochter und
die Tochter gegen die Mutter, die Schwie-
germutter gegen die Schwiegertoch-
ter und die Schwiegertochter gegen die
Schwiegermutter.[a]

DIE ZEICHEN DER ZEIT

54 [a]Er sprach aber zu der Menge: Wenn ihr
eine Wolke aufsteigen seht im Westen,
so sagt ihr gleich: Es gibt Regen. Und es
geschieht so. 55 Und wenn der Südwind
weht, so sagt ihr: Es wird heiß werden.
Und es geschieht so. 56 Ihr Heuchler! Das
Aussehen der Erde und des Himmels
könnt ihr prüfen; warum aber könnt ihr
diese Zeit nicht prüfen?

57 Warum aber urteilt ihr nicht auch von
euch aus darüber, was recht ist? 58 [a]Denn
wenn du mit deinem Widersacher vor den
Fürsten gehst, so bemühe dich auf dem
Wege, von ihm loszukommen, damit er
nicht etwa dich vor den Richter ziehe,
und der Richter überantworte dich dem
Gerichtsdiener, und der Gerichtsdiener
werfe dich ins Gefängnis. 59 Ich sage dir:
Du wirst von dort nicht herauskommen,
bis du auch den letzten Heller bezahlt hast.

DER UNTERGANG DER GALILÄER. DER TURM VON SILOAH

13 Es waren aber zu der Zeit einige da,
die berichteten Jesus von den Galilä-
ern, deren Blut Pilatus mit ihren Opfern
vermischt hatte. 2 Und er antwortete und
sprach zu ihnen: Meint ihr, dass diese Ga-
liläer mehr gesündigt haben als alle andern
Galiläer, weil sie das erlitten haben?[a] 3 Ich
sage euch: Nein; sondern wenn ihr nicht
Buße tut, werdet ihr alle ebenso umkom-
men. 4 Oder meint ihr, dass die achtzehn,
auf die der Turm von Siloah fiel und er-
schlug sie, schuldiger gewesen seien als
alle andern Menschen, die in Jerusalem

12,39 ***a*** 1. Thess 5,2; 2. Petr 3,10; Offb 3,3; 16,15
12,40 ***a*** Mk 13,33-35 **12,47** ***a*** Jak 4,17 **12,50** ***a*** Kap 18,31; Mk 10,38 **12,51** ***a*** Kap 2,14.34 **12,53** ***a*** Kap 21,16; Mi 7,6
12,54 ***a*** (54-56) Mt 16,2-3 **12,58** ***a*** (58-59) Mt 5,25-26
13,2 ***a*** Joh 9,2

wohnen? 5 Ich sage euch: Nein; sondern
wenn ihr nicht Buße tut, werdet ihr alle
ebenso umkommen.

DAS GLEICHNIS VOM FEIGENBAUM

6 [a]Er sagte ihnen aber dies Gleichnis: Es
hatte einer einen Feigenbaum, der war ge-
pflanzt in seinem Weinberg, und er kam
und [b]suchte Frucht darauf und fand keine.
7 Da sprach er zu dem Weingärtner: Siehe,
drei Jahre komme ich und suche Frucht an
diesem Feigenbaum und finde keine. So
hau ihn ab! Was nimmt er dem Boden die
Kraft?[a] 8 Er aber antwortete und sprach
zu ihm: Herr, lass ihn noch dies Jahr, bis
ich um ihn herum grabe und ihn dünge;[a]
9 vielleicht bringt er doch noch Frucht;
wenn aber nicht, so hau ihn ab.[a]

DIE HEILUNG EINER VERKRÜMMTEN FRAU AM SABBAT

10 [a]Und er lehrte in einer Synagoge am
Sabbat. 11 Und siehe, eine Frau war da, die
hatte seit achtzehn Jahren einen Geist, der
sie krank machte; und sie war verkrümmt
und konnte sich nicht mehr aufrichten.
12 Als aber Jesus sie sah, rief er sie zu sich
und sprach zu ihr: Frau, du bist erlöst von
deiner Krankheit! 13 Und [a]legte die Hände
auf sie; und sogleich richtete sie sich auf
und pries Gott.
14 Da antwortete der Vorsteher der Syn-
agoge, denn er war unwillig, dass Jesus am
Sabbat heilte, und sprach zu dem Volk: Es
sind [a]sechs Tage, an denen man arbeiten
soll; an denen kommt und lasst euch hei-
len, aber nicht am Sabbattag. 15 Da antwor-
tete ihm der Herr und sprach: Ihr Heuch-
ler! Bindet nicht jeder von euch am Sabbat
seinen Ochsen oder Esel von der Krippe
los und führt ihn zur Tränke?[a] 16 Musste
dann nicht diese, die doch [a]Abrahams
Tochter ist, die der Satan schon achtzehn
Jahre gebunden hatte, am Sabbat von die-
ser Fessel gelöst werden? 17 Und als er das
sagte, schämten sich alle, die gegen ihn
waren. Und alles Volk freute sich über alle
herrlichen Taten, die durch ihn geschahen.

VOM SENFKORN UND VOM SAUERTEIG

(Mt 13,31-33; Mk 4,30-32)

18 Da sprach er: Wem gleicht das Reich
Gottes, und womit soll ich's vergleichen?
19 Es gleicht einem Senfkorn, das ein
Mensch nahm und warf's in seinen Gar-
ten; und es wuchs und wurde ein Baum,
und die Vögel des Himmels wohnten in
seinen Zweigen.[a]
20 Und wiederum sprach er: Womit soll
ich das Reich Gottes vergleichen? 21 Es
gleicht einem Sauerteig, den eine Frau
nahm und unter drei Scheffel Mehl
mengte, bis es ganz durchsäuert war.

DIE ENGE PFORTE UND DIE VERSCHLOSSENE TÜR

22 Und er ging durch Städte und Dör-
fer und lehrte und [a]nahm seinen Weg
nach Jerusalem. 23 Es sprach aber einer zu
ihm: Herr, meinst du, dass nur wenige
selig werden? Er aber sprach zu ihnen:
24 Ringt darum, [a]dass ihr durch die enge
Pforte hineingeht; denn viele, das sage
ich euch, werden danach trachten, dass
sie hineinkommen, und werden's nicht
können.
25 Sobald der Hausherr aufgestanden ist
und die Tür verschlossen hat und ihr an-
fangt, draußen zu stehen und an die Tür
zu klopfen und zu sagen: Herr, tu uns
auf!, dann wird er antworten und zu euch
sagen: [a]Ich weiß nicht, wo ihr her seid.
26 [a]Dann werdet ihr anfangen zu sagen:
Wir haben vor dir gegessen und getrun-
ken, und auf unsern Straßen hast du ge-
lehrt. 27 Und er wird zu euch sagen: Ich
weiß nicht, wo ihr her seid. [a]Weicht alle
von mir, ihr Übeltäter!
28 [a]Da wird sein Heulen und Zähneklap-
pern, wenn ihr sehen werdet Abraham,
Isaak und Jakob und alle Propheten im
Reich Gottes, euch aber hinausgestoßen.
29 Und **es werden kommen [a]von Osten
und von Westen, von Norden und von
Süden, die [b]zu Tisch sitzen werden im
Reich Gottes.** 30 Und siehe, es sind Letzte,
die werden die Ersten sein, und sind Erste,
die werden die Letzten sein.[a]

13,6 *a* (6-9) Jes 5,1-7 *b* Mt 21,19 **13,7** *a* Mk 11,13-14
13,8 *a* 2. Petr 3,9.15 **13,9** *a* Kap 3,9
13,10 *a* (10-17) Kap 6,6-11 **13,13** *a* Kap 4,40
13,14 *a* 2. Mose 20,9-10; 5. Mose 5,12-15 **13,15** *a* Kap 14,5
13,16 *a* Kap 19,9 **13,19** *a* Hes 17,22-23 **13,22** *a* Kap 9,51
13,24 *a* Mt 7,13-14 **13,25** *a* Mt 25,11-12
13,26 *a* (26-27) Mt 7,22-23 **13,27** *a* Ps 6,9
13,28 *a* (28-29) Mt 8,11-12 **13,29** *a* Ps 107,3; Jes 43,5;
49,12 *b* Kap 14,15 **13,30** *a* Mt 19,30; 20,16; Mk 10,31

DIE FEINDSCHAFT DES HERODES ANTIPAS

31 Zu dieser Stunde kamen einige Pharisäer
und sprachen zu ihm: Mach dich auf und
geh weg von hier; denn Herodes will dich
töten. 32 Und er sprach zu ihnen: Geht hin
und sagt diesem Fuchs: Siehe, ich treibe
Dämonen aus und mache gesund heute
und morgen, und am dritten Tage werde
ich vollendet. 33 Doch muss ich heute und
morgen und am Tag danach wandern,
denn es geht nicht an, dass ein Prophet
umkomme außerhalb von Jerusalem.

KLAGE ÜBER JERUSALEM

(Mt 23,37-39)

34 [a]Jerusalem, Jerusalem, die du tötest die
Propheten und steinigst, die zu dir ge-
sandt sind! Wie oft habe ich deine Kin-
der versammeln wollen wie eine Henne
ihre Küken [b]unter ihre Flügel, und ihr habt
nicht gewollt! 35 Seht, [a]euer Haus wird
euch allein überlassen. Ich sage euch: Ihr
werdet mich nicht mehr sehen, bis die Zeit
kommt, da ihr sagen werdet: [b]Gelobt ist,
der da kommt im Namen des Herrn!

DIE HEILUNG EINES WASSERSÜCHTIGEN AM SABBAT

14 Und es begab sich, dass er an einem
Sabbat in das Haus eines Oberen der
Pharisäer kam, das Brot zu essen, und sie
gaben acht auf ihn.[a] 2 Und siehe, da war ein
Mensch vor ihm, der war wassersüchtig.
3 Und Jesus antwortete und sagte zu den
Lehrern des Gesetzes und Pharisäern: Ist's
erlaubt, am Sabbat zu heilen oder nicht?
4 Sie aber schwiegen still. Und er fasste
ihn an und heilte ihn und ließ ihn gehen.
5 Und er sprach zu ihnen: Wer ist unter
euch, dem sein Sohn oder sein Ochse
in den Brunnen fällt und der ihn nicht
alsbald herauszieht, auch am Sabbat?[a]
6 Und sie konnten darauf keine Antwort
geben.

VON RANGORDNUNG UND AUSWAHL DER GÄSTE

7 Er sagte aber ein Gleichnis zu den Gäs-
ten, als er merkte, [a]wie sie sich aussuch-
ten, obenan zu sitzen, und sprach zu
ihnen: 8 [a]Wenn du von jemandem zur
Hochzeit geladen bist, so setze dich nicht
obenan; denn es könnte einer eingeladen
sein, der angesehener ist als du, 9 und dann
kommt der, der dich und ihn eingeladen
hat, und sagt zu dir: Weiche diesem!, und
du müsstest dann beschämt untenan sit-
zen. 10 Sondern wenn du eingeladen bist,
so geh hin und setz dich untenan, damit,
wenn der kommt, der dich eingeladen hat,
er zu dir sagt: Freund, rücke hinauf! Dann
wirst du Ehre haben vor allen, die mit dir
zu Tisch sitzen. 11 Denn **wer sich selbst
erhöht, der soll erniedrigt werden; und
wer sich selbst erniedrigt, der soll er-
höht werden.**[a]
12 Er sprach aber auch zu dem, der ihn
eingeladen hatte: Wenn du ein Mittags-
oder Abendmahl machst, so lade weder
deine Freunde noch deine Brüder noch
deine Verwandten noch reiche Nachbarn
ein, damit sie dich nicht etwa wieder ein-
laden und dir vergolten wird. 13 [a]Sondern
wenn du ein Mahl machst, so lade Arme,
Verkrüppelte, Lahme und Blinde ein,
14 dann wirst du selig sein, denn sie haben
nichts, um es dir zu vergelten; es wird dir
aber vergolten werden bei der [a]Auferste-
hung der Gerechten.

DAS GROSSE ABENDMAHL

(Mt 22,1-10)

15 Da aber einer das hörte, der mit zu
Tisch saß, sprach er zu Jesus: Selig ist,
der das [a]Brot isst im Reich Gottes! 16 Er
aber sprach zu ihm: Es war ein Mensch,
der machte ein großes Abendmahl und
lud viele dazu ein. 17 Und er sandte seinen
Knecht aus zur Stunde des Abendmahls,
den Geladenen zu sagen: Kommt, denn
es ist schon bereit! 18 Da fingen sie alle an,
sich zu entschuldigen. Der erste sprach
zu ihm: Ich habe einen Acker gekauft und
muss hinausgehen und ihn besehen; ich
bitte dich, entschuldige mich. 19 Und ein
andrer sprach: Ich habe fünf Joch Ochsen
gekauft und ich gehe jetzt hin, sie zu be-
sehen; ich bitte dich, entschuldige mich.

13,34 ***a*** (34-35) Kap 19,41-44 ***b*** Ps 91,4 **13,35** ***a*** Jer 22,5; Ps 69,26 ***b*** Ps 118,26; Mt 21,9; Mk 11,9 **14,1** ***a*** Kap 6,6-11; 7,36; 11,37 **14,5** ***a*** Kap 13,15; Mt 12,11 **14,7** ***a*** Kap 11,43; Mt 23,6 **14,8** ***a*** (8-10) Spr 25,6-7 **14,11** ***a*** Kap 18,14; Hiob 22,29; Mt 23,12; Phil 2,8-9; Jak 4,6.10 **14,13** ***a*** (13-14) 5. Mose 14,29 **14,14** ***a*** Weish 5,15-16; 1. Kor 15,20-23; Apg 24,15 **14,15** ***a*** Kap 13,29

20 Wieder ein andrer sprach: Ich habe eine
Frau geheiratet; darum kann ich nicht
kommen.[a]
21 Und der Knecht kam zurück und sagte
das seinem Herrn. Da wurde der Hausherr
zornig und sprach zu seinem Knecht: Geh
schnell hinaus auf die Straßen und Gas-
sen der Stadt und [a]führe die Armen und
Verkrüppelten und Blinden und Lahmen
herein. 22 Und der Knecht sprach: Herr, es
ist geschehen, was du befohlen hast; es ist
aber noch Raum da. 23 Und der Herr sprach
zu dem Knecht: Geh hinaus auf die Land-
straßen und an die Zäune und nötige sie
hereinzukommen, dass mein Haus voll
werde. 24 Denn ich sage euch: Keiner der
Männer, die eingeladen waren, wird mein
Abendmahl schmecken.

VON DER NACHFOLGE

25 Es ging aber eine große Menge mit ihm;
und er wandte sich um und sprach zu ih-
nen: 26 [a]Wenn jemand zu mir kommt und
hasst nicht seinen Vater, Mutter, Frau,
Kinder, Brüder, Schwestern, dazu auch
sein eigenes Leben, der kann nicht mein
Jünger sein.[b] 27 Wer nicht sein Kreuz trägt
und mir nachfolgt, der kann nicht mein
Jünger sein.[a]
28 Denn wer ist unter euch, der einen
Turm bauen will und setzt sich nicht zu-
vor hin und überschlägt die Kosten, ob
er genug habe, um es zu Ende zu führen,
29 damit nicht, wenn er den Grund gelegt
hat und kann's nicht zu Ende bringen,
alle, die es sehen, anfangen, über ihn zu
spotten, 30 und sagen: Dieser Mensch hat
angefangen zu bauen und kann's nicht zu
Ende bringen?
31 Oder welcher König zieht aus, um mit
einem andern König Krieg zu führen, und
setzt sich nicht zuvor hin und hält Rat, ob
er mit zehntausend dem begegnen kann,
der über ihn kommt mit zwanzigtausend?
32 Wenn nicht, so schickt er eine Gesandt-
schaft, solange jener noch fern ist, und
bittet um Frieden. 33 So auch jeder unter
euch: Wer sich nicht lossagt von allem,
was er hat, der kann nicht mein Jünger
sein.[a]
34 Das Salz ist etwas Gutes. Wenn aber
das Salz nicht mehr salzt*, womit soll man
würzen?[a] 35 Es ist weder für den Acker
noch für den Mist nütze; sondern man
wirft es weg. [a]Wer Ohren hat zu hören,
der höre!

GLEICHNISSE VOM VERLORENEN

Kapitel 15,1-32

15 Es nahten sich ihm aber alle Zöllner
und Sünder, um ihn zu hören. 2 Und
die Pharisäer und die Schriftgelehrten
murrten und sprachen: [a]Dieser nimmt die
Sünder an und isst mit ihnen.

VOM VERLORENEN SCHAF

(Mt 18,12-14)

3 Er sagte aber zu ihnen dies Gleichnis
und sprach: 4 Welcher Mensch ist unter
euch, der hundert Schafe hat und, wenn
er eines von ihnen verliert, nicht die neun-
undneunzig in der Wüste lässt und geht
dem verlorenen nach, bis er's findet?[a]
5 Und wenn er's gefunden hat, so legt
er sich's auf die Schultern voller Freude.
6 Und wenn er heimkommt, ruft er seine
Freunde und Nachbarn und spricht zu ih-
nen: Freut euch mit mir; denn ich habe
mein Schaf gefunden, das verloren war.
7 Ich sage euch: So wird auch Freude im
Himmel sein über *einen* Sünder, der Buße
tut, mehr als über neunundneunzig Ge-
rechte, die der Buße nicht bedürfen.[a]

VOM VERLORENEN GROSCHEN

8 Oder welche Frau, die zehn Silbergro-
schen hat und *einen* davon verliert, zün-
det nicht ein Licht an und kehrt das Haus
und sucht mit Fleiß, bis sie ihn findet?
9 Und wenn sie ihn gefunden hat, ruft sie
ihre Freundinnen und Nachbarinnen und
spricht: Freut euch mit mir; denn ich habe
meinen Silbergroschen gefunden, den ich
verloren hatte. 10 **So, sage ich euch, ist
Freude vor den Engeln Gottes über
einen Sünder, der Buße tut.**[a]

* **14,34** Luther übersetzte: »wenn aber das Salz dumm wird«.

14,20 *a* 5. Mose 24,5; 1. Kor 7,33 **14,21** *a* Vers 13
14,26 *a* (26-27) Mt 10,37-38 *b* Kap 18,29-30; 1. Kor 7,29
14,27 *a* Kap 9,23 **14,33** *a* Kap 9,62; 18,22.28
14,34 *a* Mt 5,13; Mk 9,50 **14,35** *a* Kap 8,8
15,2 *a* Kap 5,30; 19,7; Mt 9,11; Mk 2,16 **15,4** *a* Kap 19,10; Hes 34,12; Joh 10,11 **15,7** *a* Kap 5,31-32 **15,10** *a* Kap 5,32

VOM VERLORENEN SOHN

[11] Und er sprach: Ein Mensch hatte zwei
Söhne. [12] Und der jüngere von ihnen
sprach zu dem Vater: Gib mir, Vater, das
Erbteil, das mir zusteht. Und er teilte Hab
und Gut unter sie.

[13] Und nicht lange danach sammelte der
jüngere Sohn alles zusammen und zog in
ein fernes Land; und dort [a]brachte er sein
Erbteil durch mit Prassen. [14] Als er aber al-
les verbraucht hatte, kam eine große Hun-
gersnot über jenes Land und er fing an zu
darben [15] und ging hin und hängte sich an
einen Bürger jenes Landes; der schickte
ihn auf seinen Acker, die [a]Säue zu hüten.
[16] Und er begehrte, seinen Bauch zu fül-
len mit den Schoten, die die Säue fraßen;
und niemand gab sie ihm. [17] Da ging er in
sich und sprach: Wie viele Tagelöhner hat
mein Vater, die Brot in Fülle haben, und
ich verderbe hier im Hunger! [18] Ich will
mich aufmachen und zu meinem Vater ge-
hen und zu ihm sagen: Vater, ich habe ge-
sündigt gegen den Himmel und vor dir.[a]
[19] Ich bin hinfort nicht mehr wert, dass ich
dein Sohn heiße; mache mich einem dei-
ner Tagelöhner gleich! [20] Und er machte
sich auf und kam zu seinem Vater.

Als er aber noch weit entfernt war, sah
ihn sein Vater und es jammerte ihn, und er
lief und fiel ihm um den Hals und küsste
ihn. [21] Der Sohn aber sprach zu ihm: **Va-
ter, ich habe gesündigt gegen den Him-
mel und vor dir; ich bin hinfort nicht
mehr wert, dass ich dein Sohn heiße.**
[22] Aber der Vater sprach zu seinen Knech-
ten: Bringt schnell das beste Gewand her
und zieht es ihm an und gebt ihm einen
Ring an seine Hand und Schuhe an seine
Füße [23] und bringt das gemästete Kalb und
schlachtet's; lasst uns essen und fröhlich
sein! [24] Denn **dieser [a]mein Sohn war tot
und ist wieder lebendig geworden; er
war verloren und ist gefunden worden.**
Und sie fingen an, fröhlich zu sein.

[25] Aber der ältere Sohn war auf dem
Feld. Und als er nahe zum Hause kam,
hörte er Singen und Tanzen [26] und rief
zu sich einen der Knechte und fragte,
was das wäre. [27] Der aber sagte ihm: Dein
Bruder ist gekommen, und dein Vater hat
das gemästete Kalb geschlachtet, weil er
ihn gesund wiederhat. [28] [a]Da wurde er
zornig und wollte nicht hineingehen. Da
ging sein Vater heraus und bat ihn. [29] Er
antwortete aber und sprach zu seinem
Vater: Siehe, so viele Jahre diene ich dir
und habe dein Gebot nie übertreten, und
du hast mir nie einen Bock gegeben, dass
ich mit meinen Freunden fröhlich wäre.
[30] Nun aber, da dieser dein Sohn gekom-
men ist, der dein Hab und Gut mit Huren
verprasst hat, hast du ihm das gemästete
Kalb geschlachtet. [31] Er aber sprach zu ihm:
Mein Sohn, du bist allezeit bei mir und al-
les, was mein ist, das ist dein. [32] Du solltest
aber fröhlich und guten Mutes sein;* denn
dieser dein Bruder war tot und ist wieder
lebendig geworden, er [a]war verloren und
ist wiedergefunden.

VOM UNGERECHTEN VERWALTER

16 Er sprach aber auch zu den Jüngern: Es
war ein reicher Mann, der hatte einen
Verwalter; der wurde bei ihm beschuldigt,
er verschleudere ihm seinen Besitz. [2] Und
er ließ ihn rufen und sprach zu ihm: Was
höre ich da von dir? Gib Rechenschaft
über deine Verwaltung; denn du kannst
hinfort nicht Verwalter sein. [3] Da sprach
der Verwalter bei sich selbst: Was soll ich
tun? Mein Herr nimmt mir das Amt; gra-
ben kann ich nicht, auch schäme ich mich
zu betteln. [4] Ich weiß, was ich tun will, da-
mit sie mich in ihre Häuser aufnehmen,
wenn ich von dem Amt abgesetzt werde.
[5] Und er rief zu sich die Schuldner seines
Herrn, einen jeden für sich, und sprach
zu dem ersten: Wie viel bist du meinem
Herrn schuldig? [6] Der sprach: Hundert
Fass Öl. Und er sprach zu ihm: Nimm
deinen Schuldschein, setz dich hin und
schreib flugs fünfzig. [7] Danach sprach er
zu dem zweiten: Du aber, wie viel bist
du schuldig? Der sprach: Hundert Sack
Weizen. Er sprach zu ihm: Nimm deinen
Schuldschein und schreib achtzig.

[8] Und der Herr lobte den ungerechten
Verwalter, weil er klug gehandelt hatte.
Denn die [a]Kinder dieser Welt sind unter

* **15,32** Andere Übersetzung: »Man musste aber fröhlich und guten Mutes sein«.

15,13 *a* Vers 30; Spr 29,3 **15,15** *a* Kap 8,32; 3. Mose 11,7-8; 5. Mose 14,8 **15,18** *a* Ps 51,6 **15,24** *a* Eph 2,1.5 **15,28** *a* (28-32) Mt 20,15 **15,32** *a* Kap 5,32 **16,8** *a* Joh 12,36; Eph 5,8-9

ihresgleichen klüger als die Kinder des Lichts. 9 Und ich sage euch: Macht euch Freunde mit dem ungerechten Mammon, damit, wenn er zu Ende geht, sie euch aufnehmen in die ewigen Hütten.[a]

10 **Wer [a]im Geringsten treu ist, der ist auch im Großen treu; und wer im Geringsten ungerecht ist, der ist auch im Großen ungerecht.** 11 Wenn ihr nun mit dem ungerechten Mammon nicht treu seid, wer wird euch das wahre Gut anvertrauen? 12 Und wenn ihr mit dem fremden Gut nicht treu seid, wer wird euch geben, was euer ist?

13 Kein Knecht kann zwei Herren dienen: Entweder er wird den einen hassen und den andern lieben, oder er wird an dem einen hängen und den andern verachten. **Ihr könnt nicht Gott dienen und dem Mammon.**[a]

WORTE AN DIE PHARISÄER

14 Das alles hörten die Pharisäer, die am Geld hingen, und sie spotteten über ihn. 15 Und er sprach zu ihnen: Ihr seid's, die ihr [a]euch selbst rechtfertigt vor den Menschen; aber [b]Gott kennt eure Herzen. Denn was hoch ist bei den Menschen, das ist ein Gräuel vor Gott.

16 [a]Das Gesetz und die Propheten reichen bis zu Johannes. Von da an wird das Evangelium vom Reich Gottes gepredigt, und jedermann drängt mit Gewalt hinein. 17 Es ist aber leichter, dass Himmel und Erde vergehen, als dass ein [a]Tüpfelchen vom Gesetz fällt.

18 Wer sich scheidet von seiner Frau und heiratet eine andere, der bricht die Ehe; und wer die von ihrem Mann Geschiedene heiratet, der bricht auch die Ehe.[a]

VOM REICHEN MANN UND ARMEN LAZARUS

19 Es war aber ein reicher Mann, der kleidete sich in Purpur und kostbares Leinen und lebte alle Tage herrlich und in Freuden. 20 Ein Armer aber mit Namen Lazarus lag vor seiner Tür, der war voll von Geschwüren 21 und begehrte sich zu sättigen von dem, was von des Reichen Tisch fiel, doch kamen die Hunde und leckten an seinen Geschwüren. 22 Es begab sich aber, dass der Arme starb, und er wurde von den Engeln getragen in Abrahams Schoß. Der Reiche aber starb auch und wurde begraben.

23 Als er nun in der Hölle war, hob er seine Augen auf in seiner Qual und sah Abraham von ferne und Lazarus in seinem Schoß. 24 Und er rief und sprach: Vater Abraham, erbarme dich meiner und sende Lazarus, damit er die Spitze seines Fingers ins Wasser tauche und kühle meine Zunge; denn ich leide Pein in dieser Flamme. 25 Abraham aber sprach: Gedenke, Kind, dass du [a]dein Gutes empfangen hast in deinem Leben, Lazarus dagegen hat Böses empfangen; nun wird er hier getröstet, du aber leidest Pein. 26 Und in all dem besteht zwischen uns und euch eine große Kluft, dass niemand, der von hier zu euch hinüberwill, dorthin kommen kann und auch niemand von dort zu uns herüber. 27 Da sprach er: So bitte ich dich, Vater, dass du ihn sendest in meines Vaters Haus; 28 denn ich habe noch fünf Brüder, die soll er warnen, damit sie nicht auch kommen an diesen Ort der Qual. 29 Abraham aber sprach: Sie haben Mose und die Propheten; die sollen sie hören.[a] 30 Er aber sprach: Nein, Vater Abraham, sondern wenn einer von den Toten zu ihnen ginge, so würden sie Buße tun. 31 Er sprach zu ihm: Hören sie Mose und die Propheten nicht, so werden sie sich auch nicht überzeugen lassen, wenn jemand von den Toten auferstünde.

WARNUNG VOR DER VERFÜHRUNG. VON DER VERGEBUNG

(Mt 18,6-7; Mt 18,15; 18,21-22; Mk 9,42)

17 Er sprach aber zu seinen Jüngern: Es ist unmöglich, dass keine Verführungen kommen; aber weh dem, durch den sie kommen! 2 Es wäre besser für ihn, dass man einen Mühlstein um seinen Hals hängte und würfe ihn ins Meer, als dass er einen dieser Kleinen zum Bösen verführt. 3 Hütet euch!

Wenn dein Bruder sündigt, so weise ihn zurecht; und wenn er umkehrt, vergib

16,9 *a* Kap 12,33; 14,14; Mt 6,20; 19,21 **16,10** *a* Kap 19,17 **16,13** *a* Mt 6,24 **16,15** *a* Kap 18,9-14 *b* 1. Kön 8,39; 1. Chr 28,9; Spr 24,12 **16,16** *a* Mt 11,12-13 **16,17** *a* Mt 5,18 **16,18** *a* Mt 5,32; 19,9; Mk 10,11-12; 1. Kor 7,11-12 **16,25** *a* Kap 6,24 **16,29** *a* 2. Tim 3,15-17

ihm. 4 Und wenn er siebenmal am Tag an
dir sündigen würde und siebenmal wieder
zu dir käme und spräche: Es reut mich!, so
sollst du ihm vergeben.

VON DER KRAFT DES GLAUBENS

5 Und die Apostel sprachen zu dem Herrn:
[a]Stärke uns den Glauben! 6 Der Herr aber
sprach: Wenn ihr Glauben hättet wie ein
Senfkorn, würdet ihr zu diesem Maul-
beerbaum sagen: Reiß dich aus und ver-
pflanze dich ins Meer!, und er würde euch
gehorsam sein.[a]

VON DER PFLICHT DES KNECHTS

7 Wer unter euch hat einen Knecht, der
pflügt oder das Vieh weidet, und sagt ihm,
wenn der vom Feld heimkommt: Komm
gleich her und setz dich zu Tisch? 8 Wird
er nicht vielmehr zu ihm sagen: Bereite
mir das Abendessen, schürze dich und
diene mir, bis ich gegessen und getrun-
ken habe; und danach sollst du essen und
trinken? 9 Dankt er etwa dem Knecht, dass
er getan hat, was befohlen war? 10 So auch
ihr! Wenn ihr alles getan habt, was euch
befohlen ist, so sprecht: Wir sind unnütze
Knechte; wir haben getan, was wir zu tun
schuldig waren.

DIE ZEHN AUSSÄTZIGEN

11 Und es begab sich, [a]als er nach Jerusalem
wanderte, dass er durch das Gebiet zwi-
schen Samarien und Galiläa zog. 12 Und als
er in ein Dorf kam, begegneten ihm zehn
aussätzige Männer; [a]die standen von ferne
13 und erhoben ihre Stimme und sprachen:
Jesus, lieber Meister, erbarme dich unser!
14 Und da er sie sah, sprach er zu ihnen:
[a]Geht hin und zeigt euch den Priestern!
Und es geschah, als sie hingingen, da wur-
den sie rein.

15 Einer aber unter ihnen, als er sah,
dass er gesund geworden war, kehrte er
um und pries Gott mit lauter Stimme
16 und fiel nieder auf sein Angesicht zu
Jesu Füßen und dankte ihm. Und das war
ein [a]Samariter. 17 Jesus aber antwortete
und sprach: Sind nicht die zehn rein ge-
worden? Wo sind aber die neun? 18 Hat
sich sonst keiner gefunden, der wieder
umkehrte, um Gott die Ehre zu geben,
als nur dieser Fremde? 19 Und er sprach
zu ihm: Steh auf, geh hin; [a]dein Glau-
be hat dir geholfen.

VOM KOMMEN DES GOTTESREICHES

(Mt 24,1-51; Mk 13,1-37)

20 Als er aber von den Pharisäern gefragt
wurde: Wann kommt das Reich Gottes?,
antwortete er ihnen und sprach: Das Reich
Gottes kommt nicht mit äußeren Zeichen;
21 man wird auch nicht sagen: Siehe, hier!,
oder: Da! Denn **sehet, [a]das Reich Gottes
ist mitten unter euch.***

VOM TAG DES MENSCHENSOHNS

22 Er sprach aber zu den Jüngern: Es wird
die Zeit kommen, in der ihr begehren
werdet, zu sehen einen der Tage des Men-
schensohns, und werdet ihn nicht sehen.
23 Und sie werden zu euch sagen: Siehe,
da!, oder: Siehe, hier! Geht nicht hin und
lauft nicht hinterher![a] 24 Denn wie der
Blitz aufblitzt und leuchtet von einem
Ende des Himmels bis zum andern, so
wird der Menschensohn an seinem Tage
sein. 25 Zuvor aber muss er viel leiden
und verworfen werden von diesem Ge-
schlecht.[a]

26 [a]Und wie es geschah [b]in den Tagen
Noahs, so wird's auch sein in den Tagen
des Menschensohns: 27 Sie aßen, sie tran-
ken, sie heirateten, sie ließen sich heiraten
bis zu dem Tag, an dem Noah in die Ar-
che ging und die Sintflut kam und brachte
sie alle um. 28 [a]Ebenso, wie es geschah in
den Tagen Lots: Sie aßen, sie tranken, sie
kauften, sie verkauften, sie pflanzten, sie
bauten; 29 an dem Tage aber, als Lot aus So-
dom ging, da regnete es Feuer und Schwe-
fel vom Himmel und brachte sie alle um.
30 Auf diese Weise wird's auch gehen an
dem Tage, wenn der Menschensohn wird
offenbar werden.

31 Wer an jenem Tage auf dem Dach
ist und seinen Hausrat im Haus hat, der
steige nicht hinunter, um ihn zu holen.

* **17,21** Luther übersetzte: »das Reich Gottes ist inwendig in euch.«

17,5 *a* Kap 8,25; Mk 9,24 **17,6** *a* Mt 17,20; 21,21; Mk 11,23
17,11 *a* Kap 9,51; 13,22 **17,12** *a* 3. Mose 13,45-46
17,14 *a* Kap 5,14; 3. Mose 13,2-3; 14,2-3 **17,16** *a* Kap 9,52; 10,33; Joh 4,4-42; Apg 8,25 **17,19** *a* Kap 7,50; 8,48; 18,42
17,21 *a* Kap 11,20; Mt 12,28 **17,23** *a* Kap 21,8
17,25 *a* Kap 9,22.44; 18,32 **17,26** *a* (26-29) 2. Petr 2,5-7 *b* 1. Mose 6,9–7,23 **17,28** *a* (28-29) 1. Mose 19,15.24-25

Und ebenso, wer auf dem Feld ist, der
wende sich nicht um nach dem, was hin-
ter ihm ist. 32 Denkt an [a]Lots Frau! 33 Wer
seine Seele zu erhalten sucht, der wird sie
verlieren; und wer sie verlieren wird, der
wird ihr zum Leben helfen.[a] 34 Ich sage
euch: In jener Nacht werden zwei auf
einem Bett liegen; der eine wird ange-
nommen, der andere wird preisgegeben
werden. 35 Zwei Frauen werden mitein-
ander Korn mahlen; die eine wird ange-
nommen, die andere wird preisgegeben
werden.* 37 Und sie antworteten und spra-
chen zu ihm: Herr, wo? Er aber sprach zu
ihnen: Wo das Aas ist, da sammeln sich
auch die Geier.

DER RICHTER UND DIE WITWE

18 Er sagte ihnen aber ein Gleichnis da-
von, dass man [a]allezeit beten und nicht
nachlassen sollte, 2 und sprach: Es war ein
Richter in einer Stadt, der fürchtete sich
nicht vor Gott und scheute sich vor kei-
nem Menschen. 3 Es war aber eine Witwe
in derselben Stadt, die kam immer wieder
zu ihm und sprach: Schaffe mir Recht ge-
gen meinen Widersacher! 4 Und er wollte
lange nicht. Danach aber dachte er bei sich
selbst: Wenn ich mich schon vor Gott
nicht fürchte noch vor keinem Menschen
scheue, 5 will ich doch dieser Witwe, [a]weil
sie mir so viel Mühe macht, Recht schaf-
fen, damit sie nicht zuletzt komme und
mir ins Gesicht schlage.

6 Da sprach der Herr: Hört, was der un-
gerechte Richter sagt! 7 **Sollte Gott nicht
auch Recht schaffen seinen Auserwähl-
ten, die zu ihm Tag und Nacht rufen,
und sollte er bei ihnen lange warten?**
8 **Ich sage euch: Er wird ihnen Recht
schaffen in Kürze.** Doch wenn der Men-
schensohn kommen wird, wird er dann
Glauben finden auf Erden?

DER PHARISÄER UND DER ZÖLLNER

9 Er sagte aber zu einigen, die [a]überzeugt
waren, fromm und gerecht zu sein, und
verachteten die andern, dies Gleichnis:
10 Es gingen zwei Menschen hinauf in den
Tempel, um zu beten, der eine ein Phari-
säer, der andere ein Zöllner. 11 Der Phari-
säer stand und betete bei sich selbst so:
Ich danke dir, Gott, dass ich nicht bin wie
die andern Leute, Räuber, Ungerechte,
Ehebrecher, oder auch wie dieser Zöll-
ner. 12 Ich faste zweimal in der Woche und
[a]gebe den Zehnten von allem, was ich ein-
nehme. 13 Der Zöllner aber stand ferne,
wollte auch die Augen nicht aufheben
zum Himmel, sondern schlug an seine
Brust und sprach: **Gott, sei mir Sünder
gnädig!**[a]

14 Ich sage euch: [a]Dieser ging gerecht-
fertigt hinab in sein Haus, nicht jener.
Denn **wer sich selbst erhöht, der wird
erniedrigt werden; und [b]wer sich selbst
erniedrigt, der wird erhöht werden.**

JESUS UND DIE KINDER

(Mt 19,13-15; Mk 10,13-16)

15 Sie brachten auch kleine Kinder zu ihm,
dass er sie anrühren sollte. Als das aber
die Jünger sahen, fuhren sie sie an. 16 Aber
Jesus rief sie zu sich und sprach: [a]**Lasset
die Kinder zu mir kommen und weh-
ret ihnen nicht, denn solchen gehört
das Reich Gottes.** 17 **Wahrlich, ich sage
euch: Wer nicht das Reich Gottes an-
nimmt wie ein Kind, der wird nicht
hineinkommen.**[a]

REICHTUM UND NACHFOLGE

(Mt 19,16-26; Mk 10,17-27)

18 [a]Und es fragte ihn ein Oberer und
sprach: Guter Meister, was muss ich tun,
dass ich das ewige Leben ererbe? 19 Jesus
aber sprach zu ihm: Was nennst du mich
gut? [a]Niemand ist gut als Gott allein. 20 Du
kennst die Gebote: [a]»Du sollst nicht ehe-
brechen; du sollst nicht töten; du sollst
nicht stehlen; du sollst nicht falsch Zeug-
nis reden; du sollst deinen Vater und deine
Mutter ehren!« 21 Er aber sprach: Das habe
ich alles gehalten von Jugend auf.

22 Als Jesus das hörte, sprach er zu ihm:

* **17,35** Vers 36 findet sich erst in der späteren Überlieferung: »Zwei werden auf dem Felde sein; der eine wird angenommen, der andere wird preisgegeben werden« (vgl. Mt 24,40).

17,32 ***a*** 1. Mose 19,26 **17,33** ***a*** Kap 9,24; Mt 10,39; 16,25; Mk 8,35; Joh 12,25 **18,1** ***a*** Röm 12,12; 1. Thess 5,17
18,5 ***a*** Kap 11,7-8 **18,9** ***a*** Kap 16,15; Röm 10,3
18,12 ***a*** Kap 11,42; Mt 23,23 **18,13** ***a*** Ps 51,3
18,14 ***a*** Mt 21,31 ***b*** Kap 14,11; Mt 23,12
18,16 ***a*** Kap 9,47-48 **18,17** ***a*** Mt 18,3
18,18 ***a*** (18-21) Kap 10,25-28 **18,19** ***a*** Ps 25,8
18,20 ***a*** 2. Mose 20,12-16; 5. Mose 5,16-20

Es fehlt dir noch eines. [a]Verkaufe alles,
was du hast, und gib's den Armen, so
wirst du einen [b]Schatz im Himmel haben,
und komm und folge mir nach! 23 Als er
das hörte, wurde er traurig; denn er war
sehr reich.

24 Da aber Jesus sah, dass er traurig ge-
worden war, sprach er: Wie schwer kom-
men die Reichen in das Reich Gottes![a]
25 Denn es ist leichter, dass ein Kamel
durch ein Nadelöhr gehe, als dass ein Rei-
cher in das Reich Gottes komme. 26 Da
sprachen, die das hörten: Wer kann dann
selig werden? 27 Er aber sprach: [a]**Was bei
den Menschen unmöglich ist, das ist
bei Gott möglich.**

DER LOHN DER NACHFOLGE

(Mt 19,27-30; Mk 10,28-31)

28 Da sprach Petrus: Siehe, wir haben, was
wir hatten, verlassen und sind dir nach-
gefolgt.[a] 29 Er aber sprach zu ihnen: Wahr-
lich, ich sage euch: [a]Es ist niemand, der
Haus oder Frau oder Brüder oder Eltern
oder Kinder verlässt um des Reiches Got-
tes willen, 30 der es nicht vielfach wieder
empfange in dieser Zeit und in der kom-
menden Welt das ewige Leben.

DIE DRITTE ANKÜNDIGUNG VON JESU LEIDEN UND AUFERSTEHUNG

(Mt 20,17-19; Mk 10,32-34)

31 [a]Er nahm aber zu sich die Zwölf und
sprach zu ihnen: Seht, [b]wir gehen hin-
auf nach Jerusalem, und es wird alles
vollendet werden, [c]was geschrieben ist
durch die Propheten von dem Menschen-
sohn. 32 Denn er wird überantwortet wer-
den den Heiden, und er wird verspottet
und misshandelt und angespien werden,
33 und sie werden ihn geißeln und töten;
und am dritten Tage wird er auferstehen.
34 Sie aber verstanden nichts davon, und
[a]der Sinn der Rede war ihnen verborgen,
und sie begriffen nicht, was damit gesagt
war.

DIE HEILUNG EINES BLINDEN BEI JERICHO

(Mt 20,29-34; Mk 10,46-52)

35 Es geschah aber, als er in die Nähe von
Jericho kam, da saß ein Blinder am Wege
und bettelte. 36 Als er aber die Menge
hörte, die vorbeiging, forschte er, was
das wäre. 37 Da verkündeten sie ihm, Je-
sus [a]von Nazareth* gehe vorüber. 38 Und
er rief: Jesus, [a]du Sohn Davids, erbarme
dich meiner! 39 Die aber vornean gingen,
fuhren ihn an, er sollte schweigen. Er aber
schrie noch viel mehr: Du Sohn Davids,
erbarme dich meiner!

40 Jesus aber blieb stehen und befahl, ihn
zu sich zu führen. Als er aber näher kam,
fragte er ihn: 41 Was willst du, dass ich für
dich tun soll? Er sprach: Herr, dass ich
sehen kann. 42 Und Jesus sprach zu ihm:
Sei sehend! [a]Dein Glaube hat dir gehol-
fen. 43 Und sogleich wurde er sehend und
folgte ihm nach und pries Gott. Und alles
Volk, das es sah, lobte Gott.

ZACHÄUS

19 Und er ging nach Jericho hinein und
zog hindurch. 2 Und siehe, da war ein
Mann mit Namen Zachäus, der war ein
Oberer der Zöllner und war reich. 3 Und
er begehrte, Jesus zu sehen, wer er wäre,
und konnte es nicht wegen der Menge;
denn er war klein von Gestalt. 4 Und er
lief voraus und stieg auf einen Maulbeer-
feigenbaum, um ihn zu sehen; denn dort
sollte er durchkommen. 5 Und als Jesus an
die Stelle kam, sah er auf und sprach zu
ihm: Zachäus, steig eilend herunter; denn
ich muss heute in deinem Haus einkehren.
6 Und er stieg eilend herunter und nahm
ihn auf mit Freuden.

7 Da sie das sahen, murrten sie alle und
sprachen: Bei einem Sünder ist er ein-
gekehrt.[a] 8 Zachäus aber trat herzu und
sprach zu dem Herrn: Siehe, Herr, die
Hälfte von meinem Besitz gebe ich den
Armen, und wenn ich jemanden betro-
gen habe, so gebe ich es vierfach zurück.[a]
9 Jesus aber sprach zu ihm: Heute ist die-
sem Hause Heil widerfahren, denn [a]auch

* **18,37** Andere Übersetzung: »Jesus, der Nazoräer«; siehe Sach- und Worterklärungen zu »Nazoräer«.

18,22 ***a*** Kap 12,33 ***b*** Mt 6,20 **18,24** ***a*** Kap 6,24
18,27 ***a*** Kap 1,37; 1. Mose 18,14; Hiob 42,2
18,28 ***a*** Kap 5,11 **18,29** ***a*** Kap 14,26
18,31 ***a*** (31-33) Kap 9,22.44-45 ***b*** Kap 9,51 ***c*** Kap 22,37; Jes 52,13–53,12 **18,34** ***a*** Kap 9,45; 24,45
18,37 ***a*** Apg 2,22; 3,6 **18,38** ***a*** Kap 1,27; Mt 9,27
18,42 ***a*** Kap 7,50; 8,48; 17,19 **19,7** ***a*** Kap 5,30; 15,2
19,8 ***a*** 2. Mose 21,37; 4. Mose 5,6-7; Hes 33,14-16
19,9 ***a*** Kap 13,16

er ist ein Sohn Abrahams. 10 Denn **der
Menschensohn ist gekommen, zu su-
chen und selig zu machen, was verloren
ist.**[a]

VON DEN ANVERTRAUTEN PFUNDEN

(Mt 25,14-30)

11 Als sie nun zuhörten, sagte er ein weite-
res Gleichnis; denn er war nahe bei Jeru-
salem und sie meinten, das Reich Gottes
werde sogleich offenbar werden. 12 Und
er sprach: Ein Mann von edler Herkunft
zog in ein fernes Land, um ein Königtum
zu erlangen und dann zurückzukommen.
13 Der ließ zehn seiner Knechte rufen
und gab ihnen zehn Pfund und sprach
zu ihnen: Handelt damit, bis ich wie-
derkomme! 14 Seine Bürger aber waren
ihm feind und schickten eine Gesandt-
schaft hinter ihm her und ließen sagen:
Wir wollen nicht, dass dieser über uns
herrsche.

15 Und es begab sich, als er wiederkam,
nachdem er das Königtum erlangt hatte,
da ließ er die Knechte zu sich rufen, denen
er das Geld gegeben hatte, um zu erfah-
ren, was sie erhandelt hätten. 16 Da trat der
erste herzu und sprach: Herr, dein Pfund
hat zehn Pfund eingebracht. 17 Und er
sprach zu ihm: Recht so, du guter Knecht;
[a]weil du im Geringsten treu gewesen bist,
sollst du Macht haben über zehn Städte.

18 Der zweite kam auch und sprach:
Herr, dein Pfund hat fünf Pfund erbracht.
19 Zu dem sprach er auch: Und du sollst
über fünf Städte sein.

20 Und der dritte kam und sprach: Herr,
siehe da, hier ist dein Pfund, das ich in
einem Tuch verwahrt habe; 21 denn ich
fürchtete mich vor dir, weil du ein har-
ter Mann bist; du nimmst, was du nicht
angelegt hast, und erntest, was du nicht
gesät hast. 22 Er sprach zu ihm: Mit dei-
nen eigenen Worten richte ich dich, du
böser Knecht. Wusstest du, dass ich ein
harter Mann bin, nehme, was ich nicht
angelegt habe, und ernte, was ich nicht
gesät habe, 23 warum hast du dann mein
Geld nicht zur Bank gebracht? Und wenn
ich zurückgekommen wäre, hätte ich's
mit Zinsen eingefordert. 24 Und er sprach
zu denen, die dabeistanden: Nehmt das
Pfund von ihm und gebt's dem, der zehn
Pfund hat. 25 Und sie sprachen zu ihm:
Herr, er hat doch schon zehn Pfund. 26 Ich
sage euch aber: Wer da hat, dem wird ge-
geben werden; von dem aber, der nicht
hat, wird auch das genommen werden,
was er hat.[a] 27 Doch diese meine Feinde,
die nicht wollten, dass ich über sie herr-
sche, bringt her und macht sie vor mir
nieder.

JESU EINZUG IN JERUSALEM

(Mt 21,1-11; Mk 11,1-10; Joh 12,12-16)

28 Und als er das gesagt hatte, [a]ging er voran
und zog hinauf nach Jerusalem. 29 Und es
begab sich, als er nahe von Betfage und Be-
tanien an den Berg kam, der Ölberg heißt,
da sandte er zwei Jünger 30 und sprach:
Geht hin in das Dorf, das gegenüberliegt.
Und wenn ihr hineinkommt, werdet ihr
ein [a]Füllen angebunden finden, auf dem
noch nie ein Mensch gesessen hat; bin-
det es los und bringt's her! 31 Und wenn
euch jemand fragt: Warum bindet ihr es
los?, dann sagt so: Der Herr bedarf seiner.
32 Und die er gesandt hatte, gingen hin und
fanden's, wie er ihnen gesagt hatte.[a] 33 Als
sie aber das Füllen losbanden, sprachen
seine Herren zu ihnen: Warum bindet ihr
das Füllen los? 34 Sie aber sprachen: Der
Herr bedarf seiner.

35 Und sie brachten's zu Jesus und war-
fen ihre Kleider auf das Füllen und setzten
Jesus darauf. 36 Als er nun hinzog, [a]brei-
teten sie ihre Kleider auf den Weg. 37 Und
als er schon nahe am Abhang des Ölbergs
war, fing die ganze Menge der Jünger an,
mit Freuden [a]Gott zu loben mit lauter
Stimme über alle Taten, die sie gesehen
hatten, 38 und sprachen: [a]**Gelobt sei, der
da kommt, der König, in dem Namen
des Herrn! [b]Friede sei im Himmel und
Ehre in der Höhe!**

39 Und einige von den Pharisäern in der
Menge sprachen zu ihm: Meister, weise
doch deine Jünger zurecht! 40 Er antwor-
tete und sprach: Ich sage euch: Wenn
diese schweigen werden, so werden [a]die
Steine schreien.

19,10 *a* Kap 5,32; Hes 34,16; 1. Tim 1,15
19,17 *a* Kap 16,10; Mt 24,45-47 **19,26** *a* Kap 8,18; Mt 13,12; Mk 4,25 **19,28** *a* Kap 9,51 **19,30** *a* Sach 9,9
19,32 *a* Kap 22,13 **19,36** *a* 2. Kön 9,13 **19,37** *a* Kap 2,20
19,38 *a* Ps 118,26 *b* Kap 2,14 **19,40** *a* Hab 2,11

JESUS WEINT ÜBER JERUSALEM

41 Und als er nahe hinzukam und die Stadt
sah, weinte er über sie 42 und sprach:
Wenn doch auch du erkenntest an die-
sem Tag, was zum Frieden dient! [a]Aber
nun ist's vor deinen Augen verborgen.
43 Denn es wird eine Zeit über dich kom-
men, da [a]werden deine Feinde um dich
einen Wall aufwerfen, dich belagern und
von allen Seiten bedrängen 44 und werden
dich dem Erdboden gleichmachen samt
deinen Kindern in dir und [a]keinen Stein
auf dem andern lassen in dir, weil du die
Zeit nicht erkannt hast, in der du [b]besucht
worden bist.

DIE TEMPELREINIGUNG

(Mt 21,12-16; Mk 11,15-18; Joh 2,13-16)

45 Und er ging in den Tempel und fing
an, die Händler hinauszutreiben, 46 und
sprach zu ihnen: Es steht geschrieben
(Jesaja 56,7): »Mein Haus wird ein Bethaus
sein«; ihr aber habt es zur [a]Räuberhöhle
gemacht. 47 Und er lehrte täglich im Tem-
pel. Aber die Hohenpriester und die
Schriftgelehrten und die Angesehensten
des Volkes trachteten danach, dass sie ihn
umbrächten, 48 und fanden nicht, wie sie
es machen sollten; denn alles Volk hing
ihm an und hörte ihn.

DIE FRAGE NACH JESU VOLLMACHT

(Mt 21,23-27; Mk 11,27-33)

20 Und es begab sich eines Tages, als er
das Volk lehrte im Tempel und pre-
digte das Evangelium, da traten zu ihm
die Hohenpriester und die Schriftgelehr-
ten mit den Ältesten 2 und sprachen zu
ihm: Sage uns, aus welcher [a]Vollmacht
tust du das? Oder wer hat dir diese Macht
gegeben? 3 Er aber antwortete und sprach
zu ihnen: Ich will euch auch eine Sa-
che fragen; sagt mir: 4 Die [a]Taufe des Jo-
hannes – war sie vom Himmel oder von
Menschen?
5 Sie aber bedachten's bei sich selbst und
sprachen: Sagen wir, vom Himmel, so
wird er sagen: Warum habt ihr ihm nicht
geglaubt?[a] 6 Sagen wir aber, von Men-
schen, so wird uns alles Volk steinigen;
denn sie sind überzeugt, dass [a]Johannes
ein Prophet war. 7 Und sie antworteten,
sie wüssten nicht, wo sie her wäre. 8 Und
Jesus sprach zu ihnen: So sage ich euch
auch nicht, aus welcher Vollmacht ich das
tue.

VON DEN BÖSEN WEINGÄRTNERN

(Mt 21,33-46; Mk 12,1-12)

9 Er fing aber an, dem Volk dies Gleich-
nis zu sagen: Ein Mensch [a]pflanzte einen
Weinberg und verpachtete ihn an Wein-
gärtner und ging außer Landes für eine
lange Zeit. 10 [a]Und als die Zeit kam, sandte
er einen Knecht zu den Weingärtnern,
damit sie ihm seinen Anteil gäben an der
Frucht des Weinbergs. Aber die Weingärt-
ner schlugen ihn und schickten ihn mit
leeren Händen fort. 11 Und er sandte noch
einen zweiten Knecht; sie aber schlugen
den auch und schmähten ihn und schick-
ten ihn mit leeren Händen fort. 12 Und er
sandte noch einen dritten; sie aber schlu-
gen auch den blutig und stießen ihn hin-
aus.
13 Da sprach der Herr des Weinbergs:
Was soll ich tun? Ich will meinen lieben
Sohn senden; vielleicht werden sie sich
vor dem scheuen. 14 Als aber die Wein-
gärtner den Sohn sahen, dachten sie bei
sich selbst und sprachen: Das ist der Erbe;
lasst uns ihn töten, damit das Erbe unser
sei! 15 Und sie stießen ihn hinaus vor den
Weinberg und töteten ihn. Was wird nun
der Herr des Weinbergs mit ihnen tun?
16 Er wird kommen und diese Weingärtner
umbringen und seinen Weinberg andern
geben.
Als sie das hörten, sprachen sie: Das sei
ferne! 17 Er aber sah sie an und sprach: Was
bedeutet dann das, was geschrieben steht
(Psalm 118,22): »Der Stein, den die Bauleute
verworfen haben, der ist zum Eckstein
geworden«?[a] 18 Wer auf diesen Stein fällt,
der wird zerschellen; [a]auf wen er aber fällt,
den wird er zermalmen.
19 Und die Schriftgelehrten und die Ho-
henpriester trachteten danach, Hand an
ihn zu legen noch in derselben Stunde,
und fürchteten sich doch vor dem Volk;

19,42 *a* Mt 13,13-14 **19,43** *a* Kap 21,20; Jes 29,3
19,44 *a* Kap 21,6 *b* Kap 1,68.78; 7,16 **19,46** *a* Jer 7,11
20,2 *a* Kap 4,32 **20,4** *a* Kap 3,3 **20,5** *a* Kap 7,29-30
20,6 *a* Kap 1,76 **20,9** *a* Jes 5,1-2
20,10 *a* (10-12) 2. Chr 36,15-16 **20,17** *a* Apg 4,11
20,18 *a* Jes 8,14-15; Dan 2,34-35.44-45

denn sie verstanden, dass er auf sie hin
dies Gleichnis gesagt hatte.[a]

DIE FRAGE NACH DER STEUER (DER ZINSGROSCHEN)

(Mt 22,15-22; Mk 12,13-17)

20 Und sie beobachteten ihn und sandten
Leute aus, die sich stellen sollten, als wä-
ren sie gerecht; [a]die sollten ihn fangen in
seinen Worten, damit man ihn überant-
worten könnte der Obrigkeit und Gewalt
des Statthalters. 21 Und sie fragten ihn und
sprachen: Meister, wir wissen, dass du
aufrichtig redest und lehrst und [a]achtest
nicht das Ansehen der Menschen, sondern
du lehrst den [b]Weg Gottes wahrhaftig.
22 Ist's recht, dass wir dem Kaiser Steuern
zahlen, oder nicht?
23 Er aber merkte ihre List und sprach zu
ihnen: 24 Zeigt mir einen Silbergroschen!
Wessen Bild und Aufschrift hat er? Sie
sprachen: Des Kaisers. 25 Er aber sprach
zu ihnen: **So gebt dem Kaiser, was des
Kaisers ist, und Gott, was Gottes ist!**[a]
26 Und sie konnten ihn in seinen Worten
nicht fangen vor dem Volk und wunder-
ten sich über seine Antwort und schwie-
gen still.

DIE FRAGE NACH DER AUFERSTEHUNG

(Mt 22,23-33; 22,46; Mk 12,18-27; 12,32.34)

27 Da traten zu ihm einige der [a]Sadduzäer,
die sagen, es gebe keine Auferstehung,
und fragten ihn 28 und sprachen: Meis-
ter, Mose hat uns vorgeschrieben (5. Mose
25,5-6): »Wenn jemand stirbt, der eine Frau
hat, aber keine Kinder, so soll sein Bruder
sie zur Frau nehmen und seinem Bruder
Nachkommen erwecken.«[a] 29 Nun waren
sieben Brüder. Der erste nahm eine Frau
und starb kinderlos. 30 Und der zweite
31 nahm sie zur Frau, dann der dritte, des-
gleichen alle sieben: Sie hinterließen keine
Kinder und starben. 32 Zuletzt starb auch
die Frau. 33 Die Frau nun: Wessen Frau
wird sie in der Auferstehung sein? Denn
alle sieben haben sie zur Frau gehabt.
34 Und Jesus sprach zu ihnen: Die Kinder
dieser Welt heiraten und lassen sich hei-
raten; 35 welche aber gewürdigt werden,
jene Welt zu erlangen und die Auferste-
hung von den Toten, die werden weder
heiraten noch sich heiraten lassen. 36 Denn
sie können hinfort nicht sterben; denn sie
sind den Engeln gleich und [a]Gottes Kin-
der, weil sie Kinder der Auferstehung
sind. 37 Dass aber die Toten auferstehen,
darauf hat auch Mose hingedeutet beim
Dornbusch, wo er den Herrn nennt Gott
Abrahams und Gott Isaaks und Gott Ja-
kobs (2. Mose 3,6). 38 **Gott aber ist nicht ein
Gott der Toten, sondern der Lebenden;
denn [a]ihm leben sie alle.**
39 Da antworteten einige der Schriftge-
lehrten und sprachen: Meister, du hast
recht geredet. 40 Denn sie wagten nicht
mehr, ihn etwas zu fragen.

DER SOHN DAVIDS

(Mt 22,41-45; Mk 12,35-37)

41 Er sprach aber zu ihnen: Wieso sagen sie,
der Christus sei Davids Sohn?[a] 42 [a]Denn
David selbst sagt im Buch der Psalmen
(Psalm 110,1): »Der Herr sprach zu meinem
Herrn: Setze dich zu meiner Rechten,
43 bis ich deine Feinde zum Schemel unter
deine Füße lege.« 44 David nennt ihn also
»Herr«; wie ist er dann sein Sohn?

WARNUNG VOR DEN SCHRIFTGELEHRTEN

(Mt 23,5-7; Mk 12,38-40)

45 Als aber alles Volk zuhörte, sprach er
zu seinen Jüngern: 46 Hütet euch vor den
Schriftgelehrten, die gern in langen Ge-
wändern umhergehen und es [a]lieben,
sich auf dem Markt grüßen zu lassen und
obenan in den Synagogen und beim Gast-
mahl zu sitzen; 47 sie fressen die Häuser
der Witwen und verrichten zum Schein
lange Gebete. Die werden ein umso här-
teres Urteil empfangen.[a]

DAS SCHERFLEIN DER WITWE

(Mk 12,41-44)

21 Er blickte aber auf und sah, wie die Rei-
chen ihre Gaben in den Gotteskasten*
einlegten. 2 Er sah aber eine arme Witwe,
die legte dort zwei Scherflein ein. 3 Und

* **21,1** Siehe Sach- und Worterklärungen.

20,19 ***a*** Kap 19,47-48; 22,2 **20,20** ***a*** Kap 11,54; 20,26; 23,2 **20,21** ***a*** Apg 10,34 ***b*** Apg 18,26 **20,25** ***a*** Röm 13,1.7 **20,27** ***a*** Apg 23,8 **20,28** ***a*** 1. Mose 38,6-8 **20,36** ***a*** 1. Joh 3,1-2 **20,38** ***a*** Röm 14,8 **20,41** ***a*** Joh 7,42 **20,42** ***a*** (42-43) Apg 2,34-35 **20,46** ***a*** Kap 11,43 **20,47** ***a*** Jes 5,8; 10,2

er sprach: Wahrlich, ich sage euch: Diese
arme Witwe hat mehr als sie alle einge-
legt. 4 Denn diese alle haben etwas von ih-
rem Überfluss zu den Gaben eingelegt; sie
aber hat von ihrer Armut alles eingelegt,
was sie zum Leben hatte.[a]

JESU REDE ÜBER DIE ENDZEIT

Kapitel 21,5-36
(Mt 24,1-36; Mk 13,1-32)

DAS ENDE DES TEMPELS

5 Und als einige von dem Tempel sagten,
dass er mit schönen Steinen und Weihe-
gaben geschmückt sei, sprach er: 6 Es wird
die Zeit kommen, in der von dem allen,
was ihr seht, nicht ein Stein auf dem an-
dern gelassen wird, der nicht zerbrochen
werde.[a]

DIE VORZEICHEN

7 Sie fragten ihn aber: Meister, wann wird
das geschehen? Und was wird das Zei-
chen sein, wenn das geschehen wird?
8 Er aber sprach: Seht zu, lasst euch nicht
verführen. Denn viele werden kommen
unter meinem Namen und sagen: Ich
bin's, und: Die Zeit ist herbeigekom-
men. – Lauft ihnen nicht nach! 9 Wenn ihr
aber hören werdet von Kriegen und Un-
ruhen, so entsetzt euch nicht. Denn das
muss zuvor geschehen; aber das Ende ist
noch nicht so bald da. 10 Dann sprach er zu
ihnen: Ein Volk wird sich erheben gegen
das andere und ein Reich gegen das an-
dere,[a] 11 und es werden geschehen [a]große
Erdbeben und hier und dort Hungersnöte
und Seuchen; auch werden Schrecknisse
und vom Himmel her große Zeichen ge-
schehen.

ANKÜNDIGUNG VON VERFOLGUNGEN

12 [a]Aber vor diesem allen werden sie Hand
an euch legen und euch verfolgen und
werden euch überantworten den Synago-
gen und Gefängnissen und euch vor Kö-
nige und Statthalter führen um meines
Namens willen.[b] 13 Das wird euch wider-
fahren zu einem Zeugnis. 14 So nehmt nun
zu Herzen, [a]dass ihr euch nicht sorgt, wie
ihr euch verteidigen sollt. 15 Denn ich will
euch Mund und Weisheit geben, der alle
eure Widersacher nicht widerstehen noch
widersprechen können.[a] 16 Ihr werdet aber
verraten werden [a]von Eltern und Ge-
schwistern, Verwandten und Freunden;
und sie werden einige von euch zu Tode
bringen. 17 Und ihr werdet gehasst sein
von jedermann um meines Namens wil-
len.[a] 18 Und kein Haar von eurem Haupt
soll verloren gehen.[a] 19 Seid standhaft, und
ihr werdet euer Leben gewinnen.[a]

DAS ENDE JERUSALEMS

20 Wenn ihr aber sehen werdet, dass [a]Jeru-
salem von einem Heer belagert wird, dann
erkennt, dass seine Verwüstung nahe her-
beigekommen ist. 21 Alsdann, wer in Judäa
ist, der fliehe ins Gebirge, und wer in der
Stadt ist, gehe hinaus, und wer auf dem
Lande ist, komme nicht hinein. 22 Denn
das sind die [a]Tage der Vergeltung, dass
[b]erfüllt werde alles, was geschrieben ist.
23 [a]Wehe den Schwangeren und den
Stillenden in jenen Tagen! Denn es wird
große Not auf Erden sein und Zorn über
dies Volk kommen, 24 und sie werden fal-
len durch die Schärfe des Schwertes und
gefangen weggeführt unter alle Völker,
und [a]Jerusalem wird zertreten werden
von den Heiden, [b]bis die Zeiten der Hei-
den erfüllt sind.

DAS KOMMEN DES MENSCHENSOHNS

(Mt 24,29-31; Mk 13,24-27)

25 [a]Und es werden Zeichen geschehen
an Sonne und Mond und Sternen, und
auf Erden wird den Völkern bange sein,
und sie werden verzagen vor dem Brau-
sen und Wogen des Meeres, 26 und die
Menschen werden vergehen vor Furcht
und in Erwartung der Dinge, die kom-
men sollen über die ganze Erde; denn die
Kräfte der Himmel werden ins Wanken
kommen.[a] 27 Und alsdann [a]werden sie se-
hen den Menschensohn kommen in einer

21,4 *a* 2. Kor 8,12 **21,6** *a* Kap 19,44 **21,10** *a* Jes 19,2
21,11 *a* Hes 38,19 **21,12** *a* (12-18) Mt 10,17-22.30; Apg 4,3
b Joh 16,1-4 **21,14** *a* Kap 12,11-12 **21,15** *a* Apg 6,10
21,16 *a* Kap 12,53 **21,17** *a* Kap 6,22; Joh 15,18-21
21,18 *a* Kap 12,7 **21,19** *a* Hebr 10,36.39
21,20 *a* Kap 19,43-44 **21,22** *a* 5. Mose 32,35 *b* Kap 18,31
21,23 *a* Kap 23,29 **21,24** *a* Ps 79,1; Jes 63,18; Offb 11,2
b Röm 11,25 **21,25** *a* Joel 3,3-4; Offb 6,12-13
21,26 *a* Joel 2,10; 2. Petr 3,10 **21,27** *a* Dan 7,13;
Mk 14,62; Offb 1,7

Wolke mit großer Kraft und Herrlichkeit.
28 **Wenn aber dieses anfängt zu gesche-
hen, dann seht auf* und erhebt eure
Häupter, weil sich eure Erlösung naht.**

VOM FEIGENBAUM

29 Und er sagte ihnen ein Gleichnis: Seht
den Feigenbaum und alle Bäume an:
30 wenn sie jetzt ausschlagen und ihr seht
es, so wisst ihr selber, dass der Sommer
schon nahe ist. 31 So auch ihr: Wenn ihr
seht, dass dies alles geschieht, so wisst,
dass das Reich Gottes nahe ist.

32 Wahrlich, ich sage euch: Dieses Ge-
schlecht wird nicht vergehen, bis es alles
geschieht.[a] 33 **Himmel und Erde werden
vergehen; aber meine Worte werden
nicht vergehen.**[a]

ERMAHNUNG ZUR WACHSAMKEIT

34 Hütet euch aber, dass [a]eure Herzen nicht
beschwert werden durch Rausch und Sau-
fen und mit täglichen Sorgen und dieser
Tag nicht [b]plötzlich über euch komme
35 wie ein Fallstrick. Denn er wird über alle
kommen, die auf der ganzen Erde woh-
nen. 36 Wachet aber allezeit und betet, dass
ihr stark werdet, zu entfliehen diesem al-
len, was geschehen soll, und zu stehen vor
dem Menschensohn.

37 Er lehrte des Tags im Tempel; [a]des
Nachts aber ging er hinaus und blieb an
dem Berg, den man den Ölberg nennt.
38 Und alles Volk machte sich früh auf zu
ihm, ihn im Tempel zu hören.

JESU LEIDEN, STERBEN UND AUFERSTEHUNG

Kapitel 22,1–24,53
(Mt 26,1–28,20; Mk 14,1–16,20; Joh 13,1-38; 18,1–21,25)

22 Es war aber nahe das [a]Fest der Unge-
säuerten Brote, das Passa heißt. 2 Und
[a]die Hohenpriester und Schriftgelehrten
trachteten danach, wie sie ihn töten könn-
ten; denn sie fürchteten sich vor dem
Volk.

DER VERRAT DES JUDAS

3 Es fuhr aber [a]der Satan in Judas, genannt
Iskariot, der zur Zahl der Zwölf gehörte.
4 Und er ging hin und redete mit den Ho-
henpriestern und mit den Hauptleuten
darüber, wie er ihnen Jesus überantwor-
ten könnte. 5 Und sie wurden froh und ka-
men überein, ihm Geld zu geben. 6 Und er
sagte es zu und suchte eine Gelegenheit,
dass er ihn an sie ausliefere ohne Auf-
sehen.

DAS ABENDMAHL

7 Es kam nun der [a]Tag der Ungesäuerten
Brote, an dem man das Passalamm op-
fern musste. 8 Und er sandte Petrus und
Johannes und sprach: Geht hin und be-
reitet uns das Passalamm, damit wir's
essen. 9 Sie aber fragten ihn: Wo willst
du, dass wir's bereiten? 10 Er sprach zu ih-
nen: Siehe, wenn ihr hineinkommt in die
Stadt, wird euch ein Mensch begegnen,
der trägt einen Wasserkrug; folgt ihm in
das Haus, in das er hineingeht, 11 und sagt
zu dem Hausherrn: Der Meister lässt dir
sagen: Wo ist die Herberge, in der ich das
Passalamm essen kann mit meinen Jün-
gern? 12 Und er wird euch einen großen
Saal zeigen, schön ausgelegt; dort bereitet
das Mahl. 13 Sie gingen hin und [a]fanden's,
wie er ihnen gesagt hatte, und bereiteten
das Passalamm.

14 Und als die Stunde kam, setzte er sich
nieder und die Apostel mit ihm. 15 Und er
sprach zu ihnen: Mich hat herzlich ver-
langt, dies Passalamm mit euch zu essen,
ehe ich leide. 16 Denn ich sage euch, dass
ich es nicht mehr essen werde, bis es erfüllt
wird im Reich Gottes.[a] 17 Und er nahm den
Kelch, dankte und sprach: Nehmt ihn und
teilt ihn unter euch; 18 denn ich sage euch:
Ich werde von nun an nicht trinken von
dem Gewächs des Weinstocks, bis das
Reich Gottes kommt.

19 [a]Und **er nahm das Brot, dankte und
brach's und gab's ihnen und sprach:
Das ist mein Leib, der für euch gege-
ben wird; das tut zu meinem Gedächt-
nis.** 20 **Desgleichen auch den Kelch nach
dem Mahl und sprach: Dieser Kelch ist**

* **21,28** Wörtlich: »richtet euch auf«.

21,32 ***a*** Kap 9,27 **21,33** ***a*** Ps 119,89; Jes 40,8
21,34 ***a*** Kap 8,14; Mk 4,19 ***b*** 1. Thess 5,3
21,37 ***a*** Kap 22,39 **22,1** ***a*** 5. Mose 16,1-8
22,2 ***a*** Kap 19,47-48; 20,19 **22,3** ***a*** Kap 4,13
22,7 ***a*** 2. Mose 12,3-6.18-20 **22,13** ***a*** Kap 19,32
22,16 ***a*** Kap 13,29 **22,19** ***a*** (19-20) 1. Kor 10,16; 11,23-25

der [a]neue Bund* in meinem Blut, das
für euch vergossen wird!
21 Doch siehe, die Hand meines Ver-
räters ist mit mir am Tisch. 22 Denn der
Menschensohn geht zwar dahin, wie es
beschlossen ist; doch weh dem Menschen,
durch den er verraten wird! 23 Und sie fin-
gen an, untereinander zu fragen, wer es
wohl wäre unter ihnen, der das tun würde.

GESPRÄCHE MIT DEN JÜNGERN

24 [a]Es erhob sich auch ein Streit unter ih-
nen, [b]wer von ihnen als der Größte gelten
sollte. 25 Er aber sprach zu ihnen: Die Kö-
nige herrschen über ihre Völker, und ihre
Machthaber lassen sich Wohltäter nennen.
26 Ihr aber nicht so! Sondern der Größte
unter euch soll sein wie der Jüngste und
der Vornehmste wie ein Diener. 27 Denn
wer ist größer: der zu Tisch sitzt oder der
dient? Ist's nicht der, der zu Tisch sitzt?
Ich aber bin unter euch wie ein Diener.
28 Ihr aber seid's, die ihr ausgeharrt habt
bei mir in meinen Anfechtungen.[a] 29 Und
wie mir mein Vater das Reich bestimmt
hat, so bestimme ich für euch,[a] 30 dass
ihr essen und trinken sollt an meinem
Tisch in meinem Reich und [a]sitzen auf
Thronen und richten die zwölf Stämme
Israels.
31 Simon, Simon, siehe, der Satan hat
begehrt, euch zu sieben wie den Weizen.[a]
32 Ich aber habe [a]für dich gebeten, dass
dein Glaube nicht aufhöre. Und wenn
du dann umkehrst, so stärke deine Brü-
der. 33 Er aber sprach zu ihm: Herr, ich bin
bereit, mit dir ins Gefängnis und in den
Tod zu gehen. 34 Er aber sprach: Petrus, ich
sage dir: Der Hahn wird heute nicht krä-
hen, ehe du dreimal geleugnet hast, dass
du mich kennst.
35 Und er sprach zu ihnen: [a]Als ich euch
ausgesandt habe ohne Geldbeutel, ohne
Tasche und ohne Schuhe, habt ihr je Man-
gel gehabt? Sie sprachen: Nein, keinen.
36 Da sprach er zu ihnen: Aber nun, wer
einen Geldbeutel hat, der nehme ihn, des-
gleichen auch eine Tasche, und wer's nicht
hat, verkaufe seinen Mantel und kaufe ein
Schwert. 37 Denn ich sage euch: Es muss
das an mir vollendet werden, was ge-
schrieben steht (Jesaja 53,12): »Er ist zu den
Übeltätern gerechnet worden.« Denn was
von mir geschrieben ist, das hat ein Ende.
38 Sie sprachen aber: Herr, siehe, hier sind
zwei Schwerter. Er aber sprach zu ihnen:
Es ist genug.

JESUS IN GETHSEMANE

39 Und er [a]ging nach seiner Gewohnheit
hinaus an den Ölberg. Es folgten ihm aber
auch die Jünger. 40 Und als er dahin kam,
sprach er zu ihnen: **Betet, dass ihr nicht**
in Anfechtung fallt!
41 Und er riss sich von ihnen los, etwa
einen Steinwurf weit, und kniete nieder,
betete 42 und sprach: Vater, willst du, so
nimm diesen [a]Kelch von mir; **doch nicht**
mein, sondern [b]dein Wille geschehe!
43 [Es erschien ihm aber ein Engel vom
Himmel und stärkte ihn. 44 Und er geriet
in Todesangst und betete heftiger. Und
sein Schweiß wurde wie Blutstropfen, die
auf die Erde fielen.]*
45 Und er stand auf von dem Gebet und
kam zu seinen Jüngern und fand sie schla-
fend vor Traurigkeit 46 und sprach zu ih-
nen: Was schlaft ihr? Steht auf und betet,
damit ihr nicht in Anfechtung fallt!

JESU GEFANGENNAHME

47 Als er aber noch redete, siehe, da kam
eine Schar; und einer von den Zwölfen,
der mit dem Namen Judas, ging vor ih-
nen her und nahte sich Jesus, um ihn zu
küssen. 48 Jesus aber sprach zu ihm: Judas,
verrätst du den Menschensohn mit einem
Kuss? 49 Als aber, die um ihn waren, sa-
hen, was geschehen würde, sprachen sie:
Herr, sollen wir mit dem Schwert drein-
schlagen? 50 Und einer von ihnen schlug
nach dem Knecht des Hohenpriesters
und hieb ihm sein rechtes Ohr ab. 51 Da
sprach Jesus: Lasst ab! Nicht weiter! Und
er rührte sein Ohr an und heilte ihn.
52 Jesus aber sprach zu den Hohenpries-
tern und Hauptleuten des Tempels und
den Ältesten, die zu ihm hergekommen

* **22,20** Luther übersetzte: »das neue Testament«.
22,44 Die Verse 43-44 finden sich in wichtigen Handschriften nicht.

22,20 *a* 2. Mose 24,8; Jer 31,31
22,24 *a* (24-30) Mt 20,25-28; Mk 10,42-45 *b* Kap 9,46
22,28 *a* Joh 6,67-68 **22,29** *a* Kap 12,32 **22,30** *a* Mt 19,28
22,31 *a* 2. Kor 2,11 **22,32** *a* Joh 17,9.11.15 **22,35** *a* Kap 9,3; 10,4 **22,39** *a* Kap 21,37 **22,42** *a* Joh 18,11 *b* Mt 6,10

waren: Ihr seid wie gegen einen Räuber
mit Schwertern und mit Stangen ausgezo-
gen? 53 Ich bin täglich bei euch im Tempel
gewesen, und ihr habt nicht Hand an mich
gelegt. [a]Aber dies ist eure Stunde und die
Macht der Finsternis.

DIE VERLEUGNUNG DES PETRUS

54 Sie ergriffen ihn aber und führten ihn
ab und brachten ihn in das Haus des Ho-
henpriesters. Petrus aber folgte von ferne.
55 Da zündeten sie ein Feuer an mitten im
Hof und setzten sich zusammen; und Pe-
trus setzte sich mitten unter sie. 56 Da sah
ihn eine Magd im Licht sitzen und sah ihn
genau an und sprach: Dieser war auch mit
ihm. 57 Er aber leugnete und sprach: Frau,
ich kenne ihn nicht. 58 Und nach einer klei-
nen Weile sah ihn ein anderer und sprach:
Du bist auch einer von denen. Petrus aber
sprach: Mensch, ich bin's nicht.
59 Und nach einer Weile, etwa nach einer
Stunde, bekräftigte es ein anderer und
sprach: Wahrhaftig, dieser war auch mit
ihm; denn er ist auch ein Galiläer. 60 Petrus
aber sprach: Mensch, ich weiß nicht, was
du sagst. Und alsbald, während er noch
redete, krähte der Hahn. 61 Und der Herr
wandte sich und sah Petrus an. Und Pe-
trus gedachte an des Herrn Wort, wie
er zu ihm gesagt hatte: [a]Ehe heute der
Hahn kräht, wirst du mich dreimal ver-
leugnen. 62 Und Petrus ging hinaus und
weinte bitterlich.

JESU VERSPOTTUNG

63 Die Männer aber, die Jesus gefangen
hielten, verspotteten ihn und schlugen
ihn, 64 verdeckten sein Angesicht und frag-
ten: Weissage, wer ist's, der dich schlug?
65 Und viele andere Lästerungen sagten sie
gegen ihn.

JESUS VOR DEM HOHEN RAT

66 Und als es Tag wurde, versammelte sich
der Rat der Ältesten des Volkes – Hohe-
priester und Schriftgelehrte –, und sie
führten ihn vor ihren Hohen Rat 67 und
sprachen: Bist du der Christus, so sage es
uns! Er sprach aber zu ihnen: [a]Sage ich's
euch, so glaubt ihr's nicht; 68 frage ich
aber, so antwortet ihr nicht. 69 Aber von
nun an wird der Menschensohn [a]sitzen
zur Rechten der Kraft Gottes. 70 Da spra-
chen sie alle: **Bist du denn Gottes Sohn?**
Er sprach zu ihnen: Ihr sagt es, ich bin
es. 71 Sie aber sprachen: Was bedürfen wir
noch eines Zeugnisses? Wir haben's selbst
gehört aus seinem Munde.[a]

JESUS VOR PILATUS

23 Und die ganze Versammlung stand
auf, und sie führten ihn vor Pilatus
2 und fingen an, ihn zu verklagen, und
sprachen: [a]Wir haben gefunden, dass
dieser unser Volk aufhetzt und [b]verbie-
tet, dem Kaiser Steuern zu geben, und
spricht, er sei Christus, ein König. 3 Pi-
latus aber fragte ihn und sprach: Bist du
der Juden König? Er antwortete ihm und
sprach: Du sagst es. 4 Pilatus sprach zu den
Hohenpriestern und zum Volk: Ich finde
keine Schuld an diesem Menschen. 5 Sie
aber beharrten darauf und sprachen: Er
wiegelt das Volk auf damit, dass er lehrt
im ganzen jüdischen Land, angefangen
von Galiläa bis hierher.

JESUS VOR HERODES ANTIPAS

6 Als aber Pilatus das hörte, fragte er, ob
der Mensch aus Galiläa wäre. 7 Und als er
vernahm, dass er [a]unter die Herrschaft des
Herodes gehörte, sandte er ihn zu Hero-
des, der in diesen Tagen auch in Jerusalem
war. 8 Als aber Herodes Jesus sah, freute er
sich sehr; denn [a]er hätte ihn längst gerne
gesehen; denn er hatte von ihm gehört
und hoffte, [b]er würde ein Zeichen von
ihm sehen. 9 Und er fragte ihn mancher-
lei. Er antwortete ihm aber nichts. 10 Die
Hohenpriester aber und die Schriftgelehr-
ten standen dabei und verklagten ihn hart.
11 Aber Herodes mit seinen Soldaten ver-
achtete und verspottete ihn, legte ihm ein
weißes Gewand an und sandte ihn zurück
zu Pilatus. 12 An diesem Tag wurden He-
rodes und Pilatus Freunde; denn vorher
waren sie einander feind.

JESU VERURTEILUNG

13 Pilatus aber rief die Hohenpriester und
die Oberen und das Volk zusammen

22,53 *a* Kap 19,47; 20,19; Joh 7,30; 8,20 **22,61** *a* Vers 34
22,67 *a* Joh 3,12; 10,24 **22,69** *a* Ps 110,1; Apg 7,56
22,71 *a* Kap 11,54 **23,2** *a* Apg 24,5 *b* Kap 20,25
23,7 *a* Kap 3,1 **23,8** *a* Kap 9,9 *b* Kap 11,16.29

14 und sprach zu ihnen: Ihr habt diesen
Menschen zu mir gebracht als einen, der
das Volk aufwiegelt; und siehe, ich habe
ihn vor euch verhört und habe an diesem
Menschen keine Schuld gefunden, deret-
wegen ihr ihn anklagt; 15 Herodes auch
nicht, denn er hat ihn uns zurückgesandt.
Und siehe, er hat nichts getan, was den
Tod verdient. 16 Darum will ich ihn züch-
tigen lassen und losgeben.* 18 Da schrien
sie alle miteinander: Hinweg mit diesem!
Gib uns Barabbas los![a] 19 Der war wegen
eines Aufruhrs, der in der Stadt geschehen
war, und wegen eines Mordes ins Gefäng-
nis geworfen worden.

20 Da redete Pilatus abermals auf sie ein,
weil er Jesus losgeben wollte. 21 Sie riefen
aber: Kreuzige, kreuzige ihn!

22 Er aber sprach zum dritten Mal zu ih-
nen: Was hat denn dieser Böses getan?
Ich habe keine Schuld an ihm gefunden,
die den Tod verdient; darum will ich ihn
züchtigen lassen und losgeben. 23 Aber sie
setzten ihm zu mit großem Geschrei und
forderten, dass er gekreuzigt würde. Und
ihr Geschrei nahm überhand. 24 Und Pila-
tus urteilte, dass ihre Bitte erfüllt würde,
25 und ließ den los, der wegen Aufruhr
und Mord ins Gefängnis geworfen war,
um welchen sie baten; aber Jesus übergab
er ihrem Willen.

JESU WEG NACH GOLGATHA

26 Und als sie ihn abführten, ergriffen sie
einen, Simon von Kyrene, der vom Feld
kam, und legten das Kreuz auf ihn, dass
er's Jesus nachtrüge.

27 Es folgte ihm aber eine große Volks-
menge und viele Frauen, die klagten und
beweinten ihn. 28 Jesus aber wandte sich
um zu ihnen und sprach: Ihr Töchter von
Jerusalem, weint nicht über mich, son-
dern weint über euch selbst und über
eure Kinder.[a] 29 Denn siehe, es wird die
Zeit kommen, in der man sagen wird: Se-
lig sind die Unfruchtbaren und die Leiber,
die nicht geboren haben, und die Brüste,
die nicht genährt haben![a] 30 Dann wer-
den sie anfangen zu sagen zu den Ber-
gen: Fallt über uns!, und zu den Hügeln:
Bedeckt uns![a] 31 Denn wenn man das tut
am grünen Holz, was wird am dürren
werden?[a]

JESU KREUZIGUNG UND TOD

32 Es wurden aber auch andere hinge-
führt, zwei Übeltäter, dass sie mit ihm
hingerichtet würden. 33 Und als sie kamen
an die Stätte, die da heißt Schädelstätte,
kreuzigten sie ihn dort und die Übeltäter
mit ihm, einen zur Rechten und einen zur
Linken. 34 [Jesus aber sprach: [a]**Vater, ver-
gib ihnen; denn [b]sie wissen nicht, was
sie tun!**]* Und [c]sie verteilten seine Kleider
und warfen das Los darum.

35 Und das Volk stand da und sah zu.
Aber die Oberen [a]spotteten und sprachen:
Er hat andern geholfen; er helfe sich selber,
ist er der Christus, der Auserwählte Got-
tes. 36 Es verspotteten ihn auch die Solda-
ten, traten herzu und [a]brachten ihm Essig
37 und sprachen: Bist du der Juden König,
so hilf dir selber! 38 Es war aber über ihm
auch eine Aufschrift: [a]Dies ist der Juden
König.

39 Aber einer der Übeltäter, die am Kreuz
hingen, lästerte ihn und sprach: Bist du
nicht der Christus? Hilf dir selbst und
uns! 40 Da antwortete der andere, wies
ihn zurecht und sprach: [a]Fürchtest du
nicht einmal Gott, der du doch in gleicher
Verdammnis bist? 41 Wir sind es zwar mit
Recht, denn wir empfangen, was unsre
Taten verdienen; dieser aber hat nichts
Unrechtes getan. 42 Und er sprach: Jesus,
gedenke an mich, wenn du in dein Reich
kommst! 43 Und Jesus sprach zu ihm:
**Wahrlich, ich sage dir: Heute wirst du
mit mir [a]im Paradies sein.**

44 Und es war schon um die sechste
Stunde, und es kam eine Finsternis über
das ganze Land bis zur neunten Stunde,
45 und die Sonne verlor ihren Schein, und
der [a]Vorhang des Tempels riss mitten
entzwei. 46 Und Jesus rief laut: **Vater, [a]ich
befehle meinen Geist in deine Hände!**
Und als er das gesagt hatte, verschied er.

* **23,16** Vers 17 findet sich erst in der späteren Überlieferung: »Er musste ihnen aber zum Fest einen Gefangenen losgeben.« **23,34** »Jesus aber sprach … sie tun!« fehlt in wichtigen Handschriften.

23,18 ***a*** Apg 3,13-14 **23,28** ***a*** Kap 19,41 **23,29** ***a*** Kap 21,23 **23,30** ***a*** Hos 10,8; Offb 6,16 **23,31** ***a*** 1. Petr 4,17-18 **23,34** ***a*** Kap 6,27-28; Jes 53,12; Apg 7,60 ***b*** Apg 3,17 ***c*** Ps 22,19 **23,35** ***a*** Ps 22,8-9 **23,36** ***a*** Ps 69,22 **23,38** ***a*** Kap 19,38; 23,3 **23,40** ***a*** Kap 12,5 **23,43** ***a*** 2. Kor 12,4 **23,45** ***a*** 2. Mose 26,31-33; 2. Chr 3,14 **23,46** ***a*** Ps 31,6; Apg 7,59

47 Als aber der Hauptmann sah, was da
geschah, pries er Gott und sprach: Für-
wahr, dieser Mensch ist ein Gerechter
gewesen! 48 Und als alles Volk, das dabei
war und zuschaute, sah, was da geschah,
schlugen sie sich an ihre Brust und kehr-
ten wieder um.
49 Es standen aber alle seine Bekannten
von ferne, auch die [a]Frauen, die ihm aus
Galiläa nachgefolgt waren, und sahen das
alles.

JESU GRABLEGUNG

50 Und siehe, da war ein Mann mit Namen
Josef, ein Ratsherr, der war ein guter und
gerechter Mann. 51 Der hatte ihren Rat und
ihr Handeln nicht gebilligt. Er war aus Ari-
mathäa, einer jüdischen Stadt, und [a]war-
tete auf das Reich Gottes. 52 [a]Der ging zu
Pilatus und bat um den Leib Jesu 53 und
nahm ihn herab vom Kreuz, wickelte ihn
in ein Leinentuch und legte ihn in ein Fel-
sengrab, in dem noch nie jemand gelegen
hatte. 54 Und es war Rüsttag, und der Sab-
bat brach an.
55 Es folgten aber die Frauen nach, die
mit ihm gekommen waren aus Galiläa,
und sahen das Grab und wie sein Leib
hineingelegt wurde. 56 Sie kehrten aber
um und bereiteten wohlriechende Öle
und Salben. [a]Und den Sabbat über ruhten
sie nach dem Gesetz.

JESU AUFERSTEHUNG

(Mt 28,1-10; Mk 16,1-8; Joh 20,1-10)

24 Aber am ersten Tag der Woche sehr
früh kamen sie zum Grab und trugen
bei sich die wohlriechenden Öle, die sie
bereitet hatten. 2 Sie fanden aber den Stein
weggewälzt von dem Grab 3 und gingen
hinein und fanden den Leib des Herrn Je-
sus nicht.
4 Und als sie darüber ratlos waren, siehe,
da traten zu ihnen zwei Männer in glän-
zenden Kleidern. 5 Sie aber erschraken
und neigten ihr Angesicht zur Erde. Da
sprachen die zu ihnen: **Was sucht ihr
den Lebenden bei den Toten? 6 Er ist
nicht hier, er ist auferstanden.** Gedenkt
daran, wie er euch gesagt hat, als er noch
in Galiläa war 7 und sprach: Der Men-
schensohn muss überantwortet werden
in die Hände der Sünder und gekreu-
zigt werden und am dritten Tage auf-
erstehen.[a] 8 Und sie gedachten an seine
Worte.
9 Und sie gingen wieder weg vom Grab
und verkündigten das alles den Elf und al-
len andern Jüngern. 10 Es waren aber [a]Ma-
ria Magdalena und Johanna und Maria, des
Jakobus Mutter, und die andern Frauen
mit ihnen; [b]die sagten das den Aposteln.
11 Und es erschienen ihnen diese Worte,
als wär's Geschwätz, und sie glaubten ih-
nen nicht. 12 Petrus aber stand auf und lief
zum Grab und bückte sich hinein und sah
nur die Leinentücher und ging davon und
wunderte sich über das, was geschehen
war.[a]

DIE EMMAUSJÜNGER

(Mk 16,12-13)

13 Und siehe, zwei von ihnen gingen an
demselben Tage in ein Dorf, das war von
Jerusalem etwa sechzig Stadien entfernt;
dessen Name ist Emmaus. 14 Und sie re-
deten miteinander von allen diesen Ge-
schichten. 15 Und es geschah, als sie so re-
deten und einander fragten, da nahte sich
Jesus selbst und ging mit ihnen. 16 Aber
ihre Augen wurden gehalten, dass sie ihn
nicht erkannten.
17 Er sprach aber zu ihnen: Was sind das
für Dinge, die ihr miteinander verhandelt
unterwegs? Da blieben sie traurig stehen.
18 Und der eine, mit Namen Kleopas, ant-
wortete und sprach zu ihm: Bist du der
Einzige unter den Fremden in Jerusalem,
der nicht weiß, was in diesen Tagen dort
geschehen ist? 19 Und er sprach zu ihnen:
Was denn? Sie aber sprachen zu ihm: Das
mit Jesus von Nazareth, der [a]ein Prophet
war, mächtig in Tat und Wort vor Gott und
allem Volk; 20 wie ihn unsre Hohenpries-
ter und Oberen zur Todesstrafe überant-
wortet und gekreuzigt haben. 21 Wir aber
hofften, er sei es, der [a]Israel erlösen werde.
Und über das alles ist heute der dritte Tag,
dass dies geschehen ist. 22 Auch haben
uns erschreckt einige Frauen aus unserer

23,49 ***a*** Kap 8,2-3 **23,51** ***a*** Kap 2,25.38
23,52 ***a*** (52-54) 5. Mose 21,23 **23,56** ***a*** 2. Mose 20,10; 5. Mose 5,14 **24,7** ***a*** Kap 9,22; 18,32-33
24,10 ***a*** Kap 8,2-3; Mk 16,9 ***b*** Joh 20,18
24,12 ***a*** Joh 20,6-10 **24,19** ***a*** Kap 7,16; Mt 21,11
24,21 ***a*** Kap 2,25; Ps 130,8; Apg 1,6

Mitte, die sind früh bei dem Grab gewesen, 23 haben seinen Leib nicht gefunden, kommen und sagen, sie haben eine Erscheinung von Engeln gesehen, die sagen, er lebe. 24 Und einige von denen, die mit uns waren, gingen hin zum Grab und fanden's so, wie die Frauen sagten; aber ihn sahen sie nicht.

25 Und er sprach zu ihnen: O ihr Toren, zu trägen Herzens, all dem zu glauben, was die Propheten geredet haben! 26 **Musste nicht der Christus dies erleiden und in seine Herrlichkeit eingehen?** 27 Und er fing an bei Mose und allen Propheten und legte ihnen aus, was in allen Schriften von ihm gesagt war.[a] 28 Und sie kamen nahe an das Dorf, wo sie hingingen. Und er stellte sich, als wollte er weitergehen. 29 Und sie nötigten ihn und sprachen: **Bleibe bei uns; denn es will Abend werden, und der Tag hat sich geneigt.** Und er ging hinein, bei ihnen zu bleiben.

30 Und es geschah, als er mit ihnen zu Tisch saß, nahm er das Brot, dankte, brach's und gab's ihnen.[a] 31 Da wurden ihre Augen geöffnet, und sie erkannten ihn. Und er verschwand vor ihnen. 32 Und sie sprachen untereinander: **Brannte nicht unser Herz in uns, da er mit uns redete auf dem Wege und uns die Schrift öffnete?**

33 Und sie standen auf zu derselben Stunde, kehrten zurück nach Jerusalem und fanden die Elf versammelt und die bei ihnen waren; 34 die sprachen: **Der Herr ist wahrhaftig auferstanden** und dem Simon erschienen.[a] 35 Und sie erzählten ihnen, was auf dem Wege geschehen war und wie er von ihnen erkannt wurde, da er das Brot brach.

JESU ERSCHEINUNG VOR DEN JÜNGERN

(Mk 16,14-19; Joh 20,19-23; Apg 1,1-14)

36 Als sie aber davon redeten, trat er selbst mitten unter sie und sprach zu ihnen: Friede sei mit euch![a] 37 Sie erschraken aber und fürchteten sich und [a]meinten, sie sähen einen Geist. 38 Und er sprach zu ihnen: Was seid ihr so erschrocken, und warum kommen solche Gedanken in euer Herz? 39 Seht meine Hände und meine Füße, ich bin's selber. Fasst mich an und seht; denn ein Geist hat nicht Fleisch und Knochen, wie ihr seht, dass ich sie habe. 40 Und als er das gesagt hatte, zeigte er ihnen seine Hände und Füße. 41 Da sie es aber noch nicht glauben konnten vor Freude und sich verwunderten, sprach er zu ihnen: Habt ihr hier etwas zu essen? 42 Und sie legten ihm ein Stück gebratenen Fisch vor.[a] 43 Und er nahm's und aß vor ihnen.

44 Er sprach aber zu ihnen: Das sind meine Worte, die ich zu euch gesagt habe, als ich noch bei euch war: [a]Es muss alles erfüllt werden, was von mir geschrieben steht im Gesetz des Mose und in den Propheten und Psalmen. 45 Da öffnete er ihnen das Verständnis, dass sie die Schrift verstanden,[a] 46 und sprach zu ihnen: **So steht's geschrieben, dass der Christus leiden wird und auferstehen von den Toten [a]am dritten Tage;** 47 **und [a]dass gepredigt wird in seinem Namen Buße zur Vergebung der Sünden [b]unter allen Völkern.** Von Jerusalem an 48 seid ihr dafür Zeugen.[a] 49 Und siehe, ich sende [a]auf euch, was mein Vater verheißen hat. Ihr aber sollt in der Stadt bleiben, bis ihr angetan werdet mit Kraft aus der Höhe.[b]

JESU HIMMELFAHRT

50 Er führte sie aber hinaus bis nach Betanien und hob die Hände auf und segnete sie. 51 Und es geschah, als er sie segnete, schied er von ihnen und [a]fuhr auf gen Himmel. 52 Sie aber beteten ihn an und kehrten zurück nach Jerusalem [a]mit großer Freude 53 und waren allezeit im Tempel und priesen Gott.[a]

24,27 *a* Ps 22,1-32; Jes 52,13–53,12 **24,30** *a* Kap 9,16; 22,19; Joh 21,12-13 **24,34** *a* 1. Kor 15,4-5 **24,36** *a* 1. Kor 15,5 **24,37** *a* Mt 14,26; Mk 6,49 **24,42** *a* Joh 21,5.10; Apg 10,41 **24,44** *a* Verse 26-27; Kap 18,31; Joh 5,39.46 **24,45** *a* Verse 27.32; Kap 9,45; Joh 12,16; 20,9 **24,46** *a* Hos 6,2 **24,47** *a* Apg 2,38; 5,31; 17,30 *b* Kap 2,32; Jes 42,6; Mt 28,19-20 **24,48** *a* Apg 1,8 **24,49** *a* Joh 15,26; 16,7 *b* Joel 3,1-5; Joh 15,26; 16,7; Apg 1,4; 2,1-4.16-21 **24,51** *a* Kap 9,51; Apg 1,2.9-11 **24,52** *a* Kap 2,10 **24,53** *a* Apg 2,46-47

DAS EVANGELIUM NACH JOHANNES

1 Das ewige Wort kam in die Welt 2–12 Jesu öffentliche Wirksamkeit
13–17 Jesu Abschiedsreden an die Jünger 18–19 Jesu Leiden und Sterben
20–21 Erscheinungen des Auferstandenen

DAS WORT

1 Im Anfang war das Wort, und das Wort
war bei Gott, und Gott war das Wort.*[a]
2 Dasselbe war im Anfang bei Gott. 3 Alle
Dinge sind durch dasselbe gemacht, und
ohne dasselbe ist nichts gemacht, was ge-
macht ist.*[a] 4 In ihm war das Leben, und
das Leben war das [a]Licht der Menschen.
5 Und das Licht scheint in der Finster-
nis, und die Finsternis hat's nicht er-
griffen.[a]
6 Es war ein Mensch, von Gott gesandt,
der hieß [a]Johannes. 7 Der kam zum Zeug-
nis, damit er von dem Licht zeuge, auf dass
alle durch ihn glaubten.[a] 8 Er war nicht das
Licht, sondern er sollte zeugen von dem
Licht.
9 Das war das wahre Licht, das alle Men-
schen erleuchtet, die in diese Welt kom-
men*. 10 Es war in der Welt, und die Welt
ist durch dasselbe gemacht; und die Welt
erkannte es nicht. 11 Er kam [a]in sein Eigen-
tum; und die Seinen nahmen ihn nicht
auf. 12 Wie viele ihn aber aufnahmen, de-
nen gab er Macht, [a]Gottes Kinder zu wer-
den: denen, die an seinen Namen glauben,
13 die nicht [a]aus menschlichem Geblüt
noch aus dem Willen des Fleisches noch
aus dem Willen eines Mannes, sondern
[b]aus Gott geboren sind.
14 Und [a]**das Wort ward Fleisch* und
wohnte unter uns, und wir sahen [b]seine
Herrlichkeit, eine Herrlichkeit als des
eingeborenen Sohnes vom Vater, voller
Gnade und Wahrheit.**
15 Johannes zeugt von ihm und ruft:
Dieser war es, von dem ich gesagt habe:
Nach mir wird kommen, der vor mir ge-
wesen ist; denn er war eher als ich.
16 **Von [a]seiner Fülle haben wir alle
genommen Gnade um Gnade.** 17 **Denn
[a]das Gesetz ist durch Mose gegeben;
die Gnade und Wahrheit ist durch Je-
sus Christus geworden.** 18 [a]Niemand hat
Gott je gesehen; der Eingeborene, der
Gott ist und in des Vaters Schoß ist, [b]der
hat es verkündigt.

DAS ZEUGNIS DES TÄUFERS

(Mt 3,1-17; Mk 1,1-11; Lk 3,1-22)

19 Und dies ist das Zeugnis des Johannes,
als die Juden zu ihm sandten aus Jeru-
salem Priester und Leviten, dass sie ihn
fragten: Wer bist du? 20 Und er bekannte
und leugnete nicht, und er bekannte: Ich
bin nicht der Christus. 21 Und sie fragten
ihn: Was dann? Bist du [a]Elia? Er sprach:
Ich bin's nicht. Bist du der [b]Prophet?
Und er antwortete: Nein. 22 Da sprachen
sie zu ihm: Wer bist du dann?, dass wir
Antwort geben denen, die uns gesandt
haben. Was sagst du von dir selbst? 23 Er
sprach: »Ich bin die Stimme eines Predi-
gers in der Wüste: Ebnet den Weg des
Herrn!«, wie der Prophet Jesaja gesagt hat
(Jesaja 40,3).
24 Und sie waren abgesandt von den
Pharisäern, 25 und sie fragten ihn und
sprachen zu ihm: Warum taufst du denn,
wenn du nicht der Christus bist noch Elia
noch der Prophet? 26 Johannes antwortete
ihnen und sprach: Ich taufe mit Wasser;
aber er ist [a]mitten unter euch getreten,
den ihr nicht kennt. 27 Der wird nach mir
kommen, und ich bin nicht wert, dass ich
seine Schuhriemen löse. 28 Dies geschah in
Betanien jenseits des Jordans, wo Johan-
nes taufte.

* **1,1** Gemeint ist: Von göttlicher Art war das Wort. **1,3** Wörtlich: »Alles ist durch dasselbe geworden, und ohne dasselbe ist nichts geworden, was geworden ist.« **1,9** Andere Übersetzung: »wenn es in die Welt kommt«. **1,14** Siehe Sach- und Worterklärungen.

1,1 *a* Kap 17,5; 1. Mose 1,1; 1. Joh 1,1-2; Offb 19,13 **1,3** *a* 1. Kor 8,6; Kol 1,16-17; Hebr 1,2 **1,4** *a* Kap 8,12 **1,5** *a* Kap 3,19 **1,6** *a* Mt 3,1 **1,7** *a* Apg 19,4 **1,11** *a* Ps 24,1 **1,12** *a* Gal 3,26 **1,13** *a* Weish 7,2 *b* Kap 3,5-6 **1,14** *a* 1. Tim 3,16 *b* 2. Mose 33,18; Jes 60,1; 2. Petr 1,16-17 **1,16** *a* Kap 3,34; Kol 1,19 **1,17** *a* Röm 10,4 **1,18** *a* Kap 6,46 *b* Mt 11,27 **1,21** *a* Mal 3,23; Mt 17,10-13 *b* 5. Mose 18,15 **1,26** *a* Lk 17,21

29 Am nächsten Tag sieht Johannes, dass
Jesus zu ihm kommt, und spricht: **Siehe,
das ist [a]Gottes Lamm, das der Welt
Sünde trägt!** 30 Dieser ist's, von dem ich
gesagt habe: Nach mir kommt ein Mann,
der vor mir gewesen ist, denn er war eher
als ich. 31 Und ich kannte ihn nicht. Aber
damit er offenbar werde für Israel, darum
bin ich gekommen zu taufen mit Wasser.
32 Und Johannes bezeugte es und sprach:
Ich sah, dass der Geist herabfuhr wie eine
Taube vom Himmel und blieb auf ihm.
33 Und ich kannte ihn nicht. Aber der
mich gesandt hat zu taufen mit Wasser,
der sprach zu mir: Auf welchen du siehst
den Geist herabfahren und auf ihm blei-
ben, der ist's, der mit dem Heiligen Geist
tauft. 34 Und ich habe es gesehen und be-
zeugt: Dieser ist Gottes Sohn.

DIE ERSTEN JÜNGER

35 Am nächsten Tag stand Johannes aber-
mals da und zwei seiner Jünger; 36 und
als er Jesus vorübergehen sah, sprach er:
Siehe, das ist Gottes Lamm! 37 Und die
zwei Jünger hörten ihn reden und folgten
Jesus nach. 38 Jesus aber wandte sich um
und sah sie nachfolgen und sprach zu ih-
nen: Was sucht ihr? Sie aber sprachen zu
ihm: Rabbi – das heißt übersetzt: Meis-
ter* –, wo wirst du bleiben? 39 Er sprach zu
ihnen: Kommt und seht! Sie kamen und
sahen's und blieben diesen Tag bei ihm. Es
war aber um die zehnte Stunde.
40 Einer von den zweien, die Johannes
gehört hatten und Jesus nachgefolgt wa-
ren, war [a]Andreas, der Bruder des Simon
Petrus. 41 Der findet zuerst seinen Bruder
Simon und spricht zu ihm: Wir haben den
Messias gefunden, das heißt übersetzt:
der Gesalbte. 42 Und er führte ihn zu Je-
sus. Als Jesus ihn sah, sprach er: Du bist
Simon, der Sohn des Johannes; du sollst
[a]Kephas heißen, das heißt übersetzt: Fels.
43 Am nächsten Tag wollte Jesus nach
Galiläa ziehen und findet Philippus und
spricht zu ihm: Folge mir nach! 44 Philip-
pus aber war aus Betsaida, der Stadt des
Andreas und des Petrus. 45 [a]Philippus fin-
det Nathanael und spricht zu ihm: Wir
haben den gefunden, [b]von dem Mose im
Gesetz und die Propheten geschrieben
haben, Jesus, Josefs Sohn, aus Nazareth.
46 Und Nathanael sprach zu ihm: [a]Was
kann aus Nazareth Gutes kommen! Phil-
ippus spricht zu ihm: Komm und sieh!
47 Jesus sah Nathanael kommen und sagt
von ihm: Siehe, ein rechter Israelit, in dem
kein Falsch ist. 48 Nathanael spricht zu ihm:
Woher kennst du mich? Jesus antwortete
und sprach zu ihm: Bevor Philippus dich
rief, als du unter dem Feigenbaum warst,
habe ich dich gesehen. 49 Nathanael ant-
wortete ihm: Rabbi, du bist Gottes Sohn,
du bist der König von Israel![a] 50 Jesus ant-
wortete und sprach zu ihm: Du glaubst,
weil ich dir gesagt habe, dass ich dich ge-
sehen habe unter dem Feigenbaum. Du
wirst noch Größeres sehen als das. 51 Und
er spricht zu ihm: Wahrlich, wahrlich, ich
sage euch: Ihr werdet den Himmel offen
sehen und [a]die Engel Gottes hinauf- und
herabfahren über dem Menschensohn.

DIE HOCHZEIT ZU KANA

2 Und am dritten Tage war eine Hochzeit
zu Kana in Galiläa, und die Mutter Jesu
war da. 2 Jesus aber und seine Jünger waren
auch zur Hochzeit geladen.
3 Und als der Wein ausging, spricht die
Mutter Jesu zu ihm: Sie haben keinen
Wein mehr. 4 Jesus spricht zu ihr: Was
habe ich mit dir zu schaffen, Frau? Meine
Stunde ist noch nicht gekommen. 5 Seine
Mutter spricht zu den Dienern: Was er
euch sagt, das tut. 6 Es standen aber dort
sechs steinerne Wasserkrüge [a]für die Rei-
nigung nach jüdischer Sitte, und in jeden
gingen zwei oder drei Maße*.
7 Jesus spricht zu ihnen: Füllt die Was-
serkrüge mit Wasser! Und sie füllten sie
bis obenan. 8 Und er spricht zu ihnen:
Schöpft nun und bringt's dem Speise-
meister! Und sie brachten's ihm. 9 Als aber
der Speisemeister den Wein kostete, der
Wasser gewesen war, und nicht wusste,
woher er kam – die Diener aber wussten's,
die das Wasser geschöpft hatten –, ruft

* **1,38** Wörtlich: »Lehrer«. **2,6** Wiedergabe einer Maßeinheit, die etwa 40 Litern entspricht. Siehe hierzu auch den Anhang »Maße, Gewichte, Geldwerte«.

1,29 ***a*** Jes 53,7 **1,40** ***a*** Mt 4,18-20; Mk 1,16-18 **1,42** ***a*** Mt 16,18 **1,45** ***a*** *(45-46)* Jes 53,2 ***b*** 5. Mose 18,18; Jer 23,5; Hes 34,23 **1,46** ***a*** Kap 7,41 **1,49** ***a*** Kap 6,69; Ps 2,7; Jer 23,5; Mt 14,33; 16,16 **1,51** ***a*** 1. Mose 28,12; Mt 4,11 **2,6** ***a*** Mk 7,3-4

der Speisemeister den Bräutigam 10 und spricht zu ihm: Jedermann gibt zuerst den guten Wein und, wenn sie trunken sind, den geringeren; du aber hast den guten Wein bis jetzt zurückgehalten. 11 Das ist das erste [a]Zeichen, das Jesus tat. Es geschah zu Kana in Galiläa, und [b]er offenbarte seine Herrlichkeit. Und seine Jünger glaubten an ihn.

12 Danach [a]zog er hinab nach Kapernaum, er, [b]seine Mutter, seine Brüder und seine Jünger, und sie blieben nur wenige Tage dort.

DIE TEMPELREINIGUNG

(Mt 21,12-17; Mk 11,15-19; Lk 19,45-48)

13 Und das Passafest der Juden war nahe, und Jesus zog hinauf nach Jerusalem.[a] 14 Und er fand im Tempel die Händler, die Rinder, Schafe und Tauben verkauften, und die Wechsler, die da saßen. 15 Und er machte eine Geißel aus Stricken und trieb sie alle zum Tempel hinaus samt den Schafen und Rindern und schüttete den Wechslern das Geld aus und stieß die Tische um 16 und sprach zu denen, die die Tauben verkauften: Tragt das weg und macht nicht meines Vaters Haus zum Kaufhaus! 17 Seine Jünger aber dachten daran, dass geschrieben steht (Psalm 69,10): »Der Eifer um dein Haus wird mich fressen.«

18 Da antworteten nun die Juden und sprachen zu ihm: [a]Was zeigst du uns für ein Zeichen, dass du dies tun darfst? 19 Jesus antwortete und sprach zu ihnen: Brecht diesen Tempel ab und in drei Tagen will ich ihn aufrichten.[a] 20 Da sprachen die Juden: Dieser Tempel ist in sechsundvierzig Jahren erbaut worden, und du willst ihn in drei Tagen aufrichten? 21 Er aber redete von dem Tempel seines Leibes.[a] 22 Als er nun auferstanden war von den Toten, dachten seine Jünger daran, dass er dies gesagt hatte, und glaubten der [a]Schrift und dem Wort, das Jesus gesagt hatte.

23 Als er aber in Jerusalem war beim Passafest, glaubten viele an seinen Namen, da sie die Zeichen sahen, die er tat. 24 Aber Jesus vertraute sich ihnen nicht an; denn er kannte sie alle 25 und bedurfte nicht, dass jemand Zeugnis gäbe vom Menschen; denn [a]er wusste, was im Menschen war.

JESUS UND NIKODEMUS

3 Es war aber ein Mensch unter den Pharisäern mit Namen Nikodemus, ein Oberster der Juden.[a] 2 Der kam zu Jesus bei Nacht und sprach zu ihm: Rabbi, wir wissen, dass du ein Lehrer bist, von Gott gekommen; denn niemand kann die Zeichen tun, die du tust, es sei denn Gott mit ihm. 3 Jesus antwortete und sprach zu ihm: Wahrlich, wahrlich, ich sage dir: Wenn jemand nicht [a]von Neuem geboren wird, so kann er das Reich Gottes nicht sehen.

4 Nikodemus spricht zu ihm: Wie kann ein Mensch geboren werden, wenn er alt ist? Kann er denn wieder in seiner Mutter Leib gehen und geboren werden? 5 Jesus antwortete: Wahrlich, wahrlich, ich sage dir: Wenn jemand nicht geboren wird [a]aus Wasser und Geist, so kann er nicht in das Reich Gottes kommen. 6 Was [a]aus dem Fleisch geboren ist, das ist Fleisch; und was aus dem Geist geboren ist, das ist Geist.[b] 7 Wundere dich nicht, dass ich dir gesagt habe: Ihr müsst von Neuem geboren werden. 8 Der Wind bläst, wo er will, und du hörst sein Sausen wohl; aber du weißt nicht, woher er kommt und wohin er fährt. So ist ein jeder, der aus dem Geist geboren ist.

9 Nikodemus antwortete und sprach zu ihm: Wie mag das zugehen? 10 Jesus antwortete und sprach zu ihm: Du bist Israels Lehrer und weißt das nicht? 11 Wahrlich, wahrlich, ich sage dir: Wir reden, was wir wissen, und bezeugen, was wir gesehen haben, und ihr nehmt unser Zeugnis nicht an. 12 Glaubt ihr nicht, wenn ich euch von irdischen Dingen sage, wie werdet ihr glauben, wenn ich euch von himmlischen Dingen sage? 13 Und niemand ist gen Himmel aufgefahren außer dem, der vom Himmel herabgekommen ist, nämlich der Menschensohn.

14 Und wie [a]Mose in der Wüste die Schlange erhöht hat, so muss der Men-

2,11 *a* Kap 4,54; 20,30 *b* Kap 1,14 **2,12** *a* Kap 7,3 *b* Mt 13,55 **2,13** *a* Kap 5,1; 7,10; Mt 20,18; Mk 11,1; Lk 19,28 **2,18** *a* Mt 21,23 **2,19** *a* Mt 26,61; 27,40 **2,21** *a* 1. Kor 6,19 **2,22** *a* Hos 6,2 **2,25** *a* Mk 2,8 **3,1** *a* Kap 7,50; 19,39 **3,3** *a* 1. Petr 1,23 **3,5** *a* Hes 36,25-27; Mt 3,11; Tit 3,5 **3,6** *a* Kap 1,13; 6,63 *b* Röm 8,5-9 **3,14** *a* 4. Mose 21,8-9

schensohn erhöht werden, 15 auf dass
alle, die an ihn glauben, das ewige Leben
haben. 16 Denn **also hat Gott die Welt
geliebt, dass er seinen eingeborenen
Sohn gab, auf dass alle, die an ihn glau-
ben, nicht verloren werden, sondern
das ewige Leben haben.**[a] 17 Denn Gott
hat seinen Sohn nicht in die Welt gesandt,
dass er die Welt richte, sondern [a]dass die
Welt durch ihn gerettet werde.

18 Wer an ihn glaubt, der wird nicht
gerichtet; wer aber nicht glaubt, der ist
schon gerichtet, denn er hat nicht ge-
glaubt an den Namen des eingeborenen
Sohnes Gottes.[a] 19 Das ist aber das Gericht,
dass das Licht in die Welt gekommen ist,
und die Menschen liebten die Finsternis
mehr als das Licht, denn ihre Werke wa-
ren böse.[a] 20 Wer Böses tut, der hasst das
Licht und [a]kommt nicht zu dem Licht, da-
mit seine Werke nicht aufgedeckt werden.
21 Wer aber die Wahrheit tut, der kommt
zu dem Licht, damit offenbar wird, dass
seine Werke in Gott getan sind.[a]

DAS LETZTE ZEUGNIS DES TÄUFERS VON JESUS

22 Danach kam Jesus mit seinen Jüngern in
das Land Judäa und blieb dort eine Weile
mit ihnen und [a]taufte. 23 Aber auch Johan-
nes taufte in Änon, nahe bei Salim, denn
es war da viel Wasser; und sie kamen und
ließen sich taufen. 24 Johannes war ja noch
nicht ins Gefängnis geworfen.[a]

25 Da erhob sich ein Streit zwischen den
Jüngern des Johannes und einem Juden
über die Reinigung. 26 Und sie kamen zu
Johannes und sprachen zu ihm: Rabbi,
der bei dir war jenseits des Jordans, [a]von
dem du Zeugnis gegeben hast, siehe, der
tauft, und alle kommen zu ihm. 27 Johan-
nes antwortete und sprach: Ein Mensch
kann nichts nehmen, wenn es ihm nicht
vom Himmel gegeben ist.[a] 28 Ihr selbst
seid meine Zeugen, dass ich gesagt habe:
Ich bin nicht der Christus, sondern ich
bin vor ihm her gesandt.[a] 29 Wer die Braut
hat, der ist der [a]Bräutigam; der Freund des
Bräutigams aber, der dabeisteht und ihm
zuhört, freut sich sehr über die [b]Stimme
des Bräutigams. Diese meine Freude ist
nun erfüllt. 30 Er muss wachsen, ich aber
muss abnehmen.

31 Der [a]von oben her kommt, ist über al-
len. Wer von der Erde ist, der ist von der
Erde und redet von der Erde. Der vom
Himmel kommt, ist über allen. 32 Was
er gesehen und gehört hat, das bezeugt
er; und sein Zeugnis nimmt niemand
an. 33 Wer aber sein Zeugnis annimmt,
der besiegelt, dass Gott wahrhaftig ist.
34 Denn der, den Gott gesandt hat, redet
Gottes Worte; denn [a]Gott gibt den Geist
ohne Maß. 35 [a]Der Vater hat den Sohn lieb
und [b]hat ihm alles in seine Hand gegeben.
36 **Wer an den Sohn glaubt, der hat das
ewige Leben. Wer aber dem Sohn nicht
gehorsam ist, der wird das Leben nicht
sehen, sondern der Zorn Gottes bleibt
über ihm.**

JESUS UND DIE FRAU AUS SAMARIEN

4 Als nun Jesus erfuhr, dass den Pharisä-
ern zu Ohren gekommen war, dass Je-
sus mehr zu Jüngern machte und [a]taufte
als Johannes – 2 obwohl Jesus nicht sel-
ber taufte, sondern seine Jünger –, 3 ver-
ließ er Judäa und zog wieder nach Ga-
liläa. 4 Er musste aber durch [a]Samarien
reisen.

5 Da kam er in eine Stadt Samariens,
die heißt Sychar, nahe bei dem Feld,
das [a]Jakob seinem Sohn Josef gegeben
hatte. 6 Es war aber dort Jakobs Brun-
nen. Weil nun Jesus müde war von der
Reise, setzte er sich an den Brunnen; es
war um die sechste Stunde. 7 Da kommt
eine Frau aus Samarien, um Wasser zu
schöpfen. Jesus spricht zu ihr: Gib mir
zu trinken! 8 Denn seine Jünger waren
in die Stadt gegangen, um Speise zu
kaufen. 9 Da spricht die samaritische
Frau zu ihm: Wie, du, ein Jude, erbittest
etwas zu trinken von mir, einer sama-
ritischen Frau? [a]Denn die Juden haben
keine Gemeinschaft mit den Samari-
tern. – 10 Jesus antwortete und sprach zu
ihr: Wenn du erkenntest die Gabe Gottes
und wer der ist, der zu dir sagt: Gib mir

3,16 *a* Röm 5,8; 8,32; 1. Joh 4,9 **3,17** *a* Lk 19,10
3,18 *a* Vers 36; Kap 5,24 **3,19** *a* Kap 1,5.9-11
3,20 *a* Eph 5,13 **3,21** *a* 1. Joh 1,6-7 **3,22** *a* Kap 4,1-2
3,24 *a* Mk 1,14 **3,26** *a* Kap 1,26-34 **3,27** *a* Hebr 5,4
3,28 *a* Kap 1,20.23.27 **3,29** *a* Mt 9,15 *b* Jer 33,11
3,31 *a* Kap 8,23 **3,34** *a* Kap 1,16 **3,35** *a* Kap 5,20
b Mt 11,27 **4,1** *a* Kap 3,22.26 **4,4** *a* Lk 9,51-52
4,5 *a* 1. Mose 48,22; Jos 24,32 **4,9** *a* Lk 9,52-53

zu trinken!, du bätest ihn, und er gäbe dir
[a]lebendiges Wasser.
11 Spricht zu ihm die Frau: Herr, du hast
doch nichts, womit du schöpfen könntest,
und der Brunnen ist tief; woher hast du
denn lebendiges Wasser? 12 Bist du etwa
mehr als unser Vater Jakob, der uns diesen
Brunnen gegeben hat? Und er hat daraus
getrunken und seine Söhne und sein Vieh.
13 Jesus antwortete und sprach zu ihr: Wer
von diesem Wasser trinkt, den wird wie-
der dürsten;[a] 14 wer aber von dem Wasser
trinkt, das ich ihm gebe, den wird in Ewig-
keit nicht dürsten, sondern das Wasser,
das ich ihm geben werde, das wird in ihm
eine Quelle des Wassers werden, das in
das ewige Leben quillt.[a]
15 Spricht die Frau zu ihm: Herr, gib mir
dieses Wasser, damit mich nicht dürstet
und ich nicht herkommen muss, um zu
schöpfen! 16 Spricht er zu ihr: Geh hin,
ruf deinen Mann und komm wieder her!
17 Die Frau antwortete und sprach zu ihm:
Ich habe keinen Mann. Jesus spricht zu
ihr: Du hast richtig gesagt: »Ich habe kei-
nen Mann.« 18 Denn fünf Männer hast du
gehabt, und der, den du jetzt hast, ist nicht
dein Mann; das hast du recht gesagt.
19 Die Frau spricht zu ihm: Herr, ich
sehe, dass du ein Prophet bist.[a] 20 Unsere
Väter haben auf diesem Berge angebetet,
und ihr sagt, in Jerusalem sei die Stätte,
wo man anbeten soll.[a] 21 Jesus spricht zu
ihr: Glaube mir, Frau, es kommt die Zeit,
dass ihr weder auf diesem Berge noch
in Jerusalem den Vater anbeten wer-
det. 22 Ihr [a]wisst nicht, was ihr anbetet;
wir aber wissen, was wir anbeten; denn
[b]das Heil kommt von den Juden. 23 Aber
es kommt die Stunde und ist schon jetzt,
dass die wahren Anbeter den Vater anbe-
ten werden im Geist und in der Wahrheit;
denn auch der Vater will solche Anbeter
haben. 24 [a]**Gott ist Geist, und die ihn an-
beten, die [b]müssen ihn im Geist und
in der Wahrheit anbeten.** 25 Spricht die
Frau zu ihm: Ich weiß, dass der [a]Messias
kommt, der da Christus heißt. Wenn die-
ser kommt, wird er uns alles verkündigen.
26 Jesus spricht zu ihr: Ich bin's, der mit dir
redet.
27 Unterdessen kamen seine Jünger, und
sie wunderten sich, dass er mit einer Frau
redete; doch sagte niemand: Was willst
du?, oder: Was redest du mit ihr? 28 Da
ließ die Frau ihren Krug stehen und ging
hin in die Stadt und spricht zu den Leuten:
29 Kommt, seht einen Menschen, der mir
alles gesagt hat, was ich getan habe, ob er
nicht der Christus sei! 30 Da gingen sie aus
der Stadt heraus und kamen zu ihm.
31 Unterdessen mahnten ihn die Jün-
ger und sprachen: Rabbi, iss! 32 Er aber
sprach zu ihnen: Ich habe eine Speise zu
essen, von der ihr nicht wisst. 33 Da spra-
chen die Jünger untereinander: Hat ihm
jemand zu essen gebracht? 34 Jesus spricht
zu ihnen: Meine Speise ist die, dass ich
[a]tue den Willen dessen, der mich gesandt
hat, und [b]vollende sein Werk. 35 Sagt ihr
nicht selber: Es sind noch vier Monate,
dann kommt die Ernte? Siehe, ich sage
euch: Hebt eure Augen auf und seht auf
die Felder: [a]sie sind schon reif zur Ernte.
36 Wer erntet, empfängt Lohn und sam-
melt Frucht zum ewigen Leben, auf dass
sich miteinander freuen, der da sät und der
da erntet. 37 Denn hier ist der Spruch wahr:
Der eine sät, der andere erntet. 38 Ich habe
euch gesandt zu ernten, wo ihr nicht gear-
beitet habt; andere haben gearbeitet, und
ihr seid in ihre Arbeit eingetreten.
39 Es glaubten aber an ihn viele der Sama-
riter aus dieser Stadt um des Wortes der
Frau willen, die bezeugte: Er hat mir alles
gesagt, was ich getan habe. 40 Als nun die
Samariter zu ihm kamen, baten sie ihn,
dass er bei ihnen bleibe; und er blieb dort
zwei Tage. 41 Und noch viel mehr glaubten
um seines Wortes willen. 42 Und sie spra-
chen zu der Frau: Nun glauben wir nicht
mehr um deiner Rede willen; denn [a]wir
haben selber gehört und erkannt: **Dieser
ist wahrlich [b]der Welt Heiland.**
43 Aber nach den zwei Tagen zog er von
dort [a]nach Galiläa. 44 Denn er selber, Jesus,
bezeugte, dass ein Prophet in seiner Vater-
stadt nichts gilt.[a] 45 Als er nun nach Galiläa
kam, nahmen ihn die Galiläer auf, die [a]al-

4,10 *a* Kap 7,37-38 **4,13** *a* Kap 6,58 **4,14** *a* Kap 6,35; 7,38-39; Ps 36,10 **4,19** *a* Kap 9,17 **4,20** *a* 5. Mose 12,5; Ps 122,1-9 **4,22** *a* 2. Kön 17,29-41 *b* Jes 2,3
4,24 *a* 2. Kor 3,17 *b* Röm 12,1 **4,25** *a* Kap 1,41
4,34 *a* Kap 6,38 *b* Kap 17,4 **4,35** *a* Mt 9,37
4,42 *a* Apg 8,5-8 *b* 1. Joh 4,14 **4,43** *a* Mt 4,12
4,44 *a* Mt 13,57 **4,45** *a* Kap 2,23

les gesehen hatten, was er in Jerusalem auf
dem Fest getan hatte; denn sie waren auch
zum Fest gekommen.

HEILUNG DES SOHNES EINES KÖNIGLICHEN BEAMTEN

(Mt 8,5-13; Lk 7,1-10)

46 Und Jesus kam abermals nach Kana in
Galiläa, [a]wo er das Wasser zu Wein ge-
macht hatte. Und es war ein Mann im
Dienst des Königs; dessen Sohn lag krank
in Kapernaum. 47 Dieser hörte, dass Jesus
aus Judäa nach Galiläa gekommen war,
und ging hin zu ihm und bat ihn, herab-
zukommen und seinen Sohn zu heilen;
denn der war todkrank. 48 Da sprach Je-
sus zu ihm: Wenn ihr nicht Zeichen und
Wunder seht, so glaubt ihr nicht.[a]

49 Der königliche Beamte sprach zu ihm:
Herr, komm herab, ehe mein Kind stirbt!
50 Jesus spricht zu ihm: Geh hin, dein Sohn
lebt! Der Mann glaubte dem Wort, das
Jesus zu ihm sagte, und ging hin. 51 Und
während er noch hinabging, begegneten
ihm seine Knechte und sagten: Dein Kind
lebt. 52 Da fragte er sie nach der Stunde, in
der es besser mit ihm geworden war. Und
sie antworteten ihm: Gestern um die sie-
bente Stunde verließ ihn das Fieber. 53 Da
merkte der Vater, dass es zu der Stunde
war, in der Jesus zu ihm gesagt hatte: Dein
Sohn lebt. Und er glaubte mit seinem gan-
zen Hause.

54 Das ist nun [a]das zweite Zeichen, das
Jesus tat, als er aus Judäa nach Galiläa kam.

DIE HEILUNG AM TEICH BETESDA

5 Danach war ein Fest der Juden, und Je-
sus zog hinauf nach Jerusalem.[a] 2 Es ist
aber in Jerusalem beim [a]Schaftor ein Teich,
der heißt auf Hebräisch Betesda. Dort sind
fünf Hallen; 3 in denen lagen viele Kranke,
Blinde, Lahme, Ausgezehrte.*

5 Es war aber dort ein Mensch, der war
seit achtunddreißig Jahren krank. 6 Als
Jesus ihn liegen sah und vernahm, dass
er schon so lange krank war, spricht er
zu ihm: Willst du gesund werden? 7 Der
Kranke antwortete ihm: Herr, ich habe
keinen Menschen, der mich in den Teich
bringt, wenn das Wasser sich bewegt;
wenn ich aber hinkomme, so steigt ein
anderer vor mir hinein. 8 Jesus spricht zu
ihm: Steh auf, nimm dein Bett und geh
hin! 9 Und sogleich wurde der Mensch ge-
sund und nahm sein Bett und ging hin.

Es war aber Sabbat an diesem Tag. 10 Da
sprachen die Juden zu dem, der geheilt
worden war: Heute ist Sabbat, es ist dir
nicht erlaubt, dein Bett zu tragen.[a] 11 Er
aber antwortete ihnen: Der mich ge-
sund gemacht hat, sprach zu mir: Nimm
dein Bett und geh hin! 12 Sie fragten ihn:
Wer ist der Mensch, der zu dir gesagt hat:
Nimm dein Bett und geh hin? 13 Der aber
geheilt worden war, wusste nicht, wer es
war; denn Jesus war fortgegangen, da so
viel Volk an dem Ort war.

14 Danach fand ihn Jesus im Tempel und
sprach zu ihm: Siehe, du bist gesund ge-
worden; [a]sündige nicht mehr, dass dir
nicht etwas Schlimmeres widerfahre.
15 Der Mensch ging hin und berichtete
den Juden, es sei Jesus, der ihn gesund ge-
macht habe. 16 Darum verfolgten die Juden
Jesus, weil er dies am Sabbat getan hatte.[a]
17 Jesus aber antwortete ihnen: Mein Va-
ter wirkt bis auf diesen Tag, und [a]ich wirke
auch. 18 Darum [a]trachteten die Juden noch
mehr danach, ihn zu töten, weil er nicht
allein den Sabbat brach, sondern auch
sagte, [b]Gott sei sein Vater, und machte
sich selbst Gott gleich.

DIE VOLLMACHT DES SOHNES

19 Da antwortete Jesus und sprach zu ih-
nen: Wahrlich, wahrlich, ich sage euch:
Der Sohn kann nichts von sich aus tun,
sondern nur, [a]was er den Vater tun sieht;
denn was dieser tut, das tut in gleicher
Weise auch der Sohn. 20 Denn [a]der Vater
hat den Sohn lieb und zeigt ihm alles, was
er tut, und wird ihm noch größere Werke
zeigen, sodass ihr euch verwundern wer-
det. 21 Denn wie der Vater die Toten auf-

* **5,3** Die Verse 3b und 4 finden sich erst in der späteren Überlieferung: »Sie warteten darauf, dass sich das Wasser bewegte. Denn der Engel des Herrn fuhr von Zeit zu Zeit herab in den Teich und bewegte das Wasser. Wer nun zuerst hineinstieg, nachdem sich das Wasser bewegt hatte, der wurde gesund, an welcher Krankheit er auch litt.«

4,46 *a* Kap 2,1.9 **4,48** *a* Kap 2,18; 1. Kor 1,22
4,54 *a* Kap 2,11 **5,1** *a* Kap 2,13 **5,2** *a* Neh 3,1
5,10 *a* 2. Mose 20,10; Jer 17,21-22 **5,14** *a* Kap 8,11
5,16 *a* Mt 12,14 **5,17** *a* Kap 9,4 **5,18** *a* Kap 7,30
b Kap 10,33 **5,19** *a* Kap 3,11.32 **5,20** *a* Kap 3,35

erweckt und macht sie lebendig, so macht
auch der Sohn lebendig, welche er will.
22 [a]Denn der Vater richtet niemand, son-
dern [b]hat alles Gericht dem Sohn über-
geben, 23 damit [a]alle den Sohn ehren, wie
sie den Vater ehren. [b]Wer den Sohn nicht
ehrt, der ehrt den Vater nicht, der ihn ge-
sandt hat.

24 Wahrlich, wahrlich, ich sage euch:
Wer mein Wort hört und glaubt dem,
der mich gesandt hat, der hat das ewige
Leben und kommt nicht in das Gericht,
sondern er ist vom Tode zum Leben
hindurchgedrungen.[a] 25 Wahrlich, wahr-
lich, ich sage euch: Es kommt die Stunde
und [a]ist schon jetzt, dass die Toten hö-
ren werden die Stimme des Sohnes Got-
tes, und die sie hören, die werden leben.
26 Denn wie der Vater das Leben hat in sich
selber, so hat er auch dem Sohn gegeben,
das Leben zu haben in sich selber;[a] 27 und
er hat ihm Vollmacht gegeben, das Gericht
zu halten, weil er [a]der Menschensohn ist.
28 Wundert euch darüber nicht. Es kommt
die Stunde, in der alle, die in den Gräbern
sind, seine Stimme hören werden, 29 und
es werden hervorgehen, die Gutes getan
haben, zur Auferstehung des Lebens, die
aber Böses getan haben, zur Auferstehung
des Gerichts.[a]

30 Ich kann nichts von mir aus tun. Wie
ich höre, so richte ich, und mein Gericht
ist gerecht; denn [a]ich suche nicht meinen
Willen, sondern den Willen dessen, der
mich gesandt hat.

DIE ZEUGEN FÜR DEN SOHN

31 Wenn ich von mir selbst zeuge, so ist
mein Zeugnis nicht wahr. 32 Ein anderer
ist's, der von mir zeugt; und ich weiß,
dass das Zeugnis wahr ist, das [a]er von mir
gibt. 33 Ihr habt zu Johannes geschickt, und
er hat die Wahrheit bezeugt.[a] 34 Ich aber
nehme nicht von einem Menschen Zeug-
nis an; sondern ich sage das, damit ihr se-
lig werdet. 35 Er war ein brennendes und
strahlendes Licht; ihr aber wolltet eine
kleine Weile fröhlich sein in seinem Licht.
36 Ich aber habe ein größeres Zeugnis als
das des Johannes; denn [a]die Werke, die
mir der Vater gegeben hat, damit ich sie
vollende, eben diese Werke, die ich tue,
zeugen von mir, dass mich der Vater ge-
sandt hat. 37 Und der Vater, der mich ge-
sandt hat, hat von mir Zeugnis gegeben.

Ihr habt niemals [a]seine Stimme gehört
noch seine Gestalt [b]gesehen 38 und sein
Wort habt ihr nicht in euch wohnen;
denn ihr glaubt dem nicht, den er gesandt
hat. 39 Ihr sucht in den Schriften, denn ihr
meint, ihr habt das ewige Leben darin;
und sie sind's, die von mir zeugen;[a] 40 aber
ihr wollt nicht zu mir kommen, dass ihr
das Leben hättet.

41 Ich nehme nicht Ehre von Menschen
an; 42 aber ich kenne euch, dass ihr nicht
Gottes Liebe in euch habt. 43 Ich bin ge-
kommen in meines Vaters Namen, und ihr
nehmt mich nicht an. Wenn ein anderer
kommen wird in seinem eigenen Namen,
den werdet ihr annehmen.[a] 44 Wie könnt
ihr glauben, [a]die ihr Ehre voneinander an-
nehmt, und die Ehre, die von dem alleini-
gen Gott ist, sucht ihr nicht?

45 Meint nicht, dass ich euch vor dem Va-
ter verklagen werde; [a]der euch verklagt, ist
Mose, auf den ihr hofft. 46 Wenn ihr Mose
glaubtet, so glaubtet ihr auch mir; denn [a]er
hat von mir geschrieben. 47 Wenn ihr aber
seinen Schriften nicht glaubt, wie werdet
ihr meinen Worten glauben?[a]

DIE SPEISUNG DER FÜNFTAUSEND

(Mt 14,13-21; Mk 6,30-44; Lk 9,10-17)

6 Danach ging Jesus weg ans andre Ufer
des Galiläischen Meeres, das auch See
von Tiberias heißt. 2 Und es zog ihm viel
Volk nach, weil sie die Zeichen sahen, die
er an den Kranken tat. 3 Jesus aber ging
hinauf auf einen Berg und setzte sich dort
mit seinen Jüngern. 4 Es war aber kurz vor
dem Passa, dem Fest der Juden.[a]

5 Da hob Jesus seine Augen auf und sieht,
dass viel Volk zu ihm kommt, und spricht
zu Philippus: Wo kaufen wir Brot, damit
diese zu essen haben? 6 Das sagte er aber,
um ihn zu prüfen; denn er wusste wohl,

5,22 ***a*** *(22-23)* Dan 7,13-14 ***b*** Apg 10,42; 17,31
5,23 ***a*** Phil 2,10-11 ***b*** 1. Joh 2,23 **5,24** ***a*** Kap 3,16.18
5,25 ***a*** Eph 2,5-6 **5,26** ***a*** Kap 1,1-4 **5,27** ***a*** Dan 7,13-14
5,29 ***a*** Dan 12,2; Mt 25,46; 2. Kor 5,10 **5,30** ***a*** Kap 6,38
5,32 ***a*** 1. Joh 5,9 **5,33** ***a*** Kap 1,19-34 **5,36** ***a*** Kap 3,2;
10,25.38 **5,37** ***a*** Mt 3,17 ***b*** Kap 1,18 **5,39** ***a*** Kap 1,45;
Lk 24,27.44; 2. Tim 3,15-17 **5,43** ***a*** Mt 24,5
5,44 ***a*** Kap 12,42-43; 1. Thess 2,6
5,45 ***a*** 5. Mose 31,24-27 **5,46** ***a*** 1. Mose 3,15; 49,10;
5. Mose 18,15 **5,47** ***a*** Lk 16,31 **6,4** ***a*** Kap 2,13; 11,55

was er tun wollte. 7Philippus antwortete
ihm: Für zweihundert Silbergroschen
Brot ist nicht genug für sie, dass jeder auch
nur ein wenig bekomme. 8Spricht zu ihm
einer seiner Jünger, Andreas, der Bruder
des Simon Petrus: 9Es ist ein Knabe hier,
der hat fünf Gerstenbrote und zwei Fi-
sche. Aber was ist das für so viele? 10Jesus
aber sprach: Lasst die Leute sich lagern. Es
war aber viel Gras an dem Ort. Da lagerten
sich etwa fünftausend Männer.

11Jesus aber nahm die Brote, dankte
und gab sie denen, die sich gelagert hat-
ten; desgleichen auch von den Fischen, so
viel sie wollten. 12Als sie aber satt waren,
spricht er zu seinen Jüngern: Sammelt
die übrigen Brocken, damit nichts um-
kommt. 13Da sammelten sie und füllten
zwölf Körbe mit Brocken von den fünf
Gerstenbroten, die denen übrig blieben,
die gespeist worden waren.

14Als nun die Menschen das [a]Zeichen
sahen, das Jesus tat, sprachen sie: Das ist
wahrlich [b]der Prophet, der in die Welt
kommen soll. 15Da Jesus nun merkte, dass
sie kommen würden und ihn ergreifen,
um ihn zum König zu machen, entwich
er wieder auf den Berg, er allein.

JESUS GEHT ÜBER DAS WASSER

(Mt 14,22-33; Mk 6,45-52)

16Am Abend aber gingen seine Jünger
hinab an das Meer, 17stiegen in ein Boot
und fuhren über das Meer nach Kaper-
naum. Und es war schon finster geworden
und Jesus war noch nicht zu ihnen gekom-
men. 18Und das Meer wurde aufgewühlt
von einem starken Wind. 19Als sie nun
etwa fünfundzwanzig oder dreißig Sta-
dien gerudert waren, sahen sie Jesus auf
dem Meer gehen und nahe an das Boot
kommen; und sie fürchteten sich. 20Er
aber spricht zu ihnen: Ich bin's; fürchtet
euch nicht! 21Da wollten sie ihn ins Boot
nehmen; und sogleich war das Boot am
Land, wohin sie fahren wollten.

DAS BROT DES LEBENS

22Am nächsten Tag sah das Volk, das am
andern Ufer des Meeres stand, dass kein
anderes Boot da war als das eine und dass
Jesus nicht mit seinen Jüngern in das Boot
gestiegen war, sondern seine Jünger wa-
ren allein weggefahren. 23Es kamen aber
andere Boote von Tiberias nahe zu der
Stätte, wo sie das Brot gegessen hatten,
nachdem der Herr die Danksagung ge-
sprochen hatte. 24Als nun das Volk sah,
dass Jesus nicht da war und seine Jünger
auch nicht, stiegen sie in die Boote und ka-
men nach Kapernaum und suchten Jesus.
25Und als sie ihn fanden am andern Ufer
des Meeres, fragten sie ihn: Rabbi, wann
bist du hergekommen? 26Jesus antwor-
tete ihnen und sprach: Wahrlich, wahr-
lich, ich sage euch: Ihr sucht mich nicht,
weil ihr Zeichen gesehen habt, sondern
weil ihr von dem Brot gegessen habt und
satt geworden seid. 27Müht euch nicht um
Speise, die vergänglich ist, sondern um
Speise, die da bleibt zum ewigen Leben.
Dies wird euch der Menschensohn ge-
ben; denn [a]auf ihm ist das Siegel Gottes
des Vaters.

28Da fragten sie ihn: Was sollen wir tun,
dass wir Gottes Werke wirken? 29Jesus
antwortete und sprach zu ihnen: **Das ist
Gottes Werk, dass ihr an den glaubt,
den er gesandt hat.** 30Da sprachen sie
zu ihm: Was tust du für ein [a]Zeichen,
auf dass wir sehen und dir glauben? Was
wirkst du? 31Unsre Väter haben Manna
gegessen in der Wüste, wie geschrieben
steht (Psalm 78,24): »Brot vom Himmel gab
er ihnen zu essen.«[a] 32Da sprach Jesus
zu ihnen: Wahrlich, wahrlich, ich sage
euch: Nicht Mose hat euch das Brot vom
Himmel gegeben, sondern mein Vater
gibt euch das wahre Brot vom Himmel.
33Denn dies ist das Brot Gottes, das vom
Himmel kommt und gibt der Welt das Le-
ben. 34Da sprachen sie zu ihm: Herr, gib
uns allezeit solches Brot.[a]

35Jesus aber sprach zu ihnen: **Ich bin das
Brot des Lebens. Wer zu mir kommt,
den wird nicht hungern; und wer an
mich glaubt, den wird nimmermehr
dürsten.**[a] 36Aber ich habe euch gesagt: Ihr
habt mich gesehen und glaubt doch nicht.
37Alles, was mir der Vater gibt, das kommt
zu mir; und [a]**wer zu mir kommt, den
werde ich nicht hinausstoßen.** 38Denn
ich bin vom Himmel gekommen, nicht

6,14 ***a*** Kap 2,11 ***b*** 5. Mose 18,15 **6,27** ***a*** Kap 5,36
6,30 ***a*** Kap 4,48 **6,31** ***a*** 2. Mose 16,13-15 **6,34** ***a*** Kap 4,15
6,35 ***a*** Kap 4,14; 7,37 **6,37** ***a*** Mt 11,28

damit ich meinen Willen tue, sondern
[a]den Willen dessen, der mich gesandt hat.
39 Das ist aber der Wille dessen, der mich
gesandt hat, [a]dass ich nichts verliere von
allem, was er mir gegeben hat, sondern
dass ich's auferwecke am Jüngsten Tage.
40 Denn **das ist der Wille meines Vaters,
dass, wer den Sohn sieht und glaubt an
ihn, das ewige Leben habe; und [a]ich
werde ihn auferwecken am Jüngsten
Tage.**

41 Da murrten die Juden über ihn, weil er
sagte: Ich bin das Brot, das vom Himmel
gekommen ist, 42 und sprachen: Ist die-
ser nicht Jesus, [a]Josefs Sohn, dessen Vater
und Mutter wir kennen? Wie kann er jetzt
sagen: Ich bin vom Himmel gekommen?
43 Jesus antwortete und sprach zu ihnen:
Murrt nicht untereinander. 44 Es kann nie-
mand zu mir kommen, es sei denn, ihn
ziehe der Vater, der mich gesandt hat, und
ich werde ihn auferwecken am Jüngsten
Tage. 45 Es steht geschrieben in den Pro-
pheten (Jesaja 54,13): »Sie werden alle von
Gott gelehrt sein.« Wer es vom Vater hört
und lernt, der kommt zu mir. 46 Nicht dass
jemand den Vater gesehen hätte; nur der,
der von Gott ist, der hat den Vater ge-
sehen.[a] 47 **Wahrlich, wahrlich, ich sage
euch: Wer glaubt, der hat das ewige
Leben.**[a]

48 **Ich bin das Brot des Lebens.**[a] 49 Eure
Väter haben in der Wüste das Manna ge-
gessen und sind gestorben.[a] 50 Dies ist das
Brot, das vom Himmel kommt, damit,
wer davon isst, nicht sterbe. 51 Ich bin das
lebendige Brot, das vom Himmel gekom-
men ist. Wer von diesem Brot isst, der
wird leben in Ewigkeit. Und [a]das Brot, das
ich geben werde, ist mein Fleisch – für das
Leben der Welt.

52 Da stritten die Juden untereinander
und sprachen: Wie kann dieser uns sein
Fleisch zu essen geben? 53 Jesus sprach
zu ihnen: Wahrlich, wahrlich, ich sage
euch: Wenn ihr nicht esst das Fleisch des
Menschensohns und trinkt sein Blut, so
habt ihr kein Leben in euch. 54 Wer [a]mein
Fleisch isst und mein Blut trinkt, der hat
das ewige Leben, und ich werde ihn am
Jüngsten Tage auferwecken. 55 Denn mein
Fleisch ist die wahre Speise, und mein Blut
ist der wahre Trank. 56 Wer mein Fleisch
isst und trinkt mein Blut, der [a]bleibt in
mir und ich in ihm. 57 Wie mich gesandt
hat der lebendige Vater und ich lebe um
des Vaters willen, so wird auch, wer mich
isst, leben um meinetwillen. 58 Dies ist das
Brot, das vom Himmel gekommen ist. Es
ist nicht wie bei den Vätern, die gegessen
haben und gestorben sind. Wer dies Brot
isst, der wird leben in Ewigkeit.

59 Das sagte er in der Synagoge, als er in
Kapernaum lehrte.

SPALTUNG UNTER DEN JÜNGERN UND DAS BEKENNTNIS DES PETRUS

60 Viele nun seiner Jünger, die das hörten,
sprachen: Das ist eine harte Rede; wer
kann sie hören? 61 Da Jesus aber bei sich
selbst merkte, dass seine Jünger darüber
murrten, sprach er zu ihnen: Nehmt ihr
daran Anstoß? 62 Wie, wenn ihr nun se-
hen werdet den Menschensohn [a]auffah-
ren dahin, wo er [b]zuvor war? 63 [a]Der Geist
ist's, der da lebendig macht; das Fleisch*
ist nichts nütze. Die Worte, die ich zu euch
geredet habe, die sind Geist und sind Le-
ben. 64 Aber es sind etliche unter euch, die
glauben nicht. Denn Jesus wusste von An-
fang an, wer die waren, die nicht glaub-
ten, und wer ihn verraten würde. 65 Und
er sprach: Darum habe ich euch gesagt:
Niemand kann zu mir kommen, es sei ihm
denn vom Vater gegeben.

66 Von da an wandten sich viele sei-
ner Jünger ab und gingen hinfort nicht
mehr mit ihm. 67 Da sprach Jesus zu den
Zwölfen: Wollt ihr auch weggehen? 68 Da
antwortete ihm Simon Petrus: **Herr, wo-
hin sollen wir gehen? Du hast Worte
des ewigen Lebens; 69 und wir haben
geglaubt und erkannt: Du bist der Hei-
lige Gottes.**[a]

70 Jesus antwortete ihnen: Habe ich nicht
euch Zwölf erwählt? Und einer von euch
ist ein Teufel. 71 Er redete aber von Judas,
dem Sohn des Simon Iskariot. Der verriet
ihn hernach und war einer der Zwölf.

* **6,63** Siehe Sach- und Worterklärungen.

6,38 *a* Kap 4,34 **6,39** *a* Kap 10,28-29; 17,12 **6,40** *a* Kap 5,29; 11,24 **6,42** *a* Lk 4,22 **6,46** *a* Kap 1,18 **6,47** *a* Kap 3,16 **6,48** *a* Vers 35 **6,49** *a* 1. Kor 10,3-5 **6,51** *a* Mk 14,22 **6,54** *a* Mt 26,26-28 **6,56** *a* Kap 15,4; 1. Joh 3,24 **6,62** *a* Lk 24,50-51 *b* Kap 3,13 **6,63** *a* Kap 3,6; 2. Kor 3,6 **6,69** *a* Mt 16,16

DIE REISE ZUM LAUBHÜTTENFEST

7 Danach zog Jesus umher in [a]Galiläa;
denn er wollte nicht in Judäa umherzie-
hen, weil ihm die Juden nach dem Leben
trachteten. 2 Es war aber nahe das [a]Laub-
hüttenfest der Juden. 3 Da sprachen seine
[a]Brüder zu ihm: Mach dich auf von hier
und geh nach Judäa, auf dass auch deine
Jünger die Werke sehen, die du tust.
4 Denn niemand tut etwas im Verborge-
nen und will doch öffentlich bekannt sein.
Willst du das, so offenbare dich vor der
Welt. 5 Denn auch seine Brüder glaubten
nicht an ihn.

6 Da spricht Jesus zu ihnen: [a]Meine Zeit
ist noch nicht da, eure Zeit aber ist immer
da. 7 Die Welt kann euch nicht hassen.
[a]Mich aber hasst sie, denn ich bezeuge von
ihr, dass ihre Werke böse sind. 8 Geht ihr
hinauf zum Fest! Ich will nicht hinaufge-
hen zu diesem Fest, denn meine Zeit ist
noch nicht erfüllt. 9 Das sagte er und blieb
in Galiläa.

10 Als aber seine Brüder hinaufgegan-
gen waren zum Fest, da ging auch er hin-
auf, nicht offen, sondern heimlich.[a] 11 Da
suchten ihn die Juden auf dem Fest und
fragten: Wo ist er? 12 Und es war ein gro-
ßes Gemurmel über ihn im Volk. Einige
sprachen: Er ist gut; andere aber spra-
chen: Nein, sondern er verführt das Volk.
13 Niemand aber redete offen über ihn [a]aus
Furcht vor den Juden.

JESUS AUF DEM FEST

14 Aber mitten im Fest ging Jesus hinauf
in den Tempel und lehrte. 15 Und die Ju-
den verwunderten sich und sprachen:
Wie kennt dieser die Schrift, wenn er
es doch nicht gelernt hat?[a] 16 Jesus ant-
wortete ihnen und sprach: Meine Lehre
ist nicht von mir, sondern von dem, der
mich gesandt hat.[a] 17 Wenn jemand dessen
Willen tun will, wird er innewerden, ob
diese Lehre von Gott ist oder ob ich aus
mir selbst rede. 18 Wer aus sich selbst redet,
der [a]sucht seine eigene Ehre; wer aber die
Ehre dessen sucht, der ihn gesandt hat, der
ist wahrhaftig, und keine Ungerechtigkeit
ist in ihm.

19 Hat euch nicht [a]Mose das Gesetz ge-
geben? Und [b]niemand unter euch tut
das Gesetz. [c]Warum sucht ihr mich zu
töten? 20 Das Volk antwortete: [a]Du bist
von einem Dämon besessen; wer sucht
dich zu töten? 21 Jesus antwortete und
sprach zu ihnen: Ein einziges Werk habe
ich getan und es wundert euch alle.[a]
22 Darum hat Mose euch die [a]Beschnei-
dung gegeben – nicht dass sie von Mose
kommt, sondern von den Vätern –, und
ihr beschneidet einen Menschen auch
am Sabbat. 23 Wenn ein Mensch am Sab-
bat die Beschneidung empfängt, damit
nicht das Gesetz des Mose gebrochen
werde, was zürnt ihr dann mir, weil ich
am Sabbat den ganzen Menschen gesund
gemacht habe? 24 Richtet nicht nach dem,
was vor Augen ist, sondern richtet ge-
recht.

25 Da sprachen einige aus Jerusalem: Ist
das nicht der, den sie zu töten suchen?
26 Und siehe, er redet frei und offen, und
sie sagen ihm nichts. Sollten unsere Obe-
ren wahrhaftig erkannt haben, dass er der
[a]Christus ist? 27 Doch wir wissen, wo-
her dieser ist; wenn aber der Christus
kommt, so weiß niemand, woher er ist.[a]
28 Da rief Jesus im Tempel und lehrte: Ja,
ihr kennt mich und wisst, woher ich bin.
Aber nicht von mir selbst aus bin ich ge-
kommen, sondern von dem, der wahrhaf-
tig ist, der mich gesandt hat, den ihr nicht
kennt. 29 [a]Ich aber kenne ihn; denn ich bin
von ihm, und er hat mich gesandt. 30 Da
suchten sie ihn zu ergreifen; aber niemand
legte Hand an ihn, denn seine Stunde war
noch nicht gekommen.[a] 31 Aber viele aus
dem Volk glaubten an ihn und sprachen:
Wenn der Christus kommen wird, wird
er etwa mehr Zeichen tun, als dieser ge-
tan hat?

32 Die Pharisäer hörten, dass es im Volk
solches Gemurmel über ihn gab. Da sand-
ten die Hohenpriester und die Pharisäer
Knechte aus, dass sie ihn ergriffen. 33 Da
sprach Jesus: [a]Ich bin noch eine kleine Zeit
bei euch, und dann gehe ich hin zu dem,

7,1 *a* Kap 4,43 **7,2** *a* 3. Mose 23,34-36 **7,3** *a* Kap 2,12; Mt 12,46; Apg 1,14 **7,6** *a* Kap 2,4 **7,7** *a* Kap 15,18
7,10 *a* Kap 2,13 **7,13** *a* Kap 9,22; 12,42; 20,19
7,15 *a* Mt 13,56 **7,16** *a* Kap 3,34 **7,18** *a* Kap 5,41.44
7,19 *a* Kap 1,17 *b* Röm 2,17-24 *c* Kap 5,16.18
7,20 *a* Kap 10,20 **7,21** *a* Kap 5,16 **7,22** *a* 1. Mose 17,10-12; 3. Mose 12,3 **7,26** *a* Kap 1,41 **7,27** *a* Hebr 7,3
7,29 *a* Mt 11,27 **7,30** *a* Kap 8,20; Lk 22,53
7,33 *a* Kap 13,33; 14,19

der mich gesandt hat. 34 [a]Ihr werdet mich
suchen und nicht finden; und wo ich bin,
könnt ihr nicht hinkommen. 35 Da spra-
chen die Juden untereinander: Wo will
dieser hingehen, dass wir ihn nicht finden
könnten? Will er etwa zu denen gehen,
die in der Zerstreuung unter den Grie-
chen wohnen, und die Griechen lehren?
36 Was ist das für ein Wort, das er sagte:
Ihr werdet mich suchen und nicht finden;
und wo ich bin, da könnt ihr nicht hin-
kommen?

37 Aber [a]am letzten, dem höchsten Tag
des Festes trat Jesus auf und rief: [b]**Wen da**
dürstet, der komme zu mir und trinke!
38 **Wer an mich glaubt, von dessen Leib**
werden, [a]wie die Schrift sagt, Ströme
lebendigen Wassers fließen. 39 Das sagte
er aber von dem Geist, den die empfan-
gen sollten, die an ihn glaubten; denn [a]der
Geist war noch nicht da; denn Jesus war
noch nicht verherrlicht.

ZWIETRACHT IM VOLK

40 Etliche nun aus dem Volk, die diese
Worte hörten, sprachen: [a]Dieser ist wahr-
haftig der [b]Prophet. 41 Andere sprachen:
Er ist der Christus. Wieder andere spra-
chen: [a]Soll der Christus etwa aus Galiläa
kommen? 42 Sagt nicht die Schrift: [a]Aus
dem Geschlecht Davids und [b]aus dem
Ort Bethlehem, wo David war, kommt
der Christus? 43 So entstand seinetwegen
Zwietracht im Volk.[a] 44 Einige von ihnen
wollten ihn ergreifen; aber niemand legte
Hand an ihn.

45 Da kamen die Knechte zu den Ho-
henpriestern und Pharisäern; und die
fragten sie: Warum habt ihr ihn nicht
gebracht? 46 Die Knechte antworteten:
Noch nie hat ein Mensch [a]so gesprochen.
47 Da antworteten ihnen die Pharisäer:
Seid ihr auch verführt worden? 48 Glaubt
denn einer von den Oberen oder von den
Pharisäern an ihn? 49 Nur das Volk tut's,
das nichts vom Gesetz weiß; verflucht ist
es. 50 Spricht zu ihnen [a]Nikodemus, der
vormals zu ihm gekommen war und der
einer von ihnen war: 51 Richtet denn un-
ser Gesetz einen Menschen, ehe man ihn
angehört und erkannt hat, was er tut?[a]
52 Sie antworteten und sprachen zu ihm:
Bist du auch aus Galiläa? Forsche und
sieh: Aus Galiläa steht kein Prophet auf.
53 [Und sie gingen fort, ein jeder in sein
Haus.

8 Jesus aber ging zum Ölberg.

JESUS UND DIE EHEBRECHERIN

2 Frühmorgens aber kam Jesus wieder in
den Tempel, und alles Volk kam zu ihm,
und er setzte sich und lehrte sie. 3 Da
brachten die Schriftgelehrten und die
Pharisäer eine Frau, beim Ehebruch er-
griffen, und stellten sie in die Mitte 4 und
sprachen zu ihm: Meister, diese Frau ist
auf frischer Tat beim Ehebruch ergriffen
worden. 5 [a]Mose hat uns im Gesetz gebo-
ten, solche Frauen zu steinigen. Was sagst
du? 6 Das sagten sie aber, um ihn zu versu-
chen, auf dass sie etwas hätten, ihn zu ver-
klagen. Aber Jesus bückte sich nieder und
schrieb mit dem Finger auf die Erde. 7 Als
sie ihn nun beharrlich so fragten, richtete
er sich auf und sprach zu ihnen: [a]**Wer un-**
ter euch ohne Sünde ist, der werfe den
ersten Stein auf sie. 8 Und er bückte sich
wieder und schrieb auf die Erde. 9 Als sie
das hörten, gingen sie hinaus, einer nach
dem andern, die Ältesten zuerst; und Je-
sus blieb allein mit der Frau, die in der
Mitte stand.

10 Da richtete Jesus sich auf und sprach
zu ihr: Wo sind sie, Frau? Hat dich nie-
mand verdammt? 11 Sie aber sprach: Nie-
mand, Herr. Jesus aber sprach: So ver-
damme ich dich auch nicht; geh hin und
[a]sündige hinfort nicht mehr.]*

DAS LICHT DER WELT

12 Da redete Jesus abermals zu ihnen und
sprach: **Ich bin das [a]Licht der Welt. Wer**
mir nachfolgt, der wird nicht wandeln
in der Finsternis, sondern wird das
Licht des Lebens haben. 13 Da sprachen
die Pharisäer zu ihm: Du gibst Zeugnis
von dir selbst; dein Zeugnis ist nicht wahr.

* **8,11** Der Abschnitt 7,53–8,11 ist in den ältesten Handschriften des Johannesevangeliums nicht enthalten.

7,34 ***a*** Kap 8,21 **7,37** ***a*** 3. Mose 23,36 ***b*** Kap 4,10; Jes 55,1; Offb 22,17 **7,38** ***a*** Jes 58,11 **7,39** ***a*** Kap 16,7 **7,40** ***a*** Kap 6,14 ***b*** Mal 3,23 **7,41** ***a*** Kap 1,46 **7,42** ***a*** Mt 22,42 ***b*** Mi 5,1; Mt 2,5-6 **7,43** ***a*** Kap 9,16 **7,46** ***a*** Mt 7,28-29 **7,50** ***a*** Kap 3,1-2 **7,51** ***a*** 5. Mose 1,16 **8,5** ***a*** 3. Mose 20,10; 5. Mose 22,22-24 **8,7** ***a*** Röm 2,1 **8,11** ***a*** Kap 5,14 **8,12** ***a*** Kap 1,5.9; Jes 49,6; 60,20; Mt 5,14-16; 1. Joh 1,5

14 Jesus antwortete und sprach zu ihnen:
Auch [a]wenn ich von mir selbst zeuge,
ist mein Zeugnis wahr; denn [b]ich weiß,
woher ich gekommen bin und wohin
ich gehe; ihr aber wisst nicht, woher ich
komme oder wohin ich gehe. 15 Ihr richtet
nach dem Fleisch*, [a]ich richte niemand.
16 Wenn ich aber richte, so ist mein Rich-
ten wahr, denn ich bin's nicht allein, son-
dern ich und der Vater, der mich gesandt
hat. 17 Auch steht in eurem Gesetz ge-
schrieben, dass zweier Menschen Zeugnis
wahr sei.[a] 18 Ich bin's, der von sich selbst
zeugt; und der Vater, der mich gesandt
hat, zeugt auch von mir. 19 Da sprachen sie
zu ihm: Wo ist dein Vater? Jesus antwor-
tete: Ihr kennt weder mich noch meinen
Vater; [a]wenn ihr mich kenntet, so kenn-
tet ihr auch meinen Vater. 20 Diese Worte
redete Jesus an dem Gotteskasten*, als er
lehrte im Tempel; [a]und niemand ergriff
ihn, denn seine Stunde war noch nicht
gekommen.

JESU WEG ZUR ERHÖHUNG

21 [a]Da sprach Jesus abermals zu ihnen: Ich
gehe hinweg, und ihr werdet mich su-
chen und in eurer Sünde sterben. Wo ich
hingehe, da könnt ihr nicht hinkommen.
22 Da sprachen die Juden: Will er sich denn
selbst töten, dass er sagt: Wohin ich gehe,
da könnt ihr nicht hinkommen? 23 Und er
sprach zu ihnen: Ihr seid von unten her,
ich bin [a]von oben her; ihr seid von dieser
Welt, ich bin nicht von dieser Welt. 24 So
habe ich euch gesagt, dass ihr sterben wer-
det in euren Sünden; denn [a]wenn ihr nicht
glaubt, dass ich es bin, werdet ihr sterben
in euren Sünden.

25 Da fragten sie ihn: Wer bist du denn?
Und Jesus sprach zu ihnen: Was soll ich
euch zuerst sagen? 26 Ich habe viel über
euch zu reden und zu richten. Aber der
mich gesandt hat, ist wahrhaftig, und was
ich von ihm gehört habe, das rede ich zu
der Welt. 27 Sie erkannten aber nicht, dass
er zu ihnen vom Vater sprach. 28 Da sprach
Jesus zu ihnen: [a]Wenn ihr den Menschen-
sohn erhöhen werdet, dann werdet ihr
erkennen, dass ich es bin und nichts von
mir aus tue, sondern, wie mich der Vater
gelehrt hat, so rede ich. 29 Und der mich ge-
sandt hat, ist mit mir. Er lässt mich nicht
allein; denn ich tue allezeit, was ihm ge-
fällt. 30 Als er das sagte, glaubten viele an
ihn.

DIE BEFREIENDE WAHRHEIT

31 Da sprach nun Jesus zu den Juden, die
an ihn glaubten: [a]**Wenn ihr bleiben wer-
det an meinem Wort, so seid ihr wahr-
haftig meine Jünger** 32 **und werdet die
Wahrheit erkennen, und die Wahrheit
wird euch frei machen.** 33 Da antworte-
ten sie ihm: [a]Wir sind Abrahams Nach-
kommen und sind niemals jemandes
Knecht gewesen. Wie sprichst du dann:
Ihr sollt frei werden? 34 Jesus antwortete
ihnen und sprach: Wahrlich, wahrlich, ich
sage euch: **Wer Sünde tut, der ist der
Sünde Knecht.** 35 **Der Knecht aber bleibt
nicht ewig im Haus; der Sohn bleibt
ewig.** 36 **Wenn euch nun der Sohn frei
macht, so seid ihr wirklich frei.**[a]

STREIT UM ABRAHAM

37 Ich weiß wohl, dass ihr Abrahams Nach-
kommen seid; aber ihr sucht mich zu
töten, denn mein Wort findet bei euch
keinen Raum. 38 Ich rede, was ich von mei-
nem Vater gesehen habe; und ihr tut, was
ihr von eurem Vater gehört habt. 39 Sie
antworteten und sprachen zu ihm: Ab-
raham ist unser Vater. Spricht Jesus zu
ihnen: Wenn ihr Abrahams Kinder wärt,
so tätet ihr Abrahams Werke. 40 Nun aber
sucht ihr mich zu töten, einen Menschen,
der ich euch die Wahrheit gesagt habe,
die ich von Gott gehört habe. Das hat Ab-
raham nicht getan. 41 Ihr tut eures Vaters
Werke.

Da sprachen sie zu ihm: Wir sind nicht
aus Hurerei geboren; wir haben *einen* Va-
ter: Gott. 42 Jesus sprach zu ihnen: Wäre
Gott euer Vater, so liebtet ihr mich; denn
ich bin von Gott ausgegangen und komme
von ihm; denn ich bin nicht von mir selber
gekommen, sondern er hat mich gesandt.

* **8,15** Siehe Sach- und Worterklärungen.
8,20 Gemeint ist die bewachte Schatzkammer; siehe Sach- und Worterklärungen zu »Gotteskasten«.

8,14 ***a*** Kap 5,31 ***b*** Kap 7,28 **8,15** ***a*** Kap 3,17
8,17 ***a*** 5. Mose 19,15 **8,19** ***a*** Kap 14,7 **8,20** ***a*** Kap 7,30
8,21 ***a*** (21-22) Kap 7,34-35; 13,33 **8,23** ***a*** Kap 3,31
8,24 ***a*** Jes 43,10 **8,28** ***a*** Kap 3,14; 12,32 **8,31** ***a*** Kap 15,7
8,33 ***a*** Mt 3,9 **8,36** ***a*** Röm 6,16.18.22

43 Warum versteht ihr meine Rede nicht?
[a]Weil ihr mein Wort nicht hören könnt!
44 Ihr [a]habt den Teufel zum Vater, und
nach eures Vaters Begierden wollt ihr
tun. Der ist ein Mörder von Anfang an
und steht nicht in der Wahrheit, denn die
Wahrheit ist nicht in ihm. Wenn er die
Lüge redet, so redet er aus dem Eigenen;
denn er ist ein Lügner und der Vater der
Lüge. 45 Weil ich aber die Wahrheit sage,
glaubt ihr mir nicht.

DER STREIT UM JESU EHRE

46 [a]Wer unter euch kann mich einer Sünde
überführen? Wenn ich die Wahrheit sage,
warum glaubt ihr mir nicht? 47 [a]Wer von
Gott ist, der hört Gottes Worte; ihr hört
darum nicht, weil ihr nicht von Gott seid.
48 Da antworteten die Juden und spra-
chen zu ihm: Sagen wir nicht mit Recht,
dass du ein Samariter bist und von [a]einem
Dämon besessen bist? 49 Jesus antwortete:
Ich bin nicht besessen, sondern ich ehre
meinen Vater, aber ihr nehmt mir die Ehre.
50 Ich suche nicht meine Ehre; es ist aber
einer, der sie sucht und richtet. 51 Wahr-
lich, wahrlich, ich sage euch: **Wer mein
Wort hält, der [a]wird den Tod nicht se-
hen in Ewigkeit.**
52 Da sprachen die Juden zu ihm: Nun
erkennen wir, dass du von einem Dä-
mon besessen bist. Abraham ist gestorben
und die Propheten, und du sprichst: Wer
mein Wort hält, der wird den Tod nicht
schmecken in Ewigkeit. 53 Bist du mehr
als unser Vater Abraham, der gestorben
ist? Und die Propheten sind gestorben.
Was machst du aus dir selbst? 54 Jesus
antwortete: Wenn ich mich selber ehre,
so ist meine Ehre nichts. Es ist aber mein
Vater, der mich ehrt, von dem ihr sagt:
[a]Er ist unser Gott. 55 Und [a]ihr kennt ihn
nicht, ich aber kenne ihn. Und wenn ich
sagen würde: Ich kenne ihn nicht, wäre
ich ein Lügner wie ihr. Aber ich kenne ihn
und halte sein Wort. 56 Abraham, euer
Vater, wurde froh, dass er meinen Tag se-
hen sollte, und er sah ihn und freute sich.
57 Da sprachen die Juden zu ihm: Du bist
noch nicht fünfzig Jahre alt und hast Ab-
raham gesehen? 58 Jesus sprach zu ihnen:
Wahrlich, wahrlich, ich sage euch: [a]Ehe
Abraham wurde, bin ich. 59 Da [a]hoben sie
Steine auf, um sie auf ihn zu werfen. Aber
Jesus verbarg sich und ging zum Tempel
hinaus.

DIE HEILUNG EINES BLINDGEBORENEN

9 Und Jesus ging vorüber und sah einen
Menschen, der blind geboren war. 2 Und
seine Jünger fragten ihn und sprachen:
Rabbi, [a]wer hat gesündigt, dieser oder
seine Eltern, dass er blind geboren ist?
3 Jesus antwortete: Es hat weder dieser
gesündigt noch seine Eltern, sondern [a]es
sollen die Werke Gottes offenbar werden
an ihm. 4 Wir [a]müssen die Werke dessen
wirken, der mich gesandt hat, solange es
Tag ist;* [b]es kommt die Nacht, da niemand
wirken kann. 5 Solange ich in der Welt bin,
bin ich das [a]Licht der Welt. 6 Als er das ge-
sagt hatte, spuckte er auf die Erde, machte
daraus einen [a]Brei und strich den Brei auf
die Augen des Blinden 7 und sprach zu
ihm: Geh zu dem Teich Siloah – das heißt
übersetzt: gesandt – und wasche dich! Da
ging er hin und wusch sich und kam se-
hend wieder.
8 Die Nachbarn nun und die, die ihn zu-
vor als Bettler gesehen hatten, sprachen:
Ist das nicht der Mann, der dasaß und bet-
telte? 9 Einige sprachen: Er ist's; andere:
Nein, aber er ist ihm ähnlich. Er selbst aber
sprach: Ich bin's. 10 Da fragten sie ihn: Wie
sind deine Augen aufgetan worden? 11 Er
antwortete: Der Mensch, der Jesus heißt,
machte einen Brei und strich ihn auf
meine Augen und sprach: Geh zum Teich
Siloah und wasche dich! Ich ging hin und
wusch mich und wurde sehend. 12 Da frag-
ten sie ihn: Wo ist er? Er sprach: Ich weiß
es nicht.
13 Da führten sie den, der zuvor blind
gewesen war, zu den Pharisäern. 14 Es war
aber Sabbat an dem Tag, als Jesus den Brei

* **9,3-4** Nach einer anderen Satzeinteilung: »Es hat weder dieser gesündigt noch seine Eltern. Sondern, damit die Werke Gottes offenbar werden an ihm, müssen wir die Werke dessen wirken, der mich gesandt hat, solange es Tag ist«.

8,43 ***a*** 1. Kor 2,14 **8,44** ***a*** 1. Joh 3,8-10 **8,46** ***a*** 2. Kor 5,21; 1. Petr 2,22; 1. Joh 3,5; Hebr 4,15 **8,47** ***a*** Kap 18,37 **8,48** ***a*** Kap 7,20 **8,51** ***a*** Kap 6,40.47 **8,54** ***a*** Jes 63,16 **8,55** ***a*** Kap 7,28-29; Mt 11,27 **8,58** ***a*** Kap 1,1-2 **8,59** ***a*** Kap 10,31 **9,2** ***a*** Lk 13,2 **9,3** ***a*** Kap 11,4 **9,4** ***a*** Kap 5,17 ***b*** Jer 13,16 **9,5** ***a*** Kap 8,12; 12,35 **9,6** ***a*** Mk 8,23

machte und seine Augen öffnete. 15 Da
fragten ihn auch die Pharisäer, wie er se-
hend geworden wäre. Er aber sprach zu ih-
nen: Einen Brei legte er mir auf die Augen,
und ich wusch mich und bin nun sehend.
16 Da sprachen einige der Pharisäer: Die-
ser Mensch ist nicht von Gott, weil er den
Sabbat nicht hält. Andere aber sprachen:
Wie kann ein sündiger Mensch solche
Zeichen tun? Und es entstand Zwietracht
unter ihnen. 17 Da sprachen sie wieder
zu dem Blinden: Was sagst du von ihm,
dass er deine Augen aufgetan hat? Er aber
sprach: [a]Er ist ein Prophet.

18 Nun glaubten die Juden nicht von ihm,
dass er blind gewesen und sehend gewor-
den war, bis sie die Eltern dessen riefen,
der sehend geworden war, 19 und sie frag-
ten sie und sprachen: Ist das euer Sohn,
von dem ihr sagt, er sei blind geboren?
Wieso ist er nun sehend? 20 Da antworte-
ten seine Eltern und sprachen: Wir wis-
sen, dass dieser unser Sohn ist und dass er
blind geboren wurde. 21 Aber wieso er nun
sehend ist, wissen wir nicht, und wer ihm
die Augen aufgetan hat, wissen wir auch
nicht. Fragt ihn, er ist alt genug; lasst ihn
für sich selbst reden. 22 Das sagten seine
Eltern, denn [a]sie fürchteten sich vor den
Juden. Denn die Juden hatten sich schon
geeinigt: Wenn jemand ihn als den Chris-
tus bekennt, der soll [b]aus der Synagoge
ausgestoßen werden. 23 Darum sprachen
seine Eltern: Er ist alt genug, fragt ihn
selbst.

24 Da riefen sie noch einmal den Men-
schen, der blind gewesen war, und spra-
chen zu ihm: Gib Gott die Ehre! Wir wis-
sen, dass dieser Mensch ein Sünder ist.
25 Er antwortete: Ist er ein Sünder? Das
weiß ich nicht; eins aber weiß ich: dass
ich blind war und bin nun sehend. 26 Da
fragten sie ihn: Was hat er mit dir getan?
Wie hat er deine Augen aufgetan? 27 Er
antwortete ihnen: Ich habe es euch schon
gesagt, und ihr habt's nicht gehört! Was
wollt ihr's abermals hören? Wollt ihr auch
seine Jünger werden? 28 Da schmähten sie
ihn und sprachen: Du bist sein Jünger;
wir aber sind Moses Jünger. 29 Wir wis-
sen, dass [a]Gott mit Mose geredet hat;
woher aber dieser ist, wissen wir nicht.
30 Der Mensch antwortete und sprach zu
ihnen: Das ist verwunderlich, dass ihr
nicht wisst, woher er ist; und er hat meine
Augen aufgetan. 31 Wir wissen, [a]dass Gott
die Sünder nicht erhört; sondern [b]den, der
gottesfürchtig ist und seinen Willen tut,
den erhört er. 32 Von Anbeginn der Welt
an hat man nicht gehört, dass jemand
einem Blindgeborenen die Augen aufge-
tan habe. 33 Wäre dieser nicht von Gott, er
könnte nichts tun. 34 Sie antworteten und
sprachen zu ihm: Du bist ganz in Sünden
geboren und lehrst uns? Und sie stießen
ihn hinaus.

35 Jesus hörte, dass sie ihn ausgesto-
ßen hatten. Und als er ihn fand, fragte er:
Glaubst du an den Menschensohn? 36 Er
antwortete und sprach: Herr, wer ist's, auf
dass ich an ihn glaube? 37 Jesus sprach zu
ihm: Du hast ihn ja gesehen, und [a]der mit
dir redet, der ist's. 38 Er aber sprach: Herr,
ich glaube. Und er betete ihn an.

39 Und Jesus sprach: Ich bin zum Gericht
in diese Welt gekommen, auf dass die da
nicht sehen, sehend werden, und die da
sehen, blind werden.[a] 40 Das hörten einige
der Pharisäer, die bei ihm waren, und spra-
chen zu ihm: Sind wir denn auch blind?
41 Jesus sprach zu ihnen: Wärt ihr blind, so
hättet ihr keine Sünde; weil ihr aber sagt:
Wir sind sehend, bleibt eure Sünde.[a]

DER GUTE HIRTE

10 Wahrlich, wahrlich, ich sage euch:
Wer nicht zur Tür hineingeht in den
Schafstall, sondern steigt anderswo hin-
ein, der ist ein Dieb und ein Räuber. 2 Der
aber zur Tür hineingeht, der ist der Hirte
der Schafe. 3 Dem macht der Türhüter auf,
und die Schafe hören seine Stimme; und
er ruft seine Schafe mit Namen und führt
sie hinaus. 4 Wenn er alle seine Schafe
hinausgelassen hat, geht er vor ihnen her,
und die Schafe folgen ihm nach; denn sie
kennen seine Stimme. 5 Einem Fremden
aber folgen sie nicht nach, sondern fliehen
vor ihm; denn sie kennen die Stimme der
Fremden nicht. 6 Dies Gleichnis sagte Je-
sus zu ihnen; sie verstanden aber nicht,
was er ihnen damit sagte.

9,17 *a* Kap 4,19 **9,22** *a* Kap 7,13 *b* Kap 12,42; 16,2
9,29 *a* 2. Mose 3,4; 34,34 **9,31** *a* Ps 66,18; Jes 1,15
b Spr 15,29 **9,37** *a* Kap 4,26 **9,39** *a* Mt 13,11-15
9,41 *a* Kap 15,22

7 Da sprach Jesus wieder: Wahrlich,
wahrlich, ich sage euch: Ich bin die Tür zu
den Schafen. 8 Alle, die vor mir gekommen
sind, die sind Diebe und Räuber; aber die
Schafe haben ihnen nicht gehorcht. 9 **Ich**
bin die Tür; wenn jemand durch mich
hineingeht, wird er selig werden und
wird ein und aus gehen und Weide fin-
den.[a] 10 Ein Dieb kommt nur, um zu steh-
len, zu schlachten und umzubringen. Ich
bin gekommen, damit sie das Leben haben
und volle Genüge.

11 **Ich bin [a]der gute Hirte. Der gute**
Hirte [b]lässt sein Leben für die Schafe.
12 Der Mietling, der nicht Hirte ist, dem
die Schafe nicht gehören, sieht den Wolf
kommen und verlässt die Schafe und
flieht – und der Wolf stürzt sich auf die
Schafe und zerstreut sie –, 13 denn er ist
ein Mietling und kümmert sich nicht um
die Schafe. 14 **Ich bin der gute Hirte und**
[a]kenne die Meinen und die Meinen
kennen mich, 15 wie mich mein Vater
kennt; und ich kenne den Vater. Und
ich lasse mein Leben für die Schafe.

16 Und ich habe noch andere Schafe, die
sind nicht aus diesem Stall; auch sie muss
ich herführen, und sie werden meine
Stimme hören, und es wird *eine* Herde
und *ein* Hirte werden.[a] 17 Darum liebt
mich der Vater, weil ich mein Leben lasse,
auf dass ich's wieder empfange. 18 Nie-
mand nimmt es von mir, sondern ich sel-
ber lasse es. [a]Ich habe Macht, es zu lassen,
und habe Macht, es wieder zu empfangen.
Dies Gebot habe ich empfangen von mei-
nem Vater.

19 Da entstand abermals Zwietracht
unter den Juden wegen dieser Worte.[a]
20 Viele unter ihnen sprachen: [a]Er ist von
einem Dämon besessen und ist von Sin-
nen; was hört ihr ihm zu? 21 Andere spra-
chen: Das sind nicht Worte eines Besesse-
nen; kann denn ein Dämon die Augen der
Blinden auftun?

22 Es war damals das Fest der Tempel-
weihe in Jerusalem, und es war Winter.
23 Und Jesus ging umher im Tempel in der
[a]Halle Salomos. 24 Da umringten ihn die
Juden und sprachen zu ihm: Wie lange
hältst du uns im Ungewissen? Bist du
der Christus, so sage es frei heraus. 25 Je-
sus antwortete ihnen: Ich habe es euch
gesagt, und ihr glaubt nicht. [a]Die Werke,
die ich tue in meines Vaters Namen, die
zeugen von mir. 26 Aber [a]ihr glaubt nicht,
denn ihr seid nicht von meinen Schafen.
27 [a]**Meine Schafe hören meine Stim-**
me, und ich kenne sie und sie folgen
mir; 28 und ich gebe ihnen das ewige
Leben, und sie werden nimmermehr
umkommen, und niemand wird sie
aus meiner Hand reißen. 29 Was mir
mein Vater gegeben hat, ist größer als al-
les, und niemand kann es aus des Vaters
Hand reißen. 30 **Ich und der Vater sind**
eins.

DER VORWURF DER GOTTESLÄSTERUNG

31 Da [a]hoben die Juden abermals Steine
auf, um ihn zu steinigen. 32 Jesus antwor-
tete ihnen: Viele gute Werke habe ich
euch erzeigt vom Vater; um welches die-
ser Werke willen wollt ihr mich steinigen?
33 Die Juden antworteten ihm: Um eines
guten Werkes willen steinigen wir dich
nicht, sondern [a]um der Gotteslästerung
willen [b]und weil du ein Mensch bist und
machst dich selbst zu Gott.

34 Jesus antwortete ihnen: Steht nicht
geschrieben in eurem Gesetz (Psalm 82,6):
»Ich habe gesagt: Ihr seid Götter«? 35 Wenn
jene »Götter« genannt werden, zu denen
das Wort Gottes geschah – und die Schrift
kann doch nicht [a]gebrochen werden –,
36 wie sagt ihr dann zu dem, den der Va-
ter geheiligt und in die Welt gesandt hat:
Du lästerst Gott –, weil ich sage: Ich bin
Gottes Sohn?[a] 37 Tue ich nicht die Werke
meines Vaters, so glaubt mir nicht; 38 tue
ich sie aber, so glaubt doch den Werken,
wenn ihr mir nicht glauben wollt, auf dass
ihr erkennt und wisst, dass der Vater in
mir ist und ich im Vater. 39 Da [a]suchten sie
abermals, ihn zu ergreifen. Aber [b]er ent-
ging ihren Händen.

40 Und er ging wieder fort auf die andere
Seite des Jordans an den Ort, [a]wo Johan-
nes zuvor getauft hatte, und blieb dort.

10,9 *a* Kap 14,6 **10,11** *a* Ps 23,1-6; Jes 40,11; Hes 34,11-23 *b* Kap 15,13; Hebr 13,20 **10,14** *a* 2. Tim 2,19 **10,16** *a* Kap 11,52; Apg 10,34-35 **10,18** *a* Kap 5,26 **10,19** *a* Kap 7,43; 9,16 **10,20** *a* Kap 7,20; Mk 3,21 **10,23** *a* Apg 3,11 **10,25** *a* Kap 5,36 **10,26** *a* Kap 8,45.47 **10,27** *a* (27-28) Ps 95,7 **10,31** *a* Kap 8,59 **10,33** *a* Mt 9,3; 26,65 *b* Kap 5,18 **10,35** *a* Mt 5,17 **10,36** *a* Kap 5,17-20 **10,39** *a* Kap 8,59 *b* Lk 4,30 **10,40** *a* Kap 1,28

41 Und viele kamen zu ihm und sprachen:
Johannes hat zwar kein Zeichen getan;
aber alles, was Johannes von diesem ge-
sagt hat, das ist wahr. 42 Und viele dort
glaubten an ihn.

DIE AUFERWECKUNG DES LAZARUS

11 Es lag aber einer krank, Lazarus aus
Betanien, dem Dorf [a]Marias und ihrer
Schwester Marta. 2 Maria aber war es, die
[a]den Herrn mit Salböl gesalbt und seine
Füße mit ihrem Haar getrocknet hatte.
Deren Bruder Lazarus war krank. 3 Da
sandten die Schwestern zu Jesus und lie-
ßen ihm sagen: Herr, siehe, der, den du
lieb hast, liegt krank. 4 Als Jesus das hörte,
sprach er: Diese Krankheit ist nicht zum
Tode, sondern [a]zur Verherrlichung Got-
tes, dass der Sohn Gottes dadurch verherr-
licht werde. 5 Jesus aber hatte Marta lieb
und ihre Schwester und Lazarus.

6 Als er nun hörte, dass er krank war,
blieb er noch zwei Tage an dem Ort, wo
er war. 7 Danach spricht er zu den Jün-
gern: Lasst uns wieder nach Judäa ziehen!
8 Die Jünger aber sprachen zu ihm: Rabbi,
[a]eben noch wollten die Juden dich steini-
gen, und du willst wieder dorthin ziehen?
9 Jesus antwortete: Hat nicht der Tag zwölf
Stunden? Wer bei Tage umhergeht, der
stößt sich nicht; denn er sieht [a]das Licht
dieser Welt. 10 Wer aber bei Nacht umher-
geht, der stößt sich; denn es ist kein Licht
in ihm.[a]

11 Das sagte er, und danach spricht er zu
ihnen: Lazarus, unser Freund, [a]schläft,
aber ich gehe hin, dass ich ihn aufwecke.
12 Da sprachen die Jünger zu ihm: Herr,
wenn er schläft, wird's besser mit ihm.
13 Jesus aber sprach von seinem Tode; sie
meinten aber, er rede von der Ruhe des
Schlafs. 14 Da sagte ihnen Jesus frei her-
aus: Lazarus ist gestorben; 15 und ich bin
froh um euretwillen, dass ich nicht da ge-
wesen bin, auf dass ihr glaubt. Aber lasst
uns zu ihm gehen! 16 Da sprach [a]Thomas,
der Zwilling genannt wird, zu den andern
Jüngern: Lasst uns mit ihm gehen, dass
wir mit ihm sterben!

17 Da kam Jesus und fand Lazarus schon
vier Tage im Grabe liegen. 18 Betanien aber
war nahe bei Jerusalem, etwa fünfzehn
Stadien entfernt. 19 Viele Juden aber wa-
ren zu Marta und Maria gekommen, sie zu
trösten wegen ihres Bruders.

20 Als Marta nun hörte, dass Jesus
kommt, ging sie ihm entgegen; Maria aber
blieb im Haus sitzen. 21 Da sprach Marta zu
Jesus: Herr, wärst du hier gewesen, mein
Bruder wäre nicht gestorben. 22 Aber auch
jetzt weiß ich: Was du bittest von Gott,
das wird dir Gott geben. 23 Jesus spricht
zu ihr: Dein Bruder wird auferstehen.
24 Marta spricht zu ihm: Ich weiß, dass er
auferstehen wird bei der [a]Auferstehung
am Jüngsten Tage. 25 Jesus spricht zu ihr:
Ich bin die Auferstehung und das Le-
ben. Wer an mich glaubt, der wird le-
ben, ob er gleich stürbe; 26 und wer da
lebt und glaubt an mich, der [a]wird nim-
mermehr sterben. Glaubst du das? 27 Sie
spricht zu ihm: **Ja, Herr, ich glaube, dass**
du der Christus bist, der Sohn Gottes,
der in die Welt kommt.[a]

28 Und als sie das gesagt hatte, ging sie
hin und rief ihre Schwester Maria und
sprach heimlich zu ihr: Der Meister ist
da und ruft dich. 29 Als Maria das hörte,
stand sie eilends auf und kam zu ihm.
30 Jesus aber war noch nicht in das Dorf
gekommen, sondern war noch dort, wo
ihm Marta begegnet war. 31 Als die Juden,
die bei ihr im Hause waren und sie trös-
teten, sahen, dass Maria eilends aufstand
und hinausging, folgten sie ihr, weil sie
dachten: Sie geht zum Grab, um dort zu
weinen.

32 Als nun Maria dahin kam, wo Jesus
war, und sah ihn, fiel sie ihm zu Füßen
und sprach zu ihm: Herr, wärst du hier
gewesen, mein Bruder wäre nicht gestor-
ben. 33 Als Jesus sah, wie sie weinte und
wie auch die Juden weinten, die mit ihr
kamen, ergrimmte er im Geist und [a]er-
bebte 34 und sprach: Wo habt ihr ihn hin-
gelegt? Sie sprachen zu ihm: Herr, komm
und sieh! 35 Und Jesus gingen die Augen
über. 36 Da sprachen die Juden: Siehe, wie
hat er ihn so lieb gehabt! 37 Einige aber
unter ihnen sprachen: [a]Er hat dem Blin-
den die Augen aufgetan; konnte er nicht

11,1 *a* Lk 10,38-39 **11,2** *a* Kap 12,3 **11,4** *a* Kap 9,3
11,8 *a* Kap 10,31 **11,9** *a* Kap 9,4-5 **11,10** *a* Kap 12,35
11,11 *a* Mt 9,24 **11,16** *a* Kap 20,24-28
11,24 *a* Kap 5,28-29; 6,40; Mt 22,23-33 **11,26** *a* Kap 8,51
11,27 *a* Mt 16,16 **11,33** *a* Kap 13,21 **11,37** *a* Kap 9,7

auch machen, dass dieser nicht sterben musste? 38 Da ergrimmte Jesus abermals und kommt zum Grab. Es war aber eine Höhle, und [a]ein Stein lag davor. 39 Jesus spricht: Hebt den Stein weg! Spricht zu ihm Marta, die Schwester des Verstorbenen: Herr, er stinkt schon; denn er liegt seit vier Tagen. 40 Jesus spricht zu ihr: Habe ich dir nicht gesagt: Wenn du glaubst, wirst du die Herrlichkeit Gottes sehen? 41 Da hoben sie den Stein weg.

Jesus aber hob seine Augen auf und sprach: Vater, ich danke dir, dass du mich erhört hast. 42 Ich wusste, dass du mich allezeit hörst; aber [a]um des Volkes willen, das umhersteht, sagte ich's, damit sie glauben, dass du mich gesandt hast. 43 Als er das gesagt hatte, rief er mit lauter Stimme: Lazarus, komm heraus! 44 Und der Verstorbene kam heraus, gebunden mit Grabtüchern an Füßen und Händen, und sein Gesicht war verhüllt mit einem Schweißtuch. Jesus spricht zu ihnen: Löst die Binden und lasst ihn gehen! 45 Viele nun von den Juden, die zu Maria gekommen waren und sahen, was Jesus tat, glaubten an ihn.

DER ENTSCHLUSS ZUR TÖTUNG JESU

46 Einige aber von ihnen gingen hin zu den Pharisäern und sagten ihnen, was Jesus getan hatte. 47 Da [a]versammelten die Hohenpriester und die Pharisäer den Hohen Rat und sprachen: Was tun wir? Dieser Mensch tut viele Zeichen. 48 Lassen wir ihn gewähren, dann werden sie alle an ihn glauben, und dann kommen die Römer und nehmen uns [a]Tempel und Volk. 49 Einer aber von ihnen, Kaiphas, der in diesem Jahr Hoherpriester war, sprach zu ihnen: Ihr wisst nichts; 50 ihr bedenkt auch nicht: Es ist besser für euch, ein Mensch sterbe für das Volk, als dass das ganze Volk verderbe.[a]

51 Das sagte er aber nicht von sich aus, sondern weil er in diesem Jahr Hoherpriester war, weissagte er. Denn Jesus sollte sterben für das Volk 52 und nicht für das Volk allein, sondern auch, um die [a]verstreuten Kinder Gottes [b]zusammenzubringen. 53 Von dem Tage an war es für sie beschlossen, dass sie ihn töteten. 54 Da ging Jesus nicht mehr frei umher unter den Juden, sondern ging von dort weg in eine Gegend nahe der Wüste, in eine Stadt mit Namen [a]Ephraim, und blieb dort mit den Jüngern.

55 Es war aber nahe das Passafest der Juden; und viele aus der Gegend gingen hinauf nach Jerusalem vor dem Fest, [a]dass sie sich reinigten. 56 Da suchten sie Jesus und redeten miteinander, als sie im Tempel standen: Was meint ihr? Er wird doch nicht zum Fest kommen? 57 Die Hohenpriester und Pharisäer aber hatten geboten, wenn jemand wüsste, wo er wäre, sollte er's anzeigen, damit sie ihn ergreifen könnten.

DIE SALBUNG IN BETANIEN

(Mt 26,6-13; Mk 14,3-9)

12 Sechs Tage vor dem Passafest kam Jesus nach Betanien, wo Lazarus war, den Jesus auferweckt hatte von den Toten.[a] 2 Dort machten sie ihm ein Mahl, und Marta diente bei Tisch; Lazarus aber war einer von denen, die mit ihm zu Tisch saßen. 3 Da nahm Maria ein Pfund Salböl von unverfälschter, kostbarer Narde und salbte die Füße Jesu und trocknete mit ihrem Haar seine Füße; das Haus aber wurde erfüllt vom Duft des Öls.[a]

4 Da sprach einer seiner Jünger, Judas Iskariot, der ihn hernach verriet: 5 Warum wurde dieses Öl nicht für dreihundert Silbergroschen verkauft und das Geld den Armen gegeben? 6 Das sagte er aber nicht, weil ihm an den Armen lag, sondern er war ein Dieb; [a]er hatte den Geldbeutel und nahm an sich, was gegeben wurde. 7 Da sprach Jesus: Lass sie. Es soll gelten für den Tag meines Begräbnisses. 8 Denn [a]Arme habt ihr allezeit bei euch; mich aber habt ihr nicht allezeit.

9 Da erfuhr eine große Menge der Juden, dass er dort war, und sie kamen nicht allein um Jesu willen, sondern um auch Lazarus zu sehen, den er von den Toten erweckt hatte. 10 Aber die Hohenpriester beschlossen, auch Lazarus zu töten; 11 denn um seinetwillen gingen viele Juden hin und glaubten an Jesus.

11,38 ***a*** Mt 27,60 **11,42** ***a*** Kap 12,30 **11,47** ***a*** Mt 26,3-4 **11,48** ***a*** Joh 4,20 **11,50** ***a*** Kap 18,14 **11,52** ***a*** Kap 7,35 ***b*** Kap 10,16; 1. Joh 2,2 **11,54** ***a*** 2. Sam 13,23; 1. Makk 11,34 **11,55** ***a*** 2. Chr 30,17-18 **12,1** ***a*** Kap 11,1.43 **12,3** ***a*** Lk 7,38 **12,6** ***a*** Kap 13,29 **12,8** ***a*** 5. Mose 15,11

DER EINZUG IN JERUSALEM

(Mt 21,1-11; Mk 11,1-10; Lk 19,29-40)
12 Als am nächsten Tag die große Men-
ge, die aufs Fest gekommen war, hörte,
dass Jesus nach Jerusalem kommen wer-
de, 13 nahmen sie Palmzweige und gingen
hinaus ihm entgegen und schrien: [a]**Ho-
sianna! Gelobt sei, der da kommt im
Namen des Herrn, der König von Is-
rael!** 14 Jesus aber fand einen jungen Esel
und setzte sich darauf, wie geschrieben
steht (Sacharja 9,9): 15 »Fürchte dich nicht, du
Tochter Zion! Siehe, dein König kommt
und reitet auf einem Eselsfüllen.« 16 Das
verstanden seine Jünger zuerst nicht;
doch als Jesus verherrlicht war, da dach-
ten sie daran, dass dies von ihm geschrie-
ben stand und man so an ihm getan
hatte.
17 Die Menge aber, die bei ihm war, als
er Lazarus aus dem Grabe rief und von
den Toten auferweckte, bezeugte die Tat.
18 Darum ging ihm auch die Menge ent-
gegen, weil sie hörte, er habe dieses Zei-
chen getan. 19 Die Pharisäer aber sprachen
untereinander: Ihr seht, dass ihr nichts
ausrichtet; siehe, [a]alle Welt läuft ihm
nach.

DIE ANKÜNDIGUNG DER VERHERRLICHUNG

20 Es waren aber einige Griechen unter
denen, die heraufgekommen waren, um
anzubeten auf dem Fest. 21 Die traten zu
[a]Philippus, der aus Betsaida in Galiläa war,
und baten ihn und sprachen: Herr, wir
wollen Jesus sehen. 22 Philippus kommt
und sagt es Andreas, und Andreas und
Philippus sagen's Jesus. 23 Jesus aber ant-
wortete ihnen und sprach: Die Stunde ist
gekommen, dass der Menschensohn ver-
herrlicht werde. 24 Wahrlich, wahrlich, ich
sage euch: **Wenn das Weizenkorn nicht
in die Erde fällt und erstirbt, bleibt es
allein; [a]wenn es aber erstirbt, bringt es
viel Frucht.** 25 **Wer sein Leben lieb hat,
der verliert es; und wer sein Leben auf
dieser Welt hasst, der wird's bewahren
zum ewigen Leben.**[a] 26 **Wer mir dienen
will, der folge mir nach; und [a]wo ich
bin, da soll mein Diener auch sein. Und
wer mir dienen wird, den wird mein
Vater ehren.**
27 Jetzt [a]ist meine Seele voll Unruhe.
Und was soll ich sagen? Vater, hilf mir
aus dieser Stunde? Doch darum bin
ich in diese Stunde gekommen. 28 Va-
ter, verherrliche deinen Namen! Da kam
eine Stimme vom Himmel: Ich habe
ihn verherrlicht und will ihn abermals
verherrlichen.[a]
29 Da sprach das Volk, das dabeistand
und zuhörte: Es hat gedonnert. Andere
sprachen: Ein Engel hat mit ihm gere-
det. 30 Jesus antwortete und sprach: Diese
Stimme ist nicht um meinetwillen ge-
schehen, sondern [a]um euretwillen. 31 Jetzt
ergeht das Gericht über diese Welt; jetzt
[a]wird der Fürst dieser Welt hinausgesto-
ßen werden. 32 Und **ich, wenn ich [a]er-
höht werde von der Erde, so will ich
alle zu mir ziehen.** 33 Das sagte er aber,
um anzuzeigen, welchen Todes er ster-
ben würde.
34 Da antwortete ihm das Volk: Wir ha-
ben aus dem Gesetz gehört, dass [a]der
Christus in Ewigkeit bleibt; wieso sagst
du dann: Der Menschensohn muss er-
höht werden? Wer ist dieser Menschen-
sohn? 35 Da sprach Jesus zu ihnen: Es ist
das Licht noch eine kleine Zeit bei euch.
Wandelt, solange ihr das Licht habt, dass
euch die Finsternis nicht überfalle. [a]Wer
in der Finsternis wandelt, der weiß nicht,
wo er hingeht. 36 **Glaubt an das Licht,
solange ihr's habt, auf dass ihr [a]des
Lichtes Kinder werdet.** Das redete Je-
sus und ging weg und verbarg sich vor
ihnen.

DER UNGLAUBE DES VOLKES

37 Und obwohl er solche Zeichen vor ihren
Augen getan hatte, glaubten sie doch nicht
an ihn, 38 auf dass erfüllt werde der Spruch
des Propheten Jesaja, den er sagte (Jesaja 53,1):
»Herr, wer glaubt unserm Predigen? Und
wem ist der Arm des Herrn offenbart?«
39 Darum konnten sie nicht glauben, denn
Jesaja sagte wiederum (Jesaja 6,9-10): 40 »Er

12,13 *a* Ps 118,25-26 **12,19** *a* Kap 11,48 **12,21** *a* Kap 1,44
12,24 *a* Röm 14,9; 1. Kor 15,36 **12,25** *a* Mt 10,39; 16,25; Lk 17,33 **12,26** *a* Kap 17,24 **12,27** *a* Mt 26,38
12,28 *a* Kap 13,31; Mt 3,17; 17,5 **12,30** *a* Kap 11,42
12,31 *a* Kap 14,30; 16,11; Lk 10,18 **12,32** *a* Kap 8,28
12,34 *a* Ps 110,4; Dan 7,14 **12,35** *a* Kap 11,10
12,36 *a* Eph 5,8

hat ihre Augen verblendet und ihr Herz
verstockt, dass sie mit den Augen nicht
sehen noch mit dem Herzen verstehen
und sich bekehren und ich ihnen helfe.«[a]
41 Das sagte Jesaja, [a]weil er seine Herrlich-
keit sah und von ihm redete. 42 Doch auch
von den Oberen glaubten viele an ihn;
aber um der Pharisäer willen bekannten
sie es nicht, um nicht [a]aus der Synagoge
ausgestoßen zu werden. 43 Denn [a]sie hat-
ten lieber Ehre bei den Menschen als Ehre
bei Gott.
44 Jesus aber rief: Wer an mich glaubt, der
glaubt nicht an mich, sondern an den, der
mich gesandt hat. 45 Und [a]wer mich sieht,
der sieht den, der mich gesandt hat. 46 **Ich**
bin als [a]Licht in die Welt gekommen,
auf dass, wer an mich glaubt, nicht in
der Finsternis bleibe. 47 Und wer meine
Worte hört und bewahrt sie nicht, den
richte ich nicht; denn [a]ich bin nicht ge-
kommen, dass ich die Welt richte, sondern
dass ich die Welt rette. 48 Wer mich ver-
achtet und nimmt meine Worte nicht an,
der hat schon seinen Richter: Das Wort,
das ich geredet habe, das wird ihn richten
am Jüngsten Tage. 49 Denn ich habe nicht
aus mir selbst geredet, sondern der Vater,
der mich gesandt hat, der hat mir ein Ge-
bot gegeben, was ich tun und reden soll.
50 Und ich weiß: Sein Gebot ist das ewige
Leben. Darum: Was ich rede, das rede ich
so, wie es mir der Vater gesagt hat.

JESU ABSCHIEDSREDEN

Kapitel 13,1–17,26

DIE FUSSWASCHUNG

13 Vor dem Passafest aber erkannte Jesus,
[a]dass seine Stunde gekommen war,
dass er aus dieser Welt ginge zum Vater.
Wie er die Seinen geliebt hatte, die in der
Welt waren, so liebte er sie bis ans Ende.
2 Und nach dem Abendessen – als schon
[a]der Teufel dem Judas, dem Sohn des Si-
mon Iskariot, ins Herz gegeben hatte, dass
er ihn verriete; 3 Jesus aber wusste, dass
ihm [a]der Vater alles in seine Hände gege-
ben hatte und dass er [b]von Gott gekom-
men war und zu Gott ging – 4 da stand er
vom Mahl auf, legte seine Kleider ab und
nahm einen Schurz und umgürtete sich.
5 Danach goss er Wasser in ein Becken,
fing an, den Jüngern die Füße zu waschen
und zu trocknen mit dem Schurz, mit dem
er umgürtet war.
6 Da kam er zu Simon Petrus; der sprach
zu ihm: Herr, du wäschst mir die Füße?
7 Jesus antwortete und sprach zu ihm:
Was ich tue, das verstehst du jetzt nicht;
du wirst es aber hernach erfahren. 8 Da
sprach Petrus zu ihm: Nimmermehr sollst
du mir die Füße waschen! Jesus antwor-
tete ihm: Wenn ich dich nicht wasche, so
hast du kein Teil an mir. 9 Spricht zu ihm
Simon Petrus: Herr, nicht die Füße allein,
sondern auch die Hände und das Haupt!
10 Spricht Jesus zu ihm: Wer gewaschen
ist, bedarf nichts, als dass ihm die Füße ge-
waschen werden; er ist vielmehr ganz rein.
Und [a]ihr seid rein, aber nicht alle. 11 Denn
er wusste, wer ihn verraten würde; darum
sprach er: Ihr seid nicht alle rein.
12 Als er nun ihre Füße gewaschen hatte,
nahm er seine Kleider und setzte sich wie-
der nieder und sprach zu ihnen: Wisst ihr,
was ich euch getan habe? 13 Ihr nennt mich
Meister und Herr und sagt es mit Recht,
denn ich bin's auch.[a] 14 Wenn nun ich, euer
Herr und Meister, euch [a]die Füße gewa-
schen habe, so sollt auch ihr euch unter-
einander die Füße waschen. 15 Denn **ein**
Beispiel habe ich euch gegeben, da-
mit ihr tut, wie ich euch getan habe.[a]
16 Wahrlich, wahrlich, ich sage euch: [a]Der
Knecht ist nicht größer als sein Herr und
der Gesandte nicht größer als der, der ihn
gesandt hat. 17 Wenn ihr dies wisst – selig
seid ihr, wenn ihr's tut.[a]
18 Ich spreche nicht von euch allen; ich
weiß, welche ich erwählt habe. Aber es
muss die Schrift erfüllt werden (Psalm 41,10):
»Der mein Brot aß, tritt mich mit Füßen.«
19 Schon jetzt sage ich's euch, ehe es ge-
schieht, damit ihr, wenn es geschehen ist,
glaubt, dass ich es bin. 20 Wahrlich, wahr-
lich, ich sage euch: Wer jemanden auf-
nimmt, den ich senden werde, der nimmt

12,40 *a* Mt 13,14-15 **12,41** *a* Jes 6,1 **12,42** *a* Kap 9,22
12,43 *a* Kap 5,44 **12,45** *a* Kap 14,9 **12,46** *a* Kap 8,12
12,47 *a* Kap 3,17; Lk 9,56 **13,1** *a* Kap 7,30; 17,1
13,2 *a* Lk 22,3 **13,3** *a* Kap 3,35 *b* Kap 16,28
13,10 *a* Kap 15,3 **13,13** *a* Mt 23,8.10 **13,14** *a* Lk 22,27
13,15 *a* Phil 2,5; 1. Petr 2,21 **13,16** *a* Mt 10,24
13,17 *a* Mt 7,24

mich auf; wer aber mich aufnimmt, der
nimmt den auf, der mich gesandt hat.[a]

JESUS, DER LIEBLINGSJÜNGER UND DER VERRÄTER

(Mt 26,21-25; Mk 14,18-21; Lk 22,21-23)

21 Als Jesus das gesagt hatte, wurde er [a]er-
regt im Geist und bezeugte und sprach:
Wahrlich, wahrlich, ich sage euch: Einer
unter euch wird mich verraten. 22 Da sa-
hen sich die Jünger untereinander an, und
ihnen wurde bange, von wem er wohl
redete. 23 Es war aber [a]einer unter seinen
Jüngern, der zu Tische lag an der Brust
Jesu, den hatte Jesus lieb. 24 Dem winkte
Simon Petrus, dass er fragen sollte, wer es
wäre, von dem er redete. 25 Da lehnte der
sich an die Brust Jesu und fragte ihn: Herr,
wer ist's? 26 Jesus antwortete: Der ist's,
dem ich den Bissen eintauche und gebe.
Und er nahm den Bissen, tauchte ihn ein
und gab ihn Judas, dem Sohn des Simon
Iskariot. 27 Und nach dem Bissen fuhr
der Satan in ihn. Da sprach Jesus zu ihm:
Was du tust, das tue bald! 28 Niemand am
Tisch aber wusste, wozu er ihm das sagte.
29 Denn einige meinten, weil Judas den
Beutel hatte, spräche Jesus zu ihm: Kaufe,
was wir zum Fest nötig haben!, oder dass
er den Armen etwas geben sollte. 30 Als er
nun den Bissen genommen hatte, ging er
alsbald hinaus. Und es war Nacht.

DIE VERHERRLICHUNG UND DAS NEUE GEBOT

31 Da Judas nun hinausgegangen war,
spricht Jesus: [a]Jetzt ist der Menschensohn
verherrlicht, und Gott ist verherrlicht in
ihm. 32 Ist Gott verherrlicht in ihm, so
[a]wird Gott ihn auch verherrlichen in sich
und wird ihn bald verherrlichen. 33 Ihr
Kinder, ich bin noch eine kleine Weile bei
euch. Ihr werdet mich suchen. Und [a]wie
ich zu den Juden sagte, sage ich jetzt auch
zu euch: Wo ich hingehe, da könnt ihr
nicht hinkommen.

34 **Ein neues Gebot gebe ich euch, dass
ihr euch untereinander liebt, wie ich
euch geliebt habe, damit auch ihr ein-
ander lieb habt.**[a] 35 **Daran wird jeder-
mann erkennen, dass ihr meine Jünger
seid, wenn ihr Liebe untereinander
habt.**

DIE ANKÜNDIGUNG DER VERLEUGNUNG DES PETRUS

(Mt 26,33-35; Mk 14,29-31; Lk 22,31-34)

36 Spricht Simon Petrus zu ihm: Herr, wo
gehst du hin? Jesus antwortete ihm: Wo
ich hingehe, kannst du mir jetzt nicht fol-
gen; aber [a]du wirst mir später folgen. 37 Pe-
trus spricht zu ihm: Herr, warum kann
ich dir jetzt nicht folgen? Ich will mein
Leben für dich lassen. 38 Jesus antwortete
ihm: Du willst dein Leben für mich las-
sen? Wahrlich, wahrlich, ich sage dir: Der
Hahn wird nicht krähen, bis du mich drei-
mal verleugnet hast.

JESUS, DER WEG ZUM VATER

**14 Euer Herz erschrecke nicht! Glaubt
an Gott und glaubt an mich! 2 In
meines Vaters Hause sind viele Woh-
nungen.** Wenn's nicht so wäre, hätte ich
dann zu euch gesagt: Ich gehe hin, euch
die Stätte zu bereiten? 3 Und wenn ich
hingehe, euch die Stätte zu bereiten, will
ich wiederkommen und [a]euch zu mir neh-
men, auf dass auch ihr seid, wo ich bin.
4 Und wo ich hingehe, dahin wisst ihr den
Weg.

5 Spricht zu ihm Thomas: Herr, wir wis-
sen nicht, wo du hingehst; wie können
wir den Weg wissen? 6 Jesus spricht zu
ihm: **Ich bin der Weg und die Wahrheit
und das Leben; [a]niemand kommt zum
Vater denn durch mich.** 7 Wenn ihr mich
erkannt habt, so werdet ihr auch meinen
Vater erkennen. Und von nun an kennt ihr
ihn und habt ihn gesehen.

8 Spricht zu ihm Philippus: Herr, zeige
uns den Vater, und es genügt uns. 9 Jesus
spricht zu ihm: So lange bin ich bei euch,
und du kennst mich nicht, Philippus?
[a]**Wer mich sieht, der sieht den Vater.**
Wie sprichst du dann: Zeige uns den Va-
ter? 10 Glaubst du nicht, dass ich im Vater
bin und der Vater in mir? [a]Die Worte, die
ich zu euch rede, die rede ich nicht aus mir
selbst. Der Vater aber, der in mir bleibt, der
tut seine Werke. 11 Glaubt mir, dass ich im

13,20 *a* Mt 10,40 **13,21** *a* Kap 12,27 **13,23** *a* Kap 19,26; 20,2; 21,20 **13,31** *a* Kap 12,23.28 **13,32** *a* Kap 17,1-5 **13,33** *a* Kap 8,21 **13,34** *a* Kap 15,12-13.17 **13,36** *a* Kap 21,18-19 **14,3** *a* Kap 12,26; 17,24 **14,6** *a* Kap 10,9; Mt 11,27; Röm 5,1-2; Hebr 10,20 **14,9** *a* Kap 12,45; Hebr 1,3 **14,10** *a* Kap 12,49

Vater bin und der Vater in mir; wenn nicht,
so [a]glaubt doch um der Werke willen.
12 Wahrlich, wahrlich, ich sage euch:
Wer an mich glaubt, der [a]wird die Werke
auch tun, die ich tue, und wird größere
als diese tun; denn ich gehe zum Vater.
13 [a]Und was ihr bitten werdet in meinem
Namen, das will ich tun, auf dass der Va-
ter verherrlicht werde im Sohn. 14 Was ihr
mich bitten werdet in meinem Namen,
das will ich tun.

DIE VERHEISSUNG DES HEILIGEN GEISTES

15 Liebt ihr mich, so werdet ihr meine Ge-
bote halten.[a] 16 Und ich will den Vater bit-
ten und er wird euch einen andern [a]Trös-
ter* geben, dass er bei euch sei in Ewigkeit:
17 den [a]Geist der Wahrheit, den die Welt
nicht empfangen kann, denn sie sieht ihn
nicht und kennt ihn nicht. Ihr kennt ihn,
denn er bleibt bei euch und wird in euch
sein.
18 Ich will euch nicht als Waisen zurück-
lassen; ich komme zu euch. 19 Es ist noch
eine kleine Zeit, dann sieht die Welt mich
nicht mehr. [a]Ihr aber seht mich, denn **ich
lebe, und ihr sollt auch leben.** 20 An je-
nem Tage werdet ihr erkennen, dass ich in
meinem Vater bin und ihr in mir und ich
in euch. 21 Wer [a]meine Gebote hat und hält
sie, der ist's, der mich liebt. Wer mich aber
liebt, der [b]wird von meinem Vater geliebt
werden, und ich werde ihn lieben und
mich ihm offenbaren.
22 Spricht zu ihm Judas, nicht der Iska-
riot: Herr, was bedeutet es, dass du dich
uns offenbaren willst und nicht der Welt?
23 Jesus antwortete und sprach zu ihm:
[a]**Wer mich liebt, der wird mein Wort
halten; und mein Vater wird ihn lieben,
und wir werden zu ihm kommen und
Wohnung bei ihm nehmen.** 24 Wer aber
mich nicht liebt, der hält meine Worte
nicht. Und [a]das Wort, das ihr hört, ist
nicht mein Wort, sondern das des Vaters,
der mich gesandt hat.
25 Das habe ich zu euch geredet, solan-
ge ich bei euch gewesen bin. 26 Aber **der
Tröster, der Heilige Geist, den mein Va-
ter senden wird in meinem Namen, der
wird euch alles lehren und euch an alles
erinnern, was ich euch gesagt habe.**

DER FRIEDE CHRISTI

27 **Frieden lasse ich euch, [a]meinen Frie-
den gebe ich euch. Nicht gebe ich euch,
wie die Welt gibt. Euer Herz erschrecke
nicht und fürchte sich nicht.** 28 Ihr habt
gehört, dass ich euch gesagt habe: Ich gehe
hin und komme wieder zu euch. Hättet
ihr mich lieb, so würdet ihr euch freuen,
dass ich zum Vater gehe; denn der Vater ist
größer als ich. 29 Und jetzt habe ich's euch
gesagt, ehe es geschieht, damit ihr glaubt,
wenn es nun geschehen wird.
30 Ich werde nicht mehr viel mit euch
reden, denn es kommt [a]der Fürst die-
ser Welt. Er hat keine Macht über mich.
31 Aber die Welt soll erkennen, dass ich
den Vater liebe und [a]tue, wie mir der Va-
ter geboten hat. – Steht auf und lasst uns
von hier weggehen.

DER WAHRE WEINSTOCK

15 [a]Ich bin der wahre Weinstock und
mein Vater der Weingärtner. 2 Eine
jede Rebe an mir, die keine Frucht bringt,
nimmt er weg; und eine jede, die Frucht
bringt, reinigt er, dass sie mehr Frucht
bringe. 3 Ihr seid schon rein um des Wor-
tes willen, das ich zu euch geredet habe.[a]
4 Bleibt in mir und ich in euch. Wie die
Rebe keine Frucht bringen kann aus sich
selbst, wenn sie nicht am Weinstock
bleibt, so auch ihr nicht, wenn ihr nicht an
mir bleibt.
5 **Ich bin der Weinstock, ihr seid die
Reben. Wer in mir bleibt und ich in
ihm, der bringt viel Frucht; denn [a]ohne
mich könnt ihr nichts tun.** 6 Wer nicht
in mir bleibt, der wird weggeworfen wie
eine Rebe und verdorrt, und man sammelt
die Reben und wirft sie ins Feuer, und sie
verbrennen. 7 Wenn ihr in mir bleibt und
meine Worte in euch bleiben, [a]werdet ihr
bitten, was ihr wollt, und es wird euch

* **14,16** Andere Übersetzungen: »Fürsprecher«, »Beistand« (vgl. Vers 26; Kap 15,26; 16,7).

14,11 *a* Kap 10,25.38 **14,12** *a* Mt 28,19
14,13 *a* (13-14) Kap 15,7; 16,24; Mk 11,24; 1. Joh 5,14-15
14,15 *a* Kap 15,10; 1. Joh 5,3 **14,16** *a* Kap 15,26; 16,7
14,17 *a* Kap 16,13 **14,19** *a* Kap 20,20 **14,21** *a* 1. Joh 5,3
b Kap 16,27 **14,23** *a* Spr 8,17; Eph 3,17
14,24 *a* Kap 7,16-17 **14,27** *a* Kap 16,33; Phil 4,7
14,30 *a* Kap 12,31; Eph 2,2 **14,31** *a* Kap 10,18
15,1 *a* (1-6) Ps 80,9-12; Jes 5,1-7; Jer 2,21 **15,3** *a* Kap 13,10; 1. Petr 1,23 **15,5** *a* 2. Kor 3,5-6 **15,7** *a* Mk 11,24

widerfahren. 8 Darin wird mein Vater ver-
herrlicht, dass ihr viel Frucht bringt und
werdet meine Jünger.[a]

DAS GEBOT DER LIEBE

9 Wie mich mein Vater liebt, so liebe ich
euch auch. Bleibt in meiner Liebe! 10 Wenn
ihr meine Gebote haltet, bleibt ihr in mei-
ner Liebe, so wie ich meines Vaters Gebote
gehalten habe und bleibe in seiner Liebe.
11 Das habe ich euch gesagt, auf dass meine
Freude in euch sei und eure Freude voll-
kommen werde.[a]
12 **Das ist mein Gebot, dass ihr ein-
ander liebt, wie ich euch liebe.**[a] 13 Nie-
mand hat größere Liebe als die, [a]dass er
sein Leben lässt für seine Freunde. 14 Ihr
seid meine Freunde, wenn ihr tut, was
ich euch gebiete.[a] 15 Ich nenne euch hin-
fort nicht Knechte; denn der Knecht weiß
nicht, was sein Herr tut. Euch aber habe
ich Freunde genannt; denn alles, was ich
von meinem Vater gehört habe, habe ich
euch kundgetan.
16 **Nicht ihr habt mich erwählt, son-
dern ich habe euch erwählt und be-
stimmt, dass ihr hingeht und Frucht
bringt und eure Frucht bleibt, auf dass,
worum ihr den Vater bittet in meinem
Namen, er's euch gebe.** 17 Das gebiete ich
euch, dass ihr euch untereinander liebt.

DER HASS DER WELT

18 Wenn euch die Welt hasst, so wisst, dass
sie mich vor euch gehasst hat.[a] 19 Wäret ihr
von der Welt, so hätte die Welt das Ihre
lieb. Weil ihr aber nicht von der Welt
seid, sondern ich euch aus der Welt er-
wählt habe, darum hasst euch die Welt.[a]
20 Denkt an das Wort, das ich euch gesagt
habe: [a]Der Knecht ist nicht größer als sein
Herr. Haben sie mich verfolgt, so werden
sie auch euch verfolgen; haben sie mein
Wort gehalten, so werden sie eures auch
halten. 21 Aber das alles werden sie euch
tun um meines Namens willen; denn
[a]sie kennen den nicht, der mich gesandt
hat.
22 Wenn ich nicht gekommen wäre und
hätte es ihnen nicht gesagt, so hätten sie
keine Sünde; nun aber können sie nichts
vorbringen, um ihre Sünde zu entschul-
digen.[a] 23 Wer mich hasst, der hasst auch
meinen Vater.[a] 24 Hätte ich nicht die Werke
getan unter ihnen, die kein anderer getan
hat, so hätten sie keine Sünde. Nun aber
haben sie es gesehen, und doch hassen sie
mich und meinen Vater. 25 Aber es muss
das Wort erfüllt werden, das in ihrem Ge-
setz geschrieben steht: »Sie hassen mich
ohne Grund« (Psalm 69,5).
26 Wenn aber der [a]Tröster kommen
wird, [b]den ich euch senden werde vom Va-
ter, der Geist der Wahrheit, der vom Vater
ausgeht, der wird Zeugnis geben von mir.
27 Und auch ihr [a]legt Zeugnis ab, denn ihr
seid von Anfang an bei mir.
16 Das habe ich zu euch geredet, dass ihr
nicht zu Fall kommt. 2 Sie werden euch
[a]aus der Synagoge ausstoßen. Es kommt
aber die Zeit, dass, wer euch [b]tötet, mei-
nen wird, er tue Gott einen Dienst. 3 Und
das werden sie tun, weil sie weder mei-
nen Vater noch mich erkennen.[a] 4 Aber
dies habe ich zu euch geredet, damit,
wenn ihre Stunde kommen wird, ihr dar-
an denkt, dass ich's euch gesagt habe. Zu
Anfang aber habe ich es euch nicht ge-
sagt, denn ich war bei euch.

DAS WERK DES HEILIGEN GEISTES

5 Jetzt aber gehe ich hin zu dem, der mich
gesandt hat; und niemand von euch fragt
mich: Wo gehst du hin? 6 Doch weil ich
dies zu euch geredet habe, ist euer Herz
voll Trauer. 7 Aber ich sage euch die Wahr-
heit: Es ist gut für euch, dass ich weggehe.
Denn wenn ich nicht weggehe, kommt
der [a]Tröster nicht zu euch. Wenn ich aber
gehe, werde ich ihn zu euch senden. 8 Und
wenn er kommt, wird er der Welt die Au-
gen auftun über die Sünde und über die
Gerechtigkeit und über das Gericht; 9 über
die Sünde: dass sie nicht an mich glauben;[a]
10 über die [a]Gerechtigkeit: dass ich zum
Vater gehe und ihr mich hinfort nicht seht;
11 über das Gericht: dass der Fürst dieser
Welt gerichtet ist.[a]

15,8 *a* Mt 5,16 **15,11** *a* Kap 17,13 **15,12** *a* Kap 13,34
15,13 *a* Kap 10,11; 1. Joh 3,16 **15,14** *a* Kap 8,31; Mt 12,50
15,18 *a* Kap 7,7 **15,19** *a* Kap 17,14; 1. Joh 4,4-5
15,20 *a* Kap 13,16; Mt 10,24-25 **15,21** *a* Kap 16,3
15,22 *a* Kap 9,41 **15,23** *a* Lk 10,16 **15,26** *a* Kap 14,16.26
b Lk 24,49 **15,27** *a* Apg 1,8.21-22; 5,32
16,2 *a* Mt 10,17.22 *b* Mt 24,9 **16,3** *a* Kap 15,21
16,7 *a* Kap 14,16.26 **16,9** *a* Kap 15,22.24
16,10 *a* Apg 5,31; Röm 4,25 **16,11** *a* Kap 12,31

12 Ich habe euch noch viel zu sagen;
aber ihr könnt es jetzt nicht ertragen.[a]
13 Wenn aber jener kommt, der Geist der
Wahrheit, [a]wird er euch in aller Wahr-
heit leiten. Denn er wird nicht aus sich
selber reden; sondern was er hören wird,
das wird er reden, und was zukünftig
ist, wird er euch verkündigen. 14 Er wird
mich verherrlichen; denn von dem Mei-
nen wird er's nehmen und euch verkün-
digen. 15 [a]Alles, was der Vater hat, das ist
mein. Darum habe ich gesagt: Er nimmt
es von dem Meinen und wird es euch ver-
kündigen.

TRAUER UND HOFFNUNG BEI JESU ABSCHIED

16 Noch eine kleine Weile, dann werdet
ihr mich nicht mehr sehen; und abermals
eine kleine Weile, dann werdet ihr mich
sehen.[a] 17 Da sprachen einige seiner Jünger
untereinander: Was bedeutet das, was er
zu uns sagt: Noch eine kleine Weile, dann
werdet ihr mich nicht sehen; und aber-
mals eine kleine Weile, dann werdet ihr
mich sehen; und: Ich gehe zum Vater?
18 Da sprachen sie: Was bedeutet das, was
er sagt: Noch eine kleine Weile? Wir wis-
sen nicht, was er redet.

19 Da merkte Jesus, dass sie ihn fragen
wollten, und sprach zu ihnen: Danach
fragt ihr euch untereinander, dass ich ge-
sagt habe: Noch eine kleine Weile, dann
werdet ihr mich nicht sehen; und aber-
mals eine kleine Weile, dann werdet ihr
mich sehen? 20 Wahrlich, wahrlich, ich
sage euch: Ihr werdet weinen und klagen,
aber die Welt wird sich freuen; ihr wer-
det traurig sein, doch eure Traurigkeit soll
zur Freude werden.[a] 21 Eine Frau, wenn sie
gebiert, so [a]hat sie Schmerzen, denn ihre
Stunde ist gekommen. Wenn sie aber das
Kind geboren hat, denkt sie nicht mehr an
die Angst um der Freude willen, dass ein
Mensch zur Welt gekommen ist. 22 **Auch
ihr habt nun Traurigkeit; aber ich will
euch wiedersehen, und euer Herz soll
sich freuen, und eure Freude soll nie-
mand von euch nehmen.** 23 Und an je-
nem Tage werdet ihr mich nichts fragen.
Wahrlich, wahrlich, ich sage euch: [a]Wenn
ihr den Vater um etwas bitten werdet in
meinem Namen, wird er's euch geben.
24 Bisher habt ihr um nichts gebeten in
meinem Namen. Bittet, so werdet ihr
empfangen, auf dass [a]eure Freude voll-
kommen sei.

25 Das habe ich euch in Bildern gesagt.
Es kommt die Stunde, da ich nicht mehr
in Bildern mit euch reden werde, sondern
euch frei heraus verkündigen von meinem
Vater. 26 An jenem Tage werdet ihr bitten
in meinem Namen. Und ich sage euch
nicht, dass ich den Vater für euch bitten
werde; 27 denn [a]er selbst, der Vater, hat
euch lieb, weil ihr mich liebt und glaubt,
dass ich von Gott ausgegangen bin. 28 Ich
bin vom Vater ausgegangen und in die
Welt gekommen; ich verlasse die Welt
wieder und gehe zum Vater.

29 Sprechen zu ihm seine Jünger: Siehe,
nun redest du frei heraus und nicht in
einem Bild. 30 Nun wissen wir, dass du alle
Dinge weißt und bedarfst dessen nicht,
dass dich jemand fragt. Darum glauben
wir, dass du von Gott ausgegangen bist.
31 Jesus antwortete ihnen: Jetzt glaubt
ihr? 32 Siehe, es kommt die Stunde und ist
schon gekommen, dass ihr [a]zerstreut wer-
det, ein jeder in das Seine, und mich allein
lasst. Aber ich bin nicht allein, denn der
Vater ist bei mir. 33 Dies habe ich mit euch
geredet, damit ihr in mir [a]Frieden habt. **In
der Welt habt ihr Angst; aber seid ge-
trost, [b]ich habe die Welt überwunden.**

DAS HOHEPRIESTERLICHE GEBET

17 Solches redete Jesus und hob seine
Augen auf zum Himmel und sprach:
Vater, die Stunde ist gekommen: Verherr-
liche deinen Sohn, auf dass der Sohn dich
verherrliche; 2 so wie du ihm [a]Macht ge-
geben hast über alle Menschen, auf dass er
ihnen alles gebe, was du ihm gegeben
hast: das ewige Leben. 3 **Das ist aber das
ewige Leben, dass sie dich, der du allein
[a]wahrer Gott bist, und den du gesandt
hast, Jesus Christus, erkennen.** 4 Ich
habe dich verherrlicht auf Erden und das
Werk vollendet, das du mir gegeben hast,

16,12 ***a*** 1. Kor 3,1 **16,13** ***a*** Kap 14,26; 1. Joh 2,27
16,15 ***a*** Kap 3,35; 17,10 **16,16** ***a*** Kap 14,19
16,20 ***a*** Mk 16,10 **16,21** ***a*** 1. Mose 3,16; Jes 26,17
16,23 ***a*** Kap 14,13-14 **16,24** ***a*** Kap 15,11 **16,27** ***a*** Kap 14,21
16,32 ***a*** Sach 13,7; Mt 26,31 **16,33** ***a*** Kap 14,27; Röm 5,1
b 1. Joh 5,4 **17,2** ***a*** Mt 11,27 **17,3** ***a*** 1. Joh 5,20

damit ich es tue. 5 Und nun, Vater, verherr-
liche du mich bei dir mit der Herrlichkeit,
die ich bei dir hatte, ehe die Welt war.[a]

6 Ich habe deinen Namen den Menschen
offenbart, die du mir aus der Welt gege-
ben hast. Sie waren dein, und du hast sie
mir gegeben, und sie haben dein Wort be-
wahrt. 7 Nun wissen sie, dass alles, was du
mir gegeben hast, von dir kommt. 8 Denn
die Worte, die du mir gegeben hast, habe
ich ihnen gegeben, und sie haben sie an-
genommen und wahrhaftig [a]erkannt,
dass ich von dir ausgegangen bin, und sie
glauben, dass du mich gesandt hast. 9 Ich
bitte für sie. Nicht für die Welt bitte ich,
sondern für die, [a]die du mir gegeben hast,
denn sie sind dein. 10 Und alles, [a]was mein
ist, das ist dein, und was dein ist, das ist
mein; und ich bin in ihnen verherrlicht.
11 Und ich bin nicht mehr in der Welt; sie
aber sind in der Welt, und ich komme zu
dir.

Heiliger Vater, erhalte sie in deinem
Namen, den du mir gegeben hast, dass sie
eins seien wie wir. 12 Solange ich bei ih-
nen war, erhielt ich sie in deinem Namen,
den du mir gegeben hast, und ich habe sie
bewahrt, und [a]keiner von ihnen ist verlo-
ren [b]außer dem Sohn des Verderbens, da-
mit die Schrift erfüllt werde. 13 Nun aber
komme ich zu dir, und dies rede ich in der
Welt, auf dass meine Freude in ihnen voll-
kommen sei.[a] 14 Ich habe ihnen dein Wort
gegeben, und die Welt hasst sie; denn [a]sie
sind nicht von der Welt, wie auch ich nicht
von der Welt bin. 15 Ich bitte nicht, dass du
sie aus der Welt nimmst, sondern [a]dass
du sie bewahrst vor dem Bösen. 16 Sie sind
nicht von der Welt, wie auch ich nicht von
der Welt bin.

17 **Heilige sie in der Wahrheit; [a]dein
Wort ist die Wahrheit.** 18 Wie du mich
gesandt hast in die Welt, so habe auch ich
sie in die Welt gesandt.[a] 19 Ich heilige mich
selbst für sie, [a]auf dass auch sie geheiligt
seien in der Wahrheit.

20 **Ich bitte aber nicht allein für sie,
sondern auch für die, [a]die durch ihr
Wort an mich glauben werden, 21 dass
sie alle [a]eins seien. Wie du, Vater, in
mir bist und ich in dir, so sollen auch
sie in uns sein, auf dass die Welt glau-
be, dass du mich gesandt hast.** 22 Und
ich habe ihnen die Herrlichkeit gegeben,
die du mir gegeben hast, [a]auf dass sie eins
seien, wie wir eins sind, 23 [a]ich in ihnen
und du in mir, auf dass sie vollkommen
eins seien und die Welt erkenne, dass du
mich gesandt hast und sie liebst, wie du
mich liebst.

24 Vater, ich will, [a]dass, wo ich bin, auch
die bei mir seien, die du mir gegeben hast,
damit sie meine Herrlichkeit sehen, die du
mir gegeben hast; denn [b]du hast mich ge-
liebt, ehe die Welt gegründet war. 25 Ge-
rechter Vater, die Welt kennt dich nicht;
ich aber kenne dich, und diese haben er-
kannt, dass du mich gesandt hast. 26 Und
ich habe ihnen deinen Namen kundgetan
und werde ihn kundtun, damit die Liebe,
mit der du mich liebst, in ihnen sei und
ich in ihnen.

JESU LEIDEN, STERBEN UND AUFERSTEHUNG

Kapitel 18,1–21,25
(Mt 26,1–28,20; Mk 14,1–16,20; Lk 22,1–24,53)

JESU GEFANGENNAHME

18 Als Jesus das geredet hatte, ging er hin-
aus mit seinen Jüngern über den Bach
Kidron; da war ein Garten, in den gin-
gen er und seine Jünger. 2 Judas aber, der
ihn verriet, kannte den Ort auch, denn
Jesus versammelte sich oft [a]dort mit sei-
nen Jüngern. 3 Als nun Judas die Schar der
Soldaten mit sich genommen hatte und
Knechte der Hohenpriester und Pharisäer,
kommt er dahin mit Fackeln, Lampen und
mit Waffen.

4 Da nun Jesus alles wusste, was ihm be-
gegnen sollte, ging er hinaus und sprach
zu ihnen: Wen sucht ihr? 5 Sie antworte-
ten ihm: Jesus von Nazareth. Er spricht zu
ihnen: Ich bin's! Judas aber, der ihn ver-
riet, stand auch bei ihnen. 6 Als nun Jesus
zu ihnen sprach: Ich bin's!, wichen sie zu-
rück und fielen zu Boden.

17,5 ***a*** Kap 1,1; Phil 2,6 **17,8** ***a*** Kap 16,30
17,9 ***a*** Kap 6,37.44 **17,10** ***a*** Kap 16,15 **17,12** ***a*** Kap 6,39
b Ps 41,10 **17,13** ***a*** Kap 15,11 **17,14** ***a*** Kap 15,19
17,15 ***a*** Mt 6,13; 2. Thess 3,3 **17,17** ***a*** Ps 119,160
17,18 ***a*** Kap 20,21 **17,19** ***a*** Hebr 10,10 **17,20** ***a*** Röm 10,17
17,21 ***a*** Gal 3,28 **17,22** ***a*** Apg 4,32 **17,23** ***a*** 1. Kor 6,17
17,24 ***a*** Kap 12,26 ***b*** Spr 8,22-31 **18,2** ***a*** Lk 21,37

7 Da fragte er sie abermals: Wen sucht
ihr? Sie aber sprachen: Jesus von Naza-
reth. 8 Jesus antwortete: Ich habe euch
gesagt: Ich bin's. Sucht ihr mich, so lasst
diese gehen! 9 Damit sollte das Wort er-
füllt werden, das er gesagt hatte: Ich habe
keinen von denen verloren, die du mir ge-
geben hast.[a]

10 Nun hatte Simon Petrus ein Schwert
und zog es und schlug nach dem Knecht
des Hohenpriesters und hieb ihm sein
rechtes Ohr ab. Und der Knecht hieß Mal-
chus. 11 Da sprach Jesus zu Petrus: Steck
das Schwert in die Scheide! Soll ich den
Kelch nicht trinken, den mir der Vater ge-
geben hat?

JESU VERHÖR VOR HANNAS UND KAIPHAS UND DIE VERLEUGNUNG DES PETRUS

12 Die Schar aber und ihr Oberst und die
Knechte der Juden nahmen Jesus und
banden ihn 13 und führten ihn zuerst zu
Hannas; der war der Schwiegervater des
Kaiphas, der in jenem Jahr Hoherpriester
war. 14 [a]Kaiphas aber war es, der den Juden
geraten hatte, es wäre gut, *ein* Mensch
stürbe für das Volk.[b]

15 Simon Petrus aber folgte Jesus nach
und ein anderer Jünger. Dieser Jünger war
dem Hohenpriester bekannt und ging mit
Jesus hinein in den Palast des Hohenpries-
ters. 16 Petrus aber stand draußen vor der
Tür. Da kam der andere Jünger, der dem
Hohenpriester bekannt war, heraus und
redete mit der Türhüterin und führte
Petrus hinein. 17 Da sprach die Magd, die
Türhüterin, zu Petrus: Bist du nicht auch
einer von den Jüngern dieses Menschen?
Er sprach: Ich bin's nicht. 18 Es standen
da aber die Knechte und Diener und
hatten ein Kohlenfeuer gemacht, denn
es war kalt, und sie wärmten sich. Aber
auch Petrus stand bei ihnen und wärmte
sich.

19 Der Hohepriester befragte nun Jesus
über seine Jünger und über seine Lehre.
20 Jesus antwortete ihm: Ich habe frei und
offen vor aller Welt geredet. Ich habe al-
lezeit gelehrt in der Synagoge und im
Tempel, wo alle Juden zusammenkom-
men, und habe nichts im Verborgenen
geredet.[a] 21 Was fragst du mich? Frage die,
die gehört haben, was ich zu ihnen gere-
det habe. Siehe, sie wissen, was ich gesagt
habe. 22 Als er so redete, schlug einer von
den Dienern, der dabeistand, Jesus ins Ge-
sicht und sprach: Sollst du dem Hohen-
priester so antworten? 23 Jesus antwortete
ihm: Habe ich übel geredet, so beweise,
dass es übel ist; habe ich aber recht gere-
det, was schlägst du mich? 24 Und Hannas
sandte ihn gebunden zu dem Hohenpries-
ter Kaiphas.

25 Simon Petrus aber stand da und
wärmte sich. Da sprachen sie zu ihm: Bist
du nicht einer seiner Jünger? Er leugnete
aber und sprach: Ich bin's nicht. 26 Spricht
einer von den Knechten des Hohenpries-
ters, ein Verwandter dessen, dem Petrus
das Ohr abgehauen hatte: Sah ich dich
nicht im Garten bei ihm? 27 Da leugnete
Petrus abermals, und alsbald krähte der
Hahn.

JESU VERHÖR VOR PILATUS

28 Da führten sie Jesus von Kaiphas vor das
Prätorium; es war aber früh am Morgen.
Und sie gingen nicht hinein in das Präto-
rium, damit sie nicht unrein würden, son-
dern das Passamahl essen könnten. 29 Da
kam Pilatus zu ihnen heraus und sprach:
Was für eine Klage bringt ihr vor gegen
diesen Menschen? 30 Sie antworteten und
sprachen zu ihm: Wäre dieser nicht ein
Übeltäter, wir hätten dir ihn nicht über-
antwortet. 31 Da sprach Pilatus zu ihnen:
So nehmt ihr ihn und [a]richtet ihn nach
eurem Gesetz. Da sprachen die Juden zu
ihm: Es ist uns nicht erlaubt, jemanden
zu töten. 32 So sollte das Wort Jesu erfüllt
werden, das er gesagt hatte, [a]um anzuzei-
gen, welchen Todes er sterben würde.

33 Da ging Pilatus wieder hinein ins Prä-
torium und rief Jesus und sprach zu ihm:
Bist du der Juden König?* 34 Jesus antwor-
tete: Sagst du das von dir aus, oder haben
dir's andere über mich gesagt? 35 Pilatus
antwortete: Bin ich ein Jude? Dein Volk
und die Hohenpriester haben dich mir
überantwortet. Was hast du getan? 36 Je-

* **18,33** Andere Übersetzung: »Du bist der Juden König.«

18,9 ***a*** Kap 17,12 **18,14** ***a*** Lk 3,1-2 ***b*** Kap 11,49-50
18,20 ***a*** Kap 7,14.26 **18,31** ***a*** Kap 19,6-7
18,32 ***a*** Kap 12,32-33; Mt 20,19

sus antwortete: **Mein Reich ist nicht
von dieser Welt.** Wäre mein Reich von
dieser Welt, meine Diener würden darum
kämpfen, dass ich den Juden nicht über-
antwortet würde; aber nun ist mein Reich
nicht von hier. 37 Da sprach Pilatus zu ihm:
So bist du dennoch ein König? Jesus ant-
wortete: Du sagst es: Ich bin ein König.
**Ich bin dazu geboren und in die Welt
gekommen, dass ich die Wahrheit be-
zeuge. Wer aus der Wahrheit ist, der
hört meine Stimme.**[a] 38 Spricht Pilatus
zu ihm: Was ist Wahrheit?

Und als er das gesagt hatte, ging er wie-
der hinaus zu den Juden und spricht zu
ihnen: Ich finde keine Schuld an ihm.
39 Ihr habt aber die Gewohnheit, dass ich
euch einen zum Passafest losgebe; wollt
ihr nun, dass ich euch den König der Ju-
den losgebe? 40 Da schrien sie wiederum:
Nicht diesen, sondern Barabbas! Barabbas
aber war ein Räuber.

JESU GEISSELUNG UND VERSPOTTUNG

19 Da nahm Pilatus Jesus und ließ ihn
geißeln. 2 Und die Soldaten flochten
eine Krone aus Dornen und setzten sie
auf sein Haupt und legten ihm ein Pur-
purgewand an 3 und traten zu ihm und
sprachen: Sei gegrüßt, König der Juden!,
und schlugen ihm ins Gesicht.

4 Und Pilatus ging wieder hinaus und
sprach zu ihnen: Seht, ich führe ihn her-
aus zu euch, damit ihr erkennt, dass ich
keine Schuld an ihm finde. 5 Da kam Jesus
heraus und trug die Dornenkrone und das
Purpurgewand. Und Pilatus spricht zu ih-
nen: [a]Sehet, welch ein Mensch!

JESU VERURTEILUNG

6 Als ihn die Hohenpriester und die Die-
ner sahen, schrien sie: Kreuzige! Kreu-
zige! Pilatus spricht zu ihnen: Nehmt ihr
ihn hin und kreuzigt ihn, denn ich finde
keine Schuld an ihm. 7 Die Juden antwor-
teten ihm: Wir haben ein Gesetz, und
nach dem Gesetz muss er sterben, denn
[a]er hat sich selbst zu Gottes Sohn gemacht.

8 Als Pilatus das hörte, fürchtete er sich
noch mehr 9 und ging wieder hinein in das
Prätorium und spricht zu Jesus: Woher
bist du? Aber Jesus gab ihm keine Ant-
wort. 10 Da sprach Pilatus zu ihm: Redest
du nicht mit mir? Weißt du nicht, dass ich
Macht habe, dich loszugeben, und Macht
habe, dich zu kreuzigen? 11 Jesus antwor-
tete: Du hättest keine Macht über mich,
wenn es dir nicht von oben gegeben wäre.
Darum hat, der mich dir überantwortet
hat, größere Sünde.

12 Von da an trachtete Pilatus danach,
ihn freizulassen. Die Juden aber schrien:
Lässt du diesen frei, so bist du [a]des Kaisers
Freund nicht; [b]wer sich zum König macht,
der ist gegen den Kaiser. 13 Da Pilatus diese
Worte hörte, führte er Jesus heraus und
setzte sich auf den Richterstuhl an der
Stätte, die da heißt Steinpflaster, auf He-
bräisch Gabbata. 14 Es war aber der Rüsttag
für das Passafest, um die sechste Stunde.
Und er spricht zu den Juden: Sehet, euer
König! 15 Sie schrien aber: Weg, weg mit
dem! Kreuzige ihn! Spricht Pilatus zu
ihnen: [a]Soll ich euren König kreuzigen?
Die Hohenpriester antworteten: Wir ha-
ben keinen König außer dem Kaiser. 16 Da
überantwortete er ihnen Jesus, dass er ge-
kreuzigt würde.

JESU KREUZIGUNG UND TOD

Sie nahmen ihn aber, 17 und er trug selber
das Kreuz und ging hinaus zur Stätte, die
da heißt Schädelstätte, auf Hebräisch Gol-
gatha. 18 Dort kreuzigten sie ihn und mit
ihm zwei andere zu beiden Seiten, Jesus
aber in der Mitte.

19 Pilatus aber schrieb eine Aufschrift
und setzte sie auf das Kreuz; und es war
geschrieben: Jesus von Nazareth, der Ju-
den König. 20 Diese Aufschrift lasen viele
Juden, denn die Stätte, wo Jesus gekreu-
zigt wurde, war nahe bei der Stadt. Und
es war geschrieben in hebräischer, latei-
nischer und griechischer Sprache. 21 Da
sprachen die Hohenpriester der Juden
zu Pilatus: Schreibe nicht: Der Juden Kö-
nig, sondern dass er gesagt hat: Ich bin
der Juden König. 22 Pilatus antwortete:
Was ich geschrieben habe, das habe ich
geschrieben.

23 Die Soldaten aber, da sie Jesus ge-
kreuzigt hatten, nahmen seine Kleider
und machten vier Teile, für jeden Solda-

18,37 *a* 1. Tim 6,13 **19,5** *a* 1. Sam 9,17 **19,7** *a* Kap 10,33; 3. Mose 24,16 **19,12** *a* St zu Dan 2,1-2 *b* Apg 17,7 **19,15** *a* Kap 18,37

ten einen Teil, dazu auch den Rock. Der
aber war ungenäht, von oben an gewebt
in einem Stück. 24 Da sprachen sie unter-
einander: Lasst uns den nicht zerteilen,
sondern darum losen, wem er gehören
soll. So sollte die Schrift erfüllt werden,
die sagt (Psalm 22,19): »Sie haben meine Klei-
der unter sich geteilt und haben über mein
Gewand das Los geworfen.« Das taten die
Soldaten.

25 Es standen aber bei dem Kreuz Jesu
seine Mutter und seiner Mutter Schwes-
ter, Maria, die Frau des Klopas, und Ma-
ria Magdalena. 26 Als nun Jesus seine
Mutter sah und bei ihr den Jünger, [a]den
er lieb hatte, spricht er zu seiner Mutter:
Frau, siehe, das ist dein Sohn! 27 Danach
spricht er zu dem Jünger: **Siehe, das ist
deine Mutter!** Und von der Stunde an
nahm sie der Jünger zu sich.

28 Danach, als Jesus wusste, dass schon
alles vollbracht war, spricht er, [a]damit die
Schrift erfüllt würde: **Mich dürstet.** 29 Da
stand ein Gefäß voll Essig. Sie aber [a]füll-
ten einen Schwamm mit Essig und leg-
ten ihn um einen Ysop und hielten ihm
den an den Mund. 30 Da nun Jesus den
Essig genommen hatte, sprach er: **Es ist
vollbracht.** Und neigte das Haupt und
verschied.*

31 Weil es aber Rüsttag war und [a]die
Leichname nicht am Kreuz bleiben soll-
ten den Sabbat über – denn dieser Sabbat
war ein hoher Festtag –, baten die Juden
Pilatus, dass ihnen die Beine gebrochen
und sie abgenommen würden. 32 Da ka-
men die Soldaten und brachen dem ersten
die Beine und auch dem andern, der mit
ihm gekreuzigt war. 33 Als sie aber zu Jesus
kamen und sahen, dass er schon gestor-
ben war, brachen sie ihm die Beine nicht;
34 sondern einer der Soldaten stieß mit
einer Lanze in seine Seite, und sogleich
kam Blut und Wasser heraus.

35 Und der das gesehen hat, der hat es
bezeugt, und sein Zeugnis ist wahr, und
er weiß, dass er die Wahrheit sagt, damit
auch ihr glaubt. 36 Denn das ist geschehen,
damit die Schrift erfüllt würde (2. Mose
12,46): »Ihr sollt ihm kein Bein zerbrechen.«
37 Und ein anderes Schriftwort sagt (Sacharja
12,10): [a]»Sie werden auf den sehen, den sie
durchbohrt haben.«

JESU GRABLEGUNG

38 Danach bat Josef von Arimathäa, der
ein Jünger Jesu war, doch heimlich, [a]aus
Furcht vor den Juden, den Pilatus, dass er
den Leichnam Jesu abnehmen dürfe. Und
Pilatus erlaubte es. Da kam er und nahm
den Leichnam Jesu ab. 39 Es kam aber auch
[a]Nikodemus, der vormals in der Nacht zu
Jesus gekommen war, und brachte Myrrhe
gemischt mit Aloe, etwa hundert Pfund.
40 Da nahmen sie den Leichnam Jesu und
banden ihn in Leinentücher mit Speze-
reien, wie die Juden zu begraben pflegen.
41 Es war aber an der Stätte, wo er gekreu-
zigt wurde, ein Garten und im Garten ein
neues Grab, in das noch nie jemand gelegt
worden war. 42 Dahin legten sie Jesus we-
gen des Rüsttags der Juden, weil das Grab
nahe war.

DER OSTERMORGEN

(Mt 28,1-10; Mk 16,1-8; Lk 24,1-12)

20 Am ersten Tag der Woche kommt Ma-
ria Magdalena früh, als es noch fins-
ter war, zum Grab und sieht, dass der
Stein vom Grab weggenommen war. 2 Da
läuft sie und kommt zu Simon Petrus
und zu dem andern Jünger, [a]den Jesus
lieb hatte, und spricht zu ihnen: Sie ha-
ben den Herrn weggenommen aus dem
Grab, und wir wissen nicht, wo sie ihn
hingelegt haben.

3 Da gingen Petrus und der andere Jün-
ger hinaus, und sie kamen zum Grab. 4 Es
liefen aber die beiden miteinander, und
der andere Jünger lief voraus, schneller
als Petrus, und kam als Erster zum Grab,
5 schaut hinein und sieht die Leinentücher
liegen; er ging aber nicht hinein. 6 Da kam
Simon Petrus ihm nach und ging hinein in
das Grab und sieht die Leinentücher lie-
gen, 7 und das [a]Schweißtuch, das auf Jesu
Haupt gelegen hatte, nicht bei den Leinen-
tüchern, sondern daneben, zusammen-
gewickelt an einem besonderen Ort. 8 Da
ging auch der andere Jünger hinein, der als
Erster zum Grab gekommen war, und sah
und glaubte. 9 Denn [a]sie verstanden die

* **19,30** Wörtlich: »gab den Geist hin«.

19,26 *a* Kap 13,23 **19,28** *a* Ps 22,16 **19,29** *a* Ps 69,22
19,31 *a* 5. Mose 21,23 **19,37** *a* Offb 1,7 **19,38** *a* Kap 7,13
19,39 *a* Kap 3,2 **20,2** *a* Kap 13,23 **20,7** *a* Kap 11,44
20,9 *a* Mk 8,31; Lk 24,7.25-27; Apg 2,24-32; 1. Kor 15,4

Schrift noch nicht, dass er von den Toten
auferstehen müsste. 10 Da gingen die Jün-
ger wieder zu den anderen zurück.

MARIA MAGDALENA

11 Maria aber stand draußen vor dem Grab
und weinte. Als sie nun weinte, beugte
sie sich in das Grab hinein 12 und sieht
zwei Engel in weißen Gewändern sitzen,
einen zu Häupten und den andern zu den
Füßen, wo der Leichnam Jesu gelegen
hatte. 13 Und die sprachen zu ihr: Frau,
was weinst du? Sie spricht zu ihnen: Sie
haben meinen Herrn weggenommen,
und ich weiß nicht, wo sie ihn hingelegt
haben.

14 Und als sie das sagte, wandte sie sich
um und sieht Jesus stehen und weiß
nicht, dass es Jesus ist. 15 Spricht Jesus zu
ihr: Frau, was weinst du? Wen suchst du?
Sie meint, es sei der Gärtner, und spricht
zu ihm: Herr, hast du ihn weggetragen,
so sage mir: Wo hast du ihn hingelegt?
Dann will ich ihn holen. 16 Spricht Jesus
zu ihr: Maria! Da wandte sie sich um und
spricht zu ihm auf Hebräisch: [a]Rabbuni!,
das heißt: Meister!

17 Spricht Jesus zu ihr: Rühre mich nicht
an! Denn ich bin noch nicht aufgefahren
zum Vater. Geh aber hin zu meinen [a]Brü-
dern und sage ihnen: Ich fahre auf zu mei-
nem Vater und eurem Vater, zu meinem
Gott und eurem Gott. 18 Maria Magdalena
geht und verkündigt den Jüngern: »Ich
habe den Herrn gesehen«, und was er zu
ihr gesagt habe.

DIE VOLLMACHT DER JÜNGER

(Mk 16,14-18; Lk 24,36-49)

19 Am Abend aber dieses ersten Tages der
Woche, da die Jünger versammelt und
die Türen verschlossen waren aus Furcht
vor den Juden, kam Jesus und trat mitten
unter sie und spricht zu ihnen: Friede sei
mit euch! 20 Und als er das gesagt hatte,
[a]zeigte er ihnen die Hände und seine
Seite. Da wurden die Jünger froh, dass sie
den Herrn sahen.

21 Da sprach Jesus abermals zu ihnen:
**Friede sei mit euch! [a]Wie mich der
Vater gesandt hat, so sende ich euch.**
22 Und als er das gesagt hatte, blies er sie
an und spricht zu ihnen: **Nehmt hin den
Heiligen Geist!** 23 **Welchen ihr die Sün-
den erlasst, denen sind sie erlassen;
welchen ihr sie behaltet, denen sind
sie behalten.**[a]

THOMAS

24 [a]Thomas aber, einer der Zwölf, der Zwil-
ling genannt wird, war nicht bei ihnen, als
Jesus kam. 25 Da sagten die andern Jünger
zu ihm: Wir haben den Herrn gesehen. Er
aber sprach zu ihnen: Wenn ich nicht in
seinen Händen die Nägelmale sehe und
lege meinen Finger in die Nägelmale und
lege meine Hand in seine [a]Seite, kann ich's
nicht glauben.

26 Und nach acht Tagen waren seine Jün-
ger abermals drinnen, und Thomas war
bei ihnen. Kommt Jesus, als die Türen ver-
schlossen waren, und tritt mitten unter sie
und spricht: Friede sei mit euch! 27 Danach
spricht er zu Thomas: Reiche deinen Fin-
ger her und sieh meine Hände, und reiche
deine Hand her und lege sie in meine Seite,
und sei nicht ungläubig, sondern gläubig!
28 Thomas antwortete und sprach zu ihm:
Mein Herr und [a]mein Gott! 29 Spricht Je-
sus zu ihm: Weil du mich gesehen hast,
darum glaubst du? **Selig sind, [a]die nicht
sehen und doch glauben!**

30 Noch viele andere Zeichen tat Jesus
vor seinen Jüngern, die nicht geschrieben
sind in diesem Buch.[a] 31 Diese aber sind
geschrieben, damit ihr glaubt, dass Jesus
der Christus ist, der Sohn Gottes, und da-
mit ihr, [a]weil ihr glaubt, das Leben habt in
seinem Namen.

DER AUFERSTANDENE AM SEE VON TIBERIAS

21 Danach offenbarte sich Jesus abermals
den Jüngern am See von Tiberias. Er
offenbarte sich aber so:

2 Es waren beieinander Simon Petrus
und Thomas, der Zwilling genannt wird,
und [a]Nathanael aus Kana in Galiläa und
die Söhne des Zebedäus und zwei andere
seiner Jünger. 3 Spricht Simon Petrus zu
ihnen: Ich gehe fischen. Sie sprechen zu

20,16 *a* Kap 1,38 **20,17** *a* Hebr 2,11-12 **20,20** *a* 1.Joh 1,1 **20,21** *a* Kap 17,18 **20,23** *a* Mt 18,18 **20,24** *a* Kap 11,16; 14,5; 21,2 **20,25** *a* Kap 19,34 **20,28** *a* Kap 1,1 **20,29** *a* 1.Petr 1,8; Hebr 11,1 **20,30** *a* Kap 21,24-25 **20,31** *a* 1.Joh 5,13 **21,2** *a* Kap 1,45

ihm: Wir kommen mit dir. Sie gingen hin-
aus und stiegen in das Boot, und in dieser
Nacht fingen sie nichts.
4 Als es aber schon Morgen war, stand
Jesus am Ufer, aber [a]die Jünger wussten
nicht, dass es Jesus war. 5 Spricht Jesus
zu ihnen: Kinder, [a]habt ihr nichts zu es-
sen? Sie antworteten ihm: Nein. 6 Er aber
sprach zu ihnen: Werft das Netz aus zur
Rechten des Bootes, so werdet ihr fin-
den. Da warfen sie es aus und konnten's
nicht mehr ziehen wegen der Menge der
Fische.[a]
7 Da spricht der Jünger, [a]den Jesus lieb
hatte, zu Petrus: Es ist der Herr! Als Si-
mon Petrus hörte: »Es ist der Herr«, da
gürtete er sich das Obergewand um, denn
er war nackt, und warf sich in den See.
8 Die andern Jünger aber kamen mit dem
Boot, denn sie waren nicht fern vom Land,
nur etwa zweihundert Ellen, und zogen
das Netz mit den Fischen.
9 Als sie nun an Land stiegen, sahen sie
ein Kohlenfeuer am Boden und Fisch dar-
auf und Brot. 10 Spricht Jesus zu ihnen:
Bringt von den Fischen, die ihr jetzt ge-
fangen habt! 11 Simon Petrus stieg herauf
und zog das Netz an Land, voll großer
Fische, hundertdreiundfünfzig. Und ob-
wohl es so viele waren, zerriss doch das
Netz nicht.
12 Spricht Jesus zu ihnen: Kommt und
haltet das Mahl! Niemand aber unter den
Jüngern wagte, ihn zu fragen: Wer bist
du? Denn sie wussten: Es ist der Herr.
13 Da kommt Jesus und [a]nimmt das Brot
und gibt's ihnen, desgleichen auch den
Fisch.
14 Das ist nun das dritte Mal, dass sich Je-
sus den Jüngern offenbarte, nachdem er
von den Toten auferstanden war.

PETRUS UND JOHANNES

15 Da sie nun das Mahl gehalten hatten,
spricht Jesus zu Simon Petrus: [a]Simon,
Sohn des Johannes, liebst du mich mehr,
als mich diese lieb haben? Er spricht zu
ihm: Ja, Herr, du weißt, dass ich dich lieb
habe. Spricht Jesus zu ihm: Weide meine
Lämmer!
16 Spricht er zum zweiten Mal zu ihm:
Simon, Sohn des Johannes, hast du mich
lieb? Er spricht zu ihm: Ja, Herr, du weißt,
dass ich dich lieb habe. Spricht Jesus zu
ihm: [a]Weide meine Schafe!
17 Spricht er zum dritten Mal zu ihm:
Simon, Sohn des Johannes, hast du mich
lieb? Petrus wurde traurig, weil er [a]zum
dritten Mal zu ihm sagte: Hast du mich
lieb?, und sprach zu ihm: Herr, du weißt
alle Dinge, [b]du weißt, dass ich dich lieb
habe. Spricht Jesus zu ihm: Weide meine
Schafe!
18 Wahrlich, wahrlich, ich sage dir: Als
du jünger warst, gürtetest du dich selbst
und gingst, wo du hinwolltest; wenn du
aber alt bist, wirst du deine Hände ausstre-
cken und ein anderer wird dich gürten und
führen, wo du nicht hinwillst. 19 Das sagte
er aber, um anzuzeigen, mit welchem Tod
er Gott preisen würde. Und als er das ge-
sagt hatte, spricht er zu ihm: Folge mir
nach![a]
20 Petrus aber wandte sich um und sah
den Jünger folgen, [a]den Jesus lieb hatte,
der auch beim Abendessen an seiner Brust
gelegen und gesagt hatte: Herr, wer ist's,
der dich verrät? 21 Als Petrus diesen sah,
spricht er zu Jesus: Herr, was wird aber
mit diesem? 22 Jesus spricht zu ihm: Wenn
ich will, dass er bleibt, bis ich komme, was
geht es dich an? Folge du mir nach! 23 Da
kam unter den Brüdern die Rede auf: Die-
ser Jünger stirbt nicht. Aber Jesus hatte
nicht zu ihm gesagt: Er stirbt nicht, son-
dern: Wenn ich will, dass er bleibt, bis ich
komme, was geht es dich an?
24 Dies ist der Jünger, [a]der das bezeugt
und aufgeschrieben hat, und wir wissen,
dass sein Zeugnis wahr ist. 25 Es sind noch
viele andere Dinge, die Jesus getan hat.
Wenn aber eins nach dem andern aufge-
schrieben werden sollte, so würde, meine
ich, die Welt die Bücher nicht fassen, die
zu schreiben wären.[a]

21,4 ***a*** Kap 20,14; Lk 24,16 **21,5** ***a*** Lk 24,41
21,6 ***a*** Lk 5,4-7 **21,7** ***a*** Kap 13,23 **21,13** ***a*** Kap 6,11
21,15 ***a*** Kap 1,42 **21,16** ***a*** 1. Petr 5,2.4 **21,17** ***a*** Kap 13,38
b Kap 16,30 **21,19** ***a*** Kap 13,36 **21,20** ***a*** Kap 13,23.25
21,24 ***a*** Kap 15,27 **21,25** ***a*** Kap 20,30; Ps 106,2

DIE APOSTELGESCHICHTE DES LUKAS

CHRISTI HIMMELFAHRT

1 Den [a]ersten Bericht habe ich gegeben,
lieber Theophilus, von all dem, was Je-
sus von Anfang an tat und lehrte 2 bis zu
dem Tag, an dem er aufgenommen wurde,
[a]nachdem er den [b]Aposteln, die er erwählt
hatte, durch den Heiligen Geist Weisung
gegeben hatte. 3 Ihnen zeigte er sich nach
seinem Leiden durch viele Beweise als der
Lebendige und ließ sich sehen unter ih-
nen vierzig Tage lang und redete mit ihnen
vom Reich Gottes.
4 Und als er mit ihnen beim Mahl war,
befahl er ihnen, Jerusalem nicht zu verlas-
sen, sondern [a]zu warten auf die Verhei-
ßung des Vaters, die ihr – so sprach er –
von mir gehört habt; 5 denn Johannes hat
mit Wasser getauft, ihr aber sollt mit dem
Heiligen Geist getauft werden nicht lange
nach diesen Tagen.[a]
6 Die nun zusammengekommen waren,
fragten ihn und sprachen: Herr, wirst du
in dieser Zeit [a]wieder aufrichten das Reich
für Israel? 7 Er sprach aber zu ihnen: Es
gebührt euch nicht, Zeit oder Stunde zu
wissen, die der Vater in seiner Macht be-
stimmt hat;[a] 8 aber **ihr werdet die Kraft
des Heiligen Geistes empfangen, der
auf euch kommen wird, und [a]werdet
meine Zeugen sein** in Jerusalem und [b]in
ganz Judäa und Samarien und bis an das
Ende der Erde.
9 Und als er das gesagt hatte, [a]wurde er
vor ihren Augen emporgehoben, und eine
Wolke nahm ihn auf, weg vor ihren Au-
gen. 10 Und als sie ihm nachsahen, wie er
gen Himmel fuhr, siehe, da standen bei
ihnen [a]zwei Männer in weißen Gewän-
dern. 11 Die sagten: Ihr Männer von Ga-
liläa, was steht ihr da und seht gen Him-
mel? Dieser Jesus, der von euch weg gen
Himmel aufgenommen wurde, wird so
[a]wiederkommen, wie ihr ihn habt gen
Himmel fahren sehen.
12 Da [a]kehrten sie nach Jerusalem zurück
von dem Berg, der Ölberg heißt und nahe
bei Jerusalem liegt, einen Sabbatweg* ent-
fernt. 13 Und als sie hineinkamen, stiegen
sie hinauf in das Obergemach des Hauses,
wo sie sich aufzuhalten pflegten: [a]Petrus,
Johannes, Jakobus und Andreas, Philip-
pus und Thomas, Bartholomäus und Mat-
thäus, Jakobus, der Sohn des Alphäus, und
Simon der Zelot und Judas, der Sohn des
Jakobus. 14 Diese alle hielten einmütig fest
am Gebet samt den Frauen und Maria, der
Mutter Jesu, und [a]seinen Brüdern.

DIE NACHWAHL DES ZWÖLFTEN APOSTELS

15 Und in diesen Tagen trat [a]Petrus auf un-
ter den Brüdern – es war aber eine Menge
beisammen von etwa hundertzwanzig –
und sprach: 16 Ihr Männer, liebe Brüder,
es musste das Wort der Schrift erfüllt
werden, das der Heilige Geist durch den
Mund Davids vorausgesagt hat über Judas,
der denen den Weg zeigte, die Jesus gefan-
gen nahmen;[a] 17 denn er wurde zu uns ge-
zählt und hatte Anteil am gleichen Dienst.
18 Der erwarb einen Acker von dem un-
gerechten Lohn und [a]stürzte vornüber
und barst mitten entzwei, und alle seine
Eingeweide quollen hervor.[b] 19 Und es ist
allen bekannt geworden, die in Jerusa-
lem wohnen, sodass dieser Acker in ihrer

* **1,12** Siehe Sach- und Worterklärungen.

1,1 *a* Lk 1,3 **1,2** *a* Mt 28,18-20 *b* Lk 6,13-16
1,4 *a* Kap 2,33.39; Lk 24,49 **1,5** *a* Kap 11,16; Lk 3,16
1,6 *a* Lk 19,11; 24,21 **1,7** *a* Mt 24,36 **1,8** *a* Lk 24,47-48
b Kap 8,1 **1,9** *a* Mk 16,19; Lk 24,51 **1,10** *a* Lk 24,4
1,11 *a* Lk 21,27 **1,12** *a* Lk 24,52 **1,13** *a* Lk 6,13-16
1,14 *a* Joh 7,3 **1,15** *a* Joh 21,15-19 **1,16** *a* Ps 41,10; Lk 22,47
1,18 *a* Weish 4,19 *b* Mt 26,15; 27,3-10

Sprache genannt wird: Hakeldamach, das
heißt Blutacker. 20 Denn es steht geschrie-
ben im Buch der Psalmen (Psalm 69,26; 109,8):
»Seine Behausung soll verwüstet werden,
und niemand wohne darin«, und: »Sein
Amt empfange ein andrer.« 21 So muss nun
einer von den Männern, die bei uns gewe-
sen sind [a]die ganze Zeit über, als der Herr
Jesus unter uns ein und aus gegangen ist –
22 seit seiner Taufe durch Johannes bis zu
dem Tag, an dem er von uns genommen
wurde –, mit uns [a]Zeuge seiner Auferste-
hung werden.
23 Und sie stellten zwei auf: Josef, ge-
nannt Barsabbas, mit dem Beinamen
Justus, und Matthias, 24 und [a]beteten
und sprachen: Herr, der du aller Herzen
kennst, zeige an, welchen du erwählt hast
von diesen beiden, 25 dass er diesen Dienst
und das Apostelamt empfange, das Judas
verlassen hat, um an seinen Ort zu gehen.
26 Und sie [a]warfen das Los über sie und das
Los fiel auf Matthias; und er wurde hinzu-
gezählt zu den elf Aposteln.[b]

DAS PFINGSTWUNDER

2 Und als der [a]Pfingsttag gekommen war,
waren sie alle beieinander an einem
Ort. 2 Und es geschah plötzlich ein Brau-
sen vom Himmel wie von einem gewalti-
gen Sturm und erfüllte das ganze Haus, in
dem sie saßen. 3 Und es erschienen ihnen
Zungen, zerteilt und wie von Feuer, und
setzten sich auf einen jeden von ihnen,[a]
4 und [a]sie wurden alle erfüllt von dem Hei-
ligen Geist und fingen an zu predigen in
andern Sprachen, wie der Geist ihnen zu
reden eingab.
5 Es wohnten aber in Jerusalem Juden,
die waren [a]gottesfürchtige Männer aus al-
len Völkern unter dem Himmel. 6 Als nun
dieses Brausen geschah, kam die Menge
zusammen und wurde verstört, denn ein
jeder hörte sie in seiner eigenen Sprache
reden. 7 Sie entsetzten sich aber, verwun-
derten sich und sprachen: Siehe, sind nicht
diese alle, die da reden, Galiläer? 8 Wie hö-
ren wir sie denn ein jeder in seiner Mutter-
sprache? 9 Parther und Meder und Elam-
iter und die da wohnen in Mesopotamien,
Judäa und Kappadozien, Pontus und der
Provinz Asia, 10 Phrygien und Pamphy-
lien, Ägypten und der Gegend von Kyrene
in Libyen und Römer, die bei uns wohnen,
11 Juden und Proselyten*, Kreter und Ara-
ber: Wir hören sie in unsern Sprachen die
großen Taten Gottes verkünden.
12 Sie entsetzten sich aber alle und waren
ratlos und sprachen einer zu dem andern:
Was will das werden? 13 Andere aber hat-
ten ihren Spott und sprachen: Sie sind voll
süßen Weins.

DIE PFINGSTPREDIGT DES PETRUS

14 Da trat Petrus auf mit den Elf, erhob
seine Stimme und redete zu ihnen: Ihr Ju-
den, und alle, die ihr in Jerusalem wohnt,
das sei euch kundgetan, vernehmt meine
Worte! 15 Denn diese sind nicht betrun-
ken, wie ihr meint, ist es doch erst die
dritte Stunde des Tages; 16 sondern das
ist's, was durch den Propheten Joel gesagt
worden ist (Joel 3,1-5):
17 »Und es soll geschehen in den letzten
Tagen, spricht Gott, da will ich ausgießen
von meinem Geist auf alles Fleisch; und
eure Söhne und eure Töchter sollen weis-
sagen, und eure Jünglinge sollen Gesichte
sehen, und eure Alten sollen Träume ha-
ben; 18 und auf meine Knechte und auf
meine Mägde will ich in jenen Tagen von
meinem Geist ausgießen, und sie sollen
weissagen. 19 Und ich will Wunder tun
oben am Himmel und Zeichen unten auf
Erden, Blut und Feuer und Rauchdampf;
20 die Sonne soll in Finsternis verwan-
delt werden und der Mond in Blut, ehe
der große und herrliche Tag des Herrn
kommt.[a] 21 Und es soll geschehen: Wer
den Namen des Herrn anrufen wird, der
soll gerettet werden.«[a]
22 Ihr Männer von Israel, hört diese
Worte: Jesus [a]von Nazareth*, von Gott
unter euch ausgewiesen durch mächtige
Taten und Wunder und Zeichen, die Gott
durch ihn in eurer Mitte getan hat, wie ihr
selbst wisst – 23 diesen Mann, der [a]durch
Gottes Ratschluss und Vorsehung da-

* **2,11** Siehe Sach- und Worterklärungen.
2,22 Wörtlich: »Jesus, der Nazoräer«; siehe Sach- und Worterklärungen zu »Nazoräer«.

1,21 *a* Joh 15,27 **1,22** *a* Kap 2,32 **1,24** *a* Kap 6,6 **1,26** *a* Spr 16,33 *b* Ri 21,17 **2,1** *a* 3. Mose 23,15-21 **2,3** *a* Lk 3,16 **2,4** *a* Kap 4,31; 10,44-46 **2,5** *a* Kap 13,26 **2,20** *a* Lk 21,25-26 **2,21** *a* Röm 10,12-13 **2,22** *a* Mt 2,23; Lk 18,37 **2,23** *a* Kap 4,28

hingegeben war, habt ihr durch die Hand
der Ungerechten ans Kreuz geschlagen
und umgebracht. 24 Den hat Gott aufer-
weckt und hat ihn befreit aus den Wehen
des Todes, denn es war unmöglich, dass
er vom Tod festgehalten wurde. 25 Denn
David spricht von ihm (Psalm 16,8-11): »Ich
habe den Herrn allezeit vor Augen, denn
er steht mir zur Rechten, dass ich nicht
wanke. 26 Darum ist mein Herz fröhlich,
und meine Zunge frohlockt; auch mein
Leib wird ruhen in Hoffnung. 27 Denn du
wirst meine Seele nicht dem Reich des
Todes überlassen und nicht zugeben, dass
dein Heiliger die Verwesung sehe.[a] 28 Du
hast mir kundgetan die Wege des Lebens;
du wirst mich erfüllen mit Freude vor dei-
nem Angesicht.«
29 Ihr Männer, liebe Brüder, lasst mich
freimütig zu euch reden von dem Erzva-
ter David. [a]Er ist gestorben und begraben,
und sein Grab ist bei uns bis auf diesen
Tag. 30 Da er nun ein Prophet war und
wusste, dass ihm Gott [a]geschworen hatte
mit einem Eid, dass [b]ein Nachkomme von
ihm auf seinem Thron sitzen sollte, 31 hat
er vorausgesehen und von der Auferste-
hung des Christus gesagt: [a]Er ist nicht
dem Reich des Todes überlassen, und sein
Leib hat die Verwesung nicht gesehen.
32 Diesen Jesus hat Gott auferweckt; des
sind wir alle Zeugen. 33 Da er nun [a]durch
die rechte Hand* Gottes erhöht ist und
empfangen hat den verheißenen Heiligen
Geist vom Vater, [b]hat er diesen ausgegos-
sen, wie ihr seht und hört. 34 Denn David
ist nicht gen Himmel gefahren; sondern
er sagt selbst (Psalm 110,1): »Der Herr sprach
zu meinem Herrn: Setze dich zu mei-
ner Rechten, 35 bis ich deine Feinde zum
Schemel unter deine Füße lege.« 36 So
wisse nun das ganze Haus Israel gewiss,
dass Gott diesen Jesus, den ihr gekreuzigt
habt, zum Herrn und Christus gemacht
hat.[a]

DIE ERSTE GEMEINDE

37 Als sie aber das hörten, ging's ihnen
durchs Herz, und sie sprachen zu Petrus
und den andern Aposteln: Ihr Männer,
liebe Brüder, [a]was sollen wir tun? 38 Petrus
sprach zu ihnen: [a]**Tut Buße, und jeder
von euch lasse sich taufen auf den Na-
men Jesu Christi zur Vergebung eurer
Sünden, so werdet ihr empfangen die
Gabe des Heiligen Geistes.** 39 Denn euch
und euren Kindern gilt diese Verheißung
und allen, die fern sind, so viele der Herr,
unser Gott, herzurufen wird.[a] 40 Noch
mit vielen andern Worten bezeugte er
das und ermahnte sie und sprach: Lasst
euch erretten aus diesem [a]verkehrten Ge-
schlecht! 41 Die nun sein Wort annahmen,
ließen sich taufen; und an diesem Tage
wurden hinzugefügt etwa dreitausend
Menschen.
42 **Sie blieben aber beständig in der
Lehre der Apostel und in der Gemein-
schaft und im [a]Brotbrechen und im Ge-
bet.** 43 Es kam aber Furcht über alle, und
es geschahen viele Wunder und Zeichen
durch die Apostel. 44 Alle aber, die gläubig
geworden waren, waren beieinander und
hatten alle Dinge gemeinsam.[a] 45 Sie [a]ver-
kauften Güter und Habe und teilten sie
aus unter alle, je nachdem es einer nötig
hatte. 46 Und sie [a]waren täglich einmütig
beieinander im Tempel und brachen das
Brot hier und dort in den Häusern, hiel-
ten die Mahlzeiten mit Freude und laute-
rem Herzen 47 und lobten Gott und fanden
Wohlwollen beim ganzen Volk. [a]Der Herr
aber fügte täglich zur Gemeinde hinzu,
die gerettet wurden.

DIE HEILUNG DES GELÄHMTEN

3 Petrus aber und Johannes gingen hin-
auf in den Tempel um die neunte Stun-
de, zur Gebetszeit. 2 [a]Und es wurde ein
Mann herbeigetragen, der war gelähmt
von Mutterleibe an; den setzte man täg-
lich vor das Tor des Tempels, das da heißt
das Schöne, damit er um Almosen bettelte
bei denen, die in den Tempel gingen. 3 Als
er nun Petrus und Johannes sah, wie sie
in den Tempel hineingehen wollten, bat
er um ein Almosen. 4 Petrus aber blickte
ihn an mit Johannes und sprach: Sieh uns

* **2,33** Andere Übersetzung: »zur rechten Hand«.

2,27 *a* Kap 13,35 **2,29** *a* Kap 13,36; 1. Kön 2,10
2,30 *a* Ps 132,11 *b* 2. Sam 7,12-13; Ps 89,4-5 **2,31** *a* Ps 16,10
2,33 *a* Hebr 10,12 *b* Joh 15,26 **2,36** *a* Kap 5,30-31
2,37 *a* Kap 16,30; Lk 3,10 **2,38** *a* Kap 3,17-19; Lk 24,47
2,39 *a* Joel 3,5 **2,40** *a* Lk 9,41; Phil 2,15 **2,42** *a* Kap 20,7
2,44 *a* Kap 4,32-35 **2,45** *a* Lk 12,33 **2,46** *a* Lk 24,53
2,47 *a* Kap 4,4; 5,14; 6,7; 11,21; 14,1 **3,2** *a* Kap 14,8

an! 5 Und er sah sie an und wartete dar-
auf, dass er etwas von ihnen empfinge.
6 Petrus aber sprach: Silber und Gold habe
ich nicht; was ich aber habe, das gebe ich
dir: Im Namen Jesu Christi von Nazareth
steh auf und geh umher! 7 Und er ergriff
ihn bei der rechten Hand und richtete
ihn auf. Sogleich wurden seine Füße und
Knöchel fest, 8 er sprang auf, konnte ste-
hen und gehen und ging mit ihnen in den
Tempel, lief und sprang umher und lobte
Gott.

9 Und es sah ihn alles Volk umhergehen
und Gott loben. 10 Sie erkannten ihn auch,
dass er es war, der vor dem Schönen Tor
des Tempels gesessen und um Almosen
gebettelt hatte; und Verwunderung und
Entsetzen erfüllte sie über das, was ihm
widerfahren war. 11 Als er sich aber zu Pe-
trus und Johannes hielt, lief alles Volk bei
ihnen zusammen in der [a]Halle, die nach
Salomo genannt ist, und sie wunderten
sich sehr.

12 Als Petrus das sah, sprach er zu dem
Volk: Ihr Männer von Israel, was wun-
dert ihr euch darüber oder was seht ihr
auf uns, als hätten wir durch eigene Kraft
oder Frömmigkeit bewirkt, dass dieser
gehen kann? 13 Der [a]Gott Abrahams und
Isaaks und Jakobs, der Gott unsrer Väter,
hat seinen Knecht Jesus verherrlicht, den
ihr überantwortet und verleugnet habt vor
Pilatus, als dieser ihn freisprechen wollte.
14 Ihr aber habt den Heiligen und Gerech-
ten verleugnet und darum [a]gebeten, dass
man euch den Mörder schenke, 15 aber den
Fürsten des Lebens habt ihr getötet. Den
hat Gott auferweckt von den Toten; des-
sen sind wir Zeugen. 16 Und durch den
Glauben an seinen Namen hat sein Name
diesen, den ihr seht und kennt, stark ge-
macht; und der Glaube, der durch ihn ge-
wirkt ist, hat diesem die Gesundheit gege-
ben vor euer aller Augen.

17 Nun, liebe Brüder, ich weiß, dass ihr's
aus Unwissenheit getan habt wie auch
eure Oberen.[a] 18 So aber hat Gott erfüllt,
was er durch den Mund aller seiner Pro-
pheten zuvor verkündigt hat: dass sein
Christus leiden sollte.[a] 19 Tut nun Buße
und bekehrt euch, dass eure Sünden ge-
tilgt werden,[a] 20 auf dass Zeiten der Erqui-
ckung kommen von dem Angesicht des
Herrn und er den sende, [a]den er für euch
zum Christus bestimmt hat: Jesus. 21 Ihn
muss der Himmel aufnehmen bis zu den
Zeiten, in denen alles wiederhergestellt
wird, wovon Gott geredet hat durch den
Mund seiner heiligen Propheten von An-
beginn. 22 Mose hat gesagt (5. Mose 18,15; 18,19):
»Einen Propheten wie mich wird euch der
Herr, euer Gott, erwecken aus euren Brü-
dern; den sollt ihr hören in allem, was er
zu euch sagen wird. 23 Und es wird ge-
schehen: Wer diesen Propheten nicht hö-
ren wird, der soll vertilgt werden aus dem
Volk.« 24 Und alle Propheten von Samuel
an und danach, wie viele auch geredet
haben, die haben diese Tage verkündet.
25 Ihr seid die Söhne der Propheten und
des Bundes, den Gott geschlossen hat mit
euren Vätern, als er zu Abraham sprach
(1. Mose 22,18): »Durch deine Nachkommen
sollen gesegnet werden alle Völker auf Er-
den.« 26 [a]Für euch zuerst hat Gott seinen
Knecht erweckt und hat ihn gesandt, euch
zu segnen, dass sich ein jeder abwende
von seinen bösen Taten.

PETRUS UND JOHANNES VOR DEM HOHEN RAT

4 Während sie zum Volk redeten, traten
zu ihnen die Priester und der [a]Haupt-
mann der Tempelwache und die Sad-
duzäer, 2 die verdross, dass sie das Volk
lehrten und verkündigten [a]in Jesus die
Auferstehung von den Toten. 3 Und sie
legten Hand an sie und setzten sie gefan-
gen bis zum Morgen; denn es war schon
Abend. 4 Aber viele von denen, die das
Wort gehört hatten, wurden gläubig; und
die Zahl der Männer stieg auf etwa fünf-
tausend.[a]

5 Als nun der Morgen kam, versam-
melten sich ihre Oberen und Ältesten
und Schriftgelehrten in Jerusalem, 6 auch
[a]Hannas, der Hohepriester, und Kaiphas
und Johannes und Alexander und alle, die
vom Geschlecht der Hohenpriester wa-
ren; 7 und sie stellten sie in die Mitte und
fragten sie: Aus welcher Kraft oder in wel-

3,11 *a* Kap 5,12; Joh 10,23 **3,13** *a* 2. Mose 3,6
3,14 *a* Lk 23,18-19 **3,17** *a* Lk 23,34; Joh 16,3
3,18 *a* Lk 18,31-33; 24,44 **3,19** *a* Kap 2,38
3,20 *a* Kap 2,36 **3,26** *a* Kap 13,46 **4,1** *a* Lk 22,4.52
4,2 *a* Kap 23,8 **4,4** *a* Kap 2,47 **4,6** *a* Lk 3,1-2

chem Namen habt ihr das getan?[a] 8 Petrus,
[a]voll des Heiligen Geistes, sprach zu ih-
nen: Ihr Oberen des Volkes und ihr Ältes-
ten! 9 Wenn wir heute wegen der Wohl-
tat an dem kranken Menschen verhört
werden, wodurch er gesund geworden
ist, 10 so sei euch allen und dem ganzen
Volk Israel kundgetan: [a]Im Namen Jesu
Christi von Nazareth*, den ihr gekreuzigt
habt, den Gott von den Toten auferweckt
hat; durch ihn steht dieser hier gesund
vor euch. 11 Das ist der Stein, von euch
Bauleuten verworfen, der zum Eckstein
geworden ist.[a] 12 Und **in keinem andern
ist das Heil, auch ist [a]kein andrer Na-
me unter dem Himmel den Menschen
gegeben, durch den wir sollen selig
werden.**
13 Sie sahen aber den Freimut des Pe-
trus und Johannes und wunderten sich;
denn sie merkten, dass sie ungelehrte und
einfache Leute waren, und wussten auch
von ihnen, dass sie mit Jesus gewesen
waren. 14 Sie sahen aber den Menschen,
[a]der gesund geworden war, bei ihnen ste-
hen und wussten nichts dagegen zu sa-
gen. 15 Da hießen sie sie hinausgehen aus
dem Hohen Rat und berieten miteinan-
der 16 und sprachen: Was wollen wir mit
diesen Menschen tun? Denn dass ein
offenkundiges Zeichen durch sie gesche-
hen ist, ist allen bekannt, die in Jerusalem
wohnen, und wir können's nicht leug-
nen.[a] 17 Aber damit es nicht weiter ein-
reiße unter dem Volk, wollen wir ihnen
drohen, dass sie hinfort zu keinem Men-
schen in diesem Namen reden. 18 [a]Und
sie riefen sie und geboten ihnen, keines-
falls zu verkünden oder zu lehren in dem
Namen Jesu. 19 Petrus aber und Johan-
nes antworteten und sprachen zu ihnen:
Urteilt selbst, ob es vor Gott recht ist,
dass wir euch mehr gehorchen als Gott.
20 **Wir können's ja nicht lassen, von
dem zu reden, was wir gesehen und
gehört haben.**
21 Da drohten sie ihnen und ließen sie
gehen um des Volkes willen, weil sie
nichts fanden, was Strafe verdient hätte;
denn alle lobten Gott für das, was gesche-
hen war. 22 Denn der Mensch war über
vierzig Jahre alt, an dem dieses Zeichen
der Heilung geschehen war.

DAS GEBET DER GEMEINDE

23 Und als man sie hatte gehen lassen, ka-
men sie zu den Ihren und berichteten, was
die Hohenpriester und Ältesten zu ihnen
gesagt hatten. 24 Als sie das hörten, er-
hoben sie ihre Stimme einmütig zu Gott
und sprachen: Herr, [a]du hast Himmel und
Erde und das Meer und alles, was darin
ist, gemacht, 25 du hast durch den Mund
unseres Vaters David, deines Knechtes,
durch den Heiligen Geist gesagt (Psalm 2,1-2):
»Warum toben die Heiden, und die Völ-
ker nehmen sich vor, was vergeblich ist?
26 Die Könige der Erde treten zusammen,
und die Fürsten versammeln sich wider
den Herrn und seinen Christus.« 27 Wahr-
haftig, sie haben sich versammelt in dieser
Stadt gegen deinen heiligen Knecht Jesus,
den du gesalbt hast, [a]Herodes und Pontius
Pilatus mit den Heiden und den Stämmen
Israels, 28 zu tun, was deine Hand und dein
Ratschluss zuvor bestimmt haben, dass es
geschehen sollte.[a] 29 Und nun, Herr, sieh
an ihr Drohen und **gib deinen Knech-
ten, [a]mit allem Freimut zu reden dein
Wort.** 30 Strecke deine Hand aus zur Hei-
lung und lass [a]Zeichen und Wunder ge-
schehen durch den Namen deines heiligen
Knechtes Jesus. 31 Und als sie gebetet hat-
ten, erbebte die Stätte, wo sie versammelt
waren; und sie wurden alle vom Heiligen
Geist erfüllt und redeten das Wort Gottes
mit Freimut.

DIE GÜTERGEMEINSCHAFT DER ERSTEN CHRISTEN

32 Die Menge der Gläubigen aber war ein
Herz und eine Seele; auch nicht einer sagte
von seinen Gütern, dass sie sein wären,
sondern [a]es war ihnen alles gemeinsam.
33 Und mit großer Kraft [a]bezeugten die
Apostel die Auferstehung des Herrn Je-
sus, und große Gnade war bei ihnen al-
len. 34 Es war auch [a]keiner unter ihnen,
der Mangel hatte; denn wer von ihnen

* **4,10** Wörtlich: »Jesus, der Nazoräer«; siehe Sach- und Worterklärungen zu »Nazoräer«.

4,7 *a* Lk 20,1-2 **4,8** *a* Kap 2,4; Mt 10,20
4,10 *a* Kap 3,6.15-16 **4,11** *a* Ps 118,22; Lk 20,17; 1. Petr 2,4
4,12 *a* Kap 2,21; 10,43; Mt 1,21 **4,14** *a* Kap 3,8-9
4,16 *a* Joh 11,47 **4,18** *a* *(18-19)* Kap 5,28-29
4,24 *a* Kap 14,15; 2. Mose 20,11; Ps 146,6 **4,27** *a* Lk 23,12
4,28 *a* Kap 2,23 **4,29** *a* Eph 6,19 **4,30** *a* Kap 5,12
4,32 *a* Kap 2,44 **4,33** *a* Kap 2,22-24 **4,34** *a* Kap 2,45

Land oder Häuser hatte, verkaufte sie
und brachte das Geld für das Verkaufte
35 und legte es den Aposteln zu Füßen;
und man gab einem jeden, was er nötig
hatte.
36 Josef aber, der von den Aposteln [a]Bar-
nabas genannt wurde – das heißt über-
setzt: Sohn des Trostes –, ein Levit, aus
Zypern gebürtig, 37 der hatte einen Acker
und verkaufte ihn und brachte das Geld
und legte es den Aposteln zu Füßen.

HANANIAS UND SAPHIRA

5 Ein Mann aber mit Namen Hananias
und seine Frau Saphira verkauften einen
Acker, 2 doch er hielt mit Wissen seiner
Frau etwas von dem Geld zurück und
brachte nur einen Teil und [a]legte ihn den
Aposteln zu Füßen. 3 Petrus aber sprach:
Hananias, warum hat der Satan dein Herz
erfüllt, dass du den Heiligen Geist belo-
gen und etwas vom Geld für den Acker
zurückbehalten hast? 4 Hättest du den
Acker nicht behalten können, als du ihn
hattest? Und konntest du nicht auch, als er
verkauft war, noch tun, was du wolltest?
Warum hast du dir dies in deinem Her-
zen vorgenommen? Du hast nicht Men-
schen, sondern Gott belogen. 5 Als Hana-
nias diese Worte hörte, fiel er zu Boden
und gab den Geist auf. Und es kam eine
große Furcht über alle, die dies hörten.
6 Da standen die jungen Männer auf und
hüllten ihn ein, trugen ihn hinaus und be-
gruben ihn.
7 Es begab sich aber, etwa nach drei
Stunden, da kam seine Frau herein und
wusste nicht, was geschehen war. 8 Aber
Petrus sprach zu ihr: Sag mir, habt ihr
den Acker für diesen Preis verkauft? Sie
sprach: Ja, für diesen Preis. 9 Petrus aber
sprach zu ihr: Warum seid ihr euch denn
einig geworden, den Geist des Herrn zu
versuchen? Siehe, die Füße derer, die dei-
nen Mann begraben haben, sind vor der
Tür und werden auch dich hinaustragen.
10 Und sogleich fiel sie zu Boden, ihm vor
die Füße, und gab den Geist auf. Da ka-
men die jungen Männer und fanden sie
tot, trugen sie hinaus und begruben sie
neben ihrem Mann. 11 Und es kam eine
große Furcht über die ganze Gemeinde
und über alle, die das hörten.

WUNDERTATEN DER APOSTEL

12 Es [a]geschahen aber viele Zeichen und
Wunder im Volk durch die Hände der
Apostel; und sie waren alle in der [b]Halle
Salomos einmütig beieinander. 13 Von den
andern aber wagte keiner, sich zu ihnen
zu halten; doch das Volk schätzte sie hoch.
14 Immer mehr aber wuchs die Zahl derer,
die an den Herrn glaubten – eine Menge
Männer und Frauen –,[a] 15 sodass sie die
Kranken sogar auf die Straßen hinaustru-
gen und sie auf Betten und Bahren legten,
damit, wenn Petrus käme, wenigstens
sein Schatten auf einige von ihnen fiele.[a]
16 Es kamen auch viele aus den Städten
rings um Jerusalem und brachten Kranke
und solche, die von unreinen Geistern ge-
plagt waren; und alle wurden geheilt.

DIE APOSTEL VOR DEM HOHEN RAT

17 Es erhoben sich aber [a]der Hohepriester
und alle, die mit ihm waren, nämlich die
Gruppe der Sadduzäer, von Eifer erfüllt,
18 und legten Hand an die Apostel und
warfen sie in das öffentliche Gefängnis.[a]
19 Aber [a]der Engel des Herrn tat in der
Nacht die Türen des Gefängnisses auf und
führte sie heraus und sprach: 20 Geht hin
und tretet im Tempel auf und redet zum
Volk alle Worte dieses Lebens. 21 Als sie
das gehört hatten, gingen sie frühmorgens
in den Tempel und lehrten.
Der Hohepriester aber und die mit ihm
waren, kamen und riefen den Hohen Rat
und alle Ältesten in Israel zusammen und
sandten hin zum Gefängnis, sie zu holen.
22 Die Diener gingen hin und fanden sie
nicht im Gefängnis, kamen zurück und
berichteten: 23 Das Gefängnis fanden wir
sicher verschlossen und die Wächter vor
den Türen stehen; aber als wir öffneten,
fanden wir niemanden darin. 24 Als der
Hauptmann des Tempels und die Hohen-
priester diese Worte hörten, wurden sie
ratlos und wussten nicht, was das noch
werden sollte. 25 Da kam jemand, der be-
richtete ihnen: Siehe, die Männer, die ihr
ins Gefängnis geworfen habt, stehen im
Tempel und lehren das Volk. 26 Da ging

4,36 *a* Kap 9,27; 11,22-26; 12,25; 15,2; 1. Kor 9,6; Gal 2,1; Kol 4,10 **5,2** *a* Kap 4,34-37 **5,12** *a* Kap 2,43; 6,8; 14,3; 15,12 *b* Kap 3,11 **5,14** *a* Kap 2,47 **5,15** *a* Kap 19,11-12 **5,17** *a* Kap 4,1.6 **5,18** *a* Lk 21,12 **5,19** *a* Kap 12,7

der Hauptmann mit den Dienern hin und
holte sie, doch nicht mit Gewalt; denn sie
fürchteten sich vor dem Volk, dass sie ge-
steinigt würden.
27 Und sie brachten sie und stellten sie
vor den Hohen Rat. Und der Hohepriester
fragte sie 28 und sprach: [a]Haben wir euch
nicht streng geboten, in diesem Namen
nicht zu lehren? Und seht, ihr habt Jerusa-
lem erfüllt mit eurer Lehre und [b]wollt das
Blut dieses Menschen über uns bringen.
29 Petrus aber und die Apostel antworte-
ten und sprachen: **Man muss Gott mehr
gehorchen als den Menschen.**[a] 30 Der
Gott unsrer Väter hat Jesus auferweckt,
den ihr an das Holz gehängt und getötet
habt.[a] 31 Den hat Gott [a]durch seine rechte
Hand erhöht zum Fürsten und [b]Heiland,
um Israel Buße und [c]Vergebung der Sün-
den zu geben. 32 Und [a]wir sind Zeugen
dieses Geschehens und mit uns [b]der Hei-
lige Geist, den Gott denen gegeben hat,
die ihm gehorchen. 33 Als sie das hörten,
ging's ihnen durchs Herz und sie wollten
sie töten.

DER RAT DES GAMALIEL

34 Da stand aber im Hohen Rat ein Phari-
säer auf mit Namen [a]Gamaliel, ein Lehrer
des Gesetzes, vom ganzen Volk in Ehren
gehalten, und ließ die Männer für kurze
Zeit hinausführen. 35 Und er sprach zu ih-
nen: Ihr Männer von Israel, seht genau zu,
was ihr mit diesen Menschen tun wollt.
36 Denn vor einiger Zeit stand Theudas auf
und gab vor, er wäre etwas, und ihm hing
eine Anzahl Männer an, etwa vierhundert.
Der wurde erschlagen und alle, die ihm
folgten, wurden zerstreut und zunichte.
37 Danach stand Judas der Galiläer auf in
den Tagen der [a]Volkszählung und brachte
eine Menge Volk hinter sich zum Aufruhr;
und der ist auch umgekommen und alle,
die ihm folgten, sind zerstreut. 38 Und nun
sage ich euch: Lasst ab von diesen Men-
schen und lasst sie gehen! [a]Ist dies Vor-
haben oder dies Werk von Menschen, so
wird's untergehen; 39 ist's aber von Gott,
so könnt ihr sie nicht vernichten – damit
ihr nicht dasteht als solche, die gegen Gott
streiten wollen.
Da stimmten sie ihm zu 40 und riefen
die Apostel herein, [a]schlugen sie und [b]ge-
boten ihnen, sie sollten nicht mehr im
Namen Jesu reden, und ließen sie gehen.
41 Sie gingen aber [a]fröhlich von dem Ho-
hen Rat fort, weil sie würdig gewesen wa-
ren, um Seines Namens willen Schmach
zu leiden, 42 und sie hörten nicht auf, alle
Tage [a]im Tempel und hier und dort in den
Häusern zu lehren und zu predigen das
Evangelium von [b]Jesus Christus.

DIE WAHL DER SIEBEN DIAKONE

6 In diesen Tagen aber, als die Zahl der
Jünger zunahm, erhob sich ein Murren
unter den griechischen Juden in der Ge-
meinde gegen die hebräischen, weil ihre
Witwen übersehen wurden bei der [a]täg-
lichen Versorgung. 2 Da riefen die Zwölf
die Menge der Jünger zusammen und
sprachen: Es ist nicht recht, dass wir das
Wort Gottes vernachlässigen und zu Ti-
sche dienen. 3 Darum, liebe Brüder, seht
euch um nach sieben Männern in eurer
Mitte, die [a]einen guten Ruf haben und
voll Geistes und Weisheit sind, die wollen
wir bestellen zu diesem Dienst. 4 Wir aber
wollen ganz beim Gebet und beim Dienst
des Wortes bleiben.
5 Und die Rede gefiel der ganzen Menge
gut; und sie wählten Stephanus, einen
Mann voll Glaubens und Heiligen Geis-
tes, und [a]Philippus und Prochorus und
Nikanor und Timon und Parmenas und
Nikolaus, den Proselyten* aus Antiochia.
6 Diese stellten sie vor die Apostel; die
[a]beteten und legten ihnen die Hände auf.
7 Und das Wort Gottes breitete sich aus,
und die Zahl der Jünger wurde sehr groß
in Jerusalem. Es wurden auch viele Pries-
ter dem Glauben gehorsam.[a]

STEPHANUS VOR DEM HOHEN RAT

8 Stephanus aber, voll Gnade und Kraft,
tat Wunder und große Zeichen unter dem
Volk. 9 Da standen einige auf von der Syn-

* **6,5** Siehe Sach- und Worterklärungen.

5,28 *a* Kap 4,18 *b* Mt 27,25 **5,29** *a* Kap 4,19
5,30 *a* Kap 2,22-23; 3,15 **5,31** *a* Kap 2,33 *b* Kap 13,23
c Kap 10,43; 13,38 **5,32** *a* Lk 24,48 *b* Joh 15,26-27
5,34 *a* Kap 22,3 **5,37** *a* Lk 2,2 **5,38** *a* Mt 15,13
5,40 *a* 5. Mose 25,2-3; Mt 10,17 *b* Kap 4,17
5,41 *a* Lk 6,22-23; 1. Petr 4,13-14 **5,42** *a* Verse 20-21
b Kap 9,22 **6,1** *a* Kap 4,35 **6,3** *a* 1. Tim 3,8-10
6,5 *a* Kap 8,5 **6,6** *a* Kap 1,24; 13,3; 14,23
6,7 *a* Kap 2,47; 4,4; 5,14; 19,20

agoge der Libertiner* und der Kyrenäer
und der Alexandriner und einige von de-
nen aus Kilikien und der Provinz Asia und
stritten mit Stephanus. 10 Doch sie ver-
mochten nicht zu widerstehen der Weis-
heit und dem Geist, in dem er redete.[a]
11 Da stifteten sie einige Männer an, die
sprachen: Wir haben ihn Lästerworte re-
den hören gegen Mose und gegen Gott.
12 Und sie brachten das Volk und die Äl-
testen und die Schriftgelehrten auf, traten
herzu und ergriffen ihn und führten ihn
vor den Hohen Rat 13 und stellten falsche
Zeugen auf, die sprachen: Dieser Mensch
hört nicht auf, zu reden [a]gegen diese hei-
lige Stätte und das Gesetz. 14 Denn wir
haben ihn sagen hören: Dieser Jesus von
Nazareth [a]wird diese Stätte zerstören und
die Ordnungen ändern, die uns Mose ge-
geben hat. 15 Und alle, die im Hohen Rat
saßen, blickten auf ihn und sahen sein An-
gesicht wie eines Engels Angesicht.

DIE REDE DES STEPHANUS

7 Da fragte der Hohepriester: Ist das so?
2 [a]Er aber sprach: Liebe Brüder und Vä-
ter, hört zu. Der Gott der Herrlichkeit
erschien unserm Vater Abraham, als er
noch in Mesopotamien war, ehe er in Ha-
ran wohnte, 3 und sprach zu ihm (1. Mose
12,1): »Geh aus deinem Land und von dei-
ner Verwandtschaft und zieh in das Land,
das ich dir zeigen will.« 4 Da ging er aus
dem Land der Chaldäer und wohnte in
Haran. Und als sein Vater gestorben war,
brachte Gott ihn von dort herüber in dies
Land, in dem ihr nun wohnt, 5 aber er gab
ihm kein Erbteil darin, auch nicht einen
Fußbreit, und verhieß ihm, er wolle es
ihm und seinen Nachkommen zum Be-
sitz geben, obwohl er noch kein Kind
hatte. 6 Denn so sprach Gott (1. Mose 15,13-14):
»Seine Nachkommen werden Fremdlinge
sein in einem fremden Lande, und man
wird sie knechten und misshandeln [a]vier-
hundert Jahre lang. 7 Aber das Volk, dem
sie als Knechte dienen werden, will ich
richten«, sprach Gott, »und danach wer-
den sie ausziehen und mir dienen an die-
ser Stätte.« 8 Und er gab ihm den Bund der
Beschneidung. Und so zeugte er Isaak und
beschnitt ihn am achten Tage, und Isaak
den Jakob, und Jakob die zwölf Erzväter.
9 Und die Erzväter [a]wurden neidisch auf
Josef und verkauften ihn nach Ägypten.
Aber Gott war mit ihm 10 und errettete ihn
aus aller seiner Bedrängnis und gab ihm
Gnade und Weisheit vor dem Pharao, dem
König von Ägypten; der [a]setzte ihn zum
Regenten über Ägypten und über sein
ganzes Haus. 11 Es kam aber eine Hun-
gersnot über ganz Ägypten und Kanaan
und eine große Bedrängnis, und unsre
Väter fanden keine Nahrung. 12 Jakob aber
hörte, dass es in Ägypten Getreide gebe,
und sandte unsre Väter ein erstes Mal.
13 Und beim zweiten Mal gab sich Josef sei-
nen Brüdern zu erkennen; so wurde dem
Pharao Josefs Herkunft bekannt. 14 Josef
aber sandte aus und ließ seinen Vater Ja-
kob holen und seine ganze Verwandt-
schaft, fünfundsiebzig Menschen. 15 Und
Jakob zog hinab nach Ägypten und starb,
er und unsre Väter; 16 und sie wurden nach
Sichem herübergebracht und in das Grab
gelegt, das Abraham für Geld gekauft
hatte von den Söhnen Hamors in Sichem.
17 [a]Als nun die Zeit der Verheißung
nahte, die Gott dem Abraham zugesagt
hatte, wuchs das Volk und mehrte sich in
Ägypten, 18 bis ein andrer König in Ägyp-
ten aufkam, der nichts wusste von Josef.
19 Er ging mit Hinterlist vor gegen unser
Volk und misshandelte unsre Väter und
ließ ihre neugeborenen Kinder aussetzen,
damit sie nicht am Leben blieben. 20 Zu der
Zeit wurde Mose geboren, und er war ein
schönes Kind vor Gott und wurde drei
Monate ernährt im Hause seines Vaters.
21 Als er aber ausgesetzt wurde, nahm ihn
die Tochter des Pharao auf und zog ihn auf
als ihren Sohn. 22 Und Mose wurde in al-
ler Weisheit der Ägypter gelehrt und war
mächtig in Worten und Werken.
23 Als er aber vierzig Jahre alt wurde, ge-
dachte er, nach seinen Brüdern, den Isra-
eliten, zu sehen. 24 Und sah einen Unrecht
leiden; da stand er ihm bei und rächte

* **6,9** Juden, die aus der Sklaverei freigelassen wurden und nun in Jerusalem eine eigene Synagoge (mit griechischer Sprache im Gottesdienst) hatten.

6,10 ***a*** Lk 21,15 **6,13** ***a*** Jer 26,9.11 **6,14** ***a*** Mk 14,58; Lk 21,5-6; Joh 2,19 **7,2** ***a*** (2-16) 1. Mose 11,27–50,26; Jos 24,32 **7,6** ***a*** 2. Mose 12,40 **7,9** ***a*** 1. Mose 37,11 **7,10** ***a*** 1. Mose 45,9; Ps 105,21 **7,17** ***a*** (17-35) 2. Mose 1,6–3,22

den, dem Leid geschah, und erschlug den
Ägypter. 25 Er meinte aber, seine Brü-
der sollten's verstehen, dass Gott durch
seine Hand ihnen Rettung bringe; aber
sie verstanden's nicht. 26 Und am nächs-
ten Tag kam er zu ihnen, als sie miteinan-
der stritten, und ermahnte sie, Frieden zu
halten, und sprach: Ihr Männer, ihr seid
doch Brüder; warum tut einer dem an-
dern Unrecht? 27 Der aber seinem Nächs-
ten Unrecht getan hatte, stieß ihn von sich
und sprach (2. Mose 2,14): »Wer hat dich zum
Aufseher und Richter über uns gesetzt?
28 Willst du mich auch töten, wie du ges-
tern den Ägypter getötet hast?« 29 Mose
aber floh wegen dieser Rede und lebte als
Fremdling im Lande Midian; dort [a]zeugte
er zwei Söhne.

30 Als vierzig Jahre vergangen waren, er-
schien ihm in der Wüste am Berge Sinai
ein Engel in einer Feuerflamme im Dorn-
busch. 31 Da Mose das sah, wunderte er
sich über die Erscheinung. Als er aber hin-
zuging zu schauen, geschah die Stimme
des Herrn zu ihm (2. Mose 3,5-10): 32 »Ich bin
der Gott deiner Väter, der Gott Abrahams
und Isaaks und Jakobs.« Mose aber fing an
zu zittern und wagte nicht hinzuschauen.
33 Da sprach der Herr zu ihm: »Zieh die
Schuhe aus von deinen Füßen; denn die
Stätte, auf der du stehst, ist heiliges Land!
34 Ich habe gesehen das Leiden meines
Volkes, das in Ägypten ist, und habe sein
Seufzen gehört und bin herabgekommen,
es zu erretten. Und nun komm her, ich
will dich nach Ägypten senden.« 35 Die-
sen Mose, den sie verleugnet hatten, als
sie sprachen: »Wer hat dich als Aufseher
und Richter eingesetzt?«, den sandte Gott
als Anführer und Befreier durch den En-
gel, der ihm im Dornbusch erschienen
war. 36 Dieser Mose führte sie heraus und
tat Wunder und Zeichen [a]in Ägypten,
[b]im Roten Meer und [c]in der Wüste vierzig
Jahre lang. 37 Dies ist der Mose, der zu den
Israeliten gesagt hat (5. Mose 18,15): »Einen
Propheten wie mich wird euch der Herr,
euer Gott, erwecken aus euren Brüdern.«[a]
38 Dieser ist's, der in der Gemeinde in der
Wüste stand zwischen dem Engel, der mit
ihm redete [a]auf dem Berge Sinai, und un-
sern Vätern. [b]Er empfing Worte des Le-
bens, um sie uns weiterzugeben.

39 Ihm wollten unsre Väter nicht gehor-
sam werden, sondern sie stießen ihn von
sich und wandten sich in ihrem Herzen
wieder Ägypten zu 40 und sprachen zu
Aaron (2. Mose 32,1): »Mache uns Götter, die
vor uns hergehen; denn wir wissen nicht,
was diesem Mose, der uns aus dem Lande
Ägypten geführt hat, widerfahren ist.«
41 Und sie machten zu der Zeit ein Kalb
und opferten dem Götzenbild und freuten
sich über das Werk ihrer Hände. 42 Aber
Gott wandte sich ab und gab sie dahin, so-
dass sie dem Heer des Himmels dienten,
wie geschrieben steht im Buch der Pro-
pheten (Amos 5,25-27): »Habt ihr vom Hause
Israel die vierzig Jahre in der Wüste mir
Schlachtopfer und Gaben dargebracht?
43 Ihr trugt das Zelt Molochs umher und
den Stern eures Gottes Räfan, die Bilder,
die ihr gemacht hattet, sie anzubeten. Und
ich will euch wegführen bis über Babylon
hinaus.«

44 Es hatten unsre Väter die Stiftshütte
in der Wüste, wie der es angeordnet hatte,
der zu Mose redete, [a]dass er sie machen
sollte nach dem Vorbild, das er gesehen
hatte. 45 Diese übernahmen unsre Väter
und [a]brachten sie mit, als sie unter Josua
das Land der Völker in Besitz nahmen,
die Gott vertrieb vor dem Angesicht uns-
rer Väter, bis zur Zeit Davids. 46 Der fand
Gnade bei Gott und bat darum, [a]dass er
eine heilige Stätte finden möge für das
Haus Jakob. 47 Salomo aber baute ihm ein
Haus.[a]

48 Aber der Höchste [a]wohnt nicht in
Tempeln, die mit Händen gemacht sind,
wie der Prophet spricht (Jesaja 66,1-2): 49 »Der
Himmel ist mein Thron und die Erde
der Schemel meiner Füße; was wollt ihr
mir denn für ein Haus bauen«, spricht
der Herr, »oder was ist die Stätte meiner
Ruhe? 50 Hat nicht meine Hand das alles
gemacht?«

51 Ihr, [a]halsstarrig und [b]unbeschnitten
an Herzen und Ohren, ihr widerstrebt

7,29 *a* 2. Mose 18,3-4 **7,36** *a* 2. Mose 7,10
b 2. Mose 14,21 *c* 4. Mose 14,33 **7,37** *a* Kap 3,22
7,38 *a* 2. Mose 19,16-25; 20,18-21; 31,18 *b* 5. Mose 9,10
7,44 *a* 2. Mose 25,9 **7,45** *a* Jos 3,14; 18,1
7,46 *a* 2. Sam 7,1-16; Ps 132,3-5 **7,47** *a* 1. Kön 6,1-38
7,48 *a* Kap 17,24; 1. Kön 8,27 **7,51** *a* 2. Mose 32,9
b 3. Mose 26,41; Röm 2,28-29

allezeit dem Heiligen Geist, wie eure Vä-
ter, so auch ihr. 52 Welchen der Propheten
haben eure Väter nicht verfolgt? Und [a]sie
haben getötet, die zuvor verkündigten
das Kommen des Gerechten, dessen Ver-
räter und Mörder ihr nun geworden seid.
53 Ihr habt [a]das Gesetz empfangen [b]durch
Weisung von Engeln und habt's nicht ge-
halten.

DER TOD DES STEPHANUS

54 Als [a]sie das hörten, ging's ihnen durchs
Herz und sie knirschten mit den Zähnen
über ihn. 55 Er aber, voll Heiligen Geistes,
sah auf zum Himmel und sah die Herrlich-
keit Gottes und Jesus stehen zur Rechten
Gottes 56 und sprach: Siehe, ich sehe den
Himmel offen und [a]den Menschensohn
zur Rechten Gottes stehen. 57 Sie schrien
aber laut und hielten sich ihre Ohren zu
und stürmten einmütig auf ihn ein, 58 stie-
ßen ihn zur Stadt hinaus und [a]steinigten
ihn. Und die Zeugen legten ihre Kleider
ab zu den Füßen eines jungen Mannes,
der hieß [b]Saulus, 59 und sie steinigten Ste-
phanus; der rief den Herrn an und sprach:
[a]**Herr Jesus, nimm meinen Geist auf!**
60 Er fiel auf die Knie und schrie laut: **Herr,**
[a]**rechne ihnen diese Sünde nicht an!**
Und als er das gesagt hatte, verschied er.
8 Saulus aber [a]hatte Gefallen an seinem
Tode.

DIE VERFOLGUNG DER GEMEINDE IN JERUSALEM

Es erhob sich aber an diesem Tag eine
große Verfolgung über die Gemeinde in
Jerusalem; da [b]zerstreuten sich alle übers
Land, über Judäa und Samarien, nur die
Apostel nicht. 2 Es bestatteten aber den
Stephanus gottesfürchtige Männer und
hielten eine große Klage über ihn. 3 Sau-
lus aber suchte die Gemeinde zu zerstö-
ren, ging von Haus zu Haus, schleppte
Männer und Frauen fort und ließ sie ins
Gefängnis werfen.[a]

PHILIPPUS IN SAMARIEN

4 Die nun zerstreut worden waren, zogen
umher und predigten das Wort. 5 [a]Philip-
pus aber kam hinab in die Stadt Samariens
und verkündigte ihnen Christus. 6 Und
das Volk neigte einmütig dem zu, was
Philippus sagte, als sie ihm zuhörten und
die Zeichen sahen, die er tat. 7 Denn [a]die
unreinen Geister fuhren aus vielen Beses-
senen aus mit großem Geschrei, auch viele
Gelähmte und Verkrüppelte wurden ge-
sund gemacht; 8 und es kam große Freude
auf in jener Stadt.

9 Es war aber ein Mann mit Namen Si-
mon, der zuvor in der Stadt Zauberei trieb
und das Volk von Samarien in seinen Bann
zog, weil er vorgab, er wäre etwas Gro-
ßes. 10 Und alle hingen ihm an, Klein und
Groß, und sprachen: Dieser ist die Kraft
Gottes, die die Große genannt wird. 11 Sie
hingen ihm aber an, weil er sie lange Zeit
mit seiner Zauberei in seinen Bann gezo-
gen hatte. 12 Als sie aber den Predigten des
Philippus von dem Reich Gottes und von
dem Namen Jesu Christi glaubten, lie-
ßen sich taufen Männer und Frauen. 13 Da
wurde auch Simon gläubig und ließ sich
taufen und hielt sich zu Philippus. Und als
er die Zeichen und mächtigen Taten sah,
die geschahen, geriet er außer sich vor
Staunen.

14 Als aber die Apostel in Jerusalem hör-
ten, dass [a]Samarien das Wort Gottes an-
genommen hatte, sandten sie zu ihnen
Petrus und Johannes. 15 Die kamen hinab
und beteten für sie, dass sie den Heiligen
Geist empfingen. 16 Denn er war noch auf
keinen von ihnen gefallen, sondern sie
waren allein getauft auf den Namen des
Herrn Jesus. 17 Da legten sie die Hände auf
sie und sie empfingen den Heiligen Geist.

18 Als aber Simon sah, dass der Geist
gegeben wurde, wenn die Apostel die
Hände auflegten, bot er ihnen Geld an
19 und sprach: Gebt auch mir diese Macht,
dass jeder, dem ich die Hände auflege,
den Heiligen Geist empfange. 20 Petrus
aber sprach zu ihm: Dein Geld fahre mit
dir ins Verderben, weil du meinst, [a]Gottes
Gabe werde durch Geld erlangt. 21 Du hast
weder Anteil noch Anrecht an dieser Sa-
che; denn dein Herz ist nicht rechtschaf-

7,52 ***a*** Lk 11,47 **7,53** ***a*** 2. Mose 20,1-21; 5. Mose 5,1-22 ***b*** Gal 3,19; Hebr 2,2 **7,54** ***a*** Kap 5,33 **7,56** ***a*** Lk 22,69 **7,58** ***a*** 3. Mose 24,16 ***b*** Kap 22,20 **7,59** ***a*** Ps 31,6; Lk 23,46 **7,60** ***a*** Lk 23,34 **8,1** ***a*** Kap 22,20 ***b*** Kap 1,8; 11,19 **8,3** ***a*** Kap 9,1-2; 22,4; Lk 21,12; 1. Kor 15,9; Gal 1,13 **8,5** ***a*** Kap 6,5 **8,7** ***a*** Kap 5,16; Mk 16,17 **8,14** ***a*** Kap 1,8 **8,20** ***a*** Mt 10,8

fen vor Gott. 22 Darum tu Buße für diese
deine Bosheit und bitte den Herrn, ob dir
vergeben werden möge das Trachten dei-
nes Herzens. 23 Denn ich sehe, dass du voll
bitterer Galle bist und verstrickt in Unge-
rechtigkeit. 24 Da antwortete Simon und
sprach: Bittet ihr den Herrn für mich, dass
nichts von dem über mich komme, was ihr
gesagt habt.

25 Als sie nun das Wort des Herrn be-
zeugt und geredet hatten, kehrten sie wie-
der um nach Jerusalem und predigten das
Evangelium in vielen Dörfern Samarias.

DER KÄMMERER AUS ÄTHIOPIEN

26 Aber der Engel des Herrn redete zu [a]Phil-
ippus und sprach: Steh auf und geh nach
Süden auf die Straße, die von Jerusalem
nach Gaza hinabführt und öde ist. 27 Und
er stand auf und ging hin. Und siehe, ein
Mann aus Äthiopien, ein Kämmerer* und
Mächtiger am Hof der Kandake*, der Kö-
nigin von Äthiopien, ihr Schatzmeister,
war [a]nach Jerusalem gekommen, um an-
zubeten. 28 Nun zog er wieder heim und
saß auf seinem Wagen und las den Pro-
pheten Jesaja.

29 Der Geist aber sprach zu Philippus:
Geh hin und halte dich zu diesem Wagen!
30 Da lief Philippus hin und hörte, dass er
den Propheten Jesaja las, und fragte: Ver-
stehst du auch, was du liest? 31 Er aber
sprach: Wie kann ich, wenn mich nicht
jemand anleitet? Und er bat Philippus,
aufzusteigen und sich zu ihm zu setzen.
32 Die Stelle aber der Schrift, die er las,
war diese (Jesaja 53,7-8): »Wie ein Schaf, das
zur Schlachtung geführt wird, und wie
ein Lamm, das vor seinem Scherer ver-
stummt, so tut er seinen Mund nicht auf.
33 In seiner Erniedrigung wurde sein Ur-
teil aufgehoben. Wer kann seine Nach-
kommen aufzählen? Denn sein Leben
wird von der Erde weggenommen.« 34 Da
antwortete der Kämmerer dem Philippus
und sprach: Ich bitte dich, von wem re-
det der Prophet das, von sich selber oder
von jemand anderem? 35 Philippus aber
tat seinen Mund auf und fing mit die-
sem Schriftwort an und predigte ihm das
Evangelium von Jesus.

36 Und als sie auf der Straße dahinfuhren,
kamen sie an ein Wasser. Da sprach der
Kämmerer: Siehe, da ist Wasser; was hin-
dert's, dass ich mich taufen lasse?* 38 Und
er ließ den Wagen halten und beide stie-
gen in das Wasser hinab, Philippus und
der Kämmerer, und er taufte ihn. 39 Als sie
aber aus dem Wasser heraufstiegen, [a]ent-
rückte der Geist des Herrn den Philippus
und der Kämmerer sah ihn nicht mehr; er
zog aber seine Straße fröhlich. 40 Philippus
aber fand sich in Aschdod wieder und zog
umher und predigte in allen Städten das
Evangelium, bis er nach [a]Cäsarea kam.

DIE BEKEHRUNG DES SAULUS

9 [a]Saulus aber [b]schnaubte noch mit Dro-
hen und Morden gegen die Jünger des
Herrn und ging zum Hohenpriester 2 und
bat ihn um Briefe nach Damaskus an die
Synagogen, dass er [a]Anhänger dieses We-
ges*, Männer und Frauen, wenn er sie fän-
de, gefesselt nach Jerusalem führe.

3 [a]Als er aber auf dem Wege war und in
die Nähe von Damaskus kam, umleuch-
tete ihn plötzlich ein Licht vom Himmel;
4 und er fiel auf die Erde und hörte eine
Stimme, die sprach zu ihm: Saul, Saul,
was verfolgst du mich? 5 Er aber sprach:
Herr, wer bist du? Der sprach: Ich bin Je-
sus, den du verfolgst. 6 Steh auf und geh
in die Stadt; da wird man dir sagen, was
du tun sollst. 7 Die Männer aber, die seine
Gefährten waren, standen sprachlos da;
denn sie hörten zwar die Stimme, sahen
aber niemanden. 8 Saulus aber richtete sich
auf von der Erde; und als er seine Augen
aufschlug, sah er nichts. Sie nahmen ihn
aber bei der Hand und führten ihn nach
Damaskus; 9 und er konnte drei Tage nicht
sehen und aß nicht und trank nicht.

10 Es war aber ein Jünger in Damaskus
mit Namen Hananias; dem erschien der
Herr und sprach: Hananias! Und er sprach:
Hier bin ich, Herr. 11 Der Herr sprach zu

* **8,27** (1) Andere Übersetzung: »Eunuch«. (2) Titel der Königinnen von Äthiopien (Kusch). **8,36** Vers 37 findet sich nur in einigen Handschriften: »Philippus aber sprach: Wenn du von ganzem Herzen glaubst, so kann es geschehen. Er aber antwortete und sprach: Ich glaube, dass Jesus Christus Gottes Sohn ist.« **9,2** »Weg« ist in der Apostelgeschichte häufig eine Bezeichnung für das Christentum.

8,26 ***a*** Kap 6,5 **8,27** ***a*** Jes 56,6-7 **8,39** ***a*** 1. Kön 18,12 **8,40** ***a*** Kap 21,8-9 **9,1** ***a*** *(1-19)* Kap 22,3-16; 26,9-18 ***b*** Kap 8,3 **9,2** ***a*** Kap 22,4 **9,3** ***a*** *(3-6)* 1. Kor 15,8

ihm: Steh auf und geh in die Straße, die die Gerade heißt, und frage in dem Haus des Judas nach einem Mann mit Namen Saulus von Tarsus. Denn siehe, er betet 12 und hat in einer Erscheinung einen Mann gesehen mit Namen Hananias, der zu ihm hereinkam und ihm die Hände auflegte, dass er wieder sehend werde. 13 Hananias aber antwortete: Herr, ich habe von vielen gehört über diesen Mann, wie viel Böses er deinen Heiligen in Jerusalem angetan hat; 14 und hier hat er Vollmacht von den Hohenpriestern, alle gefangen zu nehmen, die deinen Namen anrufen. 15 Doch der Herr sprach zu ihm: Geh nur hin; denn dieser ist mein [a]auserwähltes Werkzeug, dass er meinen Namen trage [b]vor Heiden und [c]vor Könige und vor das Volk Israel. 16 Ich will ihm zeigen, wie viel er leiden muss um meines Namens willen.[a]

17 Und Hananias ging hin und kam in das Haus und legte die Hände auf ihn und sprach: Lieber Bruder Saul, der Herr hat mich gesandt, Jesus, der dir auf dem Wege hierher erschienen ist, dass du wieder sehend und mit dem Heiligen Geist erfüllt werdest. 18 Und sogleich fiel es von seinen Augen wie Schuppen, und er wurde wieder sehend; und er stand auf, ließ sich taufen 19 und nahm Speise zu sich und stärkte sich.

SAULUS IN DAMASKUS UND JERUSALEM

Saulus blieb aber einige Tage bei den Jüngern in Damaskus. 20 Und alsbald predigte er in den Synagogen von Jesus, dass dieser [a]Gottes Sohn sei. 21 Alle aber, die es hörten, entsetzten sich und sprachen: Ist das nicht der, [a]der in Jerusalem alle vernichten wollte, die diesen Namen anrufen, und ist er nicht deshalb hierher gekommen, dass er sie gefesselt zu den Hohenpriestern führe? 22 Saulus aber [a]gewann immer mehr an Kraft und trieb die Juden in die Enge, die in Damaskus wohnten, und bewies, dass dieser der Christus ist. 23 Und nach vielen Tagen hielten die Juden einen Rat, dass sie ihn töteten. 24 [a]Ihr Plan aber wurde Saulus bekannt. Sie bewachten Tag und Nacht auch die Tore, um ihn zu töten. 25 Da nahmen ihn seine Jünger bei Nacht und ließen ihn in einem Korb die Mauer hinab.

26 Als er aber nach Jerusalem kam, versuchte er, sich zu den Jüngern zu halten; doch sie fürchteten sich alle vor ihm und glaubten nicht, dass er ein Jünger wäre.[a] 27 [a]Barnabas aber nahm ihn zu sich und führte ihn zu den Aposteln und erzählte ihnen, wie Saulus auf dem Wege den Herrn gesehen und dass der mit ihm geredet und wie er in Damaskus im Namen Jesu frei und offen gepredigt habe. 28 Und er ging bei ihnen in Jerusalem ein und aus und predigte im Namen des Herrn frei und offen. 29 Er redete und stritt auch mit den griechischen Juden; aber sie stellten ihm nach, um ihn zu töten. 30 Als das die Brüder erfuhren, geleiteten sie ihn nach Cäsarea und schickten ihn weiter [a]nach Tarsus.

31 So hatte nun die Gemeinde Frieden in ganz Judäa und Galiläa und Samarien und baute sich auf und lebte in der Furcht des Herrn und mehrte sich unter dem Beistand des Heiligen Geistes.

PETRUS IN LYDDA

32 Es geschah aber, als Petrus überall im Land umherzog, dass er auch zu den Heiligen kam, die in Lydda wohnten. 33 Dort fand er einen Mann mit Namen Äneas, der hatte acht Jahre auf dem Bett gelegen, er war gelähmt. 34 Und Petrus sprach zu ihm: Äneas, Jesus Christus macht dich gesund; steh auf und mach dir selber das Bett. Und sogleich stand er auf. 35 Da sahen ihn alle, die in Lydda und in Scharon wohnten, und bekehrten sich zu dem Herrn.

DIE AUFERWECKUNG DER TABITA

36 In Joppe war eine Jüngerin mit Namen Tabita, das heißt übersetzt: Gazelle. Die tat viele gute Werke und gab reichlich Almosen. 37 Es begab sich aber zu der Zeit, dass sie krank wurde und starb. Da wuschen sie sie und legten sie in das Obergemach. 38 Weil aber Lydda nahe bei Joppe ist, sandten die Jünger, als sie hörten, dass Petrus dort war, zwei Männer zu ihm und

9,15 ***a*** Gal 1,15-16 ***b*** Kap 13,46 ***c*** Kap 26,2; 27,24
9,16 ***a*** Mt 10,22; Lk 21,12-13; 2. Kor 11,23-28
9,20 ***a*** Lk 1,35; 3,22; 22,70; Joh 1,49; 11,27
9,21 ***a*** Kap 8,1.3; 26,10 **9,22** ***a*** Kap 18,28
9,24 ***a*** (24-25) 2. Kor 11,32-33 **9,26** ***a*** Gal 1,17-19
9,27 ***a*** Kap 4,36 **9,30** ***a*** Kap 11,25; Gal 1,21

baten ihn: Säume nicht, zu uns zu kom-
men! 39 Petrus aber stand auf und ging
mit ihnen. Und als er hingekommen war,
führten sie ihn hinauf in das Obergemach
und es traten alle Witwen zu ihm, wein-
ten und zeigten ihm die Röcke und Klei-
der, die Tabita gemacht hatte, als sie noch
bei ihnen war.

40 Und als Petrus sie alle hinausgetrieben
hatte, kniete er nieder, betete und wandte
sich zu dem Leichnam und sprach: Tabita,
[a]steh auf! Und sie schlug ihre Augen auf;
und als sie Petrus sah, setzte sie sich auf.
41 Er aber gab ihr die Hand und ließ sie auf-
stehen und rief die Heiligen und die Wit-
wen und stellte sie lebendig vor sie. 42 Und
das wurde in ganz Joppe bekannt und
viele kamen zum Glauben an den Herrn.
43 Und es geschah, dass Petrus einige Zeit
in Joppe blieb bei einem Simon, der ein
Gerber war.

DER HAUPTMANN KORNELIUS

10 Es war aber ein Mann in Cäsarea mit
Namen Kornelius, ein Hauptmann
der Kohorte, die die Italische genannt
wurde. 2 Der war fromm und gottesfürch-
tig mit seinem ganzen Haus und gab dem
Volk viele Almosen und betete immer zu
Gott. 3 Der hatte eine Erscheinung um die
neunte Stunde am Tage und sah deutlich
einen Engel Gottes bei sich eintreten; der
sprach zu ihm: Kornelius! 4 Er aber sah ihn
an, erschrak und fragte: Herr, was ist? Der
sprach zu ihm: [a]Deine Gebete und deine
Almosen sind gekommen vor Gott, dass
er ihrer gedenkt. 5 Und nun sende Män-
ner nach Joppe und lass holen Simon mit
dem Beinamen Petrus. 6 Der ist zu Gast
bei einem [a]Gerber Simon, dessen Haus
am Meer liegt. 7 Und als der Engel, der mit
ihm redete, hinweggegangen war, rief
Kornelius zwei seiner Knechte und einen
frommen Soldaten von denen, die ihm
dienten, 8 und erzählte ihnen alles und
[a]sandte sie nach Joppe.

9 Am nächsten Tag, als diese auf dem
Wege waren und in die Nähe der Stadt
kamen, stieg Petrus auf das Dach, zu be-
ten um die sechste Stunde. 10 Und als er
hungrig wurde, wollte er essen. Während
sie ihm aber etwas zubereiteten, kam eine
Verzückung über ihn, 11 und er sah den
Himmel aufgetan und ein Gefäß herab-
kommen wie ein großes leinenes Tuch, an
vier Zipfeln niedergelassen auf die Erde.
12 Darin waren allerlei vierfüßige und
kriechende Tiere der Erde und Vögel des
Himmels. 13 Und es geschah eine Stimme
zu ihm: Steh auf, Petrus, schlachte und iss!
14 Petrus aber sprach: O nein, Herr; denn
ich habe noch nie etwas Gemeines und
Unreines gegessen.[a] 15 Und die Stimme
sprach zum zweiten Mal zu ihm: Was
Gott rein gemacht hat, das nenne du nicht
unrein.[a] 16 Und das geschah dreimal; und
alsbald wurde das Gefäß wieder hinaufge-
nommen gen Himmel.

17 Als aber Petrus noch ratlos war, was
die Erscheinung bedeute, die er gesehen
hatte, siehe, da fragten die Männer, von
Kornelius gesandt, nach dem Haus Si-
mons und standen schon an der Tür, 18 rie-
fen und fragten, ob Simon mit dem Beina-
men Petrus hier zu Gast wäre. 19 Während
aber Petrus nachsann über die Erschei-
nung, sprach der Geist zu ihm: Siehe, drei
Männer suchen dich; 20 so steh auf, steig
hinab und geh mit ihnen und zweifle
nicht, denn ich habe sie gesandt.

21 Da stieg Petrus hinab zu den Männern
und sprach: Siehe, ich bin's, den ihr sucht;
aus welchem Grund seid ihr hier? 22 Sie
aber sprachen: Der Hauptmann Korne-
lius, ein frommer und gottesfürchtiger
Mann mit gutem Ruf bei dem ganzen
Volk der Juden, hat einen Befehl empfan-
gen von einem heiligen Engel, dass er dich
sollte holen lassen in sein Haus und hören,
was du zu sagen hast. 23 Da rief er sie her-
ein und beherbergte sie.

Am nächsten Tag machte er sich auf
und zog mit ihnen, und einige Brüder aus
Joppe gingen mit ihm. 24 Und am folgen-
den Tag kam er nach Cäsarea. Kornelius
aber wartete auf sie und hatte seine Ver-
wandten und nächsten Freunde zusam-
mengerufen. 25 Und als Petrus hereinkam,
ging ihm Kornelius entgegen und fiel ihm
zu Füßen und betete ihn an. 26 Petrus
aber richtete ihn auf und sprach: Steh auf,
[a]auch ich bin ein Mensch. 27 Und während
er mit ihm redete, ging er hinein und fand

9,40 *a* Mk 5,41 **10,4** *a* Tob 3,16-17 **10,6** *a* Kap 9,43
10,8 *a* Kap 11,5-17 **10,14** *a* 3. Mose 11,1-47; Hes 4,14
10,15 *a* Mk 7,15; Röm 14,14 **10,26** *a* Kap 14,15; Offb 19,10

viele, die zusammengekommen waren.
28 Und er sprach zu ihnen: Ihr wisst, dass
es einem jüdischen Mann nicht erlaubt ist,
mit einem Fremden umzugehen oder zu
ihm zu kommen; aber Gott hat mir ge-
zeigt, dass ich keinen Menschen gemein
oder unrein nennen soll. 29 Darum habe
ich mich nicht geweigert zu kommen, als
ich geholt wurde. So frage ich euch nun,
warum ihr mich habt holen lassen.

30 Kornelius sprach: Vor vier Tagen um
diese Zeit betete ich um die neunte Stunde
in meinem Hause. Und siehe, da stand ein
Mann vor mir in einem leuchtenden Ge-
wand 31 und sprach: Kornelius, dein Gebet
ist erhört und deiner Almosen ist gedacht
worden vor Gott. 32 So sende nun nach
Joppe und lass herrufen Simon mit dem
Beinamen Petrus, der zu Gast ist im Hause
des Gerbers Simon am Meer. 33 Da sandte
ich sofort zu dir; und du hast recht getan,
dass du gekommen bist. Nun sind wir alle
hier vor Gott zugegen, um alles zu hören,
was dir vom Herrn befohlen ist.

34 Petrus aber tat seinen Mund auf und
sprach: **Nun erfahre ich in Wahrheit,**
[a]dass Gott die Person nicht ansieht;
35 sondern in jedem Volk, wer ihn
fürchtet und Recht tut, der ist ihm an-
genehm.[a] 36 Er hat das Wort dem Volk
Israel gesandt und [a]Frieden verkündigt
durch Jesus Christus, welcher ist Herr
über alles.

37 Ihr wisst, was in ganz Judäa gesche-
hen ist, [a]angefangen von Galiläa nach der
Taufe, die Johannes predigte, 38 wie Gott
Jesus von Nazareth [a]gesalbt hat mit Hei-
ligem Geist und Kraft; der ist umhergezo-
gen und hat Gutes getan und alle gesund
gemacht, die in der Gewalt des Teufels
waren, denn Gott war mit ihm. 39 Und
wir sind Zeugen für alles, was er getan hat
im jüdischen Land und in Jerusalem. Den
haben sie an das Holz gehängt und getötet.
40 Den hat Gott auferweckt am dritten Tag
und [a]hat ihn erscheinen lassen, 41 [a]nicht
dem ganzen Volk, sondern uns, den von
Gott vorher [b]erwählten Zeugen, die wir
[c]mit ihm gegessen und getrunken haben,
nachdem er auferstanden war von den To-
ten. 42 Und er hat uns geboten, dem Volk
zu predigen und zu bezeugen, [a]dass er von
Gott bestimmt ist zum Richter der Leben-
den und der Toten. 43 Von diesem [a]bezeu-
gen alle Propheten, dass durch seinen Na-
men alle, die an ihn glauben, Vergebung
der Sünden empfangen sollen.

44 Da Petrus noch diese Worte redete,
fiel der Heilige Geist auf alle, die dem
Wort zuhörten.[a] 45 Und die gläubig ge-
wordenen Juden, die mit Petrus gekom-
men waren, entsetzten sich, weil auch auf
die Heiden die Gabe des Heiligen Geistes
ausgegossen wurde;[a] 46 denn sie hörten,
dass sie in [a]Zungen redeten und Gott hoch
priesen. Da antwortete Petrus: 47 Kann
auch jemand denen das Wasser zur Taufe
verwehren, die den Heiligen Geist emp-
fangen haben ebenso wie wir? 48 Und er
befahl, sie zu taufen in dem Namen Jesu
Christi. Da baten sie ihn, dass er noch
einige Tage dabliebe.

PETRUS IN JERUSALEM

11 Es hörten aber die Apostel und die
Brüder in Judäa, dass auch die Heiden
Gottes Wort angenommen hätten. 2 Und
als Petrus hinaufkam nach Jerusalem,
stritten die aus der Beschneidung mit ihm
3 und sprachen: Du bist zu unbeschnitte-
nen Männern gegangen und hast mit ih-
nen gegessen.[a]

4 Petrus aber fing an und erzählte es ih-
nen der Reihe nach und sprach: 5 [a]Ich war
in der Stadt Joppe im Gebet und sah in
Verzückung ein Gesicht: Ich sah ein Ge-
fäß herabkommen wie ein großes leine-
nes Tuch, an vier Zipfeln niedergelassen
vom Himmel; das kam bis zu mir. 6 Als ich
genau hineinschaute, sah ich vierfüßige
Tiere der Erde und wilde Tiere und krie-
chende Tiere und Vögel des Himmels. 7 Ich
hörte aber auch eine Stimme, die sprach
zu mir: Steh auf, Petrus, schlachte und
iss! 8 Ich aber sprach: O nein, Herr; denn
es ist nie etwas Gemeines oder Unreines
in meinen Mund gekommen. 9 Aber die
Stimme antwortete zum zweiten Mal vom
Himmel: Was Gott rein gemacht hat, das

10,34 *a* 5. Mose 10,17; 1. Sam 16,7; Röm 2,11
10,35 *a* Joh 10,16 **10,36** *a* Jes 52,7; Eph 2,17
10,37 *a* Mt 4,12-17 **10,38** *a* Lk 3,21-22
10,40 *a* 1. Kor 15,4-7 **10,41** *a* Joh 14,19.22 *b* Joh 15,16
c Lk 24,30.41-43 **10,42** *a* Kap 17,31; Joh 5,22; 2. Tim 4,1;
1. Petr 4,5 **10,43** *a* Jes 53,5-6; Jer 31,34 **10,44** *a* Kap 11,15
10,45 *a* Kap 2,17; 15,7-9 **10,46** *a* Kap 2,4 **11,3** *a* Gal 2,12
11,5 *a* (5-17) Kap 10,9-48

nenne du nicht unrein. 10 Das geschah aber
dreimal; und alles wurde wieder gen Him-
mel hinaufgezogen. 11 Und siehe, auf ein-
mal standen drei Männer vor dem Hause,
in dem wir waren, von Cäsarea zu mir ge-
sandt. 12 Der Geist aber sprach zu mir, ich
sollte mit ihnen gehen und nicht zweifeln.
Es kamen aber mit mir auch diese sechs
Brüder und wir gingen in das Haus des
Mannes. 13 Der berichtete uns, wie er ge-
sehen habe einen Engel in seinem Hause
stehen, der gesprochen habe: Sende nach
Joppe und lass holen Simon, mit dem Bei-
namen Petrus; 14 der wird dir die Botschaft
sagen, durch die du [a]selig wirst und dein
ganzes Haus. 15 Als ich aber anfing zu re-
den, fiel der Heilige Geist auf sie [a]ebenso
wie am Anfang auf uns. 16 Da dachte ich an
das Wort des Herrn, als er sagte: Johan-
nes hat mit Wasser getauft; ihr aber sollt
mit dem Heiligen Geist getauft werden.[a]
17 Wenn nun Gott ihnen die gleiche Gabe
gegeben hat wie auch uns, die wir zum
Glauben gekommen sind an den Herrn
Jesus Christus: Wer war ich, dass ich Gott
wehren könnte?

18 Als sie das hörten, schwiegen sie still
und lobten Gott und sprachen: [a]So hat
Gott auch den Heiden die Umkehr gege-
ben, die zum Leben führt!

ERSTE CHRISTEN IN ANTIOCHIA

19 Die aber [a]zerstreut waren wegen der
Verfolgung, die sich wegen Stephanus
erhob, gingen bis nach Phönizien und
Zypern und Antiochia und verkündig-
ten das Wort niemandem als allein den
Juden. 20 Es waren aber einige unter ih-
nen, Männer aus Zypern und Kyrene, die
kamen nach Antiochia und redeten auch
zu den Griechen* und predigten das Evan-
gelium vom Herrn Jesus. 21 Und die Hand
des Herrn war mit ihnen und eine große
Zahl wurde gläubig und bekehrte sich zum
Herrn.[a]

22 Es kam aber die Kunde davon der Ge-
meinde zu Jerusalem zu Ohren; und sie
sandten [a]Barnabas, dass er nach Antiochia
ginge. 23 Als dieser dort hingekommen
war und die Gnade Gottes sah, wurde er
froh und ermahnte sie alle, mit festem
Herzen an dem Herrn zu bleiben; 24 denn
er war ein bewährter Mann, voll Heiligen
Geistes und Glaubens. Und [a]viel Volk
wurde für den Herrn gewonnen. 25 Bar-
nabas aber ging nach Tarsus, [a]Saulus zu
suchen. 26 Und als er ihn fand, brachte er
ihn nach [a]Antiochia. Und sie blieben ein
ganzes Jahr in der Gemeinde und lehrten
viele. – In Antiochia wurden die Jünger
zuerst Christen genannt.

27 In diesen Tagen kamen [a]Propheten
von Jerusalem nach Antiochia. 28 Und
einer von ihnen mit Namen [a]Agabus trat
auf und sagte durch den Geist eine große
Hungersnot voraus, die über den ganzen
Erdkreis kommen sollte; dies geschah
unter dem Kaiser Klaudius. 29 Aber unter
den Jüngern beschloss ein jeder, nach sei-
nem Vermögen den Brüdern, die in Judäa
wohnten, eine Gabe zu senden. 30 Das ta-
ten sie auch und schickten sie zu den Äl-
testen durch Barnabas und Saulus.[a]

DER TOD DES JAKOBUS UND DIE BEFREIUNG DES PETRUS

12 Um diese Zeit legte der König Hero-
des Hand an einige von der Gemeinde,
sie zu misshandeln. 2 Er tötete aber [a]Jako-
bus, den Bruder des Johannes, mit dem
Schwert.

3 Und als er sah, dass es den Juden gefiel,
fuhr er fort und nahm auch Petrus gefan-
gen. Es waren aber eben die Tage der Un-
gesäuerten Brote. 4 [a]Als er ihn nun ergrif-
fen hatte, warf er ihn ins Gefängnis und
überantwortete ihn vier Abteilungen von
je vier Soldaten, ihn zu bewachen. Denn
er gedachte, ihn nach dem Passafest vor
das Volk zu stellen. 5 So wurde nun Petrus
im Gefängnis festgehalten; aber die Ge-
meinde betete ohne Aufhören für ihn zu
Gott.

6 Und in jener Nacht, als ihn Herodes
vorführen lassen wollte, schlief Petrus
zwischen zwei Soldaten, mit zwei Ketten
gefesselt, und die Wachen vor der Tür be-
wachten das Gefängnis. 7 Und siehe, der

* **11,20** »Griechen« bezeichnet hier griechisch sprechende Nichtjuden.

11,14 ***a*** Kap 16,31 **11,15** ***a*** Kap 2,1-4 **11,16** ***a*** Kap 1,5; Lk 3,16 **11,18** ***a*** Kap 14,27 **11,19** ***a*** Kap 8,1-4 **11,21** ***a*** Kap 2,47 **11,22** ***a*** Kap 4,36 **11,24** ***a*** Kap 5,14 **11,25** ***a*** Kap 9,30 **11,26** ***a*** Gal 2,11 **11,27** ***a*** Kap 13,1; 15,32 **11,28** ***a*** Kap 21,10-11 **11,30** ***a*** Kap 12,25; 1. Kor 16,1-4 **12,2** ***a*** Lk 5,10 **12,4** ***a*** (4-10) Kap 5,18-23

Engel des Herrn kam herein und Licht
leuchtete auf in dem Raum; und er stieß
Petrus in die Seite und weckte ihn und
sprach: Steh schnell auf! Und die Ketten
fielen ihm von seinen Händen. 8 Und der
Engel sprach zu ihm: Gürte dich und zieh
deine Schuhe an! Und er tat es. Und er
sprach zu ihm: Wirf deinen Mantel um
und folge mir!

9 Und er ging hinaus und folgte ihm
und wusste nicht, dass das wahrhaftig ge-
schehe durch den Engel, sondern meinte,
eine Erscheinung zu sehen. 10 Sie gingen
aber durch die erste und zweite Wache
und kamen zu dem eisernen Tor, das zur
Stadt führt; das tat sich ihnen von selber
auf. Und sie traten hinaus und gingen eine
Gasse weiter, und alsbald verließ ihn der
Engel. 11 Und als Petrus zu sich gekommen
war, sprach er: Nun weiß ich wahrhaftig,
dass der Herr seinen Engel gesandt und
mich aus der Hand des Herodes errettet
hat und von allem, was das jüdische Volk
erwartete.

12 Und als er sich besonnen hatte, ging
er zum Haus Marias, der Mutter des [a]Jo-
hannes mit dem Beinamen Markus, wo
viele beieinander waren und beteten.
13 Als er aber an das äußere Tor klopfte,
kam eine Magd mit Namen Rhode, um zu
horchen. 14 Und als sie die Stimme des Pe-
trus erkannte, tat sie vor Freude das Tor
nicht auf, lief hinein und verkündete, Pe-
trus stünde vor dem Tor. 15 Sie aber spra-
chen zu ihr: Du bist von Sinnen. Doch
sie bestand darauf, es wäre so. Da spra-
chen sie: Es ist sein Engel. 16 Petrus aber
klopfte weiter an. Als sie nun aufmach-
ten, sahen sie ihn und entsetzten sich.
17 Er aber winkte ihnen mit der Hand,
dass sie schweigen sollten, und erzählte
ihnen, wie ihn der Herr aus dem Gefäng-
nis geführt hatte, und sprach: Verkündet
dies dem Jakobus und den Brüdern. Dann
ging er hinaus und zog an einen andern
Ort.

DAS ENDE DES HERODES AGRIPPA

18 Als es aber Tag wurde, entstand eine
nicht geringe Verwirrung unter den Sol-
daten, was wohl mit Petrus geschehen
sei.[a] 19 Als aber Herodes ihn holen lassen
wollte und ihn nicht fand, verhörte er die
Wachen und ließ sie abführen. Dann zog
er von Judäa hinab nach Cäsarea und blieb
dort eine Zeit lang.

20 Er wollte aber Krieg führen gegen die
Einwohner von Tyrus und Sidon. Sie aber
kamen einmütig zu ihm und überredeten
Blastus, den Kämmerer des Königs, und
baten um Frieden, [a]weil ihr Land seine
Nahrung aus dem Land des Königs be-
kam. 21 Und an einem festgesetzten Tag
legte Herodes das königliche Gewand an,
setzte sich auf den Thron und hielt eine
Rede an sie. 22 Das Volk aber rief ihm zu:
Das ist Gottes Stimme und nicht die eines
Menschen![a] 23 Alsbald schlug ihn der En-
gel des Herrn, [a]weil er Gott nicht die Ehre
gab. Und [b]von Würmern zerfressen, gab
er den Geist auf.

24 Und das Wort Gottes wuchs und brei-
tete sich aus.[a] 25 Barnabas und Saulus aber
kehrten zurück, nachdem sie in Jerusalem
[a]ihre Aufgabe erfüllt hatten, und [b]nahmen
mit sich Johannes, der den Beinamen Mar-
kus hat.

DER BEGINN DER ERSTEN MISSIONSREISE

13 Es waren aber in Antiochia in der Ge-
meinde [a]Propheten und Lehrer, näm-
lich Barnabas und Simeon, genannt Niger,
und Luzius von Kyrene und Manaën, der
mit dem Landesfürsten Herodes erzogen
worden war, und Saulus. 2 Als sie aber
Gottesdienst hielten und fasteten, sprach
der Heilige Geist: Sondert mir aus Barna-
bas und Saulus zu dem Werk, [a]zu dem ich
sie berufen habe. 3 Da [a]fasteten sie und be-
teten und legten ihnen die Hände auf und
ließen sie ziehen.

AUF DER INSEL ZYPERN

4 Nachdem sie nun ausgesandt waren vom
Heiligen Geist, kamen sie nach Seleukia
und von da zu Schiff nach Zypern. 5 Und
als sie in die Stadt Salamis kamen, verkün-
digten sie das Wort Gottes in den Synago-
gen der Juden; sie hatten aber auch [a]Johan-
nes als Gehilfen bei sich.

12,12 *a* Vers 25; Kap 13,5.13; 15,37-39 **12,18** *a* Kap 5,21-23
12,20 *a* Hes 27,17 **12,22** *a* Hes 28,2 **12,23** *a* Dan 5,20
b 2. Makk 9,9 **12,24** *a* Kap 6,7 **12,25** *a* Kap 11,29-30
b Vers 12; Kap 13,5 **13,1** *a* Kap 11,27; 1. Kor 12,28
13,2 *a* Kap 9,15 **13,3** *a* Kap 6,6 **13,5** *a* Kap 12,12.25

6 Als sie die ganze Insel bis nach Paphos
durchzogen hatten, trafen sie einen Zau-
berer und falschen Propheten, einen Ju-
den, der hieß Barjesus; 7 der war bei dem
Statthalter Sergius Paulus, einem verstän-
digen Mann. Dieser rief Barnabas und Sau-
lus zu sich und begehrte, das Wort Gottes
zu hören. 8 Da widerstand ihnen der Zau-
berer Elymas – denn so wird sein Name
übersetzt – und versuchte, den Statthalter
vom Glauben abzuhalten. 9 Saulus aber,
der auch Paulus heißt, voll Heiligen Geis-
tes, sah ihn an 10 und sprach: Du Sohn des
Teufels, voll aller List und aller Bosheit, du
Feind aller Gerechtigkeit, hörst du nicht
auf, krumm zu machen die geraden Wege
des Herrn? 11 Und nun siehe, die Hand
des Herrn kommt über dich, und du sollst
blind sein und die Sonne eine Zeit lang
nicht sehen! Auf der Stelle fiel Dunkelheit
und Finsternis auf ihn, und er ging um-
her und suchte jemanden, der ihn an der
Hand führte.

12 Als der Statthalter sah, was geschehen
war, wurde er gläubig und verwunderte
sich über die Lehre des Herrn.

IN ANTIOCHIA IN PISIDIEN

13 Paulus aber und die um ihn waren, fuh-
ren von Paphos ab und kamen nach Perge
in Pamphylien. [a]Johannes aber trennte
sich von ihnen und kehrte zurück nach Je-
rusalem. 14 Sie aber zogen von Perge wei-
ter und kamen nach Antiochia in Pisidien
und gingen am Sabbat in die Synagoge
und setzten sich. 15 Nach der [a]Lesung aber
des Gesetzes und der Propheten schick-
ten die Vorsteher der Synagoge zu ihnen
und ließen ihnen sagen: Ihr Männer, liebe
Brüder, wollt ihr etwas reden und das Volk
ermahnen, so sagt es.

16 Da stand Paulus auf und winkte mit
der Hand und sprach: Ihr Männer von Is-
rael und ihr Gottesfürchtigen*, hört zu!
17 Der Gott dieses Volkes Israel hat unsre
Väter erwählt und das Volk groß gemacht
in der Fremde, im Lande Ägypten, und
[a]mit starkem Arm führte er sie von dort
heraus. 18 Und vierzig Jahre lang trug er sie
in der Wüste[a] 19 und [a]vernichtete sieben
Völker in dem Land Kanaan und [b]gab ih-
nen deren Land zum Erbe, 20 für etwa vier-
hundertfünfzig Jahre. Danach gab er ih-
nen [a]Richter bis zum [b]Propheten Samuel.
21 Und von da an [a]baten sie um einen Kö-
nig; und Gott gab ihnen [b]Saul, den Sohn
des Kisch, einen Mann aus dem Stamm
Benjamin, für vierzig Jahre. 22 Und als er
diesen verworfen hatte, [a]erhob er David
zu ihrem König, von dem er bezeugte
(1. Samuel 13,14): »Ich habe David gefunden,
den Sohn Isais, einen Mann nach meinem
Herzen, der soll meinen ganzen Willen
tun.« 23 [a]Aus dessen Geschlecht hat Gott,
[b]wie er verheißen hat, Jesus kommen las-
sen als Heiland für das Volk Israel, 24 nach-
dem Johannes, bevor Jesus auftrat, dem
ganzen Volk Israel die Taufe der Buße ge-
predigt hatte.[a] 25 Als aber Johannes seinen
Lauf vollendete, sprach er: [a]Ich bin nicht
der, für den ihr mich haltet; aber siehe, er
kommt nach mir, [b]dessen Schuhriemen zu
lösen ich nicht wert bin.

26 Ihr Männer, liebe Brüder, ihr Söhne
aus dem Geschlecht Abrahams und ihr
Gottesfürchtigen, uns ist das Wort die-
ses Heils gesandt. 27 Denn die Einwohner
von Jerusalem und ihre Oberen haben,
[a]weil sie Jesus nicht erkannten, die Worte
der Propheten, die an jedem Sabbat vor-
gelesen werden, mit ihrem Urteil erfüllt.
28 Und obwohl sie nichts an ihm fanden,
das den Tod verdient hätte, [a]baten sie
doch Pilatus, ihn zu töten. 29 Und als sie
alles vollendet hatten, was von ihm ge-
schrieben steht, nahmen sie ihn von dem
Holz und [a]legten ihn in ein Grab. 30 Aber
Gott hat ihn auferweckt von den Toten;[a]
31 und er ist [a]an vielen Tagen denen er-
schienen, die mit ihm von Galiläa hinauf
nach Jerusalem gegangen waren; die sind
jetzt seine [b]Zeugen vor dem Volk. 32 Und
wir verkündigen euch die Verheißung, die
an die Väter ergangen ist, 33 dass Gott sie
uns, ihren Kindern, erfüllt hat, indem er
Jesus auferweckte; wie denn im zweiten

* **13,16** Siehe Sach- und Worterklärungen.

13,13 ***a*** Kap 12,12; 15,38 **13,15** ***a*** Kap 15,21
13,17 ***a*** 2. Mose 12,37.40-41; 14,8 **13,18** ***a*** 4. Mose 14,34; Ps 106,13-33 **13,19** ***a*** 5. Mose 7,1 ***b*** Jos 14,2
13,20 ***a*** Ri 2,16 ***b*** 1. Sam 3,20 **13,21** ***a*** 1. Sam 8,5 ***b*** 1. Sam 10,21-24 **13,22** ***a*** 1. Sam 16,13; Ps 89,21
13,23 ***a*** (23-24) Lk 16,16 ***b*** 2. Sam 7,12; Jes 11,1
13,24 ***a*** Kap 19,4; Lk 3,3 **13,25** ***a*** Joh 1,20 ***b*** Lk 3,16; Joh 1,27 **13,27** ***a*** Lk 23,34; Joh 16,3 **13,28** ***a*** Lk 23,22-23
13,29 ***a*** Lk 23,52-53 **13,30** ***a*** Kap 3,15
13,31 ***a*** Kap 1,3 ***b*** Kap 1,22

Psalm geschrieben steht (Psalm 2,7): »Du bist
mein Sohn, heute habe ich dich gezeugt.«
34 [a]Dass er ihn aber von den Toten aufer-
weckt hat und ihn nicht der Verwesung
überlassen wollte, hat er so gesagt (Jesaja
55,3): »Ich will euch die Gnade, die David
verheißen ist, treu bewahren.« 35 Darum
sagt er auch an einer andern Stelle (Psalm
16,10): »Du wirst nicht zugeben, dass dein
Heiliger die Verwesung sehe.« 36 Denn
nachdem David den Menschen seiner
Zeit gedient hatte, ist er nach dem Willen
Gottes entschlafen und zu seinen Vätern
versammelt worden und hat die Verwe-
sung gesehen. 37 Der aber, den Gott auf-
erweckt hat, der hat die Verwesung nicht
gesehen.

38 So sei euch nun kundgetan, ihr Män-
ner, liebe Brüder, dass euch durch ihn
Vergebung der Sünden verkündigt wird;
und in all dem, worin ihr durch das Ge-
setz des Mose nicht gerecht werden konn-
tet,[a] 39 ist der gerecht gemacht, der an ihn
glaubt.[a] 40 Seht nun zu, dass nicht über
euch komme, was in den Propheten gesagt
ist (Habakuk 1,5): 41 »Seht, ihr Verächter, und
wundert euch und werdet zunichte! Denn
ich tue ein Werk zu euren Zeiten, das ihr
nicht glauben werdet, wenn es euch je-
mand erzählt.«

42 Als sie aber hinausgingen, baten die
Leute, dass sie am nächsten Sabbat noch
einmal von diesen Dingen redeten. 43 Und
als die Versammlung auseinanderging,
folgten viele Juden und fromme Prosely-
ten* Paulus und Barnabas. Diese sprachen
mit ihnen und ermahnten sie, dass sie
bleiben sollten in der Gnade Gottes.

44 Am folgenden Sabbat aber kam fast die
ganze Stadt zusammen, das Wort Gottes
zu hören. 45 Als aber die Juden die Menge
sahen, wurden sie neidisch und wider-
sprachen dem, was Paulus sagte, und läs-
terten. 46 Paulus und Barnabas aber spra-
chen frei und offen: [a]Euch musste das
Wort Gottes zuerst gesagt werden; da ihr
es aber von euch stoßt und achtet euch
selbst nicht wert des ewigen Lebens, siehe,
so wenden wir uns zu den Heiden. 47 Denn
so hat uns der Herr geboten (Jesaja 49,6):
[a]»Ich habe dich zum Licht der Heiden ge-
macht, dass du das Heil seist bis an das
Ende der Erde.«

48 Als das die Heiden hörten, wurden
sie froh und priesen das Wort des Herrn,
und alle wurden gläubig, [a]die zum ewigen
Leben bestimmt waren. 49 Und das Wort
des Herrn breitete sich aus in der ganzen
Gegend. 50 Aber die Juden hetzten die got-
tesfürchtigen vornehmen Frauen und die
Oberen der Stadt auf und stifteten eine
Verfolgung an gegen Paulus und Barna-
bas und vertrieben sie aus ihrem Gebiet.[a]
51 Sie aber [a]schüttelten den Staub von ih-
ren Füßen zum Zeugnis gegen sie und
kamen nach Ikonion. 52 Die Jünger aber
wurden erfüllt von Freude und Heiligem
Geist.

IN IKONION

14 Es geschah aber in Ikonion, dass sie
wieder in die Synagoge der Juden gin-
gen und so predigten, dass eine große
Menge Juden und Griechen gläubig wur-
de. 2 Die Juden aber, die ungläubig blie-
ben, stifteten Unruhe und hetzten die
Heiden auf gegen die Brüder. 3 Dennoch
blieben sie eine lange Zeit dort und lehr-
ten frei und offen im Vertrauen auf den
Herrn, der das Wort seiner Gnade be-
zeugte und [a]ließ Zeichen und Wunder
geschehen durch ihre Hände. 4 Die Menge
in der Stadt aber spaltete sich; die einen
hielten's mit den Juden und die andern
mit den Aposteln. 5 Als sich aber ein Sturm
erhob bei den Heiden und Juden und ih-
ren Oberen und sie sie misshandeln und
mit Steinen nach ihnen werfen wollten,[a]
6 merkten sie es und entflohen in die Städ-
te Lykaoniens, nach Lystra und Derbe, und
in deren Umgebung[a] 7 und predigten dort
das Evangelium.

IN LYSTRA

8 Und es war ein Mann in Lystra, der saß da
ohne Kraft in den Füßen; er war gelähmt
von Mutterleib an und hatte noch nie ge-
hen können. 9 Der hörte Paulus reden.
Und als dieser ihn ansah und merkte, dass

* **13,43** Siehe Sach- und Worterklärungen.

13,34 *a* (34-35) Kap 2,27 **13,38** *a* Kap 10,43; Röm 8,3-4 **13,39** *a* Röm 10,4; Gal 2,16 **13,46** *a* Kap 3,25-26; Mt 10,5-6; Lk 9,3-5 **13,47** *a* Lk 2,32 **13,48** *a* Röm 8,29-30 **13,50** *a* 2. Tim 3,11 **13,51** *a* Kap 18,6; Lk 9,5; 10,10-11 **14,3** *a* Kap 19,11; Hebr 2,4 **14,5** *a* 2. Tim 3,11 **14,6** *a* Mt 10,23

[a]er glaubte, ihm könne geholfen werden,
10 sprach er mit lauter Stimme: Stell dich
aufrecht auf deine Füße! Und er sprang auf
und ging umher. 11 Da aber das Volk sah,
was Paulus getan hatte, erhoben sie ihre
Stimme und riefen auf Lykaonisch: [a]Die
Götter sind den Menschen gleich gewor-
den und zu uns herabgestiegen. 12 Und
sie nannten Barnabas Zeus und Paulus
Hermes*, weil er das Wort führte. 13 Und
der Priester vom Tempel des Zeus vor der
Stadt brachte Stiere und Kränze an die
Stadttore und wollte mit dem Volk opfern.

14 Als das die Apostel Barnabas und Pau-
lus hörten, zerrissen sie ihre Kleider und
sprangen unter das Volk und schrien: 15 Ihr
Männer, was macht ihr da? [a]Wir sind auch
sterbliche Menschen wie ihr und predigen
euch das Evangelium, dass ihr euch bekeh-
ren sollt von diesen nichtigen Göttern zu
dem lebendigen [b]Gott, der Himmel und
Erde und das Meer und alles, was darin
ist, gemacht hat. 16 Zwar hat er in den ver-
gangenen Zeiten alle Heiden ihre eigenen
Wege gehen lassen;[a] 17 und doch hat er sich
selbst nicht unbezeugt gelassen, hat viel
Gutes getan und euch vom Himmel Re-
gen und fruchtbare Zeiten gegeben, hat
euch ernährt und eure Herzen mit Freude
erfüllt. – 18 Und obwohl sie das sagten,
konnten sie kaum das Volk davon abbrin-
gen, ihnen zu opfern.

19 Es kamen aber von Antiochia und Iko-
nion Juden dorthin und überredeten das
Volk und [a]steinigten Paulus und schleiften
ihn zur Stadt hinaus und meinten, er wäre
gestorben. 20 Als ihn aber die Jünger um-
ringten, stand er auf und ging in die Stadt.

DIE RÜCKKEHR NACH ANTIOCHIA IN SYRIEN

Am nächsten Tag zog er mit Barnabas wei-
ter nach Derbe; 21 und sie predigten dieser
Stadt das Evangelium und unterwiesen
viele. Dann kehrten sie zurück nach Lys-
tra und Ikonion und Antiochia, 22 stärk-
ten die Seelen der Jünger und ermahnten
sie, im Glauben zu bleiben, und sagten:
**Wir müssen durch viele [a]Bedrängnisse
in das Reich Gottes eingehen.** 23 Und
sie setzten in jeder Gemeinde Älteste
ein, [a]beteten und fasteten und befahlen
sie dem Herrn, an den sie nun glaub-
ten. 24 Und sie zogen durch Pisidien und
kamen nach Pamphylien 25 und sagten
das Wort in Perge und zogen hinab nach
Attalia.

26 Und von da fuhren sie mit dem Schiff
nach Antiochia, [a]wo sie der Gnade Gottes
befohlen worden waren zu dem Werk, das
sie nun ausgerichtet hatten. 27 Als sie aber
dort ankamen, versammelten sie die Ge-
meinde und verkündeten, wie viel Gott
durch sie getan und wie er [a]den Heiden
die Tür des Glaubens aufgetan hätte. 28 Sie
blieben aber dort eine nicht geringe Zeit
bei den Jüngern.

DIE APOSTELVERSAMMLUNG IN JERUSALEM

15 [a]Und einige kamen herab von Judäa
und lehrten die Brüder: Wenn ihr
euch nicht [b]beschneiden lasst nach der
Ordnung des Mose, könnt ihr nicht selig
werden. 2 Da nun Zwietracht entstand und
Paulus und Barnabas einen nicht gerin-
gen Streit mit ihnen hatten, ordnete man
an, dass Paulus und Barnabas und einige
andre von ihnen nach Jerusalem hinauf-
ziehen sollten zu den Aposteln und Äl-
testen um dieser Frage willen. 3 Und sie
wurden von der Gemeinde geleitet und
zogen durch Phönizien und Samarien und
erzählten von der Bekehrung der Heiden
und machten damit allen Brüdern und
Schwestern große Freude.

4 Als sie aber nach Jerusalem kamen,
wurden sie empfangen von der Gemeinde
und von den Aposteln und von den Ältes-
ten. Und sie verkündeten, wie viel Gott
mit ihnen getan hatte. 5 Da traten einige
von der Gruppe der Pharisäer auf, die gläu-
big geworden waren, und sprachen: Man
muss sie beschneiden und ihnen gebieten,
das Gesetz des Mose zu halten. 6 Da kamen
die Apostel und die Ältesten zusammen,
über diese Sache zu beraten.

7 Als man sich aber lange gestritten

* **14,12** Hermes galt als Bote und Sprecher der Götter, vor allem des höchsten Gottes, Zeus.

14,9 ***a*** Mt 9,28 **14,11** ***a*** Kap 28,6 **14,15** ***a*** Kap 10,26 ***b*** Kap 4,24; 2. Mose 20,11; Ps 146,6 **14,16** ***a*** Kap 17,30 **14,19** ***a*** 2. Kor 11,25; 2. Tim 3,11 **14,22** ***a*** Röm 5,3-5; 1. Thess 3,3 **14,23** ***a*** Kap 6,6; 13,3 **14,26** ***a*** Kap 13,1-2 **14,27** ***a*** Kap 10,45; 1. Kor 16,9 **15,1** ***a*** (1-29) Gal 2,1-10; 5,2 ***b*** 1. Mose 17,10-14

hatte, stand Petrus auf und sprach zu ih-
nen: Ihr Männer, liebe Brüder, ihr wisst,
dass Gott vor langer Zeit unter euch be-
stimmt hat, dass [a]durch meinen Mund die
Heiden das Wort des Evangeliums hören
und glauben. 8 Und Gott, der die Herzen
kennt, hat es bezeugt und ihnen den Hei-
ligen Geist gegeben wie auch uns, 9 und er
hat keinen Unterschied gemacht zwischen
uns und ihnen und reinigte ihre Herzen
durch den Glauben. 10 Warum versucht
ihr denn nun Gott dadurch, dass ihr [a]ein
Joch auf den Nacken der Jünger legt, das
weder unsre Väter noch wir haben tragen
können? 11 Vielmehr glauben wir, [a]durch
die Gnade des Herrn Jesus selig zu wer-
den, auf gleiche Weise wie auch sie. 12 Da
schwieg die ganze Menge still und hörte
Paulus und Barnabas zu, die erzählten,
wie große Zeichen und Wunder Gott
durch sie getan hatte unter den Heiden.

13 Danach, als sie schwiegen, antwortete
[a]Jakobus und sprach: Ihr Männer, liebe
Brüder, hört mir zu! 14 Simon hat erzählt,
wie zuerst Gott darauf geschaut hat, aus
den Heiden ein Volk für seinen Namen
zu gewinnen. 15 Und damit stimmen die
Worte der Propheten überein, wie ge-
schrieben steht (Amos 9,11-12): 16 »Danach will
ich mich wieder zu ihnen wenden und will
die zerfallene Hütte Davids wieder bauen,
und ihre Trümmer will ich wieder auf-
bauen und will sie aufrichten, 17 auf dass
die, die von den Menschen übrig geblie-
ben sind, nach dem Herrn fragen, dazu
alle Heiden, über die mein Name genannt
ist, spricht der Herr, der tut, 18 was von
Anbeginn bekannt ist.« 19 Darum meine
ich, dass man die von den Heiden, die sich
zu Gott bekehren, nicht beschweren soll,
20 sondern ihnen schreibe, dass sie sich
enthalten sollen [a]von Befleckung durch
Götzen und [b]von Unzucht und vom Er-
stickten* und [c]vom Blut.[d] 21 Denn Mose
hat von alten Zeiten her in allen Städten
solche, die ihn predigen, und [a]wird an je-
dem Sabbat in den Synagogen gelesen.

DIE BESCHLÜSSE DER APOSTELVERSAMMLUNG

22 Da beschlossen die Apostel und Ältes-
ten mit der ganzen Gemeinde, aus ihrer
Mitte Männer auszuwählen und mit Pau-
lus und Barnabas nach Antiochia zu sen-
den, nämlich Judas mit dem Beinamen
Barsabbas und Silas, angesehene Männer
unter den Brüdern. 23 Und sie gaben ein
Schreiben in ihre Hand, also lautend:

Wir, die Apostel und Ältesten, eure
Brüder, grüßen die Brüder aus den Hei-
den in Antiochia und Syrien und Kilikien.
24 Weil wir gehört haben, dass einige von
den Unsern, denen wir doch nichts befoh-
len hatten, euch mit Lehren irregemacht
und eure Seelen verwirrt haben, 25 so ha-
ben wir, einmütig versammelt, beschlos-
sen, Männer auszuwählen und zu euch
zu senden mit unsern geliebten Brüdern
Barnabas und Paulus, 26 Menschen, die ihr
Leben eingesetzt haben für den Namen
unseres Herrn Jesus Christus. 27 So ha-
ben wir Judas und Silas gesandt, die euch
mündlich dasselbe mitteilen werden.
28 Denn es gefällt dem Heiligen Geist und
uns, euch weiter keine Last aufzuerlegen
als nur diese notwendigen Dinge: 29 dass
ihr euch enthaltet vom [a]Götzenopfer-
fleisch und vom Blut und vom Erstickten
und von [b]Unzucht. Wenn ihr euch davor
bewahrt, tut ihr recht. Lebt wohl!

DIE BENACHRICHTIGUNG DER GEMEINDE IN ANTIOCHIA

30 Als man sie hatte ziehen lassen, kamen
sie nach Antiochia und versammelten
die Gemeinde und übergaben den Brief.
31 Als sie ihn lasen, wurden sie über den
Zuspruch froh. 32 Judas aber und Silas, die
selbst [a]Propheten waren, ermahnten die
Brüder und Schwestern mit vielen Reden
und stärkten sie. 33 Und als sie eine Zeit
lang dort verweilt hatten, ließen die Brü-
der sie mit Frieden ziehen zu denen, die
sie gesandt hatten.* 35 Paulus und Barna-
bas aber blieben in Antiochia, lehrten und
predigten mit vielen andern das Wort des
Herrn.

* **15,20** Siehe Sach- und Worterklärungen zu »Unzucht« und »Ersticktes«. **15,33** Vers 34 findet sich erst in der späteren Überlieferung: »Es gefiel aber Silas, dort zu bleiben.«

15,7 ***a*** Kap 10,44; 11,15 **15,10** ***a*** Lk 11,46; Gal 5,1
15,11 ***a*** Gal 2,16; Eph 2,4-10 **15,13** ***a*** Kap 21,18; Gal 2,9
15,20 ***a*** 3. Mose 19,4 ***b*** 3. Mose 18,6-18; 19,29
c 1. Mose 9,4; 3. Mose 17,10-14 ***d*** Kap 21,25
15,21 ***a*** Kap 13,15 **15,29** ***a*** 1. Kor 8,1-13 ***b*** 1. Kor 6,13-20
15,32 ***a*** Kap 11,27; 13,1

DER BEGINN DER ZWEITEN MISSIONSREISE

36 Nach einigen Tagen sprach Paulus zu
Barnabas: Lass uns wieder aufbrechen
und nach unsern Brüdern und Schwestern
sehen in allen Städten, in denen wir das
Wort des Herrn verkündigt haben, wie es
um sie steht. 37 Barnabas aber wollte, dass
sie auch [a]Johannes mit dem Beinamen
Markus mitnähmen. 38 Paulus aber hielt es
nicht für richtig, jemanden mitzunehmen,
der sie [a]in Pamphylien verlassen hatte
und nicht mit ihnen ans Werk gegangen
war. 39 Und sie kamen scharf aneinander,
sodass sie sich trennten. Barnabas nahm
Markus mit sich und fuhr nach Zypern.
40 Paulus aber wählte Silas und zog fort,
von den Brüdern der Gnade Gottes be-
fohlen. 41 Er zog aber durch [a]Syrien und
Kilikien und stärkte die Gemeinden.

IN KLEINASIEN

16 Er kam auch nach Derbe und Lystra;
und siehe, dort war ein Jünger mit
Namen [a]Timotheus, der Sohn [b]einer jü-
dischen Frau, die gläubig war, und eines
griechischen Vaters. 2 Der hatte einen gu-
ten Ruf bei den Brüdern in Lystra und Iko-
nion. 3 Diesen wollte Paulus mit sich zie-
hen lassen und er nahm ihn und beschnitt
ihn wegen der Juden, die in jener Gegend
waren; denn sie wussten alle, dass sein Va-
ter ein Grieche war.
4 Als sie aber durch die Städte zogen,
übergaben sie ihnen [a]die Beschlüsse, die
von den Aposteln und Ältesten in Jerusa-
lem gefasst worden waren, damit sie sich
daran hielten. 5 Da wurden die Gemein-
den im Glauben gefestigt und nahmen
täglich zu an Zahl.
6 Sie zogen aber [a]durch Phrygien und
das Land Galatien, da ihnen vom Heiligen
Geist verwehrt wurde, das Wort zu pre-
digen in der Provinz Asia. 7 Als sie aber bis
nach Mysien gekommen waren, versuch-
ten sie, nach Bithynien zu reisen; doch
der Geist Jesu ließ es ihnen nicht zu. 8 Da
zogen sie durch Mysien und kamen hinab
nach Troas.

DER RUF NACH MAKEDONIEN

9 Und Paulus sah eine Erscheinung bei
Nacht: Ein Mann aus Makedonien stand
da und bat ihn: Komm herüber nach Ma-
kedonien und hilf uns! 10 Als er aber die
Erscheinung gesehen hatte, da suchten
wir sogleich nach Makedonien zu reisen,
gewiss, dass uns Gott dahin berufen hatte,
ihnen das Evangelium zu predigen.

IN PHILIPPI

11 Da fuhren wir von Troas ab und kamen
geradewegs nach Samothrake, am nächs-
ten Tag nach Neapolis 12 und von da nach
Philippi, das ist eine Stadt des ersten Be-
zirks von Makedonien, eine römische
Kolonie. Wir blieben aber einige Tage in
dieser Stadt. 13 Am Sabbattag gingen wir
hinaus vor das Stadttor an den Fluss, wo
wir dachten, dass man zu beten pflegte,
und wir setzten uns und redeten mit den
Frauen, die dort zusammenkamen.

DIE BEKEHRUNG DER LYDIA

14 Und eine Frau mit Namen Lydia, eine
Purpurhändlerin aus der Stadt Thyatira,
eine Gottesfürchtige, hörte zu; der tat
der Herr das Herz auf, sodass sie darauf
achthatte, was von Paulus geredet wurde.
15 Als sie aber mit ihrem Hause getauft
war, bat sie uns und sprach: Wenn ihr an-
erkennt, dass ich an den Herrn glaube, so
kommt in mein Haus und bleibt da. Und
sie nötigte uns.

DIE MAGD MIT DEM WAHRSAGEGEIST

16 Es geschah aber, als wir zum Gebet gin-
gen, da begegnete uns eine Magd, die hatte
einen Wahrsagegeist und brachte ihren
Herren viel Gewinn ein mit ihrem Wahr-
sagen. 17 Die folgte Paulus und uns über-
all hin und schrie: Diese Menschen sind
Knechte des höchsten Gottes, die euch
den Weg des Heils verkündigen.[a] 18 Das
tat sie viele Tage lang. Paulus war darüber
so aufgebracht, dass er sich umwandte
und zu dem Geist sprach: Ich gebiete dir
im Namen Jesu Christi, dass du von ihr
ausfährst. [a]Und er fuhr aus zu derselben
Stunde.
19 Als aber ihre Herren sahen, dass da-
mit ihre Hoffnung auf Gewinn ausgefah-

15,37 *a* Kap 12,12.25 **15,38** *a* Kap 13,13 **15,41** *a* Gal 1,21
16,1 *a* Kap 17,14; 19,22; 20,4; Phil 2,19-22; 1. Thess 3,2.6
b 2. Tim 1,5; 3,15 **16,4** *a* Kap 15,23-29 **16,6** *a* Kap 18,23
16,17 *a* Mk 1,24.34 **16,18** *a* Mk 16,17

ren war, ergriffen sie Paulus und Silas,
schleppten sie auf den Markt vor die Obe-
ren 20 [a]und führten sie den Stadtrichtern
vor und sprachen: Diese Menschen brin-
gen unsre Stadt in Aufruhr; sie sind Juden
21 und verkünden Sitten, die wir weder
annehmen noch einhalten dürfen, weil
wir Römer sind. 22 Und das Volk wandte
sich gegen sie; und die Stadtrichter ließen
ihnen die Kleider herunterreißen und be-
fahlen, sie [a]mit Stöcken zu schlagen.

PAULUS UND SILAS IM GEFÄNGNIS

23 Nachdem man sie hart geschlagen hatte,
warf man sie ins Gefängnis und befahl
dem Kerkermeister, sie gut zu bewachen.
24 Als er diesen Befehl empfangen hatte,
warf er sie in das innerste Gefängnis und
legte ihre Füße in den Block.

25 Um Mitternacht aber beteten Paulus
und Silas und lobten Gott. Und es hör-
ten sie die Gefangenen. 26 Plötzlich aber
geschah ein großes Erdbeben, sodass die
Grundmauern des Gefängnisses wank-
ten. Und sogleich öffneten sich alle Türen
und von allen fielen die Fesseln ab.[a] 27 Als
aber der Kerkermeister aus dem Schlaf
auffuhr und sah die Türen des Gefängnis-
ses offen stehen, zog er das Schwert und
wollte sich selbst töten; denn er meinte,
die Gefangenen wären entflohen. 28 Paulus
aber rief laut: Tu dir nichts an; denn wir
sind alle hier! 29 Der aber forderte ein Licht
und stürzte hinein und fiel zitternd Pau-
lus und Silas zu Füßen. 30 [a]Und er führte
sie heraus und sprach: Ihr Herren, [b]was
muss ich tun, dass ich gerettet werde?
31 Sie sprachen: **Glaube an den Herrn
Jesus, so wirst [a]du und dein Haus se-
lig!**[b] 32 Und sie sagten ihm das Wort des
Herrn und allen, die in seinem Hause wa-
ren. 33 Und er nahm sie zu sich in dersel-
ben Stunde der Nacht und wusch ihnen
die Striemen. Und er ließ sich und alle
die Seinen sogleich taufen 34 und führte
sie in sein Haus und bereitete ihnen den
Tisch und freute sich mit seinem ganzen
Hause, dass er zum Glauben an Gott ge-
kommen war.

35 Als es aber Tag geworden war, sand-
ten die Stadtrichter die Gerichtsdiener
und ließen sagen: Lass diese Männer frei!
36 Und der Kerkermeister überbrachte
Paulus diese Botschaft: Die Stadtrichter
haben hergesandt, dass ihr frei sein sollt.
Nun kommt heraus und geht hin in Frie-
den! 37 Paulus aber sprach zu ihnen: Sie ha-
ben uns ohne Recht und Urteil öffentlich
geschlagen, die wir doch [a]römische Bürger
sind, und in das Gefängnis geworfen, und
sollten uns nun heimlich fortschicken?
Nein! Sie sollen selbst kommen und uns
hinausführen! 38 Die Gerichtsdiener be-
richteten diese Worte den Stadtrichtern.
Da fürchteten sie sich, als sie hörten, dass
sie römische Bürger wären, 39 und kamen
und redeten ihnen zu, führten sie heraus
und baten sie, die Stadt zu verlassen. 40 Da
gingen sie aus dem Gefängnis und gingen
zu der Lydia. Und als sie die Brüder und
Schwestern gesehen und sie getröstet hat-
ten, zogen sie fort.

IN THESSALONICH

17 Nachdem sie aber durch Amphipolis
und Apollonia gereist waren, kamen
sie nach [a]Thessalonich; da war eine Syn-
agoge der Juden. 2 Wie nun Paulus ge-
wohnt war, ging er zu ihnen hinein und
redete mit ihnen an drei Sabbaten aus der
Schrift, 3 tat sie ihnen auf und legte ihnen
dar: [a]Der Christus musste leiden und auf-
erstehen von den Toten, und dieser Jesus,
den ich euch verkündige, ist der Christus.
4 Einige von ihnen ließen sich überzeugen
und schlossen sich Paulus und [a]Silas an,
auch eine große Menge von gottesfürchti-
gen Griechen, dazu nicht wenige von den
angesehensten Frauen.

5 Aber die Juden ereiferten sich und hol-
ten vom Marktplatz einige üble Männer,
rotteten sich zusammen und richteten
einen Aufruhr in der Stadt an und zogen
vor das Haus [a]Jasons und suchten sie, um
sie vor das Volk zu führen. 6 Sie fanden
sie aber nicht. Da schleiften sie Jason und
einige Brüder vor die Oberen der Stadt
und schrien: Diese, [a]die den ganzen Erd-
kreis erregen, sind auch hierher gekom-
men; 7 die beherbergt Jason. Und diese

16,20 ***a*** Kap 17,6; 24,5 **16,22** ***a*** 2. Kor 11,25; Phil 1,30; 1. Thess 2,2 **16,26** ***a*** Kap 12,7 **16,30** ***a*** (30-31) Lk 10,25-28 ***b*** Kap 2,37 **16,31** ***a*** Jos 24,15 ***b*** Joh 6,28-29 **16,37** ***a*** Kap 22,25.28-29 **17,1** ***a*** 1. Thess 2,2 **17,3** ***a*** Kap 26,23; Lk 24,26-27.45-46 **17,4** ***a*** 1. Thess 1,1; 2. Thess 1,1 **17,5** ***a*** Röm 16,21 **17,6** ***a*** Kap 16,20; 24,5

alle handeln gegen des Kaisers Gebote
und sagen, [a]ein anderer sei König, näm-
lich Jesus. 8 So brachten sie das Volk auf
und die Oberen der Stadt, die das hörten.
9 Und erst nachdem ihnen von Jason und
den andern Bürgschaft geleistet war, lie-
ßen sie sie frei.

IN BERÖA

10 Die Brüder aber schickten noch in der-
selben Nacht Paulus und Silas nach Be-
röa. Als sie dahin kamen, gingen sie in
die Synagoge der Juden. 11 Diese aber
waren freundlicher als die in Thessalo-
nich; sie nahmen das Wort bereitwillig
auf und [a]forschten täglich in der Schrift,
ob sich's so verhielte. 12 So glaubten nun
viele von ihnen, darunter nicht wenige
von den vornehmen griechischen Frauen
und Männern. 13 Als aber die Juden von
Thessalonich erfuhren, dass auch in Be-
röa das Wort Gottes von Paulus verkün-
digt wurde, kamen sie auch dorthin und
erregten Unruhe und verwirrten das
Volk.
14 Da schickten die Brüder Paulus so-
gleich weiter, dass er ginge bis an das
Meer; [a]Silas und [b]Timotheus aber blieben
da. 15 Die aber Paulus geleiteten, brachten
ihn bis nach Athen. Und nachdem sie den
Auftrag empfangen hatten, dass Silas und
Timotheus so schnell wie möglich zu ihm
kommen sollten, kehrten sie zurück.

IN ATHEN

16 Als aber Paulus in Athen auf sie war-
tete, ergrimmte sein Geist in ihm, da er
die Stadt voller Götzenbilder sah. 17 Und
er redete zu den Juden und den Gottes-
fürchtigen in der Synagoge und täglich
auf dem Markt zu denen, die sich einfan-
den. 18 Einige Philosophen aber, Epikureer
und Stoiker*, stritten mit ihm. Und eini-
ge von ihnen sprachen: Was will dieser
Schwätzer sagen? Andere aber: Es sieht
aus, als wolle er fremde Götter verkündi-
gen. Denn er verkündigte das Evangelium
von Jesus und von der Auferstehung. 19 Sie
nahmen ihn aber mit und führten ihn auf
den Areopag* und sprachen: Können wir
erfahren, was das für eine neue Lehre ist,
die du lehrst? 20 Denn du bringst etwas
Neues vor unsere Ohren; nun wollen wir
gerne wissen, was das ist. 21 Alle Athener
nämlich, auch die Fremden, die bei ih-
nen wohnten, hatten nichts anderes im
Sinn, als etwas Neues zu sagen oder zu
hören.
22 Paulus aber stand mitten auf dem
Areopag und sprach: Ihr Männer von
Athen, ich sehe, dass ihr die Götter in al-
len Stücken sehr verehrt. 23 Denn ich bin
umhergegangen und habe eure Heiligtü-
mer angesehen und fand einen Altar, auf
dem stand geschrieben: Dem unbekann-
ten Gott. Nun verkündige ich euch, was
ihr unwissend verehrt.
24 Gott, der die Welt gemacht hat und
alles, was darinnen ist, er, der Herr des
Himmels und der Erde, [a]wohnt nicht in
Tempeln, die mit Händen gemacht sind.
25 Auch lässt er sich nicht von Menschen-
händen dienen wie einer, [a]der etwas nö-
tig hätte, da er doch selber jedermann
Leben und Odem und alles gibt. 26 Und er
hat aus einem Menschen das ganze Men-
schengeschlecht gemacht, damit sie auf
dem ganzen Erdboden wohnen, und [a]er
hat festgesetzt, wie lange sie bestehen
und in welchen Grenzen sie wohnen sol-
len, 27 dass sie Gott suchen sollen, ob sie
ihn wohl fühlen und finden könnten; und
fürwahr, er ist nicht ferne von einem
jeden unter uns.[a] **28 Denn in ihm leben,**
weben und sind wir; wie auch einige
Dichter bei euch gesagt haben: Wir sind
seines Geschlechts. 29 Da wir nun [a]gött-
lichen Geschlechts sind, sollen wir nicht
meinen, [b]die Gottheit sei gleich den gol-
denen, silbernen und steinernen Bildern,
[c]durch menschliche Kunst und Gedanken
gemacht.
30 Zwar hat Gott über die [a]Zeit der Un-
wissenheit hinweggesehen; nun aber [b]ge-
bietet er den Menschen, dass alle an allen
Enden Buße tun. 31 Denn er hat einen Tag
festgesetzt, an dem er [a]richten will den

* **17,18** Zwei Philosophenschulen, die über das rechte Leben bis zum Tod nachdachten. **17,19** Siehe Sach- und Worterklärungen.

17,7 ***a*** Lk 23,2; Joh 19,12 **17,11** ***a*** Joh 5,39
17,14 ***a*** Kap 15,40 ***b*** Kap 16,1 **17,24** ***a*** Kap 7,48-50; 1. Kön 8,27 **17,25** ***a*** Ps 50,9-12 **17,26** ***a*** 5. Mose 32,8; Hiob 12,23 **17,27** ***a*** Jes 55,6; Jer 29,12-14
17,29 ***a*** 1. Mose 1,27 ***b*** Jes 40,18 ***c*** Kap 19,26
17,30 ***a*** Kap 14,16 ***b*** Lk 24,47 **17,31** ***a*** Kap 10,42; Ps 96,13; 98,9; Mt 25,31-33

Erdkreis mit Gerechtigkeit durch einen
Mann, den er dazu bestimmt hat, und
hat jedermann den Glauben angeboten,
indem er ihn von den Toten auferweckt
hat.

32 Als sie [a]von der Auferstehung der To-
ten hörten, begannen die einen zu spot-
ten; die andern aber sprachen: Wir wollen
dich darüber ein andermal weiterhören.
33 So ging Paulus weg aus ihrer Mitte.
34 Einige Männer aber schlossen sich ihm
an und wurden gläubig; unter ihnen war
auch Dionysius, einer aus dem Rat*, und
eine Frau mit Namen Damaris und andere
mit ihnen.

IN KORINTH

18 Danach verließ Paulus Athen und kam
nach Korinth 2 und fand einen Juden
mit Namen [a]Aquila, aus Pontus gebürtig;
der war mit seiner Frau Priszilla kürzlich
aus Italien gekommen, weil Kaiser Klau-
dius allen Juden geboten hatte, Rom zu
verlassen. Zu denen ging Paulus. 3 Und
weil er das gleiche Handwerk hatte, blieb
er bei ihnen und [a]arbeitete; sie waren
nämlich von Beruf Zeltmacher. 4 Und er
lehrte in der Synagoge an allen Sabbaten
und überzeugte Juden und Griechen.
5 Als aber [a]Silas und Timotheus aus Make-
donien kamen, richtete sich Paulus ganz
auf die Verkündigung des Wortes und be-
zeugte den Juden, dass Jesus der Christus
ist. 6 Da sie aber widerstrebten und läs-
terten, [a]schüttelte er die Kleider aus und
sprach zu ihnen: [b]Euer Blut komme über
euer Haupt; [c]rein bin ich und gehe von
nun an zu den Heiden.

7 Und er machte sich auf von dort und
kam in das Haus eines Mannes mit Namen
Titius Justus, eines Gottesfürchtigen;
dessen Haus war neben der Synagoge.
8 [a]Krispus aber, der Vorsteher der Syn-
agoge, glaubte an den Herrn mit seinem
ganzen Hause, und auch viele Korinther,
die zuhörten, glaubten und ließen sich
taufen.

9 [a]Es sprach aber der Herr durch eine
Erscheinung in der Nacht zu Paulus:
[b]**Fürchte dich nicht, sondern rede
und schweige nicht! 10 Denn ich bin
mit dir, und niemand soll sich unter-
stehen, dir zu schaden;** denn [a]ich habe
ein großes Volk in dieser Stadt. 11 Er
blieb aber dort ein Jahr und sechs Mo-
nate und lehrte unter ihnen das Wort
Gottes.

12 Als aber Gallio Statthalter in Achaia
war, empörten sich die Juden einmütig
gegen Paulus und führten ihn vor den
Richterstuhl 13 und sprachen: Dieser
Mensch überredet die Leute, Gott zu die-
nen [a]dem Gesetz zuwider. 14 [a]Als aber
Paulus den Mund auftun wollte, sprach
Gallio zu den Juden: Wenn es um einen
Frevel oder ein Verbrechen ginge, ihr Ju-
den, so würde ich eure Klage anhören.
15 Weil es aber Fragen sind über Lehre und
Namen und das Gesetz bei euch, so seht
ihr selber zu; ich gedenke, darüber nicht
Richter zu sein.[a] 16 Und er trieb sie weg
von dem Richterstuhl. 17 Da ergriffen sie
alle Sosthenes, den Vorsteher der Syn-
agoge, und schlugen ihn vor dem Rich-
terstuhl, und Gallio kümmerte sich nicht
darum.

DIE RÜCKKEHR NACH ANTIOCHIA

18 Paulus aber blieb noch eine Zeit lang
dort. Danach nahm er Abschied von den
Brüdern und Schwestern und wollte nach
Syrien fahren und mit ihm Priszilla und
Aquila. Zuvor [a]ließ er sich in Kenchreä
sein Haupt scheren, denn er hatte ein Ge-
lübde getan.

19 Und sie kamen nach Ephesus und er
ließ die beiden dort zurück; er aber ging
in die Synagoge und redete mit den Ju-
den. 20 Sie baten ihn aber, dass er längere
Zeit bei ihnen bleibe. Doch er willigte
nicht ein, 21 sondern nahm Abschied von
ihnen und sprach: [a]Will's Gott, so werde
ich wieder zu euch kommen. Und er fuhr
weg von Ephesus 22 und kam nach Cäsa-
rea und [a]ging hinauf nach Jerusalem und
grüßte die Gemeinde und zog hinab nach
Antiochia.

* **17,34** Wörtlich: »Dionysius, der Areopagit«.

17,32 *a* 1. Kor 15,12-13 **18,2** *a* Röm 16,3; 1. Kor 16,19; 2. Tim 4,19 **18,3** *a* Kap 20,34; 1. Kor 4,12 **18,5** *a* Kap 17,14-15; 2. Kor 1,19 **18,6** *a* Kap 13,51 *b* Mt 27,25 *c* Kap 20,26 **18,8** *a* 1. Kor 1,14 **18,9** *a* (9-10) Jer 1,8 *b* 1. Kor 2,3 **18,10** *a* Joh 10,16 **18,13** *a* Kap 21,28 **18,14** *a* (14-15) Kap 25,18-20 **18,15** *a* Joh 18,31 **18,18** *a* Kap 21,24.26 **18,21** *a* Jak 4,15 **18,22** *a* Kap 21,15

DER BEGINN DER DRITTEN MISSIONSREISE

23 Und nachdem er einige Zeit geblieben
war, brach er wieder auf und durchzog
nacheinander das galatische Land und
Phrygien und stärkte alle Jünger.

APOLLOS IN EPHESUS

24 Es kam aber nach Ephesus ein Jude mit
Namen [a]Apollos, aus Alexandria gebür-
tig, ein beredter Mann und gelehrt in der
Schrift. 25 Dieser war unterwiesen im Weg
des Herrn und redete brennend im Geist
und lehrte richtig von Jesus, wusste aber
nur von der [a]Taufe des Johannes. 26 Er fing
an, frei und offen zu predigen in der Syn-
agoge. Als ihn Aquila und Priszilla hörten,
nahmen sie ihn zu sich und legten ihm
den Weg Gottes noch genauer aus. 27 Als
er aber nach Achaia reisen wollte, ermun-
terten ihn die Brüder und schrieben den
Jüngern, sie möchten ihn aufnehmen.
Und als er dahin gekommen war, half er
denen viel, die gläubig geworden waren,
durch die Gnade. 28 Denn er widerlegte
die Juden kräftig und [a]erwies öffentlich
durch die Schriften, dass Jesus der Chris-
tus ist.

PAULUS IN EPHESUS

19 Es geschah aber, als Apollos in Korinth
war, dass Paulus durch das Hochland
zog und nach Ephesus kam und einige
Jünger fand. 2 Zu denen sprach er: [a]Habt
ihr den Heiligen Geist empfangen, als ihr
gläubig wurdet? Sie sprachen zu ihm: Wir
haben noch nie gehört, dass es einen Hei-
ligen Geist gibt. 3 Und er fragte sie: Wo-
rauf seid ihr denn getauft? Sie antworte-
ten: Auf die Taufe des Johannes. 4 Paulus
aber sprach: Johannes hat getauft mit der
Taufe der Buße und dem Volk gesagt, sie
sollten an den glauben, der nach ihm kom-
men werde, nämlich an Jesus.[a] 5 [a]Als sie
das hörten, ließen sie sich taufen auf den
Namen des Herrn Jesus. 6 Und als Paulus
ihnen die Hände auflegte, kam der Heilige
Geist auf sie und sie redeten in Zungen
und weissagten.[a] 7 Es waren aber zusam-
men etwa zwölf Männer.

8 Er ging aber in die Synagoge und pre-
digte frei und offen drei Monate lang,
lehrte und überzeugte sie von dem Reich
Gottes. 9 Als aber einige verstockt waren
und nicht glaubten und vor der Menge
übel redeten von [a]dem Weg*, trennte er
sich von ihnen und sonderte auch die Jün-
ger ab und redete täglich in der Schule des
Tyrannus. 10 Und das geschah zwei Jahre
lang, sodass alle, die in der Provinz Asia
wohnten, das Wort des Herrn hörten, Ju-
den und Griechen.

11 Und Gott wirkte nicht geringe Taten
durch die Hände des Paulus.[a] 12 So hielten
sie auch die Schweißtücher und andere
Tücher, die er auf seiner Haut getragen
hatte, über die Kranken, und die Krank-
heiten wichen von ihnen, und die bösen
Geister fuhren aus.[a]

13 Es [a]versuchten aber einige von den Ju-
den, die als Beschwörer umherzogen, den
Namen des Herrn Jesus zu nennen über
denen, die böse Geister hatten, und spra-
chen: Ich beschwöre euch bei dem Jesus,
den Paulus predigt. 14 Es waren aber sieben
Söhne eines jüdischen Hohenpriesters
mit Namen Skevas, die dies taten. 15 Aber
der böse Geist antwortete und sprach
zu ihnen: Jesus kenne ich wohl und von
Paulus weiß ich wohl, wer seid ihr aber?
16 Und der Mensch, in dem der böse Geist
war, stürzte sich auf sie und überwältigte
sie alle und richtete sie so zu, dass sie
nackt und verwundet aus dem Haus flo-
hen. 17 Das aber wurde allen bekannt, die
in Ephesus wohnten, Juden wie Griechen;
und Furcht befiel sie alle und der Name des
Herrn Jesus wurde hochgelobt.

18 Es kamen auch viele von denen, die
gläubig geworden waren, und bekannten
und verkündeten, was sie getan hatten.
19 Viele aber, die Zauberei getrieben hat-
ten, brachten die Bücher zusammen und
verbrannten sie öffentlich und berechne-
ten, was sie wert waren, und kamen auf
fünfzigtausend Silbergroschen. 20 So brei-
tete sich das Wort aus durch die Kraft des
Herrn und wurde mächtig.[a]

* **19,9** »Weg« ist in der Apostelgeschichte häufig eine Bezeichnung für das Christentum.

18,24 ***a*** 1. Kor 1,12; 3,5-6 **18,25** ***a*** Kap 19,3
18,28 ***a*** Kap 9,22; 17,3 **19,2** ***a*** Kap 2,38 **19,4** ***a*** Lk 3,16
19,5 ***a*** *(5-6)* Kap 2,38 **19,6** ***a*** Kap 8,17; 10,44.46
19,9 ***a*** Kap 16,17; 18,25 **19,11** ***a*** Kap 14,3; 2. Kor 12,12
19,12 ***a*** Kap 5,15; Mk 6,56 **19,13** ***a*** Lk 9,49
19,20 ***a*** Kap 6,7; 12,24

21 Als das geschehen war, nahm sich Pau-
lus im Geist vor, durch [a]Makedonien und
Achaia zu ziehen und nach Jerusalem zu
reisen, und sprach: Wenn ich dort gewe-
sen bin, muss ich auch [b]Rom sehen. 22 Und
er sandte zwei, die ihm dienten, Timo-
theus und [a]Erastus, nach Makedonien; er
aber blieb noch eine Weile in der Provinz
Asia.

DER AUFRUHR DES DEMETRIUS

23 Es erhob sich aber um diese Zeit [a]eine
nicht geringe Unruhe über den Weg.
24 Denn einer mit Namen Demetrius, ein
Silberschmied, machte silberne Tempel
der Artemis* und verschaffte den Hand-
werkern nicht geringen Gewinn. 25 Diese
und die Zuarbeiter dieses Handwerks
versammelte er und sprach: Ihr Männer,
ihr wisst, dass unser Wohlstand von die-
sem Gewerbe kommt; 26 und ihr seht und
hört, dass nicht allein in Ephesus, sondern
auch fast in der ganzen Provinz Asia die-
ser Paulus viel Volk überredet und ver-
führt, wenn er sagt: [a]Was mit Händen
gemacht ist, das sind keine Götter. 27 Aber
es droht nicht nur unser Gewerbe in Ver-
ruf zu geraten, sondern auch der Tempel
der großen Göttin Artemis wird für nichts
geachtet werden; und sie selbst, die ver-
ehrt wird in der ganzen Provinz Asia, ja
auf dem ganzen Erdkreis, wird ihrer Ho-
heit beraubt. 28 Als sie das hörten, wurden
sie von Zorn erfüllt und schrien: Groß ist
die Artemis der Epheser! 29 Und die ganze
Stadt geriet in Aufruhr; sie stürmten ein-
mütig zum Theater und ergriffen [a]Gaius
und Aristarch aus Makedonien, die Ge-
fährten des Paulus.

30 Da aber Paulus unter das Volk gehen
wollte, ließen's ihm die Jünger nicht zu.
31 Auch einige der Oberen der Provinz
Asia, die ihm freundlich gesinnt waren,
sandten zu ihm und ermahnten ihn, sich
nicht zum Theater zu begeben. 32 Dort
schrien die einen dies, die andern das, und
die Versammlung war in Verwirrung, und
die meisten wussten nicht, warum sie zu-
sammengekommen waren. 33 Einige aber
aus der Menge umringten Alexander, den
die Juden vorgeschickt hatten. Alexan-
der aber winkte mit der Hand und wollte
sich vor dem Volk verantworten. 34 Als sie
aber innewurden, dass er Jude war, schrie
alles wie aus einem Munde fast zwei
Stunden lang: Groß ist die Artemis der
Epheser!

35 Als aber der Kanzler das Volk beruhigt
hatte, sprach er: Ihr Männer von Ephesus,
wo ist ein Mensch, der nicht weiß, dass
die Stadt Ephesus eine Hüterin der gro-
ßen Artemis ist und ihres Bildes, das vom
Himmel gefallen ist? 36 Weil das nun nicht
zu bestreiten ist, sollt ihr euch ruhig ver-
halten und nichts Unbedachtes tun. 37 Ihr
habt diese Menschen hergeführt, die we-
der Tempelräuber noch Lästerer unserer
Göttin sind. 38 Haben aber Demetrius und
mit ihm die Handwerker einen Anspruch
an jemanden, so gibt es Gerichte und
Statthalter; da lasst sie sich untereinander
verklagen. 39 Wollt ihr aber darüber hin-
aus noch etwas, so kann man es in einer
ordentlichen Versammlung entscheiden.
40 Denn wir stehen in Gefahr, wegen der
heutigen Empörung verklagt zu werden,
ohne dass ein Grund vorhanden ist, mit
dem wir diesen Aufruhr entschuldigen
könnten. Und als er dies gesagt hatte, ließ
er die Versammlung gehen.

PAULUS IN GRIECHENLAND UND TROAS

20 Als sich die Empörung gelegt hatte,
rief Paulus die Jünger zu sich und trös-
tete sie, nahm Abschied und brach auf,
um nach [a]Makedonien zu reisen. 2 Und als
er diese Gegenden durchzogen und die
Gemeinden mit vielen Worten ermahnt
hatte, kam er nach Griechenland 3 und
blieb dort drei Monate. Da ihm aber die
Juden nachstellten, als er zu Schiff nach
Syrien fahren wollte, beschloss er, durch
Makedonien zurückzukehren. 4 Es zo-
gen aber mit ihm Sopater aus [a]Beröa, der
Sohn des Pyrrhus, aus Thessalonich aber
[b]Aristarch und Sekundus und [c]Gaius aus
Derbe und [d]Timotheus, aus der Provinz
Asia aber [e]Tychikus und [f]Trophimus.

5 Diese reisten voraus und warteten auf
uns in Troas.

* **19,24** Siehe Sach- und Worterklärungen.

19,21 ***a*** 1. Kor 16,5 ***b*** Kap 23,11; 28,14; Röm 1,10
19,22 ***a*** Röm 16,23; 2. Tim 4,20 **19,23** ***a*** 2. Kor 1,8-9
19,26 ***a*** Kap 17,29; Ps 115,4 **19,29** ***a*** Kap 20,4
20,1 ***a*** 2. Kor 2,13 **20,4** ***a*** Kap 17,10 ***b*** Kap 27,2
c Kap 19,29 ***d*** Kap 16,1 ***e*** Eph 6,21 ***f*** Kap 21,29

6 Wir aber fuhren nach den Tagen der
Ungesäuerten Brote mit dem Schiff von
Philippi ab und kamen am fünften Tag zu
ihnen nach Troas und blieben dort sieben
Tage.
7 [a]Am ersten Tag der Woche aber, als
wir versammelt waren, [b]das Brot zu bre-
chen, predigte ihnen Paulus, und da er
am nächsten Tag weiterreisen wollte, zog
er die Rede hin bis Mitternacht. 8 Und es
waren viele Lampen in dem Obergemach,
wo wir versammelt waren. 9 Es saß aber
ein junger Mann mit Namen Eutychus in
einem Fenster und sank in einen tiefen
Schlaf, weil Paulus so lange redete; und
vom Schlaf überwältigt fiel er hinunter
vom dritten Stock und wurde tot aufge-
hoben. 10 Paulus aber ging hinab und [a]warf
sich über ihn, umfing ihn und sprach:
Macht kein Geschrei; denn seine Seele ist
in ihm. 11 Dann ging er hinauf und brach
das Brot und aß und redete viel mit ih-
nen, bis der Tag anbrach; und so zog er
hinweg. 12 Sie brachten aber den jungen
Mann lebend herein und wurden nicht
wenig getröstet.

DIE REISE NACH MILET

13 Wir aber zogen voraus zum Schiff und
fuhren nach Assos und wollten dort Pau-
lus zu uns nehmen; denn er hatte es so be-
fohlen, weil er selbst zu Fuß gehen wollte.
14 Als er nun in Assos zu uns stieß, nah-
men wir ihn mit uns und kamen nach Mi-
tylene. 15 Und von dort fuhren wir weiter
und kamen am nächsten Tag auf die Höhe
von Chios; am folgenden Tag gelangten
wir nach Samos und am nächsten Tag ka-
men wir nach Milet. 16 Denn Paulus hatte
beschlossen, an [a]Ephesus vorüberzufah-
ren, um in der Provinz Asia keine Zeit zu
verlieren; denn er eilte, am Pfingsttag in
Jerusalem zu sein, wenn es ihm möglich
wäre.

DIE ABSCHIEDSREDE DES PAULUS AN DIE ÄLTESTEN VON EPHESUS

17 Aber von Milet sandte er nach Ephesus
und ließ die Ältesten der Gemeinde ru-
fen. 18 Als sie aber zu ihm kamen, sprach
er zu ihnen: Ihr wisst, wie ich mich vom
ersten Tag an, als ich in die Provinz Asia
gekommen bin, die ganze Zeit bei euch
verhalten habe,[a] 19 wie ich dem Herrn ge-
dient habe in aller Demut und mit Tränen
und unter Anfechtungen, die mir durch
die Nachstellungen der Juden widerfah-
ren sind. 20 Ich habe euch nichts vorenthal-
ten, was nützlich ist, dass ich's euch nicht
verkündigt und gelehrt hätte, öffentlich
und in den Häusern, 21 und habe Juden
und Griechen bezeugt die Umkehr zu
Gott und den Glauben an unsern Herrn
Jesus.
22 Und nun siehe, durch den Geist ge-
bunden, [a]fahre ich nach Jerusalem und
weiß nicht, was mir dort begegnen wird,
23 nur dass der Heilige Geist mir in allen
Städten bezeugt, dass Fesseln und Be-
drängnisse auf mich warten.[a] 24 Aber [a]ich
achte mein Leben nicht der Rede wert,
wenn ich nur [b]meinen Lauf vollende und
das Amt ausrichte, das ich von dem Herrn
Jesus empfangen habe, zu bezeugen das
Evangelium von der Gnade Gottes. 25 Und
nun siehe, ich weiß, dass ihr mein Ange-
sicht nicht mehr sehen werdet, ihr alle,
zu denen ich hingekommen bin und das
Reich gepredigt habe. 26 [a]Darum bezeuge
ich euch am heutigen Tage, [b]dass ich rein
bin vom Blut aller; 27 denn ich habe nicht
unterlassen, euch den ganzen Ratschluss
Gottes zu verkündigen.
**28 So [a]habt nun acht auf euch selbst
und [b]auf die ganze Herde, in der euch
der Heilige Geist eingesetzt hat zu
Bischöfen*, zu weiden die Gemeinde
Gottes, die er durch sein eigenes Blut
erworben hat.** 29 Denn das weiß ich, dass
nach meinem Abschied reißende [a]Wölfe
zu euch kommen, die die Herde nicht ver-
schonen werden. 30 Auch aus eurer Mitte
werden Männer aufstehen, die Verkehrtes
reden, um die Jünger an sich zu ziehen.[a]
31 Darum seid wachsam und denkt daran,
dass ich drei Jahre lang Tag und Nacht
nicht abgelassen habe, einen jeden unter
Tränen zu ermahnen.

* **20,28** Siehe Sach- und Worterklärungen.

20,7 ***a*** Mt 28,1 ***b*** Kap 2,42.46 **20,10** ***a*** 1. Kön 17,21
20,16 ***a*** Kap 18,21 **20,18** ***a*** Kap 18,19; 19,10
20,22 ***a*** Kap 19,21 **20,23** ***a*** Kap 9,16; 21,4.11
20,24 ***a*** Kap 21,13 ***b*** 2. Tim 4,7
20,26 ***a*** (26-27) Hes 3,17-19 ***b*** Kap 18,6
20,28 ***a*** 1. Tim 4,16 ***b*** 1. Petr 5,2-4 **20,29** ***a*** Mt 7,15; Lk 10,3 **20,30** ***a*** 1. Joh 2,18-19

32 Und nun befehle ich euch Gott und
dem Wort seiner Gnade, der da mächtig
ist, euch zu erbauen und zu geben [a]das
Erbe mit allen, die geheiligt sind. 33 Ich
habe von niemandem Silber oder Gold
oder Kleidung begehrt.[a] 34 Denn ihr wisst
selber, dass mir diese Hände zum Unter-
halt gedient haben, mir und denen, die
mit mir gewesen sind.[a] 35 Ich habe euch in
allem gezeigt, dass man so arbeiten und
sich der Schwachen annehmen muss im
Gedenken an das Wort des Herrn Jesus,
der selbst gesagt hat: **Geben ist seliger als
nehmen.**

36 Und als er das gesagt hatte, [a]kniete er
nieder und betete mit ihnen allen. 37 Da
begannen alle laut zu weinen, und sie fie-
len Paulus um den Hals und küssten ihn,
38 am allermeisten betrübt über [a]das Wort,
das er gesagt hatte, sie würden sein Ange-
sicht nicht mehr sehen. Und sie geleiteten
ihn auf das Schiff.

VON MILET NACH CÄSAREA

21 Als es nun geschah, dass wir uns von
ihnen wandten und fortsegelten, ka-
men wir geradewegs nach Kos und am
folgenden Tage nach Rhodos und von da
nach Patara. 2 Und als wir ein Schiff fan-
den, das nach Phönizien fuhr, stiegen wir
ein und fuhren ab. 3 Als aber Zypern in
Sicht kam, ließen wir es linker Hand lie-
gen und fuhren nach Syrien und kamen
in Tyrus an, denn dort wurde das Schiff
entladen. 4 Als wir nun die Jünger fanden,
blieben wir sieben Tage dort. Die sagten
Paulus [a]durch den Geist, er sollte nicht
nach Jerusalem hinaufziehen.

5 Und es geschah, da wir die Tage dort
zugebracht hatten, machten wir uns auf
und reisten weiter. Und sie geleiteten uns
alle mit Frauen und Kindern bis hinaus
vor die Stadt, und [a]wir knieten am Ufer
nieder, beteten 6 und nahmen Abschied
voneinander. Wir stiegen ins Schiff;
jene aber kehrten nach Hause zurück.
7 Wir beendeten die Seefahrt und kamen
von Tyrus nach Ptolemais, begrüßten
die Gemeinde und blieben einen Tag bei
ihnen.

8 Am nächsten Tag zogen wir weiter und
kamen nach Cäsarea und gingen in das
Haus des [a]Philippus, des Evangelisten, der
einer von den Sieben war, und blieben bei
ihm. 9 Der hatte vier Töchter, Jungfrauen,
die [a]prophetisch redeten.

10 Und als wir mehrere Tage dablieben,
kam ein Prophet mit Namen [a]Agabus
aus Judäa herab. 11 Und als er zu uns kam,
nahm er den Gürtel des Paulus und band
sich die Füße und Hände und sprach: Das
sagt der Heilige Geist: [a]Den Mann, dem
dieser Gürtel gehört, werden die Juden in
Jerusalem so binden und überantworten
in die Hände der Heiden. 12 Als wir aber
das hörten, baten wir und die aus dem Ort,
dass er nicht hinauf nach Jerusalem zöge.
13 Paulus aber antwortete: Was macht ihr,
dass ihr weint und brecht mir das Herz?
Denn [a]ich bin bereit, nicht allein mich bin-
den zu lassen, sondern auch zu sterben in
Jerusalem für den Namen des Herrn Je-
sus. 14 Da er sich aber nicht überreden ließ,
schwiegen wir und sprachen: [a]Des Herrn
Wille geschehe.

DIE ANKUNFT IN JERUSALEM

15 Und nach diesen Tagen machten wir
uns fertig und zogen hinauf nach Jerusa-
lem. 16 Es kamen aber mit uns auch einige
Jünger aus Cäsarea und führten uns zu
einem alten Jünger mit Namen Mnason
aus Zypern, bei dem wir zu Gast sein soll-
ten. 17 Als wir nun nach Jerusalem kamen,
nahmen uns die Brüder und Schwestern
gerne auf.

18 Am nächsten Tag aber ging Paulus mit
uns zu [a]Jakobus, und alle Ältesten kamen
dorthin. 19 Und als er sie begrüßt hatte, er-
zählte er eins nach dem andern, was Gott
unter den Heiden durch seinen Dienst ge-
tan hatte. 20 Da sie aber das hörten, lobten
sie Gott und sprachen zu ihm: Bruder, du
siehst, wie viele Tausende unter den Juden
gläubig geworden sind und alle sind [a]Eife-
rer für das Gesetz. 21 Ihnen ist aber berich-
tet worden über dich, dass du alle Juden,
die unter den Heiden wohnen, den Abfall
von Mose lehrst und sagst, sie sollen ihre
Kinder nicht beschneiden und auch nicht

20,32 *a* Kap 26,18 **20,33** *a* 1. Kor 9,18 **20,34** *a* Kap 18,3; 1. Kor 4,12; 1. Thess 2,9; 2. Thess 3,7-9 **20,36** *a* Kap 21,5 **20,38** *a* Vers 25 **21,4** *a* Kap 20,23 **21,5** *a* Kap 20,36 **21,8** *a* Kap 6,5; 8,40 **21,9** *a* 1. Kor 11,5 **21,10** *a* Kap 11,28 **21,11** *a* Kap 20,23 **21,13** *a* Kap 20,24 **21,14** *a* Lk 22,42 **21,18** *a* Kap 15,13 **21,20** *a* Kap 15,1

nach den Ordnungen leben.[a] 22 Was nun?
Auf jeden Fall werden sie hören, dass du
gekommen bist.
23 So tu nun das, was wir dir sagen: Wir
haben vier Männer, die haben [a]ein Ge-
lübde auf sich genommen; 24 die nimm zu
dir und lass dich reinigen mit ihnen und
trage die Kosten für sie, dass sie ihr Haupt
scheren können;* so werden alle erken-
nen, dass es nicht so ist, wie man ihnen
über dich berichtet hat, sondern dass du
selber auch nach dem Gesetz lebst und es
hältst. 25 Wegen der gläubig gewordenen
Heiden aber haben wir beschlossen und
geschrieben, dass sie sich hüten sollen vor
dem Götzenopferfleisch, vor Blut, vor Er-
sticktem und vor Unzucht.[a] 26 Da nahm
Paulus die Männer zu sich und reinigte
sich am nächsten Tag mit ihnen und ging
in den Tempel und zeigte an, dass die Tage
der Reinigung beendet sein sollten, sobald
für jeden von ihnen das Opfer dargebracht
wäre.[a]

DIE VERHAFTUNG DES PAULUS

27 Als aber die sieben Tage zu Ende gingen,
sahen ihn die Juden aus der Provinz Asia
im Tempel und erregten das ganze Volk,
legten die Hände an ihn 28 und schrien:
Ihr Männer von Israel, helft! Dies ist der
Mensch, der alle Menschen an allen Enden
lehrt gegen unser Volk, [a]gegen das Gesetz
und gegen diese Stätte; dazu [b]hat er auch
Griechen in den Tempel geführt und diese
heilige Stätte entweiht. 29 Denn sie hatten
[a]Trophimus, den Epheser, mit ihm in der
Stadt gesehen; den, meinten sie, hätte
Paulus in den Tempel geführt. 30 Und die
ganze Stadt wurde erregt und es entstand
ein Auflauf des Volkes. Sie ergriffen aber
Paulus und zogen ihn zum Tempel hin-
aus. Und sogleich wurden die Tore zuge-
schlossen.
31 Als sie ihn aber töten wollten, kam
die Nachricht hinauf vor den Oberst der
Kohorte, dass ganz Jerusalem in Aufruhr
sei. 32 Der nahm sogleich Soldaten und
Hauptleute und lief hinunter zu ihnen.
Als sie aber den Oberst und die Soldaten
sahen, hörten sie auf, Paulus zu schla-
gen. 33 Als nun der Oberst herangekom-
men war, nahm er ihn fest und [a]ließ ihn
fesseln mit zwei Ketten und fragte, wer
er wäre und was er getan hätte. 34 Einer
aber rief dies, der andre das im Volk. Da
er aber nichts Gewisses erfahren konnte
wegen des Getümmels, ließ er ihn in die
Burg führen. 35 Und als er an die Stufen
kam, mussten ihn die Soldaten tragen
zum Schutz vor der Gewalt des Volkes.
36 Denn die Menge folgte und schrie: Weg
mit ihm![a]
37 Als nun Paulus in die Burg geführt
werden sollte, sprach er zu dem Oberst:
Darf ich mit dir reden? Der aber sprach:
Kannst du Griechisch? 38 Bist du nicht der
Ägypter, der vor diesen Tagen einen Auf-
ruhr gemacht und viertausend von den
Aufständischen in die Wüste hinausge-
führt hat? 39 Paulus aber sprach: Ich bin
ein jüdischer Mann aus Tarsus in Kilikien,
Bürger einer namhaften Stadt. Ich bitte
dich, erlaube mir, zu dem Volk zu reden.
40 Als er es ihm aber erlaubte, trat Paulus
auf die Stufen und winkte dem Volk mit
der Hand. Da entstand eine große Stille
und er redete zu ihnen auf Hebräisch und
sprach:

DIE VERTEIDIGUNGSREDE DES PAULUS

22 Ihr Männer, liebe Brüder und Väter,
hört mir zu, wenn ich mich jetzt vor
euch verantworte. 2 Als sie aber hörten,
dass er [a]auf Hebräisch zu ihnen redete,
wurden sie noch stiller. Und er sprach:
3 [a]Ich bin ein jüdischer Mann, geboren
in Tarsus in Kilikien, aufgewachsen aber
in dieser Stadt und mit aller Sorgfalt
unterwiesen im väterlichen Gesetz zu
Füßen [b]Gamaliels, und war ein Eiferer
für Gott, wie ihr es heute alle seid. 4 Ich
habe [a]diesen Weg* verfolgt bis auf den
Tod; ich band Männer und Frauen und
warf sie ins Gefängnis,[b] 5 wie mir auch
der Hohepriester bezeugt und der ganze
Rat der Ältesten. Von ihnen empfing ich
auch Briefe an die Brüder und reiste nach

* **21,24** Siehe Sach- und Worterklärungen zu »Gottgeweihter«. **22,4** »Weg« ist in der Apostelgeschichte häufig eine Bezeichnung für das Christentum.

21,21 *a* Kap 6,14; Gal 3,24-25 **21,23** *a* Kap 18,18; 4. Mose 6,1-21 **21,25** *a* Kap 15,20.29
21,26 *a* 4. Mose 6,13-21; 1. Kor 9,20 **21,28** *a* Kap 6,13 *b* Hes 44,7 **21,29** *a* Kap 20,4; 2. Tim 4,20
21,33 *a* Kap 20,23 **21,36** *a* Kap 22,22; Lk 23,18
22,2 *a* Kap 21,40 **22,3** *a* (3-21) Kap 9,1-29; 26,9-20 *b* Kap 5,34 **22,4** *a* Kap 9,2; 19,9.23; 24,14.22 *b* Kap 8,3

Damaskus, um auch die, die dort waren,
gefesselt nach Jerusalem zu führen, damit
sie bestraft würden.

6 Es geschah aber, als ich dorthin zog
und in die Nähe von Damaskus kam, da
umleuchtete mich plötzlich um die Mit-
tagszeit ein großes Licht vom Himmel.
7 Und ich fiel zu Boden und hörte eine
Stimme, die sprach zu mir: Saul, Saul,
was verfolgst du mich? 8 Ich antwortete
aber: Herr, wer bist du? Und er sprach zu
mir: Ich bin Jesus von Nazareth*, den du
verfolgst. 9 Die aber mit mir waren, sahen
zwar das Licht, aber die Stimme dessen,
der mit mir redete, hörten sie nicht. 10 Ich
fragte aber: Herr, was soll ich tun? Und
der Herr sprach zu mir: Steh auf und geh
nach Damaskus. Dort wird man dir al-
les sagen, was dir zu tun aufgetragen ist.
11 Als ich aber, geblendet von der Klar-
heit dieses Lichtes, nicht sehen konnte,
wurde ich an der Hand geleitet von de-
nen, die bei mir waren, und kam nach
Damaskus.

12 Hananias aber, ein frommer Mann
nach dem Gesetz, der einen guten Ruf bei
allen Juden hatte, die dort wohnten, 13 der
kam zu mir, trat vor mich hin und sprach
zu mir: Saul, lieber Bruder, du sollst wie-
der sehen. Und zur selben Stunde konnte
ich ihn sehen. 14 Er aber sprach: Der Gott
unserer Väter hat dich erwählt, dass du
seinen Willen erkennen sollst und den
Gerechten sehen und die Stimme aus sei-
nem Munde hören; 15 denn du wirst für
ihn vor allen Menschen Zeuge sein von
dem, was du gesehen und gehört hast.
16 Und nun, was zögerst du? Steh auf, lass
dich taufen und deine Sünden abwaschen
und rufe seinen Namen an.

17 Es geschah aber, als ich wieder nach Je-
rusalem kam und im Tempel betete, dass
ich in Verzückung geriet 18 und ihn sah. Da
sprach er zu mir: Eile und geh schnell weg
aus Jerusalem; denn dein Zeugnis von
mir werden sie nicht annehmen. 19 Und
ich sprach: Herr, sie wissen doch, dass
ich gefangen nahm, die an dich glaubten,
und sie in den Synagogen schlagen ließ.
20 Und als das Blut des Stephanus, dei-
nes Zeugen, vergossen wurde, [a]stand ich
auch dabei und hatte Gefallen daran und
bewachte denen die Kleider, die ihn tö-
teten. 21 Und er sprach zu mir: Geh hin;
denn ich will dich in die Ferne zu den Hei-
den senden.[a] 22 Sie hörten ihm aber zu bis
zu diesem Wort; dann erhoben sie ihre
Stimme und riefen: [a]Hinweg mit diesem
von der Erde! Denn er darf nicht mehr
leben.

PAULUS VOR DEM RÖMISCHEN OBERST

23 Da sie aber schrien und ihre Kleider ab-
warfen und Staub in die Luft wirbelten,
24 befahl der Oberst, ihn in die Burg zu
führen, und sagte, dass man ihn geißeln
und verhören sollte, um zu erfahren, aus
welchem Grund sie so gegen ihn schrien.
25 Als sie ihn aber zum Geißeln festban-
den, sprach Paulus zu dem Hauptmann,
der dabeistand: [a]Ist es erlaubt bei euch,
einen Menschen, der römischer Bürger
ist, ohne Urteil zu geißeln?

26 Als das der Hauptmann hörte, ging er
zu dem Oberst und berichtete ihm und
sprach: Was willst du tun? Dieser Mensch
ist römischer Bürger. 27 Da kam der Oberst
zu ihm und fragte ihn: Sage mir, bist du
römischer Bürger? Er aber sprach: Ja. 28 Da
sagte der Oberst: Ich habe dies Bürger-
recht für viel Geld erworben. Paulus aber
sprach: Ich aber bin schon als römischer
Bürger geboren. 29 Da ließen sogleich von
ihm ab, die ihn verhören sollten. Und der
Oberst fürchtete sich, als er vernahm, dass
es ein römischer Bürger war, den er hatte
festbinden lassen.

30 Am nächsten Tag wollte er genau er-
kunden, warum Paulus von den Juden
verklagt wurde. Er band ihn los und be-
fahl den Hohenpriestern und dem gan-
zen Hohen Rat zusammenzukommen
und führte Paulus hinab und stellte ihn
vor sie.

PAULUS VOR DEM HOHEN RAT

23 Paulus aber sah den Hohen Rat an und
sprach: Ihr Männer, liebe Brüder, ich
habe mein Leben [a]mit gutem Gewissen
vor Gott geführt bis auf diesen Tag. 2 Der
Hohepriester Hananias aber befahl denen,
die um ihn standen, ihn auf den Mund zu

* **22,8** Wörtlich: »Jesus, der Nazoräer«; siehe Sach- und Worterklärungen zu »Nazoräer«.

22,20 ***a*** Kap 7,58; 8,1 **22,21** ***a*** Kap 13,2 **22,22** ***a*** Kap 21,36 **22,25** ***a*** Kap 16,37; 23,27 **23,1** ***a*** Kap 24,16; 2. Kor 1,12

schlagen. 3 Da sprach Paulus zu ihm: Gott
wird dich schlagen, [a]du getünchte Wand!
Du sitzt da und richtest mich nach dem
Gesetz und lässt mich schlagen gegen das
Gesetz? 4 Aber die dabeistanden, spra-
chen: Schmähst du den Hohenpriester
Gottes? 5 Und Paulus sprach: Liebe Brü-
der, ich wusste es nicht, dass er der Ho-
hepriester ist. Denn es steht geschrieben
(2. Mose 22,27): »Den Obersten deines Volkes
sollst du nicht schmähen.«
6 Als aber Paulus erkannte, dass ein Teil
Sadduzäer war und der andere Teil Pha-
risäer, rief er im Hohen Rat: Ihr Männer,
liebe Brüder, [a]ich bin ein Pharisäer und ein
Sohn von Pharisäern. Ich werde angeklagt
um der Hoffnung und um der [b]Auferste-
hung der Toten willen. 7 Als er aber das
sagte, brach ein Streit aus zwischen Phari-
säern und Sadduzäern und die Versamm-
lung spaltete sich. 8 Denn [a]die Sadduzäer
sagen, es gebe keine Auferstehung noch
Engel noch Geist; die Pharisäer aber be-
kennen beides. 9 Es entstand aber ein gro-
ßes Geschrei; und einige Schriftgelehrte
aus der Gruppe der Pharisäer standen auf,
stritten und sprachen: [a]Wir finden nichts
Böses an diesem Menschen; vielleicht hat
ein Geist oder ein Engel mit ihm geredet.
10 Als aber der Streit groß wurde, befürch-
tete der Oberst, sie könnten Paulus zer-
reißen, und ließ Soldaten hinabgehen und
Paulus ihnen entreißen und in die Burg
führen.
11 In der folgenden Nacht aber stand
der Herr bei ihm und sprach: Sei getrost!
Denn wie du für mich in Jerusalem Zeuge
warst, so musst du auch [a]in Rom Zeuge
sein.

EINE VERSCHWÖRUNG GEGEN PAULUS

12 Als es aber Tag wurde, rotteten sich Ju-
den zusammen, die sich selbst verfluch-
ten und schworen, weder zu essen noch
zu trinken, bis sie Paulus getötet hätten.
13 Es waren aber mehr als vierzig, die diese
Verschwörung machten. 14 Die gingen zu
den Hohenpriestern und Ältesten und
sprachen: Wir haben uns durch einen Eid
gebunden, nichts zu essen, bis wir Paulus
getötet haben. 15 So wirkt nun ihr mit dem
Hohen Rat bei dem Oberst darauf hin,
dass er ihn zu euch herunterführen lässt,
als wolltet ihr ihn genauer verhören; wir
aber sind bereit, ihn zu töten, ehe er vor
euch kommt.
16 Als aber der Sohn der Schwester des
Paulus von dem Anschlag hörte, ging er
und kam in die Burg und berichtete es
Paulus. 17 Paulus aber rief einen von den
Hauptleuten zu sich und sprach: Führe
diesen jungen Mann zu dem Oberst, denn
er hat ihm etwas zu sagen. 18 Der nahm ihn
und führte ihn zum Oberst und sprach:
Der Gefangene Paulus hat mich zu sich ru-
fen lassen und mich gebeten, diesen jun-
gen Mann zu dir zu führen, der dir etwas
zu sagen hat. 19 Da nahm ihn der Oberst
bei der Hand und führte ihn beiseite und
fragte ihn: Was ist's, das du mir zu sagen
hast? 20 Er aber sprach: Die Juden sind
übereingekommen, dich zu bitten, dass
du Paulus morgen vor den Hohen Rat
hinunterbringen lässt, so als wollten sie
ihn genauer verhören. 21 Du aber traue ih-
nen nicht; denn mehr als vierzig Männer
von ihnen lauern ihm auf; die haben sich
selbst verflucht und geschworen, weder zu
essen noch zu trinken, bis sie ihn getötet
hätten; und jetzt sind sie bereit und war-
ten auf deine Zusage. 22 Da ließ der Oberst
den jungen Mann gehen und gebot ihm:
Sage niemandem, dass du mir das eröff-
net hast.

DIE ÜBERFÜHRUNG DES PAULUS NACH CÄSAREA

23 Und der Oberst rief zwei Hauptleute
zu sich und sprach: Rüstet zur dritten
Stunde der Nacht zweihundert Soldaten,
dass sie nach Cäsarea ziehen, und siebzig
Reiter und zweihundert Schützen; 24 und
haltet Tiere bereit, Paulus draufzusetzen
und wohlverwahrt zum Statthalter Felix
zu bringen. 25 Und er schrieb einen Brief,
der lautete:
26 Klaudius Lysias dem hochgeehrten
Statthalter Felix: Gruß zuvor! 27 Diesen
Mann hatten die Juden ergriffen und woll-
ten ihn töten. Da [a]griff ich mit den Sol-
daten ein, entriss ihnen den und [b]erfuhr,
dass er ein römischer Bürger ist. 28 Da ich

23,3 *a* Mt 23,27 **23,6** *a* Kap 22,3; 26,5; Gal 1,14; Phil 3,5 *b* Kap 4,2 **23,8** *a* Mt 22,23; Lk 20,27 **23,9** *a* Kap 25,25 **23,11** *a* Kap 1,8; 25,11-12; 27,23-24 **23,27** *a* Kap 21,33 *b* Kap 22,25

aber die Ursache erkunden wollte, wes-
halb sie ihn anklagten, führte ich ihn hin-
unter vor ihren Hohen Rat.[a] 29 Da fand ich,
dass er beschuldigt wird [a]wegen Fragen
ihres Gesetzes, aber keine Anklage gegen
sich hatte, auf die Tod oder Gefängnis
steht. 30 Und als vor mich kam, dass ein
Anschlag gegen den Mann geplant wäre,
sandte ich ihn sogleich zu dir und [a]wies
auch die Kläger an, vor dir zu sagen, was
sie gegen ihn hätten.

31 Die Soldaten nahmen Paulus, wie
ihnen befohlen war, und führten ihn in
der Nacht nach Antipatris. 32 Am nächs-
ten Tag aber ließen sie die Reiter mit ihm
ziehen und kehrten wieder in die Burg
zurück. 33 Da aber jene nach Cäsarea ka-
men, übergaben sie den Brief dem Statt-
halter und führten ihm auch Paulus vor.
34 Als der Statthalter den Brief gelesen
hatte, fragte er, aus welcher Provinz er sei.
Und als er erfuhr, dass er aus [a]Kilikien sei,
sprach er: 35 Ich will dich verhören, wenn
deine Ankläger auch da sind. Und er ließ
ihn in Gewahrsam halten im Palast des
Herodes.

VOR DEM STATTHALTER FELIX

24 Nach fünf Tagen kam der Hohepries-
ter Hananias mit einigen Ältesten und
dem Anwalt Tertullus herab; die erschie-
nen vor dem Statthalter gegen Paulus.
2 Als der aber herbeigerufen worden war,
fing Tertullus an, ihn anzuklagen, und
sprach: Dass wir in großem Frieden leben
unter dir und dass sich für dieses Volk
vieles gebessert hat durch deine Fürsorge,
3 das erkennen wir allezeit und allenthal-
ben mit aller Dankbarkeit an, hochgeehr-
ter Felix. 4 Damit ich dich aber nicht zu
lange aufhalte, bitte ich dich, du wollest
uns kurz anhören in deiner Güte. 5 Wir
haben erkannt, dass dieser Mann schäd-
lich ist und [a]dass er Aufruhr erregt unter
allen Juden auf dem ganzen Erdkreis und
dass er ein Anführer der Sekte der Nazo-
räer* ist. 6 Er hat auch versucht, [a]den Tem-
pel zu entweihen. Ihn haben wir ergrif-
fen.* 8 Wenn du ihn verhörst, kannst du
selbst das alles von ihm erkunden, wes-
sen wir ihn verklagen. 9 Auch die Juden
bekräftigten das und sagten, es verhielte
sich so.

10 Paulus aber antwortete, als ihm der
Statthalter winkte zu reden: Weil ich
weiß, dass du in diesem Volk nun viele
Jahre Richter bist, will ich meine Sache
unerschrocken verteidigen. 11 Du kannst
feststellen, dass ich nicht mehr als zwölf
Tage hatte, seit ich nach Jerusalem hinauf-
zog, um anzubeten. 12 Und sie haben mich
weder im Tempel noch in den Synagogen
noch in der Stadt dabei gefunden, wie ich
mit jemandem gestritten oder einen Auf-
ruhr im Volk gemacht hätte. 13 Sie kön-
nen dir auch nicht beweisen, wessen sie
mich jetzt verklagen. 14 Das bekenne ich
dir aber, dass ich nach dem Weg*, den sie
eine Sekte nennen, dem Gott meiner Vä-
ter so diene, dass ich allem glaube, was
geschrieben steht im Gesetz und in den
Propheten. 15 Ich habe die Hoffnung zu
Gott, die auch sie selbst haben, nämlich
dass es [a]eine Auferstehung der Gerechten
wie der Ungerechten geben wird. 16 **Darin
übe ich mich, allezeit ein [a]unverletztes
Gewissen zu haben vor Gott und den
Menschen.**

17 Nach mehreren Jahren aber bin ich ge-
kommen, um [a]Almosen für mein Volk
zu überbringen und zu opfern. 18 [a]Als ich
mich im Tempel reinigte, ohne viel Volks
und Aufruhr, fanden mich dabei 19 einige
Juden aus der Provinz Asia. Die sollten
jetzt hier sein vor dir und mich verkla-
gen, wenn sie etwas gegen mich hätten.
20 Oder lass diese hier selbst sagen, was
für ein Unrecht sie gefunden haben, als
ich vor dem Hohen Rat stand; 21 es sei
denn dies *eine* Wort, das ich rief, als ich
unter ihnen stand: Um der Auferstehung
der Toten willen werde ich von euch heute
angeklagt.[a]

* **24,5** Luther übersetzte: »der Nazarener«; siehe Sach- und Worterklärungen zu »Nazoräer«.
24,6 Die Verse 6b-8a finden sich erst in der späteren Überlieferung: »und wollten ihn richten nach unserm Gesetz. Aber der Oberst Lysias kam dazu und riss ihn mit großer Gewalt aus unsern Händen und wies seine Ankläger an dich.« **24,14** »Weg« ist in der Apostelgeschichte häufig eine Bezeichnung für das Christentum.

23,28 *a* Kap 22,30 **23,29** *a* Kap 18,14-15
23,30 *a* Kap 24,8 **23,34** *a* Kap 22,3 **24,5** *a* Kap 17,6
24,6 *a* Kap 21,28-29 **24,15** *a* Dan 12,2; Joh 5,28-29
24,16 *a* Kap 23,1 **24,17** *a* Röm 15,25-26; Gal 2,10
24,18 *a* (18-19) Kap 21,27 **24,21** *a* Kap 23,6

DIE VERSCHLEPPUNG DES PROZESSES

22 Felix aber zog die Sache hin, denn er
wusste recht gut um diesen Weg und
sprach: Wenn der Oberst [a]Lysias herab-
kommt, so will ich eure Sache entschei-
den. 23 Er befahl aber dem Hauptmann,
Paulus gefangen zu halten, doch in leich-
tem Gewahrsam, und niemandem von
den Seinen zu wehren, ihm zu dienen.[a]
24 Nach einigen Tagen aber kam Felix
mit seiner Frau Drusilla, die eine Jüdin
war, und ließ Paulus kommen und hörte
ihn über den Glauben an Christus Jesus.
25 Als aber Paulus von Gerechtigkeit und
Enthaltsamkeit und von dem zukünftigen
Gericht redete, erschrak Felix und antwor-
tete: Für diesmal geh! Zu gelegener Zeit
will ich dich wieder rufen lassen.
26 Er hoffte aber nebenbei, dass ihm von
Paulus Geld gegeben werde; darum ließ
er ihn auch oft kommen und besprach
sich mit ihm. 27 Als aber zwei Jahre um
waren, kam Porcius Festus als Nachfolger
des Felix. Felix aber wollte den Juden eine
Gunst erweisen und ließ Paulus gefangen
zurück.

DIE VERHANDLUNG VOR FESTUS

25 Als Festus nun in der Provinz ange-
kommen war, zog er nach drei Tagen
von Cäsarea hinauf nach Jerusalem. 2 Da
[a]erschienen die Hohenpriester und die
Vornehmsten der Juden vor ihm wegen
der Anklage gegen Paulus und drangen
in ihn 3 und baten ihn um die Gunst, dass
er Paulus nach Jerusalem bringen ließe;
denn sie wollten ihm einen Hinterhalt
legen, um ihn unterwegs umzubringen.[a]
4 Da antwortete Festus, Paulus werde wei-
ter in Gewahrsam gehalten in Cäsarea; er
selber aber werde in Kürze wieder dahin
ziehen. 5 Die nun unter euch ermächtigt
sind, sprach er, die lasst mit hinabziehen
und den Mann verklagen, wenn etwas
Unrechtes an ihm ist.
6 Nachdem aber Festus bei ihnen nicht
mehr als acht oder zehn Tage gewesen war,
zog er hinab nach Cäsarea. Und am nächs-
ten Tag setzte er sich auf den Richterstuhl
und ließ Paulus vorführen. 7 Als der aber
vor ihn kam, umringten ihn die Juden,
die von Jerusalem herabgekommen wa-
ren, und brachten viele und schwere Kla-
gen gegen ihn vor, [a]die sie aber nicht be-
weisen konnten. 8 Paulus aber verteidigte
sich: Ich habe mich weder am Gesetz der
Juden noch am Tempel noch am Kaiser
versündigt.

PAULUS BERUFT SICH AUF DEN KAISER

9 Festus aber wollte den Juden eine Gunst
erweisen und antwortete Paulus und
sprach: Willst du hinauf nach Jerusalem
und dich dort in dieser Sache von mir rich-
ten lassen? 10 Paulus aber sprach: Ich stehe
vor des Kaisers Gericht; da muss ich ge-
richtet werden. Den Juden habe ich kein
Unrecht getan, wie auch du sehr wohl
weißt. 11 Habe ich aber Unrecht getan und
todeswürdig gehandelt, so weigere ich
mich nicht zu sterben; ist aber nichts an
dem, wessen sie mich verklagen, so darf
mich ihnen niemand preisgeben. [a]Ich rufe
den Kaiser an! 12 Da besprach sich Festus
mit dem Rat und antwortete: Auf den Kai-
ser hast du dich berufen, zum Kaiser sollst
du ziehen.

AGRIPPA UND BERENIKE BEI FESTUS

13 Nach einigen Tagen kamen König Ag-
rippa und Berenike nach Cäsarea, Festus
zu begrüßen. 14 Und als sie mehrere Tage
dort waren, legte Festus dem König die
Sache des Paulus vor und sprach: [a]Da ist
ein Mann von Felix als Gefangener zu-
rückgelassen worden; 15 um dessentwil-
len erschienen die Hohenpriester und
Ältesten der Juden vor mir, als ich in Jeru-
salem war, und baten, ich sollte ihn rich-
ten lassen. 16 Denen antwortete ich: Es ist
der Römer Art nicht, einen Angeklagten
preiszugeben, bevor er seinen Klägern ge-
genüberstand und Gelegenheit hatte, sich
gegen die Anklage zu verteidigen.[a] 17 Als
sie aber hier zusammenkamen, duldete
ich keinen Aufschub, sondern hielt am
nächsten Tag Gericht und ließ den Mann
vorführen. 18 Als seine Ankläger auftra-
ten, brachten sie keine Anklage vor wegen
Vergehen, wie ich sie erwartet hatte. 19 Sie
hatten aber Streit mit ihm über einige Fra-
gen ihrer Gottesverehrung und über einen
verstorbenen Jesus, von dem Paulus be-

24,22 *a* Kap 23,26 **24,23** *a* Kap 27,3 **25,2** *a* Kap 24,1 **25,3** *a* Kap 23,15 **25,7** *a* Kap 24,12-13 **25,11** *a* Kap 23,11; 28,19 **25,14** *a* Kap 24,27 **25,16** *a* Kap 22,25

hauptete, er lebe.[a] 20 Da ich mich aber auf
solche Fragen nicht verstand, sprach ich,
ob er nach Jerusalem reisen und sich dort
deswegen richten lassen wollte. 21 Als
aber Paulus sich auf sein Recht berief,
bis zur Entscheidung des Kaisers in Ge-
wahrsam zu bleiben, ließ ich ihn gefan-
gen halten, bis ich ihn zum Kaiser senden
könnte. 22 Agrippa sprach zu Festus: Ich
möchte den Menschen auch gerne hö-
ren. Er aber sprach: Morgen sollst du ihn
hören.

23 Und am nächsten Tag kamen Agrippa
und Berenike mit großem Gepränge und
gingen in den Palast mit den Obersten und
vornehmsten Männern der Stadt. Und als
Festus es befahl, wurde Paulus gebracht.
24 Und Festus sprach: König Agrippa und
all ihr Männer, die ihr mit uns hier seid,
da seht ihr den, um dessentwillen die
ganze Menge der Juden in Jerusalem und
auch hier in mich drang und [a]schrie, er
dürfe nicht länger leben. 25 Da ich aber er-
kannte, dass er nichts getan hatte, das des
Todes würdig war, und er auch selber sich
auf den Kaiser berief, beschloss ich, ihn
dorthin zu senden. 26 Etwas Sicheres über
ihn aber habe ich nicht, das ich meinem
Herrn schreiben könnte. Darum habe ich
ihn vor euch bringen lassen, vor allem aber
vor dich, König Agrippa, auf dass ich nach
geschehenem Verhör etwas hätte, was ich
schreiben könnte. 27 Denn es erscheint
mir unsinnig, einen Gefangenen zu schi-
cken und keine Beschuldigung gegen ihn
anzugeben.

DIE VERTEIDIGUNGSREDE DES PAULUS

26 Agrippa aber sprach zu Paulus: Es ist
dir erlaubt, für dich selbst zu reden.
Da streckte Paulus die Hand aus und ver-
teidigte sich: 2 Es ist mir sehr lieb, König
Agrippa, dass ich mich heute vor dir ver-
antworten kann wegen all der Dinge, de-
ren ich von den Juden beschuldigt werde,
3 vor allem weil du alle Ordnungen und
Streitfragen der Juden kennst. Darum
bitte ich dich, mich geduldig anzuhören.

4 Mein Leben von Jugend auf, wie ich
es von Anfang an unter meinem Volk
und in Jerusalem zugebracht habe, ist al-
len Juden bekannt, 5 die mich von früher
kennen, wenn sie es bezeugen wollten.
Denn [a]nach der strengsten Richtung uns-
res Glaubens habe ich gelebt als Pharisäer.
6 Und nun stehe ich hier und werde ange-
klagt [a]wegen der Hoffnung auf die Verhei-
ßung, die unsern Vätern von Gott gege-
ben ist. 7 Auf sie hoffen die zwölf Stämme
unsres Volkes, wenn sie Gott bei Tag und
Nacht beharrlich dienen. Wegen dieser
Hoffnung werde ich, o König, von den
Juden beschuldigt.[a] 8 Warum wird das bei
euch für unglaublich gehalten, [a]dass Gott
Tote auferweckt?

9 [a]Zwar meinte auch ich selbst, ich
müsste viel gegen den Namen Jesu von
Nazareth* tun. 10 Das habe ich in Jerusa-
lem auch getan; dort brachte ich viele Hei-
lige ins Gefängnis, wozu ich Vollmacht
von den Hohenpriestern empfangen
hatte. Und wenn sie getötet werden soll-
ten, gab ich meine Stimme dazu. 11 Und in
allen Synagogen zwang ich sie oft durch
Strafen zur Lästerung und ich wütete
maßlos gegen sie, verfolgte sie auch bis in
die fremden Städte.

12 Als ich darum nach Damaskus reiste
mit Vollmacht und im Auftrag der Hohen-
priester, 13 sah ich mitten am Tage, o Kö-
nig, auf dem Weg ein Licht vom Himmel,
heller als der Glanz der Sonne, das mich
und die mit mir reisten umleuchtete. 14 Als
wir aber alle zu Boden stürzten, hörte ich
eine Stimme zu mir reden, die sprach auf
Hebräisch: Saul, Saul, was verfolgst du
mich? Es wird dir schwer sein, wider den
Stachel zu löcken*. 15 Ich aber sprach: Herr,
wer bist du? Der Herr sprach: Ich bin Je-
sus, den du verfolgst; 16 steh nun auf und
[a]stell dich auf deine Füße. Denn dazu bin
ich dir erschienen, um dich zu erwählen
zum Diener und zum Zeugen für das, was
du gesehen hast und wie ich dir erschei-
nen will. 17 Und ich will dich erretten von
deinem Volk und von den Heiden, zu de-
nen ich dich sende, 18 um ihre Augen auf-
zutun, dass sie sich bekehren von der Fins-

* **26,9** Wörtlich: »Jesus, der Nazoräer«; siehe Sach- und Worterklärungen zu »Nazoräer«. **26,14** Dahinter steht das Bild widerspenstiger Zugtiere, die gegen den Treiber ausschlagen.

25,19 *a* Kap 18,15 **25,24** *a* Kap 22,22 **26,5** *a* Kap 23,6; Phil 3,5 **26,6** *a* Kap 28,20 **26,7** *a* Kap 24,15 **26,8** *a* Kap 23,8 **26,9** *a* (9-20) Kap 9,1-29; 22,3-21 **26,16** *a* Hes 2,1

ternis zum Licht und von der Gewalt des
Satans zu Gott. So werden sie Vergebung
der Sünden empfangen und [a]das Erbteil
mit denen, die geheiligt sind durch den
Glauben an mich.
19 Daher, König Agrippa, war ich der
himmlischen Erscheinung nicht ungehor-
sam,[a] 20 sondern verkündigte zuerst de-
nen in Damaskus und in Jerusalem, dann
im ganzen Land Judäa und unter den Hei-
den, sie sollten Buße tun und sich zu Gott
bekehren und rechtschaffene Werke der
Buße tun. 21 Deswegen haben mich Juden
im Tempel ergriffen und versucht, mich
zu töten.[a] 22 Aber Gottes Hilfe habe ich
erfahren bis zum heutigen Tag und stehe
nun hier und bin sein Zeuge bei Klein
und Groß und [a]sage nichts, als was die
Propheten und Mose gesagt haben, dass
es geschehen soll: 23 dass Christus müsse
leiden und [a]als Erster auferstehen von den
Toten und verkündigen das Licht seinem
Volk und den Heiden.
24 Als er aber dies zu seiner Verteidigung
sagte, sprach Festus mit lauter Stimme:
Paulus, du bist von Sinnen! Das viele Stu-
dieren macht dich wahnsinnig. 25 Paulus
aber sprach: Hochgeehrter Festus, ich
bin nicht von Sinnen, sondern ich rede
wahre und vernünftige Worte. 26 Der Kö-
nig, zu dem ich frei und offen rede, ver-
steht sich auf diese Dinge. Denn ich bin
gewiss, dass ihm nichts davon verborgen
ist; denn [a]dies ist nicht im Winkel gesche-
hen. 27 Glaubst du, König Agrippa, den
Propheten? Ich weiß, dass du glaubst.
28 Agrippa aber sprach zu Paulus: Es fehlt
nicht viel, so wirst du mich noch überre-
den und einen Christen aus mir machen.
29 Paulus aber sprach: Ich wünschte vor
Gott, dass über kurz oder lang nicht allein
du, sondern alle, die mich heute hören,
das würden, was ich bin, ausgenommen
diese Fesseln.
30 Da stand der König auf und der Statt-
halter und Berenike und die bei ihnen sa-
ßen. 31 Und als sie sich zurückzogen, rede-
ten sie miteinander und sprachen: [a]Dieser
Mensch hat nichts getan, was Tod oder
Gefängnis verdient hätte. 32 Agrippa aber
sagte zu Festus: Dieser Mensch könnte
freigelassen werden, wenn er sich nicht
[a]auf den Kaiser berufen hätte.

PAULUS AUF DER FAHRT NACH ROM

27 Als es aber [a]beschlossen war, dass wir
nach Italien fahren sollten, übergaben
sie Paulus und einige andre Gefangene
einem Hauptmann mit Namen Julius von
der kaiserlichen Kohorte. 2 Wir bestiegen
ein Schiff aus Adramyttion, das die Häfen
der Provinz Asia anlaufen sollte, und fuh-
ren ab; mit uns war auch [a]Aristarch, ein
Makedonier aus Thessalonich. 3 Und am
nächsten Tag kamen wir in Sidon an; und
[a]Julius verhielt sich freundlich gegen Pau-
lus und erlaubte ihm, zu seinen Freunden
zu gehen und sich pflegen zu lassen.
4 Und von da stießen wir ab und fuhren
im Schutz von Zypern hin, weil uns die
Winde entgegen waren, 5 und fuhren auf
dem Meer entlang der Küste von Kilikien
und Pamphylien und kamen nach Myra in
Lykien. 6 Und dort fand der Hauptmann
ein Schiff aus Alexandria, das nach Italien
ging, und ließ uns darauf übersteigen.
7 Wir kamen aber viele Tage nur langsam
vorwärts und gelangten mit Mühe bis auf
die Höhe von Knidos, denn der Wind hin-
derte uns; und wir fuhren im Schutz von
Kreta hin bei Salmone 8 und kamen kaum
daran vorüber und gelangten an einen
Ort, der »Guthafen«* heißt; nahe dabei
lag die Stadt Lasäa.
9 Da nun viel Zeit vergangen war und
die Schifffahrt bereits [a]gefährlich wurde,
weil auch das [b]Fasten* schon vorüber war,
ermahnte sie Paulus 10 und sprach zu ih-
nen: Ihr Männer, ich sehe, dass diese Fahrt
mit Leid und großem Schaden vor sich ge-
hen wird, nicht allein für die Ladung und
das Schiff, sondern auch für unser Le-
ben. 11 Aber der Hauptmann glaubte dem
Steuermann und dem Schiffsherrn mehr
als dem, was Paulus sagte. 12 Und da der
Hafen zum Überwintern ungeeignet war,
bestanden die meisten von ihnen auf dem
Plan, von dort weiterzufahren und zu ver-

* **27,8** Griechisch: »Kaloi Limenes«. **27,9** Das Fasten zum Versöhnungstag Ende September/Anfang Oktober (3. Mose 16). Um diese Jahreszeit wurde die Seefahrt bis zum Frühjahr eingestellt.

26,18 ***a*** Kap 20,32 **26,19** ***a*** Gal 1,16 **26,21** ***a*** Kap 21,30-31
26,22 ***a*** Lk 24,44-47 **26,23** ***a*** 1. Kor 15,20; Kol 1,18
26,26 ***a*** Joh 18,20 **26,31** ***a*** Kap 23,29 **26,32** ***a*** Kap 25,11
27,1 ***a*** Kap 25,12 **27,2** ***a*** Kap 19,29; 20,4
27,3 ***a*** Kap 24,23; 28,16 **27,9** ***a*** 2. Kor 11,25-26
b 3. Mose 16,29

suchen, ob sie zum Überwintern bis nach
Phönix kommen könnten, einem Hafen
auf Kreta, der gegen Südwest und Nord-
west offen ist.

SEESTURM UND SCHIFFBRUCH

13 Als aber ein Südwind wehte, meinten
sie, ihr Vorhaben wäre schon gelungen;
sie lichteten den Anker und fuhren nahe
an Kreta entlang. 14 Nicht lange danach
aber brach von der Insel her ein Sturm-
wind los, den man Nordost* nennt. 15 Und
da das Schiff ergriffen wurde und nicht
mehr gegen den Wind gerichtet werden
konnte, gaben wir auf und ließen uns
treiben.

16 Wir kamen aber an einer Insel vorbei,
die Kauda heißt, da konnten wir mit Mühe
das Beiboot in unsre Gewalt bekommen.
17 Sie zogen es herauf und umspannten
zum Schutz das Schiff mit Seilen. Da sie
aber fürchteten, in die Syrte* zu geraten,
ließen sie den Treibanker herunter und
trieben so dahin. 18 Da wir großes Unge-
witter erlitten, warfen sie am nächsten
Tag Ladung ins Meer. 19 Und am drit-
ten Tag warfen sie mit eigenen Händen
das Schiffsgerät hinaus. 20 Da aber viele
Tage weder Sonne noch Sterne schienen
und ein gewaltiges Ungewitter uns be-
drängte, war all unsre Hoffnung auf Ret-
tung dahin.

21 Niemand wollte mehr essen; da trat
Paulus mitten unter sie und sprach: Ihr
Männer, man hätte auf mich hören sol-
len und nicht von Kreta aufbrechen, dann
wären uns dieses Leid und der Schaden
erspart geblieben. 22 Doch nun ermahne
ich euch: Seid unverzagt; denn keiner
von euch wird umkommen, nur das Schiff
wird untergehen. 23 Denn diese Nacht trat
zu mir der Engel des Gottes, dem ich ge-
höre und dem ich diene, 24 und sprach:
Fürchte dich nicht, Paulus, [a]du musst vor
den Kaiser gestellt werden; und siehe,
Gott hat dir geschenkt alle, die mit dir fah-
ren. 25 Darum, ihr Männer, seid unverzagt;
denn ich glaube Gott, es wird so gesche-
hen, wie mir gesagt ist. 26 Wir müssen aber
auf eine Insel auflaufen.[a]

27 Als aber die vierzehnte Nacht kam,
seit wir in der Adria* trieben, wähnten
die Schiffsleute um Mitternacht, dass sich
ihnen Land näherte. 28 Und sie warfen das
Senkblei aus und fanden es zwanzig Fa-
den tief; und ein wenig weiter loteten sie
abermals und fanden es fünfzehn Faden
tief. 29 Da fürchteten sie, wir würden auf
Klippen geraten, und warfen hinten vom
Schiff vier Anker aus und wünschten, dass
es Tag würde. 30 Als aber die Schiffsleute
vom Schiff zu fliehen suchten und das
Beiboot ins Meer herabließen und vor-
gaben, sie wollten auch vorne die Anker
herunterlassen, 31 sprach Paulus zu dem
Hauptmann und zu den Soldaten: Wenn
diese nicht auf dem Schiff bleiben, könnt
ihr nicht gerettet werden. 32 Da hieben die
Soldaten die Taue ab und ließen das Bei-
boot ins Meer fallen.

33 Und als es anfing, hell zu werden, er-
mahnte Paulus sie alle, Nahrung zu sich
zu nehmen, und sprach: Es ist heute der
vierzehnte Tag, dass ihr wartet und ohne
Nahrung geblieben seid und nichts zu
euch genommen habt. 34 Darum ermahne
ich euch, etwas zu essen; denn das dient
zu eurer Rettung; [a]es wird keinem von
euch ein Haar vom Haupt fallen. 35 Und
als er das gesagt hatte, nahm er Brot,
[a]dankte Gott vor ihnen allen und brach's
und fing an zu essen. 36 Da wurden sie alle
guten Mutes und nahmen auch Nahrung
zu sich. 37 Wir waren aber alle zusammen
im Schiff zweihundertsechsundsiebzig
Seelen. 38 Und nachdem sie satt geworden
waren, erleichterten sie das Schiff und
warfen das Getreide in das Meer.

39 Als es aber Tag wurde, kannten sie das
Land nicht; einer Bucht aber wurden sie
gewahr, die hatte ein flaches Ufer. Dahin
wollten sie das Schiff treiben lassen, wenn
es möglich wäre. 40 Und sie hieben die An-
ker ab und ließen sie im Meer, banden die
Taue der Steuerruder los, richteten das
Segel nach dem Wind und hielten auf das
Ufer zu. 41 Und als sie auf eine Sandbank
gerieten, ließen sie das Schiff auflaufen
und das Vorderschiff bohrte sich ein und

* **27,14** Griechisch: »Eurakylon«. **27,17** Eine Bucht des Mittelmeers an der nordafrikanischen Küste mit gefährlichen Sandbänken. **27,27** Auch das Mittelmeer zwischen Kreta und Kilikien wurde im Altertum zur Adria gerechnet.

27,24 *a* Kap 9,15; 23,11 **27,26** *a* Kap 28,1
27,34 *a* Mt 10,30 **27,35** *a* Joh 6,11

saß fest, aber das Hinterschiff zerbrach
unter der Gewalt der Wellen.
42 Die Soldaten aber hatten vor, die Ge-
fangenen zu töten, damit niemand fort-
schwimmen und entfliehen könne. 43 Aber
der Hauptmann wollte Paulus am Leben
erhalten und wehrte ihrem Vorhaben und
ließ, die da schwimmen konnten, als Erste
ins Meer springen und sich ans Land ret-
ten, 44 die andern aber einige auf Brettern,
einige auf dem, was noch vom Schiff da
war. Und so geschah es, [a]dass sie alle ge-
rettet ans Land kamen.

AUF DER INSEL MALTA

28 Und als wir gerettet waren, erfuh-
ren wir, dass die Insel Malta hieß.
2 Die Leute da erwiesen uns nicht geringe
Freundlichkeit, zündeten ein Feuer an und
nahmen uns alle auf wegen des Regens,
der über uns gekommen war, und wegen
der Kälte.
3 Als nun Paulus einen Haufen Reisig
zusammenraffte und aufs Feuer legte,
fuhr wegen der Hitze eine Schlange her-
aus und biss sich an seiner Hand fest. 4 Als
aber die Leute das Tier an seiner Hand
hängen sahen, sprachen sie unterein-
ander: Dieser Mensch muss ein Mörder
sein, den die Göttin der Rache nicht leben
lässt, obgleich er dem Meer entkommen
ist. 5 Er aber schlenkerte das Tier ins Feuer,
und [a]es widerfuhr ihm nichts Übles. 6 Sie
aber warteten, dass er anschwellen oder
plötzlich tot umfallen würde. Als sie nun
lange gewartet hatten und sahen, dass
ihm nichts Schlimmes widerfuhr, änder-
ten sie ihre Meinung und sagten, [a]er wäre
ein Gott.
7 In dieser Gegend hatte der angese-
henste Mann der Insel, mit Namen Pu-
blius, Landgüter; der nahm uns auf und
beherbergte uns drei Tage lang freundlich.
8 Es geschah aber, dass der Vater des Pu-
blius am Fieber und an der Ruhr darnie-
derlag. Zu dem ging Paulus hinein und
betete und legte ihm die Hände auf und
machte ihn gesund. 9 Als das geschehen
war, kamen auch die andern Kranken der
Insel herbei und ließen sich gesund ma-
chen. 10 Und sie erwiesen uns große Ehre;
und als wir abfuhren, gaben sie uns mit,
was wir nötig hatten.

VON MALTA NACH ROM

11 Nach drei Monaten aber fuhren wir ab
mit einem Schiff aus Alexandria, das bei
der Insel überwintert hatte und das Zei-
chen der Zwillinge* führte. 12 Und als wir
nach Syrakus kamen, blieben wir drei
Tage da. 13 Von da fuhren wir die Küste
entlang und kamen nach Rhegion; und da
am nächsten Tag der Südwind sich erhob,
kamen wir in zwei Tagen nach Puteoli.
14 Dort fanden wir Brüder und Schwestern
und wurden von ihnen gebeten, dass wir
sieben Tage dablieben. Und so kamen wir
nach Rom. 15 Von dort kamen die Brüder,
die von uns gehört hatten, uns entgegen
bis Forum Appii und Tres-Tabernae. Als
Paulus sie sah, dankte er Gott und gewann
Zuversicht.
16 Als wir nun nach Rom hineinkamen,
[a]wurde Paulus erlaubt, für sich allein zu
wohnen mit dem Soldaten, der ihn be-
wachte.

PAULUS IN ROM

17 Es geschah aber nach drei Tagen, dass
Paulus die Angesehensten der Juden bei
sich zusammenrief. Als sie zusammenge-
kommen waren, sprach er zu ihnen: Ihr
Männer, liebe Brüder, [a]ich habe nichts
getan gegen unser Volk und die Ordnun-
gen der Väter und bin doch als Gefange-
ner aus Jerusalem überantwortet in die
Hände der Römer. 18 Diese wollten mich
losgeben, nachdem sie mich verhört hat-
ten, weil nichts gegen mich vorlag, das den
Tod verdient hätte. 19 Da aber die Juden
widersprachen, war ich genötigt, [a]mich
auf den Kaiser zu berufen, doch nicht,
als hätte ich mein Volk wegen etwas zu
verklagen. 20 Aus diesem Grund habe ich
darum gebeten, dass ich euch sehen und
zu euch sprechen könnte; denn [a]um der
Hoffnung Israels willen trage ich diese
Ketten.
21 Sie aber sprachen zu ihm: Wir haben
deinetwegen weder Briefe aus Judäa emp-
fangen noch ist ein Bruder gekommen,
der über dich etwas Schlechtes berichtet

* **28,11** Gemeint sind die Dioskuren, die Schutzgötter der Seeleute.

27,44 *a* Verse 22-25 **28,5** *a* Mk 16,18; Lk 10,19
28,6 *a* Kap 14,11 **28,16** *a* Kap 27,3 **28,17** *a* Kap 23,1
28,19 *a* Kap 25,11 **28,20** *a* Kap 26,6-7

oder gesagt hätte. 22 Wir wünschen aber
von dir zu hören, was du denkst; denn
von dieser [a]Sekte ist uns bekannt, dass
ihr an allen Enden [b]widersprochen wird.
23 Und als sie ihm einen Tag bestimmt hat-
ten, kamen viele zu ihm in die Herberge.
Da erklärte und bezeugte er ihnen das
Reich Gottes und predigte ihnen von Je-
sus aus dem Gesetz des Mose und aus den
Propheten vom frühen Morgen bis zum
Abend. 24 Die einen ließen sich überzeu-
gen von dem, was er sagte, die andern aber
glaubten nicht.
25 Sie waren aber untereinander uneins
und gingen weg, als Paulus dies eine Wort
gesagt hatte: Mit Recht hat der Heilige
Geist durch den Propheten Jesaja zu euren
Vätern gesprochen (Jesaja 6,9-10): 26 [a]»Geh
hin zu diesem Volk und sprich: Mit den
Ohren werdet ihr's hören und nicht ver-
stehen; und mit Augen werdet ihr's se-
hen und nicht erkennen. 27 Denn das Herz
dieses Volkes ist verfettet, und mit ihren
Ohren hören sie schwer, und ihre Augen
haben sie geschlossen, auf dass sie nicht
sehen mit den Augen und hören mit den
Ohren und verstehen mit dem Herzen
und sich bekehren, und ich sie heile*.«
28 So [a]sei es euch kundgetan, dass den
Heiden dies Heil Gottes gesandt ist;
und sie werden hören.*
30 Paulus aber blieb zwei volle Jahre
in seiner eigenen Wohnung und nahm
alle auf, die zu ihm kamen, 31 predigte
das Reich Gottes und lehrte von dem
Herrn Jesus Christus [a]mit allem Freimut
ungehindert.

* **28,27** Andere Übersetzung: »aber ich werde sie heilen«. **28,28** Vers 29 findet sich erst in der späteren Überlieferung: »Und als er das gesagt hatte, gingen die Juden weg und stritten heftig untereinander.«

28,22 ***a*** Kap 24,14 ***b*** Lk 2,34 **28,26** ***a*** (26-27) Mt 13,14; Mk 4,12; Joh 12,40 **28,28** ***a*** Kap 13,46; Ps 67,3 **28,31** ***a*** Eph 6,20

DER BRIEF DES PAULUS AN DIE RÖMER

PAULUS, APOSTEL DER HEIDEN

1 Paulus, ein Knecht Christi Jesu, berufen zum Apostel, [a]ausgesondert zu predigen das Evangelium Gottes, 2 das er zuvor verheißen hat durch seine Propheten in der Heiligen Schrift,[a] 3 von seinem Sohn, der geboren ist [a]aus dem Geschlecht Davids nach dem Fleisch, 4 [a]der eingesetzt ist als Sohn Gottes in Kraft nach dem Geist, der da heiligt, durch die Auferstehung von den Toten – Jesus Christus, unserm Herrn. 5 Durch ihn haben wir empfangen Gnade und Apostelamt, den [a]Gehorsam des Glaubens um seines Namens willen aufzurichten [b]unter allen Heiden, 6 zu denen auch ihr gehört, die ihr berufen seid von Jesus Christus.

7 An alle Geliebten Gottes und [a]berufenen Heiligen in Rom: Gnade sei mit euch und Friede von Gott, unserm Vater, und dem Herrn Jesus Christus!

DER WUNSCH DES PAULUS, NACH ROM ZU KOMMEN

8 Zuerst [a]danke ich meinem Gott durch Jesus Christus für euch alle, [b]dass man von eurem Glauben in aller Welt spricht. 9 Denn [a]Gott ist mein Zeuge, dem ich in meinem Geist diene durch das Evangelium von seinem Sohn, dass ich [b]ohne Unterlass euer gedenke 10 und allezeit in meinem Gebet flehe, ob sich's wohl einmal fügen möchte durch Gottes Willen, [a]dass ich zu euch komme. 11 Denn mich verlangt danach, euch zu sehen, damit ich euch etwas mitteile an geistlicher Gabe, um euch zu stärken, 12 das ist, dass ich zusammen mit euch getröstet werde durch euren und meinen Glauben, den wir miteinander haben.

13 Ich will euch aber nicht verschweigen, Brüder und Schwestern, [a]dass ich mir oft vorgenommen habe, zu euch zu kommen – wurde aber bisher gehindert –, damit ich auch unter euch Frucht schaffe wie unter andern Heiden. 14 Griechen und Nichtgriechen, Weisen und Nichtweisen bin ich es schuldig; 15 darum, soviel an mir liegt, bin ich willens, auch euch in Rom das Evangelium zu predigen.

DAS EVANGELIUM ALS KRAFT GOTTES

16 Denn [a]**ich schäme mich des Evangeliums nicht; denn es ist eine** [b]**Kraft Gottes, die selig macht* alle, die glauben,** [c]**die Juden zuerst und ebenso die Griechen.** 17 **Denn darin wird offenbart die Gerechtigkeit, die vor Gott gilt,** [a]**welche kommt aus Glauben in Glauben;* wie geschrieben steht** (Habakuk 2,4): **»Der Gerechte wird aus Glauben leben.«**

DIE GOTTLOSIGKEIT DER HEIDEN

18 Denn Gottes Zorn wird vom Himmel her offenbart über alles gottlose Leben und alle Ungerechtigkeit der Menschen, die die Wahrheit durch Ungerechtigkeit niederhalten. 19 Denn [a]was man von Gott erkennen kann, ist unter ihnen offenbar; denn Gott hat es ihnen offenbart. 20 Denn sein unsichtbares Wesen – das ist seine ewige Kraft und Gottheit – wird seit der Schöpfung der Welt, wenn man es wahrnimmt, ersehen [a]an seinen Werken, sodass sie keine Entschuldigung haben. 21 Denn obwohl sie von Gott wussten, haben sie ihn nicht als Gott gepriesen

* **1,16** Andere Übersetzung: »eine Kraft Gottes zur Rettung«. **1,17** Wörtlich: »Denn die Gerechtigkeit Gottes wird in ihm offenbart aus Glauben zum Glauben« (vgl. 3,21); siehe Sach- und Worterklärungen zu »Gerechtigkeit Gottes«.

1,1 ***a*** Apg 9,15; 13,2; Gal 1,15 **1,2** ***a*** Kap 16,25-26; Lk 1,70; Tit 1,2 **1,3** ***a*** Kap 9,5; 2. Sam 7,12; Mt 22,42; Joh 7,42 **1,4** ***a*** Apg 13,33 **1,5** ***a*** Kap 15,18 ***b*** Apg 26,16-18; Gal 2,7.9 **1,7** ***a*** 1. Kor 1,2; Eph 1,1 **1,8** ***a*** 1. Kor 1,4 ***b*** Kap 16,19 **1,9** ***a*** 2. Kor 1,23; Phil 1,8; 1. Thess 2,5 ***b*** Eph 1,16; 1. Thess 1,2-3 **1,10** ***a*** Kap 15,23.32; Apg 19,21 **1,13** ***a*** Kap 15,22 **1,16** ***a*** Ps 119,46; 2. Tim 1,8 ***b*** 1. Kor 1,18.24 ***c*** Kap 2,10; Apg 13,46 **1,17** ***a*** Kap 3,21-22; Gal 3,11; Hebr 10,38 **1,19** ***a*** Apg 14,15-17; 17,24-28 **1,20** ***a*** Ps 8,4; 19,2

noch ihm gedankt, sondern sind dem
Nichtigen verfallen in ihren Gedanken,
und [a]ihr unverständiges Herz ist verfins-
tert. 22 Die sich für Weise hielten, sind zu
[a]Narren geworden 23 und haben die Herr-
lichkeit des unvergänglichen Gottes ver-
tauscht mit einem Bild gleich dem eines
vergänglichen Menschen und der Vögel
und der vierfüßigen und der kriechenden
Tiere.[a]

24 Darum hat Gott sie in den Begierden
ihrer Herzen dahingegeben in die Unrein-
heit, sodass sie ihre Leiber selbst entehren.
25 Sie haben Gottes Wahrheit in Lüge ver-
kehrt und das Geschöpf verehrt und ihm
gedient statt dem Schöpfer, der gelobt ist
in Ewigkeit. Amen.

26 Darum hat sie Gott dahingegeben in
schändliche Leidenschaften; denn bei ih-
nen haben Frauen den natürlichen Verkehr
vertauscht mit dem widernatürlichen;
27 desgleichen haben auch [a]die Männer den
natürlichen Verkehr mit der Frau verlas-
sen und sind in Begierde zueinander ent-
brannt und haben Männer mit Männern
Schande über sich gebracht und den Lohn
für ihre Verirrung, wie es ja sein musste,
an sich selbst empfangen.

28 Und wie sie es für nichts geachtet
haben, Gott zu erkennen, hat sie Gott
dahingegeben in verkehrten Sinn, sodass
sie tun, was nicht recht ist, 29 voll von al-
ler Ungerechtigkeit, Schlechtigkeit, Hab-
gier, Bosheit, voll Neid, Mord, Hader, List,
Niedertracht; Ohrenbläser, 30 Verleum-
der, Gottesverächter, Frevler, hochmütig,
prahlerisch, erfinderisch im Bösen, den
Eltern ungehorsam, 31 unvernünftig, treu-
los, lieblos, unbarmherzig. 32 Sie wissen,
dass nach Gottes Recht den Tod verdie-
nen, die solches tun; aber sie tun es nicht
nur selbst, sondern haben auch Gefallen
an denen, die es tun.

DAS GERICHT ÜBER ALLE MENSCHEN

2 Darum, o Mensch, kannst du dich nicht
entschuldigen, wer du auch bist, der du
richtest. Denn [a]worin du den andern rich-
test, verdammst du dich selbst, weil du
ebendasselbe tust, was du richtest. 2 Wir
wissen aber, dass Gottes Urteil zu Recht
über die ergeht, die solches tun. 3 Denkst
du aber, o Mensch, der du die richtest, die
solches tun, und tust auch dasselbe, dass
du dem Urteil Gottes entrinnen wirst?
4 Oder verachtest du den Reichtum seiner
Güte, [a]Geduld und Langmut? **Weißt du
nicht, dass dich Gottes Güte zur Buße
leitet?**

5 Du aber, mit deinem verstockten und
unbußfertigen Herzen, häufst dir selbst
Zorn an für den Tag des Zorns und der
Offenbarung des gerechten Gerichtes
Gottes, 6 [a]der einem jeden geben wird
nach seinen Werken: 7 ewiges Leben de-
nen, die in aller Geduld mit guten Werken
trachten nach Herrlichkeit, Ehre und un-
vergänglichem Leben; 8 Zorn und Grimm
aber denen, die streitsüchtig sind und der
Wahrheit nicht gehorchen, gehorchen
aber der Ungerechtigkeit;[a] 9 Trübsal und
Angst über alle Seelen der Menschen, die
das Böse tun, zuerst der Juden und auch
der Griechen; 10 Herrlichkeit aber und
Ehre und Frieden allen denen, die das
Gute tun, zuerst [a]den Juden und ebenso
den Griechen.

11 Denn [a]es ist kein Ansehen der Person
vor Gott. 12 Alle, die ohne Gesetz gesün-
digt haben, werden auch ohne Gesetz
verloren gehen; und alle, die unter dem
Gesetz gesündigt haben, werden durchs
Gesetz verurteilt werden. 13 Denn vor
Gott sind nicht gerecht, die das Gesetz hö-
ren, sondern [a]die das Gesetz tun, werden
gerecht sein*. 14 Denn wenn Heiden, die
das Gesetz nicht haben, doch [a]von Natur
aus tun, was das Gesetz fordert, so sind
sie, obwohl sie das Gesetz nicht haben,
sich selbst Gesetz. 15 Sie beweisen damit,
dass des Gesetzes Werk in ihr Herz ge-
schrieben ist; ihr Gewissen bezeugt es
ihnen, dazu auch die Gedanken, die ein-
ander anklagen oder auch entschuldigen,[a]
16 an dem Tag, [a]an dem Gott das Verbor-
gene der Menschen durch Christus Jesus
richtet, wie es mein Evangelium bezeugt.

* **2,13** Wörtlich: »gerecht gemacht werden«.

1,21 ***a*** Eph 4,18 **1,22** ***a*** 1. Kor 1,20 **1,23** ***a*** 2. Mose 20,4; 5. Mose 4,15-19; Ps 106,19-20; Jer 2,11
1,27 ***a*** 3. Mose 18,22; 20,13; 1. Kor 6,9 **2,1** ***a*** Mt 7,2; Joh 8,7; Jak 4,12 **2,4** ***a*** 2. Petr 3,9.15 **2,6** ***a*** Spr 24,12; Ps 62,13; Jer 32,19; Mt 16,27; 2. Kor 5,10
2,8 ***a*** 2. Thess 1,8 **2,10** ***a*** Kap 1,16 **2,11** ***a*** 2. Chr 19,7; Apg 10,34; Kol 3,25; 1. Petr 1,17 **2,13** ***a*** 5. Mose 6,25; Mt 7,21; Jak 1,22 **2,14** ***a*** Apg 10,35 **2,15** ***a*** Kap 1,32
2,16 ***a*** Lk 8,17

FRAGEN AN DIE JUDEN

17 Wenn du dich aber Jude nennst und
verlässt dich aufs Gesetz und rühmst
[a]dich Gottes 18 und kennst seinen Wil-
len und prüfst, weil du aus dem Gesetz
unterrichtet bist, was das Beste sei, 19 und
maßt dir an, ein Leiter der Blinden zu
sein, ein Licht derer, die in Finsternis
sind,[a] 20 ein Erzieher der Unverständi-
gen, ein Lehrer der Unmündigen, der im
Gesetz die Gestalt der Erkenntnis und
Wahrheit hat – 21 du lehrst nun andere
und lehrst dich selber nicht? Du predigst,
man solle nicht stehlen, und du stiehlst?[a]
22 Du sprichst, man solle nicht ehebre-
chen, und du brichst die Ehe? Du verab-
scheust die Götzen und beraubst Tempel?
23 Du rühmst dich des Gesetzes und ent-
ehrst Gott durch Übertretung des Geset-
zes? 24 Denn »euretwegen wird Gottes
Name gelästert unter den Völkern«, wie
geschrieben steht (Jesaja 52,5).

25 Die Beschneidung nützt etwas, wenn
du das Gesetz hältst; hältst du aber das
Gesetz nicht, so bist du aus einem Be-
schnittenen schon ein Unbeschnitte-
ner geworden.[a] 26 Wenn nun der Unbe-
schnittene hält, was nach dem Gesetz
recht ist, meinst du nicht, dass dann der
Unbeschnittene vor Gott als Beschnitte-
ner gilt?[a] 27 Und so wird der, der von Na-
tur aus unbeschnitten ist und das Gesetz
erfüllt, dir ein Richter sein, der du unter
dem Buchstaben stehst und beschnitten
bist und das Gesetz übertrittst. 28 [a]Denn
nicht der ist ein Jude, der es äußerlich ist,
auch ist nicht das die Beschneidung, die
äußerlich am Fleisch geschieht; 29 sondern
der ist ein Jude, der es inwendig verborgen
ist, und [a]die Beschneidung des Herzens
ist eine Beschneidung, die im Geist und
nicht im Buchstaben geschieht. Dessen
Lob kommt nicht von Menschen, sondern
von Gott.

GOTTES TREUE

3 Was haben dann die Juden für einen
Vorzug, oder was nützt die Beschnei-
dung? 2 Viel in jeder Weise! Vor allem: Ih-
nen ist anvertraut, was Gott geredet hat.[a]
3 Was nun? Wenn einige untreu wurden,
[a]hebt dann ihre Untreue die Treue Gottes
auf? 4 Das sei ferne! Es bleibe vielmehr so:
Gott ist wahrhaftig, und [a]alle Menschen
sind Lügner; wie geschrieben steht (Psalm
51,6): »Damit du recht behältst in deinen
Worten und siegst, wenn man mit dir
rechtet.«

5 Ist's aber so, dass unsre Ungerechtigkeit
Gottes Gerechtigkeit erweist, was sollen
wir sagen? Ist Gott dann nicht ungerecht,
wenn er zürnt? – Ich rede nach Menschen-
weise. – 6 Das sei ferne! Wie könnte sonst
Gott die Welt richten? 7 Wenn aber die
Wahrheit Gottes durch meine Lüge herr-
licher wurde zu seiner Ehre, warum sollte
ich dann noch als ein Sünder gerichtet
werden? 8 Und ist es etwa so, wie wir ver-
lästert werden und einige behaupten, dass
wir sagen: [a]Lasst uns Böses tun, damit
Gutes daraus komme? Deren Verdamm-
nis geschieht zu Recht.

DIE SÜNDE ALLER VOR GOTT

9 Was sagen wir denn nun? Haben wir
einen Vorzug? Gar keinen. Denn [a]wir
haben soeben bewiesen, dass alle, Ju-
den wie Griechen, unter der Sünde sind,
10 wie geschrieben steht: »Da ist keiner,
der gerecht ist, auch nicht einer. 11 Da ist
keiner, der verständig ist; da ist keiner, der
nach Gott fragt. 12 Alle sind sie abgewi-
chen und allesamt verdorben. Da ist kei-
ner, der Gutes tut, auch nicht einer (Psalm
14,1-3). 13 Ihr Rachen ist ein offenes Grab;
mit ihren Zungen betrügen sie (Psalm 5,10),
Otterngift ist unter ihren Lippen (Psalm
140,4); 14 ihr Mund ist voll Fluchens und
Bitterkeit (Psalm 10,7). 15 Ihre Füße eilen,
Blut zu vergießen; 16 auf ihren Wegen ist
lauter Zerstörung und Elend, 17 und [a]den
Weg des Friedens kennen sie nicht (Jesaja
59,7-8). 18 Es ist keine Gottesfurcht bei ih-
nen (Psalm 36,2).«

19 Wir wissen aber: Was das Gesetz sagt,
das sagt es denen, die unter dem Gesetz
sind, auf dass jeder Mund gestopft wer-
de und [a]alle Welt vor Gott schuldig sei.
20 Denn durch des Gesetzes Werke wird

2,17 *a* Jer 9,22-23; 1. Kor 1,31 **2,19** *a* Mt 15,14
2,21 *a* Mt 23,3-4 **2,25** *a* 1. Kor 7,19; Gal 5,3
2,26 *a* 3. Mose 18,5; 5. Mose 30,16; Gal 5,6
2,28 *a* (28-29) Jer 4,4 **2,29** *a* 5. Mose 30,6; Phil 3,3; Kol 2,11 **3,2** *a* Kap 9,4; 5. Mose 4,7-8; Ps 147,19-20
3,3 *a* Kap 9,6; 11,29; 2. Tim 2,13 **3,4** *a* Ps 116,11
3,8 *a* Kap 6,1 **3,9** *a* Kap 1,18–2,24 **3,17** *a* Lk 1,79
3,19 *a* Kap 2,12; Gal 3,22

[a]kein Mensch vor ihm gerecht sein. Denn
[b]durch das Gesetz kommt Erkenntnis der
Sünde.

DIE RECHTFERTIGUNG ALLEIN DURCH GLAUBEN

21 Nun aber ist ohne Zutun des Gesetzes
die Gerechtigkeit, die vor Gott gilt*, of-
fenbart, bezeugt durch das Gesetz und
die Propheten.[a] 22 Ich rede aber von der
Gerechtigkeit vor Gott, [a]die da kommt
durch den Glauben an Jesus Christus zu
allen, die glauben.

Denn **es ist hier kein Unterschied:**
23 Sie sind allesamt Sünder und erman-
geln des Ruhmes, den sie vor Gott ha-
ben sollen,* 24 und werden ohne Ver-
dienst gerecht aus seiner Gnade durch
die Erlösung, die durch Christus Jesus
geschehen ist.[a]

25 Den hat Gott für den Glauben hin-
gestellt zur [a]Sühne* in seinem Blut zum
Erweis seiner Gerechtigkeit, indem er die
Sünden vergibt, die früher begangen wur-
den 26 in der Zeit der Geduld Gottes, um
nun, in dieser Zeit, seine Gerechtigkeit
zu erweisen, auf dass er allein gerecht sei
und gerecht mache den, der da ist aus dem
Glauben an Jesus.

27 Wo bleibt nun [a]das Rühmen? Es ist
ausgeschlossen. Durch welches Gesetz?
Durch das Gesetz der Werke? Nein, son-
dern durch das Gesetz des Glaubens. **28 So**
halten wir nun dafür, dass der Mensch
gerecht wird ohne des Gesetzes Werke,
allein durch den Glauben*.[a] 29 Oder ist
Gott allein der Gott der Juden? Ist er nicht
auch der Gott der Heiden? Ja gewiss, auch
der Heiden.[a] 30 Denn es ist der [a]eine Gott,
[b]der gerecht macht die Juden aus dem
Glauben und die Heiden durch den Glau-
ben. 31 Wie? Heben wir das Gesetz auf
durch den Glauben? Das sei ferne! Son-
dern [a]wir richten das Gesetz auf.

DER GLAUBE ABRAHAMS

4 Was sagen wir denn von Abraham, un-
serm leiblichen Stammvater? Was hat
er erlangt? 2 Das sagen wir: Ist Abraham
durch Werke gerecht, so kann er sich wohl
rühmen, aber nicht vor Gott. 3 Denn was
sagt die Schrift? [a]**»Abraham hat Gott**
geglaubt, und das wurde ihm zur Ge-
rechtigkeit gerechnet.« (1. Mose 15,6) 4 Dem
aber, der mit Werken umgeht, wird der
Lohn nicht aus Gnade zugerechnet, son-
dern weil er ihm zusteht.[a] **5 Dem aber,**
der nicht mit Werken umgeht, aber an
den glaubt, der den Gottlosen gerecht
macht, dem wird sein Glaube gerech-
net zur Gerechtigkeit.

6 Wie ja auch David den Menschen se-
ligpreist, dem Gott zurechnet die Gerech-
tigkeit ohne Zutun der Werke (Psalm 32,1-2):
7 »Selig sind die, denen die Ungerechtig-
keiten vergeben und denen die Sünden
bedeckt sind! 8 Selig ist der Mann, dem der
Herr die Sünde nicht zurechnet!«

9 Diese Seligpreisung nun, gilt sie den
Beschnittenen oder auch den Unbeschnit-
tenen? Wir sagen doch: »Abraham wurde
sein Glaube zur Gerechtigkeit gerechnet.«
10 Wie wurde er ihm denn zugerechnet?
Als er beschnitten oder als er unbeschnit-
ten war? Ohne Zweifel nicht, als er be-
schnitten, sondern als er unbeschnitten
war! 11 Das Zeichen der Beschneidung
aber empfing er [a]als Siegel der Gerech-
tigkeit des Glaubens, den er hatte, als er
noch nicht beschnitten war. So sollte er
ein Vater werden aller, die glauben, ohne
beschnitten zu sein, damit auch ihnen die
Gerechtigkeit zugerechnet werde; 12 und
ebenso ein Vater der Beschnittenen, wenn
sie nicht nur beschnitten sind, sondern
auch gehen in den Fußstapfen des Glau-
bens, den [a]unser Vater Abraham hatte, als
er noch nicht beschnitten war.

13 Denn die Verheißung, dass er der Erbe
der Welt sein sollte, ist Abraham oder sei-
nen Nachkommen nicht zuteilgeworden
durchs Gesetz, sondern durch die Ge-
rechtigkeit des Glaubens.[a] 14 Denn wenn

* **3,21** Wörtlich: »die Gerechtigkeit Gottes«.
3,23 Andere Übersetzung: »ermangeln der Herrlichkeit, die Gott ihnen gab«. **3,25** Luther übersetzte: »zu einem Gnadenstuhl«; siehe Sach- und Worterklärungen zu »Sühne« und »Gnadenstuhl«.
3,28 Wörtlich: »dass der Mensch aus Glauben gerechtfertigt wird, ohne Werke des Gesetzes«.

3,20 ***a*** Ps 143,2; Gal 2,16 ***b*** Kap 7,7 **3,21** ***a*** Kap 1,17; Apg 10,43 **3,22** ***a*** Phil 3,9 **3,24** ***a*** Kap 5,1; 2. Kor 5,19; Eph 2,8; Tit 3,7 **3,25** ***a*** 3. Mose 16,12-15; Mt 26,28; Kol 1,20; Hebr 9,5.26-28 **3,27** ***a*** 1. Kor 1,29.31 **3,28** ***a*** Gal 2,16 **3,29** ***a*** Kap 10,12 **3,30** ***a*** 5. Mose 6,4; 1. Kor 8,6 ***b*** Kap 4,11-12 **3,31** ***a*** Mt 5,17 **4,3** ***a*** Gal 3,6; Jak 2,23 **4,4** ***a*** Kap 11,6 **4,11** ***a*** 1. Mose 17,10-11 **4,12** ***a*** Mt 3,9 **4,13** ***a*** 1. Mose 22,17-18

jene, die aus dem Gesetz leben, Erben
sind, dann ist der Glaube nichts, und die
Verheißung ist dahin. 15 Denn das Gesetz
richtet Zorn an; [a]wo aber das Gesetz nicht
ist, da ist auch keine Übertretung. 16 Des-
halb muss die Gerechtigkeit durch den
Glauben kommen, damit sie aus Gnaden
sei und die Verheißung festbleibe für alle
Nachkommen, nicht allein für die, die aus
dem Gesetz leben, sondern auch für die,
die aus Abrahams Glauben leben.

Der ist unser aller Vater – 17 wie geschrie-
ben steht (1. Mose 17,5): »Ich habe dich gesetzt
zum Vater vieler Völker« – vor Gott, dem
er geglaubt hat, der [a]die Toten lebendig
macht und ruft das, was nicht ist, dass es
sei. 18 Wo keine Hoffnung war, hat er auf
Hoffnung hin geglaubt, auf dass er der Va-
ter vieler Völker werde, wie zu ihm gesagt
ist (1. Mose 15,5): »So zahlreich sollen deine
Nachkommen sein.« 19 Und er wurde nicht
schwach im Glauben, als er auf seinen
eigenen Leib sah, der schon erstorben
war, weil er fast hundertjährig war, und
auf den erstorbenen Mutterschoß der
Sara.[a] 20 Er zweifelte nicht an der Verhei-
ßung Gottes durch Unglauben, sondern
wurde stark im Glauben und gab Gott die
Ehre 21 und wusste aufs Allergewisseste:
[a]Was Gott verheißt, das kann er auch tun.
22 Darum wurde es ihm auch »zur Gerech-
tigkeit gerechnet« (1. Mose 15,6). 23 Nicht nur
um seinetwillen steht aber geschrieben:
»Es wurde ihm zugerechnet«, 24 sondern
auch um unsertwillen, denen es zuge-
rechnet werden soll, die wir glauben an
den, der unsern Herrn Jesus auferweckt
hat von den Toten, 25 [a]**welcher ist um
unsrer Sünden willen dahingegeben
und um unsrer Rechtfertigung willen
auferweckt.**

FRIEDE MIT GOTT

5 **Da wir nun [a]gerecht* geworden sind
durch den Glauben, haben wir [b]Frie-
den mit Gott durch unsern Herrn Jesus
Christus.** 2 Durch ihn haben wir auch [a]den
Zugang im Glauben zu dieser Gnade, in
der wir stehen, und rühmen uns der [b]Hoff-
nung auf die Herrlichkeit, die Gott geben
wird. 3 Nicht allein aber das, sondern [a]wir
rühmen uns auch der Bedrängnisse, weil
**wir wissen, dass Bedrängnis Geduld
bringt, 4 Geduld aber Bewährung, Be-
währung aber Hoffnung, 5 [a]Hoffnung
aber lässt nicht zuschanden werden;
denn die Liebe Gottes ist ausgegossen
in unsre Herzen durch den Heiligen
Geist, der uns gegeben ist.**

6 Denn Christus ist schon zu der Zeit, als
wir noch schwach waren, für uns Gottlo-
se gestorben. 7 Nun stirbt kaum jemand
um eines Gerechten willen; um des Gu-
ten willen wagt er vielleicht sein Leben.
8 **Gott aber erweist seine Liebe zu uns
darin, dass Christus für uns gestorben
ist, als wir noch Sünder waren.**[a] 9 Um
wie viel mehr werden wir nun durch ihn
gerettet werden vor dem [a]Zorn, nachdem
wir jetzt durch sein Blut gerecht geworden
sind. 10 Denn wenn wir [a]mit Gott versöhnt
worden sind durch den Tod seines Soh-
nes, als wir noch [b]Feinde waren, um wie
viel mehr werden wir selig werden durch
sein Leben, nachdem wir nun versöhnt
sind. 11 Nicht allein aber das, sondern [a]wir
rühmen uns auch Gottes durch unsern
Herrn Jesus Christus, durch den wir jetzt
die Versöhnung empfangen haben.

ADAM UND CHRISTUS

12 Deshalb, wie durch *einen* Menschen [a]die
Sünde in die Welt gekommen ist und [b]der
Tod durch die Sünde, so ist der Tod zu al-
len Menschen durchgedrungen, weil sie
alle gesündigt haben. 13 Denn die Sünde
war wohl in der Welt, ehe das Gesetz kam;
aber [a]wo kein Gesetz ist, da wird Sünde
nicht angerechnet. 14 Dennoch herrschte
der Tod von Adam bis Mose auch über die,
die nicht gesündigt hatten durch die glei-
che Übertretung wie Adam, welcher ist
ein Bild dessen, der kommen sollte.

15 Aber nicht verhält sich's mit der Gna-
dengabe wie mit der Sünde. Denn wenn
durch die Sünde des Einen die Vielen

* **5,1** So Luther 1545. 1522 übersetzte er: »gerecht-
fertigt«.

4,15 ***a*** Kap 3,20; 5,13; 7,8.10 **4,17** ***a*** 2. Kor 1,9; Hebr 11,19
4,19 ***a*** 1. Mose 17,17 **4,21** ***a*** Hebr 11,11
4,25 ***a*** Kap 8,32.34; Jes 53,4-6 **5,1** ***a*** Kap 3,24.28;
Gal 2,16 ***b*** Jes 53,5 **5,2** ***a*** Joh 14,6; Eph 3,12 ***b*** Kol 1,27
5,3 ***a*** Jak 1,2-3 **5,5** ***a*** Ps 22,6; 25,3.20 **5,8** ***a*** Joh 3,16;
1. Tim 1,15; 1. Joh 4,10 **5,9** ***a*** Kap 1,18; 2,5.8
5,10 ***a*** 2. Kor 5,18 ***b*** Kap 8,7; Kol 1,21 **5,11** ***a*** 1. Kor 1,31
5,12 ***a*** 1. Mose 3,1-19 ***b*** Kap 6,23; 1. Mose 2,17
5,13 ***a*** Kap 4,15

gestorben sind, um wie viel mehr ist Got-
tes Gnade und Gabe den Vielen überreich
zuteilgeworden in der Gnade des einen
Menschen Jesus Christus. 16 Und nicht
verhält es sich mit der Gabe wie mit dem,
was durch den einen Sünder geschehen
ist. Denn das Urteil hat von dem Einen her
zur Verdammnis geführt, die Gnade aber
hilft aus vielen Sünden zur Gerechtigkeit.
17 Denn wenn wegen der Sünde des Einen
der Tod geherrscht hat durch den Einen,
um wie viel mehr werden die, welche die
Fülle der Gnade und der Gabe der Gerech-
tigkeit empfangen, herrschen im Leben
durch den Einen, Jesus Christus.

18 **Wie nun durch die Sünde des Einen
die Verdammnis über alle Menschen
gekommen ist, so ist auch durch die
Gerechtigkeit des Einen für alle Men-
schen die Rechtfertigung gekommen,
die zum Leben führt.**[a] 19 Denn wie durch
den Ungehorsam des einen Menschen die
Vielen zu Sündern geworden sind, so
[a]werden auch durch den Gehorsam des
Einen die Vielen zu Gerechten.

20 [a]Das Gesetz aber ist hinzugekommen,
auf dass die Sünde mächtiger würde. Wo
aber die Sünde mächtig geworden ist, da
ist die Gnade noch viel mächtiger gewor-
den, 21 damit, wie die Sünde geherrscht hat
durch den Tod, [a]so auch die Gnade herr-
sche durch die Gerechtigkeit zum ewi-
gen Leben durch Jesus Christus, unsern
Herrn.

TAUFE UND NEUES LEBEN

6 Was wollen wir hierzu sagen? Sollen
wir denn in der Sünde beharren, damit
die Gnade umso mächtiger werde?[a] 2 Das
sei ferne! Wir sind doch der Sünde gestor-
ben. Wie können wir noch in ihr leben?
3 Oder **wisst ihr nicht, dass alle, die wir
[a]auf Christus Jesus getauft sind, die
sind in seinen Tod getauft? 4 So sind wir
ja mit ihm begraben durch die Taufe in
den Tod, auf dass, wie Christus auf-
erweckt ist von den Toten durch die
Herrlichkeit des Vaters, so auch wir [a]in
einem neuen Leben wandeln.**[b]

5 Denn wenn wir mit ihm zusammen-
gewachsen sind, ihm gleich geworden in
seinem Tod, so werden wir ihm auch in
der Auferstehung gleich sein. 6 Wir wis-
sen ja, dass [a]unser alter Mensch mit ihm
gekreuzigt ist, damit der Leib der Sünde
vernichtet werde, sodass wir hinfort der
Sünde nicht dienen. 7 Denn wer gestorben
ist, der ist frei geworden von der Sünde.
8 Sind wir aber mit Christus gestorben, so
glauben wir, dass wir auch mit ihm leben
werden, 9 und wissen, dass Christus, von
den Toten erweckt, hinfort nicht stirbt;
der Tod wird hinfort nicht über ihn herr-
schen. 10 Denn was er gestorben ist, das ist
er der Sünde gestorben [a]ein für alle Mal;
was er aber lebt, das lebt er Gott. 11 So auch
ihr: Haltet euch für Menschen, die der
Sünde gestorben sind und für Gott leben
in Christus Jesus.[a]

12 So lasst nun die Sünde nicht herrschen
in eurem sterblichen Leibe, und leistet sei-
nen Begierden keinen Gehorsam.[a] 13 Auch
gebt nicht der Sünde eure Glieder hin
als Waffen der Ungerechtigkeit, sondern
[a]gebt euch selbst Gott hin als solche, die
tot waren und nun lebendig sind, und
eure Glieder Gott als [b]Waffen der Ge-
rechtigkeit. 14 Denn die Sünde wird nicht
herrschen über euch, weil ihr ja nicht un-
ter dem Gesetz seid, sondern unter der
Gnade.

15 Wie nun? Sollen wir sündigen, weil
wir nicht unter dem Gesetz, sondern unter
der Gnade sind? Das sei ferne! 16 Wisst ihr
nicht? Wem ihr euch zu Knechten macht,
um ihm zu gehorchen, dessen Knechte
seid ihr und dem gehorcht ihr – entwe-
der als Knechte der Sünde zum Tode oder
als Knechte des Gehorsams zur Gerech-
tigkeit.[a] 17 Gott sei aber gedankt: Ihr seid
Knechte der Sünde gewesen, aber nun von
Herzen gehorsam geworden der Gestalt
der Lehre, an die ihr übergeben wurdet.
18 Denn indem ihr nun [a]frei geworden seid
von der Sünde, seid ihr Knechte geworden
der Gerechtigkeit.

19 Ich muss menschlich davon reden um
der Schwachheit eures Fleisches willen:
Wie ihr eure Glieder hingegeben hattet an

5,18 *a* 1. Kor 15,21-22 **5,19** *a* Kap 3,25-26; Jes 53,11
5,20 *a* Kap 7,8.13; Gal 3,19 **5,21** *a* Kap 6,23
6,1 *a* Kap 3,5-8 **6,3** *a* Gal 3,27 **6,4** *a* 2. Kor 5,17
b Kol 2,12 **6,6** *a* Gal 5,24 **6,10** *a* Hebr 9,26-28
6,11 *a* 2. Kor 5,15; Gal 2,19 **6,12** *a* 1. Mose 4,7
6,13 *a* Kap 12,1 *b* Kap 13,12 **6,16** *a* Joh 8,34
6,18 *a* Joh 8,32.36

den Dienst der Unreinheit und Ungerech-
tigkeit zu immer neuer Ungerechtigkeit,
so gebt nun eure Glieder hin an den Dienst
der Gerechtigkeit, dass sie heilig werden.
20 Denn als ihr Knechte der Sünde wart, da
wart ihr frei von der Gerechtigkeit. 21 Was
hattet ihr nun damals für Frucht? Früchte,
derer ihr euch jetzt schämt; denn ihr Ende
ist der [a]Tod. 22 Nun aber, da ihr von der
Sünde frei und Gottes Knechte gewor-
den seid, habt ihr darin eure Frucht, dass
ihr heilig werdet; das Ende aber ist das
ewige Leben. 23 Denn [a]**der Sünde Sold
ist der Tod; die Gabe Gottes aber ist das
ewige Leben in Christus Jesus, unserm
Herrn.**

FREIHEIT VOM GESETZ

7 Wisst ihr nicht, Brüder und Schwes-
tern – denn ich rede mit denen, die
das Gesetz kennen –, dass das Gesetz nur
herrscht über den Menschen, solange er
lebt? 2 Denn [a]eine Ehefrau ist an ihren
Mann gebunden durch das Gesetz, solan-
ge der Mann lebt; wenn aber der Mann
stirbt, so ist sie frei von dem Gesetz, das
sie an den Mann bindet. 3 Wenn sie nun
bei einem andern Mann ist, solange ihr
Mann lebt, wird sie eine Ehebrecherin
genannt; wenn aber ihr Mann stirbt, ist
sie frei vom Gesetz, sodass sie keine Ehe-
brecherin ist, wenn sie bei einem andern
Mann ist. 4 Also seid auch ihr, meine Brü-
der und Schwestern, dem Gesetz getötet
durch den Leib Christi, sodass ihr einem
andern angehört, nämlich dem, der von
den Toten auferweckt ist, damit wir Gott
Frucht bringen.

5 Denn als wir im Fleisch waren, da
waren die sündigen Leidenschaften, die
durchs Gesetz geweckt wurden, kräftig in
unsern Gliedern, sodass wir [a]dem Tode
Frucht brachten. 6 Nun aber sind wir [a]vom
Gesetz frei geworden und dem gestorben,
was uns gefangen hielt, sodass wir dienen
[b]im neuen Wesen des Geistes und nicht
im alten Wesen des Buchstabens.

DER MENSCH UNTER DEM GESETZ

7 Was wollen wir hierzu sagen? Ist das
Gesetz Sünde? Das sei ferne! Aber die
Sünde erkannte ich nicht außer durchs
Gesetz. Denn ich wüsste nichts von der
Begierde, wenn das Gesetz nicht gesagt
hätte (2. Mose 20,17): »Du sollst nicht begeh-
ren!« 8 Die Sünde aber nahm das Gebot
zum Anlass und erregte in mir Begier-
den jeder Art; denn [a]ohne das Gesetz war
die Sünde tot. 9 Ich lebte einst ohne Ge-
setz; als aber das Gebot kam, wurde die
Sünde lebendig, 10 ich aber starb. Und so
fand sich's, [a]dass das Gebot mir den Tod
brachte, das doch zum Leben gegeben
war. 11 Denn die Sünde nahm das Gebot
zum Anlass und [a]betrog mich und töte-
te mich durch das Gebot. 12 So ist also das
Gesetz heilig, und das Gebot ist heilig,
gerecht und gut.[a] 13 Ist dann, was doch
gut ist, mir zum Tod geworden? Das sei
ferne! Sondern die Sünde, [a]auf dass sie als
Sünde sichtbar werde, hat mir durch das
Gute den Tod gebracht, auf dass die Sünde
über alle Maßen sündig werde durchs
Gebot.

14 Denn wir wissen, dass das Gesetz
geistlich ist; ich aber bin fleischlich, un-
ter die Sünde verkauft. 15 Denn ich weiß
nicht, was ich tue. Denn ich tue nicht,
was ich will; sondern was ich hasse, das
tue ich. 16 Wenn ich aber das tue, was
ich nicht will, stimme ich dem Gesetz
zu, dass es gut ist. 17 So tue ich das nicht
mehr selbst, sondern die Sünde, die in
mir wohnt. 18 Denn ich weiß, dass in mir,
das heißt in meinem Fleisch*, [a]nichts Gu-
tes wohnt. **Wollen habe ich wohl, aber
das Gute vollbringen kann ich nicht.**
19 **Denn das Gute, das ich will, das tue
ich nicht; sondern das Böse, das ich
nicht will, das tue ich.** 20 Wenn ich aber
tue, was ich nicht will, vollbringe nicht
mehr ich es, sondern die Sünde, die in mir
wohnt.

21 So finde ich nun das Gesetz: Mir, der
ich das Gute tun will, hängt das Böse an.
22 Denn ich habe Freude an Gottes Gesetz
nach dem [a]inwendigen Menschen. 23 Ich
sehe aber ein anderes Gesetz in meinen
Gliedern, das widerstreitet dem Gesetz in

* **7,18** Siehe Sach- und Worterklärungen; vgl. auch Kap 7,25; 8,3-9.

6,21 ***a*** Kap 8,6.13 **6,23** ***a*** Kap 5,12; 1. Mose 2,17; Jak 1,15 **7,2** ***a*** 1. Kor 7,39 **7,5** ***a*** Kap 6,21 **7,6** ***a*** Kap 8,1-2 ***b*** Kap 6,2.4; 2. Kor 3,6 **7,8** ***a*** Kap 5,13; 1. Kor 15,56 **7,10** ***a*** 3. Mose 18,5 **7,11** ***a*** Hebr 3,13 **7,12** ***a*** 1. Tim 1,8 **7,13** ***a*** Kap 5,20 **7,18** ***a*** 1. Mose 6,5; 8,21 **7,22** ***a*** Eph 3,16

meinem Verstand und hält mich gefangen
im Gesetz der Sünde, das in meinen Glie-
dern ist.[a] 24 **Ich elender Mensch! Wer**
wird mich erlösen von diesem Leib des
Todes? 25 [a]**Dank sei Gott durch Jesus**
Christus, unsern Herrn!

So diene ich nun mit dem Verstand dem
Gesetz Gottes, aber mit dem Fleisch dem
Gesetz der Sünde.

DAS NEUE LEBEN IM GEIST

8 **So gibt es nun keine Verdammnis**
für die, die in Christus Jesus sind.[a]
2 Denn das Gesetz des Geistes, der le-
bendig macht in Christus Jesus, hat dich
frei gemacht von dem Gesetz der Sünde
und des Todes. 3 Denn was [a]dem Gesetz
unmöglich war, weil es durch das Fleisch
geschwächt war, das tat Gott: Er sandte
seinen Sohn [b]in der Gestalt des sündigen
Fleisches und um der Sünde willen und
verdammte die Sünde im Fleisch, 4 damit
die Gerechtigkeit, die das Gesetz fordert,
in uns erfüllt werde, die wir nun nicht
nach dem Fleisch wandeln, sondern [a]nach
dem Geist.

5 Denn die da fleischlich sind, die sind
fleischlich gesinnt; die aber geistlich sind,
die sind geistlich gesinnt. 6 Denn fleisch-
lich gesinnt sein ist der [a]Tod, doch geist-
lich gesinnt sein ist [b]Leben und Friede.
7 Denn fleischlich gesinnt sein ist [a]Feind-
schaft gegen Gott, weil das Fleisch sich
dem Gesetz Gottes nicht unterwirft;
denn es vermag's auch nicht. 8 Die aber
fleischlich sind, können Gott nicht gefal-
len. 9 Ihr aber seid nicht fleischlich, son-
dern geistlich, da ja Gottes Geist in euch
wohnt. Wer aber Christi Geist nicht hat,
der ist nicht sein. 10 Wenn aber [a]Christus
in euch ist, so ist der Leib zwar tot um der
Sünde willen, der Geist aber ist Leben um
der Gerechtigkeit willen. 11 Wenn aber der
Geist dessen, [a]der Jesus von den Toten
auferweckt hat, in euch wohnt, so wird
er, der Christus von den Toten auferweckt
hat, auch eure sterblichen Leiber lebendig
machen durch seinen Geist, der in euch
wohnt.

12 So sind wir nun, liebe Brüder und
Schwestern, nicht dem Fleisch schuldig,
dass wir nach dem Fleisch leben. 13 Denn
wenn ihr nach dem Fleisch lebt, so werdet
ihr sterben müssen; wenn ihr aber durch
den Geist die Taten des Leibes tötet, so
werdet ihr leben.[a]

14 Denn **welche der Geist Gottes**
treibt, die sind Gottes Kinder.[a] 15 **Denn**
ihr habt nicht einen Geist der Knecht-
schaft empfangen, dass ihr euch aber-
mals fürchten müsstet; sondern ihr
habt einen Geist der Kindschaft emp-
fangen, durch den wir rufen: Abba, lie-
ber Vater![a] 16 Der Geist selbst gibt Zeug-
nis unserm Geist, dass wir Gottes Kinder
sind. 17 Sind wir aber [a]Kinder, so sind wir
auch [b]Erben, nämlich Gottes Erben und
Miterben Christi, da wir ja mit ihm leiden,
damit wir auch mit ihm zur Herrlichkeit
erhoben werden.

HOFFNUNG FÜR DIE SCHÖPFUNG

18 Denn ich bin überzeugt, dass dieser Zeit
Leiden nicht ins Gewicht fallen gegenüber
der Herrlichkeit, die an uns offenbart wer-
den soll.[a] 19 Denn das ängstliche* Harren
der Kreatur wartet darauf, dass [a]die Kinder
Gottes offenbar werden. 20 [a]Die Schöp-
fung ist ja unterworfen der Vergänglich-
keit – ohne ihren Willen, sondern durch
den, der sie unterworfen hat –, doch auf
Hoffnung; 21 denn **auch die Schöpfung**
wird frei werden von der Knechtschaft
der Vergänglichkeit zu der herrlichen
Freiheit der Kinder Gottes. 22 Denn wir
wissen, dass die ganze Schöpfung bis zu
diesem Augenblick seufzt und in Wehen
liegt.

DIE GEWISSHEIT DES HEILS

23 Nicht allein aber sie, sondern auch wir
selbst, die wir den Geist als Erstlingsgabe
haben, [a]seufzen in uns selbst und sehnen
uns nach der Kindschaft, der Erlösung
unseres Leibes. 24 Denn wir sind gerettet
auf Hoffnung hin. Die Hoffnung aber,
die man sieht, ist nicht Hoffnung; [a]denn
wie kann man auf das hoffen, was man

* **8,19** Wörtlich: »sehnliche«.

7,23 ***a*** Gal 5,17 **7,25** ***a*** 1. Kor 15,57 **8,1** ***a*** Verse 33-34
8,3 ***a*** Apg 13,38 ***b*** Hebr 2,17 **8,4** ***a*** Gal 5,16.25
8,6 ***a*** Kap 6,21 ***b*** Gal 6,8 **8,7** ***a*** Jak 4,4 **8,10** ***a*** Gal 2,20
8,11 ***a*** Kap 4,24 **8,13** ***a*** Gal 6,8 **8,14** ***a*** Gal 3,26
8,15 ***a*** Gal 4,5-6; 2. Tim 1,7 **8,17** ***a*** Gal 4,7 ***b*** Offb 21,7
8,18 ***a*** 2. Kor 4,17 **8,19** ***a*** Kol 3,4; 1. Joh 3,2
8,20 ***a*** Pred 1,4 **8,23** ***a*** 2. Kor 5,2 **8,24** ***a*** 2. Kor 5,7

sieht? 25 Wenn wir aber auf das hoffen,
was wir nicht sehen, so warten wir darauf
in Geduld.[a]

26 Desgleichen hilft auch der Geist uns-
rer Schwachheit auf. Denn wir wissen
nicht, was wir beten sollen, wie sich's ge-
bührt, sondern der Geist selbst tritt für
uns ein mit unaussprechlichem Seufzen.
27 Der aber die Herzen erforscht, der weiß,
worauf der Sinn des Geistes gerichtet ist;
denn er tritt für die Heiligen ein, wie Gott
es will.

28 **Wir wissen aber, dass denen, die
Gott lieben, alle Dinge zum Besten
dienen, denen, die nach seinem [a]Rat-
schluss berufen sind.** 29 Denn die er
ausersehen hat, die hat er auch vorher-
bestimmt, dass sie gleich sein sollten
dem Bild seines Sohnes, damit dieser der
[a]Erstgeborene sei unter vielen Brüdern.
30 [a]Die er aber vorherbestimmt hat, die
hat er auch berufen; die er aber berufen
hat, die [b]hat er auch gerecht gemacht; die
er aber gerecht gemacht hat, die hat er auch
verherrlicht.

31 Was wollen wir nun hierzu sagen?
**[a]Ist Gott für uns, wer kann wider uns
sein? 32 Der auch [a]seinen eigenen
Sohn nicht verschont hat, sondern
hat ihn für uns alle dahingegeben –
wie sollte er uns mit ihm nicht alles
schenken?**

33 **Wer will die Auserwählten Gottes
beschuldigen? Gott ist hier, der gerecht
macht.[a] 34 Wer will verdammen? Chris-
tus Jesus ist hier, der gestorben ist, ja
mehr noch, der auch auferweckt ist,
der [a]zur Rechten Gottes ist und [b]für
uns eintritt.**

35 [a]Wer will uns scheiden von der Liebe
Christi? Trübsal oder Angst oder Verfol-
gung oder Hunger oder Blöße oder Gefahr
oder Schwert? 36 Wie geschrieben steht
(Psalm 44,23): »Um deinetwillen werden wir
getötet den ganzen Tag; wir sind geachtet
wie Schlachtschafe.«

37 Aber [a]in dem allen überwinden wir
weit durch den, der uns geliebt hat.
38 Denn **ich bin gewiss, dass weder Tod
noch Leben, weder Engel noch [a]Mäch-
te noch Gewalten, weder Gegenwärti-
ges noch Zukünftiges, 39 weder Hohes
noch Tiefes noch irgendeine andere
Kreatur uns scheiden kann von der
Liebe Gottes, die in Christus Jesus ist,
unserm Herrn.**

DIE BLEIBENDE ERWÄHLUNG ISRAELS

9 Ich sage die Wahrheit in Christus und
lüge nicht, wie mir mein Gewissen be-
zeugt im Heiligen Geist, 2 dass ich große
Traurigkeit und Schmerzen ohne Un-
terlass in meinem Herzen habe. 3 Denn
ich [a]wünschte, selbst verflucht und von
Christus getrennt zu sein für meine Brü-
der, die meine Stammverwandten sind
nach dem Fleisch. 4 Sie sind Israeliten, de-
nen die [a]Kindschaft gehört und die Herr-
lichkeit und die [b]Bundesschlüsse und das
Gesetz und der Gottesdienst und die Ver-
heißungen, 5 denen auch die Väter gehö-
ren und aus denen [a]Christus herkommt
nach dem Fleisch. Gott, der da ist über al-
lem,* sei gelobt in Ewigkeit. Amen.

KINDER DER VERHEISSUNG

6 Aber ich sage damit nicht, dass [a]Got-
tes Wort hinfällig geworden sei. Denn
[b]nicht alle sind Israeliten, die von Israel
stammen; 7 auch nicht alle, die Abrahams
Nachkommen sind, sind darum seine
Kinder. Sondern »nach Isaak soll dein
Geschlecht genannt werden« (1. Mose 21,12).
8 Das heißt: Nicht das sind Gottes Kin-
der, die nach dem Fleisch Kinder sind;
sondern nur die [a]Kinder der Verheißung
werden zur Nachkommenschaft gerech-
net. 9 Denn dies ist ein Wort der Verhei-
ßung, da er spricht (1. Mose 18,10): »Um diese
Zeit will ich kommen, und Sara soll einen
Sohn haben.«

10 Aber nicht allein hier ist es so, son-
dern auch bei Rebekka, die von dem einen,
unserm Vater Isaak, schwanger wurde.
11 Ehe die Kinder geboren waren und we-
der Gutes noch Böses getan hatten, da

* **9,5** Luther übersetzte mit dem lateinischen Text: »Christus … der da ist Gott über alles«.

8,25 *a* Gal 5,5 **8,28** *a* Eph 1,11 **8,29** *a* Kol 1,18; Hebr 1,6
8,30 *a* 2. Thess 2,13-14 *b* Kap 3,26 **8,31** *a* Ps 118,6
8,32 *a* 1. Mose 22,16; Joh 3,16 **8,33** *a* Jes 50,8
8,34 *a* Ps 110,1; Apg 2,33-34; Kol 3,1; Hebr 10,12
b 1. Joh 2,1; Hebr 7,25 **8,35** *a* Ps 73,23 **8,37** *a* 1. Joh 5,4
8,38 *a* Eph 6,12; Kol 2,15 **9,3** *a* 2. Mose 32,32
9,4 *a* 2. Mose 4,22; 5. Mose 7,6 *b* 1. Mose 17,7
9,5 *a* Kap 1,3; Mt 1,1-16; Lk 3,23-34 **9,6** *a* 4. Mose 23,19
b Kap 2,28 **9,8** *a* Gal 4,28

wurde, auf dass Gottes Vorsatz der Erwäh-
lung bestehen bliebe – 12 nicht aus Wer-
ken, sondern durch den, der beruft –, zu
ihr gesagt: »Der Ältere wird dem Jüngeren
dienen« (1. Mose 25,23), 13 wie geschrieben
steht (Maleachi 1,2-3): »Jakob habe ich geliebt,
aber Esau habe ich gehasst.«

GOTTES GNADENWAHL

14 Was wollen wir hierzu sagen? Ist denn
Gott ungerecht? Das sei ferne! 15 Denn
er spricht zu Mose (2. Mose 33,19): »Wem
ich gnädig bin, dem bin ich gnädig; und
wessen ich mich erbarme, dessen erbar-
me ich mich.« 16 **So liegt es nun nicht an
jemandes Wollen oder Laufen, son-
dern an Gottes Erbarmen.**[a] 17 Denn die
Schrift sagt zum Pharao (2. Mose 9,16): »Eben
dazu habe ich dich erweckt, dass ich an
dir meine Macht erweise und dass mein
Name verkündigt werde auf der ganzen
Erde.« 18 So erbarmt er sich nun, wessen
er will, und [a]verstockt, wen er will.

19 Nun sagst du zu mir: Was beschul-
digt er uns dann noch? Wer kann seinem
Willen widerstehen? 20 Ja, lieber Mensch,
wer bist du denn, dass du mit Gott rech-
ten willst? [a]Spricht etwa ein Werk zu
seinem Meister: Warum hast du mich so
gemacht? 21 Hat nicht der Töpfer Macht
über den Ton, aus demselben Klumpen
ein Gefäß zu ehrenvollem und ein an-
deres zu nicht ehrenvollem Gebrauch zu
machen?[a] 22 Da Gott seinen Zorn erzeigen
und seine Macht kundtun wollte, hat er
[a]mit großer Geduld ertragen die Gefäße
des Zorns, [b]die zum Verderben bestimmt
waren, 23 auf dass er [a]den Reichtum sei-
ner Herrlichkeit kundtue an den Gefäßen
der Barmherzigkeit, [b]die er zuvor bereitet
hatte zur Herrlichkeit.

24 So hat er auch uns berufen, nicht al-
lein aus den Juden, sondern auch aus den
Heiden. 25 Wie er denn auch durch Hosea
spricht (Hosea 2,25; 2,1): »Ich will das mein
Volk nennen, das nicht mein Volk war,
und meine Geliebte, die nicht meine Ge-
liebte war.« 26 »Und es soll geschehen: An
dem Ort, da zu ihnen gesagt wurde: Ihr
seid nicht mein Volk, sollen sie Kinder
des lebendigen Gottes genannt werden.«
27 Jesaja aber ruft aus über Israel (Jesaja 10,22):
»Wenn auch die Zahl der Israeliten wäre
wie der Sand am Meer, so wird doch nur
der [a]Rest gerettet werden; 28 denn der
Herr, der das Wort vollendet, wird bald
handeln auf Erden.«* 29 Und wie Jesaja vor-
ausgesagt hat (Jesaja 1,9): »Wenn uns nicht
der Herr Zebaoth Nachkommen übrig ge-
lassen hätte, so wären wir wie Sodom ge-
worden und gleich wie Gomorra.«

DIE SUCHE NACH GERECHTIGKEIT

30 Was wollen wir hierzu sagen? [a]Die Hei-
den, die nicht der Gerechtigkeit nachjag-
ten, haben Gerechtigkeit erlangt, nämlich
die Gerechtigkeit, die aus dem Glauben
kommt. 31 Israel aber, das dem Gesetz der
Gerechtigkeit nachjagte, hat das Gesetz
nicht erreicht.[a] 32 Warum das? Weil es die
Gerechtigkeit nicht aus Glauben suchte,
sondern als komme sie aus Werken. Sie
haben sich gestoßen an dem [a]Stein des
Anstoßes, 33 wie geschrieben steht (Jesaja
8,14; 28,16): »Siehe, ich lege in Zion einen
Stein des Anstoßes und einen Fels des
Ärgernisses; und wer an ihn glaubt, der
soll nicht zuschanden werden.«

10 Brüder und Schwestern, meines Her-
zens Wunsch ist und ich flehe auch
zu Gott für sie, dass sie gerettet werden.
2 Denn ich bezeuge ihnen, dass sie Eifer für
Gott haben, aber ohne Einsicht. 3 Denn sie
erkennen die [a]Gerechtigkeit nicht, die vor
Gott gilt, und suchen, ihre eigene Gerech-
tigkeit aufzurichten, und sind so der Ge-
rechtigkeit Gottes nicht untertan. 4 Denn
[a]**Christus ist des Gesetzes Ende*, [b]zur
Gerechtigkeit für [c]jeden, der glaubt.**

5 Mose schreibt von der Gerechtigkeit,
die aus dem Gesetz kommt (3. Mose 18,5):
»Der Mensch, der dies tut, wird dadurch
leben.« 6 Aber die Gerechtigkeit aus dem
Glauben spricht so (5. Mose 30,11-14): »Sprich
nicht in deinem Herzen: Wer will hin-
auf gen Himmel fahren?« – nämlich um
Christus herabzuholen; 7 oder: »Wer will
hinab in die Tiefe fahren?« – nämlich um

* **9,28** Vers 28 ist Zitat nach der griechischen Überset-
zung. **10,4** Luther verstand unter »Ende« auch »Ziel«.

9,16 ***a*** Eph 2,8 **9,18** ***a*** 2. Mose 4,21; 1. Petr 2,8
9,20 ***a*** Jes 45,9 **9,21** ***a*** Jer 18,4-6 **9,22** ***a*** Kap 2,4
b Spr 16,4 **9,23** ***a*** Eph 3,16 ***b*** Kap 8,29 **9,27** ***a*** Kap 11,5
9,30 ***a*** Kap 10,20 **9,31** ***a*** Kap 10,2-3 **9,32** ***a*** 1. Petr 2,8
10,3 ***a*** Kap 1,17 **10,4** ***a*** Mt 5,17; Hebr 8,13 ***b*** Joh 3,18;
Apg 13,39; Gal 3,24-25 ***c*** Kap 1,16

Christus von den Toten heraufzuholen.
8 Aber was sagt sie? »Das Wort ist dir nahe,
in deinem Munde und in deinem Herzen.«
Dies ist das Wort vom Glauben, das wir
predigen.
9 Denn **wenn du mit deinem Munde**
[a]bekennst, dass Jesus der Herr ist, und
glaubst in deinem Herzen, dass ihn
Gott von den Toten auferweckt hat,
so wirst du gerettet. 10 Denn wer mit
dem Herzen glaubt, wird gerecht; und
wer mit dem Munde bekennt, wird se-
lig. 11 Denn die Schrift spricht (Jesaja 28,16):
»Wer an ihn glaubt, wird nicht zuschanden
werden.« 12 Es ist hier [a]kein Unterschied
zwischen Juden und Griechen; es ist über
alle derselbe Herr, reich für alle, die ihn
anrufen. 13 Denn »wer den Namen des
Herrn anruft, wird selig werden« (Joel 3,5).
14 Wie sollen sie aber den anrufen, an
den sie nicht glauben? Wie sollen sie aber
an den glauben, von dem sie nichts gehört
haben? Wie sollen sie aber hören ohne
Prediger? 15 Wie sollen sie aber predigen,
wenn sie nicht gesandt werden? Wie denn
geschrieben steht (Jesaja 52,7): »Wie lieblich
sind die Füße der Freudenboten, die das
Gute verkündigen!«

WARUM IST ISRAEL NICHT ZUM GLAUBEN GEKOMMEN?

16 Aber nicht alle waren dem Evangeli-
um gehorsam. Denn Jesaja spricht (Jesaja
53,1): »Herr, wer glaubte unserm Predi-
gen?« **17 So [a]kommt der Glaube aus der**
Predigt*, das Predigen aber durch das
Wort Christi.
18 Ich frage aber: Haben sie es nicht ge-
hört? Doch, es ist ja »in alle Lande aus-
gegangen ihr Schall und ihr Wort bis an
die Enden der Welt« (Psalm 19,5). 19 Ich fra-
ge aber: Hat es Israel nicht verstanden?
Als Erster spricht Mose (5. Mose 32,21): »Ich
will euch eifersüchtig machen auf ein
Nicht-Volk; über ein unverständiges Volk
will ich euch zornig machen.« 20 Jesaja aber
wagt zu sagen (Jesaja 65,1): »Ich ließ mich fin-
den von denen, die mich nicht suchten, ich
offenbarte mich denen, die nicht nach mir
fragten.«[a] 21 Zu Israel aber spricht er (Jesaja
65,2): »Den ganzen Tag habe ich meine
Hände ausgestreckt nach einem Volk, das
sich nichts sagen lässt und widerspricht.«

GOTT HAT SEIN VOLK NICHT VERSTOSSEN

11 So frage ich nun: [a]Hat denn Gott sein
Volk verstoßen? Das sei ferne! Denn
auch [b]ich bin ein Israelit, vom Geschlecht
Abrahams, aus dem Stamm Benjamin.
2 **[a]Gott hat sein Volk nicht verstoßen,**
das er zuvor erwählt hat. Oder wisst ihr
nicht, was die Schrift sagt von Elia, wie
er vor Gott tritt gegen Israel und spricht
(1. Könige 19,10): 3 »Herr, sie haben deine Pro-
pheten getötet, deine Altäre haben sie
niedergerissen. Ich bin allein übrig ge-
blieben, und sie trachten mir nach dem
Leben«? 4 Aber was sagt ihm die göttliche
Antwort? (1. Könige 19,18): »Ich habe mir üb-
rig gelassen siebentausend Mann, die ihre
Knie nicht gebeugt haben vor Baal.« 5 So
geht es auch jetzt zu dieser Zeit: Ein [a]Rest
ist geblieben, der erwählt ist aus Gnade.
6 Ist's aber aus Gnade, so ist's nicht auf-
grund von Werken; sonst wäre Gnade
nicht Gnade.
7 Wie nun? [a]Was Israel sucht, das hat es
nicht erlangt; die Erwählten aber haben es
erlangt. Die Übrigen wurden verstockt,
8 wie geschrieben steht (Jesaja 29,10): »Gott
hat ihnen gegeben einen Geist der Betäu-
bung, [a]Augen, dass sie nicht sehen, und
Ohren, dass sie nicht hören, bis auf den
heutigen Tag.« 9 Und David spricht (Psalm
69,23-24): »Ihr Tisch soll ihnen zur Falle wer-
den und zu einer Schlinge und zum Är-
gernis und zur Vergeltung. 10 Ihre Augen
sollen finster werden, dass sie nicht sehen,
und ihren Rücken beuge allezeit.«

DER SINN DER BERUFUNG DER HEIDEN

11 So frage ich nun: Sind sie gestrauchelt,
damit sie fallen? Das sei ferne! Son-
dern [a]durch ihre Verfehlung ist den Hei-
den das Heil widerfahren; das sollte sie
[b]eifersüchtig machen. 12 Wenn aber ihre
Verfehlung Reichtum für die Welt ist und
ihr Schade Reichtum für die Heiden, wel-
chen Reichtum wird dann ihre volle Zahl
bringen!

* **10,17** Andere Übersetzung: »aus dem Hören«.

10,9 ***a*** Mt 10,32; 2. Kor 4,5; Phil 2,11
10,12 ***a*** Apg 10,34-35; 15,9; Gal 3,28 **10,17** ***a*** Joh 17,20
10,20 ***a*** Kap 9,30 **11,1** ***a*** Ps 94,14 ***b*** 2. Kor 11,22; Phil 3,5
11,2 ***a*** 1. Sam 12,22 **11,5** ***a*** Kap 9,27 **11,7** ***a*** Kap 9,31
11,8 ***a*** 5. Mose 29,3 **11,11** ***a*** Apg 13,46 ***b*** Kap 10,19

13 Euch Heiden aber sage ich: Weil ich
[a]Apostel der Heiden bin, preise ich meinen
Dienst, 14 ob ich vielleicht meine Stamm-
verwandten eifersüchtig machen und ei-
nige von ihnen retten könnte.[a] 15 Denn
wenn ihr Verlust Versöhnung der Welt ist,
was wird ihre Annahme anderes sein als
Leben aus den Toten! 16 Ist die [a]Erstlings-
gabe vom Teig heilig, so ist auch der ganze
Teig heilig; und ist die Wurzel heilig, so
sind auch die Zweige heilig.

DAS BILD VOM ÖLBAUM

17 Wenn nun einige von den Zweigen aus-
gebrochen wurden, du aber, der du [a]ein
wilder Ölzweig bist, in den Ölbaum ein-
gepfropft wurdest und Anteil bekommen
hast an der Wurzel und dem Saft des Öl-
baums, 18 so rühme dich nicht gegenüber
den Zweigen. Rühmst du dich aber, so
sollst du wissen: Nicht du trägst die Wur-
zel, sondern die Wurzel trägt dich.
19 Nun wirst du sagen: Die Zweige sind
ausgebrochen worden, damit ich einge-
pfropft werde. 20 Ganz recht! Sie wurden
ausgebrochen um ihres Unglaubens wil-
len; du aber stehst fest durch den Glauben.
Sei nicht überheblich, sondern fürchte
dich![a] 21 Hat Gott die natürlichen Zweige
nicht verschont, wird er auch dich nicht
verschonen. 22 Darum sieh die Güte und
die Strenge Gottes: die Strenge gegenüber
denen, die gefallen sind, die Güte Gottes
aber dir gegenüber, [a]sofern du in der Güte
bleibst; sonst wirst auch du abgehauen
werden. 23 Jene aber, sofern sie nicht im
Unglauben bleiben, werden eingepfropft
werden; denn Gott vermag sie wieder
einzupfropfen. 24 Denn wenn du aus dem
Ölbaum, der von Natur aus wild war, ab-
gehauen und wider die Natur in den edlen
Ölbaum eingepfropft worden bist, um wie
viel mehr werden die natürlichen Zweige
wieder eingepfropft werden in ihren eige-
nen Ölbaum.

GANZ ISRAEL WIRD GERETTET WERDEN

25 Ich will euch, Brüder und Schwestern,
dieses Geheimnis nicht verhehlen, damit
ihr euch nicht selbst für klug haltet: Ver-
stockung ist einem Teil Israels widerfah-
ren, [a]bis die volle Zahl der Heiden hinzu-
gekommen ist. 26 Und so wird ganz Israel
gerettet werden, wie geschrieben steht
(Jesaja 59,20; Jeremia 31,33): [a]»Es wird kommen
aus Zion der Erlöser; der wird abwenden
alle Gottlosigkeit von Jakob. 27 Und dies
ist mein Bund mit ihnen, wenn ich ihre
Sünden wegnehmen werde.«
28 Nach dem Evangelium sind sie zwar
Feinde um euretwillen; aber nach der
Erwählung sind sie Geliebte um der Vä-
ter willen. 29 Denn **Gottes Gaben und
Berufung können ihn nicht gereuen.**[a]
30 Denn wie ihr einst Gott ungehorsam
gewesen seid, nun aber Barmherzigkeit
erlangt habt wegen ihres Ungehorsams,
31 so sind auch jene jetzt ungehorsam ge-
worden wegen der Barmherzigkeit, die
euch widerfahren ist, damit auch sie jetzt
Barmherzigkeit erlangen. 32 Denn [a]Gott
hat alle eingeschlossen in den Ungehor-
sam, damit er sich [b]aller erbarme.

LOB DER UNERFORSCHLICHEN WEGE GOTTES

33 **O welch eine Tiefe des Reichtums,
beides, der Weisheit und der Erkennt-
nis Gottes! [a]Wie unbegreiflich sind
seine Gerichte und unerforschlich
seine Wege!** 34 Denn [a]»wer hat des Herrn
Sinn erkannt, oder wer ist sein Ratgeber
gewesen«? (Jesaja 40,13) 35 Oder »wer hat ihm
etwas zuvor gegeben, dass Gott es ihm zu-
rückgeben müsste?« (Hiob 41,3) 36 Denn **von
ihm und durch ihn und zu ihm sind
alle Dinge. Ihm sei Ehre in Ewigkeit!
Amen.**

DAS LEBEN ALS GOTTESDIENST

12 Ich ermahne euch nun, Brüder und
Schwestern, durch die Barmherzigkeit
Gottes, dass ihr [a]euren Leib hingebt als
ein Opfer, das lebendig, heilig und Gott
wohlgefällig sei. Das sei euer vernünfti-
ger Gottesdienst. 2 Und stellt euch nicht
dieser Welt gleich, sondern ändert euch
[a]durch Erneuerung eures Sinnes, [b]auf

11,13 ***a*** Kap 15,16 **11,14** ***a*** 1. Kor 9,20-22
11,16 ***a*** 4. Mose 15,20 **11,17** ***a*** Eph 2,11-14
11,20 ***a*** 1. Kor 10,12 **11,22** ***a*** Joh 15,2.4; Hebr 3,14
11,25 ***a*** Joh 10,16 **11,26** ***a*** Ps 14,7 **11,29** ***a*** 4. Mose 23,19
11,32 ***a*** Gal 3,22 ***b*** 1. Tim 2,4 **11,33** ***a*** Jes 55,8-9
11,34 ***a*** 1. Kor 2,16 **12,1** ***a*** Kap 6,13 **12,2** ***a*** Eph 4,23
b Eph 5,10.17

dass ihr prüfen könnt, was Gottes Wille ist, nämlich das Gute und Wohlgefällige und Vollkommene.

DIE GNADENGABEN IM DIENST DER GEMEINDE

3 Denn ich sage durch die Gnade, die mir gegeben ist, jedem unter euch, dass niemand [a]mehr von sich halte, als sich's gebührt, sondern dass er maßvoll von sich halte, [b]wie Gott einem jeden zugeteilt hat das Maß des Glaubens. 4 Denn [a]wie wir an *einem* Leib viele Glieder haben, aber nicht alle Glieder dieselbe Aufgabe haben, 5 so sind wir, die vielen, *ein* Leib in Christus, aber untereinander ist einer des andern Glied.[a] 6 Wir [a]haben mancherlei Gaben nach der Gnade, die uns gegeben ist. Hat jemand prophetische Rede, so übe er sie dem Glauben gemäß. 7 Hat jemand ein Amt, so versehe er dies Amt. Ist jemand Lehrer, so lehre er.[a] 8 Hat jemand die Gabe, zu ermahnen und zu trösten, so ermahne und tröste er. [a]Wer gibt, gebe mit lauterem Sinn. Wer leitet, tue es mit Eifer. Wer Barmherzigkeit übt, [b]tue es mit Freude.

DAS LEBEN DER GEMEINDE

9 Die [a]Liebe sei ohne Falsch. [b]Hasst das Böse, hängt dem Guten an. 10 Die brüderliche Liebe untereinander sei herzlich. [a]Einer komme dem andern mit Ehrerbietung zuvor. 11 Seid nicht träge in dem, was ihr tun sollt. [a]Seid brennend im Geist. [b]Dient dem Herrn. 12 **Seid fröhlich in Hoffnung, geduldig in Trübsal, beharrlich im Gebet.** 13 Nehmt euch der Nöte der Heiligen an. [a]Übt Gastfreundschaft.

14 Segnet, die euch verfolgen; [a]segnet, und verflucht sie nicht. 15 **Freut euch mit den Fröhlichen, [a]weint mit den Weinenden.** 16 Seid [a]eines Sinnes untereinander. Trachtet nicht nach hohen Dingen, sondern haltet euch zu den niedrigen. [b]Haltet euch nicht selbst für klug.

17 [a]Vergeltet niemandem Böses mit Bösem. [b]Seid auf Gutes bedacht gegenüber jedermann. 18 **Ist's möglich, soviel an euch liegt, so [a]habt mit allen Menschen Frieden.** 19 [a]Rächt euch nicht selbst, meine Lieben, sondern gebt Raum dem Zorn Gottes; denn es steht geschrieben (5. Mose 32,35): »Die Rache ist mein; ich will vergelten, spricht der Herr.« 20 Vielmehr, [a]»wenn deinen Feind hungert, so gib ihm zu essen; dürstet ihn, so gib ihm zu trinken. Wenn du das tust, so wirst du feurige Kohlen auf sein Haupt sammeln« (Sprüche 25,21-22). 21 **Lass dich nicht vom Bösen überwinden, sondern überwinde das Böse mit Gutem.**

DAS VERHÄLTNIS ZUR STAATLICHEN GEWALT

13 [a]Jedermann sei untertan der Obrigkeit*, die Gewalt über ihn hat. Denn [b]es ist keine Obrigkeit außer von Gott; wo aber Obrigkeit ist, ist sie von Gott angeordnet. 2 Darum: Wer sich der Obrigkeit widersetzt, der widerstrebt Gottes Anordnung; die ihr aber widerstreben, werden ihr Urteil empfangen. 3 Denn die Gewalt haben, muss man nicht fürchten wegen guter, sondern wegen böser Werke. Willst du dich aber nicht fürchten vor der Obrigkeit, so tue Gutes, dann wirst du Lob von ihr erhalten. 4 Denn sie ist Gottes Dienerin, dir zugut. Tust du aber Böses, so fürchte dich; denn sie trägt das Schwert nicht umsonst. Sie ist Gottes Dienerin und vollzieht die Strafe an dem, der Böses tut.

5 Darum ist es notwendig, sich unterzuordnen, nicht allein um der Strafe, sondern auch um des Gewissens willen. 6 Deshalb zahlt ihr ja auch Steuer; denn sie sind Gottes Diener, auf diesen Dienst beständig bedacht. 7 So gebt nun jedem, was ihr schuldig seid: Steuer, dem die Steuer gebührt; Zoll, dem der Zoll gebührt; Furcht, dem die Furcht gebührt; Ehre, dem die Ehre gebührt.[a]

* **13,1** Siehe Sach- und Worterklärungen.

12,3 ***a*** Mt 20,26; 1. Kor 4,6 ***b*** 1. Kor 12,11; Eph 4,7
12,4 ***a*** 1. Kor 12,12 **12,5** ***a*** 1. Kor 12,27; Eph 4,4.25
12,6 ***a*** 1. Kor 7,7; 12,4; 1. Petr 4,10 **12,7** ***a*** 1. Petr 4,11
12,8 ***a*** Mt 6,3 ***b*** 2. Kor 8,2; 9,7 **12,9** ***a*** 1. Tim 1,5 ***b*** Am 5,15
12,10 ***a*** Phil 2,3 **12,11** ***a*** Apg 18,25; Offb 3,15 ***b*** Kol 3,23
12,13 ***a*** 3. Joh 5-8; 1. Petr 4,9; Hebr 13,2 **12,14** ***a*** Mt 5,44; 1. Kor 4,12 **12,15** ***a*** 1. Kor 12,26 **12,16** ***a*** Kap 15,5; Phil 2,2 ***b*** Jes 5,21 **12,17** ***a*** Spr 20,22; 1. Thess 5,15 ***b*** 2. Kor 8,21
12,18 ***a*** 1. Thess 5,13; Hebr 12,14
12,19 ***a*** (19-21) 3. Mose 19,18; Mt 5,38-44
12,20 ***a*** 2. Kön 6,22 **13,1** ***a*** Tit 3,1; 1. Petr 2,13 ***b*** Spr 8,15
13,7 ***a*** Mt 22,21

DIE LIEBE, DES GESETZES ERFÜLLUNG

8 Seid niemandem etwas schuldig, außer
dass ihr euch untereinander liebt; denn
[a]wer den andern liebt, der hat das Gesetz
erfüllt. 9 Denn was da gesagt ist (2. Mose
20,13-17): »Du sollst nicht ehebrechen; du
sollst nicht töten; du sollst nicht stehlen;
du sollst nicht begehren«, und was da
sonst an Geboten ist, das wird in diesem
Wort zusammengefasst (3. Mose 19,18): »Du
sollst deinen Nächsten lieben wie dich
selbst.« 10 **Die Liebe [a]tut dem Nächsten
nichts Böses. So ist nun die Liebe [b]des
Gesetzes Erfüllung.**

LEBEN IM LICHT DES ANBRECHENDEN TAGES

11 [a]Und das tut, weil ihr die Zeit erkannt
habt, dass die Stunde da ist, [b]aufzustehen
vom Schlaf, denn unser Heil ist jetzt nä-
her als zu der Zeit, da wir gläubig wurden.
12 **Die Nacht ist vorgerückt, [a]der Tag ist
nahe herbeigekommen. So [b]lasst uns
ablegen die Werke der Finsternis und
anlegen die Waffen des Lichts.** 13 [a]Lasst
uns ehrbar leben wie am Tage, [b]nicht in
Fressen und Saufen, nicht in Unzucht
und Ausschweifung, [c]nicht in Hader und
Neid; 14 sondern [a]zieht an den Herrn Jesus
Christus und [b]sorgt für den Leib nicht so,
dass ihr den Begierden verfallt.

VON DEN SCHWACHEN UND STARKEN IM GLAUBEN

14 Den Schwachen im Glauben nehmt an
und streitet nicht über Meinungen.[a]
2 Der eine glaubt, er dürfe alles essen. Der
Schwache aber isst kein Fleisch*.[a] 3 Wer
isst, der verachte den nicht, der nicht isst;
und [a]wer nicht isst, der richte den nicht,
der isst; denn Gott hat ihn angenommen.
4 Wer bist du, dass du einen fremden
Knecht [a]richtest? Er steht oder fällt sei-
nem Herrn. Er wird aber stehen bleiben;
denn der Herr kann ihn aufrecht halten.

5 Der eine [a]hält einen Tag für höher als
den andern; der andere aber hält alle Tage
für gleich. Ein jeder sei seiner Meinung ge-
wiss. 6 Wer auf den Tag achtet, der tut's im
Blick auf den Herrn; wer isst, der isst im
Blick auf den Herrn, denn er dankt Gott;
und wer nicht isst, der isst im Blick auf den
Herrn nicht und dankt Gott auch.
7 Denn **unser keiner lebt sich selber,
und keiner stirbt sich selber.** 8 **Leben
wir, so leben wir dem Herrn; sterben
wir, so sterben wir dem Herrn. Darum:
wir leben oder sterben, so sind wir des
Herrn.**[a] 9 **Denn dazu ist Christus ge-
storben und wieder lebendig gewor-
den, dass er über Tote und Lebende
Herr sei.**

10 Du aber, was richtest du deinen Bru-
der? Oder du, was verachtest du deinen
Bruder? [a]Wir werden alle vor den Rich-
terstuhl Gottes gestellt werden. 11 Denn es
steht geschrieben (Jesaja 45,23): »So wahr ich
lebe, spricht der Herr, [a]mir sollen sich alle
Knie beugen, und alle Zungen sollen Gott
bekennen.« 12 So wird nun jeder von uns
für sich selbst Gott Rechenschaft geben.[a]
13 Darum lasst uns nicht mehr einer den
andern richten; sondern [a]richtet vielmehr
darauf euren Sinn, dass niemand sei-
nem Bruder einen Anstoß oder Ärgernis
bereite.

14 Ich weiß und bin gewiss in dem Herrn
Jesus, dass [a]nichts unrein ist an sich selbst;
nur für den, der es für unrein hält, für
den ist es unrein. 15 Wenn aber dein Bru-
der wegen deiner Speise betrübt wird, so
handelst du nicht mehr nach der Liebe.
[a]Bringe nicht durch deine Speise den ins
Verderben, für den Christus gestorben ist.
16 Es soll doch nicht verlästert werden, was
ihr Gutes habt. 17 Denn [a]**das Reich Gottes
ist nicht Essen und Trinken, sondern
Gerechtigkeit und Friede und Freude
im Heiligen Geist.** 18 Wer darin Christus
dient, der ist Gott wohlgefällig und bei
den Menschen geachtet.

19 Darum lasst uns dem nachstreben,
was [a]zum Frieden dient und [b]zur Erbau-
ung untereinander. 20 Zerstöre nicht um
der Speise willen Gottes Werk. Es ist zwar

* **14,2** Wörtlich: »nur Pflanzliches«.

13,8 *a* Gal 5,14 **13,10** *a* 1. Kor 13,4 *b* Mt 22,40
13,11 *a* (11-12) 1. Thess 5,6-8 *b* Eph 5,14 **13,12** *a* 1. Joh 2,8
b Eph 5,11 **13,13** *a* 1. Thess 4,12 *b* Lk 21,34; Eph 5,18
c 1. Kor 3,3 **13,14** *a* Gal 3,27 *b* 1. Kor 9,27 **14,1** *a* Kap 15,1;
1. Kor 8,9 **14,2** *a* 1. Mose 1,29; 9,3 **14,3** *a* Kol 2,16
14,4 *a* Mt 7,1; Jak 4,11-12 **14,5** *a* Gal 4,10
14,8 *a* 2. Kor 5,15; Gal 2,20 **14,10** *a* Mt 25,31-32;
Apg 17,31; 2. Kor 5,10 **14,11** *a* Phil 2,10-11 **14,12** *a* Gal 6,5
14,13 *a* 1. Kor 10,32 **14,14** *a* Mt 15,11; Apg 10,15; Tit 1,15
14,15 *a* 1. Kor 8,11-13 **14,17** *a* 1. Kor 8,8; Hebr 13,9
14,19 *a* Kap 12,18 *b* Kap 15,2

alles rein; aber es ist nicht gut für den, der
es isst mit schlechtem Gewissen. 21 Es ist
besser, du isst kein Fleisch und trinkst
keinen Wein und tust nichts, woran dein
Bruder Anstoß nimmt. 22 Den Glauben,
den du hast, habe für dich selbst vor Gott.
Selig ist, der sich selbst nicht verurteilen
muss in dem, was er gut heißt. 23 Wer aber
zweifelt und dennoch isst, der ist schon
verurteilt, denn es kommt nicht aus dem
Glauben. Was aber nicht aus dem Glauben
kommt, das ist Sünde.
15 Wir aber, die wir stark sind, sollen
[a]die Schwächen derer tragen, die nicht
stark sind, und nicht Gefallen an uns
selber haben. 2 Ein jeder von uns lebe
so, dass er seinem Nächsten gefalle zum
Guten und zur Erbauung.[a] 3 Denn auch
Christus hatte nicht an sich selbst Ge-
fallen, sondern wie geschrieben steht
(Psalm 69,10): »Die Schmähungen derer, die
dich schmähen, sind auf mich gefallen.«
4 Denn was zuvor geschrieben ist, [a]das ist
uns zur Lehre geschrieben, damit wir
durch Geduld und den Trost der Schrift
Hoffnung haben. 5 Der Gott aber der
Geduld und des Trostes gebe euch, dass
ihr [a]einträchtig gesinnt seid unterein-
ander, wie es Christus Jesus entspricht,
6 damit ihr einmütig mit einem Munde
Gott lobt, den Vater unseres Herrn Jesus
Christus.
7 Darum **nehmt einander an, wie
Christus euch angenommen hat zu
Gottes Ehre.** 8 Denn ich sage: [a]Christus
ist ein Diener der Beschneidung gewor-
den um der Wahrhaftigkeit Gottes willen,
[b]um die Verheißungen zu bestätigen, die
den Vätern gegeben sind; 9 die Heiden
aber sollen Gott die Ehre geben um der
Barmherzigkeit willen, wie geschrieben
steht (Psalm 18,50): »Darum will ich dich lo-
ben unter den Heiden und deinem Namen
singen.« 10 Und wiederum heißt es (5. Mose
32,43): »Freut euch, ihr Heiden, mit seinem
Volk!« 11 Und wiederum (Psalm 117,1): »Lo-
bet den Herrn, alle Heiden, und preisen
sollen ihn alle Völker!« 12 Und wiederum
spricht Jesaja (Jesaja 11,10): »Es wird kom-
men der Spross aus der [a]Wurzel Isais,
und der wird aufstehen, zu herrschen
über die Völker; auf den werden die Völ-
ker hoffen.«
13 Der Gott der Hoffnung aber erfül-
le euch mit aller Freude und Frieden im
Glauben, dass ihr immer reicher werdet
an Hoffnung durch die Kraft des Heiligen
Geistes.

DER AUFTRAG DES APOSTELS

14 Ich weiß aber selbst sehr wohl von euch,
meine Brüder und Schwestern, dass auch
ihr selber voll Güte seid, erfüllt mit aller
Erkenntnis, sodass ihr euch unterein-
ander ermahnen könnt. 15 Ich habe euch
aber zum Teil sehr kühn geschrieben, um
euch zu erinnern [a]kraft der Gnade, die
mir von Gott gegeben ist, 16 sodass ich
ein [a]Diener Christi Jesu unter den Hei-
den bin, der mit dem Evangelium Gottes
wie ein Priester dient, auf dass die Hei-
den ein Opfer werden, das Gott wohl-
gefällig ist, geheiligt durch den Heiligen
Geist.
17 Darum kann ich mich rühmen in
Christus Jesus, dass ich Gott diene.
18 Denn ich werde nicht wagen, etwas
zu reden, [a]das nicht Christus durch
mich gewirkt hat, um [b]die Heiden zum
Gehorsam zu bringen durch Wort und
Werk, 19 in der Kraft von [a]Zeichen und
Wundern und in der Kraft des Geistes
Gottes. So habe ich von Jerusalem aus
ringsumher bis nach Illyrien das Evan-
gelium Christi voll ausgerichtet. 20 **Da-
bei setze ich meine Ehre darein, das
Evangelium zu predigen, wo Christi
Name noch nicht genannt wurde, da-
mit ich nicht auf einen fremden Grund
baue,**[a] 21 sondern wie geschrieben steht
(Jesaja 52,15): »Denen nichts von ihm ver-
kündigt worden ist, die sollen sehen,
und die nichts gehört haben, sollen ver-
stehen.«

REISEPLÄNE DES APOSTELS

22 Das ist auch der Grund, warum ich so
viele Male daran gehindert worden bin,
zu euch zu kommen.[a] 23 Nun aber habe ich

15,1 *a* Kap 14,1 **15,2** *a* Kap 14,19; 1. Kor 10,24.33
15,4 *a* 1. Kor 10,11; 2. Tim 3,16 **15,5** *a* 2. Kor 13,11; Phil 2,2
15,8 *a* Mt 15,24 *b* Apg 3,25 **15,12** *a* Offb 5,5; 22,16
15,15 *a* Kap 1,5; 12,3; Gal 2,9; Eph 3,7 **15,16** *a* Kap 11,13;
Gal 2,7 **15,18** *a* 2. Kor 3,5 *b* Kap 1,5; 16,26
15,19 *a* Mk 16,17; 2. Kor 12,12 **15,20** *a* 2. Kor 10,15-16
15,22 *a* Kap 1,13

keine Aufgabe mehr in diesen Ländern.
Seit vielen Jahren habe ich aber das [a]Ver-
langen, zu euch zu kommen, 24 wenn ich
nach Spanien reise. Denn ich hoffe, dass
ich bei euch durchreisen und euch sehen
kann und von euch dorthin weitergeleitet
werde, doch so, dass ich mich zuvor ein
wenig an euch erquicke.

25 Jetzt aber reise ich nach Jerusalem,
um den Heiligen zu dienen.[a] 26 Denn Ma-
kedonien und Achaia haben eine Gabe
der Gemeinschaft beschlossen für die
Armen unter den Heiligen in Jerusa-
lem.[a] 27 Sie haben's beschlossen, denn sie
sind auch ihre Schuldner. [a]Denn wenn
die Heiden an ihren geistlichen Gütern
Anteil bekommen haben, ist es recht
und billig, dass sie ihnen auch mit irdi-
schen Gütern dienen. 28 Wenn ich das
nun ausgerichtet und ihnen diesen Er-
trag versiegelt übergeben habe, will ich
von euch aus nach Spanien ziehen. 29 Ich
weiß aber: [a]Wenn ich zu euch komme,
werde ich mit dem vollen Segen Christi
kommen.

30 Ich ermahne euch aber, Brüder und
Schwestern, durch unsern Herrn Jesus
Christus und durch die Liebe des Geistes,
[a]dass ihr mir kämpfen helft und für mich
zu Gott betet, 31 dass ich [a]errettet werde
vor den Ungehorsamen in Judäa und mein
Dienst, den ich für Jerusalem tue, den
Heiligen willkommen sei, 32 damit ich
mit Freuden zu euch komme nach Gottes
Willen und mich mit euch erquicke. 33 Der
[a]Gott des Friedens aber sei mit euch allen!
Amen.

EMPFEHLUNG DER PHÖBE UND GRÜSSE

16 Ich empfehle euch unsere Schwester
Phöbe, die den Dienst an der Gemein-
de von Kenchreä versieht, 2 dass ihr sie
aufnehmt in dem Herrn, wie sich's ziemt
für die Heiligen, und ihr beisteht in je-
der Sache, in der sie euch braucht; denn
auch sie hat vielen beigestanden, auch mir
selbst.

3 Grüßt die [a]Priska und den Aquila,
meine Mitarbeiter in Christus Jesus, 4 die
für mein Leben ihren Hals hingehalten
haben, denen nicht allein ich danke, son-
dern alle Gemeinden der Heiden, 5 und die
Gemeinde in ihrem Haus.

Grüßt Epänetus, meinen Lieben, der
aus der Provinz Asia der Erstling für
Christus ist. 6 Grüßt Maria, die viel für
euch gearbeitet hat. 7 Grüßt den Andro-
nikus und die Junia, meine Stammver-
wandten und Mitgefangenen, die be-
rühmt sind unter den Aposteln und vor
mir in Christus gewesen sind. 8 Grüßt
Ampliatus, meinen Lieben im Herrn.
9 Grüßt Urbanus, unsern Mitarbeiter in
Christus, und Stachys, meinen Lieben.
10 Grüßt Apelles, den Bewährten in Chris-
tus. Grüßt die aus dem Haus des Aristo-
bul. 11 Grüßt Herodion, meinen Stamm-
verwandten. Grüßt die aus dem Haus des
Narzissus, die im Herrn sind. 12 Grüßt
Tryphäna und Tryphosa, die im Herrn
arbeiten. Grüßt meine liebe Persis, die
viel gearbeitet hat im Herrn. 13 Grüßt
[a]Rufus, den Auserwählten im Herrn, und
seine Mutter, die auch mir eine Mutter ge-
worden ist. 14 Grüßt Asynkritus, Phlegon,
Hermes, Patrobas, Hermas und die Brü-
der und Schwestern bei ihnen. 15 Grüßt
Philologus und Julia, Nereus und seine
Schwester und Olympas und alle Heili-
gen bei ihnen.

16 Grüßt euch untereinander mit dem
heiligen Kuss. Es grüßen euch alle Ge-
meinden Christi.[a]

WARNUNG VOR IRRLEHRERN

17 Ich ermahne euch aber, Brüder und
Schwestern, dass ihr auf die achtet, die
Zwietracht und Ärgernis anrichten ent-
gegen der Lehre, die ihr gelernt habt, und
euch von ihnen abwendet.[a] 18 Denn sol-
che dienen nicht unserm Herrn Christus,
sondern [a]ihrem Bauch; und durch [b]süße
Worte und prächtige Reden verführen
sie die Herzen der Arglosen. 19 Denn
euer [a]Gehorsam ist bei allen bekannt
geworden. Deshalb freue ich mich über
euch. Ich will aber, dass ihr [b]weise seid

15,23 *a* Kap 1,10-11 **15,25** *a* Apg 18,21; 19,21; 20,22; 24,17 **15,26** *a* 1. Kor 16,1; 2. Kor 8,1-4
15,27 *a* 1. Kor 9,11; 2. Kor 9,12 **15,29** *a* Kap 1,10
15,30 *a* 2. Kor 1,11; 2. Thess 3,1 **15,31** *a* 1. Thess 2,15
15,33 *a* 1. Kor 14,33; 2. Kor 13,11; Phil 4,9; 1. Thess 5,23
16,3 *a* Apg 18,2.18.26; 1. Kor 16,19 **16,13** *a* Mk 15,21
16,16 *a* 1. Kor 16,20 **16,17** *a* Mt 7,15; 2. Thess 3,6; Tit 3,10 **16,18** *a* Phil 3,19 *b* Kol 2,4 **16,19** *a* Kap 1,8 *b* 1. Kor 14,20

zum Guten, aber geschieden vom Bösen.
20 Der Gott des Friedens aber wird den
Satan unter eure Füße treten in Kürze.
Die Gnade unseres Herrn Jesus sei mit
euch!

WEITERE GRÜSSE

21 Es grüßen euch [a]Timotheus, mein Mit-
arbeiter, und Luzius, [b]Jason und [c]Sosi-
pater, meine Stammverwandten. 22 Ich,
Tertius, der ich diesen Brief geschrieben
habe, grüße euch in dem Herrn. 23 Es
grüßt euch [a]Gaius, mein und der ganzen
Gemeinde Gastgeber. Es grüßt euch Eras-
tus, der Stadtkämmerer, und Quartus, der
Bruder.*

LOBPREIS GOTTES

25 Dem aber, der euch stärken kann
gemäß meinem Evangelium und der
Predigt von Jesus Christus,
gemäß der Offenbarung des
[a]Geheimnisses,
das seit ewigen Zeiten verschwiegen war,
26 nun aber offenbart und kund-
gemacht ist
durch die Schriften der Propheten
nach dem Befehl des ewigen Gottes,
den [a]Gehorsam des Glaubens
aufzurichten unter allen Heiden,
27 ihm, dem einzigen und weisen Gott,
sei durch Jesus Christus Ehre
in Ewigkeit! Amen.

DER ERSTE BRIEF DES PAULUS AN DIE KORINTHER

1–4 Kreuz und Weisheit. Streit in der Gemeinde
5–7 Leben nach der Berufung. Männern und Frauen in der Gemeinde
8–10 Grenzen christlicher Freiheit **10–12 u. 14** Das Gemeindeleben
13 Das »Hohelied der Liebe« **15** Die Auferstehung der Toten
16 Die Sammlung für Jerusalem

1 Paulus, berufen zum Apostel Christi
Jesu durch den Willen Gottes, und
der Bruder Sosthenes 2 an die Gemeinde
Gottes in Korinth, an die [a]Geheiligten in
Christus Jesus, die berufenen Heiligen
samt allen, die [b]den Namen unsres Herrn
Jesus Christus anrufen an jedem Ort, bei
ihnen und bei uns:
3 Gnade sei mit euch und Friede von
Gott, unserm Vater, und dem Herrn Jesus
Christus!

DANK FÜR GOTTES REICHE GABEN IN KORINTH

4 Ich danke meinem Gott allezeit euretwe-
gen für die Gnade Gottes, die euch gege-
ben ist in Christus Jesus, 5 dass ihr durch
ihn [a]in allen Stücken reich gemacht seid, in
allem Wort und in aller Erkenntnis. 6 Denn
die Predigt von Christus ist unter euch
kräftig geworden, 7 sodass ihr keinen Man-
gel habt an irgendeiner Gabe und [a]wartet
nur auf die Offenbarung unseres Herrn
Jesus Christus. 8 Der wird euch auch [a]fest
machen bis ans Ende, dass ihr [b]untadelig
seid am Tag unseres Herrn Jesus Chris-
tus. 9 Denn [a]**Gott ist treu, durch den ihr
berufen seid zur Gemeinschaft seines
Sohnes Jesus Christus, unseres Herrn.**

SPALTUNGEN IN DER GEMEINDE

10 Ich ermahne euch aber, Brüder und
Schwestern, im Namen unseres Herrn
Jesus Christus, dass ihr alle mit *einer*
Stimme redet; und lasst keine [a]Spaltun-
gen unter euch sein, sondern haltet anein-
ander fest [b]in *einem* Sinn und in *einer* Mei-
nung. 11 Denn es ist mir bekannt geworden
über euch, meine Brüder und Schwestern,
durch die Leute der Chloë, dass Streit un-
ter euch ist. 12 Ich meine aber dies, dass

* **16,23** Der Schluss des Römerbriefes ist uneinheitlich überliefert: Der Vers 24 und die Verse 25-27 finden sich in den Handschriften an verschiedenen Stellen des Briefes. Vers 24 fehlt in den ältesten Handschriften an dieser Stelle; er lautet: »Die Gnade unseres Herrn Jesus Christus sei mit euch allen! Amen.«

16,21 ***a*** Apg 16,1-3; 19,22; Phil 2,19-22 ***b*** Apg 17,6 ***c*** Apg 20,4 **16,23** ***a*** 1. Kor 1,14 **16,25** ***a*** 1. Kor 2,7; Eph 1,9; 3,4-9 **16,26** ***a*** Kap 1,5; 15,18 **1,2** ***a*** Kap 6,11 ***b*** Joel 3,5; Apg 9,14; 18,1-17 **1,5** ***a*** 2. Kor 8,7 **1,7** ***a*** Phil 3,20 **1,8** ***a*** Phil 1,6.10 ***b*** Kol 1,22; 1. Thess 3,13 **1,9** ***a*** 1. Thess 5,24 **1,10** ***a*** Kap 11,18 ***b*** Röm 15,5; Phil 2,2

unter euch der eine sagt: [a]Ich gehöre zu
Paulus, der andere: Ich zu [b]Apollos, der
Dritte: Ich zu [c]Kephas, der Vierte: Ich zu
Christus.
13 Wie? Ist Christus etwa zerteilt?
Wurde denn Paulus für euch gekreuzigt?
Oder seid ihr auf den Namen des Paulus
getauft? 14 Ich danke Gott, dass ich nie-
manden unter euch getauft habe außer
[a]Krispus und [b]Gaius, 15 damit nicht je-
mand sagen kann, ihr wäret auf meinen
Namen getauft. 16 Ich habe aber auch [a]Ste-
phanas und sein Haus getauft; sonst weiß
ich nicht, ob ich noch jemanden getauft
habe. 17 Denn Christus hat mich nicht ge-
sandt zu taufen, sondern [a]das Evangelium
zu predigen – nicht mit weiser Rede, auf
dass nicht das Kreuz Christi zunichte-
werde.

DAS WORT VOM KREUZ ALS WEISHEIT UND KRAFT GOTTES

18 Denn **das Wort vom Kreuz ist eine
Torheit denen, [a]die verloren werden;
uns aber, die wir selig werden, ist es
[b]Gottes Kraft.** 19 Denn es steht geschrie-
ben (Jesaja 29,14): »Ich will zunichtemachen
die Weisheit der Weisen, und den Ver-
stand der Verständigen will ich verwer-
fen.« 20 Wo sind die Klugen? Wo sind die
Schriftgelehrten? Wo sind die Weisen
dieser Welt? [a]Hat nicht Gott die Weisheit
der Welt zur Torheit gemacht? 21 Denn
weil die Welt durch ihre Weisheit Gott in
seiner Weisheit nicht erkannte, gefiel es
Gott wohl, durch die Torheit der Predigt
selig zu machen, die da glauben.
22 Denn [a]die Juden fordern Zeichen und
[b]die Griechen fragen nach Weisheit, 23 wir
aber predigen Christus, den Gekreuzig-
ten, den Juden ein [a]Ärgernis und den Hei-
den eine [b]Torheit; 24 denen aber, die beru-
fen sind, Juden und Griechen, predigen
wir Christus als Gottes Kraft und [a]Gottes
Weisheit. 25 Denn **die göttliche Torheit
ist weiser, als die Menschen sind, und
die göttliche Schwachheit ist stärker,
als die Menschen sind.**
26 Seht doch, Brüder und Schwestern,
auf eure Berufung. Nicht viele Weise nach
dem Fleisch, nicht viele Mächtige, nicht
viele Vornehme sind berufen.[a] 27 Sondern
was töricht ist vor der Welt, das hat Gott
erwählt, damit er die Weisen zuschanden
mache; und was schwach ist vor der Welt,
das hat Gott erwählt, damit er zuschanden
mache, was stark ist; 28 und was gering ist
vor der Welt und was verachtet ist, das hat
Gott erwählt, was nichts ist, damit er zu-
nichtemache, was etwas ist, 29 auf dass sich
kein Mensch vor Gott rühme.[a] 30 Durch
ihn aber seid ihr in Christus Jesus, der für
uns zur Weisheit wurde durch Gott und
zur [a]Gerechtigkeit und zur [b]Heiligung und
zur [c]Erlösung, 31 auf dass gilt, wie geschrie-
ben steht (Jeremia 9,22-23): [a]»Wer sich rühmt,
der rühme sich des Herrn!«
2 Auch ich, meine Brüder und Schwes-
tern, als ich zu euch kam, kam ich nicht
mit hohen Worten oder hoher Weisheit,
euch das Geheimnis Gottes zu predigen.
2 Denn ich hielt es für richtig, unter euch
nichts zu wissen als allein Jesus Christus,
ihn, den Gekreuzigten.[a] 3 Und ich war bei
euch [a]in Schwachheit und [b]in Furcht und
mit großem Zittern; 4 und mein Wort und
meine Predigt geschahen nicht mit über-
redenden Worten der Weisheit, sondern
[a]im Erweis des Geistes und der Kraft,
5 auf dass euer Glaube nicht stehe auf
Menschenweisheit, sondern auf [a]Gottes
Kraft.

VON DER WEISHEIT GOTTES

6 Von Weisheit reden wir aber unter den
Vollkommenen; doch nicht von einer
Weisheit dieser Welt, auch nicht der
Herrscher dieser Welt, die vergehen.
7 Sondern wir reden von der Weisheit
Gottes, die [a]im Geheimnis verborgen ist,
die Gott vorherbestimmt hat vor aller Zeit
zu unserer Herrlichkeit, 8 die keiner von
den Herrschern dieser Welt erkannt hat;
denn wenn sie die erkannt hätten, hät-
ten sie den Herrn der Herrlichkeit nicht
gekreuzigt. 9 Sondern wir reden, wie ge-
schrieben steht (Jesaja 64,3): »Was kein Au-
ge gesehen hat und kein Ohr gehört hat

1,12 *a* Kap 3,4 *b* Apg 18,24-27 *c* Joh 1,42 **1,14** *a* Apg 18,8 *b* Röm 16,23 **1,16** *a* Kap 16,15 **1,17** *a* Gal 1,15-16 **1,18** *a* 2. Kor 4,3 *b* Röm 1,16 **1,20** *a* Jes 44,25; Mt 11,25; Röm 1,22 **1,22** *a* Mt 12,38; Joh 4,48 *b* Apg 17,18-21 **1,23** *a* Gal 5,11 *b* Kap 2,14 **1,24** *a* Kol 2,3 **1,26** *a* Jak 2,5 **1,29** *a* Röm 3,27; Eph 2,9 **1,30** *a* Jer 23,5-6; 2. Kor 5,21 *b* Joh 17,19 *c* Mt 20,28 **1,31** *a* 2. Kor 10,17 **2,2** *a* Gal 6,14 **2,3** *a* Gal 4,13; 2. Kor 10,10 *b* Apg 18,9 **2,4** *a* Mt 10,20 **2,5** *a* 1. Thess 1,5 **2,7** *a* Mt 11,25; Röm 16,25

und in keines Menschen Herz gekommen
ist, was Gott bereitet hat denen, die ihn
lieben.«
10 Uns aber [a]hat es Gott offenbart durch
den Geist; denn der Geist erforscht alle
Dinge, auch die Tiefen Gottes. 11 Denn
welcher Mensch weiß, was im Menschen
ist, als allein der Geist des Menschen, der
in ihm ist? So weiß auch niemand, was in
Gott ist, als allein der Geist Gottes. 12 Wir
aber haben nicht empfangen den Geist
der Welt, sondern [a]den Geist aus Gott,
damit wir wissen, was uns von Gott ge-
schenkt ist. 13 Und davon reden wir auch
nicht mit Worten, welche menschliche
Weisheit lehren kann, sondern mit Wor-
ten, die der Geist lehrt, und deuten geist-
liche Dinge für geistliche Menschen. 14 Der
natürliche Mensch aber nimmt nicht an,
was vom Geist Gottes ist; es ist ihm eine
[a]Torheit und er kann es nicht erkennen;
denn es muss geistlich beurteilt werden.
15 Der geistliche Mensch aber beurteilt al-
les und wird doch selber von niemandem
beurteilt. 16 Denn [a]»wer hat des Herrn
Sinn erkannt, oder wer will ihn unterwei-
sen«? (Jesaja 40,13) Wir aber haben Christi
Sinn.

DIE UNMÜNDIGKEIT DER KORINTHER

3 Und ich, Brüder und Schwestern,
konnte nicht zu euch reden wie zu geist-
lichen Menschen, sondern wie zu fleisch-
lichen, wie zu unmündigen Kindern in
Christus. 2 [a]Milch habe ich euch zu trin-
ken gegeben und nicht feste Speise; denn
ihr konntet sie noch nicht vertragen. Auch
jetzt könnt ihr's noch nicht, 3 denn ihr seid
noch fleischlich. Denn [a]wenn Eifersucht
und Zank unter euch sind, seid ihr da nicht
fleischlich und lebt nach Menschenweise?
4 Denn wenn der eine sagt: Ich gehöre
zu Paulus, der andere aber: Ich zu Apol-
los –, ist das nicht nach Menschenweise
geredet?[a]

MITARBEITER GOTTES

5 Was ist nun Apollos? Was ist Paulus?
Diener sind sie, durch die ihr gläubig ge-
worden seid, und das, wie es der Herr
einem jeden gegeben hat: 6 Ich habe ge-
pflanzt, [a]Apollos hat begossen; aber Gott
hat das Gedeihen gegeben. 7 So ist nun
weder der etwas, der pflanzt, noch der
begießt, sondern Gott, der das Gedei-
hen gibt. 8 Der aber pflanzt und der be-
gießt, sind einer wie der andere. Jeder aber
wird seinen Lohn empfangen nach seiner
Arbeit.
9 Denn wir sind Gottes Mitarbeiter; ihr
seid Gottes [a]Ackerfeld und Gottes [b]Bau.
10 Nach Gottes Gnade, die mir gegeben ist,
habe ich [a]den Grund gelegt als ein weiser
Baumeister; ein anderer baut darauf. Ein
jeder aber sehe zu, wie er darauf baut.
**11 Einen andern Grund kann niemand
legen außer dem, der gelegt ist, welcher
ist Jesus Christus.**[a]
12 Wenn aber jemand auf den Grund
baut Gold, Silber, Edelsteine, Holz, Heu,
Stroh, 13 so wird das Werk eines jeden of-
fenbar werden. [a]Der Tag des Gerichts wird
es ans Licht bringen; denn mit Feuer wird
er sich offenbaren. Und von welcher Art
eines jeden Werk ist, wird das Feuer er-
weisen. 14 Wird jemandes Werk bleiben,
das er darauf gebaut hat, so wird er Lohn
empfangen. 15 Wird aber jemandes Werk
verbrennen, so wird er Schaden leiden; er
selbst aber wird gerettet werden, doch so
wie durchs Feuer hindurch.
16 Wisst ihr nicht, dass ihr Gottes Tempel
seid und der Geist Gottes in euch wohnt?[a]
17 Wenn jemand den Tempel Gottes zer-
stört, den wird Gott zerstören, denn der
Tempel Gottes ist heilig – der seid ihr.

KEIN GRUND ZUM RUHM

18 Niemand betrüge sich selbst. Wer unter
euch meint, weise zu sein in dieser Welt,
der werde ein Narr, dass er weise werde.
19 Denn die Weisheit dieser Welt ist Tor-
heit bei Gott. Denn es steht geschrieben
(Hiob 5,13): »Die Weisen fängt er in ihrer
List«, 20 und wiederum (Psalm 94,11): »Der
Herr kennt die Gedanken der Weisen,
dass sie nichtig sind.« 21 Darum rühme
sich niemand eines Menschen; denn al-
les ist euer: 22 Es sei Paulus oder Apollos
oder Kephas, [a]es sei Welt oder Leben oder

2,10 ***a*** Mt 13,11; Kol 1,26 **2,12** ***a*** Joh 14,16-17
2,14 ***a*** Kap 1,23 **2,16** ***a*** Röm 11,34 **3,2** ***a*** 1. Petr 2,2;
Hebr 5,12-13 **3,3** ***a*** Kap 1,10-11; 11,18 **3,4** ***a*** Kap 1,12
3,6 ***a*** Apg 18,24-28 **3,9** ***a*** Mt 13,3-9 ***b*** Eph 2,20
3,10 ***a*** Röm 15,20 **3,11** ***a*** 1. Petr 2,4-6 **3,13** ***a*** Kap 4,5
3,16 ***a*** Kap 6,19; 2. Kor 6,16 **3,22** ***a*** Röm 8,38

Tod, es sei Gegenwärtiges oder Zukünftiges, **alles ist euer, 23 ihr aber seid Christi, Christus aber ist Gottes.**[a]

KEIN RECHT ZUM RICHTEN

4 Dafür halte uns jedermann: für Diener Christi und [a]Haushalter über Gottes Geheimnisse. 2 Nun fordert man nicht
mehr von den Haushaltern, als dass sie
für [a]treu befunden werden. 3 Mir aber ist's
ein Geringes, dass ich von euch gerichtet werde oder von einem menschlichen Gericht; auch richte ich mich selbst nicht. 4 Ich
bin mir zwar keiner Schuld bewusst, aber darin bin ich nicht gerechtfertigt; der Herr
ist's aber, der mich richtet. 5 Darum richtet nicht vor der Zeit, bis der Herr kommt, [a]der auch ans Licht bringen wird, was im Finstern verborgen ist, und das Trachten der Herzen offenbar machen wird. Dann wird auch einem jeden von Gott Lob zuteilwerden.

GEGEN DIE ÜBERHEBLICHKEIT DER KORINTHER

6 Dies aber, Brüder und Schwestern, habe ich auf mich selbst und Apollos gedeutet um euretwillen, dass ihr an uns lernt, was das heißt: Nicht über das hinaus, was geschrieben steht; [a]auf dass sich bei euch keiner für den einen gegen den andern
aufblase. 7 Denn wer gibt dir einen Vorzug? Was hast du, das du nicht empfangen hast? Wenn du es aber empfangen hast, was rühmst du dich dann, als hättest du
es nicht empfangen? 8 Ihr seid schon satt geworden? Ihr seid schon reich geworden? Ohne uns seid ihr zur Herrschaft gelangt? Ja, dass ihr doch herrschen würdet, damit auch wir mit euch herrschen könnten!

9 Denn ich meine, Gott hat uns Apostel als die Allergeringsten hingestellt, wie [a]zum Tode Verurteilte. Denn wir sind ein [b]Schauspiel geworden der Welt und den
Engeln und den Menschen. 10 Wir sind
[a]Narren um Christi willen, ihr aber seid klug in Christus; wir schwach, ihr aber stark; ihr herrlich, wir aber verachtet.
11 Bis auf diese Stunde leiden wir Hunger und Durst, sind nackt und werden geschlagen und haben keine sichere Stätte[a]
12 und [a]mühen uns ab mit unsrer Hände Arbeit. Schmäht man uns, so [b]segnen wir; verfolgt man uns, so dulden wir's; 13 verlästert man uns, so reden wir freundlich. Wir sind geworden wie der Abschaum der Menschheit, jedermanns Kehricht, bis heute.

PAULUS, DER VATER DER GEMEINDE IN KORINTH

14 Nicht um euch zu beschämen, schreibe ich dies; sondern [a]ich ermahne euch
als meine lieben Kinder. 15 Denn wenn ihr auch zehntausend Erzieher hättet in Christus, so habt ihr doch nicht viele Väter; denn [a]ich habe euch gezeugt in Christus Jesus durch das Evangelium.
16 Darum ermahne ich euch: [a]Folgt meinem Beispiel!

17 Aus diesem Grund habe ich [a]Timotheus zu euch gesandt, der mein geliebtes und getreues Kind ist in dem Herrn, dass er euch erinnere an meine Wege in Christus Jesus, wie ich sie überall in allen Gemeinden lehre.

18 Es haben sich nun einige aufgebläht,
als würde ich nicht zu euch kommen. 19 Ich
werde aber, wenn der Herr will, [a]recht bald zu euch kommen und nicht die Worte der Aufgeblasenen kennenlernen, sondern
ihre Kraft. 20 Denn das Reich Gottes steht
nicht in Worten, sondern in [a]Kraft. 21 Was
wollt ihr? Soll ich mit dem Stock zu euch kommen oder mit Liebe und sanftmütigem Geist?[a]

EIN AUSSCHLUSS AUS DER GEMEINDE

5 Überhaupt hört man, dass Unzucht unter euch ist, und zwar eine solche Unzucht, wie es sie nicht einmal unter den Heiden gibt: dass einer [a]die Frau seines
Vaters hat. 2 Und ihr seid [a]aufgeblasen und seid nicht vielmehr traurig geworden, sodass ihr den aus eurer Mitte verstoßen hättet, der diese Tat begangen hat?
3 Denn ich, [a]der ich zwar nicht leiblich bei euch bin, doch mit dem Geist, habe schon,

3,23 *a* Kap 11,3 **4,1** *a* 1. Petr 4,10 **4,2** *a* Lk 12,42
4,5 *a* Röm 2,16 **4,6** *a* Röm 12,3 **4,9** *a* Röm 8,36
b Hebr 10,33 **4,10** *a* Kap 3,18 **4,11** *a* 2. Kor 6,4-10
4,12 *a* Kap 9,15; Apg 18,3 *b* Mt 5,44; Röm 12,14
4,14 *a* 1. Thess 2,11-12 **4,15** *a* Gal 4,19; Phlm 10
4,16 *a* Kap 11,1 **4,17** *a* Apg 16,1-3 **4,19** *a* Kap 16,5-7
4,20 *a* Kap 2,4 **4,21** *a* 2. Kor 10,2; 13,10
5,1 *a* 3. Mose 18,8 **5,2** *a* Kap 4,6 **5,3** *a* Kol 2,5

als wäre ich bei euch, den verurteilt, der
solches getan hat: 4 [a]Wenn ihr im Namen
unseres Herrn Jesus versammelt seid und
mein Geist mit der Kraft unseres Herrn
Jesus bei euch ist, 5 sollt ihr diesen Men-
schen [a]dem Satan übergeben zum Ver-
derben des Fleisches, auf dass sein Geist
gerettet werde am Tage des Herrn.
6 Es ist nicht gut, wessen ihr euch rühmt.
Wisst ihr nicht, dass [a]ein wenig Sauerteig
den ganzen Teig durchsäuert? 7 [a]Darum
schafft den alten Sauerteig weg, auf dass
ihr ein neuer Teig seid, wie ihr ja ungesäu-
ert seid.

Denn auch unser Passalamm ist ge-
opfert, das ist Christus. 8 Darum lasst uns
das Fest feiern nicht mit dem alten Sau-
erteig, auch nicht mit dem Sauerteig der
Bosheit und Schlechtigkeit, sondern mit
dem ungesäuerten Teig der Lauterkeit und
Wahrheit.
9 Ich habe euch in dem Brief geschrieben,
dass ihr nichts zu schaffen haben sollt mit
Unzüchtigen. 10 Damit meine ich nicht
allgemein die Unzüchtigen dieser Welt
oder die Habgierigen oder Räuber oder
Götzendiener; sonst müsstet ihr ja die
Welt verlassen. 11 Vielmehr habe ich euch
geschrieben: Ihr sollt nichts mit einem
zu schaffen haben, der sich Bruder nen-
nen lässt und ist ein Unzüchtiger oder ein
Habgieriger oder ein Götzendiener oder
ein Lästerer oder ein Trunkenbold oder
ein Räuber; mit so einem sollt ihr auch
nicht essen.[a] 12 Denn was gehen mich die
draußen an, dass ich sie sollte richten?
Habt ihr nicht die zu richten, die drinnen
sind? 13 Die aber draußen sind, wird Gott
richten. [a]Verstoßt ihr den Bösen aus eurer
Mitte!

RECHTSSACHEN UNTER CHRISTEN

6 Wie kann jemand von euch wagen,
wenn er einen Streit hat mit einem an-
dern, sein Recht zu suchen vor den Un-
gerechten und nicht vor den Heiligen?
2 Oder wisst ihr nicht, dass [a]die Heiligen
die Welt richten werden? Wenn nun die
Welt von euch gerichtet werden soll, seid
ihr dann nicht gut genug, über so geringe
Sachen zu richten? 3 [a]Wisst ihr nicht, dass
wir über Engel richten werden? Wie viel
mehr über Dinge des täglichen Lebens.
4 Wenn ihr nun über diese Dinge rich-
tet, nehmt ihr dann solche, die in der Ge-
meinde verachtet werden, und setzt sie
als Richter ein? 5 Euch zur Schande muss
ich das sagen. Ist denn gar kein Weiser
unter euch, auch nicht einer, der zwi-
schen Bruder und Bruder richten könnte?
6 Sondern ein Bruder rechtet mit dem an-
dern, und das vor Ungläubigen! 7 Es ist
schon schlimm genug, dass ihr miteinander
ander rechtet. Warum lasst ihr euch nicht
lieber Unrecht tun? Warum lasst ihr euch
nicht lieber übervorteilen?[a] 8 Sondern ihr
tut Unrecht und übervorteilt, und das
unter Brüdern!
9 [a]Oder wisst ihr nicht, dass die Unge-
rechten das Reich Gottes nicht ererben
werden? Täuscht euch nicht! Weder Un-
züchtige noch Götzendiener noch Ehebre-
cher noch Lustknaben noch Knabenschän-
der 10 noch Diebe noch Habgierige noch
Trunkenbolde noch Lästerer noch Räuber
werden das Reich Gottes ererben. 11 Und
solche sind einige von euch gewesen. Aber
ihr seid [a]reingewaschen, ihr seid [b]gehei-
ligt, ihr seid [c]gerecht geworden* durch
den Namen des Herrn Jesus Christus und
durch den Geist unseres Gottes.

DER LEIB ALS TEMPEL DES HEILIGEN GEISTES

12 [a]**Alles ist mir erlaubt, aber nicht alles
dient zum Guten. Alles ist mir erlaubt,
aber nichts soll Macht haben über mich.**
13 Die Speise dem Bauch und der Bauch der
Speise; aber Gott wird das eine wie das
andere zunichtemachen. [a]Der Leib aber
nicht der Hurerei, sondern dem Herrn,
und der Herr dem Leibe. 14 Gott aber [a]hat
den Herrn auferweckt und wird auch uns
auferwecken durch seine Kraft.[b]
15 Wisst ihr nicht, dass eure Leiber Glie-
der Christi sind? Sollte ich nun die Glieder

* **6,11** So Luther 1545. 1522 übersetzte er: »gerechtfertigt«.

5,4 ***a*** Mt 18,20 **5,5** ***a*** 1. Tim 1,20 **5,6** ***a*** Gal 5,9
5,7 ***a*** *(7-8)* 2. Mose 12,3-20; 13,7; 1. Petr 1,19
5,11 ***a*** 2. Thess 3,6 **5,13** ***a*** 5. Mose 13,6; 17,7; Mt 18,17
6,2 ***a*** Dan 7,22; Mt 19,28 **6,3** ***a*** 2. Petr 2,4
6,7 ***a*** Mt 5,38-41; 1. Thess 5,15; 1. Petr 3,9
6,9 ***a*** *(9-11)* Gal 5,19-21; Eph 5,5; 1. Tim 1,9-11; Offb 22,15
6,11 ***a*** Tit 3,3-7; 1. Petr 3,21 ***b*** Kap 1,2 ***c*** Röm 3,26
6,12 ***a*** Kap 10,23 **6,13** ***a*** 1. Thess 4,3-5 **6,14** ***a*** Kap 15,20
b 2. Kor 4,14

Christi nehmen und Hurenglieder daraus
machen? Das sei ferne! 16 Oder wisst ihr
nicht: Wer sich an die Hure hängt, der ist
ein Leib mit ihr? Denn die Schrift sagt:
»Die zwei werden *ein* Fleisch sein« (1. Mose
2,24). 17 Wer aber dem Herrn anhängt, der
ist [a]*ein* Geist mit ihm. 18 Flieht die Hure-
rei! Alle Sünden, die der Mensch tut, sind
außerhalb seines Leibes; wer aber Hure-
rei treibt, der sündigt am eigenen Leibe.
19 Oder wisst ihr nicht, dass [a]euer Leib ein
Tempel des Heiligen Geistes ist, der in
euch ist und den ihr von Gott habt, und
dass ihr nicht euch selbst gehört? 20 Denn
[a]**ihr seid teuer erkauft; darum [b]preist
Gott mit eurem Leibe.**

VON DER EHE

7 Nun zu dem, wovon ihr geschrieben
habt: Es ist gut für den Mann, keine Frau
zu berühren. 2 Aber um Unzucht zu ver-
meiden, soll jeder seine eigene Frau haben
und jede Frau ihren eigenen Mann. 3 Der
Mann gebe der Frau, was er ihr schuldig
ist, desgleichen die Frau dem Mann. 4 Die
Frau verfügt nicht über ihren Leib, son-
dern der Mann. Ebenso verfügt der Mann
nicht über seinen Leib, sondern die Frau.
5 Entziehe sich nicht eins dem andern, es
sei denn eine Zeit lang, wenn beide es
wollen, dass ihr zum Beten Ruhe habt;
und dann kommt wieder zusammen, da-
mit euch der Satan nicht versuche, weil ihr
euch nicht enthalten könnt.
6 Das sage ich aber als Erlaubnis und
nicht als Gebot. 7 Ich wollte zwar lieber,
alle Menschen wären, wie ich bin, aber je-
der hat seine eigene Gabe von Gott, der
eine so, der andere so.[a]
8 Den Ledigen und Witwen sage ich:
Es ist gut für sie, wenn sie bleiben wie
ich. 9 Wenn sie sich aber nicht enthal-
ten können, sollen sie heiraten; denn es
ist besser, zu heiraten, als in Begierde zu
brennen.[a]
10 Den Verheirateten aber gebiete ich –
nein, nicht ich, sondern [a]der Herr –, dass
die Frau sich nicht von ihrem Manne
scheiden lassen soll – 11 hat sie sich aber
scheiden lassen, soll sie ohne Ehe bleiben
oder sich mit ihrem Mann versöhnen –
und dass der Mann seine Frau nicht fort-
schicken soll.
12 Den andern aber sage ich, nicht der
Herr: Wenn ein Bruder eine ungläubige
Frau hat und es gefällt ihr, bei ihm zu woh-
nen, so soll er sie nicht fortschicken. 13 Und
wenn eine Frau einen ungläubigen Mann
hat und es gefällt ihm, bei ihr zu wohnen,
so soll sie den Mann nicht fortschicken.
14 Denn der ungläubige Mann ist geheiligt
durch die Frau, und die ungläubige Frau
ist geheiligt durch den gläubigen Mann.
Sonst wären eure Kinder unrein; [a]nun
aber sind sie heilig. 15 Wenn aber der Un-
gläubige sich scheiden will, so lass ihn sich
scheiden. Der Bruder oder die Schwester
ist nicht gebunden in solchen Fällen. [a]Zum
Frieden hat euch Gott berufen. 16 Denn
[a]was weißt du, Frau, ob du den Mann ret-
ten wirst? Oder du, Mann, was weißt du,
ob du die Frau retten wirst?

VOM LEBEN NACH DER BERUFUNG

17 Doch soll jeder so leben, wie der Herr
es ihm zugemessen, wie Gott einen jeden
berufen hat. Und [a]so ordne ich es an in al-
len Gemeinden. 18 Ist jemand als Beschnit-
tener berufen, der bleibe beschnitten. Ist
jemand als Unbeschnittener berufen, der
lasse sich nicht beschneiden. 19 Die Be-
schneidung ist nichts, und die Unbe-
schnittenheit ist nichts, sondern: Gottes
Gebote halten.[a] 20 Ein jeder bleibe in der
Berufung, in der er berufen wurde.
21 Bist du als Knecht berufen, so sorge
dich nicht; doch kannst du frei werden,
so nutze es umso lieber. 22 Denn [a]wer im
Herrn als Knecht berufen ist, der ist ein
Freigelassener des Herrn; desgleichen wer
als Freier berufen ist, der ist ein [b]Knecht
Christi. 23 **Ihr seid teuer erkauft; werdet
nicht der Menschen Knechte.**[a] 24 Brüder
und Schwestern, bleibt alle vor Gott, wo-
rin ihr berufen seid.
25 Über die Jungfrauen habe ich kein Ge-
bot des Herrn; ich sage aber meine Mei-
nung als einer, der durch die Barmherzig-
keit des Herrn verlässlich ist. 26 So meine
ich nun, solches sei gut [a]um der kommen-

6,17 ***a*** Joh 17,21-22 **6,19** ***a*** Kap 3,16 **6,20** ***a*** Kap 7,23; 1. Petr 1,18-19 ***b*** Phil 1,20 **7,7** ***a*** Mt 19,12 **7,9** ***a*** 1. Tim 5,14 **7,10** ***a*** Mt 5,32 **7,14** ***a*** Röm 11,16 **7,15** ***a*** Röm 14,19 **7,16** ***a*** 1. Petr 3,1 **7,17** ***a*** Kap 4,17 **7,19** ***a*** Gal 5,6; 6,15 **7,22** ***a*** Phlm 16 ***b*** Eph 6,6 **7,23** ***a*** Kap 6,20 **7,26** ***a*** Kap 10,11

den Not willen: Es ist gut für den Men-
schen, in dem Stand zu bleiben, in dem
er ist. 27 Bist du an eine Frau gebunden, so
suche nicht, von ihr loszukommen; bist
du nicht gebunden, so suche keine Frau.
28 Wenn du aber doch heiratest, sündigst
du nicht, und wenn eine Jungfrau heira-
tet, sündigt sie nicht; doch werden solche
in äußere Bedrängnis kommen. Ich aber
möchte euch gerne schonen.
29 Das sage ich aber, liebe Brüder: [a]Die
Zeit ist kurz. **Auch sollen die, die Frauen**
haben, sein, [b]als hätten sie keine; 30 und
die weinen, als weinten sie nicht; und
die sich freuen, als freuten sie sich
nicht; und die kaufen, als behielten
sie es nicht; 31 und die diese Welt ge-
brauchen, als brauchten sie sie nicht.
[a]Denn das Wesen dieser Welt ver-
geht.
32 Ich möchte aber, dass ihr ohne Sorge
seid. Wer ledig ist, der sorgt sich um die
Sache des Herrn, wie er dem Herrn ge-
falle; 33 [a]wer aber verheiratet ist, der sorgt
sich um die Dinge der Welt, wie er der
Frau gefalle, 34 und so ist er geteilten Her-
zens. Und die ledige Frau und die Jung-
frau sorgen sich um die Sache des Herrn,
dass sie heilig seien am Leib und auch am
Geist; aber die verheiratete Frau sorgt sich
um die Dinge der Welt, wie sie dem Mann
gefalle. 35 Das aber sage ich zu eurem eige-
nen Nutzen; nicht um euch in einem Netz
zu fangen, sondern damit es recht zugehe
und ihr stets und ungehindert dem Herrn
dienen könnt.
36 Wenn aber jemand meint, er handle
unrecht an seiner Jungfrau*, – wenn die
Zeit längst reif ist und es geschehen soll,
so tue er, was er will; er sündigt nicht,
sie sollen heiraten. 37 Wer aber in seinem
Herzen fest bleibt und nicht unter Zwang
steht, sondern seinen freien Willen hat
und in seinem Herzen beschließt, seine
Jungfrau unberührt zu lassen, der tut gut
daran. 38 Also, wer seine Jungfrau heiratet,
der handelt gut; wer sie aber nicht heiratet,
der handelt besser.

VON DEN WITWEN

39 Eine Frau ist gebunden, solange ihr
Mann lebt; wenn aber der Mann entschla-
fen ist, so ist sie frei, zu heiraten, wen sie
will; nur dass es in dem Herrn geschehe![a]
40 Seliger ist sie aber, nach meiner Mei-
nung, wenn sie unverheiratet bleibt. Ich
meine aber, dass auch ich den Geist Gottes
habe.

VOM ESSEN DES GÖTZENOPFER-FLEISCHES

8 Was aber das [a]Götzenopfer angeht, so
wissen wir, dass wir alle die Erkenntnis
haben. Die Erkenntnis bläht auf; aber die
Liebe baut auf. 2 Wenn [a]jemand meint, er
habe etwas erkannt, der hat noch nicht
erkannt, wie man erkennen soll. 3 Wenn
aber jemand Gott liebt, der ist [a]von ihm
erkannt.
4 Was nun das Essen von Götzenopfer-
fleisch angeht, so wissen wir, dass es kei-
nen Götzen gibt in der Welt und [a]keinen
Gott als den einen. 5 Und [a]obwohl es sol-
che gibt, die Götter genannt werden, es
sei im Himmel oder auf Erden, wie es ja
viele Götter und viele Herren gibt, 6 so
haben wir doch nur [a]einen Gott, den Va-
ter, [b]von dem alle Dinge sind und wir zu
ihm, und einen Herrn, Jesus Christus,
[c]durch den alle Dinge sind und wir durch
ihn.
7 Aber nicht alle haben die Erkennt-
nis. Einige essen's als Götzenopfer, weil
sie immer noch an die Götzen gewöhnt
sind; und so [a]wird ihr Gewissen, weil es
schwach ist, befleckt. 8 Aber die Speise
macht's nicht, wie wir vor Gott stehen.
Essen wir nicht, so fehlt uns nichts, essen
wir, so gewinnen wir nichts.[a]
9 Seht aber zu, dass diese eure Freiheit
für die Schwachen nicht zum Anstoß
wird![a] 10 Denn wenn jemand dich, der du
die Erkenntnis hast, im Götzentempel zu
Tisch sitzen sieht, wird dann nicht sein
Gewissen, da er doch schwach ist, verlei-
tet, das Götzenopfer zu essen? 11 Und so
geht durch deine Erkenntnis der Schwa-
che [a]zugrunde, der Bruder, für den doch

* **7,36** Siehe Sach- und Worterklärungen.

7,29 ***a*** Röm 13,11 ***b*** Lk 14,26 **7,31** ***a*** 1. Joh 2,15-17
7,33 ***a*** Lk 14,20 **7,39** ***a*** Röm 7,2 **8,1** ***a*** Apg 15,29
8,2 ***a*** Gal 6,3 **8,3** ***a*** Kap 13,12; Gal 4,9 **8,4** ***a*** 5. Mose 6,4
8,5 ***a*** Kap 10,19-20 **8,6** ***a*** Kap 12,5-6; 2. Mose 20,3;
Mal 2,10; Eph 4,5-6 ***b*** Röm 11,36 ***c*** Joh 1,3; Kol 1,16
8,7 ***a*** Kap 10,28 **8,8** ***a*** Röm 14,17 **8,9** ***a*** Gal 5,13
8,11 ***a*** Röm 14,15

Christus gestorben ist. 12 Wenn ihr aber so
sündigt an den Brüdern und Schwestern
und verletzt ihr schwaches Gewissen, so
sündigt ihr an Christus. 13 Darum, wenn
Speise meinen Bruder zu Fall bringt,
will ich nimmermehr Fleisch essen, auf
dass ich meinen Bruder nicht zu Fall
bringe.[a]

RECHT UND FREIHEIT EINES APOSTELS

9 Bin ich nicht frei? Bin ich nicht ein
Apostel? [a]Habe ich nicht Jesus, un-
sern Herrn, gesehen? Seid nicht ihr mein
Werk in dem Herrn? 2 Bin ich für an-
dere kein Apostel, so bin ich's doch für
euch; denn [a]das Siegel meines Apostel-
amts seid ihr in dem Herrn. 3 Denen, die
mich verurteilen, antworte ich so: 4 Haben
wir nicht das Recht, zu essen und zu
trinken?[a] 5 Haben wir nicht auch das
Recht, eine Schwester als Ehefrau mit uns
zu führen wie die andern Apostel und die
Brüder des Herrn und [a]Kephas? 6 Oder
haben allein ich und [a]Barnabas nicht das
Recht, nicht zu [b]arbeiten?

7 Wer zieht denn in den Krieg und zahlt
den eigenen Sold? Wer pflanzt einen
Weinberg und isst nicht von seiner
Frucht? Oder wer weidet eine Herde und
nährt sich nicht von der Milch der Herde?
8 Sage ich das nach menschlichem Gut-
dünken? Sagt das nicht auch das Gesetz?
9 Denn im Gesetz des Mose steht geschrie-
ben (5. Mose 25,4): [a]»Du sollst dem Ochsen,
der da drischt, nicht das Maul verbinden.«
Sorgt sich Gott etwa um die Ochsen?
10 Oder redet er nicht überall um unsert-
willen? [a]Denn um unsertwillen ist es ge-
schrieben. Wer pflügt, soll auf Hoffnung
pflügen; und wer drischt, soll in der Hoff-
nung dreschen, dass er seinen Teil emp-
fangen wird. 11 Wenn wir für euch Geist-
liches säen, ist es dann zu viel, wenn wir
Leibliches von euch ernten wollen?[a]
12 Wenn andere dieses Recht an euch ha-
ben, warum nicht viel mehr wir? Aber
[a]wir haben von diesem Recht nicht Ge-
brauch gemacht, sondern wir ertragen al-
les, dass wir nicht dem Evangelium Christi
ein Hindernis bereiten. 13 Wisst ihr nicht,
dass, [a]die im Tempel dienen, vom Tempel
leben, und die am Altar dienen, vom Altar
ihren Anteil bekommen? 14 So hat auch
der Herr befohlen, dass, die das Evange-
lium verkündigen, vom Evangelium leben
sollen.[a]

15 Ich aber habe [a]von alledem keinen Ge-
brauch gemacht. Ich schreibe auch nicht
deshalb davon, damit es nun mit mir so
gehalten werde. Lieber wollte ich ster-
ben – meinen Ruhm soll niemand zu-
nichtemachen! 16 Denn dass ich das Evan-
gelium predige, dessen darf ich mich nicht
rühmen; denn ich muss es tun. Und [a]wehe
mir, wenn ich das Evangelium nicht pre-
digte! 17 Tue ich's freiwillig, so wird's mir
gelohnt. Tue ich's aber unfreiwillig, so [a]ist
mir das Amt doch anvertraut. 18 Was ist
denn nun mein Lohn? Dass ich das Evan-
gelium predige ohne Entgelt, sodass ich
von meinem Recht am Evangelium nicht
Gebrauch mache.

19 Denn obwohl ich frei bin von jeder-
mann, [a]habe ich doch mich selbst jeder-
mann zum Knecht gemacht, auf dass ich
möglichst viele gewinne. 20 [a]Den Juden
bin ich wie ein Jude geworden, damit ich
die Juden gewinne. Denen unter dem Ge-
setz bin ich wie einer unter dem Gesetz
geworden – obwohl ich selbst nicht un-
ter dem Gesetz bin –, damit ich die un-
ter dem Gesetz gewinne. 21 Denen ohne
Gesetz [a]bin ich wie einer ohne Gesetz
geworden – obwohl ich doch nicht ohne
Gesetz bin vor Gott, sondern bin im Ge-
setz vor Christus –, damit ich die ohne
Gesetz gewinne. 22 Den Schwachen bin
ich ein Schwacher geworden, [a]damit ich
die Schwachen gewinne. **Ich bin allen al-
les geworden, damit ich auf alle Weise
etliche rette.** 23 Alles aber tue ich um des
Evangeliums willen, auf dass ich an ihm
teilhabe.

24 Wisst ihr nicht: Die [a]im Stadion lau-
fen, die laufen alle, aber nur einer emp-
fängt den [b]Siegespreis? Lauft so, dass ihr
ihn erlangt. 25 [a]Jeder aber, der kämpft, ent-

8,13 *a* Röm 14,21 **9,1** *a* Kap 15,8; Apg 9,3-5
9,2 *a* Kap 4,15; 2. Kor 3,2-3 **9,4** *a* Lk 10,7 **9,5** *a* Mt 8,14; Joh 1,42 **9,6** *a* Apg 4,36 *b* 2. Thess 3,7-9
9,9 *a* 1. Tim 5,18 **9,10** *a* Röm 15,4 **9,11** *a* Röm 15,27
9,12 *a* Apg 20,33-35; 2. Kor 11,9
9,13 *a* 4. Mose 18,18-19.31; 5. Mose 18,1-3 **9,14** *a* Lk 10,7; Gal 6,6 **9,15** *a* Apg 18,3 **9,16** *a* Jer 20,9 **9,17** *a* Kap 4,1
9,19 *a* Mt 20,27 **9,20** *a* (20-22) Kap 10,33; Apg 16,3; 21,20-26 **9,21** *a* Gal 2,3 **9,22** *a* Röm 11,14
9,24 *a* 2. Tim 4,7 *b* Phil 3,14 **9,25** *a* 2. Tim 2,4-5

hält sich aller Dinge; jene nun, damit sie
einen vergänglichen Kranz empfangen,
wir aber einen [b]unvergänglichen. 26 Ich
aber laufe nicht wie ins Ungewisse; ich
kämpfe mit der Faust nicht wie einer, der
in die Luft schlägt, 27 sondern ich schinde
meinen Leib und bezwinge ihn, dass ich
nicht andern predige und selbst verwerf-
lich werde.

DAS WARNENDE BEISPIEL ISRAELS

10 Ich will euch aber, Brüder und Schwes-
tern, nicht in Unwissenheit darüber
lassen, dass unsre Väter alle [a]unter der
Wolke gewesen und alle [b]durchs Meer
gegangen sind; 2 und sind alle auf Mose
getauft worden in der Wolke und im
Meer, 3 und haben alle dieselbe geistliche
Speise gegessen[a] 4 und haben alle densel-
ben geistlichen Trank getrunken; denn sie
tranken von dem geistlichen [a]Felsen, der
ihnen folgte; der Fels aber war Christus.
5 Doch an den meisten von ihnen hatte
Gott kein Wohlgefallen, denn sie sind in
der Wüste umgekommen.[a]
6 Das ist aber geschehen uns zum Vor-
bild, dass wir nicht am Bösen unsre Lust
haben, [a]wie jene sie hatten. 7 So werdet
nicht Götzendiener, wie einige von ihnen
es wurden, wie geschrieben steht (2. Mose
32,6): »Das Volk setzte sich nieder, um zu
essen und zu trinken, und sie standen
auf, um zu spielen.« 8 Auch lasst uns nicht
Hurerei treiben, [a]wie etliche von ihnen
Hurerei trieben: Und an einem einzigen
Tag kamen dreiundzwanzigtausend um.
9 Lasst uns auch nicht Christus versuchen,
wie etliche von ihnen taten und [a]wurden
von den Schlangen umgebracht. 10 Murrt
auch nicht, wie etliche von ihnen murrten
und wurden umgebracht durch den Ver-
derber.[a] 11 Dies widerfuhr ihnen als ein
Vorbild. Es ist aber geschrieben uns zur
Warnung, auf die [a]das Ende der Zeiten
gekommen ist.
12 Darum, wer meint, er stehe, soll zu-
sehen, dass er nicht falle.[a] 13 Bisher hat
euch nur menschliche Versuchung ge-
troffen. Aber **Gott ist treu, [a]der euch
nicht versuchen lässt über eure Kraft,
sondern macht, dass die Versuchung
so ein Ende nimmt, dass ihr's ertragen
könnt.**

DIE UNVEREINBARKEIT VON ABENDMAHL UND GÖTZENDIENST

14 Darum, meine Lieben, flieht den Göt-
zendienst![a] 15 Ich rede doch zu verstän-
digen Menschen; beurteilt ihr, was ich
sage. **16 Der Kelch des Segens, den wir
segnen, ist der nicht die Gemeinschaft
des Blutes Christi? Das Brot, das wir
brechen, ist das nicht die Gemein-
schaft des Leibes Christi?[a] 17 Denn ein
Brot ist's. So [a]sind wir, die vielen, ein
Leib, weil wir alle an einem Brot teil-
haben.**
18 Seht an das Israel nach dem Fleisch!
Welche [a]die Opfer essen, stehen die nicht
in der Gemeinschaft des Altars? 19 Was
will ich nun damit sagen? Dass das Göt-
zenopfer etwas sei? Oder [a]dass der Götze
etwas sei? 20 Nein, sondern was man da
opfert, das [a]opfert man den Dämonen und
nicht Gott. Ich will aber nicht, dass ihr mit
den Dämonen Gemeinschaft habt. 21 Ihr
könnt nicht zugleich den Kelch des Herrn
trinken und den Kelch der Dämonen; ihr
könnt nicht zugleich am Tisch des Herrn
teilhaben und am Tisch der Dämonen.[a]
22 Oder wollen wir des Herrn Eifersucht
wecken? Sind wir stärker als er?

RÜCKSICHT AUF DAS GEWISSEN

**23 Alles ist erlaubt, aber nicht alles
dient zum Guten. Alles ist erlaubt, aber
nicht alles baut auf.[a] 24 Niemand suche
das Seine, sondern was dem andern
dient.**[a] 25 Alles, was auf dem Fleischmarkt
verkauft wird, das esst, und prüft es nicht
um des Gewissens willen.[a] 26 Denn »die
Erde ist des Herrn und was darinnen ist«
(Psalm 24,1). 27 Wenn euch einer von den Un-
gläubigen einlädt und ihr wollt hingehen,
so esst alles, was euch vorgesetzt wird,
und prüft es nicht um des Gewissens

9,25 ***b*** 1. Petr 5,4 **10,1** ***a*** 2. Mose 13,21 ***b*** 2. Mose 14,22
10,3 ***a*** 2. Mose 16,4.35 **10,4** ***a*** 2. Mose 17,6
10,5 ***a*** 4. Mose 14,16.22-32 **10,6** ***a*** 4. Mose 11,4
10,8 ***a*** 4. Mose 25,1.9 **10,9** ***a*** 4. Mose 21,4-6
10,10 ***a*** 4. Mose 14,2.35-36; Hebr 3,11.17
10,11 ***a*** 1. Petr 4,7 **10,12** ***a*** Röm 11,20 **10,13** ***a*** Ps 68,20;
2. Petr 2,9; 2. Thess 3,3 **10,14** ***a*** 1. Joh 5,21
10,16 ***a*** Kap 11,23-26; Mt 26,26-27; Apg 2,42
10,17 ***a*** Kap 12,27; Röm 12,5 **10,18** ***a*** 3. Mose 7,6
10,19 ***a*** Kap 8,4 **10,20** ***a*** 5. Mose 32,17 **10,21** ***a*** Mt 6,24;
2. Kor 6,15-16 **10,23** ***a*** Kap 6,12 **10,24** ***a*** Röm 15,2;
Phil 2,4 **10,25** ***a*** Röm 14,2-10.22

willen. 28 Wenn aber jemand zu euch sa-
gen würde: Das ist [a]Opferfleisch, so esst
nicht davon, um desjenigen willen, der es
gesagt hat, und um des Gewissens willen.
29 Ich rede aber nicht von deinem eigenen
Gewissen, sondern von dem des andern.
Denn warum sollte ich meine Freiheit be-
urteilen lassen vom Gewissen eines an-
dern? 30 Wenn ich [a]mit Danksagung am
Mahl teilnehme, warum sollte ich mich
Lästerer nennen lassen wegen etwas, wo-
für ich danke?

31 **Ob ihr nun esst oder trinkt oder
was ihr auch tut, das tut alles zu Gottes
Ehre.**[a] 32 [a]Erregt keinen Anstoß, weder bei
den Juden noch bei den Griechen noch bei
der Gemeinde Gottes, 33 so wie [a]auch ich
jedermann in allem zu Gefallen lebe und
suche nicht, was mir, sondern was vielen
dient, damit sie gerettet werden.

11 Folgt meinem Beispiel wie ich dem
Beispiel Christi!

FRAUEN UND MÄNNER IM GOTTESDIENST

2 Ich lobe euch, weil ihr in allen Stücken
an mich denkt und an den Überlieferun-
gen festhaltet, wie ich sie euch gegeben
habe. 3 Ich will aber, dass ihr wisst, dass
Christus das Haupt eines jeden Mannes
ist; [a]der Mann aber ist das Haupt der Frau;
[b]Gott aber ist das Haupt Christi. 4 Ein jeder
Mann, der betet oder prophetisch redet
und hat etwas auf dem Haupt, der schän-
det sein Haupt. 5 Jede Frau aber, die betet
oder prophetisch redet mit unbedecktem
Haupt, die schändet ihr Haupt; denn es ist
gerade so, als wäre sie geschoren. 6 Will sie
sich nicht bedecken, so soll sie sich doch
das Haar abschneiden lassen! Wenn es
aber für die Frau eine Schande ist, dass sie
das Haar abgeschnitten hat oder gescho-
ren ist, soll sie sich bedecken.

7 Der Mann aber soll das Haupt nicht be-
decken, denn er ist Gottes Bild und Ab-
glanz; die Frau aber ist des Mannes Ab-
glanz. 8 Denn der Mann ist nicht von der
Frau, sondern [a]die Frau von dem Mann.
9 Und der Mann wurde nicht geschaffen
um der Frau willen, sondern [a]die Frau um
des Mannes willen. 10 Darum soll die Frau
eine Macht* auf dem Haupt haben um der
Engel willen. 11 Doch im Herrn ist weder
die Frau ohne den Mann noch der Mann
ohne die Frau; 12 denn wie die Frau von
dem Mann, so ist auch der Mann durch
die Frau; aber alles von Gott.

13 Urteilt bei euch selbst: Steht es einer
Frau wohl an, dass sie unbedeckt vor Gott
betet? 14 Lehrt euch nicht die Natur selbst,
dass es für einen Mann eine Unehre ist,
wenn er langes Haar trägt, 15 aber für eine
Frau eine Ehre, wenn sie langes Haar hat?
Das Haar ist ihr als Schleier gegeben. 16 Ist
aber jemand unter euch, der darüber strei-
ten will, so soll er wissen, dass wir diese
Sitte nicht haben – und die Gemeinden
Gottes auch nicht.

VOM ABENDMAHL DES HERRN

17 Dies aber gebiete ich euch: Ich kann's
nicht loben, dass ihr nicht zum Besseren,
sondern zum Schlechteren zusammen-
kommt. 18 Zum Ersten höre ich: Wenn
ihr in der Gemeinde zusammenkommt,
sind [a]Spaltungen unter euch; und zum
Teil glaube ich's. 19 Denn [a]es müssen ja
Spaltungen unter euch sein, auf dass die
unter euch offenbar werden, die bewährt
sind. 20 Wenn ihr nun zusammenkommt,
so hält man da nicht das Abendmahl des
Herrn*. 21 Denn ein jeder nimmt beim
Essen sein eigenes Mahl vorweg, und der
eine ist hungrig, der andere ist betrunken.[a]
22 Habt ihr denn nicht Häuser, wo ihr es-
sen und trinken könnt? Oder verachtet
ihr die Gemeinde Gottes und [a]beschämt
die, die nichts haben? Was soll ich euch
sagen? Soll ich euch loben? Hierin lobe ich
euch nicht.

23 [a]Denn ich habe von dem Herrn emp-
fangen, was ich euch weitergegeben habe:
**Der Herr Jesus, in der Nacht, da er ver-
raten* ward, nahm er das Brot, 24 dankte
und brach's und sprach: Das ist mein**

* **11,10** »Macht« bedeutet wohl »Schleier«.
11,20 Andere Übersetzung: »Mahl des Herrn«; Luther schuf an dieser Stelle 1522 das Wort »Abendmahl«.
11,23 Andere Übersetzung: »dahingegeben« (vgl. Röm 8,32).

10,28 ***a*** Kap 8,7 **10,30** ***a*** 1. Tim 4,4 **10,31** ***a*** Kol 3,17
10,32 ***a*** Röm 14,13 **10,33** ***a*** Kap 9,20-22
11,3 ***a*** 1. Mose 3,16; Eph 5,23 ***b*** Kap 3,23
11,8 ***a*** 1. Mose 2,21-23 **11,9** ***a*** 1. Mose 2,18
11,18 ***a*** Kap 1,12; 3,3-4 **11,19** ***a*** 1. Joh 2,19 **11,21** ***a*** Jud 12
11,22 ***a*** Jak 2,5-6 **11,23** ***a*** (23-25) Mt 26,26-28; Mk 14,21-24; Lk 22,19-20

Leib für euch;* das tut zu meinem Ge-
dächtnis. 25 **Desgleichen nahm er auch**
den Kelch nach dem Mahl und sprach:
Dieser Kelch ist [a]der neue Bund* in
meinem Blut; das tut, sooft ihr daraus
trinkt, zu meinem Gedächtnis. 26 Denn
sooft ihr von diesem Brot esst und von
dem Kelch trinkt, verkündigt ihr den Tod
des Herrn, [a]bis er kommt.

27 Wer also unwürdig* von dem Brot
isst oder von dem Kelch des Herrn trinkt,
der wird schuldig sein am Leib und Blut
des Herrn. 28 Der Mensch prüfe aber sich
selbst, und so esse er von diesem Brot und
trinke von diesem Kelch. 29 Denn wer isst
und trinkt und nicht bedenkt, welcher
Leib es ist, der isst und trinkt sich selber
zum Gericht. 30 Darum sind auch viele
Schwache und Kranke unter euch, und
nicht wenige sind entschlafen. 31 Wenn
wir uns selber richteten, so würden wir
nicht gerichtet. 32 Wenn wir aber von dem
Herrn gerichtet werden, so werden wir
gezüchtigt, auf dass wir nicht samt der
Welt verdammt werden.[a]

33 Darum, meine Brüder und Schwes-
tern, wenn ihr zusammenkommt, um
zu essen, so wartet aufeinander. 34 Hat je-
mand Hunger, so esse er daheim, auf dass
ihr nicht zum Gericht zusammenkommt.

Alles andere will ich ordnen, [a]wenn ich
komme.

VIELE GABEN – EIN GEIST

12 Über die Gaben des Geistes aber will
ich euch, Brüder und Schwestern,
nicht in Unwissenheit lassen. 2 Ihr wisst:
Als ihr Heiden wart, zog es euch mit Macht
zu den [a]stummen Götzen. 3 Darum tue ich
euch kund, dass niemand, der durch den
Geist Gottes redet, sagt: Verflucht sei Je-
sus. Und [a]niemand kann sagen: Jesus ist
der Herr, außer durch den Heiligen Geist.

4 [a]**Es sind [b]verschiedene Gaben; aber**
es ist ein Geist. 5 **Und es sind [a]verschie-**
dene Ämter; aber es ist ein Herr. 6 **Und**
es sind verschiedene Kräfte; aber es
ist ein Gott, der da wirkt alles in allen.
7 Durch einen jeden offenbart sich der
Geist zum Nutzen aller.[a] 8 Dem einen wird
durch den Geist ein Wort der Weisheit ge-
geben; dem andern ein Wort der Erkennt-
nis durch denselben Geist; 9 einem andern
Glaube, in demselben Geist; einem an-
dern die Gabe, gesund zu machen, in dem
einen Geist; 10 einem andern die Kraft,
Wunder zu tun; einem andern prophe-
tische Rede; einem andern die Gabe, die
Geister zu unterscheiden; einem andern
mancherlei [a]Zungenrede; einem andern
die Gabe, sie auszulegen. 11 Dies alles aber
wirkt derselbe eine Geist, [a]der einem je-
den das Seine zuteilt, wie er will.

VIELE GLIEDER – EIN LEIB

12 Denn **wie der Leib einer ist und hat**
doch viele Glieder, alle Glieder des Lei-
bes aber, obwohl sie viele sind, doch
ein Leib sind: so auch Christus.[a] 13 **Denn**
[a]**wir sind durch einen Geist alle zu**
einem Leib getauft, wir seien Juden
oder Griechen, Sklaven oder Freie, und
sind alle mit einem Geist getränkt.

14 Denn auch der Leib ist nicht ein Glied,
sondern viele. 15 Wenn nun der Fuß sprä-
che: Ich bin keine Hand, darum gehöre ich
nicht zum Leib!, gehört er deshalb etwa
nicht zum Leib? 16 Und wenn das Ohr
spräche: Ich bin kein Auge, darum gehöre
ich nicht zum Leib!, gehört es deshalb
etwa nicht zum Leib? 17 Wenn der ganze
Leib Auge wäre, wo bliebe das Gehör?
Wenn er ganz Gehör wäre, wo bliebe der
Geruch? 18 Nun aber hat Gott die Glieder
eingesetzt, ein jedes von ihnen im Leib, so
wie er gewollt hat. 19 Wenn aber alle Glie-
der ein Glied wären, wo bliebe der Leib?
20 Nun aber sind es viele Glieder, aber der
Leib ist einer.

21 Das Auge kann nicht sagen zu der
Hand: Ich brauche dich nicht; oder wie-
derum das Haupt zu den Füßen: Ich
brauche euch nicht. 22 Vielmehr sind die
Glieder des Leibes, die uns schwächer
erscheinen, die nötigsten; 23 und die uns

* **11,24** Luther übersetzte nach anderen Handschriften: »Nehmet, esset, das ist mein Leib, der für euch gebrochen wird«. **11,25** Luther übersetzte: »das neue Testament«. **11,27** Das bedeutet: in einer Weise, die die Heilstat Christi durch liebloses Verhalten missachtet (vgl. 11,21-22).

11,25 ***a*** Jer 31,31 **11,26** ***a*** Mt 26,29 **11,32** ***a*** Spr 3,11-12 **11,34** ***a*** Kap 4,19 **12,2** ***a*** Hab 2,18-19 **12,3** ***a*** Röm 10,9; 1. Joh 4,2-3 **12,4** ***a*** (4-6) Eph 4,4-6.11 ***b*** Röm 12,6 **12,5** ***a*** Vers 28 **12,7** ***a*** Kap 14,26 **12,10** ***a*** Kap 14,1-40; Apg 2,4 **12,11** ***a*** Röm 12,3; Eph 4,7 **12,12** ***a*** Röm 12,4-5 **12,13** ***a*** Gal 3,28

weniger ehrbar erscheinen, die umkleiden
wir mit besonderer Ehre; und die wenig
ansehnlich sind, haben bei uns besonderes
Ansehen; 24 denn was an uns ansehnlich
ist, bedarf dessen nicht. Aber Gott hat den
Leib zusammengefügt und dem geringe-
ren Glied höhere Ehre gegeben, 25 auf dass
im Leib keine Spaltung sei, sondern die
Glieder einträchtig füreinander sorgen.
26 Und **wenn ein Glied leidet, so leiden**
alle Glieder mit, und wenn ein Glied
geehrt wird, so freuen sich alle Glieder
mit.[a]

27 Ihr aber seid der Leib Christi und je-
der Einzelne ein Glied.[a] 28 Und Gott hat in
der Gemeinde eingesetzt erstens Apostel,
zweitens Propheten, drittens Lehrer, dann
gab er die Kraft, Wunder zu tun, dann Ga-
ben, gesund zu machen, zu helfen, zu lei-
ten und mancherlei Zungenrede.[a] 29 Sind
sie denn alle Apostel? Sind sie alle Pro-
pheten? Sind sie alle Lehrer? Haben sie
alle die Kraft, Wunder zu tun, 30 haben sie
alle Gaben, gesund zu machen? Reden sie
alle in Zungen? Können sie alle auslegen?
31 [a]Strebt aber nach den größeren Gaben!

Und ich will euch einen noch besseren
Weg zeigen.

DAS HOHELIED DER LIEBE

13 **Wenn ich mit Menschen- und mit**
Engelzungen redete und hätte der
Liebe nicht, so wäre ich ein tönendes
Erz oder eine klingende Schelle. 2 Und
wenn ich [a]prophetisch reden könnte und
wüsste alle Geheimnisse und alle Er-
kenntnis und [b]hätte allen Glauben, so-
dass ich Berge versetzen könnte, und hätte
der Liebe nicht, so wäre ich nichts. 3 Und
[a]wenn ich alle meine Habe den Armen
gäbe und meinen Leib dahingäbe, mich
zu rühmen*, und hätte der Liebe nicht, so
wäre mir's nichts nütze.

4 Die Liebe ist langmütig und freundlich,
die Liebe eifert nicht, die Liebe treibt nicht
Mutwillen, [a]sie bläht sich nicht auf, 5 sie
verhält sich nicht ungehörig, sie [a]sucht
nicht das Ihre, sie lässt sich nicht erbit-
tern, sie rechnet das Böse nicht zu, 6 sie
freut sich nicht über die Ungerechtigkeit,
sie freut sich aber an der Wahrheit;[a] 7 sie
erträgt alles, sie glaubt alles, sie hofft alles,
sie duldet alles.[a]

8 **Die Liebe höret nimmer auf, wo**
doch das prophetische Reden aufhö-
ren wird und das Zungenreden auf-
hören wird und die Erkenntnis aufhö-
ren wird. 9 Denn unser Wissen ist Stück-
werk und unser prophetisches Reden ist
Stückwerk. 10 Wenn aber kommen wird
das Vollkommene, so wird das Stückwerk
aufhören.

11 Als ich ein Kind war, da redete ich wie
ein Kind und dachte wie ein Kind und war
klug wie ein Kind; als ich aber ein Mann
wurde, tat ich ab, was kindlich war. 12 Wir
[a]sehen jetzt durch einen Spiegel in einem
dunklen Bild; dann aber von Angesicht zu
Angesicht. Jetzt erkenne ich stückweise;
dann aber werde ich erkennen, [b]gleichwie
ich erkannt bin.

13 **Nun aber bleiben [a]Glaube, Hoff-**
nung, [b]Liebe, diese drei; aber die Liebe
ist die größte unter ihnen.

ZUNGENREDE UND PROPHETISCHE REDE

14 Strebt nach der Liebe! Bemüht euch
um die [a]Gaben des Geistes, am meis-
ten aber darum, dass ihr prophetisch re-
det! 2 Denn wer [a]in Zungen* redet, der re-
det nicht zu Menschen, sondern zu Gott;
denn niemand versteht ihn: im Geist redet
er Geheimnisse. 3 Wer aber prophetisch
redet, der redet zu Menschen zur Erbau-
ung und zur Ermahnung und zur Trös-
tung. 4 Wer in Zungen redet, der erbaut
sich selbst; wer aber prophetisch redet,
der erbaut die Gemeinde. 5 Ich möchte,
dass ihr alle in Zungen reden könnt; aber
noch viel mehr, dass ihr prophetisch redet.
Denn wer prophetisch redet, ist größer als
der, der in Zungen redet; es sei denn, er
legt es auch aus, auf dass die Gemeinde
erbaut werde.

6 Nun aber, Brüder und Schwestern,
wenn ich zu euch käme und redete in Zun-

* **13,3** Luther übersetzte nach anderen Handschriften: »und ließe meinen Leib brennen«.
14,2 Siehe Sach- und Worterklärungen.

12,26 ***a*** Röm 12,15 **12,27** ***a*** Röm 12,5 **12,28** ***a*** Eph 4,11-12
12,31 ***a*** Kap 14,1.12 **13,2** ***a*** Mt 7,22 ***b*** Mt 17,20
13,3 ***a*** Mt 19,21 **13,4** ***a*** Kap 8,1 **13,5** ***a*** Phil 2,4
13,6 ***a*** Röm 12,9 **13,7** ***a*** Spr 10,12; Mt 18,21-22
13,12 ***a*** 4. Mose 12,8; 2. Kor 5,7 ***b*** Kap 8,3
13,13 ***a*** Kol 1,4-5; 1. Thess 1,3 ***b*** 1. Joh 4,16 **14,1** ***a*** Kap 12,1
14,2 ***a*** Apg 2,4; 10,46

gen, was würde ich euch nützen, wenn ich
nicht mit euch redete in Worten der Of-
fenbarung oder der Erkenntnis oder der
Prophetie oder der Lehre? 7 So verhält es
sich auch mit leblosen Instrumenten, es
sei eine Flöte oder eine Harfe: Wenn sie
nicht unterschiedliche Töne von sich ge-
ben, wie kann man erkennen, was auf der
Flöte oder auf der Harfe gespielt wird?
8 Und wenn die Posaune einen undeut-
lichen Ton gibt, wer wird sich zur Schlacht
rüsten? 9 So auch ihr: Wenn ihr in Zungen
redet und nicht mit deutlichen Worten,
wie kann man wissen, was gemeint ist?
Ihr werdet in den Wind reden. 10 Es gibt
vielerlei Sprachen in der Welt, und nichts
ist ohne Sprache. 11 Wenn ich nun die Be-
deutung der Sprache nicht kenne, werde
ich ein Fremder sein für den, der redet,
und der redet, wird für mich ein Fremder
sein.

12 So auch ihr: Da ihr euch bemüht um
die Gaben des Geistes, so trachtet danach,
dass ihr sie im Überfluss habt und so die
Gemeinde erbaut. 13 Wer also in Zungen
redet, der bete, dass er's auch auslegen
könne.[a] 14 Denn wenn ich in Zungen bete,
so betet mein Geist; aber mein Verstand
bleibt ohne Frucht. 15 Wie soll es aber sein?
Ich will beten mit dem Geist und will auch
beten mit dem Verstand; ich will [a]Psalmen
singen mit dem Geist und will auch Psal-
men singen mit dem Verstand. 16 Wenn
du Gott lobst im Geist, wie soll der, der
als Unkundiger dabeisteht, das Amen sa-
gen auf dein Dankgebet, da er doch nicht
weiß, was du sagst? 17 Dein Dankgebet
mag schön sein; aber der andere wird nicht
erbaut.

18 Ich danke Gott, dass ich mehr in Zun-
gen rede als ihr alle. 19 Aber ich will in der
Gemeinde lieber fünf Worte reden mit
meinem Verstand, damit ich auch andere
unterweise, als zehntausend Worte in
Zungen.

20 Liebe Brüder und Schwestern, seid
nicht [a]Kinder, wenn es ums Verstehen
geht; sondern seid Kinder, wenn es um
Bosheit geht; im Verstehen aber seid er-
wachsen. 21 Im Gesetz steht geschrieben:
»Ich will in andern Zungen und mit an-
dern Lippen reden zu diesem Volk, aber
auch so werden sie nicht auf mich hören,
spricht der Herr.«[a] 22 Darum ist die Zun-
genrede ein Zeichen nicht für die Gläu-
bigen, sondern für die Ungläubigen; die
prophetische Rede aber ein Zeichen nicht
für die Ungläubigen, sondern für die
Gläubigen.

23 Wenn nun die ganze Gemeinde an
einem Ort zusammenkäme und alle rede-
ten in Zungen, es kämen aber Unkundige
oder Ungläubige hinein, würden sie nicht
sagen, ihr seid von Sinnen? 24 Wenn aber
alle prophetisch redeten und es käme ein
Ungläubiger oder Unkundiger hinein, der
würde von allen überführt und von allen
gerichtet; 25 [a]was in seinem Herzen ver-
borgen ist, würde offenbar, und so würde
er niederfallen auf sein Angesicht, Gott
anbeten und bekennen, dass Gott wahr-
haftig unter euch ist.

26 Wie ist es nun, Brüder und Schwes-
tern? Wenn ihr zusammenkommt, [a]so
hat ein jeder einen Psalm, er hat eine
Lehre, er hat eine Offenbarung, er hat
eine Zungenrede, er hat eine Auslegung.
Lasst es alles geschehen [b]zur Erbauung!
27 Wenn jemand in Zungen redet, so
seien es zwei oder höchstens drei und
einer nach dem andern; und einer lege
es aus. 28 Ist aber kein Ausleger da, so
schweige er in der Gemeinde und rede
für sich selber und für Gott. 29 Auch von
den Propheten lasst zwei oder drei reden,
und die andern lasst [a]darüber urteilen.
30 Wenn aber einem andern, der dabei-
sitzt, eine Offenbarung zuteilwird, so
schweige der Erste. 31 Ihr könnt alle pro-
phetisch reden, doch einer nach dem an-
dern, damit alle lernen und alle ermahnt
werden. 32 Die Geister der Propheten sind
den Propheten untertan. 33 Denn Gott ist
nicht ein Gott der Unordnung, sondern
des Friedens.

Wie in allen Gemeinden der Heiligen
34 [a]sollen die Frauen schweigen in den
Gemeindeversammlungen; denn es ist ih-
nen nicht gestattet zu reden, sondern [b]sie
sollen sich unterordnen, wie auch das Ge-
setz sagt. 35 Wollen sie aber etwas lernen,
so sollen sie daheim ihre Männer fragen.

14,13 *a* Kap 12,10 **14,15** *a* Eph 5,19; Kol 3,16
14,20 *a* Eph 4,14 **14,21** *a* Jes 28,11-12 **14,25** *a* Joh 16,8
14,26 *a* Kap 12,8-10 *b* Eph 4,12 **14,29** *a* 1. Thess 5,20-21
14,34 *a* 1. Tim 2,11-12 *b* 1. Mose 3,16

Es steht einer Frau schlecht an, in der Ge-
meindeversammlung zu reden. 36 Oder ist
das Wort Gottes von euch ausgegangen?
Oder ist's allein zu euch gekommen?
37 Wenn einer meint, er sei ein Prophet
oder vom Geist erfüllt, [a]der erkenne,
dass es des Herrn Gebot ist, was ich euch
schreibe. 38 Wer aber das nicht erkennt,
wird nicht erkannt. 39 Darum, liebe Brü-
der, bemüht euch um die prophetische
Rede und wehrt nicht der Zungenrede.
40 Lasst aber alles ehrbar und [a]ordentlich
zugehen.

VON DER AUFERSTEHUNG

Kapitel 15,1-58

DAS ZEUGNIS VON DER AUFERWECKUNG CHRISTI

15 Ich erinnere euch aber, Brüder und
Schwestern, an das Evangelium, das
ich euch verkündigt habe, das ihr auch
angenommen habt, in dem ihr auch fest
steht, 2 durch das ihr auch selig werdet,
wenn ihr's so festhaltet, wie ich es euch
verkündigt habe; es sei denn, dass ihr's
umsonst geglaubt hättet.
3 Denn als Erstes habe ich euch weiter-
gegeben, was ich auch empfangen habe:
**Dass Christus gestorben ist für unsre
Sünden [a]nach der Schrift; 4 und dass er
begraben worden ist; und dass er aufer-
weckt worden ist am dritten Tage [a]nach
der Schrift; 5 und dass er [a]gesehen wor-
den ist von Kephas, [b]danach von den
Zwölfen.**
6 Danach ist er gesehen worden von
mehr als fünfhundert Brüdern auf ein-
mal, von denen die meisten noch heute
leben, einige aber sind entschlafen. 7 Da-
nach ist er gesehen worden von Jakobus,
danach [a]von allen Aposteln. 8 Zuletzt von
allen ist er [a]auch von mir als einer unzeiti-
gen Geburt gesehen worden. 9 Denn [a]ich
bin der geringste unter den Aposteln,
der ich nicht wert bin, dass ich ein Apos-
tel heiße, [b]weil ich die Gemeinde Gottes
verfolgt habe. 10 Aber durch Gottes Gnade
bin ich, was ich bin. Und seine Gnade an
mir ist nicht vergeblich gewesen, [a]son-
dern ich habe viel mehr gearbeitet als sie
alle; nicht aber ich, sondern Gottes Gnade,
die mit mir ist. 11 Ob nun ich oder jene: So
predigen wir, und so habt ihr geglaubt.

GEGEN DIE LEUGNUNG DER AUFERSTEHUNG DER TOTEN

12 Wenn aber Christus gepredigt wird,
dass er von den Toten auferweckt ist,
wie sagen dann einige unter euch: Es gibt
keine Auferstehung der Toten? 13 Gibt es
[a]keine Auferstehung der Toten, so ist auch
Christus nicht auferweckt worden. **14 Ist
aber Christus nicht auferweckt wor-
den, so ist unsre Predigt vergeblich, so
ist auch euer Glaube vergeblich.** 15 Wir
würden dann auch als falsche [a]Zeugen
Gottes befunden, weil wir gegen Gott be-
zeugt hätten, er habe Christus auferweckt,
den er nicht auferweckt hätte, wenn doch
die Toten nicht auferstehen. 16 Denn wenn
die Toten nicht auferstehen, so ist Chris-
tus auch nicht auferstanden. 17 Ist Christus
aber nicht auferstanden, so ist euer Glaube
nichtig, so seid ihr noch in euren Sünden;
18 dann sind auch die, die [a]in Christus
entschlafen sind, verloren. **19 Hoffen wir
allein in diesem Leben auf Christus,
so sind wir die elendesten unter allen
Menschen.**

CHRISTUS IST AUFERWECKT

**20 Nun aber [a]ist Christus auferweckt
von den Toten als [b]Erstling unter denen,
die entschlafen sind.** 21 Denn da durch
einen Menschen [a]der Tod gekommen ist,
so kommt auch durch *einen* Menschen die
Auferstehung der Toten.[b] 22 Denn wie in
Adam alle sterben, so werden in Christus
alle lebendig gemacht werden. 23 Ein jeder
aber in der für ihn bestimmten Ordnung:
als Erstling Christus; [a]danach die Christus
angehören, wenn er kommen wird; 24 da-
nach das Ende, wenn er das Reich Gott,
dem Vater, übergeben wird, nachdem er
vernichtet hat [a]alle Herrschaft und alle
Macht und Gewalt.

14,37 *a* 1. Joh 4,6 **14,40** *a* Vers 33; Kol 2,5
15,3 *a* Jes 53,12 **15,4** *a* Hos 6,2; Lk 24,27.44-46
15,5 *a* Lk 24,34 *b* Joh 20,19.26 **15,7** *a* Lk 24,50
15,8 *a* Kap 9,1; Apg 9,3-6 **15,9** *a* Eph 3,8 *b* Apg 8,3; Gal 1,13; 1. Tim 1,13 **15,10** *a* 2. Kor 11,23
15,13 *a* Apg 17,32 **15,15** *a* Apg 1,22 **15,18** *a* 1. Thess 4,14
15,20 *a* Kap 6,14 *b* Dan 12,2; Apg 26,23; Kol 1,18
15,21 *a* 1. Mose 3,17-19 *b* Röm 5,18
15,23 *a* 1. Thess 4,16-17 **15,24** *a* Röm 8,38; Eph 1,21

25 Denn er muss herrschen, bis Gott »alle
Feinde unter seine Füße gelegt hat« (Psalm
110,1). 26 **Der letzte Feind, der vernichtet
wird, ist der Tod.**[a] 27 Denn »alles hat er
unter seine Füße getan« (Psalm 8,7). Wenn
es aber heißt, [a]alles sei ihm unterworfen,
so ist offenbar, dass der ausgenommen ist,
der ihm alles unterworfen hat. 28 Wenn
aber alles ihm untertan sein wird, dann
wird auch der Sohn selbst untertan sein
dem, der ihm alles unterworfen hat, auf
dass Gott sei alles in allem.

LEBEN AUS DER AUFERSTEHUNG

29 Was machen denn die, die sich für die
Toten taufen lassen? Wenn die Toten gar
nicht auferstehen, was lassen sie sich dann
für sie taufen? 30 Und warum begeben wir
uns dann jede Stunde in Gefahr?[a] 31 [a]Täg-
lich sterbe ich, so wahr ihr mein Ruhm
seid, den ich habe in Christus Jesus, un-
serm Herrn. 32 Hätte ich in menschlicher
Weise in Ephesus mit wilden Tieren ge-
kämpft, was hätte es mir geholfen? Wenn
die Toten nicht auferstehen, dann »lasst
uns essen und trinken; denn morgen sind
wir tot!« (Jesaja 22,13) 33 Lasst euch nicht ver-
führen! Schlechter Umgang verdirbt gute
Sitten. 34 Werdet doch einmal recht [a]nüch-
tern und sündigt nicht! Denn einige wis-
sen nichts von Gott; das sage ich euch zur
Schande.

DER NEUE LEIB BEI DER AUFERSTEHUNG

35 Es könnte aber jemand fragen: Wie wer-
den die Toten auferstehen und mit was für
einem Leib werden sie kommen? 36 Du
Narr: Was du säst, wird nicht lebendig,
[a]wenn es nicht stirbt. 37 Und was du säst,
ist ja nicht der Leib, der werden soll, son-
dern ein bloßes Korn, sei es von Weizen
oder etwas anderem. 38 Gott aber gibt ihm
einen Leib, wie er will, einem jeden Samen
seinen eigenen Leib. 39 Nicht alles Fleisch
ist das gleiche Fleisch, sondern ein anderes
Fleisch haben die Menschen, ein anderes
das Vieh, ein anderes die Vögel, ein ande-
res die Fische. 40 Und es gibt himmlische
Körper und irdische Körper; aber eine an-
dere Herrlichkeit haben die himmlischen
und eine andere die irdischen. 41 Einen an-
dern Glanz hat die Sonne, einen andern
Glanz hat der Mond, einen andern Glanz
haben die Sterne; denn ein Stern unter-
scheidet sich vom andern durch seinen
Glanz.

42 So auch die Auferstehung der Toten.
**Es wird gesät verweslich und wird
auferstehen unverweslich. 43 Es wird
gesät in Niedrigkeit und wird aufer-
stehen in [a]Herrlichkeit. Es wird gesät
in Schwachheit und wird auferstehen
in Kraft. 44 Es wird gesät ein natür-
licher Leib und wird auferstehen ein
geistlicher Leib.** Gibt es einen natür-
lichen Leib, so gibt es auch einen geist-
lichen Leib. 45 Wie geschrieben steht: Der
erste Mensch, Adam, »wurde zu einem
lebendigen Wesen« (1. Mose 2,7), und der
letzte Adam zum [a]Geist, der lebendig
macht.

46 Aber nicht der geistliche Leib ist der
erste, sondern der natürliche; danach der
geistliche. 47 Der erste Mensch ist von der
Erde und irdisch; der zweite Mensch ist
vom Himmel. 48 Wie der irdische ist, so
sind auch die irdischen; und wie der himm-
lische ist, so sind auch die himmlischen.
49 Und wie wir getragen haben [a]das Bild
des irdischen, so werden wir auch tragen
[b]das Bild des himmlischen.

DIE VERWANDLUNG DER GLÄUBIGEN UND DER SIEG ÜBER DEN TOD

50 Das sage ich aber, liebe Brüder, dass
Fleisch und Blut das Reich Gottes nicht
ererben können; auch wird das Verwes-
liche nicht erben die Unverweslichkeit.
51 [a]Siehe, ich sage euch ein Geheimnis:
Wir werden nicht alle entschlafen, wir
werden aber alle verwandelt werden;
52 und das plötzlich, in einem Augenblick,
zur Zeit der letzten Posaune. Denn [a]es
wird die Posaune erschallen und die Toten
werden auferstehen unverweslich, und
wir werden verwandelt werden. 53 Denn
dies Verwesliche muss anziehen die Un-
verweslichkeit, und dies Sterbliche muss
anziehen die Unsterblichkeit.[a]

15,26 *a* Offb 20,14; 21,4 **15,27** *a* Eph 1,22; Hebr 2,8
15,30 *a* Röm 8,36; Gal 5,11 **15,31** *a* 2. Kor 4,10
15,34 *a* 1. Thess 5,8 **15,36** *a* Joh 12,24 **15,43** *a* Phil 3,21;
Kol 3,4 **15,45** *a* 2. Kor 3,17 **15,49** *a* 1. Mose 5,3
b 2. Kor 3,18 **15,51** *a* (51-52) 1. Thess 4,15-17
15,52 *a* Mt 24,31 **15,53** *a* 2. Kor 5,4

54 Wenn aber dies Verwesliche anzie-
hen wird die Unverweslichkeit und dies
Sterbliche anziehen wird die Unsterb-
lichkeit, dann wird erfüllt werden das
Wort, das geschrieben steht (Jesaja 25,8;
Hosea 13,14): **»Der Tod ist verschlungen
in den Sieg. 55 Tod, wo ist dein Sieg?
Tod, wo ist dein Stachel?«*** 56 Der
Stachel des Todes aber ist die Sünde,
[a]die Kraft aber der Sünde ist das Ge-
setz. **57 Gott aber sei Dank, der uns den
[a]Sieg gibt durch unsern Herrn Jesus
Christus!**
58 Darum, meine lieben Brüder und
Schwestern, seid fest und unerschüt-
terlich und nehmt immer zu in dem
Werk des Herrn, denn ihr wisst, dass
eure Arbeit nicht vergeblich ist in dem
Herrn.

GELDSAMMLUNG FÜR DIE GEMEINDE IN JERUSALEM

16 Was aber die [a]Sammlung für die Hei-
ligen angeht: Wie ich den Gemeinden
in Galatien geboten habe, so sollt auch ihr
tun! 2 An jedem [a]ersten Tag der Woche
lege ein jeder von euch bei sich etwas zu-
rück und sammle an, so viel ihm möglich
ist, damit die Sammlung nicht erst dann
geschieht, wenn ich komme. 3 Wenn ich
aber gekommen bin, will ich die, die ihr
für bewährt haltet, mit Briefen senden,
dass sie eure Gabe nach Jerusalem brin-
gen. 4 Wenn es aber die Mühe lohnt,
dass auch ich hinreise, sollen sie mit mir
reisen.

REISEPLÄNE

5 Ich will aber zu euch kommen, sobald ich
[a]durch Makedonien gezogen bin; denn
durch Makedonien will ich nur durch-
reisen. 6 Bei euch aber werde ich, wenn
möglich, eine Weile bleiben oder auch
den Winter zubringen, damit ihr mich
dann geleitet, wohin ich ziehen werde.
7 Denn ich will euch jetzt nicht nur sehen,
wenn ich durchreise; ich hoffe ja, [a]einige
Zeit bei euch zu bleiben, wenn es der
Herr zulässt. 8 Ich werde aber in [a]Ephe-
sus bleiben bis Pfingsten. 9 Denn mir
ist [a]eine große Tür aufgetan zu reichem
Wirken; es gibt aber auch viele Widersa-
cher.
10 Wenn [a]Timotheus kommt, so seht zu,
dass er ohne Furcht bei euch sein kann;
denn [b]er treibt das Werk des Herrn wie
ich. 11 Dass ihn nur nicht jemand verachte!
Geleitet ihn aber in Frieden, dass er zu mir
komme; denn ich warte auf ihn mit den
Brüdern. 12 Von [a]Apollos, dem Bruder,
aber sollt ihr wissen, dass ich ihn immer
wieder gebeten habe, mit den Brüdern
zu euch zu kommen; aber es war durch-
aus nicht sein Wille, jetzt zu kommen; er
wird aber kommen, wenn es ihm gelegen
sein wird.

ERMAHNUNGEN UND GRÜSSE

**13 Wachet, steht im Glauben, seid mutig
und [a]seid stark! 14 Alle eure Dinge lasst
in der Liebe geschehen![a]**
15 Ich ermahne euch aber, Brüder und
Schwestern: Ihr kennt [a]das Haus des Ste-
phanas, dass sie die Erstlinge in Achaia
sind und sich selbst in den Dienst der
Heiligen gestellt haben. 16 Ordnet auch
ihr euch solchen unter und allen, die mit-
arbeiten und sich mühen! 17 Ich freue mich
über die Ankunft des Stephanas und For-
tunatus und Achaikus; denn wo ihr mir
fehltet, haben sie euch ersetzt. 18 Sie ha-
ben meinen und euren Geist erquickt. [a]Er-
kennt solche Leute an!
19 Es grüßen euch die Gemeinden in der
Provinz Asia. Es grüßen euch vielmals in
dem Herrn [a]Aquila und Priska samt der
Gemeinde in ihrem Hause. 20 Es grüßen
euch alle Brüder und Schwestern. Grüßt
einander mit dem heiligen Kuss.[a]
21 Hier, [a]mein Gruß mit eigener Hand:
Paulus. 22 Wenn jemand den Herrn nicht
lieb hat, der sei verflucht. [a]Maranata!*
23 Die Gnade des Herrn Jesus sei mit
euch! 24 Meine Liebe ist mit euch allen in
Christus Jesus!

* **15,55** Luther übersetzte nach anderer Überlieferung: »Tod, wo ist dein Stachel? Hölle, wo ist dein Sieg?«
16,22 »Maranata« bedeutet »Unser Herr, komm!«

15,56 ***a*** Röm 7,8.11.13 **15,57** ***a*** 1. Joh 5,4
16,1 ***a*** 2. Kor 8,1–9,15; Gal 2,10 **16,2** ***a*** Apg 20,7
16,5 ***a*** Apg 19,21; 2. Kor 1,16 **16,7** ***a*** Apg 20,2
16,8 ***a*** Apg 19,1.10 **16,9** ***a*** 2. Kor 2,12; Kol 4,3
16,10 ***a*** Kap 4,17 ***b*** Phil 2,19-22 **16,12** ***a*** Kap 1,12
16,13 ***a*** Eph 6,10 **16,14** ***a*** Kol 3,14 **16,15** ***a*** Kap 1,16
16,18 ***a*** 1. Thess 5,12; Phil 2,29 **16,19** ***a*** Apg 18,2; Röm 16,3.5 **16,20** ***a*** Röm 16,16 **16,21** ***a*** Gal 6,11; Kol 4,18; 2. Thess 3,17 **16,22** ***a*** Offb 22,20

DER ZWEITE BRIEF DES PAULUS AN DIE KORINTHER

1–2 Paulus und die Korinther 2–7 Der Auftrag des Apostels
8–9 Die Kollekte für Jerusalem 10–13 Paulus wirbt um die Korinther

1 Paulus, [a]Apostel Christi Jesu durch den
Willen Gottes, und der Bruder Timo-
theus an die Gemeinde Gottes in Korinth
samt allen Heiligen in ganz Achaia:
2 Gnade sei mit euch und Friede von
Gott, unserm Vater, und dem Herrn Jesus
Christus!

LOB GOTTES FÜR TROST IN BEDRÄNGNIS

3 [a]**Gelobt sei Gott, der Vater unseres
Herrn Jesus Christus, der Vater der
Barmherzigkeit und [b]Gott allen Tros-
tes, 4 der uns tröstet in aller unserer
Bedrängnis, damit wir auch trösten
können, die in allerlei Bedrängnis
sind, mit dem Trost, mit dem wir sel-
ber getröstet werden von Gott.** 5 Denn
wie die [a]Leiden Christi reichlich über
uns kommen, so werden wir auch [b]reich-
lich getröstet durch Christus. 6 [a]Werden
wir aber bedrängt, so geschieht es euch
zu Trost und Heil; werden wir getröstet,
so geschieht es euch zum Trost, der sich
wirksam erweist, wenn ihr mit Geduld
dieselben Leiden ertragt, die auch wir lei-
den. 7 Und unsre Hoffnung steht fest für
euch, weil wir wissen: Wie ihr an den
Leiden teilhabt, so habt ihr auch am Trost
teil.
8 Denn wir wollen euch, Brüder und
Schwestern, nicht verschweigen die [a]Be-
drängnis, die uns in der Provinz Asia
widerfahren ist, da wir über die Maßen
beschwert waren und über unsere Kraft,
sodass wir auch am Leben verzagten; 9 und
wir dachten bei uns selbst, zum Tode ver-
urteilt zu sein. Das geschah aber, damit
wir unser Vertrauen nicht auf uns selbst
setzten, sondern auf [a]Gott, der die Toten
auferweckt, 10 der uns aus solcher Todes-
not errettet hat und erretten wird. Auf
ihn hoffen wir, er werde uns auch hin-
fort erretten. 11 Dazu helft auch ihr durch
[a]eure Fürbitte für uns, damit von vielen
auf vielfältige Weise um unsertwillen
Dank dargebracht werde für die Gabe,
die uns gegeben ist.

GEGEN DEN VORWURF DER UNREDLICHKEIT

12 Denn dies ist unser Ruhm, das [a]Zeug-
nis unseres Gewissens, dass wir in Red-
lichkeit und göttlicher Lauterkeit, nicht
in fleischlicher Weisheit, sondern in der
Gnade Gottes unser Leben in der Welt ge-
führt haben, und das vor allem bei euch.
13 Denn wir schreiben euch nichts anderes,
als was ihr lest und auch versteht. Ich hoffe
aber, ihr werdet es noch völlig verstehen,
14 wie ihr uns zum Teil auch schon verstan-
den habt, nämlich, dass [a]wir euer Ruhm
sind, wie auch [b]ihr unser Ruhm seid am
Tage unseres Herrn Jesus.
15 Und in solchem Vertrauen wollte ich
zunächst zu euch kommen, auf dass ihr
abermals eine Wohltat empfinget. 16 Von
euch aus wollte ich nach Makedonien
reisen, aus Makedonien wieder zu euch
kommen und mich von euch geleiten las-
sen nach Judäa.[a] 17 Bin ich etwa leichtfertig
gewesen, als ich dies wollte? Oder plane
ich, was ich plane, auf fleischliche Weise,
sodass [a]das Ja Ja bei mir auch ein Nein
Nein wäre?
18 Bei der Treue Gottes, unser Wort
an euch ist nicht Ja und Nein zugleich.
19 Denn der Sohn Gottes, Jesus Christus,
der unter euch durch uns gepredigt wor-
den ist, durch mich und [a]Silvanus und Ti-
motheus, der war nicht Ja und Nein, son-
dern das Ja war in ihm. 20 Denn **auf alle
Gottesverheißungen ist in ihm das Ja;
darum sprechen wir auch durch ihn das
[a]Amen, Gott zur Ehre.** 21 Gott ist's aber,
der uns fest macht samt euch in Christus

1,1 *a* 1. Kor 1,1 **1,3** *a* Eph 1,3 *b* Röm 15,5 **1,5** *a* Röm 8,17 *b* Ps 94,19 **1,6** *a* Kap 4,8-11.15 **1,8** *a* Apg 19,23; 1. Kor 15,32 **1,9** *a* Röm 4,17 **1,11** *a* Röm 15,30; Phil 1,19 **1,12** *a* Kap 2,17; Hebr 13,18 **1,14** *a* Kap 5,12 *b* Phil 2,16 **1,16** *a* 1. Kor 16,5-6 **1,17** *a* Mt 5,37; Jak 5,12 **1,19** *a* Apg 18,5 **1,20** *a* Offb 3,14

und uns [a]gesalbt hat 22 und [a]versiegelt und
in unsre Herzen [b]als Unterpfand den Geist
gegeben hat.
23 Ich rufe aber Gott zum Zeugen an
bei meinem Leben, dass ich euch scho-
nen wollte und darum nicht wieder nach
Korinth gekommen bin. 24 Nicht dass wir
[a]Herren wären über euren Glauben, son-
dern wir sind Gehilfen eurer Freude; denn
ihr steht im Glauben.

2 Ich hatte nun dies bei mir beschlossen,
dass ich nicht abermals in Traurigkeit zu
euch käme.[a] 2 Denn wenn ich euch traurig
mache, wer macht mich dann fröhlich?
Der, der von mir traurig gemacht wird?
3 Und eben dies habe ich geschrieben, da-
mit ich nicht, wenn ich komme, von de-
nen traurig gemacht werde, über die ich
mich freuen sollte. Habe ich doch zu euch
allen das Vertrauen, dass meine Freude
euer aller Freude ist. 4 Denn ich schrieb
euch aus großer Bedrängnis und Angst des
Herzens unter vielen Tränen; nicht damit
ihr betrübt werdet, sondern damit ihr die
Liebe erkennt, die ich habe, besonders zu
euch.[a]

VERGEBUNG FÜR EIN GEMEINDEGLIED

5 Wenn aber [a]jemand Betrübnis angerich-
tet hat, der hat nicht mich betrübt, son-
dern zum Teil – damit ich nicht zu viel
sage – euch alle. 6 Es ist genug, dass der-
selbe von den meisten gestraft ist, 7 so-
dass ihr ihm nun desto mehr vergeben
und ihn trösten sollt, auf dass er nicht in
allzu große Traurigkeit versinke. 8 Darum
ermahne ich euch, dass ihr Liebe an ihm
beweist. 9 Denn darum habe ich auch ge-
schrieben, damit ich erkenne, ob ihr recht-
schaffen seid, gehorsam in allen Stücken.
10 Wem aber ihr etwas vergebt, dem ver-
gebe ich auch. Denn auch ich habe, wenn
ich etwas zu vergeben hatte, es vergeben
um euretwillen vor Christi Angesicht,
11 auf dass wir nicht überlistet werden vom
Satan; denn uns ist nicht unbekannt, [a]was
er im Sinn hat.

DER DIENST DES PAULUS FÜR DIE VERKÜNDIGUNG CHRISTI

12 Als ich aber nach [a]Troas kam, zu predi-
gen das Evangelium Christi, und mir eine
Tür aufgetan war in dem Herrn, 13 da hatte
ich keine Ruhe in meinem Geist, weil ich
[a]Titus, meinen Bruder, nicht fand; son-
dern ich nahm Abschied von ihnen und
fuhr nach Makedonien.
14 Gott aber sei gedankt, der uns allezeit
im Triumph mitführt in Christus und
offenbart den Geruch seiner Erkenntnis
durch uns an allen Orten! 15 Denn wir
sind für Gott ein Wohlgeruch Christi un-
ter denen, die gerettet werden, und unter
denen, die verloren werden:[a] 16 diesen ein
Geruch des Todes zum Tode, jenen aber
ein Geruch des Lebens zum Leben. [a]Und
wer ist dazu tüchtig? 17 Wir sind ja nicht
wie die vielen, die mit dem Wort Gottes
Geschäfte machen; sondern wie man [a]aus
Lauterkeit und aus Gott redet, so reden
wir vor Gott in Christus.

3 Fangen wir denn abermals an, [a]uns
selbst zu empfehlen? Oder brauchen
wir, wie gewisse Leute, Empfehlungs-
briefe an euch oder von euch? 2 Ihr seid
unser Brief, in unser Herz geschrieben,
erkannt und gelesen von allen Menschen![a]
3 Ist doch offenbar geworden, dass ihr ein
Brief Christi seid durch unsern Dienst,
geschrieben nicht mit Tinte, sondern mit
dem Geist des lebendigen Gottes, nicht
auf [a]steinerne Tafeln, sondern auf flei-
scherne Tafeln der Herzen.

DIE HERRLICHKEIT DES DIENSTES IM NEUEN BUND

4 Solches Vertrauen aber haben wir durch
Christus zu Gott. 5 Nicht dass wir tüch-
tig sind von uns selber, uns etwas zu-
zurechnen als von uns selber; sondern
[a]dass wir tüchtig sind, ist von Gott, 6 der
uns auch tüchtig gemacht hat zu Dienern
des [a]neuen Bundes, nicht des [b]Buchsta-
bens, sondern des Geistes. Denn **der
Buchstabe tötet, aber der [c]Geist macht
lebendig.**
7 [a]Wenn aber der Dienst, der den Tod
bringt und der mit Buchstaben in Stein ge-
hauen war, Herrlichkeit hatte, sodass die

1,21 *a* 1. Joh 2,27 **1,22** *a* Eph 1,13-14 *b* Kap 5,5
1,24 *a* Kap 4,5; 1. Kor 3,9 **2,1** *a* Kap 12,21 **2,4** *a* Kap 7,7-9
2,5 *a* Kap 7,12 **2,11** *a* 1. Petr 5,8 **2,12** *a* Apg 16,8
2,13 *a* Kap 7,6 **2,15** *a* 1. Kor 1,18 **2,16** *a* Kap 3,5-6
2,17 *a* Kap 1,12; 4,2; 12,19 **3,1** *a* Kap 5,12; 10,12
3,2 *a* 1. Kor 9,1-2 **3,3** *a* 2. Mose 31,18; Hes 11,19
3,5 *a* Kap 2,16 **3,6** *a* Jer 31,31; 1. Kor 11,25 *b* Röm 7,6
c Joh 6,63 **3,7** *a* (7-13) 2. Mose 34,29-35

Israeliten das Angesicht des Mose nicht
ansehen konnten wegen der Herrlichkeit
auf seinem Angesicht, die doch aufhörte,
8 wie sollte nicht der Dienst, der den Geist
gibt, viel mehr Herrlichkeit haben? 9 Denn
wenn der Dienst, der zur Verdammnis
führt, Herrlichkeit hatte, wie viel mehr hat
der Dienst, der [a]zur Gerechtigkeit führt,
überschwängliche Herrlichkeit. 10 Denn
auch, was verherrlicht ist, ist nicht als
Herrlichkeit zu achten gegenüber dieser
überschwänglichen Herrlichkeit. 11 Denn
wenn das Herrlichkeit hat, was da aufhört,
wie viel mehr wird das Herrlichkeit haben,
was da bleibt.

12 Weil wir nun solche Hoffnung haben,
sind wir voller Freimut 13 und nicht wie
Mose, der eine Decke über sein Angesicht
legte, damit die Israeliten nicht sahen das
Ende dessen, was da vergeht. 14 Aber ihr
Sinn wurde verstockt. Denn bis auf den
heutigen Tag bleibt diese Decke über dem
alten Bund, wenn daraus gelesen wird; sie
wird nicht aufgedeckt, [a]weil sie in Chris-
tus abgetan wird. 15 Aber bis auf den heu-
tigen Tag, wenn Mose gelesen wird, liegt
die Decke auf ihrem Herzen. 16 Wenn es
aber [a]umkehrt zu dem Herrn, so [b]wird die
Decke abgetan. 17 **Der Herr ist der Geist;
wo aber der [a]Geist des Herrn ist, da ist
Freiheit.** 18 Wir alle aber spiegeln mit auf-
gedecktem Angesicht die [a]Herrlichkeit des
Herrn wider, und wir werden verwandelt
in sein Bild von einer Herrlichkeit zur an-
dern von dem Herrn, der der Geist ist.

DER AUFTRAG DES PAULUS

4 Darum, weil wir dieses [a]Amt haben
nach der [b]Barmherzigkeit, die uns wi-
derfahren ist, werden wir nicht müde,
2 sondern wir haben uns losgesagt von
schändlicher Heimlichkeit und [a]gehen
nicht mit List um, verfälschen auch nicht
Gottes Wort, sondern durch Offenbarung
der Wahrheit empfehlen wir uns dem Ge-
wissen aller Menschen vor Gott. 3 Ist aber
unser Evangelium verdeckt, so ist's de-
nen verdeckt, [a]die verloren werden, 4 den
Ungläubigen, denen der Gott dieser Welt
den Sinn verblendet hat, dass sie nicht se-
hen das helle Licht des Evangeliums von
der Herrlichkeit Christi, welcher ist [a]das
Ebenbild Gottes.
5 Denn wir predigen nicht uns selbst,
sondern Jesus Christus, dass er der Herr
ist, wir aber eure Knechte um Jesu willen.
6 Denn [a]**Gott, der da sprach: Licht soll
aus der Finsternis hervorleuchten, der
hat einen hellen Schein in unsre Her-
zen gegeben, dass die Erleuchtung ent-
stünde zur Erkenntnis der Herrlichkeit
Gottes in dem Angesicht Jesu Christi.**

LEIDENSGEMEINSCHAFT MIT CHRISTUS

7 [a]Wir haben aber diesen Schatz in irdenen
Gefäßen, auf dass die überschwängliche
Kraft von Gott sei und nicht von uns. 8 Wir
sind von allen Seiten bedrängt, aber wir
ängstigen uns nicht. Uns ist bange, aber
wir verzagen nicht. 9 Wir leiden Verfol-
gung, aber wir werden nicht verlassen.
Wir werden unterdrückt, aber wir kom-
men nicht um. 10 Wir [a]tragen allezeit das
Sterben Jesu an unserm Leibe, auf dass
auch das Leben Jesu an unserm Leibe of-
fenbar werde. 11 Denn wir, die wir leben,
[a]werden immerdar in den Tod gegeben
um Jesu willen, auf dass auch das Leben
Jesu offenbar werde an unserm sterb-
lichen Fleisch. 12 So ist nun der Tod mäch-
tig in uns, aber das Leben in euch.

13 Weil wir aber denselben Geist des
Glaubens haben, wie geschrieben steht
(Psalm 116,10): »Ich glaube, darum rede ich«,
so glauben wir auch, darum reden wir
auch; 14 denn wir wissen, dass der, der
den Herrn Jesus auferweckt hat, wird uns
auch auferwecken mit Jesus und wird uns
vor sich stellen samt euch.[a] 15 Denn [a]es
geschieht alles um euretwillen, auf dass
die Gnade durch viele wachse und so die
Danksagung noch reicher werde zur Ehre
Gottes.

16 **Darum werden wir nicht müde;
sondern wenn auch unser äußerer
Mensch verfällt, so wird doch der in-
nere von Tag zu Tag erneuert.** 17 Denn
unsre Bedrängnis, die zeitlich und leicht

3,9 *a* Röm 1,17; 3,21 **3,14** *a* Röm 10,4; 11,25-27
3,16 *a* Röm 11,23 *b* 2. Mose 34,34 **3,17** *a* Röm 8,2
3,18 *a* Kap 4,6; 1. Kor 13,12 **4,1** *a* Kap 3,6 *b* 1. Tim 1,16
4,2 *a* Kap 2,17; 1. Thess 2,5 **4,3** *a* 1. Kor 1,18
4,4 *a* Kol 1,15; Hebr 1,3 **4,6** *a* 1. Mose 1,3
4,7 *a* (7-10) Kap 11,23-27; 1. Kor 4,11-13
4,10 *a* 1. Kor 15,31; Gal 6,17 **4,11** *a* Röm 8,36
4,14 *a* 1. Kor 6,14 **4,15** *a* Kap 1,6.11

ist, schafft eine ewige und über alle Maßen
gewichtige Herrlichkeit,[a] 18 uns, die wir
nicht sehen auf das Sichtbare, sondern
[a]auf das Unsichtbare. Denn was sichtbar
ist, das ist zeitlich; was aber unsichtbar ist,
das ist ewig.

SEHNSUCHT NACH DER HIMMLISCHEN HEIMAT

5 Denn wir wissen: Wenn unser irdi-
sches Haus, diese [a]Hütte, abgebrochen
wird, so haben wir einen Bau, von Gott
erbaut, ein Haus, nicht mit Händen ge-
macht, das ewig ist im Himmel. 2 Denn
darum seufzen wir auch und sehnen uns
danach, dass wir mit unserer Behausung,
die vom Himmel ist, überkleidet wer-
den, 3 weil wir dann bekleidet und nicht
nackt befunden werden. 4 Denn solange
wir in dieser Hütte sind, seufzen wir und
sind beschwert, weil wir lieber nicht ent-
kleidet, sondern [a]überkleidet werden
wollen, damit das Sterbliche verschlun-
gen werde von dem Leben. 5 Der uns
aber dazu bereitet hat, das ist Gott, der
uns [a]als Unterpfand den Geist gegeben
hat.
6 So sind wir denn allezeit getrost und
wissen: Solange wir im Leibe wohnen,
weilen wir fern von dem Herrn; 7 denn
wir wandeln im Glauben und nicht im
Schauen.[a] 8 Wir sind aber getrost und be-
gehren sehr, den Leib zu verlassen und
daheim zu sein bei dem Herrn.[a] 9 Darum
setzen wir auch unsre Ehre darein, ob wir
daheim sind oder in der Fremde, dass wir
ihm wohlgefallen. 10 Denn [a]**wir müssen**
alle offenbar werden vor dem Richter-
stuhl Christi, auf dass [b]ein jeder emp-
fange nach dem, was er getan hat im
Leib, es sei gut oder böse.

BOTSCHAFTER DER VERSÖHNUNG

11 Weil wir nun wissen, dass der Herr zu
fürchten ist, suchen wir Menschen zu ge-
winnen; aber vor Gott sind wir offenbar.
Ich hoffe aber, dass wir auch vor eurem
Gewissen offenbar sind. 12 Damit [a]emp-
fehlen wir uns nicht abermals bei euch,
sondern geben euch Anlass, euch unser zu
rühmen, damit ihr etwas habt gegen die,
die sich des Äußeren rühmen und nicht
des Herzens. 13 Denn wenn wir außer uns
waren, so war es für Gott; sind wir aber
besonnen, so sind wir's für euch. 14 Denn
die Liebe Christi drängt uns, da wir er-
kannt haben, dass [a]einer für alle gestor-
ben ist und so alle gestorben sind. 15 Und
er ist darum für alle gestorben, damit, die
da leben, hinfort [a]nicht sich selbst leben,
sondern dem, der für sie gestorben ist und
auferweckt wurde.
16 Darum kennen wir von nun an nie-
manden mehr nach dem Fleisch; und
auch wenn wir Christus gekannt haben
nach dem Fleisch, so kennen wir ihn
doch jetzt so nicht mehr. 17 Darum: [a]**Ist**
jemand in Christus, so ist er eine neue
Kreatur; das Alte ist vergangen, siehe,
Neues ist geworden. 18 [a]Aber das alles ist
von Gott, der uns mit sich selber versöhnt
hat durch Christus und uns das Amt gege-
ben, das die Versöhnung predigt. 19 Denn
Gott war in Christus und versöhnte
die Welt mit ihm selber* und rechnete
ihnen ihre Sünden nicht zu und hat un-
ter uns aufgerichtet das Wort von der
Versöhnung.[a]
20 **So sind wir nun [a]Botschafter an**
Christi statt, denn Gott ermahnt durch
uns; so bitten wir nun an Christi statt:
Lasst euch versöhnen mit Gott! 21 **Denn**
er hat den, der von keiner Sünde wuss-
te, [a]für uns zur Sünde gemacht, auf dass
wir in ihm die [b]Gerechtigkeit würden,
die vor Gott gilt*.
6 Als [a]Mitarbeiter aber ermahnen wir
euch, dass ihr nicht vergeblich die
Gnade Gottes empfangt. 2 Denn er spricht
(Jesaja 49,8): »Ich habe dich zur willkomme-
nen Zeit erhört und habe dir am Tage des
Heils geholfen.« Siehe, [a]jetzt ist die will-
kommene Zeit, siehe, jetzt ist der Tag des
Heils!

* **5,19** Andere Übersetzung: »Denn Gott versöhnte in Christus die Welt mit sich«. **5,21** Wörtlich: »die Gerechtigkeit Gottes«; siehe Sach- und Worterklärungen zu »Gerechtigkeit Gottes«.

4,17 *a* Röm 8,17-18; 1. Petr 1,6 **4,18** *a* Hebr 11,1
5,1 *a* 2. Petr 1,14 **5,4** *a* 1. Kor 15,51-53 **5,5** *a* Kap 1,22; Röm 8,23; Eph 1,13-14 **5,7** *a* Röm 8,24; 1. Kor 13,12; 1. Petr 1,8 **5,8** *a* Phil 1,23 **5,10** *a* Apg 17,31; Röm 2,16; 14,10 *b* Joh 5,29; 1. Kor 4,5 **5,12** *a* Kap 3,1; 10,12
5,14 *a* Röm 6,3-4 **5,15** *a* Röm 14,7-8; Gal 2,19-20
5,17 *a* Jes 43,18-19; Röm 8,10; Gal 6,15
5,18 *a* (18-19) Röm 5,10 **5,19** *a* Kol 1,19-20
5,20 *a* Lk 10,16 **5,21** *a* Jes 53,4-6; Röm 8,3-4; Gal 3,13 *b* Röm 1,17; 1. Kor 1,30 **6,1** *a* Kap 1,24 **6,2** *a* Lk 4,19.21

DIE BEWÄHRUNG DES APOSTELS IN SEINEM DIENST

3Und wir geben in nichts irgendeinen An-
stoß, damit dieser Dienst nicht verlästert
werde; 4[a]sondern in allem erweisen wir
uns als Diener Gottes: in großer Geduld,
in Bedrängnissen, in Nöten, in Ängsten,
5in Schlägen, in Gefängnissen, in Auf-
ruhr, in Mühen, im Wachen, im Fasten,
6in [a]Lauterkeit, in Erkenntnis, in Lang-
mut, in Freundlichkeit, im Heiligen Geist,
in ungefärbter Liebe, 7in dem [a]Wort der
Wahrheit, in der [b]Kraft Gottes, mit den
Waffen der Gerechtigkeit zur Rechten
und zur Linken, 8in Ehre und Schande;
in bösen Gerüchten und guten Gerüch-
ten, als Verführer und doch wahrhaftig;
9als die Unbekannten und doch be-
kannt; als die [a]Sterbenden, und siehe,
wir leben; als die [b]Gezüchtigten und
doch nicht getötet; 10als die Trauri-
gen, aber allezeit fröhlich; als die Ar-
men, aber die doch viele reich machen;
als die nichts haben und doch alles
haben.

WERBUNG UM DIE GEMEINDE UND WARNUNG VOR GÖTZENDIENST

11O ihr Korinther, unser Mund hat sich
euch gegenüber aufgetan, unser Herz ist
weit geworden. 12Eng ist nicht der Raum,
den ihr in uns habt; eng aber ist's in euren
Herzen. 13Gebt uns, was wir euch geben –
ich rede wie [a]zu meinen Kindern –, und
macht auch ihr euer Herz weit.
14Zieht nicht unter fremdem Joch mit
den Ungläubigen. Denn was hat Gerech-
tigkeit zu schaffen mit Gesetzlosigkeit?
[a]Was hat das Licht für Gemeinschaft mit
der Finsternis? 15Wie stimmt Christus
überein mit Beliar*? Oder was für ein
Teil hat der Gläubige mit dem Ungläubi-
gen? 16Was hat der Tempel Gottes ge-
mein mit den Götzen? [a]Wir aber sind der
Tempel des lebendigen Gottes; wie denn
Gott sprach (3. Mose 26,11-12; Hesekiel 37,27):
»Ich will unter ihnen wohnen und wan-
deln und will ihr Gott sein, und sie sol-
len mein Volk sein.« 17Darum [a]»geht weg
von ihnen und sondert euch ab«, spricht
der Herr; »und rührt nichts Unreines an,
so will ich euch annehmen 18und euer
Vater sein und ihr sollt [a]meine Söhne
und Töchter sein«, spricht der allmächtige
Herr (Jesaja 52,11; Hesekiel 20,41; 2. Samuel 7,14).
7 Weil wir nun solche Verheißungen ha-
ben, ihr Lieben, so lasst uns von aller
Befleckung des Fleisches und des Geistes
uns reinigen und die Heiligung vollenden
in der Furcht Gottes.
2Gebt uns Raum bei euch! Wir haben
niemand Unrecht getan, wir haben nie-
mand verletzt, [a]wir haben niemand über-
vorteilt. 3Nicht sage ich das, um euch zu
verdammen; denn ich habe schon zuvor
gesagt, dass ihr in unserm Herzen seid,
mitzusterben und mitzuleben.[a] 4Ich rede
mit großem Freimut zu euch; mir wird
viel Ruhm zuteil euretwegen; ich bin er-
füllt mit Trost; ich habe überschwängliche
Freude in aller unsrer Bedrängnis.

FREUDE ÜBER DIE UMKEHR DER GEMEINDE

5[a]Denn als wir nach Makedonien kamen,
fanden wir keine Ruhe; sondern allenthal-
ben waren wir bedrängt: von außen Streit,
von innen Furcht. 6Aber Gott, der die Ge-
ringen tröstet, der tröstete uns durch die
Ankunft des Titus; 7nicht allein aber durch
seine Ankunft, sondern auch durch den
Trost, mit dem er bei euch getröstet wor-
den war. Er berichtete uns von eurem Ver-
langen, eurem Weinen, eurem Eifer für
mich, sodass ich mich noch mehr freute.
8Denn wenn ich euch auch durch den
Brief traurig gemacht habe, reut es mich
nicht. Und wenn es mich reute – ich sehe
ja, dass jener Brief euch wohl eine Weile
betrübt hat –,[a] 9so freue ich mich jetzt,
doch nicht darüber, dass ihr betrübt wor-
den seid, sondern darüber, dass ihr be-
trübt worden seid zur Umkehr. Denn ihr
seid betrübt worden nach Gottes Willen,
sodass ihr von uns keinen Schaden erlitten
habt. 10Denn die Traurigkeit nach Gottes
Willen wirkt zur Seligkeit eine Umkehr,
die niemanden reut; die Traurigkeit der
Welt aber wirkt den Tod. 11Siehe, eben

* **6,15** Im Judentum einer der Namen des Teufels.

6,4 ***a*** (4-5) Kap 11,23-29; 1. Kor 4,10-13 **6,6** ***a*** 1. Tim 4,12
6,7 ***a*** Kap 4,2 ***b*** 1. Kor 2,4 **6,9** ***a*** Kap 4,10-11 ***b*** Ps 118,18
6,13 ***a*** 1. Kor 4,14 **6,14** ***a*** Eph 5,11 **6,16** ***a*** 1. Kor 3,16
6,17 ***a*** Offb 18,4 **6,18** ***a*** Jes 43,6; Hos 2,1
7,2 ***a*** Kap 12,17-18 **7,3** ***a*** Kap 6,11-13; Röm 6,8
7,5 ***a*** (5-6) Kap 2,12-13 **7,8** ***a*** Kap 2,2-4

dies, dass ihr betrübt worden seid nach
Gottes Willen, welches Mühen hat das in
euch gewirkt, dazu Verteidigung, Unwil-
len, Furcht, Verlangen, Eifer, Bestrafung!
Ihr habt in allen Stücken bewiesen, dass
ihr rein seid in dieser Sache. 12 Darum,
wenn ich euch auch geschrieben habe, so
ist's doch nicht geschehen [a]um dessent-
willen, der Unrecht getan hat, auch nicht
um dessentwillen, der Unrecht erlitten
hat, sondern damit euer Mühen für uns
offenbar werde bei euch vor Gott. 13 Da-
durch sind wir getröstet worden.

Mehr noch als über diesen Trost aber ha-
ben wir uns gefreut über die Freude des
Titus; denn sein Geist ist erquickt wor-
den von euch allen. 14 Denn was ich vor
ihm von euch gerühmt habe, darin bin
ich nicht zuschanden geworden; sondern
wie alles wahr ist, was wir mit euch ge-
redet haben, so hat sich auch unser Rüh-
men vor Titus als wahr erwiesen. 15 Und
er ist überaus herzlich gegen euch gesinnt,
wenn er an den Gehorsam von euch allen
denkt, wie ihr ihn mit Furcht und Zittern
aufgenommen habt. 16 Ich freue mich, dass
ich mich in allem auf euch verlassen kann.

DIE GELDSAMMLUNG FÜR DIE GEMEINDE IN JERUSALEM

8 [a]Wir tun euch aber kund, Brüder und
Schwestern, die Gnade Gottes, die in
den Gemeinden Makedoniens gegeben
ist. 2 Denn vielfach bewährt in Bedräng-
nis war ihre Freude doch überschwäng-
lich, und obwohl sie sehr arm sind, haben
sie doch reichlich gegeben in aller Lauter-
keit. 3 Denn nach Kräften, das bezeuge ich,
und sogar über ihre Kräfte haben sie willig
gegeben 4 und haben uns mit vielem Zu-
reden gebeten, dass sie mithelfen dürften
an der Wohltat und der Gemeinschaft des
Dienstes für die Heiligen; 5 und nicht nur
das, wie wir hofften, sondern sie gaben
sich selbst, zuerst dem Herrn und danach
uns, durch den Willen Gottes. 6 So haben
wir Titus zugeredet, dass er, wie er zuvor
angefangen hatte, nun auch diese Wohltat
unter euch vollende.

7 Wie ihr aber [a]in allen Stücken reich
seid, im Glauben und im Wort und in der
Erkenntnis und in allem Eifer und in der
Liebe, die wir in euch erweckt haben, so
[b]gebt auch reichlich bei dieser Wohltat.
8 Nicht als Befehl sage ich das; sondern
weil andere so eifrig sind, prüfe ich auch
eure Liebe, ob sie echt sei. 9 Denn **ihr
kennt die Gnade unseres Herrn Jesus
Christus: Obwohl er reich ist, wurde er
doch [a]arm um euretwillen, auf dass ihr
durch seine Armut reich würdet.**

10 Und damit gebe ich einen Rat; denn
das ist euch nützlich, die ihr seit vorigem
Jahr angefangen habt nicht allein mit dem
Tun, sondern auch mit dem Wollen. 11 Nun
aber vollendet auch das Tun, damit, wie ihr
geneigt seid zu wollen, ihr auch geneigt
seid zu vollenden nach dem Maß dessen,
was ihr habt. 12 Denn wenn der gute Wille
da ist, so ist jeder willkommen nach dem,
was er hat, nicht nach dem, was er nicht
hat.[a] 13 Nicht, dass die andern Ruhe ha-
ben und ihr Not leidet, sondern dass es
zu einem Ausgleich komme. 14 Jetzt helfe
euer Überfluss ihrem Mangel ab, damit
auch ihr Überfluss eurem Mangel abhelfe
und so ein Ausgleich geschehe, 15 wie ge-
schrieben steht (2. Mose 16,18): »Wer viel sam-
melte, hatte keinen Überfluss, und wer
wenig sammelte, hatte keinen Mangel.«

16 [a]Gott aber sei Dank, der dem Titus sol-
chen Eifer für euch ins Herz gegeben hat.
17 Denn er ließ sich gerne zureden; ja, weil
er so sehr eifrig war, ist er von selber zu
euch gereist. 18 Wir haben aber [a]den Bru-
der mit ihm gesandt, dessen Lob wegen
seines Dienstes am Evangelium durch alle
Gemeinden geht. 19 Nicht allein aber das,
sondern er ist auch von den Gemeinden
dazu eingesetzt, uns zu begleiten, wenn
wir diese Gabe überbringen dem Herrn
zur Ehre und zum Erweis unsres guten
Willens. 20 So verhüten wir, dass uns je-
mand übel nachredet wegen dieser rei-
chen Gabe, die durch uns überbracht wird.
21 Denn wir sehen darauf, dass es redlich
zugehe nicht allein vor dem Herrn, son-
dern auch vor den Menschen.

22 Auch haben wir mit ihnen unsern
Bruder gesandt, dessen Eifer wir oft in
vielen Stücken erprobt haben, nun aber
ist er noch viel eifriger aus großem Ver-

7,12 ***a*** Kap 2,5 **8,1** ***a*** (1-4) Röm 15,25-27 **8,7** ***a*** 1. Kor 1,5 ***b*** 1. Kor 16,1-2 **8,9** ***a*** Phil 2,6-8 **8,12** ***a*** Spr 3,27-28; Mk 12,43 **8,16** ***a*** (16-17) Vers 6; Kap 2,13; 7,6-7.15 **8,18** ***a*** Kap 12,18

trauen zu euch. 23 Es sei nun [a]Titus, der
mein Gefährte und mein Mitarbeiter un-
ter euch ist, oder es seien unsere Brüder,
die Abgesandte der Gemeinden sind und
eine Ehre Christi: 24 Erbringt ihnen den
Beweis eurer Liebe und des [a]Ruhmes, den
wir euretwegen haben, öffentlich vor den
Gemeinden.

DER SEGEN DES GEBENS

9 Von dem [a]Dienst, der für die Heiligen
geschieht, brauche ich euch nicht zu
schreiben. 2 Denn ich weiß von eurem
[a]guten Willen, den ich an euch rühme bei
denen aus Makedonien und sage: Achaia
ist schon voriges Jahr bereit gewesen!
Und euer Beispiel hat die meisten ange-
spornt. 3 Ich habe aber die Brüder gesandt,
damit nicht unser Rühmen über euch zu-
nichtewerde in diesem Stück und damit
ihr vorbereitet seid, wie ich gesagt habe,
4 dass nicht, wenn die aus Makedonien mit
mir kommen und euch nicht vorbereitet
finden, wir – um nicht zu sagen ihr – zu-
schanden würden mit dieser unsrer Zu-
versicht. 5 So habe ich es nun für nötig
angesehen, die Brüder zu ermahnen, dass
sie voranzögen zu euch, um eure ange-
kündigte Segensgabe vorher bereitzustel-
len, sodass sie bereitliegt als eine Gabe des
Segens und nicht des Geizes.

6 Ich meine aber dies: **Wer da kärglich
sät, der wird auch kärglich ernten; und
wer da sät im Segen, der wird auch ern-
ten im Segen.**[a] 7 Ein jeder, wie er's sich im
Herzen vorgenommen hat, nicht mit Un-
willen oder aus Zwang; denn **einen fröh-
lichen Geber hat Gott lieb.**[a] 8 Gott aber
kann machen, dass alle Gnade unter euch
reichlich sei, damit ihr in allen Dingen alle-
zeit volle Genüge habt und noch reich seid
zu jedem guten Werk; 9 wie geschrieben
steht (Psalm 112,9): »Er hat ausgestreut und
den Armen gegeben; seine Gerechtigkeit
bleibt in Ewigkeit.« 10 Der aber [a]Samen gibt
dem Sämann und Brot zur Speise, der wird
auch euch Samen geben und ihn mehren
und wachsen lassen die Früchte eurer Ge-
rechtigkeit. 11 So werdet ihr reich sein in
allen Dingen, zu geben in aller Lauterkeit,
die durch uns wirkt Danksagung an Gott.

12 Denn der Dienst dieser Sammlung
füllt nicht allein aus, woran es den Hei-
ligen mangelt, sondern wirkt auch über-
schwänglich darin, dass viele Gott dan-
ken. 13 Um dieses treuen Dienstes willen
preisen sie Gott für euren Gehorsam im
Bekenntnis zum Evangelium Christi und
für die Lauterkeit eurer Gemeinschaft mit
ihnen und allen. 14 Und in ihrem Gebet
für euch sehnen sie sich nach euch wegen
der überschwänglichen Gnade Gottes bei
euch. 15 Gott aber sei Dank für seine un-
aussprechliche Gabe!

VERTEIDIGUNG DES APOSTELS GEGEN PERSÖNLICHE ANGRIFFE

10 Ich selbst aber, Paulus, ermahne euch
bei der Sanftmut und Güte Christi,
der ich in eurer Gegenwart unterwürfig
sein soll, aber kühn gegen euch, wenn ich
fern bin. 2 Ich bitte aber, dass ich, wenn ich
bei euch bin, nicht kühn sein muss in der
[a]Festigkeit, mit der ich gegen einige vor-
zugehen gedenke, die unsern Wandel für
fleischlich halten. 3 Denn obwohl wir im
Fleisch wandeln, kämpfen wir doch nicht
auf fleischliche Weise. 4 Denn die [a]Waffen
unsres Kampfes sind nicht fleischlich, son-
dern mächtig im Dienste Gottes, Festun-
gen zu zerstören. Absichten zerstören wir
5 und [a]alles Hohe, das sich erhebt gegen die
Erkenntnis Gottes, und nehmen gefan-
gen alles Denken in den Gehorsam gegen
Christus. 6 So sind wir bereit, zu strafen
allen Ungehorsam, sobald euer Gehorsam
vollkommen geworden ist.

7 Seht, was vor Augen liegt! Verlässt sich
jemand darauf, dass er Christus angehört,
der bedenke wiederum auch dies bei sich,
dass, wie er Christus angehört, so auch
wir! 8 Auch wenn ich mich noch mehr
rühmte [a]der Vollmacht, die uns der Herr
gegeben hat, euch zu erbauen und nicht
zu zerstören, so würde ich nicht zuschan-
den werden. 9 Das sage ich aber, damit es
nicht scheint, als wollte ich euch mit den
Briefen schrecken. 10 Denn seine Briefe,
sagen sie, wiegen schwer und sind stark;
aber wenn er selbst anwesend ist, ist er
schwach und [a]seine Rede kläglich. 11 Wer

8,23 *a* Kap 7,13; 12,18 **8,24** *a* Kap 7,14 **9,1** *a* Kap 8,4
9,2 *a* Kap 8,10 **9,6** *a* Spr 11,24-25 **9,7** *a* 5. Mose 15,10
9,10 *a* Jes 55,10 **10,2** *a* Kap 13,1-2; 1. Kor 4,21
10,4 *a* Eph 6,13-17 **10,5** *a* Spr 21,22 **10,8** *a* Kap 13,10
10,10 *a* Kap 11,6

so redet, der bedenke: Wie wir abwesend
durch das Wort unserer Briefe wirken, so
auch anwesend mit der Tat.[a]

DER MASSSTAB FÜR DIE BEURTEILUNG DES APOSTELS

12 Denn wir wagen nicht, uns unter die zu
rechnen oder mit denen zu vergleichen,
die [a]sich selbst empfehlen; aber weil sie
sich nur an sich selbst messen und mit sich
selbst vergleichen, verstehen sie nichts.
13 [a]Wir aber wollen uns [b]nicht über alles
Maß hinaus rühmen, sondern nur nach
dem Maß, das uns Gott zugemessen hat,
nämlich dass wir auch bis zu euch gelan-
gen sollten. 14 Denn es ist nicht so, dass
wir uns zu viel anmaßen, als wären wir
nicht bis zu euch gelangt; denn wir sind ja
mit dem Evangelium Christi auch bis zu
euch gekommen 15 und rühmen uns nicht
über alles Maß hinaus mit dem, was an-
dere gearbeitet haben. Wir haben aber die
Hoffnung, dass wir, wenn euer Glaube in
euch wächst, nach unserem Maß über-
schwänglich zu Ehren kommen 16 und
das Evangelium auch denen predigen, die
jenseits von euch wohnen, und rühmen
uns nicht mit dem, was andere nach ihrem
Maß vollbracht haben. 17 »Wer sich aber
rühmt, der rühme sich des Herrn« (Jeremia
9,22-23).[a] 18 Denn nicht der ist bewährt, der
sich selbst empfiehlt, sondern der, den der
Herr empfiehlt.

DER EINSATZ DES PAULUS FÜR DIE GEMEINDE

11 [a]Ach wolltet ihr doch ein wenig Tor-
heit von mir ertragen! Gewiss, ihr er-
tragt mich. 2 Denn ich eifere um euch mit
göttlichem Eifer; denn ich habe euch ver-
lobt mit einem einzigen Mann, damit ich
Christus [a]eine reine Jungfrau zuführte.
3 Ich fürchte aber, dass, wie [a]die Schlange
Eva verführte mit ihrer List, so auch eure
Gedanken abgewendet werden von der
Lauterkeit und Reinheit vor Christus.
4 Denn wenn einer zu euch kommt und
[a]einen andern Jesus predigt, den wir nicht
gepredigt haben, oder ihr einen andern
Geist empfangt, den ihr nicht empfangen
habt, oder ein anderes Evangelium, das ihr
nicht angenommen habt, so ertragt ihr das
recht gern!
5 Ich meine doch, dass ich den Überapos-
teln in nichts nachstehe.[a] 6 Und wenn ich
schon [a]ungeschickt bin in der Rede, so bin
ich's doch nicht in der Erkenntnis; son-
dern in jeder Weise und vor allen haben
wir sie bei euch kundgetan.
7 [a]Oder habe ich eine Sünde begangen,
als ich mich erniedrigt habe, damit ihr
erhöht würdet? Denn ich habe euch das
Evangelium Gottes ohne Entgelt verkün-
digt. 8 [a]Andere Gemeinden habe ich be-
raubt und Geld von ihnen genommen,
um euch dienen zu können. 9 Und als ich
bei euch war und Mangel hatte, fiel ich nie-
mandem zur Last. Denn meinem Mangel
halfen die [a]Brüder ab, die aus Makedonien
kamen. So bin ich euch in keiner Weise
zur Last gefallen und will es auch weiter-
hin so halten. 10 So gewiss die Wahrheit
Christi in mir ist, so soll mir dieser Ruhm
im Gebiet von Achaia nicht verwehrt wer-
den. 11 Warum das? Weil ich euch nicht
lieb habe? Gott weiß es![a]

GEGEN FALSCHE APOSTEL IN KORINTH

12 Was ich aber tue, das will ich auch wei-
terhin tun, um denen den Anlass zu neh-
men, die einen Anlass suchen, sich zu
rühmen, sie seien wie wir. 13 Denn solche
sind falsche Apostel, betrügerische Arbei-
ter und verstellen sich als Apostel Christi.
14 Und das ist auch kein Wunder; denn er
selbst, der Satan, verstellt sich als Engel
des Lichts. 15 Darum ist es nichts Großes,
wenn sich auch seine Diener verstellen
als Diener der Gerechtigkeit; [a]deren Ende
wird sein nach ihren Werken.

PAULUS IN DER ROLLE DES NARREN

16 Ich sage abermals: Niemand halte mich
für töricht; wenn aber doch, so nehmt
mich an als einen Toren, damit auch ich
mich ein wenig rühme.[a] 17 Was ich jetzt
rede, das rede ich nicht dem Herrn gemäß,
sondern wie in Torheit, weil wir so ins
Rühmen gekommen sind. 18 Da viele sich

10,11 *a* Kap 13,2.10 **10,12** *a* Kap 3,1; 5,12
10,13 *a* (13-16) Röm 15,20 *b* Röm 12,3 **10,17** *a* 1. Kor 1,31
11,1 *a* Verse 16-17; Kap 12,11 **11,2** *a* Eph 5,26-27
11,3 *a* 1. Mose 3,4.13 **11,4** *a* Gal 1,6-9 **11,5** *a* Kap 12,11
11,6 *a* Kap 10,10; 1. Kor 2,1-2 **11,7** *a* (7-9) Kap 12,13;
1. Kor 9,12-18 **11,8** *a* (8-9) Phil 4,10.14-16 **11,9** *a* Kap 8,23
11,11 *a* Kap 12,15 **11,15** *a* Phil 3,19 **11,16** *a* Kap 12,6.11

rühmen nach dem Fleisch, will ich mich
auch rühmen. 19 Denn ihr ertragt gerne die
Narren, ihr, die ihr klug seid! 20 Ihr ertragt
es, wenn euch jemand knechtet, wenn
euch jemand ausnützt, wenn euch jemand
gefangen nimmt, wenn sich jemand über
euch erhebt, wenn euch jemand ins Ange-
sicht schlägt. 21 Zu meiner Schande muss
ich sagen: Dazu waren wir zu schwach!

Wo einer kühn ist – ich rede als Narr –,
da bin ich auch kühn. 22 Sie sind Hebräer?
Ich auch! Sie sind Israeliten? Ich auch! Sie
sind Abrahams Kinder? Ich auch![a] 23 [a]Sie
sind Diener Christi? Ich rede wider alle
Vernunft: Ich bin's weit mehr! Ich habe
mehr gearbeitet, ich bin öfter gefangen
gewesen, ich habe mehr Schläge erlit-
ten, ich bin oft in Todesnöten gewesen.
24 Von Juden habe ich fünfmal erhalten
[a]vierzig Geißelhiebe weniger einen; 25 ich
bin dreimal [a]mit Stöcken geschlagen, ein-
mal [b]gesteinigt worden; dreimal habe ich
Schiffbruch erlitten, einen Tag und eine
Nacht trieb ich auf dem tiefen Meer. 26 Ich
bin oft gereist, ich bin in Gefahr gewesen
durch Flüsse, in Gefahr unter Räubern, in
Gefahr von meinem Volk, in Gefahr von
Heiden, in Gefahr in Städten, in Gefahr in
Wüsten, in Gefahr auf dem Meer, in Ge-
fahr unter falschen Brüdern; 27 in Mühe
und Arbeit, in viel Wachen, in Hunger
und Durst, in viel Fasten, in Frost und
Blöße;[a] 28 und außer all dem noch das, was
täglich auf mich einstürmt, [a]die Sorge für
alle Gemeinden. 29 [a]Wer ist schwach, und
ich werde nicht schwach? Wer wird zu Fall
gebracht, und ich brenne nicht?

30 Wenn ich mich denn rühmen soll,
[a]will ich mich meiner Schwachheit rüh-
men. 31 Gott, der Vater des Herrn Jesus,
der gelobt sei in Ewigkeit, weiß, dass ich
nicht lüge. 32 [a]In Damaskus bewachte der
Statthalter des Königs Aretas die Stadt der
Damaszener und wollte mich gefangen
nehmen, 33 und ich wurde in einem Korb
durch ein Fenster die Mauer hinabgelassen
und entrann seinen Händen.

OFFENBARUNGEN DES HERRN UND DIE SCHWACHHEIT DES PAULUS

12 Gerühmt muss werden; wenn es auch
nichts nützt, so will ich doch kommen
auf die Erscheinungen und Offenbarun-
gen des Herrn. 2 Ich kenne einen Men-
schen in Christus; vor vierzehn Jahren –
ist er im Leib gewesen? Ich weiß es nicht;
oder ist er außer dem Leib gewesen? Ich
weiß es nicht; Gott weiß es –, da wurde
derselbe entrückt bis in den dritten Him-
mel. 3 Und ich kenne denselben Men-
schen – ob er im Leib oder außer dem Leib
gewesen ist, weiß ich nicht; Gott weiß
es –, 4 der wurde entrückt in das Paradies
und hörte unaussprechliche Worte, die
kein Mensch sagen kann. 5 Für denselben
will ich mich rühmen; für mich selbst aber
will ich mich nicht rühmen, [a]außer meiner
Schwachheit. 6 Denn wenn ich mich rüh-
men wollte, wäre ich kein Narr; denn ich
würde die Wahrheit sagen. Ich enthalte
mich aber dessen, damit nicht jemand
mich höher achte, als er an mir sieht oder
von mir hört.

7 Und damit ich mich wegen der hohen
Offenbarungen nicht überhebe, ist mir ge-
geben ein Pfahl ins Fleisch, nämlich des Sa-
tans Engel, der mich mit Fäusten schlagen
soll, damit ich mich nicht überhebe. 8 Sei-
netwegen habe ich dreimal zum Herrn ge-
fleht, dass er von mir weiche. 9 Und er hat
zu mir gesagt: **Lass dir an meiner Gnade
genügen; denn meine Kraft vollendet
sich in der Schwachheit.*** Darum will
ich mich am allerliebsten rühmen meiner
Schwachheit, auf dass die Kraft Christi bei
mir wohne. 10 Darum bin ich guten Mutes
in Schwachheit, in Misshandlungen, in
Nöten, in Verfolgungen und Ängsten um
Christi willen; denn wenn ich schwach
bin, so bin ich stark.[a]

DER DIENST DES APOSTELS FÜR SEINE GEMEINDE

11 Ich bin ein Narr geworden! Dazu habt
ihr mich gezwungen. Denn ich sollte von
euch empfohlen werden, da ich doch [a]den
Überaposteln in nichts nachstand, obwohl
ich nichts bin. 12 Denn es sind ja die Zei-

* **12,9** Luther übersetzte: »denn meine Kraft ist in den Schwachen mächtig«.

11,22 ***a*** Röm 11,1; Phil 3,5 **11,23** ***a*** (23-27) Kap 6,4-5; 1. Kor 4,11-13 **11,24** ***a*** 5. Mose 25,3 **11,25** ***a*** Apg 16,22 ***b*** Apg 14,19 **11,27** ***a*** Kap 6,5 **11,28** ***a*** Apg 20,18-21.31 **11,29** ***a*** 1. Kor 9,22 **11,30** ***a*** Kap 12,5 **11,32** ***a*** (32-33) Apg 9,24-25 **12,5** ***a*** Kap 11,30 **12,10** ***a*** Kap 6,4-5; 1. Kor 4,11-13 **12,11** ***a*** Kap 11,5

chen eines Apostels unter euch geschehen in aller Geduld, mit Zeichen und mit Wundern und mit Taten.[a] 13 Was ist's, worin ihr zu kurz gekommen seid gegenüber den andern Gemeinden, außer [a]dass ich euch nicht zur Last gefallen bin? Vergebt mir dieses Unrecht!

14 Siehe, ich bin jetzt bereit, zum [a]dritten Mal zu euch zu kommen, und will euch nicht zur Last fallen; denn ich suche nicht das Eure, sondern euch. Denn es sollen nicht die Kinder den Eltern Schätze sammeln, sondern die Eltern den Kindern. 15 Ich aber will gern hingeben und hingegeben werden für eure Seelen. Wenn ich euch mehr liebe, soll ich darum weniger geliebt werden?

16 Sei's drum: Ich bin euch nicht zur Last gefallen. Aber bin ich etwa heimtückisch und habe euch mit Hinterlist gefangen? 17 Habe ich euch etwa übervorteilt durch einen von denen, die ich zu euch gesandt habe? 18 [a]Ich habe Titus zugeredet und den Bruder mit ihm gesandt. Hat euch etwa Titus übervorteilt? Sind wir nicht in demselben Geist gewandelt? Sind wir nicht in denselben Fußstapfen gegangen?

MAHNUNGEN FÜR DEN DRITTEN BESUCH DES PAULUS

19 Schon lange werdet ihr denken, dass wir uns vor euch verteidigen. Wir [a]reden in Christus vor Gott! Aber das alles geschieht, ihr Lieben, zu eurer Erbauung. 20 Denn ich fürchte, [a]wenn ich komme, finde ich euch nicht, wie ich will, und ihr findet mich auch nicht, wie ihr wollt, sondern es gibt Hader, Neid, Zorn, Zank, üble Nachrede, Verleumdung, Aufgeblasenheit, Aufruhr. 21 Ich fürchte, wenn ich abermals komme, wird mein Gott mich demütigen bei euch, und ich muss Leid tragen über viele, die [a]zuvor gesündigt und nicht Buße getan haben für die Unreinheit und Unzucht und Ausschweifung, die sie getrieben haben.

13 Zum dritten Mal komme ich zu euch.

»Durch zweier oder dreier Zeugen Mund soll jede Sache bestätigt werden.« (5. Mose 19,15) 2 Ich habe es vorausgesagt und sage es noch einmal voraus – wie bei meinem zweiten Besuch, so auch nun aus der Ferne – denen, die zuvor gesündigt haben, und den andern allen: Wenn ich abermals komme, dann will ich niemanden schonen. 3 Ihr verlangt ja einen Beweis dafür, dass Christus in mir redet, der euch gegenüber nicht schwach ist, sondern ist mächtig unter euch. 4 Denn wenn er auch gekreuzigt wurde in Schwachheit, so lebt er doch aus [a]Gottes Kraft. Und wenn wir auch [b]schwach sind in ihm, so werden wir doch mit ihm leben aus der Kraft Gottes für euch.

5 Erforscht euch selbst, ob ihr im Glauben steht; prüft euch selbst! Oder erkennt ihr an euch selbst nicht, dass [a]Jesus Christus in euch ist? Wenn nicht, dann wäret ihr ja nicht bewährt. 6 Ich hoffe aber, ihr werdet erkennen, dass wir nicht unbewährt sind.

7 Wir bitten aber Gott, dass ihr nichts Böses tut; nicht damit wir als bewährt angesehen werden, sondern damit ihr das Gute tut und wir wie die sind, die nicht bewährt sind. 8 Denn wir vermögen nichts wider die Wahrheit, sondern nur etwas für die Wahrheit. 9 Wir freuen uns ja, wenn wir schwach sind, ihr aber mächtig seid. Wir beten auch dafür, dass ihr vollkommen werdet. 10 Deshalb schreibe ich auch dies aus der Ferne, [a]damit ich nicht, wenn ich anwesend bin, Strenge gebrauchen muss nach der [b]Vollmacht, die mir der Herr gegeben hat, zu erbauen, nicht zu zerstören.

GRÜSSE UND SEGENSWUNSCH

11 Zuletzt, Brüder und Schwestern, [a]freut euch, lasst euch zurechtbringen, lasst euch mahnen, habt einerlei Sinn, haltet Frieden! So [b]wird der Gott der Liebe und des Friedens mit euch sein. 12 [a]Grüßt euch untereinander mit dem heiligen Kuss. Es grüßen euch alle Heiligen. 13 **Die Gnade unseres Herrn Jesus Christus und die Liebe Gottes und die Gemeinschaft des Heiligen Geistes sei mit euch allen!**

12,12 ***a*** Röm 15,19 **12,13** ***a*** Kap 11,7-9 **12,14** ***a*** Kap 13,1 **12,18** ***a*** Kap 8,6.16-18 **12,19** ***a*** Kap 2,17 **12,20** ***a*** Kap 10,2; 1. Kor 1,11-12 **12,21** ***a*** Kap 13,2 **13,4** ***a*** 1. Kor 1,18 ***b*** Kap 4,10-11 **13,5** ***a*** Röm 8,9-10 **13,10** ***a*** Kap 10,11 ***b*** Kap 10,8 **13,11** ***a*** Phil 4,4 ***b*** Röm 15,33; Phil 4,9 **13,12** ***a*** Röm 16,16; 1. Kor 16,20; 1. Thess 5,26

DER BRIEF DES PAULUS AN DIE GALATER

1 Paulus, Apostel nicht von Menschen,
auch nicht durch einen Menschen, son-
dern durch Jesus Christus und Gott, den
Vater, [a]der ihn auferweckt hat von den
Toten, 2 und alle Brüder und Schwestern,
die bei mir sind, an die Gemeinden in
Galatien:
3 Gnade sei mit euch und Friede von
Gott, unserm Vater, und dem Herrn Jesus
Christus,[a] 4 der [a]sich selbst für unsre Sün-
den dahingegeben hat, dass er uns errette
von dieser gegenwärtigen, [b]bösen Welt
nach dem Willen Gottes, unseres Vaters.
5 Ihm sei Ehre von Ewigkeit zu Ewigkeit!
Amen.

KEIN ANDERES EVANGELIUM ALS DAS VON CHRISTUS

6 Mich wundert, dass ihr euch so bald ab-
wenden lasst von dem, der euch beru-
fen hat in die Gnade Christi, zu [a]einem
andern Evangelium, 7 obwohl es doch
kein andres gibt. Es gibt nur einige, die
euch [a]verwirren und wollen das Evange-
lium Christi verkehren. 8 Aber selbst wenn
wir oder ein Engel vom Himmel euch ein
Evangelium predigen würden, das anders
ist, als wir es euch gepredigt haben, der sei
verflucht. 9 Wie wir eben gesagt haben, so
sage ich abermals: [a]Wenn jemand euch ein
Evangelium predigt, anders als ihr es emp-
fangen habt, [b]der sei verflucht.

BEKEHRUNG UND BERUFUNG DES PAULUS

10 Will ich denn jetzt Menschen oder Gott
überzeugen? Oder [a]suche ich Menschen
gefällig zu sein? Wenn ich noch Menschen
gefällig wäre, so wäre ich Christi Knecht
nicht.
11 Denn ich tue euch kund, Brüder und
Schwestern, dass das Evangelium, das
[a]von mir gepredigt ist, nicht von mensch-
licher Art ist. 12 [a]Denn ich habe es nicht
von einem Menschen empfangen oder
gelernt, sondern durch eine Offenbarung
Jesu Christi.
13 Denn ihr habt ja gehört von [a]meinem
Leben früher im Judentum: wie ich [b]über
die Maßen die Gemeinde Gottes verfolgte
und sie zu zerstören suchte 14 und übertraf
im Judentum viele meiner Altersgenossen
in meinem Volk weit und eiferte über die
Maßen [a]für die Überlieferungen meiner
Väter.
15 Als es aber Gott wohlgefiel, der mich
[a]von meiner Mutter Leib an ausgesondert
und durch seine Gnade berufen hat, 16 dass
er [a]seinen Sohn offenbarte in mir, damit
ich ihn durchs Evangelium verkündi-
gen sollte [b]unter den Heiden, da besprach
ich mich nicht erst mit Fleisch und Blut,
17 ging auch nicht hinauf nach Jerusalem
zu denen, die vor mir Apostel waren, son-
dern zog nach Arabien und kehrte wieder
zurück nach Damaskus.
18 Danach, drei Jahre später, kam ich
hinauf nach Jerusalem, um [a]Kephas ken-
nenzulernen, und blieb fünfzehn Tage bei
ihm. 19 Von den andern Aposteln aber sah
ich keinen außer [a]Jakobus, des Herrn Bru-
der. 20 Was ich euch aber schreibe – siehe,
Gott weiß, ich lüge nicht! 21 Danach kam
ich in die Länder Syrien und Kilikien.[a]
22 Ich war aber unbekannt von Angesicht
den Gemeinden Christi in Judäa. 23 Sie
hatten nur gehört: Der uns einst verfolgte,
der predigt jetzt den Glauben, den er einst
zu zerstören suchte. 24 Und sie priesen
Gott um meinetwillen.

DIE VERSAMMLUNG DER APOSTEL IN JERUSALEM

2 [a]Danach, vierzehn Jahre später, zog ich
abermals hinauf nach Jerusalem mit
[b]Barnabas und nahm auch [c]Titus mit mir.

1,1 ***a*** Röm 4,24 **1,3** ***a*** Röm 1,7 **1,4** ***a*** Kap 2,20; 1. Tim 2,6; ***b*** 1. Joh 5,19 **1,6** ***a*** 2. Kor 11,4 **1,7** ***a*** Apg 15,1.24 **1,9** ***a*** 1. Tim 6,3 ***b*** 1. Kor 16,22 **1,10** ***a*** 1. Thess 2,4 **1,11** ***a*** 1. Kor 15,1; 1. Thess 2,13 **1,12** ***a*** *(12-16)* Apg 8,3; 9,1-15 **1,13** ***a*** Apg 22,3; Röm 11,1; 2. Kor 11,22; Phil 3,5-6 ***b*** 1. Kor 15,9 **1,14** ***a*** Apg 23,6 **1,15** ***a*** Jes 49,1; Jer 1,5; Röm 1,1 **1,16** ***a*** Mt 16,17 ***b*** Kap 2,7 **1,18** ***a*** Joh 1,42; Apg 9,26-27 **1,19** ***a*** Mt 13,55 **1,21** ***a*** Apg 9,30 **2,1** ***a*** (1-10) Apg 15,1-29 ***b*** Apg 4,36 ***c*** 2. Kor 2,13

2 Ich zog aber hinauf aufgrund einer Of-
fenbarung und legte ihnen, besonders
denen, die das Ansehen hatten, das Evan-
gelium dar, das ich predige unter den Hei-
den, auf dass ich nicht [a]vergeblich liefe
oder gelaufen wäre. 3 Aber selbst Titus, der
bei mir war, ein Grieche, wurde nicht ge-
zwungen, sich beschneiden zu lassen.[a] 4 Es
hatten sich aber einige falsche Brüder ein-
gedrängt und eingeschlichen, um auszu-
kundschaften unsere Freiheit, die wir in
Christus Jesus haben, und uns so zu
knechten. 5 Denen wichen wir auch nicht
eine Stunde und unterwarfen uns ihnen
nicht, [a]auf dass die Wahrheit des Evange-
liums bei euch bestehen bliebe.

6 Von denen aber, die das Ansehen hat-
ten – was sie früher waren, daran liegt mir
nichts; denn [a]Gott achtet das Ansehen
des Menschen nicht –, mir haben die, die
das Ansehen hatten, nichts weiter aufer-
legt. 7 Im Gegenteil, da sie sahen, dass mir
[a]anvertraut war das Evangelium für die
Unbeschnittenen so wie Petrus das Evan-
gelium für die Beschnittenen – 8 denn
der in Petrus wirksam gewesen ist zum
Apostelamt für die Beschnittenen, der ist
auch in mir wirksam gewesen unter den
Heiden –, 9 und da sie die [a]Gnade erkann-
ten, die mir gegeben war, reichten Jakobus
und [b]Kephas und Johannes, die als Säulen
angesehen werden, mir und Barnabas die
rechte Hand und wurden mit uns eins,
dass wir unter den Heiden, sie aber un-
ter den Beschnittenen predigen sollten,
10 allein dass wir der Armen gedächten –
was ich mich auch eifrig bemüht habe zu
tun.[a]

DIE AUSEINANDERSETZUNG IN ANTIOCHIA

11 Als aber Kephas nach Antiochia kam,
widerstand ich ihm ins Angesicht, denn
er hatte sich ins Unrecht gesetzt. 12 Denn
bevor einige von Jakobus kamen, [a]aß er
mit den Heiden; als sie aber kamen, zog
er sich zurück und sonderte sich ab, weil
er die aus der Beschneidung fürchtete.
13 Und mit ihm heuchelten auch die an-
dern Juden, sodass selbst Barnabas ver-
führt wurde, mit ihnen zu heucheln.
14 Als ich aber sah, dass sie nicht richtig
handelten nach der Wahrheit des Evan-
geliums, sprach ich zu Kephas öffentlich
vor allen: Wenn du, der du ein Jude bist,
heidnisch lebst und nicht jüdisch, warum
zwingst du dann die Heiden, jüdisch zu
leben?

15 Wir sind von Geburt Juden und nicht
Sünder aus den Heiden. 16 Doch weil wir
wissen, dass [a]der Mensch durch Werke
des Gesetzes nicht gerecht wird, sondern
durch den Glauben an Jesus Christus,
sind auch wir zum Glauben an Christus
Jesus gekommen, damit wir gerecht wer-
den durch den Glauben an Christus und
nicht durch Werke des Gesetzes; denn
**durch des Gesetzes Werke wird kein
Mensch gerecht***. 17 Sollten wir aber, die
wir durch Christus gerecht zu werden su-
chen, sogar selbst als Sünder befunden
werden – ist dann Christus ein Diener der
Sünde? Das sei ferne! 18 Denn wenn ich
das, was ich niedergerissen habe, wieder
aufbaue, dann mache ich mich selbst zu
einem Übertreter.

19 Denn [a]ich bin durchs Gesetz dem Ge-
setz gestorben, damit ich Gott lebe. Ich
bin mit Christus gekreuzigt. **20 Ich lebe,
doch nun nicht ich, sondern [a]Christus
lebt in mir. Denn was ich jetzt lebe im
Fleisch, das lebe ich im Glauben an den
Sohn Gottes, der mich geliebt hat und
[b]sich selbst für mich dahingegeben.**
21 Ich werfe nicht weg die Gnade Gottes;
denn wenn durch das Gesetz die Gerech-
tigkeit kommt, so ist Christus vergeblich
gestorben.

DIE GERECHTIGKEIT AUS GLAUBEN

3 O ihr unverständigen Galater! Wer
hat euch bezaubert, denen doch Jesus
Christus vor die Augen gemalt war als der
Gekreuzigte? 2 Das allein will ich von euch
erfahren: Habt ihr den Geist empfangen
durch des Gesetzes Werke oder durch die
Predigt vom Glauben*? 3 Seid ihr so un-
verständig? Im Geist habt ihr angefangen,

* **2,16** So Luther 1545. 1522 übersetzte er: »gerechtfertigt«. **3,2** Andere Übersetzung: »aus dem Hören im Glauben«. So auch in Vers 5.

2,2 *a* Phil 2,16 **2,3** *a* Apg 16,3; 1. Kor 9,21 **2,5** *a* Kap 3,1 **2,6** *a* 5. Mose 10,17; Röm 2,11 **2,7** *a* Apg 9,15; Eph 3,1-2 **2,9** *a* Röm 15,15 *b* Kap 1,18 **2,10** *a* Apg 11,29-30; 2. Kor 8,1–9,15 **2,12** *a* Apg 11,2-3 **2,16** *a* Röm 3,20.28; Eph 2,8 **2,19** *a* Röm 7,6 **2,20** *a* Joh 17,23 *b* Kap 1,4

wollt ihr's denn nun im Fleisch vollen-
den? 4 Habt ihr denn so vieles vergeblich
erfahren? Wenn es denn vergeblich war!
5 Der euch nun den Geist darreicht und
wirkt solche Taten unter euch, tut er's
durch des Gesetzes Werke oder durch die
Predigt vom Glauben?

6 So hat doch »Abraham Gott geglaubt,
und es wurde ihm gerechnet zur Gerech-
tigkeit« (1. Mose 15,6).[a] 7 Erkennt also: Die
aus dem Glauben sind, das sind Abra-
hams Kinder. 8 Die Schrift aber hat zuvor
gesehen, dass Gott die Heiden durch den
Glauben gerecht macht. Darum hat sie Ab-
raham zuvor verkündigt (1. Mose 12,3): [a]»In
dir sollen alle Heiden gesegnet werden.«
9 So werden nun die, die aus dem Glau-
ben sind, gesegnet mit dem gläubigen
Abraham.

10 Denn die aus des Gesetzes Werken
leben, die sind unter dem Fluch. Denn es
steht geschrieben (5. Mose 27,26): »Verflucht
sei jeder, der nicht bleibt bei alledem, was
geschrieben steht in dem Buch des Ge-
setzes, dass er's tue!« 11 Dass aber durchs
Gesetz niemand gerecht wird vor Gott,
ist offenbar; denn [a]»der Gerechte wird
aus Glauben leben« (Habakuk 2,4). 12 Das Ge-
setz aber ist nicht »aus Glauben«, sondern:
[a]»der Mensch, der es tut, wird dadurch le-
ben« (3. Mose 18,5). 13 **Christus aber hat uns
losgekauft von dem Fluch des Geset-
zes, da er [a]zum Fluch wurde für uns** –
denn es steht geschrieben (5. Mose 21,23):
»Verflucht ist jeder, der am Holz hängt« –,
14 auf dass der Segen Abrahams zu den
Heiden komme durch Christus Jesus und
wir den verheißenen Geist empfingen
durch den Glauben.

15 Brüder und Schwestern, ich will nach
menschlicher Weise reden: Man hebt
doch das Testament eines Menschen
nicht auf, wenn es bestätigt ist, noch setzt
man etwas hinzu. 16 Nun sind die Verhei-
ßungen Abraham zugesagt und seinem
Nachkommen. Es heißt nicht: »und den
Nachkommen«, als wären viele gemeint,
sondern es gilt einem: »und deinem Nach-
kommen« (1. Mose 22,18), welcher ist Chris-
tus. 17 Ich meine aber dies: Das Testament,
das von Gott zuvor bestätigt worden ist,
wird nicht aufgehoben durch das Gesetz,
das [a]vierhundertdreißig Jahre danach ge-
geben wurde, sodass die Verheißung zu-
rückgenommen würde. 18 Denn wenn das
Erbe durch das Gesetz erworben würde,
so würde es nicht durch Verheißung ge-
geben; Gott aber hat es Abraham durch
Verheißung frei geschenkt.

DER SINN DES GESETZES

19 Was soll dann das Gesetz? Es [a]wurde
hinzugefügt um der Übertretungen wil-
len, bis der Nachkomme käme, dem die
Verheißung gilt; verordnet wurde es von
[b]Engeln durch die Hand eines [c]Mittlers.
20 Ein Mittler aber ist nicht Mittler eines
Einzigen, Gott aber ist [a]Einer. 21 Wie? Ist
dann das Gesetz gegen Gottes Verheißun-
gen? Das sei ferne! Denn nur, wenn ein
Gesetz gegeben worden wäre, das [a]leben-
dig machen könnte, käme die Gerechtig-
keit wirklich aus dem Gesetz. 22 Aber die
Schrift [a]hat alles eingeschlossen unter
die Sünde, damit die Verheißung durch
den Glauben an Jesus Christus gegeben
würde denen, die glauben. 23 Ehe aber der
Glaube kam, waren wir unter dem Ge-
setz verwahrt und eingeschlossen, bis der
Glaube offenbart werden sollte.[a] 24 So ist
das Gesetz unser Zuchtmeister gewesen
auf Christus hin, damit wir durch den
Glauben gerecht würden.

BEFREIUNG ZUR GOTTESKINDSCHAFT

25 Da nun der Glaube gekommen ist, [a]sind
wir nicht mehr unter dem Zuchtmeis-
ter. 26 Denn **ihr seid alle durch den
Glauben [a]Gottes Kinder in Christus
Jesus.** 27 Denn ihr alle, die ihr [a]auf Chris-
tus getauft seid, habt [b]Christus angezo-
gen. 28 **Hier ist [a]nicht Jude noch Grie-
che, hier ist nicht Sklave noch Freier,
hier ist nicht Mann noch Frau; denn
[b]ihr seid allesamt einer in Christus
Jesus.** 29 Gehört ihr aber Christus an, so
seid ihr ja Abrahams Nachkommen und
nach der Verheißung Erben.

3,6 ***a*** Röm 4,3 **3,8** ***a*** 1. Mose 18,18 **3,11** ***a*** Röm 1,17; Hebr 10,38 **3,12** ***a*** Röm 10,5 **3,13** ***a*** 2. Kor 5,21
3,17 ***a*** 2. Mose 12,40 **3,19** ***a*** Röm 5,20 ***b*** Apg 7,38.53 ***c*** 5. Mose 5,5 **3,20** ***a*** 5. Mose 6,4 **3,21** ***a*** 5. Mose 6,24; Röm 8,2-4 **3,22** ***a*** Röm 3,9-20; 11,32 **3,23** ***a*** Kap 4,3-4
3,25 ***a*** Röm 10,4 **3,26** ***a*** Joh 1,12; Röm 8,14.17
3,27 ***a*** Röm 6,3 ***b*** Röm 13,14 **3,28** ***a*** Röm 10,12 ***b*** 1. Kor 12,13

4 Ich sage aber: Solange der Erbe unmün-
dig ist, ist zwischen ihm und einem
Knecht kein Unterschied, obwohl er Herr
ist über alle Güter; 2 sondern er unter-
steht Vormündern und Verwaltern bis zu
der Zeit, die der Vater bestimmt hat. 3 So
auch wir: Als wir unmündig waren, wa-
ren wir geknechtet unter die [a]Mächte der
Welt.

4 **Als aber [a]die Zeit erfüllt war, sandte**
Gott seinen Sohn, geboren von einer
Frau und unter das Gesetz getan, 5 auf
dass er die, die unter dem Gesetz wa-
ren, loskaufte, damit wir die Kind-
schaft empfingen. 6 Weil ihr nun Kin-
der seid, hat Gott den Geist seines Soh-
nes gesandt in unsre Herzen, der da
ruft: [a]Abba, lieber Vater! 7 So bist du
nun nicht mehr Knecht, sondern Kind;
wenn aber Kind, dann auch [a]Erbe durch
Gott.

WERBEN UM DIE GEMEINDEN

8 Aber zu der Zeit, als ihr Gott noch nicht
kanntet, dientet ihr denen, die ihrer Na-
tur nach nicht Götter sind. 9 Nun aber, da
ihr Gott erkannt habt, ja vielmehr von
Gott erkannt seid, wie wendet ihr euch
dann wieder den schwachen und dürf-
tigen Mächten zu, denen ihr von Neu-
em dienen wollt? 10 Ihr beachtet bestimm-
te Tage und Monate und Zeiten und
Jahre.[a] 11 Ich fürchte für euch, dass ich
vielleicht [a]vergeblich an euch gearbeitet
habe.

12 Werdet doch wie ich, denn auch ich
wurde wie ihr, Brüder und Schwestern,
ich bitte euch. Ihr habt mir kein Leid getan.
13 Ihr wisst doch, dass ich euch zuvor [a]in
Schwachheit des Leibes das Evangelium
gepredigt habe.[b] 14 Und obwohl meine
leibliche Schwäche euch eine Anfech-
tung war, habt ihr mich nicht verach-
tet oder vor mir ausgespuckt, sondern
mich wie einen Engel Gottes aufgenom-
men, ja wie Christus Jesus. 15 Wie wart
ihr dazumal selig zu preisen! Denn ich
bin euer Zeuge: Ihr hättet, wenn es mög-
lich gewesen wäre, eure Augen ausgeris-
sen und mir gegeben. 16 Bin ich denn da-
mit euer Feind geworden, dass ich euch
die Wahrheit vorhalte?

17 Es ist nicht recht, wie sie [a]um euch
werben; sie wollen euch ausschließen,
damit ihr dann um sie werbt. 18 Umwor-
ben zu werden, ist gut, wenn's im Guten
geschieht, und zwar immer und nicht nur
dann, wenn ich bei euch bin. 19 Meine
Kinder, [a]die ich abermals unter Wehen
gebäre, bis Christus in euch Gestalt ge-
winne! – 20 Ich wollte aber, dass ich jetzt
bei euch wäre und mit andrer Stimme zu
euch reden könnte; denn ich bin ratlos
euretwegen.

KNECHTSCHAFT UND FREIHEIT

21 Sagt mir, die ihr unter dem Gesetz sein
wollt: Hört ihr nicht das Gesetz? 22 Denn
es steht geschrieben, dass Abraham zwei
Söhne hatte, [a]einen von der Magd und
[b]einen von der Freien. 23 Aber der von der
Magd ist nach dem Fleisch geboren wor-
den, [a]der von der Freien aber durch die
Verheißung.

24 Das ist bildlich zu verstehen: Die bei-
den Frauen sind zwei Bundesschlüsse,
einer vom Berg Sinai, der in die Knecht-
schaft gebiert; das ist [a]Hagar. 25 Hagar aber
bezeichnet den Berg Sinai in Arabien und
ist ein Gleichnis für das jetzige Jerusalem,
das mit seinen Kindern in der Knecht-
schaft lebt. 26 Aber [a]das Jerusalem, das
droben ist, das ist die Freie; das ist unsre
Mutter. 27 Denn es steht geschrieben (Jesaja
54,1): »Sei fröhlich, du Unfruchtbare, die
du nicht gebierst! Brich in Jubel aus und
jauchze, die du nicht schwanger bist.
Denn die Einsame hat viel mehr Kinder,
als die den Mann hat.« 28 Ihr aber, Brüder
und Schwestern, seid wie Isaak Kinder der
Verheißung.

29 Aber wie zu jener Zeit der, der nach
dem Fleisch geboren war, den verfolgte,
der nach dem Geist geboren war, so geht es
auch jetzt. 30 Doch was spricht die Schrift?
»Stoß die Magd hinaus mit ihrem Sohn;
denn der Sohn der Magd soll nicht erben
mit dem Sohn der Freien« (1. Mose 21,10). 31 So
sind wir nun nicht Kinder der Magd, son-
dern der Freien.

4,3 *a* Kol 2,20 **4,4** *a* Mk 1,15; Eph 1,10 **4,6** *a* Röm 8,15
4,7 *a* Röm 8,16-17 **4,10** *a* Röm 14,5; Kol 2,16
4,11 *a* 2. Joh 8 **4,13** *a* 1. Kor 2,3 *b* Apg 16,6 **4,17** *a* Kap 1,7
4,19 *a* 1. Kor 4,15 **4,22** *a* 1. Mose 16,15 *b* 1. Mose 21,2
4,23 *a* Röm 9,7-9 **4,24** *a* 1. Mose 16,1-16
4,26 *a* Hebr 12,22; Offb 21,2

FREIHEIT IN CHRISTUS

5 Zur [a]Freiheit hat uns Christus be-
freit! So steht nun fest und [b]lasst
euch nicht wieder das Joch der Knecht-
schaft auflegen! 2 Siehe, ich, Paulus, sage
euch: Wenn ihr euch beschneiden lasst,
so wird euch Christus nichts nützen. 3 Ich
bezeuge abermals einem jeden, der [a]sich
beschneiden lässt, dass er das ganze Ge-
setz zu tun schuldig ist. 4 Ihr habt Chris-
tus verloren, die ihr durch das Gesetz ge-
recht werden wollt, aus der Gnade seid
ihr herausgefallen. 5 Denn wir warten im
Geist durch den Glauben auf die Gerech-
tigkeit, auf die wir hoffen. 6 Denn [a]**in**
Christus Jesus gilt weder Beschnei-
dung noch Unbeschnittensein etwas,
sondern der Glaube, der durch die
Liebe tätig ist.

7 Ihr lieft so gut. Wer hat euch aufgehal-
ten, der Wahrheit nicht zu gehorchen?
8 Solches Überreden kommt nicht von
dem, der euch berufen hat. 9 Ein wenig
Sauerteig durchsäuert den ganzen Teig.[a]
10 Ich habe das Vertrauen zu euch in dem
Herrn, ihr werdet nicht anders gesinnt
sein. Wer euch aber [a]irremacht, der wird
sein Urteil tragen, er sei, wer er wolle.

11 Ich aber, liebe Brüder, wenn ich die Be-
schneidung noch predige, warum leide ich
dann Verfolgung? Dann wäre ja das [a]Är-
gernis des Kreuzes aufgehoben! 12 Sollen
sie sich doch gleich verschneiden lassen,
die euch aufhetzen![a]

13 Ihr aber, Brüder und Schwestern, seid
zur Freiheit berufen. Allein [a]seht zu, dass
ihr durch die Freiheit nicht dem Fleisch*
Raum gebt, sondern durch die Liebe diene
einer dem andern. 14 Denn **das ganze**
Gesetz ist in dem einen Wort erfüllt
(3. Mose 19,18): **»Liebe deinen Nächsten**
wie dich selbst!«[a] 15 Wenn ihr euch aber
untereinander beißt und fresst, so seht zu,
dass ihr nicht einer vom andern aufgefres-
sen werdet.

DAS LEBEN IM GEIST

16 Ich sage aber: Wandelt im Geist, so
werdet ihr das Begehren des Fleisches
nicht erfüllen. 17 Denn das Fleisch begehrt
auf gegen den Geist und der Geist gegen
das Fleisch; die sind gegeneinander, so-
dass ihr nicht tut, was ihr wollt.[a] 18 Re-
giert euch aber der Geist, so seid ihr nicht
unter dem Gesetz.

19 [a]Offenkundig sind aber die Werke des
Fleisches, als da sind: Unzucht, Unrein-
heit, Ausschweifung, 20 Götzendienst,
Zauberei, Feindschaft, Hader, Eifersucht,
Zorn, Zank, Zwietracht, Spaltungen,
21 Neid, Saufen, Fressen und dergleichen.
Davon habe ich euch vorausgesagt und
sage noch einmal voraus: [a]Die solches
tun, werden das Reich Gottes nicht erben.
22 **Die [a]Frucht aber des Geistes ist Liebe,**
Freude, Friede, Geduld, Freundlich-
keit, Güte, Treue, 23 **Sanftmut, Keusch-**
heit; gegen all dies steht kein Gesetz.

24 Die aber Christus Jesus angehören,
die [a]haben ihr Fleisch gekreuzigt samt den
Leidenschaften und Begierden. 25 **Wenn**
wir [a]im Geist leben, so lasst uns auch
im Geist wandeln. 26 Lasst uns nicht nach
[a]eitler Ehre trachten, einander nicht her-
ausfordern und beneiden.

MAHNUNG ZUR BRÜDERLICHKEIT

6 Brüder und Schwestern, [a]wenn ein
Mensch etwa von einer Verfehlung er-
eilt wird, so helft ihm wieder zurecht mit
sanftmütigem Geist, ihr, die ihr geistlich
seid. Und sieh auf dich selbst, dass du
nicht auch versucht werdest. 2 **Einer trage**
des andern Last, so werdet ihr das Ge-
setz Christi erfüllen.

3 Denn wenn jemand meint, er sei etwas,
obwohl er doch nichts ist, der betrügt sich
selbst. 4 Ein jeder aber [a]prüfe sein eigenes
Werk; und dann wird er seinen Ruhm
bei sich selbst haben und nicht gegenüber
einem andern. 5 Denn ein jeder wird seine
eigene Last tragen.[a]

6 Wer aber unterrichtet wird im Wort,
der gebe dem, der ihn unterrichtet, An-
teil an allen Gütern.[a] 7 Irret euch nicht!
Gott lässt sich nicht spotten. Denn [a]was
der Mensch sät, das wird er ernten. 8 Wer
auf sein Fleisch sät, der wird von dem

* **5,13** Siehe Sach- und Worterklärungen.

5,1 ***a*** Kap 4,5 ***b*** Apg 15,10 **5,3** ***a*** Röm 2,25 **5,6** ***a*** Kap 6,15; Röm 2,26; 1. Kor 7,19 **5,9** ***a*** 1. Kor 5,6 **5,10** ***a*** Kap 1,7 **5,11** ***a*** Kap 6,12; 1. Kor 1,23 **5,12** ***a*** Phil 3,2 **5,13** ***a*** 1. Petr 2,16 **5,14** ***a*** Röm 13,9 **5,17** ***a*** Röm 7,15.23 **5,19** ***a*** (19-21) 1. Kor 6,9-10 **5,21** ***a*** Eph 5,5 **5,22** ***a*** Eph 5,9 **5,24** ***a*** Röm 6,6 **5,25** ***a*** Röm 8,4 **5,26** ***a*** Phil 2,3 **6,1** ***a*** Mt 18,15; Jak 5,19 **6,4** ***a*** 2. Kor 13,5 **6,5** ***a*** Röm 14,12 **6,6** ***a*** 1. Kor 9,14 **6,7** ***a*** Jer 21,14

Fleisch das Verderben ernten; wer aber auf den Geist sät, der wird von dem Geist das ewige Leben ernten.[a] 9 Lasst uns aber [a]Gutes tun und nicht müde werden; denn zu seiner Zeit werden wir auch ernten, wenn wir nicht nachlassen. 10 Darum, solange wir noch Zeit haben, **lasst uns Gutes tun an jedermann, allermeist aber an des Glaubens Genossen.**

EIGENHÄNDIGER BRIEFSCHLUSS

11 Seht, mit wie großen Buchstaben ich euch schreibe mit eigener Hand![a] 12 Die Ansehen haben wollen nach dem Fleisch, die zwingen euch zur Beschneidung, nur [a]damit sie nicht um des Kreuzes Christi willen verfolgt werden. 13 Denn nicht einmal sie selbst, die sich beschneiden lassen, halten das Gesetz, sondern sie wollen, dass ihr euch beschneiden lasst, damit sie sich eures Fleisches rühmen können. 14 **Es sei aber fern von mir, [a]mich zu rühmen als allein des Kreuzes unseres Herrn Jesus Christus, durch den mir die Welt gekreuzigt ist und ich der Welt.** 15 Denn [a]es gilt* weder Beschneidung noch Unbeschnittensein, sondern die [b]neue Schöpfung. 16 Und alle, die sich nach diesem Maßstab richten – [a]Friede und Barmherzigkeit über sie und über das Israel Gottes! 17 Hinfort mache mir niemand weiter Mühe; denn [a]ich trage die Malzeichen Jesu an meinem Leibe.

18 Die Gnade unseres Herrn Jesus Christus sei mit eurem Geist, Brüder und Schwestern! Amen.

DER BRIEF DES PAULUS AN DIE EPHESER

1–3 Die Fülle der Gnade und Weisheit im Evangelium
4–6 Das neue Leben aus der Gnade 6 Abschließende Mahnung

1 Paulus, Apostel Christi Jesu durch den Willen Gottes, an die Heiligen in Ephesus*, die an Christus Jesus glauben:

2 Gnade sei mit euch und Friede von Gott, unserm Vater, und dem Herrn Jesus Christus!

LOBPREIS GOTTES FÜR DIE ERLÖSUNG DURCH CHRISTUS

3 [a]**Gelobt sei Gott, der Vater unseres**
Herrn Jesus Christus,
der uns gesegnet hat mit allem
geistlichen Segen im Himmel
durch Christus.
4 Denn in ihm hat er uns erwählt, ehe
der Welt Grund gelegt war,
dass wir [a]heilig und untadelig vor ihm
sein sollten in der Liebe;
5 er hat uns dazu vorherbestimmt, seine
Kinder zu sein durch Jesus Christus
nach dem Wohlgefallen seines Willens,
6 zum Lob seiner herrlichen Gnade,
mit der er uns begnadet hat in dem
[a]Geliebten.
7 In ihm haben wir die [a]Erlösung durch
sein Blut, die Vergebung der Sünden,
nach dem [b]Reichtum seiner Gnade,
8 die er uns reichlich hat widerfahren
lassen in aller Weisheit und Klugheit.
9 Gott hat uns wissen lassen das
[a]Geheimnis seines Willens
nach seinem Ratschluss, den er zuvor
in Christus gefasst hatte,
10 um [a]die Fülle der Zeiten heraufzuführen,
auf dass alles zusammengefasst würde
in Christus,
was im Himmel und auf Erden ist,
durch ihn.
11 In ihm sind wir auch zu Erben
eingesetzt worden,
die wir dazu vorherbestimmt sind nach
dem Vorsatz dessen, der alles wirkt,
nach dem Ratschluss seines Willens,

* **6,15** Luther übersetzte nach anderen Handschriften: »Denn in Christus Jesus gilt«. **1,1** In wichtigen alten Handschriften fehlt »in Ephesus«, aber auch sie haben die Briefüberschrift »An die Epheser«.

6,8 ***a*** Röm 8,13 **6,9** ***a*** 2. Thess 3,13 **6,11** ***a*** 1. Kor 16,21 **6,12** ***a*** Kap 5,11 **6,14** ***a*** 1. Kor 1,31; 2,2 **6,15** ***a*** Kap 5,6; 1. Kor 7,19 ***b*** 2. Kor 5,17 **6,16** ***a*** Ps 125,5 **6,17** ***a*** 2. Kor 4,10 **1,3** ***a*** 2. Kor 1,3 **1,4** ***a*** Kap 5,27 **1,6** ***a*** Mt 3,17 **1,7** ***a*** Röm 3,24-25; Kol 1,14 ***b*** Kap 2,7 **1,9** ***a*** Kap 3,3-6.9; Röm 16,25; Kol 1,26-27 **1,10** ***a*** Gal 4,4

12 damit wir zum Lob seiner
Herrlichkeit leben,
die wir zuvor auf Christus gehofft haben.
13 In ihm seid auch ihr, die ihr das Wort
der Wahrheit gehört habt,
nämlich das Evangelium von eurer
Rettung –
in ihm seid auch ihr, als ihr gläubig
wurdet, [a]versiegelt worden mit dem
Heiligen Geist, der verheißen ist,
14 welcher ist das [a]Unterpfand
unsres Erbes,
zu unsrer Erlösung, dass wir sein
Eigentum würden
zum Lob seiner Herrlichkeit.

GEBET UM ERKENNTNIS DER HERRLICHKEIT CHRISTI

15 Darum, nachdem auch ich gehört habe
von dem Glauben bei euch an den Herrn
Jesus und von eurer Liebe zu allen Hei-
ligen, 16 [a]höre ich nicht auf, zu danken für
euch, und gedenke euer in meinem Gebet,
17 dass der Gott unseres Herrn Jesus Chris-
tus, der Vater der Herrlichkeit, euch gebe
den Geist der Weisheit und der Offenba-
rung, ihn zu erkennen. 18 Und er gebe euch
erleuchtete Augen des Herzens, damit ihr
erkennt, zu welcher Hoffnung ihr von ihm
berufen seid, wie reich die Herrlichkeit
seines Erbes für die Heiligen ist 19 und wie
überschwänglich groß seine Kraft an uns
ist, die wir glauben durch die Wirkung
seiner mächtigen Stärke. 20 Mit ihr hat er
an Christus gewirkt, als er ihn von den To-
ten auferweckt hat und [a]eingesetzt zu sei-
ner Rechten im Himmel 21 über alle Rei-
che, Gewalt, Macht, Herrschaft und jeden
Namen, der angerufen wird, nicht allein in
dieser Welt, sondern auch in der zukünfti-
gen.[a] 22 [a]Und alles hat er unter seine Füße
getan und hat ihn gesetzt der Gemeinde
zum [b]Haupt über alles, 23 welche sein [a]Leib
ist, nämlich die [b]Fülle dessen, der alles in
allem erfüllt.

DAS NEUE LEBEN ALS GESCHENK DER GNADE

2 Auch ihr wart tot durch eure Übertre-
tungen und Sünden,[a] 2 in denen ihr
früher gewandelt seid nach der Art dieser
Welt, unter dem [a]Mächtigen, der in der
Luft herrscht, nämlich dem Geist, der zu
dieser Zeit am Werk ist in den Kindern
des Ungehorsams. 3 Unter ihnen haben
auch wir alle einst unser Leben geführt in
den Begierden unsres Fleisches und taten
den Willen des Fleisches und der Vernunft
und waren Kinder des [a]Zorns von Natur
wie auch die andern.
4 Aber [a]Gott, der reich ist an Barmher-
zigkeit, hat in seiner großen Liebe, mit
der er uns geliebt hat, 5 auch uns, die wir
tot waren in den Sünden, mit Christus le-
bendig gemacht – aus Gnade seid ihr ge-
rettet –; 6 und er hat uns mit auferweckt
und mit eingesetzt im Himmel in Chris-
tus Jesus,[a] 7 damit er in den kommenden
Zeiten erzeige den überschwänglichen
[a]Reichtum seiner Gnade durch seine Güte
gegen uns in Christus Jesus. 8 Denn [a]**aus
Gnade seid ihr gerettet durch Glauben,
und das nicht aus euch: Gottes Gabe
ist es, 9 [a]nicht aus Werken, [b]damit sich
nicht jemand rühme.** 10 Denn wir sind
sein Werk, geschaffen in Christus Jesus
[a]zu guten Werken, die Gott zuvor bereitet
hat, dass wir darin wandeln sollen.

DIE EINHEIT DER GEMEINDE AUS JUDEN UND HEIDEN

11 Darum denkt daran, dass ihr, die ihr
[a]einst nach dem Fleisch Heiden wart und
»Unbeschnittenheit« genannt wurdet von
denen, die genannt sind »Beschneidung«,
die am Fleisch mit der Hand geschieht,
12 dass ihr zu jener Zeit ohne Christus
wart, ausgeschlossen vom Bürgerrecht Is-
raels und den [a]Bundesschlüssen der Ver-
heißung fremd; daher hattet ihr [b]keine
Hoffnung und wart ohne Gott in der Welt.
13 Jetzt aber in Christus Jesus seid ihr, die
ihr einst fern wart, nahe geworden durch
das Blut Christi.
14 Denn **er ist unser [a]Friede,** der aus
beiden [b]eins gemacht hat und hat den
Zaun abgebrochen, der dazwischen war,

1,13 *a* Kap 4,30 **1,14** *a* 2. Kor 1,22
1,16 *a* (16-17) Kol 1,3-4.9 **1,20** *a* Ps 110,1
1,21 *a* 1. Kor 15,24; Phil 2,9; Kol 2,10; 1. Petr 3,22
1,22 *a* Ps 8,7; Mt 28,18 *b* Kap 5,23 **1,23** *a* Kap 5,30; 1. Kor 12,27 *b* Kol 1,19 **2,1** *a* Lk 15,24.32; Kol 2,13
2,2 *a* Kap 6,12; 1. Petr 1,14 **2,3** *a* Kol 3,6 **2,4** *a* Tit 3,4-5
2,6 *a* Phil 3,20 **2,7** *a* Kap 1,7 **2,8** *a* Röm 3,23-24
2,9 *a* Röm 3,28; Gal 2,16 *b* Röm 3,27 **2,10** *a* Tit 2,14
2,11 *a* Kap 5,8 **2,12** *a* Röm 9,4 *b* 1. Thess 4,13
2,14 *a* Jes 9,5 *b* Gal 3,28

indem er durch sein Fleisch die Feind-
schaft wegnahm. 15 [a]Er hat [b]das Gesetz,
das in Gebote gefasst war, abgetan, da-
mit er in sich selber aus den zweien einen
neuen Menschen schaffe und Frieden ma-
che 16 und die beiden versöhne mit Gott
in einem Leib durch das Kreuz, indem er
die Feindschaft tötete durch sich selbst.
17 Und er ist gekommen und hat im Evan-
gelium [a]Frieden verkündigt euch, die ihr
fern wart, und Frieden denen, die nahe
waren. 18 Denn durch ihn haben wir alle
beide in einem Geist den [a]Zugang zum
Vater.

**19 So seid ihr nun nicht mehr Gäs-
te und Fremdlinge, sondern [a]Mitbür-
ger der Heiligen und Gottes Hausge-
nossen, 20 erbaut auf den [a]Grund der
Apostel und Propheten, da Jesus Chris-
tus der [b]Eckstein ist,** 21 auf welchem der
ganze Bau ineinandergefügt wächst zu
einem heiligen [a]Tempel in dem Herrn.
22 Durch ihn werdet auch ihr mit erbaut
zu einer Wohnung Gottes im Geist.

DER AUFTRAG DES PAULUS FÜR DIE HEIDEN

3 Deshalb sage ich, Paulus, der [a]Gefan-
gene Christi Jesu für euch Heiden –
2 ihr habt ja gehört von dem Auftrag der
Gnade Gottes, die mir [a]für euch gege-
ben wurde: 3 Durch Offenbarung ist mir
[a]das Geheimnis kundgemacht worden,
wie ich zuvor aufs Kürzeste geschrieben
habe. 4 Daran könnt ihr, wenn ihr's lest,
meine Einsicht in das Geheimnis Christi
erkennen. 5 Dies war in früheren Zeiten
den Menschenkindern nicht kundge-
macht, wie es jetzt offenbart ist seinen
heiligen Aposteln und Propheten durch
den Geist;[a] 6 nämlich dass [a]die Heiden
Miterben sind und mit zu seinem Leib ge-
hören und Mitgenossen der Verheißung
in Christus Jesus sind durch das Evange-
lium, 7 dessen [a]Diener ich geworden bin
durch die Gabe der Gnade Gottes, die
mir nach seiner mächtigen Kraft gegeben
wurde.

8 Mir, dem [a]allergeringsten unter allen
Heiligen, ist die Gnade gegeben worden,
[b]den Heiden zu verkündigen den unaus-
forschlichen Reichtum Christi 9 und für
alle ans Licht zu bringen, wie Gott sein
Geheimnis ins Werk setzt, das von Ewig-
keit her verborgen war in ihm, der alles ge-
schaffen hat,[a] 10 damit jetzt kundwerde die
mannigfaltige Weisheit Gottes den Mäch-
ten und Gewalten im Himmel durch die
Gemeinde. 11 Diesen ewigen Vorsatz hat
Gott ausgeführt in Christus Jesus, unserm
Herrn, 12 durch den wir [a]Freimut und Zu-
gang haben in aller Zuversicht durch den
Glauben an ihn. 13 Darum bitte ich, nicht
zu verzagen wegen meiner Bedrängnisse,
die ich [a]für euch erleide, die für euch eine
Ehre sind.

DIE FÜRBITTE DES APOSTELS FÜR DIE GEMEINDE

14 Deshalb beuge ich meine Knie vor
dem Vater,
15 von dem jedes Geschlecht im Himmel
und auf Erden seinen Namen hat,*
16 dass er euch Kraft gebe nach dem
Reichtum seiner Herrlichkeit,
gestärkt zu werden durch seinen Geist
an dem [a]inwendigen Menschen,
17 dass [a]Christus durch den Glauben
in euren Herzen wohne.
Und ihr seid in der Liebe [b]eingewurzelt
und gegründet,
18 damit ihr mit allen Heiligen
begreifen könnt,
welches die Breite und die Länge
und die Höhe und die Tiefe ist,
19 auch die [a]Liebe Christi erkennen könnt,
die alle Erkenntnis übertrifft,
damit ihr erfüllt werdet, bis ihr die ganze
Fülle Gottes erlangt habt.

20 [a]Dem aber, der überschwänglich tun
kann über alles hinaus, was wir bitten oder
verstehen, nach der Kraft, die in uns wirkt,
21 dem sei Ehre in der Gemeinde und in
Christus Jesus durch alle Geschlechter
von Ewigkeit zu Ewigkeit! Amen.

* **3,15** Luther übersetzte: »der der rechte Vater ist über alles, was da Kinder heißt im Himmel und auf Erden«.

2,15 ***a*** (15-16) 2. Kor 5,17-18 ***b*** Kol 2,14 **2,17** ***a*** Jes 57,19
2,18 ***a*** Kap 3,12 **2,19** ***a*** Kap 3,6 **2,20** ***a*** Mt 16,18; 1. Kor 3,9-11 ***b*** Jes 28,16; 1. Petr 2,4-6 **2,21** ***a*** 1. Kor 3,16-17
3,1 ***a*** Phil 1,7.13; Kol 4,18 **3,2** ***a*** Gal 2,7 **3,3** ***a*** Kap 1,9-10; Gal 1,16 **3,5** ***a*** Kol 1,26 **3,6** ***a*** Kap 2,13.18-19; Gal 3,28
3,7 ***a*** Röm 15,15-16 **3,8** ***a*** 1. Kor 15,9 ***b*** Gal 1,16
3,9 ***a*** Kap 1,9-10; Röm 16,25-26; Kol 1,16 **3,12** ***a*** Röm 5,2
3,13 ***a*** Kol 1,24 **3,16** ***a*** 2. Kor 4,16 **3,17** ***a*** Joh 14,23
b Kol 2,7 **3,19** ***a*** Kol 2,2-3 **3,20** ***a*** (20-21) Röm 16,25-27

DIE EINHEIT IM GEIST UND DIE VIELFALT DER GABEN

4 So ermahne ich euch nun, [a]ich, der
Gefangene in dem Herrn, dass ihr
[b]der Berufung würdig lebt, mit der ihr
berufen seid, 2 in aller Demut und Sanft-
mut, in Geduld. [a]Ertragt einer den an-
dern in Liebe 3 [a]und **seid darauf be-
dacht, zu wahren die [b]Einigkeit im
Geist durch das Band des Friedens:
4 [a]*ein* Leib und *ein* Geist, wie ihr auch
berufen seid zu *einer* Hoffnung eurer
Berufung; 5 [a]*ein* Herr, *ein* Glaube, *eine*
Taufe; 6 *ein* Gott und Vater aller, der
da ist über allen und durch alle und
in allen.**[a]
7 Einem jeden aber von uns ist die
[a]Gnade gegeben nach dem Maß der Gabe
Christi. 8 Darum heißt es (Psalm 68,19): »Er
ist aufgefahren zur Höhe, hat Gefangene
in die Gefangenschaft geführt und den
Menschen Gaben gegeben.« 9 Dass er
aber [a]aufgefahren ist, was heißt das ande-
res, als dass er auch hinabgefahren ist in
die Tiefen der Erde? 10 Der hinabgefah-
ren ist, das ist derselbe, der aufgefahren
ist über alle Himmel, damit er alles er-
fülle.
11 Und er selbst gab den Heiligen die
einen als [a]Apostel, andere als Propheten,
andere als [b]Evangelisten, andere als Hirten
und Lehrer, 12 damit die Heiligen zugerüs-
tet werden zum Werk des Dienstes. Da-
durch soll der Leib Christi [a]erbaut werden,
13 bis wir alle hingelangen zur Einheit des
Glaubens und der Erkenntnis des Sohnes
Gottes, zum vollendeten Menschen, zum
vollen Maß der Fülle Christi, 14 damit wir
nicht mehr unmündig seien und uns [a]von
jedem Wind einer Lehre bewegen und
umhertreiben lassen durch das trügeri-
sche Würfeln der Menschen, mit dem sie
uns arglistig verführen.
15 **Lasst uns aber wahrhaftig sein in
der Liebe und wachsen in allen Stü-
cken zu dem hin, der [a]das Haupt ist,
Christus.** 16 [a]Von ihm aus gestaltet der
ganze Leib sein Wachstum, sodass er
sich selbst aufbaut in der Liebe – der
Leib, der zusammengefügt und gefestigt
ist durch jede Verbindung, die mit der
Kraft nährt, die jedem Glied zugemes-
sen ist.

DER ALTE UND DER NEUE MENSCH

17 So sage ich nun und bezeuge in dem
Herrn, dass ihr nicht mehr leben dürft,
wie die Heiden leben [a]in der Nichtigkeit
ihres Sinnes. 18 Ihr Verstand ist verfinstert,
und sie sind entfremdet dem Leben, das
aus Gott ist, durch die Unwissenheit, die
in ihnen ist, und durch die Verstockung
ihres Herzens. 19 Sie sind abgestumpft
und haben sich der Ausschweifung erge-
ben, um allerlei unreine Dinge zu treiben
in Habgier.
20 Ihr aber habt Christus nicht so ken-
nengelernt; 21 ihr habt doch von ihm ge-
hört und seid in ihm unterwiesen, wie es
Wahrheit in Jesus ist: 22 [a]Legt von euch ab
den alten Menschen mit seinem frühe-
ren Wandel, der sich durch trügerische
Begierden zugrunde richtet. 23 Erneuert
euch aber in eurem Geist und Sinn[a] 24 und
**zieht den neuen Menschen an, [a]der
nach Gott geschaffen ist in wahrer Ge-
rechtigkeit und Heiligkeit.**

WEISUNGEN FÜR DAS NEUE LEBEN

25 Darum legt die Lüge ab und [a]redet die
Wahrheit, ein jeder mit seinem Nächs-
ten, weil wir untereinander Glieder sind.
26 [a]Zürnt ihr, so sündigt nicht; [b]**lasst die
Sonne nicht über eurem Zorn unter-
gehen** 27 und gebt nicht Raum dem Teu-
fel. 28 Wer gestohlen hat, der [a]stehle nicht
mehr, sondern [b]arbeite und schaffe mit
eigenen Händen das nötige Gut, damit er
dem Bedürftigen abgeben kann. 29 Lasst
kein [a]faules Geschwätz aus eurem Mund
gehen, sondern redet, [b]was gut ist, was
erbaut und was notwendig ist, damit es
Gnade bringe denen, die es hören. 30 [a]Und
betrübt nicht den Heiligen Geist Got-
tes, mit dem ihr [b]versiegelt seid für den
Tag der Erlösung. 31 Alle Bitterkeit und
Grimm und Zorn und Geschrei und Läs-

4,1 *a* Kap 3,1 *b* Kol 1,10; 1. Thess 2,12 **4,2** *a* Kol 3,12-13
4,3 *a* (3-4) Kol 3,15 *b* Phil 2,2 **4,4** *a* Röm 12,5
4,5 *a* (5-6) 1. Kor 8,6 **4,6** *a* 1. Kor 12,6 **4,7** *a* Röm 12,3.6; 1. Kor 12,11 **4,9** *a* Joh 3,13 **4,11** *a* Kap 2,20; 1. Kor 12,28 *b* Apg 21,8 **4,12** *a* Kap 2,21-22; 1. Kor 14,26; 1. Petr 2,5
4,14 *a* Hebr 13,9; Jak 1,6 **4,15** *a* Kap 1,22; 5,23; Kol 1,18
4,16 *a* Kol 2,19 **4,17** *a* Kap 2,1-2; Röm 1,21
4,22 *a* (22-25) Kol 3,9-10 **4,23** *a* Röm 12,2
4,24 *a* 1. Mose 1,26-27 **4,25** *a* Sach 8,16 **4,26** *a* Ps 4,5 *b* 1. Joh 3,15 **4,28** *a* 2. Mose 20,15 *b* 1. Thess 4,11
4,29 *a* Kap 5,4 *b* Kol 4,6 **4,30** *a* Jes 63,10 *b* Kap 1,13-14

terung seien fern von euch samt aller Bos-
heit.[a] 32 Seid aber untereinander freund-
lich und herzlich und [a]vergebt einer dem
andern, wie auch Gott euch vergeben hat
in Christus.

5 So [a]ahmt nun Gott nach als geliebte
Kinder 2 und wandelt in der Liebe, [a]wie
auch Christus uns geliebt hat und hat [b]sich
selbst für uns gegeben als Gabe und Opfer,
Gott zu einem lieblichen Geruch.

3 Von Unzucht aber und jeder Art Un-
reinheit oder Habsucht soll bei euch nicht
einmal die Rede sein, wie es sich für die
Heiligen gehört,[a] 4 auch nicht von [a]schänd-
lichem Tun und von närrischem oder lo-
sem Reden, was sich nicht ziemt, sondern
vielmehr von Danksagung. 5 Denn das
sollt ihr wissen, dass kein Unzüchtiger
oder Unreiner oder Habsüchtiger – das
ist ein Götzendiener – ein Erbteil hat im
Reich Christi und Gottes.[a] 6 Lasst euch
von niemandem verführen mit leeren
Worten; denn [a]um dieser Dinge willen
kommt der Zorn Gottes über die Kinder
des Ungehorsams. 7 Darum seid nicht ihre
Mitgenossen.

DAS LEBEN IM LICHT

8 Denn ihr wart früher Finsternis; [a]nun
aber seid ihr Licht in dem Herrn. Wan-
delt als [b]Kinder des Lichts; 9 [a]**die Frucht
des Lichts ist lauter Güte und Gerech-
tigkeit und Wahrheit.** 10 Prüft, was dem
Herrn wohlgefällig ist,[a] 11 und habt nicht
Gemeinschaft mit den unfruchtbaren
Werken der Finsternis; deckt sie vielmehr
auf. 12 Denn was von ihnen heimlich ge-
tan wird, davon auch nur zu reden ist
schändlich. 13 [a]Das alles aber wird offen-
bar, wenn's vom Licht aufgedeckt wird;
14 denn alles, was offenbar wird, das ist
Licht. Darum heißt es: [a]**Wach auf, der du
schläfst, und steh auf von den Toten, so
wird dich Christus [b]erleuchten.**

15 [a]So seht nun sorgfältig darauf, wie ihr
euer Leben führt, nicht als Unweise, son-
dern als Weise, 16 und **kauft die Zeit aus,
denn die Tage sind böse.** 17 Darum wer-
det nicht unverständig, sondern versteht,
was der Wille des Herrn ist. 18 Und [a]sauft
euch nicht voll Wein, woraus ein unor-
dentliches Wesen folgt, sondern lasst euch
vom Geist erfüllen. 19 Ermuntert einander
mit Psalmen und Lobgesängen und geist-
lichen Liedern, singt und spielt dem Herrn
in eurem Herzen[a] 20 und [a]sagt Dank Gott,
dem Vater, allezeit für alles, im Namen
unseres Herrn Jesus Christus.

DIE ORDNUNG DES HAUSES (DIE CHRISTLICHE HAUSTAFEL)

(vgl. Kol 3,18–4,1; 1. Petr 2,18–3,7)

21 [a]Ordnet euch einander unter in der
Furcht Christi. 22 Ihr Frauen, ordnet euch
euren Männern unter wie dem Herrn.[a]
23 Denn [a]der Mann ist das Haupt der Frau,
wie auch [b]Christus das Haupt der Ge-
meinde ist – *er* hat sie als seinen Leib ge-
rettet. 24 Aber wie nun die Gemeinde sich
Christus unterordnet, so sollen sich auch
die Frauen ihren Männern unterordnen in
allen Dingen.

25 Ihr Männer, liebt eure Frauen, [a]wie
auch Christus die Gemeinde geliebt hat
und hat sich selbst für sie dahingegeben,
26 um sie zu heiligen. Er hat sie [a]gereinigt
durch das Wasserbad im Wort, 27 damit er
für sich die Gemeinde herrlich bereite, die
keinen Flecken oder Runzel oder etwas
dergleichen habe, sondern die heilig und
untadelig sei.[a] 28 So sollen auch die Män-
ner ihre Frauen [a]lieben wie ihren eigenen
Leib. Wer seine Frau liebt, der liebt sich
selbst. 29 Denn niemand hat je sein eige-
nes Fleisch gehasst; sondern er nährt und
pflegt es wie auch Christus die Gemeinde.
30 Denn wir sind [a]Glieder seines Leibes.
31 »Darum wird ein Mann Vater und Mut-
ter verlassen und an seiner Frau hängen,
und die zwei werden *ein* Fleisch sein«
(1. Mose 2,24). 32 Dies Geheimnis ist groß;
ich deute es aber auf Christus und die Ge-
meinde. 33 Darum auch ihr: ein jeder liebe
seine Frau wie sich selbst; die Frau aber
habe Ehrfurcht vor dem Mann.

4,31 ***a*** Kol 3,8 **4,32** ***a*** Mt 6,14; 18,22-35; Kol 3,13
5,1 ***a*** Lk 6,35-36 **5,2** ***a*** Gal 2,20 ***b*** Vers 25 **5,3** ***a*** Kol 3,5
5,4 ***a*** Kap 4,29 **5,5** ***a*** 1. Kor 6,9-10; Gal 5,21 **5,6** ***a*** Kol 3,6
5,8 ***a*** 1. Petr 2,9 ***b*** Mt 5,14; Joh 12,36; 1. Thess 5,5
5,9 ***a*** Gal 5,22; Phil 1,11 **5,10** ***a*** Röm 12,2; Phil 1,10
5,13 ***a*** (13-14) Joh 3,20-21 **5,14** ***a*** Röm 13,11 ***b*** Jes 60,1.3;
Joh 8,12 **5,15** ***a*** (15-16) Kol 4,5 **5,18** ***a*** Lk 21,34
5,19 ***a*** Ps 33,2-3; Kol 3,16 **5,20** ***a*** 1. Thess 5,18
5,21 ***a*** Phil 2,3 **5,22** ***a*** Tit 2,5 **5,23** ***a*** 1. Kor 11,3
b Kap 1,22-23 **5,25** ***a*** Vers 2 **5,26** ***a*** Tit 3,5; Hebr 10,22
5,27 ***a*** 2. Kor 11,2; Kol 1,22 **5,28** ***a*** 3. Mose 19,18
5,30 ***a*** Röm 12,5

6 [a]Ihr Kinder, seid gehorsam euren El-
tern in dem Herrn; denn das ist recht.
2 »Ehre deinen Vater und deine Mutter«,
das ist das erste Gebot, das [a]eine Verhei-
ßung hat: 3 »auf dass dir's wohlgehe und
du lange lebest auf Erden« (5. Mose 5,16).
4 Und ihr Väter, reizt eure Kinder nicht
zum Zorn, sondern [a]erzieht sie in der
Zucht und Ermahnung des Herrn.
5 [a]Ihr Sklaven, seid gehorsam euren ir-
dischen Herren mit Furcht und Zittern,
in Einfalt eures Herzens, wie ihr Christus
gehorcht; 6 nicht mit Dienst allein vor Au-
gen, um den Menschen zu gefallen, son-
dern als Sklaven Christi, die den Willen
Gottes tun von Herzen. 7 Tut euren Dienst
mit gutem Willen als dem Herrn und
nicht den Menschen; 8 denn ihr wisst: Was
ein jeder Gutes tut, das wird er vom Herrn
empfangen, [a]er sei Sklave oder Freier.[b]
9 Und ihr Herren, tut ihnen gegenüber
das Gleiche und lasst das Drohen; denn ihr
wisst, dass euer und ihr Herr im Himmel
ist, und [a]bei ihm gilt kein Ansehen der
Person.

DIE GEISTLICHE WAFFENRÜSTUNG

10 Zuletzt: [a]**Seid stark in dem Herrn
und in der Macht seiner Stärke.** 11 Zieht
an die Waffenrüstung Gottes, damit ihr
bestehen könnt gegen die listigen An-
schläge des Teufels. 12 Denn [a]wir haben
nicht mit Fleisch und Blut zu kämpfen,
sondern mit Mächtigen und Gewaltigen,
mit den Herren der Welt, die über diese
Finsternis herrschen, mit den bösen Geis-
tern unter dem Himmel. 13 Deshalb er-
greift [a]die Waffenrüstung Gottes, damit
ihr an dem bösen Tag Widerstand leis-
ten und alles überwinden und das Feld
behalten könnt.
14 So steht nun fest, [a]umgürtet an euren
Lenden mit Wahrheit und [b]angetan mit
dem Panzer der Gerechtigkeit 15 und [a]be-
schuht an den Füßen, bereit für das Evan-
gelium des Friedens. **16 Vor allen Din-
gen aber ergreift den Schild des Glau-
bens, mit dem ihr auslöschen könnt
alle feurigen Pfeile des Bösen, 17 und
nehmt den [a]Helm des Heils und das
[b]Schwert des Geistes, welches ist das
Wort Gottes.**
18 Betet allezeit mit allem Bitten und Fle-
hen im Geist und wacht dazu mit aller Be-
harrlichkeit und Flehen für alle Heiligen
19 und [a]für mich, dass mir das Wort gege-
ben werde, wenn ich meinen Mund auf-
tue, [b]freimütig das Geheimnis des Evan-
geliums zu verkündigen, 20 dessen [a]Bote
ich bin in Ketten, dass ich mit [b]Freimut
davon rede, wie ich es muss.

GRÜSSE UND SEGENSWÜNSCHE

21 Damit aber auch ihr wisst, wie es um
mich steht und was ich mache, wird euch
[a]Tychikus alles berichten, mein lieber
Bruder und treuer Diener in dem Herrn,
22 den ich eben dazu gesandt habe zu euch,
dass ihr erfahrt, wie es um uns steht, und
dass er eure Herzen tröste.
23 Friede sei mit den Brüdern und
Schwestern und Liebe mit Glauben von
Gott, dem Vater, und dem Herrn Jesus
Christus! 24 Die Gnade sei mit allen, die
unsern Herrn Jesus Christus lieben – in
Unvergänglichkeit.

6,1 ***a*** (1-3) Mk 7,10-13 **6,2** ***a*** 2. Mose 20,12
6,4 ***a*** 5. Mose 6,20-25 **6,5** ***a*** (5-6) 1. Tim 6,1-2;
1. Petr 2,18 **6,8** ***a*** 1. Kor 7,22 ***b*** 2. Kor 5,10 **6,9** ***a*** Röm 2,11
6,10 ***a*** Kap 3,16; 1. Kor 16,13; 2. Tim 2,1; 1. Joh 2,14
6,12 ***a*** Kap 1,21; 2. Kor 10,3-4 **6,13** ***a*** Jes 59,17
6,14 ***a*** 1. Petr 1,13 ***b*** 1. Thess 5,8 **6,15** ***a*** Jes 52,7
6,17 ***a*** 1. Thess 5,8 ***b*** Hebr 4,12 **6,19** ***a*** Kol 4,3;
2. Thess 3,1 ***b*** Apg 4,29 **6,20** ***a*** 2. Kor 5,20 ***b*** Apg 28,31
6,21 ***a*** Apg 20,4; Kol 4,7-8; 2. Tim 4,12; Tit 3,12

DER BRIEF DES PAULUS AN DIE PHILIPPER

1 Paulus in Gefangenschaft 2 Christus als Maßstab 3 Christus, nicht das Gesetz
4 Verbundenheit mit der Gemeinde

1 Paulus und [a]Timotheus, Knechte
Christi Jesu, an alle Heiligen in Chris-
tus Jesus in Philippi samt den Bischöfen
und Diakonen:*
2 Gnade sei mit euch und Friede von
Gott, unserm Vater, und dem Herrn Jesus
Christus!

DANK UND FÜRBITTE FÜR DIE GEMEINDE

3 Ich danke meinem Gott, sooft ich euer
gedenke –[a] 4 was ich allezeit tue in allen
meinen Gebeten für euch alle, und ich
tue das Gebet mit Freuden –, 5 für eure
Gemeinschaft am Evangelium vom ers-
ten Tage an bis heute; 6 und **ich bin darin
guter Zuversicht, dass der in euch an-
gefangen hat das gute Werk, der wird's
auch vollenden bis an den Tag Christi
Jesu.**[a]
7 So halte ich es denn für richtig, dass ich
so von euch allen denke, weil ich euch in
[a]meinem Herzen habe, die ihr alle mit mir
an der Gnade teilhabt in meiner [b]Gefan-
genschaft und wenn ich das Evangelium
verteidige und bekräftige. 8 Denn [a]Gott ist
mein Zeuge, wie mich nach euch allen ver-
langt von Herzensgrund in Christus Je-
sus. 9 Und ich bete darum, dass eure Liebe
immer noch reicher werde an Erkenntnis
und aller Erfahrung, 10 sodass ihr [a]prüfen
könnt, was das Beste sei, [b]damit ihr lauter
und unanstößig seid für den Tag Christi,
11 erfüllt mit [a]Frucht der Gerechtigkeit
durch Jesus Christus zur Ehre und zum
Lobe Gottes.

DIE GEFANGENSCHAFT DES PAULUS UND DIE VERKÜNDIGUNG DES EVANGELIUMS

12 Ich lasse euch aber wissen, Brüder und
Schwestern: [a]Wie es um mich steht, das
ist zur größeren Förderung des Evange-
liums geschehen. 13 Denn dass ich meine
Fesseln für Christus trage, das ist [a]im gan-
zen Prätorium und bei allen andern offen-
bar geworden, 14 und die meisten Brüder
in dem Herrn haben durch meine Gefan-
genschaft Zuversicht gewonnen und sind
umso kühner geworden, das Wort zu re-
den ohne Scheu.
15 Einige zwar predigen Christus aus
Neid und Streitsucht, einige aber auch
in guter Absicht: 16 diese aus Liebe, denn
sie wissen, dass ich zur Verteidigung des
Evangeliums hier liege; 17 jene aber ver-
kündigen Christus aus Eigennutz und
nicht lauter, denn sie möchten mir Trübsal
bereiten in meiner Gefangenschaft. 18 Was
tut's aber? Wenn nur Christus verkündigt
wird auf jede Weise, [a]es geschehe zum
Vorwand oder in Wahrheit, [b]so freue ich
mich darüber.
Aber ich werde mich auch weiterhin
freuen; 19 denn ich weiß, [a]dass mir dies
zum Heil ausgehen wird [b]durch euer Ge-
bet und durch den Beistand des Geistes
Jesu Christi, 20 wie ich sehnlich erwarte
und hoffe, dass ich in keinem Stück zu-
schanden werde, sondern dass frei und
offen, wie allezeit so auch jetzt, Christus
verherrlicht werde an meinem Leibe, es
sei durch Leben oder durch Tod. 21 Denn
**Christus ist mein Leben, und Sterben
ist mein Gewinn.**
22 Wenn ich aber weiterleben soll im
Fleisch, so dient mir das dazu, [a]mehr
Frucht zu schaffen; und so weiß ich nicht,
was ich wählen soll. 23 Denn es setzt mir
beides hart zu: [a]Ich habe Lust, aus der Welt
zu scheiden und bei Christus zu sein, was
auch viel besser wäre; 24 aber es ist nöti-
ger, im Fleisch zu bleiben um euretwillen.
25 Und in solcher Zuversicht weiß ich, dass

* **1,1** Siehe Sach- und Worterklärungen zu »Bischof« und »Diakon«.

1,1 *a* Apg 16,1 **1,3** *a* Röm 1,8; 1. Kor 1,4 **1,6** *a* Vers 10; Kap 2,13.16; 1. Kor 1,8; 1. Thess 5,23 **1,7** *a* 2. Kor 7,3 *b* Vers 16; Phlm 13 **1,8** *a* Röm 1,9; 2. Kor 1,18 **1,10** *a* Röm 12,2; Eph 5,10 *b* 1. Thess 5,23 **1,11** *a* Jes 32,17; Jak 3,18 **1,12** *a* 2. Tim 2,8-9 **1,13** *a* Kap 4,22 **1,18** *a* Lk 9,49-50 *b* Kap 2,17 **1,19** *a* Hiob 13,16 *b* 2. Kor 1,11 **1,22** *a* Röm 1,13 **1,23** *a* 2. Kor 5,8

ich bleiben und [a]bei euch allen sein werde,
euch zur Förderung und zur Freude im
Glauben, 26 damit euer [a]Rühmen in Chris-
tus Jesus größer werde durch mich, wenn
ich wieder zu euch komme.

BEREITSCHAFT DER GEMEINDE ZUM LEIDEN FÜR CHRISTUS

27 Wandelt nur würdig des Evangeliums
Christi, damit ich – ob ich komme und
euch sehe oder abwesend bin – von euch
erfahre, dass ihr in *einem* Geist steht und
einmütig mit uns kämpft für den Glauben
des Evangeliums 28 und euch in keinem
Stück erschrecken lasst von den Widersa-
chern, was ihnen ein Anzeichen der Ver-
dammnis ist, euch aber der Seligkeit, und
das von Gott. 29 Denn euch ist es gegeben
um Christi willen, nicht allein an ihn zu
glauben, [a]sondern auch um seinetwil-
len zu leiden, 30 habt ihr doch denselben
Kampf, den ihr an mir gesehen habt und
nun von mir hört.[a]

LEBEN IN DER GEMEINSCHAFT MIT CHRISTUS

2 Ist nun bei euch Ermahnung in Chris-
tus, ist Trost der Liebe, ist Gemein-
schaft des Geistes, ist herzliche Liebe und
Barmherzigkeit, 2 so macht meine Freude
dadurch vollkommen, dass ihr eines Sin-
nes seid, gleiche Liebe habt, einmütig und
einträchtig seid. 3 Tut nichts aus Eigennutz
oder [a]um eitler Ehre willen, sondern in
Demut [b]achte einer den andern höher als
sich selbst, 4 und ein jeder sehe nicht auf
das Seine, sondern auch auf das, was dem
andern dient.[a]

**5 Seid so unter euch gesinnt, wie es
der Gemeinschaft in Christus Jesus
entspricht:***

6 Er, der [a]in göttlicher Gestalt war,
hielt es nicht für einen Raub,
Gott gleich zu sein,
7 sondern entäußerte sich selbst
und nahm [a]Knechtsgestalt an,
[b]ward den Menschen gleich
und der Erscheinung nach
als Mensch erkannt.
8 Er [a]erniedrigte sich selbst
und ward [b]gehorsam bis zum Tode,
ja zum Tode am Kreuz.
9 Darum hat ihn auch Gott [a]erhöht
und hat ihm den Namen gegeben,
der über alle Namen ist,
10 dass in dem Namen Jesu
sich beugen sollen aller derer Knie,
die im Himmel und auf Erden
und unter der Erde sind,[a]
11 und alle Zungen bekennen sollen,
dass [a]Jesus Christus der Herr ist,
zur Ehre Gottes, des Vaters.[b]

12 Also, meine Lieben, – wie ihr allezeit ge-
horsam gewesen seid, nicht allein in mei-
ner Gegenwart, sondern jetzt noch viel
mehr in meiner Abwesenheit – **schaffet,
dass ihr selig werdet, [a]mit Furcht und
Zittern. 13 Denn Gott ist's, der in euch
wirkt beides, das Wollen und das Voll-
bringen, nach seinem Wohlgefallen.[a]**
14 Tut alles [a]ohne Murren und ohne
Zweifel, 15 damit ihr ohne Tadel und [a]lau-
ter seid, Gottes Kinder, ohne Makel mit-
ten unter einem verdorbenen und ver-
kehrten Geschlecht, unter dem ihr scheint
als [b]Lichter in der Welt, 16 dadurch dass ihr
festhaltet am [a]Wort des Lebens, mir zum
[b]Ruhm an dem Tage Christi, [c]sodass ich
nicht vergeblich gelaufen bin noch ver-
geblich gearbeitet habe. 17 Und wenn ich
auch [a]geopfert werde bei dem Opfer und
Gottesdienst eures Glaubens, [b]so freue
ich mich und freue mich mit euch allen.
18 Ebenso [a]sollt auch ihr euch freuen und
sollt euch mit mir freuen.

SENDUNG DES TIMOTHEUS UND RÜCKKEHR DES EPAPHRODITUS

19 Ich hoffe aber in dem Herrn Jesus, dass
ich [a]Timotheus bald zu euch senden
werde, damit ich auch erquickt werde,

*** 2,5** Luther übersetzte: »Ein jeglicher sei gesinnt, wie Jesus Christus auch war.«

1,25 ***a*** Kap 2,24 **1,26** ***a*** Kap 3,3 **1,29** ***a*** Apg 5,41
1,30 ***a*** 1. Thess 2,2 **2,3** ***a*** Gal 5,26 ***b*** Röm 12,10
2,4 ***a*** 1. Kor 10,24; 13,5 **2,6** ***a*** Joh 1,1-2; 17,5 **2,7** ***a*** Jes 53,3; 2. Kor 8,9 ***b*** Hebr 2,14.17 **2,8** ***a*** Lk 14,11 ***b*** Hebr 5,8
2,9 ***a*** Apg 2,33; Eph 1,20-21; Hebr 1,3-4 **2,10** ***a*** Jes 45,23; Röm 14,11 **2,11** ***a*** Röm 10,9; 2. Kor 4,5 ***b*** Offb 5,13
2,12 ***a*** 2. Kor 7,15 **2,13** ***a*** Kap 1,6; 2. Kor 8,10-11
2,14 ***a*** 1. Kor 10,10; 1. Petr 4,9 **2,15** ***a*** Kap 1,10; 5. Mose 32,5 ***b*** Mt 5,14; Joh 12,36; Eph 5,8-9
2,16 ***a*** Apg 5,20; 1. Joh 1,1 ***b*** 2. Kor 1,14; 1. Thess 2,19 ***c*** Jes 49,4; Gal 2,2 **2,17** ***a*** 2. Tim 4,6 ***b*** Kap 1,18
2,18 ***a*** Kap 3,1; 4,4 **2,19** ***a*** Apg 16,1; 1. Kor 4,17; 16,10; 1. Thess 3,2

wenn ich erfahre, wie es um euch steht.
20 Denn ich habe keinen, der so ganz mei-
nes Sinnes ist, der so herzlich für euch
sorgen wird. 21 Denn sie suchen alle das
Ihre, nicht das, was Jesu Christi ist. 22 Ihr
aber wisst, dass er sich bewährt hat; denn
wie ein Kind dem Vater hat er mit mir
dem Evangelium gedient. 23 Ihn also hoffe
ich zu senden, sobald ich erfahren habe,
wie es um mich steht. 24 Ich vertraue aber
in dem Herrn darauf, dass auch ich selbst
bald kommen werde.[a]

25 Ich habe es aber für nötig angesehen,
den Bruder [a]Epaphroditus zu euch zu sen-
den, der mein [b]Mitarbeiter und [c]Mitstrei-
ter ist und euer Abgesandter und Helfer
in meiner Not; 26 denn er hatte nach euch
allen Verlangen und war tief bekümmert,
weil ihr gehört hattet, dass er krank ge-
worden war. 27 Und er war auch todkrank,
aber Gott hat sich über ihn erbarmt; nicht
allein aber über ihn, sondern auch über
mich, damit ich nicht eine Traurigkeit
über die andere hätte. 28 Ich habe ihn nun
umso eiliger gesandt, damit ihr ihn seht
und wieder fröhlich werdet und auch ich
weniger Traurigkeit habe. 29 So nehmt ihn
nun auf in dem Herrn mit aller Freude und
haltet solche Menschen in Ehren.[a] 30 Denn
um des Werkes Christi willen ist er dem
Tode so nahe gekommen, da er sein Leben
nicht geschont hat, um mir zu dienen an
eurer statt.

WARNUNG VOR RÜCKFALL IN DIE GESETZESGERECHTIGKEIT

3 Weiter, meine Brüder und Schwestern:
[a]Freut euch in dem Herrn! Dass ich euch
immer dasselbe schreibe, verdrießt mich
nicht und macht euch umso gewisser.

2 Nehmt euch in Acht vor den [a]Hunden,
nehmt euch in Acht vor den [b]böswilligen
Arbeitern, nehmt euch in Acht vor der
[c]Zerschneidung*! 3 Denn wir sind die Be-
schneidung, die wir [a]im Geist Gottes die-
nen und uns Christi Jesu [b]rühmen und
uns nicht verlassen auf Fleisch*, 4 obwohl
ich meine Zuversicht auch aufs Fleisch
setzen könnte. Wenn ein anderer meint,
er könne sich aufs Fleisch verlassen, so
könnte ich es viel mehr,[a] 5 der ich am ach-
ten Tag beschnitten bin, [a]aus dem Volk Is-
rael, vom Stamm Benjamin, ein Hebräer
von Hebräern, nach dem Gesetz ein [b]Pha-
risäer, 6 nach dem Eifer ein [a]Verfolger der
Gemeinde, nach der Gerechtigkeit, die das
Gesetz fordert, untadelig gewesen.

7 Aber **was mir Gewinn war, das habe
ich um Christi willen für Schaden er-
achtet.** 8 Ja, ich erachte es noch alles für
Schaden gegenüber der überschwäng-
lichen Erkenntnis Christi Jesu, meines
Herrn. Um seinetwillen ist mir das alles
ein Schaden geworden, und ich erachte
es für Dreck, auf dass ich Christus ge-
winne 9 und in ihm gefunden werde, dass
ich nicht habe meine Gerechtigkeit, die
aus dem Gesetz, sondern die durch den
Glauben an Christus kommt, nämlich die
Gerechtigkeit, die von Gott kommt durch
den Glauben. 10 Ihn möchte ich erkennen
und die Kraft seiner [a]Auferstehung und
die [b]Gemeinschaft seiner Leiden und so
seinem Tode gleich gestaltet werden, 11 da-
mit ich gelange zur Auferstehung von den
Toten.

DAS ZIEL

12 Nicht, dass ich's schon ergriffen habe
oder schon vollkommen sei; [a]ich jage
ihm aber nach, ob ich's wohl ergreifen
könnte, weil ich von Christus Jesus ergrif-
fen bin. 13 Meine Brüder und Schwestern,
ich schätze mich selbst nicht so ein, dass
ich's ergriffen habe. Eins aber sage ich: **Ich
vergesse, was dahinten ist, und strecke
mich aus nach dem, was da vorne ist,
14 und [a]jage nach dem vorgesteckten
Ziel, dem Siegespreis der himmlischen
Berufung Gottes in Christus Jesus.**

15 Wie viele nun von uns vollkommen
sind, die lasst uns so gesinnt sein. Und
solltet ihr in einem Stück anders denken,
so wird euch Gott auch das offenbaren.
16 Nur, was wir schon erreicht haben, darin
lasst uns auch leben.

17 Ahmt mit mir Christus nach, Brüder

* **3,2** Siehe Sach- und Worterklärungen zu »Beschneidung«. **3,3** Siehe Sach- und Worterklärungen.

2,24 ***a*** Kap 1,25 **2,25** ***a*** Kap 4,18 ***b*** 2. Kor 8,23; 1. Thess 3,2; Phlm 1 ***c*** Phlm 2 **2,29** ***a*** 1. Kor 16,16
3,1 ***a*** Kap 2,18; 4,4 **3,2** ***a*** Offb 22,15 ***b*** 2. Kor 11,13 ***c*** Gal 5,12 **3,3** ***a*** Röm 2,28-29 ***b*** Kap 1,26; Röm 15,17
3,4 ***a*** 2. Kor 11,18 **3,5** ***a*** Röm 11,1; 2. Kor 11,22 ***b*** Apg 26,5 **3,6** ***a*** Apg 8,3; Gal 1,13-14
3,10 ***a*** Röm 6,3-5 ***b*** Röm 8,17; 2. Kor 4,10; Gal 6,17
3,12 ***a*** 1. Tim 6,12 **3,14** ***a*** 1. Kor 9,24

und Schwestern, und seht auf die, die so
wandeln, wie ihr uns zum Vorbild habt.[a]
18 Denn viele wandeln so, dass ich euch oft
von ihnen gesagt habe, nun aber sage ich's
auch unter Tränen: Sie sind die Feinde
des Kreuzes Christi. 19 Ihr Ende ist die
Verdammnis, [a]ihr Gott ist der Bauch und
ihre Ehre ist in ihrer Schande; sie sind ir-
disch gesinnt. 20 [a]**Wir aber sind Bürger
im Himmel; woher wir auch [b]erwarten
den Heiland, den Herrn Jesus Christus,**
21 **der [a]unsern geringen Leib* verwan-
deln wird, dass er gleich werde seinem
verherrlichten Leibe nach der Kraft,
[b]mit der er sich alle Dinge untertan ma-
chen kann.**

MAHNUNG ZUR EINIGKEIT UND ZUR FREUDE IM HERRN

4 Also, meine lieben Brüder und Schwes-
tern, nach denen ich mich sehne, [a]meine
Freude und meine Krone, [b]steht fest in
dem Herrn, ihr Lieben. 2 Evodia ermahne
ich und Syntyche ermahne ich, [a]dass sie
eines Sinnes seien in dem Herrn. 3 Ja, ich
bitte auch dich, mein treuer Gefährte, steh
ihnen bei; sie haben mit mir für das Evan-
gelium gekämpft, zusammen mit Kle-
mens und meinen andern Mitarbeitern,
[a]deren Namen im Buch des Lebens stehen.
4 **Freuet euch in dem Herrn allewege,
und abermals sage ich: Freuet euch!**[a]
5 **Eure [a]Güte lasst kund sein allen Men-
schen! Der Herr ist nahe!** 6 [a]**Sorgt euch
um nichts, sondern in allen Dingen
lasst eure Bitten in Gebet und Flehen
mit Danksagung vor Gott kundwer-
den!** 7 **Und der [a]Friede Gottes, der höher
ist als alle Vernunft, wird eure Herzen
und Sinne in Christus Jesus bewahren.***
8 Weiter, Brüder und Schwestern: Was
wahrhaftig ist, was ehrbar, was gerecht,
was rein, was liebenswert, was einen
guten Ruf hat, sei es eine Tugend, sei es
ein Lob – darauf seid bedacht! 9 Was ihr
gelernt und empfangen und gehört und
gesehen habt an mir, das tut; so wird der
[a]Gott des Friedens mit euch sein.

DANK FÜR DIE GABE DER GEMEINDE

10 Ich bin aber hocherfreut in dem Herrn,
dass ihr wieder eifrig geworden seid, für
mich zu sorgen; ihr wart zwar immer
darauf bedacht, aber die Zeit hat's nicht
zugelassen. 11 Ich sage das nicht, weil ich
Mangel leide; denn ich habe gelernt, mir
[a]genügen zu lassen, wie's mir auch geht.
12 Ich kann niedrig sein und kann hoch
sein; mir ist alles und jedes vertraut: bei-
des, satt sein und hungern, beides, Über-
fluss haben und Mangel leiden; 13 **ich ver-
mag alles durch den, der mich mächtig
macht.**[a]
14 Doch ihr habt wohl daran getan, dass
ihr meine Bedrängnis geteilt habt. 15 Denn
ihr Philipper wisst auch, dass am Anfang
meiner Predigt des Evangeliums, als ich
auszog aus Makedonien, [a]keine Gemeinde
mit mir Gemeinschaft gehabt hat im Ge-
ben und Nehmen als ihr allein. 16 Denn
auch nach Thessalonich habt ihr etwas
gesandt für meinen Bedarf, einmal und
danach noch einmal. 17 Nicht, [a]dass ich
das Geschenk suche, sondern ich suche die
Frucht, damit sie euch reichlich angerech-
net wird. 18 Ich habe aber alles erhalten und
habe Überfluss. Ich habe in Fülle, nach-
dem ich durch [a]Epaphroditus empfangen
habe, was von euch gekommen ist: ein
[b]lieblicher Geruch, ein angenehmes Op-
fer, Gott gefällig. 19 Mein Gott aber wird
all eurem Mangel abhelfen nach seinem
Reichtum in Herrlichkeit in Christus Je-
sus. 20 Gott aber, unserm Vater, [a]sei Ehre
von Ewigkeit zu Ewigkeit! Amen.

GRÜSSE UND SEGENSWUNSCH

21 Grüßt alle Heiligen in Christus Jesus. Es
grüßen euch die Brüder, die bei mir sind.
22 Es grüßen euch alle Heiligen, besonders
aber [a]die aus dem Haus des Kaisers. 23 Die
Gnade des Herrn Jesus Christus sei mit
eurem Geist![a]

* **3,21** Wörtlich: »den Leib unserer Niedrigkeit«.
4,7 Luther übersetzte nach dem lateinischen Text: »bewahre eure Herzen und Sinne in Christus Jesus«.

3,17 *a* 1. Kor 11,1 **3,19** *a* Hos 4,7; Röm 16,18
3,20 *a* Eph 2,6; Kol 3,1; Hebr 12,22 *b* Tit 2,13
3,21 *a* Kap 2,8; 1. Kor 15,49; 2. Kor 5,1 *b* 1. Kor 15,25-27
4,1 *a* 1. Thess 2,19-20 *b* 1. Thess 3,8 **4,2** *a* Röm 15,5
4,3 *a* Ps 69,29; Offb 3,5; 13,8 **4,4** *a* Kap 3,1; 2. Kor 13,11; 1. Thess 5,16 **4,5** *a* Tit 3,2 **4,6** *a* Mt 6,25-34; 1. Petr 5,7
4,7 *a* Joh 14,27; Kol 3,15 **4,9** *a* Röm 15,33
4,11 *a* 1. Tim 6,6; Hebr 13,5 **4,13** *a* 2. Kor 12,10
4,15 *a* 2. Kor 11,9 **4,17** *a* 2. Kor 12,14 **4,18** *a* Kap 2,25 *b* 1. Mose 8,21; 2. Mose 29,18; Hes 20,41
4,20 *a* Röm 16,27; Hebr 13,21; Offb 5,13
4,22 *a* Kap 1,13 **4,23** *a* Gal 6,18

DER BRIEF DES PAULUS AN DIE KOLOSSER

1–2 In Christus haben wir alles 3–4 Das rechte Leben der Christen

1 Paulus, Apostel Christi Jesu durch den
Willen Gottes, und Timotheus, der
Bruder, 2 an die Heiligen in Kolossä, die
Brüder und Schwestern, die an Christus
glauben:
Gnade sei mit euch und Friede von Gott,
unserm Vater!

DANK UND FÜRBITTE FÜR DIE GEMEINDE

3 Wir danken Gott, dem Vater unseres
Herrn Jesus Christus, und beten allezeit
für euch, 4 da wir gehört haben von eurem
Glauben an Christus Jesus und von der
Liebe, die ihr zu allen Heiligen habt, 5 um
der [a]Hoffnung willen, die für euch bereit-
liegt im Himmel. Von ihr habt ihr schon
zuvor gehört durch das Wort der Wahr-
heit, das Evangelium, 6 das zu euch ge-
kommen ist. Wie in aller Welt so bringt
es auch bei euch Frucht und wächst von
dem Tag an, da ihr von der Gnade Gottes
gehört und sie erkannt habt in der Wahr-
heit. 7 So habt ihr's gelernt von [a]Epaph-
ras, unserm lieben Mitknecht, der ein
treuer Diener Christi für euch ist, 8 der
uns auch berichtet hat von eurer Liebe im
Geist.
9 Darum [a]lassen auch wir von dem Tag
an, an dem wir's gehört haben, nicht ab,
für euch zu beten und zu bitten, dass ihr
erfüllt werdet mit der Erkenntnis seines
Willens in aller geistlichen Weisheit und
Einsicht, 10 dass ihr, [a]des Herrn würdig,
ihm ganz zu Gefallen lebt und Frucht
bringt in jedem guten Werk und wachst
in der Erkenntnis Gottes 11 und gestärkt
werdet mit aller Kraft durch seine herr-
liche Macht zu aller Geduld und Langmut.
Mit Freuden 12 sagt Dank dem Vater, der
euch tüchtig gemacht hat zu dem [a]Erb-
teil der Heiligen im Licht. 13 Er hat uns
errettet aus der [a]Macht der Finsternis
und hat uns versetzt in das Reich seines
geliebten Sohnes, 14 in dem wir die Erlö-
sung haben, nämlich die Vergebung der
Sünden.[a]

CHRISTUS, DER ERSTE IN SCHÖPFUNG UND AUFERWECKUNG

15 Er ist das [a]Ebenbild des unsichtbaren
Gottes,
der [b]Erstgeborene vor aller Schöpfung.
16 Denn in ihm ist alles geschaffen,
was im Himmel und auf Erden ist,
das Sichtbare und das Unsichtbare,
es seien Throne oder Herrschaften
oder Mächte oder Gewalten;
es ist alles durch ihn und zu ihm
geschaffen.[a]
17 Und er ist vor allem,
und es besteht alles in ihm.
18 Und er ist das [a]Haupt des Leibes,
nämlich der Gemeinde.
Er ist der Anfang,
der [b]Erstgeborene von den Toten,
auf dass er in allem der Erste sei.
19 [a]Denn es hat Gott gefallen, alle [b]Fülle
in ihm wohnen zu lassen
20 und durch ihn [a]alles zu versöhnen
zu ihm hin,
es sei auf Erden oder im Himmel,
indem er Frieden machte durch
sein Blut am Kreuz.

21 Auch euch, die ihr einst [a]Fremde wart
und [b]feindlich gesinnt in bösen Werken,
22 hat er nun versöhnt durch seinen sterb-
lichen Leib, durch seinen Tod, auf dass er
euch [a]heilig und makellos und untadelig
vor sein Angesicht stelle; 23 wenn ihr nur
bleibt im Glauben, gegründet und fest,
und nicht weicht von der Hoffnung des
Evangeliums, das ihr gehört habt und das
gepredigt ist allen Geschöpfen unter dem
Himmel. Sein Diener bin ich, Paulus, ge-
worden.

1,5 *a* 1. Petr 1,3-4 **1,7** *a* Kap 4,12; Phlm 23
1,9 *a* Eph 1,15-17 **1,10** *a* Eph 4,1; Phil 1,27 **1,12** *a* Eph 1,11;
1. Petr 1,4 **1,13** *a* Kap 2,15 **1,14** *a* Röm 3,24; Eph 1,7
1,15 *a* Hebr 1,3 *b* Offb 3,14 **1,16** *a* Joh 1,3.10; 2. Kor 4,4;
Hebr 1,2 **1,18** *a* Eph 1,22 *b* Apg 26,23; 1. Kor 15,20;
Offb 1,5 **1,19** *a* (19-20) 2. Kor 5,19 *b* Kap 2,9; Joh 1,16;
Eph 1,23 **1,20** *a* 1. Joh 2,2 **1,21** *a* Eph 2,12-13; 4,18
b Röm 5,10 **1,22** *a* Eph 5,27

DER AUFTRAG DES APOSTELS

24 Nun freue ich mich in den Leiden, die
ich [a]für euch leide, und erfülle durch
mein Fleisch, was an den Leiden Christi
noch fehlt, für seinen Leib, das ist die
Gemeinde. 25 Ihr Diener bin ich gewor-
den durch den Auftrag, den Gott mir für
euch gegeben hat, dass ich das Wort Got-
tes in seiner Fülle predige, 26 nämlich das
[a]Geheimnis, das verborgen war seit ewi-
gen Zeiten und Geschlechtern, nun aber
offenbart ist seinen Heiligen. 27 Denen
wollte Gott kundtun, was der herrliche
Reichtum dieses Geheimnisses unter den
Völkern ist, nämlich Christus in euch, die
[a]Hoffnung der Herrlichkeit. 28 Den ver-
kündigen wir und ermahnen alle Men-
schen und lehren alle Menschen in aller
Weisheit, auf dass wir einen jeden Men-
schen in Christus vollkommen machen.
29 Dafür mühe ich mich auch ab und ringe
in seiner Kraft, die mächtig in mir wirkt.

2 Ich will euch nämlich wissen lassen,
welchen Kampf ich für euch und für die
in Laodizea und für alle führe, die mich
nicht von Angesicht gesehen haben, 2 auf
dass ihre Herzen gestärkt und verbunden
werden in der Liebe und zu allem Reich-
tum an der Fülle der Einsicht, zu erkennen
das Geheimnis Gottes, das Christus ist.
3 **In ihm liegen verborgen alle Schätze
der [a]Weisheit und der Erkenntnis.**

4 Ich sage das, damit euch niemand [a]be-
trüge mit verführerischen Reden. 5 Denn
obwohl ich leiblich abwesend bin, so bin
ich doch im Geist bei euch und freue mich,
wenn ich [a]eure Ordnung und euren festen
Glauben an Christus sehe.

CHRISTUS ALS GRUND DES LEBENS

6 Wie ihr nun angenommen habt den
Herrn Christus Jesus, so lebt auch in ihm,
7 [a]verwurzelt und gegründet in ihm und
fest im Glauben, wie ihr gelehrt worden
seid, und voller Dankbarkeit.

8 Seht zu, dass euch niemand einfange
durch die Philosophie und leeren Trug,
die der Überlieferung der Menschen und
den Elementen der Welt folgen und nicht
Christus. 9 Denn **in ihm wohnt die ganze
Fülle der Gottheit leibhaftig,**[a] 10 und ihr
seid erfüllt durch ihn, der das [a]Haupt aller
Mächte und Gewalten ist.

11 In ihm seid ihr auch beschnitten wor-
den mit einer Beschneidung, die nicht
mit Händen geschieht, durch Ablegen
des sterblichen Leibes, in der [a]Beschnei-
dung durch Christus. 12 Mit ihm seid ihr
[a]begraben worden in der Taufe; mit ihm
seid ihr auch [b]auferweckt durch den Glau-
ben aus der Kraft Gottes, der ihn auf-
erweckt hat von den Toten. 13 Und Gott
hat euch mit ihm lebendig gemacht, die
ihr [a]tot wart in den Sünden und in der
Unbeschnittenheit eures Fleisches, und
hat uns vergeben alle Sünden. 14 **Er hat
den Schuldbrief getilgt, der [a]mit sei-
nen Forderungen gegen uns war, und
hat ihn aufgehoben und an das Kreuz
geheftet.** 15 Er hat die Mächte und Gewal-
ten ihrer Macht entkleidet und sie öffent-
lich zur Schau gestellt und über sie tri-
umphiert in Christus.[a]

WARNUNG VOR IRRLEHRERN

16 [a]So lasst euch nun von niemandem ein
schlechtes Gewissen machen* wegen
Speise und Trank oder wegen eines Fei-
ertages, Neumondes oder Sabbats. 17 Das
alles ist nur ein [a]Schatten des Zukünf-
tigen; der Leib aber ist Christus eigen*.
18 Lasst euch den Siegespreis von nieman-
dem nehmen, der sich gefällt in Demut
und Verehrung der Engel und sich dessen
rühmt, was er geschaut hat, und ist ohne
Grund aufgeblasen in seinem fleischlichen
Sinn 19 und hält sich nicht an das Haupt,
von dem her der ganze Leib durch Gelenke
und Bänder gestützt und zusammen-
gehalten wird und wächst durch Gottes
Wirken.[a]

20 Wenn ihr nun mit Christus den Ele-
menten der Welt gestorben seid, [a]was
lasst ihr euch dann Satzungen auferlegen,
als lebtet ihr noch in der Welt: 21 »Du sollst
das nicht anfassen, du sollst das nicht
kosten, du sollst das nicht anrühren« –

* **2,16** Wörtlich: »verurteilen«. **2,17** Andere Übersetzung: »die Wirklichkeit aber gehört Christus«.

1,24 ***a*** Eph 3,13; 2. Tim 2,10 **1,26** ***a*** Röm 16,25; Eph 3,3-6
1,27 ***a*** 1. Tim 1,1 **2,3** ***a*** 1. Kor 1,24.30 **2,4** ***a*** Röm 16,18
2,5 ***a*** 1. Kor 14,40 **2,7** ***a*** Eph 3,17 **2,9** ***a*** Joh 1,14.16
2,10 ***a*** Eph 1,21 **2,11** ***a*** Röm 2,29; 6,5; 1. Petr 3,21
2,12 ***a*** Röm 6,4 ***b*** Kap 3,1 **2,13** ***a*** Eph 2,1.5
2,14 ***a*** Eph 2,15 **2,15** ***a*** Kap 1,13; Eph 4,8
2,16 ***a*** (16-19) Röm 14,1-12 **2,17** ***a*** Hebr 8,5; 10,1
2,19 ***a*** Eph 4,15-16 **2,20** ***a*** Gal 4,9-10

22 was doch alles verbraucht und vernich-
tet werden soll. Es sind [a]menschliche
Gebote und Lehren. 23 Diese haben zwar
einen Schein von Weisheit durch [a]selbst
erwählte Frömmigkeit und Demut und
dadurch, dass sie [b]den Leib nicht schonen;
sie sind aber nichts wert und befriedigen
nur das Fleisch.

DER ALTE UND DER NEUE MENSCH

3 Seid ihr nun [a]mit Christus auferweckt,
so sucht, was droben ist, wo Christus
ist, sitzend zur Rechten Gottes. 2 [a]**Trach-
tet nach dem, was droben ist, nicht
nach dem, was auf Erden ist.** 3 **Denn
[a]ihr seid gestorben, und euer Leben ist
verborgen mit Christus in Gott.** 4 **Wenn
aber Christus, euer Leben, offenbar
wird, dann werdet ihr auch offenbar
werden mit ihm [a]in Herrlichkeit.**

5 So tötet nun die Glieder, die auf Erden
sind, Unzucht, Unreinheit, schändliche
Leidenschaft, böse Begierde und die Hab-
sucht, die Götzendienst ist.[a] 6 Um solcher
Dinge willen kommt der Zorn Gottes
über die Kinder des Ungehorsams.[a] 7 In
dem allen seid auch ihr einst gewandelt,
als ihr noch darin lebtet. 8 Nun aber legt
auch ihr das alles ab: Zorn, Grimm, Bos-
heit, Lästerung, schandbare Worte aus
eurem Munde;[a] 9 belügt einander nicht;
denn ihr habt [a]den alten Menschen mit
seinen Werken ausgezogen 10 und [a]den
neuen angezogen, der erneuert wird zur
Erkenntnis nach dem [b]Ebenbild dessen,
der ihn geschaffen hat. 11 Da ist nicht mehr
Grieche oder Jude, Beschnittener oder
Unbeschnittener, Nichtgrieche, Skythe,
Sklave, Freier, sondern alles und in allen
Christus.[a]

12 So zieht nun an als die Auserwählten
Gottes, als die Heiligen und Geliebten,
herzliches Erbarmen, Freundlichkeit, De-
mut, Sanftmut, Geduld; 13 [a]und ertrage
einer den andern und [b]vergebt euch un-
tereinander, wenn jemand Klage hat ge-
gen den andern; wie der Herr euch verge-
ben hat, so vergebt auch ihr! 14 Über alles
aber zieht an die Liebe, die da ist das Band
der Vollkommenheit.[a] 15 [a]Und der Friede
Christi, zu dem ihr berufen seid [b]in *einem*
Leibe, regiere in euren Herzen; und seid
dankbar.

16 **Lasst das Wort Christi reichlich un-
ter euch wohnen: Lehrt und ermahnt
einander in aller Weisheit; [a]mit Psal-
men, Lobgesängen und geistlichen
Liedern singt Gott dankbar in euren
Herzen.** 17 **Und [a]alles, was ihr tut mit
Worten oder mit Werken, das tut alles
im Namen des Herrn Jesus und dankt
Gott, dem Vater, durch ihn.**

DIE ORDNUNG DES HAUSES (DIE CHRISTLICHE HAUSTAFEL)

(vgl. Eph 5,22–6,9; 1. Petr 2,18–3,7)

18 Ihr Frauen, ordnet euch euren Männern
unter, wie sich's gebührt in dem Herrn.
19 Ihr Männer, liebt eure Frauen und seid
nicht bitter gegen sie.[a]

20 Ihr Kinder, seid gehorsam den Eltern
in allen Dingen; denn das ist wohlge-
fällig in dem Herrn. 21 Ihr Väter, kränkt
eure Kinder nicht, auf dass sie nicht ver-
zagen.

22 Ihr Sklaven, seid gehorsam in allen
Dingen euren irdischen Herren; dient
nicht allein vor ihren Augen, um den
Menschen zu gefallen, sondern in Einfalt
des Herzens und in der Furcht des Herrn.
23 **Alles, was ihr tut, das tut von Her-
zen als dem Herrn und nicht den Men-
schen,** 24 denn ihr wisst, dass ihr von dem
Herrn als Lohn das Erbe empfangen wer-
det. Dient dem Herrn Christus! 25 Denn
wer unrecht tut, der wird empfangen, was
er unrecht getan hat; und [a]es gilt kein An-
sehen der Person.

4 Ihr Herren, was recht und billig ist, das
gewährt den Sklaven und bedenkt, dass
auch ihr einen Herrn im Himmel habt.[a]

ERMAHNUNG ZUM GEBET UND ZUM RECHTEN WORT

2 [a]Seid beharrlich im Gebet und wacht in
ihm mit Danksagung! 3 [a]Betet zugleich
auch für uns, auf dass Gott uns eine [b]Tür

2,22 *a* Mt 15,9 **2,23** *a* 1. Tim 4,3 *b* Röm 13,14
3,1 *a* Kap 2,12 **3,2** *a* Mt 6,33 **3,3** *a* Röm 6,2
3,4 *a* 1. Kor 15,43 **3,5** *a* Eph 5,3 **3,6** *a* Eph 5,6
3,8 *a* Eph 4,29.31 **3,9** *a* Eph 4,22-25 **3,10** *a* Eph 4,24
b 1. Mose 1,26-27 **3,11** *a* Gal 3,28 **3,13** *a* Eph 4,2
b Mt 6,14; Eph 4,32 **3,14** *a* Röm 13,8.10 **3,15** *a* Phil 4,7
b 1. Kor 12,13.27; Eph 4,3-4 **3,16** *a* Eph 5,19
3,17 *a* 1. Kor 10,31 **3,19** *a* 1. Petr 3,7 **3,25** *a* Röm 2,11
4,1 *a* 3. Mose 25,43.53 **4,2** *a* Röm 12,12; 1. Thess 5,17
4,3 *a* Röm 15,30; Eph 6,19; 2. Thess 3,1 *b* 1. Kor 16,9

für das Wort auftue und wir vom [c]Ge-
heimnis Christi reden können, um des-
sentwillen ich auch in Fesseln bin, 4 auf
dass ich es so offenbar mache, wie ich es
soll.
5 Verhaltet euch weise gegenüber denen,
die draußen sind, und kauft die Zeit aus.[a]
6 Eure Rede sei allezeit wohlklingend und
[a]mit Salz gewürzt, dass ihr wisst, wie ihr
einem jeden antworten sollt.[b]

GRÜSSE UND SEGENSWÜNSCHE

7 Wie es um mich steht, wird euch al-
les Tychikus berichten, der liebe Bruder
und treue Diener und Mitknecht in dem
Herrn, 8 den ich darum zu euch sende,
dass ihr erfahrt, wie es uns ergeht, und
damit er eure Herzen tröste.[a] 9 Mit ihm
sende ich [a]Onesimus, den treuen und lie-
ben Bruder, der einer der Euren ist. Wie
es hier um uns steht, werden sie euch alles
berichten.
10 Es grüßen euch [a]Aristarch, mein [b]Mit-
gefangener, und [c]Markus, der Vetter des
Barnabas – seinetwegen habt ihr schon
Weisungen empfangen; wenn er zu euch
kommt, nehmt ihn auf –, 11 und Jesus mit
dem Beinamen Justus. Von denen aus der
Beschneidung sind sie allein meine Mit-
arbeiter am Reich Gottes, und sie sind
mir ein Trost geworden. 12 Es grüßt euch
[a]Epaphras, der einer von den Euren ist, ein
Knecht Christi Jesu, der allezeit in seinen
Gebeten für euch ringt, auf dass ihr fest
steht, vollkommen und erfüllt mit allem,
was Gottes Wille ist. 13 Ich bezeuge ihm,
dass er viel Mühe hat um euch und um die
in [a]Laodizea und in Hierapolis. 14 Es grüßt
euch Lukas, der Arzt, der Geliebte, und
Demas.[a]
15 Grüßt die Brüder und Schwestern in
Laodizea und Nympha und die Gemeinde
in ihrem Hause. 16 Und wenn der Brief bei
euch gelesen ist, so sorgt dafür, dass er auch
in der Gemeinde von Laodizea gelesen
wird und dass ihr auch den von Laodizea
lest. 17 Und sagt dem [a]Archippus: Sieh auf
das Amt, das du empfangen hast in dem
Herrn, dass du es ausfüllst!
18 [a]Mein Gruß mit meiner, des Paulus,
Hand. Gedenkt meiner Fesseln! Die
Gnade sei mit euch!

DER ERSTE BRIEF DES PAULUS AN DIE THESSALONICHER

1 [a]Paulus und Silvanus und Timotheus
an die Gemeinde der Thessalonicher
in Gott, dem Vater, und dem Herrn Jesus
Christus:
Gnade sei mit euch und Friede!

DER VORBILDLICHE GLAUBE DER GEMEINDE

2 Wir danken Gott allezeit für euch alle
und gedenken euer in unsern Gebeten
3 und denken ohne Unterlass vor Gott,
unserm Vater, an euer Werk im Glauben
und an eure Arbeit in der Liebe und an
eure Geduld in der Hoffnung auf unsern
Herrn Jesus Christus.[a]
4 Brüder und Schwestern, von Gott ge-
liebt, wir wissen, dass ihr erwählt seid;
5 denn unser Evangelium kam zu euch
nicht allein im Wort, sondern auch in der
[a]Kraft und in dem Heiligen Geist und in
großer Fülle. Ihr wisst ja, wie wir uns un-
ter euch verhalten haben um euretwillen.
6 Und ihr seid [a]unsere Nachfolger gewor-
den und die des Herrn und habt das Wort
aufgenommen in großer Bedrängnis mit
Freuden im Heiligen Geist, 7 sodass ihr ein
Vorbild geworden seid für alle Gläubigen

4,3 *c* Kap 1,26-27 **4,5** *a* Eph 5,15-16; 1. Thess 4,12
4,6 *a* Mk 9,50 *b* Eph 4,29 **4,8** *a* Eph 6,21-22
4,9 *a* Phlm 10 **4,10** *a* Apg 19,29; 27,2 *b* Phlm 23
c Apg 12,12.25 **4,12** *a* Kap 1,7; Phlm 23 **4,13** *a* Offb 1,11;
3,14 **4,14** *a* 2. Tim 4,10-11; Phlm 24 **4,17** *a* Phlm 2
4,18 *a* 1. Kor 16,21; Gal 6,11; 2. Thess 3,17 **1,1** *a* Apg 15,40;
16,1-3.19; 17,1-9; 2. Thess 1,1 **1,3** *a* 1. Kor 13,13
1,5 *a* 1. Kor 2,4-5 **1,6** *a* 1. Kor 11,1

in Makedonien und Achaia. 8 Denn von
euch aus ist erschollen das Wort des Herrn
nicht allein in Makedonien und Achaia,
sondern [a]an allen Orten hat sich euer
Glaube an Gott ausgebreitet, sodass es
nicht nötig ist, dass wir darüber etwas sa-
gen. 9 Denn sie selbst verkünden über uns,
welchen Eingang wir bei euch gefunden
haben und [a]wie ihr euch bekehrt habt zu
Gott, weg von den Abgöttern, zu dienen
dem lebendigen und wahren Gott 10 und
[a]zu warten auf seinen Sohn vom Himmel,
den er auferweckt hat von den Toten, Je-
sus, der uns errettet von dem zukünftigen
Zorn.

DIE GRÜNDUNG DER GEMEINDE

2 Denn ihr wisst selbst, Brüder und
Schwestern, wie wir Eingang gefunden
haben bei euch: Es war nicht vergeblich;
2 sondern als wir zuvor gelitten hatten
und misshandelt worden waren [a]in Phil-
ippi, wie ihr wisst, fanden wir dennoch
in unserm Gott den Mut, [b]bei euch das
Evangelium Gottes zu sagen in hartem
Kampf. 3 [a]Denn unsre Ermahnung kommt
nicht aus betrügerischer Absicht oder un-
lauterem Sinn noch mit List, 4 sondern
wie Gott uns für wert geachtet hat, uns
das Evangelium anzuvertrauen, so reden
wir, [a]nicht, als wollten wir Menschen ge-
fallen, sondern Gott, der unsere Herzen
prüft.

5 Denn wir sind nie mit Schmeichelwor-
ten umgegangen, wie ihr wisst, noch mit
[a]versteckter Habsucht – Gott ist Zeuge –,
6 haben auch nicht Ehre gesucht von den
Leuten, weder von euch noch von an-
dern, 7 obwohl wir unser Gewicht als
Christi Apostel hätten einsetzen können,
sondern wir waren arglos unter euch.
Wie eine Amme ihre Kinder pflegt, 8 so
haben wir Herzenslust an euch und sind
bereit, euch teilhaben zu lassen nicht al-
lein am Evangelium Gottes, sondern auch
an unserm Leben; denn wir haben euch
lieb gewonnen. 9 Ihr erinnert euch doch,
Brüder und Schwestern, an unsre Arbeit
und unsre Mühe; Tag und Nacht [a]arbei-
teten wir, um niemand unter euch zur
Last zu fallen, und predigten unter euch
das Evangelium Gottes. 10 Ihr und Gott
seid Zeugen, wie heilig und gerecht und
untadelig wir bei euch, den Gläubigen,
gewesen sind. 11 Denn ihr wisst, dass wir,
[a]wie ein Vater seine Kinder, einen jeden
von euch 12 ermahnt und getröstet und
beschworen haben, [a]euer Leben zu füh-
ren würdig vor Gott, der euch berufen hat
zu seinem Reich und zu seiner Herrlich-
keit.

DIE AUFNAHME DES EVANGELIUMS IN BEDRÄNGNIS

13 Darum danken wir auch Gott ohne Un-
terlass dafür, dass ihr das Wort der gött-
lichen Predigt, das ihr von uns empfan-
gen habt, [a]nicht als Menschenwort aufge-
nommen habt, sondern als das, was es in
Wahrheit ist, als Wort Gottes, der in euch
wirkt, die ihr glaubt. 14 Denn ihr, Brüder
und Schwestern, seid Nachfolger gewor-
den der Gemeinden Gottes in Judäa, die
in Christus Jesus sind; denn [a]ihr habt
dasselbe erlitten von euren Landsleuten,
was jene von ihren erlitten haben, den Ju-
den, 15 die [a]den Herrn Jesus getötet haben
und [b]die Propheten und die uns verfolgt
haben und die Gott nicht gefallen und
allen Menschen feind sind, 16 indem sie
uns hindern, den Heiden zu predigen zu
ihrem Heil, um [a]das Maß ihrer Sünden al-
lenthalben voll zu machen. Aber der Zorn
Gottes ist schon bis zum Ende über sie
gekommen.

17 Wir aber, Brüder und Schwestern,
nachdem wir eine Weile von euch ge-
trennt waren – von Angesicht, nicht im
Herzen –, haben wir uns desto mehr be-
müht, euch von Angesicht zu sehen mit
großem Verlangen. 18 Darum wollten wir
zu euch kommen, ich, Paulus, einmal und
noch einmal, doch der Satan hat uns ge-
hindert. 19 Denn wer ist unsre Hoffnung
oder Freude oder unser [a]Ruhmeskranz –
seid nicht auch ihr es vor unserm Herrn
Jesus, wenn er kommt? 20 Ihr seid ja unsre
Ehre und Freude.

1,8 *a* Röm 1,8 **1,9** *a* Apg 14,15; 1. Kor 12,2; Gal 4,8
1,10 *a* Tit 2,13 **2,2** *a* Apg 16,20-24 *b* Apg 17,1-9
2,3 *a* (3-7) 2. Kor 4,2 **2,4** *a* Gal 1,10 **2,5** *a* Apg 20,33
2,9 *a* Apg 18,3; 20,33-34; 1. Kor 4,12; 2. Thess 3,8
2,11 *a* 1. Kor 4,14 **2,12** *a* Eph 4,1-2; Phil 1,27
2,13 *a* Gal 1,11-12 **2,14** *a* Apg 8,1; 17,5-6 **2,15** *a* Apg 2,23
b Mt 23,37; Apg 7,52 **2,16** *a* Mt 23,32-33
2,19 *a* Phil 2,16; 4,1

DIE SENDUNG DES TIMOTHEUS

3 Darum haben wir's nicht länger ertragen
und beschlossen, [a]in Athen allein zu-
rückzubleiben, 2 und [a]sandten Timotheus,
unsern Bruder und Gottes Mitarbeiter am
Evangelium Christi, euch zu stärken und
zu ermahnen in eurem Glauben, 3 damit
[a]nicht jemand wankend würde in diesen
Bedrängnissen. Denn ihr wisst selbst,
dass wir dazu bestimmt sind. 4 Denn
schon als wir bei euch waren, sagten wir's
euch voraus, dass wir in Bedrängnis gera-
ten würden, wie es denn auch geschehen
ist und wie ihr wisst. 5 Darum habe ich's
auch nicht länger ertragen und habe ihn
gesandt, um zu erfahren, wie es mit eurem
Glauben steht, ob der Versucher euch etwa
versucht hätte und [a]unsre Arbeit vergeb-
lich würde.
6 Nun aber ist [a]Timotheus von euch wie-
der zu uns gekommen und hat uns Gutes
berichtet von eurem Glauben und eurer
Liebe und dass ihr uns allezeit in guter
Erinnerung habt und euch danach sehnt,
uns zu sehen, wie auch wir uns nach euch
sehnen. 7 Darum sind wir, Brüder und
Schwestern, euretwegen getröstet wor-
den in aller unsrer Not und Bedrängnis
durch euren Glauben; 8 denn jetzt leben
wir auf, wenn ihr fest steht in dem Herrn.
9 Denn wie können wir euretwegen Gott
genug danken für all die Freude, die wir
durch euch haben vor unserm Gott? 10 Wir
bitten Tag und Nacht inständig, dass wir
euch von Angesicht sehen und hinzutun,
was eurem Glauben noch fehlt. 11 Er selbst
aber, Gott, unser Vater, und unser Herr Je-
sus lenke unsern Weg zu euch hin. 12 Euch
aber lasse der Herr wachsen und immer
reicher werden in der Liebe untereinander
und zu jedermann, wie auch wir sie zu
euch haben, 13 dass eure Herzen stark und
[a]untadelig seien in Heiligkeit vor Gott,
unserm Vater, wenn unser Herr Jesus
kommt mit allen seinen Heiligen. Amen.

ERMAHNUNG ZUR HEILIGUNG

4 Weiter, Brüder und Schwestern, bitten
und ermahnen wir euch in dem Herrn
Jesus – da ihr von uns empfangen habt,
wie ihr wandeln sollt, um Gott zu gefallen,
was ihr ja auch tut –, dass ihr darin immer
vollkommener werdet. 2 Denn ihr wisst,
welche Ermahnungen wir euch gegeben
haben durch den Herrn Jesus.
3 Denn das ist der Wille Gottes, eure Hei-
ligung, [a]dass ihr meidet die Unzucht 4 und
ein jeder von euch verstehe, sein eigenes
Gefäß* in Heiligkeit und Ehre zu halten,
5 nicht in gieriger Lust wie die Heiden, die
von Gott nichts wissen. 6 Niemand gehe
zu weit und [a]übervorteile seinen Bruder
im Handel. Denn der Herr straft dies al-
les, wie wir euch schon früher gesagt und
bezeugt haben. 7 Denn Gott hat uns nicht
berufen zur Unreinheit, sondern zur Hei-
ligung. 8 Wer das nun verachtet, der [a]ver-
achtet nicht Menschen, sondern Gott, der
seinen Heiligen Geist in euch gibt.
9 Von der [a]brüderlichen Liebe aber ist es
nicht nötig, euch zu schreiben. Denn [b]ihr
selbst seid von Gott gelehrt, euch unter-
einander zu lieben. 10 Und das tut ihr ja
auch an allen Brüdern und Schwestern in
ganz Makedonien. Wir ermahnen euch
aber, dass ihr darin noch vollkommener
werdet, 11 und eure Ehre darein setzt, dass
ihr ein [a]stilles Leben führt und [b]das Eure
schafft und mit euren eigenen Händen ar-
beitet, wie wir euch geboten haben, 12 da-
mit ihr ehrbar wandelt vor denen, [a]die
draußen sind, und auf niemanden ange-
wiesen seid.

VON DER AUFERSTEHUNG DER TOTEN

13 [a]Wir wollen euch aber, Brüder und
Schwestern, nicht im Ungewissen las-
sen über die, die da [b]schlafen, damit ihr
nicht traurig seid wie die andern, die
[c]keine Hoffnung haben. 14 Denn wenn
wir glauben, dass Jesus gestorben und
auferstanden ist, so wird Gott auch die,
die da entschlafen sind, durch Jesus mit
ihm führen.[a]
15 [a]Denn das sagen wir euch mit einem
Wort des Herrn, dass wir, die wir le-

* **4,4** Gemeint ist der eigene Körper oder der der Ehefrau.

3,1 *a* Apg 17,14-16 **3,2** *a* Apg 16,1-3; 1. Kor 4,17
3,3 *a* Apg 14,22; Eph 3,13; 2. Tim 3,12 **3,5** *a* Phil 2,16
3,6 *a* Apg 18,5 **3,13** *a* 1. Kor 1,8; Phil 1,10 **4,3** *a* 1. Kor 6,18
4,6 *a* 3. Mose 19,11 **4,8** *a* Lk 10,16 **4,9** *a* Joh 13,34;
Röm 12,10; Hebr 13,1 *b* 3. Mose 19,18
4,11 *a* 2. Thess 3,8.12; 1. Tim 2,2 *b* Kap 2,9; Eph 4,28
4,12 *a* Kol 4,5 **4,13** *a* (13-17) 2. Thess 2,1-12
b 1. Kor 15,20 *c* Eph 2,12 **4,14** *a* Röm 14,9; 1. Kor 15,3-4.12
4,15 *a* (15-17) Mt 16,28; 24,30-31; 1. Kor 15,51-52; Joh 17,24

ben und übrig bleiben bis zum Kommen
des Herrn, denen nicht zuvorkommen
werden, die entschlafen sind. 16 Denn er
selbst, der Herr, wird, wenn der Ruf er-
tönt, wenn die Stimme des Erzengels und
die Posaune Gottes erschallen, herabkom-
men vom Himmel, und die Toten werden
in Christus auferstehen zuerst. 17 Danach
werden wir, die wir leben und übrig blei-
ben, zugleich mit ihnen entrückt werden
auf den Wolken, dem Herrn entgegen in
die Luft. Und so werden wir beim Herrn
sein allezeit. 18 So tröstet euch mit diesen
Worten untereinander.[a]

DER TAG DES HERRN

5 Von den [a]Zeiten aber und Stunden, Brü-
der und Schwestern, ist es nicht nötig,
euch zu schreiben; 2 denn ihr selbst wisst
genau, dass der Tag des Herrn kommt [a]wie
ein Dieb in der Nacht. 3 Wenn sie sagen:
[a]»Friede und Sicherheit«, dann überfällt
sie schnell das Verderben wie die Wehen
eine schwangere Frau, und sie werden
nicht entrinnen.

4 Ihr aber seid nicht in der Finsternis,
dass der Tag wie ein Dieb über euch kom-
me. 5 Denn ihr alle seid [a]Kinder des Lich-
tes und Kinder des Tages. Wir sind nicht
von der Nacht noch von der Finsternis.
6 So lasst uns nun nicht schlafen wie die
andern, sondern [a]lasst uns wachen und
nüchtern sein. 7 Denn die da schlafen, die
schlafen des Nachts, und die da betrunken
sind, die sind des Nachts betrunken. 8 Wir
aber, die wir Kinder des Tages sind, wollen
nüchtern sein, angetan mit dem Panzer
des Glaubens und der Liebe und mit dem
Helm der Hoffnung auf das Heil.[a] 9 Denn
Gott hat uns nicht bestimmt zum Zorn,
sondern dazu, die Seligkeit zu besitzen
durch unsern Herrn Jesus Christus, 10 [a]der
für uns gestorben ist, damit, [b]ob wir wa-
chen oder schlafen, wir zugleich mit ihm
leben. 11 Darum [a]tröstet euch untereinan-
der und einer erbaue den andern, wie ihr
auch tut.

ERMAHNUNGEN UND GRÜSSE

12 Wir bitten euch aber, Brüder und
Schwestern: [a]Achtet, die sich unter euch
mühen und euch vorstehen im Herrn und
euch ermahnen; 13 ehrt sie in Liebe umso
höher um ihres Werkes willen. [a]Haltet
Frieden untereinander. 14 Wir ermahnen
euch aber: [a]Weist die Nachlässigen zu-
recht, tröstet die Kleinmütigen, tragt die
Schwachen, seid geduldig mit jedermann.
15 Seht zu, dass keiner dem andern [a]Böses
mit Bösem vergelte, sondern jagt allezeit
dem Guten nach, füreinander und für je-
dermann.

16 Seid allezeit fröhlich,[a] 17 betet ohne
Unterlass,[a] 18 seid [a]dankbar in allen
Dingen; denn das ist der Wille Gottes
in Christus Jesus für euch.

19 [a]Den Geist löscht nicht aus. 20 Prophe-
tische Rede verachtet nicht. 21 [a]**Prüft aber**
alles und das Gute behaltet. 22 Meidet
das Böse in jeder Gestalt.

23 Er aber, [a]der Gott des Friedens,
heilige euch durch und durch und be-
wahre euren Geist samt Seele und Leib
unversehrt, untadelig für das Kom-
men unseres Herrn Jesus Christus.
24 [a]Treu ist er, der euch ruft; er wird's auch
tun.

25 Brüder und Schwestern, betet auch für
uns. 26 Grüßt alle mit dem heiligen Kuss.[a]
27 Ich beschwöre euch bei dem Herrn,
[a]dass dieser Brief vorgelesen wird allen
Brüdern und Schwestern.

28 Die Gnade unseres Herrn Jesus Chris-
tus sei mit euch!

4,18 *a* Kap 5,11 **5,1** *a* Mt 24,36 **5,2** *a* Mt 24,42-44; 2. Petr 3,10; Offb 3,3; 16,15 **5,3** *a* Jer 6,14 **5,5** *a* Joh 12,36; Röm 13,12; Eph 5,8 **5,6** *a* Röm 13,11; 1. Petr 5,8 **5,8** *a* Röm 13,12; Eph 6,14-17 **5,10** *a* 1. Kor 5,3 *b* Röm 14,8-9 **5,11** *a* Kap 4,18; Hebr 3,13 **5,12** *a* 1. Kor 16,18 **5,13** *a* Röm 12,18 **5,14** *a* 2. Thess 3,15 **5,15** *a* Spr 20,22; Röm 12,17.21; 1. Petr 3,9 **5,16** *a* Phil 3,1; 4,4 **5,17** *a* Lk 18,1; Röm 12,12; Eph 6,18 **5,18** *a* Eph 5,20 **5,19** *a* (19-20) 1. Kor 14,1.39 **5,21** *a* 1. Kor 14,29 **5,23** *a* Röm 15,33 **5,24** *a* 1. Kor 1,9; 2. Thess 3,3 **5,26** *a* Röm 16,16 **5,27** *a* Kol 4,16

DER ZWEITE BRIEF DES PAULUS AN DIE THESSALONICHER

1–2 Warten auf Gottes Gericht und auf den Tag des Herrn
3 Bitte um Bewahrung und Warnung vor Nachlässigkeit

1 Paulus und Silvanus und Timotheus
an die Gemeinde der Thessalonicher in
Gott, unserm Vater, und dem Herrn Jesus
Christus:[a]
2 Gnade sei mit euch und Friede von
Gott, unserm Vater, und dem Herrn Jesus
Christus!

DIE BEDRÄNGNIS DER GEMEINDE UND DAS GERECHTE GERICHT GOTTES

3 Wir müssen [a]Gott allezeit für euch dan-
ken, Brüder und Schwestern, wie sich's
gebührt. Denn euer Glaube wächst sehr
und eure gegenseitige Liebe nimmt zu
bei euch allen. 4 Darum [a]rühmen wir uns
euer unter den Gemeinden Gottes wegen
eurer Geduld und eures Glaubens in allen
Verfolgungen und Bedrängnissen, die ihr
erduldet. 5 Das ist ein Anzeichen, dass
Gott gerecht richten wird und ihr gewür-
digt werdet des Reiches Gottes, für das ihr
auch leidet.
6 Denn [a]es ist gerecht bei Gott, dass er
denen vergilt mit Bedrängnis, die euch
bedrängen, 7 [a]euch aber, die ihr Bedräng-
nis leidet, Ruhe gibt zusammen mit uns,
wenn der Herr Jesus offenbart wird vom
Himmel her mit den Engeln seiner Macht
8 in Feuerflammen. Dann wird Gott Ver-
geltung üben an denen, die ihn nicht
kennen und die nicht gehorsam sind dem
Evangelium unseres Herrn Jesus.[a] 9 Die
werden Strafe erleiden, ewiges Verderben,
vom Angesicht des Herrn her und von sei-
ner herrlichen Macht, 10 wenn er kommen
wird, dass er verherrlicht werde bei seinen
Heiligen und sich wunderbar erweise bei
allen Gläubigen an jenem Tage; denn was
wir euch bezeugt haben, das habt ihr ge-
glaubt.
11 Deshalb [a]beten wir auch allezeit für
euch, dass unser Gott euch würdig mache
der Berufung und vollende alles Wohlge-
fallen am Guten und das Werk des Glau-
bens in Kraft, 12 damit bei euch verherrlicht
werde der Name unseres Herrn Jesus und
ihr in ihm nach der Gnade unseres Gottes
und des Herrn Jesus Christus.

DER WIDERSACHER CHRISTI

2 Was aber [a]das Kommen unseres Herrn
Jesus Christus angeht und unsre Ver-
sammlung bei ihm, so bitten wir euch,
2 dass ihr nicht so schnell wankend wer-
det in eurem Sinn und dass ihr euch nicht
erschrecken lasst, weder durch eine Weis-
sagung noch durch ein Wort noch durch
[a]einen Brief, die von uns sein sollen und
behaupten, [b]der Tag des Herrn sei schon
da. 3 Lasst euch [a]von niemandem verfüh-
ren, in keinerlei Weise; denn zuvor muss
der Abfall kommen und der [b]Mensch des
Frevels offenbart werden, der Sohn des
Verderbens. 4 Er ist der Widersacher, der
sich erhebt über alles, was Gott oder Hei-
ligtum heißt, sodass er [a]sich in den Tem-
pel Gottes setzt und vorgibt, er sei Gott.
5 Erinnert ihr euch nicht, dass ich euch
dies sagte, als ich noch bei euch war? 6 Und
jetzt wisst ihr, was ihn noch aufhält, bis
er offenbart wird zu seiner Zeit.[a] 7 Denn
das Geheimnis des Frevels ist bereits wirk-
sam; nur muss der, der es jetzt aufhält, erst
hinweggetan werden; 8 und dann wird der
Frevler offenbart werden. Ihn wird der
Herr Jesus [a]töten mit dem Hauch seines
Mundes und wird ihm ein Ende machen
durch seine Erscheinung, wenn er kommt.
9 Der Frevler aber wird kommen durch
das Wirken des Satans mit großer Kraft
und lügenhaften Zeichen und Wundern[a]

1,1 *a* 1. Thess 1,1 **1,3** *a* 1. Thess 1,2 **1,4** *a* 2. Kor 7,4; 8,24
1,6 *a* Röm 12,19 **1,7** *a* (7-10) Mt 16,27; 25,31-46;
1. Thess 4,16 **1,8** *a* 1. Kor 3,13 **1,11** *a* 1. Thess 1,2
2,1 *a* 1. Thess 4,13-17 **2,2** *a* 2. Petr 3,15-16 *b* 1. Thess 5,2
2,3 *a* 1. Tim 4,1 *b* 1. Joh 2,18 **2,4** *a* Mt 24,15
2,6 *a* Hab 2,3 **2,8** *a* Jes 11,4; Offb 19,15.20
2,9 *a* Mt 24,24; Offb 13,11-14

10 und mit jeglicher Verführung zur Un-
gerechtigkeit bei denen, die verloren wer-
den. Denn sie haben die Liebe zur Wahr-
heit nicht angenommen, dass sie gerettet
würden. 11 Und darum sendet ihnen Gott
die Macht der Verführung, dass sie der
Lüge glauben,[a] 12 auf dass gerichtet werden
alle, die der Wahrheit nicht glaubten, son-
dern Lust hatten an der Ungerechtigkeit.

MAHNUNG ZUR STANDFESTIGKEIT

13 Wir aber müssen Gott allezeit für euch
danken, vom Herrn geliebte Brüder und
Schwestern, dass Gott euch als Erstlinge
[a]erwählt hat zur Seligkeit in der Heiligung
durch den Geist und im Glauben an die
Wahrheit, 14 wozu er euch auch berufen
hat durch unser Evangelium, damit ihr die
Herrlichkeit unseres Herrn Jesus Christus
erlangt.
15 So steht nun fest und [a]haltet euch an
die Überlieferungen, in denen ihr durch
uns unterwiesen worden seid, es sei durch
Wort oder Brief von uns. 16 Er aber, unser
Herr Jesus Christus, und Gott, unser Va-
ter, der uns geliebt und uns einen ewigen
Trost gegeben hat und eine gute Hoffnung
durch Gnade, 17 der tröste eure Herzen
und stärke euch in allem guten Werk und
Wort.

WÜNSCHE DES APOSTELS

3 Weiter, ihr Brüder und Schwestern,
betet für uns, dass das Wort des Herrn
laufe und gepriesen werde wie bei euch[a]
2 und dass wir gerettet werden vor falschen
und bösen Menschen; denn der Glaube ist
nicht jedermanns Ding. 3 Aber [a]**der Herr
ist treu; der wird euch stärken und [b]be-
wahren vor dem Bösen.** 4 Wir haben aber
das Vertrauen zu euch in dem Herrn, dass
ihr tut und tun werdet, was wir gebieten.[a]
5 Der Herr aber richte eure Herzen aus auf
die Liebe Gottes und auf das Warten auf
Christus.

WARNUNG VOR MÜSSIGGANG

6 Wir gebieten euch aber im Namen unse-
res Herrn Jesus Christus, dass ihr euch zu-
rückzieht von allen Brüdern und Schwes-
tern, die unordentlich leben und nicht
[a]nach der Überlieferung, die ihr von uns
empfangen habt.
7 Denn ihr wisst, [a]wie ihr unserm Vor-
bild folgen sollt. Denn wir haben nicht
unordentlich bei euch gelebt, 8 haben
auch nicht umsonst Brot von jemandem
genommen, sondern [a]mit Mühe und
Plage haben wir Tag und Nacht gearbei-
tet, um keinem von euch zur Last zu fal-
len. 9 Nicht, dass wir dazu nicht das Recht
hätten, sondern [a]wir wollten uns selbst
euch zum Vorbild geben, damit ihr uns
folgt. 10 Denn schon als wir bei euch wa-
ren, geboten wir euch: Wer nicht arbeiten
will, der soll auch nicht essen. 11 Denn wir
hören, dass einige unter euch unordent-
lich wandeln und arbeiten nichts, sondern
treiben unnütze Dinge. 12 Solchen aber
gebieten wir und ermahnen sie in dem
Herrn Jesus Christus, dass sie [a]still ihrer
Arbeit nachgehen und ihr eigenes Brot es-
sen. 13 Ihr aber lasst's euch nicht verdrie-
ßen, Gutes zu tun.[a]
14 Wenn aber jemand unserm Wort in
diesem Brief nicht gehorsam ist, den merkt
euch und habt nichts mit ihm zu schaffen,
damit er schamrot werde. 15 Doch haltet
ihn nicht für einen Feind, sondern [a]weist
ihn zurecht als einen Bruder.

FRIEDENSWUNSCH UND GRUSS

16 [a]Er aber, der Herr des Friedens, gebe
euch Frieden allezeit und auf alle Weise.
Der Herr sei mit euch allen! 17 Der Gruß
mit meiner, des Paulus, Hand. Das ist das
Zeichen in jedem Brief; so schreibe ich.[a]
18 Die Gnade unseres Herrn Jesus Christus
sei mit euch allen![a]

2,11 ***a*** 2. Tim 4,4 **2,13** ***a*** 1. Thess 1,4 **2,15** ***a*** Kap 3,6; 1. Kor 11,2 **3,1** ***a*** Eph 6,18-19; Kol 4,3; 1. Thess 5,25 **3,3** ***a*** 1. Kor 10,13; 1. Thess 5,24 ***b*** Mt 6,13; Joh 17,15 **3,4** ***a*** 2. Kor 7,16; Gal 5,10 **3,6** ***a*** Kap 2,15; Röm 16,17 **3,7** ***a*** 1. Kor 11,1; 1. Thess 1,6 **3,8** ***a*** 1. Kor 4,12; 1. Thess 2,9 **3,9** ***a*** Phil 3,17 **3,12** ***a*** 1. Thess 4,11; 1. Tim 2,2 **3,13** ***a*** Gal 6,9 **3,15** ***a*** 1. Thess 5,14 **3,16** ***a*** Joh 14,27; Röm 15,33 **3,17** ***a*** 1. Kor 16,21; Gal 6,11; Kol 4,18 **3,18** ***a*** 1. Thess 5,28; Offb 22,21

DER ERSTE BRIEF DES PAULUS AN TIMOTHEUS

1 Warnung vor falschen Lehren 2–5 Die Dienste in der Gemeinde 6 Ermutigung und Warnung

1 Paulus, Apostel Christi Jesu nach dem
Befehl Gottes, unseres Heilands, und
Christi Jesu, der [a]unsere Hoffnung ist,
2 an [a]Timotheus, [b]mein rechtes Kind im
Glauben:
Gnade, Barmherzigkeit, Friede von
Gott, dem Vater, und unserm Herrn
Christus Jesus!

GEGEN FALSCHE GESETZESLEHRER

3 Wie habe ich dich ermahnt, in Ephesus
zu bleiben, als ich nach [a]Makedonien zog,
damit du einigen gebietest, dass sie nicht
anders lehren, 4 auch nicht achthaben auf
die [a]Fabeln und Geschlechtsregister, die
kein Ende haben und eher Fragen aufbrin-
gen, als dass sie dem Ratschluss Gottes im
Glauben dienen.
5 Das [a]Ziel der Unterweisung aber ist
Liebe aus reinem Herzen und aus gu-
tem Gewissen und aus ungeheucheltem
Glauben. 6 Davon sind einige abgeirrt und
haben sich hingewandt zu [a]unnützem Ge-
schwätz, 7 wollen das Gesetz lehren und
verstehen selber nicht, was sie sagen oder
was sie so fest behaupten.
8 Wir wissen aber, dass [a]das Gesetz
gut ist, wenn es jemand recht gebraucht,
9 [a]weil er weiß, dass dem Gerechten kein
Gesetz gegeben ist, sondern den Unge-
rechten und Ungehorsamen, den Gott-
losen und Sündern, den Unheiligen und
Ruchlosen, den Vatermördern und Mut-
termördern, den Totschlägern, 10 den
Unzüchtigen, den Knabenschändern, den
Menschenhändlern, den Lügnern, den
Meineidigen und wenn noch etwas an-
deres der heilsamen Lehre entgegensteht,
11 nach dem Evangelium von der Herrlich-
keit des seligen Gottes, das mir anvertraut
ist.

LOBPREIS DER GÖTTLICHEN BARMHERZIGKEIT

12 [a]Ich danke unserm Herrn Christus Je-
sus, der mich stark gemacht und für treu
erachtet hat und in das Amt eingesetzt,
13 mich, der ich früher ein Lästerer und ein
Verfolger und ein Frevler war; aber mir
ist Barmherzigkeit widerfahren, denn ich
habe es unwissend getan, im Unglauben.
14 Es ist aber desto reicher geworden die
Gnade unseres Herrn samt dem Glauben
und der Liebe, die in Christus Jesus ist.
15 Das ist gewisslich wahr und ein teuer
wertes Wort: **Christus Jesus ist in die
Welt gekommen, [a]die Sünder selig zu
machen, unter denen ich der erste bin.**
16 Aber darum ist mir Barmherzigkeit wi-
derfahren, dass Christus Jesus an mir als
Erstem alle Geduld erweise, zum Vorbild
denen, die an ihn glauben sollten zum
ewigen Leben. 17 Aber Gott, dem ewigen
König, dem Unvergänglichen und Un-
sichtbaren, der allein Gott ist, sei Ehre und
Preis in Ewigkeit! Amen.
18 Dieses Gebot gebe ich dir, mein Sohn
Timotheus, nach den [a]Weissagungen, die
früher über dich ergangen sind, damit du
in ihrer Kraft [b]einen guten Kampf kämpfst
19 und den [a]Glauben und ein gutes Gewis-
sen hast. Das haben einige von sich gesto-
ßen und [b]am Glauben Schiffbruch erlit-
ten. 20 Unter ihnen sind [a]Hymenäus und
Alexander, die ich [b]dem Satan übergeben
habe, damit sie in Zucht genommen wer-
den und nicht mehr lästern.

DAS GEMEINDEGEBET

2 So ermahne ich nun, dass man vor allen
Dingen tue Bitte, Gebet, Fürbitte und
Danksagung für alle Menschen, 2 für die
Könige und für alle Obrigkeit, damit wir
ein ruhiges und stilles Leben führen kön-
nen in aller Frömmigkeit und Ehrbarkeit.
3 Dies ist gut und wohlgefällig vor Gott,
unserm Heiland, 4 **welcher will, dass alle
Menschen gerettet werden und sie zur**

1,1 ***a*** Kol 1,27 **1,2** ***a*** Apg 16,1-2 ***b*** Tit 1,4 **1,3** ***a*** Apg 20,1 **1,4** ***a*** Kap 4,7 **1,5** ***a*** Mt 22,37-40; Röm 13,10; Gal 5,6 **1,6** ***a*** Kap 6,4.20 **1,8** ***a*** Röm 7,12 **1,9** ***a*** *(9-11)* 1. Kor 6,9-11 **1,12** ***a*** *(12-16)* Apg 9,15; 1. Kor 15,9-10; Gal 1,13-16 **1,15** ***a*** Lk 19,10 **1,18** ***a*** Kap 4,14 ***b*** Kap 6,12; Jud 3 **1,19** ***a*** Kap 3,9 ***b*** Kap 6,10 **1,20** ***a*** 2. Tim 2,17 ***b*** 1. Kor 5,5

Erkenntnis der Wahrheit kommen.[a]
5 **Denn es ist *ein* Gott und *ein* [a]Mittler
zwischen Gott und den Menschen,
nämlich der Mensch Christus Jesus,**
6 **der [a]sich selbst gegeben hat als Löse-
geld für alle,** [b]als sein Zeugnis zur rechten
Zeit. 7 Dazu bin ich eingesetzt [a]als Prediger
und Apostel – ich sage die Wahrheit und
lüge nicht –, [b]als Lehrer der Heiden im
Glauben und in der Wahrheit.

MÄNNER UND FRAUEN IM GOTTESDIENST

8 So will ich nun, dass die Männer beten an
allen Orten und aufheben heilige Hände
ohne Zorn und Zweifel. 9 Desgleichen,
dass die Frauen in schicklicher Kleidung
sich schmücken mit Anstand und Beson-
nenheit, nicht mit Haarflechten und Gold
oder Perlen oder kostbarem Gewand,[a]
10 sondern, wie sich's ziemt für Frauen, die
ihre Frömmigkeit bekunden wollen, [a]mit
guten Werken.
11 Eine Frau lerne in der Stille [a]mit aller
Unterordnung. 12 [a]Einer Frau gestatte ich
nicht, dass sie lehre, auch nicht, [b]dass sie
über den Mann herrsche, sondern sie sei
still. 13 Denn Adam wurde zuerst gemacht,
danach Eva. 14 Und Adam wurde nicht
verführt, die Frau aber wurde verführt
und übertrat das Gebot.[a] 15 Sie wird aber
gerettet werden dadurch, dass sie Kinder
zur Welt bringt, wenn sie bleiben mit Be-
sonnenheit im Glauben und in der Liebe
und in der Heiligung.[a]

BISCHÖFE UND DIAKONE

3 [a]Das ist gewisslich wahr: Wenn jemand
ein Bischofsamt* erstrebt, begehrt er
eine hohe Aufgabe. 2 Ein Bischof aber
soll untadelig sein, Mann einer einzigen
Frau, nüchtern, besonnen, würdig, gast-
frei, geschickt im Lehren, 3 kein Säufer,
nicht gewalttätig, sondern gütig, nicht
streitsüchtig, nicht geldgierig, 4 einer, der
seinem eigenen Haus gut vorsteht und
gehorsame Kinder hat, in aller Ehrbarkeit.
5 Denn wenn jemand seinem eigenen
Haus nicht vorzustehen weiß, wie soll er
für die Gemeinde Gottes sorgen? 6 Er soll
kein Neugetaufter sein, damit er sich nicht
aufblase und dem Urteil des Teufels ver-
falle. 7 Er muss aber auch einen guten Ruf
haben bei denen, die draußen sind, damit
er nicht geschmäht werde und sich nicht
fange in der Schlinge des Teufels.
8 Desgleichen sollen die [a]Diakone ehr-
bar sein, nicht doppelzüngig, keine Säu-
fer, nicht schändlichen Gewinn suchen;
9 sie sollen das Geheimnis des Glaubens
mit reinem Gewissen bewahren.[a] 10 Und
man soll sie zuvor prüfen, und wenn sie
untadelig sind, sollen sie den Dienst ver-
sehen. 11 Desgleichen sollen ihre Frauen
ehrbar sein, [a]nicht verleumderisch, nüch-
tern, treu in allen Dingen. 12 Die Diakone
sollen ein jeder der Mann einer einzigen
Frau sein und ihren Kindern und ihrem
eigenen Haus gut vorstehen. 13 Welche
aber ihren Dienst gut versehen, die erwer-
ben sich selbst ein gutes Ansehen und viel
Freimut im Glauben an Christus Jesus.

DAS GEHEIMNIS DES GLAUBENS

14 Dies schreibe ich dir und hoffe, bald zu
dir zu kommen; 15 wenn ich aber erst
später komme, sollst du wissen, wie man
sich verhalten soll im [a]Hause Gottes, wel-
ches ist die Gemeinde des lebendigen
Gottes, ein Pfeiler und eine Grundfeste
der Wahrheit. 16 Und groß ist, wie jeder-
mann bekennen muss, das Geheimnis des
Glaubens:

Er* ist [a]offenbart im Fleisch,
gerechtfertigt [b]im Geist,
erschienen den Engeln,
[c]gepredigt den Heiden,
geglaubt in der Welt,
[d]aufgenommen in die Herrlichkeit.

FALSCHE ENTHALTSAMKEIT

4 Der Geist aber sagt deutlich, dass [a]in
den letzten Zeiten einige von dem
Glauben abfallen werden und verführeri-

* **3,1** Siehe Sach- und Worterklärungen zu »Bischof«.
3,16 Gemeint ist Christus.

2,4 *a* Hes 18,23; Röm 11,32; 2. Petr 3,9 **2,5** *a* Hebr 9,15
2,6 *a* Gal 1,4; 2,20; Tit 2,14 *b* 1. Tim 6,13 **2,7** *a* 2. Tim 1,11
b Gal 2,7-8 **2,9** *a* 1. Petr 3,3-5 **2,10** *a* Kap 5,10
2,11 *a* Eph 5,22 **2,12** *a* 1. Kor 14,34 *b* 1. Mose 3,16
2,14 *a* 1. Mose 3,6 **2,15** *a* Kap 5,14; Tit 2,4-5
3,1 *a* (1-7) Apg 20,28; Tit 1,5-9 **3,8** *a* Apg 6,3; Phil 1,1
3,9 *a* Kap 1,19 **3,11** *a* Tit 2,3 **3,15** *a* Eph 2,19-22
3,16 *a* Joh 1,14 *b* Röm 1,4 *c* Apg 28,28 *d* Mk 16,19;
Eph 1,20-21 **4,1** *a* Mt 24,24; 2. Thess 2,3; 2. Tim 3,1;
2. Petr 3,3; 1. Joh 2,18; Jud 18

schen Geistern und Lehren von Dämonen
anhängen, 2verleitet durch Heuchelei der
Lügenredner, die ein Brandmal in ihrem
Gewissen haben. 3Sie gebieten, nicht zu
heiraten und [a]Speisen zu meiden, die Gott
geschaffen hat, dass sie mit Danksagung
empfangen werden von den Gläubigen
und denen, die die Wahrheit erkannt ha-
ben. 4Denn **alles, was Gott geschaffen
hat, ist gut, und nichts ist verwerflich,
was mit Danksagung empfangen wird;**[a]
**5denn es wird geheiligt durch das Wort
Gottes und Gebet.**

DER DIENST DES TIMOTHEUS

6Wenn du die Brüder und Schwestern
dies lehrst, so wirst du [a]ein guter Die-
ner Christi Jesu sein, genährt durch die
Worte des Glaubens und der guten Lehre,
der du gefolgt bist. 7[a]Die ungeistlichen
Altweiberfabeln aber weise zurück; **übe
dich selbst aber in der Frömmigkeit!**
8Denn die leibliche Übung ist wenig
nütze; aber [a]die Frömmigkeit ist zu allen
Dingen nütze und hat die Verheißung
dieses und des zukünftigen Lebens. 9Das
ist gewisslich wahr und wert, dass man
es beherzigt. 10Denn dafür arbeiten und
kämpfen wir, weil wir unsre Hoffnung
auf den lebendigen Gott gesetzt haben,
welcher ist der Heiland aller Menschen,
besonders der Gläubigen. 11Dies gebiete
und lehre.

12[a]Niemand verachte dich wegen deiner
Jugend; du aber [b]sei den Gläubigen ein
Vorbild im Wort, im Wandel, in der Liebe,
im Glauben, in der Reinheit. 13Fahre fort
mit Vorlesen, mit Ermahnen, mit Lehren,
bis ich komme. 14Lass nicht außer Acht
die Gabe in dir, die dir gegeben ist durch
[a]Weissagung mit [b]Handauflegung des Ra-
tes der Ältesten. 15Dies lass deine Sorge
sein, damit gehe um, auf dass dein Fort-
schreiten allen offenbar sei. 16Hab acht auf
dich selbst und auf die Lehre; beharre in
diesen Stücken! Denn wenn du das tust,
wirst du dich selbst [a]retten und die, die
dich hören.

5 [a]Einen Älteren fahre nicht an, sondern
ermahne ihn wie einen Vater, die jün-
geren Männer wie Brüder, 2die älteren
Frauen wie Mütter, die jüngeren wie
Schwestern, mit allem Anstand.

VON DEN WITWEN

3Ehre die Witwen, die allein sind. 4Wenn
aber eine Witwe Kinder oder Enkel hat,
so sollen diese lernen, zuerst im eige-
nen Hause fromm zu leben und sich den
Eltern dankbar zu erweisen; denn das
ist wohlgefällig vor Gott. 5Das ist aber
eine rechte Witwe, die alleinsteht, die
ihre Hoffnung auf Gott setzt und [a]be-
harrlich fleht und betet Tag und Nacht.
6Eine aber, die ausschweifend lebt, ist
lebendig tot. 7Dies gebiete, damit sie
untadelig seien. 8Wenn aber jemand die
Seinen, besonders seine Hausgenossen,
nicht versorgt, hat er den Glauben ver-
leugnet und ist schlimmer als ein Un-
gläubiger.[a]

9Es soll keine als rechte Witwe aner-
kannt werden unter sechzig Jahren; sie
soll eines einzigen Mannes Frau gewe-
sen sein 10und ein Zeugnis guter Werke
haben: wenn sie Kinder aufgezogen hat,
wenn sie [a]gastfrei gewesen ist, wenn sie
[b]den Heiligen die Füße gewaschen hat,
wenn sie den Bedrängten beigestanden
hat, wenn sie allem guten Werk nachge-
kommen ist.

11Jüngere Witwen aber weise ab; denn
wenn sie sich wegen ihres Begehrens von
Christus abwenden, so wollen sie heira-
ten.* 12Sie stehen dann unter dem Urteil,
dass sie die erste Treue gebrochen haben.
13Daneben sind sie faul und lernen, von
Haus zu Haus zu laufen; und nicht nur
faul sind sie, sondern auch geschwätzig
und vorwitzig und reden, was nicht sein
soll. 14So will ich nun, dass die jüngeren
Witwen heiraten, [a]Kinder zur Welt brin-
gen, den Haushalt führen, [b]dem Wider-
sacher keinen Anlass geben zu schmähen.
15Denn schon haben sich einige abge-
wandt und folgen dem Satan. 16Wenn
eine gläubige Frau Witwen in ihrem Haus
hat, so versorge sie diese, die Gemeinde

* **5,11** Gemeint ist: Eine Wiederheirat, die nach Kap 5,14 geraten ist, steht dem Witwenamt entgegen.

4,3 ***a*** 1. Mose 9,3; 1. Kor 10,30-31; Kol 2,23
4,4 ***a*** 1. Mose 1,31; Mt 15,11; Apg 10,15 **4,6** ***a*** 2. Tim 2,15
4,7 ***a*** Kap 6,20; 2. Tim 2,16.23; 4,4; Tit 1,14; 3,9
4,8 ***a*** Kap 6,6 **4,12** ***a*** Tit 2,15 ***b*** 2. Tim 2,22
4,14 ***a*** Kap 1,18 ***b*** Kap 5,22; Apg 6,6; 8,17; 2. Tim 1,6
4,16 ***a*** Röm 11,14 **5,1** ***a*** 3. Mose 19,32; Tit 2,2
5,5 ***a*** Lk 2,37 **5,8** ***a*** Mt 15,5-6 **5,10** ***a*** Hebr 13,2
b Joh 13,14 **5,14** ***a*** Kap 2,15 ***b*** 1. Kor 7,9

aber soll nicht beschwert werden, [a]da-
mit sie für die rechten Witwen sorgen
kann.

VON DEN VORSTEHERN DER GEMEINDE

17 Die [a]Ältesten, die der Gemeinde gut
vorstehen, die halte man zweifacher Ehre
wert, besonders, die sich mühen im Wort
und in der Lehre. 18 Denn die Schrift sagt
(5. Mose 25,4): [a]»Du sollst dem Ochsen, der da
drischt, nicht das Maul verbinden«; und:
[b]»Ein Arbeiter ist seines Lohnes wert«.
19 Gegen einen Ältesten nimm keine Klage
an ohne [a]zwei oder drei Zeugen. 20 Die da
sündigen, die [a]weise zurecht vor allen,
damit sich auch die andern fürchten. 21 Ich
ermahne dich inständig vor Gott und
Christus Jesus und den auserwählten En-
geln, dass du dich daran hältst ohne Vor-
urteil und niemanden begünstigst. 22 [a]Die
Hände lege niemandem zu bald auf; habe
nicht teil an fremden Sünden! Halte dich
selber rein!

23 Trinke nicht mehr nur Wasser, son-
dern nimm ein wenig Wein dazu um des
Magens willen und weil du oft krank bist.

24 Bei einigen Menschen sind die Sünden
offenbar und gehen ihnen zum Gericht
voran; bei einigen aber folgen sie auch
nach. 25 Desgleichen sind auch die guten
Werke stets offenbar, und die andern blei-
ben auch nicht verborgen.

VON DEN SKLAVEN

6 [a]Alle, die als Sklaven unter dem Joch
sind, sollen ihre Herren aller Ehre wert
halten, damit nicht gegen den Namen
Gottes und [b]die Lehre gelästert werde.
2 Welche aber gläubige Herren haben, sol-
len diese nicht verachten, weil sie [a]Brüder
sind, sondern sollen ihnen umso mehr
dienstbar sein, weil sie gläubig und geliebt
sind und sich bemühen, Gutes zu tun. So
lehre und mahne!

MAHNUNG AN TIMOTHEUS

3 Wenn jemand anders lehrt und bleibt
nicht bei den [a]heilsamen Worten unseres
Herrn Jesus Christus und bei der Lehre,
die der Frömmigkeit gemäß ist, 4 der ist
aufgeblasen und weiß nichts, sondern ist
süchtig nach Fragen und [a]Wortgefechten.
Daraus entspringen Neid, Hader, Läster-
ung, böser Argwohn, 5 Schulgezänk sol-
cher Menschen, die zerrüttete Sinne ha-
ben und der Wahrheit beraubt sind, die
meinen, Frömmigkeit diene dem Gewinn.

6 **Ein großer Gewinn aber ist die
[a]Frömmigkeit zusammen mit [b]Genüg-
samkeit.** 7 **Denn [a]wir haben nichts in
die Welt gebracht; darum [b]können wir
auch nichts hinausbringen.** 8 **Wenn
wir aber Nahrung und Kleider haben,
so wollen wir uns damit begnügen.**[a]
9 Denn die reich werden wollen, die fal-
len in Versuchung und Verstrickung und
in viele törichte und schädliche Begierden,
welche die Menschen versinken lassen in
Verderben und Verdammnis.[a] 10 Denn
[a]Geldgier ist eine Wurzel alles Übels; da-
nach hat einige gelüstet und sie sind [b]vom
Glauben abgeirrt und machen sich selbst
viel Schmerzen.

11 Aber du, [a]Mensch Gottes, fliehe das!
[b]Jage aber nach der Gerechtigkeit, der
Frömmigkeit, dem Glauben, der Liebe, der
Geduld, der Sanftmut! 12 **[a]Kämpfe den
guten Kampf des Glaubens; ergreife
das ewige Leben, wozu du [b]berufen bist
und bekannt hast [c]das gute Bekenntnis
vor vielen Zeugen.**

13 Ich gebiete dir vor Gott, der alle Dinge
lebendig macht, und vor Christus Jesus,
der [a]unter Pontius Pilatus bezeugt hat das
gute Bekenntnis, 14 dass du das Gebot un-
befleckt und untadelig bewahrst bis zur
Erscheinung unseres Herrn Jesus Chris-
tus, 15 welche uns zeigen wird zu seiner
Zeit der Selige und allein Gewaltige, [a]der
König aller Könige und Herr aller Herren,
16 der allein Unsterblichkeit hat, der da
wohnt in einem Licht, zu dem niemand
kommen kann, den [a]kein Mensch gesehen
hat noch sehen kann. Dem sei Ehre und
ewige Macht! Amen.

5,16 ***a*** Apg 6,1 **5,17** ***a*** Apg 14,23; Röm 12,8
5,18 ***a*** 1. Kor 9,9 ***b*** Lk 10,7 **5,19** ***a*** 5. Mose 19,15; Mt 18,16
5,20 ***a*** Mt 18,15-17; Gal 2,14 **5,22** ***a*** Kap 4,14
6,1 ***a*** (1-2) Eph 6,5-8 ***b*** Tit 2,9-10 **6,2** ***a*** Phlm 16
6,3 ***a*** 2. Tim 1,13 **6,4** ***a*** 2. Tim 2,14; Tit 3,10-11
6,6 ***a*** Kap 4,8 ***b*** Mt 6,25-34; Phil 4,11-12; Hebr 13,5
6,7 ***a*** Hiob 1,21 ***b*** Ps 49,18; Pred 5,14 **6,8** ***a*** Spr 30,8
6,9 ***a*** Spr 28,22; Mt 13,22 **6,10** ***a*** Eph 5,5 ***b*** Kap 1,19
6,11 ***a*** 2. Tim 3,17 ***b*** 2. Tim 2,22 **6,12** ***a*** Kap 1,18; 1. Kor 9,25-26; 2. Tim 4,7 ***b*** Kap 4,14 ***c*** Hebr 3,1
6,13 ***a*** Joh 18,36-37; Offb 1,5 **6,15** ***a*** 5. Mose 10,17; Offb 17,14 **6,16** ***a*** 2. Mose 33,20; Joh 1,18

MAHNUNG AN DIE REICHEN

17 Den Reichen in dieser Welt gebiete, dass
sie nicht stolz seien, auch [a]nicht hoffen auf
den unsicheren Reichtum, sondern auf
Gott, der uns alles reichlich darbietet, es
zu genießen; 18 dass sie Gutes tun, reich
werden an guten Werken, gerne geben,
zum Teilen bereit sind 19 und sich selbst
einen Schatz sammeln als guten Grund für
die Zukunft, damit sie das wahre Leben
ergreifen.[a]

20 O Timotheus! [a]Bewahre, was dir an-
vertraut ist, und [b]meide das ungeist-
liche lose Geschwätz und das Gezänk
der fälschlich so genannten Erkenntnis*,
21 die einige verkünden; sie sind [a]vom
Glauben abgeirrt. Die Gnade sei mit
euch!

DER ZWEITE BRIEF DES PAULUS AN TIMOTHEUS

1–2 Ermutigung und Anweisung 3–4 Der Apostel als Vorbild

1 Paulus, Apostel Christi Jesu durch den
Willen Gottes nach der Verheißung des
Lebens in Christus Jesus, 2 an Timotheus,
mein geliebtes Kind:

Gnade, Barmherzigkeit, Friede von Gott,
dem Vater, und Christus Jesus, unserm
Herrn!

TREUE ZUM EVANGELIUM

3 Ich danke Gott, [a]dem ich diene von mei-
nen Vorfahren her mit [b]reinem Gewissen,
wenn ich ohne Unterlass deiner gedenke
in meinem Gebet, Tag und Nacht. 4 Und
wenn ich an deine Tränen denke, [a]verlangt
mich, dich zu sehen, damit ich mit Freude
erfüllt werde. 5 Denn ich erinnere mich an
den ungeheuchelten Glauben in dir, der
zuvor schon gewohnt hat in deiner Groß-
mutter Lois und in deiner Mutter Eunike;
ich bin aber gewiss, auch in dir.[a]

6 Aus diesem Grund erinnere ich dich
daran, dass du erweckest die Gabe Gottes,
die in dir ist [a]durch die Auflegung meiner
Hände. 7 Denn **Gott hat uns nicht gege-
ben den Geist der Furcht, sondern der
Kraft und der Liebe und der Beson-
nenheit.**[a] 8 Darum [a]schäme dich nicht
des Zeugnisses von unserm Herrn noch
meiner, der ich sein Gefangener bin, son-
dern leide mit für das Evangelium in der
Kraft Gottes.

9 Er hat uns selig gemacht und beru-
fen mit einem heiligen Ruf, [a]nicht nach
unsern Werken, sondern nach seinem
Ratschluss und nach der Gnade, die uns
gegeben ist in Christus Jesus vor der Zeit
der Welt, 10 jetzt aber offenbart ist durch
die Erscheinung unseres Heilands **Chris-
tus Jesus, [a]der dem Tode die Macht ge-
nommen und das Leben und ein unver-
gängliches Wesen ans Licht gebracht
hat durch das Evangelium,** 11 für das ich
eingesetzt bin als Prediger und Apostel
und Lehrer.[a]

12 Aus diesem Grund leide ich dies alles;
aber ich schäme mich dessen nicht; denn
ich weiß, an wen ich glaube, und bin ge-
wiss, dass er bewahren kann, was mir an-
vertraut ist, bis an jenen Tag. 13 Halte dich
an das Vorbild der [a]heilsamen Worte, die
du von mir gehört hast, im Glauben und
in der Liebe in Christus Jesus. 14 Dieses
kostbare Gut, das dir anvertraut ist, [a]be-
wahre durch den Heiligen Geist, der in
uns wohnt.

15 Das weißt du, dass sich von mir ab-
gewandt haben alle, die in der Provinz
Asia sind, unter ihnen Phygelus und Her-
mogenes.[a] 16 Der Herr gebe Barmher-
zigkeit dem Hause des [a]Onesiphorus;
denn er hat mich oft erquickt und hat
sich meiner Ketten nicht geschämt, 17 son-
dern als er in Rom war, suchte er mich
eifrig und fand mich. 18 Der Herr gebe
ihm, dass er Barmherzigkeit finde bei
dem Herrn an jenem Tage. Und welche

* **6,20** Siehe Sach- und Worterklärungen.

6,17 ***a*** Ps 62,11; Lk 12,15-21 **6,19** ***a*** Mt 6,20; Lk 16,9
6,20 ***a*** 2. Tim 1,12-14 ***b*** Kap 4,7 **6,21** ***a*** Kap 1,6;
2. Tim 2,18 **1,3** ***a*** Phil 3,5 ***b*** Apg 23,1; 24,16 **1,4** ***a*** Kap 4,9
1,5 ***a*** Apg 16,1-3 **1,6** ***a*** 1. Tim 4,14 **1,7** ***a*** Röm 8,15
1,8 ***a*** Röm 1,16; 1. Petr 4,16 **1,9** ***a*** Tit 3,5
1,10 ***a*** 1. Kor 15,55.57; Hebr 2,14 **1,11** ***a*** 1. Tim 2,7
1,13 ***a*** 1. Tim 6,3; Tit 2,1 **1,14** ***a*** 1. Tim 6,20
1,15 ***a*** Kap 4,16 **1,16** ***a*** Kap 4,19

Dienste er in Ephesus geleistet hat, weißt
du am besten.

KAMPF UND LEIDEN

2 So [a]sei nun stark, mein Kind, durch die
Gnade in Christus Jesus. 2 Und was du
von mir gehört hast durch viele Zeugen,
das befiehl treuen Menschen an, die tüch-
tig sind, auch andere zu lehren. 3 [a]Leide mit
als ein guter Streiter Christi Jesu. 4 Wer in
den Krieg zieht, verwickelt sich nicht in
Geschäfte des täglichen Lebens, damit
er dem gefalle, der ihn angeworben hat.
5 Und wer einen Wettkampf bestreitet,
erhält [a]den Siegeskranz nur, wenn er nach
den Regeln kämpft. 6 Es soll der Bauer, der
den Acker bebaut, die Früchte als Erster
genießen. 7 Bedenke, was ich sage! Der
Herr aber wird dir in allen Dingen Ein-
sicht geben.

8 Halt im Gedächtnis Jesus Christus, der
[a]auferstanden ist von den Toten, [b]aus dem
Geschlecht Davids, nach meinem Evange-
lium, 9 für welches ich leide bis dahin, dass
ich gebunden bin wie ein Übeltäter; aber
[a]Gottes Wort ist nicht gebunden. 10 Darum
[a]dulde ich alles um der Auserwählten wil-
len, auf dass auch sie die Seligkeit erlangen
in Christus Jesus mit ewiger Herrlichkeit.
11 Das ist gewisslich wahr:

Sind wir mit gestorben, so werden wir
mit leben;[a]
12 **dulden wir, so werden wir mit**
herrschen;
[a]**verleugnen wir, so wird er uns auch**
verleugnen;
13 **sind wir untreu, so bleibt er treu;**
denn er kann sich selbst nicht
verleugnen.[a]

WARNUNG VOR UNNÜTZEM STREIT

14 Daran erinnere sie und ermahne sie in-
ständig vor Gott, dass sie [a]nicht um Worte
streiten, was zu nichts nütze ist, als die zu
verwirren, die zuhören. 15 Bemühe dich
darum, dich vor Gott zu erweisen [a]als ein
angesehener und untadeliger Arbeiter,
der das Wort der Wahrheit recht vertritt.
16 Halte dich fern von [a]ungeistlichem lo-
sem Geschwätz; denn es führt mehr und
mehr zu gottlosem Wesen, 17 und ihr Wort
frisst um sich wie der Krebs. Unter ihnen
sind [a]Hymenäus und Philetus, 18 die von
der Wahrheit abgeirrt sind und sagen, die
Auferstehung sei schon geschehen, und
bringen einige vom Glauben ab. 19 Aber
der feste Grund Gottes besteht und
hat dieses Siegel: [a]Der Herr kennt die
Seinen; und: Es lasse ab von Unge-
rechtigkeit, wer den Namen des Herrn
nennt.

20 In einem großen Haus aber sind nicht
allein goldene und silberne Gefäße, son-
dern auch hölzerne und irdene, die einen
zu ehrenvollem, die andern zu nicht eh-
renvollem Gebrauch. 21 Wenn nun je-
mand sich reinigt von solchen Leuten,
der wird ein Gefäß sein zu ehrenvollem
Gebrauch, geheiligt, für den Hausherrn
brauchbar und zu allem guten Werk
bereitet.

22 Flieh die Begierden der Jugend!
[a]Jage aber nach der Gerechtigkeit, dem
Glauben, der Liebe, dem Frieden mit al-
len, die den Herrn anrufen aus reinem
Herzen.

23 Aber die törichten und ungezogenen
Fragen [a]weise zurück; denn du weißt, dass
sie nur Streit erzeugen. 24 Ein Knecht des
Herrn aber soll nicht streitsüchtig sein,
sondern freundlich gegen jedermann, im
Lehren geschickt, einer, der Böses ertra-
gen kann[a] 25 und mit Sanftmut die Wider-
spenstigen zurechtweist. Vielleicht hilft
ihnen Gott zur Umkehr, die Wahrheit
zu erkennen 26 und wieder nüchtern zu
werden aus der Verstrickung des Teufels,
von dem sie gefangen sind, zu tun seinen
Willen.

DER VERFALL DER FRÖMMIGKEIT IN DER ENDZEIT

3 Das sollst du aber wissen, dass in den
letzten Tagen schlimme Zeiten kom-
men werden.[a] 2 Denn die Menschen wer-
den viel von sich halten, geldgierig sein,
prahlerisch, hochmütig, Lästerer, den El-

2,1 *a* Eph 6,10 **2,3** *a* Kap 1,8; 4,5 **2,5** *a* Kap 4,8; 1. Kor 9,24-27 **2,8** *a* 1. Kor 15,4.20 *b* Röm 1,3 **2,9** *a* Phil 1,12-14 **2,10** *a* Kol 1,24 **2,11** *a* 2. Kor 4,11 **2,12** *a* Mt 10,33 **2,13** *a* 4. Mose 23,19; Ps 89,31-34; Röm 3,3-4; Tit 1,2 **2,14** *a* 1. Tim 6,4; Tit 3,9 **2,15** *a* 1. Tim 4,6; Tit 2,7-8 **2,16** *a* 1. Tim 4,7 **2,17** *a* 1. Tim 1,20 **2,19** *a* 4. Mose 16,5; Mt 7,22-23; Joh 10,14.27 **2,22** *a* 1. Tim 4,12; 6,11; Hebr 12,14 **2,23** *a* 1. Tim 4,7 **2,24** *a* Tit 1,7-9 **3,1** *a* 1. Tim 4,1

tern ungehorsam, undankbar, gottlos,
3 lieblos, unversöhnlich, schändlich, halt-
los, zuchtlos, dem Guten feind, 4 Verräter,
unbedacht, aufgeblasen. Sie lieben die
Ausschweifungen mehr als Gott; 5 sie ha-
ben den [a]Schein der Frömmigkeit, aber
deren Kraft verleugnen sie; solche Men-
schen meide!
6 Zu ihnen gehören auch die, die sich
in die Häuser einschleichen und gewisse
Frauen einfangen, die mit Sünden beladen
sind und von mancherlei Begierden ge-
trieben werden, 7 die immer auf neue Leh-
ren aus sind und nie zur Erkenntnis der
Wahrheit kommen können. 8 Wie [a]Jannes
und Jambres* dem Mose widerstanden, so
widerstehen auch diese der Wahrheit: Es
sind Menschen mit zerrütteten Sinnen,
untüchtig zum Glauben. 9 Aber sie wer-
den damit nicht weit kommen; denn ihre
Torheit wird allen offenbar werden, wie es
auch bei jenen geschah.

DAS VORBILD DES LEIDENDEN APOSTELS

10 Du aber bist mir gefolgt in der Lehre,
im Leben, im Streben, im Glauben, in der
Langmut, in der Liebe, in der Geduld, 11 in
den Verfolgungen, in den Leiden, die mir
widerfahren sind [a]in Antiochia, in Ikoni-
on, in Lystra. Welche Verfolgungen ertrug
ich da! Und [b]aus allen hat mich der Herr
erlöst.
12 Und alle, die fromm leben wollen in
Christus Jesus, müssen Verfolgung lei-
den.[a] 13 Mit den bösen Menschen aber
und Betrügern wird's je länger, desto
ärger: [a]Sie verführen und werden ver-
führt.

DIE BEDEUTUNG DER HEILIGEN SCHRIFT

14 Du aber bleibe bei dem, was du gelernt
hast und was dir anvertraut ist; du weißt
ja, von wem du gelernt hast 15 und dass du
von Kind auf die Heilige Schrift kennst,
[a]die dich unterweisen kann zur Seligkeit
durch den Glauben an Christus Jesus.
16 [a]Denn **alle Schrift, von Gott eingege-
ben, ist nütze zur Lehre, zur Zurecht-
weisung, zur Besserung, zur Erziehung
in der Gerechtigkeit,** 17 dass [a]der Mensch
Gottes vollkommen sei, zu allem guten
Werk geschickt.

TREUE BIS ZUM ENDE

4 So ermahne ich dich inständig vor Gott
und Christus Jesus, der [a]richten wird die
Lebenden und die Toten, und bei seiner
Erscheinung und seinem Reich: 2 [a]Predige
das Wort, stehe dazu, es sei zur Zeit oder
zur Unzeit; weise zurecht, drohe, ermah-
ne mit aller Geduld und Lehre. 3 Denn es
wird eine Zeit kommen, da sie die heilsa-
me Lehre nicht ertragen werden; sondern
nach ihrem eigenen Begehren werden sie
sich selbst Lehrer aufladen, nach denen ih-
nen die Ohren jucken,[a] 4 und werden die
Ohren von der Wahrheit abwenden und
sich den [a]Fabeln zukehren.
5 Du aber sei nüchtern in allen Dingen,
[a]leide willig, tu das Werk eines Predigers
des Evangeliums, erfülle redlich deinen
Dienst. 6 Denn [a]ich werde schon geopfert,
und die Zeit meines Hinscheidens ist ge-
kommen. 7 Ich habe [a]den guten Kampf ge-
kämpft, ich habe [b]den Lauf vollendet, ich
habe Glauben gehalten; 8 hinfort liegt für
mich bereit die [a]Krone der Gerechtigkeit,
die mir der Herr, [b]der gerechte Richter, an
jenem Tag geben wird, nicht aber mir al-
lein, sondern auch allen, die seine Erschei-
nung lieb haben.

DER APOSTEL UND SEINE MITARBEITER

9 Beeile dich, [a]bald zu mir zu kommen.
10 [a]Denn Demas hat mich verlassen und
diese Welt lieb gewonnen und ist nach
Thessalonich gezogen, Kreszens nach
Galatien, Titus nach Dalmatien. 11 Lukas
ist allein bei mir. [a]Markus nimm zu dir
und bringe ihn mit dir; denn er ist mir
nützlich zum Dienst. 12 [a]Tychikus habe
ich nach Ephesus gesandt. 13 Den Mantel,
den ich in Troas ließ bei Karpus, bringe
mit, wenn du kommst, und die Bücher,

* **3,8** So heißen in der jüdischen Tradition die Zauberer, die nach 2. Mose 7,11.22 Mose vor dem Pharao mit ihren Künsten zu widerlegen suchten.

3,5 *a* Mt 7,15.21; Tit 1,16 **3,8** *a* 2. Mose 7,11.22 **3,11** *a* Apg 13,13–14,22 *b* Ps 34,20 **3,12** *a* Mt 16,24; Apg 14,22; 1. Thess 3,3 **3,13** *a* 1. Tim 4,1 **3,15** *a* Joh 5,39 **3,16** *a* 2. Petr 1,19-21 **3,17** *a* 1. Tim 6,11 **4,1** *a* 1. Petr 4,5 **4,2** *a* Apg 20,20.31 **4,3** *a* 1. Tim 4,1 **4,4** *a* 2. Thess 2,11; 1. Tim 4,7 **4,5** *a* Kap 2,3 **4,6** *a* Phil 2,17 **4,7** *a* 1. Kor 9,25; 1. Tim 6,12 *b* Apg 20,24; Phil 3,14 **4,8** *a* Kap 2,5; 1. Petr 5,4; Jak 1,12; Offb 2,10 *b* Mt 25,21 **4,9** *a* Kap 1,4 **4,10** *a* (10-12) Kol 4,7.10.14 **4,11** *a* Apg 15,37; Kol 4,10 **4,12** *a* Eph 6,21

besonders die Pergamente. 14 [a]Alexander, der Schmied, hat mir viel Böses angetan; der Herr wird ihm vergelten nach seinen Werken. 15 Vor dem hüte du dich auch; denn er hat sich unsern Worten sehr widersetzt.

16 Bei meinem ersten Verhör stand mir niemand bei, sondern [a]sie verließen mich alle. Es sei ihnen nicht zugerechnet. 17 [a]Der Herr aber stand mir bei und stärkte mich, damit durch mich die Botschaft ausgebreitet würde und alle Heiden sie hörten, so wurde ich erlöst aus dem Rachen des Löwen. 18 Der Herr aber wird mich erlösen von allem Übel und mich retten in sein himmlisches Reich. Ihm sei Ehre von Ewigkeit zu Ewigkeit! Amen.

19 Grüße [a]Priska und Aquila und [b]das Haus des Onesiphorus. 20 [a]Erastus blieb in Korinth, [b]Trophimus aber ließ ich krank in Milet. 21 Beeile dich, vor dem Winter zu kommen. Es grüßen dich Eubulus und Pudens und Linus und Klaudia und alle Brüder und Schwestern.

22 Der Herr sei mit deinem Geist! Die Gnade sei mit euch!

DER BRIEF DES PAULUS AN TITUS

1–2 Die Aufgabe für Titus 2–3 Die rettende Gnade und Liebe Gottes

1 Paulus, Knecht Gottes und Apostel Jesu Christi, nach dem Glauben der Auserwählten Gottes und der Erkenntnis der Wahrheit, die der Frömmigkeit gemäß ist, 2 in der Hoffnung auf das ewige Leben, das Gott, [a]der nicht lügt, verheißen hat vor den Zeiten der Welt; 3 aber [a]zu seiner Zeit hat er sein Wort offenbart durch die Predigt, die mir anvertraut ist nach dem Befehl Gottes, unseres Heilands; 4 an Titus, [a]mein rechtes Kind nach unserm gemeinsamen Glauben:

Gnade und Friede von Gott, dem Vater, und Christus Jesus, unserm Heiland!

EINSETZUNG DER ÄLTESTEN

5 Deswegen ließ ich dich in Kreta, dass du vollends ausrichten solltest, was noch fehlt, und [a]Stadt für Stadt Älteste einsetzt, wie ich dir befohlen habe: 6 [a]wenn einer untadelig ist, Mann einer einzigen Frau, der gläubige Kinder hat, denen man nicht vorwirft, liederlich oder ungehorsam zu sein. 7 Denn ein Bischof* soll untadelig sein als ein [a]Haushalter Gottes, nicht eigensinnig, nicht jähzornig, kein Säufer, nicht gewalttätig, nicht schändlichen Gewinn suchen;[b] 8 sondern gastfrei, gütig, besonnen, gerecht, heilig, beherrscht; 9 er halte sich an das Wort, das verlässlich ist und der Lehre entspricht, auf dass er die Kraft habe, zu ermahnen mit der heilsamen Lehre und zurechtzuweisen, die widersprechen.

GEGEN DIE IRRLEHRER

10 Denn es gibt viele, die sich nicht unterordnen, Schwätzer und Verblendete, besonders solche aus der Beschneidung, 11 denen man das Maul stopfen muss, die ganze Häuser verwirren und lehren, was nicht sein darf, um schändlichen Gewinns willen. 12 Es hat einer von ihnen gesagt, ihr eigener Prophet: Die Kreter sind immer Lügner, böse Tiere und faule Bäuche. 13 Dieses Zeugnis ist wahr. Aus diesem Grund [a]weise sie scharf zurecht, damit sie gesund werden im Glauben 14 und nicht achten auf die jüdischen [a]Fabeln und die Gebote von Menschen, die sich von der Wahrheit abwenden.

15 Den [a]Reinen ist alles rein; den Unreinen aber und Ungläubigen ist nichts rein, sondern unrein ist beides, ihr Sinn und ihr Gewissen. 16 Sie beteuern, Gott zu kennen, aber [a]mit den Werken verleugnen sie ihn; ein Gräuel sind sie und ungehorsam und zu allem guten Werk untüchtig.

* **1,7** Siehe Sach- und Worterklärungen.

4,14 *a* 1. Tim 1,20 **4,16** *a* Kap 1,15 **4,17** *a* Apg 23,11; 27,23 **4,19** *a* Apg 18,2 *b* Kap 1,16 **4,20** *a* Apg 19,22 *b* Apg 20,4 **1,2** *a* 2. Tim 2,13 **1,3** *a* Eph 1,9-10 **1,4** *a* 1. Tim 1,2 **1,5** *a* Apg 14,23 **1,6** *a* (6-9) 1. Tim 3,1-7 **1,7** *a* 1. Kor 4,1 *b* 2. Tim 2,24 **1,13** *a* 2. Tim 4,2 **1,14** *a* 1. Tim 4,7; 2. Tim 4,4 **1,15** *a* Mt 15,11; Röm 14,20 **1,16** *a* 2. Tim 3,5

DAS ZUSAMMENLEBEN IN DER GEMEINDE

2 Du aber rede, [a]wie sich's ziemt nach
der heilsamen Lehre: 2 Den alten Män-
nern sage, dass sie nüchtern seien, ehrbar,
besonnen, gesund im Glauben, in der
Liebe, in der Geduld;[a] 3 desgleichen den
alten Frauen, dass sie sich verhalten, wie
es Heiligen ziemt, [a]nicht verleumderisch,
nicht dem Trunk ergeben, fähig, Gutes zu
lehren, 4 damit sie die jungen Frauen zur
Besonnenheit anhalten, dass sie ihre Män-
ner lieben, ihre Kinder lieben, 5 verständig
seien, keusch, häuslich, gütig und [a]sich
ihren Männern unterordnen, damit nicht
das Wort Gottes gelästert werde.
6 Desgleichen ermahne die jungen Män-
ner, dass sie besonnen seien 7 [a]in allen Din-
gen. Dich selbst aber erweise als [b]Vorbild
guter Werke, ohne Falsch in der Lehre und
ehrbar, 8 mit heilsamem und untadeligem
Wort, damit der Widersacher beschämt
werde, weil er nichts Schlechtes über uns
sagen kann.
9 [a]Die Sklaven ermahne, dass sie sich ih-
ren Herren in allen Dingen unterordnen,
ihnen gefällig seien, nicht widersprechen,
10 nichts veruntreuen, sondern sich stets
als gut und treu erweisen, damit sie in al-
lem die Lehre Gottes, unseres Heilands,
schmücken.

DIE HEILSAME GNADE

11 Denn **es ist erschienen die heilsame
Gnade Gottes allen Menschen**[a] 12 und
erzieht uns, dass wir absagen dem gottlo-
sen Wesen und den weltlichen Begierden
und besonnen, gerecht und fromm in die-
ser Welt leben 13 und [a]warten auf die selige
Hoffnung und Erscheinung der Herrlich-
keit des großen Gottes und unseres Hei-
lands, Jesus Christus, 14 der [a]sich selbst für
uns gegeben hat, damit er uns erlöste von
aller Ungerechtigkeit und reinigte sich
selbst ein Volk [b]zum Eigentum, das eifrig
wäre [c]zu guten Werken.
15 Dies rede, und ermahne und weise
zurecht mit ganzem Ernst. [a]Niemand soll
dich verachten.

DAS LEBEN IN DER WELT

3 Erinnere sie daran, [a]dass sie sich den
Obrigkeiten*, die die Macht haben, un-
terordnen, dass sie gehorsam seien und
zu allem guten Werk bereit, 2 niemanden
verleumden, nicht streiten, [a]freundlich
seien und alle Sanftmut beweisen gegen
alle Menschen.
3 Denn auch wir waren [a]früher unver-
ständig, ungehorsam, gingen in die Irre,
waren mancherlei Begierden und Gelüs-
ten dienstbar und lebten in Bosheit und
Neid, waren verhasst und hassten uns
untereinander. 4 **Als aber [a]erschien die
Freundlichkeit und Menschenliebe
Gottes, unseres Heilands,** 5 [a]**machte er
uns selig – nicht [b]um der Werke willen,
die wir in Gerechtigkeit getan hätten,
sondern nach seiner Barmherzigkeit –
durch das [c]Bad der Wiedergeburt und
Erneuerung im Heiligen Geist,** 6 den er
über uns reichlich ausgegossen hat durch
Jesus Christus, unsern Heiland, 7 damit
wir, [a]durch dessen Gnade gerecht ge-
worden, Erben seien nach der Hoffnung
auf ewiges Leben. 8 Das ist gewisslich
wahr.
Darum will ich, dass du festbleibst, da-
mit alle, die zum Glauben an Gott gekom-
men sind, darauf bedacht sind, sich mit
guten Werken hervorzutun. Das ist gut
und nützlich für die Menschen. 9 Von tö-
richten Fragen aber, von [a]Geschlechtsre-
gistern, von [b]Zank und Streit über das Ge-
setz halte dich fern; denn sie sind unnütz
und nichtig. 10 Einen Menschen, [a]der die
Gemeinde spalten will, weise ab, wenn
er einmal und [b]noch einmal ermahnt ist,
11 und wisse, dass ein solcher ganz ver-
kehrt ist und sündigt und sich selbst damit
das Urteil spricht.[a]

AUFTRÄGE UND GRÜSSE

12 Wenn ich Artemas oder [a]Tychikus zu
dir senden werde, so komm eilends zu

* **3,1** Siehe Sach- und Worterklärungen.

2,1 *a* 2. Tim 1,13 **2,2** *a* 1. Tim 5,1 **2,3** *a* 1. Tim 3,11 **2,5** *a* Eph 5,22 **2,7** *a* (7-8) 2. Tim 2,15; 1. Petr 2,15 *b* 1. Tim 4,12; 1. Petr 5,3 **2,9** *a* (9-10) Eph 6,5-6; 1. Tim 6,1-2; 1. Petr 2,18 **2,11** *a* Kap 3,4 **2,13** *a* 1. Kor 1,7; Phil 3,20; 1. Thess 1,10 **2,14** *a* Gal 1,4; 1. Tim 2,6 *b* 2. Mose 19,5 *c* Eph 2,10 **2,15** *a* 1. Tim 4,12
3,1 *a* Röm 13,1; 1. Petr 2,13 **3,2** *a* Phil 4,5 **3,3** *a* 1. Kor 6,11; Eph 2,2; 5,8; 1. Petr 4,3 **3,4** *a* Kap 2,11 **3,5** *a* (5-6) Joel 3,1 *b* 2. Tim 1,9 *c* Joh 3,5; Eph 5,26 **3,7** *a* Röm 3,26 **3,9** *a* 1. Tim 1,4 *b* 1. Tim 4,7; 2. Tim 2,14 **3,10** *a* 2. Joh 10 *b* Mt 18,15-17 **3,11** *a* 1. Tim 6,4-5 **3,12** *a* Eph 6,21

mir nach Nikopolis; denn ich habe be-
schlossen, dort den Winter über zu blei-
ben. 13 Zenas, den Rechtsgelehrten, und
[a]Apollos rüste sorgfältig aus zur Reise,
damit ihnen nichts fehle.
14 Aber auch die Unseren sollen lernen,
[a]sich hervorzutun mit guten Werken,
wo es nötig ist, damit sie nicht fruchtlos
bleiben.
15 Es grüßen dich alle, die bei mir sind.
Grüße, die uns lieben im Glauben! Die
Gnade sei mit euch allen!

DER BRIEF DES PAULUS AN PHILEMON

1 Paulus, [a]Gefangener Christi Jesu, und
[b]Timotheus, der Bruder, an den lieben
Philemon, unsern Mitarbeiter, 2 und an
Aphia, die Schwester, und [a]Archippus,
unsern Mitstreiter, und an die Gemeinde
in deinem Hause:
3 Gnade sei mit euch und Friede von
Gott, unserm Vater, und dem Herrn Jesus
Christus!

DER GLAUBE UND DIE LIEBE PHILEMONS

4 Ich danke meinem Gott allezeit, wenn
ich deiner gedenke in meinen Gebeten –
5 denn ich höre von der Liebe und dem
Glauben, die du hast an den Herrn Jesus
und zu allen Heiligen –, 6 dass dein Glaube,
den wir miteinander haben, kräftig werde
in Erkenntnis all des Guten bei uns, auf
Christus hin. 7 Denn ich hatte [a]große
Freude und Trost durch deine Liebe, weil
die Herzen der Heiligen erquickt sind
durch dich, lieber Bruder.

DIE ZUKUNFT DES ONESIMUS

8 Darum, obwohl ich in Christus alle Frei-
heit habe, dir zu gebieten, was zu tun ist,
9 will ich um der Liebe willen eher bitten,
so wie ich bin: Paulus, ein alter Mann, nun
aber auch ein Gefangener Christi Jesu.
10 So bitte ich dich wegen meines Kin-
des [a]Onesimus*, den ich [b]gezeugt habe
in der Gefangenschaft, 11 der dir früher
unnütz war, jetzt aber dir und mir sehr
nützlich ist.
12 Den sende ich dir wieder zurück und
damit mein eigenes Herz. 13 Ich wollte
ihn gern bei mir behalten, damit er mir an
deiner statt diene in der Gefangenschaft
um des Evangeliums willen. 14 Aber ohne
deinen Willen wollte ich nichts tun, [a]da-
mit das Gute dir nicht abgenötigt wäre,
sondern freiwillig geschehe. 15 Denn
vielleicht war er darum eine Zeit lang
von dir getrennt, damit du ihn auf ewig
wiederhast, 16 [a]nicht mehr als einen Skla-
ven, sondern als einen, der mehr ist als
ein Sklave: ein [b]lieber Bruder, besonders
für mich, wie viel mehr aber für dich, so-
wohl im leiblichen Leben wie auch im
Herrn.
17 Wenn du mich nun für deinen Freund
hältst, so nimm ihn auf wie mich selbst.
18 Wenn er aber dir geschadet hat oder et-
was schuldig ist, das rechne mir an. 19 Ich,
Paulus, schreibe es mit eigener Hand: Ich
will's bezahlen; ich schweige davon, dass
du dich selbst mir schuldest. 20 Ja, mein
Bruder, gönne mir, dass ich mich an dir er-
freue in dem Herrn; erquicke mein Herz
in Christus.
21 Im Vertrauen auf deinen Gehorsam
schreibe ich dir; denn ich weiß, du wirst
mehr tun, als ich sage. 22 Zugleich bereite
mir eine Herberge; denn ich hoffe, [a]dass
ich durch eure Gebete euch geschenkt
werde.

GRÜSSE UND SEGENSWUNSCH

23 [a]Es grüßt dich Epaphras, mein Mit-
gefangener in Christus Jesus, 24 Mar-
kus, Aristarch, Demas, Lukas, meine Mit-
arbeiter.
25 Die Gnade des Herrn Jesus Christus
sei mit eurem Geist!

* **Vers 10** Der Name bedeutet »der Nützliche«.

3,13 ***a*** Apg 18,24; 1. Kor 3,5-6 **3,14** ***a*** Kap 2,14
Vers 1 ***a*** Eph 3,1 ***b*** Apg 16,1-3; Phil 1,1; 1. Thess 1,1;
2. Thess 1,1 **Vers 2** ***a*** Kol 4,17 **Vers 7** ***a*** 2. Kor 7,4
Vers 10 ***a*** Kol 4,9 ***b*** 1. Kor 4,15; Gal 4,19
Vers 14 ***a*** 2. Kor 9,7 **Vers 16** ***a*** 1. Kor 7,22 ***b*** 1. Tim 6,2
Vers 22 ***a*** Phil 1,25; 2,24 **Vers 23** ***a*** (23-24) Kol 1,7;
4,10-14

DER ERSTE BRIEF DES PETRUS

1 Petrus, Apostel Jesu Christi, an die aus-
erwählten Fremdlinge, die in der Zer-
streuung leben, in Pontus, Galatien, Kap-
padozien, der Provinz Asia und Bithynien,
2 nach der [a]Vorsehung Gottes, des Vaters,
durch die Heiligung des Geistes zum Ge-
horsam und zur [b]Besprengung mit dem
Blut Jesu Christi:

Gott gebe euch viel Gnade und Frieden!

LEBENDIGE HOFFNUNG

3 [a]**Gelobt sei Gott, der Vater unseres
Herrn Jesus Christus, der uns nach
seiner großen Barmherzigkeit wie-
dergeboren hat zu einer lebendigen
Hoffnung durch die Auferstehung Jesu
Christi von den Toten,** 4 zu einem unver-
gänglichen und unbefleckten und unver-
welklichen [a]Erbe, das aufbewahrt wird
im Himmel für euch, 5 die ihr aus Gottes
Macht durch den Glauben bewahrt wer-
det zur Seligkeit, die bereitet ist, dass sie
offenbar werde zu der letzten Zeit.

6 Dann werdet ihr euch freuen, [a]die ihr
jetzt eine kleine Zeit, wenn es sein soll,
traurig seid in mancherlei Anfechtun-
gen, 7 auf dass euer Glaube bewährt und
viel kostbarer befunden werde als ver-
gängliches Gold, das durchs Feuer geläu-
tert wird, zu Lob, Preis und Ehre, wenn
offenbart wird Jesus Christus. 8 Ihn habt
ihr nicht gesehen und habt ihn doch
lieb; und nun [a]glaubt ihr an ihn, obwohl
ihr ihn nicht seht; ihr werdet euch aber
freuen mit unaussprechlicher und herr-
licher Freude, 9 wenn ihr das Ziel eures
Glaubens erlangt, nämlich der [a]Seelen
Seligkeit.

10 Nach dieser Seligkeit [a]haben gesucht
und geforscht die Propheten, die geweis-
sagt haben von der Gnade für euch, 11 und
haben geforscht, auf welche und was für
eine Zeit der Geist Christi deutet, der in
ihnen war und zuvor [a]bezeugt hat die
Leiden, die über Christus kommen soll-
ten, und die Herrlichkeit danach. 12 Ihnen
ist offenbart worden, dass sie nicht sich
selbst, sondern euch dienen sollten mit
dem, was euch nun verkündigt ist durch
die, die euch das Evangelium verkündigt
haben durch den Heiligen Geist, der vom
Himmel gesandt ist, – [a]was auch die Engel
begehren zu schauen.

GEHEILIGTES LEBEN

13 Darum [a]umgürtet eure Lenden und
stärkt euren Verstand, seid nüchtern und
setzt eure Hoffnung ganz auf die Gnade,
die euch dargeboten wird in der Offenba-
rung Jesu Christi. 14 Als gehorsame Kinder
[a]gebt euch nicht den Begierden hin, in de-
nen ihr früher in eurer Unwissenheit leb-
tet; 15 sondern wie der, der euch berufen
hat, heilig ist, sollt auch ihr heilig sein in
eurem ganzen Wandel.

16 Denn es steht geschrieben (3. Mose 19,2):
»Ihr sollt heilig sein, denn ich bin heilig.«
17 Und da ihr den [a]als Vater anruft, der
[b]ohne Ansehen der Person einen jeden
richtet nach seinem Werk, so führt euer
Leben in Gottesfurcht, solange ihr hier in
der Fremde weilt; 18 [a]denn **ihr wisst, dass
ihr nicht mit vergänglichem Silber oder
Gold erlöst seid von eurem [b]nichtigen
Wandel nach der Väter Weise,** 19 **son-
dern mit dem teuren [a]Blut Christi als
eines unschuldigen und unbefleck-
ten [b]Lammes.** 20 Er ist zwar zuvor aus-
ersehen, ehe der Welt Grund gelegt war,
aber offenbart am Ende der Zeiten um
euretwillen, 21 die ihr durch ihn glaubt an
Gott, der ihn von den Toten auferweckt
und ihm die Herrlichkeit gegeben hat, so-
dass ihr Glauben und Hoffnung zu Gott
habt.

1,2 ***a*** Röm 8,29 ***b*** Hebr 12,24 **1,3** ***a*** Eph 1,3 **1,4** ***a*** Kol 1,12
1,6 ***a*** Kap 5,10; 2. Kor 4,17 **1,8** ***a*** Joh 20,29; 2. Kor 5,7
1,9 ***a*** Jak 1,21 **1,10** ***a*** Lk 10,24 **1,11** ***a*** Ps 22,2-32;
Jes 52,13–53,12; Lk 24,26 **1,12** ***a*** Eph 3,10
1,13 ***a*** Lk 12,35-36 **1,14** ***a*** Röm 12,2 **1,17** ***a*** Mt 6,9
b Röm 2,11 **1,18** ***a*** (18-19) 1. Kor 6,20; 7,23 ***b*** Kap 4,3
1,19 ***a*** Hebr 9,14 ***b*** Jes 53,7; Joh 1,29

22 Habt ihr eure Seelen gereinigt im Ge-
horsam der Wahrheit zu ungeheuchelter
Bruderliebe, so habt euch untereinan-
der beständig lieb aus reinem Herzen.
23 Denn ihr seid [a]wiedergeboren nicht aus
vergänglichem, sondern aus unvergängli-
chem Samen, nämlich aus dem lebendi-
gen Wort Gottes, das da bleibt.[b] 24 Denn
**»alles Fleisch ist wie Gras und alle seine
Herrlichkeit wie des Grases Blume. Das
Gras ist verdorrt und die Blume abge-
fallen;[a] 25 aber des Herrn Wort bleibt in
Ewigkeit«** (Jesaja 40,6-8). Das ist das Wort,
welches euch verkündigt ist.

DAS NEUE GOTTESVOLK

2 So [a]legt nun ab alle Bosheit und allen
Betrug und Heuchelei und Neid und
alle üble Nachrede 2 und [a]seid begierig
nach der vernünftigen lauteren Milch wie
die neugeborenen Kindlein, auf dass ihr
durch sie wachset zum Heil, 3 da ihr schon
geschmeckt habt, dass der Herr freund-
lich ist.[a] 4 Zu ihm kommt als zu dem le-
bendigen [a]Stein, der von den Menschen
verworfen ist, aber bei Gott auserwählt
und kostbar. 5 Und auch ihr als lebendige
Steine erbaut euch [a]zum geistlichen Hause
und zur heiligen Priesterschaft, zu opfern
[b]geistliche Opfer, die Gott wohlgefällig
sind durch Jesus Christus.
6 Darum steht in der Schrift (Jesaja 28,16):
»Siehe, ich lege in Zion einen auserwähl-
ten, kostbaren Eckstein; und wer an ihn
glaubt, der soll nicht zuschanden werden.«
7 Für euch nun, die ihr glaubt, ist er kost-
bar. Für die aber, die nicht glauben, ist er
»der Stein, den die Bauleute verworfen
haben; der ist zum Eckstein geworden«
(Psalm 118,22) 8 und »ein [a]Stein des Anstoßes
und ein Fels des Ärgernisses« (Jesaja 8,14). Sie
stoßen sich an ihm, weil sie nicht an das
Wort glauben, wozu sie auch bestimmt
sind. 9 **Ihr aber seid ein auserwähltes
Geschlecht, ein [a]königliches Priester-
tum, ein heiliges Volk, ein [b]Volk zum
Eigentum, dass ihr verkündigen sollt
die Wohltaten dessen, der euch beru-
fen hat [c]aus der Finsternis in sein wun-
derbares Licht;** 10 die ihr einst nicht sein
Volk wart, nun aber Gottes Volk seid, und
einst nicht in Gnaden wart, nun aber in
Gnaden seid (Hosea 2,25).[a]

DAS VERHALTEN IN DER WELT

11 Ihr Lieben, ich ermahne euch als
[a]Fremdlinge und Pilger: Enthaltet euch
von fleischlichen Begierden, die gegen die
Seele streiten, 12 und führt ein rechtschaf-
fenes Leben unter den Völkern, damit die,
die euch als Übeltäter verleumden, [a]eure
guten Werke sehen und Gott preisen am
Tag der Heimsuchung.
13 [a]Seid untertan aller menschlichen
Ordnung um des Herrn willen, es sei
dem König als dem Obersten 14 oder
den Statthaltern als denen, die von ihm
gesandt sind zur Bestrafung der Übel-
täter und zum Lob derer, die Gutes tun.
15 Denn das ist der Wille Gottes, dass
ihr durch Tun des Guten den unwissen-
den und törichten Menschen das Maul
stopft –[a] 16 als [a]Freie und nicht als hät-
tet ihr die Freiheit zum Deckmantel der
Bosheit, sondern als Knechte Gottes.
**17 Ehrt jedermann, habt die Brüder und
Schwestern lieb, [a]fürchtet Gott, ehrt
den König!**

MAHNUNGEN AN DIE SKLAVEN

18 Ihr [a]Sklaven, ordnet euch in aller Furcht
den Herren unter, nicht allein den gü-
tigen und freundlichen, sondern auch
den wunderlichen. 19 Denn das ist Gnade,
wenn jemand um des Gewissens willen
vor Gott Übel erträgt und Unrecht lei-
det. 20 Denn was ist das für ein Ruhm,
wenn ihr für Missetaten Schläge erdul-
det? Aber [a]wenn ihr leidet und duldet,
weil ihr das Gute tut, ist dies Gnade bei
Gott.
21 [a]Denn dazu seid ihr berufen, da auch
Christus gelitten hat für euch und euch
ein Vorbild hinterlassen, dass ihr sollt
nachfolgen seinen Fußstapfen; 22 er, der
[a]keine Sünde getan hat und in dessen
Mund sich [b]kein Betrug fand; 23 der, als er
geschmäht wurde, die Schmähung nicht

1,23 ***a*** Joh 3,5 ***b*** Jak 1,18 **1,24** ***a*** Jak 1,10-11 **2,1** ***a*** Jak 1,21
2,2 ***a*** Hebr 5,12-13 **2,3** ***a*** Ps 34,9 **2,4** ***a*** Ps 118,22;
Mt 21,42 **2,5** ***a*** Eph 2,21-22; Hebr 3,6 ***b*** Röm 12,1
2,8 ***a*** Röm 9,33 **2,9** ***a*** 2. Mose 19,6; Offb 1,6
b 5. Mose 4,20; 7,6 ***c*** Eph 5,8 **2,10** ***a*** Röm 9,24-26
2,11 ***a*** Ps 39,13 **2,12** ***a*** Mt 5,16 **2,13** ***a*** (13-17) Röm 13,1-7;
Tit 3,1 **2,15** ***a*** Tit 2,8 **2,16** ***a*** Gal 5,13; 2. Petr 2,19
2,17 ***a*** Spr 24,21 **2,18** ***a*** Eph 6,5; Tit 2,9
2,20 ***a*** Mt 5,10 **2,21** ***a*** (21-24) Kap 3,18; Mt 16,24
2,22 ***a*** Joh 8,46 ***b*** Jes 53,9

erwiderte, nicht drohte, als er litt, es aber
dem anheimstellte, der gerecht richtet;
24 der unsre Sünden selbst hinaufgetragen
hat an seinem Leibe auf das Holz, damit
wir, [a]den Sünden abgestorben, der Ge-
rechtigkeit leben. **Durch seine Wunden
seid ihr heil geworden.** 25 **Denn ihr wart
[a]wie irrende Schafe;** aber ihr seid nun
umgekehrt zu dem [b]Hirten und Bischof
eurer Seelen.

MAHNUNGEN AN DIE FRAUEN UND MÄNNER

3 Desgleichen [a]sollt ihr Frauen euch euren
Männern unterordnen, damit auch die,
die nicht an das Wort glauben, [b]durch den
Wandel ihrer Frauen ohne Worte gewon-
nen werden, 2 wenn sie ansehen, wie ehr-
fürchtig und rein ihr lebt. 3 [a]Euer Schmuck
soll nicht äußerlich sein – mit Haarflech-
ten, goldenen Ketten oder prächtigen Klei-
dern –, 4 sondern der verborgene Mensch
des Herzens, unvergänglich, mit sanftem
und stillem Geist: Das ist köstlich vor
Gott. 5 Denn so haben sich vorzeiten auch
die heiligen Frauen geschmückt, die ihre
Hoffnung auf Gott setzten und sich ih-
ren Männern unterordneten, 6 wie Sara
Abraham gehorsam war und ihn [a]Herr
nannte; deren Töchter seid ihr geworden,
wenn ihr das Gute tut und keinen Schre-
cken fürchtet.

7 Desgleichen ihr Männer, lebt vernünf-
tig mit ihnen zusammen und gebt dem
weiblichen Geschlecht als dem schwä-
cheren Ehre, denen, die Miterben der
Gnade des Lebens sind, auf dass euer
gemeinsames Gebet nicht verhindert
werde.

MAHNUNGEN AN DIE GANZE GEMEINDE

8 Endlich aber seid allesamt gleich gesinnt,
mitleidig, brüderlich, barmherzig, demü-
tig. 9 [a]Vergeltet nicht Böses mit Bösem
oder Scheltwort mit Scheltwort, sondern
[b]segnet vielmehr, weil ihr dazu berufen
seid, auf dass ihr Segen erbt. 10 Denn »wer
das Leben lieben und gute Tage sehen
will, der hüte seine Zunge, dass sie nichts
Böses rede, und seine Lippen, dass sie
nicht betrügen. 11 Er wende sich ab vom
Bösen und tue Gutes; er suche Frieden
und jage ihm nach. 12 Denn die Augen des
Herrn sehen auf die Gerechten, und seine
Ohren hören auf ihr Gebet; das Angesicht
des Herrn aber sieht auf die, die Böses
tun« (Psalm 34,13-17).

13 Und wer ist's, der euch schaden könn-
te, wenn ihr dem Guten nacheifert? 14 Und
wenn ihr auch [a]leidet um der Gerechtig-
keit willen, so seid ihr doch selig. Fürch-
tet euch nicht vor ihrem Drohen und er-
schreckt nicht; 15 heiligt aber den Herrn
Christus in euren Herzen. **Seid allezeit
bereit zur Verantwortung vor jeder-
mann, der von euch Rechenschaft for-
dert über die Hoffnung, die in euch ist,**
16 und das mit Sanftmut und Ehrfurcht,
und habt ein gutes Gewissen, damit die,
die euch verleumden, zuschanden wer-
den, wenn sie euren guten Wandel in
Christus schmähen. 17 Denn es ist besser,
wenn es Gottes Wille ist, dass ihr um gu-
ter Taten willen leidet als um böser Taten
willen.

DIE HERRSCHAFT CHRISTI ÜBER ALLE

18 Denn auch Christus hat *einmal* [a]für die
Sünden gelitten, der Gerechte für die Un-
gerechten, damit er euch zu Gott führte;
er ist getötet nach dem Fleisch, aber leben-
dig gemacht nach dem Geist. 19 In ihm ist
er auch hingegangen und hat [a]gepredigt
den Geistern im Gefängnis*, 20 die einst
ungehorsam waren, als Gott in Geduld
ausharrte zur Zeit Noahs, als man die Ar-
che baute, [a]in der wenige, nämlich acht
Seelen, gerettet wurden durchs Wasser
hindurch.

21 Das ist ein Vorbild der Taufe, die jetzt
auch euch rettet. Denn in ihr wird nicht
der Schmutz vom Leib abgewaschen, son-
dern wir bitten Gott um ein gutes Gewis-
sen, durch die Auferstehung Jesu Christi,
22 welcher ist [a]zur Rechten Gottes, aufge-
fahren gen Himmel, und es sind ihm un-
tertan die Engel und die Gewalten und die
Mächte.

* **3,19** Siehe Sach- und Worterklärungen zu »Gefängnis«.

2,24 ***a*** Röm 6,11 **2,25** ***a*** Jes 53,6 ***b*** Joh 10,11
3,1 ***a*** Eph 5,22 ***b*** 1. Kor 7,16 **3,3** ***a*** *(3-5)* 1. Tim 2,9-10
3,6 ***a*** 1. Mose 18,12 **3,9** ***a*** 1. Thess 5,15 ***b*** Lk 6,28
3,14 ***a*** Mt 5,10 **3,18** ***a*** Kap 2,21-24 **3,19** ***a*** Kap 4,6
3,20 ***a*** 1. Mose 7,7; 2. Petr 2,5 **3,22** ***a*** Eph 1,20-21

VOM LEIDEN UND LEBEN DES CHRISTEN

4 Weil nun Christus im Fleisch gelitten
hat, so wappnet euch auch mit dem-
selben Sinn; denn wer im Fleisch ge-
litten hat, der hat Ruhe vor der Sünde,
2 dass er hinfort die noch übrige Zeit im
Fleisch nicht den Begierden der Men-
schen, sondern dem Willen Gottes lebe.
3 Denn es ist genug, dass ihr [a]die vergan-
gene Zeit zugebracht habt nach heid-
nischem Willen, als ihr ein Leben führtet
in Ausschweifung, Begierde, Trunken-
heit, Fresserei, Sauferei und gräulichem
Götzendienst.

4 Das befremdet sie, dass ihr euch nicht
mehr mit ihnen stürzt in denselben Strom
wüsten Treibens, und sie lästern; 5 aber sie
werden Rechenschaft geben dem, [a]der be-
reit ist, zu richten die Lebenden und die
Toten. 6 Denn dazu ist auch [a]den Toten
das Evangelium verkündigt, dass sie zwar
nach Menschenweise gerichtet werden im
Fleisch, aber nach Gottes Weise leben im
Geist.

7 [a]Es ist aber nahe gekommen das En-
de aller Dinge. So seid nun besonnen
und nüchtern zum Gebet. 8 Vor allen Din-
gen habt untereinander beharrliche Lie-
be; denn »Liebe deckt der Sünden Menge
zu« (Sprüche 10,12). 9 Seid [a]gastfrei untereinan-
der ohne Murren. 10 [a]Und **dienet einan-
der, ein jeder mit der Gabe, die er emp-
fangen hat, als die guten Haushalter der
mancherlei Gnade Gottes:** 11 Wenn je-
mand redet, rede er's als Gottes Wort;
wenn jemand dient, tue er's aus der Kraft,
die Gott gewährt, damit in allen Dingen
Gott gepriesen werde durch Jesus Chris-
tus. [a]Ihm sei Ehre und Macht von Ewigkeit
zu Ewigkeit! Amen.

VOM AUSHARREN IN DER VERFOLGUNG

12 Ihr Lieben, lasst euch durch das Feuer
nicht befremden, das euch widerfährt zu
eurer Versuchung, als widerführe euch et-
was Fremdes, 13 [a]sondern freut euch, dass
ihr mit Christus leidet, damit ihr auch
durch die Offenbarung seiner Herrlichkeit
Freude und Wonne haben mögt. 14 [a]Selig
seid ihr, wenn ihr geschmäht werdet um
des Namens Christi willen, denn der
Geist, der ein Geist der Herrlichkeit und
Gottes ist, ruht auf euch.
15 Niemand aber unter euch leide als
ein Mörder oder Dieb oder Übeltäter
oder als einer, der in Fremdes eingreift.
16 Leidet er aber als ein Christ, so schä-
me er sich nicht. Er ehre aber Gott in
einem solchen Fall. 17 Denn die Zeit ist
da, dass das Gericht [a]beginnt bei dem
Hause Gottes. Wenn aber zuerst bei
uns, was wird es für ein Ende nehmen
mit denen, die dem Evangelium Gottes
nicht glauben? 18 Und wenn der Gerech-
te kaum gerettet wird, wo wird dann der
Gottlose und Sünder zu finden sein?[a]
19 Darum sollen auch die, die nach Gottes
Willen leiden, ihm ihre Seelen anbefeh-
len als dem treuen Schöpfer und Gutes
tun.

MAHNUNGEN AN DIE ÄLTESTEN UND DIE GEMEINDE

5 Die Ältesten unter euch ermahne ich,
der [a]Mitälteste und Zeuge der Leiden
Christi, der ich auch [b]teilhabe an der Herr-
lichkeit, die offenbart werden soll: 2 [a]Wei-
det die Herde Gottes, die euch anbefohlen
ist, und achtet auf sie, nicht gezwungen,
sondern freiwillig, wie es Gott gefällt,
nicht um schändlichen Gewinns willen,
sondern von Herzensgrund, 3 nicht als
solche, die über die Gemeinden herr-
schen, sondern als [a]Vorbilder der Herde.
4 So werdet ihr, wenn erscheinen wird der
Erzhirte, die unverwelkliche [a]Krone der
Herrlichkeit empfangen.

5 Desgleichen ihr Jüngeren, ordnet euch
den Ältesten unter.

Alle aber miteinander bekleidet euch
mit Demut; denn [a]**Gott widersteht den
Hochmütigen, aber den Demütigen
gibt er Gnade.** 6 So demütigt euch nun
unter die gewaltige Hand Gottes, da-
mit er euch erhöhe zu seiner Zeit.[a] 7 **Alle
eure Sorge werft auf ihn; denn er sorgt
für euch.**[a]

8 Seid [a]nüchtern und wacht; denn euer

4,3 *a* Eph 2,2-3; Tit 3,3 **4,5** *a* 2. Tim 4,1 **4,6** *a* Kap 3,19
4,7 *a* 1. Kor 10,11; 1. Joh 2,18 **4,9** *a* Hebr 13,2
4,10 *a* (10-11) Röm 12,6-8 **4,11** *a* Offb 5,13
4,13 *a* (13-14) Apg 5,41 **4,14** *a* Mt 5,11 **4,17** *a* Jer 25,29
4,18 *a* Spr 11,31 **5,1** *a* 2. Joh 1 *b* Röm 8,17 **5,2** *a* Joh 21,16;
Apg 20,28 **5,3** *a* Phil 3,17; Tit 2,7 **5,4** *a* 1. Kor 9,25;
2. Tim 4,8 **5,5** *a* Hiob 22,29; Spr 3,34; Mt 23,12; Jak 4,6
5,6 *a* Jak 4,10 **5,7** *a* Ps 55,23; Mt 6,25; Phil 4,6
5,8 *a* 1. Thess 5,6

Widersacher, [b]der Teufel, geht umher wie
ein brüllender Löwe und sucht, wen er
verschlinge. 9 [a]Dem widersteht, fest im
Glauben, und wisst, dass ebendieselben
Leiden über eure Brüder und Schwestern
in der Welt kommen.

SEGENSWUNSCH UND GRÜSSE

10 Der Gott aller Gnade aber, der euch be-
rufen hat zu seiner ewigen Herrlichkeit
in Christus, der wird euch, die ihr [a]eine
kleine Zeit leidet, aufrichten, stärken,
kräftigen, gründen. 11 Ihm sei die Macht
in alle Ewigkeit! Amen.
12 Durch [a]Silvanus, den treuen Bru-
der, wie ich meine, habe ich euch wenige
Worte geschrieben, zu ermahnen und zu
bezeugen, dass es die rechte Gnade Got-
tes ist, in der ihr steht. 13 Es grüßt euch
aus Babylon* die Gemeinde, die mit euch
auserwählt ist, und mein Sohn [a]Markus.
14 Grüßt euch untereinander mit dem
Kuss der Liebe. Friede sei mit euch allen,
die ihr in Christus seid!

DER ZWEITE BRIEF DES PETRUS

1–2 Warnung vor falschen Lehrern 3 Christus kommt gewiss wieder

1 Simon Petrus, Knecht und Apostel Jesu
Christi, an alle, die mit uns denselben
kostbaren Glauben empfangen haben
durch die Gerechtigkeit unseres Gottes
und Heilands Jesus Christus:*
2 Gott gebe euch viel Gnade und Frieden
durch die Erkenntnis Gottes und Jesu, un-
seres Herrn!

MAHNUNG ZU CHRISTLICHEM LEBEN

3 Alles, was [a]zum Leben und zur Fröm-
migkeit dient, hat uns seine göttliche Kraft
geschenkt durch die Erkenntnis dessen,
[b]der uns berufen hat durch seine Herr-
lichkeit und Kraft. 4 Durch sie sind uns die
kostbaren und allergrößten Verheißungen
geschenkt, damit ihr durch sie Anteil be-
kommt an der göttlichen Natur, wenn ihr
der Vergänglichkeit entflieht, die durch
Begierde in der Welt ist.
5 So wendet allen Fleiß daran und er-
weist in eurem Glauben Tugend und in
der Tugend Erkenntnis 6 und in der Er-
kenntnis Mäßigkeit und in der Mäßigkeit
Geduld und in der Geduld Frömmigkeit
7 und in der Frömmigkeit Brüderlich-
keit und in der Brüderlichkeit die Liebe.
8 Denn wenn dies alles reichlich bei euch
ist, wird's euch nicht faul und unfrucht-
bar sein lassen in der Erkenntnis unse-
res Herrn Jesus Christus. 9 Wer dies aber
nicht hat, der ist blind und [a]tappt im
Dunkeln und hat vergessen, dass er rein
geworden ist von seinen früheren Sün-
den. 10 Darum, Brüder und Schwestern,
bemüht euch umso eifriger, eure Beru-
fung und Erwählung festzumachen. Denn
wenn ihr dies tut, werdet ihr niemals
straucheln, 11 und so wird euch reichlich
gewährt werden der Eingang in das ewige
Reich unseres Herrn und Heilands Jesus
Christus.
12 Darum will ich euch allezeit daran er-
innern, obwohl ihr's wisst und gestärkt
seid in der Wahrheit, die nun gegenwärtig
ist. 13 Ich halte es aber für richtig, solange
ich in dieser [a]Hütte bin, euch zu wecken
und zu erinnern; 14 denn ich weiß, dass
meine Hütte bald abgebrochen wird, [a]wie
es mir auch unser Herr Jesus Christus er-
öffnet hat. 15 Ich will aber allen Fleiß dar-
auf verwenden, dass ihr dies allezeit nach
meinem Hinscheiden im Gedächtnis be-
haltet.

DIE VERKLÄRUNG JESU UND DAS PROPHETISCHE WORT

16 Denn wir sind nicht ausgeklügelten Fa-
beln gefolgt, als wir euch kundgetan ha-
ben die Kraft und das Kommen unseres
Herrn Jesus Christus; sondern wir haben

* **5,13** Siehe Sach- und Worterklärungen.
1,1 Luther übersetzte: »in der Gerechtigkeit, die unser Gott gibt und der Heiland Jesus Christ.«

5,8 ***b*** Lk 22,31 **5,9** ***a*** Jak 4,7 **5,10** ***a*** Kap 1,6
5,12 ***a*** Apg 15,22 **5,13** ***a*** 2. Tim 4,11 **1,3** ***a*** 1. Tim 4,8
b 1. Petr 2,9 **1,9** ***a*** 1. Joh 2,9.11 **1,13** ***a*** 2. Kor 5,1
1,14 ***a*** Joh 21,18-19

seine Herrlichkeit mit eigenen Augen ge-
sehen. 17 Denn er empfing von Gott, dem
Vater, Ehre und Preis durch eine Stimme,
die zu ihm kam von der großen Herr-
lichkeit: [a]Dies ist mein lieber Sohn, an
dem ich Wohlgefallen habe. 18 Und diese
Stimme haben wir gehört vom Himmel
kommen, als wir mit ihm waren auf dem
heiligen Berge.

19 **Umso fester haben wir das prophe-
tische Wort, und ihr tut gut daran, dass
ihr darauf achtet als auf ein Licht, das da
scheint an einem dunklen Ort, [a]bis der
Tag anbricht und der Morgenstern auf-
geht in euren Herzen.** 20 Und das sollt ihr
vor allem wissen, dass keine Weissagung
in der Schrift aus eigener Auslegung ge-
schieht. 21 Denn es ist noch nie eine Weis-
sagung aus menschlichem Willen hervor-
gebracht worden, sondern [a]getrieben vom
Heiligen Geist haben Menschen in Gottes
Auftrag geredet.

GOTTES GERICHT ÜBER DIE IRRLEHRER

(vgl. Jud 3-19)

2 Es waren aber auch falsche Propheten
unter dem Volk, wie auch unter euch
sein werden [a]falsche Lehrer, die verderb-
liche Irrlehren einführen und verleug-
nen den Herrn, der sie losgekauft hat; die
werden über sich selbst herbeiführen ein
schnelles Verderben. 2 Und viele werden
ihnen folgen in ihren Ausschweifungen;
um ihretwillen wird der Weg der Wahr-
heit verlästert werden. 3 Und aus Habsucht
werden sie euch mit erdichteten Worten
zu gewinnen suchen. Das Urteil über sie
wirkt seit Langem, und ihr Verderben
schläft nicht.

4 Denn Gott hat selbst [a]die Engel, die
gesündigt haben, nicht verschont, son-
dern hat sie mit Ketten der Finsternis in
die Hölle gestoßen und übergeben, damit
sie zum Gericht aufbewahrt werden; 5 und
hat die frühere Welt nicht verschont, son-
dern [a]bewahrte mit Noah, dem Prediger
der Gerechtigkeit, nur acht Menschen, als
er die Sintflut über die Welt der Gottlosen
brachte; 6 und [a]hat die Städte Sodom und
Gomorra in Schutt und Asche gelegt und
zum Untergang verurteilt und damit ein
Beispiel gesetzt für die Gottlosen in spä-
teren Zeiten; 7 und hat den gerechten Lot
errettet, dem die schändlichen Leute viel
Leid antaten mit ihrem ausschweifenden
Wandel. 8 Denn der Gerechte, der unter
ihnen wohnte, musste alles mit ansehen
und anhören und seine gerechte Seele von
Tag zu Tag quälen lassen durch ihre un-
rechten Werke.

9 Der Herr [a]weiß die Frommen aus der
Versuchung zu erretten, die Ungerech-
ten aber aufzubewahren für den Tag des
Gerichts, um sie zu strafen, 10 am meisten
aber die, die nach dem Fleisch leben in un-
reiner Begierde und die Macht des Herrn
verachten. Frech und eigensinnig schre-
cken sie nicht davor zurück, himmlische
Mächte zu lästern, 11 wo doch nicht einmal
die Engel, die größere Stärke und Macht
haben, ein Urteil wegen Lästerung gegen
sie vor den Herrn bringen.

12 Aber sie sind wie unvernünftige Tiere,
die von Natur dazu geboren sind, dass sie
gefangen und getötet werden; sie lästern,
wovon sie nichts verstehen, und wie je-
ne werden sie getötet werden 13 und als
Ungerechte Lohn des Unrechts empfan-
gen. Sie halten es für eine Lust, am hellen
Tag zu schlemmen, sie sind Schand-
flecken, schwelgen in ihren Betrügereien,
wenn sie mit euch prassen. 14 Sie haben
nur Augen für [a]die Ehebrecherin, sind
unaufhörlich bereit zur Sünde, locken
leichtfertige Seelen an, ihr Herz ist getrie-
ben von Habsucht – Kinder des Fluchs!
15 [a]Sie verlassen den richtigen Weg und
gehen in die Irre und folgen dem Weg Bi-
leams, des Sohnes Beors, der den Lohn der
Ungerechtigkeit liebte, 16 aber zurecht-
gewiesen wurde wegen seiner Übertre-
tung: Das stumme Lasttier redete mit
Menschenstimme und wehrte der Torheit
des Propheten.

17 Sie sind Brunnen ohne Wasser und
Wolken, vom Wirbelwind umhergetrie-
ben, ihr Los ist die dunkelste Finsternis.
18 Denn sie reden stolze Worte, hinter
denen nichts ist, und locken durch aus-
schweifende fleischliche Begierden die-

1,17 *a* Mt 17,5 **1,19** *a* Röm 13,12 **1,21** *a* 2. Tim 3,16
2,1 *a* Mt 24,11; 1. Tim 4,1 **2,4** *a* 1. Mose 6,1-2
2,5 *a* 1. Mose 8,18; 1. Petr 3,20 **2,6** *a* 1. Mose 19,24-25
2,9 *a* 1. Kor 10,13 **2,14** *a* Mt 5,28
2,15 *a* (15-16) 4. Mose 22,7-35

jenigen an, die gerade erst denen entron-
nen waren, die im Irrtum leben, 19 und
versprechen ihnen [a]Freiheit, obwohl sie
selbst Knechte des Verderbens sind. Denn
von wem jemand überwunden ist, dessen
Knecht ist er geworden. 20 Denn wenn sie
durch die Erkenntnis des Herrn und Hei-
lands Jesus Christus entflohen sind dem
Schmutz der Welt, werden aber wiederum
in diesen verstrickt und von ihm über-
wunden, dann [a]ist's mit ihnen am Ende
ärger geworden als am Anfang. 21 Denn
es wäre besser für sie gewesen, wenn sie
den Weg der Gerechtigkeit nicht erkannt
hätten, als dass sie ihn kennen und sich ab-
kehren von dem heiligen Gebot, das ihnen
gegeben ist.[a] 22 Es ist ihnen widerfahren
das wahre Sprichwort: [a]Der Hund frisst
wieder, was er ausgespien hat; und: Die
Sau wälzt sich nach der Schwemme wie-
der im Kot.

GEWISSHEIT ÜBER DAS KOMMEN DES HERRN

3 Dies ist nun der zweite Brief, den ich
euch schreibe, ihr Lieben; in beiden
erwecke ich euren lauteren Sinn und
[a]erinnere euch, 2 dass ihr gedenkt an die
Worte, die zuvor gesagt sind von den hei-
ligen Propheten, und an das Gebot des
Herrn und Heilands, das verkündet ist
durch eure Apostel. 3 Ihr sollt vor allem
wissen, dass [a]in den letzten Tagen Spöt-
ter kommen werden, die ihren Spott trei-
ben, ihren eigenen Begierden nachgehen
4 und sagen: [a]Wo bleibt die Verheißung
seines Kommens? Denn nachdem die
Väter entschlafen sind, bleibt es alles, wie
es von Anfang der Schöpfung gewesen
ist.

5 Denn sie wollen nichts davon wissen,
dass der Himmel vorzeiten auch war, dazu
die [a]Erde, die aus Wasser und durch Was-
ser Bestand hatte durch Gottes Wort; 6 da-
durch wurde damals die Welt in der Sint-
flut vernichtet.[a] 7 So werden auch jetzt
Himmel und Erde durch dasselbe Wort
aufgespart für das Feuer, bewahrt für den
Tag des Gerichts und der Verdammnis der
gottlosen Menschen.

8 Eins aber sei euch nicht verborgen,
ihr Lieben, dass [a]*ein* Tag vor dem Herrn
wie tausend Jahre ist und tausend Jahre
wie ein Tag. 9 **Der Herr [a]verzögert nicht
die Verheißung, wie es einige für eine
Verzögerung halten; sondern er hat
Geduld mit euch und [b]will nicht, dass
jemand verloren werde, sondern dass
jedermann zur Buße finde.** 10 [a]Es wird
aber des Herrn Tag kommen wie ein Dieb;
dann [b]werden die Himmel zergehen mit
großem Krachen; die Elemente aber wer-
den vor Hitze schmelzen, und die Erde
und die Werke, die darauf sind, werden
nicht mehr zu finden sein.

11 Wenn nun das alles so zergehen wird,
wie müsst ihr dann dastehen in heiligem
Wandel und frommem Wesen, 12 die ihr
das Kommen des Tages Gottes erwartet
und ihm entgegeneilt, wenn die Him-
mel vom Feuer zergehen und die Ele-
mente vor Hitze zerschmelzen. 13 **Wir
warten aber auf [a]einen neuen Him-
mel und eine neue Erde nach seiner
Verheißung, in denen Gerechtigkeit
wohnt.**

FOLGERUNG UND ERMAHNUNG

14 Darum, ihr Lieben, während ihr dar-
auf wartet, seid bemüht, dass ihr vor ihm
unbefleckt und untadelig im Frieden ge-
funden werdet,[a] 15 und erachtet [a]die Ge-
duld unseres Herrn für eure Rettung, wie
auch unser geliebter Bruder Paulus nach
der Weisheit, die ihm gegeben ist, euch
geschrieben hat. 16 Davon redet er in allen
Briefen, in denen einige Dinge schwer zu
verstehen sind, welche die Unwissenden
und Leichtfertigen verdrehen werden, wie
auch die andern Schriften, zu ihrer eige-
nen Verdammnis.

17 Ihr aber, meine Lieben, weil ihr das im
Voraus wisst, so hütet euch, dass ihr nicht
durch den Irrtum dieser ruchlosen Leute
mitgerissen werdet und euren festen Halt
verliert. 18 Wachset aber in der Gnade und
Erkenntnis unseres Herrn und Heilands
Jesus Christus. Ihm sei Ehre jetzt und für
ewige Zeiten! Amen.

2,19 ***a*** Gal 5,13 **2,20** ***a*** Mt 12,45 **2,21** ***a*** Lk 12,47-48
2,22 ***a*** Spr 26,11 **3,1** ***a*** Kap 1,13 **3,3** ***a*** 1. Tim 4,1; Jud 18
3,4 ***a*** Jes 5,19 **3,5** ***a*** 1. Mose 1,2.6.9 **3,6** ***a*** Kap 2,5;
1. Mose 7,21 **3,8** ***a*** Ps 90,4 **3,9** ***a*** Hab 2,3 ***b*** 1. Tim 2,4
3,10 ***a*** 1. Thess 5,2 ***b*** Mt 24,29; Offb 20,11; Jes 24,19
3,13 ***a*** Jes 65,17; Offb 21,1 **3,14** ***a*** 1. Kor 1,7-8
3,15 ***a*** Röm 2,4

DER ERSTE BRIEF DES JOHANNES

1–4 Die Wahrheit und die Liebe 5 Die Kraft des Glaubens

DIE GRUNDLAGE CHRISTLICHER GEMEINSCHAFT

1 Was [a]von Anfang an war, was wir ge-
hört haben, was wir [b]gesehen haben
mit unsern Augen, was wir betrachtet
haben und unsre Hände betastet haben,
vom Wort des [c]Lebens – 2 und das Leben
ist erschienen, und wir haben gesehen
und bezeugen und verkündigen euch das
Leben, das ewig ist, das beim Vater war
und uns erschienen ist –, 3 was wir gese-
hen und gehört haben, das verkündigen
wir auch euch, damit auch ihr mit uns
Gemeinschaft habt; und unsere Gemein-
schaft ist mit dem Vater und mit seinem
Sohn Jesus Christus. 4 Und [a]dies schreiben
wir, auf dass [b]unsere Freude vollkommen
sei.

DAS LEBEN IM LICHT

5 Und das ist die Botschaft, die wir von
ihm gehört haben und euch verkündi-
gen: [a]Gott ist Licht, und in ihm ist keine
Finsternis. 6 Wenn wir sagen, dass wir
Gemeinschaft mit ihm haben, und wan-
deln doch in der Finsternis, so lügen wir
und tun nicht die Wahrheit.[a] 7 Wenn wir
aber im Licht wandeln, wie er im Licht ist,
so haben wir Gemeinschaft untereinan-
der, und [a]**das Blut Jesu, seines Sohnes,
macht uns rein von aller Sünde.**

8 **Wenn wir sagen, wir haben keine
Sünde, so betrügen wir uns selbst, und
die Wahrheit ist nicht in uns.** 9 **Wenn
wir aber [a]unsre Sünden bekennen, so
ist er treu und gerecht, dass er uns die
Sünden vergibt und reinigt uns von al-
ler Ungerechtigkeit.** 10 Wenn wir sagen,
wir haben nicht gesündigt, so machen wir
ihn zum Lügner, und sein Wort ist nicht
in uns.[a]

CHRISTUS DER FÜRSPRECHER

2 Meine Kinder, dies schreibe ich euch,
damit ihr nicht sündigt. Und **wenn je-
mand sündigt, so haben wir einen [a]Für-
sprecher bei dem Vater, Jesus Christus,
der gerecht ist.** 2 **Und er selbst ist die
[a]Versöhnung* für unsre Sünden, nicht
allein aber für die unseren, sondern
[b]auch für die der ganzen Welt.**

3 Und daran merken wir, dass wir ihn er-
kannt haben, wenn wir seine Gebote hal-
ten. 4 Wer sagt: Ich habe ihn erkannt, und
hält seine Gebote nicht, der ist ein Lügner,
und in dem ist die Wahrheit nicht. 5 Wer
aber sein Wort hält, in dem ist wahrlich
die Liebe Gottes vollkommen. Daran er-
kennen wir, dass wir in ihm sind.[a] 6 Wer
sagt, dass er in ihm bleibt, der soll so le-
ben, wie er gelebt hat.[a]

LIEBE UND HASS IN DER GEMEINDE

7 Meine Lieben, ich schreibe euch nicht ein
neues Gebot, sondern das alte Gebot, [a]das
ihr von Anfang an gehabt habt. Das alte
Gebot ist das Wort, das ihr gehört habt.
8 Und doch schreibe ich euch ein neues
Gebot, das wahr ist in ihm und in euch;
denn die Finsternis vergeht und [a]das
wahre Licht scheint schon. 9 Wer sagt, er
sei im Licht, und [a]hasst seinen Bruder*,
der ist noch in der Finsternis. 10 Wer sei-
nen Bruder liebt, der bleibt im Licht, und
durch ihn kommt niemand zu Fall. 11 Wer
aber seinen Bruder hasst, der ist in der
Finsternis und wandelt in der Finsternis
und weiß nicht, wo er hingeht; denn die
Finsternis hat seine Augen verblendet.

ABSAGE AN DIE WELT

12 Liebe Kinder, ich schreibe euch, dass
euch die Sünden vergeben sind um sei-
nes Namens willen. 13 Ich schreibe euch
Vätern; denn ihr habt den erkannt, der

* **2,2** Andere Übersetzung: »Sühne«; siehe Sach- und Worterklärungen. **2,9** »Bruder« schließt alle in der Gemeinde ein.

1,1 ***a*** Joh 1,1 ***b*** Joh 1,14 **c** Joh 1,4 **1,4** ***a*** Kap 5,13 ***b*** Joh 15,11; 16,24; 2. Joh 12 **1,5** ***a*** Jak 1,17 **1,6** ***a*** Kap 2,4; Joh 8,12 **1,7** ***a*** Hebr 9,14; Offb 1,5 **1,9** ***a*** Ps 32,5; Spr 28,13 **1,10** ***a*** Röm 3,10-18 **2,1** ***a*** Joh 14,16; Röm 8,34; Hebr 7,25 **2,2** ***a*** Kap 4,10; Kol 1,20 ***b*** Joh 11,51-52 **2,5** ***a*** Joh 14,21.23 **2,6** ***a*** Joh 13,15; 1. Petr 2,21-23 **2,7** ***a*** Kap 3,11; Joh 13,34; 2. Joh 5 **2,8** ***a*** Joh 8,12; Röm 13,12 **2,9** ***a*** Kap 4,20

[a]von Anfang an ist. Ich schreibe euch jun-
gen Männern; denn ihr habt den Bösen
überwunden. 14 Ich habe euch Kindern
geschrieben; denn ihr [a]habt den Vater er-
kannt. Ich habe euch Vätern geschrieben;
denn ihr habt den erkannt, der von An-
fang an ist. Ich habe euch jungen Männern
geschrieben; denn ihr seid stark, und das
Wort Gottes bleibt in euch, und ihr habt
den Bösen überwunden.
15 Habt nicht lieb die Welt noch was in
der Welt ist. [a]Wenn jemand die Welt lieb
hat, in dem ist nicht die Liebe des Vaters.
16 Denn alles, was in der Welt ist, [a]des Flei-
sches Lust und der Augen Lust und hoffär-
tiges Leben, ist nicht vom Vater, sondern
von der Welt. 17 Und die Welt vergeht mit
ihrer Lust; wer aber den Willen Gottes
tut, der bleibt in Ewigkeit.

DIE VERFÜHRUNG DURCH DEN ANTICHRIST

18 Kinder, [a]es ist die letzte Stunde! Und
wie ihr gehört habt, dass [b]der Antichrist
kommt, sind jetzt viele Widersacher
Christi* aufgetreten; daran erkennen wir,
dass es die letzte Stunde ist. 19 Sie sind
[a]von uns ausgegangen, aber sie waren
nicht von uns. Denn [b]wenn sie von uns
gewesen wären, so wären sie ja bei uns
geblieben; aber es sollte offenbar werden,
dass sie nicht alle von uns sind. 20 Doch
ihr habt die Salbung von dem, der heilig
ist, und habt alle das Wissen. 21 Ich habe
euch nicht geschrieben, als wüsstet ihr die
Wahrheit nicht, sondern ihr wisst sie und
wisst, dass keine Lüge aus der Wahrheit
kommt. 22 Wer ist ein Lügner, wenn nicht
der, der leugnet, dass Jesus der Christus
ist? Das ist der Antichrist, der den Vater
und den Sohn leugnet. 23 [a]Wer den Sohn
leugnet, der hat auch den Vater nicht;
[b]wer den Sohn bekennt, der hat auch den
Vater.
24 Was ihr gehört habt von Anfang an,
das bleibe in euch. Wenn in euch bleibt,
was ihr von Anfang an gehört habt, so wer-
det ihr auch im Sohn und im Vater bleiben.
25 Und das ist die Verheißung, die er uns
verheißen hat: das [a]ewige Leben. 26 Dies
habe ich euch geschrieben von denen, die
euch verführen. 27 Und [a]die Salbung, die
ihr von ihm empfangen habt, bleibt in
euch, und [b]ihr habt nicht nötig, dass euch
jemand belehre; sondern wie euch seine
Salbung alles lehrt, so ist's wahr und ist
keine Lüge, und wie sie euch gelehrt hat,
so bleibt in ihm.
28 Und nun, Kinder, bleibt in ihm, da-
mit wir, wenn er offenbart wird, freimü-
tig reden und [a]nicht zuschanden werden
vor ihm, wenn er kommt. 29 Wenn ihr
wisst, dass er gerecht ist, so erkennt ihr:
[a]Wer die Gerechtigkeit tut, der ist von ihm
geboren.

DIE HERRLICHKEIT DER GOTTESKINDSCHAFT

3 **Seht, welch eine Liebe hat uns der
Vater erwiesen, dass wir [a]Gottes
Kinder heißen sollen – und wir sind es
auch!** Darum erkennt uns die Welt nicht;
denn [b]sie hat ihn nicht erkannt. 2 Meine
Lieben, **wir sind schon Gottes Kinder;
es ist aber noch nicht offenbar gewor-
den, was wir sein werden. Wir wissen:
Wenn es offenbar wird, [a]werden wir
ihm gleich sein; denn wir werden ihn
sehen, wie er ist.**
3 Und jeder, der solche Hoffnung auf ihn
hat, der reinigt sich, wie auch jener rein
ist. 4 Wer Sünde tut, der tut auch Unrecht,
und die Sünde ist das Unrecht. 5 Und ihr
wisst, dass er erschienen ist, [a]damit er die
Sünden wegnehme, und [b]in ihm ist keine
Sünde. 6 Wer in ihm bleibt, der sündigt
nicht; wer sündigt, der hat ihn nicht gese-
hen noch erkannt.[a]
7 Kinder, lasst euch von niemandem ver-
führen! [a]Wer die Gerechtigkeit tut, der ist
gerecht, wie auch jener gerecht ist. 8 Wer
Sünde tut, der ist vom Teufel; denn der
Teufel sündigt von Anfang an. **Dazu ist
erschienen der Sohn Gottes, dass er
die Werke des Teufels zerstöre.** 9 [a]Wer
aus Gott geboren ist, der tut keine Sünde;
denn Gottes Same bleibt in ihm, und er

* **2,18** Griechisch: »Antichristoi«.

2,13 *a* Kap 1,1; Joh 1,1 **2,14** *a* Joh 14,7 **2,15** *a* Jak 4,4
2,16 *a* Gal 5,16 **2,18** *a* 1. Petr 4,7 *b* Mt 24,24;
2. Thess 2,3-4 **2,19** *a* Apg 20,30 *b* 1. Kor 11,19
2,23 *a* Joh 5,23; 2. Joh 9 *b* Kap 4,15 **2,25** *a* Kap 5,11
2,27 *a* Joh 16,13; 2. Kor 1,21-22 *b* Jer 31,34 **2,28** *a* Kap 4,17
2,29 *a* Kap 3,7.10 **3,1** *a* Joh 1,12; Röm 8,16 *b* Joh 16,3
3,2 *a* Phil 3,21; Kol 3,4 **3,5** *a* Jes 53,4-6; Joh 1,29;
1. Petr 2,24 *b* Jes 53,9; Joh 8,46 **3,6** *a* Röm 6,11.14
3,7 *a* Kap 2,29 **3,9** *a* Kap 5,18

kann nicht sündigen; denn er ist aus Gott
geboren. 10 Daran wird offenbar, welche
die Kinder Gottes und welche die Kinder
des Teufels sind: Wer die Gerechtigkeit
nicht tut, der ist nicht von Gott, und auch,
wer seinen Bruder nicht lieb hat.

11 Denn **das ist die Botschaft, die
ihr gehört habt von Anfang an, dass
wir uns untereinander lieben sollen,**[a]
12 nicht wie Kain, der von dem Bösen
stammte und [a]seinen Bruder umbrachte.
Und warum brachte er ihn um? Weil seine
Werke böse waren und die seines Bruders
gerecht.

13 Wundert euch nicht, Brüder und
Schwestern, wenn euch die Welt hasst.[a]
14 Wir wissen, dass wir [a]aus dem Tod in
das Leben hinübergegangen sind; denn
wir lieben die Brüder*. Wer nicht liebt, der
bleibt im Tod. 15 Wer [a]seinen Bruder hasst,
der ist ein Mörder, und ihr wisst, dass kein
Mörder das ewige Leben bleibend in sich
hat.

16 Daran haben wir die Liebe erkannt,
dass Er sein Leben für uns gelassen hat;
und wir sollen auch das Leben für die
Brüder lassen.[a] 17 Wenn aber jemand die-
ser Welt Güter hat und sieht seinen Bru-
der darben und [a]verschließt sein Herz vor
ihm, wie bleibt dann die Liebe Gottes in
ihm?[b] 18 Meine Kinder, lasst uns nicht
lieben mit Worten noch mit der Zunge,
sondern mit der Tat und mit der Wahr-
heit.[a]

19 **Daran erkennen wir, dass wir aus
der Wahrheit sind, und können vor
ihm unser Herz überzeugen,** 20 **dass,
wenn uns unser Herz verdammt, Gott
größer ist als unser Herz und erkennt
alle Dinge.**

21 Ihr Lieben, wenn uns unser Herz nicht
verdammt, so reden wir freimütig zu Gott,
22 und [a]was wir bitten, empfangen wir von
ihm; denn wir halten seine Gebote und
tun, was vor ihm wohlgefällig ist. 23 Und
das ist sein Gebot, dass wir [a]glauben an
den Namen seines Sohnes Jesus Christus
und [b]lieben uns untereinander, wie er uns
das Gebot gegeben hat. 24 Und wer seine
Gebote hält, [a]der bleibt in Gott und Gott
in ihm. Und daran erkennen wir, dass er
in uns bleibt: [b]an dem Geist, den er uns
gegeben hat.

DER GEIST DER WAHRHEIT UND DER GEIST DES IRRTUMS

4 Ihr Lieben, glaubt nicht einem jeden
Geist, sondern prüft die Geister, ob sie
von Gott sind; denn viele [a]falsche Pro-
pheten sind hinausgegangen in die Welt.
2 Daran erkennt ihr den Geist Gottes: Ein
jeder Geist, der bekennt, dass Jesus Chris-
tus [a]im Fleisch gekommen ist, der ist von
Gott; 3 und ein jeder Geist, der Jesus nicht
bekennt, der ist nicht von Gott. Und das
ist der Geist des Antichrists, von dem ihr
gehört habt, dass er kommen werde, und
er ist jetzt schon in der Welt.

4 Kinder, ihr seid von Gott und habt jene
überwunden; denn der in euch ist, ist grö-
ßer als der, der in der Welt ist. 5 Sie sind
von der Welt; darum reden sie, wie die
Welt redet, und die Welt hört sie.[a] 6 Wir
[a]sind von Gott, und wer Gott erkennt,
der hört uns; wer nicht von Gott ist, der
hört uns nicht. Daran erkennen wir den
Geist der Wahrheit und den Geist des
Irrtums.

DIE LIEBE GOTTES UND DIE LIEBE UNTEREINANDER

7 Ihr Lieben, lasst uns einander lieb haben;
denn die Liebe ist von Gott, und wer liebt,
der ist aus Gott geboren und kennt Gott.[a]
8 Wer nicht liebt, der kennt Gott nicht;
denn Gott ist Liebe. 9 **Darin ist erschie-
nen die Liebe Gottes unter uns, dass
Gott seinen eingebornen Sohn gesandt
hat in die Welt, damit wir durch ihn le-
ben sollen.**[a] 10 **Darin besteht die Liebe:
nicht dass wir Gott geliebt haben, son-
dern dass er uns geliebt hat und ge-
sandt seinen Sohn zur Versöhnung*
für unsre Sünden.**

11 Ihr Lieben, hat uns Gott so geliebt,
so sollen wir uns auch untereinander lie-
ben. 12 [a]Niemand hat Gott jemals gesehen.

* **3,14** »Bruder« schließt alle in der Gemeinde ein.
4,10 Andere Übersetzung: »Sühne«; siehe Sach- und Worterklärungen zu »Versöhnung« und »Sühne«.

3,11 *a* Joh 13,34; 2. Joh 5 **3,12** *a* 1. Mose 4,8
3,13 *a* Joh 15,18-19 **3,14** *a* Joh 5,24 **3,15** *a* Mt 5,21-22
3,16 *a* Joh 15,13 **3,17** *a* 5. Mose 15,7 *b* Kap 4,20
3,18 *a* Jak 2,15-16 **3,22** *a* Mt 7,8; Mk 11,24; Joh 15,7
3,23 *a* Joh 6,29 *b* Joh 15,17 **3,24** *a* Kap 4,13; Joh 15,10
b Röm 8,9 **4,1** *a* Mt 7,15 **4,2** *a* Joh 1,14; 2. Joh 7
4,5 *a* Joh 15,19 **4,6** *a* Joh 8,47 **4,7** *a* Joh 1,12-13
4,9 *a* Joh 3,16 **4,12** *a* Joh 1,18

Wenn wir uns untereinander lieben, so
bleibt Gott in uns, und seine Liebe ist in
uns vollkommen. 13 Daran erkennen wir,
dass wir in ihm bleiben und er in uns, dass
er uns von seinem Geist gegeben hat.[a]
14 Und wir haben gesehen und bezeugen,
dass der Vater den Sohn gesandt hat [a]als
Heiland der Welt. 15 Wer nun [a]bekennt,
dass Jesus Gottes Sohn ist, in dem bleibt
Gott und er in Gott. 16 Und wir haben er-
kannt und geglaubt die Liebe, die Gott
zu uns hat: **Gott ist Liebe; und wer in
der Liebe bleibt, der bleibt in Gott und
Gott in ihm.**

17 Darin ist die Liebe bei uns vollendet,
auf dass wir die [a]Freiheit haben, zu reden
am Tag des Gerichts; denn wie er ist, so
sind auch wir in dieser Welt. 18 **Furcht ist
nicht in der Liebe, sondern die voll-
kommene Liebe treibt die Furcht aus.**
Denn die Furcht rechnet mit Strafe; wer
sich aber fürchtet, der ist nicht vollkom-
men in der Liebe. 19 **Lasst uns lieben,
denn er hat uns zuerst geliebt.** 20 Wenn
jemand spricht: Ich liebe Gott, und hasst
seinen Bruder, der ist ein Lügner. Denn
[a]wer seinen Bruder nicht liebt, den er
sieht, der kann nicht Gott lieben, den er
nicht sieht. 21 Und dies Gebot haben wir
von ihm, dass, wer Gott liebt, dass der
auch seinen Bruder liebe.[a]

DIE KRAFT DES GLAUBENS

5 Wer glaubt, dass Jesus der Christus ist,
der ist aus Gott geboren; und wer den
liebt, der ihn geboren hat, der liebt auch
den, der aus ihm geboren ist. 2 Daran er-
kennen wir, dass wir Gottes Kinder lie-
ben, wenn wir Gott lieben und seine Ge-
bote halten. 3 Denn das ist die Liebe zu
Gott, dass wir [a]seine Gebote halten; und
seine Gebote [b]sind nicht schwer. 4 Denn
alles, was aus Gott geboren ist, [a]über-
windet die Welt; und unser Glaube ist
[b]der Sieg, der die Welt überwunden hat.
5 Wer ist es aber, der [a]die Welt überwin-
det, wenn nicht, der da glaubt, dass Jesus
Gottes Sohn ist?

GOTTES ZEUGNIS VON SEINEM SOHN

6 Dieser ist's, der [a]gekommen ist durch
Wasser und Blut, Jesus Christus; nicht im
Wasser allein, sondern im Wasser und im
Blut; und der [b]Geist ist's, der das bezeugt,
denn der Geist ist die Wahrheit. 7 Denn
drei sind, die das bezeugen: 8 der Geist
und das Wasser und das Blut; und die drei
stimmen überein.

9 Wenn wir der Menschen Zeugnis an-
nehmen, so ist Gottes Zeugnis größer;
denn das ist Gottes Zeugnis, dass er
Zeugnis gegeben hat von seinem Sohn.
10 Wer an den Sohn Gottes glaubt, der hat
dieses Zeugnis in sich. Wer Gott nicht
glaubt, der macht ihn zum Lügner; denn
er glaubt nicht dem Zeugnis, das Gott ge-
geben hat von seinem Sohn.[a] 11 Und das
ist das Zeugnis, dass uns [a]Gott das ewige
Leben gegeben hat, und dieses Leben ist in
seinem Sohn. 12 Wer den Sohn hat, der hat
das Leben; wer den Sohn Gottes nicht hat,
der hat das Leben nicht.

BITTE UND FÜRBITTE

13 Das habe ich euch geschrieben, damit ihr
wisst, dass ihr das ewige Leben habt, euch,
die ihr glaubt an den Namen des Sohnes
Gottes.[a] 14 Und das ist die Zuversicht, mit
der wir vor ihm reden: [a]Wenn wir um et-
was bitten nach seinem Willen, so hört er
uns. 15 Und wenn wir wissen, dass er uns
hört, worum wir auch bitten, so wissen
wir, dass wir erhalten, was wir von ihm
erbeten haben.

16 Wenn jemand seinen Bruder sündigen
sieht, eine Sünde nicht zum Tode, so mag
er bitten, und Gott wird ihm das Leben
geben – denen, die nicht sündigen zum
Tode. Es gibt aber eine Sünde zum Tode;
bei der sage ich nicht, dass jemand bitten
soll. 17 Jede Ungerechtigkeit ist Sünde; aber
es gibt Sünde nicht zum Tode.

DIE BEWAHRUNG IN CHRISTUS

18 Wir wissen: [a]Wer aus Gott geboren ist,
der sündigt nicht, sondern wer aus Gott
geboren ist, den [b]bewahrt er und der Böse
tastet ihn nicht an. 19 Wir wissen, dass wir
von Gott sind, und die ganze Welt liegt im

4,13 ***a*** Kap 3,24 **4,14** ***a*** Joh 3,17; 4,42 **4,15** ***a*** Kap 5,5
4,17 ***a*** Kap 2,28 **4,20** ***a*** Kap 3,17 **4,21** ***a*** Mk 12,29-31
5,3 ***a*** Joh 14,15.23-24 ***b*** Mt 11,30 **5,4** ***a*** Joh 16,33
b 1. Kor 15,57 **5,5** ***a*** Kap 4,4 **5,6** ***a*** Kap 4,2; Mk 1,9;
Joh 19,34-35 ***b*** Joh 1,33 **5,10** ***a*** Joh 3,32-34; Röm 8,16
5,11 ***a*** Joh 17,3 **5,13** ***a*** Joh 20,31 **5,14** ***a*** Joh 14,13
5,18 ***a*** Kap 3,9 ***b*** Joh 17,15

Argen. 20 Wir wissen aber, dass der Sohn
Gottes gekommen ist und uns Einsicht
gegeben hat, damit wir den Wahrhafti-
gen erkennen. Und wir sind in dem Wahr-
haftigen, in seinem Sohn Jesus Christus.
Dieser ist [a]der wahrhaftige Gott und das
ewige Leben.
21 Kinder, hütet euch vor den Götzen![a]

DER ZWEITE BRIEF DES JOHANNES

1 Der Älteste an die auserwählte Herrin
und ihre Kinder, [a]die ich lieb habe in der
Wahrheit, und nicht allein ich, sondern
auch alle, die die Wahrheit erkannt ha-
ben, 2 um der Wahrheit willen, die in uns
bleibt und bei uns sein wird in Ewigkeit:
3 Gnade, Barmherzigkeit, Friede von Gott,
dem Vater, und von Jesus Christus, dem
Sohn des Vaters, sei mit uns in der Wahr-
heit und in der Liebe!

LEBEN IN DER WAHRHEIT UND DER LIEBE

4 Ich habe mich sehr gefreut, dass ich unter
deinen Kindern solche gefunden habe, die
in der Wahrheit wandeln, nach dem Ge-
bot, das wir vom Vater empfangen haben.
5 Und nun bitte ich dich, Herrin – nicht als
schriebe ich dir [a]ein neues Gebot, sondern
das, das wir gehabt haben von Anfang
an –, dass wir uns untereinander lieben.
6 Und das ist die Liebe, dass wir wandeln
nach seinen Geboten; das ist das Gebot,
wie ihr's gehört habt von Anfang an, dass
ihr darin wandelt.

WARNUNG VOR IRRLEHRERN

7 Denn viele Verführer sind in die Welt
hinausgegangen, die nicht bekennen, dass
Jesus Christus im Fleisch gekommen ist*.
Das ist der Verführer und der [a]Antichrist.
8 Seht euch vor, [a]dass ihr nicht verliert, was
wir erarbeitet haben, sondern vollen Lohn
empfangt. 9 Wer darüber hinausgeht und
[a]bleibt nicht in der Lehre Christi, der hat
Gott nicht; wer in der Lehre bleibt, der hat
beide, den Vater und den Sohn. 10 Wenn
jemand zu euch kommt und bringt diese
Lehre nicht, [a]nehmt ihn nicht auf in euer
Haus und grüßt ihn auch nicht. 11 Denn
wer ihn grüßt, der hat teil an seinen bö-
sen Werken.

SCHLUSSWORTE

12 Ich hätte euch viel zu schreiben, aber [a]ich
wollte es nicht mit Brief und Tinte tun,
sondern ich hoffe, zu euch zu kommen
und mündlich mit euch zu reden, auf dass
unsre Freude vollkommen sei. 13 Es grü-
ßen dich die Kinder deiner Schwester, der
Auserwählten.

DER DRITTE BRIEF DES JOHANNES

1 Der Älteste an den lieben Gaius, [a]den ich
lieb habe in der Wahrheit.
2 Mein Lieber, ich wünsche, dass es dir
in allen Stücken gut gehe und du gesund
seist, so wie es deiner Seele gut geht.
3 Denn ich habe mich sehr gefreut, als Brü-
der kamen und Zeugnis gaben von deiner
Wahrheit, wie du [a]wandelst in der Wahr-
heit. 4 Ich habe keine größere Freude als
die, zu hören, dass meine Kinder in der
Wahrheit wandeln.

DIE GASTFREUNDSCHAFT DES GAIUS

5 Mein Lieber, du handelst treu in dem,
was du an den Brüdern tust, zumal an
fremden. 6 Sie haben deine Liebe bezeugt
vor der Gemeinde; und du wirst gut daran
tun, wenn du sie weitergeleitest, wie es

* **2. Joh 7** Wörtlich: »kommt«.

5,20 ***a*** Joh 17,3 **5,21** ***a*** 1. Kor 10,14 **2. Joh 1** ***a*** 3. Joh 1
2. Joh 5 ***a*** 1. Joh 2,7; 3,11 **2. Joh 7** ***a*** 1. Joh 2,18; 4,1-3
2. Joh 8 ***a*** Gal 4,11 **2. Joh 9** ***a*** 1. Joh 2,23
2. Joh 10 ***a*** Mt 10,11-14; 2. Thess 3,6 **2. Joh 12** ***a*** 3. Joh 13
3. Joh 1 ***a*** 2. Joh 1 **3. Joh 3** ***a*** 2. Joh 4

würdig ist vor Gott.[a] 7 Denn um [a]Jesu
Namens willen sind sie ausgezogen und
nehmen von den Heiden nichts an. 8 Sol-
che [a]sollen wir nun aufnehmen, damit wir
Gehilfen der Wahrheit werden.

DIOTREPHES UND DEMETRIUS

9 Ich habe der Gemeinde geschrieben; aber
Diotrephes, der unter ihnen der Erste sein
will, weist uns ab. 10 Darum, wenn ich
komme, will ich ihn erinnern an seine
Werke, die er tut; denn er verleumdet
uns mit bösen Worten und begnügt sich
nicht einmal damit: Er selbst weist die
Brüder ab und hindert auch die, die sie
aufnehmen wollen, und stößt sie aus der
Gemeinde.
11 Mein Lieber, nimm nicht das Böse zum
Vorbild, sondern das Gute. Wer Gutes tut,
der ist von Gott; wer Böses tut, der hat
Gott nicht gesehen. 12 Demetrius hat ein
gutes Zeugnis von jedermann und von der
Wahrheit selbst; und auch wir sind Zeu-
gen und du weißt, dass unser Zeugnis
wahr ist.

SCHLUSSWORTE

13 Ich hätte dir viel zu schreiben; aber [a]ich
will es nicht mit Tinte und Feder an dich
schreiben. 14 Ich hoffe aber, dich bald zu se-
hen; dann wollen wir mündlich miteinan-
der reden. 15 Friede sei mit dir! Es grüßen
dich die Freunde. Grüße die Freunde, je-
den mit Namen.

DER BRIEF AN DIE HEBRÄER

1–4 Das Reden Gottes durch den Sohn **5–10** Christus – der große Hohepriester
11–12 Der Weg des Glaubens **13** Abschließende Ermahnungen

GOTTES ENDGÜLTIGES REDEN DURCH DEN SOHN

1 Nachdem Gott vorzeiten vielfach
und auf vielerlei Weise geredet hat
zu den Vätern durch die Propheten,[a]
2 hat er zuletzt in diesen Tagen zu uns
geredet durch den Sohn, den er einge-
setzt hat zum [a]Erben über alles, [b]durch
den er auch die Welten gemacht hat. 3 Er
ist der Abglanz seiner Herrlichkeit und
das [a]Ebenbild seines Wesens und trägt
alle Dinge mit seinem kräftigen Wort
und [b]hat vollbracht die Reinigung von den
Sünden und [c]hat sich gesetzt zur Rechten
der Majestät in der Höhe 4 und ist [a]so viel
höher geworden als die Engel, wie der
Name, den er ererbt hat, [b]höher ist als ihr
Name.

DER SOHN HÖHER ALS DIE ENGEL

5 Denn zu welchem Engel hat Gott jemals
gesagt (Psalm 2,7): »Du bist mein Sohn, heute
habe ich dich gezeugt«? Und wiederum
(2. Samuel 7,14): »Ich werde sein Vater sein und
er wird mein Sohn sein«? 6 Und abermals,
wenn er den Erstgeborenen einführt in
die Welt, spricht er (Psalm 97,7): »Und es sol-
len ihn alle Engel Gottes anbeten.« 7 Von
den Engeln spricht er zwar (Psalm 104,4): »Er
macht seine Engel zu Winden und seine
Diener zu Feuerflammen«, 8 aber von dem
Sohn (Psalm 45,7-8): »Gott, dein Thron währt
von Ewigkeit zu Ewigkeit, und das Zep-
ter der Gerechtigkeit ist das Zepter deines
Reiches. 9 Du hast geliebt die Gerechtig-
keit und gehasst die Ungerechtigkeit;
darum hat dich, o Gott, dein Gott gesalbt
mit Freudenöl wie keinen deiner Gefähr-
ten.« 10 Und (Psalm 102,26-28): »Du, Herr, hast
am Anfang die Erde gegründet, und die
Himmel sind deiner Hände Werk. 11 Sie
werden vergehen, du aber bleibst. Und
sie werden alle veralten wie ein Gewand;
12 und wie einen Mantel wirst du sie zu-
sammenrollen, wie ein Gewand werden
sie gewechselt werden. Du aber bist der-
selbe, und deine Jahre werden nicht auf-
hören.« 13 Zu welchem Engel aber hat er
jemals gesagt (Psalm 110,1): »Setze dich zu
meiner Rechten, bis ich deine Feinde zum
Schemel unter deine Füße lege«?[a] 14 Sind

3. Joh 6 ***a*** Tit 3,13 **3. Joh 7** ***a*** 1. Kor 9,12
3. Joh 8 ***a*** Hebr 13,2 **3. Joh 13** ***a*** 2. Joh 12
1,1 ***a*** Hos 12,11 **1,2** ***a*** Ps 2,8 ***b*** Kol 1,16 **1,3** ***a*** Weish 7,26; 2. Kor 4,4; Kol 1,15 ***b*** Kap 9,14.26 ***c*** Ps 110,1; Mk 16,19
1,4 ***a*** 1. Petr 3,22 ***b*** Phil 2,9 **1,13** ***a*** Mk 12,36

sie nicht allesamt [a]dienstbare Geister, aus-
gesandt zum Dienst um derer willen, die
ererben sollen die Seligkeit?

HÖREN AUF DAS WORT

2 Darum sollen wir desto mehr achten
auf das Wort, das wir hören, damit wir
nicht am Ziel vorbeitreiben. 2 Denn wenn
das Wort fest war, das [a]durch die Engel ge-
sagt ist, und jede Übertretung und jeder
Ungehorsam gerechten Lohn empfing,
3 wie wollen wir entrinnen, [a]wenn wir
eine so große Seligkeit nicht achten, die
zuerst gepredigt wurde durch den Herrn
und bei uns bekräftigt wurde durch die,
die es gehört haben? 4 Und Gott hat dazu
Zeugnis gegeben durch [a]Zeichen, Wun-
der und [b]mancherlei mächtige Taten und
durch [c]Austeilen des Heiligen Geistes
nach seinem Willen.

DIE ERNIEDRIGUNG UND ERHÖHUNG CHRISTI

5 Denn nicht den Engeln hat er untertan
gemacht die zukünftige Welt, von der
wir reden. 6 Es bezeugt aber einer an einer
Stelle und spricht (Psalm 8,5-7): »Was ist der
Mensch, dass du seiner gedenkst, und des
Menschen Sohn, dass du auf ihn achtest?
7 Du hast ihn eine kleine Zeit niedriger
sein lassen als die Engel; mit Herrlichkeit
und Ehre hast du ihn gekrönt; 8 alles hast
du unter seine Füße getan.«

Als er ihm alles unter die Füße getan
hat, hat er nichts ausgenommen, was ihm
nicht untertan wäre. Jetzt aber sehen wir
noch nicht, dass ihm alles untertan ist.[a]
9 Den aber, der »eine kleine Zeit niedriger
gewesen ist als die Engel«, Jesus, sehen wir
durch das Leiden des Todes »gekrönt mit
Herrlichkeit und Ehre«, auf dass er durch
Gottes Gnade für alle den Tod schmeckte.[a]
10 Denn es ziemte sich für den, um des-
sentwillen alle Dinge sind und durch
den alle Dinge sind, der viele Kinder zur
Herrlichkeit geführt hat, dass er [a]den An-
fänger ihrer Rettung durch Leiden voll-
endete.

11 Denn weil sie alle von *einem* kom-
men, beide, [a]der da heiligt und die da
geheiligt werden, darum schämt er sich
auch nicht, [b]sie Brüder und Schwestern
zu nennen, 12 und spricht (Psalm 22,23): »Ich
will deinen Namen verkündigen meinen
Brüdern und mitten in der Gemeinde
dir lobsingen.« 13 Und wiederum (Jesaja
8,17): »Ich will mein Vertrauen auf ihn set-
zen«; und wiederum (Jesaja 8,18): »Siehe da,
ich und die Kinder, die mir Gott gegeben
hat.« 14 Weil nun die Kinder von Fleisch
und Blut sind, hatte er gleichermaßen
daran Anteil, auf dass er durch den Tod
[a]die Macht nähme dem, der Gewalt über
den Tod hatte, nämlich dem Teufel, 15 und
die erlöste, die durch Furcht vor dem Tod
im ganzen Leben Knechte sein mussten.
16 Denn er nimmt sich nicht der Engel an,
sondern [a]der Kinder Abrahams nimmt er
sich an.* 17 **Daher musste der Sohn in
allem [a]seinen Brüdern gleich werden,
auf dass er barmherzig würde und ein
treuer Hoherpriester vor Gott, zu süh-
nen die Sünden des Volkes.** 18 Denn da
er selber gelitten hat und [a]versucht wor-
den ist, kann er helfen denen, die versucht
werden.

CHRISTUS HÖHER ALS MOSE

3 Darum, ihr heiligen Brüder und
Schwestern, die ihr teilhabt an der
himmlischen Berufung, schaut auf den
Apostel und [a]Hohenpriester, den wir be-
kennen, Jesus, 2 der da treu ist dem, der
ihn gemacht hat, wie auch [a]Mose in Got-
tes ganzem Hause. 3 Er ist aber größerer
Herrlichkeit wert als Mose, so wie der Er-
bauer des Hauses größere Ehre hat als das
Haus. 4 Denn jedes Haus wird von jeman-
dem erbaut; der aber alles erbaut hat, das
ist Gott. 5 Mose zwar war treu [a]in Gottes
ganzem Hause als Diener, zum Zeugnis
für das, was später gesagt werden sollte,
6 Christus aber war treu als Sohn über Got-
tes Haus. [a]Sein Haus sind wir, wenn wir
den Freimut und den Ruhm der Hoffnung
festhalten.

* **2,16** Andere Übersetzung: »Denn er (der Teufel) greift nicht die Engel an, sondern die Kinder Abrahams.«

1,14 *a* Ps 34,8; 91,11-12 **2,2** *a* Apg 7,53; Gal 3,19
2,3 *a* Kap 10,29; 12,25 **2,4** *a* Mk 16,20; Joh 20,30; 2. Kor 12,12 *b* 1. Kor 12,4-11 *c* Apg 2,1-13 **2,8** *a* 1. Kor 15,27
2,9 *a* Phil 2,8-9 **2,10** *a* Kap 12,2 **2,11** *a* Joh 17,19 *b* Mk 3,34-35; Joh 20,17 **2,14** *a* 1. Kor 15,26; 2. Tim 1,10
2,16 *a* Lk 22,3 **2,17** *a* Phil 2,7 **2,18** *a* Kap 4,15
3,1 *a* Kap 4,14 **3,2** *a* 4. Mose 12,7 **3,5** *a* 4. Mose 12,7
3,6 *a* Eph 2,19; 1. Petr 2,5

DER WEG DER VÄTER UND DIE RUHE BEI GOTT

7 Darum, wie der Heilige Geist spricht (Psalm 95,7-11): [a]»**Heute, wenn ihr seine Stimme hört,** 8 **so verstockt eure Herzen nicht,** wie es geschah bei der Verbitterung am Tag der [a]Versuchung in der Wüste, 9 wo mich eure Väter versuchten und prüften und hatten doch meine Werke gesehen 10 vierzig Jahre lang. Darum zürnte ich diesem Geschlecht und sprach: Immer irren sie im Herzen! Aber sie verstanden meine Wege nicht, 11 sodass ich schwor in meinem Zorn: Sie sollen nicht eingehen in meine Ruhe.«[a]

12 Seht zu, Brüder und Schwestern, dass niemand unter euch ein böses, ungläubiges Herz habe und abfalle von dem lebendigen Gott; 13 sondern [a]ermahnt euch selbst alle Tage, solange es »heute« heißt, [b]dass nicht jemand unter euch verstockt werde durch den Betrug der Sünde. 14 Denn wir haben an Christus Anteil bekommen, wenn wir die [a]erste Gewissheit* bis zum Ende festhalten, 15 solange es heißt (Psalm 95,7-8): »Heute, wenn ihr seine Stimme hört, so verstockt eure Herzen nicht, wie es bei der Verbitterung geschah.« 16 Denn als sie das hörten, wurden einige verbittert, aber nicht alle, die von Ägypten auszogen unter Mose.*[a] 17 Und wem zürnte Gott vierzig Jahre lang? War's nicht die, die sündigten und [a]deren Leiber in der Wüste zerfielen? 18 Wem aber schwor er, dass sie nicht in seine Ruhe eingehen sollten, wenn nicht den Ungehorsamen?[a] 19 Und wir sehen, dass sie nicht hineinkommen konnten wegen des Unglaubens.

DIE VERHEISSENE GOTTESRUHE

4 So lasst uns nun mit Furcht darauf achten, dass keiner von euch zurückbleibe, solange die Verheißung noch besteht, dass wir in seine Ruhe eingehen. 2 Denn es ist auch uns verkündigt wie jenen. Aber das Wort, das sie hörten, half jenen nichts, weil sie nicht im Glauben vereint waren mit denen, die es hörten. 3 Denn wir, die wir glauben, gehen ein in die Ruhe, wie er gesprochen hat (Psalm 95,11): [a]»Ich schwor in meinem Zorn: Sie sollen nicht in meine Ruhe eingehen.« Nun waren ja die Werke von Anbeginn der Welt gemacht; 4 denn so hat er an einer andern Stelle gesprochen vom siebenten Tag (1. Mose 2,2): »Und Gott ruhte am siebenten Tag von allen seinen Werken.« 5 Doch an dieser Stelle wiederum (Psalm 95,11): »Sie sollen nicht in meine Ruhe eingehen.«

6 Da es nun bestehen bleibt, dass einige in sie eingehen sollen, und die, denen es zuerst verkündigt ist, nicht hineingekommen sind wegen des Ungehorsams, 7 bestimmt er abermals einen Tag, ein [a]»Heute«, und spricht nach so langer Zeit durch David, wie eben gesagt (Psalm 95,7-8): »Heute, wenn ihr seine Stimme hört, so verstockt eure Herzen nicht.« 8 Denn [a]wenn Josua sie zur Ruhe gebracht hätte, wäre hernach nicht von einem andern Tag die Rede. 9 **Es ist also noch eine Ruhe vorhanden für das Volk Gottes.** 10 Denn wer in seine Ruhe eingegangen ist, [a]der ruht auch von seinen Werken so wie Gott von den seinen. 11 So lasst uns nun bemüht sein, [a]in diese Ruhe einzugehen, damit nicht jemand zu Fall komme wie in diesem Beispiel des Ungehorsams.

12 Denn **das Wort Gottes ist lebendig und kräftig und schärfer als jedes zweischneidige [a]Schwert und dringt durch, bis es scheidet Seele und Geist, auch Mark und Bein, und ist ein [b]Richter der Gedanken und Sinne des Herzens.** 13 Und kein Geschöpf ist vor ihm verborgen, sondern es ist alles bloß und aufgedeckt vor den Augen dessen, dem [a]wir Rechenschaft geben müssen.

CHRISTUS DER GROSSE HOHEPRIESTER

14 Weil wir denn einen großen [a]Hohenpriester haben, Jesus, den Sohn Gottes, der die Himmel durchschritten hat, so [b]lasst uns festhalten an dem Bekenntnis.

* **3,14** Andere Übersetzung: »das anfängliche Sein«.
3,16 Andere Übersetzung: »Waren's nicht alle, die von Ägypten auszogen mit Mose?«

3,7 *a* Kap 4,7 **3,8** *a* 2. Mose 17,7; 4. Mose 20,2-5; 5. Mose 6,16 **3,11** *a* Kap 4,3; 4. Mose 14,21-23
3,13 *a* Kap 10,25; 1. Thess 5,11 *b* Jer 16,12 **3,14** *a* Kap 6,11
3,16 *a* 2. Mose 17,1-2; 4. Mose 14,20-35
3,17 *a* 4. Mose 14,29; 1. Kor 10,5 **3,18** *a* 4. Mose 14,22-23
4,3 *a* Kap 3,11 **4,7** *a* Kap 3,7 **4,8** *a* 5. Mose 31,7; Jos 22,4 **4,10** *a* Offb 14,13 **4,11** *a* Kap 3,18
4,12 *a* Ri 3,20-21 *b* Jer 11,20 **4,13** *a* Lk 16,2
4,14 *a* Kap 3,1; 9,11-12 *b* Kap 10,23

15 Denn **wir haben nicht einen Hohen-
priester, der nicht könnte mit leiden
mit unserer Schwachheit, sondern der
[a]versucht worden ist in allem wie wir,
[b]doch ohne Sünde.** 16 **Darum lasst uns
[a]freimütig hinzutreten zu dem Thron
der Gnade, auf dass wir Barmherzigkeit
empfangen und Gnade finden und so
Hilfe erfahren zur rechten Zeit.**
5 Denn jeder Hohepriester, der von den
Menschen genommen wird, der wird
eingesetzt für die Menschen zum Dienst
vor Gott, damit er Gaben und Opfer dar-
bringe für die Sünden. 2 Er kann mitfüh-
len mit denen, die unwissend sind und
irren, weil er auch selber Schwachheit an
sich trägt. 3 Darum muss er, wie für das
Volk, so [a]auch für sich selbst opfern für
die Sünden. 4 Und niemand nimmt sich
selbst diese Würde, sondern [a]er wird von
Gott berufen wie auch Aaron. 5 So hat
auch Christus sich nicht selbst die Ehre
beigelegt, Hoherpriester zu werden, son-
dern der, der zu ihm gesagt hat (Psalm 2,7):
»Du bist mein Sohn, heute habe ich dich
gezeugt.« 6 Wie er auch an anderer Stelle
spricht (Psalm 110,4): [a]»Du bist Priester in
Ewigkeit nach der Ordnung Melchise-
deks.«
7 Und [a]er hat in den Tagen seines irdi-
schen Lebens Bitten und Flehen mit lau-
tem Schreien und mit Tränen vor den
gebracht, der ihn aus dem Tod erretten
konnte; und er ist erhört worden, weil er
Gott in Ehren hielt. 8 So hat er, obwohl er
der [a]Sohn war, doch an dem, was er litt,
[b]Gehorsam gelernt. 9 Und da er vollendet
war, ist er für alle, die ihm gehorsam sind,
der Urheber der ewigen Seligkeit gewor-
den, 10 von Gott genannt ein Hoherpries-
ter nach der Ordnung Melchisedeks.[a]

HALTET FEST AN DER VERHEISSUNG!

11 Darüber hätten wir noch viel zu sagen;
aber es ist schwer zu erklären, weil ihr so
unverständig geworden seid. 12 Und ihr,
die ihr längst Lehrer sein solltet, habt es
wieder nötig, dass man euch die Anfangs-
gründe der göttlichen Worte lehre und
dass man euch [a]Milch gebe und nicht feste
Speise. 13 Denn wem man noch Milch ge-
ben muss, der ist unerfahren in dem Wort
der Gerechtigkeit, denn [a]er ist ein kleines
Kind. 14 Feste Speise aber ist für die Voll-
kommenen, die durch den Gebrauch ge-
übte Sinne haben, Gutes und Böses zu
unterscheiden.
6 Darum wollen wir jetzt lassen, was am
Anfang über Christus zu lehren ist, und
uns zum Vollkommenen wenden. Wir
wollen nicht abermals den Grund legen
mit der Umkehr von den toten Werken
und dem Glauben an Gott, 2 mit der Lehre
vom Taufen*, vom [a]Händeauflegen, von
der Auferstehung der Toten und vom ewi-
gen Gericht. 3 Das wollen wir tun, wenn
Gott es zulässt.
4 [a]Denn es ist unmöglich, die, die einmal
erleuchtet worden sind und geschmeckt
haben die himmlische Gabe und An-
teil bekommen haben am Heiligen Geist
5 und geschmeckt haben das gute Wort
Gottes und die Kräfte der zukünftigen
Welt 6 und dann abgefallen sind, wie-
der zu erneuern zur Buße, da sie für sich
selbst den Sohn Gottes abermals kreuzi-
gen und zum Spott machen. 7 Denn die
Erde, die den Regen trinkt, der oft auf sie
fällt, und nützliche Frucht trägt denen,
die sie bebauen, empfängt Segen von
Gott. 8 Wenn sie aber Dornen und Dis-
teln trägt, bringt sie keinen Nutzen und
ist dem Fluch nahe, sodass man sie zuletzt
abbrennt.
9 Was aber euch angeht, ihr Lieben, sind
wir vom Besseren überzeugt und von
dem, was Rettung bringt, auch wenn wir
so reden. 10 Denn Gott ist nicht ungerecht,
dass er [a]vergäße euer Werk und die Liebe,
die ihr seinem Namen erwiesen habt, in-
dem ihr den Heiligen dientet und noch
dient. 11 Wir begehren aber, dass jeder von
euch denselben Eifer beweise, [a]die Hoff-
nung festzuhalten bis ans Ende, 12 damit
ihr nicht träge werdet, sondern die nach-
ahmt, die durch Glauben und Geduld die
Verheißungen ererben.[a]
13 Denn als Gott dem Abraham die Ver-
heißung gab, schwor er bei sich selbst, da

* **6,2** Wörtlich: »von den Tauchbädern«.

4,15 *a* Kap 2,18 *b* Joh 8,46 **4,16** *a* Kap 10,35
5,3 *a* 3. Mose 9,7 **5,4** *a* 2. Mose 28,1 **5,6** *a* Kap 6,20
5,7 *a* Ps 30,3-4.9-10 **5,8** *a* Vers 5 *b* Phil 2,8
5,10 *a* Kap 6,20; 7,1-28 **5,12** *a* 1. Kor 3,1-2; 1. Petr 2,2
5,13 *a* Eph 4,14 **6,2** *a* Apg 6,6 **6,4** *a* (4-6) Kap 10,26-29
6,10 *a* Kap 10,32-34 **6,11** *a* Kap 3,14 **6,12** *a* Kap 13,7

er bei keinem Größeren schwören konnte,
14 und sprach (1. Mose 22,17): »Wahrlich, ich
will dich segnen und mehren.« 15 Und so
wartete Abraham in Geduld und erlangte
die Verheißung. 16 Menschen schwören
ja bei dem Höheren; und [a]der Eid dient
ihnen zur Bekräftigung und macht aller
Widerrede ein Ende. 17 Darum hat Gott,
als er den Erben der Verheißung noch
kräftiger beweisen wollte, dass sein Rat-
schluss nicht wankt, sich noch mit einem
Eid verbürgt. 18 So sollten wir durch [a]zwei
Zusagen, die nicht wanken – [b]denn es ist
unmöglich, dass Gott mit ihnen lügt –,
einen starken Trost haben, die wir unsre
Zuflucht dazu genommen haben, fest-
zuhalten an der angebotenen Hoffnung.
19 Diese haben wir als einen sicheren und
festen Anker unsrer Seele, der hinein-
reicht in das Innere [a]hinter dem Vorhang*.
20 Dahinein ist Jesus als Vorläufer für uns
gegangen, er, der [a]Hoherpriester gewor-
den ist in Ewigkeit nach der Ordnung
Melchisedeks.

CHRISTUS, DER HOHEPRIESTER NACH DER ORDNUNG MELCHISEDEKS

7 [a]Dieser Melchisedek aber war König von
Salem, Priester des höchsten Gottes; er
ging Abraham entgegen, als der vom Sieg
über die Könige zurückkam, und segnete
ihn; 2 ihm gab Abraham auch den Zehn-
ten von allem. Erstens heißt er übersetzt:
König der Gerechtigkeit; dann aber auch:
König von Salem, das ist: König des Frie-
dens. 3 Er ist ohne Vater, ohne Mutter,
ohne Stammbaum und hat weder Anfang
der Tage noch Ende des Lebens. [a]So gleicht
er dem Sohn Gottes und bleibt Priester in
Ewigkeit.

4 Seht aber, wie groß der ist, [a]dem auch
Abraham, der Erzvater, den Zehnten gab
von der eroberten Beute. 5 Zwar [a]haben
auch die von den Söhnen Levis, die das
Priestertum empfangen, ein Gebot, den
Zehnten zu nehmen vom Volk nach dem
Gesetz, also von ihren Brüdern, obwohl
auch diese aus den Lenden Abrahams
hervorgegangen sind. 6 Der aber, der nicht
von ihrem Stamm war, nahm den Zehn-
ten von Abraham und [a]segnete den, der
die Verheißungen hatte. 7 Nun ist aber un-
streitig, dass das Geringere vom Höheren
gesegnet wird. 8 Und hier nehmen den
Zehnten sterbliche Menschen, dort aber
einer, dem bezeugt wird, dass er lebt. 9 Um
es nun so zu sagen: Auch Levi, der selbst
den Zehnten nimmt, ist durch Abraham
mit dem Zehnten belegt worden.[a] 10 Denn
er war noch in den Lenden des Vaters, als
Melchisedek ihm entgegenging.

11 Wäre nun die Vollendung durch das
levitische Priestertum gekommen – denn
unter diesem hat das Volk das Gesetz
empfangen –, wozu war es dann noch
nötig, einen andern als Priester nach der
Ordnung Melchisedeks einzusetzen, an-
statt einen nach der Ordnung Aarons zu
benennen? 12 Denn wo das Priestertum
verändert wird, da muss auch das Gesetz
verändert werden. 13 Denn der, von dem
das gesagt wird, der ist von einem andern
Stamm, von dem nie einer am Altar ge-
dient hat. 14 Denn es ist ja offenbar, dass
unser Herr [a]aus Juda hervorgegangen ist,
dem Stamm, zu welchem Mose nichts ge-
sagt hat vom Priestertum.

15 Und das ist noch viel klarer, wenn in
gleicher Weise wie Melchisedek ein an-
derer Priester auftritt, 16 der es nicht ge-
worden ist nach dem Gesetz eines fleisch-
lichen Gebots, sondern nach der Kraft
unzerstörbaren Lebens. 17 Denn es wird
bezeugt (Psalm 110,4): [a]»Du bist Priester in
Ewigkeit nach der Ordnung Melchise-
deks.« 18 Denn damit wird das frühere
Gebot aufgehoben – weil es schwach und
nutzlos war;[a] 19 denn das Gesetz brachte
nichts zur Vollendung –, und eingeführt
wird eine bessere Hoffnung, durch die wir
Gott nahen. 20 Und das geschah nicht ohne
Eid. Denn jene sind zwar ohne Eid Pries-
ter geworden, 21 dieser aber durch den Eid
dessen, der zu ihm spricht (Psalm 110,4): »Der
Herr hat geschworen und es wird ihn nicht
gereuen: Du bist Priester in Ewigkeit.«
22 So ist Jesus Bürge eines [a]viel besseren
Bundes geworden.

* **6,19** Siehe Sach- und Worterklärungen zu »Tempel«.
6,16 *a* 2. Mose 22,10 **6,18** *a* 5. Mose 17,6; 19,15; Joh 8,17
b 4. Mose 23,19; 1. Sam 15,29 **6,19** *a* 3. Mose 16,2.12
6,20 *a* Kap 5,6; Ps 110,4 **7,1** *a* (1-2) 1. Mose 14,18-20
7,3 *a* Joh 7,27 **7,4** *a* 1. Mose 14,20 **7,5** *a* 4. Mose 18,21
7,6 *a* 1. Mose 14,19-20 **7,9** *a* Vers 5
7,14 *a* 1. Mose 49,10; Jes 11,1; Mi 5,1; Mt 1,1-3
7,17 *a* Kap 5,6 **7,18** *a* Kap 10,1 **7,22** *a* Kap 8,6; 12,24

23 Auch sind es viele, die Priester wur-
den, weil der Tod sie nicht bleiben ließ;
24 dieser aber hat, weil er ewig bleibt, ein
unvergängliches Priestertum.[a] 25 Daher
kann er auch für immer selig machen,
die durch ihn zu Gott kommen; denn er
lebt für immer und [a]bittet für sie. 26 Denn
einen solchen Hohenpriester mussten
wir auch haben, der heilig, unschuldig,
unbefleckt, von den Sündern geschieden
und höher ist als die Himmel. 27 Er hat es
nicht nötig wie jene Hohenpriester, täg-
lich [a]zuerst für die eigenen Sünden Opfer
darzubringen und dann für die des Vol-
kes; denn das hat er ein für alle Mal getan,
als er sich selbst opferte. 28 Denn das Ge-
setz macht Menschen zu Hohenpriestern,
die Schwachheit an sich haben; dies Wort
aber des Eides, der nach dem Gesetz ge-
sagt ist, setzt den Sohn ein, der ewig und
vollkommen ist.

DER MITTLER DES NEUEN BUNDES

8 Das ist nun die Hauptsache bei dem,
wovon wir reden: Wir haben einen
solchen [a]Hohenpriester, [b]der sich gesetzt
hat zur Rechten des Thrones der Majestät
im Himmel 2 und ist ein Diener am Hei-
ligtum und am wahrhaftigen Zelt*, das
der Herr aufgerichtet hat und nicht ein
Mensch. 3 Denn jeder Hohepriester wird
eingesetzt, um Gaben und Opfer darzu-
bringen. Darum muss auch dieser etwas
haben, das er opfert. 4 Wenn er nun auf
Erden wäre, so wäre er nicht Priester, weil
da schon solche sind, die nach dem Gesetz
die Gaben opfern. 5 Sie dienen aber [a]dem
Abbild und Schatten des Himmlischen,
wie die göttliche Weisung an Mose er-
ging, als er das Zelt errichten sollte (2. Mose
25,40): »Sieh zu«, heißt es, »dass du alles
machst nach dem Bilde, das dir auf dem
Berge gezeigt worden ist.« 6 Nun aber hat
er ein höheres Amt empfangen, wie er ja
auch der Mittler eines [a]besseren Bundes*
ist, der auf bessere Verheißungen gegrün-
det ist.
7 Denn wenn jener erste Bund untade-
lig gewesen wäre, würde nicht Raum für
einen andern gesucht. 8 Denn er tadelt sie
und sagt (Jeremia 31,31-34): »Siehe, es kom-
men Tage, spricht der Herr, da will ich mit
dem Haus Israel und mit dem Haus Juda
[a]einen neuen Bund schließen, 9 nicht wie
der Bund gewesen ist, [a]den ich mit ihren
Vätern gemacht habe an dem Tage, als ich
sie bei der Hand nahm, um sie aus Ägyp-
tenland zu führen. Denn sie sind nicht ge-
blieben in meinem Bund; darum habe ich
auch nicht mehr auf sie geachtet, spricht
der Herr. 10 Denn **das ist der Bund, den
ich schließen will mit dem Haus Is-
rael nach diesen Tagen, spricht der
Herr: Ich will meine Gesetze in ihren
Sinn geben, und in ihr Herz will ich sie
schreiben und will ihr Gott sein, und
sie sollen mein Volk sein.** 11 Und es wird
niemand seinen Mitbürger lehren noch je-
mand seinen Bruder und sagen: Erkenne
den Herrn! Denn sie alle, Klein und Groß,
werden mich erkennen. 12 Denn **ich will
gnädig sein ihren Missetaten, und ihrer
Sünden will ich nicht mehr gedenken.**«
13 Indem er sagt: »einen neuen Bund«, hat
er den ersten zu einem alten gemacht.
Was aber alt wird und betagt ist, das ist
dem Ende nahe.

DAS EINMALIGE OPFER CHRISTI

9 Nun hatte ja der erste Bund seine Sat-
zungen für den Gottesdienst und sein
irdisches Heiligtum. 2 Denn es war da
aufgerichtet das erste Zelt, worin der
[a]Leuchter war und der [b]Tisch mit den
[c]Schaubroten, und es heißt das Heilige;
3 hinter dem zweiten [a]Vorhang aber war
das Zelt, welches das [b]Allerheiligste heißt.
4 [a]Darin waren das goldene Räuchergefäß
und die Bundeslade, ganz mit Gold über-
zogen; in ihr waren der goldene Krug mit
dem Manna und der Stab Aarons, der ge-
grünt hatte, und die Tafeln des Bundes.
5 Oben darüber aber waren die Cherubim
der Herrlichkeit, die überschatteten den
[a]Gnadenort*. Von diesen Dingen ist jetzt
nicht im Einzelnen zu reden.

* **8,2** Im Alten Testament: »Stiftshütte«; siehe Sach- und Worterklärungen zu »Stiftshütte«. **8,6** Luther übersetzte: »Testaments«. **9,5** Gemeint ist die Deckplatte der Bundeslade (vgl. 2. Mose 25,17).

7,24 ***a*** Kap 5,6 **7,25** ***a*** Röm 8,34; 1. Joh 2,1
7,27 ***a*** 3. Mose 9,7; 16,6 **8,1** ***a*** Kap 4,14 ***b*** Kap 1,3
8,5 ***a*** Kap 9,23 **8,6** ***a*** Kap 7,22 **8,8** ***a*** Kap 10,16-17
8,9 ***a*** 2. Mose 19,5-6 **9,2** ***a*** 2. Mose 25,31
b 2. Mose 25,23 ***c*** 2. Mose 25,30 **9,3** ***a*** Kap 6,19
b 2. Mose 26,33 **9,4** ***a*** (4-5) 2. Mose 16,31.33; 25,10-22;
4. Mose 17,23-25 **9,5** ***a*** 3. Mose 16,2.13-15; Röm 3,25

6 Da dies alles so eingerichtet ist, [a]ge-
hen die Priester allezeit in das erste Zelt
und richten den Gottesdienst aus. 7 In das
zweite aber geht nur [a]*einmal* im Jahr al-
lein der Hohepriester, und das nicht ohne
[b]Blut, das er opfert für die unwissentlich
begangenen Sünden, die eigenen und
die des Volkes. 8 Damit macht der Heilige
Geist deutlich, dass der [a]Weg ins Heilige
noch nicht offenbart sei, solange das erste
Zelt Bestand habe. 9 Das ist ein Gleich-
nis für die gegenwärtige Zeit: Es werden
da Gaben und Opfer dargebracht, [a]die
nicht im Gewissen vollkommen machen
können den, der Gott dient 10 allein mit
[a]Speise und Trank und verschiedenen
[b]Waschungen. Dies sind irdische Satzun-
gen, die bis zu der Zeit der Besserung auf-
erlegt sind.

11 Christus aber ist gekommen als Ho-
herpriester der Güter bei Gott durch das
größere und vollkommenere Zelt, das
nicht mit Händen gemacht ist, das ist: das
nicht von dieser Schöpfung ist. 12 Er ist
auch nicht durch das Blut von Böcken oder
Kälbern, sondern durch sein eigenes Blut
ein für alle Mal in das Heiligtum eingegan-
gen und hat eine ewige Erlösung erlangt.
13 Denn wenn schon das Blut von Böcken
und Stieren und die [a]Asche von der Kuh
durch Besprengung die Unreinen heiligt,
sodass sie leiblich rein sind, 14 um wie viel
mehr wird dann das [a]Blut Christi, der sich
selbst als Opfer ohne Fehl durch den ewi-
gen Geist Gott dargebracht hat, unser Ge-
wissen [b]reinigen von den toten Werken,
zu dienen dem lebendigen Gott!

15 Und darum ist er auch der [a]Mittler des
neuen Bundes, auf dass durch seinen Tod,
der geschehen ist zur Erlösung von den
Übertretungen unter dem ersten Bund,
die Berufenen das verheißene ewige Erbe
empfangen. 16 Denn wo ein Testament*
ist, da muss der Tod dessen geschehen
sein, der das Testament gemacht hat.
17 Denn ein Testament tritt erst in Kraft
mit dem Tode; es ist niemals in Kraft, so-
lange der noch lebt, der es gemacht hat.
18 Daher wurde auch der erste Bund nicht
ohne Blut gestiftet. 19 Denn als Mose alle
Gebote gemäß dem Gesetz allem Volk ge-
sagt hatte, nahm er das Blut von Kälbern
und Böcken mit Wasser und Scharlach-
wolle und Ysop und besprengte das Buch
und alles Volk[a] 20 und sprach (2. Mose 24,8):
»Das ist das Blut des Bundes, den Gott
euch geboten hat.« 21 Und das Zelt und alle
Geräte für den Gottesdienst [a]besprengte
er desgleichen mit Blut. 22 Und es wird fast
alles mit Blut gereinigt nach dem Gesetz,
und [a]ohne dass Blut ausgegossen wird, ge-
schieht keine Vergebung.

23 So also mussten die [a]Abbilder der
himmlischen Dinge gereinigt werden;
die himmlischen Dinge selbst aber müs-
sen bessere Opfer haben als jene. 24 Denn
**Christus ist nicht eingegangen in das
Heiligtum, das mit Händen gemacht
und ein Abbild des wahren Heiligtums
ist, sondern in den Himmel selbst, um
jetzt zu erscheinen vor dem Angesicht
Gottes [a]für uns;** 25 auch nicht, um sich
oftmals zu opfern, wie der Hohepriester
alle Jahre mit fremdem Blut in das Heilig-
tum geht; 26 sonst hätte er oft leiden müs-
sen vom Anfang der Welt an. Nun aber,
[a]am Ende der Zeiten, ist er ein für alle Mal
erschienen, um durch sein eigenes Op-
fer [b]die Sünde aufzuheben. 27 Und wie
[a]den Menschen bestimmt ist, *einmal* zu
sterben, danach aber das Gericht: 28 so ist
auch Christus *einmal* [a]geopfert worden,
[b]die Sünden vieler wegzunehmen; zum
zweiten Mal erscheint er nicht der Sünde
wegen, sondern zur Rettung derer, die ihn
erwarten.

DAS ENDE DER OPFER

10 Denn das Gesetz hat den [a]Schatten von
den zukünftigen Gütern, nicht die Ge-
stalt der Dinge selbst. Deshalb kann es die,
die opfern, niemals vollkommen machen
durch die Jahr für Jahr gleichen Opfer, wel-
che man immer wieder darbringt. 2 Hätte
nicht sonst das Opfern aufgehört, wenn

* **9,16** Andere Übersetzung: »Bund« (wie in Vers 15).

9,6 ***a*** 4. Mose 18,3-4 **9,7** ***a*** 2. Mose 30,10
b 3. Mose 16,2.14-15 **9,8** ***a*** Kap 10,19-20
9,9 ***a*** Kap 7,18-19 **9,10** ***a*** 3. Mose 11,2-47
b 4. Mose 19,1-22 **9,13** ***a*** 4. Mose 19,2.9.17
9,14 ***a*** 1. Petr 1,18-19; 1. Joh 1,7; Offb 1,5 ***b*** Vers 26; Kap 1,3
9,15 ***a*** Kap 8,6; 12,24; 1. Tim 2,5 **9,19** ***a*** 2. Mose 24,3-8;
4. Mose 19,6 **9,21** ***a*** 3. Mose 8,15 **9,22** ***a*** 3. Mose 17,11
9,23 ***a*** Kap 8,5 **9,24** ***a*** Kap 7,25; 1. Joh 2,1
9,26 ***a*** 1. Kor 10,11; Gal 4,4 ***b*** Vers 14; Kap 1,3
9,27 ***a*** 1. Mose 3,19 **9,28** ***a*** Kap 10,10.12.14
b Jes 53,12 **10,1** ***a*** Kap 8,5

die, die Gott dienen, ein für alle Mal rein
geworden wären und kein von Sünden be-
schwertes Gewissen mehr hätten? 3 Viel-
mehr geschieht durch die Opfer [a]alle Jahre
eine Erinnerung an die Sünden. 4 Denn es
ist unmöglich, durch das Blut von Stieren
und Böcken Sünden wegzunehmen.
5 Darum spricht er*, wenn er in die Welt
kommt (Psalm 40,7-9): »Opfer und Gaben
hast du nicht gewollt; einen Leib aber hast
du mir bereitet. 6 Brandopfer und Sünd-
opfer gefallen dir nicht. 7 Da sprach ich:
Siehe, ich komme – im Buch steht von mir
geschrieben –, dass ich tue, Gott, deinen
Willen.« 8 Zuerst hatte er gesagt: »Opfer
und Gaben, Brandopfer und Sündopfer
hast du nicht gewollt und sie gefallen dir
nicht«, welche doch nach dem Gesetz
geopfert werden. 9 Dann aber sprach er:
»Siehe, ich komme, zu tun deinen Wil-
len.« Da hebt er das Erste auf, damit er das
Zweite einsetze. 10 Nach diesem Willen
sind wir geheiligt ein für alle Mal durch
das Opfer des Leibes Jesu Christi.
11 Und jeder Priester steht Tag für Tag
da und versieht seinen Dienst und bringt
oftmals die gleichen Opfer dar, die doch
niemals die Sünden wegnehmen können.
12 Dieser aber hat ein einziges Opfer für
die Sünden dargebracht, das ewiglich gilt,
und [a]hat sich zur Rechten Gottes gesetzt
13 und wartet hinfort, bis [a]seine Feinde
zum Schemel unter seine Füße gelegt
werden. 14 Denn **mit einem einzigen Op-
fer hat er für immer die vollendet, die
geheiligt werden.**
15 Das bezeugt uns aber auch der Heilige
Geist. Denn nachdem er gesagt hat (Jeremia
31,33-34): 16 »Das ist der [a]Bund, den ich mit
ihnen schließen will nach diesen Tagen«,
spricht der Herr: »Ich will meine Gesetze
in ihr Herz geben, und in ihren Sinn will
ich sie schreiben, 17 und ihrer Sünden und
ihrer Missetaten will ich nicht mehr ge-
denken.« 18 [a]Wo aber Vergebung der Sün-
den ist, da geschieht kein Opfer mehr für
die Sünde.

DAS BEKENNTNIS DER HOFFNUNG UND DAS GERICHT GOTTES

19 Weil wir denn nun, Brüder und Schwes-
tern, durch das Blut Jesu den Freimut ha-
ben zum [a]Eingang in das Heiligtum, 20 den
er uns eröffnet hat als neuen und leben-
digen [a]Weg durch den Vorhang, das ist:
durch sein Fleisch, 21 und haben einen
Hohenpriester über das Haus Gottes, 22 so
[a]lasst uns hinzutreten mit wahrhaftigem
Herzen in der Fülle des Glaubens, be-
sprengt in unsern Herzen und los von dem
bösen Gewissen und [b]gewaschen am Leib
mit reinem Wasser. 23 [a]**Lasst uns festhal-
ten an dem Bekenntnis der Hoffnung
und nicht wanken; denn er ist treu, der
sie verheißen hat;** 24 und lasst uns aufein-
ander achthaben und einander anspornen
zur Liebe und zu guten Werken 25 und
nicht verlassen unsre Versammlung, wie
einige zu tun pflegen, sondern [a]einander
ermahnen, und das umso mehr, als ihr
seht, [b]dass sich der Tag naht.
26 [a]Denn wenn wir mutwillig sündigen,
nachdem wir die Erkenntnis der Wahr-
heit empfangen haben, bleibt hinfort kein
Opfer mehr für die Sünden,[b] 27 sondern
ein schreckliches Warten auf das Gericht
und ein [a]wütendes Feuer, das die Wider-
sacher verzehren wird. 28 Wenn jemand
das Gesetz des Mose missachtet, [a]muss
er sterben ohne Erbarmen auf zwei oder
drei Zeugen hin. 29 Eine wie viel härtere
Strafe, meint ihr, wird der verdienen, der
den Sohn Gottes mit Füßen tritt und das
Blut des Bundes für unrein hält, durch das
er doch geheiligt wurde, und den Geist
der Gnade schmäht?[a] 30 Denn wir kennen
den, der gesagt hat (5. Mose 32,35-36): »Die Ra-
che ist mein, ich will vergelten«, und wie-
derum: »Der Herr wird sein Volk richten.«
31 Schrecklich ist's, in die Hände des leben-
digen Gottes zu fallen.[a]
32 Gedenkt aber der früheren Tage, an
denen ihr, die ihr [a]erleuchtet wurdet, er-
duldet habt einen großen Kampf des Lei-
dens, 33 indem ihr zum Teil selbst durch
Schmähungen und Bedrängnisse zum
[a]Schauspiel geworden seid, zum Teil Ge-

* **10,5** Christus.

10,3 *a* 3. Mose 16,34 **10,12** *a* Kap 12,2; Apg 2,33; Röm 8,34; 1. Petr 3,22 **10,13** *a* Ps 110,1 **10,16** *a* Kap 8,10 **10,18** *a* Kap 8,12 **10,19** *a* Mt 27,51 **10,20** *a* Kap 9,8 **10,22** *a* Kap 4,16 *b* Eph 5,26; 1. Petr 3,21 **10,23** *a* Kap 4,14 **10,25** *a* Kap 3,13 *b* Röm 13,11-12 **10,26** *a* (26-29) Kap 6,4-8 *b* 4. Mose 15,30 **10,27** *a* Jes 26,11 **10,28** *a* 5. Mose 17,6 **10,29** *a* Kap 2,3; 12,25 **10,31** *a* Kap 12,29 **10,32** *a* Kap 6,4 **10,33** *a* 1. Kor 4,9

meinschaft hattet mit denen, welchen es
so erging. 34 Denn ihr habt mit den Gefan-
genen gelitten und den Raub eurer Güter
mit Freuden erduldet, weil ihr wisst, dass
ihr [a]eine bessere und bleibende Habe be-
sitzt. 35 Darum **werft euer [a]Vertrauen
nicht weg, welches eine große Beloh-
nung hat.** 36 Geduld aber habt ihr nötig,
auf dass ihr den Willen Gottes tut und
das Verheißene empfangt. 37 Denn »nur
noch eine kleine Weile, so wird kommen,
der da kommen soll, und wird nicht lange
ausbleiben. 38 Mein [a]Gerechter aber wird
aus Glauben leben. Wenn er aber zurück-
weicht, hat meine Seele kein Gefallen an
ihm« (Habakuk 2,3-4). 39 Wir aber sind nicht
solche, die zurückweichen und verdammt
werden, sondern solche, die glauben und
die Seele erretten.

DER WEG DES GLAUBENS SEIT DER SCHÖPFUNG

11 **Es ist aber der Glaube eine feste Zu-
versicht* dessen, was man hofft,
und ein Nichtzweifeln an dem*, was
man nicht sieht.**[a] 2 In diesem Glauben ha-
ben die Alten Gottes Zeugnis empfangen.
3 Durch den Glauben erkennen wir, dass
[a]die Welt durch Gottes Wort geschaffen
ist, dass alles, was man sieht, [b]aus nichts
geworden ist.

4 Durch den Glauben [a]hat *Abel* Gott ein
besseres Opfer dargebracht als Kain; durch
den Glauben wurde ihm bezeugt, dass er
gerecht sei, da Gott selbst es über seinen
Gaben bezeugte; und durch den Glau-
ben redet er noch, obwohl er gestorben
ist.

5 Durch den Glauben [a]wurde *Henoch*
entrückt, dass er den Tod nicht sehe, und
wurde nicht mehr gefunden, weil Gott
ihn entrückt hatte; denn vor seiner Ent-
rückung ist ihm bezeugt worden, dass er
Gott gefallen habe. 6 Aber ohne Glauben
ist's unmöglich, Gott zu gefallen; denn
wer zu Gott kommen will, der muss glau-
ben, dass er ist und dass er denen, die ihn
suchen, ihren Lohn gibt.

7 Durch den Glauben [a]hat *Noah* Gott
geehrt und die Arche gebaut zur Ret-
tung seines Hauses, als er ein göttliches
Wort empfing über das, was man noch
nicht sah; durch den Glauben sprach er
der Welt das Urteil und hat ererbt die
Gerechtigkeit, die durch den Glauben
kommt.

8 [a]Durch den Glauben wurde *Abraham*
gehorsam, als er berufen wurde, an einen
Ort zu ziehen, den er erben sollte; und er
zog aus und wusste nicht, wo er hinkäme.
9 Durch den Glauben ist er ein Fremdling
gewesen im Land der Verheißung wie in
einem fremden Land und wohnte in Zel-
ten mit Isaak und Jakob, den Miterben
derselben Verheißung. 10 Denn er war-
tete auf die Stadt, die einen festen Grund
hat, deren Baumeister und Schöpfer Gott
ist.

11 Durch den Glauben [a]empfing auch
Sara, die unfruchtbar war, Kraft, Nach-
kommen hervorzubringen trotz ihres Al-
ters; denn sie hielt den für treu, der es ver-
heißen hatte. 12 Darum sind auch von dem
einen, dessen Kraft schon erstorben war,
[a]so viele gezeugt worden wie die Sterne
am Himmel und wie der Sand am Ufer des
Meeres, der unzählig ist.

13 Diese alle sind gestorben im Glauben
und haben die Verheißungen nicht ergrif-
fen, sondern sie nur von ferne gesehen
und gegrüßt und haben bekannt, dass sie
[a]Gäste und Fremdlinge auf Erden sind.
14 Wenn sie aber solches sagen, geben sie
zu verstehen, dass sie ein Vaterland su-
chen. 15 Und wenn sie das Land gemeint
hätten, von dem sie ausgezogen waren,
hätten sie ja Zeit gehabt, wieder umzukeh-
ren. 16 Nun aber streben sie zu einem bes-
seren Land, nämlich dem himmlischen.
Darum schämt sich Gott ihrer nicht, ihr
Gott zu heißen; denn er hat ihnen eine
Stadt gebaut.

17 Durch den Glauben [a]hat *Abraham* den
Isaak dargebracht, als er versucht wurde,
und gab den einzigen Sohn dahin, als er
schon die Verheißungen empfangen hatte,
18 von dem gesagt worden war (1. Mose 21,12):
»Nach Isaak wird dein Geschlecht genannt

* **11,1** (1) Andere Übersetzung: »Grundlage«.
(2) Andere Übersetzung: »Beweis dessen«.

10,34 *a* Mt 6,20; 19,21 **10,35** *a* Kap 4,16
10,38 *a* Röm 1,17 **11,1** *a* 2. Kor 5,7 **11,3** *a* 1. Mose 1,1–2,4
b 2. Makk 7,28 **11,4** *a* 1. Mose 4,3-4 **11,5** *a* 1. Mose 5,24
11,7 *a* 1. Mose 6,8-9.22 **11,8** *a* (8-12) 1. Mose 12,1-3
11,11 *a* 1. Mose 17,17-19 **11,12** *a* 1. Mose 22,17
11,13 *a* 1. Mose 23,4; 1. Chr 29,15
11,17 *a* 1. Mose 22,1-19; Jak 2,21

werden.« 19 Er dachte: Gott kann auch von
den Toten erwecken; als ein Gleichnis da-
für bekam er ihn auch wieder.

20 [a]Durch den Glauben segnete *Isaak* den
Jakob und den Esau auf die zukünftigen
Dinge hin.

21 Durch den Glauben segnete *Jakob,*
als er starb, die beiden Söhne Josefs und
[a]neigte sich über die Spitze seines Stabes.

22 Durch den Glauben redete *Josef,* als er
starb, vom Auszug der Israeliten und be-
fahl, was mit seinen Gebeinen geschehen
sollte.

23 [a]Durch den Glauben wurde *Mose,* als
er geboren war, drei Monate verborgen
von seinen Eltern, weil sie sahen, dass er
ein schönes Kind war; und sie fürchteten
sich nicht vor des Königs Gebot. 24 Durch
den Glauben wollte Mose, als er groß ge-
worden war, nicht mehr Sohn der Toch-
ter Pharaos heißen, 25 sondern wollte viel
lieber mit dem Volk Gottes zusammen
misshandelt werden, als einen flüchtigen
Genuss der Sünde zu haben, 26 und hielt
die Schmach Christi für größeren Reich-
tum als die Schätze Ägyptens; denn er
sah auf die Belohnung. 27 Durch den Glau-
ben [a]verließ er Ägypten und fürchtete
nicht den Zorn des Königs; denn er hielt
sich an den, den er nicht sah, als sähe er
ihn. 28 Durch den Glauben vollzog er das
[a]Passa und das Besprengen mit Blut, auf
dass der Verderber ihre Erstgeburt nicht
anrühre. 29 Durch den Glauben [a]gingen
sie durchs Rote Meer wie über trockenes
Land; das versuchten die Ägypter auch
und ertranken.

30 [a]Durch den Glauben fielen die Mau-
ern Jerichos, als Israel sieben Tage um sie
herum gezogen war. 31 Durch den Glauben
kam die [a]Hure *Rahab* nicht mit den Unge-
horsamen um, weil sie die Kundschafter
in Frieden aufgenommen hatte.

32 [a]Und was soll ich noch mehr sagen?
Die Zeit würde mir zu kurz, wenn ich
erzählen sollte von Gideon und Barak
und Simson und Jeftah und David und Sa-
muel und den Propheten. 33 Diese haben
durch den Glauben Königreiche bezwun-
gen, Gerechtigkeit geübt, Verheißungen
erlangt, [a]Löwen den Rachen gestopft,
34 des Feuers Kraft gelöscht, sind der
Schärfe des Schwerts entronnen, aus der
Schwachheit zu Kräften gekommen, sind
stark geworden im Kampf und haben
fremde Heere in die Flucht geschlagen.
35 Frauen haben [a]ihre Toten durch Auf-
erstehung wiederbekommen. Andere aber
sind [b]gemartert worden und haben die
Freilassung nicht angenommen, auf dass
sie die Auferstehung, die besser ist, er-
langten. 36 Wieder andere haben Spott
und Geißelung erlitten, dazu [a]Fesseln und
Gefängnis. 37 Sie sind [a]gesteinigt, zersägt,
durchs Schwert getötet worden; sie sind
umhergezogen in Schafpelzen und Zie-
genfellen; sie haben Mangel, Bedrängnis,
Misshandlung erlitten. 38 Sie, deren die
Welt nicht wert war, sind umhergeirrt in
Wüsten, auf Bergen, [a]in Höhlen und Klüf-
ten der Erde.

39 Diese alle [a]haben durch den Glauben
Gottes Zeugnis empfangen und doch
nicht die Verheißung erlangt, 40 weil
Gott etwas Besseres für uns vorgesehen
hat: dass sie nicht ohne uns vollendet
würden.

DER WEG DES GLAUBENS SEIT CHRISTUS

12 Darum auch wir: Weil wir eine sol-
che Wolke von Zeugen um uns ha-
ben, [a]lasst uns ablegen alles, was uns
beschwert, und die Sünde, die uns um-
strickt. **Lasst uns laufen mit Geduld
in dem Kampf, der uns bestimmt ist,**
2 **und aufsehen zu Jesus, dem Anfänger
und Vollender des Glaubens,** der, ob-
wohl er hätte Freude haben können, das
Kreuz erduldete und die Schande gering
achtete und sich gesetzt hat zur Rechten
des Thrones Gottes.[a] 3 Gedenkt an den,
der so viel [a]Widerspruch gegen sich von
den Sündern erduldet hat, dass ihr nicht
matt werdet und den Mut nicht sinken
lasst.

11,20 ***a*** (20-22) 1. Mose 27,1-40; 48,1-20; 50,24-26
11,21 ***a*** 1. Mose 47,31 **11,23** ***a*** 2. Mose 2,1-15
11,27 ***a*** 2. Mose 2,14-15 **11,28** ***a*** 2. Mose 12,21-23
11,29 ***a*** 2. Mose 14,21-30 **11,30** ***a*** (30-31) Jos 2,1-24; 6,1-25
11,31 ***a*** Jak 2,25 **11,32** ***a*** (32-34) Ri 4,4-24; 6,11–8,32; 11,1–12,7; 13,1–16,31; 1. Sam 17,12-54 **11,33** ***a*** Dan 6,23
11,35 ***a*** 1. Kön 17,17-24; 2. Kön 4,8-37 ***b*** 2. Makk 6,18-31; 7,1-42 **11,36** ***a*** 1. Kön 22,27; Jer 20,1-3; 37,11-16
11,37 ***a*** 2. Chr 24,21 **11,38** ***a*** 1. Kön 18,4 **11,39** ***a*** Verse 4-5
12,1 ***a*** 1. Kor 9,24-27 **12,2** ***a*** Kap 5,8-9; 10,12; Phil 2,8.10
12,3 ***a*** Lk 2,34

4 Ihr habt noch nicht bis aufs Blut wi-
derstanden im Kampf gegen die Sünde
5 und habt den Trost vergessen, der
zu euch redet wie zu Kindern (Sprüche
3,11-12): »Mein Sohn, achte nicht gering
die Zucht des Herrn und verzage nicht,
wenn du von ihm gestraft wirst. 6 Denn
[a]wen der Herr lieb hat, den züchtigt er,
und er schlägt jeden Sohn, den er an-
nimmt.« 7 Es dient zu eurer Erziehung,
wenn ihr dulden müsst. Wie mit Kin-
dern geht Gott mit euch um. Denn wo
ist ein Sohn, den der Vater nicht züch-
tigt? 8 Seid ihr aber ohne Züchtigung,
die doch alle erfahren haben, so seid
ihr Ausgestoßene und nicht Kinder.
9 Wenn unsre leiblichen Väter uns ge-
züchtigt haben und wir sie doch geach-
tet haben, sollten wir uns dann nicht
viel mehr unterordnen dem Vater der
Geister*, damit wir leben? 10 Denn jene
haben uns gezüchtigt wenige Tage nach
ihrem Gutdünken, dieser aber tut es zu
unserm Besten, auf dass wir an seiner
Heiligkeit Anteil erlangen. 11 Jede Züch-
tigung aber, wenn sie da ist, scheint uns
nicht Freude, sondern Schmerz zu sein;
danach aber bringt sie als Frucht denen,
die dadurch geübt sind, Frieden und
Gerechtigkeit.[a]

12 Darum stärkt die müden Hände und
die wankenden Knie[a] 13 und [a]tut siche-
re Schritte mit euren Füßen, dass nicht
jemand strauchle wie ein Lahmer, son-
dern vielmehr gesund werde. 14 Jagt dem
[a]Frieden nach mit jedermann und der
Heiligung, ohne die niemand den Herrn
sehen wird, 15 und seht darauf, dass nicht
jemand Gottes Gnade versäume; dass
nicht etwa eine [a]bittere Wurzel aufwachse
und Unfrieden anrichte und viele durch
sie verunreinigt werden; 16 dass nicht je-
mand sei ein Hurer oder Gottloser wie
[a]Esau, der um der einen Speise willen sein
Erstgeburtsrecht verkaufte. 17 Ihr wisst ja,
dass er [a]hernach, als er den Segen ererben
wollte, verworfen wurde, denn er fand
keinen Raum zur Buße, obwohl er sie mit
Tränen suchte.

18 Denn ihr seid nicht zu etwas gekom-
men, das man anrühren konnte und das
mit Feuer brannte, nicht zu Dunkelheit
und Finsternis und Ungewitter[a] 19 und
nicht zum Schall der Posaune und zum
Klang der Worte. Die das hörten, baten,
dass ihnen kein Wort mehr gesagt würde;[a]
20 denn sie konnten's nicht ertragen, was
da gesagt wurde (2. Mose 19,13): »Und auch
wenn ein Tier den Berg anrührt, soll es
gesteinigt werden.« 21 Und so schrecklich
war die Erscheinung, dass Mose sprach
(5. Mose 9,19): »Ich bin erschrocken und
zittere.«

22 Sondern ihr seid gekommen zu dem
Berg Zion und zu der Stadt des leben-
digen Gottes, dem [a]himmlischen Jeru-
salem, und zu den [b]vielen tausend En-
geln und zur Festversammlung 23 und
zu der Gemeinde der Erstgeborenen, die
[a]im Himmel aufgeschrieben sind, und zu
Gott, dem Richter über alle, und zu den
Geistern der vollendeten Gerechten 24 und
zu dem [a]Mittler des neuen Bundes, Jesus,
und zu dem Blut der Besprengung, das
besser [b]redet als Abels Blut*.

25 Seht zu, dass ihr den nicht abweist,
der da redet. Denn wenn jene nicht ent-
ronnen sind, die den abwiesen, der auf
Erden den Willen Gottes verkündete,
wie viel weniger werden wir entrinnen,
wenn wir den abweisen, der vom Him-
mel her redet.[a] 26 Seine Stimme hat zu je-
ner Zeit die Erde erschüttert, jetzt aber
verheißt er und spricht (Haggai 2,6): »Noch
einmal will ich erschüttern nicht allein
die Erde, sondern auch den Himmel.«
27 Dieses »Noch einmal« aber zeigt an,
dass das, was erschüttert wird, weil es
geschaffen ist, verwandelt werden soll,
auf dass bleibe, was nicht erschüttert
wird. 28 Darum, weil wir ein Reich emp-
fangen, das nicht erschüttert wird, lasst
uns dankbar sein und so Gott dienen mit
Scheu und Furcht, wie es ihm gefällt;
29 denn **unser Gott ist ein verzehrendes
Feuer.**[a]

* **12,9** Mit »Geister« sind vom Geist geprägte Menschen gemeint. **12,24** Nach besseren Handschriften: »als Abel«.

12,6 ***a*** Offb 3,19 **12,11** ***a*** 2. Kor 4,17-18 **12,12** ***a*** Jes 35,3 **12,13** ***a*** Spr 4,26-27 **12,14** ***a*** Röm 12,18; 2. Tim 2,22 **12,15** ***a*** 5. Mose 29,17 **12,16** ***a*** 1. Mose 25,29-34 **12,17** ***a*** 1. Mose 27,30-40 **12,18** ***a*** 2. Mose 19,12.16; 5. Mose 4,11 **12,19** ***a*** 2. Mose 20,16.19 **12,22** ***a*** Gal 4,26; Offb 21,2 ***b*** Offb 5,11 **12,23** ***a*** Lk 10,20 **12,24** ***a*** Kap 9,15 ***b*** 1. Mose 4,10 **12,25** ***a*** Kap 2,2; 10,28-29 **12,29** ***a*** Kap 10,31; 5. Mose 4,24

ABSCHLIESSENDE ERMAHNUNGEN

13 Bleibt fest in der [a]brüderlichen Liebe.
2 [a]**Gastfrei zu sein vergesst nicht;**
denn dadurch haben einige ohne ihr
Wissen [b]Engel beherbergt. 3 Denkt an
die [a]Gefangenen, als wärt ihr Mitgefan-
gene, und an die Misshandelten, weil auch
ihr noch im Leibe lebt.
4 Die Ehe soll in Ehren gehalten werden
bei allen und das Ehebett unbefleckt; denn
die Unzüchtigen und die Ehebrecher wird
Gott richten.
5 Seid nicht geldgierig, und [a]lasst euch
genügen an dem, was da ist. Denn er hat
gesagt (Josua 1,5): »Ich will dich nicht ver-
lassen und nicht von dir weichen.« 6 So
können wir getrost sagen (Psalm 118,6): »Der
Herr ist mein Helfer, ich werde mich nicht
fürchten; was kann mir ein Mensch tun?«
7 Gedenkt eurer Lehrer*, die euch das
Wort Gottes gesagt haben; ihr Ende schaut
an und folgt dem Beispiel ihres Glaubens.
8 **Jesus Christus gestern und heute und**
derselbe auch in Ewigkeit.[a]
9 Lasst euch nicht [a]durch mancherlei und
fremde Lehren umtreiben, denn **es ist ein**
köstlich Ding, dass das Herz fest werde,
welches geschieht durch Gnade, [b]nicht
durch Speisegebote, von denen keinen
Nutzen haben, die danach leben. 10 Wir
haben einen Altar, von dem zu essen
denen nicht erlaubt ist, die am Zelt die-
nen. 11 Denn die Leiber der Tiere, deren
Blut durch den Hohenpriester als Sünd-
opfer in das Heilige getragen wird, werden
[a]außerhalb des Lagers verbrannt. 12 Darum
hat auch Jesus, damit er das Volk heilige
durch sein eigenes Blut, gelitten [a]drau-
ßen vor dem Tor. 13 So lasst uns nun zu
ihm hinausgehen vor das Lager und seine
[a]Schmach tragen. 14 Denn **wir haben hier**
keine bleibende Stadt, sondern [a]die zu-
künftige suchen wir.
15 So lasst uns nun durch ihn Gott alle-
zeit [a]das Lobopfer darbringen, das ist die
[b]Frucht der Lippen, die seinen Namen be-
kennen. 16 **Gutes zu tun und mit andern**
zu teilen vergesst nicht; denn solche
Opfer gefallen Gott. 17 [a]Gehorcht euren
Lehrern* und folgt ihnen, denn sie wachen
über eure Seelen – und dafür müssen sie
Rechenschaft geben –, damit sie das mit
Freuden tun und nicht mit Seufzen; denn
das wäre nicht gut für euch.
18 [a]Betet für uns. Wir sind überzeugt,
dass wir [b]ein gutes Gewissen haben, und
suchen in allen Dingen recht zu leben.
19 Umso mehr aber ermahne ich euch, dies
zu tun, auf dass ich euch möglichst bald
wiedergegeben werde.

SEGENSWUNSCH UND GRÜSSE

20 Der Gott des Friedens aber, der den gro-
ßen [a]Hirten der Schafe, unsern Herrn
Jesus, von den Toten heraufgeführt hat
durch das Blut des ewigen Bundes, 21 der
mache euch tüchtig in allem Guten, zu
tun seinen Willen, und schaffe in uns,
was ihm gefällt, durch Jesus Christus,
welchem sei Ehre von Ewigkeit zu Ewig-
keit! Amen.
22 Ich ermahne euch aber, Brüder und
Schwestern, nehmt das Wort der Er-
mahnung an; ich habe euch ja nur kurz
geschrieben. 23 Wisst, dass unser Bruder
Timotheus wieder frei ist; mit ihm will
ich euch, wenn er bald kommt, besuchen.
24 Grüßt alle, die eure Gemeinden leiten,
und alle Heiligen. Es grüßen euch die
Brüder und Schwestern aus Italien. 25 Die
Gnade sei mit euch allen!

* **13,7.17** Gemeindeleiter.

13,1 ***a*** Joh 13,34; 2. Petr 1,7 **13,2** ***a*** Röm 12,13; 1. Petr 4,9; 3. Joh 5-8 ***b*** 1. Mose 18,2-3; 19,2-3 **13,3** ***a*** Mt 25,36 **13,5** ***a*** 1. Tim 6,6 **13,8** ***a*** Offb 1,17; 22,13 **13,9** ***a*** Eph 4,14 ***b*** Röm 14,17; 1. Kor 8,8 **13,11** ***a*** 3. Mose 16,27 **13,12** ***a*** Mt 21,39; Joh 19,17 **13,13** ***a*** Kap 11,26; 12,2 **13,14** ***a*** Kap 11,10; 12,22 **13,15** ***a*** Ps 50,14.23 ***b*** Hos 14,3 **13,17** ***a*** 1. Thess 5,12 **13,18** ***a*** Röm 15,30 ***b*** 2. Kor 1,11-12 **13,20** ***a*** Joh 10,11; 1. Petr 2,25

DER BRIEF DES JAKOBUS

1 Geschenk des Glaubens 2–4 Bewährung des Glaubens 5 Warnung, Mahnung und Gebet

1 Jakobus, Knecht Gottes und des Herrn
Jesus Christus, an die zwölf Stämme in
der Zerstreuung: Seid gegrüßt!

CHRISTEN IN DER ANFECHTUNG

2 Meine Brüder und Schwestern, erachtet
es für lauter Freude, wenn ihr in man-
cherlei Anfechtung fallt,[a] 3 und wisst,
dass euer Glaube, wenn er bewährt ist,
Geduld wirkt. 4 Die Geduld aber soll zu
einem vollkommenen Werk führen, da-
mit ihr vollkommen und unversehrt seid
und keinen Mangel habt.
5 Wenn es aber jemandem unter euch
an Weisheit mangelt, so bitte er Gott,
[a]der jedermann gern und ohne Vorwurf
gibt; so wird sie ihm gegeben werden. 6 Er
[a]bitte aber im Glauben und zweifle nicht;
denn wer zweifelt, der gleicht einer Mee-
reswoge, die vom Winde getrieben und
aufgepeitscht wird. 7 Ein solcher Mensch
denke nicht, dass er etwas von dem Herrn
empfangen werde. 8 Ein Zweifler ist unbe-
ständig auf allen seinen Wegen.
9 Der Bruder aber, der niedrig ist, rühme
sich seiner Höhe;[a] 10 [a]wer aber [b]reich ist,
rühme sich seiner Niedrigkeit, denn wie
eine Blume des Grases wird er vergehen.
11 Die Sonne geht auf mit ihrer Hitze und
das Gras verwelkt, und die Blume fällt ab
und ihre schöne Gestalt verdirbt: So wird
auch der Reiche dahinwelken in dem, was
er unternimmt.
12 **Selig ist, wer Anfechtung erduldet;**
denn nachdem er bewährt ist, wird er
die [a]Krone des Lebens empfangen, die
Gott verheißen hat denen, die ihn lieb
haben.

DER URSPRUNG DER VERSUCHUNG

13 Niemand sage, wenn er versucht wird,
dass er von Gott versucht werde. Denn
Gott kann nicht versucht werden zum
Bösen, und er selbst versucht niemand.
14 [a]Sondern ein jeder, der versucht wird,
wird [b]von seiner eigenen Begierde gereizt
und gelockt. 15 Danach, wenn die Begierde
empfangen hat, gebiert sie die Sünde; die
Sünde aber, wenn sie vollendet ist, [a]ge-
biert den Tod.
16 Irrt euch nicht, meine Lieben. 17 **Alle**
[a]gute Gabe und alle vollkommene Gabe
kommt von oben herab, von dem [b]Va-
ter des Lichts*, bei dem keine Verände-
rung ist noch Wechsel von Licht und
Finsternis. 18 Er hat uns [a]geboren nach
seinem Willen durch das Wort der Wahr-
heit, damit wir die [b]Erstlinge seiner Ge-
schöpfe seien.

HÖRER UND TÄTER DES WORTES

19 Ihr sollt wissen: Ein jeder Mensch sei
[a]schnell zum Hören, langsam zum Re-
den, langsam zum Zorn. 20 Denn [a]des
Menschen Zorn tut nicht, was vor Gott
recht ist. 21 Darum [a]legt ab alle Unsauber-
keit und alle Bosheit und nehmt das Wort
an mit Sanftmut, das in euch gepflanzt
ist und Kraft hat, eure Seelen selig zu
machen.
22 **[a]Seid aber Täter des Worts und**
nicht Hörer allein; sonst betrügt ihr
euch selbst. 23 Denn wenn jemand ein
Hörer des Worts ist und nicht ein Täter,
der gleicht einem Menschen, der sein
leibliches Angesicht im Spiegel beschaut;
24 denn nachdem er sich beschaut hat, geht
er davon und vergisst von Stund an, wie er
aussah. 25 Wer aber sich vertieft in das voll-
kommene [a]Gesetz der Freiheit und dabei
beharrt und ist nicht ein vergesslicher Hö-
rer, sondern ein Täter, der wird selig sein
in seinem Tun.
26 Wenn jemand meint, er diene Gott,
und [a]hält seine Zunge nicht im Zaum,

* **1,17** Wörtlich: »Vater der Himmelslichter«.

1,2 *a* Röm 5,3-5; 1. Petr 4,13 **1,5** *a* Kap 3,15; Spr 2,3-6
1,6 *a* Mk 11,24 **1,9** *a* Kap 2,5 **1,10** *a* (10-11) Jes 40,6-7
b 1. Tim 6,17 **1,12** *a* 2. Tim 4,8; Offb 2,10
1,14 *a* (14-15) 1. Mose 3,6 *b* Röm 7,7-8 **1,15** *a* Röm 6,23;
7,10 **1,17** *a* Mt 7,11 *b* 1. Joh 1,5 **1,18** *a* Joh 1,13; 1. Petr 1,23
b Röm 16,5 **1,19** *a* Spr 29,20; Pred 5,1-2; 7,9
1,20 *a* Spr 29,22; Eph 4,26 **1,21** *a* 1. Petr 2,1
1,22 *a* Mt 7,21; Röm 2,13 **1,25** *a* Kap 2,12; Röm 8,2
1,26 *a* Kap 3,1-12; 1. Petr 3,10

sondern betrügt sein Herz, so ist sein Got-
tesdienst nichtig. 27 Ein reiner und unbe-
fleckter Gottesdienst vor Gott, dem Vater,
ist der: die Waisen und Witwen in ihrer
Trübsal besuchen und sich selbst von der
Welt unbefleckt halten.

KEIN ANSEHEN DER PERSON IN DER GEMEINDE

2 Meine Brüder und Schwestern, haltet
den Glauben an Jesus Christus, un-
sern Herrn der Herrlichkeit, frei von al-
lem Ansehen der Person. 2 Denn wenn in
eure Versammlung ein Mann kommt mit
einem goldenen Ring und in herrlicher
Kleidung, es kommt aber auch ein Armer
in unsauberer Kleidung, 3 und ihr seht auf
den, der herrlich gekleidet ist, und sprecht
zu ihm: Setz du dich hierher auf den guten
Platz!, und sprecht zu dem Armen: Stell
du dich dorthin!, oder: Setz dich unten
zu meinen Füßen!, 4 macht ihr dann nicht
Unterschiede unter euch und urteilt mit
bösen Gedanken?

5 Hört zu, meine Lieben! Hat nicht Gott
[a]erwählt die Armen in der Welt, die im
Glauben reich sind und Erben des Reichs,
das er verheißen hat denen, die ihn lieb
haben? 6 Ihr aber habt dem Armen Un-
ehre angetan. [a]Sind es nicht die Reichen,
die Gewalt gegen euch üben und euch vor
Gericht ziehen? 7 Verlästern sie nicht den
guten [a]Namen, der über euch genannt ist?
8 Wenn ihr das königliche Gesetz erfüllt
nach der Schrift (3. Mose 19,18): »Liebe deinen
Nächsten wie dich selbst«, so tut ihr recht;
9 wenn ihr aber [a]die Person anseht, tut ihr
Sünde und werdet überführt vom Gesetz
als Übertreter.

10 Denn wenn jemand das ganze Gesetz
hält und sündigt gegen ein einziges Ge-
bot, der ist am ganzen Gesetz schuldig.[a]
11 Denn der gesagt hat (2. Mose 20,13-14): »Du
sollst nicht ehebrechen«, der hat auch ge-
sagt: »Du sollst nicht töten.« Wenn du nun
nicht die Ehe brichst, tötest aber, bist du
ein Übertreter des Gesetzes. 12 Redet so
und handelt so als Leute, die durchs Ge-
setz der Freiheit gerichtet werden sollen.
13 Denn es wird ein unbarmherziges Ge-
richt über den ergehen, [a]der nicht Barm-
herzigkeit getan hat; Barmherzigkeit aber
triumphiert über das Gericht.

GLAUBE OHNE WERKE IST TOT

14 [a]Was hilft's, Brüder und Schwestern,
[b]wenn jemand sagt, er habe Glauben,
und hat doch keine Werke? Kann denn
der Glaube ihn selig machen? 15 Wenn
ein Bruder oder eine Schwester nackt
ist und Mangel hat an täglicher Nahrung
16 und jemand unter euch spricht zu ihnen:
Geht hin in Frieden, wärmt euch und sät-
tigt euch!, ihr gebt ihnen aber nicht, was
der Leib nötig hat – was hilft ihnen das?
17 **So ist auch der Glaube, wenn er nicht
Werke hat, tot in sich selber.**

18 Aber es könnte jemand sagen: Du hast
Glauben, und ich habe Werke. Zeige mir
deinen Glauben ohne die Werke, so [a]will
ich dir meinen Glauben zeigen aus mei-
nen Werken. 19 Du glaubst, [a]dass nur einer
Gott ist? Du tust recht daran; die Teufel
glauben's auch und zittern. 20 Willst du
nun einsehen, du törichter Mensch, dass
der Glaube ohne Werke nutzlos ist?

21 Ist nicht Abraham, unser Vater, durch
Werke gerecht geworden, als er seinen
Sohn Isaak auf dem Altar opferte?[a] 22 Da
siehst du, dass der Glaube zusammenge-
wirkt hat mit seinen Werken, und durch
die Werke ist der Glaube vollkommen
geworden. 23 So ist die Schrift erfüllt, die
da spricht (1. Mose 15,6): »Abraham hat Gott
geglaubt und das ist ihm zur Gerechtig-
keit gerechnet worden«, und er wurde
»ein Freund Gottes« genannt (Jesaja 41,8).
24 So seht ihr nun, dass der Mensch durch
Werke gerecht wird, nicht durch Glauben
allein. 25 Desgleichen die [a]Hure Rahab: Ist
sie nicht durch Werke gerecht geworden,
als sie [b]die Boten aufnahm und sie auf
einem andern Weg hinausließ? 26 Denn
wie der Leib ohne Geist tot ist, so ist auch
der Glaube ohne Werke tot.

DIE MACHT DER ZUNGE

3 Nicht jeder von euch, meine Brüder,
soll Lehrer werden; da wir doch wissen,
dass wir ein desto strengeres Urteil emp-
fangen werden. 2 Denn wir verfehlen uns

2,5 ***a*** 1. Kor 1,26-27; Lk 6,20 **2,6** ***a*** Apg 19,24
2,7 ***a*** 1. Petr 4,14 **2,9** ***a*** 5. Mose 1,17 **2,10** ***a*** Mt 5,19
2,13 ***a*** Mt 5,7; 25,45-46 **2,14** ***a*** (14-26) Röm 3,21-31
b Mt 7,21 **2,18** ***a*** Gal 5,6 **2,19** ***a*** 5. Mose 6,4; 1. Kor 8,6
2,21 ***a*** 1. Mose 22,1-19; Hebr 11,17; Röm 4,2-3
2,25 ***a*** Hebr 11,31 ***b*** Jos 2,1-24

alle mannigfaltig. Wer sich aber im Wort
nicht verfehlt, der ist ein vollkommener
Mensch und kann auch den ganzen Leib
im Zaum halten.
3 Wenn wir den Pferden den Zaum ins
Maul legen, damit sie uns gehorchen, so
lenken wir ihren ganzen Leib. 4 Siehe, auch
die Schiffe, obwohl sie so groß sind und
von starken Winden getrieben werden,
werden sie doch gelenkt mit einem klei-
nen Ruder, wohin der will, der es führt.
5 So ist auch die Zunge ein kleines Glied
und rechnet sich große Dinge zu. Siehe,
ein kleines Feuer, welch einen Wald zün-
det's an! 6 Auch die Zunge ist ein [a]Feuer.
Eine Welt voll Ungerechtigkeit ist die
Zunge unter unsern Gliedern: Sie befleckt
den ganzen Leib und setzt das ganze Le-
ben in Brand und ist selbst von der Hölle
entzündet.[b]
7 Denn jede Art von Tieren und Vögeln
und Schlangen und Seetieren wird ge-
zähmt und ist gezähmt vom Menschen,
8 aber die Zunge kann kein Mensch zäh-
men, das aufrührerische Übel, voll töd-
lichen Gifts.[a] 9 Mit ihr loben wir den Herrn
und Vater, und mit ihr fluchen wir den
Menschen, [a]die nach dem Bilde Gottes ge-
macht sind. 10 Aus *einem* Munde kommt
Loben und Fluchen. Das soll nicht so sein,
meine Brüder und Schwestern.[a] 11 Lässt
auch die Quelle aus *einem* Loch Süßes und
Bitteres fließen? 12 Kann auch ein Feigen-
baum Oliven oder ein Weinstock Feigen
tragen? So kann auch eine salzige Quelle
nicht süßes Wasser geben.

DIE WEISHEIT VON OBEN

13 Wer ist weise und klug unter euch? Der
zeige mit seinem guten Wandel seine
Werke in Sanftmut und Weisheit. 14 Habt
ihr aber bittern Neid und Streit in eurem
Herzen, so rühmt euch nicht und lügt
nicht der Wahrheit zuwider. 15 Das ist
nicht die Weisheit, die [a]von oben herab-
kommt, sondern sie ist irdisch, mensch-
lich und teuflisch. 16 Denn wo Neid und
Streit ist, da sind Unordnung und lau-
ter böse Dinge. 17 Die Weisheit aber von
oben her ist zuerst lauter, dann friedfertig,
gütig, lässt sich etwas sagen, ist reich an
Barmherzigkeit und guten Früchten, un-
parteiisch, ohne Heuchelei. 18 Die [a]Frucht
der Gerechtigkeit aber wird gesät in Frie-
den für die, die [b]Frieden stiften.

WARNUNG VOR UNFRIEDE

4 Woher kommt Streit, woher Krieg un-
ter euch? Kommt's nicht daher: aus
euren Gelüsten, die da streiten in euren
Gliedern? 2 Ihr seid begierig und erlangt's
nicht; ihr mordet und neidet und gewinnt
nichts; [a]ihr streitet und kämpft; ihr habt
nichts, weil ihr nicht bittet; 3 ihr bittet und
empfangt's nicht, weil ihr in übler Absicht
bittet, nämlich damit ihr's für eure Ge-
lüste vergeuden könnt.
4 Ihr Ehebrecher, wisst ihr nicht, dass
[a]Freundschaft mit der Welt Feindschaft
mit Gott ist? Wer der Welt Freund sein
will, der wird Gottes Feind sein. 5 Oder
meint ihr, die Schrift sage umsonst: Der
Geist, den er in uns wohnen ließ, drängt
nach Neid; 6 doch Gott gibt größere Gna-
de. Darum heißt es (Sprüche 3,34): »Gott wi-
dersteht den Hochmütigen, aber [a]den De-
mütigen gibt er Gnade.«
7 So seid nun Gott untertan. [a]Widersteht
dem Teufel, so flieht er von euch. 8 [a]Naht
euch zu Gott, so naht er sich zu euch. [b]Rei-
nigt die Hände, ihr Sünder, und heiligt
eure Herzen, ihr Wankelmütigen. 9 Klagt,
trauert und weint; euer Lachen verkehre
sich in Weinen und eure Freude in Trau-
rigkeit. 10 Demütigt euch vor dem Herrn,
so wird er euch erhöhen.[a]
11 Verleumdet einander nicht. Wer sei-
nen Bruder verleumdet oder seinen Bru-
der verurteilt, der verleumdet und ver-
urteilt das Gesetz. Verurteilst du aber
das Gesetz, so bist du nicht ein Täter des
Gesetzes, sondern ein Richter. 12 Einer
ist der Gesetzgeber und Richter, der selig
machen und verdammen kann. [a]Wer aber
bist du, dass du den Nächsten verurteilst?

WARNUNG VOR SELBSTSICHERHEIT

13 Wohlan nun, die ihr sagt: Heute oder
morgen wollen wir in die oder die Stadt
gehen und wollen ein Jahr dort zubrin-

3,6 *a* Spr 16,27 *b* Mt 12,36-37; 15,11.18 **3,8** *a* Ps 140,4 **3,9** *a* 1. Mose 1,26-27 **3,10** *a* Eph 4,29 **3,15** *a* Kap 1,5 **3,18** *a* Phil 1,11 *b* Mt 5,9 **4,2** *a* Gal 5,15 **4,4** *a* Lk 6,26; Röm 8,7; 1. Joh 2,15 **4,6** *a* Hiob 22,29; Mt 23,12; 1. Petr 5,5 **4,7** *a* 1. Petr 5,8-9 **4,8** *a* Sach 1,3 *b* Ps 24,4; Jes 1,16 **4,10** *a* 1. Petr 5,6 **4,12** *a* Mt 7,1; Röm 14,4

gen und Handel treiben und Gewinn ma-
chen –,[a] 14 und [a]wisst nicht, was morgen
sein wird. Was ist euer Leben? Dunst seid
ihr, der eine kleine Zeit bleibt und dann
verschwindet. 15 Dagegen solltet ihr sagen:
[a]Wenn der Herr will, werden wir leben
und dies oder das tun. 16 Nun aber rühmt
ihr euch in eurem Übermut. All solches
Rühmen ist böse.
17 **Wer nun weiß, Gutes zu tun, und
tut's nicht, dem ist's Sünde.**[a]

DAS GERICHT ÜBER DIE REICHEN

5 Wohlan nun, ihr Reichen: Weint und
heult über das Elend, das über euch
kommen wird![a] 2 [a]Euer Reichtum ist ver-
fault, eure Kleider sind von Motten zer-
fressen. 3 Euer Gold und Silber ist verros-
tet und ihr Rost wird gegen euch Zeugnis
geben und wird euer Fleisch fressen wie
Feuer. Ihr habt euch Schätze gesammelt
in den letzten Tagen! 4 Siehe, [a]der Lohn
der Arbeiter, die euer Land abgeerntet ha-
ben, den ihr ihnen vorenthalten habt, der
schreit, und das Rufen der Schnitter ist ge-
kommen vor die Ohren des Herrn Zeba-
oth. 5 Ihr habt [a]geschlemmt auf Erden und
geprasst und eure Herzen gemästet am
Schlachttag. 6 Ihr habt den Gerechten ver-
urteilt und getötet, und er hat euch nicht
widerstanden.[a]

MAHNUNG ZUR GEDULD

7 **So seid nun [a]geduldig, Brüder und
Schwestern, bis zum Kommen des
Herrn.** Siehe, der Bauer wartet auf die
kostbare Frucht der Erde und ist dabei ge-
duldig, bis sie empfange den Frühregen
und Spätregen. 8 Seid auch ihr geduldig
und stärkt eure Herzen; [a]denn das Kom-
men des Herrn ist nahe.
9 Seufzt nicht widereinander, damit ihr
nicht gerichtet werdet. Siehe, der Richter
steht vor der Tür. 10 Nehmt zum Vorbild
des Leidens und der Geduld die [a]Prophe-
ten, die geredet haben in dem Namen des
Herrn. 11 Siehe, wir preisen selig, die er-
duldet haben. Von der [a]Geduld Hiobs habt
ihr gehört und habt gesehen, [b]zu welchem
Ende es der Herr geführt hat; denn der
Herr ist barmherzig und ein Erbarmer.
12 Vor allen Dingen aber, Brüder und
Schwestern, schwört nicht, weder bei dem
Himmel noch bei der Erde noch mit einem
andern Eid. Es sei aber euer Ja ein Ja und
euer Nein ein Nein, damit ihr nicht dem
Gericht verfallt.[a]

DAS GEBET FÜR DIE KRANKEN

13 Leidet jemand unter euch, der bete; ist
jemand guten Mutes, der [a]singe Psalmen.
14 Ist jemand unter euch krank, der rufe zu
sich die Ältesten der Gemeinde, dass sie
über ihm beten und [a]ihn salben mit Öl in
dem Namen des Herrn. 15 Und [a]das Gebet
des Glaubens wird dem Kranken helfen,
und der Herr wird ihn aufrichten; und
wenn er Sünden getan hat, wird ihm ver-
geben werden.
16 [a]Bekennt also einander eure Sünden
und betet füreinander, dass ihr gesund
werdet. **Des Gerechten Gebet vermag
viel, wenn es ernstlich ist.** 17 Elia war ein
schwacher Mensch wie wir; und er betete
ein Gebet, [a]dass es nicht regnen sollte, und
es regnete nicht auf Erden drei Jahre und
sechs Monate. 18 Und er betete abermals,
und der Himmel gab den Regen, und die
Erde brachte ihre Frucht.[a]

VERANTWORTUNG FÜR DIE IRRENDEN

19 Meine Brüder und Schwestern, [a]wenn
jemand unter euch abirrt von der Wahr-
heit und jemand bekehrte ihn, 20 der soll
wissen: [a]Wer den Sünder bekehrt hat von
seinem Irrweg, der wird seine Seele vom
Tode erretten und wird [b]bedecken die
Menge der Sünden.

4,13 *a* Spr 27,1 **4,14** *a* Lk 12,20 **4,15** *a* Apg 18,21; 1. Kor 4,19 **4,17** *a* Lk 12,47 **5,1** *a* Lk 6,24 **5,2** *a* (2-3) Mt 6,19 **5,4** *a* 5. Mose 24,14-15 **5,5** *a* Lk 16,19.25 **5,6** *a* Kap 2,6 **5,7** *a* Hebr 10,36 **5,8** *a* Phil 4,5 **5,10** *a* Mt 5,12 **5,11** *a* Hiob 1,21 *b* Hiob 42,10-17 **5,12** *a* Mt 5,34-37 **5,13** *a* Eph 5,19 **5,14** *a* Mk 6,13 **5,15** *a* Mk 16,18 **5,16** *a* 1. Joh 1,8-9 **5,17** *a* 1. Kön 17,1; Lk 4,25 **5,18** *a* 1. Kön 18,41-45 **5,19** *a* Gal 6,1 **5,20** *a* Ps 51,15 *b* Spr 10,12; 1. Petr 4,8

DER BRIEF DES JUDAS

1 Judas, Knecht Jesu Christi und [a]Bruder
des Jakobus, an die Berufenen, die geliebt
sind in Gott, dem Vater, und bewahrt für
Jesus Christus:
2 Gott gebe euch viel Barmherzigkeit
und Frieden und Liebe!

GOTTES GERICHT ÜBER DIE IRRLEHRER

(vgl. 2. Petr 2,1-22)

3 Ihr Lieben, da es mich drängt, euch zu
schreiben von unser aller Heil, halte ich's
für nötig, euch in meinem Brief zu ermah-
nen, [a]dass ihr für den Glauben kämpft, der
ein für alle Mal den Heiligen anvertraut
ist. 4 Denn es haben sich einige Menschen
eingeschlichen, über die schon längst das
Urteil geschrieben ist: Gottlose sind sie,
verkehren die Gnade unseres Gottes ins
Gegenteil, in Ausschweifung, und ver-
leugnen unsern alleinigen Herrscher und
Herrn Jesus Christus.
5 Ich will euch, die ihr alles ein für alle
Mal wisst, aber daran erinnern, dass der
Herr*, der das Volk aus Ägypten gerettet
hatte, das andere Mal die umbrachte, die
nicht glaubten. 6 Auch die Engel, die ihren
hohen Rang nicht bewahrten, sondern
[a]ihre Wohnstatt verließen, hat er für das
Gericht des großen Tages aufbewahrt mit
ewigen Banden in der Finsternis. 7 So sind
auch Sodom und Gomorra und die umlie-
genden Städte, die gleicherweise wie sie
Unzucht getrieben haben und [a]anderem
Fleisch nachgegangen sind, zum Beispiel
gesetzt und leiden des ewigen Feuers Pein.
8 Ebenso sind auch diese Träumer, die ihr
Fleisch beflecken, jede Herrschaft verach-
ten und himmlische Mächte lästern. 9 Als
aber Michael, der Erzengel, mit dem Teufel
stritt und mit ihm rechtete um den Leich-
nam des Mose, wagte er nicht, ihn für die
Lästerung zu verurteilen, sondern sprach:
[a]Der Herr strafe dich! 10 Diese aber lästern,
was sie nicht kennen; was sie aber von Na-
tur aus verstehen wie die unvernünftigen
Tiere, daran gehen sie zugrunde.
11 Weh ihnen! Denn sie gehen den Weg
[a]Kains und fallen in den Irrtum des [b]Bi-
leam um Gewinnes willen und kommen
um in dem [c]Aufruhr Korachs. 12 Sie sind
Schandflecken bei euren Liebesmahlen*,
[a]prassen mit euch ohne Scheu; sie weiden
sich selbst; sie sind Wolken ohne Was-
ser, vom Wind umhergetrieben, kahle,
unfruchtbare Bäume, zweimal abgestor-
ben und entwurzelt, 13 wilde Wellen des
Meeres, [a]die ihre eigene Schande aus-
schäumen, umherirrende Sterne, für die
dunkelste Finsternis aufbewahrt ist in
Ewigkeit.
14 Es hat aber auch von diesen geweis-
sagt [a]Henoch, der Siebente von Adam an,
und gesprochen: Siehe, der Herr kommt
mit seinen vielen tausend Heiligen, 15 Ge-
richt zu halten über alle und zu strafen alle
Gottlosen für alle Werke ihres gottlosen
Wandels, mit denen sie gottlos gewesen
sind, und für all das Harte, das die gott-
losen Sünder gegen ihn geredet haben.
16 Diese murren und hadern mit ihrem
Geschick; sie leben nach ihren Begierden,
und ihr Mund redet stolze Worte, und um
ihres Nutzens willen schmeicheln sie den
Leuten.
17 Ihr aber, meine Lieben, erinnert euch
der Worte, die zuvor gesagt sind von den
Aposteln unseres Herrn Jesus Chris-
tus, 18 da sie euch sagten: [a]Zu der letzten
Zeit werden Spötter sein, die nach ih-
ren eigenen gottlosen Begierden leben.
19 Diese sind es, die Spaltungen hervorru-
fen, irdisch Gesinnte, die den Geist nicht
haben.

MAHNUNG UND GOTTESLOB

20 Ihr aber, meine Lieben, baut euer Leben
auf eurem allerheiligsten Glauben und
betet im Heiligen Geist 21 und bewahrt

* **Vers 5** Andere Handschriften: »Jesus«. Das ist auch die griechische Schreibweise für »Josua«.
Vers 12 Siehe Sach- und Worterklärungen.

Vers 1 ***a*** Mt 13,55 **Vers 3** ***a*** 1. Tim 1,18
Vers 6 ***a*** 1. Mose 6,2-4 **Vers 7** ***a*** 1. Mose 19,1.4-11
Vers 9 ***a*** Sach 3,2 **Vers 11** ***a*** 1. Mose 4,8
b 4. Mose 31,16 ***c*** 4. Mose 16,1-35 **Vers 12** ***a*** 1. Kor 11,21
Vers 13 ***a*** Jes 57,20 **Vers 14** ***a*** 1. Mose 5,21
Vers 18 ***a*** 1. Tim 4,1; 2. Petr 3,3

euch in der Liebe Gottes und wartet auf
die Barmherzigkeit unseres Herrn Je-
sus Christus zum ewigen Leben. 22 Und
erbarmt euch derer, die zweifeln; 23 an-
dere reißt aus dem Feuer und rettet sie;
anderer erbarmt euch in Furcht, wenn
ihr auch das [a]Gewand hasst, das befleckt
ist vom Fleisch.
24 Dem aber, der euch vor dem Strau-
cheln behüten kann und [a]euch untadelig
hinstellen kann vor das Angesicht seiner
Herrlichkeit mit Freuden, 25 dem alleini-
gen Gott, unserm Heiland durch unsern
Herrn Jesus Christus, sei Ehre und Majes-
tät und Gewalt und Macht vor aller Zeit,
jetzt und in alle Ewigkeit! Amen.

Vers 23 ***a*** Offb 3,4 **Vers 24** ***a*** Kol 1,22

DIE OFFENBARUNG DES JOHANNES

1 Der Gruß und die eröffnende Vision 2–3 Die sieben Sendschreiben
4–5 Gottes Thron und die Erscheinung Christi, des Lammes 6–8 Die sieben Siegel
8–11 Die sieben Posaunen 11–13 Die Frau, der Drache und die Tiere
14–16 Das Lamm, die Ankündigungsengel und die sieben Schalen
17–19 Die Hure Babylon und ihr Untergang 20 Die Vision der tausend Jahre und das Gericht
21–22 Das neue Jerusalem 22 Der Abschluss der Visionen und Schlussgruß

1 Dies ist die Offenbarung Jesu Christi,
die ihm Gott gegeben hat, seinen
Knechten zu zeigen, was in Kürze ge-
schehen soll; und er hat sie gedeutet und
gesandt durch seinen Engel zu seinem
Knecht Johannes, 2 der bezeugt hat das
Wort Gottes und das Zeugnis von Jesus
Christus, alles, was er gesehen hat. 3 Se-
lig ist, der da liest und die da [a]hören die
Worte der Weissagung und behalten, was
darin geschrieben ist; denn [b]die Zeit ist
nahe.

GRUSS AN DIE SIEBEN GEMEINDEN

4 Johannes an die sieben Gemeinden in
der Provinz Asia: Gnade sei mit euch und
Friede von dem, [a]der da ist und der da war
und der da kommt, und von den [b]sieben
Geistern, die vor seinem Thron sind, 5 und
von Jesus Christus, welcher ist [a]der treue
Zeuge, der [b]Erstgeborene von den Toten
und Fürst der Könige auf Erden! Ihm, der
uns liebt und uns erlöst hat von unsern
Sünden mit seinem Blut 6 und uns [a]zu
einem Königreich gemacht hat, zu Pries-
tern vor Gott und seinem Vater, dem sei
Ehre und Gewalt von Ewigkeit zu Ewig-
keit! Amen.

7 Siehe, [a]er kommt mit den Wolken, und
es werden ihn sehen alle Augen und [b]alle,
die ihn durchbohrt haben, und es werden
wehklagen um seinetwillen alle Stämme
der Erde. Ja, Amen.

**8 Ich bin [a]das A und das O, spricht
Gott der Herr, [b]der da ist und der da war
und der da kommt, der Allmächtige.**

DER AUFTRAG AN JOHANNES

9 Ich, Johannes, euer Bruder und Mitge-
nosse an der Bedrängnis und am Reich
und an der Geduld in Jesus, war auf der
Insel, die Patmos heißt, um des Wortes
Gottes und des Zeugnisses Jesu willen.
10 Ich wurde vom Geist ergriffen am Tag
des Herrn und hörte hinter mir eine große
Stimme wie von einer Posaune, 11 die
sprach: Was du siehst, das schreibe in ein
Buch und sende es an die sieben Gemein-
den: nach Ephesus und nach Smyrna und
nach Pergamon und nach Thyatira und
nach Sardes und nach Philadelphia und
nach Laodizea.

12 Und ich wandte mich um, zu se-
hen nach der Stimme, die mit mir re-
dete. Und als ich mich umwandte, sah
ich sieben goldene Leuchter 13 und [a]mit-
ten unter den Leuchtern einen, der war
[b]einem Menschensohn gleich, der war
angetan mit einem langen Gewand und
gegürtet um die Brust mit einem gol-
denen Gürtel. 14 Sein Haupt aber und
sein Haar war weiß wie weiße Wolle,
wie Schnee, und [a]seine Augen wie eine
Feuerflamme 15 und seine [a]Füße gleich
Golderz, wie im Ofen durch Feuer ge-
härtet, und seine Stimme wie großes
[b]Wasserrauschen; 16 und er hatte sieben
Sterne in seiner rechten Hand, und [a]aus
seinem Munde ging ein scharfes, zwei-
schneidiges Schwert, und sein [b]Angesicht
leuchtete, wie die Sonne scheint in ihrer
Macht.

17 Und als ich ihn sah, fiel ich zu seinen
Füßen wie tot; und er legte seine rechte
Hand auf mich und sprach: **Fürchte dich
nicht! [a]Ich bin der Erste und der Letzte
18 und der Lebendige. Ich war tot, und**

1,3 *a* Kap 22,7 *b* Kap 22,10 **1,4** *a* 2. Mose 3,14 *b* Kap 3,1; 5,6 **1,5** *a* Kap 3,14; Ps 89,38; Joh 18,37; 1. Tim 6,13 *b* Kol 1,18 **1,6** *a* Kap 5,10; 2. Mose 19,6; 1. Petr 2,9 **1,7** *a* Mt 24,30 *b* Sach 12,10; Joh 19,37 **1,8** *a* Kap 21,6; 22,13 *b* Kap 4,8 **1,13** *a* Kap 2,1 *b* Dan 7,13 **1,14** *a* Kap 2,18; 19,12 **1,15** *a* Kap 10,1; Dan 10,6 *b* Kap 19,6; Hes 1,24 **1,16** *a* Kap 19,15; Jes 11,4; 49,2; Hebr 4,12 *b* Kap 10,1; Mt 17,2 **1,17** *a* Kap 2,8; 22,13; Jes 44,6

siehe, ich bin lebendig von Ewigkeit zu Ewigkeit und habe die Schlüssel des Todes und der Hölle*. 19 Schreibe, was du gesehen hast und was ist und was geschehen soll danach.

20 Das Geheimnis der sieben Sterne, die du gesehen hast in meiner rechten Hand, und der sieben goldenen Leuchter ist dies: Die sieben Sterne sind Engel der sieben Gemeinden, und die sieben Leuchter sind sieben Gemeinden.

DIE SIEBEN SENDSCHREIBEN

2 Dem Engel der Gemeinde in [a]*Ephesus* schreibe: Das sagt, der da hält die sieben Sterne in seiner Rechten, der da wandelt mitten unter den sieben goldenen Leuchtern: 2 Ich kenne deine Werke und deine Mühsal und deine Geduld und weiß, dass du die Bösen nicht ertragen kannst; und du [a]hast die geprüft, die sagen, sie seien Apostel und sind's nicht, und hast sie als Lügner befunden 3 und hast Geduld und hast um meines Namens willen die Last getragen und bist nicht müde geworden. 4 Aber ich habe gegen dich, dass du deine [a]erste Liebe verlassen hast. 5 Denke nun daran, aus welcher Höhe du gefallen bist, und tue Buße und tue die ersten Werke! Wenn aber nicht, werde ich über dich kommen und deinen Leuchter wegstoßen von seiner Stätte – wenn du nicht Buße tust.[a] 6 Aber das hast du für dich, dass du die Werke der [a]Nikolaïten hassest, die auch [b]ich hasse.

7 [a]Wer Ohren hat, der höre, was der Geist den Gemeinden sagt! Wer überwindet*, dem will ich zu essen geben von dem [b]Baum des Lebens, der im Paradies Gottes ist.

8 Und dem Engel der Gemeinde in *Smyrna* schreibe: [a]Das sagt der Erste und der Letzte, [b]der tot war und ist lebendig geworden: 9 Ich kenne deine Bedrängnis und [a]deine Armut – du bist aber reich – und die Lästerung von denen, die sagen, sie seien Juden, und sind's nicht, sondern sind [b]die Versammlung des Satans. 10 [a]Fürchte dich nicht vor dem, was du leiden wirst! Siehe, der Teufel wird einige von euch ins Gefängnis werfen, damit ihr versucht werdet, und ihr werdet in Bedrängnis sein zehn Tage. **Sei getreu bis an den Tod, so will ich dir die [b]Krone des Lebens geben.**

11 Wer Ohren hat, der höre, was der Geist den Gemeinden sagt! Wer überwindet, dem soll kein Leid geschehen von dem [a]zweiten Tode.

12 Und dem Engel der Gemeinde in *Pergamon* schreibe: Das sagt, der da hat [a]das scharfe, zweischneidige Schwert: 13 Ich weiß, wo du wohnst: da, wo der Thron des Satans* ist; und du hältst an meinem Namen fest und hast den Glauben an mich nicht verleugnet, auch nicht in den Tagen, als Antipas, mein treuer Zeuge, bei euch getötet wurde, da, wo der Satan wohnt. 14 Weniges aber habe ich gegen dich: Du hast Leute dort, die sich an die Lehre [a]Bileams halten, der den Balak lehrte, ein Ärgernis aufzurichten vor den Israeliten, vom Götzenopfer zu essen und Hurerei* zu treiben. 15 So hast du auch Leute, die sich in gleicher Weise an die Lehre der [a]Nikolaïten halten. 16 Tue nun Buße; wenn aber nicht, so werde ich bald über dich kommen und gegen sie streiten mit dem Schwert meines Mundes.

17 Wer Ohren hat, der höre, was der Geist den Gemeinden sagt! Wer überwindet, dem will ich geben von dem verborgenen [a]Manna und will ihm geben einen weißen Stein; und auf den Stein ist ein [b]neuer Name geschrieben, den [c]niemand kennt als der, der ihn empfängt.

18 Und dem Engel der Gemeinde in [a]*Thyatira* schreibe: Das sagt der Sohn Gottes, [b]der Augen hat wie Feuerflammen und seine Füße sind wie Golderz: 19 [a]Ich kenne deine Werke und deine Liebe und deinen Glauben und deinen Dienst und deine Geduld und weiß, dass du je länger je mehr tust. 20 Aber ich habe gegen

* **1,18** Andere Übersetzung: »des Hades« (dem Herrn der Unterwelt). **2,7** Wörtlich: »Wer siegt«.
2,13 Siehe Sach- und Worterklärungen zu »Satan«.
2,14 Siehe Sach- und Worterklärungen.

2,1 ***a*** Apg 18,19 **2,2** ***a*** 1. Joh 4,1 **2,4** ***a*** Mt 24,12 **2,5** ***a*** Kap 3,19 **2,6** ***a*** Vers 15 ***b*** Ps 139,21 **2,7** ***a*** Mt 11,15 ***b*** Kap 22,2.19; 1. Mose 2,9 **2,8** ***a*** Kap 1,17-18 ***b*** Röm 14,9 **2,9** ***a*** 2. Kor 6,10 ***b*** Kap 3,9 **2,10** ***a*** Mt 10,28 ***b*** Kap 3,11; 2. Tim 4,8; 1. Petr 5,4 **2,11** ***a*** Kap 20,14 **2,12** ***a*** Kap 1,16; Hebr 4,12 **2,14** ***a*** 4. Mose 31,16; 2. Petr 2,15; Jud 11 **2,15** ***a*** Vers 6 **2,17** ***a*** 2. Mose 16,1-36 ***b*** Jes 62,2 ***c*** Kap 19,12 **2,18** ***a*** Apg 16,14 ***b*** Kap 1,14-15 **2,19** ***a*** 1. Thess 1,3

dich, dass du [a]Isebel duldest, die Frau, die
sagt, sie sei eine Prophetin, und lehrt und
verführt meine Knechte, Hurerei zu trei-
ben und Götzenopfer zu essen. 21 Und ich
habe ihr Zeit gegeben, Buße zu tun, und
sie will sich nicht bekehren von ihrer Hu-
rerei. 22 Siehe, ich werfe sie aufs Bett und
mit ihr jene, die die Ehe gebrochen haben,
ich stürze sie in große Trübsal, wenn sie
sich nicht bekehren von Isebels Werken,
23 und ihre Kinder will ich mit dem Tode
schlagen. Und alle Gemeinden sollen er-
kennen, dass ich der bin, der [a]Nieren und
Herzen erforscht, und ich werde geben
einem jeden von euch [b]nach euren Wer-
ken. 24 Euch aber sage ich, den andern in
Thyatira, die solche Lehre nicht haben, die
nicht erkannt haben die Tiefen des Satans,
wie sie sagen: Ich werfe keine andere Last
auf euch; 25 doch [a]was ihr habt, das haltet
fest, bis ich komme.

26 Und wer überwindet und meine
Werke bewahrt bis ans Ende, dem will ich
Macht geben über die Völker, 27 und er soll
sie weiden mit eisernem Stabe – wie die
tönernen Gefäße werden sie zerschmis-
sen –,[a] 28 wie auch ich Macht empfangen
habe von meinem Vater; und ich will ihm
geben den [a]Morgenstern. 29 Wer Ohren
hat, der höre, was der Geist den Gemein-
den sagt!

3 Und dem Engel der Gemeinde in *Sardes*
schreibe: Das sagt, der [a]die sieben Geis-
ter Gottes hat und die sieben Sterne: Ich
kenne deine Werke: Du hast den Namen,
dass du lebst, und bist tot. 2 Werde wach
und [a]stärke das andre, das schon sterben
wollte, denn ich habe deine Werke nicht
als vollkommen befunden vor meinem
Gott. 3 So denke nun daran, wie du emp-
fangen und gehört hast, und halte es fest
und tue Buße! Wenn du nicht wachen
wirst, werde ich kommen [a]wie ein Dieb,
und du wirst nicht wissen, zu welcher
Stunde ich über dich kommen werde.
4 Aber du hast einige in Sardes, die [a]ihre
Kleider nicht besudelt haben; die werden
mit mir einhergehen in [b]weißen Kleidern,
denn sie sind's wert.

5 Wer überwindet, soll [a]mit weißen
Kleidern angetan werden, und ich wer-
de seinen Namen nicht austilgen aus
dem [b]Buch des Lebens, und [c]ich will
seinen Namen bekennen vor meinem Va-
ter und vor seinen Engeln. 6 Wer Ohren
hat, der höre, was der Geist den Gemein-
den sagt!

7 Und dem Engel der Gemeinde in *Phil-
adelphia* schreibe: Das sagt der Heilige,
der Wahrhaftige, der da hat [a]den Schlüssel
Davids, der auftut, und niemand schließt
zu, und der zuschließt, und niemand tut
auf: 8 Ich kenne deine Werke. Siehe, ich
habe vor dir eine Tür aufgetan, die nie-
mand zuschließen kann; denn du hast
eine kleine Kraft und hast mein Wort be-
wahrt und hast meinen Namen nicht ver-
leugnet. 9 Siehe, ich werde einige schicken
[a]aus der Versammlung des Satans, die
sagen, sie seien Juden, und sind's nicht,
sondern lügen. Siehe, ich will sie dazu
bringen, dass sie [b]kommen sollen und zu
deinen Füßen niederfallen und erkennen,
dass ich dich geliebt habe. 10 Weil du mein
Wort von der [a]Geduld bewahrt hast, will
auch ich dich bewahren vor der Stunde
der [b]Versuchung, die kommen wird über
den ganzen Weltkreis, zu versuchen, die
auf Erden wohnen. 11 Ich komme bald;
**halte, was du hast, dass niemand deine
[a]Krone nehme!**

12 Wer überwindet, den will ich machen
zum [a]Pfeiler in dem Tempel meines Got-
tes, und er soll nicht mehr hinausgehen,
und ich will auf ihn schreiben [b]den Namen
meines Gottes und den Namen der Stadt
meines Gottes, des [c]neuen Jerusalem,
das vom Himmel herniederkommt von
meinem Gott, und meinen Namen, den
neuen. 13 Wer Ohren hat, der höre, was der
Geist den Gemeinden sagt!

14 Und dem Engel der Gemeinde in
[a]*Laodizea* schreibe: Das sagt, der [b]Amen
heißt, [c]der treue und wahrhaftige Zeuge,
der [d]Anfang der Schöpfung Gottes: 15 Ich
kenne deine Werke, dass du weder kalt
noch warm bist. Ach dass du kalt oder

2,20 ***a*** 1. Kön 16,31; 2. Kön 9,22 **2,23** ***a*** Ps 7,10; Jer 11,20; 17,10 ***b*** Kap 22,12; Röm 2,6 **2,25** ***a*** Kap 3,11
2,27 ***a*** Kap 12,5; 19,15; Ps 2,8-9 **2,28** ***a*** Kap 22,16
3,1 ***a*** Kap 1,4 **3,2** ***a*** Lk 22,32 **3,3** ***a*** Kap 16,15; 1. Thess 5,2
3,4 ***a*** Jud 23 ***b*** Kap 6,11 **3,5** ***a*** Kap 7,13 ***b*** Kap 20,12; Dan 12,1; Lk 10,20 ***c*** Mt 10,32 **3,7** ***a*** Jes 22,22
3,9 ***a*** Kap 2,9 ***b*** Jes 49,23; 60,14 **3,10** ***a*** Kap 14,12 ***b*** Mt 6,13; 2. Petr 2,9 **3,11** ***a*** Kap 2,10 **3,12** ***a*** Gal 2,9 ***b*** Kap 14,1; 22,4 ***c*** Kap 21,2; Jes 62,2 **3,14** ***a*** Kol 4,13 ***b*** 2. Kor 1,20 ***c*** Kap 1,5; Jer 42,5 ***d*** Kol 1,15

warm wärest! 16 Weil du aber lau bist und weder warm noch kalt, werde ich dich ausspeien aus meinem Munde. 17 Du sprichst: Ich bin reich und habe mehr als genug und brauche nichts!, und weißt nicht, dass du elend und jämmerlich bist, arm, blind und bloß.[a] 18 Ich rate dir, dass du [a]Gold von mir kaufst, das im Feuer geläutert ist, damit du reich werdest, und weiße Kleider, damit du sie anziehst und die Schande deiner Blöße nicht offenbar werde, und Augensalbe, deine Augen zu salben, damit du sehen mögest. 19 [a]Welche ich lieb habe, die weise ich zurecht und züchtige ich. So sei nun eifrig und tue Buße! 20 **Siehe, ich stehe vor der Tür und klopfe an. Wenn jemand meine Stimme hören wird und die Tür auftun, zu dem werde ich hineingehen und das Abendmahl* mit ihm halten und er mit mir.**[a]

21 Wer überwindet, dem will ich geben, [a]mit mir auf meinem Thron zu sitzen, wie auch ich überwunden habe und mich gesetzt habe mit meinem Vater auf seinen Thron. 22 Wer Ohren hat, der höre, was der Geist den Gemeinden sagt!

VOR DEM THRON GOTTES

4 Danach sah ich, und siehe, eine Tür war aufgetan im Himmel, und die erste Stimme, [a]die ich mit mir hatte reden hören wie eine Posaune, die sprach: Steig herauf, ich will dir zeigen, was nach diesem geschehen soll.

2 [a]Alsbald wurde ich vom Geist ergriffen. Und siehe, ein Thron stand im Himmel und auf dem Thron saß einer. 3 Und der da saß, war anzusehen wie der Stein Jaspis und der Sarder; und ein [a]Regenbogen war* um den Thron, anzusehen wie ein Smaragd. 4 Und um den Thron waren vierundzwanzig Throne und auf den Thronen saßen [a]vierundzwanzig Älteste, mit weißen Kleidern angetan, und hatten auf ihren Häuptern goldene Kronen.

5 Und von dem Thron gingen aus [a]Blitze, Stimmen und Donner; [b]und sieben Fackeln mit Feuer brannten vor dem Thron, das sind die [c]sieben Geister Gottes. 6 Und vor dem Thron war es wie ein [a]gläsernes Meer, gleich dem Kristall, und in der Mitte am Thron und um den Thron [b]vier Wesen*, voller Augen vorn und hinten. 7 Und das erste Wesen war gleich einem Löwen, und das zweite Wesen war gleich einem Stier, und das dritte Wesen hatte ein Antlitz wie ein Mensch, und das vierte Wesen war gleich einem fliegenden Adler.[a] 8 Und ein jedes der vier Wesen hatte sechs Flügel, und sie waren rundum und innen voller Augen, und sie hatten keine Ruhe Tag und Nacht und sprachen: [a]Heilig, heilig, heilig ist Gott der Herr, der Allmächtige, [b]der da war und der da ist und der da kommt.

9 Und wenn die Wesen Preis und Ehre und Dank geben dem, der auf dem Thron sitzt, der da lebt von Ewigkeit zu Ewigkeit, 10 fallen die vierundzwanzig Ältesten nieder vor dem, der auf dem Thron sitzt, und beten den an, der da lebt von Ewigkeit zu Ewigkeit, und legen ihre Kronen nieder vor dem Thron und sprechen: 11 [a]Herr, unser Gott, du bist würdig, zu nehmen Preis und Ehre und Kraft; denn du hast alle Dinge geschaffen, und durch deinen Willen waren sie und wurden sie geschaffen.

DAS BUCH MIT DEN SIEBEN SIEGELN

5 Und ich sah in der rechten Hand dessen, der [a]auf dem Thron saß, ein Buch, [b]beschrieben innen und außen, versiegelt mit sieben Siegeln. 2 Und ich sah einen starken Engel, der rief mit großer Stimme: Wer ist würdig, das Buch aufzutun und seine Siegel zu brechen? 3 Und niemand, weder im Himmel noch auf Erden noch unter der Erde, konnte das Buch auftun noch es sehen. 4 Und ich weinte sehr, weil niemand für würdig befunden wurde, das Buch aufzutun und hineinzusehen.

5 Und einer von den Ältesten spricht zu mir: Weine nicht! Siehe, es hat überwunden der [a]Löwe aus dem Stamm Juda, die [b]Wurzel Davids, aufzutun das Buch und seine sieben Siegel.

* **3,20** Wörtlich: »Mahl«. **4,3** Andere Handschriften: »und Priester sind«. **4,6** Luther übersetzte: »Tiere«.

3,17 ***a*** 1. Kor 3,18-19; 4,8 **3,18** ***a*** 1. Petr 1,7 **3,19** ***a*** Spr 3,12; 1. Kor 11,32; Hebr 12,6 **3,20** ***a*** Joh 14,23 **3,21** ***a*** Mt 19,28
4,1 ***a*** Kap 1,10 **4,2** ***a*** Ps 47,9; Jes 6,1; Hes 1,26
4,3 ***a*** Hes 1,28 **4,4** ***a*** Kap 5,8; 7,11; 11,16; 14,3; 19,4; 2. Mose 24,9-10; Jes 24,23 **4,5** ***a*** 2. Mose 19,16 ***b*** Hes 1,13 ***c*** Kap 1,4 **4,6** ***a*** Kap 15,2 ***b*** Hes 1,5.10.18; 10,12 **4,7** ***a*** Hes 10,14 **4,8** ***a*** Jes 6,2-3 ***b*** 2. Mose 3,14
4,11 ***a*** Kap 5,12; 1. Chr 29,11 **5,1** ***a*** Kap 4,2 ***b*** Hes 2,9-10
5,5 ***a*** 1. Mose 49,9 ***b*** Kap 22,16; Jes 11,1; Röm 15,12

6 Und ich sah mitten zwischen dem
Thron und den vier Wesen und mitten
unter den Ältesten ein [a]Lamm* stehen,
wie geschlachtet; es hatte sieben Hör-
ner und sieben Augen, das sind die sie-
ben Geister Gottes, gesandt in alle Lande.
7 Und es kam und nahm das Buch aus der
rechten Hand dessen, der auf dem Thron
saß.[a] 8 Und als es das Buch nahm, da fie-
len die vier Wesen und die vierundzwan-
zig Ältesten nieder vor dem Lamm, und
ein jeder hatte eine Harfe und goldene
Schalen voll [a]Räucherwerk, das sind die
Gebete der Heiligen, 9 und sie sangen ein
[a]neues Lied: Du bist würdig, zu nehmen
das Buch und aufzutun seine Siegel; [b]denn
du bist geschlachtet und hast mit deinem
Blut Menschen für Gott erkauft aus al-
len Stämmen und Sprachen und Völkern
und Nationen 10 und hast sie unserm Gott
[a]zu einem Königreich und zu Priestern
gemacht, und sie werden herrschen* auf
Erden.

11 Und ich sah, und ich hörte eine Stimme
vieler Engel um den Thron und um die
Wesen und um die Ältesten her, und [a]ihre
Zahl war zehntausendmal zehntausend
und vieltausendmal tausend; 12 [a]die spra-
chen mit großer Stimme: **Das Lamm, das
geschlachtet ist, ist würdig, zu nehmen
Kraft und Reichtum und Weisheit und
Stärke und Ehre und Preis und Lob.**

13 Und jedes Geschöpf, das im Himmel
ist und auf Erden und unter der Erde und
auf dem Meer und alles, was darin ist,
hörte ich sagen: Dem, der auf dem Thron
sitzt, und dem Lamm sei Lob und Ehre
und Preis und Gewalt von Ewigkeit zu
Ewigkeit! 14 Und die vier Wesen sprachen:
Amen! Und die Ältesten fielen nieder und
beteten an.

DIE ÖFFNUNG DER ERSTEN SECHS SIEGEL

6 Und ich sah, dass das Lamm das erste
der sieben Siegel auftat, und ich hörte
eines der [a]vier Wesen sagen wie mit einer
Donnerstimme: Komm! 2 [a]Und ich sah,
und siehe, ein [b]weißes Pferd. Und der
darauf saß, hatte einen Bogen, und ihm
wurde eine Krone gegeben, und er zog aus
sieghaft und um zu siegen.

3 Und als es das zweite Siegel auftat,
hörte ich das zweite Wesen sagen: Komm!
4 Und es kam heraus ein zweites Pferd, das
war feuerrot. Und dem, der darauf saß,
wurde Macht gegeben, den Frieden von
der Erde zu nehmen, dass sie sich unter-
einander umbrächten, und ihm wurde ein
großes Schwert gegeben.

5 Und als es das dritte Siegel auftat, hörte
ich das dritte Wesen sagen: Komm! Und
ich sah, und siehe, ein schwarzes Pferd.
Und der darauf saß, hatte eine Waage in
seiner Hand. 6 Und ich hörte etwas wie
eine Stimme mitten unter den vier Wesen
sagen: [a]Ein Maß Weizen für einen Silber-
groschen und drei Maß Gerste für einen
Silbergroschen; aber dem Öl und Wein tu
keinen Schaden!

7 Und als es das vierte Siegel auftat, hörte
ich die Stimme des vierten Wesens sagen:
Komm! 8 Und ich sah, und siehe, ein fahles
Pferd. Und der darauf saß, dessen Name
war: der Tod, und die Hölle* zog mit ihm
einher.

Und ihnen wurde Macht gegeben über
den vierten Teil der Erde, zu töten [a]mit
Schwert und Hunger und Tod* und durch
die wilden Tiere auf Erden.

9 Und als es das fünfte Siegel auftat, sah
ich unten am Altar [a]die Seelen derer, die
umgebracht worden waren um des Wor-
tes Gottes und um ihres Zeugnisses wil-
len. 10 Und sie schrien mit großer Stimme:
Herr, du Heiliger und Wahrhaftiger, wie
lange richtest du nicht und rächst nicht
unser Blut an denen, die auf der Erde
wohnen?[a] 11 Und ihnen wurde gegeben
einem jeden ein weißes Gewand, und ih-
nen wurde gesagt, dass sie ruhen müssten
noch eine kleine Zeit, bis vollzählig dazu-
kämen ihre Mitknechte und Brüder, die
auch noch getötet werden sollten wie sie.

12 [a]Und ich sah: Als es das sechste Sie-
gel auftat, da geschah ein großes Erdbe-

* **5,6** Wörtlich: »einen jungen Widder«. **5,10** Wichtige Handschriften bieten: »und sie herrschen«. **6,8** (1) Andere Übersetzung: »Hades« (der Herr der Unterwelt). (2) Später oft als Pest verstanden.

5,6 ***a*** Jes 53,7; Joh 1,29 **5,7** ***a*** Kap 4,2 **5,8** ***a*** Kap 8,3-4; Ps 141,2 **5,9** ***a*** Ps 33,3 ***b*** Jes 53,7-11; 1. Petr 1,19 **5,10** ***a*** Kap 1,6; 20,6 **5,11** ***a*** Dan 7,10; Hebr 12,22 **5,12** ***a*** (12-13) Phil 2,9-10 **6,1** ***a*** Kap 4,7 **6,2** ***a*** (2-8) Sach 6,1-8 ***b*** Kap 19,11 **6,6** ***a*** 2. Kön 7,1 **6,8** ***a*** Jer 14,12; Hes 14,21 **6,9** ***a*** Kap 20,4 **6,10** ***a*** Ps 79,10 **6,12** ***a*** (12-17) Jes 24,23; Joel 3,3-4; Mt 24,29; Apg 2,20

ben, und die Sonne wurde schwarz wie
ein härener Sack, und der ganze Mond
wurde wie Blut, 13 [a]und die Sterne des
Himmels fielen auf die Erde, wie ein Fei-
genbaum seine Feigen abwirft, wenn er
von starkem Wind bewegt wird. 14 Und
der Himmel wich wie eine Schriftrolle,
die zusammengerollt wird, und alle Berge
und Inseln wurden wegbewegt von ihren
Orten. 15 Und die Könige auf Erden und
die Großen und die Obersten und die Rei-
chen und die Gewaltigen und alle Sklaven
und alle Freien [a]verbargen sich in den
Klüften und Felsen der Berge 16 und [a]spra-
chen zu den Bergen und Felsen: Fallt über
uns und verbergt uns vor dem Angesicht
dessen, der auf dem Thron sitzt, und vor
dem Zorn des Lammes! 17 Denn es ist ge-
kommen [a]der große Tag ihres Zorns und
[b]wer kann bestehen?

DIE VERSIEGELTEN AUS DEM VOLK ISRAEL

7 Danach sah ich vier Engel stehen an
den vier Ecken der Erde, die hielten
die [a]vier Winde der Erde fest, damit kein
Wind über die Erde blase noch über das
Meer noch über irgendeinen Baum. 2 Und
ich sah einen andern Engel aufsteigen
vom Aufgang der Sonne her, der hatte
das Siegel des lebendigen Gottes und rief
mit großer Stimme zu den vier Engeln,
denen Macht gegeben war, der Erde und
dem Meer Schaden zu tun: 3 [a]Tut der Erde
und dem Meer und den Bäumen keinen
Schaden, bis wir [b]versiegeln die Knechte
unseres Gottes an ihren Stirnen.
4 Und ich hörte die Zahl derer, die ver-
siegelt wurden: [a]hundertvierundvierzig-
tausend, die versiegelt waren aus allen
Stämmen Israels: 5 [a]aus dem Stamm Juda
zwölftausend versiegelt, aus dem Stamm
Ruben zwölftausend, aus dem Stamm
Gad zwölftausend, 6 aus dem Stamm As-
ser zwölftausend, aus dem Stamm Naftali
zwölftausend, aus dem Stamm Ma-
nasse zwölftausend, 7 aus dem Stamm
Simeon zwölftausend, aus dem Stamm
Levi zwölftausend, aus dem Stamm Issa-
char zwölftausend, 8 aus dem Stamm
Sebulon zwölftausend, aus dem Stamm
Josef zwölftausend, aus dem Stamm Ben-
jamin zwölftausend versiegelt.

DIE GROSSE SCHAR AUS ALLEN VÖLKERN

9 Danach sah ich, und siehe, eine große
Schar, die niemand zählen konnte, aus al-
len Nationen und Stämmen und Völkern
und Sprachen; die standen vor dem Thron
und vor dem Lamm, angetan mit weißen
Kleidern und mit Palmzweigen in ihren
Händen, 10 und riefen mit großer Stimme:
Das Heil ist bei unserm Gott, der auf dem
[a]Thron sitzt, und bei dem Lamm! 11 Und
alle Engel standen rings um den Thron
und um die Ältesten und um die vier We-
sen und fielen nieder vor dem Thron auf
ihr Angesicht und beteten Gott an 12 und
sprachen: Amen, Lob und Ehre und Weis-
heit und Dank und Preis und Kraft und
Stärke sei unserm Gott von Ewigkeit zu
Ewigkeit! Amen.
13 Und einer der Ältesten antwortete
und sprach zu mir: Wer sind diese, die
mit den weißen Kleidern angetan sind,
und woher sind sie gekommen? 14 Und
ich sprach zu ihm: Mein Herr, du weißt es.
Und er sprach zu mir: Diese sind's, die aus
der [a]großen Trübsal kommen und [b]haben
ihre Kleider gewaschen und haben sie hell
gemacht [c]im Blut des Lammes. 15 Darum
sind sie vor dem Thron Gottes und dienen
ihm Tag und Nacht in seinem Tempel; und
der auf dem Thron sitzt, wird über ihnen
wohnen.[a] 16 Sie werden nicht mehr hun-
gern noch dürsten; es wird auch nicht auf
ihnen lasten die Sonne oder irgendeine
Hitze;[a] 17 denn **das Lamm mitten auf
dem Thron [a]wird sie weiden und leiten
zu den Quellen lebendigen Wassers,
und [b]Gott wird abwischen alle Tränen
von ihren Augen.**

DAS SIEBENTE SIEGEL

8 Und als das Lamm das siebente Siegel
auftat, entstand eine [a]Stille im Himmel
etwa eine halbe Stunde lang.
2 Und ich sah die [a]sieben Engel, die vor

6,13 *a* (13-14) Jes 34,4 **6,15** *a* Jes 2,10.19.21
6,16 *a* Hos 10,8; Lk 23,30 **6,17** *a* Am 5,18; Röm 2,5
b Joel 2,11; Mal 3,2 **7,1** *a* Dan 7,2; Sach 6,5 **7,3** *a* Kap 9,4
b Hes 9,4.6 **7,4** *a* Kap 14,1.3
7,5 *a* (5-8) 1. Mose 35,22-26 **7,10** *a* Kap 4,2
7,14 *a* Mt 24,21 *b* Kap 22,14 *c* Kap 12,11 **7,15** *a* Kap 21,3;
Hes 37,27 **7,16** *a* (16-17) Jes 49,10 **7,17** *a* Ps 23,2;
Hes 34,23 *b* Kap 21,4; Jes 25,8 **8,1** *a* Hab 2,20; Zef 1,7
8,2 *a* Tob 12,15

Gott stehen, und ihnen wurden sieben
[b]Posaunen gegeben. 3 Und ein anderer
Engel kam und trat an den [a]Altar und hat-
te ein goldenes Räuchergefäß; und ihm
wurde viel Räucherwerk gegeben, dass er
es darbringe mit den Gebeten aller Hei-
ligen auf dem goldenen Altar vor dem
Thron. 4 Und der Rauch des Räucherwerks
mit den Gebeten der Heiligen stieg von
der Hand des Engels hinauf vor Gott.
5 Und der Engel nahm das Räuchergefäß
und füllte es mit Feuer vom Altar und
[a]schüttete es auf die Erde. Und da gescha-
hen Donner und Stimmen und Blitze und
Erdbeben.

DIE ERSTEN SECHS POSAUNEN

6 Und die sieben Engel mit den sieben
Posaunen rüsteten sich zu blasen. 7 Und
der erste blies seine Posaune; und es kam
[a]Hagel und Feuer, mit Blut vermengt, und
wurde auf die Erde geschleudert; und der
dritte Teil der Erde verbrannte, und der
dritte Teil der Bäume verbrannte, und al-
les grüne Gras verbrannte.

8 [a]Und der zweite Engel blies seine Po-
saune; und etwas wie ein großer Berg
wurde lichterloh brennend ins Meer ge-
stürzt, und der dritte Teil des Meeres
wurde zu [b]Blut, 9 und der dritte Teil der
lebendigen Geschöpfe im Meer starb,
und der dritte Teil der Schiffe wurde ver-
nichtet.

10 Und der dritte Engel blies seine Po-
saune; und [a]es fiel ein großer Stern vom
Himmel, der brannte wie eine Fackel
und fiel auf den dritten Teil der Wasser-
ströme und auf die Wasserquellen. 11 Und
der Name des Sterns heißt Wermut. Und
der dritte Teil der Wasser wurde zu Wer-
mut, und viele Menschen starben von
den Wassern, weil sie bitter geworden
waren.[a]

12 Und der vierte Engel blies seine Po-
saune; und es wurde geschlagen der dritte
Teil der [a]Sonne und der dritte Teil des
Mondes und der dritte Teil der Sterne, so-
dass ihr dritter Teil verfinstert wurde und
den [b]dritten Teil des Tages das Licht nicht
schien und in der Nacht desgleichen.

13 Und ich sah, und ich hörte, wie ein
Adler mitten durch den Himmel flog und
sagte mit großer Stimme: Weh, weh, weh
denen, die auf Erden wohnen wegen der
anderen Posaunenstöße der drei Engel,
die noch blasen sollen!

9 Und der fünfte Engel blies seine Po-
saune; und ich sah einen Stern, ge-
fallen vom Himmel auf die Erde; und
ihm wurde der [a]Schlüssel zum Brunnen
des Abgrunds gegeben. 2 Und er tat den
Brunnen des Abgrunds auf, und es stieg
Rauch empor aus dem Brunnen wie der
Rauch eines großen Ofens, und [a]es wur-
den verfinstert die Sonne und die Luft von
dem Rauch des Brunnens. 3 Und aus dem
Rauch kamen [a]Heuschrecken auf die Erde,
und ihnen wurde Macht gegeben, wie die
Skorpione auf Erden Macht haben.

4 Und es wurde ihnen gesagt, sie sollten
nicht Schaden tun dem Gras auf Erden
noch allem Grünen noch irgendeinem
Baum, sondern allein den Menschen, die
nicht das [a]Siegel Gottes haben an ihren
Stirnen. 5 Und ihnen wurde Macht gege-
ben, nicht dass sie sie töteten, sondern
dass die Menschen Qualen leiden sollten
fünf Monate lang; und ihre Qual war wie
eine Qual von einem Skorpion, wenn er
einen Menschen sticht. 6 Und in jenen Ta-
gen werden die Menschen den Tod suchen
und nicht finden, sie werden begehren
zu sterben und der Tod wird von ihnen
fliehen.[a]

7 [a]Und die Heuschrecken sahen aus wie
Rosse, die zum Krieg gerüstet sind, und
auf ihren Köpfen war etwas wie goldene
Kronen, und ihr Antlitz glich der Men-
schen Antlitz; 8 und sie hatten Haar wie
Frauenhaar, und ihre Zähne waren wie die
Zähne von Löwen; 9 und sie hatten Panzer
wie eiserne Panzer, und das Rasseln ihrer
Flügel war wie das Rasseln der Wagen vie-
ler Rosse, die in den Krieg laufen, 10 und
hatten Schwänze wie Skorpione und Sta-
cheln, und in ihren Schwänzen lag ihre
Kraft, Schaden zu tun den Menschen fünf
Monate lang; 11 sie hatten über sich einen
König, den Engel des Abgrunds; sein

8,2 ***b*** Joel 2,1; Mt 24,31 **8,3** ***a*** Kap 6,9; 2. Mose 30,1.3
8,5 ***a*** Hes 10,2 **8,7** ***a*** 2. Mose 9,23-26; Hes 38,22
8,8 ***a*** (8-10) Kap 16,3-4 ***b*** 2. Mose 7,20-21
8,10 ***a*** Jes 14,12 **8,11** ***a*** Jer 9,14 **8,12** ***a*** Kap 6,12-13
b 2. Mose 10,21 **9,1** ***a*** Kap 20,1 **9,2** ***a*** Joel 2,2.10
9,3 ***a*** 2. Mose 10,12 **9,4** ***a*** Kap 7,3 **9,6** ***a*** Hiob 3,21;
Jer 8,3 **9,7** ***a*** (7-8) Joel 2,4-5

Name heißt auf Hebräisch Abaddon, und
auf Griechisch hat er den Namen Apol-
lyon.* 12 Das erste Wehe ist vorüber; siehe,
es kommen noch zwei Wehe danach.
13 Und der sechste Engel blies seine Po-
saune; und ich hörte eine Stimme aus den
vier Ecken des [a]goldenen Altars vor Gott;
14 die sprach zu dem sechsten Engel, der
die Posaune hatte: Lass los die vier En-
gel, die gebunden sind an dem [a]großen
Strom Euphrat. 15 Und es wurden losge-
lassen die vier Engel, die bereit waren für
die Stunde und den Tag und den Monat
und das Jahr, zu töten den dritten Teil der
Menschen.
16 Und die Zahl des reitenden Heeres
war zwanzigtausendmal zehntausend; ich
hörte ihre Zahl. 17 Und so sah ich in dieser
Erscheinung die Rosse und die darauf sa-
ßen: Sie hatten feuerrote und blaue und
schwefelgelbe Panzer, und die Häupter
der Rosse waren wie die Häupter der Lö-
wen, und aus ihren Mäulern kam Feuer
und Rauch und Schwefel. 18 Von diesen
drei Plagen wurde getötet der dritte Teil
der Menschen, von dem Feuer und Rauch
und Schwefel, der aus ihren Mäulern kam.
19 Denn die Kraft der Rosse war in ihrem
Maul und in ihren Schwänzen; denn ihre
Schwänze waren den Schlangen gleich
und hatten Häupter, und mit denen taten
sie Schaden.
20 Und die übrigen Leute, die nicht ge-
tötet wurden von diesen Plagen, [a]bekehr-
ten sich doch nicht von den Werken ihrer
Hände, [b]dass sie nicht anbeteten die bö-
sen Geister und die goldenen, silbernen,
ehernen, steinernen und hölzernen Göt-
zen, die weder sehen noch hören noch ge-
hen können, 21 und sie bekehrten sich auch
nicht von ihren Morden, ihrer Zauberei,
ihrer Unzucht und ihrer Dieberei.

DER ENGEL MIT DEM BÜCHLEIN

10 Und ich sah einen andern [a]starken En-
gel vom Himmel herabkommen, mit
einer Wolke bekleidet, und der Regenbo-
gen auf seinem Haupt und sein [b]Antlitz
wie die Sonne und seine Füße wie Feuer-
säulen. 2 Und er hatte in seiner Hand ein
Büchlein, das war aufgetan. Und er setzte
seinen rechten Fuß auf das Meer und den
linken auf die Erde, 3 und er schrie mit gro-
ßer Stimme, [a]wie ein Löwe brüllt. Und als
er schrie, erhoben die sieben Donner ihre
Stimmen. 4 [a]Und als die sieben Donner ge-
redet hatten, wollte ich es aufschreiben.
Da hörte ich eine Stimme vom Himmel
sagen: Versiegle, was die sieben Don-
ner geredet haben, und schreib es nicht
auf!
5 Und der Engel, den ich stehen sah
auf dem Meer und auf der Erde, hob sei-
ne rechte Hand auf zum Himmel 6 und
schwor bei dem, der da lebt von Ewigkeit
zu Ewigkeit, der den Himmel geschaf-
fen hat und was darin ist und die Erde
und was darin ist und das Meer und was
darin ist: Es soll hinfort keine Zeit mehr
sein, 7 sondern in den Tagen, [a]wenn der
siebente Engel seine Stimme erheben
und seine Posaune blasen wird, dann ist
vollendet das Geheimnis Gottes, wie er
es verkündigt hat seinen Knechten, den
Propheten.
8 Und die Stimme, die ich vom Him-
mel gehört hatte, redete abermals mit mir
und sprach: Geh hin, nimm das offene
Büchlein aus der Hand des Engels, der auf
dem Meer und auf der Erde steht! 9 Und
ich ging hin zu dem Engel und bat ihn,
mir das Büchlein zu geben. Und er sprach
zu mir: [a]Nimm und verschling's! Und
es wird dir bitter im Magen sein, aber in
deinem Mund wird's [b]süß sein wie Ho-
nig. 10 Und ich nahm das Büchlein aus der
Hand des Engels und verschlang es. Und
es war süß in meinem Mund wie Honig,
und als ich's gegessen hatte, war es mir
bitter im Magen. 11 Und mir wurde ge-
sagt: Du musst abermals weissagen von
Völkern und Nationen und Sprachen und
vielen Königen.

DIE BEIDEN ZEUGEN

11 Und es wurde mir ein Rohr gege-
ben, einem [a]Messstab gleich, und mir
wurde gesagt: Steh auf und [b]miss den
Tempel Gottes und den Altar und die
dort anbeten. 2 Aber den äußeren Vorhof
des Tempels lass weg und miss ihn nicht,

* **9,11** Beide Namen bedeuten »Verderber«.

9,13 *a* Kap 8,3 **9,14** *a* Kap 16,12 **9,20** *a* Kap 16,9.11
b Ps 115,4-7; Dan 5,4.23 **10,1** *a* Kap 5,2 *b* Kap 1,16
10,3 *a* Hos 11,10 **10,4** *a* (4-7) Dan 12,4-9 **10,7** *a* Kap 11,15
10,9 *a* Hes 3,1-3 *b* Ps 119,103 **11,1** *a* Hes 40,3 *b* Kap 21,15

denn er ist den Heiden gegeben; und [a]die
heilige Stadt werden sie zertreten zwei-
undvierzig Monate lang.
3 Und ich will meine [a]zwei Zeugen be-
stimmen, und sie sollen weissagen [b]tau-
sendzweihundertsechzig Tage lang, an-
getan mit Trauerkleidern. 4 Diese sind die
[a]zwei Ölbäume und die zwei Leuchter,
die vor dem Herrn der Erde stehen. 5 Und
wenn ihnen jemand Schaden tun will,
so kommt Feuer aus ihrem Mund und
verzehrt ihre Feinde; und wenn ihnen
jemand Schaden tun will, muss er so ge-
tötet werden.[a] 6 Diese haben Macht, [a]den
Himmel zu verschließen, damit es nicht
regne in den Tagen ihrer Weissagung, und
haben Macht über die Wasser, [b]sie in Blut
zu verwandeln und die Erde zu schlagen
mit Plagen aller Art, sooft sie wollen.
7 Und wenn sie ihr Zeugnis vollendet
haben, so wird [a]das Tier, das aus dem
Abgrund aufsteigt, mit ihnen kämpfen
und [b]wird sie überwinden und wird sie
töten. 8 Und ihre Leichname werden lie-
gen auf der Straße der großen Stadt, die
heißt geistlich: [a]Sodom und Ägypten,
wo auch ihr Herr gekreuzigt wurde. 9 Und
Menschen aus den Völkern und Stämmen
und Sprachen und Nationen sehen ihre
Leichname drei Tage und einen halben
und [a]lassen nicht zu, dass ihre Leichname
ins Grab gelegt werden. 10 Und die auf Er-
den wohnen, freuen sich darüber und sind
fröhlich und werden einander Geschenke
senden; denn diese zwei Propheten hatten
gequält, die auf Erden wohnten.
11 Und nach drei Tagen und einem hal-
ben [a]fuhr in sie der Geist des Lebens von
Gott, und sie stellten sich auf ihre Füße;
und eine große Furcht fiel auf die, die
sie sahen. 12 Und sie hörten eine große
Stimme vom Himmel zu ihnen sagen:
Steigt herauf! Und sie stiegen auf in den
Himmel in einer Wolke, und es sahen sie
ihre Feinde. 13 Und zu derselben Stunde
geschah ein großes Erdbeben, und der
zehnte Teil der Stadt stürzte ein; und es
wurden getötet in dem Erdbeben sieben-
tausend Menschen, deren Namen bekannt
waren. Und die andern erschraken und
gaben dem Gott des Himmels die Ehre.
14 Das [a]zweite Wehe ist vorüber; siehe, das
dritte Wehe kommt schnell.

DIE SIEBENTE POSAUNE

15 Und der siebente Engel blies seine
Posaune; und es erhoben sich große
Stimmen im Himmel, die sprachen: **Nun
gehört [a]die Herrschaft über die Welt
unserm Herrn und seinem Christus,
und er wird regieren von Ewigkeit zu
Ewigkeit.**
16 Und die [a]vierundzwanzig Ältesten,
die vor Gott auf ihren Thronen saßen,
fielen nieder auf ihr Angesicht und bete-
ten Gott an 17 und sprachen: Wir danken
dir, Herr, allmächtiger Gott, [a]der du bist
und der du warst, dass du deine große
Macht an dich genommen und [b]die Herr-
schaft ergriffen hast! 18 Und [a]die Völker
sind zornig geworden; und es ist gekom-
men dein Zorn und die Zeit, [b]die Toten
zu richten und den Lohn zu geben dei-
nen Knechten, den Propheten und den
Heiligen und denen, die deinen Namen
fürchten – die Kleinen und die Großen –,
und zu vernichten, die die Erde ver-
nichten.

DIE FRAU UND DER DRACHE

19 Und [a]der Tempel Gottes im Himmel
wurde aufgetan, und die Lade seines Bun-
des wurde in seinem Tempel sichtbar;
[b]und es geschahen Blitze und Stimmen
und Donner und Erdbeben und ein gro-
ßer Hagel.
12 Und es erschien ein großes Zeichen
im Himmel: eine Frau, mit der Sonne
bekleidet, und der Mond unter ihren Fü-
ßen und auf ihrem Haupt eine Krone von
zwölf Sternen. 2 Und sie war schwanger
und schrie in Kindsnöten und hatte große
Qual bei der Geburt.
3 Und es erschien ein anderes Zeichen
im Himmel, und siehe, ein großer, ro-
ter Drache, der hatte sieben Häupter und
[a]zehn Hörner und auf seinen Häuptern
sieben Kronen, 4 und sein Schwanz fegte
[a]den dritten Teil der Sterne des Himmels
hinweg und warf sie auf die Erde. Und der

11,2 *a* Jes 63,18; Lk 21,24 **11,3** *a* 5. Mose 19,15 *b* Kap 12,6
11,4 *a* Sach 4,3.11-14 **11,5** *a* 2. Kön 1,10 **11,6** *a* 1. Kön 17,1
b 2. Mose 7,19-20 **11,7** *a* Kap 13,1; 17,8 *b* Kap 13,7
11,8 *a* Hes 16,46-49 **11,9** *a* Ps 79,2-3 **11,11** *a* Hes 37,5.10
11,14 *a* Kap 9,12 **11,15** *a* Dan 7,27 **11,16** *a* Kap 4,10
11,17 *a* Kap 1,4 *b* Kap 19,6 **11,18** *a* Ps 2,1 *b* Kap 20,12
11,19 *a* Kap 15,5 *b* Kap 4,5 **12,3** *a* Dan 7,7.24
12,4 *a* Dan 8,10

Drache trat vor die Frau, die gebären sollte,
damit er, wenn sie geboren hätte, ihr Kind
fräße.
5 Und sie gebar einen Sohn, einen Kna-
ben, der alle Völker weiden sollte [a]mit
eisernem Stabe. Und ihr Kind wurde ent-
rückt zu Gott und seinem Thron. 6 Und die
Frau entfloh in die Wüste, wo sie einen
Ort hatte, bereitet von Gott, dass sie dort
ernährt werde [a]tausendzweihundertsech-
zig Tage.
7 Und es entbrannte ein Kampf im Him-
mel: [a]Michael und seine Engel kämpf-
ten gegen den Drachen. Und der Drache
kämpfte und seine Engel, 8 und er siegte
nicht, und ihre Stätte wurde nicht mehr
gefunden im Himmel. 9 Und es wurde
hinausgeworfen der große Drache, die alte
Schlange, die da heißt: Teufel und Satan,
der die ganze Welt verführt. Er wurde auf
die Erde geworfen, und seine Engel wur-
den mit ihm dahin geworfen.[a]
10 Und ich hörte eine große Stimme,
die sprach im Himmel: **Nun ist das Heil
und die Kraft und [a]das Reich unseres
Gottes geworden und die Macht sei-
nes Christus; denn der Verkläger un-
serer Brüder und Schwestern ist ge-
stürzt, der sie verklagte Tag und Nacht
vor unserm Gott.** 11 Und sie haben ihn
überwunden [a]durch des Lammes Blut
und [b]durch das Wort ihres Zeugnisses
und haben ihr Leben nicht geliebt bis hin
zum Tod. 12 Darum freut euch, ihr Him-
mel und die darin wohnen! Weh aber
der Erde und dem Meer! Denn der Teu-
fel kam zu euch hinab und hat einen gro-
ßen Zorn und weiß, dass er wenig Zeit
hat.
13 Und als der Drache sah, dass er auf die
Erde geworfen war, verfolgte er die Frau,
die den Knaben geboren hatte. 14 Und [a]es
wurden der Frau gegeben die zwei Flügel
des großen Adlers, dass sie in die Wüste
flöge an ihren Ort, wo sie ernährt werden
sollte eine Zeit und zwei Zeiten und eine
halbe Zeit fern von dem Angesicht der
Schlange. 15 Und die Schlange stieß aus ih-
rem Rachen Wasser aus wie einen Strom
hinter der Frau her, damit er sie fortreiße.
16 Aber die Erde half der Frau und tat ihren
Mund auf und verschlang den Strom, den
der Drache ausstieß aus seinem Rachen.
17 Und der Drache wurde zornig über die
Frau und ging hin, [a]zu kämpfen gegen die
Übrigen von ihrem Geschlecht, die Got-
tes Gebote halten und haben das Zeugnis
Jesu.

DIE BEIDEN TIERE

18 Und er trat an den Strand des Meeres.
13 Und ich sah [a]ein Tier aus dem Meer
steigen, das hatte zehn Hörner und
sieben Häupter und auf seinen Hörnern
zehn Kronen und auf seinen Häuptern
lästerliche Namen. 2 Und das Tier, das ich
sah, war gleich einem Panther und seine
Füße wie Bärenfüße und sein Rachen wie
ein Löwenrachen. Und der Drache gab
ihm seine Kraft und seinen Thron und
große Macht. 3 Und ich sah eines seiner
Häupter, als wäre es tödlich verwundet,
und seine tödliche Wunde wurde heil.
Und die ganze Erde wunderte sich über
das Tier, 4 und sie beteten den Drachen
an, weil er dem Tier die Macht gab, und
beteten das Tier an und sprachen: Wer
ist dem Tier gleich und wer kann mit ihm
kämpfen?
5 Und es wurde ihm ein Maul gegeben,
zu reden große Dinge und Lästerungen,
und ihm wurde Macht gegeben, es zu
tun [a]zweiundvierzig Monate lang. 6 Und
es tat sein Maul auf zur Lästerung gegen
Gott, zu lästern seinen Namen und seine
[a]Hütte und die im Himmel wohnen. 7 Und
es wurde ihm gegeben, [a]zu kämpfen mit
den Heiligen und sie zu überwinden;*
und es wurde ihm gegeben Macht über
alle Stämme und Völker und Sprachen
und Nationen. 8 Und alle, die auf Erden
wohnen, werden ihn anbeten, alle, deren
Namen nicht vom Anfang der Welt an ge-
schrieben stehen in dem [a]Lebensbuch des
Lammes, das geschlachtet ist.
9 Hat jemand Ohren, der höre! 10 Wenn
jemand ins Gefängnis soll, dann wird er
ins Gefängnis kommen; [a]wenn jemand

* **13,7** Der Halbvers 7a fehlt in den besten Handschriften.

12,5 ***a*** Kap 2,27; Ps 2,9 **12,6** ***a*** Kap 11,3 **12,7** ***a*** Dan 10,13; Jud 9 **12,9** ***a*** Kap 20,2; 1. Mose 3,1; Lk 10,18 **12,10** ***a*** Kap 11,15 **12,11** ***a*** Kap 7,14 ***b*** Kap 6,9 **12,14** ***a*** 2. Mose 19,4; Jes 40,31 **12,17** ***a*** 1. Mose 3,15 **13,1** ***a*** (1-6) Dan 7,3-8 **13,5** ***a*** Kap 11,2; Dan 7,25 **13,6** ***a*** Kap 21,3 **13,7** ***a*** Kap 11,7; Dan 7,21 **13,8** ***a*** Kap 3,5 **13,10** ***a*** 1. Mose 9,6; Jer 15,2

mit dem Schwert getötet werden soll,
dann wird er mit dem Schwert getö-
tet.* [b]Hier ist Geduld und Glaube der
Heiligen!
11 Und ich sah ein zweites Tier aufstei-
gen aus der Erde; das hatte zwei Hörner
wie ein Lamm und redete wie ein Drache.
12 Und es übt alle Macht des ersten Tie-
res aus vor seinen Augen und es macht,
dass die Erde und die darauf wohnen,
das erste Tier anbeten, dessen tödliche
Wunde heil geworden war. 13 Und [a]es tut
große Zeichen, sodass es auch Feuer vom
Himmel auf die Erde fallen lässt vor den
Augen der Menschen; 14 und es verführt,
die auf Erden wohnen, durch die Zei-
chen, die zu tun vor den Augen des Tieres
ihm Macht gegeben ist; und sagt denen,
die auf Erden wohnen, dass sie ein Bild
machen sollen dem Tier, das die Wunde
vom Schwert hatte und lebendig gewor-
den war.
15 [a]Und es wurde ihm gegeben, Geist zu
verleihen dem Bild des Tieres, damit das
Bild des Tieres reden und machen könne,
dass alle, [b]die das Bild des Tieres nicht an-
beteten, getötet würden. 16 Und es macht,
dass sie allesamt, die Kleinen und Großen,
die Reichen und Armen, die Freien und
Sklaven, sich ein Zeichen machen an ihre
rechte Hand oder an ihre Stirn 17 und dass
niemand kaufen oder verkaufen kann,
wenn er nicht das Zeichen hat, nämlich
den Namen des Tieres oder die Zahl sei-
nes Namens.
18 Hier ist Weisheit! Wer Verstand hat,
der überlege [a]die Zahl des Tieres; denn
es ist die Zahl eines Menschen, und seine
Zahl ist sechshundertsechsundsechzig*.

DAS LAMM UND DIE SEINEN

14 Und ich sah, und siehe, das Lamm
stand auf dem Berg Zion und mit ihm
[a]hundertvierundvierzigtausend, die hat-
ten seinen Namen und den Namen sei-
nes Vaters geschrieben auf ihrer Stirn.
2 Und ich hörte eine Stimme vom Him-
mel [a]wie die Stimme großer Wasser und
wie die Stimme eines lauten Donners,
und die Stimme, die ich hörte, war wie
von Harfenspielern, die auf ihren Har-
fen spielen. 3 Und sie sangen ein neues
Lied vor dem Thron und vor den vier
Wesen und den Ältesten; und niemand
konnte das Lied lernen außer den hun-
dertvierundvierzigtausend, die erkauft
sind von der Erde. 4 Diese sind's, [a]die sich
mit Frauen nicht befleckt haben, denn sie
sind jungfräulich; die folgen dem Lamm
nach, wohin es geht. Diese sind erkauft
aus den Menschen als Erstlinge für Gott
und das Lamm, 5 und in ihrem Mund
wurde kein Falsch gefunden; sie sind un-
tadelig.[a]

DIE BOTSCHAFT DER DREI ENGEL

6 Und ich sah einen andern Engel fliegen
mitten durch den Himmel, [a]der hatte ein
ewiges Evangelium zu verkündigen de-
nen, die auf Erden wohnen, allen Natio-
nen und Stämmen und Sprachen und Völ-
kern. 7 Und er sprach mit großer Stimme:
[a]Fürchtet Gott und gebt ihm die Ehre;
denn die Stunde seines Gerichts ist ge-
kommen! Und betet an den, der gemacht
hat Himmel und Erde und Meer und die
Wasserquellen!
8 [a]Und ein zweiter Engel folgte, der
sprach: Sie ist gefallen, sie ist gefallen, Ba-
bylon, die Große; denn sie hat mit dem
Zorneswein ihrer Hurerei getränkt alle
Völker.
9 Und ein dritter Engel folgte ihnen und
sprach mit großer Stimme: [a]Wenn jemand
das Tier anbetet und sein Bild und nimmt
das Zeichen an seine Stirn oder an seine
Hand, 10 der wird von dem [a]Wein des Zor-
nes Gottes trinken, der unvermischt ein-
geschenkt ist in den Kelch seines Zorns,
und er wird gequält werden mit [b]Feuer
und Schwefel vor den heiligen Engeln und
vor dem Lamm. 11 Und der Rauch von ih-
rer Qual wird aufsteigen von Ewigkeit zu
Ewigkeit; und sie haben keine Ruhe Tag
und Nacht, die das Tier anbeten und sein
Bild und wer das Zeichen seines Namens

* **13,10** Luther übersetzte nach anderer Überlieferung: »wenn jemand mit dem Schwert tötet, der muss mit dem Schwert getötet werden.« **13,18** Andere wichtige Handschriften: »sechshundertsechzehn«.

13,10 ***b*** Kap 14,12 **13,13** ***a*** 1. Kön 18,38; Mt 24,24; 2. Thess 2,9 **13,15** ***a*** *(15-16)* Kap 14,9.11; 19,20; 20,4 ***b*** Dan 3,5-6 **13,18** ***a*** Kap 15,2 **14,1** ***a*** Kap 7,3-4 **14,2** ***a*** Kap 1,15 **14,4** ***a*** Mt 19,12 **14,5** ***a*** Jes 53,9; Zef 3,13 **14,6** ***a*** Mt 24,14 **14,7** ***a*** Kap 15,4 **14,8** ***a*** *(8-10)* Kap 18,1-3; Jes 21,9; Jer 51,7-8 **14,9** ***a*** Kap 13,15-16 **14,10** ***a*** Ps 75,9 ***b*** Kap 19,20

annimmt. [12] [a]Hier ist die Geduld der Heiligen, die da halten die Gebote Gottes und den Glauben an Jesus!

[13] Und ich hörte eine Stimme vom Himmel zu mir sagen: Schreibe: **[a]Selig sind die Toten, die in dem Herrn sterben von nun an. Ja, der Geist spricht, dass sie [b]ruhen von ihren Mühen; denn [c]ihre Werke folgen ihnen nach.**

ERNTE UND WEINLESE

[14] Und ich sah, und siehe, eine weiße Wolke. Und [a]auf der Wolke saß einer, der gleich war einem Menschensohn; der hatte eine goldene Krone auf seinem Haupt und in seiner Hand eine scharfe Sichel. [15] Und ein andrer Engel kam aus dem Tempel und rief dem, der auf der Wolke saß, mit großer Stimme zu: Setze deine [a]Sichel an und ernte; denn die Zeit zu ernten ist gekommen, denn [b]die Ernte der Erde ist reif geworden. [16] Und der auf der Wolke saß, setzte seine Sichel an die Erde und die Erde wurde abgeerntet.

[17] Und ein andrer Engel kam aus dem Tempel im Himmel, der hatte ein scharfes Winzermesser. [18] Und ein andrer Engel kam vom Altar, der hatte Macht über das Feuer und rief dem, der das scharfe Messer hatte, mit großer Stimme zu: Setze dein scharfes Winzermesser an und schneide die Trauben am Weinstock der Erde, denn seine Beeren sind reif! [19] Und der Engel setzte sein Winzermesser an die Erde und schnitt die Trauben am Weinstock der Erde und warf sie in die große Kelter des Zornes Gottes. [20] Und [a]die Kelter wurde draußen vor der Stadt getreten, und Blut floss von der Kelter bis an die Zäume der Pferde, tausendsechshundert Stadien weit.

DAS LIED DER ÜBERWINDER

15 Und ich sah ein andres Zeichen im Himmel, das war groß und wunderbar: sieben Engel, die hatten die letzten sieben Plagen; denn mit ihnen ist vollendet der Zorn Gottes.

[2] Und ich sah, [a]wie sich ein gläsernes Meer mit Feuer vermengte, und die den Sieg behalten hatten über das Tier und sein Bild und über die [b]Zahl seines Namens, die standen an dem gläsernen Meer und hatten Gottes Harfen [3] und sangen das [a]Lied des Mose, des Knechtes Gottes, und das Lied des Lammes: [b]Groß und wunderbar sind deine Werke, Herr, allmächtiger Gott! Gerecht und wahrhaftig sind deine Wege, du König der Völker. [4] Wer sollte dich, Herr, nicht fürchten und deinen Namen nicht preisen? Denn du allein bist heilig! Ja, [a]alle Völker werden kommen und anbeten vor dir, denn deine Urteile sind offenbar geworden.

DIE SCHALEN DES ZORNS

[5] Danach sah ich: Es [a]wurde aufgetan der Tempel, die Stiftshütte im Himmel, [6] und aus dem Tempel kamen die sieben Engel, die die sieben Plagen hatten, angetan mit reinem, hellem Leinen und gegürtet um die Brust mit goldenen Gürteln. [7] Und [a]eines der vier Wesen gab den sieben Engeln sieben goldene Schalen voll vom [b]Zorn Gottes, der da lebt von Ewigkeit zu Ewigkeit. [8] Und [a]der Tempel wurde voll Rauch von der [b]Herrlichkeit Gottes und von seiner Kraft; und niemand konnte in den Tempel gehen, bis die sieben Plagen der sieben Engel vollendet waren.

16 Und ich hörte eine große Stimme aus dem Tempel, die sprach zu den sieben Engeln: Geht hin und [a]gießt aus die sieben Schalen des Zornes Gottes auf die Erde!

[2] Und der erste ging hin und goss seine Schale aus auf die Erde; und es entstand ein [a]böses und schlimmes Geschwür an den Menschen, die das Zeichen des Tieres hatten und die sein Bild anbeteten.

[3] [a]Und der zweite goss aus seine Schale ins Meer; und es wurde zu Blut wie von einem Toten, und alle lebendigen Wesen im Meer starben.

[4] Und der dritte goss aus seine Schale in die Wasserströme und in die Wasserquellen; und es wurde Blut. [5] Und ich hörte den Engel der Wasser sagen: Gerecht bist du, der du bist und der du warst, du Heiliger, dass du dieses Urteil gesprochen

14,12 *a* Kap 13,10 **14,13** *a* 1. Thess 4,16 *b* Hebr 4,10
c 1. Tim 5,24-25 **14,14** *a* Dan 7,13; Mt 24,30
14,15 *a* Joel 4,13 *b* Mt 13,39 **14,20** *a* Jes 63,3
15,2 *a* Kap 4,6 *b* Kap 13,18 **15,3** *a* 2. Mose 15,1;
5. Mose 32,44 *b* (3-4) Jer 10,6-7 **15,4** *a* Ps 86,9-10
15,5 *a* Kap 11,19 **15,7** *a* Kap 4,6-8 *b* Kap 14,10
15,8 *a* Jes 6,4 *b* 2. Mose 40,34-35 **16,1** *a* Jer 10,25
16,2 *a* 2. Mose 9,10-11 **16,3** *a* (3-4) Kap 8,8-10

hast; 6 [a]denn sie haben das Blut der Hei-
ligen und der Propheten vergossen, und
Blut hast du ihnen zu trinken gegeben;
sie sind's wert. 7 Und [a]ich hörte den Altar
sagen: Ja, Herr, allmächtiger Gott, deine
Gerichte sind wahrhaftig und gerecht.
8 Und der vierte Engel goss aus seine
Schale über die Sonne; und es wurde ihr
Macht gegeben, die Menschen zu versen-
gen mit Feuer. 9 Und die Menschen wur-
den versengt von der großen Hitze und
lästerten den Namen Gottes, der Macht
hat über diese Plagen, und taten nicht
Buße, ihm die Ehre zu geben.
10 Und der fünfte Engel goss aus seine
Schale auf den Thron des Tieres; und sein
Reich wurde [a]verfinstert, und die Men-
schen zerbissen ihre Zungen vor Schmer-
zen 11 und lästerten Gott im Himmel we-
gen ihrer Schmerzen und wegen ihrer
Geschwüre und taten nicht Buße für ihre
Werke.
12 Und der sechste goss aus seine Schale
auf den großen Strom Euphrat; und [a]sein
Wasser trocknete aus, damit der Weg be-
reitet würde den Königen vom Aufgang
der Sonne. 13 Und ich sah aus dem Rachen
des [a]Drachen und aus dem Rachen des
Tieres und aus dem Munde des falschen
Propheten drei unreine Geister kommen,
gleich Fröschen; 14 es sind Geister von
Dämonen, die tun Zeichen und gehen
aus zu den Königen der ganzen Welt, sie
zu versammeln zum Kampf am großen
Tag Gottes, des Allmächtigen. – 15 Siehe,
[a]ich komme wie ein Dieb. Selig ist, der
da wacht und seine Kleider bewahrt, da-
mit er nicht nackt gehe und man seine
Blöße sehe. – 16 Und er versammelte sie
an einen Ort, der heißt auf Hebräisch
Harmagedon.
17 Und der siebente Engel goss aus seine
Schale in die Luft; und es kam eine große
Stimme aus dem Tempel vom Thron, die
sprach: Es ist geschehen! 18 Und es gescha-
hen Blitze und Stimmen und Donner,
und es geschah ein großes Erdbeben, wie
es noch nicht gewesen ist, seit Menschen
auf Erden sind – ein solches Erdbeben, so
groß. 19 Und aus der großen Stadt wurden
drei Teile, und die Städte der Völker stürz-
ten ein. Und [a]Babylon, der Großen, wurde
gedacht vor Gott, dass ihr gegeben werde
der Kelch mit dem Wein seines grimmi-
gen Zorns. 20 Und alle Inseln verschwan-
den, und die Berge wurden nicht mehr
gefunden.[a] 21 Und ein großer [a]Hagel wie
Zentnergewichte fiel vom Himmel auf
die Menschen; und die Menschen läster-
ten Gott wegen der Plage des Hagels; denn
diese Plage ist sehr groß.

DIE HURE BABYLON

17 Und es kam einer von den sieben En-
geln, die die sieben Schalen hatten, re-
dete mit mir und sprach: Komm, ich will
dir zeigen [a]das Gericht über die große
Hure, die an vielen Wassern sitzt, 2 mit
der die Könige auf Erden Hurerei getrie-
ben haben; [a]und die auf Erden wohnen,
sind betrunken geworden von dem Wein
ihrer Hurerei.
3 Und er brachte mich im Geist in die
Wüste. Und ich sah eine Frau auf einem
scharlachroten Tier sitzen, das war voll
lästerlicher Namen [a]und hatte sieben
Häupter und zehn Hörner. 4 Und die Frau
war bekleidet mit Purpur und Scharlach
und geschmückt mit Gold und Edelstei-
nen und Perlen und hatte in ihrer Hand
einen goldenen Becher, voll von Gräueln,
und die Unreinheit ihrer Hurerei, 5 und
auf ihrer Stirn war geschrieben ein Name,
ein Geheimnis: Das Große Babylon, die
Mutter der [a]Hurer* und aller Gräuel auf
Erden. 6 Und ich sah die Frau, betrunken
von dem [a]Blut der Heiligen und von dem
Blut der Zeugen Jesu. Und ich wunderte
mich sehr, als ich sie sah.
7 Und der Engel sprach zu mir: Warum
wunderst du dich? Ich will dir sagen das
Geheimnis der Frau und des Tieres, das sie
trägt und sieben Häupter und zehn Hör-
ner hat. 8 Das Tier, das du gesehen hast,
ist gewesen und ist jetzt nicht und wird
wieder aufsteigen aus dem Abgrund und
in die Verdammnis fahren. Und es wer-
den sich wundern, die auf Erden wohnen,
deren Name nicht geschrieben steht im

* **17,5** Siehe Sach- und Worterklärungen.

16,6 ***a*** (6-7) Kap 6,9-11 **16,7** ***a*** Kap 9,13
16,10 ***a*** 2. Mose 10,21-23 **16,12** ***a*** Jes 11,15-16
16,13 ***a*** Kap 12,3 **16,15** ***a*** Kap 3,3 **16,19** ***a*** Kap 14,8-10
16,20 ***a*** Kap 6,14 **16,21** ***a*** 2. Mose 9,23 **17,1** ***a*** Jer 51,13
17,2 ***a*** Kap 14,8 **17,3** ***a*** Kap 13,1 **17,5** ***a*** Kap 21,8; 22,15
17,6 ***a*** Kap 6,9-11

Buch des Lebens vom Anfang der Welt
an, wenn sie das Tier sehen, dass es gewe-
sen ist und jetzt nicht ist und wieder sein
wird. 9 Hier ist Sinn, zu dem [a]Weisheit
gehört!

Die sieben Häupter sind sieben Berge,
auf denen die Frau sitzt, und es sind sieben
Könige. 10 Fünf sind gefallen, einer ist da,
der andre ist noch nicht gekommen; und
wenn er kommt, muss er eine kleine Zeit
bleiben. 11 Und das Tier, das gewesen ist
und jetzt nicht ist, das ist der achte und ist
einer von den sieben und fährt in die Ver-
dammnis. 12 Und die [a]zehn Hörner, die du
gesehen hast, das sind zehn Könige, die ihr
Reich noch nicht empfangen haben; aber
wie Könige werden sie für eine Stunde
Macht empfangen zusammen mit dem
Tier. 13 Diese sind eines Sinnes und ge-
ben ihre Kraft und Macht dem Tier. 14 Die
werden gegen das Lamm kämpfen, und
das Lamm wird sie überwinden, denn es
ist [a]der Herr aller Herren und der König
aller Könige, und die mit ihm sind, sind
die Berufenen und Auserwählten und
Gläubigen.

15 Und er sprach zu mir: Die Wasser, die
du gesehen hast, an denen die Hure sitzt,
sind Völker und Scharen und Nationen
und Sprachen. 16 Und die zehn Hörner, die
du gesehen hast, und das Tier, die werden
[a]die Hure hassen und werden sie verwüs-
ten und entblößen und werden ihr Fleisch
essen und werden sie [b]mit Feuer verbren-
nen. 17 Denn Gott hat's ihnen in ihr Herz
gegeben, nach seinem Sinn zu handeln
und eines Sinnes zu werden und ihr Reich
dem Tier zu geben, bis vollendet werden
die Worte Gottes. 18 Und die Frau, die du
gesehen hast, ist die große Stadt, die die
Herrschaft hat über die Könige auf Erden.

DER UNTERGANG BABYLONS

18 Danach sah ich einen andern Engel
herniederfahren vom Himmel, der
hatte große Macht, und [a]die Erde wurde
erleuchtet von seinem Glanz. 2 [a]Und er
rief mit mächtiger Stimme: Sie ist gefal-
len, sie ist gefallen, Babylon, die Große,
und ist eine Behausung der Dämonen
geworden und ein Gefängnis aller unrei-
nen Geister und ein Gefängnis aller un-
reinen Vögel und [b]ein Gefängnis aller
unreinen und verhassten Tiere. 3 Denn
von dem Zorneswein ihrer Hurerei haben
alle Völker getrunken, und die Könige auf
Erden haben mit ihr Hurerei getrieben,
und [a]die Kaufleute auf Erden sind reich
geworden von ihrer großen Üppigkeit.

4 Und ich hörte eine andre Stimme vom
Himmel, die sprach: [a]Geht hinaus aus ihr,
mein Volk, dass ihr nicht teilhabt an ih-
ren Sünden, und hinaus aus ihren Plagen,
damit ihr sie nicht empfangt! 5 Denn ihre
Sünden reichen bis an den Himmel, und
Gott gedachte ihrer Frevel. 6 [a]Bezahlt ihr,
wie sie bezahlt hat, und gebt ihr zweifach
zurück nach ihren Werken! Und in den
Kelch, in den sie euch eingeschenkt hat,
schenkt ihr zweifach ein! 7 [a]Was ihr Glanz
verlieh und was sie verprasste, das schenkt
ihr ein als Qual und Leid! Denn sie spricht
in ihrem Herzen: Ich throne hier und bin
eine Königin und bin keine Witwe, und
Leid werde ich nicht sehen. 8 Darum wer-
den ihre Plagen an einem Tag kommen,
Tod, Leid und Hunger, und mit Feuer wird
sie verbrannt werden; denn [a]stark ist Gott
der Herr, der sie richtet.

9 Und es werden sie beweinen und be-
klagen [a]die Könige auf Erden, die mit ihr
gehurt und geprasst haben, wenn sie se-
hen werden den Rauch von ihrem Brand.
10 Sie werden fernab stehen aus Furcht
vor ihrer Qual und sprechen: Weh, weh,
du große Stadt, Babylon, du starke Stadt,
in einer Stunde ist dein Gericht gekom-
men! 11 [a]Und die Kaufleute auf Erden wer-
den weinen und Leid tragen um sie, weil
ihre Ware niemand mehr kaufen wird:
12 Ware aus Gold und Silber und Edel-
steinen und Perlen und feinem Leinen
und Purpur und Seide und Scharlach und
allerlei wohlriechendem Holz und aller-
lei Gerät aus Elfenbein und allerlei Gerät
aus kostbarstem Holz und Erz und Eisen
und Marmor 13 und Zimt und Balsam und
Räucherwerk und Myrrhe und Weihrauch
und Wein und Öl und feines Mehl und

17,9 *a* Kap 13,18 **17,12** *a* Dan 7,24 **17,14** *a* Kap 19,16; Dan 2,47; 1. Tim 6,15 **17,16** *a* Hes 23,22 *b* 3. Mose 21,9
18,1 *a* Hes 43,2 **18,2** *a* (3-4) Kap 14,8 *b* Jes 13,21-22
18,3 *a* Hes 27,33 **18,4** *a* Jes 48,20; Jer 51,6.45; 2. Kor 6,17
18,6 *a* Ps 137,8; Jer 50,29; 2. Thess 1,6
18,7 *a* (7-8) Jes 47,7-9 **18,8** *a* Jer 50,34 **18,9** *a* Hes 27,33
18,11 *a* (11-19) Hes 27,12-36

Weizen und Vieh und Schafe und Pferde und Wagen und Leiber und Seelen von Menschen.

14 Und das Obst, an dem deine Seele Lust hatte, ist dahin; und alles, was glänzend und herrlich war, ist für dich verloren, und man wird es nicht mehr finden. 15 Die Kaufleute, die durch diesen Handel mit ihr reich geworden sind, werden fernab stehen aus Furcht vor ihrer Qual, weinen und klagen: 16 Weh, weh, du große Stadt, die [a]bekleidet war mit feinem Leinen und Purpur und Scharlach und geschmückt war mit Gold und Edelstein und Perlen, 17 denn in einer Stunde ist verwüstet solcher Reichtum!

Und jeder Steuermann und jeder, der mitreiste, und die Seeleute und alle, die auf dem Meer arbeiten, standen fernab 18 und schrien, als sie den Rauch von ihrem Brand sahen: Wer ist der großen Stadt gleich? 19 Und sie warfen Staub auf ihre Häupter und schrien, weinten und klagten: Weh, weh, du große Stadt, von deren Überfluss reich geworden sind alle, die Schiffe auf dem Meer hatten; denn in einer Stunde ist sie verwüstet!

20 [a]Freue dich über sie, Himmel, und ihr Heiligen und Apostel und Propheten! Denn Gott hat sie gerichtet um euretwillen.

21 Und ein starker Engel hob einen Stein auf, groß wie ein Mühlstein, warf ihn ins Meer und sprach: [a]So wird mit Sturmgewalt niedergeworfen die große Stadt Babylon und nicht mehr gefunden werden. 22 [a]Und die Stimme der Sänger und Saitenspieler, Flötenspieler und Posaunenbläser soll nicht mehr in dir gehört werden, und kein Handwerker irgendeines Handwerks soll mehr in dir gefunden werden, und das Geräusch der Mühle soll nicht mehr in dir gehört werden, 23 und das Licht der Lampe soll nicht mehr in dir leuchten, und die Stimme des Bräutigams und der Braut soll nicht mehr in dir gehört werden. Denn [a]deine Kaufleute waren Fürsten auf Erden, und durch deine [b]Zauberei sind verführt worden alle Völker; 24 und [a]das Blut der Propheten und der Heiligen ist in ihr gefunden worden und das Blut aller derer, die auf Erden umgebracht worden sind.

JUBEL ÜBER DEN UNTERGANG BABYLONS

19 Danach hörte ich etwas wie eine große Stimme einer großen Schar im Himmel, die sprach: Halleluja! Die Rettung und die Herrlichkeit und die Kraft sind unseres Gottes! 2 [a]Denn wahrhaftig und gerecht sind seine Gerichte, dass er die große Hure verurteilt hat, die die Erde mit ihrer Hurerei verdorben hat, und hat [b]das Blut seiner Knechte gerächt, das ihre Hand vergossen hat. 3 Und sie sprachen zum zweiten Mal: Halleluja! [a]Und ihr Rauch steigt auf von Ewigkeit zu Ewigkeit.

4 Und die [a]vierundzwanzig Ältesten und die vier Wesen fielen nieder und beteten Gott an, der auf dem Thron saß, und sprachen: [b]Amen, Halleluja! 5 Und eine Stimme ging aus von dem Thron: Lobt unsern Gott, alle seine Knechte und die ihn fürchten, Klein und Groß!

6 Und ich hörte etwas wie eine Stimme einer großen Schar und wie eine Stimme großer Wasser und wie eine Stimme starker Donner, die sprachen: Halleluja! Denn der Herr, unser Gott, der Allmächtige, hat seine Herrschaft angetreten! 7 [a]**Lasst uns freuen und fröhlich sein und ihm die Ehre geben; denn [b]die Hochzeit des Lammes ist gekommen, und [c]seine Frau hat sich bereitet.** 8 Und es wurde ihr gegeben, sich zu kleiden in Seide, glänzend und rein. – Die Seide aber ist das gerechte Tun der Heiligen.

9 Und er sprach zu mir: Schreibe: [a]**Selig sind, die zum Hochzeitsmahl des Lammes berufen sind.** Und er sprach zu mir: Dies sind wahrhaftige Worte Gottes. 10 Und ich [a]fiel nieder zu seinen Füßen, ihn anzubeten. Und er sprach zu mir: Tu es nicht! Ich bin dein und deiner Brüder Mitknecht, die das Zeugnis Jesu haben. Bete Gott an! Das Zeugnis Jesu aber ist der Geist der Weissagung.

18,16 *a* Kap 17,4 **18,20** *a* Jes 44,23; Jer 51,48
18,21 *a* Jer 51,63-64; Hes 26,12.21
18,22 *a* (22-23) Jes 24,8; Jer 25,10; Hes 26,13
18,23 *a* Jes 23,8 *b* Nah 3,4 **18,24** *a* Kap 17,6
19,2 *a* Kap 16,6-7 *b* 5. Mose 32,43 **19,3** *a* Kap 14,11
19,4 *a* Kap 4,4.6 *b* Ps 106,48 **19,7** *a* (7-8) Jes 61,10
b Mt 22,2 *c* Kap 21,2.9 **19,9** *a* Lk 14,15
19,10 *a* Kap 22,8-9; Apg 10,25-26

DER REITER AUF DEM WEISSEN PFERD

11 [a]Und ich sah den Himmel aufgetan;
und siehe, ein weißes Pferd. Und der
darauf saß, hieß: [b]Treu und Wahrhaftig,
[c]und er richtet und kämpft mit Gerechtig-
keit. 12 Und [a]seine Augen sind wie eine
Feuerflamme, und auf seinem Haupt
sind viele Kronen; und er trug einen [b]Na-
men geschrieben, den niemand kannte
als er selbst. 13 Und er war angetan mit
einem Gewand, [a]das in Blut getaucht war,
und sein Name ist: [b]Das Wort Gottes.
14 Und ihm folgten die Heere im Him-
mel auf weißen Pferden, angetan mit wei-
ßer, reiner Seide. 15 Und aus seinem Mun-
de ging ein scharfes Schwert, dass er da-
mit die Völker schlage; und [a]er wird sie
regieren mit eisernem Stabe; und [b]er
tritt die Kelter, voll vom Wein des grim-
migen Zornes Gottes, des Allmächti-
gen, 16 und trägt einen Namen geschrie-
ben auf seinem Gewand und auf seiner
Hüfte: [a]König aller Könige und Herr aller
Herren.

DAS ENDE DES TIERES UND DES FALSCHEN PROPHETEN

17 Und ich sah einen Engel in der Sonne
stehen, und er rief mit großer Stim-
me [a]allen Vögeln zu, die hoch am Him-
mel fliegen: Kommt, versammelt euch zu
dem großen Mahl Gottes, 18 dass ihr esst
das Fleisch der Könige und der Haupt-
leute und das Fleisch der Starken und der
Pferde und derer, die darauf sitzen, und
das Fleisch [a]aller Freien und Sklaven, der
Kleinen und der Großen!
19 Und ich sah das Tier und die Könige
auf Erden und ihre Heere [a]versammelt,
Krieg zu führen mit dem, der auf dem
Pferd saß, und mit seinem Heer. 20 Und
das Tier wurde ergriffen und mit ihm der
falsche Prophet, der vor seinen Augen die
Zeichen getan hatte, durch welche er die
verführte, die [a]das Zeichen des Tieres an-
genommen und das Bild des Tieres ange-
betet hatten. [b]Lebendig wurden diese bei-
den in den feurigen Pfuhl geworfen, der
mit Schwefel brannte. 21 Und die andern
wurden erschlagen mit dem Schwert, das
aus dem Munde dessen ging, der auf dem
Pferd saß. Und alle Vögel wurden satt von
ihrem Fleisch.

DAS TAUSENDJÄHRIGE REICH

20 Und ich sah einen Engel vom Himmel
herabfahren, der hatte [a]den Schlüssel
zum Abgrund und eine große Kette in sei-
ner Hand. 2 Und er ergriff den [a]Drachen,
die alte Schlange, das ist der Teufel und
der Satan, und fesselte ihn für tausend
Jahre 3 und warf ihn in den Abgrund und
verschloss ihn und setzte ein Siegel oben
darauf, damit er die Völker nicht mehr ver-
führen sollte, bis vollendet würden die
tausend Jahre. Danach muss er losgelas-
sen werden eine kleine Zeit.
4 Und ich sah [a]Throne und sie setzten
sich darauf, und [b]ihnen wurde das Gericht
übergeben. [c]Und ich sah die Seelen derer,
die enthauptet waren um des Zeugnisses
für Jesus und um des Wortes Gottes wil-
len und die nicht angebetet hatten das Tier
und sein Bild und die sein Zeichen nicht
angenommen hatten an ihre Stirn und auf
ihre Hand; diese wurden lebendig und re-
gierten mit Christus tausend Jahre. 5 Die
andern Toten aber wurden nicht lebendig,
bis die tausend Jahre vollendet wurden.
[a]Dies ist die erste Auferstehung. 6 Selig
ist der und heilig, der teilhat an der ersten
Auferstehung. Über diese hat der zweite
Tod keine Macht; sondern sie werden
Priester Gottes und Christi sein und mit
ihm regieren tausend Jahre.

DER LETZTE KAMPF

7 Und wenn die tausend Jahre vollendet
sind, wird der Satan losgelassen werden
aus seinem Gefängnis 8 und wird auszie-
hen, zu verführen die Völker an den vier
Enden der Erde, [a]Gog und Magog, und sie
zum Kampf zu versammeln; deren Zahl
ist wie der Sand am Meer. 9 Und sie stie-
gen herauf auf die Ebene der Erde und
umringten das Heerlager der Heiligen
und die [a]geliebte Stadt. [b]Und es fiel Feuer
vom Himmel und verzehrte sie. 10 Und der

19,11 *a* (11-13) Mt 24,30 *b* Kap 3,14 *c* Ps 9,9; Jes 11,4-5
19,12 *a* Kap 1,14 *b* Kap 2,17; 3,12 **19,13** *a* Jes 63,1-3
b Joh 1,1 **19,15** *a* Kap 2,27 *b* Kap 14,19-20
19,16 *a* Kap 17,14 **19,17** *a* Hes 39,4.17-20
19,18 *a* Kap 13,16 **19,19** *a* Kap 16,14.16
19,20 *a* Kap 13,11-17 *b* Kap 20,10.14; 21,8; Dan 7,11;
Mt 25,41 **20,1** *a* Kap 9,1 **20,2** *a* Kap 12,9
20,4 *a* Kap 3,21; Mt 19,28 *b* 1. Kor 6,2 *c* Kap 6,9
20,5 *a* 1. Thess 4,16 **20,8** *a* Hes 38,2
20,9 *a* Ps 87,2-3 *b* Kap 11,5

Teufel, der sie verführte, wurde geworfen
in den Pfuhl von Feuer und Schwefel, [a]wo
auch das Tier und der falsche Prophet wa-
ren; und sie werden gequält werden Tag
und Nacht, von Ewigkeit zu Ewigkeit.

DAS WELTGERICHT

11 Und ich sah einen großen, weißen
Thron und [a]den, der darauf saß; [b]vor sei-
nem Angesicht flohen die Erde und der
Himmel, und es wurde keine Stätte für sie
gefunden. 12 Und ich sah die Toten, Groß
und Klein, stehen vor dem Thron, und
[a]Bücher wurden aufgetan. Und ein and-
res Buch wurde aufgetan, welches ist das
Buch des Lebens. Und die Toten wurden
gerichtet nach dem, was in den Büchern
geschrieben steht, nach ihren Werken.
13 Und das Meer gab die Toten heraus, die
darin waren, und der Tod und die Hölle
gaben die Toten heraus, die darin waren;
und sie wurden gerichtet, ein jeder nach
seinen Werken. 14 Und [a]der Tod und die
Hölle wurden geworfen in den feurigen
Pfuhl. Das ist der zweite Tod: der feurige
Pfuhl. 15 Und wenn jemand nicht gefun-
den wurde geschrieben in dem Buch des
Lebens, der wurde geworfen in den feu-
rigen Pfuhl.

DAS NEUE JERUSALEM

21 Und ich sah [a]einen neuen Himmel und
eine neue Erde; denn [b]der erste Him-
mel und die erste Erde sind vergangen,
und das Meer ist nicht mehr. 2 Und ich sah
die heilige Stadt, [a]das neue Jerusalem, von
Gott aus dem Himmel herabkommen, be-
reitet [b]wie eine geschmückte Braut für ih-
ren Mann.

3 Und ich hörte eine große Stimme von
dem Thron her, die sprach: **Siehe da,**
die [a]Hütte Gottes bei den Menschen!
Und [b]er wird bei ihnen wohnen, und
[c]sie werden seine Völker* sein, und er
selbst, Gott mit ihnen, wird ihr Gott
sein; 4 und [a]Gott wird abwischen alle
Tränen von ihren Augen, und der Tod
wird nicht mehr sein, [b]noch Leid noch
Geschrei noch Schmerz wird mehr
sein; denn das Erste ist vergangen.

5 Und der auf dem Thron saß, sprach:
[a]Siehe, ich mache alles neu! Und er
spricht: Schreibe, denn diese Worte sind
wahrhaftig und gewiss! 6 Und er sprach
zu mir: Es ist geschehen. **[a]Ich bin das A**
und das O, der Anfang und das Ende.
[b]Ich will dem Durstigen geben von
der Quelle des lebendigen Wassers
umsonst. 7 Wer überwindet, der wird
dies ererben, und ich werde sein Gott
sein und er wird mein Sohn sein.[a] 8 Die
Feigen aber und Ungläubigen und Frev-
ler und Mörder und [a]Hurer und Zauberer
und Götzendiener und alle Lügner, deren
Teil wird in dem Pfuhl sein, der mit Feuer
und Schwefel brennt; das ist der zweite
Tod.[b]

9 Und es kam zu mir einer von den [a]sie-
ben Engeln, die die sieben Schalen hatten,
gefüllt mit den letzten sieben Plagen, und
redete mit mir und sprach: Komm, ich will
dir die Braut zeigen, die Frau des Lammes.
10 Und er führte mich hin im Geist auf
einen großen und hohen Berg und zeigte
mir die heilige Stadt Jerusalem hernieder-
kommen aus dem Himmel von Gott, 11 die
hatte die Herrlichkeit Gottes; ihr [a]Leuch-
ten war gleich dem alleredelsten Stein,
einem Jaspis, klar wie Kristall; 12 sie hatte
eine große und hohe Mauer und hatte
[a]zwölf Tore und auf den Toren zwölf Engel
und Namen darauf geschrieben, nämlich
die Namen der zwölf Stämme der Israeli-
ten: 13 von Osten drei Tore, von Norden
drei Tore, von Süden drei Tore, von Wes-
ten drei Tore. 14 Und die Mauer der Stadt
hatte zwölf [a]Grundsteine und auf ihnen
die zwölf Namen der zwölf Apostel des
Lammes.

15 Und der mit mir redete, hatte einen
[a]Messstab, ein goldenes Rohr, um die
Stadt zu messen und ihre Tore und ihre
Mauer. 16 Und die Stadt ist viereckig an-
gelegt und ihre Länge ist so groß wie die
Breite. Und er maß die Stadt mit dem
Rohr: zwölftausend Stadien. Die Länge

* **21,3** Luther übersetzte: »sein Volk«.

20,10 *a* Kap 19,20 **20,11** *a* Kap 4,2; Mt 25,31-46 *b* Ps 102,27; 2. Petr 3,7-13 **20,12** *a* Dan 7,10; 12,1-2 **20,14** *a* 1. Kor 15,26.54-55 **21,1** *a* Jes 65,17 *b* Kap 20,11 **21,2** *a* Gal 4,26; Hebr 12,22 *b* Kap 19,7 **21,3** *a* 2. Mose 25,8 *b* 2. Mose 29,44-45 **c** Jer 7,23 **21,4** *a* Kap 7,17 *b* Jes 35,10 **21,5** *a* Jes 43,19; 2. Kor 5,17 **21,6** *a* Kap 1,8; 22,13 *b* Kap 22,17 **21,7** *a* Röm 8,17 **21,8** *a* Kap 17,5; 22,15 *b* Gal 5,19-21 **21,9** *a* Kap 15,1 **21,11** *a* Jes 58,8; 60,1-2 **21,12** *a* Hes 48,30-35 **21,14** *a* Eph 2,20 **21,15** *a* Kap 11,1; Hes 40,3

und die Breite und die Höhe der Stadt sind
gleich. 17 Und er maß ihre Mauer: hundert-
vierundvierzig Ellen nach Menschenmaß,
das der Engel gebrauchte.
18 [a]Und der Kern der Mauer war aus Jas-
pis und die Stadt aus reinem Gold, gleich
reinem Glas. 19 Die Grundsteine der Mauer
um die Stadt waren geschmückt mit al-
lerlei Edelsteinen. Der erste Grundstein
war ein Jaspis, der zweite ein Saphir,
der dritte ein Chalzedon, der vierte ein
Smaragd, 20 der fünfte ein Sardonyx, der
sechste ein Sarder, der siebente ein Chry-
solith, der achte ein Beryll, der neunte ein
Topas, der zehnte ein Chrysopras, der
elfte ein Hyazinth, der zwölfte ein Ame-
thyst. 21 Und die zwölf Tore waren zwölf
Perlen, ein jedes Tor war aus einer einzi-
gen Perle, und die Straße der Stadt war
aus reinem Gold wie durchscheinendes
Glas.
22 Und ich sah keinen Tempel darin;
denn der Herr, der allmächtige Gott, ist
ihr Tempel, er und das Lamm. 23 [a]Und die
Stadt bedarf keiner Sonne noch des Mon-
des, dass sie ihr scheinen; denn die Herr-
lichkeit Gottes erleuchtet sie, und ihre
Leuchte ist das Lamm. 24 Und die Völker
werden wandeln in ihrem Licht; und die
Könige auf Erden werden ihre Herrlich-
keit in sie bringen. 25 Und ihre Tore wer-
den nicht verschlossen am Tage; denn
da wird [a]keine Nacht sein. 26 Und man
wird die Herrlichkeit und die Ehre der
Völker in sie bringen. 27 Und [a]nichts Un-
reines wird hineinkommen und keiner,
der Gräuel tut und Lüge, sondern die ge-
schrieben sind in dem Lebensbuch des
Lammes.
22 [a]Und er zeigte mir einen Strom leben-
digen Wassers, klar wie Kristall, der
ausgeht von dem Thron Gottes und des
Lammes, 2 mitten auf ihrer Straße und
auf beiden Seiten des Stromes Bäume des
Lebens, die tragen zwölfmal Früchte, je-
den Monat bringen sie ihre Frucht, und
die Blätter der Bäume dienen zur Hei-
lung der Völker. 3 Und es wird nichts Ver-
fluchtes mehr sein. Und der Thron Gottes
und des Lammes wird in der Stadt sein,
und seine Knechte werden ihm dienen
4 und [a]sein Angesicht sehen, und [b]sein
Name wird an ihren Stirnen sein. 5 Und es
wird keine Nacht mehr sein, und sie be-
dürfen nicht des Lichts einer Lampe und
nicht des Lichts der Sonne; denn Gott der
Herr wird über ihnen leuchten, [a]und sie
werden regieren von Ewigkeit zu Ewig-
keit.

DER HERR KOMMT

6 Und er sprach zu mir: Diese Worte sind
gewiss und wahrhaftig; und der Herr,
[a]der Gott der Geister der Propheten, hat
[b]seinen Engel gesandt, zu zeigen seinen
Knechten, was bald geschehen muss.
7 Siehe, ich komme bald. Selig ist, der die
Worte der Weissagung in diesem Buch be-
wahrt.
8 Und ich, Johannes, bin es, der dies ge-
hört und gesehen hat. Und als ich's gehört
und gesehen hatte, fiel ich nieder, um an-
zubeten zu den Füßen des Engels, der mir
dies zeigte. 9 [a]Und er spricht zu mir: Tu
es nicht! Ich bin dein Mitknecht und der
Mitknecht deiner Brüder, der Propheten,
und derer, die bewahren die Worte dieses
Buches. Bete Gott an!
10 Und er spricht zu mir: [a]Versiegle
nicht die Worte der Weissagung in die-
sem Buch; denn [b]die Zeit ist nahe! 11 Wer
Böses tut, der tue weiterhin Böses, und
wer unrein ist, der sei weiterhin unrein;
aber wer gerecht ist, der übe weiterhin
Gerechtigkeit, und wer heilig ist, der sei
weiterhin heilig.[a] 12 Siehe, ich komme bald
und mein Lohn mit mir, [a]einem jeden zu
geben, wie sein Werk ist. 13 **Ich bin das
A und das O, der Erste und der Letzte,
der Anfang und das Ende.**[a] 14 Selig sind,
die [a]ihre Kleider waschen, dass sie Zu-
gang haben zum [b]Baum des Lebens und
[c]zu den Toren hineingehen in die Stadt.
15 Draußen sind die Hunde und die Zaube-
rer und die [a]Hurer und die Mörder und die
Götzendiener und alle, die die Lüge lieben
und tun.[b]
16 Ich, Jesus, habe meinen Engel gesandt,

21,18 ***a*** (18-21) Jes 54,11-12
21,23 ***a*** (23-26) Jes 60,3.5.11.19-20 **21,25** ***a*** Sach 14,7
21,27 ***a*** Jes 52,1 **22,1** ***a*** (1-2) 1. Mose 2,9-10; Hes 47,1-12; Sach 14,8 **22,4** ***a*** Ps 11,7; Mt 5,8 ***b*** Kap 3,12
22,5 ***a*** Dan 7,18 **22,6** ***a*** Kap 1,4 ***b*** Kap 1,1
22,9 ***a*** Kap 19,10 **22,10** ***a*** Kap 10,4 ***b*** Kap 1,3
22,11 ***a*** Dan 12,10 **22,12** ***a*** Kap 2,23 **22,13** ***a*** Kap 1,8.17; 21,6; Hebr 13,8 **22,14** ***a*** Kap 7,14 ***b*** Kap 2,7 ***c*** Ps 118,19-20
22,15 ***a*** Kap 17,5; 21,8 ***b*** Kap 21,8.27; 1. Kor 6,9-10

euch dies zu bezeugen für die Gemeinden.
Ich bin die [a]Wurzel und das Geschlecht
Davids, [b]der helle Morgenstern. 17 Und
der Geist und die Braut sprechen: Komm!
Und wer es hört, der spreche: Komm!
Und [a]wen dürstet, der komme; wer da
will, der nehme das Wasser des Lebens
umsonst.

18 Ich bezeuge allen, die da hören die
Worte der Weissagung in diesem Buch:
[a]Wenn ihnen jemand etwas hinzufügt,
so wird Gott ihm die Plagen zufügen, die
in diesem Buch geschrieben stehen. 19 Und
wenn jemand etwas wegnimmt von den
Worten des Buchs dieser Weissagung, so
wird Gott ihm seinen Anteil wegnehmen
am Baum des Lebens und an der heiligen
Stadt, von denen in diesem Buch geschrie-
ben steht.

20 Es spricht, der dies bezeugt: Ja, ich
komme bald. – Amen, [a]komm, Herr
Jesus!

21 Die Gnade des Herrn Jesus sei mit
allen!

22,16 ***a*** Kap 5,5 ***b*** 4. Mose 24,17 **22,17** ***a*** Kap 21,6; Jes 55,1; Joh 7,37 **22,18** ***a*** 5. Mose 4,2; 29,19 **22,20** ***a*** 1. Kor 16,22

ANHANG

INHALT DES ANHANGS

HINWEISE ZU DIESER AUSGABE

Der Bibeltext

Der hier abgedruckte Bibeltext stellt die zum Reformationsjubiläum 2017 überarbeitete (revidierte) Fassung der Bibelübersetzung Martin Luthers dar. Nach den großen kirchenamtlichen Revisionen des letzten Jahrhunderts (1912 und 1984) wurde der Text der Lutherbibel in den Jahren 2010 bis 2015 einer erneuten Überprüfung unterzogen. Dies geschah durch einen Kreis von Fachleuten, die die Evangelische Kirche in Deutschland berief, und in Zusammenarbeit mit der Deutschen Bibelgesellschaft. Im Unterschied zur letzten Revision, die für die verschiedenen Bibelteile stufenweise abgeschlossen wurde (Altes Testament 1964, Apokryphen 1970, Neues Testament 1984), wurden bei der aktuellen Revision alle Kanonteile im Zusammenhang bearbeitet.

Grundanliegen der Revision 2017 war es, die Übersetzung Martin Luthers anhand der hebräischen und griechischen Ausgangstexte auf exegetische und sachliche Richtigkeit zu überprüfen. Auf sprachliche Modernisierungen wurde weitestgehend verzichtet. Nur dort, wo Worte oder Ausdrücke nicht mehr oder falsch verstanden werden können, kam es zu einer sprachlichen Anpassung. So wurde zum Beispiel der nicht mehr verständliche Begriff »Wehmutter« durch das heute gebräuchliche Synonym »Hebamme« ersetzt (1. Mose 35,17). An etlichen anderen Stellen kehrte man dagegen sogar zum Wortlaut der Übersetzung Martin Luthers zurück. In Römer 10,10 heißt es jetzt wieder wie bei Luther selbst: »Wer mit dem Herzen glaubt, wird gerecht; und wer mit dem Munde bekennt, wird selig.« Die vorhergehende Revision hatte – sachlich durchaus richtig – hier den Begriff »gerettet« eingesetzt, damit aber einen zentralen theologischen Begriff preisgegeben, der einen festen Bestandteil der evangelisch-lutherischen Tradition darstellt.

Besonders umfangreich sind die Veränderungen, die die Apokryphen im Rahmen der Revision erfahren haben. Die lateinischen und griechischen Texte, die Luther und seine Mitarbeiter ihrer Übersetzung zugrunde legten, sind zum Teil kaum zu identifizieren und entsprechen aus heutiger Sicht nicht mehr den wissenschaftlichen Anforderungen. So verlor die Lutherbibel im akademischen Bereich, aber auch im Vergleich mit anderen deutschen Übersetzungen immer mehr an Bedeutung. Für die Revision 2017 wurde nun durchgängig der älteste griechische Text, die Septuaginta, als Textgrundlage für die Apokryphen verwendet.

Schriftarten und Hervorhebungen

Bibeltext	In dieser Bibelausgabe werden zwei verschiedene Schriftarten verwendet. Die Serifenschrift (Documenta; vgl. die Schriftprobe links) wird für den eigentlichen Bibeltext gebraucht.
redaktionelle Hinzufügungen	In der serifenlosen Schrift (Caspari) sind die redaktionellen Beigaben wie z. B. Überschriften, Verweisstellen, Anmerkungen (vgl. dazu auch die Angaben in den nächsten Abschnitten) gesetzt.
Kernstellen	Auf Luther selbst geht der Brauch zurück, wichtige Bibelworte (sog. Kernstellen) hervorzuheben. Im Nachwort zu der letzten von Luther selbst herausgebrachten Bibelausgabe von 1545 heißt es dazu, »dass erstlich von Anfang der Bibel bis ans Ende die vornehmsten Sprüche, darin Christus verheißen ist und [die] im Neuen Testament [her]angezogen werden, mit großer Schrift gedruckt sind, dass sie der Leser leicht und bald finden könne«. Auch wenn sich der Bestand der Kernstellen im Lauf der Jahrhunderte verändert hat, gehören sie doch bis heute als unverzichtbarer Bestandteil zum Text hinzu. Bei der Revision wurden die Kernstellen noch einmal kritisch überprüft. In dieser Ausgabe der Lutherbibel sind sie durch halbfette Schrift hervorgehoben.

betonte Einzelwörter	Besonders betonte Einzelwörter sind als Lesehilfe kursiv gesetzt. Das betrifft vor allem das Zahlwort »ein« (im Gegensatz zum unbestimmten Artikel »ein«; vgl. Lukas 15,7: »So wird Freude sein vor den Engeln Gottes über *einen* Sünder, der Buße tut«).
HERR	Das Wort »HERR« hat immer dann die Form HERR, wenn im hebräischen Grundtext der Gottesname, geschrieben »Jhwh«, gebraucht wird (siehe Sach- und Worterklärungen zu »HERR«).
[…]	Manche Texte, die erst sehr spät in der handschriftlichen Überlieferung nachweisbar sind, zugleich aber so bekannt sind, dass sie im Haupttext stehen, sind mit eckigen Klammern gekennzeichnet (vgl. Matthäus 6,13).

Überschriften und Übersichten

Der Bibeltext ist ergänzt durch eine Reihe von zusätzlichen Lese- und Verstehenshilfen. Dazu gehören zunächst die Überschriften und Übersichten:

ABSCHNITTS-ÜBERSCHRIFTEN	Den einzelnen Abschnitten des Textes (Perikopen) sind Überschriften vorangestellt, die über den Inhalt des jeweiligen Abschnitts informieren.
BUCHTEIL-ÜBERSCHRIFTEN	Gelegentlich lassen sich mehrere kleinere Abschnitte unter eine größere Buchteilüberschrift zusammenfassen (vgl. Matthäus 26–28).
Kapitel 20,22–23,19	Die Angaben unter den Buchteilüberschriften nennen den Bereich, den diese umfassen.
Inhaltsübersichten	Eine rasche Orientierung über den Inhalt der biblischen Bücher bieten die Inhaltsübersichten, die den umfangreicheren Büchern vorangestellt sind.

Sinnverwandte Abschnitte und biblische Verweisstellen

(Parallelstellen)	Direkt unter den Abschnittsüberschriften finden sich vor allem in den Evangelien, aber auch in anderen Büchern Angaben zu Parallelstellen. Das sind Texte, die an anderer Stelle ähnlich oder gleichlautend überliefert sind.
a b **6,9** ***a*** (9-13) Lk 11,2-4 ***b*** Kap 23,9; Jes 63,16	Um die vielfältigen Textbezüge innerhalb der Bibel zu erschließen, wurden über 20.000 Verweisstellen ausgewählt, die in dieser Ausgabe in der jeweils rechten Spalte am Fuß der Seite aufgeführt werden. Die dabei verwendeten Abkürzungen werden am Beginn der Ausgabe im alphabetischen Inhaltsverzeichnis erklärt. Hochgestellte kleine Buchstaben im Bibeltext stellen die Verbindung zu den Stellenangaben her. Wenn sich die angeführte Verweisstelle auf ein Einzelwort oder eine Wortgruppe bezieht, steht der Verweisbuchstabe unmittelbar davor; bezieht sie sich auf einen ganzen Vers, so steht er an dessen Ende; wenn sie mehrere Verse umfasst, folgt er auf die erste Versziffer.

*** 2,5** Anmerkungen — Ein Stern * im Bibeltext verweist auf eine Anmerkung zur jeweiligen Stelle am Fuß der Seite (ebenfalls in der rechten Spalte). Die meisten Anmerkungen enthalten sachbezogene Erläuterungen, Angaben zur ursprünglichen Übersetzung Martin Luthers oder zur Textüberlieferung. In einigen Fällen wird auf die Sach- und Worterklärungen im Anhang verwiesen. Es werden jedoch nicht alle Beiträge in den Sach- und Worterklärungen auch durch eine Anmerkung im Text angekündigt.

wie geschrieben steht (Habakuk 2,4) — Im Neuen Testament werden alttestamentliche Schriften zum Teil wörtlich zitiert. Die Stellenangaben, die im griechischen Text nicht vorhanden sind, sondern zum besseren Verständnis ergänzt wurden, lassen sich durch die andere Schriftart leicht als solche erkennen.

Besonderheiten in den Psalmen und poetischen Texten

Die Psalmen und andere poetische Texte sind im Hebräischen nach dem Grundprinzip des Parallelismus in sinnparallele Halbverse gegliedert. Der jeweils zweite Halbvers ist in dieser Ausgabe durch Einrückung gekennzeichnet. In der kirchlichen Praxis werden die Psalmen häufig (versweise oder halbversweise) im Wechsel gesprochen oder gesungen. Die Einrückungen dienen dabei als Signal für den Wechsel der Sprechergruppen oder eine Atempause. Ebenfalls in der kirchlichen Praxis verankert ist der Abschluss der Psalmenlesung mit den Worten »Ehre sei dem Vater und dem Sohn und dem Heiligen Geist. Wie im Anfang, so auch jetzt und allezeit und in Ewigkeit. Amen«. Damit wird der Psalm in das Licht der neutestamentlichen Botschaft gerückt.

Poetische Texte und Gebete, die nicht nach dem Grundprinzip des Parallelismus gegliedert sind, aber dennoch in ihrem besonderen Charakter erkennbar sein sollen (vgl. Matthäus 6,9-13; Philipper 2,5-11), sind in Sinnzeilen gesetzt. Dabei erfolgt kein Wechsel von aus- und eingerückten Zeilen. Wenn eine Zeile aufgrund ihrer Länge umbrochen werden muss, ist die Fortsetzung durch einen kleinen Einzug gekennzeichnet.

Über das bereits Beschriebene hinaus werden in den Psalmen folgende besondere Schriften und Symbole verwendet:

/ — Wo die erste Vershälfte überlang ausfällt, wird diese durch einen Schrägstrich unterteilt. Beim Psalmgesang ist an dieser Stelle eine Flexa (Abweichung um einen Sekund- oder Terzschritt nach unten) zu singen.

| — Absätze sind innerhalb der Psalmen und poetischen Stücke durch Leerzeilen gekennzeichnet. Wenn eine Leerzeile durch den Seitenwechsel nicht mehr zu erkennen ist, wird sie durch einen senkrechten Strich am Ende der letzten Zeile vor dem Seitenwechsel markiert.

KAPITÄLCHEN — Den Psalmen ist im Hebräischen meist eine kurze Einleitung vorangestellt (vgl. Psalm 3,1). Diese Psalmeneinleitungen sind in dieser Ausgabe durch Kapitälchen markiert. Außerdem wird das Hebräische »Sela« (vgl. Psalm 3,3; siehe Sach- und Worterklärungen) durch Kapitälchen gekennzeichnet.

kursiv — Kehrverse, also Verse oder Versteile, die sich innerhalb eines Psalms wiederholen, sind in kursiver Schrift gesetzt.

Besonderheiten in den Apokryphen

13 [16]	Für die Apokryphen wurde bei der Revision 2017 konsequent die griechische Septuaginta als Textgrundlage verwendet. Im Vergleich zu den früheren Lutherbibeln hat sich dadurch an einigen Stellen auch die Verszählung geändert. Damit die Vergleichbarkeit mit älteren Ausgaben der Lutherbibel gewährleistet ist, werden die ursprünglichen Versangaben an den meisten Stellen in eckigen Klammern mitgeteilt. In den Büchern Judit und Tobias sind die Unterschiede zur bisherigen Textfassung so groß, dass es nicht möglich ist, die ursprünglichen Versziffern im Einzelnen anzugeben. Dies wird bei den jeweiligen Büchern durch eine Anmerkung zur Buchüberschrift vermerkt.
[…]	Das Buch Jesus Sirach ist in der handschriftlichen Überlieferung in unterschiedlichen Textfassungen erhalten. Die später zugewachsenen Texte (»Langtexte«), die nur in einem Teil der Handschriften enthalten sind, werden in dieser Ausgabe durch eckige Klammern gekennzeichnet.
Überschrift	An einigen wenigen Stellen im Buch Jesus Sirach sind die Abschnittsüberschriften bereits in den griechischen Handschriften enthalten (vgl. Sirach 30,1). Um dies kenntlich zu machen, werden sie in der Schriftart des Bibeltextes (Documenta, siehe oben) gesetzt.
A B C	Das griechische Esterbuch weist im Vergleich zum hebräischen Esterbuch einige Ergänzungen auf. Diese sind in der Lutherbibel als »Stücke zu Ester« in den Apokryphen enthalten. Die Kapitel innerhalb dieses Buches werden in dieser Ausgabe – entsprechend dem wissenschaftlichen Gebrauch – nicht mit Ziffern angegeben, sondern mit Buchstaben, weil sie keinen durchgehenden Text darstellen.

Namensschreibung

Die Schreibung der Personen- und Ortsnamen folgt in der Lutherbibel seit 1984 weitgehend den »Loccumer Richtlinien zur einheitlichen Schreibung biblischer Eigennamen«, die im Interesse einer ökumenischen Vereinheitlichung der Namensformen von einer evangelisch-katholischen Kommission erarbeitet worden sind. Lediglich bei Namen, die in der evangelischen Tradition einen besonderen Stellenwert haben, wurde von dieser ökumenischen Regelung abgewichen und die lange vertraute Lutherschreibweise beibehalten. Über die Ausnahmen, die für die Lutherbibel gelten, informiert der Anhang »Zur Schreibung der Eigennamen«.

Abkürzungen

Die innerhalb der Lutherbibel verwendeten Abkürzungen sind am Beginn der Ausgabe im alphabetischen Inhaltsverzeichnis aufgelistet.

ZEITTAFEL ZUR BIBLISCHEN GESCHICHTE

Das Alte Testament ist reich an chronologischen Angaben. Wer die Botschaft der biblischen Texte verstehen will, muss versuchen, diese Daten nachzuvollziehen. Viele Zeitangaben sind allerdings, an modernen Maßstäben gemessen, eher symbolisch als historisch zu nehmen. Das gilt vor allem in der Frühzeit. Eine einigermaßen zuverlässige Zeitrechnung gibt es seit der Zeit der Könige von Israel und Juda ab dem 10. Jahrhundert v. Chr. Sie beruht auf den Listen der Könige von Israel und Juda, die in den Büchern der Könige erhalten geblieben sind. Die dort genannte Herrscherfolge lässt sich an einigen Stellen mit der Chronologie der Könige von Assyrien und Babylonien verzahnen. Die assyrische Zeitrechnung wiederum erwähnt auch astronomische Konstellationen, die eine Umrechnung in unsere Zeitrechnung ermöglichen. So können dann auch die Jahreszahlen der Könige von Israel und Juda in die heute geläufigen Jahre vor Christi Geburt übertragen werden. Allerdings lassen sich die biblischen Zahlenreihen nicht immer mit den außerbiblischen zur Deckung bringen. Je nach Berechnung kann die Chronologie sich um wenige Jahre verschieben. Daher stimmen die folgenden Angaben nicht in jedem Fall mit anderen Zeittafeln überein.

1. Die Frühzeit

um 1209	Erste Erwähnung Israels bei Pharao Merenptah (1213–1203)
1. Viertel 10. Jahrhundert	Saul König von Israel
1. Viertel 10. Jahrhundert	Isch-Boschet König von Israel
2. Viertel 10. Jahrhundert	David König von Juda, später auch von Israel
3. Viertel 10. Jahrhundert	Salomo König von Juda und Israel

2. Die Zeit der Könige von Israel und Juda

Israel	**Juda**	**Umliegende Reiche**
926–907 Jerobeam I.	**926–910** Rehabeam **910–908** Abija	**um 921** Feldzug Schoschenqs I. von Ägypten nach Palästina
907–906 Nadab **906–883** Bascha **883–882** Ela **882** Simri **882–878** Machtkampf zwischen Tibni und Omri **882–871** Omri **876** Omri gründet Samaria	**908–868** Asa	
871–852 Ahab. Der Prophet Elia	**868–847** Joschafat	**858–824** Salmanassar III. von Assyrien **853** Ahab kämpft bei Karkar zusammen mit Damaskus gegen Salmanassar III.
852–851 Ahasja **851–841** Joram **841** Putsch des Jehu **841–818** Jehu **818–802** Joahas **802–787** Joasch	**852** Joram Mitregent **847–841** Joram **841** Ahasja (**841–835** Atalja) (**840**) **835–801** Joasch **801–773** Amazja	**845–801** Hasaël von Damaskus **841** Tribut des Jehu an Salmanassar III. **nach 801** Ben-Hadad von Damaskus

Israel	Juda	Umliegende Reiche
um 788 Krieg zwischen Amazja und Joasch		796 Tribut des Joasch von Israel an Adadnirari III. von Assyrien
787–747 Jerobeam II.	773–756 (736) Asarja (Usija)	
747 Secharja (6 Monate)	756–741 Jotam	
747 Schallum (1 Monat)		
747–738 Menahem	741–725 Ahas	744–727 Tiglat-Pileser III. von Assyrien
		738 Tribut des Menahem an Tiglat-Pileser III.
737–736 Pekachja	736 Im Todesjahr Usijas wird der Prophet Jesaja berufen	
735–732 Pekach		
733 Israel und Aram ziehen gemeinsam gegen Juda		733 Feldzüge gegen Aram und Israel
732–723 Hoschea als Vasall Assyriens		732 Tibut des Ahas an Tiglat-Pileser III.
722 Salmanassar V. erobert Samaria und errichtet die assyrische Provinz Samerina		726–722 Salmanassar V. von Assyrien
720 Sargon II. von Assyrien erobert das rebellierende Samaria erneut		722–705 Sargon II. von Assyrien

3. Juda bis zur Zerstörung Jerusalems

Juda	Umliegende Reiche
725–697 Hiskia	711 Assyrischer Feldzug gegen die Städte der Philister
701 Sanherib erobert Juda und belagert Jerusalem	704–681 Sanherib von Assyrien
696–642 Manasse	680–669 Asarhaddon von Assyrien. Größte Ausdehnung Assyriens bis nach Ägypten
641–640 Amon	668–627(?) Assurbanipal von Assyrien
640–609 Josia	
622 Zentralisation des Opferkults in Jerusalem	612 Meder und Babylonier erobern Ninive
609 Josia wird bei Megiddo von Pharao Necho getötet. Joahas (3 Monate König) wird nach Ägypten deportiert. Erste datierbare Verkündigung des Propheten Jeremia	609–594 Necho II. von Ägypten
609–598 Jojakim als Vasall Nechos II.	605 Nebukadnezar II. besiegt die Ägypter bei Karkemisch
	605–562 Nebukadnezar II. von Babylon
604 Jojakim fällt von Necho II. ab und unterwirft sich Nebukadnezar	604 Nebukadnezar II. erobert Aschkalon
601 Jojakim fällt von Nebukadnezar ab	601 Nebukadnezar II. wird von Necho II. an der Grenze Ägyptens geschlagen
598–597 Jojachin	
16.03.597 Jojachin kapituliert vor Nebukadnezar. Er wird mit seinem Hof nach Babylon deportiert.	
597–586 Zedekia als Vasall Nebukadnezars	595–589 Psammetich II. von Ägypten

Juda	Umliegende Reiche
589 Zedekia fällt von Nebukadnezar ab	589–570 Apries (Hofra) von Ägypten
588–586 Nebukadnezar belagert Jerusalem	
Juli 586 Nebukadnezar erobert Jerusalem. Zedekia wird nach Babylon deportiert. Der Statthalter Gedalja wird nach kurzer Zeit ermordet	
561 Jojachin wird freigelassen	561–560 Amelmarduk (Ewil-Merodach) von Babylon

4. Juda in persischer Zeit

Juda	Persien
	539 Einnahme von Babylon durch die Perser. Thronbesteigung Kyrus' II. in Babylon
	525 Kambyses erobert Ägypten
September 520 Nach Hag 1,14-15 Beginn des Wiederaufbaus des Tempels	521–486 Darius I. Hystaspes
März 515 Nach Esra 6,15 Vollendung des Tempels	
	485–465 Xerxes (Ahasveros)
Oktober 445 Nach Neh 6,15 Vollendung der Stadtmauer Jerusalems unter Nehemia	464–424 Artaxerxes (Artahsasta)

5. Die hellenistische Zeit

Die Zeitangaben in den Fußnoten zu den beiden Makkabäerbüchern unterscheiden sich teilweise um ein Jahr von den in der Zeittafel gebotenen Jahresangaben. Es gibt in den Makkabäerbüchern neben einer seleukidischen auch eine jüdische Berechnung des Jahresanfangs. Da bei den jüdischen Zeitangaben umstritten ist, ob sie vom Frühling 312 oder 311 v. Chr. an die seleukidischen Jahre zählen, herrscht in ihrer Datierung diese kleine Unsicherheit.

Palästina	Das Reich Alexanders
	336 Alexander der Große wird König von Makedonien
	333 Alexander siegt bei Issos über die Perser
332 Alexander in Jerusalem (?)	332 Alexander erobert Tyrus und besetzt Syrien und Ägypten
332–323 Palästina unter makedonischer Herrschaft	
	331 Gründung von Alexandria in Ägypten. Einnahme Babylons durch Alexander
	330 Tod Darius' III. Kodomannus. Ende des Perserreiches
	323 Tod Alexanders
323–312 Palästina unter der Herrschaft verschiedener Nachfolger Alexanders	323–301 Verwaltung und nachfolgende Aufteilung des Alexanderreiches durch die Diadochen (»Nachfolger«)

Palästina	Ägypten	Syrien und Mesopotamien
ab 301 Allmähliche Sonderentwicklung Samarias, aus der die Samaritaner hervorgehen	**323–283** Ptolemäus I. Soter, Begründer der Dynastie der Ptolemäer, die Ägypten bis 30 v. Chr. beherrschten	**312–280** Seleukus I. Nikator, Begründer der Dynastie der Seleukiden (bis 64 v. Chr.)
	305 Ptolemäus König von Ägypten	**305/4** Seleukus König von Babylon
	283–246 Ptolemäus II. Philadelphos (ab 285 bereits Teilregent)	**280–261** Antiochus I. Soter
	274–271 Erster Syrischer Krieg um den Besitz von Palästina	
	260–253 Zweiter Syrischer Krieg	**261–246** Antiochus II. Theos
	246–221 Ptolemäus III. Euergetes	**246–226** Seleukus II. Kallinikos
	246–241 Dritter Syrischer Krieg	
		226–223 Seleukus III.
218–217 Palästina unter syrischer Herrschaft	**221–204** Ptolemäus IV. Philopator	**223–187** Antiochus III. der Große
217 Ptolemäus IV. besiegt Antiochus III. bei Raphia und zwingt ihn zur Aufgabe Palästinas	**221/19–217** Vierter Syrischer Krieg	
	204–181 Ptolemäus V. Epiphanes	
200 Schlacht bei Paneas. Palästina endgültig unter syrischer Herrschaft	**202–198/194** Fünfter Syrischer Krieg	
		190 Antiochus III. unterliegt den Römern in der Schlacht bei Magnesia
		188 Friedensdiktat von Apameia
		187–175 Seleukus IV. Philopator
	181–145 Ptolemäus VI. Philometor	
175 Einsetzung Jasons als Hoherpriester		**175–164** Antiochus IV. Epiphanes

Palästina	Syrien und Mesopotamien
171 Menelaus wird Hoherpriester	
169 Antiochus IV. beraubt den Jerusalemer Tempel	**169** Erster Feldzug gegen Ägypten
168 Apollonius plündert und zerstört Jerusalem. Bau der sog. Akra (Burg). Verbot des jüdischen Gottesdienstes und Darbringung heidnischer Opfer im Tempel. Aufstand der Makkabäer	**168** Zweiter Feldzug gegen Ägypten (Sechster Syrischer Krieg)
166–161 Judas Makkabäus Führer des jüdischen Kampfes gegen die Syrer und ihre jüdischen Gefolgsleute	
166/5 Antiochus IV. beauftragt Lysias mit der Leitung des Kampfes gegen die Juden	

Palästina	Syrien und Mesopotamien
164 Lysias schließt Frieden mit Judas. Übergabe Jerusalems außer der Akra an die Juden. Reinigung und Wiederweihe des Tempels	164–162 Antiochus V. Eupator; es herrscht sein Vormund Lysias
163/2 Judas und seine Brüder kämpfen gegen syrische Truppen in verschiedenen Teilen des Landes. Antiochus V. und Lysias ziehen gegen Jerusalem. Alkimus ist Hoherpriester	162–151/50 Demetrius I. Soter
161 Judas besiegt Nikanor, fällt jedoch bald danach gegen Bakchides. Judas' Bruder Jonatan übernimmt die Leitung des Kampfes	
153 Jonatan wird Hoherpriester	153 Alexander Balas erhebt sich gegen Demetrius I.
151/50 Jonatan wird als abhängiger Teilherrscher anerkannt	151/50–146/45 Alexander II. Balas
	148/47 Demetrius, Sohn Demetrius' I., tritt gegen Alexander auf
	146/45–139 Demetrius II. Nikator
143 Ermordung Jonatans durch Tryphon	145–40 Machtkämpfe zwischen Demetrius II. und Tryphon, dem Vormund Antiochus' VI.
142/3 Simon wird Hoherpriester und Fürst der Juden. Demetrius II. erkennt die Unabhängigkeit Judäas an	
141 Simon durch Volksbeschluss erblicher Hoherpriester, Feldherr und Fürst. Dynastie der Makkabäer bzw. Hasmonäer	140 Demetrius II. gerät in parthische Gefangenschaft
	139/8–128 Antiochus VII. Sidetes
135 Ermordung Simons	
135–104 Johannes I. Hyrkan, Sohn des Simon, unterwirft die Idumäer und Samariter	133 Pergamon fällt an Rom
	129 Die Parther besetzen Babylon
104–103 Aristobul I., Sohn des Hyrkan, nimmt den Königstitel an	
103–76 Alexander Jannäus, Bruder des Aristobul, kämpft gegen die Nabatäer	
	86 Eroberung Athens durch die Römer
76–67 Salome Alexandra, Witwe des Aristobul und Jannäus, ist Königin, ihr Sohn Hyrkan II. Hoherpriester	
67–63 Aristobul II., Bruder Hyrkans II., Hoherpriester und König	64 Pompejus macht den syrischen Reststaat zur römischen Provinz Syria
63 Hyrkan und Antipater verbünden sich mit den Nabatäern. Pompejus nimmt Aristobul gefangen und erstürmt den Tempel. Hyrkan II. erneut Hoherpriester unter römischer Oberaufsicht. Ende des hasmonäischen Königtums. Palästina unter römischer Herrschaft	
	47–44 Julius Caesar
40/37–4 Herodes der Große als römischer Klientelkönig	
19 Beginn der Neugestaltung des Tempels	

6. Die neutestamentliche Zeit

Die genauen Zeitangaben für das Leben Jesu sind unsicher. Nicht einmal das Geburts- und Todesjahr lassen sich mit Sicherheit festlegen. Dass unsere Zeitrechnung nicht exakt angesetzt ist, zeigt sich daran, dass nach Mt 2,1 (vgl. auch Lk 1,5) Jesus unter dem König Herodes dem Großen geboren wurde, der bereits im Jahr 4 v. Chr. gestorben ist. Die in Lk 2,1 erwähnte Schätzung des Augustus unter dem Statthalter Quirinius (= Cyrenius) könnte hier einen Anhaltspunkt bieten, ihre Datierung ist jedoch umstritten. Für das Todesjahr steht aufgrund übereinstimmender Zeugnisse nur fest, dass die Kreuzigung Jesu während eines Passafestes unter der Statthalterschaft des Pontius Pilatus (26–36 n. Chr.) erfolgte. Die Angabe von Lk 3,1, wonach Johannes der Täufer im 15. Jahr des Kaisers Tiberius an die Öffentlichkeit trat (28 n. Chr.), lässt nur Vermutungen zu, da sich keine eindeutigen Aussagen über Beginn und Dauer der Wirksamkeit Jesu finden.

Auch bei der zeitlichen Festlegung der in der Apostelgeschichte berichteten Ereignisse muss vieles offenbleiben. Mit einiger Sicherheit lassen sich lediglich der in Apg 12,20-23 berichtete Tod des Herodes Agrippa (44) und die Amtszeit des Statthalters Gallio, vor dem Paulus gegen Ende seines Aufenthaltes in Korinth angeklagt wurde (Apg 18,12-17), bestimmen (Frühjahr 51 bis Frühjahr 52, eventuell auch 52/53). Alle übrigen Zeitangaben können nur von diesen Daten aus durch Zurück- und Vorrechnen gewonnen werden und sind nicht immer mit letzter Sicherheit exakt bestimmbar. Ereignisse, für deren Berechnung jeder Anhaltspunkt fehlt, sind in die Übersicht nicht aufgenommen.

Römische Kaiser	Palästina	Jesus. Das frühe Christentum
30 v.–14 n. Chr. Augustus (Lk 2,1)	**4 v. Chr.** Tod Herodes' des Großen. Aufteilung des Reiches unter dessen Söhnen; Archelaus wird Herrscher in Judäa, Samarien und Idumäa (Mt 2,22), Herodes Antipas in Galiläa und Peräa (Lk 3,1), Philippus im Gebiet nordöstlich des Sees Genezareth	**7–4 v. Chr.** Geburt Jesu (Mt 2,1; Lk 2,1-7)
	6 n. Chr. Verbannung des Archelaus. Sein Gebiet wird die römische Provinz Judäa. Steuerschätzung des Quirinius	
	6–15 Hannas Hohepriester (Lk 3,2)	
14–37 Tiberius (Lk 3,1)	**18–36** Kaiphas Hohepriester (Mt 26,3)	**um 28** Auftreten Johannes' des Täufers (Lk 3,1-2)
	26–36 Pontius Pilatus Statthalter in Judäa und Samarien (Lk 3,1)	**um 30** Tod Jesu
	34 Der Vierfürst Philippus stirbt kinderlos. Sein Gebiet wird der römischen Provinz Syrien einverleibt	**um 32** Berufung des Paulus (Gal 1,15-17; Apg 9,1-9)
37–41 Kaligula	**37** Herodes Agrippa I. erhält als Günstling Kaligulas die ehemaligen Herrschaftsbereiche des Philippus	**um 35** 1. Aufenthalt des Paulus in Jerusalem (Gal 1,18-19), anschließend Wirksamkeit in Syrien und Kilikien (Gal 1,21; vgl. auch Apg 15,41)

Römische Kaiser	Palästina	Jesus. Das frühe Christentum
	39 Verbannung des Herodes Antipas. Galiläa und Peräa fallen an Herodes Agrippa I.	
41–54 Klaudius	41 Herodes Agrippa I. erhält auch das bisher von römischen Statthaltern verwaltete Gebiet der Provinz Judäa	
		43/44 Maßnahmen gegen die Gemeinde in Jerusalem. Tod des Jakobus, Sohn des Zebedäus (Apg 12,1-2)
	44 Tod des Herodes Agrippa I. (Apg 12,20-23). Sein Gebiet wird römische Provinz	um 45 Mission des Paulus in Zypern und Südgalatien (1. Missionsreise)
		48 Apostelkonvent: Zusammenkunft der Apostel in Jerusalem (Apg 15,1-29; Gal 2,1-10). Antiochenischer Streit (Gal 2,11-15)
49 Klaudiusedikt: Vertreibung von Juden aus Rom (Apg 18,2)	50 Herodes Agrippa II., Sohn des Herodes Agrippa I., erhält vom Kaiser das kleine Königreich Chalkis, dazu das Recht der Aufsicht über den Jerusalemer Tempel. Wenig später erhält er im Tausch gegen Chalkis die ehemaligen Territorien des Philippus sowie weitere Gebiete im Norden Palästinas (Apg 25,13–26,32). Judäa, Idumäa und Samarien bleiben römische Provinz	48–52 Mission des Paulus in Kleinasien und Griechenland (2. Missionsreise; Apg 15,36–18,22)
		51/52 In Korinth Zusammentreffen des Paulus mit dem Statthalter der Provinz Achaia L. Iunius Gallio (Apg 18,12-17)
	52–60 Antonius Felix Statthalter (Apg 23,23–24,27)	52–56 Besuchsreise des Paulus nach Kleinasien und Griechenland und Fahrt nach Jerusalem zur Überbringung einer Kollekte (3. Missionsreise; Apg 18,23–21,17)
54–68 Nero		57–60 Gefangenschaft des Paulus in Jerusalem und Cäsarea (Apg 21,33–26,32)
	60 Porcius Festus Statthalter (Apg 24,27–26,32)	60 Überführung des Paulus nach Rom (Apg 27,1–28,16)

Römische Kaiser	Palästina	Jesus. Das frühe Christentum
		62 Ende des lukanischen Berichts (Apg 28,30-31). Tod des Herrenbruders Jakobus
64 Brand Roms, Vorgehen gegen Christen		**64** Tod des Paulus
	66 Beginn des jüdischen Aufstandes gegen Rom	**nach 66** Flucht von Mitgliedern der Jerusalemer Gemeinde ins Ostjordanland (Pella)
68/69 Vierkaiserjahr (Galba, Vitellius, Otho, Vespasian)		
69–79 Vespasian	**70** Belagerung und Zerstörung Jerusalems	
	nach 70 Neues Zentrum des Judentums wird in den nächsten Jahrzehnten Jabne	
	73 Eroberung der Festung Masada als letztem Ort des jüdischen Widerstands	
79–81 Titus		
81–96 Domitian		**90–96** Vereinzeltes Vorgehen gegen Christen in Kleinasien (1. Petr 4,12-16; Offb 2,13)
96–98 Nerva		
98–117 Trajan		**um 110** Christenverfolgung in Pontus (Briefwechsel von Plinius dem Jüngeren mit Trajan)
117–138 Hadrian	**132–135** Bar-Kochba-Aufstand gegen Rom. Nach Niederschlagung des Aufstands Umbenennung Jerusalems in Aelia Capitolina sowie der Provinz Judäa in Palästina	
138–161 Antoninus Pius		**bis Mitte 2. Jahrhundert** Abschluss des neutestamentlichen Schrifttums

MASSE, GEWICHTE UND GELDWERTE

Längenmaße

Elle: etwa 45 cm
Groß-Elle (2. Chr 3,3): 1 Elle und 1 Handbreite (Hes 40,5); etwa 52,5 cm
Spanne (2. Mose 28,16): ½ Elle; etwa 22,5 cm
Handbreite (2. Mose 25,25): ⅓ Spanne; etwa 7,5 cm
Fingerbreite (Jer 52,21): ¼ Handbreite; knapp 2 cm
Rute (Hes 40,5): 6 Ellen; etwa 3,15 m
Faden (Apg 27,28): 4 Ellen; etwa 180 cm

1 Elle = 2 Spannen = 6 Handbreiten = 24 Fingerbreiten

Wegmaße im Neuen Testament

Stadion (Offb 14,20): 185 m
Meile (Mt 5,41): 8 Stadien; 1480 m
Sabbatweg (Apg 1,12): 2000 Ellen; etwa 1 km

Flächenmaße

Morgen (Jes 5,10): Fläche, die ein Joch Rinder am Tag pflügt (1. Sam 14,14); etwa 100 × 100 Ellen = etwa 2000 Quadratmeter

Hohlmaße im Alten Testament

Die biblischen Hohlmaße für flüssige oder trockene Materialien sind ungefähre Angaben. Teilweise handelt es sich um Maßangaben, die aus Ägypten oder Mesopotamien übernommen wurden (Kor, Hin). Die Bezeichnungen benennen in der Regel eine bestimmte allgemeine Größenordnung, richten sich jedoch nicht nach einem genau festgelegten Maß. Nach heutigem Wissensstand gab es im antiken Palästina keine normierten Hohlmaße, denn selbst bei »gleichen« Gefäßen muss aufgrund handwerklicher Ungenauigkeiten mit Schwankungen von ± 10 % gerechnet werden. Zudem haben sich die Maßangaben im Laufe der Zeit (unter anderem durch geänderte politische Verhältnisse und damit durch die Übernahme fremder Maßsysteme) gewandelt, ohne dass wir die Zeiten und Veränderungen genau bestimmen können. Die heutigen Berechnungen beruhen zum Teil auf rabbinischen (also recht späten) Angaben. Der wichtigste biblische Text für das Verhältnis der Maßangaben untereinander ist Hes 45,11. Hierbei könnte es sich aber um eine Neubestimmung handeln, sodass vorher andere Verhältnisse gegolten hätten. In der folgenden Darstellung wird von den hebräischen und griechischen Termini ausgegangen, weil die Übersetzung in der Lutherbibel uneinheitlich ist.

Hohlmaße für Flüssigkeiten

Homer: eigentlich »Haufen«, »Eselladung«, daher ursprünglich nur für Feststoffe verwendet; dann aber auch für Flüssigkeiten angewandt; in der Lutherübersetzung *Fass;* 1 Homer entspricht 10 Bat (Hes 45,11), demnach etwa 200–210 l
Kor: eigentlich ein Trockenmaß, dann aber auch für Flüssigkeiten angewandt; in der Lutherübersetzung *Eimer;* analog zu den Maßen für trockene Waren etwa 200–210 l
Bat: in der Lutherübersetzung *Eimer* (1. Kön 7,26.38; Jes 5,10; Hes 45,11.14; 2. Chr 2,9; 4,5) oder *Maß* (Hes 45,10); nach Hes 45,11 entsprechen sich Bat und Efa im Volumen; 1 Bat entspricht zudem 1/10 Homer bzw. etwa 20–21 l
Hin: in der Lutherübersetzung *Kanne* (2. Mose 29,40) oder *Maß* (3. Mose 19,36); inschriftlich schon im 8. Jahrhundert v. Chr. belegt; nach ägyptischer Tradition etwa 0,5 l; in Israel in nachexilischer Zeit wohl größer (nach Josephus 2 attische Choe), etwa 2 l; nach rabbinischer Tradition ⅙ Bat, also etwa 3,5 l
Log: in der Lutherübersetzung *Becher* (3. Mose 14,10-24); inschriftlich schon im 8. Jahrhundert v. Chr. belegt; 1 Log ist nach rabbinischer Tradition 1/12 Hin; demnach vorexilisch etwa 0,04 l; nachexilisch etwa 0,17 l, ausgehend vom Hin zu 3,5 l etwa 0,3 l

Hohlmaße für trockene Materialien

Homer: eigentlich »Haufen«, »Eselladung«; in der Lutherübersetzung *Sack* (3. Mose 27,16; Jes 5,10) oder umgerechnet in *10 Scheffel* (4. Mose 11,32; Hos 3,2); etwa 200–210 l (siehe oben zu Flüssigkeiten)
Kor: in der Lutherübersetzung *Sack* (1. Kön 5,2.25) oder *Scheffel* (2. Chr 2,9; 27,5); 1 Kor entspricht in babylonischer Tradition 30 Sea; nach Hes 45,14 entspricht das Kor zumindest ab exilisch-nachexilischer Zeit dem Homer, demnach 200–210 l
Letek: in der Lutherübersetzung umgerechnet in *5 Scheffel* (Hos 3,2); 1 Letek fasst ½ Homer, demnach etwa 100 l
Efa: in der Lutherübersetzung *Scheffel;* nach Hes 45,11 entspricht das Efa dem Bat im Volumen und fasst 1/10 Homer, demnach etwa 20–21 l (siehe oben zu Flüssigkeiten)
Sea: in der Lutherübersetzung *Maß* (1. Mose 18,6; 1. Kön 18,32; 2. Kön 7,1-18) oder *Scheffel* (1. Sam 25,18); 1 Sea entspricht ⅓ Efa, demnach rund 7 l

Issaron: hebräisch für »ein Zehntel«; in der Lutherübersetzung *Krug* (2. Mose 29,40) oder *Zehntel (von einem Efa)* (3. Mose 14,10.21; 23,13.17; 24,5; 4. Mose 15,4-9; 28,9-29; 29,3-15); 1 Issaron fasst ⅒ Efa, demnach etwa 2 l
Omer: eigentlich »Garbe«, »Handvoll«; in der Lutherübersetzung *Krug* (2. Mose 16,16-36); 1 Omer entspricht nach 2. Mose 16,36 ⅒ Efa; daher identisch mit Issaron, etwa 2 l

Hohlmaße im Neuen Testament
Kor: griechisch »koros«; in der Lutherübersetzung *Sack* (Lk 16,7); 1 Kor fasst nach Josephus 10 attische Medimnoi, demnach gut 400 l bzw. etwa das doppelte Volumen gegenüber der alttestamentlichen Zeit
Metretes: in der Lutherübersetzung *Maß* (Joh 2,6); besonders in Attika gebräuchliches Flüssigkeitsmaß; etwa 40 l
Bat: griechisch »batos«; in der Lutherübersetzung *Eimer* (Lk 16,6); gräzisierte Form des Bat und demnach etwa 21 l; nach anderer Berechnung 35–45 l
Saton: in der Lutherübersetzung *Scheffel* (Mt 13,33; Lk 13,21); gräzisierte Form des Sea; etwa 7 l
Modios: in der Lutherübersetzung *Scheffel* (Mk 4,21; Mt 5,15; Lk 11,33); römische Maßeinheit; entspricht ⅓ Amphore; etwa 8,75 l
Choinix: in der Lutherübersetzung *Maß* (Offb 6,6); Tagesration (an Getreide); gut 1 l

Gewichte
Zentner: hebräisch »kikkar« = »ein Rundes«; griechisch »talanton« (2. Mose 38,29; 1. Kön 9,28 u. ö.); in den Apokryphen auch *Talent;* wahrscheinlich 3000 Schekel bzw. 60 Pfund zu je 50 Schekel; demnach 33,9 kg
Pfund: hebräisch »maneh« (Mine; 1. Kön 10,17; Hes 45,12; Esra 2,69; Neh 7,70-71); entspricht 50 Schekel; demnach 566 g
Schekel: archäologisch nachgewiesene Schekelgewichte belegen ein durchschnittliches Gewicht von 11,33 g pro Schekel, wobei die realen Gewichtssteine auch durch Abnutzung oder absichtliche Bearbeitung um mehrere Prozent nach oben und unten abweichen konnten; königliche Schekelgewichte (2. Sam 14,26) entsprechen nach Ausweis der archäologischen Funde demjenigen normaler Schekel; Schekelgewichte wurden neben dem einfachen Wert auch mit 2-, 4-, 8-, 16-, 24- und 40-fachem Gewicht gefunden; für kleinere Gewichtseinheiten wurden Gewichtsteine mit der Einheit Beka (½ Schekel; 1. Mose 24,22; 2. Mose 38,26), Pym (⅔ Schekel; 1. Sam 13,21), Nesef (⅚ Schekel) und Gera (1/20 Schekel) archäologisch nachgewiesen; nicht archäologisch nachgewiesen ist ein Gewichtsstein von ¼ Schekel (hebräisch »reba«; 1. Sam 9,8)
Gramm: hebräisch »gera«; 1 Gramm entspricht 1/20 Schekel, demnach etwa 0,5 g

Die Gewichtseinheiten Palästinas entsprechen nicht völlig denen in anderen Regionen und Zeiten, obwohl sie unter Umständen denselben Namen tragen.

Die Einheiten Zentner und Pfund konnten auch als Gewichtseinheiten zum Wiegen von Gold und Silber verwendet werden; siehe auch unten zu »Geld und Münzen im Neuen Testament«.

Geld und Münzen im Alten Testament
Geprägte Münzen mit einem festgelegten Wert sind eine Neuerung des 7. Jahrhunderts v. Chr. Im östlichen Mittelmeerraum finden sich die ersten Münzen erst im 5. Jahrhundert v. Chr.; gebräuchlich wurden sie als Zahlungsmittel ab dem 4./3. Jahrhundert v. Chr. Bis dahin verwendete man in kleine Stücke gehacktes Silber (»Hacksilber«; in der Lutherbibel *Silberstücke*) und vielleicht auch Gold, dessen Gewicht in Schekel (11,33 g) abgewogen wurde (Jer 32,10). Die neuen Münzen wurden nun teilweise mit ihrem Gewichtswert in Schekel wiedergegeben, wobei die Prägung und nicht mehr in erster Linie das Gewicht und die Reinheit den Wert garantierten. Im Alten Testament werden folgende Münzen erwähnt:
(Persische) Gold-Dareike: hebräisch »adarkon«; nach dem Perserkönig Darius benannt; in der Lutherübersetzung *Gulden* (1. Chr 29,7; Esra 8,27)
Gold-Drachme: hebräisch »darkemon«; in der Lutherübersetzung *Gulden* (Esra 2,69; Neh 7,69-71); entspricht etwa ½ Dareike
Silber-Schekel (Neh 5,15): wohl phönizische Münzprägung
Drittel-Schekel (Neh 10,33): wohl phönizische Münzprägung
Qesita: unbekannte Gewichts- oder Münzeinheit; in der Lutherübersetzung *Goldstück* (1. Mose 33,19; Jos 24,32; Hiob 42,11)

Den antiken Geldwert in die heutige Zeit zu übertragen, fällt schwer, da sich die Bedürfnisse der Menschen stark geändert haben. 1 Sea Getreide (ungefähr der Bedarf für eine Kleinfamilie pro Tag) kostete in Zeiten von Hungersnot

1 Schekel (2. Kön 7,1.16.18), ein Widder 2 Schekel (3. Mose 5,15), ein Sklave zwischen 20 und 33 Schekel (1. Mose 37,28; 2. Mose 21,32; 2. Makk 8,11), ein Weinstock 1 Schekel (Jes 7,23).

Geld und Münzen im Neuen Testament

In neutestamentlicher Zeit bestanden das römische, das griechische und das judäische Münzsystem nebeneinander. Neben diesen Münzprägungen waren im Bereich des Nahen Ostens auch noch nabatäische und andere Lokalprägungen im Umlauf. Die folgenden Wertrelationen orientieren sich am 1. Jahrhundert n. Chr., wobei es regionale Unterschiede gegeben haben kann.

Römische Münzen

Denar (Mt 18,28; 20,2.9-10.13; 22,19; Mk 6,37; 12,15; 14,5; Lk 7,41; 10,35; 20,24; Joh 6,7; 12,5; Offb 6,6): in der Lutherübersetzung ***Silbergroschen;*** Silbermünze von etwa 4 g; 1 Denar entspricht 64 Assen bzw. 256 Quadranten

As (Mt 10,29; Lk 12,6): in der Lutherübersetzung ***Groschen;*** Kupfer- bzw. Bronzemünze; 1 As entspricht 1/64 Denar bzw. 4 Quadranten

Quadrans (Mt 5,26; Mk 12,42): in der Lutherübersetzung ***Heller;*** Kupfer- bzw. Bronzemünze; 1 Quadrans entspricht ¼ As

Griechische Münzen und Münzgewichte

Talent (Mt 18,24; 25,15-28): in der Lutherübersetzung ***Zentner;*** Gewichtseinheit zum Wiegen von Münzen; 26–36 kg; 1 Talent entspricht 60 Minen

Mine (Lk 19,13-25): in der Lutherübersetzung ***Pfund;*** Gewichtseinheit zum Wiegen von Münzen; etwa ½ kg; 1 Mine entspricht dem Wert von 100 Drachmen

Drachme (Lk 15,8-9): in der Lutherübersetzung ***Silbergroschen;*** Silbermünze mit einem Gewicht von etwa 14 g; entspricht etwa dem römischen Denar

Judäische Münzen

Beim judäischen Münzsystem muss man zwischen verschiedenen Zeiten unterscheiden. Die Hasmonäerkönige von Johannes I. Hyrkan bis Mattatias Antigonos prägten kleine Bronzemünzen, die als Chalkus, Lepton oder Peruta bezeichnet wurden. Danach gab es bis zum 1. Jüdischen Aufstand (66–70 n. Chr.) keine judäischen Münzen mehr. Allerdings prägten die römischen Statthalter Judäas ab 6 n. Chr. eigene Bronzemünzen, die nicht dem römischen Münzsystem entsprachen; diese Münze wurde nun als ***Lepton*** (in der Lutherübersetzung ***Scherflein*** oder ***Heller;*** Mk 12,42; Lk 12,59; 21,2) bezeichnet. 2 Lepta entsprachen 1 Quadrans des römischen Münzsystems (Mk 12,42).

Als Zeichen der Unabhängigkeit wurden während des 1. Jüdischen Aufstands (66–70 n. Chr.) Silber- und Bronzemünzen im Gewicht von etwa 14 g im Wert eines Schekels geschlagen. Eine erneute judäische Münzprägung gab es während des Bar-Kochba-Aufstandes (132–135 n. Chr.).

Lokale Prägungen

Trotz der häufigen Erwähnung des Denars im Neuen Testament war dieser im Osten des Römischen Reiches relativ ungebräuchlich; dort wurden vielmehr lokale Prägungen, v. a. der tyrische Schekel, verwendet. 1 tyrischer Schekel entsprach 4 Drachmen.

Didrachme/Doppeldrachme (Mt 17,24): in der Lutherübersetzung ***Tempelgroschen;*** bezeichnet wohl einen tyrischen Halb-Schekel

Stater (Mt 17,27): in der Lutherübersetzung ***Zweigroschenstück;*** bezeichnet wohl eine Tetradrachme bzw. einen tyrischen Schekel; dieselbe Münze ist wohl gemeint, wenn von Silbergeld (griechisch: »argyrion«; in der Lutherübersetzung ***Silberling;*** Mt 26,15; 27,3-9; Apg 19,19) die Rede ist

Die Wertigkeit der im Neuen Testament erwähnten Münzen

	1 Denar (Silbergroschen)	1 Didrachme (Tempelgroschen)	1 Stater (Zweigroschenstück; Silberling)
As (Groschen)	64 Asse	128 Asse	256 Asse
Quadrans (Heller)	256 Quadranten	512 Quadranten	1024 Quadranten
Lepton (Scherflein, Heller)	512 Lepta	1024 Lepta	2048 Lepta
Drachme	1 Drachme	2 Drachmen	4 Drachmen
Tyrischer Schekel	¼ tyrischer Schekel	½ tyrischer Schekel	1 tyrischer Schekel

Der Tageslohn eines ungelernten Arbeiters (»Tagelöhners«) betrug in Palästina zu römischer Zeit 1 Denar. Für 1 Denar konnte man normalerweise 1 Sea (etwa 7 l) Weizen oder 3 Sea Gerste kaufen (vgl. Offb 6,6); eine Ration Brot kostete 1 As, ein Lamm 4 Denare, ein Schaf 8 Denare, ein Esel oder ein Rind 100 bis 200 Denare. Allerdings waren die Preise starken Schwankungen unterworfen: Die Münzsysteme waren nicht stabil, sodass sich der Wert der Münzen häufig änderte. Außerdem waren die Preise regional recht unterschiedlich und dabei auch in starkem Maß abhängig von der Qualität der Waren und vom jeweiligen Ernteertrag; während einer Hungersnot stiegen die Preise für Nahrungsmittel leicht auf ein Vielfaches ihrer normalen Werte.

SACH- UND WORTERKLÄRUNGEN

Die folgenden Erklärungen betreffen v. a. den geschichtlichen Hintergrund (Aram, Kusch), Personen und Personengruppen (Aaron, Pharisäer), religiöse Vorstellungen (Paradies, Abgrund), gottesdienstliche und kulturelle Einrichtungen (Opfer, Erstlinge, Worfschaufel) sowie nicht übersetzte Wendungen (Amen, Halleluja, Sela). Nur in besonderen Fällen wird vom Bibeltext durch eine Fußnote auf die Sach- und Worterklärungen verwiesen.

A und O Alpha und Omega, der erste und der letzte Buchstabe des griechischen Alphabets; darum in der Offenbarung Bezeichnung Gottes (Offb 1,8; 21,6) und Christi (Offb 22,13) als des Ersten und des Letzten, aus dem und zu dem alles ist.

Aaron Bruder des → Mose; am Berg → Sinai nach Gottes Weisung zum ersten Priester der Israeliten geweiht (2. Mose 28–30).

Abba Aramäisch für »Vater«; als Anrede im Familienkreis üblich (aber nicht auf kleine Kinder beschränkt). Jesus (Mk 14,36) und, wohl ihm folgend, die Christen (Gal 4,6; Röm 8,15) gebrauchten das Wort in der Gebetsanrede an Gott.

Abel Zweiter Sohn → Adams und → Evas. Er wurde von seinem Bruder → Kain aus Neid getötet, weil Gott sein Opfer bevorzugte (1. Mose 4,1-16).

Abendmahl In der christlichen Abendmahlsfeier (Eucharistie) verbinden sich die Erinnerungen an das letzte Mahl Jesu mit seinen Jüngern (Mk 14,22-25) und an die Tischgemeinschaften des irdischen Jesus (vgl. Mk 2,15-17), die er wohl als Vorwegnahme des messianischen Mahles ansah (vgl. Jes 25,6). Auch andere jüdische Gruppen und griechisch-römische Vereine hatten regelmäßig Gemeinschaftsmähler. In den liturgisch überformten Einsetzungsworten werden die Handlungen (Austeilung von Brot und Wein), nicht die Elemente Brot und Wein selbst gedeutet. Das Abendmahl ist nicht durch die besondere Symbolik des Passafestes (→ Feste Israels) geprägt: Gedeutet werden nicht die speziell zum Passafest vorgesehenen Speisen, sondern die Zutaten jeder festlichen Mahlzeit.

Abgrund Im Alten Testament Bezeichnung für das → Totenreich (Hiob 26,6; Spr 15,11; 27,20). In der Offenbarung (Offb 9,1.11; 11,7; 17,8; 20,1.3) → Gefängnis des Teufels und der abtrünnigen Geister (vgl. Lk 8,31).

Abib → Monat, Jahr.

Abraham Ursprünglich war sein Name »Abram«. Er war Ahnvater des Volkes → Israel sowie der → Ismaeliter und anderer Völker der Wüste. Deshalb wurde ihm von Gott der Ehrenname »Abraham« verliehen (hebräisch für »Vater vieler Völker«; 1. Mose 17,4). Für das Alte Testament ist er der von Gott Gesegnete (1. Mose 12,1-3) und Vorbild der Glaubenstreue. In 1. Makk 2,52 gilt Abraham als Vorbild der Standhaftigkeit, im Neuen Testament als Vorbild des Glaubens (Röm 4) wie des Gehorsams (Hebr 11,8.17).

Achaia Römische Provinz im Gebiet des heutigen Griechenland mit der Hauptstadt Korinth.

Achor, Tal Name einer Ebene in der Nähe von Jericho und Ai. Bei der Inbesitznahme des Landes wurde hier Achan, der sich an gebanntem Gut (→ Bann) vergriffen hatte, gesteinigt (→ steinigen), sodass Gottes Zorn abgewendet werden konnte. Der Ortsname wird mit einem hebräischen Wort für »betrüben« in Verbindung gebracht: Achan wurde hier betrübt, weil er durch sein Verhalten Gott betrübt hatte (Jos 7,24-26). Hosea prophezeit eine Heilszeit für Israel, in der dieser Ort zu einem »Tor der Hoffnung« werden wird (Hos 2,17).

Adam Ursprünglich kein Eigenname, sondern das hebräische Wort für »Mensch«. Der Name erinnert an hebräisch »adama« – »Erde« und verweist so darauf, dass der Mensch aus dem Staub der Erde geschaffen wurde (1. Mose 2,7).

In frühjüdischer Literatur steht Adam als Beispiel für die göttliche Zuwendung an Israel bzw. die Menschheit (Sir 49,14-16; Weish 10,1-2), ferner aufgrund seines freien Willens (Sir 15,14) als warnendes Beispiel für die Folgen des Ungehorsams. Ein Zusammenhang zwischen Adams Sünde und einem inneren Zwang zur Sünde für die Menschen nach Adam wird abgelehnt.

Für Paulus ist Adam das irdische Geschöpf (1. Kor 15,45-49), durch dessen prototypische Gebotsübertretung der Tod zur menschlichen Grundbestimmung geworden ist (1. Kor 15,20-22; Röm 5,12-21; vgl. 1. Mose 3,19). Die Gnade Gottes ist größer als die Sündenmacht;

darum soll sich der Christ von der Sünde fernhalten.

Adar →Monat, Jahr.

Adma und Zebojim Die beiden Städte werden zusammen mit →Sodom und Gomorra genannt, deren Schicksal sie teilten und in deren Nachbarschaft sie vermutlich lagen (5. Mose 29,22).

Agrippa →Herodes.

Allerheiligstes →Tempel.

Aloe Ein indischer Baum, zugleich Bezeichnung für dessen wohlriechendes Harz, das u.a. als Duftstoff beim Begräbnis verwendet wurde (Joh 19,39).

Altar →Opfer; →Tempel.

Älteste Die Stellung der Ältesten gründete ursprünglich in der Würde des Alters. So nehmen in den Erzählungen von Israels Frühzeit und der frühen Königszeit die Ältesten als die Häupter der mächtigsten Familien wichtige richterliche, politische und militärische Aufgaben wahr. Unter dem Königtum verloren die Ältesten an Einfluss, gewannen ihn aber neu nach der Rückkehr aus dem babylonischen Exil. In der Zeit nach dem Exil war in den jüdischen Gemeinden außerhalb Palästinas die Verwaltung zumindest der →Synagoge einem Ältestenrat unterstellt.

Nach jüdischem Vorbild findet man auch in den jungen Christengemeinden ein Vorsteherkollegium von Ältesten (zur weiteren Entwicklung →Gemeindeleiter). In Offb 4,4 u.ö. sind die 24 Ältesten eine Art himmlischer Thronrat mit zugleich königlichen und priesterlichen Funktionen. Die Bedeutung der Zahl 24 ist nicht sicher zu ermitteln.

Amen Das hebräische Wort hat den Sinn von »so ist es/so sei es!« Es dient v.a. zur Bekräftigung eines →Gebets oder des göttlichen Lobpreises (Neh 8,6; 1. Chr 16,36; Ps 41,14). Im Neuen Testament begegnet das Wort als bestätigender Abschluss einer liturgischen Formel zum Lob Gottes (Doxologie; Röm 1,25; 9,5; 11,36 u.ö.; 1. Petr 4,11) oder eines Dankgebetes (1. Kor 14,16), bei Jesus und auch in der Offenbarung (Offb 7,12) am Anfang eines Wortes oder Gebetes.

Amoriter Im Alten Testament eine Bezeichnung für die vorisraelitische Bevölkerung des West- und Ostjordanlandes. Der Begriff geht auf akkadisch »amurru« zurück, einer Bezeichnung für westsemitische Stammesverbände, die ab dem 3. Jahrtausend v. Chr. in Babylonien und später auch in Nordsyrien in altorientalischen Quellen belegt ist.

Antiochia Antiochia am Orontes, 300 v. Chr. durch Seleukus I. gegründet, nach 140 v. Chr. Residenzstadt, bedeutende Handelsstadt, war zur Zeit des →Paulus drittgrößte Stadt im Römischen Reich. Schon früh gab es dort Anhänger Jesu, die erstmals »Christianer« (= Anhänger des Christus) genannt wurden (Apg 11,19-26). Daraus wird dann der Name »Christen«.

Apostel Wahrscheinlich ist der Titel »Apostel« (= Ausgesandter) von der jüdischen Einrichtung des »Gesandten« herzuleiten, der für bestimmte Aufträge mit der Vollmacht des Sendenden ausgestattet wurde. In der Urchristenheit trugen Repräsentanten einzelner Gemeinden (Phil 2,25) und Missionare (Röm 16,7) den Titel. →Paulus weiß sich zum Apostel berufen, weil er den auferstandenen Christus »gesehen« hat (1. Kor 9,1; 15,8). Lukas dagegen hat die Zahl der Apostel auf die zwölf →Jünger beschränkt, die Jesus während seines Erdenlebens gefolgt sind (Apg 1,21-26). Die →Zahl Zwölf erinnert an die zwölf Stämme Israels; die Apostel repräsentieren das Gottesvolk.

Araba Bezeichnung für den Grabenbruch, der Westjordanland und Ostjordanland trennt und im Süden in den Golf von Aqaba mündet (5. Mose 2,8; Jos 18,18). Zwischen dem See →Genezareth und dem Toten Meer bildet er das Jordantal. Das Tote Meer oder Salzmeer wird auch »Meer der Araba« genannt (5. Mose 3,17; 4,49; Jos 3,16; 12,3; 2. Kön 14,25).

Araber Bewohner Arabiens, die v.a. als Nomaden und Halbnomaden in der syrisch-arabischen Wüste und der arabischen Halbinsel lebten und die durch einzelne Stämme wie die Amalekiter, →Midianiter oder →Kedar vertreten wurden. Die Araber waren sowohl als Händler bekannt (1. Mose 37,28) als auch für ihre Weisheit (1. Kön 5,10).

Arabien, Arabia Das Gebiet Arabiens umfasst nach der Überlieferung des Alten Testaments die arabische Halbinsel sowie die Wüstengebiete im Süden des West- und Ostjordanlandes. Dort lebten zahlreiche Nomadenvölker; im Süden der arabischen Halbinsel entstanden um 800 v. Chr. aber auch bedeutende Königreiche, so z.B. das Königreich von →Saba oder das der Minäer.

Gal 1,17 zufolge ging →Paulus wohl in das Nabatäerreich des Königs →Aretas IV., das damals eine blühende Zivilisation aufwies. Die Landschaft konnte als »Arabia« bezeichnet werden. In der Arabia wird nach einer der Textfassungen von Gal 4,25 auch der Berg → Sinai lokalisiert.

Aram, Aramäer, aramäisch Bezeichnung einer semitischen Stammes- und Völkergruppe, die ihren Ursprung vermutlich in → Mesopotamien hatte und von dort nach Südwesten gewandert ist. In der Bibel werden auch die Verwandten → Abrahams »Aramäer« genannt. Im Gebiet des heutigen → Syrien bildete sich das sog. Aramäerreich. Die aramäische Sprache gehört zum westlichen Zweig der semitischen Sprachfamilie. Sie setzte sich als Diplomaten- und Korrespondenzsprache im neuassyrischen, neubabylonischen und persischen Reich als sog. Reichsaramäisch durch und war zur Zeit Jesu in Palästina dann als Umgangssprache gebräuchlich. Eine Reihe biblischer Kapitel (Dan 2,4–7,28; Esra 4,8–7,28 sowie der Einzelvers Jer 10,11) sind in aramäischer Sprache geschrieben.

Arche Der Begriff ist von lateinisch »arca« abgeleitet und meint »Kasten«. In der Noahgeschichte Bezeichnung des Schiffes → Noahs, worin dieser mit seiner Familie und Vertretern aller Tierarten die Sintflut überleben konnte.

Archelaus → Herodes (3).

Areopag (Apg 17,19.34) Griechisch für »Areshügel«. Dort tagte in alten Zeiten der oberste athenische Gerichtshof. In römischer Zeit lagen seine Befugnisse wohl auf den Gebieten der Religion und der Erziehung (einschließlich der Überwachung der Sitten).

Aretas (1) Aretas I. (2. Makk 5,8) wird inschriftlich als erster König der Nabatäer erwähnt.

(2) Aretas IV., 9 v. bis 38 n. Chr., König über das östlich-südöstlich des Landes Israel gelegene Reich der Nabatäer, das seinen Einfluss zeitweise bis Damaskus ausdehnte (2. Kor 11,32).

Ariel Dichterische Bezeichnung für die Stadt → Jerusalem (Jes 29,1-2.7; 33,7), die auf die entsprechende hebräische Bezeichnung des obersten Teils des Brandopferaltars im Jerusalemer Tempel zurückgeht (vgl. Hes 43,15-16). Der Begriff bedeutet wohl »Herd Gottes«.

Artemis Artemis (lateinischer Name: »Diana«) ist die jungfräuliche Göttin der Jagd und der Wälder. Die Artemis von Ephesus (Apg 19,24.27-28) ist verwandt mit der kleinasiatischen »Großen Mutter« (Kybele), der Spenderin der Fruchtbarkeit in der Natur. Ihr aus einem Meteorstein gehauenes (»vom Himmel gefallenes«, Apg 19,35) Kultbild stand im Artemistempel von Ephesus, den man zu den sieben Weltwundern zählte.

Asaf Name des Haupts einer Sängerfamilie, die bei der Tempelmusik v. a. in nachexilischer Zeit eine wichtige Rolle spielte. 1. Chr 6,16.24 erzählt, dass diese bereits von David eingesetzt wurde. Dieser Gruppe werden insgesamt zwölf → Psalmen zugeschrieben (Ps 50; 73–83).

Aschera Kanaanäische Fruchtbarkeits- und Vegetationsgöttin, deren Kult auch in Israel gepflegt wurde (1. Kön 18,19). Grüne Bäume oder an deren Stelle Holzpfähle (die ebenfalls »Ascheren« heißen) symbolisierten die Gegenwart der Göttin und wurden anbetend verehrt. Die Verehrung dieser Göttin wurde als Untreue gegenüber dem Gott Israels gewertet und streng verurteilt. Die im → Tempel durch Manasse aufgestellte Aschera ließ König → Josia (640–609 v. Chr.) im Rahmen seiner Reform beseitigen (2. Kön 23,4-7).

Asia Die römische Provinz Asia umfasste den westlichen Teil Kleinasiens. In der Hauptstadt Ephesus (seit 133 v. Chr.) wirkten → Paulus und später wohl auch der Verfasser der Offenbarung. Die Adressatengemeinden der sieben Sendschreiben in Offb 2–3 liegen alle in der Provinz Asia.

Assyrien Land am Oberlauf des Tigris, in der Gegend des heutigen Mossul. Größte Städte: Assur (daher der Name), Kalah, → Ninive. Sie waren zu verschiedenen Zeiten auch Hauptstädte. Geschichtlich bedeutsam wurde Assyrien schon Anfang des 2. Jahrtausends v. Chr. Vom 10. bis 6. Jahrhundert war es eine beherrschende Großmacht, die sich v. a. durch eine aggressive Eroberungspolitik verhasst machte. Die Assyrer waren für den Untergang des Nordreichs verantwortlich (722 v. Chr.). Das Reich wurde um 600 v. Chr. völlig von den → Babyloniern erobert.

Astarte Kanaanäische Fruchtbarkeits- und Kriegsgöttin, die in Israel bereits in der Frühzeit verehrt wurde (Ri 2,13; 10,6 u. ö.). → Salomo ließ ihr aus politischen Gründen – als Göttin der Phönizier – ein Opferheiligtum errichten; dieses wurde während der Reform → Josias zerstört (2. Kön 23,13).

Äthiopien Im Neuen Testament und in den Apokryphen die Bezeichnung für → Kusch.

Augustus Einer der Titel von Gaius Octavius. Er bedeutet »Erhabener« (griechisch: »sebastos«). Augustus ließ sich als Weltheiland feiern. In der Tat gingen mit seiner Regierungszeit als römischer Kaiser (30 v. bis 14 n. Chr.) die Bürgerkriege im Römischen Reich zu Ende.

Ausländer Nach alttestamentlichem Verständnis ist derjenige Ausländer, der zu einem fremden Volk gehört und nur für eine gewisse Zeit (etwa als Händler oder Eroberer) in Israel weilt oder, wenn er im Land bleibt (z. B. 2. Sam 15,19; 1. Kön 11,1.8), an der angestammten Religions- und Volkszugehörigkeit festhält. Im Gegensatz zu den Israeliten dürfen von diesen Personen Zinsen genommen werden (5. Mose 23,21). Ausländer durften nicht vom → Passamahl essen (2. Mose 12,43), konnten wohl aber in späterer Zeit dennoch am → Tempel beten (1. Kön 8,41). → Beisasse; → Fremdling.

Aussatz Eine Sammelbezeichnung für verschiedene Hautkrankheiten, zu denen nicht nur die Lepra, sondern auch die Schuppenflechte und wohl andere auffällige Hautveränderungen wie Geschwüre gehörten. Aussatz machte auf jeden Fall kultisch unrein (→ rein) und konnte auch auf andere Personen übertragen werden. Der Unreine wurde deshalb aus der Gemeinschaft der Gesunden, der Reinen, ausgesondert. Über eine Behandlung des Aussatzes ist nichts bekannt; wenn eine Heilung stattfand, galt der Priester als Sachverständiger, der sie bestätigen musste. Als »Aussatz« bezeichnet und entsprechend behandelt wurde auch Pilz- und Schimmelbefall an Häusern und Gebrauchsgegenständen (3. Mose 13,1–14,57).

Baal Das Wort »Baal« bedeutet wörtlich »Herr« oder »Besitzer«. Es ist die Bezeichnung einer kanaanäischen Gottheit, die als Wettergott und damit als Herr über die Fruchtbarkeit verehrt wurde. Die alttestamentliche Überlieferung zeigt, dass Baal in unterschiedlichen lokalen Ausprägungen verehrt wurde. So nennt die Hebräische Bibel den Baal-Berit, den »Herr des Bundes« in Sichem (Ri 8,33; 9,4), Baal-Peor (4. Mose 25,3-5), Baal-Sebub, den »Herr der Fliegen« in Ekron (2. Kön 1,2), und den Baal von Sidon (1. Kön 16,31). Im israelitischen Sprachgebrauch gewinnt dieser Göttername immer mehr den Sinn von »Götze«, da die Verehrung dieser Gottheit als Konkurrenz zum Jahwe-Kult verstanden wurde. Insbesondere die Propheten → Elia (1. Kön 18) und Hosea wenden sich mit scharfer Kritik gegen die Baalsverehrung.

Babel, Babylon Südlich des heutigen Bagdad am Euphrat gelegene Hauptstadt des babylonischen Reiches und wichtiges Herrschaftszentrum im Alten Orient. Die alttestamentliche Überlieferung erklärt den Begriff mit dem hebräischen Wort für »Verwirrung« (1. Mose 11,1-9).

Im Neuen Testament wird der Name als Deckbezeichnung für die römische Weltmacht und ihre Hauptstadt Rom verwendet (1. Petr 5,13; vgl. Offb 18,1-24). Vergleichspunkt ist die Feindschaft gegen das Gottesvolk: So, wie die Babylonier → Jerusalem zerstört und einen Teil des Volkes in die Verbannung (→ Gefangenschaft) geführt haben, lässt der römische Kaiser Christinnen und Christen verfolgen.

Babylonien, Babylonier Geografische Bezeichnung des südlichen Teils des Zweistromlandes zwischen Euphrat und Tigris (→ Mesopotamien). Diese Gegend ist vermutlich im 5. Jahrtausend v. Chr. besiedelt worden und war ein wichtiger Ort der menschlichen Kulturbildung überhaupt (Sesshaftwerdung, Organisation von Städten, Arbeitsteilung, Schrift etc.). Eine besondere Rolle spielt in der Bibel das neubabylonische Reich, dessen Herrscher Nebukadnezar (605–562 v. Chr.) → Juda besiegte, → Jerusalem zerstören und die Oberschicht des Landes nach Babylonien deportieren (→ Gefangenschaft) ließ.

Bann Der Begriff gehört in den Zusammenhang des sog. Heiligen → Krieges und bedeutet, dass die gesamte Kriegsbeute dem menschlichen Gebrauch und der menschlichen Verfügung entnommen ist und Gott als dem eigentlichen Kriegsherrn gehört. Im strengsten Fall wurden die Siedlungen mit Feuer zerstört und alles Lebendige in ihnen mit dem Schwert vernichtet. Aus den biblischen Berichten lässt sich erkennen, dass diese Form des Krieges nur aus besonderen Anlässen und mit eng begrenzten Zielen (z. B. als Strafaktion) geübt wurde. Die Forderung in 5. Mose nach Ausrottung aller vorisraelitischen Bewohner → Kanaans ist in der Praxis nicht durchgeführt worden. In ihr spiegelt sich das Bestreben, Israel vor fremden Einflüssen zu schützen, die seinem Glauben gefährlich werden konnten und, wie der Kampf der Propheten (Hosea, Jeremia, Hesekiel) zeigt, auch tatsächlich wurden (→ Baal).

Baschan Hochebene im Ostjordanland, nördlich des Jarmukflusses, die für ihre Fruchtbarkeit bekannt war.

Bedolachharz (1. Mose 2,12; 4. Mose 11,7) Die Bedeutung des zugrunde liegenden hebräischen Begriffes ist umstritten; die meisten Ausleger gehen davon aus, dass es sich hier um das wohlriechende Harz der in Südarabien heimischen Balsamstaude handelt, das als Duftstoff, zum → Räuchern und als Wundmittel verwendet wurde.

Beelzebul (Mt 10,25 u. ö.; vgl. Baal-Sebub in 2. Kön 1,2) Im Judentum einer der Namen des obersten der bösen → Geister. Anderer Name: »Beliar«.

Beisasse Im Unterschied zu den Vollbürgern, den → Fremdlingen und den → Sklaven ein Schutzbürger, der – meist nur vorübergehend – an einem Ort ansässig ist, ohne das Bürgerrecht zu erlangen (1. Mose 23,4; 2. Mose 12,45; 4. Mose 35,15). → Ausländer.

Bel (Jes 46,1; Jer 50,2; 51,44; Bar 6,40; St zu Dan 2,1-22) Die ursprüngliche Bedeutung des Begriffes war einfach »Herr« (→ Baal) und wurde dann zur Bezeichnung für den → babylonischen Hauptgott Marduk.

Ben-Hinnom → Hinnom, Tal.

Benjamin Jüngster Sohn → Jakobs, bei dessen Geburt seine Mutter → Rahel verstarb (1. Mose 35,16-18). Bezeichnung eines der israelitischen Stämme, dessen Stammesgebiet nördlich → Jerusalems lag. Aus Benjamin ging der erste israelitische König → Saul hervor (1. Sam 9,1-2). Nach dem Auseinanderfallen von Nord- und Südreich (922 v. Chr.) gehörte Benjamin zusammen mit → Juda zum Südreich.

Beschneidung, beschneiden, beschnitten Die Beschneidung ist ein operativer Eingriff, bei dem die Vorhaut am männlichen Glied entfernt wird. Die Beschneidung wird bei vielen Völkern geübt und hat wohl ursprünglich die Funktion, Unheil abzuwenden. Im alten Israel wurde die Beschneidung bei männlichen Neugeborenen am 8. Tag nach der Geburt durchgeführt; eine Beschneidung von Mädchen kennt das alte Israel nicht. Die Beschneidung gilt als Zeichen des → Bundes zwischen Gott und seinem Volk und ist somit Kennzeichen der Zugehörigkeit zum Gottesvolk. Als solches Zeichen gewann sie besondere Bedeutung seit dem Exil sowie in Abgrenzung gegen die griechische Kultur in hellenistischer Zeit. Für die antike Welt ist sie das Kennzeichnen des Judentums schlechthin. Dass Gott mehr erwartet als nur die äußere Beschneidung, folgt aus dem Aufruf zu einer »Beschneidung des Herzens« (5. Mose 10,16; 30,6; vgl. Kol 2,11), der auf eine Umwandlung des inneren Menschen zielt.

In den frühen christlichen Gemeinden entstand die Frage, ob man Nichtjuden, die Christen werden wollten, beschneiden und somit in das Judentum aufnehmen sollte. Paulus wehrte sich dagegen (Gal 5,1-12). Im Judenchristentum späterer Jahrhunderte scheint man die Beschneidung hingegen mindestens teilweise praktiziert zu haben.

Besessene Menschen, von denen ein böser → Geist (→ Dämon) Besitz ergriffen hat. Ein solcher Mensch ist oft nicht mehr Herr seiner selbst, sodass der Dämon in ihm redet (Mk 1,24; 5,7.9). Viele Krankheiten, v. a. psychisch krankhaftes Verhalten, wurden im Altertum auf den Einfluss böser Geister zurückgeführt. Jesus hat böse Geister ausgetrieben und dies als Zeichen dafür verstanden, dass Gott seine Herrschaft jetzt aufrichtet (Lk 11,20; vgl. schon Sach 13,2).

Beten → Gebet.

Bethel (Bet-El) Der Name bedeutet »Haus Gottes«. Der Ort im äußersten Süden des Stammgebietes von → Ephraim, etwa 8 km nördlich von → Jerusalem, war bereits in der Bronzezeit besiedelt. Die Erzählung von → Jakobs Traum von der Himmelsleiter begründet die Heiligkeit des Ortes (1. Mose 28,10-22). Während der Richterzeit soll dort auch die Lade (→ Bundeslade) gestanden haben (Ri 20,26-28), und Jerobeam I. (926–907 v. Chr.) errichtete an diesem Ort ein Heiligtum, mit dem er in Konkurrenz zu Jerusalem trat (1. Kön 12,28–13,10). Auch der Prophet Amos trat am Heiligtum von Bethel auf (Am 4,4; 5,5-6; 7,13). Es wurde dann von → Josia bei seiner Kultreform zerstört (2. Kön 23,15).

Bethlehem Südlich von → Jerusalem gelegen, gilt Bethlehem als Heimatstadt → Davids (1. Sam 16) und somit des erwarteten Herrschers der Heilszeit (Mi 5,1). Deshalb berichten Matthäus und Lukas von Jesu Geburt in Bethlehem (Mt 2,1; Lk 2,1-21). Paulus, Markus und Johannes wissen davon nichts.

Bischof (= Aufseher) Der Titel entstammt der Verwaltungssprache (Aufseher über das Münz- oder Bauwesen o. Ä.) und meint zunächst auch im Neuen Testament (Phil 1,1) »Verwalter«, vielleicht der Gemeindefinanzen. In Apg 20,28 steht der Begriff (in der Mehrzahl!) für die → Ältesten der Gemeinde in Ephesus, in 1. Tim 3,1 und Tit 1,7 für den Leiter der Gemeinde neben den → Diakonen (→ Gemeindeleiter). In 1. Petr 2,25 wird der Begriff im umfassenden Sinn auf Jesus übertragen.

Block (Hiob 13,27; Jer 20,2-3; Apg 16,24) Ein Strafgerät (Holzblock), in das der Delinquent unter Verdrehung des Körpers gespannt wurde, bzw. Gerüst, in das im unteren Teil die Füße geschlossen wurden und im oberen die Hände und der Kopf.

Blut Das Blut gilt nach israelitischem Verständnis als Quelle und Sitz des Lebens. Da Gott der Lebensspender ist, ist Blutgenuss grundsätzlich verboten (→ Ersticktes). Das führt in Israel zu der Forderung, nur solches Fleisch zu essen, in dem keinerlei Blut zurückgeblieben ist (1. Mose 9,4), und damit zu einer Form des Schlachtens, bei der das gesamte Blut des Tieres ausfließt (Schächtung; 3. Mose 19,26; 1. Sam 14,32-33). Da bei verendeten oder gerissenen Tieren nicht gewährleistet ist, dass kein Blut mehr im Körper ist, wird auch ihr Genuss verboten (2. Mose 22,30; 5. Mose 14,21). Beim → Opfern im Kult wird das Blut der Opfertiere aufgefangen und an den Altar gegossen. Außerdem wird bei bestimmten Opferarten das Opferblut als Sühnemittel (→ Sühne) verwendet, um die verunreinigende Wirkung menschlicher Verfehlungen aufzuheben (3. Mose 4,16). Das Blut von Opfertieren kann aber auch zur Besiegelung des → Bundes zwischen Gott und seinem Volk dienen (2. Mose 24,6-8). Im Alten Testament wird das Blut (= Leben) des Menschen unter Gottes besonderen Schutz gestellt (1. Mose 9,5). Vergossenes Menschenblut schreit zum Himmel um → Rache (1. Mose 4,10), und wenn keine Sühne dafür geleistet wird, bringt es Unheil über das Land (5. Mose 21,1-9).

Judenchristliche Gemeinden haben das Verbot des Blutgenusses weiterhin befolgt. Das Aposteldekret (Apg 15,21.29; 21,25) sieht vor, dass auch Heidenchristen sich an das Verbot halten, um für den Kontakt mit Judenchristen (z.B. bei gemeinsamen Mahlzeiten) ein Mindestmaß an kultischer → Reinheit aufrechtzuerhalten. 2. Mose 24,6-8 wird im Neuen Testament da wirksam, wo Jesu Blut, d.h. sein Sterben, als Besiegelung des Bundes Gottes mit seinem Volk verstanden wird (Mk 14,24; Hebr 9,20). In Röm 3,25 wird auf 3. Mose 16 Bezug genommen: Jesus ist kraft seines Blutes (= Todes) zum »Ort« der Gegenwart Gottes eingesetzt. Im Hebräerbrief geht Jesus mit seinem eigenen Blut in das himmlische Allerheiligste ein.

Bluträcher (4. Mose 35,12; 5. Mose 19,6; 2. Sam 14,11) Nach elementarem Rechtsempfinden fordert jeder Mord → Sühne (→ Blut). Bevor es eine öffentliche Gerichtsbarkeit gab, oblag diese Sühne dem Sippenverband. Der nächste männliche Verwandte des Ermordeten, der »Bluträcher«, hatte die Pflicht, den Mörder oder an seiner Stelle ein Mitglied von dessen Sippe zu töten. Schon im Alten Testament findet sich das Bestreben, naheliegenden Missbräuchen der Sippenrache zu begegnen (2. Mose 21,23-25; → Freistädte).

Im Neuen Testament wird gelegentlich grundsätzlich zum Verzicht auf → Rache gemahnt (Mt 5,38-39; Röm 12,19-21; vgl. allerdings Offb 6,10).

Bocksgeister Hinter dem Begriff steht ein hebräisches Wort, dessen exakte Bedeutung unsicher ist. Wahrscheinlich handelt es sich um → Dämonen in Bocksgestalt, die zusammen mit Tieren wie Schakalen oder Eulen an unbewohnten Orten hausten (Jes 13,21; 34,14). Der Brauch, diesen zu opfern, hat wohl das Ziel, diese günstig zu stimmen, wird aber als Abgötterei streng verurteilt (3. Mose 17,7; 2. Kön 23,8; 2. Chr 11,15).

Brandopfer → Opfer.

Brot, ungesäuertes Brot wurde in Fladenform auf Backplatten oder in der heißen Aschenglut ohne Verwendung eines weiteren Gerätes gebacken. Die Fladen waren im Durchmesser etwa 20–50 cm groß und 0,2–1 cm dick. Das Mehl wurde mit Wasser angerührt und ungesäuert (ohne Treibmittel) gebacken, z.T. wurde auch schon → Sauerteig verwendet. Brot war eines der Hauptnahrungsmittel in biblischer Zeit, und es galt als elementarer Ausdruck der Menschlichkeit, dieses dem Hungrigen nicht vorzuenthalten (Hiob 22,7). Das Brot spielte auch im Kult eine wichtige Rolle.
Beim → Passafest darf sieben Tage lang nur ungesäuertes Brot gegessen werden, und es muss aller Sauerteig aus den Häusern entfernt werden (2. Mose 12,15). Dies erklärt die biblische Überlieferung mit der Eile beim Auszug aus Ägypten (2. Mose 12,34.39).

Bruder, Brüder Christinnen und Christen redeten sich gegenseitig häufig mit »Schwester« bzw. »Bruder« an, um ihre Zugehörigkeit zur Gemeinde zu symbolisieren. Da die Hinwendung zur Gruppe der Jesusanhänger damals anders als heute mit einem scharfen Einschnitt gegenüber der Vergangenheit verbunden war (Verlust bisheriger Sozialkontakte), war es umso wichtiger, dass die Gemeindeglieder in der neuen Gruppe auch neuen sozialen Zusammenhalt fanden. In der nicht christlichen Umgebung führte die genannte Anrede bisweilen zu falschen Spekulationen. Die Anrede »Brüder« in den Paulusbriefen steht bildlich für alle Gemeindeglieder unabhängig von Alter, Geschlecht und Verwandtschaftsgrad.

Buch → Schriftrolle.

Bul → Monat, Jahr.

Bund Der entsprechende hebräische Begriff bezeichnet ursprünglich ein Rechtsverhältnis auf Vertragsbasis unter Gleichberechtigten oder einen Vasallitätsvertrag zwischen einem stärkeren und einem schwächeren Partner. Es wurde wahrscheinlich durch eine Schlachtungszeremonie, die nicht unbedingt Opfercharakter haben musste, bekräftigt. Der Bund zwischen Gott und seinem Volk ist nicht ein Vertrag zwischen gleichgestellten Partnern: Immer geht die Initiative von Gott aus, der einem Einzelnen oder dem Volk Israel seinen Bund anbietet, der dem Bundespartner Verheißungen zusagt, aber auch Verpflichtungen auferlegt (1. Mose 17,12; 2. Mose 19,1–24,18). Die Propheten des Alten Testaments, die erleben, wie Israel durch die Verehrung anderer Gottheiten und soziale Ungerechtigkeit den Bund mit Gott bricht, kündigen für die Zukunft einen »neuen Bund« an (Jer 31,31-34).

Die griechische, schon vorchristliche Übersetzung des Alten Testaments verwendet für »Bund« ein Wort, das eigentlich »letztwillige Verfügung«, »Testament« bedeutet; darin kommt der Charakter der einseitigen Verfügung ebenfalls zur Geltung. Im Neuen Testament gilt Jesu Tod ursprünglich als Erneuerung des Bundesangebotes Gottes; in Mk 14,24 und 1. Kor 11,25 mag 2. Mose 24,6-8, in 1. Kor 11,25 zusätzlich Jer 31,31-34 nachgewirkt haben. Paulus zufolge ist der Bund Gottes mit Israel ungekündigt (vgl. Röm 9,4 mit Röm 11,29), anders, als es Christen später unter Berufung auf Mt 21,43 behauptet haben. Der uns unbekannte Verfasser des Hebräerbriefes sieht die Erwartung des neuen Bundes unter Überbietung des alten Bundes in Jesus erfüllt (Hebr 8,8-13). Die Überbietung betrifft jedoch nicht das Alte Testament oder das Judentum, sonden die alte Kultordnung, die durch eine neue Heilsordnung abgelöst wird.

Bundeslade (»Lade Gottes« 1. Sam 3,3; »Lade des Zeugnisses« Jos 4,16) Ein hölzerner Kasten, der nach den biblischen Angaben aus Akazienholz gearbeitet war und die Maße 1,25 m x 0,75 m x 0,75 m hatte (2. Mose 25,10-22; 37,1-9). Es handelt sich wohl um ein Kultgerät, das die Gegenwart Gottes repräsentierte. Der Begriff »Bundeslade« bezieht sich darauf, dass die Lade auch als Aufbewahrungsort der Tafeln mit den Zehn Geboten gelten konnte (5. Mose 10,8). Nach alttestamentlicher Darstellung liegen die Ursprünge der Lade in der Wüstenzeit. Sie wurde dann später im Heiligtum von → Silo aufbewahrt (1. Sam 3,3) und konnte das Heer bei Kriegszügen begleiten und des göttlichen Schutzes versichern (1. Sam 4,3-4). → David ließ die Lade nach → Jerusalem überführen (2. Sam 6), → Salomo stellte sie in das Allerheiligste des → Tempels (1. Kön 8,3.6). Vermutlich ist die Lade bei der Eroberung Jerusalems durch Nebukadnezar zerstört oder weggebracht worden. Über ihren Verbleib ist nichts bekannt und eine neue Lade wurde nicht angefertigt.

Bürger, römischer Das römische Bürgerrecht hatten ursprünglich nur die Bewohner der Stadt Rom und weniger Provinzen. Später konnte es als Belohnung oder gegen Bezahlung von jedermann erworben werden. Ein römischer Bürger war gegen die Willkür der Provinzbehörden in mancher Hinsicht geschützt und konnte an den Kaiser als obersten Richter appellieren (Apg 25,11). Die Angaben der Apostelgeschichte zum römischen Bürgerrecht des → Paulus sind heute historisch umstritten.

Buße Der Begriff bezeichnet in der alttestamentlichen Überlieferung in der Mehrzahl der Fälle die Reue über eine begangene Tat (Hiob 42,6; Jer 31,19) oder die Umkehr von einem falschen Weg und Rückkehr zu Gott (Ps 51; Hes 3,18-21; Am 4,6-11). Im Sinne einer Geldbuße erscheint das Wort in Esra 7,26. Auch im Neuen Testament bedeutet der Begriff »Umkehr«, »Sinnesänderung« oder »Bekehrung« (Mt 3,2).

Chaldäa, Chaldäer Name eines Gebietes bzw. seiner Bewohner im südlichen → Babylonien; in der Hebräischen Bibel für das gesamte Babylonien gebraucht. Die Chaldäer konnten der → assyrischen Herrschaft unter Nabupolassar (626–605 v. Chr.) ein Ende setzen und das neubabylonische Reich gründen, das mit dem König Nebukadnezar (605–562 v. Chr.) auf die Höhe seiner Macht kam. Die chaldäischen Priester waren berühmt für ihre astronomischen und astrologischen Kenntnisse, sodass der Begriff allgemein für Priester, Astrologen und Gebildete verwendet werden konnte (Dan 2,10; 3,8; 4,4).

Cherub(im) In der Hebräischen Bibel erscheinen Cherubim als Wächter des → Paradieses (1. Mose 3,24). Wie aus 1. Kön 8,6-7 hervorgeht, hatten sie Flügel. Viele Ausleger nehmen an, dass man sich die Cherubim als geflügelte Mischwesen mit einem Löwenleib vorzustellen hat, ähnlich wie eine Sphinx. Die Flügel der Cherubim bildeten möglicherweise einen Thronsitz für die unsichtbare Gestalt der Gottheit im Jerusalemer → Tempel. Daneben gibt es Beschreibungen, nach denen Cherubim auf der Deckplatte der Lade angebracht waren (2. Mose 25,18-22; → Bundeslade; → Gnadenstuhl). Cherubim können auch als Träger des himmlischen Thrones Gottes erscheinen (Ps 18,11; Hes 10,1; 11,22); vor diesem Hintergrund hat man sie in nachbiblischer Zeit auch als Engelsgestalten (→ Engel) verstanden.

Christus → Messias.

Dagon Einer der wichtigsten Götter bei den → Philistern. Ihm waren Tempel in Aschdod (1. Sam 5,1-5) und Gaza (Ri 16,23) geweiht. Dagon wurde bei den Kanaanäern als Wettergott verehrt.

Dämon, dämonisch Böse → Geister, die die Menschen mit Krankheiten und/oder → Besessenheit quälen oder (so nach frühjüdischer Literatur) zu Fehlverhalten reizen. Die frühjüdische Tradition führt die Existenz solcher Kräfte gelegentlich auf eine Verbindung von Himmelswesen und Menschenfrauen zurück, zumeist auf der Grundlage von 1. Mose 6,1-4. Oft ist vorausgesetzt, dass in dem Besessenen der Dämon spricht (Mk 1,24). Auch die Götter der → Völker gelten als Dämonen (3. Mose 17,7; 2. Chr 11,15; 1. Kor 10,20).

Dan Sohn → Jakobs und Bilhas (1. Mose 30,4-6) und israelitischer Stamm, der nach einer ersten Siedlungszeit westlich Judas dem Druck der → Philister weichen musste und seinen endgültigen Wohnsitz am oberen Jordanlauf fand (Ri 18,1-31). Der Name bezeichnet auch eine Stadt im Norden des Landes Israel, in der Nähe einer der Jordanquellen gelegen. Man sprach daher auch von »ganz Israel von Dan bis Beerscheba« (im Süden gelegen). In Dan errichtet Jerobeam I. – wie auch in → Bethel – ein Heiligtum, um damit nach dem Auseinanderfallen von Nord- und Südreich (922 v. Chr.) in Konkurrenz zu Jerusalem treten zu können.

Daniel Hauptfigur des Buches Daniel, der als babylonischer und persischer Hofbeamter in der Zeit des Exils (→ Gefangenschaft) als Weisheitslehrer und Traumdeuter wirkte (Dan 1–6) und auch als Empfänger von Visionen über das künftige Geschick des Volkes Israel auftreten konnte (Dan 7–12).

Daneben gibt es noch einen anderen Träger dieses Namens, der in Hes 14,14-20 neben → Noah und → Hiob als vorbildlich Gerechter genannt wird. Eine Danielgestalt mit dieser Eigenschaft ist auch aus kanaanitischer Tradition bekannt. Hesekiel nennt offenbar bewusst drei vorbildliche Gestalten, die nicht zu Israel gehörten.

Dankopfer → Opfer.

David, Davidssohn David zählt zu den bedeutendsten altisraelitischen Königen (10. Jahrhundert v. Chr.), da er das Nord- und Südreich einen konnte und → Jerusalem als Hauptstadt eroberte. Da er bereits in der alttestamentlichen Überlieferung als begnadeter Sänger erscheint (1. Sam 16,14-23), werden ihm auch zahlreiche → Psalmen zugeschrieben.

Im Judentum zur Zeit Jesu war man teilweise der Auffassung, der erwartete Heilsbringer werde ein Nachkomme (»Sohn«) Davids sein und dessen Reich wiederherstellen: Er sollte Unabhängigkeit von feindlichen Mächten nach außen, Recht und Gerechtigkeit im Inneren verwirklichen. Die frühjüdische Literatur und das Neue Testament zitieren David als Verfasser der ihm zugeschriebenen Psalmen.

Diakon (Phil 1,1; 1. Tim 3,8-13) Urchristliches Amt, wohl mit Verwaltungsaufgaben und Organisation karitativer Tätigkeit betraut (vgl. Apg 6,1-7). Auch Frauen konnten dieses Amt ausüben (Phöbe, Röm 16,1; wohl auch 1. Tim 3,11).

Dionysos (2. Makk 6,7; 14,33) Griechischer Gott des Weines, dem auch der Efeu heilig ist.

Drache Sammelbegriff für verschiedene schreckenerregende Tiere sowohl im →Meer (Ps 74,13; Jes 27,1; 51,9) als auch auf dem Land; an einzelnen Stellen deutlich ein Krokodil (Hes 29,3; 32,2) oder eine Schlange (5. Mose 32,33; Ps 91,13). In der Offenbarung Bild für den Teufel (Offb 12,3.9; →Satan), der schon in frühjüdischer Literatur (Weish 2,24 nach traditioneller Auslegung) mit der Schlange nach 1. Mose 3 identifiziert wird. →Leviatan.

Dreschschlitten, Dreschwagen, Dreschwalze (2. Sam 24,22; 1. Chr 21,23; Jes 41,15) Gedroschen wurde im alten Israel, indem man eine Walze oder einen »Schlitten« (d.h. ein mit scharfen Steinen gespicktes Brett) von Zugtieren über die Ähren ziehen ließ, die auf dem festgestampften Boden ausgebreitet waren. Anschließend warf man das gedroschene Getreide mit der →Worfschaufel in die Luft, damit der Wind die Spreu davontragen konnte.

Eden Name eines mythischen »Wonnegartens«; dem ersten Menschen →Adam zum »Bebauen und Bewahren« anvertraut und Ort der Erschaffung der →Eva. Der Garten Eden steht für eine ideale Schöpfung, die der Menschheit nach der Vertreibung bis zur Zeit der Erlösung verschlossen bleiben muss. Obwohl der Garten Eden als Ursprung tatsächlich existierender Flüsse, wie des Euphrat, beschrieben wird (→Paradiesströme), ist es nicht möglich, seine Lage geografisch festzulegen. In der griechischen Übersetzung des Alten Testaments heißt er »paradeisos«, ein Wort, von dem unser →»Paradies« abgeleitet ist.

Edom Nachbarvolk Israels, dessen Gebiet in der Senke zwischen dem Roten und dem Toten Meer gelegen ist. Das Volk wird auf →Jakobs Bruder →Esau zurückgeführt (1. Mose 36,1-43).

Efod Der Begriff »Efod« hat in der Hebräischen Bibel verschiedene Bedeutungen, und nicht immer ist klar ersichtlich, was damit gemeint ist. In den fünf Büchern Mose wird der »Priesterschurz« (2. Mose 25,7; 28,6.15; 29,5; 35,8 u.ö.) als »Efod« bezeichnet. In Ri 8,27 ist vermutlich ein Gottesbild gemeint. Andere Stellen (Ri 17,5; 18,14-20) legen nahe, dass es sich beim Efod um ein priesterliches Gerät handelt. In 1. Sam 30,7 dient ein Efod der Einholung eines Orakels.

Ehe, Eheschließung Die Ehe ist nach biblischem Verständnis im Schöpferwillen Gottes begründet: Nur die Zweieinheit von →Mann und →Frau ergibt den ganzen Menschen, das vollkommene und vollgültige Abbild Gottes (1. Mose 1,27); der Mann allein ist es nicht, er ist angewiesen auf die Frau als ebenbürtiges Gegenüber (1. Mose 2,18.23-24). In ihrer konkreten geschichtlichen Erscheinungsweise ist die Ehe in Israel allerdings einseitig durch die beherrschende Position des Mannes bestimmt (vgl. 1. Mose 24,2-4; 38,6; Ri 14,2-3; vgl. aber auch 1. Mose 24,58). Durch Vertrag zwischen Brautwerber und dem Vater der Braut und aufgrund bestimmter Gegenleistungen (Brautpreis) geht die junge Frau sozusagen in den Besitz ihres Eheherrn über (1. Mose 29,18; 2. Mose 22,15-16). Dieser hat die Pflicht, materiell für sie aufzukommen und sie nicht zu vernachlässigen (vgl. 2. Mose 21,10). Doch steht es ihm frei, sie – aus nahezu beliebigen Gründen – auch wieder zu entlassen (Ehescheidung; →Scheidebrief; weiterhin →Ehebruch), wie es ihm auch freisteht, mit mehreren Frauen zugleich verheiratet zu sein (vgl. 1. Mose 4,19; 5. Mose 21,15). Von Extremfällen in den herrschenden Schichten abgesehen (königlicher Harem 2. Sam 3,2-5; 5,13; 1. Kön 11,1-8; vgl. aber 5. Mose 17,17), scheint trotz der aufgezeigten Rahmenbedingungen und rechtlichen Möglichkeiten die Ehe mit einer oder mit zwei Frauen schon vor dem Exil das Übliche gewesen zu sein (1. Mose 12,5; 29,15-30; 5. Mose 21,15-17; 1. Sam 1,2). Nach dem babylonischen Exil wird die Einehe in der Praxis geradezu zum Normalfall; dem →Hohenpriester wurde sie zur Auflage gemacht. Zur Beschreibung des Verhältnisses Gottes zu seinem Volk Israel haben die Propheten immer wieder das eheliche Verhältnis als Bild herangezogen (Jes 54,5-8; 62,4-5; Jer 3,1-10; Hes 16; Hos 1–3).

Die unauflösbare Einehe gilt für Jesus als dem ursprünglichen Gotteswillen entsprechend (1. Mose 1,27; 2,24). Die beherrschende Position des Mannes wird im Neuen Testament rechtlich nicht angetastet (Kol 3,18; 1. Petr 3,1); gleichwohl werden die Männer zur Liebe (Kol 3,19) und zur Rücksichtnahme gemahnt (1. Petr 3,7). In Eph 5,25-29 wird diese Mahnung mit dem Vorbild der sich aufopfernden Selbsthingabe Christi begründet.

Ehebruch Ehebruch ist nach alttestamentlichem Verständnis das Ausbrechen der →Frau aus der Ehe mit ihrem →Mann sowie das Einbrechen eines Mannes in die →Ehe eines anderen (2. Mose 20,14.17). In beiden Fällen wird das »Besitzrecht« der betreffenden Männer angetastet, und Recht und Ansehen einer so gezeugten Nachkommenschaft werden für diese selbst und die betroffenen Familien zum Problem. Auf Ehebruch stand, ob von einem Mann oder einer Frau verübt, die Strafe der → Steinigung (5. Mose 22,22-27; Hes 16,38-40).

Auch Jesus lehnt Ehebruch ab (Joh 8,2-11 besagt hierzu keineswegs das Gegenteil); er verbietet schon – wie andere jüdische Autoren seiner Zeit – den begehrenden Blick (Mt 5,27-30), denn in der hereinbrechenden Gottesherrschaft (→ Reich Gottes) gilt der Wille Gottes radikal. Insgesamt ist im Neuen Testament Ehebruch eine der Sünden, die vom Reich Gottes ausschließen.

Im Alten Testament war Ehebruch immer wieder das Bild, unter dem die → Propheten die Untreue des Gottesvolkes gegenüber seinem Gott anprangerten (Jer 3,8-9; 5,7; Hes 16; 23; Hos 1–3). Das Bild wirkt auch im Neuen Testament weiter (vgl. Mt 12,39; Jak 4,4).

eingeboren (Joh 1,14.18; 3,16.18; 1. Joh 4,9) Der »eingeborene Sohn« Gottes ist Jesus nicht nur als der einzige und einzigartige, sondern (wörtlich) als der »einzig erzeugte«. Damit wird bei Johannes das Geheimnis der Beziehung Jesu zum »Vater« angedeutet. Im altkirchlichen Bekenntnis wird das aufgenommen: Christus, das ewige → Wort Gottes, ist im Unterschied zu allen anderen Wesen von Gott, dem Vater, »gezeugt, nicht erschaffen«.

Einsetzungsopfer → Opfer.

El Der Begriff bedeutet »Gott«. Im kanaanäischen Bereich war »El« Name des höchsten Gottes (→ Name des Herrn). V.a. in den Vätergeschichten bezeichnet das Wort den Gott Israels. »El« kommt auch als Bestandteil verschiedener Personennamen (»Isra-el«; »Isma-el«) und Ortsnamen (»Beth-el«) vor.

Elia Prophet der israelitischen Frühzeit, der sich mit Nachdruck für die Alleinverehrung Gottes einsetzte. Nach Mal 3,23-24 und nach jüdischen Erwartungen soll er vor dem Endgericht und dem Anbruch der neuen Welt Gottes noch einmal auftreten. Im Judentum wird er dann als Nothelfer seines Volkes angerufen (vgl. Mk 15,35).

Elisa Als Prophet der Nachfolger → Elias (2. Kön 2,1-18). Er heilte einen höheren Offizier des syrischen Nachbarreiches vom → Aussatz (2. Kön 5,1-19; vgl. auch Lk 4,27).

Elul → Monat, Jahr.

Engel, Engel des Herrn Das hinter diesem Begriff stehende hebräische Wort bedeutet ursprünglich »Bote«. Sofern die nähere Bestimmung »Engel Gottes« oder »Engel des Herrn« benutzt wird, ist häufig gemeint, dass es Gott selbst ist, der sich in menschlicher Gestalt zeigt oder mit Menschen spricht. Der Name »Engel« wird in der Tradition auch für die himmlischen Wesen verwendet, die zur Umgebung Gottes gehören. Gott wird dabei als König gedacht; die Engel bilden seinen »Hofstaat«, der die Herrlichkeit Gottes preist und seinen Willen ausführt. In den biblischen Texten erscheinen hier Begriffe wie → »Serafim« oder → »Cherubim«.

Ähnlich begegnen Engel in frühjüdischer Literatur wie im Neuen Testament als Hofstaat Gottes um den himmlischen Thron, als Boten Gottes, die mit Menschen kommunizieren und sie begleiten (Buch Tobias/Tobit; Lk 2,14; Lk 1,26-38; Mt 18,10), dann aber auch als Straf-Engel (Offb 15,6).

Die Vermittlung des → Gesetzes durch Engel kann im Neuen Testament positiv (Apg 7,38.53) oder negativ (Gal 3,19) gewertet sein (Paulus urteilt in Röm 7,12 jedoch deutlich anders!). Daneben werden im Neuen Testament gottfeindliche Engelmächte erwähnt, böse Gestirn- oder Elementargeister (»Mächte der Welt« = des Kosmos), die von Menschen Verehrung empfangen oder ihnen gefährlich werden können (Gal 4,3-5; Kol 2,8-10). In Jud 6 ist 1. Mose 6,1-4 aufgenommen.

Engelfürst Nach dem Buch Daniel (Dan 10,20-21) haben nicht nur einzelne Menschen ihren Schutzengel, sondern auch ganze Völker ihre Engel: In der Menschengeschichte spielt sich nicht nur ein irdisches Geschehen ab, sondern zugleich eine Auseinandersetzung zwischen überirdischen Mächten. Möglicherweise hat die Vorstellung auch Offb 2,1–3,22 beeinflusst (»und dem Engel/Boten der Gemeinde in … schreibe«).

Ephraim Jüngster Sohn Josefs und Stammesvater. Als wichtigster Stamm des Nordreichs kann Ephraim auch für das ganze Nordreich stehen (Jes 7,8-9; Hos 11,8-9).

Erbteil, Erbe Der dem einzelnen Israeliten gehörende Anteil am Gesamtbesitztum seiner Sippe. Er kann nicht einfach veräußert werden, da er sonst dem Eigentum der Sippe verloren ginge; wenn er unbedingt verkauft werden soll, muss er dem Nächstverwandten zum Kauf angeboten werden (Jer 32,7-8). Daraus ergeben sich für diesen auch Verpflichtungen gegenüber einer eventuell vorhandenen Witwe (Rut 4,5). Der Verkauf an Fremde gilt als großes Unrecht (vgl. 1. Kön 21,3).

Das Land und das Volk Israel können auch ganz allgemein als Erbe des Herrn gelten (2. Mose 34,9; 5. Mose 32,9; Ps 68,10). In übertragener Bedeutung kann der Erbteil auch das von Gott verheißene Heil bedeuten (3. Mose 20,24; 4. Mose 26,53). Diese übertragene Deutung ist im Neuen Testament vorherrschend, bezogen auf den Heilsstand der Christen (Mt 5,5; Gal 3,18; Eph 1,14; 1. Petr 1,4; Hebr 11,8) wie auf Christus (Hebr 1,2).

Erdharz Erdharz (Asphalt) wurde u.a. in der Nähe des Toten Meeres gefunden und in offenen Gruben abgebaut. Im Altertum wurde es als Mörtel benutzt, um Schiffe und Gefäße abzudichten, aber auch als Fußbodenbelag und für künstlerische Arbeiten.

Erkenntnis Bestimmte Kreise im Christentum beanspruchten für sich eine »Erkenntnis« (griechisch: »gnosis«), die umfassender sei als die Lehre der Apostel. Diese Erkenntnis betrifft v.a. die Entstehung der meist negativ gewerteten sichtbaren Welt, die Erlösung des göttlichen Lichtfunkens im Menschen und die entsprechende Lebensführung (Vermeidung von Sexualität). Diese Lehren galten bald als Irrlehren.

Erlassjahr (auch »Jobeljahr« oder »Halljahr«) In jedem siebten Jahr sollte im alten Israel die ursprüngliche Besitzordnung wiederhergestellt und die Rückzahlung von Geborgtem erlassen werden (5. Mose 15,1-3). Dieses Anordnung wurde in der priesterlichen Gesetzgebung in späterer Zeit auf jedes 49. Jahr bezogen, und auch → Sklaven israelitischer Volkszugehörigkeit sollten in diesem Jahr die Freiheit wiedererlangen (3. Mose 25,1-55). Der Erlass wird als ein gottesdienstlicher Vorgang gesehen, denn es ist der Wille des Herrn, dass Israel ein Volk von Brüdern ist und die Überschuldung nicht überhandnimmt (5. Mose 15,2).

Erlöser, Löser »Löser« ist zunächst ein rechtlicher Begriff und kann einen Menschen bezeichnen, der das Eigentum der Sippe »einlöst« und zurückerwirbt (3. Mose 25,25; Rut 3,9.12; 4,1.3.6) oder der einen in Schuldsklaverei (→ Sklave) Geratenen freikauft (3. Mose 25,48). Der Begriff kann auch auf Gottes Rettungshandeln übertragen werden und wird dann im Deutschen mit »Erlöser« bzw. »erlösen« wiedergegeben. Gott ist es, der die Seinen aus fremder Gewalt befreit hat, so Israel aus der Knechtschaft in Ägypten (2. Mose 6,6; 15,13) und aus der babylonischen → Gefangenschaft (Jes 41,14; 52,9), so den Frommen (Ps 19,15; 103,4), so die → Witwen und Waisen (Spr 23,11). Gottes erlösendes Werk sieht das Neue Testament in Christus vollendet (Mt 20,28; Röm 3,24; Gal 3,13; 1. Petr 1,18).

Erstgeburt Dem erstgeborenen Sohn kam im alten Israel eine bevorzugte Stellung zu (1. Mose 49,3; 5. Mose 21,17). Zum Zeichen, dass alles Leben eigentlich Gott gehört, wurden in Israel die männlichen Erstgeburten des Viehs als → Opfer dargebracht (2. Mose 13,2; 34,19-20; 4. Mose 18,15-17; → Erstling). Beim Menschen wurde die Erstgeburt durch ein Ersatzopfer eines Tieres abgelöst (2. Mose 13,13; 34,20). In späterer Zeit galt die Tatsache, dass → Leviten am Heiligtum Gott dienten, als Auslösung der Erstgeburt (4. Mose 3,12-13.40-51; 8,17-18).

Ersticktes Fleisch von getöteten oder verendeten Tieren, in dem noch → Blut ist. Es ist zum Verzehr verboten, weil das Blut als Träger des Gott gehörenden Lebens gilt (so 3. Mose 17,11). Judenchristliche Gemeinden haben sich an das Verbot gehalten. Das sog. Aposteldekret (Apg 15,20.29; 21,25) will das auch für Heidenchristen verbindlich machen. In Teilen des Heidenchristentums hat sich das tatsächlich durchgesetzt.

Erstling, Erstlingsgabe Gott ist der Geber allen menschlichen, tierischen und pflanzlichen Lebens. Diese Vorstellung wurde durch die Erstlingsgabe von allem Lebenden zum Ausdruck gebracht. Neben der → Erstgeburt der männlichen Tiere (2. Mose 13,2) wird Gott auch der erste Ertrag von Getreide, Öl und Wein dargebracht (2. Mose 23,19; 4. Mose 18,12; → Opfer). Auf diese Weise wollte man die künftige Fruchtbarkeit des Landes und der Tiere sichern.

Im Neuen Testament hat der Begriff eine übertragene Bedeutung. Als »Erstlingsgabe« bezeichnet Paulus die ersten Christen einer Provinz (1. Kor 16,15; Röm 16,5), aber auch den Heiligen Geist (→ Geist Gottes), der den Christen als Unterpfand dafür gegeben ist, dass sie vollends am Heil teilhaben werden (2. Kor 1,22;

Röm 8,23; vgl. Eph 1,14). Als »Erstling der Entschlafenen« verbürgt Christus die allgemeine Auferweckung der Toten (1. Kor 15,20). Aber auch der Glaube der Erzväter, der das ganze Volk Israel heiligt, gilt nach Röm 11,16 als Erstlingsgabe.

Erz- (Erzengel, Erzhirte, Erzvater) Die deutsche Vorsilbe »Erz-« geht auf das griechische Wort für Anfang (»arche«) zurück und bezeichnet den rangmäßig Ersten, Ältesten oder den Höchsten einer Gruppe.

Esau Älterer Sohn von → Isaak und Rebekka, Zwillingsbruder → Jakobs. Er trat sein Erstgeburtsrecht (→ Erstgeburt) für ein Linsengericht an seinen Bruder ab (1. Mose 25,19-34) und wurde von seinem Bruder um den väterlichen → Segen betrogen (1. Mose 27,1-40). Esau gilt als Stammvater → Edoms, eines Nachbarvolks Israels im südlichen Ostjordanland (1. Mose 25,30). Die Erzählung, in der die natürliche Rangordnung zwischen dem Erstgeborenen und seinem jüngeren Bruder (vgl. auch 1. Mose 25,23) umgekehrt wird, könnte sowohl die Spannung zwischen Jägern und sesshaften Bauern als auch politische Konflikte spiegeln.

Essig Nach jüdischer Sitte pflegte man einem Menschen vor seiner Hinrichtung Essig (sauren Wein) als Betäubungstrank zu reichen (Spr 31,6-7), ggf. unter Beimischung von Myrrhe. Möglicherweise ist man auch bei Jesus so verfahren (Mk 15,36). Unter dem Eindruck von Ps 69,22 hat man die Tränkung Jesu mit Essig aber bald als Akt der Grausamkeit verstanden.

Etanim → Monat, Jahr.

Eva Frau des ersten Menschen → Adam. Aus ihrem Namen kann man einen Anklang an das hebräische Wort für »lebend« heraushören (1. Mose 3,20).

Evangelist Neben → Aposteln, → Propheten und Lehrern (1. Kor 12,28) werden im Neuen Testament auch sog. Evangelisten erwähnt (Apg 21,8; Eph 4,11), die wohl v.a. in der missionarischen Verkündigung tätig waren. Später bezeichnete man die Autoren der vier Evangelien als Evangelisten.

Evangelium Frohe Botschaft, z.B. die Botschaft von der Erlösung Israels (Jes 40,9; 52,7) und von der Gnade Gottes in Christus. Der Begriff wird auch in der römischen Propaganda verwendet. Neutestamentliche Autoren betonen demgegenüber, worin die eigentliche frohe Botschaft besteht (Mk 1,14-15; Röm 1,16-17; 1. Kor 15,1-5).

Fabel Die Fabel als Gattung, in der Tiere oder Pflanzen reden und handeln, kommt im Alten Testament nur selten vor (Ri 9,8-15; 2. Kön 14,9) und begegnet im Neuen Testament überhaupt nicht.

Fasten (Fast- und Bußtage) Teilweiser oder völliger Verzicht auf Essen und Trinken. Man fastete aus → Trauer, als → Sühne für eigene oder fremde Sünden, aber auch zur Unterstützung eines → Gebetes. Bußtage, d.h. allgemeine Trauer- und Fasttage für das ganze Volk, wurden angesetzt, um eine drohende Not abzuwenden. Nach der Zerstörung Jerusalems 586 v. Chr. wurden regelmäßige Fasttage eingeführt, an denen das Volk in gottesdienstlichen Feiern sein Schicksal beklagte, seine Schuld bekannte und die Hilfe Gottes anrief (vgl. Sach 7,1-6). Zudem wurde auch das kollektive Fasten am großen Versöhnungstag verbindlich (3. Mose 16,29-34; 23,27-32; 4. Mose 29,7; → Feste Israels).

Im Neuen Testament wird von einem Fasten Jesu vor Beginn seiner öffentlichen Wirksamkeit (Lk 4,1-13) und von der Fastenpraxis einiger → Pharisäer (zweimal wöchentlich; Lk 18,12) erzählt. Auch Teile der christlichen Gemeinde übernehmen die Praxis des privaten Fastens (Mt 6,16-18). Konventionell ist auch das Fasten vor dem erwarteten Empfang einer Offenbarung (Apg 13,2-3). Mk 2,20 könnte die Sitte des Fastens in Erinnerung an den Tod Jesu bezeugen. In nachneutestamentlicher Zeit werden, unter Abgrenzung vom Judentum, der Mittwoch und der Freitag als regelmäßige Fasttage festgelegt.

Feldgeister → Bocksgeister.

Felix Antonius Felix, römischer → Statthalter (Prokurator) in Palästina 52–60 n. Chr.

Feste (des Himmels) (1. Mose 1,6-8) Das hebräische Wort bezeichnet etwas Festgestampftes, Festgehämmertes. Man dachte sich im Alten Orient den Himmel als eine riesige Kuppel oder Schale. Darüber befand sich der Himmelsozean und über diesem die Wohnung Gottes (Ps 104,1-3).

Feste Israels Die drei großen Jahresfeste in Israel waren zunächst Erntefeste und wurden dann mit der Erinnerung an Gottes Taten in der Geschichte Israels verbunden: das → *Passa* (zusammen mit dem Fest der Ungesäuerten → Brote) zum Beginn der Gerstenernte mit dem Gedenken an den Auszug aus Ägypten (2. Mose 12–13; 4. Mose 28,16-25); das

→ *Wochenfest* sieben Wochen später zum Beginn der Weizenernte mit der Erinnerung an die Gesetzgebung (3. Mose 23,15-21; 4. Mose 28,26); das Fest der Obst- und Weinernte (*Laubhüttenfest*) im Herbst mit der Bewahrung Israels in der Wüste (3. Mose 23,34-36.39-43). Dazu kamen das *Neujahrsfest* am ersten Tag des siebten → Monats (3. Mose 23,24-25; 4. Mose 29,1-6) und zehn Tage später der *große Versöhnungstag* (3. Mose 16), an dem man fastete. Jüngere Feste waren das *Purimfest*, an dem man die Errettung der Juden vor der Vernichtung im → Perserreich feierte (vgl. hierzu das Esterbuch), und das Fest der *Tempelweihe* zum Gedenken an die Wiederweihung des → Tempels durch den Makkabäer Judas (1. Makk 4,59).

Die Wallfahrt nach Jerusalem dreimal im Jahr (zum Passafest, zum Wochenfest und zum Herbstfest) ist jüdische Praxis zur Zeit Jesu, an die er sich auch gehalten hat. Das → Abendmahl ist aber kein Passamahl.

Festus Porcius Festus, römischer → Statthalter (Prokurator) in Palästina 60–62 n. Chr.

Fischtor Eines der alten Stadttore → Jerusalems, westlich von der späteren Burg Antonia (Neh 3,3; 12,39; Zef 1,10).

Fleisch Das hebräische bzw. griechische Wort, das bei Luther mit »Fleisch« übersetzt wird, hat eine wesentlich breitere Bedeutung als seine deutsche Entsprechung. Zunächst bezeichnet »Fleisch« den ganzen Menschen als leiblich-seelische Einheit. So sind Mann und Frau in ihrer Verbindung »ein Fleisch« (und nicht nur ein Leib; 1. Mose 2,24); »alles Fleisch« bedeutet: »alle Menschen« (Joel 3,1). Im übertragenen Sinn bezeichnet es:

(1) Den Bereich des Irdischen, Menschlichen und Leiblichen, der der Vergänglichkeit unterworfen ist (z. B. Jes 40,5-6). In diesem Sinne kann von der Menschwerdung Christi (Joh 1,14; 1. Tim 3,16) und von seiner Kreatürlichkeit (Röm 1,3; 9,5), aber auch vom irdischen Leben des Gläubigen »im Fleisch« (Gal 2,20) die Rede sein.

(2) Negativ qualifiziert ist der Begriff »Fleisch« v. a. in der Wendung »nach dem Fleisch wandeln« bei Paulus (Röm 8,4). Der Gegensatz »nach dem Geist« verdeutlicht, was gemeint ist: Das Denken und Handeln des Menschen, der »nach dem Fleisch« lebt, wird nicht durch den Willen Gottes bestimmt, sondern nur vom Menschlich-Allzumenschlichen, von der Sünde (Röm 8,1-17). Die Werke des Fleisches und die Frucht des Geistes stellt Paulus in Gal 5,19-23 einander gegenüber. Eine klare und eindeutige Ausrichtung des Lebens ist gefordert: Vom »Geist« sollen sich die Menschen leiten lassen, nicht vom »Fleisch« (Gal 5,16-18).

Fluch Für das hebräische Denken hat das gesprochene Wort eine wirkende Macht. Während der Segen Lebenskraft zuspricht, geht vom Fluch eine zerstörerische Wirkung aus. Er spielte v. a. im Rechtsleben eine wichtige Rolle und diente der Bestrafung von Rechtsbrechern, die man nicht fassen oder überführen konnte (3. Mose 5,1; Ri 17,2; Spr 29,24). Bei der Gesetzesverkündung und deren gottesdienstlicher Wiederholung wurden Flüche ausgesprochen, um die Gemeinde im Tun des Gotteswillens zu bestärken (5. Mose 27,11-26); → Segen.

In Gal 3,13 wird Jesus als Gekreuzigter mit einem »Fluch« gleichgesetzt; dabei wird nach 5. Mose 21,23 das Kreuz metaphorisch als ein Ort des Fluches bezeichnet.

Frau Die biblische Überlieferung kennt zahlreiche bedeutende Frauengestalten wie → Sara (1. Mose 12–23), Debora (Ri 4–5), Ester (Esterbuch) und Judit (vgl. das apokryphe Juditbuch). Da die Bibel in einer patriarchalen, traditionellen Gesellschaft entstanden ist, war die Frau in einem starken Maße vom → Mann abhängig und wurde v. a. durch ihre Mutterrolle bestimmt. Der erste Schöpfungsbericht zeigt aber, dass Mann und Frau die gleiche Würde besitzen, die ihnen mit der Gottebenbildlichkeit gegeben wurde (1. Mose 1,26; 5,1). Ebenso macht die Geschichte vom Sündenfall deutlich, dass die Unterordnung der Frau unter den Mann nicht dem ursprünglichen Schöpfungswillen Gottes entspricht. Die Frau wurde vielmehr als Partnerin und Hilfe des Mannes geschaffen (1. Mose 2,18). Zahlreiche biblische → Gesetze dienen dazu, die Würde der Frau zu beschützen und sie vor sexuellen Übergriffen in der Hausgemeinschaft zu bewahren (3. Mose 18).

Im Neuen Testament kommt die Lebens- und Arbeitswelt von Frauen, die auf dem Land leben, vornehmlich in Jesu Gleichnissen zur Sprache (Lk 17,35; Mt 13,33). Jesus hat Frauen wie Männer unterschiedslos geheilt (vgl. Mk 5,21-43 neben Mk 1,23-28). Frauen haben ihn während seiner Wanderungen begleitet und sind ihm bis unter das Kreuz gefolgt (Mk 15,40-41). Frauen waren wohl auch die ersten Osterzeugen. Dass Maria Magdalena (vgl. Lk 8,1-3) zu Jesus in einem besonderen Verhältnis gestanden haben soll, ist kaum erweisbar; von illegitimen Sexualkontakten Jesu lässt die antike antichristliche Propaganda nichts verlauten. In nicht wenigen Strömungen der Urgemeinde konnten Frauen in führenden Positionen tätig sein (Röm 16,1-2); ihre spätere Zurückdrängung (vgl. 1. Tim 2,8-15) folgte antiken konservativen Positionen. Christen übernahmen diese Positionen, um sich von dem Vorwurf zu distanzieren, das Christentum betreibe den Umsturz gesellschaftlicher Ordnungen. → Haus.

Freistädte Zufluchtsorte, an denen im alten Israel jemand Asyl finden konnte, der unabsichtlich einen Menschen getötet hatte. Wenn er seine Unschuld glaubhaft machen konnte, war er damit vor dem → Bluträcher geschützt. Ursprünglich boten in Israel die zahlreichen Altäre im Land Asyl; nach der Abschaffung der Höhenheiligtümer unter König → Josia (640–609 v. Chr.) bedurfte es aber dann neben dem Zentralheiligtum in → Jerusalem weiterer Zufluchtsorte und so wurden verschiedene Orte zu Freistädten bestimmt (4. Mose 35,9-34).

Fremdling Jemand, der den angestammten Sippenverband verlassen hat, in der Fremde Zuflucht suchte und dort als Schutzbürger gewisse Rechte genießt, ohne Vollbürger zu sein. Auch ein Israelit, der sich im Gebiet eines anderen israelitischen Stamms aufhält, kann als Fremdling bezeichnet werden (→ Ausländer). Da Israel beim Aufenthalt in Ägypten am eigenen Leib erfahren hat, was es heißt, Fremdling zu sein, stehen später Angehörige dieser Gruppe unter einem ganz besonderen Schutz (5. Mose 5,14-15).

Frevler Der Begriff »Frevler« fasst unterschiedliche hebräische Begriffe zusammen und dient in der biblischen Überlieferung zur Bezeichnung von Menschen, die gegen die elementaren Gebote des Menschseins und die göttliche Ordnung verstoßen. Sie zeichnen sich auch dadurch aus, dass sie sich gegenüber Armen und Schwachen als gewalttätig erweisen (Ps 7,17; 55,10; 72,14) und voller Stolz, Verachtung und Hochmut gegen die Frommen auftreten (Ps 10,3-10). Unter »Frevel« kann jede Verletzung der göttlichen Ordnung verstanden werden, so die Entweihung des → Sabbats (2. Mose 31,14) oder die Entweihung des Jerusalemer → Tempels (vgl. Dan 8,11-12.23; 11,31).

Fronarbeit, Frondienst Unentgeltliche zwangsweise Dienstleistung für Repräsentanten der politischen Herrschaft (→ Sklave). In der Regel wurden Angehörige besiegter Völker zu solchen Arbeiten gezwungen, so z. B. die Israeliten in Ägypten (2. Mose 1,14; 5,18) oder die unterworfenen Ammoniter (2. Sam 12,31). → Salomo verlangte solche unbezahlten Arbeiten nicht nur von den Fremden (1. Kön 9,15.20-22), sondern auch von den Israeliten (1. Kön 5,27-30). An einer solchen Ausübung der Königsherrschaft übte bereits Samuel Kritik (1. Sam 8,10-18).

Frühregen Gewöhnlich Ende Oktober oder Anfang November, zum Beginn der etwa sechs Monate währenden Regenzeit; nach der Trockenzeit des Sommers zur neuen Aussaat nötig.

Fürst dieser Welt Der → Satan. → Welt.

Gabriel Neben Michael einer der beiden in der Bibel namentlich genannten → Engel (Dan 8,15-19; 9,20-23). In den frühjüdischen Texten wird Gabriel zu den sog. Erzengeln gezählt, die zum himmlischen Hofstaat gehören und Gott auf seinem Thron preisen. Im Neuen Testament heißt es, er habe die Geburt → Johannes' des Täufers (Lk 1,19) und Jesu (Lk 1,26) angekündigt.

Galatien Kleinasiatische Landschaft, die seit dem 3. Jahrhundert v. Chr. von keltischen Stämmen bewohnt wurde (sprachlich verwandt ist Gallien und gälisch). Die Römer schufen nach der Eroberung dieses Gebietes eine Provinz mit dem gleichen Namen, die aber zusätzlich Teile von Phrygien, Pisidien, Pamphylien, Lykaonien und Isaurien umfasste. Es ist umstritten, ob der Galaterbrief an die Bewohner der Provinz oder der Landschaft Galatien gerichtet ist.

Gebet Gebete begleiten die Geschichte des Gottesvolkes von Anfang an. So ruft → Abraham den Namen Gottes bei seinem Altarbau an (1. Mose 12,8; 13,4); → Mose erfährt den → Namen Gottes, mit dem dieser angerufen werden kann (2. Mose 3,15), und Israel preist seinen Gott nach dem Auszug aus Ägypten in einem Hymnus (2. Mose 15,1-18; vgl. auch das Mirjamlied 2. Mose 15,20-21). Mit den → Psalmen enthält das Alte Testament sogar ein Gebetbuch, wobei eine große Vielfalt des

Redens zu Gott erscheint, wenn neben Klagegebeten auch der Lobpreis Gottes steht.

Sprache und Theologie des Gebets im Neuen Testament sind alttestamentlich-jüdisch geprägt. Dass Jesus betet (Mk 1,35), ist Ausdruck seiner Gottverbundenheit. Zentral für Jesus sind die Thematik der Gebetserhörung einerseits (Lk 11,5-8), andererseits die der Ergebung in den Willen Gottes auch da, wo mit äußerlicher Gebetserhörung nicht zu rechnen ist (Mk 14,36). Das Vaterunser (Mt 6,9-13; Lk 11,2-4) benennt in seiner ersten Bitte (»dein Reich komme«) den Kern der Verkündigung Jesu, die Botschaft von der baldigen Durchsetzung der Herrschaft Gottes (→ Reich Gottes). Das Vaterunser galt schon sehr früh als das zentrale christliche Gebet, was sich in den neutestamentlichen Berichten widerspiegelt, wonach Jesus seine Jünger mit diesen Worten zu beten gelehrt hat.

Im Matthäusevangelium wird in der Erzählung von → Gethsemane die zweite Bitte Jesu (»dein Wille geschehe«, Mt 26,42) so umformuliert, dass sie wörtlich der Vaterunser-Bitte (Mt 6,10) entspricht. Lukas stellt heraus, wie Jesus und die Handlungsträger der Apostelgeschichte an entscheidenden Stationen aus betender Verbundenheit mit Gott heraus handeln (Lk 6,12-13; Apg 13,3). Auch im Johannesevangelium ist das Gebet Jesu Ausdruck der Einheit seines Willens mit dem des Vaters; in diese Einheit ist auch die Gemeinde hineingenommen (Joh 17).

Die Anrede Gottes als »Vater« findet sich auch in jüdischen Gebeten. Die Anrede »Abba« wurde von Jesus selbst gebraucht. Adressat des Gebetes ist Gott. Ausdrückliche Gebete zu Jesus finden sich im Neuen Testament nur in Ansätzen.

Bei Paulus dominieren aufgrund seiner Beauftragung als Apostel Fürbitte und Danksagung mit Bezug auf das Wirken Gottes in den Gemeinden. Gerade zu Beginn seiner Briefe greift er öfter den antiken Brauch auf, im Gebet vor den Göttern des Briefpartners zu gedenken, und versichert die angeschriebene Gemeinde damit seiner in Christus gegründeten Verbundenheit mit ihr. Das Gebet der Gläubigen gilt ihm als Wirken des → Geistes in ihnen (Gal 4,6; Röm 8,15.26). Das Gebet im → Namen Jesu benennt diesen als Träger göttlicher Kraft, durch die man Gebetserhörung erwartet. Im Hebräerbrief wird der in seinem Leiden betende Jesus als Vorbild benannt (Hebr 5,7-10). Ob die Lieder und Gebete (Offb 4,8.11; 5,9-13; 11,17-18; 15,3-4; 19,1-8) in der Johannesoffenbarung tatsächlich liturgische Texte aus den Gemeinden widerspiegeln, ist umstritten.

Gebetsriemen Juden befestigen zum Gebet lederne Kapseln (Tefillin) mit langen Riemen auf der Stirn und am linken Arm, in denen sich mit Schriftworten beschriebene Pergamentstreifen befinden (vgl. 5. Mose 6,8). Das war schon zur Zeit Jesu und des Evangelisten Matthäus üblich (Mt 23,5). Älteste Funde von Tefillin stammen aus Qumran.

Gebot → Gesetz.

Gefangenschaft Zur »Befriedungspolitik« der altorientalischen Herrscher gehörte es seit dem 2. Jahrtausend v. Chr., die Oberschichten (→ Priester, Kaufleute, Handwerker) eroberter Provinzen aus ihrem Land zu führen und ggf. mit Angehörigen des Siegervolks auszutauschen. In der Bibel wird von zwei solcher Wegführungen berichtet:

(1) Die → assyrische Gefangenschaft: Im 8. Jahrhundert v. Chr. eroberte der assyrische König Sargon II. Samaria und deportierte die Oberschicht des Nordreiches nach → Mesopotamien. Im Gegenzug ließ er Leute aus → Babylon und Elam ansiedeln (→ Samaritaner).

(2) Die babylonische Gefangenschaft: Im 6. Jahrhundert v. Chr. eroberte der neubabylonische König Nebukadnezar II. Juda und deportierte 597 und 586 v. Chr. ungefähr 4000 Angehörige der Oberschicht nach Babylonien, ohne eine neue Oberschicht in Juda anzusiedeln. Die nach Babylon Verbannten konnten in geschlossenen Siedlungen zusammenwohnen, sodass der nationale Zusammenhalt bewahrt blieb und sich die Hoffnung auf Rückkehr erhalten konnte. Die Einhaltung des → Sabbats und die → Beschneidung wurden in dieser Zeit zu wichtigen Identitätszeichen der Treue zum Gott Israels.

Gefängnis, Geister im G. Nach jüdischer Überlieferung werden die → Engel, die sich nach 1. Mose 6,4 durch den Verkehr mit Menschenfrauen vergangen hatten, zur Strafe im Inneren der Erde gefangen gehalten. Diese Gefangenschaft kann in frühjüdischer Literatur als ewig gedacht sein, um die Menschen zum Gehorsam zu mahnen. In 1. Petr 3,19 wird den gefangenen Geistern die Möglichkeit der Vergebung angekündigt. Das soll die alles überwindende

Macht Christi bezeugen. Nach 1. Petr 4,6 gilt die Rettungstat Christi auch den Menschen, die vor seinem Erscheinen gestorben sind.

Geißel Ein Lederriemen mit eingeflochtenen Knochen oder Metallstückchen. Die Geißelung war eine römische Strafe für männliche Verbrecher, die nicht das römische Bürgerrecht besaßen (Apg 22,25; → Bürger). Meist ging sie der Kreuzigung voran (Mt 20,19; 27,26; Joh 19,1), wobei sie nicht selten bereits tödlich wirkte.

Geist Gottes, Heiliger Geist Das hebräische Wort für Geist bedeutet ursprünglich »Wind«, »Hauch«. Gemeint ist damit das Lebensprinzip, das der Erschaffung der Welt zugrunde liegt (1. Mose 1,2) und das Gott auch seinen Geschöpfen verliehen hat (vgl. den »Odem« in Ps 104,29). Vom Geist Gottes gehen aber auch spezielle Wirkungen auf bestimmte Menschen aus: Er kommt über einen Menschen und treibt ihn zu einer bestimmten Tat (Ri 13,25). Er beseelt die ekstatischen Prophetengemeinschaften (1. Sam 10,10-12) und kann einen → Propheten ganz real an einen anderen Ort versetzen (1. Kön 18,12; Hes 8,3). Wenn der Geist Gottes ständig auf einem Menschen ruht wie auf → David (1. Sam 16,13) oder einer prophetischen Gestalt (Jes 42,1; 61,1), ist dies das Zeichen einer besonderen Verbundenheit mit Gott und Beauftragung durch ihn. Die Propheten des Alten Testaments haben für die Zukunft eine Ausgießung des Gottesgeistes über das ganze Volk erwartet (Hes 36,27; Joel 3,1-5).

Im Neuen Testament gilt Jesus zumindest während seiner öffentlichen Wirksamkeit als mit dem Geist Gottes begabt (Mk 1,10; Lk 4,16-21). Mit der → Taufe (Erwachsenentaufe) wird der Geist allen Glaubenden verliehen. Sie können überhaupt nur durch den Heiligen Geist Christus als ihren Herrn erkennen (1. Kor 12,3) und ethisch vorbildlich leben (Röm 8; der Geist ist hier auch als Norm ethischen Handelns verstanden). Darüber hinaus kann sich der Geist in Gnadengaben äußern, zu denen Paulus auch Fähigkeiten jenseits ekstatischer Phänomene zählt (1. Kor 12,1-31; → Zunge).

Geister, böse, unreine Böse Geister (griechisch: → »dämon«; z. B. Mk 1,34; Lk 8,2; Joh 8,48) oder unreine Geister (z. B. Mt 10,1; Mk 1,23; Lk 4,33) sind geistige Wesen mit übermenschlichen Kräften, die von einem Menschen Besitz ergreifen und ihn völlig beherrschen können (→ Besessene). Ein sprachloser Geist (Mk 9,17) macht den von ihm besessenen Menschen stumm.

Geld Die älteste Form des Handels ist der Tausch von Naturalgütern; dann wurde mit ungemünzten Stücken von Silber und Gold bezahlt, die bei einem Kauf gewogen werden mussten (1. Mose 23,16). Daher gewann das Wort »wiegen« die Bedeutung »bezahlen«. Das meistgebrauchte Gewicht, der Schekel (in älterer Zeit ca. 11–12 g), wurde zugleich die gängige Einheit des Geldes. Geprägte Münzen gab es erst seit der → persischen Zeit. Die ersten jüdischen Münzen schlug nach 1. Makk 15,6 der → Hohepriester Simon. → Anhang »Maße, Gewichte und Geldwerte«.

Gelübde Ein Gelübde ist ein Versprechen an Gott, sei es im Sinne einer besonderen (u. U. zeitlich befristeten) Weihung (Apg 18,18; → Gottgeweihter), sei es als Dank für erhoffte und dann erfahrene Hilfe.

Gemeindeleiter Anfangs gab es keine einheitlichen gemeindlichen und noch gar keine übergemeindlichen Leitungsstrukturen. Paulus hat hierin nichts verpflichtend gemacht. So war die Selbstorganisation der paulinischen Gemeinden flexibel; lediglich für Philippi erwähnt Paulus → Bischöfe (= Aufseher, vermutlich über die Finanzen; in der Mehrzahl genannt!) und → Diakone (Phil 1,1). Diese Dienste sind wohl in Anlehnung an bestimmte Ämter im griechischen Vereinswesen eingeführt worden. Im Hebräerbrief heißen die der Gemeinde Vorstehenden wörtlich »Anführer« (Hebr 13,7.17). Auch Frauen waren gemeindeleitend tätig (z. B. Phöbe, Röm 16,1). Lukas erwähnt → Älteste und setzt damit das Modell der Leitung jüdischer → Synagogengemeinden voraus (Apg 14,23; 20,17; vgl. 1. Tim 5,17-22; Tit 1,5). Wo beide Formen der Gemeindeleitung aufeinandertrafen, wurde zwischen der Aufgabe der Gemeindeältesten und der der Gemeindeleiter nicht unterschieden (vgl. Apg 20,17 mit Apg 20,28 oder Tit 1,5 mit Tit 1,7). In spät- und nachneutestamentlicher Zeit setzt sich, in den einzelnen Großregionen unterschiedlich schnell, folgende Ordnung durch: ein Gemeindeleiter (griechisch: »episkopos« – »Bischof«), unter ihm das Kollegium der Gemeindeältesten (griechisch: »presbyteroi« – »Älteste«), dazu die Gemeindehelfer (griechisch: »diakonoi« – »Diakone«).

Gemüt (Mt 22,37; Mk 12,30.33; Lk 10,27) Das Wort bezeichnet bei Luther nicht nur das

Gefühl, sondern umfasst, dem biblischen Sprachgebrauch von »Herz« folgend, auch Verstand, Vernunft, Gesinnung, Willen, Verlangen und Streben.

Genezareth Fischreicher See im Jordangraben in Galiläa (200 m unter NN) mit umgebender fruchtbarer Ebene im Norden und Westen; diese Gegend war die Hauptwirkungsstätte Jesu. Im Alten Testament lautet der Name »Kinneret«, im Neuen Testament wird der See auch »Galiläisches Meer« genannt.

Gerechtigkeit Gottes An einigen Stellen im Neuen Testament hat Martin Luther den Ausdruck »die Gerechtigkeit Gottes« besonders akzentuiert, indem er ihn übersetzte mit »die Gerechtigkeit, die vor Gott gilt« (Röm 1,17; 3,21). Damit soll klargestellt werden: Gemeint ist nicht eine Gerechtigkeit, die über vorangegangene Taten des Menschen urteilt, sondern ein Handeln Gottes, das Gemeinschaft zwischen Gott und Menschen allererst herstellt; in diesem Sinne wird sie von der Tora und den Propheten bezeugt (Röm 3,21). Der Mensch wird durch diese handelnde Gerechtigkeit Gottes zu einem Menschen, der Gott entspricht und vor Gott bestehen kann (2. Kor 5,21).

Gesalbter → Messias.

Geschlecht (i. S. v. Generation) Der entsprechende griechische Begriff kann »Familie« oder »Sippschaft« im Sinn von »ihresgleichen« (Lk 16,8) bedeuten, aber auch »Generation« der Zeitgenossen in Gegenwart (Mk 13,30; Lk 7,31) oder Vergangenheit (Hebr 3,10; Mt 1,17) oder allgemein »Zeitabschnitt« (Lk 1,50; Apg 14,16).

Gesetz Sammelbegriff für zahlreiche Weisungen der alttestamentlichen Überlieferung, in denen der Wille Gottes zum Ausdruck kommt und in denen die menschlichen Lebensbereiche positiv geordnet und geregelt werden. »Gesetz« (griechisch: »nomos«) wird als griechische Übersetzung von »Tora« gebraucht, was einen größeren Bedeutungsumfang hat und insbesondere »Weisung« beinhaltet. Zu den wichtigen Gesetzessammlungen des Alten Testaments gehören das Bundesbuch (2. Mose 20,22–23,19), das Heiligkeitsgesetz (3. Mose 17–26) und das Deuteronomische Gesetz (5. Mose 12–26). Der Begriff kann aber auch als Sammelbegriff für die fünf Bücher Mose verwendet werden (»Tora«; vgl. 1. Chr 16,40; 22,12; 2. Chr 17,9; Ps 1; Ps 119) und sogar auf das gesamte Alte Testament ausgedehnt werden (Joh 10,34; 12,34; Röm 3,19; 1. Kor 14,21).

In nachexilischer Zeit stand die Verehrung des einen Gottes Israels bald endgültig fest; gerungen wurde um die Frage, wie der Wille Gottes angemessen zu verwirklichen sei. Noch bis ins 2. Jahrhundert v. Chr. entstanden Schriften, die Gesetzesfragen regeln sollten, mit eigenem Offenbarungsanspruch. Dann aber haben sich die fünf Bücher Mose durchgesetzt. Insgesamt wurden v. a. die Gesetze zu → Beschneidung, Speise und → Sabbat im Sinne der Abgrenzung Israels von den → Völkern wirksam. Die Frage nach der bleibenden Gültigkeit des Gesetzes in der Gemeinde Jesu führte zu Auseinandersetzungen (Gal 2) und wurde innerhalb der neutestamentlichen Schriften verschieden beantwortet (vgl. beispielsweise im Blick auf die Speisegebote Mk 7,19 mit Mt 15,17).

Im Judentum wird die schriftliche Tora (die fünf Bücher Mose) von der mündlichen Tora (Satzungen der Väter) unterschieden. Im 2. Jahrhundert n. Chr. wurde die mündliche Tora in der Mischna gesammelt und verschriftet; sie bildet den Grundstock des Talmud.

Gethsemane Wörtlich »Ölkelter«. Das deutet darauf hin, dass es sich um einen Ölgarten mit einer (vielleicht verfallenen) Ölkelter gehandelt hat.

Geweiht → Gottgeweihter.

Giganten Giganten sind in der griechischen Mythologie furchterregende Krieger, die aus dem Blut des göttlichen Himmels (Uranos) entstanden, das auf die göttliche Erde (Gaia) tropfte. In der griechischen Bibel (Weish 14,6; Sir 16,7) werden sie mit den Riesen und Helden der Urzeit (1. Mose 6,1-4) identifiziert. So werden israelitische und griechische Urgeschichte in Einklang gebracht.

Gihon Name der einzigen Quelle in → Jerusalem; Ort, an dem → Salomo zum König gesalbt wurde (1. Kön 1,33); nach 1. Mose 2,13 einer der → Paradiesströme.

Gittit Die Bedeutung ist unsicher; es handelt sich vielleicht um eine bestimmte Melodie oder ein Musikinstrument (Ps 8,1; 81,1; 84,1).

Gleichnis Als »Gleichnis« bezeichnet man eine kurze fiktionale Erzählung, die durch Veranschaulichung oder Verfremdung die Hörerinnen und Hörer zum vergleichenden Nachdenken, Mitdenken, Umdenken und Handeln auffordern will. Für Jesus ist diese

Redeform typisch (vgl. aber bereits 2. Sam 12,1-6; Jes 5,1-7).

Gnadenstuhl Bezeichnung der Lutherübersetzung für die goldene Deckplatte auf der → Bundeslade, die von den beiden → Cherubim mit ihren Flügeln bedeckt wurde (2. Mose 25,17-21; 37,6-9); Ort der Offenbarung Gottes (2. Mose 25,22; 3. Mose 16,2). Am Versöhnungstag (→ Feste Israels) wurde das Blut eines Stieres in Richtung Gnadenstuhl gesprengt (3. Mose 16,14-15).

Im Neuen Testament liegt ein Bezug auf den Gnadenstuhl in Hebr 9,5 und wahrscheinlich in Röm 3,25 vor. In der Kunstgeschichte wird der Gnadenstuhl zur Bezeichnung von Darstellungen der Dreifaltigkeit.

Gog Nach Hes 38,1–39,16 ein Fürst im Lande Magog, das im Norden zu suchen ist. Eine Identifizierung ist schwierig. In 1. Mose 10,2 wird er als Sohn Jafets und damit als ein Volk vorgestellt, das dem griechisch-kleinasiatischen Bereich zugehört. In Offb 20,8 bezeichnet die Wendung »Gog und Magog« die Völker jenseits des Römischen Reiches an den Rändern der Erde, die gegen die Gemeinde Gottes kämpfen werden.

Gomorra → Sodom und Gomorra.

Gosan → Assyrische Provinz am oberen Habor (Nebenfluss des Euphrat). Hier wurden die 722 v. Chr. deportierten Israeliten angesiedelt (→ Gefangenschaft).

Gottesberg Die Vorstellung, dass eine Gottheit oder mehrere Götter auf einem Berg wohnen, ist in der Religionsgeschichte weit verbreitet (z. B. der griechische Olymp). Das Alte Testament bezieht den Begriff auf den Zionsberg in → Jerusalem (Ps 48,3). Aber auch der Berg → Sinai, auf dem sich Gott offenbart und seine Gebote (→ Gesetz) übermittelt, ist ein solcher Gottesberg. Jes 14,13 spielt auf einen im Norden gelegenen mythologischen Gottesberg an; hier haben sich wohl alte kanaanäische Vorstellungen erhalten.

Gottesfürchtige (Apg 13,16 u. ö.) Nichtjuden, die am jüdischen Synagogengottesdienst teilnahmen und z. T. auch als finanzielle Förderer der jüdischen Gemeinschaft aktiv waren. Die Attraktivität des Judentums ist durch jüdische wie nicht jüdische Autoren bezeugt. Die Gottesfürchtigen sind von den → Proselyten zu unterscheiden.

Gotteskasten Das hier verwendete griechische Wort ist v. a. zur Bezeichnung der »Schatzkammer« eines Königspalastes oder eines Tempels gebräuchlich; so wird es auch in Joh 8,20 verwendet. Solche Schatzkammern bergen nicht nur → Geld, sondern, z. B. im Fall des → Tempels von Jerusalem, auch Vorräte wie Holz, Wein und Öl für den Opferbetrieb oder auch Priestergewänder. Aufgrund des in Mk 12,41; Lk 21,1 beschriebenen Vorganges nimmt man an, dass hier die Opferstöcke gemeint sind, die im Tempel in Jerusalem in dem sog. Frauenvorhof aufgestellt sind und wovon wohl einer für Gaben zur freien Verfügung bestimmt war.

Gottesname → Name (des Herrn); → HERR.

Gottessöhne »Sohn« bezeichnet im Hebräischen nicht nur die leibliche Abstammung, sondern auch allgemeiner ein Verhältnis der Unterordnung (Spr 2,1; 3,1; vgl. Mk 2,5). »Gottessöhne« nannte man Himmelswesen, die zur Umgebung Gottes gehören (1. Mose 6,2.4) wie der Hofstaat zu einem König (Hiob 1,6; 38,7). Religionsgeschichtlich stammt diese Vorstellung aus der kanaanitischen Umwelt; in Israel waren die »Gottessöhne« nie Gegenstand eines Kultes.

Im Neuen Testament werden die Glaubenden als »Söhne« bzw. »Töchter« Gottes bezeichnet (Gal 3; Röm 8).

Gottgeweihter Gottgeweihte (hebräisch: »nasir«) heißen im Alten Testament Menschen, die sich als für Gott ausgesondert verstehen und dies durch eine bestimmte Lebensweise bezeugen. In der Regel scheint dies zeitlich begrenzt gewesen zu sein. Bestandteil des → Gelübdes war die Enthaltung von bestimmten Nahrungsmitteln, v. a. alkoholischen Getränken, und das Tragen einer bestimmten Kleidung. Zum Zeichen ihrer »Weihe« ließen die Geweihten in der Regel ihr Haupthaar nicht schneiden (4. Mose 6,1-8). Wenn jemand auf Zeit ein solches Gelübde ablegte, musste er als Abschluss ein ziemlich kostspieliges Opfer darbringen (4. Mose 6,13-20). Lediglich im Falle des → Richters Simson wird eine zeitlich unbefristete Weihe vorausgesetzt (Ri 13,5.7).

→ Paulus wurde aufgefordert, die Kosten des Opfers für vier arme geweihte Männer zu übernehmen. Das sollte zugleich seine eigene Treue zum → Gesetz unter Beweis stellen. Da er aus dem Ausland kam, galt er als »unrein« (→ rein) und durfte erst nach einer siebentägigen Reinigungszeit bei diesem Opfer im → Tempel anwesend sein (Apg 21).

Götzenbild Das Jesajabuch enthält zahlreiche Passagen, in denen bildlichen Darstellungen der fremden Götter lächerlich gemacht werden (Jes 44,6-20; vgl. den Brief Jeremias in Bar 6). Eine solche Verspottung der anderen Götter unterstreicht den Glauben an die Macht des Herrn, der in keinem Kultbild verehrt wird. Diese Sichtweise ist auch in Offb 9,20 vorausgesetzt.

Götzenopferfleisch Das Fleisch von Tieren, die heidnischen Göttern als Opfer geweiht wurden. Dazu gehört (1) alles Fleisch, das bei einer heidnischen Kultmahlzeit verzehrt wurde, aber auch (2) das auf dem Markt gekaufte Fleisch (weil übrig gebliebenes Opferfleisch auf den Markt kam und das Schlachten eines jeden Tieres als Opfer galt). Juden vermeiden den Genuss solchen Fleisches (vgl. 2. Mose 34,15); aufgrund von 1. Mose 9,4 essen sie nur Fleisch, das rituell geschlachtet (geschächtet) wurde. Paulus verbot den Christinnen und Christen die Teilnahme an heidnischen Kulthandlungen, stellte aber, sofern das Fleisch nicht ausdrücklich als Opferfleisch bezeichnet wurde, seinen Genuss außerhalb einer Kulthandlung frei (1. Kor 8,1–10,33); wurde das Fleisch jedoch als Opferfleisch deklariert, sollte man um der anderen Christen willen verzichten. Der Verfasser der Offenbarung hingegen verbietet den Genuss dieses Fleisches generell (Offb 2,14.20).

Grab, Gräber (Mt 23,27) Sie gelten in Israel als kultisch unrein (→ rein). Damit sie nicht ahnungslos betreten würden, wurden die Grabkammern durch Übertünchen mit weißer Farbe kenntlich gemacht.

Gräuelbild der Verwüstung Im Jahre 168 v. Chr. entweihte der seleukidische Herrscher Antiochus IV. Epiphanes den Jerusalemer → Tempel, indem er dort einen heidnischen Kult einrichten ließ. Das »Gräuelbild«, von dem in den Visionen Daniels in diesem Zusammenhang die Rede ist (Dan 9,27; 11,31; 12,11), war entweder ein Götterbild (→ Götzenbild) oder – wahrscheinlicher – ein kleiner Altaraufsatz, der auf den großen Brandopferaltar gestellt wurde, um die fremden Opfer durchführen zu können. Durch diesen Gegenstand wurde das ganze Heiligtum kultisch unrein (→ rein), »verwüstet«, sodass der jüdische → Opferdienst unmöglich gemacht wurde und → Priester und Gemeinde vertrieben wurden. Dadurch verödete das Tempelgebiet (1. Makk 1,54; 6,7). Den Makkabäern gelang es, den Tempelbezirk zurückzuerobern; zur Erinnerung an die Wiedereinweihung (→ Tempelweihe) feiert man im Judentum das sog. Chanukkafest.

In Mk 13,1-37 und Mt 24,1-51 wird der Ausdruck »Gräuel der Verwüstung« aus Daniel übernommen, um eine in der Endzeit erwartete Tempelschändung anderer Art zu bezeichnen. Nachdem der Jerusalemer Tempel im Jahr 70 n. Chr. zerstört wurde, kann man dabei an Vorgänge wie die in Offb 13,1-18 bildhaft angedeuteten denken.

Griechen Die Bezeichnung »Griechen« wurde seit hellenistischer Zeit nicht nur für die Bewohner des griechischen Kernlandes verwendet, sondern konnte einen sehr viel größeren Personenkreis einschließen. In der Gegenüberstellung »Juden und Griechen« (Röm 1,16) stehen die Griechen stelltvertretend für alle Nichtjuden bzw. Heiden. Die Formulierung »Griechen und Nichtgriechen (Barbaren)« in Röm 1,14 meint »alle → Völker«. Die Griechen in Joh 12,20 sind Griechisch sprechende → Proselyten.

Halle Salomos Eine Säulenhalle an der Ostseite des äußeren Vorhofs in dem von → Herodes dem Großen errichteten Neubau des Jerusalemer → Tempels. Sie war auch Nichtjuden zugänglich und wurde für die religiöse Unterweisung benutzt.

Halleluja Der hebräische Ausdruck für »Lobet den Herrn!«

Harmagedon (Offb 16,16) Name eines Berges, auf dem sich in der Endzeit die Könige der Welt gegen Gott versammeln sollen. Eine zufriedenstellende Erklärung des Namens steht noch aus (vielleicht von »Har [= Berg] Megiddo«).

Hasidäer (1. Makk 2,42; 7,13) Von hebräisch »hasidim« – die Frommen. Eine Gruppe im Judentum der hellenistischen Zeit, die aus treuen Anhängern des → Gesetzes bestand und sich gegen den Einfluss der griechischen Lebensart wandte. Sie kämpften zunächst zusammen mit den Makkabäern für die Religionsfreiheit; später aber kam es zu einer Trennung, da sie den Kampf zur Erlangung der politischen Freiheit nicht unterstützten. Man vermutet, dass aus ihnen später die → Pharisäer hervorgingen.

Haus In alttestamentlicher Zeit war die bedeutendste Bauform das sog. Vierraum-Haus, in dem die Kleinfamilie mit → Knechten und

Mägden und den Tieren lebte und wirtschaftete. Der Begriff bezeichnet darüber hinaus auch die Bewohner eines solchen Hauses (2. Mose 20,17). Außerdem kann das Wort zur Bezeichnung einer Dynastie verwendet werden (2. Sam 7,11).

Für die Erwähnung des »Hauses« im Neuen Testament ist wichtig zu wissen, dass zu einem antiken Haushalt nicht nur Eltern (meist galt der Ehemann/Familienvater als Haushaltsvorstand mit entsprechenden Privilegien), Kinder und weitere Verwandte, sondern auch → Sklavinnen und Sklaven sowie Freigelassene (also ehemalige Sklaven dieses Hauses) gehören konnten (vgl. Kol 3,18–4,1; Eph 5,21–6,9). Die ersten christlichen Gemeinden versammelten sich in Privathäusern (Kol 4,15; Phlm 2); Kirchen als eigenständige Kultgebäude gab es erst ab dem 3. Jahrhundert n. Chr.

Hausgott In der Volksreligion des frühen Israel waren Hausgötter (hebräisch »terafim«) weit verbreitet. Es handelt sich dabei um Götterfiguren, die ihrem Besitzer und dem Haus Schutz spenden sollten (1. Mose 31,19.34-35; Ri 17,5). Die biblischen Erzählungen zeigen, dass solche Figuren von unterschiedlicher Größe sein konnten (vgl. 1. Mose 31 mit 1. Sam 19,13.16). Die Propheten haben gegen diese Form der Religiosität protestiert und sie als Sünde gebrandmarkt (1. Sam 15,23). Außerbiblische Parallelen lassen vermuten, dass die »terafim« figürliche Darstellungen vergöttlichter Ahnen waren.

Hebopfer (2. Mose 29,27-28) Teil des Dank- bzw. Schlachtopfers; durch Emporheben eines Teils der Opfergabe wurde wohl symbolisch die Übereignung an Gott zum Ausdruck gebracht. Dieser Teil des → Opfers wurde dann aber nicht verbrannt, sondern stand dem → Priester zu.

Hebräer Die ursprüngliche Bedeutung ist unsicher; es wird erwogen, ob ein Zusammenhang mit den »hapiru« besteht, die – nach ägyptischen und → assyrischen Quellen des 2. Jahrtausends v. Chr. – als halb sesshafte, sozial niedrig stehende Gruppen zu Fronarbeit eingesetzt waren. Im Alten Testament begegnet das Wort »Hebräer« zunächst als Bezeichnung für unfreie Israeliten (in Ägypten: 2. Mose 1,6–2,13; als Sklaven: 2. Mose 21,2; Jer 34,8-9). In nachexilischer Zeit wird das Wort zum Ehrennamen und zur jüdischen Selbstbezeichnung (Jona 1,9; vgl. 2. Kor 11,22; Phil 3,5). Sprache und Schrift werden jetzt auch »hebräisch« genannt (Apg 21,40). In Apg 6,1 bezeichnet das Wort die Aramäisch redenden Juden im Unterschied zu den Griechisch redenden.

Heer des Himmels (1) Die Engel um Gottes Thron (1. Kön 22,19; 2. Chr 18,18; Lk 2,13).

(2) Die Gestirne (Jes 34,4; 40,26), häufig als Götter verehrt (5. Mose 4,19; Zef 1,5).

Heiden → Völker.

Heiland → Retter.

Heilig Heilig ist im Alten Testament alles, was Gott und dem göttlichen Bereich zugehört. Aus priesterlicher Sicht ist dies v. a. der → Tempel und dort wiederum die heiligen Geräte, die Altäre, die → Bundeslade und das Allerheiligste. Nur wer selbst »geheiligt« (geweiht) ist, kann sich dieser Sphäre nähern, ohne Schaden zu nehmen (2. Mose 30,29). Es gehört zum Dienst der → Priester, die Sphäre des heiligen Gottes zu schützen. Sie sollen das Volk lehren, zwischen »heilig« und »unheilig« (profan) zu unterscheiden (3. Mose 10,10-11). Zugleich sind sie aber auch Mittler zwischen dem göttlichen und dem menschlichen Bereich: Mithilfe der Priester können die Menschen Gott heilige Gaben darbringen, sodass vom heiligen Gott her wiederum Heil ins Leben der Menschen einströmen kann. Was von den Menschen als Voraussetzung erwartet wird, ist, dass sie im kultischem Sinn → »rein« sind. Ein wichtiger Schritt wird mit der Erkenntnis vollzogen, dass die äußerliche Reinheit nicht genügt, sondern dass Gottes Heiligkeit vom Menschen, der ihr begegnen will, die Reinheit des Herzens und das Tun des Rechten verlangt (vgl. Ps 15,1-5). Der Heiligkeit Gottes soll somit die Heiligkeit seines Volkes entsprechen: »Ihr sollt heilig sein, denn ich bin heilig, der HERR, euer Gott« (3. Mose 19,2). Menschen, die nach diesem Grundsatz leben, werden im Alten Testament »hasidim« genannt, was so viel bedeutet wie »Treue«, »Aufrechte« oder »Fromme« und in der Übersetzung auch mit »Heilige« wiedergegeben wird (z. B. in Ps 30,5); → Hasidäer.

Im Neuen Testament setzt sich die alttestamentlich und frühjüdisch gegebene Tendenz fort, Heiligkeit als Entsprechung zu Gott, seinem Tun und Wesen zu verstehen. In der ersten Bitte des Vaterunser betet man darum, dass Gott seinem Namen die ihm zukommende Heiligkeit verschaffen und in der Welt die Orientierung an seinem Willen wirksam machen möge. Jesus von Nazareth vergegenwärtigt Gottes Heiligkeit in seiner

Person und seinem Wirken. Der → Geist, als Gabe und als Norm verstanden, bewirkt die Heiligung der Gemeinde wie des Einzelnen als Entsprechung zu Gottes Willen. Die Bezeichnung der Gemeindeglieder als »Geheiligte« (1. Kor 1,2) verweist auf Gott als Urheber ihrer Heiligkeit, die Bezeichnung »berufene Heilige« (1. Kor 1,2; Röm 1,7) hält das Ausgesondertsein für Gott fest, das auch entsprechende ethische Verpflichtungen nach sich zieht. Mit den Motiven »Gemeinde als Tempel« (1. Kor 3,16-17) und »Leib als Tempel des Heiligen Geistes« (1. Kor 6,19) greift Paulus biblische Ideen kultischer Heiligkeit und Reinheit auf, knüpft aber zugleich an die antike Grundunterscheidung zwischen »heilig« und »profan« an.

Henoch Alttestamentlicher Frommer aus vorsintflutlicher Zeit, der aufgrund seiner Entrückung (1. Mose 5,24) im antiken Judentum als Empfänger göttlicher Offenbarungen galt. Der Judasbrief zitiert in Vers 14 aus einer solchen Offenbarungsschrift aus dem 2. Jahrhundert v. Chr.

Herodes (1) Herodes I. (der Große) war 37–4 v. Chr. römischer Vasallenkönig in Israel. Er verwirklichte ein gewaltiges Bauprogramm (u. a. Ausbau des → Tempels in Jerusalem; Festungen Masada und Machärus; Bauten u. a. in → Samaria = Sebaste, Tripolis, Damaskus). In seine Regierungszeit fällt die Geburt Jesu (Mt 2,1; Lk 1,5).

(2) Herodes Antipas, Sohn von Herodes I., herrschte über Galiläa und Peräa 4 v. Chr. bis 39 n. Chr. Er ließ → Johannes den Täufer hinrichten (Mk 6,14-29) und trachtete wohl auch Jesus nach dem Leben (Lk 13,31). Ihm wie den Herodianern, seinen Anhängern (Mk 3,6; 12,13), erschien Jesu Bewegung wohl als Gefahr für ihre Beziehung mit Rom, von der sie profitierten.

(3) Herodes Archelaus, Sohn Herodes' I., herrschte 4 v. Chr. bis 6 n. Chr. über Judäa, Samarien und Idumäa (Mt 2,22). Auf Betreiben jüdischer Gesandtschaften wurde er von Augustus abgesetzt; sein Gebiet wurde einem römischen → Statthalter (Präfekt, später Prokurator) unterstellt.

(4) Agrippa I., Enkel Herodes' I., wurde volkstümlich »Herodes« genannt, da er für kurze Zeit (41–44 n. Chr.) nochmals das Reich seines Großvaters unter seiner Herrschaft vereinigte. Er ließ Jakobus, den Bruder des Johannes, hinrichten, starb aber kurz danach (Apg 12,1-23).

(5) Agrippa II., Sohn Agrippas I., Bruder der Berenike und der Drusilla, hatte eine kleine Herrschaft nördlich des Landes Israel (50–94 n. Chr.). Als dem römischen Vertrauensmann für Angelegenheiten des Jerusalemer Tempels und Schwager des Statthalters → Felix lässt → Festus ihm den Gefangenen → Paulus vorführen (Apg 25,13–26,32).

Herodias Frau des → Herodes Antipas. Aus politischem Ehrgeiz hatte sie sich von dessen Halbbruder (in Mk 6,17 irrtümlich Philippus genannt) getrennt und Antipas zur Verstoßung seiner ersten Frau veranlasst.

Herr Mit dem Begriff »Herr« wird in der Lutherbibel der hebräische Gottesname wiedergegeben, der mit großer Wahrscheinlichkeit »Jahwe« gelautet hat. Durch die biblischen Handschriften gesichert sind aber lediglich die Konsonanten »JHWH« (das auslautende »H« ist stumm). Da im Mittelalter, als die jüdischen Gelehrten den hebräischen Text mit Vokalen versahen, der Gottesname aus Scheu vor dessen Heiligkeit schon seit Jahrhunderten nicht mehr ausgesprochen wurde, haben diese statt der ursprünglichen Vokale die Vokale des hebräischen Wortes für »Herr« eingesetzt, das beim Vorlesen an dieser Stelle gesprochen werden sollte (»adonaj«; das anlautende »a« in der Schreibung verkürzt zu »e«). Durch ein Missverständnis ist später daraus das Kunstwort »JeHoVaH« geworden. Die ursprüngliche Form des Gottesnamens lässt sich aus der Kurzform »Jah«, die z. B. in »Hallelu-jah« (»Preist Jahwe«) enthalten ist, sowie aus alten griechischen Texten erschließen. »Jahwe« ist ein Eigenname, der den Gott Israels von anderen Göttern unterscheidet. Erst im Lauf der Zeit setzt sich die Erkenntnis durch, dass er der einzige Gott ist und alle anderen Götter »tote Götzen« sind (Ps 96,5; vgl. 1. Kor 8,4-6). Die ursprüngliche Bedeutung des Namens »Jahwe« ist umstritten. Die biblische Überlieferung gibt eine Deutung aus dem Zeitwort »sein«, die das Wesen des Gottes Israels als Mit-Sein mit seinem Volk zum Ausdruck bringt (2. Mose 3,13-15). → Name (des Herrn).

Herrlichkeit (des Herrn) Im Alten Testament meint der Begriff »Herrlichkeit« das, was einer Person Gewicht und Autorität verleiht. Die Rede von der »Herrlichkeit des Herrn« meint dazu noch die sichtbare Erscheinung der göttlichen Majestät, die als strahlender Lichtglanz vorgestellt wird. Zwar ist der Anblick dieser

Lichterscheinung nach 2. Mose 33,18-23 tödlich; in prophetischen Visionen kann sie aber geschaut werden (Jes 6,1-13; Hes 1,1–3,27).

Im Neuen Testament wirkt u.a. in Lk 2,9 die Vorstellung des Lichtglanzes nach. Der Begriff »Herrlichkeit« bezeichnet auch hier die Erhabenheit und Majestät Gottes (Apg 7,2), insbesondere aber die Erhabenheit und Majestät Jesu Christi, sowohl im Himmel vor seiner Geburt (Joh 17,5) und nach seiner Auferweckung (Lk 24,26) als auch in seinem irdischen Leben (Joh 1,14; 2,11): Christus repräsentiert die Herrlichkeit Gottes (2. Kor 4,6). Nicht zuletzt ist »Herrlichkeit« auch ein Inbegriff dessen, worauf die Glaubenden hoffen (1. Kor 2,7).

Hetiter Von seinem Stammland im Inneren Kleinasiens aus gründete das indogermanische Volk der Hetiter um 1800 v. Chr. ein bedeutendes Reich, das sich zeitweilig bis nach Damaskus und → Babylon erstreckte. Dieses Reich zerbrach um 1200 v. Chr., als die sog. Seevölker die gesamte Ordnung im Vorderen Orient destabilisierten. Aus den Resten des Großreiches bildeten sich dann in Nordsyrien neue Königreiche, deren Bewohner ebenfalls Hetiter genannt werden können. Diese Entwicklung bildet wohl den Hintergrund für den alttestamentlichen Sprachgebrauch, wonach »Hetiter« eine Bezeichnung für einen Teil der Urbevölkerung → Kanaans darstellt (1. Mose 15,20; 23,10; 26,34 u.ö.). Der Begriff »Hetiterland« kann nach → assyrischem Sprachgebrauch auch eine Bezeichnung für → Syrien, besonders Nordsyrien, darstellen (Jos 1,4; Ri 1,26).

Himmel Der Begriff ist im Alten Testament eine Raumbezeichnung für den gesamten Bereich oberhalb von Erde und → Meer. Die Vorstellung, dass Gott im Himmel wohnt, hat v.a. in der Zeit des Exils immer größere Bedeutung gewonnen. Im Laufe der Zeit entwickelte sich auch die Vorstellung, dass der Himmel aus verschiedenen Stockwerken besteht, wobei es im antiken Judentum unterschiedliche Vorstellungen darüber gab, wie viele »Stockwerke« der Himmel haben soll und wo das → Paradies gelegen ist (vgl. 2. Kor 12,2.4). Im Epheserbrief (Eph 3,10; 6,12) gilt der Himmel als von → dämonischen, gottfeindlichen Mächten beherrscht. Die für den Verfasser wohl real gedachte Vorstellung enthält die Metaphorik, dass diese gefährlichen Mächte die Menschen von Gott trennen wollen. Nach Offb 21 und Hebr 12 muss auch der Himmel erneuert werden.

Himmelskönigin Gottheit, die in Palästina und Ägypten in der späten Königszeit v.a. von Frauen durch die Darbringung von Rauch- und Trankopfern (Jer 44,18) und dem Backen von Kuchen (Jer 7,18; 44,19) verehrt wurde. Wahrscheinlich ist die Himmelskönigin mit der Göttin → Astarte oder → Aschera zu identifizieren. Die Propheten, besonders Jeremia, kritisieren diesen Kult, da er dem Anspruch Gottes auf alleinige Verehrung entgegensteht. Siegeldarstellungen zeigen, dass Mondsichel und Venusstern die Symbole der Himmelskönigin waren.

Hinnom, Tal Tal westlich und südlich von → Jerusalem (»Ben-Hinnom« oder »Ge-Ben-Hinnom« genannt), das in das Kidrontal mündet. Bis zur Reform des Königs → Josia (640–609 v. Chr.) soll dort eine Opferstätte des → Moloch gewesen sein, an der Kinderopfer dargebracht wurden. Nach der Zerstörung und Entweihung durch Josia wurde das Tal als Ausländerfriedhof und Schuttabladeplatz benutzt. In der Form »Gehinnom« oder »Gehenna« ist der Name des Tals zum Inbegriff der → Hölle geworden.

Hiob Ökumenische Namensform: »Ijob«. Figur des gleichnamigen Buches, die trotz tadelloser und frommer Lebensführung vom Leid heimgesucht wird. Die Erzählung kennt sowohl einen Hiob, der gegen Gott rebelliert, sein Geschick nicht annehmen will und seine Hoffnung nur noch in einem das irdische Leben überschreitenden Gottesverhältnis sieht (Hiob 19,25), als auch einen Hiob, der bereit ist, das ihm Widerfahrene geduldsam zu tragen (Hiob 1,21). In Jak 5,11 gilt Hiob als Beispiel geduldigen Leidens, auf das am Ende eine große Belohnung folgt.

Hoher Rat → Rat.

Hoherpriester Wenn es auch schon vor dem babylonischen Exil in Jerusalem und auch an anderen Heiligtümern oberste → Priester gab (1. Sam 1,9; 14,3; 2. Sam 15,24-29 u.ö.), so hat das Amt eines Hohenpriesters erst ab der Exilszeit seine überragende Bedeutung bekommen. Als Urtypus des Hohenpriestertums gelten → Aaron, der Bruder des → Mose (2. Mose 28–29; 30,10; 3. Mose 6,15 u.ö.), und Zadok, der zur Zeit → Davids und → Salomos oberster Priester in Jerusalem war (vgl. 1. Kön 2,26-27.35). In persischer und frühhellenistischer Zeit wurde der Hohepriester auch das politische Haupt in der Provinz Jehud. Zu einem Traditionsbruch kam es in der Makkabäerzeit, als Mitglieder dieser Familie die Hohepriesterwürde erlangten, obwohl sie nicht aus dem Geschlecht Zadoks stammten. Für fromme Kreise war dies untragbar und so kam es zu schwerwiegenden Auseinandersetzungen (vgl. hierzu die Makkabäerbücher).

→ Herodes der Große und dann auch die Römer nahmen dem hohepriesterlichen Amt die Lebenslänglichkeit und die Erblichkeit. Das Neue Testament spricht von Hohenpriestern in der Mehrzahl, vermutlich deshalb, weil auch die abgesetzten Hohenpriester sowie die Glieder der hohepriesterlichen Familien so genannt wurden. Zur Zeit Jesu war der amtierende Hohepriester der Vorsitzende des Hohen → Rates. Im Hebräerbrief wird Jesus bildlich als Hoherpriester bezeichnet, der durch sein gehorsames einmaliges Selbstopfer die Grundlagen für ein positives Gottesverhältnis gesetzt hat (Hebr 7,15-28).

Hölle Das Alte Testament kennt zwar ähnlich wie ursprünglich die griechische Mythologie ein unterirdisches Reich als Aufenthaltsort der Toten (→ Totenreich), in dem diese eine schattenartige Existenz führen, es ist aber noch kein Ort der Strafe. Dies ändert sich erst in spätalttestamentlicher Zeit unter dem Einfluss der Apokalyptik und des Auferstehungsglaubens. Dann gilt im Judentum wie im Neuen Testament die Hölle (gleichbedeutend: »der feurige Pfuhl« in Offb 19,20) als vorläufiger oder ewiger Strafort für die gefallenen → Engel (vgl. 1. Mose 6,1-4), → Dämonen (Lk 8,31) und die Menschen, die nach dem Jüngsten Gericht verdammt werden (Mt 25,41; Mk 9,43; Lk 12,5). Die oft grellen Bilder wollen den Menschen zu einer verantwortlichen Lebensführung ermahnen.

Horeb Anderer Name für den → Sinai, den Berg der Gottesoffenbarung.

Horn Das Horn eines Tieres ist Sinnbild der Kraft und Macht (1. Kön 22,11), auch in politischer Hinsicht (Jer 48,25; Sach 2,1). Wenn von Gott erbeten wird, dass er das Horn seines Volkes erhebt, so meint dies eine Bitte um militärischen Sieg und politische Herrschaft (Jer 48,25). Die Hörner an den vier Ecken des Brandopferaltars sind Symbol der göttlichen Macht und Gegenwart und können so als Zufluchtsstätte dienen (1. Kön 1,50). Der Ausdruck »Horn des Heils« in Lk 1,69 spricht bildhaft vom machtvollen Eingreifen des davidischen Messias (vgl. 2. Sam 22,3; Ps 132,17).

Hosianna (Mt 21,9; Mk 11,9-10) Ein Gebetsruf (→ Gebet) aus dem messianischen Psalm Ps 118,25: »Hilf!«, »Rette doch!«. »Hosianna in der Höhe« (Mt 21,9) ist Bestandteil des »Heilig, heilig, heilig« in der römisch-katholischen wie der lutherischen Abendmahlsliturgie.

Hure, Hurer, Hurerei Die alttestamentliche Überlieferung kennt verschiedene Frauengestalten, die als Huren bezeichnet werden, so → Rahab, die die Kundschafter in Jericho versteckte (Jos 2,1), die Mutter des Richters Jeftah (Ri 11,1) und eine Frau, bei der Simson einkehrte (Ri 16,1). Außerdem verkleidete sich Tamar als Hure, um ihren Schwiegervater Juda zu überlisten und ihn zum Beischlaf zu verführen (1. Mose 38). Diese Frauen werden in keiner Weise verächtlich dargestellt. Als Hurerei kann auch allgemein jeder außereheliche Sexualverkehr bezeichnet werden; für ein Mädchen, das vor seiner → Ehe geschlechtlichen Umgang hatte, wird die → Steinigung angeordnet (5. Mose 22,21). In der Prophetie wird der Begriff der Hurerei als Bild für den Abfall vom Herrn benutzt (Hos 2,4-15; Jer 3,6-10; Hes 16,23-24). → Tempelhurer.

Im Neuen Testament gelten Ausübung und Inanspruchnahme von Prostitution (das meint wohl der Begriff »Hurer« in Offb 21,8) als unvereinbar mit christlicher Ethik (1. Kor 6,12-20; Offb 21,8), ebenso Pädophilie und – entsprechend dem damaligen medizinisch-psychologischen Kenntnisstand – Homosexualität (Röm 1,26-27 unter Einfluss von 3. Mose 18,22).

Hüter (an der Schwelle) (2. Kön 25,18) Drei hochgestellte → Priester, die unmittelbar auf die beiden höchsten Priester folgten. Vermutlich mussten sie am Tempeleingang (→ Tempel) die kultische → Reinheit der Besucher prüfen, bevor diese in das Heiligtum gehen durften; außerdem hatten sie die Abgabe der Tempelsteuer (→ Tempelgroschen) zu überwachen.

Isaak Isaak ist das lang ersehnte Kind der beiden Erzeltern → Abraham und → Sara (1. Mose 21,1-3) und der Vater → Jakobs (1. Mose 25,19-28). Der Name bedeutet wohl »er (d.h. Gott) möge (über dem Kinde wohlgefällig) lachen«, wird aber in 1. Mose 17,17; 18,12 und 21,6 vom Lachen Abrahams, Saras oder der Leute, die von der Geburt dieses späten Kindes hören, abgeleitet.

Isai Vater des Königs → David (1. Sam 16).

Isch-Boschet Sohn → Sauls und vorübergehend israelitischer König (2. Sam 2,8-10). Sein wohl ursprünglicher Name »Eschbaal« (»Gefolgsmann Baals«; 1. Chr 8,33) wurde im Zuge seiner Ächtung in »Isch-Boschet« – »Mann der Schande« geändert.

Isebel Frau Ahabs, tyrische Prinzessin, die den Baalsdienst in Israel stark unterstützt hat (→ Baal). Bei der Revolution → Jehus (2. Kön 9,30-37) kam sie ums Leben. Sie gilt als die wichtigste Gegenspielerin des Propheten → Elia.

Ismael Sohn → Abrahams und der ägyptischen Magd Hagar. Der Name bedeutet: »Gott (er)hört« (1. Mose 16). Nach 1. Mose 17,20 liegt auch auf Ismael der Segen Gottes. Da die Namen seiner Söhne in 1. Mose 25,12-18 alle auf die nordwestarabische Wüste hindeuten, gilt er als der Vater der → Araber. In der Josefsgeschichte erscheinen die Ismaeliter als Händler (1. Mose 37,25-28).

Israel Beiname des israelitischen Stammvaters → Jakob, den er nach dem nächtlichen Kampf mit Gott am Jabbok erhielt; Gott erschien ihm dort in Gestalt eines Mannes, dem Jakob einen → Segen abtrotzen kann (1. Mose 32,27-29; 35,10). Ursprünglich bedeutete der Name wohl »Gott kämpft (für sein Volk)«. Als Volksname bezeichnet er einerseits das gesamte Zwölf-Stämme-Volk, andererseits das Nordreich »Israel«, das nach seinem Hauptstamm auch → Ephraim genannt wird.

Jachin und Boas (1. Kön 7,21) Säulen oder Pfeiler am Eingang des → Tempels in Jerusalem. Die Namen sind vielleicht der Anfang von Verheißungen für das Königshaus: hebräisch »Jachin« – »(der Herr) wird fest machen« und »Boas« – »durch ihn (den Herrn) stark«, sie könnten aber auch auf Gottes Segenswirken hinweisen, das durch den Tempelkult in die Welt strömt.

Jafo Grenzstadt des Stammes → Dan (Jos 19,46) und Ausgangsort der Reise Jonas nach → Ninive (Jona 1,3). Im Neuen Testament heißt die Stadt Joppe (Apg 9,36), heute Jaffa.

Jahr → Monat.

Jakob Enkel → Abrahams und der eigentliche »Stammvater« des Volkes → Israel. Er ist der Bruder → Esaus und hat diesen um das Erstgeburtsrecht (→ Erstgeburt) und den väterlichen Segen betrogen, sodass er fliehen musste. Bei seiner Rückkehr erkämpft er sich den göttlichen → Segen und erhielt den Beinamen »Israel« (1. Mose 32,23-33).

Jebusiter Name der vorisraelitischen Bewohner der Stadt → Jerusalem, die von König → David eingenommen wurde (2. Sam 5,6-9).

Jehu (841–818 v. Chr.) Offizier des Königs Joram von Israel (851–841 v. Chr.). Nachdem er von einem Jünger des Propheten Elisa zum König gesalbt worden war, zettelte er eine Revolution an, bei der die Dynastie Omris ausgelöscht wurde (2. Kön 9,1–10,36). Ihm gelang es, selbst eine Dynastie zu gründen, die Israel fast hundert Jahre lang beherrschte (841–747 v. Chr.).

Jerusalem Der Name leitet sich wahrscheinlich von »Stadt des Schalim« ab, einer Gottheit der Abenddämmerung, die auch von Texten aus Ugarit bekannt ist. Der Name kann aber auch als »Stadt des Friedens« (hebräisch: »schalom«) erklärt werden. Der Ort ist seit dem 4. Jahrtausend v. Chr. besiedelt. Als die Israeliten sesshaft wurden, war er von den kanaanäischen → Jebusitern bewohnt. Er konnte erst von → David erobert werden, der ihn zur Hauptstadt seines Herrschaftsgebietes (→ Stadt Davids) machte (2. Sam 5,6-9). Der Ort lag zwischen dem Süd- und dem Nordreich und hatte damit eine ideale Lage für die Herrschaft Davids.

Jeschurun (5. Mose 32,15; 33,5.26; Jes 44,2) Dichterischer Name für → Israel, »der Wackere«, »der Redliche«. Er begegnet v. a. in poetischen Texten der Exilszeit.

Jesreel Große Ebene, die zwischen dem galiläischen Bergland und dem Tabor im Nordosten und dem samaritanischen Gebirge im Südwesten liegt. Sie wurde erst zu Beginn der Königszeit dem Gebiet Israels zugefügt. Sie war die Kornkammer Israels, aber auch ein wichtiges Schlachtfeld (Ri 6,33; vgl. Ri 4,7 »Bach Kischon« und 2. Kön 23,29 »Megiddo«). Der gleichnamige Ort liegt am Ostrand der Ebene. Er war vom Königshaus der Omriden (König Omri 882–871 v. Chr.) zur zweiten Residenz neben → Samaria ausgebaut worden.

Jesus Der Name »Jesus« (hebräisch: »Jeschua« oder »Jehoschua«; griechisch: »Josua«) bedeutet »Gott rettet« (→ Retter; → Erlöser). Darauf wird in Mt 1,21 angespielt.

Joch Das Querholz, das den paarweise vorgespannten Zugtieren über den Nacken gelegt und mit Stricken am Hals befestigt wurde. In der Mitte war es mit der Wagendeichsel oder dem Pflug verbunden. »Unter dem Joch sein« wird von daher zum Sinnbild für → Sklaverei, Unterdrückung und Fremdherrschaft (1. Mose 27,40; 3. Mose 26,13; 1. Kön 12,1-11;

Jer 27,1-11). Die Befreiung wird dann als Zerbrechen des Joches beschrieben (3. Mose 26,13). Das Bild konnte aber auch positiv aufgenommen werden, wenn sich Menschen der Herrschaft der Tora (→ Gesetz) unterordnen.

Im Neuen Testament wird das Bild ebenfalls sowohl negativ als auch positiv gebraucht. Paulus verwendet es negativ in Gal 5,1 von der Knechtschaft unter dem Gesetz (Psalm 119 stand ihm damals wohl nicht vor Augen; anders urteilt er in Röm 7,12). Apg 15,10 entspricht ebenfalls nicht jüdischem Selbstverständnis (dazu vgl. 5. Mose 30,11-16; Sir 15,11-20). In Mt 11,29-30 wird positiv auf das Bild Bezug genommen.

Johannes der Täufer → Prophet, der die Umkehr (→ Buße) des Menschen und die von ihm gespendete → Taufe als einzige Möglichkeit sah, dem kommenden Gericht zu entrinnen (Mt 3,1-12). Im Neuen Testament wird sein Auftreten als das Wiederkommen Elias gedeutet (Mal 3,23; Mt 17,10-13); er ist Vorläufer und Wegbereiter Jesu (Mt 3,3). Jesus hat sich von Johannes taufen lassen (Mt 3,13-17), war dann aber unabhängig von ihm aktiv. Umgekehrt existierte nach Apg 19,1-7 die Bewegung der Johannesschüler wohl unabhängig von der Jesusbewegung fort. Im Johannesevangelium erscheint Johannes als Zeuge der göttlichen Herkunft Jesu (Joh 1,6-8.15), seiner Heil bringenden Funktion (Joh 1,29) und seiner Gottessohnschaft (Joh 1,32-34). Die Verkündigung des Täufers und v.a. die Kritik an → Herodes Antipas führten schließlich zu seiner Hinrichtung (Mk 6,14-29). Von seinem Wirken und Tod berichtet auch der jüdische Geschichtsschreiber Flavius Josephus (37–100 n. Chr.).

Jona, Zeichen des Im alttestamentlichen Jonabuch wird erzählt, dass der flüchtige Prophet drei Tage im Bauch eines Fisches verbrachte, bis dieser ihn an Land spie (Jona 2). Das »Zeichen des Jona« ist in Lk 11,30 seine Bußpredigt (wie die Einwohner von Ninive nach Jonas Predigt → Buße taten, sollten es auch die Zuhörer Jesu tun), in Mt 12,38-40 sein Geschick. Wie Jona aus dem Fischbauch als Verkünder des Gerichts nach → Ninive kam, so wird Jesus als Auferstandener wiederkommen zum Gericht über die, die ihm nicht geglaubt haben. Diese Parallelität zwischen Jona und Jesus findet man später auch in der Kunstgeschichte.

Josia (640–609 v. Chr.) Einer der bedeutendsten Könige aus dem Hause → Davids. Nach 2. Kön 22–23 schaffte er die Höhenheiligtümer ab und führte eine Zentralisation des Opferkultes (→ Opfer) durch, die es fortan nur noch erlaubte, dass man am Jerusalemer → Tempel Opfer darbrachte.

Juda (1) Sohn → Jakobs und → Leas (1. Mose 29,35); Stammvater des gleichnamigen Stammes, der sich im Süden des Landes ansiedelte.

(2) Territorium des Stammes Juda. Nur kurze Zeit unter → David und → Salomo gehörte Juda zusammen mit dem Territorium der Nordstämme zum Reich Israel. Als dieses nach dem Tode Salomos auseinanderfiel (922 v. Chr.), bildete Juda gemeinsam mit dem Stammesgebiet von → Benjamin bis zur Eroberung durch Nebukadnezar (586 v. Chr.) das Südreich mit der Hauptstadt → Jerusalem und der Dynastie der Davididen. Nach der Rückkehr aus dem babylonischen Exil war Juda eine Provinz des → persischen Reiches.

Judäa Griechische Form von → »Juda«, Gebiet des ehemaligen Südreichs mit der Hauptstadt → Jerusalem. Ab der hellenistischen Zeit Bezeichnung für die geografische Region und politische Provinz. Im 1. Jahrhundert n. Chr. kann »Judäa« (1) im engeren Sinn das Gebiet um Jerusalem bezeichnen, (2) im politischen Sinn für eine römische Verwaltungseinheit stehen, die Judäa und auch darüber hinausreichende Gebiete in Palästina umfasst, und (3) das »jüdische Land«, d. h. die jüdisch bewohnten Gebiete in ganz Palästina, umschreiben.

Judas (1) Judas Makkabäus, ab 166 v. Chr. der Anführer des Freiheitskampfes Israels. Es gelang ihm, den von den Seleukiden entweihten Jerusalemer → Tempel zurückzuerobern (1. und 2. Makk).

(2) Einer aus dem → Jüngerkreis Jesu, der durch seinen Verrat die heimliche Gefangennahme Jesu ermöglichte (Iskariot; Mt 26,14).

(3) Ein anderer Jünger Jesu (Lk 6,16; Joh 14,22; Apg 1,13).

(4) Ein Bruder Jesu (Mt 13,55; wohl auch in Jud 1 gemeint).

(5) Der Galiläer, der zur Zeit der in Lk 2,1 erwähnten Volkszählung (→ Schätzung) eine Widerstandsbewegung gegen die römische Fremdherrschaft leitete (Apg 5,37).

Jünger Wie die → Schriftgelehrten und → Johannes der Täufer hatte auch Jesus »Schüler«. Sie sollten »bei ihm sein«, (die Gottesherrschaft) verkündigen und → Dämonen austreiben

(Mk 3,14-15). Diese Existenz als Wanderprediger verlangte Preisgabe aller Sicherheit und Verzicht auf jeden Luxus (Lk 9,57-62; 10,4; 14,25-27). Im weiteren Sinne sind im Neuen Testament alle Christen Jünger bzw. Jüngerinnen (Mt 10,42; Apostelgeschichte). Der Name »Christen« meint »Anhänger des Christus« und hatte ursprünglich einen eher abwertenden Klang (Apg 11,26).

Jungfrau In dem Ideal sexueller Enthaltsamkeit kommen die Hochschätzung des Geistigen gegenüber dem Leiblichen, das Empfinden des sexuellen Aktes als Verunreinigung und die ausschließliche Orientierung an dem Willen des Herrn zusammen. Auch im Judentum zur Zeit Jesu war das Ideal bekannt, das dem Leben der → Engel sehr nahe kam (vgl. Mt 22,30). 1. Mose 1,28 (»Seid fruchtbar und mehret euch«) galt im damaligen Judentum noch nicht als Pflichtgebot. → Johannes der Täufer, Jesus und → Paulus lebten ehelos. Dieses Ideal verbreitete sich auch in den christlichen Gemeinden (vgl. den im Einzelnen umstrittenen Text 1. Kor 7,1.25-38; Apg 21,9; Offb 14,4). Paulus betrachtete Enthaltsamkeit als Gabe des Heiligen → Geistes (1. Kor 7,7), die aber darum, weil sie Gabe des Heiligen Geistes ist, nicht für jedermann verpflichtend gefordert werden kann.

Die Geburt aus einer Jungfrau, in der Antike von Herakles, Asklepios und Alexander dem Großen behauptet, ist die Zuschreibung göttlicher Herkunft. Die Evangelisten Matthäus und Lukas bieten jeweils einen Stammbaum Jesu (allerdings mit großen Differenzen). Darin wird die Herkunft Jesu von → David festgehalten, entsprechend der jüdischen Tradition, dass der → Messias aus der Nachkommenschaft Davids stammen wird. Im Neuen Testament bleibt in der Schwebe, wie sich Jesu Herkunft von Gott und seine irdische Abstammung von David zueinander verhalten. Die Aussage von der jungfräulichen Empfängnis Jesu (Mt 1,23; Lk 1,27) will nicht als biologisches Wunder, sondern als theologische Aussage über seine göttliche Herkunft verstanden werden.

Kain (1. Mose 4,1-16) Erster Sohn → Adams und → Evas; erschlug seinen Bruder → Abel. Trotz seines Vergehens steht er unter dem Schutz Gottes.

Kalb (Stierbild) Jerobeam stellte zwei goldene Stierbilder in → Bethel und → Dan auf, um nach dem Auseinanderbrechen des salomonischen Königreiches ein nationales Heiligtum als Gegengewicht gegen die Anziehungskraft des Jerusalemer → Tempels zu haben (1. Kön 12,28-29). »Kälber« werden die Stierbilder bewusst abwertend genannt (Hos 8,5-6).

Die spätere Geschichtsschreibung sah in diesen Bildern einen Grund für die Verwerfung Israels und für den Untergang des Nordreichs unter den → Assyrern (2. Kön 17,16). Religionsgeschichtlich gesehen waren solche Figuren wohl keine Götterbilder, sondern vielmehr Träger des unsichtbar auf ihnen thronenden Gottes. Wie die Erzählungen aber zeigen, lag die Verwechslung zwischen Bild und Gott nahe (2. Mose 32,1-29).

Kalmus (2. Mose 30,23; Hld 4,14; Hes 27,19) Wohlriechendes Rohr oder Gras aus dem Jemen oder aus Vorderindien, das zur Herstellung des heiligen Salböls (→ Salben) benutzt wurde.

Kalne (Jes 10,9; Am 6,2) Hauptstadt eines nordsyrischen Staates, 738 v. Chr. von den → Assyrern unterworfen.

Kämmerer → verschneiden, Verschnittener.

Kanaan Ursprünglich das »Land des Purpurs«, d. h. Phönizien; nach der Sesshaftwerdung Siedlungsgebiet der israelitischen Stämme. In der biblischen Darstellung wird Kanaan deutlich von Israel abgegrenzt.

Karkemisch (Jes 10,9) Am Euphrat gelegen, Hauptstadt eines → hetitischen Staates; wurde 712 v. Chr. von den → Assyrern erobert; 605 v. Chr. schlug dort Nebukadnezar den → Pharao Necho von Ägypten (Jer 46,2; 2. Chr 35,20).

Karmel (Jos 19,26) Hebräisch für »Weinberg Gottes«. Name eines Gebirgszugs im Norden Israels, begrenzt die Bucht von Akko und die Ebene → Jesreel im Süden. Auf dem Karmel fand der Wettstreit zwischen dem Propheten → Elia und den Baalspriestern (→ Baal) statt, der die Macht und Einzigkeit des Herrn deutlich zeigt (1. Kön 18).

Kedar (Ps 120,5; Jes 21,16-17; 42,11; 60,7; Jer 2,10; Hes 27,21) Nomadisierende Händler in der arabischen Wüste, als Kämpfer gefürchtet.

Kelter(treter) Die Weintrauben wurden im alten Israel durch Stampfen mit den bloßen Füßen ausgepresst. Dieses Zerstampfen der Trauben diente auch als Sinnbild für Aggression und Gewalt. Von daher erklärt sich das Bild vom »Keltertreter« in Jes 63,1-6 als Bild für das Gericht Gottes.

Kemosch Hauptgott der → Moabiter, eines Nachbarvolks Israels im Ostjordanland. Bis zur Zeit → Josias gab es östlich von → Jerusalem einen Altar dieses Gottes (2. Kön 23,13; vgl. 1. Kön 11,7). Der moabitische König Mescha erwähnt den Gott in einer Inschrift, in der er beschreibt, wie viele israelitische Ortschaften er für ihn mit dem → Bann belegt hat.

Keniter Mit den Israeliten verwandter Stamm, der halbnomadisch im Bereich des judäischen Stammesgebietes umherzog. Er wurde eine Zeit lang sogar zu Juda gerechnet (1. Sam 15,6; 27,10; 30,29). Die Keniter waren wahrscheinlich auch Verehrer des Herrn (4. Mose 10,29; Ri 1,16).

Kephas → Petrus.

Kilikien Landschaft im Südosten Kleinasiens, während der römischen Herrschaft eine eigene Provinz mit der Hauptstadt Tarsus, dem Geburtsort des → Paulus (Apg 22,3).

Kind → Haus.

Kinneret → Genezareth.

Kislew → Monat, Jahr.

Kittäer, Kittim So hießen (benannt nach der phönizischen Gründung Kition auf Zypern) zunächst die Insel Zypern (Jes 23,1.12) und ihre Bewohner (1. Mose 10,4; 1. Chr 1,7; Hes 27,6). Später nannte man so die Inselwelt des Ägäischen Meers (Jer 2,10), Makedonien (1. Makk 1,1; 8,5) und schließlich das römische Weltreich (Dan 11,30).

Klippdachs Der »Klippdachs« oder »Klippschliefer« ist ein kaninchengroßes Säugetier von plumpen Körperbau, das vom Aussehen her an ein Murmeltier erinnert. Es bewohnt die felsigen Gebiete Westasiens und Afrikas. Nach den alttestamentlichen Speisegesetzen darf es nicht verzehrt werden, da seine Hufe nicht gespalten sind (3. Mose 11,5; 5. Mose 14,7). Spr 30,26 zählt den Klippdachs zu den vier kleinen, aber dennoch weisen Tieren auf der Erde.

Knauf Verzierung am Leuchter der → Stiftshütte (2. Mose 25,31); Kapitell der Säulen des → Tempels (1. Kön 7,16; Am 9,1).

Knecht Der hebräische Begriff für »Knecht« bezeichnet zunächst einfach nur eine Person, die einer anderen untergeordnet ist. Je nach Bezugsgröße kann der Begriff dann sowohl als → Sklave, Diener, Beamter, Untertan und Vasall verwendet werden. Oft ist auch ein besonderes Vertrauensverhältnis vorausgesetzt. → Haus.

Knecht Gottes Die Figur des Gottesknechtes erscheint im Jesajabuch als eine Gestalt, die im Auftrag Gottes auftritt und die stellvertretend Leiden auf sich nimmt (Jes 42,1-4; 49,1-6; 50,4-11; 52,13–53,12). Die ursprüngliche Identität des Gottesknechtes ist unklar; man hat überlegt, ob sich hinter dieser Figur ursprünglich der Prophet selbst verborgen hat.

Im Neuen Testament werden diese Überlieferungen auf Jesus gedeutet, auf seine Heilungstätigkeit (Mt 8,17; 12,18-21) wie auf sein Leiden (Apg 8,32-33, vielleicht auch schon 1. Kor 15,3-5; Mk 10,45), dem u.a. damit eine positive Sinngebung zuwächst.

Kohorte Das hier verwendete griechische Wort kann eine der zehn Unterabteilungen einer → Legion bezeichnen (Sollstärke zumeist 500 bis 600 Mann, gelegentlich auch 1000 Mann), aber auch den dritten Teil einer Kohorte, das sog. Manipel (Sollstärke meist 200 Mann). Zu den jüdischen Wallfahrtsfesten war es üblich, dass der römische Präfekt mit einer Kohorte in → Jerusalem residierte. Angehörige dieser Kohorte haben Jesus zum Schein als König ausstaffiert und damit ihn selbst, aber auch insgesamt jüdische Hoffnungen auf politische Unabhängigkeit verspottet.

Korach Er wollte während der Wüstenwanderung der Israeliten → Mose und → Aaron die Führung streitig machen. Zusammen mit 250 Anhängern wurde er durch ein Gottesgericht vernichtet (4. Mose 16,1-35). Ob die »Söhne Korach«, ein Sängergeschlecht, dem eine Reihe von → Psalmen zugeschrieben werden (Ps 42; 44–49 u.a.), mit ihm zusammenhängen, ist unsicher. Vermutlich spiegelt die Erzählung von Korach und seinen Anhängern Rivalitäten unter der Jerusalemer Priesterschaft wider.

Kranz Kopfschmuck eines Herrschers oder Hochgestellten (Offb 4,4; als Verspottung Jesu Mk 15,17) sowie die Auszeichnung für einen sportlichen Sieg (1. Kor 9,25). Daher wird der Kranz auch als Bild für die Anerkennung der Bewährung des Christseins bis zum Martyrium verwendet (Jak 1,12; 2. Tim 4,8; Offb 2,10).

Kreter und Pleter Die Leibwache → Davids (1. Sam 30,14; 2. Sam 8,18; 15,18; 20,23). Die Herkunft der Begriffe ist umstritten. Meist geht man davon aus, dass die Namen im Zusammenhang mit den Seevölkern stehen (Hes 25,15-17; Zef 2,5) und sich auf die → Philister bzw. auf Kreta als mögliche Herkunft derselben beziehen. Nach 1. Sam 30,14.16 wohnten die Kreter im Südland nahe den Philistern.

Krieg Wie im Altertum allgemein war auch in Israel der Krieg fest mit religiösen Vorstellungen verbunden. Deshalb spricht man manchmal auch vom »Heiligen Krieg«. Man stellte sich vor, dass die Gottheit mit dem Volk in den Krieg zieht und auf das Kampfgeschehen Einfluss nimmt. Sieg und Niederlage wurden daher auch dem Eingreifen bzw. dem Nicht-Eingreifen oder der Schwäche der Gottheit zugeschrieben. Der Glaube Israels ist von Anfang an eng mit dem Krieg verbunden: So wurden die wehrlosen Israeliten am → Schilfmeer vor den Ägyptern gerettet (2. Mose 15,21) und auch die erfolgreiche Landnahme wurde, wie die Schilderungen im Josuabuch zeigen, auf das Wirken Gottes zurückgeführt. Überlieferungen von der Frühzeit Israels zeigen, dass die Vorbereitung und Durchführung von Kriegen gottesdienstlich und rituell geprägt waren. Prinzipiell mussten sich die Kämpfer in einem Zustand der → Reinheit befinden (5. Mose 23,10-15); zur Vorbereitung gehörten → Opfer (1. Sam 7,9) und die Befragung Gottes durch einen → Priester oder → Propheten (Ri 20,23.27-28; 1. Kön 22,1-28). Den Sieg führte Gott herbei, indem er die Feinde in eine Art Schockstarre versetzte (Jos 2,9; 10,10). Am Ende wurde die Beute der Gottheit übergeben (→ Bann). Da das Motiv des Krieges in der alttestamentlichen Überlieferung eine wichtige Rolle spielt, gilt dieser Teil der Bibel vielen als Buch der Gewalt und der Gott des Alten Testaments als gewalttätig. Diese Auffassung übersieht aber, dass in der alttestamentlichen Überlieferung auch viele Stimmen laut werden, die auf ein Ende der Gewalt und auf Gott hoffen, der den Kriegen ein Ende bereiten wird (Jes 2,2-4; 11,1-9; Sach 9,9-10).

Krone → Kranz.

Kusch Das Land südlich Ägyptens von Assuan bis in den Sudan mit der Hauptstadt Napata; in der griechischen Übersetzung (Septuaginta) mit »Äthiopien« wiedergegeben. Das Land war im 2. Jahrtausend v. Chr. mehrfach von Ägypten beherrscht, konnte aber im 8. und 7. Jahrhundert v. Chr. die Herrschaft über Ägypten erlangen und sogar gegen → Assyrien antreten (2. Kön 19,9; Jes 20; 37,8-9). Man findet Kuschiter zudem als Söldner in den ägyptischen Armeen (2. Chr 12,3; 14,8-14; 16,8; Jer 46,9) sowie im Dienst der Könige Judas (2. Sam 18,21-23.31-32; Jer 38,7-13; 39,15-18). Wenn Kusch auch zu den fernsten Ländern des Erdkreises zählt (Est 1,1), so steht es doch unter der Macht des Gottes Israels (Am 9,7; Jes 11,11), und einst werden sich auch die Kuschiter diesem zuwenden (Jes 18,7; Zef 3,9-10; Ps 68,32; 87,4).

Der Begriff »Mohr«, der früher für »Kusch« verwendet wurde, erscheint jetzt nur noch in Jer 13,23, da dieser Vers einen geradezu sprichwörtlichen Charakter hat.

Zur Zeit des Neuen Testaments herrschten über das zwischen Assuan und Kartum gelegene Reich Kusch Königinnen mit dem Titel »Kandake« (Apg 8,27).

Kyrus II. (558–530 v. Chr.) Persischer König aus der Dynastie der Achämeniden und Begründer des → persischen Reiches. Er spielt für die Geschichte Israels eine wichtige Rolle, da er den Judäern im babylonischen Exil (→ Gefangenschaft) den Wiederbau des → Tempels (Esra 6,3-5) und wohl auch die Rückkehr (Esra 1,2-8) gestattete. Im Jesajabuch wird er sogar als »Gesalbter« (→ Messias) bezeichnet (Jes 45,1).

Lade (des Bundes) → Bundeslade.

Last Begriff, der zur Einführung eines Prophetenwortes benutzt wird (Jes 13,1; 15,1; 17,1; 19,1; Nah 1,1; Sach 9,1 u.a.) und sowohl »Last« als auch »Ausspruch« bedeutet; meist handelt es sich dabei um ein Wort drohender Art (Jer 23,33-39).

Laubhüttenfest Wichtigstes, abschließendes Erntefest, eines der drei israelitischen Hauptfeste (→ Feste Israels). Es wurde mit einer Wallfahrt nach → Jerusalem im Oktober gefeiert und dauerte etwa eine Woche (Esra 3,4; Neh 8,12-18). Der Brauch, während der Erntezeit auf den Feldern in Hütten zu wohnen, galt als Erinnerung an die Zeit der Wüstenwanderung (3. Mose 23,33-44). Die → Opfer, die an diesem Fest dargebracht wurden, sollen Fruchtbarkeit und → Segen bringen. Auf diese Verheißung spielt auch das Wort Jesu in Joh 7,37-38 an.

Lea Älteste Tochter Labans; erste Frau → Jakobs und Mutter von Ruben, → Simeon, → Levi, → Juda, Issachar und Sebulon und der Tochter Dina (1. Mose 29,1–30,21).

Legion (Mt 26,53) Eine Einheit des römischen Heeres, zur Zeit nach dem Tod des Kaisers Augustus etwa 5000 Mann. In Mk 5,9 steht das Wort im übertragenen Sinn für eine unbestimmte große Zahl, spielt aber wohl zugleich auch kritisch auf die politischen Verhältnisse an.

Levi Sohn → Jakobs und israelitischer Stamm. → Leviten.

Leviatan Bildliche Verkörperung der Mächte, die sich Gottes Macht als Schöpfer entgegenstellen und von ihm besiegt werden. Die Vorstellung hat ihre Wurzeln in der kanaanänischen Religion. In der Bibel wird der Leviatan als Seeungeheuer (→ Drache) mit mehreren Köpfen dargestellt, das sich zusammen mit der Urflut (→ Meer) gegen Gott auflehnt (Ps 74,13-14). Die Schilderung in Hiob 40,25–41,26 erinnert teils an ein Krokodil, teils an einen Drachen. Wenn der Leviatan in Ps 104,26 von Gott geschaffen ist und als sein »Spielzeug« erscheint, so wird damit die Schöpfermacht Gottes ganz besonders deutlich zum Ausdruck gebracht.

Leviten Die Leviten gelten als Nachfahren → Levis (1. Mose 29,34), einem der zwölf Söhne → Jakobs. Sie hatten keinen Landanteil, sondern waren vielmehr für → priesterliche Dienste bestimmt (4. Mose 3,14-51; 18,23-24; 5. Mose 12,12). Nach der Kultreform des Königs → Josia (640–609 v. Chr.), durch die → Jerusalem zum ausschließlichen religiösen Zentrum wurde, verloren die levitischen Landpriester ihre Funktion und Einkünfte und sanken auf die Stufe von Tempeldienern am Jerusalemer Heiligtum herab (2. Kön 23,8-9). Nach 1. Chr 25–26 waren sie am Tempel v. a. als Sänger, Torhüter und Schatzmeister tätig; in späterer Zeit scheinen sie auch in der religiösen Unterweisung tätig gewesen zu sein (Neh 8,7-8).

Licht und Recht Hebräisch: »Urim und Tummim«. Offenbar Orakelgegenstände, die in der Brusttasche des → Priesters aufbewahrt werden konnten (2. Mose 28,30; 3. Mose 8,8). Sie wurden vom Priester (4. Mose 27,21) oder auch vom König (1. Sam 14,41) zur Erforschung des göttlichen Willens benutzt.

Liebesäpfel (1. Mose 30,14; Hld 7,14) Die Frucht der Alraune, klein, scharf riechend, ähnelt einem Apfel. Sie galt als Mittel zur Förderung der Fruchtbarkeit.

Liebesmahl Eine Form der gemeinschaftlichen Mahlfeier in den urchristlichen Gemeinden. Durch das gemeinsame Essen kam die Verbundenheit der Gemeindeglieder zum Ausdruck, die sich als große Familie verstanden, was auch für Außenstehende attraktiv war. Zunächst stand das Liebesmahl in engem Zusammenhang mit dem → Abendmahl, aber soziale Unterschiede und Missstände (1. Kor 11,17-34; Jud 12) führten zu einer Trennung zwischen Mahlzeit und sakramentaler Abendmahlsfeier.

Löser → Erlöser.

Lot Neffe → Abrahams (1. Mose 12,4-5; 13; 14,12-16). Er wird mit seiner Familie als Einziger vor der Vernichtung beim Untergang → Sodoms bewahrt (1. Mose 19,1-26) und gilt als Stammvater der Ammoniter und → Moabiter (1. Mose 19,30-38).

Lud Das Alte Testament kennt unterschiedliche Völker unter diesem Namen:

(1) Nachkommen Sems (1. Mose 10,22; 1. Chr 1,17). Manche Ausleger sehen darin das Volk der Lyder, das an der Westküste Kleinasiens wohnte; allerdings passt das nicht zum geografischen Rahmen der Völkertafel in 1. Mose 10.

(2) Nachkomme Hams (1. Mose 10,13; 1. Chr 1,11), wahrscheinlich zwischen Ägypten und Libyen angesiedelt und zeitweise Bundesgenossen der Ägypter (Jer 46,9; Hes 30,5).

Magd → Sklave; → Haus.

Magog → Gog.

Makedonien Römische Provinz am Ägäischen Meer mit der Hauptstadt Thessalonich.

Mal → Steinmal.

Mammon Zusammenfassende Bezeichnung für → Geld und Gut. Das Wort hat mit der Zeit einen abschätzigen Nebenton erhalten.

Manasse Sohn Josefs und Bruder → Ephraims sowie Stammesvater. Die biblische Überlieferung lässt auf eine Rivalität zwischen den Stämmen Ephraim und Manasse schließen (1. Mose 48,13-19; Ri 12,1-6). Aus Manasse stammte der berühmte → Richter Gideon (Ri 6–8).

Mann Die biblische Überlieferung ist in einer patriarchalen Welt entstanden. Wenn der Mann auch als Besitzer der → Frau erscheinen kann (2. Mose 21,22), so kommt doch beiden die gleiche Würde zu, die ihnen mit der Gottebenbildlichkeit gegeben wurde (1. Mose 1,26; 5,1-2).

Im Neuen Testament wird die patriarchale Ordnung der Antike nicht aufgehoben, dergemäß der Mann als Haushaltsvorstand gegenüber Frauen, Kindern und → Sklaven die höchste soziale Stellung einnimmt, sondern z. T. explizit bestätigt (Kol 3,18; 1. Tim 2,8-15).

Allerdings werden die Männer zum rücksichtsvollen Umgang ermahnt (1. Thess 4,1-8); die Einheit der Gemeinde über alle sozialen Schranken hinweg wird betont (Gal 3,28). In Eph 5,25-33 wird für die geforderte Liebe des Mannes zur Frau nichts weniger als die liebende Selbstaufopferung Jesu Christi für die Gemeinde als Vergleich und als Begründung herangezogen. →Haus.

Manna (2. Mose 16,1-36) Wunderbare Speise für die Israeliten auf ihrem Zug durch die Wüste, mit der Gott sein Volk versorgte. Viele Ausleger bringen das Manna in Verbindung mit der Absonderung einer Schildlaus, die sich vom Saft der Mannatamariske ernährt. Die Beduinen benutzen sie noch heute als Honigersatz.

Maranata Ein aramäischer Ruf aus dem frühchristlichen Gottesdienst, der wohl mit »Unser Herr, komm!« zu übersetzen und als Bitte um die Wiederkunft Christi zu verstehen ist (1. Kor 16,22; vgl. Offb 22,20).

Maria Entspricht dem hebräischen Namen »Mirjam« (4. Mose 12 u.ö.). Dass Maria als →Jungfrau Jesu Mutter geworden sein soll, ist eine Vorstellung, die christlicher Auslegung von Jes 7,14 in der Septuaginta-Fassung entsprungen ist. Während des irdischen Lebens Jesu stand seine Familie ihm kritisch gegenüber (Mk 3,20-21.31-35). Nach Ostern hat Maria möglicherweise recht bald zur Gruppe der Anhänger Jesu gehört (Apg 1,13). Das weiter gehende Interesse an Maria in verschiedenen Konfessionen verdankt sich nachneutestamentlicher Literatur.

Maß →Anhang »Maße, Gewichte und Geldwerte«.

Massa und Meriba Ort, an dem sich die Israeliten auf der Wüstenwanderung wegen Wassermangels gegen →Mose auflehnten (2. Mose 17,1-7; 5. Mose 6,16; Ps 95,8).

Maulbeerbaum Gemeint ist der Maulbeerfeigenbaum (griechisch: »sykomorea«), der hauptsächlich als Bauholz verwendet wurde. Seine Früchte konnten durch Anritzen jeder einzelnen Frucht kurz vor der Ernte zur Reife gebracht werden, ohne dass sie durch den Insektenbefall verdarben. Diese Tätigkeit wurde von Hirten oder Maulbeerbaumpflegern ausgeübt (Am 7,14). Der knorrige Stamm verzweigt sich häufig schon nah am Erdboden, sodass es auch einem kleinen Menschen wie Zachäus möglich war, den Baum zu erklimmen (Lk 19,4).

Meder Iranischer Stamm, der das medisch-persische Hochland bewohnte. Er war zuerst den →Assyrern tributpflichtig, besiegte dann zusammen mit den Neubabyloniern Assur und wurde unter →Kyrus II. (558–530 v. Chr.) ein Teil des →persischen Reiches.

Meer Das Meer ist für das Alte Testament Sinnbild der gottfeindlichen, die Schöpfung und ihre Ordnung bedrohenden Macht. Der Schöpfungsvorgang selbst kann darum als Kampf gegen das »Urmeer« beschrieben werden, das im Meerdrachen (→Leviatan) persönliche Gestalt annimmt (Hiob 26,12-13; 38,8-11). Nach dem Glauben Israels ist Gott aber auch der Schöpfer (1. Mose 1,9-10) und Beherrscher des Meeres (Ps 104,6-9; Jona 1–2). In der Erzählung von der Stillung des Sturmes im See →Genezareth ist der Sturm, v.a. in der Fassung bei Matthäus (Mt 8,23-27; hier ein Seebeben), zugleich Symbol der Bedrohung der Gemeinde. Als Sinnbild der gottfeindlichen Macht erscheint das Meer wieder in Offb 12,18. Dem entspricht, dass es in der neuen Schöpfung kein Meer mehr geben wird (Offb 21,1).

Mefi-Boschet Hebräisch für: »der Schande verbreitet«. Name des Enkels von König →Saul in den Samuelbüchern. Nach 1. Chr 8,34 war sein Name allerdings Merib-Baal: »Baal streitet«. Dieser Name wurde in den Samuelbüchern entstellt, um die Erwähnung des Gottesnamens →Baal zu vermeiden.

Meister Jesus tritt als ein Lehrer auf, wie er auch sonst im Judentum begegnet: er belehrt die Volksmenge (Mk 2,13) oder Einzelne (Mk 10,17-22) zu Fragen der Lebenspraxis, und er hat Schüler (→Jünger), die ihn im Alltag begleiten und sein Werk vervielfältigen sollen (Mk 3,14-15; Mt 10,24). An seinem Beispiel sollen sie lernen, was ein Leben im Horizont der kommenden Gottesherrschaft (→Reich Gottes) bedeuten kann. Für die Jünger vor und nach Ostern ist er Lehrer und Herr (Joh 13,13), dessen Wort allein verbindlich ist (vgl. auch Mt 23,8 sowie Mk 9,7). Während Markus und Matthäus im Griechischen immer die Bezeichnung »Lehrer« verwenden, unterscheidet Lukas zwischen »Lehrer« und »Meister«. Wo er »Lehrer« setzt, meint er speziell die Lehrautorität Jesu; wo er »Meister« verwendet, geht es um die autoritative Stellung Jesu in einer Gruppe (Lk 8,24; 9,33). Das ist meistens die Gruppe der Jünger. Die Anrede »Meister« durch Außenstehende gilt als Erweis von Respekt.

Melchisedek Priesterkönig der Stadt Salem (→ Jerusalem). Er wird als Priester des »Höchsten Gottes« bezeichnet. Aus der Begegnung mit → Abraham, der dem König den → Zehnten ablieferte (1. Mose 14,17-20), wurde später das Zehntrecht der Jerusalemer → Priesterschaft abgeleitet. In Hebr 7,1-28 gilt Melchisedek als Urbild des Priestertums Christi. Dass er »ewig lebt« (Hebr 7,3), wird aus der dort angeführten Psalmstelle (Ps 110,4: »Priester ewiglich nach der Weise Melchisedeks«) geschlossen.

Memphis Ägyptische Stadt, ca. 28 km südlich des heutigen Kairo, die im 8. Jahrhundert v. Chr. zu den bedeutendsten Städten in Ägypten gehörte und daher mit ihrem Namen das gesamte Land repräsentieren konnte (Jes 19,13; Hos 9,6). Nach der Eroberung Judas durch die → Babylonier siedelte sich ein Teil der jüdäischen Bevölkerung in Memphis an (Jer 44,1).

Menschensohn Für den Begriff »Menschensohn« gibt es verschiedene Deutungen. Er kann als verhüllende Bezeichnung für »ich« verstanden werden. Andererseits erwarteten bestimmte Kreise im antiken Judentum den Menschensohn als von Gott eingesetzten Weltenherrscher (nach dem Jüngsten Gericht; Dan 7,13-14) bzw. als denjenigen, der im Auftrag Gottes selbst das Jüngste Gericht vollziehen wird. Auch Jesus hat das Kommen des Menschensohnes zum Jüngsten Gericht erwartet; der Menschensohn würde die Menschen danach beurteilen, wie sie sich zu Jesus und seinem Anspruch gestellt haben (Lk 12,8-9). Nach Ostern hat die Gemeinde ihn selbst mit dem zukünftigen Menschensohn identifiziert, der schon auf Erden die Vollmacht in Anspruch nahm, Menschen die Vergebung ihrer Schuld zuzusprechen (Mk 2,10) und Festlegungen, z. B. hinsichtlich der Sabbatgebote (→ Sabbat), zu treffen (Mk 2,28). Nach Gottes Willen sollte dieser »Menschensohn« von Menschen verurteilt und getötet werden (Mk 9,31), um »sein Leben als Lösegeld für alle Menschen« hinzugeben (Mk 10,45). Der Richter gibt sein Leben für die, die einst vor seinem Gericht stehen werden.

Meriba → Massa und Meriba.

Meschech, Meschech-Tubal Meschech und Tubal waren zwei kleinasiatische Völker, die ihren Wohnsitz zunächst in Kilikien und Phrygien hatten und dann von den Kimmeriern (biblisch: »Gomer«; Hes 38,6) zum Schwarzen Meer hin abgedrängt wurden. In Ps 120,5 ist eher der nordarabische Stamm Massa (Spr 31,1) gemeint.

Mesopotamien Das Wort kommt aus dem Griechischen und bedeutet »das Land zwischen den Strömen«, nämlich Euphrat und Tigris, also das Zweistromland. Der Begriff wird in der Lutherbibel auch zur Übersetzung von Aram-Naharajim, dem oberen Zweistromland, verwendet.

Messias Hebräisch: »maschiach«; griechisch: »Christus«. Das Wort bedeutet »Gesalbter« und bezeichnet den König, der durch Salbung in sein Amt eingesetzt wurde. Während oder nach der babylonischen Gefangenschaft entstand die Erwartung eines »Gesalbten« in besonderem Sinn: eines idealen Herrschers der Heilszeit, die die drückende Gegenwart ablösen soll; man hoffte auf die Wiederherstellung des Reiches → Davids, regiert mit Recht und Gerechtigkeit (Jer 23,5-6), ausgeweitet zur Weltherrschaft. Diese Friedensordnung sollte die ganze Schöpfung umgreifen (Jes 11,1-16). Der Gedanke der Heilszeit der Zukunft ist aber nicht immer mit einer solchen Messiasgestalt verbunden (Mi 4,1-4; Jes 65,17-25).

Im antiken Judentum gab es mehrere Vorstellungen nebeneinander: Neben der Erwartung des einen irdisch-politischen Messiaskönigs stand die Erwartung dreier Messiasgestalten: Neben einer priesterlichen und einer königlichen Figur (diese Reihenfolge ist zugleich Rangfolge!) stand eine dritte Gestalt, die für Anweisung von Recht zuständig sein würde. Daneben gab es Erwartungen der Endzeit, die ohne die Vorstellung einer Messiasgestalt auskamen.

Die Erwartung eines irdisch-politischen Messiaskönigs wurde vielleicht auch an Jesus herangetragen.

Michael Neben → Gabriel einer der beiden in der Bibel namentlich genannten → Engel. Er ist der Schutzengel des Volkes Israel (Dan 10,21). In den frühjüdischen Texten wird Michael zu den sog. Erzengeln gezählt, die zum himmlischen Hofstaat gehören und Gott auf seinem Thron preisen.

In der Johannesoffenbarung lebt die Vorstellung von Dan 10,21 weiter: Als Anführer der Engelheere kämpft Michael gegen den → Satan (Offb 12,7).

Midianiter Nach 1. Mose 25,1-4 ein nomadischer Stammesverband im Nordwesten der arabischen Halbinsel. Die Midianiter sind

Nachkommen Midians, eines Sohnes von →Abraham und seiner Frau Ketura. Sie waren Kamelnomaden und durch ihre Beweglichkeit ihren Gegnern überlegen (Ri 6,1-6). Offensichtlich hatten sie auch den Karawanenhandel zwischen →Mesopotamien und Ägypten in der Hand (1. Mose 37,25-28.36).

Milkom Nationalgott der Ammoniter, dessen Name von dem Wort für »König« abgeleitet wird (→Moloch). →Salomo errichtete dieser Gottheit wegen seiner ammonitischen Frauen eine Opferstätte (1. Kön 11,5); diese wurde dann bei der Reform des Königs →Josia zerstört (2. Kön 23,13).

Millo (2. Sam 5,9; 1. Kön 9,15; 2. Kön 12,21) Wahrscheinlich eine Aufschüttung zur Befestigung →Jerusalems, die sich vielleicht an der Nordmauer der alten Davidstadt (→Stadt Davids) befand. In Sichem (Ri 9,6) wird damit eher die Akropolis (Burg) bezeichnet.

Moab, Moabiter Volk, dessen Siedlungsgebiet in dem fruchtbaren Hochland im Ostjordanland südlich des Arnon lag. →David unterwarf die Moabiter (2. Sam 8,2). In der Mitte des 9. Jahrhunderts v. Chr. gewann König Mescha die Unabhängigkeit zurück und dehnte seine Herrschaft auf das Gebiet nördlich des Arnon aus. Seit der Mitte des 8. Jahrhunderts war Moab →assyrischer und dann →babylonischer Vasallenstaat. Moab ging schließlich im Nabatäerreich auf. Wenn die Moabiter mit Lot, dem Neffen →Abrahams, genealogisch verbunden werden, so zeigt dies, dass Israel eine gewisse Verwandtschaft zu den Moabitern empfand. Aus Moab stammte Rut, die Vorfahrin Davids (Rut 4,13-22).

Moloch Gottheit, die in der biblischen Überlieferung in Texten aus dem 7. und 6. Jahrhundert v. Chr. belegt ist (3. Mose 18,21; 20,2-5; 2. Kön 23,10; Jer 32,35). Die Namensform »Moloch« stammt aus der griechischen Übersetzung des Alten Testaments; im hebräischen Text lautet der Name »Molech«. Aufgrund von außerbiblischen Parallelen vermutet man, dass der eigentliche Name der Gottheit »Melech« (»König«) lautete, von den jüdischen Überlieferern der Bibel aber wie »Boschet« (»Schande«) vokalisiert wurde, um so diese fremde Gottheit herabzusetzen. Die alttestamentliche Überlieferung berichtet von Kinderopfern, mit denen diese Gottheit geehrt wurde. Einige Ausleger gehen davon aus, dass die Kinder aber nicht tatsächlich getötet und verbrannt, sondern nur symbolisch in einer besonderen Feuerzeremonie der Gottheit übereignet wurden.

Im modernen Sprachgebrauch meint der Begriff eine alles verschlingende Macht, der man sich nicht entziehen kann.

Monat, Jahr Die vorderasiatischen Kalender richteten sich nach dem Mondumlauf, der ägyptische nach dem Sonnenumlauf. Das Mondjahr hat 354 Tage und bleibt deshalb hinter dem Naturjahr (Sonnenjahr) zurück. Daher wurden Schaltmonate eingefügt. Ursprünglich war dies wohl alle drei Jahre ein Schaltmonat, seit dem 6. Jahrhundert v. Chr. ging man zu einem Achtjahresturnus mit drei Schaltmonaten über. Das altisraelitische Jahr begann im Herbst. Nach 722 v. Chr. wurde aber für Handel und Verkehr der assyrische Kalender übernommen, bei dem das Jahr im Frühjahr beginnt. Für Israels →Feste blieb man nach wie vor beim Herbstkalender. Von den alten kanaanitischen Monatsnamen blieben vier länger im Gebrauch: Abib, Bul, Siw, Etanim. Nach dem Exil verwendeten die Juden den neubabylonischen Kalender, der auch der persische Staatskalender war. Die babylonischen Monatsnamen heißen:

1. Nisan (Neh 2,1; Est 3,7): ca. Mitte März bis April;
2. Ijar: ca. Mitte April bis Mai;
3. Siwan (Est 8,9; Bar 1,8): ca. Mitte Mai bis Juni;
4. Tammus: ca. Mitte Juni bis Juli;
5. Ab: ca. Mitte Juli bis August;
6. Elul (Neh 6,15; 1. Makk 14,27): ca. Mitte August bis September;
7. Tischri: ca. Mitte September bis Oktober;
8. Marcheschwan: ca. Mitte Oktober bis November;
9. Kislew (Sach 7,1; Neh 1,1): ca. Mitte November bis Dezember;
10. Tebet (Est 2,16): ca. Mitte Dezember bis Januar;
11. Schebat (Sach 1,7; 1. Makk 16,14): ca. Mitte Januar bis Februar;
12. Adar (Esra 6,15; Est 3,7): ca. Mitte Februar bis März.

Morgenstern Der Stern im Allgemeinen gilt auch in der Bibel als Symbol eines kommenden Herrschers (4. Mose 24,17). Darauf nimmt wohl Offb 22,16 Bezug: Der Morgenstern, die Venus, ist Bild für den wiederkommenden Christus, der (Offb 2,28) den Seinen Anteil an seiner Herrschaft geben wird.

Mose Führer der israelitischen Stämme auf der Wüstenwanderung und Vermittler von → Bund und Tora (→ Gesetz) am → Sinai. Der Name wird in 2. Mose 2,10 mit dem hebräischen Wort für »herausziehen« in Verbindung gebracht, weil Mose als kleines Kind im Schilfkorb aus dem Wasser gezogen wurde. Aufgrund der Ähnlichkeit mit ägyptischen Namen (z. B. Thutmoses, Ramses) wird angenommen, dass der Name ägyptischen Ursprungs ist und historisch auf die Herkunft Moses aus Ägypten verweist. In der Tradition wird Mose zu der wichtigsten Gründungsgestalt der jüdischen Religion.

Most Most ist unvergorener Traubensaft, der unmittelbar nach dem → Keltern entsteht (Hiob 32,19; Hos 4,11; Joel 1,5; 4,18; Am 9,13).

Mühlstein Die Handmühle bestand aus zwei Mahlsteinen. Der obere hatte ein Loch zum Eingeben der Körner, sodass diese auf den unteren, der muldenartig vertieft war (den »Unterstein«), gelangten und durch das Reiben der Steine aufeinander zermahlen wurden. Ein Mühlstein gehörte zu jedem Haushalt und durfte nicht gepfändet werden (5. Mose 24,6). Das Mahlen des Getreides, das ein Grundnahrungsmittel darstellte, gehörte zu der Arbeit von Frauen. In Mk 9,42; Mt 18,6 ist der schwere obere Stein einer großen Mühle vorausgesetzt, der von einem Esel (manchmal auch von einem Pferd oder einem → Sklaven) gedreht wurde. Er steht aufgrund seines Gewichtes als Bild für ein Verhängnis, aus dem es kein Entrinnen gibt.

Myrrhe Duftendes Harz, das zur Herstellung von Parfüm, Salböl (→ Salben), Gewürz sowie als Wohlgeruch bei der Bestattung verwendet wurde (Joh 19,39), außerdem als betäubender Zusatz zum Wein (Mk 15,23).

Mysien Landschaft im Nordwesten der heutigen Türkei. → Paulus durchquerte sie auf dem Weg nach Makedonien (Apg 16,6-8).

Nachtwache Die Nacht, von Sonnenuntergang bis Sonnenaufgang – etwa 6 Uhr abends bis 6 Uhr morgens –, wurde ursprünglich in drei Nachtwachen geteilt, später, unter Einfluss römischer Praxis, in vier Nachtwachen zu je drei Stunden. Die letzte Nachtwache wurde auch Morgenwache genannt. → Tag.

Name (des Herrn) Der biblische Gott ist ursprünglich der Gott eines bestimmten Volkes (Israel) und trägt als solcher, wie alle Götter der alten Zeit, einen Eigennamen, nämlich den Namen »Jahwe«. Dieser wird in der Lutherübersetzung mit → »HERR« wiedergegeben. Für das hebräische Denken ist der Name nicht »Schall und Rauch«, sondern aufs Engste mit der Person des Namensträgers, dessen Wesen und Wirken verbunden. Durch das Aussprechen des Gottesnamens wird Gott selbst gegenwärtig, z. B. im Segenszuspruch (→ Segen) der → Priester (4. Mose 6,22-27). Nach 2. Mose 3,14 bedeutet dieser Name die helfende Gegenwart Gottes. Der → Tempel in Jerusalem wird als Wohnsitz für Gottes Namen bezeichnet, weil Gott dort im Gebet beim Namen gerufen wird. So wird der Name zu der dem Menschen zugewandten und zugänglichen Seite des souveränen Gottes. Als man zunehmend die universale Macht dieses Gottes erkannte, wurde er mit der kanaanäischen Gottheit → »El« identifiziert. »El« kann so auch der Eigenname Gottes sein.

Name (Jesu Christi) Was »im Namen Jesu Christi« geschieht, geschieht in der Vollmacht Jesu Christi; er selber, der auferstandene Herr, ist darin am Werk (Apg 3,6.12-16; 4,10.12). Wenn die → Taufe »auf den Namen Jesu Christi« erfolgt (Apg 2,38), so wird der Täufling damit Jesus, seinem Herrn, als Eigentum übergeben und unter seinen Schutz gestellt.

Narde, Nardenöl (Joh 12,3; Mk 14,3) Aus der Wurzel der indischen Nardenpflanze bereitete man ein wohlriechendes Öl, das u. a. bei den Begräbnisvorbereitungen verwendet wurde.

Nathan Nathan war ein → Prophet am Hofe → Davids. In der sog. Nathanweissagung verheißt Gott durch diesen Propheten David den ewigen Bestand seiner Dynastie (2. Sam 7,1-6 und insbesondere die Verse 12-14). Nathan tadelte David aber auch wegen dessen Ehebruchs mit Batseba (2. Sam 12,1-15). Er war der Erzieher → Salomos (2. Sam 12,25) und setzte sich bei den Streitigkeiten um die Thronnachfolge Davids maßgeblich zugunsten von Salomo ein (1. Kön 1,8-40).

Nazoräer Im Neuen Testament ist »Nazoräer« in der Regel gleichbedeutend mit »Nazarener« (d. h. »aus Nazareth«). Ob die Bezeichnung insbesondere in dem von Matthäus zitierten Prophetenwort (Mt 2,23) ursprünglich eine andere Bedeutung hatte, ist unklar, denn im Alten Testament findet sich dieses Prophetenwort in dem bei Matthäus angeführten Wortlaut nicht. Vielleicht handelt es sich um eine Anspielung auf den »Zweig« (hebräisch: »nezär«) von Jes 11,1; auch das hebräische Wort »nasir« – »Geweihter« (→Gottgeweihter; Ri 13,5; 4. Mose 6,1-21) – klingt an.

Nebajot Erster Sohn →Ismaels (1. Mose 25,13) und →arabischer Stamm (Jes 60,7); vielleicht identisch mit den späteren Nabatäern.

Nebo (1) Berg im Lande →Moab, etwa 16 km östlich vom Nordende des Toten Meeres (5. Mose 34,1). Bei günstiger Fernsicht lässt sich von hier das gesamte Israelland bis zum Hermon im Norden überblicken. Ort, an dem →Mose verstorben ist.

(2) Stadt in Moab, wohl in der Nähe des Berges gelegen (4. Mose 32,3.38; Jes 15,2).

(3) Stadt in Juda (das »andere Nebo«; Neh 7,33).

(4) →Babylonischer Gott (»Nabu«; Jes 46,1), der als Sohn von →Bel (anderer Name für den Gott Marduk) galt. Sein Name ist Bestandteil von Personennamen wie Nebukadnezar, Nebusaradan, Nabupolassar. Er ist der Gott des Schicksals, der das Buch des Lebens hat, und der Gott der Schreibkunst.

Nehuschtan Ein Schlangenbild im Jerusalemer →Tempel, dem Heilkraft zugeschrieben und das deshalb verehrt wurde; in der Überlieferung mit der Bronzeschlange gleichgesetzt, die →Mose in der Wüste errichtet hatte (4. Mose 21,4-9). König Hiskia ließ dieses Bild entfernen (2. Kön 18,4). Die Funde von Schlangenfigurinen in verschiedenen kanaanäischen Tempeln zeigt, dass die Schlange in der Religion der Umwelt Israels eine wichtige Rolle spielte.

Neumond Der Tag, an dessen Vorabend der zunehmende Mond wieder sichtbar wurde, galt als Monatsbeginn. Der Mond war in der altorientalischen Welt jedoch nicht nur für den Kalender bedeutsam, sondern zog auch vielfach göttliche Verehrung auf sich. In Israel war die Verehrung der Gestirne zwar untersagt, doch wurde der Neumondstag besonders feierlich begangen (Ps 81,4). Dass solche Feste wohl auch für die Verehrung anderer Götter benutzt wurden, scheint aus Hos 2,13 hervorzugehen. Deshalb kündigt der Prophet das Gericht über Israel an (Hos 5,7).

Nieren Sie galten in der hebräischen Vorstellungswelt als Sitz der Gemütsbewegungen (→Gemüt) in Freude und Leid (Ps 73,21) sowie der Gewissensregungen und überhaupt des menschlichen Innenlebens (Jer 20,12). Da die Vorstellung uns heute eher fremd ist, übersetzt die Lutherbibel das hebräische Wort für »Nieren« häufig mit »Herz« oder »Seele« (Hiob 19,27; Ps 16,7; Spr 23,16; Jer 12,2).

Nikolaïten Ihr Name wird mit Nikolaus von Antiochia (Apg 6,5) in Verbindung gebracht. Über ihre Lehre ist nicht viel bekannt. Vermutlich nahmen sie den Satz, dass es außer dem einen wahren Gott keine anderen Götter gibt (vgl. 1. Kor 8,6), als Rechtfertigung dafür, auch sog. →Götzenopferfleisch zu essen. Ob die ihnen in Offb 2,14 vorgeworfene →»Unzucht« wörtlich zu verstehen ist oder übertragen als Bild für den Götzendienst (vgl. Hos 2,15), ist unsicher.

Ninive Hauptstadt des →assyrischen Reiches (2. Kön 19,36; Jona 1,2; 3,4; Nah 1,1); auf dem östlichen Tigrisufer gelegen.

Nisan →Monat, Jahr.

Nisroch (2. Kön 19,37; Jes 37,38) Eine →assyrische Gottheit, die aber außerhalb der biblischen Texte nicht belegt ist.

Noah Noah wurde von Gott befohlen, mitten auf dem festen Land ein Schiff, die →Arche, zu bauen. So konnten er und seine Familie vor dem Untergang in der »Sintflut« gerettet werden (1. Mose 6–8). Noahs Söhne werden zu Stammvätern der großen Völkerkreise, der Hamiten, Semiten und der Japhiten (d.h. der Völker der nördlichen Mittelmeerwelt; 1. Mose 10).

Obrigkeit (wörtlich: »Macht«) Das Wort bezeichnet bei Luther staatliche Regierungsgewalten und Behörden (Röm 13,1-3; Tit 3,1).

Ofel (2. Chr 27,3; 33,14; Neh 3,27) In →Jerusalem der Teil des östlichen Höhenzugs zwischen der alten Davidstadt (→Stadt Davids) im Süden und dem Tempel- und Palastbezirk im Norden.

Ofir (1. Kön 9,28) Goldland, wahrscheinlich in Südwest-Arabien gelegen. Zur Zeit →Salomos fuhren die Goldschiffe vom Golf von Aqaba nach Ofir.

Öl Im Alten Testament ist in der Regel Olivenöl gemeint. Die Oliven wurden gepresst und zerquetscht, das Öl gesammelt und nach Qualität geschieden. Es wurde für den Haushalt, zur Medizin und zur Kosmetik verwendet. Auch zur →Salbung benutzte man Olivenöl, nachdem es mit aromatischen Stoffen vermischt worden war. Das Öl ist Symbol für Freude und Festlichkeit.

Ölberg Südlicher Teil eines von Norden nach Süden ausgerichteten Höhenzuges östlich von

Jerusalem, über den im Süden die Römerstraße von Jericho nach → Jerusalem führte. Sie war ein wichtiger Pilgerweg und wohl auch der Weg, den Jesus von Nazareth auf seinen Reisen nach Jerusalem nahm.

Onyx (2. Mose 28,20; Hes 28,13) Halbedelstein aus Quarz, der durch seine Farbschichten Gravuren besonders schön hervortreten lässt.

Opfer Das Opfer ist eine in Israel wie bei allen Völkern des Altertums verbreitete, besonders wichtige und feierliche Form des Gottesdienstes. In Israel wurde in der früheren Zeit an zahlreichen örtlichen Heiligtümern geopfert, später nach der Reform des Königs → Josia im Jahre 622 v. Chr. nur noch in → Jerusalem. Es gibt blutige und unblutige Opfer. Als unblutige Opfer wurden Früchte, Brot, Wein, Öl und → Weihrauch dargebracht, als blutige Opfer Rinder, Kälber, Schafe, Ziegen und Tauben.

Wichtigste Opferarten sind das *Brandopfer*, bei dem das ganze Tier auf dem Brandopferaltar verbrannt wurde (1. Mose 8,20; 3. Mose 1); das *Schlachtopfer* (5. Mose 12,27) und das *Dankopfer* (3. Mose 3; 7,11-21), bei denen der größte Teil des Opfertieres von den Opfernden an heiliger Stätte verzehrt wurde zum Ausdruck der Gemeinschaft mit Gott und untereinander; das *Sündopfer* und *Schuldopfer*, bei dem die sühnende Kraft (→ Sühne) in dem Blut des Tieres als dem Sitz des Lebens gesucht wurde (3. Mose 4–5); das freiwillig dargebrachte *Speis- und Trankopfer*, mit dem der Mensch Gott als den Geber aller Gaben ehrte (2. Mose 29,40; 3. Mose 2; 4. Mose 15); das *Einsetzungsopfer* bei der Priesterweihe (3. Mose 8; → Hebopfer und → Schwingopfer; → Priester). Beim → *Räucheropfer* wurde eine besondere Mischung von Weihrauch und verschiedenen anderen Bestandteilen verbrannt, die zum Amtsgeheimnis einer bestimmten Priesterfamilie gehörte (2. Mose 30,7-9).

Die alttestamentlichen Opfer haben unterschiedliche Funktionen: Neben der Sühne haben sie auch die Aufgabe, Gemeinschaft mit Gott zu stiften, können aber auch Dank zum Ausdruck bringen. Letztlich ist es aber immer Gott selbst, der die → Versöhnung und die Gemeinschaft gewährt und bereit ist, den Dank anzunehmen.

Der Vorstellung, dass es sich beim Opfer um eine einfache Speisung der Gottheit handelt, wird bereits in der biblischen Überlieferung widersprochen (Ps 50,13). Die Opferkritik der Propheten (so z. B. Am 5,21-24) zielt nicht prinzipiell auf das Opfern, sondern lediglich auf den Irrglauben, dass man sich durch das Opfern das Wohlgefallen und den → Segen Gottes sichern kann, ohne dass das alltägliche Leben durch Gottesfurcht, Frömmigkeit, Gerechtigkeit und Zuwendung zum Nächsten gekennzeichnet ist. Die Zerstörung des Jerusalemer → Tempels im Jahre 70 n. Chr. bedeutete das faktische Ende des Opferkults. Allerdings kennt die biblische Überlieferung auch den Gedanken, dass → Gebete und der Lobpreis Gottes das Wohlgefallen Gottes finden und so an die Stelle von Opfern treten können (Ps 19,15; 104,34). Diesem Gedanken kommt damit nach dem Verlust des Tempels eine ganz bedeutende Rolle zu.

Jesus hat die sog. Tempelreinigung (Mk 11,15) wohl als Zeichenhandlung verstanden, durch die der Anbruch der Endzeit zum Ausdruck kommt (vgl. Sach 14,21). Dies wurde nachösterlich auf Jesus selbst gedeutet: In ihm, nicht im Tempel ist Gott gegenwärtig (Joh 2). Die Anhänger Jesu haben sich nach Ostern mehrheitlich bald nicht mehr am Opferkult in Jerusalem beteiligt. Jesu Sterben galt als das einmalige, gültige Opfer, das weitere, von Menschen vollzogene Opfer unnötig macht (Hebr 9,26). Auch das tätige Christenleben wurde als Opfer verstanden (Röm 12,1; 1. Petr 2,5); das Opfer ist hier Bild für die Bereitschaft zur uneingeschränkten Hingabe.

Paddan-Aram Paddan-Aram ist der Wohnsitz des Laban und seiner Familie; identisch mit »Aram-Naharajim«, das in der Lutherübersetzung mit → »Mesopotamien« wiedergegeben wird.

Palmenstadt Eine Palmenstadt wird in 5. Mose 34,3; Ri 1,16; 3,13 und 2. Chr 28,15 erwähnt. In einzelnen Fällen ist diese eindeutig mit Jericho zu identifizieren (5. Mose 34,3; 2. Chr 28,15), in den anderen nicht eindeutig zu bestimmen.

Paradies Ein Lehnwort aus dem Persischen, das einen herrschaftlichen Garten bezeichnet. In der alten griechischen Bibelübersetzung (Septuaginta) wird damit der Garten → Eden bezeichnet. Im Laufe der Zeit entwickelte sich im frühen Judentum die Vorstellung, dass das Paradies entweder im dritten Himmel (vgl. 2. Kor 12,4) oder »irgendwo im Osten« gelegen sei. Man erwartete seine Wiederkehr in der Endzeit (vgl. Offb 2,7; 21,1–22,5). Es galt als Aufenthaltsort der verstorbenen Frommen in der Zeit zwischen ihrem Tod und der allgemeinen Auferstehung am Ende der Welt.

Paradiesströme Der Abschnitt über die Paradiesströme → Gihon, Pischon, Tigris und Euphrat in 1. Mose 2,10-14 ist ein Stück antiker Geografie. Eindeutig identifizierbar sind Euphrat und Tigris. Der Gihon als Quelle in → Jerusalem lässt sich geografisch mit diesen Flüssen nicht verbinden; vermutlich soll durch diesen Fluss die Verbindung zwischen dem Paradies und dem Jerusalemer → Tempel hergestellt werden. Um welchen Fluss es sich beim Pischon handelt, ist unklar. Die Schilderung möchte zum Ausdruck bringen, dass die Fruchtbarkeit der gesamten Erde ihren Ursprung im Gottesgarten hat.

Parbar, Parwarhaus (1. Chr 26,18; 2. Kön 23,11) Ein Anbau am → Tempel. Die unterschiedliche Schreibweise findet sich so bereits im hebräischen Text.

Passa, Passafest Name des ersten der drei großen jährlichen alttestamentlichen Wallfahrtsfeste, das bis heute in der Nacht vom 14. auf den 15. Nisan (→ Monat) im Frühjahr gefeiert wird. Das Passafest, ursprünglich ein Schutzritus für die Familie, wurde mit dem sieben Tage dauernden Mazzenfest (»Fest der Ungesäuerten → Brote«), einem Erntefest, verbunden und dient bereits seit biblischer Zeit der Erinnerung an den Auszug aus Ägypten und Gottes Rettungstat (2. Mose 12,1-28). Dabei wurde ein Lamm geschlachtet. Der Brauch, ungesäuerte Brote zu essen, wurde mit dem Motiv der Eile beim Auszug aus Ägypten verbunden (2. Mose 12,11.39; vgl. 1. Kor 5,6-8). Mit der Kultreform → Josias (2. Kön 22,1–23,30) wurde das Fest zu einem Wallfahrtsfest, und das Passalamm durfte nur noch in → Jerusalem geschlachtet werden. Seit der Zerstörung des Jerusalemer → Tempels feiert das Judentum das Passa ohne das geschlachtete Lamm als eine Feier in der häuslichen Familiengemeinschaft. Der Familienvater verliest die Erzählung vom Auszug aus Ägypten (die sog. Passa-Haggada); zudem ist die Abfolge der Speisen, die an die Ereignisse des Auszuges erinnern, genau geregelt.

Auch Jesus feiert das Passafest in Jerusalem (Joh 2,13). Ob das letzte Mahl, das er kurz vor seinem Tod mit seinen Jüngern feierte (Mk 14,18-21), ein Passamahl war, ist umstritten (vgl. dagegen Joh 18,28). In 1. Kor 5,7 wird die jüdische Sitte, vor dem Passafest alles, was → Sauerteig enthält, aus dem Haus zu entfernen, herangezogen, um die Gemeinde insgesamt zur → Reinheit zu ermahnen und den Ausschluss eines Menschen, der sich ethisch verfehlt hat, durchzusetzen. Der Vergleich des Todes Jesu mit der Schlachtung des Passalammes soll in 1. Kor 5 lediglich begründen, warum die genannte jüdische Sitte als Argument verwendet werden kann. Das Motiv verselbstständigt sich aber in späterer Zeit: Die Befreiung Israels aus der Knechtschaft Ägyptens wird auf die Befreiung der Christen von dieser sündhaften Welt und vom Tod gedeutet. Die bekannten Liturgien zu Karfreitag und Ostern lassen sich aber nur bis ins 4. Jahrhundert n. Chr. zurückverfolgen.

Passalamm → Passa.

Patros (Jer 44,1) Oberägypten.

Paulus Paulus, mit jüdischem Namen »Saulus« (vgl. »Saul« in 1. Sam 13–15), war vor seiner Berufung → Pharisäer und Eiferer für das → Gesetz und damit für die Identität des Judentums (Phil 3,5-6; Gal 1,13-14). Seine Berufung, wohl eine Vision des auferweckten Christus (1. Kor 9,1), war für ihn mit dem Auftrag zur Mission unter Nichtjuden (→ Völker) verbunden (Gal 1,15-16). Im Eingangsteil seiner Briefe benutzt er seinen griechisch-römischen Namen Paulus (»der Kleine«) und auch Lukas verwendet ab Apg 13,9 diesen Namen. Gemäß seinem Auftrag gründete er Gemeinden v. a. in den Gebieten der heutigen Türkei und des heutigen Griechenland, plante aber auch eine Mission in Spanien (Röm 15,24). Seine Briefe, die ältesten zusammenhängenden Texte des Neuen Testaments, sind situationsbezogene Schreiben, blieben aber erhalten, weil man aus ihnen auch unabhängig von der Situation ihrer Entstehung wichtige Gedanken entnehmen konnte. Er starb wohl den Märtyrertod (Apg 21,11-14).

Perazim Berg, bei dem die → Philister eine Schlacht gegen die Israeliten verloren haben (2. Sam 5,20). Von Jesaja wird das Bild im umgekehrten Sinne gebraucht: Gott wird sein Volk schlagen wie damals an dem Berg die Philister (Jes 28,21).

Perser Iranischer Völkerstamm, der zu weltgeschichtlicher Bedeutung aufgestiegen ist. Die achämenidischen Könige schufen seit etwa 640 v. Chr. das persische Weltreich, das nach Siegen über die Elamiter, die → Assyrer und die → Babylonier den gesamten Vorderen Orient umspannte. Erst Alexander der Große vermochte Persien im Jahre 330 v. Chr. zu besiegen. → Kyrus II.

Petrus Der Name ist die griechische Übersetzung des aramäischen »Kepha« (mit griechischer Endung: »Kephas«). Beides bedeutet »Fels«. Der zusammen mit seinem Bruder Andreas als erster berufene Jünger (Mk 1,16-17) war auch einer der ersten Osterzeugen (1. Kor 15,5; vgl. aber Mk 16,1-8; Mt 28,1-10) und trotz seiner Verleugnung Jesu eine wichtige Figur in der Urgemeinde in Jerusalem (Gal 2,8) wie dann auch außerhalb im missionarischen Dienst (1. Kor 9,5). Er starb wohl den Märtyrertod (Joh 13,36; 21,18-19) in Rom.

Pfingstfest Der Begriff geht auf eine griechische Bezeichnung des alttestamentlichen → Wochenfestes (2. Mose 23,15-22; 34,22; 5. Mose 16,9-12) zurück. Da dieses sieben Wochen nach dem → Passafest gefeiert wurde, konnte man es im Griechischen »pentekoste« – »der 50. Tag« nennen (2. Makk 12,31-32). Im frühen Judentum wurde es als Fest gefeiert, bei dem man der Gabe der Tora (→ Gesetz), der göttlichen Weisung an sein Volk, beim Auszug aus Ägypten am Berg → Sinai gedachte. Aufgrund der wunderbaren Ereignisse in Jerusalem und der Geistbegabung der → Jünger während dieses Festes (Apg 2,1) entstand das christliche Pfingstfest. Spezielle Liturgien für dieses Fest sind erst am Ende des 4. Jahrhundert n. Chr. greifbar.

Pharao Der aus dem Ägyptischen stammende Begriff bezeichnet in der biblischen Überlieferung den König von Ägypten. Dabei kann das Wort ohne Namensnennung erscheinen (so in den Erzählungen von Josef und → Mose) oder als Titel vor dem Eigennamen (2. Kön 23,29; Jer 44,30).

Pharisäer Die Bezeichnung bedeutet »Abgesonderte«. Die stärkste religiöse Partei seit den Makkabäerkriegen mit wechselndem politischem Einfluss. Die Pharisäer hielten das → Gesetz und die Überlieferungen der Väter (»Satzungen der Ältesten«) in Ehren und suchten, Ideale von → Reinheit und Heiligkeit, die ursprünglich für Priester im → Tempel zu Jerusalem galten, auch auf den Alltag von Laien zu übertragen. Jesus ist mit einem pharisäischen Schriftgelehrten bezüglich des höchsten Gebotes einer Meinung (Mk 12,28-34) und sagt ihm zu, dem Reich Gottes nahe zu sein. Mit anderen geriet er aufgrund unterschiedlicher Reinheitsvorstellungen in Konflikt (Mk 7). Nach Mt 23,3 gelten die halachischen Entscheidungen der pharisäischen Schriftgelehrten auch für die Gemeinde des Matthäus. Auch Lukas rechnet mit der Existenz christlicher Pharisäer (Apg 15,5). Paulus war Pharisäer gewesen (Phil 3,5) und brachte die Grundlagen für den Glauben an die Auferstehung der Toten (vgl. u. a. 1. Kor 15) bereits mit. Die geistige Neuorientierung Israels nach dem Untergang Jerusalems (70 n. Chr.) ist im Wesentlichen das Verdienst pharisäischer Schriftgelehrsamkeit. Mit den Pharisäern rangen Anhänger der Jesusbewegung um diese geistige Neuorientierung; deshalb ist die Polemik in Mt 23 u. ö. so scharf.

Philister Volksgruppe, die sich von den → Kanaanitern und → Israeliten durch Kleidung, Bewaffnung, Sprache und Verfassung unterschied und in den sog. Philisterstädten Gaza, Gat, Aschdod, Aschkelon und Ekron im südlichen Palästina in der Nähe der Küste lebten. V. a. in der vorstaatlichen Zeit und der frühen Königszeit hatte Israel unter ihrer Übermacht zu leiden (Ri 13–16; 1. Sam 4–17; 31). Erst → David gelang es, sich gegen diese Macht durchzusetzen (2. Sam 5,17-25). Die Herkunft dieses Volkes ist nicht eindeutig geklärt. Es wird den sog. Seevölkern zugerechnet, die im späten 2. Jahrtausend v. Chr. aus dem nordwestlichen Mittelmeerraum in den Vorderen Orient einwanderten.

Von den Philistern (hebräisch: »pelischtim«) hat die gesamte Landschaft ihren Namen »Palästina« erhalten. Der erste Beleg für ein solche Verwendung des Begriffes findet sich bei dem griechischen Geschichtsschreiber Herodot (5. Jahrhundert v. Chr.). Nach der Niederschlagung des 2. Jüdischen Aufstands gegen Rom (135 n. Chr.) benutzten die Römer den lateinischen Begriff »Palästina« dann als Provinznamen, um die Erinnerung an den Begriff »Judäa« auszulöschen.

Pilatus Römischer → Statthalter (Präfekt) in Judäa 26–36 n. Chr.

Pischon → Paradiesströme.

Posaune Kein Instrument aus Metall, sondern aus dem Horn des Widders oder Ziegenbocks gefertigt. Die Posaune wird im Gottesdienst gebraucht (Ps 81,4), aber auch für kriegerische Signale verwendet (Jer 4,19.21). Darum erscheint das Instrument auch in Schilderungen von Gottes künftigem Gerichtshandeln (Zef 1,16; Offb 8,6).

Prätorium Der Begriff begegnet im Neuen Testament in drei verschiedenen Zusammenhängen:

(1) Im Prozess Jesu (Mt 27,27; Mk 15,16; Joh 18,28.33; 19,9) bezeichnet er den Amtssitz des römischen → Statthalters Pontius → Pilatus in Jerusalem, wohl zu identifizieren mit der Burg Antonia im Nordwesten des Tempelplatzes oder mit dem Herodespalast im Westen der Stadt beim Jaffator.

(2) Nach Apg 23,35 wurde → Paulus in Cäsarea am Meer im »Prätorium des Herodes« gefangen gehalten, d.h. im Palast des → Herodes, der als offizieller Sitz des römischen → Statthalters (zu jener Zeit → Felix) diente.

(3) In Phil 1,13 hängt die Deutung von dem angenommenen Abfassungsort des Briefs ab. In Ephesus wäre das Prätorium die Residenz des Prokonsuls für die Provinz → Asia; in Rom wäre am wahrscheinlichsten an die Kaserne der Prätorianergarde zu denken; in Cäsarea am Meer wie unter (2).

Priester Im Alten Testament Personen, die aufgrund ihrer Familienzugehörigkeit und ihrer besonderen Weihe dazu bestimmt waren, → Opfer darzubringen, die Gottesdienste zu leiten sowie den Willen Gottes zu deuten und kundzutun. Bekannte Priestersippen sind die Nachkommen → Aarons, die Nachkommen Zadoks und die → Leviten. Die Priester wurden in 24 Dienstgruppen eingeteilt, die sich in genau festgelegter Reihenfolge im Tempeldienst ablösten (1. Chr 24,1-19). Ihr Oberhaupt war seit der Zeit → Salomos der sog. → Hohepriester.

Prophet Nach unserem Sprachgebrauch ist ein »Prophet« jemand, der die Zukunft voraussagt. Das biblische Prophetentum ist allerdings vielschichtiger. Ein Prophet ist ein Mensch, den Gott (oder der → Geist Gottes) zu seinem Sprecher gemacht hat und der zwischen Gott und den Menschen vermittelt. Die Propheten verkünden dem Volk Gottes oder Einzelnen aus diesem Volk, besonders den Herrschenden, was Gott ihnen in einer bestimmten Situation zu sagen hat. Das kann Mahnung, Trost oder Gerichtsdrohung sein und sich so auch auf das zukünftige Geschick des Volkes beziehen. Propheten können aber auch als Mittler von den Menschen zu Gott hin auftreten und als Fürbitter erscheinen (1. Sam 7,5; Am 7,2.5).

In der Frühzeit Israels ist das Prophetentum mit ekstatischen Erscheinungen verbunden. Der Geist ergreift vom Propheten Besitz wie eine fremde Macht, die über ihn kommt (1. Sam 10,5-6.10-12). Bezeichnend für diese Zeit ist es, dass die Propheten in der Regel als Gruppe auftreten (1. Sam 10,10; 1. Kön 22,6.12). In der Königszeit Israels traten Propheten dann auch als Berater des Königs auf (2. Sam 12,1-25; 1. Kön 22,5-28). Propheten erscheinen nun zunehmend als Einzelgestalten, die von Gott berufen wurden und die die herrschenden Zustände anprangerten. Sie maßen die Verhältnisse der Gegenwart und das Verhalten der Verantwortlichen am Rechtswillen Gottes, wie er im → Gesetz gegeben war. Ebenso unerbittlich wandten sie sich gegen Missstände im Kult und gegen die Verehrung anderer Götter (→ Baal). Zudem sahen sie die Katastrophe kommen, die das Verhalten des Volkes und seiner Führer unweigerlich herbeirufen musste. Aber auch die neue Zukunft, die dem Volk danach noch einmal geschenkt werden soll, wird von den Propheten angekündigt. Sie wird im Bild eines umfassenden »Friedens« geschaut, der auch die anderen → Völker umgreift. Z.T. wird dieser Frieden mit der Gestalt eines Friedensbringers verknüpft (→ Messias).

Die Propheten richten ihre Botschaft in der Regel mündlich aus; erst später wurden ihre Worte (z.T. von ihnen selbst) aufgeschrieben. Die großen Propheten des 8. bis 6. Jahrhunderts v. Chr. standen oft in heftiger Auseinandersetzung mit einem Berufsprophetentum, das sich sowohl am Jerusalemer → Tempel als auch in → Bethel, dem Reichsheiligtum Nordisraels, herausgebildet hatte. Propheten dieser Art verkündeten in der Regel eher das, was dem Volk, insbesondere dem König, gefiel (vgl. Am 7,10-17; Jer 5,30-31; 14,13-15; 28,1-17) und was ihnen selbst Gewinn brachte (Mi 3,5.11). Weil die Prophetenworte als Gottesworte galten, behielt die prophetische Botschaft in Israel ihren großen Wert, auch nachdem die Botschaft bereits eingetroffen war bzw. auch in der Situation, in der das Wort sich noch nicht realisiert hatte. Vor diesem Hintergrund wurden die Prophetenworte aufgezeichnet und konnten somit auch in späterer Zeit immer wieder aufgegriffen werden. So lässt es sich erklären, dass Worte des Propheten Jesaja von Späteren, die sich der Botschaft dieses Propheten verpflichtet fühlten, weitergeschrieben wurden (so z.B. in Jes 40–66).

Prophetie im Neuen Testament Prophetie war im frühen Christentum eine der herausragenden Geistesgaben (→ Geist Gottes), die einzelnen Christen in der Gemeinde verliehen war, um göttliche Offenbarungen zu vermitteln (1. Kor 14,30). Konkret bedeutet das: Nach Meinung des Paulus sollen im Gottesdienst zwei oder drei prophetisch reden, die anderen aber sollten das Gehörte beurteilen (1. Kor 14,29; vgl. 1. Thess 5,21). Als Geistesgabe, die durch Vision oder Audition vermittelt sein kann, bewirkt sie im Gottesdienst Erbauung, Mahnung und Ermutigung (1. Kor 14,3). Prophetische Rede zielt unmittelbar auf Verständlichkeit (anders als die in Korinth so hoch geschätzte → Zungenrede, die stets der Übersetzung bedarf; 1. Kor 14,5.13). Paulus rechnet aber auch mit der Gefahr falscher Lehre, die in den Geistäußerungen zum Ausdruck kommt. Deshalb: Wer die Prophetie hat, soll sie »in Entsprechung zum Glauben« äußern, d.h. im Sinne grundlegender Glaubenstradition (Röm 12,6). Bei Paulus selbst können 1. Thess 4,16-17; 1. Kor 15,51-52 und Röm 11,25 als prophetische Rede gelten. Von christlichen Propheten handelt auch die Apostelgeschichte, ohne deren Wirken ausführlich zu diskutieren (Apg 11,27; 13,1; 15,32). Der Verfasser der Johannesoffenbarung bezeichnet sein Buch als »Worte der Prophetie«, die in den Gemeinden der römischen Provinz Asia gehört werden sollen (Offb 1,3), bezeichnet sich aber nicht selbst als Prophet, in Abgrenzung zu einer gegnerischen Prophetin (»Isebel«, vgl. 1. Kön 19), deren theologische Position er aufs Schärfste ablehnt (Offb 2,20-23). Er sieht sich als jemand, den der himmlische Christus berufen hat, das niederzuschreiben, was dieser ihm geoffenbart hat (Offb 1,19). Darum ist sein Buch nicht eigentlich sein Werk, sondern »Offenbarung Jesu Christi« selbst (Offb 1,1). Mit diesem Anspruch ist jede gegnerische Prophetie als Falschprophetie entlarvt.

Proselyten Proselyten sind geborene Nichtjuden, die rechtsgültig zum Judentum übertreten und sich zur Beachtung des → Gesetzes insgesamt verpflichten. Bei Männern schließt das den Vollzug der → Beschneidung ein.

Psalm Der Begriff geht auf griechisch »psalmos« zurück, was »zum Saiteninstrument gesungenes Lied« bedeutet. Die griechische Übersetzung verwendet ihn für das hebräische Wort für »Lied«, das in der Überschrift vieler Psalmen vorkommt. → Gebet.

Psalter Der Begriff geht auf das griechische Wort »psalterion« zurück und bezeichnet ursprünglich (1) ein Saiteninstrument (Ps 57,9). In manchen Bibelhandschriften wurde er dann als Überschrift für die Sammlung der → Psalmen verwendet und ist deshalb (2) eine Bezeichnung für das Psalmenbuch als Ganzes.

Purim Name eines jüdischen → Festes am 14. und 15. Adar zur Erinnerung an die im Esterbuch erzählte Rettung der persischen Judenschaft.

Put Name eines Volkes, das in kriegerischen Zusammenhängen in Verbindung mit Ägypten oder Libyen genannt wird (Jer 46,9; Hes 30,5; Nah 3,9).

Quasten Nach 4. Mose 15,38-40 sollen die Israeliten an den vier Zipfeln des aus einem rechteckigen Stück Tuch bestehenden Mantels Quasten anbringen, um sich an die Gebote (→ Gesetz) Gottes zu erinnern. Auch zu neutestamentlicher Zeit war dies üblich (Mt 23,5). Fromme Juden tragen bis heute die sog. Schaufäden.

Quirinius Publius Sulpicius Quirinius war kaiserlicher Beauftragter (Legat) für den Orient. Unter seiner Leitung wurde in → Syrien eine Besitzaufnahme durchgeführt. Sie führte zu Aufstandsbewegungen. Lukas (Lk 2,1-2) setzt diese → Schätzung irrtümlich bereits zu Lebzeiten → Herodes des Großen an.

Rabbi, Rabbuni (»mein Herr«, »mein Meister«) Ehrende Anrede an die → Schriftgelehrten, die Kenner und Lehrer des → Gesetzes.

Rabsaris (2. Kön 18,17) Ein → assyrischer Hofbeamter.

Rabschake (2. Kön 18,17; Jes 36,2) Ein hoher → assyrischer Hofbeamter. Die Grundbedeutung des Begriffes, der auch als Titel verwendet wird, ist »Mundschenk«.

Rache, Vergeltung Das Wort wird besser mit »Vergeltung« wiedergegeben. Wenn die Bibel vom »Gott der Rache« spricht, meint sie den Gott, der leidenschaftlich für das Recht eintritt. Auch der Wunsch biblischer Beter nach Rache an ihren Feinden ist in diesem Zusammenhang zu sehen: als das Verlangen gequälter

Menschen nach dem ihnen zustehenden Lebensrecht.

Besonders einige → Psalmen drücken für unser Empfinden ein ungezügeltes Rachebegehren aus (vgl. Ps 58,7-11; 83,10-19; 94,1-2; 137,7-9). Die Beter verdrängen ihre aufgewühlten Gefühle nicht, sondern sprechen sie rückhaltlos vor Gott aus. Damit geben sie jedoch gleichzeitig die Ausführung der Bestrafung an Gott ab, der allein nicht nur die Macht, sondern auch das Recht dazu hat.

Die Formulierung »Auge um Auge, Zahn um Zahn« (2. Mose 21,24) fordert nicht Rache, sondern Verhältnismäßigkeit, indem sie die Schadenersatzforderung auf das Ausmaß des entstandenen Schadens begrenzt.

Im Neuen Testament wird dazu ermahnt, auf Rache zu verzichten und den Gegner durch Liebe zu überwinden (Mt 5,43-48; Röm 12,17-21; vgl. allerdings auch – in der Situation des Martyriums formuliert – Offb 6,10).

Rahab (Hiob 9,13; 26,12; Ps 89,11) Name für das mythische Seeungeheuer als Inbegriff der widergöttlichen Macht (→ Leviatan). Er wird auch auf Ägypten als den Feind des Gottesvolkes übertragen (Jes 30,7).

Rahel Mutter Josefs und Ahnfrau der Stämme → Ephraim und → Manasse (5. Mose 33,13-17) sowie des Stammes → Benjamin. Rahel starb bei der Geburt Benjamins und wurde in der Nähe → Bethlehems begraben (1. Mose 35,16-20; 48,7). Eine andere Tradition verbindet das Grab Rahels mit Rama (Jer 31,15).

Rat, Hoher Rat Zur Zeit Jesu die oberste Behörde des Judentums unter dem Vorsitz des → Hohenpriesters; die vornehmsten → Priester, die führenden → Schriftgelehrten und angesehene »Älteste«, zusammen 71 Männer, bildeten den Rat. Die Römer hatten die weltliche Vollmacht des Rats eingeschränkt, jedoch seine Autorität in religiösen Entscheidungen anerkannt.

Räucheraltar Ein goldener Altar im Inneren des Jerusalemer → Tempels, auf dem als → Opfer eine besondere → Weihrauchmischung verbrannt wurde (2. Kön 12,10; 1. Chr 28,18). Nach der alttestamentlichen Überlieferung ist sein Vorbild bereits in der Einrichtung der → Stiftshütte gegeben (2. Mose 30,1-10).

Räuchern, Räucheropfer Die Verbrennung wohlriechender Harze und Pflanzenteile (Räucherwerk) auf glühenden Kohlen im → Tempel. In Offb 8,3-4 Sinnbild des → Gebets.

Reich Gottes Zur Zeit der Religionsverfolgung unter Antiochus IV. Epiphanes (ab 168 v. Chr.) hofften bestimmte Kreise im Judentum, dass Gott, dessen Herrschaft man im Himmel als bereits gegenwärtig dachte, seine Herrschaft auch auf Erden durchsetzen und dem Lauf der Geschichte ein Ende bereiten werde (vgl. Dan 11–12). Israel sollte von den Bedrückern befreit, im Inneren sollte Recht und Gerechtigkeit verwirklicht werden. Diese Hoffnung hat sich auch später, wenn Israel unter fremder Herrschaft zu leiden hatte, immer wieder entzündet. Jesus war sich gewiss, dass sich in seinem Wirken die Herrschaft Gottes auf Erden anfangsweise durchsetzt (Lk 11,20; vgl. Mk 4,3-9). Später haben Christen mit Hilfe dieser Hoffnung die Erfahrung des Martyriums bewältigt (vgl. die Offenbarung des Johannes).

rein, Reinheitsvorschriften Der Israelit erstrebt den Zustand kultischer Reinheit nach dem → Gesetz Moses, um dem heiligen Gott im Gottesdienst oder im → Gebet begegnen zu können. Verunreinigung kann verschiedene Ursachen haben: z. B. Vorgänge der Geburt (Lk 2,22) und des Todes, Ausscheidungen des Körpers, Genuss bestimmter Speisen (Mk 7,15), Berührung von Leichen und verunreinigten Gegenständen, Kontakt mit Aussätzigen (→ Aussatz) und Tischgemeinschaft mit Sündern und Heiden (Lk 15,1; Gal 2,12-13). Reinheitsvorschriften regeln auf der Grundlage von 3. Mose 11–15 die Vermeidung kultischer Unreinheit (z. B. durch Speiseverbote) und die Wiedererlangung kultischer Reinheit (z. B. durch Waschungen und Tauchbäder wie in Mk 7,3-4 oder durch → Opfer wie in Mk 1,44). Im antiken Judentum verstand man diese Vorschriften zugleich als Bewährung der göttlichen Erwählung Israels unter Abgrenzung von den Nichtjuden (→ Völker). Teilweise dehnte man diese Bestimmungen, die für → Priester und jeden, der den → Tempel betreten wollte, verbindlich waren, auf den ganzen Alltag aus (vgl. Mk 7,1-4). In weiten Teilen christlicher Tradition fühlte man sich an diese Vorschriften nicht mehr gebunden (Mk 7,1-23, anders jedoch Mt 5,17).

Retter Ein antiker Ehrentitel. Martin Luther hat das entsprechende Wort meist mit »Heiland« übersetzt. Der Titel ist ursprünglich ebenso auf Gott (Ps 17,7: Jes 43,3) wie auf menschliche Heldengestalten bezogen, die sich in militärischen Konfrontationen siegreich hervorgetan haben (so z.B. die »großen« → Richter; Ri 3,9.15). Später legen sich Könige (z.B. der in 1. Makk 7,1 genannte Demetrius) diesen Titel zu, um für ihr Wirken einen entsprechenden Anspruch zu formulieren. Im Neuen Testament gilt zunächst Gott (Lk 1,46-48; 1. Tim 2,3-6), dann auch Jesus als Retter aus der Gottesferne (Mt 1,21). Diese Rettung wirkt sich in einem Leben in Orientierung an Gott und seinem Willen aus. Im Neuen Testament wird »Retter« bzw. »Heiland« zu einer Bezeichung Jesu (Lk 2,11; Joh 4,42; Phil 3,20; 2. Tim 1,10). → Erlöser.

Richter Die Bibelwissenschaft unterscheidet zwischen den »großen« und den »kleinen« Richtern. Zu den »großen« Richtern zählen jene Gestalten, die das Volk durch die Hilfe Gottes aus militärischer Bedrängnis errettet haben (so z.B. Debora und Barak, Gideon oder Simson; → Retter), während jene als »kleine« Richter bezeichnet werden, die nur ganz knapp in Listen erscheinen (Ri 10,1-5; 12,8-15). Ihre Aufgabe bestand wohl darin, in den einzelnen Stämmen in der vorstaatlichen Zeit Recht zu sprechen.

Riesen Als »Riesen« werden in der Lutherbibel verschiedene sagenhafte Völker der Vorzeit bezeichnet, so die Refaïter (1. Mose 14,5) oder die Anakiter (4. Mose 13,33). Sie sollen von besonderer Größe gewesen sein; das Bett des Königs Og von Basan war nach 5. Mose 3,11 neun Ellen lang. Auch der → Philister Goliat wird in 1. Sam 17,4.23 als »Riese« bezeichnet; das entsprechende hebräische Wort bedeutet aber eher »Vorkämpfer«.

Rimmon (1) Ein → aramäischer Wettergott (2. Kön 5,18), der v.a. in Damaskus verehrt wurde.

(2) Name verschiedener Orte in den Stammesgebieten von → Simeon (Sach 14,10), Sebulon (Jos 19,13) bzw. → Benjamin (Ri 20,45.47; 21,13).

(3) Name eines Benjaminiters aus dem Ort Beerot (2. Sam 4,2)

Rogel Quelle im Kidrontal, ca. 300 m südöstlich der Davidstadt (→ Stadt Davids) gelegen. Sie diente neben der → Gihonquelle zur Wasserversorgung → Jerusalems (2. Sam 17,17). Wahrscheinlich war der Ort eine alte Kultstätte (1. Kön 1,9).

Rüsttag Der Freitag, an dessen Nachmittag man sich zur Feier des → Sabbat rüstet (Mk 15,42; Lk 23,54), oder der Tag vor dem → Passa (Joh 19,14).

Saba Königreich in Südarabien im heutigen Jemen gelegen, das durch Handel (→ Weihrauch, Gold, Elfenbein) mit Indien und Afrika zu großem Wohlstand gekommen war. Der Reichtum Sabas spiegelt sich auch in der Erzählung vom Besuch der Königin von Saba bei → Salomo (1. Kön 10,1-13).

Sabbat Der Sabbat ist der Schlusstag der Woche, an dem Gott nach der sechstägigen Weltschöpfung ruhte (1. Mose 2,2-3). Die Israeliten lernten den Sabbat nach der biblischen Erzählung bei der Wüstenwanderung kennen, als Gott ihnen am sechsten Wochentag die doppelte Portion → Manna gab und gebot, den folgenden Tag als Ruhetag zu halten (2. Mose 16). Die Herkunft des Sabbats kann aus historischer Hinsicht nicht eindeutig geklärt werden.

In nachexilischer Zeit wurde die Einhaltung des Sabbats neben der Befolgung der Gebote zu → Beschneidung und → Reinheit zum wichtigen Identitäts- und Unterscheidungsmerkmal Israels von anderen → Völkern. Das Verbot bestimmter Arbeiten (das Ausraufen von Ähren galt als Erntearbeit, vgl. Mk 2,24), entwickelt aus der Zusammenschau verschiedener Bibeltexte, sollte der durchgehenden Beachtung des Willens Gottes auch im Alltag dienen. Bei Lebensgefahr hatte die Sicherung des Lebens allerdings Vorrang (Mt 12,11; Mk 3,4). Jesus setzte sich manchmal darüber hinweg, nicht aus allgemeinem Verdruss an Geboten, sondern in der Absicht, den ursprünglichen Sinn des Sabbats hervortreten zu lassen (Mk 2,27).

Sabbatjahr So wie der Mensch an jedem siebten Tag seine Arbeit ruhen lassen muss, soll im alten Israel das Land in jedem siebten Jahr einen »Sabbat« halten, d.h. unbebaut bleiben und brachliegen; was dennoch wächst, soll den Armen zustehen (3. Mose 25,1-7). Eine ausdrückliche Begründung wird dafür nicht gegeben, man nimmt aber an, dass damit ausgedrückt werden soll, dass der Gott Israels der eigentliche Eigentümer des Landes ist. Israelitische → Sklaven sollen in diesem Jahr die Freiheit erhalten (2. Mose 21,2-6; nach 3. Mose 25,39-43 in jedem 49. Jahr), und es sollen alle Schulden erlassen werden (5. Mose 15,1-3). Diese weitgehende Forderung wurde offenbar vielfach nicht beachtet (3. Mose 26,34; 2. Chr 36,21), von der nachexilischen Gemeinde jedoch neu übernommen (Neh 10,32).

Sabbatweg (Apg 1,12) Die Strecke, die nach der Sabbatsatzung zur Zeit Jesu ein Jude am →Sabbat von seinem Wohnort aus gehen durfte: 2000 Ellen, etwa 1 km.

Sack Kleidungsstück, das aus dunklem Ziegen- oder Kamelhaar gewoben war und mit einem Strick um den Leib befestigt wurde (2. Sam 3,31; Jes 3,24). Es wurde als Trauergewand (z. T. unter dem zum Zeichen der →Trauer zerrissenen Obergewand) getragen. Neben dem Trauergewand in Sackform kommt auch die Form des Lendenschurzes vor (Jes 20,2; Am 8,10). Auch als Bußgewand (→Buße) wurde es in persönlicher Not und bei allgemeinen Katastrophen getragen sowie als Ausdruck der Trauer über eine (bewusste oder nur vermutete) Schuld vor Gott, die als Strafe die betreffende Notlage herbeigeführt haben könnte.

Sadduzäer Religionspartei im Judentum, wohl im 2. Jahrhundert v. Chr. entstanden, mit wechselndem politischem Einfluss. Der Name »Sadduzäer« leitet sich wahrscheinlich von dem Priester Zadok her. Den Sadduzäern gehörten die vornehmen Priestergeschlechter und Vertreter der weltlichen Aristokratie an. Als »konservative« Gegenspieler der →Pharisäer lehnten sie alle Lehren ab, die über das wörtlich im →Gesetz, d. h. den fünf Büchern Mose, Enthaltene hinausgehen, so z. B. den Glauben an die Auferstehung der Toten und den volkstümlichen Engelglauben (Mt 22,23; Apg 23,8). Nach der Zerstörung des →Tempels hatte diese Gruppe kaum mehr Bedeutung.

Salben, Salbung Die Salbung wurde durch Einreiben oder Begießen des Kopfes und Leibes mit wohlriechendem →Öl (Olivenöl) vorgenommen. Sie war Ausdruck der Lebensfreude und des Wohlstandes; deswegen unterließen Trauernde die Salbung. Außerdem hatte sie ihren besonderen Platz im religiösen Leben. Gegenstände und Personen wurden von →Propheten oder →Priestern gesalbt, um so ihre Zugehörigkeit zur Sphäre Gottes zum Ausdruck zu bringen: der heilige Stein in →Bethel (1. Mose 31,13), die →Stiftshütte, der Altar (2. Mose 29,36), Propheten (1. Kön 19,16), Priester (2. Mose 30,30) und Könige (1. Sam 10,1; 16,1.13). Bei Personen bedeutet die Salbung die Übereignung von Ehre, Macht und Kraft. Bedeutsam ist v. a. die Salbung des Königs, die einen Rechtsakt darstellte. Vielleicht stammt die Königssalbung aus dem kanaanitischen Raum. Der König ist »der Gesalbte des Herrn« (1. Sam 24,7; Ps 2,2). In späterer Zeit wird diese Bezeichnung zum Titel des erwarteten Heilskönigs aus dem Geschlecht →Davids (hebräisch: »maschiach« – »Gesalbter«; →Messias).

Salem →Jerusalem.

Salomo Salomo war ein Sohn →Davids und dessen Frau Batseba (2. Sam 12,24) und König über das Nord- und Südreich (10. Jahrhundert v. Chr.). Er wurde v. a. durch die Erbauung des Jerusalemer →Tempels, seine Weisheit und seine Macht- und Prachtentfaltung berühmt (1. Kön 2–10); kritisch gesehen wird, dass er seinen zahlreichen Frauen Tempel für ihre Götter erbauen ließ (1. Kön 11,1-8). Seinem Sohn und Nachfolger Rehabeam gelang es nicht mehr, die beiden Teile des Reiches zusammenzuhalten. Die biblische Überlieferung sieht darin eine Strafe Gottes für Salomos Abfall (1. Kön 12).

Auf Salomo werden im antiken Judentum mehrere Schriften zurückgeführt (Sprüche, Hoheslied, Prediger, in den Apokryphen die Weisheit Salomos, außerhalb der Bibel die sog. Psalmen Salomos). Salomos Pracht und Weisheit ist bereits in neutestamentlicher Zeit sprichwörtlich geworden (Mt 6,29; Lk 11,31).

Salomohalle →Halle Salomos.

Salzmeer (1. Mose 14,3) Das Tote Meer.

Samaria, Samarien Nach der Eroberung des Nordreiches Israel durch die →Assyrer errichteten diese auf dem alten Reichsgebiet eine Provinz, die nach Samaria, der Hauptstadt des früheren Nordreichs, den Namen Samarien erhielt (2. Kön 17,24).

Samaritaner, Samariter Im Alten Testament bezeichnet der Begriff die Bewohner der Provinz →Samarien, die nach biblischer Überlieferung durch Umsiedlung eroberter Völkerschaften in dieses Gebiet entstand. Die aus der babylonischen →Gefangenschaft zurückgekehrten Judäer erkannten sie deshalb nicht als vollwertige Israeliten an und wiesen ihre Mithilfe am Bau des →Tempels zurück. In der Perserzeit entwickelte sich auch eine eigene religiöse Gruppierung. Zeitweise hatten sie einen Tempel auf dem Berg Garizim (zerstört 111 v. Chr.); dieser Berg war in ihren Augen der einzige legitime Ort des Gottesdienstes (Joh 4,20). Auch erkannten sie nur die fünf Bücher Mose (mit einigen Besonderheiten in der Textüberlieferung) als Heilige Schrift an. Zur Zeit Jesu galten sie bei den Juden als Ketzer. Die gegenseitige Abneigung zwischen

Juden und Samaritanern ist auch in Lk 9,52-53 und Joh 4,9 belegt. Als kleine Gruppe leben Samaritaner noch heute in Nablus.

Sanballat Statthalter der persischen Provinz → Samarien zur Zeit Nehemias, der als dessen Gegner auftrat (um 440 v.Chr; Neh 2,10.19; 3,33).

Saphir Es gilt als gesichert, dass es sich bei den biblischen Erwähnungen von Saphir um Lapislazuli handelt, einen undurchsichtigen blauen, mit Silber- und Goldpünktchen besäten Lasurstein, der im Altertum hoch geschätzt war und vielfach künstlerisch verarbeitet wurde (2. Mose 28,18; 39,11). Er ist traditionell mit den Fundamenten des neuen Jerusalem verbunden (Jes 54,11; Tob 13,17; Offb 21,19). Da der Lapislazuli mit seinen feinen Goldsprenkeln an den Sternenhimmel erinnert, findet sich auch die Vorstellung, wonach der Thron Gottes auf einer Platte aus Lapislazuli stand (Hes 1,26; 10,1; vgl. auch 2. Mose 24,10). Der echte, durchsichtige Saphir war vor der römischen Kaiserzeit fast unbekannt.

Sara (Sarai) Sarai, die später von Gott den Namen »Sara« erhält (1. Mose 17,15), ist die Frau → Abrahams. Sie wird nach langem Warten im hohen Alter Mutter des Verheißungsträgers → Isaak (1. Mose 21,1-7). Isaaks Geburt ist als ein Wunder und Zeichen der Macht Gottes zu verstehen.

Satan Ursprünglich bezeichnet das Wort in der Rechtspraxis in Israel den Ankläger (»Staatsanwalt«). In ähnlicher Funktion wird der Satan zunächst zu den »Gottessöhnen«, d.h. zum himmlischen Hofstaat gezählt (Hiob 1,6; 2,1); später im Judentum wie dann auch im Neuen Testament wird er als Gegenspieler Gottes betrachtet, von dem das Böse ausgeht. Dass er in einen bestimmten Menschen eingehen kann (so jüdische Texte wie auch Lk 22,3), ist nach Überzeugung dieser Texte nur möglich, wenn sich dieser Mensch seinem Wirken von sich aus öffnet. Die Wendung »Thron des Satans« in Offb 2,13 bezieht sich wohl auf den Tempel für den Kaiser Augustus und die Göttin Roma in Pergamon. Der Kaiserkult stellte für die Christen eine besondere Bedrohung dar: Wer sich ihm verweigerte, galt als Staatsfeind.

Satzungen der Ältesten → Pharisäer.

Sauerteig Als Treibmittel verwendete man beim Brotbacken ein Stück gegorenen Teig, das man vom letzten Backen aufgehoben hatte. So war stets Sauerteig im Haus; nur zum → Passafest musste aller Sauerteig entfernt werden (vgl. 2. Mose 12,18-19; 5. Mose 16,3-4; 1. Kor 5,6-8). Auch für Speisopfer und bei Dankopfern (→ Opfer) durfte kein Sauerteig verwendet werden. Dahinter steht die Vorstellung, dass der Gärprozess als eine Art Fäulnisprozess die unversehrte Ursprünglichkeit und Reinheit der Gabe verletzt (→ rein). Sauerteig hat »ansteckende« Wirkung (vgl. Mt 13,33; Mk 8,15).

Saul Der erste israelitische König (Anfang 10. Jahrhundert), Vorgänger → Davids. Saul war von Gott erwählt, wurde dann aber – weil er gegen sein Gebot verstoßen hatte – von ihm verworfen (1. Sam 8–15).

Saulus Jüdischer Name des → Paulus, den dieser gleichzeitig verwendete.

Schätzung Im Jahr 6/7 n. Chr., als Judäa (mit Idumäa und Samarien) Teil einer römischen Provinz wurde, wurden unter → Quirinius die Bewohner des Landes und ihr Besitz für die Erhebung von Steuern registriert (»geschätzt«). Vielleicht bezieht sich Lk 2,1-3 darauf; vielleicht ist aber auch eine um 8/7 v. Chr. beginnende erste Erfassung gemeint.

Schaubrote Das Brot, das nach der Vorschrift von 2. Mose 25,30 ständig auf einem Opfertisch im zentralen Heiligtum der Israeliten ausgelegt sein musste. Im Hintergrund steht wohl die Vorstellung eines → Opfers und einer Speisung der Gottheit.

Schebat → Monat, Jahr.

Scheidebrief Grundlage jüdischen Scheidungsrechtes ist 5. Mose 24,1. Die Scheidungsurkunde sollte der → Frau eine Wiederheirat ermöglichen. Umstritten war, weswegen der → Mann eine Scheidung aussprechen konnte: Viele sahen nur → Ehebruch seitens der Frau als Scheidungsgrund an (so auch Mt 5,32), andere auch andere Gründe. Jesus hat die Ehescheidung überhaupt abgelehnt (Lk 16,18). → Ehe.

Schekel → Geld; → Anhang »Maße, Gewichte und Geldwerte«.

Schibbolet Das hebräische Wort kann »Ähre« oder »Wasserflut« bedeuten. In Ri 12,6 dient es als Erkennungszeichen: Die Leute von → Ephraim können kein »sch« aussprechen.

Schihor (1. Chr 13,5; Jes 23,3) Ein Arm des Nils.

Schilfmeer Ort, an dem die Israeliten beim Auszug aus Ägypten von Gott vor den feindlichen Truppen des → Pharao gerettet wurden (2. Mose 15,4; vgl. auch 2. Mose 14). Eine exakte

Lokalisierung ist schwierig, man hat an den Golf von Suez, die Bitterseen nördlich des heutigen Suez oder an den Sirbonischen See nordwestlich davon gedacht. Wichtiger als die geografische Lokalisierung ist die theologische Botschaft der Erzählung vom Auszug, die die Errettung am → Meer zur grundlegenden Erfahrung Israels mit seinem Gott macht (2. Mose 15; Ps 136,13; vgl. auch Hos 11,1).

Schinar Name für → Babylonien bzw. Babel (1. Mose 11,2; Sach 5,11).

Schlauch (Mt 9,17) Gefäß zur Aufbewahrung von Flüssigkeiten, verfertigt aus der Haut eines Tieres, gewöhnlich einer Ziege.

Schrift, Heilige Sowohl im Judentum als auch im Christentum kommt der Schrift als Mittel der Offenbarung Gottes und seines Willens zentrale Bedeutung zu. Im antiken Judentum entstehen noch bis ins 2. Jahrhundert v. Chr. hinein Werke mit eigenem Offenbarungsanspruch. Die Idee, dass Israels Identität nicht nur in der Bindung an den einen Gott besteht, sondern auch an sein → Gesetz, ist älter als die Frage, welches Textkorpus als Gesetz Gottes zu gelten habe. Allerdings ist schon eine zunehmende Bedeutung der später kanonisch gewordenen Texte zu beobachten (vgl. z. B. Tob 2,6; Bar 2,20). Das schlägt sich auch in der bereits in der Antike vorgenommenen Übersetzung der Schriften, die später zum Kanon der Hebräischen Bibel gehören, ins Griechische (der sog. Septuaginta) nieder. Regelungen von Religionsgesetzen ritueller wie ethischer Natur und Darstellung der Geschichte Israels waren die wesentlichen Gesichtspunkte antiken jüdischen Verständnisses der Heiligen Schrift. Zusätzlich bezogen Sondergruppen im antiken Judentum ähnlich wie später die Christen die kanonisch gewordenen Prophetentexte auf ihre eigene Zeit, Situation und Gruppe. Die Bibel der ersten Anhänger Jesu ist im Wesentlichen das Alte Testament (→ Paulus kannte keines der vier kanonisch gewordenen Evangelien). Man zitiert v. a. das → Gesetz, die Prophetenbücher und die Psalmen (vgl. Lk 24,44), zumeist, um Jesus als → Messias zu präsentieren, gelegentlich auch in Fragen der Ethik.

Schriftgelehrte Der Stand der Schriftgelehrten setzt die Existenz von Schriften voraus, denen man Autorität und Heiligkeit zuschreibt. Er hat sich nach dem Exil entwickelt, als man immer mehr danach fragte, wie das Alltagsleben auch im Einzelnen nach den Willen Gottes zu gestalten ist, sodass Gottes Gebot (→ Gesetz) keinesfalls übertreten würde. Das große Vorbild war Esra (vgl. Esra 7), der die Tora öffentlich verliest und somit als Schriftgelehrter erscheint (Neh 8,13). Das Ideal des Schriftgelehrten wird dann in Sir 38,24–39,11 geschildert.

In den synoptischen Evangelien erscheinen Schriftgelehrte im ähnlichen Sinne neben → Pharisäern und → Sadduzäern als Gesetzeskundige, die auf der Grundlage biblischer Tradition Einzelfragen des alltäglichen Lebens von der Religion her bedachten und auch als Lehrer in der → Synagoge tätig waren. Ihren Lebensunterhalt verdienten sie sich anderweitig, denn ihre Lehr- und Auslegungstätigkeit erfolgte unentgeltlich. In der Forschung ist umstritten, ob sie außerdem offizielle Funktionen in dörflichen/städtischen Verwaltungen innehatten.

Auch in manchen christlichen Gruppen gab es Schriftgelehrte (Mt 13,52; 23,34), die die fünf Bücher Mose im Lichte der Verkündigung Jesu auf Konsequenzen für das Alltagsleben hin bedachten.

Schriftrolle Für längere Texte diente im Altertum Papyrus oder speziell präpariertes Leder (Pergament) als Schreibmaterial. Die einzelnen Blätter wurden in nebeneinanderliegenden Spalten beschrieben und so aneinandergeheftet, dass eine Schriftrolle entstand. In Jer 36 wird erzählt, dass der König Jojakim (609–598 v. Chr.) eine Schriftrolle mit den Worten des Propheten verbrennen lässt und dass Jeremia seinem Schreiber Baruch daraufhin befiehlt, eine neue Rolle mit seinen Worten anzufertigen. Die uns bekannte Buchform entwickelte sich in der griechisch-römischen Welt, indem man zunächst kleine Holztafeln übereinanderlegte und zusammenband, bis man schließlich die Holztafeln durch einzelne Blätter aus Papyrus oder Pergament ersetzte. Diese Form des »Kodex«, die unserer Buchform entspricht, entstand wohl im 1. Jahrhundert n. Chr. und verbreitete sich erst in den ersten nachchristlichen Jahrhunderten, sodass der Gebrauch von Schriftrollen immer mehr zurückgedrängt wurde. Wenn in der biblischen Überlieferung von einem Buch die Rede ist (z. B. Lk 4,17; Offb 1,11; 3,5; 5,1), ist somit immer eine Buchrolle gemeint. Im jüdischen Gottesdienst werden bis heute v. a. die fünf Bücher Mose (»Tora«) sowie das Buch Ester (»Megilla«) in der Form einer Schriftrolle gebraucht.

Schuldopfer → Opfer.

Schwagerehe Pflichtehe. Der Bruder eines kinderlos verstorbenen Mannes musste dessen Witwe heiraten, damit die Familie des Bruders nicht ausstirbt; denn der erste in der Schwagerehe geborene Sohn galt als Nachkomme des Verstorbenen (5. Mose 25,5-10; vgl. auch Rut 4,4.10). Die Schwagerehe wird auch »Levirat« genannt. → Ehe.

Schwester Die übliche Anrede an die Gemeindeglieder in den Paulusbriefen ist »Brüder«. Damit sind meistens Männer und Frauen gemeint. Daher ergänzt diese Übersetzung an geeigneten Stellen die Anrede um die Wörter »und Schwestern«.

Schwingopfer Teile des → Opfers wurden vor dem Altar »geschwungen«, d. h. hin und her bewegt, vermutlich um die Übereignung an Gott zu betonen (2. Mose 29,24; 3. Mose 7,30).

Segen Eine Leben spendende und erhaltende Kraft, die durch das gesprochene Wort übertragen werden kann. Seine Wirkung hängt freilich von Art und Bedeutung der sprechenden Persönlichkeit ab. Bestimmte Menschen sind mit besonderer Segensmacht begabt. Das kann bei Sterbenden mit der Todesnähe zusammenhängen (Jakob in 1. Mose 48), es kann Folge einer außerordentlichen Veranlagung sein (wie bei Bileam in 4. Mose 22–24), aber auch in einer Amtsstellung und Weihe gründen wie bei den → Priestern, die zum Abschluss des Gottesdienstes die Gemeinde segnen (4. Mose 6,22-27). In Israel ist Gott der Geber allen Segens, und Menschen dienen als Mittler dieser göttlichen Segenskraft. Die Erzelternerzählungen zeigen, dass Israel unter einem ganz besonderen Segen Gottes steht (1. Mose 12,1-3). Der Erzvater → Jakob hat sich diesen Segen erkämpft (1. Mose 32,23-33). Im Hebräischen kann »segnen« auch die Bedeutung von »jemanden als Träger von Segenskraft anerkennen« haben. Deshalb kann hier auch Gott als »Gesegneter« bezeichnet werden oder er kann Objekt des Segens sein. Im Deutschen wird in diesem Zusammenhang das Wort »loben« verwendet.

Sela Begriff, der häufig in den → Psalmen erscheint. Die genaue Bedeutung ist unklar, man nimmt aber an, dass es eine Anweisung für die Musiker war, die den Psalmgesang begleiteten, und den Einsatz eines Zwischenspiels anzeigen sollte. In diesem Sinne hat die Septuaginta, die alte griechische Übersetzung des Alten Testaments, den Begriff verstanden.

Serafim (Jes 6,2) → Engelwesen, den → Cherubim ähnlich; sie sind zum Loben Gottes bestimmt, der im Himmel thront.

Sichelwagen (2. Makk 13,2) Der zweirädrige, von Pferden gezogene Streitwagen der orientalischen Heere seit der Perserzeit, der an der Wagenachse seitlich und nach unten herausstehende Schwerter hatte. Beim Angriff wurden mit ihm die Feinde wie mit einer Sichel »umgemäht«.

Siegel Das Wort »Siegel« bezeichnet sowohl das Gerät, mit dem man siegelt, als auch den Siegelabdruck als beglaubigendes Zeichen. Gegenstände, Tiere, aber auch → Sklaven wurden durch einen Siegelabdruck als Eigentum ihres Besitzers gekennzeichnet. Nach 1. Kor 9,2 ist die Gemeinde die rechtsgültige Beglaubigung des Dienstes des Paulus; die Beschneidung gilt Paulus als Siegel, d. h. als nachträgliche Bestätigung der Glaubensgerechtigkeit (Röm 4,9-12). In Offb 7,2; 9,4 ist das Siegel Eigentums- und Schutzzeichen, ebenso (bei anderer Wertung) in Offb 13,16; 14,9; 20,4. In 2. Tim 2,19 beinhaltet das Siegel Eigentums- und Verfügungsrecht Gottes. Das in Offb 5 beschriebene Buch ist »mit sieben Siegeln« versiegelt, hat also den Rang einer rechtsgültigen Urkunde. Urkunden waren damals nicht selten Doppelurkunden: Das versiegelte Innere enthielt den rechtskräftigen Text; dessen Wortlaut oder auch nur eine Zusammenfassung davon wurde außen wiederholt. Durch das Lösen der Siegel und das Öffnen der Innenschrift war der Inhalt der Urkunde vollstreckbar.

Silbergroschen, Silberling, Silberstück »Silberstück« bezeichnet im Alten Testament zunächst ein Stück gehacktes Silber von unbestimmter Größe, das als Zahlungsmittel verwendet wurde. Häufig wird das Gewicht der Silberstücke in Schekel angegeben; ein Schekel entspricht etwa 11–12 g. Im Neuen Testament werden der römische Denar und die griechische Drachme erwähnt (in der Lutherübersetzung mit »Silbergroschen« übersetzt). Ein Denar bzw. eine Drachme entsprechen dem Tageslohn eines Arbeiters (vgl. Mt 20,2). Der »Silberling« (Mt 26,15) hatte etwa den vierfachen Wert. → Anhang »Maße, Gewichte und Geldwerte«.

Silo In der vorstaatlichen Zeit ein wichtiges Heiligtum, an dem die → Bundeslade aufbewahrt wurde (1. Sam 4,4). Es wurde um 1050 v. Chr., wohl von den → Philistern, zerstört (Jer 7,12.14; 26,6.9).

Siloah Ein Kanal, der das Wasser der → Gihonquelle vom Kidrontal nach → Jerusalem leitete und die Wasserversorgung im Falle einer Belagerung sichern sollte (das hebräische Wort bedeutet »Kanal«). Während der ältere Kanal, auf den sich Jes 8,6 bezieht, in seinem größeren Teil außerhalb der Mauern am Abhang des Tales verlief, ließ König Hiskia (725–697 v. Chr.) einen 533 m langen Tunnel durch den Fels hauen, der noch heute das Wasser der Quelle zum Teich Siloah (Joh 9,7) leitet.

Simeon Zweiter Sohn → Jakobs und → Leas (1. Mose 29,33), der über kein eigenes Stammesgebiet verfügte, sondern im Gebiet → Judas aufging (Jos 19,1). Simeon blieb als Geisel beim → Pharao in Ägypten, während die Brüder → Benjamin holen mussten (1. Mose 42,24.36). Nach der Vergewaltigung seiner Schwester Dina unternahm er gemeinsam mit dem Bruder Ruben einen Rachefeldzug gegen Sichem (1. Mose 34,25-29); für die Grausamkeit, die dabei herrschte, wurden die Brüder im Jakobssegen verflucht (1. Mose 49,5-7).

Sinai Der Berg, an dem sich Gott seinem Volk Israel geoffenbart und seinen → Bund mit ihm geschlossen hat (2. Mose 19,1–20,21). Seine genaue Lage ist nicht bekannt.

Siw → Monat, Jahr.

Siwan → Monat, Jahr.

Sklave, Sklaverei Sklaverei gab es in der ganzen alten Welt in mannigfachen Formen und unter den verschiedensten Bedingungen. In Israel unterschied man zwischen volksfremden Sklaven und solchen aus dem eigenen Volk. Ein Israelit konnte zum Sklaven eines anderen werden, wenn er stark verschuldet war oder sich ihm in einer Notlage freiwillig verkaufte; auch Eltern verkauften ihre Kinder in solch einem Fall (Am 2,6). Ein israelitischer Sklave durfte jedoch nicht für entwürdigende Dienste gebraucht werden; er musste wie ein Lohnarbeiter behandelt und im → Sabbatjahr freigelassen werden. Für als Sklavinnen verkaufte Mädchen erlässt das → Gesetz besondere Schutzbestimmungen (2. Mose 21,7-11). Fremde Sklaven wurden im Krieg erbeutet oder auf dem Sklavenmarkt (z. B. in Tyrus) gekauft. Sie zählten praktisch zur Familie (→ Haus), mussten jedoch die niederen Dienste verrichten und konnten auch weiterverkauft werden, was bei den israelitischen Sklaven untersagt war.

In der griechisch-römischen Welt arbeiteten die meisten Sklaven auf landwirtschaftlichen großen Gütern, im Bergbau, im (See-)Handel; einige wenige hatten aufgrund spezieller Fähigkeiten (z. B. als Arzt, Koch, Musiker) bessere Lebensbedingungen und konnten u. U. zu bedeutenden Stellungen aufsteigen. Haussklaven waren auf die humane Gesinnung ihrer Besitzer angewiesen; sexuelle Ausbeutung hat es nicht selten gegeben. In der griechisch-römischen Philosophie wurde Sklaverei teils als wirtschaftliche Notwendigkeit gerechtfertigt, teils als Verstoß gegen die Gleichheit der Menschen kritisiert. In der christlichen Gemeinde sollten Sklaven gleichberechtigt integriert sein (Gal 3,28; vgl. den Philemonbrief insgesamt); die Wirklichkeit wird dem nicht immer entsprochen haben, wie sich an bestimmten Missständen in Korinth zeigt, die wahrscheinlich auf soziale Unterschiede zurückzuführen sind (1. Kor 11,20-21). Sklaven sollten aber im Alltagsleben ihre Pflichten erfüllen (Kol 3,22; Eph 6,5-9; 1. Tim 6,1-2).

Skorpion (5. Mose 8,15; Hes 2,6; Lk 10,19; 11,12) Er zählt zu den Spinnentieren (Arachnida) und kann mit seinem langen Stachel schmerzhaft stechen. In 1. Kön 12,11.14 und 2. Chr 10,11.14 Bild für eine mit Stacheln versehene Peitsche.

Sodom und Gomorra → Kanaanitische Städte, die nach 1. Mose 19,1-29 wegen ihrer Sünden vernichtet wurden. Vielleicht am Südostufer des Toten Meeres gelegen, sind sie wahrscheinlich schon in der mittleren Bronzezeit durch eine Naturkatastrophe untergegangen. Beide Städte gelten als Inbegriff der Verruchtheit (1. Mose 18,20).

Spätregen (5. Mose 11,14; Jak 5,7) Die Niederschläge am Ende der Regenzeit, etwa März/April; wichtig für die Entwicklung der Körner des Wintergetreides.

Speisopfer → Opfer.

Spezerei Gewürze verschiedener Art zur Zubereitung von → Salben, → Räucherwerk und Arzneien (2. Mose 30,34).

Stadt Davids Der älteste Teil der → Jebusiterstadt Jerusalem, auf dem steilen Südosthügel gelegen. Er wurde von König → David mit seinen eigenen Söldnertruppen erobert und daher nach ihm benannt. Der vorisraelitische Name dieser befestigen Anlage war → »Zion« (2. Sam 5,6-9).

Statthalter (Prokurator) Im Unterschied zu den senatorischen Provinzen, die einem vom römischen Senat eingesetzten Prokonsul unterstanden, und zu den imperatorischen

Provinzen, die einem vom Kaiser eingesetzten Legaten unterstellt waren, standen → Judäa und → Samarien ab 6 n. Chr. (44–66 n. Chr. das ganze Land Israel) unter einem Statthalter (der Titel war zunächst »Präfekt«, dann »Prokurator«), der in Cäsarea residierte. Der Prokurator hatte v.a. das Steuerwesen zu überwachen und in wichtigen Fällen als Richter zu wirken; er verfügte über eine Truppenmacht, mit der er während der großen Wallfahrtsfeste in Jerusalem anwesend war. Im Neuen Testament werden → Pilatus (26–36 n. Chr.), → Felix (52–60 n. Chr.) und → Festus (60–62 n. Chr.) erwähnt.

Staub (von den Füßen schütteln) Wenn Juden aus nicht jüdischem Gebiet nach Israel zurückkehrten, pflegten sie den Staub von den Füßen zu schütteln, um nichts »Verunreinigendes« (→ rein) in das Heilige Land mitzuschleppen. Im Zusammenhang der Jüngeraussendung (Mt 10,14; Lk 9,5; 10,11) und der urchristlichen Mission (Apg 13,51; ähnlich Apg 18,6) bedeutet das den Abbruch der Beziehungen und eine Überantwortung an Gottes Gericht.

steinigen, Steinigung Die Steinigung war eine Form der Todesstrafe, die bei besonders schweren Vergehen als feierliche Form des Ausschlusses aus dem Gottesvolk angewandt (3. Mose 24,10-22; 5. Mose 17,1-7; 21,21), aber auch als Lynchjustiz geübt wurde. In neutestamentlicher Zeit wurde eine offizielle Steinigung in folgender Form vollzogen: Der zu Steinigende wurde durch einen »Zeugen« (vgl. Apg 7,58) von einem Felsen oder einer Mauer rückwärts hinabgestürzt (Lk 4,29); wenn er noch lebte, ließ der zweite »Zeuge« einen schweren Stein auf seine Brust fallen.

Steinmal Ein aufrechter hingestellter Stein, in der Fachsprache auch »Mazzebe« genannt. Ein solcher Stein konnte ganz unterschiedliche Funktionen übernehmen:

(1) als eine Art Denkstein für einen Vertragsschluss und Grenzstein (1. Mose 31,45);

(2) als Grabstein (1. Mose 35,20; 2. Sam 18,18);

(3) als Gedenkstein an heiliger Stätte (1. Mose 28,18; 2. Mose 24,4);

(4) als eine Art Götterbild (2. Mose 34,13; 3. Mose 26,1; 5. Mose 7,5; 12,3; 16,22). Da diese Praxis für Israel strengstens verboten war, ließ König → Josia (640–609 v. Chr.) bei seiner Kultreform die Steinmale auf den Höhen zerstören (2. Kön 23,13-15).

Stiftshütte (2. Mose 33,7-11) Die Stiftshütte, wörtlich das »Zelt der Begegnung«, ist ein Zeltheiligtum, das die Israeliten bei der Wüstenwanderung begleitete. Ihre Funktion bestand darin, den Herrn zu befragen. Gott offenbarte sich dort den Propheten → Mose und Josua (5. Mose 31,14-15). Sie galt als der Ort, an dem Gott Wohnung nehmen konnte (2. Mose 40,34-38). Andere Überlieferungen bezeichnen dieses Wüstenheiligtum als »Wohnung des → Gesetzes« (2. Mose 38,21) oder »Hütte des Zeugnisses« (4. Mose 17,22-23), weil dort die → Bundeslade, die die Gesetzestafeln enthielt, untergebracht war (2. Mose 26,33). Nach Jos 18,1; 19,51 stand die Stiftshütte später in → Silo. Die Stiftshütte soll unter → Salomo dann sogar an den Ort des → Tempels nach Jerusalem gebracht worden sein (1. Kön 8,4 und 2. Chr 1,3). Die genauen Maßangaben zeigen, dass die Stiftshütte nach dem Bild des späteren Jerusalemer Tempels – allerdings in verkleinerter Form – beschrieben wurde. Für die biblischen Erzähler war es wichtig, die Kontinuität zwischen der Stiftshütte und dem Jerusalemer Tempel zu betonen.

Stunde → Tag.

Sturmbock (1. Makk 9,67) Belagerungsgerät, mit dem die Mauern gerammt wurden, um eine Bresche zu schlagen.

Sühne, Sühnopfer Die Vorstellung der Sühne kommt aus dem Opferkult (→ Opfer). Wenn die menschliche Sünde den Menschen von Gott trennt und ihn somit in die Sphäre des Todes stellt, so ermöglicht das Sühnopfer eine neue Beziehung zu Gott, indem der Mensch sein sündhaftes Leben symbolisch durch das Besprengen des Altars mit Blut dahingibt. Dieser Vorgang der Sühne ist nach dem alttestamentlichen Zeugnis kein Strafakt, sondern ein Heilsgeschehen, das Gott in seiner Barmherzigkeit dem Menschen zur Versöhnung ermöglicht.

Auch nach neutestamentlichen Aussagen geht die Initiative der Sühne von Gott aus (Röm 3,25-26; 1. Joh 2,2; 4,10), nicht vom Menschen. In Röm 3,25-26 bezeichnet der → Gnadenstuhl wohl die Goldplatte, die nach 2. Mose 25,17-22 die → Bundeslade bedeckt, oder die Einfassung des Brandopferaltars in Hes 43,14. Der Gnadenstuhl ist Ort der Gegenwart Gottes; somit wird Jesus in Röm 3,25-26 als Ort der Gegenwart Gottes bezeichnet, an dem sich Reinigung und Weihe der Menschen für Gott vollzieht (das Motiv der Stellvertretung steht hingegen nach neuerer Forschung nicht im Zentrum des Interesses). In 1. Joh 2,2 und 4,10 wird die durch Christus gebrachte Sühne als Reinigung durch Jesu Blut sowie als Sündenvergebung konkretisiert (vgl. aber auch → Versöhnung).

Sündopfer → Opfer.

Synagoge Versammlungsstätte jüdischer Gemeinden für den Gottesdienst am → Sabbat, aber auch zum »Unterricht im → Gesetz«, in Jerusalem auch als Herberge für Pilger. Archäologisch belegt sind Synagogen zunächst für den östlichen Mittelmeerraum außerhalb Israels; das Neue Testament setzt sie als selbstverständlich auch in Israel voraus (Mk 1,21). Der Wortgottesdienst am Sabbat bestand aus → Gebet und Schriftlesungen und u. U. einer Predigt, die von jedem in den Heiligen Schriften bewanderten jüdischen Mann gehalten werden konnte (vgl. Lk 4,20-27; Apg 13,15). Die Verwaltung der äußeren und inneren Angelegenheiten einer Synagogengemeinde lag in den Händen eines → Ältestenkollegiums. Ein Synagogenvorsteher sorgte unter Mithilfe eines Synagogendieners für den ordnungsgemäßen Vollzug eines Gottesdienstes (Lk 4,20). In der Synagoge tagte auch das örtliche oder Synagogengericht, das aus 23 Mitgliedern bestand. Von einem solchen Gericht wurde → Paulus mehrfach ausgepeitscht (2. Kor 11,24), ebenso andere, die sich zu Jesus bekannten (vgl. Mk 13,9; Apg 22,19).

Syrien Der Name ist aus einer Verkürzung des Namens → Assyrien durch griechische Schriftsteller entstanden. Mit diesem Wort wird das Gebiet um Damaskus vom Euphrat bis zur Nordgrenze Palästinas bezeichnet.

Syrisch-Ephraimitischer Krieg Mit dem Regierungsantritt Tiglat-Pilesers III. (744 v. Chr.) setzte eine neue Phase → assyrischer Expansionspolitik ein. Angesichts dieser Bedrohung machten eine Reihe von syrisch-palästinischen Kleinstaaten den Versuch, sich gemeinsam gegen die Assyrer zu behaupten. Führend in dem antiassyrischen Bündnis waren → Syrien und Nordisrael (Ephraim). Da König Ahas von Juda sich weigerte, dem Bündnis beizutreten, zogen die verbündeten Könige Rezin von Damaskus und Pekach von Samaria im Nordreich im Jahr 733 v. Chr. gegen → Jerusalem, um ihn abzusetzen und einen Mann ihres Vertrauens als neuen König einzusetzen. Der Prophet mahnte Ahas, auf Gottes Eingreifen zu vertrauen; anstatt auf das Prophetenwort zu hören, rief Ahas aber den Assyrerkönig zu Hilfe und unterwarf sich ihm durch eine Tributzahlung. Diese Politik war nur kurzfristig erfolgreich. Die Verbündeten zogen von Jerusalem ab. Tiglat-Pileser trennte noch im selben Jahr Galiläa und das Ostjordanland von Nordisrael ab und machte 732 ganz Syrien zur assyrischen Provinz. Juda wurde zum assyrischen Vasallenstaat, in dem der assyrische Staatskult eingeführt werden musste (2. Kön 16,10-18).

Tachpanhes (Jer 2,16) Eine ägyptische Stadt im östlichen Nildelta.

Tag Im Bereich des israelitischen Kults und Ritus' begann der neue Tag am vorhergehenden Abend (1. Mose 1,5; 3. Mose 11,24), doch empfand man unter dem Einfluss des natürlichen Lebensrhythmus gelegentlich auch den Morgen als Tagesbeginn (Ps 104,22). Im Neuen Testament ist nach weitverbreiteter Sitte des späten Altertums der ungefähr von 6 Uhr morgens bis 6 Uhr abends laufende Tag in 12 Stunden eingeteilt. Demnach entspricht z. B. in Mk 15,34 die neunte Stunde ungefähr der Zeit um 3 Uhr nachmittags nach unserer Zeiteinteilung.

Tammus (Hes 8,14; Dan 11,37) Sumerischer Hirtengott, der mehr und mehr zum Gott der jährlich sterbenden und wieder erstehenden Vegetation wurde. Der Tammuskult drang im 8./7. Jahrhundert v. Chr. bis nach Palästina vor. Beweint wird Tammus während des Wartens auf den Regen im Herbst, und zwar von den Frauen, die sinnbildlich für die auf Befruchtung durch den »Himmelstau« wartende Erde stehen.

Tarsisschiffe (1. Kön 10,22; Jes 23,1.14; 60,9; Hes 27,25) Große Handelsschiffe, wie sie etwa nach Tartessus (Tarschisch), der phönizischen Siedlung in Südspanien (Jona 1,3), fuhren.

Tartan (2. Kön 18,17; Jes 20,1) Titel des Heerführers im → assyrischen Heer.

Taufe Vorbild der christlichen Taufe ist die Taufe → Johannes' des Täufers als einmalige, nicht selbst vollzogene Waschung, die mit der Forderung der Umkehr (→ Buße) verbunden ist und aufgrund einer freiwilligen Entscheidung des Taufbewerbers vollzogen wird. Die Taufe wurde wohl von allen christlichen Gruppen vollzogen auf den → Namen Jesu (Apg 2,38; nur nach Mt 28,19 auf den Namen des Vaters, des Sohnes und des Heiligen → Geistes). Ursprünglich war das völlige Untertauchen üblich, später, bei Wassermangel, das dreimalige Begießen des Kopfes mit Wasser. Die Taufe wurde wohl nur an Erwachsenen vollzogen, noch nicht an kleinen Kindern. Zumindest für spätere Zeit ist nachweisbar, dass der Täufling ein Taufbekenntnis sprach. Es ging nach Form und Inhalt dann im »Apostolischen Glaubensbekenntnis« auf.

Taumelbecher, Taumelkelch Der Kelch des Gerichts (Jes 51,17.22; vgl. auch Jer 25,15-17), den Gott im Zorn gibt und der die Betroffenen wie Betrunkene taumeln lässt (Ps 60,5; Sach 12,2).

Tebet → Monat, Jahr.

Teman (Am 1,12) Eine Landschaft in Edom mit der Hauptstadt Bozra.

Tempel Der Tempel → Salomos (1. Kön 6), auf dem Berg → Zion in Jerusalem gelegen, war ein Langhausbau, der aus drei Teilen bestand: Vorhalle, Heiliges und Allerheiligstes. Diese Struktur entsprach kanaanäischen und syrischen Tempelbauten. Die Vorhalle war ca. 5 m lang und 10 m breit, ihr Eingang von zwei ehernen Säulen (1. Kön 7,15-22) flankiert. Das Heilige war 20 m lang, 10 m breit und 15 m hoch. Es enthielt den goldenen → Räucheraltar, den Tisch mit den → Schaubroten und die zweimal fünf Leuchter (vgl. die Beschreibung der → Stiftshütte in 2. Mose 40,1-33). Das Allerheiligste war ein Würfel von 10 m Kantenlänge, es hatte keine Fenster, und in ihm befand sich die → Bundeslade. Nur der → Hohepriester durfte es betreten, und dies auch nur einmal im Jahr am Versöhnungstag (3. Mose 16,11-14; Hebr 9,7; → Feste Israels). Der Tempel war von zwei Vorhöfen umgeben: einem inneren, in dem der große Brandopferaltar stand, und einem äußeren, dessen Umfassungsmauer den südlich des Tempels gelegenen Königspalast mit einschloss. Nebukadnezar zerstörte den ersten Tempel 586 v. Chr. Nach der Rückkehr der Judäer aus der → Gefangenschaft wurde er an der alten Stelle in bescheidenerer Form wieder aufgebaut (Tempelweihe 515 v. Chr.).

Nach alttestamentlicher Vorstellung war der Tempel der Ort der göttlichen Gegenwart (Jes 6,1; 8,18). Die alttestamentliche Überlieferung gibt auch Hinweise auf die Vorstellung eines himmlischen Heiligtums (Ps 104,3; Am 9,5-6). Diese spielt besonders in der Zeit nach der Zerstörung des Tempels eine wichtige Rolle, da nun betont wird, dass Gott im Himmel thront und von dort seinen Frommen hilft (Ps 11,4).

Der 515 v. Chr. eingeweihte sog. Zweite Tempel wurde 168 v. Chr. durch den griechischen (seleukidischen) König Antiochus IV. Epiphanes entweiht: Er wurde für den höchsten griechischen Gott umgewidmet, ein Aufsatz am Brandopferaltar wurde angebracht (→ Gräuelbild der Verwüstung), Schweine wurden geopfert (vgl. Dan 11,31). Judas Makkabäus gelang es 164 v. Chr., diese Maßnahmen rückgängig zu machen und den Tempel wieder seiner rechtmäßigen Bestimmung zuzuführen (vgl. die beiden Makkabäerbücher; → Tempelweihe). König → Herodes der Große renovierte diesen Tempel und erweiterte ihn; die Grundmaße des Heiligen und des Allerheiligsten blieben jedoch unverändert. Dabei wurde der innere Vorhof, den nur Jüdinnen und Juden betreten durften, neu gegliedert (Vorhof der Priester, der Männer, der Frauen) und der äußere erheblich erweitert und mit großartigen Säulenhallen umgeben. Der äußere Vorhof war für jedermann, auch für Nichtjuden (→ Völker), zugänglich. Dort hat man sich auch die Stände der Geldwechsler vorzustellen und der Händler, die Opfertiere zum Kauf anboten (Mt 21,12). Mit dem Tempelvorhang, der beim Sterben Jesu zerrissen sein soll (Mk 15,38), dürfte nicht der Vorhang zwischen dem Priestervorhof und dem Vorhof der Männer, sondern der Vorhang vor dem Allerheiligsten gemeint sein. Unklar ist, ob Mk 15,38 als Voraussage auf die Zerstörung des Tempels durch die Römer (70 n. Chr.) zu verstehen ist. Der Tempel wurde nach dieser Zerstörung nie wieder aufgebaut.

In 1. Kor 3,16 wird die Gemeinde als Ort der Gegenwart Gottes in der Welt begriffen, wie das ähnlich auch schon in jüdischen Texten begegnet. Von der Gemeinde fordert das Heiligkeit: Die Gemeinde ist dafür verantwortlich, was in ihrer Mitte geschieht, denn der Tempel ist Gottes unantastbares Eigentum. Damit kann Paulus zugleich an ein griechisch-römisches Grundgefühl anknüpfen, die Unterscheidung zwischen »sakral« und »profan«.

Im Hebräerbrief werden himmlischer und irdischer Tempel in das Verhältnis Urbild – Abbild gesetzt; dem Urbild wird Überlegenheit zugesprochen. Allerdings denkt der Verfasser in Hebr 8,3 nicht an einen besonderen Kultvollzug Jesu im himmlischen Heiligtum, sondern –

nach vollzogenem einmaligem Opfertod – an sein Hineingehen in die unmittelbare Nähe Gottes selbst.

Tempeldirne, Tempelhure, Tempelhurer Hinter den deutschen Begriffen steht ein hebräisches Wort, das »Geweihte« bzw. »Geweihter« bedeutet. Früher hat man angenommen, dass diese Personen am → Tempel oder auf den Kulthöhen Prostitution trieben, die als eine Art Fruchtbarkeitskult diente. Da es keine eindeutigen Belege für eine solche Praxis in den alttestamentlichen Texten gibt, ist man nun eher zurückhaltend mit einer solchen Annahme. Vermutlich verehrten die Personen, die so bezeichnet werden, andere Gottheiten und stellten sich so gegen den Alleinverehrungsanspruch des Herrn (1. Mose 38,21-22; 5. Mose 23,18; 1. Kön 14,24; 15,12; 22,47; 2. Kön 23,7; Hos 4,14).

Tempelgroschen Jeder erwachsene Jude hatte, auch wenn er außerhalb Israels lebte, jährlich einmal eine Steuer für den → Tempel in Jerusalem zu zahlen. Sie wird auf 2. Mose 30,11-16 zurückgeführt und betrug etwa den doppelten Tageslohn eines Arbeiters. Nur → Priester und z. T. auch → Schriftgelehrte waren von dieser Steuer befreit. Die Münze, die in Mt 17,27 erwähnt wird, entspricht dem Steuersatz für zwei Personen. Nach 70 n. Chr. ersetzten die Römer diese Steuer durch eine Steuer, die dem Kult des höchsten römischen Gottes zugutekam.

Tempelweihe (Joh 10,22) Das Fest, das zur Erinnerung an die Wiedereinweihung des Tempels durch Judas Makkabäus im Jahr 164 v. Chr. jährlich acht Tage lang gefeiert wurde (vgl. 1. Makk 4,59; 2. Makk 1,9).

Tenne → Dreschschlitten.

Terebinthe Der Begriff »Terebinthe« bezeichnet den Pistazienbaum, von dem es in Palästina verschiedene Arten gibt: zum einen die kleinere palästinische Terebinthe und zum anderen die atlantische Terebinthe, die der Eiche ähnelt (Jes 6,13; Hos 4,13; Sir 24,16).

Teufel → Satan.

Tod, zweiter (Offb 21,8) Der Tod, aus dem es keine Auferstehung mehr gibt: die ewige Verdammnis am Tag des letzten Gerichts.

Tofet (2. Kön 23,10; Jer 7,31-32; 19,6.10-14) Die Stätte des → Molochkults im → Hinnomtal bei → Jerusalem.

Totenklage Die → Trauer um einen Verstorbenen wurde im Altertum durch laut ausgestoßene Klagerufe zum Ausdruck gebracht (Jer 22,18). Man beschränkte sich jedoch nicht auf den Ausdruck persönlicher Trauer, sondern ließ die Totenklage auch von eigens dafür bestellten Personen ausüben (»Klageweiber«, Jer 9,16). Die normale Dauer betrug sieben Tage, für besonders angesehene Verstorbene dreißig Tage (5. Mose 34,8).

Totenreich Unterirdischer Aufenthaltsort der Verstorbenen, die dort als eine Art Schatten weiterleben (Hes 32,17-32). Die alttestamentliche Überlieferung nähert sich immer mehr dem Glauben an, dass Gott auch der Herr über das Totenreich ist und dass er die Macht hat, von den Toten zu erwecken. In der Offenbarung des Johannes (Offb 1,18; 20,13) ist die Totenwelt der Aufenthaltsort der Toten bis zur Auferstehung.

Trankopfer → Opfer.

Trauer (-bräuche, -brot) Die Trauer um einen Verstorbenen wird im alten Israel außer durch die → Totenklage durch eine Anzahl auffallender Trauerbräuche zum Ausdruck gebracht. Man zerreißt die Kleidung, legt den → »Sack« an, nimmt den Turban ab und lässt Haar und Bart ungepflegt. Auf den Kopf streut man sich Staub oder Asche, man schlägt sich an Brust oder Hüften, rauft sich das Haar oder schneidet es ab und fügt sich Schnittwunden zu. Ähnlich ist das Verhalten bei einem Unglücksfall. Das »Trauerbrot« (Jer 16,7; Hes 24,17) soll – als Gabe der Nachbarn und Freunde – nach einer Zeit des → Fastens den oder die Trauernden in die Welt der Lebenden zurückholen.

Tröster Im Johannesevangelium wird der Heilige → Geist als Tröster (Helfer, Anwalt) bezeichnet, der Jesus unter den Menschen vertritt, wenn dieser zum Vater geht (Joh 14,16). Er führt das Werk Jesu weiter. In ihm wird kein anderer als Jesus selbst zur Gemeinde kommen (Joh 14,18; vgl. Joh 15,26); zugleich wird er die Gemeinde, auch unter Vermittlung weiterführender Erkenntnis, »in alle Wahrheit leiten« (Joh 16,13).

Tubal → Meschech.

unbeschnitten, Unbeschnittene Die → Beschneidung gilt in Israel als Zeichen des → Bundes mit Gott (1. Mose 17,7-14). »Unbeschnitten« kann deshalb zu einem Schimpfwort für Angehörige von Völkern werden, die nicht wie Israel in einem besonderen Verhältnis zu Gott stehen. In der alttestamentlichen Überlieferung dient der Begriff zunächst als

Bezeichnung für die →Philister (1. Sam 17,26). Er kann sogar auf Völker angewandt werden, die selbst die Beschneidung geübt haben (Ägypten und Tyrus = Phönizien in Hes 32,1-32). Im übertragenen Sinn kann von »unbeschnitten am Herzen« geredet werden, was bedeutet, dass Gottes Wille nicht getan wird (Jer 4,4; Röm 2,25-29).

ungesäuert →Brot, ungesäuertes; →Sauerteig. Zum Fest der Ungesäuerten Brote →Passa.

unrein, Unreinheit →rein.

Unzucht Das Wort bezeichnet im Neuen Testament v.a. den Verkehr mit Prostituierten, darüber hinaus in umfassendem Sinn ein Fehlverhalten im Bereich der Sexualität. Gelegentlich bezieht es sich auf →Ehen innerhalb bestimmter Verwandtschaftsgrade, die nach dem →Gesetz Moses verboten waren (so wohl Offb 2,20; Mt 5,32; 19,9). Nach der Vorschrift von Apg 15,20.29 gehörte das Verbot von Unzucht (zusammen mit dem Verbot, den Götzen zu opfern, und dem Verbot, Blut bzw. Fleisch von ungeschächteten Tieren zu essen) zu den Lebensregeln, die auch den Christen aus nicht jüdischen →Völkern auferlegt wurden – wohl aus Rücksicht auf die gesetzestreuen Judenchristen, die sich sonst durch den Umgang mit ihnen verunreinigt hätten (→rein). Im übertragenen Sinn bezeichnet »Unzucht« seit Hosea (Hos 1,2; 3,1) die Hinwendung zu anderen Göttern.

Vergeltung →Rache.

Verlobung (Mt 1,18; Lk 1,27; 2,5) Die jüdische Verlobung stellt ein rechtsverbindliches Eheversprechen dar (→Ehe). Eine Verlobte war im Bezug auf Eigentumsverhältnisse, →Ehebruch, Ehescheidung (→Scheidebrief) und Erbrecht einer Verheirateten gleichgestellt, lebte aber noch in ihrem Elternhaus, erst nach der Hochzeit bei ihrem Ehemann.

verschneiden, Verschnittener Hofbeamte waren in manchen Teilen der alten Welt Eunuchen, d.h. künstlich zeugungsunfähig gemacht (dazu zählt auch der Kämmerer in Apg 8,27). Das sollte verhindern, dass sich der Betreffende durch eigene Nachkommenschaft eine Machtbasis gegen den regierenden Herrscher verschafft. In Israel gab es Tendenzen, Eunuchen vom Tempelgottesdienst auszuschließen (nach 5. Mose 23,2 durfte er allenfalls den äußeren Vorhof betreten), doch gab es auch gegenteilige Tendenzen (Jes 56,3-5; Weish 3,14).

Versöhnung Versöhnung bedeutet im Neuen Testament wie sonst auch, dass sich eine Beziehung von Feindschaft zu Freundschaft wandelt. Was die Beziehung zwischen Gott und den Menschen betrifft, wird durchweg betont, dass es Gott ist, der die Initiative ergreift und den Menschen durch den Tod Christi die Versöhnung zukommen lässt (Röm 5,10-11; Kol 1,20; Eph 2,16). In 2. Kor 5,18-21 ist die Sprache des Paulus von der Diplomatensprache der römischen Kaiserzeit geprägt. Paulus bittet als Gesandter Christi die Menschen, sich von Gott versöhnen zu lassen. →Sühne.

Versöhnungstag →Feste.

Völker Da Israel häufig durch fremde Mächte bedroht war, spielt das Thema der Völker eine wichtige Rolle in der alttestamentlichen Überlieferung. Die Stammbäume ordnen Israel in die Gesamtheit der Völkerwelt ein (1. Mose 5; 11,10-26). Der Gott Israels erscheint als der souveräne Herrscher über die Völkerwelt: Er kann sich ihrer bedienen, um sein eigenes Volk zu bestrafen, kann aber auch das Gericht über diese bringen (Jes 13–27; Jer 46–51; Hes 25–32). Andere Überlieferungen, v.a. aus der Zeit nach der babylonischen →Gefangenschaft, bringen aber auch die Hoffnung zum Ausdruck, dass Israel in Frieden mit der Völkerwelt leben wird (Jes 11,1-10) und dass die Völker friedlich zum →Zion in Jerusalem ziehen werden, um dort den Gott Israels anzubeten (Jes 2,2-4; 60). An einigen Stellen werden die Völker wie Israel »Volk Gottes« genannt: Jes 19,23-25; Sach 2,14-15.

Vorhof →Tempel.

Wagen (Streitwagen) Eine zugleich bewegliche und »schwere« Waffengattung. Der Streitwagen war in der Regel mit zwei Mann besetzt, dem Wagenlenker und dem Schützen; gelegentlich kam noch ein Schildhalter dazu. Manchmal waren die Radnaben mit Sicheln bestückt, die, wenn sie in ein Heer hineinfuhren, die Gegner zerfetzten (→Sichelwagen).

Wahrheit »Wahr« kann im Hebräischen nicht nur eine Aussage sein, sondern auch eine Person oder Sache. Wahr ist etwas, wenn es hält, was es verspricht; Wahrheit meint Zuverlässigkeit, Beständigkeit, Treue, Bundestreue, Halt gebende Wirklichkeit. Diese Art von Wahrheit kommt v.a. Gott zu (Röm 3,7; 15,8). Bei Johannes bezeichnet »Wahrheit« die in Jesus zugängliche Wirklichkeit Gottes, die für die Menschen Freiheit (Joh 8,31-32), Licht

(Joh 3,21) und Leben (Joh 14,6) bedeutet. Nach Jesu Abschied bleibt die »Wahrheit« durch den Geist Gottes zugänglich, ja wird jetzt erst recht erschlossen (Joh 16,12-15); sie muss das Leben der Glaubenden bestimmen (Joh 4,23-24; 1. Joh 1,6.8; 2,4).

Waisen und Witwen → Witwen und Waisen.

Walker (Jes 7,3) Er bearbeitete Stoffe in laugehaltigem Wasser durch Stampfen und Schlagen, bis die Härchen sich verfilzten.

Wallen (1) Überwallen des Wassers (Ps 46,4). (2) Wallfahren, eine Wallfahrt machen (Ps 42,5).

Wasser, lebendiges In 1. Mose 26,19 und Jer 2,13 Quellwasser; in Sach 14,8 als Bild bleibenden Lebens gebraucht, ebenso in Joh 4,10; 7,38; vgl. Offb 7,17; 21,6; 22,1.17.

Weberbaum (1. Sam 17,7) So heißen die Querstangen an den beiden Enden des Webstuhls, an denen die Kettfäden befestigt wurden. Sie konnten eine beträchtliche Dicke erreichen.

Wehe »Wehe« ist ein Klage- und Angstruf; in der prophetischen Überlieferung wird dieser aufgenommen, um in den sog. Weherufen künftiges Unheil zu prophezeien. Auch Jesus hat diese Redeform gelegentlich im Sinne der Prophetie verwendet (Lk 6,24-26), ebenso der Verfasser der Johannesoffenbarung (Offb 8,13; 18,19).

Weihrauch Ein weißes Baumharz, das beim Verbrennen einen kräftigen, würzigen Duft verbreitet. Zum → Räuchern im Jerusalemer → Tempel wurde eine besondere Weihrauchmischung verwendet (2. Mose 30,34-38). Gold, Weihrauch und → Myrrhe (Mt 2,11) sind Gaben, die eines Königs würdig sind.

Weise aus dem Morgenland Das so übersetzte griechische Wort »magoi« – »Magier« bezeichnete zunächst die Mitglieder einer persischen Priesterkaste, die sich mit Sternkunde und Astrologie befassten, sodann allgemein babylonische und sonstige Astrologen.

Weisung → Gesetz.

Welt, diese Christinnen und Christen wussten sich von Gott begnadet, dass er zu ihnen in ein positives Verhältnis trat, ohne dass sie vorher schon etwas dafür getan hätten (Eph 2,8-9). Bekehrung zum Christentum bedeutete damals weitaus mehr als heute die Abkehr von bisherigen gesellschaftlichen Bindungen, denn viele gesellschaftliche Anlässe waren mit religiösen Vollzügen zugunsten nicht christlicher Gottheiten durchsetzt, an denen sich der Christ nicht beteiligen sollte (vgl. 1. Kor 10,20). So waren Christinnen und Christen bemüht, sich ihrer Distanz zu der sie umgebenden nicht christlichen Welt immer wieder neu zu versichern, die manchmal einseitig negativ unter dem Stichwort »diese Welt« charakterisiert wird. Im Neuen Testament begegnet alles: von schärfster Abgrenzung (Offb 18,4; Joh 3,19) über maßvolle Abgrenzung (vgl. 1. Kor 5,9-11 einerseits, 1. Kor 8–10 andererseits) bis hin zu vorsichtiger Annäherung an nicht christliche Vorstellungen, die dem Christentum entgegenkamen (Apg 17,28). Entscheidend bleibt die Orientierung an dem Willen Gottes (Röm 12,1-2), der unter angemessener Berücksichtigung des heutigen Kenntnisstandes in Verantwortung zu Bewusstsein zu bringen ist.

Witwen und Waisen Witwen und Waisen gehören in der Welt des alten Israel zu den schwächsten Gliedern der Gesellschaft, da sie keine Familie hatten, die sie sozial und wirtschaftlich unterstützen konnte. Die alttestamentliche Gesetzgebung, die insgesamt eine sehr soziale Ausrichtung hat, stellt diese Personen unter einen ganz besonderen Schutz (2. Mose 22,21; 5. Mose 24,19-21) und versucht, sie in die Gesellschaft zu integrieren (5. Mose 14,29). Gott kann als der Beschützer von Witwen und Waisen bezeichnet werden (Ps 146,9; vgl. für die Waisen auch Ps 10,14).

Wochenfest Das Wochenfest ist das mittlere der drei großen israelitischen Wallfahrtsfeste (2. Mose 34,22) und wurde sieben Wochen nach dem → Passafest gefeiert (3. Mose 23,15; 5. Mose 16,9-12). Es war zunächst ein Erntefest anlässlich der Weizenernte, wurde dann aber im frühen Judentum zur Erinnerung an die Gabe der göttlichen Weisung am Berg → Sinai gefeiert. → Feste Israels; → Pfingsten.

worfeln, Worfschaufel Mit einer Worfschaufel warf man bei Wind das gedroschene Getreide in die Luft, um es von der Spreu zu trennen. → Dreschschlitten.

Wort, Gottes Gottes Wort ist eine wirkmächtige Größe, da er mit diesem die Welt ins Dasein gerufen hat (1. Mose 1,1–2,4). Aber auch das göttliche Gebot (→ Gesetz) wird als Wort Gottes verstanden (2. Mose 19–20). Die → Propheten, die den Willen Gottes verkünden, sind Mittler des göttlichen Wortes. Joh 1,1-18 knüpft an Aussagen über die »Weisheit Gottes« an: Sie galt als erstes Geschöpf und als Mittlerin bei der Schöpfung, denn durch sie wurde die

Welt geschaffen (vgl. Spr 8,22-31; Sir 1,4.9). Sie stieg dann zu den Menschen herunter, wurde von ihnen verworfen und kehrte wieder zu Gott zurück. Doch bezeichnet Joh 1,1-18 das Wort nicht als erstes Geschöpf; es war vielmehr von Anfang an bei Gott. Ist Jesus »das Wort«, so wird damit bezeugt, dass in ihm wirklich Gott selbst den Menschen begegnet.

Wunder Die alttestamentliche Überlieferung spricht von Gottes Wundertaten v.a. im Zusammenhang mit der Herausführung aus Ägypten (2. Mose 7,3.9; 5. Mose 6,22). Auf diese Weise erweist Gott seine Macht, mit der er in der Geschichte wirken kann. Die wunderbare Hilfe Gottes für Menschen, die in Not geraten sind, wird in Ps 107 beschrieben. Aber auch andere Geschehnisse, wie die Totenauferweckung durch → Elia (1. Kön 17,17-24), bei denen der Begriff nicht ausdrücklich erwähnt wird, können als Wunder bezeichnet werden.

In den neutestamentlichen Wunderüberlieferungen wirken Motive aus dem Alten Testament (v.a. aus den Erzählungen von Elia und → Elisa) wie aus der griechisch-römischen Umwelt ein. Jesus hat seine Dämonenaustreibungen (→ Dämon) und Heilungen als Zeichen der anbrechenden Herrschaft Gottes (→ Reich Gottes) verstanden (Lk 10,9; 11,20) und seinen Jüngern ebenfalls Dämonenaustreibungen aufgetragen (Mk 3,15); seine Heilungstechniken entsprechen der Volksmedizin, nicht der damaligen Schulmedizin. Normenwunder (Lk 13,10-17) betreffen v.a. den → Sabbat und sind nicht als Verstoß gegen das → Gesetz zu verstehen, sondern wollen ihm seine ursprüngliche Bestimmung als Vollendung der Schöpfung zurückgeben. Die von Jesus erzählten Geschenkwunder (Mk 6,30-44) lassen sich als Vorwegnahme der endzeitlichen Heilszeit verstehen, Rettungswunder (Mk 4,35-41) und Erscheinungswunder (Mk 6,45-52) veranschaulichen seine göttliche Macht. Abgelehnt hat Jesus Wunder dann, wenn sie als Beweis für seine Aufrichtigkeit gefordert wurden (Mk 8,11-13) oder wenn sie nicht zum Glauben führten (Mk 6,5).

Wunder an Jesus wie die Geistoffenbarung bei der → Taufe, Verklärung und Auferweckung (Mk 1,9-11; 9,2-8; 16,1-8) wollen seine besonders enge Beziehung zu Gott betonen.

Auch für die ersten Jahre nach Ostern sind Wundererfahrungen (1. Kor 12,28-30; Apg 3,1-8), z.B. Krankenheilungen (Mk 16,17-18; Mt 10,8), vorauszusetzen; sie haben erheblich zur Ausbreitung des Christentums beigetragen. Die Evangelisten haben Jesu Wunder als Zeichen seiner Vollmacht (Mk 2,10) bzw. der Barmherzigkeit des → Davidssohnes und Gottesknechtes (→ Knecht Gottes; Matthäus) bzw. als gnädige Heimsuchung Gottes für Israel (Lukas) oder als Zeugnis für Jesus interpretiert, allerdings insofern relativiert, als Jesu Taten nicht isoliert von seinem Kreuz (Markus) bzw. seiner Lehre (Matthäus) bzw. seiner Person insgesamt (Johannes) zu verstehen sind.

Ysop (2. Mose 12,22; 4. Mose 19,18; Ps 51,9; Joh 19,29) Ein kleines Mauergewächs, dessen Büschel bei der kultischen → Reinigung (→ rein) zur Besprengung gebraucht wurden. Wahrscheinlich handelt es sich bei dem Ysopkraut, das auch im Zusammenhang mit den Anweisungen zum Passaopfer erscheint (2. Mose 12,22; → Passalamm), nicht um den echten Ysop, der nämlich in Palästina gar nicht vorkommt, sondern um Majoran.

Zahlen Viele Zahlenangaben in der alttestamentlichen Überlieferung haben symbolische Bedeutung. So weisen »sieben«, »zehn« und »zwölf« auf Vollständigkeit hin. Besonders hohe Zahlen bei den Angaben zum Lebensalter in den Stammbäumen in 1. Mose 5 wollen auf die besondere Qualität dieser Zeit hinweisen, die sich grundsätzlich von der Zeit nach der Flut unterscheidet.

Zebaoth (2. Sam 5,10; 1. Kön 22,19; Hos 12,6; Am 3,13) »Gott Zebaoth« heißt »Gott der Heerscharen«. Dabei ist wohl nicht an die Heerscharen Israels (1. Sam 17,45) gedacht, sondern an himmlische Scharen (→ Engel; Lk 2,13).

Zehn Städte Zur Zeit Jesu ein Verband von ursprünglich zehn Städten östlich des Jordans (Ausnahme: Skythopolis lag westlich des Jordans) mit hauptsächlich nicht jüdischer Bevölkerung. Damaskus bildete im Norden, Philadelphia im Süden die Grenze.

Zehnter Die Entrichtung des Zehnten als Staatssteuer (1. Sam 8,15.17) bzw. als Tempelabgabe (Am 4,4) erscheint bereits in alttestamentlicher Zeit. Die → Pharisäer gaben den Zehnten auch vom Ertrag der Gartenkräuter (Mt 23,23) und von ihren sämtlichen Einkünften (Lk 18,12). Der Sinn des Zehnten besteht darin, dass das Eigentumsrecht Gottes am Land und seiner Fruchtbarkeit in Erinnerung gerufen wird.

Zeichen → Wunder.

Zeloten Um die Zeitenwende gab es immer wieder »Eiferer«, die aus religiösen Gründen die Unterwerfung unter die römische Staatsmacht und die Steuerzahlung verweigerten. Auch unter den Jüngern Jesu war wohl ein solcher Eiferer: Simon der Zelot (»Eiferer« Lk 6,15; Apg 1,13). Der jüdische Geschichtsschreiber Flavius Josephus (37–100 n. Chr.) sieht diese Eiferer als eine seit 6 n. Chr. (damals wurde eine Steuerschätzung durch Rom angeordnet; → Schätzung) beständig agierende Gruppe, was nicht sicher ist. Sie erstrebten die politisch-militärische Wiederherstellung der Selbstständigkeit Israels, auch unter Einsatz von Gewalt, und standen hinter den Aufständen gegen Rom, die 70 n. Chr. zur Zerstörung → Jerusalems führten. Jesus und nach ihm die Gemeinde hat sich von solchen Eiferern distanziert (Mk 12,17; 15,6-10), allerdings den Anspruch des römischen Kaisers auf göttliche Verehrung nicht anerkannt (Offb 13,1-18).

Zeus Oberster Gott der Griechen, bei den Römern mit Jupiter gleichgesetzt.

Zimbel (2. Sam 6,5; 1. Chr 15,19; Ps 150,5) Schlaginstrument in Tellerform. Bestandteil der Tempelmusik.

Zinne Mauerzinne. Die Zinne des → Tempels (Mt 4,5) war vielleicht ein Balkon an der hohen Mauer, die den Tempelplatz trug.

Zion Ursprünglicher Name der von → David eroberten Festung der kanaanäischen → Jebusiter (2. Sam 5,7), auf dem Südosthügel des heutigen Jerusalems gelegen. Später geht die Bezeichnung Zion auf den Tempelberg über und wird schließlich zur Bezeichnung für ganz Jerusalem und seine Bewohner. In späterer Zeit wurde der Begriff »Zionsberg« auf den Südwesthügel Jerusalems übertragen, wo sich die Dormitio-Kirche befindet.

Zisterne Eine Zisterne ist eine in Felsen geschlagene Grube, die zur Sammlung von Wasser diente, wenn keine natürlichen Quellen vorhanden waren (2. Mose 21,33-34; Spr 5,15). Unbenutzte Zisternen konnten auch als Gefängnis dienen (1. Mose 37,22-29; Jer 37,16; 38,8-11; 41,7.9).

Zoan (4. Mose 13,22; Ps 78,12; Jes 19,13; 30,4) Eine Stadt im östlichen Teil des Nildeltas. Der griechische Name der Stadt lautet »Tanis«.

Zölesyrien (1. Makk 10,69; 2. Makk 3,5) Der südliche Teil des Seleukidenreichs mit Damaskus als Hauptort.

Zöllner Zur Zeit des Neuen Testaments wurden im Land Israel die Zölle eines Bezirks, wie Marktzölle, Grenzzölle usw., verpachtet. Die Pächter ihrerseits hatten wieder Unterpächter angestellt. Auch sie mussten einen bestimmten Betrag abliefern; was sie darüber hinaus einnahmen, verblieb ihnen als Gewinn. Die damit verbundenen Möglichkeiten der Bereicherung und die Tatsache der Zuarbeit für die ungeliebten Klientelkönige → Herodes den Großen bzw. Herodes Antipas und für die verhasste römische Staatsmacht führten dazu, dass »Zöllner und Sünder« bei manchen Frommen Israels gleichermaßen verachtet waren. Jesus wendet sich ihnen zu, weil auch sie zu Israel gehören (Lk 19,9), nicht aus einer allgemeinen Liberalität heraus.

Zunge, Zungenrede Das Wort für Zunge bedeutet in den biblischen Ursprachen zugleich »Sprache« (1. Mose 11,1-9). Als eine Gabe des → Geistes galt in den ersten Christengemeinden das Reden »in Zungen« (Apg 10,46; 19,6; 1. Kor 14,2): ein Reden oder Beten (→ Gebet) in der Verzückung (Ekstase), in Lauten, die ohne Auslegung nicht verständlich sind. Vermutlich ist an die Sprache gedacht, in der die → Engel Gott lobpreisen. In der Gemeinde von Korinth (1. Kor 14,1-40) wurde diese Gabe als ein besonders wertvoller Erweis des Heiligen Geistes angesehen; Paulus betrachtet aber auch anderes, was wir der natürlichen Begabung zurechnen, als Gabe des Geistes, so etwa Dienste im karitativen Bereich oder in der Verwaltung. Dem prophetischen, verständlichen Reden gab er den Vorrang. Wichtig war ihm, dass die ganze Gemeinde in der Erkenntnis wächst (das meint der Begriff »Erbauung«).

Zyperblume (Hld 1,14; 4,13; 7,12) Wohlriechende, traubenförmige Blüte, auch zum Färben benutzt (auch als »Henna« bekannt).

WO FINDE ICH WAS?

Die Abkürzungen vor den Seitenzahlen in dieser Übersicht bedeuten:
AT = Altes Testament; NT = Neues Testament; AP = Apokryphen (diese Bücher sind nur in Ausgaben »mit Apokryphen« enthalten und stehen dort zwischen Altem und Neuem Testament)

Feste im Kirchenjahr

Gebete und Lieder

Die Geschichte Gottes mit seinem Volk in der Erzählung des Alten Testaments

Gottes Botschaft durch die Propheten

Texte aus den Spätschriften des Alten Testaments (Apokryphen)

Jesus: seine Botschaft

Jesus: sein Wirken

Gottes Liebe in Jesus Christus

Christliches Leben

Christliche Hoffnung

Weitere bekannte Geschichten

Übersicht über die Psalmen nach Themen und Anlässen (AT 533–662)

Loblieder

Gottes Güte und Treue
Psalm 33; 92; 103; 111; 113; 115; 117; 145–146

Gottes Taten in Schöpfung und Geschichte
Psalm 8; 19; 29; 65; 78; 89; 104–106; 114; 136; 147–148

Gott, der König der Völker
Psalm 47; 67; 76; 82; 93; 96–99

Gebete in Not und Bedrängnis

Krankheit und Leid
Psalm 13; 22; 31; 39; 41; 86; 88

Vergänglichkeit und Alter
Psalm 49; 71; 90

Anfeindungen und falsche Anklage
Psalm 3–5; 7; 17; 26; 28; 35; 42/43; 52; 54–59; 64; 69–70; 94; 109; 120; 140–141

Katastrophen und allgemeine Not
Psalm 44; 60; 74; 77; 79–80; 83; 85; 125–126; 137; 144

Unterdrückung und Verfolgung
Psalm 10; 12; 123; 129; 142

Bußpsalmen

Psalm 6; 32; 38; 51; 102; 130; 143

Dank nach der Rettung

Psalm 9; 18; 22,20-32; 30; 32; 40; 66; 75; 107–108; 116; 118; 124; 138

Vertrauen auf Gott

Psalm 11; 16; 23; 27; 36; 46; 62–63; 131; 139

Zusage der göttlichen Hilfe

Psalm 34; 91; 121

Wallfahrtslieder und Festliturgien

Psalm 24; 68; 84; 95; 100; 122; 134–135; 149–150

Lehrgedichte

Vom richtigen Leben
Psalm 1; 15; 19,8-15; 25; 50; 81; 112; 119; 127–128; 133

Vom Ende der Gottesfeinde
Psalm 14; 53; 73

Zionslieder

Psalm 48; 87; 132

Lieder des Königs und für den König

Psalm 2; 20–21; 45; 61; 72; 101; 110

STICHWORTVERZEICHNIS

Das Verzeichnis enthält wichtige Namen und Orte sowie Hinweise auf zentrale Themen. Bestimmte Sach- und Personengruppen sind zur besseren Übersicht unter umfassenderen Stichwörtern zusammengefasst (z.B. Könige, Priester, Propheten, Gleichnisse, Wunder); bei bedeutenden Personen findet man eine Übersicht über die Lebensdaten.

Die angeführten Stellen bilden in der Regel eine Auswahl. Wenn ein Wort oder eine Geschichte mehrfach überliefert ist, wird nur die Stelle des ersten Vorkommens angegeben; die übrigen Stellen findet man mithilfe der Parallelstellenangaben unter den Abschnittsüberschriften im Text (das gilt besonders für Matthäus, Markus und Lukas sowie die Samuel-, Könige- und Chronikbücher).

Die abgekürzte Schreibweise der Bibelstellen ist am Beginn der Ausgabe im alphabetischen Inhaltsverzeichnis erklärt.

ZUR SCHREIBUNG DER EIGENNAMEN

Bei der Schreibung der biblischen Personen- und Ortsnamen gab es zwischen der evangelischen und der katholischen Tradition lange Zeit große Unterschiede. Die Ursache war, dass sich die katholischen Bibelübersetzungen ursprünglich an der lateinischen Bibel orientierten, während Luther von den hebräischen und griechischen Grundtexten ausging. So kam es, dass Namensformen wie Noah und Noe, Hiob und Job, Haggai und Aggäus, Zephanja und Sophonias nebeneinanderstanden. Für ökumenische Bibelübersetzungen wurden deshalb in den Jahren 1967 bis 1970 Richtlinien für eine einheitliche Schreibweise biblischer Eigennamen erarbeitet, die »Loccumer Richtlinien«.

Die ökumenische Schreibweise geht noch folgerichtiger als Luther auf die biblischen Grundtexte zurück. Anwendung findet sie in der katholischen »Einheitsübersetzung«, in der »Gute Nachricht Bibel« und seit 1984 auch in der Lutherbibel. Für die Lutherbibel gibt es allerdings eine Anzahl von Ausnahmen. Sie betreffen v. a. solche Namen, die in der evangelischen Tradition und Frömmigkeit fest verankert oder auch zum Allgemeingut der deutschen Sprache geworden sind (wie Hiob und Golgatha statt ökumenisch Ijob und Golgota).

Auf den folgenden Seiten sind die wichtigsten Namen aufgeführt, bei denen die Lutherbibel von den ökumenischen Richtlinien oder in Übereinstimmung mit diesen vom hebräischen Ausgangstext abweicht.

Lutherbibel 2017	**Ökumenische Richtlinien**
Absalom	Abschalom
Adasa in 1. Makk 7,40.45	Hadascha
Adoniram in 2. Chr 10,18	Adoniram; Hebräisch: Hadoram
Adramyttion	Adramyttium
Ahasveros	Xerxes
Ajin, Rimmon in Jos 19,7	En-Rimmon
Almon-Diblatajim	Almon-Diblatajema
Asser(iter)	Ascher(iter)
Baal-Peor	Baal-Pegor
Beëschtera in Jos 21,27	Aschtarot
Belmain	Abel-Majim in Jdt 4,4; Jibleam in Jdt 7,3; 8,3
Belsazar	Belschazzar
Beltschazar	Beltschazzar
Balgea in 2. Makk 3,4	Bilga
Berechja in Mt 23,35	Barachias
Betane	Batane
Bethel	Bet-El
Bethlehem	Betlehem
Bet-Peor	Bet-Pegor
Cherub(im)	Kerub(im)
Deguël in 4. Mose 1,14; 2,14; 7,42.47; 10,20	Reguël
Dimon in Jes 15,9	Dibon
Dioskorus	Zeus-Korinthius
El-Bethel	El-Bet-El
Elia (der Prophet)	Elija
Elisa (der Prophet)	Elischa
Elisabeth	Elisabet
Enam in Jos 15,34	Enajim
Ephraim(iter)	Efraim(iter)
Euphrat	Eufrat
Genezareth	Gennesaret
Ger	Er
Gethsemane	Getsemani
Golgatha	Golgota
Gudgoda in 5. Mose 10,7	Hor-Gidgad
Harhas in 2. Kön 22,14	Hasra
Hazar-Susa in Jos 19,5	Hazar-Susim
Hesekiel	Ezechiel
Hiob	Ijob
Hiskia (der König von Juda)	Hiskija
Hosianna	Hosanna
Ije-Abarim in 4. Mose 33,45	Ijim
Jechonja (der König von Juda)	Jojachin
Jeftah	Jiftach
Jeotrai in 1. Chr 6,6	Etni
Jisrachja in 1. Chr 7,3	Serachja
Johannes in 1./2. Makk	Johanan
Josabad in 2. Kön 12,22	Sabad
Josia (der König von Juda)	Joschija
Kaiphas	Kajafas
Kapernaum	Kafarnaum
Kilikien/Oberkilikien	Zilizien/Oberzilizien
Konja	Jojachin
Kreter im Alten Testament	Kereter

Lutherbibel 2017	Ökumenische Richtlinien
Krit	Kerit
Kyrene/Kyrenäer	Zyrene/Zyrener
Lykien	Lyzien
Makedonien	Mazedonien
»ganz Medien« in Hes 27,23	Kilmad
Mefi-Boschet (Sohn Jonatans) in 2. Sam 4,4; 9,1-13; 19,25-31	Merib-Baal
Memphis	Memfis
Michaja in 2. Kön 22,12; Jer 36,11.13	Micha
Nathan	Natan
Nathanael	Natanael
Nazareth	Nazaret
Nebukadnezar	Nebukadnezzar
Noah	Noach
Passa	Pascha
Peloniter in 1. Chr 11,36	Giloniter
Peor	Pegor
Phanuël in Lk 2,36	Penuël
Pleter	Peleter
Pnuël	Penuël
Räfan	Romfa
»Rama im Südland« in Jos 19,8	Ramat-Negeb
»Ramot im Südland« in 1. Sam 30,27	Ramot-Negeb
Refaja in 1. Chr 8,37	Refaja; Hebräisch: Rafa
Saf in 2. Sam 21,18	Sippai
Samaritaner in 2. Kön 17,29	Samariter

Lutherbibel 2017	Ökumenische Richtlinien
Schamma (= Bruder Davids) in 1. Sam 16,9; 17,13	Schima
Schammua (= Sohn Davids) in 2. Sam 5,14; 1. Chr 14,4	Schima
Schen in 1. Sam 7,12	Jeschana
Scheschbazar	Scheschbazzar
Secharja in Mt 23,35; Lk 11,51	Zacharias
Seleukia/Seleukiden	Seleuzia/Seleuziden
Sichem(iter) in 4. Mose 26,31; Jos 17,2; 1. Chr 7,19	Schechem(iter)
Silo	Schilo
Siloah	Schiloach
Simon (der Makkabäer in 1./2. Makk; der Hohepriester in Sir 50,1-21; der Benjaminiter in 2. Makk 3,4–4,6)	Simeon
Sulamith	Schulammit
Taanat-Silo	Taanat-Schilo
Tarsis	Tarschisch
Thrakien	Thrazien
Tob in 1. Makk 5,13	Tubi
Tobias in 2. Makk 3,11	Tobija
Tubal-Kain	Tubal-Kajin
Uria	Urija
Xenios	Xenius
Zebaoth	Zebaot
Zedekia (der König von Juda)	Zidkija

ORTSREGISTER ZU DEN LANDKARTEN

Abkürzungen

AO = Der Alte Orient zur Zeit des Alten Testaments
LA = Das Land der Bibel zur Zeit des Alten Testaments
LN = Das Land der Bibel zur Zeit des Neuen Testaments
RP = Die Reisen des Apostels Paulus

Beispiele

Aram AO D3–E3 = die Gebietsbezeichnung »Aram« findet sich in den Quadraten D3 bis E3 der Karte AO

Horma LA B7/B8 = die Ortsbezeichnung »Horma« findet sich auf der Grenze der Quadrate B7 und B8 der Karte LA

Nikopolis RP C2; C1/D1; G3 = die Ortsbezeichnung »Nikopolis« findet sich in der Karte RP dreimal: die gesuchte Stadt ist entweder die im Quadrat C2 oder die auf der Grenze der Quadrate C1 und D1 oder die im Quadrat G3

Dan LA D2 (zweimal) = die Bezeichnung »Dan« findet sich im Quadrat D2 der Karte LA zweimal – einmal als Orts- und einmal als Gebietsbezeichnung

JERUSALEM IN ALTTESTAMENTLICHER ZEIT

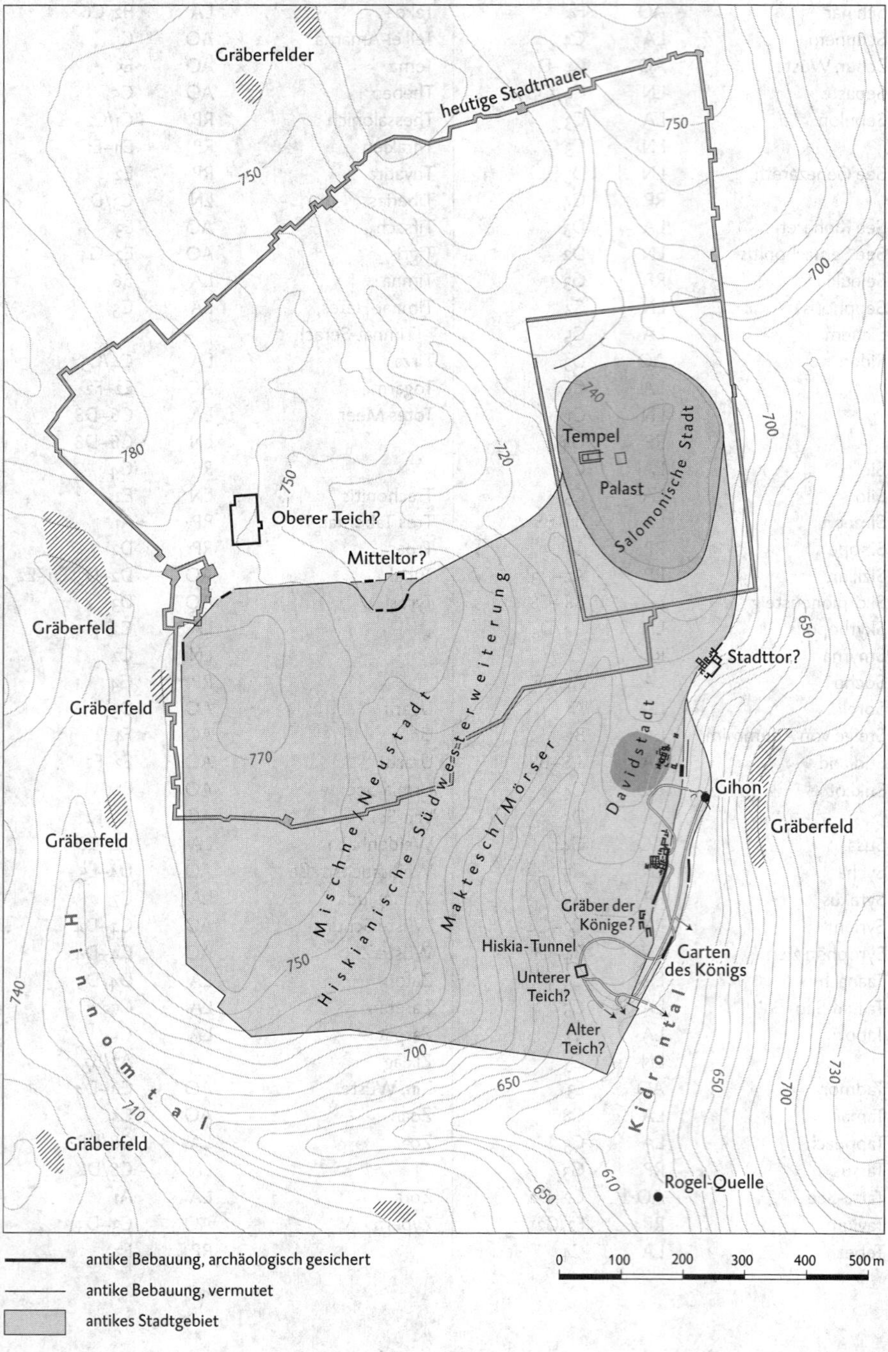

JERUSALEM IN NEUTESTAMENTLICHER ZEIT

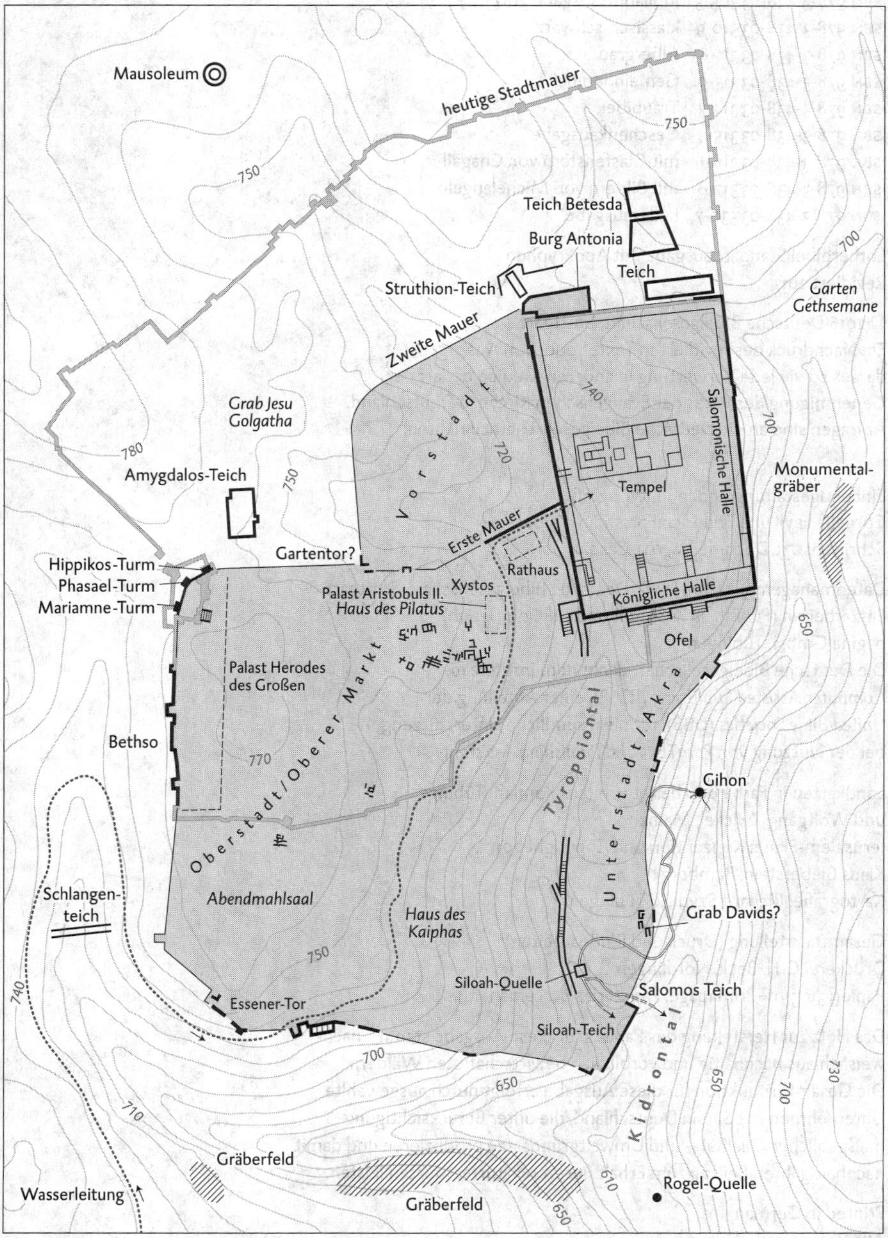

antike Bebauung, archäologisch gesichert

antike Bebauung, vermutet

antikes Stadtgebiet

Grab Jesu Golgatha Stätten christlicher Tradition

0 100 200 300 400 500 m

IMPRESSUM

ISBN 978-3-438-03305-5 Jubiläumsausgabe 2017
ISBN 978-3-438-03310-9 klassisch-schwarz
ISBN 978-3-438-03311-6 silbergrau
ISBN 978-3-438-03313-0 Gemeindebibel
ISBN 978-3-438-03314-7 Traubibel
ISBN 978-3-438-03315-4 Geschenkausgabe
ISBN 978-3-438-03316-1 mit Glasfenstern von Chagall
ISBN 978-3-438-03317-8 mit Bildern von Michelangelo
ISBN 978-3-438-03330-7 Lederausgabe

Lutherbibel Standardausgabe mit Apokryphen
Revidiert 2017

Einbandgestaltung und Innentypografie:
Cornelia Feyll und Friedrich Forssman, Kassel
Schriften: DTL Documenta, DTL Caspari

Datenmanagement (*ParaTExt*): Deutsche Bibelgesellschaft, Stuttgart
Satzarbeiten (*Publishing Assistant* und *Adobe InDesign*):
pagina GmbH, Tübingen
Die Deutsche Bibelgesellschaft dankt dem *Institute for Computer Assisted Publishing* (ICAP), einer Abteilung der *United Bible Societies* (UBS), für die freundliche Unterstützung bei der Nutzung von *ParaTExt* und *Publishing Assistant*.

Landkarten in Farbe bearbeitet von Jens Kamlah, Tübingen, und Wolfgang Zwickel, Mainz
Jerusalem-Pläne: Konzeption und Copyright 2015
Klaus Bieberstein, Bamberg
Kartografie: Richard Szydlak, Tübingen

Gesamtherstellung (Druck und Bindearbeiten):
Druckerei C. H. Beck, Nördlingen
Papier: 36 g/m² Primapage, Papeteries du Léman

Das Holz zur Herstellung des Papiers für diese Ausgabe stammt nachweislich aus nachhaltig und vorbildlich bewirtschafteten Wäldern. Die Gesamtproduktion für diese Ausgabe erfolgt durch ausgewählte Unternehmen mit Sitz in Deutschland, die unter Berücksichtigung maßgeblicher Qualitäts- und Umweltgrundsätze produzieren und damit nachhaltig ihren Beitrag zum Erhalt unserer Naturressourcen leisten.

Printed in Germany

www.die-bibel.de

11.2016

Der Alte Orient
zur Zeit des Alten Testaments
über 3000
2000 bis 3000
1500 bis 2000
1000 bis 1500
500 bis 1000
200 bis 500
100 bis 200
0 bis 100
-200 bis 0
unter -200 m
0 100 200 300 400 500 km
TUBAL?
MESCHECH?
URARTU/ARARAT
TOGARMA
ASCHKENAS
GOMER
Hattuscha
Halys
Tatta-See
Van-See
Urmia-See
Tigris
Euphrat
LUD?
JAWAN
Delphi
Athen
Sardes
Ephesus
RHODOS
Knossos
KRETA
KAFTOR
Mittelmeer
ZYPERN
ELISCHA?
KITTIM
MESCHECH?
TUBAL?
Hadrach?/Ebla
Kasios
Ugarit
Orontes
Arwad
Kadesch
Gebal/Byblos
Sidon
Tyrus
Megiddo
Jafo
Jerusalem
Gaza
Kasios
Migdol?
Zoan
Ramses (Avaris)
GOSCHEN
AMALEK
Wüste Schur
Wüste Zin
Paran
1. Baal-Zefon
2. Bach Ägyptens
3. Kadesch
4. Pitom/Sukkot
5. On (Heliopolis)
6. Nof (Memphis)
LIBYEN
PUT
ÄGYPTEN
PATROS
Nil
Tell el-Amarna
Theben/No-Amon
Karkemisch
Arpad
Haran
Gosan
EDEN
ARAM-NAHARAJIM
MESOPOTAMIEN
Tifsach
Karkar
Rezef?
Hamat
ARAM
Ribla
Tadmor/Palmyra
Mari
Damaskus
BASCHAN
Edreï
AMMON
Rabbat(t-Bene-Ammon)
KANAAN
MOAB
Punon
Bozra
EDOM
Elat
Ezjon-Geber
MIDIAN
KEDAR
ARABIEN
Duma
Tema
Dedan
Weihrauchstraße
ASSYRIEN
Ninive
Kelach
Assur
AKKAD
Kuta
Babel
BABYLONIEN
SCHINAR
CHALDÄA
Erech
Ur
Susa
ELAM
MADAI
MEDIEN
Ekbatana/Achmeta
PERSIEN
Persepolis

Jerusalem und Umgebung
0 5 10 15 20 km
A
B
1
2
Jeschana
Bethel
Ai
Efron/Ofra
Rama
Rimmon
Unteres Bet-Horon
Gilgal?
Oberes Bet-Horon
Mizpa
Jericho
Michmas
Ajalon
Geba
Kefira
Gibeon
Gibea
Steige von Adummim
Kirjat-Jearim
Neftoach
Anatot
Eschtaol
Kesalon
Bahurim
Zora
Jerusalem
Sorek
Bet-Schemesch
Bet-Kerem
Sanoach
Bet-Ter
Jarmut
Etam
Bethlehem
Socho
Peor
Netofa
Adullam
Tekoa
Gedor
Keila
Das Land der Bibel
zur Zeit des
Alten Testaments
ungefähre Grenze zwischen Juda und Israel in der Königszeit
1500 bis 2000
1200 bis 1500
900 bis 1200
600 bis 900
400 bis 600
200 bis 400
100 bis 200
0 bis 100
-200 bis 0
unter -200 m
0 10 20 30 40 km
A
B
C
D
E
3
4
5
6
7
8
Mittelmeer
Sidon
Libanon-Gebirge
1940
BET-REHOB
Amana
Antilibanon-Gebirge
Helbon
Abana
Damaskus
Zarpat (Sarepta)
Hermon
2814
Ijon
DAN
Tyrus
Abel-Bet-Maacha
Lajisch/Dan
Kana
Kadesch
1204
Jiron
Achsib
1208
Hazor
ASSER
NAFTALI
Geschur
Rama
Akko
Kinneret
Kabul?
See Kinneret
-209
Karnajim
Aschtarot
Rakkat
Karmel
546
Jiftach-El
Hammat
Baschan
SEBULON
Daberat
Argob
Tabor
ISSACHAR
Jokneam
Sarid
Kischon
Edreï
Dor
En-Dor
Adami-Nekeb
Megiddo
Schunem
Ramot?
Jesreel
Gilboa
Taanach
Bet-Schean
Gat Hefer
Jibleam
Scharon
Jabesch
Dotan
MANASSE
Besek
Abel-Mehola
Gilead
Tebez
Zafon
1247
Tirza
Samaria
Sukkot
Pnuël
Sichem
Piraton
881
Mahanajim
Jabbok
Taanat-Silo
Bach Kana
Aruma
Gilead
Jarkon
Timnat-Heres/Serach
Tappuach
Afek
Zaretan
Jafo
Lebona
Silo
Adam(a)
Ono
EPHRAIM
Jogboha
Jordan
Hadid
1016
Rabba(t-Bene-Ammon)
Lod
Bethel
Jaser?
AMMONITER
Elteke
Unteres Bet-Horon
Bet-Nimra
Mizpa
Jericho
Jabneel
Geser
Gilgal?
1
Abel-Keramim
Rama
Gibeon
BENJAMIN
Elale
Gedera
1. Abel-Schittim
2. Bet-Peor
3. Bet-Jeschimot
4. Nebo
Timna
Bet-Schemesch
821
Bet-Hogla
3
Heschbon
Ekron
2
802
Nebo
Aschdod
Jerusalem
Tal Achor
4
Medeba
Gat
Aseka
997
RUBEN
Kirjatajim
(Bet-)Baal-Meon
Aschkelon
Socho
Bethlehem
JUDA
Tekoa
Libna
Keila
Salzstadt
Marescha
Hügelland
GAD
Jahaz
PHILISTER
Bet-Zur
Atarot
Lachisch
1019
Totes Meer
Kerijot
Gaza
Hebron
Eglon?
Adorajim
Dibon
Aroër
Sif
MOABITER
En-Gedi
Debir
Karmel
Jutta
Arnon
Ziklag?
Wüste Juda
-392
Gerar?
Maon
1065
Eschtemoa
Arad
Horonajim
Beerscheba
Horma
SIMEON
Kina
Rama(t-Negeb)
Luhit
Aroër
Skorpionensteig
Südland
Negeb
Zoar
Tamar/Palmenstadt
Salztal
Weidenbach

I Römische Provinz Judäa (4 v. bis 6 n. Chr. Vierfürstentum des Archelaus)
Nordgrenze des eigentlichen Judäa
IIa/b Vierfürstentum des Herodes Antipas (4 v. bis 39 n. Chr.)
III Vierfürstentum des Philippus (4 v. bis 34 n. Chr.)
IV Römische Provinz Syrien
V Vierfürstentum des Lysanias
VI Gebiet der Zehnstädte
Das Land der Bibel zur Zeit des Neuen Testaments
Wüstenpaläste der hasmonäisch-herodianischen Zeit
1500 bis 2000
1200 bis 1500
900 bis 1200
600 bis 900
400 bis 600
200 bis 400
100 bis 200
0 bis 100
-200 bis 0
unter -200 m
0
10
20
30
40 km
A
B
C
D
E
1
2
3
4
5
6
7
8
Mittelmeer
Sidon
Sarepta
Tyrus
Ptolemais
Dor
Cäsarea (am Meer)
Apollonia
Joppe
Jamnia
Aschdod
Aschkelon
Anthedon
Gaza
PHÖNIZIEN
IV
Libanon-Gebirge
Antilibanon-Gebirge
1940
2814
Hermon
ITURÄA
ABILENE
Abila
V
Damaskus
Cäsarea Philippi
See Semachonitis
1204
GAULANITIS
BATANÄA
TRACHONITIS
III
Gischala
1208
GALILÄA
Chorazin
Julias/ Betsaida
Gamala
Kapernaum
Magdala
See Genezareth
-209
Rafana?
Jotapata
Kana
Sepphoris
Tiberias
Hippos
Dion
IIa
Sebulon
Karmel
546
Nazareth
Tabor
588
Nain
Abila
Gadara
SYROPHÖNIZIEN
Gaba
AURANITIS
VI
Skythopolis
Pella
Ginäa
SAMARIEN
Scharon
DEKAPOLIS
1247
Gerasa
Sebaste
I
Ebal
940
Neapolis
881
Sychar
Garizim
Amathus
Akrabeta
Antipatris
Alexandreion
Phasaëlis
Gadora
Arimathäa
IIb
Jordan
PERÄA
Philadelphia
1016
Gofna
Ephraim
Lydda
Modeïn
Archelaïs
JUDÄA
Jericho
Abila
Kypros
Livias
Esebon
Emmaus
Jerusalem
Betanien
802
Qumran
Medeba
997
Betletefa
Bethlehem
Hyrkania
Herodeion
I
Kallirrhoe
Betogabri
Totes Meer
Machärus
1019
Hebron
Engadi
IDUMÄA
-392
1065
MOABITIS
Masada
Horma
Elusa
Zoar
NABATÄER
ARABIEN

Die Reisen des Apostels Paulus
Erste Reise
Zweite Reise
Dritte Reise
Reise nach Rom
über 3000
2000 bis 3000
1500 bis 2000
1000 bis 1500
500 bis 1000
200 bis 500
100 bis 200
0 bis 100
-200 bis 0
1. Philadelphia
2. Ephesus
3. Hierapolis
4. Laodizea
ITALIEN
Rom
Tres-Tabernae
Forum Appii
Puteoli
Rhegion
Syrakus
SIZILIEN
MALTA
DALMATIEN
ILLYRIEN
MAKEDONIEN
THRAKIEN
EPIRUS
ACHAIA
GRIECHENLAND
Nikopolis
Philippi
Neapolis
Amphipolis
Apollonia
Beröa
Thessalonich
Korinth
Athen
Kenchreä
Troas
Assos
Adramyttion
MYSIEN
LESBOS
Mitylene
Pergamon
Thyatira
Sardes
Chios
Smyrna
LYDIEN
ASIA
Samos
Milet
PATMOS
KARIEN
Kos
Knidos
Rhodos
RHODOS
LYKIEN
Patara
Myra
Kolossä
PHRYGIEN
Pessinus
Antiochia
PISIDIEN
PAMPHYLIEN
Attalia
Perge
Lystra
Ikonion
Derbe
LYKAONIEN
GALATIEN
Ankyra
Tavium
BITHYNIEN
PONTUS
Sinope
KAPPADOZIEN
KILIKIEN
Tarsus
Nikopolis
Seleukia
Antiochia
Euphrat
SYRIEN
ZYPERN
Salamis
Paphos
PHÖNIZIEN
Sidon
Tyrus
Ptolemais
Damaskus
Palmyra
See Genezareth
Cäsarea
Antipatris
Jerusalem
Totes Meer
NABATÄER
Petra
ARABIEN
KRETA
Lasäa
Phönix
KAUDA
Guthafen
Mittelmeer
Kyrene
Große Syrte
KYRENE
LIBYEN
Alexandria
Saïs
ÄGYPTEN
Heliopolis
Memphis
Nil

LUTHERS VORREDEN ZUR BIBEL

Luther hat nicht nur die Schriften der Bibel übersetzt, sondern zusätzlich auch ›Vorreden‹ sowohl zum Alten und Neuen Testament als auch zu den einzelnen biblischen Büchern verfasst, die von Anfang an in den entsprechenden Ausgaben seiner Übersetzung mit abgedruckt wurden. Dies war im Prinzip nichts Neues. Schon Hieronymus, der mit seiner Übersetzung der Bibel ins Lateinische die maßgebliche Bibelübersetzung der römischen Kirche, die Vulgata, geschaffen hat, hatte dazu auch Prologe für eine ganze Reihe von Schriften verfasst, und die Kirche hatte das Fehlende aus anderen Quellen ergänzt. Aber Luthers Vorreden haben ein anderes Ziel. Während es dem Philologen Hieronymus in erster Linie darum gegangen war, die Notwendigkeit seiner Übersetzung zu begründen und dem Leser Fakten zur Geschichte der Bibel und ihrer Schriftsteller mitzuteilen, geht es Luther um die Botschaft der Bibel und ihre Leser. Da er sich in seiner Theologie in erster Linie der Heiligen Schrift verpflichtet fühlt, ist er hier in besonderer Weise bei seinem Thema. So führen die Einleitungen, die er mit viel Liebe und Sorgfalt verfasst hat, unmittelbar zum Kern seiner Theologie.

Die Vorreden zur Bibel sind über einen Zeitraum von 23 Jahren entstanden. Zu den frühesten, die bereits in der ersten Ausgabe seiner Übersetzung aus dem Jahr 1522 enthalten waren, zählen die Vorrede zum Neuen Testament und die meisten Vorreden zu den neutestamentlichen Büchern. Die übrigen verfasste Luther nach und nach in den folgenden Jahren. Manche Vorreden überarbeitete er später oder schrieb sie ganz neu, weil inzwischen andere Aspekte in seinen Blick gekommen waren. So gibt es beispielsweise zu den Psalmen drei verschiedene Vorreden aus den Jahren 1524, 1528 und 1545 und dazu noch zwei Nachworte von 1525 und 1531. (Im Folgenden wird die Psalmenvorrede von 1528 zitiert, die als Höhepunkt unter Luthers Bibelvorreden gilt.)

In dieser Ausgabe sind die wichtigsten Vorreden Luthers zusammengefasst und zentrale Abschnitte daraus wörtlich wiedergegeben. Die Vorrede zum Neuen Testament ist vollständig abgedruckt. Wer darüber hinaus auch die Vorreden zu den einzelnen Schriften ungekürzt nachlesen will, findet die Texte in verschiedenen Ausgaben der Lutherbibel von 1545, die auch heute noch erhältlich sind (z. B. D. Martin Luther; Die gantze Heilige Schrifft Deudsch: Wittenberg 1545; letzte zu Luthers Lebzeiten erschienene Ausgabe; hrsg. von Hans Volz unter Mitarbeit von Heinz Blanke; Textredaktion Friedrich Kur; zuletzt Edition Lempertz, Bonn, 2008).

Titelblatt des Alten Testaments aus der Lutherbibel von 1534.

Die Vorrede zum Alten Testament

Die Vorrede zum Alten Testament hat Luther verfasst, so schreibt er, damit *diejenigen, die es nicht besser wissen, eine Anleitung und Anweisung haben, mit Nutzen im Alten Testament zu lesen.*

Im Doppelgemälde ›Gesetz und Gnade‹ setzt Lucas Cranach d. Ä. um das Jahr 1535 die zentralen Gedanken des Bibelverständnisses Luthers in eine Bildpredigt um, die seine reformatorische Theologie anschaulich macht:

Die linke Tafel ist mit ›Gesetz‹ überschrieben: Im Gesetz, wie es die Zehn Gebote offenbaren und die biblischen Propheten einfordern (rechts unten), hat der Mensch die Richtschnur Gottes für sein Leben. Doch schon die Geschichte vom Sündenfall (links oben) zeigt: Er versucht vergeblich, es in seinem Glauben und Leben Gott recht zu machen. Das Leben des Menschen ist von Sünde und Tod bedroht (Mitte). Aus eigenem Verdienst kann der Mensch nicht selig werden; er ist Tod und Verderben (links unten) näher als dem lebendigen Gott (oben Mitte). So stellt sich für Luther das Verhältnis des Menschen zu Gott unter dem Vorzeichen des Gesetzes dar.

Die rechte Tafel steht unter der Überschrift ›Gnade‹: Die neutestamentliche Botschaft vom Kreuz Christi rückt die Gnade in den Mittelpunkt, die Gott dem Menschen erweist. Wie Mose in der Wüste die eherne Schlange erhöht hat, damit das Volk Israel gesund wurde (4. Mose 21,4-9; links oben), so musste Christus am Kreuz erhöht werden, um die Menschen von Tod und Sünde zu erlösen. Nicht Gesetzeserfüllung und eigene Werke machen den Menschen vor Gott gerecht, sondern allein der Glaube an die Liebe und Gnade Gottes. Johannes der Täufer weist den Menschen darauf hin (links unten), dass mit dem gekreuzigten Christus das Lamm Gottes gekommen ist, das der Welt Sünde trägt (Mitte unten). Gott wendet sich den Armen, Geringen und Ausgestoßenen zu; ganz deutlich zeigt das die Weihnachtsgeschichte (Lukas 2,1-20) mit der Ankündigung der Geburt Jesu und der Botschaft an die Hirten (Mitte oben). Christus hat mit seiner Auferstehung Sünde und Tod besiegt (rechts unten). Seit er in den Himmel aufgefahren ist (rechts oben) und zur Rechten Gottes sitzt, ist Gott den Menschen nicht mehr fern: Im Glauben an Christus sind sie mit Gott verbunden.

Entsprechend beginnt er mit der grundlegenden Frage: Welche Bedeutung hat das Alte Testament für die Christen? *Das Alte Testament achten manche gering*, stellt Luther fest, *weil es dem jüdischen Volk allein gegeben und fortan zu Ende sei und nur von vergangenen Geschichten schreibe. Sie meinen, genug am Neuen Testament zu haben (…). Aber Christus sagt: »Forschet in der Schrift; denn dieselbe gibt Zeugnis von mir« (Johannes 5,39).* Dieser Bezug zum Neuen Testament und zu Christus ist für Luther das Entscheidende. Das Alte Testament ist *Grundlegung und Beweis* für das Neue Testament. Was sich in

Christus erfüllt, ist hier bereits vorbereitet und angekündigt. Denn was *ist das Neue Testament denn anders als eine öffentliche Predigt und Verkündigung von Christus durch die Sprüche, die im Alten Testament gegeben und durch Christus erfüllt sind?*

Aus heutiger Sicht erscheint dieses Verständnis des Alten Testaments von Christus her und auf das neutestamentliche Heilsgeschehen hin als nicht unproblematisch. Die moderne Wissenschaft erschließt die biblischen Schriften von ihren eigenen historischen Entstehungszusammenhängen her. Nicht zuletzt hat auch das Bewusstsein, dass das christliche Alte Testament die Heilige Schrift des Judentums ist, in der zweiten Hälfte des 20. Jahrhunderts dazu geführt, es zunächst in seiner eigenständigen Bedeutung wahrzunehmen. Doch zu Luthers Zeit war ein direktes christologisches Verständnis noch gut möglich. Für seine Theologie war es sogar grundlegend.

Die Erzählungen des Alten Testaments mögen *schlicht* erscheinen. Aber in Wahrheit ist *diese Schrift … das allerhöchste, edelste Heiligtum, … die allerreichste Fundgrube, die niemals genug ausgeschöpft werden kann. Denn hier wirst du die Windeln und die Krippe finden, da Christus drinnen liegt, wohin auch der Engel die Hirten weist. Schlichte und geringe Windeln sind es, aber teuer ist der Schatz, Christus, der drinnen liegt.*

Dem entspricht auch Luthers Charakterisierung der beiden Bibelteile in der für seine Theologie charakteristischen Polarität von Gesetz und Gnade: *Wie die eigentliche Hauptlehre des Neuen Testaments ist, Gnade und Frieden durch Vergebung der Sünden in Christus zu verkündigen, so ist es die eigentlich Hauptlehre des Alten Testaments, Gesetze zu lehren, Sünde anzuzeigen und Gutes zu fordern.*

Adam und Eva (Lucas Cranach d. Ä.): Die Schilderung des Sündenfalls gehört zu den zentralen Texten der christlichen Lehre, nicht zuletzt, weil dort die Rolle und das Verhältnis der Geschlechter zur Sprache kommt. Auch zu Beginn des 16. Jahrhunderts diskutierte man die Deutung des Sündenfalls und die Beziehung von Mann und Frau in der biblischen Urgeschichte. Im Zentrum stand die Frage: Wen trifft die Schuld? Unter Theologen wurde sogar darüber gestritten, ob die Frau nach dem Sündenfall überhaupt als Mensch gelten könne, ob sie eine Seele besitze. Luther revidierte das Verständnis der einschlägigen Stellen bei Paulus, mit denen jahrhundertelang eine Abwertung des weiblichen Geschlechts begründet wurde, und definierte die Beziehung zwischen Frau und Mann neu im Sinne einer christlich begründeten Ehe.

Die fünf Bücher Mose

Im Anschluss an diese grundsätzlichen Überlegungen zum Alten Testament gibt Luther einen Abriss der fünf Bücher Mose. Ihnen räumt er in seiner Vorrede einen breiten Raum ein. Dabei arbeitet er immer wieder heraus, dass das in den Mose-Büchern entfaltete Gesetz letztlich dazu dient, die Sünde des Menschen – und damit seine Erlösungsbedürftigkeit – aufzudecken. So wird der Blick von Anfang an auf die neutestamentliche Botschaft von der Erlösung durch Christus gelenkt. Luther versteht seine ganze Vorrede dementsprechend als eine *kurze Anleitung, Christus und das Evangelium zu suchen im Alten Testament.*

Im **ersten Buch Mose** hört Luther bereits

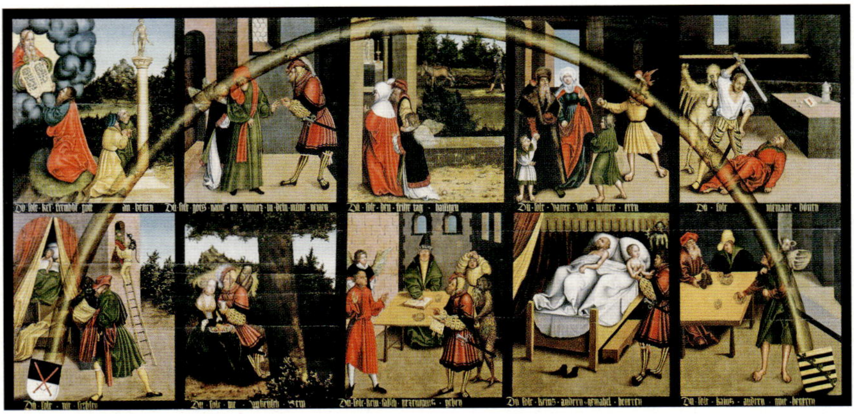

Die Zehn Gebote. Das Gemälde von Lucas Cranach d. Ä. zeigt jeweils die Einhaltung und die Übertretung der Gebote. Der das ganze Bild durchziehende Regenbogen kennzeichnet den Bund Gottes mit den Menschen, an dem Gott trotz der menschlichen Verfehlungen festhält.

das Evangelium anklingen. Hier lehre Mose, *wie alle Kreaturen geschaffen wurden und – was die eigentliche Ursache für sein Schreiben ist –, wo die Sünde und der Tod hergekommen sind: durch Adams Fall, aus des Teufels Bosheit. Aber bald darauf, bevor noch Moses Gesetz kommt, lehrt er, woher die Hilfe einst kommen sollte, Sünde und Tod zu vertreiben: nicht durch Gesetz noch eigene Werke, weil es noch kein Gesetz gab, sondern durch des Weibes Samen, Christus, der dem Adam und Abraham verheißen wurde, damit so der Glaube schon von Anfang der Schrift an hoch gepriesen werde über jedes Werk, Gesetz und Verdienst. So hat das erste Buch Mose lauter Beispiele des Glaubens und Unglaubens und was Glaube und Unglaube für Früchte tragen und ist eigentlich ein Evangelienbuch.*

Im **zweiten Buch Mose** wird das eigentliche Gesetz eingeführt: … *als die Welt nun voll und in der Blindheit so versunken war, sodass man schier nicht mehr wusste, was Sünde war oder woher der Tod gekommen war – lässt Gott den Mose hervortreten mit dem Gesetz und nimmt ein besonderes Volk an, um die Welt durch sie wieder zu erleuchten und durchs Gesetz die Sünde wieder kundzumachen.* Die vielfältigen Gesetze und Regeln für die Stiftshütte und den Gottesdienst einerseits und die Einsetzung von *Fürsten und Amtleuten* andererseits sieht Luther im Licht seiner Lehre von den *zwei Regimenten*: Beides zusammen dient dazu, dass das Volk nun *leiblich vor der Welt und geistlich vor Gott regiert werde.*

Das **dritte Buch Mose** beschäftigt sich vor allem mit dem Priestertum *mit seinen Gesetzen und Rechten, nach denen die Priester handeln und das Volk lehren sollen.* Für Luther wird in diesem Buch deutlich, *wie ein priesterliches Amt nur um der Sünde willen eingesetzt wird, damit es diese dem Volk kundmacht und es mit Gott versöhnt.* An späterer Stelle gibt Luther dem Buch noch eine sinnbildliche, *geistliche* Deutung: Christus selbst ist der Hohepriester. Zugleich ist er, *der sich selbst mit seinem eignen Blut geopfert hat*, auch das Opfer und der Altar. Er hat *durch sein Selbstopfer und sein Blut die … Sünde … weggenommen und ist … durch den Vorhang zu Gott gegangen, um uns zu versöhnen.*

Im **vierten Buch Mose** geht es dann um die Umsetzung des gegebenen Gesetzes: *Im vierten Buch – als nun die Gesetze gegeben, Priester und Fürsten eingesetzt, Stiftshütte und Gottesdienst eingerichtet sind und alles bereit ist, was zum Volk Gottes gehört – fängt Werk und Übung an und wird versucht, wie es mit solcher Ordnung gehen und sich schicken will.* Die Einhaltung der Gesetze erweist sich als Problem. Für Luther ist dieses Buch daher *ein bemerkenswertes Beispiel dafür, wie es ganz und gar nichts taugt, mit Gesetzen die Leute fromm machen zu wollen, sondern dass, wie*

Paulus sagt, das Gesetz nur Sünden und Zorn hervorruft.

Im **fünften Buch Mose** wiederholt *Mose das ganze Gesetz mit allen Geschichten, die ihnen zugestoßen waren.* Hier wird das Volk an die Wohltaten erinnert, die Gott ihnen während der Wüstenwanderung erwiesen hat, damit sie *bewogen würden, sein Gesetz mit Lust und Liebe zu halten.* Für Luther enthält die Rede des Mose in diesem Buch *eigentlich nichts andres als den Glauben an Gott und die Liebe zum Nächsten; denn dahin zielen alle Gesetze Gottes.*

Für Luther ist der rote Faden in den fünf Büchern Mose klar: Es ist *die rechte Absicht des Mose, durchs Gesetz die Sünde zu offenbaren und alle Vermessenheit menschlichen Vermögens zuschanden zu machen.* Denn das Gesetz führt den Menschen nur immer wieder vor Augen, dass sie es nicht halten können. Das sieht Luther noch durch die vielen Einzelregeln, z. B. im 3. Buch Mose, verstärkt. Sie dienen dazu, die Menschen zur Einsicht in ihre Erlösungsbedürftigkeit zu bringen: *Die verstockte Blindheit sollte sich selbst erkennen und ihr eignes Unvermögen und ihre Unfähigkeit zum Guten fühlen und so durchs Gesetz genötigt und gezwungen werden, etwas andres zu suchen als das Gesetz und das eigne Vermögen: Gottes Gnade, die im Blick auf den kommenden Christus verheißen wurde.* Durch die Gnade gelangt das Gesetz an sein Ende: *Wo nun freilich Christus kommt, da hört das Gesetz auf.* Luther meint damit nicht, dass man das Gesetz nicht mehr halten müsse. Vielmehr verliert es seinen Schrecken. Die *Erkenntnis unserer Bosheit und Nichtigkeit ... tut uns nicht mehr weh,* denn *wir erkennen Christus, mit dessen Gerechtigkeit, Leben und Stärke wir das Gesetz erfüllen, Tod und Hölle überwinden.* Hier ist Luther ganz bei seinem zentralen Thema, der Rechtfertigungslehre: Nicht das eigene Tun, sondern die Gnade Christi bringt die Gerechtigkeit. Die Menschen, die das Gesetz richtig verstehen, *fallen von allen Werken und aller Vermessenheit ab und lernen durchs Gesetz nur noch einzig dies: Sünde erkennen und nach Christus seufzen.* Und das ist für Luther zuletzt *des Gesetzes tiefster Sinn.*

Die übrigen Geschichtsbücher des Alten Testaments werden von Luther nur kursorisch erwähnt. Anhand der fünf Bücher Mose hat er im Grunde bereits alles ausgeführt, was er zu den Geschichtsbüchern insgesamt zu sagen hat: *Was sind nun aber die andern, die Propheten- und Geschichtsbücher? Antwort: Nichts andres, als was Mose ist.*

Das Buch Hiob

Dem Buch Hiob dagegen stellt Luther eine eigene Vorrede voran, denn es hatte für ihn besondere Bedeutung. Es *behandelt die Frage, ob Gott auch den Frommen Unglück zustoßen lässt* – und berührt damit genau die Frage nach einem gerechten und gnädigen Gott, die im Zentrum von Luthers eigener Theologie stand. Luther umreißt kurz den Inhalt: Als Hiob von schwersten Schicksalsschlägen getroffen wird, sagen seine Freunde, *Gott strafe keinen Frommen; strafe er aber, so müsse dieser gesündigt haben.* Hiob beharrt jedoch auf seiner Unschuld. Am Ende erhält er Recht: Obwohl auch er *in seiner Todesangst allzu viel gegen Gott* geredet und damit gesündigt hat – das schwere Leid, das ihn getroffen hat, hat er nicht selbst verschuldet. Die Einstellung der Freunde (für Luther zeigen sie *rein weltliche Gedanken von Gott und seiner Gerechtigkeit, als wäre er wie wir Menschen und sein Recht wie das dieser Welt*) wird als falsch entlarvt. So kommt das Buch Hiob *zu dem Ergebnis, dass Gott allein gerecht ist und dass ein Mensch durchaus gerecht sein kann gegenüber einem andern – auch vor Gott.*

Im verzweifelten Ringen Hiobs mit seinem Gott wird Luther sein eigenes Fragen gespiegelt gesehen haben, wenn er schreibt: *Es ist aber uns zum Trost geschrieben, dass Gott auch seine großen Heiligen derart straucheln lässt.* Hiobs Worte geben *eine Vorstellung davon, was für Gedanken ein Mensch – und mag er noch so heilig sein – gegen Gott haben kann; wie's ihm vorkommt, als sei Gott nicht Gott, sondern nichts weiter als ein Richter und zorniger Tyrann, der mit Gewalt daherkommt und nicht nach dem guten Leben eines Menschen fragt.* Den tiefen Gehalt des Buches *verstehen nur diejenigen, die ebenso erfahren und zu spüren bekommen, was es heißt, Gottes Zorn und Urteil über sich ergehen zu lassen, während seine Gnade verborgen bleibt.*

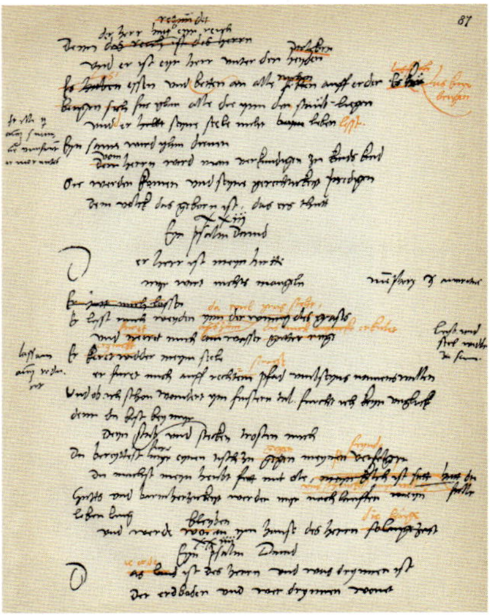

Die Übersetzung Luthers von Psalm 23 mit seinen Verbesserungen am Text.

Die Psalmen

Die Arbeit an den Psalmen hat bei Luthers reformatorischer Entdeckung eine besondere Rolle gespielt, war es doch das Ringen um das Verständnis von Psalmworten wie »Errette mich durch deine Gerechtigkeit« (Psalm 31,2), das Luther schließlich zu der entscheidenden Einsicht in die biblische Bedeutung des Begriffs ›Gerechtigkeit Gottes‹ führt. Luther hat die Psalmen zeit seines Lebens besonders hoch geschätzt. Verglichen zu den im Mittelalter in Mode gekommenen Andachtsbüchern mit Heiligenlegenden ist er der Meinung, *dass keine bessere Beispielsammlung oder Heiligenlegende auf Erden gekommen ist … als der Psalter.*

Was dieses Buch vor allen anderen auszeichnet, ist für Luther zum einen der Bezug zu Christus. In vielen Psalmen findet Luther den Weg Jesu beschrieben: *Allein schon deshalb sollte uns der Psalter teuer und lieb sein, weil er Christi Sterben und Auferstehung so deutlich verheißt.* Zum anderen aber bietet er ein Abbild vom *Zustand und Wesen seines Reichs und der ganzen Christenheit.* Für Luther könnte man den Psalter deshalb auch *mit Recht eine kleine Bibel (›kleine Biblia‹) nennen, in der alles, was in der ganzen Bibel steht, aufs schönste und kürzeste zusammengefasst* ist.

Es ist, *als habe der Heilige Geist … selbst die Mühe auf sich nehmen und eine kurze Bibel und ein Beispielbuch von der ganzen Christenheit … zusammenbringen wollen, damit, wer die ganze Bibel nicht lesen kann, hier doch fast ihren ganzen Inhalt zu einem schönen Büchlein zusammengefasst hätte.* Das Besondere des Psalters, das *das Lesen in ihm so anziehend und wohltuend* macht, besteht darin, *dass er nicht allein die Taten der Heiligen*, wie Luther die Gläubigen nennt, *erzählt, sondern auch ihre Worte: wie sie mit Gott geredet und gebetet haben und noch reden und beten.*

Diese Worte, *die sie mit großem Ernst über die wichtigsten Dinge mit Gott selbst geredet haben*, erlauben uns, *in den Grund und die Quelle ihrer Worte und Werke zu sehen, nämlich in ihr Herz: was für Gedanken sie hatten, wie ihr Herz sich in den verschiedensten Lagen, in Gefahr und Not verhielt.* Dies ist insofern wertvoller als alle Heiligenlegenden, als es dem Leser späterer Zeiten ermöglicht, seine eigenen Anliegen in den Psalmen wiederzufinden, als wären die Worte der Psalmen *allein um seinetwillen so gesprochen, sodass er selbst sie auch nicht besser hätte sprechen und finden oder sich wünschen können.* Daher kann sich der Christ der geistlichen Führung des Psalters ohne Zögern anvertrauen, *denn er lehrt dich in Freude, Furcht, Hoffnung und Traurigkeit so gesinnt sein und reden, wie alle Heiligen gesinnt waren und geredet haben.*

Lob und Klage sind die beiden Grundmelodien, die der Psalter anschlägt und in die einzustimmen er uns einlädt: *Wo findet man feinere Worte der Freude als in den Lob- und Dankpsalmen? Da siehst du allen Heiligen ins Herz wie in schöne, reizende Gärten, ja wie in den Himmel: Du siehst, wie feine, herzige, liebliche Blumen darin aufgehen von allerlei schönen, fröhlichen Gedanken gegen Gott um seiner Wohltat willen. Umgekehrt, wo findest du tiefere Worte voll Klage, Jammer und Traurigkeit als in den Klagepsalmen? Da siehst du wieder allen Heiligen ins Herz, diesmal aber wie in den Tod, ja wie in die Hölle. Wie finster und dunkel ist's da vom vielfältigen betrübten Anblick des Zornes Gottes! Und wenn sie von Furcht oder Hoffnung reden, sprechen sie ebenfalls mit so treffenden Worten, dass dir kein Maler die Furcht oder Hoffnung so darstellen und kein Cicero oder Redekundiger so schildern könnte.*

Das Gemälde »Jonas und der Wal« ist Teil des Magdalenenaltars, den Lucas Cranach d. Ä. für die Stiftskirche in Halle geschaffen hat. Es zeigt Jona, der vom Fisch verschluckt (hinten) und wieder ausgespien wird (vorne). Die Tafel befand sich an dem Altar auf der Predella unter dem Hauptbild, das die Auferstehung Christi zeigt. Dies entspricht der symbolischen Bedeutung dieser Geschichte, die Jesus im Neuen Testament das »Zeichen des Propheten Jona« nennt (Matthäus 12,39-40) und die deshalb in der christlichen Kunst für Jesu Tod und Auferstehung steht.

Das alles macht den Psalter gleichsam zu einem *feinen, hellen, reinen Spiegel*, der ein getreues Abbild dessen gibt, was *die heilige christliche Kirche* ist. *Ja, du wirst auch dich selbst und das rechte »Gnothi seauton« (»Erkenne dich selbst«) darin finden, dazu Gott selbst und alle Kreaturen.*

Darum sollen wir Menschen nun *darauf bedacht sein, Gott für solche unaussprechlichen Güter zu danken, sie mit Fleiß und Ernst anzunehmen, zu gebrauchen und mit ihnen zu wirken Gott zu Lob und Ehre.*

Die Propheten

In seiner Vorrede zu den Propheten benennt Luther zunächst das Hauptproblem, das die Leserinnen und Leser zu Luthers Zeit – und genauso heute – mit den Prophetentexten haben: Die *Ereignisse und Taten stehen uns nun nicht mehr vor Augen*. Der historische Abstand zu den Propheten ist groß, und das führt zu Verständnisschwierigkeiten und in einer Zeit, die gerne *Gottes Wort verachtet*, sogar zur Geringschätzung der Propheten. Dagegen verweist Luther auf die bleibende Bedeutung der Prophetenbücher, die er in drei Punkten zusammenfasst:

Erstens sind sie *mächtige und alte Zeugen* für Christus und das kommende Reich Gottes und geben den Christen dadurch Trost und Stärke. Wenn die Christen sich in ihrer Zeit *Kreuz, Schmach, Elend, Verachtung* und *mancherlei Leiden um Christi willen* ausgesetzt sehen, so können sie von den Propheten Geduld und Zuversicht lernen. *Das ist der Dienst, den sie uns mit ihrem Weissagen geleistet haben: Wer in Christi Reich sein will, soll wissen und sich danach richten, dass er viel leiden muss, ehe er zur Herrlichkeit kommt.*

Zweitens liefern die Propheten *viele große Beispiele und Erfahrungen für das erste Gebot und legen es ganz meisterhaft in Wort und Beispiel aus, um uns gewaltig zur Furcht Gottes und zum Glauben zu treiben und darin zu erhalten.* Die Propheten drohen denen, die sich von Gott abwenden, und trösten die, die an Gott festhalten und sich nach seinen Geboten richten. Dieses Grundthema durchzieht die Prophetenbücher wie ein roter Faden, sodass Luther feststellen kann: *Die Propheten lesen oder hören heißt demnach nichts andres als lesen und hören, wie Gott droht und tröstet.* Die verschiedensten Beispiele zeigen einen Gott, der ein *gnädiger Vater der Armen und Gläubigen* und *ein zorni-*

ger Richter über die Gottlosen und Stolzen sein will. Darin sieht Luther einen Trost *gegen die unaussprechlichen, unzähligen und, so Gott will, allerletzten Ärgernisse dieser verdammten Welt*, die sich für ihn beispielhaft in der Situation der Kirche seiner Zeit konkretisieren: *Wie ist bei uns und unter dem Papsttum das liebe arme Evangelium und Gottes Wort verachtet im Vergleich zu dem herrlichen Schein und Reichtum menschlicher Gebote und Heiligkeit!* Die Propheten aber lehren, dass Gott schließlich die Mächtigen vom Thron stößt und die Leidenden und Geplagten aufrichtet.

Drittens wenden sich die Propheten immer wieder vehement gegen den Götzendienst. Für Luther ist das ein hochaktuelles Thema, denn für ihn ist der Götzendienst nicht ein Problem, das es nur im alten Israel gegeben hätte. Die Kirche seiner Zeit ist davon genauso betroffen. *Denn das heißt eigentlich Götzendienst treiben: Ohne Gottes Befehl, aus eigener Frömmigkeit einen Gottesdienst verrichten. Er will sich nämlich von uns keine Vorschriften machen lassen, wie ihm zu dienen sei; er will's uns lehren und aufgeben, sein Wort soll uns leuchten und leiten. Ohne sein Wort ist alles Götzendienst und lauter Lüge, es gleiße so andächtig und schön wie es wolle – davon haben wir oftmals geschrieben. Daraus folgt nun, dass bei uns Christen alle diejenigen Götzendiener sind – und dann geht das Schelten der Propheten sie wahrhaftig etwas an –, die neue Gottesdienste erfunden haben oder noch halten ohne Gottes Befehl und Gebot, aus eigner Frömmigkeit und, wie man sagt, in guter Absicht. Denn damit richten sie ganz sicher ihr Vertrauen auf ihre selbst erwählten Werke und nicht rein und lauter auf Jesus Christus.* Darum ist es nötig, sich immer wieder zu vergewissern, dass ein *Gottesdienst durch Gottes Wort gestiftet und nicht aus Eigenmächtigkeit erfunden oder gut gemeint ist.* Sonst dient er *nicht dem wahren Gott*, sondern einem *selbst gemachten Götzen*, und dann stehen *die Worte aller Propheten* dagegen.

Die Vorreden zu den Apokryphen

In den Gesamtausgaben mit Luthers Bibelübersetzung gibt es seit der ersten Ausgabe von 1534 im Anschluss an das Alte Testament einen zusätzlichen Teil, der durch einen eigenen Titel abgesetzt ist: *Apokryphen: Das sind Bücher, so der Heiligen Schrift nicht gleich gehalten und doch nützlich und gut zu lesen sind.* (Siehe dazu auch die Einleitung zu den Apokryphen in dieser Bibelausgabe S. 941–942). Im Inhaltsverzeichnis sind diese Schriften ohne die sonst übliche Nummerierung aufgezählt, also wie ein Anhang zum Alten Testament behandelt. Es handelt sich dabei um Texte, die in den drei Jahrhunderten vor Christi Geburt entstanden und nur in der griechischen Übersetzung des Alten Testaments enthalten sind, aber nicht zum hebräischen Kanon der heiligen Schriften gehören. Da das junge Christentum die griechische Übersetzung als seine Bibel verwendete, wurden diese Schriften später auch ins Lateinische übersetzt. Daher sind sie Teil der lateinischen Bibel, die in der Kirche des Abendlandes bis zur Reformationszeit als der verbindliche Bibeltext benutzt wurde. Seit der alten Kirche wusste man jedoch um den Sonderstatus dieser Schriften und nannte sie ›Apokryphen‹, verborgene Schriften, die nicht im Gottesdienst gelesen und auf die keine Lehrentscheidungen gegründet werden sollten. Dennoch war die Zusammenstellung eines eigenen Apokryphenteils durch Luther ein massiver Bruch mit der kirchlichen Tradition.

In ähnlicher Weise ist Luther auch im Neuen Testament verfahren, wo er den Hebräer-, Jakobus- und Judasbrief zusammen mit der Offenbarung ebenfalls als eine Art Anhang behandelt (siehe dazu weiter unten, Farbseite 47). Hier wie dort liegt der eigentliche Grund für die Abwertung – jenseits der Frage nach ihrem Verfasser – darin, dass diese Schriften sich nicht an Luthers Prüfstein bewähren, ob ein Buch sachgemäß von Christus lehrt (*Christum treibet*). Die Zusammenstellung der Apokryphen in einen eigenen Teil, zusammen mit der ausdrücklichen Empfehlung, sie zu lesen, zeugt dennoch auch von einer Wertschätzung, die Luther in der Vorrede auf die apokryphen Stücke zu Ester und Daniel so formuliert hat: *Wir haben solche Kornblumen (weil sie im hebräischen Daniel und Ester nicht stehen) ausgerauft; und doch, dass sie nicht verdürben, hier in sonderliche Würzgärtlein oder Beete gesetzt, weil dennoch Gutes … drinnen funden wird.*

Am Anfang seines Apokryphenteils stellt Luther jeweils ein erzählerisches und ein weisheitliches Buch zusammen: Judit und die Weisheit Salomos sowie Tobit und Jesus Sirach. Die Geschichte von der frommen jüdischen Witwe **Judit**, die ihr Volk vor seinen militärisch überlegenen Gegnern rettet, indem sie deren Befehlshaber mit seinem eigenen Schwert enthauptet, gilt ihm als *Exempel* der Weisheit, die ihrerseits *die Tyrannen schilt und Gottes Hilfe preiset.* Und ebenso passt die Geschichte von **Tobit**, seiner Erblindung und Rettung und von der glücklichen Brautwerbung seines Sohnes Tobias zu den Lehren des **Jesus Sirach**, *weil der ein rechter Lehrer und Tröster des gemeinen Mannes und Hausvaters in allen Sachen* ist, für die wiederum Tobit ein hervorragendes *Exempel* darstellt. Für Luther sind die beiden erzählerischen Bücher ebenso wie die **Stücke zu Ester und Daniel**, die seinen Apokryphenteil abschließen, in sich jeweils weniger als Geschichte zu lesen, sondern vielmehr als ein Gedicht, das an ein christliches Passionsspiel erinnert. In der Vorrede zum Buch Tobit heißt es entsprechend: *Ist's eine Geschichte, so ist's eine feine heilige Geschichte; ist's aber ein Gedicht, so ist's wahrlich auch ein recht schön, heilsam, nützlich Gedicht und Spiel eines geistreichen Poeten.* Darum gilt von diesem wie von den anderen Büchern, dass es *uns Christen auch nützlich und gut zu lesen* ist als Werk *eines feinen hebräischen Poeten, der keine leichtfertige, sondern die rechten Sachen handelt und über die Maßen christlich treibt und beschreibt.*

Beim Buch Jesus Sirach scheint Luther sogar dessen späteren Aufstieg zum Haus- und Lesebuch vorausgeahnt zu haben, wenn er es mit den Worten anpreist: *Es ist ein nützlich Buch für den gemeinen Mann; denn auch all sein Fleiß ist, dass er einen Bürger oder Hausvater gottesfürchtig, fromm und klug mache, wie er sich gegen Gott, Gottes Wort, Priester, Eltern, Weib, Kinder, eigenen Leib, Knechte, Güter, Nachbarn, Freunde, Feinde, Oberkeit und jedermann verhalten soll; sodass man's wohl könnte nennen ein Buch von Hauszucht oder von den Tugenden eines frommen Hausherrn.*

Von den restlichen Schriften des Apokryphenteils lässt Luther die Bücher **Baruch** und **2. Makkabäer** *mitlaufen unter diesem Haufen* – Baruch, das von dem Freund und Sekretär des Propheten Jeremia geschrieben sein soll, von dem im Jeremiabuch berichtet wird, *weil er wider die Abgötterei so hart schreibet und Moses Gesetz vorhält*, 2. Makkabäer, das wie 1. Makkabäer von den Kämpfen der nach ihrem Anführer Judas Makkaba (= Hammer) genannten Makkabäer gegen die hellenistisch-syrischen Herrscher erzählt, weil auch *etwas Gutes darinnen stehet.*

1. Makkabäer dagegen wäre *nicht unwürdig gewesen* zu den kanonischen Büchern des Alten Testaments gezählt zu werden, denn es ist *ein sehr nötig und nützlich Buch*, aus dessen Polemik gegen die Religionspolitik der syrischen Herrscher wir lernen können, *den rechten Antichrist zu erkennen, der vor der zweiten und letzten Ankunft Christi die Christenheit auch verwüsten und den Gottesdienst zerstören sollte; auf dass wir … den*

Judit mit dem Haupt des Holofernes (Gemälde von Lucas Cranach d. Ä.). Die Geschichte aus dem apokryphen Buch Judit ist in der Malerei häufig dargestellt worden. Für Luther zeigt sie *des ganzen jüdischen Volkes Glück und Sieg wider alle seine Feinde, von Gott allezeit wunderbarlich verliehen.*

Trost empfangen und festhalten, dass wir samt der Christenheit dennoch erhalten und endlich errettet werden müssen.

Die Vorrede zum Neuen Testament

Gleichwie das Alte Testament ein Buch ist, in dem Gottes Gesetz und Gebot geschrieben steht, daneben aber auch die Geschichte derer, die es gehalten oder nicht gehalten haben, so ist das Neue Testament ein Buch, in welchem das Evangelium und Gottes Verheißung geschrieben steht, daneben aber auch die Geschichte derer, die daran glauben oder nicht glauben.

Denn »Evangelium« ist ein griechisches Wort und heißt zu Deutsch »gute Botschaft», »gute Kunde«, »gute Neuigkeit«, »gute Nachricht«, von der man singt, sagt und fröhlich ist: Als zum Beispiel David den großen Goliath überwand, kam eine gute Nachricht und tröstliche Neuigkeit unter das jüdische Volk: ihr gräulicher Feind war erschlagen, und sie waren erlöst, in Freude und Frieden versetzt – und davon sangen und sprangen sie und waren fröhlich.

So ist auch das Evangelium Gottes, das Neue Testament, eine gute Kunde und Nachricht – durch die Apostel in alle Welt ausgerufen – von dem wahren David, der mit Sünde, Tod und Teufel gestritten, sie überwunden und dadurch alle, die in Sünden gefangen, mit dem Tod geplagt und vom Teufel überwältigt waren, ohne ihr Verdienst erlöst, gerecht, lebendig und selig gemacht und damit in Frieden versetzt und wieder zu Gott heimgebracht hat – und davon singen sie nun, danken und loben Gott und sind ewig fröhlich, wenn sie das nur fest glauben und im Glauben beständig bleiben.

Solche Nachricht und tröstliche Kunde, solche evangelische und göttliche Neuigkeit heißt auch »das Neue Testament«; denn wie bei einem Testament – wenn ein sterbender Mann bestimmt, dass nach seinem Tod sein Gut unter die von ihm benannten Erben verteilt werden soll – hat auch Christus vor seinem Sterben befohlen und bestimmt, dass dies Evangelium nach seinem Tod in alle Welt ausgerufen werden soll; damit hat er allen, die da glauben, all sein Gut zu eigen gegeben: sein Leben, mit dem er den Tod verschlungen, seine Gerechtigkeit, mit der er die Sünde vertilgt, und seine Seligkeit, mit der er die ewige Verdammnis überwunden hat. Nun kann ja der arme Mensch, der verstrickt ist in Sünde, Tod und Hölle, nichts

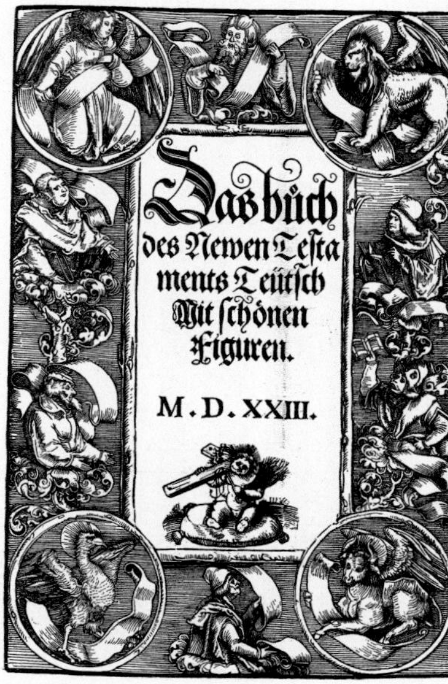

Titelblatt des Neuen Testaments von 1523.

Tröstlicheres hören als diese teure, liebliche Botschaft von Christus; darum muss sein Herz von Grund auf lachen und fröhlich darüber werden, wenn er glaubt, dass dies wahr ist.

Nun hat Gott, um solchen Glauben zu stärken, dieses sein Evangelium und Testament vielfältig im Alten Testament durch die Propheten verheißen, wie Paulus sagt: »Ich bin ausgesondert, zu predigen das Evangelium Gottes, welches er zuvor verheißen hat durch seine Propheten in der Heiligen Schrift, von seinem Sohn, der ihm geboren ist aus dem Geschlecht Davids« usw. (Römer 1,1-3).

Um nun einige Verheißungen auszuführen: Zuerst hat er's verheißen, als er zur Schlange sprach: »Ich will Feindschaft setzen zwischen dir und dem Weibe und zwischen deinem Nachkommen und ihrem Nachkommen; der soll dir den Kopf zertreten, und du wirst ihn in die Ferse stechen.« (1. Mose 3,15). Christus ist der Nachkomme dieses Weibes, der dem Teufel seinen Kopf – Sünde, Tod, Hölle und alle seine Kraft – zertreten hat; denn ohne diesen Nachkommen kann kein Mensch der Sünde, dem Tod und der Hölle entrinnen.

Dann verhieß er's Abraham: »Durch dein Geschlecht sollen alle Völker auf Erden gesegnet werden« (1. Mose 22,18). Christus ist Abra-

Christus segnet die Kinder (Lucas Cranach d. Ä.): Die hier dargestellte Szene aus Markus 10,13-16 passt hervorragend zu Luthers Theologie: Die Kinder sind noch ganz darauf angewiesen, beschenkt zu werden, und lassen sich noch alles schenken. Wenn es um das Reich Gottes geht, sind wir Menschen wie Kinder – wir können es nicht verdienen, sondern nur als Geschenk des gnädigen Gottes empfangen.

hams Nachkomme, sagt Paulus (Galater 3,16). Der hat alle Welt durchs Evangelium gesegnet. Denn wo Christus nicht ist, da ist noch der Fluch, der nach Adams Sündenfall über ihn und seine Kinder kam: sie sollten allzumal der Sünde, dem Tod und der Hölle verfallen und übereignet sein. Im Gegensatz zu diesem Fluch segnet nun das Evangelium alle Welt, indem es öffentlich ruft: Wer an diesen Nachkommen Abrahams glaubt, soll gesegnet sein – d. h. frei von Sünde, Tod und Hölle – und gerecht, lebendig und selig bleiben auf ewig; wie Christus selber sagt: »Wer an mich glaubt, der wird nimmermehr sterben« (Johannes 11,25.26).

Ferner verhieß er's David mit den Worten: »Ich will dir einen Nachkommen nach dir erwecken; der soll meinem Namen ein Haus bauen, und ich will seinen Königsthron bestätigen ewiglich. Ich will sein Vater sein, und er soll mein Sohn sein« usw. (2. Samuel 7,12-14; vgl. 1. Chronik 17,11-13). Das ist das Reich Christi, von dem das Evangelium redet: ein ewiges Reich, ein Reich des Lebens, der Seligkeit und Gerechtigkeit, in das aus dem Gefängnis der Sünde und des Todes alle kommen, die da glauben.

Solche Verheißungen des Evangeliums gibt es noch viel mehr in den Büchern der Propheten, zum Beispiel: »Und du, Bethlehem Efrata, die du klein bist unter den Städten in Juda, aus dir soll mir der kommen, der in Israel Herr sei« (Micha 5,1). Ferner: »Ich will sie aus dem Totenreich erlösen und vom Tod erretten. Tod, ich will dir ein Gift sein – Totenreich, ich will dir eine Pest sein« (Hosea 13,14).

So ist denn das Evangelium nichts anderes als eine Predigt von Christus, Gottes und Davids Sohn, wahrem Gott und Menschen, der für uns mit seinem Sterben und Auferstehen Sünde, Tod und Hölle aller Menschen überwunden hat, die an ihn glauben. So kann das Evangelium eine kurze oder eine lange Rede sein und kann der eine kürzer, der andre länger beschreiben. Lang beschreibt's, wer viele Werke und Worte Christi aufschreibt – wie die vier Evangelisten; kurz beschreibt's dagegen, wer nicht von Christi Werken schreibt, sondern mit wenigen Worten darlegt, wie er für alle, die an

Der Weinberg des Herrn (Lucas Cranach d. Ä.). Das Gemälde bietet eine allegorische Darstellung der Reformation. Im Vordergrund des abgebildeten Ausschnitts ist Martin Luther mit der Harke zu sehen: Durch seine Bibelübersetzung bereitet er den Boden vor für die Aussaat des Evangeliums.

Christus am Kreuz (Altar der Stadtkirche Peter und Paul in Weimar, Mitteltafel). Das Gemälde gilt als letztes Werk von Lucas Cranach d. Ä. und wurde von seinem Sohn Lucas Cranach d. J. vollendet. Der Blutstrahl aus der Seitenwunde Christi trifft Lucas Cranach d. Ä. Dies verweist auf die zentrale Erkenntnis Luthers, dass die Erlösung dem Menschen allein durch die sühnende Kraft von Jesu Kreuzestod geschenkt wird.

ihn glauben, durch Sterben und Auferstehung Sünde, Tod und Hölle überwunden hat – wie Petrus und Paulus.

Darum achte nun darauf, dass du aus Christus nicht einen Mose machst und aus dem Evangelium nicht ein Gesetz- oder Lehrbuch, wie's bisher geschehen und auch aus einigen Vorreden des Hieronymus herauszuhören ist. Denn das Evangelium fordert eigentlich nicht unser Werk, dass wir dadurch fromm und selig würden – ja es verdammt solche Werke –, sondern es fordert den Glauben an Christus: dass er für uns Sünde, Tod und Hölle überwunden hat, uns also nicht durch unser Werk, sondern durch sein eigenes Werk, Sterben und Leiden fromm, lebendig und selig macht, sodass wir uns sein Sterben und seinen Sieg aneignen können, als hätten wir's selber getan.

Dass aber Christus im Evangelium und auch Petrus und Paulus viele Gebote und Lehren und das Gesetz auslegen, das soll man in eine Reihe stellen mit den andern Werken und Wohltaten Christi. Seine Werke und Geschichte kennen heißt noch nicht das rechte Evangelium kennen; denn damit weißt du noch nicht, dass er Sünde, Tod und Teufel überwunden hat. Genauso heißt auch das noch nicht das Evangelium kennen, wenn du solche Lehren und Gebot kennst, sondern erst, wenn die Stimme kommt, die da sagt: Christus ist dein Eigen – mit Leben, Lehren, Werken, Sterben, Auferstehen und allem, was er ist, hat, tut und vermag.

So sehen wir denn auch, dass es nicht nötigt, sondern freundlich lockt und spricht: »Selig sind die Armen« usw. (Matthäus 5,3; vgl. Lukas 6,20). Und die Apostel gebrauchen die Worte »ich ermahne«, »ich flehe«, »ich bitte«, sodass man allenthalben sieht, wie das Evangelium nicht ein Gesetzbuch ist, sondern eigentlich eine Predigt von den Wohltaten, die Christus uns erzeigt und zu eigen gegeben hat, wenn wir glauben. Mose aber in seinen Büchern treibt, dringt, droht, schlägt und straft gräulich; denn er ist ein Gesetzschreiber und Antreiber.

Daher kommt's auch, dass einem Gläubigen kein Gesetz gegeben ist, durch das er vor Gott gerecht würde – wie Paulus sagt (1. Timotheus 1,9) – und zwar deshalb, weil er durch den Glauben gerecht, lebendig und selig ist und weiter nichts zu tun braucht, als diesen Glauben durch Werke zu beweisen.

Ja, wo der Glaube ist, kann er sich nicht verborgen halten: Er stellt sich unter Beweis, bricht sich Bahn in guten Werken, bekennt und lehrt dies Evangelium vor den Leuten und wagt sein Leben dran. Und alles, was der Glaube im Leben tut, das stellt er in den Dienst des Nächsten, ihm zu helfen, dass er auch zu solcher Gnade kommt und mit Leib, Gut und Ehre wohl dasteht. Denn der Glaube sieht, dass Christus an ihm dasselbe getan hat – und folgt so dem Beispiel Christi nach.

Das meinte auch Christus, als er zuletzt kein andres Gebot gab als das Gebot der Liebe, an der man erkennen sollte, wer seine Jünger seien und rechtschaffene Gläubige (Johannes 13,34-35). Denn wo die Werke und die Liebe nicht hervorbrechen, da ist der Glaube nicht recht, da haftet das Evangelium noch nicht und ist Christus nicht recht erkannt.

Sieh, so stell dich nun ein auf die Bücher des Neuen Testaments, dass du sie auf diese Weise zu lesen verstehst.

Die Epiſtel Sanct Pauli An die Römer. CV.

I.

Paulus ein Knecht Jheſu Chriſti/ beruffen zum Apoſtel/ ausgeſondert zu predigen das Euangelion Gottes/ welchs er zuuor verheiſſen hat durch ſeine Propheten jnn der heiligen Schrifft/ von ſeinem Son/ der jm geboren iſt von dem ſamen David nach dem fleiſch/ vnd krefftiglich erweiſet ein Son Gottes/ a nach dem Geiſt/ der da heiliget/ ſint der zeit er aufferſtanden iſt von den todten/ nemlich Jheſus Chriſt vnſer Herr/ durch welchen wir haben empfangen Gnade vnd Apoſtelampt vnter alle Heiden/ den gehorſam des glaubens auff zu richten/ vnter ſeinem namen/ welcher jr zum teil auch ſeid/ die da beruffen ſind von Jheſu Chriſto. — Vnterſchrifft. — a (Nach dem geiſt) Der Geiſt Gottes iſt gegeben nach Chriſtus auffart/ von da an heiliget er die Chriſten vñ verkleret Chriſtum jñ aller welt/ das er Gottes ſon ſey/ mit aller macht/ jnn wotten/ wunder vnd zeichē

Allen die zu Rom ſind/ den liebeſten Gottes vnd beruffenen Heiligen. — Vberſchrifft.

Gnade ſey mit euch/ vnd friede von Gott vnſerm Vater vnd dem Herrn Jheſu Chriſto. — Grus.

Auffs erſt/ dancke ich meinem Gott/ durch Jheſu Chriſt/ ewer aller halben/ das man von ewrem glauben jnn aller welt ſaget. Denn Gott iſt mein zeuge/ welchem ich diene jnn meinem geiſt/ am Euangelio von ſeinem Son/ das ich on vnterlas ewer gedencke/ vnd alle zeit jnn — Erbietung.

Der Anfang des Römerbriefs in der Lutherbibel von 1534 aus dem kolorierten Exemplar der Herzogin Anna Amalia Bibliothek, Weimar. Die Abbildung zeigt Paulus, der Phöbe verabschiedet (Römer 16,1-2).

Die Evangelien

Es ist bezeichnend, dass Martin Luther, der für seine Bibelübersetzung Vorreden zu fast allen biblischen Büchern geschrieben hat, keine Vorreden zu den Evangelien verfasst hat. Das hängt damit zusammen, dass es ihm weniger um die Evangelien als um das Evangelium geht. Dieses findet er deutlicher in den Briefen des Apostels Paulus, vor allem im Römerbrief und im ersten Petrusbrief. Die Evangelien enthalten dagegen, wie er in der Vorrede zum Neuen Testament andeutet, zu *viele Werke und Worte Christi.*

Der Brief des Paulus an die Römer

»Darin wird offenbart die Gerechtigkeit, die vor Gott gilt, welche kommt aus Glauben in Glauben; wie geschrieben steht: ›Der Gerechte wird aus Glauben leben.‹« – Diese Übersetzung der berühmten Stelle von Römer 1,17 enthält im Kern Luthers reformatorische Theologie mit dem neuen Verständnis des zentralen Begriffs der ›Gerechtigkeit Gottes‹. Kein Wunder, dass er diese Schrift in seiner Vorrede nicht genug rühmen kann: *Dieser Brief ist das wahre Hauptstück des Neuen Testaments und das allerlauterste Evangelium und wohl würdig und wert, dass ein Christenmensch ihn nicht nur wortwörtlich auswendig weiß, sondern auch täglich mit ihm umgeht als mit dem täglichen Brot der Seele.*

Der ganze Brief kreist um das Heil, das Gott den Menschen in Jesus Christus geschenkt hat. Was damit gemeint ist, wird unter den Stichwörtern ›Gesetz‹ und

›Gnade‹ entfaltet, die auch für Luther die Schlüsselbegriffe seiner Theologie gewesen sind. Es gilt nach Luther zunächst zu begreifen, dass Gesetz hier nicht im gängigen Sinn zu verstehen ist als eine *Belehrung, was für Werke zu tun oder zu lassen* sind. Denn ein solches Tun oder Lassen ist etwas Äußerliches, Gott aber will, dass das Herz dabei ist: *Gott richtet nach dem Grunde des Herzens; darum fordert auch sein Gesetz ein Tun aus Herzensgrund und begnügt sich nicht mit bloßen Werken; vielmehr verurteilt es Werke, die nicht aus Herzensgrund getan werden, als Heuchelei und Lüge. Daher heißen alle Menschen Lügner (Psalm 116,11), weil keiner Gottes Gesetz aus Herzensgrund hält, auch nicht halten kann. Denn jedermann findet bei sich selbst Unlust zum Guten und Lust zum Bösen. Wo nun keine freie Lust zum Guten ist, da ist der Herzensgrund fern vom Gesetz Gottes, da ist dann auch gewiss die Sünde und wird Gottes Zorn verdient trotz des äußeren Scheins vieler guter Werke und eines ehrbaren Lebens.*

Gerade dort, wo das Gesetz korrekt befolgt wird, kommt das an den Tag: *Du lebst äußerlich fein in Gesetzeswerken und richtest, die nicht so leben, und weißt jedermann zu lehren; den Splitter im Auge des andern siehst du, aber des Balkens in deinem Auge wirst du nicht gewahr. Denn obwohl du äußerlich durch Werke das Gesetz hältst – aus Furcht vor Strafe oder aus Liebe zum Lohn –, so tust du doch alles ohne freie Lust und Liebe zum Gesetz, sondern nur lustlos und gezwungen und würdest – wäre das Gesetz nicht – lieber anders handeln. Daraus folgt doch, dass du im Grund deines Herzens dem Gesetz feind bist.*

Diese Feindschaft wird überwunden durch die Gnade: die geschenkte, nicht vom Menschen mit Unlust und Widerwillen erarbeitete *Gerechtigkeit*, die allein vor Gott gilt, weil Gott selbst sie *macht, wirkt* (wie Luther als mögliche Übersetzung zu 1,17 erwogen hat). Jetzt ist alles umgedreht: Du musst nicht das Gesetz erfüllen, du kannst! Der Angelpunkt für die Umkehrung aber ist der *Glaube*, der den Menschen das neue Herz gibt.

Auch beim Glauben – wie beim Gesetz – gilt es jedoch zuerst ein Missverständnis abzuweisen: »*Glaube« ist nicht, was manche dafür halten: ein menschlicher Traum und Wahn*, der keinerlei Konsequenzen für das Tun des Menschen mit sich bringt. Genau dieses Missverständnis hat in Luthers Augen dazu geführt, dass sich der Irrtum ausbreiten konnte, der Glaube allein sei nicht genug, um fromm und selig zu werden, es müssten noch gute Werke hinzukommen. Glaube ist kein menschlicher Wahn, sondern göttliche Aktivität: *ein Werk Gottes in uns, das uns wandelt und neu gebiert aus Gott.* Dieses göttliche Werk *macht uns zu ganz andern Menschen nach Herz, Mut, Sinn und allen Kräften und bringt den Heiligen Geist mit sich. Wie ist doch der Glaube lebendig, schaffensfreudig, tätig und mächtig! Darum ist's unmöglich, dass er nicht ohne Unterlass Gutes wirkt. Er fragt auch nicht, ob gute Werke zu tun sind, sondern hat sie, ehe man ihn fragt, getan und ist immer im Tun. Wer aber solche Werke nicht tut, der ist ein glaubensloser Mensch, tappt umher und sieht sich um nach dem Glauben und den guten Werken; was Glaube oder gute Werke sind, weiß er nicht; aber er macht ein wortreiches Gewäsch und Geschwätz von Glauben und guten Werken.*

»Glaube« ist eine lebendige, unerschütterliche Zuversicht auf Gottes Gnade, so gewiss, dass er tausendmal dafür zu sterben bereit wäre. Und solche Zuversicht und Erkenntnis göttlicher Gnade macht fröhlich und standhaft, ist eine Freude an Gott und allen Geschöpfen – das bewirkt der Heilige Geist im Glauben. Daher wird er ohne Zwang willig und freudig, jedermann Gutes zu tun, jedermann zu dienen, vieles zu leiden – Gott zu Liebe und zu Lob, der ihm solche Gnade erzeigt hat –, sodass es unmöglich ist, die Werke vom Glauben zu scheiden, ebenso unmöglich, wie Brennen und Leuchten vom Feuer zu scheiden.

Darauf gründet dann Luthers neues Verständnis der Gerechtigkeit: *»Gerechtigkeit« ist nun solcher Glaube; er heißt »Gottes Gerechtigkeit«, oder »Gerechtigkeit, die vor Gott gilt«, weil Gott sie gibt … und weil sie den Menschen befähigt, einem jeden zu geben, was er ihm schuldig ist. Denn durch den Glauben wird der Mensch die Sünde los und bekommt Lust zu Gottes Geboten. Damit gibt er Gott seine Ehre und bezahlt ihm, was er ihm schuldig ist. Den Menschen aber dient er willig, womit er kann, und bezahlt damit auch jedermann. Solche Gerechtigkeit können Natur, freier Wille und unsre Kräfte nicht zuwege bringen; denn wie niemand sich selbst den Glauben geben kann, so kann er auch den*

Unglauben nicht wegnehmen. Wie will er denn eine einzige, noch so kleine Sünde wegnehmen? Darum ist's alles falsch, Heuchelei und Sünde, was außer dem Glauben getan wird oder im Unglauben, mag es auch noch so trügerisch glänzen (vgl. Römer 14,23).

Die Briefe des Petrus

Luther hat den Petrusbriefen theologisch große Bedeutung zugemessen. In dem ursprünglich zur Vorrede des Neuen Testaments gehörenden Abschnitt **Welches die rechten und edelsten Bücher des Neuen Testaments sind** (seit den Ausgaben der Bibel von 1534 ist dieser Abschnitt weggelassen) stellt er sie zusammen mit den Paulusbriefen *weit über die drei Evangelien des Matthäus, Markus und Lukas.* Besonders wichtig war ihm der erste Petrusbrief. Er gehört zu den Schriften, *die dir Christus zeigen, und alles lehren, was dir zu wissen not und selig ist, obschon du kein ander Buch noch Lehre nimmer sehest noch hörest.*

Den ersten Petrusbrief *hat Petrus an die bekehrten Heiden geschrieben; er ermahnt sie, im Glauben beständig zu sein und zuzunehmen durch vielerlei Leiden und gute Werke.* Darum stärkt er besonders im ersten Kapitel *ihren Glauben durch göttliche Verheißung und die Kraft der zukünftigen Seligkeit. Er legt dar, wie diese nicht von uns verdient, sondern durch die Propheten vorherverkündigt ist. Darum sollen sie nun im neuen Wesen heilig leben und das alte vergessen als solche, die neugeboren sind durch das lebendige, ewige Wort Gottes.* Um Christus als *das Haupt und den Eckstein* geht es dann im zweiten Kapitel. Wichtig für die gemeindliche Praxis sind vor allem die beiden Schlusskapitel, wo Petrus die Gemeinde unterweist, *wie man allein Gottes Wort und Werk treiben und wie ein jeder dem andern mit seiner Gabe dienstbar sein und nicht murren soll, sondern fröhlich sein, wenn wir um des Namens Christi willen leiden müssen.*

Der zweite Petrusbrief ist *gegen die geschrieben, die da meinen, der christliche Glaube könne ohne Werke sein. Darum ermahnt er sie, sich durch gute Werke zu prüfen und dadurch des Glaubens gewiss zu werden – wie man an den Früchten die Bäume erkennt.* Im ersten Kapitel geht es darum, gegen *die Menschenlehre das Evangelium zu preisen, das allein man hören solle und keine Menschenlehre.* Im zweiten Kapitel warnt Petrus vor *den falschen Lehrern, die künftig auftreten,* »*mit Werken umgehen*« *und dadurch Christus verleugnen.* So wie die Irrlehrer geschildert werden, ist es für Luther fast zwingend, Petrus *meine den heutigen geistlichen Stand, der alle Welt mit seinem Geiz verschlungen hat und freventlich ein freies, fleischliches, weltliches Leben führt.* Im dritten Kapitel geht es darum, *dass der Jüngste Tag bald kommen wird.* Petrus sagt hier auch voraus, *dass zu der Zeit die Leute ganz spöttisch sein und vom Glauben nichts halten würden.*

Auf seine eigene Zeit bezogen, kann Luther zusammenfassend feststellen: *Das erste Kapitel zeigt, wie die Christenheit stehen sollte zur Zeit des reinen Evangeliums; das zweite Kapitel zeigt, wie sie zur Zeit des Papsts und der Menschenlehre stehen würde; das dritte Kapitel, wie danach die Leute beides – das Evangelium und alle Lehre – verachten und nichts glauben werden, und das geht jetzt im vollen Schwang, bis Christus kommt.*

Der Brief an die Hebräer

Bisher haben wir die rechten, sicheren Hauptbücher des Neuen Testaments gehabt, schreibt Luther in seiner Vorrede zum Hebräerbrief. *Die vier folgenden aber hatten vorzeiten ein andres Ansehen.* Gemeint sind außer dem Hebräerbrief noch der Jakobus- und der Judasbrief sowie die Offenbarung. Die beiden erstgenannten hat Luther von ihrem angestammten Platz zwischen Philemon- und erstem Petrusbrief entfernt und sie mit den beiden anderen zu einer Art Anhang zum Neuen Testament zusammengefasst. Wie bei den Apokryphen (siehe oben, Farbseite 40) hat Luther diese Schriften im Unterschied zu den übrigen nicht durchnummeriert. Den Grund dafür nennt er in der bekannten Formulierung aus der Vorrede zu den Briefen des Jakobus und Judas: Das ist *der rechte Prüfstein, um alle Bücher zu prüfen: zu sehen, ob sie Christus treiben oder nicht … Was nicht Christus lehrt, das ist auch nicht apostolisch, selbst wenn Petrus oder Paulus es lehrten; alles dagegen, was Christus lehrt, das wäre apostolisch, auch dann, wenn Judas, Hannas, Pilatus oder Herodes es lehrten.*

Dazu kommt, dass Luther – wie auch die moderne Bibelwissenschaft – die traditionelle Zuschreibung des Briefs an Paulus bestreitet. Luther macht das daran fest, *dass im zweiten Kapitel steht: Diese Lehre ist durch die, welche es selbst vom Herrn gehört haben, auf uns gekommen und bei uns geblieben (Kapitel 2,3). Dadurch wird klar, dass der Schreiber von den Aposteln redet, und zwar als ein Jünger, auf den diese Lehre von den Aposteln gekommen ist, vielleicht nach langer Zeit.* Außerdem gibt es in diesem Brief noch einen *harten Knoten* inhaltlicher Art, der in dieser Weise im Neuen Testament einzigartig ist: In 6,4-8 wird bestritten, dass es für einmal zum Glauben gekommene, dann aber wieder von ihm abgefallene Christen eine zweite Möglichkeit zur Buße gibt, da ein solches Verhalten mit dem Sühnetod Christi Spott treibe.

Abgesehen davon ist der Hebräerbrief für Luther aber *ein vortrefflicher, feiner Brief, der vom Priestertum Christi meisterhaft und gründlich aus der Schrift heraus redet* und *zugleich einen rechten, feinen Begriff und ein Richtmaß gibt, wie die Schrift zu lesen und zu behandeln ist.*

Der Brief des Jakobus

Es ist allgemein bekannt, dass Luther den Jakobusbrief nicht sonderlich hoch eingeschätzt hat. In dem Abschnitt **Welches die rechten und edelsten Bücher des Neuen Testaments sind** (siehe oben, Farbseite 47) nennt er ihn *eine recht stroherne Epistel, die keine evangelische Art an sich hat. Dieser Jakobus*, schreibt Luther in seiner Vorrede, *tut nicht mehr, als zum Gesetz und dessen Werken zu treiben, und wirft so unordentlich eins zum andern, dass es mir vorkommt, als wäre er irgendein guter, frommer Mann gewesen, der einige Sprüche von den Jüngern der Apostel übernommen und zu Papier gebracht hat. Oder es ist vielleicht aus der Predigt des Jakobus von einem andern aufgeschrieben worden.*

Deshalb will Luther den Brief in seiner Bibel *nicht unter die rechten Hauptbücher aufnehmen.* Damit soll jedoch niemandem verwehrt sein, *ihn zu nehmen und zu schätzen, wie er Lust hat; denn sonst sind eine Menge guter Sprüche drin.*

Die Offenbarung des Johannes

Auch die Offenbarung hat Luther nicht sonderlich hoch geschätzt: *Mein Geist kann sich in das Buch nicht schicken*, schreibt er in seiner Vorrede von 1522. Der Haupteinwand ist, *dass Christus darin weder gelehrt noch erkannt wird.* Das klingt überraschend, da doch Christus, »das Lamm, das geopfert wurde«, in der Offenbarung die zentrale Rolle spielt. Aber Luther nimmt offenkundig daran Anstoß, dass hier Christus als Auslöser von Katastrophen und am Ende als Richter der Menschen nach ihren Werken ohne den geringsten Hinweis auf Glauben und Gnade dargestellt wird.

Darüber hinaus führt Luther das formale Argument der Verfasserschaft ins Feld und erklärt, dass er das Buch *weder für apostolisch noch für prophetisch* halten könne. Er wendet ein, dass die Apostel nicht so visionär und bildhaft verrätselt schreiben – *mit Gesichten umgehen* –, sondern *mit klaren und dürren Worten weissagen*, wie es denn *dem apostolischen Amt gebührt, klärlich und ohn Bild oder Gesicht von Christus und seinem Tun zu reden.* Dasselbe gilt von den Propheten: Es ist keiner *im Alten Testament, geschweig im Neuen, der so ganz durch und durch mit Gesichten und Bildern handle.*

Dies hindert Luther jedoch nicht, als sich seine Auseinandersetzung mit der römischen Kirche zuspitzt, in der Vorrede von 1530 eine zeitgeschichtliche Auslegung der Offenbarung vorzulegen. Dabei deutet er zum Beispiel die beiden Tiere aus dem dreizehnten Kapitel auf *das päpstliche Kaisertum und kaiserliche Papsttum.* Zu den sieben Engeln mit den sieben Schalen aus Kapitel 15 und 16 schreibt er: *Da nimmt das Evangelium zu und stürmet* (d. h. bestürmt, greift an) *das Papsttum an allen Enden durch viele gelehrte fromme Prediger, und es wird des Tieres Stuhl, des Papstes Gewalt, finster, unselig und verachtet.* Den letzten Aufstand der gottfeindlichen Mächte Gog und Magog (Kapitel 20) deutet Luther auf die Türken, und auf sie *folget nun flugs das Jüngste Gericht.*

Auf dem Hintergrund dieser Auslegung *können wir uns dies Buch zunutze machen und gut gebrauchen, erstens zum Trost – wir sollen wissen, dass keine Gewalt und keine Lüge, keine*

Die Illustration zum 11. Kapitel der Offenbarung zeigt die Messung des Tempels Gottes durch Johannes. Vorn ist das Tier aus dem Abgrund (Vers 7) dargestellt, das die beiden Zeugen (mit den Feuerzungen) töten wird. Auf dem Kopf trägt das Tier die dreifache Krone des Papstes (Tiara). Die Abbildung stammt aus dem kolorierten Exemplar der Lutherbibel von 1534 der Herzogin Anna Amalia Bibliothek, Weimar.

Weisheit und keine Heiligkeit, keine Trübsal und kein Leid die Christenheit überwinden können, sondern sie am Ende den Sieg behalten und triumphieren wird – und zweitens zur Warnung vor dem großen, gefährlichen und vielfältigen Ärgernis, das an der Christenheit geschieht. So kann Luther zuletzt raten: *Lass Ärgernis, Spaltung, Ketzerei und Gebrechen sein und tun, was sie wollen. Wenn nur das Wort des Evangeliums bei uns rein erhalten bleibt und wir's liebhaben und wertschätzen, dürfen wir nicht daran zweifeln, dass Christus bei uns und mit uns ist, mag's auch noch so schlimm zugehen – wie wir hier in diesem Buch sehen, dass Christus durch alle Plagen hindurch und über alle Plagen, Tiere und bösen Engel hinweg dennoch bei und mit seinen Heiligen ist und am Ende siegt.*

DEM VOLK AUFS MAUL GESEHEN: MARTIN LUTHER ALS BIBELÜBERSETZER

Luthers Bedeutung für die Geschichte der deutschen Sprache

Als sein »größtes Geschenk an die Deutschen« wurde Luthers Bibelübersetzung gerühmt, und mit Recht; hat sie doch nicht nur den deutschen Protestantismus und seine Frömmigkeit auf Jahrhunderte tief greifend geprägt, sondern auch die Geschichte der deutschen Sprache und Literatur aufs Nachhaltigste beeinflusst. Es ist zwar eine Übertreibung, dass Luther mit seiner Bibel die neuhochdeutsche Schriftsprache geschaffen habe; aber zu ihrer Festigung und Durchsetzung hat er zweifellos Entscheidendes beigetragen.

Man muss nicht die Buchstaben in der lateinischen Sprache fragen, wie man soll deutsch reden, sondern man muss die Mutter im Hause, die Kinder auf der Gasse, den gemeinen Mann auf dem Markt drum fragen und denselbigen aufs Maul sehen, wie sie reden, und danach dolmetschen, so verstehn sie es denn und merken, dass man deutsch mit ihnen redet. Sendbrief vom Dolmetschen

Das Lutherdenkmal in Wittenberg. Die Geste Luthers zeigt: Er beruft sich auf die Bibel als allein gültigen Maßstab seines Handelns.

Luther hat die Sprache seiner Bibel nicht selbst ›erfunden‹, sondern wählte mit sicherem Griff die offizielle Sprache der kursächsischen Kanzlei in Meißen. Dieser ostmitteldeutsche Schriftdialekt, geprägt unter anderem durch Einflüsse der deutschen Mystik und dadurch bildhaft, anschaulich und volksnah, war durch das Wirken der Drucker in Leipzig und Wittenberg über die Grenzen des sächsisch-thüringischen Raums hinaus vertraut und konnte auch in Oberdeutschland verstanden werden. Aber dass diese Sprachform dann wirklich zur Grundlage der deutschen Hoch- und Literatursprache wurde, das ist doch der einzigartigen Sprachkraft des Reformators und dem Siegeszug seiner Bibel zu verdanken, deren Wortlaut noch in den katholischen Konkurrenzausgaben weitgehend unverändert übernommen wurde. (Nur die reformatorischen Grundaussagen, die Luther entdeckt und in seiner Übersetzung herausgearbeitet hatte, wurden im Sinn der katholischen Lehre korrigiert.)

Über diese allgemeine sprachgeschichtliche Wirkung hinaus hat die Lutherbibel in Sprachschatz und Sprachgebrauch der Deutschen zahlreiche Spuren hinterlassen, angefangen bei den »Geflügelten Worten«, die der ›Büchmann‹ unter der Rubrik »Aus der Bibel« verzeichnet, bis hin zu bestimmten Wendungen und Anklängen, die uns heute kaum mehr bewusst sind. Darin spiegelt sich die Tatsache, dass Luthers Bibel in den protestantischen Gebieten Deutschlands für Jahrhunderte zum Haus- und Volksbuch wurde. Aber auch die deutsche Dichtung ist voll von Zitaten und Anspielungen und es ist bekannt, wie sehr der junge Goethe (und ebenso im 20. Jahrhundert Bert Brecht) seine Sprache an der Bibel Martin Luthers geschult hat.

Die Anfänge von Luthers Bibelübersetzung

›Junker Jörgs‹ Rekordleistung: Das Neue Testament in elf Wochen

Luther hat die Übersetzung der Bibel ins Deutsche nicht von langer Hand geplant, er hat sich auch nicht dazu gedrängt, sondern sich eher gescheut vor der ungeheuren Aufgabe. Er hatte ja neben seinen Vorlesungspflichten an der Universität mehr als genug zu tun mit der Verteidigung und Sicherung seiner Reformation in Disputationen, Predigten, kleinen und großen Flugschriften. Da bescherte ihm die unfreiwillige Schutzhaft auf der Wartburg nach dem Wormser Reichstag von 1521 (siehe oben, Farbseite 16) ein unerwartetes Maß an freier Zeit. Doch lange erkannte er die Chance nicht und beschäftigte sich mit ihm vordringlich erscheinenden Arbeiten.

Luther hatte zwar schon früher eine Übersetzung der Bibel ins Deutsche erwogen und die Bibeltexte zu seinen Predigten in Wittenberg regelmäßig auf Deutsch vorgetragen. Aber der Anstoß, die Übersetzung jetzt in Angriff zu nehmen, kam von außen: Als er nach sieben Monaten Anfang Dezember 1521 heimlich drei Tage in Wittenberg weilte, drängte ihn Melanchthon dazu (wie Luther später in einer Tischrede erzählte): *Philipp Melanchthon nötigte mich, das Neue Testament zu übersetzen*. Vor allem die durch *Glossen und mancherlei* (theologisches) *Geschwätz* verdunkelten Paulusbriefe wollte er *in das helle Licht* gebracht haben.

Nach der Rückkehr auf die Wartburg machte sich Luther sofort an die Arbeit und vollendete die Übersetzung des Neuen Testaments in der unglaublich kurzen Zeit von elf Wochen. Das ist bei einer Sieben-Tage-Woche eine Tagesleistung von drei Kapiteln, und daneben schrieb Luther in derselben Zeit zwei Flugschriften und anderes mehr! Schon im September 1522 erschien die Übersetzung in Wittenberg im Druck (nach dem Erscheinungsmonat nennt man sie das ›September-Testament‹). Trotz der für die damalige Zeit ungewöhnlich hohen Auflage von 3000 bis 5000 Stück war das Buch in kürzester Zeit ausverkauft, sodass bereits im Dezember eine zweite Auflage auf den Markt kam. Noch im selben

Martin Luther als Junker Jörg (Gemälde von Lucas Cranach d. Ä.).

Das Lutherzimmer auf der Wartburg. Hier übersetzte Luther das Neue Testament.

Titel der ersten vollständigen deutschen Bibel von Martin Luther aus dem Jahr 1534 im kolorierten Exemplar der Herzogin Anna Amalia Bibliothek, Weimar.

Jahr erschien in Basel ein Raubdruck und im folgenden Jahr zwölf weitere. In den dreizehn Jahren bis zum Erscheinen der Vollbibel 1534 werden 87 Drucke gezählt! Das ist angesichts des Preises, den Bücher damals kosteten, ein ungeheurer Erfolg.

Luthers Sprachkompetenz – Deutsch und Griechisch

Luther war nicht der Erste, der die Bibel ins Deutsche übersetzte. Wir kennen aus der Zeit zwischen 1466 und 1522 sechzehn oberdeutsche und zwei niederdeutsche Bibeldrucke. Die Übersetzung der zumeist unbekannten Verfasser aber war unbeholfen und zum Teil sprachlich schon veraltet. Luthers Verdeutschung dagegen erreichte die Menschen unmittelbar. Ein Kenner aus dem 19. Jahrhundert, der katholische Reformtheologe Ignaz Döllinger, hat das Verhältnis der Vorgänger zu Luther auf die Formel gebracht: »Sie stammelten, er redete.« (Ein gutes Beispiel dafür gibt die Übersetzung des 23. Psalms auf Farbseite 54)

Aber Luther war nicht nur im Gebrauch des Deutschen in einmaliger Weise kompetent – er war seinen Vorgängern auch darin überlegen, dass er das Neue Testament nicht aus der lateinischen Bibelübersetzung des Hieronymus, der ›Vulgata‹, übertrug, sondern aus der Originalsprache, dem Griechischen. Hier kam Luther zustatten, dass der Humanist Erasmus erst kürzlich den griechischen Text des Neuen Testaments nach zwei (wenn auch späten) Handschriften zum ersten Mal im Druck herausgebracht hatte.

Ein weiterer Glücksfall war, dass 1518 der ausgezeichnete Gräzist Melanchthon auf einen Lehrstuhl nach Wittenberg berufen worden war. Unter seiner Anleitung hatte Luther seine Griechischkenntnisse bedeutend erweitert, und mit ihm zusammen ging er nach der Rückkehr von der Wartburg das ganze Manuskript seiner Übersetzung vor dem Druck noch einmal kritisch durch.

Zwölf Jahre Arbeit am Alten Testament

Die Rekordleistung der Übersetzung des Neuen Testaments konnte Luther bei der Arbeit am Alten nicht wiederholen. Er brauchte für das Alte Testament mehr Jahre als für das Neue Wochen! Zu Anfang kam er allerdings noch recht gut voran: Schon 1523 erschienen die fünf Bücher Mose im Druck, im Jahr darauf die historischen und poetischen Bücher (also Josua bis Hoheslied). Auch bei diesem Teil ließ sich Luther sprachlich beraten – von Melanchthon und daneben vor allem von dem Wittenberger Hebräisch-Professor Matthäus Aurogallus. Aber schon beim Buch Hiob, das die poetischen Bücher eröffnet, hatte Luther mit den enormen Schwierigkeiten der hebräischen Sprache zu kämpfen, die ihm dann auch bei manchen Propheten zu schaffen machten: *Im Hiob taten wir uns so schwer, Magister Philipp* (Melanchthon), *Aurogallus und ich, dass wir in vier Tagen zuweilen kaum drei Zeilen konnten fertigstellen.*

Dazu kamen dann ab 1524 Reisen und Erkrankungen, die Luther von der Arbeit abhielten, außerdem theologische Auseinandersetzungen, der Bauernkrieg, der Streit mit den Schweizern über das Abendmahl und andere Abhaltungen. Luther brachte in den Folgejahren einzelne Prophetenbücher heraus, aber erst 1534 konnte seine erste vollständige deutsche Bibel erscheinen.

Sie enthielt auch die sogenannten ›Apokryphen‹, die Luther als eigenen Teil aus dem Alten Testament ausgesondert hatte, da sie nicht in der Ursprache des Alten Testaments, dem Hebräischen, sondern nur in griechischen und lateinischen Fassungen überliefert sind (siehe oben, Farbseite 40). Von diesen Schriften ließ Luther, um zu Ende zu kommen, die Makkabäerbücher und Jesus Sirach durch Melanchthon und die Bücher Judit, Tobias und Baruch durch Justus Jonas übersetzen.

Vor der Drucklegung der Gesamtbibel ›revidierte‹ er noch einmal zusammen mit Melanchthon das Neue Testament und zusammen mit drei Hebraisten gründlich die Psalmen.

Luthers Übersetzungsmethode

Was heißt »dem Volk aufs Maul sehen«?

Dass Luther als Bibelübersetzer die Möglichkeiten der deutschen Sprache ausschöpfte wie keiner vor ihm, hat zu dem durchschlagenden Erfolg seiner Bibel geführt. Er hat dabei auch manche volkstümliche oder Sprichwortwendung aufgenommen, aber er hat nicht »dem Volk nach dem Maul« geredet. So jedenfalls ist seine viel zitierte Äußerung aus dem **Sendbrief vom Dolmetschen** (d. h. vom Übersetzen; 1530) nicht gemeint (siehe auch oben, Farbseite 50). Kraftausdrücke und Gassenjargon hat Luther aus seiner Bibel bewusst fern gehalten, so gern er sich ihrer in seinen Streitschriften bedient hat (so tituliert er z. B. seine Gegner in dem genannten ›Sendbrief‹ nur als *Esel* oder *Eselsköpfe*; siehe unten, Farbseiten 54 und 56).

Das lässt sich mit Beispielen belegen. An der Stelle, wo Saul in die Höhle geht, um seine Notdurft zu verrichten (1. Samuel 24,4), schrieb Luther zuerst in sein Manuskript: *Und Saul ging hinein, zu scheißen.* Aber im Druck heißt es dann: *seine Füße zu decken*, und dazu die Randbemerkung: *So züchtig ist die Heilige Schrift* … Und an der Stelle, wo Saul von einem bösen Geist geplagt wird (1. Samuel 16,14), verkneift Luther es sich, die nahe liegende Redensart zu gebrauchen: »Er wurde vom Teufel geritten«, so treffendes Deutsch das auch sein mochte.

Wenn Luther *dem Volk aufs Maul sehen* wollte, so ging es ihm um etwas anderes. Das zeigen die Beispiele, die er im **Sendbrief vom Dolmetschen** und in den **Summarien über die Psalmen und Ursachen des Dolmetschens** (1533) diskutiert. In all diesen Fällen geht es ihm nicht darum, dem Volk nach dem Munde zu reden, sondern gutes und genaues Deutsch zu sprechen. Statt fremde Sprachformen ungelenk nachzubilden, möchte Luther den natürlichen deutschen Ausdruck nutzen. Wo nötig, lernt er von Fachleuten am Objekt sogar die präzisen Bezeichnungen für Edelsteine oder Tieranatomie. Dies meint er mit *dem Volk aufs Maul sehen*, und dies ist ihm auch in höchstem Grade gelungen.

Im folgenden Abschnitt sind einige markante Beispiele dafür abgedruckt. Nicht immer hat Luther im ersten Zugriff die überzeugende Wiedergabe gefunden. Bis an sein Lebensende hat er im Einzelnen an der Verbesserung seiner Übersetzung gearbeitet. An solchen Verbesserungen lässt sich besonders gut ablesen, worauf es Luther bei seiner Übersetzung ankam, nämlich *rein und klar Deutsch* zu reden.

1. Beispiel: Psalm 90,12

Handschriftliche Fassung 1524:

Dass wir unser Tage zählen,
so tu uns kund;
so wollen wir kommen
mit weisem Herzen.

Erste Druckfassung 1524:

Lass uns wissen die Zahl unser Tage,
dass wir eingehen mit weisem Herzen.

Revidierte Fassung ab 1531:

Lehre uns bedenken,
dass wir sterben müssen,
auf dass wir klug werden.

Man kann hier sehen, wie Luther nicht nur um die treffende deutsche Formulierung, sondern zugleich um die Erfassung des Textsinnes ringt. Beides geht bei ihm häufig Hand in Hand.

2. Beispiel: Psalm 63,6

Erste Druckfassung 1524:

Lass meine Seele voll werden
wie mit Schmalz und Fettem,
dass mein Mund mit fröhlichen
Lippen rühme.

Revidierte Fassung ab 1531 (1964):

Das wäre (ist) meines Herzens Freude
und Wonne,
wenn ich dich mit fröhlichem
Munde loben sollte (kann).

Luther selbst begründet die Änderung in den ›Summarien über die Psalmen‹: *Weil solchs* (d. h. die erste Fassung) *kein Deutscher versteht, haben wir lassen fahren die hebräischen Wort' (Schmalz und Fett, womit sie Freude bezeichnen, gleichwie ein gesund, fett Tier fröhlich und wiederum ein fröhlich Tier fett wird, ein traurig Tier abnimmt und mager wird und ein mager Tier traurig ist) und haben klar Deutsch gegeben.*

3. Beispiel: Matthäus 12,34

Seit 1522:

Wes das Herz voll ist,
des gehet der Mund über.

Hier hat Luther schon im ersten Zugriff die klassische Fassung gefunden. Er verteidigt diese ›freie‹ Übersetzung in seinem ›Sendbrief vom Dolmetschen gegen kleinliche Kritik: *Wenn ich den Eseln soll folgen, die werden mir die Buchstaben vorlegen und also dolmetschen* (d. h. übersetzen): *»Aus dem Überfluss des Herzens redet der Mund.« Sage mir: Ist das deutsch geredt? Welcher Deutsche verstehet solchs? Was ist ›Überfluss des Herzens‹ für ein Ding? Das kann kein Deutscher sagen, er wollte denn sagen, dass einer ein allzu groß Herz habe oder zu viel Herzens habe, wiewohl das auch noch nicht richtig ist; denn ›Überfluss des Herzens‹ ist kein Deutsch, so wenig als das Deutsch ist: Überfluss des Hauses, Überfluss des Kachelofens, Überfluss der Bank …*

4. Beispiel: Psalm 23,1-3

An dem Beispiel aus Psalm 23 soll nicht nur Luthers Suche nach der besten deutschen Fassung illustriert werden, sondern auch der Abstand zwischen der vorlutherischen Fassung der Mentelin-Bibel und den verschiedenen Stufen von Luthers Übersetzung bis hin zu der klassisch einfachen, vollendeten Form, die den meisten evangelischen Christen wohlvertraut ist.

Mentelin-Bibel 1466, übersetzt aus dem Lateinischen der Vulgata:

Der Herr, der richt' mich,
und mir gebrast (= mangelt) nicht,
und an der Statt der Weide
da setzt er mich.
Er führte mich ob dem Wasser
der Wiederbringung,
er bekehrt' mein Seel.
Er führt mich aus auf die Steig
der Gerechtigkeit
um seinen Namen.

Luthers Handschrift:

Der Herr ist mein Hirte,
mir wird nichts mangeln.
Er lässt mich weiden
in der Wohnung des Grases
und nähret mich am Wasser guter Ruhe.
Er kehret wieder meine Seele,
er führet mich auf rechtem Pfad
um seins Namens willen.

Erstdruck der Psalmen 1524:

Der Herr ist mein Hirte,
mir wird nichts mangeln.
Er lässt mich weiden, da viel Gras steht,
und führet mich zum Wasser,
das mich erkühlet.
Er erquicket meine Seele,
er führet mich auf rechter Straße
um seins Namens willen.

Psalmenrevision 1531:

Der Herr ist mein Hirte,
mir wird nichts mangeln.
Er weidet mich auf einer grünen Auen
und führet mich zum frischen Wasser.
Er erquicket meine Seele,
er führet mich auf rechter Straße
um seines Namens willen.

»Rein und klar Deutsch geredet«

Luthers erster Grundsatz beim Übersetzen lautet: Der Übersetzer darf nicht am Wortlaut seiner Vorlage kleben, sondern muss deren Sinn wiedergeben: *Wer deutsch reden will, der muss nicht der hebräischen Wort' Weise führen, sondern muss darauf sehen, wenn er den hebräischen Mann verstehet, dass er den Sinn fasse und denke also: Lieber, wie redet der deutsche Mann in solchem Fall? Wenn er nu die deutschen Wort' hat, die hierzu dienen, so lasse er die hebräischen Wort' fahren und sprech frei den Sinn heraus aufs beste Deutsch, so er kann.* (Summarien über die Psalmen und Ursachen des Dolmetschens)

Ich hab mich darum bemüht im Dolmetschen (Übersetzen), *dass ich rein und klar Deutsch geben möchte. Und ist uns wohl oft begegnet, dass wir vierzehn Tage, drei, vier Wochen haben ein einziges Wort gesucht und gefragt, haben's dennoch zuweilen nicht gefunden … Nun es verdeutscht und bereitet ist, kann's ein jeder lesen und meistern. Läuft einer jetzt mit den Augen durch drei, vier Blätter und stößt nicht ein Mal an, wird aber nicht gewahr, welche Wacken und Klötze da gelegen sind, da er jetzt drüber hin gehet wie über ein gehobeltes Brett.* (Sendbrief vom Dolmetschen)

»Nicht von dem Wort weichen«

Für Luther hat der Grundsatz »Sinn geht vor Wort« eine Grenze, wo ihm der originale biblische Wortlaut unersetzbar erscheint: *Doch hab ich wiederum nicht allzu frei die Buchstaben lassen fahren, sondern mit großer Sorgfalt samt meinen Gehilfen drauf gesehen, dass, wo etwa an einem Ort* (einer Bibelstelle) *gelegen ist, hab ich's nach den Buchstaben behalten und bin nicht so frei davon gegangen. Ah, es ist Dolmetschen ja nicht eines jeglichen Kunst. Es gehöret dazu ein recht, fromm, treu, fleißig, furchtsam, christlich, gelehret, erfahren, geübet Herz.* (Sendbrief vom Dolmetschen)

Luther denkt z. B. noch nicht daran, schwierige biblische Begriffe wie *Fleisch* oder *gerecht/gerechtfertigt* durch Umschreibung dem Verständnis näher zu bringen, wie das manche modernen Übersetzungen tun. Er geht stets aus von der Frage, ob *an den Worten etwas gelegen ist* (Summarien über die Psalmen). Er folgt hier nicht einer starren Regel. »Wörtlich oder sinngemäß« ist für ihn eine Ermessensfrage, die er von Fall zu Fall entscheidet: *Wir haben zuweilen die Wort' steif behalten, zuweilen allein den Sinn gegeben.*

Luther selbst gibt für sein Beharren auf dem Wort unter anderem das folgende Beispiel:

Beispiel: Johannes 6,27

Christus beschreibt an dieser Stelle im Johannesevangelium seine Vollmacht und sein Wirken als ›Menschensohn‹. Luther übersetzte diese Stelle sehr wörtlich:

denn denselbigen hat Gott der Vater versiegelt.

Im ›Sendbrief vom Dolmetschen‹ kommentiert er das so: *Da wäre wohl besser deutsch gewesen: Diesen hat Gott der Vater gezeichnet oder diesen meint Gott der Vater. Aber ich habe eher der deutschen Sprache etwas abbrechen wollen, als von dem Wort weichen.* Darum erklärt er den Ausdruck ›versiegelt‹ in seiner Bibel auch ausführlich in einer Anmerkung: *Das ist: mit dem heiligen Geist begabt und zugerichtet, dass er allein vor allen zum Meister und Helfer vorgestellt und dargegeben ist …*

Theologische Schwerpunkte: »Das lautere Evangelium«

Der Streit um ein einziges kleines Wort gab den Anstoß zu Luthers ›Sendbrief vom Dolmetschen‹, in dem er seine Bibelübersetzung verteidigt: das Wort *allein* in Römer 3,28.

Beispiel: Römer 3,28

Seit 1530 (gegenüber 1522 nur geringfügig verändert):

So halten wir es nun, dass der Mensch gerecht werde ohn' des Gesetzes Werk, alleine durch den Glauben.

Dieser Bibelvers enthält für Luther das Herzstück des Evangeliums: die Botschaft von der reinen Gnade, der Rechtfertigung des

Ein Spottbild auf die römische Kirche: Der Papst, umgeben von Bischöfen und Kardinälen, thront auf einer riesigen Geldtruhe.

Luthers Gegner verspotteten ihrerseits den Wittenberger Reformator als siebenköpfiges Ungeheuer: Doktor, Mönch, weltlicher Herr, Kirchenvater, Schwärmer, Berater (Visitator) der evangelischen Gemeinden und Aufrührer (Barabbas).

Sünders allein aus Glauben, ohne alle eigene Leistung. Um diese Botschaft gegen das Missverständnis zu sichern, dass der Glaube vielleicht doch nicht ganz zureiche, fügt Luther das Wort *allein* ein, das im griechischen Text keine Entsprechung hat.

Heute bestätigen sogar katholische Bibelwissenschaftler, dass Luther mit seiner Einfügung genau die Meinung des Apostels Paulus getroffen hat. Glaube und Werke, Vertrauen auf die Gnade und Bauen auf eigene Leistungen: Das sind für den Verfasser des Römerbriefs in der Tat Verhaltensweisen, die einander strikt ausschließen. Aber die Versuchung liegt nahe (und die mittelalterliche Kirche ist ihr erlegen), das harte Entweder-oder aufzuweichen und zu sagen: Es braucht eben Glauben *und* Werke! Darum liegt Luther so viel daran, das Entweder-oder mit unüberhörbarer Deutlichkeit zum Ausdruck zu bringen.

Er weiß dabei nicht nur den Apostel Paulus, sondern auch die deutsche Sprache auf seiner Seite: *Wahr ists: Diese vier Buchstaben ›sola‹* (Sola fide = allein aus Glauben) *stehen nicht drinnen, welche Buchstaben die Eselsköpfe ansehen wie die Kuh ein neues Tor; sehen aber nicht, dass es gleichwohl die Meinung des Textes in sich hat, und wo man's will klar und gewaltiglich verdeutschen, so gehöret es hinein. Das ist die Art unsrer deutschen Sprache, wenn sie ein Rede begibt* (d. h., wenn sie spricht) *von zweien Dingen, der man eins bejaht und das andre verneinet, so braucht man des Worts* allein *neben dem Wort* nicht *oder* kein, *wie wenn man sagt: »Der Bauer bringt allein Korn und kein Geld.« »Nein, ich hab wahrlich jetzt nicht Geld, sondern allein Korn…«, und dergleichen unzählige Weise im täglichen Brauch …*

Allein der Glaube ohne Werk macht fromm, und es reuet mich, dass ich nicht auch dazugesetzt habe ›alle‹ und ›aller‹, also: ›ohne alle Werk aller Gesetz‹, dass es voll und rund herausgesprochen wäre. (Sendbrief vom Dolmetschen)

Noch an einer anderen Hauptstelle der paulinischen Botschaft hat Luther verdeutlichend eingegriffen. Es ist die Stelle am Beginn des Römerbriefs (1,17), um deren Verständnis er so schwer gerungen hat: ›Im Evangelium wird die Gerechtigkeit Gottes offenbart‹. Das klang zunächst in Luthers Ohren nicht wie eine frei machende Frohbotschaft, sondern wie bitterer Hohn. Sogar noch im Evangelium begegnete er dem unerbittlich richtenden Gott! Er hat dann gelernt, dass die Bibel ihre eigene Sprechweise hat, und den befreienden Sinn der Aussage erkannt (siehe oben, Farbseite 9). Und das, was er erkannt hat, schreibt er nun auch in seiner Übersetzung: *Darin* (im Evangelium) *wird offenbart die Gerechtigkeit, die vor Gott gilt.*

Luther erwog auch die Wiedergabe *Gerechtigkeit, die Gott macht, wirkt* und kommt damit dem Sinn der paulinischen Aussage noch näher. Gott rechnet dem Sünder nicht nur im *fröhlichen Tausch* (siehe oben, Farbseite 15) die Gerechtigkeit Christi zu, sondern er schafft in ihm durch seinen Geist die Gerechtigkeit, die seinem Willen entspricht – was Luther in der Vorrede zum Römerbrief (siehe oben, Farbseite 46) so beschreibt, dass der Glaube ein Werk Gottes im Menschen ist, durch das der Mensch neu geboren wird aus Gott.

Reformatorische ›Hauptwörter‹

Eine Besonderheit der Übersetzung Martin Luthers ist es, dass er bestimmte deutsche Wörter, in denen sich seine reformatorische Erkenntnis verdichtet, möglichst oft verwendet, auch dort, wo der ursprachliche Wortlaut es nicht fordert: *Glaube, Gnade, Trost* (durch das Evangelium), *predigen* (= das Evangelium verkündigen).

So bezeichnet Luther den Täufer Johannes als *Prediger in der Wüste* (Mt 3,3 u. a.), obwohl eigentlich nur von einem Rufer in der Wüste die Rede ist. Genauso versteht und übersetzt er auch schon die Verheißung von einem *Prediger in der Wüste* in Jesaja 40,3.

Für Luther ist das Stichwort *Glaube* zentral, weil es das grundlegende Zutrauen zu Gott bezeichnet. Das zeigt sich in einem Vers aus dem Propheten Habakuk (2,4), den er so übersetzt: *Denn der Gerechte lebet seines Glaubens* (heute: *durch seinen Glauben*). Damit gibt der Reformator dem Satz einen spezifischen Akzent, denn das hebräische Wort bedeutet auch *Wahrhaftigkeit, Treue, Verlässlichkeit* oder *Beständigkeit*, kann also auch übersetzt werden: *Der Gerechte wird durch seine Treue leben.*

Ein besonders schönes Beispiel ist der Anfang des 73. Psalms, wo es wörtlich heißt: *Fürwahr, Gott ist gut zu/für Israel.* Das ›Dennoch‹ von Vers 23 vorwegnehmend, bringt Luther das volle Evangelium zum Klingen: *Gott ist dennoch Israels Trost …*

Die genannten Wörter werden durch dieses Verfahren zu Haupt- und Schwerpunkt-

Der Reformationsaltar der Wittenberger Stadtkirche von Lucas Cranach d. Ä. Er zeigt in seiner Komposition die evangelische Auffassung der christlichen Verkündigung. Das Bildprogramm entwickelte Cranach zusammen mit seinem Freund Luther. Im Hauptbild die Einsetzung des Abendmahls, an den Seiten die Taufe und die Beichte (die Luther als drittes Sakrament ansah); auf der Predella unter dem Hauptbild die Verkündigung des Wortes. Cranach hat in das neutestamentliche Geschehen seine prominenten Zeitgenossen mit einbezogen.

Die Mitteltafel mit der Darstellung des Abendmahls gehört zu den geschlossensten Werken Cranachs. Luther als Junker Jörg bekommt vom Mundschenk, Lucas Cranach d. J., gerade den Becher gereicht. Diese Szene verweist auf die Wiedereinführung des Kelches beim Abendmahl.

Auf der Predella weist Luther bei seiner Predigt auf den gekreuzigten Christus; unter den Zuhörern sitzt ganz vorn Katharina Luther mit ihrem ältesten Sohn Hans.

Die linke Tafel zeigt die Taufe eines Kindes. Obwohl er niemals zum Pfarrer ordiniert wurde, vollzieht Philipp Melanchthon die Taufhandlung. Ihm zur Seite stehen Lucas Cranach d. Ä. und Fürst Johann der Beständige.

Auf der rechten Tafel wird der Wittenberger Stadtpfarrer Johannes Bugenhagen gezeigt, wie er die Beichte abnimmt.

wörtern in Luthers deutscher Bibel. Man hat gezählt, dass Luther 21 hebräische und zwölf griechische Wörter mit *predigen* übersetzt, und ähnlich, wenn die Zahlen auch etwas niedriger liegen, steht es bei seinen Lieblingswörtern *Trost, trösten, Gnade*. Nur bei *Glauben*, da brauchte Luther – das soeben erwähnte Beispiel aus Habakuk 2,4 ausgenommen – kaum ›nachzuhelfen‹, weil der biblische Sprachgebrauch hier ganz einheitlich ist.

So sehr Luther als Übersetzer in der Regel die feinsten Nuancen einzelner Stellen erfasst, so konzentriert er sich in diesen Passagen auf das Zentrum der christlichen Verkündigung: Das eine und reine Evangelium, die befreiende Trostbotschaft, die ihm aufgegangen ist, soll, wo immer es angeht, in seiner Bibel an- und durchklingen. Neben der unvergleichlichen Sprachkraft ist dies das Geheimnis ihrer Wirkung.

Worte, die haften bleiben und ins Herz dringen

Sucht man über die mehr vordergründigen Strategien des Verständlichmachens (»dem Volk aufs Maul sehen«) hinaus das Besondere, Einmalige der Lutherbibel zu fassen, so wird man neben der schwerpunktbildenden Konzentration auf die ›Hauptwörter‹ der reformatorischen Gnadenbotschaft eine Eigenart von Luthers Bibelsprache nennen müssen, die uns heute fremd geworden ist und vielleicht gerade deshalb besonders auffällt.

Unter dem Einfluss lateinischer Stilistik ist die deutsche Sprache seit dem 17. Jahrhundert zu einem rationalen Instrument geworden, in dem logische Klarheit vor sinnlicher Unmittelbarkeit geht. Das kommt zum Ausdruck in den berüchtigten ›Schachtelsätzen‹: Der Relativsatz z. B. muss direkt an das Beziehungswort angeschlossen werden, koste es, was es wolle (»In Göttingen wurde der Kutscher von uns gedrängt, die Pferde, die seit dem frühen Morgen eingespannt waren und seither noch keine Pause gehabt hatten, zu wechseln«). Aber es schlägt sich auch schon in ganz einfachen Wortumstellungen nieder. Luther übersetzt Lukas 9,62: *Wer die Hand an den Pflug legt und sieht zurück …* Wer hier nach der gegenwärtigen Regelgrammatik ›zurücksieht‹ sagt, der hat an die Stelle eines bildhaften Vorgangs einen Begriff gesetzt. Höre ich ›sieht zurück‹, so sehe ich unmittelbar ein Bild; höre ich ›zurücksieht‹, so bilde ich den Abstraktbegriff ›zurücksehen‹ und habe das Bild verstanden, bevor ich es (wenn überhaupt noch) sehe.

Als Beispiel für einen Schachtelsatz ›en miniature‹ sei ein zentraler Satz des Evangeliums, der Beginn der Aussendungsrede des Auferstandenen in Matthäus 28,18, angeführt. Bei einer früheren Revision der

Lutherbibel wollte man ihm zeitweise die Form geben: »Mir ist alle Macht im Himmel und auf der Erde gegeben.«

Das entspricht der grammatischen Regel, nach der in einem Satz mit zusammengesetztem Prädikat ›ist gegeben‹ das Hauptverb, getrennt vom Hilfsverb, am Ende des Satzes zu stehen hat – über eine je nachdem lange Kette von Zwischengliedern hinweg. So etwa in dem willkürlich gewählten Beispiel: »Ich habe gestern um fünf Uhr meinen Freund N. mit seiner ganzen Familie am Bahnhof abgeholt.« Ein solcher Satzbau hat zur Folge, dass die Mitteilung erst mit dem letzten Wort vollständig und eindeutig wird. (Das letzte Wort könnte in dem gegebenen Beispiel auch lauten: ›getroffen‹, ›verabschiedet‹.) Bis das letzte Wort fällt, muss ich die ganze Reihe der Teilinformationen in meinem Bewusstsein speichern und zugleich für eine definitive Bestimmung offen halten. Ich kann mit diesen Teilinformationen nichts ›anfangen‹, darf z. B. keine Folgerung daraus ziehen (sie könnte ja falsch sein) oder gefühlsmäßig darauf reagieren (die angenommene Situation könnte ja völlig irreal sein). Bei dem ganzen Vorgang ist lediglich mein Verstand beteiligt, der darauf wartet, dass ihm der fehlende Baustein dargereicht wird, der die Information vervollständigt.

Genau dasselbe ist der Fall bei einem Satz wie dem angeführten: »Mir ist alle Macht im Himmel und auf der Erde gegeben.« Bevor das letzte Wort ›gegeben‹ gefallen ist, hat der ganze Satz keinen bestimmten Sinn. Wenn Luther dagegen schreibt: *Mir ist gegeben alle Gewalt im Himmel und auf Erden*, so macht er eine Aussage, in der sich Baustein für Baustein zwanglos zusammenfügt, jede Unteraussage ist in sich sinnvoll und lediglich offen für hinzutretende Ergänzungen: *Mir ist gegeben* – die Frage ›wem?‹ muss nicht gestellt werden, weil davor steht: *Jesus sprach*, wohl aber die Frage ›was?‹, Antwort: *alle Gewalt*, und ›wo?‹, Antwort: *im Himmel und auf Erden*. Das reiht sich auf wie eine Perlenschnur und jede Perle behält ihren eigenen Wert.

Eine in dieser Weise geprägte Sprache ist nichts für eilige Leser, die schnell wissen wollen, was dasteht. Es sind Worte, die Zeit brauchen, damit sie sich entfalten können, in unmittelbarer ›sinnlicher‹ Gegenwart. Sie wenden sich nicht primär an den Verstand, sondern dringen Wort für Wort in eine tiefere Schicht, das ›Herz‹ oder ›Gewissen‹. Luthers Übersetzung stellt nicht Informationen bereit, sondern bringt das Wort zur Sprache, das im Menschenherzen wirkt und schafft, wie es für Paulus und Luther das Wesen des Evangeliums, der verwandelnden und neu machenden Gnadenbotschaft ist.

Mit der bildhaften Unmittelbarkeit von Luthers Bibelsprache hängt im Übrigen eine wohlbekannte Eigenschaft seiner Verdeutschung der Bibel zusammen: Ihr Wortlaut prägt sich sehr leicht dem Gedächtnis ein. Ein noch so schwer verständlicher Luthersatz lässt sich leichter ›behalten‹ als die moderne Entsprechung, die auf Anhieb verständlich ist. Denn wie das ›Herz‹, so ist auch das Gedächtnis eine Sache des Unbewussten; es bevorzugt die bildhaft konkrete Einzelheit und verknüpft seine Inhalte nicht nach Begriffshierarchien, sondern additiv und assoziativ. Die leichte ›Memorierbarkeit‹ der Lutherbibel hat an ihrer Wirkung zweifellos einen bedeutenden Anteil. So erweist sich Luthers deutsche Bibel in vielerlei Hinsicht als ein Glücksfall. Noch immer belohnt sie in unvergleichlicher Weise jeden, der sich die Mühe macht, sich in sie einzulesen.

Von Luthers Bibel zur heutigen Lutherbibel

Von der ersten Vollbibel bis zu Luthers Tod 1546

Wie viele andere Bibelübersetzungen entstand Luthers Bibelübersetzung nicht in einem Zug, sondern wurde Teil um Teil ergänzt, bis schließlich 1534 die ganze Bibel vorlag. Dabei wurden auch die bereits vorliegenden Bibelteile durch eine Gruppe unter Luthers Leitung erneut überprüft und korrigiert. Diese ›Biblia / das ist / die gantze Heilige Schrifft Deudsch‹ enthielt neben dem Alten und Neuen Testament auch die Apokryphen (siehe oben, Farbseite 40). Die erste Auflage war innerhalb kürzester Zeit verkauft und musste in Wittenberg fast jedes Jahr erneut nachgedruckt werden. Doch noch bis zu seinem Tod 1546 hat der

Reformator mehrfach mit Mitarbeitern die Texte geprüft und verändert. Diese steten Verbesserungen finden sich bei Martin Luther in keiner seiner anderen Schriften und beweisen, welchen Rang er der Bibelübersetzung beimaß.

Spätere Veränderungen an Luthers Bibelübersetzung

Als Luther 1534 die erste vollständige Bibel drucken ließ, konnten in der Zeit kurz nach der Erfindung des Buchdrucks nur wenige Bogen mit den beweglichen Bleilettern gedruckt werden. Danach mussten die Lettern wieder auseinandergenommen und für den folgenden Text neu zusammengesetzt werden. Allein dieses Verfahren blieb eine ständige Fehlerquelle bei Nachdrucken in der Wittenberger Werkstatt und erst recht an anderen Orten. Weitere Abweichungen von Luthers Text ergaben sich, als spätere Herausgeber ihre Ausgaben mit moderneren griechischen bzw. hebräischen Bibelausgaben verglichen. Das führte in einigen wenigen Fällen dazu, Bibelverse in die Lutherbibel aufzunehmen, die die Reformatoren bisher nicht übersetzt hatten. Eine dritte Quelle von Veränderungen ergab sich daraus, dass nicht alle Wörter und Wendungen, die Luther verwendete, auch in anderen Gegenden bekannt und geläufig waren. So setzten schon bald erste Versuche ein, die Lutherbibel an den eigenen Sprachgebrauch anzupassen. Auf diese Weise entstanden rein niederdeutsche Ausgaben oder Bibeln, die eigene deutsch-deutsche Wörterbücher enthielten. Spätere Herausgeber wollten auch die zunehmende Entfernung zwischen dem Lutherdeutsch und ihrer zeitgenössischen Sprache überbrücken und änderten, was nicht mehr gebräuchlich und verständlich war. Wie nötig, aber auch wie schwierig eine solche Anpassung war, soll ein Beispiel verdeutlichen:

Bedeutungswandel einzelner Wörter (Josua 1,7)

Luther 1545:

Sei nur getrost und sehr freidig,
dass du haltest und tust aller Ding nach dem Gesetz …

Schon bald nach Luther hatten die Drucker das unverständlich gewordene Wort ›freidig‹ = kühn, mutig kurzerhand durch das irreführende ›freudig‹ ersetzt! Und so formulierte die Lutherbibel bis 1964. Dann erst wurde das zutreffende Wort eingeführt:

Sei nur getrost und ganz unverzagt,
dass du hältst und tust in allen Dingen
nach dem Gesetz …

Schließlich griffen auch anonyme Nachahmer häufig auf Luthers Übersetzung zurück, ohne sich streng an seinen Text zu halten. So änderten etwa katholische Herausgeber Bibeltexte, deren Übersetzung ihrer Lehre zu widersprechen schien. Diese Raubdrucke und veränderte Ausgaben waren deswegen leicht möglich, weil es damals noch kein eindeutiges Urheberrecht gab. So galt zwar innerhalb der evangelisch-lutherischen Kirchen die letzte Fassung der Übersetzung von 1545, die Luther noch selbst gesehen hatte, als kirchliche Norm für Nachdrucke. Aber der Textstand ›verwilderte‹ im Lauf der Jahrzehnte und Jahrhunderte, bis man im 19. Jahrhundert schließlich elf verschiedene Textgestalten der Lutherbibel hatte.

Vereinheitlichungen und Modernisierungen der Lutherbibel

Darum beschlossen die Bibelgesellschaften in Deutschland und die evangelischen Landeskirchen Mitte des 19. Jahrhunderts eine Vereinheitlichung des Textes der Lutherbibel. Sie führte 1892 zu einem ersten von der ›Deutschen Evangelischen Kirchenkonferenz genehmigten Text‹. Dabei wurden allerdings Wünsche nach einer modernen Rechtschreibung und Sprache nicht berücksichtigt. Aus diesem Grund beantragten die Bibelgesellschaften eine erneute Durchsicht. Sie wurde von Fachgruppen vorgenommen und in einer Kommission vereinheitlicht. So konnte bereits 1912 der ›neu durchgesehene Text‹ vom Deutschen Evangelischen Kirchenausschuss genehmigt und empfohlen werden. Diese Bemühungen reichten aber vielen nicht aus, die noch stärker auf die Bedürfnisse der Gemeindeglieder eingehen wollten. So zogen sich durch das 20. Jahrhundert die vielfachen Bemühungen um eine Fassung der Lutherbibel in modernerem Deutsch, die in drei Stufen bis 1984 vorgelegt wurde: 1964 das Alte Testament, 1970 die Apokryphen und schließlich das Neue Testament nach zwei Vorstufen von 1956 bzw. 1975. Daneben entstanden im Lauf der Zeit immer mehr moderne Bibelübersetzungen, die oft einen leichteren ersten Zugang ermöglichen.

Die Revision der Lutherbibel zum Reformationsjahr 2017

Die Diskussion um angemessene Bibelübersetzungen ließ den Rat der Evangelischen Kirche in Deutschland zu Beginn des neuen Jahrtausends prüfen, ob der biblische Text in der gebräuchlichen Lutherübersetzung noch nach dem aktuellen Stand der Wissenschaft wiedergegeben wurde. Das ließ sich nicht an jeder Stelle bestätigen. So gab der Rat der EKD 2010 den Auftrag an etwa 70 Fachleute, den gesamten Text der Lutherbibel kritisch durchzuschauen und zu ändern, wo es der hebräische oder griechische Text erfordert. Eine sprachliche Modernisierung war ausdrücklich nicht angestrebt, vielmehr sollten Luthers kräftiges Deutsch und die liturgische Brauchbarkeit erhalten bleiben. Missverständnisse sollten allerdings möglichst vermieden werden. In einem aufwendigen Verfahren erarbeiteten zunächst Exegetinnen und Exegeten Vorschläge zu den biblischen Schriften, die dann in Fachgruppen begutachtet wurden. Deren Ergebnisse wurden in einem Lenkungsausschuss kritisch durchgesehen und vereinheitlicht. Im Herbst 2015 genehmigte der Rat der EKD diese Fassung, deren Druck zum Reformationsjubiläum 2017 erfolgte. Zur Überraschung der Beteiligten erwiesen sich im Zuge dieser Revision viele ursprüngliche Formulierungen Luthers als treffender als manche späteren Korrekturen. Sie wurden daher wiederhergestellt. Besonders viele Änderungen und zusätzliche Passagen waren bei den Apokryphen nötig, um dem Text der heutigen wissenschaftlichen Ausgaben zu entsprechen. Auch im Alten und Neuen Testament liegen heute neue Erkenntnisse zum ursprünglichen hebräischen und griechischen Text vor, die zu Veränderungen in der Übersetzung führen mussten. So liegt mit der Lutherbibel 2017 nun eine Fassung vor, die sich sorgfältig am Urtext orientiert und dabei auch an vielen Stellen zu den Formulierungen der Wittenberger Reformatoren zurückkehrt. Die folgenden Beispiele sollen das Verfahren bei der aktuellen Lutherbibelrevision illustrieren:

Treue gegenüber dem Ausgangstext

Beispiel: Jesaja 42,14

An einigen Stellen der Bibel muss der hebräische oder griechische Text anders aufgefasst und übersetzt werden, als Luther es getan hat. Manchmal haben dafür auch Abweichungen der lateinischen Bibel gegenüber dem hebräischen oder griechischen Text, wie wir ihn heute kennen, den Ausschlag gegeben. Im zweiten Teil des Jesajabuches findet sich ein Beispiel, das nach den Erkenntnissen heutiger Exegese anders übersetzt werden muss.

Von 1545 bis 1912 lautete der Text der Lutherbibel:	Die Revision 2017 arbeitet am Schluss des Verses den Sinn deutlich heraus:
Ich schweige wohl eine Zeitlang und bin still und halte an mich; nun aber will ich wie eine Gebärerin schreien; ich will sie verwüsten und alle verschlingen.	Ich schwieg wohl eine lange Zeit, war still und hielt an mich. Nun aber will ich schreien wie eine Gebärende, ich will keuchen und nach Luft schnappen.

Nach Luthers Übersetzung wird das Gottesgericht schon in diesem Vers ausdrücklich benannt. Es ist aber wahrscheinlicher, dass am Ende des Verses noch das Bild einer rasch einsetzenden Geburt beschworen wird, ehe dann der folgende Vers 15 die konkrete Gerichtshandlung ankündigt.

Beispiel: Matthäus 6,1

Innerhalb der Bergpredigt beginnt ein Kapitel mit der Aufforderung, frommes Verhalten nicht äußerlich zur Schau zu stellen. Luther gab 1522 den griechischen Text der wissenschaftlichen Ausgabe genau wieder, die Erasmus von Rotterdam 1519 ediert hatte. Seitdem sind aber Tausende antike Handschriften des Neuen Testaments entdeckt und durch die Forschung ausgewertet worden. Die ältesten und besten von ihnen zeigen, dass ursprünglich ein anderer Begriff an dieser Stelle gestanden hat, der mit ›Gerechtigkeit‹ zu übersetzen ist.

1522 übersetzt Luther seine Vorlage exakt:	Die Revision 2017 korrigiert zu:
Habt acht auf eure Almosen, dass ihr die nicht gebet vor den Leuten, dass ihr von ihnen gesehen werdet …	Habt aber acht, dass ihr eure Gerechtigkeit nicht übt vor den Leuten …

Zusammengefasst sind unter dem einen Ausdruck ›Gerechtigkeit‹ sowohl die Almosen, von denen die folgenden Verse 2-4 sprechen, als auch das Beten und Fasten, von denen anschließend die Rede ist.

Wieder größere Nähe zu Luthers Textauffassung

Beispiel: Matthäus 8,24

Die bekannte Geschichte von der Sturmstillung ist in den Evangelien nach Matthäus, nach Markus und nach Lukas dreifach überliefert und jeweils verschieden formuliert. Matthäus weicht besonders deutlich von den beiden anderen Fassungen ab.

1522 übersetzt Luther:	1975 wurde die Übersetzung geändert:
Und siehe, da erhob sich ein großes Ungestüm im Meer …	Und siehe, da erhob sich ein gewaltiger Sturm auf dem See …

Man kann gut verstehen, warum das missverständliche Wort ›Ungestüm‹ verändert und mit dem Ausdruck ›Sturm‹ an die anderen beiden Evangelien angeglichen wurde. Allerdings widersprach diese Änderung dem griechischen Urtext, denn in Matthäus 8,24 steht das Wort für ›Erdbeben‹. Solche katastrophalen Ereignisse gehören zu den Schrecken der Endzeit, wie etwa Offenbarung 16,18 zeigt. Vor ihnen kann nur der Herr retten, dem alle Macht im Himmel und auf Erden gegeben ist. Darum musste die Übersetzung um der Texttreue willen verändert werden und nimmt damit wieder den Sinn auf, den Luther seinerzeit zutreffend erfasst hatte:

Und siehe, da war ein großes Beben im Meer, sodass das Boot von den Wellen bedeckt wurde. Er aber schlief.

Neue exegetische Erkenntnisse

Beispiel: Amos 7,7

In mehreren Visionen sieht der Prophet das Gericht über Israel kommen.

1532 übersetzte Luther:	Die Revision 2017 korrigiert zu:
Er zeigte mir aber dies Gesicht, und siehe, der Herr stand auf einer Mauer, mit einer Bleischnur gemessen; und er hatte die Bleischnur in seiner Hand.	So ließ er mich schauen: Und siehe, der Herr stand auf einer Mauer von Zinn, und er hatte Zinn in seiner Hand. Eine Anmerkung erläutert: Zinn diente zur Herstellung von Waffen.

Luther ging bei der Übersetzung des zugrundeliegenden hebräischen Ausdrucks davon aus, dass ein Maurer mit dem Bleilot die Mauer ausrichtet. So sollte Israel von Gott (aus)gerichtet werden. Neuere Vergleiche mit altorientalischen Sprachen machen aber deutlich: An dieser Stelle geht es nicht um ein Bleilot, sondern es ist Zinn gemeint. Dieses wird zur Waffenherstellung verwendet. Also erfährt der Prophet dadurch: Das Gericht an Israel wird sich mit Waffengewalt vollziehen. Darum ist nun die Übersetzung geändert worden.

Veränderte Interpretationen

Beispiel: Matthäus 28,19

Es gibt Wörter, die verschieden übertragen werden können, weshalb an jeder einzelnen Stelle zu prüfen ist, welche deutsche Bedeutung an dieser Stelle am besten passt. Der sogenannte Missionsbefehl am Schluss des Matthäusevangeliums bietet dafür einen Beleg.

1522 übersetzt Luther:	Seit 1956 lautete die Stelle:
Darum gehet hin und lehret alle Völker und taufet sie …	Darum gehet hin und machet zu Jüngern alle Völker: Taufet sie …

In diesem Vers ist umstritten, ob er zunächst die missionarische Lehre meint oder schon ihren Erfolg beschreibt. Die Fachleute haben sich hier für die Rückkehr zur vorsichtigeren Formulierung Luthers entschieden. Ob Menschen zu ›Jüngern‹, also zu Christen werden, nachdem sie die Botschaft gehört haben, ist letztlich kein menschliches Werk. Die Revision führt darum zurück zu Luthers Text:

Darum gehet hin und lehret alle Völker: Taufet sie …

Luthers Sprache und Theologie

Beispiel: Römer 10,10

Die Worte ›Heiland‹ und ›selig‹ werden heute nur noch selten verwendet. Dennoch behält die überarbeitete Fassung der Lutherbibel diese Begriffe bei, weil sie für Inhalte stehen, die kaum mit anderen deutschen Vokabeln zu erfassen sind. In Römer 10,10 kehrt die Übersetzung sogar wieder zu einem solchen Begriff Luthers zurück.

Seit 1956 hieß es:	2017 heißt es:
Denn wenn man von Herzen glaubt, so wird man gerecht; und wenn man mit dem Munde bekennt, so wird man gerettet.	Denn wer mit dem Herzen glaubt, wird gerecht; und wer mit dem Munde bekennt, wird selig.

Eignung zum Lesen und Hören im Gottesdienst

Beispiel: 2. Mose 16,16

In der berühmten Geschichte vom Manna in der Wüste hatte Luther gegen seine sonstige Übersetzungspraxis die Bezeichnung für das Gefäß zum Sammeln dieser Speise aus dem Hebräischen direkt übernommen. Nur die Fachleute wissen, was mit dem Fremdwort ›Gomor‹ gemeint sein könnte. Darum war bei der Revision des Alten Testaments 1964 die Entscheidung richtig, hier von einem ›Krug‹ zu reden. Dabei bleibt es auch 2017:

Das ist's aber, was der Herr geboten hat: Ein jeder sammle, soviel er zum Essen braucht, einen Krug voll für jeden nach der Zahl der Leute in seinem Zelte.

Missverständliche Formulierungen

Beispiel: 1. Mose 35,17

Wenige Worte der Lutherbibel sind so veraltet, dass sie leicht missverstanden werden können. Sie sind nur noch wenigen Bibellesern in ihrer alten Bedeutung bekannt. Das trifft wohl für den Begriff ›Wehmutter‹ zu, der schon seit 1964 vielfach durch ›Hebamme‹ ersetzt wurde. Diese Bezeichnung wird nun durchgehend in der Bibel verwendet:

Da ihr aber die Geburt so schwer wurde, sprach die Hebamme zu ihr: Fürchte dich nicht, denn auch diesmal wirst du einen Sohn haben.

Anrede an eine Gemeinde aus Frauen und Männern

Beispiel: Römer 1,13

Vor allem im Neuen Testament finden sich Anreden an ganze Gemeinden, die bisher ganz wörtlich übersetzt wurden: ›Liebe Brüder‹. Da für beide Geschlechter das Grundwort im Griechischen gleich lautet, war vermutlich auch die akustische Differenz sehr gering. Unverkennbar aber sind auch Frauen aktive Glieder der Gemeinde und mit angesprochen. Wie stark Frauen in der Leitung der ersten christlichen Gemeinden engagiert waren, lehrt ein Blick in das Kapitel 16 des Römerbriefs. Im Deutschen liegen die Begriffe ›Bruder‹ und ›Schwester‹ lautlich weit auseinander. Dass Frauen sich selbstverständlich mit ›Liebe Brüder‹ angeredet fühlen, hat seit 100 Jahren stark abgenommen. Um das Gemeinte klarer auszudrücken, ist für diese Ausgabe entschieden worden, beide Geschlechter in der Anrede an Gemeinden ausdrücklich zu nennen. So heißt es also nun im Römerbrief:

Ich will euch aber nicht verschweigen, Brüder und Schwestern, dass ich mir oft vorgenommen habe, zu euch zu kommen …

Rückkehr zu Luther und zugleich Rückkehr zum hebräischen Text

Beispiel: Psalm 42,6

Die alttestamentliche Forschung ging früher davon aus, dass der hebräische Text nicht fehlerfrei überliefert wurde und deshalb korrigiert werden müsste. So vermutete man, dass Psalm 42,6 ursprünglich mit Psalm 42,12 identisch war. Entsprechend änderte man den von Luther sehr genau übersetzten Text.

Seit 1531 übersetzte Luther (so auch der revidierte Text 2017):	1964 lautete der veränderte Text wie Vers 12:
Was betrübst du dich, meine Seele, und bist so unruhig in mir? Harre auf Gott; denn ich werde ihm noch danken, dass er mir hilft mit seinem Angesicht.	Was betrübst du dich, meine Seele, und bist so unruhig in mir? Harre auf Gott; denn ich werde ihm noch danken, dass er meines Angesichts Hilfe und mein Gott ist.

Das Beispiel bestätigt noch einmal die Treue Luthers zum ursprünglichen Bibeltext und seinem Sinn, die wir heute nur mit großem Respekt zur Kenntnis nehmen können.